JN303917

講談社 パックス
中日・日中辞典

KODANSHA PAX **ZHONG-RI RI-ZHONG CIDIAN**

編集：相原 茂

KODANSHA

PAX

講談社 パックス 中日・日中辞典

【編集】
相原 茂

【執筆】
安藤好恵
石田知子
喜多山幸子
塚越千史
戸沼市子
中桐典子
樋口幸子
保坂律子
本間由香利
安本真弓
横川澄枝
芳沢ひろ子
李貞愛
若森幸子

【編集スタッフ】
秋月久美子
佐藤嘉江子
三瓶はるみ
鋤柄治郎
戸田佐智子
付立華
李蕾

【地図作成】
ジェイ・マップ

【ブックデザイン】
鈴木一誌
鈴木朋子

はしがき

いわゆるポケット版の辞書は味気ないものが多い。狭いところに情報をつめこむから，なにもそこまで骨と皮にすることもあるまいというぐらいガリガリになる。記述にふくらみがないから，色気もうせて，愛着もわかない。

辞書は愛着がわき，いとおしさが生まれるようでなければならない。「用がなくともつい手が伸びる」が理想だ。

辞書の厚さと重さは，自分が学ぶ言語の厚みと重さだ。紙の辞書を手にすることによって，その手応えが感じられる。学ぶ対象が視える。

電子辞書を愛用する人はいるだろうが，愛読する人はいない。

この辞書は，愛読されることをめざした。だから文庫サイズにした。掌中におさまり，愛読するには恰好だ。

本書の後見(こうけん)には講談社の『中日辞典(第二版)』と『日中辞典』という両親がいる。本書は，そこから生まれた娘にはちがいないが，引き算をして作ったものではない。中国の俗言に“麻雀虽小，五脏俱全” Máquè suī xiǎo, wǔzàng jùquán.（雀は小さいが，あるべきものはすべて備えている）という。本辞典も小型ながら必要にして十分な要素を備えている。

例えば重要語にはできる限り用例をつけた。また訳語のすべてにピンインを付したほか，用例でも複数の読みがある語や発音の難しい語にはピンインをつけた。これだけでも中辞典並みである。一般のポケット版のおよそ1.4倍の横幅をもつ文庫サイズを採用することで，たっぷり内容を盛り込むことに成功したためである。

発展を続ける中国は，今もっとも新語を生み出している国でもある。すでに『現代中国語新語辞典』(相原茂編，講談社)を兄にもつ本書は，ここから新語2700語を精選して収録，父親の『中日辞典(第二版)』をこの面では凌駕している。

中国語をマスターする一つの鍵が類義表現にあることは間違いない。「中国語　疑問の半ばは　似たもの語」ともいう。学習者のクエッションの半分は類義語に関してである。本辞典はすでに定評ある「類義語コラム」を引き継ぎ，さらに手を加えて「精」にして「簡」なる記述をめざした。その数222。

逆引き単語帳も健在である。また新たに「外国固有名」として，人名，ブランド名などの囲みも提供する。文化や語法に関する大型の学習コラムも設けてある。すなわち，辞書の拾い読みの興趣は十分に保証されている。

品詞表示についてはこれを徹底させ，『現代漢語詞典(第5版)』など中国における近年の研究成果を参考にし，独自に検討し判断を加えた。

日本語，英語に続き，中国語辞典は近い将来一家に1冊必要な時代になる。本書はそのさきがけをめざし，中日・日中両用の国民的標準辞書として世に送るものである。

このような，バランスのとれた，完成された辞書としての姿を整えるには多くのスタッフの努力があったこと，言うまでもない。本書の編集に尽力されたすべての皆さんに心からなる謝意を捧げたい。

相原 茂

凡例

中日辞典

I 親字と見出し語について

収録数 1 親字は約8000語，見出し語は約５万2000語，合計約６万語を収録した．

親字の配列 2 親字の配列はピンイン音節順とし，同音の場合は総画数順に配列した．

繁体字・異体字 3 繁体字・異体字は親字の後に（　）で示した．なお，繁体字のうち偏旁のみが簡化されているものについては省いた．繁体字・異体字は北京・語文出版社刊『現代漢語規範字典』に準拠する．

例

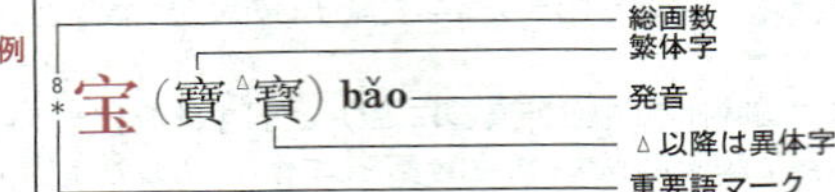

異系統の親字 4 同形同音であっても意味上同系統と認められない親字は，別個に立てた．

親字の語義区分 5 親字内の語義区分は❶❷❸…の数字で示し，さらに細かく区分する場合は①②③…とした．語義は，原義から派生義へと派生順に並べてある．

見出し語の配列 6 見出し語は第１字目が同形同音の親字の下に集め，【　】で括って掲げた．見出し語の配列は，２字目のピンイン順とし，同音の場合は漢字の総画数順に配列した．２字目が同じ漢字の場合，３字目の漢字に同じ基準を適用し，配列した．

異系統の見出し語 7 同形同音であっても意味上同系統と認められない見出し語は，【　】[1]【　】[2]…の形で，別個にそれぞれ見出し語を立てた．

表記 8 見出し語に複数の漢字表記がある場合，次のように表示した．

例 *【含糊】【含胡】hánhu 形 ❶曖昧(あいまい)である

例 【宏旨】hóngzhǐ 名 要旨．趣旨．〔弘旨〕とも書く

見出し語の語義区分 9 見出し語の語義は品詞ごとに区分し，同じ品詞内でさらに語義が分かれる場合は❶❷❸…で分けた．

II 重要語について

重要語表示 1 親字と見出し語に３段階の重要語の表示をつけた．★は最重要語を示し，1069語，⁑は重要語を示し，2017語，＊は次重要語を示し，5767語，合計8853語である．重要語の判定はHSKの語彙大綱を参照しつつ，独自の判断を加えた．

語義の太字 2 親字および見出し語とも，現在中国でよく使われる語義については，訳語を太字で表示した．

III 品詞について

品詞分類 1 本辞典では，中国における最新の品詞研究の成果を踏まえつつ，独自の判断に基づき品詞判定をした．品詞分類は次のとおりである．

名詞·代詞·動詞·助動詞·形容詞·数詞·量詞(助数詞)·副詞·介詞(前置詞)·接続詞·助詞·感動詞·擬音語·接頭辞·接尾辞

語素

2 親字の語義のうち，形態素(語素)としてしか用いられない場合，また文語的性質を強く持ち，多く固定した語句の中でしか用いられない場合などは，品詞を表示していない.

3 成語·慣用語·しゃれ言葉·フレーズ(句)については別途表示した.

Ⅳ 訳語·用例について

1 訳語は極力その品詞に対応する日本語で示すようにした.

2 用例は基本語·重要語を中心に，またそれ以外の語であっても，日常的によく使われる語のうち，用例がないと理解しにくい語についてはできる限り用例をつけた.

3 用例中，親字あるいは見出し語に相当する部分は～で略した.

Ⅴ 発音表示について

異読

1 親字·見出し語に異読がある場合は➤マークの後に異読を示した.

例 ★给 (9) gěi ❶動 与える ……➤ jǐ

例 给 (9) jǐ ❶供給する ……➤ gěi

2 親字·見出し語で，通用している発音に揺れがある場合(a)，普通は軽声に発音されるが，時に本来の声調でも発音される場合(b)，ともに；で区切って併記した.

例 a ★谁 (10) shéi；shuí

例 b ★【因为】yīnwei；yīnwèi

3 見出し語の“一”“不”のピンイン表示は本来の声調を示した

離合詞

4 単語の間に他の要素を挿入できる場合，ピンイン表示の間に // の印を入れ，その語構造を示した．また，語義により語構造の異なる場合には，語義区分の始めに示した.

例 *【滑雪】huá//xuě 動 スキーをする 名 (huáxuě) <体> スキー

(～儿)

5 見出し語で，話すときに必ずr化するものについては“儿”のついた形で立項し，話すときにr化することが多いものについては語義区分の前に(～儿)の形で示した．ただし，親字の場合は両者とも(～儿)の形で示してある．語義が複数あり，一部の語義についてのみr化するものは，その語義区分の始めに(～儿)の形で示した.

(～的)

6 ABB型形容詞で，話し言葉でしばしば“的”をつけて用いられるものについては，(～的)の形で示した.

7 用例中，難読と思われる単語についてはピンインを部分表示した.

Ⅵ 索引について

「部首索引」，日本語読みによる「音訓索引」，「総画索引」をつけた.

VII コラムについて

中国語学習に欠かせない各方面の知識をコラムにまとめた．コラムは，語法や百科などの大コラムのほかに，類義語，逆引き単語帳，外国の固有名詞の小コラムがある．コラム総数は338点である．

VIII 略号・記号一覧

品詞およびそれに準ずるもの

名	名詞	代	代詞	動	動詞	助動	助動詞
形	形容詞	数	数詞	量	量詞	副	副詞
介	介詞	接	接続詞	助	助詞	感	感動詞
擬	擬音語	接頭	接頭辞	接尾	接尾辞		

フレーズ

組	フレーズ(句)

語の位相・性質

成	成語	慣	慣用語
諺	ことわざ	歇	しゃれ言葉
口	話し言葉	書	書き言葉
旧	清末から中華民国期の語	古	清末以前の語
方	方言	俗	俗語
喩	比喩	転	転義
敬	尊敬語	謙	謙譲語
貶	悪い意味で用いる言葉	罵	人を罵る言葉
略	略語	婉	婉曲表現
挨拶	挨拶の決まり文句	翰	手紙文の用語
外	音訳外来語		

専門分野

〈中医〉	漢方医学	〈中薬〉	漢方薬	〈医〉	医学	〈薬〉	薬学
〈宗〉	宗教	〈仏〉	仏教	〈生化〉	生化学	〈物〉	物理
〈化〉	化学	〈生〉	生物	〈生理〉	生理	〈植〉	植物
〈動〉	動物	〈虫〉	昆虫類	〈魚〉	魚類	〈貝〉	貝類
〈鳥〉	鳥類	〈鉱〉	鉱物	〈数〉	数学	〈冶〉	冶金
〈天〉	天文	〈気〉	気象	〈地〉	地理	〈地質〉	地質
〈機〉	機械	〈紡〉	紡織	〈電〉	電気	〈農〉	農業
〈林〉	林業	〈牧〉	牧畜	〈漁〉	漁業	〈貿〉	貿易
〈計〉	コンピューター	〈建〉	建築	〈哲〉	哲学	〈史〉	歴史
〈音〉	音楽	〈美〉	美術	〈語〉	言語	〈経〉	経済
〈政〉	政治	〈法〉	法律	〈体〉	スポーツ	〈軍〉	軍事
〈印〉	印刷	〈電子〉	電子工学	〈考古〉	考古学	〈古生〉	古生物
〈貿〉	貿易	〈劇〉	伝統劇	〈石油〉	石油	〈国名〉	国名
〈料理〉	料理	〈通信〉	通信				

その他の記号

△ これ以降は異体字

★ 最重要語　　⁑ 重要語　　＊ 次重要語

＝〔同義語〕　　↔〔対義語〕

↴ 下を見よ

⊖ 項目参照

➤「異読音」参照

✻ 項目の末尾に置き，複数の語義全体にかかわる情報を示す

日中辞典

I 見出し語について

収録数

1 総収録語数は複合語も含め約４万1000語である．

配列

2 見出し語は五十音順に配列した．

(a)同音の見出しは，漢字表記の１字目の画数順に，漢字表記のない語は，漢字表記のある語の後に置いた．

(b)片仮名語の長音「ー」は，ア行のかなに置きかえた位置に配列した．

(c)同類の仮名のなかでは次の順で配列した．

平仮名→片仮名，清音→濁音→半濁音，直音→促音・拗音

自立語→後にハイフンがつく語→前にハイフンがつく語

3 見出し語に対応する漢字表記・アルファベット表記などがある場合，見出し語の後ろに【　】で括って示した．

4 動詞・形容詞など活用がある語は語幹と語尾の間に・を入れた．

5 接頭語・接尾語・助数詞・助詞・助動詞など，ふつう単独では用いない語は，ほかの語と結びつく位置に－を付けて示した．

複合語

6 見出し語から派生した複合語はその項目の最後におき，複合語の最初に✣のマークを付けこれを示した．複合語見出しのなかの見出し語に相当する部分は━で示して略した．

II 対訳語および用例について

1 見出し語に語義が複数ある場合，❶❷❸…で分け，探しやすいように番号の直後に（　）で短い語釈を入れた．

2 対訳語は太字で示し，対訳語が複数ある場合は；で区切った．

3 用例訳は色刷りとし，中国語と日本語が一目で判別できるようにした．用例中の見出し語に相当する部分は～で示した。

4 主要な名詞には，対訳語の前に〔　〕で括り量詞を示した．

III 記号について

(～する)	見出し語がサ変動詞ともなることを示す
～	見出し語(複合見出し語)，または見出し語の語幹を表す
(　)(　)	見出し語の意味区分のための語釈
‖	用例
用例中の〔　〕	入れ替え可
用例中の（　）	省略可
〔套，件〕など	量詞
✣	複合語
定	中国語の定型的表現(成語・ことわざ・慣用句など)
喩	比喩的な意味

この辞書の読み方

中日

親字の画数 ― ⁹★**帮**（幫 △幚 幇）**bāng** ❶ 名（～儿）（物の）**側面の部分**．囲み部分 ‖ 鞋～儿 靴の両側部分 ❷ 動 **手伝う**．**手助けする** ‖ 请～我发封信 すみませんが，手紙を出してきてくれませんか ❸（助け合う）**仲間**．**集団** ‖ 搭dā～ 連れになる．連れ立つ ❹ 量 人の群れを数える ‖ 一～年轻人 一群の若者たち ❺ 名（～儿）**野菜の外側の葉** ‖ 大白菜～儿 ハクサイの外側の葉

13 **嗳**（噯）**ài** 〔唉ài〕に同じ ➤ ǎi

13 **嫒**（嬡）**ài** ➡〔令嫒lìng'ài〕

13 **碍**（礙）**ài** 動 妨げる．じゃまをする．障害になる ‖ 有～交通 交通の妨げになる

【碍口】ài//kǒu 形 口にしにくい．言いにくい

【碍面子】ài miànzi 慣 相手のメンツを気にかける ‖ 他碍着面子不好说 彼は相手に遠慮してはっきり言いかねている

*【碍事】ài//shì 動 妨げになる．不便である．差し支える ‖ 你挺忙的，我在这儿～吧？ 忙しそうですね，私がここにいるとじゃまでしょう｜碍你什么事儿？ 君に何の関係があるんだ 形 重大である．深刻である．（多く否定に用いる）‖ 这点儿小伤口不～ こんな小さな傷たいしたことはないよ

【碍手碍脚】ài shǒu ài jiǎo 組 じゃまになる ‖ 他在家～ 彼が家にいるとじゃまだ

4 ⁑**订** **dìng** ❶ 書 評定する．評議する ❷（文章などを）直す．訂正する ‖ 修～ 改訂する ❸ 動（**規則・条約・契約などを**）**取り決める**．**定める** ‖ ～合同 契約をする｜～学习计划 学習計画を立てる ❹ 動 **予約する**．**注文する** ‖ ～机票 飛行機のチケットを予約する｜～房间 部屋を予約する ❺ 動 **装訂する**．**とじ合わせる**．**とじる** ‖ →～书机

*【订货】dìng//huò 動（商品を）注文する．発注する ‖ ～单 注文書 名（dìnghuò）注文品 ✻〔定货〕とも書く

【白熊】báixióng 名〈動〉ホッキョクグマ ＝〔北极熊〕

【白血球】báixuèqiú ＝〔白细胞báixìbāo〕

【白眼】báiyǎn 名 白い目．侮ったまなざし ↔〔青眼〕‖ ～看人 白い目で人を見る｜遭人～ 白眼視される

【定婚】dìng//hūn ＝〔订婚dìnghūn〕

【定货】dìng//huò ＝〔订货dìnghuò〕

【宝宝】bǎobao；bǎobǎo 名（子供に対する愛称）いい子．かわいい子

【看上】kàn//shang(shàng) 動 見て気に入る．ほれ込む

12 **跋**¹ **bá** 山地を歩く ‖ →～山涉水

12 **跋**² **bá** 後書き．跋(ばつ)．跋文 ‖ 题～ 題辞と跋文

【白条】¹ báitiáo（～儿）名 仮の領収書．正式でない領収証．〔白条子〕ともいう ‖ 打～ 仮の受け取りを出す

【白条】² báitiáo 形（家畜の肉で）頭・足・内臓・毛などを取り除いた ‖ ～鸡 処理の終ったニワトリの肉

【把势】【把式】bǎshi 名 ❶ 口 武術．武芸 ‖ 这个人很会～ この人は武術がかなりできる ❷ 口 武術家．転 その道の達人．一芸に秀でた者 ‖ 车～ 御者

親字
同音の親字は画数順に配列した

★最重要語 1069語
親字項目は①②…で意味区分した

繁体字,△以降異体字

見出し語項目は 動 形 などの品詞ごとに意味区分した

フレーズ(句)は 組 で示した

⁑重要語 2017語
よく使われる意味はゴシックで示した

***次重要語** 5767語
✻以下は複数の意味区分にかかわる情報である

漢字表記にぶれがある場合

発音にぶれがある場合
おおむね軽声だが，原調でも言う場合
//の位置に"得"や"不"が入ると原調になる場合

意味系統の異なる親字

意味系統の異なる見出し語

漢字表記にぶれがある場合
第一字目が同字なら見出しに併記した．左側が標準的な漢字表記

日中

品詞表示
品詞表示なしは
形態素(語素)
としての用法

r化
会話ではしばしば
r化する場合

異読音
この親字の別の発音

見よ項目
この親字を含む
代表的な単語

//離合マーク
ここに他の要素が
入ることがある

いずれ ❶〔そのうち〕不久bùjiǔ; 改日gǎirì; 早晚zǎowǎn ‖ ～日を改めてお会いしたいと思います 我想改日再见您一次 | ～は知れてしまうよ 迟早要被发觉的 ❷〔いずれにせよ〕反正fǎnzheng; 总之zǒngzhī; 不管怎样bùguǎn zěnyàng ‖ ～にしても無理だ 无论如何都不行 ❸〔どれも〕都dōu ‖ 双方～も 双方都

おおまか【大まか】❶〔大体の〕粗略cūlüè; 笼统lǒngtǒng; 大致dàzhì.〔大づかみ〕扼要èyào ‖ ～な計画を立てる 制定大致的计划 ❷〔大ざっぱ〕(いいかげん)草率cǎoshuài; 粗率cūshuài

おおらか【大らか】大方dàfang; (心胸)开阔(xīnxiōng) kāikuò; 定 宽宏大量kuān hóng dà liàng; 豁达大度huòdá dàdù

ウエット ❖—スーツ:潜水衣 | —ティッシュ:湿纸巾

ウエディング 婚礼hūnlǐ; 结婚jiéhūn ❖—ケーキ:结婚蛋糕 | —ドレス:婚纱

えいが【映画】〔部,个,场〕电影diànyǐng ‖ ～を見る 看电影 | ～をとる 拍电影 | ～を上映する 放电影 ❖—音楽:电影音乐 | —館:电影院

え【絵】〔幅,张〕画huà; 绘画huìhuà ‖ ～をかく 画画儿 | ～にかいた餅(もち) 画饼

アミーバ ⇨アメーバ

オリエンテーション (新生)入学教育(xīnshēng) rùxué jiàoyù; 新人教育xīnrén jiàoyù

オリエンテーリング 定向(越野)运动dìngxiàng (yuèyě) yùndòng

おこない【行い】❶〔行為・行動〕行为xíngwéi; 行动xíngdòng ❷〔品行〕品行pǐnxíng ‖ ～がいい〔悪い〕品行端正〔不端〕

短い語釈を加えて,
複数の意味・用法を
分かりやすく
区別している

定 は成語・ことわざなど
定型化した中国語表現

❖ 以下は複合語
— は見出し語に
相当する

よく使う量詞をあげた

見よ項目

( )内は省略可

〔 〕内は入れ替え可

同義語

見よ項目 標準的な言い方

反義語

見よ項目 標準的な漢字表記

類義語 | 抱 bào 搂 lǒu

◆〔抱〕腕で囲むように抱きかかえる. 相手の重さを受けとめ支え持つことが多い ‖ 把孩子抱起来 子供を抱き上げる ◆〔搂〕腕を回して自分のほうへ抱き寄せる. 相手の重さを支えることはない ‖ 把孩子搂在怀里 子供を胸に抱き寄せる ◆〔抱〕は心にある種の感情を「いだく」といった抽象的な場合にも用いるが,〔搂〕は具体的な動作に限られる

コラム
「類義語」「逆引き単語帳」「外国の固有名詞」
文化や語法に関する大型学習コラムなど

コラム目次

大きいコラム

オリンピック競技種目，関連用語……10
まぎらわしい筆順と筆画……41
漢字の偏旁……42
標点符号……50
よく見かける標識……53
中国料理と料理用語……76
“二” èr と “两” liǎng ……207
記号の名称……239
祝日と年中行事……384
海峡両岸の用語……470
“能” néng “会” huì “可以” kěyǐ ……538
数字を使った表現……691
音訳される外国語……758
婉曲表現……770
ことわざ……852
語源……906
会社の種類，ポスト，肩書き，資格……947

類義語

A
矮 ǎi　低 矮……169
爱 ài　爱 喜欢……5
爱人 àiren　夫人 妻子 爱人 太太 老婆……236
暗暗 àn'àn　暗暗 偷偷 悄悄……9

B
巴不得 bābude　巴不得 恨不得……14
把 bǎ　把 拿 将……16
爸爸 bàba　父亲 爸爸 爹……241
摆 bǎi　放 搁 摆 摊……222
拜访 bàifǎng　访问 拜访 参观……221
班 bān　群 伙 帮 班……619
办 bàn　做 干 搞 办……988
帮 bāng　帮 帮忙 帮助……26
帮 bāng　群 伙 帮 班……619
帮忙 bāngmáng　帮 帮忙 帮助……26
帮助 bāngzhù　帮 帮忙 帮助……26
宝贵 bǎoguì　宝贵 珍贵 贵重……29
保障 bǎozhàng　保障 保证……30
保证 bǎozhèng　保障 保证……30
抱 bào　抱 搂……32
背 bēi　背 驮 扛……34
杯 bēi　碗 杯 盅……762
本来 běnlái　本来 原来……38
本领 běnlǐng　本领 本事……38
本事 běnshi　本领 本事……38
笨 bèn　傻 笨……644
比赛 bǐsài　比赛 竞赛……41
闭 bì　关 合 闭……281
遍 biàn　遍 次 回 趟……49
表现 biǎoxiàn　态度 表现……717
表扬 biǎoyáng　称赞 赞扬 表扬……101
别 bié　不许 别 不要……70
宾馆 bīnguǎn　饭店 宾馆 酒店 旅馆 招待所……218
病院 bìngyuàn　医院 病院……870
不必 bùbì　不必 不用……64
不断 bùduàn　不断 不停……65
不管 bùguǎn　尽管 不管……392
不过 bùguò　但 但是 可是 不过……157
不见得 bù jiànde　不见得 不一定……67
不禁 bùjīn　不禁 不觉……67
不觉 bùjué　不禁 不觉……67
不停 bùtíng　不断 不停……65
不许 bùxǔ　不许 别 不要……70
不要 bùyào　不许 别 不要……70

费 fèi　花 费 ……323
吩咐 fēnfu　吩咐 嘱咐 ……229
风味 fēngwèi　风味 滋味 味道 ……233
夫人 fūren　夫人 妻子 爱人 太太 老婆 ……236
幅 fú　幅 副 ……239
副 fù　幅 副 ……239
副 fù　双 对 副 ……693
妇女 fùnǚ　女士 女性 女人 妇女 女的 ……548
父亲 fùqin　父亲 爸爸 爹 ……241

G

盖 gài　盖 罩 ……247
干脆 gāncuì　索性 干脆 ……713
干净 gānjìng　干净 美丽 漂亮 好看 ……248
赶快 gǎnkuài　赶快 马上 ……250
感谢 gǎnxiè　谢谢 感谢 ……821
干 gàn　做 干 搞 办 ……988
刚 gāng　刚才 刚 刚刚 ……252
刚才 gāngcái　刚才 刚 刚刚 ……252
刚刚 gānggang　刚才 刚 刚刚 ……252
高兴 gāoxìng　高兴 愉快 ……256
搞 gǎo　做 干 搞 办 ……988
告诉 gàosu　说 告诉 ……698
搁 gē　放 搁 摆 摊 ……222
根 gēn　根 支 条 ……262
跟 gēn　跟 同 和 ……263
古 gǔ　老 旧 古 ……450
故居 gùjū　旧居 故居 ……405
挂 guà　吊 挂 悬 ……181
挂念 guàniàn　担心 挂念 惦记 ……156
怪 guài　很 非常 怪 挺 ……312
关 guān　关 合 闭 ……281
关怀 guānhuái　关心 关怀 ……281
关心 guānxīn　关心 关怀 ……281
关照 guānzhào　照顾 关照 ……932
贵重 guìzhòng　宝贵 珍贵 贵重 ……29

H

害怕 hàipà　害怕 怕 可怕 ……297
喊 hǎn　叫 喊 ……380
汉语 Hànyǔ　汉语 中国话 中文 普通话 ……299
好 hǎo　是 对 好 ……679
好看 hǎokàn　干净 美丽 漂亮 好看 ……248
好像 hǎoxiàng　好像 简直 ……304
好在 hǎozài　幸亏 多亏 幸好 好在 831
和 hé　跟 同 和 ……263
合 hé　关 合 闭 ……281
盒 hé　箱 盒 匣 ……808
合格 hégé　合格 及格 ……306
合作 hézuò　合作 协作 ……307
很 hěn　很 非常 怪 挺 ……312
很多 hěn duō　许多 很多 ……836
恨不得 hènbude　巴不得 恨不得 ……14
忽然 hūrán　忽然 突然 ……319
花 huā　花 费 ……323
画 huà　写 记 填 画 ……819
回 huí　遍 次 回 趟 ……49
活动 huódong　运动 活动 ……911
伙 huǒ　群 伙 帮 班 ……619
获得 huòdé　得到 取得 获得 ……165

J

几乎 jīhū　简直 几乎 差不多 ……368
及格 jígé　合格 及格 ……306
急忙 jímáng　急忙 连忙 ……352
集体 jítǐ　团体 集团 集体 ……750
集团 jítuán　团体 集团 集体 ……750
几 jǐ　几 多少 ……354
寄 jì　送 寄 ……706
记 jì　写 记 填 画 ……819
家 jiā　房子 家 ……221
加 jiā　添 加 对 ……731
煎 jiān　煎 烤 烧 ……366
简直 jiǎnzhí　好像 简直 ……304
简直 jiǎnzhí　简直 几乎 差不多 ……368
见 jiàn　看 见 看见 ……421
渐渐 jiànjiàn　慢慢 渐渐 ……501
将 jiāng　把 拿 将 ……16
讲话 jiǎnghuà　谈话 说话 讲话 ……718
叫 jiào　叫 喊 ……380
叫 jiào　招呼 叫 ……929
教师 jiàoshī　老师 教师 教员 ……452
教室 jiàoshì　教室 课堂 ……381
教员 jiàoyuán　老师 教师 教员 ……452
尽管 jǐnguǎn　尽管 不管 ……392
近代 jìndài　近代 现代 当代 ……394
精彩 jīngcǎi　精彩 出色 ……398
经常 jīngcháng　常常 经常 往往 ……92
经常 jīngcháng　经常 总是 ……396
竞赛 jìngsài　比赛 竞赛 ……41
纠正 jiūzhèng　修改 修正 纠正 ……833
酒店 jiǔdiàn　饭店 宾馆 酒店 旅馆 招待所 ……218

旧 jiù　老 旧 古……………………450
旧居 jiùjū　旧居 故居………………405
就要…了 jiùyào…le　要…了 快…了 快要…了 就要…了……………………860
K 开端 kāiduān　开始 开头 开端……419
开始 kāishǐ　开始 开头 开端………419
开头 kāitóu　开始 开头 开端………419
看 kàn　看 见 看见……………………421
看 kàn　瞧 盯 望 看…………………599
看穿 kànchuān　看透 看破 看穿…422
看法 kànfa　看法 意见…………………421
看见 kànjian　看 见 看见……………421
看破 kànpò　看透 看破 看穿………422
看透 kàntòu　看透 看破 看穿………422
扛 káng　背 驮 扛……………………34
扛 káng　挑 抬 扛……………………732
烤 kǎo　煎 烤 烧……………………366
颗 kē　粒 颗……………………………464
可怕 kěpà　害怕 怕 可怕……………297
可是 kěshì　但 但是 可是 不过……157
渴望 kěwàng　渴望 盼望 期望 希望……………………………………427
课堂 kètáng　教室 课堂………………381
啃 kěn　咬 啃…………………………859
肯定 kěndìng　肯定 一定……………429
孔 kǒng　洞 孔 穴……………………189
恐怕 kǒngpà　也许 恐怕………………862
快…了 kuài…le　要…了 快…了 快要…了 就要…了………………………860
快要…了 kuàiyào…le　要…了 快…了 快要…了 就要…了………………860
L 劳驾 láojià　对不起 劳驾 麻烦……198
老 lǎo　老 旧 古………………………450
老 lǎo　总 老…………………………978
老婆 lǎopo　夫人 妻子 爱人 太太 老婆……………………………………236
老师 lǎoshī　老师 教师 教员………452
冷 lěng　冷 凉…………………………456
黎明 límíng　凌晨 清晨 黎明………477
离休 líxiū　离休 退休 退职 辞职…458
理解 lǐjiě　理解 了解…………………460
粒 lì　粒 颗……………………………464
力量 lìliang　力气 力量………………461
力气 lìqi　力气 力量…………………461
连忙 liánmáng　急忙 连忙……………352
凉 liáng　冷 凉…………………………456
两位 liǎng wèi　二位 两位…………207
聊天儿 liáotiānr　聊天儿 谈话……472
了解 liǎojiě　认识 知道 了解………627
了解 liǎojiě　理解 了解………………460
凌晨 língchén　凌晨 清晨 黎明……477
领导 lǐngdǎo　首脑 首长 领袖 领导……………………………………684
领袖 lǐngxiù　首脑 首长 领袖 领导……………………………………684
流畅 liúchàng　流利 流畅……………481
流利 liúlì　流利 流畅…………………481
搂 lǒu　抱 搂…………………………32
旅馆 lǚguǎn　饭店 宾馆 酒店 旅馆 招待所……………………………………218
M 妈妈 māma　母亲 妈妈 娘…………527
麻烦 máfan　对不起 劳驾 麻烦……198
马上 mǎshàng　赶快 马上……………250
满意 mǎnyì　满意 满足………………501
满足 mǎnzú　满意 满足………………501
慢慢 mànmàn　慢慢 渐渐……………501
毛病 máobing　缺点 毛病……………618
没 méi　没有 没………………………506
没有 méiyou　没有 没…………………506
美丽 měilì　干净 美丽 漂亮 好看……………………………………248
明白 míngbai　清楚 明白……………606
明白 míngbai　懂 明白…………………188
磨 mó　磨 擦…………………………524
模样 múyàng　模样 样子………………527
母亲 mǔqin　母亲 妈妈 娘…………527
N 拿 ná　把 拿 将…………………………16
拿 ná　拿 带 有…………………………530
难过 nánguò　痛苦 难过 难受………743
难受 nánshòu　痛苦 难过 难受……743
内 nèi　中 内…………………………954
年纪 niánjì　年纪 年龄…………………542
年龄 niánlíng　年纪 年龄………………542
念头 niàntou　念头 想法………………543
娘 niáng　母亲 妈妈 娘………………527
女的 nǚde　女士 女性 女人 妇女 女的……………………………………548
女人 nǚrén　女士 女性 女人 妇女 女的……………………………………548
女士 nǚshì　女士 女性 女人 妇女 女的……………………………………548
女性 nǚxìng　女士 女性 女人 妇女 女

的……548
O 偶尔 ǒu'ěr 偶然 偶尔……550
偶然 ǒurán 偶然 偶尔……550
P 怕 pà 害怕 怕 可怕……297
拍 pāi 拍 捶 敲 打……553
盘 pán 盘 碟 碗……555
盼望 pànwàng 渴望 盼望 期望 希望……427
捧 pěng 提 端 捧……727
脾气 píqi 脾气 性格……566
漂亮 piàoliang 干净 美丽 漂亮 好看……248
普通话 pǔtōnghuà 汉语 中国话 中文 普通话……299
Q 期望 qīwàng 渴望 盼望 期望 希望……427
妻子 qīzi 夫人 妻子 爱人 太太 老婆……236
骑车 qíchē 坐车 乘车 搭车 骑车 上车……987
气候 qìhòu 天气 气候 气象……730
气象 qìxiàng 天气 气候 气象……730
恰当 qiàdàng 妥当 恰当……755
恰好 qiàhǎo 恰好 恰巧……589
恰巧 qiàqiǎo 恰好 恰巧……589
敲 qiāo 拍 捶 敲 打……553
悄悄 qiāoqiāo 暗暗 偷偷 悄悄……9
瞧 qiáo 瞧 盯 望 看……599
亲切 qīnqiè 亲切 热情 热心……602
清晨 qīngchén 凌晨 清晨 黎明……477
清楚 qīngchu 清楚 明白……606
请假 qǐngjià 放假 休假 请假……222
庆祝 qìngzhù 祝 祝贺 庆祝……964
区别 qūbié 差别 区别……84
取得 qǔdé 得到 取得 获得……165
去 qù 上 去……649
去 qù 走 去……980
去世 qùshì 死 死亡 去世 逝世 牺牲……702
缺点 quēdiǎn 缺点 毛病……618
群 qún 群 伙 帮 班……619
R 热情 rèqíng 亲切 热情 热心……602
热心 rèxīn 亲切 热情 热心……602
认识 rènshi 认识 知道 了解……627
认为 rènwéi 认为 以为……628
扔 rēng 投 扔 甩……745
S 散 sǎn 散 散……639
散 sàn 散 散……639
傻 shǎ 傻 笨……644
商量 shāngliang 商量 商榷 讨论……648
商榷 shāngquè 商量 商榷 讨论……648
上 shàng 上 去……649
上车 shàngchē 坐车 乘车 搭车 骑车 上车……987
上当 shàngdàng 吃亏 上当……107
上午 shàngwǔ 早上 早晨 上午……918
上下 shàngxià 左右 上下……985
烧 shāo 煎 烤 烧……366
谁 shéi 谁 什么人……657
深夜 shēnyè 晚上 夜里 深夜 夜晚……762
什么人 shénme rén 谁 什么人……657
生命 shēngmìng 生命 性命……663
生气 shēngqì 发脾气 生气……210
时候 shíhou 时候 时刻 时间……671
时间 shíjiān 时候 时刻 时间……671
时刻 shíkè 时候 时刻 时间……671
食堂 shítáng 食堂 餐厅 饭馆……673
实行 shíxíng 实行 执行 推行……673
是 shì 是 对 好……679
逝世 shìshì 死 死亡 去世 逝世 牺牲……702
收拾 shōushi 收拾 整理 整顿……681
首脑 shǒunǎo 首脑 首长 领袖 领导……684
首长 shǒuzhǎng 首脑 首长 领袖 领导……684
受 shòu 遭 受……917
甩 shuǎi 投 扔 甩……745
双 shuāng 双 对 副……693
顺便 shùnbiàn 顺便 顺手……697
顺手 shùnshǒu 顺便 顺手……697
顺着 shùnzhe 顺着 沿着……698
说 shuō 说 告诉……698
说话 shuōhuà 谈话 说话 讲话……718
死 sǐ 死 死亡 去世 逝世 牺牲……702
死亡 sǐwáng 死 死亡 去世 逝世 牺牲……702
送 sòng 送 寄……706
所 suǒ 座 所……987

索性 suǒxìng 索性 干脆……713
所有 suǒyǒu 所有 一切……712
T 他 tā 他 她 它……714
她 tā 他 她 它……714
它 tā 他 她 它……714
抬 tái 挑 抬 扛……732
态度 tàidu 态度 表现……717
太太 tàitai 夫人 妻子 爱人 太太 老婆……236
摊 tān 放 搁 摆 摊……222
谈话 tánhuà 聊天儿 谈话……472
谈话 tánhuà 谈话 说话 讲话……718
趟 tàng 遍 次 回 趟……49
讨论 tǎolùn 商量 商榷 讨论……648
特 tè 真 特……936
疼 téng 疼 痛……726
提 tí 提 端 捧……727
体育 tǐyù 体育 运动……728
添 tiān 添 加 对……731
天气 tiānqì 天气 气候 气象……730
填 tián 写 记 填 画……819
挑 tiāo 挑 抬 扛……732
条 tiáo 根 支 条……262
条 tiáo 条 道……733
听 tīng 听 听见 听到……736
听到 tīngdào 听 听见 听到……736
听见 tīngjian 听 听见 听到……736
挺 tǐng 很 非常 怪 挺……312
同 tóng 跟 同 和……263
同意 tóngyì 同意 赞成……741
痛 tòng 疼 痛……726
痛苦 tòngkǔ 痛苦 难过 难受……743
偷偷 tōutōu 暗暗 偷偷 悄悄……9
投 tóu 投 扔 甩……745
头目 tóumù 头头儿 头目 头子……745
头头儿 tóutour 头头儿 头目 头子……745
头子 tóuzi 头头儿 头目 头子……745
突然 tūrán 忽然 突然……319
吐 tǔ 吐 吐……749
吐 tù 吐 吐……749
团体 tuántǐ 团体 集团 集体……750
推行 tuīxíng 实行 执行 推行……673
退休 tuìxiū 离休 退休 退职 辞职……458
退职 tuìzhí 离休 退休 退职 辞职……458
驮 tuó 背 驮 扛……34
妥当 tuǒdang 妥当 恰当……755
W 碗 wǎn 盘 碟 碗……555
碗 wǎn 碗 杯 盅……762
晚上 wǎnshang 晚上 夜里 深夜 夜晚……762
往 wǎng 往 向 朝……764
往往 wǎngwǎng 常常 经常 往往……92
望 wàng 瞧 盯 望 看……599
味道 wèidao 风味 滋味 味道……233
为什么 wèi shénme 为什么 怎么……772
位置 wèizhi 位置 地位 位子……773
位子 wèizi 位置 地位 位子……773
问 wèn 问 打听……777
我们 wǒmen 我们 咱们……778
屋子 wūzi 屋子 房间……780
X 牺牲 xīshēng 死 死亡 去世 逝世 牺牲……702
希望 xīwàng 渴望 盼望 期望 希望……427
喜欢 xǐhuan 爱 喜欢……5
匣 xiá 箱 盒 匣……808
现代 xiàndài 近代 现代 当代……394
箱 xiāng 箱 盒 匣……808
详细 xiángxì 详细 仔细……808
想 xiǎng 愿意 想……908
想法 xiǎngfa 念头 想法……543
向 xiàng 往 向 朝……764
相 xiàng 相 像 象……810
像 xiàng 相 像 象……810
象 xiàng 相 像 象……810
消息 xiāoxi 新闻 消息……825
小心 xiǎoxin 小心 当心 注意……815
些 xiē 点 些……176
鞋 xié 鞋 靴……819
协作 xiézuò 合作 协作……307
写 xiě 写 记 填 画……819
谢谢 xièxie 谢谢 感谢……821
新闻 xīnwén 新闻 消息……825
性格 xìnggé 脾气 性格……566
幸好 xìnghǎo 幸亏 多亏 幸好 好在……831
幸亏 xìngkuī 幸亏 多亏 幸好 好在……831

性命 xìngmìng 生命 性命……663
修改 xiūgǎi 修改 修正 纠正……833
休假 xiūjià 放假 休假 请假……222
修正 xiūzhèng 修改 修正 纠正……833
许多 xǔduō 许多 很多……836
悬 xuán 吊 挂 悬……181
靴 xuē 鞋 靴……819
穴 xué 洞 孔 穴……189
学院 xuéyuàn 大学 学院……151

Y
沿着 yánzhe 顺着 沿着……698
样子 yàngzi 模样 样子……527
咬 yǎo 咬 啃……859
要…了 yào…le 要…了 快…了 快要…了 就要…了……860
也许 yěxǔ 也许 恐怕……862
夜里 yèli 晚上 夜里 深夜 夜晚……762
夜晚 yèwǎn 晚上 夜里 深夜 夜晚……762
一边…一边… yībiān…yībiān… 一边…一边… 一面…一面… 又…又……864
一点儿 yīdiǎnr 有点(儿) 一点儿……893
一定 yīdìng 肯定 一定……429
一块儿 yīkuàir 一起 一块儿 一齐……867
一面…一面… yīmiàn…yīmiàn… 一边…一边… 一面…一面… 又…又……864
一齐 yīqí 一起 一块儿 一齐……867
一起 yīqǐ 一起 一块儿 一齐……867
一切 yīqiè 所有 一切……712
一下 yīxià 動詞+一下……868
一直 yīzhí 从来 一直……133
医生 yīshēng 医生 大夫……870
医院 yīyuàn 医院 病院……870
已经 yǐjing 曾经 已经……84
以为 yǐwéi 认为 以为……628
意见 yìjian 看法 意见……421
意思 yìsi 意思 意义……877
意义 yìyì 意思 意义……877
应 yīng 应该 应当 应……883
应当 yīngdāng 应该 应当 应……883
应该 yīnggāi 应该 应当 应……883
用处 yòngchu 用处 用途……889
用途 yòngtú 用处 用途……889
游览 yóulǎn 参观 游览……78
有 yǒu 拿 带 有……530
有点(儿) yǒudiǎn(r) 有点(儿) 一点儿……893
友好 yǒuhǎo 友好 友谊……893
有名 yǒumíng 著名 有名……964
友谊 yǒuyì 友好 友谊……893
又 yòu 又 再……896
又…又… yòu…yòu… 一边…一边… 一面…一面… 又…又……864
愉快 yúkuài 高兴 愉快……256
缘故 yuángù 缘故 原因……906
原来 yuánlái 本来 原来……38
原因 yuányīn 缘故 原因……906
愿意 yuànyi 愿意 想……908
运动 yùndòng 体育 运动……728
运动 yùndòng 运动 活动……911

Z
栽 zāi 栽 种 植……914
再 zài 又 再……896
在 zài 正 在 正在……940
咱们 zánmen 我们 咱们……778
赞成 zànchéng 同意 赞成……741
赞扬 zànyáng 称赞 赞扬 表扬……101
遭 zāo 遭 受……917
早晨 zǎochen 早上 早晨 上午……918
早上 zǎoshang 早上 早晨 上午……918
怎么 zěnme 为什么 怎么……772
怎么 zěnme 怎样 怎么样 怎么……921
怎么样 zěnmeyàng 怎样 怎么样 怎么……921
怎样 zěnyàng 怎样 怎么样 怎么……921
摘 zhāi 摘 采……923
招待所 zhāodàisuǒ 饭店 宾馆 酒店 旅馆 招待所……218
招呼 zhāohu 招呼 叫……929
罩 zhào 盖 罩……247
照顾 zhàogu 照顾 关照……932
真 zhēn 真 特……936
珍贵 zhēnguì 宝贵 珍贵 贵重……29
整顿 zhěngdùn 收拾 整理 整顿……681
整理 zhěnglǐ 收拾 整理 整顿……681
正 zhèng 正 在 正在……940
正在 zhèngzài 正 在 正在……940
支 zhī 根 支 条……262
支 zhī 支 枝 只……943

部首索引

- まず見返し(表紙裏)の「部首一覧」で各部首のある頁を調べる.
- 同一部首内の漢字は筆画順に並べてある(数字は部首を除いた筆画数).
- ( )内は繁体字や異体字などの旧字体である.

部首

刂(⺉)

2 刈 yì 875
3 刊 kān 420
4 创 chuāng 125
chuàng 126
刚 gāng 252
划 huá 325
huà 326
列 liè 474
刘 liú 480
刎 wěn 776
刑 xíng 828
刖 yuè 909
则 zé 919
5 刨 bào 31
páo 558
别 bié 54
biè 55
(刦)jié 385
刭 jǐng 400
利 lì 463
判 pàn 556
删 shān 645
(刪)shān 645
6 刹 chà 87
shā 643
刺 cī 129
cì 132
到 dào 163
刴 duò 202
刮 guā 278
刿 guì 289
刽 guì 289
剂 jì 357
剀 kǎi 420
刻 kè 428
刳 kū 434
刷 shuā 692
shuà 692
制 zhì 951
7 (剉)cuò 139
剐 guǎ 278
剑 jiàn 370
荆 jīng 397
(剄)jǐng 400
(剋)kè 427
剌 là 444
剃 tì 729
削 xiāo 811
xuē 839
8 剥 bāo 28
bō 60
(剛)gāng 252
(剮)guǎ 278
剞 jī 348
剧 jù 410
剖 pōu 577
剡 shàn 647
yǎn 851
剔 tī 726
剜 wān 759
9 副 fù 243
(剳)zhá 922
10 (創)chuāng 125
chuàng 126
割 gē 259
(剴)kǎi 420
剩 shèng 667
11 (剷)chǎn 90
剿 chāo 96
jiǎo 379
蒯 kuǎi 437
(剹)lù 489
剽 piāo 569
12 (劃)huá 325
huà 326
劂 jué 414
劙 lín 476
劁 qiāo 598
(劄)zhá 922
13 (劌)guì 289
(劊)guì 289
劐 huō 341
(劍)jiàn 370
(劇)jù 410
(劉)liú 480
14 (劑)jì 357
劓 yì 878

八(丷)

0 八 bā 14
2 公 gōng 266
六 liù 483
兮 xī 789
4 共 gòng 270
兴 xīng 827
xìng 830
5 兵 bīng 57
6 典 diǎn 175
其 jī 348
qí 582
具 jù 409
14 冀 jì 359

人(亼入)

0 人 rén 624
入 rù 634
1 个 gě 260
gè 261
(亾)wáng 763
2 仓 cāng 80
从 cóng 133
介 jiè 388
今 jīn 389
仑 lún 492
以 yǐ 873
3 丛 cóng 134
(尒)ěr 206
令 líng 476
lǐng 479
lìng 479
4 会 huì 338
kuài 437
企 qǐ 584
伞 sǎn 639
众 zhòng 957
5 (夾)gā 245
jiā 360
jiá 362
(侖)mìng 523
佥 qiān 591
佘 shé 655
余 yú 897
6 (兩)liǎng 469
(侖)lún 492
7 俞 yú 898
俎 zǔ 982
8 (倉)cāng 80
10 禽 qín 602
(傘)sǎn 639
(繖)sǎn 639
11 (會)huì 338
kuài 437
(僉)qiān 591
13 (舖)pù 579
14 (舘)guǎn 283

𠂉

3 乍 gǎ 245
4 年 nián 541
12 (緐)fán 215
pó 576

亻

1 亿 yì 875
2 仇 chóu 114
qiú 611
仃 dīng 184
化 huā 323
huà 326
仅 jǐn 391
jìn 393
仆 pū 577
pú 578
仁 rén 626
仍 réng 629
什 shén 659
shí 670
仉 zhǎng 928
3 代 dài 152
付 fù 241
仡 gē 258
们 men 510
仫 mù 528
仟 qiān 590
仞 rèn 628
仨 sā 637
仕 shì 675
他 tā 714
仙 xiān 799
仪 yí 871
仔 zǎi 914
zǐ 974
仗 zhàng 929
4 伧 cāng 80
chen 101
伥 chāng 90
传 chuán 123
zhuàn 967

部首

部首

叟 sǒu 707
叙 xù 836
11 叠 dié 183
14 (叡) ruì 636
18 矍 jué 414

廴

4 廷 tíng 737
(廵) xún 842
延 yán 848
5 (廻) huí 335
(廹) pǎi 554
pò 576
6 建 jiàn 370
(廼) nǎi 532

厶

0 厶 sī 700
2 允 yǔn 911
3 去 qù 615
5 县 xiàn 803
6 参 cān 78
cēn 84
shēn 658
叁 sān 639
(亝) zhāi 923
7 (畆) mǔ 528
9 (叅) cān 78
cēn 84

卩(㔾)

1 卫 wèi 771
3 卯 mǎo 504
印 yìn 883
卮 zhī 944
4 危 wēi 766
5 即 jí 351
卵 luǎn 491
却 què 618
6 卺 jǐn 392
卷 juǎn 411
juàn 411
(㕁) què 618
7 (卻) què 618
卸 xiè 820
8 卿 qīng 605

阝(阜)

0 阜 fù 242
2 队 duì 197
3 阡 qiān 590
4 (阨) è 203
防 fáng 220
阶 jiē 381
阱 jǐng 400
(阬) kēng 430
阮 ruǎn 635
阳 yáng 854
阴 yīn 878
阵 zhèn 937
(阯) zhǐ 949
5 阿 ā 2
à 2
ē 203
陂 bēi 33
pí 565
陈 chén 99
阽 diàn 179
yán 850
附 fù 242
际 jì 357
陆 liù 483
lù 487
陇 lǒng 484
陀 tuó 754
陉 xíng 829
阻 zǔ 982
阼 zuò 986
6 降 jiàng 374
xiáng 808
陋 lòu 485
陌 mò 525
陕 shǎn 646
限 xiàn 803
7 陛 bì 45
除 chú 120
陡 dǒu 191
(陗) qiào 600
(陜) shǎn 646
(陞) shēng 662
险 xiǎn 802
(陘) xíng 829
院 yuàn 907
陨 yǔn 911
陟 zhì 952
8 (陳) chén 99
陲 chuí 127
陵 líng 478
(陸) liù 483
lù 487
陪 péi 559
陴 pí 565
陶 táo 723
yáo 858
陷 xiàn 805
(陰) yīn 878
陬 zōu 980
9 (隄) dī 170
(隊) duì 197
隍 huáng 332
(階) jiē 381
隗 kuí 440
wěi 771
隆 lōng 483
lóng 484
隋 suí 710
随 suí 710
隈 wēi 766
(陿) xiá 795
(陽) yáng 854
(隂) yīn 878
(陻) yīn 880
隐 yǐn 882
隅 yú 898
10 隘 ài 5
隔 gé 260
(隖) wù 786
隙 xì 795
11 (際) jì 357
障 zhàng 929
12 (隨) suí 710
隧 suì 711
13 (險) xiǎn 802
14 隰 xí 792
(隱) yǐn 882
16 (隴) lǒng 484

阝(邑)

0 邑 yì 876
2 邓 dèng 168
3 邗 hán 298
邝 kuàng 439
邙 máng 502
邛 qióng 609
邕 yōng 887
4 邦 bāng 26
(邨) cūn 137
邡 fāng 219
那 nā 530
nà 531
nè 536
nèi 538
邬 wū 779
邪 xié 818
yé 861
邢 xíng 828
5 邶 bèi 35
邸 dǐ 171
邯 hán 298
邻 lín 475
邳 pī 563
邱 qiū 610
邵 shào 654
邰 tái 715
邺 yè 863
邮 yóu 891
邹 zōu 980
6 郇 huán 329
xún 843
郏 jiá 362
郊 jiāo 376
郐 kuài 438
郎 láng 448
làng 448
郄 qiè 601
耶 yē 861
yé 861
郁 yù 901
郓 yùn 912
郑 zhèng 942
郅 zhì 952
邾 zhū 960
7 郛 fú 238
郜 gào 258
郝 hǎo 304
(郟) jiá 362
郡 jùn 415
郦 lì 464
郗 xī 790
郢 yǐng 885

凵

刀

力

了

氵

部首

部首

干(亍)

土(士)

部首

士

工(工)

部首

部首

部首

部首

部首

部首

囗

巾

山

部首

部首

饣(食)

彐(⺕⺔彑)

尸

部首

缩 suō 712
缫 sāo 641
(縧)tāo 722
繇 yáo 859
yóu 893
zhòu 959
缨 yīng 884
(總)zǒng 978
(縱)zòng 979
12(繙)fān 213
缭 liáo 472
(繦)qiǎng 598
(繞)rào 622
(繖)sǎn 639
缮 shàn 647
缬 xié 819
缯 zēng 922
zèng 922
(織)zhī 945
13 缳 huán 330
(繪)huì 339
(繫)jì 357
xì 794
缰 jiāng 373
缴 jiǎo 379
zhuó 972
缲 qiāo 598
(繩)shéng 665
(繡)xiù 834
(繹)yì 876
14 辫 biàn 51
(繽)bīn 56
(繼)jì 358
(纊)kuàng 439
纂 zuǎn 983
15(纏)chán 89
(纍)léi 455
lěi 455
(續)xù 836
16 缵 zuǎn 983
17(纔)cái 74
(纖)xiān 800
19 纛 dào 165
21(纜)lǎn 447

巛

8 巢 cháo 96

灬

5 点 diǎn 175
6 烈 liè 474
热 rè 623
(烏)wū 779
7 焘 dào 164
tāo 722
烹 pēng 562
焉 yān 848
8 焦 jiāo 377
(無)mó 523
wú 780
然 rán 621
煮 zhǔ 962
9 煎 jiān 366
煞 shā 643
shà 644
煦 xù 837
照 zhào 932
10 熬 āo 12
áo 12
熙 xī 791
(煕)xī 791
熊 xióng 832
熏 xūn 842
xùn 844
11(熱)rè 623
熟 shóu 681
shú 688
(熈)xī 791
12 熹 xī 791
燕 yān 848
yàn 854
14(燾)dào 164
tāo 722
15(羆)pí 566

斗

0 斗 dǒu 190
dòu 191
6 料 liào 473
7 斛 hú 320
斜 xié 819
9 斟 zhēn 937
10 斡 wò 779

火

0 火 huǒ 342
1 灭 miè 518
2 灯 dēng 167
灰 huī 334
3 灿 càn 80
灸 jiǔ 404
灵 líng 477
炀 yáng 855
灾 zāi 914
(災)zāi 914
灶 zào 918
灼 zhuó 972
4 炒 chǎo 96
炊 chuī 126
炖 dùn 200
炅 guì 289
jiǒng 403
炔 guì 289
quē 618
炬 jù 410
炕 kàng 423
炉 lú 486
𬉼 ǒu 550
炝 qiàng 598
炜 wěi 771
炎 yán 850
炙 zhì 952
5 炮 bāo 28
páo 558
pào 559
炳 bǐng 58
炽 chì 110
烀 hū 319
炯 jiǒng 403
烂 làn 448
炼 liàn 467
(秌)qiū 610
烁 shuò 700
炱 tái 716
炭 tàn 719
畑 tián 732
烃 tīng 737
炫 xuàn 839
炸 zhá 923
zhà 923
(炤)zhào 932
炷 zhù 964
6 烘 hōng 314
烩 huì 339
烬 jìn 395
烤 kǎo 424
烙 lào 453
烧 shāo 653
烫 tàng 722
烟 yān 847
烊 yáng 856
烨 yè 863
(烖)zāi 914
烛 zhú 961
7 烽 fēng 234
焓 hán 298
焊 hàn 300
焕 huàn 331
(烱)jiǒng 403
焗 jú 408
焖 mèn 510
焌 qū 613
(烴)tīng 737
烷 wán 761
焐 wù 787
烯 xī 790
8 焙 bèi 37
焯 chāo 95
zhuō 971
焚 fén 230
焱 yàn 854
焰 yàn 854
(煑)zhǔ 962
9 煲 bāo 28
煸 biān 47
煅 duàn 197
煳 hú 321
煌 huáng 333
(煇)huī 335
(煉)liàn 467
煤 méi 507
(煖)nuǎn 549
(煗)nuǎn 549
(煢)qióng 610
煺 tuì 752
煨 wēi 767
(煒)wěi 771
煊 xuān 837
(煙)yān 847
(煬)yáng 855

部首

木

0 木 mù 528
1 本 běn 37
东 dōng 187
末 mò 525
术 shù 690
未 wèi 772
札 zhá 922
2 朵 duǒ 202
(朶)duǒ 202
机 jī 346
朴 piáo 569
pò 576
pǔ 578
权 quán 616
杀 shā 642
朽 xiǔ 833
杂 zá 913
朱 zhū 960
3 杓 biāo 51
材 cái 75
杈 chā 84
chà 87
村 cūn 137
杜 dù 194
杆 gān 249
gǎn 249
杠 gāng 252
gàng 253
极 jí 351
来 lái 444
李 lǐ 459
杩 mà 498
杞 qǐ 585
杉 shā 643
shān 646
束 shù 690
条 tiáo 733
杌 wù 786
杏 xìng 830
杨 yáng 855
杖 zhàng 929
4 板 bǎn 23
杯 bēi 33
采 cǎi 75
cài 77
枨 chéng 104
杵 chǔ 121
枞 cōng 132
zōng 978
(東)dōng 187
枋 fāng 220
枫 fēng 233
构 gòu 272
柜 guì 289
jǔ 408
果 guǒ 292
杭 háng 301
枧 jiǎn 367
杰 jié 385
(來)lái 444
枥 lì 463
林 lín 475
枚 méi 506
杪 miǎo 517
(枏)nán 534
杷 pá 552
枇 pí 565
枪 qiāng 595
枘 ruì 635
(柹)shì 679
枢 shū 687
松 sōng 705
枉 wǎng 765
析 xī 790
枭 xiāo 811
(枒)yā 845
枕 zhěn 937
枝 zhī 945
杼 zhù 964
5 柏 bǎi 20
bó 61
bò 62
标 biāo 52
柄 bǐng 58
查 chá 86
zhā 922
(査)chá 86
柢 dǐ 172
栋 dòng 190
柑 gān 249
枸 gōu 271
gǒu 272
jǔ 409
(柺)guǎi 280
枷 jiā 360
架 jià 364
柬 jiǎn 367
柩 jiù 405
柯 kē 424
枯 kū 434
栏 lán 446
栎 lì 464
yuè 909
柃 líng 477
柳 liǔ 483
(栁)liǔ 483
栊 lóng 484
栌 lú 487
某 mǒu 527
(柟)nán 534
柠 níng 544
枰 píng 575
柒 qī 580
染 rǎn 621
柔 róu 631
柿 shì 679
树 shù 690
柁 tuó 754
柝 tuò 755
柙 xiá 795
相 xiāng 806
xiàng 810
枵 xiāo 811
柚 yóu 892
yòu 897
(査)zhā 922
柞 zhà 923
zuò 987
栅 zhà 923
(柵)zhà 923
栈 zhàn 926
柘 zhè 935
栀 zhī 945
枳 zhǐ 950
栉 zhì 952
柱 zhù 964
6 桉 ān 7
案 àn 8
(栢)bǎi 20
梆 bāng 26
柴 chái 88
榇 chēn 99
档 dàng 161
(栰)fá 212
格 gē 258
gé 259
根 gēn 262
栝 guā 278
桄 guàng 286
桂 guì 289
桧 guì 289
huì 339
核 hé 309
hú 320
桁 héng 312
桦 huà 328
桓 huán 330
桨 jiǎng 374
校 jiào 380
xiào 816
桔 jié 386
jú 408
桀 jié 386
桕 jiù 405
(栞)kān 420
栲 kǎo 424
框 kuàng 440
栳 lǎo 453
栗 lì 464
栾 luán 491
臬 niè 544
桤 qī 580
栖 qī 580
桥 qiáo 598
桡 ráo 622
桑 sāng 640
栓 shuān 693
桃 táo 723
梃 tǐng 738
tìng 738
桐 tóng 741
桅 wéi 768
栩 xǔ 836
样 yàng 857
栽 zāi 914
桢 zhēn 936
桎 zhì 952
株 zhū 960

部首

10 戬 jiǎn 368
截 jié 386
(戧)qiāng 596
qiàng 598
11 戮 lù 489
(戲)xì 793
12(戰)zhàn 926
13 戴 dài 154
(戯)xì 793
14 戳 chuō 129

比

0 比 bǐ 40
2 毕 bì 44
5 毖 bì 45
毗 pí 565
6 毙 bì 45

瓦

0 瓦 wǎ 756
wà 756
4 瓯 ōu 550
瓮 wèng 777
5 瓴 líng 477
(㼝)wǎn 762
6 瓷 cí 130
瓶 píng 575
8 瓿 bù 73
𤭢 cèi 83
9 甄 zhēn 937
10 甍 méng 511
11(甌)ōu 550
(甎)zhuān 966
12 甑 zèng 922
13 甓 pì 567
14(甖)yīng 884

牙

0 牙 yá 846

止

止 zhǐ 948
1 正 zhēng 938
zhèng 940
2 此 cǐ 131
3 步 bù 72
4 歧 qí 583
武 wǔ 785
5 歪 wāi 757
9(歲)suì 711
10 雌 cí 131

支

7(敍)xù 836
10 敲 qiāo 598
11(敺)qū 613

日(曰)

0 日 rì 629
曰 yuē 908
1 旦 dàn 157
电 diàn 177
旧 jiù 405
2 旮 gā 245
旯 lá 444
曲 qū 612
qǔ 614
旭 xù 836
曳 yè 863
早 zǎo 918
旨 zhǐ 949
3 旰 gàn 252
更 gēng 263
gèng 264
旱 hàn 300
旷 kuàng 439
时 shí 671
4 昂 áng 10
昌 chāng 90
(旾)chūn 127
沓 dá 141
tà 714
杲 gǎo 256
昊 hào 305
昏 hūn 339
昆 kūn 441
明 míng 521
(昇)shēng 662
(旹)shí 671
昙 tán 718
旺 wàng 765
昔 xī 790
昕 xīn 824
杳 yǎo 859
易 yì 876
昀 yún 911
昃 zè 920
5 昶 chǎng 93
春 chūn 127
曷 hé 308
(昬)hūn 339
昴 mǎo 504
昧 mèi 508
昵 nì 541
(昚)shèn 661
是 shì 679
(昰)shì 679
显 xiǎn 802
星 xīng 827
映 yìng 886
昱 yù 901
昝 zǎn 916
昭 zhāo 930
昨 zuó 985
6 晁 cháo 96
晃 huǎng 334
huàng 334
晖 huī 335
晋 jìn 395
(晉)jìn 395
晒 shài 644
晌 shǎng 649
晟 shèng 666
(時)shí 671
(書)shū 686
晓 xiǎo 816
晏 yàn 854
晔 yè 863
晕 yūn 910
yùn 912
7 曹 cáo 81
晨 chén 100
晗 hán 298
晦 huì 339
曼 màn 501
冕 miǎn 515
晚 wǎn 761
晤 wù 787
(勗)xù 836
(晝)zhòu 959
8(晻)àn 8
晷 guǐ 289
晶 jīng 398
景 jǐng 400
晾 liàng 471
普 pǔ 579
晴 qíng 608
暑 shǔ 689
替 tì 729
晰 xī 790
(暎)yìng 886
暂 zàn 916
智 zhì 953
最 zuì 983
9 暗 àn 8
暌 kuí 441
暖 nuǎn 549
(㬉)nuǎn 549
暇 xiá 796
(尟)xiǎn 803
暄 xuān 838
10 暧 ài 5
(暠)hào 305
暝 míng 523
暮 mù 529
(暱)nì 541
(曄)yè 863
11 暴 bào 32
(曏)xiàng 810
12(曇)tán 718
暾 tūn 752
(曉)xiǎo 816
13(曖)ài 5
(曡)dié 183
曙 shǔ 690
14 曛 xūn 842
曜 yào 861
15 曝 bào 33
pù 579
(疊)dié 183
(曠)kuàng 439
16 曦 xī 792
17 曩 nǎng 535
19(曬)shài 644
(晳)xī 790

贝(貝)

0 贝 bèi 35

部首

见(見)

父

牛(牜)

气

手(扌)

0 (攣)luán 491
手 shǒu 681
5 拜 bài 21
(拏)ná 530
6 挛 luán 491
拿 ná 530
(㧱)ná 530
(挐)ná 530
挈 qiè 601
拳 quán 617
挚 zhì 952
7 挲 sā 637
suō 712
8 掰 bāi 17
掣 chè 98
掌 zhǎng 928
9 (揫)jiū 403
10 搿 gé 260
摹 mó 524
搴 qiān 592
11 摩 mā 496
mó 524
(摯)zhì 952
12 擎 qíng 609
13 擘 bò 62
(擊)jī 346
15 攀 pān 555

毛

0 毛 máo 503
5 毡 zhān 924
6 毪 mú 527
(毧)róng 630
7 毫 háo 301
(毬)qiú 611
8 毳 cuì 137
毽 jiàn 371
毯 tǎn 719
11 麾 huī 335
(氂)máo 504
12 氅 chǎng 93
13 (氈)zhān 924
(氊)zhān 924

攵

2 (攷)kǎo 423
收 shōu 680
3 改 gǎi 246
攻 gōng 268
4 败 bài 21
放 fàng 222
5 故 gù 277
(敂)kòu 434
畋 tián 732
政 zhèng 942
6 敖 áo 12
敌 dí 170
敉 mǐ 513
效 xiào 817
7 敝 bì 45
敕 chì 110
敢 gǎn 250
教 jiāo 377
jiào 381
救 jiù 405
敛 liǎn 466
敏 mǐn 519
(啟)qǐ 584
赦 shè 656
(敘)xù 836
8 敞 chǎng 93
敦 dūn 199
敬 jìng 401
散 sǎn 639
sàn 640
(㪔)sǎn 639
sàn 640
9 (敦)dūn 199
敫 jiǎo 379
数 shǔ 689
shù 691
shuò 700
(敭)yáng 855
11 (敵)dí 170
敷 fū 236
(數)shǔ 689
shù 691
(數)shuò 700
12 整 zhěng 940
13 (斃)bì 45
(斂)liǎn 466
19 (變)biàn 48

长(長)

0 长 cháng 90
zhǎng 928
(長)cháng 90
zhǎng 928

𦥑

9 (與)yú 897
yǔ 899
yù 900
12 (舉)jǔ 408
(興)xīng 827
(興)xìng 830
13 (擧)jǔ 408
22 (釁)xìn 826

片

0 片 piān 567
piàn 568
4 版 bǎn 24
8 牍 dú 193
(牋)jiān 366
牌 pái 554
9 (牎)chuāng 125
牒 dié 183
(牐)zhá 922
10 (牓)bǎng 26
11 (牕)chuāng 125
牖 yǒu 896
15 (牘)dú 193

斤

0 斤 jīn 390
1 斥 chì 110
4 斧 fǔ 240
所 suǒ 712
斩 zhǎn 925
5 斫 zhuó 972
7 断 duàn 196
8 斯 sī 702
(斮)zhuó 972
9 新 xīn 824
10 (斲)zhuó 972
13 (斵)zhuó 972
14 (斷)duàn 196

爪(爫)

0 爪 zhǎo 931
zhuǎ 965
4 爬 pá 552
5 爰 yuán 904
6 爱 ài 4
8 (爲)wéi 767
wèi 772
9 (亂)luàn 491
13 爵 jué 414
(谿)xī 791

月(⺼)

0 月 yuè 908
2 肌 jī 347
(肎)kěn 429
肋 lē 454
lèi 455
有 yǒu 893
yòu 896
3 肠 cháng 92
肚 dǔ 194
dù 194
肝 gān 249
肛 gāng 253
(肐)gē 258
肓 huāng 331
肟 wò 778
肖 xiào 816
肘 zhǒu 959
4 肮 āng 10
肪 fáng 221
肥 féi 225
肺 fèi 227
肤 fū 236
服 fú 237
fù 242
肱 gōng 269
股 gǔ 275
肩 jiān 365
肼 jǐng 400
肯 kěn 429
(冐)mào 504
(肧)pēi 559
朋 péng 562
肷 qiǎn 594
朊 ruǎn 635
肾 shèn 661
肽 tài 717

部首

氏

欠

0 欠 qiàn 595
2 次 cì 132
欢 huān 328
3 欤 yú 897
4 欧 ōu 550
欣 xīn 824
6 (欬)ké 425
7 欸 āi 4
ǎi 4
ē 205
é 205
ě 205
è 205
(欵)kuǎn 438
欲 yù 902
8 欻 chuā 122
款 kuǎn 438
欺 qī 581
欹 yī 871
9 歃 shà 644
歇 xiē 818
歆 xīn 825
10 歌 gē 259
歉 qiàn 595
11 (歐)ōu 550
(歎)tàn 719
(㱃)yǐn 882
yìn 883
12 歙 shè 657
xī 791
13 (歛)liǎn 466
(歟)yú 897
17 (歡)huān 328

风(風)

0 风 fēng 231
(風)fēng 231
5 飑 biāo 52
飒 sà 637
(颯)sà 637
(颱)tái 715
6 (颳)guā 278
7 (颶)jù 410
8 飓 jù 410
9 飕 sōu 706
(颺)yáng 855
11 飘 piāo 569
(飄)piāo 569
12 飙 biāo 52

殳

0 殳 shū 687
4 殴 ōu 550
5 段 duàn 196
6 (殺)shā 642
殷 yān 848
yīn 880
yǐn 882
7 (殼)ké 425
qiào 599
8 (殽)xiáo 813
9 殿 diàn 180
彀 gòu 273
毁 huǐ 337
11 (穀)gǔ 275
(毆)ōu 550
毅 yì 878
13 觳 hú 321

毋(母)

0 毌 guàn 284
母 mǔ 527
毋 wú 784
2 每 měi 507
4 毒 dú 193
9 毓 yù 903

水(氺)

0 水 shuǐ 694
1 (氷)bīng 56
汆 cuān 136
氽 tǔn 753
永 yǒng 888
2 汞 gǒng 269
求 qiú 611
4 泵 bèng 39
隶 lì 463
泉 quán 617
荥 xíng 830
yíng 884
5 泰 tài 717
6 浆 jiāng 372
8 (淼)miǎo 517
10 (滎)xíng 830
yíng 884
11 (漿)jiāng 372

⺍(⺌)

7 喾 kù 436
(嚳)kù 436
11 黉 hóng 316
13 (黌)hóng 316

穴(⺳)

0 穴 xué 840
2 究 jiū 403
穷 qióng 609
3 空 kōng 430
kòng 432
穹 qióng 610
4 窆 biǎn 48
穿 chuān 122
(穽)jǐng 400
窃 qiè 601
突 tū 747
5 窍 qiào 600
窈 yǎo 859
窄 zhǎi 924
6 (窓)chuāng 125
窕 tiǎo 734
窑 yáo 858
窒 zhì 953
7 窗 chuāng 125
(窻)chuāng 125
窜 cuàn 136
窖 jiào 381
窘 jiǒng 403
窝 wō 778
8 窦 dòu 192
窠 kē 425
窟 kū 435
窥 kuī 440
(窩)wō 778
9 窭 jù 410
(窪)wā 756
窨 xūn 842
yìn 883
窬 yú 899
10 (窮)qióng 609
(窯)yáo 858
(窰)yáo 858
窳 yǔ 900
11 (窻)chuāng 125
(窶)jù 410
窿 lóng 484
13 (竄)cuàn 136
(竅)qiào 600
15 (竇)dòu 192
16 (竈)zào 918
17 (竊)qiè 601

立

0 立 lì 462
4 亲 qīn 601
qìng 609
竖 shù 690
5 (竝)bìng 58
竞 jìng 401
站 zhàn 926
(竚)zhù 962
6 竟 jìng 401
章 zhāng 927
7 竣 jùn 415
(竢)sì 705
竦 sǒng 706
童 tóng 742
8 (豎)shù 690
9 端 duān 195
竭 jié 386
15 (競)jìng 401

疒

2 疔 dīng 184
疖 jiē 382
疗 liáo 472
3 疙 gē 258
疚 jiù 405
疠 lì 463
疟 nüè 549
疝 shàn 646
疡 yáng 856
4 疤 bā 15
疮 chuāng 125
疯 fēng 234
疥 jiè 388
疫 yì 877
疣 yóu 892
5 病 bìng 59

部首

玄

衤

部首

部首

部首

矢

生

禾

部首

(羣)qún 619
羧 suō 712
(羨)xiàn 805
(義)yì 875
8 (養)yǎng 856
9 羯 jié 387
羰 tāng 720
10 羲 xī 791
12 羹 gēng 264
(羴)shān 646
13 羸 léi 455
(羶)shān 646
15 羼 chàn 90

米

0 米 mǐ 513
2 籴 dí 170
3 籼 xiān 800
籽 zǐ 974
4 粑 bā 15
(粃)bǐ 42
粉 fěn 230
(粇)kāng 422
5 粗 cū 134
(粘)hú 321
粒 lì 464
粝 lì 464
粘 nián 542
zhān 925
粕 pò 577
粜 tiào 734
6 粢 cī 130
zī 973
粪 fèn 231
(粦)lín 476
粟 sù 708
粞 xī 791
粥 zhōu 959
(粧)zhuāng 968
7 粲 càn 80
(粰)fū 236
粳 jīng 398
粮 liáng 468
粱 liáng 469
8 (粺)bài 22
粹 cuì 137
精 jīng 398
糁 sǎn 640
shēn 659
粽 zòng 980
9 糍 cí 131
糇 hóu 316
糊 hū 319
hú 321
hù 322
糅 róu 631
糈 xǔ 836
糌 zān 916
(糉)zòng 980
10 糙 cāo 81
糕 gāo 256
糗 qiǔ 612
糖 táng 721
11 (糞)fèn 231
糠 kāng 422
糜 méi 507
mí 513
(糝)sǎn 640
(糝)shēn 659
糟 zāo 917
12 糨 jiàng 374
(糧)liáng 468
14 (糲)lì 464
糯 nuò 549
(糰)tuán 749
16 (糴)dí 170
19 (糶)tiào 734

亦

0 亦 yì 876
2 变 biàn 48
6 脔 luán 491

齐(齊)

0 齐 jì 356
qí 581
(齊)jì 356
qí 581
3 (齋)zhāi 923
9 齑 jī 350
14 (齏)jī 350

衣

0 衣 yī 870
yì 876
2 表 biǎo 53
(卒)zú 982
4 衮 gǔn 289
袅 niǎo 543
衾 qīn 602
衰 shuāi 692
衷 zhōng 956
5 袋 dài 154
袈 jiā 362
(袠)zhì 952
6 裁 cái 75
裂 liě 474
liè 474
裒 póu 577
亵 xiè 821
装 zhuāng 968
7 (裏)lǐ 459
li 459
裘 qiú 612
(裠)qún 619
裟 shā 643
裔 yì 878
(裝)zhuāng 968
8 裳 cháng 93
shang 653
裹 guǒ 292
裴 péi 560
(製)zhì 951
9 褒 bāo 28
10 褰 qiān 592
11 襄 xiāng 808
(褻)xiè 821
13 襞 bì 46

耒

0 耒 lěi 455
3 耔 zǐ 974
4 耙 bà 17
pá 552
耖 chào 97
耕 gēng 264
耗 hào 305
耘 yún 911
5 耜 sì 705
6 耠 huō 341
7 (耡)chú 120
耢 lào 454
8 耥 tāng 720
9 耧 lóu 485
耦 ǒu 550
10 耩 jiǎng 374
耨 nòu 547
耪 pǎng 557
11 (耬)lóu 485
12 (耮)lào 454
16 耱 mò 527

耳(⽿)

0 耳 ěr 206
2 耵 dīng 184
3 耷 dā 140
闻 wén 776
4 耻 chǐ 109
(恥)chǐ 109
耽 dān 156
耿 gěng 264
(眇)miǎo 517
聂 niè 544
耸 sǒng 705
5 聃 dān 156
聊 liáo 472
聆 líng 478
聋 lóng 484
聍 níng 544
职 zhí 947
6 聒 guō 290
联 lián 466
7 聘 pìn 572
8 聚 jù 410
9 聪 cōng 132
聩 kuì 441
10 聱 áo 12
11 (聰)cōng 132
(聯)lián 466
(聲)shēng 664
(聳)sǒng 705
12 (聶)niè 544
(職)zhí 947
14 (聹)níng 544
16 (聾)lóng 484
(聽)tīng 736

老

0 老 lǎo 450

部首

部首

自

血(⾎)

行

舟

部首

部首

(7画)谷身龟角 (8画)青雨非齿黾佳鱼

貔 pí 566	觥 gōng 269	8(電)diàn 177	齱 chuò 129	(雞)jī 347
17(貛)huān 329	解 jiě 387	霏 fēi 225	齬 yǔ 900	(離)lí 458
	jiè 389	霖 lín 476	9(鱷)è 205	(雙)shuāng 693
谷	xiè 821	霓 ní 540	齲 qǔ 614	(雛)yōng 888
0 谷 gǔ 275	觜 zī 974	霎 shà 644	龌 wò 779	(雜)zá 913
10 豁 huá 326	zuǐ 983	(霑)zhān 924		11(難)nán 533
huō 341	7 觫 sù 709	9 霜 shuāng 694	**黾(黽)**	nàn 535
huò 345	8 觯 zhì 954	霞 xiá 796		15(讎)chóu 115
	11(觴)shāng 649	11 霭 ǎi 4	0 黾 miǎn 515	
身(身)	12(觶)zhì 954	(霧)wù 788	(黽)miǎn 515	**鱼(魚)**
	13(觸)chù 122	12 霰 xiàn 805	6(鼃)wā 756	
0 身 shēn 658		13 霸 bà 17	10(鰲)áo 12	0 鱼 yú 898
3 躬 gōng 269	**青**	露 lòu 486	11(鼈)biē 54	(魚)yú 898
4(躭)dān 156	0 青 qīng 603	lù 489	12 鼍 tuó 754	4 鲂 fáng 221
躯 qū 613	6 靖 jìng 402	霹 pī 564	(鼉)tuó 754	鲁 lǔ 487
(躰)shè 656	静 jìng 402	14(霽)jì 359		(魯)lǔ 487
6 躲 duǒ 202	8 靛 diàn 180	霾 mái 498	**佳**	鱿 yóu 893
(躶)gōng 269		16(靈)lì 464	0 佳 zhuī 969	鲅 bà 17
8(躴)luǒ 494	**雨**	(靈)líng 477	2 隽 juàn 412	鲍 bào 32
躺 tǎng 722	0 雨 yǔ 900		难 nán 533	鲋 fù 244
11(軀)qū 613	yù 901	**非**	nàn 535	鲎 hòu 318
	3 雪 xuě 840	0 非 fēi 224	隼 sǔn 711	鲈 lú 487
龟(龜)	零 yú 898	1 韭 jiǔ 404	(隻)zhī 944	鲇 nián 542
0 龟 guī 287	4(雰)fēn 230	7 靠 kào 424	3 雀 qiāo 598	鲆 píng 575
jūn 415	雳 lì 464		qiǎo 599	鲐 tái 716
qiū 610	雯 wén 776	**齿(齒)**	què 619	6 鲕 ér 206
(龜)guī 287	(雲)yún 910	0 齿 chǐ 109	4 雇 gù 278	鲑 guī 288
jūn 415	5 雹 báo 28	(齒)chǐ 109	集 jí 353	xié 819
qiū 610	雷 léi 455	2 龀 chèn 101	(雋)juàn 412	鲚 jì 359
	零 líng 478	5 龅 bāo 28	雄 xióng 832	鲛 jiāo 377
角	雾 wù 788	(齣)chū 116	雅 yǎ 897	鲒 jié 387
角 jiǎo 378	霁 jì 359	龃 jǔ 409	雏 chú 120	鲔 wěi 771
jué 413	霆 tíng 738	龄 líng	雍 yōng 888	鲜 xiān 800
2(觔)jīn 390	需 xū 835	龆 tiáo 734	雉 zhì 954	xiǎn 803
4 觖 jué 414	霉 méi 507	6(齧)niè 544	雒 luò 495	鲞 xiǎng 810
5(觚)dǐ 171	霈 pèi 561	(齩)yǎo 859	8 雕 diāo 180	(鯗)xiǎng 810
觚 gū 274	霄 xiāo 813	龈 yín 881	霍 huò 345	鲟 xún 843
觞 shāng 649	震 zhèn 938	龇 zī 974	9(雖)suī 710	7 鳌 cān 79
触 chù 122			10(雛)chú 120	鲠 gěng 264

部首

音訓索引

- 本索引は，日本語の読みのほうから，それに対応する中国字を検索できるようにしたものである．
- 配列は五十音順とし，同じ読みの中では総画数順とした．
- （ ）内は繁体字，あるいは異体字である．

あ

ア
亚(亞) yà 847
阿 ā 2
　à 2
　ē 203
哑(啞) yā 846
　yǎ 846
啊 ā 2
　á 2
　ǎ 2
　à 2
　a 2
蛙 wā 756

アイ
哀 āi 3
埃 āi 3
挨 āi 3
　ái 4
爱(愛) ài 4
秽(穢) huì 339
隘 ài 5
蔼 ǎi 4
瑷(璦) ài 5
暧(曖) ài 5
霭 ǎi 4

あい
相 xiāng 806
　xiàng 810
蓝(藍) lán 446

あいだ
间(間) jiān 365
　jiàn 370

あう
合 gě 260
　hé 305
会 huì 338
　kuài 437
逢 féng 235
遇 yù 902
遭 zāo 917

あえぐ
喘 chuǎn 124

あえて
肯 kěn 429
敢 gǎn 250

あお
苍(蒼) cāng 80
青 qīng 603

あおい
葵 kuí 441

あおぐ
仰 yǎng 856

あおぐろい
黝 yǒu 896

あおる
煽 shān 646

あか
赤 chì 110
垢 gòu 272
赭 zhě 934

あかざ
藜 lí 459

あかし
证 zhèng 942

あかつき
晓(曉) xiǎo 816

あがなう
购(購) gòu 272
赎(贖) shú 688

あかね
茜 qiàn 595
　xī 790

あがめる
崇 chóng 113

あがる
上 shǎng 649
　shàng 649
　shang 649

あかるい
明 míng 521

あき
秋 qiū 610

あきなう
商 shāng 648

あきらか
明 míng 521

あきらめる
谛 dì 174

あきる
厌(厭) yā 845
　yàn 853
饱 bǎo 29
倦 juàn 412

あきれる
呆 dāi 152

アク
恶(惡) ě 203
　è 204
　wū 780
　wù 787
握 wò 779
幄 wò 779
龌 wò 779

あく
开(開) kāi 416
空 kōng 430
　kòng 432
欠 qiàn 595

あけぼの
曙 shǔ 690

あげる
扬(揚) yáng 855
举(擧) jǔ 408

あご
颚 è 205

あこがれる
憧 chōng 112

あさ
麻 mā 496
　má 496
朝 cháo 96
　zhāo 930

あざ
字 zì 974
痣 zhì 953

あさい
浅 jiān 365
　qiǎn 594

あざける
嘲 cháo 96

あさひ
旭 xù 836

あざみ
蓟 jì 358

音訓

あらう
洗 xǐ 792
xiǎn 802
あらかじめ
予 yú 897
yǔ 899
あらし
岚 lán 446
あらず
非 fēi 224
あらそう
争 zhēng 938
あらためる
改 gǎi 246
あられ
霰 xiàn 805
あらわす
表 biǎo 53
现 xiàn 804
显(顯) xiǎn 802
著 zhe 935
zhù 964
zhuó 972
あり
蚁(蟻) yǐ 874
ある
有 yǒu 893
yòu 896
在 zài 915
或 huò 344
あるく
步 bù 72
あるじ
主 zhǔ 961
あれる
荒 huāng 331
あわ
泡 pāo 558
pào 559
粟 sù 708
あわい
淡 dàn 157
あわせる
并(併並) bīng 56
bìng 58
あわてる
慌 huāng 332
あわび
鲍 bào 32
あわれむ
怜(憐) lián 465
哀 āi 3
悯 mǐn 519
アン
安 ān 5
按 àn 8
案 àn 8
晏 yàn 854
谙 ān 7
庵 ān 7
馅 xiàn 805
暗 àn 8
鞍(鞌) ān 7
黯 àn 9
あんず
杏 xìng 830

い

イ
已 yǐ 873
为(爲) wéi 767
wèi 772
韦(韋) wéi 768
以 yǐ 873
汇(彙) huì 337
伟(偉) wěi 769
伊 yī 870
衣 yī 870
yì 876
夷 yí 871
异(異) yì 875
违(違) wéi 768
围(圍) wéi 768
帏(幃) wéi 768
纬(緯) wěi 770
位 wèi 773
医 yī 870
委 wēi 766
wěi 770
依 yī 870
易 yì 876
荑 tí 726
yí 871
威 wēi 766
胃 wèi 773
畏 wèi 773
咿 yī 871
咦 yí 871
姨 yí 871
诿 wěi 771
胰 yí 872
逶 wēi 766
萎 wēi 766
wěi 771
惟 wéi 768
唯 wéi 768
wěi 771
帷 wéi 769
维 wéi 769
尉 wèi 773
痍 yí 872
移 yí 872
崴 wǎi 757
渭 wèi 773
遗 wèi 773
yí 872
猬 wèi 774
椅 yī 871
yǐ 874
痿 wěi 771
颐 yí 873
意 yì 877
蔚 wèi 774
yù 903
慰 wèi 774
い
井 jǐng 399
亥 hài 297
いう
云 yún 910
言 yán 849
谓 wèi 773
いえ
家 jiā 360
jia 360
jie 389
いえども
虽(雖) suī 710
いおり
庵 ān 7
いかだ
筏 fá 212
いかり
怒 nù 548
碇 dìng 186
锚 máo 504
イキ
域 yù 902
阈 yù 902
いき
息 xī 790
粹 cuì 137
いきおい
势(勢) shì 678
いきどおる

音訓

音訓

いらだつ
苛 kē 424
いる
居 jū 407
要 yāo 858
yào 860
射 shè 656
铸(鑄) zhù 964
煎 jiān 366
いれる
容 róng 630
淹 yān 848
いろ
色 sè 641
shǎi 644
いろどる
彩 cǎi 76
いわ
岩 yán 850
いわう
祝 zhù 964
いわく
曰 yuē 908
イン
引 yǐn 881
允 yǔn 911
印 yìn 883
阴(陰) yīn 878
因 yīn 879
饮 yǐn 882
yìn 883
员 yuán 904
yún 911
yùn 912
咽 yān 847
yàn 853
yè 863
荫(蔭) yīn 879
yìn 883
茵 yīn 880
姻 yīn 880
胤 yìn 883
院 yuàn 907
陨 yǔn 911
殷 yān 848
yīn 880
yǐn 882
蚓 yǐn 882
淫 yín 880
寅 yín 880
隐 yǐn 882
殒 yǔn 911
韵(韻) yùn 912
瘾(癮) yǐn 882

う

ウ
乌(烏) wū 779
右 yòu 896
迂 yū 897
宇 yǔ 899
羽 yǔ 900
芋 yù 901
盂 yú 898
雨 yǔ 900
yù 901
禹 yǔ 900
う
卯 mǎo 504
ウイ
茴 huí 337
うえ
上 shǎng 649
shàng 649
shang 649
うえる
饥(饑) jī 346
饿 è 204
植 zhí 948
うかがう
伺 cì 132
sì 704
窥 kuī 440
うがつ
穿 chuān 122
うく
浮 fú 238
うぐいす
莺(鶯) yīng 884
うけたまわる
承 chéng 104
うける
受 shòu 684
请 qǐng 609
うごく
动(動) dòng 188
うごめく
蠢 chǔn 129
うし
丑 chǒu 115
牛 niú 545
うじ
氏 shì 675
蛆 qū 613
うしなう
失 shī 667
うしろ
后(後) hòu 316
うす
臼 jiù 405
碓 duì 199
うず
涡(渦) guō 290
wō 777
うすい
薄 báo 28
bó 62
bò 62
うずく
疼 téng 726
うずくまる
蹲 cún 138
dūn 199
うずたかい
堆 duī 197
うずめる
填 tián 732
うずら
鹑 chún 129
うそ
嘘 shī 669
xū 835
うた
呗 bei 37
歌 gē 259
うたい
谣 yáo 858
うたがう
疑 yí 873
うたげ
宴 yàn 853
うち
内 nèi 537
うつ
打 dá 141
dǎ 141
击(擊) jī 346
讨 tǎo 723
伐 fá 212
搏 bó 62
うつくしい
美 měi 507
うつす
写 xiě 819
迁(遷) qiān 590
映 yìng 886

え

冒 mào 504
mò 526
侵 qīn 601

おがむ
拜 bài 21

おき
冲 chōng 111
chòng 113

おぎ
荻 dí 170

おきな
翁 wēng 777

おぎなう
补(補) bǔ 63

おきる
起 qǐ 585

オク
亿(億) yì 875
忆(憶) yì 875
屋 wū 780
臆 yì 878

おく
措 cuò 139
奥 ào 12
置 zhì 953

おくみ
衽 rèn 628

おくりな
谥(諡) shì 679

おくる
送 sòng 706
赠 zèng 922

おくれる
迟(遲) chí 109

おけ
桶 tǒng 742

おごそか
严(嚴) yán 848

おこたる
怠 dài 154

おこなう
行 háng 300
héng 312
xíng 828

おこる
兴(興) xīng 827
xìng 830

おごる
骄(驕) jiāo 376
奢 shē 654

おさえる
抑 yì 876

おさない
幼 yòu 896
稚 zhì 954

おさめる
收 shōu 680
纳 nà 531
治 zhì 952
修 xiū 833

おし
哑(啞) yā 846
yǎ 846

おじ
叔 shū 687

おしえる
教 jiāo 377
jiào 381

おしむ
吝 lìn 476
惜 xī 790

おす
压 yā 845
yà 847
牡 mǔ 528
押 yā 845
捺 nà 532
推 tuī 750
雄 xióng 832

おそい
迟(遲) chí 109
晚 wǎn 761

おそれる
畏 wèi 773
恐 kǒng 432

おだやか
稳 wěn 776

おちいる
陷 xiàn 805

おちる
坠(墜) zhuì 970
堕 duò 202
落 là 444
lào 454
luò 494

オツ
乙 yǐ 873

おっと
夫 fū 236
fú 237

おと
音 yīn 880

おとうと
弟 dì 174

おとがい
颐 yí 873

おとこ
男 nán 533

おとしめる
贬 biǎn 48

おどす
吓(嚇) hè 309
xià 799
胁(脅) xié 818
威 wēi 766

おとずれる
访 fǎng 221

おとる
劣 liè 474

おどる
跃(躍) yuè 909
踊 yǒng 888

おとろえる
衰 shuāi 692

おどろく
惊(驚) jīng 397

おなじ
同 tóng 740
tòng 743

おに
鬼 guǐ 288

おの
斧 fǔ 240

おのおの
各 gě 260
gè 261

おのれ
己 jǐ 355

おび
带 dài 153

おびえる
怯 qiè 601

おびただしい
夥 huǒ 344

おびる
佩 pèi 560
带 dài 153

おぼえる
觉 jiào 380
jué 413

おぼれる
溺 nì 541
niào 544

おぼろ
胧(朧) lóng 484

おも

驾	jià	363	洄	huí	337	贝(貝)	bèi	35	**かえりみる**		
卧	wò	778	茴	huí	337	**ガイ**			省	shěng	665
俄	é	203	晦	huì	339	艾	ài	4		xǐng	830
贺	hè	310	绘	huì	339		yì	875	顾(顧)	gù	277
哦	é	203	皆	jiē	382	外	wài	757	**かえる**		
	ó	550	诫	jiè	388	亥	hài	297	代	dài	152
	ò	550	疥	jiè	388	哎	āi	3	归(歸)	guī	286
峨	é	203	界	jiè	388	该	gāi	245	返	fǎn	217
娥	é	203	狯(獪)	kuài	438	劾	hé	307	还(還)	hái	295
饿	è	204	桧(檜)	guì	289	凯(凱)	kǎi	420		huán	329
鹅(鵝)	é	203		huì	339	垓	gāi	246	变(變)	biàn	48
雅	yǎ	847	海	hǎi	296	咳	hāi	295	换	huàn	331
蛾	é	203	悔	huǐ	337		ké	425	替	tì	729
	yǐ	874	烩(燴)	huì	339	孩	hái	296	蛙	wā	756
カイ			蚧	jiè	389	骇	hài	297	孵	fū	236
介	jiè	388	脍(膾)	kuài	438	阂	hé	308	**がえんずる**		
开(開)	kāi	416	晦	huì	339	垲(塏)	kǎi	420	肯	kěn	429
灰	huī	334	盔	kuī	440	害	hài	297	**かお**		
回	huí	335	傀	kuǐ	441	崖	ái	4	颜	yán	851
会	huì	335	谐	xié	819		yá	846	**かおる**		
	kuài	437	偕	xié	819	盖(蓋)	gài	247	香	xiāng	807
阶(階)	jiē	381	械	xiè	820		gě	260	薰	xūn	842
改	gǎi	246	蛔	huí	337	铠(鎧)	kǎi	420	馨	xīn	825
芥	gài	247	揩	kāi	420	涯	yá	846	**かかえる**		
	jiè	388	溃	kuì	441	溉	gài	247	抱	bào	32
怀(懷)	huái	328	愦	kuì	441	街	jiē	383	**かかげる**		
坏(壞)	huài	328	嗨	hāi	295	慨	kǎi	420	揭	jiē	383
戒	jiè	388	槐	huái	328	碍	ài	5	**かかと**		
快	kuài	437	楷	jiē	383	概	gài	247	踵	zhǒng	957
块(塊)	kuài	437		kǎi	420	骸	hái	296	**かがみ**		
乖	guāi	280	解	jiě	387	**かいこ**			镜	jìng	402
拐	guǎi	280		jiè	389	蚕	cán	79	**かがむ**		
怪	guài	280		xiè	821	**かう**			屈	qū	613
刽(劊)	guì	289	筷	kuài	438	买(買)	mǎi	498	**かがやく**		
诙	huī	334	魁	kuí	441	饲	sì	704	辉	huī	335
侩(儈)	kuài	438	澥	xiè	821	**かえって**			**かかる**		
徊	huái	328	懈	xiè	821	却	què	618	系(繫)		
	huí	337	邂	xiè	821	**かえで**				jì	357
恢	huī	335	**かい**			枫	fēng	233		xì	794

架 jià 364
悬(懸) xuán 838
罹 lí 459

かかわる

关(關) guān 280
拘 jū 407

かき

柿 shì 679
垣 yuán 904
蛎(蠣) lì 464

かぎ

钩(鉤) gōu 271
键 jiàn 371

かぎる

限 xiàn 803

カク

各 gě 260
　gè 261
吓(嚇) hè 309
　xià 799
划(劃) huá 325
　huà 326
扩(擴) kuò 442
角 jiǎo 378
　jué 413
壳(殼) qiào 599
画 huà 327
阁 gé 259
革 gé 259
　jí 353
郝 hǎo 304
觉 jiào 380
　jué 413
恪 kè 428
胳 gā 245
　gē 258
　gé 260
格 gē 258
　gé 259
郭 guō 290
核 hé 309
　hú 320
获(獲穫) huò 345
较 jiào 380
搁 gē 259
　gé 260
隔 gé 260
搅 jiǎo 379
喀 kā 416
确(確) què 619
嗝 gé 260
貉 háo 302
　hé 309
廓 kuò 442
膈 gé 260
　gè 262
赫 hè 310
榷 què 619
骼 gé 260
鹤 hè 310
霍 huò 345
馘 guó 292
攉 huō 341
藿 huò 345
矍 jué 414
攫 jué 414

かく

书(書) shū 686
画 huà 327
搔 sāo 641

かぐ

嗅 xiù 834

ガク

乐(樂) lè 454
　yuè 909
学 xué 840
岳 yuè 909
愕 è 204
萼 è 204
腭 è 205
额 é 203
颚 è 205
鳄 è 205

かくす

匿 nì 541
隐 yǐn 882

かけ

赌 dǔ 194

かげ

阴(陰) yīn 878
荫(蔭) yīn 879
　yìn 883
影 yǐng 885

がけ

崖 ái 4
　yá 846

かけひ

笕 jiǎn 367

かける

欠 qiàn 595
驱 qū 613
挂(掛) guà 279
架 jià 364
缺 quē 618
悬(懸) xuán 838
赌 dǔ 194
翔 xiáng 809

かげる

翳 yì 878

かご

笼(籠) lóng 484
　lǒng 484

かこむ

围(圍) wéi 768

かさ

伞(傘) sǎn 639
疮(瘡) chuāng 125
晕 yūn 910
　yùn 912
笠 lì 464

かさねる

重 chóng 112
　zhòng 957

かさぶた

痂 jiā 362

かざる

饰 shì 678

かじ

舵 duò 202
楫 jí 354

かしこい

贤(賢) xián 801

かしこまる

畏 wèi 773

かじる

啮 niè 544

かしわ

柏 bǎi 20
　bó 61
　bò 62

かす

贷 dài 154
粕 pò 577
滓 zǐ 974
糟 zāo 917

かず

数 shǔ 689
　shù 691
　shuò 700

かすか

微 wēi 766

かすみ

霞 xiá 796

かすめる

掠 lüè 491

かせ
枷 jiā 360
かぜ
风(風) fēng 231
かせぐ
稼 jià 364
かた
方 fāng 219
片 piān 567
piàn 568
肩 jiān 365
型 xíng 829
舄 xì 795
潟 xì 795
かたい
坚(堅) jiān 365
固 gù 276
硬 yìng 886
かたき
仇 chóu 114
qiú 611
敌(敵) dí 170
かたくな
顽 wán 761
かたじけない
忝 tiǎn 732
かたち
形 xíng 829
かたな
刀 dāo 161
かたまり
块(塊) kuài 437
かたむく
倾 qīng 605
かたよる
偏 piān 567
かたる
语 yǔ 900
yù 901
骗 piàn 568
かたわら
旁 páng 557
傍 bàng 27
カツ
刮 guā 278
括 guā 278
kuò 442
曷 hé 308
活 huó 341
割 gē 259
葛 gé 260
gě 261
喝 hē 305
hè 310
滑 huá 325
猾 huá 326
渴 kě 427
阔(濶) kuò 442
褐 hè 310
辖 xiá 796
瞎 xiā 795
蝎(蠍) xiē 818
豁 huá 326
huō 341
huò 345
かつ
且 jū 407
qiě 600
克 kè 427
胜(勝) shēng 665
shèng 666
かつお
鲣(鰹) jiān 366
かつぐ
担 dān 155
dàn 157
かつて
曾 céng 84
zēng 921
かつら
桂 guì 289
かて
粮(糧) liáng 468
かど
角 jiǎo 378
jué 413
かなう
叶 xié 818
yè 862
适(適) shì 678
かなえ
鼎 dǐng 185
かなしい
哀 āi 3
悲 bēi 34
かなでる
奏 zòu 981
かなめ
要 yāo 858
yào 860
かに
蟹 xiè 821
かね
金 jīn 390
钟(鐘) zhōng 956
かねる
兼 jiān 366
かのえ
庚 gēng 264
かば
桦(樺) huà 328
かばう
庇 bì 44
かぶ
芜(蕪) wú 784
株 zhū 960
かぶと
兜 dōu 190
かぶら
镝 dī 170
dí 171
かべ
壁 bì 46
かま
釜 fǔ 240
窑(窯) yáo 858
镰(鎌) lián 466
がま
蒲 pú 578
かまえる
构(構) gòu 272
かまち
框 kuàng 440
かまど
灶(竈) zào 918
かまびすしい
喧 xuān 837
かみ
发(髪) fà 213
纸 zhǐ 949
神 shén 659
かみなり
雷 léi 455
かむ
咬 yǎo 859
啮 niè 544
かめ
龟(龜) guī 287
jūn 415
qiū 610
瓮 wèng 777
かも
鸭 yā 846
かもす
酿(釀) niàng 543
かもめ

音訓

警 jǐng 400
馨 xīn 825

ゲイ

艺(藝) yì 875
迎 yíng 884
芸 yún 911
倪 ní 540
睨 nì 541
鲸 jīng 399

けがす

污(汚) wū 779
渎(瀆) dú 193

けがれる

秽(穢) huì 339

ゲキ

击(撃) jī 346
剧(劇) jù 410
戟 jǐ 355
隙 xì 795
激 jī 350
檄 xí 792

けす

消 xiāo 811

けずる

削 xiāo 811
xuē 839

けた

桁 héng 312

けだし

盖(蓋) gài 247
gě 260

ケツ

欠 qiàn 595
穴 xué 840
决(決) jué 412
诀 jué 412
血 xiě 820
xuè 841
抉 jué 412
杰(傑) jié 385
结 jiē 382
jié 385
洁(潔) jié 385
桀 jié 386
缺 quē 618
阙 quē 618
què 619
碣 jié 386
蕨 jué 414
獗 jué 414
蹶 jué 414
juě 414

ゲツ

月 yuè 908
孽(孼) niè 544

けむり

烟(煙) yān 847

けもの

兽(獣) shòu 685

ける

蹴 cù 136

けわしい

险(険) xiǎn 802

ケン

见(見) jiàn 369
犬 quǎn 617
件 jiàn 370
权(権) quán 616
坚(堅) jiān 365
县(県) xiàn 803
轩 xuān 837
肩 jiān 365
建 jiàn 370
券(券) quàn 618
xuàn 839
贤(賢) xián 801
俭(倹) jiǎn 367
茧(繭) jiǎn 367
剑(剣) jiàn 370
牵(牽) qiān 591
险(険) xiǎn 802
显(顕) xiǎn 802
宪(憲) xiàn 805
绚 xuàn 839
研 yán 850
yàn 853
砚 yàn 853
兼 jiān 366
捡(撿) jiǎn 367
笕 jiǎn 367
健 jiàn 371
娟 juān 411
倦 juàn 412
狷 juàn 412
绢 juàn 412
悭(慳) qiān 591
虔 qián 594
拳 quán 617
验(験) yàn 854
检(検) jiǎn 367
圈 juān 411
juàn 412
quān 615
眷 juàn 412
悬(懸) xuán 838
硷(鹸) jiǎn 368
毽 jiàn 371
腱 jiàn 371
鹃 juān 411
谦 qiān 591
喧 xuān 837
搛 jiān 366
键 jiàn 371
遣 qiǎn 594
慊 qiàn 595
qiè 601
嫌 xián 802
献 xiàn 805
暄 xuān 838
楦 xuàn 839
歉 qiàn 595
蜷 quán 617
鲣(鰹) jiān 366
谴 qiǎn 595
蹇 jiǎn 369

ゲン

幻 huàn 330
元 yuán 903
玄 xuán 838
阮 ruǎn 635
严(厳) yán 848
言 yán 849
弦(絃) xián 801
限 xiàn 803
现 xiàn 804
炫 xuàn 839
俨(儼) yǎn 851
彦 yàn 853
眩 xuàn 839
唁 yàn 854
原 yuán 904
减(減) jiǎn 367
舷 xián 802
谚 yàn 854
源 yuán 906
酽(釅) yàn 854

こ

コ

个(個) gě 260
gè 261
己 jǐ 355
户 hù 322
古 gǔ 274
乎 hū 318
夸(誇) kuā 436

こ

ゴ

こい

こいねがう

コウ

音訓

こうべ
首 shǒu 683
こうむる
被 bèi 36
蒙 mēng 510
méng 511
měng 511
こえ
声 shēng 664
こえる
沃 wò 778
肥 féi 225
超 chāo 95
越 yuè 910
こおり
冰(氷) bīng 56
こおる
冻(凍) dòng 189
コク
告 gào 257
谷 gǔ 275
克 kè 427
国 guó 290
刻 kè 428
哭 kū 435
梏 gù 278
牿 gù 278
鹄 gǔ 276
hú 321
黑 hēi 310
酷 kù 436
こぐ
漕 cáo 82
ゴク
狱(獄) yù 901
こけ
苔 tāi 715
tái 715
こげる
焦 jiāo 377
ここのつ
九 jiǔ 403
こころ
心 xīn 821
こころざし
志 zhì 951
こころみる
试 shì 677
こころよい
快 kuài 437
こし
腰 yāo 858
舆 yú 899
こす
超 chāo 95
越 yuè 910
滤(濾) lǜ 491
漉 lù 488
こずえ
梢 sào 641
shāo 653
こたえる
应(應) yīng 883
yìng 886
答 dā 140
dá 141
コツ
乞 qǐ 584
忽 hū 319
骨 gū 274
gǔ 275
笏 hù 322
惚 hū 319
こて
镘 màn 502
こと
事 shì 676
琴 qín 602
ごと
每 měi 507
ことごとく
尽(儘) jǐn 391
jìn 393
悉 xī 790
ごとし
如 rú 632
ことなる
异(異) yì 875
ことに
殊 shū 687
ことぶき
寿 shòu 684
ことわざ
谚 yàn 854
ことわり
理 lǐ 460
ことわる
断 duàn 196
こな
粉 fěn 230
こねる
捏(揑) niē 544
このむ
好 hǎo 302
hào 304
こばむ
拒 jù 409
こびる
媚 mèi 508
こぶ
瘤(癅) liú 482
こぶし
拳 quán 617
こま
驹 jū 407
こまかい
细 xì 794
こまぬく
拱 gǒng 269
こまる
困 kùn 442
こめ
米 mǐ 513
こも
菰 gū 274
こもる
笼(籠) lóng 484
lǒng 484
こよみ
历(曆) lì 461
こらしめる
惩(懲) chéng 105
こる
凝 níng 544
これ
之 zhī 943
此 cǐ 131
是 shì 679
ころ
顷 qǐng 609
ころがす
转(轉) zhuǎi 965
zhuǎn 966
zhuàn 967
ころす
杀(殺) shā 642
ころも
衣 yī 870
yì 876
こわい
怖 bù 73
こわす
坏(壞) huài 328
毁 huǐ 337
コン
今 jīn 389

さかん
旺 wàng 765
盛 chéng 105
shèng 666
さき
先 xiān 799
埼 qí 583
崎 qí 583
さぎ
鷺 lù 489
さきがけ
魁 kuí 441
サク
作 zuō 985
zuó 985
zuò 985
咋 zǎ 914
zé 920
zhā 922
削 xiāo 811
xuē 839
炸 zhá 923
zhà 923
栅 zhà 923
昨 zuó 985
朔 shuò 700
索 suǒ 713
窄 zhǎi 924
策 cè 83
酢 cù 135
zuò 988
凿(鑿)záo 918
zuò 988
错 cuò 139
蒴 shuò 700
榨 zhà 923
さくら
樱 yīng 884
さぐる
探 tàn 720
さけ
酒 jiǔ 404
鲑 guī 288
xié 819
さげすむ
蔑 miè 518
さけぶ
叫 jiào 380
さける
裂 liě 474
liè 474
避 bì 45
さげる
提 dī 170
tí 726
ささえる
支 zhī 943
ささげる
捧 pěng 562
ささやく
嗫(囁)niè 544
さじ
匙 chí 109
shi 680
さす
刺 cī 129
cì 132
差 chā 84
chà 87
chāi 88
cī 130
指 zhī 945
zhí 946
zhǐ 949
插(揷)chā 85
さずける
授 shòu 685
さそう
诱 yòu 896
さそり
蝎 xiē 818
さだめる
定 dìng 185
さち
幸 xìng 830
サツ
扎 zā 913
zhā 922
zhá 922
册(冊)cè 83
札 zhá 922
杀(殺)shā 642
刹 chà 87
shā 643
刷 shuā 692
shuà 692
飒 sà 637
拶 zā 913
zǎn 916
萨(薩)sà 637
察 chá 87
撮 cuō 138
zuǒ 985
擦 cā 74
ザツ
杂(雜)zá 913
さと
里 lǐ 459
li 459
さとい
聪(聰)cōng 132
さとす
谕 yù 902
さとる
悟 wù 787
さなぎ
蛹 yǒng 888
さば
鲭 qīng 607
zhēng 940
さばく
捌 bā 15
裁 cái 75
さび
锈(鏽)xiù 834
さびしい
寂 jì 358
淋 lín 476
lìn 476
さま
样(樣)yàng 857
さまたげる
妨 fāng 220
fáng 220
さむい
寒 hán 299
さむらい
侍 shì 677
さめ
鲛 jiāo 377
さめる
冷 lěng 456
觉 jiào 380
jué 413
醒 xǐng 830
さや
荚(莢)jiá 362
鞘 qiào 600
shāo 653
さら
皿 mǐn 519
更 gēng 263
gèng 264
さらす
晒 shài 644
曝 bào 33

音訓

ジョウ

す

すみか
栖 qī 580
すみやか
速 sù 708
すむ
住 zhù 962
济 jǐ 355
jì 357
栖 qī 580
澄 chéng 106
dèng 169
すもも
李 lǐ 459
する
刷 shuā 692
shuà 692
掏 tāo 722
摺 zhé 934
擂 léi 455
lèi 456
するどい
锐 ruì 635
すれる
擦 cā 74
すわる
坐 zuò 986
座 zuò 987
スン
寸 cùn 138

せ

セ
世 shì 675
施 shī 669
せ
亩 mǔ 528
背 bēi 34
bèi 35
濑 lài 446
ぜ
是 shì 679
セイ
井 jǐng 399
生 shēng 662
圣(聖) shèng 666
正 zhēng 938
zhèng 940
成 chéng 102
齐 jì 356
qí 581
阱 jǐng 400
西 xī 789
声 shēng 664
诚 chéng 104
青 qīng 603
势(勢) shì 678
性 xìng 830
姓 xìng 831
征 zhēng 939
怔 zhèng 942
制(製) zhì 951
济 jǐ 355
jì 357
挤 jǐ 355
荠 jì 357
qí 583
哜 jì 357
牲 shēng 665
星 xīng 827
政 zhèng 942
凄 qī 580
栖 qī 580
脐 qí 583
逝 shì 679
盛 chéng 105
菁 jīng 398
旌 jīng 398
清 qīng 605
盛 shèng 666
掣 chè 98
晴 qíng 608
婿 xù 837
睛 jīng 398
靖 jìng 402
精 jīng 398
静 jìng 402
蜻 qīng 607
誓 shì 680
醒 xǐng 830
整 zhěng 940
ゼイ
脆 cuì 137
税 shuì 697
筮 shì 680
赘 zhuì 970
セキ
夕 xī 789
斥 chì 110
石 dàn 157
shí 670
汐 xī 789
赤 chì 110
析 xī 790
昔 xī 790
责 zé 920
迹 jì 357
哧 chī 108
积(積) jī 348
脊 jǐ 355
席 xí 792
寂 jì 358
绩 jì 358
戚 qī 580
硕 shuò 700
淅 xī 790
惜 xī 790
晰 xī 790
瘠 jí 354
鹡 jí 354
藉 jí 354
jiè 389
籍 jí 354
せき
关(關) guān 280
咳 hāi 295
ké 425
堰 yàn 854
セツ
切 qiē 600
qiè 600
节(節) jiē 381
jié 383
设 shè 655
沏 qī 580
折 shé 655
zhē 933
zhé 933
泄 xiè 820
拙 zhuō 971
窃 qiè 601
说 shuì 697
shuō 698
yuè 909
浙 zhè 935
接 jiē 382
雪 xuě 840
渫 xiè 821
摄(攝) shè 656
楔 xiē 818
截 jié 386
薛 xuē 840
ゼツ
舌 shé 655
绝 jué 413
ぜに
钱 qián 593

せまい
狭 xiá 795
窄 zhǎi 924

せまる
迫 pǎi 554
pò 576
逼 bī 40

せみ
蝉 chán 89

せめる
攻 gōng 268
责 zé 920

せり
芹 qín 602

セン
川 chuān 122
千 qiān 590
专(專)zhuān 965
仟 qiān 590
阡 qiān 590
闪 shǎn 646
仙 xiān 799
占 zhān 924
zhàn 926
尖 jiān 364
迁(遷)qiān 590
扦 qiān 591
纤 qiàn 595
先 xiān 799
纤(纖)xiān 800
歼(殲)jiān 365
钏 chuàn 125
浅 jiān 365
饯 jiàn 370
浅 qiǎn 594
诠 quán 617
陕 shǎn 646
疝 shàn 646
诜 shēn 658
线(線)xiàn 803
穿 chuān 122
荐(薦)jiàn 370
贱 jiàn 370
泉 quán 617
染 rǎn 621
拴 shuān 693
洗 xǐ 792
xiǎn 802
宣 xuān 837
选(選)xuǎn 838
毡(氈)zhān 924
战(戰)zhàn 926
钱 qián 593
扇 shān 646
shàn 647
栓 shuān 693
盏 zhǎn 925
阐 chǎn 90
船 chuán 124
笺 jiān 366
剪 jiǎn 367
痊 quán 617
铨 quán 617
铣 xǐ 793
旋 xuán 838
xuàn 839
溅 jiàn 371
践 jiàn 371
筌 quán 617
羡(羨)xiàn 805
揎 xuān 837
渲 xuàn 839
煎 jiān 366
骟 shàn 647
跣 xiǎn 803
腺 xiàn 805
僭 jiàn 371
煽 shān 646
鲜 xiān 800
xiǎn 803
漩 xuán 838
谮 zèn 921
潜 qián 594
璇 xuán 838
撰 zhuàn 968
馔 zhuàn 968
藓 xiǎn 803
颤 chàn 90
zhàn 927
癣 xuǎn 839

ゼン
全 quán 615
前 qián 592
渐 jiān 366
渐 jiàn 371
禅 chán 89
喘 chuǎn 124
然 rán 621
善 shàn 647
禅 shàn 647
髯 rán 621
缮 shàn 647
膳 shàn 647
蠕 rú 633

そ

ソ
苏(蘇)sū 707
诉 sù 707
诅 zǔ 982
阻 zǔ 982
徂 cú 135
狙 jū 407
沮 jǔ 408
咀 jǔ 408
沮 jù 410
组 zǔ 982
咀 zuǐ 983
殂 cú 135
俎 zǔ 982
祖 zǔ 982
祚 zuò 987
础(礎)chǔ 121
疽 jū 407
素 sù 708
租 zū 981
粗 cū 134
措 cuò 139
曾 céng 84
疏 shū 687
曾 zēng 921
楚 chǔ 121
龃 jǔ 409
鼠 shǔ 689
溯 sù 708
愫 sù 708
塑 sù 708
嗉 sù 708
蔬 shū 688
憷 chù 122

ソウ
仓(倉)cāng 80
双 shuāng 693
匆 cōng 132
丛(叢)cóng 134
创(創)chuāng 125
chuàng 126
扫(掃)sǎo 641
sào 641
早 zǎo 918
争 zhēng 938
壮 zhuàng 969
沧(滄)cāng 80
苍(蒼)cāng 80
层(層)céng 84
怆(愴)chuàng 126

音訓

音訓

そめる
染 rǎn 621
そら
空 kōng 430
kòng 432
そらす
反 fǎn 215
そらんじる
谙 ān 7
そり
橇 qiāo 598
そる
反 fǎn 215
剃 tì 729
それ
其 jī 348
qí 582
それがし
某 mǒu 527
ソン
存 cún 137
忖 cǔn 138
孙(孫) sūn 711
村 cūn 137
逊(遜) xùn 843
损 sǔn 711
尊 zūn 984
撙 zǔn 984
樽 zūn 984
蹲 cún 138
dūn 199
鳟 zūn 984
ゾン
存 cún 137

た

タ
太 tài 716
他 tā 714
它(牠) tā 714
多 duō 200
她 tā 714
汰 tài 716
た
田 tián 731
ダ
打 dá 141
dǎ 141
朵(朶) duǒ 202
驮 duò 202
tuó 754
兑 duì 199
陀 tuó 754
妥 tuǒ 754
沱 tuó 754
驼 tuó 754
鸵 tuó 754
堕 duò 202
舵 duò 202
唾 tuò 755
惰 duò 202
椭 tuǒ 755
懦 nuò 549
タイ
队(隊) duì 197
太 tài 716
对(對) duì 197
台 tāi 715
tái 715
体 tī 726
tǐ 728
岱 dài 153
骀 dài 153
tái 716
苔 tāi 715
tái 715
态(態) tài 717
待 dāi 152
dài 153
带 dài 153
怠 dài 154
贷 dài 154
耐 nài 532
胎 tāi 715
退 tuì 751
泰 tài 717
逮 dǎi 152
dài 154
袋 dài 154
堆 duī 197
替 tì 729
滞 zhì 953
颓 tuí 751
戴 dài 154
黛 dài 154
たい
鲷 diāo 181
ダイ
大 dà 146
dài 152
代 dài 152
台 tāi 715
tái 715
第 dì 174
题 tí 727
醍 tí 728
だいだい
橙 chén 100
chéng 106
たいら
平 píng 572
たえ
妙 miào 517
たえる
绝 jué 413
耐 nài 532
堪 kān 421
たおす
倒 dǎo 162
dào 163
たか
鹰 yīng 884
たかい
高 gāo 254
たがい
互 hù 321
たがやす
耕 gēng 264
たから
宝 bǎo 28
たきぎ
薪 xīn 825
タク
托 tuō 753
宅 zhái 924
拓 tà 714
tuò 755
泽 zé 919
择 zé 919
zhái 924
卓 zhuō 971
zhuó 972
铎(鐸) duó 202
倬 zhuō 971
桌 zhuō 971
啄 zhuó 972
焯 chāo 95
zhuō 971
琢 zhuó 972
zuó 985
踔 chuō 129
磔 zhé 934
濯 zhuó 972
たく
炊 chuī 126
焚 fén 230

ダク
- 浊(濁)zhuó 972
- 诺 nuò 549

だく
- 抱 bào 32

たぐい
- 类(類)lèi 456

たくましい
- 逞 chěng 106

たくみ
- 巧 qiǎo 599
- 匠 jiàng 374

たくわえる
- 贮(貯)zhù 964
- 蓄 xù 837

たけ
- 丈 zhàng 928
- 竹 zhú 960
- 岳 yuè 909
- 茸 róng 630

たけし
- 武 wǔ 785
- 赳 jiū 403
- 猛 měng 511
- 毅 yì 878

たけのこ
- 笋(筍)sǔn 711

たしか
- 确(確)què 619

たしなむ
- 嗜 shì 680

だす
- 出 chū 116

たすける
- 扶 fú 237
- 助 zhù 963
- 援 yuán 905

たずさえる
- 携 xié 819

たずねる
- 讯 xùn 843
- 访 fǎng 221
- 寻(尋)xín 825
- xún 842

ただ
- 只 zhī 944
- zhǐ 948
- 惟 wéi 768
- 唯 wéi 768
- wěi 771

たたえる
- 称 chèn 101
- chēng 101

たたかう
- 战(戰)zhàn 926

たたく
- 叩 kòu 434
- 敲 qiāo 598

ただし
- 但 dàn 157

ただしい
- 正 zhēng 938
- zhèng 940

ただす
- 纠 jiū 403

たたずむ
- 伫 zhù 962

ただちに
- 直 zhí 946

たたむ
- 叠(疊)dié 183

ただよう
- 漂 piāo 569
- piǎo 569
- piào 570

たたる
- 祟 suì 711

ただれる
- 烂(爛)làn 448

たちばな
- 橘 jú 408

たちまち
- 忽 hū 319

タツ
- 达(達)dá 141

たつ
- 立 lì 462
- 龙(龍)lóng 483
- 辰 chén 100
- 建 jiàn 370
- 绝 jué 413
- 断 duàn 196
- 裁 cái 75

ダツ
- 夺(奪)duó 202
- 脱 tuō 753
- 獭 tǎ 714

たっとぶ
- 尚 shàng 653
- 贵 guì 289
- 尊 zūn 984

たつみ
- 巽 xùn 844

たて
- 纵(縱)zòng 979
- 盾 dùn 200
- 竖 shù 690

たで
- 蓼 liǎo 473
- lù 488

たてまつる
- 奉 fèng 235

たてる
- 建 jiàn 370

たとえる
- 例 lì 463
- 喻 yù 902
- 譬 pì 567

たな
- 棚 péng 562

たなごころ
- 掌 zhǎng 928

たに
- 谷 gǔ 275

たぬき
- 狸 lí 458

たね
- 种(種)chóng 112
- zhǒng 956
- zhòng 957

たのしい
- 乐(樂)lè 454
- yuè 909

たのむ
- 恃 shì 678
- 赖(賴)lài 446

たば
- 束 shù 690

たび
- 度 dù 194
- duó 202
- 旅 lǚ 489

たべる
- 食 shí 673
- sì 705
- yì 877

たま
- 玉 yù 901
- 珠 zhū 960
- 弹 dàn 158
- tán 718
- 球 qiú 611

たまう
- 给 gěi 262
- jǐ 355

たまご

ち

ちち
父 fǔ 240
fù 241
乳 rǔ 633
ちぢむ
缩 suō 712
チツ
帙 zhì 952
秩 zhì 952
窒 zhì 953
蛰 zhé 934
膣 zhì 954
ちまき
粽 zòng 980
ちまた
巷 hàng 301
xiàng 810
チャ
茶 chá 85
搽 chá 86
チャク
着 zhāo 930
zháo 931
zhe 935
zhuó 972
嫡 dí 171
チュウ
丑 chǒu 115
中 zhōng 954
zhòng 957
冲 chōng 111
chòng 113
虫 chóng 112
仲 zhòng 957
纣 zhòu 959
忡 chōng 112
肘 zhǒu 959
抽 chōu 113
忠 zhōng 956
宙 zhòu 959
诛 zhū 960
注 zhù 963
驻 zhù 963
昼(晝) zhòu 959
胄 zhòu 959
柱 zhù 964
衷 zhōng 956
酎 zhòu 959
畴 chóu 114
厨 chú 120
铸 zhù 964
稠 chóu 115
筹 chóu 115
踌 chóu 115
橱 chú 120
蹰 chú 120
チョ
伫 zhù 962
贮(貯) zhù 964
绪 xù 836
著 zhe 935
zhù 964
zhuó 972
猪 zhū 960
储 chǔ 121
楮 chǔ 121
褚 chǔ 121
zhǔ 962
樗 chū 120
躇 chú 120
チョウ
丁 dīng 183
长(長) cháng 90
zhǎng 928
厅 tīng 736
鸟(鳥) diǎo 181
niǎo 543
伥 chāng 90
兆 zhào 931
肠(腸) cháng 92
怅 chàng 94
疔 dīng 184
町 dīng 184
tǐng 738
听(聽) tīng 736
张 zhāng 927
帐 zhàng 929
畅 chàng 94
宠(寵) chǒng 113
钓 diào 181
顶 dǐng 184
迢 tiáo 733
帖 tiē 735
tiě 735
tiè 736
账 zhàng 929
胀 zhàng 929
重 chóng 112
zhòng 957
挑 tiāo 732
tiǎo 734
贴 tiē 735
赵(趙) zhào 931
晁 cháo 96
凋 diāo 180
调 diào 181
tiáo 733
涨 zhǎng 928
zhàng 929
铫 diào 182
yáo 858
谍 dié 183
眺 tiào 734
超 chāo 95
朝 cháo 96
zhāo 930
惩(懲) chéng 105
喋 dié 183
牒 dié 183
跳 tiào 734
碟 dié 183
潮 cháo 96
嘲 cháo 96
澄 chéng 106
dèng 169
蝶 dié 183
徵 zhǐ 950
雕(彫) diāo 180
鲽 dié 183
チョク
直 zhí 946
敕(勅) chì 110
ちり
尘(塵) chén 99
ちる
散 sǎn 639
sàn 640
チン
闯 chuǎng 125
陈(陳) chén 99
沉 chén 99
沈(瀋) shěn 661
枕 zhěn 937
珍 zhēn 936
赁 lìn 476
朕 zhèn 938
趁 chèn 101
椿 chūn 128
镇 zhèn 938

つ

つ
津 jīn 391
ツイ
对(對) duì 197
坠(墜) zhuì 970

音訓

稻 dào 165
懂 dǒng 188
踏 tā 714
tà 715
樘 táng 721
滕 téng 726
糖 táng 721
螗 táng 722
蹈 dǎo 162
藤 téng 726
とう
问 wèn 777
ドウ
导(導) dǎo 161
动(動働)
dòng 188
同 tóng 740
tòng 743
洞 dòng 189
恫 dòng 190
tōng 738
恸 tòng 743
胴 dòng 190
堂 táng 721
萄 táo 723
铜 tóng 741
道 dào 164
棠 táng 721
童 tóng 742
憧 chōng 112
膛 táng 721
撞 zhuàng 969
瞠 chēng 102
とうとい
贵 guì 289
尊 zūn 984
とお
十 shí 669
とおい
远(遠) yuǎn 906
とおる
彻(徹) chè 98
亨 hēng 312
通 tōng 738
tòng 743
透 tòu 746
とがめる
咎 jiù 405
とがる
尖 jiān 364
とき
时(時) shí 671
とぎ
伽 gā 245
jiā 360
qié 600
トク
秃 tū 747
笃 dǔ 194
匿 nì 541
特 tè 725
得 dé 165
de 167
děi 167
渎(瀆) dú 193
督 dū 192
德 dé 166
とく
说 shuì 697
shuō 698
yuè 909
解 jiě 387
jiè 389
xiè 821
溶 róng 630
とぐ
研 yán 850
yàn 853
ドク
独 dú 192
毒 dú 193
读(讀) dòu 192
dú 193
とげ
刺 cī 129
cì 132
棘 jí 353
とける
解 jiě 387
jiè 389
xiè 821
溶 róng 630
熔 róng 630
融 róng 631
とげる
遂 suí 711
suì 711
とこ
床 chuáng 125
ところ
处 chǔ 120
chù 121
所 suǒ 712
とし
年 nián 541
岁(歲) suì 711
とじる
闭 bì 44
缀 zhuì 970
とち
橡 xiàng 811
トツ
凸 tū 746
突 tū 747
とつぐ
嫁 jià 364
とどく
届 jiè 388
とどこおる
滞 zhì 953
ととのえる
调 diào 181
tiáo 733
整 zhěng 940
とどろく
轰(轟) hōng 313
となえる
唱 chàng 94
となり
邻(隣) lín 475
との
殿 diàn 180
とばり
帷 wéi 769
とび
鸢 yuān 903
とびら
扉 fēi 225
とぶ
飞(飛) fēi 223
翔 xiáng 809
跳 tiào 734
とぼしい
乏 fá 212
とま
苫 shān 646
shàn 646
とまる
止 zhǐ 948
泊 bó 61
pō 575
留 liú 482
とみ
富 fù 243
とめる
止 zhǐ 948

驳 bó 61
麦 mài 499
莫 mò 526
缚 fù 244
漠 mò 526
寞 mò 526
蓦 mò 526
暴 bào 32
檗 bò 62
貘 mò 527
瀑 bào 33
　 pù 579
爆 bào 33
曝 bào 33
　 pù 579
はげ
秃 tū 747
はげしい
烈 liè 474
激 jī 350
はげむ
励 lì 463
はげる
秃 tū 747
剥 bāo 28
　 bō 60
ばける
化 huā 323
　 huà 326
はこ
匣 xiá 795
函 hán 298
箱 xiāng 808
はこぶ
运(運) yùn 911
はさみ
铗 jiá 362
はさむ
夹(夾) gā 245
　 jiā 360
　 jiá 362
挟 xié 818
はし
桥(橋) qiáo 598
端 duān 195
箸 zhù 964
はじ
耻(恥) chǐ 109
はじく
弹 dàn 158
　 tán 718
はじめ
初 chū 119
始 shǐ 674
はしら
柱 zhù 964
はしる
走 zǒu 980
はじる
耻(恥) chǐ 109
羞 xiū 833
愧 kuì 441
はずかしめる
辱 rǔ 634
はずむ
弹 dàn 158
　 tán 718
はぜ
栌(櫨) lú 487
はせる
驰 chí 108
はた
畑 tián 732
畠 tián 732
端 duān 195
旗 qí 583
はだ
肌 jī 347
はだか
裸 luǒ 494
はたけ
畑 tián 732
畠 tián 732
はたす
果 guǒ 292
ハチ
八 bā 14
钵 bō 60
はち
蜂 fēng 234
ハツ
发(發) fā 209
　 fà 213
拨(撥) bō 60
泼(潑) pō 575
バツ
伐 fá 212
拔 bá 15
阀 fá 212
罚 fá 212
跋 bá 16
はてる
果 guǒ 292
はと
鸠 jiū 403
はな
华(華) huá 325
　 huà 326
花 huā 323
鼻 bí 40
はなし
咄 duō 201
话 huà 327
はなす
放 fàng 222
话 huà 327
はなつ
放 fàng 222
はなはだしい
甚 shèn 661
はなれる
离(離) lí 458
はに
埴 zhí 947
はね
羽 yǔ 900
はは
母 mǔ 527
はば
巾 jīn 389
幅 fú 239
はばかる
惮(憚) dàn 157
はばむ
阻 zǔ 982
はぶく
省 shěng 665
　 xǐng 830
はべる
侍 shì 677
はま
浜 bāng 26
滨(濱) bīn 56
はまぐり
蛤 gé 260
　 há 295
はめる
嵌 kàn 422
　 qiàn 595
はも
鳢 lǐ 461
はやい
早 zǎo 918
速 sù 708
はやし
林 lín 475

はやぶさ
隼 sǔn 711
はら
肚 dǔ 194
dù 194
原 yuán 904
腹 fù 244
はらう
拂 fú 237
祓 fú 238
はらす
晴 qíng 608
はらむ
孕 yùn 911
妊 rèn 628
はり
针 zhēn 935
梁 liáng 468
はりつけ
磔 zhé 934
はる
张(張) zhāng 927
春 chūn 127
贴 tiē 735
はるか
遥 yáo 858
はれる
肿(腫) zhǒng 956
晴 *qíng* 608
ハン
凡 fán 214
反 fǎn 215
半 bàn 24
犯 fàn 217
帆 fān 213
扳 bān 22
pān 555
坂 bǎn 23
伴 bàn 25
泛 fàn 217
饭 fàn 218
判 pàn 556
板 bǎn 23
版 bǎn 24
拌 bàn 25
绊 bàn 25
范(範) fàn 218
贩 fàn 218
胖 pán 555
pàng 557
班 bān 22
颁 bān 22
般 bān 22
bō 60
pán 555
烦 fán 214
袢 pàn 557
畔 pàn 557
斑 bān 22
搬 bān 23
瘢 bān 23
樊 fán 215
潘 pān 555
燔 fán 215
繁 fán 215
pó 576
藩 fān 213
翻 fān 213
攀 pān 555
バン
万 wàn 762
伴 bàn 25
判 pàn 556
板 bǎn 23
矾(礬) fán 214
挽 wǎn 761
盘(盤) pán 555
晚 wǎn 761
番 fān 213
pān 555
蛮 mán 500
蕃 fān 213
fán 215
磐 pán 556
蟠 pán 556

ひ

ヒ
飞(飛) fēi 223
比 bǐ 40
皮 pí 564
妃 fēi 224
庇 bì 44
否 fǒu 236
pǐ 566
批 pī 563
纰 pī 563
屁 pì 566
卑 bēi 33
泌 bì 45
mì 513
非 fēi 224
肥 féi 225
帔 pèi 560
披 pī 564
秕 bǐ 42
费 fèi 227
砒 pī 564
罢(罷) bà 17
被 bèi 36
秘 bì 45
mì 513
诽 fěi 226
匪 fěi 226
疲 pí 565
婢 bì 45
菲 fēi 225
fěi 226
啡 fēi 225
绯 fēi 225
淝 féi 226
啤 pí 565
悲 bēi 34
扉 fēi 225
腓 féi 226
脾 pí 566
痞 pǐ 566
碑 bēi 34
鄙 bǐ 43
痹 bì 45
裨 bì 45
pí 566
辟 bì 45
pì 566
痱 fèi 227
蜚 fēi 225
fěi 226
榧 fěi 226
翡 fěi 226
避 bì 45
霏 fēi 225
臂 bei 37
bì 46
譬 pì 567
ひ
火 huǒ 342
日 rì 629
灯 dēng 167
阳(陽) yáng 854
ビ
尾 wěi 769
yǐ 874
备(備) bèi 35
枇 pí 565
眉 méi 506
美 měi 507

音訓

píng 574
冰(氷) bīng 56
兵 bīng 57
评 píng 574
表 biǎo 53
标(標) biāo 52
豹 bào 32
彪 biāo 52
婊 biǎo 54
票 piào 570
裱 biǎo 54
剽 piāo 569
骠 biāo 52
piào 570
漂 piāo 569
piǎo 569
piào 570
缥 piāo 569
piǎo 569
嫖 piáo 569
膘 biāo 52
飘 piāo 569
镖 biāo 53
瓢 piáo 569
瞟 piǎo 569

ひょう
雹 báo 28

ビョウ
苗 miáo 517
庙(廟) miào 518
屏 bǐng 58
秒 miǎo 517
屏 píng 575
病 bìng 59
猫 māo 503
máo 504
描 miáo 517
渺 miǎo 517

ひら
平 píng 572

ひらく
开(開) kāi 416
拓 tà 714
tuò 755
展 zhǎn 925

ひらめく
闪 shǎn 646

ひる
昼 zhòu 959
蛭 zhì 953
蒜 suàn 709

ひるがえす
翻 fān 213

ひれ
鳍 qí 584

ひろ
寻(尋) xín 825
xún 842

ひろい
广(廣) ān 5
guǎng 286
宏 hóng 315
浩 hào 305
宽 kuān 438
博 bó 61

ひろう
拾 shè 656
shí 673

ヒン
牝 pìn 572
贫 pín 571
品 pǐn 571
浜 bāng 26
宾(賓) bīn 55
频 pín 571
濒 bīn 56
颦 pín 571

ビン
贫 pín 571
便 biàn 49
pián 568
闽 mǐn 519
悯 mǐn 519
瓶 píng 575
紊 wěn 776
敏 mǐn 519
槟(檳) bīn 56
bīng 57
鬓(鬢) bìn 56

ふ

フ
不 bù 64
夫 fū 236
fú 237
父 fǔ 240
fù 241
讣 fù 241
布 bù 72
付 fù 241
妇(婦) fù 241
负 fù 241
芙 fú 237
扶 fú 237
孚 fú 237
附 fù 242
怖 bù 73
肤(膚) fū 236
苻 fú 237
府 fǔ 240
斧 fǔ 240
阜 fù 242
咐 fù 242
驸 fù 242
俘 fú 238
赴 fù 243
浮 fú 238
俯 fǔ 240
釜 fǔ 240
埠 bù 73
符 fú 239
腑 fǔ 241
傅 fù 243
富 fù 243
赋 fù 244
普 pǔ 579
蜉 fú 240
溥 pǔ 579
孵 fū 236
腐 fǔ 241
谱 pǔ 579
敷 fū 236

ブ
分 fēn 227
fèn 230
步 bù 72
抚(撫) fǔ 240
芜(蕪) wú 784
武 wǔ 785
诬 wū 780
侮 wǔ 786
部 bù 73
葡 pú 578
舞 wǔ 786

フウ
风(風) fēng 231
fú 237
冯 féng 235
píng 574
讽 fěng 235
枫 fēng 233
封 fēng 233
疯 fēng 234

ふえ
笛 dí 171

ふえる

へ

音訓

みのる
实(實) shí 672
稔 rěn 627
みみ
耳 ěr 206
みや
宫 gōng 269
ミャク
脉(脈) mài 499
mò 526
みやこ
都 dōu 190
dū 192
みやびやか
雅 yǎ 847
ミョウ
妙 miào 517
茗 míng 522
冥 míng 522
みる
见(見) jiàn 369
观(觀) guān 282
guàn 284
诊 zhěn 937
视 shì 678
看 kān 420
kàn 421
ミン
民 mín 518
岷 mín 519
泯 mǐn 519
抿 mǐn 519
眠 mián 514
愍 mǐn 519

む

ム
矛 máo 504
务(務) wù 786
牟 móu 527
mù 529
梦(夢) mèng 512
鹉 wǔ 786
雾(霧) wù 788
むかう
向 xiàng 810
むかえる
迎 yíng 884
むかし
昔 xī 790
むぎ
麦 mài 499
むく
向 xiàng 810
剥 bāo 28
bō 60
椋 liáng 468
むくいる
报(報) bào 31
酬 chóu 115
むくろ
骸 hái 296
むける
向 xiàng 810
むこ
婿 xù 837
むごい
酷 kù 436
むさぼる
贪 tān 717
むし
虫 chóng 112
むじな
貉 háo 302
hé 309
むしばむ
蚀 shí 674
むしろ
宁(寧) níng 544
nìng 545
筵 yán 850
むす
蒸 zhēng 939
むずかしい
难(難) nán 533
nàn 535
むすぶ
结 jiē 382
jié 385
むすめ
娘 niáng 543
むち
笞 chī 108
鞭 biān 47
むっつ
六 liù 483
むつまじい
睦 mù 529
むなしい
空 kōng 430
kòng 432
虚 xū 834
むね
旨 zhǐ 949
宗 zōng 978
栋(棟) dòng 190
胸 xiōng 831
むら
村 cūn 137
邑 yì 876
むらさき
紫 zǐ 974
むれ
群 qún 619
むろ
室 shì 678

め

め
目 mù 528
芽 yá 846
眼 yǎn 851
メイ
名 míng 519
明 míng 521
鸣 míng 522
命 mìng 523
迷 mí 512
茗 míng 522
冥 míng 522
铭 míng 522
盟 méng 511
溟 míng 523
酩 mǐng 523
暝 míng 523
瞑 míng 523
螟 míng 523
めかけ
妾 qiè 601
めぐむ
惠 huì 339
めぐる
巡 xún 842
めし
饭 fàn 218
めす
召 shào 654
zhào 931
牝 pìn 572
雌 cí 131
めずらしい
珍 zhēn 936
メツ
灭(滅) miè 518
めでる

音訓

ゆ

る

ル

ルイ

れ

レイ

レキ

レツ

レン

ろ

ロ

ロウ

音訓

総画索引

部首でも音訓でも検索の難しい字

中日辞典

KODANSHA PAX **ZHONG-RI CIDIAN**

A

【A股】A gǔ 图〈経〉A株．中国国内(香港・マカオを除く)投資家限定で，人民元で取り引きされる株

【AA制】AA zhì 图 割り勘 ‖ 今天吃饭我们～吧 今日の食事はみんなで割り勘にしよう

【AB角】AB jué 图 ダブルキャストの俳優

【AB制】AB zhì 图 (演劇などの)ダブルキャスト

【ATM机】ATM jī 图 ATM．現金自動預け入れ払い機．〔自动柜员guìyuán机〕〔自动取款机〕ともいう

ā

7 ⁂阿 ā 接頭 方 **親属呼称・長幼の序列・幼名・名前・姓の前に付けて親愛感を表す** ‖ ～毛 毛ちゃん ｜ ～芳 芳くん ➤ à ē

【阿爸】ābà 图 方 お父さん．お父ちゃん

【阿昌族】Āchāngzú 图 アチャン族(中国の少数民族の一つ，主として雲南省に居住)

【阿斗】Ā Dǒu 图 三国時代，蜀の皇帝劉備の子劉禅の幼名．凡庸無能者の代名詞

【阿尔巴尼亚】Ā'ěrbāníyà 图〈国名〉アルバニア

【阿尔茨海默病】ā'ěrcíhǎimòbìng 图〈医〉アルツハイマー病

【阿尔及利亚】Ā'ěrjílìyà 图〈国名〉アルジェリア

【阿飞】āfēi 图 ちんぴら ‖ 流氓liúmáng～ ごろつき．ちんぴら

【阿富汗】Āfùhàn 图〈国名〉アフガニスタン

【阿根廷】Āgēntíng 图〈国名〉アルゼンチン

【阿訇】āhōng 图 外〈宗〉イスラム教の聖職者．アホン．アーホンド

【阿拉】[1] Ālā 图 外〈宗〉(イスラム教の)神．アラー．アッラー ＝〔安拉〕〔真主〕

【阿拉】[2] 代 方 私．私たち

【阿拉伯联合酋长国】Ālābó liánhé qiúzhǎngguó 图〈国名〉アラブ首長国連邦．略して〔阿联酋〕ともいう

【阿拉伯人】Ālābórén 图 アラビア人．アラブ人

【阿拉伯数字】ālābó shùzì 图 算用数字．アラビア数字

*【阿拉伯语】Ālābóyǔ 图 **アラビア語**

【阿妈】āmā 图 方 ❶お母さん ❷年長の女性に対する呼称 ❸下女 ➤ àma

【阿曼】Āmàn 图〈国名〉オマーン

【阿猫阿狗】āmāo āgǒu 慣 方 数は多いが取るに足らぬ人々．雑多な人間

【阿门】āmén 图 外〈宗〉キリスト教の祈りの最後に唱える語．アーメン

【阿米巴】āmǐbā 图 外〈動〉アメーバ

【阿Q】Ā Qiū；Ā Kiū 图 魯迅の小説『阿Q正伝』の主人公．植民地的奴隷根性の典型人物

【阿塞拜疆】Āsàibàijiāng 图〈国名〉アゼルバイジャン

【阿司匹林】āsīpǐlín 图 外〈薬〉アスピリン

【阿嚏】ātì 擬 (くしゃみの音)ハクション

⁑【阿姨】āyí 图 ❶(子供が母親と同世代の女性に対して用いる呼称)おばさん ❷(保育園や幼稚園などで園児の保母や先生に対する呼称)**先生** ❸**お手伝いさんに対する呼称** ❹方 (母の姉妹に対する呼称)おばさん

10 ★啊 ā ❶感 **軽い驚き・感嘆を表す** ‖ ～，外面下雪了 あっ，外では雪が降ってきた ❷感 **軽い注意・忠告を表す** ‖ 你在家等着，～！ あなたは家で待っていなさい，分かった？ ➤ á ǎ à a

【啊哈】āhā 感 ❶(驚嘆や意外な気持ちを表す)えっ．おや ‖ ～，是你啊！ おや，あなたでしたか ❷(とっくに分かっている，お見通しだという気持ちを表す)へへっ．ははん．そうら ‖ ～，这下你可跑不掉了 そうら，こんどは逃げられないぞ

【啊呀】āyā 感 ❶(驚きを表す)うわっ．あれえ ‖ ～，你烧得这么厉害，快上医院 うわっ，ひどい熱だ，はやく病院に行かなくちゃ ❷(不満があったり困ったりしたときに発する)ありゃ．あらまあ ‖ ～，你怎么又弄了一身土 あらまあ，また泥だらけになって

【啊哟】【啊唷】āyō 感 (驚きや苦痛を表す)あれまあ．うわっ ‖ ～，疼死我了！ うわっ，痛い

12 腌 ā ➘ ➤ yān

【腌臜】āza；āzā 形 方 ❶汚れている．不潔である ❷むしゃくしゃする．気にくわない

12 锕 ā 图〈化〉アクチニウム(化学元素の一つ，元素記号は Ac)

á

10 啊 á 感 (問いただす語調を表す)えっ．なんだって ‖ ～，你说什么？ えっ，なんですって？ ➤ ā ǎ à a

ǎ

10 啊 ǎ 感 (意外・当惑・疑いを表す)ええっ．えっ ‖ ～，这可怎么办哪！ ええっ，これはどうしたらいいんだ ｜ ～，不会吧！ ええっ，そんなはずはない ➤ ā á à a

à

7 阿 à ➘ ➤ ā ē

【阿哥】àge 图 ❶満洲語で，息子に対する呼称 ❷清代，皇族の未成年男子に対する呼称

【阿妈】【阿嘛】àma 图 満洲語で，父親に対する呼称 ➤ āmā

10 啊 à ❶感 (短い発声で，同意・承諾を表す)ああ．ええ ‖ ～，就这样办吧！ ああ，ではそうしよう ❷感 (比較的長く発声し，納得した，悟った，分かったなどの気持ちを表す)ははあ．なるほど ‖ ～，原来如此 ははあ，なるほど ❸感 (驚き・感動を表す)ああ．おお．‖ ～，雄伟的长城！ ああ，雄大なる長城よ ➤ ā á ǎ a

a

10 ★啊 a ❶助 **文末に置く** ①**感嘆を表す** ‖ 他真好～！ 彼はほんとにいい人だなあ ｜ 这几句诗

写得多美～！ この詩はなんてきれいなんだろう ②軽い疑問を表す‖咱们什么时候去～？ 私たち，いつごろ行くの｜这事是谁干的～？ これは誰がやったんだ ③催促・命令を表す‖你快说～ はやく言いなさいよ ④語気を強める‖不穿衣服要着凉～ 服を着ないと風邪ひくよ ❷助 文中で間を置くところに用いる ①話に間を置く‖说到他～，没人不认识 彼のことならさ，知らない人はいないよ ②列挙する‖鸡～，鱼～，我都准备好了 鶏やら，魚やら，みんな用意したよ ❸助 動詞の後に置き，繰り返す形で動作が休みなく続くさまを表す‖跑～，跑～，终于跑到了家 走りに走ってやっと家にたどり着いた ❹助 問いに答えるとき，態度を表明する語の後に置き強調を表す‖是～，我也是这么想的 そうですとも，私もそう思ったんですよ． ＊〔啊〕は直前の韻母の影響を受け，発音が変化する． i, ü, a, e, o に続くと〔ia〕となり，〔呀〕とも書く． u, ao, ou に続くと〔ua〕となり，〔哇〕とも書く． n に続くと〔na〕となり〔哪〕とも書く． ng に続くと〔nga〕となる ➤ ā á ǎ à

āi

8 ＊＊**哎** āi ❶感 事の意外さに驚いた気持ちを表す．あれ．おや．まあ‖～，真没想到！ いやあ，びっくりしたよ ❷感 不満を表す‖～，你怎么这么说呢！ おいおい，なんてことを言うんだい ❸感 呼びかけや，注意を引くために用いる‖～，听我说！ ちょっと，いいから聞いてよ

＊＊【哎呀】āiyā 感 ❶（驚きを表す）おやまあ．あれまあ．〔唉呀〕とも書く‖～，我忘带钱包了 あっ，財布を忘れた｜～，这孩子都长这么大了 あらまあ，この子もすっかり大きくなったこと ❷いらだちや不快，苦痛などを表す‖～，你怎么能骂人呢？ おいっ，人をののしるのはよせよ｜～，头真疼啊！ うわっ，頭が痛い！

＊【哎哟】āiyō 感 ❶苦痛を感じたときに発する‖～，夹jiā手了！ 痛っ，手を挟んだ｜疼得他直～ 彼は痛くてうんうんうめいている ❷驚いたときに発する‖～，晚了！ うわっ，遅れた

9 **哀** āi ❶哀れむ．同情する ❷悲しい‖悲～ 痛ましい．悲しむ

【哀哀】āi'āi 形 非常に悲しむさま‖～欲绝 魂の消え入らんばかりに悲しむ

【哀兵必胜】āi bīng bì shèng 成（両軍が拮抗(きっこう)したとき）悲憤に燃えている軍隊のほうが必ず勝利を収める

【哀愁】āichóu 形 物悲しい．憂いに満ちている‖充满～的眼神 憂いに満ちたまなざし

【哀词】āicí 名 弔辞

＊【哀悼】āidào 動 死者を追慕する．哀悼する‖表示～ 哀悼の意を表す

【哀吊】āidiào 動 悼む．哀悼する‖～英灵 英霊を哀悼する

【哀告】āigào 動 哀願する‖母亲苦苦～父亲不要再喝酒了 母は父にもう酒を飲まないでとひたすら哀願した

【哀歌】āigē 名 哀歌．エレジー 動 悲しんで歌う‖恸tòng哭～ 泣きながら歌う

【哀号】āiháo 動 悲しみに声を上げて泣く．号泣する 名 号泣．慟哭(どうこく)

【哀嚎】āiháo 動（動物が）悲しげに遠吠えする

【哀鸿遍野】āi hóng biàn yě 成 悲しげな雁(かり)の声が野山にこだまする．戦争・災害・圧政のもとで民衆が苦しみ嘆くさま

【哀呼】āihū 動 悲しげに叫ぶ

【哀叫】āijiào 動 悲しげに泣き叫ぶ

【哀恳】āikěn 動 書 哀願する．嘆願する

【哀哭】āikū 動 書 悲しんで泣く

【哀苦】āikǔ 形 悲しくつらい

【哀怜】āilián 動 哀れむ．かわいそうに思う

【哀悯】āimǐn 動 哀れむ．同情する

【哀鸣】āimíng 動 悲しみ泣き叫ぶ 名 悲痛な叫び声‖发出一声～ 悲痛な叫び声をあげる

【哀凄】āiqī 形 悲しむさま．悼むさま

【哀启】āiqǐ 名 旧 死者の経歴などを記した文章（訃報(ふほう)に添えたり，葬儀後知人に送ったりする）

【哀泣】āiqì 動 書 悲しみに泣く．すすり泣く

【哀切】āiqiè 形（多く声やまなざしが）悲しく切ない．寂しげである‖～的眼神 悲しげな目

＊【哀求】āiqiú 動（自分より力のある人に）切々と頼む．嘆願する‖～领导批准 上司に許可を嘆願する

【哀劝】āiquàn 動 切々と説得する

【哀伤】āishāng 形 悲しい．心が痛むさま‖感到无限～ 限りない悲しみを覚える

【哀思】āisī 名 哀悼の思い．哀惜の念

【哀诉】āisù 動 切々と訴える‖～冤yuān情 無実を切々と訴える

【哀叹】āitàn 動（無力であること，なすすべのないことを）嘆き悲しむ

【哀恸】āitòng 形 悲痛である．切ない

【哀痛】āitòng 形 書 悲痛である．いたましい

【哀婉】āiwǎn 形 もの寂しい．もの悲しい‖歌声～动人 歌声が悲しげで心を打つ

【哀艳】āiyàn 形 書 もの悲しくも美しい

【哀怨】āiyuàn 形 書 悲しみのやり場がない．苦しく切ない

【哀乐】āiyuè 名 葬送曲．追悼曲

10 **埃**[1] āi ほこり．砂ぼこり‖尘～ chén'āi ほこり

10 **埃**[2] āi 量〈物〉オングストローム（長さの単位）．〔埃格斯特勒姆〕の略

【埃博拉出血热】āibólā chūxuèrè 名〈医〉エボラ出血熱

【埃及】Āijí 名〈国名〉エジプト

【埃塞俄比亚】Āisài'ébǐyà 名〈国名〉エチオピア

10 ★**挨** āi ❶動 近づく．接する‖～着他坐 彼の隣に座る｜他们两家～着 彼らの家は隣同士だ ❷動（動作・行為を）順を追ってする‖～着来 順繰りにやる ➤ ái

【挨边儿】āi//biānr 動 ❶端に寄る．端に沿う‖挨着边儿走 端を歩く ❷（ある数に）近づく‖他都八十～了，还那么硬朗yìnglang 彼ははや八十だというのに，あんなにかくしゃくとしている ❸（物事のあるべき姿に）近づく‖这种议论跟正题一点儿不～ こういう議論は本題からそれている

【挨不着】āibuzháo 動 ❶達しない．接しない‖椅子太高，脚～地 椅子が高すぎて，足が床に着かない ❷順番が回ってこない‖这种好事我永远～ こういう結構な事は私には永遠に回ってこない

【挨次】āicì 副 順に．順番に．順繰りに

【挨个儿】āigèr 副 口 順々に．次々に．一つ一つ‖～检查质量 一つ一つ品質検査をする

【挨户】āihù 副 一軒ごとに．家ごとに‖～访问 一軒一軒訪問する

A

【挨挤】āijǐ 動 押し合う. 込み合う ➤ áijǐ
【挨家】āijiā (～儿) 副 一軒ごとに. 家ごとに ‖ ～挨户 一軒一軒. 軒並みに
【挨肩儿】āijiānr 動 口 兄弟姉妹で自分のすぐ上またはすぐ下の関係に当たる
【挨近】āi//jìn 動 近づく. 間隔を狭める ‖ 这两瓶花挨得太近了 この二つの花瓶の花はくっつきすぎている
【挨门】āimén (～儿) 副 一軒ごとに. 家ごとに ‖ ～动员 一軒一軒に働きかける

10 *唉 āi ❶感 (返事をするときに発する)はい. はあい. ええ ❷感 (嘆息する声の形容)やれやれ ➤ ài
【唉声叹气】āi shēng tàn qì 成 嘆息する. がっかりしてため息をつく ‖ 别老～的 いつまでもため息ばかりついていてはだめだ

11 欸 āi 〔唉āi〕に同じ ➤ ǎi ē é ě è

14 锿 āi 名〈化〉アインシュタイニウム(化学元素の一つ, 元素記号は Es)

ái

10 *挨 ái ❶動 …の目にあう. …をこうむる ‖ ～打 | ～骂 ❷動 こらえる. 辛抱する ‖ 好不容易才～到下班 どうにかこうにか退勤時間となった | 他这病恐怕～不到年底了 この病気では彼はおそらく年末まで持つまい ❸動 (時間を)延ばす. 遅らせる ‖ ～时间 時間を引き延ばす ➤ āi
【挨板子】ái bǎnzi 慣 厳しく叱られる. 罰せられる
【挨呲儿】ái//cīr 動 方 叱責される. がみがみ言われる
【挨打】ái//dǎ 動 ぶたれる. たたかれる. 殴られる
【挨斗】ái//dòu 動 (政治運動で)吊し上げをくらう
【挨饿】ái//è 動 飢える. 飢えさせられる ‖ 再领不到钱, 就得děi～了 こんども金をもらえないと, もう食えなくなる
【挨挤】ái//jǐ 動 (人込みに)押される. もみくちゃになる ➤ āijǐ
【挨骂】ái//mà 動 怒られる. がみがみ小言を言われる ‖ 挨上头的骂 上司の大目玉をくらう
【挨批】ái//pī 動 批判される
【挨说】ái//shuō 動 叱られる. 説教される ‖ 回家晚了要～ 帰りが遅くなると叱られる
【挨延】áiyán 動 ぐずぐずする. (時間を)引き延ばす
【挨宰】ái//zǎi 動 ぼられる. 法外な代金を取られる
【挨整】ái//zhěng 動 (政治運動で)吊し上げをくらう
【挨揍】ái//zòu 動 殴られる. たたかれる ‖ 他无缘无故地挨了一顿揍 彼はなんの理由もなしに殴られた

11 崖 ái ➤ yá

11 皑(皚) ái ↴
【皑皑】ái'ái 形 書 (霜や雪が)真っ白なさま ‖ ～雪山 真っ白な雪山

17 *癌 ái 名〈医〉がん ‖ 吸烟容易得dé～ タバコを吸うとがんになりやすい
【癌变】áibiàn 動〈医〉がん化する. 腫瘍(しゅよう)化する
【癌细胞】áixìbāo 名〈医〉がん細胞
【癌症】áizhèng 名〈医〉がん
【癌肿】áizhǒng 名〈医〉がん. がん腫

ǎi

11 欸 ǎi ↴ ➤ āi ē é ě è
【欸乃】ǎinǎi 擬 書 櫓(ろ)をこぐ音

13 嗳(噯) ǎi 感 相手の話を否定する気持ちを表す ‖ ～, 这怎么行啊 いや, それは無理だよ ➤ ài
【嗳气】ǎiqì 動 おくびが出る. げっぷが出る

13 ★矮 ǎi ❶形 (身長が)低い ‖ 个儿～ 背が低い | 他比我～两公分 彼は私より2センチ背が低い ❷形 (物の高さが)低い ‖ 这张桌子很～ このテーブルは低い ❸形 (等級が)低い. 下である ‖ 我比他～一班 私は彼より一級下です ✻↔〔高〕
【矮矬子】ǎicuózi 名 罵 背の低い人. ちび
【矮凳】ǎidèng 名 小さい腰かけ
【矮墩墩】ǎidūndūn (～的) 形 背が低くてでっぷり太っている. ずんぐりむっくりしている
【矮个儿】ǎigèr 名 背の低い人
【矮个子】ǎigèzi =〔矮个儿ǎigèr〕
【矮小】ǎixiǎo 形 低くて小さい ↔〔高大〕‖ 身材～ 体が小さい
【矮星】ǎixīng 名〈天〉矮星(わいせい)
【矮子】ǎizi 名 背の低い人

14 蔼 ǎi 穏やかである. なごやかである ‖ 和～ 温和である
【蔼蔼】ǎi'ǎi 形 書 ❶(草木が)生い茂るさま. 鬱蒼(うっそう)とした ❷薄暗い様子
【蔼然】ǎirán 形 書 (人柄が)温和である. 優しい

19 霭 ǎi 書 もや ‖ 雾～ 霧. もや

ài

5 艾[1] ài 名〈植〉ヨモギ. 〔艾蒿hāo〕ともいう

5 艾[2] ài 書 尽きる. やむ ‖ 方兴xīng未～ 盛んになり始めたばかりでさらに勢いを増しつつある

5 艾[3] ài 書 美しい ‖ 少shào～ (女性が)若く美しい ➤ yì
【艾蒿】àihāo 名〈植〉ヨモギ. 〔蕲qí艾〕ともいう
【艾绒】àiróng 名〈中医〉もぐさ
【艾绳】àishéng 名 ヨモギをなって作った縄(カをいぶすのに用いる)
【艾窝窝】àiwōwo 名 蒸したもち米でアズキあんや砂糖をくるんで作った団子. 〔爱窝窝〕とも書く
*【艾滋病】àizībìng 名〈医〉エイズ. 〔爱滋病〕とも書く

10 唉 ài 感 (がっかりしたり, 悲しくなったりしたときに発する)ああ. やれやれ ‖ ～, 这个月工资又花光了 ああ, 今月も給料をまた使い果たしてしまった ➤ āi

10 ★爱(愛) ài ❶動 愛する ‖ ～祖国～人民 祖国を愛し人民を愛する | 他～上了她了 彼は彼女を好きになってしまった ❷動 いつくしむ. 大事にする ‖ 一～面子 ❸動 …することを好む ‖ ～吃甜食 甘い物が好きだ ❹動 しょっちゅう…する. …しがちだ ‖ ～哭 よく泣く. 泣き虫だ | ～生锈xiù さびやすい | ～坏 壊れやすい

A

類義語 | 爱 ài 喜欢 xǐhuan

◆〔爱〕ある事をするのを好み，かつそれが常時繰り返し行われることを表す．そこから「よく…する」「…しがちだ」の意味が生じる‖她爱管闲事 彼女はおせっかいを焼きたがる ◆〔喜欢〕ある事に対し，好感・興味を持ち続けていることを表すだけで，「よく…する」意味はない

【爱别离苦】ài bié lí kǔ 成 愛する者と別れる苦しみ
【爱不释手】ài bù shì shǒu 成 大切で手放せない．片時も手放そうとしない
【爱才】àicái 動 人材を大切にする
【爱财】àicái 動 金や物に執着する‖～如命 ひどい欲張りだ
【爱巢】àicháo 图 新婚夫婦の新家庭．愛の巣
【爱车】àichē 图 愛車．マイカー
【爱称】àichēng 图 愛称
【爱宠】àichǒng 動 寵愛(ちょうあい)する
【爱搭不理】ài dā bù lǐ (～的) 組 生返事ばかりでまじめに取り合わない．冷たくあしらう．〔爱理不理〕ともいう
*【爱戴】àidài 動 敬愛し支持する‖受到人民的～ 人民に敬愛される
【爱尔兰】Ài'ěrlán 图〈国名〉アイルランド
【爱抚】àifǔ 動 いつくしみかわいがる
*【爱国】ài//guó 動 自国を愛する‖～人士 愛国人士
*【爱国主义】àiguó zhǔyì 图 愛国主義
【爱好】àihào 動 **愛好する．愛する‖～下象棋 将棋を愛好する｜京剧～者 京劇の愛好者 图 興味のあること．趣味‖你有什么～？ あなたはどんな趣味をお持ちですか
【爱河】àihé 图〈仏〉愛欲の川
【爱护】àihù 動 **大切にする．大事にする‖～公共财物 公共財産を大切にする｜～眼睛 目を大事にする
【爱将】àijiàng 图 お気に入りの部下・スタッフ
【爱克斯射线】àikèsī shèxiàn 图〈物〉X線．レントゲン線．ふつう〔X射线〕と書く
【爱理不理】ài lǐ bù lǐ ＝〔爱搭不理ài dā bù lǐ〕
【爱怜】àilián 動 いとおしむ．かわいがる
【爱恋】àiliàn 動 (男女が)恋慕する．恋い焦がれる
【爱侣】àilǚ 图 アベック．恋人同士
【爱美】ài//měi 動 おしゃれを好む
*【爱面子】ài miànzi 組 体裁を気にする．体面を重んじる．見栄を張る‖他很～ 彼はとても体面にこだわる
【爱莫能助】ài mò néng zhù 成 同情はするが，援助することができない．助けたいのはやまやまだが助けられない
【爱慕】àimù 動 ❶愛し慕う‖对她十分～ 彼女を心から慕う ❷うらやむ．心をひかれる‖～虚荣 虚栄に心をひかれる．虚栄心が強い
【爱情】àiqíng 图 (男女の)愛情**‖～故事 ラブストーリー｜他们之间产生了～ 彼らの間に愛情が芽生えた
★【爱人】àiren 图 (夫婦の一方をさす)**夫．主人．妻．奥さん**‖这是我～ こちらは私の妻(夫)です｜你～ あなたの奥さん(ご主人)｜她～ 彼女の夫
【爱沙尼亚】Àishāníyà 图〈国名〉エストニア
【爱神】àishén 图 愛の女神．ビーナス．キューピッド
【爱斯基摩人】Àisījīmórén ＝〔因纽特人Yīnniǔtèrén〕
【爱屋及乌】ài wū jí wū 成 屋を愛して屋上のカラスに及ぶ．好きな相手のものなら何でも好ましいこと
*【爱惜】àixī 動 惜しむ．大切にし，無駄にしない‖～身体 体を大切にする｜～人才 人材を重用する
【爱心】àixīn 图 愛の心．思いやり
【爱悦】àiyuè 動 喜び愛す．愛する
【爱憎】àizēng 图 愛と憎しみ．愛憎‖他永远是～分明的 彼はどこまでも愛憎がはっきりしている

10 **砹** ài 图〈化〉アスタチン(化学元素の一つ，元素記号は At)

12 **隘** ài ❶狭い．狭苦しい‖狭xiá～ 偏狭である ❷要害の地．険しい場所‖关～ 関所
【隘谷】àigǔ 图〈地〉V字谷
【隘口】àikǒu 图 険しい峠
【隘路】àilù 图 山あいの狭くて険しい道

13 **嗌** ài 古 のどがつまる ➤ yì

13 **嗳**(噯) ài 〔唉ài〕に同じ ➤ ǎi

13 **嫒**(嬡) ài ➡〔令嫒lìng'ài〕

13 **碍**(礙) ài 動 妨げる．じゃまをする．障害になる‖有～交通 交通の妨げになる
【碍口】ài//kǒu 形 口にしにくい．言いにくい
【碍面子】ài miànzi 慣 相手のメンツを気にかける‖他碍着面子不好说 彼は相手に遠慮してはっきり言いかねている
*【碍事】ài//shì 動 妨げになる．不便である．差し支える‖你挺忙的，我在这儿～吧？ 忙しそうですね，私がここにいるとじゃまでしょう｜碍你什么事儿？ 君に何の関係があるんだ 形 重大である．深刻である．(多く否定に用いる)‖这点儿小伤口不～ こんな小さな傷たいしたことはないよ
【碍手碍脚】ài shǒu ài jiǎo 組 じゃまになる‖他在家～ 彼が家にいるとじゃまだ
【碍眼】ài//yǎn 形 (見て)不愉快である．目障りである‖他们谈话，咱们在这儿～ 彼らは話をしているから，僕らがここにいてはじゃまになる
【碍于】àiyú 介 …を気にする．…に妨げられる‖～情面 情にほだされて｜～舆论yúlùn 世論をはばかって

14 **瑷**(璦) ài ❶图 書 美しい玉 ❷地名用字‖～珲huī 黒竜江省にある地名．現在は〔爱辉〕と書く

14 **暧**(曖) ài 薄暗い
【暧昧】àimèi 形 ❶(態度や意図が)不明瞭である．曖昧(あいまい)である．あやふやである‖他态度～ 彼は態度が曖昧である ❷(行為や関係が)怪しい．うさん臭い‖他俩关系～ あの二人の関係は怪しい

ān

2 **厂** ān 〔庵ān〕に同じ．(多く人名に用いる) ➤ chǎng

3 **广** ān 〔庵ān〕に同じ．(多く人名に用いる) ➤ guǎng

6 * **安**[1] ān ❶安全である．平安である．安泰である ↔〔危〕‖转危为～ 危機を転じて安全にする ❷(気分や環境が)穏やかで安定している．落ち着いている‖坐卧wò不～ 居ても立ってもいられない ❸安定させる．落ち着かせる‖→～神 ❹快適である‖→～居乐

A

业 ❺満足する. 甘んじる ‖ 一～于 ❻動 適当な場所に置く ‖ 一～插 ❼動 ものを取り付ける. 設置する ‖ 家里～上了电话 家に電話を付けた ❽動 (〔安 … 心〕の形で)悪い考えを抱く ‖ 你～的什么心？ おまえは何を企んでいるのだ ❾動 (名目を)付ける. 加える ‖ ～上"扰乱rǎoluàn社会治安"的罪名 「社会の治安を乱す」という罪名を着せる.

6 **安**[2] **ān** 書 ❶代 (場所を問う)いずこ. どこ ‖ ～在 いずこにありや ❷代 (反語を表す)いずくんぞ. どうして ‖ ～能如此？ どうしてこんなことがあり得ようか

6 **安**[3] **ān** 量〈電〉アンペア. 〔安培〕の略

【安邦定国】ān bāng dìng guó 成 国を安定させ強固にする

【安保】ānbǎo 形 保安の. 警備の ‖ ～工作 警備の業務

【安瓿】ānbù 名〈医〉(注射液の)アンプル

【安步当车】ān bù dàng chē 成 車に乗る代わりに歩いてゆく

【安插】ānchā 動 (多く人を)配置する. (文章などの一段を適当な箇所に)入れる

【安道尔】Āndào'ěr 名〈国名〉アンドラ

【安抵】āndǐ 動 書 無事到着する

＊**【安定】**[1] **āndìng** 形 安定している. 落ち着いている. 平穏である ‖ 社会不～ 社会が不安定である 動 安定させる. 落ち着かせる ‖ 这么做可以～她的情绪qíngxù こうすれば彼女の気持ちを落ち着かせることができる

【安定】[2] **āndìng** 名〈薬〉ジアゼパム(鎮静剤)

＊**【安顿】āndùn** 動 ❶(人を)落ち着かせる. (物事を)きちんと処置する ‖ ～一家老小 一家全員を落ち着かせる ❷安定する. 落ち着く ‖ 刚回国, 生活还没～下来 帰国したばかりでまだ生活が落ち着かない 形 平穏な. 落ち着いた

【安放】ānfàng 動 置く. 安置する ‖ 灵柩língjiù～在大厅中央 柩(ひつぎ)はホールの中央に安置されている

【安分】ānfèn 形 身をわきまえている. 本分を守っている

【安分守己】ān fèn shǒu jǐ 成 分に安んじて己を守る. おとなしく自分の本分を守る

【安抚】ānfǔ 動 書 慰める. 慰問する ‖ ～灾民 zāimín 罹災者(りさいしゃ)を慰問する

【安哥拉】Āngēlā 名〈国名〉アンゴラ

【安好】ānhǎo 形 書 平安無事である. 安泰である

【安家】ān//jiā 動 ❶家を持つ. 住みつく ❷結婚する. 家庭を持つ

【安家费】ānjiāfèi 名 (新しい赴任地に着任する人への)赴任支度金

【安家立业】ān jiā lì yè 成 家を構え事業を興す

【安家落户】ān jiā luò hù 成 (他郷に)居を構える. 住みつく

【安检】ānjiǎn 動 セキュリティーチェックをする ‖ 对乘客进行～ 乗客に対しセキュリティーチェックを行う

★**【安静】ānjìng** 形 ❶(環境が)**静かである** ‖ 请～点儿！ 静かにしてください ｜ ～的环境 静かな環境 ❷(気持ちが)**安らかである** ‖ 这几天我心里很乱, 总也～不下来 この何日か気持ちが混乱してどうにも落ち着かない

【安居】ānjū 動 無事に暮らす. つつがなく過ごす

【安居工程】ānjū gōngchéng 名 安心居住プロジェクト. 一般市民向けの低価格の分譲住宅建設計画

【安居乐业】ān jū lè yè 成 安心して生活し, 楽しく働く

【安康】ānkāng 形 書 安らかで健やかである. 平安無事と健康 ‖ 谨jǐn祝～ 平安とご健康をお祈りいたします

【安拉】Ānlā 名 外〈宗〉(イスラム教の)神. アラー. アッラー ＝〔阿拉〕〔真主〕

【安乐】ānlè 形 平穏で楽しい. 安楽である

【安乐死】ānlèsǐ 動 安楽死する

【安乐窝】ānlèwō 名 快適なすみか

【安乐椅】ānlèyǐ 名 安楽椅子

＊**【安理会】Ānlǐhuì** 名 略 (国連の)安全保障理事会. 〔安全理事会〕の略

【安眠】ānmián 動 心安らかに眠る. 安眠する ‖ ～在这一小小的墓地 この小さな墓地に眠っている

【安眠药】ānmiányào 名 睡眠薬

【安民】ānmín 動 (動乱の後などに)民心を安んずる

【安民告示】ānmín gàoshi 名 ❶旧 民心安定のための告示 ❷喩 事前通知

＊**【安宁】ānníng** 形 ❶(社会の)秩序が保たれて平穏である ❷(心が)落ち着いている. 平静である ‖ 睡不～ おちおち眠れない ｜ 他一个人闹得大家不得dé～ 彼一人騒いでいるためにみんなが落ち着かない

★**【安排】ānpái** 動 **手配する. 手はずを整える. 段取りをつける** ‖ ～旅行日程 旅行のスケジュールを決める ｜ 合理～生产 生産を合理的に処置する

【安培】ānpéi 量 外〈電〉アンペア. 略して〔安〕ともいう

【安培计】ānpéijì 名〈電〉アンペア・メーター. 電流計. 〔安培表〕〔电流表〕ともいう

【安培小时】ānpéi xiǎoshí 量〈電〉アンペア時

【安贫乐道】ān pín lè dào 成 清貧に安んじ, 人としての道を楽しむ

【安琪儿】ānqí'ér 名 外 エンジェル. 天使

【安寝】ānqǐn 動 書 安眠する

⁑**【安全】ānquán** 形 **安全である** ‖ 注意交通～ 交通安全に注意を払う ｜ ～施工 安全に気をつけて施工する

【安全带】ānquándài 名 シートベルト. 安全ベルト ‖ 请系jì好～ シートベルトをお締めください.

【安全岛】ānquándǎo 名 歩行者のために道路の中央に設けられた安全区域

【安全灯】ānquándēng 名 ❶(炭坑内で用いる)安全灯 ❷電圧が36ボルト以下の安全性の高い照明器具

【安全阀】ānquánfá 名 安全弁

【安全理事会】Ānquán lǐshìhuì 名 (国連の)安全保障理事会. 略して〔安理会〕ともいう

【安全帽】ānquánmào 名 作業用ヘルメット. 保安帽

【安全气囊】ānquán qìnáng 名 エアバッグ

【安全套】ānquántào 名 コンドーム. 〔避孕 bìyùn 套〕ともいう

【安全剃刀】ānquán tìdāo 名 安全かみそり ＝〔保险刀〕

【安全系数】ānquán xìshù 名 安全係数. 安全率

【安全线】ānquánxiàn 名 ❶(安全のための)立ち入り禁止ライン ❷(堤防などの)水位警戒ライン ❸破綻しない程度. 問題の起こらないレベル

【安全行车】ānquán xíngchē 組 安全運転をする

【安全政策】ānquán zhèngcè 名 セキュリティー・ポリシー ‖ 信息～ 情報セキュリティー・ポリシー

【安然】ānrán 形 ❶平穏である. 無事である ‖ ～无事 平穏無事である ❷(心配することがなく)落ち着いている ‖ ～不动 落ち着きはらっている

【安然无恙】ān rán wú yàng 成 つつがなく無事である
【安如磐石】ān rú pán shí 成 大きな岩のように安定して揺らぐことがない. 磐石(ばんじゃく)である
【安如泰山】ān rú Tàishān 成 安きこと泰山のごとし. 泰山のように揺るぎのないさま
【安设】ānshè 動 備え付ける. 設置する
【安身】ān//shēn 動 身を安める. 身を置く ‖ 没有～之处 身を寄せる所がない
【安身立命】ān shēn lì mìng 成 暮らしが安定し気持ちが落ち着く. 悩みがなく安らかに暮らすこと
【安神】ān//shén 動 精神を安定させる. 気を鎮める
【安生】ānshēng 形 (生活が)落ち着いている. (多く子供が)静かである ‖ 孩子吵得我连个觉jiào也睡不～ 子供がうるさくてゆっくり寝ることもできやしない
【安适】ānshì 形 平穏でゆったりとしている. 静かで快適である
【安睡】ānshuì 動 静かに眠る. 安らかに寝入る
【安泰】āntài 形 安泰である. 平安無事である
【安提瓜和巴布达】Āntíguā hé bābùdá 名〈国名〉アンティグア・バーブーダ
【安恬】āntián 形 心地よい. 気持ちいい
【安土重迁】ān tǔ zhòng qiān 成 住み慣れた土地に愛着を感じ離れ難い
【安妥】āntuǒ 形 書 確かである. 間違いない
【安危】ānwēi 名 安危. 安否 ‖ 大家都关心着登山队员的～ みんなは登山隊員の安否を気遣っている
**【安慰】ānwèi 動 慰める ‖ 你要好好ル～～她 あなたからよく彼女を慰めてあげなさい. 形 心が慰められてなごやかである. 気持ちが晴れ晴れしている ‖ 你的话对我是最大的～ あなたの言葉は私にとっていちばんの慰めです
【安慰赛】ānwèisài 名〈体〉敗者復活戦
*【安稳】ānwěn 形 ❶落ち着いている. 平穏である. 順調である ‖ 自从有了孩子, 就没睡过一个～觉jiào 子供ができてからというもの, 落ち着いて眠ったことがない ❷方 (物腰が)落ち着いている. 穏やかである
【安息】ānxī 動 ❶休息する. 安らかに眠る ❷死者に哀悼を表す言葉 ‖ 烈士们, ～吧! 烈士たちよ, 安らかに眠れ
【安息日】ānxīrì 名〈宗〉安息日. キリスト教では日曜, ユダヤ教は土曜, イスラム教は金曜
【安息香】ānxīxiāng 名 ❶〈植〉エゴノキ科の常緑高木. ハクカジュ ❷〈中薬〉安息香(あんそくこう)
【安闲】ānxián 形 気楽である. 安閑としている ↔〔忙碌mánglù〕‖ 真想早点退休, 过几天～日子 早く定年退職して, のんびり過ごしたい
*【安详】ānxiáng 形 ゆったりしている. 静かで落ち着いている ‖ 态度～ 態度が落ち着いている
【安享】ānxiǎng 動 のんびり楽しむ ‖ ～清福 幸せな暮らしを楽しむ
【安歇】ānxiē 動 安らかに眠る. ゆっくり休む
**【安心】ān//xīn 動 下心を持つ. たくらむ ‖ 他安的什么心? 彼は何をたくらんでいるんだ 形 (ānxīn) (心が)安らかである. (気持ちが)落ち着いている ‖ ～养病 ゆっくり養生する
【安逸】【安佚】ānyì 形 気楽である. 快適である ‖ ～的生活容易消磨xiāomó斗志 安逸な生活はたやすく闘志をなくさせる
【安营】ān//yíng 動 (軍隊が)野営する
【安营扎寨】ān yíng zhā zhài 成 (軍隊が)テントを張り駐留する. 現在では多く仮宿舎を建てることをいう
【安于】ānyú 動 書 …に甘んじる. …に満足する ‖ ～现状 現状に甘んじる
【安葬】ānzàng 動 葬る. 埋葬する
【安之若素】ān zhī ruò sù 成 困難な状況にあっても平素と変わらず対処する
*【安置】ānzhì 動 置く. 配置する. 配属する ‖ ～家具 家具を配置する
*【安装】ānzhuāng 動 ❶据え付ける. 設置する ‖ ～热水器 湯沸かし器を取り付ける ❷〈計〉インストールする ↔〔卸载xièzài〕

10 **桉** ān 名〈植〉ユーカリ. ふつうは〔桉树〕という
【桉油】ānyóu 名 ユーカリ油

10 **氨** ān 名〈化〉アンモニア. 〔阿摩尼亚〕〔氨气〕ともいう
【氨基】ānjī 名〈化〉アミノ基
【氨基酸】ānjīsuān 名〈化〉アミノ酸
【氨气】ānqì 名〈化〉アンモニア
【氨水】ānshuǐ 名 アンモニア水

11 **谙** ān 動 書 (あることがらに)通じる. 精通する ‖ 不～水性 泳げない
【谙达】āndá 動 (世情に)通じる
【谙熟】ānshú 動 (物事に)精通する. 通じる
【谙习】ānxí 動 熟達する

11 **庵**(△菴) ān ❶書 草ぶきの小屋 ❷名 小寺. (主に尼寺をさす)
【庵堂】āntáng 名 方 尼寺
【庵子】ānzi 名 方 ❶草ぶきの小屋 ❷尼寺

13 **鹌** ān ↴
【鹌鹑】ānchun ; ānchún 名〈鳥〉ウズラ

15 **鞍**(△鞌) ān ❶名 鞍(くら) ‖ 马～ 馬の鞍 ❷名 鞍に似た形状のもの
【鞍架】ānjià 名 荷鞍. 積荷用の鞍
【鞍马】ānmǎ 名〈体〉鞍馬(あんば)競技
【鞍马劳顿】ān mǎ láo dùn 成 馬上の疲れ. 旅や戦(いくさ)に明け暮れる日々の疲れ
【鞍前马后】ān qián mǎ hòu 成 武将の乗る馬につき従う. 上の者に忠実に仕えること
【鞍屉】āntì 名 ❶下鞍 ❷鞍
【鞍子】ānzi 名 鞍. 荷鞍

ǎn

10 **俺** ǎn 代 方 おいら. おいらたち. (女性でも, 複数でも用いる)
【俺家】ǎnjia ; ǎnjiā 名 方 ❶おれ. わし. 私 ❷うち. おれんち ‖ ～的 うちの亭主(女房)
【俺们】ǎnmen 代 方 おれたち. うちら

11 **埯** ǎn ❶名 点播する穴 ❷動 (マメなどを)点播(てんぱ)する ❸量 (～ル)点播した穴ごとにウリやマメの量を数える ‖ 一～黄豆 ダイズ一まき分
【埯子】ǎnzi 名 点播する小さな穴

11 **铵** ǎn 名〈化〉アンモニウム. 〔铵根〕ともいう

12 **揞** ǎn 動 (薬を傷口に)塗りつける. すり込む

A

àn

6 **犴** àn ➡〔狴犴bì'àn〕

8 ** **岸**(△屽) àn ❶名 岸. 水際‖河～ 川岸|海～ 海岸 ❷書 高くて大きい‖伟～ 立派な体格で威厳のある男性の形容 ❸書 高慢である‖傲～ 傲慢である

【岸边】ànbiān 名 岸辺. 岸のほとり

【岸标】ànbiāo 名 船の航行用の標識

【岸然】ànrán 形 書 おごそかなさま. 厳粛なさま‖道貌～ とりすました顔つきをしている(聖人君子を装うさま)

9 *** **按**[1] àn ❶動(手や指で)押す. 押さえる‖～电钮diànniǔ スイッチを押す|～手印儿 拇印(ぼいん)を押す ❷動(感情を)抑える‖→～捺

9 *** **按**[2] àn ❶書 実地に調査する. 細かく観察する‖有遗迹可～ 残っている遺跡を調べることができる ❷(著者や編者などが)考察する. 説明を加える‖编者～ 編者注釈 ❸書 …に従う. …を守る‖→～部就班 ❹介 …に照らして. …に従って. …に基づいて‖～姓氏笔画排列 名前の筆画順に並べる

【按兵不动】àn bīng bù dòng 成 兵を抑えて動かず. 前に進まず様子を見る

【按部就班】àn bù jiù bān 成 順序に従って事を進める. 段取りを踏まえて仕事をする

【按不住】ànbuzhù 動(感情を)抑えられない. こらえられない‖～心头的怒火 胸の激しい怒りを抑えられない

【按钉】àndīng(～儿)名 画鋲(がびょう)

【按键】ànjiàn 名(キーボードの)キー. プッシュボタン

【按揭】ànjiē 名(不動産など購入のための)銀行ローン. 住宅ローン

【按扣儿】ànkòur 名 口(衣服の)ホック. スナップ

*【按劳分配】àn láo fēnpèi 組 各人の労働に応じて生産物や報酬を分配する‖～, 多劳多得 労働に応じて分配し, 多く働けば収入も増える

*【按理】ànlǐ 副 道理から言えば. 本来なら‖～他今天应该早来 本来なら彼は今日とっくに来ているはずだ

【按例】ànlì 副 前例に照らして. 慣例に従って

【按脉】àn//mài 動 脈を看る. 脈をとる =〔诊zhěn脉〕

*【按摩】ànmó 動 按摩(あんま)をする. 〔推拿〕ともいう‖～小姐 マッサージ嬢

【按捺】【按纳】ànnà 動(感情や気持ちを)抑える. コントロールする‖～不住心头的喜悦 心中の喜びを抑えられない

【按钮】ànniǔ 名 押しボタン

*【按期】ànqī 副 定められた期日に. 期限どおり‖～付款 期日どおりに支払う

★【按时】ànshí 副 予定された時間どおりに. 限られた期日どおりに‖火车～到达终点站 列車は時刻どおり終着駅に到着した|～吃药 時間どおりに薬を飲む

【按说】ànshuō 副 道理から言えば. 理屈では. 本来ならば‖～, 他早该退休了 本来なら彼はとうに定年退職しているはずだ

【按图索骥】àn tú suǒ jì 成 絵をたよりに駿馬(しゅんめ)を探し求める. 一本調子で融通が利かないたとえ

【按下葫芦浮起瓢】ànxia húlu fúqi piáo 慣 ヒョウタンを押さえつければヒサゴが浮き上がる. あちらを立てればこちらが立たず

【按需分配】àn xū fēnpèi 組 各人の必要に応じて生産物や報酬を分配する‖各尽所能, ～ 能力に応じて働き, 必要に応じて分配する

*【按语】ànyǔ 名(編者などが)本文のほかに意見として加える言葉. 前書き. 序文

【按月】ànyuè 副 月々に. 月ごとに‖～计算工资 月ごとに給料を計算する

★【按照】ànzhào 介 …に基づいて. …によって‖～上级的指示办 上司の指示どおりに行う|他们～传统仪式举行了婚礼 彼らは伝統的なやり方で結婚式を挙げた

10 **案**[1] àn ❶昔, 食物を運ぶために用いた短い脚のついた木製の盆 ❷長方形の机・テーブル‖书～ 文机|条～ 長い机 ❸炊事などの作業台として使う長方形の木の板‖肉～ 肉切り台

10 * **案**[2] àn ❶事件の記録書. 公務の記録書‖存～ 官公庁の記録に残す ❷建議書. 計画書. プラン‖教jiào～ 授業計画 ❸名(法的・政治的)事件‖刑事～ 刑事事件

> **逆引き単語帳** 〔凶杀案〕xiōngshā'àn 殺人事件 〔盗窃案〕dàoqiè'àn 窃盗事件 〔诈骗案〕zhàpiàn'àn 詐欺事件 〔抢劫案〕qiǎngjié'àn 強盗事件 〔冤案〕yuān'àn 冤罪(えんざい)事件. 無実の罪 〔错案〕cuò'àn 誤審事件 〔无头案〕wútóu'àn 迷宮入り事件 〔悬案〕xuán'àn 未解決の事件. 懸案 〔档案〕dàng'àn 個人の経歴・身上書 〔作案〕zuò'àn 犯罪を犯す 〔报案〕bào'àn 警察に事件を通報する

【案板】ànbǎn 名(小麦粉をこねる)厚めののし板

【案秤】ànchèng 名 竿式てんびんばかり

【案底】àndǐ 名 過去の犯罪の記録. 前科

【案牍】àndú 名 書 公文書. 官庁の文書

【案发】ànfā 動 事件が発生する‖～现场 事件の現場

【案犯】ànfàn 名(手配中の)犯人

*【案件】ànjiàn 名 事件. 訴訟事件‖杀人～ 殺人事件|公安局正在侦查zhēnchá一起重大走私～ 公安局は現在重大な密輸事件を捜査している

【案卷】ànjuàn 名 保存文書. 記録文書

【案例】ànlì 名 事件の前例

*【案情】ànqíng 名 事件の由来. 罪状

【案头】àntóu 名 机上. 卓上‖～日历 卓上日めくりカレンダー

【案由】ànyóu 名 事件の概要

【案证】ànzhèng 名 事件の証拠

【案子】ànzi 名 ❶細長い机. 長方形の作業台 ❷口 事件

10 **胺** àn 名〈化〉アミン

13 * **暗**(△晻 闇❶❷) àn ❶形(光が不十分で)暗い‖屋里光线很～ 部屋の中が暗い|天色～了下来 空が暗くなってきた ❷書(事情に)暗い. 愚かである ❸隠れている. 見えない ❹こっそりと. 隠れて. 秘密裏に‖～设圈套 陰でわなを仕掛ける ✻↔〔明〕

*【暗暗】àn'àn 副 それとなく. 陰で. こっそり. 他人に知られないように‖心里～叫苦 心の中で人知れず悲鳴をあげる

類義語 暗暗 àn'àn 偷偷 tōutōu 悄悄 qiāoqiāo

◆〔暗暗〕意図や思いを表に出さず，心の中に人知れず抱くさまを表す‖他暗暗吃惊 彼はひそかに驚いた ◆〔偷偷〕人に見られないように，または見つからないように行動するさまを表す‖他偷偷地离开了会场 彼はこっそり会場を離れた ◆〔悄悄〕物音を立てずに，あるいは声を低くして，人に気づかれないように行動するさまを表す‖她们俩在悄悄地交谈 彼女たち2人はひそひそと話をしている ◆また，〔悄悄〕は人に内緒で，あるいは秘密のうちにある行動をとる場合にも用いられる‖他悄悄地自修了大学英语 彼はひそかに大学の英語を独学した

【暗藏】 àncáng 動 こっそり隠す．潜む‖～凶器 凶器を隠す｜～的间谍jiàndié 潜んでいるスパイ

【暗娼】 ànchāng 名 私娼(ししょう)．

【暗场】 ànchǎng 名〈劇〉物語の一部分をナレーションや音楽効果で語ること

【暗潮】 àncháo 名 水面下での動き．目に見えない衝突．(多く政治闘争や社会運動についていう)

【暗处】 ànchu；ànchù 名 ❶暗い所．暗がり ❷人目につかない場所．秘密の場所‖在～密谋 陰で密謀を企てる

*** 【暗淡】** àndàn 形 ❶薄暗い．ぼんやりしている‖灯光～ 明かりが暗い｜这幅画ル色调～ この絵は色調が暗い ❷暗澹(あんたん)としている‖前途～ 前途が暗い

【暗道】 àndào 名 間道．抜け道．地下道

【暗地里】 àndìli 名 見えない所．陰．裏側．〔暗地〕〔暗暗里〕ともいう‖～干坏事 ひそかに悪い事をする

【暗渡陈仓】 àn dù Chéncāng 成 暗に陳倉に渡る(漢の劉邦(りゅうほう)がひそかに陳倉に行き項羽の機先を制した故事)．ひそかに行動して先んじること．

【暗房】 ànfáng 名 暗室

【暗访】 ànfǎng 動 ひそかに取材する．秘密裏に探る

【暗沟】 àngōu 名 暗渠(あんきょ)．地下排水溝

*** 【暗害】** ànhài 動 ❶暗殺する‖他险些遭到～ 彼は危うく暗殺されそうになった ❷陰で人を陥れる

【暗含】 ànhán 動 におわせる．それとなく含ませる

*** 【暗号】** ànhào (～ル) 名 サイン．暗号．合い言葉‖打～ 合図する

【暗合】 ànhé 動 期せずして一致する‖两人的看法～ 二人の見解が期せずして一致する

【暗河】 ànhé 名 地下水流

【暗花ル】 ànhuār 名 (陶磁器などの)地模様．目立たぬ柄．地紋

【暗火】 ànhuǒ 名 火種

【暗疾】 ànjí 名 人に言えない悪性の病気

【暗记】 ànjì 動 こっそり記憶する

【暗间ル】 ànjiānr 名 (伝統的家屋で)直接外へ通じる入り口のない部屋．寝室や物置きとして使われる

【暗箭】 ànjiàn 名 陰で放たれる矢．人を中傷したり陥れたりする行為のたとえ‖～难防 不意の矢は防げない．やみ討ちを防ぐのは難しい

【暗礁】 ànjiāo 名 ❶暗礁 ❷喩 (物事の進行を)妨げる障害物‖谈判遇到了～ 折衝は暗礁に乗り上げた

【暗井】 ànjǐng 名 (炭鉱などの)立坑．斜坑

【暗里】 ànli；ànlǐ 名 見えない所．陰

【暗恋】 ànliàn 動 片思いする．ひそかに思いを寄せる

【暗流】 ànliú 名 ❶地下水流．表面に見えない流れ ❷喩 水面下の思想傾向や社会的な状況．風潮

【暗器】 ànqì 名 旧 (手裏剣や石弓などの)不意打ち用の武器．(多く早期白話に見られる)

【暗色】 ànsè 名 暗い色

*** 【暗杀】** ànshā 動 暗殺する

【暗沙】【暗砂】 ànshā 名 砂礫(されき)などの海底堆積物でできた島．サンゴ島

【暗伤】 ànshāng 名 ❶〈中医〉内傷 ❷(物品の)見えないところにある傷．隠れた損傷

【暗哨】 ànshào 名 ❶(秘密裏に行う)見張り．歩哨(ほしょう) ❷(～ル)合図の口笛

【暗射】 ànshè 動 ほのめかす．あてこすりを言う

【暗射地图】 ànshè dìtú 名 地名が記入されていない学習用の地図．白地図

*** 【暗示】** ànshì 動 ❶暗示する．ほのめかす．ヒントを示す‖他～我不要说话 しゃべるなと彼は私に合図した ❷(心理学で)暗示にかける

【暗事】 ànshì 名 隠し事．うしろめたい事．不正な事

【暗室】 ànshì 名 暗室

【暗送秋波】 àn sòng qiū bō 成 秋波を送る．こびを売る．ひそかに気脈を通じる

【暗算】 ànsuàn 動 ❶だまし討ちにする．わなを仕掛ける‖他让人～了 彼はわなにはめられた ❷つけねらう

【暗锁】 ànsuǒ 名 (ドアや引き出しなどの)隠し錠

【暗滩】 àntān 名 暗礁

【暗探】 àntàn 名 密偵．私服刑事 動 こっそり探る．ひそかに調べる

【暗无天日】 àn wú tiān rì 成 夢も希望もない世の中．暗澹(あんたん)とした世のたとえ

【暗物质】 ànwùzhì 名〈天〉ダークマター．暗黒物質

【暗息】 ànxī 名 やみの高い利息

【暗喜】 ànxǐ 動 こっそり喜ぶ．ひそかに喜ぶ

【暗匣】 ànxiá ＝〔暗箱ànxiāng〕

【暗下】 ànxià 名 見えない所．陰

【暗线】 ànxiàn 名 (小説などの)伏線

【暗箱】 ànxiāng 名 (カメラの)暗箱

【暗箱操作】 ànxiāng cāozuò 組 (職権を利用して)陰で不正を行う．裏工作をする．〔黑箱操作〕ともいう

【暗笑】 ànxiào 動 ほくそ笑む．陰であざ笑う‖心中～ 心の中でほくそ笑む

【暗影】 ànyǐng 名 陰影

【暗语】 ànyǔ 名 隠語．合い言葉

【暗喻】 ànyù 名 隠喩．メタファー ＝〔隐喻〕

*** 【暗中】** ànzhōng 名 暗中‖躲在～ 暗がりに隠れる 副 こっそりと．ひそかに．陰で．秘密に‖～寻访 こっそり訪ねる｜～挑拨tiǎobō ひそかに双方にけんかをけしかける

【暗转】 ànzhuǎn 動〈劇〉暗転する

【暗自】 ànzì 副 ひそかに‖～庆幸 こっそり喜ぶ

21 **黯** àn ❶ほの暗い．陰気である ❷気落ちしている．気が沈んでいる

【黯淡】 àndàn 形 ❶薄暗い ❷暗澹(あんたん)としている．見通しが暗い‖前途～ 前途が暗い

【黯黑】 ànhēi 形 ❶黒い．黒ずんでいる‖脸色～ 顔色が黒ずんでいる ❷暗く沈んでいる

【黯然】 ànrán 形 ❶暗いさま ❷気持ちが沈んでいる様子．気落ちする様子

【黯然失色】 àn rán shī sè 成 暗く沈んで色彩がない．暗く光がない．見劣りがする

A

āng

8 **肮**（骯）āng ↴

【肮脏】 āngzang；āngzāng 形 ❶不潔である．汚い．不浄である ↔〔干净〕‖ ~的衣服 汚れた衣服 ❷（やり方が）汚い．卑劣である ‖ 手段~ やり口が汚ない

【肮脏浮动】 āngzāng fúdòng 图〈経〉ダーティー・フロート

áng

8 **昂** áng ❶動（頭を）もたげる．上げる ‖ 一~首 ｜~起头 頭を上げる ❷（値段が）高い ‖ 一~贵 ❸気持ちが高ぶっている．高揚している ‖ 气宇轩xuān~ 意気軒昂（いきけんこう）

【昂昂】 áng'áng 形 書 奮い立つさま．群を抜いて勇ましいさま

【昂奋】 ángfèn 形（気持ちが）高ぶるさま．高揚するさま

*__【昂贵】__ ángguì 形（値段が）高い．高価である ↔〔低廉dīlián〕‖ 价格~ 価格が高い

【昂然】 ángrán 形 自信にあふれるさま ‖ ~挺立 昂然

コラム オリンピック競技種目，関連用語

夏季オリンピック	
田径	**陸上競技**
100米跑	100m走
马拉松	マラソン
障碍跑	障害
跨栏跑	ハードル
竞走	競歩
接力跑	リレー
跳高	走り高跳び
撑竿跳高	棒高跳び
跳远	走り幅跳び
三级跳远	三段跳び
铅球	砲丸投げ
铁饼	円盤投げ
链球	ハンマー投げ
标枪	槍投げ
十〔七〕项全能	十〔七〕種競技
游泳	**水泳**
游泳	競泳
自由泳	自由形
仰泳	背泳ぎ
蛙泳	平泳ぎ
蝶泳	バタフライ
混合泳	個人メドレー
自由泳接力	リレー
混合泳接力	メドレーリレー
公开水域	オープンウォーター
花样游泳	シンクロナイズドスイミング
集体	チーム
双人	デュエット
跳水	飛び込み
跳台	高飛び込み
跳板	板飛び込み
双人跳水	シンクロナイズドダイビング
水球	水球
足球	**サッカー**
网球	**テニス**
单打	シングルス
双打	ダブルス
赛艇	**ボート**
单人双桨	シングルスカル
双人单桨无舵手	舵なしペア
双人双桨	ダブルスカル
四人单桨无舵手	舵なしフォア
四人双桨	クォドプルスカル
八人单桨有舵手	エイト
轻量级双人双桨	軽量級ダブルスカル
轻量级四人单桨无舵手	軽量級舵なしフォア
曲棍球	**ホッケー**
拳击	**ボクシング**
48公斤级	ライトフライ48kg級
51公斤级	フライ51kg級
54公斤级	バンタム54kg級
57公斤级	フェザー57kg級
60公斤级	ライト60kg級
64公斤级	ライトウェルター64kg級
69公斤级	ウェルター69kg級
75公斤级	ミドル75kg級
81公斤级	ライトヘビー81kg級
91公斤级	ヘビー91kg級
+91公斤级以上	スーパーヘビー91kg超級
排球	**バレーボール**
沙滩排球	**ビーチバレー**
体操	**体操**
跳马	跳馬
高低杠	段違い平行棒
平衡木	平均台
自由体操	床運動
鞍马	鞍馬
吊环	吊り輪
双杠	平行棒
单杠	鉄棒
艺术体操	新体操
蹦床	トランポリン
篮球	**バスケットボール**
摔跤	**レスリング**
古典式摔跤	グレコローマンスタイル
自由式摔跤	フリースタイル
帆船	**セーリング**
470级	470級
激光级	レーザー級
星级	スター級
NP RS:X 级帆板	RS:X

として直立する
【昂首】 ángshǒu 動 頭をもたげる. 顔を上げる
【昂首阔步】 áng shǒu kuò bù 成 頭を上げて闊歩(かっぽ)する. 力強く堂々と歩くさま
*【昂扬】 ángyáng 形 (気持ちが)高揚するさま. (意気が)揚がるさま ‖ 情绪～ 気分が高揚する

àng

10 **盎** àng 満ちている. いっぱいである ‖ →～然
【盎然】 àngrán 形 書 満ちる. あふれる ‖ 兴致～ 面白みにあふれる. 興味津々
【盎司】 àngsī 量 外 オンス(ヤード・ポンド法の重さの単位)

āo

5 **凹** āo ❶形 へこんでいる. くぼんでいる ‖ →～透镜 ❷動 へこむ. くぼむ ‖ 锅盖ル～下去一块 鍋のふたがへこんでしまった ＊↔〔凸tū〕 ➤ wā
【凹版】 āobǎn 图〈印〉凹版 ‖ ～印刷 凹版印刷. グラビア印刷
【凹镜】 āojìng ＝〔凹面镜āomiànjìng〕
【凹面镜】 āomiànjìng 图 凹面鏡.〔凹镜〕ともいう
【凹透镜】 āotòujìng 图 凹レンズ.

激光镭迪尔级	レーザーラディアル級
鹰铃级	イングリング級
49人级	49er級
托那多级	トルネード級
芬兰人级	フィン級
举重	**ウエイトリフティング**
手球	**ハンドボール**
自行车	**自転車**
争先赛	スプリント
追逐赛	追い抜き
记分赛	ポイントレース
麦迪逊赛	マディソン
团体竞速赛	チームスプリント
凯琳赛	ケイリン
计时赛	タイムトライアル
公路赛	ロードレース
山地越野赛	マウンテンバイククロスカントリー
BMX	BMX
乒乓球	**卓球**
马术	**馬術**
三项赛	総合馬術
场地障碍赛	障害飛越
盛装舞步赛	馬場馬術
击剑	**フェンシング**
花剑	フルーレ
重剑	エペ
佩剑	サーブル
柔道	**柔道**
羽毛球	**バドミントン**
单打	シングルス
双打	ダブルス
混合双打	ミックスダブルス
射击	**射撃**
步枪射击	ライフル射撃
飞碟射击	クレー射撃
现代五项	**近代五種**
皮划艇	**カヌー**
静水	フラットウォーター
单人皮艇	カヤックシングル
双人皮艇	カヤックペア
四人皮艇	カヤックフォア
单人划艇	カナディアンシングル
双人划艇	カナディアンペア
激流回旋	スラローム
射箭	**アーチェリー**
跆拳道	**テコンドー**
铁人三项	**トライアスロン**
冬季オリンピック	
滑雪	**スキー**
高山滑雪	アルペンスキー
越野滑雪	クロスカントリー
跳台滑雪	ジャンプ
北欧两项	ノルディック複合
自由式滑雪	フリースタイル
雪上技巧	モーグル
空中技巧	エアリアル
滑板滑雪	スノーボード
追逐	スキークロス
滑冰	**スケート**
速度滑冰	スピードスケート
花样滑冰	フィギュアスケート
单人滑	シングル
双人滑	ペア
冰上舞蹈	アイスダンス
短跑道速度滑冰	ショートトラック
冬季两项	**バイアスロン**
有舵雪橇	**ボブスレー**
有舵雪橇	ボブスレー
俯式冰橇	スケルトン
无舵雪橇	**リュージュ**
单座	1人乗り
双座	2人乗り
冰壶	**カーリング**
冰球〔冰上曲棍球〕	**アイスホッケー**
関連用語	
圣火台	聖火台
发奖仪式	表彰式
药物检查	ドーピング検査
五环旗	オリンピック旗
奖牌	メダル
金牌	金メダル
银牌	銀メダル
铜牌	銅メダル
国际奥委会	IOC
吉祥物	マスコット
残奥会	パラリンピック

A

【凹凸】āotū 图 凹凸．でこぼこ ‖ ～不平 でこぼこしている
【凹陷】āoxiàn 動 へこむ．くぼむ
14 **熬** āo 動〈料理〉野菜などに調味料を加え鍋で煮る ‖ ～白菜 ハクサイを煮る ➤ áo
【熬心】āoxīn 形 方 心配である．気がかりである

áo

10 **敖** áo 〔遨áo〕に同じ
【敖包】áobāo 图 オボ．オボガ．モンゴルやチベットなどに見られる石積みや土檠の祭壇で，道標や境界線ともなる．〔鄂博èbó〕ともいう
13 **廒** áo 書 穀物倉庫 ‖ 仓～ 穀物倉
13 **遨** áo 書 漫遊する ‖ →～游
【遨游】áoyóu 動 書 遊び歩く．あちこち遊覧する ‖ ～世界 世界中を漫遊する｜～太空 宇宙を飛行する
13 **嗷** áo ↴
【嗷嗷】áo'áo 擬 書 ❶（悲しげに泣いたり叫んだりする声）うんうん．あああぁ．おいおい ‖ ～待哺bǔ オギャーオギャーと泣いて乳を求める．ピヨピヨ鳴いて餌を欲しがる．民衆が飢餓に苦しむたとえ ❷がやがや騒しい音
14 * **熬** áo ❶動（容器や鍋に入れて）ことこと煮る．とろ火で煮こむ ‖ ～大米粥 粥を炊く ❷動 耐える．がまんする ‖ 苦日子总算～过来了 つらい日々をやっと耐えてきた ➤ āo
【熬不过】áobuguò 動 辛抱できない．持ちこたえられない ‖ 看样子，他～今晚了 この分では彼は明日まで持たない
【熬不住】áobuzhù ＝〔熬不过áobuguò〕
【熬出来】áo//chu(chū)//lai(lái) 動（苦労を）耐え抜く．（苦難を）くぐり抜ける ‖ 总算熬了出来 どうにか苦難を乗り越えてきた
【熬过】áo//guo(guò) 動 こらえて過ごす．乗り切る ‖ ～了漫长的冬天 長い冬を乗り切った
【熬煎】áojiān 動 苦しめる．痛手を受ける．〔煎熬〕ともいう
【熬炼】áoliàn 動（苦しみの中で）長い時間を経て鍛える．練磨する
【熬日子】áo rìzi 組 ❶堪え忍んで暮らす．苦労の日々を送る ❷（病気などで）かろうじて生命を維持する
【熬头ル】áotour 图 辛抱したのちに得られるよい結果．辛抱のしがい ‖ 这苦日子，终于有个～了 つらい日々もとうとう終わりを告げた
【熬药】áo//yào 動〈中医〉薬を煎じる
【熬夜】áo//yè 動 徹夜する．我慢して夜更かしする ‖ 熬了两夜 二晩徹夜した
14 **獒** áo 图〈動〉マスチフ（狩猟用のイヌの一種）
16 **謷** áo ➡〔佶屈聱牙jí qū áo yá〕
16 **螯** áo 图〈動〉カニなどの節足動物の左右の第一肢．末端がはさみになっている
16 **翱**（△翶）áo 旋回しつつ飛ぶ
【翱翔】áoxiáng 動 書 飛翔（ひしょう）する
18 **鳌**（△鼇）áo 图（伝説における）海大亀
【鳌头】áotóu 图 旧 科挙の最終試験（殿試）に首位で合格すること（天子に拝謁するため，大殿前の石段に刻された大亀の頭を踏んだことから）．転（スポーツなどの試合で）第 1 位になること ‖ 独占～ 首位を占める
19 **鏖** áo 書 激しい戦闘を行う
【鏖兵】áobīng 動 激しく戦う
【鏖战】áozhàn 動 敵を全滅させるまで激しい戦いをする．苦戦する

ǎo

9 **袄**（襖）ǎo 图 裏のついた上着．中国式のあわせの上着 ‖ 棉～ 綿入れの上着
12 **媪** ǎo 書 年を取った女性．年かさの女性 ‖ 乳～ 乳母

ào

7 **岙** ào 图 山あいの平地．（多く地名に用いる）
8 **坳**（△坳）ào 图 山あいの平地
【坳口】àokǒu 图 山間にあるくぼ地．山地を通り抜ける道
8 **拗**（△抝）ào 背く．さからう．従わない ➤ niù
【拗口】àokǒu 形 舌をかみそうである．言いにくい
【拗口令】àokǒulìng 图 早口言葉 ＝〔绕rào口令〕
12 **傲** ào ❶形 尊大である ‖ 那个人太～ あの人は傲慢すぎる ❷頑として屈しない．自尊心の強い ‖ →～骨 ❸書 軽視する ‖ 恃shì才～物 自らの才をたのみ他を見下す
【傲岸】ào'àn 形 書 傲慢不遜な．おごり高ぶった
【傲骨】àogǔ 图 信念を持ち屈しない性格 ‖ 一身～ 全身これ硬骨漢
【傲慢】àomàn 形 傲慢である．高慢である．不遜である ‖ 神态～ 態度が不遜である
【傲气】àoqì 图 傲慢さ．おごり高ぶった態度 形 傲慢である ‖ 他显得很～ 彼はいかにも傲慢さが目立つ
【傲然】àorán 形 堂々として屈しない．信念を持って動じない ‖ 神态～ 態度が堂々としている
【傲世】àoshì 動 世の人を軽視する
【傲视】àoshì 動 見下す．軽視する
【傲物】àowù 動 書 傲慢で人を見下す
12 **奥** ào ❶古 室内の南西の隅．一般に家の奥まった場所を指す ‖ 堂～ 家の奥まった所 ❷中の．内側の．奥深い ‖ ～室 奥の間 ❸（言葉などの意味が）奥深い．はかり知れない ‖ →～妙
【奥博】àobó 形 書 博識である
【奥地利】Àodìlì 图〈国名〉オーストリア
【奥林匹克运动会】Àolínpǐkè yùndònghuì 图 オリンピック．略して〔奥运会〕ともいう
*【奥秘】àomì 图 はかりがたいなぞ．神秘 ‖ 探索原子世界的～ 原子世界の神秘を探る
【奥妙】àomiào 形 奥深くてとらえがたい 图 秘訣．秘密．いわく
【奥赛】Àosài 图 国際科学オリンピック．〔国际学科奥

林匹克竞赛〕の略．‖ 数学～ 国際数学オリンピック
【奥斯卡金像奖】Àosīkǎ jīnxiàngjiǎng 图 オスカー．アメリカ映画界のアカデミー賞
【奥委会】Àowěihuì 图 略 オリンピック委員会．〔奥林匹克委员会〕の略
【奥义】àoyì 图 深くはかりがたい論理．奥深い真理 ‖ 不解其中～ その中に含まれている深い論理は分からない
【奥运村】àoyùncūn 图〈体〉オリンピック選手村
【奥运会】Àoyùnhuì 图 略 オリンピック．〔奥林匹克运动会〕の略
【奥旨】àozhǐ 图 深い意味．奥に含まれる意味

13 **鷔** ào 書 ❶古代の駿馬(しゅんめ)の名．並はずれた才能をたとえる ❷ウマが飼いならされていない ‖ 桀jié～不驯xùn 荒馬は人になれない．傲慢で服従しないこと

15 **澳**[1] ào ❶船の停泊に適した入り江．(多く地名に用いる) ❷マカオ．〔澳门〕の略 ‖ 港～地区 香港・マカオ同胞

15 **澳**[2] ào オーストラリア．〔澳大利亚〕の略 ‖ ～毛 オーストラリア産の羊毛
【澳大利亚】Àodàlìyà 图〈国名〉オーストラリア．豪州．〔澳洲〕ともいう
【澳抗】àokàng 图〈医〉オーストラリア抗原
【澳洲】Àozhōu ＝〔澳大利亚Àodàlìyà〕

15 **懊** ào 悔やむ．悩む ‖ →～悔 │ →～恼
【懊恨】àohèn 動 悔しがる．残念がる
【懊悔】àohuǐ 動 悔やむ ‖ 真～不该伤她的心 彼女を傷つけるのではなかったと後悔した
【懊恼】àonǎo 形 くよくよ悩むさま．気がめいるさま ‖ 事情没办好，心里很～ 事がうまくいかずくよくよ思い悩んでいる
【懊丧】àosàng 形 落胆するさま．気落ちするさま．肩を落とすさま

18 **鏊** ào ↴
【鏊子】àozi 图〔饼bǐng〕を焼くための中央がやや高くなっている円形の鉄板

B

B

【B超】B chāo 图略〈医〉超音波ＣＴスキャナー．また，それによる検査．〔Ｂ型超声显像仪〕の略
【B股】B gǔ 图〈経〉Ｂ株．外貨や香港ドルで取り引きされる株
【BP机】BP jī 图ポケベル

bā

2 ★八 bā 圏８．八つ
【八拜之交】bā bài zhī jiāo 成義兄弟の契り
【八宝菜】bābǎocài 图クルミ・アーモンド・キュウリ・ピーナッツ・クキチシャなどの材料を混ぜてしょうゆに漬けた漬物
【八宝饭】bābǎofàn 图もち米にハスの実やナツメなどの食品を加え，蒸した食べ物
【八辈子】bābèizi 慣何代かの．長い間の‖倒dǎo了～霉méi了 千に一つもないばかをみた
【八成】bāchéng 图８割．80パーセント‖～新 ８割がた新しい 副（～儿）大体．ほとんど‖这事儿～是没戏了 この事はほとんど見込みがなくなった
【八斗之才】bā dǒu zhī cái 成八斗(はっと)の才．文才がきわめて優れているたとえ
【八段锦】bāduànjǐn 图中国伝統の健康体操
【八方】bāfāng 图八方‖四面～ あらゆる方面
【八分】bāfēn 图十分の八．八分．８割‖花已开了～ 花はすでに八分咲きだ
【八分音符】bāfēn yīnfú 图〈音〉８分音符
【八竿子打不着】bā gānzi dǎbuzháo 慣８本の竿をつなげても届かない．両者にまったく関係がないこと
【八哥】bāge（～儿）图〈鳥〉ハッカチョウ．カーレン．〔鸲鹆qúyù〕の通称
【八股】bāgǔ 图❶八股文(はっこぶん)．科挙試験の答案に用いられた文体 ❷喩形式的で内容のない文章
【八卦】[1] bāguà 图八卦(はっけ)．陰陽の爻(こう)を組み合わせてできる八つの図形で，☰〔乾〕，☷〔坤〕，☵〔坎〕，☲〔离〕，☳〔震〕，☶〔艮〕，☴〔巽〕，☱〔兑〕をいう
【八卦】[2] bāguà 形他人のプライバシーに首を突っ込むさま．余計な世話を焼くさま‖你太～了 人のことに首を突っ込みすぎだよ
【八卦新闻】bāguà xīnwén 图ゴシップ記事．スキャンダル記事
【八卦掌】bāguàzhǎng 图中国武術の一種．〔八卦拳〕ともいう
【八国联军】Bā guó liánjūn 图〈史〉1900年，義和団を鎮定するために組織された英・米・独・仏・露・日・伊・オーストリアの連合軍
【八角】bājiǎo 图❶〈植〉トウシキミ．ダイウイキョウ．〔八角茴香〕〔大茴香〕ともいう ❷〈料理〉（香辛料の一つ）八角(はっかく)．〔大料〕〔茴香〕ともいう
【八九不离十】bā jiǔ bù lí shí 慣だいたい．おそらく．（ほぼ間違いないことをいう）‖你不说，我也能猜个～ 君が言わなくてもだいたいのところは見当がつく
【八开】bākāi 图〈印〉全紙八つ折り（の紙）
【八路军】Bālùjūn 图〈史〉八路軍．中国人民解放軍の前身
【八面光】bāmiànguāng 慣貶処世術にたけて，如才のないこと
【八面玲珑】bā miàn líng lóng 成貶誰に対しても如才なくふるまうこと．八方美人
【八面威风】bā miàn wēi fēng 成威風堂々あたりを払うさま
【八旗】bāqí 图八旗(はっき)．清代満洲族の軍隊および戸籍の編制
【八抬大轿】bātái dàjiào 图８人で担ぐ大きな輿(こし)．立派な輿
【八仙】bāxiān 图八仙．中国の民間伝承に出てくる８人の仙人
【八仙过海】bā xiān guò hǎi 成（後に〔各显神通〕または〔各显其能〕と続け）それぞれが独自のやり方をする．各自が本領を発揮し競い合う
【八仙桌】bāxiānzhuō（～儿）图一辺に二人ずつ掛けられる大きな中国式の正方形テーブル
【八一建军节】Bā Yī jiànjūnjié 图中国人民解放軍の建軍記念日（８月１日）
【八音盒】bāyīnhé 图オルゴール
【八月节】Bāyuèjié 图中秋節（旧暦の８月15日）
【八字】bāzì（～儿）图生まれた年月日・時刻を十干(じっかん)・十二支で組み合わせ，８字で表したもの．これを用いて運勢を占う．〔生辰八字〕ともいう‖测～ 運勢を占う
【八字步】bāzìbù 图外またの歩き方
【八字胡】bāzìhú 图八の字ひげ
【八字脚】bāzìjiǎo 图外またの足
【八字没一撇】bā zì méi yī piě 慣八の字の最初のはねさえまだ書いていない．物事の目鼻がついていないたとえ‖这件事还～呢 この件はまだまったく目鼻がついてない
【八字眉】bāzìméi 图八の字眉
【八字帖儿】bāzìtiěr 图旧婚約のとき取り交わす男女双方の〔八字〕を記した書状．〔庚gēng帖〕ともいう
4 巴[1] bā ❶图巴(は)．春秋時代の国の名．現在の重慶域内にあった ❷重慶一帯をさす
4 巴[2] bā 待ち望む‖—～望｜—～不得
4 巴[3] bā ❶動はりつく ❷動くっつく．こびりつく‖粥已经～锅了 おかゆはもう鍋にこびりついてしまった ❸器物などにくっついたもの‖锅～ お焦げ
4 巴[4] bā 量外〈物〉（圧力の単位）バール

逆引き単語帳 〔锅巴〕guōbā 鍋についたお焦げ．（スナック菓子の一種の）お焦げ風せんべい 〔结巴〕jiēba 吃音者 〔哑巴〕yǎba 口が利けない人 〔泥巴〕níbā どろ 〔尾巴〕wěiba しっぽ 〔下巴〕xiàba あご 〔嘴巴〕zuǐba 口．ほっぺた 〔淋巴〕línbā リンパ

【巴巴多斯】Bābāduōsī 图〈国名〉バルバドス
【巴巴儿地】bābārde 副方❶切に．ひたすら‖～盼着她的来信 彼女の手紙を切に待ち望む ❷わざわざ
【巴不得】bābude 動口強く望む．熱望する

類義語 巴不得 bābude / 恨不得 hènbude
◆〔巴不得〕実現可能なことを切望する．強く願う．待ちきれない‖巴不得马上就见到她 いますぐにでも彼女

に会いたい　◆〔恨不得〕実現不可能なことをしたくてたまらない. …できないのがもどかしい ‖ 我恨不得找个地缝钻进去 穴があったら入りたい　◆〔巴不得〕は目的語に否定形をとることができ, また, 〔的〕を伴って名詞を修飾することもできる. このような用法は〔恨不得〕にはない

【巴布亚新几内亚】Bābùyà xīnjǐnèiyà 图〈国名〉パプアニューギニア
【巴豆】bādòu 图❶〈植〉ハズ ❷〈中薬〉巴豆(はず)
【巴哈马】Bāhāmǎ 图〈国名〉バハマ
【巴基斯坦】Bājīsītǎn 图〈国名〉パキスタン
*【巴结】bājie 動貶 へつらう. おもねる. うまいこと世辞をいう ‖ ～权贵 権力におもねる｜～领导 上司にごまをする
【巴拉圭】Bālāguī 图〈国名〉パラグアイ
【巴林】Bālín 图〈国名〉バーレーン
【巴拿马】Bānámǎ 图〈国名〉パナマ
【巴儿狗】bārgǒu 图〈動〉(イヌの一種)ペキニーズ. =〔哈巴hǎba狗〕
【巴士】bāshì 图方外 バス
【巴头探脑儿】bā tóu tàn nǎor 圏 首を伸ばしてのぞき見る
【巴望】bāwàng 動方 熱望する. 渇望する
【巴西】Bāxī 图〈国名〉ブラジル
【巴掌】bāzhang 图 手のひら. たなごころ ‖ ～大的地方 手のひらほどの土地. 猫の額ほどの土地

5 * 扒[1] bā 動(頼れるものに)つかまる. すがる. しがみつく. へばりつく ‖ ～窗户偷看 窓にへばりついて盗み見る｜～住栏杆 手すりにつかまる

5 * 扒[2] bā ❶動 かき出す, 取り壊す ‖ ～房子 家を取り壊す ❷動(手で)動かす. 回す ‖ 紧着往嘴里～饭 手早く御飯を口にかっこむ ❸動 はぎ取る. (ひっぱって)脱ぐ ‖ ～了皮吃 皮をむいて食べる ➤ pá
【扒车】bā//chē 動 走り出したバスや列車などに飛び乗る
【扒带】bādài 動(違法に)録音・録画テープをコピーする. 〔扒带子〕ともいう 图 海賊版テープ. コピーテープ
【扒拉】bāla 動❶(手で)払いのける. 押しやる ‖ ～人 人を押しのける ❷(指先で)はじく ‖ ～算盘 そろばんをはじく ➤ pála

5 叭 bā 擬(物が折れたり, ぶつかったりする音)ポキッ. パン. バン. パチン
【叭儿狗】bārgǒu =〔巴儿狗bārgǒu〕

7 芭 bā 古 香草の一種
【芭蕉】bājiāo 图〈植〉バショウ
【芭蕉扇】bājiāoshàn 图 ビロウ(シュロに似た植物)の葉で作ったうちわ
*【芭蕾舞】bālěiwǔ 图外 バレエ. 〔芭蕾舞剧〕ともいう

7 吧 bā 图 バー. 酒場. 特色のある喫茶店をもさす ‖ 网～ ネットカフェ｜陶～ 陶芸喫茶｜氧yǎng～ 酸素バー ➤ ba
【吧嗒】bādā 擬❶(物がぶつかる音)バタン. パタン ‖ 门～一声关上了 戸がバタンと音を立てて閉まった ❷(液体が落ちる音)ぽたぽた. ぽとぽと ‖ 汗珠儿～～地落了下来 汗がぽたぽた落ちる ❸(大きな足音)バタバタ. ドタンバタン ‖ ～～的脚步声 バタバタという足音 ❹(キセルを吸う音)すぱすぱ
【吧嗒】bāda 動❶口をぱくぱくさせる. 食べるときくちゃくちゃと音をたてる ❷方(キセルやタバコを)すぱすぱ吸う
【吧唧】bājī 擬❶(水たまりなどを歩くときの音)ピチャピチャ. バシャバシャ. パチャパチャ ❷(ものを食べる音)くちゃくちゃ
【吧唧】bāji 動❶口をぱくぱくさせる. 食べるときくちゃくちゃと音をたてる ❷方(キセルやタバコを)すぱすぱ吸う
【吧女】bānǚ 图(クラブやバーなどの)ホステス
【吧台】bātái 图 バーのカウンター

7 岜 bā 地名用字 ‖ ～关岭 広西チワン族自治区にある地名

9 * 疤 bā ❶图(傷やできものなどの)あと ‖ 疮～ かさぶた. 傷あと｜伤～ 傷あと ❷图(器物などの)傷
【疤痕】bāhén 图(傷やできものなどの)あと
【疤瘌】【疤拉】bāla 图 傷あと. 瘡(きず)のあと
【疤瘌眼儿】bālayǎnr 图口 ❶まぶたに傷あとのある目 ❷貶 同前の人

10 * 捌 bā 数〔八〕の大字(だいじ)　➡〔大写dàxiě〕

10 粑 bā 图方 餅状の食品 ‖ 糯米nuòmǐ～ 餅
【粑粑】bāba 图 餅状の食品

10 笆 bā 木やイバラの枝, 竹などで編んだもの ‖ 篱～ 竹垣
【笆斗】bādǒu 图 竹やヤナギの枝などで編んだざる
【笆篓】bālǒu 图 竹やヤナギの枝などで編んだかご. 背負いかご

bá

8 *** 拔 bá ❶動 抜く. 引き抜く. 抜き取る ‖ ～牙 歯を抜く｜～插销 ソケットを抜く ❷ぬきんでる. 傑出する ‖ 高楼～地而起 高いビルがそびえ立っている ❸(多く人材を)選び出す ‖ 提～ 抜擢(ばってき)する ❹動(軍事上の拠点を)攻め取る. 奪取する ‖ ～据点 拠点を奪取する ❺動(毒などを)吸い出す. 吸い取る ‖ ～毒 毒を吸い取る ❻動方(物を)冷やす
【拔不出腿】bábuchū tuǐ 慣(厄介事から)抜け出せない. 関係が切れない
【拔步】bá//bù 動 歩き出す
【拔除】báchú 動 引き抜く. 根こそぎにする. 攻め落とす
【拔刀相助】bá dāo xiāng zhù 成 助太刀する
【拔地而起】bá dì ér qǐ 成 高くそびえ立つ ‖ ～的高楼 高くそびえ立つ高層ビル
【拔掉】bá//diào 動❶抜き取る ‖ ～一颗虫牙 虫歯を抜き取る ❷攻め落とす
【拔钉子】bá dīngzi 慣 くぎを抜く. 障害を取り除くこと
【拔高】bá//gāo 動❶一段と高くする. 高める ‖ ～嗓门儿 高い声を出す ❷意図的にほめたたえる. 実力以上に評価する ↔〔贬低〕
【拔罐儿】bá guànr 組〈中医〉吸い玉をかける. 〔拔罐子〕〔拔火罐儿〕ともいう
【拔河】bá//hé〈体〉動 綱引きをする
【拔火罐儿】bá huǒguànr 組方〈中医〉吸い玉をかける 图(báhuǒguànr)火のおこりをよくするために用いる煙突状の筒. 〔拔火筒〕ともいう
【拔尖】bá//jiān (～儿) 形 ぬきんでる. 抜群である 動 目立とうとする
【拔节】bá//jié 動〈農〉水稲・小麦・コウリャン・トウモロコシなどの主茎の各節が, ある時期になると急に伸びる
【拔锚】bá//máo 動 いかりを上げる. 出港する =〔起锚〕

B

【拔苗助长】bá miáo zhù zhǎng 成 早く生長させようとして苗を引っ張る. 功を急ぐあまり失敗するたとえ
【拔取】báqǔ 動 抜擢(ばってき)する. 採用する
【拔丝】bá//sī 動 ❶金属を引き延ばし線状にする. 伸線する ❷〈料理〉油で揚げた果物などに砂糖を煮つめてあめ状にしたものをからめる
【拔腿】bá//tuǐ 動 ❶足を踏み出す. 動き出す ‖ ～就跑 ぱっと逃げ出す ❷(厄介事から)手を引く. 抜け出す
【拔营】bá//yíng 動〈軍〉軍隊が駐屯地から出発し移動する

11 菝 bá ➘
【菝葜】báqiā 名〈植〉サルトリイバラ

12 跋1 bá 山地を歩く ‖ 一～山涉水

12 跋2 bá 後書き. 跋(ばつ). 跋文 ‖ 题～ 題辞と跋文
【跋扈】báhù 動 書 跋扈(ばっこ)する. 傍若無人にふるまう
【跋前疐后】【跋前踬后】bá qián zhì hòu 成 進退きわまる
【跋山涉水】bá shān shè shuǐ 成 山また山を越え, 歩いて川を渡る. 長旅のつらさのたとえ
【跋涉】báshè 動 山を越え, 川を渡る. 長く苦しい旅をすること
【跋文】báwén 名 後書き. 跋
【跋语】báyǔ 名 後書き. 跋

bǎ

7 ★把1 bǎ ❶動 握る. 持つ. つかむ ‖ 车拐弯儿了, ～好扶手 車は曲がりますので, 手すりにおつかまりください ❷名(車などの)ハンドル. (荷車などの)柄(え). かじ棒 ❸動 掌握する. 支配する ‖ 一～持 ❹動 守る. 見張る ❺動 口 すぐそばにある ‖ ～胡同口有一个邮筒 路地の入り口近くにポストがある ❻動(裂け目などを)合わせて固定する ❼名(～儿)(片手でつかめるくらいの)束 ‖ 火～ たいまつ ❽量 ①(～儿)一握りの量を数える ‖ 一～花生米 一握りの落花生 ②小さく束ねたものを数える ‖ 两～小萝卜 ハツカダイコン2束 ③柄のあるものを数える ‖ 一～刀子 庖丁1本 ｜ 一～钥匙 鍵1個 ④手に関係のある動作に用いる ‖ 推了一～ どんと押す ⑤手の動作に関係ある事柄に用いる ‖ 一～鼻涕bítì一～眼泪 泣きじゃくる. 激しく泣く ⑥抽象的事物に用いる ‖ 一大～年纪 相当な年配 ｜ 大家再加一～劲儿 みんな, もうひと頑張りだ ❾介 ①…を(…する) ‖ ～头洗洗 頭を洗いなさい ｜ 她想～这本小说译成日文 彼女はこの小説を日本語に翻訳したいと思っている ②…の結果になる. …することになる ‖ 真～我气死了 ほんとうに腹が立つ ｜ 她～眼都哭肿zhǒng了 彼女は目を泣きはらした ③不本意な結果が生じることを示す ‖ ～书包没了 かばんをなくしてしまった ❿動 子供の太ももを抱きかかえて大・小便をさせる ‖ 给孩子～～尿 子供を抱いておしっこをさせる ⓫義兄弟の契りを交わした関係を示す ‖ 一～兄弟

7 把2 bǎ 助 口 概数を表す ‖ 个～月 かれこれひと月 ｜ 百～块钱 100元そこそこ ➤ bà

類義語 把 bǎ 拿 ná 将 jiāng
◆〔把〕動作・行為の対象を導き, それになんらかの処置を加えることを表す. …を ‖ 他把鞋脱了 彼は靴を脱いだ ◆〔拿〕動作・行為の手段, あるいは手段としての対象を導く. …で. …を ‖ 拿钢笔写字 ペンで字を書く ◆〔将〕動作・行為の対象を導く. 書き言葉に用いる. …を ‖ 将他一拳击倒在地 彼を一撃でたたきのめした

*【把柄】bǎbǐng 名 ❶(器物の)取っ手. 握り. 柄(え) ❷喩 弱み ‖ 抓住对方的～ 相手の弱みを握る ｜ ～落在了别人的手里 人にしっぽをつかまれた
【把持】bǎchí 動 ❶貶(地位や権力を)独占する. 支配する ❷(感情などを)抑える. こらえる
【把舵】bǎ//duò 動 ❶船の舵(かじ)をとる ❷喩 舵をとる. 操作する
【把风】bǎ//fēng 動(入り口で)見張る
*【把关】bǎ//guān 動 ❶要所を守る ❷喩 重要な箇所をチェックする. 検査する ‖ 质量上严格～ 厳格な品質検査をする
【把家】bǎjiā 動 方 家事を切り盛りする. 家事をこなす
【把角儿】bǎjiǎor 名 曲がり角
【把口儿】bǎ//kǒur 動(横丁の)出口に位置を占める
【把揽】bǎlan 動 何もかも占有する. 独占する
【把牢】bǎláo 形 方 確実である. 頼りになる. 間違いがない. (多く否定に用いる) ‖ 这人做事不～ この人のやることは安心できない
【把脉】bǎ//mài 動 ❶〈医〉脈を診る ❷喩 分析し判断を下す
【把门】bǎ//mén 動 ❶門番をする. 入り口を守る ‖ 他嘴上缺个～的 彼は口が軽い ❷〈体〉ゴールを守る
【把势】【把式】bǎshi 名 ❶口 武術. 武芸 ‖ 这个人很会～ この人は武術がかなりできる ❷口 武術家. 転 その道の達人. 一芸に秀でた者 ‖ 车～ 御者
*【把手】bǎshou 名 取っ手. ハンドル. 握り. 柄(え) ‖ 门～ ドアのノブ ｜ 抽屉～ 引き出しの取っ手
【把守】bǎshǒu 動 守る. 守備する ‖ ～大门 正門を守る
【把玩】bǎwán 動 書 手に取って鑑賞する
【把稳】bǎwěn 形 方 しっかりしている. 確実である. 頼りになる ‖ 这人办事很～ この人のやる事はたいへん確かだ
**【把握】bǎwò 動 ❶握る ‖ ～方向盘 ハンドルを握る ❷つかむ. 把握する ‖ ～时机 チャンスをつかむ ｜ ～火候儿 火かげんを掌握する. ころ合いをみる 名(多く〔有〕〔没有〕の後に置き)(成功の)見込み. 可能性. 自信. 勝算 ‖ 他从来不做没～的事儿 彼は見込みのないことはやったことがない
*【把戏】bǎxì 名 ❶曲芸. 雑技. 手品 ‖ 耍～ 軽わざをする ❷悪だくみ. 手練手管 ‖ 鬼～ インチキ. ペテン
【把兄弟】bǎxiōngdì 名 旧 義兄弟
【把盏】bǎzhǎn 動 書 杯を挙げる. (多く客に敬意を表して酒をつぐ)
【把住】bǎzhù 動 ❶守りを固める ‖ ～大门 正門をしっかり固める ❷握りしめる. つかんで離さない ‖ ～绳子 綱をしっかりつかむ ｜ ～权力不放 権力を握って放さない
【把子】bǎzi 名 ❶束 ‖ 草～ わらの束 ❷義兄弟 ‖ 拜～ 義兄弟の契りを結ぶ 量 ❶貶(好ましくない人の群れを数える)一組. 群. 団 ‖ 来了一～强盗 一群の強盗がやって来た ❷片手でつかめる量を数える. つかみ. 握り. 束 ‖ 一～葱 一束のネギ ❸(力や技能など)抽象的な事物に用いる ‖ 他真有一～力气 彼はほんとうにすごい力持ちだ ➤ bàzi

9 **钯** bǎ 名〈化〉パラジウム(化学元素の一つ, 元素記号は Pd)

13 **靶** bǎ 名(射撃や弓の)的. 標的 ‖ 箭～ 弓の的 | 打～ 射撃演習をする

【靶标】bǎbiāo 名 射的. 的

【靶场】bǎchǎng 名 射撃場

【靶船】bǎchuán 名 標的艦

【靶机】bǎjī 名 標的機

【靶台】bǎtái 名 射台(しゃだい). 射撃する位置

【靶心】bǎxīn 名 標的の中心

【靶子】bǎzi 名 的. 標的

bà

7* **坝**[1](壩) bà ❶名 堰(せき). ダム ❷名 堤防を保護したり, 補強したりする建築物

7* **坝**[2] bà 方 ❶平地. 平原. (多く地名に用いる) ❷名 砂州. 砂浜

【坝基】bàjī 名 堤防の基礎

【坝田】bàtián 名 谷間にある田

【坝子】bàzi 名 ❶堰. ダム ❷方 平原. 平地

7 **把** bà (～儿) ❶名 (器物の)取っ手. 柄. ハンドル ‖ 锅～儿 鍋のつる | 刀～儿 刀の柄 ❷ 花柄(かへい). 果柄 ‖ 花～儿 花柄 | 苹果～儿 リンゴの果柄 ➤ bǎ

【把子】bàzi 名 取っ手. ハンドル ➤ bǎzi

8 **爸** bà 名 口 お父さん

★【爸爸】bàba 名 お父さん

10* **罢**(罷) bà ❶動 停止する. 中止する ‖ 欲～不能 やめようとしてもやめられない ❷動 免じる. 罷免する. やめさせる ‖ ～了他的官 彼の職を解いた ❸動 動詞の後に置き, その動作が終わったことを示す ‖ 吃～早饭就出门了 朝御飯をすませるとすぐ出かけた

【罢笔】bà//bǐ 動 ❶擱筆(かくひつ)する ❷筆を折る

【罢兵】bà//bīng 動 戦争をやめる

【罢黜】bàchù 動 書 (官職を)罷免する

*【罢工】bà//gōng 動 ストライキをする

【罢官】bà//guān 動 (官職を)罷免する

【罢教】bà//jiào 動 (教師が)集団で授業を中止する. 教員ストライキを打つ

【罢考】bà//kǎo 動 (学生や受験生が)試験をボイコットする

【罢课】bà//kè 動 (学生が)授業をボイコットする

*【罢了】bàle 助 (多く〔不过〕〔无非〕〔只是〕などと呼応して) …にすぎない. …だけだ ‖ 那不过是他个人的看法～ それは彼個人の見方にすぎない ➤ bàliǎo

【罢了】bàliǎo 動 やめる. もういい ‖ 这事我决不能～ このことはこのままではすまさないぞ ➤ bàle

【罢论】bàlùn 名 廃止. 取り消し ‖ 作～ とりやめる

*【罢免】bàmiǎn 動 罷免する

【罢免权】bàmiǎnquán 名 罷免権. リコール権

【罢赛】bà//sài 動 (スポーツ選手が)試合をボイコットする

【罢市】bà//shì 動 (商店などが)ストライキする. 同盟休業する

*【罢手】bà//shǒu 動 やめる. 中止する

*【罢休】bàxiū 動 やめる. (多く否定文で用いる) ‖ 就此～ これでやめにする

【罢演】bà//yǎn 動 (俳優が)舞台をボイコットする

【罢职】bà//zhí 動 免職する

10 **耙** bà ❶名〈農〉まぐわ ❷動 まぐわで土を細かく砕き, かきならす ‖ 地已经～过了 畑はもうならした ➤ pá

13 **鲅** bà 名〈魚〉サワラ. ふつうは〔鲅鱼〕という. 〔蓝点鲅〕〔马鲛鱼〕〔燕鱼〕ともいう

21 **霸**(△覇) bà ❶古代の諸侯の長. 覇者 ❷貶 (権勢や力をたのみに, 人を威圧する)ボス. 親玉 ‖ 恶～ 同前 ❸動 権勢をたてに占領する. 占有する ‖ 独～一方 地方を占領する

*【霸道】bàdào 名 覇道. 仁義を重んじる王道に対していう 形 横暴である

【霸道】bàdao 形 ひどい. 激しい. 強い ‖ 这酒～, 不能多喝 この酒は強いから, たくさんは飲めない

【霸气】bàqì 形 横暴である. 傲慢(ごうまん)で高圧的である 名 横暴さ. 傲慢さ

*【霸权】bàquán 名 覇権

【霸权主义】bàquán zhǔyì 名 覇権主義

【霸头】bàtou 名 (不正をはたらく)ボス. かしら. 親王

【霸王】bàwáng 名 項羽をさす. 喩 横暴な人のたとえ

【霸业】bàyè 名 覇業

*【霸占】bàzhàn 動 占領する. 横領する

【霸主】bàzhǔ 名 ❶春秋時代の諸侯の盟主. 覇者 ❷喩 最強の者

24 **灞** bà 地名用字 ‖ ～河 陝西省にある川の名

ba

7★ **吧** ba ❶助 文末に置き, いろいろな語気を表す ①**はっきり断定しない語気を示す** ‖ 大概是这样～, 我也记不清了 だいたいそうだったと思うが, 私もはっきり覚えていない ②命令文に用い, **命令の語気をやわらげる** ‖ 饶了他～ 彼を許してあげなさい | 你走～! 行きなさい ③疑問文に用い, **疑問の語気をやわらげる** ‖ 这笔是你的～? このペンはあなたのでしょう? ❷助 文中のポーズに置き, **語気をやわらげる** ‖ 好～, 就这么办! よろしい, そうしよう ❸助 複文中で前節の末尾に置き, **仮定を表す** ‖ 去～, 路太远, 不去～, 又不好交待 行くには遠いし, 行かないとまた言い訳に困る ➤ bā

bāi

12 **掰** bāi 動 (一つのものを)両手で割る. ちぎる ‖ 一块月饼～成两半 月餅を半分に割る

【掰不开】bāibukāi 動 両手で割れない. 二つに分けられない

【掰开揉碎】bāikāi róusuì 慣 よく分かるように何度も説明する ‖ ～地讲道理 かんで含めるように道理を説く

【掰腕子】bāi wànzi 組 腕相撲をする

bái

5★ **白**[1] bái ❶形 **白い. 白色の** ↔〔黑〕‖ 皮肤很～ 肌がとても白い ❷純粋である. 清らかである ‖ 襟怀jīnhuái坦～ 胸中率直で, 邪心がない ❸明るい ‖ →～昼 báizhòu ❹明白である. はっきりしている ‖ 真相大～ 真相が明らかになる ❺説明する. 陳述する ‖ 自～ 自白する ❻台詞(せりふ) ‖ 道～ 台詞 ❼

口語. 話し言葉 ‖ 一～话 ❽葬儀 ‖ 红～喜事 冠婚葬祭 ❾何も加えていない. 何もない ‖ 一～卷 ❿副 むなしく. むだに ‖ ～花钱 お金のむだ遣いをする | 说也～说 言ってもむだだ ⓫副 金を払わずに. ただで ‖ ～干了两天 2日間ただで働いた | ～吃～住 ただで食べ, ただで泊まる ⓬動 白い目で見る. 冷たい目で見る ‖ 她～了我一眼 彼女は冷たい目で私を見た ⓭野菜の白くやわらかい茎や葉鞘(ようしょう) ‖ 葱～ ねぎの白い部分 ⓮反動的な. 反革命的な ‖ 一～区

5 白² bái 形 読み違えた. 書き違えた ‖ 这个字念～了 この字は読み違えた

【白皑皑】bái'ái'ái (～的) 形 書 (霜や雪の)まっ白なさま. 白皚皚(はくがいがい)たる ‖ ～的雪山 白皚皚たる雪山

【白案】bái'àn (～儿) 名 料理人の仕事の分担で, 主食を作る仕事 ↔〔红案〕

*【白白】báibái (～的) 副 むだに. むざむざ ‖ ～浪费时间 時間をむだにする

【白班儿】báibānr 名 口 (二交代制の)日中の勤務 ↔〔夜班儿〕‖ 上～ 日勤に出る

【白榜】báibǎng 名 成績の悪い者や処分の対象者を公表する張り紙

【白报纸】báibàozhǐ 名 新聞用紙. 上ざら紙

【白璧微瑕】bái bì wēi xiá 成 玉に瑕(きず)

【白璧无瑕】bái bì wú xiá 成 白玉に一点のきずもない. 完全無欠, 純真無垢(く)のたとえ

【白不呲咧】báibucīliē (～的) 形 方 ❶色あせている. 白茶けている ❷料理の色や味が薄い

**【白菜】báicài 名〈植〉ハクサイ.〔大白菜〕ともいう

【白苍苍】báicāngcāng 形 白髪まじりである. 髪が白い ‖ ～的头发 真っ白な髪

【白茬】báichá (～儿) 形 ❶〈農〉収穫後まだ耕していない(土地) ❷製品化していない(皮革)

【白茶】báichá 名 白茶(はくちゃ). 発酵を抑え, 揉(も)みを弱くした茶

【白槎】báichá (～儿) 形 白木の. ‖ ～儿家具 白木の家具

【白痴】báichī 名 ❶〈医〉白痴 ❷白痴の人

【白炽灯】báichìdēng 名 白熱灯

【白唇鹿】báichúnlù 名〈動〉クチジロジカ

【白醋】báicù 名 色の薄い酢. 無色透明な酢

【白搭】báidā 動 口 役に立たない. むだになる ‖ 你去也～ あなたが行っても役に立たない

【白带】báidài 名〈医〉こしけ

【白道】báidào 名〈天〉月の軌道. 白道(はくどう)

【白地】báidì 名 ❶空地. 更地 ❷農作物を植えていない田畑 ❸(～儿)(紙や布地・器などの)白い地色

【白癜风】báidiànfēng 名〈医〉白斑症(はくはんしょう)

【白丁】báidīng 名 旧 無位無官の人

【白俄】Bái'é 名 ❶＝〔白俄罗斯Bái'éluósī〕❷白系ロシア. 白系ロシア人

【白俄罗斯】Bái'éluósī 名〈国名〉ベラルーシ

【白垩】bái'è 名〈鉱〉白亜. ふつうは〔白土子〕といい, 地方によっては〔大白〕ともいう

【白发】báifà 名 白髪 ‖ ～苍苍 真っ白な白髪

【白矾】báifán 名 明礬(みょうばん).〔明矾〕の通称

【白饭】báifàn 名 ❶白米の飯 ❷おかずなしの食事 ❸ただ飯

*【白费】báifèi 動 むだに使う. むだに費やす ‖ ～精力 精力をむだに使う | ～功夫 時間がむだになる

【白粉】báifěn 名 ❶おしろい ❷方 塗装用の白色土 ❸方 ヘロイン

【白干儿】báigānr 名 パイカル. 蒸留酒

【白宫】Báigōng 名 ホワイトハウス

【白骨精】báigǔjīng 名『西游記』に登場する女の妖怪(ようかい).

【白瓜子儿】báiguāzǐr 名 (炒った)カボチャの種

【白鹳】báiguàn 名〈鳥〉コウノトリ

【白果】báiguǒ 名 イチョウの実. ギンナン

【白鹤】báihè 名〈鳥〉タンチョウ.〔丹顶鹤〕ともいう

【白喉】báihóu 名〈医〉ジフテリア

【白虎】báihǔ 名 ❶白虎(びゃっこ). 二十八宿のうちの西方七宿の総称 ❷(道教で)西の方角をつかさどる凶神

【白花】báihuā 名 ❶(～儿)白い花 ❷〈紡〉くず綿

【白花花】báihuāhuā (～的) 形 白くきらきらした. 銀色に光っている

【白化病】báihuàbìng 名〈医〉白子症(しらこしょう). 白皮症

【白话】báihuà 名 ❶〈語〉白話(はくわ). 話し言葉 ↔〔文言〕 ❷根拠のない話. 実現できない話 ‖ 空口说～ 口先だけの約束をする

【白话诗】báihuàshī 名 (五四運動で生まれた)口語詩.〔新诗〕ともいった

【白话文】báihuàwén 名 白話文. 口語文

【白话小说】báihuà xiǎoshuō 名 中国の近世通俗小説.『三国演義』『水滸伝』『西遊記』『金瓶梅』など

【白桦】báihuà 名〈植〉シラカバ

【白晃晃】báihuānghuāng (～的) 形 ぴかぴか光る. 白く光る ‖ ～的照明弹 白く光る照明弾

【白灰】báihuī 名〈鉱〉石灰.〔石灰〕の通称

【白暨豚】báijìtún ＝〔白鳍豚báiqítún〕

【白金】báijīn 名 ❶白金. プラチナ ❷古 銀

【白晶晶】báijīngjīng (～的) 形 白くきらきらしている

【白净】báijing 形 (肌が)抜けるように白い. 色白である

*【白酒】báijiǔ 名 蒸留酒の総称

【白驹过隙】bái jū guò xì 成 白馬の走り過ぎるのが, 戸のすきまからちらっと見える. 時間のたつのが早いこと

【白卷】báijuàn (～儿) 名 白紙の答案 ‖ 交～儿 白紙の答案を出す

【白军】báijūn 名 ❶反革命軍. 国共内戦時の国民党軍 ❷〈史〉(ロシアの)白衛軍.〔白卫军〕ともいう

【白开水】báikāishuǐ 名 白湯(さゆ)

【白口铁】báikǒutiě 名〈鉱〉❶白鋳鉄 ❷白銑鉄

【白蜡】báilà 名 ❶(蠟燭の原料となる)イボタロウムシの分泌液 ❷白蠟. 精製した蜜蠟(みつろう)

【白兰】báilán 名 ❶〈植〉ハクランカ ❷〈中薬〉白玉蘭(はくぎょくらん) *〔白兰花〕〔白玉兰〕ともいう

【白兰地】báilándì 名 外 ブランデー

【白兰瓜】báilánguā 名〈植〉甘粛省蘭州に産するメロンの一種で皮・種・果肉が白い

【白兰花】báilánhuā ＝〔白兰báilán〕

【白梨】báilí 名〈植〉ナシの一種, 小ぶりで皮が白い

【白痢】báilì 名 ❶〈中医〉白痢(はくり) ❷〈牧〉(子ウシなどがかかる)白痢杆菌(はくりかんきん)による急性伝染病

【白莲教】Báiliánjiào 名〈宗〉白蓮教(びゃくれんきょう). 元代から清代に盛行した宗教的秘密結社

【白脸】báiliǎn (～儿) 名 劇 (伝統劇で, 悪役のくま取りが白いことから)悪人. 悪玉. ↔〔红脸〕

【白亮】báiliàng 形 白光りしている

【白亮亮】báiliàngliàng（～的）形 白く光っている ‖ ～的银餐具 白く光る銀食器
【白磷】báilín 名〈化〉オウリン.〔黄磷〕ともいう
*【白领】báilǐng 名 ホワイトカラー ‖ ～丽人 ホワイトカラーの若くて美しい女性
【白鹭】báilù 名〈鳥〉シラサギ. コサギ. チュウサギ
【白露】báilù 名 白露(二十四節気の一つ)
【白马王子】báimǎ wángzi 名（女性にとって）理想の結婚相手. 恋人
【白鳗】báimán 名〈魚〉ウナギ ＝〔鳗鲡lí〕
【白茫茫】báimángmáng（～的）形（雲・雪・水などで）見渡すかぎり真っ白である ‖ ～的湖水 見渡すかぎり白く輝く湖水
【白茅】báimáo 名〈植〉チガヤ
【白蒙蒙】báimēngmēng（～的）形 霧や水蒸気などが立ちこめているさま ‖ ～的云雾 白く立ちこめる霧
【白米】báimǐ 名 白米. 精白米
【白面】báimiàn 名 精白した小麦粉
【白面儿】báimiànr 名 ヘロイン
【白面书生】báimiàn shūshēng 名 青白い書生.
【白描】báimiáo 名〈美〉（中国画の技法の一つ）白描(はくびょう). デッサン
【白沫】báimò 名 泡 ‖ 口吐～ 口から泡をふく
【白木耳】báimù'ěr 名〈植〉シロキクラゲ ＝〔银耳〕
【白内障】báinèizhàng 名〈医〉白内障
【白嫩】báinèn 形 肌がすき通るように白くきめが細かい ‖ ～的小手 白くて柔らかい小さな手
【白跑】báipǎo 動 むだ足を踏む ‖ ～一趟 むだ足を踏む
【白皮书】báipíshū 名 白書
【白旗】báiqí 名（投降の意を示す）白旗
【白鳍豚】báiqítún 名〈動〉ヨウスコウカワイルカ
【白铅】báiqiān 名 回 亜鉛
【白区】báiqū 名 国共合作時の国民党統治地区
【白饶】báiráo 動 ただであげる. おまけでつける
【白热化】báirèhuà 動 白熱化する. 最高潮に達する
【白人】báirén 名 白人
【白刃】báirèn 名 よく切れる刀. 抜き放った刀
【白刃战】báirènzhàn 名 白兵戦.〔肉搏战〕ともいう
【白日】báirì 名 ❶太陽 ❷昼間 ‖ 黑天～地干 夜も昼も働く
【白日做梦】bái rì zuò mèng 成 白昼夢を見る
【白肉】báiròu 名 水煮の豚肉. ゆで豚
【白润】báirùn 形（肌が）しっとりとして白い
【白色恐怖】báisè kǒngbù 名〈政〉白色テロ
【白色家电】báisè jiādiàn 名 白物家電
【白色垃圾】báisè lājī 名 プラスチックや発泡スチロールの廃棄物
【白色收入】báisè shōurù 名（給与など）正規の報酬.〔灰色收入〕（不透明な報酬）や〔黑色收入〕（不正な報酬）に対していう
【白色污染】báisè wūrǎn 名 廃棄プラスチックや発泡スチロールなどによる環境汚染
【白森森】báisēnsēn（～的）形 白いさま. 白く冷たい感じのするさま ‖ ～的刀刃dāorèn 青白い刃(やいば)
【白鳝】báishàn 名 方〈魚〉ウナギ
【白芍】báisháo 名〈中薬〉白芍(びゃくしゃく)
【白参】báishēn 名〈中薬〉白参(はくじん)
【白生生】báishēngshēng（～的）形 真っ白いさま ‖ 露出一排～的牙齿 白くきれいな歯がのぞく
【白食】báishí 名 ただ飯. ‖ 吃～ ただ飯を食う
【白事】báishì 名 葬儀 ↔〔红事〕
【白手】báishǒu 副 無一物から. 徒手空拳で
【白手起家】báishǒu qǐjiā 慣 無一文から一家をなす. 無一物から事業をおこす.
【白薯】báishǔ 名〈植〉サツマイモ.〔甘薯〕の通称
【白刷刷】báishuāshuā（～的）形 真っ白な. 青白い
【白水】báishuǐ 名 白湯(さゆ)
【白苏】báisū 名〈植〉❶エゴマ ❷アオジソ
【白汤】báitāng 名 ❶豚肉を水煮してとったスープ ❷塩味のスープ
*【白糖】báitáng 名 白砂糖
【白陶】báitáo 名〈考古〉白陶(はくとう). 殷代の白色の硬質土器
【白体】báitǐ 名〈印〉（明朝体など）線の細い活字体 ↔〔黑体〕
**【白天】báitian；báitiān 名 昼. 昼間
【白条】[1] báitiáo（～儿）名 仮の領収書. 正式でない領収証.〔白条子〕ともいう ‖ 打～ 仮の受け取りを出す
【白条】[2] báitiáo 形（家畜の肉で）頭・足・内臓・毛などを取り除いた ‖ ～鸡 処理の終ったニワトリの肉
【白铁】báitiě 名 トタン板.〔镀锌dùxīn铁〕の通称
【白铜】báitóng 名〈冶〉白銅
【白头】báitóu 名 ❶白髪頭 ❷年寄り
【白头鹤】báitóuhè 名〈鳥〉ナベヅル
【白头翁】[1] báitóuwēng 名〈鳥〉シロガシラ
【白头翁】[2] báitóuwēng 名 ❶〈植〉ヒロハオキナグサ ❷〈中薬〉白頭翁(はくとうおう)
【白头偕老】bái tóu xié lǎo 成 夫婦がともに白髪になるまで添い遂げる.〔白头到老〕ともいう
【白薇】báiwēi 名 ❶〈植〉フナバラソウ ❷〈植〉マンセイビャクビ ❸〈中薬〉白薇(はくび)
【白文】báiwén 名 ❶（注解つきの書物の）本文. 正文 ❷注解つきの書物で, 正文のみを印刷したもの ❸印章の陰文(いんぶん) ↔〔朱文〕
【白皙】báixī 形 書（肌が）白い. 白くて美しい
【白细胞】báixìbāo 名〈生理〉白血球
【白熊】báixióng 名〈動〉ホッキョクグマ ＝〔北极熊〕
【白絮】báixù 名 ❶綿 ❷喩 雪片
【白雪皑皑】bái xuě ái ái 成 雪が降り積もり一面真っ白なさま
【白血病】báixuèbìng 名〈医〉白血病. 俗に〔血癌xuè'ái〕という
【白血球】báixuèqiú ＝〔白细胞báixìbāo〕
【白眼】báiyǎn 名 白い目. 侮ったまなざし ↔〔青眼〕 ‖ ～看人 白い目で人を見る｜遭人～ 白眼視される
【白眼儿狼】báiyǎnrláng 名 喩 恩知らず
【白眼珠】báiyǎnzhū（～儿）名（眼球の）白目
【白羊宫】báiyánggōng 名 白羊宮(はくようきゅう). 黄道十二宮の第一宮
【白羊座】báiyángzuò 名〈天〉牡羊座(おひつじざ)
【白杨】báiyáng 名〈植〉ポプラ
【白洋】báiyáng 名 旧 銀貨
【白药】báiyào 名〈中薬〉白薬(びゃくやく)
【白页】báiyè 名 ホワイトページ. 電話帳の官公庁・各種団体の部分.〔黄页〕（イエローページ）に対していう
【白夜】báiyè 名〈地〉白夜
【白衣天使】báiyī tiānshǐ 名 白衣の天使.
【白蚁】báiyǐ 名〈虫〉シロアリ

B

B

【白银】báiyín 名 銀.〔银〕の通称
【白玉兰】báiyùlán 名 ❶＝〔白兰báilán〕❷〈植〉ハクモクレン.〔玉兰〕の通称
【白灾】báizāi 名 雪害
【白斩鸡】báizhǎnjī 名 鶏肉の水煮.〔白切鸡〕ともいう
【白芷】báizhǐ 名〈中薬〉白芷(びゃくし)
【白纸黑字】bái zhǐ hēi zì 成 白い紙に書かれた黒い文字. 喩 明らかな証拠. 動かぬ証拠
【白种人】báizhǒngrén 名 白色人種
【白煮】báizhǔ 動 水煮にする ‖ ～肉 肉を水煮にする
【白字】báizì (～儿) 名 当て字. 誤字
【白族】Báizú 名 ペー族(中国の少数民族の一つ, 主として雲南省に居住)

bǎi

6 ★**百** bǎi ❶数 100. 百 ‖ ～米跑 100メートル競走 ❷たくさんの. 多くの ‖ 一～货
【百般】bǎibān 副 さまざまな方法で. いろいろと ‖ ～阻挠zǔnáo いろいろな方法で妨害する
【百宝箱】bǎibǎoxiāng 名 宝物入れ.(多く比喩的に用いる)
*【百倍】bǎibèi 形 百倍である. いっぱいである.(数量の多さや程度の深さをいう) ‖ 信心～ 自信満々
【百病】bǎibìng 名 いろいろな病気
【百步穿杨】bǎi bù chuān yáng 成 百歩離れてヤナギの葉を射当てる. 射撃や弓の技が優れているたとえ
【百部】bǎibù 名〈中薬〉百部(びゃくぶ)
【百草】bǎicǎo 名 書 各種の草. あらゆる草
【百尺竿头, 更进一步】bǎi chǐ gān tóu, gèng jìn yī bù 成 百尺の竿頭(かんとう), さらに一歩を進む. さらに高い目標に向かって努力すること
【百出】bǎichū 動 百出する. いろいろと現れる ‖ 漏洞～ 手ぬかりばかりする | 矛盾～ 次々と矛盾が出る
【百读不厌】bǎi dú bù yàn 成 (面白くて)何度読んでも飽きない
【百儿八十】bǎi'er bāshí 慣 およそ百. 百足らず
【百发百中】bǎi fā bǎi zhòng 成 百発百中
【百废俱兴】【百废具兴】bǎi fèi jù xīng 成 これまで捨て置かれていた多くの事業が盛んに興る
*【百分比】bǎifēnbǐ 名 百分比. パーセンテージ
【百分点】bǎifēndiǎn 名〈経〉ポイント. パーセンテージで表される変動幅の相対指数
【百分号】bǎifēnhào 名 パーセントの記号(%)
【百分率】bǎifēnlǜ 名 百分率. パーセンテージ
【百分数】bǎifēnshù 名 100を分母とする分数. パーセント
【百分之百】bǎi fēn zhī bǎi 組 100パーセント ‖ 有～的把握 100パーセント自信がある
【百分制】bǎifēnzhì 名 百点制(100点満点で, 60点を及第とする学校の成績評価法)
【百感】bǎigǎn 名 いろいろな感慨. さまざまな思い ‖ ～交集 いろいろな思いが交錯する
【百合】bǎihé 名 ❶〈植〉ユリ ❷〈中薬〉百合(びゃくごう)
*【百花齐放】bǎi huā qí fàng 成 さまざまな花が一斉に咲きほこる. 芸術活動が自由に行われることをたとえる
【百花齐放, 百家争鸣】bǎi huā qí fàng, bǎi jiā zhēng míng 成 百花斉放, 百家争鳴. 1956年, 中国共産党が提唱したスローガン
*【百货】bǎihuò 名 百貨. 主に衣類や日用品をさす
【百货商场】bǎihuò shāngchǎng 名 デパート
【百家姓】bǎijiāxìng 名『百家姓(ひゃくかせい)』. いろいろな姓氏を集め, 四字句に排列した書物. 宋代に民間で作られたといわれる
*【百家争鸣】bǎi jiā zhēng míng 成 百家争鳴. いろいろな学派の論客が自由に論争することをたとえる
【百科全书】bǎikē quánshū 名 百科事典
【百孔千疮】bǎi kǒng qiān chuāng 成 欠点や故障だらけの状態. 破綻百出. 満身創痍(まんしんそうい)
【百口莫辩】bǎi kǒu mò biàn 成 どう言っても弁解の余地がないこと
【百里挑一】bǎi lǐ tiāo yī 成 百の中から一つ選ぶ. 希少価値があること. 抜群である
【百灵】bǎilíng 名〈鳥〉コウテンシ.〔百灵鸟〕ともいう
【百忙】bǎimáng 名 非常な忙しさ ‖ 感谢您在～之中来我校指导 ご多忙にもかかわらず我が校へご指導に来てくださり, ありがとうございます
【百年】bǎinián 名 ❶非常に長い年月 ‖ 十年树木, ～树人 木を育てるには10年, 人を育てるには長い年月がかかる ❷喩 人の一生
【百年不遇】bǎi nián bù yù 成 百年の間も出会うことがない. 大変まれなこと ‖ ～的洪灾 まれに見る大水害
【百年大计】bǎi nián dà jì 成 百年の大計.
【百日】bǎirì 名 死後百日目の供養
【百日咳】bǎirìké 名〈医〉百日咳
【百十】bǎishí 数 およそ百. 百前後の数をさす ‖ ～来人 100人ぐらいの人
【百世】bǎishì 名 長い世代 ‖ 流芳～ 名声が後世に伝わる
【百事通】bǎishìtōng 名 あらゆることに通暁している人
【百思不解】bǎi sī bù jiě 成 何度考えても分からない. なんとも不可解である.〔百思不得dé其解〕ともいう
*【百万】bǎiwàn 数 100万. 転 数が多い ‖ ～富翁 百万長者. 大金持ち
【百闻不如一见】bǎi wén bù rú yī jiàn 成 百聞は一見にしかず
【百无聊赖】bǎi wú liáo lài 成 すべてが無意味に思われやるせない. 何もかもつまらない
【百无一失】bǎi wú yī shī 成 百に一つの失敗もない. 絶対に間違いない
【百姓】bǎixìng 名 旧 平民. 庶民
【百叶】bǎiyè 名 方〈料理〉❶豆腐を薄く圧縮し乾燥させた食品 ❷(～儿)ウシやヒツジなどの胃袋
【百叶窗】bǎiyèchuāng 名 ❶よろい戸. ブラインド. シャッター ❷〈機〉ルーバー
【百依百顺】bǎi yī bǎi shùn 成 なんでも相手の言うとおりにする. ご無理ごもっともと相手に従う
【百折不挠】bǎi zhé bù náo 成 どんな困難に遭ってもひるまずくじけない
【百褶裙】bǎizhěqún 名 プリーツ・スカート
【百足之虫, 死而不僵】bǎi zú zhī chóng, sǐ ér bù jiāng 成 百足のムカデは死して僵(たお)れず. 規模や勢力が大きければ, 滅びたあとも影響が長く残ること

7 **伯** bǎi ⇨〔大伯子dàbǎizi〕 ➤ bó

8 **佰** bǎi 数〔百〕の大字(だいじ) ⇨〔大写dàxiě〕

9 **柏**(^△栢) bǎi 名〈植〉ヒノキ科の木本植物の総称 ➤ bó bò

【柏木】bǎimù 图〈植〉シダレイトスギ
【柏油】bǎiyóu 图 アスファルト.〔沥青〕の通称
【柏油路】bǎiyóulù 图 アスファルト道路.

11 **捭** bǎi 書 分ける‖纵横～阖hé 合従連衡(がっしょうれんこう)を画策する

13 ★**摆**[1](擺) bǎi ❶動(見栄えよく)置く.(順序よく)並べる‖饭菜都～好了 食事の支度がすっかり整った ❷動 列挙する‖把理由～出来 理由を列挙する ❸動 方 述べる.話す ❹動 ひけらかす.見せびらかす.振りをする‖～老资格 古参風を吹かす

13 ★**摆**[2](擺) bǎi ❶動 振り動かす.揺れる‖→～手 ❷图(時計や精密機器などの)振り子‖钟～ 時計の振り子

13 **摆**[3](襬) bǎi 長衣・上着・スカートなどのすそ‖下～ 衣服のすそ

【摆不开】bǎibukāi 動 並べきれない.広げて置ききれない
【摆不下】bǎibuxià 動 置ききれない.並べきれない
【摆布】bǎibù 動 ❶適当に配置する.きれいに並べる.飾りつける ❷(人を)操る.支配する‖受人～ 人にいいようにされる
【摆荡】bǎidàng 動 揺れる.揺れ動く
*【摆动】bǎidòng 動 揺れ動く.振り動かす‖两臂前后～ 両腕を前後に振る
【摆渡】bǎidù 動 船で渡る 图 フェリー
【摆放】bǎifàng 動 置く‖床头～着一只闹钟 枕もとに目覚まし時計が置いてある
*【摆架子】bǎi jiàzi 組 威張る.偉そうにする‖摆臭架子 いやに偉ぶる|摆官架子 役人風を吹かす
【摆开】bǎi//kāi 動 ❶広げて並べる ❷(隊形を)広げる.展開する‖～阵势 陣容を構える
【摆阔】bǎi//kuò 動 金のあることを見せびらかす.ことさらに金持ちぶる
【摆擂台】bǎi lèitái 組 試合を挑む.挑戦をする
【摆龙门阵】bǎi lóngménzhèn 組 方 おしゃべりをする.長話をする.物語を語る
【摆门面】bǎi ménmian 組 見栄を張る.うわべを飾る.体裁をつくる
【摆弄】bǎinòng 動 ❶いじる.ひねくり回す ❷(人を)操る.弄ぶ
【摆平】bǎi//píng 動 ❶公平に処理する ❷方 処罰する
【摆谱儿】bǎi//pǔr 動 方 格式ばる.見栄を張る
【摆设】bǎishè 動(家具や美術品などを)美しく並べる.飾り付ける
【摆设】bǎishe (～儿) 图 ❶(美術品などの)置き物.(インテリアとしての)家具調度品 ❷見かけだけで実用価値のない物.飾り.飾り物
【摆手】bǎi//shǒu 動 手を左右に振る
【摆台】bǎi//tái 動(多くレストランで)テーブル・セッティングをする
【摆摊儿】bǎi tānr 組 露店を出す
*【摆脱】bǎi//tuō 動(悪い状態から)抜け出す.抜け出る‖～落后状态 立ち後れた状態を脱する
【摆样子】bǎi yàngzi 組 体裁をつくる.格好をつける.ポーズをとる
【摆针】bǎizhēn 图(メーターなどの)左右に振れる針
【摆正】bǎizhèng 動 ❶(位置などを)正しく置く ❷(抽象的なものを)正しく位置づける.正す‖～中央与地方的关系 中央と地方の関係を正す
【摆钟】bǎizhōng 图 振り子時計
【摆子】bǎizi 图 方 マラリヤ‖打～ マラリヤになる

bài

8 ****败** bài ❶動 壊す.壊れる.だめになる‖这个家都～在他手里了 この家の身代はすっかりあいつにつぶされた ❷失敗する ↔〔成〕‖→～笔 ❸動 敗北する.負ける ↔〔胜〕‖～给了对方 相手に負けた ❹動 打ち負かす.打ち破る ❺腐る.腐敗する‖腐～ 腐敗する ❻動 しぼむ.凋落(ちょうらく)する‖→～叶 ❼病根を取り除く‖→～火

【败笔】bàibǐ 图(文章や書画などの)書きそこない.まずい筆致.失敗した描写
【败兵】bàibīng 图 敗兵.敗走兵
【败毒】bài//dú 動〈中医〉毒を除く
*【败坏】bàihuài 動(品位や名誉などを)損なう.傷つける.乱す‖～门风 家門を汚す.家風を乱す 形 腐敗している.堕落している‖道德～ 道徳的に堕落している
【败火】bài//huǒ 動〈中医〉熱をさます.のぼせをしずめる.解毒する
【败家】bài//jiā 動 家財を蕩尽(とうじん)する.家を没落させる.身代をつぶす
【败家子】bàijiāzǐ (～儿) 图 放蕩息子.
【败将】bàijiàng 图 敗将.敗軍の将
【败局】bàijú 图 負けそうな形勢.敗勢.劣勢
【败军】bàijūn 動 書 戦いに負ける.負け戦をする 图 敗軍‖～之将 敗軍の将
*【败类】bàilèi 图 ろくでなし.ならずもの.裏切り者‖家族的～ 一族の裏切り者
【败露】bàilù 動(悪事が)発覚する.ばれる
【败落】bàiluò 動 落ちぶれる.零落する
【败退】bàituì 動(戦いや試合に)負ける.敗退する
【败谢】bàixiè 動 しおれて落ちる.落ちぶれる
【败兴】bài//xìng 動 がっかりする.興ざめする‖乘兴而来，～而归 興にのってやって来たが,興ざめして帰る
【败血病】bàixuèbìng 图〈医〉敗血症
【败叶】bàiyè 图 書 枯れ葉
【败仗】bàizhàng 图 負け戦‖打～ 負け戦をする
【败阵】bài//zhèn 動 戦に負ける
【败子】bàizǐ 图 穀(ごく)つぶし.放蕩者‖～回头 穀つぶしが改心する

9 ***拜** bài ❶動 拝する.拝む ❷あがめる.尊崇する‖崇chóng～ 崇拝する ❸動 礼節をもってまみえる.訪問する‖回～ 答礼訪問をする ❹書 儀式によって官職や名義などを授ける ❺祝いの言葉を述べる.祝う‖→～年 ❻謙(自己の行為を示す語の前に置き)謹んで… する‖→～托 ❼動(師弟や義兄弟など)儀式を経て特別な関係を結ぶ‖→～师

【拜把子】bài bǎzi 組 旧 義兄弟になる.兄弟の杯を交わす‖～兄弟 義兄弟
【拜拜】bàibai 動 外 バイバイする.別れる.縁を切る
【拜别】bàibié 動(目上の人に)別れを告げる
【拜倒】bàidǎo 動 ひれ伏す.拝伏する‖～在她脚下 彼女の足下にひざまずく
【拜垫】bàidiàn 图 ひざまずいて拝礼するときに用いる厚い敷物
【拜读】bàidú 動 謙 拝読する‖～大作，获益匪浅fěiqiǎn 貴著を拝読し,得る所は少なくありませんでした

B

*【拜访】bàifǎng 動謙 ご訪問する. お伺いする ‖ 改天再去登门～ 日を改めてご挨拶に伺います
【拜佛】bài//fó 動 仏を拝む. お参りする
*【拜会】bàihuì 動 会見する
【拜见】bàijiàn 動 謁見する. お目みえする
【拜金】bàijīn 動 金銭をあがめる ‖ ～主义 拝金主義
【拜领】bàilǐng 動謙 拝領する. お受けする
【拜盟】bài//méng 動旧 義兄弟の契りを結ぶ
*【拜年】bài//nián 動 年始のお祝いを述べる ‖ 向人民～ 人民に年始のお祝いを述べる
【拜认】bàirèn 動 儀式を行い, 義父母や師弟の関係を結ぶ
【拜师】bài//shī 動 門弟となる. 入門する
【拜寿】bài//shòu 動 (老人の)誕生日を祝賀する ‖ 给爷爷～ おじいさんの誕生日を祝う
【拜堂】bài//táng 動旧 婚礼の儀式の一つ. 新郎新婦がひざまずいて, まず天地を拝し, 次に夫の両親を拝し, 最後に互いに礼をするもの. 〔拜天地〕ともいう
*【拜托】bàituō 動謙 お願いする. 依頼する ‖ 这件事就全～您啦 この件はあなたにいっさいお任せいたします
【拜望】bàiwàng 動謙 お訪ねする. お伺いする
【拜物教】bàiwùjiào 名 ❶〈宗〉呪物(じゅぶつ)崇拝 ❷喩 消費社会の物欲. 商品至上主義
【拜谒】bàiyè 動書 ❶お目にかかる ❷(陵墓・石碑などを)仰ぎ見る

13 **稗**(△粺) bài ❶名〈植〉ヒエ. ふつうは〔稗子〕という ❷書 微小な. 細かい. ささいな ‖ →～史
【稗草】bàicǎo =〔稗子bàizi〕
【稗官野史】bài guān yě shǐ 成 稗史(はいし)
【稗史】bàishǐ 名 稗史
【稗子】bàizi 名〈植〉ヒエ

bān

7 * **扳** bān ❶動 (一方が固定されているものを力を入れて)引く. 倒す ❷動 (試合で)奪回する. 取り戻す ‖ →～回 ➤ pān
【扳倒】bān//dǎo 動 ❶引き倒す ❷失脚させる
【扳道】bān//dào 動 (線路の)転轍機を切り換える
【扳动】bāndòng 動 引く. 倒す ‖ ～开关 スイッチを倒す
【扳回】bān//huí(huí) 動 取り戻す. 挽回(ばんかい)する ‖ ～一局 1セットを取り戻す
【扳机】bānjī 名 銃の引き金 ‖ 扣动～ 引き金を引く
【扳平】bānpíng 動〈体〉挽回して同点にする. 同点に持ち込む
*【扳手】bānshou 名 ❶〈機〉スパナ. レンチ. 〔扳子〕ともいう ❷(器具などの)握り. レバー

10 ★ **班**[1] bān ❶書 分ける ❷旧 職業によって分けられた団体 ‖ 戏～ 劇団. 一座 ❸量 ①一群の人やグループを数える ‖ 这～小伙子 この若者たち ②交通機関の定時便に用いる ‖ 下一～车 次のバス. 次の電車 ❹名 (学習や仕事のために分けた)組. 班 ‖ 一年级三～ 1年3組 ❺名 (～儿)勤務時間による区分 ‖ 早～ 早番 ❻職場における一区切りの仕事. 勤務 ‖ 上～ 出勤する ❼定時運行の便 ‖ →～车 | →～机 ❽名〈軍〉分隊

10 **班**[2] bān 書 部隊を撤退させる ‖ →～师

逆引き単語帳 〔早班〕zǎobān(交代勤務の)早番 〔白班儿〕báibānr 昼間の勤務 〔夜班〕yèbān 夜勤 〔大班〕dàbān(幼稚園の)年長組 〔中班〕zhōngbān(同)年中組 〔小班〕xiǎobān(同)年少組 〔学习班〕xuéxíbān(特設の)学習クラス 〔速成班〕sùchéngbān 速成クラス 〔科班〕kēbān 正規の教育・訓練 〔航班〕hángbān 飛行機の便. 就航ダイヤ 〔上班〕shàngbān 出勤する 〔下班〕xiàbān 退勤する 〔加班〕jiābān 残業する 〔升班〕shēngbān(学生が)進級する 〔插班〕chābān クラスに編入する 〔蹲班〕dūnbān 落第する. 留年する 〔跳班〕tiàobān 飛び級する 〔倒班〕dǎobān 交替で勤務する 〔值班〕zhíbān 当直する. 当番に当たる

【班禅喇嘛】bānchán lǎma 名〈仏〉(チベット仏教の)パンチェン・ラマ
*【班车】bānchē 名 (通勤や通学の)送迎バス
【班次】bāncì 名 ❶学年と学級の順序 ❷(バスや鉄道などの)運行便数
【班底】bāndǐ (～儿) 名 ❶旧〈劇〉(立て役者以外の)その他の座員 ❷(組織やチームの)メンバー
【班房】bānfáng 名 ❶旧 (役所の使用人などの)詰め所 ❷俗 牢屋 ‖ 蹲～ 投獄される
*【班机】bānjī 名 定期飛行便
*【班级】bānjí 名 学年と学級の順序 ‖ 你是哪个～的? 君は何年何組ですか
【班轮】bānlún 名 定期客船
【班门弄斧】Bān mén nòng fǔ 成 (大工の神様といわれる)魯班の家の前でおのを振り回す. 釈迦に説法
【班期】bānqī 名 (旅客機や客船の)運行時間割り
【班师】bānshī 動書 ❶出征した軍隊を呼び戻す ❷凱旋(がいせん)する ‖ ～回国 戦いに勝って帰国する
【班线】bānxiàn 名 バスの運行路線・運行ダイヤ ‖ 长途～时刻表 長距離バス路線時刻表
*【班长】bānzhǎng 名 ❶(学校での)級長. 学級委員長 ❷〈軍〉分隊長
【班主任】bānzhǔrèn 名 学級担任
*【班子】bānzi 名 ❶(芝居の)一座 ❷班. グループ ‖ 领导～ 指導部 | 研究～ 研究班
【班组】bānzǔ 名 班. グループ. サークル ‖ ～学习 グループ学習

10 **颁** bān 公布する. 頒布する ‖ →～布 | 部～ 中央官庁の公布
*【颁布】bānbù 動 (法律・法令を)発布する. 公布する ‖ ～新条例 新しい条例を公布する
*【颁发】bānfā 動 ❶(上から下へ)文書で通達する ‖ ～命令 命令を公布する ❷授与する ‖ ～奖状 賞状を授与する
【颁赏】bānshǎng 動 表彰する. 恩賞を与える

10 * **般** bān ❶種類. たぐい ‖ 十八～武艺 武芸十八般 ❷助 …に同じ. …のようだ ‖ 手指～粗细 手の指ほどの太さ ➤ bō pán
【般配】bānpèi 形方 (カップルや夫婦が)似合いである. 釣り合いがとれている

12 * **斑** bān ❶名 斑(はん). 斑点 ‖ 雀～ そばかす ❷まだらの ‖ →～驳
【斑白】bānbái 形書 白髪まじりである. ごま塩頭である ‖ 鬓角已经～ 鬢(びん)にもう白髪がまじっている

【斑斑】bānbān 形 一面にまだらになっているさま. 点々と付着しているさま ‖ 油渍～ 油まみれである
【斑驳】bānbó 形 書 色彩が入り交じっている. まだらである
【斑驳陆离】bān bó lù lí 成 色とりどりである
【斑点】bāndiǎn 名 斑点. 斑紋
【斑痕】bānhén 名 まだら模様
【斑节虾】bānjiéxiā 名〈動〉クルマエビ
【斑鸠】bānjiū 名〈鳥〉キジバト
【斑斓】bānlán 形 書 さまざまな色が入り交じりきらびやかである ‖ 五彩～ 色とりどりで美しい
【斑马】bānmǎ 名〈動〉シマウマ
【斑马线】bānmǎxiàn 名 横断歩道
【斑蝥】bānmáo 名 ❶〈虫〉ハンミョウ ❷〈中薬〉斑蝥(はんみょう)
【斑秃】bāntū 名〈医〉円形脱毛症. 俗に〔鬼剃头〕という
【斑纹】bānwén 名 ぶち. まだら模様
【斑竹】bānzhú 名 ❶〈植〉(マダケの変種)ハンチク. 〔湘妃竹〕ともいう ❷〈俗〉ＢＢＳなどの管理者

13 ★**搬** bān ❶動 (重い物や大きい物を)**運ぶ** ❷動 **引っ越す** ‖ 一～家 ❸動 (まるまる)**借用する. 引き写しにする** ‖ 照～ まるごと写す
【搬兵】bān//bīng 動 ❶援軍を求める ❷転 救援を求める. 援助を請う
【搬不动】bānbudòng 動 (重くて)動かせない
【搬动】bāndòng 動 ❶(物を)移動させる. 動かす ❷出動させる. 出動を求める ‖ 把领导都～了 指導者まで駆り出された
【搬家】bān//jiā 動 引っ越す. 移転する
【搬家公司】bānjiā gōngsī 名 引っ越し会社
【搬弄】bānnòng 動 ❶手であれこれ動かす. いじくる ❷ひけらかす
【搬弄是非】bānnòng shìfēi 組 騒ぎを起こさせる. ごたごたを引き起こす
【搬迁】bānqiān 動 引っ越す. 移住する. 立ち退く
【搬迁户】bānqiānhù 名 立ち退き世帯
【搬演】bānyǎn 動 舞台にのせる. 上演する. 再現する
【搬移】bānyí 動 運ぶ. 移動する
【搬用】bānyòng 動 借用する. 当てはめる. 引き写す
*【搬运】bānyùn 動 運送する. 運搬する ‖ ～工 運搬工 | ～公司 運送会社

15 **瘢** bān 傷跡 ‖ 伤～ 傷跡
【瘢痕】bānhén 名 傷跡. 瘢痕(はんこん)

17 **癍** bān 名 皮膚に斑点(はんてん)の生じる病気

bǎn

7 **坂**(△岅) bǎn 書 斜面. 坂

8 ****板**[1] bǎn ❶名 (～儿)**板** ‖ 木～ 木の板 ❷名〈音〉伝統楽器の一つ, 拍子木 ❸名 (～儿)〈音〉伝統音楽で, 1小節の中で最も強い拍をいう ‖ 一～一眼 ❹形 単調で変化がない ‖ 呆～ 型にはまっている ❺動 顔をこわばらせる. 難しい顔をする ‖ ～着脸训人 難しい顔で説教する ❻動 板のように固くなる. 凝り固まる ❼名 **板状のもの** ‖ 水泥～ セメント板 ❽名 (～儿)**店の表戸** ‖ 上～儿 板戸を閉める. 店じまいする

8 **板**[2](闆) bǎn ➡〔老板lǎobǎn〕

逆引き単語帳 〔黑板〕hēibǎn 黒板 〔菜板〕càibǎn まな板 〔面板〕miànbǎn (小麦粉をこねるときなどに用いる)大きめのまな板 〔地板〕dìbǎn 床板 〔天花板〕tiānhuābǎn 天井板 〔三角板〕sānjiǎobǎn 三角定規 〔跳板〕tiàobǎn (船の)渡り板. (水泳の)飛び込み板 〔纸板〕zhǐbǎn 厚紙. ボール紙 〔跷跷板〕qiāoqiāobǎn シーソー 〔滑雪板〕huáxuěbǎn スキーの板 〔老板〕lǎobǎn 商店の主人や中小企業の経営者. オーナー 〔样板〕yàngbǎn 手本. 模範

【板报】bǎnbào 名 口 黒板新聞
【板壁】bǎnbì 名 (部屋と部屋の間を仕切る)壁板
【板擦儿】bǎncār 名 黒板ふき. 黒板消し
【板车】bǎnchē 名 荷車. 大八車
【板床】bǎnchuáng 名 板敷きのベッド
【板锉】bǎncuò 名 平やすり. 〔扁锉〕ともいう
【板凳】bǎndèng 名 (木製で背もたれのない)横長の腰掛け
【板斧】bǎnfǔ 名 刃の広くて平たいおの
【板鼓】bǎngǔ 名〈音〉伝統楽器の一つ. 片面に牛皮を張った小太鼓
【板胡】bǎnhú 名〈音〉伝統楽器の一つ. 胴に薄い板を張った胡弓の一種
【板块】bǎnkuài 名〈地質〉プレート ‖ 欧亚～ ユーラシア・プレート
【板蓝根】bǎnlángēn 名〈中薬〉板藍根(ばんらんこん)
【板栗】bǎnlì 名〈植〉クリ ＝〔栗子〕
【板楼】bǎnlóu 名 直方体の形をしたビルやマンション. 〔塔tǎ楼〕(タワービル)に対していう
【板球】bǎnqiú 名〈体〉❶クリケット ❷クリケットのボール
【板儿车】bǎnrchē 名 三輪リヤカー. あるいは三輪タクシー(輪タク)
【板儿爷】bǎnryé 名 方 輪タクのこぎ手. 輪タク屋
【板上钉钉】bǎn shàng dìng dīng 成 板に釘を打ちつける. (物事が)すっかり決定して動かしようがない
【板书】bǎnshū 動 (黒板に)書く 名 板書した字
【板刷】bǎnshuā 名 (服や靴を洗う)粗い刷毛. ブラシ
【板型】bǎnxíng 名 デザイン. 型. (洋裁の)パターン. 〔版型〕とも書く
【板鸭】bǎnyā 名 塩漬けにしたアヒル肉を押して板状にし, 乾燥させたもの
【板牙】bǎnyá 名 ❶方 門歯 ❷〈機〉ダイス. 雄ねじ切り
【板烟】bǎnyān 名 圧縮して板状にした刻みタバコ
【板眼】bǎnyǎn 名 ❶〈音〉伝統音楽の拍子の強弱. 1小節の中の最も強い拍を〔板〕, その他の拍を〔眼〕という ❷喩 物事の規則や秩序 ‖ 说话做事很有～ 言うこともやることもたいへん几帳面である ❸方 アイディア. 考え
【板硬】bǎnyìng 形 方 ❶板のように堅い ❷(話し方が)ぶっきらぼうである
【板油】bǎnyóu 名 ブタの内臓周辺の脂肪. ラード
【板羽球】bǎnyǔqiú 名 遊びの一種で, 木製のラケットで羽根の付いた球を打ち合うもの
【板正】bǎnzhèng 形 折り目正しい. 四角四面である
【板直】bǎnzhí 形 ❶融通がきかない. 堅苦しい ❷(表情が)硬い. まじめくさっている. かしこまっている
【板纸】bǎnzhǐ 名 ボール紙

【板滞】bǎnzhì 形 単調である. 生気がない
【板子】bǎnzi 名 ❶板 ❷旧 拷問や折檻(せっかん)で, たたくのに用いた木や竹の板

B

8 * **版** bǎn ❶名〈印〉原版. 版 ❷名 出版物の刊行版 ‖ 初～ 初版 ❸名(新聞の)面. ページ ‖ 体育～ スポーツ面
【版本】bǎnběn 名 ❶(書籍の)版 ❷〈計〉バージョン
【版次】bǎncì 名 出版物の刊行回数. 版数
【版画】bǎnhuà 名 版画 ‖ 铜～ 銅版画
【版刻】bǎnkè 名 板刻. 板木に文字や図を彫ること
【版口】bǎnkǒu 名 線装本の紙の折り目の部分
【版面】bǎnmiàn 名 ❶(新聞・雑誌・書籍の)紙面. ページ ❷レイアウト ‖ ～设计 紙面のレイアウト
【版权】bǎnquán 名 版権. 著作権
【版权页】bǎnquányè 名 (本の)奥付
【版式】bǎnshì 名 組み版の仕様. 割り付け. レイアウト
【版税】bǎnshuì 名 印税
【版图】bǎntú 名 版図. 一国の領域
【版心】bǎnxīn 名 ❶版面 ❷＝〔版口bǎnkǒu〕
【版主】bǎnzhǔ 名 (ネット用語)BBSやフォーラムの管理人. 俗に〔斑竹〕ともいう

9 **钣** bǎn 名 板金(ばんきん). 金属の板 ‖ 铝lǚ～ アルミ板

10 **舨** bǎn ➡〔舢舨shānbǎn〕

bàn

4 ★ **办**(辦) bàn ❶動 する. 処理する ‖ ～手续 手続きをする ❷動 仕入れる. 調達する ‖ 置～ 買い入れる ❸動 処罰する. 法によって処分する ‖ 法～ 法によって処分する ❹動 経営する. 興す ‖ ～贸易公司 貿易会社を設立する ❺〔办公室〕の略. 事務室. 事務所 ‖ 外～ 外事事務所
【办案】bàn//àn 動 ❶事件を処理する ❷事件の内偵捜査をする
【办班】bàn//bān 動 研修会やセミナーを開く
【办报】bàn//bào 動 新聞を発行する
★【办法】bànfǎ 名 方法. やり方. 手段 ‖ 想～ なんとかする｜拿他没～ 彼にはまったくお手上げだ
⁑【办公】bàn//gōng 動 公務をとる. 事務を執る ‖ 明天休息, 不～ 明日は休みなので, 業務はありません
【办公楼】bàngōnglóu 名 オフィスビル
★【办公室】bàngōngshì 名 ❶事務室. オフィス ‖ ～综合征zōnghézhēng オフィス症候群 ❷(役所などの)事務管理部門. (多く名称に用いる) ‖ 院长～ 院長室｜～主任 事務長
【办公厅】bàngōngtīng 名 (市以上のレベルの役所の)事務管理部門. (多く名称に用いる) ‖ 大连市政府～ 大連市政府弁公庁
【办货】bàn//huò 動 商品を仕入れる
⁑【办理】bànlǐ 動 処理する. 手続きする ‖ ～入学手续 入学手続きをとる
⁑【办事】bàn//shì 動 事を処理する. 事務をとる ‖ 他出去～了 彼は用件があって出かけた
【办事处】bànshìchù 名 事務所 ‖ 驻京～ 北京駐在事務所
【办事员】bànshìyuán 名 事務員. 職員
*【办学】bàn//xué 動 学校を運営する
【办罪】bàn//zuì 動 処罰する. 断罪する

5 ★ **半** bàn ❶数 半分 ‖ ～个西瓜 半分のスイカ ❷中途. 半ば ‖ 一～山腰 ❸半分に近い ‖ 一～边天 ❹不完全である ‖ 门～掩着 戸が半開きだ｜～脱产 職場に通いながら学ぶ研修生 ❺数 喩 わずか. 少し ‖ 一～点
【半按】bàn'àn 動 (シャッターを)半押しする ‖ ～快门对焦 シャッターを半押ししてピントを合わせる
【半百】bànbǎi 名 五十 ‖ 年过～ 年も五十を過ぎる
【半半拉拉】bànbanlālā 形 口 不完全である. 中途半端である
【半饱】bànbǎo (～儿) 形 腹半分 ‖ 只能吃～ 腹半分しか食べられない
【半辈子】bànbèizi 名 半生 ‖ 这～ この半生
【半壁江山】bàn bì jiāng shān 成 天下の半分. (敵の侵略を免れ)残された領土
【半边】bànbiān (～儿) 名 片方. 片側
*【半边天】bànbiāntiān 名 ❶空の半分 ‖ 晚霞映红了～ 夕焼けが空の半分を赤く染めた ❷天下の半分を支える者. 女性の役割の大きさをたとえる
【半…不…】bàn…bù… 組 貶 意味の相反する単音節の動詞・形容詞・名詞を前後に置き, 二つの性質・状態が存在することを示す ‖ 半生不熟 半熟である｜半长不短 長さが中途半端だ
【半成品】bànchéngpǐn 名 半製品
【半大】bàndà 形 ❶大きさが中ぐらいである ❷大人になりきっていない ‖ 都长成～小子了 すっかりいい若者になった
⁑【半导体】bàndǎotǐ 名〈電〉❶半導体. トランジスター ❷トランジスター・ラジオ
*【半岛】bàndǎo 名 半島
【半道儿】bàndàor 名 (道の)途中. 中途
【半点】bàndiǎn (～儿) 名 少しばかり. わずか ‖ ～怨言也没有 少しの恨み言も言わない
【半吊子】bàndiàozi 名 ❶おっちょこちょい ❷(知識や技術の)中途半端な人. 半人前 ❸物事を途中で投げ出す人
【半懂不懂】bàn dǒng bù dǒng 組 分かったような分からないような. 生かじりである
【半封建】bànfēngjiàn 名 半封建 ‖ ～半殖民地社会 封建的・植民地的社会
【半疯儿】bànfēngr 名 罵 ちょっと頭のおかしい人
【半工半读】bàn gōng bàn dú 組 働きながら通学する
【半官方】bànguānfāng 名 半官. 半ば公式
【半酣】bànhān 形 ほろ酔い機嫌である
*【半价】bànjià 名 半値. 半額 ‖ ～出售 半値で売り出す
【半截】bànjié (～儿) 名 ❶(細長い物の)半分. 半きれ ‖ 上～ 上の半分 ❷(物事の)途中. 半分
【半斤八两】bàn jīn bā liǎng 成 (昔の1斤は16両で, 半斤と8両が同量になることから)似たり寄ったり. 五分五分. どんぐりの背くらべ
*【半径】bànjìng 名〈数〉半径
【半决赛】bànjuésài 名 準決勝戦
【半开玩笑】bàn kāi wánxiào 組 冗談めかして言う. 冗談半分 ‖ 用～的口气 冗談めかした口調で
*【半空】² bànkōng 名 空中. 空 ‖ 气球升到～ 風船が空に上がる
⁑【半拉】bànlǎ 名 口 半分 ‖ ～西瓜 半分のスイカ
【半劳动力】bànláodònglì 名 (農村で老人や病弱

者などの)半人前の労働力.
【半老徐娘】bàn lǎo Xúniáng 图 うばざくら. 年増
【半流体】bànliútǐ 图〈物〉半流動体
*【半路】bànlù (~儿) 图 ❶(道の)途中 ‖ 走到~下起雨来了 途中まで行ったところで雨が降ってきた ❷(物事の)半ば. 中途 ‖ 工程只得~下马 プロジェクトは中途で取りやめざるを得なくなった
【半路出家】bàn lù chū jiā 成 成人してから出家する. 途中からその道に入るたとえ
【半票】bànpiào 图 ❶半額割引の乗車券や入場券. 半額切符 ❷子供用切符
【半瓶醋】bànpíngcù 慣 生かじりの人. 半可通.
【半山腰】bànshānyāo 图 山の中腹. 山腹
【半晌】bànshǎng 图 方 ❶半日 ‖ 后~ 午後 ❷長い間. しばらく
【半身不遂】bàn shēn bù suí 图 半身不随
【半身像】bànshēnxiàng 图 上半身像
【半生】bànshēng 图 半生 ‖ 前~ 前半生
【半生不熟】bàn shēng bù shú 組 ❶半熟である. 生煮えである ❷未熟である. 生かじりである
【半世】bànshì 图 半生
*【半数】bànshù 图 半数. 半分の数 ‖ 得票超过了~ 得票は半数を超えた
【半衰期】bànshuāiqī 图〈物〉半減期
【半死】bànsǐ 形 息も絶え絶えである. 死にかかっている
【半死不活】bàn sǐ bù huó 成 半死半生. 息も絶え絶えである
★【半天】bàntiān 图 ❶半日 ‖ 上~ 午前 ❷長い時間. 長い間 ‖ 等了她~ 彼女を長いこと待った
*【半途而废】bàn tú ér fèi 成 途中でやめる. 途中で投げ出す
【半推半就】bàn tuī bàn jiù 成 断ると見せかけながら承諾する. うわべのみ遠慮深く見せかける
【半文盲】bànwénmáng 图 大人で文字が少ししか読めない人
【半夏】bànxià 图 ❶〈植〉カラスビシャク ❷〈中薬〉半夏(はんげ)
【半新】bànxīn 形 少し古い. 中古の
【半新不旧】bànxīn bù jiù 組 中古の
【半信半疑】bàn xìn bàn yí 成 半信半疑 ‖ 她对丈夫的话~ 彼女は夫の話に半信半疑である
【半休】bànxiū 動(病気のため一定期間)半日勤務する. 半日労働する ‖ ~一周 1週間半日勤務とする
⁑【半夜】bànyè 图 ❶夜半. 真夜中 ❷一夜の半分. 半夜 ‖ 下~ 一夜の後半
【半夜三更】bànyè sāngēng 慣 真夜中. 深夜
【半音】bànyīn 图〈音〉半音. 半音程
【半元音】bànyuányīn 图〈語〉半母音
【半圆】bànyuán 图〈数〉半円 ‖ ~形 半円形
【半圆规】bànyuánguī 图〈数〉分度器
【半月刊】bànyuèkān 图 月に2回発行の刊行物
*【半真半假】bàn zhēn bàn jiǎ 組 本当ともうそともつかない
【半殖民地】bànzhímíndì 图 半植民地. 植民地的
【半中间】bànzhōngjiān (~儿) 图 真ん中. 途中
【半自动】bànzìdòng 形 セミオートマチックの. 半自動の ‖ ~洗衣机 二槽式洗濯機

7 * **伴** bàn ❶图(~儿)連れ. 仲間. 伴侶(はんりょ) ‖ 老~儿 つれあい | 做~儿 仲間になる. 連れになる ❷動 連れ立つ. 付き添う ‖ 陪~ 随行する ❸調子を合わせる ‖ 一~唱
*【伴唱】bànchàng 图〈音〉バック・コーラス
【伴发】bànfā 動(病気を)併発する
【伴郎】bànláng 图 新郎の介添え人(多くは若い男性)
*【伴侣】bànlǚ 图 伴侶 ‖ 终身~ 生涯の伴侶
【伴娘】bànniáng 图 花嫁の介添え人(の若い女性)
【伴陪】bànpéi 動 付き添う. お供をする
【伴声】bànshēng =〔伴音bànyīn〕
*【伴随】bànsuí 動 ❶お供をする. 付き従う ‖ ~着丈夫走南闯北 夫に付き従って各地を点々とする ❷付随する. 伴う ‖ ~着经济的发展 経済の発展に伴って
【伴同】bàntóng 動 ❶お供をする. 連れ立つ ❷付随する. 伴う
【伴舞】bànwǔ 動 ❶ダンスの相手をする. ダンスのパートナーになる ❷歌手などのバックで踊る
【伴音】bànyīn 图 映画やテレビの音声. 映像に組み合わせる音声. 〔伴声〕ともいう
*【伴奏】bànzòu 動 伴奏する ‖ 我为他~ 彼の伴奏をする 图 ❶伴奏曲. アレンジ曲 ❷伴奏者

7 * **扮** bàn 動 扮装する. 装う. 演じる ‖ 戏中他~诸葛亮 劇中で彼は諸葛孔明を演じる
【扮鬼脸】bàn guǐliǎn 組 あかんべえをする
【扮酷】bàn∥kù 動 クールに装う. 格好よくきめる
【扮饰】bànshì 動 ❶装う. 着飾る ❷(俳優が)役を演じる ‖ ~配角 脇役に扮する
【扮戏】bàn∥xì 動 ❶(役者が)メーキャップする ❷旧 芝居を演じる
【扮相】bànxiàng (~儿) 图 舞台のいでたち. 扮装姿
*【扮演】bànyǎn 動 役を演じる. 役に扮する ‖ 她~母亲 彼女は母親を演じる | 在这件事中, 他~了极不光彩的角色 この事で, 彼はきわめて卑劣なことをした
【扮装】bànzhuāng 動 扮装(ふんそう)する

8 * **拌** bàn 動 かき混ぜる. あえる ‖ ~萝卜丝 千切り大根のあえもの
【拌和】bànhuo ; bànhuò 動 混ぜる. 混ぜ合わせる
【拌蒜】bàn∥suàn 動 方 ひざを曲げずにふらふら歩く. 千鳥足で歩く
【拌种】bàn∥zhǒng 動〈農〉種子に殺虫剤などを混ぜる
【拌嘴】bàn∥zuǐ 動 口論する ‖ 为一点小事~ つまらない事で口げんかする

8 **绊** bàn ❶動 つまずかせる. 引っかける ❷(~儿)足をからませて倒す技. 足払い ‖ 使~儿 足払いをかける ❸(~儿)口 人を陥れるわな ‖ 暗地里使~儿 こっそり人を陥れる
【绊绊磕磕】bànbankēkē 形 足が不自由なさま. 足がもつれるさま =〔磕磕绊绊kēkebànbàn〕
【绊倒】bàndǎo 動 つまずいて倒れる. 足を引っかけて倒す ‖ 被树根~了 木の根っこにつまずいて転んだ
【绊脚石】bànjiǎoshí 图 足手まとい. 足かせ. じゃま者. 障害 ‖ 成为~ 足かせになる
【绊马索】bànmǎsuǒ 图 敵の人馬を引っかけて倒す張り縄
【绊手绊脚】bàn shǒu bàn jiǎo 組 足手まといである. 厄介である
【绊子】bànzi 图 ❶足かせ. 足払い. 〔绊儿〕ともいう ‖ 使~ 足払いをかけた ❷(家畜の)足かせ

19 * **瓣** bàn ❶图(~儿)植物の種子・果実あるいは球根で, 1片ずつに割れるもの ‖ 花~儿 花

びら｜蒜suàn～ル ニンニクの一かけ‖❷名（～ル）（割れた物の）かけら．片 ❸名 略 弁膜．〔瓣膜〕の略 ❹量（～ル）（花弁・果実・球根などの一切れを数える）片．かけ‖一～ル蒜 一かけのニンニク

【瓣膜】bànmó 名〈生理〉（心臓などの）弁膜

bāng

6 **邦** bāng 国．国家‖友～ 友好国｜邻～ 隣国｜盟～ 同盟国｜联～ 連邦

【邦交】bāngjiāo 名 国交‖建立～ 国交を結ぶ

【邦联】bānglián 名 国家連合体

9 ★**帮**（幫 △幇 幇）bāng ❶名（～ル）（物の）**側面の部分**．囲み部分‖鞋～ル 靴の両側部分 ❷動 **手伝う．手助けする**‖请～我发封信 すみませんが，手紙を出してきてくれませんか ❸（助け合う）**仲間．集団**‖搭dā～ 連れになる．連れ立つ ❹量 人の群れを数える‖一～年轻人 一群の若者たち ❺名（～ル）**野菜の外側の葉**‖大白菜～ル ハクサイの外側の葉

> **類義語** 帮 bāng 帮忙 bāngmáng 帮助 bāngzhù
>
> ◆〔帮〕手伝う．手助けする．後に他の成分（目的語や数量補語など）を必要とする‖你来帮我（僕を）手伝ってくれ｜帮过几次 何度か手伝ったことがある ◆〔帮忙〕意味は〔帮〕とほぼ同じ．他の成分は〔帮〕と〔忙〕の間に置く．目的語は〔给〕を用いて前に出すこともできる‖帮他的忙 彼の手伝いをする｜给他帮忙 彼を手伝う ◆〔帮助〕〔帮〕〔帮忙〕よりやや改まった語感があり，精神的な支援にも用いる．助ける．援助する．他の成分は，〔帮助〕の後に置く‖我们帮助他吧 僕たちは彼を応援しよう

【帮补】bāngbǔ 動（経済的に）援助する

【帮衬】bāngchèn 動 方 ❶助ける．手を貸す．手伝う ❷（経済的に）援助する

【帮厨】bāng//chú 動（調理場で）炊事係の手伝いをする．調理の手伝いをする

【帮凑】bāngcòu 動（困っている人を助けるために）金銭を出し合う

【帮倒忙】bāng dàománg 組 手伝っているつもりがじゃまをしている．ありがた迷惑なことをする

【帮扶】bāngfú 動 助ける．手助けする

【帮工】bāng//gōng 動（主に農作業で）人手の足りないとき手伝う 名（bānggōng）旧（農村の）臨時雇い

【帮会】bānghuì 名 旧 秘密結社．会党

【帮困】bāngkùn 動 困っている人を援助する．貧しい人を援助する‖扶贫fúpín～活动 貧しい人や困っている人に手を差し伸べる活動

★【帮忙】bāng//máng（～ル）動 **手伝う．手助けする．手を貸す**‖快来帮帮忙 ねえ，ちょっと手伝ってちょうだい｜帮了我不少忙 おかげでずいぶん助かった

【帮派】bāngpài 名 派閥

【帮腔】bāngqiāng 動 ❶〈劇〉（伝統劇で）舞台で歌う役者に大勢が唱和する（普通は舞台裏で歌われる）❷そばから話に加勢する．相づちをうつ

【帮手】bāng//shǒu 動 手助けする

【帮手】bāngshou 名 手伝いの人．助手．協力者

【帮套】bāngtào 名 ❶副（そ）え馬のくびき ❷副え馬

【帮同】bāngtóng 動 手伝う．助け合う

【帮闲】bāngxián 動（文人が）権力者のきげんをとる．権勢におもねる 名 雇われ文人．幇間（ほうかん）文人

【帮凶】bāngxiōng 動 悪人に加勢する．悪党とぐるになる 名 共犯者．手下

【帮主】bāngzhǔ 名 結社などの盟主

★【帮助】bāngzhù 動 **助ける．援助する．応援する．協力する**‖～妈妈做家务 お母さんを助けて家事をする｜主动～同学 進んで級友を助ける

【帮子】bāngzi 名 ❶（ハクサイなどの）外側の葉‖白菜～ ハクサイの外側の葉 ❷靴の側面の部分

10 **浜** bāng 方 クリーク．小河川．（多く地名に用いる）

10 **梆** bāng ❶擬（木をたたく音）トントン．コンコン ❷拍子木 ❸名 伝統楽器の一種

【梆硬】bāngyìng 形 非常に堅い‖地面冻得～ 地面がこちこちに凍った

【梆子】bāngzi 名 ❶拍子木 ❷〈音〉〔梆子腔〕に用いる打楽器．

【梆子腔】bāngziqiāng 名〈劇〉〔梆子〕をたたきながら歌い語る地方劇の総称

bǎng

9 ＊**绑** bǎng ❶動（縄やひもなど，帯状のもので）縛る．巻きつける‖行李～得太松了 荷物の縛り方がゆるすぎる ❷動 拉致（らち）する．誘拐する

【绑带】bǎngdài（～ル）名 ❶包帯 ❷ゲートル

【绑匪】bǎngfěi 名 旧 誘拐団

【绑缚】bǎngfù 動（縄などで）縛る．くくる

＊【绑架】bǎng//jià 動 拉致する．誘拐する‖遭到～ 誘拐される

【绑票】bǎng//piào（～ル）動 誘拐して身代金を要求する

【绑腿】bǎngtuǐ 名 ゲートル‖打～ ゲートルを巻く

【绑扎】bǎngzā 動 包んで縛る．梱包（こんぽう）する

14 **榜**（△牓）bǎng ❶名 表彰者や合格者などの名簿の掲示‖光荣～ 功労者表彰の掲示 ❷横額．扁額（へんがく）‖→～书

【榜额】bǎng'é 名 横額．扁額

【榜首】bǎngshǒu 名（掲示された名簿の）筆頭．最上位．〔榜魁〕ともいう‖名列～ トップに名が出る

【榜书】bǎngshū 名（横額などに書くような）大形の字

【榜文】bǎngwén 名 古 告示文．制札．立て札

【榜眼】bǎngyǎn 名 古 科挙の最終試験，殿試における第2位合格者の称号

＊＊【榜样】bǎngyàng 名 **手本．見本．模範**‖好～ よい手本｜为我们树立了～ 我々の手本となった

14 **膀**（△髈）bǎng ❶名 肩．上腕の肩に近い部分‖肩～ 肩 ❷（～ル）鳥の翼‖翅～ 翼．羽 ➤ bàng pāng páng

【膀臂】bǎngbì 名 ❶肩と腕 ❷片腕．頼りになる人

【膀大腰圆】bǎng dà yāo yuán 組 肩幅が広く腰が太い．がっちりとたくましい体型の形容

【膀子】bǎngzi 名 ❶上腕の肩に近い部分 ❷鳥の翼

bàng

10 **蚌** bàng 名〈貝〉カラスガイ ➤ bèng

【蚌壳儿】bàngkér 图 カラスガイの貝殻

12 **谤** bàng 悪口を言う. そしる ‖ 诽fěi～ 誹謗(ひぼう)する｜毁huǐ～ 中傷する

12 * **傍** bàng ❶動 近づく. 寄り添う ‖ ～岸 岸に近づく ❷(時間が)迫る. 近づく

【傍大款】bàng dàkuǎn 組 金持ちと親しくなる. 金持ちとコネをつける

【傍黑儿】bànghēir 图方 夕暮れ時. たそがれ時

【傍亮儿】bàngliàngr 图方 明け方近く. 夜明け

【傍人门户】bàng rén mén hù 成 他人に頼る

【傍晌】bàngshǎng (～儿) 图方 昼時. 正午近く

*[傍晚] bàngwǎn (～儿) 图 夕方. 夕暮れ

【傍午】bàngwǔ 图 正午近く. 昼時

12 * **棒** bàng ❶图 棒 ‖ 指挥～ 指揮棒 ❷形口 (能力・成績などが)すばらしい. すごい. たいしたものである ‖ 他的英语可～了 彼の英語はたいしたものだ ❸形 たくましい. 強健である ‖ ～小伙子 たくましい青年

【棒操】bàngcāo 图〈体〉(新体操の)棍棒. クラブ

【棒槌】bàngchui 图 (洗濯用の)木づち

【棒喝】bànghè 動 痛棒を食らわす. 喝(かつ)を入れる. 警告する ‖ 当头dāngtóu～ 頭ごなしに一喝する

*【棒球】bàngqiú 图〈体〉❶野球 ‖ 打～ 野球をする｜～队 野球チーム ❷野球のボール

【棒糖】bàngtáng 图

【棒子】bàngzi 图 ❶(比較的短く太い)棒 ❷方 トウモロコシ ‖ 玉米～ トウモロコシ

【棒子楂】bàngzichá (～儿) 图 ひき割りトウモロコシ

【棒子面】bàngzimiàn 图方 トウモロコシの粉

13 **蒡** bàng ➡〔牛蒡niúbàng〕

14 **膀** bàng ➡〔吊膀子diàobàngzi〕 ➤ bǎng pāng páng

15 * **磅** bàng ❶量 (重さの単位)ポンド ❷图 台秤(だいばかり) ‖ 过一下～ 台秤で重さを量る ❸動 台秤で重さを量る ➤ páng

15 **镑** bàng 图 英国などの通貨. ポンド. 英国ポンドの場合は多く〔英镑〕という

bāo

5 ** **包** bāo ❶動 包む. くるむ ‖ ～饺子 ギョーザの皮に餡(あん)を包む. ギョーザを作る｜用彩纸把礼物～起来 色紙で贈り物を包む ❷图 (～儿) 包み ❸图 かばん. バッグ. 小物入れ ❹图 半球形でこんもりしたもの ‖ 小山～ 小さな丘 ❺量 包んだものを数える ‖ 一～点心 一包みのお菓子 ❻含む. 含める ‖ 一～括 ❼動 (全面的に)引き受ける. 請け負う. 全責任を負う ‖ 这事儿～在我身上 この件は私が全責任を負う ❽動 保証する. 請け合う ‖ 这西瓜～甜 このスイカはほんとうに甘いよ｜～您满意 きっとご満足いただけます ❾動 借り切る. チャーターする ‖ ～了一辆出租车 タクシーを1台借り切る ❿動 囲む. 包囲する. 取り囲む

逆引き単語帳 | 〔背包〕bēibāo リュックサック. デイパック 〔书包〕shūbāo かばん. 学生かばん 〔挎包〕kuàbāo ショルダーバッグ 〔手提包〕shǒutíbāo 手提げかばん. ハンドバッグ 〔公文包〕gōngwénbāo 書類かばん. ブリーフケース 〔腰包〕yāobāo 金入れ 〔旅行包〕lǚxíngbāo ボストンバッグ 〔荷包〕hébao 巾着(きんちゃく) 〔钱包〕qiánbāo がま口. 財布 〔急救包〕jíjiùbāo 救急箱 〔邮包〕yóubāo 郵便小包 〔沙包〕shābāo 砂のう. 砂山

*【包办】bāobàn 動 ❶請け負う. 一人で引き受ける ‖ 一手～ 一手に引き受ける ❷独断で取り決める

【包庇】bāobì 動貶 かばう. かばいだてする

【包藏】bāocáng 動 隠し持つ. 内に秘める. 内に抱く

【包产】bāo//chǎn 動 請負生産する ‖ ～到户 各農家が生産を請け負う制度

【包场】bāo//chǎng 動 (劇場や会場などを)借り切る

【包抄】bāochāo 動〈軍〉敵を包囲攻撃する

*【包车】bāo//chē 動 車を借り切る ‖ 他们包了一辆车 彼らは車を1台借り切った 图 (bāochē) 借り切りにした車. チャーター車

【包乘】bāochéng 動 (一定区間内の列車やバスなどで)乗務員が班を組んで乗り組む ‖ ～组 責任乗務班

【包船】bāo//chuán 動 船を借り切りにする. 船をチャーターする 图 (bāochuán) 借り切りの船. チャーター船

【包打天下】bāodǎ tiānxià 慣 一切合切を取り仕切る. なんでもかんでも自分でやろうとする

【包打听】bāodǎtīng 图 ❶旧 密偵 ❷消息通. なんでも聞きたがる人

【包饭】bāo//fàn 動 ❶(月ぎめなどで)食事を賄う. 給食を請け負う ❷(仕事の条件が)食事付きである 图 (bāofàn) 賄いの食事. 給食

【包房】bāo//fáng 動 部屋を借り切る 图 (bāofáng) 借り切りの部屋

【包费】bāo//fèi 動 費用を肩代わりする 图 (bāofèi) 月ぎめ, または年ごとにきめて支払う費用

*【包袱】bāofu 图 ❶ふろしき ‖ 用～包上 ふろしきで包む ❷ふろしき包み ‖ 打～ ふろしき包みを作る ❸喩 精神的な重荷. 心の負担 ‖ 放下～ 心の重荷をおろす ❹負担. じゃま者 ‖ 我不愿成为他的～ 私は彼の負担になるのは嫌だ ❺(漫才などの)笑わせどころ. 滑稽(こっけい)なねた. 落ち ‖ 抖dǒu～ ねたで笑わせる

【包袱底儿】bāofudǐr 图方 ❶長年しまい込まれていた物. 最も貴重なもの ❷プライバシー ❸隠し芸

【包袱皮儿】bāofupír 图 ふろしき

【包干儿】bāogānr 動 (仕事を)引き受ける. 請け負う

【包工】bāo//gōng 動 仕事を請け負う

【包工头】bāogōngtóu (～儿) 图旧 請負仕事を差配する親方や業者

【包公】Bāogōng 图 北宋時代の名判官〔包拯Bāo Zhěng〕(999～1062年)の尊称. 〔包青天〕ともいう

【包谷】bāogǔ =〔苞谷bāogǔ〕

【包管】bāoguǎn 動 保証する. 請け合う

*【包裹】bāoguǒ 動 包む. くるむ 图 ❶包み ‖ 打～ 包みを造る. 荷造りをする ❷(郵便の)小包 ‖ 寄～ 小包を発送する

**【包含】bāohán 動 包含する. 含む ‖ 这句话～着深刻的含义 この言葉には深い意味が含まれている

【包涵】bāohan 動 許す. 大目に見る ‖ 写得不好, 请多多～ うまく書けませんでしたが, お許し下さい

【包换】bāohuàn 動 商品の返品交換を保証する

【包活儿】bāo//huór 動 請け負う

【包伙】bāo//huǒ 動 食事を賄う. 食事付きである 图 (bāohuǒ) 賄いの食事

B

*【包机】bāojī 动 飛行機をチャーターする 名 チャーター機
【包间】bāojiān 名（ホテルやレストランの）借り切りの部屋，予約部屋
【包金】bāojīn 动 金を着せる，金箔（きん）を張る 名 旧 出演料
【包举】bāojǔ 动 すべてを含む，全部包括する
★【包括】bāokuò 动 含む，含める ‖ ～我在内，一共十个人 私を含めて合計10人だ
【包揽】bāolǎn 动 一手に引き受ける，全部請け負う
【包罗】bāoluó 动 あらゆるものを含む，網羅する
【包罗万象】bāo luó wàn xiàng 成 森羅万象を網羅している，何から何まで揃っているさま
【包米】bāomǐ ＝〔苞米bāomǐ〕
【包赔】bāopéi 动 賠償の責任を負う
【包皮】bāopí 名 ❶包装，カバー ❷〈医〉包茎の皮
【包片ル】bāopiànr 动 一定の区域を責任分担する
【包票】bāopiào 名 喩 保証．〔保票〕ともいう ‖ 他准行，我敢打～ 彼なら大丈夫だ，僕が保証する
【包容】bāoróng 动 ❶包容し許す，大目に見る ❷容れる，含む
【包身工】bāoshēngōng 名 旧 ❶年季奉公 ❷年季奉公の女工
【包头】bāo//tóu 动（伝統劇の女形が）頭部にいろいろな飾り物をつける
【包头】bāotou；bāotóu 名 ❶頭巾，ターバン ❷（～ル）布靴のつま先に当てる補強用の皮
【包退】bāotuì 动 返品を引き受ける，返品を保証する
*【包围】bāowéi 动 取り囲む，包囲する
【包围圈】bāowéiquān 名〈軍〉包囲網
【包席】bāo//xí 动 宴席を借り切る 名（bāoxí）借り切りの宴席．〔包桌〕ともいう
【包厢】bāoxiāng 名（劇場の階上にある）仕切り席，ボックス（席）
【包销】bāoxiāo 动 一手販売する
【包养】bāoyǎng 动 愛人を囲う ‖ ～二奶 情婦を囲う
【包银】bāoyín 名 旧 劇場主が俳優に与えた出演料
【包圆ル】bāoyuánr 动 口 ❶残りの商品を全部買い取る ❷残った料理をきれいに食べてしまう ❸全部一括して請け負う
【包月】bāo//yuè 动 月ぎめにする
【包蕴】bāoyùn 动 包含する，含む，はらむ
【包扎】bāozā 动 ❶包んで縛る，くるむ ‖ 把伤口～好 傷口を包帯で巻く ❷包装する，荷造りする
*【包装】bāozhuāng 动 ❶包装する，パッキングする ❷喩 装飾を施す，イメージ作りをする ‖ 那个歌手经过～后，焕然huànrán一新 あの歌手はすっかりイメージチェンジをした 名 ❶包装，パッキング ❷喩 外見，装い
**【包子】bāozi 名 餡（あん）の入ったマントー，パオズ ‖ 菜～ 野菜餡のパオズ
【包租】bāozū 动 ❶借り切る ❷家や土地を借りてまた貸しする ❸旧 その年の作物の出来ばえの良し悪しにかかわらず，一定の小作料を納める

8 **苞**[1] bāo 名（花の）がく ‖ 花～ 同前 ｜ 含～欲放 膨らんだつぼみがいまにも開こうとしている

8 **苞**[2] bāo 书（草木が）繁茂する，群生する ‖ 竹～松茂 タケやマツが生い茂る

【苞谷】bāogǔ 名 方 トウモロコシ
【苞米】bāomǐ 名 トウモロコシ

8 **孢** bāo ↴

【孢子】bāozǐ 名〈植〉胞子．〔胞子〕とも書く

9 **炮** bāo ❶动（強い火で）炒める ‖ ～羊肉 羊肉を炒める ❷动（火に）あぶる，あぶって乾燥させる ➤ páo pào

9 **胞** bāo ❶胞衣（え） ❷同父母の兄弟姉妹，はらから ‖ ～兄 実の兄，実兄 ❸祖国または民族を同じくするもの ‖ 侨～ 外国に居留する自国民

【胞衣】bāoyī 名 胞衣
【胞子】bāozǐ ＝〔孢子bāozǐ〕

10 * **剥** bāo 动（皮や殻を）むく，はぐ ‖ ～栗子 クリをむく ➤ bō

13 **煲** bāo 方 ❶名 底が深い円筒形の鍋 ‖ 沙～ 土鍋 ｜ 电饭～ 電気がま ❷动〔煲〕を用いてとろ火で煮込む ‖ ～粥zhōu 粥を煮る

【煲电话粥】bāo diànhuàzhōu 组 長電話する

13 **龅** bāo ↴

【龅牙】bāoyá 名 反っ歯，出っ歯

15 **褒**（△襃）bāo ほめる，称賛する ↔〔贬〕‖ 一～扬

【褒贬】bāobiǎn 动 善悪や是非を論評する
【褒贬】bāobian 动 非難する，責める
【褒奖】bāojiǎng 动 表彰する，奨励する
【褒扬】bāoyáng 动（人や物を）賛美する，称賛する
【褒义】bāoyì 名〈語〉ほめる意味 ↔〔贬义〕
【褒义词】bāoyìcí 名〈語〉ほめる意味の言葉

báo

13 **雹** báo 名 雹（ひょう） ‖ 冰～ 雹

【雹灾】báozāi 名 雹による被害，雹害
【雹子】báozi 名 雹，〔冰雹〕の通称 ‖ 下了一场cháng～ 一回雹が降った

16 ** **薄** báo ❶形 薄い ↔〔厚〕‖ 这床被子太～ この掛け布団はとても薄い ❷形 地味が痩せている ❸形（人情が）薄い，冷たい，つれない ↔〔厚〕‖ 我待他不～ 私は彼によくしてやった ❹形（味や濃度が）薄い ↔〔厚〕〔浓〕 ➤ bó bò

【薄饼】báobǐng 名 小麦粉を湯でこね薄く焼いたもの，肉や野菜などを包んで食べる
【薄脆】báocuì 名 非常に薄くてもろい菓子の一種

bǎo

8 * **宝**（寶 △寳）bǎo ❶名 宝物，宝 ❷珍しく価値がある，貴重な ‖ 一～贵 ❸敬 人の家族や店舗に対する敬意を表す，御… ‖ 一～眷 ❹古 貨幣，または貨幣としての金銀 ‖ 元～ 馬蹄銀 ❺子供に対する愛称 ‖ 一～～ ❻滑稽（こっけい）な人，おかしなやつ，ろくでもないやつ ‖ 活～ ひょうきん者 ❼名 旧 賭博の道具の一種 ‖ 压～〔宝〕を使った賭博をする

【宝宝】bǎobao；bǎobǎo 名（子供に対する愛称）いい子，かわいい子
【宝宝装】bǎobaozhuāng 名 ベビー服
*【宝贝】bǎobèi 名 ❶宝物，大切な物 ❷（～ル）（子供に対する愛称）かわいい子，いい子 ❸（～ル）ダーリン，

ハニー.(若い夫婦あるいは恋人の間で,多く男性が女性に対して呼びかけるときに用いる) ❹貶(皮肉で)風変わりな人物.変わり者.無能な人 ❺〈貝〉タカラガイ.コヤスガイ 動かわいがる.大事にする
【宝贝疙瘩】bǎobèi gēda 名方いい子.かわいい子
【宝刹】bǎochà 名名刹(めいさつ).名高い寺
【宝刀】bǎodāo 名宝刀.名刀
【宝刀不老】bǎo dāo bù lǎo 成名刀はいつまでも鈍(なま)らない.年は取っても腕前や技術が少しも衰えないこと
【宝地】bǎodì 名❶肥沃な土地.地相のよい土地‖风水～ 風水が吉相の土地 ❷敬相手の所在地あるいは生まれ故郷
【宝典】bǎodiǎn 名貴重な書物
【宝贵】bǎoguì 形貴重である.価値がある**‖～意见 貴重なご意見

類義語 | 宝贵 bǎoguì 珍贵 zhēnguì 贵重 guìzhòng
◆〔宝贵〕非常に得がたく大切である.抽象的事物や具体的事物についていう‖宝贵经验 貴重な経験 ◆〔珍贵〕まれにしかなく珍しい.多く具体的事物についていう‖珍贵的照片 貴重な写真 ◆〔贵重〕値段が高く,手に入りにくい.多く具体的事物についていう‖贵重的仪器 高価な器械 ◆〔贵重〕は事物それ自体に客観的価値がある.〔宝贵〕〔珍贵〕は本人にとって価値があると考えられればよい

【宝号】bǎohào 名敬貴店
【宝货】bǎohuò 名❶古貨幣 ❷貴重な品物
*【宝剑】bǎojiàn 名宝剣.名剣.(広く)剣
【宝眷】bǎojuàn 名敬ご家族
*【宝库】bǎokù 名喩宝庫‖百科全书是知识的～ 百科全書は知識の宝庫である
【宝蓝】bǎolán 形明るい藍色(あいいろ).サファイア・ブルー
【宝山】bǎoshān 名喩宝の山
*【宝石】bǎoshí 名宝石
【宝塔】bǎotǎ 名塔の美称.宝塔.(広く)塔
【宝物】bǎowù 名宝.貴重な物品
【宝藏】bǎozàng 名❶収蔵されている宝物 ❷埋蔵されている鉱産物.地下資源
【宝座】bǎozuò 名(帝王の)玉座.(仏の)宝座.喩最高の地位

8 ★**饱** bǎo ❶形**腹がいっぱいである**↔〔饿〕‖我已经～了 私はもうおなかがいっぱいだ|只吃了个半～ 腹半分だけ食べた ❷動満足させる‖～眼福 目を楽しませる.目の保養をする ❸副十分に‖～经风霜 ❹形**充実している**‖～满
【饱餐】bǎocān 動腹いっぱい食べる
【饱尝】bǎocháng 動十分に経験する‖～了离别的痛苦 別れのつらさを十分に味わった
【饱嗝儿】bǎogér 名げっぷ.おくび‖打～ げっぷをする
【饱含】bǎohán 動いっぱいになる.充満する
【饱汉不知饿汉饥】bǎohàn bù zhī èhàn jī 慣腹いっぱいの者に飢えた者の苦しみは分からない.恵まれている人には貧しい人の苦しみは理解できない
*【饱和】bǎohé 動❶〈化〉飽和する‖～点 飽和点 ❷飽和状態になる.満杯になる‖这条线的运输量已经～了 この路線の輸送量はもう限界だ
【饱和市场】bǎohé shìchǎng 名〈経〉飽和市場
【饱经沧桑】bǎo jīng cāng sāng 成世の辛酸をなめ尽くす
【饱经风霜】bǎo jīng fēng shuāng 成世の辛酸をなめ尽くす
【饱览】bǎolǎn 動思う存分見る.眺めを満喫する
*【饱满】bǎomǎn 形❶ふっくらしている.満ち満ちている‖颗粒kēlì～(穀物やマメの)粒がはちきれそうである ❷元気旺盛(おうせい)である‖精神～ 元気いっぱいである
【饱暖】bǎonuǎn 形衣食が満ち足りている
【饱食终日】bǎo shí zhōng rì 成飽食して日を過ごす.たらふく食うだけで一日中何もしない
【饱受】bǎoshòu 動十分に受ける.さんざん…される‖～屈辱qūrǔ さんざん侮辱される
【饱学】bǎoxué 形学識に富んでいる.学問が広い

9 ** **保** bǎo ❶養い育てる.世話をする‖→～育院 ❷動**守る.かばう**‖→～卫 ❸動(現状を)保つ.**保持する**‖→～鲜 ❹動**保証する.責任を負う**‖～你没事儿 絶対大丈夫,請け合うよ ❺名保証人‖找～ 保証人を探す ❻名旧(戸籍の編制単位)保
【保安】bǎo'ān 動❶(社会の)治安を維持する‖～工作 治安を保つ仕事 ❷(生産現場の)安全を維持する‖～制度 事故防止制度.安全制度
【保安族】Bǎo'ānzú 名ボウナン族(中国の少数民族の一つ,甘粛省に居住)
【保本】bǎo//běn (～儿)動元金を保証する
【保膘】bǎobiāo 動家畜が肥えるように飼育する
【保镖】bǎobiāo 動護衛する.用心棒をつとめる 名護衛.用心棒
【保不定】bǎobudìng 副もしかしたら(…かもしれない).…しないとも限らない
*【保不住】bǎobuzhù 動保てない.持ちこたえられない‖再不加油,冠军就～了 もっと頑張らないと,チャンピオンの座は保てないぞ 副もしかしたら(…かもしれない).…しないとも限らない‖～天要下雨 もしかしたら雨が降るかもしれない
【保藏】bǎocáng 動保存する.大切にしまっておく
【保持】bǎochí 動(原状を)保つ.持続させる.保持する**‖～一定的距离 一定の距離を保つ
【保存】bǎocún 動保存する.保つ.維持する**‖～完好 欠損なく保存されている
【保单】bǎodān 名❶保証書 ❷保険証券
【保底】bǎo//dǐ 動❶元金を保証する =〔保本〕❷最低限を保証する
【保额】bǎo'é 名保険給付額.補償額.〔保险金额〕の略
【保费】bǎofèi =〔保险费bǎoxiǎnfèi〕
*【保管】bǎoguǎn 動❶保管する‖由他～钥匙 彼が鍵を保管する ❷保証する.請け合う‖这事包在我身上,～错不了 この件は私が引き受けよう,必ずうまくいくよ 名保管係
【保护】bǎohù 動保護する.守る.大切にする**‖做好环境～工作 環境保護の活動をしっかりとやる
【保护关税】bǎohù guānshuì 名〈貿〉保護関税
【保护国】bǎohùguó 名保護国
【保护价】bǎohùjià 名政府の農産物買い入れ最低保証価格
【保护人】bǎohùrén 名保護者
【保护伞】bǎohùsǎn 名貶保護する傘.庇護(ひご).後ろ盾‖核～ 核の傘
【保护色】bǎohùsè 名保護色.擬装色
【保皇】bǎohuáng 動皇帝を守る.保守勢力に荷担

する‖～派 保守派. 守旧派
【保加利亚】Bǎojiālìyà 图〈国名〉ブルガリア
【保甲】bǎojiǎ 图 旧 保甲法(ほうこう). 一種の連帯責任制度で, 10戸を1〔甲〕, 10甲を1〔保〕とした
【保价】bǎojià 動 金額を保証する‖～信 書留郵便
【保驾】bǎo//jià 動 皇帝の乗り物を護衛する. 転 付き添って保護する. 護送する
【保荐】bǎojiàn 動 保証し推薦する
*【保健】bǎojiàn 图 保健‖妇幼～ 女性と幼児の保健|～箱 救急箱
【保健操】bǎojiàncāo 图 健康体操‖眼～ (視力を守るための)目の体操
【保健球】bǎojiànqiú 图 (手のひらのつぼを刺激する)健康ボール
【保健食品】bǎojiàn shípǐn 图 健康食品
【保健饮料】bǎojiàn yǐnliào 图 健康飲料. 健康ドリンク
【保教】bǎojiào 图 (幼児に対する)保育と教育
【保洁】bǎojié 動 環境衛生を保持する
【保举】bǎojǔ 動 旧 (官職に)推薦する
【保量】bǎoliàng 動 数量を保証する
*【保龄球】bǎolíngqiú 图〈体〉ボーリング
**【保留】bǎoliú 動 ❶(もとの姿を)保つ. とどめる ❷保存する. とっておく‖他还～着那些信件 彼はまだそれらの郵便物を保存している ❸保留する. 留保する‖～意见 意見を保留する
【保留剧目】bǎoliú jùmù 图 (劇団の)レパートリー
【保媒】bǎo//méi 動 縁談の世話をする. 仲人をする
*【保密】bǎo//mì 動 機密や秘密を保つ. 秘密にする‖这件事要～ この件は秘密だ
【保命】bǎo//mìng 動 生命を維持する. 生きながらえる
*【保姆】bǎomǔ 图 ❶お手伝いさん
【保暖】bǎo//nuǎn 動 保温する. 寒さを防ぐ‖～内衣 防寒下着
【保票】bǎopiào =〔包票bāopiào〕
【保期】bǎoqī 图 ❶保険期間 ❷(商品の修理や交換を受け付ける)保証期間
【保全】bǎoquán 動 保全する. 保つ
【保人】bǎoren 图 保証人‖当～ 保証人になる
【保湿】bǎoshī 動 (肌の)水分を保持する. 保湿する
【保释】bǎoshì 動〈法〉保釈する
*【保守】bǎoshǒu 形 ❶保守的である ❷控え目である. 内輪である 動 漏れないようにする. 守る
【保守疗法】bǎoshǒu liáofǎ 图〈医〉保存療法
【保税区】bǎoshuìqū 图〈貿〉保税地区
【保送】bǎosòng 動 (政府・学校・団体などが)推薦して大学に入学させる, あるいは国外に留学させる
【保外就医】bǎo wài jiù yī 組 (囚人を)病気治療のため保釈する
【保外执行】bǎo wài zhíxíng 組 (病気・出産・授乳などのために囚人を)刑務所外で服役させる
**【保卫】bǎowèi 動 防衛する. 防ぎ守る‖～祖国 祖国を防衛する
*【保温】bǎowēn 動 保温する‖～材料 保温材料
【保温杯】bǎowēnbēi 图 保温カップ
【保鲜】bǎoxiān 動 鮮度を保つ
【保鲜膜】bǎoxiānmó 图 食品用のフィルム. ラップ
*【保险】bǎoxiǎn 图 保険‖人寿rénshòu～ 生命保険|上～ 保険をかける 形 安全である. 確かである‖这房子地震时可不～ この家は地震が来たら非常に危険だ 動 保証する. 請け合う
【保险带】bǎoxiǎndài 图 (高所作業やサーカスなどの墜落防止の)安全ベルト
【保险单】bǎoxiǎndān 图 保険証券. 略して〔保单〕ともいう
【保险刀】bǎoxiǎndāo (～儿) 图 安全かみそり
【保险灯】bǎoxiǎndēng 图 安全灯
【保险法】bǎoxiǎnfǎ 图〈法〉保険関連の法規
【保险费】bǎoxiǎnfèi 图 保険料
【保险公司】bǎoxiǎn gōngsī 图 保険会社
【保险柜】bǎoxiǎnguì 图 金庫
【保险盒】bǎoxiǎnhé 图〈電〉安全器 =〔闸zhá盒〕
【保险金额】bǎoxiǎn jīn'é 图 保険給付額. 補償額. 略して〔保额〕ともいう
【保险人】bǎoxiǎnrén 图 保険者. 保険会社. 〔承保人〕ともいう
【保险丝】bǎoxiǎnsī 图〈電〉ヒューズ
【保险箱】bǎoxiǎnxiāng 图 (小型の)金庫. 手提げ金庫
*【保修】bǎoxiū 動 (サービス期間中)商品の修理を保証する‖～一年 修理保証1年
*【保养】bǎoyǎng 動 ❶ケアする. 養生する‖面部～ フェイスケア ❷保守点検する‖汽车维修与～ 車の修理と保守点検
【保有】bǎoyǒu 動 保有する. 擁する. 持っている
【保佑】bǎoyòu 動 (神が)加護する‖上帝～ 神のご加護がありますように
【保育】bǎoyù 動 保育する
【保育员】bǎoyùyuán 图 (幼稚園や託児所の)保母
【保育院】bǎoyùyuàn 图 孤児院
*【保障】bǎozhàng 動 保障する‖～人民的生命财产不受损失 人民の生命と財産が損なわれないよう保障する 图 保障‖生活得不到～ 生活の保障が得られない

類義語 保障 bǎozhàng
保证 bǎozhèng

◆〔保障〕すでに存在するものを, 侵犯や破壊などから保護する. その対象は生命・財産・権利など多く抽象的なもの. 目的語には名詞(句)をとることが多い‖保障人民的合法权益 人々の合法的権益を保障する ◆〔保证〕将来に向けて, 責任をもって請け合う. その対象は仕事・計画・行動など具体的なもので幅広い. 目的語には動詞(句)や形容詞(句)をとることが多い‖我保证完成任务 きっと任務を果たします

【保真】bǎozhēn 動 ❶本物であることを保証する. 鑑定証をつける‖～拍卖 鑑定証つきオークション ❷原音を忠実に再生する‖高～ ハイファイ
**【保证】bǎozhèng 動 保証する. 請け合う‖～产品质量 製品の質を保証する|今天～不会下雨 今日は雨など降りっこないよ
【保证金】bǎozhèngjīn 图 保証金
【保证人】bǎozhèngrén 图 保証人. 略して〔保人〕ともいう
【保证书】bǎozhèngshū 图 保証書
*【保值】bǎozhí 動 価値を保証する‖～储蓄chǔxù (物価の変動にスライドして利率を保証する)目減り防止預金
【保质】bǎozhì 動 質を保証する‖～保量 質量ともに

保証する
*【保重】bǎozhòng 動 自愛する. 体を大切にする ‖ 请多多～ くれぐれもお大事に
*【保准】bǎozhǔn (～儿) 口 動 保証する. 請け合う ‖ 他来不来, 谁也不能～ 彼が来るか来ないかは誰も保証できない 形 確かである. 信頼できる ‖ 这件事能不能办好不～ このことがうまくいくかどうかは保証しかねる

9 **鸨** bǎo ❶〈鳥〉ノガン ‖ 大～ ノガン ❷旧 老妓(ろうぎ). 妓女の仮親 ‖ 老～ 同前
【鸨母】bǎomǔ 名 旧 妓楼のおかみ.

12 **堡** bǎo とりで. 堡塁(ほうるい) ‖ 碉diāo～ トーチカ | 地～ 掩蔽壕(えんぺいごう) ➤bǔ pù
*【堡垒】bǎolěi 名 ❶〈軍〉堡塁 ‖ 攻克～ とりでを攻め落とす ❷喩 征服しにくいもの. 容易に考えを変えない頑固な人
【堡寨】bǎozhài 名 周りを柵や土壁で囲った村

12 **葆** bǎo 書 保持する. 保護する ‖ 永～青春 永遠に若さを保つ

14 **褓**(△緥) bǎo 産着(うぶぎ) ‖ 襁qiǎng～ おくるみ

bào

7 **刨**(△鉋 鑤) bào ❶名 かんな ‖ ～刃儿 rènr かんなの刃 ❷動 削る. かんなをかける ‖ 把木板～平 木の板にかんなをかけて平らにする ❸名 平削り盤 ➤páo
【刨冰】bàobīng 名 かき氷
【刨床】bàochuáng 名 ❶〈機〉平削り盤. プレーナー ❷かんなの台の部分
【刨刀】bàodāo 名〈機〉バイト
【刨工】bàogōng 名 ❶平削り盤を用いた作業 ❷平削り盤で作業する労働者
【刨花】bàohuā (～儿) 名 かんなくず. 削りくず
【刨花板】bàohuābǎn 名〈建〉プラスター・ボード
【刨子】bàozi 名 かんな ‖ 推～ かんなをかける

7 ★**报**(報) bào ❶書 処罰を報告する ❷動 知らせる. 告げる. 伝える ‖ →～警 ❸名 新聞 ‖ 见～ 新聞に載る ❹(定期または不定期の)刊行物 ‖ 画～ グラフ. 画報 ❺通知. 知らせ. 報道 ‖ 海～ (映画や催し物の)ポスター ❻電報. 電信 ❼動 (上層部に)報告する ❽動 応じる. こたえる ‖ ～以热烈的掌声 熱烈な拍手でこたえる ❾報いる. 返す ‖ →～答 ❿報復する. 仕返しをする ‖ →～仇

逆引き単語帳 〔墙报〕qiángbào 〔壁报〕bìbào 壁新聞 〔黑板报〕hēibǎnbào 黒板新聞 〔电报〕diànbào 電報 〔公报〕gōngbào コミュニケ 〔海报〕hǎibào ポスター 〔日报〕rìbào 朝刊紙 〔晚报〕wǎnbào 夕刊紙 〔周报〕zhōubào 週報. ウイークリー 〔月报〕yuèbào 月報. マンスリー 〔文摘报〕wénzhāibào ダイジェスト新聞 〔画报〕huàbào 画報. グラフ 〔体育报〕tǐyùbào スポーツ専門紙 〔小报〕xiǎobào タブロイド判

【报案】bào∥àn 動 (警察に)事件を通報する
【报表】bàobiǎo 名 (上層部に提出する)報告表
【报偿】bàocháng 動 報いる. 償う 名 報い. 報償
【报呈】bàochéng 動 文書で上部に報告する
*【报仇】bào∥chóu 動 復讐(ふくしゅう)する. 仇(かたき)を討つ ‖ 君子～, 十年不晚 君子が仇を討つのに, 10年かかっても遅くはない. 事の成就には忍耐が必要であるたとえ
*【报酬】bàochou 名 報酬. 謝礼金 ‖ 不计～ 報酬にこだわらない
【报春花】bàochūnhuā 名〈植〉サクラソウ. プリムラ
*【报答】bàodá 動 (恩義に)報いる. 行動でこたえる ‖ 真不知该如何～您的恩情 あなたのご恩にはお返しのしようもありません
【报单】bàodān 名 ❶税関申告書 ❷旧 昇官者や科挙の合格者などに送られる通知書
【报导】bàodǎo ＝〔报道bàodào〕
⁂【报到】bào∥dào 動 到着や着任を届ける ‖ ～处 到着の受け付け
⁂【报道】bàodào 動 報道する ‖ 据～ 報道によれば 名 ニュース記事. 報道 ‖ 专题～ 特集記事
【报读】bàodú 動 (ある学校や専攻課程を)志望する ‖ ～北大法学院 北京大学法学部を志望する
【报端】bàoduān 名 新聞の紙面の片隅 ‖ 见诸～ 多くの新聞の紙面に載る
【报恩】bào∥ēn 動 恩返しをする
【报废】bào∥fèi 動 廃棄する. 廃棄処分する
*【报复】bàofu ; bàofù 動 報復する. 仕返しをする ‖ 打击～ (人を)報復攻撃する
⁂【报告】bàogào 動 報告する. 伝える ‖ 向上级～情况 上司に状況を報告する | 现在～晚间新闻 夜のニュースをお伝えします 名 報告. レポート. 講演
【报告文学】bàogào wénxué 名 ルポルタージュ
【报功】bào∥gōng 動 ❶(上級機関に)功績を報告する ❷書 功労をねぎらう. 功労のあった者を報奨する
*【报关】bào∥guān 動 通関手続きをする ‖ 行李还没～ 荷物はまだ通関手続きをしていない
【报关单】bàoguāndān 名 税関申告書
【报国】bào∥guó 動 国のために尽くす. 国恩に報いる ‖ 以身～ 身をもって国に尽くす. 一身を国に捧げる
【报话机】bàohuàjī 名 小型無線機
*【报价】bào∥jià 動〈貿〉値段を知らせる. オファーする 名 (bàojià) オファー. オファー値
【报捷】bào∥jié 動 勝利を報告する
【报警】bào∥jǐng 動 警報を発する. 危急を知らせる ‖ ～台 110番(警察), 119番(消防), 122番(交通事故)の3つの通報電話
*【报刊】bàokān 名 新聞と雑誌. 定期刊行物
*【报考】bàokǎo 動 試験を申し込む. 受験の出願をする ‖ ～人数 試験出願者数 | ～专业 受験する学科
【报领】bàolǐng 動 報告して受領する
⁂【报名】bào∥míng 動 (参加を)申し込む. 応募する ‖ ～参加演讲比赛 弁論大会への参加を申し出る
【报幕】bào∥mù 動 (演芸会・音楽会・催し物などの)司会をする
【报幕员】bàomùyuán 名 司会. 進行係
【报批】bàopī 動 (上級機関に)報告して決裁を仰ぐ
【报请】bàoqǐng 動 報告書を出して決裁を仰ぐ
【报丧】bào∥sāng 動 親戚友人に死去を知らせる
*【报社】bàoshè 名 新聞社 ‖ ～记者 新聞記者
【报审】bàoshěn 動 (上級機関に)書類の審査を仰ぐ
【报失】bàoshī 動 遺失物の届け出をする
*【报时】bào∥shí 動 (放送や電話で)時刻を知らせる
【报数】bào∥shù 動 ❶〈軍〉(点呼する際の号令)番号！❷数を報告する
【报税】bào∥shuì 動 税の申告をする

【报摊】bàotān（～儿）名 露店の新聞売店
【报亭】bàotíng 名（町や駅の）新聞スタンド
【报头】bàotóu 名（第一面冒頭の）新聞紙名欄
【报务】bàowù 名 通信業務 ‖ ～员 通信員
【报喜】bào//xǐ 動 吉報を知らせる ‖ ～不报忧 yōu 吉報のみ伝えて好ましくないことは伝えない
*【报销】bàoxiāo 動 ❶仮払い金を清算する. 立て替え費用を清算する ‖ 交通费可以～ 交通費は払い戻ししてもらえる ❷（多く冗談で）始末する. やっつける ‖ 他把剩下的菜都～了 彼は残った料理をすっかり平らげてしまった
【报销凭证】bàoxiāo píngzhèng 名（実費精算用の）領収証. 〔报销单〕ともいう
【报晓】bào//xiǎo 動 暁を告げる
【报效】bàoxiào 動 恩義を感じて尽力する
*【报信】bào//xìn（～儿）動 情報・消息を伝える. 知らせる ‖ 给他报个信儿 彼に知らせる
【报应】bàoying；bàoyìng 動〈仏〉天罰が下る. 悪の報いを受ける
【报忧】bào//yōu 動 好ましくないニュースを報告する
【报怨】bàoyuàn 動 恨みを晴らす
【报站】bào//zhàn 動（列車・バス・船などで）駅や停留所の名をアナウンスする
【报章】bàozhāng 名 新聞の総称
【报账】bào//zhàng 動 ❶（仮払い金や立て替え金を）清算する ❷決算報告をする
**【报纸】bàozhǐ 名 ❶新聞 ‖ 我家订了两份～ 我が家では2種類の新聞をとっている ❷巻き取り紙（印刷していない新聞用紙）. 〔白报纸〕〔新闻纸〕ともいう

8 ★**抱** bào ❶書 胸. ふところ ❷動 **心に抱く. 考えや意見をもつ** ‖ 对此事不～任何希望 この件には少しも期待してない ❸動（病気を）抱えている ‖ →～病 ❹動（両手で）**かかえる. 抱く. 抱きかかえる** ❺動 **初めて子や孫が生まれる** ‖ 听说您要～孙子了 あなたにお孫さんができるそうですね ❻動（赤ん坊を）養子にもらう ‖ 那个孩子是～来的 あの子はもらい子だ ❼動 口 一つにまとまる ‖ ～成一团儿 一つにまとまった ❽動 方（衣服や靴などの）大きさが合う ‖ ～身儿 体にぴったり合う ❾量 一抱えのものを数える ❿動 抱卵する. ひなを孵(かえ)す

> **類義語** 抱 bào 搂 lǒu
>
> ◆〔抱〕腕で囲むように抱きかかえる. 相手の重さを受けとめ支え持つことが多い ‖ 把孩子抱起来 子供を抱き上げる ◆〔搂〕腕を回して自分のほうへ抱き寄せる. 相手の重さを支えることはない ‖ 把孩子搂在怀里 子供を胸に抱き寄せる ◆〔抱〕は心にある種の感情を「いだく」といった抽象的な場合にも用いるが, 〔搂〕は具体的な動作に限られる

【抱病】bàobìng 動 病気がある. 病気をもっている ‖ ～工作 病をおして仕事をする
【抱不平】bào bùpíng 慣 義憤を感じる. 不平を抱く ‖ 打～ 義憤を感じる | 替他～ 彼のために憤慨する
【抱残守缺】bào cán shǒu quē 成 因循姑息(いんじゅんこそく). 保守退嬰(ほしゅたいえい). 保守的で改良を知らないこと
【抱粗腿】bào cūtuǐ 慣 財産や権勢のある者に取り入る. 大物に頼る
【抱佛脚】bào fójiǎo 慣 仏の足にすがりつく. 喩 ふだん何もしないで, 事が起きてから慌てて手を打つ. 苦しいときの神頼み ‖ 临时～ 泥縄式でやる
*【抱负】bàofù 名 抱負
【抱憾】bàohàn 動 残念に思う
【抱恨】bàohèn 動 恨みに思う. 無念に思う ‖ ～终生 一生恨みを抱き続ける
【抱愧】bàokuì 形 慙愧(ざんき)に耐えない. 恥じ入る
【抱歉】bàoqiàn 形 **申し訳ない. すまない ‖ 真～, 那本书我忘带了 ほんとうに申し訳ない, あの本を持ってくるのを忘れてしまった
【抱屈】bàoqū 動（不当な仕打ちに）悔しく思う
【抱拳】bào//quán 動 旧（礼の一つ）片手でこぶしをつくり, もう一方の手でこぶしを包むようにして胸前で合わせる
【抱头鼠窜】bào tóu shǔ cuàn 成 頭を抱えてほうほうの体(てい)で逃げる. こそこそと逃げ失せる
【抱头痛哭】bào tóu tòngkū 慣 抱き合い号泣する
【抱团儿】bào//tuánr 動 口 しっかりと結束する. 一つにまとまる
【抱委屈】bào wěiqu ＝〔抱屈bàoqū〕
【抱窝】bào//wō 動 卵を温める
【抱薪救火】bào xīn jiù huǒ 成 薪(まき)を抱いて火を消す. 方法を間違えて, かえって災害を大きくするたとえ
【抱养】bàoyǎng 動 他人の子をもらって育てる
【抱冤】bàoyuān 動 無念に思う. 悔しく思う
*【抱怨】bàoyuan；bàoyuàn 動 不満を抱く. 不平を言う. 愚痴(ぐち)をこぼす ‖ ～别人 他人を恨む
【抱罪】bàozuì 動（自分の過ちを）恥ずかしく思う

10 **趵** bào 方 跳ぶ. 上方に噴き出す ‖ ～突泉 趵突泉(ほうとつせん). 山東省の済南市にある名高い泉の名 ➤ bō

10 **豹** bào ❶名〈動〉ヒョウ ‖ 云～ ウンピョウ | 雪～ ユキヒョウ
【豹猫】bàomāo 名〈動〉ヤマネコ. ベンガルヤマネコ. 〔山猫〕〔狸子〕ともいう
【豹子】bàozi 名〈動〉ヒョウ

13 **鲍** bào 書 塩漬けの魚
【鲍鱼】bàoyú 名〈貝〉アワビ

15 **暴**[1] bào さらけ出す. 現れる ‖ →～露

15 **暴**[2] bào ❶突然で激しい. 度を越している ‖ →～病 ❷凶暴な. 残忍な ‖ 凶～ 凶暴である ❸損なう. 損傷する ‖ 自～自弃 自暴自棄になる ❹形 気短で荒っぽい. かっとなりやすい ‖ 他脾气很～ 彼はかっとなりやすい

15 **暴**[3] bào 動 膨れ上がる. 盛り上がる ‖ 头上～起了青筋 こめかみに青筋を立てる
【暴病】bàobìng 名 急病 ‖ 死于～ 急病で死ぬ
【暴跌】bàodiē 動（相場や物価が）暴落する ↔〔暴涨〕‖ 股票价格～ 株の値が暴落する
【暴动】bàodòng 動 暴動. 蜂起(ほうき)
【暴发】bàofā 動 ❶突発する. 突如発生する ❷貶 突然大儲けする. にわか成金になる ‖ ～户 にわか成金. 成り上がり者
【暴风】bàofēng 名〈気〉暴風（風力11の風）
【暴风雪】bàofēngxuě 名 激しい吹雪. 猛吹雪
【暴风雨】bàofēngyǔ 名 暴風雨. 嵐(あらし)
*【暴风骤雨】bào fēng zhòu yǔ 成 暴風と夕立ち. 嵐のような大衆運動のたとえ
【暴富】bàofù 動 にわか成金になる
【暴光】bàoguāng ＝〔曝光bàoguāng〕
【暴吼】bàohǒu 動 突然わめき声を上げる

【暴虎冯河】bào hǔ píng hé 成 虎(とら)を素手で打ち,黄河を徒歩で渡る.勇気はあるが無謀であるたとえ
【暴君】bàojūn 名 暴君
*【暴力】bàolì 名 暴力 ‖ ～革命 暴力革命 | 使用～ 暴力を用いる
【暴力片】bàolìpiàn 名 バイオレンス映画
【暴力游戏】bàolì yóuxì 名 バイオレンス・ゲーム
*【暴利】bàolì 名 暴利.法外な利益 ‖ 牟取móuqǔ～ 暴利をむさぼる
【暴戾】bàolì 形 書 凶暴である.残虐である
【暴烈】bàoliè 形 (気性が)荒い.狂暴である
*【暴露】bàolù 動 暴露する.さらけ出す ‖ ～了本来面目 本来の姿をさらけ出した
*【暴乱】bàoluàn 名 暴動. ‖ 发生～ 暴動が起こる
【暴怒】bàonù 動 激怒する
【暴虐】bàonüè 形 暴虐である.凶暴である
【暴晒】bàoshài 動 長く日光にさらす
【暴尸】bàoshī 動 死体をさらす
【暴死】bàosǐ 動 急死する
【暴跳如雷】bào tiào rú léi 成 地団駄(じだんだ)を踏み,烈火のごとく怒る
【暴徒】bàotú 名 暴徒
【暴泻】bàoxiè 動 ❶〈中医〉急性の腹下しを起こす ❷〈経〉暴落する ‖ 港股～ 香港株が暴落する
*【暴行】bàoxíng 名 凶暴な行為.暴行
【暴性子】bàoxìngzi 名 粗暴で怒りっぽい気質
【暴饮暴食】bàoyǐn bàoshí 組 暴飲暴食する
*【暴雨】bàoyǔ 名 激しい雨.豪雨.暴雨
【暴躁】bàozào 形 短気である.気が荒い
【暴增】bàozēng 動 急増する.急激に増加する ‖ 公司利润～ 会社の利益が急増する
【暴涨】bàozhǎng 動 ❶暴騰する ↔〔暴跌diē〕 ❷急に水かさが増す.急に水位が上がる
【暴卒】bàozú 動 急死する

[18] **瀑** bào 地名用字 ‖ ～河 河北省にある川の名 ➤ pù

[19] **爆** bào ❶動 爆発する.破裂する ‖ 一～炸 ❷動〈料理〉熱した油でさっと焼く.あるいは沸騰した湯の中に入れてさっと煮る ‖ 一～肚ㄦ ❸動 (予想外のことが)発生する ‖ 一～冷门
【爆炒】bàochǎo 動 ❶大々的に報道する.盛んに宣伝する ‖ 媒体méitǐ的～ メディアの誇大報道 ❷〈経〉盛んに投機売買を行う
【爆肚ㄦ】bàodǔr 名 ウシやヒツジの胃袋を熱湯でさっと湯がいて,たれをつけて食べる料理
*【爆发】bàofā 動 ❶(火山が)爆発する ❷勃発(ぼっ)する ‖ ～战争 戦争が勃発する ❸巻き起こる.わき上がる ‖ 观众席上～出一阵热烈的掌声 観客席から熱烈な拍手が巻き起こった
【爆发力】bàofālì 名〈体〉瞬発力
【爆冷门】bào lěngmén (～ㄦ) 慣 (多くスポーツで)番狂わせが起こる.思いもよらない結果が現れる
【爆料】bào//liào 動 方 (特だねを)すっぱ抜く ‖ 独家～! 独占スクープ!
【爆裂】bàoliè 動 破裂する.炸裂する
【爆满】bàomǎn 動 (劇場や映画館などが)大入り満員になる.大盛況である
【爆米花】bàomǐhuā (～ㄦ) 名 爆弾あられやポップコーンなど,コメやトウモロコシの粒を煎ってはじけさせた食品
【爆棚】bàopéng 動〈方〉大入り満員になる
【爆破】bàopò 動 爆破する
【爆胎】bào//tāi 動 タイヤがパンクする
【爆笑】bàoxiào 動 爆笑する
*【爆炸】bàozhà 動 炸裂(さく)する.爆発する.突発する ‖ 人口～ 人口が爆発的に増加する
【爆炸性】bàozhàxìng 形 衝撃的な.ショッキングな ‖ ～新闻 衝撃的なニュース
【爆仗】bàozhang 名 爆竹 ‖ 放～ 爆竹を鳴らす
*【爆竹】bàozhú 名 爆竹.〔爆仗〕〔炮仗〕ともいう ‖ 点～ 爆竹に火をつける | 放～ 爆竹を鳴らす

[19] **曝** bào ↴ ➤ pù
*【曝光】bào//guāng 動 ❶露出する.露光する. ‖ ～不足 露出不足 ❷喩 秘密を暴露する
【曝光表】bàoguāngbiǎo 名 露出計

bēi

[7] **陂** bēi 書 ❶山坂 ❷水辺.岸辺 ❸池 ‖ ～塘 池 | ～池 池 ➤ pí

[8] **卑** bēi ❶(位置あるいは地位が)低い ‖ 一～贱 ❷(品質が)劣る.(品性が)卑しい ‖ 一～鄙 ❸軽視する.みくびる ‖ 自～ 卑屈になる ❹書 へりくだる ‖ 不～不亢kàng 卑屈でもなく傲慢(ごうまん)でもない
*【卑鄙】bēibǐ 形 (行為・言動・人品が)卑しい.下劣である ‖ ～无耻 卑劣で恥知らずである
【卑词】【卑辞】bēicí 名 自分を卑下した言い回し.
【卑躬屈膝】bēi gōng qū xī 成 膝(ひざ)を屈して迎合する.ぺこぺこして人にへつらう.
【卑贱】bēijiàn 形 ❶(出身・身分が)卑しい ‖ 地位～ 地位が低い ❷卑屈である
【卑劣】bēiliè 形 卑劣である
【卑怯】bēiqiè 形 ずるく臆病である
【卑屈】bēiqū 形 卑屈である.へつらっている
【卑琐】bēisuǒ 形 下品である.卑しい
【卑微】bēiwēi 形 (身分が)卑しい
【卑污】bēiwū 形 卑しく汚らわしい
【卑下】bēixià 形 ❶低劣である ❷(身分が)低い
【卑职】bēizhí 名 旧 (官吏の自称)小官.私め

[8] ★**杯**(△盃 桮) bēi ❶名 コップ.カップ ‖ 茶～ 湯飲みカップ ❷試合の優勝者に与えられるカップ.優勝杯 ‖ 奖～ 優勝カップ

> **逆引き単語帳** 〔搪瓷杯〕tángcíbēi ほうろう引きのカップ 〔酒杯〕jiǔbēi 酒杯.グラス 〔奖杯〕jiǎngbēi 優勝カップ 〔玻璃杯〕bōlibēi ガラスのコップ.グラス 〔高脚杯〕gāojiǎobēi 脚付きグラス.ゴブレット 〔啤酒杯〕píjiǔbēi ビールのジョッキ 〔咖啡杯〕kāfēibēi コーヒーカップ

【杯弓蛇影】bēi gōng shé yǐng 成 杯の酒に映った弓を蛇と勘違いして驚く.疑心暗鬼でびくびくする
【杯盘狼藉】bēi pán láng jí 成 酒宴の後,杯や皿などが散らかっている様子.杯盤狼藉(はいばんろうぜき)
【杯水车薪】bēi shuǐ chē xīn 成 コップ1杯の水で車に積んだ薪の火を消そうとする.焼け石に水
【杯盏】bēizhǎn 名 杯.ちょこ
【杯中物】bēizhōngwù 名 酒の別称 ‖ 酷好hào～ 酒が大好物である
★【杯子】bēizi 名 コップ.カップ

B

9
*** **背**（△揹）bēi ❶動 背負う. おぶう ‖ ～着小孩ル 子供を背におぶっている ❷動 背負い込む. 押しつけられる ‖ 他～了二十多年"右派"的罪名 彼は20年余りの間,「右派」の罪名を背負ってきた ❸形 方 寂しい. 人気(ひとけ)がない ➤ bèi

類義語 背 bēi 驮 tuó 扛 káng
◆〔背〕人が人や荷物を背負う. または, カバンなどを肩に掛ける ‖ 背着小孩ル 子供をおんぶしている ◆〔驮〕家畜や人が人や荷物を背に載せる. 自転車やオートバイに載せる ‖ 自行车前边驮着孩子 自転車の前に子供を乗せている ◆〔扛〕肩に担ぐ ‖ 扛着一副滑雪板 スキーを担いでいる

*【背包】bēibāo 名 リュックサック
【背包袱】bēi bāofu 慣 (精神的な)重荷を背負う
【背带】bēidài 名 ❶(ズボンやスカートの)サスペンダー. つりひも ‖ ～裤 つりバンドつきのズボン ❷(リュックや小銃の)ベルト
【背负】bēifù 動 ❶背負う ❷担う ‖ 教师～着教育下一代的重任 教師は次の世代を教育する重い責任を担っている
【背黑锅】bēi hēiguō 慣 人の罪を代わりに負わされる. 冤罪(えんざい)を被る
【背头】bēitóu 名 (男性の髪型の一種)オールバック
【背债】bēi//zhài 動 債務を負う ‖ 他背了一屁股pìgu债 彼は首が回らないほどの借金をした
【背子】bēizi 名 背負いかご

12
悲 bēi ❶悲しい ‖ 乐极生～ 楽しみ極まりて悲しみを生ず ❷哀れむ ‖ 大慈大～ 大慈大悲
*【悲哀】bēi'āi 形 悲しい. もの悲しい ‖ 感到～ 悲しく思う
*【悲惨】bēicǎn 形 悲惨である ‖ 她的遭遇非常～ 彼女の境遇はひどく悲惨だ
【悲愁】bēichóu 形 憂いに満ちている
【悲楚】bēichǔ 形 書 つらい. 悲惨である
【悲怆】bēichuàng 形 書 悲愴(ひそう)である. 痛ましい
【悲悼】bēidào 動 悲しみ悼む ‖ ～亡友 亡き友人を哀悼する
*【悲愤】bēifèn 形 悲しみと憤りに満ちている. 悲憤のさま ‖ ～交加 悲しみと憤りがこもごもに交じり合う
【悲歌】bēigē 動 悲しんで歌う 名 悲歌. エレジー
*【悲观】bēiguān 形 悲観的である. ペシミスティックな ↔〔乐观〕‖ 他对前途很～ 彼は将来に悲観的である
【悲观主义】bēiguān zhǔyì 名 悲観主義. ペシミズム ↔〔乐观主义〕
【悲号】bēiháo 動 悲しんで大声で泣く. 慟哭(どうこく)する
【悲欢离合】bēi huān lí hé 成 悲しみと喜び, 別れと出会い. 人生の悲喜こもごも
*【悲剧】bēijù 名 悲劇 ↔〔喜剧〕‖ 人间～ この世の悲劇 ｜ 酿niàng成一场cháng～ 悲劇をもたらす
【悲苦】bēikǔ 形 つらい. 悲惨である
【悲凉】bēiliáng 形 (荒れ寂れて)うら悲しい
【悲悯】bēimǐn 動 悲しみ哀れむ
【悲鸣】bēimíng 動 悲鳴をあげる. 悲痛な叫びをあげる
【悲凄】bēiqī 形 書 悲痛である. 痛ましい
【悲戚】bēiqī 形 書 悲しい. 痛ましい
【悲泣】bēiqì 動 書 悲しんで泣く. 嘆く
【悲切】bēiqiè 形 書 悲痛である. 痛切である
【悲秋】bēiqiū 動 秋の景色を見て感傷にふける
*【悲伤】bēishāng 形 悲しい. 痛ましい. 切ない ‖ 你不要太～了 どうかあまり嘆かないでください
【悲叹】bēitàn 動 悲嘆にくれる
【悲天悯人】bēi tiān mǐn rén 成 時世を憂え, 人々の苦しみに憤りを感じる
【悲恸】bēitòng 形 悲痛である. 痛ましい
**【悲痛】bēitòng 形 悲しい. 悲痛である ‖ 感到万分～ 非常な悲しみを覚える ｜ ～欲绝 死ぬほど嘆き悲しむ
【悲喜交集】bēi xǐ jiāo jí 成 悲しみと喜びが次々にやってくる. 悲喜こもごも
【悲喜剧】bēixǐjù 名 悲喜劇
【悲咽】bēiyè 動 悲しみにむせび泣く
【悲壮】bēizhuàng 形 悲壮である

13
*** **碑** bēi 名 文字や絵を刻んで記念として建てた石. 石碑 ‖ 墓～ 墓碑 ｜ 给他立一块～ 彼のために石碑を建てる
【碑额】bēi'é 名 石碑の上部
【碑记】bēijì 名 石碑に刻まれた記述
【碑碣】bēijié 名 書 石碑の総称.〔碑〕は長方形の碑,〔碣〕は円柱形の碑のこと
【碑刻】bēikè 名 石碑に刻まれた文字や図
【碑林】bēilín 名 碑林. 多くの石碑を集めたところ. ふつう西安市に保存されているものをさす
【碑铭】bēimíng 名 碑に刻まれた文. 碑文
【碑身】bēishēn 名 石碑の本体. 碑面
【碑拓】bēità 名 石碑の拓本
【碑帖】bēitiè 名 碑帖(ひじょう). 書道の手本として用いられる石版や木版の拓本または印刷本
【碑文】bēiwén 名 碑文. 碑誌
【碑阴】bēiyīn 名 碑の裏側
【碑志】bēizhì 名 碑誌. 碑文
【碑座】bēizuò 名 石碑の台座

13
鹎 bēi 名〈鳥〉ヒヨドリ属の鳥の総称

běi

5
★ **北** běi ❶書 二人の人間が背中を向けあう ❷名 北. 北側 ‖ 往～走 北へ行く ｜ 坐～朝南 (建物が)北側にあり, 南向きである ❸書 敗北する. 打ち負かされる ‖ 败～ 敗北する
【北半球】běibànqiú 名 北半球
★【北边】běibiān 名 ❶(～ル)北側 ❷口 (中国の)北方. 北部地域
**【北部】běibù 名 北部
【北辰】běichén 名 古 北極星
【北斗星】běidǒuxīng 名〈天〉北斗星
【北豆腐】běidòufu 名 水分が少ない固めの豆腐 ↔〔南豆腐〕
【北伐战争】Běifá zhànzhēng 名〈史〉北伐(1926～1927年). 第一次国共合作で, 蒋介石を総司令とする中国国民革命軍が華北の軍閥政府を倒した戦争
**【北方】běifāng 名 ❶北方. 北の方角 ❷(中国の)北方地域(黄河流域とその北側)
【北方话】běifānghuà 名〈語〉長江以北の地域で使われている言葉.〔普通话〕(共通語)の基礎となった方言
【北极】běijí 名 ❶北極 ❷(磁石の)N極
【北极光】běijíguāng 名 北極のオーロラ

B

【北极圈】běijíquān 名 北極圏
【北极星】běijíxīng 名〈天〉北極星
【北极熊】běijíxióng 名〈動〉ホッキョクグマ．シロクマ．〔白熊〕ともいう
【北郊】běijiāo 名 北の郊外
【北京时间】Běijīng shíjiān 名 北京時間．中国全土の標準時で，日本との時差は1時間
【北京猿人】Běijīng yuánrén 名 北京原人．ホモ・エレクトス・ペキネンシス
【北美洲】Běi Měizhōu 名 北アメリカ州．北米
**【北面】běimiàn（～儿）名 北側
【北欧】Běi Ōu 名 北欧．北ヨーロッパ
【北曲】běiqǔ 名 ❶宋・元代以来の北方地方劇の節回しの総称 ❷元代の雑劇．北京を中心に盛行した
【北上】běishàng 動 北上する
【北纬】běiwěi 名 北緯
【北洋】Běiyáng 名 旧 清末における直隷（河北省）・奉天（遼寧省）・山東（山東省）の3省を合わせた呼称
【北洋军阀】Běiyáng jūnfá 名〈史〉袁世凱の北洋新軍を基盤とする軍閥．辛亥革命後，武力によって北京政権を形成し，1926年より始まる北伐で崩壊する

bèi

4 **贝**（貝）**bèi** ❶名 貝‖珍珠～ 真珠貝｜扇～ ホタテガイ ❷古 貝殻の貨幣
【贝雕】bèidiāo 名 貝殻細工
【贝壳】bèiké（～儿）名 貝殻
【贝勒】bèilè 名 満州族の貴族の称号の一つ．親王・郡王の下
【贝雷帽】bèiléimào 名 ベレー帽
【贝母】bèimǔ 名 ❶〈植〉バイモ．アミガサユリ．ハハクリ ❷〈中薬〉貝母（ばいも）
【贝宁】Bèiníng 名〈国名〉ベニン
7 **邶** bèi 名 邶（はい）．周代の国名．現在の河南省湯陰県付近にあった
7 **狈** bèi ❶名 古代伝説の中の獣の一種 ❷ ➡〔狼狈lángbèi〕
7 **孛** bèi 古 彗星（すいせい）．ほうき星
8 **备**（備 △俻）**bèi** ❶何もかも揃っている．完全である ❷備わる．備える‖德才兼～ 人徳と才能が両方とも備わっている ❸動 準備する．手はずを整える‖筹～ 準備する ❹万一に備える‖有～无患 備えあれば憂いなし ❺設備．装備‖军～ 軍備 ❻副 書 ことごとく．残らず．さんざんに‖→～受
【备案】bèi//àn 動（役所で）記録にとどめる
【备办】bèibàn 動 調達する．取り揃える
【备查】bèichá 動 参考に供する．（多く公文書に用いる）‖文件存档cúndàng～ 文書は参考のため保存する
【备尝辛苦】bèi cháng xīn kǔ 成 あらゆる辛苦をなめる．〔备尝艰苦〕ともいう
【备而不用】bèi ér bù yòng 成 すぐには使わないが万一のために用意しておく
【备份】bèifèn〈計〉動 バックアップする 名 バックアップ
【备耕】bèigēng 動（農具の手入れや堆肥作りなど）耕作の支度をする
【备荒】bèihuāng 動 凶作や飢饉（ききん）に備える
【备货】bèi//huò 動 品物を用意する．商品を準備する
【备件】bèijiàn 名 予備部品．スペア
【备考】bèikǎo 動 ❶参考に供する ❷受験準備をする 名 備考‖～栏 備考欄
【备课】bèi//kè 動（教師が）授業や講義の準備をする
【备料】bèi//liào 動（生産や建設に要する）資材を準備する
【备品】bèipǐn 名 予備部品．予備の工具
【备齐】bèiqí 動 準備し終える
【备取】bèiqǔ 動（合格・採用定員外に）補欠を取る‖有十名是～的 10名は補欠合格である
【备受】bèishòu 動（苦しみを）ことごとく受ける．つぶさになめる‖～凌辱língrǔ あらゆる辱めを受ける
【备忘录】bèiwànglù 名 ❶（外交文書としての）覚え書き ❷備忘録．メモ
*【备用】bèiyòng 動 予備として備えておく‖～的被子 予備用の布団｜～胎tāi スペアタイヤ
【备阅】bèiyuè 動 閲覧に供する
【备战】bèi//zhàn 動 戦争に備えて準備をする
【备至】bèizhì 形 すべてに行き届いている．周到である‖关怀～ 配慮が行き届いている
【备置】bèizhì 動 備えつけておく．購入する
【备注】bèizhù 名 ❶備考欄 ❷備考．注記
9 *** **背** bèi ❶名 背中．背 ❷（～儿）（あるものの）裏側．背面‖手～ 手の甲 ❸動 背を向ける．背にする‖～过脸去 顔をそむける ❹違反する．背く‖→～叛 ❺形 口 運がない．ついてない‖手气～（ゲームの）運がついていない ❻離れる．後にする‖→～井离乡 ❼動 隠す．ごまかす‖你～着大家干了些什么？ 君はみんなに隠れて何をしたんだ ❽動 暗誦（あんしょう）する‖→～诵 ❾動 後ろ手にする．または後ろ手にしてしばる‖～着手来回溜达liūda 手を後ろ手にして行ったり来たりする ❿形 耳が遠い‖耳朵有点儿～ 耳が少々遠い ⓫形 辺鄙（へんぴ）である ➤ bēi
【背不下来】bèibuxiàlái 動 暗誦しきれない
【背城借一】bèi chéng jiè yī 成 城を背に最後の決戦を行う．一か八（ばち）かの勝負に出る
【背驰】bèichí 動 相反する．正反対である
【背道而驰】bèi dào ér chí 成（方向や目標が）相反する．正反対である
【背地里】bèidìli 名 陰．背後．〔背地〕ともいう
【背篼】bèidōu 名 方 背負いかご．しょいこ
【背风】bèi//fēng 動 風の陰になる．風が当たらない
【背光】bèi//guāng 動 光を背にする‖～站着 光を背にして立っている
**【背后】bèihòu 名 ❶背後．背中の方．後ろ側 ❷陰．背後‖有意见当面说，别～瞎xiā议论 文句があるなら堂々と言えばいい，陰でとやかく言わないでくれ
【背货】bèihuò 名 時季はずれで売れない商品
【背脊】bèijǐ 名 背中
【背架】bèijià 名 しょいこ．〔背夹〕〔背夹子〕ともいう
【背剪】bèijiǎn 動（手を）後ろに組む．後ろ手に縛る‖老人～着手散步 老人は手を後ろに組んで散歩している
【背井离乡】bèi jǐng lí xiāng 成 故郷を後にする．故郷を追われる．〔离乡背井〕ともいう
*【背景】bèijǐng 名 背景
【背景音乐】bèijǐng yīnyuè 名 バックグラウンド・ミュージック．BGM‖播放～ BGMを流す
【背静】bèijing 形（中心地からはずれた所にあって）ひっそりしている
【背靠背】bèi kào bèi 組 ❶背中と背中を合わせる

❷本人には秘密にする. 当事者のいないところでする
*【背离】bèilí 動❶離れる. 後にする ❷はずれる. 離反する. 背く ‖ ～社会主义 社会主義から離反する

B

【背理】bèi∥lǐ ＝〔悖理bèilǐ〕
【背篓】bèilǒu 名方 深さのある背負いかご
*【背面】bèimiàn 名❶(～儿)背面. 裏側 ↔〔正面〕❷(動物の)背
*【背叛】bèipàn 動 背く. 裏切る. 反逆する ‖ ～朋友 友人を裏切る
【背鳍】bèiqí 名 背びれ.〔脊鳍〕ともいう
【背气】bèi∥qì 動 息が止まる. 気絶する ‖ 一听这话, 他差点儿背过气去 その話を聞いたとたん, 彼は卒倒しそうになった
【背弃】bèiqì 動 破棄する. 捨てる. 裏切る
【背人】bèi∥rén 動❶秘密にする. 人に隠す ‖ 背着人干坏事 人に隠れて悪い事をする ❷人目につかない. 人気がない
【背时】bèishí 形方❶時宜に合わない ❷ついていない. 運が悪い
【背书】[1] bèi∥shū 動 本を暗記してそらでとなえる. 本をそらんじる
【背书】[2] bèishū 動〈経〉(手形などの)裏書きをする
【背熟】bèi∥shú 動 すっかり暗記する. 完全にそらんじる
【背水一战】bèi shuǐ yī zhàn 成 背水の陣を敷き一戦を交える. 一か八(ばち)かで最後の一戦を戦う
【背水阵】bèishuǐzhèn 名 背水の陣
*【背诵】bèisòng 動 暗誦する. そらんじる ‖ 他能～上百首唐诗 彼は100編もの唐詩を暗誦できる
【背投电视】bèitóu diànshì 名 リアプロジェクション・テレビ. 背面投射型テレビ
【背向】bèixiàng 名 向背. 従うことと背くこと
*【背心】bèixīn (～儿) 名❶ベスト. チョッキ ‖ 棉～ 綿入れのチョッキ ❷ランニングシャツ
【背信弃义】bèi xìn qì yì 成 信頼に背き道義に反する
【背兴】bèixìng 形方 ついていない
【背眼】bèiyǎn (～儿) 形 目につかない. 目の届かない
【背阴】bèiyīn (～儿) 動 日陰になる. 日が当たらない 名 日陰
【背影】bèiyǐng (～儿) 名 後ろ姿
【背约】bèi∥yuē 動 約束に背く
【背运】bèiyùn 名 運がないこと. 不運 ‖ 这阵子, 他一直在走～ ここのところ彼はずっとついていない 形 運が悪い. ついていない ‖ 他很～ 彼は運が悪い

9 **钡** bèi 名〈化〉バリウム(化学元素の一つ. 元素記号は Ba)
【钡餐】bèicān 名〈医〉バリウム

10 ★**倍** bèi ❶倍増する ‖ 事半功～ 半分の労力で成果は倍になる ❷量 倍 ‖ 他的工资比我多一～ 彼の給料は私のより倍多い | 今年的考生人数比去年增加了两倍 今年の受験者数は去年より2倍分増えた(3倍になった) ❸ひとしお. いっそう ‖ 一～感 ❹方(～儿)とても ‖ 一～儿
【倍道】bèidào 動書 1日で2日の道のりを行く. 急行する ‖ ～兼行 2日かかるところを1日で急行する
【倍感】bèigǎn 動 ひとしお…と感じる. いっそう…と感じる. ことのほか…と感じる ‖ ～凄凉 ひとしお寂寞の感が募る
【倍加】bèijiā 副 ひときわ. 格別. ことのほか ‖ ～爱惜 格別に大事にする
【倍觉】bèijué ＝〔倍感bèigǎn〕
【倍率】bèilǜ 名(望遠鏡や顕微鏡の)倍率
【倍儿】bèir 副方 とても ‖ 这个地方～亮 ここはすごく明るい
*【倍数】bèishù 名 倍数
*【倍增】bèizēng 動 2倍になる ‖ 兴趣～ 面白みが倍増する | 产量～ 生産量が倍増する

10 **悖**(△誖) bèi 書❶互いにぶつかる. 対立する ❷もとる. 背く. たがう ‖ 有～常情 情理にもとる
【悖理】bèilǐ 形 道理からはずれる. 理屈に合わない
【悖论】bèilùn 名〈哲〉パラドックス. 逆説
【悖谬】bèimiù 形書 道理にもとる. 理屈に合わない
【悖逆】bèinì 動書 人倫にもとる. 正当な道理に反する
【悖入悖出】bèi rù bèi chū 成 不正に得た財貨は不正な手段で奪われる. 悪銭身につかず

10 ★**被** bèi ❶名 掛け布団 ‖ 毛巾～ タオルケット | 盖了一床～ 掛け布団を1枚掛ける ❷覆う ❸遭う. 受ける. 被る ❹助 … される(仕手を特定しないで受け身となる) ‖ 自行车～偷走了 自転車を盗まれてしまった | 房子～拆了 家は取り壊された ❺介 … に(… される). … から(… される). (受け身の形で仕手が示される) ‖ 闹钟～孩子弄坏了 目覚し時計を子供に壊された | ～朋友们的热情所感动 友人たちの情熱に心を動かされる
【被捕】bèibǔ 動 逮捕される
【被刺】bèicì 動 暗殺される
【被单】bèidān (～儿) 名❶シーツ. ベッドカバー. ❷(ひとえの)夏用の掛け布団.〔被单子〕ともいう
*【被动】bèidòng 形❶受動的である. 受け身である ‖ ～吸烟 間接喫煙 ❷主導権がない. 守勢である ‖ 由于他们中途毁约huǐyuē, 我们～极了 彼らが中途で契約破棄したので, 私たちはすっかり追いつめられた ＊↔〔主动〕
【被动式】bèidòngshì 名〈語〉受動態. 受け身
【被俘】bèifú 動 捕虜になる
【被覆】bèifù 動 覆う. 被覆する 名 地面を覆う植物 ‖ 地面～ 地面を覆う草木
*【被告】bèigào 名〈法〉被告人.〔被告人〕ともいう ↔〔原告〕
【被害人】bèihàirén 名 被害者
【被里】bèilǐ (～儿) 名 掛け布団の裏
【被面】bèimiàn (～儿) 名 掛け布団の表
【被难】bèinàn 動 遭難して死亡する. 事故死する
*【被迫】bèipò 動 …を迫られる. …を余儀なくされる. やむなく…する ‖ 他～辞职 彼は辞職を余儀なくされた | ～自杀 追いつめられて自殺した
【被褥】bèirù 名 掛け布団と敷き布団. 布団. 寝具
【被套】bèitào 名❶布団袋 ❷(掛け布団の)布団皮. 布団カバー ❸布団綿
【被头】bèitóu 名 布団のえり. 布団のえりカバー
【被窝儿】bèiwōr 名 掛け布団. 風が入らないように掛け布団の両側とすそを筒状に折った寝床 ‖ 钻zuān进～里 布団の中に潜り込む
【被絮】bèixù 名 布団の綿
【被选举权】bèixuǎnjǔquán 名 被選挙権
【被罩】bèizhào 名 掛け布団カバー
★【被子】bèizi 名 掛け布団 ↔〔褥子〕‖ 盖～ 布団を掛ける | 叠～ 掛け布団を畳む
【被子植物】bèizǐ zhíwù 名〈植〉被子植物

B

12 **焙 bèi** 動 炒(い)る ‖ ～茶 茶をほうじる
【焙粉】bèifěn 名 ベーキングパウダー.〔发粉〕〔起子〕ともいう
【焙干】bèigān 動 あぶって乾燥させる. 炒って水分を飛ばす
12 **惫(憊) bèi** 非常に疲労している ‖ 疲～ くたくたに疲れている
【惫倦】bèijuàn 形 疲れてだるい. ぐったりしている
12 * **辈 bèi** ❶書 やから. 連中 ‖ 无能之～ 無能のやから ❷名 世代 ‖ 同～ 同世代 | 长zhǎng～ 年長者 | 晚～ 下の世代 ❸(～儿)一生 ‖ 一～子 一生
【辈出】bèichū 動 続々と現れる
【辈分】bèifen 名 長幼の順序. 世代
【辈行】bèiháng 名 長幼の順序. 世代
【辈数儿】bèishùr 名 長幼の順序. 世代
【辈子】bèizi 名 一生 ‖ 前半～ 前半生
13 **蓓 bèi** ↴
【蓓蕾】bèilěi 名 つぼみ
13 **碚 bèi** 地名用字 ‖ 北～ 重慶市にある地名
14 **褙 bèi** (布や紙を) 1枚1枚はり重ねる ‖ 裱biǎo～ 表装する
【褙子】bèizi 名 布切れをのりで厚くはり重ねたもの. 布靴の材料にする ‖ 打～ 布靴の材料を作る
19 **鞴 bèi** ❶動 馬に馬具をつける ❷ ➡〔鞲鞴gōu-bèi〕
21 **鐾 bèi** 動 (刀やナイフを)研ぐ ‖ ～刀布 革砥(かわと)

bei

7 **呗 bei** ❶助 当然である, 分かりきっている, 当たり前であるという語気を示す ‖ 不懂就问～ 分からなければ聞けばいいじゃないか ❷助 しかたなく同意する, しかたなく許すという語気を示す ‖ 他想要, 就给他～ 彼が欲しいというなら, やればいいさ
17 **臂 bei** ➡〔胳臂gēbei〕 ➤ bì

bēn

8 * **奔(△犇 奔) bēn** ❶動 駆ける. 疾走する ‖ 东～西跑 東奔西走する ❷逃げる ‖ 东～西窜cuàn 逃げ回る ❸かけおちする ‖ 私～同前 ❹急ぎ駆けつける ‖ 一～丧 ➤ bèn
【奔波】bēnbō 動 奔走する. 駆けずり回る ‖ 在外～多年 外地で長い間苦労した
*【奔驰】bēnchí 動 (車や馬などが)疾駆する ‖ 火车飞快地～着 汽車が猛スピードで走っている
【奔窜】bēncuàn 動 慌てふためいて逃げる
【奔放】bēnfàng 形 奔放である
【奔赴】bēnfù 動 駆けつける. 急行する. 急ぎ赴く
【奔劳】bēnláo 動 奔走する. 苦労する
【奔流】bēnliú 動 激しい勢いで流れる
【奔忙】bēnmáng 動 忙しくかけずり回る. 奔走する
【奔命】bēnmìng 動 命令により奔走する ‖ 疲于～ 奔命に疲れる ➤ bènmìng
*【奔跑】bēnpǎo 動 駆ける. 駆け回る ‖ 他到处～, 打听消息 彼はあちこち駆けずり回って消息を尋ねている
【奔丧】bēn//sāng 動 (他郷にある者が)親族の喪に駆けつける
【奔驶】bēnshǐ 動 (車などが)疾走する
【奔逝】bēnshì 動 書 (時間や水の流れなどが)またたく間に過ぎ去る ‖ 岁月～ 歳月が飛ぶように過ぎ去る
【奔淌】bēntǎng 動 (水が)勢いよく流れる
【奔逃】bēntáo 動 逃走する. 逃げる ‖ 四散～ 散り散りに逃げる
*【奔腾】bēnténg 動 (多くのウマが)疾走する. (大河の水が)勢いよく流れる ‖ 草原上万马～ 草原をたくさんのウマが勢いよく疾走する
【奔袭】bēnxí 動〈軍〉(遠地の敵を)急襲する
【奔泻】bēnxiè 動 すさまじい勢いで流れる
【奔逐】bēnzhú 動 駆け回る. 走り回る
【奔走】bēnzǒu 動 ❶走り回る ‖ ～相告 走り回って伝え知らせる ❷(ある目的のために)奔走する. 駆け回る
【奔走呼号】bēnzǒu hūháo 慣 (ある目的を達成するために)宣伝して回り, 同情や支持を得るたとえ
9 **贲 bēn** ↴ ➤ bì
【贲门】bēnmén 名〈生理〉噴門
13 **锛 bēn** ❶名 手斧(ちょうな) ❷動 手斧などの道具で削る. つるはし・くわなどで掘る ❸動 口 刃が欠ける
【锛子】bēnzi 名 手斧

běn

5 ★ **本 běn** ❶(草木の)根, 茎. また, 広く物事の根本・根源 ↔〔末〕❷本来の. もともとの ‖ 一～色 ❸副 もともと. 元来 ‖ 他～想去, 但没能去 彼はもともと行くつもりだったが, 行けなかった ❹代 自分の. 我が ‖ ～校 本校 | ～市 本市 ❺代 現在の. この ‖ ～世纪 今世紀 ❻介 書 …に基づいて ❼名 (～儿)本. 書物. ノート. 冊子 ‖ 书～ 本. 書物 ❽版本. テキスト ‖ 修订～ 改訂版 ❾(～儿)台本 ‖ 剧～ 脚本 ❿古 上奏文 ‖ 奏～ 同前 ⓫量 書籍やノート類を数える ⓬名 (～儿)元金. 元手 ‖ 够～儿 元がとれる. 引き合う | 亏～儿 損をする. 元手をする ⓭製造コスト ‖ 成～ コスト ⓮主要な. 中心の ‖ 一～部

逆引き単語帳 〔标本〕biāoběn 標本. サンプル 〔剧本〕jùběn 脚本. シナリオ 〔课本〕kèběn 教科書. テキスト 〔样本〕yàngběn カタログ. 見本 〔账本〕zhàngběn 帳簿 〔日记本〕rìjìběn 日記 〔笔记本〕bǐjìběn 筆記帳. ノート 〔成本〕chéngběn 原価. コスト 〔工本〕gōngběn 製品コスト 〔赌本〕dǔběn ばくちの元手 〔血本〕xuèběn 元手. 元金

【本本】běnběn 名 本. 書物
【本本主义】běnběn zhǔyì 名 現実を見ないで書物や上司の指示に盲目的に従うやり方
【本币】běnbì 名 略 本位貨幣.〔本位货币〕の略
【本部】běnbù 名 本部
【本埠】běnbù 名 当地. この地方. (比較的大きな都市に用いる)
【本草】běncǎo 名 本草(ほんぞう). 薬草
【本地】běndì 名 当地. 地元 ‖ ～人 地元の人

B

【本分】běnfèn 图 本分．務め 形 分をわきまえている ‖ 这人很～ その人は分をわきまえている
【本行】běnháng（～ル）图 ❶本業．自分の専門 ❷現在従事している職業
【本籍】běnjí 图 本籍．原籍
【本纪】běnjì 图〈史〉本紀
【本家】běnjiā 图 同一父系の親族．一族
【本届】běnjiè 图 今期．今回 ‖ ～毕业生 今期の卒業生
【本金】běnjīn 图 ❶元金 ❷資本金
【本科】běnkē 图（大学の）本科 ‖ ～生 学部学生
*【本来】běnlái 副 ❶本来．もともと ‖ 我～就不同意 私はもともと反対だった ❷（〔本来嘛〕の形で文頭に置き）当たり前だ．無理もない｜～嘛，他是领导，出了问题当然应该负责 当たり前だよ，彼は責任者なんだから問題が起きたら当然責任を負うべきだ 形 本来の．もともとの ‖ ～的颜色 もとの色

類義語 本来 běnlái 原来 yuánlái
◆ともに「かつての状況がどうであったか」を表す ◆〔本来〕は「もともとの本質」や「本来の姿」を問題にするときに使われる ‖ 他本来是学校的老师，现在兼职做我们公司的翻译 彼は本来は学校の先生なのだが，いま兼職で，うちの会社の通訳をしてもらっている ◆〔原来〕は「かつて．以前」という点が強調され，〔后来〕や〔现在〕と対比をなす ‖ 他原来不会中文，现在会了 彼は以前は中国語ができなかったが，いまではできるようになった ◆形容詞の〔本来〕は「本来の姿」をさし，〔原来〕は「以前と変わらない．元の」を表す ‖ 暴露了本来面目 本性を現した｜一家人还住在原来的房间 その一家はいまもとの家に住んでいる

【本垒】běnlěi 图〈体〉本塁．ホーム・ベース
【本垒打】běnlěidǎ 图〈体〉本塁打．ホームラン
【本利】běnlì 图 元金と利息．元利
*【本领】běnlǐng 图 能力．技量．手腕 ‖ 他有一套过硬的～ 彼はしっかりした腕を持っている

類義語 本领 běnlǐng 本事 běnshi
◆〔本领〕一般的な技能や能力，あるいは訓練を経て得られる複雑で高度な技能を表す．やや重々しい語感を伴い，書き言葉に用いることが多い ‖ 他掌握了维修各种电器的真本领 彼は電気製品の補修の技能をマスターしている ◆〔本事〕一般的な技能や能力を表す．世の中をうまく渡る才覚などもいう．多く話し言葉に用い，改まった正式の場面では用いられない ‖ 有本事你也来试一试 腕に覚えがあるなら君もやってみろ

【本名】běnmíng 图 ❶本名．実名 ❷名前
【本命年】běnmìngnián 图 干支（えと）の年
【本末】běnmò 图 書 ❶一部始終．委細 ❷本末 ‖ ～倒置dàozhì 本末転倒
*【本能】běnnéng 图 本能 副 本能的に ‖ 他～地用手挡dǎng住了脸 彼は本能的に顔を覆った
【本票】běnpiào 图〈経〉約束手形
*【本钱】běnqian；běnqián 图 元手．元金 ‖ 下～ 投資する｜身体是最大的～ 体は最大の資本である
*【本人】běnrén 代 ❶本人．その人自身 ❷私 ‖ ～概不负责 私はいっさい責任を負いません
【本嗓】běnsǎng（～ル）图 生まれつきの声．地声
【本色】běnsè 图 本領．本来の持ち前 ‖ 共产党员的～ 共産党員本来の姿 ➤ běnshǎi
【本色】běnshǎi（～ル）图 地色．生地本来の色 ➤ běnsè
*【本身】běnshēn 代 それ自身．それ自体 ‖ 月亮～并不发光 月自体は決して光を放たない
*【本事】běnshi 图 能力．技量．手腕 ‖ ～很大 能力が優れている｜他没什么～ 彼はとりたてて言うほどの腕があるわけじゃない
【本诉】běnsù 图〈法〉（民事訴訟で）本訴 ↔〔反诉〕
【本题】běntí 图 本題．本筋
【本体】běntǐ 图 ❶（機械や設備などの）本体 ❷〈哲〉本体．実体
【本土】běntǔ 图 ❶故郷．郷土 ❷（植民地に対して）主な国土．本土．本国
【本位】běnwèi 图 ❶〈経〉本位 ❷重点．中心．本位 ‖ 以顾客为～ 顧客を中心に考える ❸自分の所属する職場．持ち場
【本位货币】běnwèi huòbì 图〈経〉一国の貨幣制度の基礎となる貨幣．本位貨幣．略して〔本币〕という
【本位主义】běnwèi zhǔyì 图 自己本位主義．全体の利益を考えないやり方
【本文】běnwén 图 ❶本文 ❷（改作・翻訳などに対して）原文 ↔〔译文〕
【本息】běnxī 图 元金と利息．元利
【本乡本土】běnxiāng běntǔ（～的）慣 郷里．郷土
【本相】běnxiàng 图 正体 ‖ 露lù出～ 正体を現す
【本心】běnxīn 图 本心．真意 ‖ 出于～ 本心から
*【本性】běnxìng 图 生まれつきの性質．本性 ‖ 江山易改，～难移 山河は改造できるが，人間の本性は改めにくい．三つ子の魂百まで
【本业】běnyè 图 ❶その人の主とする職業．本業 ❷書 農業
【本义】běnyì 图〈語〉もとの意味．原義
【本意】běnyì 图 本意．真意
【本原】běnyuán 图 根源．本源
【本源】běnyuán 图 本源．根源
【本愿】běnyuàn 图 ほんとうの願い．本意
【本月】běnyuè 图 この月．今月
*【本着】běnzhe 介 …に基づく ‖ ～实事求是的态度处理问题 実際の状況に即して問題を解決する
【本职】běnzhí 图 自己の職務．職責
【本旨】běnzhǐ 图 本旨
*【本质】běnzhì 图 ❶本質 ‖ 抓住问题的～ 問題の本質をつかむ ❷本性 ‖ 这个人～并不坏 この人は根は悪い人ではない
【本主ル】běnzhǔr 图 ❶当人．本人 ❷（遺失物の）持ち主
★【本子】běnzi 图 ❶帳面．帳簿．ノート ❷版本
【本字】běnzì 图〈語〉本字

8 苯 běn 图〈化〉ベンゼン
【苯基】běnjī 图〈化〉フェニル基
【苯乙烯】běnyǐxī 图〈化〉スチレン

10 畚 běn 古（わら縄や竹で編んだ）箕（み）．ちり取り
【畚箕】běnjī 图 方 ちり取り

bèn

5 **夯** **bèn** 〔古〕鈍い. つたない ➤ hāng

7 **坌** **bèn** ❶〔書〕ほこり. ちり ❷〔書〕土ぼこりが降りかかる. ❸〔動〕〔方〕土を掘り返す ❹〔書〕集まる

8 * **奔**(△奔 逩) **bèn** ❶〔動〕まっすぐ向かう. めざして行く ‖ 直～药店 まっしぐらに薬屋へ行く ❷〔動〕奔走する ❸〔動〕(ある年齢に)手が届く. まもなく…になろうとする ‖ 快～七十了 もうすぐ七十に手が届く ❹〔介〕…に向かって. …へ. …に ➤ bēn

【奔命】 **bèn//mìng** 〔動〕〔口〕一生懸命にやる. 必死にやる ➤ bēnmìng

【奔上】 **bèn//shang(shàng)** 〔動〕(ある目的のために)努力する. 奔走して手に入れる ‖ 他都快五十了, 连个科长也没～ 彼はもうそろそろ50歳だが, 課長にさえなれない

【奔头儿】 **bèntour** 〔名〕望み. 希望. 意欲. 張り合い ‖ 生活有～了 生活に希望が見えてきた

11 ** **笨** **bèn** ❶〔形〕**愚かである. 間が抜けている** ‖ 这么简单的题都不会, 真～ こんな簡単な問題もできないなんて, なんてばかなんだ ❷〔形〕**不器用である** ‖ 手脚～ 動作が鈍い. ぶきっちょである ❸〔形〕**かさばって重い** ‖ 这台机器, 又大又～ この機械は大きくて重い

*【笨蛋】 **bèndàn** 〔名〕〔罵〕間抜け. とんま

【笨活儿】 **bènhuór** 〔名〕〔口〕力仕事

【笨货】 **bènhuò** 〔名〕〔罵〕のろま. 間抜け. ばか

【笨鸟先飞】 **bèn niǎo xiān fēi** 〔成〕のろい鳥は先に飛び出す. 能力の劣る人は早めに仕事に取り掛かる. (多く謙遜に用いる)

【笨手笨脚】 **bèn shǒu bèn jiǎo** 〔成〕不器用である. ぶきっちょである

【笨头笨脑】 **bèn tóu bèn nǎo** 〔成〕頭の働きが鈍いこと. ぼんやりしているさま

*【笨重】 **bènzhòng** 〔形〕❶かさばって重い ‖ 这张桌子太～了 このテーブルはかさばって重い ❷骨の折れる. 力のいる

【笨拙】 **bènzhuō** 〔形〕鈍い. つたない. 不器用である

【笨嘴拙舌】 **bèn zuǐ zhuō shé** 〔成〕ものの言い方の巧みでないこと. 口べた

bēng

11 **崩** **bēng** ❶〔動〕崩れる ‖ 山～地裂 山が崩れ地が裂ける ❷〔動〕破裂する. 割れる ‖ 两人谈～了 二人の話し合いは物別れになった ❸崩壊する ‖ 一～溃 ❹〔動〕破裂させる ❺〔動〕炸裂(さく)した破片などが物や人に当たる ❻〔動〕〔口〕銃殺する ‖ ～了他 彼を銃殺してしまえ ❼(天子が)崩御する ‖ 驾～ 同前

【崩解】 **bēngjiě** 〔動〕❶崩壊する. 瓦壊する ❷岩石が風化作用などによって割れ砕ける

【崩决】 **bēngjué** 〔動〕(堤防などが)決壊する

*【崩溃】 **bēngkuì** 〔動〕崩壊する. 崩れ去る ‖ 这一打击使他的精神～了 この打撃によって彼の心はすっかり支えを失ってしまった | 濒于bīnyú～ 崩壊の瀬戸際

【崩裂】 **bēngliè** 〔動〕破裂する. 裂ける

【崩落】 **bēngluò** 〔動〕崩れ落ちる

【崩盘】 **bēng//pán** 〔動〕〈経〉相場が全面安となる. 相場が総崩れする

【崩塌】 **bēngtā** 〔動〕崩れる. 崩れ落ちる. 倒壊する

【崩坍】 **bēngtān** 〔動〕崩れる. 崩れ落ちる

11 **绷**(△繃) **bēng** ❶〔動〕張る. ぴんと張る ‖ 把弦xián～紧 弦をぴんと張る ❷〔動〕〔方〕どうにか持ちこたえる ‖ ～场面 体裁をつくろう ❸〔動〕はね返る. はじける ❹〔名〕刺繍用の枠 ‖ 一～子 ❺〔名〕寝台のマットを支える部分の木枠に籐(とう)の皮やシュロ縄を張ったもの ‖ 床～ 同前 ❻〔動〕しつけ縫いをする. (ピンで)とめる ‖ 把号码布～在运动服上 ゼッケンをユニホームに縫いつける ❼〔動〕〔方〕だまし取る ➤ běng bèng

【绷带】 **bēngdài** 〔名〕包帯 ‖ 缠chán上～ 包帯を巻く

【绷子】 **bēngzi** 〔名〕刺繍用の枠

14 **嘣** **bēng** 〔擬〕(跳びはねたり, 破裂したりする音)ポン. パン

【嘣豆儿】 **bēngdòur** 〔名〕〔方〕いり豆

béng

9 * **甭** **béng** 〔副〕〔方〕(〔不用〕の合音) …するに及ばない. …する必要がない. …するな ‖ ～说了 もう言うな | 明天～来了 明日は来なくていい

běng

11 **绷**(△繃) **běng** 〔口〕❶〔動〕こわばらす ‖ 一～脸 ❷〔動〕こらえる. 我慢する. 持ちこたえる ➤ bēng bèng

【绷脸】 **běng//liǎn** 〔動〕〔口〕顔をこわばらす. 仏頂面をする ‖ 整天绷着脸 一日中ぶすっとしている

bèng

9 **迸** **bèng** ❶〔動〕四方に飛び散る. はじける ‖ 火星乱～ 火花が四方に飛び散る ❷〔動〕(言葉や感情が)わき出る. ほとばしる ‖ 半天才从他嘴里～出个"不"字来 やっとのことで彼の口から「いいえ」という言葉が出てきた

【迸发】 **bèngfā** 〔動〕ほとばしる. 沸き起こる ‖ 场上～出一阵热烈的掌声 会場に激しい拍手が起こった

【迸飞】 **bèngfēi** 〔動〕飛び散る

【迸溅】 **bèngjiàn** 〔動〕飛散する ‖ 水花～ 水しぶきが飛び散る

【迸裂】 **bèngliè** 〔動〕破裂して飛び散る

【迸散】 **bèngsàn** 〔動〕飛び散る. 四散する

9 **泵** **bèng** 〔名〕〔外〕〈機〉ポンプ ‖ 水～ 吸い上げポンプ | 气～ エアポンプ

10 **蚌** **bèng** 地名用字 ‖ ～埠bù 安徽省にある市の名 ➤ bàng

11 **绷**(△繃) **bèng** 〔動〕ひびが入る. 割れ目ができる ➤ bēng běng

【绷瓷】 **bèngcí** (～儿) 〔名〕細かいひびの入った磁器

18 * **蹦** **bèng** 〔動〕跳ぶ. はねる ‖ 沟不宽, 一～就能过去 溝は狭いから簡単に跳び越せる

【蹦床】 **bèngchuáng** 〔名〕〈体〉トランポリン

【蹦跶】 **bèngda** 〔動〕〔喩〕もがく. あがく. じたばたする ‖ 秋后的蚂蚱màzha, ～不了几天了 秋を過ぎたバッタのようなもので, じたばたできるのも時間の問題さ

【蹦迪】 **bèngdí** 〔動〕ディスコで踊る

【蹦高】 **bènggāo** (～儿) 〔動〕跳び上がる ‖ 乐得直～ 小躍りして喜ぶ

【蹦极跳】bèngjítiào 图 バンジージャンプ
【蹦跳】bèngtiào 動 跳び上がる. 跳びはねる

bī

12 ✱✱ **逼**（△偪）bī ❶近づく. 接近する ‖ 一～真 ❷動 **強いる. 無理強いする** ‖ 他不想去就别～他了 彼は行きたくないのだから無理強いはよしなさい ❸強引に取り立てる ‖ 一～债 ❹書 狭い
【逼供】bīgòng 動 自白を強要する
【逼和】bīhé 動（弱いほうが試合を）ドロン・ゲームに持ち込む. 引き分けに持ち込む
【逼婚】bīhūn 動 結婚を迫る. 結婚を無理強いする
＊【逼近】bījìn 動 接近する. 迫る ‖ 火势已～油库 火の勢いはもうオイルタンクに迫っている
【逼命】bīmìng 動 ❶窮地に追いつめる. 死地に追い込む ❷喩 厳しく催促する
【逼平】bīpíng 動〈体〉引き分けに持ち込む. ドローに持ち込む
＊【逼迫】bīpò 動 強制する. 無理強いする. 強要する ‖ 是他～我同意的 彼に無理やり同意させられたのだ
【逼抢】bīqiǎng 動〈体〉（サッカー・バスケットボールなどで）急接近してボールを奪う
【逼上梁山】bī shàng Liángshān 成 追いつめられて梁山（りょうざん）に登る. 迫られてやむなく行動するたとえ
【逼使】bīshǐ 動 無理に…させる. 否応なく…させる
【逼视】bīshì 動 間近からじっと見つめる. ぐっとにらむ
【逼问】bīwèn 動 厳しく問い詰める
【逼债】bīzhài 動 債務を取り立てる
＊【逼真】bīzhēn 形 ❶そっくりである. 真に迫っている. 迫真の ‖ 人物描写～ 人物の描写が真に迫る ❷はっきりしている ‖ 听得～ はっきり聞こえる

bí

10 **荸** bí ➘
【荸荠】bíqi；bíqí 图〈植〉シナクログワイ. オオクログワイ. 地方によっては〔地栗〕〔马蹄mǎtí〕ともいう
14 **鼻** bí ❶图 鼻 ❷图（～儿）ある種の物の上の突起している部分, または穴があいている部分 ‖ 针～儿 針穴 ❸書 初め ‖ 一～祖
【鼻翅儿】bíchìr 图 小鼻.〔鼻翼〕の通称
【鼻窦】bídòu 图 副鼻腔（ふくびくう）.〔鼻旁窦〕の通称
【鼻尖】bíjiān（～儿）图 鼻の頭.〔鼻子尖儿〕ともいう
【鼻孔】bíkǒng 图 鼻の穴
【鼻梁】bíliáng（～儿）图 鼻梁（びりょう）. 鼻柱. 鼻筋.
【鼻牛儿】bíniúr 图 方 鼻くそ ‖ 抠kōu～ 鼻くそをほじる
【鼻腔】bíqiāng 图〈生理〉鼻腔
【鼻青脸肿】bí qīng liǎn zhǒng 慣 鼻が青黒くなり, 顔がはれ上がる ‖ 被打得～ 顔の形が変わるほどひどく殴られる
【鼻塞】bísè 動 鼻がつまる. 鼻づまりする
【鼻饲】bísì 動〈医〉鼻から経管栄養を行う
＊【鼻涕】bítì 图 鼻水 ‖ 抽～ 鼻をすする｜擤xǐng～ 鼻をかむ
【鼻涕虫】bítìchóng 图 ナメクジ.〔蛞蝓kuòyú〕の通称
【鼻洼子】bíwāzi 图 小鼻のわきのくぼみ.〔鼻洼儿〕ともいう
【鼻息】bíxī 图 鼻息 ‖ 仰人～ 人の鼻息をうかがう
【鼻血】bíxiě 图 鼻血
【鼻烟】bíyān（～儿）图 かぎタバコ ‖ ～壶 かぎタバコ入れ
【鼻炎】bíyán 图〈医〉鼻炎
【鼻翼】bíyì 图 小鼻. ふつう〔鼻翅儿〕という
【鼻音】bíyīn 图〈語〉鼻音
【鼻韵母】bíyùnmǔ 图〈語〉鼻音で終わる韻母
【鼻中隔】bízhōnggé 图〈生理〉鼻中隔
✱✱【鼻子】bízi 图 **鼻** ‖ 鹰钩yīnggōu～ わし鼻｜蒜头suàntóu～ ダンゴ鼻｜酒糟jiǔzāo～ 赤鼻
【鼻子眼儿】bíziyǎnr 图 口 鼻の穴
【鼻祖】bízǔ 图 書 鼻祖. 開祖

bǐ

2 **匕** bǐ 古 さじ
【匕首】bǐshǒu 图 短剣. 匕首（あいくち）
4 ★ **比** bǐ ❶書 並ぶ. 接近する ‖ 一～肩 ❷書 一緒になる. 結託する ‖ 朋～为奸jiān 結託して悪事をなす ❸動 **比べる. 競う** ‖ ～高矮 高さを比べる｜论力气, 没人能～得上他 力では誰も彼にかなわない ❹動 **比べ得る. 匹敵する** ‖ 体力不～当年了 体力は往年のようではなくなった ❺介 **…に比べて. …よりも** ‖ 我～你高 私はあなたより背が高い｜一天～一天热 日一日と暑くなる ❻動〈数〉（比例が）**…対…である**. たとえば 3：5 は〔3 比 5〕と読む ❼图〈数〉比率. 割合 ❽動（試合の得点などが）**…対…である** ‖ 以四～三获胜 4 対 3 で勝つ ❾動 **倣（なら）う. まねる** ‖ 你～着这个做吧 これに合わせて作りなさい ❿動 **手まねをする. ジェスチャーする** ‖ 连说带～ 手振りを交えながら話す ⓫動 **なぞらえる. たとえる** ‖ 把美女～做鲜花 美女を花にたとえる
【比比】bǐbǐ 副 書 ❶しきりに ❷どこでも ‖ ～皆是 どこにでもある
＊【比不了】bǐbuliǎo 動 ❶比べものにならない. 及ばない ‖ 论学问, 谁也～他 学問では誰も彼に及ばない ❷比較できない
【比不上】bǐbushàng 動 比べものにならない. 勝負にならない ‖ 你说我哪点～她？ 私のどこが彼女に及ばないというのだ
＊【比方】bǐfang 图 たとえ ‖ 打个～ たとえて言えば 動 たとえる. なぞらえる 接 たとえば. 仮に.〔比方说〕ともいう
＊【比分】bǐfēn 图〈体〉得点 ‖ ～拉开 得点が開く
【比附】bǐfù 動 書 比較できないものを無理に比較する
【比画】【比划】bǐhua 動 手まねする. 手振りをする ‖ 用手～大小 手で大きさをつくる
【比基尼】bǐjīní 图 外（水着の）ビキニ.〔三点式游泳衣〕ともいう
【比及】bǐjí 接 書 …してみると
＊【比价】bǐjià 動（請負や入札で）価格を比較する 图〈経〉❶比価 ❷為替レート
【比肩】bǐjiān 動 書 肩を並べる. 並んで立つ ‖ ～作战 共に戦う
【比肩继踵】bǐ jiān jì zhǒng 成 肩を並べ, きびすを接する. 混雑するさま
★【比较】bǐjiào 動 **比較する. 比べる** ‖ ～起来, 还是这个好 比べてみると, やはりこれがよい 副 **比較的に. わり**

あいに ‖ 我～倾向于这种意见 私はわりとこの意見に傾いている 団…に比べて. …よりも ‖ 他的成绩～前一阶段有了很大提高 彼の成績は以前よりだいぶ向上した

[比例] bǐlì 图 ❶〈数〉**比例** ‖ 正～ 正比例 | 反～ 反比例 ❷**比. 比率. 割合** ‖ 按～分配 一定の比率で分配する

[比例尺] bǐlìchǐ 图 ❶縮小比. 縮尺 ❷(製図用の器具)スケール

[比利时] Bǐlìshí 图〈国名〉ベルギー

[比量] bǐliang 動 口 ❶ものさしを使わず, 棒·縄·手などで大まかに測る ‖ 用手～书柜的大小 手で本棚の大きさを測る ❷ある動作の姿勢をとる. …の構えをする

[比邻] bǐlín 書 图 隣近所. 近隣 動 隣接する

[比邻星] bǐlínxīng 图〈天〉ケンタウロス座

[比率] bǐlǜ =〔比值 bǐzhí〕

***[比美] bǐměi** 動 匹敵する. 比肩し得る ‖ 她唱歌可与专业歌手相～ 彼女の歌はプロ歌手にもひけをとらない

[比目鱼] bǐmùyú 图〈魚〉ヒラメ科とカレイ科の魚の総称. 〔偏口鱼〕ともいう

[比拟] bǐnǐ 動 比べる. 比較する ‖ 无法～ 比べられない 图(修辞の一種)擬人法. 擬物法

[比配] bǐpèi 形 匹敵する. 釣り合いがとれる

[比拼] bǐpīn 動 競い合う. 互いに競争し合う

[比丘] bǐqiū 图〈仏〉僧侶(そうりょ)

[比丘尼] bǐqiūní 图〈仏〉尼僧

****[比如] bǐrú** 動 **たとえて言う.** 〔比如说〕ともいう ‖ 有些疾病, ～癌症, 目前还没有理想的治疗方法 ある種の病気, たとえばがんなどは現在まだ理想的な治療法がない

[比萨饼] bǐsàbǐng 图 ピザ. ピッツァ

★**[比赛] bǐsài** 图 **試合** ‖ 足球～ サッカーの試合 | ～结果 試合の結果 動 **試合をする. 競う** ‖ 我们～一下, 看谁游得快 誰が泳ぐのが速いか競争しよう

> **類義語** | **比赛 bǐsài 竞赛 jìngsài**
>
> ◆〔比赛〕娯楽·教養·スポーツなどの優劣や勝負を争う. 目的語をとる ‖ 篮球比赛 バスケットボールの試合 | 比赛象棋 将棋の対局をする ◆〔竞赛〕生産·労働·学習などの先進性や優劣を競う. 目的語をとらない. 〔比赛〕より語義はやや重く, 政治·経済·軍事の分野でよく用いる ‖ 生产竞赛 生産競争 | 结束军备竞赛 軍拡競争を終わらせる

[比上不足, 比下有余] bǐ shàng bùzú, bǐ xià yǒuyú 慣 上に比べれば及ばないが, 下に比べればましである. 並である. ほどほどである

[比试] bǐshi 動 口 ❶技量を競う ‖ 不服的话, 咱俩～～ 納得できないなら勝負しよう ❷身振り手振りの動作をする

[比特] bǐtè 量 外〈計〉ビット

[比武] bǐ//wǔ 動 武芸を競う

コラム まぎらわしい筆順と筆画

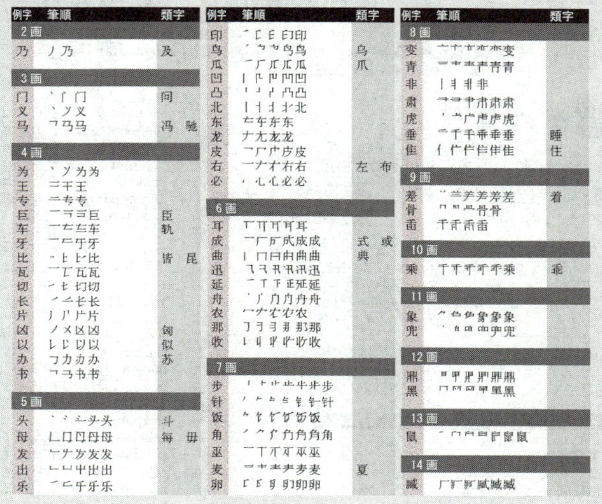

例字	筆順	類字
2画		
乃	ノ 乃	及
3画		
门	丶 丨 门	问
义	丶 ソ 义	
马	㇇ 马 马	冯　驰
4画		
为	丶 ソ 为 为	
王	二 干 王	
专	二 专 专	
巨	一 ㇕ 彐 巨	臣
车	一 ㇗ 车 车	轨
牙	一 ㇇ 于 牙	
比	一 ⺊ 上 比	皆　昆
瓦	一 ㇗ 瓦 瓦	
切	一 七 切 切	
长	ノ 二 长 长	
片	丿 丿 片 片	
凶	ノ メ 区 凶	匈
以	㇙ ㇙ 以 以	似
办	フ 力 办 办	苏
书	㇇ 马 书 书	
5画		
头	丶 丶 ⺀ 头 头	斗
母	㇗ 口 母 母 母	每　毋
发	㇗ ナ 友 发 发	
出	㇗ 凵 中 出 出	
乐	一 ⺁ 乐 乐 乐	
印	一 ㇗ E 印 印	
鸟	ノ ㇆ 鸟 鸟 鸟	乌
瓜	一 厂 瓜 瓜 瓜	爪
凹	丨 ㇗ 凹 凹 凹	
凸	丨 ㇗ 凸 凸 凸	
北	丨 十 北 北 北	
东	车 车 东 东	
龙	ナ 尤 龙 龙	
皮	一 厂 广 皮 皮	
右	一 ナ 才 右 右	左　布
必	丶 心 心 必 必	
6画		
耳	一 丅 耳 耳 耳	
成	一 厂 万 成 成 成	式　或
曲	丨 冂 日 曲 曲 曲	典
迅	㇈ 飞 迅 迅 迅 迅	
延	一 丅 下 正 延 延	
舟	ノ 丿 舟 舟 舟 舟	
农	一 ナ 农 农 农	
那	㇆ ㇕ 彐 那 那 那	
收	丨 丩 收 收 收 收	
7画		
步	丨 ⺊ 止 步 步 步 步	
针	ノ 广 𠂉 车 钅 针 针	
饭	㇇ 饣 饭 饭 饭 饭	
角	ノ ク 角 角 角 角 角	
巫	一 丅 丌 巫 巫 巫	
麦	二 丰 丰 麦 麦 麦	夏
卵	㇗ E 卵 卵 卵 卵	
8画		
变	亠 亣 亦 变 变 变	
青	二 丰 主 青 青 青	
非	丨 彐 非 非	
肃	㇕ 彐 肀 肃 肃 肃	
虎	丨 ⺊ 广 虍 虎 虎	
垂	二 千 垂 垂 垂 垂	睡
佳	亻 亻 佳 佳 佳 佳	住
9画		
差	丷 兰 差 差 差 差	着
骨	冂 冎 骨 骨 骨	
亩	千 亩 亩 亩	
10画		
乘	千 乘 乘 乘 乘 乘	乖
11画		
象	ク 象 象 象 象 象	
兜	丶 白 兜 兜 兜 兜	
12画		
鼎	目 鼎 鼎 鼎 鼎 鼎	
黑	冂 黑 黑 黑 黑 黑	
13画		
鼠	ノ 鼠 鼠 鼠 鼠 鼠 鼠	
14画		
臧	厂 臧 臧 臧 臧 臧	

【比下去】bǐxiaqu；bǐxiàqù 動（優れた者が）他を圧倒する．打ち負かす‖她的歌喉把所有的人都～了 彼女の歌声に及ぶ者は一人としていない

*【比喻】bǐyù 图 比喩(ひゆ)．たとえ‖这个～很恰当 このたとえは大変適切である 動 たとえる‖用兰花～人格的高尚 人格の高尚さをランの花にたとえる

【比照】bǐzhào 動 ❶…に照らす ❷比較対照する．見比べる

【比值】bǐzhí 图〈数〉比．比率．〔比率〕ともいう

*【比重】bǐzhòng 图 ❶〈物〉比重 ❷割合．比率‖口语课的～应该适当加大 会話の授業の比重を適度に大きくすべきである

【比作】bǐzuò 動…にたとえる‖把孩子们～星星 子供たちを星にたとえる

7 **妣** bǐ 書 亡き母 ↔〔考〕‖先～ 亡き母｜如丧sàng考～ あたかも両親に死なれたようだ

8 **彼** bǐ 書 ❶代 あれ．それ．あの．その ↔〔此〕‖顾此失～ 一方に気を取られ他方がおろそかになる ❷代 相手‖知己知～，百战不殆dài 己を知り相手を知らば百戦危うからず

【彼岸】bǐ'àn 图 ❶書 向こう岸 ❷〈仏〉彼岸 ❸理想郷．ユートピア

*【彼此】bǐcǐ 代 ❶あれとこれ．相互．双方‖不分～ 分け隔てをしない ❷挨拶 お互いさま‖"您辛苦啦""～～"「ご苦労さまでした」「お互いさまです」

9 **秕**（△粃）bǐ 图 粃(しいな)

【秕谷】bǐgǔ 图 殻だけで実らない米やアワ

【秕糠】bǐkāng 图 ❶粃と糠(ぬか) ❷喩 無価値なもの．役に立たないもの

【秕子】bǐzi 图 粃

10 **俾** bǐ 書…させる．…せしめる‖～众周知 みなに周知させる

10★**笔**（筆）bǐ ❶图 筆．筆記具 ❷字を書く‖代～ 代筆する ❸文章や絵の筆法‖伏～（文章の）伏線｜败～ 書きそこない．文章のまずい部分 ❹量 ①（字の）筆画‖"天"字有四～「天」という字は4画である ②ひとまとまりの金銭‖一～钱 一口の金 ③文字や絵のひと筆をさす‖写一～好字 きれいな字を書く

【笔触】bǐchù 图（文字や書画の）筆致．筆法‖他的文章～锋利 彼の文章は切れ味がよい

【笔答】bǐdá 動 文字で書いて答える

【笔胆】bǐdǎn 图 万年筆のインキチューブ

【笔底生花】bǐ dǐ shēng huā 成 文章がたいへんすばらしいたとえ．〔笔下生花〕ともいう

【笔底下】bǐdǐxia 图 文才．文章力‖～有功夫 文章力がある

【笔调】bǐdiào 图 文章の風格．筆調

【笔端】bǐduān 图 書 筆の先．作品の表現‖～妙趣横生 筆の先から優れた趣向が次々と現れる

【笔伐】bǐfá 動 筆誅(ひっちゅう)を加える‖口诛zhū～ 言葉と文章で激しく攻撃する

【笔法】bǐfǎ 图 運筆．筆使い

【笔锋】bǐfēng 图 ❶毛筆の穂先 ❷筆勢．文章の勢い‖他的字～雄劲 彼の字は力強い

*【笔杆子】bǐgǎnzi 图 ❶筆記具．筆．ペン ❷文章の達者な人．論陣を張る際の主要な書き手

【笔耕】bǐgēng 動 旧 文筆や代書で身を立てる

【笔供】bǐgòng 图 書面に書かれた供述

【笔管】bǐguǎn 图 筆の軸

【笔画】bǐhuà 图 筆画

【笔会】bǐhuì 图 ペンクラブ．文芸クラブ

**【笔记】bǐjì 图 ❶筆記．メモ‖做课堂～ 授業のノートを取る｜记～ メモを取る ❷随筆や紀行文などの類 動 筆記する．ノートを取る．メモを取る

【笔记本】bǐjìběn 图 ❶ノート ❷〈計〉ノートパソコン．〔笔记本电脑〕の略

【笔记本电脑】bǐjìběn diànnǎo 图〈計〉ノートパソコン

コラム 漢字の偏旁

漢字はいくつかの部分から構成されている．日本では漢字の左側につくものを「偏(へん)」，右側につくものを「旁(つくり)」といい，合わせて「偏旁(へんぼう)」という．これに対して中国語の"偏旁儿" piānpángr は上下左右すべてをさす総称である．

漢字のある部分が，左または右側にあるときは"…字旁儿"…zìpángr，上にあるときは"…字头儿"…zìtóur または"…字盖儿"…zìgàir，中間にあるときは"…字心儿"…zìxīnr または"…字腰儿"…zìyāor，下にあるときは"…字底儿"…zìdǐr，外側を囲むときは"…字框儿"…zìkuàngr という．

たとえば"又" yòu を例にとると，"难""对"では"又字旁儿"であり，"圣""叠"では"又字头儿"，"树"では"又字心儿"，"受"では"又字底儿"という．

偏旁	名称		例字	日本名
冫	两点水儿	liǎngdiǎnshuǐr	次冷	にすい
冖	秃宝盖儿	tūbǎogàir	写军	わかんむり
讠	言字旁儿	yánzìpángr	讨论	ごんべん
厂	偏厂儿	piānchǎngr	厅历	がんだれ
匚	三框栏儿	sānkuànglánr	区匠	はこがまえ
冂	同字框儿	tóngzìkuàngr	冈周	まきがまえ
刂	立刀旁儿	lìdāopángr	列别	りっとう
八	八字头儿	bāzìtóur	公分	はちがしら
	八字底儿	bāzìdǐr	兵兴	はちがしら
亻	单人旁儿	dānrénpángr	仁位	にんべん
勹	包字头儿	bāozìtóur	勺匀	つつみがまえ
儿	儿字底儿	érzìdǐr	兄元	にんにょう
廴	建之旁儿	jiànzhīpángr	廷延	えんにょう
卩	单耳旁儿	dān'ěrpángr	卫印	ふしづくり
阝	左耳刀儿	zuǒ'ěrdāor	防阻	こざと
阝	右耳刀儿	yòu'ěrdāor	邦那	おおざと
氵	三点水儿	sāndiǎnshuǐr	江活	さんずい
忄	竖心旁儿	shùxīnpángr	怀快	りっしんべん
⺗	竖心底儿	shùxīndǐr	恭忍	したごころ
宀	宝盖头儿	bǎogàitóur	定宾	うかんむり
广	广字旁儿	guǎngzìpángr	店席	まだれ
辶	走之旁儿	zǒuzhīpángr	过还	しんにゅう
土	提土旁儿	títǔpángr	地场	つちへん
艹	草字头儿	cǎozìtóur	花英	くさかんむり
扌	提手旁儿	tíshǒupángr	扛担	てへん
门	门字框儿	ménzìkuàngr	问阔	もんがまえ
口	口字旁儿	kǒuzìpángr	吐味	くちへん

*【笔迹】bǐjì 图 筆跡 ‖ 对～ 筆跡を照合する｜模仿他的～ 彼の筆跡をまねる
【笔架】bǐjià（～儿）图 筆立て. 筆置き
【笔尖】bǐjiān（～儿）图 筆の穂先. ペン先
【笔力】bǐlì 图 筆勢. 運筆の勢い
【笔立】bǐlì 動 直立する
【笔路】bǐlù 图 ❶筆法. 運筆. 筆使い ❷(文章の)構想. 筋道
【笔帽】bǐmào（～儿）图 筆のさや.（ボールペンや万年筆の）キャップ
*【笔名】bǐmíng 图 筆名. ペンネーム. 雅号(ごう)
【笔墨】bǐmò 图 文章. 文字 ‖ 难以用～形容 筆舌に尽くしがたい
【笔墨官司】bǐmò guānsi 图 論戦. 互いに議論を戦わすこと
*【笔试】bǐshì 動 筆記試験をする ↔〔口试〕
【笔势】bǐshì 图 ❶文字の勢い. 筆の勢い ❷文章の勢い. 筆勢
【笔顺】bǐshùn 图 筆順. 書き順
【笔算】bǐsuàn 動 筆算する
【笔谈】bǐtán 動 ❶筆談する ❷談話にかえて書面で意見を発表する 图 筆談. 筆記.（多く随筆や紀行文などの書名に用いる）
【笔套】bǐtào（～儿）图 ❶(万年筆やボールペンなどの)キャップ ❷筆入れ. ペンケース
【笔体】bǐtǐ 图 書き癖. 筆跡
*【笔挺】bǐtǐng 形 ❶まっすぐである ‖ 卫兵～地站在门口 衛兵が入り口に直立している ❷アイロンがよくかかっている.（衣服が）ぴんとしている ‖ 穿一身～的西服 ぱりっとした背広を着ている
【笔筒】bǐtǒng 图 筆筒. 筆立て
【笔头儿】bǐtóur 图 ❶筆先. ペン先 ❷字を書く技巧. 文章を書く能力
*【笔误】bǐwù 動 書き誤る 图 誤字
【笔洗】bǐxǐ 图 筆洗
【笔下】bǐxià 图 ❶文章力 ‖ 他～的人物 彼が書く人物 ❷措辞(そ). 言葉遣い ‖ ～留情 手かげんして書く
【笔芯】【笔心】bǐxīn 图 (鉛筆・シャープペンシル・ボールペンなどの)芯(しん)
【笔译】bǐyì 動 翻訳する ↔〔口译〕
【笔友】bǐyǒu 图 ペンフレンド. ペンパル
【笔札】bǐzhá 图 ❶紙と筆 ❷文章
【笔债】bǐzhài 图 約束していてまだ仕上げていない書画や文章など
【笔战】bǐzhàn 動 筆戦をする. 文章で論争する
【笔者】bǐzhě 图 筆者(多く自称に用いる)
*【笔直】bǐzhí 形 まっすぐである ‖ ～的马路 まっすぐな道｜站得～ 直立不動の姿勢で立っている
【笔致】bǐzhì 图 筆致. 文字または文章の書きぶり
【笔走龙蛇】bǐ zǒu lóng shé 成 筆勢が奔放で力強いさま

13 **鄙** bǐ ❶書 辺鄙(へんぴ)な所. 片田舎 ❷人品が卑しい. げびている ‖ 卑～ 卑しい ❸軽蔑する. 軽視する ‖ →～视 ❹書 謙 自分または自分に関することに用いる ‖ →～人
【鄙薄】bǐbó 書 動 軽蔑する. 軽んずる. 見下す 形 謙 思慮が足りない
【鄙夫】bǐfū 图 書 ❶俗人. 凡人 ❷謙 愚生. 小生
【鄙见】bǐjiàn 图 謙 愚見
【鄙陋】bǐlòu 形 浅はかである. 見識が狭い
【鄙弃】bǐqì 動 さげすむ. 見下す
【鄙人】bǐrén 图 旧 謙 愚生. 小生. 私め
【鄙视】bǐshì 動 軽蔑する. 軽んずる. 見下す
【鄙俗】bǐsú 形 卑俗である. 下品である
【鄙夷】bǐyí 動 書 見下す. 軽蔑する
【鄙意】bǐyì 图 謙 愚考. 愚見

	口字底儿	kǒuzìdǐr	否召	くちへん
口	方框儿	fāngkuàngr	因国	くにがまえ
巾	巾字旁儿	jīnzìpángr	幅帆	はばへん
	巾字底儿	jīnzìdǐr	常希	はばへん
山	山字旁儿	shānzìpángr	峰岐	やまへん
彳	双人旁儿	shuāngrénpángr	行征	ぎょうにんべん
彡	三撇儿	sānpiěr	形参	さんづくり
夂	折文儿	zhéwénr	冬处	ふゆがしら
犭	反犬旁儿	fǎnquǎnpángr	狂独	けものへん
饣	食字旁儿	shízìpángr	饮饲	しょくへん
食	食字底儿	shízìdǐr	餐饔	しょくへん
子	子字旁儿	zǐzìpángr	孔孩	こへん
尸	尸字旁儿	shīzìpángr	层尽	しかばね
马	马字旁儿	mǎzìpángr	骑骏	うまへん
纟	绞丝旁儿	jiǎosīpángr	红约	いとへん
巛	三拐儿	sānguǎir	甾巢	まがりかわ
灬	四点儿	sìdiǎnr	点热	れんが
火	火字旁儿	huǒzìpángr	灯炉	ひへん
礻	示字旁儿	shìzìpángr	礼祖	しめすへん
王	王字旁儿	wángzìpángr	玩珍	たまへん
牛	牛字旁儿	níuzìpángr	物牲	うしへん
攵	反文旁儿	fǎnwénpángr	收政	ぼくづくり
月	月字旁儿	yuèzìpángr	期朔	つきへん
月	肉月旁儿	ròuyuèpángr	肌胆	にくづき
	肉月底儿	ròuyuèdǐr	肾臂	にくづき
欠	欠字旁儿	qiànzìpángr	欢欧	あくび
殳	殳字旁儿	shūzìpángr	段殿	ほこづくり
穴	穴宝盖儿	xuébǎogàir	空究	あなかんむり
疒	病字旁儿	bìngzìpángr	症疼	やまいだれ
衤	衣字旁儿	yīzìpángr	初被	ころもへん
罒	四字头儿	sìzìtóur	罗罪	あみがしら
皿	皿字底儿	mǐnzìdǐr	益盂	さら
钅	金字旁儿	jīnzìpángr	钢铃	かねへん
金	金字底儿	jīnzìdǐr	鉴鑿	かねへん
禾	禾木旁儿	hémùpángr	和秋	のぎへん
癶	登字头儿	dēngzìtóur	癸登	はつがしら
页	页字旁儿	yèzìpángr	领顺	おおがい
虍	虎字头儿	hǔzìtóur	虑虚	とらかんむり
⻊	足字旁儿	zúzìpángr	距蹄	あしへん
足	足字底儿	zúzìdǐr	蹩躄	あしへん
角	角字旁儿	jiǎozìpángr	解触	つのへん
走	走字旁儿	zǒuzìpángr	起超	そうにょう
隹	隹字旁儿	zhuīzìpángr	雄雇	ふるとり
髟	髟字头儿	biāozìtóur	髦髻	かみがしら
麻	麻字头儿	mázìtóur	磨摩	あさかんむり

bì

B

4 *币(幣) bì 貨幣‖货～ 貨幣｜纸～ 紙幣｜硬～ 硬貨｜外～ 外貨
【币值】bìzhí 图〈経〉貨幣価値
【币制】bìzhì 图〈経〉貨幣制度

5 *必 bì ❶圖必ず. きっと‖坚持锻炼, ～有好处 鍛練を続ければ, きっと体によい｜有求～应 求めがあれば必ずそれに応じる ❷圖…する必要がある. 必ず(…しなければならない)‖分秒～争 一刻を争う
【必备】bìbèi 動常備しておく必要がある‖～药品 常備薬
【必不可少】bì bù kě shǎo 圀決して欠かすことができない. 必要不可欠である
【必得】bìděi 圖必ず…しなければならない
*【必定】bìdìng 圖❶(判断や推論で)必ず. 必ずや‖听到这个消息, 他～高兴 この知らせを聞いたら彼はきっと大喜びするだろう ❷(意志で)必ず(…する)
【必恭必敬】bì gōng bì jìng ＝〔毕恭毕敬 bì gōng bì jìng〕
*【必将】bìjiāng 圖書きっと(…するだろう). 必ず(…するだろう)‖历史～做出回答 歴史が必ず答えを出すだろう
⁑【必然】bìrán 形 **必然的である. 当たりまえである. 必至である**‖～规律 必然の法則｜初到国外, 生活上～会有许多不适应 初めて外国で生活すると必ず慣れないことがたくさんある 图〈哲〉必然 ↔〔偶然〕
【必然王国】bìrán wángguó 图〈哲〉必然の王国
【必然性】bìránxìng 图必然性 ↔〔偶然性〕
*【必修】bìxiū 形必修の‖～课 必修科目
★【必须】bìxū 圖❶**必ず…しなければならない**‖这本书今天～还 この本は今日必ず返さなければならない ❷**必ず…しなさい**(命令の語気を強める)‖你～认错！ 過ちを認めなさい
*【必需】bìxū 動必要である. 欠くことができない‖每月生活所～的费用 毎月の生活に必要な費用
【必需品】bìxūpǐn 图必需品
⁑【必要】bìyào 形**必要である**‖～的时候 必要なとき｜绝对～ 絶対に必要である｜你没有～考虑这么多 君はそんなにいろいろなことを考える必要はない
【必由之路】bì yóu zhī lù 圀必ず通らなければならない道‖走向成功的～ 成功するために必ず通らなければならない道

6 ⁑闭 bì ❶動**閉じる. 閉める**‖关～ 閉める. 廃業する｜倒dǎo～ 倒産する｜大门紧～ 門は固く閉じられている｜～上嘴 口を閉じる｜～伞 傘をすぼめる｜～灯 電気を消す ❷ふさがる‖→～塞 ❸終わる‖→～会
【闭关】bìguān 動❶出入り口を閉める. 閉鎖する ❷〈仏〉外部と一切の交渉を絶って修業にいそしむ
【闭关锁国】bì guān suǒ guó 成鎖国する
【闭关自守】bì guān zì shǒu 成門を閉ざして人と行き来しない
【闭合】bìhé 動閉じる. 両端をつなげる 形密閉した. 閉じた
【闭会】bìhuì 動閉会する
【闭架式】bìjiàshì 图(図書館の)閉架式
【闭经】bìjīng 動〈生理〉閉経になる‖～期 閉経期
【闭卷】bìjuàn 動書本を閉じる. 参考書やノートなどを見ない‖～考试 ノートや参考書の持ち込み不可の試験
【闭口】bìkǒu 動口を閉じる. ものを言わない
【闭路电视】bìlù diànshì 图有線テレビ. ケーブルテレビ
【闭门羹】bìméngēng 慣門前払い‖吃～ 門前払いを食らう
【闭门思过】bì mén sī guò 成家に閉じこもって自分の過ちを反省する
【闭门造车】bì mén zào chē 成家に閉じこもって車を作る. 実際から遊離し, 主観や想像でことを行うこと
【闭目】bìmù 動目を閉じる‖～养神 目を閉じて精神を休める
*【闭幕】bì//mù 動❶舞台の幕がおりる ❷(会議や展覧会などが)閉会する. 閉幕する‖全国运动会～了 全国スポーツ大会が閉幕した
【闭幕式】bìmùshì 图閉会式
【闭气】bì//qì 動❶気を失う. 気絶する ❷息をこらす. 息をひそめる
*【闭塞】bìsè 動ふさがる. 詰まる 形❶交通の便が悪い‖交通～的山村 交通の不便な山村 ❷情報が伝わらない‖消息～得很 情報が全然入ってこない ❸(文化などが)開けていない
【闭市】bì//shì 動営業を停止する. 店を閉める
【闭锁】bìsuǒ 動❶(外界に対し)閉鎖する. 閉じる ❷〈医〉(弁膜などが)閉じる
【闭眼】bì//yǎn 動❶知らぬ顔する ❷目を閉じる ❸婉死ぬ
【闭月羞花】bì yuè xiū huā 成月が曇り花も恥じらう. 女性の容貌(ようぼう)が非常に美しいたとえ
【闭嘴】bì//zuǐ 動口を閉じる‖还不快～！ お黙りなさい

6 毕¹(畢) bì ❶图古代狩りのときに用いた長い柄のついた網 ❷图(二十八宿の一つ)あめふりぼし. 畢宿(ひつしゅく)

6 毕²(畢) bì ❶動終了する. 完結する. 完成する‖用～放回原处 使い終わったらもとの場所に戻す ❷書完全に. 何もかも. 全部‖原形～露 正体がすっかりばれる
【毕毕剥剥】bìbìbōbō 擬(物が燃えてはぜる音)パチパチ
【毕恭毕敬】bì gōng bì jìng 成恭しい. 丁重極まる
*【毕竟】bìjìng 圖やはり. とどのつまり. 結局. さすがに. しょせん‖～年纪大了, 身体不如以前了 さすがに年のせいか, 体力は昔のようではない｜夫妻～是夫妻, 吵几句, 一会儿就好了 夫婦はやはり夫婦で, 口論してもすぐに仲直りする
【毕露】bìlù 動すっかり暴露する. あらわになる
【毕命】bìmìng 動書死ぬ(多く不慮の死をさす)
【毕生】bìshēng 图一生涯. 終生‖～的愿望 一生の願い
【毕肖】bìxiào 動瓜(うり)二つである. そっくりである
⁑【毕业】bì//yè 動**卒業する**‖你是哪个大学～的？ あなたはどこの大学を卒業なさいましたか｜我是在(从)北京大学～的 私は北京大学を卒業しました ☞後に目的語をとれない‖×我～北京大学

7 庇 bì 覆い隠す. かくまう. かばう‖包～ かばう
【庇护】bìhù 動庇護(ひご)する. かばう
【庇护权】bìhùquán 图〈法〉庇護権

【庇荫】bìyìn 動❶(樹木が)日光を遮る ❷喩 庇護する
【庇佑】bìyòu 動書 神仏が人を守り助ける. 加護する
8 泌 bì 地名用字‖～阳 河南省にある県の名 ➤mì
8 畀 bì 書 授ける. 与える
9 陛 bì 書 宮殿の階段
【陛下】bìxià 图 陛下
9 哔(嗶) bì ↴
【哔叽】bìjī 图外〈紡〉サージ
9 毖 bì ❶書 慎重である ❷用心する‖惩前～后 前の過ちを後の戒めとする
9 贲 bì 書 美しく飾られている ➤bēn
10 狴 bì ↴
【狴犴】bì'àn 图 伝説中のトラに似た獣. 昔は牢獄の門に必ずそれを描いたので, 牢獄をも意味するようになった
10 毙(斃 △獘) bì ❶死ぬ‖路～ 行き倒れる ❷動口 殺す. 銃殺する
【毙命】bìmìng 動貶 死ぬ. くたばる
10 铋 bì 图〈化〉ビスマス(化学元素の一つ, 元素記号は Bi)
10 秘(△祕) bì ↴ ➤mì
【秘鲁】Bìlǔ 图〈国名〉ペルー
11 庳 bì 書❶(家屋が)低くて小さい ❷くぼんでいる. 低い
11 萆 bì 〔蓖bì〕に同じ
【萆薢】bìxiè 图❶〈植〉フンヒカイ ❷〈中薬〉粉萆薢
11 婢 bì 旧 雑用をする若い女の使用人. 下女. 女中‖奴～ 下男下女
【婢女】bìnǚ 图旧 下女. 女中
11 敝 bì ❶書 ぼろぼろの. 破れた‖～衣 ぼろの衣服. 弊衣 ❷書 疲敝する‖疲～ 同前 ❸謙 自分に関する事柄に用いる‖～公司 弊社
【敝处】bìchù 图謙 私どもの所. 私どもの郷里
【敝人】bìrén 图謙 愚生. 小生
【敝姓】bìxìng 图謙 私の姓
12 愎 bì ねじけている. 強情である. かたくなである‖刚～自用 かたくなで独りよがりである
12 弼 bì 書 補佐する‖辅～ 同前
12 筚(篳) bì 柴(しば)または竹で編んだ垣根や戸など‖蓬门～户 よもぎの門に柴の戸
13 滗(潷) bì 動 容器の中の内容物を押さえておいて, 液体だけを傾けて出す
13 蓖 bì ↴
【蓖麻】bìmá 图〈植〉トウゴマ. 〔大麻子〕ともいう
【蓖麻油】bìmáyóu 图 ひまし油
13 痹(△痺) bì 〈中医〉体の痛みやしびれ
【痹症】bìzhèng 图〈中医〉〔风〕〔寒〕〔湿〕によって起こる体の痛みやしびれ

13 裨 bì ❶補充する ❷書 利益. 利点. 益‖健胃～肾 胃や腎を丈夫にする ➤pí
【裨补】bìbǔ 動書❶補足する ❷役立つ
【裨益】bìyì 图書 益. 利益
13 辟[1] bì 書❶天子. 君主‖复～ 復辟(ふくへき)する ❷帝王が召致して官職を授ける
13 辟[2] bì 書 排除する. 取り除く ➤pì
【辟邪】bì//xié 動 魔よけをする
13 跸(蹕) bì 書❶(帝王の行幸の)露払いをする ❷帝王の馬車. また, 行幸の際泊まる所‖驻～ 行幸のとき, 一時乗り物を止めること
14 蔽 bì ❶覆う. 隠す‖遮～ 遮る ❷概括する. まとめる‖一言以～之 一言で言えば
【蔽塞】bìsè =〔闭塞bìsè〕
14 弊[1](△獘) bì 弊害‖利～ 利害｜利多～少 メリットが多くデメリットが少ない
14 弊[2] bì 不正行為‖舞～ 不正行為をする. 不正をはたらく｜作～ 同前
*【弊病】bìbìng 图 弊害. 悪弊. デメリット. 欠点‖现代社会的～ 現代社会の病巣
*【弊端】bìduān 图 弊害
【弊害】bìhài 图 弊害
【弊绝风清】bì jué fēng qīng 成 不正行為がなくなり, 風紀が正される. 〔风清弊绝〕ともいう
14 碧 bì ❶書 青緑色の美しい玉 ❷青緑色‖～草 緑の草
【碧波】bìbō 图 青い波
【碧海】bìhǎi 图 碧海(へきかい). 青い海. 青海原
【碧空】bìkōng 图 碧空(へきくう). 青空
【碧蓝】bìlán 形 紺碧(こんぺき)の
【碧绿】bìlǜ 形 青緑色の. エメラルドグリーンの‖～的湖水 エメラルドグリーンの湖水
【碧螺春】bìluóchūn 图 江蘇省の洞庭山原産の緑茶の一品種
【碧桃】bìtáo 图(モモの園芸品種の一つ)ヘキトウ
【碧血】bìxuè 图書 正義のために流した血
【碧油油】bìyōuyōu (～的) 形 緑したたる. 青々とした‖～的茶田 緑したたる茶畑
【碧玉】bìyù 图 碧玉(へきぎょく)
14 箅 bì ↴
【箅子】bìzi 图 すのこ状のものの総称‖竹～ せいろうに敷く竹すのこ｜铁～ 下水道などのごみ受けの格子
16 ** 避 bì ❶動 避ける‖～雨 雨宿りする｜他干吗老～着我? 彼はどうしていつも私を避けるのだろう ❷防ぐ‖～孕｜～暑
【避风】bì//fēng 動❶風を避ける ❷転 難を避ける. 〔避风头〕ともいう
*【避风港】bìfēnggǎng 图 避難港
【避峰】bìfēng 動(水道・電気・交通などの)ピーク時間を避ける
【避讳】bì//huì 動旧 忌み名を避ける
【避讳】bìhui 動❶禁句を避ける. (縁起担ぎで)言葉を避ける ❷避ける. 回避する
【避忌】bìjì 動❶忌避する. 忌み避ける ❷回避する. 避ける
【避雷针】bìléizhēn 图 避雷針
**【避免】bìmiǎn 動 避ける. 免れる. 防ぐ. 防止する‖～冲突 衝突を避ける｜这样做可以～很多麻烦 こ

のようにやればさまざまな面倒が避けられる
【避难就易】bì nán jiù yì 成 困難を避け易きにつく. 困難な仕事を避け, 安易な仕事を選ぶ
【避难】bì//nàn 動 避難する
【避让】bìràng 動 譲る. 避ける. よける
【避世】bìshì 動 隠棲(いんせい)する
【避暑】bì//shǔ 動 ❶避暑に行く ❷暑気あたりを防ぐ
【避税】bìshuì 動〈経〉(税法規定の不備などをついて合法的に)税金逃れをする. 税負担を軽くする
【避嫌】bì//xián 動 疑われないようにする ‖ 为了～, 他装作不认识我 疑われないよう彼は私を知らないふりをした
【避邪】bìxié 動 (護符などで)魔をよける
【避役】bìyì 名〈動〉カメレオン
【避孕】bì//yùn 動 避妊する
【避孕环】bìyùnhuán 名 避妊リング
【避孕套】bìyùntào 名 コンドーム
【避孕药】bìyùnyào 名 避妊薬. ピル
【避重就轻】bì zhòng jiù qīng 成 重きを避けて軽きにつく. 責任の重いことを避けて, 責任の軽いほうをとる. また, 重要な問題を離れ二義的なことのみ論じる

16 ＊**壁** bì ❶壁. 塀 ‖ 墙～ 壁 ❷壁のように切り立った崖 ‖ 悬崖xuányá峭qiào～ 断崖絶壁 ❸砦(とりで). 堡塁(ほるい) ‖ 一～垒 ❹回りを囲むもの ‖ 胃～ 胃壁 ❺名 (二十八宿の一つ)なまめぼし, 壁宿(へきしゅく)
【壁报】bìbào 名 壁新聞. 〔墙报〕ともいう
【壁布】bìbù 名 壁布
【壁橱】bìchú 名 作り付けの物入れ. クローゼット
【壁灯】bìdēng 名 壁に取り付ける照明. ブラケット
【壁挂】bìguà 名 壁掛け
【壁柜】bìguì 名 作り付けの物入れ. 作り付けの戸棚
【壁虎】bìhǔ 名〈動〉ヤモリ.
【壁画】bìhuà 名 壁画
【壁龛】bìkān 名〈建〉壁龕(へきがん). ニッチ
【壁垒】bìlěi 名 砦. 陣営
【壁垒森严】bì lěi sēn yán 成 ❶砦の守りが厳重である. 水も漏らさぬ守り ❷境界がはっきりしているたとえ
【壁立】bìlì 動 壁のように切り立っている. 直立している
【壁炉】bìlú 名 暖炉. マントルピース
【壁球】bìqiú 名〈体〉スカッシュ. また, スカッシュのボール
【壁上观】bìshàngguān 名 砦の上から見物すること ‖ 作～ 高みの見物をする
【壁饰】bìshì 名 壁掛け
【壁毯】bìtǎn 名 つづれ織りの壁掛け. タペストリー
【壁障】bìzhàng 名 障壁. 隔たり
【壁纸】bìzhǐ 名 壁紙
【壁钟】bìzhōng 名 掛け時計

16 **嬖** bì 書 ❶寵愛(ちょうあい)する ❷寵愛を受ける人

16 **篦** bì ❶竹でできたくし ‖ 一～子 ❷動 くしけずる. 髪をとかす ‖ ～头 髪をくしけずる
【篦子】bìzi 名 竹製の梳(す)き櫛(ぐし)

17 **濞** bì 地名用字 ‖ 漾Yàng～ 雲南省にある県の名

17 **臂** bì ❶腕(肩から手首までの部分) ‖ 上～ 上膊(じょうはく). 二の腕 | 助一～之力 一臂(いっぴ)の力を貸す ❷動物の前足 ❸機械の腕にあたる部分. アーム ➤ bei
【臂膀】bìbǎng 名 腕
【臂力】bìlì 名 腕力
【臂纱】bìshā 名 (腕に巻く)喪章
【臂弯】bìwān 名 ひじの屈曲する側の部分
【臂章】bìzhāng 名 腕章
【臂肘】bìzhǒu 名 ひじ

17 **髀** bì 太もも, あるいは太ももの外側. または大腿骨(だいたいこつ)
【髀肉复生】bì ròu fù shēng 成 髀肉(ひにく)の嘆. 安楽な生活に甘んじ, なすところのないさま

18 **璧** bì ❶名 璧(へき). 平らな円形で中央に穴のある玉(ぎょく) ❷美しい玉の総称
【璧还】bìhuán 動 書 もとのまま返す. そっくりそのまま返す. (借りた物を返すとき, または, 贈り物を辞退するときに用いる丁寧語)
【璧谢】bìxiè 動 書 謝意を表し, もとのまま返す. (借りた物を返し, あわせて謝意を表すとき, また, 贈り物を辞退し, あわせて謝意を表すときに用いる敬語)

19 **襞** bì ❶書 (衣服の)ひだ. しわ ‖ 皱zhòu～ ひだ. しわ ❷〈生理〉腸や胃などのひだ

biān

5 ★**边**[1] (邊) biān ❶名 (～儿)へり. 縁. めぐり ‖ 马路～ 道路際. 道端 | 锁～ 縁をかがる ❷名 (～儿)そば. かたわら ‖ 身～ 身辺 | 手～ 手もと ❸名 (～儿)方面 ‖ 我们这～儿没问题 我々の方は問題ない ❹副 異なる動作が同時に行われることを表す ‖ 一～…～… ❺名 限界. きり. 境を接するところ ‖ 一眼望不到～ 見渡すかぎり果てしない ❻名 (～儿)縁取り. 縁飾り ‖ 花～ 同前 ❼名〈数〉辺 ‖ 四～形 四辺形

5 **边**[2] (邊) biān 接尾 (～儿)(方位詞の後に置き) …の方 ‖ 上～ 上の方 | 左～ 左の方 | 前～ 前方 | 里～ 中. うち
【边岸】biān'àn 名 水辺. 岸. 岸辺
＊【边…边…】biān…biān… 組 (異なる動作を同時に行う) …しながら…する ‖ 边想边写 考えながら書く
【边材】biāncái 名 辺材(へんざい). 樹木の周辺部からとった木材
【边裁】biāncái 名〈体〉線審. ラインズマン
【边城】biānchéng 名 国境に近い都市. 辺境の町
【边陲】biānchuí 名 書 辺境 ‖ ～小镇 辺境の村
【边地】biāndì 名 辺境の地. 国境の地
＊【边防】biānfáng 名 辺境の防備. 国境の守備 ‖ ～部队 辺境守備隊
【边锋】biānfēng 名〈体〉(サッカーやアイスホッケーなどの)ウイング. ウイング・フォワード
【边幅】biānfú 名 体裁. 身なり ‖ 不修～ 身なりや体裁を気にしない
【边患】biānhuàn 名 書 辺患(へんかん). 辺境の外敵侵入による災難
＊【边际】biānjì 名 限界. 際限 ‖ 说话不着zháo～ 話がとりとめない
【边检】biānjiǎn 名 出入国審査. 〔边防检查〕の略
＊【边疆】biānjiāng 名 国境に近い地域. 辺境
【边角料】biānjiǎoliào 名 (物を作るときに出る)切れ端. 切り落とし
＊【边界】biānjiè 名 (国と国あるいは地域と地域の)境界 ‖ 中越～ 中越国境 | ～争端 国境紛争
＊【边境】biānjìng 名 辺境 ‖ ～地区 辺境地帯
【边境贸易】biānjìng màoyì 名〈貿〉国境交易.

略して〔边贸〕ともいう
【边款】biānkuǎn 名 印章の側面に彫った文字
【边框】biānkuàng (～儿) 名 (鏡や額などの)縁. 枠
*【边贸】biānmào 名 略 国境貿易. 〔边境贸易〕の略
【边门】biānmén 名 通用門. 脇門
【边民】biānmín 名 辺境地区の住民
【边卡】biānqiǎ 名 国境の検問所
【边区】biānqū 名 旧 解放前, 中国共産党支配下にあった革命根拠地 ‖ 陕甘宁Shǎn Gān Níng～ 陝西省・甘粛省・寧夏回族自治区にまたがる革命根拠地
【边塞】biānsài 名 国境の要塞
【边务】biānwù 名 辺境に関する事務. とくに国境守備に関する事務をさす
【边线】biānxiàn 名〈体〉サイドライン. ファウルライン
【边沿】biānyán 名 へり. 縁. 境目
【边音】biānyīn 名〈語〉側音
*【边缘】biānyuán 名 ❶縁. へり. 境目 ‖ 原始森林的～ 原生林の外縁 ❷瀬戸際. 境目 ‖ 生死的～ 生死の境目 形 境界線に近い ‖ ～学科 隣接学科
【边缘化】biānyuánhuà 動 脇に追いやる. 軽視する. 冷遇する ‖ 职业教育不应被～ 職業教育は軽んじられてはならない
【边缘科学】biānyuán kēxué 名 学際科学
*【边远】biānyuǎn 形 国境に近い. 中心から遠く離れている. 辺鄙な ‖ ～的山区 国境に近い山岳地域
【边寨】biānzhài 名 辺境地区にある集落

9 **砭** biān ❶石針を用いて治療する ‖ 针～ 同前 ❷古 (医療用の)石針 ❸誤りを指摘し, 改めるよう戒める ‖ 痛～时弊 時代の悪弊を指摘し批判する

11 **笾(籩)** biān 古 祭祀(さいし)や宴会のときに果物や干し肉を盛った竹製の器

12 ** **编** biān ❶動 **編む** ‖ ～竹筐kuāng 竹かごを編む ❷動 **配列する. 組み立てる. 順序立てる** ‖ ～程序 プログラミングをする ❸動 **編集する** ‖ ～杂志 雑誌を編集する ❹編(編集された書, またはその一部) ‖ 续～ 続編 ❺動 (歌詞や脚本などを)**創作する** ‖ ～故事 物語を作る ❻動 **捏造(ねつぞう)する** ‖ ～瞎xiā话 うそをでっち上げる ❼組織機構の構成や人員の定数 ‖ 超～ 定員が超過する
【编程】biānchéng 動〈計〉(コンピューターの)プログラムを作成する. プログラミングをする
【编次】biāncì 動 一定の順序に従って配列する 名 配列された順序
*【编导】biāndǎo 動 脚色し演出する 名 脚色演出家
【编订】【编定】biāndìng 動 編纂(へんさん)し校訂する
【编队】biān//duì 動 隊列を組む 名〈軍〉編隊
*【编号】biān//hào 動 整理番号をつける 名 (biānhào) 整理番号. 通し番号
*【编辑】biānjí 動 編集する 名 編集者. 編集スタッフ ‖ 总～ 編集長
【编校】biānjiào 動 編集し校訂する
【编结】biānjié 動 編む ‖ ～鱼网 魚網を編む
【编剧】biān//jù 動 脚色する. 脚本を書く 名 (biānjù)脚本家. シナリオ・ライター
【编列】biānliè 動 ❶編集する ❷規程や計画を定めて関連項目にまとめる
【编录】biānlù 動 要約して編集する
【编码】biān//mǎ 動〈計〉コーディングする 名 (biānmǎ)コーディングしたもの. コード ‖ 邮政～ 郵便番号
【编目】biān//mù 動 図書目録を作る 名 図書目録
【编年史】biānniánshǐ 名〈史〉編年史
【编年体】biānniántǐ 名〈史〉編年体
【编排】biānpái 動 ❶割り付ける. レイアウトする ❷(劇の)脚色や演出をする
【编派】biānpai 動 方 (他人の欠点や過ちを誇張したり, でっち上げたりして)中傷する
【编遣】biānqiǎn 動 (軍隊の)編制替えをして, 余剰人員を解雇する
【编审】biānshěn 動 編集・校閲をする 名 職称の一つで, 大学の教授に相当する. 編集デスク
*【编外】biānwài 形 (軍隊・機関・企業などで)編制外の. 定員外の ‖ ～人员 定員外の人員
*【编写】biānxiě 動 ❶編集する. 編纂(へんさん)する ‖ ～教材 教材を作る ❷創作する ‖ ～故事 物語を書く
【编选】biānxuǎn 動 資料や文章の一部を抜き出して編集する
【编译】biānyì 動 翻訳し編集する 名 翻訳し編集する人
【编印】biānyìn 動 編集し出版する
【编余】biānyú 形 (軍隊・機関・企業などで)余剰の. 余っている ‖ ～人员 剰員
【编扎】biānzā 動 編む ‖ ～竹筐kuāng 竹かごを編む
【编造】biānzào 動 ❶資料を並べてまとめる. 編成する. (多く表をさす) ‖ ～年度预算 年度予算を編成する ❷物語を作る ‖ ～谣言 デマをでっち上げる
【编者】biānzhě 名 編者. 編纂者
*【编者按】biānzhě'àn 名 編者の言葉
【编织】biānzhī 動 編む ‖ 毛线～法 毛糸の編み方
*【编制】biānzhì 動 ❶編んで作る ‖ 用柳条～筐子 柳の枝でかごを編む ❷(規則・方案・計画などを)編成する. 制定する. 作成する ‖ ～教学大纲 教育指導要綱を制定する 名 編成
【编钟】biānzhōng 名〈音〉編鐘(へんしょう)
【编著】biānzhù 動 編著する. 本にまとめる
【编撰】biānzhuàn 動 編纂する. 編集する
【编纂】biānzuǎn 動 (比較的大部の著作物を)編纂する ‖ ～百科年鉴 百科年鑑を編纂する

13 **煸** biān 動 方 下ごしらえのために野菜や肉を油で軽く炒める

15 **蝙** biān ↓
【蝙蝠】biānfú 名〈動〉コウモリ
【蝙蝠袖】biānfúxiù 名 ドルマンスリーブ

17 **鳊** biān 名〈魚〉ヒラウオ. ふつうは〔鳊鱼〕という

18 **鞭** biān ❶名 鞭(むち). 家畜を追いたてるのに用いる道具 ❷書 鞭で打つ ‖ ～马 馬を鞭打つ ❸書 竹の地下茎でできた鞭 ❹古代の武器の一種 ‖ 三节～ 三つの節を持つ鉄製の鞭 ❺連発式の爆竹 ‖ →～炮 ❻鞭状のもの ‖ →～毛 ❼食用・薬用に供される動物の陰茎
*【鞭策】biāncè 動 鞭撻(べんたつ)する. 励ます ‖ ～自己 自分自身を鞭打つ
【鞭长莫及】biān cháng mò jí 成 鞭長しといえども馬腹に及ばず. 力の及ばないこと
【鞭打】biāndǎ 動 鞭で打つ
【鞭打快牛】biāndǎ kuàiniú 組 喩 速い牛に鞭打

つ. 優れた業績の企業や個人に対し, さらに過大な成果を要求する

【鞭毛】biānmáo 图〈生〉鞭毛(べんもう)

*【鞭炮】biānpào 图 ❶爆竹の総称 ‖ 放～ 爆竹を鳴らす ❷連発式の爆竹

【鞭梢】biānshāo (～儿) 图 鞭の先端

【鞭挞】biāntà 動 喩 (他人の行動や言論を)攻撃する. 非難する. 鞭打つ. たたく

*【鞭子】biānzi 图 鞭 ‖ 挥动～ 鞭を振り回す

biǎn

8 贬 biǎn ❶動 (価値が)下がる ‖ 一～值 ❷動 (官位や階級を)落とす. 下げる ❸動 けなす. 低い評価を与える ↔〔褒bāo〕‖ 褒～ ほめることとけなすこと

【贬斥】biǎnchì 動 ❶書 貶斥(へんせき)する. 官位を下げて左遷する ❷けなし排斥する

*【贬低】biǎndī 動 わざと低く評価する. けなす ↔〔抬高〕‖ ～别人, 抬高自己 他人をおとしめて, 自分を持ち上げる

【贬官】biǎn//guān 動 官位をおとす

【贬价】biǎn//jià 動 値下げする

【贬损】biǎnsǔn 動 故意に低く評価する. 低く見積もる

*【贬义】biǎnyì 图〈語〉けなす意味 ↔〔褒义〕

【贬义词】biǎnyìcí 图〈語〉けなす意味の言葉.

【贬抑】biǎnyì 動 けなし抑えつける

【贬责】biǎnzé 動 責める. とがめる. 非難する

【贬谪】biǎnzhé 動 旧 官位を下げて遠方に回す. 左遷する

*【贬值】biǎn//zhí 動 ❶〈経〉平価切り下げをする ❷価値が下がる ＊↔〔升值〕

【贬职】biǎn//zhí 動 書 降職する. 降格する

9 ** 扁 biǎn 形 扁平(へんぺい)である. 平たい ‖ 草帽给压～了 麦わら帽子がぺしゃんこに押しつぶされた | 别把人看～了 人を見くびるな ➤ piān

【扁铲】biǎnchǎn 图 (幅広の)平のみ

【扁锉】biǎncuò 图 平やすり =〔板锉〕

【扁担】biǎndan 图 (両端に荷をかけてかつぐ)てんびん棒 ‖ 挑～ てんびん棒をかつぐ

【扁豆】biǎndòu 图〈植〉❶フジマメ ❷サヤインゲン ❸方 インゲンマメ ＊〔萹豆〕〔稨豆〕〔藊豆〕とも書く

【扁平】biǎnpíng 形 扁平である. 平たい

【扁平足】biǎnpíngzú 图〈医〉扁平足.

【扁桃】biǎntáo 图〈植〉❶アーモンド ❷方 ハントウ. ザゼンモモ

【扁桃腺】biǎntáoxiàn 图〈医〉扁桃腺(へんとうせん). 〔扁桃体〕の通称

【扁圆】biǎnyuán 图 口 楕円 形 円盤状である

9 窆 biǎn 書 埋葬する ‖ 告～ (遺族が親戚や知人に)埋葬の日を通知する

11 匾 biǎn ❶图 額. 扁額(へんがく) ‖ 横～ 横額 ❷图 竹製の浅くて平たいざる

【匾额】biǎn'é 图 扁額. 横額

14 褊 biǎn 書 狭い. 狭小である

14 碥 biǎn 水際に斜めに突き出した岩

biàn

5 弁 biàn ❶古 (男性の)冠の一種 ❷旧 下級武官 ❸軍の中で下働きをする者, あるいは下働きの兵士 ❹先頭にある

【弁言】biànyán 图 書 序言. はしがき

7 汴 biàn 图 汴(べん). 河南省開封の別称 ‖ ～京 汴京(べんけい). 河南省開封の古名

7 忭 biàn 書 喜ぶ. 楽しむ

7 苄 biàn ↴

【苄基】biànjī 图〈化〉ベンジル

8 ★ 变(變) biàn ❶動 変わる. 変化する ‖ 她～得我都认不出来了 彼女は見分けがつかないほど変わってしまった ❷動 変える. 変化させる ‖ ～被动为主动 受動的な立場を脱し主導権をとる ❸非常事. 異変. 突然起こった重大な変化 ‖ 政～ クーデター ❹変化できる. 変わっている ‖ 一～数

【变本加厉】biàn běn jiā lì 成 本来のものよりいっそうひどくなる. 輪をかけて悪くなる

★【变成】biàn//chéng 動 変わって … になる. … に変化する. … に変える ‖ 把理想～现实 理想を現実に変える

【变电站】biàndiànzhàn 图 変電所.

【变调】biàndiào 動 ❶〈語〉中国語で原声調が前後の声調によって変化する ❷〈音〉転調する. 移調する

*【变动】biàndòng 動 変動する. 変更させる. 変化する ‖ 价格～ 価格変動 | 国际局势发生了很大的～ 国際情勢に大きな変化があった

【变法】biàn//fǎ 動 旧 法制を変える ‖ ～维新 法を改めて革新を計る

【变法儿】biàn//fǎr 動 やり方を変える. 工夫を凝らす

*【变革】biàngé 動 変革する. 改変する ‖ 历史～ 歴史的変革

*【变更】biàngēng 動 変更する. 変わる ‖ 内容有所～ 内容に変更がある

【变故】biàngù 图 事故. 変事. 災難

【变卦】biàn//guà 動 貶 突然気が変わる. 豹変(ひょうへん)する. 約束や決めていたことを覆す

★【变化】biànhuà 動 変化する ‖ 情况在不断～ 状況はどんどん変化している | 这里的～很大 ここはすっかり変わった

【变幻】biànhuàn 動 不規則に変化する. 目まぐるしく変わる ‖ ～莫测 予測がつかないほど目まぐるしく変わる

*【变换】biànhuàn 動 変える. 転換する. 取り替える ‖ ～角度 角度を変える

【变价】biànjià 動 時価に換算する

【变焦镜头】biànjiāo jìngtóu 图 ズーム・レンズ

【变节】biàn//jié 動 変節する. 裏切って敵の側につく

【变局】biànjú 图 変動している情勢

【变例】biànlì 图 変則的な事例または条例

【变脸】biàn//liǎn 動 がらりと態度を変える

【变量】biànliàng 图〈数〉変量

【变乱】biànluàn 图 変乱. 戦乱

【变卖】biànmài 動 物を売って, 現金に換える ‖ ～家产 家財を売って現金に換える

【变盘】biànpán 動〈経〉株式の相場が変動する

【变频】biànpín 動〈電〉周波数を変換する

*【变迁】biànqiān 動 変遷する. 移り変わる. 推移する ‖ 汉字的～ 漢字の変遷
【变色】biàn//sè 動 ❶変色する ❷顔色を変える ‖ 勃然bórán～ 突然顔色を変えて怒り出す
【变色镜】biànsèjìng 名 変光グラス
【变色龙】biànsèlóng 名 ❶〈動〉カメレオン ❷喩 節操がなく, 利害によってすぐ意見や立場を変える人
【变声】biàn//shēng 動〈生理〉声変わりする
【变数】biànshù 名〈数〉変数
【变速】biàn//sù 動 変速する
【变速器】biànsùqì 名〈機〉変速器. トランスミッション
【变态】biàntài 動 ❶〈動〉形態を変えながら成長する ❷(人が)正常でない性的・心理的反応を起こす 名 正常でない状態. 変態 ↔〔常态〕‖ ～心理 変態心理
【变态反应】biàntài fǎnyìng 名〈医〉アレルギー
【变体】biàntǐ 名〈生〉変異. 変種 ‖ ～病毒 変異ウイルス. 耐性ウイルス
【变天】biàn//tiān 動 ❶天気が変わる. 天気が崩れる ❷喩 (否定的な方向に)世の中が変わる
【变通】biàntong ; biàntōng 動 情勢に応じた行動を取る. 融通を利かせる
【变为】biànwéi 動 …に変わる. …に変える.
【变味】biàn//wèi (～儿) 動 (食物の)味が変わる
【变温动物】biànwēn dòngwù 名〈動〉変温動物. ふつう〔冷血动物〕という
【变戏法】biàn xìfǎ (～儿) 組 手品をする
【变现】biànxiàn 動 (非現金資産や有価証券を)現金化する
【变相】biànxiàng 形 形を変えた ‖ ～歧视qíshì 形を変えた差別
【变心】biàn//xīn 動 心変わりする. 変心する
*【变形】biàn//xíng 動 変形する. 形が変わる
【变形金刚】biànxíng jīngāng 名 (玩具の)変形ロボット. トランスフォーマー
【变型】biànxíng 動 変型する
【变性】biànxìng 動 性転換する ‖ ～手术 性転換手術 | ～人 性転換した人
【变压器】biànyāqì 名〈電〉変圧器. トランス
【变样】biàn//yàng (～儿) 動 様相が変わる. 変容する. 様変わりする ‖ 房间～了 部屋の様子が変わった
【变异】biànyì 動〈生〉変異する
【变易】biànyì 動 変わる. 変化する
*【变质】biàn//zhì 動 変質する ‖ 这些食品都已经～了 これらの食品はもう変質している | 蜕化tuìhuà～ 堕落する
【变种】biànzhǒng 名〈生〉変種
【变奏】biànzòu 動〈音〉変奏させる ‖ ～曲 変奏曲

9 **便** biàn ❶適している ‖ 正是公司最忙的时候, 不～请假 ちょうど会社が忙しいときなので休暇をとるのは具合が悪い ❷好都合のとき. ついで ‖ 顺～ ついでに ❸便利である ‖ 方～ 便利である | 请～ ご都合のよいように. お好きなように ❹簡便な. 正式でない. ふだんの ‖ 一～饭 | 一～服 ❺大小便をする ❻排泄された便や尿 ❼副 ①(前の事柄が発生したあとすぐに後の事柄が発生することを表す)すぐ ‖ 说做～做 やると言えばすぐにやる ②(前の条件のもとで自然と後の結果が生まれることを表す) …ならば…だ ‖ 没有他, ～没有我的今天 彼がいなければ今日の私はない ➤ pián
【便步】biànbù 名〈軍〉道足(みちあし) (正式な歩調をとらない自由な歩行) ↔〔正步〕
【便餐】biàncān =〔便饭biànfàn〕
【便车】biànchē 名 ついでに乗せてもらう車. 便乗する車 ‖ 搭～ 車に便乗させてもらう
【便当】biàndang 形 便利である. 容易である
*【便道】biàndào 名 ❶歩道 ❷近道 ❸仮設道路
【便饭】biànfàn 名 簡単な食事 ‖ 就在我这里吃顿～吧 我が家で簡単な食事をしていってください
【便服】biànfú 名 ❶ふだん着. 私服 ❷中国式の服
【便函】biànhán 名 (官署・団体・組織などが出す)非公式の簡単な書簡
【便壶】biànhú 名 尿瓶(しびん)
【便笺】biànjiān 名 ❶メモ用紙 ❷メモ
【便捷】biànjié 形 ❶便利である. 手軽である ❷(身のこなしが)敏捷(びんしょう)である
【便览】biànlǎn 名 便覧. ハンドブック
*【便利】biànlì 形 便利である ‖ 交通～ 交通が便利である 動 便利にする. 便宜をはかる ‖ 送货上门, ～居民 商品を家まで配達し, 住民の便宜をはかる
【便利店】biànlìdiàn 名 コンビニエンス・ストア
【便路】biànlù 名 近道
【便帽】biànmào 名 略帽. ふだん用の帽子
【便门】biànmén (～儿) 名 通用門. 勝手口
【便秘】biànmì 動〈医〉便秘する
【便民】biànmín 形 人民に便利な. 人民のための
【便溺】biànniào 動 大小便をする 名 大小便
【便盆】biànpén (～儿) 名 おまる. 便器
【便签】biànqiān 名 メモ. 書き付け
【便桥】biànqiáo 名 仮に架けた橋
【便人】biànrén 名 ついでがあって何か用事を頼める人
【便士】biànshì 量 外 (英国の貨幣単位)ペニー. ペンス
*【便条】biàntiáo (～儿) 名 メモ ‖ 他留了一张～儿, 说有急事先走了 彼は急用のため先に行くとメモを残した
【便携式】biànxiéshì 形 携帯用の. ポータブルの
【便鞋】biànxié 名 ふだん履きの靴. ふつう布靴をいう
【便血】biàn//xiě 動〈医〉大小便に血が混じる
【便宴】biànyàn 名 正式でない簡単な宴会
【便衣】biànyī 名 ❶ふだん着 ❷(～儿)私服の警官または軍人 ‖ ～警察 私服刑事
【便宜】biànyí 形 適宜である. ➤ piányi
【便宜行事】biàn yí xíng shì 成 適宜に処理する
*【便于】biànyú 動 …しやすい. …するのに便利である ‖ ～携带 持ち歩きに便利である
【便中】biànzhōng 名 ついで. 都合のよいとき
【便装】biànzhuāng 名 ふだん着. 平服

12 ★**遍**(徧) biàn ❶形 広く行き渡っている. 至る所に. すべて ‖ 走～世界 世界中至る所を歩き回る | 找～了整个屋子 家中くまなく捜した ❷量 回. 度. 遍 ‖ 请再说一～ もう一度言ってください

類義語 遍 biàn 次 cì 回 huí 趟 tàng
◆〔遍〕動作の始めから終わりまでの全過程を含めた回数を表す ‖ 这本书我看过一遍 この本は(終わりまで)一度読んだことがある ◆〔次〕〔回〕ともに動作の回数を表す. 用法はほぼ同じだが,〔回〕は話し言葉に使うことが多い ‖ 这本小说我看过一次(回), 但是没看完 こ

の小説は一度読んだが, 読み切れなかった ◆〔趟〕往復する動作の回数を表す ‖ 我去一趟日本 日本に一度行ってくる

B

【遍布】biànbù 動 至る所に分布する

*【遍地】biàndì 動 一面に広がる. 至る所にある 副 至る所. あちらこちら. ここかしこ ‖ ～开满了黄花 あたり一面黄色い花で埋めつくされた

【遍地开花】biàn dì kāi huā 成 望ましい現象が至る所に出現するたとえ

【遍及】biànjí 動 広く及ぶ ‖ 电视的影响已～生活的各个角落 テレビの影響は生活の隅々に及んでいる

【遍身】biànshēn 名 全身. 体一面 ‖ ～是血xiě 体中血だらけである

【遍体鳞伤】biàn tǐ lín shāng 成 体中傷だらけである. 満身創痍(まんしんそうい)

【遍野】biànyě 動 野原一面に広がる ‖ 漫山～ 野にも山にも

【遍游】biànyóu 動 あちこち巡り歩く ‖ ～世界 世界を遍歴する

【遍于】biànyú 動 …に広く行き渡る ‖ ～各个阶层 さまざまな階層に分布している

12 **缏** biàn 麦わらなどで編んだ平たいお下げ状のひも ‖ 草帽～ 同前 ➤ pián

16 **辩**(辯) biàn 動 弁論する. 弁解する. 論じる ‖ ～白 ｜争～ 言い争う

【辩白】biànbái 動 弁明する

【辩驳】biànbó 動 反駁(はんばく)する

【辩才】biàncái 名 書 弁舌の才. 弁才

【辩词】【辩辞】biàncí 名 弁論. 弁解の言葉

【辩倒】biàn//dǎo 動 論破する

*【辩护】biànhù 動 ❶弁護する. 申し開きをする. 言い訳する ‖ 为他～ 彼を弁護する ❷〈法〉弁護する ‖ ～律师 弁護士 ✻☞ふつう直接目的語をとらず, 目的語は〔为〕〔替〕〔给〕などの介詞を用いて前に置く

【辩护权】biànhùquán 名〈法〉弁護権

【辩护人】biànhùrén 名〈法〉弁護人

【辩护士】biànhùshi 名 弁護者

*【辩解】biànjiě 動 弁解する. 言い訳をする

*【辩论】biànlùn 動 弁論する. 論争する. 議論する ‖ 展开了一场cháng激烈的～ 激しい論争を繰り広げた

【辩明】biànmíng 動 議論して明らかにする

コラム 標点符号

標点符号とは, 文字で書かれたものの理解を助けるために記される各種のマークのことである. "标号" biāohào (書名や引用部分につける括弧などのマーク類) と "点号" diǎnhào (句読点の類) を合わせて, "标点符号" biāodiǎn fúhào という. 標準的には次の16種類がある. 下に, 日本と使い方が違うものを中心に詳述する.

点号

文末の"点号"		文中の"点号"	
句号	。	逗号	,
问号	?	顿号	、
叹号	!	分号	;
		冒号	:

标号

引号	" "	书名号	《 》
括号	( )	着重号	.
破折号	——	间隔号	·
省略号	……	专名号	＿
连接号	—		

符号の使い方

名称	符号	用法	用例
逗号 dòuhào	, コンマ	意味を明確にするために文中に置かれるポーズを示す	对于这个城市, 他并不陌生。(この都市に, 彼はべつに不案内なのではない)
顿号 dùnhào	、 読点 てん	文中で並列する単語やフレーズ間のポーズを示す	那个房间有电脑、打印机和传真机。(その部屋にはコンピュータとプリンターとファクシミリがある)
分号 fēnhào	; セミコロン	複文の内部で並列している単文間のポーズを示す	语言, 人们用来抒情达意; 文字, 人们用来记言记事。(言語はそれで気持ちを述べ伝え, 文字はそれで言葉や事を記す)
冒号 màohào	: コロン	次に文を提示したり, それ以下に総括的あるいは具体的に説明を加えるときなどに用いる	他说: "我不去。"(彼は「行かない」と言った) 一年有四季: 春、夏、秋、冬。(一年には四季がある, 春・夏・秋・冬である)

【辩士】biànshì 图 弁が立つ人. 弁舌の巧みな人
【辩诉】biànsù 動〈法〉(被告が)申し開きをする
*【辩证】biànzhèng 形〈哲〉弁証法的な ‖ 应该～地看这个问题 弁証法的にこの問題を見るべきだ
*【辩证法】biànzhèngfǎ 图〈哲〉唯物弁証法
【辩证唯物主义】biànzhèng wéiwù zhǔyì 图〈哲〉弁証法的唯物主義

16 **辨** biàn 動 識別する. 見分ける ‖ 真假难～ 真偽を見きわめがたい
*【辨别】biànbié 動 弁別する. 見分ける. 区別する ‖ ～是非 是非を弁別する
【辨不清】biànbuqīng 動 見分けられない. はっきり判断できない ‖ ～好人和坏人 よい人か悪い人か分からない
【辨明】biànmíng 動 はっきり識別する ‖ ～方向 方向を見きわめる
*【辨认】biànrèn 動 見分ける. 識別する ‖ ～笔迹bǐjì 筆跡を識別する | 他～不出照片上的人是谁 彼は写真の人が誰だか見分けられない
【辨识】biànshí 動 識別する. 見分ける
【辨析】biànxī 動 区別し分析する
【辨正】biànzhèng 動 是非を明らかにして誤りを正す. 是非を正す
【辨证】biànzhèng 動 弁別し考証する. 弁証する
【辨证论治】biàn zhèng lùn zhì 慣〈中医〉症状を総合的に診断し, 治療を進めること. 〔辨证施治〕ともいう

17 **辫**(辮) biàn ❶图 (～儿)お下げ ‖ 发fà～ お下げ ❷图 お下げのように編んだもの ‖ 草帽～儿 麦わら帽子を作るために, 麦わらを平打ちに編んだもの. 麦稈真田(ばっかんさなだ)
【辫梢】biànshāo (～儿) 图 お下げに編んだ毛先
*【辫子】biànzi 图 ❶お下げ ‖ 梳～ お下げを結う ❷お下げのように編んだもの ‖ 蒜suàn～ (吊して保存するため)お下げ状に編んだ茎つきのニンニクの束 ❸喩 弱点. 落ち度. しっぽ ‖ 抓～ 弱みをつかむ. しっぽをつかむ

biāo

7 **杓** biāo ❶書 杓子(しゃくし)の柄 ❷古 北斗七星の柄にあたる三つの星

引号 yǐnhào	“ ” ‘ ’ 引用符	文中で会話を引用するとき, また特別な言い方や特別な意味をこめた語句につける	他惊讶地说:“啊, 原来是你!” (彼は驚いて「ああ, 君か!」と言った) 如今饮食也趋向“回归自然”。(今や飲食も「自然回帰」の趨勢にある)
破折号 pòzhéhào	—— ダッシュ	ある事柄に注釈や説明を本文として加えるときに用いる. マス2字分を使用する	他在安乐椅上安静地睡着了——但已经是永远地睡着了。(彼は安楽椅子で静かに眠りについていた——だがそれは, すでに永遠の眠りについていたのである)
连接号 liánjiēhào	— ダッシュ	時間や場所・数値・事物など関連あるものの範囲をその前後でまとめあげるときに用いる. マス1字分, または2字分を使用する	“北京—广州”直特 (「北京—広州」直通特別急行列車) 在18—50岁的人中, 都有40%的准备学习电脑。(18—50歳の人の40%がコンピュータを習うつもりでいる)
书名号 shūmínghào	《 》 〈 〉	書籍や新聞や雑誌・文献などの題名につける	《红楼梦》(『紅楼夢』) 《学习〈为人民服务〉》(『「人民ために奉仕する」を学ぶ』)
间隔号 jiàngéhào	· 中黒	外国人や少数民族の人名中の区切り, 書名と章などの区切りに用いる	玛丽莲·梦露 (マリリン・モンロー) 《三国志·蜀志·诸葛亮传》(『三国志・蜀志・諸葛亮伝』)
专名号 zhuānmínghào	__ 固有名詞符号	人名・地名・王朝名など固有名詞につける線. 横書きの場合はアンダーラインで, 縦書きの場合は傍線で示す	司马相如者, 汉 蜀郡 成都人也, 字长卿。(司馬相如は漢代の蜀郡成都の人で字は長卿)

〔注〕 文章の最初の書き出し, および段落の頭では2文字下げて書き出す.

9 **标**[1]（標）**biāo** ❶書 梢(こずえ) ❷(物事の)末梢(まっしょう) ‖ 治～不治本 枝葉末節にのみ終始し, 根本の問題を解決しない

9* **标**[2]（標）**biāo** ❶旗(広く優勝者に与えられる賞品をさす) ‖ 夺～ 優勝する ❷記号. 符号. 印 ‖ 商～ 商標. トレードマーク ❸動 印を付ける ‖ ～上标点符号 句読点を付ける ❹目標 ‖ 达～ 基準に達する ❺入札する ‖ 投～ 入札する｜中～ 落札する ❻量 旧 軍隊の連隊を数える ❼美しい ‖ 一～致

【标榜】**biāobǎng** 動 貶 ❶標榜(ひょうぼう)する ‖ ～民主 民主を標榜する ❷吹聴(ちょう)する ‖ 自我～ 自画自賛する

*【标本】**biāoběn** 名 ❶標本 ❷末梢と根本

【标兵】**biāobīng** 名 ❶閲兵などで目標となる兵士. デモ行進などで目印となる人 ❷喩 模範. 手本

【标尺】**biāochǐ** 名 ❶標尺 ❷〈軍〉表尺. 照尺. 〔表尺〕の通称

【标灯】**biāodēng** 名 標識灯

【标底】**biāodǐ** 名〈経〉入札最低基準価格

【标的】**biāodì** 名 ❶的. 標的 ❷目的 ❸物資・労力・作業などの契約上の具体的事項

【标点】biāodiǎn** 動 (句読点のない古典文に)句読点をつける 名 句読点

【标点符号】**biāodiǎn fúhào** 名 句読点(疑問符やかっこなどを含めていう). 〔标点〕ともいう

【标定】**biāodìng** 動 ❶(規格や価格などの標準を)定める ❷(一定の規準に基づいて)測定する 形 規準に合う

【标徽】**biāohuī** 名 トレードマーク. エンブレム

【标杆】**biāogān** 名 ❶測量ポール ❷模範. 手本 ‖ ～队 模範とされるチーム

【标高】**biāogāo** 名 標高

【标号】**biāohào** 名 製品の性能を示す記号

【标记】**biāojì** 名 印. 記号. 標識 ‖ 重要的地方做上～ 重要な所に印を付ける

【标价】**biāo//jià** 動 価格を表示する. 値札を付ける 名 (biāojià)表示価格. 定価

【标金】[1] **biāojīn** 名 入札保証金

【标金】[2] **biāojīn** 名 旧 金の延べ棒

【标卖】**biāomài** 動 ❶正札で売る ❷旧 入札で売りに出す

【标明】**biāomíng** 動 表記する. 明示する

【标牌】**biāopái** 名 (商品名などを記した)ラベル. 商標

【标签】**biāoqiān** (～儿) 名 品名・価格・用途などを明示した紙. ラベル

【标枪】**biāoqiāng** 名 ❶〈体〉槍(やり)投げ ❷〈体〉槍投げの槍 ‖ 掷zhì～ 槍を投げる ❸(昔の武器)槍

【标石】**biāoshí** 名 界標

【标示】**biāoshì** 動 表示する. 明示する

*【标题】**biāotí** 名 表題. タイトル. 見出し ‖ 醒目xǐngmù的～ 目を引くタイトル｜副～ サブタイトル

【标题栏】**biāotílán** 名〈計〉タイトルバー

【标题新闻】**biāotí xīnwén** 名 ヘッドラインニュース. ニュースダイジェスト

【标题音乐】**biāotí yīnyuè** 名〈音〉標題音楽

【标贴】**biāotiē** 名 (商品名・性能・用途などを書いた)レッテル. ラベル. プレート

【标图】**biāotú** 動 (地図に)印を付ける

【标箱】**biāoxiāng** 名 スタンダード・コンテナ. 〔标准箱〕の略

【标新立异】**biāo xīn lì yì** 成 新しい説を立てる. 目新しさのみを追う

*【标语】**biāoyǔ** 名 スローガン. 標語 ‖ 贴～ スローガンを張る｜～牌 プラカード

*【标志】【标识】**biāozhì** 名 特徴を表す記号. 標識. マーク ‖ 交通～ 交通標識 動 示す. 表す ‖ 友好条约的签订～着两国关系有了进一步的发展 友好条約の締結は両国の関係のさらなる発展を示すものである

【标致】**biāozhi** 形 美貌である. きれいである. (多く女性に用いる) ‖ 那姑娘长得十分～ あの娘はたいへん美しい

【标准】biāozhǔn** 名 標準. 基準. 規格 ‖ 技术～ 技術基準｜符合～ 規格に合う 形 基準に合っている. 正確である ‖ 他的发音非常～ 彼の発音は非常に正確である

【标准大气压】**biāozhǔn dàqìyā** 名〈気〉標準気圧

【标准粉】**biāozhǔnfěn** 名 標準の小麦粉(歩留まり85パーセントのもの)

【标准化】**biāozhǔnhuà** 動 規格化する. 標準化する

【标准间】**biāozhǔnjiān** 名 スタンダード・ルーム. 略して〔标间〕ともいう

【标准件】**biāozhǔnjiàn** 名 規格部品

【标准时】**biāozhǔnshí** 名 標準時

【标准像】**biāozhǔnxiàng** 名 正面から撮った上半身無帽の写真. 証明書用写真

【标准音】**biāozhǔnyīn** 名〈語〉標準語の発音

【标准语】**biāozhǔnyǔ** 名〈語〉標準語

9 **飑** **biāo** 名〈気〉突風現象. 風向きが突然変わり, 風速が急激に増す気象現象

11 **彪** **biāo** 書 ❶トラの皮の模様 ❷色彩が鮮やかである ❸小さいトラ. 体が大きいことをたとえる ‖ 一～形大汉

【彪悍】**biāohàn** 形 勇猛果敢である ‖ 粗犷cūguǎng～ 豪放で勇猛である

【彪形大汉】**biāoxíng dàhàn** 名 たくましい大男

【彪壮】**biāozhuàng** 形 体が大きくたくましい

14 **骠** **biāo** 書 白毛の混じった黄色の馬 ‖ 黄～马 同前 ➤ piào

15 **膘**（△臕）**biāo** 名 (～儿) (家畜の)肉. 脂肉 ‖ 长zhǎng～ (家畜が)肥える｜这块肉～厚 この肉は脂身が多い｜掉～ (家畜が)痩せる

【膘肥】**biāoféi** 形 (家畜の)肉付きがよい

16 **飙** **biāo** 書 暴風 ‖ 狂～ 荒れ狂う暴風

【飙车】**biāochē** 動 (車やオートバイを)猛スピードで運転する. 暴走する

【飙风】**biāofēng** 名 書 疾風

【飙升】**biāoshēng** 動 (価格や数量などが)急激に上昇する. うなぎのぼりに上がる ‖ 油价一路～ 石油価格がどんどん上昇する

【飙信】**biāoxìn** 名 (ネット用語)掲示板荒らし. BBS荒らし

【飙涨】**biāozhǎng** 動 (価格が)急激に上昇する. 高騰する

16 **瘭** **biāo** ↴

【瘭疽】**biāojū** 名〈医〉瘭疽(ひょうそ)

B

16镖 **biāo** ❶图 矛先に似た形をした昔の武器．投げて人を殺傷する ‖ 飞～ 同前 ❷旧 人に代わって護送する金銭や物資のこと ‖ 保～ 用心棒

【镖局】**biāojú** 图旧 旅客や貨物運送の護衛の人足を提供する組織

【镖客】**biāokè** 图旧（旅客や貨物運送の）護衛．用心棒．〔镖师〕ともいう

20镳 **biāo** ❶書（ウマの）くつわ ‖ 分道扬～ たもとを分かつ ❷〔镖biāo〕に同じ

biǎo

8★表[1] **biǎo** ❶おもて．外面 ‖ 外～ 外面．うわべ ❷動（考え・感情などを）表に出す．示す ‖ 一～露 ❸图 表．図表 ‖ 填～ 表に記入する ❹古 上奏文．表（ひょう） ‖ 出师～ 出師（すい）の表 ❺異姓のいとこ関係を示す ↔〔堂〕‖ 一～哥 ❻俗 薬で体内の寒気を外へ出す ‖ ～汗 薬で汗を出し寒気をとる

8★表[2]（錶❸）**biǎo** ❶古 しるしに用いた木の柱 ‖ 华～ 華表 ❷古 日時計の柱 ❸图 **時計**（腕時計など比較的小型のもの）‖ 钟～ 時計の総称 ❹图 **メーター．計器** ‖ 电～ 電気メーター ❺基準．模範 ‖ 师～ 師表．手本

【表白】**biǎobái** 動 ❶打ち明ける ‖ ～心迹 心を打ち明ける ❷釈明する．説明する．弁明する

【表报】**biǎobào** 图 上級機関に提出する報告表

【表笔】**biǎobǐ** 图〈電〉テスト棒．〔表棒〕ともいう

【表册】**biǎocè** 图 図表をとじて1冊にまとめたもの

【表层】**biǎocéng** 图 表尺表層．外層

【表尺】**biǎochǐ** 图〈軍〉照尺．ふつうは〔标尺〕という

コラム よく見かける標識

日本の標識類と似たものもあるし，目をこらすと違っているものもある．さまざまな標識を通して，その形に託したものは何か読み取るのも楽しい．①～⑥は注意をうながす交通標識（黄色地で枠と図案が黒）．⑦～⑬は禁止する標識（白地に黒の図案，枠・斜線が赤）．⑭～㉗はその場所を説明するマーク，㉘～㉚は緊急通報用の電話を示している．

①当心车辆 ②当心触电 ③当心火车 ④当心坑洞 ⑤注意安全

⑥注意信号灯 ⑦禁止机动车通行 ⑧禁止跨越 ⑨禁止攀登 ⑩禁止跳下

⑪禁止烟火 ⑫禁止饮用 ⑬禁止触摸 ⑭人行横道 ⑮步行街

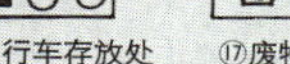

⑯自行车存放处 ⑰废物箱 ⑱卫生间 ⑲饮用水 ⑳自然保护区

㉑安静 ㉒邮箱 ㉓走失儿童认领 ㉔急救 ㉕残疾人设施

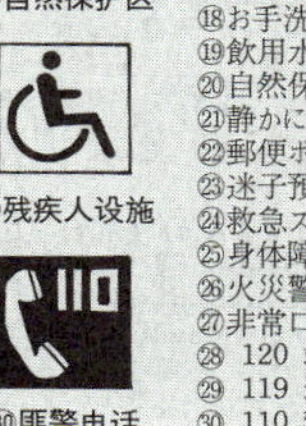

㉖火情警报设施 ㉗紧急出口 ㉘医疗急救电话 ㉙火警电话 ㉚匪警电话

①車に注意
②感電注意
③列車に注意
④足元に注意
⑤危険！
⑥信号に注意
⑦自動車通行止め
⑧飛び越し禁止
⑨のぼるな！
⑩跳び下り禁止
⑪火気厳禁
⑫飲用不可
⑬手を触れるな！
⑭横断歩道
⑮歩行者天国
⑯自転車置き場
⑰ごみ箱
⑱お手洗い
⑲飲用水
⑳自然保護区
㉑静かに！
㉒郵便ポスト
㉓迷子預り所
㉔救急ステーション
㉕身体障害者用
㉖火災警報装置
㉗非常口
㉘ 120 救急車
㉙ 119 消防
㉚ 110 警察

*[表达] biǎodá 動 (考え方や感情などを)表す. 表現する ‖ ~心声 思いを表現する | ~能力 表現能力
[表达不出] biǎodábuchū 動 感情を言葉で外に表せない ‖ ~内心的感激之情 心のうちの感謝の気持ちは言葉では表せない
[表带] biǎodài (~儿) 名 腕時計のバンド
[表弟] biǎodì 名 (姓の異なる)従弟
[表哥] biǎogē 名 (姓の異なる)従兄
[表格] biǎogé 名 表. 図表 ‖ 填写~ 表に書き込む
[表功] biǎo//gōng 動 ❶貶 自分の手柄や功績を吹聴(ちょう)する. あれこれと自慢する ‖ 自我~ 自我自賛する ❷書 手柄や功績を表彰する
[表姐] biǎojiě 名 (姓の異なる)従姉
[表决] biǎojué 動 表決する. 採決する ‖ 投票~ 投票により表決する
[表决权] biǎojuéquán 名 表決権
[表里] biǎolǐ 名 表と裏 ‖ ~不一 考えと行いが一致しない
[表里如一] biǎo lǐ rú yī 成 考えていることと言行が一致する. 裏表がない
[表露] biǎolù 動 表す. 現れる ‖ ~出爱慕之情 愛慕の念が現れる
[表妹] biǎomèi 名 (姓の異なる)従妹
[表蒙子] biǎoméngzi 名 腕時計のガラス
*[表面] biǎomiàn 名 ❶(物体の)表面 ❷外見. うわべ ‖ 他~上不说，心里却不服气 彼は表面上は何も言わないが, 心の中では納得していない
[表面光] biǎomiànguāng 慣 見栄えがする
[表面化] biǎomiànhuà 動 表面化する
[表面文章] biǎomiàn wénzhāng 名 うわべの形式. その場しのぎのやり方 ‖ 做~ その場しのぎでごまかす
[表面张力] biǎomiàn zhānglì 名〈物〉表面張力
*[表明] biǎomíng 動 表明する. 明らかにする ‖ 调查结果~，情况属实 調査結果によって状況が事実どおりであったことが明らかになった
[表盘] biǎopán 名 時計の文字盤
[表亲] biǎoqīn 名 祖父または父親の姉妹の子供, あるいは祖母または母親の兄弟姉妹の子供との親戚関係
*[表情] biǎoqíng 名 表情. 顔つき ‖ ~严肃 表情が険しい 動 感情を表す
★[表示] biǎoshì 動 ❶(言葉や行動で)表す. 示す. 表明する ‖ 向你们~感谢 あなたがたに感謝の意を表します ❷示す. 意味する. 物語る ‖ 红灯~禁止通行 赤ランプは通行禁止を意味する 名 表示. 表れ
[表述] biǎoshù 動 ことばで表す. 述べる
[表率] biǎoshuài 名 手本. 模範
[表态] biǎo//tài 動 態度・立場を明らかにする
★[表现] biǎoxiàn 動 ❶表現する. 体現する. 示す ‖ 运动员在比赛中~出顽强的毅yì力 選手は試合で粘り強さを発揮した ❷貶 見せびらかす. ひけらかす ‖ 他好hào在人前~自己 彼は人に自分をよく見せようとする 名 態度. 表れ ‖ 他在学校的~很好 彼は学校では優等生だ
[表现主义] biǎoxiàn zhǔyì 名 表現主義
[表象] biǎoxiàng 名〈哲〉表象. イデア
[表兄] biǎoxiōng 名 (姓の異なる)従兄
[表兄弟] biǎoxiōngdì 名 (姓の異なる)従兄弟
★[表演] biǎoyǎn 動 ❶上演する. 演じる ‖ 在联欢会上~节目 交歓会で出し物を演じる ❷実演する. 模範演技をする ‖ 给大家示范~几个动作 みんなにいくつかの動作をやって見せる
[表演赛] biǎoyǎnsài 名〈体〉模範試合. エキシビション・ゲーム
★[表扬] biǎoyáng 動 表彰する ‖ 给予jǐyǔ~ ほめたたえる | 受到~ 表彰される
*[表彰] biǎozhāng 動 表彰する. 顕彰する. ほめたたえる ‖ ~先进人物 模範的人物を表彰する
[表针] biǎozhēn 名 (計器や時計など)文字盤の針

11 婊 biǎo ↴
[婊子] biǎozi 名 娼婦. 売春婦

13 裱 biǎo ❶動 表装する. 表具する ‖ ~字画儿 書画を表装する ❷動 (壁や天井に)紙を張る
[裱褙] biǎobèi 動 表装する. 表具する
[裱糊] biǎohú 動 (壁や天井に)紙を張る

biào

14 摽 biào ❶動 方 結びつける. しっかりと縛る ❷動 方 腕を絡み合わせる. スクラムを組む ❸動 方 いつも一緒にいる. くっつき合う. つるむ ❹動 互いに張り合う

19 鰾 biào ❶鰾(ふえ). 魚の浮き袋 ❷にべにかわ. 魚の浮き袋で作ったにかわ

biē

15 *憋 biē ❶動 我慢する. 辛抱する. 耐える ‖ ~着一肚子火 怒りをこらえる | 她有什么心事，总是~在心里不说 彼女は心配事があっても胸にしまって話さない ❷動 気がふさぐ. 気がめいる. くさくさする ‖ 心里~得难受 気がめいってしかたがない
[憋不住] biēbuzhù 動 我慢できない. こらえられない. 抑えられない ‖ 我~，给了他一句 我慢しきれず, 彼に一言言ってやった
[憋得慌] biēdehuāng 動 胸がつかえる. 気がめいる. むしゃくしゃする
[憋闷] biēmen 形 ❶腹立たしい. むしゃくしゃする ❷息苦しい. うっとうしい
*[憋气] biē//qì 動 ❶息が詰まる. 息苦しくなる ‖ 这屋里太~，开开窗户吧 部屋はむっとしているから, 窓を開けましょう ❷いらだつ. しゃくにさわる. 気がめいる ‖ 越想越~ 考えれば考えるほど, しゃくにさわる
[憋屈] biēqu ; biēqū 形 気分が落ちこむ. 気がめいる. むしゃくしゃする

15 瘪(𤸷 △癟) biē ↴ ➤ biě
[瘪三] biēsān 名 方 ちんぴら. ルンペン. 浮浪者

19 鳖(△鼈) biē 名〈動〉スッポン. [甲鱼][团鱼]ともいい, また俗に[王八]ともいう
[鳖甲] biējiǎ 名 鼈甲(べっこう)

bié

7 ★别[1] bié ❶動 別れる ‖ 离~ 離別する ❷分ける. 区別する. 区分する ‖ 分门~类 部門別に分ける ❸差異. 相違点 ‖ 天壤rǎng之~ 天と地の差 ❹類別. 種別 ‖ 性~ 性別 ❺代 別の. ほか

の ‖ 一～人 ❻普通と違う. 特殊な ‖ 特～ 特別な ❼誤字. 誤読した字 ‖ 一～字

7 ★**别**[2] **bié** ❶動(ピンなどで)とめる ‖ 他的帽子上～着一枚纪念章 彼の帽子に記念バッジがつけてある ❷動 **差す. 差し込む. 挟む** ‖ 腰上～着一支枪 腰に拳銃を差している ❸動 足や車を横から差し出して, 相手を転ばせたり前に進めなくさせる

7 ★**别**[3] **bié** ❶副 **…するな. …してはいけない.** (禁止や制止を表す) ‖ ～开玩笑了 ふざけるな | ～把我的话忘了 私の言ったことを忘れるな ❷副 (多く〔别是〕の形で用い, 望まない事態についての推測を示す) **…かもしれない. …ではなかろうか. …ではあるまい** ‖ 一～是 ➤ biè

【别称】biéchēng 图 別名. 別称

【别出心裁】bié chū xīn cái 成 新機軸を出す. 独自の方法を生み出す. 創意工夫をする

*【别处】biéchù 图 よそ. ほかの場所 ‖ 这里没有, 你到～找找 ここにはないからほかを探してみなさい

★【别的】biéde 代 **別の. ほかの. ほかのこと. ほかのもの** ‖ ～以后再说 ほかのことはまたにしましょう | 没有～, 只是想跟您谈谈 ほかでもない, あなたとお話ししたいだけです

【别动队】biédòngduì 图〈軍〉別動隊

【别管】biéguǎn 接 …であろうとも. …にかかわりなく. …を問わず =〔无论wúlùn〕‖ ～是谁, 你都不要开门 誰であろうとドアを開けてはいけない

【别号】biéhào (～儿) 图 別名. 号

【别集】biéjí 图 個人の作品を集めた詩文集 ↔〔总集〕

【别家】biéjiā 图 ほかの人. 別の所

【别价】biéjie 動 方 よせ. やめろ. (制止または禁止を表す)

【别具匠心】bié jù jiàng xīn 成 (文学・芸術作品などが)独創的である

【别具一格】bié jù yī gé 成 独自の風格を有する

【别具只眼】bié jù zhī yǎn 成 独自の見識を持っている

【别看】biékàn 接 …ではあるが. …だけれども. …にもかかわらず ‖ ～他年轻, 办事却很老练 彼は若いけれど仕事はできる

【别离】biélí 動 離れる ‖ ～故乡 故郷を離れる

【别论】biélùn 图 別の対応. ほかの評価

【别忙】bié máng 組 挨拶 お構いなく ‖ 你～, 我这就走 お構いなく, すぐ帰りますから

【别名】biémíng (～儿) 图 別名 動 別名を…と称する

【别情】biéqíng 图 別離の情

★【别人】biérén 代 **ほかの人** ‖ 现在家里只有我一个人, 没有～ いま家には私一人だけでほかの人はいません

★【别人】biéren 代 **他人** ‖ ～的事, 我不管 人の事に私は口出ししない

【别史】biéshǐ 图 別史. 正史や雑史以外の史書

【别是】biéshì 副 まさか…ではあるまい. よもや…ではあるまい ‖ 他怎么还不来, ～忘了吧? 彼はどうしてまだ来ないんだろう, まさか忘れたわけじゃないだろうな

【别树一帜】bié shù yī zhì 成 新たに旗を上げる. 別に一派をなす

【别墅】biéshù 图 別荘

【别说】biéshuō 接 …はもちろんのこと. …は言うに及ばず ‖ ～没有钱, 有钱也不买那玩意儿! お金がないならなおさら, お金があってもあんなくだらない物は買わない

【别送】bié sòng 組 挨拶 (客が主人側の見送りを謝絶する言葉)お見送りは結構です ‖ ～, ～, 请留步! お見送りには及びません, どうぞそのままで

【别提】biétí 動 話にならない. 言いようがない ‖ 屋里那个乱啊, ～了 部屋の中の散らかりようといったらない

【别无长物】bié wú cháng wù 成 余分なものは何もない. 非常に貧しいさま. 無一物

【别无二致】bié wú èr zhì 成 別に異なるところがない

【别有洞天】bié yǒu dòng tiān =〔别有天地bié yǒu tiān dì〕

【别有风味】bié yǒu fēng wèi 成 また違った趣がある

【别有天地】bié yǒu tiān dì 成 さながら別天地の感がある. 風景などが美しく人をうっとりさせるさま

【别有用心】bié yǒu yòng xīn 成 魂胆がある. 下心がある. ほかに打算がある

【别针】biézhēn (～儿) 图 留め針. 安全ピン

【别致】biézhì 形 独特の趣がある

【别传】biézhuàn 图 逸話を主とした伝記. 別伝. 外伝. (多く書名に用いる)

*【别字】biézì 图 ❶誤字. 読み違えた字. 〔白字〕ともいう ❷号. 別名

18 **蹩** **bié** 動 方 (手首や足首を)くじく ‖ 不小心把脚～了 うっかりして足をくじいてしまった

【蹩脚】biéjiǎo 形 粗悪である. 劣っている ‖ ～货 粗悪品 | 英语说得很～ 英会話がとても下手だ

biě

15 **瘪**(癟 △癟) **biě** 動 へこむ. くぼむ. ぺしゃんこになる ‖ 车带～了 タイヤがぺしゃんこになった | 肚子饿～了 腹がぺこぺこだ ➤ biē

biè

7 **别**(彆) **biè** ↴ ➤ bié

*【别扭】bièniu 形 ❶やりにくい. 扱いにくい. 具合が悪い ‖ 这车骑起来真～ この自転車はとても乗りにくい | 这个人脾气～ その人は性格が偏屈だ ❷気が合わない ‖ 两人闹～了 二人は仲たがいをした ❸(話や文章の)筋道が通っていない. 流暢(りゅうちょう)でない

【别嘴】bièzuǐ 形 方 舌がもつれて言いにくい

bīn

8 **玢** **bīn** 古 玉(ぎょく)の一種

10 **宾**(賓) **bīn** 客 ↔〔主〕‖ 贵～ 賓客 | 来～ 来賓

【宾白】bīnbái 图 (伝統劇の)台詞(せりふ)

【宾馆】bīnguǎn 图 **迎賓館. ホテル ‖ 高级～ 高級ホテル

【宾客】bīnkè 图 来賓. 来客

【宾朋】bīnpéng 图 客. 友人

【宾语】bīnyǔ 图〈語〉目的語. 客語

【宾至如归】bīn zhì rú guī 成 客があたかも我が家に帰ったように感じる. もてなしが行き届いているさま

[宾主] bīnzhǔ 名 客と主人．主客

11 **彬** bīn ↴

[彬彬] bīnbīn 形 書 優雅である．上品である．みやびやかである ‖ ～有礼 上品で礼儀正しい

12 **傧**(儐) bīn ↴

[傧相] bīnxiàng 名 ❶古 客を出迎える人．儀式の進行係 ❷旧（婚礼のときの）新郎新婦の介添え人

12 **斌** bīn 〔彬bīn〕に同じ

13 **滨**(濱) bīn ❶水辺．水のほとり ‖ 海～ 海辺 ❷（水に）臨む．沿う

13 **缤**(繽) bīn ↴

[缤纷] bīnfēn 形 いろいろなものが入り乱れるさま．とりどりの．さまざまな ‖ 落英～ 花が乱れ散る

14 **槟**(檳) bīn ↴ ➤ bīng

[槟子] bīnzi 名〈植〉リンゴの一種

15 **镔**(鑌) bīn ↴

[镔铁] bīntiě 名 精錬した鉄

16 **濒** bīn ❶動 書（水辺に）臨む ‖ 东～太湖 東は太湖に臨む ❷接近する．迫る．瀕（ひん）する ‖ ─～危 | ─～死

[濒绝] bīnjué 動 絶滅の危機に瀕する ‖ ～植物 絶滅危惧植物

[濒临] bīnlín 動 臨む．接近する ‖ ～大海 大海に臨む

[濒死] bīnsǐ 動 書 死に瀕する ‖ 处于～状态 瀕死（ひんし）の状態である

[濒危] bīnwēi 動 書 ❶危険が迫る ❷危篤に陥る

[濒于] bīnyú 動 …に臨む．…に瀕する ‖ ～灭绝 絶滅に瀕する | ～破产 破産寸前である

17 **豳** bīn 古代の地名．現在の陝西省彬（ひん）県，旬邑（じゅんゆう）県一帯にあった．〔邠〕とも書く

bìn

13 **摈**(擯) bìn 書 捨てる．排除する．退ける ‖ ─～弃

[摈斥] bìnchì 動（人を）排斥する．排除する．退ける

[摈除] bìnchú 動（多く事物に用い）排除する．退ける

[摈弃] bìnqì 動 捨てる．捨て去る．退ける

14 **殡**(殯) bìn ❶柩（ひつぎ）を安置する ❷柩 ‖ 出～ 出棺する | 送～ 会葬する

[殡车] bìnchē 名 霊柩車（れいきゅうしゃ）

[殡殓] bìnliàn 名 納棺と出棺

[殡仪馆] bìnyíguǎn 名 葬儀場．斎場

[殡葬] bìnzàng 名 出棺と埋葬

19 **髌**(髕) bìn ❶〈生理〉膝蓋骨（しつがいこつ） ❷膝蓋骨を削り取る古代の酷刑

[髌骨] bìngǔ 名〈生理〉膝蓋骨．〔膝盖骨〕ともいう

20 **鬓**(鬢) bìn 鬢（びん） ‖ 两～ 両方の鬢

[鬓发] bìnfà 名 鬢の毛

[鬓角][鬓脚] bìnjiǎo （～儿）名 もみあげ．鬢の毛の垂れている部分 ‖ 留～ もみあげを伸ばす

bīng

6 **并** bīng 名 山西省太原市の別称 ➤ bìng

6 ** **冰**(△氷) bīng ❶名 氷 ‖ 结～ 氷が張る ❷動 冷たく感じる ‖ 这里的水夏天都～手 ここの水は夏でも手が凍るほど冷たい ❸動 冷やす ‖ ～啤酒 ビールを冷やす ❹氷のように白く半透明のもの ‖ ─～糖

[冰坝] bīngbà 名 氷の堰（せき）．川の浅瀬や湾内に堆積した氷の塊

[冰雹] bīngbáo 名〈気〉雹（ひょう）．ふつう〔雹子〕という

[冰茶] bīngchá 名 ノンカロリーの清涼飲料

[冰碴儿] bīngchár 名 方 ❶氷のかけら ❷薄氷

[冰场] bīngchǎng 名 スケートリンク．スケート場

[冰车] bīngchē 名（氷上を押して走らせる）そり

[冰川] bīngchuān 名 氷河．〔冰河〕ともいう

[冰川期] bīngchuānqī 名 氷河時代．

[冰床] bīngchuáng 名（氷上用の）そり

[冰镩] bīngcuān 名 氷かき．アイスピック

[冰袋] bīngdài 名 氷嚢（ひょうのう）

[冰刀] bīngdāo 名〈体〉（スケート靴の）エッジ

[冰岛] Bīngdǎo 名〈国名〉アイスランド

[冰道] bīngdào 名 冬期，積雪や川・湖の凍結を利用して造る物資輸送路

[冰灯] bīngdēng 名 氷の灯（あか）り．氷の彫刻の中に七色の電灯を入れて観賞するもの．とくにハルビンの〔冰灯节〕（氷祭り）は有名

[冰点] bīngdiǎn 名〈物〉氷点

[冰雕] bīngdiāo 名 氷の彫刻

[冰冻] bīngdòng 動 ❶凍る．結氷する ❷凍らす．冷凍する 名 方 氷

[冰冻三尺，非一日之寒] bīngdòng sān chǐ, fēi yī rì zhī hán 諺 3尺もの厚い氷は1日の寒さでできたものではない．物事の変化は一朝一夕になるものではなく，長い間の積み重ねによるものである

[冰毒] bīngdú 名 メチルアンフェタミン（覚醒剤の一種）の俗称

[冰封] bīngfēng 動 氷に閉ざされる

[冰峰] bīngfēng 名 万年雪を頂く峰

[冰镐] bīnggǎo 名 ピッケル

[冰挂] bīngguà 名〈気〉雨氷．雨滴が凍結したもの．

[冰挂儿] bīngguàr 名 つらら

[冰柜] bīngguì 名 冷凍ショーケース．冷蔵庫

*[冰棍儿] bīnggùnr 名 アイスキャンデー

[冰壶] bīnghú 名〈体〉❶カーリング ❷カーリングのストーン

[冰花] bīnghuā 名 ❶（窓ガラスにできる）氷の模様 ❷花や水草などを氷に閉じ込めて作る観賞品 ❸霧氷

[冰激凌] bīngjilíng 名 アイスクリーム

[冰肌玉骨] bīng jī yù gǔ 成 ❶美人の肌が白く清らかなさま ❷寒梅の気高く美しいさま

[冰窖] bīngjiào 名 氷室（ひむろ）．地中の氷の貯蔵庫

[冰块] bīngkuài （～儿）名 氷塊．砕き氷

[冰冷] bīnglěng 形 氷のように冷たい．とても冷たい ‖ ～的面孔 冷ややかな表情

[冰凉] bīngliáng 形 冷たい．冷えている ‖ ～的手 冷たい手 | ～的河水 冷たい川の水

[冰凌] bīnglíng 名 氷塊．つらら

【冰溜】bīngliù 名 つらら.〔冰溜子〕ともいう
【冰排】bīngpái 名 流氷
【冰片】bīngpiàn 名〈中薬〉竜脳
【冰品】bīngpǐn 名（アイスクリーム・かき氷などの）冷菓.冷たい菓子類
【冰瓶】bīngpíng 名 冷蔵用の口の広い瓶
【冰期】bīngqī 名 ❶氷河時代 ❷氷期
*【冰淇淋】bīngqílín ＝〔冰激凌bīngjilíng〕
【冰橇】bīngqiāo 名 そり ＝〔雪橇〕
【冰清玉洁】bīng qīng yù jié 成 上品で汚れのないたとえ ＝〔玉洁冰清〕
【冰球】bīngqiú 名〈体〉アイスホッケー
【冰山】bīngshān 名 ❶雪山.氷に閉ざされた高山 ❷氷山 ❸喩 当てにならない後ろ盾
【冰上舞蹈】bīngshàng wǔdǎo 名〈体〉アイスダンス
【冰上运动】bīngshang yùndòng 名〈体〉氷上競技
【冰释】bīngshì 動（誤解や疑いが）氷解する ‖ 误会涣然huànrán～ 誤解がすっかり氷解する
【冰霜】bīngshuāng 名 書 喩 ❶節操を守ること ❷面持ちが厳粛であること ‖ 冷若～ 冷淡である.態度が厳格で近づきがたい
【冰水】bīngshuǐ 名 氷を加えた水.冷たい水
【冰坛】bīngtán 名 氷上スポーツ界
【冰炭】bīngtàn 名 喩 性質がまったく異なるもの ‖ ～不相容 氷と炭相容(あい)れず.性質がまったく違っていて調和・一致しないこと
【冰糖】bīngtáng 名 氷砂糖
【冰糖葫芦】bīngtáng húlu 名 サンザシなどの実を竹ぐしに刺して,溶かした砂糖をからめた菓子 ＝〔糖葫芦〕
【冰天雪地】bīng tiān xuě dì 成 氷と雪に閉ざされた世界.非常に厳しい寒さの形容
【冰坨】bīngtuó 名 ❶氷塊 ❷凍りついたもの
**【冰箱】bīngxiāng 名 冷蔵庫 ‖ 电～ 電気冷蔵庫
【冰消瓦解】bīng xiāo wǎ jiě 成 完全に消滅する.すっかり氷解する
【冰鞋】bīngxié 名 スケート靴
【冰雪】bīngxuě 名 氷と雪
【冰镇】bīngzhèn 動 氷で冷やす.冷たくする ‖ ～啤酒 冷えたビール｜～西瓜 冷やしたスイカ
【冰柱】bīngzhù 名 つらら
【冰砖】bīngzhuān 名（四角い）アイスクリーム
【冰锥】bīngzhuī 名 つらら.〔冰锥子〕〔冰柱〕〔冰溜〕ともいう

7 **兵 bīng ❶兵器.武器 ❷名 軍隊 ❸名 兵卒.兵士 ‖ 当～ 兵隊になる ❹軍事.戦争 ‖ 纸上谈～ 書物の知識に頼って作戦を論じる.机上の空論
【兵变】bīngbiàn 動 軍部の内乱が起こる.軍事クーデターが起こる
【兵不血刃】bīng bù xuè rèn 成 刃(やいば)を血に染めることなく勝利を収める.戦わずして勝つ
【兵不厌诈】bīng bù yàn zhà 成 兵は偽りをいとわず.戦いには詭計(きけい)を用いてもかまわない
【兵丁】bīngdīng 名 旧 兵士.兵卒
【兵法】bīngfǎ 名 兵法.戦術
【兵戈】bīnggē 名 書 兵戈(へいか). 転 いくさ.戦争
【兵工】bīnggōng 名 軍事工業
【兵工厂】bīnggōngchǎng 名 武器工場
【兵贵神速】bīng guì shén sù 成 兵は神速を貴ぶ.戦いは迅速な行動をとることが最も大切である
【兵慌马乱】bīng huāng mǎ luàn 成 戦争で世が乱れているさま
【兵火】bīnghuǒ 名 戦火.戦争 ‖ ～连天 戦争が絶えない
【兵祸】bīnghuò 名 戦禍.戦争から起こる混乱
【兵家】bīngjiā 名 兵家.軍事家 ‖ 胜败乃～常事 勝敗は兵家の常
【兵舰】bīngjiàn 名 軍艦
【兵谏】bīngjiàn 動 武力を盾にして諫言(かんげん)する
【兵来将挡，水来土掩】bīng lái jiàng dǎng, shuǐ lái tǔ yǎn 成 兵士が攻めてきたら将軍が防ぎ,洪水になったら土でせき止める.それぞれの状況に応じて対処するたとえ
【兵力】bīnglì 名 兵力.戦力 ‖ ～雄厚 兵力が強大である｜集中～ 兵力を結集する
【兵临城下】bīng lín chéng xià 成 敵の大軍が城下に迫る.戦況が逼迫(ひっぱく)している
【兵乱】bīngluàn 名 戦乱.戦禍
【兵马俑】bīngmǎyǒng 名 兵馬俑(へいばよう).墓の副葬品とする兵士や軍馬をかたどった陶製の人形
【兵棋】bīngqí 名〈軍〉作戦を練るために用いる軍隊・兵士・武器などの模型.兵棋
【兵器】bīngqì 名 武器.兵器
【兵强马壮】bīng qiáng mǎ zhuàng 成 兵は強く馬は力みなぎる.強い軍隊のこと
【兵权】bīngquán 名 兵権.軍の統轄権
【兵刃】bīngrèn 名 書 刀剣類の武器 ‖ ～相接 刃(やいば)を交える
【兵戎】bīngróng 名 武器.軍隊 ‖ ～相见 干戈(かんか)を交える.戦争をする
【兵士】bīngshì 名 兵士.兵卒
【兵书】bīngshū 名 兵書.兵法を記した書物
【兵团】bīngtuán 名〈軍〉❶兵団.（軍隊の編制単位の一つで,複数の軍団または師団を統轄する）❷連隊以上の部隊
【兵饷】bīngxiǎng 名 兵士の給与.軍人の俸給
【兵械】bīngxiè 名 兵器
【兵蚁】bīngyǐ 名〈虫〉兵隊アリ.兵アリ
【兵役】bīngyì 名 兵役 ‖ 服～ 兵役につく
【兵营】bīngyíng 名 兵営
【兵勇】bīngyǒng 名 旧 兵士
【兵员】bīngyuán 名 兵員.兵士
【兵源】bīngyuán 名 兵士の供給源.兵士のなり手
【兵灾】bīngzāi 名 戦災.兵禍
【兵站】bīngzhàn 名〈軍〉兵站(へいたん)
【兵种】bīngzhǒng 名 兵種.兵員の種別

14 槟（檳）bīng ➘ ➤bīn
【槟榔】bīnglang 名〈植〉ビンロウジ

bǐng

5 * 丙 bǐng 名 丙(ひのえ)（十干の第3）➡〔天干tiāngān〕
【丙肝】bǐnggān 名〈医〉C型肝炎.〔丙型肝炎〕の略
【丙级】bǐngjí 名 3番目のランク.C級
【丙纶】bǐnglún 名〈紡〉ポリプロピレン

【丙烷】bǐngwán 名〈化〉プロパン
【丙烯】bǐngxī 名〈化〉アクリル. プロピレン
【丙种维生素】bǐngzhǒng wéishēngsù 名 ビタミンC. ふつう〔维生素C〕という

8 **秉** bǐng ❶書 握る. 手で持つ ❷書 掌握する. つかさどる ❸古 容量をはかる単位. 〔斛hú〕の16倍
【秉笔】bǐngbǐ 動 書 筆を執る. 執筆する
【秉承】bǐngchéng 動 命を受ける. 従う. 承る ‖ ～主子的旨意 主人の意向に従う
【秉持】bǐngchí 動 守る. 身に付ける
【秉赋】bǐngfù 名 天賦. 天性. 天分
【秉公】bǐnggōng 動 公平に行う ‖ ～处理 公平に処理する
*【秉性】bǐngxìng 名 気性. 気質. 性格 ‖ ～刚直 気性が一本気である
【秉正】bǐngzhèng 動 書 公正に行う
【秉政】bǐngzhèng 動 書 政権を握る
【秉直】bǐngzhí 形 書 正直である. 率直である
【秉烛】bǐngzhú 動 書 灯火を手に持つ

9 * **饼** bǐng ❶名 こねた小麦粉を円盤状に伸ばし, 焼いたり蒸したりした食べ物の総称 ❷(～儿)円形で平たいもの ‖ 柿～ 干し柿
【饼铛】bǐngchēng 名〔饼〕を焼くのに使う平底の浅い鉄鍋
【饼肥】bǐngféi 名 豆かすや落花生かすなどを円盤状に固めた肥料の総称
**【饼干】bǐnggān 名 ビスケット
【饼屋】bǐngwū 名 (西洋式の)ケーキ屋. ケーキ店
【饼子】bǐngzi 名 トウモロコシやアワなどの粉をこねて鉄板で焼いたもの

9 **屏** bǐng ❶取り去る. 捨てる ‖ →～弃 ❷動 (息を)止める ‖ ～住呼吸 息を殺す ➤ píng
【屏除】bǐngchú 動 除く. 除去する. 払いのける ‖ ～杂念 雑念を払う
【屏气】bǐng//qì 動 息を殺す. 息をひそめる
【屏弃】bǐngqì 動 排除する. 除去する ‖ ～陈规陋俗 lòusú 古くさい規則や習慣を捨て去る
【屏退】bǐngtuì 動 ❶退ける ‖ ～左右 周囲の者を退席させる ❷書 隠遁する. 遁世(とんせい)する
【屏息】bǐngxī 動 息をひそめる. 息を凝らす

9 **炳** bǐng 書 ❶明るい ❷照り輝く

9 * **柄** bǐng ❶名 柄(え). 取っ手. グリップ. ハンドル ‖ 伞～ カサの柄 ❷書 権力 ❸書 掌握する. 握る ❹量 方 柄のあるものを数える ❺人に握られた欠点や落ち度 ‖ 话～ ゴシップ | 笑～ 物笑いの種 ❻〈植〉柄(へい). 花や葉が茎に接続する部分

13 **禀**[1] (△稟) bǐng ❶書 賦与する ‖ 天～ 生まれつき ❷受け継ぐ ‖ →～受
13 **禀**[2] (△稟) bǐng 旧 ❶(上位の人や機関に)報告をする. 申し述べる ‖ →～报 ❷(～儿)上申書
【禀报】bǐngbào 動 旧 上申する. 申し上げる ‖ 据实～ ありのままを報告する
【禀呈】bǐngchéng 動 書 差し上げる. 捧呈(ほうてい)する
【禀承】bǐngchéng ＝〔秉承bǐngchéng〕
【禀赋】bǐngfù 名 天賦. 天性 ‖ 具有艺术～ 生まれつき芸術的才能がある
【禀告】bǐnggào 動 旧 上申する. 申し上げる
【禀明】bǐngmíng 動 (目上に)説明する. 報告する
【禀受】bǐngshòu 動 (性格などを)受け継ぐ. 生まれつき持つ 名 生来の気質
【禀帖】bǐngtiě 名 旧 上申書. 嘆願書
【禀性】bǐngxìng ＝〔秉性bǐngxìng〕
【禀奏】bǐngzòu 動 上奏する

bìng

6 ** **并**[1] (△併) bìng 動 併せる ‖ 合～ 合併する
6 ** **并**[2] (△並 竝) bìng ❶動 並ぶ. 接する ‖ →～肩 | →～排 ❷副 同時に. 同様に ‖ →～存 ❸副 書 すべて ❹副 決して. 絶対に. (〔不〕〔没有〕〔无〕〔非〕などの前に置き, 否定的語気を強める) ‖ 他～不那么厉害 彼はそれほど怖い人ではない ❺接 及び. また ‖ 讨论～通过了工作报告 業務報告について討議しまたこれを採択した ❻接 そのうえ. しかも ‖ 任务已经完成, ～比原计划提前三天 任務は完了し, しかも当初の計画よりも3日早く終えた ➤ bīng
【并案】bìng//àn 動 事件を一括する ‖ ～办理 事件をまとめて処理する
【并产】bìng//chǎn 動 (いくつかの企業が)共同で生産する
*【并存】bìngcún 動 共存する. 併存する ‖ 两者难以～ 両者は共存しがたい
【并蒂莲】bìngdìlián 名 1本の茎に咲く二つのハスの花. 仲むつまじい夫婦のたとえ
【并发】bìngfā 動〈医〉併発する
【并发症】bìngfāzhèng 名〈医〉合併症
*【并非】bìng fēi 組 絶対に…ではない. 決して…ではない ‖ 事实～如此 事実は決してこうではない
【并购】bìnggòu 動〈経〉買収合併する. M&A
【并轨】bìngguǐ 動 一本化する. 統合する ‖ 计划价格向市场价格～ 計画価格を市場価格に一本化する
【并驾齐驱】bìng jià qí qū 成 くつわを並べて疾駆する. 双方ともひけを取らない
【并肩】bìng//jiān 動 肩を並べる 副 肩を並べて. 手を携えて. 協力して ‖ ～前进 力を合わせて前進する
【并进】bìngjìn 動 同時に進む. 並行して進む ‖ 齐头～ いくつかの物事を同時に進行する
【并举】bìngjǔ 動 同時に実行する. 並行して推進する
【并力】bìnglì 動 書 協力する
【并立】bìnglì 動 並立する. 両立する
【并联】bìnglián 動〈電〉並列する ‖ ～电路 並列回路
*【并列】bìngliè 動 横に並ぶ. 同時に並ぶ ‖ 两人～第三名 二人は共に3位になった
【并拢】bìnglǒng 動 並べてつける ‖ 脚跟～ かかとを揃える
*【并排】bìngpái 動 横に並ぶ ‖ ～站着 横に並んで立っている
**【并且】bìngqiě 接 そのうえ. しかも. さらに ‖ 她聪明、漂亮, ～性格也好 彼女は頭はいいし, 美人だし, しかも性格もいい
【并入】bìngrù 動 併合する. 合併する
【并世】bìngshì 名 同じ時代 ‖ ～无双 同時代に並ぶものがない

【并吞】bìngtūn 動 併呑(へいどん)する. 併合する
【并未】bìng wèi 副 決して…していない ‖ 只是听说, ～见到 ただ人から聞いただけで, 見てはいない
【并行】bìngxíng 動 ❶並んで行く. 並行して進む ❷同時に実行する
【并行不悖】bìng xíng bù bèi 成 同時に実施しても互いに矛盾しない
【并行口】bìngxíngkǒu 名〈計〉パラレルポート ↔〔串chuàn行口〕
【并用】bìngyòng 動 同時に使う ‖ 手脚～ 手と足を同時に使う
【并重】bìngzhòng 動 同等に重視する ‖ 文理科～ 文化系と理科系を同等に重んじる

10 ★**病** bìng ❶名 病気 ‖ 疾～ 疾病 | 得dé～ 病気になる | 生～ 病気になる | 治～ 病気を治す ❷動 病む. 患う. 病気になる ‖ ～得厉害 病気が重い ❸(他と比較して)劣ったところ. 欠点. 誤り ‖ 毛～ 欠点. 故障 | 语～ (文法上の)言葉の誤り

【病案】bìng'àn ＝〔病历bìnglì〕
【病包ル】bìngbāor 名 口 病気ばかりしている人. 病気の問屋
【病变】bìngbiàn 動〈医〉病変する
【病病歪歪】bìngbingwāiwāi (～的) 形 病気で痩せ細り足元がふらつくさま.〔病歪歪〕ともいう
【病病殃殃】bìngbingyāngyāng (～的) 形 長期の病気で体力が衰えている様子.〔病殃殃〕ともいう
【病残】bìngcán 名 病気と身体的障害 ‖ 老弱～者专座 老人・虚弱者・病人・身障者専用の座席. シルバーシート
【病程】bìngchéng 名 病状の経過
*【病虫害】bìngchónghài 名〈農〉病虫害
*【病床】bìngchuáng 名 病床. 病院のベッド ‖ 久卧wò～ 長い間病の床にふす
【病倒】bìngdǎo 動 病気で倒れる ‖ 他劳累过度, ～了 彼は過労で倒れた
*【病毒】bìngdú 名 ❶〈医〉病毒. ウイルス ‖ ～性感冒 ウイルス性感冒. インフルエンザ ❷〈計〉コンピューター・ウィルス.〔电脑病毒〕の略
【病毒性肝炎】bìngdúxìng gānyán 名〈医〉ウイルス性肝炎
⁑【病房】bìngfáng 名 病室. 病棟 ‖ 外科～ 外科病棟 | 隔离～ 隔離病棟 | 单人～ (病院の)個室
【病夫】bìngfū 名 貶 よく病気をする人. 病弱な人
【病根】bìnggēn 名 ❶(～ル)持病.〔病根子〕ともいう ❷喩 弊害の根本原因
【病故】bìnggù 動 病死する. 病没する
【病害】bìnghài 名〈農〉病害
*【病号】bìnghào (～ル) 名 (軍隊・学校・機関などの集団に属している)病人. 患者 ‖ ～饭 病人食
【病候】bìnghòu 名 病状
【病患】bìnghuàn 名 病気. 疾患
【病急乱投医】bìng jí luàn tóu yī 諺 病気が重くなるとあちこちの医者に診てもらう. 事が差し迫ると手当たりしだいにいろいろな方法をとるたとえ
【病假】bìngjià 名 病欠. 病気のため休むこと ‖ 请～ 病欠を願い出る | ～条 病欠届
【病句】bìngjù 名 文法上に間違いのある文
*【病菌】bìngjūn 名〈医〉病原菌.〔病原菌〕ともいう
【病况】bìngkuàng 名 病状
【病理】bìnglǐ 名〈医〉病理
【病历】bìnglì 名 病歴. カルテ.〔病案〕ともいう ‖ 建～ カルテを作る | ～卡 カルテ
【病例】bìnglì 名 病例. 症例
【病魔】bìngmó 名 病魔 ‖ ～缠chán身 病魔に冒される
⁑【病情】bìngqíng 名 病状. 症状 ‖ ～严重 症状が重い | ～好转 病状が好転する
⁑【病人】bìngrén 名 病人. 患者 ‖ 照顾～ 病人を看護する | 门诊ménzhěn～ 外来患者
【病容】bìngróng 名 病気があるような顔色
【病入膏肓】bìng rù gāo huāng 成 病膏肓(こうこう)に入る. 事態が救いようのないほど悪化するたとえ
【病弱】bìngruò 形 病弱である
【病身子】bìngshēnzi 名 口 病気にかかった体. 病身
【病史】bìngshǐ 名 病歴. 既往症
【病势】bìngshì 名 病状 ‖ ～加重 病状が悪化する
【病室】bìngshì 名 病室
【病逝】bìngshì 動 書 病死する. 病没する
【病死】bìngsǐ 動 病死する. 病没する
【病榻】bìngtà 名 病床
【病态】bìngtài 名 (身体的・精神的に)病的な状態
【病态建筑物综合征】bìngtài jiànzhùwù zōnghézhēng 名 シックハウス症候群.〔不良建筑物综合征〕ともいう
【病体】bìngtǐ 名 病体. 病身
【病痛】bìngtòng 名 比較的軽い病気
【病退】bìngtuì 動 病気で退職する
【病危】bìngwēi 形 危篤である
【病象】bìngxiàng 名 症状. 徴候
【病休】bìngxiū 動 病気で休む. 病欠する
【病恹恹】bìngyānyān (～的) 形 病弱なさま
【病秧子】bìngyāngzi 名 口 病気がちな人. よく病気になる人
【病疫】bìngyì 名 疫病. 伝染病
【病因】bìngyīn 名 病気の原因. 病因
【病友】bìngyǒu 名 患者仲間
【病愈】bìngyù 動 病気が治る
【病员】bìngyuán 名 (軍隊や機関などの集団に属している)病人. 患者
【病原虫】bìngyuánchóng 名〈医〉病原虫
【病原体】bìngyuántǐ 名〈医〉病原体
【病院】bìngyuàn 名 専門病院 ‖ 精神～ 精神病院 ‖ 传染～ 伝染病院
【病灶】bìngzào 名〈医〉病巣
【病征】bìngzhēng 名 徴候. 症状
【病症】bìngzhèng 名 病気. 疾患 ‖ 疑难yínán～ 難病
【病重】bìngzhòng 形 病気が重い
【病株】bìngzhū 名〈農〉病株
【病状】bìngzhuàng 名 病状. 症状

12 **摒** bìng 〔屏bǐng ❶〕に同じ

【摒除】bìngchú 動 排除する
【摒绝】bìngjué 動 排除する. 捨て去る. 絶つ
【摒弃】bìngqì 動 捨て去る. 排除する

bō

8 **波** bō ❶波 ‖ 一～浪 ❷波瀾(はらん). 曲折. 波風 ‖ 风～ 風波. 騒ぎ ❸まなざし. 視線 ‖

B

眼～ 同前 ❹图〈物〉波動 ‖ 声～ 音波

【波长】bōcháng 图〈物〉波長

【波荡】bōdàng 動 波打つ. 波立つ

【波导】bōdǎo 图〈通信〉マイクロ波導波管. 〔波导管〕ともいう

【波导管】bōdǎoguǎn ＝〔波导bōdǎo〕

*【波动】bōdòng 動 揺れ動く. 変動する. 動揺する ‖ 感情～ 心が揺れ動く | 物价～幅度较大 物価の変動幅がかなり大きい

【波段】bōduàn 图〈物〉周波数帯. バンド

【波尔卡】bō'ěrkǎ 图 外〈音〉ポルカ

【波峰】bōfēng 图〈物〉波動の山 ↔〔波谷〕

【波幅】bōfú 图〈物〉波動の振幅. 〔振幅〕ともいう

【波谷】bōgǔ 图〈物〉波動の谷 ↔〔波峰〕

【波光】bōguāng 图 波に反射する光 ‖ ～粼粼línlín 水面にきらきらと光が踊る

【波黑】Bōhēi ＝〔波斯尼亚和黑塞哥维那Bōsīníyà hé hēisàigēwéinà〕

【波及】bōjí 動 波及する. 影響が及ぶ

【波兰】Bōlán 图〈国名〉ポーランド

【波澜壮阔】bō lán zhuàng kuò 成 大波のように壮大である. 怒濤(どとう)のように勢いが盛んである

*【波浪】bōlàng 图 波. 波浪

【波罗门教】Bōluóménjiào 图 バラモン教

【波能】bōnéng 图 波のエネルギー ‖ ～发电 波発電

【波谱】bōpǔ 图〈物〉波スペクトル. 波スペクトラム

【波束】bōshù 图〈物〉ビーム

【波斯】Bōsī 图（古代の国名）ペルシア

【波斯菊】bōsījú 图〈植〉ジャノメソウ. クジャクソウ

【波斯猫】bōsīmāo 图〈動〉ペルシアネコ

【波斯尼亚和黑塞哥维那】Bōsīníyà hé hēisàigēwéinà 图〈国名〉ボスニア・ヘルツェゴビナ. 略して〔波黑〕ともいう

【波速】bōsù 图〈物〉波の伝播(でんぱ)する速度

*【波涛】bōtāo 图 波濤(はとう). 大きな波 ‖ ～汹涌xiōngyǒng 大波が逆巻く

【波纹】bōwén 图 波模様. 波紋 ‖ 荡dàng起～ さざ波が立つ

【波折】bōzhé 图 紆余曲折(うよきょくせつ). 波乱. トラブル

8
*拨（撥）bō ❶動（手足や棒などで横に物を）移動させる. 動かす ‖ 把闹钟～到六点 目覚まし時計の針を6時に合わせる | 把菜～到小盘子里 おかずを小皿に取り分ける ❷動（指などで）はじく. 弾く ❸動（一部を）分け与える. 分配する ‖ 一～款 ❹量（～儿）（グループごとに分けた一まとまりの人を表す）組. 群れ. グループ ‖ 一～儿人 一群れの人々 ❺向きを変える ‖ 一～正

【拨动】bōdòng 動（指などで）動かす. はじく

【拨发】bōfā 動 支給する. 交付する

【拨付】bōfù 動 支出する. 支払う

【拨叫】bōjiào 動 ダイヤルする. 電話をかける ‖ ～长途电话 長距離電話をかける

【拨开】bō//kāi 動 ❶押しのける. かき分ける ❷取り分ける ‖ 把他那份儿～ 彼の分を取り分けておきなさい

*【拨款】bō//kuǎn 動 資金を配分する. 資金を割り当てる ‖ 工程还需要再拨些款 工事にはさらに資金を配分する必要がある 图（bōkuǎn）割当金. 支出金 ‖ 国家专项～ 国の特別支出金

【拨拉】bōla 動 方（横に）動かす. はらう. 押しやる ‖ ～算盘 そろばんをはじく. 損得勘定をする

【拨浪鼓】bōlanggǔ （～儿）图（玩具(がんぐ)の一つ）でんでん太鼓. 〔波浪鼓〕とも書く

【拨乱反正】bō luàn fǎn zhèng 成 混乱を収拾し, 秩序を回復する

【拨弄】bōnong 動 ❶（手や棒などで）弄(もてあそ)ぶ. いじる ❷操作する. 操る. 思うままに動かす ‖ 任人～ 人に操られる ❸挑発する ‖ ～是非 双方をそそのかして悶着を起こさせる

【拨冗】bōrǒng 動 翰 万障繰り合わせる

【拨正】bōzhèng 動 正す. 改正する. 直す

【拨转】bōzhuǎn 動 向きを変える. 方向を転換する

【拨子】bōzi 图 ❶（弦楽器の）ばち. つめ. ピック ❷〈劇〉安徽省一帯で行われる地方劇の主な節回しの一つ. 〔高拨子〕の略

9
玻 bō ↴

【玻利维亚】Bōlìwéiyà 图〈国名〉ボリビア

**【玻璃】bōli ; bōlí 图 ❶ガラス ‖ 毛～ すりガラス | 钢化～ 強化ガラス ❷口 ガラスのようなもの ‖ 有机～ 有機ガラス, アクリル樹脂

【玻璃杯】bōlibēi 图 ガラスコップ. グラス

【玻璃布】bōlibù 图 ガラス布. グラス・クロス

【玻璃钢】bōligāng 图 強化プラスチック

【玻璃棉】bōlimián 图 ガラス・ウール. グラス・ウール

【玻璃球】bōliqiú 图 ビー玉

【玻璃纱】bōlishā 图〈紡〉オーガンディー. 〔巴里纱〕ともいう

【玻璃丝】bōlisī 图 ガラス繊維

【玻璃体】bōlitǐ 图〈生理〉（眼球の）硝子体(しょうしたい)

【玻璃纤维】bōli xiānwéi 图 グラス・ファイバー

【玻璃纸】bōlizhǐ 图 セロハン紙

【玻璃砖】bōlizhuān 图 ❶ガラスの厚板 ❷〈建〉ガラスブロック

10
剥 bō ❶〔剥bāo〕に同じで, 多く複合語または成語に用いる ❷（表面が）落ちる. はがれる ‖ 一～落 ❸無理やり奪い取る ‖ 一～削 ➤ bāo

【剥夺】bōduó 動 ❶強制的に奪う. 収奪する ❷〈法〉（財産や権利を）剝奪(はくだつ)する ‖ ～政治权利 政治的権利を剝奪する

【剥离】bōlí 動 剝離(はくり)する. はがれる

【剥落】bōluò 動 剝落(はくらく)する. はげ落ちる

【剥蚀】bōshí 動 ❶風化する. 浸食される ❷侵食する

*【剥削】bōxuē 動 搾取する

10
饽 bō ↴

【饽饽】bōbo 图 方 ❶マントー. 小麦粉やトウモロコシ・アワなどの雑穀の粉をこねて作った食品 ❷菓子類の総称

10
钵（鉢盋）bō ❶图（多く陶製の）鉢 ❷图 古 僧侶の用いた食器

【钵盂】bōyú 图 古 僧侶の用いた食器. 鉢

10
般 bō ↴ ➤ bān pán

【般若】bōrě 图〈仏〉般若(はんにゃ). 知恵

10
趵 bō ↴ ➤ bào

【趵趵】bōbō 擬 書（足を踏み鳴らす音）パカパカ

11
菠 bō ↴

*【菠菜】bōcài 图〈植〉ホウレンソウ

【菠萝】bōluó 图〈植〉パイナップル ＝〔凤梨fènglí〕

【菠萝蜜】bōluómì 名〈植〉❶パラミツ．ジャック・フルーツ．〔木菠萝〕ともいう ❷パイナップル．〔凤梨〕の俗称

15 *播 bō ❶動（種を）まく‖→～种 ❷動まき散らす．伝播（ぱ）する‖电台正在～新闻 ラジオでニュースを放送している

【播唱】bōchàng 動（ラジオで）歌を流す

【播发】bōfā 動（ラジオで）放送する

*【播放】bōfàng 動（ラジオ・テレビで）放送する‖～连续剧 連続ドラマを放映する

【播幅】bōfú 名〈農〉種子のまき付け幅

【播讲】bōjiǎng 動（ラジオやテレビで）講義を放送する．語り物の演芸を放送する‖～评书 講談を放送する

【播弄】bōnong ＝〔拨弄bōnong〕

【播撒】bōsǎ 動まく．散布する‖～农药 農薬をまく

【播散】bōsàn 動散布する．広める

*【播送】bōsòng 動（ラジオやテレビで）放送する‖接下来～音乐节目 引き続き音楽番組を放送します

【播扬】bōyáng 動❶伝わる．広まる ❷書発動する

*【播音】bō∥yīn 動（ラジオで）放送する

【播音员】bōyīnyuán 名アナウンサー‖女～ 女性アナウンサー

【播映】bōyìng 動（テレビで）放映する

【播种】bō∥zhǒng 動種まきする

【播种机】bōzhǒngjī 名〈農〉種まき機

*【播种】bōzhòng 動種まきする．作付けする‖～面积 作付け面積

bó

7 伯[1] bó ❶長兄．〔伯〕〔仲zhòng〕〔叔〕〔季jì〕で表す兄弟の長幼の序列の１番目 ❷父の兄．父方の伯父‖大～ 父方のいちばん上の伯父 ❸父と同年輩の男性に対する尊称‖王大～ 王おじさん

7 伯[2] bó 古五等爵〔公〕〔侯〕〔伯〕〔子〕〔男〕の第３位‖→～爵 ➤ bǎi

⁑【伯伯】bóbo 名口❶父の兄．父方の伯父‖大～ 父方のいちばん上の伯父｜二～ 父方の２番目の伯父 ❷父と同年輩の男性に対する尊称

⁑【伯父】bófù 名❶伯父 ❷父と同年輩の男性に対する尊称

【伯爵】bójué 名伯爵

【伯劳】bóláo 名〈鳥〉モズ．

【伯乐】Bólè 名喩（春秋時代の秦国の人伯楽が，馬の良し悪しを鑑別することに長じていたことから）人材を発掘，任用することに長じた人物のたとえ

【伯利兹】Bólìzī 名〈国名〉ベリーズ

⁑【伯母】bómǔ 名❶父の兄の妻．伯母 ❷年輩の婦人に対する尊称

【伯仲】bózhòng 名書実力が伯仲していること．優劣がつけがたいこと‖相～ 伯仲している

【伯仲叔季】bó zhòng shū jì 成兄弟の長幼の序列

【伯祖】bózǔ 名祖父の兄．父の伯父

【伯祖母】bózǔmǔ 名祖父の兄の妻．父の伯母

7 驳[1]（*駁）bó 動反駁（ばく）する．反論する‖反～ 反駁する

7 驳[2]（*駁）bó ❶書（色が）入り混じっている‖❷（内容が）入り混じっている

7 驳[3] bó ❶（旅客や貨物を）はしけで運ぶ‖→～运 ❷はしけ．艀船（せん）‖→～船

【驳岸】bó'àn 名護岸堤（多くは石で築いたもの）

*【驳斥】bóchì 動反駁する．反駁して退ける‖～谬论 miùlùn 謬論（びゅうろん）を退ける

【驳船】bóchuán 名はしけ

【驳倒】bó∥dǎo 動反駁して言い負かす‖几句话就把他～了 二言三言で彼を言い負かした

【驳回】bóhuí 動（請願・要求を）却下する．（意見などを）採択しない‖上诉被～了 上訴が却下された

【驳价】bó∥jià （～儿）動値切る

【驳论】bólùn 動相手の意見に反駁して，自分の論点をはっきりさせる

【驳面子】bó miànzi 慣メンツをつぶす

【驳运】bóyùn 動はしけで貨物や旅客を運ぶ．

【驳杂】bózá 形粗く雑然としている．入り乱れている

8 泊[1] bó ❶動停泊する．接岸する‖停～ 停泊する ❷とどまる．泊まる‖漂piāo～ 漂泊する

8 泊[2] bó 穏やかで無為であるさま‖淡～ 淡白である ➤ pō

【泊车】bó∥chē 動駐車する‖违章～ 違法駐車

【泊位】bówèi 名❶バース．停泊水域．錨地（びょうち） ❷駐車スペース‖停车～ 駐車スペース

8 帛 bó 書絹．絹織物の総称‖布～ 布帛（ふはく）．織物の総称

【帛画】bóhuà 名絹織物に描かれた絵

【帛书】bóshū 名絹織物に書かれた書物

9 勃 bó ❶書旺盛（おうせい）である．盛んである ❷突然に発生するさま‖→～然

【勃勃】bóbó 形旺盛なさま．満ちあふれているさま‖生机～ 活力にあふれている｜兴致～ 興味津々である

【勃发】bófā 書形はつらつとしている．生き生きしている 動勃発（ぼっぱつ）する．‖～战争 戦争が勃発する

【勃然】bórán 形❶盛んに興るさま．発奮するさま ❷（怒りや驚愕（きょうがく）などで）顔色が変わるさま‖～变色 さっと顔色が変わる

【勃兴】bóxīng 動書勃興（ぼっこう）する

9 柏 bó 〔柏林〕（ベルリン），〔柏拉图〕（プラトン）などの音訳字として用いる ➤ bǎi bò

10 铂 bó 名〈化〉プラチナ（化学元素の一つ，元素記号は Pt）．ふつう〔白金〕という

10 钹 bó 名伝統楽器の一つで，シンバルに似た打楽器．鈸（ばち）．銅鈸（どうばち）

11 脖（*頬）bó （～儿）❶首‖→～子 ❷口足首 ❸器物の首に当たる部分

【脖梗儿】【脖颈儿】bógěngr 名首筋

【脖领儿】bólǐngr 名方（衣服の）えり．

⁑【脖子】bózi 名首‖脚～ 足首｜卡qiǎ～ 首を絞める．首根っこを押さえる

11 舶 bó 大型船．汽船‖船～ 船舶

【舶来品】bóláipǐn 名旧舶来品

12 博[1]（*愽）bó ❶大きい．広い．多い．豊富である‖地大物～ 土地が広く，物も豊富である ❷広範である．普遍的である‖～而不精 幅広いが精通していない ❸広く通暁する‖→～古通今

12 博[2] bó 得る‖→～得

12 博[3] bó ❶囲碁や将棋を打つ‖→～弈 ❷ばくちをする．賭博をする‖赌dǔ～ 賭博をする

B

【博爱】bó'ài 名 博愛
【博采】bócǎi 動 広く集める. 広い範囲から採用する
【博茨瓦纳】Bócíwǎnà 名〈国名〉ボツワナ
【博大】bódà 形 広い. 豊かである. (多く学識や思想など抽象的な事物について用いる)
【博导】bódǎo 名 博士課程の学生の指導教官. 〔博士生导师〕の略
【博得】bódé 動 得る. 博す ‖ ～好感 好感を得る
【博古通今】bó gǔ tōng jīn 成 広く古今の事に通じている
【博客】bókè 名〈通信〉ブログ
【博览】bólǎn 動 広く書物を読む ‖ ～群书 広くさまざまな書物を読む
*【博览会】bólǎnhuì 名 博覧会
【博洽】bóqià 形 書 学識が豊かである
【博取】bóqǔ 動 (信頼や評価を)得る ‖ ～欢心 歓心を買う | ～人们的同情 人々の同情を得る
*【博士】bóshì 名 博士 ‖ 攻读～课程 博士課程に学ぶ
【博士后】bóshìhòu 名 博士課程終了後の研究生
【博闻强记】【博闻强志】bó wén qiáng zhì 成 博覧強記である. 見聞が広く, よく記憶している
*【博物馆】bówùguǎn 名 博物館
【博物院】bówùyuàn 名 博物館 ‖ 故宫～ 故宮博物院
【博学】bóxué 形 博学である ‖ ～之士 博学の士
【博雅】bóyǎ 形 該博である. 博雅である
【博弈】bóyì 動 ❶書 碁や将棋を打つ ❷(政治・経済・軍事などの分野で)複数のプレイヤーが競い合う ‖ ～论 ゲーム理論
【博引】bóyǐn 動 広く各方面から引用する ‖ 旁证～ 博引旁証する

12 渤 bó 地名用字 ‖ ～海 渤海(ぼっかい)

12 鹁 bó ↓
【鹁鸽】bógē 名〈鳥〉ドバト. イエバト. 〔家鸽〕ともいう
【鹁鸪】bógū 名〈鳥〉シラコバト. ジュズカケバト. 俗に〔水鹁鸪〕ともいう

13 搏 bó ❶取っ組み合う. 殴り合いをする ‖ 一～斗 ❷拍動する. 鼓動する ‖ 脉～ 脈拍
【搏动】bódòng 動 (心臓などが)拍動する. 脈打つ
*【搏斗】bódòu 動 激しく殴り合う. 格闘する ‖ 生死～ 生死をかけた闘い
【搏击】bójī 動 格闘する
【搏杀】bóshā 動 武器を持って格闘する
【搏战】bózhàn 動 格闘する. 取っ組み合う

14 膊 bó 腕. 上腕 ‖ 赤～ 肌脱ぎになる | 胳～ gēbo 腕

14 箔 bó ❶アシやコーリャンで編んだもの ‖ 苇wěi～ よしず ❷蚕の簇(まぶ) ❸金属の薄片. 箔(はく) ❹(紙銭として用いる)金属粉や箔をつけた紙 ‖ 锡xī～ 錫箔をつけた紙

14 魄 bó ➡〔落魄luòbó〕 ➤ pò tuò

16 薄¹ bó 書 近づく. 接近する ‖ 日～西山 太陽が西に傾く

16 薄² bó ❶少ない. わずかである. 軽微である ❷軽んじる. さげすむ. 卑しめる ‖ 厚古～今 古いものを重んじ, 現代のものを軽んじる ❸薄情である. ふまじめである ‖ 刻～ 酷薄である ❹〔薄báo〕に同じで, 多く複合語または成語に用いる ➤ báo bò
【薄待】bódài 動 人を厚遇しない. 丁重に扱わない
【薄地】bódì 名 痩せた田畑
【薄技】bójì 名 謙 ささやかな技. 未熟な技
【薄酒】bójiǔ 名 謙 まずい酒. 粗末な酒
【薄礼】bólǐ 名 謙 粗品. つまらぬ物
【薄利多销】bó lì duō xiāo 成 薄利多売
【薄面】bómiàn 名 謙 (私の)ささやかなメンツ ‖ 请看在我的～上, 原谅他这一次 私の顔を立てて, 今度ばかりは彼を許してやってください
【薄命】bómìng 形 (多く女性が)薄命である. 薄幸である. 不運である
【薄膜】bómó 名 (プラスチックなどの)フィルム
【薄情】bóqíng 形 薄情である. 冷淡である
*【薄弱】bóruò 形 薄弱である. 手薄である ‖ ～环节 手薄な部分 | 意志～ 意志が弱い
【薄田】bótián 名 痩せた田んぼ

21 礴 bó ➡〔磅礴pángbó〕

bǒ

12 跛 bǒ 形 足が不自由である ‖ 一～脚
【跛脚】bǒ//jiǎo 動 足を引きずる
【跛子】bǒzi 名 足の不自由な人

19 簸 bǒ ❶動 箕(み)をふるって, 穀物の中の夾雑物(きょうざつ)を取り除く ❷上下に揺れる ‖ 颠diān～ 同前 ➤ bò
【簸荡】bǒdàng 動 (上下に)揺れる. 揺れ動く
【簸动】bǒdòng 動 上下に揺れる
【簸箩】bǒluo 名 竹の皮やヤナギの枝で編んだざる

bò

9 柏 bò ➡〔黄柏huángbò〕 ➤ bǎi bó

16 薄 bò ↓ ➤ báo bó
【薄荷】bòhe 名〈植〉ハッカ ‖ ～糖 ハッカあめ
【薄荷脑】bòhenǎo 名〈化〉メントール. メンソール

17 檗 bò ➡〔黄檗huángbò〕

17 擘 bò 書 ❶分ける ‖ ～肌分理 分析が綿密である ❷親指 ‖ 巨～ 大家(たいか). 権威

19 簸 bò 〔簸bǒ ❶〕に同じ ➤ bǒ
【簸箕】bòji 名 ❶(穀物をふるうのに用いる)箕(み) ❷ちりとり ❸弓状の指紋

bo

2 卜(蔔) bo ➡〔萝卜luóbo〕 ➤ bǔ

bū

10 逋 bū 書 ❶逃げる ‖ 一～逃 ❷支払いを滞らせる. 返済を引き延ばす ‖ ～欠 滞納する

【逋逃】būtáo 書動逃亡する 名逃亡犯

bú

19 **醭** bú （～儿）名酢・みそ・しょうゆの表面にできる白かび ‖ 长zhǎng～儿 白かびが生じる

bǔ

2 **卜** bǔ ❶占う ‖ 占zhān～ 占う．占いをする ❷書（住む場所などを）選ぶ ‖ ～～居 ❸書 予測する．推測する ‖ 生死未～ 存亡が危ぶまれる ➤ bo

【卜辞】bǔcí 名亀甲や獣骨に刻まれた占いの文章．卜辞（ぼく）．文字を〔甲骨文〕（甲骨文字）という

【卜卦】bǔ//guà 動占う

【卜居】bǔjū 動書住まう場所を選び定める

【卜筮】bǔshì 古動卜（ぼ）（亀甲や獣骨を焼いてする占い）と筮（ぜ）（筮竹を用いてする占い）で占いをする

5 **叶** bǔ ↴

【叶吩】bǔfēn 名外〈化〉ポルフィン

7 ★**补**（補）bǔ ❶動繕う．補修する．直す ‖ ～裤子 ズボンを繕う ❷動（人や物を）補充する．補う ‖ ～一个名额 欠員を一人補充する｜～功课 学科の補習をする ❸動栄養を補給する．滋養をつける ‖ 多吃些有营养的东西～一～身体 できるだけ栄養のあるものを食べて体に力をつけなさい ❹動補足する．埋める ❺書 役に立つところ．使い道 ‖ 于事无～ 実際の役に立たない

【补白】bǔbái 名（新聞や雑誌などの）あきを埋めるための短い記事

【补办】bǔbàn 動追って…する ‖ ～证明书（欠けている）証明書を追って揃える

【补仓】bǔ//cāng 動〈経〉（株などを）買い足す

【补差】bǔchā 動（停年退職後引き続き働く場合，年金額ともとの給料との）差額を支給する 名同前の差額

*【补偿】bǔcháng 動補償する．埋め合わせる．償う ‖ ～损失 損失を補償する｜得到～ 償いを得る

【补偿贸易】bǔcháng màoyì 名〈貿〉補償貿易

⁑【补充】bǔchōng 動❶補充する．補う ‖ ～水分 水分を補充する ❷追加する．足す．補足する ‖ ～说明 補足説明

【补丁】【补钉】bǔding 名継ぎ ‖ 打～ 継ぎを当てる

*【补发】bǔfā 動❶追って支払う．追加支給する ‖ ～两个月工资 2ヵ月分の月給を追って支払う ❷追加発行する．再発行する

【补过】bǔ//guò 動過ちを償う ‖ 将功～ 功績を立てて過ちを償う

【补花】bǔhuā （～儿）名アップリケ

*【补回来】bǔ//huí(huí)//lai(lái) 動（損失などを）取り戻す ‖ 把失去的时间～ 失った時間を取り返す

【补给】bǔjǐ 動〈軍〉補給する

【补给舰】bǔjǐjiàn 名〈軍〉補給艦．〔供应gōngyìng舰〕ともいう

【补给线】bǔjǐxiàn 名〈軍〉補給線

【补剂】bǔjì ＝〔补药bǔyào〕

【补假】bǔ//jià 動❶事後に欠勤・欠席届を出す ❷代休を取る

【补交】bǔjiāo 動追加納付する

【补酒】bǔjiǔ 名滋養強壮酒

*【补救】bǔjiù 動挽回（ばん）する．取り返す

【补考】bǔkǎo 動追試験をする．追試験を受ける

⁑【补课】bǔ//kè 動❶補習する．補講する ❷喩（仕事が不合格で）やり直す

【补漏】bǔlòu 動❶補修する．修理する ❷（仕事上の）ミスを補う

【补票】bǔ//piào 動（乗車券や入場チケットなどの）不足料金を精算する．（乗車または入場した）後から切符やチケットを買う ‖ 请给补一张票 切符を1枚お願いします

【补品】bǔpǐn 名滋養強壮剤．栄養補助食品

【补缺】bǔ//quē 動❶欠員を補う．補填（ほてん）する ❷旧（欠員ができて）補欠官吏が官職に就く

【补色】bǔsè 名補色．〔余色〕ともいう

【补上】bǔ//shang(shàng) 動補う．補充する．

【补时】bǔshí 動〈体〉試合時間を延長する．（サッカーなどの）ロスタイム

【补税】bǔ//shuì 動税金の漏れや不足分を納める

*【补贴】bǔtiē 動（経済的に）補助する．援助する ‖ ～家用 生活費を補う 名手当．補助金

⁑【补习】bǔxí 動補習する ‖ ～班 補習班．塾

【补休】bǔxiū 動（休暇の日に出勤して，その分を）振り替え休日にする．代休をとる 名振り替え休日．代休

【补选】bǔxuǎn 動補欠選挙をする

【补血】bǔ//xuè 動〈医〉補血する．増血する

【补牙】bǔ//yá 動虫歯を治療する

【补养】bǔyǎng 動滋養をつける

【补药】bǔyào 名滋養強壮剤

【补液】bǔ//yè 動〈医〉液体補給する 名（栄養を補完する）飲料水．滋養強壮剤

【补遗】bǔyí 動補遺する

【补益】bǔyì 書動役に立つ 名役に立つこと

【补语】bǔyǔ 名〈語〉補語

【补正】bǔzhèng 動（文字や記事などのミスを）補正する．補い直す

*【补助】bǔzhù 動補助する ‖ 医疗～ 医療補助 名補助金．補助物資

【补妆】bǔ//zhuāng 動化粧直しする

【补缀】bǔzhuì 動❶（衣服を）繕う ❷（文章を）補う

【补足】bǔzú 動補充する．補い満たす

10 ⁑**捕** bǔ 動捕らえる．捕まえる ‖ ～鱼 漁をする

【捕虫网】bǔchóngwǎng 名捕虫網

【捕风捉影】bǔ fēng zhuō yǐng 成風や影をつかむように捕らえどころがない．なんの根拠もない

【捕获】bǔhuò 動捕獲する．捕らえる ‖ ～量 捕獲量｜～在逃的案犯 逃走中の犯人を取り押さえる

【捕鲸】bǔjīng 動クジラを捕る ‖ ～船 捕鯨船

*【捕捞】bǔlāo 動（魚介類を）とる．漁をする

【捕猎】bǔliè 動（野生動物を）捕獲する．狩猟する

【捕拿】bǔná 動捕まえる．逮捕する

【捕杀】bǔshā 動捕らえて殺す

【捕食】bǔshí 動❶捕食する ❷（bǔ//shí）餌をあさる

*【捕捉】bǔzhuō 動捕らえる．捕まえる ‖ ～逃犯 逃走犯を捕らえる｜～老鼠 ネズミを捕まえる

10 **哺** bǔ ❶書（鳥が）えさを口移しにする ❷養育する ❸書 口中に含んでいる食物

【哺乳】bǔrǔ 動哺乳（ほにゅう）する ‖ ～期 哺乳期

【哺乳动物】bǔrǔ dòngwù 名〈生〉哺乳動物

[12]**堡** bǔ 地名用字‖瓦窑Wǎyáo～ 陕西省にある県の名 ➤bǎo pù

B

bù

[4]★**不** bù ❶副 ①(動詞・形容詞・副詞の前に置き,否定を示す)… **しない**. … **でない**‖～信 信じない｜～听话 言うことを聞かない ②(同じ動詞あるいは形容詞の間に置き,反復疑問文をつくる) … **かどうか**‖这事该～该告诉他？ この事を彼に言うべきだろうか ③多く〔什么 … 不 …〕の形で,〔不〕の前後に同じ動詞・形容詞・名詞を置いて,**意に介しない**, **関係ない**, **問題ない**などの意を表す‖什么钱～钱的,只要有活儿干就行 金なんぞ問題ではない,仕事さえできればいい ④名詞または名詞性の語素の前に置き,形容詞を構成する‖～人道 ❷副(単独で用いて否定の回答となる) **いいえ**‖～,你误会了 いいえ,あなたは誤解しています ❸副 口 肯定文の末尾に置き,疑問の意を表す‖你去～？ あなたは行きますか ❹助 動詞・形容詞と補語の間に置き,**不可能を表す**. 可能を表すには〔不〕を〔得〕に置きかえる‖听～见 聞こえない｜装～下 詰め込めない ❺副(制止を表す) … **しないでください**. … **しなくてよい**‖好孩子,～哭 いい子だからもう泣かないで｜～谢 どういたしまして｜～送 お見送りは結構です ❻副〔几〕または時間を表す語の前に置き,数が少ないことまたは時間が短いことを表す‖～几天就回来 2,3日もしないうちに帰ってくる ❼副 反語文に用い,肯定を表す. 多く〔不〕の後に〔就〕〔也〕を伴う‖你～也想去吗？ 君も行きたいんじゃないのか ✻☞第4声の前では第2声に変調する.

【不碍事】bù ài//shì 組 方 差し支えない. かまわない. 大丈夫だ

*【不安】bù'ān 形 ❶不安定である. 不安である‖坐立～ 居ても立ってもいられない ❷申し訳ない. 心苦しい‖未能尽力,深感～ 力が至らず,心苦しく思っています

【不白之冤】bù bái zhī yuān 成 すすぐことのできない冤罪(えんざい). 無実の罪. ぬれぎぬ

【不败之地】bù bài zhī dì 成 不敗の地. 強固な立場‖立于～ 不敗の地に立つ

*【不卑不亢】bù bēi bù kàng 成 おごらずへつらわず. 傲慢(ごうまん)でもなければ卑屈でもない

【不备】bùbèi 動 すきがある. 油断がある

*【不比】bùbǐ 動 … の比ではない. … とは比べものにならない. … に及ばない‖我们的条件～你们 我々の条件はみなさんとは比べものにならない

⁑【不必】bùbì 副 … **することはない**. … **するに及ばない**‖他不过说一说而已,你～太认真 彼はちょっと言ってみただけなのだから,あまりまともに取るな

> **類義語** 不必 bùbì 不用 bùyòng
>
> ◆〔不必〕(物の道理または客観的事実から) … する必要がない. … しないでください‖不必通知对方 先方に知らせる必要はない ◆〔不用〕(話し手が主観的に判断して)〔してもいいが,〕… する必要がない. … するに及ばない‖不用惦记他 彼のことを気にかけることはない｜不用那么客气 そんなに遠慮するに及ばない

【不便】bùbiàn 動 都合が悪い. 差し障りがある‖因他在场,～直说 彼がその場にいるので,はっきり言うのは具合が悪い 形 ❶不便である. 便利でない‖行动～ 歩行が困難である ❷金が足りない

【不辨菽麦】bù biàn shū mài 成 菽麦(しゅく)を弁ぜず. 実際の知識に乏しいこと

【不才】bùcái 旧 謙 動 才能がない 名 不肖. 小生. 私め

【不测】bùcè 形 不測の. 予測しない. 意外な 名 不測の事態. 偶発事‖遭受～ 予期しない事態にでくわす

*【不曾】bùcéng 副 かつて … したことがない. 今まで … したことがない‖～发生过这类问题 この種の問題はかつて起こったことがない

【不差累黍】bù chā lěi shǔ 成 寸分の差もない

【不成】bùchéng 動 いけない. だめである‖那～！ それはだめだよ 助(〔难道〕〔莫非〕などと呼応して,詰問・推測の気持ちを表す)まさか … と言うのではあるまい‖难道我怕你～？ 私があなたを恐れているとでも言うのか

【不成比例】bùchéng bǐlì 組(数量や大小などの)釣り合いがとれていない. アンバランスである

【不成材】bùchéngcái 慣 見込みがない. 凡庸である

【不成话】bùchénghuà 慣 話にならない. なっていない

【不成器】bùchéngqì 慣 見込みがない. ふがいない

【不成体统】bù chéng tǐ tǒng 成 体(てい)をなさない. 話にならない

【不成文】bùchéngwén 形 成文化していない

【不成文法】bùchéngwénfǎ 名〈法〉不文法. 不文律 ↔〔成文法〕

【不齿】bùchǐ 動 書 歯牙(しが)にもかけない. まったく問題にしない‖为wéi人所～ 人に相手にされない

【不耻下问】bù chǐ xià wèn 成 目下の人に教えを請うのを恥としない

【不出所料】bù chū suǒ liào 成 予想どおりである. 案の定

【不辞】bùcí 動 ❶辞さない. 嫌がらない‖～劳苦 労苦をいとわない ❷別れを告げない

*【不辞而别】bù cí ér bié 成 いとまごいもせずに立ち去る

【不次于】bù cìyú 組 … に劣らない‖他做菜手艺～夫人 彼の料理の腕は奥さんに負けない

【不凑巧】bù còuqiǎo 組 あいにく. 具合悪く

★【不错】[1] bùcuò 形 **そのとおりである. 正しい. 確かに. なるほど**‖～,他这话是我说的 そうです,彼のこの言葉は私が言ったものです

★【不错】[2] bùcuò 形 口 **よい. 優れている**‖天气～ 天気がよい｜他们俩关系～ あの二人はとても仲がよい

【不打不相识】bù dǎ bù xiāngshí 諺 けんかをしなければ仲良しになれない. 雨降って地固まる.

【不打紧】bù dǎjǐn 組 方 差し支えない. 大丈夫だ. かまわない

【不打自招】bù dǎ zì zhāo 成 打たれもしないのに罪を白状する. 語るに落ちる

⁑【不大】bùdà 副 **そんなに(… ではない). あまり(… ではない)**‖他～高兴 彼はちょっと不機嫌だ

【不大离】bùdàlí(～儿) 形 方 ほぼ同じである. 似たり寄ったりである

【不待】bùdài 副 … を俟(ま)たない. … までもない‖～言 言を俟たない

【不丹】Bùdān 名〈国名〉ブータン

【不单】bùdān 副 … にとどまらない. 単に … だけではない 接 単に … でなく. … にとどまらず‖～你想要,别人也想要 あなただけでなく,ほかの人も欲しがっている

★【不但】bùdàn 接(多く〔而且〕〔并且〕〔还〕〔也〕な

ど と呼応して) … **のみならず**. … **だけでなく** ‖ 这件事～要做，而且要做好 この仕事はやらなければならないだけでなく，しかも立派にやり遂げねばならない｜她～会英语，还会法语 彼女は英語だけでなく，フランス語もできる

【不惮】bùdàn 動 書 恐れない ‖ ～其烦 煩を恐れず．面倒をいとわない

*__【不当】bùdàng__ 形 不適切である．妥当でない．当を欠く ‖ 措辞～ 言葉遣いが不適切である

【不倒翁】bùdǎowēng 名（玩具ﾀﾞﾝの一種）起き上がりこぼし ＝〔扳bān不倒儿〕

【不到】bùdào 形 行き届かない．至らない ‖ 有～之处，请多包涵bāohan 行き届かない点がありましたらお許しください

【不到长城非好汉】bù dào Chángchéng fēi hǎohàn 諺 長城に至らざれば好漢にあらず．初志を貫いてこそ立派な男子といえる

【不到黄河不死心】bù dào Huánghé bù sǐ xīn 諺 黄河に至らざれば得心がゆかず．とことんまでやらないとあきらめきれない

【不道德】bùdàodé 形 道義にもとる．不道徳である

*__【不得】bù dé__ 組 … してはならない．… してはいけない ‖ 未经许可，～入内 許可なくして立ち入ることを禁ず

【…不得】…bude 助（動詞の後に置き，不適切である，差し障りがある，許されないなどの意を表す）… してはいけない．… するわけにはいかない ‖ 这蘑菇mógu有毒，吃～ このキノコは毒があるから，食べてはいけない

★**【不得不】bù dé bù** 組 … **せざるを得ない**．… **しなければならない**．… **しないわけにはいかない** ‖ 由于下雨，运动会～延期 雨のため，運動会は延期せざるを得なくなった

【不得而知】bù dé ér zhī 成 知る由もない

【不得劲】bù déjìn（～儿）組 ❶（道具などの）使い心地が悪い．しっくりしない．なじまない ‖ 这辆车骑着～ この自転車は乗り心地が悪い ❷体の具合が悪い ❸〈方〉心苦しい．決まりが悪い

⁑**【不得了】bù déliǎo** 組 ❶**大変だ．一大事だ** ‖ 这可～ これは大変だ ❷（程度が）**甚だしい** ‖ 气得～ ひどく腹を立てた

【不得人心】bù dé rén xīn 成 人心を得ない．人々の支持が得られない

【不得要领】bù dé yào lǐng 成 要領を得ない

*__【不得已】bùdéyǐ__ 形 しかたがない．やむを得ない．余儀ない ‖ 他～才卖了房 彼はやむを得ず家を売った

【不登大雅之堂】bù dēng dà yǎ zhī táng 成 高尚な場所には出せない．卑俗で洗練されていない

*__【不等】bùděng__ 形 まちまちである．不揃いである ‖ 大小～ 大きさがまちまちである｜高低～ 高低が不揃いである

【不等号】bùděnghào 名〈数〉不等号

【不等式】bùděngshì 名〈数〉不等式

【不点儿】bùdiǎnr ＝〔不丁点儿bùdīngdiǎnr〕

【…不迭】…bùdié 動 ❶（動詞の後に置き）… するいとまがない．… しても間に合わない ‖ 后悔～ 後悔しても間に合わない ❷（動詞の後に置き）しきりに … する ‖ 叫苦～ しきりに苦しみを訴える｜称赞～ しきりにほめる

【不丁点儿】bùdīngdiǎnr 形 ごくわずかな．きわめて小さい．〔不点儿〕ともいう

*__【不定】bùdìng__ 形 不安定である 副（多く後に疑問詞や反復疑問の形が続き，分からない，分かったものではないの意を表す）必ずしも．どんなにか．いったい ‖ 他若知道了这件事还～怎么想呢 彼がもしこの事を知ったらいったいなんと思うだろう

【不动产】bùdòngchǎn 名 不動産

【不动声色】bù dòng shēng sè 成 感情を声や顔に出さない．沈着冷静なさま

【不冻港】bùdònggǎng 名 不凍港

【不独】bùdú 接 … ばかりでなく．… だけでなく

【不端】bùduān 形 品行方正でない．不まじめである

⁑**【不断】bùduàn** 動 絶えまがない．とぎれない 副 **絶えず．しきりに** ‖ ～进步 絶え間なく進歩する｜～加强管理 絶えず管理を強化する

> **類義語** ｜ **不断 bùduàn　不停 bùtíng**
>
> ◆〔不断〕断続的で，言わば点線状（……）である．たえず，たえまなく ‖ 她不断地咳嗽 彼女はしきりに咳(ｾｷ)をする｜新产品不断（×不停）投放市场 新商品が次々と市場に現れる ◆〔不停〕連続的で，言わば直線状（——）である．ひっきりなしに．止まらずに ‖ 她不停地咳嗽 彼女の咳は止まらない｜听了这个笑话，大家都笑个不停（×不断） この笑い話を聞いて，みんなは笑いが止まらなかった

*__【不对】__[1] **bùduì** 形 間違っている．正しくない ‖ 回答得～ 答えが間違っている

【不对】[2] **bùduì** 形 ❶おかしい．異常である ‖ 脸色～ 顔色が悪い ❷しっくりいかない．うまが合わない ‖ 他们俩脾气～ あの二人は性格が合わない

【不对茬儿】bù duìchár 慣 おかしい．変だ．かみ合わない ‖ 两个人说得～ 二人の話は合わない

*__【不对劲】bù duì//jìn__（～儿）組 ❶おかしい．変だ ‖ 这台电脑今天有点儿～ このコンピューターは今日はなんだか調子がおかしい ❷しっくりいかない．うまが合わない ‖ 他们俩有点～ あの二人はしっくりいっていない

【不对头】bù duìtóu 組 ❶間違っている ‖ 你的作法～ あなたのやり方は間違っている ❷異常である．おかしい ❸しっくりいかない．気が合わない

【不二法门】bù èr fǎ mén 成 不二の教え．唯一無二

【不二价】bù èr jià 慣 掛け値なし

【不乏】bùfá 動 書 足りなくない．多い ‖ ～先例 前例に事欠かない

【不乏其人】bù fá qí rén 成 そのような人は少なくない．人材はたくさんいる

*__【不法】bùfǎ__ 形 不法な．違法な ‖ ～行为 違法行為

【不凡】bùfán 形 非凡である．優れている ‖ 自命～ 自分で偉いと思っている．うぬぼれる

*__【不妨】bùfáng__ 副 差し障りがない．構わない．… してみたらどうだ ‖ ～试试 試してごらんなさい

【不菲】bùfěi 形（値段が）高い．高額である．（報酬が）手厚い．高給である ‖ 价格～ 高額である｜收入～ 収入が多い

【不费吹灰之力】bù fèi chuī huī zhī lì 慣 やすやすとできる．なんの造作もない

【不分青红皂白】bù fēn qīng hóng zào bái 慣 是非・黒白をわきまえない．みそもくそも一緒にする．十把ひとからげにする

【不忿】bùfèn（～儿）形 いまいましい．腹の虫が収まらない ‖ 心中～ 心中ひどく腹立たしい

*__【不服】bùfú__ 動 ❶承服しない．信服しない．納得しない ‖ 他以权压人，大家都～他 彼は権柄ずくで人を押さえつけるので，みんな彼に不服である ❷慣れない．適合

しない‖水土～ 気候風土になじまない

【不服气】bù fúqì 組 屈服しない．承服しない．

【不服水土】bùfú shuǐtǔ 組 気候風土に適応できない．水が合わない

B

【不符】bùfú 動 合わない．符合しない‖账目～ 勘定が合わない

【不复】bùfù 副 もはや(… ない)．いまとなっては(… ない)‖他当年的勇气，已～存在 彼のあの勇気は，もはや存在しない

【不甘】bùgān 動 甘んじない．我慢できない‖～示弱 弱音を吐かない．弱みを見せない

【不甘心】bù gānxīn 組 甘んじない．望まない‖我～就这么认输 私はこのままおめおめと敗北を認めることはできない

【不尴不尬】bù gān bù gà 慣 方 立ち往生する．手を焼く．困難である．進退きわまる

【不敢】bù gǎn 組 … する勇気がない．(勇気がなくて)… できない‖～违背 wéibèi 领导的指示 上司の指示には逆らえない 動(bùgǎn) 謙 恐れ入ります =〔不敢当〕

[不敢当] bù gǎndāng 慣 謙 **とんでもありません．恐れ入ります．**〔不敢〕ともいう‖～，～，您过奖了 過分のおほめの言葉をいただいて，恐れ入ります

【不敢越雷池一步】bù gǎn yuè Léichí yī bù 成 あえて雷池(安徽省にあった川の名)を越えず．一定の範囲を越えようとしないことのたとえ

【不感冒】bù gǎnmào 形 方 興味がない．好きではない

*【不公】bùgōng 形 不公平である．公正でない

【不攻自破】bù gōng zì pò 成 攻撃しないのに，自滅する．自らぼろを出す．語るに落ちる

【不共戴天】bù gòng dài tiān 成 不倶戴天(ふぐたいてん)．

【不苟】bùgǒu 形 きちんとしている．いいかげんではない．軽々しくない‖～言笑 軽々しくしゃべったり笑ったりしない

*【不够】bùgòu 動 足りない．十分でない‖经验～ 経験不足だ 副 十分 … でない‖这点儿钱～他养家 これぱかりの金では彼が家族を養うには不十分だ｜你连这点儿小事都不帮忙，真～意思 こんなちょっとした事にも手を貸してくれないなんて，まったく冷たいやつだ

[不顾] bùgù 動 **顧みない．考慮しない．ものともしない**‖～个人安危 自分の安危を顧みない

【不关痛痒】bù guān tòng yǎng 成 痛くもかゆくもない．なんの関係もない

[不管] bùguǎn 接 **… であっても．… にかかわりなく．… を問わず**‖～谁来，都欢迎 誰でも歓迎する｜～你去不去，都请给我来一个电话 行くにしろ行かないにしろ，とにかく私に電話をください

【不管不顾】bùguǎn bùgù 組 ❶世話をしない．顧みない ❷あたりをはばからない．がむしゃらである

【不管部长】bùguǎn bùzhǎng 名 無任所大臣

【不管三七二十一】bùguǎn sān qī èrshíyī 慣 委細かまわず．何はともあれ．‖～，咱们先试试看 どうであれ，まずはやってみよう

【不光】bùguāng 口 接 … ばかりでなく．… のみならず．… だけでなく 副 … だけではない．… にとどまらない

【不归路】bùguīlù 名 後戻りできない道．行き止まり．破滅への道

【不规则】bùguīzé 形 不規則である

【不轨】bùguǐ 形 無軌道である．無法である．不逞の

★[不过] bùguò 副 **… にすぎない．ちょっと … だけだ**‖我～是随便问问 ちょっと聞いてみただけです 接 **しかし．ただし**‖我见过他，～没跟他说过话 彼と面識はあるが，話をしたことはない

【…不过】…buguò 動 ❶(2音節形容詞あるいは形容詞句の後に置き，程度が最高であることを表す)この上なく．とても‖再好～ この上なくよい ❷動詞の後に置き，相手にかなわないことを表す‖你瞒～我 あなたは私をだましおおせない

【不过尔尔】bù guò ěr ěr 成 せいぜいこれくらいのものだ．たいしたことではない

【不过意】bù guòyì 組 申し訳なく思う．気がひける．気の毒に思う

【不含糊】bù hánhu 組 ❶きちんとしている ❷たいしたものである．みごとである‖他的木工手艺真～ 彼の大工の腕はみごとだ

【不寒而栗】bù hán ér lì 成 寒くもないのに震える．非常に恐れるさま

【不好】bù hǎo 組 … するのは都合が悪い．… するのはまずい．… しにくい‖太晚了，～打扰他 もう遅いから，彼を訪ねるのは具合が悪い

【不好惹】bù hǎorě 組(相手が悪いので)うっかりしたことができない．手を出したら危ない‖这个人～ やつをなめてはいけない

【不好受】bù hǎoshòu 組 ❶(体の)具合が悪い．気持ちが悪い ❷(精神的に)つらい．やれきれない‖看到她日渐消瘦，我心里很～ 彼女が日ごとに痩せ細ってゆくのを見て，私は胸のふさがる思いだった

[不好意思] bù hǎoyìsi 慣 ❶**恥ずかしい．てれくさい．決まりが悪い．気がひける**‖这种事～问 こうしたことは決まりが悪くて聞けない ❷**むげに … できない．厚かましくて … できない**‖朋友再三邀请 yāoqǐng，～不去 友だちに何度も誘われているから，行かないわけにはいかない

【不合】bùhé 動 合致しない．合わない‖～情理 情理に合わない 形 気が合わない

【不和】bùhé 形 不仲である‖夫妻～ 夫婦仲が悪い

【不哼不哈】bù hēng bù hā 慣 うんともすんとも言わない．口をつぐむ

【不怀好意】bù huái hǎoyì 慣 よからぬ考えを抱いている．下心がある

【不欢而散】bù huān ér sàn 成 気まずいまま別れる．けんか別れする

【不讳】bùhuì 動 書 はばからない．忌避しない‖直言～ 直言してはばからない 名 古 婉 逝去

【不惑】bùhuò 名 書 不惑(ふわく)．40歳‖～之年 不惑の年

【不羁】bùjī 動 書 束縛されない．自由である‖～之才 縦横の才．非凡の才

【不及】bùjí 動 及ばない‖待人处世 chǔshì 方面，我～他 人や世間に対する処し方では，私は彼に及ばない

【不及物动词】bùjíwù dòngcí 名〈語〉自動詞 ↔〔及物动词〕

【不即不离】bù jí bù lí 成 不即不離．つかず離れず．対人関係が適度な状態を保っていること

【不计】bùjì 動 考えない．考慮に入れない

【不计其数】bù jì qí shù 成 数が非常に多い．数えきれないほど多い

【不济】bùjì 形 口 ものの役に立たない．足しにならない‖体力～ 体力が衰えている

【不济事】bù jìshì 組 役に立たない．助けにならない

B

【不假思索】bù jiǎ sī suǒ 成 考えもしないで. 即座に. すぐさま. 行動や返答の早いこと
【不检】bùjiǎn 動 慎みがない. ふしだらである
【不简单】bù jiǎndān 組 すごい. すばらしい. たいしたものだ ‖ 才学了一年, 就说得这么流利, 真～ 1年勉強しただけでこれほど流暢に話せるとはたいしたものだ
*【不见】bùjiàn 動 ❶会わない ‖ ～不散sàn 相手が来るまでその場で待つ(待ち合わせの約束をする際の決まり文句) ❷見当たらない. 見えない ‖ 孩子～了 子供の姿が見えなくなった
*【不见得】bù jiànde 組 …とは限らない. …とは言えない ‖ 他～同意 彼が同意するとは限らない

類義語 不见得 bù jiànde 不一定 bù yīdìng
◆〔不见得〕話し手の主観に基づく否定的憶測を表す. 否定する気持ちが強い. …とは限らない. …とは思えない ‖ 他今晚不见得会来 彼は今晩たぶん来ないだろう ◆〔不一定〕客観的状況に基づく否定的憶測を表す. 必ずしも…とは限らない. …ではないかもしれない ‖ 今天天气不好, 飞机不一定能按时起飞 今日は天気が悪いので飛行機は時間どおり飛べないかもしれない

【不见棺材不落泪】bù jiàn guāncai bù luò lèi 諺 棺桶を見るまで泣かない. 完全に失敗するまではやめようとしない. 行きつくところまで行かないと納得しない
【不见经传】bù jiàn jīng zhuàn 成 古典に根拠となる記載がない. 由来がはっきりしない. 名もないこと
*【不解】bùjiě 動 解せない. 理解できない. 分からない ‖ 这种做法令人～ この種のやり方は理解できない
【不解之缘】bù jiě zhī yuán 成 解こうとしても解けない深い縁. 断つことのできない強い結びつき
*【不禁】bùjīn 副 こらえられずに. 思わず. …しないではいられない ‖ ～失笑 思わず笑う

類義語 不禁 bùjīn 不觉 bùjué
◆〔不禁〕心のうちに沸きあがる情を抑えきれず, ある行為に及んでしまう. 思わず. こらえきれず. ついつい ‖ 不禁落下泪来 涙をこらえきれなかった | 不禁笑出声来 思わず声を出して笑ってしまった ◆〔不觉〕ある事態の発生に気が付かない, あるいは自分で無意識のうちに反応してしまうことを表す. 思わず. 知らぬ間に. うっかり ‖ 不觉说漏了嘴 つい口を滑らせてしまった | 不觉来到了她家门口 気が付いたら彼女の家の前に来ていた

**【不仅】bùjǐn 副 単に…だけではない. …のみにとどまらない ‖ 这～是他一个人的问题 これは彼一人の問題にとどまらない 接 (多く〔而且〕〔还〕〔也〕と呼応して)…のみならず. …だけでなく ‖ 他～会英语, 还会法语和德语 彼は英語だけでなく, フランス語やドイツ語もできる
【不尽】bùjìn 副 すべてが…ではない. 全部が…というわけではない ‖ ～合理 すべてが合理的なわけではない
【不尽然】bùjìnrán 慣 すべてがそうだとは限らない
【不近人情】bù jìn rénqíng 成 不人情である
【不经一事, 不长一智】bù jīng yī shì, bù zhǎng yī zhì 諺 一つ経験して, 一つ利口になる. じかに経験してはじめて知識が身につくこと
【不经意】bùjīngyì 動 気にしない. 注意を払わない
【不经之谈】bù jīng zhī tán 成 根拠のない話. 荒唐無稽の談. でたらめな説
【不景气】bùjǐngqì 形 不景気である
【不胫而走】bù jìng ér zǒu 成 足がないのに走り出す. (うわさなどが)広めようとしないのにたちまち伝わる
★【不久】bùjiǔ 形 (時間的に)まもない. ほどない ‖ 过了～ しばらくして | ～的将来 遠くない将来に
【不咎既往】bù jiù jì wǎng ＝〔既往不咎 jì wǎng bù jiù〕
【不拘】bùjū 動 こだわらない. 問わない. 構わない ‖ 长短～ 長短を問わず 接 …を問わず. …であろうと
【不拘小节】bù jū xiǎo jié 成 小事にとらわれない
【不拘一格】bù jū yī gé 成 形式にこだわらない
【不倦】bùjuàn 動 倦(う)み疲れない. 飽きない ‖ 孜孜zīzī～ 倦まずたゆまず
【不绝如缕】bù jué rú lǚ 成 ほそぼそと続く. わずかに命脈を保っている
*【不觉】bùjué 副 思わず. 知らず知らず. いつの間にか ‖ 两人谈着谈着, ～到了天亮 二人でしゃべっているうちに, いつの間にか夜が明けた
【不刊之论】bù kān zhī lùn 成 不変の定説. 動かしがたい論
*【不堪】bùkān 動 ❶…をもちこたえられない. …に耐えられない ‖ ～一击 一撃にも耐えられない. ひとたまりもない ❷…するに忍びない. …するに堪えない ‖ ～入耳 聞くに堪えない 形 ❶(多く否定的な意味の動詞・形容詞の後に置き)甚だしい. ひどい ‖ 疲惫píbèi～ 疲れ果てる ❷非常に悪い. どうしようもない
【不堪回首】bùkān huíshǒu 組 (過去を)振り返るのがつらい. 思い出しても心が痛む
【不堪设想】bùkān shèxiǎng 組 想像するに忍びない. 考えるだけでぞっとする. 結果が思いやられる ‖ 长此以往, 后果将～ こうした状況が長く続けば, 憂慮すべき結果となるだろう
【不亢不卑】bù kàng bù bēi 成 おごらずへつらわず. 傲慢(ごう)でもなければ卑屈でもない. 〔不卑不亢〕ともいう
**【不可】bùkě 動 ❶…することができない ‖ ～避免 避けられない ❷…してはいけない. …するな ‖ 万万～轻敌 敵を軽く見てはならない 助 (〔非〕と呼応して)どうしても…しなければならない. きっと…になる ‖ 我非去～ 私は絶対に行かなければならない | 这回你非输～ こんどは君が必ず負ける
【不可告人】bù kě gào rén 慣 人に言えない. 後ろめたい ‖ 怀着～的目的 悪だくみをたくらむ
【不可更新资源】bùkě gēngxīn zīyuán 名 非再生資源. 〔非再生资源〕ともいう
【不可救药】bù kě jiù yào 成 どんな良薬を投じても治しようがない. もはや救いようがない. 手の施しようがない
【不可开交】bù kě kāi jiāo 成 (補語として〔得〕の後に置いて)たまらない. しかたがない ‖ 忙得～ 忙しくてしかたない
【不可抗力】bùkěkànglì 名 〈法〉不可抗力
【不可理喻】bù kě lǐ yù 成 道理を説いても説得できない. かたくなでどうにもならない. 手のつけようがない
【不可名状】bù kě míng zhuàng 成 名状しがたい. いわく言いがたい
【不可磨灭】bù kě mó miè 成 磨滅することのない. 永遠に消えることのない. 不滅の
【不可胜数】bù kě shèng shǔ 成 数が非常に多いさま. 数えきれない
【不可收拾】bù kě shōushi 組 収拾できない. 解決

しようがない
【不可思议】bù kě sī yì 成 不思議である. 不可解である. 理解しがたい
B
【不可同日而语】bù kě tóng rì ér yǔ 成 同日の論ではない. (差が大きくて)比べものにならない
【不可一世】bù kě yī shì 成 おごり高ぶり, 人を人とも思わないさま. 我がもの顔にふるまうさま. 眼中人なし
【不可逾越】bù kě yú yuè 成 越すことができない. 克服できない
【不可终日】bù kě zhōng rì 成 一日として安らかに過ごせないほど, とても不安なさま, または事態がひどく緊迫しているさま ‖ 惶惶huánghuáng～ びくびくと生きた心地もしない
【不客气】bù kèqi 組 挨拶 (相手が礼を述べたり, 謝ったりしたときの応答として) どういたしまして
【不肯】bù kěn 組 … しようとしない. … することを承知しない ‖ 他～来 彼は来ようとしない | 他～帮忙 彼は手伝おうとしない
【不快】bùkuài 形 ❶不愉快である ❷体の調子が悪い
*【不愧】bùkuì 副 … に恥じない. さすがに … だけはある. (多く〔是〕〔为〕と連用される) ‖ ～是我的儿子 さすがに我が息子だけのことはある
【不赖】bùlài 形 方 よい ‖ 唱得真～ 歌が実にうまい
【不劳而获】bù láo ér huò 成 働かないで利益を得る. 労せずして手に入れる
【不落忍】bù làorěn 慣 方 忍びない ‖ 看他那可怜相xiàng, 怪～的 彼のあの哀れっぽい様子ときたら, まったく見ていられない
【不老少】bùlǎoshǎo 形 方 多い. 少なくない
【不力】bùlì 形 努力が十分でない. 力を尽くしてない ‖ 指挥～ 指導力が弱い
**【不利】bùlì 形 不利である. ためにならない ‖ 形势对我们～ 形勢は我々に不利である
*【不良】bùliáng 形 良好でない. よくない ‖ ～倾向 よくない傾向
【不良贷款】bùliáng dàikuǎn 名〈経〉不良債権
【不了】bùliǎo 動 (多くは動詞＋〔个〕の後に置き) いつまでも … する. ひっきりなしに … する ‖ 闹个～ いつまでも騒ぎたてる | 哭个～ いつまでも泣きやまない
【…不了】…buliǎo 動 ❶(動詞の後に置き, 量的に多すぎて動作が完結できないことを表す) … しきれない. … しおおせない ‖ 菜太多了, 吃～ おかずが多すぎて, 食べきれない | 这个箱子装～那么多东西 この箱にはそんなに多くのものを詰められない ❷(動詞・形容詞の後に置き, 不可能の意を表す) … することはない. … できない ‖ 放心吧, 忘～ 大丈夫, 忘れないから | 这活ル可少～你 この仕事は君なしではできない
【不了了之】bù liǎo liǎo zhī 成 うやむやになる. うやむやにする. 曖昧(あいまい)なまま片付ける
**【不料】bùliào 接 思いがけなく. 意外にも. 予想に反して ‖ 我正想去找他, ～他来了 彼を訪ねようと考えていたところに, 思いもよらず彼がやって来た
【不灵】bù líng 組 ❶効き目がない. 効果がない ‖ 这个法子～ この方法はだめだ ❷(機能が)鈍い. 利かない ‖ 耳朵～ 耳が遠い | 脑子～ 機転が利かない
【不露声色】bù lù shēng sè 成 言葉にも顔色にも表さない. そぶりにも見せない
【不伦不类】bù lún bù lèi 成 得体(えたい)が知れない. 様になっていない. 変てこである

*【不论】bùlùn 接 … であろうと. … を問わず. … としても ‖ ～怎么劝, 他也不听 どんなに忠告しても彼は聞かない 動 論じない. 問わない. 取り上げない ‖ 能否成功暂且zànqiě～ 成否はしばし取り上げないでおく
【不落窠臼】bù luò kē jiù 成 旧套(きゅうとう)を脱する. ありきたりの形式にとらわれない. 古い型にはまらない
*【不满】bùmǎn 形 不満である ‖ ～情绪qíngxù 不満な気持ち | 对现实～ 現実に飽き足らない
【不毛之地】bù máo zhī dì 慣 不毛の地
**【不免】bùmiǎn 副 … を免れない. どうしても … する. 思わず … する ‖ 第一次登台, ～有些紧张 初舞台なので, どうしても緊張する
【不妙】bùmiào 形 (情勢が)よくない. 芳しくない
【不敏】bùmǐn 書 形 愚かである. 賢くない 名 謙 不肖. 不才. それがし
【不名一文】bù míng yī wén 成 一文もない. 一銭もない. ひどく貧しいさま. 〔不名一钱〕ともいう
【不名誉】bùmíngyù 形 不名誉である. 不面目である
【不明】bùmíng 動 ❶分からない. 知らない ❷理解できない. わきまえない ‖ ～道理 道理をわきまえない 形 不明である ‖ 来历～ いわれがはっきりしない
【不摸头】bù mōtóu 慣 口 内情が分からない. 事情が分からない
【不谋而合】bù móu ér hé 成 期せずして一致する
【不耐烦】bù nàifán 組 煩わしくてたまらない. うっとうしく思う. うるさがる
【不能自拔】bù néng zì bá 成 自力で抜け出せない
【不能自已】bù néng zì yǐ 成 自分が抑えられない ‖ 他激动得～ 彼は高ぶる気持ちを抑えられなかった
【不念旧恶】bù niàn jiù è 成 旧悪を念(おも)わず. 恨みや他人の過ちを忘れる. 水に流す
【不配】bùpèi 形 釣り合わない. 調和がとれない 動 資格がない. 似つかわしくない ‖ 你～当教师 君には教師になる資格はない
【不偏不倚】bù piān bù yǐ 成 どちらにも偏らない. どちらの肩ももたない. 中立公平である
**【不平】bùpíng 形 ❶不公平である. 不平等である ❷(不公平に対し)憤りを感じる. 不満である ‖ 愤愤～ 憤懣(ふんまん)やる方ない 名 不公平なこと ‖ 路见～, 拔刀相助 道で不公平なことに出会えば刀を抜いて助太刀する
【不平等条约】bùpíngděng tiáoyuē 名 不平等条約
【不平则鸣】bù píng zé míng 成 不公平な扱いを受ければ必ず不満が出る. 不公平なことに憤慨する
【不破不立】bù pò bù lì 成 古いものを破壊しなければ新しいものは打ち立てられない
【不期而遇】bù qī ér yù 成 期せずして会う. ぱったり会う
【不起眼ル】bù qǐyǎnr 組 方 目立たない. ぱっとしない
*【不巧】bùqiǎo 形 間が悪い. タイミングが悪い ‖ 真～, 两次去找他, 他都不在 間が悪いったらないよ, 二度彼を訪ねたが二度とも留守だった
【不切实际】bù qiè shíjì 組 現実にそぐわない ‖ 你这种想法～ 君のこうした考え方は非現実的だ
【不情之请】bù qíng zhī qǐng 成 無理な頼みごと. ぶしつけな頼み
【不请自来】bù qǐng zì lái 慣 招かれていないのに押しかけて来る

【不求甚解】bù qiú shèn jiě 成（大意をつかむ程度にとどめ）深く内容を理解しようとしない
【不屈】bùqū 動 屈服しない ‖ 宁nìng死～ 死んでも屈服しない
【不屈不挠】bù qū bù náo 成 不撓不屈（ふとうふくつ）．どんな困難にも負けない
**【不然】bùrán 形 ❶そうではない ‖ 其实～ 実際にはそうでない ❷（文頭に用い，相手の話を否定する）いや ‖ ～，事情真相并非如此 いや，事の真相は決してそうではない 接 そうでないと．さもないと ‖ 咱们走吧，～该晚了 さあ出かけよう，さもないと遅れてしまう
【不人道】bùréndào 形 非人道的である ‖ 这样做太～ こういうやり方はあまりに非人道的である
【不仁】bùrén 形 ❶非情である．思いやりがない ❷（身体の）感覚がない．しびれている ‖ 麻木～ しびれて感覚がない
【不忍】bùrěn 動 忍びない．耐えられない ‖ 这样做真是于心～ こんなことをするのはまことに忍びない
【不日】bùrì 副 書 日ならずして．近日中に ‖ ～抵dǐ京 近日中に北京に到着する
*【不容】bùróng 動 許さない．認めない．…させない
【不容分说】bù róng fēn shuō 成 有無を言わせない．言い訳をさせない
【不容置喙】bù róng zhì huì 成 口出しを許さない
【不容置疑】bù róng zhì yí 成 疑いの余地がない
★【不如】bùrú 動 及ばない．劣る ‖ 论学习，他～你 勉強に関しては，彼は君に及ばない｜一代～一代 代を重ねるほど悪くなる一方だ
【不入耳】bù rù'ěr 慣 耳障りである
【不入虎穴，焉得虎子】bù rù hǔxué, yān dé hǔzǐ 諺 虎穴（こけつ）に入らずんば虎児を得ず．危険を冒さなければ成功は得られないたとえ
【不三不四】bù sān bù sì 成 ❶ろくでもない．いいかげんである．まともでない ‖ 别和～的人来往 ろくでもない人間と付き合うな ❷体をなしていない．変である
【不善】bùshàn 形 悪い．まずい ‖ 管理～ 管理が悪い｜来意～ 下心を抱いてやってくる 動 得意としない．下手である．〔不善于〕ともいう ‖ ～言辞 口のきき方が下手である
★【不少】bùshǎo 形 少なくない．多い ‖ 有～人想去中国留学 たくさんの人が中国へ留学したがっている
【不甚了了】bù shèn liǎo liǎo 成 あまりよく分からない．あまり詳しく知らない
【不慎】bùshèn 副 不注意で．うっかり
【不声不响】bù shēng bù xiǎng 慣 黙々と．声一つ立てない
【不胜】bùshèng 動 ❶堪えない．がまんできない ‖ ～其烦 その煩わしさに堪えられない ❷…できない．…しきれない．（前後に同じ動詞を置く）‖ 谈～谈 とても話しきれない 副 たいへん．非常に ‖ ～激动 感激の至りである
【不胜枚举】bù shèng méi jǔ 成 枚挙にいとまがない．非常に多いさま
【不失时机】bù shī shí jī 成 時機を失せず．機を逸せず
【不失为】bùshīwéi 動 …と見なすことができる．…といえる ‖ 这倒～一个好办法 これもけっこう良策といえる
【不识大体】bù shí dà tǐ 成 大局をわきまえない．全体を考えず一部だけを見ている
【不识好歹】bù shí hǎo dǎi 成 善し悪しが分からない
【不识货】bù shí huò 組 物のよさが分からない．目が利かない
【不识时务】bù shí shí wù 成 時勢に疎い．時局をわきまえない
【不识抬举】bù shí tái jǔ 成 人の好意を無にする．図に乗る
【不识之无】bù shí zhī wú 成 之の字や無の字すら知らない．無学文盲である
*【不时】bùshí 副 よく．しょっちゅう．しばしば ‖ 我至今还～想起当时的情景 私はいまでもよく当時の情景を思い出す 名 不時．とっさ ‖ 以备～之需 不時の必要に備える
【不适】bùshì 形 体調が悪い
【不是】bùshi 名 過ち．間違い．不手際 ‖ 这是我的～ これは私の手落ちだ｜落lào～ 非難される．文句を言われる｜赔péi～ わびを言う
【不是东西】bù shì dōngxi 慣 罵 ろくでもないやつだ
【不是时候】bù shì shíhou 慣 間が悪い．時機が悪い ‖ 你来得～，他正在气头上呢 まずいときに来たな，彼はいまかんかんに怒っているところだぞ
【不是玩儿的】bù shì wánrde 慣 口 冗談事ではない．大変だ ‖ 丢了护照可～ パスポートをなくしたら，それこそ大変だぞ
【不是味儿】bù shì wèir 慣 口 ❶（味が）悪い．（音楽が）調子っぱずれだ ❷後味が悪い．具合が悪い ‖ 看他累成这样，心里真～ 彼がこんなに疲れているのを見て，心中とてもつらい ✻〔不是滋味儿〕ともいう
【不是滋味儿】bù shì zīwèir ＝〔不是味儿 bù shì wèir〕
【不爽】[1] bùshuǎng 形（体調や気分が）すぐれない．不快である
【不爽】[2] bùshuǎng 形 違わない ‖ 屡lǚ试～ 何度試してみてもよい結果が出る
【不顺耳】bù shùn'ěr 組 耳になじまない．耳障りである．（聞いて）気に食わない ‖ 他的话也许～，可也是为你好啊 彼の話は耳が痛いかもしれないが，君のためを思ってのことだ
【不顺眼】bù shùnyǎn 組 目障りである．（見て）気に食わない ‖ 他心里不高兴，看什么都～ 彼は機嫌が悪いので，何を見ても気に入らない
【不送气】bù sòngqì 組〈語〉息を抑えぎみに出す．〔不吐气〕ともいう ↔〔送气〕‖ ～音 無気音
【不速之客】bù sù zhī kè 成 招かれざる客．不意の客
【不遂】bùsuì 動 願いが実現できない
【不太】bùtài 副 あまり…ではない．さほど…ではない ‖ 我家离工厂～远 私の家は工場からあまり遠くない｜他～相信 彼はあまり信じていない
*【不停】bùtíng 副 止まることなく．絶えず．ひっきりなしに ‖ 雨～地下着 雨が絶え間なく降る
**【不通】bùtōng 動 ❶通じない．行き止まりである．不通である ‖ 这条路～ この道は抜けられない｜电话～，一时联系不上 電話が不通で当分の間連絡できない ❷事理に通暁しない ‖ ～人情世故 世間の事情に疎い
【不同凡响】bù tóng fán xiǎng 成 凡庸な響きと同じでない．（芸術作品が）ありふれていない．出色の出来映えである
【不痛不痒】bù tòng bù yǎng 慣 痛くもかゆくもない．急所に触れない．生ぬるい
【不图】bùtú 動 求めない．図らない ‖ ～回报 報償を

B

求めない 接書 図らずも. 思いがけず
【不妥】bùtuǒ 形 不適当である. 妥当でない ‖ 处理～ 処理が不適当である
【不外】bùwài 動 …にほかならない. …の域を出ない. 〔不外乎〕ともいう ‖ 这～有两个原因 これには二つの原因しかない
【不枉】bùwǎng 動 …したかいがある. …しただけのことはある
【不为已甚】bù wéi yǐ shèn 成 ゆきすぎない. 度を越さない
【不惟】bùwéi 接書 …ばかりでなく. …のみならず
【不韪】bùwěi 名書 悪事. 不正. 道理に合わないこと ‖ 冒天下之大～ 大悪を犯す
【不谓】bùwèi 書動 …とは言えない 接 図らずも. 思いがけず. 予想に反して
【不闻不问】bù wén bù wèn 成 聞きもせず問いもしない. 無関心なさま
【不无】bùwú 動書 なくはない. 少しはある ‖ 这个案件与他～关系 この事件に彼は関係なくもない
【不无小补】bù wú xiǎo bǔ 成 多少は助けになる
【不务正业】bù wù zhèng yè 成 正業に就かない. まじめに働かない. 本業をおろそかにする
*【不惜】bùxī 動 惜しまない. 嫌がらない. いとわない ‖ ～力气 骨身を惜しまない | ～工本 コストを惜しまない
【不暇】bùxiá 動 …する暇がない. …する時間がない ‖ 应接yìngjiē～ 応対しきれない
【不下】bùxià 動 (…を)下らない. (…を)下回らない ‖ 每月收入～一万元 毎月の収入は1万元を下らない
【…不下】…buxià 動 動詞の後に置き, その動作が完成しない, または, 結果が出ないことを表す ‖ 吃～这么多 こんなにたくさん食べきれない | 放心～ 安心できない
【不下于】bùxiàyú 動 ❶…に劣らない ❷…を下らない. 下回らない ‖ 参加大会的～三千人 大会に参加した人は3000人を下らない
【不相干】bù xiānggān 組 関係がない. かかわりがない ‖ 那是他的意见, 与我～ あれは彼の考えで, 私とは関係ない
*【不相上下】bù xiāng shàng xià 成 甲乙つけがたい. 優劣の差がない. 似たり寄ったり ‖ 他们俩的成绩～ 彼らの成績は差がない
【不详】bùxiáng 形 ❶はっきりしない. 不明である ‖ 地址～ 住所不明 ❷翰 詳しく述べない ‖ 恕shù～ 取り急ぎ一筆まで
【不祥】bùxiáng 形 不吉である. 縁起が悪い
【不想】bùxiǎng 副 意外にも. 図らずも. 思いがけず
*【不像话】bù xiànghuà 慣 でたらめだ. なっていない. 話にならない. あきれた ‖ 他怎么动手打人, 太～了 暴力をふるうとは, 彼はまったくけしからん | 房间里脏得～ 部屋の中があきれるほど汚い
【不消】bùxiāo 動 必要ない. …するに及ばない. …しなくともよい ‖ ～说, 这是不可能的 言うまでもなく, これは不可能である
【不孝】bùxiào 動 親不孝をする 名旧 父母の服喪中の自称
【不肖】bùxiào 形 不肖の. 父に似ない ‖ ～之子 不肖の子 名謙 不肖(目上の人に対する自称)
【不屑】bùxiè 動 ❶潔しとしない. …するに値しない ‖ ～一顾 一顧の値打ちもない ❷さげすむ. ばかにする
【不谢】bùxiè 動 挨拶 どういたしまして. 〔不用谢〕ともいう ‖ "谢谢您!" "～, ～" 「ありがとうございました」「どういたしまして」
【不懈】bùxiè 動書 倦(う)まずたゆまず ‖ 每天练字, 坚持～ 毎日倦まずたゆまず書道の練習をする
【不信邪】bù xìn//xié 組 まやかしを信じない. 承服しない ‖ 人都说我跑不过他, 我才不信这个邪呢! みんなは私が彼より走るのが遅いというが, そんなことはないぞ
【不兴】bùxīng 動 ❶流行しない. はやらない ‖ 这种款式现在～了 この手のデザインは今時はやらない ❷許さない. …してはならない ‖ 今天的会～迟到 今日の会合に遅刻してはならない ❸(反語に用いて) …できない ‖ 怎么做得这么大, ～小点儿吗? なんでこんなに大きく作ったの, もう少し小さくならなかったのか
**【不行】bùxíng 形 ❶許されない. だめだ ‖ 说谎可～ うそをついてはいけない ❷役に立たない. レベルが低い ‖ 我的日语～ 私の日本語は役に立たない ❸死にそうである ‖ 老太太～了 おばあさんはもうだめだ ❹…でたまらない. …でしょうがない ‖ 我困得～ 私は眠くてしょうがない
【不省人事】bù xǐng rén shì 成 人事不省に陥る. 前後不覚になる
**【不幸】bùxìng 名 不幸. 災難 ‖ 家里发生了～ 身内に不幸があった 形 不幸である ‖ ～言中yánzhòng 不幸にも悪い予感が適中した
【不休】bùxiū 動 止まらない. 終わらない ‖ 喋喋diédié～ べちゃくちゃいつまでもしゃべっている
【不修边幅】bù xiū biān fú 成 身なりや体裁を飾らない. なりふりかまわない
*【不朽】bùxiǔ 形 不朽である. 不滅である ‖ 永垂～ 永遠に不滅である
【不锈钢】bùxiùgāng 名 ステンレス
【不虚此行】bù xū cǐ xíng 成 行ってむだでなかった. むだ足を踏まなかった
**【不许】bùxǔ 動 ❶許さない. …してはいけない ‖ ～说谎! うそをついてはいけない | 这里～抽烟 ここでタバコを吸ってはいけない ❷方 (反語に用い) …できないのか ‖ 你们就～安静点儿吗? 君たち静かにできないのかね

> **類義語** 不许 bùxǔ 别 bié 不要 bùyào
>
> ◆〔不许〕不許可を表す. …をしてはいけない. 命令の語気を帯びる. 〔别〕〔不要〕は禁止を表し, 言い換えられる場合が多い ‖ 开会时不许(别, 不要)抽烟 会議中はタバコを吸ってはいけない ◆〔别〕〔不要〕制止や勧告にも使える. 〔不许〕には言い換えられない. 〔请〕と一緒に使える ‖ 别(不要)生气 怒らないで | 这件事请别(不要)说出去 この件は口外しないでください

【不宣而战】bù xuān ér zhàn 成 宣戦布告せずに開戦する. 不意打ちを食らわす
【不学无术】bù xué wú shù 成 無学無能である. 学も教養もない
【不逊】bùxùn 形 不遜(そん)である. 専横である ‖ 出言～ 言葉遣いが不遜である
【不亚于】bùyàyú 動書 …に劣らない. …にひけをとらない
*【不言而喻】bù yán ér yù 成 言わずとも分かる. 口に出して言うまでもない
【不厌】bùyàn 動 ❶飽きない ❷書 嫌がらない. 面倒がらない
【不厌其烦】bùyàn qí fán 慣 煩をいとわない. 面倒がらない

B

【不厌其详】bùyàn qí xiáng 慣 詳しく述べることをいとわない．面倒がらずに詳しく述べる
★【不要】bùyào 副 … してはいけない ‖ ～大声说话 大声で話をしてはいけない｜～忘了关窗户 窓を閉めるのを忘れるな｜～客气 ご遠慮なく
⁂【不要紧】bù yàojǐn 組 ❶構わない．差し支えない．問題ない ‖ 晚去一会ル也～ 少し遅く行っても構わない ❷ … するのは構わないが ‖ 他这一喊～，把我们都吓了一跳 彼が叫んだのはいいが，おかげですっかり驚かされた
【不要脸】bù yàoliǎn 慣 恥知らずである．厚かましい．面の皮が厚い
【不要命】bù yàomìng 組 命を惜しまない．無謀である ‖ 你～了，怎么能喝这么多酒！ 死ぬつもりか，こんなにたくさん酒を飲んで
【不一】bùyī 形 同じでない．さまざまである ‖ 要求～ 要求が一様でない
⁂【不一定】bù yīdìng 組 必ずしも … でない．… とは限らない ‖ 我说的也～对，仅供gōng大家参考 私の言うことが必ずしも正しいとは限りませんが，みなさんのご参考までに
【不一而足】bù yī ér zú 成 一つにとどまらない．同類の事物が多くあること
【不一会ル】bùyīhuìr 名 まもなく．ほどなく．いくらもしないうち
【不依】bùyī 動 ❶言うことを聞かない．従わない ❷承知しない．許さない ‖ 你要是不来，我可～ もし来ないと，勘弁しないぞ
*【不宜】bùyí 形 よくない．適さない．… しないほうがよい ‖ ～操之过急 やり方が性急すぎるのはよくない｜儿童～ 子供には適さない
【不遗余力】bù yí yú lì 成 余力を残さず全力を出しきる．一生懸命やる ‖ 全心全意地工作，～ 誠心誠意仕事をし，全力を尽くす
【不已】bùyǐ 動 やまない．いつまでも … する ‖ 称谢chēngxiè～ しきりに感謝する｜赞叹～ 賛嘆してやまない
【不以为然】bù yǐ wéi rán 成 正しいとは思わない．納得できない
【不以为意】bù yǐ wéi yì 成 意に介しない．気にしない
【不义之财】bù yì zhī cái 成 不正な手段で得た富
【不亦乐乎】bù yì lè hū 成 程度が甚だしいさま ‖ 这几天忙得～ ここ数日目が回るほどの忙しさだ
【不易之论】bù yì zhī lùn 成 不易の論．不変の定説
【不意】bùyì 接 思いがけず．意外にも 名 不意 ‖ 出其～ 不意を突く
【不翼而飞】bù yì ér fēi 成 ❶翼もないのに飛んでいく．知らぬ間に物がなくなるたとえ ❷うわさがたちまち広がるたとえ
★【不用】bùyòng 副 … する必要がない．… しなくてもよい ‖ 我～他帮忙 私は彼に手伝ってもらう必要がない｜～担心 心配することはない
⁂【不由得】bùyóude 動 許さない．… させない ‖ 他说得有根有据，～你不信 彼の言っていることは根拠があるから，君も信じないわけにはいかない 副 思わず．ふと．ひとりでに ‖ 看到那悲惨的情景，人们～掉下泪来 その悲惨な光景を見て，人々は思わず涙を流した
【不由分说】bù yóu fēn shuō 成 有無を言わせない
【不由自主】bù yóu zì zhǔ 成 思わず．覚えず
【不渝】bùyú 動 書 (誓いなどを)変えない ‖ 忠贞zhōngzhēn～ 忠貞を貫く｜始终～ 終始変わらない
【不虞】bùyú 書 動 ❶思いがけない．予想しない ❷憂慮しない 名 万一．不慮の出来事
【不予】bùyǔ 動 … を与えない ‖ ～批准 許可しない
【不远千里】bù yuǎn qiān lǐ 成 千里を遠く思わない．遠路はるばる
【不约而同】bù yuē ér tóng 成 (言動が)あらかじめ申し合わせたかのように一致する
【不再】bù zài 組 もはや … ではない．二度と … しない ‖ 吃一次亏kuī，就～上当shàngdàng了 一度損をしたら二度とだまされない
【不在】bùzài 動 婉 (この世から)いなくなる．死ぬ ‖ 他已经～了 彼はもう亡くなりました
*【不在乎】bùzàihu 動 平気である．気にしない．意に介さない ‖ 他～这点ル钱 彼にとってこの程度の金などなんでもない
【不在话下】bù zài huà xià 成 言わずもがなである．言うまでもない．問題にならない
【不在意】bù zàiyì 組 気に留めていない．気にしない
【不赞一词】bù zàn yī cí 成 一言も言わない．口をつぐんで何も言わない
【不择手段】bù zé shǒuduàn 組 (ある目的を達成するためには)手段を選ばない
【不怎么】bù zěnme 組 たいして … ではない．別に … ではない．あまり … でない ‖ 质量～好 質はあまりよくない｜邻里之间～来往 あまり近所付き合いをしない
*【不怎么样】bù zěnmeyàng 慣 たいしたことはない．どうということはない ‖ 这文章写得～ この文章はあまりよくない｜“你最近怎么样？”“～！”「君，近ごろどうだい」「どうってことないよ」
【不粘锅】bùzhānguō 名 テフロン加工の鍋
【不折不扣】bù zhé bù kòu 成 掛け値なしの．正真正銘の ‖ 他是一个～的伪君子wěijūnzǐ 彼は根っからの偽善者である
【不振】bùzhèn 形 不振である．沈滞している．元気がない ‖ 最近他一直精神～ 最近彼は元気がない
【不争气】bù zhēngqì 組 しゃんとしない．しっかりしない．意気地がない ‖ 这孩子真～ この子はほんとうに意気地がない
【不正当竞争】bùzhèngdàng jìngzhēng 名〈経〉不正競争．不当競争．不公正競争
*【不正之风】bù zhèng zhī fēng 成 悪い風潮．よくない社会傾向
【不支】bùzhī 動 持ちこたえられない．続かない ‖ 因体力～败下阵来 体力が続かず試合に負けた
*【不知不觉】bù zhī bù jué 成 知らず知らず．いつの間にか ‖ ～地天就亮了 いつの間にか夜が明けていた
【不知凡几】bù zhī fán jǐ 成 全部でいくつあるか分からない．数えきれない．同じ種類の人や事物が多いこと
【不知好歹】bù zhī hǎo dǎi 成 善悪をわきまえない．人の好意が分からない
【不知进退】bù zhī jìn tuì 成 (言動の)ほどをわきまえない．身のほど知らず．分をわきまえない
【不知轻重】bù zhī qīng zhòng 成 (言葉や行いの)ほどをわきまえない ‖ 他说话～，得罪dézuì了不少人 彼は話をするときにほどをわきまえないから，ずいぶんと人の感情を損ねている
【不知所措】bù zhī suǒ cuò 成 なすところを知らない．どうしてよいか分からずうろたえるさま
【不知所云】bù zhī suǒ yún 成 言っていることが理

B

解できない. 話が要領を得ない
【不知所终】bù zhī suǒ zhōng 成 結末が分からない. 結果がどうなったか知らない. 行方が分からない
【不知天高地厚】bù zhī tiān gāo dì hòu 慣 天がいかに高く, 地がいかに厚いかを知らない. 無知であるのに思い上がっている
【不值】bùzhí 動 値しない. 価値がない ‖ 一文～ 一文の値打ちもない ｜ ～一提 取り上げる価値もない
【不值得】bù zhíde 組 …に値しない. …する価値がない ‖ ～为这点小事花那么多时间 こんなつまらないことに, これほどたくさんの時間を費やす価値はない
*【不止】bùzhǐ 動 ❶止まらない. やまない. (2音節の動詞の後に置く) ‖ 赞叹～ 称賛の声がやまない ❷…だけでない. …を越している ‖ 他恐怕～五十岁了 彼はおそらく五十を越している ｜ 这话我说了～一遍两遍 この話を私は何遍もした
*【不只】bùzhǐ 接 …ばかりでなく. …だけでなく ‖ ～是我, 连他也不同意 私だけでなく, 彼も不賛成である
*【不至于】bùzhìyú 動 …に至らない. …までにもならない. …までのことはない ‖ 累是累, 但还～走不动了 疲れたことは疲れたが, 歩けないというほどのことはない
【不治之症】bù zhì zhī zhèng 成 不治の病
【不致】bùzhì 動 至らない. そんなことにならない
【不置可否】bù zhì kě fǒu 成 いいとも悪いとも明言しない. 態度がはっきりしないこと
【不中】bùzhōng 形 方 役に立たない. だめだ. よくない ‖ 你这法子～ 君のこの方法ではだめだ
【不中用】bù zhōngyòng 組 役に立たない. だめだ
【不周】bùzhōu 形 周到でない. 行き届かない ‖ 考虑～ 考えが周到でない ｜ 照顾～ 配慮が行き届かない
**【不住】bùzhù 副 しきりに. ひっきりなしに ‖ 电话～地响 電話がひっきりなしに鳴る ｜ ～地点头 しきりにうなずく
【不准】bù zhǔn 組 許さない. 禁じる
【不着边际】bù zhuó biān jì 成 (言論が)空虚で内容に乏しい. 現実からかけ離れている. とりとめがない
【不自量】bù zìliàng 組 分をわきまえない. 思い上がる
【不自量力】bù zì liàng lì 成 自分の能力をわきまえない. 身のほど知らずである. 〔自不量力〕ともいう
【不自在】bù zìzai 組 気詰まりである. 窮屈である. 不快である ‖ 你太放肆fàngsì了, 别找～ ずいぶん横柄じゃないか, 痛い目に遭いたいのか
*【不足】bùzú 動 ❶…するに足りない. …に値しない ‖ ～为凭píng 証拠とするに足りない ｜ ～取 取るに足りない ❷できない. …にならない ‖ 非变革, ～以自强 変革しなければ強くできない 形 足りない. 十分でない ‖ 这袋米分量～ この袋の米は目方が足りない ｜ 信心～ 自信がない
【不足道】bùzúdào 動 言うほどのこともない. 取るに足りない. 問題にならない
【不足挂齿】bù zú guà chǐ 成 歯牙(しが)にかけるに足りない. 言及する価値がない. 問題にならない
【不作声】bù zuòshēng 組 声を立てない. 黙りこむ
【不作为】bùzuòwéi 名〈法〉不作為(の罪)

5 ★**布**(△佈❸～❺) bù ❶名 布(木綿・麻・化学繊維など織物の総称) ‖ 棉～ 綿布 ｜ 麻～ 麻布 ❷古代の貨幣の一種 ❸動 分布する. 伝播する ‖ 遍～全国 全国あまねく分布している ❹動 配置する. 設置する ‖ →～置 ❺宣言する. 公布する ‖ 公～ 公布する ❻布のようなもの ‖ 塑料～ ビニール布
【布帛】bùbó 名 織物
【布菜】bù//cài 動 (料理を客に)取り分ける ‖ 给客人～ 客に料理を取り分ける
【布道】bù//dào 動〈宗〉(キリスト教で)布教する. 伝道する
【布丁】bùdīng 名 外 プリン. プディング
【布尔什维克】bù'ěrshíwéikè 名 外 ボルシェビキ
【布防】bù//fáng 動 防衛の兵力を配置する
*【布告】bùgào 名 布告 ‖ 张贴～ 布告を張り出す
【布谷】bùgǔ 名〈鳥〉カッコウ
【布基纳法索】Bùjīnàfǎsuǒ 名〈国名〉ブルキナファソ
【布景】bùjǐng 名 (舞台や映画の)背景. セット 動 (中国画の風景画で)配置する. 構成する
【布警】bùjǐng 動 警官を配備する
*【布局】bùjú 名 ❶配置. 分布 ‖ 调整工业～ 工業の分布を調整する ❷(詩・文章・絵画の)構成. 組み立て ❸(囲碁などの)布石 動 配置する. 並べる
【布朗族】Bùlǎngzú 名 プーラン族(中国少数民族の一つ, 主として雲南省に居住)
【布雷】bù//léi 動 機雷や地雷を敷設する
【布料】bùliào 名 (木綿や麻の)布地
【布隆迪】Bùlóngdí 名〈国名〉ブルンジ
【布满】bùmǎn 動 一面に敷きつめる. 一面に散らばる ‖ 脸上～了皱纹zhòuwén 顔中にしわがある
【布面】bùmiàn 名 布装. クロス装
【布匹】bùpǐ 名 布. 布地. 反物
【布设】bùshè 動 敷設する ‖ ～地雷 地雷を敷設する
【布施】bùshī 動 喜捨する
【布头】bùtóu (～儿) 名 布切れ. 端切れ
【布网】bùwǎng 動 (警察が犯人逮捕のために)網を張る. 非常線を張る
【布纹纸】bùwénzhǐ 名 布目紙. 絹目の印画紙
【布鞋】bùxié 名 布靴
【布衣】bùyī 名 ❶書 粗末な木綿の衣服 ❷古 平民. 庶民
【布依族】Bùyīzú 名 プイ族(中国少数民族の一つ, 主に貴州省に居住)
【布艺】bùyì 名 ファブリックアート. 布工芸
【布展】bùzhǎn 名 展示会場の準備をする
【布阵】bù//zhèn 動 布陣する. 戦陣を敷く
**【布置】bùzhì 動 ❶手配する. 段取りする. 割りふる ‖ 上级～的任务 上司から割り当てられた任務 ❷(部屋を)飾る. しつらえる. 整える ‖ ～联欢会会场 交歓会の会場を飾りつける

7 **★**步**[1] bù ❶動 歩く. 歩行する ‖ →～行 ❷あとについて行く. 追いかける ‖ →～人后尘chén ❸名 歩幅. 足どり ‖ 向后退一～ 後ろへ一歩下がる ❹名 段階. 順序 ‖ 事情得děi一～～来 事は一歩一歩やらなければならない ❺名 境遇. 立場 ‖ 没想到他竟落到这～田地了 彼がこんな状態にまで落ちぶれているとは思いもよらなかった ❻量 旧 長さの単位. 1〔步〕は5〔尺〕に相当する ❼動 方 歩幅で距離を測る. 歩測する

7 **步**[2] bù 〔埠bù ❶〕に同じ. 多く地名に用いる
*【步兵】bùbīng 名 歩兵
【步步为营】bù bù wéi yíng 成 一歩一歩陣地を固めながら進撃をする. 慎重に行動するたとえ
【步测】bùcè 動 歩測する. 歩幅で距離を測る

【步调】bùdiào 图 歩調．足並み
*【步伐】bùfá 图（行進のときの）歩調．足並み ‖ 加快基本建设的～ 基本建設の歩調を速める
【步法】bùfǎ 图（ダンスの）ステップ
【步话机】bùhuàjī 图 トランシーバー．携帯用無線機
【步履】bùlǚ 書 動 歩く ‖ ～维艰 wéijiān 歩行が困難である 图 歩み．歩行
【步枪】bùqiāng 图 歩兵銃．小銃
【步人后尘】bù rén hòu chén 成 後塵（こうじん）を拝する．追随する．模倣する
【步哨】bùshào 图〈軍〉歩哨（ほしょう）
【步态】bùtài 图 歩く姿
【步武】bùwǔ 書 图 歩武（ほぶ）．わずかな距離 動 人の後ろに従う．ならう．まねる ‖ ～前贤 qiánxián 先賢にならう
*【步行】bùxíng 動 歩行する．歩く ‖ ～到天安门广场 天安門広場へ徒歩で行く
【步行街】bùxíngjiē 图 歩行者天国
【步韵】bù//yùn 動（他人の詩の脚韻に合わせて）韻を踏む
*【步骤】bùzhòu 图 手順．順序．段取り ‖ 完成这一计划，要分两个～ この計画を完成させるには二つの段階に分けなければならない
*【步子】bùzi 图 歩調．足並み．歩幅．歩み ‖ 改革的～ 改革の歩み

8 **怖** bù 恐れる ‖ 恐～ 恐怖 | 可～ 恐ろしい

9 **钚** bù 图〈化〉プルトニウム（化学元素の一つ，元素記号は Pu）

10 ** **部** bù ❶部分 ‖ 头～ 頭部 ❷部隊．軍隊 ‖ 一～队 ❸（文字や書籍などの）部類 ‖ 一～首 ❹量 ①書籍や映画などを数える ‖ 一～影片 1本の映画 ② 方 機械や車両などを数える ‖ 一～机器 1台の機械 ❻图 ①（組織内の部門の名称）部 ‖ 编辑 biānjí～ 編集部 ②中央政府の行政機関の名称，日本の省庁に相当する ‖ 国防～ 国防省 ❼軍隊の中隊以上の指導機関 ‖ 团～ 連隊本部
*【部队】bùduì 图 軍隊．部隊
★【部分】bùfen 图 部分．一部 ‖ 做～修改 部分的な修正をする | 一～人表示反对 一部の人が反対している
*【部件】bùjiàn 图〈機〉部品．組み立て部品．〔零件〕（パーツ）でできている部品
【部将】bùjiàng 图 古 配下の武官
【部类】bùlèi 图 部類．部門．区分
【部落】bùluò 图（同族関係にある人々の）集落．村落
**【部门】bùmén 图 部門 ‖ 有关～ 関係部門 | ～经理 部署別のマネージャー
【部首】bùshǒu 图〈語〉部首 ‖ ～索引 部首索引
【部属】bùshǔ 图 部下．配下
*【部署】bùshǔ 動 手配する．配備する．手はずを整える．手を打つ ‖ 对任务和人员安排都做了～ 仕事や人員の手はずは全部整えた
【部头】bùtóu（～儿）图 本の厚さと大きさ ‖ 大～的书 大部の本
【部委】bùwěi 图 略 部と委員会．国務院に所属する中央官庁で，日本の省や庁に当たる
*【部位】bùwèi 图 部位．位置．（主に人体の器官に用いる）‖ 手术～ 手術の部位
【部下】bùxià 图 部下．配下
**【部长】bùzhǎng 图 政府各部の長．日本の大臣や長官に当たる
【部族】bùzú 图 部族

10 **埔** bù 地名用字 ‖ 大～ 広東省にある県の名 ➤ pǔ

11 **埠** bù ❶波止場．埠頭（ふとう） ❷埠頭のある都市．（広く）市．町 ‖ 本～ 本市 | 商～ 開港場 ❸旧 外国と貿易をしていた都市をさす
【埠头】bùtóu 图 方 埠頭．波止場

12 **瓿** bù 書 小型のかめ

19 **簿** bù 图 帳簿．ノート ‖ 电话～ 電話帳 | 账～ 帳簿
【簿册】bùcè 图 ノート
【簿籍】bùjí 图 帳簿．名簿
【簿记】bùjì 图 簿記 ‖ 复式～ 複式簿記
【簿子】bùzi 图 帳簿．ノート

C

C

【CD唱机】CD chàngjī 图 CDプレーヤー
【CD唱片】CD chàngpiàn 图 音楽CD
【CT断层扫描】CT duàncéng sǎomiáo 图 〈医〉コンピューター断層撮影．CTスキャン

cā

17 ★**擦** cā ❶動 こする．擦る ‖ ～着火柴 マッチを擦って火をつける ❷動 すれ違う．かすめる ‖ 汽车从身边～过 車がすぐ横をかすめていった ❸動（手・布などで）拭（ふ）く．拭（ぬぐ）う．磨く ‖ ～脸 顔を拭く｜用橡皮～掉 消しゴムで消す ❹動 塗る．塗りつける ‖ ～点ㄦ油 油を少し塗る ❺動（おろし金に似た調理器を用いて野菜などを）糸状におろす．千切りにする
【擦边】cā//biān（～ㄦ）動（ある数量に）達する．（多く年齢に用いる）‖ 五十刚～ㄦ 五十になったばかり
【擦边球】cābiānqiú 图 ❶〈体〉（卓球の）エッジ・ボール ❷喩 政策の許容範囲すれすれの行為 ‖ 打～ 政策すれすれのところをねらう
【擦黑ㄦ】cāhēir 動 方 暗くなり始める．日が暮れかける
【擦痕】cāhén 图（物の）擦り傷
【擦亮】cāliàng 動 ❶夜が明ける ❷ぴかぴかに磨く
【擦屁股】cā pìgu 慣 尻ぬぐいをする ‖ 给他～ 彼のために尻ぬぐいをする
【擦破】cāpò 動 擦りむく ‖ 把手～了 手を擦りむいた
【擦伤】cāshāng 動 擦り傷をつくる．擦りむく 图 擦り傷
【擦拭】cāshì 動 拭く．拭う．磨く
【擦洗】cāxǐ 動（ぬれぞうきんなどで）拭く．磨く
【擦音】cāyīn 图〈語〉摩擦音
【擦澡】cā//zǎo 動 ぬれ手ぬぐいで体の垢（あか）をこすり落とす
【擦脂抹粉】cā zhī mǒ fěn 成 紅を塗りおしろいをつける 喩 粉飾する．美化する．覆い隠す

17 **嚓** cā 擬（物がこすれ合う音）サッサッ．ギッギッ．ギー ➤ chā

cǎ

19 **礤** cǎ （野菜や果物などをおろし金に似た調理器を用いて）糸状におろす

cāi

11 ＊＊**猜** cāi ❶疑う．疑心をいだく ‖ 一～疑 ❷動 当てる．推測する ‖ 你～～，他是谁？ 彼は誰だか当ててごらん
【猜不透】cāibutòu 動 見通せない．推測できない ‖ 谁也～他的心思 誰も彼の心は見通せない
【猜不着】cāibuzháo 動 言い当てられない．当たらない．推測がつかない
＊【猜测】cāicè 動 推測する．推し量る ‖ 你不要乱～ 当て推量をしてはいけない ‖ 这只是我个人的～ これは私の個人的な推測にすぎない
【猜断】cāiduàn 動 推断する．当て推量する
【猜度】cāiduó 動 忖度（そんたく）する．推し量る
【猜忌】cāijì 動 邪推する．疑いねたむ
【猜枚】cāiméi 動（酒席でのゲームの一つ）スイカの種やハスの実・碁石などを握り，その数や色などを当てて遊ぶ
【猜谜ㄦ】cāi//mèir 動 方 ❶なぞなぞ遊びをする．なぞなぞを解く ❷喩 真意や真相を推測する ‖ 不要叫我们～了，你快直说吧 なぞかけなんかやめて，はっきり言えよ
【猜谜】cāi//mí 動 書 なぞを解く
【猜摸】cāimo 動 憶測する．推し量る
【猜拳】cāi//quán 動（酒席でのゲームで）拳（けん）を打つ
【猜透】cāi//tòu 動 見抜く ‖ 他～了姑娘的心 彼は娘の気持ちを見抜いた
【猜详】cāixiáng 動 推量する
＊【猜想】cāixiǎng 動 推し量る．推測する．…だろうと思う ‖ 我～他会来 私は彼が来ると思う
【猜哑谜】cāi yǎmí 慣 相手の真意や物事の真相を推し量る
【猜疑】cāiyí 動 疑う．勘ぐる ‖ 胡乱～ やたらに疑う
【猜着】cāi//zháo 動 推測して当てる．ぴたりと当てる
＊【猜中】cāi//zhòng 動（正しい答えを）当てる ‖ ～谜底 なぞなぞを当てる｜～考试题 試験問題を当てる

cái

3 ★**才**[1] cái ❶图 能力．才能．才 ‖ 口～ 弁舌の才能 ❷才能ある人．人材 ‖ 文武全～ 文武両道に秀でた人

3 ★**才**[2]（纔）cái ❶副（新しい状態になることを示す）そこではじめて．やっと ‖ 说了半天～明白你的意思 長い間説明されてやっとあなたの言っていることが分かった ❷副（事が起こったばかりであることを示す）…したばかり．たったいま ‖ 他～进家门，电话铃就响了 彼が家に入ったとたん，電話が鳴った ❸副（数量が少ないこと，程度が低いことを示す）たった．わずかに．ほんの ‖ 他～十岁，不能要求得太高 彼はまだ10歳だから，あまり厳しいことは要求できない ❹副（多く文末に〔呢〕を伴い，断定の気持ちを強調する）…こそ ‖ 那ㄦ的风景～美呢 あそこの景色はほんとうにすばらしい｜你～不讲理呢 君のほうこそむちゃを言っているよ ❺副（事の起こるのが遅いことを示す）ようやく．やっと ‖ 快中午了他～起床 もう昼になるというころに彼はやっと起きた ❻副（多く〔只有〕〔必须〕〔由于〕などと呼応し，ある条件に限ってそうなることを示す）やっと．…してこそ．…してはじめて ‖ 必须多听多说，～能提高会话能力 たくさん聞いてたくさん話して，はじめて会話は上達する
【才分】cáifèn 图（生まれつきの）才能
【才赋】cáifù 图（生まれつきの）才能．才知
＊【才干】cáigàn 图 才幹．才腕．働き ‖ 施展～ 才腕をふるう
【才刚】cáigāng 图 方 いましがた．たったいま
【才高八斗】cái gāo bā dǒu 成 文才がきわめて高いことのたとえ
【才华】cáihuá 图（多く文学や芸術面の）才華．才能
【才具】cáijù 图 書 才能
【才力】cáilì 图 才能．能力．才力
【才略】cáilüè 图（政治的あるいは軍事的かけひきの）知恵．才知
【才貌】cáimào 图 才知と容色 ‖ ～双全 才色兼備

である
*【才能】cáinéng 名 才能. 能力 ‖ 有～ 才能がある | 组织～ 人を組織する才能
【才女】cáinǚ 名 才女
【才气】cáiqì 名 才気. 才華 ‖ ～过人 才能が人にまさる
【才情】cáiqíng 名 (文学面での)才気. 才知
【才识】cáishí 名 才識. 才能と見識
【才疏学浅】cái shū xué qiǎn 成 才能が劣り学識が浅い. 浅学非才
【才思】cáisī 名 書 (多く詩文における)才気. 文才.
【才学】cáixué 名 才学. 才能と学問
【才艺】cáiyì 名 才能と技巧 ‖ ～出众 才能と技芸ともに人並み優れている
*【才智】cáizhì 名 才知. 才能と知恵 ‖ 充分发挥自己的～ 自分の才知を十分に発揮する
【才子】cáizǐ 名 才子 ‖ ～佳人jiārén 才子佳人
7 **材** cái ❶木材 ‖ 木～ 木材 ❷原料 ‖ 一～料 ‖ 药～ (漢方薬の)生薬(しょうやく) ❸資料 ‖ 题～ 題材 ❹人の素質. 資質. 能力. 才能 ‖ 因～施教 能力に応じて適した教育をする ❺人材 ‖ 贤～ 賢才 ❻名 旧 棺桶. 棺 ‖ 寿shòu～ 棺桶
【材积】cáijī 名〈林〉材積. 木材になる体積
★【材料】cáiliào 名 ❶材料. 原料 ❷資料. データ ‖ 第一手～ 直接入手した資料 ❸口 人材. 器(うつわ) ‖ 我可不是当作家的～ 私など作家の器ではない
【材树】cáishù 名 製材用の樹木
【材质】cáizhì 名 材質
7 * **财** cái 財貨. 財物 ‖ 爱～如命 命のごとく金を大切にする
【财宝】cáibǎo 名 財宝 ‖ 金银～ 金銀財宝
【财帛】cáibó 名 金銭財宝.〔帛〕は絹織物, 昔は貨幣の代わりになったことから
*【财产】cáichǎn 名 財産 ‖ 继承～ 財産を相続する
【财产保险】cáichǎn bǎoxiǎn 名 財産保険. 略して〔财险〕ともいう
【财产权】cáichǎnquán 名〈法〉財産権
【财大气粗】cái dà qì cū 慣 金のある者ほど鼻息が荒い
【财阀】cáifá 名 財閥
【财富】cáifù 名 **富. 財産 ‖ 宝贵的精神～ 貴重な精神的財産
*【财经】cáijīng 名 財政と経済 ‖ ～报道 経済ニュース
*【财会】cáikuài 名 財務と会計. 経理 ‖ ～科 経理課 | ～人员 経理の職員
【财礼】cáilǐ 名 旧 結納の金品
*【财力】cáilì 名 財力. 資金力 ‖ ～雄厚 大きな資金力がある
【财路】cáilù 名 金儲けのルート. 豊かになる道
【财贸】cáimào 名 財政と貿易 ‖ ～系统 財政・貿易部門
【财迷】cáimí 名 守銭奴. 金の亡者. けち
【财气】cáiqi ; cáiqì (～儿) 名 財運. 金運
【财权】cáiquán 名 ❶財産の所有権 ❷経済大権. 財政権
【财神】cáishén 名 福の神.〔财神爷〕ともいう
【财势】cáishì 名 財力と権勢
【财税】cáishuì 名 財政と税務
【财团】cáituán 名 財団
*【财务】cáiwù 名 財務 ‖ ～制度 財務制度
【财物】cáiwù 名 財物. 財産 ‖ 爱护公共～ 公共の財産を大切にする
【财险】cáixiǎn =〔财产保险cáichǎn bǎoxiǎn〕
【财源】cáiyuán 名 財源
【财运】cáiyùn 名 金儲けの運. 金運
*【财政】cáizhèng 名 財政 ‖ ～赤字 財政赤字
【财主】cáizhu 名 財産家. 金持ち
12 * **裁** cái ❶動 (刃物などで)裁断する. 切る ‖ ～纸 紙を切る ❷動 (余計な部分を)取り除く. 削減する ‖ 一～军 ❸抑制する. 制御する ‖ 独～ 独裁する ❹判断する. 決定する ‖ 仲～ 仲裁する ❺(多く文学や芸術面で)作品を取捨し, 構成する ‖《唐诗别～》『唐詩別裁』(唐詩を取捨選択し類別したもの) ❻文章の体裁・形式 ‖ 体～ (文学作品の)様式 ❼量 紙のサイズ ‖ 八～ 八つ切り判
【裁兵】cái//bīng 動 旧 兵を削減する
【裁并】cáibìng 動 (機構を)整理合併する
【裁撤】cáichè 動 (多く機構を)取り消す. 廃止する
【裁处】cáichǔ 動 裁定する. 裁定判断して処理する
【裁定】cáidìng 動〈法〉裁定する
【裁断】cáiduàn 動 裁断する. 裁決する
【裁夺】cáiduó 動 判断し決定する
【裁缝】cáiféng 動 衣服を仕立てる
【裁缝】cáifeng 名 洋服屋. 仕立屋
【裁剪】cáijiǎn 動 (布や紙を)裁断する
【裁减】cáijiǎn 動 (人・装備・機構などを)削減する. 縮小する ‖ ～机构 機構を縮小する
*【裁决】cáijué 動 考慮して決める. 裁決する ‖ 交由理事会～ 理事会に提出し裁決される
*【裁军】cáijūn 動 軍備を削減する. 軍縮する
【裁可】cáikě 動 裁決し許可する
*【裁判】cáipàn 動 ❶〈法〉裁判する ❷〈体〉審判する 名〈体〉審判. レフェリー. アンパイア.〔裁判员〕ともいう
【裁人】cái//rén =〔裁员cáiyuán〕
【裁员】cáiyuán 動 人員を減らす. 人員整理する
【裁制】cáizhì 動 ❶制裁する ❷強く抑制する ❸布地を裁断し衣服を作る
【裁酌】cáizhuó 動 書 考慮して決定する

cǎi

8 ** **采**[1] (△採) cǎi ❶動 **採る. 摘みとる** ‖ 一～茶 ❷採用する. 選び取る ‖ 一～购 ❸収集する. 採集する ‖ 一～访 ❹採掘する ‖ 一～矿
8 **采**[2] cǎi 風貌. 表情 ‖ 神～ 顔つき
8 **采**[3] cǎi 色. 色彩
➤ cài
【采办】cǎibàn 動 仕入れる. 購入する
【采编】cǎibiān 動 取材し編集する
【采茶】cǎi//chá 動 茶を摘む
【采伐】cǎifá 動 伐採する ‖ ～木材 木を伐採する
*【采访】cǎifǎng 動 取材する. インタビューする ‖ 接受记者～ 記者の取材を受ける
【采风】cǎi//fēng 動 民謡を集める
【采购】cǎigòu 動 **買い入れる. 仕入れる ‖ ～原材料 原材料を買い入れる 名 購買係. 仕入れ係
【采光】cǎiguāng 名〈建〉採光

C

*【采集】cǎijí 動 採集する. 収集する ‖ ～标本 標本を採集する｜～民歌 民謡を収集する
【采景】cǎijǐng 動 ロケ地を探す. ロケーション・ハンティングをする
【采掘】cǎijué 動 採掘する
【采矿】cǎi//kuàng 動 鉱石を採掘する
【采录】cǎilù 動 採集し記録する. 採録する
【采买】cǎimǎi 動 購入する
*【采纳】cǎinà 動 (意見や要求などを)採用する. 受け入れる ‖ 他的意见被～了 彼の意見は受け入れられた
【采暖】cǎinuǎn 動 暖房する
【采取】cǎiqǔ 動 (手段や方策などを)とる. 講じる** ‖ ～积极态度 積極的な姿勢をとる｜～优惠yōuhuì政策 優遇政策をとる
【采认】cǎirèn 動 認める. 承認する
【采挖】cǎiwā 動 (根などを)掘って採取する. 根を掘る
【采撷】cǎixié 動 書 ❶摘みとる ❷採集する
【采写】cǎixiě 動 取材して記事にする
【采血】cǎi//xiě 動 採血する
【采样】cǎi//yàng 動 サンプルを採取する. サンプリングをする
【采药】cǎi//yào 動 薬草を採集する
【采用】cǎiyòng 動 **採用する ‖ ～新技术 新技術を採用する
【采油】cǎi//yóu 動 (油田から)石油をくみ上げる
【采育】cǎiyù 動〈林〉伐採し植樹する
【采运】cǎiyùn 動 採集し運ぶ
【采择】cǎizé 動 採択する. 採り上げる
【采摘】cǎizhāi 動 摘む ‖ ～棉花 ワタを摘む
【采制】cǎizhì 動 摘みとって加工する
【采种】cǎi//zhǒng 動 採種する

11 **彩**(△綵❶❸) cǎi ❶色. 色彩. たくさんの色 ‖ 五～ 五色. 色とりどり ❷彩り ‖ 丰富多～ 豊富で多彩である ❸飾り付け用の細長い色絹 ‖ 剪～ テープカットをする ❹(賭博や宝くじの抽籤で手に入れた)賞金. 賞品 ‖ 一～票 ❺喝采の声 ‖ 喝hè～ 喝采する｜倒dào～ 野次 ❻喩 負傷して流す血 ‖ 挂～ 負傷する ❼(芝居や手品の)からくり. 仕掛け
【彩笔】cǎibǐ 图 絵筆. 色鉛筆
【彩超】cǎichāo 图〈医〉カラー超音波.〔彩色B超〕の略
【彩车】cǎichē 图 (祝賀のため)色絹などで飾り付けをした車
【彩绸】cǎichóu 图 (飾り付け用の)色絹
【彩带】cǎidài 图 帯状の色絹. 色リボン
【彩旦】cǎidàn 图〈劇〉女形の道化役
【彩蛋】cǎidàn 图 ❶(工芸品の一種)卵の殻に絵を描いたもの ❷方 ピータン
【彩灯】cǎidēng 图 電飾. イルミネーション
【彩电】cǎidiàn 图 略 カラーテレビ.〔彩色电视机〕の略
【彩调】cǎidiào 图〈劇〉広西チワン族自治区に伝わる伝統劇の一種
【彩号】cǎihào (～儿) 图 負傷兵
【彩虹】cǎihóng 图 虹
【彩绘】cǎihuì 图 (陶磁器などの)彩色上絵. 動 (建築物や器物に)彩色した絵を描く. 上絵をつける
【彩轿】cǎijiào 图 婚礼の日に新婦が乗る輿
【彩卷】cǎijuǎn (～儿) 图 略 カラーフィルム.〔彩色胶卷〕の略
【彩扩】cǎikuò 動 略 カラープリントする.〔彩色扩印〕の略
【彩礼】cǎilǐ 图 旧 結納のとき, 男性側が女性側へ贈る金品
【彩练】cǎiliàn ＝〔彩带cǎidài〕
【彩铃】cǎilíng 图 着信メロディー. 着メロ
【彩迷】cǎimí 图 宝くじファン

コラム 中国料理と料理用語

中国料理

広大な土地を有する中国では, 各地方それぞれの食生活や味付けをもつ. “南甜北咸, 东辣西酸”(南の甘口, 北の辛口, 山東の辛味, 山西の酸味)という言葉は各地の味の好みをよく表している. 中国料理は地方別にいくつかの系統に分けられるが, ここでは各地方の中国料理とその特徴について, 代表的な八大系統をあげる.

鲁菜 Lǔcài (山東料理) 済南・膠東一帯の料理が発展したもの. 豊富な材料を用いた新鮮で香りのよい北方の代表的料理.

川菜 Chuāncài (四川料理) 主に成都・重慶の料理をさす.「百菜百味」と言われるさまざまな合わせ調味料を用いたソースが特徴的. 多くトウガラシ・コショウ・サンショウが使われる.

江苏菜 Jiāngsūcài (江蘇料理) 揚州・蘇州南京一帯の料理が発展したもの. 新鮮な魚介類を用いたあっさりした味付で, 配色・盛り付けにすぐれる.

浙江菜 Zhèjiāngcài (浙江料理) 杭州・寧波・紹興一帯の料理が発展したもの. 素材の持味を生かしたあっさりした味付けで, 細工にすぐれる.

粤菜 Yuècài (広東料理) 広州・潮州・東江一帯の料理が発展したもの.「食は広州にあり」の言葉どおり, その食材は多岐にわたる. 料理はさっぱりして歯ごたえがあり, 甘みが強い. 鮮やかな配色と盛り付けに特徴がある.

湖南菜 Húnáncài (湖南料理) 湘江流域・洞庭湖区・湘西山区一帯の料理をさす. 薫製物を多く用いる. 酸味のきいた辛い味付けが特徴的.

闽菜 Mǐncài (福建料理) 福州・厦門・泉州一帯の料理が発展したもの. 海産物を用いた料理が多い. 味付けは砂糖・酢・塩を基本とする.

皖菜 Wǎncài (安徽料理) 沿江・沿淮・徽州地域の料理をさす. 陸の産物と河川の魚介類を豊富に用いる. 火力や油・色彩を重視する.

料理名 中国料理は味付け・調理法・材料・切り方などの各種要素に, 材料名を加えて料理名としているものが多い. 基本的には味付け＋材料, もしくは料理法＋材料である. そのほかに見た目や色合い, あるいは人名や地名にちなんだ料理名もある.

味付け＋材料 蚝油鲍鱼 (アワビのオイスターソース炒め) 酸辣鱼汤 (酸味と辛味のきいた魚スープ) 红糟肉方 (豚肉の酒粕煮込み)

料理法＋材料 炸大虾 (エビのあげもの) 滑熘里脊 (ヒレ肉やロース肉を炒めて水溶き片栗粉でとろみをつ

【彩民】cǎimín 图 宝くじ購入者. 多く定期的に購入している人をさす
【彩排】cǎipái 動 ドレス・リハーサルをする. 本げいこを行う ‖ 开幕式的～ 開幕式のリハーサル
【彩牌】cǎipái 图 ❶飾り付けを施した看板 ❷＝〔彩牌楼cǎipáilou〕
【彩牌楼】cǎipáilou 图(祝賀行事などのときに設ける)装飾アーチ
【彩棚】cǎipéng 图(祝賀行事などに使う)飾り付けを施した小屋掛け
【彩票】cǎipiào 图 宝くじ. ‖ 中zhòng了～ 宝くじに当たった
【彩旗】cǎiqí 图 彩色旗. 五色の旗
【彩球】cǎiqiú 图 ❶色風船 ❷絹や錦でくるんで作ったくす玉
**【彩色】cǎisè 形 彩色. カラー ‖ ～反转片 カラー・ポジ｜～铅笔 色鉛筆｜～凹版āobǎn カラーグラビア
【彩色电视】cǎisè diànshì 图 カラーテレビ. 略して〔彩电〕ともいう
【彩色胶卷】cǎisè jiāojuǎn ＝〔彩卷cǎijuǎn〕
【彩色扩印】cǎisè kuòyìn ＝〔彩扩cǎikuò〕
【彩色片ル】cǎisèpiānr 图 回 天然色映画. テクニカラー映画 ↔〔黑白片ル〕
【彩色片】cǎisèpiàn 图 天然色映画. テクニカラー映画 ↔〔黑白片〕
【彩饰】cǎishì 图 彩色した飾り付け
【彩塑】cǎisù 图(彩りを施した)泥人形
【彩陶】cǎitáo 图〈考古〉彩陶. 彩文土器
【彩陶文化】cǎitáo wénhuà 图〈史〉彩陶文化. 仰韶(ぎょう)文化. 〔仰韶Yǎngsháo文化〕ともいう
【彩头】cǎitóu 图 勝負に勝つ, または, 金儲けで成功する前兆
【彩霞】cǎixiá 图(朝焼けや夕焼けに)美しく色づいた雲
【彩显】cǎixiǎn 图 カラーモニター
【彩信】cǎixìn 图〈通信〉マルチメディア・メッセージサービス. MMS
【彩页】cǎiyè 图(書籍・新聞・雑誌などの)カラーページ
【彩印】cǎiyìn 動 カラー印刷する. 色刷りする
【彩云】cǎiyún 图 彩雲. 美しい雲
【彩照】cǎizhào 图 略 カラー写真. 〔彩色照片〕の略
【彩纸】cǎizhǐ 图 ❶色紙 ❷カラー用の印画紙

13 **睬**(△倸) cǎi 動 相手にする. 取り合う. かまう ‖ 理～ 同前

15 ** **踩**(△跴) cǎi 動 **踏む. 踏みつける** ‖ 不小心～了他的脚 うっかりして彼の足を踏んでしまった
【踩高跷】cǎi gāoqiāo 組(祭りなどで行われる)高足踊り. さまざまな扮装(ふんそう)をし, 竹馬のような2本の棒を両足の下に結びつけて練り歩く
【踩水】cǎishuǐ 動 立ち泳ぎをする

cài

8 **采**(△寀) cài ➘ ➤cǎi
【采地】càidì 图 古 封土(ほう). 領地. 〔采邑yì〕ともいう

11 ★ **菜** cài ❶图 **野菜. 菜っ葉** ‖ 蔬～ 野菜 ❷ナタネ. アブラナ ‖ →～油 ❸图 **おかず. 料理** ‖ 少吃饭, 多吃～ 御飯よりもおかずをたくさん食べなさい
【菜案】cài'àn 图 料理を専門に作るコック
【菜霸】càibà 图 青物市場を牛耳っている者
【菜板】càibǎn (～ル) 图 まな板
【菜帮】càibāng (～ル) 图 ハクサイの外側の葉
【菜场】càichǎng 图 方 野菜市場
【菜畜】càichù 图 食用家畜

けたもの)
主な材料を並べたもの 香菇鸡片 (シイタケと鶏肉の炒めもの) 火腿冬瓜汤 (ハムとトウガンのスープ)
調理器具＋材料 沙锅豆腐 (豆腐の土鍋煮) 什锦火锅 (寄せなべ)
形をたとえたもの 猫耳朵 (小麦粉をネコの耳の形に練って煮たもの) 龙须面 (極細の麺)
色をたとえたもの 翡翠白玉 (ホウレンソウと豆腐の炒めもの) 雪花蟹斗 (カニ肉と卵白の蒸しもの)
花にたとえたもの 桃花桂鱼 (ケツギョのしょうゆ煮込み) 芙蓉蛋 (卵白入り鶏スープ)
人名にちなんだもの 麻婆豆腐 (マーボー豆腐) 东坡肉 (ブタの角煮)
地名にちなんだもの 北京烤鸭 (北京ダック) 西湖醋鱼 (アオウオのあんかけ)

料理用語

調理法 煮 (煮る) 熬 (水で長時間煮る) 炖 (とろ火で煮込む) 蒸 (蒸す, ふかす) 熏 (いぶす) 煎 (少量の油で表面に焼き色をつける) 烹 (油でさっと炒め, 調味料を加えてからめる) 烤 (あぶり焼く) 烙 (小麦粉で練ったものを平らにのばして焼く) 熘 (揚げたものをあんかけにする) 炒 (炒める) 爆 (高温の油でさっと炒める) 炸 (揚げる) 烧 (揚げたり炒めたりした後, だし汁を加えて煮る, または煮てから油で揚げる) 涮 (熱湯をくぐらせる, 湯がく) 卤 (調味料を加えた塩水やしょうゆで鶏を丸煮する) 泡 pào (だし汁に漬ける) 氽 (熱湯でさっと煮る) 拌 (あえる) 腌 (漬物にする) 糟 (酒または酒粕に漬ける)
材料の形・切り方 块 (ぶつ切り, 乱切り) 段 (細いもののぶつ切り) 条 (拍子木切り) 丝 (せん切り) 片 (薄切り, そぎ切り) 方 (四角形切り) 丁 (さいの目切り) 末/粒 (みじん切り) 泥 (ねっとりした状態)
味・味付け 甜 (甘い) 咸 (塩辛い, しょっぱい) 辣 (トウガラシの辛さ) 酸 (すっぱい) 麻 (サンショウの辛さ) 苦 (にがい) 浓 (濃い) 淡 (薄い) 清淡 (あっさりしている) 油腻 (油っこい) 香 (香りがよい, こうばしい)
調理器具 菜板ル (まな板) 菜墩 (木を輪切りにしたまな板) 菜刀 (包丁) 炒勺 (柄つきの中華鍋) 煎锅 (フライパン) 锅 (鍋) 沙锅 (土鍋) 火锅 (中国式のしゃぶしゃぶ用鍋) 蒸笼 (せいろう) 菜铲 (フライ返し) 铁勺 (鉄しゃくし) 漏勺 (穴しゃくし) 笊篱 (網じゃくし) 铝盆ル (アルミのボール) 案板 (小麦粉をこねるのし板) 擀面杖 (めん棒) 筷子 (箸) 碗 (茶碗, 汁碗) 盘子 (大皿) 碟子 (小皿) 调羹 (ちりれんげ)

C

*【菜单】càidān（～儿）图 ❶メニュー．献立．〔菜单子〕ともいう ❷〈計〉メニュー
【菜刀】càidāo 图 中華包丁．包丁
【菜地】càidì 图 野菜畑
【菜点】càidiǎn 图 料理と点心
【菜豆】càidòu 图〈植〉インゲンマメ．ふつうは〔芸yún豆〕という．また，地方によっては〔扁biǎn豆〕ともいう
【菜墩子】càidūnzi 图（太い木を輪切りにした）まな板
【菜饭】càifàn 图 ❶おかずと御飯 ❷野菜の炊き込み御飯
【菜粉蝶】càifěndié 图〈虫〉モンシロチョウ
【菜瓜】càiguā 图〈植〉シロウリ
【菜馆】càiguǎn（～儿）图 方 料理店．レストラン
【菜花】càihuā（～儿）图 ❶カリフラワー ❷アブラナの花
【菜窖】càijiào 图 野菜を貯蔵する穴蔵
【菜金】càijīn 图（機関や団体などでいう）副食費
【菜篮子】càilánzi 图 ❶（手提げのある）買い物かご ❷喩 都市での副食品の供給状況．庶民の食生活 ‖ 关心市民的～ 市民の食生活を気にかける
【菜名】càimíng 图 料理名
【菜牛】càiniú 图 食用牛．肉牛
【菜农】càinóng 图 野菜栽培農家
【菜品】càipǐn 图（おもにホテルやレストランなどが出す）料理．料理の品目
【菜圃】càipǔ 图 菜園．野菜畑
【菜谱】càipǔ 图 ❶メニュー．献立 ❷料理の作り方．レシピ
【菜畦】càiqí 图 畝作りの野菜畑
【菜青】càiqīng 形 深緑色の
【菜色】càisè 图 栄養失調の顔色．青白い顔色
【菜市】càishì 图 青果市場．食料品市場
【菜蔬】càishū 图 ❶野菜 ❷おかず
【菜摊】càitān（～儿）图 露店の八百屋（やお/や）
【菜系】càixì 图 中国の地方ごとの料理の系列 ‖ 四大～ 四大料理
【菜心】càixīn（～儿）图 ❶（野菜の一種）サイシン．〔菜薹càitái〕ともいう ❷（ハクサイなど）野菜の芯（しん）
【菜蚜】càiyá 图〈虫〉アリマキ．アブラムシ
【菜肴】càiyáo 图 料理．（多く魚や肉の料理をさす）
【菜油】càiyóu 图 ナタネ油．〔菜籽油〕ともいう
【菜园】càiyuán 图 菜園．〔菜园子〕ともいう
【菜籽】càizǐ（～儿）图 ❶野菜の種 ❷アブラナの種子．ナタネ．〔油菜籽〕ともいう
【菜籽油】càizǐyóu ＝〔菜油càiyóu〕

14 **蔡** cài 图 蔡（さい）．春秋時代の国名．現在の河南省新蔡県一帯にあった

cān

8 **参**[1]（參 △叅）cān ❶参加する．参与する ‖ →～军 ❷参考にする．参照する ‖ →～考

8 **参**[2]（參 △叅）cān ❶謁見する ‖ →～拜 ❷動 弾劾する ‖ ～他一本 奏上し彼を弾劾する

8 **参**[3]（參 △叅）cān 書（道理や意義を）学び取る．悟る ➤ cēn shēn

【参拜】cānbài 動 参拝する．お参りする
【参半】cānbàn 動 半分を占める ‖ 功过～ 功罪相半ばする
【参禅】cānchán 動〈仏〉参禅する
【参订】cāndìng 動 訂正作業に加わる
【参股】cān//gǔ 動 投資し，株を一定数占有する
★【参观】cānguān 動 見学する．参観する

類義語 | 参观 cānguān 游览 yóulǎn

◆〔参观〕知識を広めたり，深めたりするために，その場を訪れる．見学する．参観する．対象は名所旧跡から展覧会・学校・地域など広範囲にわたる ‖ 参观博物馆 博物館を見学する｜参观工厂 工場見学をする
◆〔游览〕楽しんで名所旧跡・観光地などを見物して回る．遊覧する．対象は史跡・景勝地などに限られる ‖ 游览长城 万里の長城を観光する

【参合】cānhé 動 参照してまとめる
★【参加】cānjiā 動 参加する
【参见】[1] cānjiàn 動 参照する ‖ ～图六 図6を参照せよ
【参见】[2] cānjiàn 動 謁見する
【参建】cānjiàn 動 建設に参加する．建設に加わる
【参校】cānjiào 動 ❶校定する ❷校勘する
*【参军】cān//jūn 動 軍隊に入る
【参看】cānkàn 動 参照する
**【参考】cānkǎo 動 参考にする ‖ ～资料 参考資料｜仅供～ ご参考までに
【参考书】cānkǎoshū 图 参考書
【参考系】cānkǎoxì 图〈物〉観測系．座標系
【参量】cānliàng ＝〔参数cānshù〕
*【参谋】cānmóu 图〈軍〉参謀 動 口 助言する．アドバイスする ‖ 你来给我～～ 君，ちょっと意見を聞かせてくれないか
【参拍】cānpāi 動 ❶競売に出す．オークションに出す ❷映画に出演する．映画撮影に参加する
【参评】cānpíng 動 コンクールなどに参加する
【参赛】cān//sài 動 競技に参加する
【参审】cānshěn 動〈法〉参審する ‖ ～制 参審制
【参事】cānshì 图 参事．参事官
【参数】cānshù 图〈数〉媒介変数．パラメーター．〔参变量〕ともいう
【参天】cāntiān 動 ひときわ高くそびえ立つ ‖ ～大树 ひときわ高くそびえ立つ大木
【参透】cān//tòu 動（奥義を）会得する．悟る
【参悟】cānwù 動 悟る．会得する
【参详】cānxiáng 動 詳細に点検する
【参选】cānxuǎn 動 ❶コンクールに出る ❷選挙に立候補する
【参验】cānyàn 動 比較して検証する
【参谒】cānyè 動 参拝する．拝謁する
【参议】cānyì 動 書 参議する．議に加わる 图 旧（官職の一つ）参議
*【参议院】cānyìyuàn 图（日本の）参議院．（アメリカの）上院
*【参与】【参预】cānyù 動 参与する．かかわる ‖ 他～了编辑方针的审定工作 彼は編集方針の策定にかかわった
【参阅】cānyuè 動 参照する
【参赞】cānzàn 图（大使館の）参事官 動 書 参与して協力する
【参展】cānzhǎn 動（展示会や博覧会などに）作品や

展示品を出品する
【参战】cān//zhàn 動 参戦する
*【参照】cānzhào 動 参照する. 他と照らし合わせて参考にする ‖ ～原文 原文を参照する
【参照物】cānzhàowù 名〈物〉観測系. 座標系
【参政】cānzhèng 動 参政する ‖ ～权 参政権
【参酌】cānzhuó 動 斟酌(しんしゃく)する

11 **骖**(驂) cān 古(一般に3頭または4頭立ての)馬車の両側のそえ馬

15 **鳘** cān ↴

【鳘鲦】cāntiáo 名〈魚〉コイ科の小型の淡水魚

16 ***餐** cān ❶食べる. 食事をする ❷御飯とおかず. 食事. 料理 ‖ 进～ 食事をとる

逆引き単語帳 〔早餐〕zǎocān 朝食 〔午餐〕wǔcān 昼食 〔晚餐〕wǎncān 夕食 〔中餐〕zhōngcān 中国料理 〔西餐〕xīcān 西洋料理 〔快餐〕kuàicān ファーストフード 〔工作餐〕gōngzuòcān 仕事のための打ち合わせなどを兼ねた食事 〔自助餐〕zìzhùcān セルフサービスの料理. バイキング式の料理 〔钡餐〕bèicān (X線造影剤)バリウム 〔野餐〕yěcān ピクニックに行く

*【餐车】cānchē 名 食堂車
【餐刀】cāndāo 名(食事用の)ナイフ
【餐点】[1] cāndiǎn 名 軽食店. スナックスタンド. 食堂
【餐点】[2] cāndiǎn 名 軽食. おやつ
【餐馆】cānguǎn 名 料理店. レストラン
【餐巾】cānjīn 名 ナプキン
【餐巾纸】cānjīnzhǐ 名 ペーパー・ナプキン
【餐具】cānjù 名 食器
【餐券】cānquàn 名 食券
【餐室】cānshì 名 食事室
【餐厅】cāntīng 名 **食堂. レストラン ‖ 西～ 西洋料理のレストラン | 旋转～ 回転レストラン
【餐位】cānwèi 名 食事の際の席順
【餐饮】cānyǐn 名 飲食 ‖ ～业 飲食業
【餐桌】cānzhuō (～儿) 名 食卓

cán

9 **残**[1](殘) cán ❶傷つける. 損なう ‖ 摧～ 壊す ❷凶悪な ‖ 凶～ 凶暴である

9 ***残**[2](殘) cán ❶残りの. 余りの ‖ 一～余 ❷形 欠けている. 不完全である. 揃っていない ‖ 这个花瓶～了 この花瓶は欠けてしまった

【残奥会】Cán'àohuì 名〈体〉パラリンピック. 〔残疾人奥运会〕の略
【残败】cánbài 形 ひどく損なわれている
*【残暴】cánbào 形 残虐である. むごい ‖ ～的法西斯匪徒fěitú 残虐なファッショ分子
【残杯冷炙】cán bēi lěng zhì 成 残杯冷炙(ざんぱいれいしゃ). 飲み残した酒と冷えた肉. 食べ残したご馳走
【残本】cánběn 名(多く古書で)欠葉や欠巻のある本. 残本. 欠本
【残兵败将】cán bīng bài jiàng 成 戦いに敗れて生き残った将兵
【残存】cáncún 動 残存する. わずかに残る
【残冬】cándōng 名 冬の終わりごろ. 晩冬
【残毒】cándú 名(野菜・穀類・牧草などに)残留する汚染物質
【残匪】cánfěi 名 匪賊(ひぞく)の残党
【残废】cánfèi 動 体に障害をきたす. 体が不自由になる ‖ 他的左手～了 彼は左手が不自由になった 名 身体障害者. 身障者
【残羹剩饭】cán gēng shèng fàn 成 食べ残した料理
【残骸】cánhái 名 残骸(ざんがい) ‖ 飞机的～ 飛行機の残骸
【残害】cánhài 動 傷害を加える. 殺害する
【残货】cánhuò 名 不良品. 欠陥品
*【残疾】cánji ; cánjí 名 身体障害 ‖ ～人 身体障害者 | 落下终身～ 体に一生障害を残す
【残疾车】cánjíchē 名 身体障害者用自動三輪車
【残疾人奥运会】Cánjírén Àoyùnhuì =〔残奥会 Cán'àohuì〕
【残迹】cánjì 名 あと. 痕跡(こんせき). つめあと
【残旧】cánjiù 形 傷んで古ぼけている
【残局】cánjú 名 ❶社会の騒乱の後, または失敗の後の局面 ‖ 收拾～ 事態を収拾する ❷(将棋や碁の)寄せ. 詰め
【残卷】cánjuàn 名 残巻. すでに亡失した巻物や書物のうち, 残っている部分
*【残酷】cánkù 形 残酷である. 残忍である ‖ ～的现实 残酷な現実 | ～无情 残酷非情である
【残留】cánliú 動 残る. 残留する
【残年】cánnián 名 ❶晩年. 余命 ‖ 风烛zhú～ 余命いくばくもない ❷年末. 年の暮れ
【残虐】cánnüè 形 残虐である. むごい 動 虐待する.
【残品】cánpǐn 名 欠陥製品. 不良品
【残破】cánpò 形 傷んでいる. 破損している
【残缺】cánquē 動 欠ける. 欠落する ‖ ～不全 揃っていない
*【残忍】cánrěn 形 残忍である. むごい
【残杀】cánshā 動 惨殺する. 虐殺する
【残生】cánshēng 名 ❶余生. 晩年 ❷生き延びた命
【残损】cánsǔn 動 破損する. 壊す. 損なう
【残效】cánxiào 名(農薬の)毒性残留効果
*【残余】cányú 動 残る. 残存する 名 残滓(ざんし). 残りかす ‖ 封建～ 封建主義の残りかす
【残垣断壁】cán yuán duàn bì 成 崩れ落ちた塀や壁. 荒れ果てた光景. 〔断壁残垣〕〔颓tuí垣断壁〕ともいう
【残月】cányuè 名 ❶旧暦月末の三日月 ❷有明の月. 残月
【残渣余孽】cán zhā yú niè 成 残党. (悪の)残存勢力
【残障】cánzhàng 名 身体障害 ‖ 重度～人 重度障害者
【残照】cánzhào 名 残照. 落日の光

10 ***蚕**(蠶) cán 名 カイコの総称. ふつう〔家蚕〕をさす ‖ 家～ 家蚕(かさん)

【蚕宝宝】cánbǎobǎo 名 方 おカイコさん
【蚕箔】cánbó 名(蚕具の一つ)蚕箔
【蚕豆】cándòu 名〈植〉ソラマメ
【蚕蛾】cán'é 名〈虫〉カイコガ
【蚕茧】cánjiǎn 名 カイコの繭

【蚕眠】cánmián 動 カイコが休眠する
【蚕农】cánnóng 名 養蚕農家
【蚕桑】cánsāng 名 養蚕用の桑
【蚕山】cánshān 名 方（蚕具の一つ）まぶし
【蚕食】cánshí 動 蚕食する‖～邻国领土 隣国の領土を蚕食する
【蚕室】cánshì 名 ❶蚕室. カイコを飼う部屋 ❷古 宮刑を行った牢房
【蚕丝】cánsī 名 蚕糸. 絹糸. 生糸. 単に〔丝〕ともいう
【蚕蚁】cányǐ 名〈虫〉蟻蚕(ぎさん). けご. ありご. 孵化(ふか)したばかりのカイコ. 〔蚁蚕〕ともいう
【蚕蛹】cányǒng 名 蚕蛹(さなぎ). カイコのさなぎ
【蚕纸】cánzhǐ 名 蚕卵紙. 種紙
【蚕子】cánzǐ (～儿) 名 カイコの卵

11 惭(^慚) cán 恥じる. 恥じ入る‖差～ 恥じ入る
*【惭愧】cánkuì 形 恥ずかしい. 慙愧(ざんき)するさま‖感到～ 恥ずかしく思う
【惭色】cánsè 名 恥じ入る顔つき‖面有～ 恥じ入った面持ちをしている

cǎn

11 *惨(慘) cǎn ❶むごい. むごたらしい. 残虐である‖→～无人道 ❷（損失や失敗などの）程度が著しい. ひどい‖输得太～了 ひどく惨めな負け方をした ❸形 悲惨である. 痛ましい‖她的身世很～ 彼女の身の上はとても痛ましい
【惨案】cǎn'àn 名 惨殺事件. 死傷事故
【惨白】cǎnbái 形 ❶薄暗い ❷（顔色が）青ざめている. 血の気がない
【惨败】cǎnbài 動 惨敗する‖遭到～ 惨敗した
【惨不忍睹】cǎn bù rěn dǔ 成 悲惨で見るに忍びない
【惨淡】cǎndàn 形 ❶薄暗い. 暗澹(あんたん)としている‖前途～ 前途は暗い ❷苦心惨憺(くしんさんたん)するさま
【惨淡经营】cǎn dàn jīng yíng 成 苦心して営む. 苦心惨憺する. 四苦八苦する
【惨毒】cǎndú 形 むごたらしい. 残忍である
【惨祸】cǎnhuò 名 惨禍. 痛ましい不幸
【惨叫】cǎnjiào 動 悲鳴をあげる‖～一声 一声悲鳴をあげる
【惨景】cǎnjǐng 名 悲惨な情景
【惨境】cǎnjìng 名 悲惨な境地
【惨剧】cǎnjù 名 惨劇. 悲惨な事件
【惨绝人寰】cǎn jué rén huán 成 この世にこれ以上むごたらしいことはないほど悲惨である. 残虐きわまりない
【惨苦】cǎnkǔ 形 痛ましい. 悲惨である
【惨况】cǎnkuàng 名 悲惨な情況
【惨烈】cǎnliè 形 悲痛である. 惨烈である
【惨然】cǎnrán 形 悲痛である. 悲しい
【惨杀】cǎnshā 動 惨殺する. 虐殺する
【惨死】cǎnsǐ 動 惨めな死に方をする
【惨痛】cǎntòng 形 悲惨である. 痛ましい‖～的教训 悲痛な教訓
【惨无人道】cǎn wú rén dào 成 残虐きわまりない
【惨笑】cǎnxiào 動 苦笑する. 苦笑いする
【惨重】cǎnzhòng 形（損失が）はなはだしい. 深刻である. 重大である‖损失～ 損失はきわめて深刻である
【惨状】cǎnzhuàng 名 惨状. むごたらしい情景

càn

7 灿(燦) càn きらきらと鮮やかに輝いている
*【灿烂】cànlàn 形 燦然(さんぜん)としている. きらきらと光り輝いている‖前途光明～ 前途は光り輝いている
【灿然】cànrán 形 きらきらと鮮やかに輝いている. 明るい
11 掺(摻) càn ❶古 鼓曲名の一つ ❷太鼓を3回たたく ➤ chān shǎn
13 粲 càn 書 鮮やかで美しい. きらびやかである
【粲然】cànrán 形 書 ❶光り輝くさま ❷明白であるさま ❸歯を見せて笑うさま‖～一笑 にっこりと笑う
17 璨 càn ❶美しい玉(ぎょく) ❷鮮やかなさま

cāng

4 仓(倉) cāng 名 倉庫. 倉‖粮～ 穀物倉庫
【仓储】cāngchǔ 動 倉庫に貯蔵する. 倉入れする
*【仓促】cāngcù 形 慌ただしい. あたふたしている. 慌てている‖由于时间～, 没有好好ル准备 時間が切迫していたので十分な準備ができなかった
【仓房】cāngfáng 名 納屋. 倉庫
【仓庚】cānggēng 名〈鳥〉コウライウグイス
【仓皇】【仓黄】cānghuáng 形 慌てふためいている. 狼狽(ろうばい)する. 〔苍黄〕とも書く
*【仓库】cāngkù 名 倉庫‖清理～ 在庫を調べる. 棚卸しする
【仓位】cāngwèi 名 ❶倉庫や貨物置場など荷物を保管するスペース ❷〈経〉持ち株量. 〔持仓量〕ともいう
6 伧(傖) cāng 卑俗である. 粗野である ➤ chen
【伧俗】cāngsú 形 粗野で無知である
7 沧(滄) cāng （水の色が）青緑色をした
【沧海】cānghǎi 名 滄海(そうかい). 大海原. 大海
【沧海桑田】cāng hǎi sāng tián 成 滄海(そうかい)変じて桑田となる. 青々とした海が変じて桑田になる. 世の中の変化の激しいこと
【沧海一粟】cāng hǎi yī sù 成 滄海の一粟(いちぞく). きわめてちっぽけなもののたとえ
【沧桑】cāngsāng 名 世の中の激しい移り変わり. 世の転変. 〔沧海桑田〕の略‖饱经～ 世の激しい移り変わりをつぶさに経験する
7 苍(蒼) cāng ❶青色の. （青色と緑色を含んでいう）‖→～天 ❷蒼天‖上～ 蒼天. 青空 ❸灰色がかった白色‖→～白
*【苍白】cāngbái 形 ❶青白い. 蒼白(そうはく)である‖面色～ 顔色が青白い ❷活力がない‖剧中人物形象～无力 ドラマの登場人物が生き生きとしていない
【苍苍】cāngcāng 形 ❶半白の. 灰白色の‖白发～ 白髪まじりである ❷広く果てしない‖大地～ 大地は広くどこまでも果てしない ❸生い茂っているさま
【苍翠】cāngcuì 形 青々としている. 濃緑の
【苍发】cāngfà 名 白髪まじりの頭髪
【苍黄】cānghuáng 形 灰色を帯びた黄色. 青みを帯びた黄色‖面色～ 顔色が悪い 名 書 蒼黄(そうこう). 生

糸が青色にも染まれば黄色にも染まるという墨子の言葉から,事物の変化が定まりないことのたとえ
【苍劲】cāngjìng 形(書画の筆勢が)枯れて力強い.雄勁(ゆうけい)である‖笔法～有力 筆法が枯れて力強い
【苍空】cāngkōng 名 空.青空
【苍老】cānglǎo 形 ❶老いている.老けている ❷(書画の筆致が)枯れて力強い
【苍凉】cāngliáng 形 荒れ果ててうら寂しい.荒涼としている
【苍龙】cānglóng 名 蒼竜(そうりゅう).二十八宿のうち,東方に位置する七宿の総称.〔青龙〕ともいう
【苍鹭】cānglù 名〈鳥〉アオサギ.
【苍绿】cānglǜ 形 深緑色の.濃緑の
【苍茫】cāngmáng 形 広く果てしない.蒼茫(そうぼう)たる‖夜色～ 夜のやみが果てしなく続いている
【苍莽】cāngmǎng 形 広く果てしない.蒼茫たる
【苍穹】cāngqióng 名 書 蒼穹(そうきゅう).大空.
【苍生】cāngshēng 名 書 蒼生(そうせい).民草.庶民
【苍天】cāngtiān 名 書 蒼天(そうてん).〔上苍〕ともいう
【苍哑】cāngyǎ 形(声が)しわがれている.しゃがれている
【苍鹰】cāngyīng 名〈鳥〉タカ.オオタカ
*【苍蝇】cāngying 名〈虫〉ハエ
【苍蝇拍子】cāngying pāizi 名 はえたたき
【苍郁】cāngyù 形 書(草木が)青々と生い茂るさま

10 * **舱**(艙) cāng 名(船や飛行機の)船室.キャビン‖客～(船や飛行機の)客室|驾驶～ 操縦室.コックピット
【舱底】cāngdǐ 名 船底
【舱口】cāngkǒu 名(甲板の)昇降口.ハッチ
【舱室】cāngshì 名(船や飛行機の)客室
【舱位】cāngwèi 名(船や飛行機の)座席やベッド

cáng

17 ** **藏** cáng ❶動 隠す.隠れる‖他把信～了起来 彼は手紙を隠した ❷動 貯蔵する.しまう‖储chǔ～ 貯蔵する ❸埋蔵の鉱物‖矿～ 地下資源 ➤ zàng
【藏奸】cángjiān 動 ❶悪意を抱く ❷方(力や金を)出し惜しみする.力を貸そうとしない
【藏龙卧虎】cáng lóng wò hǔ 成 隠れた竜と横たわる虎(とら).埋(う)もれている優れた人材.隠れた逸材
【藏猫儿】cángmāor 動 口 隠れんぼをする
【藏匿】cángnì 動 隠す.隠匿する
【藏品】cángpǐn 名 保管品.収蔵品
【藏身】cáng//shēn 動 身を隠す.隠れる
【藏书】cángshū 動 書籍を所蔵する 名 蔵書
【藏书票】cángshūpiào 名 蔵書票.書票
【藏头露尾】cáng tóu lù wěi 成 本当のことを隠してはっきり言おうとしない
【藏污纳垢】cáng wū nà gòu 成 ちり・あくたを包み隠す.悪人や悪事をかくまうこと
【藏掖】cángyē 動 隠しだてする‖别藏藏掖掖的 こそこそするな 名(～儿)隠しだて
【藏拙】cángzhuō 動(体面を失うのをおそれて)考えや腕前を見せない
【藏踪】cángzōng 動 行方をくらます.身を隠す

cāo

16 * **操**(△摻❼ 搀❼) cāo ❶動 手にしっかりと持つ.握る.掌握する‖～刀 刀を手にする ❷(あることを)する.従事する‖→～之过急 ❸動 演奏する‖～琴 琴を弾く ❹動 言葉を操る.(ある言語や方言を)つかう.話す‖～一口北京话 北京語を話す ❺練習する.訓練する‖→～练 ❻名 体操‖广播～ ラジオ体操|眼保健～ 目の体操 ❼節操.態度.行為‖→～行 ❽古 太鼓を主とした音楽の一つ ➤ cào
【操办】cāobàn 動 処理する.取り仕切る‖～婚事 婚礼を取り仕切る
★【操场】cāochǎng 名 ❶運動場.グラウンド ❷軍の(屋外・屋内)訓練場
【操持】cāochí 動 切り回す.世話をする.段取りをつける‖～家务 家事を切り盛りする
【操典】cāodiǎn 名〈軍〉教範.軍事訓練のテキスト
【操控】cāokòng 動 コントロールする.操作する.操る‖～市场 市場を操る
*【操劳】cāoláo 動 苦労する.骨を折る‖母亲为我们～了一辈子 母は私たちのために一生を苦労してきた
*【操练】cāoliàn 動(隊列を組んで)訓練する.軍事や体操の訓練をいう
【操盘】cāo//pán 動(多く大量の)株などを動かす‖～手 トレーダー
【操神】cāo//shén 動 心を砕く.気をもむ.心配する
【操守】cāoshǒu 名 品性.人徳
*【操心】cāo//xīn 動 心配する.心を砕く.気を配る‖这件事用不着yòngbuzháo你～ この事は君が心配しなくてもよい
【操行】cāoxíng 名(主に学生の)学校における態度.品行
【操演】cāoyǎn 動(体操や軍事の)訓練をする.演習をする
【操之过急】cāo zhī guò jí 成 やり方が性急すぎる
*【操纵】cāozòng 動 ❶操縦する.操作する ❷貶 操る‖有人在幕后～ 誰か陰で操っている
【操纵台】cāozòngtái 名 操縦台
*【操作】cāozuò 動 操作する‖～简便 操作が簡単である|熟练地～计算机 巧みにコンピューターを操作する
【操作系统】cāozuò xìtǒng 名〈計〉オペレーティング・システム.OS‖磁盘～ DOS

16 **糙** cāo ❶形 ざらざらしている.きめが粗い.粗雑である‖粗～ 粗雑である|表面很～ 表面がざらざらしている ❷形 口 粗野だ.下品だ
【糙糙拉拉】cāocāolālā 形 ぞんざいである.おおざっぱである
【糙粮】cāoliáng 名 方 雑穀
【糙米】cāomǐ 名 玄米.黒米
【糙纸】cāozhǐ 名 ざら紙

cáo

11 **曹**[1] cáo 書 …たち.…ら.…ども‖吾wú～ 我ら
11 **曹**[2] cáo 名 周代の国名.現在の山東省西部にあった

14 **漕** cáo 動 水路で食糧を運ぶ. 運漕(うんそう)する

【漕河】 cáohé 名 (穀物などを運搬する)河川

【漕粮】 cáoliáng 名 船で輸送される穀類

【漕运】 cáoyùn 動 旧 運漕する. 食糧を水路輸送する

14 **嘈** cáo やかましい. 騒がしい

【嘈杂】 cáozá 形 やかましい. 騒々しい ‖ 人声～ 人声が騒々しい

15 **槽** cáo ❶名 (四角形の)まぐさ桶. 飼料槽 ❷名 水や液体を入れる容器 ‖ 水～ 水槽 ❸名 (～儿)通水溝. 用水路 ‖ 河～ 河床 ❹名 溝. くぼみ

【槽床】 cáochuáng 名 飼い葉桶の台

【槽钢】 cáogāng 名 〈冶〉凹形鋼. 溝形鋼.

【槽头】 cáotóu 名 家畜の飼場

【槽牙】 cáoyá 名 臼歯(きゅうし). 奥歯. 〔臼齿 jiùchǐ〕の通称

【槽子】 cáozi 名 ❶飼い葉桶 ❷水や液体を入れる容器 ❸溝. くぼみ

17 **艚** cáo 穀物を水路輸送する船. 広く船をさす

cǎo

9 ★**草**[1] (△艸) cǎo ❶名 草 ‖ 花～ 草花 | 割gē～ 草を刈る ❷名 麦や稲の茎や葉. わら ‖ 麦～ 麦のわら ❸山野. 民間 ❹卑しい ❺口 雌の ‖ 一～鸡

9 **草**[2] cǎo ❶形 乱雑である. ぞんざいである ‖ 字太～ 字が乱雑すぎる ❷①草書体 ‖ 狂～ 自由奔放にくずした草書 ②(ローマ字の)筆記体

9 **草**[3] cǎo ❶始める ❷書 起草する ‖ 一～拟 ❸草稿 ‖ 起～ 起草する ❹初歩的な. 試行の ‖ 一～稿

*【草案】 cǎo'àn 名 (法律や規則などの)草案 ‖ 拟定nǐdìng计划～ 計画の草案を作成する

【草包】 cǎobāo 名 ❶俵. わらづと. かます ❷喩 能なし. 役立たず. ごくつぶし

【草本植物】 cǎoběn zhíwù 名 〈植〉草本植物

【草编】 cǎobiān 名 (麦わらやトウモロコシの包葉などを使った)編み物細工

【草标儿】 cǎobiāor 名 旧 農村の市で, 荷の上に立てて売り物であることを表す麦わらなどの印

【草草】 cǎocǎo 副 そそくさと. さっさと. ぞんざいに. おおざっぱに ‖ ～了liǎo事 いいかげんで片付ける

【草场】 cǎochǎng 名 牧草地

【草虫】 cǎochóng 名 ❶草むらにいる虫 ❷草花や虫を題材とした中国画

【草创】 cǎochuàng 動 創業する. 創設する

【草刺儿】 cǎocìr 名 草のとげ. 喩 ごくささいなもの. 毛すじほどのもの. ごく小さいもの

【草丛】 cǎocóng 名 草むら

【草底儿】 cǎodǐr 名 口 草稿

**【草地】 cǎodì 名 ❶芝生 ‖ ～网球 ローンテニス ❷草地. 草原. 牧草地

【草甸子】 cǎodiànzi 名 方 低湿地の草原

【草垫子】 cǎodiànzi 名 わらなどで作った敷物

【草房】 cǎofáng 名 わらぶきの家. 草ぶきの家

【草稿】 cǎogǎo 名 文章や絵の下書き ‖ 打～ 下書きする. 草稿を作る

【草菇】 cǎogū 名 〈植〉フクロタケ

【草花】 cǎohuā 名 ❶草花 ❷(トランプの)クラブ

【草荒】 cǎohuāng 名 田畑に雑草が生い茂り荒れ果てること

【草灰】 cǎohuī 名 草木灰. わら灰 形 灰色がかった黄色の

【草鸡】 cǎojī 名 方 ❶雌鶏(めんどり) ❷喩 臆病者. 意気地なし

【草菅人命】 cǎo jiān rén mìng 成 人命を雑草のように扱う. 反動的統治者がほしいままに人民を殺すこと

【草芥】 cǎojiè 名 草. 下賤(げせん)で価値のないもの ‖ 视平民如～ 民を卑しくつまらぬものと見る

【草寇】 cǎokòu 名 旧 山賊. おいはぎ

【草料】 cǎoliào 名 草やわらの飼料. まぐさ

【草驴】 cǎolǘ 名 雌のロバ

【草绿】 cǎolǜ 形 黄緑色の. もえぎ色の

【草莽】 cǎomǎng 名 ❶草むら ❷草莽(そうもう). 民間 ‖ ～英雄 在野の英雄

【草帽】 cǎomào (～儿) 名 麦わら帽子. ストローハット

【草帽缏】【草帽辫】 cǎomàobiàn 名 麦桿真田(ばっかんさなだ). 麦わらを平たくつぶして細長く編んだもの

【草莓】 cǎoméi 名 〈植〉イチゴ.

【草棉】 cǎomián 名 綿花. ふつうは〔棉花〕という

【草民】 cǎomín 名 平民. 庶民

【草木皆兵】 cǎo mù jiē bīng 成 草木がみな敵兵に見える. 恐怖のあまり, ささいなことにもびくびくすること

【草拟】 cǎonǐ 動 草案を作る ‖ ～计划 計画を起草する

【草棚】 cǎopéng 名 (わらなどを使った)粗末な小屋

【草皮】 cǎopí 名 芝生を土のついたまま薄くはがして正方形に切ったもの

【草坪】 cǎopíng 名 芝生

【草绳】 cǎoshéng 名 わら縄

【草食动物】 cǎoshí dòngwù 名 〈動〉草食動物

【草书】 cǎoshū 名 草書

*【草率】 cǎoshuài 形 いいかげんである. おおざっぱである. 粗雑である ‖ 工作做得很～ 仕事がぞんざいだ

【草台班子】 cǎotái bānzi 名 どさ回りの一座

【草堂】 cǎotáng 名 草屋. 草堂

【草体】 cǎotǐ 名 ❶草書 ❷(ローマ字の)筆記体

【草头王】 cǎotóuwáng 名 盗賊の首領

【草图】 cǎotú 名 (図面の)下書き. 略図. 下絵

【草席】 cǎoxí 名 ござ. むしろ

【草鞋】 cǎoxié 名 わらじ

【草写】 cǎoxiě 名 ❶(漢字の)草書体 ❷(ローマ字の)筆記体

【草样】 cǎoyàng 名 下書き. 見取り図

【草药】 cǎoyào 名 〈中薬〉植物を原料にした生薬

【草野】 cǎoyě 名 民間. 在野

【草鱼】 cǎoyú 名 〈魚〉ソウギョ. 〔鲩〕ともいう

**【草原】 cǎoyuán 名 草原

【草约】 cǎoyuē 名 仮契約書. 仮調印書

【草泽】 cǎozé 名 ❶沢. 沼沢池 ❷書 民間. 在野

【草纸】 cǎozhǐ 名 ❶包装用のざら紙 ❷(トイレ用の)ちり紙

【草字】 cǎozì 名 ❶草書体 ❷旧 自分の字(あざな)の謙称

cào

8 **肏** cào 動 俗 罵 (男性性器を)挿入する ‖ ～你妈！ お前の母親を犯してやる. こん畜生め

16 **操** cào 〔肏cào〕に同じ ➤ cāo

cè

5 ** **册**(△冊) cè ❶图 冊子. 綴(と)じた本. パンフレット ‖ 相xiàng～ アルバム ❷詔書 ‖ →～立 ❸量 冊

【册封】cèfēng 動 古 冊封(さくほう)する

【册立】cèlì 動 古 冊立(さくりつ)する ‖ ～皇后 皇后を立てる

【册页】cèyè 图 書画を集めた本. 画帖(がじょう)

【册子】cèzi 图 冊子. 綴じた本 ‖ 小～ パンフレット

8 **厕**[1](△廁) cè 便所. トイレ ‖ 公～ 公衆トイレ | 男～ 男子トイレ

8 **厕**[2](△廁) cè 書 入り混じる ➤ si

**【厕所】cèsuǒ 图 便所. トイレ ‖ 公共～ 公衆トイレ | 上～ トイレに行く

8 * **侧** cè ❶傍ら. わき. 横 ‖ 两～ 両側 ❷動 横にする. 傾ける ‖ →～耳 ➤ zhāi

【侧柏】cèbǎi 图〈植〉コノテガシワ

【侧耳】cè'ěr 動 耳をそばだてる ‖ ～倾听 耳をそばだてて聞く

【侧击】cèjī 動〈軍〉側面攻撃する

【侧记】cèjì 图 現場ルポ. 傍聴記. (多く新聞記事の見出しに用いる)

【侧近】cèjìn 图 そば. 傍ら

【侧门】cèmén 图 通用門. 正門の横にある門

*【侧面】cèmiàn 图 側面. わき. 横 ↔〔正面〕‖ 从～了解 側面から探る

【侧目】cèmù 動 (恐れや憤りで)まともに見ない. 横目を使う. おずおずと見る ‖ ～而视 横目で見る

【侧身】cè//shēn 動 ❶体を斜めにする ‖ ～躺下 横向きに寝そべる ❷書 謙 身を置く. かかわる. 〔厕身〕とも書く ‖ ～政界 政界に身を置く

【侧视图】cèshìtú 图 側面図. 〔侧面图〕ともいう

【侧室】cèshì 图 ❶母屋の両わきにある部屋 ❷旧 側室. めかけ

【侧闻】cèwén 動 側聞する. 間接的に聞く

【侧卧】cèwò 動 横臥(おうが)する

【侧向思维】cèxiàng sīwéi 图 水平思考

【侧翼】cèyì 图〈軍〉(作戦陣形の)両翼

【侧影】cèyǐng 图 側面から見た姿

【侧泳】cèyǒng 图〈体〉(水泳の)横泳ぎ. のし泳ぎ

【侧枝】cèzhī 图 側枝. わき枝

【侧重】cèzhòng 動 ある一方面を重んじる. 重点を置く ‖ ～分析 分析に重点を置く

【侧足】cèzú 動 書 ❶(おびえて)足がすくむ ❷足を踏み入れる. 関与する. かかわる

9 * **测** cè ❶動 測る. 測定する. 測量する ‖ ～距离 距離を測る ❷推測する ‖ 推～ 推測する

【测报】cèbào 動 観測し予報する

【测查】cèchá 動 テストする ‖ 学力～ 学力テスト

【测地卫星】cèdì wèixīng 图 測地衛星

*【测定】cèdìng 動 測定する ‖ ～温度 温度を測定する | ～方位 方位を測定する

【测度】cèduó 動 推測する. 推量する

【测杆】cègān 图 測量竿

【测谎仪】cèhuǎngyí 图 うそ発見器. ポリグラフ

【测绘】cèhuì 動 測量し製図する. 測図する

【测距】cèjù 動 距離を測定する

【测控】cèkòng 動 観測し制御する ‖ 卫星～ 人工衛星の観測と制御

*【测量】cèliáng 動 測る. 測量する. 測定する ‖ ～面积 面積を測量する | ～地形 地形を測量する

【测评】cèpíng 動 ❶評価する. 評定する ‖ 人才～ 人材評定 ❷診断する. 予測する ‖ 市场～ 市場予測

*【测试】cèshì 動 (機械や器具などの性能を)測定検査する ‖ ～仪器 計器をテストする

*【测算】cèsuàn 動 測定し計算する ‖ ～行星xíngxīng间的距离 惑星間の距離を測定し計算する

【测验】cèyàn 動 **テストする. 試験する ‖ ～学生的听力 学生のヒアリング力をテストする | 智力zhìlì～ 知能テスト | 数学～ 数学のテスト

【测字】cè//zì ＝〔拆字chāizì〕

9 **恻** cè 書 心を痛める

【恻然】cèrán 形 書 悲痛なさま

【恻隐】cèyǐn 動 書 いたわしく思う. 哀れむ ‖ ～之心 惻隠(そくいん)の情. 哀れみの心

12 **策**[1](△筞 筴) cè ❶古代の鞭(むち)(木の棒で先がとがっている) ❷鞭で駆り立てる ‖ →～马 ❸書 促す. 励ます ‖ →～勉

12 **策**[2](△筞 筴) cè ❶古代の文字を記録する木や竹の札. 竹簡. 木簡 ❷古代の文体の一つ ❸古代, 計算に用いた数とり棒 ❹計画する. 企てる. もくろむ ‖ →～划 ❺計略. 策 ‖ 下～ まずい策. 下策. 拙策

【策动】cèdòng 動 策動する

【策反】cèfǎn 動 (敵の内部に働きかけて)謀反させる. 寝返らせる

*【策划】cèhuà 動 画策する. たくらむ. 計画する ‖ 幕后～ 背後で画策する

【策划人】cèhuàrén 图 プロデューサー. 製作者 ‖ 电影～ 映画プロデューサー

【策励】cèlì 動 勉励する. 励ます

*【策略】cèlüè 图 戦術. 駆け引き ‖ 外交～ 外交上の駆け引き 形 駆け引きにたけている. やり方が巧みである

【策论】cèlùn 图 古 科挙の試験の一つで, 当面の政治課題についての論文

【策马】cèmǎ 動 ウマに鞭を当てる. ウマを走らせる

【策勉】cèmiǎn 動 勉励する. 励ます

【策士】cèshì 图 策士

【策应】cèyìng 動〈軍〉友軍と連係する

【策源地】cèyuándì 图 発祥地 ‖ 农民运动的～ 農民運動発祥の地

cèi

12 **甐** cèi 動 口 (ガラス器や陶磁器を)壊す. 割る

cēn

8 **参**（參 △叅） **cēn** ↴ ➤cān shēn

【参差】cēncī 形（長さ・大きさ・高さなどが）揃っていない‖～错落 ごちゃごちゃと入り乱れている.

【参差不齐】cēn cī bù qí 成（長短や高低が）不揃いである. まちまちである. ばらばらである

cén

7 **岑** **cén** 書 小高い山

10 **涔** **cén** ↴

【涔涔】céncén 形 書 ❶（雨・汗・血・涙などが）途切れることなく流れるさま ❷空が曇って暗いさま

cēng

15 **噌** **cēng** 擬（素早い動作に伴う音）シュッ. サッ. パーン‖松鼠～的一下蹿cuān上了树 リスがパッと木に飛びついた ➤chēng

céng

★7 **层**（層） **céng** ❶重なる‖一～叠 ❷層となっているもの. 層‖云～ 雲の層 ❸階層. 層. レベル‖基～ 末端部 ❹量 ①（重なっているものを数える）階. 層. 段. 重‖二十五～的楼 25階建てのビル｜包了两～纸 紙で二重に包んだ ②事柄や道理などの一部分をさす‖多了一～顾虑 心配事が一つ増えた ③量 物の表面を覆うものを数える‖汤里浮着一～油 スープに油の膜が浮いている ❺次々に‖一～见叠出

【层报】céngbào 動 下から上へと順次報告する

【层层】céngcéng 副 何重にも. 十重二十重(とえはたえ)に‖～把关 何重にもチェックする

＊【层出不穷】céng chū bù qióng 成 次から次へと尽きない. 次々に現れる

＊【层次】céngcì 名 ❶（文章や話の内容の）順序. 文脈. 筋道‖文章的～很清楚 文章の筋道がはっきりしている ❷一つの機構内の各レベルの機関 ❸層. 段階. レベル. 程度‖这种杂志～很低 この手の雑誌はとても程度が低い ❹（絵や画面の）奥行き. グラデーション

【层叠】céngdié 動 折り重なる

【层级】céngjí 名 等級. ランク. レベル‖消费～ 消費レベル

【层林】cénglín 名 重なり合うように生い茂った樹林

【层峦】céngluán 名 幾重にも重なり合った山々‖～叠嶂 幾重にも重なる山々

【层面】céngmiàn 名 層. 段階. 側面. レベル

【层见叠出】céng xiàn dié chū 成 しばしば起こる. 次々と現れる

【层压】céngyā 名〈化〉ラミネーション‖～塑料 積層プラスチック. ラミネート

【层云】céngyún 名〈気〉層雲

＊＊12 **曾** **céng** 副 かつて. 以前に‖他～当过教师 彼は教師をしていたことがある ➤zēng

【曾几何时】céng jǐ hé shí 成 いくらもたたないうちに. ほどなく

＊＊【曾经】céngjīng 副 かつて. 以前に. 一時は‖他们～是好朋友 彼らはかつてはよい友だちであった｜我们～走过这条路 私たちは以前この道を歩いたことがある

> **類義語** 曾经 céngjīng 已经 yǐjing
>
> ◆〔曾经〕過去にある行為や状況が存在したことを表す. 動詞には〔过 guo〕をつけることが多い‖我曾经在上海住过三年 私はかつて上海に3年住んだことがある ◆〔已经〕動作や作用が完了したことを表す. 文末には〔了〕を伴うことが多い. 動作・状況は現在まで続いていることもある‖这本书我已经看完了 この本はもう読み終わった｜我已经在上海住了三年了 私はもう上海に3年住んでいる(いまも上海にいる)

【曾经沧海】céng jīng cāng hǎi 成 多くの経験を積んで視野が広い. たいていのことには驚かないこと

cèng

＊19 **蹭** **cèng** ❶動 こする. 擦る‖腿上～破了一块皮 足をちょっと擦りむいてしまった ❷動 触れて汚す. まみれる‖～了一身油 全身油まみれになった ❸動 方 ただで利益を得る. ありつく‖～饭吃 人に食事をたかる ❹動 のろのろ進む. ぐずぐずする‖一点ㄦ一点ㄦ往前～ 少しずつゆっくり進む ❺動 引き延ばす‖～时间 時間を引き延ばす

【蹭车】cèngchē 動 ❶無賃乗車する. ただ乗りをする ❷車に便乗する

chā

3 **叉** **chā** ❶書 指を広げ, ものの間に差し込む ❷名（～ㄦ）フォーク状のもの. さすまた状のもの‖刀～ ナイフとフォーク ❸動（フォークやさすまたのようなもので）刺す. 突く‖～鱼 やすで魚を突く ❹交差する. 交錯する ❺名（～ㄦ）ばつ印‖打了个～ ばつ印を付ける ➤chá chǎ chà

【叉车】chāchē 名〈機〉フォーク・リフト ＝〔铲chǎn运车〕

【叉烧肉】chāshāoròu 名 焼き豚. チャーシュー

【叉腰】chā//yāo 動（ひじを張るようにして）手を腰に当てる‖双手～ 両手を腰に当てる

＊＊【叉子】chāzi 名 ❶（食器の）フォーク.（農具の）フォーク ❷フォーク状のもの

7 **杈** **chā** 名（農具の）フォーク ➤chà

9 **差** **chā** ❶差がある. 隔たりがある‖一～别 ❷誤り. 間違い ❸名〈数〉差 ❹書 やや. ほぼ‖一～强人意 ➤chà chāi cī

＊【差别】chābié 名 ❶違い. 差異 ❷格差. 隔たり‖工资待遇上没有男女～ 賃金の上で男女の格差はない

> **類義語** 差别 chābié 区别 qūbié
>
> ◆〔差别〕名詞で,「隔たり」「格差」‖城乡之间有很大差别 都会と農村の間に大きな開きがある｜贫富差别越来越大 貧富の差がますます大きくなっている ◆〔区别〕名詞としては,「違い」「相違点」, 動詞は,

「区别する」‖区别十分明显 違いは歴然としている｜区别好坏 善し悪しを見分ける
【差别关税】chābié guānshuì 图〈経〉差別関税
【差别利率】chābié lìlǜ 图〈経〉差別利率
【差池】【差迟】chāchí 图方 意外なこと．もしものこと．思わぬ失敗や誤り
*【差错】chācuò 图 ❶間違い．誤り‖工作上出了～ 仕事の上で間違いが起こった ❷意外な変化．思わぬ災難
【差额】chā'é 图 差額‖贸易～ 貿易の(輸出と輸入などの)差額
【差额选举】chā'é xuǎnjǔ 图 複数候補制選挙(候補者が定数より多い選挙) ↔〔等额选举〕
【差价】chājià 图 価格差．値ざや
*【差距】chājù 图 差．格差．ギャップ‖在认识上有～ 認識においてギャップがある
【差强人意】chā qiáng rén yì 成 まあまあだ．まずまずのところだ．ほぼ満足できる
【差数】chāshù 图〈数〉差
【差误】chāwù 图 過ち．誤り．錯誤
*【差异】chāyì 图 差異．違い‖二者存在着明显的～ 両者には明らかな相違がある
【差之毫厘，谬以千里】chā zhī háo lí, miù yǐ qiān lǐ 成 わずかな誤りでも終わりには大きな違いになる．

12 ★**插**(△挿) chā ❶動 (細長いものや薄いものを)差し込む．差し入れる‖～插销 プラグを差し込む ❷動 間に入る．加わる‖一～手
【插班】chābān 動 クラスに編入する‖～生 編入生
【插播】chābō 動 (テレビの)番組中にニュースなどをさしはさむ
【插翅难飞】chā chì nán fēi 成 翼をつけても飛べない．どんなことをしても逃げられない
【插兜儿】chādōur 图 衣服の脇の縫い目にそって付けたポケット
【插队】chā//duì 動 行列に割り込む
【插杠子】chā gàngzi 慣 横から口出しをする．余計なことをする
【插花】[1] chā//huā 動 ❶(花瓶に)花を挿す．花を生ける ❷方 刺繍する
【插花】[2] chāhuā 副 入り交じって．取りまぜて
【插画】chāhuà 图 挿し絵
*【插话】chā//huà 動 口をはさむ．人の話に言葉をさしはさむ 图(chāhuà) ❶余計な話．人の話の間にはさんだ言葉 ❷挿話．エピソード
【插件】chājiàn 图〈計〉❶プラグイン ❷拡張ボード
【插脚】chā//jiǎo 動 ❶足を踏み入れる ❷(活動などに)加わる．かかわり合う
【插科打诨】chā kē dǎ hùn 成 道化を演じる．冗談やおどけた動作で人を笑わせること
【插口】chā//kǒu 動 口をはさむ．口出しをする 图(chākǒu)差し込み口．コンセント
【插屏】chāpíng (～儿) 图 卓上に置く飾り屏風(びょう)
【插曲】chāqǔ 图 ❶(映画やドラマなどの)間奏曲．挿入歌．主題歌．テーマソング ❷エピソード．挿話
【插入】chārù 動 挿し込む．挿入する
【插身】chā//shēn 動 ❶体を押し込む．割り込む ❷参与する．かかわり合う
【插手】chā//shǒu 動 手を出す．手をつける‖人多，插不上手 人が多くて，手の出しようがない
【插条】chātiáo 動 挿し木する．〔插枝〕ともいう
【插头】chātóu 图〈電〉プラグ．〔插销〕ともいう
【插图】chātú 图 挿し絵．イラスト
【插销】chāxiāo 图 ❶(戸や窓で)下に差し入れて開かないよう固定する止め具 ❷＝〔插头chātóu〕
*【插秧】chā//yāng 動 田植えをする‖～机 田植え機
【插页】chāyè 图 (雑誌などの)とじ込み図版ページ
【插枝】chāzhī ＝〔插条chātiáo〕
【插足】chāzú 動 立ち入る．かかわり合う‖第三者～(夫婦の関係を)第三者が乱す
*【插嘴】chā//zuǐ 動 口をはさむ．口出しをする‖大人说话，小孩子别乱～ 大人が話しているときに，子供のくせに口をはさむんじゃない
【插座】chāzuò 图〈電〉コンセント

12 **喳** chā ↓ ➤ zhā
【喳喳】chāchā 擬 ささやく声
【喳喳】chācha 動 ささやく．小さな声で話をする

12 **馇** chā ❶動方 粥を炊く ❷動 (家畜の餌を)かき混ぜながら煮る

14 **碴** chā ➡〔胡子拉碴húzilāchā〕 ➤ chá

14 **锸** chā 图書 土を掘る道具．スコップ．シャベル

17 **嚓** chā ➡〔喀嚓kāchā〕〔啪嚓pāchā〕 ➤ cā

chá

3 **叉** chá 動方 (場所を)ふさぐ．詰まる．つっかえる ➤ chā chǎ chà

9 **茬** chá ❶图 (～儿)作物を刈り取った後に残っている切り株．刈り株‖玉米～儿 トウモロコシの刈り株 ❷量 作付けや刈り取りの回数‖一年可以种两～ 1年に2回作付けできる ❸(～儿)短い毛(多く切り落とした毛やそり残したひげ，伸びてきた短い毛をいう) ❹图 (～儿)話していたこと．それまで話していたこと‖接着～儿说 その話をさらに続ける
【茬口】chákou ; chákǒu (～儿) 图 ❶輪作する作物とその順序．前作と後作 ❷作物を刈り取った後の土壌 ❸方 時機．折
【茬子】cházi 图 (作物を刈り取った後の)刈り株

9 ★**茶** chá ❶图〈植〉チャノキ．チャ‖采～ 茶の葉を摘む．茶摘みをする ❷图 茶‖沏qī～ 茶をいれる｜倒～ 茶をつぐ ❸熱湯を加えて糊状にした食品 ❹褐色．茶色 ❺アブラツバキ(実から油をとる)‖一～油 ❻ツバキ‖一～花
【茶吧】chábā 图 喫茶店．カフェ
【茶杯】chábēi 图 湯飲み茶碗．湯飲み．ティーカップ
【茶匙】cháchí (～儿) 图 茶さじ．ティースプーン
【茶炊】cháchuī 图 サモワール
【茶点】chádiǎn 图 茶と菓子．茶菓(さか)
【茶碟】chádié (～儿) 图 (カップの)受け皿．ソーサー
【茶饭】cháfàn 图 食事．飲食‖～不思 (悩みや心配事のため)食事をする気になれない
【茶房】cháfang ; cháfáng 图 旧 (飲食店・旅館・列車内・劇場などの)給仕．ボーイ
【茶缸子】chágāngzi 图 湯飲み(多くほうろう引きでふたつきのマグカップ)
*【茶馆】cháguǎn (～儿) 图 (中国の伝統的な)茶館

C

【茶褐色】cháhèsè 名 茶褐色.〔茶色〕ともいう
【茶壶】cháhú 名 急須. ティーポット. 土びん
【茶花】cháhuā 名 ❶ツバキの花 ❷チャの花
*【茶话会】cháhuàhuì 名 お茶の会. 茶話会
【茶几】chájī (～儿) 名 茶器などをおく小さめのテーブル. ティー・テーブル
【茶鸡蛋】chájīdàn 名 茶葉・しょうゆ・ウイキョウなどと一緒にゆでた玉子.〔茶叶蛋〕ともいう
【茶碱】chájiǎn 名〈化〉テオフィリン
【茶晶】chájīng 名 褐色の水晶. スモーク・クォーツ
【茶镜】chájìng 名 茶色のサングラス
【茶具】chájù 名 茶道具. 茶器
【茶楼】chálóu 名 階上のある茶館.
【茶炉】chálú 名 湯沸かし用の小型こんろ
【茶卤儿】chálǔr 名 濃く出した茶汁
【茶末】chámò 名 ❶粉茶 ❷茶のくず
【茶农】chánóng 名 茶栽培農家
【茶盘】chápán (～儿) 名 茶盆. 茶器を載せる盆.〔茶盘子〕ともいう
【茶钱】cháqian ; cháqián 名 ❶茶代 ❷心付け. チップ
【茶青】cháqīng 形 やや黄色みを帯びた濃い緑色の
【茶色】chásè 名 茶褐色. 茶色
【茶社】cháshè 名 茶店. 茶館.(多く屋号に用いる)
【茶食】cháshi 名 茶菓子. 茶うけ
【茶水】cháshuǐ 名 湯茶. 湯 ‖ ～室 給湯室
【茶汤】chátāng 名 いったキビやトウモロコシの粉に熱湯をかけて食べるくず湯のような食品
【茶亭】chátíng 名 (公園などにある)茶店
【茶托】chátuō (～儿) 名 茶托(ちゃたく)
【茶碗】cháwǎn 名 湯飲み. 湯飲み茶碗. ティーカップ
【茶锈】cháxiù 名 茶渋 ‖ 长zhǎng了～ 茶渋がついた
*【茶叶】cháyè 名 茶の葉
【茶叶蛋】cháyèdàn ＝〔茶鸡蛋chájīdàn〕
【茶油】cháyóu 名〔油茶〕(アブラツバキ)の実からしぼった油. 地方によっては〔清油〕〔茶子油〕という
【茶余饭后】chá yú fàn hòu 成 お茶の後や食後のひととき. ちょっとしたくつろぎの時
【茶园】cháyuán 名 ❶茶畑. 茶園 ❷旧 芝居小屋
【茶砖】cházhuān 名 磚茶(たんちゃ). かためて固形にした茶で, 削って用いる ＝〔砖茶〕
【茶资】cházī 名 茶代. 茶料
【茶座】cházuò (～儿) 名 ❶茶店. 茶屋. 喫茶店 ❷茶館の座席

9 ★**查**(△查) chá ❶動 調べる. 検査する ‖ ～电话号码 電話番号を調べる | ～原因 原因を調べる ❷(状況を)調べる ‖ 侦zhēn～ 事件の捜査をする ❸動 (辞書・地図・資料などを)調べる ‖ ～字典 字引を引く ➤ zhā

【查办】chábàn 動 (罪状や過失を)取り調べて処分する ‖ 交公安机关～ 公安部門により取り調べを行う
【查不清】chábuqīng 動 調べてもはっきりしない. 調べても分からない
*【查不着】chábuzháo 動 調べても見つからない. 探し当てられない
【查抄】cháchāo 動 取り調べて没収する
*【查处】cháchǔ 動 (違法行為の状況を)取り調べて処置する ‖ 严加～ 厳しく取り調べて処置する
【查点】chádiǎn 動 数の点検をする
【查对】cháduì 動 突き合わせて調べる. 照し合わせる
【查房】chá//fáng 動 (医者が)病室を回診する
【查访】cháfǎng 動 聞き込み調査をする. 現地に行って調べる
【查封】cháfēng 動 差し押さえて封印する ‖ 杂志社被～了 雑誌社が閉鎖された
【查岗】chá//gǎng ＝〔查哨cháshào〕
【查号台】cháhàotái 名 (電話の)番号案内
【查核】cháhé 動 (帳簿などを)照合する
【查户口】chá hùkǒu 組 (派出所などが)各戸を訪れ, 戸籍簿に照らして家族の成員の状況をチェックする
*【查获】cháhuò 動 取り調べて押収する ‖ ～了大量走私品 大量の密輸品を押収した
【查缉】chájī 動 ❶(密輸や脱税などを)捜査する ❷捜査して犯人を捕らえる
【查检】chájiǎn 動 ❶(書籍や文件を)調べる ❷検査する
【查缴】chájiǎo 動 捜索し押収する ‖ ～假冒商品 にせブランド商品を捜索し押収する
【查截】chájié 動 捜査し押収する. 捜査し逮捕する
【查禁】chájìn 動 取り調べて禁止する ‖ ～色情书刊 ポルノ雑誌や書籍を取り締まる
【查究】chájiū 動 取り調べて追及する
【查勘】chákān 動 現場調査する. 実地に調べる
【查看】chákàn 動 (状態を)調べる. 点検する
【查考】chákǎo 動 調査して確認する. 考証する
【查控】chákòng 動 捜査し制御下におく. 調査し規制する
【查扣】chákòu 動 取り調べて差し押さえる
*【查明】chámíng 動 調査して明らかにする. 調べてはっきりさせる ‖ ～原因 原因を調べて明らかにする
【查铺】chá//pù 動 (管理者や看護士が寮・兵舎・病棟などで)夜ベッドを見回る
【查讫】cháqì 動 検査済み.(多く書類に書き込む)
【查勤】cháqín 動 出勤状況を調べる
【查清】chá//qīng 動 調べてはっきりさせる
【查哨】chá//shào 動 番兵や歩哨(ほしょう)などの勤務状況を巡視する.〔查岗〕ともいう
【查实】cháshí 動 事実関係を調べる
【查收】cháshōu 動 確認して受け取る. 査収する ‖ 汇huì去两千元, 请～ 為替で2000元お送りいたします, ご査収ください
【查私】chásī 動 密輸を捜査する
【查问】cháwèn 動 ❶査問する. 尋問する ❷問い合わせる. 尋ねる
【查无此人】chá wú cǐ rén 慣 あて先不明で配達できません.(郵便物に押されるスタンプ)
【查巡】cháxún 動 巡回する. 見回る
【查寻】cháxún 動 探し求める. 探す
【查询】cháxún 動 問い合わせる. 問いただす
【查验】cháyàn 動 検査する. チェックする
【查夜】chá//yè 動 夜間巡回する. 夜間パトロールする
*【查阅】cháyuè 動 (書類などを)読んで調べる ‖ ～各种报刊 各新聞・雑誌を調べる
【查账】chá//zhàng 動 帳簿を調べる. 会計検査する
*【查找】cházhǎo 動 調べ探す. 探す ‖ ～故障原因 故障の原因を探す
【查证】cházhèng 動 調査して証明する

12 **搽** chá 動 (顔や体に)塗る. つける ‖ ～清凉油 清涼油を塗る

12 **猹 chá** 名 方 アナグマに似た野生動物の一種

13 **楂 chá** 〔茬chá ❹〕に同じ ➤ zhā

13 **槎**[1] **chá** 書 竹製または木製のいかだ

13 **槎**[2] **chá** 〔茬chá〕に同じ

14 **察(^詧) chá** ❶よく見る. 子細に見る ❷調べて分かる

【察访】cháfǎng 動 訪ねて調べる. 探訪する

【察觉】chájué 動 気付く. 感づく. わかる

【察勘】chákān 動 実地調査をする

【察看】chákàn 動 観察する. 注視する ‖ ～动静 動静を観察する

【察颜观色】chá yán guān sè 成 顔色をうかがう

14 **碴(^餷) chá** ❶名 (～儿) 欠け口. 割れ目 ‖ 碗～儿 茶碗の欠け口 ❷名 (～儿) (感情的な) 溝. 破綻(はたん). ひび ‖ 两家过去有～儿 両家は昔不仲だったつけてけんかする ❸動 方 破片で皮膚を傷つける ❹名 (～儿) (ものの) かけら. 破片 ‖ 冰～儿 氷のかけら ❺〔茬chá ❹〕に同じ ➤ chā

18 **檫 chá** 名〈植〉サッサフラス. サツ. ふつうは〔檫木〕という

chǎ

3 **叉 chǎ** 動 (足やコンパスなどを) 広げる. 開く ‖ 把两腿～开 両足を広げる ➤ chā chá chà

8 **衩 chǎ** ➡〔裤衩kùchǎ〕 ➤ chà

16 **蹅 chǎ** 動 踏む. 雨や雪, ぬかるみの中などに踏み込む ‖ 不小心～在泥里 うっかりして泥に足を突っ込んだ

19 **镲 chǎ** 名〈音〉伝統楽器の一種で, シンバルに似ている

chà

3 **叉 chà** ➡〔劈叉pǐchà〕 ➤ chā chá chǎ

6 **汊 chà** 名 水流が分かれるところ. 分かれた水流 ‖ 河～ 分流

【汊港】chàgǎng 名 川の分岐しているところ

【汊流】chàliú 名 下流で分かれて海に入る小さな河川. 分流

7 **岔 chà** ❶ (山や河川, 道などの) 分岐点. 分岐したもの ‖ 三～路口 三叉路(さんさろ) ❷動 (わきに) それる ❸動 (話を) そらす. (話が) それる ‖ 打～ 話の腰を折る ❹動 (時間を) ずらす ‖ 一～开 ❺名 (～儿) 手違い. 過ち. トラブル ❻形 方 声がうわずっている. 声がかすれている

【岔道儿】chàdàor ＝〔岔路chàlù〕

【岔开】chàkāi 動 (話を) (時間を) ずらす ‖ 他把话～了 彼は話をはぐらかした｜把时间～ 時間をずらす

【岔口】chàkǒu 名 道の分岐点

【岔流】chàliú ＝〔汊流chàliú〕

【岔路】chàlù 名 分かれ道. わき道. 〔岔道儿〕ともいう

【岔气】chà//qì 動 口 (走ったり笑ったりして) 脇腹が痛む

【岔子】chàzi 名 ❶分かれ道. わき道 ❷事故. 故障. トラブル ‖ 那件事出～了 あの件は面倒なことになった

7 **杈 chà** 名 木の枝. 枝分かれ ‖ 树～ 木のまた｜打～ 枝打ちをする ➤ chā

【杈子】chàzi 名 分かれた枝. 枝

8 **诧 chà** 不思議に思う. いぶかる

*【诧异】chàyì 形 奇異に思われる. いぶかしい ‖ 他用～的目光看着我 彼はいぶかしげな目つきで私を見ている

8 **刹 chà** 仏教の寺院 ‖ 古～ 古寺. 古刹(こさつ) ➤ shā

*【刹那】chànà 名 刹那(せつな). つかのま. 一瞬の間 ‖ 一～ 一刹那. 一瞬｜～间 一瞬の間

8 **衩 chà** (～儿) 名 衣服のスリット ‖ 后边儿开～ 後ろのスリット ➤ chǎ

9 ★ **差 chà** ❶形 差がある. 隔たりがある ‖ 一～不多 ❷形 誤っている. 間違っている ‖ 听～了 聞き間違えた ❸動 足りない. 欠ける ‖ ～两个人 二人足りない｜～十分五点 5時10分前だ ❹形 基準に足りない. 劣っている ‖ 体力～ 体力が劣る ➤ chā chāi cī

**【差不多】chàbuduō 形 ❶たいして違わない. 大差がない ‖ 这几种方法都～ このいくつかの方法はたいして差がない ❷ (〔的〕を伴い) ほとんどの. 大多数の. 普通の ‖ ～的景点他们都去过了 たいていの名所なら彼らは行っている ❸どうにか満足できる. だいたいよい. まあまあである ‖ 这样说还～ そういうことならまあよかろう 副 だいたい. ほぼ. およそ ‖ ～用了四个小时 ほぼ4時間を要した｜学过的公式我～都忘光了 習った公式などほとんど忘れてしまった

【差不离】chàbulí (～儿) 形 方 ❶大差がない. ほぼ同じである ❷だいたいよい. まあまあである

【差不了】chàbuliǎo 動 ❶違わない. 間違いない ‖ 他的账～ 彼の帳簿計算に間違いはない ❷悪くない

*【差得远】chàde yuǎn 組 はるかに及ばない ‖ 我的中文还～呢 私の中国語はまだまだです

**【差点儿】chàdiǎnr 形 やや劣る 副 もう少しで. すんでのところで. 〔差一点儿〕ともいう ‖ ～迟到 もう少しで遅刻するところだった｜～没撞zhuàng车 危うく車をぶつけるところだった

*【差劲】chàjìn (～儿) 形 (品質が) 劣っている. (人間が) 程度が低い ‖ 说话不算数, 真～ 言っていることがいいかげんで, まったくなってない

【差生】chàshēng 名 劣等生

【差事】chàshì 形 口 (物や人が) 程度が低い. 使いものにならない ➤ chāishi

9 **姹 chà** 書 つややかで美しい. あでやかな

【姹紫嫣红】chà zǐ yān hóng 成 いろいろな美しい花が咲き乱れるさま

chāi

8 ** **拆 chāi** ❶動 はがす. ほどく. 分ける ‖ ～信 手紙の封を切る ❷動 (建築物を) 取り壊す. 解体する ‖ ～房子 家を取り壊す

【拆并】chāibìng 動 組織を解体し再編する

【拆除】chāichú 動 (建物などを) 取り壊す. 撤去する

【拆穿】chāichuān 動 暴く. 暴き出す ‖ ～他的西洋景 彼のトリックを暴く
【拆掉】chāi//diào 動 取り壊す
【拆东墙，补西墙】chāi dōngqiáng, bǔ xīqiáng 慣 東の壁を壊して, 西の壁を繕う. その場逃れの手段を使うこと. 一時しのぎをする
【拆兑】chāiduì ＝〔拆借chāijiè〕
【拆封】chāi//fēng 動 開封する. 封を切る
【拆毁】chāihuǐ 動 取り壊す
【拆伙】chāi//huǒ 動 (団体や組織などを)解散する. 仲間割れする
【拆建】chāijiàn 動 建て直す. 建てかえる
【拆借】chāijiè 動 方 短期日歩利払いで金を借りる
*【拆开】chāi//kāi 動 ❶(手紙や紙包みなどを)開封する ❷取り外す. 解体する ❸分ける. 仲を裂く
【拆零】chāilíng 動 ばら売りする
【拆卖】chāi//mài 動 (セットの商品を)ばら売りする
【拆迁】chāiqiān 動 (建て替えのため)移転させる. 立ち退かせる ‖ 限期～ 期限内に立ち退かせる
【拆墙脚】chāi qiángjiǎo 慣 塀の土台を取り壊す. 足元を掘り崩す. 人のじゃまをする. ぶち壊しにする
【拆散】chāi//sàn 動 (家族や団体の成員を)分散させる. 離れ離れにする ‖ 这对恋人被～了 この恋人たちは離れ離れにされた
【拆台】chāi//tái 動 土台を取り壊す. ぶち壊しにする. 足を引っ張る. 失脚させる
【拆洗】chāixǐ 動 (衣服や布団などを)ほどいて洗う
【拆线】chāi//xiàn 動 ❶糸を抜く ❷〈医〉抜糸する
【拆卸】chāixiè 動 (機械類を)分解する. 取りはずす
【拆阅】chāiyuè 動 封書を開いて見る
【拆字】chāi//zì 動 文字占いをする. 漢字を偏旁冠脚(へんぼうかんきゃく)などに分解し, 事の吉凶を占う ＝〔测字〕

8 **钗** chāi 名 旧 かんざし. 二またの髪飾り
【钗裙】chāiqún 名 書 髪飾りとスカート. 転 女性

9 **差** chāi ❶配属する. 人を行かせる ❷公務. 職務. 派遣先での任務 ‖ 交～ 公務を終えて復命する | 美～ 楽で, かつ役得のある仕事 ❸旧 派遣されて仕事をする人 ‖ 信～ 公文書を配達する人 ➤chā chà cī
【差旅费】chāilǚfèi 名 出張旅費. 〔旅差费〕ともいう
【差遣】chāiqiǎn 動 派遣する ‖ 听候～ 派遣の指令を待つ
【差使】chāishǐ 動 公務で派遣する. 差し向ける
【差使】chāishi 名 職務. 官職. 役職
【差事】chāishi 名 ❶任務. 公務. (言いつけられた)仕事 ❷職務. 官職. 役職 ➤chàshì
【差役】chāiyì 名 ❶旧 下級役人. 役所の使い走り ❷古 賦役. 労役

chái

8 **侪(儕)** chái 書 同輩. 仲間 ‖ ～类 同輩

10 **柴** chái ❶名 たきぎやまきに使う木や作物の茎など ‖ 上山打～ 山でたきぎをとる | 劈pǐ～ 割ったまき ❷形 方 やせて干からびている ❸形 方 (品質や能力が)劣っている
【柴草】cháicǎo 名 たきつけになる草木
【柴刀】cháidāo 名 なた
【柴胡】cháihú 名 ❶〈植〉ミシマサイコ ❷〈中薬〉柴胡(さいこ)
【柴火】cháihuo 名 まき. たき物 ‖ ～垛duò まきの山
【柴鸡】cháijī 名〈動〉中国在来種のニワトリ. ヤケイを飼育したもので小型, 卵も小さい
【柴门】cháimén 名 柴で編んだ粗末な門. 貧乏な家
【柴米】cháimǐ 名 たきぎと米. 広く生活に必要な物資 ‖ ～油盐 たきぎ・米・油・塩. 生活に欠かせない品
【柴炭】cháitàn 名 ❶まきと炭. たきもの ❷木炭
*【柴油】cháiyóu 名 ディーゼル油 ‖ ～机车 ディーゼル機関車
【柴油机】cháiyóujī 名〈機〉ディーゼルエンジン

10 **豺** chái 名〈動〉ヤマイヌ. 〔豺狗〕ともいう
【豺狼】cháiláng 名 ヤマイヌとオオカミ. 喩 残忍で貪欲(どんよく)な人間 ‖ ～当道 残忍・貪欲な人間が権力を握っている
【豺狼成性】chái láng chéng xìng 成 凶悪で貪欲な性格

chài

9 **虿(蠆)** chài 書 サソリなど, 毒を持った生き物

14 **瘥** chài 書 病がいえる ➤cuó

chān

9 **觇** chān 書 うかがい見る. じっと様子を見る
【觇标】chānbiāo 名 測量標識

11 *__掺(摻)__ chān 動 混ぜる ‖ 白颜色里～点儿红色 白の中に赤を少し混ぜる ➤càn shǎn
【掺兑】chānduì 動 混合する. 混ぜ合わせる
【掺和】chānhuo 動 ❶混ぜ合わす. ごちゃまぜにする ❷かき乱す. じゃまをする
【掺假】chān//jiǎ 動 まぜ物をする. よい物に悪い物を混ぜる
【掺水】chān//shuǐ 動 ❶水で割る ❷水増しする ‖ ～履历 経歴を粉飾する | 数字～ 数字を水増しする
【掺杂】chānzá 動 混ぜる. 混じる ‖ 米里～了不少沙子 米にたくさん砂が混じっている

12 *__搀[1](攙)__ chān 動 手で支える. 人の手や腕を支える ‖ ～着母亲过马路 母を支えながら通りを渡る

12 **搀[2](攙)** chān 〔掺chān〕に同じ
【搀兑】chānduì ＝〔掺兑chānduì〕
【搀扶】chānfú 動 手で抱える. 支える ‖ ～老人上楼 老人を支えて階段を登る
【搀和】chānhuo ＝〔掺和chānhuo〕
【搀假】chān//jiǎ ＝〔掺假chānjiǎ〕
【搀杂】chānzá ＝〔掺杂chānzá〕

chán

8 **单(單)** chán ↴ ➤dān shàn

【单于】 chányú 名 古 单于(ぜん). 匈奴の君主の称号

11 **谗**(讒) chán ❶そしる. 讒言(ざん)する ‖ 一～言 ❷讒言

【谗害】 chánhài 動 人を中傷して陥れる

*【谗言】 chányán 名 讒言 ‖ 进～ 讒言する

11 **婵**(嬋) chán ↴

【婵娟】 chánjuān 書 形 女性の容姿があでやかで美しいさま.〔婵媛〕ともいう 名 ❶美人 ❷(詩などで)月 ‖ 千里共～ 千里離れていても同じ月をめでる

【婵媛】 chányuán =〔婵娟chánjuān〕

12 * **馋**(饞) chán ❶形 (おいしそうなものを見て)自分も食べたい. よだれが出る ❷形 喩 (人の物を見て)うらやましい. 欲しい ‖ 嘴～ 口が卑しい. 食いしん坊である | 眼～ (見て)うらやむ ❸動 (ある食品が)食べたくなる

【馋鬼】 chánguǐ 名 食いしん坊

【馋猫】 chánmāo 名 食いしん坊

【馋涎欲滴】 chán xián yù dī 成 欲しくてよだれが出る. いかにも物欲しそうにする

【馋嘴】 chánzuǐ 形 口が卑しい. 食いしん坊である 名 食いしん坊

12 **孱** chán 書 虚弱である. 弱々しい

【孱弱】 chánruò 形 書 ❶ひ弱い ❷軟弱である ❸薄弱である. 十分でない

12 **禅**(禪) chán ❶〈仏〉禅. 座禅 ‖ 坐～ 座禅を組む ❷仏教に関する事物をさす ➤ shàn

【禅房】 chánfáng 名〈仏〉僧侶(そう)が居住するところ. 禅房. 寺院

【禅林】 chánlín 名〈仏〉(禅宗の)寺院

【禅师】 chánshī 名〈仏〉僧侶に対する尊称

【禅堂】 chántáng 名〈仏〉座禅を組む場所. 禅堂

【禅院】 chányuàn 名〈仏〉禅宗の寺

【禅杖】 chánzhàng 名〈仏〉禅杖(ぜんじょう)

【禅宗】 chánzōng 名〈仏〉禅宗

13 * **缠**(纏) chán ❶動 巻きつく. 巻きつける ‖ ～毛线 毛糸を巻く ❷動 まつわりつく. つきまとう ‖ 一～住 ❸動 方 かかわりあう. 応対する ‖ 这人真难～ この人は実に扱いにくい

【缠绑】 chánbǎng 動 (包帯などを)巻きつける

【缠搅】 chánjiǎo 動 つきまとう. じゃまをする

【缠绵】 chánmián 形 ❶(感情が)まつわりついて離れない. (病気が)いつまでも治らない ‖ 情意～ 恋の思いが断ち切れない ❷柔らかく美しい. しみじみとしている

【缠绵悱恻】 chán mián fěi cè 成 まとわりついて離れない悲しみ. (文章などが与える)切々とした悲しみの情

【缠磨】 chánmo 動 口 つきまとって困らせる. だだをこねる

【缠扰】 chánrǎo 動 つきまとう. 煩わす

【缠绕】 chánrào 動 ❶巻く. 巻きつく ❷からみつく. 足手まといになる ‖ 各种琐事suǒshì～着他 彼はさまざまな雑事に追われている

【缠身】 chánshēn 動 身につきまとう ‖ 公务～ 公務に追われる | 病魔bìngmó～ 病魔が身につきまとう

【缠手】 chán//shǒu 形 面倒な. うるさい. 煩わしい

【缠住】 chánzhù 動 まといつく ‖ 这件事把我～了 この事に私はかかりきりになっている

【缠足】 chán//zú 動 旧 纏足(てんそく)する

14 **蝉**(蟬) chán 名〈虫〉セミ.〔知了〕ともいう ‖ 金～脱壳qiào セミが殻を脱ぐ. こっそり抜け出して姿をくらますこと

【蝉联】 chánlián 動 連続する. (称号やタイトルを)保持する. (職務に)とどまる. 留任する ‖ ～世界冠军 世界チャンピオンのタイトルを保持する

【蝉蜕】 chántuì 名 セミの脱け殻 動 書 脱け出す

【蝉翼】 chányì 名 セミの羽

15 **潺** chán ↴

【潺潺】 chánchán 擬 (せせらぎの音)さらさら

15 **廛** chán ❶古 庶民の家. 住まい ❷書 店

17 **镡** chán 名 姓 ➤ tán xín

19 **蟾** chán ❶ヒキガエル. ガマガエル ‖ 一～蜍 ❷(月にガマガエルがいたという伝説から)月

【蟾蜍】 chánchú 名〈動〉ヒキガエル. 俗に〔癞蛤蟆 làihámа〕という

【蟾宫】 chángōng 名 書 月

【蟾宫折桂】 chán gōng zhé guì 成 科挙で進士に合格することをたとえる

【蟾酥】 chánsū 名〈中薬〉がまの油

20 **巉** chán 書 山が険しく切り立っているさま

22 **躔** chán 書 ❶足跡 ❷太陽・月・星が運行する

chǎn

6 * **产**(產) chǎn ❶動 (人や動物が)子供を産む ❷動 生産する. 産出する ‖ 本地～栗子 当地はクリを産する ❸動 製造する. つくる ‖ 增～ 生産を増やす ❹産物 ‖ 土～ 土地の産物 ❺財産 ‖ 家～ 家産. 身代

【产床】 chǎnchuáng 名 分娩用のベッド

【产道】 chǎndào 名〈生理〉産道

*【产地】 chǎndì 名 産地 ‖ 原～ 原産地

【产儿】 chǎn'ér 名 新生児 喩 産物. 申し子

【产房】 chǎnfáng 名 産室

【产妇】 chǎnfù 名 産婦

【产后】 chǎnhòu 名 産後

【产假】 chǎnjià 名 出産休暇 ‖ 请～ 産休をとる

***【产量】 chǎnliàng 名 **生産高. 生産量**

***【产品】 chǎnpǐn 名 **製品. 生産物** ‖ 农～ 農産物

【产前】 chǎnqián 名 産前

【产钳】 chǎnqián 名〈医〉分娩鉗子(かんし)

*【产区】 chǎnqū 名 生産地区

【产权】 chǎnquán 名 財産権 ‖ 知识～ 知的所有権

【产褥感染】 chǎnrù gǎnrǎn 名〈医〉産褥(さんじょく)感染症. 産褥熱. ふつうは〔月子病〕という

【产褥期】 chǎnrùqī 名〈医〉産褥期

【产褥热】 chǎnrùrè 名〈医〉産褥熱

***【产生】 chǎnshēng 動 **生み出す. 生まれる. 生じる. 出現する** ‖ ～错觉 錯覚が生じる

*【产物】 chǎnwù 名 (多く抽象的な)産物. 結果

【产销】 chǎnxiāo 名 生産と販売

【产需】 chǎnxū 名〈経〉生産と需要

*【产业】 chǎnyè 名 ❶不動産や店舗などの個人財

産. 身代. 資産 ❷産業
【产业工人】chǎnyè gōngrén 图 工業労働者
【产院】chǎnyuàn 图 産院
*【产值】chǎnzhí 图 生産額 ‖ 总～ 総生産額

10 谄 chǎn へつらう. こびる
【谄媚】chǎnmèi 動 へつらう. こびる
【谄上欺下】chǎn shàng qī xià 成 上にはおもねり, 下には威張る
【谄笑】chǎnxiào 動 へつらって笑う
【谄谀】chǎnyú 動 へつらいこびる. おもねる

11 阐(闡) chǎn 説き明かす. 明らかにする
【阐发】chǎnfā 動 説き明かす. 詳しく論じる
*【阐明】chǎnmíng 動 (道理や意味を)説き明かす. はっきり説明する ‖ ～立场 立場をはっきりさせる
【阐释】chǎnshì 動 説明し, 解釈する
*【阐述】chǎnshù 動 順序立ててはっきりと述べる
【阐扬】chǎnyáng 動 道理を説き宣伝する

11 *铲(鏟 剷) chǎn ❶图 (～儿)物をすくい取る鉄製の道具. シャベル. スコップ ‖ 煤～ 石炭シャベル | 锅～ フライ返し. 鉄べら ❷動 (シャベルなどで)すくう. 削る. 掘る
【铲车】chǎnchē 图〈機〉フォーク・リフト =〔叉车〕
【铲除】chǎnchú 動 除き取る. 削り除く
【铲斗】chǎndǒu 图 スコップ
【铲土机】chǎntǔjī 图〈機〉スクレーパー. 掘削機
【铲子】chǎnzi 图 ❶シャベル. スコップ. 鋤(すき) ❷フライ返し. 鉄べら

12 蒇 chǎn 書 完成する. 解決する

15 骣 chǎn 裸馬に乗る

18 冁(囅) chǎn 書 にっこり笑うさま

chàn

6 忏(懺) chàn ❶過ちを悔いる. 懺悔(ざんげ)する ❷〈仏〉(僧や道士が人のために)懺悔の行をする ❸图〈仏〉懺悔のための経文
【忏悔】chànhuǐ 動 悔いる. 懺悔する

19 *颤 chàn 動 震える. 振動する ‖ 发～ 震える ➤ zhàn
*【颤动】chàndòng 動 振動する. 震える
*【颤抖】chàndǒu 動 震える ‖ 声音～ 声が震える
【颤巍巍】chànwēiwēi (～的) 形 ふらふらしている. よろよろしている
【颤音】chànyīn 图 ❶〈語〉震え音. 顫動音(せんどう) ❷〈音〉トリル. 顫音(せんおん)
【颤悠】chànyou 動 ゆらゆら揺れる. 揺らす ‖ 走在吊桥上直～ つり橋を渡るとぐらぐら揺れる

21 羼 chàn 混ぜる. 混じる
【羼杂】chànzá 動 混ぜ入れる. 入り混じる

chāng

6 伥(倀) chāng 伝説で, 虎(とら)に食い殺された人. 幽霊となり, 虎が人を食うのを助けるという ‖ 为虎作～ 悪人の手先になる
【伥鬼】chāngguǐ 图 同上の幽霊

8 昌 chāng 盛んである ‖ →～盛
【昌隆】chānglóng 形 盛んである. 繁盛している
【昌明】chāngmíng 形 盛んで輝かしい ‖ 科学～ 科学が大いに発達している 動 盛んにする. 繁栄させる
*【昌盛】chāngshèng 形 盛んである. 繁栄している ‖ 唐朝文化的～时期 唐文化の隆盛期
【昌言】chāngyán 書 图 正論 動 忌憚(きたん)なく言う

10 倡 chāng ❶書 楽人. 楽師. 芸人 ❷古 遊女. 娼妓(しょうぎ) ➤ chàng

11 菖 chāng ↘
【菖蒲】chāngpú 图 ❶〈植〉ショウブ ❷〈中薬〉石菖蒲(せきしょうぶ)

11 阊 chāng ↘
【阊阖】chānghé 图 書 ❶天界の門 ❷王宮の門

11 猖 chāng 書 放らつである. すさまじい
【猖獗】chāngjué 書 形 ❶猖獗(しょうけつ)している. 猛威をふるっている ‖ 流感～ インフルエンザが大流行する 動 転ぶ. 倒れる
*【猖狂】chāngkuáng 形 気違いじみている. たけり狂っている ‖ ～地进行破坏 狂ったように破壊する

11 娼 chāng 娼婦
【娼妓】chāngjì 图 娼婦
【娼门】chāngmén 图 妓楼. 遊女屋

16 鲳 chāng 图〈魚〉マナガツオ. 〔银鲳〕〔镜鱼〕〔平鱼〕ともいう

cháng

4 ★长(長) cháng ❶形 (空間的に)長い ↔〔短〕 ❷形 (時間的に)長い ↔〔短〕 ❸图 長さ ❹長所 ‖ 一技之～ 一芸に秀でる ❺優れている ‖ 擅shàn～ 堪能である ➤ zhǎng
【长臂猿】chángbìyuán 图〈動〉テナガザル. ギボン
【长别】chángbié 動 ❶長い間別れている ❷永遠に別れる. 死別する
【长波】chángbō 图〈電〉長波
【长策】chángcè 图 書 長期政策
【长城】Chángchéng 图 長城. 万里の長城. 喩 堅固な守り. 攻め難いこと
【长程】chángchéng 形 遠距離の. 長期の
【长虫】chángchong 图 口 ヘビ
*【长处】chángchu 图 長所. 優れた点. 取り柄 ↔〔短处〕‖ 两者各有各的～ 両者それぞれに長所がある
【长辞】chángcí 動 書 永別する
【长此以往】cháng cǐ yǐ wǎng 成 いつまでもこのような状態が続けば. (多く望ましくない事柄に用いる)
【长存】chángcún 動 永く残る. とこしえに残る
【长笛】chángdí 图〈音〉フルート
*【长度】chángdù 图 長さ
*【长短】chángduǎn 图 ❶(～儿)長短. 長さ ❷(人命にかかわる)意外な事故. 変事 ‖ 万一有个～, 可怎么向他父母交代呀 もしもの事があったら, 彼の両親に申

し開きできない ❸是非. 優劣. 長所と短所 ‖ 不要背后说人～ 陰で人のことをあれこれ言うものではない 副 方 どうしても

【长短句】chángduǎnjù 名 (韻文の一種)詞. 〔词〕の別称

【长法】chángfǎ (～儿) 名 長期的な方法. 根本的な方法

【长方体】chángfāngtǐ 名〈数〉直方体

【长方形】chángfāngxíng 名〈数〉長方形 =〔矩jǔ形〕

【长工】chánggōng 名 旧 地主の常雇いの作男

【长鼓】chánggǔ 名〈音〉❶朝鮮鼓. チャング ❷ヤオ族の打楽器

【长号】chánghào 名〈音〉トロンボーン. 俗に〔拉管〕ともいう

【长河】chánghé 名 川の長い流れ. 長流. 喩 長い歳月の流れ ‖ 历史的～ 長い歴史の潮流

【长话短说】cháng huà duǎn shuō 慣 長い話を短かく話す. かいつまんで話す

【长技】chángjì 名 得意な芸

【长假】chángjià 名 ❶長期の休暇 ❷旧 (官庁や軍隊で)辞職

【长江后浪推前浪】Chángjiāng hòulàng tuī qiánlàng 諺 長江は後の波が前の波を押し進める. 人または事物が間断なく交替し, 新陳代謝がはかられるたとえ

【长颈鹿】chángjǐnglù 名〈動〉キリン. ジラフ

*【长久】chángjiǔ 形 (時間が)長久である. 長い ‖ ～之计 長期的な方策. 長い見通しに立った策

【长局】chángjú 名 長く続く局面や状態

【长空】chángkōng 名 広々とした空. 大空

【长裤】chángkù 名 長ズボン

【长款】chángkuǎn 動 (勘定を締めるとき, 帳面の記載より)現金が余る

【长廊】chángláng 名 長い廊下. 長い回廊

【长龙】chánglóng 名 長蛇の列 ‖ 买票的人排成了一条～ 切符を買う人々が長蛇の列を作っている

【长眠】chángmián 動 婉 永眠する

【长明灯】chángmíngdēng 名 仏前に一日中ともしておく明かり

【长命百岁】cháng mìng bǎi suì 成 長命で百歳まで永らえる. (生まれた子を祝福する言葉)

【长命锁】chángmìngsuǒ 名 子供の首に掛けるお守り

【长年】chángnián 副 一年中 名 方 常雇いの作男 形 書 長寿である

【长年累月】cháng nián lěi yuè 成 年月を重ねる

【长袍儿】chángpáor 名 (あわせまたは綿入れの)丈が長い男子用中国服

【长跑】chángpǎo 名〈体〉長距離競走

【长篇】chángpiān 形 長編の. 名 長い文章

【长篇大论】cháng piān dà lùn 成 貶 長たらしい文章. 長たらしい話. 長談義

【长篇小说】chángpiān xiǎoshuō 名 長編小説

**【长期】chángqī 名 長期 ‖ ～合同 長期契約

【长驱直入】cháng qū zhí rù 成 長駆突入する. 遠い道のりを一気に進軍する

【长裙】chángqún 名 ロング・スカート

【长衫】chángshān 名 単衣(ひとえ)で丈がすそまである男性用中国服

【长舌】chángshé 名 喩 貶 (陰口や告げ口・そそのかしのたぐいの)おしゃべり ‖ ～妇 おしゃべり女

【长蛇阵】chángshézhèn 名 長蛇の列

【长蛇座】chángshézuò 名〈天〉海蛇座

【长生】chángshēng 動 長生きする ‖ ～不老 不老長寿

【长逝】chángshì 動 死ぬ ‖ 溘然kèrán～ 急逝する

*【长寿】chángshòu 形 長寿である. 長生きである ‖ 祝您～ ご長寿をお祈りします

【长谈】chángtán 動 長い時間にわたって話をする. 心置きなく語り合う ‖ 彻夜～ 一晩語り明かす

【长叹】chángtàn 動 大きなため息をつく

【长条儿】chángtiáor 名 細長い形. 細長い物

【长筒袜】chángtǒngwà 名 長い靴下. ストッキング

【长筒靴】chángtǒngxuē 名 ブーツ

【长途】chángtú 形 **長距離の ‖ ～汽车 長距離バス 名 略 長距離電話. 〔长途电话〕の略

【长物】chángwù 名 ちゃんとした物. まともな物. (もとは余った物, 余分な物の意)

【长线】chángxiàn 形 ❶供給過剰の ‖ ～产品 供給過剰の商品 ❷長期的な ‖ ～投资 長期的な投資 ＊↔〔短线〕

【长项】chángxiàng 名 得意とする項目や部門

【长销】chángxiāo 動 (商品が)長期にわたって売れ続ける ‖ ～书 ロングセラーの書籍

【长性】chángxìng 名 忍耐強い性格. 気長な心

【长袖善舞】cháng xiù shàn wǔ 成 袖の長い衣装を着れば踊りも見栄えがする. 財力や手腕のある者は立ち回るのがうまい

【长吁短叹】cháng xū duǎn tàn 成 ため息ばかりつく. 長嘆息する

【长夜】chángyè 名 長いやみ夜. 暗い時代

【长于】chángyú 動 …が得意である

【长圆】chángyuán 名 楕円(だえん)

*【长远】chángyuǎn 形 先の長い. 遠大な ‖ 做～打算 長期的な見通しに立つ

*【长征】chángzhēng 動 長征する. 遠征する 名〈史〉長征(1934～35年)

【长治久安】cháng zhì jiǔ ān 成 長期にわたって社会秩序が安定していること

6 **场**(場 △塲) **cháng** ❶名 穀物を日に干したり, 脱穀したりする平らな空き地 ‖ 打～ (脱穀場で)脱穀する ❷名 方 市. 市場 ❸量 (事柄の経過の一区切りを数える)場. 回 ‖ 一～误会 一度の誤解 | 一～大雨 ひとしきりの大雨 ❹量 (動詞の後について行為の一区切りを表す)ひとしきり ‖ 大闹一～ ひとしきり大騒ぎする ➤ chǎng

> **類義語** | 场 cháng 场 chǎng
>
> ◆〔场 cháng〕風雨・災害などの自然現象, 闘争などの社会的活動, 病気などの個人的行為の経過の一区切りを数える ‖ 下了一场雨 一雨降った | 一场大战 一回の大戦 | 生了一场大病 大病にかかった ◆〔场 chǎng〕公演やスポーツなど, 特定の場所で行う催しを数える ‖ 一场电影 一つの映画 | 看了一场足球比赛 サッカーの試合を見た

【场屋】chángwū 名 ❶脱穀場に設けた休息用または農具の収納に使われる小屋 ❷科挙の試験に使う部屋

【场院】chángyuàn 名 脱穀などに使う農家の広い庭

C

7 **苌**(萇) cháng ↴

【苌楚】chángchǔ 图古〔猕猴桃〕(サルナシ)の一種

7 * **肠**(腸 △膓) cháng ❶图 腸. ふつうは〔肠子〕といい, また,〔肠管〕ともいう ❷転 心根. 心 ‖ 心～ 心根 ❸图(～儿)腸詰め ‖ 香～ 中国独特のソーセージ

【肠癌】cháng'ái 图〈医〉腸がん

【肠肥脑满】cháng féi nǎo mǎn 成 醜く肥え太っているさま.〔脑满肠肥〕ともいう

【肠梗阻】chánggěngzǔ 動〈医〉腸閉塞になる

【肠结核】chángjiéhé 图〈医〉腸結核

【肠胃】chángwèi 图〈生理〉腸と胃. 胃腸 ‖ ～病 胃腸病 | ～不好 胃腸の調子がよくない

【肠炎】chángyán 图〈医〉腸炎. 腸カタル

【肠液】chángyè 图〈生理〉腸液

【肠衣】chángyī 图 ヒツジなどの腸を塩で加工したもの. 腸詰めの皮やガットに使う

【肠子】chángzi 图 腸.〔肠〕の通称

9 ** **尝**(嘗 △嚐❶ 甞) cháng ❶動 味をみる. 味を試す. 食べてみる ‖ ～～味道怎么样 どんな味か試しに味わってみる ❷試みる. 探る ‖ 浅～辄zhé止 ちょっとためしてやめる ❸動 経験する. なめる ‖ ～到甜头 よさを知る. 味をしめる ❹かつて. 以前に ‖ 未～ これまでに… したことがない

【尝鼎一脔】cháng dǐng yī luán 成 鼎の中の料理の味は, 肉を一切れ食べてみれば分かる. 一部分によって全体が推し量れること

*【尝试】chángshì 動 試みる. やってみる ‖ 我们～过许多办法 我々はたくさんのやり方を試してみたことがある

【尝受】chángshòu 動 つぶさに体験する.(苦しみなどを)なめる ‖ ～了失恋的痛苦 失恋の苦しみをなめた

【尝鲜】cháng//xiān 動 とれたての物を食べる. 旬(しゅん)のものを味わう ‖ 买两斤荔枝lìzhī尝尝鲜 レイシを1キロ買って旬を味わう

【尝新】cháng//xīn 動 その季節に初めてできたものを食べる. 旬のものを賞味する

10 **倘** cháng ↴ ➤ tǎng

【倘佯】chángyáng =〔徜徉chángyáng〕

11 * **偿**(償) cháng ❶償う. 賠償する ‖ 赔～ 賠償する ❷代価. 報酬 ‖ 无～援助 無償の援助 ❸果たす. 満たす ‖ 如愿以～ 願いがかなう

【偿付】chángfù 動(負債を)返済する

*【偿还】chánghuán 動(負債を)返済する ‖ 分期～ 分割で償還する

【偿命】cháng//mìng 動 命で償う ‖ 杀人～ 人を殺したら自分の命で償うものだ

【偿清】chángqīng 動 全部返済する. きれいに返済する ‖ 所有债款, 一次～ すべての負債を一度に償還する

11 ★ **常** cháng ❶社会秩序と国家の法規 ‖ 三纲五～ 君臣・父子・夫婦の道, および仁・義・礼・智・信 ❷きまり. 法則 ❸普通の. 常の ‖ 一～识 ❹普通のこと. 常(つね) ‖ 人情之～ 人情の常 ❺不変の ‖ 一～数 ❻副 よく. いつも. しばしば ‖ ～来～往 頻繁に行き来する

【常备】chángbèi 動 常備する. 常に備える

【常备不懈】cháng bèi bù xiè 成 常に備えを怠らない

【常备军】chángbèijūn 图〈軍〉常備軍

★【常常】chángcháng 副 よく. いつも ‖ 她～不在家 彼女はしょっちゅう家にいない

> **類義語** 常常 chángcháng 经常 jīngcháng 往往 wǎngwǎng
>
> ◆〔常常〕〔经常〕ともに動作・行為の頻度が高く, 回数の多いことを強調する. よく. しょっちゅう ‖ 他孩子常常(经常)发烧 彼の子供はよく熱を出す ◆〔经常〕は時に動作行為の連続性あるいは規則性など, 一貫性を強調する.〔常常〕には言い換えられない. 常に. いつも ‖ 他经常(×常常)锻炼身体 彼はいつも体を鍛えている | 房间应该经常(×常常)打扫 部屋はいつも掃除しておくべきだ ◆〔往往〕一定の条件下ではある状況が規則的に起こることを表す. 往々にして. しばしば ‖ 每到冬天, 他往往要生一场病 冬になるたびに彼は病気をする

【常春藤】chángchūnténg 图 ❶〈植〉キヅタ. フユヅタ ❷〈中薬〉常春藤(じょうしゅんとう)

【常服】chángfú 图 常日ごろ着る衣服. 平服

*【常规】chángguī 图 ❶従来のやり方. しきたり. 通例 ‖ 打破～ しきたりを打破する ❷〈医〉通常の検査 形 通常の. 平常の ‖ ～战争 (核を用いない)通常兵器による戦争

【常规武器】chángguī wǔqì 图(核兵器以外の)通常兵器

【常轨】chángguǐ 图 普通に行われるやり方. 常道

【常衡】chánghéng 图 英米の度量衡制で, 貴金属や薬物以外のものを計るときに用いる通常の計量法

【常会】chánghuì 图 例会. 通常の会議

*【常见】chángjiàn 形 見慣れた. ざらにある. ありふれた ↔〔罕见〕‖ ～病 (風邪など)誰もがよくかかる病気

【常景】chángjǐng 图 いつもの風景. いつもと変わらない光景

【常客】chángkè 图 いつもの客. 常連

【常礼】chánglǐ 图 通常の礼儀

【常理】chánglǐ (～儿) 图 普通の道理. 常識

【常例】chánglì 图 ならわし. 慣行

【常量】chángliàng 图〈数〉定数.〔恒量〕ともいう

【常绿植物】chánglǜ zhíwù 图 常緑植物

*【常年】chángnián 副 年中. 年がら年中. 常に ‖ 他～在家养病 彼はずっと家で療養している 图 いつもの年. 例年

【常青】chángqīng 形 常に青い. 常緑である. 転 いつまでも栄えている. いつまでも変わらない ‖ 四季～ 四季を通して緑である. 一年中緑である

【常情】chángqíng 图 人情の常. 人の情け ‖ 同情弱者, 乃nǎi人之～ 弱者に同情するのは人の情の常である

【常人】chángrén 图 常人. 一般の人. 並の人

【常任】chángrèn 形 常任の ‖ 联合国安全理事会～理事国 国連安全保障理事会常任理事国

【常设】chángshè 動 常設する ‖ ～机构 常設機構

*【常识】chángshí 图 常識 ‖ 缺乏～ 常識に欠ける

【常识课】chángshíkè 图 小学校の科目. 主に自然科学分野のやさしい知識を教える. 自然常識科

【常时】chángshí 副 ❶いつも. よく ❷方 時には

【常事】chángshì 图 日常のこと. 決まりきったこと

【常数】chángshù 名〈数〉常数
【常态】chángtài 名 常態. 正常な状態 ↔〔变态〕‖一反～ ふだんとは一変して. 打って変わって
【常谈】chángtán 名 平凡な話. 聞き慣れた話 ‖ 老生～ 老書生の陳腐な議論. 言いふるされた話
【常套】chángtào 名 決まりきったやり方. 常套
*【常委】chángwěi 名 常任委員. 〔常务委员〕の略 ‖～会 常任委員会
【常温】chángwēn 名 常温 ‖ 可以在～下保存一个月 常温で1ヵ月保存できる
【常温动物】chángwēn dòngwù 名〈動〉恒温動物. 定温動物 =〔恒héng温动物〕
*【常务】chángwù 形 日常の業務を行う ‖～委员 常務委員
【常销】chángxiāo 動 (商品が)年間を通じてコンスタントに売れる
【常性】chángxìng 名 ❶根気. 我慢強さ ‖ 没～的人 根気のない人 ❷書 習性
【常言】chángyán 名 世間で言いならわされている格言やことわざ
*【常用】chángyòng 形 よく用いる. 常用の ↔〔罕hǎn用〕‖～药 よく用いられる薬
【常住】chángzhù 動 常住する ‖～人口 常住人口 名〈仏〉❶常住(じょう) ❷寺院の所有物
【常驻】chángzhù 動 常駐する ‖～记者 常駐記者

11 **徜** cháng ↴
【徜徉】chángyáng 動 書 そぞろ歩く. 気の向くままに歩く. 〔倘佯〕とも書く

14 **嫦** cháng ↴
【嫦娥】Cháng'é 名 ❶嫦娥(じょうが). 不死の薬を盗んで飲み, 月に逃げたとされる伝説中の女性 ❷月の別称

14 **裳** cháng 書 裳(も) ➤ shang

chǎng

2 **厂**(廠) chǎng ❶名 広い土間や積み荷置き場を備えた店・問屋 ‖ 煤～ 石炭販売所 | 木材～ 材木屋 ❷名 工場 ➤ ān
【厂标】chǎngbiāo 名 工場の(シンボル)マーク
【厂方】chǎngfāng 名 (労働者側に対して)工場側
*【厂房】chǎngfáng 名 ❶工場の建物 ❷(工場の)作業場
【厂规】chǎngguī 名 工場の就業規則
【厂籍】chǎngjí 名 工場の従業員の資格
【厂纪】chǎngjì 名 工場の規律
*【厂家】chǎngjiā 名 製造業者. メーカー
【厂价】chǎngjià 名 工場出荷価格
【厂矿】chǎngkuàng 名 工場と鉱山
【厂龄】chǎnglíng 名 ❶工場の設立以来の年数 ❷工場従業員の勤続年数
【厂区】chǎngqū 名 工場敷地内の生産区域
*【厂商】chǎngshāng 名 製造業者. メーカー
【厂史】chǎngshǐ 名 工場の沿革
【厂休】chǎngxiū 名 工場の公休日
*【厂长】chǎngzhǎng 名 工場長
【厂址】chǎngzhǐ 名 工場所在地. 工場用地
【厂主】chǎngzhǔ 名 工場主. 工場経営者
【厂子】chǎngzi 名 口 工場

6 ★**场**(場 △塲) chǎng ❶(～儿)決まった用途を持つ広い場所 ‖ 考～ 試験場 | 球～ コート. グラウンド ❷特定の時点・場所・範囲 ‖ 当～ 現場で. その場で ❸名 公演や試合を行う場所 ‖ 上～ 登場する ❹公演や試合 ‖ 开～ 幕があく ❺量 ①芝居の上演, スポーツの試合などの回数を数える ‖ 一～球赛 (球技の)ひと試合 ②劇中の場面を数える ❻生産を行う場所 ‖ 渔～ 漁場 ❼名〈物〉場(ば) ‖ 磁～ 磁場 ➤ cháng
【场次】chǎngcì 名 映画の上映や芝居の上演などののべ回数. 興業回数 ‖ 演出～ 公演回数
*【场地】chǎngdì 名 競技場や建設用地 ‖ 比赛～ 試合を行う競技場 | 施工～ 施工用地
【场馆】chǎngguǎn 名 競技場と体育館の総称
*【场合】chǎnghé 名 場合. 場面 ‖ 正式～ 正式の場面 | 注意～ 場所柄をわきまえる
【场记】chǎngjì 名 ❶舞台げいこや映画撮影の記録 ❷同前の担当者. スクリプター
【场景】chǎngjǐng 名 ❶場景 ❷(芝居や映画などの)情景. 場面
*【场面】chǎngmiàn 名 ❶(芝居・映画・小説などの)情景. シーン ❷その場の状況. 様子. 場面 ‖ 激动人心的～ 感動的シーン ❸外面の見映え. 見かけ ‖ 撑chēng～ 見栄を張る ❹〈劇〉(京劇の)囃子方(はやしかた). 囃子に用いる楽器
【场面话】chǎngmiànhuà 名 つきあいの上でのほめ言葉. 社交辞令. お体裁
【场面人】chǎngmiànrén 名 交際上手. 世間のつきあいのうまい人
*【场所】chǎngsuǒ 名 場所. 場 ‖ 公共～ 公共の場所
【场子】chǎngzi 名 スポーツなどをする広場
【场租】chǎngzū 名 (場所を借りるための)レンタル料 ‖ 会场～ 会場使用料

9 **昶** chǎng 書 日が長い. 昼の時間が長い

11 **惝** chǎng ; tǎng 書 ❶失意のあまりぼう然としている ❷はっきりしない

12 **敞** chǎng ❶遮るものがなく広い. 広々としている ‖ 宽～ 広々としている ❷動 開け放す. 開け放しにする ‖ →～开
【敞车】chǎngchē 名 ❶屋根のない自動車. オープンカー =〔敞篷车〕❷(鉄道の)無蓋貨車(むがいかしゃ) ❸幌のない馬車
*【敞开】chǎngkāi 動 ❶すっかり開ける. 開け放す ‖～窗户 窓を開け放す ❷公開する. 公表する ‖～心扉xīnfēi 心を開く 副 無制限に. 思いのままに ‖～吃 食べたいだけ食べる
【敞快】chǎngkuai ; chǎngkuài 形 あっさりしている. 裏表がない
【敞阔】chǎngkuò 形 広々としている. 広大である
【敞亮】chǎngliàng 形 ❶広くて明るい ‖～的办公室 広くて明るい事務室 ❷(気分が)からっとして明るい
【敞篷车】chǎngpéngchē 名 オープンカー

16 **氅** chǎng 外側にはおる長衣. 外套(がいとう) ‖ 大～ 外套

chàng

7 **怅(悵) chàng** 不本意である. 思いどおりにいかない

C

【怅恨】chànghèn 動 悲しみ恨む. 思いどおりにならず残念がる

【怅然】chàngrán 形 悵然(ちょう)とするさま. がっかりするさま ‖ ～若失 がっかりして, なすところを知らない

【怅惋】chàngwǎn 動 嘆き憂える. 残念がる

【怅惘】chàngwǎng 形 失望しやるせない. 気落ちしてしょんぼりしている

8 **畅(暢) chàng** ❶妨げがない. 順調である ‖ 流～ すらすらとなめらかだ ❷痛快である. 思いのままである ‖ →～所欲言

【畅达】chàngdá 形 ❶(言葉や文章が)のびのびしている ❷(交通などが)滞らない. 流れがよい

【畅怀】chànghuái 副 心ゆくまで. 思う存分

【畅快】chàngkuài 形 (気分が)のびやかである. 晴れやかである ‖ 心情～ 気持ちが晴れ晴れする

【畅所欲言】chàng suǒ yù yán 成 言いたいことを遠慮なく言う

*【畅谈】chàngtán 動 愉快に語り合う ‖ 两人～了一宿xiǔ 二人は一晩心置きなく語り合った

*【畅通】chàngtōng 形 滞りなく通じる ‖ 道路～ 道路は滞りなく通じる

【畅想】chàngxiǎng 動 自由に考えを広げる. 自在に想像をめぐらす

*【畅销】chàngxiāo 動 売れ行きがよい ↔〔滞zhì销〕‖ ～书 ベストセラー

【畅行】chàngxíng 動 ❶自由に通行する ‖ ～无阻zǔ なんの妨げもなく通行する ❷スムーズに運ぶ. 順調にいく

【畅叙】chàngxù 動 思う存分に語り合う

【畅饮】chàngyǐn 動 愉快に酒を飲む. 心ゆくまで酒を飲む ‖ 开怀～ くつろいで愉快に酒を飲む

【畅游】chàngyóu 動 ❶満足するまで十分に遊覧する ❷心ゆくまで泳ぐ

10 **倡 chàng** ❶書 先頭に立って唱える ❷先頭に立って呼びかける. 発起する

➤ chāng

【倡导】chàngdǎo 動 先に立って言う. 率先して提唱する ‖ ～教育立国 教育立国を提唱する

【倡首】chàngshǒu 動 まっ先に唱える. 唱道する

【倡言】chàngyán 動 主張を述べる

*【倡议】chàngyì 動 発起する. 提案する. 提唱する 图 提案. 呼びかけ. 発起. 発議 ‖ 响应xiǎngyìng～ 呼びかけに応じる. 提案に賛成する

10 **鬯 chàng** 古 祭祀(さい)に用いたにおいのよい酒

11★ **唱 chàng** ❶動 歌う ‖ ～卡拉OK カラオケを歌う ❷動 大きな声で呼び上げる. 大声で唱える ‖ →～名 ❸图 (～儿) 口 伝統劇の歌の部分. 唄(うた)

【唱白脸】chàng báiliǎn 慣 (伝統劇で悪役が顔に白いくま取りをしたことから)憎まれ役を買って出る. 敵役を演じる ↔〔唱红脸〕

【唱本】chàngběn (～儿) 图 伝統劇や謡い物の歌詞の本

【唱酬】chàngchóu 動 唱和する

【唱词】chàngcí 图 (伝統劇の)歌詞. 歌の文句

【唱独角戏】chàng dújiǎoxì 慣 独り芝居をする. 自分一人で何かをするたとえ

【唱段】chàngduàn 图 (伝統劇の中の)小歌曲

【唱对台戏】chàng duìtáixì 慣 相手に対抗してやる. 張り合う

【唱反调】chàng fǎndiào 慣 異議を唱える. 盾突く

【唱高调】chàng gāodiào (～儿) 慣 調子のいいことを言う. 大言壮語する

【唱功】【唱工】chànggōng (～儿) 图 (伝統劇の)歌の技巧 ‖ 他的～好 彼の歌は実にうまい

【唱和】chànghè 動 唱和する

【唱红脸】chàng hóngliǎn 慣 赤いくま取り(忠臣役)を演じる. 善玉役を演じる ↔〔唱白脸〕

【唱机】chàngjī 图 レコード・プレーヤー

【唱空城计】chàng kōngchéngjì 慣 ❶城門を開け放ち敵を欺く ❷誰もいない. もぬけのからである

【唱名】[1] chàng//míng 動 (点呼で)名前を読み上げる

【唱名】[2] chàngmíng 图 ドレミ…の七つの音階名

【唱盘】chàngpán 图 レコード

【唱片】chàngpiàn (～儿) 图 レコード ‖ 放～ レコードをかける | 灌guàn～ レコードに吹き込む

【唱票】chàng//piào 動 (選挙開票で)票を読み上げる

【唱腔】chàngqiāng 图 (伝統劇の歌の部分の)調子. 節回し

【唱诗班】chàngshībān 图 (教会の)聖歌隊

【唱收】chàngshōu 動 客から金を受け取るとき, 大声で金額を唱える

【唱戏】chàng//xì 動 伝統劇を歌い演じる

【唱针】chàngzhēn 图 レコード針

【唱主角】chàng zhǔjué 組 主役を演じる. 転 主要な仕事の責任者となる

chāo

7 ** **抄[1] chāo** ❶動 書き写す ‖ ～稿子 原稿を書き写す ❷動 他人の作品を引き写す

7 ** **抄[2] chāo** ❶動 捜査し没収する ‖ 公司被～了 会社が手入れを受けた ❷動 ぐるりと迂回(うかい)する. また, 近道をする ‖ ～近道 近道をする ❸動 腕を胸の前で組み, 手を他方の袖口に入れる ‖ ～着手 腕を組む

7 **抄[3] chāo** 〔绰chāo ❶〕に同じ

【抄本】chāoběn 图 写本. 写し

【抄查】chāochá 動 捜査押収する

【抄道】chāo//dào (～儿) 動 近道をする ‖ ～回去 近道をして帰る 图 (chāodào)近道 ‖ 走～ 近道をする

【抄后路】chāo hòulù 組 敵の退路を断つ

【抄获】chāohuò 動 捜査押収する

【抄家】chāo//jiā 動 家宅捜査して差し押さえる

【抄件】chāojiàn (～儿) 图 写し. コピー

【抄近儿】chāo//jìnr 動 口 近道をする ‖ ～走 近道をして行く

【抄录】chāolù 動 書き写す. 写し取る

【抄没】chāomò 動 捜査し押収する

【抄身】chāo//shēn 動 (持ち物を調べるために)身体検査する

【抄送】chāosòng 動 ❶(書類などを)コピーして送る ❷(eメールで)カーボンコピー(CC)で送る
【抄袭】[1] chāoxí 動 ❶他人の作品を引き写す. 剽窃(ひょうせつ)する ❷他人のやり方をそのままねる
【抄袭】[2] chāoxí 動 迂回して襲撃する
**【抄写】chāoxiě 動 写し取る. 書き写す ‖ 把单词～在卡片上 単語をカードに書き写す
【抄用】chāoyòng 動 踏襲してそのまま使う
【抄斩】chāozhǎn 動 古 家財を没収し斬首(ざんしゅ)の刑に処する ‖ 满门～ 家財を没収し一族皆殺しにする

7 **吵** chāo ↴ ➤chǎo

【吵吵】chāochao 動 方 わめく. 大勢の人が騒ぎたてる

8 **怊** chāo 悲しみ憤る

9 **钞**[1] chāo 札. 紙幣 ‖ 验～机 偽札判別機

9 **钞**[2] chāo 〔抄[1]chāo ❶〕に同じ

*【钞票】chāopiào 名 口 紙幣. 札

11 **绰** chāo ❶動 つかむ. 引っつかむ ‖ ～起棍子就打 棒をさっとつかむと殴りかかる ❷〔焯chāo〕に同じ ➤chuò

12 **焯** chāo 動 (野菜を)湯がく. さっと湯通しする ➤zhuō

12 **超** chāo ❶動 後から追い越し前に出る ‖ 一～车 ❷動 定まった限度を超える. 超過する ❸通常の程度を超える. 抜群の ‖ 一～级大国 ❹超越した. 超… ‖ 一～自然

【超拔】chāobá 形 ぬきんでている. 傑出している 動 ❶登用する. 昇格させる ❷(悪い環境や困難な状況から)脱する. 逃れ出る. 振り捨てる
【超编】chāo//biān 動 (定員を)超える. 超過する
【超标】chāo//biāo 動 規準以上になる ‖ 防腐剂用量严重～ 防腐剤の使用量が規準を大幅に超えている
*【超产】chāochǎn 動 生産目標を超過達成する
【超常】chāocháng 動 群を抜いている. ぬきんでる
*【超车】chāo//chē 動 前の車を追い越す
【超尘拔俗】chāo chén bá sú 成 超俗的である. 浮き世離れしている. 〔超尘脱俗〕ともいう
*【超出】chāochū 動 超える. 超過する. 上回る ‖ ～人们的想像 人々の想像を超える
【超导电性】chāodǎodiànxìng 名〈物〉超伝導性
【超导体】chāodǎotǐ 名〈物〉超伝導体
【超等】chāoděng 形 特級の. とびきり優れた
【超低温】chāodīwēn 名〈物〉超低温
【超度】chāodù 動〈仏〉人々を迷いから解放し悟りを開かせる. 済度(さいど)する ‖ ～亡灵wánglíng 死者の霊を済度する
【超短波】chāoduǎnbō 名〈物〉超短波. 〔米波〕ともいう
【超短裙】chāoduǎnqún 名 ミニスカート. 〔迷你裙〕ともいう
*【超额】chāo'é 動 定額を超える. 基準量を上回る ‖ ～完成任务 ノルマ以上に任務を達成する
【超凡】chāofán 動 俗世を超越する
【超凡入圣】chāo fán rù shèng 成 凡人の域を超え, 聖人の域に達する. 学問や修養などの造詣(ぞうけい)がきわめて深いこと
【超负荷】chāofùhè 名〈電〉超負荷
【超高频】chāogāopín 名〈電〉超高周波
**【超过】chāo//guò 動 ❶前のものを追い抜く ‖ 他一踩cǎi油门儿, ～了前面的车 彼はアクセルを踏み, 前の車を追い越した ❷超過する. 上回る ‖ ～了指标 目標の数字を上回った
*【超级】chāojí 形 最上等の. とびきりの ‖ ～油船 マンモス・タンカー | ～球星 (球技の)スーパー・プレーヤー
【超级大国】chāojí dàguó 名 超大国
【超级模特】chāojí mótè 名 スーパー・モデル. 〔超模〕ともいう
【超级市场】chāojí shìchǎng =〔超市chāoshì〕
【超级用户】chāojí yònghù 名〈計〉アドミニストレーター. 管理者. スーパー・ユーザー
【超假】chāo//jià 動 休暇の期限を超過する
【超绝】chāojué 形 並み外れている. ずば抜けている
【超链接】chāoliànjiē 名〈計〉ハイパーリンク
【超龄】chāo//líng 動 定められた年齢を超える
【超平彩电】chāopíng cǎidiàn 名 超薄型カラーテレビ
【超期】chāoqī 動 期限を超過する
*【超前】chāoqián 形 一般より先行する. 先取りする ‖ 消费～ 消費が時代の先頭を行く 動 先人を超える ‖ ～绝后 空前絶後である
【超群】chāoqún 動 ぬきんでる. 卓越している
【超然】chāorán 形 超然としている
【超然物外】chāo rán wù wài 成 ❶俗世間を離れて超然としている. 現実逃避的態度のたとえ ❷傍観する. かかわりをもたない
【超人】chāorén 動 超人的である ‖ ～的毅力yìlì 超人的な気力 名 スーパーマン
【超升】chāoshēng 動〈仏〉極楽往生する
【超生】chāoshēng 動 ❶〈仏〉再度人間に生まれ変わる ❷旧 寛容に扱う. 大目に見る ❸産児制限の枠を超えて出産する
【超声波】chāoshēngbō 名〈物〉超音波
【超声刀】chāoshēngdāo 名〈医〉超音波メス
【超时】chāoshí 動 規定の時間を超過する. タイムオーバーする ‖ ～费 超過時間料金 | ～劳动 超過勤務
*【超市】chāoshì 名 スーパーマーケット
【超脱】chāotuō 形 度量が大きく世俗にこだわらない ‖ 性格～ 性格が闊達(かったつ)だ 動 超脱する. 逃れる
【超新星】chāoxīnxīng 名〈天〉超新星
【超一流】chāoyīliú 形 超一流の
【超逸】chāoyì 形 世俗を超越していて, 趣がある
【超音速】chāoyīnsù 名〈物〉超音速 ‖ ～飞机 超音速航空機
【超员】chāo//yuán 動 人員が規定を超える ‖ 电梯～了 エレベーターの定員を超えた
*【超越】chāoyuè 動 越える. 乗り越える ‖ ～时空 時空を超越する
*【超载】chāozài 動 規定積載量を超えて荷を積む. オーバーロードになる ‖ 汽车～了 車の積載量がオーバーしている
【超支】chāozhī 動 支出が予定以上になる. 赤字になる 名 受け取った金額や物のうち, 多すぎる部分
【超值】chāo//zhí 動 値段以上の価値がある ‖ ～价格 超特価 | ～包 バリューパック
*【超重】chāo//zhòng 動 重さが超過する. 積み過ぎる ‖ 你的行李～两公斤 あなたの荷物は 2 キロ重量オーバーしています

【超子】chāozǐ 图〈物〉ハイペロン
【超自然】chāozìrán 形〈宗〉超自然的な

13 **剿**（*勦勦）chāo 動 書 他人の文章を盗む ➤ jiǎo
【剿说】chāoshuō 動 書 他人の説を自分の説とする
【剿袭】chāoxí 動 書 ❶盗作する ❷(やみくもに他人のやり方を)踏襲する

C

cháo

10 **晁** cháo 图 姓

11 **巢** cháo ❶图 鳥の巣 ‖ 鸟～ 鳥の巣 ❷图 ハチ・アリなどの巣 ‖ 蜂fēng～ ハチの巣 ❸盗賊・敵などのすみか
【巢窟】cháokū 图 巣窟
【巢箱】cháoxiāng 图 養蜂用の巣箱
【巢穴】cháoxué 图 鳥の巣や獣の穴. 転 巣窟

12 ★**朝** cháo ❶(君主に)拝謁する. (神仏に)参詣(さんけい)する ‖ 一～圣 ❷朝廷 ↔〔野〕‖ 上～ 参内する. 君主にお目通りする ❸王朝 ‖ 唐～ 唐朝 ❹動 向かう. 面する ‖ 房子～南 家は南向きだ ❺介 …に向かって. …に ‖ ～这边看 こちらを見る ➤ zhāo
【朝拜】cháobài 動 ❶天子に跪拝(きはい)する ❷聖地や寺院などで礼拝する
*【朝代】cháodài 图 王朝
【朝顶】cháodǐng 動 名山の寺廟(じびょう)に詣(もう)でる
【朝服】cháofú 图 古 朝廷に出るときの礼服. 朝衣
【朝纲】cháogāng 图 朝廷の綱紀
【朝贡】cháogòng 動 君主に謁見し, 貢ぎ物をささげる. 朝貢する
【朝见】cháojiàn 動 参内して朝見する
【朝山】cháoshān 動 名山の寺廟に詣でる
【朝圣】cháoshèng 動 巡礼する. 聖地へ詣でる
【朝廷】cháotíng 图 朝廷
【朝鲜】Cháoxiǎn 图〈国名〉朝鮮民主主義人民共和国
【朝鲜族】Cháoxiǎnzú 图 ❶朝鮮族(中国の少数民族の一つ, 主に東北の吉林省・黒龍江省・遼寧省に居住) ❷朝鮮民族
【朝向】cháoxiàng 图 (建物の)向き. 方向
【朝阳】cháoyáng 動 太陽に面する. 南に向く ➤ zhāoyáng
【朝阳花】cháoyánghuā 图〈植〉ヒマワリ ＝〔向日葵kuí〕
【朝野】cháoyě 图 ❶旧 朝廷と在野 ❷政府と民間
【朝政】cháozhèng 图 朝廷が行う政治
【朝珠】cháozhū 图 旧 清朝の高官がつけた首飾り

15 ***潮**[1] cháo ❶图 潮 ‖ 涨～ 上げ潮 | 退～ 引き潮 ❷潮のように起伏のある物事. 動向. 趨勢 ‖ 学～ 学生のストライキ. 学生運動 ❸形 湿っている ‖ 这里真～ ここは実に湿っぽい

15 **潮**[2] cháo 形 方 技術のレベルが低い. (金や銀など の)純度が低い

15 **潮**[3] cháo 图 略 広東省潮州
【潮锋】cháofēng 图 上げ潮の最高潮位. 満潮
【潮红】cháohóng 形 血色のよい. 赤みがさした
【潮呼呼】cháohūhū (～的) 形 じめじめしている. 湿っぽい
【潮解】cháojiě 動〈化〉潮解する
【潮剧】cháojù 图〈劇〉広東省潮安・仙頭(スワトウ)一帯で行われている地方劇
*【潮流】cháoliú 图 ❶〈地〉潮流 ❷時の流れ. 時代の変動や発展の趨勢. 時流 ‖ 顺应shùnyìng～ 時代の趨勢に従う | 跟不上～ 時代後れだ
【潮气】cháoqì 图 空気中の水分. 湿気. 湿り気
【潮润】cháorùn 形 湿り気がある. しっとりしている
*【潮湿】cháoshī 形 湿度が高い. じめじめしている ‖ 空气～ 空気が湿っぽい
【潮水】cháoshuǐ 图 潮. 潮流 ‖ 人们～般地涌入yǒngrù会场 人々は潮のように会場に押し寄せた
【潮汐】cháoxī 图 ❶潮汐(ちょうせき). 海水の干満 ❷潮
【潮绣】cháoxiù 图 広東省潮州地方の刺繍
【潮汛】cháoxùn 图 (新月・満月時の)大潮
【潮涌】cháoyǒng 動 潮のようにわき出る

15 **嘲** cháo あざ笑う. 冷やかに嘲笑(ちょうしょう)する ‖ 自～ 自嘲する
【嘲讽】cháofěng 動 あざけり皮肉る. 笑いものにする
【嘲弄】cháonòng 動 あざける. ばかにする
*【嘲笑】cháoxiào 動 あざける. ばかにする ‖ 受到～ あざ笑われる
【嘲谑】cháoxuè 動 ふざけてあざけり合う. 悪ふざけする

chǎo

7 ****吵** chǎo ❶形 うるさい. 騒がしい. 騒々しい ‖ 声音太～ 音がやかましすぎる ❷動 口げんかする ‖ 他们俩又～起来了 あの二人はまた言い争いを始めた ➤ chāo
*【吵架】chǎo//jià 動 口論する. 言い争う ‖ 我和他～了 私は彼と口げんかをした
*【吵闹】chǎonào 動 ❶大声で口論する ❷騒ぐ 形 騒々しい ‖ 外头很～ 外がとても騒がしい
【吵嚷】chǎorǎng 動 がなりたてる. 騒ぎたてる
【吵扰】chǎorǎo 動 ❶(騒ぎたてたりして)人に迷惑をかける. じゃまをする ❷方 口論する. 言い争う
【吵人】chǎo//rén 形 やかましい
【吵嘴】chǎo//zuǐ 動 口論する. 言い争う

8 ***炒** chǎo ❶動 煎(い)る. 炒める ❷動 マスコミなどでオーバーに宣伝する. (投機的売買で)転がして値段をつり上げる ‖ ～地皮 土地を転がす | ～股票 株を売買して利ざやを稼ぐ
【炒菜】chǎocài 图 炒めた料理. 炒めもの 動 (chǎo//cài) 油炒めの料理を作る
【炒饭】chǎofàn 图 焼き飯. チャーハン
【炒房】chǎofáng 動 不動産ころがしをする
【炒肝】chǎogān (～儿) 图 ブタレバーの煮込み. 北京風味の代表的なスナックの一つ
【炒股】chǎo//gǔ 動 株の売買をする
【炒锅】chǎoguō 图 中華鍋. 〔炒菜锅〕ともいう
【炒汇】chǎohuì 動 外貨を売買する
【炒货】chǎohuò 图 (甘栗・松の実・スイカの種など)煎ったものの総称
【炒家】chǎojiā 图 ブローカー. 投機商
【炒冷饭】chǎo lěngfàn 慣 新鮮味のないたとえ. 蒸し返す. 二番煎(せん)じ
【炒买炒卖】chǎomǎi chǎomài 慣 (土地・株・金などを)転がして利ざやを稼ぐ. やみ取引

【炒米】chǎomǐ 名 ❶煎り米 ‖ ～花 爆弾あられ ❷キビを牛の脂で炒めた，モンゴル族の常食
【炒面】chǎomiàn 名 ❶焼きそば ❷麦こがし
【炒勺】chǎosháo 名 柄つきの中華鍋．北京なべ
【炒鱿鱼】chǎo yóuyú 慣 喩 首になる．お払い箱にする ‖ 老板炒了他的鱿鱼 主人は彼を首にした
【炒作】chǎozuò 動 ❶マスコミの力でブームに仕立てる ❷投機的売買をする ‖ ～股票 株の投機的売買をする

chào

10 **耖** chào ❶名 まぐわに似た形の農具の一種 ❷動〔耖〕で畑をならす

chē

4 ★**车**（車）chē ❶名（乗り物としての）車 ‖ 开～ 運転する ❷車が回転する道具 ‖ 一～床 ❸動（水車で）水を汲む ‖ ～水 水車を踏んで水を汲み上げる ❹動 旋盤で削る ‖ ～零件 部品を切削加工する ❺機械 ‖ 试～ 機械の試運転をする ❻動 方（体を）回す．振り向く ➤ jū

逆引き単語帳 〔出租(汽)车〕chūzū(qì)chē タクシー 〔公共汽车〕gōnggòng qìchē 路線バス 〔(无轨)电车〕(wúguǐ) diànchē トロリーバス 〔婴儿车〕yīng'érchē 乳母車 〔自行车〕zìxíngchē 自転車 〔摩托车〕mótuōchē オートバイ．バイク 〔班车〕bānchē 送迎バス 〔头班车〕tóubānchē 始発バス．始発電車 〔末班车〕mòbānchē 終バス．終電車 〔餐车〕cānchē 食堂車 〔快车〕kuàichē 急行列車．急行バス 〔慢车〕mànchē 普通列車．鈍行 〔夜车〕yèchē 夜行列車 〔警车〕jǐngchē パトカー．パトロールカー 〔救护车〕jiùhùchē 救急車 〔救火车〕jiùhuǒchē 消防車 〔灵车〕língchē 〔殡车〕bìnchē 霊柩車(れいきゅうしゃ) 〔刹车〕shāchē ブレーキをかける 〔停车〕tíngchē 停車する．駐車する 〔误车〕wùchē(列車に)乗り遅れる 〔撞车〕zhuàngchē 車と車が衝突する．車にはねられる 〔换车〕huànchē 〔倒车〕dǎochē 車を乗り換える 〔赶车〕gǎnchē(バスや列車に)乗り遅れないように急ぐ 〔堵车〕dǔchē 〔塞车〕sàichē 交通が渋滞する 〔开夜车〕kāi yèchē 夜なべをする．徹夜仕事をする

【车把】chēbǎ 名（人や家畜が引く車の）かじ棒．（自転車・バイクなどの）ハンドル
【车把式】【车把势】chēbǎshi 名 御者
【车本】chēběn（～儿） 名 自動車運転免許証．〔机动车驾驶证〕の通称
【车场】chēchǎng 名 ❶操車場．ヤード ❷道路運輸および都市公共交通企業の一級管理機関
【车程】chēchéng 名（車の）道のり ‖ 从吉林到长春，大约有不到两个小时的～ 吉林から長春までは車で約2時間弱の道のりだ
*【车床】chēchuáng 名〈機〉旋盤．〔旋床〕ともいう
*【车次】chēcì 名 ❶列車番号．バス番号 ❷（列車や長距離バスなどの）便．ダイヤ
【车带】chēdài 名 タイヤ．ふつうは〔车胎tāi〕という
【车刀】chēdāo 名〈機〉カッター．バイト．金属などを削ったり切断したりする工具
【车到山前必有路】chē dào shānqián bì yǒu lù 諺 行き詰まっても必ず解決する方法があること．案ずるより産むがやすし
*【车道】chēdào 名 車道 ↔〔人行道〕
【车道沟】chēdàogōu 名 わだち．車輪の跡
【车灯】chēdēng 名 車のライト
【车队】chēduì 名 ❶車の列 ❷職場の交通運輸部門 ❸（ホテルなどに配属された）タクシー隊
【车匪】chēfěi 名 車両強盗．列車や長距離バスを襲う強盗
【车费】chēfèi 名 交通費．車代 ‖ 报销～ 交通費を精算する
【车夫】chēfū 名 旧 人力車夫．車引き．馬車の御者
【车工】chēgōng 名 ❶旋盤工 ❷旋盤作業
【车公里】chēgōnglǐ 量 車両の運行作業量の単位．1〔车公里〕は1両の車が1キロ運行することを表す
【车轱辘】chēgūlu 名 口 車輪
【车轱辘话】chēgūluhuà 名 方 繰り言．同じことを繰り返して言うこと
【车祸】chēhuò 名 交通事故 ‖ 发生了一起～ 交通事故が1件発生した
【车技】chējì 名 自転車などを使っての曲乗り
【车架】chējià 名 ❶車台．シャーシー ❷（自転車の）フレーム
**【车间】chējiān 名 工場内の生産工程によって分かれている各作業現場 ‖ 组装～ 組み立て作業場
【车检】chējiǎn 動 車両検査をする．車検を行う．〔验车〕ともいう
【车库】chēkù 名 車庫．ガレージ
【车筐】chēkuāng 名 自転車のかご
【车老板】chēlǎobǎn（～儿）名 方 御者
*【车辆】chēliàng 名 車両．車 ‖ 检修～ 車両の点検と修理をする
【车裂】chēliè 動 古 車裂きにする
【车铃】chēlíng 名 自転車のベル
【车流】chēliú 名 ❶車両の流れ ❷（車の）交通量
【车轮】chēlún 名 車輪．ホイール
【车轮战】chēlúnzhàn 名 大勢が交替で攻撃し，敵を疲労させる戦術
【车马费】chēmǎfèi 名 口 交通費．御車代
【车貌】chēmào 名 車の外観
*【车门】chēmén 名 ❶車のドア．乗降口 ❷車の出入り専用の門
【车模】chēmó 名 ❶車の模型．ミニカー ❷モーターショーのコンパニオン
【车牌】chēpái 名 ❶（自転車の）鑑札 ❷（車の）ナンバー・プレート
【车棚】chēpéng 名 小屋掛けの自転車置き場
【车篷】chēpéng 名 車の覆い．ほろ
【车皮】chēpí 名 貨車の車輛．車体 ‖ 发了十节～的货 10両分の貨物を発送した
【车票】chēpiào 名 乗り物の切符．乗車券 ‖ 退～ 切符をキャンセルする ｜ 订～ 切符を予約する
【车前】chēqián 名〈植〉オオバコ
【车前子】chēqiánzǐ 名〈中薬〉車前子(しゃぜんし)
【车钱】chēqián 名 乗車賃．運賃
【车圈】chēquān 名（自転車の）リム
【车身】chēshēn 名（車の）ボディー
【车市】chēshì 名 ❶自動車マーケット ❷車の展示販

売場
【车手】chēshǒu 图（カー・レースの）競技者．レーサー
*【车水马龙】chē shuǐ mǎ lóng 成 車馬の往来が盛んなさま
【车速】chēsù 图 ❶（車の）スピード ‖ 限制～ スピードを制限する ❷（旋盤などの）回転速度
【车胎】chētāi 图 タイヤ．〔轮胎〕の通称
【车条】chētiáo 图 口（自転車などの）スポーク
【车贴】chētiē 图 通勤手当．交通費補助
【车头】chētóu 图 ❶機関車 ❷車の前部
【车位】chēwèi 图（車両の）停車位置
【车险】chēxiǎn 图 自動車保険
*【车厢】【车箱】chēxiāng 图 列車の車両 ‖ 七号～是餐车 7号車は食堂車である
【车型】chēxíng 图 車種
【车行道】chēxíngdào 图 車道 ↔〔人行道〕
【车辕】chēyuán 图 車のながえ．腕木
【车闸】chēzhá 图（車などの）ブレーキ ‖ ～失灵 ブレーキがきかない｜捏niē～（自転車の）ブレーキをかける
★【车站】chēzhàn 图（汽車や地下鉄の）駅．（バスの）停留所．バス停
【车照】chēzhào 图 ❶運転免許証 ❷車検証
【车主】chēzhǔ 图 ❶（車の）所有者．オーナー ❷旧 車宿の主人
【车子】chēzi 图 ❶車 ❷口 自転車
【车组】chēzǔ 图（バスや列車の）乗務員チーム

9 **砗** chē ↴
【砗磲】chēqú 图 ❶〈貝〉シャコガイ ❷貝のような紋のある玉石の一種

chě

4 **尺** chě 图 中国の伝統音楽の音階の一つ．西洋音楽のレに相当する ➡〔工尺gōngchě〕
➤ chǐ

7* **扯**（△撦）chě ❶動 引っ張る ‖ 孩子～着妈妈的衣角 子供が母親の服の端を引っ張っている ❷動 引き裂く．引きちぎる．はがす ‖ 裤子上～了个大口子 ズボンに大きな穴があいた ❸動 雑談をする．むだ話をする ‖ ～家常 よもやま話をする
【扯淡】chě//dàn 動 方 むだ話をする．無意味なおしゃべりをする ‖ ～！ でたらめ言うな
【扯后腿】chě hòutuǐ 慣（人の）足を引っ張る．じゃまをする
【扯谎】chě//huǎng 動 うそをつく．でたらめを言う
【扯皮】chě//pí 動 無意味な論争をする
【扯平】chěpíng 動 ❶（地位・待遇などを）均等にする．同じにする ❷相殺する．差し引きゼロになる
【扯上】chě//shang(shàng) 動 ❶話し出す．話が弾む ‖ 两人一见面就～了 二人は会うとすぐに話し始めた ❷巻き添えにする．巻き込む ‖ 你自己干的事，～我干什么！ 君が一人でやったことなのに，僕を巻き込むとはどういうつもりだ ❸（布地やひもなどを）買う
【扯腿】chě//tuǐ 動 後ろから足を引っ張る．じゃまをする
【扯下】chě//xia(xià) 動 ❶破り取る．引きちぎる ❷引きはがす ‖ ～墙上的画儿 壁の絵をはがす
【扯闲篇】chě xiánpiān（～儿）動 方 むだ話をする．よもやま話をする

chè

7 **彻**（徹）chè 徹する．貫く ‖ 贯～ 貫徹する
【彻查】chèchá 動（事故や事件を）徹底調査する
**【彻底】chèdǐ 形 徹底的である ‖ ～改变旧面貌 古い様相が一変する
【彻骨】chègǔ 動 骨までとおる．骨身にしみる ‖ 寒气～ 寒さが骨身にしみる
【彻头彻尾】chè tóu chè wěi 成 最初から最後まで．まったく．まるっきり
【彻悟】chèwù 動 悟る ‖ ～真谛dì 真の意味を悟る
【彻夜】chèyè 副 夜を徹して．一晩中 ‖ ～不眠 一晩中まんじりともしない

8 **坼** chè 書 裂ける ‖ 天寒地～ 天寒く地裂ける
【坼裂】chèliè 動 書 裂ける

12 **掣** chè ❶ぐいと引く．引き寄せる ‖ ～肘zhǒu 人のひじを引く．人の行動をさまたげる ❷閃(ひらめ)く ‖ 风驰chí电～ 電光石火 ❸動 引き抜く．抜き取る
【掣签】chèqiān 動 くじを引く

15 **澈** chè 澄んでいる．透き通っている ‖ 清～ 透き通っている

15* **撤** chè ❶動 取り除く．取り消す ‖ 他的局长职务被～了 彼は局長の職を解かれた ❷動 退く．後退する ‖ 敌人已经～了 敵はすでに撤退した
【撤案】chè//àn 動 告訴を撤回する．告訴を取り下げる
【撤标】chè//biāo 動 入札を辞退する
【撤兵】chè//bīng 動 撤兵する ↔〔出兵〕
【撤除】chèchú 動 取り除く．取り消す．撤去する
【撤防】chè//fáng 動 防備を撤収する．守備隊を引き揚げる
【撤岗】chè//gǎng 動 歩哨(ほしょう)を引き揚げる
*【撤换】chèhuàn 動（人や物を）入れ替える．更迭する ‖ ～不称职chènzhí的干部 ポストにふさわしくない幹部を更迭する｜～旧被褥bèirù 古い布団を入れ替える
【撤回】chèhuí 動 ❶撤回する．取り消す ‖ ～意见 意見を撤回する ❷撤退する
*【撤军】chè//jūn 動 撤兵する
【撤离】chèlí 動 引き払う．退去する
【撤市】chèshì 動 市場から撤退する
【撤诉】chèsù 動〈法〉（原告が）訴訟を取り下げる
*【撤退】chètuì 動〈軍〉撤退する．引き揚げる
*【撤销】【撤消】chèxiāo 動 取り消す．破棄する．解消する ‖ ～合同 契約を破棄する｜～职务 解任する
【撤职】chè//zhí 動 解職する．罷免(ひめん)する
【撤资】chè//zī 動 投資や資金を引き揚げる．資金撤退する
【撤走】chèzǒu 動 撤退する．引き揚げる

chēn

8 **抻** chēn 動 口 引っ張る．引っ張って伸ばす ‖ 把床单～～平 シーツをぴんと引っ張る
【抻面】chēn//miàn 動 手打ち麵(めん)を作る 图（chēnmiàn）手打ち麵

10 **郴** chēn 地名用字 ‖ ~州 湖南省にある市の名

12 **琛** chēn 書 宝. 秘宝

13 **嗔**（△瞋❶）chēn ❶怒る ‖ →~怒 ❷恨む. とがめる ‖ →~怪

【嗔怪】chēnguài 動 とがめる. 非難する

【嗔怒】chēnnù 動 書 怒る

【嗔怨】chēnyuàn 動 恨む

chén

6 **尘**（塵）chén ❶ちり. ほこり ‖ 灰~ ほこり ❷世俗. この世 ‖ 红~ 浮き世 ❸事跡. 足跡. 跡形

【尘埃】chén'āi 名 ちり. ほこり

【尘埃落定】chén'āi luò dìng 組 決着がつく. 結論が出る ‖ 长达半年的版权之争终于~ 半年にわたり争ってきた版権問題にようやく決着がついた

【尘暴】chénbào 名〈気〉黄砂. 〔沙尘暴〕ともいう

【尘肺】chénfèi 名〈医〉塵肺(じん). 肺塵症

【尘封】chénfēng 動（長期間放置して）ほこりが積もる. ほこりだらけになる

【尘垢】chéngòu 名 ちりやあか. 汚れ

【尘寰】chénhuán 名 書 世俗. 俗界

【尘世】chénshì 名 俗世間. 浮き世

【尘俗】chénsú 名 世俗. この世

*【尘土】chéntǔ 名 ほこり. 土ぼこり ‖ ~飞扬 ほこりが舞い上がる｜掸dǎn去身上的~ 体のほこりを払う

【尘雾】chénwù 名 ほこり. 細かいちり

【尘嚣】chénxiāo 名（世間の）喧噪(けんそう)

【尘烟】chényān 名 砂煙

【尘缘】chényuán 名 書 世間のしがらみ. 俗縁

6 **臣** chén ❶臣下 ‖ 功~ 功臣 ❷君主に対する臣下の自称 ❸古 自己を謙そんして言ったことば

【臣服】chénfú 動 書 臣下として君主に仕える

【臣僚】chénliáo 名 旧 文武百官. 群臣

【臣民】chénmín 名 臣民. 人民

【臣下】chénxià 名 臣下

【臣子】chénzǐ 名 臣下

7 **陈**[1]（陳）chén ❶配列する. 並べる ‖ →~列 ❷言う. 述べる ‖ →~述 ❸形 古い. 時を経た ‖ 这米太~了 この米は古すぎる

7 **陈**[2]（陳）chén ❶名 陳(ちん). 周代の国名 ❷名 王朝名, 陳(557～589年). 南朝の一つ

【陈报】chénbào 動 陳情し報告する

【陈兵】chénbīng 動 軍隊を配備する

【陈陈相因】chén chén xiāng yīn 成 古い穀物が積み重なること. 旧態然として改良を加えないこと

【陈词滥调】chén cí làn diào 成 陳腐で中身のない言葉

【陈醋】chéncù 名 長期間熟成させて作った良質な酢

【陈放】chénfàng 動 陳列する. 配置する

【陈腐】chénfǔ 形 陳腐である. 古臭くて新鮮味がない

【陈谷子烂芝麻】chén gǔzi làn zhīma 慣 古い穀物と腐ったゴマ. 古臭く大したこともないこと

【陈规】chénguī 名 古く不合理な規定. 古い決まり ‖ ~陋习lòuxí 古いしきたりやよくない風習

【陈货】chénhuò 名 古い品物. 古くなった商品

【陈迹】chénjì 名 なごり. 旧跡. 過去のできごと

【陈酒】chénjiǔ 名 古酒. 年代ものの酒

*【陈旧】chénjiù 形 古い ‖ 设备~ 設備が古い

【陈粮】chénliáng 名 前年から残っている穀物. 長く貯蔵した穀物

*【陈列】chénliè 動 陳列する ‖ 橱窗里~着新产品 ショーウインドーの中に新製品が陳列してある

【陈米】chénmǐ 名 古米. 〔老米〕ともいう

【陈年】chénnián 形 長年の. 年数のたった ‖ ~老酒 長年寝かせておいた酒｜~旧账 古い借金

【陈皮】chénpí 名〈中薬〉陳皮(ちんぴ)

【陈情】chénqíng 動 書 実情を申し述べる. 事情を訴える

【陈请】chénqǐng 動 書 陳情する

【陈设】chénshè 動 並べて置く. 配置する 名 家具調度 ‖ 屋里~十分简朴 部屋の飾りつけはとても簡素である

*【陈述】chénshù 動 申し立てる. 口頭で言う ‖ ~事情经过 事の経過を陳述する

【陈述句】chénshùjù 名〈語〉平叙文

【陈说】chénshuō 動 申し立てる. 口頭で言う

【陈诉】chénsù 動（事情を述べて）訴える

【陈套】chéntào 名 陳腐なやり方. ありきたりのやり方 ‖ 不落luò~ 旧套(きゅうとう)を脱している. 目新しい

【陈言】[1] chényán 動 言葉を述べる. 陳述する

【陈言】[2] chényán 名 古臭い言葉

【陈账】chénzhàng 名 ❶古い借金 ❷長い間未解決の問題 ❸昔の仇(かたき)

7 *__沉__[1] chén ❶形 程度が深い ‖ 睡得很~ ぐっすり眠りこんでいる ❷色合いが深い. 暗い ‖ 天阴得很~ 空が曇ってどんよりしている

7 *__沉__[2] chén ❶形 重い ‖ 这孩子真~ この子はほんとうに重い ❷形 だるい ‖ 头~ 頭が重い

7 *__沉__[3] chén ❶動（水中に）沈む ↔〔浮〕 ❷動 陥没する. 降下する ‖ 地基往下~ 地盤が沈下する ❸動（気持ちなどを）抑える. しずめる ‖ →~住气 ❹動 埋没する. 没落する ‖ →~湎 ❺意気消沈している. 落ち込んでいる ‖ 消~ 意気消沈している

> **類義語** 沉 chén 重 zhòng
>
> ◆物理的に「重い」という場合, ともに用いる ‖ 这只箱子很沉(重) この箱は重い ◆この他, 〔沉〕は「沈む, 下降する」という意味から, 〔头〕(頭)〔腿〕(足)〔脚步〕(足取り)が「重い」, 〔睡得太沉了〕(ぐっすりよく寝た眠った)〔天越阴越沉〕(雲が垂れ込める)等と使われる ◆〔重〕は「密度が高い」という本義から「程度が深い」「並でない, はなはだしい, ひどい」などの意味に使われる ‖ 雾气越来越重 霧が深くなる｜病重了 病が重くなった｜工作很重 仕事がきつい｜口音很重 なまりが強い

【沉沉】chénchén 形 ❶ずっしりと重いさま ❷程度が深いさま｜雾气wùqì~ 霧が深い

【沉甸甸】chéndiàndiàn（~的）形（重さが）ずっしり重い. （心が）重く暗い

*【沉淀】chéndiàn 動 沈殿する ‖ 泥沙~下去 泥や砂が沈殿する 名 沈殿物. おり

C

【沉浮】chénfú 名 浮沈. 盛衰
【沉厚】chénhòu 形 ❶(色が)濃厚である ❷(態度が)重々しい
【沉缓】chénhuǎn 形 落ち着いていてゆったりとしたさま
【沉积】chénjī〈地質〉動 沈積する. 堆積する
【沉积岩】chénjīyán 名〈地質〉堆積岩. 水成岩
【沉寂】chénjì 形 ❶静寂である. ひっそりとしている ❷音さたがない‖～多年的作家又提起了笔 長いこと活動していなかった作家がまた作品を書き始めた
【沉降】chénjiàng 動 沈下する. 沈む
*【沉浸】chénjìn 動 ひたる. ふける.(多く境地や感慨について用いる)‖～在思念中 思い出にふけっている
*【沉静】chénjìng 形 ❶静かである‖～下来 静かになる ❷落ち着いている. 平静である
【沉沦】chénlún 動 没落する. 零落する
【沉落】chénluò 動 ❶落ちる. 沈む ❷没落する
*【沉闷】chénmèn 形 ❶(雰囲気が)重苦しい.(天気が)うっとうしい‖会场气氛十分～ 会場は重苦しい雰囲気に包まれている ❷(気持ちが)晴れない. 憂鬱である
【沉迷】chénmí 動 ふける. おぼれる. 熱中する
【沉湎】chénmiǎn 動 書 夢中になる. おぼれる. ふける‖～于酒色 酒色におぼれる
【沉没】chénmò 動 沈みこむ. 没する
**【沉默】chénmò 動 黙る‖打破～ 沈黙を破る 形 寡黙である‖～寡guǎ言 無口である
【沉默权】chénmòquán 名 黙秘権
【沉溺】chénnì 動 (悪い環境や習慣などに)おぼれる. ふける‖～于女色 女色におぼれる
【沉潜】chénqián 動 ❶水中深く潜む ❷書 思想や感情を外に表さない ❸沈潜する. 没頭する
【沉睡】chénshuì 動 ぐっすり眠る‖～不醒 熟睡する
*【沉思】chénsī 動 考え込む. 沈思する‖陷入xiànrù～ 瞑想(めいそう)にふける
*【沉痛】chéntòng 形 ❶悲しく痛ましい. 悲しみが深い‖心情～ 非常に悲しい ❷厳しい. 手痛い‖～的教训 厳しい教訓
【沉稳】chénwěn 形 ❶落ち着いている. 着実である. 慎重である‖他办事～ 彼の仕事ぶりは慎重である ❷平静である. 平穏である
【沉陷】chénxiàn 動 陥没する
【沉香】chénxiāng 名 ❶〈植〉ジンコウ ❷〈中薬〉沈香(じんこう) *〔伽南qiénán香〕〔奇南香〕ともいう
【沉箱】chénxiāng 名〈建〉潜函(せんかん). ケーソン
【沉抑】chényì 形 ❶沈鬱(ちんうつ)である ❷(音が)低くこもっている
【沉吟】chényín 動 決しかねて沈思する. 考えをこらす
【沉鱼落雁】chén yú luò yàn 成 魚は沈み, 雁(かり)は落ちる. 女性の容貌(ようぼう)の非常に美しいことをいう
【沉郁】chényù 形 ふさぐ. 気分がめいる
【沉冤】chényuān 名 長年の冤罪
【沉渣】chénzhā 名 水中に沈みよどんだもの. 喩 なんの役にも立たないもの
*【沉重】chénzhòng 形 ❶重い.(多く抽象的なものに用いる)‖～的负担 重い負担 ❷深刻である. 手痛い. 重大である‖～的打击 手痛い打撃
*【沉住气】chén//zhù qì 慣 気を鎮める. 落ち着く‖别慌huāng, ～ 慌てないで, 落ち着きなさい
【沉浊】chénzhuó 形 ❶(音が)低くこもっている ❷書 沈滞している
*【沉着】chénzhuó 形 沈着である. 落ち着き払っている
【沉子】chénzi 名 魚網などにつける重り
【沉醉】chénzuì 動 心を奪われる. うっとりする

7 **忱** chén 書 気持ち. 情‖热～ 熱意

7 **辰**[1] chén 名 辰(たつ)(十二支の第五) ➡〔地支dìzhī〕

7 **辰**[2] chén ❶(二十八宿の一つ)心宿(しんしゅく)のこと ❷辰(しん). 日・月・星の総称‖星～ 星辰(せいしん). 星 ❸(特別な)日. 時‖忌jì～ 命日 ❹(一昼夜を12等分した)時間‖时～ 時刻

7 **辰**[3] chén 辰州(しんしゅう). 旧府名, 現在の湖南省沅陵(げんりょう)県

10 **宸** chén 書 ❶屋敷. 奥深い部屋 ❷帝王や君主の居所 ❸帝王に関する語に添える言葉‖～笔 宸筆(しんぴつ). 帝王の自筆

11 **谌** chén ❶書 信じる ❷書 確かに. まことに. 実に

11 * **晨** chén 早朝. 太陽が昇り始める, あるいは昇る前後の時間帯‖早～ 早朝. 朝方
【晨报】chénbào 名 朝刊
【晨操】chéncāo 名 朝の体操
【晨光】chénguāng 名 曙光(しょこう). 朝日の光.〔晨曦xī〕ともいう
【晨练】chénliàn 名 朝の鍛練. 朝のトレーニング
【晨夕】chénxī 名 朝晩. 朝に夕に
【晨曦】chénxī =〔晨光chénguāng〕
【晨星】chénxīng 名 ❶明け方の空の星. ものの少ないたとえ‖寥liáo若～ 暁天の星のように数が少ない. まばらである ❷古 明け方の星. 金星または水星
【晨钟暮鼓】chén zhōng mù gǔ 成 寺院の朝晩の鐘や太鼓. 警世の文章や言葉. 警鐘

16 **橙** chén ➤ chéng

chěn

13 **碜(磣)** chěn ➡〔寒碜 hánchen〕〔牙碜 yáchen〕

chèn

8 **衬(襯)** chèn ❶下に当てた. 下に着た‖一～衣 ❷名(～儿)裏地. 芯 ❸動 (下や内側に紙や布を)当てる. 当てがう. 敷く ❹動 (他のものに添えてそれを)引き立たせる.(背景としたものに)よく映える. 浮き立つ‖红底～白字 赤地に白い字が浮き立つ
【衬布】chènbù 名 裏地. 芯(しん)
【衬垫】chèndiàn 名 ❶〈機〉敷金(しききん). ライナー ❷当て布 ❸〈機〉ライナー・パッキング
【衬裤】chènkù 名 ズボン下. ブリーフ. パンツ. パンティ
【衬里】chènlǐ (～儿) 名 裏地. 裏張り
【衬领】chènlǐng 名 えりかけの一種.〔护领〕ともいう
【衬裙】chènqún 名 ペチコート
**【衬衫】chènshān 名 ワイシャツ. ブラウス
【衬托】chèntuō 動 引き立てる. 浮かび上がらせる‖用音乐～人物心情 音楽で人物の心情を際立たせる
**【衬衣】chènyī 名 肌着. 下着
【衬映】chènyìng 動 引き立たせる. 映える
【衬纸】chènzhǐ 名 下敷きの紙. 当て紙

10 **称**（稱）**chèn** ❶動 適合する. 釣り合う. ぴったりする ‖ 一～心 ❷ぴったりとした. 相応な ‖ 对～ 釣り合っている ➤ chēng

【称身】chèn//shēn （～儿）形（服が）体に合った. ぴったりの

*【称心】chèn//xīn 形 意にかなう. 気に入る ‖ 买到一件～的衣服 気に入った服を一着買った

【称意】chèn//yì 形 意にかなう. 満足する

【称愿】chèn//yuàn 動 願いがかなう. いい気味だと思う.（多く敵対関係にある人の災難や失敗に用いる）

【称职】chènzhí 形 その職に適している. 適任である ‖ 他不～ 彼は不適任だ

10 **龀** **chèn** 書 乳歯が脱け落ち, 永久歯が出てくる. 歯が生え換わる

12 ** **趁**（△趂）**chèn** ❶介（時間・条件・機会を）利用して. 機に乗じて ‖ ～大家都在, 咱们商量商量 みんながいるうちに相談しておこう ❷動 方 富んでいる. 所有する ‖ 一～钱

【趁便】chèn//biàn 副 ついでに ‖ 你出去时～给我买一盒儿烟来 出かけるついでにタバコを一箱買ってきてください

【趁火打劫】chèn huǒ dǎ jié 成 人の災難・窮地につけ込んで甘い汁を吸う

*【趁机】chènjī 副 機に乗じて ‖ ～溜liū了出去 どさくさにまぎれて逃げ出す

【趁空】chèn//kòng （～儿）副 暇なときに

【趁钱】chèn//qián （～儿）動 方 金を持っている

【趁热】chènrè 副 熱いうちに. さめないうちに ‖ ～吃吧！ 熱いうちに食べてください

【趁热打铁】chèn rè dǎ tiě 成 鉄は熱いうちに打て. 好機逸すべからず

【趁势】chèn//shì 副 勢いに乗って

【趁心】chèn//xīn 動 満足する. 意にかなう

*【趁早】chènzǎo （～儿）副 早めに ‖ ～动手 早めに着手する

13 **榇**（櫬）**chèn** 書 棺 ‖ 扶～ ひつぎを守って葬送する

19 **谶** **chèn** 未来の吉凶を示す言葉. 予言. 予兆

chen

6 **伧**（傖）**chen** ⇒〔寒伧hánchen〕 ➤ cāng

chēng

10 ** **称**[1]（稱）**chēng** 動 重さを量る ‖ 给我～四斤苹果 リンゴを4斤（2キロ）ください

10 ★ **称**[2]（稱）**chēng** ❶書（言葉で）称賛する. ほめたたえる ‖ 一～赞 ❷動 言う. 述べる ‖ 一～快 ❸動 名づけて…という. …とよぶ ‖ 我们都～她陈大姐 私たちは彼女を陳姉さんと呼んでいる ❹名. 呼称 ‖ 通～ 通称 ❺権勢を借りて自称・自認する ‖ 一～王～霸

10 **称**[3]（稱）**chēng** 書 挙げる ‖ ～觞shāng祝贺 杯を挙げて祝賀する ➤ chèn

【称霸】chēng//bà 動（ある分野で）君臨する. 牛耳る ‖ ～羽坛 バドミントン界に君臨する

【称便】chēngbiàn 動 便利に思う. 重宝する ‖ 上门服务, 人人～ 訪問サービスは, みんなに喜ばれる

【称病】chēngbìng 動 病と称する. 病気にかこつける

【称臣】chēngchén 動 書 降参する. 臣服する ‖ 俯fǔ首～ うなだれて臣服する

【称道】chēngdào 動 ほめたたえる. 言う. 述べる

*【称得上】chēngdeshàng 動 …の名に値する ‖ 两人～是患难huànnàn之交 二人は艱難(かんなん)で結ばれた友人同士だと言える

【称帝】chēngdì 動 王と称する

【称孤道寡】chēng gū dào guǎ 成 自ら「孤」と称し, 「寡人」を名乗る. 王を自称する. 覇を唱える

*【称号】chēnghào 名 称号. 呼び名

【称贺】chēnghè 動 祝いを述べる

*【称呼】chēnghu 動 呼ぶ. 称する. となえる ‖ 我怎么～他？ 私は彼をどう呼んだらよいだろうか 名 呼称. 呼び名

【称斤掂两】chēng jīn diān liǎng 慣 細かく計算する. 〔称斤约两〕ともいう

【称快】chēngkuài 動 痛快がる ‖ 拍手～ 手をたたいて痛快がる

【称量】chēngliáng 動 目方を量る

【称奇】chēngqí 動 珍しがる. 奇とする ‖ 啧啧zézé～ 口々に感嘆する

【称赏】chēngshǎng 動 称賛する. ほめる

【称述】chēngshù 動 考えを述べる. 話す

【称颂】chēngsòng 動 ほめたたえる

【称叹】chēngtàn 動 ほめそやす. 感嘆する

【称王称霸】chēng wáng chēng bà 成 王を称し, 覇を唱える. 力を頼んで好き勝手をする

【称为】chēngwéi 動 名づけて…という…とよぶ

【称谓】chēngwèi 名 呼称

【称羡】chēngxiàn 動 書 ほめたたえ羨(うらや)ましがる

【称谢】chēngxiè 動 礼を言う. 感謝の言葉を述べる ‖ 老人连连～ 老人はしきりに礼を言った

【称兄道弟】chēng xiōng dào dì 成 兄と呼び, 弟と言う. 非常に親密なこと

【称雄】chēngxióng 動 雄を唱える. 支配する

【称许】chēngxǔ 動 評価する. ほめる

【称引】chēngyǐn 動 書 りっぱな人物や行いをほめる. 引き合いに出す

【称誉】chēngyù 動 賛美する. ほめたたえる

**【称赞】chēngzàn 動 称賛する. ほめる ‖ 他受到了人们的～ 彼は人々から称賛された

類義語 称赞 chēngzàn 赞扬 zànyáng 表扬 biǎoyáng

◆〔称赞〕口頭でほめたたえる ‖ 称赞学生们 学生をほめる | 称赞他的品格 彼の人柄を称賛する ◆〔赞扬〕口頭や文章などでほめる ‖ 北京天文台在贺信里赞扬了他：工作做得很好, 为祖国争了光 北京天文台はお祝いの手紙の中で, お仕事の成功は我が国の誇りです, と彼をたたえた ◆〔表扬〕会議や新聞・掲示など公開の場を使って表彰し, 人々に広く知らせる ‖ 这次大会表扬了一百多位全国劳动模范 今大会では百名余りの人が模範的労働者として表彰された

11 **铛**（鐺）**chēng** 名 浅めの平鍋 ‖ 饼～〔饼〕用の平鍋 ➤ dāng

11 **蛏(蟶) chēng** 〈貝〉アゲマキガイ

【蛏干】chēnggān 图〈料理〉干しアゲマキガイ

【蛏田】chēngtián 图アゲマキガイの養殖場.〔埕chéng〕ともいう

【蛏子】chēngzi 图〈貝〉アゲマキガイ

15 * **撑(^撐) chēng** ❶動 支える.力を入れて突っ張る‖支～ 支える ❷動 棹(さお)さす‖～船 ❸動 持ちこたえる.踏みこたえる‖干不了就不要硬～ できなければ無理をすることはない ❹動 ぴんと広げる‖～伞 傘を開く.傘をさす ❺動(それ以上詰められないほど)詰め込む‖书包要～破了 かばんがはちきれそうだ

*【撑不住】chēngbuzhù 動こらえきれない.支えきれない‖他已经三天没睡觉,快～了 彼は3日も寝ていないので,もう持ちこたえられない

【撑场面】chēng chǎngmiàn ＝〔撑门面〕

【撑持】chēngchí 動踏みこたえる.持ちこたえる

【撑船】chēng//chuán 動棹(さお)で舟を操る

【撑得慌】chēngdehuang 動(食べすぎて)腹が張ってたまらない‖吃得太多,～ 食べすぎて腹が張る

【撑竿】chēnggān 图〈体〉(棒高跳び用の)ポール

【撑竿跳高】chēnggān tiàogāo 图〈体〉棒高跳び

【撑篙】chēnggāo 图棹

【撑门面】chēng ménmian 慣体裁を保つ.体面を保つ.表面を取り繕う.〔撑场面〕ともいう

【撑死】chēngsǐ 副方 多くて.せいぜい

【撑腰】chēng//yāo 動バックアップする‖有大家给你～,别怕 みんなで後押しするから,心配しなくていい

15 **噌 chēng** ➘ ➤ cēng

【噌吰】chēnghóng 擬古 鐘や太鼓の音

16 **瞠 chēng** 書 目をかっと見開く‖～目结舌

【瞠乎其后】chēng hū qí hòu 成 目を見張るばかりで,はるかに人に後れをとる.遠く及ばない

【瞠目结舌】chēng mù jié shé 成 目を丸くして言葉に窮する.非常に驚いたり,恐れたりするさま

chéng

6 **丞 chéng** 古 ❶補佐する‖～相 ❷補佐を行う官吏

【丞相】chéngxiàng 图古 丞相(じょうしょう).宰相

6 ★ **成[1] chéng** ❶動 成就する.達成する ↔〔败〕‖这事一定能～ これはきっとうまくいく|～不了大事ル 大事を成し遂げられない ❷成就させる.達成させる‖玉～其事 ある事を手助けして成就させる(多く婚姻についていう) ❸既成の.既定の‖现～ 出来合いの ❹成長する.大人になる‖～熟 ❺成長した.成熟した‖～人 ❻成果.実り‖收～ 作柄 ❼動…になる‖他～了负责人 彼は責任者になった ❽(ある数や位に)達する‖～箱买合算 箱単位で買うと得だ ❾動 許可する.よろしい‖这么办～不～? こうやってもいいですか ❿形 優れる.できる.すごい‖他真～,考了个第一 彼はたいしたものだ,試験で1番をとるなんて

6 * **成[2] chéng** 量(～ル)1割.10分の1‖八～新 8分どおり新しい

【成百】chéngbǎi 数 幾百もの.多くの

【成败】chéngbài 图 成功と失敗.成否‖～在此一举 事の成否は今回の行動にかかっている

【成倍】chéngbèi 動 倍加する

*【成本】chéngběn 图〈経〉原価.コスト‖降低～ コスト・ダウンする

【成本核算】chéngběn hésuàn 图〈経〉原価計算

【成才】【成材】chéngcái 動 有用な人材となる‖自学～ 独学で立派な人間になる

【成材林】chéngcáilín 图 すでに成長し木材として供給できる森林

【成虫】chéngchóng 图〈虫〉成虫

【成堆】chéngduī 動 山となる.山積する

【成对】chéngduì 動 対になる

【成法】chéngfǎ 图 ❶既存の法律 ❷既成の方法

【成方】chéngfāng (～ル) 图〈医〉(医師が診察後に書く処方ではなく)昔からの既存の処方

*【成分】【成份】chéngfen ; chéngfèn 图 ❶**成分.構成要素.構成員**‖这个组织～复杂 この組織の構成員は複雑である ❷(個人の)**社会階層区分**

【成风】chéngfēng 動 気風になる.風潮になる.流行する‖赌博dǔbó～ 賭博が横行している

【成个ル】chénggèr 動口 ❶(くだものや動物などが)一定の大きさになる.形になる ❷きちんとした形を備えている.形になっている

*【成功】chénggōng 動 **成功する** ↔〔失败〕‖试验～了 実験は成功した|祝你～! 君の成功を祈る 形 **成功した**‖会议开得很～ 会議は成功裏に終わった

【成规】chéngguī 图 従来のしきたり.昔からのやり方

*【成果】chéngguǒ 图 **成果**‖丰硕fēngshuò～ 豊かな成果

【成婚】chénghūn 動 結婚が成立する

【成活】chénghuó 動(動植物が)成育する.根付く

★【成绩】chéngjì 图 **成績.成果.業績**‖～优良 成績が優良である|～平平 成績が並である

*【成家】[1] chéng//jiā 動(男性が)一家を構える.所帯を持つ‖他还没～ 彼はまだ結婚していない

【成家】[2] chéng//jiā 動 専門家として一家をなす

*【成家立业】chéng jiā lì yè 成 所帯を持って独立する

*【成见】chéngjiàn 图 先入観.既成観念‖抱有～ 先入観を持つ

*【成交】chéng//jiāo 動〈経〉成約する.商談がまとまる‖拍板～ 手を打って取引が成立する

*【成就】chéngjiù 動 ❶成就させる.完成させる ❷育て上げる.つくり上げる‖时代～了这个英雄 時代がこの英雄を生んだ 图 **成果**‖取得很大的～ 大きな成果を勝ち取った

*【成立】chénglì 動 ❶**成立する.設立する.発足する**‖管理委员会～了 管理委員会が発足した ❷**理にかなう.筋が通る**‖这种说法不～ このような言い方は成り立たない

【成例】chénglì 图 先例.前例

【成殓】chéngliàn 動 納棺する

【成林】chéng//lín 動 林になる

【成龙配套】chéng lóng pèi tào 成 各部を組み合わせ完成したシステムを作り上げる.〔配套成龙〕ともいう

【成眠】chéngmián 動書 寝つく‖夜不～ 夜ごと寝つかれない

*【成名】chéng//míng 動 有名になる.名声を博す‖

一举～ 一挙に有名になる｜～作 出世作
【成名成家】chéng míng chéng jiā 成 名声を博し一家をなす
【成命】chéngmìng 名 すでに出された命令．すでに公布された決定‖收回～ いったん出した命令を撤回する
【成年】[1] chéngnián 動 成年になる
【成年】[2] chéngnián 副 口 一年中．年中
【成年累月】chéng nián lěi yuè 成 年がら年中
【成批】chéngpī 形 大口の．大量の．多数の．大勢の
【成癖】chéngpǐ 動 癖になる
*【成品】chéngpǐn 名 製品としてできあがったもの．完成品‖半～ 半製品
【成品粮】chéngpǐnliáng 名（精米や小麦粉といった）加工された食糧
【成气候】chéng qìhòu 慣 見込みがある．成果をあげる．（多く否定に用いる）‖就他们这几个人，成不了什么大气候 彼ら数人だけではたいしたことはできない
【成器】chéng//qì 動 喩 役に立つ人物になる
*【成千上万】chéng qiān shàng wàn 成 何千何万の．おびただしい数の
【成亲】chéng//qīn 動 結婚する．縁組みをする
【成全】chéngquán 動 手助けして達成させる．力を貸して成就させる‖你就～了他吧 君，彼のやりたいようにさせてやりなさいよ
【成群】chéngqún 動 群れをなす．群れる．多数集まる
*【成人】chéng//rén 動 成人する．立派な大人になる‖长大～ 成長して一人前になる 名（chéngrén）成人．大人
【成人教育】chéngrén jiàoyù 名 成人教育
【成人之美】chéng rén zhī měi 成 人の善事に助力する．ひとはだ脱ぐ
【成色】chéngsè 名 ❶（貨幣などの）純金や純銀の含有量 ❷品質
【成事】chéng//shì 動 事を成し遂げる 名（chéngshì）書 昔のこと．過ぎたこと
【成事不足，败事有余】chéng shì bù zú, bài shì yǒu yú 成 事を成すには力が足りないが，事をぶち壊すには余りある．やる事なす事ろくでもないことばかり
【成书】chéngshū 動 本になる．出版される
【成熟】chéngshú 動 **熟する．実る．熟れる 形（人が）**円熟している．**（時機などが）**熟している**‖时机～了 機は熟した
【成数】[1] chéngshù 名（50，100，2000など）まとまった数．まとまった額
【成数】[2] chéngshù 名 比率．割合
【成说】chéngshuō 名 定説．通説
【成讼】chéngsòng 動 訴訟ざたになる
【成算】chéngsuàn 名 成算．成功の見込み
*【成套】chéng//tào 動 セットになる．一揃いになる‖～家具 ユニット家具
*【成天】chéngtiān 副 口 毎日．いつも．ずっと‖～不着zháo家 いつも家にいない
【成为】chéngwéi 動 **…となる．…とする‖～业务骨干 仕事の主力となる｜～笑柄 物笑いの種となる
【成文法】chéngwénfǎ 名〈法〉成文法 ↔〔不成文法〕
【成问题】chéng wèntí 組 問題をきたす．トラブルが起きる‖按时交货不～ 期限どおりの納品は大丈夫だ
*【成效】chéngxiào 名 効果．成果．効力‖大见～ 大いに効果が現れる
*【成心】chéngxīn 副 わざと．故意に‖对不起，我不是～的 すみません，わざとやったわけではないんです
【成行】chéngxíng 動 旅行や訪問に出かける‖力争年内～ なんとか年内に出かけられるようにする
【成形】chéngxíng 動 ❶（動植物が生長して）一定の形を成す ❷〈医〉成形する．形成する‖～外科 成形外科 ❸物事が具体化する．見える形になる
【成型】chéngxíng 動 成型する．型どりしてつくる
【成性】chéngxìng 動 習性となる．癖になる．（多く悪い事に用いる）‖撒谎sāhuǎng～ うそをつくのが癖となる
【成宿】chéngxiǔ 副 一晩中．夜通し
【成药】chéngyào 名 調合してある薬‖中～ 調合済みの漢方薬
【成也萧何，败也萧何】chéng yě Xiāo Hé, bài yě Xiāo Hé 成 成功するも失敗するも蕭何（しょうか）しだい．前漢の高祖の功臣，蕭何が絶大な裁量権を持っていたことから，事の成否が一人の人によって決まること
【成夜】chéngyè 副 一晩中．夜通し
【成衣】chéngyī 形 既成服の．仕立て物の‖～铺 裁縫店‖～厂 既製服工場 名 既製服
【成因】chéngyīn 名 成因．成立の元となる要因
【成阴】chéngyīn 動 木陰を作る
【成瘾】chéng//yǐn 動 病みつきになる．中毒になる
*【成语】chéngyǔ 名〈語〉多く古典に出典をもち，四字からなる熟語．成句．成語
*【成员】chéngyuán 名 構成メンバー．グループの成員‖家庭～ 家庭の成員
【成约】chéngyuē 名 すでに定まった約束や契約
【成灾】chéng//zāi 動 災害になる‖会议～ むやみに会議が多すぎて仕事の妨げとなる
【成章】chéngzhāng 動 ❶文章になる‖下笔～ 筆を持てばそのまますぐ文章になる ❷条理をなす．筋が通る‖顺理～ よく条理が通っている
【成长】chéngzhǎng 動 **育つ．生育する．成長する‖茁壮zhuózhuàng～ すくすくと育つ
【成竹在胸】chéng zhú zài xiōng 成 竹を描く前にすでに絵が胸中にできている．胸に勝算がある ＝〔胸有成竹〕

7 **呈** chéng ❶動（下から上へ）提出する．差し上げる‖～上名片 名刺を差し上げる ❷（～儿）上申書‖辞～ 辞表 ❸動 呈する．見せる．示す‖～红色 赤色を呈している
【呈报】chéngbào 動 文書で上司に報告する．届け出る‖～上级 上司に文書で報告する
【呈递】chéngdì 動 ささげ持って渡す．捧呈（ほうてい）する
【呈交】chéngjiāo 動 差し出す．提出する
【呈露】chénglù 動 現れ出る．浮かぶ
【呈请】chéngqǐng 動 文書で上に指示を仰ぐ
【呈送】chéngsòng 動（上級部門に）文書を送る
【呈文】chéngwén 名 旧 上申書
*【呈现】chéngxiàn 動（様相を）呈する．（状況が）現れる‖～在眼前 目の前に現れる｜脸上～出惊慌的神色 顔に狼狽（ろうばい）の表情が現れる
【呈献】chéngxiàn 動 進呈する．献上する
【呈祥】chéngxiáng 動 瑞祥（ずいしょう）が現れる‖龙凤lóngfèng～ 吉祥の兆し
【呈正】【呈政】chéngzhèng 動 書 敬 ご叱正（しっせい）を請う
【呈子】chéngzi 名 旧（多く民衆からの）上申書

C

8 **诚** chéng ❶[形]うそ・いつわりがない. 真実である ‖ 心～则灵 zé líng 心から信じればご利益がある ❷[副][書]まことに. ほんとうに. 確かに ‖ ～非易事 ほんとうにたやすいことではない

【诚笃】 chéngdǔ [形]誠実でまじめである

【诚服】 chéngfú [動]心服する. 喜んで服従する ‖ 心悦～ 心服する

【诚惶诚恐】 chéng huáng chéng kǒng [成]非常に恐れ入るさま

⁑**【诚恳】** chéngkěn [形]**心がこもっている. 誠実である** ‖ ～地挽留 wǎnliú 真心をこめて引き止める

【诚朴】 chéngpǔ [形]誠実で飾らない

【诚然】 chéngrán [接]むろん…だが. もとより…だが. 確かに…だが [副]まことに. なるほど

⁑**【诚实】** chéngshi ; chéngshí [形]**誠実である. 正直である** ‖ 他为人很～ 彼の人柄はたいへん誠実である

【诚心】 chéngxīn [形]真心がこもっている. 誠実である [名]真心. 誠意

*****【诚心诚意】** chéng xīn chéng yì [成]誠心誠意

*****【诚意】** chéngyì [名]誠意 ‖ 缺乏～ 誠意に乏しい

*****【诚挚】** chéngzhì [形]誠意に満ちている. 真心がこもっている ‖ ～的态度 誠意に満ちた態度

8 **承** chéng ❶支える. 受け止める ❷[名]支えるもの ‖ 轴 zhóu～ 軸架. 軸受け. ベアリング ❸引き受ける. 受け入れる ‖ 应 yìng～ 引き受ける. 承諾する ❹[動][謙](恩恵を)被(こうむ)る. …していただく ‖ ～您多方照料, 不胜感激 いろいろとお世話にあずかり, 感謝の念に堪えません ❺継承する. 引き継ぐ ‖ 继～ 継承する

*****【承办】** chéngbàn [動]引き受けて行う. 請け負ってする

*****【承包】** chéngbāo [動]全面的に請け負う. 一手に引き受ける ‖ ～商 請負企業

【承保】 chéngbǎo [動](保険会社が)保証を引き受ける

【承保人】 chéngbǎorén [名]保険者. 保険を引き受ける者

*****【承担】** chéngdān [動]担う. 引き受ける. 受け持つ ‖ ～责任 責任を負う | 费用由公司～ 費用は会社が負担する

【承当】 chéngdāng [動]❶引き受ける ‖ 敢于～责任 恐れず責任を引き受ける ❷[方]承知する. 承諾する

【承兑】 chéngduì [動]〈経〉手形の引き受けをする

【承付】 chéngfù 〈貿〉[動]支払いを引き受ける [名]支払い引き受け

【承购】 chénggòu [動]購入を引き受ける ‖ 国债～包销团 国債引き受けシンジケート団

【承管】 chéngguǎn [動]責任を負う

【承欢】 chénghuān [動][旧](両親に)仕える

【承继】 chéngjì [動]❶(父の兄弟の)養子になる. 跡継ぎになる ❷(兄弟の子を)養子にする ❸継承する

【承建】 chéngjiàn [動]建築工事を請け負う ‖ ～单位 建築請負企業

【承接】 chéngjiē [動]❶(流れる液体を容器で)受ける ❷(上を)受ける. (前の部分から)続く ‖ ～上句 前文を受ける ❸(仕事を)引き受ける

【承揽】 chénglǎn [動](注文を)引き受ける. 請け負う

【承蒙】 chéngméng [動][謙]…していただく. …にあずかる ‖ ～热情招待, 感谢不尽! 温かいおもてなしにあずかり, 感謝に堪えません

【承诺】 chéngnuò [動]承諾する. 承知する ‖ 慷慨 kāngkǎi～ 二つ返事で承諾する [名]承諾

【承平】 chéngpíng [形][書](長年にわたり)太平である

【承前启后】 chéng qián qǐ hòu [成](多く学問や事業などで)前のものを受け継ぎ, 後のものを導き出す

【承情】 chéng//qíng [動][謙]恩恵を受ける. ご厚情を賜る

⁑**【承认】** chéngrèn [動]**認める. 承認する** ‖ 不能不～他是个天才 彼が天才であることを認めざるを得ない

【承上启下】 chéng shàng qǐ xià [成]上を受けて下を引き出す. (多く文章などに用いる)

*****【承受】** chéngshòu [動]❶受け継ぐ. 継承する ❷耐える. 受け止める ‖ ～不了这么大的打击 こんなに大きな打撃には耐えられない

【承望】 chéngwàng [動]予期する. 予想する. (多く否定や反語に用いる)

【承袭】 chéngxí [動]❶(古いものを)そのまま受け継ぐ. 踏襲する ❷[旧]継承する. 相続する

【承先启后】 chéng xiān qǐ hòu [成]過去の成果を受け継いで引き続き発展させる

【承想】 chéngxiǎng [動]予想する. (多く否定や反語に用いる) ‖ 谁～她真的生气了 彼女がほんとに腹を立てるなんて誰が思ったろう

【承修】 chéngxiū [動]修理を引き受ける

【承印】 chéngyìn [動]印刷を引き受ける ‖ ～名片 名刺の印刷を引き受ける

【承允】 chéngyǔn [動]承知する. 承諾する

【承运】 chéngyùn [動]❶輸送を引き受ける. 運送を請け負う ❷[書](君主が)天命を受ける

【承载】 chéngzài [動]積載重量に耐える

【承制】 chéngzhì [動]製造を引き受ける

【承重】 chéngzhòng [名](建物などにかかる)荷重

【承转】 chéngzhuǎn [動]上級部門から受けた文書を下級部門へ回す, またはその逆

【承做】 chéngzuò [動]製作を請け負う ‖ ～各式家具 いろいろな家具の製作を請け負う

8 **枨**(棖) chéng [書]触れる

【枨触】 chéngchù [動][書]❶触れる ❷感動する

9 **城** chéng ❶城壁 ‖ 万里长～ 万里の長城 ❷城壁の内側. 市街. 市内 ‖ 进～ 街に行く ❸都市. 都会 ↔〔乡〕‖ 一～乡

【城邦】 chéngbāng [名]都市国家

【城堡】 chéngbǎo [名]城塞(じょうさい). 砦(とりで)

【城标】 chéngbiāo [名]市や町のシンボル・マーク

【城池】 chéngchí [名][書]城壁と堀. [転]城壁に囲まれた市街. 城市

【城垛】 chéngduǒ [名]❶稜堡(りょうほ) ❷胸墻

【城防】 chéngfáng [名]都市の防御

【城府】 chéngfǔ [名]表にあらわさず心に考えていること. 腹の中. 意中 ‖ ～很深 腹が読めない. 心中計りがたい

【城根】 chénggēn (～儿) [名]城壁の根っこ. 城壁に近いあたり

【城关】 chéngguān [名]城門のすぐ外側の地域一帯

【城管】 chéngguǎn [名]❶都市管理 ❷都市管理員

【城郭】 chéngguō [名]城のまわりの囲い. 町

【城壕】 chéngháo [名]堀. 外堀

【城隍】 chénghuáng [名]❶[書]外堀 ❷[旧]町の守護神 ‖ ～庙 鎮守の廟(びょう)

【城际】 chéngjì [形]都市間の. 都市と都市の間の ‖

发展～快运 都市間のスピード輸送を発展させる
【城建】chéngjiàn 名略 都市建設
【城郊】chéngjiāo 名 郊外．町はずれ
【城里】chéngli；chénglǐ 名 ❶市街地．市内 ❷都市．都会 ‖ ～人 都会の人
【城楼】chénglóu 名 城楼
【城门】chéngmén 名 城壁の門
【城门洞】chéngméndòng（～儿）名 城門内のアーチ状の部分
【城门失火，殃及池鱼】chéngmén shī huǒ, yāng jí chí yú 諺 城門火を失し，殃(わざわい)池魚に及ぶ．そばづえを食う．とばっちりを受ける
【城墙】chéngqiáng 名 城壁
【城区】chéngqū 名 市街区域
【城阙】chéngquè 名書 ❶城門の両側にある望楼 ❷宮城
★【城市】chéngshì 名 都市 ‖ ～户口 都市の戸籍
【城市病】chéngshìbìng 名（住宅不足・交通まひ・環境汚染など）都市特有の諸問題
【城市热岛效应】chéngshì rèdǎo xiàoyìng 名〈気〉ヒートアイランド効果．略して〔热岛效应〕ともいう
【城市铁路】chéngshì tiělù 名 都市鉄道．略して〔城铁〕ともいう
【城铁】chéngtiě 名 都市鉄道．〔城市铁路〕の略
【城头】chéngtóu 名 ❶城壁の上 ❷城楼
【城下之盟】chéng xià zhī méng 成 城下の盟．敵に城下まで攻められて屈辱的に結ぶ条約
【城乡】chéngxiāng 名 都市と農村 ‖ 缩小～差别 chābié 都市と農村間の格差を縮める
【城厢】chéngxiāng 名 城内と城壁周辺の区域
【城域网】chéngyùwǎng 名〈計〉メトロポリタン・エリア・ネットワーク．MAN
*【城镇】chéngzhèn 名 都市と町．町
10 ** 乘（△乗 椉）chéng ❶動（乗り物に）乗る ‖ ～飞机 飛行機に乗る ❷動 乗じる．利用する．つけこむ ‖ 有机可～ 乗じるすきがある ❸介 …に乗じて ‖ ～胜 ❹〈仏〉仏教の教義．乗(じょう) ‖ 大～ 大乗 ❺動〈数〉乗じる．掛ける ↔〔除〕‖ 三～二等于六 3掛ける2は6 ➤ shèng
【乘便】chéngbiàn 副 都合のよいときに．ついでの折に
【乘除】chéngchú 名 ❶〈数〉乗法と除法．掛け算と割り算 ‖ 加减～ 加減乗除 ❷書 消長．栄枯盛衰
【乘法】chéngfǎ 名〈数〉乗法．掛け算
【乘方】chéngfāng〈数〉動 累乗する 名 累乗．冪(べき)
【乘风破浪】chéng fēng pò làng 成 風に乗り，波浪を破って進む．事業などがすさまじい勢いで発展すること
【乘号】chénghào 名〈数〉掛け算の符号
*【乘机】chéngjī 副 機会に乗じて．すきを見て ‖ ～溜 liū 出会场 すきを見て会場を抜け出す
【乘积】chéngjī 名〈数〉積．略して〔积〕ともいう
【乘警】chéngjǐng 名 列車や船に乗り組む警察官
★【乘客】chéngkè 名 乗客
【乘凉】chéng//liáng 動 涼む．涼をとる
【乘龙快婿】chéng lóng kuài xù 成 竜のようにすばらしい婿．（娘婿に対するほめ言葉）
【乘幂】chéngmì ＝〔乘方chéngfāng〕
【乘骑】chéngqí 名 乗馬用のウマ
【乘人之危】chéng rén zhī wēi 成 他人の弱みにつけ込む
【乘胜】chéngshèng 副 勝ちに乗じて．勝利の勢いに乗って ‖ ～前进 勝ちに乗じて前進する
【乘时】chéngshí 副 機会に乗じて．機会をとらえて
【乘势】chéngshì 副 勢いに乗って
【乘数】chéngshù 名〈数〉乗数
【乘务】chéngwù 名 乗務
*【乘务员】chéngwùyuán 名（列車・バス・飛行機などの）乗務員
【乘隙】chéngxì 副 すきにつけこんで．機に乗じて
【乘兴】chéngxìng 副 興に乗って ↔〔败兴〕‖ ～而来，败兴而归 楽しみにしてやって来たが，がっかりして帰る
【乘虚】chéngxū 副 虚に乗じる．虚をつく．油断につけこむ ‖ ～而入 虚に乗じて入り込む
【乘员】chéngyuán 名（交通機関の）乗務員．乗員
【乘坐】chéngzuò 動（乗り物に）乗る
10 埕[1] chéng 名方 酒を入れるかめ
10 埕[2] chéng アゲマキガイの養殖場 ＝〔蛏chēng田〕
11 * 盛 chéng ❶動 容器に入れる．盛る ❷動 飲食物を器に盛りつける．よそう ‖ ～饭 御飯をよそう ❸動 収容する．収める ➤ shèng
【盛器】chéngqì 名 容器．入れ物
12 惩（懲）chéng ❶書 戒める．警戒する ❷罰する．懲らしめる ‖ 严～不贷 dài 容赦なく厳罰に処す
*【惩办】chéngbàn 動 処罰する ‖ 严加～ 厳重に処罰する
【惩处】chéngchǔ 動 処罰する ‖ 依法～ 法に照らして処罰する
【惩恶劝善】chéng è quàn shàn 成 勧善懲悪．善を勧めて悪を懲らす
*【惩罚】chéngfá 動 懲罰する．懲らしめる ‖ ～犯罪分子 犯罪者を罰する 名 懲罰
【惩戒】chéngjiè 動 懲戒する．戒める
【惩前毖后】chéng qián bì hòu 成 前の誤ちの中から後の戒めを学ぶ
【惩一儆百】chéng yī jǐng bǎi 成 一人を罰して百人の戒めとする．一罰百戒
【惩治】chéngzhì 動 懲らしめる．懲罰する
12 裎 chéng 古 裸になる．肌を出す ➤ chěng
12 程 chéng ❶規則 ‖ 章～ 規則 ❷（人や物の進む）距離．行程 ‖ 航～ 航行距離 ❸旅程．旅行の道すじ ‖ 启～ 出発する．途につく ❹順序．次第 ‖ 日～ 日程 ❺方 一区切りの時間 ‖ 这～子太忙 このところとても忙しかった
**【程度】chéngdù 名 ❶レベル．程度 ‖ 文化～ 教育レベル．学歴 ❷程．程合い．程度 ‖ 在某种～上 ある程度 ｜ 在很大～上 大幅に
【程控】chéngkòng 形 自動制御の．プログラム制御の
【程控电话】chéngkòng diànhuà 名 プログラム制御電話システム
【程式】chéngshì 名 格式．規格．型．法式 ‖ 公文～ 公文書の書式
*【程序】chéngxù 名 ❶順序．手順．段取り．プロセス ‖ 法律～ 法律の手続き ❷〈計〉プログラム ‖ 编写～ プログラムを組む

【程序法】chéngxùfǎ 图〈法〉手続法. 形式法 ↔〔实体法〕
【程序员】chéngxùyuán 图〈計〉プログラマー
【程序控制】chéngxù kòngzhì 图 プログラム制御
【程序库】chéngxùkù 图〈計〉ライブラリー

C

13 塍（△塖）chéng 方 田のあぜ. くろ

14 酲 chéng 古 酒に酔って意識が朦朧(もうろう)となる

15 澄（△澂）chéng ❶(水が)澄んでいる. 清らかだ ‖ →～澈 ❷はっきりさせる. 明らかにする ‖ →～清 ➤ dèng
【澄碧】chéngbì 形 澄んで青々としている
【澄澈】【澄彻】chéngchè 形 澄みきっている. 透き通っている ‖ 湖水～ 湖水は澄みきっている
【澄净】chéngjìng 形 清潔で澄みきっている
【澄静】chéngjìng 形 静かに澄みきっているさま
*【澄清】chéngqīng 動(思想や認識・問題点を)明らかにする. はっきりさせる ‖ ～问题 問題をはっきりさせる 形 澄んでいる ‖ ～的河水 澄んだ川の水 ➤ dèngqīng

16 橙 chéng ❶图〈植〉オレンジ ❷だいだい色の. オレンジ色の
【橙黄】chénghuáng 形 だいだい色の. オレンジ色の
【橙汁】chéngzhī 图 オレンジ・ジュース
【橙子】chéngzi 图 オレンジの実

chěng

10 逞 chěng ❶動(才能や技量を)見せびらかす. ひけらかす ‖ →～能 ❷(悪い)目的を達する. 悪だくみを実現させる ‖ 得～ 目的を達する ❸思いどおりにさせる. 放任する ‖ →～性子
【逞能】chěng∥néng 動 強がる. いい格好をしたがる
【逞强】chěng∥qiáng 動 強がる. 負けず嫌いである
【逞威风】chěng wēifēng 組 威張る. 偉そうにする
【逞性子】chěng xìngzi 組 思いのままにふるまう. 好き勝手なことをする
【逞凶】chěngxiōng 動 凶暴をほしいままにする. 思いのまま暴威をふるう

10 骋 chěng ❶(ウマが)疾駆する ‖ 驰～ 同前 ❷書 開け広げる. 放任する ‖ →～目
【骋驰】chěngchí 動 書 疾走する. 疾駆する
【骋目】chěngmù 動 書 はるか遠くまで見渡す. 遠望する ‖ 登高～ 高みに登って遠くを眺める

12 裎 chěng 古 前合わせの単衣(ひとえ) ➤ chéng

chèng

10 *秤 chèng 图 はかり ‖ 杆gǎn～ 竿ばかり ｜ 过～ はかりに掛ける
【秤锤】chèngchuí 图(はかりの)分銅. ふつうは〔秤砣 tuó〕という
【秤杆】chènggǎn （～儿）图 竿ばかりの竿
【秤钩】chènggōu 图 竿ばかりの鉤(かぎ)
【秤毫】chèngháo 图 竿ばかりの釣り手. 取り緒
【秤纽】chèngniǔ ＝〔秤毫chèngháo〕
【秤盘子】chèngpánzi 图 はかりの皿
【秤砣】chèngtuó 图 口 はかりの分銅
【秤星】chèngxīng （～儿）图 竿ばかりの目盛り

chī

6 吃[1] chī どもる ‖ 口～ 同前

6 ★吃[2]（△喫）chī ❶動 ①食べる ‖ 他～得很香 彼はとてもおいしそうに食べている ②飲む. 吸う ‖ ～药 薬を飲む ｜ ～奶 おっぱいを吸う ③ある場所で食事する ‖ →～食堂 ❷動(液体を)吸い込む. 吸い取る ‖ 茄子很～油 ナスはよく油を吸う ❸動(軍事や囲碁・将棋で)敵を消滅させる ‖ ～车jū 飛車を取る ❹費やす. 食う ‖ →～力 ❺動 受ける. こうむる. 喫する ‖ →～耳光 ❻(他のものに)食い込む. 切り込む ‖ →～水 ❼動(あることによって)暮らしを立てる. 生活する ‖ ～房租 家賃収入で生活する ❽十分に理解する. 飲み込む ‖ →～透

> **類義語** 吃 chī 尝 cháng
>
> ◆〔吃〕食べ物を口に入れる. 食べる ‖ 吃早饭 朝食をとる ｜ 用筷子吃饭 箸で食べる ◆〔尝〕料理の味かげんや出来具合をみる. 味をみる. 味わう. 〔尝〕＋目的語のような単純な形にはならず, ふつうは重ね型, あるいは数量詞を伴うなどの複雑な形をとる ‖ 尝尝咸淡 (塩の)味かげんをみる ｜ 尝了一口鸡汤 鶏のスープを一口飲んでみた ◆食べ物を人にすすめるとき, 〔请吃吧〕とも言えるが, 〔请尝尝吧〕と言うほうが上品

【吃白饭】chī báifàn 組 方 ❶主食だけ食べる. おかずなしで食べる ❷ただ飯を食う. むだ飯を食う
【吃败仗】chī bàizhàng 組 負けいくさになる
【吃饱】chī∥bǎo 動 腹いっぱい食べる. 満腹する
【吃饱了撑的】chībǎole chēng de 慣 必要のないことをする. くだらないことで騒ぎたてる
【吃闭门羹】chī bìméngēng 慣 門前払いを食う
【吃不得】chībude 動(差し障りがあって)食べられない. 食べてはならない ‖ 饭馊sōu了, ～ 御飯がいたんでいるから, 食べられない
【吃不动】chībudòng 動 料理が多すぎてこれ以上食べられない
【吃不惯】chībuguàn 動 食べ慣れない. 食べつけない
【吃不开】chībukāi 形 通用しない. 歓迎されない
【吃不来】chībulái 動 口に合わない. 食べつけない ‖ 西餐他～ 西洋料理は彼の口に合わない
**【吃不了】chībuliǎo 動 ❶(多すぎて)食べきれない ‖ 一个人～这么多菜 一人でこんなにたくさんの料理は食べきれない ❷(体が受けつけなくて)食べられない ‖ 他～辣的 彼は辛いものは食べられない
【吃不了, 兜着走】chībuliǎo, dōuzhe zǒu 慣 食べきれない分は持って帰る. 一切合切責任をとる
*【吃不起】chībuqǐ 動(金がなくて)食べられない
【吃不上】chībushàng 動(時間がなくて)食べられない. (物がなくて)ありつけない
【吃不透】chībutòu 動 完全には理解できない. 十分にのみ込めない
*【吃不下】chībuxià 動 のどを通らない. 飲み込めない ‖ 他心里有事, ～饭 彼は心配事があって食事ものどを通らない
【吃不消】chībuxiāo 動 たまらない. 耐えられない ‖ 留这么多的作业, 孩子～ こんなにたくさんの宿題を出しては子供がたまらない

【吃不住】chībuzhù 動 支えきれない．持ちこたえられない．耐えられない
【吃不准】chībuzhǔn 動 はっきり把握できない ‖ 我～他是什么意思 私は彼がどういうつもりなのかよく分からない
【吃吃喝喝】chīchihēhē；chīchīhēhē 動 飲んだり食べたりする．(多くコネをつけることが目的の酒食をいう)
【吃醋】chī//cù 動 やきもちを焼く．嫉妬する
【吃大锅饭】chī dàguōfàn 慣 全員が同じ大鍋で炊いた御飯を食べる．仕事の量や質，貢献度に関係なく待遇や報酬が一律である．悪平等のたとえ
【吃得开】chīdekāi 形 通用する．歓迎される．受けがよい ‖ 当医生很～ 医者になると何かと顔が利く
【吃得苦中苦，方为人上人】chīde kǔ zhōng kǔ, fāng wéi rén shàng rén 諺 苦中の苦を味わって，はじめて人の上に立てる．艱難(かん)汝を玉にす
【吃得来】chīdelái 動 (食べつけてはいないが)なんとか食べられる．口にできる ‖ 羊肉你～吗？ ヒツジの肉は食べられますか
*【吃得了】chīdeliǎo 動 ❶(量的に)食べきれる ❷(口に合い)食べられる
【吃得下】chīdexià 動 食べられる．のどを通る
【吃得消】chīdexiāo 動 耐えられる．持ちこたえられる
【吃得住】chīdezhù 動 耐えられる．支えきれる
【吃定心丸】chī dìngxīnwán 慣 気持ちが落ち着く
【吃豆腐】chī dòufu 慣 方 女性をからかう
【吃独食】chī dúshí (～儿) 慣 利益を独り占めする．独りで甘い汁を吸う
【吃耳光】chī ěrguāng 組 方 びんたを食らう ‖ 吃了一记耳光 びんたを1発食らった
【吃饭】chī//fàn 動 ❶御飯を食べる．食事をする ‖ 吃顿饭 食事を1回とる ❷生活する．暮らしを立てる｜靠爬格子～ 原稿を書いて生活する
【吃干醋】chī gāncù 慣 自分と関係のないことに嫉妬心を起こす．要らぬやきもちを焼く
【吃干饭】chī gānfàn 慣 役に立たない．むだ飯を食う
【吃官司】chī guānsi 組 訴えられる．裁判ざたになる
【吃馆子】chī guǎnzi 組 方 料理屋で食事する
【吃惯】chī//guàn 動 食べ慣れる．食べつける
【吃好】chīhǎo 動 (満足して)食べ終える．食事をきちんととる ‖ 我已经～了，谢谢！ もう十分いただきました，ご馳走さま
【吃喝嫖赌】chī hē piáo dǔ 慣 食う，飲む，買う，打つ．染まりやすい四つの悪習
【吃喝儿】chīhēr 名 口 飲食．飲食物
【吃喝玩乐】chī hē wán lè 慣 飲食と享楽にふける．ひたすら物質的な享楽を追い求めることをいう
【吃后悔药】chī hòuhuǐyào (～儿) 慣 悔やむ．後悔する
【吃皇粮】chī huángliáng 組 お上の禄(ろく)をはむ．政府機関などの支出で運営されることをたとえる
【吃回扣】chī huíkòu 組 リベートを受け取る
【吃回头草】chī huítóucǎo 慣 (後悔して)元のところへ引き返す．よりを戻す ‖ 好马不～ よいウマは後に戻って草を食べない．立派な人間は過去に未練を持たないたとえ
【吃荤】chī//hūn 動 肉食する．生臭物を食べる
【吃紧】chījǐn 形 (軍事・政治情勢や金融市場などが)緊迫している．切迫している．急を要する
【吃劲】chī//jìn (～儿) 動 力に耐える．重みを支える 形 (chījìn) 方 大切である．重要である．(多く否定で用いる)

**【吃惊】chī//jīng 動 驚く．びっくりする ‖ 大吃一惊 びっくり仰天する
【吃开口饭】chī kāikǒufàn 組 旧 芝居や演芸で生活する
【吃客】chīkè 名 ❶飲食店の客 ❷食欲旺盛(おうせい)な人
【吃空额】chī kòng'é 組 カラ人員の支給を着服する．虚偽の人数を報告し，給料や支給物資を着服する
*【吃苦】chī//kǔ 動 苦しみをなめる．苦労する ‖ 他吃过很多苦 彼はこれまでずいぶん苦労してきた
【吃苦头】chī kǔtou 組 苦しい目に遭う．ひどい目に遭う
*【吃亏】chī//kuī 動 ❶損をする．ひどい目に遭う ‖ 这笔生意～了 この取引で損をした ❷(条件などが)不利になる

> **類義語** 吃亏 chīkuī / 上当 shàngdàng
> ◆〔吃亏〕損をする．不利だ ‖ 股票阶格下跌，吃了大亏 株価下落で大損をした｜我们队在身高上太吃亏了 わがチームは身長でかなり不利だ ◆〔上当〕だまされる．ペテンにかかる ‖ 别去黑市换钱，很容易上当 ブラックマーケットで換金してはダメ，よくだまされるから

【吃劳保】chī láobǎo 組 労災保険で生活する
【吃老本】chī lǎoběn (～儿) 慣 昔の手柄の上にあぐらをかく．過去の実績に満足して，それ以上努力しない
【吃里爬外】chī lǐ pá wài 慣 こちらに飯を食わせてもらいながら，ひそかにあちらの利益を謀る
*【吃力】chīlì 形 骨の折れる．労力を要する ‖ 他学习很～ 彼は勉強にとても苦労している｜～不讨好的差事 chāishì 疲れるだけで割に合わない役目
【吃零食】chī língshí 組 間食する
【吃零嘴】chī língzuǐ ＝〔吃零食chī língshí〕
【吃腻】chīnì 動 食べ飽きる．食べて嫌になる
【吃偏饭】chī piānfàn 組 (共同生活で)一人だけよい食べ物を食べる．特別扱いされる
【吃枪药】chī qiāngyào 組 口 火薬を食べる．人にくってかかったり当たり散らしたりする人に対して，罵って言う
【吃枪子】chī qiāngzǐ (～儿) 組 口 弾丸を見舞われる．多く銃殺刑に処せられる場合をいう
【吃青春饭】chī qīngchūnfàn 組 若さに頼って稼いだ金で生活する
【吃请】chī//qǐng 動 供応を受ける．酒食のもてなしを受ける
【吃软不吃硬】chī ruǎn bù chī yìng 慣 相手が下手に出ると受け入れるが，高飛車に出ると反発する
【吃软饭】chī ruǎnfàn 慣 自分で働かず，女性に扶養されることをさす．女に食べさせてもらう
【吃伤】chīshāng 動 食べ飽きる
【吃商品粮】chī shāngpǐnliáng 組 食糧を買って食べる．都市に住むことをさす
【吃食】chīshí (～儿) 動 (動物や鳥が)餌を食べる
【吃食堂】chī shítáng 組 食堂で食事をする
【吃水】chīshuǐ 動 水分を吸収する．水分を吸い取る 名 ❶方 飲用水 ❷(船の)喫水 ‖ ～线 喫水線
【吃水不忘掘井人】chīshuǐ bù wàng jué jǐng rén 諺 水を飲むとき井戸を掘った人を忘れない．恩恵を受けるとき，その基礎を築いた人を忘れないたとえ
【吃素】chīsù 動 ❶精進料理を食べる ❷容赦する．情け心がある．(否定で用いる)

C

【吃透】chī//tòu 動 完全に理解する ‖ ～文件的精神 文章の精神を完璧(かんぺき)に理解する
【吃喜酒】chī xǐjiǔ 圖 婚礼の祝い酒を飲む ‖ 你什么时候请我～？ いつ結婚式に呼んでくれるの
【吃闲饭】chī xiánfàn 慣 ぶらぶらして暮らす. むだ飯を食う
【吃现成饭】chī xiànchéngfàn 慣 ❶人に作ってもらった御飯を食べる ❷喩 労せずに得る. 人の作ったものを利用する. 何もせずにうまい汁を吸う
【吃香】chīxiāng 形 人気がある. 評判がいい ‖ 他在领导面前挺～ 彼は上司に受けがいい
【吃相】chīxiàng 名 ものを食べる姿. 食べている格好
【吃小灶】chī xiǎozào 慣 特別待遇を受ける
【吃鸭蛋】chī yādàn 慣 (試験や競技で)零点を取る.〔吃鸡蛋〕〔吃零蛋〕ともいう
【吃哑巴亏】chī yǎbakuī 慣 泣き寝入りする. どこにも尻の持って行き場がない
【吃一堑, 长一智】chī yī qiàn, zhǎng yī zhì 諺 失敗すると, それだけ利口になる. 失敗は成功のもと
【吃赃】chī//zāng 動 盗品や汚職の利益の分け前にあずかる
【吃斋】chī//zhāi 動 ❶書 精進する ❷寺の食事をとる
【吃着碗里, 望着锅里】chīzhe wǎnli, wàngzhe guōli 慣 茶碗の御飯を食べながら鍋の中をのぞき込む. 一つ手に入るとまたさらに多くを望む. 欲の深いたとえ
【吃重】chīzhòng 形 ❶責任が重い ❷骨が折れる. 苦である 動 積載する
【吃主】chīzhǔ (～儿) 名 ❶(食堂などの)客 ❷役立たず ❸食通. 食べ物にうるさい人
【吃准】chī//zhǔn 動 確信する
【吃租】chī//zū 動 旧 小作料や家賃で生活する
【吃罪】chīzuì 動 責任を負う. 罪を負う

10 **哧** chī 擬 (笑い声や, 布が裂けたりする音)クスッ. プスッ. ビリッ. プツン ‖ ～～地笑个不停 クスクスととめどもなく笑う
【哧溜】chīliū 擬 (滑る音)つるり. つるっ. するり ‖ ～一下滑倒huádǎo了 つるっと滑って転んだ

10 **鸱** chī 古 ハイタカ
【鸱尾】chīwěi 名〈建〉(宮殿や寺院の大棟の両端についている)飾りがわら. 鴟尾(しび). とびの尾. 沓形(くつがた)
【鸱吻】chīwěn 名〈建〉鬼がわらの一種

10 **蚩** chī 書 愚かである. 無知である

11 **眵** chī 目やに ‖ 眼～ 同前

11 **笞** chī 書 (昔の刑罰の一つ)鞭(むち)や仕置き棒などでたたく ‖ 鞭biān～ 鞭で打つ

13 **嗤** chī 書 あざ笑う. 嘲笑(ちょうしょう)する
【嗤笑】chīxiào 動 あざ笑う. せせら笑う
【嗤之以鼻】chī zhī yǐ bí 成 鼻で笑う. ばかにして相手にしない

13 **媸** chī 書 容貌(ようぼう)が醜い ↔〔妍yán〕

13 **痴** (^△^癡) chī ❶形 愚かである. 頭が鈍い ‖ →～呆 ❷夢中になる. とりこになる ‖ →～迷 ❸夢中になっている人. とりこになった人 ‖ 书～ 本の虫 ❹書 謙 いたずらに ‖ →～长
【痴呆】chīdāi 形 頭が鈍い. 抜けている ‖ ～症 痴呆症(ちほうしょう)
【痴肥】chīféi 形 見苦しいほど太っている
【痴话】chīhuà 名 ばかな話. とんでもない話
【痴迷】chīmí 動 うっとりする. 夢中になる
【痴情】chīqíng 名 (男女の)ひたむきな愛情. 恋におぼれること ‖ 小王对她是一片～ 王君は彼女にいちずに恋い焦がれている 形 夢中になる
【痴人说梦】chī rén shuō mèng 成 痴人夢を説く. 痴人のたわごと
【痴傻】chīshǎ 形 間が抜けている. 頭が鈍い
【痴想】chīxiǎng 動 ぼんやりと物思いにふける 名 妄想. ばかげた考え
【痴笑】chīxiào 動 無表情な笑いをする
【痴心】chīxīn 名 おぼれる心. うつつを抜かす心
【痴心妄想】chī xīn wàng xiǎng 成 ひたすら実現不可能な夢を描く. できもしないことを空想する
【痴长】chīzhǎng 動 謙 いたずらに年を取っている. 馬齢を重ねる

16 **螭** chī ❶古 伝説上の角のない竜 ❷〔魑chī〕に同じ

19 **魑** chī ↴
【魑魅】chīmèi 名 書 魑魅(ちみ). すだま ‖ ～魍魉 wǎngliǎng 魑魅魍魎(ちみもうりょう). 妖怪変化(ようかいへんげ)

chí

6 ＊**池** chí ❶名 池. プール. 多くは人工的に作られた水をためる所 ‖ 金鱼～ 金魚池 ❷書 堀 ‖ 城～ 城壁と堀 ❸池の形をしたもの ‖ 舞～ ダンスホールのフロア. 踊り場
【池汤】chítāng 名 (風呂屋の)大浴槽
＊【池塘】chítáng 名 ❶池 ❷＝〔池汤chítāng〕
【池盐】chíyán 名 塩水湖からとれる塩
【池鱼之殃】chí yú zhī yāng 成 (城門の火事で)池の魚に災いが及ぶ. そばづえを食う. とばっちりを受ける
【池浴】chíyù 動 風呂屋の大浴槽に入る
【池子】chízi 名 口 ❶池 ‖ 水～ ため池 ❷浴槽 ❸ダンスホールのフロア. 踊り場 ❹旧 劇場の1階正面前方の客席. 平土間
【池座】chízuò 名 旧 劇場の1階正面前方の客席. 平土間

6 **弛** chí ❶書 弓のつるを緩める ↔〔张〕❷書 緩む. 緩める ‖ 松～ 緩む. 弛緩(しかん)する ❸解除する. 廃止する
【弛缓】chíhuǎn 形 (情勢, 気分などが)和らいでいる. 緩んでいる ‖ 紧张的气氛qìfēn～下来 緊張した雰囲気が和らぐ
【弛禁】chíjìn 動 書 禁令を解く. 解禁する
【弛懈】chíxiè 形 書 気が緩んでいる. だらけている

6 **驰** chí ❶(ウマや車が)速く走る. 馳(は)せる ❷(ウマや車を)速く走らせる ❸書 思いを馳せる ‖ 神～ 同前 ❹遠く伝わる. 行き渡る ‖ →～名
【驰报】chíbào 動 急報する
【驰骋】chíchěng 動 ❶(騎馬で)駆け巡る ❷活躍する ‖ ～影坛 映画界で活躍する
【驰名】chímíng 動 名を馳せる. 名が知られる
【驰驱】chíqū 動 ❶(騎馬で)疾駆する. 疾走する ❷書 (人のために)奔走する

【驰行】chíxíng 動（車などが）疾走する．疾駆する
【驰誉】chíyù ＝〔驰名chímíng〕
【驰援】chíyuán 動 救援に駆けつける
7 *迟（遲）chí ❶（動きが）のろい‖一～钝 ❷形（時間が）遅い．遅れている
【迟迟】chíchí 副 遅々として．ぐずぐずと‖～不来 なかなか来ない
★【迟到】chídào 動 遅刻する．遅れて着く‖～了十五分钟 15分遅刻した
【迟钝】chídùn 形（反応が）のろい．鈍い‖反应～ 反応がのろい
*【迟缓】chíhuǎn 形 のろい．緩慢である‖行动～ 行動がのろい
【迟暮】chímù 名 ❶たそがれ時．夕暮れ ❷書 晩年のたとえ
【迟误】chíwù 動 遅れて支障をきたす
【迟延】chíyán 動 遅延する
*【迟疑】chíyí 形 ためらう．躊躇（ちゅうちょ）している‖毫不～ 少しもためらわない
【迟早】chízǎo 副 遅かれ早かれ．早晩．いずれ‖问题～会弄清楚的 問題はいずれはっきりするはずだ
【迟滞】chízhì 形 滞っている．遅滞している
8 坻 chí 書 川や湖の中の小島．中州 ➤dǐ
8 茌 chí 地名用字‖～平 山東省にある県の名
9 持 chí ❶動 持つ．握る ❷（考えや見解を）持つ．主張する‖～反对态度 反対の態度をとる ❸取り仕切る．切り盛りする‖主～ 主宰する ❹維持する．持ちこたえる‖坚～ 堅持する ❺対峙（たいじ）する．持ち合う‖相～不下 双方とも譲らない ❻支配する．抑える‖挟xié～ 強制する
【持仓量】chícāngliàng 名〈経〉持ち株量 ＝〔仓位〕
【持法】chífǎ 動 法を執行する
【持股】chígǔ 動 株を所有する‖～公司 持ち株会社
【持家】chí//jiā 動 家事を取り仕切る．家計を切り盛りする‖勤俭qínjiǎn～ つましく家計を切り盛りする
*【持久】chíjiǔ 動 長く持ちこたえる．持続させる‖香气～ 香りが長く続く
【持久性有机污染物】chíjiǔxìng yǒujī wūrǎnwù 名 残留性有機汚染物質．POPs
【持久战】chíjiǔzhàn 名〈軍〉持久戦
【持卡族】chíkǎzú 名 クレジットカード愛用者
【持论】chílùn 名 書 主張．論 動 主張する
【持平】chípíng 形 公正である．公平である 動（数値が）相当する．横ばい状態にある．均衡する‖进出口～ 輸出入が均衡している
【持枪】chí//qiāng 動 ❶銃を持つ ❷〈軍〉控え銃（つつ）の姿勢をとる
【持球】chí//qiú 動〈体〉（バレーボールなどで）ホールディングする
*【持续】chíxù 動 持続する．継続する‖经济～发展 経済が引き続き発展する
【持有】chíyǒu 動 持つ．抱く‖～外交护照 外交用パスポートを持っている
【持斋】chízhāi 動〈宗〉精進潔斎する
【持之以恒】chí zhī yǐ héng 成 粘り強く続ける．あくまでもやり抜く‖坚持锻炼，～ 運動を根気強く続ける
【持之有故】chí zhī yǒu gù 成 主張や論に一定の根拠がある
【持重】chízhòng 形 落ち着いている．慎重である．思慮分別のある‖老成～ 大人らしく落ち着いている
11 匙 chí さじ．スプーン‖汤～ スープ用スプーン ➤shi
【匙子】chízi 名 さじ．スプーン
15 墀 chí 書 ❶石段を上りきった所 ❷石段．上がり段
15 踟 chí ↴
【踟蹰】【踟躇】chíchú 動 ためらう．躊躇（ちゅうちょ）する
16 篪 chí 古 古代の楽器の一つ，竹製で笛のように穴が八つある

chǐ

4 **尺 chǐ ❶量（長さの単位）尺．1〔寸〕の10倍．〔市尺〕の通称．3分の1メートル ❷名 ものさし．定規‖卷juǎn～ ケースに入った巻き尺 ❸ものさし状のもの‖镇～ 細長い文鎮 ❹製図用具‖曲qū～ 曲尺（かねじゃく） ❺名 略〈中医〉手首にある三つの脈の部位の一つ．〔尺中〕の略 ➤chě
*【尺寸】chǐcun 名 ❶寸法．サイズ‖量liáng～ 寸法を測る ❷口 節度
【尺牍】chǐdú 名 書 尺牘（せきとく）．書状．書簡
【尺度】chǐdù 名 標準．尺度
【尺短寸长】chǐ duǎn cùn cháng 成 使い道によっては1尺でも短いこともあれば，1寸でも長すぎることもある．人や事物には長所もあれば短所もある
【尺幅千里】chǐ fú qiān lǐ 成 1尺の画面に千里の風景が描き込まれている．（絵や詩・文章などが）小品でも表現している内容が深いたとえ
【尺码】chǐmǎ（～儿）名 ❶（主に靴や帽子の）寸法．サイズ ❷尺度．基準
【尺素】chǐsù 名 ❶1尺の長さの書画用の白い絹地 ❷書 書信（手紙を絹地にしたためたことから）
*【尺子】chǐzi 名 ❶ものさし ❷尺度
8 侈 chǐ 書 ❶ぜいたくである‖奢shē～ 同前 ❷誇張している．大げさである‖一～谈
【侈谈】chǐtán 書 動 大げさにものを言う．誇大に言う．大言壮語する 名 大言壮語．大げさな話．ほら
8 齿（齒）chǐ ❶〈生理〉歯．ふつうは〔牙〕〔牙齿〕という ❷名（～儿）歯のように並んだもの‖锯jù～儿 のこぎりの歯｜梳shū～儿 櫛（くし）の歯 ❸書 並ぶ．同類である‖不～于人类 人間のくずである ❹書 年齢 ❺書 言及する．問題にする
【齿槽】chǐcáo 名〈生理〉歯槽
【齿根】chǐgēn 名 歯根
【齿垢】chǐgòu 名 歯垢（しこう）
【齿及】chǐjí 動 書 話題になる．その事に触れる
*【齿轮】chǐlún 名〈機〉歯車．ギヤ．ふつうは〔牙轮〕という‖～箱 ギヤ・ボックス
【齿龈】chǐyín 名〈生理〉歯茎．ふつう〔牙床〕という
10 耻（△恥）chǐ ❶恥じる‖可～ 恥ずべきである ❷恥．恥辱‖雪～ 恥をそそぐ．雪辱する
【耻骨】chǐgǔ 名〈生理〉恥骨
【耻辱】chǐrǔ 名 恥辱．恥‖蒙受méngshòu～ 恥辱をこうむる

【耻笑】chǐxiào 動 あざ笑う. 嘲笑する

11 **豉** chǐ ➡〔豆豉dòuchǐ〕

【豉虫】chǐchóng 名〈虫〉ミズスマシ.〔豉甲〕ともいう

15 **褫** chǐ 書 剥奪(はくだつ)する. 奪う ‖ ～夺 同前

C

chì

3 **彳** chì ↴

【彳亍】chìchù 動 書 そぞろ歩きする

5 **叱** chì 書 大声で叱る. どなりつける ‖ 申～ 叱責(しっせき)する | 怒～ 怒ってどなりつける

【叱呵】chìhē 動 大声で叱りつける

【叱喝】chìhè 動 どなる. 大声で叱る

【叱骂】chìmà 動 大声で叱る. どなりつける

【叱问】chìwèn 動 詰問する. 大声でなじる

【叱责】chìzé 動 叱責する ‖ 大声～ 大声で叱責する

【叱咤】chìzhà 動 書 叱咤(しった)する

【叱咤风云】chì zhà fēng yún 成 風雲を叱咤する. 人の権勢の強大なこと

5 **斥** chì ❶書 開拓する. 拡大する ❷たくさんの. 多い ‖ 充～ 氾濫する. あふれかえる ❸書 うかがう. 偵察する ❹退ける. 引き離す ‖ 排～ 排斥する ❺責める. とがめる ‖ 申～ 叱責(しっせき)する. 叱りつける

【斥候】chìhòu 名 旧 斥候

【斥力】chìlì 名〈物〉斥力. 反発力

【斥骂】chìmà 動 責め罵る

【斥退】chìtuì 動 ❶旧 (官吏を)罷免する. (学生を)除籍処分にする ❷人を下がらせる. 人払いをする

【斥责】chìzé 動 厳しく責める. 厳しく糾弾する

【斥逐】chìzhú 動 駆逐する. 放逐する. 追い払う

【斥资】chìzī 動 費用を出す ‖ ～创建chuàngjiàn学校 費用を拠出して学校を設立する

7 **饬** chì 書 ❶整える. 正す ‖ 整～ 整える. 正す ❷慎重な. 注意深い ❸命令する

【饬令】chìlìng 動 旧 (公文書で)命令する. 命じる

7 **赤** chì ❶赤. 赤色 ❷純真な. 純粋な ‖ →～金 ❸空の. 何もない ‖ →～手空拳 ❹むき出しの. 裸の ‖ →～脚 ❺革命を象徴している

【赤白痢】chìbáilì 名〈中医〉血とうみの混じった下痢

【赤背】chì//bèi 動 肌脱ぎになる. 上半身裸になる

【赤膊上阵】chì bó shàng zhèn 成 甲冑(かっちゅう)もつけずに出陣する. 身一つでやみくもに立ち向かってゆく

【赤潮】chìcháo 名 赤潮.〔红潮〕ともいう

【赤忱】chìchén 書 名 真心 形 真心がこもっている

【赤诚】chìchéng 形 真心がこもっている

【赤胆忠心】chì dǎn zhōng xīn 成 忠誠心にあふれている

*【赤道】chìdào 名 赤道

【赤道几内亚】Chìdào Jīnèiyà 名〈国名〉赤道ギニア

【赤地】chìdì 名 書 (干魃(かんばつ)や虫害で)草一本ない土地. 荒れ果てた土地

【赤红】chìhóng 形 赤い. 赤色の ‖ ～脸ㄦ 赤ら顔

【赤狐】chìhú 名〈動〉アカギツネ.〔红狐〕〔火狐〕ともいう

【赤脚】chì//jiǎo 動 はだしになる 名(chìjiǎo) はだし. 素足 ‖ 打～ はだしになる

【赤金】chìjīn 名〈鉱〉純金

【赤痢】chìlì 名〈中医〉血の混じった下痢

【赤露】chìlù 動 裸になる. はだける

【赤裸】chìluǒ 動 裸になる. むき出しにする 形 むき出しである. 遮るもののない

【赤裸裸】chìluǒluǒ 形 ❶真っ裸である ❷露骨である

【赤眉】Chìméi 名〈史〉前漢末の農民反乱軍

【赤霉素】chìméisù 名〈薬〉ギベレリン

【赤贫】chìpín 形 書 赤貧である. 貧しくて何もない ‖ ～如洗 赤貧洗うがごとし

【赤日】chìrì 名 書 焼けつくような真夏の太陽 ‖ ～炎炎yányán 太陽が赤々と燃えるようである

【赤身】chìshēn 動 ❶裸になる. 素っ裸になる ❷喩 天涯孤独である

【赤手空拳】chì shǒu kōng quán 成 徒手空拳. 自分以外頼るものを何も持っていないこと

【赤松】chìsōng 名〈植〉アカマツ

【赤条条】chìtiáotiáo 形 素っ裸である. 身に何もまとっていない

【赤县】Chìxiàn 名 書 中国の別称

【赤小豆】chìxiǎodòu 名〈植〉アズキ.〔小豆〕〔红小豆〕ともいう

【赤心】chìxīn 名 赤心. 真心

【赤子】chìzǐ 名 ❶赤子. 赤ん坊 ❷祖国を愛する国民. 赤子(せきし) ‖ 海外～ 海外の愛国の民

*【赤字】chìzì 名〈経〉赤字

【赤足】chì//zú 動 はだしになる 名(chìzú) はだし

9 **炽**(熾) chì (火の)勢いが盛んである ‖ →～热

【炽烈】chìliè 形 熾烈(しれつ)である. 勢いが盛んで激しい ‖ 火焰huǒyàn～地燃烧着 炎が激しく燃え上がっている

【炽情】chìqíng 名 燃えさかる感情

【炽热】chìrè 形 ❶非常に熱い. 灼熱(しゃくねつ)の ‖ ～的阳光 灼熱の陽光 ❷熱烈な. 燃えるような

【炽盛】chìshèng 形 勢いが盛んである. 旺盛である

【炽灼】chìzhuó 動 ❶火が激しく燃える ❷焼きつける 形 権勢が盛んである

10 **翅**(△翄) chì ❶(虫や鳥の)羽. 翼 ‖ 展～ 羽を広げる ❷〈料理〉ふかひれ ‖ 鱼～ 同前 ❸羽の形をしたもの ‖ →～果

**【翅膀】chìbǎng (～ㄦ) 名 羽. 翼 ‖ 张开～ 翼を広げる | 飞机～ 飛行機の翼 | 鸡～ ニワトリの手羽

【翅果】chìguǒ 名〈植〉翅果(しか). 翼果

【翅脉】chìmài 名〈虫〉翅脈(しみゃく)

【翅子】chìzi 名 ❶〈料理〉ふかひれ. ふかのひれ ❷方 翼. 羽

11 **敕**(△勅勑) chì 書 ❶戒める. たしなめる ❷皇帝の言葉. 勅 ‖ →～封

【敕封】chìfēng 動 勅令によって官位や称号を与える

【敕令】chìlìng 古 動 (皇帝が)勅命を発する 名 勅命. 勅令. 詔勅

【敕书】chìshū 名 古 皇帝が臣下に与える詔書

12 **啻** chì 書 …だけ. …のみ. (ふつう否定や反語の形で用いる) ‖ 何～ どうして…だけであろうか | 不～ …のみならず. …だけにとどまらない

15 **瘛** chì ↴

【瘛疭】chìzòng 名〈中医〉けいれん

chōng

6 ** 冲[1]（衝）chōng ❶交通の要所．要衝．要路 ❷動（ある方向や目標に向かって）突進する‖运动员～向终点 選手がゴールに向かってダッシュする ❸突き上げる．衝(つ)く‖→～天 ❹（感情・力などが）ぶつかり合う．衝突する‖→～突 ❺動 水が勢いよくぶつかる．押し流す．水で洗い落とす‖～地板 床を洗い流す｜～胶卷ル フィルムを現像する ❻動（熱湯などを）注ぐ‖→～服 ❼動 相殺(そうさい)する‖→～账 ❽名〈天〉衝(しょう)．火星・木星・土星などの外惑星が地球を挟んで太陽と一直線上に位置した状態をいう

6 冲[2] chōng 方 山間の平地．多く地名に用いる ➤ chòng

【冲刺】chōngcì 動〈体〉スパートする‖最后～ ラストスパート

【冲淡】chōngdàn 動 ❶薄める ❷（感情などを）薄める．やわらげる‖时间并不能～那痛苦的记忆 時間はあのつらい記憶を消してくれはしない

【冲顶】[1] chōngdǐng 動〈体〉ヘディングシュートする

【冲顶】[2] chōngdǐng 動（登山で）頂上をめざす

*【冲动】chōngdòng 動 自制できないほど興奮する．激する．高ぶる‖他一时～，打了孩子 彼はかっとして子供を殴った 名 衝動．情熱

【冲犯】chōngfàn 動（逆らって）人を怒らせる．盾突いて相手の機嫌を損なう

*【冲锋】chōngfēng 動〈軍〉突撃する‖向敌人阵地发起～ 敵の陣地めざして突撃を始める

【冲锋枪】chōngfēngqiāng 名〈軍〉自動小銃

【冲锋陷阵】chōng fēng xiàn zhèn 成 突撃して敵の陣地を取る．勇敢に戦うこと

【冲服】chōngfú 動 薬を湯や酒で溶いて飲む

【冲高】chōnggāo 動 急騰する

【冲昏】chōnghūn 動 頭がぼうっとなる．のぼせる．舞い上がる‖被胜利～了头脑 勝利にのぼせ上がっている

*【冲击】chōngjī 動 ❶〈軍〉突撃する ❷（水や大波などが）激しくぶつかる．打ちつける 名 衝撃．ショック

【冲击波】chōngjībō 名〈物〉衝撃波

【冲积】chōngjī 動〈地〉沖積する

【冲剂】chōngjì 名〈薬〉（湯で溶いて服用する）顆粒製剤

【冲决】chōngjué 動 ❶（大水が堤防を）切る．決壊する ❷突破する．突き破る

【冲开】chōngkāi 動（湯などで）溶く‖用开水把奶粉～ 熱湯で粉ミルクを溶く

【冲扩】chōngkuò 動 フィルムの現像と引き伸ばしをする．D.P.E.

【冲浪】chōnglàng 動 波乗りをする．サーフィンをする‖～板 サーフ・ボード

【冲力】chōnglì 名 ❶勢い．はずみ ❷〈物〉撃力

【冲凉】chōng//liáng 動 方 水を浴びる．シャワーを浴びる．行水する

*【冲破】chōng//pò 動 突破する‖～重重 chóngchóng 障碍 zhàng'ài さまざまな障害を突き破る

【冲散】chōngsàn 動 追い散らす．蹴(け)散らす

【冲杀】chōngshā 動 突撃する

【冲晒】chōngshài 動（写真の）現像・プリントをする

【冲刷】chōngshuā 動 ❶水で洗う‖～地板 床を水をかけて洗う ❷（水流が土壌や岩石を）押し流す．浸食する

【冲塌】chōngtā 動（水が）押し流す

【冲腾】chōngténg 動（中から外に向かって）吹き出る．ほとばしり出る

【冲天】chōngtiān 動 天を衝(つ)く．意気込みや怒りなどが激しいことをいう‖怒气～ 激怒する

*【冲突】chōngtū 動 ❶ぶつかる．矛盾する．食い違う‖两个节目时间正好～了 二つの番組の時間があいにく重なってしまった ❷（軍事的に）衝突する．（利害や意見などが）衝突する．論争になる‖武装～ 武力衝突

【冲洗】chōngxǐ 動 ❶（水を流しながら）洗い落とす ❷（フィルムを）現像する‖～胶卷 フィルムを現像する

【冲喜】chōng//xǐ 動 旧 喜び事で厄(やく)払いをする．

【冲泻】chōngxiè 動（水が）激しい勢いで落下する

【冲要】chōngyào 形 重要な．要害の 名 書 重要なポスト‖久居～ 長く重要な職位にある

【冲账】chōng//zhàng 動（勘定を）相殺(そうさい)する

【冲撞】chōngzhuàng 動 ❶激しくぶつかる．ぶち当たる ❷人を怒らせる．盾突いて機嫌を損なう‖我的话～了他 私の話が彼の機嫌を損ねた

6 充 chōng ❶満ちる．足る‖→～满 ❷動 満たす．いっぱいにする‖→～电 ❸補足する．間に合わせる‖→～数 ❹動 当たる．担当する‖→～当 ❺動 偽る．装う‖冒～ 偽称する．成りすます

【充畅】chōngchàng 形 ❶（物資が）充実し円滑に流通している ❷（文章に）力や勢いがある

【充斥】chōngchì 動 氾濫(はんらん)する．満ちあふれる‖假冒 jiǎmào 商品～市场 偽ブランド商品が市場に氾濫している

【充磁】chōng//cí 動〈物〉磁化する

*【充当】chōngdāng 動 …になる．（…の役を）担う．担当する‖我～了他们的临时翻译 fānyì 私は彼らのために臨時の通訳を務めた

*【充电】chōng//diàn 動 ❶〈電〉充電する ❷喩 知識や技能の蓄積に努める

【充耳不闻】chōng ěr bù wén 成 人の言うことを聞こうとしない．ぜんぜん耳を貸そうとしない

**【充分】chōngfèn 形 十分である‖做好～的思想准备 十二分な心構えをしておく 副 十分に．存分に‖～发挥才能 才能を存分に発揮させる

【充公】chōng//gōng 動 没収して公有に帰する

【充饥】chōng//jī 動 飢えをしのぐ．腹の足しにする

【充军】chōngjūn 動 旧 刑罰の一種．流刑として辺境の兵営で苦役につかせる

**【充满】chōngmǎn 動 満ちる．充満する‖前途～希望 前途は希望に満ち満ちている

*【充沛】chōngpèi 形 満ちあふれている．十分である‖有～的体力 十分な体力を持っている

【充其量】chōngqíliàng 副 せいぜい．たかだか．多くとも‖～也不过十个人 せいぜい10人といったところだ

【充任】chōngrèn 動 役目を当てる．担当させる

【充塞】chōngsè 動 充満する．いっぱいになる．いっぱいにする

*【充实】chōngshí 形 充実している‖假期过得非常～ とても充実した休暇を過ごした 動 充実させる．豊富にする‖～自己的业余生活 自分の余暇を充実させる

【充数】chōng//shù 動 数だけを満たす．数を合わせる

【充填】chōngtián 動（空間を）埋める．充填する

【充血】chōngxuè 動〈医〉充血する

C

【充溢】 chōngyì 動 満ちあふれる

【充盈】 chōngyíng 動 充満している. 満ちている 形 書 豊満である. 豊かである

【充裕】 chōngyù 形 豊かである. 余裕がある. 有り余るほどの ‖ 他手头儿～ 彼は懐具合がいい

【充值】 chōng//zhí 動 (カードに)入金する. チャージする

【充足】 chōngzú 形 **十分に足りている. ふんだんにある** ‖ 经费～ 経費が十分にある | ～的理由 十分な理由

7 **忡** chōng 憂える

【忡忡】 chōngchōng 形 憂えるさま. 気が気でないさま ‖ 忧心yōuxīn～ 心配で気が気でない

9 **茺** chōng ↴

【茺蔚】 chōngwèi 名 ❶〈植〉メハジキ. ヤクモソウ ❷〈中薬〉益母草(やくもそう) ＊〔益母草〕ともいう

10 **涌** chōng 名 方 川の支流. 多く地名に用いる ➤ yǒng

11 **舂** chōng 動 (石臼(いしうす)や乳鉢で)搗(つ)く. つぶす ‖ ～药 薬を搗く

15 **憧** chōng ↴

【憧憧】 chōngchōng 形 行ったり来たりするさま. 揺れ動くさま ‖ 人影～ 人影がちらちらする

【憧憬】 chōngjǐng 動 あこがれる ‖ 对幸福生活的～ 幸福な生活に対するあこがれ

18 **艟** chōng ➡〔艨艟méngchōng〕

chóng

6 **虫(蟲)** chóng ❶名 (～儿)虫. 昆虫 ❷転 (人を皮肉や軽蔑の気持ちから)やつ ‖ 可怜～ 哀れなやつ

> **逆引き単語帳** 〔长虫〕chángchong ヘビ 〔萤火虫〕yínghuǒchóng ホタル 〔害虫〕hàichóng 害虫 〔甲虫〕jiǎchóng カブトムシ・カミキリムシ・クワガタムシなどの総称. 甲虫 〔寄生虫〕jìshēngchóng 寄生虫 〔懒虫〕lǎnchóng 怠け者 〔糊涂虫〕hútuchóng 間抜け. とんま 〔应声虫〕yìngshēngchóng イエスマン. 追従者 〔书虫〕shūchóng 本ばかり読んでいる人. 本の虫 〔可怜虫〕kěliánchóng 哀れなやつ 〔网虫〕wǎngchóng インターネットおたく

【虫草】 chóngcǎo 名〈中薬〉冬虫夏草(とうちゅうかそう). 〔冬虫夏草〕の略

【虫害】 chónghài 名 虫害. 害虫による被害

【虫情】 chóngqíng 名 農業に影響を及ぼす害虫の潜伏・発生・活動の状況

【虫牙】 chóngyá 名 虫歯 ‖ 治～ 虫歯を治す

【虫眼】 chóngyǎn (～儿) 名 (果実や木, 器などの)虫食いの穴

【虫灾】 chóngzāi 名 (大規模な)虫害

【虫子】 chóngzi 名 **虫. 昆虫** ‖ 腿上叫～咬yǎo了 足を虫に刺された

9 **种** chóng 名 姓 ➤ zhǒng zhòng

9 **重** chóng ❶動 重なる. 重複する ‖ 这两份资料～了 この2部の資料はダブっている ❷副 **もう一度. 再び** ‖ ～看一遍 もう一度見る ❸量 (重なったもの, または段階や項目に分けられるものを数える) 重. 層 ‖ 两～任务 二重の任務 | 双～意思 二重の意味. 二通りの意味 ➤ zhòng

【重版】 chóngbǎn 動 重版する. 再版する

【重播】 chóngbō 動 (ラジオやテレビで)再放送する ‖ ～春节晚会节目 旧正月の特別番組を再放送する

【重茬】 chóngchá 名〈農〉連作 ＝〔连作〕

【重唱】 chóngchàng 名〈音〉重唱

【重重】 chóngchóng 形 幾重にも重なっているさま. 重複したさま ‖ 心事～ 気がかりなことが多い

【重蹈覆辙】 chóng dǎo fù zhé 成 覆轍(ふくてつ)を踏む. 前の過ちを繰り返す. 〔复蹈前辙〕ともいう

【重叠】 chóngdié 動 **重なり合う** ‖ 山峦shānluán～ 山々が連なる

【重返】 chóngfǎn 動 戻る. 引き返す. 復帰する ‖ ～工作岗位 職場に復帰する

【重逢】 chóngféng 動 再会する

【重复】 chóngfù 動 ❶**繰り返す** ‖ 她把话又～了一遍 彼女は話をもう一度繰り返した ❷**重複する. 重なる** ‖ 两个段落的意思有点儿～了 二つの段落の意味は多少重複している

【重合】 chónghé 動〈数〉重なり合う. 合同

【重婚】 chónghūn 動〈法〉重婚する ‖ ～罪 重婚罪

【重见天日】 chóng jiàn tiān rì 成 再び天日を拝する. 暗黒の世界に再び光明が戻る

【重建】 chóngjiàn 動 再建する ‖ ～家园 (災害に遭った)故郷を再建する

【重九】 Chóngjiǔ ＝〔重阳Chóngyáng〕

【重来】 chónglái 動 もう一度やる

【重峦叠嶂】 chóng luán dié zhàng 成 幾重にも連なる山々

【重码】 chóngmǎ 〈計〉動 コードが重複する 名 重複コード

【重名】 chóngmíng (～儿) 動 同名である

【重起炉灶】 chóngqǐ lúzào 慣 もう一度かまどを築き直す. 新規まき直しをするたとえ

【重申】 chóngshēn 動 重ねて述べる. 再度声明を発する ‖ ～我方的一贯立场 我が方の一貫した立場を重ねて述べる

【重审】 chóngshěn 動〈法〉再審する

【重生】 chóngshēng 動 ❶生き返る ❷再生する

【重生父母】 chóng shēng fù mǔ 成 命の恩人 ＝〔再生父母〕

【重孙】 chóngsūn 名 曾孫(そうそん). ひまご. 〔重孙子〕ともいう

【重沓】 chóngtà 形 書 重複して冗長である

【重提】 chóngtí 動 再び問題にする. 再び持ち出す

【重围】 chóngwéi 名 重囲 ‖ 杀出～ 重囲を突破して血路を開く

【重温】 chóngwēn 動 復習する

【重温旧梦】 chóng wēn jiù mèng 成 昔の夢をもう一度見る. 過去を追憶すること

【重文】 chóngwén 名 書 異体字

【重午】【重五】 Chóngwǔ 名 端午の節句(旧暦の5月5日)

【重现】 chóngxiàn 動 再現する

【重霄】 chóngxiāo 名 書 空のかなた

C

＊＊【重新】chóngxīn 副 ❶再び．もう一度‖他又把答卷～检查了一遍 彼は答案をもう一度見直した ❷新たに．改めて‖～考虑 再検討する
【重行】chóngxíng 動 新たに行う．改めて始める
【重修】chóngxiū 動 ❶再建する．修築する‖～公路 道路を修築する ❷改訂する．編集し直す
【重修旧好】chóng xiū jiù hǎo 成 旧交を温める
【重演】chóngyǎn 動 再演する．同じ事を繰り返す
【重阳】Chóngyáng 名 重陽の節句．菊の節句．（旧暦の9月9日）〔重九〕ともいう
【重洋】chóngyáng 名 海のかなた．海外
【重样】chóngyàng 動（同じ形状のものが）重複する
【重译】chóngyì 動 ❶重訳する ❷新たに訳し直す ❸二重通訳をする．何重にか通訳をする
【重印】chóngyìn 動 再版する
【重影】chóngyǐng 名 二重像．ゴースト像‖电视机有～ テレビにゴーストが出る
【重圆】chóngyuán 動（離れ離れになっていた肉親が）再び一つに集う‖夫妻～ 別離した夫婦が再会する
【重张】chóngzhāng 動 新装開店する
【重振】chóngzhèn 動 盛り返す．再び奮い立つ
【重整旗鼓】chóng zhěng qí gǔ 成 陣容を整え直す．態勢を立て直す
【重奏】chóngzòu 名〈音〉重奏
【重足而立】chóng zú ér lì 成 足をすくませて立つ．非常に恐れているさま

11 **崇 chóng** ❶高い‖一～山峻岭 ❷重視する．尊重する‖一～尚
＊【崇拜】chóngbài 動 崇拝する‖～英雄 英雄を崇拝する｜个人～ 個人崇拝をする
【崇奉】chóngfèng 動 信仰する．信奉する
＊＊【崇高】chónggāo 形 崇高である．気高い‖～的理想 崇高な理想
＊【崇敬】chóngjìng 動 尊敬する．崇敬する‖我～他的为人 私は彼の人柄に敬服しています
【崇山峻岭】chóng shān jùn lǐng 成 高く険しい峰
【崇尚】chóngshàng 動 尊重する．あがめ尊ぶ
【崇外】chóngwài ＝〔崇洋chóngyáng〕
【崇洋】chóngyáng 動 外国の事物を崇拝する．外国にかぶれる‖～媚mèi外 外国を崇拝し，外国にこびる
【崇仰】chóngyǎng 動 信じて奉じる

chǒng

8 **宠（寵）chǒng** 動 寵愛（ちょうあい）する‖得dé～ 寵愛を受ける
【宠爱】chǒng'ài 動 特別にかわいがる
【宠儿】chǒng'ér 名 寵児
【宠惯】chǒngguàn 動 甘やかす
【宠坏】chǒnghuài 動 甘やかしてだめにする‖这样会把孩子～的 そんなふうに甘やかすと子供をだめにしてしまう
【宠辱不惊】chǒng rǔ bù jīng 成 得失を度外視する．世評に左右されない
【宠物】chǒngwù 名 ペット
【宠信】chǒngxìn 動 貶 寵愛して信頼する
【宠幸】chǒngxìng 動 旧（地位の高い者が目下の者を）寵愛する．目をかける
【宠用】chǒngyòng 動 寵愛して任用する

chòng

6 **冲[1]（衝）chòng** 口 ❶形 水流が強い‖水流得很～ 水の流れが激しい ❷形 力いっぱいである．気合が入っている．熱がこもっている‖干活ル～ 仕事に気合が入っている ❸形（においが）きつい．鼻をつく．ぷんぷんする‖一～鼻
6 **冲[2]（衝）chòng** 動〈機〉パンチで穴をあける．押し抜く
6 ＊**冲[3]（衝）chòng** 口 ❶動 面する．向かい合って接する ❷介 …に向かって．…に対して‖这事是～我来的 これは私に矛先を向けたものだ ❸介 …のゆえに．…によって．…のために‖就～你这句话，我也不能不帮你 あなたのその一言で，私もお手伝いしないわけにはいかなくなった ➤ chōng
【冲鼻】chòngbí 形（においが）鼻をつく．きつい‖臭味chòuwèi～ においが鼻をつく
【冲床】chòngchuáng 名〈機〉押し抜き機．パンチプレス．〔冲压机〕〔压力机〕ともいう
【冲劲ル】chòngjìnr 名 ❶負けん気．勇敢さ ❷（香りや勢いなどの）強烈さ．激しさ
【冲模】chòngmú 名〈機〉パンチ・ダイ．押し抜き機の型
【冲压】chòngyā 動〈機〉押し抜く．スタンピングする
【冲子】chòngzi 名（金属に穴をあける）パンチ
11 **铳 chòng** 名 旧式の鉄砲‖火～ 火縄銃｜鸟～ 鳥撃ち銃
【铳子】chòngzi ＝〔冲子chòngzi〕

chōu

8 ★**抽[1] chōu** ❶動 抜く．取り出す．引き抜く‖从书架上～出两本书 本棚から本を2冊取り出す ❷動（一部分を）抜き取る．抽出する‖一～查 ❸動（植物の芽や穂が）出る．伸びる‖一～芽 ❹動 縮む‖衣服一洗就～了 着物を洗ったら縮んだ ❺動 吸う．すする．吸い込む‖～血xuè 採血する
8 ＊**抽[2] chōu** ❶動（細長いもので）打つ．たたく‖～陀螺tuóluó 独楽（こま）を回す｜～了马一鞭子biānzi ウマに一発鞭をいれた ❷動（ラケットで）ボールを強く打つ‖把球～过去 ボールを強く打つ
【抽测】chōucè 動 抽出測定する．サンプル測定をする
【抽查】chōuchá 動 抜き取り検査をする
【抽成】chōu//chéng 動 全体の額から一定の割合を差し引く．一定の割合を控除する
【抽抽ル】chōuchour 動 方 縮む
【抽搐】chōuchù 動（顔面や手足が）ひきつる
【抽搭】chōuda 動 口 すすり泣く．すすり上げる‖抽抽搭搭地哭个不停 いつまでもすすり泣いている
【抽打】chōudǎ 動（鞭で）打つ
【抽打】chōuda 動（ほこりやごみを）はたく．たたく‖～被子 掛け布団のほこりをはたく
【抽调】chōudiào 動（人員や物資の）一部を抜き出しほかに振り向ける‖～救灾物资 救援物資を調達する
【抽丁】chōu//dīng 動 旧 徴兵する．〔抽壮丁〕ともいう
【抽斗】chōudǒu 名 方 引き出し
【抽肥补瘦】chōu féi bǔ shòu 慣 余っているところから引き抜き少ないところを補う

C

【抽风】[1] chōu∥fēng 動 ❶〈医〉ひきつけを起こす ❷喩 非常識な行動をとる
【抽风】[2] chōu∥fēng 動 (ポンプなどで)吸気する
【抽工夫】chōu gōngfu (〜儿) 慣 暇を見つける. 時間を割く
【抽换】chōuhuàn 動 (抜き出して)入れ換える
【抽检】chōujiǎn 動 抜き取り検査をする
【抽奖】chōu∥jiǎng 動 (くじの)抽選をする
【抽筋】chōu∥jīn 動 筋がつる. けいれんする ‖ 腿〜了 足の筋がつった
【抽考】chōukǎo 動 ❶若干の人を選んで試験する ❷習ったものの一部を抜き出して試験する
*【抽空】chōu∥kòng (〜儿) 動 暇をつくる. 暇を見つける. 時間を割く ‖ 〜写封回信 暇を見つけて返事を書く | 抽不出空儿来 暇がつくれない
【抽冷子】chōulěngzi 副 方 すきをみて
【抽泣】chōuqì 動 すすり泣く. しゃくり上げて泣く
【抽气机】chōuqìjī 名〈機〉排気ポンプ
【抽签】chōu∥qiān (〜儿) 動 くじ引きをする. 抽籤(ちゅうせん)する ‖ 〜决定 抽籤で決める
【抽青】chōu∥qīng 動 (草や木が)芽吹く
【抽球】chōu∥qiú 動〈体〉(卓球で)ドライブをかける 名(chōuqiú)(ピンポンやテニスの)ドライブ・ボール
【抽取】chōuqǔ 動 ❶抜き取る ❷サンプリングする
【抽纱】chōushā 動 糸抜きかがりをする. ドロン・ワークを施す 名 ドロン・ワーク
【抽身】chōu∥shēn 動 抜け出す. 手を離す. 身を引く ‖ 抽不开身 抜け出せない
【抽水】[1] chōu∥shuǐ 動 ポンプで水をくみ上げる
【抽水】[2] chōu∥shuǐ 動 (水にぬれて)縮む
【抽水机】chōushuǐjī 名 くみ上げ式のポンプ =〔水泵bèng〕
【抽水马桶】chōushuǐ mǎtǒng 名 水洗式の便器
【抽水站】chōushuǐzhàn 名 揚水ステーション.〔扬水站〕〔泵bèng站〕ともいう
【抽税】chōu∥shuì 動 税金を徴収する. 課税する
【抽穗】chōu∥suì 動 穂が出る ‖ 玉米正在〜 トウモロコシが穂をつけ始めた
【抽缩】chōusuō 動 縮む
【抽逃】chōutáo 動 (資金を)ひそかに引き出す. ひそかに移す
*【抽屉】chōuti 名 引き出し ‖ 〜把儿bàr 引き出しの取っ手 | 拉开〜 引き出しを開ける
【抽头】chōu∥tóu (〜儿) 動 ピンはねする. 上前をはねる ‖ 聚赌jùdǔ〜 賭場(とば)を開帳して寺銭を取る
【抽闲】chōuxián 動 時間を割く. 暇をみつける
**【抽象】chōuxiàng 形 抽象的である ‖ 这样讲太〜 こうした言い方はあまりに抽象的だ 動 抽象する ‖ 〜出普遍规律 普遍的な法則を引き出す ＊↔〔具体〕
【抽薪止沸】chōu xīn zhǐ fèi 成 たきぎを取り出し, 湯のたぎりを止める. 問題を根本から解決するたとえ
【抽选】chōuxuǎn 動 選び出す. 抽出する
【抽芽】chōu∥yá 動 芽が出る ‖ 河边的柳liǔ树〜了 川辺のヤナギが芽を吹いた
**【抽烟】chōu∥yān 動 タバコを吸う
【抽验】chōuyàn 動 抜き取り検査をする
【抽样】chōu∥yàng 動 (検査などのために)サンプルを取る ‖ 〜调查 サンプリング調査
【抽噎】chōuyē 動 しゃくり上げる. すすり泣く
【抽印】chōuyìn 動 抜き刷りする ‖ 〜本 抜き刷り本
【抽油烟机】chōuyóuyānjī 名 台所のレンジ用換気扇. レンジフードファン

16 **瘳** chōu 書 病が癒(い)えるさま

20 **犨** chōu 古 ウシのあえぎ声

chóu

4 * **仇**(△讐) chóu ❶仇敵(きゅうてき). かたき ❷名 恨み. 憎しみ ‖ 记〜 根に持つ | 跟他有〜 彼に恨みがある ➤ qiú
【仇敌】chóudí 名 かたき. 仇敵
*【仇恨】chóuhèn 動 ひどく恨む. 深く憎む. 憎悪する 名 骨髄に徹する恨み. 深い憎しみ ‖ 把〜记在心里 恨みを心に記す
【仇家】chóujiā 名 かたき
【仇人】chóurén 名 かたき ‖ 〜相见, 分外fènwài眼红 かたき同士が会うととくにいきり立つ
【仇杀】chóushā 動 恨みから人を殺す
【仇视】chóushì 動 敵視する. 敵意を持つ
【仇外】chóuwài 動 外国を敵視する
【仇隙】chóuxì 名 書 恨み. 憎しみ. 憎悪
【仇怨】chóuyuàn 名 恨み. 怨恨

9 **俦**(儔) chóu 書 連れ. 仲間
【俦类】chóulèi 名 書 同輩. 同類. 仲間.〔畴类〕とも書く

10 **帱**(幬) chóu 書 ❶帷(とばり) ❷車の覆い ➤ dào

11 **惆** chóu 書 失意のさま. 心が痛むさま
【惆怅】chóuchàng 形 うちしおれたさま. ふさぎ込むさま

11 **绸** chóu 名〈紡〉薄い絹織物 ‖ 丝sī〜 絹織物. シルク
【绸带】chóudài 名 リボン ‖ 红〜 赤いリボン
【绸缎】chóuduàn 名 繻子(しゅす)と緞子(どんす). 広く絹織物
*【绸子】chóuzi 名 薄い絹織物. 繻子 ‖ 〜衬衣 繻子のシャツ

12 **畴**(疇) chóu 書 ❶田畑 ‖ 田〜 田畑 ❷類. 種類 ‖ 范〜 範疇(はんちゅう)

13 ** **愁** chóu ❶動 思い悩む. 心配する. 憂える ‖ 过着不〜吃不〜穿的生活 衣食の心配のない生活を送る ❷名 書 憂い. 心配 ‖ 借酒消〜 酒で憂さを晴らす
【愁肠】chóucháng 名 憂いに満ちた心 ‖ 〜寸断 憂いで心が千々に乱れる. 断腸の思い
【愁楚】chóuchǔ 形 心配でたまらない
【愁苦】chóukǔ 形 心配でしかたない
【愁虑】chóulǜ 動 憂慮する. 思い煩う
【愁眉】chóuméi 名 憂いのために眉(まゆ)をひそめること. 愁眉(しゅうび) ‖ 〜不展 憂い顔をする
【愁眉苦脸】chóu méi kǔ liǎn 成 憂いに沈んだ顔をする
【愁闷】chóumèn 形 気が晴れない. 気がめいる. 憂え悩んでいる ‖ 心里〜 気がめいる 名 悩み. 心配ごと
【愁容】chóuróng 名 憂鬱(ゆううつ)そうな表情. 憂い顔.
【愁绪】chóuxù 名 憂鬱な気分. 心配. 憂慮
【愁云】chóuyún 名 書 ❶憂鬱な表情. 憂い顔 ❷

悲惨な光景
【愁云惨雾】chóu yún cǎn wù 成 悲惨な情景．暗澹(あんたん)たる情景

13 **稠** chóu ❶形 密である．詰まっている．稠密(ちゅうみつ)だ‖地窄人～ 土地が狭く，人口が稠密である ❷形 (液体の濃度が)濃い ↔〔稀xī〕‖粥很～ お粥が濃い｜颜料太～了 顔料が濃すぎる
*【稠密】chóumì 形 稠密である．密集している ↔〔稀疏xīshū〕‖人口过于～ 人口が過密である
【稠人广众】chóu rén guǎng zhòng 成 立錐の余地もないほど大勢の人が集まっている

13 **筹**(籌) chóu ❶名 数取り棒．点取り棒．点棒 ❷動 準備する．工面する．算段する‖→～款 ❸策略．手だて．方法‖一～莫mò展 手だて一つ浮かばない
【筹办】chóubàn 動 ❶(催事や事業などを)計画し実行する‖～婚事 結婚式の準備を整える ❷(資金や資材などを)調達する‖上街～年货 街に行って年越し用品を買い揃える
*【筹备】chóubèi 動 計画して準備する‖～委员会 準備委員会
【筹措】chóucuò 動 工面する．算段する．調達する
【筹划】chóuhuà 動 計画する
【筹集】chóují 動 調達する．集める
*【筹建】chóujiàn 動 計画して建設を進める‖～化肥厂 化学肥料工場建設の計画を実施に移す
【筹借】chóujiè 動 借金の工面をする
【筹款】chóu//kuǎn 動 金策する．金の工面をする
【筹码】【筹马】chóumǎ (～儿) 名 ❶旧 (賭博のときに使う)数取り棒．点棒 ❷旧 貨幣．また，貨幣の代わりをする有価証券のたぐい ❸喩 カード．切り札‖谈判的～ 交渉に用いるカード
【筹谋】chóumóu 動 対策を考える．方法を講じる
【筹募】chóumù 動 (資金を)工面する．集める
【筹拍】chóupāi 動 撮影の準備をする‖正在～一部历史片 時代劇映画を目下撮影準備中だ
【筹商】chóushāng 動 商議する．相談する
【筹算】chóusuàn 動 計算する．勘定する
【筹资】chóu//zī 動 資金を工面する．資金を集める
【筹组】chóuzǔ 動 設立の準備をする．計画し組織する‖～学生会 学生会の設立を準備する

13 **酬**(△酧詶醻) chóu ❶書 (主客が交互に)酒をすすめる‖→～酢 ❷書 報いる．お礼をする．謝礼をする‖→～谢 ❸報酬‖稿～ 原稿料 ❹書 返済する ❺実現する‖壮志未～ 雄大な志はまだ実現していない ❻交際する．応酬する‖应yìng～ 客の応接をする．交際する
【酬报】chóubào 動 謝礼をする．お礼をする
【酬宾】chóubīn 動 安売りする‖开业大～ 開業大バーゲンセール
【酬唱】chóuchàng 動 書 詩文のやりとりをする
【酬答】chóudá 動 ❶謝礼をする ❷言葉や詩文で答える
【酬对】chóuduì 動 受け答えをする．応対する
【酬和】chóuhè 動 詩文で応答する．詩文のやりとりをする
【酬金】chóujīn 名 謝礼金．報酬‖演出～ 公演の謝礼金．ギャラ
【酬劳】chóuláo 動 労をねぎらう．慰労する．謝礼をする 名 慰労金．謝礼金．報酬
【酬谢】chóuxiè 動 謝礼をする．お礼をする‖设宴shèyàn～ 宴を設けて謝礼する
【酬应】chóuyìng 動 交際する．付き合う
【酬酢】chóuzuò 動 書 主客が互いに酒をすすめ合う

14 **踌**(躊) chóu ↴
*【踌躇】chóuchú 形 ❶躊躇(ちゅうちょ)している．迷っている．ためらっている‖～不决 ためらって前進しない．二の足を踏む．決しかねる ❷書 得意なさま
【踌躇满志】chóu chú mǎn zhì 成 得意然としている

18 **雠**(讎 △讐) chóu ❶かたき ❷校正する‖校jiào～ 校正する

chǒu

4 **丑**[1] chǒu 名 丑(うし)(十二支の第二) ➡〔地支dìzhī〕
4 * **丑**[2](醜❶～❸) chǒu ❶形 (容貌(ようぼう)が)醜い ↔〔美〕‖长得～ 容貌が醜い ❷醜悪な．恥ずべきな‖→～闻 ❸醜態．恥‖出～ 醜態を演じる ❹名 (伝統劇で)道化役．〔小花脸〕〔三花脸〕ともいう
【丑八怪】chǒubāguài 名 容貌が醜い人
【丑表功】chǒubiǎogōng 動 自分の手柄をひけらかす．自己宣伝する
【丑旦】chǒudàn 名 (伝統劇で)女性に扮(ふん)する道化役
*【丑恶】chǒu'è 形 醜悪である．醜い．汚らわしい‖～嘴脸 醜悪な顔つき｜～行径xíngjìng 醜悪な行為
【丑化】chǒuhuà 動 醜悪化する．醜く描く．悪く言う
【丑话】chǒuhuà 名 ❶聞くに堪えない話．俗な話 ❷気まずい話．言いづらい話‖～说在前头 あらかじめ断っておくが…
【丑剧】chǒujù 名 茶番劇．猿芝居
【丑角】chǒujué 名 道化役者．三枚目
【丑类】chǒulèi 名 悪党．悪者
【丑陋】chǒulòu 形 醜い．ぶざまだ
【丑事】chǒushì 名 悪事．醜行．醜聞‖见不得人的～ 人に顔向けできないような悪事
【丑态】chǒutài 名 醜態‖～百出 醜態百出する
【丑闻】chǒuwén 名 醜聞．スキャンダル‖官场～ 政界のスキャンダル
【丑相】chǒuxiàng 名 醜い格好．醜い様子
【丑星】chǒuxīng 名 喜劇スター．お笑いスター
【丑行】chǒuxíng 名 醜行．恥ずべき行い

14 **瞅**(△矁田) chǒu 動 方 見る‖他～了她一眼 彼は彼女をちらっと見た
【瞅见】chǒu//jian(jiàn) 動 方 見かける．目にする．

chòu

10 ** **臭** chòu ❶形 臭い ↔〔香〕 ❷形 不快な．醜悪な．鼻もちならない‖→～架子 ❸形 (将棋や球技などが)上手でない．へたである‖→～棋 ❹形 方 (弾薬が)不発である‖→～弹 ❺副 ひどく．さんざん．こっぴどく‖→～骂 ➤xiù
【臭不可闻】chòu bù kě wén 慣 醜悪この上ない．

C

鼻もちならない.〔臭不可当〕ともいう
【臭虫】chòuchóng 名 ❶〈虫〉トコジラミ. ナンキンムシ. ❷〈俗〉バグ. 俗にプログラムのミスをさす
【臭大姐】chòudàjiě 名 口〈虫〉カメムシ. ヘッピリムシ
【臭弹】chòudàn 名(手榴弾などの)不発弾

【臭豆腐】chòudòufu 名 塩漬けの豆腐を発酵させた独特の臭気をもつ食品
【臭烘烘】chòuhōnghōng (~的) 形 臭気が鼻をつくさま. 悪臭がただようさま
【臭乎乎】chòuhūhū (~的) 形 少しにおいがしている
【臭架子】chòujiàzi 名 傲慢な態度. 嫌みな態度 ‖ 摆~ 鼻持ちならない態度をとる
【臭骂】chòumà 動 痛罵する. 悪罵する. 罵倒する ‖ 把他~了一顿 彼をひとしきり痛罵した
【臭美】chòuměi 動 鼻にかける. ひけらかす. うぬぼれる. いい気になる ‖ 别~了 いい気になるなよ
【臭名】chòumíng 名 醜名. 悪名
【臭皮囊】chòupínáng 名〈仏〉人間の体
【臭棋】chòuqí 名 まずい手. 失着. へぼ将棋. ざる碁
【臭气】chòuqì 名 臭気. 悪臭
【臭味】chòuwèi (~儿) 名 臭気. 悪臭 ↔〔香味〕‖ 屋里有一股~儿 部屋の中は臭いにおいがする
【臭味相投】chòu wèi xiāng tóu 成 貶 似た者同士が意気投合する
【臭腺】chòuxiàn 名〈生理〉臭腺(しゅうせん)
【臭氧】chòuyǎng 名〈化〉オゾン
【臭氧层】chòuyǎngcéng 名〈気〉オゾン層
【臭氧洞】chòuyǎngdòng 名 オゾンホール
【臭子儿】chòuzǐr 名 方(銃弾の)不発弾

chū

5 ★**出**[1] chū ❶動(中から外へ)出る ↔〔进〕〔入〕‖ 一~去 ❷出現する. あらわになる ‖ 一~丑 ❸出席する. 出場する. 出演する ‖ 一~席 ❹動 提出する ‖ ~考题 試験問題を出す ❺支出する ‖ 入不敷fū~ 収入が支出に及ばない ❻離脱する. 離れる ‖ 一~家 ❼動(一定数量や範囲を)突破する. 超える. ぬきんでる ‖ 一~众 ❽生える ‖ 一~芽 ❾動 産出する. 生まれる. 出る ‖ 这个地区~大米 この地域は米がとれる ❿動 発生する. 起こる ‖ ~什么事了? 何が起きたのですか ⓫動 出版する ‖ 这本书是我们出版社~的 この本はうちの出版社で出したものだ ⓬動(汗などが)出る. 発散する ‖ 一~汗 ⓭(chu; chū) 動 ①動詞の後に置き, 動作が中から外へ向かうことを表す ‖ 汽车开~大门 車が正門を出る | 使~全身力气 全身の力を出す ②動詞の後に置き, 明らかになる, 現れることを表す ‖ 露lù~笑容 笑みが漏れる ③動詞の後に置き, 発見することや識別することを表す ‖ 我一下子就认~了他 私はすぐに彼が分かった ④動詞の後に置き, 実現することや仕上げることを表す ‖ 洗~相片 xiàngpiàn 写真を現像する ⑤形容詞の後に置き, 超過することを表す ‖ 他高~我半头 彼は私より頭半分背が高い

5 **出**[2](齣) chū 量 芝居を数える

**【出版】chūbǎn 動 出版する ‖ ~社 出版社
【出榜】chū//bǎng 動 ❶合格者名簿を張り出す ❷旧 告示する. 布告を出す
【出奔】chūbēn 動 出奔する. 逐電する
【出殡】chū//bìn 動 出棺する
【出兵】chū//bīng 動 出兵する. 軍隊を派遣する
【出彩】chū//cǎi 動 ❶旧〈劇〉(赤い液体を使って)血を流す ❷醜態を演じる. 恥をさらす
【出操】chū//cāo 動 体操や訓練に出る
【出岔子】chū chàzi 慣 事故が起きる. 間違いが起きる
*【出差】chū//chāi 動 ❶出張する ‖ 明天~去西安 明日西安へ出張する ❷よそで臨時の仕事をする. 出稼ぎに行く
*【出产】chūchǎn 動 産出する. 生産する ‖ 这里~棉花 ここでは綿が産出される 名 産物. 生産物
【出厂】chū//chǎng 動 工場から出荷する ‖ ~价 工場渡し値段. 生産者価格
【出场】chū//chǎng 動 ❶(舞台に)登場する ❷(競技場に)出場する
【出场费】chūchǎngfèi 名 ギャラ. 出演料
【出超】chūchāo 動 輸出超過になる ↔〔入超〕
【出车】chū//chē 動(会社などが)車を出す ‖ 让车队马上~去接客人 車両班にすぐ車を出して客を迎えに行かせなさい
【出丑】chū//chǒu 動 醜態をさらす. 失態を演じる. 恥をかく ‖ 当众~ 人前で恥をかく
【出处】chūchù 名 出典.(話の)由来 ‖ 标出引文的~ 引用文の出典を示す
【出错】chū//cuò (~儿) 動 間違いが起こる ‖ 这工作交给他, 绝不会~ この仕事は彼に任せれば, 決して間違いは起こらない
【出道】chū//dào 動(徒弟や見習い工の)年季が明けて一人前になる
【出典】chūdiǎn 名 出典. 根拠となる文献
【出点子】chū diǎnzi 慣 考えを出す. アイディアを出す
*【出动】chūdòng 動 ❶(軍隊などを)出動させる. 出動する ❷(大勢で)活動に参加する ‖ 全体~进行大扫除 全員総出で大掃除をする
【出尔反尔】chū ěr fǎn ěr 成 前言を翻す. 言うことやることが前後でころころ変わる. 気まぐれである
★【出发】chūfā 動 ❶出発する. 出かける ‖ 咱们几点~? 私たちは何時に出かけますか ❷…を考えのよりどころとする. …を出発点とする ‖ 从实际~ 現実に根差す

> **類義語** 出发 chūfā 动身 dòngshēn 走 zǒu
>
> ◆〔出发〕(人や乗り物が目的地に向けて)出発する ‖ 我们队明天从成田出发去北京 わがチームは明日成田から出発して北京へ行く | 海轮从上海出发 船は上海から出発する ◆〔动身〕(人が目的地に向けて)旅立つ. 乗り物には用いない. 多く口語で使う ‖ 你明天从哪儿动身? 明日どこから発つの? ◆〔走〕(人や乗り物がその場を離れて)行く. 出ていく. 基本的な意味は, 目的地はどこであれ「その場を離れる」ことにある ‖ 我先走了 お先に失礼します | 末班车已经走了 終電車(バス)はもう出てしまった

*【出发点】chūfādiǎn 名(物事の)出発点. 原点 ‖ 考虑问题的~不同 問題を考える出発点が違う
【出饭】chūfàn 形 口(米の種類や作り方で)飯のかさが増える ‖ 这种米~ この種の米は炊くと量が増える
*【出访】chūfǎng 動 海外を訪問する ‖ ~欧洲五国 欧州5ヵ国を訪問する

【出份子】chū fènzi 慣 (贈り物などのために)金を出し合う. 割り前を出す

【出风头】chū fēngtou 慣 出しゃばる. 目立ちたがる

【出伏】chū//fú 動 三伏(さんぷく)を過ぎる. 酷暑の時季が過ぎる

【出阁】chū//gé 動 旧 嫁ぐ

【出格】chū//gé 動 常軌を逸する. 度を過ごす 形 (chūgé) 人並み優れる

【出工】chū//gōng 動 (農地や工事現場などの)作業に出る. 仕事に出る ↔〔收工〕

【出乖露丑】chū guāi lu chǒu 成 人前で醜態をさらす. ぼろを出す. 〔出乖弄丑〕ともいう

【出轨】chū//guǐ 動 ❶(列車が)脱線する ❷(言行が)常規を逸する. 羽目を外す. 度が過ぎる

【出国】chū//guó 動 **出国する. 国を出る** ‖ ～考查 視察のため外国へ行く | ～留学 外国へ留学する

【出海】chū//hǎi 動 海へ出る ‖ ～打鱼 海に出て魚を捕る

【出汗】chū//hàn 動 汗をかく. 発汗する ‖ 急得出了一身汗 どうしたらいいか分からず, 体中汗びっしょりになった

【出航】chū//háng 動 (船や飛行機が)出航する

【出乎】chūhū 動 (… から)外れる. (… の範囲を)出る ‖ 事态的发展～人们的预料 事態の進展はみんなの予想を超えていた

【出乎意料】chū hū yì liào 成 意外である. 思いがけないことである

【出活】chū//huó (～儿) 動 仕事を完成させる. 仕上げる ‖ 这个月～特别多 今月は出来高がとくに多い 形 (chūhuó) 仕事の能率が高い

【出货】chūhuò 動 出荷する

【出击】chūjī 動 出撃する. 攻撃を仕掛ける

【出家】chū//jiā 動〈宗〉(仏教や道教で)出家する

【出家人】chūjiārén 名〈宗〉(仏教や道教で)出家僧. 出家

【出价】chū//jià 動 値段を付ける. 指し値する

【出嫁】chū//jià 動 嫁ぐ. 嫁に行く

【出将入相】chū jiàng rù xiàng 成 出ては将軍となり, 入りては宰相となる. かつては文武両道に優れることをさしたが, いまは多く高官になることをさす

【出界】chū//jiè 動〈体〉(ボールが)ラインを出る. アウトになる ‖ ～球 アウトボール

【出借】chūjiè 動 貸し出す

【出警】chūjǐng 動 警官が出動する

*【出境】chū//jìng** 動 ❶出国する ‖ 立即驱逐qūzhú～ ただちに国外に退去させる ❷ある地域を出る

【出境游】chūjìngyóu 名 海外旅行

【出镜】chū//jìng 動 (映画・テレビに)出演する. カメラの前に立つ

【出九】chū//jiǔ 動 冬至から81日が過ぎる. 寒明けになる. ➡〔数shǔ九〕

【出局】chū//jú 動〈体〉(野球やソフトボールなどで)アウトになる. バッターアウトになる

【出具】chūjù 動 (官庁が書類を)作成する. 発行する ‖ 由中国商检局～商检证 中国商品検査局から検査証を発行する

【出圈】chū//juàn 動 ❶(ブタやヒツジなどの家畜を)出荷する ❷方 (肥料にするため)家畜小屋の糞便(ふんべん)や敷きわらなどをかき出す

【出口】chū//kǒu 動 ❶**輸出する** ↔〔进口〕 ❷**口に出す. 言葉にする** ‖ 难以～ 口に出しにくい ❸出港する ‖ 船已～ 船はすでに出港した 名 (chūkǒu) **出口** ↔〔入口〕

【出口成章】chū kǒu chéng zhāng 成 口から出る言葉がそのまま優れた文章になる. 文才があることの形容

【出口伤人】chūkǒu shāngrén 組 毒舌を吐く. 人を中傷する

【出口转内销】chūkǒu zhuǎn nèixiāo 慣 輸出向け商品をなんらかの理由で国内での販売に回すこと

★**【出来】chū//lai(lái)** 動 ❶**出て来る** ‖ 快～! 早く出て来なさい ❷起こる. 生じる ‖ ～不少问题 多くの問題が出てきた

★**【…出来】…//chu(chū)//lai(lái)** 動 ❶動詞の後に置き, **中から出てくることを表す** ‖ 把他叫～ 彼を呼び出しなさい ❷動詞の後に置き, **物事が明らかになる, 現れる, 識別することを表す** ‖ 一听就听～是他 聞くなり彼だと分かった | 看不～你是个外国人 あなたは外国人には見えない ❸動詞の後に置き, **物事が完成する, 実現することを表す** ‖ 办法已经想～了 方法はすでに考え出した | 挤jǐ不出时间来 時間が作り出せない

【出栏】chū//lán 動 ❶(家畜を)出荷する ❷方 (肥料にするために)家畜小屋の糞(ふん)をかき出す

【出类拔萃】chū lèi bá cuì 成 群を抜く. 人並み優れている

*【出力】chū//lì** 動 力を出す. 尽力する ‖ 有钱出钱, 有力～ 金のある者は金を出し, 力のある者は力を出す

【出列】chūliè 動 隊列から一歩前へ出る ‖ ～! 一歩前へ

【出猎】chūliè 動 狩りに出る

【出溜】chūliu 動 方 滑る. 滑り下りる

【出笼】chū//lóng 動 ❶蒸籠(せいろう)から取り出す. 蒸し上がる ‖ 馒头～了 マントーが蒸し上がった ❷(商品を)大量に放出する. (紙幣を)大量に発行する ❸貶 (作品・理論・政策などを)世に出す

【出炉】chū//lú 動 ❶かまどから出す. 焼き上がる ❷(溶鉱炉から)溶けた金属を取り出す. 湯出しする

*【出路】chūlù** 名 ❶出口 ❷活路. 生き延びる道 ‖ 不实行改革, 经济就没有～ 改革を行わなければ, 経済は行き詰まる ❸商品の販路. 売れ先

【出乱子】chū luànzi 組 騒動が起きる. 事故が起こる. 面倒が生じる

【出落】chūluo 動 (女性が成長して)きれいになる ‖ 没两年, 这姑娘就～得这么水灵shuǐling了 2年もしないうちに, あの子はこんなにきれいになった

【出马】chū//mǎ 動 出陣する. 乗り出す ‖ 局长亲自～交涉 局長が自ら乗り出して交渉する

*【出卖】chūmài** 動 売る. 売り渡す ‖ 廉价liánjià～ 安い値段で売り出す | ～朋友 友人を売る

【出毛病】chū máobing 組 欠陥・故障・間違いなどが起こる ‖ 电话～了 電話が故障した

【出梅】chū//méi 動 梅雨が明ける. 〔断梅〕ともいう

*【出门】chū//mén** 動 ❶(～儿)出かける. 外出する ‖ 今天我得出趟门 今日私は外出しなければならない ❷(～儿)家を離れる. 家を出て遠くへ行く ‖ ～在外 他郷にいる ❸方 嫁に行く

【出门子】chū ménzi 組 方 嫁ぐ

*【出面】chū//miàn** 動 顔を出す. 表に立つ ‖ 由学校～交涉 学校が表に立って交渉する

*【出名】chū//míng** 形 有名である. 名高い ‖ 他由于这部小说出了名 彼はこの小説で有名になった | 他是～的歌唱家 彼は有名な声楽家だ 動 (～儿)名を出

C

す. 表に立つ
【出没】chūmò 動 出没する ‖ ～无常 神出鬼没
【出谋划策】chū móu huà cè 成 計略を考え出す. 入れ知恵をつける
【出纳】chūnà 動 金銭や物品の出し入れをする 名 出納を行う人. 出納係
*【出难题】chū nántí 組 難題を出す. できない相談を持ちかける
【出票】chū//piào 動〈経〉手形を振り出す
*【出品】chūpǐn 動 製品を生産する. 製造する ‖ 上海～的照相机 上海で製造されたカメラ 名 製品
【出聘】chūpìn 動 嫁に行く
【出奇】chūqí 形 尋常でない. 異常である ‖ 今年夏天～地热 今年の夏は異常に暑い
【出奇制胜】chū qí zhì shèng 成 奇に出て勝ちを制す. 不意を突いて勝利を収める
【出其不意】chū qí bù yì 成 相手の意表を突く
【出气】chū//qì 動 八つ当たりする. 鬱憤(うっぷん)を晴らす. 腹いせをする ‖ 你不高兴, 别拿我～ 不機嫌だからといって, 僕に当たらないでくれよ
【出气筒】chūqìtǒng 慣 腹いせの相手. 八つ当たりの対象
【出勤】chū//qín 動 ❶出勤する ↔〔缺勤〕‖ ～率 出勤率 ❷出張する
★【出去】chū//qu(qù) 動 **外出する. 外へ出る** ‖ 你下午～吗? 午後は外出しますか
★【…出去】…//chu(chū)//qu(qù) 動 動詞の後に置き, **動作が中から外へ向かっていくことを表す** ‖ 赶～ 追い出す | 虫子飞～了 虫が飛んでいった
【出圈儿】chū//quānr 動 常軌を逸する. 度を過ごす
【出缺】chūquē 動 (要職の)欠員がでる. ポストが空く
【出让】chūràng 動 譲り渡す. 譲渡する
【出人命】chū rénmìng 組 死者が出る ‖ 弄不好要～的 下手をすると人命にかかわることになる
【出人头地】chū rén tóu dì 成 人にぬきんでて優れる
【出人意料】chū rén yì liào 成 人の意表に出る. 思いがけない. 唐突である.
【出任】chūrèn 動 書 就任する. 任務に就く ‖ ～农业部长 農業大臣に就任する
*【出入】chūrù 動 出入りする ‖ 从东门～ 東の門から出入りする 名 食い違い. 相違 ‖ 他所说的和事实有很大～ 彼の話と事実とはかなりの相違がある
【出入证】chūrùzhèng 名 (会社などの)出入り許可証. 通行証
【出赛】chūsài 動 試合に出る. 試合に出場する
【出丧】chū//sāng 動 出棺する
*【出色】chūsè 形 出色である. 特に見事である ‖ ～地完成了任务 見事に任務を遂行した
【出山】chū//shān 動 ❶旧 官位につく. 政界に入る ❷喩 ある要職に就く
*【出身】chūshēn 名 出身. (主に社会的階級について用いる) ‖ 工人～的技术员 労働者出のエンジニア 動 …の出身である. …の出である
*【出神】chū//shén 動 うっとりする. ぼうっとする. 茫然(ぼうぜん)となる ‖ 听故事听得出了神 物語を聞いてうっとりした
【出神入化】chū shén rù huà 成 入神の域に達する. 技術が優れ神技のようである
⁑【出生】chūshēng 動 **生まれる. 出生する** ‖ 你哪年～的? あなたは何年生まれですか
【出生率】chūshēnglǜ 名 出生率
【出生入死】chū shēng rù sǐ 成 生死の境をくぐり抜ける. 生命の危険を冒す
【出师】[1] chū//shī 動 年季が明けて一人前の職人になる
【出师】[2] chū//shī 動 書 出兵する
【出使】chūshǐ 動 使命を受けて外国へ行く. 使節として出向く
*【出世】chūshì 動 ❶出生する. 生まれる ❷(物事が)誕生する. 生まれる ‖ 新产品～ 新製品が誕生した ❸俗世を超越する. 人間世界から脱する
【出示】chūshì 動 ❶出して見せる. 呈示する ‖ ～证件 身分証明書を呈示する ❷書 布告を出す
【出仕】chūshì 動 旧 官職につく
*【出事】chū//shì 動 事故が発生する. 事故を起こす. 事が起きる ‖ 他～了 彼が大変なことになった
【出手】[1] chū//shǒu 動 ❶売る ‖ 这种货容易～ この商品は簡単に売れる ❷取り出す. 出す ‖ 他一～就给了我五百块钱 彼はぽんと500元を出して私にくれた
【出手】[2] chūshǒu 名 腕前. 手腕 ‖ ～不凡fán 腕前が並外れている
【出首】chūshǒu 動 ❶告発する ❷古 自首する
*【出售】chūshòu 動 売る. 販売する ‖ 廉价liánjià～ 安い値段で売る
【出数儿】chū//shùr 形 量が多い. かさがある
【出水芙蓉】chū shuǐ fú róng 成 池に咲いた蓮(はす)の花. 詩文の美しさ, 女性の美しさをたとえる
【出台】chū//tái 動 ❶舞台に登場する ❷表舞台に立つ. 公然と活動することのたとえ ❸(新しい方針や政策などが)打ち出される. 実施される
【出摊】chū//tān 動 屋台や露店を出す
【出逃】chūtáo 動 家出する. (外国へ)逃げる
【出题】chū//tí 動 問題を出す. 出題する
【出挑】chūtiao ; chūtiāo 動 (女性が美しく)成長する ‖ 她～得越发漂亮了 彼女はますますきれいになった
【出庭】chū//tíng 動 法廷に出る. 出廷する ‖ ～作证 出廷して証言する
【出头】chū//tóu 動 ❶日の目を見る. (苦境から)脱する ‖ 长年的苦难kǔnàn终于有了～的日子 長い苦労の末やっと日の目を見る日が来た ❷表に立つ. 顔を出す ❸(～儿)(ある数量に)余る. 端数が出る
【出头露面】chū tóu lòu miàn 成 表面に立つ. 人前に出る
【出头鸟】chūtóuniǎo 名 表に立つ人. 目立つ人. 成績の突出した人 ‖ 枪打～ 出る杭は打たれる
【出徒】chū//tú 動 徒弟が一人前になる
【出土】chū//tǔ 動 出土する ‖ ～文物 出土文化財
【出脱】chūtuō 動 ❶売り払う. 手放す ❷(女性が成長して)美しくなる ❸罪を逃れる
【出外】chūwài 動 他の土地へ行く
⁑【出席】chū//xí 動 **出席する** ‖ 请准时～ 時間どおりにご出席ください
*【出息】chūxi 名 ❶気概. 意気込み. 将来性. 将来の見込み ‖ 你真没～! お前はほんとにふがいないやつだ ❷方 収益. 利益 動 方 進歩する. 成長する
【出险】chū//xiǎn 動 ❶危険を脱する ❷危険が生じる
★【出现】chūxiàn 動 **現れる. 出現する. 生じる** ‖ 奇迹qíjì～了 奇跡が現れた
【出线】chū//xiàn 動 ❶予戦を勝ち抜く ❷〈体〉オー

バーラインする
【出线权】chūxiànquán 名〈体〉出場権
【出项】chūxiàng 名 支出. 出費
【出血】chū//xiě 動 ❶出血する. 血が出る ❷方(ある目的のために)自腹を切る. 代償を支払う 名(chūxiě) 方 大安売り
【出行】chūxíng 動 よその土地へ行く ‖ 单身～ 単身で旅に出る
【出巡】chūxún 動(役人が)視察に行く. (天子が)巡幸に出る
【出芽】chū//yá 動 ❶芽が出る. 芽を出す ❷〈生〉(無性生殖の一種で)出芽する
【出言】chūyán 動 言う. 口を利く ‖ ～不逊 búxùn 話の仕方が不遜(ふそん)である
【出演】chūyǎn 動 上演する. 出演する
【出洋】chū//yáng 動 旧 洋行する. 外国へ行く
*【出洋相】chū yángxiàng 慣 ぶざまな姿をさらす. みっともない格好をする. 醜態を演じる
【出以公心】chū yǐ gōngxīn 組 公の利益に基づいて行動する. 公益を考えて行動する
【出迎】chūyíng 動 出迎える
【出游】chūyóu 動 遊歴の旅に出る. 周遊する
【出于】chūyú 動 …による. …から出る ‖ ～一片好心 善意から出たものだ | ～自愿 自由意思で行う
【出语】chūyǔ 動 ものを言う
**【出院】chū//yuàn 動 退院する ↔〔住院〕
【出月子】chū yuèzi 組 産後1ヵ月を過ぎる. 産褥(さんじょく)を出る
【出展】chūzhǎn 動 展示する. 出展する
【出战】chūzhàn 動 戦う. 対戦する
【出账】chū//zhàng 動 支出を帳簿に書き入れる 名(chūzhàng)支出. 支払い
【出蛰】chūzhé 動(動物が)冬眠から目覚めて動き始める
【出诊】chū//zhěn 動 往診する ‖ 请大夫 dàifu～ 医者に往診を頼む
【出阵】chū//zhèn 動 出陣する. 戦いに出る
【出征】chū//zhēng 動 ❶出征する ❷(スポーツなどで)遠征する
【出众】chūzhòng 動 ぬきんでる. 人並みはずれる ‖ 才华～ 才能が群を抜いている
【出主意】chū zhǔyi 組 アイディアを出す. 考えを提案する
【出资】chū//zī 動〈経〉出資する
【出走】chūzǒu 動 出奔する. 逐電する. 家を出る ‖ 他离家～已多年 彼が家出してからもう何年にもなる
*【出租】chūzū 動 貸し出す. 賃貸する. レンタルする. リースする ‖ ～房屋 家を貸す
【出租车】chūzūchē ＝〔出租汽车chūzū qìchē〕
★【出租汽车】chūzū qìchē 名 タクシー. ハイヤー

7 ** **初** chū ❶初めの. 最初の ‖ 一～冬 ❷初め. 初期 ‖ 月～ 月の初め ❸元来の. もともとの ‖ 和好如～ もとのように仲よくなる ❹接頭 第一の. 一番目の ‖ 正月 zhēngyuè～一 (旧暦の)正月1日 ❺副 初めて. …したばかり ‖ 如梦～醒 xǐng 夢から覚めたばかりのよう ❻初級の. 初歩的な ‖ 一～级
【初版】chūbǎn 動 初版を刊行する 名 初版
**【初步】chūbù 形 初歩段階の. 初歩的な. だいたいの. おおざっぱな ‖ ～估计 おおざっぱに見積もってみる
【初出茅庐】chū chū máo lú 成 かやぶきの家を初めて出る. 世間に出たばかりで経験が少ないこと
【初创】chūchuàng 動 初めて創立する. 創立して間がない ‖ 学校～, 教学设施尚不完善 学校は最近創立したばかりで教育設備が完全ではない
【初春】chūchūn 名 初春. 新春. 旧暦の正月
【初次】chūcì 名 初め. 最初 ‖ 我跟她是～见面 私は彼女とは初対面である
【初等教育】chūděng jiàoyù 名 初等教育. 小学校教育
【初冬】chūdōng 名 初冬(旧暦の10月)
【初犯】chūfàn 動 初めて罪を犯す 名 初犯. 初犯者
【初稿】chūgǎo 名 最初に書いた原稿(主に未定稿をさす)
【初更】chūgēng 名 旧 初更(しょこう). 宵の口. 一晩を五分した最初の時刻
【初婚】chūhūn 動 ❶初めて結婚する ❷結婚したばかりである
**【初级】chūjí 形 初級の ‖ ～阶段 初級段階
【初级产品】chūjí chǎnpǐn 名 一次産品
【初级社】chūjíshè 名 略 初級合作社. 人民公社ができる前の半社会主義的農業協同組織
【初级中学】chūjí zhōngxué ＝〔初中chūzhōng〕
【初交】chūjiāo 名 まだ日の浅い付き合い
【初校】chūjiào 動〈印〉初校を行う
【初来乍到】chū lái zhà dào 組 到着したばかり. 来たばかり
【初恋】chūliàn 動 ❶初めて恋愛をする ❷恋愛を始めて間がない
【初露锋芒】chū lù fēng máng 成 才能や力を現し始める. 頭角を現し始める
【初年】chūnián 名 初年. 初頭 ‖ 民国～ 民国初年
*【初期】chūqī 名 初期. 初めの時期 ‖ 感冒～ 風邪の引き始め | 建国～ 建国初期
【初秋】chūqiū 名 初秋
【初赛】chūsài 動〈体〉1回戦を行う. 初戦を行う
【初审】chūshěn 動 ❶最初の審査を行う ❷〈法〉第一審を行う
【初生之犊】chū shēng zhī dú 慣 生まれてすぐの子ウシ. 恐れを知らない若者のたとえ ‖ ～不怕虎 若い者は大胆で怖いもの知らずである
【初始】chūshǐ 名 初期. 当初
【初始化】chūshǐhuà 動〈計〉初期化する
【初试】chūshì 動 ❶最初に試験する. 初めて試みる ❷一次試験を実施する ↔〔复试〕
【初霜】chūshuāng 名 初霜
【初速】chūsù 名〈物〉初速. 初速度. とくに弾丸が銃から発射された瞬間の初速度
【初探】chūtàn 動 初歩的な探究をする 名 初歩的な研究(多く書名や論文のタイトルに用いる)
【初夏】chūxià 名 初夏
【初学】chūxué 動 学び始める. 学び始めて間がない ‖ ～者 初学者. 学び始めたばかりの人
【初雪】chūxuě 名 初雪
【初旬】chūxún 名 初旬. 上旬 ‖ 六月～ 6月初旬
【初叶】chūyè 名 初頭 ‖ 本世纪～ 今世紀初頭
【初夜】chūyè 名 ❶宵の口. 初夜 ❷(新婚の)初夜
*【初一】chūyī 名 1日(ついたち) ‖ 大年～ 旧暦の元日
【初愿】chūyuàn 名 初志
【初战】chūzhàn 名 最初の戦い. 緒戦

【初绽】chūzhàn 動(花が)開き始める. ほころび始める
【初诊】chūzhěn 動 最初の診察をする ‖ ～的病人 初診の患者
*【初中】chūzhōng 名 略 初級中学校.〔初级中学〕の略. 日本の中学校に相当する ‖ ～生 中学生
【初衷】chūzhōng 名 書 初志
15 樗 chū 名〈植〉ニワウルシ. シンジュ.〔臭椿chòuchūn〕ともいう

chú

5 刍(芻) chú 書 ❶草を刈る ❷まぐさ. 飼い葉 ‖ 反～ 反芻(はんすう)する ❸謙 自分の言論や見解をへりくだって言う ‖ ～见 卑見
【刍议】chúyì 名 書 謙 卑見
9 ** 除 chú ❶書 きざはし. 階段 ❷書(官職を)授ける. 任命する ❸動 除く. 除去する ‖ 开～ 除名する ❹動〈数〉割る ↔〔乘〕‖ 十～以五等于二 10を5で割ると2になる ❺介 …を除いて ‖ →～了
【除暴安良】chú bào ān liáng 成 暴徒を除き良民を安んずる
【除草剂】chúcǎojì 名 除草剤
【除尘】chúchén 名 集塵(しゅうじん). 空中の塵の除去
【除虫菊】chúchóngjú 名〈植〉ジョチュウギク
*【除此之外】chú cǐ zhī wài 慣 これ以外に. この外 ‖ ～, 别无办法 これ以外に方法はない
【除掉】chúdiào 動 すっかり除く. 取り除く
【除法】chúfǎ 名〈数〉除法. 割り算
*【除非】chúfēi 接 ❶(〔才〕と呼応して)…してこそ…する. …でない限り…しない ‖ ～你亲自去请, 他才会来 あなた自身が行って頼まない限り, 彼は来はしない ❷(〔否则fǒuzé〕〔不然〕と呼応して)…でない限り…しない ‖ ～他病了, 否则他不会不来 彼は病気になったのではない限り来ないはずはない ❸(前に仮定の句を置いて)もし…するなら…するほかない ‖ 若要人不知, ～己莫为jǐ mò wéi 人に知られたくないのならしないに限る(人に隠れて悪い事をしても必ず見つかる) ❹…するときはともかく. …しないときは別として ‖ 这事～不问他, 问他, 他肯定不同意 この件は彼に言わなければともかく, もし言ったら絶対に承知するはずがない
【除根】chú//gēn (～儿) 動 根絶する. 根本的に取り除く
【除害】chú//hài 動 害を除く
【除号】chúhào 名〈数〉割り算の符号
【除旧布新】chú jiù bù xīn 成 古い制度を廃し新しい制度を確立する
★【除了】chúle 介 ❶…以外. …のほか. …を除いて ‖ 这事～你我, 别人都不知道 この件は私とあなた以外, 誰も知らない ❷(〔就是〕と呼応して)…するのでなければ…. …でないならば… ‖ ～吃, 就是喝 食べるか, さもなければ飲んでいる ❸(〔还是〕と呼応して)すべて…. …だらけ ‖ 屋里～书还是书 部屋の中は本だらけだ
【除名】chú//míng 動 除名する
【除权】chú//quán 動〈経〉権利落ちする
【除却】chúquè 動 書 取り除く. 除く
*【除外】chúwài 動 除外する. 除く ‖ 病号～ 病人は除外する
*【除夕】chúxī 名 大みそか. 大みそかの夜. 除夜
【除息】chú//xī 動〈経〉配当落ちする
【除夜】chúyè 名 大みそかの夜. 除夜
12 厨(△廚 厨) chú ❶台所. 炊事場 ‖ →～房 ❷料理人 ‖ 名～ 名コック ❸調理. 炊事 ‖ 帮～ 炊事を手伝う
**【厨房】chúfáng 名 台所. 調理場. 厨房(ちゅうぼう) ‖ 下～ 御飯の支度をする. 台所仕事をする
【厨具】chújù 名 台所用具. 調理器具. 料理道具
*【厨师】chúshī 名 コック. 料理人. 調理師 ‖ 二级～ 2級調理師
【厨子】chúzi 名 旧 コック. 料理人
12 滁 chú 地名用字 ‖ ～州 安徽省にある市の名
12 * 锄(△鉏 耡) chú ❶名 鋤(すき) ❷動 鋤(す)き起こす. 鋤き返す ‖ ～草 草を鋤き起こす ❸除く. 除き去る ‖ →～奸
【锄地】chú//dì 動 畑を鋤き返す
【锄奸】chú//jiān 動 裏切り者を粛清する
【锄头】chútou 名 ❶南方で使われる鍬(くわ)に似た農具 ❷方 鋤
13 蜍 chú ➡〔蟾蜍chánchú〕
13 雏(雛) chú ❶ひな. ひよこ ‖ 鸡～ ひよこ ❷幼い ‖ ～笋sǔn タケノコ
【雏鸡】chújī 名 ニワトリのひな. ひよこ
【雏妓】chújì 名 旧 未成年の娼妓(しょうぎ)
【雏菊】chújú 名〈植〉ヒナギク
【雏儿】chúr 名 ❶ひな. ひよこ ❷青二才. 若造
【雏形】chúxíng 名 ❶原形 ❷縮小模型. ミニチュア
16 橱(△櫥) chú 名(～儿)戸棚. たんす ‖ 碗～ 食器棚 | 衣～ たんす
【橱窗】chúchuāng 名 ショーウインドー. ショーケース
【橱架】chújià 名 ケース棚
【橱柜】chúguì (～儿) 名 ❶食器棚. 茶だんす ❷(テーブルとして使える)背の低い戸棚
【橱门】chúmén 名 戸棚やたんすの扉
18 躇 chú ➡〔踌躇chóuchú〕
19 蹰(△躕) chú ➡〔踟蹰chíchú〕

chǔ

5 ** 处(處) chǔ ❶書 住む ❷動 ある. 立つ. (身を)置く ‖ →～于 ❸動 付き合う. 交際する ‖ 两人～得不好 二人は仲が悪い ❹処理する. 対処する ‖ →～理 ❺動 処罰する. 処する ‖ →～罚 ➤ chù
*【处罚】chǔfá 動 処罰する. 罰する ‖ ～违章wéizhāng者 違反者を処罰する
*【处方】chǔfāng 動 処方する 名 処方. 処方箋(しょほうせん) ‖ 开～ 処方箋を出す
【处方药】chǔfāngyào 名〈医〉処方薬
**【处分】chǔfèn 動 処分する. 処罰する. 処置する ‖ 严厉yánlì～ 厳しく処分する 名 処分. 処罰 ‖ 受～ 処分を受ける
【处警】chǔjǐng 動(警察が)緊急事態などを処理する
*【处境】chǔjìng 名(苦しい)状況. 立場 ‖ ～险恶 険悪な状況にある

*【处决】chǔjué 動 ❶処刑する.死刑に処する ❷処断する.決裁する

【处理】chǔlǐ 動 **❶処理する.処置する.片付ける‖妥善～ 妥当な処置をする｜～不当dàng 処置が不当である ❷処分販売する‖商店～冬衣 商店が冬物衣料を処分販売する ❸加工処理する‖热～ 熱処理

*【处理品】chǔlǐpǐn 名（安売りの）処分品.見切り品

【处理器】chǔlǐqì 名〈計〉プロセッサー.CPU

【处男】chǔnán 名 童貞

【处女】chǔnǚ 名 ❶処女 ❷初めてであること

【处女地】chǔnǚdì 名 未開墾の地.処女地

【处女峰】chǔnǚfēng 名 処女峰

【处女航】chǔnǚháng 名 処女航海.処女飛行

【处女膜】chǔnǚmó 名 処女膜

【处女作】chǔnǚzuò 名 処女作

【处身】chǔshēn 動 身を置く.立場に立つ

【处世】chǔshì 動 世に処する.世渡りする

【处事】chǔshì 動 物事を処理する

【处暑】chǔshǔ 名 処暑（二十四節気の一つ，8月23日ごろに当たる）

【处死】chǔsǐ 動 死刑に処する.処刑する

【处心积虑】chǔ xīn jī lǜ 成 腐心する.心を砕く.苦心する.（多くは悪だくみについていう）

【处刑】chǔxíng 動〈法〉処刑する

*【处于】chǔyú 動（ある状態や立場に）いる.ある.置く‖～绝对优势yōushì 絶対的優位な立場にある

【处治】chǔzhì 動 処罰する

*【处置】chǔzhì 動 ❶処置する.処理する‖妥善～ 穏当に処置する ❷処罰する.処分する‖依法～ 法によって処罰する

【处子】chǔzǐ 名 書 処女

8 **杵** chǔ ❶名 杵(きね).洗濯用のたたき棒 ❷動 杵でつく‖～药 薬をついて砕く ❸動（棒状のもので）つく‖用木棍～了个窟窿kūlong 棒でついて穴をあけた

10 **础**（礎） chǔ 礎(いしずえ).土台石.基礎‖～石 土台石｜基～ 基礎

12 **储** chǔ ❶蓄える.ためる‖→～蓄 ❷帝位を継承する者‖～君 皇太子.皇儲(こうちょ)

*【储备】chǔbèi 動 備蓄する.蓄える‖～粮食 食糧を備蓄する 名 備蓄.蓄え‖外汇～ 外貨準備高

【储备粮】chǔbèiliáng 名 備蓄食糧

*【储藏】chǔcáng 動 ❶埋蔵する.うずもれる‖煤的～量很大 石炭の埋蔵量はとても多い ❷貯蔵する.保存する‖～室 貯蔵室

*【储存】chǔcún 動 貯蔵する.保存する.ためておく‖把多余的粮食～起来 余っている食糧を貯蔵する

【储放】chǔfàng 動 預ける.預けておく

【储户】chǔhù 名 預金者

【储积】chǔjī 動 ためる.貯蔵する 名 貯蔵物資

【储集】chǔjí 動 集中して貯蔵する

【储量】chǔliàng 名 埋蔵量

【储气罐】chǔqìguàn 名 ガスタンク

【储青】chǔqīng 動 飼料の青草を蓄える

*【储蓄】chǔxù 動（金や物を）ためる.貯蓄する‖每个月～一定的钱 毎月一定額を貯金する 名 貯蓄.貯金.蓄え‖有～ 貯金がある｜活期～ 普通預金

【储蓄所】chǔxùsuǒ 名 貯蓄所.銀行などの支店

【储油罐】chǔyóuguàn 名 オイルタンク.貯油タンク

【储值】chǔzhí 動（カードに）入金する.チャージする

12 **楮** chǔ ❶名〈植〉カジノキ.〔构〕〔榖〕ともいう ❷書 紙‖～毫háo 紙と筆

【楮墨】chǔmò 名 書 ❶紙と墨 ❷詩文や書画の作品

13 **楚**[1] chǔ ❶書 苦しみ‖苦～ 苦痛 ❷はっきりしている‖清～ はっきりしている

13 **楚**[2] chǔ ❶名 楚(そ).春秋戦国時代の国名.現在の湖北省と湖南省北部にあった ❷名 湖北省と湖南省.または，湖北省の別称

【楚楚】chǔchǔ 形 ❶さっぱりしている.きちんとしている‖衣冠～ 身なりがきちんとしている ❷楚々(そそ)としている‖～动人 楚々として美しい

【楚河】chǔhé 名 中国将棋の盤中央の境界部分を一方の側から呼ぶ名称.もう一方の側からは〔汉界〕という

13 **褚** chǔ 名 姓 ➤zhǔ

chù

3 **亍** chù ➡〔彳亍chìchù〕

5 ** **处**（處） chù **❶名 所.場所**‖住～ 住んでいる所｜去～ 行き先 ❷名（事物の）**一部.個所.点**‖不同之～ 異なる点｜一无是～ 正しい所は一つもない ❸名（政府機関または企業の一部門）**処**.〔局〕〔司〕の下，〔科〕の上に位置する ➤chǔ

*【处处】chùchù 名 あらゆる所.随所‖他～为大家着想 彼はすべてにわたってみんなのために心を砕いている

類義語　处处 chùchù　到处 dàochù

◆〔处处〕あらゆる場所，あらゆる方面を表す.具体的な場所だけでなく，分野・領域・方面など広く用いる‖新人新事处处可见 新しいタイプの人や事物が至る所で見られる｜住院时护士们处处关心照顾我 入院中は，看護婦たちがあらゆる面で気を配って私の世話をしてくれた ◆〔到处〕至る所.具体的な場所に限定され，副詞〔都〕と共に用いることが多い‖水管子漏了，弄得屋里到处都是水 水道が漏れて家中水浸しだ｜你上哪儿去了，让我到处找你 どこへ行っていたんだ，方々探してしまったよ

【处所】chùsuǒ 名 場所.所

8 **怵** chù ❶動 恐れる.臆(おく)する.おじけづく‖发～ 気後れする ❷書 警戒する

8 **绌** chù 不足する.足りない‖相形见～ 他に比べて見劣りする｜左支右～ こちらに回せばあちらが不足する.どうにもこうにも対処しきれない

10 **畜** chù 禽獣(きんじゅう).（多く家畜をさす） ➤xù

【畜肥】chùféi 名〈農〉厩肥(きゅうひ).うまやごえ

【畜圈】chùjuàn 名 家畜小屋.〔畜舍〕ともいう

【畜力】chùlì 名 畜力.労働に利用する家畜の力

【畜生】【畜牲】chùsheng 名 ❶禽獣.畜類 ❷罵 畜生.人でなし

【畜疫】chùyì 名 家畜の伝染病

13 **搐** chù けいれんする‖抽～ けいれん

【搐动】chùdòng 動（筋肉などが）けいれんする.ひきつる‖面部肌肉～了一下 顔の筋肉がちょっとひきつった

【搐缩】chùsuō 動（筋肉などが）収縮する

13 *触（觸）chù ❶動 触れる．触る．ぶつかる‖一～即jí发 一触即発 ❷動（心に）触れる．感動する‖感～ 感慨

*【触电】[1] chù//diàn 動 感電する

【触电】[2] chùdiàn 動 映画やテレビの仕事にかかわりをもつ．作品が映画化あるいはテレビ・ドラマ化される

*【触动】chùdòng 動 ❶さわる．触れる ❷（ある種の感情を）呼び起こす‖老师的话～了他 先生の話は彼の心の琴線に触れた

【触发】chùfā 動 触発する．呼び起こす．反応する

*【触犯】chùfàn 動 犯す．侵犯する．損ねる‖～了法律 法律を犯した｜～了上司 上司の機嫌を損ねた

【触感】chùgǎn 图 触感．触れた感じ

【触机】chùjī 動 思いつく．頭に浮かぶ

【触及】chùjí 動（…に）触れる‖～痛处tòngchù 古傷に触れる｜～问题的实质 問題の本質に触れる

【触礁】chù//jiāo 動 ❶（船が）座礁する ❷（事柄が）障害にぶつける‖谈判～ 折衝が暗礁に乗り上げる

【触角】chùjiǎo 图〈生〉触角．〔触须〕ともいう

【触景生情】chù jǐng shēng qíng 成 ある情景に接して感慨を催す

【触觉】chùjué 图〈生理〉触覚

【触类旁通】chù lèi páng tōng 成 一つの事から他を類推する．一端から推して他を理解する

【触摸】chùmō 動 触れる．触る‖请勿wù～展品 展示品に触れないでください

【触摸屏】chùmōpíng 图 タッチパネル

【触目】chùmù 動 目に触れる 形 目立っている

【触目皆是】chù mù jiē shì 成 目に触れるものがみなそうである．数がたいへん多いさま

【触目惊心】chù mù jīng xīn 成 ひどい情景を見て心を痛める

【触怒】chùnù 動 怒りに触れる．怒らせる

【触杀】chùshā 動〈体〉タッチ・アウトする

【触网】chùwǎng 動〈体〉（バレーボールなどで）タッチ・ネットする

【触须】chùxū ＝〔触角chùjiǎo〕

【触诊】chùzhěn 動〈医〉触診する

16 憷 chù 〔怵chù ❶〕に同じ

17 黜 chù 書 官位を降格する．免職する．罷免する‖废～ 罷免する

【黜免】chùmiǎn 動 書 罷免する．免職する

【黜退】chùtuì 動 辞めさせる．免職する

24 矗 chù 書 そびえ立つ．直立する

【矗立】chùlì 動 そびえ立つ‖高楼～ 高いビルディングがそびえ立つ

chuā

12 欻 chuā ❶擬（ボールなどがすばやく動く音）シュッ，サッ ❷擬（隊列が整然と行進する足音）ザッザッ

chuāi

12 揣 chuāi 動（衣服の中に）しまいこむ．入れる．突っ込む．隠す ➤ chuǎi

【揣手儿】chuāi//shǒur 動 懐手をする．両手を交差させて袖の中に入れる

13 搋 chuāi ❶動 こねる．ねる．もむ ❷動 排水管のつまりをとる

【搋子】chuāizi 图 排水管のつまりをとる道具

chuǎi

12 揣 chuǎi 書 推し量る‖～测｜不～冒昧 màomèi 失礼を顧みない ➤ chuāi

【揣测】chuǎicè 動 推測する．推し量る

【揣度】chuǎiduó 動 書 推量する．見当をつける

【揣摩】chuǎimó 動 熟考して推測する．深く考えて見抜く‖谁也～不透他的心思 誰も彼の考えが分からない

【揣想】chuǎixiǎng 動 推測する

chuài

11 啜 chuài 图 姓 ➤ chuò

15 嘬 chuài 動 書 かむ．大きな口を開けて食べる ➤ zuō

16 踹 chuài ❶動 踏みつける．踏む‖不小心，一脚～进了泥里 うっかりして足を泥に突っ込んでしまった ❷動（足の裏で）ける‖一脚～开门冲chōng了进去 足でドアをひとけりして飛び込んでいった

chuān

3 川 chuān ❶川‖河～ 河川 ❷四川省の略称‖～剧 ❸平坦で低い地帯‖米粮～ 穀倉地帯

【川贝】chuānbèi 图 ❶〈植〉（四川省産の）バイモ ❷〈中薬〉川貝母（ばいも）

【川菜】chuāncài 图 四川料理

【川红】chuānhóng 图 紅茶の一種．主に四川省筠連（いんれん）県に産する

【川剧】chuānjù 图〈劇〉四川省一帯の地方劇

【川军】chuānjūn 图〈中薬〉四川省産の大黄（だいおう）

*【川流不息】chuān liú bù xī 成（人や車の往来が）川の流れのように絶え間がない

【川马】chuānmǎ 图 四川省産のウマ

【川芎】chuānxiōng 图 ❶〈植〉センキュウ ❷〈中薬〉川芎（せんきゅう） ＊〔芎䓖qióng〕ともいう

7 氚 chuān 图〈化〉トリチウム（化学元素の一つ，元素記号はT）

9 ★穿 chuān ❶動 穴を開ける．穴をうがつ‖在皮带上再～个眼儿 ベルトにもう一つ穴を開ける ❷動（穴に）通す．通り抜ける‖一～针 ❸動（ひもなどを穴に通して）つなぐ．連ねる‖她把珠子一个个～起来 彼女はビーズを一つ一つつなげた ❹動（衣服などを）着る．（ズボン・スカート・靴などを）はく‖～衣服 服を着る ❺（衣服・靴・靴下など）着るもの．身に付けるもの‖有吃有～ 衣食に事欠かない ❻動 動詞の後に置き，その動作が徹底していること，または，実体を明らかにすることを示す‖揭jiē～ 暴露する

【穿帮】chuānbāng 動 方 暴かれる．露見する

【穿插】chuānchā 動 ❶（小説や戯曲でエピソードを）挿入する．織り混ぜる ❷入り交じる．代わる代わる行う

【穿刺】chuāncì 動〈医〉穿刺（せんし）する

【穿戴】chuāndài 動 衣類・装身具などを身につける. 装う 名 服装. 身なり ‖ 讲究～ 服装に凝る｜～朴素 身なりが地味である
【穿耳】chuān'ěr 動（ピアス用に）耳たぶに穴を開ける
【穿过】chuān//guo(guò) 動 通り抜ける. 横切る ‖ ～人群 人込みを突っ切る
【穿孔】chuān//kǒng 動 ❶穴を開ける ❷〈医〉穿孔(せんこう)｜胃～ 胃穿孔
【穿廊】chuānláng 名 正門を入った次の門の両脇にある回廊
【穿连裆裤】chuān liándāngkù 慣 ぐるになること. 気脈を通じ合っていること.〔穿一条裤子〕ともいう
【穿山甲】chuānshānjiǎ 名〈動〉センザンコウ.〔鲮鲤línglǐ〕ともいう
【穿梭】chuānsuō 動 喩 織機の梭(ひ)のように車や人が頻繁に往来する
【穿梭外交】chuānsuō wàijiāo 名 シャトル外交
【穿堂风】chuāntángfēng 名 路地や廊下などを通り抜ける風. 吹き抜けの風
【穿堂门】chuāntángmén（～儿）名 横町と横町をつなぐ小さな路地の入り口の門. 通り抜けの門
【穿堂儿】chuāntángr 名 表庭と裏庭を結ぶ, 出入りのために設けた部屋
【穿线】chuān//xiàn 動 ❶（針などに）糸を通す ❷中に立って連絡や紹介の労をとる
【穿小鞋】chuān xiǎoxié（～儿）慣 意地悪される. 報復される. いびられる
【穿孝】chuān//xiào 動 喪服を着る. 喪に服する
【穿心莲】chuānxīnlián 名 ❶〈植〉キツネノゴマ科の草本植物 ❷〈中薬〉穿心蓮(せんしんれん)
【穿行】chuānxíng 動（トンネルや空地などを）通り抜ける ‖ 小船在桥下～ 小船が橋の下を通り抜ける
【穿靴戴帽】chuān xuē dài mào 慣 文章や演説をもっともらしく見せるため, 始めと終わりに中身のない教訓的な話をつけること.〔穿鞋戴帽〕ともいう
【穿衣镜】chuānyījìng 名 姿見
【穿越】chuānyuè 動 通り抜ける
【穿凿】chuānzáo 動 こじつける ‖ ～附会 無理にこじつける
【穿针】chuān//zhēn 動 針に糸を通す
【穿针引线】chuān zhēn yǐn xiàn 成 中を取り持つ. 間に立って手引きをする
【穿着】chuānzhuó 名 身なり. 服装 ‖ 她很讲究～ 彼女はとてもおしゃれだ｜～朴素 身なりが質素だ

chuán

6 ** **传**（傳）chuán ❶動（次世代に）伝える. 手渡す ‖ 这是祖上～下来的 これは先祖代々伝えてきたものです｜～接力棒 バトンをリレーする ❷動（知識や技能を）伝える. 伝授する ‖ ～手艺 技術を伝える ❸動（評判などが）広く伝わる. 広める ‖ 一～播 ❹動（人を）呼び出す. 出頭させる. 召喚する ‖ ～证人 証人を召喚する ❺表現する ‖ 一～神 ❻動（熱や電気を）伝える. 伝導する ➤ zhuàn
【传本】chuánběn 名 伝本. 伝存本
【传遍】chuánbiàn 動 あまねく伝わる. あまねく広まる
**【传播】chuánbō 動 広く伝える. 広める. 伝わる. 広まる ‖ ～新技术 新しい技術を広める
【传布】chuánbù 動 広く伝わる. 広まる
【传唱】chuánchàng 動 歌い継ぐ. 歌い広める
【传抄】chuánchāo 動 次から次へと引き写す
*【传达】chuándá 動 ❶伝達する. 伝える ‖ ～上级的命令 上部の命令を伝える ❷取り次ぐ. 受け付ける ‖ ～室 受付 名 受付係
【传代】chuán//dài 動 代々伝える. 代々受け継ぐ
*【传单】chuándān 名 宣伝ビラ. ビラ ‖ 印～ ビラを刷る｜撒sǎ～ ビラをまく
【传导】chuándǎo 動 ❶〈物〉伝導する ‖ 热～率 熱伝導率 ❷〈生理〉伝導する
【传道】chuándào 動 ❶〈宗〉伝道する. 布教する ❷古 先聖の道を伝える
*【传递】chuándì 動 次から次へと伝える. 順に手渡す ‖ ～信件 手紙を届ける｜～信息 情報を伝える
【传动】chuándòng 動〈機〉伝動する. 駆動する
【传动带】chuándòngdài 名〈機〉伝動ベルト
【传粉】chuánfěn 動〈植〉受粉する
【传感器】chuángǎnqì 名 センサー. 検知器
【传告】chuángào 動（伝言を）伝える. 伝達する
【传观】chuánguān 動 回覧する
【传呼】chuánhū 動 ❶（電話の）呼び出しをする ‖ ～电话 呼び出し電話 ❷出頭させる. 召喚する
*【传话】chuán//huà 動 伝達する. 伝言を取り次ぐ ‖ 你给他传个话, 这事我不能答应dāying この件は承諾できないと彼に伝えてください
【传唤】chuánhuàn 動 出頭させる ‖ ～被告 被告を召喚する
【传家宝】chuánjiābǎo 名 家宝
【传见】chuánjiàn 動（呼び出して）会う
【传教】chuán//jiào 動〈宗〉布教する
【传教士】chuánjiàoshì 名〈宗〉宣教師
【传戒】chuánjiè 動〈仏〉授戒する
【传经】chuán//jīng 動 ❶儒教の経典を伝授する ❷よい経験を伝える
【传看】chuánkàn 動 回覧する
【传令】chuán//lìng 動 命令を伝達する
*【传媒】chuánméi 名 ❶（新聞や放送などの）メディア. マスメディア ❷〈医〉感染媒体
【传名】chuánmíng 動 名声が広く伝わる. 名を揚げる
【传票】chuánpiào 名 ❶〈法〉召喚状. 令状 ❷伝票
【传奇】chuánqí 名 ❶伝奇小説. 唐代に起こった文語体の短編小説 ❷明・清時代に流行した長編戯曲 ❸伝奇. 奇談 ‖ ～式人物 伝奇的な人物
【传情】chuán//qíng 動（多く男女間で）情を伝える ‖ 眉目～ 色目を使う
【传球】chuán//qiú 動〈体〉（ボールを）パスする
*【传染】chuánrǎn 動 伝染する. 移る ‖ ～上了肝炎gānyán 肝炎にかかった
【传染病】chuánrǎnbìng 名 伝染病
【传人】chuán//rén 動 ❶（技能などを）人に教え伝える. 伝授する ❷（病気などが）人に移る ❸人を呼び出す 名（chuánrén）ある学術を受け継ぐ人. 伝承者
【传神】chuánshén 形（作品が）真に迫っている. 面目躍如としている ‖ 这匹马画得很～ このウマの絵は真に迫っている
【传声器】chuánshēngqì 名〈電〉マイクロフォン
【传声筒】chuánshēngtǒng 名 ❶メガホン. 拡声器.〔话筒tǒng〕ともいう ❷喩 人の言葉を受け売りするだけで, 定見のない人間

【传世】chuánshì 動(宝や著作などが)後世に伝わる. 後世に伝える‖～之作 後世に伝わる名作
*【传授】chuánshòu 動(技術や知識を)伝える. 伝授する‖～技术 技術を伝授する|～经验 経験を伝える
【传输】chuánshū 動〈計〉伝送する
*【传说】chuánshuō 名 伝説. 言い伝え‖民间～ 民間の伝説 動 言い伝える
*【传送】chuánsòng 動 伝える. 送り届ける‖～消息 ニュースを伝える
【传送带】chuánsòngdài 名〈機〉ベルトコンベヤー
【传颂】chuánsòng 動 次々と伝えたたえる
**【传统】chuántǒng 名 伝統‖保持优良～ 優秀な伝統を維持する 形 ❶伝統的な‖～工艺 伝統工芸 ❷保守的である
【传闻】chuánwén 動 伝聞する. 伝え聞く. 人づてに聞く 名 伝聞. うわさ話‖早有～ もううわさになっている
【传习】chuánxí 動 伝習する
【传销】chuánxiāo 動 連鎖販売取引(マルチ商法)を行う
【传讯】chuánxùn 動 召喚して審問する
【传言】chuányán 名 うわさ. 風説 動 伝言する. ことづける
【传扬】chuányáng 動 伝播(でんぱ)する. 広まる
【传艺】chuányì 動 技能や技術を伝える
【传译】chuányì 動 通訳する‖同声～ 同時通訳
【传阅】chuányuè 動 回し読みする. 回覧する‖～文件 文書を回覧する
**【传真】chuánzhēn 名 ファクシミリ‖电话～机 電話ファクシミリ|往北京发～ 北京にファクシミリを送る 動 旧 肖像画を描く
【传旨】chuánzhǐ 動 古 帝王の命令を伝える
【传种】chuán//zhǒng 動(優良種を残すために)種子を保存する. 種付けをする
【传宗接代】chuán zōng jiē dài 成 子孫が代々家を継いでいくこと

11 ★船(△舩) chuán 名 船‖坐～ 船に乗る|晕～ 船に酔う
【船帮】chuánbāng 名 ❶船べり. 舷側(げんそく) ❷船隊. 船団
*【船舶】chuánbó 名 船舶. 船
【船埠】chuánbù 名 波止場. 埠頭(ふとう). 港
【船舱】chuáncāng 名 船倉. 船室
【船东】chuándōng 名 船主
【船队】chuánduì 名 船隊
【船夫】chuánfū 名 船乗り. 水夫. 船員
【船工】chuángōng 名 ❶船乗り. 水夫 ❷船大工
【船户】chuánhù 名 ❶旧 船乗り. 船頭 ❷方 水上生活者
【船籍】chuánjí 名 船籍
【船家】chuánjiā 名 旧 ❶船乗り. 船頭 ❷水上生活者
【船桨】chuánjiǎng 名 櫂(かい). オール
【船壳】chuánké 名 船体
【船老大】chuánlǎodà 名 方(木造船の)船長. (広く)船員. 船乗り
【船龄】chuánlíng 名 船齢
【船民】chuánmín 名 水上運輸に従事する水上生活者
【船模】chuánmó 名 船の模型
【船篷】chuánpéng 名 ❶船のとま ❷船の帆
【船票】chuánpiào 名 乗船切符
【船期】chuánqī 名 出港日. 出帆日
【船钱】chuánqian ; chuáqián 名 船賃
【船艄】chuánshāo 名 船尾. とも
【船身】chuánshēn 名 船体
【船台】chuántái 名 船台
【船位】chuánwèi 名(海上における)船の位置
【船坞】chuánwù 名 船渠(せんきょ). ドック
【船舷】chuánxián 名 舷(げん). 船べり
【船员】chuányuán 名 船員
【船运】chuányùn 動 船積みで送る. 船で運ぶ
【船闸】chuánzhá 名 閘門(こうもん). 水門
【船长】chuánzhǎng 名 船長
*【船只】chuánzhī 名 船. 船舶
【船主】chuánzhǔ 名 船主

12 遄 chuán 書 迅速に. 速やかに

13 椽 chuán 名〈建〉垂木(たるき)
【椽子】chuánzi 名〈建〉垂木

chuǎn

6 舛 chuǎn 書 ❶背く. 矛盾する ❷間違っている‖～误 間違い. 誤り ❸不幸である. 不遇である‖命途多～ 波乱に満ちた生涯

12 *喘 chuǎn ❶動 あえぐ. 息切れする. 呼吸する‖→～气 ❷動 喘息(ぜんそく)になる
【喘气】chuǎn//qì 動 ❶息をする. 深呼吸をする‖笑得她都快喘不过气来了 笑いすぎて彼女は息もつけないほどである ❷一息入れる. 息をつく. 息抜きをする‖试验shìyàn成功了, 大家总算可以喘口气了 実験が成功し, みんなはどうにか一息つくことができた
【喘息】chuǎnxī 動 ❶あえぐ. 息切れする ❷息をつく. 息を抜く. 一休みする‖不给对手～的机会 相手に息つく暇を与えない
【喘吁吁】【喘嘘嘘】chuǎnxūxū (～的) 形 息をはずませているさま

chuàn

7 *串 chuàn ❶動 貫く. 刺し連ねる. 数珠つなぎにする‖把这几个小故事～在一起就成了一篇小说 これらの短い物語をつなぎ合わせれば一編の小説になる ❷名 刺し連ねてできたもの‖羊肉～儿 マトンのくし焼き ❸量(～儿)(つながっているものを数える)さし. つながり‖一～项链xiàngliàn 一連のネックレス ❹動 ぐるになる. 結託する‖→～供 ❺(芝居で)ある役につく. 芝居に出る‖客～ 素人あるいは他の劇団員が出演する ❻動 歩き回る‖游街～巷xiàng (物売りなどが)通りや路地を歩き回る ❼動 間違えてつなげる. それる‖念～了行háng 行を読み間違えた ❽2種類のものを合わせて, 元の性質を変える‖→～味
【串案】chuàn'àn 名 いもづる式に共犯者が明らかになり逮捕される事件
【串供】chuàn//gòng 動 供述の口裏を合わせる
【串花】chuànhuā 動〈農〉自然受粉する
【串换】chuànhuàn 動 交換する. 取り替える
【串讲】chuànjiǎng 動 ❶(国語の授業で)一字一句を解釈して本文を説明する ❷論文や小説などを段落

ごとに勉強した後，全体の内容を総合的に説明する
【串联】【串连】**chuànlián** 動 ❶〈電〉直列する‖～电路 直列回路 ❷(次々)連絡する．つながりをつける
【串铃】**chuànlíng** 名 ❶(ラバなどにつける)ひもで連ねた鈴 ❷旧 流しの易者や医者などが客寄せに振った鈴
【串门】**chuàn//mén** (～儿) 動 人の家に遊びに行く．〔串门子〕ともいう
【串气】**chuànqì** 動 気脈を通じる．結託する
【串亲戚】**chuàn qīnqi** 組 親戚回りをする
【串通】**chuàntōng** 動 ❶結託する．ぐるになる‖～一气 気脈を通じ合う ❷つながりをもつ．連絡をつける
【串味】**chuàn//wèi** (～儿) 動 (食品や飲料に)においが移る
【串戏】**chuàn//xì** 動 芝居に出る．とくにしろうとが専門の役者にまじって芝居に出ることをさす
【串线】**chuàn//xiàn** 動 (電話が)混線する
【串行口】**chuànxíngkǒu** 名〈計〉シリアルポート ↔〔并行口〕
【串烟】**chuàn//yān** 動 (飯や料理が)煙臭くなる 名 (chuànyān)香の立ち上る煙
【串演】**chuànyǎn** 動 (役を)演じる
【串秧儿】**chuàn//yāngr** 動 口 交配する．交雑する
【串游】**chuànyou** 動 口 ぶらぶら歩く．散歩する
【串珠】**chuànzhū** 名 つなぎ合わせた玉
【串子】**chuànzi** 名 数珠状になった物

8 **钏 chuàn** 腕輪‖玉～ 玉(ぎょく)の腕輪｜金～ 金の腕輪
【钏子】**chuànzi** 名 腕輪

chuāng

6 **创(創) chuāng** ❶傷．外傷‖刀～ 刀傷．切り傷 ❷傷つける．痛手を負わせる ➤ chuàng
【创痕】**chuānghén** 名 傷跡‖～累累 lěilěi 無数の傷跡
【创口】**chuāngkǒu** 名 傷口
【创面】**chuāngmiàn** 名 傷の表面
【创伤】**chuāngshāng** 名 ❶外傷．傷 ❷喩 痛手．傷‖医治内心的～ 心の痛手を癒(い)やす
【创痛】**chuāngtòng** 名 傷の痛み
【创痍】**chuāngyí** ＝〔疮痍chuāngyí〕

9 **疮(瘡) chuāng** ❶傷．外傷 ❷名 できもの．かさ‖长zhǎng～ できものができる
【疮疤】**chuāngbā** 名 かさ．かさぶた．傷跡．瘡痕(そうこん)‖好了～忘了疼téng 傷が治って痛みを忘れる．のどもと過ぎれば熱さを忘れる
【疮痂】**chuāngjiā** 名 かさぶた‖结～ かさぶたになる
【疮口】**chuāngkǒu** 名 傷口
【疮痍】**chuāngyí** 名 書 ❶傷．外傷．創痍(そうい) ❷喩 被害のありさま‖～满目 見渡すかぎり一面の廃墟(はいきょ)である

12 ★**窗(△窓 窓 窻 牕 牎) chuāng** 名 (～儿)窓‖橱chú～ ショーウインドー｜纱～ 網戸
【窗洞】**chuāngdòng** (～儿) 名 採光や通気のため壁に開けた穴
【窗格子】**chuānggézi** 名 窓格子
★【窗户】**chuānghu** 名 窓‖开～ 窓を開ける｜关～ 窓を閉める
【窗花】**chuānghuā** (～儿) 名 切り紙細工の一種で，多く窓飾りに用いる
*【窗口】**chuāngkǒu** 名 ❶窓口‖交费在二号～ 支払いは2番の窓口です ❷(～儿)窓辺 ❸喩 窓
【窗框】**chuāngkuàng** 名 窓枠
*【窗帘】**chuānglián** (～儿) 名 カーテン
【窗幔】**chuāngmàn** 名 (比較的大きな)カーテン
【窗明几净】**chuāng míng jī jìng** 成 窓は明るく机にはちり一つない．部屋が清潔で明るいさま．明窓浄机
【窗纱】**chuāngshā** 名 窓に張る紗(しゃ)
【窗扇】**chuāngshàn** (～儿) 名 観音開きの窓
*【窗台】**chuāngtái** (～儿) 名 窓台．窓のふち‖～上放着一瓶花 窓台に花が生けてある
【窗沿】**chuāngyán** (～儿) 名 窓の下部の張り出し部分．窓台
【窗纸】**chuāngzhǐ** 名 窓紙．窓の格子に張る紙
【窗子】**chuāngzi** 名 窓

chuáng

7 ★**床(△牀) chuáng** ❶名 ベッド．寝台‖一张～ 1台のベッド｜起～ 起床する ❷台状の器具．台状になっているもの‖机～ 工作機械｜车～ 旋盤 ❸台状になっている地面．床(とこ)‖苗miáo～ 苗床 ❹量 (布団などを数える)枚．組
【床板】**chuángbǎn** 名 寝台用の板
*【床单】**chuángdān** (～儿) 名 シーツ
【床垫】**chuángdiàn** 名 マットレス
*【床铺】**chuángpù** 名 寝床．ベッド
【床上戏】**chuángshangxì** 名 ベッドシーン
【床榻】**chuángtà** 名 書 ベッド．床
【床头】**chuángtóu** 名 枕元．ベッドの頭のところ
【床头柜】**chuángtóuguì** 名 ❶ナイト・テーブル．ベッド・サイド・テーブル ❷俗 恐妻家．〔床头跪〕(ベッド・サイドでひれ伏す)に掛けた言い方
【床帏】**chuángwéi** 名 ベッドのとばり．男女の秘め事のたとえ
*【床位】**chuángwèi** 名 (病院・船・宿舎などの)ベッド‖外科没有～了 外科のベッドは空きがなくなった
【床沿】**chuángyán** (～儿) 名 ベッドの縁‖坐在～上 ベッドの縁に腰掛ける
【床罩】**chuángzhào** (～儿) 名 ベッドカバー
【床笫】**chuángzǐ** 名 書 寝床

15 **幢 chuáng** ❶古 旗の一種 ❷仏の名や経文を刻んだ石柱 ➤ zhuàng
【幢幢】**chuángchuáng** 形 影がゆらゆらと揺れているさま‖人影～ 人影がゆらゆらと揺れている

chuǎng

6 ** **闯 chuǎng** ❶動 突進する．飛び込む‖他怒冲冲地～了进来 彼はかんかんになって飛び込んできた ❷動 奔走する‖～出一条新路 新たな道を切り開く ❸動 (災いを)引き起こす‖→～祸
【闯荡】**chuǎngdàng** 動 異郷で暮らしを立てる
【闯关】**chuǎng//guān** 動 関門をくぐり抜ける
【闯红灯】**chuǎng hóngdēng** 組 赤信号を突破する．信号無視をして暴走する

【闯祸】chuǎng//huò 動 災難を招く. 問題を起こす ‖ 孩子又～了 子供がまた問題を起こした
【闯江湖】chuǎng jiānghú 慣 商売や興行などをしながら各地を転々と渡り歩くこと
【闯将】chuǎngjiàng 名 猛将
【闯劲】chuǎngjìn (～儿) 名 意気込み ‖ 他干什么都有股子～ 彼は何事をやるにも意気込みがある
【闯练】chuǎngliàn 動 世間へ出て鍛える
【闯世界】chuǎng shìjiè 組 世界各地を渡り歩く

chuàng

6 ⁂创 (創 △刅 剏) chuàng ❶動 始める. …し始める. 創始する ‖ 首～ 創始する | ～新记录 新記録を作る ❷今までにない. 新しい ‖ →～见 ❸(経済活動によって)獲得する ‖ →～汇 ➤ chuāng
*【创办】chuàngbàn 動 始める. 創始する. 創立する. 創設する ‖ ～新杂志 新雑誌を創刊する
【创编】chuàngbiān 動 (シナリオ・体操・舞踊などを)創作する
*【创汇】chuàng//huì 動 外貨収入を上げる ‖ 出口～ 輸出して外貨を稼ぐ
【创获】chuànghuò 名 初めての成果. いままでにない収穫. 新しい発見
【创纪录】chuàng jìlù 組 新記録を作る
【创见】chuàngjiàn 名 創見. 独創的な見解
*【创建】chuàngjiàn 動 創立する. 初めて打ち立てる ‖ ～一所技术学校 技術の学校を創設する
【创举】chuàngjǔ 名 初めての試み. 最初の出来事
【创刊】chuàng//kān 動 創刊する ‖ ～号 創刊号
*【创立】chuànglì 動 創立する. 初めて打ち立てる ‖ ～一个基金会 基金を創設する
【创牌子】chuàng páizi 慣 ブランドを打ち立てる
【创设】chuàngshè 動 ❶創立する. 創設する ❷(条件を)作る
【创始】chuàngshǐ 動 創始する ‖ ～人 創始者
【创收】chuàngshōu 動 新たな収入源を開拓する
*【创新】chuàngxīn 動 新しいものを創造する. 新しさを打ち出す ‖ 艺术贵在～ 芸術は創造性に価値がある
【创演】chuàngyǎn 動 初演する
*【创业】chuàngyè 動 創業する ‖ ～难, 守业更难 創業も難しいが, 事業を続けることはさらに難しい
【创业板】chuàngyèbǎn 名〈経〉マザーズ.〔二板市场〕ともいう
【创议】chuàngyì 動 提議する. 提案する 名 提議. 提案
【创意】chuàng//yì 名 アイデア. 工夫 動 創意工夫する. アイデアを出す
【创优】chuàngyōu 動 良質の製品を作り出す
⁂【创造】chuàngzào 動 **創造する. 新しく作り出す** ‖ ～历史 歴史を創造する | ～有利条件 有利な条件を作る
【创造性】chuàngzàoxìng 名 創造性
【创制】chuàngzhì 動 (法律や文字などを)新しく制定する ‖ ～法律 法律を新しく制定する
⁂【创作】chuàngzuò 動 **創作する** ‖ 集体～ 共同で創作する 名 **創作** ‖ 艺术～ 芸術作品
7 怆 (愴) chuàng 書 悲しむ ‖ 悲～ ひどく悲しむ
【怆然】chuàngrán 形 書 悲しむさま ‖ ～泪下 悲嘆の涙にくれる

chuī

7 ★吹 chuī ❶動 (息を)吹く. 吹きつける ‖ ～了一口气 ふっと息を吹きかけた ❷動 (楽器などを)吹き鳴らす ‖ ～笛子dízi 笛を吹く ❸動 **吹聴する. ほらを吹く** ‖ 他那人就爱～ あいつはいつも話が大げさだ ❹動 口 **だめになる. ふいになる.** お流れになる. 破談になる ‖ 找工作的事～了 職探しの件はおじゃんになった ❺動 (風が)吹く ‖ 风轻轻地～ 風がそよそよと吹いている
【吹打】chuīdǎ 動 ❶笛や太鼓で演奏する ❷(風雨が)吹き荒れる
【吹灯】chuī//dēng 動 ❶ともしびを吹き消す ❷方 喩 死ぬ ❸方 喩 失敗する
【吹灯拔蜡】chuī dēng bá là 慣 方 ともしびを吹き消し, ろうそくを抜き取る. だめになる. 命がなくなる
【吹风】chuī//fēng 動 ❶風に吹かれる. 風に当たる ‖ 洗完澡zǎo～容易感冒 入浴後に風に当たると風邪を引きやすい ❷(～儿) 口 それとなくほのめかす ‖ 先吹吹风儿, 看看反应 まずそれとなくほのめかして, 反応を見ることにしよう ❸ドライヤーをかける
【吹风会】chuīfēnghuì 名 ブリーフィング. 簡単な状況説明や事前説明. 要点報告
【吹风机】chuīfēngjī 名 送風機. ドライヤー
【吹拂】chuīfú 動 ❶(そよ風や暖かな風が)吹く ❷書 (人を)ほめそやす
【吹鼓手】chuīgǔshǒu 名 ❶(伝統的な婚礼や葬儀の際に呼ぶ)楽手. 楽士 ❷喩 宣伝マン. 提灯(ちょうちん)持ち. 太鼓持ち
【吹胡子瞪眼】chuī húzi dèngyǎn 慣 (中国の芝居で, 怒ったとき, 目をむいて長く垂れたひげを吹くしぐさをすることから)怖い顔をして怒る. 目をむいて怒る
【吹灰之力】chuī huī zhī lì 成 灰を吹く力. ごくわずかな力のたとえ ‖ 不费～ お安い御用だ. 朝飯前だ
【吹火筒】chuīhuǒtǒng 名 火吹き竹
【吹拉弹唱】chuī lā tán chàng 慣 ❶演奏と歌唱 ❷賑やかな歌や演奏の場景
【吹喇叭】chuī lǎba 慣 提灯持ちをする. おだてる ‖ ～, 抬tái轿子jiàozi おだて上げたり, 担ぎ上げたりする
【吹擂】chuīléi 動 ほらを吹く. 大きなことを言う
【吹冷风】chuī lěngfēng 慣 皮肉を言う. けちをつける. 冷水を浴びせる
【吹毛求疵】chuī máo qiú cī 成 毛を吹き分けて隠れている傷を探し出す. あら探しをする
*【吹牛】chuī//niú 動 ほらを吹く. 大きなことを言う. 大ぶろしきを広げる.〔吹牛皮〕ともいう
【吹拍】chuīpāi 動 おべんちゃらを言う. ごまをする
*【吹捧】chuīpěng 動 貶 おだてる. 持ち上げる. ほめそやす ‖ 互相～ お互いにおだて合う
【吹台】chuītái 動 口 だめになる. ふいになる. お流れになる ‖ 这笔交易要～ この取引はだめになりそうだ
【吹嘘】chuīxū 動 吹聴する. 大ぶろしきを広げる
【吹奏】chuīzòu 動 (管楽器を)吹奏する ‖ ～乐队 吹奏楽団. ブラス・バンド
8 炊 chuī 飯を炊く. 炊事する ‖ 断～ 米にも薪にもこと欠く. 貧乏この上ない
【炊具】chuījù 名 炊事道具

【炊事】chuīshì 图 炊事 ‖ ～工作 炊事の仕事
*【炊事员】chuīshìyuán 图 炊事係
【炊烟】chuīyān 图 炊煙. かまどの煙 ‖ 升起缕缕lǚlǚ～ 一筋一筋と炊煙が立ちのぼる
【炊帚】chuīzhou 图 (食器洗い用の)ささら. たわし

chuí

8 **垂** chuí ❶動 垂れる. 下がる ‖ 柳树枝～在水面上 柳の枝が水面に垂れている ❷動 (頭を)垂れる ‖ 一～头丧气 ❸動 (しずくが)垂れる ‖ 一～涎 ❹書 伝えてゆく. 後世に伝える ‖ 永～不朽xiǔ 永久に伝わり朽ちることがない ❺書 敬 (先輩または上級の者が自分に) … してくださる. … を賜る. … にあずかる ‖ 一～念 ❻書 まもなく. いまにも ‖ 一～暮
【垂爱】chuí'ài 图 書 敬 ご好意. ご愛顧
【垂成】chuíchéng 動 書 まさに成ろうとしている ‖ 功败～ あと一息というところで失敗する
【垂钓】chuídiào 動 釣り糸を垂れる. 釣りをする
【垂范】chuífàn 動 長く範を垂れる. 模範となる
【垂挂】chuíguà 動 垂れ下がる. 吊り下がる
【垂花门】chuíhuāmén 图 〔四合院〕など伝統的住宅の正門の次にある門
【垂老】chuílǎo 動 書 老人になろうとする. 老いんとする
【垂泪】chuí//lèi 動 書 涙を流す
【垂怜】chuílián 動 哀れみを垂れる
【垂帘听政】chuí lián tīng zhèng 成 太皇太后, 皇太后あるいは皇后が幼帝に代わって朝政をつかさどること. 垂簾(すいれん)の政
【垂柳】chuíliǔ 图〈植〉シダレヤナギ. イトヤナギ
【垂落】chuíluò 動 垂れる. 傾く ‖ 日沉chén西山, 夜幕～ 日が西の山に沈んで, 夜の帳(とばり)が降りる
【垂暮】chuímù 图 書 日暮れどき. 夕暮れ. たそがれ. 喩 晩年 ‖ ～之年 晩年
【垂念】chuíniàn 動 書 敬 ご配慮にあずかる ‖ 承蒙chéngméng～, 不胜感激 お心遣いいただき, 感激に堪えません
【垂青】chuíqīng 動 書 重く見られる. 好意的に見られる. 目をかけられる ‖ 荷蒙hèméng～ ご好意を賜る
【垂示】chuíshì 動 下位の者に教え示す
【垂手】chuí//shǒu 動 両手を垂れる(恭しいさま, あるいはたやすいことを表す) ‖ ～侍立shìlì 恭しく仕える | ～可得dé 簡単に入手できる
【垂首】chuíshǒu 動 頭を垂れる ‖ ～帖tiē耳 非常に従順なさま
【垂死】chuísǐ 動 死に瀕(ひん)する. 死にかかっている ‖ ～挣扎zhēngzhá 死に瀕してあがく
【垂体】chuítǐ 图〈生理〉脳下垂体
【垂髫】chuítiáo 图 書 子供のお下げ髪. 転 幼年. 幼時
【垂头丧气】chuí tóu sàng qì 成 意気消沈するさま. がっかりした様子
【垂危】chuíwēi 動 ❶危機に瀕する ❷死に瀕する. 危篤である ‖ ～的病人 瀕死の病人
【垂问】chuíwèn 動 書 (目下に対して)尋ねる. 下問する. 〔垂询〕ともいう
【垂涎】chuíxián 動 垂涎(すいぜん)する. よだれを垂らす. 非常にうらやましがる ‖ ～三尺 のどから手が出るほど欲しくてたまらない | ～欲滴yùdī よだれを流さんばかりにして欲しがる
【垂询】chuíxún ＝〔垂问chuíwèn〕
*【垂直】chuízhí 動〈数〉垂直である ‖ ～线 垂直線

10 **陲** chuí 書 辺境. 辺地 ‖ 边～ 辺境の地

11 * **捶**(△搥) chuí 動 (棒・こぶし・槌(つち)などで)たたく ‖ ～腰 腰をたたく
【捶背】chuí//bèi 動 (按摩(あんま)で)背中をたたく
【捶打】chuídǎ 動 (こぶしや物で)軽くたたく ‖ ～着酸痛的腿 疲れた脚をたたいて按摩する
【捶胸顿足】chuí xiōng dùn zú 成 胸をたたき, 地団駄を踏む. しきりに悔しがるさま. 〔顿足捶胸〕ともいう

12 **椎** chuí ❶〔槌chuí〕に同じ ❷〔捶chuí〕に同じ ➤ zhuī
【椎心泣血】chuí xīn qì xuè 成 胸を打ち涙を流して嘆き悲しむ

12 **棰**(△箠❸) chuí ❶書 短い棒 ❷書 短い棒でたたく ❸むち ❹〔槌chuí〕に同じ

13 **槌** chuí 图(～儿)槌(つち). ばち ‖ 鼓～儿 太鼓のばち | 棒～ 洗濯棒
【槌子】chuízi 图 槌. ばち

13 **锤**[1](△鎚) chuí ❶分銅. おもり ‖ 秤chèng～ はかりの分銅 ❷分銅やおもりに形が似たもの ‖ 纺fǎng～ 紡錘

13 **锤**[2](△鎚) chuí ❶图 古代の兵器の一種. 金属の球に柄を取り付けたもの ❷图 (～儿)金槌(かなづち). ハンマー ❸動 (槌で)打つ. 鍛える ‖ 千～百炼 何百何千も打って鍛える. 鍛えに鍛える
【锤炼】chuíliàn 動 ❶鋼鉄をたたいて鍛える ❷鍛える. 練磨する ❸(文章や芸などを)磨く. 練る
【锤子】chuízi 图 ❶金槌. ハンマー ❷はかりの分銅

chūn

9 ★ **春**(△萅) chūn ❶图 春. ふつうは〔春天〕という ‖ 大地回～ 大地に春がよみがえる ❷書 一年 ❸喩 生命力. 生気 ‖ 妙手回～ (医者が)優れた腕で重病の患者を治す ❹(男女の)情欲 ‖ 怀huái～ 娘が年ごろになる
【春冰】chūnbīng 图 書 春の薄氷. 危ういことのたとえ
【春饼】chūnbǐng 图 小麦粉をこねて丸く薄く延ばしてから焼き, 肉や野菜のおかずを中に包んで食べるもの
【春播】chūnbō 動〈農〉春の種まきをする
【春蚕】chūncán 图 春蚕(はるご)
【春潮】chūncháo 图 春の潮 ‖ ～澎湃péngpài 春の潮が押し寄せる. すさまじい勢いをたとえる
【春肥】chūnféi 图〈農〉春肥(はるごえ)
【春分】chūnfēn 图 春分(二十四節気の一つ)
【春分点】chūnfēndiǎn 图〈天〉春分点
【春风】chūnfēng 图 春風
【春风得意】chūn fēng dé yì 成 (事業が順調であったり, とんとん拍子に出世するなどして)得意満面なさま
【春风化雨】chūn fēng huà yǔ 成 草木が育つのに適した風と雨. 優れた教育のたとえ
【春风满面】chūn fēng mǎn miàn 成 顔に喜びがあふれている. いかにも嬉しそうな表情. 〔满面春风〕ともいう
*【春耕】chūngēng 〈農〉動 春, 種まきの前に土地を耕す 图 春耕
【春宫】chūngōng 图 ❶古 皇太子の住まい. 東宮 ❷＝〔春画chūnhuà〕

C

【春灌】chūnguàn [動]〈農〉春の灌漑(かんがい)をする
【春光】chūnguāng [名]春光. 春の景色 ‖ ～明媚 míngmèi 春うららか
【春寒】chūnhán [名]春の肌寒さ
【春寒料峭】chūn hán liào qiào [成]春に肌寒さを感じる. 春寒(はるさむ)
【春旱】chūnhàn [名]春の雨不足
【春华秋实】chūn huá qiū shí [成]春に花が咲き, 秋に実る. 開花を文才に, 結実を徳行にたとえる
【春画】chūnhuà (～儿) [名]春画
【春荒】chūnhuāng [名]春の食糧不足 ‖ 闹～ 春に食糧不足になる
【春晖】chūnhuī [名][書]春の日差し. 父母の恩のたとえ
*【春季】chūnjì [名]春季. 春期. 春 ‖ ～中国出口商品交易会 春季中国輸出商品交易会
【春假】chūnjià [名]春休み ‖ 放～ 春休みになる
**【春节】Chūnjié [名]春節. 旧正月. (旧暦の1月1日) ‖ 过～ 旧正月を過ごす
【春景】chūnjǐng [名]春の景色
【春卷】chūnjuǎn (～儿) [名]春巻き
【春困秋乏】chūn kùn qiū fá [諺]春は眠く秋は疲れやすい
【春兰秋菊】chūn lán qiū jú [成]春はラン, 秋はキク. 季節ごとに秀でたものがある
【春雷】chūnléi [名]春雷. 春先に鳴る雷
【春联】chūnlián (～儿) [名]春聯(しゅんれん). 旧正月に出入り口の両側に張る対句になっためでたい文句
【春令】chūnlìng [名]❶春の季節 ❷春の気候
【春麦】chūnmài =〔春小麦chūnxiǎomài〕
【春满人间】chūn mǎn rén jiān [成]すっかり春めく
【春忙】chūnmáng [名]〈農〉春の農繁期
【春梦】chūnmèng [名]春の夜の夢. はかないこと
【春情】chūnqíng [名]春情. 恋心
【春秋】chūnqiū [名]❶春と秋. [転]一年. 歳月 ❷人の年齢 ‖ ～正富 春秋に富む. 年が若くて将来性があること ❸〈史〉『春秋』. 孔子が修訂したとされる魯国の編年体の歴史書 ❹〈史〉春秋時代(前770～前476年)
【春秋衫】chūnqiūshān [名]春や秋に着る上着. 合い着. 合い服 =〔两用衫〕
【春日】chūnrì [名]❶春 ❷春の太陽
【春色】chūnsè [名]❶春色. 春景色 ‖ ～迷人 春景色にうっとりする ❷飲酒後の頬の赤みや満面の喜色
【春上】chūnshang [名][口]春. 春の間
【春笋】chūnsǔn [名]春のタケノコ
★【春天】chūntiān [名]春. 春季 ‖ ～来了, 桃花开了 春が来て, モモの花が咲いた
【春瘟】chūnwēn [名]〈中医〉春に流行する伝染病
【春宵】chūnxiāo [名][書]春の宵 ‖ ～一刻值zhí千金 春宵(しゅんしょう)一刻値(あたい)千金
【春小麦】chūnxiǎomài [名]〈農〉春まきのコムギ. 〔春麦〕ともいう
【春心】chūnxīn [名]春情. 恋心
【春训】chūnxùn [名]春季訓練. スプリングトレーニング. スプリングキャンプ
【春汛】chūnxùn [名](雪解け・解氷・降雨などによる)春におこる増水 =〔桃花táohuā汛〕
【春药】chūnyào [名]媚薬. 淫薬
【春意】chūnyì [名]❶春の気分. 春ののどかさ ‖ ～盎然àngrán 春たけなわである ❷春情. 色情
【春游】chūnyóu [動]春, 郊外に出かけて遊ぶ. 春, ピクニックに行く
【春雨】chūnyǔ [名]春雨 ‖ ～贵如油 春雨は油のごとく貴し. 春の雨は農家にとってたいへんありがたいものである
【春运】chūnyùn [名]旧正月期間の輸送
【春装】chūnzhuāng [名]春の服装. 春着. 春の装い

13 **椿** chūn [名]〈植〉チャンチン. シンジュ. ふつうは〔香椿〕という

15 **蝽** chūn [名]〈虫〉カメムシ. 〔椿象〕ともいい, 俗に〔放屁虫〕という

chún

7 * **纯** chún ❶[形]成分に混じり気がない ‖ 一～毛 ❷[形]純粋である. 単純である. もっぱらである ‖ 动机不～ 動機が不純だ | 剧情～系xì虚构xūgòu 劇のストーリーはまったくの虚構である ❸[形]熟練している ‖ 手艺不～ 腕が未熟だ

*【纯粹】chúncuì [形]純粋である. 混じり気がない ‖ ～的四川味儿 本場の四川の味 [副](多く〔是〕の前に置き)単に. ただ ‖ 这～是胡说 これはまったくでたらめだ
【纯度】chúndù [名]純度
【纯厚】chúnhòu =〔淳厚chúnhòu〕
【纯化】chúnhuà [動]純化する. 純粋なものにする
【纯碱】chúnjiǎn [名]〈化〉炭酸ナトリウム. ソーダ
*【纯洁】chúnjié [形]純潔である. 清らかである ‖ 心地～ 心が清らかだ [動]純化する. 浄化する
【纯金】chúnjīn [名]純金
【纯净】chúnjìng [形]清浄である. 純粋である [動]清める. 純粋にする
*【纯净水】chúnjìngshuǐ [名]浄水処理を施した飲料用の水
【纯利】chúnlì [名]〈経〉純利益
【纯良】chúnliáng [形]純粋で善良である
【纯毛】chúnmáo [名]純毛
【纯美】chúnměi [形]純真で美しい. 純一で美しい ‖ 音色～ 音色が純一で美しい
【纯棉】chúnmián [名]純綿
【纯朴】chúnpǔ =〔淳朴chúnpǔ〕
【纯情】chúnqíng [名](少女の)純情. 純心な愛情
【纯然】chúnrán [形]混じり気がない [副]完全に. まったく
【纯收入】chúnshōurù [名]純収入
【纯熟】chúnshú [形]熟練している. 熟達している. 精通している ‖ 技术～ 技術が熟練している
【纯属】chúnshǔ [動]間違いなく…である ‖ ～捏造niēzào まったくのでっち上げである
【纯一】chúnyī [形]純一である. 単一である
【纯音】chúnyīn [名]〈物〉純音. 単純音
【纯贞】chúnzhēn [形]純粋で一途である
【纯真】chúnzhēn [形]純真である. 無邪気である
【纯正】chúnzhèng [形]❶混じり気がない. 生粋である ‖ ～的普通话 なまりのない共通語 ❷邪念がない. 純粋で誠実である ‖ 动机～ 動機が純粋である
【纯种】chúnzhǒng [名]純血種

10 **莼**(^蓴) chún

【莼菜】chúncài [名]〈植〉ジュンサイ

10 **唇**(^脣) chún ❶[名]唇. ふつうは〔嘴唇〕という ❷体の器官の端の部分 ‖ 阴～ 陰唇(いんしん)

【唇笔】chúnbǐ 图リップペンシル
【唇齿】chúnchǐ 图唇と歯．密接な間柄のたとえ
【唇齿相依】chún chǐ xiāng yī 成互いにきわめて密接な関係にあること
【唇膏】chúngāo 图口紅．ふつう〔口红〕という
【唇焦舌敝】chún jiāo shé bì 成唇が焦げ舌が破れる．さんざん言い聞かせるたとえ
【唇裂】chúnliè 图〈医〉口唇裂．兎唇(とん)．〔兔tù唇〕ともいい，俗に〔豁huō嘴〕という
【唇枪舌剑】chún qiāng shé jiàn 成激しく論戦を交わすさま ＝〔舌剑唇枪〕
【唇舌】chúnshé 图唇と舌．転弁舌．言葉‖费～言葉を費やす．説得に骨を折る
【唇亡齿寒】chún wáng chǐ hán 成唇亡(ほろ)びて歯寒し．共存関係にあること
【唇音】chúnyīn 图〈語〉唇音．両唇音と唇歯音の総称．〔普通话〕の b,p,m,f など
【唇脂】chúnzhī ＝〔唇膏chúngāo〕

11 淳(△湻) chún 書純朴である‖→～朴
【淳厚】chúnhòu 形純朴で誠実である．
【淳朴】chúnpǔ 形純朴である．素直で飾り気がない．〔纯朴〕とも書く‖语言～ 言葉に飾り気がない

13 鹑 chún ❶图〈鳥〉ウズラ．ふつうは〔鹌ān鹑〕という ❷图書ぼろぼろの服．継ぎはぎだらけの服‖～衣 ぼろぼろの服

15 醇(△醕) chún ❶書酒の味が濃い．酒のアルコール分が多い ❷書純粋である．混じり気がない ❸图〈化〉アルコール‖甲～ メチル・アルコール｜乙～ エチル・アルコール
【醇和】chúnhé 形(味が)純粋でまろやかである．(性格が)素直で温厚である
【醇厚】chúnhòu 形❶味やにおいに混じり気がなく濃厚である ❷＝〔淳厚chúnhòu〕
【醇化】chúnhuà 動書純化する．純粋なものにする
【醇酒】chúnjiǔ 图混じり気なしの酒．美酒
【醇美】chúnměi 形純一で美しい
【醇香】chúnxiāng 形(香りが)純一で芳しい．(味が)濃厚で香り高い
【醇正】chúnzhèng 形濃厚で混じり気がない

chǔn

21 蠢[1] chǔn 書うごめく．蠢動(しゅんどう)する‖→～动

21 * 蠢[2](△惷) chǔn ❶形間が抜けている．愚かである．ばかげている‖他真～，怎么这么干！ 彼は実に愚かだ，どうしてこんなことをしでかしたのだろう ❷形(動作が)鈍い．のろのろしている．不器用である‖→～笨
【蠢笨】chǔnbèn 形貶のろまである．不器用である
【蠢材】chǔncái 图罵間抜け．愚か者
【蠢蠢欲动】chǔn chǔn yù dòng 成悪人が機会をねらって悪事をはたらこうとしている様子
【蠢动】chǔndòng 動❶蠢動する．うごめく ❷(悪人が)陰で策動する
【蠢话】chǔnhuà 图ばかばかしい話．非常識な話
【蠢货】chǔnhuò 图罵愚か者．ばか者
【蠢人】chǔnrén 图愚か者．愚人
【蠢事】chǔnshì 图間の抜けたこと．愚かなこと

【蠢头蠢脑】chǔn tóu chǔn nǎo 慣(表情や動作の)間が抜けているさま．愚鈍なさま

chuō

15 踔 chuō 古跳ねる．跳ぶ
【踔厉】chuōlì 形書奮い立つさま

18 戳 chuō ❶動(指や細長い物の先端で)突く．突っつく ❷動方傷つく．くじく．壊れる‖～手 突き指をする ❸動方長い物を立て掛ける．突っ立つ ❹图(～儿) 口印鑑．印章．スタンプ‖邮～儿 郵便スタンプ｜盖～儿 判を押す．押印する｜橡皮～儿 ゴム印
【戳穿】chuōchuān 動❶突き通す．刺し通す ❷暴く‖～敌人的阴谋yīnmóu 敵の陰謀を暴く
【戳脊梁骨】chuō jǐlianggǔ 慣陰で非難する
【戳记】chuōjì 图(主に団体や機関の)印章．判子
【戳破】chuō//pò 動突き破る‖～了窗户纸 窓紙を突き破った
【戳子】chuōzi 图印鑑．判．スタンプ

chuò

11 啜 chuò 書❶動すする．飲む ❷すすり泣くさま‖→～泣 ➤chuài
【啜泣】chuòqì 動書すすり泣く．しゃくりあげて泣く

11 绰 chuò 書❶余裕がある．ゆったりしている‖宽～ ゆったりしている．ゆとりがある ❷(体つきが)柔らかで美しい‖→～约 ➤chāo
【绰绰有余】chuò chuò yǒu yú 成ゆったりしていて余裕がある．十分余裕がある
【绰号】chuòhào 图あだ名‖起～ あだ名をつける
【绰约】chuòyuē 形書(女性の姿態が)なよやかで美しい．しとやかである．〔婥约〕とも書く

12 辍 chuò 中途でやめる
【辍笔】chuòbǐ 動(絵画や文学作品の創作を)途中でやめる
【辍学】chuòxué 動中途で学業をやめる．中途退学する‖旧病复发，他只好～ 彼は持病が再発し，学業を中断せざるを得なくなった
【辍演】chuòyǎn 動公演を中止する．休演する

15 龊 chuò ➡〔龌龊wòchuò〕

cī

8 刺 cī 擬(勢いよく滑る音や物が風を切ったりする音など)つるっ．シュッ．ヒューッ‖导火线～～地直冒烟 導火線がシュルシュルと煙を上げている ➤cì
【刺啦】cīlā 擬(布や紙を裂く音，物がこすれ合う音など)ビリッ．シュッ‖～一声，把纸撕sī了 ビリッと紙を裂いた
【刺棱】cīlēng 擬(素早い動作を形容する)さっ．するり‖狐狸húli～一下没影儿了 キツネがさっと身を隠した
【刺溜】cīliū 擬(勢いよく滑る音や物が耳をかすめる音など)つるっ．ヒューッ‖不小心～一下滑倒huádǎo了 うっかりしてつるっと滑って転んだ

[9]差 cī ➡〔参差cēncī〕 ➤ chā chà chāi

[9]呲 cī 動（～儿）口叱る‖～儿人 人を叱る

[11]疵 cī きず. 欠点‖瑕xiá～ わずかな欠点｜完美无～ 完全無欠である

【疵点】cīdiǎn 名きず

【疵品】cīpǐn 名欠陥製品. きずもの

【疵瑕】cīxiá 名きず. 瑕疵(かし). わずかな欠点

[12]粢 cī ↴ ➤ zī

【粢饭】cīfàn 名おむすびに似た軽食. もち米にうるち米を混ぜたものを蒸し上げ, 〔油条〕(揚げパンの一種)などを中に入れておむすびのように握ったもの

cí

[7]★词（△詞）cí ❶名（～儿）〈語〉語. 単語‖生～ 新しい単語. 新出の単語 ❷名（～儿）言葉. 語句‖只听一面之～ 一方の言い分のみを聞く ❸名詞(し). 曲譜に合わせて作られる韻文形式の詩 ❹曲に合わせて歌われるせりふ‖歌～ 歌詞

★【词典】cídiǎn 名辞書. 辞典‖查～ 辞書を引く

> **類義語** 词典 cídiǎn 字典 zìdiǎn
>
> ◆〔词典〕(単語を単位とする語彙の)辞書. 辞典‖这部词典选收常用词语六千余条 この辞書は六千余りの常用単語を収めている ◆〔字典〕(文字を単位とする)字典. 漢字1文字1文字についてその発音・意味・用法等を示す字引‖这部字典所收单字, 共计一万一千一百个左右 この字典に収録する文字は, 計1万1100字ほどである

【词锋】cífēng 名筆鋒(ひっぽう). 筆勢‖～锐利ruìlì 筆鋒が鋭い

【词赋】cífù 名詞と賦. または, 韻文の総称. 詩歌

【词根】cígēn 名〈語〉語根. 語幹

【词话】cíhuà 名❶詞話. 詞についての逸話または評論 ❷語りもの文学の一種‖《金瓶梅～》『金瓶梅詞話』

*【词汇】cíhuì 名〈語〉語彙(ごい)‖～量 語彙量

*【词句】cíjù 名語句. 字句. (広く)言葉遣い‖修改了一些～ 語句を一部手直しする

【词类】cílèi 名〈語〉品詞

【词令】cílìng ＝〔辞令cílìng〕

【词牌】cípái 名詞牌(しはい). 詞の曲調の名称

【词频】cípín 名単語の出現頻度

【词谱】cípǔ 名詞譜. 各種の詞牌を集め, その平仄(ひょうそく)を符号で示した書物

【词曲】cíqǔ 名詞と元曲の総称

【词人】círén 名❶〔词〕をつくる人 ❷(広く)詩や文章に巧みな人

【词讼】císòng 名訴訟. 訴え. 〔辞讼〕とも書く

【词素】císù 名〈語〉形態素. 造語成分. 語素

【词头】cítóu 名〈語〉接頭辞 ＝〔前缀qiánzhuì〕

【词尾】cíwěi 名〈語〉接尾辞 ＝〔后缀hòuzhuì〕

【词性】cíxìng 名〈語〉単語の性質. 品詞分類の根拠となる単語の性質

【词序】cíxù 名語順

【词义】cíyì 名〈語〉語義

【词语】cíyǔ 名語句. 字句‖常用～ 常用語

【词韵】cíyùn 名填詞(てんし)に用いる韻律または韻書

【词藻】cízǎo 名詞藻(しそう). 言葉の綾(あや). 詩文の美しい語句

【词章】cízhāng ＝〔辞章cízhāng〕

【词组】cízǔ 名〈語〉フレーズ. 句

[9]兹 cí ➡〔龟兹Qiūcí〕 ➤ zī

[9]茨 cí 書❶カヤやアシなどで屋根をふく ❷〈植〉ハマビシ ＝〔蒺藜jílí〕

【茨冈人】Cígāngrén 名ジプシー ＝〔吉卜赛Jíbǔsài人〕

【茨菰】cígu ＝〔慈姑cígu〕

[9]祠 cí 名祠(ほこら). 社(やしろ)‖宗～ 宗廟(そうびょう)

【祠堂】cítáng 名❶祖廟(そびょう). 祠堂(しどう). みたまや ❷(旧時, 先哲・名官・先賢などをまつった)社

[10]*瓷 cí ❶磁器製の材料‖→～砖 ❷名磁器

【瓷饭碗】cífànwǎn 名条件はいいが不安定な職業

【瓷公鸡】cígōngjī 名非常にけちな人

【瓷瓶】cípíng 名❶〈電〉碍子(がいし) ❷磁器製の瓶

【瓷漆】cíqī ＝〔磁漆cíqī〕

【瓷器】cíqì 名磁器

【瓷实】císhi 形方堅固である. しっかりしている. がっしりしている‖把土踩cǎi～了 地面を踏みつけて固くした

【瓷土】cítǔ 名磁土. カオリン. 高嶺土

【瓷窑】cíyáo 名磁器を焼く窯

【瓷砖】cízhuān 名タイル‖铺pū～ タイルを張る

[13]慈 cí ❶書慈しむ ❷慈しみ深い. 哀れみ深い‖仁rén～ 慈しみ深い ❸母‖令～ ご母堂｜家～ 私の母

【慈爱】cí'ài 形慈しみ深い‖～的母亲 慈愛に満ちた母親

【慈悲】cíbēi 名慈しみ. 哀れみ‖发～ 慈悲心を起こす. 同情する

【慈父】cífù 名慈父

【慈姑】cígu 名〈植〉クワイ. 〔茨菰〕とも書く

【慈和】cíhé 形慈悲深く優しい

【慈眉善目】cí méi shàn mù 成慈悲深い顔つき

【慈母】címǔ 名慈母. 慈愛深い母

【慈善】císhàn 形慈愛深く善良である. 思いやりに富んでいる‖～事业 慈善事業

*【慈祥】cíxiáng 形(老人の態度や表情が)慈愛にあふれている‖～的笑容 慈愛にあふれた笑顔

【慈心】cíxīn 名慈悲深い思いやり

【慈颜】cíyán 名書慈悲深い表情

[13]*辞[1]（△辭 △辤）cí ❶言葉. 言葉遣い‖修～ 修辞 ❷古典文学の一形式‖《楚～》『楚辞(そじ)』

[13]*辞[2]（△辭 △辤）cí ❶辞退する. 避ける. 断る‖不～辛苦 苦労をいとわない ❷動辞める. 辞職する‖他把工作～了 彼は仕事を辞めた ❸動解雇する. 辞めさせる. 暇を出す. 首にする‖他被～了 彼は首にされた ❹辞する. 別れを告げる‖告～ いとまごいをする. 別れを告げる

【辞别】cíbié 動別れを告げる

【辞呈】cíchéng 名退職願い. 辞表

【辞典】cídiǎn ＝〔词典cídiǎn〕

【辞掉】cí//diào 動❶辞める. 断る‖～了大学的工

作 大学の仕事を辞めてしまった ❷解雇する. 辞めさせる ‖ 公司把他～了 会社は彼を解雇した
【辞赋】cífù 图 賦体の文学
【辞工】cí∥gōng 動 ❶解雇する ❷仕事を辞める. 辞職する *〔辞活〕ともいう
【辞活】cí∥huó (～儿)＝〔辞工cígōng〕
【辞令】cílìng 图 辞令. 応対の言葉.〔词令〕とも書く ‖ 不善shàn～ 応対がうまくない. 口下手である
【辞年】cínián ＝〔辞岁císuì〕
【辞让】círàng 動 丁寧に断る. 遠慮して断る. 譲る
【辞任】círèn 動 辞任する
【辞世】císhì 動 書 逝去する
【辞书】císhū 图 辞書. 字引や辞典類の総称
【辞讼】císòng ＝〔词讼císòng〕
【辞岁】císuì 動 旧 旧暦の大みそかの晩に, 目下の者が目上の家族に叩頭(こうとう)して年末の挨拶をする
【辞退】cítuì 動 ❶辞退する ‖ ～礼物 贈り物を辞退する ❷解雇する ‖ ～了四个人 4人辞めさせた
【辞谢】cíxiè 動 (丁重に)断る
【辞行】cí∥xíng 動 (旅立つ前に)別れを告げる
【辞藻】cízǎo ＝〔词藻cízǎo〕
【辞灶】cí∥zào 動 旧 (旧暦の12月23日または24日の夕刻に)〔灶神〕(かまどの神)を天に送る
【辞章】cízhāng 图 ❶韻文と散文の総称 ❷文章を作る技巧. 修辞 *〔词章〕とも書く
*【辞职】cí∥zhí 動 辞職する

14 * **雌** cí 形 雌の ↔〔雄〕
【雌蜂】cífēng 图〈虫〉雌蜂(めすばち)
【雌伏】cífú 動 書 ❶屈従する. 屈服する ❷世間から隠れて過ごす
【雌花】cíhuā 图〈植〉雌花(めばな)
【雌黄】cíhuáng 图〈鉱〉雌黄(しおう). 石黄(せきおう) 動 (古人は浄書のとき, 書き誤りがあると雌黄を塗って消し, その上に書いたことから)むやみに文章を直したり, 口から出まかせを言ったりする ‖ 信口～ 口から出まかせを言う
【雌蕊】círuǐ 图〈植〉雌しべ ↔〔雄蕊〕
【雌性】cíxìng 图 雌性. めす
【雌性激素】cíxìng jīsù 图〈生理〉女性ホルモン
【雌雄】cíxióng 图 喩 勝敗. 優劣 ‖ 决一～ 雌雄を決する. 勝ち負けを決める
【雌雄同体】cíxióng tóngtǐ 图〈動〉雌雄同体
【雌雄同株】cíxióng tóngzhū 图〈植〉雌雄同株
【雌雄异体】cíxióng yìtǐ 图〈動〉雌雄異体
【雌雄异株】cíxióng yìzhū 图〈植〉雌雄異株

14 **磁** cí ❶图〈物〉磁性. 磁気 ❷〔瓷cí〕に同じ ❸形 方 仲がいい
【磁暴】cíbào 图〈物〉磁気あらし
【磁场】cíchǎng 图〈物〉磁場. 磁界
★【磁带】cídài 图 磁気テープ ‖ 录像～ ビデオテープ
【磁浮列车】cífú lièchē 图 リニアモーターカー.〔磁悬xuán浮列车〕ともいう
【磁感应】cígǎnyìng 图〈物〉磁気誘導. 磁気感応
【磁极】cíjí 图〈物〉磁極
【磁卡】cíkǎ 图 磁気カード ‖ ～电话 カード電話
【磁卡机】cíkǎjī 图 磁気カードリーダーライター
【磁力线】cílìxiàn 图〈物〉磁力線
【磁疗】cíliáo 图〈中医〉磁力療法
【磁盘】cípán 图 磁気ディスク
【磁盘驱动器】cípán qūdòngqì 图〈計〉ディスクドライブ
【磁漆】cíqī 图 エナメル・ペイント. エナメル・ラッカー.〔瓷漆〕とも書く
【磁器】cíqì 图 磁器
【磁石】císhí 图 ❶〈物〉磁石 ＝〔磁铁〕❷〈鉱〉磁鉄鉱の鉱石
【磁体】cítǐ 图〈物〉磁性体
【磁条】cítiáo 图 磁気帯. 磁気カードの裏面についている情報を記録してある帯状の部分
【磁铁】cítiě 图〈物〉磁石.〔磁石〕ともいう
【磁铁矿】cítiěkuàng 图〈鉱〉磁鉄鉱
【磁头】cítóu 图 (テープレコーダーなどの)磁気ヘッド
【磁性】cíxìng 图〈物〉磁性. 磁気
【磁悬浮列车】cíxuánfú lièchē 图 リニアモーターカー ＝〔磁浮列车cífú lièchē〕
【磁针】cízhēn 图〈物〉磁針

14 **鹚**(△鷀) cí ➡〔鸬鹚lúcí〕

15 **糍**(△餈) cí ↴
【糍粑】cíbā 图 蒸したもち米をついて伸ばし, 煮たり油で揚げたりした食品. 南方の少数民族の間で食される

cǐ

6 *** **此** cǐ 書 ❶代 これ. この ↔〔彼bǐ〕‖ ～人 この人 ❷代 ここ. こちら. この時 ‖ 从～以后 その後 ❸代 このような. こんな ‖ 事已如～, 后悔也没用 もうこうなってしまったのだから, 後悔してもしかたがない
【此岸】cǐ'àn 图〈仏〉此岸(しがん). 現世 ↔〔彼岸〕
【此地】cǐdì 图 書 この土地. ここ ‖ 初来～ この土地は初めて訪れる
【此地无银三百两】cǐdì wú yín sānbǎi liǎng 慣 頭隠して尻隠さず. 問うに落ちず語るに落ちる
【此复】cǐfù 動 翰 ここにご返事申し上げます
【此公】cǐgōng 图 書 (話題になっている)その人
*【此后】cǐhòu 图 その後. 今後 ‖ ～音讯yīnxùn全无 その後まったく音信がない
【此呼彼应】cǐ hū bǐ yìng 成 こちらで呼べば, あちらで答える. 相呼応する
【此间】cǐjiān 图 書 当地. このあたり
*【此刻】cǐkè 图 書 この時. 現在
【此令】cǐlìng 動 書 右命ず. ここに命じる
【此路不通】cǐ lù bùtōng 組 この先行き止まり. 通り抜け無用
【此起彼伏】cǐ qǐ bǐ fú 成 (物事や音などが)次々と絶え間なく起こるさま
【此前】cǐqián 图 これ以前. それまで
【此生】cǐshēng 图 この世
*【此时】cǐshí 图 この時. いま ‖ ～此刻 まさにこの時
**【此外】cǐwài 接 このほかは. これ以外は ‖ 他酷爱读书, ～再无别的嗜好shìhào 彼は大の読書好きで, ほかにはこれといった趣味がない
【此一时, 彼一时】cǐ yī shí, bǐ yī shí 成 あの時はあの時, 今は今. 事情はもはや以前とは異なること
【此致】cǐzhì 動 翰 ここに…を表す ‖ ～敬礼 敬具

C

cì

6 ★**次**[1] cì ❶書 次に位置する‖一～之 ❷2番目の‖一～要 ❸形 品質がやや劣る. 等級がやや低い‖质量太～ 質があまりにも劣っている ❹順序. 順番‖依～办理 順に処理する ❺量(繰り返される動作や事物を数える)回. 度‖头一～ 初めて

6 **次**[2] cì 書 ❶宿泊先‖旅～ 旅の宿 ❷内. 中‖胸～ 胸の中. 気持ち

【次大陆】cìdàlù 名 亜大陸

【次等】cìděng 形 二級の. 二流の‖～货 二級品

【次第】cìdì 名 順序 副 順番に‖～入座 順番に席につく

【次货】cìhuò 名 二級品

*【次品】cìpǐn 名 二級品. 低級品

【次日】cìrì 名 翌日

【次生】cìshēng 形 二次的な. 派生的な

【次声武器】cìshēng wǔqì 名〈軍〉低周波兵器

*【次数】cìshù 名 回数. 度数

*【次序】cìxù 名 順序. 順番‖按～入场, 不要拥挤yōngjǐ 順番に従って入場し, 押し合わないように

*【次要】cìyào 形 副次的な. 二義的な‖这个问题是～的 この問題は二義的なものだ

【次于】cìyú 動 …に次ぐ. …に劣る‖你的外语水平不～他 君の外国語のレベルは彼にひけをとらない

【次长】cìzhǎng 名 旧 政府各部の副部長. 次官

【次之】cìzhī 動 これに次ぐ. 2番目である‖这次考试, 小李成绩最好, 小王～ 今回の試験では, 李君の成績が最もよく, 王君がこれに次いでいる

【次子】cìzǐ 名 次男

7 **伺** cì ↘ ➤ sì

*【伺候】cìhou 動 (身のまわりの)世話をする. 面倒をみる‖～多病的老母亲 病身の年老いた母を世話する

8 ****刺** cì ❶動 刺す. 突き刺す‖针～麻醉 針麻酔 ❷動 暗殺する‖行xíng～ 暗殺する ❸皮肉る‖讽～ 風刺する ❹名(～儿)針状の尖ったもの‖鱼～ 魚の小骨 ❺物や皮膚の表面にある小さな突起物‖粉～ にきび ❻偵察する‖一～探 ❼古 名刺 ❽動 刺激する‖一～耳 ➤ cī

【刺鼻】cìbí 形 (においが)鼻を突く‖药味儿～ 薬のにおいが鼻を突く

【刺刺不休】cì cì bù xiū 成 話がくどくどしい

【刺刀】cìdāo 名 銃剣

【刺耳】cì'ěr 形 耳障りである. 聞いていて不愉快である‖～的尖叫声 耳をつんざく金切り声

【刺骨】cìgǔ 動 (寒さが)骨身にしみる.‖北风～ 北風が骨身にしみる

*【刺激】cìjī 動 刺激する. 興奮させる. 意欲を持たせる. 大いに促す‖这本侦探zhēntàn小说很～人 この推理小説はとてもはらはらする / 他精神上受到了很大的～ 彼は精神的に大きなショックを受けた

【刺客】cìkè 名 旧 刺客(しかく)

【刺目】cìmù =〔刺眼cìyǎn〕

【刺配】cìpèi 動 (古代の刑罰の一種)罪人の顔に入れ墨をして辺境の地に流す

【刺儿话】cìrhuà 名 とげのある言葉. いやみ

【刺儿头】cìrtóu 名 方 難癖をつけたがる人. わからず屋. ひねくれ者

【刺杀】cìshā 動 ❶暗殺する ❷〈軍〉銃剣で戦う

【刺探】cìtàn 動 偵察する. ひそかに探る‖～消息 情報を探る

【刺铁丝】cìtiěsī 名 有刺鉄線

【刺痛】cìtòng 動 ずきずき痛む. 刺すように痛む‖那些风凉话～了他的心 それらの皮肉めいた言葉が彼の胸にぐさりときた

【刺猬】cìwei 名〈動〉ハリネズミ. 〔猬wèi〕ともいう

【刺绣】cìxiù 動 刺繡する 名 刺繡. 縫い取り

【刺眼】cìyǎn 形 ❶まぶしい ❷目障りだ‖这身打扮很～ この服装はとてもけばけばしい

【刺痒】cìyang 形 口 かゆい

【刺针】cìzhēn 名〈動〉刺針(しん)

【刺字】cì∥zì 動 ❶入れ墨をする ❷(cìzì)(古代の刑罰の一つ)顔に入れ墨を入れる

12 **赐** cì ❶動 敬 (上の者が下の者へ金品を)与える. 賜る‖恩ēn～ 恵む. 与える | 赏～ ほうびとして賜る ❷謙 賜った品. 賜り物 ❸謙 …をしていただく

【赐教】cìjiào 動 謙 ご指導を賜る. ご教示を賜る‖敬希～ ご指導を賜りたく謹んでお願い申し上げます

【赐示】cìshì 名 謙 お便り. お手紙

【赐予】cìyǔ 動 謙 賜る

cōng

5 **匆**(△悤 怱) cōng 慌ただしい. せわしない‖一～忙

*【匆匆】cōngcōng 形 慌ただしいさま. せかせかするさま‖来去～ 慌ただしく来てすぐに帰った

【匆促】cōngcù 形 せわしない. せかせかしている‖结论下得过于～ 結論を出すのが早すぎる

*【匆忙】cōngmáng 形 慌ただしい. せわしい‖匆匆忙忙地出了门 大慌てで出ていった

7 **囱** cōng ➡〔烟囱yāncōng〕

8 **枞**(樅) cōng 名〈植〉モミ =〔冷杉shān〕 ➤ zōng

12 ***葱**(△蔥) cōng ❶緑の. 青々とした ❷名〈植〉ネギ. ふつうは〔大葱〕という

【葱白】cōngbái 形 淡い水色

【葱白儿】cōngbáir 名 ネギの白い部分

【葱葱】cōngcōng 形 書 草木の青々と茂るさま‖郁郁yùyù～ 草木が青々と生い茂るさま

【葱翠】cōngcuì 形 青々としている

【葱花】cōnghuā (～儿) 名 ❶〈料理〉刻みネギ ❷ネギの花

【葱茏】cōnglóng 形 青々と繁茂しているさま

【葱绿】cōnglǜ 形 あさぎ色の. 青々とした苗

【葱头】cōngtóu 名〈植〉タマネギ =〔洋葱〕

【葱郁】cōngyù 形 青々と茂るさま‖松柏～ 松柏(しょうはく)が青々と茂っている

14 **骢** cōng 名 書 葦毛(あしげ)のウマ

15 **璁** cōng 書 玉(ぎょく)に似た美しい石

【璁珑】cōnglóng 形 書 明るく輝いているさま

15 **聪**(聰) cōng ❶書 聴覚‖失～ 聴覚を失う ❷耳がいい‖耳～目明 耳ざとく目が利く ❸聡明である. 賢い‖一～明

【聪慧】cōnghuì 形 利口である. 賢い. 聡明である
【聪敏】cōngmǐn 形 賢い. 利口である
⁂【聪明】cōngming；cōngmíng 形 **聡明である. 賢い** ‖ 这孩子很～ この子は頭がいい | ～反被～误 聡明な者はかえって聡明なゆえに身を誤る. 策士策におぼれる
【聪颖】cōngyǐng 形 書 聡明である. 賢い

cóng

4 **从**[1]（從）**cóng** ❶あとについて行く. つき従う ‖ 一～师 ❷従者. 供の者 ‖ 侍shì～ 侍従 ❸従属的な. 二次的な ‖ 一～犯 ❹父方のいとこ関係にある親族 ❺服従する. 言うことに従う ‖ 服～ 服従する ❻(ある方針や原則に)従う. 旨とする ‖ 一～简 ❼従事する. 携わる ‖ 一～政

4 ★**从**[2]（從）**cóng** ❶ 介 (場所・時間・範囲の起点や変化の始まりを示す) **…から. …より** ‖ 您～哪儿来？ あなたはどちらからいらっしゃいましたか | 他～三岁就开始学钢琴 彼は3歳からピアノを習い始めた ❷ 介 (経過する場所を示す) **…を** ‖ 他每天都～那家商店门前走过 彼は毎日きまってあの店の前を通っていく ❸ 介 (根拠を示す) **…に基づき. …から** ‖ ～总的情况来看 全体の状況から見て ❹ 副 かつて. いままで. 従来から. (否定文に用いる) ‖ ～没见过他发这么大的火儿 彼がこんなに怒ったところをいままで見たことがない.

⁂【从不】cóng bù 組 **いままで…していない. 従来から…しない** ‖ ～迟到 いままで遅れたことがない
【从长计议】cóng cháng jì yì 成 時間をかけて協議する
⁂【从此】cóngcǐ 副 **これから. その時から. その後** ‖ 咱们～一刀两断 私たちは今後きっぱり別れよう | 他们谈得很投机，～成了朋友 彼らは意気投合し，それ以来友だちになった
【从打】cóngdǎ 介 方 …の時から. …以後
★【从…到…】cóng…dào… 組 **…から…まで** ‖ 从早到晚 朝早くから夜遅くまで | 从你家到学校要多长时间？ 君の家から学校までどのくらい時間がかかりますか
⁂【从而】cóng'ér 接 **それによって. …なので** ‖ 今年加强了广告宣传工作，～大大提高了产品的销售xiāoshòu量 今年は広告宣伝に力を入れたので，製品の販売量が大幅に伸びた
【从犯】cóngfàn 名〈法〉従犯. 共犯 ↔〔主犯〕
【从何说起】cóng hé shuō qǐ 慣 ❶どこから話し出せばいいのか ❷どこから来た話なのか ‖ 你这话是～ 君の話は筋違いだよ
【从简】cóngjiǎn 動 書 簡略にする ‖ 手续～ 手続きを簡略にする
【从谏如流】cóng jiàn rú liú 成 すすんで人の忠告をよく聞き入れること
【从教】cóngjiào 動 教職に就く
【从井救人】cóng jǐng jiù rén 成 井戸に飛び込んで落ちた人を助ける. 大きな危険を冒して人を助けること
【从警】cóngjǐng 動 警官になる. 警察に勤める
【从句】cóngjù 名〈語〉従節. 従文
【从军】cóngjūn 動 兵役に服する. 従軍する
【从宽】cóngkuān 動 寛大にする. 寛大に取り扱う. 大目に見る ‖ 坦白tǎnbái～ 自白すれば寛大に取り扱う
⁂【从来】cónglái 副 **昔からいままで. ずっと. これまで** ‖ 他～没去过那儿 彼はいままでそこへ行ったことがない

> **類義語** 从来 cónglái 一直 yīzhí
> ◆〔从来〕(過去から今の時点までの)これまでずっと. 否定で多く用いる ‖ 我从来不抽烟 私は以前からずっとタバコは吸わない | 这种事从来没听说过 こういったことはこれまで耳にしたことがない ◆〔一直〕(ある一定期間や一定方向に途切れることなく)ずっと. 未来に向けても使える ‖ 大雨一直下了三天 大雨が三日間降り続いた | 在这里一直住到明年 ここにずっと来年まで住む | 一直往前走 前の方にずっと歩いていく

【从良】cóng∥liáng 動 旧 娼妓が身請けされる
【从略】cónglüè 動 省略する. 略す. 簡略化する ‖ 以下～ 以下省略
【从命】cóngmìng 動 命令に従う ‖ 恭敬gōngjìng不如～，我就不客气了 お言い付けに従って，遠慮なしにさせていただきます
★【从前】cóngqián 名 **以前. 昔** ‖ 身体不比～了 体は以前ほど丈夫ではなくなった | ～这里是一片森林 昔ここは一面の森だった
【从轻】cóngqīng 動 軽くする ‖ ～处理 軽く処置する
【从权】cóngquán 動 便宜をはかる
【从戎】cóngróng 動 書 従軍する ‖ 投笔～ 筆を捨てて従軍する
＊【从容】cóngróng 形 ❶落ち着いている. 悠然としている ‖ 她～地回答着记者们的提问 彼女は落ち着いて記者たちの質問に答えている ❷(時間や金に)余裕がある ‖ 时间安排得比较～ 時間の割り振りにわりあいゆとりがある
＊【从容不迫】cóng róng bù pò 成 落ち着き払っている様子
【从善如流】cóng shàn rú liú 成 水が低所へ流れ落ちるようによい意見を聞き入れ，またよい行いを見習うこと
【从师】cóngshī 動 師につく. 師事する
【从实】cóngshí 副 ありのままに. 実際に即して
⁂【从事】cóngshì 動 ❶(ある仕事や事業に)**従事する. 携わる** ‖ ～教育工作 教育の仕事に携わる ❷(規定に基づいて)**処理する. 処置する**
【从属】cóngshǔ 動 従属する. 属す. 従う
【从俗】cóngsú 動 ❶慣例に合わせる ❷時流に乗る
【从速】cóngsù 動 速やかに行う. 至急にする ‖ ～解决 速やかに解決する
＊【从头】cóngtóu (～儿) 副 初めから. 最初から ‖ 把信又～看了一遍 手紙をもう一度頭から読み直した
＊【从未】cóng wèi 組 いまだに…したことがない. これまで…していない ‖ ～失误过 いままでミスをしたことがない | ～有过的感情 これまでに感じたことのない気持ち
＊【从小】cóngxiǎo (～儿) 副 小さい時から. 子供の時から ‖ ～学画 幼い時から絵を習っている
【从心所欲】cóng xīn suǒ yù 成 やりたい放題のことをする. 好き勝手にふるまう
【从新】cóngxīn 副 新たに. 改めて
【从刑】cóngxíng 名〈法〉付加刑. 〔附加刑〕ともいう ↔〔主刑〕
【从严】cóngyán 動 厳重にする. 厳格にする ‖ 坦白tǎnbái从宽，抗拒kàngjù～ 自白すれば寛大に，反抗すれば厳しい態度で臨む
【从业】cóngyè 動 就職する. 仕事に従事する
【从优】cóngyōu 動 手厚く待遇する. よく取り計らう ‖

C

待遇～ 優遇する｜价格～ 価格をできるだけ安くする
【从征】cóngzhēng 動 軍に入隊して出征する
【从政】cóngzhèng 動 政治に携わる．官吏になる
*【从中】cóngzhōng 副 中に立って．その中から．その中で‖～渔利yúlì 間に立って漁夫の利を得る
【从众】cóngzhòng 動 大勢の意見ややり方に合わせる‖～心理 集団心理．群集心理

5* **从**（叢）cóng ❶群がる．集まる‖一～生 ❷茂み．草むら‖草～ 草むら ❸(人や物の)集まり‖人～ 人の群れ
【丛集】cóngjí 動 書 1ヵ所に集まる 名 叢書(そうしょ)．双書．シリーズ
【丛刊】cóngkān 名 叢書．双書．シリーズ．(多く書名に用いる)
【丛刻】cóngkè 名 木版印刷の双書．(書名に用いる)
【丛林】cónglín 名 ❶密林．ジャングル ❷大寺院
【丛密】cóngmì 形 (草木が)密生するさま
【丛山】cóngshān 名 山脈‖～峻岭jùnlǐng 連なる山や険しい峰
【丛生】cóngshēng 動 ❶(草木が)生い茂る‖杂草～ 雑草が生い茂る ❷(病気などが)同時に現れる‖百病～ 多くの病気が一時に発生する
【丛书】cóngshū 名 叢書．双書．シリーズ
【丛谈】cóngtán 名 一定のテーマを中心に集めた文章や本(多く書名に用いる)
【丛杂】cóngzá 形 乱雑である
【丛葬】cóngzàng 動 合葬する 名 合葬墓

11 **淙** cóng ↓
【淙淙】cóngcóng 擬 書 水の流れる音．さらさら

12 **琮** cóng 古 玉器．角柱形で中央に円形の穴があいている
【琮琤】cóngzhēng 擬 書 玉石を打つ音．または，水の流れる音

còu

11* **凑**（△湊）còu ❶動 集める．集まる．揃える‖～人数 頭数を揃える ❷動 近づく．接近する‖～上前去 前へ進み出る ❸動 (状況や時間に)出会う．出くわす．(機に)乗じる‖一～热闹
*【凑不齐】còubuqí 動 集まらない．揃えられない‖大家都忙，总也～ みんな忙しいから，どうしても集まれない
【凑份子】còu fènzi 組 ❶金を出し合い贈り物をする ❷方 面倒をかける
*【凑合】còuhe 動 ❶集まる．集う ❷かき集める．寄せ合わせる‖乐队yuèduì是临时～起来的 楽隊は臨時に組織したものだ ❸間に合わせる．いいかげんにお茶を濁す．適当にやる 形 まあまあである．悪くない‖"最近生意怎么样？""还～"「このごろ商売はどう？」「まあまあだよ」
【凑集】còují 動 寄せ集める．かき集める‖～人手 人手をかき集める
【凑近】còujìn 動 近づく．近寄る．接近する
【凑拢】còulǒng 動 方 (一つの場所に)寄り集まる．近寄る‖大家再～一点儿 みなさんもうちょっと寄ってください
【凑钱】còu//qián 動 金を出し合う．金を集める‖大家～给他买礼物 みんなで金を出し合い彼にプレゼントを贈る
*【凑巧】còuqiǎo 形 ちょうどよい．具合がよい‖真～，我正要去找你呢 ちょうどよかった，あなたを訪ねにいこうと思っていたところだ
【凑趣儿】còu//qùr 動 ❶座を盛り上げる．座を取り持つ ❷からかう．からかって笑い者にする
【凑热闹】còu rènao（～儿）組 ❶遊びの仲間に入る．座を盛り上げるのに加わる‖你也来凑个热闹儿吧 君も来て一緒に賑やかにやろう ❷じゃまをする．厄介をかける
【凑手】còushǒu 形 ❶(金品などが)十分にある．足りている ❷手になじんでいる．使いやすい
【凑数】còu//shù（～儿）動 頭数を揃える．数を合わせる‖缺quē人的话，我去凑个数吧 人が足りなければ，私が入って頭数を揃えよう
【凑整儿】còu//zhěngr 動 口 切りのいい数に揃える．まとまった数にする

13 **辏** còu 車輪の幅(や)が轂(こしき)に集まる‖辐fú～ いろいろな人や物が1ヵ所に集まる

13 **腠** còu 〈中医〉皮膚の表面
【腠理】còulǐ 名〈中医〉皮膚の表面と筋肉の間の空隙(くうげき)

cū

11** **粗**（△觕 麤）cū ❶形 粗雑である．ぞんざいである．おおざっぱである ↔〔精〕〔细〕‖做工很～ 仕事がおおざっぱだ ❷形 うかつである．そそっかしい ↔〔细〕 ❸副 ほぼ．大体．おおざっぱに‖～具规模 ほぼ形が整う ❹形 (きめが)粗い．(粒が)やや大きい ↔〔细〕‖皮肤～ 肌がざらざらしている ❺形 (円柱形のものが)太い ↔〔细〕‖腰～了 ウエストが太くなった ❻形 (細長いものが)太い．幅が広い ↔〔细〕‖～眉毛 太い眉(まゆ) ❼形 声が太い ↔〔细〕‖～嗓门儿 sǎngménr 太くて大きい声 ❽形 粗野である．無骨である．荒々しい‖他这个人很～ 彼は粗野な男だ
*【粗暴】cūbào 形 荒っぽい．粗暴である．がさつである‖态度～ 態度が粗暴だ
【粗笨】cūbèn 形 ❶鈍い．不器用である．のろい ❷かさばって重い．不細工で大きい
【粗鄙】cūbǐ 形 低俗である．下品である
【粗布】cūbù 名 ❶粗い平織りの綿織物 ❷手織りの綿布
【粗糙】cūcāo 形 ❶ざらざらしている．粗い．粗削りである‖表面～ 表面がざらざらしている｜皮肤很～ 肌ががさがさしている ❷粗雑である．粗末である‖衣服的手工很～ 服の仕立てが雑だ
【粗糙度】cūcāodù 名 (物体表面の)平滑度．仕上げ度
【粗茶淡饭】cū chá dàn fàn 成 粗末な食事
【粗大】cūdà 形 ❶(身体や物が)太い．大きい‖～的树干shùgàn 太い木の幹｜骨节～ 関節が太い｜～的手 ごつごつした大きな手 ❷(声が)大きい．太い‖嗓门儿sǎngménr～ 声が太い
【粗纺】cūfǎng 動〈紡〉粗糸に紡ぐ
【粗放】cūfàng 形 粗放である ↔〔集约〕‖～农业 粗放農業
【粗犷】cūguǎng 形 ❶粗野である．粗暴である．荒々しい ❷豪快である．勇壮である‖～豪放的民族歌舞

勇壮な民族舞踊
【粗豪】cūháo 形 ❶豪放である. 豪快である ❷勇ましい. 力強い
【粗花呢】cūhuāní 名〈紡〉スコッチ・ツイード. スコッチ織り
【粗话】cūhuà 名 下品な言葉. 粗野な言葉 ‖ 满嘴～ 口を開けば汚い言葉ばかりを言う
【粗活】cūhuó (～儿) 名 力仕事
【粗加工】cūjiāgōng 動〈機〉粗削り加工する
*【粗粮】cūliáng 名 雑穀. 白米や小麦以外の穀類や豆類 ↔〔细粮〕
【粗劣】cūliè 形 拙劣である. 粗悪である
【粗陋】cūlòu 形 (建物や家具などが)粗末である. 貧弱である
*【粗鲁】【粗卤】cūlu；cūlǔ 形 粗野である. 無骨である. 荒っぽい ‖ 性格～ 性格が荒っぽい
【粗略】cūlüè 形 簡単である. おおざっぱである ‖ ～地计算了一下 ざっと計算してみた
【粗莽】cūmǎng 形 荒っぽい. 粗野である
【粗浅】cūqiǎn 形 ❶浅はかである. 浅薄である ‖ 我谈一点儿～的看法 私の愚見を述べさせていただきます ❷分かりやすい. やさしい. 平易な
【粗人】cūrén 名 無学な人. 無骨者 ‖ 我是个～, 说话直, 你别在意 私は無骨者なので思ったことを口にしてしまいますが, 気になさらないでください
【粗纱】cūshā 名〈紡〉太番手の綿糸. 太糸
【粗实】cūshi 形 太くて頑丈である. がっしりしている ‖
【粗手笨脚】cū shǒu bèn jiǎo 成 動作が機敏でないこと ‖ 他干活儿～的 彼は仕事がのろい
【粗梳毛纺】cūshū máofǎng 名〈紡〉毛紡糸
【粗疏】cūshū 形 ❶いいかげんである. ぞんざいだ ❷(髪が)薄い. (線が)荒い
【粗率】cūshuài 形 いいかげんである. おおまかである
【粗俗】cūsú 形 卑俗である. 下品である
【粗通】cūtōng 動 少し通じている. いくらか分かる
【粗腿病】cūtuǐbìng 名〈医〉フィラリア症. 〔丝虫病〕ともいう
*【粗细】cūxì 名 ❶太さ ‖ 头发丝～的光缆guānglǎn 髪の毛ほどの太さの光ケーブル ❷粗さ ‖ 沙子的～ 砂の粒の粗さ ❸(仕事の)細かさ. 綿密さ
【粗线条】cūxiàntiáo 名 ❶太い線. おおざっぱな輪郭線 ❷粗削りな性格や方法, おおざっぱな叙述
*【粗心】cūxīn 形 そそっかしい. おおざっぱである ↔〔细心〕‖ 办事～ やることがおおざっぱだ
*【粗心大意】cū xīn dà yì 成 そそっかしくて注意力が足りない. やることがいいかげんである
【粗哑】cūyǎ 形 (声が)低くしわがれている
【粗野】cūyě 形 粗野である. 礼儀をわきまえない
【粗枝大叶】cū zhī dà yè 成 雑である. いいかげんである
【粗制滥造】cūzhì lànzào 組 粗製濫造
【粗制品】cūzhìpǐn 名 粗製品
【粗中有细】cū zhōng yǒu xì 慣 荒っぽい中にも注意深いところがある. おおまかなようで細かい所にもよく気がつく
【粗重】cūzhòng 形 ❶(声が)太くて大きい ‖ ～的喘息chuǎnxī声 ぜいぜいあえぐ声 ❷(手や足が)大きくて力強い. (物が)かさばって重い ‖ ～的家具 かさばって重い家具 ❸太くて色が濃い ‖ ～的双眉 太くて濃い眉毛(まゆ) ❹(仕事が)繁雑で骨が折れる
【粗壮】cūzhuàng 形 ❶(体が)たくましい. がっしりしている. 丈夫である ❷(物が)太くて頑丈である ❸(声が)太い. 大きい
【粗拙】cūzhuō 形 ❶粗悪である ❷不器用である

cú

8 **徂** cú 古 行く. 至る ‖ 自东～西 東から西へ行く

9 **殂** cú 書 逝去する

cù

8 **卒** cù 突然. にわかに ➤zú
【卒中】cùzhòng〈医〉動 卒中になる 名 卒中. 脳卒中 *=〔中风zhòngfēng〕

9 * **促** cù ❶(時間が)差し迫る. 急である ‖ 短～ (時間が)切迫している ❷書 近寄る. 近づく ‖ →～膝谈心 ❸書 促す. 推し進める ‖ 督dū～ 督促する
【促成】cùchéng 動 成功させる. 成就するように助力する ‖ 他们要～这门亲事 彼らはこの縁談をなんとかまとめようとしている
**【促进】cùjìn 動 促進する. 促す. 推し進める ‖ ～两国人民的友好往来 両国国民の友好訪問を促進する
【促请】cùqǐng 動 書 催促し要請する
*【促使】cùshǐ 動 (…するように)促す. 仕向ける ‖ 他极力从中调停, ～双方和解 彼は間に立って尽力し, 双方が和解するよう促した
【促膝谈心】cù xī tán xīn 成 膝(ひざ)を交えて話し合う. 心を打ち明けて話す
【促销】cùxiāo 動 商品の販売を促進する
【促织】cùzhī 名〈虫〉コオロギ =〔蟋蟀xīshuài〕

11 **猝** cù 書 突然. ふいに ‖ →～然
【猝不及防】cù bù jí fáng 慣 突然の出来事に不意をつかれる
【猝发】cùfā 動 発作が起きる
【猝然】cùrán 副 書 突如. 不意に
【猝死】cùsǐ 動〈医〉突然死する

12 **酢** cù 〔醋cù〕に同じ ➤zuò
【酢浆草】cùjiāngcǎo 名〈植〉カタバミ

14 **蔟** cù 蔟(まぶし) ‖ 蚕cán～ 蔟

15 ** **醋** cù ❶名 酢 ‖ 添油加～ 油と酢を加える. 話に尾ひれをつける. 誇張する ❷喩 嫉妬. やきもち ‖ 吃～ やきもちを焼く
【醋罐子】cùguànzi 名 酢を入れるかめ. 転 やきもち焼き. 嫉妬心の強い人. 〔醋坛子tánzi〕ともいう
【醋劲儿】cùjìnr 名 嫉妬心. ねたみ
【醋精】cùjīng 名〈化〉アセチン
【醋酸】cùsuān 名〈化〉酢酸. 〔乙酸〕ともいう
【醋坛子】cùtánzi =〔醋罐子cùguànzi〕
【醋心】cùxin；cùxīn 動 胸やけがする. 胃酸が出る
【醋意】cùyì 名 嫉妬心. やきもち. 悋気(りんき)

17 **簇** cù ❶書 群がる. 集まる. 群をなす ‖ →～拥 ❷群れ. 集まり ‖ 花团锦～ 色とりどり入り乱れあでやかなさま ❸量 (集まっているものを数える)群れ. 束

❹とても. きわめて ‖ →～新
【簇居】cùjū 動 群居する
【簇生】cùshēng 動 (植物が)群生する. 簇生(ぞくせい)する
【簇新】cùxīn 形 (多く服が)真新しい ‖ ～的制服 おろしたての制服
【簇拥】cùyōng 動 (大勢の人が)取り囲む ‖ 孩子们～着老师走进教室 子供たちは先生を取り囲んで教室に入っていった

18 蹙 cù 書 ❶動 (顔を)しかめる. (眉を)ひそめる ‖ ～眉 眉をひそめる ❷迫る. 差し迫る ‖ 穷～ 困窮する
【蹙额】cù'é 動 眉間(みけん)にしわを寄せる

19 蹴(△蹵) cù 書 ❶踏む ‖ 一～而就 一歩を踏み出せばすぐに成功する. やすやすと成就する ❷ける ‖ ～鞠jū まりをける

cuān

6 汆 cuān ❶動〈料理〉沸騰した湯に入れて手早く煮る ‖ ～丸子wánzi 肉だんご入りスープ ❷方 湯沸かし用のブリキ製の筒(ストーブの中に入れて湯を沸かすもの) ‖ ～子 同前 ❸動 方〔汆子〕をこんろの火の中へ差し込み湯を沸かす

15 撺(攛) cuān 方 ❶そそのかす ❷動 (～儿)腹を立てる
【撺掇】cuānduo 動 口 そそのかす. その気にさせる
【撺弄】cuānnong 動 口 おだてる. そそのかす

17 镩(鑹) cuān ❶アイス・ピック ❷動〔镩子〕で氷を割る ‖ ～冰 氷を割る
【镩子】cuānzi 名 氷割りのきり. アイス・ピック

19 蹿(躥) cuān ❶動 跳びはねる. ぴょんと跳び上がる ‖ 猫～到墙上去了 ネコが塀の上に跳び上がった ❷動 方 吹き出る
【蹿房越脊】cuān fáng yuè jǐ 慣 屋根から屋根へ伝って逃げる
【蹿红】cuānhóng 動 一躍有名になる
【蹿升】cuānshēng 動 急上昇する ‖ 销售xiāoshòu量～至全国第一 売り上げが全国トップに躍り出た

cuán

19 攒 cuán 動 集める ➤ zǎn
【攒动】cuándòng 動 群れごと動く. 群衆が揺れ動く ‖ 万头～ ごった返す人の波
【攒聚】cuánjù 動 ぎっしりと1ヵ所に集まる
【攒眉】cuánméi 動 眉(まゆ)をひそめる
【攒射】cuánshè 動 集中射撃をする

cuàn

12 *窜(竄) cuàn ❶動 あちこち逃げ回る ‖ 逃～ 逃走する ❷(勝手に)書き換える. 改竄(かいざん)する ‖ →～改
【窜犯】cuànfàn 動 (盗賊や少数の敵軍が)侵犯する
【窜改】cuàn//gǎi 動 (文書などを)勝手に書き換える
【窜扰】cuànrǎo 動 攪乱(かくらん)する. かき乱す
【窜逃】cuàntáo 動 逃げ回る

16 篡(△簒) cuàn ❶(不正な手段で)奪い取る. 乗っ取る. 簒奪(さんだつ)する ‖ →～位 ❷(勝手に)変える. 歪曲(わいきょく)する ‖ →～改
【篡党】cuàn//dǎng 動 党を乗っ取る
【篡夺】cuànduó 動 (地位や権力を)奪って自分のものにする. 乗っ取る. 簒奪する ‖ ～政权 政権を乗っ取る
【篡改】cuàngǎi 動 勝手に書き換える. 歪曲する ‖ 肆意sìyì～政策 政策を勝手に書き換える
【篡国】cuàn//guó 動 政権を握る
【篡权】cuàn//quán 動 政権を奪い取る
【篡位】cuàn//wèi 動 王位を簒奪する

30 爨 cuàn ❶書 飯を炊く ‖ ～具 飯を炊く道具 ❷書 かまど ‖ 厨～ かまど

cuī

11 崔 cuī 山が高い ‖ →～巍
【崔巍】cuīwēi 形 書 高々とそびえている. 雄大である

13 ** 催 cuī ❶動 急がせる. せかす ‖ 妈妈～他起床 お母さんは彼に起きるようせきたてた ❷促進する. 促す ‖ →～眠药
【催逼】cuībī 動 せきたてる. 迫る
【催产】cuī//chǎn 動 分娩(ぶんべん)を促進する. 出産を促す. 〔催生〕ともいう
【催促】cuīcù 動 催促する. せかす ‖ ～孩子做作业 子供に宿題をするようせかす
【催化】cuīhuà 動〈化〉化学反応を促す
【催化剂】cuīhuàjì 名〈化〉触媒
【催泪弹】cuīlèidàn 名 催涙弾
【催眠曲】cuīmiánqǔ 名 子守歌
【催眠术】cuīmiánshù 名 催眠術
【催眠药】cuīmiányào 名 催眠剤. 睡眠薬
【催命】cuī//mìng 動 しつこくせきたてる ‖ ～鬼 しつこく催促する人
【催奶】cuī//nǎi 動 (薬や食品で)乳の出をよくする
【催迫】cuīpò 動 しつこく催促する. 強く迫る
【催生】cuī//shēng ＝〔催产cuīchǎn〕
【催讨】cuītǎo 動 返済を迫る. 返却を強く迫る ‖ ～欠qiàn款 借金の返済を催促する
【催吐剂】cuītùjì 名 吐剤. 催吐剤
【催芽】cuī//yá 動〈農〉発芽を促進する

14 摧 cuī くじき折る. 打ち壊す
*【摧残】cuīcán 動 壊す. 破壊する ‖ ～肉体 肉体を痛めつける
*【摧毁】cuīhuǐ 動 壊滅する. 粉砕する ‖ ～了敌人的工事 敵の陣地を粉砕した
【摧枯拉朽】cuī kū lā xiǔ 成 枯れ草や朽ち木を砕き割る. 腐敗した勢力はやすやすと粉砕できるたとえ
【摧折】cuīzhé 動 書 ❶折る. くじき折る ❷くじける

cuǐ

15 璀 cuǐ ↴
【璀璨】cuǐcàn 形 書 (玉石などが)光り輝くさま

cuì

10 *脆（△脃）cuì ❶形 もろい. 壊れやすい ↔〔韧rèn〕 ❷(感情が)壊れやすい. くじけやすい. 情にもろい ‖ →～弱 ❸形 歯切れがよい. さくさくしている ‖ 这梨lí很～ このナシはさくさくしている ❹形 (音声が)澄んでいる. よく通る ‖ 嗓音又～又甜 澄みきってうっとりするような声である ❺形 方 (言動が)てきぱきしている. きびきびしている. 小気味よい

【脆骨】cuìgǔ 名〈料理〉軟骨

【脆亮】cuìliàng 形 (音声が)澄んでよく響く

【脆嫩】cuìnèn 形 みずみずしくて歯切れがいい

【脆弱】cuìruò 形 挫折に弱い. もろい. 脆弱(ぜいじゃく)である ‖ 她性格～, 经不起打击 彼女は性格が弱いのでショックに耐えられない

【脆生】cuìsheng 形 方 ❶さくさくしている ❷(音声が)澄んでいる. よく聞こえる

【脆性】cuìxìng 名〈物〉脆性(ぜいせい)

【脆枣】cuìzǎo (～儿) 名 方 種を取ってあぶったナツメ

11 淬 cuì 動〈冶〉焼きを入れる. 金属製品を高温度に熱し, 水あるいは油の中に入れ急冷する

【淬火】cuì//huǒ 動〈冶〉焼き入れをする. ふつうは〔蘸zhàn火〕という

11 悴（△顇）cuì ➡〔憔悴qiáocuì〕

11 萃 cuì 書 ❶寄せ集める ‖ 荟huì～一堂 (優れたものが) 1ヵ所に集まる ❷人間あるいは物の集まり. 群れ

【萃聚】cuìjù 動 書 寄り集まる. 会する

【萃取】cuìqǔ 動〈化〉抽出する

11 啐 cuì ❶感 軽蔑あるいは怒りを表す. (多く早期白話に見られる) ‖ 呀yā～! 休得xiūde无礼! いいかげんにしろ, 無礼者め ❷動 吐き出す. 吐く ‖ ～了一口唾沫tuòmo ペッとつばを吐いた

12 毳 cuì 書 鳥や獣の細く柔らかい毛

【毳毛】cuìmáo 名 産毛

13 瘁 cuì 書 疲労困ぱいする ‖ 心力交～ 精も根も尽き果てる

14 粹 cuì ❶書 混じり気のない米 ❷混じり気がない ❸精髄. 粋(すい). えりすぐり ‖ 精～ 精華

【粹白】cuìbái 形 書 ❶純粋である ❷純白な

14 翠 cuì ❶カワセミ科鳥類の総称 ❷緑色 ❸ひすい ‖ ～花 ひすいで作ったかんざし

【翠菊】cuìjú 名〈植〉エゾギク. アスター. サツマギク. ふつうは〔江西腊là〕という

【翠蓝】cuìlán 形 水色の. 透明感のある青色の

【翠绿】cuìlǜ 形 翠緑(すいりょく)の. エメラルド・グリーンの

【翠鸟】cuìniǎo 名〈鳥〉カワセミ. 〔钓鱼郎〕ともいう

【翠生生】cuìshēngshēng (～的) 形 (植物が) 青々と鮮やかである. 青々とみずみずしい

【翠微】cuìwēi 名 書 青緑の山の色. (広く)青々とした山

【翠玉】cuìyù 名〈鉱〉ひすい

cūn

7 村（△邨❶）cūn ❶名 (～儿) 村. また, 都市の住宅地区をさす場合もある ‖ 乡～ 田舎. 農村 | 工人新～ 労働者の新築住宅団地 ❷粗野である. 下卑ている ‖ →～话

【村夫俗子】cūnfū súzǐ 慣 がさつで俗っぽい人

【村姑】cūngū (～儿) 名 田舎娘

【村话】cūnhuà 名 粗野な言葉. 下品な言葉

【村口】cūnkǒu (～儿) 名 村の出入り口

【村民】cūnmín 名 村民

【村舍】cūnshè 名 田舎の家屋. 村の家

【村俗】cūnsú 形 粗野である. 野暮ったい. 田舎臭い

【村头】cūntóu (～儿) 名 村はずれ

【村野】cūnyě 名 村と野原 形 粗野である. 無骨である. 荒っぽい

【村寨】cūnzhài 名 村落. 囲いをめぐらした集落

【村长】cūnzhǎng 名 村長

【村镇】cūnzhèn 名 村と町

*【村庄】cūnzhuāng 名 村. 村落

*【村子】cūnzi 名 村

12 皴 cūn ❶動 ひびやあかぎれができる ❷名 方 垢(あか) ❸(中国画の技法の一つ)山・石・樹などの屈曲や積み重なりを表すための画法. 皴法(しゅんぽう)

【皴裂】cūnliè 動 ひびやあかぎれができる ‖ 手足～ 手足にひびやあかぎれができる

cún

6 ***存 cún ❶存在する. 生きている ‖ 幸～ 生き残る ❷落ち着かせる. 置く ‖ →～身 ❸動 **たまる. 貯蔵する. ためる** ‖ 冰箱里～了不少食品 冷蔵庫の中にたくさんの食べ物が蓄えてある ❹動 **預金する** ↔〔取〕‖ 把钱～在银行里 銀行にお金を預ける ❺動 (荷物を)**預ける** ‖ ～行李 荷物を預ける ❻動 **記憶する. 心に抱く** ‖ 不～任何幻想 いかなる幻想も抱かない ❼残す. 保留する ‖ 求同～异 大同を求めて小異を残す ❽残した部分. 残高 ‖ 库～ 在庫

【存案】cún//àn 動 記録に残す. 文書を保存する

【存不下】cúnbuxià 動 ❶置ききれない. 置く場所がない** ❷**貯蓄する余裕がない** ‖ ～钱 お金がなくて貯金する余裕がない

【存不住】cúnbuzhù 動 しまっておけない ‖ 他是个直性子, 肚子里～话 彼は開けっ広げな性格なので, 言いたいことを腹の中にしまっておけない

【存查】cúnchá 動 (書類などを)後日の調査のために保存しておく

【存储】cúnchǔ 動 ❶蓄える. ストックする ❷〈計〉(メモリーに)記憶させる. セーブする ‖ ～量 メモリー容量

【存储器】cúnchǔqì 名〈計〉記憶装置. メモリー ‖ 随机suíjī～ ランダム・アクセス・メモリー. RAM | 只读～ 読み出し専用メモリー. ROM

【存单】cúndān 名 ❶預金証書 ❷(物品の)預かり証

【存档】cún//dàng 動 (記録として)文書を保存する ‖ 会议记录要～ 議事録は保存しておかなければならない

【存底】cún//dǐ 動 (後日の用のために)控えとして残しておく 名 (cúndǐ) ❶残しておいた控え ❷在庫品

【存而不论】cún ér bù lùn 成 討議をいったん保留しておく. 議論をひとまず棚上げにする. 後回しにする

*【存放】cúnfàng 動 預ける ‖ 把钱～在保险箱里 お金を金庫に入れておく

【存根】cúngēn 名 (証票類の)控え. 〔存执〕ともいう

【存户】cúnhù 名 預金者

【存活】cúnhuó 動(植物や動物などが)生存する
【存货】cún∥huò 動 商品を寝かせておく 名(cúnhuò) 商品の在庫. ストック
*【存款】cún∥kuǎn 動 貯金する. 預金する ‖ 去银行～ 銀行へ行って預金する 名(cúnkuǎn) 貯金. 預金 ‖ 定期～ 定期預金 | 活期～ 普通預金. 当座預金
【存栏】cúnlán 動(家畜が)飼育されている
【存粮】cún∥liáng 動 食糧を備蓄する 名(cúnliáng)貯蔵食糧
【存量】cúnliàng 名 ストック. 備蓄. 在庫品
【存盘】cún∥pán 動〈計〉ディスクに保存する
【存身】cún∥shēn 動 身を置く. 身を寄せる
【存食】cúnshí 動 腹にもたれる. 食もたれする
【存亡】cúnwáng 名 存亡 ‖ ～未卜bǔ 存亡が危ぶまれる
【存亡绝续】cún wáng jué xù 成 危急存亡 ‖ ～之秋 危急存亡のとき
【存息】cúnxī 名 預金の利息
【存项】cúnxiàng 名 残金. 残高. 残額
【存心】cún∥xīn 動(ある悪い考えを)抱く 副(cúnxīn) 故意に. わざと ‖ ～使坏 わざと意地悪をする
【存续】cúnxù 動 存続する
【存蓄】cúnxù 動 蓄える. ストックしておく. 貯蔵する 名(お金や物の)蓄え
【存疑】cúnyí 動 結論を保留する. 疑問として残しておく
**【存在】cúnzài 動 存在する. ある ‖ 他们之间～着严重的矛盾máodùn 彼らの間には激しい対立がある | ～幻想 幻想を抱いている 名〈哲〉存在
【存在主义】cúnzài zhǔyì 名〈哲〉実存主義
【存照】cúnzhào 動(証文などを)証拠として保存する 名(証拠としてとっておく)証文
【存折】cúnzhé 名 預金通帳
【存正】cúnzhèng 動 ご叱正(しっせい)を請う. ご教示を願う. (他人に作品などを送る際の決まり文句)
【存执】cúnzhí =〔存根cúngēn〕
【存贮】cúnzhù 動 蓄える. 貯蔵する

19 **蹲** cún 動 方(落下の衝撃で関節や靱帯(じんたい)を)くじく ➤ dūn

cǔn

6 **忖** cǔn 推測する. 見当をつける ‖ 思～ 思案する | 自～ 自ら推し量る
【忖度】cǔnduó 動 忖度(そんたく)する. 推測する
【忖量】cǔnliàng 動 ❶推し量る ❷あれこれと考える
【忖摸】cǔnmo 動 忖度する. 推し量る

cùn

3 ** **寸** cùn ❶量(長さの単位)寸. 1〔尺〕の10分の1. 約3.3センチ. 〔市寸〕ともいう ❷非常に短いさま, あるいはわずかなさまのたとえ ‖ 一～光阴一～金 一寸の光陰は一寸の金である. 時は金なり ❸名〈中医〉寸口脈のうち, 手首にいちばん近い部位. 〔寸口〕の略 ❹形 方 ちょうどよい. 間がよい
【寸步】cùnbù 名 寸歩. わずかな歩み ‖ 在关键问题上～不让 大事な問題については一歩も譲らない
【寸步难行】cùn bù nán xíng 成 寸歩も進みがたい. 動きがとれない
【寸草】cùncǎo 名 わずかな草 ‖ ～难生 わずかな草も生えない
【寸草不留】cùn cǎo bù liú 成 草一本残っていない. 略奪や災害で荒れ果てたさま
【寸断】cùnduàn 動 ずたずたに断ち切る ‖ 肝肠gānchóng～ 断腸の思いである
【寸功】cùngōng 名 わずかな手柄
【寸进】cùnjìn 名 書 ごくわずかな進歩
【寸劲儿】cùnjìnr 名 口 ❶ちょっとしたこつ ❷符合. 偶然の一致
【寸楷】cùnkǎi 名 大きさ1寸くらいの楷書(かいしょ)体の字
【寸刻】cùnkè 名 わずかな時間. 片時
【寸口】cùnkǒu 名〈中医〉❶(手首の)脈どころ. 寸口脈 ❷脈所の手首にいちばん近いところ
【寸铁】cùntiě 名 小さい刃物. わずかな武器 ‖ 手无～ なんの武器も持っていない
【寸头】cùntóu 名 スポーツ刈り
【寸土】cùntǔ 名 寸土. わずかな土地
【寸心】cùnxīn 名 書 ❶わずかな気持ち. わずかばかりの志 ‖ 略lüè表～ いささか寸志を表す ❷心. 心の中
【寸阴】cùnyīn 名 書 一寸の光陰. わずかな時間

cuō

12 * **搓** cuō 動(手と手を)こすり合わせる. (手で何かを)こする. もむ ‖ ～背bèi 背中を流す | ～手取暖 手をこすり合わせて暖を取る
【搓板】cuōbǎn (～儿) 名 洗濯板
【搓麻】cuō∥má 動 マージャンをする. 〔搓麻将〕ともいう
【搓麻将】cuō májiàng 組 マージャンをする =〔搓麻〕
【搓弄】cuōnong ; cuōnòng 動 もむ. いじり回す
【搓揉】cuōróu 動 こねる. いじる
【搓洗】cuōxǐ 動 こすりながら洗う
【搓澡】cuō∥zǎo 動(風呂で)背中を流してもらう

14 **磋** cuō ❶象牙(ぞうげ)を加工して器物を作る ❷協議する. 折衝する ‖ →～商
【磋磨】cuōmó 動 書 切磋琢磨(せっさたくま)する. 磨く
*【磋商】cuōshāng 動 相談する. 折衝する ‖ 就具体施工方案进行～ 具体的な工事計画について話し合う

15 **撮** cuō ❶動 方(細かい粉状のものを)指でつまむ ‖ ～点儿盐 塩を少しつまむ ❷要点をかいつまむ ‖ →～要 ❸量 ①(指でつまんだものを数える)つまみ. ごくわずかな量を表す ‖ 一～芝麻 一つまみのゴマ ②容積の単位. 〔市撮〕の略. 1〔撮〕は1〔毫升háoshēng〕(ミリリットル)に等しい ❹書 一緒にする. 集める ‖ →～合 ❺動 すくい取る ‖ ～垃圾 ごみをすくい取る ❻動 方 ごちそうを食べる. 食事をする ➤ zuǒ
【撮合】cuōhe 動(結婚の)仲を取り持つ. 仲人をする
【撮弄】cuōnòng 動 ❶からかう. 愚弄(ぐろう)する. ばかにする ❷そそのかす. 扇動する
【撮要】cuōyào 動 要点をつかむ. ポイントをつかむ. かいつまむ 名 要点. 要約 ‖ 论文～ 論文の要約

16 **蹉** cuō ↴
【蹉跎】cuōtuó 動 書 時間がむなしく過ぎる ‖ ～岁月 むなしく過ぎた歳月

cuó

12 **嵯** cuó ➘

【嵯峨】cuó'é 形 書 山が険しくそそり立っているさま

12 **痤** cuó ➘

【痤疮】cuóchuāng 名〈医〉にきび．俗に〔粉刺 fěncì〕という

12 **矬** cuó 方 ❶形（人間や動物の）背が低い．（物の高さが）低い ❷体をかがめる．うずくまる

【矬个ㄦ】cuógèr 名 方 背の低い人

【矬子】cuózi 名 方 背の低い人

14 **瘥** cuó 古 病気 ➤ chài

cuǒ

11 **脞** cuǒ 書 細かい．くだくだしい

cuò

10 **厝** cuò 書 ❶置く ‖ 一～火积薪 ❷動 埋葬の日まで棺を安置する．または，仮埋葬する ‖ 暂zàn～ 仮埋葬する

【厝火积薪】cuò huǒ jī xīn 成 積んだ薪の下に火を置き，その上に寝る．大きな危険をはらんでいるたとえ

10 **挫** cuò ❶挫折(ざせつ)する．失敗する ❷動 抑える．勢いをそぐ．くじく ‖ ～敌人锐气 敵の気勢をそぐ

【挫败】cuòbài 動 打ち負かす 名 挫折や失敗

【挫伤】cuòshāng 動 ❶（手足などを）くじく ❷（意気や積極性などを）くじく．そぐ．傷つける ‖ 自尊心受到严重的～ 自尊心がひどく傷ついた 名 打撲傷．打ち身

*【挫折】cuòzhé 動 ❶挫折する．失敗する ‖ 遇到～ 挫折に遭う ❷力を削ぐ．抑えつける．くじく

11 **措** cuò ❶置く．処置する ❷計画する．取り計らう ‖ 筹chóu～（金を）工面する

【措办】cuòbàn 動 計画して処置する．都合する

【措词】【措辞】cuò//cí 動 語句を選ぶ．言葉を選ぶ ‖ ～谨慎jǐnshèn 言葉遣いが慎重だ

**【措施】cuòshī 名 措置．対策．施策 ‖ 采取有效～ 有効な措置をとる｜预防～ 予防措置

【措手不及】cuò shǒu bù jí 成 対処しようがない．手を打ついとまがない

【措置】cuòzhì 動 措置する

12 **锉**（△剉）cuò ❶名 やすり ❷動 やすりをかける

【锉刀】cuòdāo 名 やすり

13 **错**[1] cuò ❶古 玉を磨く砥石(といし) ❷書 琢磨(たくま)する．磨きをかける ‖ 攻～ 切磋(せっさ)琢磨する ❸動 擦れる．擦れ合う．こすれる ‖ 上下牙～得咯咯gēgē响 ギリギリと大きな音を立てて歯ぎしりをする

13 ★**错**[2] cuò ❶動 書（金や銀などを）箔(はく)押しする．象眼する ❷交差する．錯綜(さくそう)する．入り乱れる ‖ 交～ 交差する ❸入り乱れている ‖ 一～乱 ❹形 誤っている．間違っている ↔〔对〕‖ 我～了四道题 私は4問間違えた｜～放了盐 間違って塩を入れてしまった｜听～了 聞き違えた ❺名（～ㄦ）過ち．ミス ‖ 认～ㄦ 過ちを認める｜听我的没～ㄦ 私の言うとおりにすれば間違いない ❻形 よくない．劣る．（否定で用いる）‖ 今天的天气真不～ 今日は実にいい天気だ ❼動（時間や位置などを）ずらす．避ける ‖ 一～开

【错爱】cuò'ài 動 謙（誤って）好意を抱く ‖ 承蒙chéngméng～ ご好意にあずかる

【错案】cuò'àn 名〈法〉誤審事件

【错版】cuòbǎn 名（切手や紙幣などの）製版ミス．印刷ミス．ミスプリント ‖ ～邮票 印刷ミスの切手

【错别字】cuòbiézì 名 誤字と当て字

【错不了】cuòbuliǎo 動 間違うはずがない．悪かろうはずがない ‖ 这事交给他绝对～ この件は彼に任せておけば絶対に間違いない

【错车】cuò//chē 動（汽車・電車・自動車などが）互いに接近して行き違う．すれ違う

【错处】cuòchu 名 過ち．間違った点

【错待】cuòdài 動 悪い待遇をする．粗末な対応をする

【错动】cuòdòng 動（位置が）ずれる

【错讹】cuò'é 名 書（文字や記載の）誤り

【错峰】cuòfēng 動 ピーク時間帯をはずす ‖ ～上班 時差出勤

【错怪】cuòguài 動 誤って人を責める．間違って人をとがめる ‖ 这可不是他说的，你别～了他 これはほんとうに彼が言ったのではないのだから，彼を責めたりしないでくれ

【错过】cuòguò 動 ❶（チャンスなどを）取り逃がす ‖ 这么好的机会，可别～了 こんなによいチャンスを逃したりしないように ❷すれ違う

【错季】cuòjì 動 季節をずらす ‖ 利用年假～出游 年休を活用しシーズンをはずして旅行に行く

【错金】cuòjīn 動 器物に針金で模様や字を象眼する

【错觉】cuòjué 名 錯覚

【错开】cuò//kāi 動 ❶（時間や位置を）ずらす ‖ 两个会的时间最好～一下 二つの会議の時間をできればずらしたほうがいい ❷（車などが）すれ違う

【错漏】cuòlòu 動 誤りや落ちがある

【错乱】cuòluàn 形 錯乱している．混乱している ‖ 精神～ 精神が錯乱する

【错落】cuòluò 動 不揃いである ‖ 远山近水，～有致 遠くの山と手前の川とが重なり合って趣がある

【错谬】cuòmiù 名 間違い．言論の誤り

【错失】cuòshī 動 失する．逸する．取り逃がす 名 過ち．過失

【错时】cuòshí 動 時間をずらす ‖ 实行～上下班制度 フレックスタイムを実行する

【错位】cuò//wèi 動（あるべき位置から）ずれる

★【错误】cuòwù 名 間違い．ミス ‖ 犯～ 過ちを犯す｜纠正jiūzhèng～ 過ちを直す 形 間違っている．正しくない ‖ 判断～ 判断が誤っている．判断ミスである

【错杂】cuòzá 動 入り交じる

*【错字】cuòzì 名 間違った字．誤字

【错综】cuòzōng 動 錯綜する．複雑に入り組む

【错综复杂】cuò zōng fù zá 成 複雑に入り組んでいる．錯綜している

C

D

【DNA芯片】DNA xīnpiàn 图〈生〉DNAチップ.〔基因芯片〕ともいう

dā

9 **耷** dā 書 大きな耳

【耷拉】dāla 動 垂らす. 垂れ下がる.〔搭拉〕とも書く‖～着脑袋不说话 うなだれて一言も言わない

12 ** **搭** dā ❶動 (衣類や布などを)**引っ掛ける. ぶら下げる**‖脖子上～着条毛巾 首にタオルをかけている ❷動 (乗り物に)**乗る. 乗せる. 便乗する**‖我是～朋友的车来的 私は友だちの車に便乗して来た ❸動 **架ける. 組む. 組み立てる**‖～帐篷zhàngpeng テントを張る｜～脚手架 工事の足場を組む ❹動 **組み合わせる**‖菜肉最好～着吃 野菜と肉を取り合わせて食べるのがよい ❺動 **付け加える. 補う**‖既浪费了时间又～了钱 時間ばかりか, 金も浪費した ❻動 **つながる. つなげる. 交わる**‖前言不～后语 話のつじつまが合わない ❼動 (何人かで)**支えて運ぶ. 持ち運ぶ**‖把桌子～走 机を持ち上げて運ぶ

【搭班】dā//bān (～儿) 動 ❶旧 役者がある劇団に臨時に参加する ❷臨時に作業チームを組む

【搭伴】dā//bàn (～儿) 動 同行する. 連れ立って行く

【搭帮】dā//bāng 動 方 (多数の人が)連れになる

【搭便】dābiàn 副 方 ついでに

【搭补】dābǔ 動 方 補う. 足しにする

【搭茬儿】【搭碴儿】dā//chár 動 方 受け答えする. 応答する. 口を挟む

【搭车】dā//chē 動 車に乗る. 同乗する‖你搭我的车去吧 君, 僕の車に乗って行きたまえ

【搭乘】dāchéng 動 (乗り物に)乗る‖～明晨第一班飞机去 明朝の第一便の飛行機に乗って行く

【搭船】dā//chuán 動 船に乗る

【搭档】【搭当】dādàng 動 協力する‖咱俩～吧 私たち二人組んでやろう 图 相棒. コンビ. パートナー‖他是我的好～ 彼は私のいい相棒だ

【搭盖】dāgài 動 (簡単な家屋を)建てる. 小屋を作る

【搭钩】dā//gōu 動 関係をつける. つながりをつける 图(dāgōu)鉄製の工具の一つ, 手かぎ

【搭话】dā//huà 動 ❶応答する. 話をする‖他问了半天, 没人～ 彼は長いこと尋ねていたが, 誰も返事をしなかった ❷方 ことづけを届ける

【搭伙】[1] dā//huǒ (～儿) 動 仲間になる. 一緒に組む‖他们～开了一个饭馆 彼らは共同でレストランを開いた｜成群～ 群れをなす

【搭伙】[2] dā//huǒ (～儿) 動 共同の賄いで食事をする‖他在机关食堂～ 彼は役所の食堂で食事をしている

【搭架子】dā jiàzi 組 ❶(事業や文章などの)枠組みを作る. 大枠を決める ❷方 偉ぶる. 威張る

【搭肩】dā//jiān 動 ❶(重い物を)肩に載せるのを手伝う ❷人の肩に乗って高い所によじ登る

【搭建】dājiàn 動 ❶(小屋などを)建てる. 組み建てる‖～工棚gōngpéng 飯場を建てる ❷(機構を)作る. 組織する

【搭脚儿】dā//jiǎor 動 方 (他人の車などにお金を払わずに)乗る. 便乗する

【搭界】dājiè 動 ❶境界を接する‖这儿是两省～的地方 ここは両省が境界を接する所である ❷方 関係をもつ. かかわり合う. (多く否定に用いる)‖这件事跟他毫不～ これは彼とまったく関係ない

【搭救】dājiù 動 救う. 救助する. 助ける

【搭客】dā//kè 動 方 (荷物運搬用の乗り物が)ついでに人を乗せる 图(dākè)(同上の)乗客

【搭扣】dākòu 图 方 掛け金(戸締まり用のもの)

【搭拉】dāla ＝〔耷拉dāla〕

【搭理】dāli 動 相手にする. 取り合う. (多く否定に用いる)‖你别～他 彼に取り合うな

【搭脉】dā//mài 動 方 (医者が)脈を診る. 脈をはかる

*【搭配】dāpèi 動 ❶組み合わせる. 取り合わせる‖动词和宾语～不当dàng 動詞と目的語の組み合わせが適切でない ❷抱き合わせる‖～出售 抱き合わせで売る

【搭腔】dā//qiāng 動 ❶受け答えをする‖我问了半天, 也没人～ 私がいくらたずねても誰も答えない ❷方 話をする. ことばを交わす

【搭桥】dā//qiáo 動 ❶橋を架ける ❷橋渡しをする. 仲立ちをする

【搭桥牵线】dāqiáo qiānxiàn 慣 橋渡しをする. 仲介をする.〔牵线搭桥〕ともいう‖为外商寻找xúnzhǎo投资伙伴～ 外国投資家のために投資相手を仲介する

【搭讪】【搭赸】dāshan；dāshàn 動 ❶(人に近づくため, 無理に話題を探して)話しかける‖她～着凑còu过来 彼女は話しかけながら近寄ってきた ❷(ばつの悪さを取り繕うため)照れ隠しを言う‖他勉强miǎnqiǎng笑了笑, ～着走开了 彼は作り笑いをし, 照れ隠しを言うと立ち去った

【搭识】dāshí 動 知り合いになる. 友人になる

【搭手】dā//shǒu 動 手を貸す. 手助けする. 手伝う‖搭把手 ちょっと手伝う

【搭售】dāshòu 動 抱き合わせで販売する.〔搭卖〕ともいう‖严禁商品～ 商品の抱き合わせ販売を厳禁する

【搭送】dāsòng 動 無料でおまけの商品を進呈する‖买一个数码相机xiàngjī～价值100元的商品 デジタルカメラをお買い上げいただくと, 100元相当の商品を無料進呈します

【搭头】dātou (～儿) 图 おまけ. 付けたし

【搭戏】dāxì 動 共演する‖和韩国影星～ 韓国のスターと共演する

【搭线】dā//xiàn (～儿) 動 取り持つ. 仲立ちをする. 橋渡しをする

【搭言】dā//yán 動 話しかける

【搭载】dāzài 動 (車や船などの運行時に)ついでに人を乗せたり, 貨物を積み込み運送したりする

【搭坐】dāzuò 動 (車や船などに)乗る

12 **嗒** dā 擬 (ウマのひづめや鉄砲などの音)パカパカ. ダッダッ ➤tà

12 **答** dā 〔答dá ❶〕に同じ.〔答理〕〔答应〕などに用いる ➤dá

【答茬儿】【答碴儿】dā//chár ＝〔搭茬儿dāchár〕

【答理】dāli ＝〔搭理dāli〕

【答腔】dā//qiāng ＝〔搭腔dāqiāng〕

【答讪】dāshan；dāshàn ＝〔搭讪dāshan〕

【答言】dā//yán 動 受け答えをする. 応じる
**【答应】dāying 動 ❶答える. 返答する‖听见有人叫他，连忙～了一声 誰かが呼んでいるのを聞きつけて，彼は慌てて返事をした ❷承知する. 承諾する‖事情很难办，别随便～ ことはとても厄介だ，安請け合いするな
【答允】dāyǔn 動 承知する. 同意する‖满口～ 二つ返事で承知する

14 褡 dā ↴
【褡包】dābao；dābāo 名 旧 服の上から締める幅広の帯
【褡裢】dālian；dālián 名 ❶（～儿）袋物の一種. 長方形の袋で，二つ折りにした中央に口があり，その両端が金銭や物品を入れる袋になっている ❷モンゴル相撲の選手が着る上着

dá

5 打 dá 量 外 ダース ➤dǎ

6 * 达（達）dá ❶（ある場所まで）達する. 道が通じる‖本次列车直～上海 この列車は上海直通です ❷動（目的や大きな数に）到達する. 達成する‖成功率～百分之百 成功率は100パーセントに達する ❸（物事に）精通する. 通じる‖通情～理 情理をわきまえる ❹達観している. 自由闊達(かったつ)である‖→～观 ❺地位が高い. 栄達する‖→～官 ❻伝える. 表現する‖→～意
【达标】dá//biāo 動 規定の水準に達する. 基準に達する‖质量～ 品質が基準に達する
*【达成】dá//chéng 動（話し合いの結果）成立する. 合意に達する‖双方就有关合作项目～协议 双方が協力プロジェクトに関して合意した
【达旦】dádàn 動 夜が明ける‖通宵tōngxiāo～地工作 徹夜で仕事をする
**【达到】dá//dào 動 達する. 到達する. 達成する‖产量～历史最高水平 生産量は史上最高レベルに達した
【达观】dáguān 形 達観している‖遇yù事要～ 何か事があっても達観すべきだ
【达官】dáguān 名 書 高官‖～贵人 高位高官
【达斡尔族】Dáwò'ěrzú 名 ダフール族（中国の少数民族の一つ）
【达意】dáyì 動（文字や言葉で）考えを表す. 考えを伝える‖词不～ 言葉が意を伝えていない. 舌足らずだ
【达因】dáyīn 量 外〈物〉（力の単位）ダイン

8 怛 dá ❶もの悲しい ❷恐れる. 驚き恐れる

8 妲 dá 人名用字‖～己 妲己(だっき). 商朝紂王(ちゅうおう)の妃

8 沓 dá 量（～儿）（重なった薄いものを数える）重ね. 束‖一～稿纸 ひと重ねの原稿用紙 ➤tà
【沓子】dázi 量 重ね. 束‖一～钞票chāopiào 一束の紙幣

11 笪 dá ❶名 方 穀物を干すのに用いる竹で編んだむしろ ❷書 船の引き綱

12 ** 答 dá ❶動 答える‖→～复｜你～得不错 ご名答！ ❷報いる. 返礼する‖报～ 報いる ➤dā
**【答案】dá'àn 名 答え. 解答
【答拜】dábài 動 答礼訪問する
*【答辩】dábiàn 動 答弁する. 弁明する‖进行毕业论文～ 卒業論文の口頭試問を行う
【答词】dácí 名 答辞. 謝辞‖致～ 答辞を述べる
【答对】dáduì 動 受け答えする. 応答する.（多く否定に用いる）‖被问得无言～ 問われて返答に窮する
【答非所问】dá fēi suǒ wèn 成 聞かれたことに答えていない. とんちんかんの返答をする
*【答复】dáfu；dáfù 動 回答する. 返答をする‖让我想想再给您～ ちょっと考えてから返事をさせてもらいます
【答话】dáhuà 動 返事をする.（多く否定に用いる）
**【答卷】dá//juàn 動 答案を書く 名（dájuàn）答案‖标准～ 模範解答
【答礼】dá//lǐ 動 返礼する
【答数】dáshù（～儿）名〈数〉計算して求めた数. 解答.〔得数〕ともいう
【答题】dá//tí 動 問題に答える
【答问】dáwèn 動 問いに答える. 問題に答える 名 問答. Q＆A.（多く書名に用いる）
【答谢】dáxiè 動 謝意を表す. お礼をする‖您治好了我的病，我一定要好好儿地～您 私の病気を治してくださったのですから，ぜひとも十分にお礼をさせていただきます
【答疑】dáyí 動 疑問に答える

14 靼 dá ➡〔鞑靼Dádá〕

15 鞑（韃）dá ↴
【鞑靼】Dádá 名 ❶古〈史〉韃靼(だったん) ❷タタール

dǎ

5 ★ 打[1] dǎ ❶動 ①（手や道具で）たたく‖→～鼓｜钟～十二点了 時計が12時を打った ②（ぶつけて）割る. 割れる‖～鸡蛋 卵を割る ③殴る. 攻める‖俩人又～起来了 二人はまたけんかを始めた ④（風や雨が）打ちつける‖雨～芭蕉 雨がバショウの葉をたたきつけるように降る ❷動（ある動作を）する. 多くの具体的意味をもつ動詞の代わりに用いる ①捕る. 狩りをする‖→～鱼 ②刈る. 刈り取る‖→～草 ③（水などを）くむ. すくう‖→～水 ④製造する. 作る‖～家具 家具を作る ⑤建てる. 築く‖～地基 土台を築く ⑥穴を掘る‖～井 井戸を掘る ⑦編む‖～毛衣 セーターを編む ⑧結ぶ. 結び目をつくる‖～领带 ネクタイを締める ⑨塗る.（印を）つける.（判を）押す‖～肥皂 石けんをつける｜～个问号 クエッションマークをつける ⑩掲げる. 挙げる‖～伞 傘をさす ⑪巻く. くくる‖→～包 ⑫（ある種の活動や仕事に）従事する‖→～下手 ⑬買う‖～门票 入場券を買う ⑭（多く手を使って）遊ぶ. する. やる‖～桥牌（トランプの）ブリッジをする ⑮書く. 書いて出す. 書いてもらう‖～收据 領収書を出す（もらう） ⑯取り除く‖→～尖 ⑰発する. 放つ. 出す‖→～枪 ⑱注入する. 入れる‖→～针 ⑲（言葉を用いてある手段や情況を）とる‖→～比方 ⑳計画する. 見積もる‖～腹稿 腹案を練る. ㉑交渉する. 折衝する. 関係をつける‖→～官司 ㉒（くしゃみ・あくび・震えなどの）生理現象が現れる‖→～哈欠hāqian ❸動詞や形容詞と結び付き，複合動詞をつくる ①他動詞と結び付き，並列構造になる.〔打〕の意味は薄れ，ほぼ後の動詞の表す意味になる‖→～扫｜→～捞 ②自動詞と結び付き，動補構造になる.〔打〕の意味は薄れ，

後の動詞の状態にさせることを表す‖一～开｜一～败 ③形容詞と結び付き,ある状態の発生を表す‖一～蔫niān｜一～斜

5 *打[2] dǎ ❶介(起点を表す)…から.…より‖～这ㄦ往南去 ここから南へ行く ❷介(経過する地点を表す)…を通って‖～门缝ménfèng里往外看 戸のすきまから外をのぞく ❸介(原因を表す)…により.…から ➤dá

【打熬】dǎ'ao;dǎ'áo 動❶堪え忍ぶ.我慢する.こらえる ❷虐げる.苦しめる ❸(体を)鍛える

【打把式】【打把势】dǎ bǎshi 慣❶武術の練習をする ❷やたらに手足を動かす

【打靶】dǎ//bǎ 動 標的を撃つ.射撃の練習をする

【打白条】dǎ báitiáo (～ㄦ) 組❶略式の伝票や領収書などを書く ❷買いつけの際,現金取引をせず証票を渡す.

【打摆子】dǎ bǎizi 組 方 マラリアにかかる

*【打败】dǎ//bài 動❶打ち負かす‖～顽敌wándí 手ごわい敵を打ち負かす ❷負ける.敗れる

【打板子】dǎ bǎnzi 慣 厳しく批判する.厳しく罰する

**【打扮】dǎban 動 装う.扮装(ふんそう)する.おしゃれする‖去参加晚会要～得漂亮点ㄦ パーティーに行くのだからきれいにおめかししなくては 名 格好.身なり.メーキャップ‖来人一身学生～ 使いの人は学生風の身なりをしていた

【打包】dǎ//bāo 動❶梱包(こんぽう)する.荷造りする.包装する ❷梱包をほどく.包みを解く ❸(レストランなどで食べ切れなかったものを)持ち帰り用に包む‖服务员,～! すみません,残りを包んでください

【打包票】dǎ bāopiào 組 保証する.折り紙をつける.請け合う‖他的为人wéirén我可以～ 彼の人柄なら私が折り紙をつける

【打苞】dǎbāo 動(コムギやコーリャンなどの)穂が膨らむ

【打抱不平】dǎ bàobùpíng 慣 弱い者の味方をする.判官(ほうがん)びいきをする

【打比方】dǎ bǐfang 組 たとえて言う.たとえる

【打笔墨官司】dǎ bǐmò guānsi 慣 文章で論争する.筆陣を張る.〔打笔墨战〕ともいう

【打边鼓】dǎ biāngǔ 慣 助勢する.そそのかす.たきつける =〔敲qiāo边鼓〕

【打表】dǎ//biǎo 動 口(タクシーで)メーターを倒す

【打补丁】dǎ bǔding 組 継ぎを当てる‖这衣服打了好几个补丁 この服はいくつも継ぎが当たっている

*【打不开】dǎbukāi 動 開かない.開けられない‖锁生锈xiù了,怎么也～ 錠がさびついて,どうしても開かない

【打不住】dǎbuzhù 動❶(数量が)とどまらない.…ではすまない‖这顿饭一千块钱都～ 今回の食事は1000元ではすまない ❷不足する.不十分である.足りない

【打草】dǎ//cǎo 動 草を刈る.草刈りをする

【打草稿】dǎ cǎogǎo 組 草稿を書く.草案を作る.下絵を描く

【打草惊蛇】dǎ cǎo jīng shé 成 やぶをつついて蛇を驚かす.不用意な行動をとって,相手に警戒心を抱かせる

【打岔】dǎ//chà 動(人の話や仕事を)妨げる.じゃまをする.話に水をさす.さえぎる‖你先别～,听我把话说完 まぜっ返さないで僕の話を最後まで聞いてくれ

【打杈】dǎ//chà 動 わき枝をはらう.枝を整える

【打柴】dǎ//chái 動 薪をとる

【打禅】dǎ//chán 動 座禅を組む

【打场】dǎ//cháng 動(脱穀場で)脱穀する

【打吵子】dǎ chǎozi 組 方 口げんかをする.口論をする

【打车】dǎchē =〔打的dǎdī〕

【打成一片】dǎ chéng yī piàn 慣(感情などが解け合って)一つになる.一体になる‖领导干部要和群众～ 指導者は大衆と連帯しなければいけない

【打赤脚】dǎ chìjiǎo 組 はだしになる

【打冲锋】dǎ chōngfēng 組❶先陣を切って突っ込む ❷先を争って行動する

【打出手】dǎ chūshǒu (～ㄦ) 慣❶〈劇〉立ち回りの一種.刀や槍(やり)を投げ合ったりする.〔过家伙〕ともいう ❷(けんかして)手を出す.殴り合いをする

【打憷】dǎ//chù 動 方 恐れる.怖気づく

【打春】dǎ//chūn 動 口 立春

【打从】dǎcóng 介❶…から.…より.…してから‖～入了冬就没下过雪 冬になってから雪が降っていない ❷…を通って.…を経て

**【打倒】dǎ//dǎo 動 打倒する.打ち倒す‖独裁政权被～了 独裁政権は打倒された

【打道】dǎ//dào 動 旧 先払いする. 転 帰る‖～回府 帰宅する.帰館する

【打得火热】dǎde huǒrè 組(男女の)関係が親密である.熱い仲である

**【打的】dǎ//dī 動 方 タクシーに乗る.〔打车〕ともいう

【打底子】dǎ dǐzi 組❶土台を作る.基礎を固める ❷下書きをする.下絵を描く.草案を作る

【打地铺】dǎ dìpù 組 床や地べたで寝る

【打点】dǎdian 動❶準備する.手配する.支度する.手はずを整える‖要带的东西都～好了 持っていく物はみな用意した ❷つけ届けをする.賄賂を贈る‖上下～一番 上にも下にも一通りつけ届けをする

【打点滴】dǎ diǎndī 組 点滴する.点滴を受ける

【打电报】dǎ diànbào 組 電報を打つ

【打电话】dǎ diànhuà 組 電話をかける

【打叠】dǎdié 動 揃える.整える

*【打动】dǎdòng 動 感動させる.胸を打つ‖一席话～了他 その話に彼は感動した

【打斗】dǎdòu 動 方 けんかする.争う

【打嘟噜】dǎ dūlu 組 口 声が震えてはっきりしない.もぐもぐ言う

【打赌】dǎ//dǔ 動 賭(か)けをする.賭ける‖你要不相信,咱们打个赌 信じないなら,賭けようじゃないか

【打短工】dǎ duǎngōng 組 臨時雇いになる

**【打断】dǎduàn 動❶打ち切る.遮る‖敲门声～了他的思路 ドアをたたく音が彼の思考を遮った｜讲话几次被～ 何度も話の腰を折られた ❷折れる.折る

【打盹ㄦ】dǎ//dǔnr 動 口 居眠りをする.うたた寝をする

【打顿】dǎ//dùn (～ㄦ) 動(話・暗誦(あんしょう)・行動などが)途中で切れる.中断する

【打哆嗦】dǎ duōsuo 組 震える.身震いする‖冷得直～ 寒くてぶるぶる震えている.

【打呃】dǎ//è 動 しゃっくりをする

【打耳光】dǎ ěrguāng 組 横っ面を張る.びんたを張る

*【打发】dǎfa 動❶人をやる.使いに出す‖他～小李去买机票 彼は飛行機の切符を買いに李君を行かせた ❷去らせる.行かせる.帰らせる‖到了会场,他把司机先～回去了 会場に着くと彼は運転手を先に帰らせた ❸(時間を)つぶす.費やす‖～时间 時間をつぶす｜❹旧 面倒を見る.気を配る

【打翻】dǎfān 動❶打ちのめす‖把他～在地 彼をさ

んざん打ちのめした ❷引っくり返す‖把花瓶～了 花瓶を引っくり返した
【打翻身仗】dǎ fānshēnzhàng 組 不利な状況から立ち直る. 状況を打開する
【打非】dǎfēi 動 海賊版を取り締まる
【打榧子】dǎ fěizi 組 指を鳴らす
【打稿】dǎ//gǎo (～儿) 動 下書きをする. 草稿を作る. 〔打稿子〕ともいう
【打嗝儿】dǎ//gér 動 口 ❶しゃっくりが出る. 〔呃逆ènì〕の通称 ❷おくびが出る. げっぷが出る. 〔嗳气ǎiqì〕の通称
【打更】dǎ//gēng 動 夜回りをして, 時を知らせる
【打工】dǎ//gōng 動 (肉体労働の)仕事をする. (多くは臨時雇いの仕事)‖在饭馆里～ レストランでアルバイトする｜～仔zǎi 出稼ぎの若者｜～妹 出稼ぎの娘
【打躬作揖】dǎ gōng zuò yī 成 上半身をかがめて拱手(きょうしゅ)の礼をする. ぺこぺこしてもみ手で頼み込むさま
【打拱】dǎ//gǒng 動 旧 拱手の礼をする
【打谷场】dǎgǔchǎng 名 脱穀場
【打鼓】dǎ//gǔ 動 ❶太鼓をたたく ❷(不安で)胸がどきどきする‖事情能否成功, 我心里也直～ 事がうまくいくかどうか私もとても不安である
【打拐】dǎguǎi 動 婦女子の誘拐や人身売買などの犯罪を取り締まる
【打官腔】dǎ guānqiāng 組 役人ぶった口を利く. 決まり文句を並べる. 〔打官话〕ともいう
【打官司】dǎ guānsi 組 訴訟を起こす. 裁判ざたにする. 裁判ざたになる‖打赢yíng了官司 勝訴した
【打光棍】dǎ guānggùn (～儿) 慣 (多く男性が)独身を通す. 独り者でいる‖打一辈子光棍儿 一生独身で暮らす
【打鬼】dǎ//guǐ 動 (ラマ教の年中行事の一つ)ラマ僧たちが仏や鬼などに扮装(ふんそう)し, 経を唱えたり踊ったりして鬼を追い払う. 〔跳布扎〕ともいう
【打滚】dǎ//gǔn (～儿) 動 転がる. 転げ回る. のたうち回る
【打棍子】dǎ gùnzi 慣 打撃を与える. やっつける
【打哈哈】dǎ hāha 慣 冗談を言う. ふざける
【打哈欠】dǎ hāqian 組 あくびをする
【打鼾】dǎ//hān 動 いびきをかく‖刚躺下他就打起鼾来 横になると彼はすぐにいびきをかき始めた
【打寒噤】dǎ hánjìn 組 (寒さや恐怖で)身震いする. ぞっとする. 背筋が寒くなる. 〔打寒战〕〔打冷噤〕ともいう‖迎面冷风一吹, 禁不住jīnbuzhù打了个寒噤 正面から吹きつける冷たい風に思わず身震いした
【打夯】dǎ//hāng 動 地固めをする. よいとまけをする
【打呵欠】dǎ hēqian ＝〔打哈欠dǎ hāqian〕
【打黑】dǎhēi 動 暴力団を取り締まる
【打黑枪】dǎ hēiqiāng 組 ❶暗やみや物陰から銃を打つ ❷喩 陰で人を中傷する
【打横】dǎhéng (～儿) 動 (四角いテーブルの)下座に着く. 末席に座る
【打呼噜】dǎ hūlu 組 いびきをかく. 〔打呼〕ともいう
【打滑】dǎhuá 動 ❶(車輪やベルトなどが)空回りする‖车轮在雪地上～ 雪でタイヤが空回りする ❷方 滑る
【打晃儿】dǎ//huàngr 動 (体が)ふらつく. よろよろする. ぐらつく
【打诨】dǎhùn 動 ❶〈劇〉(役者が芝居の中で)即興のしゃれやジョークを飛ばす ❷冗談を言う
【打火】dǎ//huǒ 動 火打ち石で火をつける. 火を起こす
【打火机】dǎhuǒjī 名 ライター
【打伙儿】dǎ//huǒr 動 口 組になる. 仲間になる
*【打击】dǎjī 動 攻撃する. 打撃を与える. くじく‖不要～群众的积极性 大衆の積極性をつぶしてはいけない
【打击乐器】dǎjī yuèqì 名〈音〉打楽器
【打饥荒】dǎ jīhuang 組 方 生活に窮する. 借金する
【打基础】dǎ jīchǔ 組 基礎を作る. 土台を作る
【打记号】dǎ jìhao 組 印を付ける
【打家劫舍】dǎ jiā jié shè 成 群れをなして人家を荒らし金品を略奪する
【打假】dǎjiǎ 動 にせブランド品の製造販売を取り締まる
【打价】dǎ//jià (～儿) 動 口 値引きする. (多く否定に用いる)‖一元一斤, 不～ 1斤(きん) 1元で, 値引きはしない
*【打架】dǎ//jià 動 けんかをする. 殴り合う‖昨天我跟他打了一架 きのうあいつとけんかした
【打尖】[1] dǎ//jiān 動 旅の途中で休んで食事をとる
【打尖】[2] dǎ//jiān 動〈農〉摘心する. 摘芽する
【打江山】dǎ jiāngshān 組 天下を取る. 政権を奪い取る
*【打交道】dǎ jiāodao 組 口 交際する. 往き来する. 交渉する‖当医生的每天和病人～ 医者というものは毎日病人を相手にする
【打搅】dǎjiǎo 動 ❶(人の)じゃまをする ❷挨拶 じゃまする‖改日再来～ また改めておじゃまします
【打劫】dǎ//jié 動 (財物を)強奪する. 奪い取る‖趁chèn火～ 火事場泥棒をする
【打结】dǎ//jié 動 ❶結び目を作る‖打个结 結び目を一つ作る｜眉头～ 眉間(みけん)にしわを寄せる ❷舌がもつれる‖舌头～, 说不出话来 舌がもつれて話せない
【打紧】dǎ//jǐn 形 方 重要である. 差し迫っている. (多く否定に用いる)‖不～ 心配ない
【打卡】dǎ//kǎ 動 タイムカードを押す
【打卡机】dǎkǎjī 名 タイム・レコーダー
*【打开】dǎ//kāi 動 ❶開ける. 開く‖～抽屉 引き出しを開ける｜～笔记本 ノートを広げる ❷切り開く‖～新产品的销路xiāolù 新製品の販路を切り開く ❸スイッチを入れる‖～电视 テレビのスイッチを入れる
【打瞌睡】dǎ kēshuì 組 居眠りをする. うたた寝をする. うとうとする
【打恐】dǎkǒng 動 テロを撲滅する
【打垮】dǎ//kuǎ 動 撃滅する. 壊滅させる. やっつける
【打诳】dǎ//kuáng 動 方 うそをつく. でたらめを言う
【打捞】dǎlāo 動 (水中から)引き上げる‖～遗体yítǐ 遺体を引き上げる
【打雷】dǎ//léi 動 雷が鳴る
【打擂台】dǎ lèitái 組 ❶台上で武術の試合をする ❷転 挑戦に応じる. 応戦する
【打冷噤】dǎ lěngjìn ＝〔打寒噤dǎ hánjìn〕
【打冷枪】dǎ lěngqiāng 組 不意打ちをかける. やみ打ちを食わせる
【打冷战】【打冷颤】dǎ lěngzhan 組 (恐ろしさや寒さのために)震える. 身震いする. おののく‖寒风吹来, 不禁bùjīn打了个冷战 冷たい風に思わず身震いした
【打愣】dǎ//lèng (～儿) 動 方 ぼんやりする. ぼうっとする
【打理】dǎlǐ 動 方 ❶処理する. 整理する. 切り盛りする ❷相手になる. 受け答えする
*【打量】dǎliang 動 ❶(服装や外観などを)注意深く見る. 見回す‖他把来客仔细～了一番 彼は客をひとしきりしげしげと見回した ❷(推測して) … だと思う

*【打猎】dǎ//liè 動 狩りをする. 猟をする
【打零杂】dǎ//língzá（～儿）組 こまごまとした雑事をする. 雑用をする
【打卤】dǎlǔ 動〈料理〉とろみをつける. あんかけにする
【打乱】dǎluàn 動 乱れる. 混乱する‖～了正常的工作秩序 通常の仕事の手順が乱れた
【打落水狗】dǎ luòshuǐgǒu 慣 水に落ちた犬をたたく. 窮地に立たされた者に, さらに打撃を与える. 追い討ちをかける
【打麻将】dǎ májiàng 組 マージャンをする
【打马虎眼】dǎ mǎhuyǎn 慣 わざとしらばっくれて人をだます. 知らん顔をしてごまかす
【打埋伏】dǎ máifu 組 ❶待ち伏せをする ❷(物資・人力・財産などを)隠す. 伏せておく
【打闷棍】dǎ mèngùn 組 ❶棒で人を殴り倒して財物を奪う ❷不意打ちを食らわす ＊〔打杠子gàngzi〕ともいう
【打闷雷】dǎ mènléi 慣 方 ことの委細が分からず, 疑念を抱く. 心中であれこれ疑う
【打鸣儿】dǎ//míngr 動 口 おんどりが鳴く. 時を告げる
【打磨】dǎmo；dǎmó 動 磨く. つや出しする
【打闹】dǎnào 動 騒ぐ. ふざける
【打蔫】dǎ//niān（～儿）動 方 ❶(植物が)しおれる. しぼむ ❷元気がない
【打扒】dǎpá 動 すりを取り締まる
【打拍子】dǎ pāizi 組 (タクトを振って)拍子をとる. (手や物をたたいて)拍子をとる
【打牌】dǎ//pái 動 ❶マージャンをする‖咱们凑còu一桌～吧 メンバーを集めてマージャンをやろう ❷トランプをする
【打泡】dǎ//pào 動 (手や足に)まめができる. 水ぶくれになる
【打炮】dǎ//pào 動 ❶大砲を撃つ ❷旧 新しい興行地で有名な役者がお目見えの出し物を演じる
【打喷嚏】dǎ pēntì 組 くしゃみをする. くしゃみが出る
【打屁股】dǎ pìgu 組 ❶尻をたたく ❷厳しく叱る
【打拼】dǎpīn 動 方 力の限り努力する. 奮闘する
【打平手】dǎ píngshǒu 組 引き分ける‖两人打了个平手 二人は引き分けた
*【打破】dǎ//pò 動 打ち破る. 破る‖～记录 記録を破る｜～沉闷chénmèn的气氛 重苦しい雰囲気を打ち破る
【打破沙锅问到底】dǎpò shāguō wèn dàodǐ 歇 土鍋を壊すと底までひび割れる. とことん尋ねる. 根掘り葉掘り聞く. 〔璺wèn〕(ひび割れる)と〔问〕をかけている
【打扑克】dǎ pūkè 組 トランプをする
【打起精神】dǎqi jīngshen 慣 気持ちを奮い立たせる. 気力を奮い起こす‖怎么也打不起精神来 どうにも気力が出ない
⁂【打气】dǎ//qì 動 ❶(タイヤや風船などに)空気を入れる‖给自行车～ 自転車に空気を入れる｜～筒 空気入れ ❷力づける. 気合いを入れる. 発破をかける‖撑腰chēngyāo～ 後押しして力づける
【打前失】dǎ qiánshi 動 (ウマなどが)前につんのめる.
【打前站】dǎ qiánzhàn 組 先発を務める. 先乗りを務める
【打枪】dǎ//qiāng 動 ❶鉄砲を撃つ ❷(試験の時)替え玉になる. 替え玉受験をする. 〔枪替〕ともいう
【打情骂俏】dǎ qíng mà qiào 慣 男女間で軽口をたたき合う. いちゃついたり, ふざけたりする
【打秋千】dǎ qiūqiān 組 ブランコに乗る

⁂【打球】dǎ//qiú（～儿）動 ❶ボールを打つ ❷球技をする. ボール遊びをする
【打趣】dǎ//qù（～儿）動 からかう. ちゃかす. 笑いの種にする‖不应该拿别人的缺陷quēxiàn～ 人の身体的欠陥を笑いものにしてはいけない
【打圈子】dǎ quānzi 組 ❶ぐるぐる回る‖飞机在头上～ 飛行機が頭上をぐるぐる旋回している ❷堂々巡りをする
【打拳】dǎ//quán 動 拳法(けんぽう)を練習する. 拳法をやる
【打群架】dǎ qúnjià 組 大勢でけんかする. 乱闘する
⁂【打扰】dǎrǎo 動 ❶じゃまをする. 迷惑をかける‖～一下可以吗？ ちょっとおじゃましてよろしいですか ❷挨拶 じゃまする‖～您了 おじゃましました
【打人不打脸, 骂人不揭短】dǎ rén bù dǎ liǎn, mà rén bù jiēduǎn 慣 人をたたいても顔はたたくな, 人を責めても欠点をあげつらうな
【打入】dǎrù 動 ❶投げ入れる. ほうり込む‖～闷葫芦mènhúlu里 蚊帳(かや)の外に置かれる ❷入り込む‖～敌人内部 敵の内部に潜入する
*【打扫】dǎsǎo 動 掃く. 掃除する. 片付ける‖院子里～得干干净净 庭がきれいに掃除されている
【打闪】dǎ//shǎn 動 ❶稲光がする‖外面～了 外で稲光がした ❷(dǎshǎn) 方 ふらつく. つまずく
【打扇】dǎ//shàn 動 (人にうちわなどで)あおぐ
【打湿】dǎshī 動 (雨などで)ぬれる. 湿る
【打食】[1] dǎ//shí 動（～儿）(鳥や獣類が)餌を探す
【打食】[2] dǎ//shí 動 消化薬を飲む. 下剤をかける
【打手】dǎshou 名 貶 手下. 用心棒
【打手势】dǎ shǒushì 組 手振りをする. 手まねをする‖他打了个手势叫我过去 彼は手振りで私に彼のほうへ来るように言った
【打水】dǎ//shuǐ 動 水をくむ‖～洗脸 水をくんで顔を洗う
【打水漂儿】dǎ shuǐpiāor 組 ❶水切り遊びをする ❷喩 お金をむだに使う
【打私】dǎsī 動 密輸や闇取引を取り締まる
★【打算】dǎsuan；dǎsuàn 動 ❶計画する. 考える ❷…しようと思う. …するつもりである‖明天我～去参观长城 明日私は長城を見学に行くつもりだ｜我不～这么办 私はそうするつもりはない 名 計画. 考え. 意図‖假期里你有什么～？ 休みにはどんな計画がありますか

類義語 打算 dǎsuan 准备 zhǔnbèi

◆〔打算〕(できるならそうしたいと心に思う段階で) …するつもりだ. …する心づもりでいる‖他打算毕业后再找工作 彼は卒業してから仕事を探すつもりだ ◆〔准备〕(実現のための準備をも含めた段階で) …するつもりだ. …する予定である‖我准备马上就出发 すぐ出発するつもりだ｜你准备考哪个大学？ あなたはどの大学を受験する予定？

【打算盘】dǎ suànpan；dǎ suànpán 組 ❶そろばんをはじく. そろばんを入れる ❷損得を考える. そろばんをはじく
【打胎】dǎ//tāi 動 口 子供をおろす. 中絶する
【打探】dǎtàn 動 尋ねる. 探りを入れる‖～消息 消息を尋ねる｜～底细 詳しいことを尋ねる
【打嚏喷】dǎ tìpen ＝〔打喷嚏dǎ pēntì〕
【打天下】dǎ tiānxià 慣 ❶(力づくで)天下を取る.

政権を奪い取る ❷喩 創業する．事業を起こす
【打铁】dǎ//tiě 動 鉄を打つ
**【打听】dǎting 動 尋ねる．聞く．問い合わせる‖～一下招生的具体情况 新入生募集要項の詳細について聞いてみる
【打挺儿】dǎtǐngr 動 方 体をぴんと反らす．反り返る
【打通】dǎ//tōng 動 ❶通じさせる．通す．貫通する‖隧道suìdào～了 トンネルが貫通した ❷疎通させる．関係をつける‖～人们的思想 人々が納得するように説得する｜～关节（賄賂を使って）要所に手を回し通じるようにしておく
【打通关】dǎ tōngguān 慣 宴席での遊びの一種．一人が同席者全員と順次拳(けん)を打ちながら罰杯して一巡する．喩 すべてのプロセスに通暁していること
【打头】dǎ//tóu（～儿）動 先頭に立つ．音頭をとる
【打头炮】dǎ tóu pào 組 初めに発言する．真っ先に行動する
【打头阵】dǎ tóu zhèn 組 先頭に立つ．陣頭に立つ
【打退堂鼓】dǎ tuìtánggǔ 慣 退出を知らせる太鼓を打つ．中途で事を放棄する．中途で断念する
【打弯】dǎ//wān（～儿）動 ❶（体を）曲げる ❷（考えや行動を）変える ❸遠回しにものを言う
【打围】dǎ//wéi 動 俗 狩りをする．猟をする
【打问】dǎwèn 動 ❶方 問いあわせる．聞きただす ❷拷問する
【打问号】dǎ wènhào 組 疑問符を打つ．転 疑問に思う
【打下】dǎ//xià 動 ❶攻め落とす ❷（土台を）築く．（基礎を）つくる‖～坚实的基础 しっかりした基礎をつくる
【打下手】dǎ xiàshǒu（～儿）組 助手をする．補佐役を務める
【打先锋】dǎ xiānfēng 組 先頭を切る．先鋒(せんぽう)になる
【打响】dǎxiǎng 動 ❶火ぶたを切る．戦いが始まる ❷（物事が）緒戦に成功を収める．最初にうまくいく‖头一炮pào～了，下一步工作就好办了 スタートがうまくいけば，後の仕事はやりやすくなる
【打消】dǎxiāo 動（考えなどを）打ち消す．なくす‖～了辞职的念头 辞職する考えを捨てる
【打小报告】dǎ xiǎobàogào 慣 貶（上司に）密告する．告げ口する
【打小算盘】dǎ xiǎosuànpan（～儿）慣 損得勘定をする
【打斜】dǎ//xié 動 ❶傾く‖太阳已经～了 日はもう傾いた ❷旧（目上の人や客に敬意を表すため）真正面を避けて立つ，または，座る ❸斜めに進む．（車や船が）片側に寄って道をあける
【打旋】dǎ//xuán（～儿）動 ぐるぐる回る．渦を巻く
【打雪仗】dǎ xuězhàng 組 雪合戦をする
【打压】dǎyā 動 抑える．抑えつける．抑圧する
【打鸭子上架】dǎ yāzi shàng jià ＝〔赶鸭子上架gǎn yāzi shàng jià〕
【打牙祭】dǎ yájì 慣 方 めずらしくご馳走を食べる
【打哑谜】dǎ yǎmí 慣 なぞを掛ける．遠回しに言う
【打眼】[1] dǎ//yǎn 動（～儿）穴をあける
【打眼】[2] dǎ//yǎn 動 方 人目を引く．目立つ
【打眼遮】dǎ yǎnzhē 組 方（遠くを見るのに）手をかざす．〔打眼篷〕〔打遮手〕〔打遮阳〕ともいう
【打掩护】dǎ yǎnhù 組 ❶〈軍〉援護する ❷ごまかす．煙幕を張る．かばう．覆い隠す
【打样】dǎ//yàng（～儿）動 ❶設計図を描く ❷校正刷りをとる．ゲラ刷りをとる
【打药】dǎyào 名 ❶下剤 ❷方 旧 各地を渡り歩く医者の売る塗り薬や張り薬
【打印】[1] dǎ//yìn 動 捺印(なついん)する．判を押す
【打印】[2] dǎyìn 動 ❶タイプ印刷をする ❷（パソコンで）印刷する．プリント・アウトする
【打印机】dǎyìnjī 名 プリンター‖喷墨pēnmò～ インクジェット・プリンター｜激光～ レーザー・プリンター
【打印台】dǎyìntái 名 スタンプ台
【打油诗】dǎyóushī 名 諧謔(かいぎゃく)詩
【打游击】dǎ yóujī 組 ❶遊撃戦をやる．ゲリラをやる ❷喩 あちこち移動しながら仕事や活動をする
【打鱼】dǎ//yú 動 網で魚を捕る．漁をする
【打预防针】dǎ yùfángzhēn 組 ❶〈医〉予防注射を打つ ❷（相手に）あらかじめ気持ちの準備をさせる．あらかじめ覚悟させる
【打圆场】dǎ yuánchǎng 慣（仲裁して）まるく収める．その場を穏便に収める
【打杂儿】dǎ//zár 動 口 雑務をする．雑用をする
【打造】dǎzào 動（主に金属の器具を）製造する‖～农具 農機具を作る
【打战】【打颤】dǎzhàn 動 震える．身震いする‖冻dòng得直～ 寒くてしきりに震える
*【打仗】dǎ//zhàng 動 戦争する．戦闘する‖这次扫毒运动打了个漂亮仗 今回の麻薬撲滅運動ではすばらしい成果をあげた
*【打招呼】dǎ zhāohu 組 ❶（声をかけたり，軽い動作などで）挨拶をする‖点头打了个招呼 軽く頭を下げて挨拶した ❷（事前に）知らせる．声をかける
【打照面儿】dǎ zhàomiànr 組 ❶思いがけず出会う．出くわす‖拐guǎi过墙角，正好和他～ 塀を曲がったところで，彼にばったり会った ❷ちょっと顔を見せる．ちょっと顔を出す
【打折】dǎ//zhé 動 割り引きする．割り引く
【打折扣】dǎ zhékou 組 ❶割り引きする ❷手を抜く．手かげんする．割り引く．内輪に見積もる‖听他的话得děi～ 彼の話は割り引いて聞かねばならない
【打褶】dǎ//zhě（～儿）動 ひだを作る．ひだができる
**【打针】dǎ//zhēn 動 注射をする
【打制】dǎzhì 動（道具を）作る
【打肿脸充胖子】dǎzhǒng liǎn chōng pàngzi 慣 自分で顔をたたいてはれ上がらせ，太っているように見せかける．うわべを繕う．見栄を張る
【打皱】dǎzhòu（～儿）動 方 しわが寄る．しわになる
【打主意】dǎ zhǔyi 組 ❶方法を考える．手立てを考える‖不行的话，再另～ だめならほかの方法を考える ❷なんらかの方法を考えて手に入れようとする．利用しようと考える‖他一直在打她的主意 彼はずっと彼女に目をつけている ❸考えを決める．腹を決める
【打住】dǎ//zhù 動 やめる．打ち切る‖看到有人来，她就把话～了 人が来るのを見て，彼女は急に話をやめてしまった
【打转】dǎzhuàn（～儿）動 回転する．くるくる回る
【打桩】dǎ//zhuāng 動 杭(くい)を打つ
【打字】dǎ//zì 動 タイプを打つ
【打字机】dǎzìjī 名 タイプライター．タイプ
【打嘴】dǎ//zuǐ 動 ❶横っ面を張る．平手打ちをくらわす ❷方 大きなことを言ったとたんにしくじって赤恥をかく
【打嘴仗】dǎ zuǐzhàng 組 口げんかをする

D

【打坐】dǎ//zuò 動 座禅を組む

dà

3★ **大**[1] dà ❶形 (体積・面積・年齢・音などが)**大きい**. (数などが)**多い**. (地位や名声などが)高い. (力や強度が)強い. (程度が)ひどい ↔〔小〕‖ 这间房真～ この部屋は実に大きい | 我比他～两岁 私は彼より2歳上である | 他的声音特别～ 彼の声はとくに大きい | 酒量～ 酒量が多い | 雨～了起来 雨がひどくなってきた | 力气～ 力が強い | 脾气～ 気性が激しい ❷副 大いに. たいへん ‖ ～干一场cháng 大いに腕をふるう. 大いに活躍する ❸(〔不大〕の形で)それほど(… でない). たいして(… でない) ‖ 他不～爱说话 彼はあまり口をききたがらない ❹敬 相手に関する事物に冠して用いる. 御 … ‖ 尊姓～名 ご高名 ❺形 (兄弟姉妹の)いちばん年上の ‖ 老～ いちばん上の子供 | ～儿子 いちばん上の息子 ❻形 大きさを表す ‖ 有拳头quántou那样～ 握りこぶしぐらいの大きさだ ❼(時間的に)もっと前の. もっと先の ‖ 一～前天 ❽形 季節・天候・祝祭日・時日を表す語の前に用いて, 強調を表す. まさに … の時に ‖ ～热天 この暑い日に

3 **大**[2] dà ❶名 方 父親. おやじ ❷名 方 伯父. 叔父 ➤ dài

【大安】dà'ān 名 翰 ご健康. ご平安 ‖ 敬请～ 謹んでご健康をお祈りいたします | 顺颂shùnsòng～ あわせてご平安をお祈りいたします

【大案】dà'àn 名 大事件. 重大事件

【大巴】dàbā 名 大型バス. 〔巴〕は〔巴士〕(バス)の略

【大白】[1] dàbái 動 (真相などが)明らかになる

【大白】[2] dàbái 名 方 白壁用の塗料

【大白菜】dàbáicài 名〈植〉ハクサイ

【大白话】dàbáihuà 名 俗な言葉

【大白天】dàbáitian ; dàbáitiān (～的) 名 真昼. 昼のさなか ‖ ～的, 开什么灯呀 真っ昼間なのに, なんで電気なんかつけてるんだ

【大伯子】dàbǎizi 名 口 夫の兄

【大败】dàbài 動 ❶大敗する ❷大いに打ち負かす

【大班】[1] dàbān 名 方 旧 外国商社の支配人

【大班】[2] dàbān 名 (幼稚園の)年長組

【大板车】dàbǎnchē 名 大八車. 大きな二輪の荷車

*【大半】dàbàn (～儿) 数 大半. 大部分. おおかた ‖ 这些学生～是本地人 これらの学生の大部分は地元の者だ 副 おそらく. たぶん ‖ 这事儿～能成 これはたぶん成功するだろう

【大半夜】dàbànyè (～的) 名 深夜. 真夜中 ‖ ～的, 上哪儿找人去呀！ こんな夜中に, いったい誰のところへ行くつもりだ

【大包大揽】dà bāo dà lǎn 慣 すべて一手に引き受ける. 丸抱えする

【大鸨】dàbǎo 名〈鳥〉ノガン. 〔地鹔〕ともいう

【大本】dàběn 名 大学本科. 〔大学本科〕の略

【大本营】dàběnyíng 名 ❶〈軍〉大本営 ❷(活動のための)本拠地. 根拠地. ベースキャンプ

【大鼻子】dàbízi 名 喩 欧米人. 西洋人

【大笔】dàbǐ 名 敬 ご筆跡

*【大便】dàbiàn 名 大便 動 大便をする ‖ 早晨～了 朝, 大便をした. 朝, 用を足した

【大兵】dàbīng 名 貶 兵隊

【大兵团】dàbīngtuán 名 大兵団. 大編成の部隊

【大饼】dàbǐng 名 固めにこねた小麦粉を厚めに丸くのばし焼いたもの

【大伯】dàbó 名 ❶伯父 ❷年長の男性に対する尊称

【大脖子病】dàbózibìng 名 方 甲状腺腫

【大不敬】dàbùjìng 形 (目上の人や上司に対して)失礼である. 無礼である ‖ 对老师～ 先生に対したいへん無礼だ

【大不了】dàbuliǎo 形 重大である. (多く否定に用いる) ‖ 没什么～的 たいしたことはない 副 せいぜい ‖ 弄坏了, ～赔péi你一个新的 もし壊したって, 君に新しいのを一つ弁償すればいいだけだろう

【大步流星】dà bù liú xīng 成 大またで速く歩くさま. 大またで急いで歩くさま

【大部分】dàbùfen 名 大部分. だいたい

【大部头】dàbùtóu 形 分厚い(書物). 大部の(著作)

【大材小用】dà cái xiǎo yòng 成 有能な人材を生かしていないこと

【大菜】dàcài 名 ❶(中国料理の)主菜 ❷西洋料理 ‖ 法国～ フランス料理

【大餐】dàcān 名 ❶豪勢な食事 ❷西洋料理

【大肠】dàcháng 名〈生理〉大腸

【大肠杆菌】dàcháng gǎnjūn 名〈生理〉大腸菌

【大氅】dàchǎng 名 方 オーバーコート. 外套(がいとう)

【大钞】dàchāo 名 額面の大きい紙幣 ‖ 百元～ 100元札

【大潮】dàcháo 名 大潮

【大吵大闹】dà chǎo dà nào 組 大騒ぎする

【大车】dàchē 名 (ウシやウマに引かせる)荷車

*【大臣】dàchén 名 大臣

【大乘】dàchéng 名〈仏〉大乗

【大吃大喝】dà chī dà hē 組 大いに飲み食いをする. 〔大吃八喝〕ともいう ‖ 用公款～ 公金で派手に飲み食いする

【大吃一惊】dà chī yī jīng 成 大いに驚く. びっくり仰天する

【大虫】dàchóng 名 方 トラ

【大出血】dàchūxuè 動〈医〉大出血する

【大处落墨】dà chù luò mò 成 大局に着眼して枝葉末節にとらわれないたとえ

【大吹大擂】dà chuī dà léi 成 鳴りもの入りで吹聴(ふいちょう)する. 盛んに宣伝する

【大慈大悲】dà cí dà bēi 成 非常に慈悲深い

【大葱】dàcōng 名〈植〉ネギ

【大错特错】dà cuò tè cuò 組 完全に誤りを犯す. 大きな間違いをする

【大打出手】dà dǎ chūshǒu 慣 ひどく殴り合う

*【大大】dàdà 副 大いに. 非常に ‖ 人民的生活水平～提高了 人々の生活水準は大いに向上した

【大大方方】dàdafāngfāng 形 おうようである. 堂々としている ‖ 她～地走上了领奖台lǐngjiǎngtái 彼女は堂々とした態度で表彰台に上った

【大大咧咧】dàdaliēliē (～的) 形 方 おおざっぱである

【大胆】dàdǎn 形 **大胆である ‖ 这孩子真～ この子はほんとうに大胆だ | 一次～的尝试 大胆な試み

【大刀】dàdāo 名 青竜刀. なぎなた状の刀

【大刀阔斧】dà dāo kuò fǔ 成 大なたを振るう. 思いきりよくやってのける

*【大道】dàdào 名 ❶大通り. 街道 ❷大道. 本道. 正道‖康庄～ 目的に達する広く平坦(へいたん)な道 ❸古(正しい政治の)大道

【大抵】dàdǐ 副 だいたい. ほぼ. おおかた

*【大地】dàdì 名 ❶大地‖～回春 大地が春めいてくる. 大地に春がよみがえる ❷地球

【大典】dàdiǎn 名 (国家が行う)重大な式典. 盛典

【大殿】dàdiàn 名 ❶(宮殿の)正殿 ❷(仏寺などの)本堂

【大调】dàdiào 名〈音〉長調‖C～ ハ長調

【大动干戈】dà dòng gān gē 成 戦争を起こす. 大げさに事を行う

【大动脉】dàdòngmài 名 ❶〈生理〉大動脈 ❷喩(道路や鉄道などの)幹線

【大豆】dàdòu 名〈植〉ダイズ

*【大都】dàdū 副 おおかた. ほとんど. たいてい

【大度】dàdù 形 書 太っ腹である. 寛容である

【大肚子】dàdùzi 名 口 ❶身重の女性. 妊婦‖她～了 彼女は妊娠した ❷大食漢. 大食い

*【大队】dàduì 名 ❶〈軍〉大隊. 〔营〕または〔团〕に相当する ❷(少年先鋒隊の)大隊 ❸(1958～1982年の人民公社の)生産大隊

*【大多】dàduō 副 大部分. ほとんど‖中国的家庭～是双职工 中国の家庭は大部分共働きである

⁑【大多数】dàduōshù 名 大多数‖这个班男生占～ このクラスは男子生徒が大多数を占める

【大额】dà'é 形 高額の. 額が大きい‖～纸币 高額紙幣｜～医疗yīliáo费 高額医療費

【大鳄】dà'è 名 実力者. 有力者. 有力企業

【大而无当】dà ér wú dàng 成 大きいだけで役に立たない

【大发雷霆】dà fā léi tíng 成 激怒して, 大声でどなる. かんかんになって怒る

【大凡】dàfán 副 概して. おしなべて. 総じて. (よく〔都〕〔总〕などと呼応する)‖～对外应酬yìngchou, 都由他出面 およそ対外的な接待では, 彼が表に立つ

【大方】[1] dàfāng 名 書 専門家. 識者

【大方】[2] dàfāng 名 安徽省歙(きゅう)県や浙江省淳安特産の緑茶

*【大方】dàfang 形 ❶物惜しみしない. 気前がよい‖他花钱很～ 彼は金をとても気前よく使う ❷ゆったりと大らかである. おうようである‖～点ㄦ, 别扭扭捏捏niǔniuniēniē的 もっとゆったりとしていなさい, そんなにもじもじしないで ❸(デザインや色合いが)洗練されている. 上品だ. しゃれている‖款式美观～ デザインが美しく上品だ

【大方向】dàfāngxiàng 名 政治の方向. 政治的運動の動向

【大放厥词】dà fàng jué cí 成 貶 大いに議論をする. 大いにまくしたてる. 怪気炎を上げる

【大放异彩】dà fàng yì cǎi 成 大いに異彩を放つ

【大分子化合物】dàfēnzǐ huàhéwù 名〈化〉高分子化合物

【大风】dàfēng 名 ❶強風. 大風 ❷〈気〉疾強風(風力8の風)

【大风大浪】dà fēng dà làng 組 大風と大波. 社会の激動のたとえ‖在～中锻炼 世の荒波の中で鍛える

【大夫】dàfū 名 古(古代の官職の一つ)大夫 ➤dàifu

【大幅度】dàfúdù 形 大幅である‖价格将作～的调整 価格はいずれ大幅な調整を行う

【大副】dàfù 名 一等航海士

【大腹便便】dà fù pián pián 成 貶 腹がでっぷりと出ているさま

【大盖帽】dàgàimào 名 (警官や軍人のかぶる)硬いつばの付いた帽子

★【大概】dàgài 副 たぶん. おそらく. おおかた‖他～还不知道这件事 彼はたぶんまだこの事を知らないだろう｜他～二十岁左右 彼はたぶん20歳ぐらいだ 形 だいたいの. おおよその‖～的数字 おおよその数字 名 概略. 大筋‖他讲了三遍, 我才听出个～来 彼に3遍も説明してもらい, やっとだいたいの事が分かってきた

【大概其】【大概齐】dàgàiqí 副 方 たぶん. おそらく

【大纲】dàgāng 名 大綱. 概要. 骨子. アウトライン‖教学～ (学校の)教育課程に関するガイドライン

*【大哥】dàgē 名 ❶長兄 ❷自分と同年輩の男子に対する敬称. 兄さん

【大革命】dàgémìng 名 ❶大規模な革命. 大革命 ❷〈史〉北伐戦争(1924～1927年)

【大个ㄦ】dàgèr 名 ❶背高のっぽ. 背の高い人 ❷(後に必ず〔的〕を付けて)かさの大きい物

【大公国】dàgōngguó 名 大公国

*【大公无私】dà gōng wú sī 成 公平無私である

【大功告成】dà gōng gào chéng 成 大きな仕事が完成する

【大姑子】dàguzi ; dàgūzi 名 口 夫の姉

【大鼓】dàgǔ 名 民間芸能の一つ. 〔鼓〕〔板〕〔三弦sānxián〕などの楽器を伴奏とする語り物

【大故】dàgù 名 書 ❶(戦争や災害などの)重大な出来事 ❷父や母が亡くなること

【大褂】dàguà (～ㄦ) 名 膝下まであるひとえの中国服

【大关】dàguān 名 ❶重要な関門 ❷(数量の後に置いて)大台‖突破100万～ 100万の大台を越す

【大观】dàguān 名 書 壮観. 盛観. 偉観‖蔚为wèiwéi～ 壮観を呈する

【大规模】dàguīmó 形 大規模である. 大々的である

*【大锅饭】dàguōfàn 名 大きな釜で炊いた飯. 転 待遇がみな同じである. 平均主義‖吃～ みんなが同じ待遇で働く

【大国沙文主义】dàguó Shāwén zhǔyì 名 大国ショービニズム. 大国の排他的愛国主義

【大过】dàguò 名 ❶(学校や職場などにおける処罰の一つ)重大過失‖记～ 重大過失を記録する ❷大きな過失

【大海】dàhǎi 名 大海‖汪洋wāngyáng～ 洋々たる大海｜石沉～ 石が大海に沈んだように, それっきり消息がないこと

【大海捞针】dà hǎi lāo zhēn 成 大海に潜って針をすくい上げる. きわめて困難なことのたとえ

【大寒】dàhán 名 大寒(二十四節気の一つ, 1月20日または21日)

【大汉】dàhàn 名 大男. 巨漢‖彪形biāoxíng～ 雲をつくような大男

【大好】dàhǎo 形 非常によい. すばらしい‖～时光 すばらしい年月 動 方 (病気が)完治する

【大号】[1] dàhào 名 敬 ご芳名. お名前 形 (～ㄦ)大きいサイズの. Lサイズの‖～裤子 Lサイズのズボン

【大号】[2] dàhào 名〈音〉チューバ

【大合唱】dàhéchàng 名〈音〉大合唱. (多くオーケストラを伴う)合唱

【大亨】dàhēng 名 旧 (地方や業界の)有力者. 顔

役
【大红】dàhóng 形 真っ赤の
【大红大紫】dà hóng dà zǐ 綑 非常に人気がある. きわめてよく売れている ‖ ～的明星 超売れっ子のスター
【大后方】dàhòufāng 图〈史〉大後方. 抗日戦争の時期, 国民党の支配下にあった西南・西北の地区をさす
【大后年】dàhòunián 图 再来年の次の年. 明々後年.
【大后天】dàhòutiān 图 しあさって. 明々後日
【大户】dàhù 图 ❶大家(たいけ). 資産家. 金持ち ❷大家族
【大花脸】dàhuāliǎn 图〈劇〉伝統劇の役柄の一つ. 顔にくま取りを施し, 主に歌を聞かせる敵役
【大话】dàhuà 图 ❶大きな話. 大げさな話. ほら ❷建て前. 表向きの政治的原則 ‖ 动不动就用～压人 何かといえば建て前論を持ち出して人を押さえつける
【大环境】dàhuánjìng 图 マクロ環境. 社会全体の政治または経済的状況, 社会的雰囲気 ↔〔小环境〕
【大黄】dàhuáng 图 ❶〈植〉ダイオウ ❷〈中薬〉大黄(だいおう). 〔川军〕ともいう
【大黄鱼】dàhuángyú 图〈魚〉フウセイ
*【大会】dàhuì 图 ❶大会. 大集会 ‖ 欢迎～ 歓迎パーティー ❷総会 ‖ 代表～ 代表大会
*【大伙儿】dàhuǒr 代 口 みんな. みなさん. 〔大家伙儿〕ともいう
【大祸临头】dà huò lín tóu 成 大きな災難がふりかかる
【大惑不解】dà huò bù jiě 成 理解に苦しむ. 納得がいかない
【大吉】dàjí 形 大吉である. 非常にめでたい ‖ 开市～ 商売繁盛 助(動詞や動詞句の後に用い)冗談の口調を表す ‖ 溜liū之～ まんまと逃げ出す
【大计】dàjì 图 大計. 長期にわたる重要な計画
【大家】[1] dàjiā 图 ❶大家. オーソリティ ❷名門. 名家
★【大家】[2] dàjiā 代 みんな. みなさん ‖ 报告～一个好消息 みなさんにいいニュースをお伝えします
【大家闺秀】dà jiā guī xiù 成 名門の令嬢
【大家庭】dàjiātíng 图 大家族 ‖ 民族～ 民族の大家族. 多民族国家. 多民族共同体
【大驾】dàjià 图 ❶敬 相手をさす敬称 ‖ 恭候gōnghòu～ おいでをお待ちしています ❷皇帝の乗り物. 転皇帝
【大件】dàjiàn (～儿) 图 ❶大型の物. 大きい部品 ❷高価な耐久消費財 ↔〔小件〕
【大建】dàjiàn 图 (陰暦の)大の月. 〔大尽〕ともいう
【大奖】dàjiǎng 图 大賞
【大将】dàjiàng 图〈軍〉❶大将 ❷(広く)高級将校
【大脚】dàjiǎo 图 旧 纏足(てんそく)していない足. 大足
【大轿车】dàjiàochē =〔大客车dàkèchē〕
*【大街】dàjiē 图 大通り. 繁華街 ‖ 上～ 繁華街に行く ‖ ～小巷 大通りや小さい路地. 街の至る所
【大节】dàjié 图 ❶大節. 大義 ‖ 保全～ 大義を守り通す ❷書 大綱. 大切な道理
【大捷】dàjié 图 大勝利 ‖ 获～ 大勝利を得る
【大姐】dàjiě 图 ❶長姉 ❷女性に対する親しみをこめた敬称. お姉さん
【大解】dàjiě 動 大便をする
【大襟】dàjīn 图 (中国服の)上前衽(おくみ)の部分
【大惊失色】dà jīng shī sè 成 びっくり仰天して色を失う
【大惊小怪】dà jīng xiǎo guài 成 なんでもないことを大げさに騒ぎたてる. 空騒ぎする
【大舅子】dàjiùzi 图 口 妻の兄
*【大局】dàjú 图 大局. 大勢 ‖ ～已定 大勢は決まった
【大举】dàjǔ 副 大規模に. 大々的に. (多く軍事行動に用いる) ‖ ～反攻 大々的に反撃する
【大卡】dàkǎ 量 熱量の単位. キロカロリー. 〔千卡〕ともいう
【大楷】dàkǎi 图 ❶手書きの大きい楷書(かいしょ) ❷表音ローマ字の大文字の印刷体
【大考】dàkǎo 图 学期末試験
【大客车】dàkèchē 图 大型バス. 〔大轿车〕ともいう
【大课】dàkè 图 合同授業. 合同講義
【大快人心】dà kuài rén xīn 成 大いに溜飲(りゅういん)を下げる
【大块头】dàkuàitóu 图 方 でぶ. 太っちょ
【大款】dàkuǎn 图 口 金持ち ‖ 傍bàng～ 金持ちと親しくなる
【大牢】dàláo 图 口 牢屋 ‖ 坐～ 刑務所に入る
【大老粗】dàlǎocū 图 無学な人間. 無教養な人間
【大老婆】dàlǎopo 图 旧 正妻. 本妻
【大礼拜】dàlǐbài 图 隔週で1日休む場合の休みにあたる日曜日
*【大理石】dàlǐshí 图 大理石
*【大力】dàlì 图 大きな力 副 全力をあげて. 大いに力を入れて ‖ ～发展旅游业 全力をあげて観光業の発展に努める
【大力士】dàlìshì 图 力持ち
【大殓】dàliàn 動 納棺する
【大梁】dàliáng 图〈建〉棟木. 〔脊檩jǐlǐn〕ともいう
*【大量】dàliàng 形 ❶大量の. 多量の ‖ ～进口石油 石油を大量に輸入する ❷度量が大きい ‖ 他为人宽宏kuānhóng～ 彼は太っ腹な人だ
【大料】dàliào 图〈料理〉八角(香辛料の一種)
【大龄青年】dàlíng qīngnián 图 結婚適齢期を過ぎた未婚の男女
【大溜】dàliù 图 川の中心部の早い流れ ‖ 随～ 多勢に同調する
【大龙】dàlóng 图 十二支の辰(たつ)の俗称 ‖ 他属～ 彼は辰年です
【大楼】dàlóu 图 ビル ‖ 办公～ オフィス・ビル
*【大陆】dàlù 图 大陸 ‖ 美洲～ アメリカ大陸
【大陆架】dàlùjià 图〈地〉大陸棚. 〔陆架〕ともいう
【大陆性气候】dàlùxìng qìhòu 图〈気〉大陸性気候
【大路】dàlù 图 ❶大道. 本道 ❷大衆向けで販路の広い商品 ‖ ～菜 一般的な野菜. ポピュラーな野菜
【大路活】dàlùhuó 图 方 低級品
【大路货】dàlùhuò 图 大衆品. 並の商品
【大略】dàlüè 副 だいたい. おおよそ. おおまかに ‖ 把情况～介绍一下 状況をかいつまんで紹介する 图 ❶優れた計略. 遠大なはかりごと ❷大略. 概略
*【大妈】dàmā 图 ❶伯母(父方の伯父の妻) ❷母親と同世代の既婚女性に対する敬称. おばさん ‖ 王～ 王おばさん
【大麻】dàmá 图 ❶〈植〉アサ. タイマ. 〔线麻〕ともいう ❷〈薬〉マリファナ
【大麻哈鱼】dàmáhǎyú 图〈魚〉サケ. 〔大马哈mǎhǎ鱼〕ともいう

【大麦】dàmài 名〈植〉オオムギ
【大忙】dàmáng 形 非常に忙しい ‖ 秋收～季节 秋の収穫の繁忙期
【大毛】dàmáo 名 長い毛の毛皮
【大帽子】dàmàozi 名 喩 レッテル. 汚名
【大媒】dàméi 名 媒酌人. 仲人
【大门】dàmén 名 正門. 表門
⁑【大米】dàmǐ 名 米 ‖ ～饭 米の飯
【大面儿】dàmiànr 名 方 ❶表面. 見かけ ❷メンツ. 体面 ‖ 顾～ 体面に配慮する
【大名】dàmíng 名 ❶名声. 名望 ‖ ～鼎鼎 dǐngdǐng 名声が世に高い | 久仰～ ご高名はかねがね承っております ❷(子供の家庭内での愛称に対して)正式な名前. 本名
【大谬不然】dà miù bù rán 成 大いに間違っている
【大模大样】dà mú dà yàng 成 臆(おく)せず平然としているさま
*【大拇指】dàmuzhǐ 名 口 親指 ‖ 大家都朝他竖shù起了～ みんな彼に向かって親指を突き出し称賛した
【大拿】dàná 名 方 ❶権力者 ❷権威者
【大男大女】dànán dànǚ 組 結婚適齢期を過ぎた男女
【大难临头】dà nàn lín tóu 成 災いが身にふりかかる
*【大脑】dànǎo 名〈生理〉大脳
【大脑皮质】dànǎo pízhì 名〈生理〉大脳皮質. 略して〔皮质〕ともいう
【大脑炎】dànǎoyán 名 脳炎.〔流行性乙型yǐxíng脑炎〕の通称
【大鲵】dàní 名〈動〉タイリクオオサンショウウオ. 俗に〔娃娃wáwa鱼〕ともいう
【大逆不道】dà nì bù dào 成 大逆無道. 人倫に背き道理を無視する
【大年】dànián 名 ❶収穫の多い年. 当たり年 ‖ 今年苹果是～ 今年はリンゴの当たり年だ ❷旧正月 ❸陰暦で12月が30日の年
【大年初一】dànián chūyī 名 口 旧正月の元旦
【大年三十】dànián sānshí (～儿) 名 (旧暦の)大晦日.〔年三十〕ともいう
【大年夜】dàniányè 名 方 (陰暦の)除夜. 大みそかの夜
⁑【大娘】dàniáng 名 口 ❶伯母(父方の伯父の妻) ❷母親と同世代の既婚女性に対する敬称. **おばさん** ‖ 李～ 李おばさん
【大牌】dàpái 名 (多く芸能界, スポーツ界の)大物. ビッグネーム 形 大物の. 有名な ‖ ～公司 有名企業 | ～球星 スタープレイヤー
【大盘】dàpán 名〈経〉市況. 相場 ‖ 分析～走势 市況の動きを分析する | ～反转 相場が反転する
*【大炮】dàpào 名 ❶大砲 ❷喩 過激な発言, またはそうした発言をする人. 大口をたたくこと, またはその人 ‖ 放～ 爆弾発言をする
⁑【大批】dàpī 形 **大口の. 大量の**. 多数の. たくさんの. おびただしい ‖ ～订货 大口の注文
【大辟】dàpì 名 古 死刑
【大片】dàpiàn 名 大作映画
【大票】dàpiào (～儿) 名 高額紙幣
【大漆】dàqī 名 生漆 =〔生漆〕
【大起大落】dà qǐ dà luò 組 大幅に上がったり下がったりする. 大幅に変動する
【大气】dàqì 名 ❶〈気〉大気 ‖ ～污染严重 大気汚染が深刻だ ❷(～儿)あえぐような息づかい. 大きな息
【大气层】dàqìcéng 名〈気〉大気圏
【大气候】dàqìhòu 名 ❶〈気〉大気候 ❷(世界的ないしは全国的に)広く影響を及ぼす情勢 ‖ 国际上的～ マクロな国際情勢 *↔〔小气候〕
【大气科学】dàqì kēxué 名 大気科学
【大气磅礴】dà qì páng bó 成 気迫に満ちているさま
【大气圈】dàqìquān 名〈気〉大気圏.〔大气层〕ともいう
【大气污染】dàqì wūrǎn 名 大気汚染
【大器】dàqì 名 ❶貴重な品物 ❷喩 大器. 大物. 大人物 ‖ 成不了～ 大物にはなれっこない
【大器晚成】dà qì wǎn chéng 成 大器晩成
【大千世界】dà qiān shì jiè 成 ❶〈仏〉大千世界. 大千界 ❷広大無辺な世界
【大前年】dàqiánnián 名 さきおととし
【大前天】dàqiántiān 名 さきおととい.〔大前儿〕ともいう
【大钱】dàqián 名 ❶旧 銅貨の一種 ❷大金 ‖ 赚zhuàn了一笔～ まとまった大金を儲けた
【大清早】dàqīngzǎo 名 早朝. 朝早く. 朝っぱら
【大晴天】dàqíngtiān 名 晴天. (強調していう)
【大庆】dàqìng 名 ❶(節目の年に行う)大規模な祝賀行事 ‖ 建国五十年～ 建国50周年の祝賀行事 ❷敬 老人の誕生祝い ‖ 八十～ 80歳の誕生祝い
【大球】dàqiú 名 口〈体〉サッカー・バスケット・バレーなど比較的大きいボールを使う球技 ↔〔小球〕
【大曲】dàqū 名 ❶蒸留酒に用いる麹(こうじ)の一種. 小麦麹 ❷小麦麹を用いて造る上質の蒸留酒
【大权】dàquán 名 大きな権力. (多く政権をさす) ‖ 掌握～ 政権を握る | 人事～ 人事の大権
【大人】dàrén 名 書 目上の人に対する尊称 ‖ 父亲～ お父上
⁑【大人】dàren 名 ❶おとな ❷旧 地位の高い官吏などに対する尊称. **大人(たいじん). 閣下**
【大肉】dàròu 名 豚肉
【大儒】dàrú 名 書 大儒. 大学者. 碩学(せきがく)
【大撒把】dàsābǎ 動 放任する. 放っておく. 自由にさせる ‖ 不能过于～ 過度の放任はいけない
【大赛】dàsài 名 規模の大きな競技会やコンテスト
【大扫除】dàsǎochú 動 大掃除をする ‖ 春节前要进行一次～ 旧正月前に大掃除をしなければならない
*【大嫂】dàsǎo 名 ❶長兄の妻 ❷自分と同年配の既婚女性に対する敬称. 姉さん
*【大厦】dàshà 名 ビル. (多くビルの名に用いる)
【大少爷】dàshàoye 名 貶 若旦那. 道楽息子
【大舌头】dàshétou 名 口 舌足らず. ろれつの回らない人
【大赦】dàshè 動 大赦を行う
【大婶儿】dàshěnr 名 口 母親よりもやや年下の女性に対する敬称. おばさん
★【大声】dà//shēng 動 声を大きくする ‖ 请你大点儿声 もう少し大きな声で言ってください 名 (dàshēng) **大声** ‖ 不要～说话 大声で話すな
【大声疾呼】dà shēng jí hū 成 大声疾呼(たいせいしっこ)する. 大声を出して人々の注意を喚起する
【大牲畜】dàshēngchù 名 ウシ・ウマ・ラバなどの比較的大きな家畜
【大失所望】dà shī suǒ wàng 成 非常に失望す

D

る．たいへんがっかりする
【大师】dàshī 图❶大家．巨匠‖书法～ 書の大家 ❷僧侶に対する敬称．大師
【大师傅】dàshifu 图口❶僧侶に対する敬称．和尚さん ❷板前さん．コックさん
**【大使】dàshǐ 图大使‖驻zhù日～ 日本駐在大使
D
**【大使馆】dàshǐguǎn 图大使館．〔使馆〕ともいう
【大事】dàshì 图大事．重大な事．大きな事件‖终身～ 一生の大問題(結婚をさす) 副大々的に．大げさに
【大事记】dàshìjì 图年代記
【大势】dàshì 图大勢‖～所趋qū 大勢の赴くところ
【大是大非】dà shì dà fēi 成根本的な是と非．政治上の原則的な是と非
【大手笔】dàshǒubǐ 图❶大家の著作 ❷大家．大作家
【大手大脚】dà shǒu dà jiǎo 慣金遣いが荒い
【大寿】dàshòu 图敬老人の節目の誕生日．(一般に50才以上)60才，70才…と10年ごとの誕生日をいう‖七十～ 70歳のめでたい誕生日
【大书特书】dà shū tè shū 成特筆大書する
【大叔】dàshū 图口❶父の一番上の弟．おじ ❷父親よりやや年下の男性に対する敬称．おじさん‖王～ 王おじさん
【大暑】dàshǔ 图大暑(二十四節気の一つ，7月22日から24日ごろに当たる)
【大数】dàshù 图書❶命数．命運．寿命‖～已尽 命数が尽きる ❷大計 ❸概略．あらまし
【大帅】dàshuài 图旧軍の主要な将軍に対する敬称
【大率】dàshuài 副書だいたい．おおむね．おおよそ
*【大肆】dàsì 副貶ほしいままに．何はばかるところなく．勝手気ままに‖～攻击 公然と攻撃する
【大苏打】dàsūdá 图〈化〉チオ硫酸ナトリウム．ハイポ．俗に〔海波〕ともいう
【大蒜】dàsuàn 图〈植〉ニンニク
【大踏步】dàtàbù 副大きな歩みで．しっかりとした足どりで．(多く抽象的な意味に用いる)
【大堂】dàtáng 图❶古役所の中で訴訟事件の審理を行った広間 ❷(ホテルの)ロビー‖～经理 ロビー・マネージャー
【大提琴】dàtíqín 图〈音〉チェロ‖拉～ チェロを弾く
*【大体】dàtǐ 图重要な道理．大切な事‖不识shí～ 重要な道理をわきまえない 副だいたい．おおむね‖我们的意见～一致 我々の意見はだいたい一致している
【大天白日】dà tiān báirì (～的) 慣口真っ昼間．昼のさなか
【大田】dàtián 图〈農〉作付面積の大きい田畑
【大田作物】dàtián zuòwù 图〈農〉作付面積の大きい田畑で作られる農作物
【大厅】dàtīng 图広間．ホール
【大庭广众】dà tíng guǎng zhòng 成公衆の集う場．公開の場‖在～之前发表演说 公衆の面前で演説する
【大同】dàtóng 图大同．大同の世
*【大同小异】dà tóng xiǎo yì 成大同小異．似たり寄ったり
【大头】dàtóu 图❶おめでたいやつ．かも‖拿～ かもにする ❷(～儿)主要な面．主要な部分 ❸すっぽり頭にかぶる仮面(舞踊などに用いる)❹旧中華民国初年に発行された袁世凱(えんせいがい)の横顔を浮き彫りにした1元銀貨
【大头菜】dàtóucài 图〈植〉ダイトウサイ．ネガラシナ
【大团结】dàtuánjié 图俗人民幣10元の旧紙幣の俗称
【大团圆】dàtuányuán 图❶家族全員が一堂に会すること ❷(小説・演劇・映画などで)すべてがめでたくおさまる最後の場面．大団円．ハッピー・エンド
【大腿】dàtuǐ 图太もも
【大碗茶】dàwǎnchá 图どんぶりや大きなコップで売られるお茶
【大腕】dàwàn (～儿) 图大スター．売れっ子
【大王】dàwáng 图❶第一人者．…王 ❷(風刺的な意味で)大将‖迟到～ 遅刻大将｜吹牛～ ほら吹き大将 ➤ dàiwang
【大为】dàwéi 副大いに‖～感动 非常に感動する｜～不满 大いに不満を感じる
【大尉】dàwèi 图〈軍〉大尉
【大我】dàwǒ 图大我(たいが)．集団 ↔〔小我〕
*【大无畏】dàwúwèi 形(困難や危険など)何ものをも恐れない‖～的精神 何ものをも恐れない精神
【大五码】dàwǔmǎ 图〈計〉big 5 コード．繁体字の情報処理用文字コード
【大媳妇】dàxífù (～儿) 图長男の嫁
【大喜】dàxǐ 形口大いに喜ばしい．非常にめでたい‖～的日子 結婚式の日
【大喜过望】dà xǐ guò wàng 成期待した以上の結果で，大喜びする．望外の喜びである
【大戏】dàxì 图❶大作の芝居 ❷方京劇
【大显身手】dà xiǎn shēn shǒu 成大いに本領を発揮する．大いに腕前を見せる
【大显神通】dà xiǎn shén tōng 成優れた腕前を見せる．神通力を発揮する
【大限】dàxiàn 图死期．命が尽きるとき
【大相径庭】dà xiāng jìng tíng 成大きな隔たりがある．まったくかけ離れている．雲泥の差である
【大象】dàxiàng 图〈動〉ゾウ
**【大小】dàxiǎo 图❶(～儿)大きさ．サイズ‖～正合适 大きさがちょうどいい ❷大人と子供‖一家～ 家族全員 ❸(親族間の)上下‖说话没个～ 言葉遣いが上下をわきまえていない 副大なり小なり．とにもかくにも‖～是个官儿 とにもかくにもお役人様だ
【大校】dàxiào 图〈軍〉大佐
【大写】dàxiě 图❶(漢数字の)大字．〔壹〕〔贰〕〔叁〕〔肆〕〔伍〕〔陆〕〔柒〕〔捌〕〔玖〕〔拾〕〔佰〕〔仟〕など ❷(ローマ字の)大文字 *↔〔小写〕
【大兴土木】dà xīng tǔ mù 成大規模な土木工事をする
【大猩猩】dàxīngxing 图〈動〉ゴリラ
【大刑】dàxíng 图古❶残酷な刑具 ❷重い刑罰
【大行星】dàxíngxīng 图〈天〉大惑星
**【大型】dàxíng 形大型の．大規模の ↔〔小型〕
【大幸】dàxìng 图非常な幸運‖不幸中的～ 不幸中の幸い 動書非常に寵愛(ちょうあい)する．寵愛を受ける
【大姓】dàxìng 图❶旧名家．有力な家柄 ❷(〔张〕〔李〕〔王〕など)同姓の人が多い姓
【大熊猫】dàxióngmāo 图〈動〉ジャイアント・パンダ．パンダ．〔大猫熊〕ともいう
【大熊座】dàxióngzuò 图〈天〉大熊座
【大修】dàxiū 動(家屋・車・機械などの)大修理を行

う．大補修を行う

【大选】dàxuǎn 名 国会議員あるいは大統領の選挙

★【大学】dàxué 名 大学．総合大学 ‖ ～校长 学長

類義語 | 大学 dàxué 学院 xuéyuàn

◆〔大学〕（いくつかの学部からなる規模の大きい）総合大学．university に相当 ◆〔学院〕（ある特定の学部からなる）単科大学．college に相当．学部数の少ない小規模大学をいうこともある ‖ 她是中央音乐学院毕业的 彼女は中央音楽学院卒業だ

【大学生】dàxuéshēng 名 ❶大学生 ❷大学卒業者

【大学生】dà xuésheng 組 ❶一般より年齢の高い学生 ❷方 やや年かさの男の子

【大雪】dàxuě 名 ❶大雪 ‖ 下～ 大雪が降る ❷大雪(たいせつ)（二十四節気の一つ，12月６日から８日ごろに当たる）

【大牙】dàyá 名 ❶奥歯．臼歯(きゅうし) ❷前歯．門歯

【大雅】dàyǎ 名 書 風雅．上品 ‖ 有伤shāng～ 風雅さを損なう．（話が）下品になる．（人が）醜態を演じる

【大烟】dàyān 名 アヘン．〔鸦片〕の通称 ‖ 抽～ アヘンを吸う

【大言不惭】dà yán bù cán 成 臆面(おくめん)もなく大口をたたく．ぬけぬけとずうずうしいことを言う

【大雁】dàyàn 名〈鳥〉サカツラガン ＝〔鸿hóng雁〕

【大洋】dàyáng 名 ❶大洋 ❷旧 １元銀貨

【大洋洲】Dàyángzhōu 名 オセアニア

【大样】dàyàng 名 ❶〈印〉（新聞紙１ページ大の）校正刷り ❷仕様図

【大摇大摆】dà yáo dà bǎi 成 大手を振って歩く．大威張りで歩く．肩で風を切って歩く

【大要】dàyào 名 大要．概要

【大爷】dàyé 名 旧 地位の高い人に対する敬称．旦那

⁂【大爷】dàye 名 ❶父の兄．父方の伯父 ❷年輩の男性に対する敬称．おじいさん

【大业】dàyè 名 偉大な事業．大業

⁂【大衣】dàyī 名 外套．オーバーコート

【大衣呢】dàyīní 名 毛織りのオーバー地

【大姨】dàyí（～儿）名 母の一番上の姉．おばさん

【大姨子】dàyízi 名 口 妻の姉

【大义凛然】dà yì lǐn rán 成 大義のためには敢然として屈しないさま

【大义灭亲】dà yì miè qīn 成 大義親(しん)を滅す．大義のためには私情を捨てること

*【大意】dàyì 名 大意．大筋．概要 ‖ 文章～ 文章の大意

【大意】dàyi 形 注意が足りない．油断している

【大印】dàyìn 名 ❶政府機関の印 ❷喩 権力

【大油】dàyóu 名 口 ラード

*【大有可为】dà yǒu kě wéi 成（仕事や事業など）やりがいがある．前途有望である

【大有人在】dà yǒu rén zài 成 そのような人はたくさんいる

【大有文章】dàyǒu wénzhāng 慣 込み入った事情や理由がたくさんある

【大有作为】dà yǒu zuò wéi 成 大いに力を発揮できる

*【大于】dàyú 動 …を上回る．…よりも大きい ‖ 功～过 功績のほうが過ちより大きい

【大鱼吃小鱼，小鱼吃虾米】dàyú chī xiǎoyú, xiǎoyú chī xiāmi 諺 大魚が小魚を食い，小魚は小エビを食べる．弱肉強食

【大雨】dàyǔ 名 大雨．豪雨 ‖ 下～ 大雨が降る｜倾盆qīngpén～ 盆を覆したような大雨．どしゃ降りの雨

【大元帅】dàyuánshuài 名〈軍〉大元帥

【大员】dàyuán 名 旧 高官．大官

【大院】dàyuàn 名 ❶屋敷 ❷軍や政府機関などの塀で囲まれた大きな敷き地で，住宅なども含まれる一区画

⁂【大约】dàyuē 副 ❶約．およそ．だいたい．（概数を表す）‖ 用了～两小时 およそ２時間かかった ❷たぶん．おそらく．おおかた

【大月】dàyuè 名 大の月．陰暦では30日，陽暦では31日ある月をさす

【大跃进】dàyuèjìn 名〈史〉大躍進．1958～60年に毛沢東の提唱によって実施された，農業・工業の大増産をめざした政策

【大杂烩】dàzáhuì 名 ❶ごった煮 ❷喩 寄せ集め

【大杂院儿】dàzáyuànr 名 同じ敷地内に何世帯もの家族が生活している住宅

【大灶】dàzào 名 ❶れんがで作った大きなかまど ❷（特別賄いの食事に対し）大鍋で大量に作られるもの ‖ 吃～ 大鍋で作った給食を食べる

【大闸蟹】dàzháxiè 名〈動〉チュウゴクモクズガニ．シャンハイガニ

【大站】dàzhàn 名 ❶（鉄道で）特急や急行の停車する大きな駅 ❷急行バスの停車する停留所

【大张旗鼓】dà zhāng qí gǔ 成 はでに繰り広げる．鳴り物入りでやる ‖ ～地宣传 大々的に宣伝する

【大丈夫】dàzhàngfu 名 ますらお．立派な男子

【大旨】【大指】dàzhǐ 名 大旨．大要

【大指】dàzhǐ ＝〔大拇指dàmuzhǐ〕

【大志】dàzhì 名 大志

*【大致】dàzhì 副 おおむね．おおかた．だいたい ‖ 他们的年龄～相仿xiāngfǎng 彼らの年齢はまあ同じだ

【大智若愚】dà zhì ruò yú 成 大智は愚のごとし．真の賢者は一見愚者のように見える

*【大众】dàzhòng 名 大衆 ‖ ～化 大衆化する｜《～菜谱》『ふだんのお惣菜(そうざい)』

【大众传媒】dàzhòng chuánméi 名 マスメディア．マスコミ

【大主教】dàzhǔjiào 名〈宗〉大司教

【大专】dàzhuān 名 ❶〔大专院校〕の略 ❷大学レベルの専門学校

【大专院校】dàzhuān yuànxiào 名 総合大学・単科大学・専門学校などの総称

【大篆】dàzhuàn 名（漢字の書体の一つ）大篆(だいてん)．籀書(ちゅうしょ)

【大庄稼】dàzhuāngjia 名 方 秋に収穫する作物

【大字】dàzì 名 毛筆で書いた大きな字

*【大自然】dàzìrán 名 大自然 ‖ 保护～ 大自然を保護する

【大宗】dàzōng 形（数量や金額が）大量の．大口の ‖ ～买卖 大口の売買 名 大口商品

【大总统】dàzǒngtǒng 名 大統領

【大族】dàzú 名 勢力のある一族

【大作】[1] dàzuò 名 敬 他人の著作に敬意を込めていう．大作

【大作】[2] dàzuò 動 激しく起こる ‖ 狂风kuángfēng～

D

激しく風が吹きまくる｜枪声～ 銃声が鳴り響く
【大作文章】dàzuò wénzhāng 慣 論陣を張って大騒ぎする．騒ぎ立てて誹謗(ひぼう)中傷する

da

10 **疸** da ➡〔疙疸gēda〕 ➤dǎn

12 **塔** da ➡〔圪塔gēda〕 ➤tǎ

dāi

7 ** **呆**(△獃❶❷ 騃❶❷) dāi ❶形 愚かである．鈍い．気が利かない‖痴chī～ 愚鈍である ❷形 茫然(ぼうぜん)としている．ぼんやりしている‖吓xià～了 あっけにとられてぽかんとする ❸平板である．融通が利かない‖一～板 ❹〔待dāi〕に同じ
【呆板】dāibǎn 形 ❶生気がない ❷平板である．型にはまっている．融通が利かない‖做事～ 仕事のやり方が杓子定規だ
【呆不下去】dāibuxiàqù ＝〔待不下去dāibuxiàqù〕
【呆若木鸡】dāi ruò mù jī 成 木彫りの鶏のようにじっとしている．(驚きや恐れのため)きょとんとする．ぽかんとする
【呆傻】dāishǎ 形 間抜けである．頭が鈍い
【呆头呆脑】dāi tóu dāi nǎo 組 (反応が)鈍いさま．ぼんやりしているさま
【呆小症】dāixiǎozhèng 名〈医〉クレチン病．〔克汀kètīng病〕ともいう
【呆账】dāizhàng 名 貸し倒れ．不良債権
【呆滞】dāizhì 形 動きがない．停滞している．生気がない‖目光～ 目に生気がない｜经济～ 経済が沈滞している
【呆子】dāizi 名 間抜け．うすのろ．あほう

7 **呔** dāi 感 旧 (相手に呼びかける声)おい ➤tǎi

9 **待** dāi 動 口 とどまる．滞在する．〔呆〕とも書く‖他在北京～了十年 彼は北京に10年住んでいた｜忙什么，再～一会ㄦ吧 そんなに急がないで，もう少しゆっくりしていきなさいよ ➤dài
【待不下去】dāibuxiàqù 動 とどまっていることができない．〔呆不下去〕とも書く‖他在公司里～了 彼は会社にいられなくなった
【待会ㄦ】dāihuìr 組 しばらくとどまる．(そのまま)しばらく待つ．〔呆会ㄦ〕とも書く

dǎi

4 **歹** dǎi 形 悪い．よくない‖一～徒｜不知好～ 善し悪しが分からない．分別がない
【歹毒】dǎidú 形 悪どい．残忍である
*【歹徒】dǎitú 名 悪人．悪者．悪党
【歹心】dǎixīn 名 悪心．よこしまな心
【歹意】dǎiyì 名 悪念．悪心．悪意

11 **逮** dǎi 動 口 捕らえる．捕まえる．意味は〔逮dài❷〕と同じで，話し言葉に用いる．単独で用いられ，複合語には用いない‖猫～耗子hàozi ネコがネズミを捕まえる ➤dài

12 **傣** dǎi ↴
【傣族】Dǎizú 名 タイ族(中国の少数民族の一つ，主として雲南省に居住)

dài

3 **大** dài 〔大dà〕に同じ．〔大夫〕〔大黄〕〔大王〕などに用いる ➤dà
★【大夫】dàifu 名 口 医者．医師‖外科～ 外科医 ➤dàfū
【大黄】dàihuáng ＝〔大黄dàhuáng〕
【大王】dàiwang 名 (戯曲や旧小説中で)国王や盗賊の首領に対する呼称 ➤dàwáng

5 ** **代** dài ❶動 代わる．代わって…する‖请～我向他问好 どうか彼によろしくお伝えください ❷歴史の時代区分‖唐～ 唐代 ❸名〈地質〉地質時代を分けた区分‖古生～ 古生代 ❹名 世代‖年轻一～ 若い世代 ❺動 (仕事の)代理をつとめる．代行する‖～部长 部長代理
*【代办】dàibàn 動 代行する．代わりに行う 名 代理大使．代理公使
【代笔】dàibǐ 動 代筆する
★【代表】dàibiǎo 動 代表する‖我～大家说两句 私がみなさんを代表して一言お話をします 名 代表‖人大～ 人民代表大会の代表
【代表团】dàibiǎotuán 名 代表団‖派遣～ 代表団を派遣する
【代表作】dàibiǎozuò 名 代表作
【代步】dàibù 動 書 (歩く代わりに)乗物などに乗る
【代偿】dàicháng 名〈医〉代償作用
【代称】dàichēng 名 別称
【代词】dàicí 名〈語〉代詞．代名詞
【代代花】dàidàihuā 名〈植〉ダイダイ．〔玳玳花〕とも書く
【代沟】dàigōu 名 世代のずれ．ジェネレーション・ギャップ
【代购】dàigòu 動 代理で購入する．人に代わって買う
【代管】dàiguǎn 動 代わって管理する
*【代号】dàihào 名 ❶暗号．隠語‖这次行动的～为"暴风" 今回の作戦の暗号名は｢嵐｣である ❷(機関や部隊などの)略称．別称
【代际】dàijì 名 世代間‖～差chā 世代差．ジェネレーション・ギャップ｜～关系 世代間関係
【代际公平】dàijì gōngpíng 名 世代間公平．世代間平等
*【代价】dàijià 名 ❶書 代金 ❷代価．代償‖付出了很高的～ 非常に高い代価を支払った
【代金】dàijīn 名 支給物資の代わりに支払われる現金
【代金券】dàijīnquàn 名 金券．〔代币bì券〕ともいう
【代考】dàikǎo 動 替え玉受験をする
【代课】dài//kè 動 (授業を)代講する
【代劳】dàiláo 動 人に代わって骨を折る．労をとる‖这事还得děi请你～ この件はやはりあなたにお願いします
*【代理】dàilǐ 動 代わって処理する．代行する
【代理服务器】dàilǐ fúwùqì 名〈計〉プロキシサーバー
【代理人】dàilǐrén 名 ❶(訴訟や契約などにおける)代理人．代理店 ❷(ある勢力の)代理人．手先
【代理商】dàilǐshāng 名 代理店．エージェント
【代码】dàimǎ 名〈計〉コード．〔编码〕ともいう

【代名词】dàimíngcí 图❶別称 ❷〈語〉代詞
【代培】dàipéi 動代わって養成する(大学が研究機関や企業から派遣された人材を養成すること)
【代任】dàirèn 動代理で職務を担う.代行する.代任する
【代乳粉】dàirǔfěn 图代用の粉ミルク
【代售】dàishòu 動代理販売する.取り次ぎ販売する
*【代数】dàishù 图略〈数〉代数.〔代数学〕の略
【代数式】dàishùshì 图〈数〉代数式
**【代替】dàitì 動代わる.取って代わる.交替する‖用机械～人力 人力に代わって機械を使う
【代为】dàiwéi 動書代わって…する.代わって引き受ける‖～处理 代わって処理する
【代位继承】dàiwèi jìchéng 图〈法〉代襲相続
【代销】dàixiāo 動代理販売する
【代谢】dàixiè 動入れ代わる.代謝する‖新陈～ 新陳代謝
【代行】dàixíng 動(職務を)代行する
【代序】dàixù 图前書きに代わる文
【代言人】dàiyánrén 图代弁者.スポークスマン
【代用品】dàiyòngpǐn 图代用品
【代孕母亲】dàiyùn mǔqin 图代理母.〔代孕妈妈〕ともいう

8 **迨** dài 書…に乗じる

8 **岱** dài 泰山の別称.〔岱宗〕〔岱岳〕ともいう

8 **骀** dài ↴ ➤tái

【骀荡】dàidàng 形書心地よい‖春风～ 春風駘蕩(しゅんぷうたいとう).春風が心地よく吹くさま

8 **绐** dài 書欺く

9 ★**带(帶)** dài ❶图帯.ひも.ひも状のもの‖皮～ 革ベルト|鞋～ 靴ひも ❷動(バッジや武器などを)身に帯びる.身につける ❸動携帯する.持つ.携える‖你～钱了吗? 君,お金は持っているの ❹動引き連れる.率いる‖星期天～孩子们去公园 日曜日に子供たちを連れて公園へ行く ❺動率先して手本を示す ❻動(表情を)浮かべる.帯びる.現れる‖面～愁容chóuróng 顔に愁いを帯びる ❼動(色・味・語気などを)含む.帯びる‖他说话～湖南口音 彼の言葉には湖南のなまりがある ❽動①付随する.付く‖这个教材～CD この教材にはCDがついている ②(多く〔连…带…〕の形で)…しながら…する.…のかたわら…する‖连蹦bèng～跳 跳んだりはねたりする ❾動ついでに…する‖你出去请把门～上 出て行くとき,ついでにドアを閉めていってください ❿〈生理〉こしけ ⓫地区.地域.地帯‖沿海一～ 海沿いの一帯. ⓬タイヤ‖车～ タイヤ

逆引き単語帳 〔腰带〕yāodài ベルト.バンド 〔皮带〕pídài 革ベルト 〔领带〕lǐngdài ネクタイ 〔鞋带〕xiédài 靴ひも 〔车带〕chēdài タイヤ 〔绷带〕bēngdài 包帯 〔背带〕bēidài ズボン吊り.サスペンダー 〔裤带〕kùdài ズボンのベルト 〔丝带〕sīdài リボン 〔磁带〕cídài カセットテープ 〔录像带〕lùxiàngdài ビデオテープ 〔宽带〕kuāndài ブロードバンド 〔脐带〕qídài へその緒 〔海带〕hǎidài コンブ 〔履带〕lǚdài キャタピラー 〔安全带〕ānquándài 安全ベルト 〔传送带〕chuánsòngdài ベルトコンベアー 〔松紧带〕sōngjǐndài ゴムひも 〔纽带〕niǔdài きずな.紐帯(ちゅうたい)

【带班】dài//bān 動(上司が)部下を率いて勤務につく.仕事の指揮をとる
【带备】dàibèi 動必要に備えて携帯する
【带兵】dài//bīng 動兵士を率いる
【带病】dài//bìng 動病気をかかえる‖～工作 病気を押して仕事をする
【带操】dàicāo 图〈体〉(新体操の)リボン演技
【带刺儿】dài//cìr 動暗に皮肉る‖话里～ 言葉にとげがある
【带电】dài//diàn 動〈物〉帯電する
*【带动】dài//dòng 動❶連動して動かす ❷率先して推し進める.模範を示す‖他的行动～了大家 彼の行動はみんなのよい模範になった
【带队】dài//duì 動❶部隊を率いる ❷グループやチームを引率する
【带分数】dàifēnshù 图〈数〉帯分数
【带好儿】dài//hǎor 動人に代わってご機嫌伺いの言葉を伝える.…によろしく伝える
【带话】dài//huà 動(話を)伝える
*【带劲】dàijìn 形❶(～儿)気合が入るさま.意気が揚がるさま‖越干越～ やればやるほど調子が出てくる ❷面白い.気分がのる
【带菌】dài//jūn 動病原菌を保有する‖～者 保菌者
【带宽】dàikuān 图〈通信〉帯域幅
【带累】dàilěi 動巻き添えにする.そばづえを食わせる
*【带领】dàilǐng 動❶率いる.指揮する‖班长～大家抢修设备 班長がみんなを指揮して迅速に設備の修理にあたる ❷案内する
【带路】dài//lù 動道案内する‖～人 道案内人
【带球】dài//qiú 動〈体〉ドリブルする
*【带头】dài//tóu (～儿) 動率先する.先頭を切る‖～捐献juānxiàn 率先して寄付する
【带头羊】dàitóuyáng 图群れを先導するヒツジ
【带徒弟】dài túdi 組弟子をとる.弟子を仕込む
【带孝】dài//xiào =〔戴孝dàixiào〕
【带薪】dàixīn 動給料待遇が保証される‖～休假 有給休暇|～产假 有給産休
【带有】dàiyǒu 動持っている.帯びている.備え持っている‖他的作品～浓厚的地方dìfāng色彩 彼の作品は地方色豊かだ
【带鱼】dàiyú 图〈魚〉タチウオ
【带职】dài//zhí 動一時,職場を離れて他の活動をしている間,もとの職場に籍を残しておく‖～学习 在職したまま研修に参加する
【带子】dàizi 图❶ひも.帯.リボン ❷口カセットテープ

9 ****待[1]** dài ❶動待つ‖等～ 待つ ❷必要とする.…しなければならない‖这些问题尚shàng～解决 これらの問題は今後解決していかなければならない ❸動…しようと思う‖～说不说 口ごもる

9 ****待[2]** dài ❶動待遇する.遇する‖平等～人 平等に人を扱う ❷接待する.もてなす‖一～客 ➤dāi

【待查】dàichá 動今後の調査を待つ
【待承】dàicheng 動もてなす.遇する.扱う

【待岗】dàigǎng 動（一時解雇された人が）職場復帰を待つ ‖ 受到处分chǔfèn，在家～ 処分を受け，自宅で職場復帰を待つ
【待机】dàijī 動 時機を待つ．チャンスをうかがう ‖ ～行动 時機を待って行動する
【待价而沽】dài jià ér gū 成 値段が上がるのを待って売る．よい条件を待って就職する
【待见】dàijian 動 方 好む．喜ぶ（多く否定で用いる）
【待考】dàikǎo 動 調査を要する．検討を要する
【待客】dài//kè 動 客をもてなす
【待理不理】dài lǐ bù lǐ 慣（人に接する態度が）無愛想なさま．冷淡なさま
【待命】dàimìng 動 命令を待つ
【待聘】dàipìn 動（就職の）採用を待つ
【待人】dài//rén 動 人に接する ‖ 他～热情 彼は人に親切だ
【待人接物】dài rén jiē wù 成 人に接する態度．人付き合い ‖ 他～很有分寸fēncun 彼は人との付き合い方をよく心得ている
【待续】dàixù 動 書 続く ‖ 未完～ 以下次号に続く
*【待业】dàiyè 動 就職を待つ．仕事の配分を待つ
*【待遇】dàiyù 動 待遇する．遇する．扱う 名 待遇 ‖ ～优厚 待遇がよい
【待字】dàizì 動 書（年ごろの娘が）嫁入りを待つ ‖ ～闺guī中 年ごろでまだ結婚相手がいない

9 **怠** dài ❶そっけない．冷淡である ‖ →～慢 ❷怠けている．だらけている ‖ →～惰
【怠惰】dàiduò 形 怠惰である
*【怠工】dài//gōng 動 怠業する．仕事をさぼる ‖ 消极～ 仕事を怠ける
【怠慢】dàimàn 動 冷淡にする．粗略にする．なおざりにする 形 挨拶 もてなしが行き届かない ‖ ～之处chù，请多包涵bāohán 不行き届きの点はどうぞお許しください．行き届きませんで失礼しました

9 **玳**（△瑇）dài ↓
【玳瑁】dàimào 名 ❶〈動〉タイマイ ❷べっこう

9 **殆** dài 書 ❶危うい ‖ 知彼知己，百战不～ 彼を知り己を知れば百戦危うからず ❷副 ほとんど．おおかた ‖ 消耗xiāohào～尽 ほとんど消耗し尽くす

9 * **贷** dài ❶動 ①貸す．貸し付ける ②借りる．借り入れる ❷名 貸付金 ‖ 信～ 信用貸し．融資 ❸許す．容赦する ‖ 宽～ 許す ❹（責任を）逃れる ‖ 责无旁～ 自分の責任を人に転嫁することはできない
【贷方】dàifāng 名（簿記の）貸方 ↔〔借方〕
*【贷款】dài//kuǎn 動 ❶金を貸し付ける ❷金を借り入れる ‖ 向银行～ 銀行から金を借り入れる 名（dàikuǎn）貸付金．借款 ‖ 长期～ 長期貸付
【贷学金】dàixuéjīn 名 貸与奨学金

11 **逮** dài ❶書 及ぶ．達する ❷捕まえる ‖ →～捕 ➤dǎi
*【逮捕】dàibǔ 動 逮捕する ‖ 他被～了 彼は逮捕された｜依法～ 法に基づいて逮捕する

11 **埭** dài 方 堤（多く地名に用いる）‖ 石～ 安徽省にある地名

11 ** **袋** dài ❶名（～儿）袋 ‖ 塑料～ ポリ袋 ❷量 ①（～儿）袋入りのものを数える ‖ 一～儿面 一袋の小麦粉 ②（水タバコや刻みタバコを吸う回数）一服
【袋泡茶】dàipàochá 名 ティーバッグ
【袋鼠】dàishǔ 名〈動〉カンガルー
【袋装】dàizhuāng 形 袋入りの．袋詰めの ‖ ～糖果 袋入りのキャンディー
【袋子】dàizi 名（やや大きめの）袋 ‖ 纸～ 紙袋

17 ★ **戴** dài ❶動（頭の上や体の一部に）のせる．かぶせる ‖ ～手套 手袋をはめる ❷動（装身具などを）身につける ‖ ～眼镜 眼鏡をかける ❸尊ぶ．あがめる．尊敬する ‖ 爱～ 敬愛する｜拥yōng～ 推戴する
【戴高帽子】dài gāomàozi 慣（人を）おだてる．〔戴高帽儿〕ともいう
【戴绿帽】dài lǜmào 慣 妻を寝取られる
【戴帽子】dài màozi 慣（人に）レッテルを張る
【戴孝】dài//xiào 動（喪に服するために親族が一定期間）喪服を着る．喪章をつける
【戴罪立功】dài zuì lì gōng 成 罪ほろぼしに手柄を立てる

17 **黛** dài ❶名 まゆずみ ‖ 粉～ おしろいとまゆずみ．美人 ❷黒色の

dān

4 * **丹** dān ❶〈鉱〉辰砂（しんしゃ） ❷やや明るい赤色の．朱色の ❸古 道士が辰砂などを用いて作った薬 ‖ 炼～（道士が）辰砂を練って不老不死の薬を作ること ❹名（既成の処方せんにより作られた）漢方薬 ‖ 灵～妙药 すばらしい効き目の妙薬
【丹顶鹤】dāndǐnghè 名〈鳥〉タンチョウ ＝〔白鹤〕
【丹方】dānfāng ＝〔单方dānfāng〕
【丹凤眼】dānfèngyǎn 名 目尻がややつり上がった目
【丹桂】dānguì 名〈植〉キンモクセイ
【丹麦】Dānmài 名〈国名〉デンマーク
【丹青】dānqīng 名 書 赤と青．転 絵画
【丹砂】dānshā 名〈鉱〉辰砂 ＝〔朱砂〕
【丹参】dānshēn 名 ❶〈植〉タンジン ❷〈中薬〉丹参
【丹田】dāntián 名 ❶へその少し下のあたり ❷〈中医〉丹田（たんでん）
【丹心】dānxīn 名 書 丹心．真心

8 *** **单**（單）dān ❶形 単独の．単一の ❷弱い．薄い ‖ →～薄 ❸単純である．複雑でない．簡単である ‖ →～纯 ❹形 ひとえの ‖ ～褂儿guàr ひとえの中国服 ❺（～儿）シーツや布団カバーのたぐい ‖ 床～ ベッド用シーツ ❻名（～儿）書きつけ・リスト・伝票のたぐい ‖ 账～ 勘定書 ❼[illegible] 数の位（くらい）の空位を表す ‖ 一百～八 108 ❽形 奇数の ↔〔双〕‖ →～号 ❾副 ただ．単に ‖ ～靠死记硬背sǐjì yìngbèi恐怕不行 ただ丸暗記するだけではたぶんだめだ ➤chán shàn

逆引き単語帳 〔菜单〕càidān メニュー 〔节目单〕jiémùdān プログラム 〔床单〕chuángdān 〔被单〕bèidān シーツ 〔通知单〕tōngzhīdān 通知書 〔名单〕míngdān 名簿．リスト 〔黑名单〕hēimíngdān ブラックリスト

【单帮】dānbāng 名 旧 担ぎ屋 ‖ 跑～ 担ぎ屋をする
【单边主义】dānbiān zhǔyì 名 ユニラテラリズム．一国主義．単独行動主義．自国中心主義
【单薄】dānbó 形 ❶薄着である ‖ 这么冷，你穿得太～ こんなに寒いのに，ずいぶん薄着だね ❷ひ弱である．

瘦せて弱々しい ‖ 身体～ 体が弱い ❸薄弱である．十分でない ‖ 力量～ 力が不十分である
【单产】dānchǎn 名〈農〉(一年または一季節の)単位面積当たりの収穫高
【单车】dānchē 名 方 自転車
【单程】dānchéng 名 片道 ↔〔来回〕‖ ～票 片道切符 | ～就要一个小时 片道1時間かかる
【单传】dānchuán 動 代々男子一人の家系である．
*【单纯】dānchún 形 単純である．簡単である ↔〔复杂〕‖ 考虑问题太～ 問題を単純に考えすぎている 副 単に．ただ
【单纯词】dānchúncí 名〈語〉単純語 ↔〔合成词〕
**【单词】dāncí 名〈語〉単語．ワード ‖ 记～ 単語を覚える | 背bèi～ 単語を暗記する
【单打】dāndǎ 名〈体〉シングルス ↔〔双打〕
【单打一】dāndǎyī 慣 一つの事だけしかやらない．一つの事に集中して取り組む
【单单】dāndān 副 ひとり…だけ．ただ…だけ
【单刀直入】dān dāo zhí rù 成 単刀直入．そのものずばり
**【单调】dāndiào (～儿) 形 単調である．変化が少ない ‖ 食堂的伙食huǒshi太～ 食堂の料理は変化がなさすぎる
**【单独】dāndú 副 単独で．一人で ‖ ～会见 単独会見 | ～采访 単独インタビュー
【单发】dānfā 名(銃弾の)単発 動 単発で発射する
【单方】dānfāng 名〈中医〉民間に伝わる比較的簡単な漢方の処方．〔丹方〕とも書く
【单峰驼】dānfēngtuó 名〈動〉ヒトコブラクダ
【单干户】dāngànhù 名 個人経営者
【单杠】dāngàng 名〈体〉❶鉄棒 ❷鉄棒種目
【单个儿】dāngèr 副 単独で．一人で 形(組や対になっているものの)一方の．片方の
【单轨】dānguǐ 名 ❶単線．単線軌道 ‖ ～铁路 単線の鉄道 ❷喩 単一の路線・制度
【单过】dānguò 動 一人暮らしをする．別居する
【单号】dānhào 名 奇数番号 ↔〔双号〕
【单簧管】dānhuángguǎn 名〈音〉クラリネット．〔黑管〕ともいう
【单击】dānjī 動〈計〉クリックする．〔点击〕ともいう ↔〔双击〕
【单季稻】dānjìdào 名〈農〉(稲作の)一毛作
【单价】dānjià 名 単価
【单间】dānjiān (～儿) 名 ❶一間しかない家 ❷(ホテルやレストランなどの)一人用の部屋．個室 ‖ 住～儿 一人部屋に泊まる
【单晶体】dānjīngtǐ 名〈鉱〉単結晶
【单句】dānjù 名〈語〉単文 ↔〔复句〕
【单据】dānjù 名 証票．伝票 ‖ 报销bàoxiāo～ 領収証
【单口相声】dānkǒu xiàngsheng 名 漫談
【单利】dānlì 名〈経〉単利
【单恋】dānliàn 名 片思い
【单列】dānliè 動(項目などを)別途に書き出す
【单另】dānlìng 副 別途に ‖ ～保存 別途保存する
【单名】dānmíng 名(人名で)1字の名前
【单皮】dānpí 名〈音〉民族楽器の一種で，伝統劇の伴奏として用いられる太鼓．囃子方(はやしかた)の中では指揮の役割を果たす
【单枪匹马】dān qiāng pǐ mǎ 成 人の力を借りずに一人で行う．独立独歩
【单亲家庭】dānqīn jiātíng 名 母子家庭．父子家庭
【单人】dānrén 名 一人．シングル．ソロ
【单人床】dānrénchuáng 名 シングル・ベッド
【单人房间】dānrén fángjiān 名 シングル・ルーム．一人部屋
【单人舞】dānrénwǔ 名(ダンスの)ソロ ＝〔独舞〕
【单弱】dānruò 形 ❶虚弱である ❷力不足である
【单色光】dānsèguāng 名 単色光
【单身】dānshēn 名 単身．独身 ‖ ～在外 単身で他郷に暮らす
【单身贵族】dānshēn guìzú 名 独身貴族
【单身汉】dānshēnhàn 名 未婚の男性．独り者
【单食性】dānshíxìng 名〈生〉単食性
【单数】dānshù 名 奇数 ↔〔双数〕
【单说】dānshuō 動 単に…だけを言う．…だけについて話す ‖ ～伙食huǒshi费，每月就得děi好几百 食費だけで毎月何百元もかかる
【单糖】dāntáng 名〈化〉単糖類．単糖
【单挑】dāntiǎo 動 単独で挑む
**【单位】dānwèi 名 ❶(数量の)単位 ❷機関．団体．所属部門．職場．勤め先 ‖ 您是哪个～的？ あなたの勤務先はどちらですか | 直属～ 直属部門
【单弦儿】dānxiánr 名 北京・華北・東北などの地で広く行われる語り物の一種
【单线】dānxiàn 名 ❶(鉄道の)単線 ❷1本の線
【单相思】dānxiāngsī 名 片思い ‖ 患huàn了～ 片思いをする
【单向】dānxiàng 形 一方向の．単方向の
【单项】dānxiàng 名 ❶〈数〉単項 ❷〈体〉種目別 ‖ ～冠军guànjūn 種目別優勝者
【单行】dānxíng 形 単独の．単行の
【单行本】dānxíngběn 名 単行本
【单行道】dānxíngdào 名 一方通行路 ＝〔单行线〕
【单行线】dānxíngxiàn 名 一方通行路
【单姓】dānxìng 名 1字の姓 ↔〔复姓〕
【单眼】dānyǎn 名〈生〉単眼
【单眼皮】dānyǎnpí (～儿) 名 一重まぶた ↔〔双眼皮〕
【单叶】dānyè 名〈植〉単葉
【单一】dānyī 形 単一である．変化がない
【单衣】dānyī 名 ひとえの服
【单音词】dānyīncí 名〈語〉単音節語
*【单元】dānyuán 名 ❶(教科の)単元 ❷集合住宅で同一の階段を使用する住居のまとまり ‖ 四号楼二～七号 4号棟2単元7号 | ～楼 いくつかの〔单元〕からなる集合住宅 ❸〔单元楼〕の中の住宅
【单质】dānzhì 名〈化〉単体
【单子】dānzi 名 ❶シーツ ‖ 床～ シーツ ❷書き付け．伝票．明細書．表．リスト ‖ 开个～ 伝票を書く．明細書を出す
【单字】dānzì 名 ❶(漢字の)1字．1文字 ❷(外国語の)単語
【单作】dānzuò 名〈農〉単作

[8]* **担(擔) dān** ❶動(肩に)担ぐ ‖ ～水 桶に入った水を担ぐ ❷動 引き受ける．負担する．負う ‖ ～责任 責任を負う | ～风险 リスクを負う ➤ dàn

D

*【担保】dānbǎo 動(間違いがないことを)請け合う.保証する‖～人 保証人｜事情能否办成我可不敢～ うまくいくかどうか私には請け合えない

【担不起】dānbuqǐ 動❶(責任や役目などを)負いかねる.引き受けかねる‖出了问题,我可～ 何か問題が起きても,私は責任を負いかねる ❷(好意や称賛などを)受けるだけの資格がない‖你叫我老师,我可～ あなたに先生と呼ばれると,ほんとうに恐縮してしまいます

【担不是】dān bùshi 慣(過ちに対して)責任を負う

【担承】dānchéng 動引き受ける.負担する

【担待】dāndài 動口❶(責任を)負う.請け合う ❷許す.容赦する.大目に見る

【担当】dāndāng 動担う.負担する‖～重任 重責を担う

【担当不起】dāndāngbuqǐ 動請け合えない.引き受けられない‖这药没有医生的处方chǔfāng不能卖,出了问题,我们～ この薬は医師の処方がないと売れない,問題が起きてもこちらでは責任を持てないから｜如此盛情款待shèngqíng kuǎndài,我们真有点ㄦ～ こんなに盛大に歓待していただき,たいへん恐れ入ります

*【担负】dānfù 動(仕事・責任・費用などを)担う.引き受ける.負担する‖～着培养下一代的重任 次の世代を養成するという重要な任務を担っている

【担纲】dāngāng 動❶(舞台や試合で)重要な役を務める ❷(仕事などで)重責を担う

【担搁】dānge =〔耽搁dānge〕

【担架】dānjià 名担架‖抬tái～ 担架を担ぐ

【担惊受怕】dān jīng shòu pà 慣びくびくする.怖がる

【担名】dān//míng (～ㄦ)動名義を引き受ける.肩書きを負う

**【担任】dānrèn 動務める.担当する.受け持つ‖～翻译 通訳を担当する

【担受】dānshòu 動引き受ける

【担险】dān//xiǎn 動危険を冒す.危険にさらされる

**【担心】dān//xīn 動心配する.気遣う.不安に思う.案じる‖你不用为我～ 私のために心配しないでください｜我～他的身体 私は彼の体が心配だ

> **類義語** 担心 dānxīn 挂念 guàniàn 惦记 diànji
>
> ◆〔担心〕(何かよくないことが起こりはしないかと)心配する‖担心孩子上街会遭车祸 子供が街で交通事故に遭わないかと案じる ◆〔挂念〕(離れている親しい間柄の人がどうしているかと)気にかける‖她挂念着在外地工作的女儿 彼女は地方で働いている娘のことを気にかけている ◆〔惦记〕(常に念頭から離れることなく)気にとめる.心配し気づかう‖别老惦记着玩 遊ぶことばかり考えてるんじゃない｜总惦记着他的健康 いつも彼の健康を心配し気づかっている

*【担忧】dānyōu 動憂える.憂慮する‖为自己的前途～ 自分の前途を憂える

9 **眈** dān ↴

【眈眈】dāndān 形鋭い目つきでじっと見つめるさま‖虎视～ 虎視眈々(こしたんたん)

10 **郸**(鄲) dān 地名用字‖～城 河南省にある県の名

10 **耽**[1] dān おぼれる.ふける‖～于享乐xiǎnglè 享楽におぼれる

10 **耽**[2](△躭) dān ひまどる.遅れる‖→～误

【耽待】dāndài 動❶引き受ける.請け合う ❷許す.大目に見る

【耽搁】dānge 動❶滞在する ❷(時間を)引き延ばす.遅れる‖因为堵车dǔchē,在路上～了两小时 途中交通渋滞のため2時間遅れた

*【耽误】dānwu 動遅れる.ひまどる.手間どる.手遅れになる‖把病给～了 治療が手遅れになった｜对不起,～你的时间了 すみません,お手間をとらせました

11 **聃** dān 人名用字

12 **殚**(殫) dān 書尽きる.尽くす‖～力 力を尽くす

13 **瘅**(癉) dān ↴ ➤dàn

【瘅疟】dānnüè 名〈中医〉マラリアの一種.熱病

14 **箪**(簞) dān 古竹で編んだ円形でふた付きの飯びつ.わりご

15 **儋** dān 地名用字‖～县 海南省にある県の名 ➤dàn

dǎn

*9 **胆**(膽) dǎn ❶名〈生理〉胆嚢(たんのう).〔胆囊nángの通称 ❷名(～ㄦ)勇気.肝っ玉.度胸‖→～子 ❸名内側に水や空気を入れる袋や容器‖暖水瓶～(魔法瓶の)中瓶

【胆大】dǎn//dà 形肝がすわっている.度胸がある

【胆大包天】dǎn dà bāo tiān 成度胸がある.肝っ玉が大きい

【胆大妄为】dǎn dà wàng wéi 成したい放題悪事をはたらく

【胆大心细】dǎn dà xīn xì 成大胆にして細心である

【胆敢】dǎngǎn 副大胆不敵にも.大それたことに

【胆固醇】dǎngùchún 名〈生化〉コレステロール

【胆管】dǎnguǎn 名〈生理〉胆管.輸胆管

【胆寒】dǎnhán 動肝を冷やす.ぞっとする

【胆结石】dǎnjiéshí 名〈医〉胆結石.胆石

【胆力】dǎnlì 名胆力.肝っ玉

*【胆量】dǎnliàng 名度胸.胆力‖～不小 度胸がいい

【胆略】dǎnlüè 名胆略.勇気と知謀

【胆囊】dǎnnáng 名〈生理〉胆嚢(たんのう)‖～炎 胆嚢炎

【胆魄】dǎnpò 名度胸と気迫

【胆气】dǎnqì 名度胸.気迫

*【胆怯】dǎnqiè 形臆病である.度胸がなくおじけついている.びくついている‖在众人面前讲话,他有点ㄦ～ 大勢の前で話をすることに,彼はいくらかおじけづいている

【胆识】dǎnshí 名度胸と知識.知勇

【胆酸】dǎnsuān 名〈化〉コール酸

【胆小】dǎn//xiǎo 形肝が小さい.臆病である‖～怕事 臆病である｜～如鼠shǔ ネズミのようにびくびくしている

【胆小鬼】dǎnxiǎoguǐ 名弱虫.小心者

【胆虚】dǎnxū 形臆病である.小心である

【胆战心惊】dǎn zhàn xīn jīng 成震え上がる.ひどく恐れる

【胆汁】dǎnzhī 名〈生理〉胆汁

【胆壮】dǎnzhuàng [形] 度胸がある. 勇気がある
*【胆子】dǎnzi [名] 度胸. 胆力. 勇気. 肝っ玉 ‖ ～小 度胸がない｜好大的～ たいした度胸だ

10 **疸** dǎn ➡〔黄疸huángdǎn〕 ➤ da

11 **撣**(撢) dǎn [動] (ほこりなどを)はたく ➤ shàn

【撣瓶】dǎnpíng [名] はたきを立てておくもので, 首が細く胴が太い瓶
【撣子】dǎnzi [名] はたき ‖ 鸡毛～ 羽根ぼうき

12 **賧** dǎn (タイ族の言葉の音訳字で)供える. 献ずる

dàn

5 **旦**[1] dàn ❶[書] 早朝. 明け方 ‖ 通宵tōngxiāo达～ 徹夜する ❷日 ‖ 元～ 元旦

5 **旦**[2] dàn [名]〈劇〉女形(おやま) ‖ 花～ 若く美しい女性の役柄

【旦角】dànjué (～儿) [名] 女形
【旦尼尔】dànní'ěr [量]〈繊〉(繊維の太さの単位)デニール
【旦夕】dànxī [名][書] 旦夕(たんせき). 短い時間のたとえ ‖ 命在～ 命旦夕に迫る

5 **石** dàn [量] (容積の単位)石(こく). 1〔石〕は10〔斗dǒu〕 ➤ shí

7 ★**但** dàn ❶[副][書] ただ. 単に. …のみ ‖ 不求有功, ～求无过 功を求めず, ただ過ちなきを願うのみ ❷[接] しかし. けれども. だが ‖ 一～是

> **類義語** 但 dàn　但是 dànshì　可是 kěshì　不过 bùguò
>
> ◆ともに接続詞で, 前文と相反する事柄を述べたり, あるいは前文に制限や補足を加える ◆〔但〕書き言葉で多く用いる ‖ 这是一般规律, 但也不是没有例外 これは一般的な規則だが, 例外がないわけではない ◆〔但是〕書き言葉にも話し言葉にも用いる ‖ 这个好是好, 但是我不要 これはいいことはいいけれど, 私は要らない ◆〔可是〕話し言葉で多く用い, 語気は〔但是〕よりやや軽い ‖ 嘴里不说, 可是他心里想着呢 口には出さないけれども, 彼は心の中では思っているんだ ◆〔不过〕話し言葉で多用し, 語気は〔但是〕より軽い ‖ 房间不错, 不过光线暗了点儿 部屋は悪くないけれど, ただちょっと暗い

【但凡】dànfán [副] …であればすべて. およそ. おしなべて ‖ ～看过的文章, 都能过目不忘 およそ読んだことのある文章ならば, みな忘れることがない
★【但是】dànshì [接] しかし. ただし. けれども ‖ 我想买, ～没有钱 私は買いたいのだが, 金がない｜他尽管jǐnguǎn嘴上没说什么, ～心里却很不高兴 彼は何も口には出さなかったが, 内心はとても怒っている
【但愿】dànyuàn [動] 切望する. ひたすら…を願う ‖ ～不会下雨 雨が降らないことを願う

8 **诞**[1] dàn 偽り. まやかし ‖ 荒～ でたらめである

8 **诞**[2] dàn ❶生まれる ‖ 一～生 ❷誕生日 ‖ 圣～ (キリストまたは孔子の)生誕日

*【诞辰】dànchén [名][敬] 誕生日
*【诞生】dànshēng [動] 誕生する. 生まれる ‖ 共和国～了 共和国が誕生した

8 * **担**(擔) dàn ❶てんびん棒と担いでいる荷 ❷[量] ①重量の単位. 1〔担〕は100〔斤jīn〕に相当する ②てんびん棒で担ぐものを数える ‖ 一～水 一担ぎ分の水 ❸重荷. 責任 ‖ 重～ 重荷 ➤ dān

【担担面】dàndanmiàn [名]〈料理〉タンタンメン
*【担子】dànzi [名] ❶てんびん棒と担いでいる荷 ❷負担. 重荷 ‖ 生活的～ 生活の負担

11 ** **淡** dàn ❶[形] (味が)あっさりしている. 淡白である ‖ 清～ (味が)あっさりしている ❷[形] 塩気が足りない ‖ 菜太～ 料理の味が薄すぎる ❸[形] (液体や気体が)希薄である ↔〔浓〕‖ 冲chōng～ 薄める ❹[形] (印象や関係などが)薄い. 冷めている ‖ 家庭观念很～ 家庭の意識が薄い ❺[形] (色が)薄い. 淡い ↔〔浓〕‖ 颜色～ 色が淡い ❻[形] (商売が)振るわない ‖ 一～季 ❼[方] 意味がない. くだらない

【淡泊】dànbó [形][書] 淡白である. こだわらない ‖ ～于名利 名利にこだわらない
【淡薄】dànbó [形] ❶薄い. 希薄である ❷(味が)薄い ❸(感情や興味などが)薄い ‖ 兴趣～ 興味が薄らぐ
【淡菜】dàncài [名]〈料理〉〔贻贝yíbèi〕(イガイ)を干したもの
【淡出】dànchū [動] (映像で)フェード・アウトする ↔〔淡入〕
【淡淡】dàndàn [形] ❶(～的) (色・気体・においなどが)薄い. 淡い ❷(～的)冷淡である ‖ 她听了, 只是～一笑 彼女は聞くとただ冷たく笑った
【淡而无味】dàn ér wú wèi [成] 淡泊で味がない. 味気ない
【淡化】[1] dànhuà [動] (問題を)薄れさせる. 表沙汰(おもてざた)にしない. うやむやにする
【淡化】[2] dànhuà [動] 脱塩する. 淡水化する
*【淡季】dànjì [名] 閑散期. シーズン・オフ ↔〔旺wàng季〕‖ 旅游～ 旅行のシーズン・オフ
【淡漠】dànmò [形] ❶冷淡である ‖ 神情～ 表情が冷たい ❷(記憶や印象などが)あいまいである. 薄い
【淡然】dànrán [形][書] 平気なさま. あっさりしたさま
【淡入】dànrù [動] (映像で)フェード・インする. 溶明する. 〔渐显〕ともいう ↔〔淡出〕
【淡食】dànshí [名] 塩気のない料理 [動] 塩気のない食事をする
【淡市】dànshì [名] 不況. 不景気 ↔〔旺wàng市〕
*【淡水】dànshuǐ [名] 淡水. 真水
【淡水湖】dànshuǐhú [名] 淡水湖
【淡水鱼】dànshuǐyú [名] 淡水魚
【淡忘】dànwàng [動] しだいに忘れる. しだいに印象が薄れていく ‖ 那件事也渐渐被人们～了 あの件もだんだん人々から忘れ去られていった
【淡雅】dànyǎ [形][書] (色や模様が)簡素で洗練されている. あか抜けしている ‖ 客厅布置得十分～ 客間のインテリアはとてもすっきりして趣がある
【淡月】dànyuè [名] (商売の)暇な月 ↔〔旺wàng月〕
【淡妆】dànzhuāng [名] 薄化粧

11 **惮**(憚) dàn [書] はばかる ‖ 肆无忌sì wú jì～ したい放題のことをしてはばからない

11 **萏** dàn ➡〔菡萏hàndàn〕

11 **啖**(△啗 噉) dàn ❶[書] 食う. 食らう ‖ 健～ 健啖(けんたん) ❷食わせる

❸書 利益で釣る

11 *弹(彈) dàn ❶图(～儿)弾. 玉 ‖ 泥～儿 粘土で作ったはじき玉 ❷殺傷能力のある爆発物 ‖ 炮pào～ 砲弾 | 炸zhà～ 爆弾 ➤ tán

【弹道导弹】dàndào dǎodàn 图〈軍〉弾道ミサイル

【弹弓】dàngōng 图 弾弓(だんきゅう). パチンコ

D 【弹痕】dànhén 图 弾痕(だんこん) ‖ ～累累lěilěi 弾痕が一面にある

【弹尽粮绝】dàn jìn liáng jué 成 弾薬も食糧も尽き果てる

【弹壳】dànké 图〈軍〉❶薬莢(やっきょう) ❷爆弾の外殻

【弹坑】dànkēng 图 砲弾や爆弾などであいた穴

【弹孔】dànkǒng 图 弾丸が当たってできた穴

【弹片】dànpiàn 图(砲弾などの)破片

【弹头】dàntóu 图〈軍〉弾頭

【弹丸】dànwán 图 ❶弾弓の玉. パチンコの玉 ❷〈軍〉(銃弾の)弾頭 ❸書 喩 狭い場所 ‖ ～之地 猫の額ほどの土地

【弹无虚发】dàn wú xū fā 成 弾の命中しないことがない. 百発百中である

*【弹药】dànyào 图〈軍〉弾薬 ‖ ～库 弾薬庫

【弹着点】dànzhuódiǎn 图〈軍〉着弾点

【弹子】dànzi; dànzǐ 图 ❶弾弓の玉. パチンコの玉 ❷方 玉突き. ビリヤード ‖ ～房 ビリヤード場

【弹子锁】dànzisuǒ 图 自動錠. ナイト・ラッチ

11 **蛋 dàn ❶图 卵 ‖ 下～ 卵を産む ❷(～儿)卵状のもの ‖ 脸～儿 ほっぺた ❸方(人の)睾丸(こうがん) ❹貶 ある種の人 ‖ 坏～ 悪人 | 笨bèn～ のろま. ばか ❺動詞の後に置き, 悪い意味を表す ‖ 滚gǔn～ うせろ. 出て行け | 捣dǎo～ 言いがかりをつける

逆引き単語帳 〔鸡蛋〕jīdàn ニワトリの卵 〔鸭蛋〕yādàn アヒルの卵 〔松花蛋〕sōnghuādàn 〔皮蛋〕pídàn ピータン 〔荷包蛋〕hébaodàn 目玉焼き. ポーチドエッグ 〔山药蛋〕shānyaodàn ジャガイモ 〔脸蛋儿〕liǎndànr ほっぺた 〔屁股蛋儿〕pìgudànr お尻 〔王八蛋〕wángbadàn ばか野郎 〔浑蛋〕húndàn ばか. たわけ 〔坏蛋〕huàidàn 悪党. ろくでなし 〔笨蛋〕bèndàn 間抜け. とんま 〔穷光蛋〕qióngguāngdàn 一文なし. 素寒貧

【蛋白】dànbái 图 ❶卵白 ❷蛋白質. プロテイン ‖ 动物～ 動物性蛋白質

【蛋白酶】dànbáiméi 图〈生化〉プロティナーゼ

【蛋白尿】dànbáiniào 图〈医〉蛋白尿

【蛋白肉】dànbáiròu 图 大豆蛋白で作った食品

【蛋白石】dànbáishí 图〈鉱〉オパール

*【蛋白质】dànbáizhì 图 蛋白質. プロテイン

【蛋粉】dànfěn 图 卵黄を乾燥させて粉末にしたもの. 卵粉

**【蛋糕】dàngāo 图 カステラ. スポンジケーキ ‖ 生日～ バースデーケーキ | 奶油～ クリームの載ったケーキ

【蛋羹】dàngēng 图 卵に水と調味料を加えて蒸し上げた食品

【蛋黄】dànhuáng (～儿)图 卵黄 ‖ ～酱jiàng マヨネーズ

【蛋鸡】dànjī 图 卵用種のニワトリ

【蛋卷】dànjuǎn (～儿)图 卵を用いた筒状のクッキー

【蛋壳】dànké (～儿)图 卵の殻

【蛋品】dànpǐn 图 卵が主材料の食品の総称

【蛋青】dànqīng 形(アヒルの卵の殻のような)ごく淡い青緑色の

【蛋清】dànqīng (～儿)图 口 卵白(らんぱく). 卵の白身

【蛋子】dànzi 图 卵のような形をしたもの. 球形のもの

12 氮 dàn 图〈化〉窒素(化学元素の一つ, 元素記号はN)

【氮肥】dànféi 图〈農〉窒素肥料

【氮气】dànqì 图〈化〉窒素ガス

13 瘅(癉) dàn 書 ❶過労からくる病気 ❷憎む. 恨む. 憎悪する ➤ dān

15 儋 dàn 量 書 容積の単位. 1〔儋〕は10〔斗dǒu〕に当たる. 〔担〕とも書く ➤ dān

16 澹 dàn 書 静かである. 安らかである

【澹泊】dànbó =〔淡泊dànbó〕

【澹然】dànrán 形 気にかけないさま. あっさりしているさま

dāng

6 *当¹(當) dāng ❶動 相応する. 釣り合う. 匹敵する ‖ 门～户对 (結婚で)両家の釣り合いが取れている ❷動(権力を)握る. 取り仕切る ‖ 一～政 ❸動(責任を)負う. (負担に)堪える ‖ 一人做事一人～ 自分がやったことは自分で責任を持つ ❹遮る. 阻む ‖ 螳臂táng bì～车 カマキリが前足を振り上げて車の行く手を遮る. 身の程知らず ❺動 担当する. 務める ‖ 今天我给你们～导游 今日は私がみなさんのガイドを務めます ❻介 …に対して. …に向かって ‖ 一～面 ❼介(事の起きた時間や場所を表し)ちょうど…に. …で ‖ 正～我要出门的时候, 电话铃响了 ちょうど私が出かけようとしたとき, 電話が鳴った ❽(時間や場所の)すきま. あき ‖ 空kòng～儿 すきま. あき時間 ❾助動 当然…すべきである. …しなければならない ‖ 不知这话～说不～说 これは申しあげてもいいのかどうか分かりませんが ❿書(物の)先端 ‖ 瓦wǎ～ 瓦当(がとう)

6 当²(當 噹) dāng 擬(金属がぶつかり合う音)カン. コン ‖ 挂钟～～地敲了七下 掛け時計がボーンボーンと7回鳴った ➤ dàng

【当班】dāngbān (～儿)動 当番に当たる. 当直になる

【当兵】dāng//bīng 動 兵士になる. 入隊する

【当差】dāng//chāi 旧 動 小役人になる ‖ ～的 下っ端役人 图(dāngchāi)下級役人

*【当场】dāngchǎng 副 その場で. 現場で ‖ 他～回答了大家的问题 彼はその場でみんなの質問に答えた

*【当初】dāngchū 图 最初. 以前. 昔. その時 ‖ 想～, 他们都是我的学生 当時は, 彼らはみな私の生徒だった

*【当代】dāngdài 图 現代. 当代 ‖ ～文学 現代文学

【当道】dāngdào 動 権力を握る ‖ 坏人～, 好人倒霉dǎoméi 悪党が実権を握ると善人はひどい目に遭う 图 ❶(～儿)道路の中央 ❷旧 政権を握る者. 要職にある人

**【当地】dāngdì 图 現地. 当地 ‖ ～人 土地の人 | 原材料在～解决 原材料は現地で調達する

【当官】dāng//guān （～儿）動 役人になる
【当归】dāngguī 名 ❶〈植〉トウキ ❷〈中薬〉当帰(とうき)
【当行出色】dāng háng chū sè 成 本業に精通していること. 餅は餅屋
【当红】dānghóng 形（芸能人や文学作品などが）人気沸騰中である ‖ ～歌星 人気絶頂の歌手
【当机立断】dāng jī lì duàn 成 機を逸せず即断する
【当即】dāngjí 副 直ちに. 即刻
*【当家】dāng//jiā 動 ❶家事を切り盛りする ‖ 她很会～ 彼女は家事の切り盛りがうまい ❷権力を握る
【当家的】dāngjiāde 名 ❶口 主人. 当主 ❷口（寺の）住職 ❸方 夫. 主人. うちの人
【当间儿】dāngjiànr 名 方 真ん中
【当街】dāngjiē 動 通りに面している. 通りに臨んでいる 名 方 街頭. 路上
【当今】dāngjīn 名 ❶いま. 現在. 当面 ❷旧 在位中の皇帝
【当紧】dāngjǐn 形 方 重要な. 緊急な. 大事な
*【当局】dāngjú 名 当局 ‖ 学校～ 学校当局
【当局者迷】dāng jú zhě mí 成 当事者のほうがはっきり見分けられない ‖ ～，旁观者清 当事者よりも端で見ている者のほうが事態がよく分かる. 傍目八目(おかめはちもく)
【当空】dāngkōng 動 空にかかる. 中天にかかる ‖ 烈日～ 照りつける太陽が中天にかかっている
【当口儿】dāngkour 名 口 ちょうどそのとき. 肝心なとき
【当啷】dānglāng 擬（金属のぶつかる音）カン. ガラン.
【当令】dānglìng 動 季節に合う ‖ ～水果 季節の果物
【当路】dānglù 名 道の真ん中 動 書 政権を牛耳る
**【当面】dāng//miàn （～儿）動 面と向かって…する. 向かい合って…する. じかに…する ‖ 有意见请～提 意見があったら直接言ってください
**【当年】dāngnián 名 当時. 以前 ‖ ～我在北京念书的时候，他也在北京 私が北京で勉強していた当時, 彼も北京にいた 動 壮年になる. 働き盛りになる ‖ 正～ ちょうど働き盛りである ➤ dàngnián
**【当前】dāngqián 動 目前にする. 直面する ‖ 大敌～ 強敵を前にする 名 当面. 目下. いま ‖ 这是～的主要任务 これは当面の主要な任務である
【当权】dāng//quán 動 権力を握る. 実権を握る ‖ ～人物 実権を握っている人物
【当儿】dāngr 名 ❶口 ちょうどそのとき. まさにそのとき ❷（時間や場所の）すきま. あき
★【当然】dāngrán 形 当然である. 当たりまえである ‖ 那～了！ それは当然だ 副 当然. もちろん ‖ 这么贵，～没人买了 こんなに高くては, もちろん誰も買わない
【当仁不让】dāng rén bù ràng 成 当然すべきことは進んでやる. 自分から役目を買って出る
【当日】dāngrì 名 あの日. あのころ ➤ dàngrì
**【当时】dāngshí 名 当時. あのとき ‖ 请你谈一谈～的情况 当時の状況をお話しくださいませんか ➤ dàngshí
【当世】dāngshì 名 ❶当代. 当世 ❷権力者 動 書 権勢を握る. 政権を握る
*【当事人】dāngshìrén 名 当事者 ‖ 向～了解事情发生的经过 事の起きた経過を当事者に尋ねる
【当堂】dāngtáng 副 旧 法廷で ‖ ～作证 法廷で証言する
【当庭】dāngtíng 副 法廷で. 法廷において
【当头】dāngtóu 動 ❶頭上に降りかかる. 直面する ‖ 国难guónàn～ 国難が頭上に降りかかる ❷前面に押し出す ‖ 怕字～，就什么也干不成 尻込みばかりしていたんでは何もできない ➤ dàngtou
【当头棒喝】dāng tóu bàng hè 成 だしぬけに痛棒を振るい一喝する. 厳しい警告を与え目を覚まさせるたとえ
【当头一棒】dāng tóu yī bàng 慣 痛烈な一撃を加える. 頭ごなしにどなりつける
【当务之急】dāng wù zhī jí 成 さしあたってやらなければならないこと. 当面の急務
【当下】dāngxià 副 直ちに. すぐに
【当先】dāngxiān 動 先に立つ. 先頭を切る ‖ 一马～ 先頭に立つ. 率先して事に当たるさま
*【当心】[1] dāngxīn 動 気を付ける. 注意する. 用心する ‖ 路上车多，～点儿 通りは車が多いから気を付けて
【当心】[2] dāngxīn 名 方 真ん中. 中央
*【当选】dāngxuǎn 動 当選する. 選出される ‖ 他～为本届大会的主席 彼は本大会の議長に選出された
【当腰】dāngyāo 名（長いものの）真ん中. 中ほど
【当政】dāngzhèng 動 政権を握る
【当之无愧】dāng zhī wú kuì 成 名を辱めない. その名に恥じない ‖ 他这个模范～ 彼は模範生としてその名に恥じない
【当值】dāngzhí 動 旧 当番をする
*【当中】dāngzhōng 名 ❶（…の）中.（…の）内 ‖ 我们～他个子最高 私たちの中で彼がいちばん背が高い ❷真ん中 ‖ 他坐在～ 彼は真ん中に座っている
【当中间儿】dāngzhōngjiànr 名 口 真ん中
【当众】dāngzhòng 副 大勢の人の前で. みんなの前で ‖ ～宣布 みんなの前で公表する
【当子】dāngzi 名 方 すきま. あき

11 **裆**（襠）**dāng** ❶名（ズボンの）まち ‖ 裤～ ズボンのまち ｜ 开～裤（幼児用の）股(また)の部分が開いているズボン ❷名 股間(こかん)

11 **铛**（鐺）**dāng** 〔当[2]dāng〕に同じ ➤ chēng
【铛铛】dāngdāng 擬（金属のぶつかり合う音）カランカラン. ガンガン. 〔珰珰〕とも書く

dǎng

9 *** **挡**（擋 △攩）**dǎng** ❶動 阻む. さまたげる. じゃまになる ‖ 阻～ 阻止する ｜ ～风 風を遮る ❷動 覆い隠す. 遮る ‖ 遮zhē～ 遮る ❸名（～儿）覆い. カバー. 囲い ‖ 炉～儿 ストーブの囲い ❹名 略 ギア. 〔排挡〕の略称 ‖ 挂～ ギアを入れる ｜ 换～ ギアを入れ換える ｜ 一～ ロー・ギア ｜ 二～ セカンド・ギア ｜ 空kōng～ ニュートラル・ギア
【挡不住】dǎngbuzhù 動 阻めない. 止められない
【挡车】dǎngchē 動 紡績機械を操作する ‖ ～工 紡績機械の操作員
【挡横儿】dǎng//hèngr 動 横やりを入れる. じゃまだてをする
【挡驾】dǎng//jià 動 来訪者を帰らせる. 門前払いにする
【挡箭牌】dǎngjiànpái 名 口実. 言い逃れ
【挡泥板】dǎngníbǎn 名（車や自転車の）泥よけ
【挡子】dǎngzi 名 覆い. カバー. 囲い ‖ 车～（自転車などの）泥よけ

10 ＊＊**党**（黨）**dǎng** ❶（古代の戸籍編制の単位）党．500軒で1〔党〕とする ❷〔書〕親族‖父～ 父方の親族 ❸一味．ぐる‖余～ 残党｜同～ 同じ穴のムジナ ❹〔書〕一方に味方する．組する‖无偏piān无～ 公正無私である ❺〔名〕**政治組織**‖政～ 政党 ❻〔名〕**中国共産党**‖入～ 入党する｜整～（思想面などから）党組織を整備する

【党八股】dǎngbāgǔ 〔名〕党八股（とうはっこ）．中国共産党内における形式主義や教条主義をさす
【党报】dǎngbào 〔名〕政党の機関紙．党機関紙
【党代会】dǎngdàihuì 〔名〕（中国共産党）党大会
【党阀】dǎngfá 〔名〕党内における派閥の頭目
【党费】dǎngfèi 〔名〕党員が党に納める金．党費
【党风】dǎngfēng 〔名〕党風．政党の気風
【党纲】dǎnggāng 〔名〕党の綱領
【党规】dǎngguī 〔名〕党規約
【党棍】dǎnggùn 〔名〕〔貶〕政党内で権力を笠（かさ）に着て悪事をはたらくボス
【党籍】dǎngjí 〔名〕党員としての籍‖被开除～ 党を除名になる
【党纪】dǎngjì 〔名〕党の紀律
【党刊】dǎngkān 〔名〕党の刊行物．機関紙
【党课】dǎngkè 〔名〕中国共産党が党員や入党希望者のために行う党員教育の授業
【党魁】dǎngkuí 〔名〕〔貶〕政党のボス
【党龄】dǎnglíng 〔名〕在党年数
＊【党派】dǎngpài 〔名〕党派‖民主～ 民主党派｜无～人士 無党派の名士
【党票】dǎngpiào 〔名〕〔貶〕党員の身分．党籍
【党旗】dǎngqí 〔名〕党の旗
【党参】dǎngshēn 〔名〕❶〈植〉ヒカゲツルニンジン ❷〈中薬〉党参（とうじん）
【党同伐异】dǎng tóng fá yì 〔成〕自分と同意見の者の肩を持ち，そうでない者を攻撃する
【党徒】dǎngtú 〔名〕〔貶〕一味．ぐる
【党团】dǎngtuán 〔名〕❶中国共産党と共産主義青年団 ❷ある政党に属する国会議員の集団
＊【党委】dǎngwěi 〔名〕〔略〕（中国共産党）党委員会
【党务】dǎngwù 〔名〕党務．政党の仕事
【党校】dǎngxiào 〔名〕中国共産党の幹部養成校
＊【党性】dǎngxìng 〔名〕❶（マルクス主義の用語で）党派性 ❷共産党員としての自覚
【党羽】dǎngyǔ 〔名〕〔貶〕一味．徒党
＊＊【党员】dǎngyuán 〔名〕❶**党員** ❷**中国共産党員**
＊【党章】dǎngzhāng 〔名〕党規約
【党证】dǎngzhèng 〔名〕党員証
【党支部】dǎngzhībù 〔名〕党支部．中国共産党の基層の組織
＊【党中央】Dǎngzhōngyāng 〔名〕❶党中央指導部 ❷中国共産党中央委員会．〔中国共产党中央委员会〕の略
【党组】dǎngzǔ 〔名〕国家機関などに設けた中国共産党の政治的指導機構

12 **谠**（讜）**dǎng** 〔形〕〔書〕正しい．公正な‖～论 正論｜～臣chén 正直な臣下

dàng

6 **凼** **dàng** 〔名〕〔方〕ため池．肥えだめ
【凼肥】dàngféi 〔名〕堆肥．こやし

6 ＊＊**当**（當）**dàng** ❶適当である．ぴったりである．ふさわしい‖适～ 適切である｜用词不～ 言葉遣いが不適切である ❷〔動〕…**に相当する**．…**に匹敵する**‖他干起活ル来一个人～两个人 彼は仕事となると一人で二人分働く ❸〔動〕…**と見なす**．…**と見る**‖他们从来不把我～外人 彼らはいままで私のことをよそ者として扱ったことはない ❹〔動〕…**と思い込む**‖你～我不知道？ 私が知らないとでも思っているの ❺〔動〕**抵当に入れる**‖～衣服 服を質に入れる ❻質草‖当dàng～ 品物を質に入れる ❼（事が起きた）その時に‖→～天 ➤ dāng
【当成】dàngchéng 〔動〕…と見なす．…と思う
【当儿戏】dàng érxì 〔慣〕子供の遊びと見なす．軽く考える
【当年】dàngnián 〔名〕その年．同年 ➤ dāngnián
【当票】dàngpiào（～ル）〔名〕質札
【当铺】dàngpu；dàngpù 〔名〕質屋
【当日】dàngrì 〔名〕その日．当日‖此票～有效 この切符は当日のみ有効である ➤ dāngrì
【当时】dàngshí 〔副〕（その時）すぐに．即座に‖他接到电报，～就赶回去了 彼は電報を受け取ると，すぐさま急いで帰っていった ➤ dāngshí
＊【当天】dàngtiān 〔名〕その日．同日‖～去～回来 その日に行ってその日に帰ってくる
【当头】dàngtou 〔名〕❶〔口〕質草 ❷＝〔挡头dàngtou〕 ➤ dāngtóu
【当晚】dàngwǎn 〔名〕その日の晩．その晩．当夜
【当夜】dàngyè 〔名〕その日の夜．その夜．同夜
【当月】dàngyuè 〔名〕その月．同月
【当真】dàngzhēn 〔動〕真に受ける．本当と思う‖我只是开个玩笑，你可别～ 私はちょっと冗談を言っただけなんだから，本気にしないでよ 〔形〕本当である．確かである‖你这话～？ その話は本当かい
＊＊【当做】dàngzuò 〔動〕…**と見なす**．…**と思い込む**．…**とする**‖别客气，就把这里～自己的家吧 遠慮しないで，ここを自分の家と思ってください

8 **宕** **dàng** 〔書〕❶気ままである．奔放である‖跌diē～ 奔放不羈（ふき）である ❷引き延ばす．遅らせる‖推～ ずるずる引き延ばす

8 **砀**（碭）**dàng** 地名用字‖～山 安徽省にある県の名

9 **荡**[1]（蕩 △盪❶❷❹）**dàng** ❶洗いゆすぐ‖→～涤 ❷〔動〕揺り動かす．揺れ動く．揺らす‖～秋千 ぶらんこをこぐ ❸ぶらぶらする．さまよう‖逛guàng～ ほっつき歩く ❹残らず掃き去る．全部取り除く‖→～然 ❺広々とした‖浩～ 広く雄大である

9 **荡**[2]（蕩）**dàng** 勝手放題である．気ままである．ふしだらである

9 **荡**[3]（蕩）**dàng** ❶〔名〕浅い湖．沼．沢‖芦苇lúwěi～ アシの生い茂る沼｜荷花héhuā～ ハス池 ❷〔凼dàng〕に同じ
【荡除】dàngchú 〔動〕きれいに取り除く．一掃する
【荡涤】dàngdí 〔動〕〔書〕洗い流す．洗浄する

【荡妇】dàngfù 名 不貞の女. ふしだらな女
【荡平】dàngpíng 動 平定する. 掃討する
【荡气回肠】dàng qì huí cháng 成 (文章や音楽が)深い感動を与える
【荡然】dàngrán 形 書 洗い流されたように跡形もないさま‖～全无 跡形もない. きれいさっぱり何も残っていない
【荡漾】dàngyàng 動 (波などが)漂う. 揺れ動く
10 **档(檔)** dàng ❶つっかい棒. 木の枠‖横～ 横木 ❷書類を保管する格子状になった棚, または戸棚 ❸保管書類‖存～ 関係文書を項目別に保存する ❹(商品や製品などの)等級‖高～商品 高級品 ❺量 口 (出来事を数える)件
*【档案】dàng'àn 名 ❶保管書類 ❷個人情報記録書. 〔人事档案〕の通称. 所属する職場や団体の人事担当の部署で保管される
*【档次】dàngcì 名 (一定基準による)等級. 序列. ランク‖这家饭店的～不高 このホテルはランクが高くない
【档期】dàngqī 名 (映画上映・テレビ放送などの)時期. 期間. 時間
【档子】dàngzi 量 方 ❶(出来事を数える)件. 〔当子〕とも書く ❷組になった曲芸や語り物などの演目を数える
11 **菪** dàng ⇒〔莨菪làngdàng〕

dāo

2 ★ **刀** dāo ❶名 刃物‖剪～ はさみ ❷刀状のもの‖冰～ スケート靴のエッジ ❸量 紙を数える単位. ふつう100枚を1〔刀〕という
【刀把儿】dāobàr 名 ❶(包丁やナイフの)握り. 柄 ❷喩 権力 ❸方 喩 弱み. 泣きどころ
【刀背】dāobèi (～儿) 名 刀のみね
【刀笔】dāobǐ 名 書 貶 公文書を作成すること. とくに訴訟関係の文書を書くことをさす‖～吏lì 三百代言
【刀兵】dāobīng 名 武器. 転 戦争
【刀叉】dāochā 名 ナイフとフォーク
【刀法】dāofǎ 名 (彫刻刀・包丁・剣などの)刀さばき
【刀锋】dāofēng 名 刀の切っ先. やいば
【刀耕火种】dāo gēng huǒ zhòng 成 焼畑農業
【刀光剑影】dāo guāng jiàn yǐng 成 殺気がみなぎるさま. あるいは戦闘が激烈なさま
【刀具】dāojù 名 切削具の総称. 〔刃rèn具〕ともいう
【刀口】dāokǒu 名 ❶刀の刃 ❷喩 特に重要なところ‖花钱要花在～上 金は肝心なところに使わなくてはいけない ❸傷口
【刀马旦】dāomǎdàn 名〈劇〉(伝統劇の)武芸に長じた女形
【刀片】dāopiàn 名 ❶(～儿)かみそりの刃 ❷〈機〉切削機にとりつける刃物類
【刀枪】dāoqiāng 名 刀と槍(やり). (広く)兵器
【刀鞘】dāoqiào 名 刀のさや
*【刀刃】dāorèn (～儿) 名 刀の刃
【刀山火海】dāo shān huǒ hǎi 成 剣の山, 火の海. きわめて危険で困難な所. 〔火海刀山〕ともいう
【刀伤】dāoshāng 名 刀傷. 切り傷
【刀削面】dāoxiāomiàn 名 山西料理の一つで, 小麦粉をやや硬めにこねて棒状にし, 包丁でそぐようにして切った麺(めん). 〔削面〕ともいう
**【刀子】dāozi 名 口 ナイフ. 小刀‖一把～ 1本の小刀
【刀子嘴, 豆腐心】dāozizuǐ, dòufuxīn 慣 口は悪いが気は優しい
【刀俎】dāozǔ 名 書 包丁とまな板. 喩 迫害者
5 **忉** dāo ↴
【忉忉】dāodāo 形 古 憂い悩むさま
5 **叨** dāo ↴ ➤dáo tāo
【叨叨】dāodao 動 口 くどくど言う. ぶつぶつ不平を言う
*【叨唠】dāolao 動 口 くどくどとしゃべり続ける. 愚痴をこぼす‖她又跟我～了半天 彼女はまた私を相手に長々と愚痴をこぼした
【叨念】dāoniàn 動 (心配して)いつも口にする. うわさをする
6 **氘** dāo 名〈化〉デューテリウム. 重水素. 〔重氢qīng〕ともいう‖～核 デューテロン. 重陽子

dáo

5 **叨** dáo ↴ ➤dāo tāo
【叨咕】dáogu 動 口 小声でくどくど言う. ぶつぶつ不平を言う‖你别穷qióng～了 いつまでもぶつぶつ言うな
11 **捯** dáo 方 ❶動 (糸やひもなどを)引き寄せる. たぐり寄せる‖～线 糸をたぐる ❷動 (糸口を)たどる. 探る. (原因などを)追究する ❸動 (左右の足を交互に)踏み出す. 歩く
【捯饬】dáochi 動 方 ❶おしゃれをする. おめかしする ❷飾る. 飾り立てる

dǎo

6 **导(導)** dǎo ❶先導する. 導く‖～航 ❷指導する. 諭し導く‖教～ 教え導く ❸伝導する. 伝える. 伝わる
【导标】dǎobiāo 名 (航路標識の一つ)導標
*【导弹】dǎodàn 名〈軍〉ミサイル. 誘導弾‖地对空～ 地対空ミサイル｜远程～ 長距離ミサイル
【导电】dǎodiàn 動 電気を伝える
【导读】dǎodú 動 (書籍の)閲読を指導する 名 読書案内. 作品紹介. (多く書名に用いる)
【导购】dǎogòu 動 買い物の案内をする 名 買い物のガイド
【导管】dǎoguǎn 名 ❶〈機〉(液体を送る)パイプ‖冷却～ 冷却パイプ ❷〈医〉カテーテル ❸〈植〉導管
*【导航】dǎoháng 動 (飛行機や船などを)誘導する‖～台 管制塔｜无线电～ 無線誘導
【导火线】dǎohuǒxiàn 名 ❶導火線 ❷喩 事件の起こるきっかけ
【导论】dǎolùn 名 序論. 緒論
【导尿】dǎoniào 動〈医〉導尿する‖～管 導尿管
【导热】dǎorè 動 熱を伝える‖～性 熱伝導性
*【导师】dǎoshī 名 ❶(大学などの)指導教官 ❷指導者. リーダー‖革命的～ 革命の指導者
*【导体】dǎotǐ 名〈物〉導体. コンダクター
【导线】dǎoxiàn 名〈電〉導線
【导向】dǎoxiàng 動 ❶(ある方面に)導く ❷方向を導く

【导言】dǎoyán 图 序文. 前書き

*【导演】dǎoyǎn 動 (劇を)演出する. (映画を)監督する. (舞踊を)振り付ける ‖ 这个事件是他们一手～的 この事件は彼らがでっち上げたものだ 图 演出家. 映画監督. 振付師

【导引】dǎoyǐn 動 ❶導く. 案内する. 引率する ❷(計器を用いて運動物体が一定の路線を運行するように)誘導する ❸〈中医〉導引を行う. 〔道引〕ともいう

【导游】dǎoyóu 動 案内する. ガイドする 图 案内人. ガイド ‖ 他担任今天的～ 彼が今日のガイドを務める

【导语】dǎoyǔ 图 (新聞記事などの)リード

【导源】dǎoyuán 動 ❶…に源を発する. …を起源とする. (多く後に〔于〕を伴う) ❷…に基づく. …を拠り所とする. (多く後に〔于〕を伴う)

*【导致】dǎozhì 動 (ある悪い結果を)引き起こす. もたらす. 惹起(じゃっき)する ‖ 滥伐lànfá～水土流失 乱伐は水土流失を引き起こす

7
**
岛(島 ^島) dǎo 图 島 ‖ 半～ 半島 | 海～ 島嶼(とうしょ)

【岛国】dǎoguó 图 島国

*【岛屿】dǎoyǔ 图 大小の島々. 島嶼

10
★倒[1] dǎo ❶動 **倒れる. ひっくり返る** ‖ 摔shuāi～ つまずいてひっくり返る | 房子～了 家が倒れた ❷動 **失敗する. 失脚する** ‖ 一～闭 ❸(ある勢力を)倒す. 失脚させる ‖ ～阁 内閣を倒す ❹動 体に痛みや故障を起こす. いためる ‖ 一～胃口

10
★倒[2] dǎo ❶動 よける. (わきに)どく ❷動 **換える** ‖ 一～车 ❸動 **譲渡する** ‖ 铺子～出去了 店舗は売り渡した ❹動 **投機的売買をする. 空取引をする. 転売する** ‖ 官～ 役人の横流し ➤ dào

*【倒班】dǎo∥bān 動 ❶交替で勤務する ‖ 工人们～工作, 昼夜zhòuyè不停 労働者は交替勤務で終日働く ❷(臨時に)勤務を交替してもらう ‖ 我明天有事, 你能和我倒一次班吗? 私は明日用があるので, 勤務を交替してくれませんか.

【倒板】dǎobǎn 图〈劇〉伝統劇などの節回しの一種. 〔导板〕とも書く

*【倒闭】dǎobì 動 会社や商店がつぶれる. 倒産する ‖ 那家商店～了 あの商店はつぶれた

【倒仓】[1] dǎo∥cāng 動 ❶穀物を倉から取り出して日にさらし, また倉に入れる ❷倉の穀物をほかの倉に移す

【倒仓】[2] dǎo∥cāng 動〈劇〉(伝統劇の若手男優が)声変わりする

【倒茬】dǎochá 動〈農〉輪作する =〔轮作〕

*【倒车】dǎo∥chē 動 乗り換える ‖ 我在下一站～ 私は次の駅で乗り換える | 路上要倒几次车? 途中何度乗り換えをしなければいけませんか ➤ dàochē

【倒伏】dǎofú 動〈農〉農作物の根や茎の生長が悪いために, 葉や穂の重みで倒れる

【倒戈】dǎogē 動 敵に投降して味方を打つ. 敵に寝返る

【倒海翻江】dǎo hǎi fān jiāng =〔翻江倒海fān jiāng dǎo hǎi〕

【倒换】dǎohuàn 動 ❶順番に代わる. 交替する ‖ 两件衣服～着穿 2着の服を交替で着る ❷(順序を)取り換える

【倒汇】dǎo∥huì 動 通貨をやみで売買する

【倒买倒卖】dǎo mǎi dǎo mài 圏 安く仕入れた商品を高値で売り, 利ざやを稼ぐ

【倒卖】dǎomài 動 貶 投機的転売をする

*【倒霉】【倒楣】dǎo∥méi 形 ついていない. ばかを見る. 不運だ ‖ 今天我可倒了大霉了 今日僕はさんざんだった

【倒牌子】dǎo páizi 慣 (品質やサービスの低下から)商品の信用を失う

【倒票】dǎo∥piào 動 (乗車券や入場券を)プレミアムつきで転売する

【倒手】dǎo∥shǒu 動 転売する

【倒塌】dǎotā 動 (建物などが)倒壊する

【倒台】dǎo∥tái 動 崩れる. 崩壊する. 失脚する

*【倒腾】dǎoteng 動 口 ❶ひっかき回す. 運ぶ ‖ 把底下的衣服～上来 下にある服をひっぱり出す ❷売買する. 販売する ‖ ～小百货 日用品を販売する *〔捣腾〕とも書く

【倒替】dǎotì 動 順番に代わる

【倒头】dǎo∥tóu 動 ❶ごろりと横になる ❷罵 方 くたばる

【倒胃口】dǎo wèikou 慣 ❶食欲をなくす. 胸がむかつく ❷飽き飽きする. うんざりして, 嫌気が差す ‖ 他老说虚伪xūwěi的奉承fèngcheng话, 叫人听了～ 彼は見えすいたお世辞ばかり言って, 聞いているとうんざりする

【倒休】dǎoxiū 動 代休をとる. 振り替え休日をとる

【倒牙】dǎoyá 動 方 (酸っぱい物を食べて)歯が浮く

*【倒爷】dǎoyé 图 仲介業者. ブローカー

【倒运】[1] dǎo∥yùn 形 方 不運だ. ついていない

【倒运】[2] dǎoyùn 動 物資を運んで転売する

【倒账】dǎozhàng 動 貸し倒れになる 图 貸し倒れ

10
捣(搗 ^擣 擣) dǎo ❶動 (棒状の物で)つく. つき砕く. たたく ‖ ～衣 (棒で)洗濯物をたたく ❷動 突っ込む. 攻める ‖ 直～敌营 まっすぐに敵陣に突っ込む ❸動 攪乱(かくらん)する. かき乱す ‖ 一～蛋

【捣蛋】dǎo∥dàn 動 因縁をつける. わざと悶着を起こす ‖ ～鬼 いたずらっ子

【捣鼓】dǎogu 動 方 手で弄(もてあそ)ぶ. いじくる

【捣鬼】dǎo∥guǐ 動 陰でこそこそする. 詭計(きけい)を用いる. 陰謀をめぐらす ‖ 小心有人在背后～ 陰で悪だくみをしている者がいるから気を付けなさい

【捣毁】dǎohuǐ 動 ぶち壊す. 破壊する

*【捣乱】dǎo∥luàn 動 ❶じゃまをする. 妨げる ‖ 我一写字, 孩子就来～ 私が書き物を始めると, 子供が来てじゃまをする ❷攪乱(かくらん)する. 騒ぎを起こす

【捣腾】dǎoteng =〔倒腾dǎoteng〕

11
祷(禱) dǎo ❶(神仏に)祈る ❷輸 切望する. 待ち望む

【祷告】dǎogào 動 祈りを捧げる. 祈願する

【祷念】dǎoniàn 動 書 祈りの言葉を捧げる

【祷文】dǎowén 图 書 祈願の文章

【祷祝】dǎozhù 動 祈願する. 祈る

17
蹈 dǎo ❶書 踏む. 踏みつける ‖ 赴fù汤～火 たとえ火の中, 水の中 ❷踊る. 跳ねる ‖ 舞～ 踊る. ダンスをする

【蹈常袭故】dǎo cháng xí gù 成 旧来のやり方を踏襲する. しきたりどおりにやる

【蹈海】dǎohǎi 動 書 海に身を踊らせる. 自殺する

【蹈袭】dǎoxí 動 書 踏襲する

dào

8 ★**到** **dào** ❶動 **到達する. 至る. 到着する. 着く** ‖ 上海来的飞机几点～？ 上海から来る飛行機は何時に着きますか｜～站了，该下车了 駅に着きました，降りましょう ❷動 **行き届く** ‖ 有不～之处，请多多包涵bāohán 行き届かない点はご寛恕(かんじょ)を願います ❸動 **行く. 来る** ‖ 我～过苏州Sūzhōu 私は蘇州(そしゅう)へ行ったことがある ❹動 動詞の後に置き，**動作の結果を表す** ‖ 我一直把她送～车站 私は彼女を駅まで送っていった｜他的声音很大，很远都能听～ 彼の声はとても大きいから，遠くてもよく聞こえる｜等～三点他才来 3時まで待って彼はようやく来た

【到岸价格】 dào'àn jiàgé 图〈貿〉運賃・保険料込みの値段. CIF

【到案】 dào'àn 動 出廷する. 出廷させる

【到场】 dào∥chǎng 動 (ある場所に)着く. (会合に)出席する ‖ 领导～讲了话 指導者が出席して話をした

＊＊**【到处】** dàochù 图 **至る所. あちこち** ‖ 桌子上、床上、地上～都是书 机の上，ベッドの上，床と至る所本だらけだ｜他～都有朋友 彼はあちこちに友人がいる

＊＊**【到达】** dàodá 動 **到着する. 着く** ‖ ～终点 終点に着く｜飞机正点～ 飛行機は定刻どおりに到着した

＊＊**【到底】** dào∥dǐ 動 **とことん…する. 最後まで…する** ‖ 坚持～ とことん頑張る｜帮人帮～ 最後まで手伝う 副 (dàodǐ) ❶**とうとう. 結局. 最後に** ‖ 我～把他说服了 とうとう彼を説得した ❷**一体全体. つまるところ. そもそも** ‖ 这句话～是什么意思？ この言葉はいったいどういう意味ですか｜你～同意不同意？ 君は結局のところ賛成するのかしないのか ❸**やはり. さすがに** ‖ 他的发音真漂亮，～是留过学的 彼の発音はほんとうにきれいだ，さすが留学しただけのことはある

【到点】 dào∥diǎn 動 定時になる. 時間が来る

【到顶】 dào∥dǐng 動 頂点に達する. 極限に達する

【到访】 dàofǎng 動 訪問先に着く. 来訪する

【到家】 dào∥jiā 動 高い水準に達する. 十分なところまで達する ‖ 功夫还不～ 技術的にまだ未熟である｜你简直笨bèn～了 君はほんとうに間が抜けているなあ

＊**【到来】** dàolái 動 到来する. やって来る ‖ 迎接新年的～ 新年を迎える

【到了儿】 dàoliǎor 副 方 とうとう. 結局

＊**【到期】** dào∥qī 動 期限がくる. 期限が切れる ‖ 月票～了 定期の期限が切れた

【到任】 dào∥rèn 動 着任する. 就任する

【到手】 dào∥shǒu 動 受け取る. 入手する

【到庭】 dào∥tíng 動 出廷する

【到头】 dào∥tóu (～儿) 動 極限に達する. 尽きる

【到头来】 dàotóulái 副 結局のところ. つまるところ. 挙げ句の果てには. (多く悪い結果についていう) ‖ ～吃亏的还是你自己 結局ばかを見るのは君自身だ

【到位】 dàowèi 動 所を得ている. 適所にある. あるべき所に収まる ‖ 设备全部～ 設備はすべてそろった｜资金还没有～ まだ資金の工面がつかない 形 一定のレベルに達している ‖ 演得十分～ いい演技をした

【到职】 dào∥zhí 動 着任する. 就任する

10 ＊＊**倒** **dào** ❶動 (上下または前後の位置や順序を)**逆さにする. 逆になる** ‖ 次序cìxù～了 順番が逆になった ❷(位置・順序・方向が)逆さの. 反対の ‖ →～彩 ❸動 **後退させる** ‖ ～一下车 車をちょっとバックさせる ❹動 **つぐ. 中身をあける. 逆さにして捨てる** ‖ ～一杯茶 お茶を1杯つぐ｜～垃圾 ごみを捨てる ❺副 ①**常識や予測に反する意を表す** ‖ 天气预报说要下雨，现在～出太阳了 天気予報では雨が降るといっていたが，日がさしてきた ②〔得〕の後にくる補語の前に用いて，**同意しかねる，納得できない，反対であるなどの意を表す** ‖ 你想得～美 君は考えが甘すぎるよ ③複文の後節に用い，**逆接を表す** ‖ 房子不大，摆设bǎishè～很讲究 部屋は大きくないが装飾が凝っている ④複文の前節に用い，**譲歩を表す** ‖ 见过～见过，不过没说过话 会ったことはあるが，話をしたことはない ⑤**語気をやわらげる働きをする** ‖ 离商业街近，买东西～挺tǐng方便 商店街が近くて，買い物にはすごく便利だ ⑥**催促や詰問を表す** ‖ 你～快点儿说呀！ はやく言えよ ➤dǎo

【倒背如流】 dào bèi rú liú 成 すらすら暗誦する

【倒不如】 dào bùrú 組 むしろ…のほうがよい. かえって…のほうがましだ ‖ 早知道这样，～不来 こういうことだと分かっていたなら，来ないほうがよかった

【倒彩】 dàocǎi 图 (役者の演技に対する)野次. からかい ‖ 喝hè～ 野次を飛ばす

【倒插笔】 dàochābǐ 图 倒叙

【倒插门】 dàochāmén (～儿) 慣 婿入りする

【倒车】 dào∥chē 動 ❶車を後退させる. バックさせる ❷喩 (歴史を)逆行させる ‖ 开历史～ 歴史を逆行させる ➤dǎochē

【倒春寒】 dàochūnhán 图 寒の戻り

【倒刺】 dàocì 图 ❶(手指の)ささくれ. 逆むけ ❷釣り針やもりなどの先端が鋭くかぎ状になった部分

【倒打一耙】 dào dǎ yī pá 慣 逆ねじを食わす. 逆にかみつく

【倒读数】 dàodúshù 動 秒読みを開始する

【倒风】 dàofēng 動 (風が煙突から吹き込んで)煙が排気できない

【倒挂】 dàoguà 動 ❶逆にぶら下がる. 逆にかける ❷〈経〉(商品の)買い値が売り値より高くなる ❸(両者の地位などが)逆転する

【倒灌】 dàoguàn 動 河川などが逆流する

【倒果为因】 dào guǒ wéi yīn 成 因果関係を誤る. 原因と結果を取り違える

【倒过儿】 dào∥guòr 動 方 逆さにする. あべこべになる

【倒好儿】 dàohǎor 图 野次. 半畳 ‖ 喊～ 野次を飛ばす. 半畳を入れる

【倒计时】 dàojìshí 動 カウントダウンする

【倒剪】 dàojiǎn 動 後ろ手に組む

【倒立】 dàolì 動 ❶上下逆向きに立つ ❷倒立する. 逆立ちする. 地方によっては〔拿大顶〕ともいう

【倒流】 dàoliú 動 逆流する

【倒赔】 dàopéi 動 得をしないで反対に損をする

＊＊**【倒是】** dàoshì 副 ❶**同意しかねる，納得できない，反対であるなどの意を表す** ‖ 他说得～容易，实际上哪有那么简单 彼はたやすいように言うが，実際はそう簡単ではない ❷**催促や詰問を表す** ‖ 你～说句话呀！ なんとか言ってみろよ ❸**譲歩を表す** ‖ 质量～挺好，就是价钱稍微shāowēi贵了一点儿 品質はとてもよいが，値段がちょっと高い ❹**語気をやわらげる働きを表す** ‖ 这里安静，读书～挺好的 ここは静かで，本を読むにはなかなかいい場所だ

【倒数】 dàoshǔ 動 逆から数える ‖ ～第三排 後ろから数えて3列目｜～第一 いちばん後ろ. 最下位

D

【倒数】dàoshù 图〈数〉逆数
【倒锁】dàosuǒ 動 部屋の外側から錠をかける
【倒贴】dàotiē 動 ❶女が男に金を貢ぐ ❷(受け取るべきほうが金品を)逆に出す
*【倒退】dàotuì 動 後退する. 逆戻りする. 逆行する‖向后～了几步 後ろへ数歩下がった
【倒行逆施】dào xíng nì shī 成 正義にもとり時勢に逆行する
【倒序】dàoxù 图 順序を逆に並べること
【倒叙】dàoxù 图 倒叙. フラッシュ・バック
【倒悬】dàoxuán 動 書 逆さに吊る. 転 苦境に立たされていることのたとえ
【倒烟】dàoyān 動 (煙が煙突から出ないで)逆流する
【倒影】dàoyǐng (～儿) 图 倒影
【倒映】dàoyìng 動 倒影する
【倒栽葱】dàozāicōng 图 逆さま. 逆立ち
【倒找】dàozhǎo 動 本来, 相手方から金をもらうべきなのに逆に自分のほうが支払う
【倒置】dàozhì 動 倒置する. 逆さまにする‖小心轻放, 请勿wù～ 取り扱い注意, 天地無用
【倒转】dàozhuǎn 動 逆にする 副 方 逆に ➤ dàozhuàn
【倒转】dàozhuàn 動 逆に回す ➤ dàozhuǎn
【倒装】dàozhuāng 動〈語〉倒置する
【倒座儿】dàozuòr 图 ❶四合院で〔正房〕(母屋)に向かい合った南側にある部屋 ❷(車や船の)進行方向に対し, 後ろ向きの座席

10 **帱**(幬) dào 書 覆う. かぶせる ➤ chóu

11 **悼** dào ❶書 悲しみ嘆く ❷(死者を)悼む. 哀悼する‖哀～ 哀悼する｜追～ 追悼する
【悼词】【悼辞】dàocí 图 弔辞. 悼辞‖致～ 弔辞を述べる
*【悼念】dàoniàn 動 悼む. 哀悼を捧げる
【悼亡】dàowáng 動 ❶妻の死を悼む ❷妻に先立たれる
【悼唁】dàoyàn 動 書 死者を悼み遺族に悔やみの言葉を述べる‖致电～ 弔電を送る

11 **焘**(燾) dào 書 覆う. かぶせる ➤ tāo

11 * **盗** dào ❶動 盗む‖～窃 ❷盗賊. 泥棒‖强～ 強盗｜海～ 海賊
【盗案】dào'àn 图 盗難事件
【盗版】dào//bǎn 動 著作権者の許可を得ず著作物を複製する 图(dàobǎn) 海賊版
【盗伐】dàofá 動 盗伐する
【盗匪】dàofěi 图 盗賊. 匪賊(ひぞく)
【盗汗】dào//hàn〈医〉動 寝汗をかく
【盗劫】dàojié 動 強盗をはたらく. 略奪する
【盗掘】dàojué 動 盗掘する
【盗寇】dàokòu 图 書 強盗
【盗猎】dàoliè 動 密猟する
【盗卖】dàomài 動 (公共の物を)盗んで売り払う
【盗墓】dào//mù 動 墓荒らしをする. 墓の盗掘をする
*【盗窃】dàoqiè 動 盗む. 窃盗する. 窃取する‖～犯 窃盗犯｜～国家机密 国家機密を盗む
【盗取】dàoqǔ 動 盗む. 盗み取る
【盗印】dàoyìn 動 無断複製する
【盗用】dàoyòng 動 盗用する
【盗运】dàoyùn 動 盗んで運び出す
【盗贼】dàozéi 图 盗賊. 泥棒

12 ** **道** dào ❶图(～儿)道. 道路‖绕rào～ 遠回りする ❷水路‖下水～ 下水道 ❸图 経路. 手段. (抽象的な)道. 志‖门～ こつ｜养生之～ 健康法 ❹(学術や宗教の)思想体系. 教義. 教え‖孔孟Kǒng Mèng之～ 孔孟の教え ❺道徳. 道義‖公～ 正義 ❻道家‖儒、～、墨、法 儒家・道家・墨家・法家 ❼道教. 道士‖一～士 ❽民間の信仰組織 ❾技芸‖棋～ 将棋道 ❿述べる. 言葉で気持ちを示す‖一～谢｜一～歉 ⓫動 書 言う. 話す‖能说会～ 口が達者だ ⓬動 …だと思う. 推測する‖我～谁来了, 原来是你呀 誰が来たのかと思ったら, なんと君だったか. ⓭量 ①細長いものを数える‖一～裂缝lièfèng 1本のひび ②入り口や塀などを数える‖一～围墙 一つの塀 ③命令や標題を数える‖四～题 4題の問題 ④回数や度数を数える‖上四～菜 料理を4品出す. ⓮图(～儿)線. 筋 ⓯图 旧 かつての行政区域. 清代と民国初年に〔省〕の下の行政単位として設けられた

> **逆引き単語帳**　〔车道〕chēdào 車道　〔人行道〕rénxíngdào 歩道　〔便道〕biàndào 歩道　〔人行横道〕rénxínghéngdào 横断歩道　〔轨道〕guǐdào(鉄道の)レール. 軌道　〔航道〕hángdào 航路　〔隧道〕suìdào トンネル　〔街道〕jiēdào 通り. 街路. 町内　〔频道〕píndào (テレビの)チャンネル　〔跑道〕pǎodào(トラック競技の)トラック. (飛行機の)滑走路　〔泳道〕yǒngdào(競泳プールの)コース　〔渠道〕qúdào 用水路. 経路. ルート　〔白道〕báidào 正規ルート　〔黑道〕hēidào 不正ルート. 闇ルート　〔经销渠道〕jīngxiāo qúdào 販売ルート

【道白】dàobái 图 せりふ
【道班】dàobān 图 (道路や鉄道の)修理班
【道别】dào//bié 動 いとまごいをする. 別れを告げる‖挥huī手～ 手を振って別れる
【道不拾遗】dào bù shí yí 成 道に物が落ちていても誰も拾って自分のものにしない. 社会秩序のよいたとえ ＝〔路不拾遗〕
【道岔】dàochà 图 転路器. ポイント‖扳bān～ ポイントを切り換える
【道场】dàochǎng 图 ❶僧が修行や法事を行う場所 ❷法事
【道道儿】dàodaor 图 口 ❶手段. 方法. やり方 ❷こつ. 要領
**【道德】dàodé 图 道徳‖讲～ 道徳を重んじる 形 道徳的な‖不～ 不道徳である
【道德法庭】dàodé fǎtíng 图 非道徳的・非人間的な行為に対して, 世論による糾弾を加えて制裁すること
【道地】dàodì 形 方 本場の. 生っ粋の. 正真正銘の
【道钉】dàodīng 图 ❶枕木釘(くぎ). レールを枕木に固定するための大きな釘 ❷キャッツアイ(車のヘッドライトの光を受けて反射する道路上に打った安全のための鋲(びょう))
【道乏】dào//fá 動 労をねぎらう
【道高一尺, 魔高一丈】dào gāo yī chǐ, mó gāo yī zhàng 成 修業を積めば積むほど煩悩や迷いも多くなる. 一方が発展すれば, それに比例して他方もいっそう発展するたとえ
【道姑】dàogū 图 女道士
【道观】dàoguàn 图 道観. 道教寺院

【道贺】dàohè 動 お祝いを述べる. お喜びを述べる
【道行】dàoheng ; dàohéng 名 口 (僧侶や道士の)修業. 転 技能. 手並み
【道家】Dàojiā 名 道家. 中国の諸子百家の一つで, 老子や荘子などの学術を奉じる学派
【道教】Dàojiào 名 道教
【道具】dàojù 名 (演劇などの)道具 ‖ 大～ 大道具
【道口】dàokǒu (～儿) 名 ❶道の交差している所 ❷踏み切り
★【道理】dàoli ; dàolǐ 名 ❶**方法. 法則** ‖ 科学～ 科学の法則 ❷**道理. 理由. 根拠. 情理** ‖ 他说得很有～ 彼の言い分は筋が通っている｜毫无～ まったく理屈に合わない
【道林纸】dàolínzhǐ 名〈印〉ドーリング紙
⁂【道路】dàolù 名 ❶**道路. 道** ‖ 铺pū平～ 道路を舗装する. 道を切り開くたとえ ❷(両地間の)**通路. 交通** ‖ ～阻塞zǔsè 交通が渋滞する ❸(抽象的な)**道** ‖ 走上犯罪的～ 悪の道を歩む
【道貌岸然】dào mào àn rán 成 厳しく近寄りがたい様子. 傲岸(ごうがん)なさま
【道门】dàomén 名 ❶道家. 道教 ❷(～儿) 旧 民間の信仰組織
【道木】dàomù 名 枕木 =〔枕木〕
【道袍】dàopáo 名 道士の着る上着
【道破】dàopò 動 喝破(かっぱ)する ‖ 一语～天机 一言で秘密を暴く
⁂【道歉】dào//qiàn 動 **わびる. 謝る. 遺憾の意を表する** ‖ 他向我们道了歉 彼は私たちにわびた
【道·琼斯指数】Dào Qióngsī zhǐshù 名〈経〉(株式の)ダウ・ジョーンズ指数. ダウ平均株価
【道人】dàoren 名 旧 道士の尊称
【道士】dàoshi 名 道士
【道听途说】dào tīng tú shuō 成 道で聞いたことを道ですぐ話す. 受け売りで根拠のない話
【道统】dàotǒng 名 道統. 儒学伝道の系統
【道喜】dào//xǐ 動 お祝いを述べる. お喜びを述べる
【道谢】dào//xiè 動 謝意を述べる. 礼を言う
【道学】dàoxué 名 =〔理学lǐxué〕 形 道学者ぶる. もったいぶる ‖ 假～ 偽善者. 道学者ぶった人
【道牙】dàoyá 名 (歩道の脇(わき)の)へり石
【道义】dàoyì 名 道義
【道院】dàoyuàn 名 ❶道観 ❷修道院
【道藏】dàozàng 名 道蔵. 道教の経典を集大成した叢書(そうしょ)
【道子】dàozi 名 線. 筋
15 **稻** dào 名〈植〉イネ ‖ 水～ 水稲｜旱hàn～ 陸稲
【稻草】dàocǎo 名 藁(わら) ‖ 捞lāo～ 溺(おぼ)れる者は, わらをもつかむ
【稻草人】dàocǎorén 名 かかし
【稻谷】dàogǔ 名 もみ
【稻糠】dàokāng 名 米ぬか
【稻壳】dàoké 名 イネのもみがら
【稻米】dàomǐ 名 イネ. 米
【稻螟虫】dàomíngchóng 名〈虫〉メイチュウ. ズイムシ
【稻穗】dàosuì 名 稲穂
【稻田】dàotián 名 稲田
【稻瘟病】dàowēnbìng 名〈農〉いもち病
【稻秧】dàoyāng 名 イネの苗 ‖ 插～ 田植えをする
【稻子】dàozi 名 口 イネ
25 **纛** dào 古 軍中で用いる大旗. 旗

dé

11 ★**得** dé ❶動 **獲得する. 手に入れる. 自分のものにする** ↔〔失〕‖ →～病｜～一百分 100 点を取る ❷助動 方 (動詞の前に置き, 許可や可能を示す) …**してもかまわない. …は可能だ.** (主に否定に用いる) ‖ 不～大声喧哗xuānhuá 大声で騒いではいけない ❸適する. あてはまる ‖ →～当 ❹書 満足である ‖ →～意 ❺動 口 **でき上がる** ‖ 一会儿就～ もう少しでできる ❻動 口 これ以上話す必要がない, もうこのくらいにしておく, という気持ちを表す. 分かった. もういい ‖ ～, 就这么办吧 分かった, ではそうしよう ❼動 (気に入らないが)仕方がない, という気持ちを表す. ちぇっ. しまった ‖ ～, 又忘带伞了 しまった, また傘を持ってくるのを忘れた ❽動 (**計算して**) … **になる** ‖ 三三～九 三三(さん)が九
➤ de děi
【得便】débiàn 動 都合がつく. 暇がある. 機会を得る
【得标】dé//biāo 動〈経〉落札する
*【得病】dé//bìng 動 病気になる. 病気にかかる ‖ 我没得过什么病 私は病気一つしたことがない
*【得不偿失】dé bù cháng shī 成 損得が引き合わない
*【得不到】débudào 動 得ることができない. 獲得することができない ‖ ～机会 機会が得られない
【得逞】dé//chěng 動 (悪だくみや陰謀などが)実現する. 目的を遂げる ‖ 阴谋未～ 陰謀は実現しなかった
【得宠】dé//chǒng 動 寵愛(ちょうあい)を得る. 気に入られる ↔〔失宠〕
【得寸进尺】dé cùn jìn chǐ 成 一寸進んだら次は一尺進もうとする. 欲望はとどまるところを知らない
【得当】dédàng 形 (話や行いが)当を得ている, 適当である ‖ 问题处理～ 問題の処理が当を得ている
★【得到】dé//dào 動 **手に入れる. 獲得する. もらう** ‖ ～好处 利益を得る｜～支持 支持を受けた

> **類義語** 得到 dédào 取得 qǔdé 获得 huòdé
> ◆〔得到〕(具体物や抽象的な事柄を)手に入れる ‖ 得到一本好书 よい本を1冊手に入れた｜得到练习的机会 学習の機会を得た ◆〔取得〕(努力して目標に到達し)結果を得る. 勝ち取る. 多くは抽象的な事柄に用いる ‖ 取得胜利 勝利を勝ち取る｜取得一致意见 意見の一致をみる ◆〔获得〕(望ましいことや価値ある事柄を)獲得する. 多くは抽象的な事柄に用いる ‖ 获得读者的好评 読者の好評を得る｜获得有用的信息 役立つ情報を得る

【得道】dédào 動〈宗〉(仏教や道教で)悟りを開く
【得道多助, 失道寡助】dé dào duō zhù, shī dào guǎ zhù 成 道義にかなえば助けが多く, 道義にもとれば助けが得られない
【得法】défǎ 形 (やることが)当を得ている. 要領を得ている. 方法が適切である
【得分】dé//fēn 動 得点する. 点を取る ‖ 客队连得四分 招待チームが続けて4点取った 名 (défēn)得点. スコア
【得过且过】dé guò qiě guò 成 その日暮らしをす

る. どうにかやっていく. 行き当たりばったりにする
【得计】déjì 動 計略がうまくいく. 思惑どおりに事が運ぶ
【得济】dé//jì 動 利益(りえき)を得る. 助けられる. (老後, 子供に)面倒を見てもらう
【得劲】déjìn (～儿) 形 具合がよい. 快適である
【得救】dé//jiù 動 助かる. 救われる ‖ 有了这特效药, 他可～了 この特効薬があれば, 彼は助かる

D

【得空】dé//kòng (～儿) 動 暇になる. 時間ができる
*【得了】déle 感 口 (話を終わらせるときに用いる)分かった. もういい. やめにする. そのくらいにしておく ‖ ～吧, 哪儿有这样的好事 よせよ, そんなうまい事があるものか 助 口 …すればそれでいい. …するだけだ ‖ 他叫你去, 你就去～ 彼が君に行けというのだから, 行けばいいじゃないか ➤ déliǎo
*【得力】dé//lì 動 力を得る. 助けられる ‖ 此事能成, 主要～于他 この事ができたのは, 主に彼の助けがあったからだ 形 (délì) 有能である. 腕利きである ‖ 派个～干部去办 有能な幹部を派遣して事を処理させる
【得了】déliǎo 動 やりおおせる. 無事に済む. (反語または否定で用いる) ‖ 这可不～! これは大変だ | 骂老师? 那还～! 先生を怒鳴りつけたって? ただじゃ済まないぞ ➤ déle
【得陇望蜀】dé Lǒng wàng Shǔ 成 隴(ろう)を得て蜀(しょく)を望む. 欲深で際限がないこと
【得名】dé//míng 動 ❶名づけられる. 命名される ❷有名になる
【得人心】dé rénxīn 組 人心をつかむ. 人に喜ばれる ‖ 他领导有方, 非常～ 彼の指導は当を得ていて, とても評判がいい
【得胜】dé//shèng 動 勝利を収める. 勝つ
【得失】déshī 名 ❶損得. 成功と失敗 ‖ 不计个人～ 個人の損得は考えない ❷善し悪し ‖ 两者各有～ 両者ともそれぞれ善し悪しがある
【得时】dé//shí 動 時を得る. 時流に乗る. 運が向く
【得势】dé//shì 動 貶 権力や勢力を得る ↔〔失势〕
【得手】dé//shǒu 動 うまくいく. 楽々とやりおおせる 形 (déshǒu) 調子がよい. 順調である. やりやすい
【得数】déshù 名 計算の答え =〔答数〕
【得体】détǐ 形 (言葉や行いが)ふさわしい. 適切である. 要領を得ている ‖ 待人接物非常～ 人との接し方がたいへん当を得ている
【得天独厚】dé tiān dú hòu 成 (天分や天恵に)とくに恵まれている ‖ 这一地区～, 从未受过灾 この地区は幸運なことに, まだ災害を被ったことがない
【得悉】déxī 動 書 …によって知る. …で分かる
【得闲】dé//xián 動 暇になる. 手があく
【得心应手】dé xīn yìng shǒu 成 思うとおりに手が動く. 心技一体となる
【得宜】déyí 形 当を得ている. 適切である. よろしきを得ている ‖ 处置～ 処置が適切である
【得以】déyǐ 動 (…により) …ができる. …し得る ‖ 经医生全力抢救, 病人才～脱险 医師の必死の応急手当てにより, 患者は危機を脱することができた
【得益】dé//yì 動 有益である. 役立つ
*【得意】déyì 形 満足できる. 思いどおりになる. 得意である ‖ ～之作 会心の作 | ～洋洋 得意満面である
【得意忘形】dé yì wàng xíng 成 得意になって気分が舞い上がる. 有頂天になる
【得用】déyòng 形 役に立つ. 使い勝手がよい
【得鱼忘筌】dé yú wàng quán 成 魚を捕ってしまうと魚を捕るのに使った筌(うえ)を忘れる. 目的を果たすとそれまでの人の恩義を忘れてしまうたとえ
【得知】dézhī 動 …によって知る. …で分かる
【得志】dé//zhì 動 願いがかなう. 志を遂げる ‖ 一生郁郁yùyù不～ 一生鬱々(うつうつ)として思いどおりにいかない
【得主】dézhǔ 名 (メダルや賞杯の)獲得者. メダリスト. 受賞者 ‖ 诺贝尔奖Nuòbèi'ěrjiǎng～ ノーベル賞受賞者 | 金牌jīnpái～ 金メダリスト
*【得罪】dézui; dézuì 動 (人の)機嫌を損ねる. 怒らせる ‖ 他说话太直, 尽jìn爱～人 彼は口が悪くてよく人様の機嫌を損ねてしまう

13 **锝** dé 名〈化〉テクネチウム(化学元素の一つ, 元素記号は Tc)

15 **德**(△悳) dé ❶徳. 品行. 節操 ‖ 缺～ ひとでなし ❷信念 ‖ 同心同～ 一心同体 ❸恩義. 恩恵 ‖ 恩～ 恩恵
【德昂族】Dé'ángzú 名 ドアン族(中国の少数民族の一つ, 主として雲南省に居住)
【德比战】débǐzhàn 名 ダービーマッチ. 同じ地域のチーム同士で戦われる試合. 〔德比赛〕ともいう
【德才兼备】dé cái jiān bèi 成 才徳兼備
【德高望重】dé gāo wàng zhòng 成 徳が高く非常に人望がある ‖ ～的学者 徳が高く人望のある学者
【德国】Déguó 名〈国名〉ドイツ
【德行】déxíng 名 徳行. 正しい行い
【德性】【德行】déxing 形 方 ろくでもない. いけ好かない. 感じ悪い. 失礼しちゃう. (多く女性が用いる) ‖ 真～! ほんといけ好かない! | 瞧qiáo你那～! まったく何様のつもりなの!
**【德语】Déyǔ 名 ドイツ語. 〔德文〕ともいう
【德育】déyù 名 道徳教育
【德政】dézhèng 名 仁政
【德治】dézhì 名 徳をもって政治を行うこと

de

6 ★**地** de 助 動詞・形容詞に付いて連用修飾語をつくる ‖ 科学～分析 科学的に分析する | 大家你一言我一语～说着 みんな我も我もと発言している ➤ dì

8 **底** de 助 旧 連体修飾語となる語句の後に置き, 所有関係を表す. 五四運動期から1930年代にかけて用いられた ‖ 我～书 私の本 ➤ dǐ

8 ★**的** de ❶助 連体修飾語の後に置く ①所有関係, 事物の性質・属性・範囲などを限定する ‖ 上午～课 午前の授業 | 去北京～飞机 北京行きの飛行機 ②被修飾語の前に描写を加える ‖ 蓝蓝～天空 青い空 ❷助 被修飾語のない名詞性の〔的〕フレーズをつくり, 人やものをさす ‖ 这是谁～? これは誰のですか ❸助 文末に置き, 肯定や確定の語気を表す ‖ 这样做要吃亏～ そんなことをすると損をするぞ | 他会来～ 彼は来るはずです ❹助 動詞の後や文末に置き, 動作の時間・場所・方法などを強調する ‖ 我是坐飞机来～ 私は飛行機で来たんです | 你是什么时候来～日本? あなたはいつ日本に来たんですか ➤ dí dì
★【的话】dehuà 助 (仮定を表す) …なら. …ば ‖ 下雨～, 就不去 雨が降ったら行かない | 叫个出租吧, 不然bùrán～, 时间来不及 タクシーを呼ぼう, でないと時間に間に合わない

11 ★**得 de** ❶助 単音節動詞の後に置き，**可能を示す**.（否定には〔不得〕を用いる）‖ 这种蘑菇mógu吃～吗？ このキノコは食べられますか｜这事ル耽误dānwu不～ この件は遅らせるわけにいかない ❷助 動詞・形容詞の後に置き，**その結果や程度を表す言葉を導く** ‖ 她唱～非常好 彼女は歌うのがとても上手だ｜我每天起～很早 私は毎日とても早く起きる ❸助 動詞と補語との間に置き，**可能を示す**.（否定形は〔得〕を〔不〕に置きかえる）‖ 看～见 見える｜上海话你听～懂吗？ 上海語は分かりますか ➤ dé děi

【…得很】…**de hěn** 形容詞の後に置き，程度がはなはだしいことを示す ‖ 屋子里乱～ 家の中がひどく散らかっている

děi

11 ★**得 děi** ❶動 口 必要である．かかる ‖ 买这样的房子～多少钱？ こういう家を買うにはいくらかかりますか ❷助動 口 …**しなければならない**．…**する必要がある** ‖ 我～回去了 もう帰らなくてはなりません ❸助動 口 …**のはずだ** ‖ 他今天准～来 彼は今日必ず来るはずだ ❹形 方 気持ちがいい．満足である ➤ dé de

【得亏】**děikuī** 副 方 おかげで．幸いにも

dēng

6 ★**灯（燈）dēng** ❶名 **照明器具．明かり．電灯** ‖ 开～ 明かりをつける｜关～ 電灯を消す ❷加熱器具．バーナー ‖ 酒精～ アルコール・ランプ ❸名 俗（ラジオなどの）真空管

【灯标】**dēngbiāo** 名 灯標．ビーコン

【灯彩】**dēngcǎi** 名 ❶飾り提灯（ちょうちん）づくりの工芸 ❷旧〈劇〉舞台装置用または小道具の飾り提灯 ❸装飾用の明かり

【灯草】**dēngcǎo** 名 ランプや行燈（あんどん）などの芯

【灯池】**dēngchí** 名（天井への）埋め込み式照明

【灯蛾】**dēng'é** 名〈虫〉トウガ．ヒトリムシ

【灯光】**dēngguāng** 名 ❶（照明器具の）明度 ❷（舞台や撮影用の）照明

【灯红酒绿】**dēng hóng jiǔ lù** 成 赤い灯，緑の酒．花柳界のにぎわうさま．享楽的な生活のたとえ

【灯花】**dēnghuā**（～ル）名 丁子頭（ちょうじがしら）．灯花．燈心の先にできる燃えかすが花のような形になったもの

【灯会】**dēnghuì** 名 旧暦1月15日の元宵節に行われる灯籠（とうろう）祭り

*【灯火】**dēnghuǒ** 名 灯火．明かり ‖ ～辉煌huīhuáng 灯火があかあかと輝く

【灯节】**Dēngjié** 名 元宵節 ＝〔元宵节〕

【灯具】**dēngjù** 名 照明器具

【灯亮ル】**dēngliàngr** 名 灯火．ともしび．明かり

*【灯笼】**dēnglong** 名 灯籠．提灯 ‖ 挂～ 提灯を掲げる｜打～ 提灯をつける

【灯笼裤】**dēnglongkù** 名 ニッカー・ボッカーズ

【灯谜】**dēngmí** 名 元宵節や中秋節の日に行われるなぞ当て遊び．なぞなぞは提灯や短冊に書かれる

【灯苗】**dēngmiáo**（～ル）名 ランプなどの炎

【灯捻】**dēngniǎn**（～ル）名 灯心．〔灯捻子〕ともいう

*【灯泡】**dēngpào**（～ル）名 口 ❶電球．〔灯泡子〕ともいう ❷よけい者．おじゃま虫 ‖ "你也一起去吧" "谢谢，我才不去给你们当～呢" 「君も一緒に行こうよ」「ありがとう，でも君たちのおじゃま虫にはなりたくないよ」

【灯伞】**dēngsǎn** 名 電灯のかさ．ランプ・シェード

【灯市】**dēngshì** 名 元宵節の日，飾り提灯で飾られた市街．飾り提灯を売る市（いち）

【灯饰】**dēngshì** 名 イルミネーション

【灯丝】**dēngsī** 名〈電〉フィラメント

【灯塔】**dēngtǎ** 名 灯台

【灯台】**dēngtái** 名 燭台．灯台

【灯头】**dēngtóu** 名 ❶ソケット ❷電灯．明かり．（明かりの数を数える場合に用いる）❸（石油ランプの）口金

【灯箱】**dēngxiāng** 名 電飾看板．電気看板

【灯芯】【灯心】**dēngxīn** 名 ランプなどの灯心

【灯心草】**dēngxīncǎo** 名〈植〉トウシンソウ．イグサ

【灯心绒】**dēngxīnróng** 名 コールテン．コーデュロイ．〔条绒〕ともいう

【灯影】**dēngyǐng** 名 ❶灯影．ほかげ ❷（灯火に映し出された）影

【灯油】**dēngyóu** 名 灯火用の油．灯油

【灯语】**dēngyǔ** 名 灯火信号

【灯盏】**dēngzhǎn** 名 ほやのない灯油ランプの総称

【灯罩】**dēngzhào**（～ル）名 ランプのほや．電灯のかさ．〔灯罩子〕ともいう

【灯炷】**dēngzhù** 名 灯心

12 ＊＊**登[1] dēng** ❶動 **登る．上がる** ‖ ～上长城 長城に登る｜～上政治舞台 政治舞台に登場する ❷動 **記載する．載せる．載る** ‖ 在杂志上～广告 雑誌に広告を掲載する ❸科挙の試験に合格する ‖ 一～第 ❹〔蹬dēng〕に同じ

12 **登[2] dēng** 穀物が実る ‖ 五谷丰～ 五穀が豊かに実る

【登岸】**dēng//àn** 動 上陸する．岸に上がる

【登报】**dēng//bào** 動 新聞に載る．新聞に載せる

【登场】**dēng//cháng** 動（収穫した穀物を）脱穀場へ運ぶ

【登场】**dēng//chǎng** 動 登場する

【登程】**dēngchéng** 動 書 出立する．旅立つ

【登第】**dēngdì** 動 書 科挙に合格する．進士になる

【登峰造极】**dēng fēng zào jí** 成 最高峰に達する．蘊奥（うんおう）を究める．また，程度が極端なことにも用いる

【登高】**dēnggāo** 動 ❶高所に登る ‖ ～远眺tiào 高い所に登って遠望する ❷旧暦9月9日の重陽節に丘に登って菊酒を飲み災厄を払う行事を行う

【登革热】**dēnggérè** 名〈医〉デング熱．〔骨痛热〕ともいう

【登机】**dēngjī** 動（飛行機に）搭乗する ‖ ～牌pái 搭乗券｜～口 搭乗口

【登基】**dēng//jī** 動 即位する．皇帝の位につく

【登极】**dēng//jí** ＝〔登基dēngjī〕

＊＊【登记】**dēngjì** 動 **登記する．登録する**．（外来者名簿やホテルの宿泊者名簿などに）**記入する** ‖ 他们已经～了，但是还没举行婚礼 彼らはもう届けは済んでいるが，まだ結婚式は挙げていない｜户口～ 戸籍登記

【登科】**dēngkē** 動 科挙に合格する

【登临】**dēnglín** 動 書 山に登り，川に臨む．行楽する．〔登山临水〕の略

【登录】**dēnglù** 動 登録する．登記する

*【登陆】**dēng//lù** 動 上陸する ‖ 台风已经～ 台風はもう上陸した

【登陆场】**dēnglùchǎng** 名〈軍〉上陸点

【登陆艇】dēnglùtǐng 图〈軍〉上陸用舟艇
【登门】dēng//mén 動 参上する. 人を訪ねる ‖ ～拜访 訪問する｜～道谢 参上して礼を述べる
【登攀】dēngpān 動 登攀(とうはん)する
【登山】dēng//shān 動 山に登る ‖ ～运动 登山
【登时】dēngshí 副 すぐに. ただちに. その場で. (多く過去の事を述べるときに使う)

D

【登市】dēngshì 動 (季節性のある品物が)市場に出回る
【登台】dēng//tái 動 ❶演壇や舞台に登る ‖ 首次～表演 初舞台を踏む ❷政治の表舞台に登場する
【登堂入室】dēng táng rù shì 成 奥義を極める域に至る =〔升堂入室〕
【登月】dēngyuè 動 月面に着陸する
【登载】dēngzǎi 動 掲載する. 載せる. 載る

15 **噔** dēng 擬 (重い物が落ちたりぶつかったりする音) ドン. ドスン. トントン ‖ 她～～～地跑上楼来 彼女はトントントンと階段を駆け上ってきた

18 **簦** dēng ❶古 柄のついた笠(かさ) ❷图 方 笠

19 * **蹬** dēng ❶動 踏む ‖ ～着哥哥的肩膀 jiānbǎng爬上去 兄の肩に足をかけてよじのぼる ❷動 (靴を)はく ‖ 脚底下～着一双新皮鞋 足に新しい皮靴をはいている ❸動 力を入れて踏む. 踏みつける ‖ ～自行车 自転車のペダルを踏む
【蹬技】dēngjì 图 (サーカス芸の一つ)足芸
【蹬腿】dēng//tuǐ 動 ❶脚を突っ張る ❷(～儿) 口 くたばる. おだぶつになる

děng

12 ★ **等**[1] děng ❶形 等しい. 同じである ‖ 一～于 ❷图 等級. 等 ‖ 优～生 優等生｜劣～货 粗悪品 ❸(貴金属や薬品を量る)小型のはかり. 現在は普通〔戥〕と書く ‖ 一～子 ❹書 種類. 類 ‖ 此～人 このような人 ❺助 書 (人称の複数) …たち. …ら ‖ 我～ 我ら ❻助 (一部を列挙し)など. などなど ❼助 (すべてを列挙し)など. すべてを列挙した場合, 後に総数を示すことが多い ‖ 我选了听力、会话、阅读、作文～四门课程 私は聞き取り・会話・閲読・作文など4科目を選択した

12 ★ **等**[2] děng ❶動 待つ ‖ ～一～! ちょっと待ってよ｜～一会儿就来 もうしばらくしたら参ります ❷接 …してから. …になって ‖ ～雨停了再去 雨がやんだら行こう

> **類義語** 等 děng 等等 děngděng
>
> ◆〔等〕(事物や事柄を列挙して) …など. 文末に置いて言い切りにするほかに, 〔等〕の後に列挙したものを総括する語句を伴うことが多い ‖ 那儿有苹果、梨、桃儿等(等等) そこにはリンゴ・梨・桃などがある｜我们去过北京、西安、上海等(×等等)城市 私たちは北京・西安・上海などの都市に行ったことがある｜他教我们口语、语法、写作等(×等等)三门课 彼は私たちに会話・文法・作文など三教科を教える ◆〔等等〕…などなど. 文末で言い切りにするほかに, 繰り返すこともできる ‖ 表演的节目不少, 有合唱、独唱、舞蹈、戏剧等等, 等等(×等, 等) 出し物は多く, 合唱・独唱・踊り・劇などなどがある

【等边三角形】děngbiān sānjiǎoxíng 图〈数〉正三角形
【等不及】děngbují 動 待ちきれない. 待っていられない ‖ 你实在～, 就先走吧 どうしても待ちきれなかったら, 先に行ってくれ
【等次】děngcì 图 等級. ランク ‖ 分～ ランクに分ける
** 【等待】děngdài 動 待つ ‖ 我们～着您的答复 dáfù 我々はあなたの回答をお待ちしています
* 【等到】děngdào 動 …になったら. …になると ‖ ～明天, 情况就更清楚了 明日になれば状況はもっとはっきりしてくる
【等等】děngděng 助 などなど
【等第】děngdì 图 (人についての)等位. 等級
【等额选举】děng'é xuǎnjǔ 图 無競争選挙. 一括承認選挙. (定員と候補者数が同数の選挙) ↔〔差chā额选举〕
【等而下之】děng ér xià zhī 成 それ以下. それより劣る
【等份】děngfèn (～儿) 图 等分したものの一つ ‖ 分成三～ 3等分する
【等高线】děnggāoxiàn 图〈地〉等高線
【等号】děnghào 图〈数〉等号. イコール記号
* 【等候】děnghòu 動 待ち受ける. 待つ ‖ 在门口～来宾 入り口でゲストを待ち受ける
* 【等级】děngjí 图 ❶等級. ランク ❷古 階級. 身分
【等级赛】děngjísài 图〈体〉等級別試合
【等价】děngjià 图〈経〉等価. 同価 ‖ ～交换 等価交換
【等价物】děngjiàwù 图〈経〉等価物
【等距离】děngjùlí 图 等距離
【等量齐观】děng liàng qí guān 成 同等に扱う. 同様と考える
【等米下锅】děng mǐ xià guō 成 米の来るのを待って煮炊きする. その日暮らしの生活のたとえ
【等内】děngnèi 形 等級内の. 基準内の
【等身】děngshēn 形 等身大である. 人の背丈ほどもある. (よく量が多いことをたとえる) ‖ ～雕像 等身大の彫像
【等式】děngshì 图〈数〉等式
【等速运动】děngsù yùndòng 图〈物〉等速度運動 =〔匀yún速运动〕
【等同】děngtóng 動 同列に扱う. 同じとみなす
【等外】děngwài 形 等外の. 等級外の
【等闲】děngxián 形 書 ありふれている. ありきたりである ‖ ～视之 等閑視する. ありふれたこととして見る｜此人绝非～之辈 この人はありふれた人物では決してない
【等腰三角形】děngyāo sānjiǎoxíng 图〈数〉二等辺三角形
** 【等于】děngyú 動 …と同じ. …と等しい ‖ 二加二～四 2足す2は4｜说了不做～没说 言っておいてやらないのは言わなかったことと同じだ
【等子】děngzi =〔戥子děngzi〕

13 **戥** děng ❶图 金銀ばかり ‖ 一～子 ❷動〔戥子〕で量る
【戥子】děngzi 图 金銀ばかり(漢方薬や金・銀などを量る小型の竿ばかり)

dèng

4 **邓**(鄧) dèng 图 姓

14 **凳**(^△^櫈) **dèng** 名 (～儿) (背もたれのない)腰掛け. スツール. 床 几(しょうぎ) ‖ 一～子 | 板～ 背もたれのないベンチ | 竹～ 竹製のスツール

*【凳子】dèngzi 名 (背もたれのない)腰掛け. スツール

15 **澄** **dèng** ❶動 (液体を沈澱させて)澄ます ‖ 一～清 ❷動 方 煮出したり漬けておいたりした中身を片寄せながら, 液体だけを注ぎ出す ‖ 把汤～出去 (鍋などを傾けて)スープを外に取り出す ➤ chéng

【澄清】dèng∥qīng 動 (液体を)澄ます ‖ 把浑水hún-shuǐ～ 濁り水を澄ます ➤ chéngqīng

【澄沙】dèngshā 名 さらしあん

15 **嶝** **dèng** 書 登山道

17 **磴** **dèng** ❶名 山道の石段 ❷量 (～儿) (石段・階段・はしごを数える)段

17 * **瞪** **dèng** ❶動 (怒りや不満で)目をむく. にらみつける ‖ 一～眼 ❷動 目を丸くする. 目を見開く ‖ ～着眼睛看 目を見開いて見つめる

【瞪眼】dèng∥yǎn 動 ❶目をむく. (不満や怒りを示す) ‖ 我说他两句, 他就跟我～ 私が一言文句を言ったら, 彼は目をむいて怒った ❷(目を)見張る. 見開く. 見つめる ‖ 这么好的机会, 你能～放过去吗？ こんなにいいチャンスを君はみすみす逃してしまうのか

17 **镫** **dèng** 馬具のあぶみ ‖ 马～ ウマのあぶみ

【镫子】dèngzi 名 口 あぶみ

dī

5 **氐** **dī** ❶名〈史〉(古代の民族名)氐(てい) ❷名 (二十八宿の一つ)ともぼし, 氐宿(ていしゅく) ➤ dǐ

7 ★ **低** **dī** ❶形 (高さが)低い ↔〔高〕 ❷動 垂れる. うつむく. 下げる ‖ 一～头 ❸形 (地勢・土地が)低い ↔〔高〕‖ 水往～处流 水は低きに流れる ❹形 (平均の水準より)低い ↔〔高〕‖ 温度～ 温度が低い ❺形 (等級や程度が)低い ↔〔高〕‖ 我比哥哥～一班 私は兄より1級下だ

> **類義語** | 低 dī 矮 ǎi
>
> ◆〔低〕低い. 空間における位置, つまり, 下(地面)からの距離が短いことを表す. また, 抽象的な事柄についても用いる ‖ 这个教室的窗户很低 この教室の窓は低い | 他的汉语水平不低 彼の中国語のレベルは高い | 我的身份低 私の地位は低い ◆〔矮〕低い. 具体的なものの丈が短いことを表す ‖ 那棵树矮了点儿 その木はちょっと低い | 他个子很矮 彼は背が低い ◆〔矮〕は「丈が短い」ことをいうので,〔他个子〕の〔个子〕は省略できる.〔低〕は「何が」低いのかをいう必要がある

【低矮】dī'ǎi 形 低い. 小さい

【低倍】dībèi 形 低倍率の. 倍率の低い

【低保】dībǎo 名 (都市住民の)最低生活保障.〔最低生活保障bǎozhàng〕の略

【低层】dīcéng 名 (ビルなどの)低い階 形 下級ランクの

【低层住宅】dīcéng zhùzhái 名 低層住宅. 1階から3階建ての住宅をさす

【低产】dīchǎn 形 生産高や収穫高が劣る

【低偿】dīcháng 形 低料金の ‖ 提供～服务 低料金でサービスする

【低潮】dīcháo 名 ❶〈地〉低潮 ❷下り坂. 衰退期. 低迷期

【低沉】dīchén 形 ❶低く垂れこめている ❷(気持ちが)落ち込んでいる ❸(声や音が)低い. 重い

【低垂】dīchuí 動 低く垂れこめる. 垂れ下がる

【低档】dīdàng 形 (品物の)ランクが低い. 低級である ↔〔高档〕‖ ～商品 低級品

【低等动物】dīděng dòngwù 名〈生〉下等動物

【低端】dīduān 形 (同種類の製品の中でランクや値段などが)低い. ローエンドモデルの ↔〔高端〕〔中端〕

【低估】dīgū 動 低く見積もる. 見くびる ‖ ～了他的能力 彼の能力を見くびっていた

【低谷】dīgǔ 名 ❶谷底 ❷低落. 低迷

【低耗】dīhào 形 低消費の. 消費が少ない ‖ ～电 低消費電力

【低缓】dīhuǎn 形 ❶(声や音が)静かでやわらかい ❷(土地の起伏が)低くゆるやかである

【低回】【低徊】dīhuí 動 書 ❶低回する. 行ったり来たりする ❷名残を惜しむ

*【低级】dījí 形 ❶低級な. 下品な ‖ ～趣味 低級な趣味 ❷初期の. 初歩的な ‖ ～阶段 初歩的段階

【低价】dījià 名 安値. 低価格 ↔〔高价〕

【低贱】dījiàn 形 ❶卑賤(ひせん)である ❷(価格が)安い. 安価である

【低空】dīkōng 名 低空 ‖ ～飞行 低空飛行

【低利】dīlì 名 低利 ‖ ～贷款 低利の貸し付け

【低廉】dīlián 形 廉価である ↔〔昂贵〕

*【低劣】dīliè 形 (品質が)粗悪である ‖ 质量～ 品質が非常に悪い

【低龄】dīlíng 形 低年齢の ‖ ～老人 60歳から70歳までのお年寄りをさす | 犯罪～化 犯罪の低年齢化

【低落】dīluò 動 低落する. 下がる ‖ 价格～ 価格が下落する 形 衰えている. 消沈している ‖ 情绪qíngxù～ 意気消沈する

【低眉】dīméi 動 眉(まゆ)を垂れる. (優しい様子やおとなしい様子の形容)

【低迷】dīmí 形 低調である. 低迷している

【低能儿】dīnéng'ér 名 低能児 ‖ 政治～ 無能の政治家

【低频】dīpín 名〈電〉低周波

【低平】dīpíng 形 (土地が)低く平坦(へいたん)である

【低气压】dīqìyā 名〈気〉低気圧

【低热】dīrè 名〈医〉微熱.〔低烧〕ともいう

【低人一等】dī rén yī děng 慣 人並み以下. 人より劣る

【低三下四】dī sān xià sì 成 ぺこぺこする. 平身低頭する

【低烧】dīshāo ＝〔低热dīrè〕

【低声下气】dī shēng xià qì 成 小声でこそこそし, 従順な様子

【低首下心】dī shǒu xià xīn 成 平身低頭するさま. かしこまっている様子

【低俗】dīsú 形 低俗である. 下品である

【低速】dīsù 形 低速の ‖ ～飞行 低速飛行

【低头】dī∥tóu 動 ❶下を向く. うつむく ‖ ～沉思chénsī 下を向いてじっくり考える ❷頭を下げる. (権力や腕力に)屈する ‖ ～认罪 頭を下げて罪を認める

【低洼】dīwā 形（土地が）くぼんでいる ‖ ～地 くぼ地
【低微】dīwēi 形 ❶（声が）か弱い．か細い ❷旧（地位や身分が）低い ‖ 地位～ 地位が低い
【低纬度】dīwěidù 名〈気〉低緯度
*【低温】dīwēn 名 低温 ‖ ～消毒 低温殺菌
*【低下】dīxià 形（生産レベルや経済状況が）低い ‖ 生产水平～ 生産レベルが低い

【低陷】dīxiàn 動 くぼむ．へこむ
【低压】dīyā 名 ❶〈物〉〈電〉低圧 ❷〈医〉最小血圧
【低压槽】dīyācáo 名〈気〉気圧の谷．
【低哑】dīyǎ 形（声が）低くしわがれている
【低音】dīyīn 名 低音
【低音提琴】dīyīn tíqín 名〈音〉コントラバス．ダブルベース
【低幼】dīyòu 名 小学校低学年児と幼稚園児の年齢層 ‖ ～读物 幼稚園児・低学年児向け読み物
【低语】dīyǔ 動 小声で話す．ひそひそ話をする
【低云】dīyún 名〈気〉（高度2,3キロ以下の）中層・下層の雲

11 羝 dī 名 書 雄ヒツジ

12* 堤（△隄）dī 名 堤．堤防．土手
【堤岸】dī'àn 名 堤防
【堤坝】dībà 名 堰堤（えんてい）．護岸
【堤防】dīfáng 名 堤防
【堤堰】dīyàn 名 堤．土手

12 提 dī ↴ ➤ tí
【提防】dīfang 動 用心する．警戒する ‖ 此人心术不正，要～着点儿 あの人は心根の悪い人だから用心したほうがいい
【提溜】dīliu 動 方（手に）下げる．ぶら下げる

14*** 滴 dī ❶動（液体が）ぽたぽた落ちる．滴る ‖ 伤心得～下了眼泪 悲しくて涙をこぼした ❷滴．滴り ‖ 雨～ 雨粒 ❸量（液体の滴を数える）滴．しずく ‖ ～酒不沾 zhān 酒は1滴も飲めない ❹動（液体を）垂らす ‖ ～眼药 目薬をさす
【滴虫】dīchóng 名〈動〉トリコモナス原虫
【滴翠】dīcuì 形 滴るような緑色の
【滴答】dīdā 擬 ❶（時計の音）カチカチ．カチコチ ‖ 挂钟～～地响着 掛け時計がカチコチと音を立てている ❷（水の滴る音）ポタポタ．ポツポツ．パラパラ
【滴答】dīda 動 滴る．滴り落ちる
【滴滴涕】dīdītì 名〈薬〉DDT
【滴管】dīguǎn 名〈化〉ビュレット．ピペット
【滴剂】dījì 名〈医〉滴剤
【滴沥】dīlì 擬（雨のしずくの音）ポタポタ
【滴溜溜】dīliūliū（～的）形 くるくる回るさま ‖ 眼珠～地乱转 zhuàn 目玉がぐるぐる回る
【滴溜儿】dīliūr 副 ❶くりくりと．まるまると ‖ ～圆 くりくり丸い ❷くるくると ‖ ～转 zhuàn ぐるぐる回る
【滴漏】dīlòu 名 水時計
【滴水不漏】dī shuǐ bù lòu 成 一滴の水も漏れない．弁舌が巧みでつけ入るすきがないこと
【滴水成冰】dī shuǐ chéng bīng 成 滴る水が凍る．非常に寒いさま
【滴水穿石】dī shuǐ chuān shí 成 雨垂れ石をうがつ ＝〔水滴石穿〕

14 嘀 dī ↴ ➤ dí
【嘀嗒】dīdā ＝〔滴答dīdā〕
【嘀里嘟噜】dīlidūlū 形 ぺらぺらと早口でまくし立てるさま．〔滴里嘟噜〕とも書く
【嘀铃铃】dīlinglīng 擬（ベルや目覚まし時計などの音）リーンリーン

16 镝 dī 名〈化〉ジスプロシウム（化学元素の一つ，元素記号は Dy）➤ dí

dí

7 狄 dí 狄（てき）．古代，北方の異民族を称した

8 迪 dí 書 指導する．導く ‖ 启～后人 後人を啓発し導く
【迪斯尼乐园】Dísīní lèyuán 名 ディズニーランド
【迪斯科】dísīkē 名 外 ディスコ ‖ ～舞 ディスコ・ダンス
【迪厅】dítīng 名 ディスコ・ホール．〔迪斯科舞厅〕の略

8 的 dí 確かである．掛け値がない ➤ de dì
**【的确】díquè 副 確かに．掛け値なしに ‖ 这种料子～结实 jiēshi 得很 この生地は確かにたいへん丈夫だ｜我的的确确没说过这话 私は絶対そんな話をしていない
*【的确良】díquèliáng 名 外（商標名）ダクロン．〔涤纶dílún〕（テトロン）で織った織物
【的士】díshì 名 方 外 タクシー

8 籴（糴）dí 動（穀物を）買う．買い入れる ↔〔粜tiào〕‖ ～米 コメを買い入れる

10 涤（滌）dí ❶洗う ‖ 洗～ 洗浄する ❷書 払い除く
【涤除】díchú 動 洗い落とす．一掃する
【涤荡】dídàng 動 汚れを洗い流す．洗い落とす
【涤卡】díkǎ 名 木綿とテリレンを織り混ぜたサージの一種
【涤纶】dílún 名 外（商標名）テトロン
【涤棉】dímián 名 木綿とテリレンとの混紡製品の総称．俗に〔棉的确良〕という

10 荻 dí 名〈植〉オギ

10* 敌（敵）dí ❶敵．仇（かたき） ‖ ～我 敵と味方｜情～ 恋敵 ❷敵対する ‖ 一～国 ❸動 対抗する．抵抗する ‖ 寡guǎ不～众 衆寡敵せず ❹匹敵する．対等である ‖ 势均jūn力～ 勢力が伯仲している
【敌百虫】díbǎichóng 名〈農〉（殺虫剤の一種）ディプテレックス
【敌不过】díbuguò 動 対抗しきれない．勝てない．かなわない ‖ ～对手 相手にかなわない
【敌敌畏】dídíwèi 名 外〈薬〉（殺虫剤の一種）DDVP．ディクロルヴォス
*【敌对】díduì 形 敵対関係の．相対立している ‖ ～双方 敵対する双方
【敌方】dífāng 名 敵側．敵方
【敌国】díguó 名 敵国
【敌害】díhài 名 外敵．天敵
【敌后】díhòu 名 敵の後方
【敌境】díjìng 名 敵の支配地域
【敌军】díjūn 名 敵軍
【敌忾】díkài 名 書 敵愾心（てきがいしん） ‖ ～同仇 chóu

共通の敵として敵愾心を燃やす
【敌寇】díkòu 图 敵軍. 侵略軍
【敌情】díqíng 图 敵の動静
【敌酋】díqiú 图 敵の首領
【敌区】díqū 图 敵の占領地
**【敌人】dírén 图 敵 ‖ 打击～ 敵に打撃を与える
*【敌视】díshì 動 敵視する ‖ 互相～ 互いに敵視する
【敌手】díshǒu 图 ❶好敵手. ライバル ❷敵の手の内 ‖ 落入luòrù～ 敵の手に落ちる
【敌台】dítái 图 敵方の放送局
【敌探】dítàn 图 敵側の斥候(せっこう)
【敌特】dítè 图 敵側のスパイ
【敌伪】díwěi 图 敵とその傀儡(かいらい)勢力. 抗日戦争期の日本軍とその傀儡政権
【敌我矛盾】díwǒ máodùn 图 敵対する階級との間に生じる根本的な利害問題
【敌意】díyì 图 敵意 ‖ 怀huái有～ 敵意を抱く
【敌营】díyíng 图 敵の陣営. 敵陣
【敌阵】dízhèn 图 敵陣 ‖ 冲进～ 敵陣に突っ込む

11 笛 dí ❶图 笛. 横笛. 〔横笛〕ともいう ‖ ～子 ❷ホイッスル. 呼び子 ‖ 警～ 警笛
【笛膜】dímó (～儿) 图 笛の響孔に張る竹紙. 笛を吹いたときに振動して音を出す薄い膜
*【笛子】dízi 图 笛. 横笛 ‖ 吹～ 笛を吹く

12 觌(覿) dí 書 会う

14 嘀 dí ➘ ➤ dī
【嘀咕】dígu 動 ❶ひそひそ小声で話す ❷ためらう. 戸惑う ‖ 我心里～着, 买还是不买 私は買おうか買うまいか, 心の中で迷っている

14 嫡 dí ❶正妻(ちゃくし) ↔〔庶shù〕‖ ～出 ❷嫡子 ↔〔庶〕 ❸血統の最も近い ‖ ～亲 ❹直系である ‖ ～传
【嫡出】díchū 動 旧 正式の妻から生まれる. 嫡出である ↔〔庶出〕
【嫡传】díchuán 動 直系として伝わる. 直伝する
【嫡母】dímǔ 图 (庶子から見て)父の正妻
【嫡派】dípài 图 ❶直系 ❷(技術や武芸などの)直系. 正統
【嫡亲】díqīn 形 血縁が最も近い ‖ ～弟兄 実の兄弟
【嫡堂】dítáng 形 血縁が比較的近い(祖父を同じくする父方の親族関係) ‖ ～兄弟 (父方の)従兄弟
【嫡系】díxì 图 直系. 正統 ‖ ～部队 直系部隊
【嫡子】dízǐ 图 嫡子(ちゃくし). 嫡出の長子 ↔〔庶子〕

14 翟 dí 古 長い尾羽のあるキジ ➤ zhái

16 镝 dí 書 矢じり ‖ 鸣～ かぶら矢 | 锋～ 刃と矢じり. 広く武器をさす ➤ dī

dǐ

5 氐 dǐ 書 木の根. 根本 ➤ dī

7 诋 dǐ 書 そしる. なじる
【诋毁】dǐhuǐ 動 書 中傷する. くさす

7 邸 dǐ (高官の)住まい. 邸宅 ‖ 官～ 官邸
【邸宅】dǐzhái 图 書 邸宅. 屋敷

8 *底 dǐ ❶图(～儿)底. 底部 ‖ 锅～ 鍋の底 ❷图(～儿)図案・模様の下地 ‖ 红～白字 赤地に白い字 ❸图(～儿)基礎. 素地 ‖ 家～儿 家の財産 ❹图(～儿)(原稿の)控え. 下書き ‖ 留～儿 控えを残す ❺(年や月の)末 ‖ 年～ 年末 | 月～ 月末 ❻蓄えの最後の残り ➤ de
【底版】dǐbǎn ＝〔底片dǐpiàn〕
【底本】dǐběn 图 底本. 原本
【底边】dǐbiān 图〈数〉底辺
【底舱】dǐcāng 图 船底の船室
【底册】dǐcè 图 元帳. 台帳. 原簿
【底层】dǐcéng 图 ❶(建物の)いちばん下の階 ❷(物事の)最下層. 底辺. 下積み
【底肥】dǐféi 图〈農〉基肥(きひ). 原肥 ＝〔基肥〕
【底稿】dǐgǎo (～儿) 图 草稿. 原稿
【底火】dǐhuǒ 图 ❶埋(う)み火 ❷〈軍〉雷管
【底价】dǐjià 图 底値. 最低値段
【底角】dǐjiǎo 图〈数〉底角
【底襟】dǐjīn (～儿) 图 中国服の下前おくみ
【底里】dǐlǐ 图 内情. 実情. 詳しい事情
【底码】dǐmǎ 图 商品の最低売価. 底値
【底牌】dǐpái 图 トランプの持ち札. 喩 切り札. 手の内. 内情 ‖ 亮liàng～ 切り札を出す. 手の内を見せる
【底盘】dǐpán 图 ❶(自動車などの)車台. シャーシー ❷(相場の)底値
*【底片】dǐpiàn 图 写真の原版. ネガ. 〔底版〕ともいう
【底漆】dǐqī 图 下塗りペイント. プライマー
【底气】dǐqì 图 腹の力. 底力. やる気 ‖ 他唱歌～不足 彼の歌は腹の力が足りない(ので声が響かない) | ～十足 やる気満々である
【底商】dǐshāng 图 ビルの下層階にある商業施設
【底数】dǐshù 图 ❶〈数〉底数 ❷事の経緯. 内実. 真相 ❸(内部で決めた)計画. 予定の数値
【底土】dǐtǔ 图〈農〉心土の下の土壌
【底细】dǐxì ; dǐxì 图 内情. 子細. 事情 ‖ 不知～ いきさつを知らない | 摸清～ 内情をはっきりつかむ
**【底下】dǐxia 图 ❶下. 底. 背後 ‖ 地～ 地面の下 | 坐在树～歇xiē会儿 木の下に腰を下ろしてちょっと休む ❷…の方面. …に関するところ ‖ 他手～有很多人 彼のもとには大勢の人がいる ❸次. 以後. 今後 ‖ ～该你说了 次は君が言う番だ
【底下人】dǐxiarén 图 口 ❶旧 使用人 ❷部下
【底线】[1] dǐxiàn 图〈体〉ゴールライン
【底线】[2] dǐxiàn 图 敵の内部に潜ませたスパイ
【底薪】dǐxīn 图 基本給. 本給
【底账】dǐzhàng 图 控え帳. 台帳
【底子】dǐzi 图 ❶底 ‖ 锅～ 鍋の底 ❷基礎. 下地. 元となるもの ‖ 数学～很扎实zhāshi 数学の基礎がしっかりしている ❸草稿. 控え. 台帳 ❹内情. 内幕. いきさつ ‖ 摸清了对方的～ 相手の内情を探った ❺地(じ). 図案などの下地 ‖ 深色的～ 深い地色 ❻残り. 残品 ‖ 货～ 商品の売れ残り
【底座】dǐzuò (～儿) 图 台. 台座. 台脚

8 坻 dǐ 地名用字 ‖ 宝～ 天津市にある県の名 ➤ chí

8 *抵[1] (△牴❸ 觝❸) dǐ ❶動 (物を当てて)支える ‖ 用手～着下巴颏儿xiàbakēr ほおづえをついている ❷動 抵抗する. ふさぐ ‖ ～住对手的进攻 相手の進撃を食い止める ❸対立・排斥し合う. 抵触する ‖ ～触 ❹動 匹敵する.

相当する‖干起活儿来一个～俩 仕事をやれば一人で二人に匹敵する ❺相殺する. 帳消しにする‖收支相～ 収支が釣り合う ❻動 償う. 弁償する‖一～命 ❼名 担保. 抵当‖用汽车做～ 車を抵当にする

8 **抵**² dǐ 書 着く. 到着する‖平安～沪Hù 無事に上海に着いた

【抵补】dǐbǔ 動 補う. 引き当てにする. 埋め合わせる

【抵不过】dǐbuguò 動 (相手の力などが強くて)防ぎきれない. 抵抗し得ない. かなわない

【抵偿】dǐcháng 動 補償する. 償いをする

【抵触】dǐchù 動 抵触する. 食い違う. 反発する. 〔牴触〕とも書く‖～思想 反発する気持ち

*【抵达】dǐdá 動書 到着する. 着く‖～目的地 目的地に到着する

【抵挡】dǐdǎng 動 防ぎ止める. 抵抗する

【抵还】dǐhuán 動 弁償する. 償還する

【抵换】dǐhuàn 動 取り替える. すり替える

*【抵抗】dǐkàng 動 抵抗する. 反抗する‖～入侵之敌 侵入する敵に抵抗する

【抵抗力】dǐkànglì 名 (病気などに対する)抵抗力

【抵赖】dǐlài 動 (自分の罪や過失を)否認する. しらを切る. 言い抜ける‖事实摆在面前, 你想～也不行 事実がこれだけ揃っているんだ, 言い抜けようと思ってもだめさ

【抵临】dǐlín 動 到達する. 到着する

【抵命】dǐ//mìng 動 命で償う‖杀人～ 人を殺したら自分の命で償うべきだ

【抵事】dǐ//shì 動方 頼りになる. 役に立つ. (多く否定に用いる)

【抵受】dǐshòu 動 忍耐する. 耐え忍ぶ. 抵抗する

【抵数】dǐshù 動 数を合わせる. 数を揃える

【抵死】dǐsǐ 副 死を賭(と)して. あくまで

【抵消】dǐxiāo 動 帳消しにする. 相殺する

*【抵押】dǐyā 動 抵当に入れる. 担保にする‖用土地作～ 土地を担保にする

【抵御】dǐyù 動書 防ぎ止める. 防御する

【抵债】dǐ//zhài 動 債務を償う. 弁償する

【抵账】dǐ//zhàng 動 債務を償う. 借金の弁済に当てる‖用宝石～ 宝石で借金の弁済に当てる

*【抵制】dǐzhì 動 阻止する. 拒否する. ボイコットする‖～假冒伪劣商品 粗悪な偽ブランド品を排除する

【抵罪】dǐ//zuì 動書 罪に服する. 刑罰を受ける

9 **柢** dǐ 木の主根. 広く, 木の根‖根深～固 根深い. 抜きがたい

10 **砥** dǐ 書 ❶砥石(といし) ❷練磨する. 研鑽(けんさん)する‖一～砺

【砥砺】dǐlì 動書 ❶鍛え磨く. 練磨する‖～意志 意志を鍛え磨く ❷励ます. 力づける

【砥柱中流】Dǐzhù zhōng liú ＝〔中流砥柱 zhōng liú Dǐzhù〕

14 **骶** dǐ 尾骶骨(びていこつ)

【骶骨】dǐgǔ 名〈生理〉仙椎(せんつい)

dì

6 ★**地** dì ❶名 地. 大地‖大～ 大地 ❷名 陸地‖山～ 山地 ❸名 土地. 農地‖种zhòng～ 耕作する｜下～干活儿 畑に出て働く ❹名 床. 地面‖扫～ 床を掃く ❺名 領土‖殖民～ 植民地 ❻地域. 地区‖人～生疏shū 知り合いもいなければ土地にも不案内である ❼場所‖目的～ 目的地 ❽地位. 置かれた環境‖易～而处chǔ 立場を替えてみる ❾心理活動の領域‖心～ 気立て ❿行政組織の1単位, 地区‖～委 (党の)地区委員会 ⓫地方. (中央に対して) ⓬(～儿) 名 空間の一部分. 場所‖一～儿 ⓭名 道のり. 距離‖三站～ 3駅分の道のり ⓮名 (～儿)図案・模様の下地‖白～蓝花的瓷瓶 白地に青い模様の花瓶 ➤de

*【地板】dìbǎn 名 ❶床板‖铺pū～ 床板を張る｜拖tuō～ (モップで)床板をふく ❷方 土地. 田畑

【地板革】dìbǎngé 名〈建〉(リノリウムなどの)合成樹脂製床面(ゆかめん)仕上げ材

【地板砖】dìbǎnzhuān 名 内装用床タイル

【地磅】dìbàng ＝〔地秤dìchèng〕

【地保】dìbǎo 名旧 役人に代わって税金の徴収や治安維持などを受け持った人

【地堡】dìbǎo 名〈軍〉コンクリートで多く円形に築いた半地下式のトーチカ. 小型の堡塁(ほうるい)

【地表】dìbiǎo 名 地表

【地鳖】dìbiē 名 ❶〈虫〉チュウカジシツ. 〔䗪zhè虫〕ともいい, ふつうは〔土鳖〕という ❷〈中薬〉土鼈虫(どべつちゅう)

*【地步】dìbù 名 ❶(多く悪い)状態‖事情到了这种～, 就不好办了 事がここまでこじれると, やっかいだ ❷余地‖说话留～ 話に余地を残しておく

【地层】dìcéng 名〈地質〉地層

【地产】dìchǎn 名 所有する土地. 不動産

【地秤】dìchèng 名 車両ごと計量可能な大型の台ばかり. 〔地磅bàng〕ともいう

【地磁】dìcí 名〈物〉地磁気

【地大物博】dì dà wù bó 成 土地が広くて, 資源が豊かである‖中国～, 人口众多 中国は国土が広大で資源も豊富で, 人口も多い

**【地带】dìdài 名 地帯. 地域‖森林～ 森林地帯

【地道】dìdào 名 地下道. (多く軍事上のものをさす)‖挖～ 地下道を掘る

**【地道】dìdao 形 ❶本場の‖这是～的中国丝绸sīchóu これは本場の中国シルクである ❷純粋の. 正真正銘の‖她的法语说得真～ 彼女のフランス語は本物だ ❸手堅い. しっかりしている‖他这活干得真～ 彼はこの仕事を実にきちんと処理している

【地灯】dìdēng 名 路面灯. フットライト

**【地点】dìdiǎn 名 地点. 場所‖集合～ 集合地点

【地动仪】dìdòngyí 名略 古代の地震計

【地洞】dìdòng 名 洞穴. トンネル

【地段】dìduàn 名 区域. 地区‖繁华～ 繁華街

【地对空导弹】dìduìkōng dǎodàn 名〈軍〉地対空ミサイル

**【地方】dìfāng 名 ❶地方 ↔〔中央〕‖～政府 地方政府 ❷地元. その地‖～风味 地元の味

★【地方】dìfang 名 ❶(～儿)所. 場所. 辺り‖占～ 場所をとる ❷箇所. 点‖有不明白的～, 请提出来 分からないところがあったらおっしゃってください

【地方保护主义】dìfāng bǎohù zhǔyì 名 地方保護主義. 全体または国の利益を考慮に入れずその地域だけの利益をはかること

【地方病】dìfāngbìng 名 風土病

【地方时】dìfāngshí 名〈天〉地方時

【地方税】dìfāngshuì 名 地方税

【地方戏】dìfāngxì 名 地方劇

【地方志】dìfāngzhì 名 一地方の地理・歴史・風

俗・物産・人物などを記した書物 =〔方志〕
【地方主义】dìfāng zhǔyì 图 地方主義．全体の利益を考えずに地方の利益に固執する考え
【地府】dìfǔ 图 冥土(めいど)
【地覆天翻】dì fù tiān fān 成 天地が引っくり返る．変化の激しいさま．大騒ぎするさま =〔天翻地覆 tiān fān dì fù〕
【地埂】dìgěng (~儿) 图 (田畑の)あぜ
【地宫】dìgōng 图 (陵墓の下にある)地下宮殿
【地沟】dìgōu 图 暗渠(あんきょ)．地下水路
【地瓜】dìguā 图 方 ❶サツマイモ ❷クズイモ
【地滚球】dìgǔnqiú =〔保龄球 bǎolíngqiú〕
【地核】dìhé 图〈地質〉地核
【地黄】dìhuáng 图 ❶〈植〉ジオウ ❷〈中医〉地黄
【地积】dìjī 图 土地の面積
【地基】dìjī 图 (建築物の)土台．地方によっては〔地脚〕ともいう ‖ 砸zá~ 地突きをする
【地极】dìjí 图〈地〉地球の極．南極と北極
【地籍】dìjí 图 地籍．地籍台帳
【地籍图】dìjítú 图 地籍図
【地价】dìjià 图 地価．土地の価格
【地角天涯】dì jiǎo tiān yá 成 地の果て，天の果て．非常に遠い所．〔天涯地角〕ともいう．
【地脚】dìjiǎo 图 (書籍の)地の余白
【地窖】dìjiào 图 (野菜などの)貯蔵用の穴蔵
【地界】dìjiè 图 ❶土地の境界 ❷場所
【地久天长】dì jiǔ tiān cháng =〔天长地久 tiān cháng dì jiǔ〕
【地牢】dìláo 图 土牢．地下牢
【地雷】dìléi 图〈軍〉地雷 ‖ 埋~ 地雷を埋める
*【地理】dìlǐ 图 ❶地理 ‖ ~条件 地理的条件 ❷地理学
【地力】dìlì 图〈農〉地力．土壌の生産力
【地利】dìlì 图 ❶地の利．地勢上の利 ‖ 天时~ 天の時，地の利 ❷〈農〉作付けに有利な土壌の条件
【地量】dìliàng 图 最低量 ↔〔天量〕
【地灵人杰】dì líng rén jié 成 山紫水明の霊気ある土地には傑出した士が出る
【地漏】dìlòu 图 床の排水口
【地脉】dìmài 图 地相．土地の吉凶
【地幔】dìmàn 图〈地質〉マントル
【地貌】dìmào 图〈地〉地形
**【地面】dìmiàn 图 ❶地面．地上 ‖ ~部队 地上部隊 ❷床 ‖ 混凝土hùnníngtǔ~ コンクリートの床 ❸ 口 行政区域 ‖ 这里已经是四川省的~ ここはもう四川省の区域だ ❹(~儿) 口 地元．当地 ‖ 他在~上很有人缘儿 彼は地元では人望を集めている
【地面站】dìmiànzhàn 图 (通信衛星を管理する)地上局
【地膜】dìmó 图〈農〉マルチングフィルム
【地亩】dìmǔ 图 田畑 ‖ 丈量zhàngliáng~ 田畑を測量する
【地盘】dìpán (~儿) 图 縄張り．地盤 ‖ 抢占~ 縄張りを争って奪い取る｜扩大~ 縄張りを広げる
【地皮】dìpí 图 ❶地所．建築用地 ‖ 买~ 地所を買う ❷(~儿) 地面．地表
【地痞】dìpǐ 图 地回り．土地のごろつき
【地平线】dìpíngxiàn 图 地平線
【地铺】dìpù 图 地面や床の上にじかに敷いた寝床 ‖ 打~ 床に敷いた寝床に寝る
【地气】dìqì 图 ❶地面上の水蒸気 ❷地表温度．(広く)気温．気候
【地契】dìqì 图 土地の売買契約書
【地壳】dìqiào 图〈地質〉地殻
【地勤】dìqín 图 (航空関係者の)地上勤務 ↔〔空勤〕‖ ~人员 地上勤務員
**【地球】dìqiú 图〈天〉地球
【地球村】dìqiúcūn 图 地球村 ‖ ~意识 世界は一つの村のようなものだという意識
【地球科学】dìqiú kēxué 图 地学．地球科学．〔地学〕ともいう
【地球仪】dìqiúyí 图 地球儀
**【地区】dìqū 图 ❶地区．地域 ‖ 沿海~ 沿海地区 ❷中国の省や自治区に設けた行政区域．ふつういくつかの県や市を統轄する ❸植民地や信託統治地区をさす ‖ 国家和~ 国と地域
【地权】dìquán 图 土地所有権
【地儿】dìr 图 場所．所 ‖ 占~ 場所をとる
【地热】dìrè 图〈地質〉地殻熱．地熱
【地上】dìshang 图 地面．床(ゆか)

> **類義語** 地上 dìshang 地下 dìxia
>
> ◆ともに「地面．床」を表す ◆〔地上〕は物が地面や床などに存在していることを表すときに用いる ‖ 地上的雪 地面に積もった雪｜地上有垃圾 床にはごみがある ◆〔地下〕は物の移動を強調する，あるいは他の位置を表す語と相対的・対比的に使うときによく用いる．たとえば，〔天上 ↔ 地下〕のように ‖ 笔掉在地下了 ペンは床(地面)に落ちてしまった｜床上是花床罩，地下铺着红地毯 ベッドには柄物のベッドカバー，床には赤いじゅうたんが敷いてある

【地上茎】dìshàngjīng 图〈植〉地上茎
*【地势】dìshì 图 地形．地勢 ‖ ~平缓pínghuǎn 地形が平坦である｜~险要 地勢が険しい
【地税】dìshuì 图 地方税．〔地方税〕の略
【地摊】dìtān (~儿) 图 地べたにじかに板や紙などを広げ商品を並べて売る露店 ‖ 摆~ 露店を出す
*【地毯】dìtǎn 图 じゅうたん ‖ 铺~ じゅうたんを敷く
【地毯式】dìtǎnshì 形 ローラー式の．全面的に遺漏なく行う方式の ‖ ~的问卷wènjuàn调查 全数調査方式のアンケート
*【地铁】dìtiě 图 略 地下鉄．〔地下铁道〕の略
【地头】[1] dìtóu 图 ❶(~儿) 田と田の境．あぜ ❷ 方 目当ての地．目的地 ❸(~儿) 方 当地．地元
【地头】[2] dìtóu 图 書籍の地の余白
【地头蛇】dìtóushé 图 旧 地回り．地元のならず者
**【地图】dìtú 图 地図 ‖ ~册 地図帳
**【地位】dìwèi 图 地位 ‖ ~高 地位が高い
【地温】dìwēn 图〈気〉地温
【地峡】dìxiá 图〈地〉地峡
**【地下】dìxià 图 地下 ‖ 停车场在~ 駐車場は地下にある 形 非合法な．地下活動の ‖ ~刊物kānwù 地下出版物
【地下】dìxia 图 地面．床(ゆか) ‖ 掉在~ 床に落ちる
【地下茎】dìxiàjīng 图〈植〉地下茎
【地下室】dìxiàshì 图 地下室
【地下水】dìxiàshuǐ 图 地下水
【地下铁道】dìxià tiědào =〔地铁 dìtiě〕
【地线】dìxiàn 图〈電〉アース ‖ 接上~ アースをつなぐ

D

【地陷】dìxiàn 動 地盤が陥没する
【地效飞行器】dìxiào fēixíngqì 图 地面効果翼機. エクラノプラン
【地心说】dìxīnshuō 图〈天〉天動説
【地心引力】dìxīn yǐnlì 图〈天〉地球の引力. 重力.〔重力〕ともいう
*【地形】dìxíng 图 地形 ‖ ～复杂 地形が複雑である

【地形图】dìxíngtú 图 地形図
【地学】dìxué 图 地学
【地衣】dìyī 图〈植〉地衣類
【地狱】dìyù 图 地獄 ↔〔天堂〕‖ 下～ 地獄に落ちる
【地域】dìyù 图 ❶地域 ❷地方. 郷土
*【地震】dìzhèn 图 地震.〔地动〕ともいう ‖ 发生～ 地震が起きる｜七级～ マグニチュード7の地震 動 地震が起きる
【地震波】dìzhènbō 图〈地質〉地震波
【地震烈度】dìzhèn lièdù 图 震度. 略して〔烈度〕ともいう
【地震仪】dìzhènyí 图 地震計.〔地震计〕ともいう
【地震震级】dìzhèn zhènjí 图 マグニチュード. 略して〔震级〕ともいう
【地政】dìzhèng 图 土地の管理・利用・徴用などに関する行政事務
【地支】dìzhī 图 十二支.〔十二支〕ともいう
**【地址】dìzhǐ 图 ❶住所. 所在地 ‖ 公司～ 会社の所在地｜联系～ 連絡先 ❷〈計〉アドレス
*【地质】dìzhì 图 地質 ‖ ～剖pōu面 地質断面図
【地轴】dìzhóu 图〈天〉地軸
*【地主】dìzhǔ 图 ❶地主 ❷(訪問者に対して)地元の者 ‖ 略尽～之谊yì 少しばかり地元のよしみを尽くす
【地租】dìzū 图 地租. 小作料

7 **弟** dì ❶弟 ‖ 大～ 上の弟｜二～ 2番目の弟 ❷同世代の親族で自分より年下の男子 ‖ 堂～ 父方の従弟(いとこ)｜表～ 異姓の従弟 ❸自己の謙称, または, 同輩や目下の者に対する親しみをこめた呼称 ‖ 贤～ 年下の友人に対する敬称｜小～ 小生
★【弟弟】dìdi 图 ❶弟 ❷同世代の親族で自分より年下の男子 ‖ 叔伯shūbai～ 父方の従弟
【弟妹】dìmèi 图 ❶口 弟の妻 ❷弟と妹
*【弟兄】dìxiong 图 ❶兄弟(自分を含む) ‖ 我们～五个 私たちは5人兄弟だ ❷兄弟(自分を含まない) ❸(同じ境遇や立場の仲間に対して)兄弟たち. みなさん
【弟子】dìzǐ 图 書 弟子. 門下生

8 **的** dì 的(まと) ‖ 中zhòng～ 的に当たる｜众矢shǐ之～ 人々の非難の的 ➤ de dí

9 **帝** dì ❶天帝. 神話や宗教における最高神 ‖ 上～ 神｜玉皇大～ 道教の神 ❷图 君主. 皇帝 ‖ 皇～ 皇帝 ❸帝国主義の略称 ‖ 反～反封建 反帝国主義反封建主義
【帝俄】Dì'é 图 帝政ロシア.〔沙俄〕ともいう
*【帝国】dìguó 图 帝国 ‖ 罗马～ ローマ帝国
*【帝国主义】dìguó zhǔyì 图 帝国主義
【帝王】dìwáng 图 帝王 ‖ ～将相jiàngxiàng 帝王と宰相
【帝位】dìwèi 图 帝位
【帝政】dìzhèng 图 帝政
【帝制】dìzhì 图 帝制 ‖ 废除～ 帝制を廃止する

10 ** **递(遞)** dì ❶動 渡す. 手渡す. 伝える ‖ 投～(郵便物などを)配達する｜把剪子jiǎnzi～给我 はさみを取ってください ❷順次. だんだんに ‖ ～增｜～减
【递变】dìbiàn 動 だんだんと変化する
【递补】dìbǔ 動 順次補充する
【递加】dìjiā 動 逓増する. しだいに増加する
【递减】dìjiǎn 動 しだいに減る. 漸減する
【递降】dìjiàng 動 徐々に下がる
*【递交】dìjiāo 動 じかに渡す. 手渡す ‖ ～国书 信任状を渡す
【递解】dìjiè 動 旧 犯罪人を遠方に順送りに護送する
【递进】dìjìn 動 ❶少しずつ進める ❷〈語〉累加する ‖ ～关系 累加関係
【递升】dìshēng 動 徐々に上がる. 昇格する
【递送】dìsòng 動 (書類や手紙を)配達する. 届ける ‖ ～邮件 郵便物を届ける
*【递增】dìzēng 動 しだいに増える ‖ 利润每年～百分之二 利潤が毎年2パーセントずつ増加する

10 **娣** dì 古 ❶姉から妹に対する呼称 ❷兄の妻から弟の妻に対する呼称

11 **谛** dì 書 ❶注意深く. 詳しく ❷道理. 意義 ‖ 真～ 真諦(しんたい). 真の意味
【谛视】dìshì 動 書 じっと見る. 子細に見る
【谛听】dìtīng 動 書 じっと聞く. 注意深く耳をすます

11 ★ **第**[1] dì ❶書 順序. 順番 ❷旧 (封建社会における官僚などの)屋敷. 邸宅 ‖ 宅zhái～ 屋敷 ❸接頭 数詞に冠して順序を示す ‖ ～二代 2代目｜～三名 3番目. 第3位 ❹書 科挙試験に合格すること ‖ 落luò～ 科挙試験に落ちる

11 **第**[2] dì 書 ❶かまわずに. 遠慮せず ❷しかし. ただし
【第二产业】dì'èr chǎnyè 图 第二次産業
【第二次世界大战】Dì'èrcì shìjiè dàzhàn 图〈史〉第二次世界大戦
【第二课堂】dì èr kètáng 图 ❶課外活動 ❷職業教育. 成人教育
【第二性征】dì èr xìngzhēng 图 第二次性徴
【第二职业】dì'èr zhíyè 图 本職以外の職業. 副業
【第三产业】dìsān chǎnyè 图 第三次産業
【第三世界】dìsān shìjiè 图 第三世界
【第三者】dìsānzhě 图 ❶第三者 ❷愛人
【第三状态】dì sān zhuàngtài 图 半健康の状態. 病気予備軍
*【第一】dìyī 数 最初の. 1番目の ‖ 得dé～ 1番になる｜坐在～排 最前列に座る 形 最も重要である. 第一の ‖ 健康～ 健康が最も大切である
【第一把交椅】dìyī bǎ jiāoyǐ 慣 第一人者 ‖ 坐上了围棋界的～ 囲碁界の第一人者になった
【第一把手】dìyībǎ shǒu 图 最高責任者. ナンバーワン ‖ 单位的～ 職場の最高責任者. トップ
【第一产业】dìyī chǎnyè 图 第一次産業
【第一次】dìyī cì 組 第1回. 最初 ‖ 我是～来北京 私は初めて北京に来ました
【第一次世界大战】Dìyīcì shìjiè dàzhàn 图〈史〉第一次世界大戦
【第一夫人】dì yī fūrén 图 ファーストレディ
【第一个】dìyī ge 組 1番目. 最初 ‖ 今天我是～到的 今日は私が最初に着いた
【第一流】dìyīliú 图 一流
【第一时间】dì yī shíjiān 图 初動段階. 初期段

階
【第一手】dìyīshǒu 形 直接入手した. 生の ‖ ～材料 直接手に入れた資料
【第一线】dìyīxiàn 名（戦場や職場の）第一線. 最前線
12 蒂（△蔕）dì 名 ❶果実のへた. 花の萼(がく) ‖ 花～ 花の萼 ❷末尾 ‖ 烟～ 煙草の吸い殻
【蒂芥】dìjiè 名 書 わだかまり. しこり
12 缔 dì ❶結ぶ ‖ —～交 ❷取り決める. 締結する ‖ —～结 ❸打ち立てる ‖ —～造
【缔交】dìjiāo 動 ❶友人の交わりを結ぶ ❷国交を結ぶ
*【缔结】dìjié 動 締結する ‖ ～条约 条約を締結する
【缔盟】dìméng 動 同盟を結ぶ
【缔约】dìyuē 動 条約を締結する
【缔约国】dìyuēguó 名 締約国. 条約を結んだ当事国
【缔造】dìzào 動 創建する. 建設する. 創立する. 打ち立てる.（多く偉大な事業についていう）
12 棣 dì 書 弟 ‖ 仁～ 仁弟. 書簡で年下の友人に対し用いる
【棣棠】dìtáng 名〈植〉ヤマブキ
12 睇 dì 書 横目で見る. 横目を使う
14 碲 dì 名〈化〉テルリウム（化学元素の一つ, 元素記号はTe）

diǎ

13 嗲 diǎ 形 方 甘えた声あるいは甘えた態度の形容 ‖ 发～ 甘ったれる | ～声～气 甘えた声やそぶり

diān

11 *掂 diān 動 物を手に持ち, 感覚で重さを量る. 手で重さを量る ‖ 我～了一下, 足有五公斤 手に持って重さを量ってみたが, たっぷり5キロはある
【掂掇】diānduo 動 ❶考慮する. 斟酌(しんしゃく)する ❷見積もる. 推測する
【掂斤播两】diān jīn bō liǎng 成 細かいことにけちけちする. つまらないことまで勘定高く計算する
【掂量】diānliang ; diānliáng 動 方 ❶手に物を持ち感覚で重さを量る. 手で重さを量る ❷考える. 考慮する ‖ 你～着处理吧 あなたのお考えで処理してください
【掂算】diānsuàn 動 推算する
13 滇 diān 名 雲南省の別称 ‖ ～剧 雲南省の地方劇
16 颠 diān ❶頭頂部. 頭 ❷頂上. 頂. てっぺん ‖ 山～ 山頂 ❸落ちる. 倒れる ‖ —～覆 ❹動 上下に揺れる ‖ —～簸 ❺動（～儿）方 突っ走る ❻逆さまにする. ひっくり返す ‖ —～倒 ❼〔癫diān〕に同じ
【颠簸】diānbǒ 動 上下に揺れ動く ‖ 船小～得很厉害 船が小さいのでずいぶん揺れる
*【颠倒】diāndǎo 動 ❶転倒する. 逆さまになる. あべこべになる ‖ 把次序cìxù～了 順序を逆さにしてしまった ❷錯乱する ‖ 神魂shénhún～ うつつを抜かす
【颠倒黑白】diān dǎo hēi bái 成 黒白を逆転させる. 黒を白と言いくるめる
【颠倒是非】diān dǎo shì fēi 成 正しいことを間違いとし, 間違いを正しいこととする
*【颠覆】diānfù 動（組織などを）転覆させる ‖ ～政权 政権を転覆させる
【颠来倒去】diān lái dǎo qù 慣 幾度も繰り返す
【颠沛】diānpèi 動 書 窮乏する. 挫折(ざせつ)する ‖ ～流离 落ちぶれて流浪する
【颠扑不破】diān pū bù pò 成（理論などが）正しく覆すことができないこと
【颠三倒四】diān sān dǎo sì 慣（行いや話が）混乱していてめちゃくちゃである
19 巅 diān 名 山頂 ‖ 山～ 山頂
【巅峰】diānfēng 名 頂. 頂上
21 癫 diān 形 精神が錯乱する様子 ‖ 疯fēng～ 精神異常
【癫狂】diānkuáng 形 軽佻浮薄(けいちょうふはく)である. 驕慢(きょうまん)である ‖ 举止～ ふるまいが軽佻浮薄である
【癫痫】diānxián 名〈医〉てんかん. ふつうは〔羊痫风〕〔羊角风〕という

diǎn

8 典[1] diǎn ❶規準・規範となる書籍 ‖ —～籍 ❷法(のり). 法則. きまり ❸書 制度. 法規 ❹式典. 儀式 ‖ 开国盛～ 開国の盛典. 建国式典 ❺典故. 典拠. 故実 ‖ —～故 ❻つかさどる. 主宰する. 主管する
8 典[2] diǎn 動 旧 不動産を抵当に入れて金を借りる. 不動産を抵当にとって貸し付ける
【典当】diǎndàng 動 抵当に入れる. 質に入れる
【典范】diǎnfàn 名 典範. 手本
【典故】diǎngù 名 典故. 典拠. 故実
【典籍】diǎnjí 名 典籍.（広く）古代の書籍
*【典礼】diǎnlǐ 名 式典. 典礼. セレモニー ‖ 举行开幕～ オープニング・セレモニーを行う | 结婚～ 結婚式
【典卖】diǎnmài 動 旧 不動産を抵当に入れる
【典契】diǎnqì 名 旧 不動産抵当の契約
*【典型】diǎnxíng 形 典型的である. 代表的である ‖ 这是～的流感症状 これは典型的なインフルエンザの症状である 名 典型. モデル ‖ ～示范 モデルケース
【典押】diǎnyā ＝〔典当diǎndàng〕
【典雅】diǎnyǎ 形 典雅である. 優雅で格調高い
【典章】diǎnzhāng 名 典章. 法令制度
9 ★点[1]（點）diǎn ❶名 **小さな痕跡**(こんせき)**. 点. ほし** ‖ 斑bān～ 斑点(はんてん) | 泥～ 泥はね ❷名（字画の）**点** ❸動 **点を打つ** ‖ ～一个点 点を一つ打つ ❹彩りを添える. 飾る ‖ 装～ 装飾する ❺動 **指定する. 注文する** ‖ —～菜 ❻動 **一つ一つ調べる. 点検する. チェックする** ‖ 钱数对不对，请你～一～ お金が合っているかどうか数えてみてください ❼動 **ちょっと触れる. 突つく** ‖ 这个问题他一～而过 この問題に彼はちょっと触れただけで済ませてしまった ❽動 **うなずく. 手招きする** ‖ —～头 ❾動 **指し示す. 指摘する. 教える** ‖ 一～就透 ヒントを与えればすぐ分かる. ❿動 **点火する** ‖ ～上一支烟 タバコに火をつける ⓫動 つま先立つ ‖ ～着脚才看得见 つま先立ちをしてようやく見えた ⓬名（～儿）**しずく** ‖ 雨～ 雨粒 ⓭動（液体を）**垂らす. さす** ‖ ～眼药 目薬をさす ⓮動 **点播**(てん

ぱ)する.(種を)まく ‖ 一～播 ⑮［古］通報のために打ち鳴らす鉄製の鳴り物 ⑯［名］(～儿)リズム. 拍子 ⑰［旧］夜間の時間の単位.〔更gēng〕の5分の1 ⑱［量］**時間の単位, 時** ‖ 现在几～？ いま何時ですか ⑲［名］**定められた時間. 定刻** ‖ 误～ 時間に遅れる｜到～ 時間になる ⑳［名］〈数〉**点** ㉑一定の位置. 限度 ‖ 终～ 終点. 終着点｜转折zhuǎnzhé～ 転換点 ㉒物事の特定の部分や方面 ‖ 优～ 優れた点. 長所｜疑～ 疑問点 ㉓［量］**事項を数える. 点** ‖ 几～建议 何点かの提案｜三～看法 三つの見方 ㉔［名］(～儿)〈数〉**小数点** ‖ 五～二三 5.23 ㉕［量］(～儿)**少量を表す. 少し. ちょっと** ‖ 一～儿 少し｜慢～走 ゆっくり歩く｜多穿～ 厚着しておきなさい｜会～英文 英語が少しできる

9 **点**²(點) **diǎn** ❶空腹しのぎに少し食べる ‖ 一～饥 ❷軽食. 菓子. スナック ‖ 早～ 朝の軽食｜糕～ ケーキや菓子類

類義語｜**点 diǎn 些 xiē**

◆〔点〕少量を表す. 一般に事物について用い, 人や動物には使わない. 数詞は〔一〕〔半〕に限られ,〔一〕はよく省略される ‖ 菜不多了, 再添一点儿 料理が少なくなったから, もう少しもってきましょう｜您喝一点儿茶吧 ちょっとお茶をお飲みなさい｜我们俩之间产生了一点儿矛盾 私たち二人の間に少し行き違いが生じた ◆〔些〕不定の数量を表す. 必ずしも少量とは限らない. 事物のほか, 人や動物にも用いる. 数詞は〔一〕, 代詞は〔这〕〔那〕〔这么〕〔那么〕などに限られる.〔一〕はよく省略される. いくつか. いくらか ‖ 老师做了一些重要的补充 先生は重要な補足をいくつかした｜这些事情都是他干的 これらのことはみな彼がやりました

逆引き単語帳 〔斑点〕bāndiǎn 斑点 〔雨点〕yǔdiǎn 雨粒. 雨滴 〔地点〕dìdiǎn 場所. 地点 〔焦点〕jiāodiǎn 焦点. フォーカス 〔起点〕qǐdiǎn 〔出发点〕chūfādiǎn 出発点. スタート点 〔终点〕zhōngdiǎn 終着点. ゴール 〔转折点〕zhuǎnzhédiǎn 転換点. 曲がり角. ターニングポイント 〔立脚点〕lìjiǎodiǎn 立場. 視点. よりどころ 〔小数点〕xiǎoshùdiǎn 小数点 〔观点〕guāndiǎn 観点 〔特点〕tèdiǎn 特徴. 特色 〔优点〕yōudiǎn 優れた点. 長所 〔缺点〕quēdiǎn 欠点. 短所 〔弱点〕ruòdiǎn 弱点. ウイークポイント 〔要点〕yàodiǎn 要点. ポイント 〔重点〕zhòngdiǎn 重点 〔热点〕rèdiǎn 人気スポット. 関心を集めている事柄 〔早点〕zǎodiǎn 朝御飯 〔糕点〕gāodiǎn ケーキや菓子類の総称

【点兵】diǎn//bīng ［動］［古］兵を召集して点呼をとる

【点播】¹ **diǎnbō** ［動］〈農〉点播(ぱ)する.〔点种diǎnzhòng〕ともいう

【点播】² **diǎnbō** ［動］(放送番組で)リクエストする ‖ ～歌曲 曲をリクエストする

【点拨】diǎnbo ［動］指し示す. 教える. ヒントを与える

【点补】diǎnbu ［動］(空腹しのぎに)少し食べる

【点菜】diǎn//cài ［動］(メニューから)料理を選ぶ. 料理を注文する ‖ 点这么多菜, 吃得了吗？ そんなにたくさん料理を頼んで, 食べきれるの？

【点穿】diǎnchuān ［動］喝破する. ずばり指摘する

【点滴】diǎndī ［形］わずかな. ほんの少しの ‖ ～体会 ちょっとした体験 ［名］❶こぼれ話. エピソード ❷〈医〉点滴

【点焊】diǎnhàn 〈機〉［動］スポット溶接する

【点化】diǎnhuà ［動］〈宗〉(道教で)物を変化させる. 悟りを開かせる

*__【点火】diǎn//huǒ__ ［動］❶点火する. 火をつける ❷扇動する. 事件を引き起こす ‖ 煽shān风～ 扇動する

【点击】diǎnjī ［動］〈計〉クリックする ‖ 右～ 右クリックする

【点饥】diǎn//jī ［動］(空腹しのぎに)ちょっと食べる ‖ 先吃个馒头mántou, 点点饥 まずマントーでも食べて空腹しのぎにしてくれ

【点将】diǎn//jiàng ［動］将官を点呼して任務を与える.［転］とくに指名する

【点卯】diǎn//mǎo ［動］❶［古］官庁で卯(う)の刻(午前6時)に点呼して出勤を調べる ❷［喩］定刻どおり出勤した後, 点呼だけ受けて帰り, 1日仕事をしたように見せかける. 顔だけ出す

*__【点名】diǎn//míng__ ［動］❶点呼する. 出席をとる ‖ 现在开始～ いまから出席をとります ❷指名する. 名指す ‖ ～批判 名指しで批判する

【点明】diǎnmíng ［動］はっきり示す

【点评】diǎnpíng ［動］評論する. コメントをする ［名］コメント. 批評

【点破】diǎnpò ［動］喝破する ‖ 一句话～了要害 一言で急所を突いた

【点清】diǎn//qīng ［動］すっかり点検する

【点球】diǎnqiú ［名］〈体〉ペナルティー・キック

*__【点燃】diǎnrán__ ［動］火をつける. 燃やす ‖ ～火把 たいまつに火を点じる

【点染】diǎnrǎn ［動］［書］❶絵に点景を添える. 色をつける ❷(文章に)手を加える

【点射】diǎnshè ［動］〈軍〉点射する

【点收】diǎnshōu ［動］査収する. 確認のうえ受け取る

【点题】diǎn//tí ［動］(話の)主旨を示す. テーマを浮き出させる

*__【点头】diǎn//tóu__ (～儿) ［動］うなずく.(許可・同意・理解の意, または会釈することを表す) ‖ 连连～ しきりにうなずく｜这件事局长已经～了 この件は局長がすでにうんと言っている

【点头哈腰】diǎntóu hāyāo ［慣］頭を下げ腰をかがめる. ぺこぺことへつらうさま

★**【点心】diǎnxin** ［名］**菓子や軽食のたぐい. 点心** ‖ ～铺 菓子屋｜甜～ 甘い菓子｜咸～ 塩味の菓子

【点穴】diǎn//xué ［動］(武術で)指で相手の急所を突く

【点验】diǎnyàn ［動］一つ一つ調べる. 点検する

【点阵】diǎnzhèn ［名］〈計〉ドット・マトリクス

★**【点钟】diǎnzhōng** ［名］(時間を表す)**時** ‖ 十二～ 12時 ☞ちょうど…時という場合にのみ用いる. …時…分というときは〔…点…分〕といい,〔钟〕は省く

【点种】diǎn//zhǒng ［動］〈農〉点播(ぱ)する. 種をまく

【点种】diǎnzhòng ＝〔点播diǎnbō〕

*__【点缀】diǎnzhui ; diǎnzhuì__ ［動］❶飾りつける. 装飾する. 引き立たせる ‖ 这张画把房间～得更典雅了 この絵が部屋をいっそうエレガントに引き立てている ❷興を添える. 飾りにする ［名］飾り. 添えもの

【点字】diǎnzì ［名］点字

*__【点子】__¹ **diǎnzi** ［名］❶しずく ‖ 雨～ 雨のしずく ❷点. 斑点. しみ ‖ 油～ 油のしみ ❸打楽器の拍子 ［量］［方］少ない量を表す

*__【点子】__² **diǎnzi** ［名］❶要点. ポイント. 肝心な所 ‖ 话说在～上了 話は肝心要の所にさしかかった ❷［方］方

法. 考え. もくろみ. 工夫 ‖ 这必定是老李出的～ これはきっと李さんのアイディアだ

13 **碘 diǎn** 名〈化〉沃素(ようそ). ヨード. (化学元素の一つ, 元素記号は I)

【碘酊】diǎndīng 名〈薬〉ヨードチンキ

【碘化银】diǎnhuàyín 名〈化〉沃化銀(ようかぎん)

【碘酒】diǎnjiǔ 名 ヨードチンキ. 〔碘酊〕の通称

【碘片】diǎnpiàn 名 ヨードの結晶片

【碘钨灯】diǎnwūdēng 名 タングステン・ヨード・ランプ

15 **踮 diǎn** 動 つま先立つ

【踮脚】diǎn//jiǎo 動 つま先立つ ‖ 踮起脚, 伸着脖子往里看 つま先立ちして, 首を伸ばして中をのぞく 形 (diǎnjiǎo) (～儿) 方 足をひきずるさま

diàn

5 ★**电(電) diàn** ❶いなびかり. いなずま ❷名 電気 ‖ 停～ 停電する ❸動 口 感電する ‖ 毛衣上有静电, ～了我一下 セーターに静電気が起きてぴりっときた ❹電報. 電信 ‖ 贺～ 祝電 | 唁yàn～ 弔電 ❺電報を打つ ‖ 一～贺

【电棒】diànbàng (～儿) 名 方 懐中電灯

⁑【电报】diànbào 名 **電報. 電信** ‖ 打～ 電報を打つ

【电笔】diànbǐ 名 電極ペンシル

【电表】diànbiǎo 名〈電〉電気計器. 電気メーター

⁑【电冰箱】diànbīngxiāng 名 **電気冷蔵庫** ‖ 三开门儿～ スリードア冷蔵庫

【电波】diànbō ＝〔电磁波diàncíbō〕

【电铲】diànchǎn 名〈機〉掘削機. ショベルカー ＝〔掘jué土机〕

【电唱机】diànchàngjī 名 電気蓄音機. レコード・プレーヤー

★【电车】diànchē 名 **電車. トロリーバス** ‖ 有轨guǐ～ 路面電車 | 无轨～ トロリーバス

⁑【电池】diànchí 名〈電〉**電池** ‖ 太阳能～ 太陽電池 | 干gān～ 乾電池

【电传】diànchuán 動 ファクシミリで送信する 名 ファクシミリで送った文書や画像

【电吹风】diànchuīfēng 名 ヘア・ドライヤー ‖ 用～吹干头发 ドライヤーで髪を乾かす

【电磁波】diàncíbō 名〈電〉電磁波. 〔电波〕ともいう

【电磁场】diàncíchǎng 名〈電〉電磁界. 電磁場

【电磁干扰】diàncí gānrǎo 名 電磁波障害. 電磁波妨害. 電磁波干渉. EMI

【电磁感应】diàncí gǎnyìng 名〈電〉電磁感応

【电磁炉】diàncílú 名 クッキング・ヒーター. 〔电磁灶〕ともいう

【电磁炮】diàncípào 名〈軍〉電磁砲

【电磁铁】diàncítiě 名〈電〉電磁石

【电磁灶】diàncízào 名 IHクッキングヒーター. 〔电磁炉〕ともいう

【电大】diàndà 名 略 (テレビ放送による)放送大学. 〔电视大学〕の略

【电刀】diàndāo 名〈医〉電気メス

【电导】diàndǎo 名〈電〉コンダクタンス. 電気伝導

★【电灯】diàndēng 名 **電灯** ‖ 一盏zhǎn～ 電灯一つ | 开～ 電灯をつける | 关～ 電灯を消す

【电灯泡】diàndēngpào (～儿) 名 電球. 〔电灯泡子〕ともいい, ふつうは〔灯泡〕という

【电动】diàndòng 形 電動の ‖ ～缝纫féngrèn机 電気ミシン | ～水泵bèng 電動ポンプ

*【电动机】diàndòngjī 名 電動機. モーター. ふつうは〔马达〕という

【电动势】diàndòngshì 名〈電〉起電力

【电镀】diàndù 動 電気めっきする

【电饭锅】diànfànguō 名 電気がま. 電気炊飯器

⁑【电风扇】diànfēngshàn 名 **扇風機** ＝〔电扇〕‖ 摇头式～ 首振り式扇風機

【电复】diànfù 動 書 電報で返事する

【电杆】diàngān ＝〔电线杆diànxiàngān〕

【电镐】diàngǎo 名〈機〉❶電気削岩機 ❷電気ショベル

【电告】diàngào 動 書 電報で通知する. 電報で報告する

*【电工】diàngōng 名 ❶電気工学 ❷電気工

【电功率】diàngōnglǜ 名〈電〉電力

【电购】diàngòu 動 書 電報で注文購入する

【电灌】diànguàn 名 電力灌漑(かんがい) ‖ ～站 電力灌漑ステーション

【电光】diànguāng 名 電光. いなずま

【电焊】diànhàn 動 電気溶接する 名 電気溶接. アーク溶接

【电贺】diànhè 動 書 電報で祝す. 祝電を打つ

【电荷】diànhè 名〈電〉電荷. チャージ

【电弧】diànhú 名〈電〉電弧. アーク

【电化教育】diànhuà jiàoyù 名 視聴覚教育. 略して〔电教〕ともいう

★【电话】diànhuà 名 **電話** ‖ 打～ 電話をかける | 接～ 電話を受ける | 请老王接～ 王さんをお願いします | ～占线 電話が話し中だ | 公用～ 公衆電話 | 他来～了 彼から電話があった | 今天有你的～ 今日あなたに電話があった | 小李, 你的～ 李さん, あなたに電話ですよ

【电话号码】diànhuà hàomǎ 名 電話番号

【电话会议】diànhuà huìyì 名 電話会議

【电话机】diànhuàjī 名 電話機

【电话卡】diànhuàkǎ 名 テレホンカード

【电话亭】diànhuàtíng 名 電話ボックス

【电话银行】diànhuà yínháng 名 テレホンバンク

【电荒】diànhuāng 名 電力不足

【电汇】diànhuì 動 電信為替で送金する 名 電信為替

【电击】diànjī 名〈電〉電撃. 電気ショック

【电机】diànjī 名 電機. 発電機. モーター

【电极】diànjí 名〈電〉電極

【电教】diànjiào 名 略 視聴覚教育. 〔电化教育〕の略

【电解】diànjiě 動〈化〉電気分解する. 電解する

【电解质】diànjiězhì 名〈化〉電解質

【电介质】diànjièzhì 名〈電〉誘電体. 電媒質

【电烤箱】diànkǎoxiāng 名 電気オーブン

*【电缆】diànlǎn 名 ケーブル ‖ 海底～ 海底ケーブル

【电老虎】diànlǎohǔ 名 ❶手中の権力を盾にユーザーから賄賂をせしめる電力会社や電力会社の職員 ❷消費電力が膨大な設備

【电烙铁】diànlàotie 名 ❶電気はんだごて ❷電気アイロン

【电离】diànlí 名〈電〉電離. イオン化

【电离层】diànlícéng 名〈気〉電離層

*【电力】diànlì 图 電力 ‖ ～供应gōngyìng 電力の供給｜～机车 電気機関車
【电力网】diànlìwǎng 图〈電〉電力系統. 送電網
【电力线】diànlìxiàn 图〈電〉❶送電線. 電力線 ❷電気力線
【电量】diànliàng 图〈電〉電気量
*【电疗】diànliáo 图〈医〉電気治療. 電気療法
【电料】diànliào 图 電器部品. 電工材料
*【电铃】diànlíng 图 電鈴. ベル ‖ 按～ ベルを押す
*【电流】diànliú 图〈電〉電流
【电流表】diànliúbiǎo 图〈電〉アンペアメーター. 電流計 =〔安培ānpéi计〕
【电流强度】diànliú qiángdù 图〈電〉電流の強さ
*【电炉】diànlú 图 電気ストーブ. 電気こんろ
*【电路】diànlù 图〈電〉電気回路. 回路 ‖ 集成～ 集積回路｜并联～ 並列回路｜串chuàn联～ 直列回路
【电路图】diànlùtú 图〈電〉電気回路図
【电码】diànmǎ（～儿）图 電報コード
【电门】diànmén 图 口 電気のスイッチ
【电木】diànmù 图〈化〉ベークライト
★【电脑】diànnǎo 图〈計〉**電子計算機. コンピューター.**〔电子计算机〕ともいう
【电脑病毒】diànnǎo bìngdú 图〈計〉コンピューター・ウイルス
【电能】diànnéng 图〈物〉電気エネルギー
*【电钮】diànniǔ 图（電気設備などの）スイッチ. 押しボタン ‖ 按～ ボタンを押す
【电暖气】diànnuǎnqì 图 電気ストーブ
【电瓶】diànpíng 图 口 蓄電池. バッテリー
【电瓶车】diànpíngchē 图（バッテリーによる）電気自動車
*【电气】diànqì 图 電気 ‖ ～工学 電気工学
【电气化】diànqìhuà〔動〕電化する
*【电器】diànqì 图 電気器具
【电热】diànrè 形 電熱の ‖ ～毯tǎn 電気毛布
【电容】diànróng 图 ❶〈電〉電気容量 ❷＝〔电容器diànróngqì〕
【电容器】diànróngqì〔名〕〈電〉コンデンサー. 蓄電器.〔容电器〕ともいう
⁂【电扇】diànshàn 图 **扇風機.**〔电风扇〕ともいう
【电石】diànshí 图〈化〉カーバイト
【电石气】diànshíqì 图 アセチレン =〔乙炔yǐquē〕
【电示】diànshì 動 書 電報で通知する. 電報で指示する
★【电视】diànshì 图 **テレビ** ‖ 开～ テレビをつける｜他上～了 彼はテレビに出た
【电视大学】diànshì dàxué 图（テレビの）放送大学
【电视点播】diànshì diǎnbō 图 ビデオオンデマンド. VOD
【电视电话】diànshì diànhuà 图 テレビ電話
【电视发射塔】diànshì fāshètǎ 图 テレビ塔. ふつうは〔电视塔〕という
【电视机】diànshìjī 图 テレビ. テレビ受像機
【电视剧】diànshìjù 图 テレビドラマ ‖ 电视连续剧 連続テレビドラマ
【电视片】diànshìpiàn 图 テレビ放送のためのフィルム
【电视塔】diànshìtǎ 图 テレビ塔
⁂【电视台】diànshìtái 图 **テレビ局**
【电视网】diànshìwǎng 图 テレビ放送ネットワーク
【电视直播】diànshì zhíbō 图 テレビの実況生放送
⁂【电台】diàntái 图 ❶**ラジオ放送局.**〔广播电台〕の通称 ❷**無線電信局.**〔无线电台〕の通称
【电烫】diàntàng 動 パーマをかける
⁂【电梯】diàntī 图 **エレベーター.** リフト ‖ 坐～ エレベーターに乗る
【电筒】diàntǒng 图 懐中電灯.〔手电筒〕の通称
【电网】diànwǎng 图 電気の流れている鉄条網
【电文】diànwén 图 電文
*【电线】diànxiàn 图 電線
【电线杆】diànxiàngān 图 電柱
【电信】diànxìn 图 電信 ‖ ～局 電信局
【电刑】diànxíng 图 ❶電気ショックによる拷問 ❷電気椅子による死刑
【电讯】diànxùn 图 ❶電話通信. 電報通信. 無線電による通信 ❷無電の信号
*【电压】diànyā 图〈電〉電圧 ‖ 量～ 電圧を測る
【电压计】diànyājì 图〈電〉電圧計. ボルトメーター
【电唁】diànyàn 動 書 弔電を打つ
【电邀】diànyāo 動 書 電報を打って招請する
【电椅】diànyǐ 图 電気椅子
★【电影】diànyǐng（～儿）图 **映画** ‖ 放～ 映画を上映する｜拍～ 映画を撮影する｜～迷 映画ファン

> **外国の固有名詞** 映画の題名 【哀愁】…魂断兰桥 【カサブランカ】…卡萨布兰卡（別名）北非谍影 【ダンスウィズウルブズ】…与狼共舞 【シンドラーのリスト】…辛德勒的名单 【タイタニック】…泰坦尼克号 【スター・ウォーズ】…星球大战 【バットマン】…蝙蝠侠 【風とともに去りぬ】…飘（別名）乱世佳人 【もののけ姫】…魔法公主 【プラトーン】…野战排 【クレイマー・クレイマー】…克莱默夫妇 【ディア・ハンター】…猎鹿人 【ゴッド・ファーザー】…教父 【マイ・フェア・レディ】…窈窕淑女 【アラビアのロレンス】…阿拉伯的劳伦斯

【电影节】diànyǐngjié〔名〕映画祭
【电影片子】diànyǐng piānzi 图 映画フィルム
【电影票】diànyǐngpiào 图 映画のチケット
【电影演员】diànyǐng yǎnyuán 图 映画俳優
⁂【电影院】diànyǐngyuàn 图 **映画館**
【电影制片厂】diànyǐng zhìpiànchǎng 图 映画製作所
【电影周】diànyǐngzhōu 图 映画週間
【电邮】diànyóu 图〈計〉電子メール. e メール.〔电子邮件〕の略
*【电源】diànyuán 图〈電〉電源
【电晕】diànyùn 图〈電〉コロナ
【电熨斗】diànyùndǒu 图 電気アイロン
【电灶】diànzào 图 電気こんろ
【电闸】diànzhá 图（強電用の）大型スイッチ. 電気制動機.〔闸〕ともいう
【电钟】diànzhōng 图 電気時計
【电珠】diànzhū 图 豆電球
*【电子】diànzǐ 图 電子. エレクトロン
【电子版】diànzǐbǎn 图 電子版 ‖ 《经济日报》～ 『経済日報』電子版
【电子出版物】diànzǐ chūbǎnwù 图 電子出版物
【电子辞典】diànzǐ cídiǎn 图 電子辞書
【电子对】diànzǐduì 图〈物〉電子対. エレクトロン・ペ

ア

【电子公告牌】diànzǐ gōnggàopái 图〈通信〉電子掲示板. BBS
【电子函件】diànzǐ hánjiàn ＝〔电子邮件 diànzǐ yóujiàn〕
【电子汇款】diànzǐ huìkuǎn 图 電子送金
【电子货币】diànzǐ huòbì 图 電子マネー
【电子计算机】diànzǐ jìsuànjī 图〈計〉電子計算機. コンピューター. 〔电脑〕ともいう
【电子流】diànzǐliú 图〈電〉電子流
【电子枪】diànzǐqiāng 图〈電〉電子銃. エレクトリック・ガン
【电子琴】diànzǐqín 图〈音〉電子オルガン. 電子ピアノ. キーボード
【电子认证】diànzǐ rènzhèng 動 電子認証する
【电子商务】diànzǐ shāngwù 图〈計〉電子商取引. eコマース
【电子手表】diànzǐ shǒubiǎo 图 電子腕時計
【电子束】diànzǐshù 图〈電〉電子ビーム
【电子图书】diànzǐ túshū 图 電子ブック. 〔电子书〕ともいう
【电子显微镜】diànzǐ xiǎnwēijìng 图 電子顕微鏡
【电子信箱】diànzǐ xìnxiāng 图〈計〉メールボックス. 〔电子邮箱〕ともいう
【电子眼】diànzǐyǎn 图 車両監視カメラ. 略して〔电眼〕ともいう
【电子音乐】diànzǐ yīnyuè 〔名〕〈音〉電子音楽. コンピューター・ミュージック
【电子邮件】diànzǐ yóujiàn 图〈計〉電子メール. eメール
【电子游戏】diànzǐ yóuxì 图 コンピューター・ゲーム
【电子邮箱】diànzǐ yóuxiāng ＝〔电子信箱 diànzǐ xìnxiāng〕
【电子战】diànzǐzhàn 图 電子戦
【电阻】diànzǔ 图〈電〉電気抵抗. レジスタンス
【电钻】diànzuàn 图〈機〉電気ドリル

7 **佃** diàn 土地を借りて農業を営む ➤ tián
【佃户】diànhù 图 旧 小作人
【佃客】diànkè 图 ❶古 豪族に従属する農民 ❷旧 小作人
【佃农】diànnóng 图 旧 小作農. 小作人
【佃契】diànqì 图 旧 小作契約書
【佃权】diànquán 图 旧 小作権
【佃租】diànzū 图 旧 小作料 ‖ 缴jiǎo～ 小作料を納める

7 **甸** diàn ❶古 都の周辺の地 ❷放牧地. (多く地名で用いる)
【甸子】diànzi 图 方 放牧地

7 **阽** diàn ; yán 書 (危険が)迫る

8 ** **店** diàn ❶图 店. 商店. 店舗 ‖ 商～ 商店 | 批发～ 問屋 | 零售～ 小売り店 ❷图 小さな宿. はたご ‖ 旅～ 旅館 ❸地名用字

逆引き単語帳 〔商店〕shāngdiàn 商店 〔书店〕shūdiàn 本屋 〔粮店〕liángdiàn 穀物店. 米屋 〔副食店〕fùshídiàn 総合食料品店 〔水果店〕shuǐguǒdiàn 果物屋 〔药店〕yàodiàn 薬屋. 薬局 〔文具店〕wénjùdiàn 文房具店 〔烟酒店〕yānjiǔdiàn 酒・タバコ店 〔钟表店〕zhōngbiǎodiàn 時計店 〔洗染店〕xǐrǎndiàn 〔洗衣店〕xǐyīdiàn クリーニング店 〔时装店〕shízhuāngdiàn ブティック 〔服装店〕fúzhuāngdiàn 洋服店. 洋装店 〔礼品店〕lǐpǐndiàn ギフトショップ 〔电器店〕diànqìdiàn 家電製品店. 電器店 〔床上用品商店〕chuángshang yòngpǐn shāngdiàn 寝具店 〔体育用品商店〕tǐyù yòngpǐn shāngdiàn スポーツ用品店 〔理发店〕lǐfàdiàn 理髪店 〔饭店〕fàndiàn 〔酒店〕jiǔdiàn (高級)ホテル 〔旅店〕lǚdiàn (規模の小さい)旅館. 宿屋 〔连锁店〕liánsuǒdiàn チェーン店 〔便利店〕biànlìdiàn 〔方便店〕fāngbiàndiàn コンビニエンスストア 〔网店〕wǎngdiàn ネットショップ 〔专卖店〕zhuānmàidiàn 専門店

【店东】diàndōng 图 ❶宿屋の主人 ❷商店の主人. 店主
【店家】diànjiā 图 旧 ❶宿屋・料理屋・居酒屋の主人あるいは番頭 ❷方 商店. 店舗
【店面】diànmiàn 图 店先. 店構え
【店铺】diànpù 图 店舗. 商店
【店堂】diàntáng 图 商店の売り場. 飲食店の店内
【店小二】diànxiǎo'èr 图 旧 宿屋や料理屋のボーイ. 店員
*【店员】diànyuán 图 店員. 商店の奉公人
【店主】diànzhǔ 图 ❶宿屋の主人 ❷商店の主人. 店主

8 **坫** diàn 古 物を置くために室内に設けた土の台

9 * **垫**(墊) diàn ❶動 (高さや厚みを出したり, 平らにするために)下に敷く. あてがう. 当てる ‖ 箱子里～了些纸 箱の中に紙を敷いた | 请～上个坐垫 どうぞ座布団をお当てください ❷图 (～儿) 下に敷く物. あてがう物 ‖ 一～子 ❸動 穴埋めする. 空きをふさぐ ❹動 金を立て替える ‖ 旅费我给～上吧 旅費は私が立て替えてあげよう
【垫板】diànbǎn 图〈機〉当て板. パッド・プレート
【垫补】diànbu 動 方 金の不足分を立て替える. 埋め合わせる
【垫底儿】diàn//dǐr 動 ❶底に物を敷く ❷空腹しのぎに食べる ❸基礎をつくる. 土台にする
【垫付】diànfù 動 金を立て替える ‖ 运费先由我们～吧 運賃はとりあえず私たちが立て替えておこう
【垫话】diànhuà 图 漫才の前口上. まくら
【垫肩】diànjiān 图 ❶(物を担ぐときに用いる)肩当て ❷(洋服の)肩パッド
【垫脚石】diànjiǎoshí 图 踏み台 ‖ 他总是把别人当做自己向上爬的～ 彼はいつも人を自分の出世の踏み台にする
【垫圈】diàn//juàn 動 家畜小屋の中に, 乾燥した土やわらなどを敷く ➤ diànquān
【垫款】diànkuǎn 图 立替金
【垫圈】diànquān (～儿) 图〈機〉ワッシャー. 座金 ➤ diànjuàn
【垫上运动】diànshàng yùndòng 图〈体〉マット運動
【垫支】diànzhī 動 立て替えて支払う. (金を)流用す

る
【垫资】diànzī 動 資金を用立てる ‖ 为学校无偿～ 学校のために無償で資金を用立てた
【垫子】diànzi 名 座布団. マット. クッション ‖ 弹簧tánhuáng～ スプリング・マットレス｜体操～ ジム・マット

9 **玷** diàn ❶白玉のきず ‖ 白圭guī之～ 白圭(はけい)のきず. ちょっとした過ち ❷汚す. 辱める. 傷つける
【玷辱】diànrǔ 動 辱める. 汚す
【玷污】diànwū 動 汚す. 辱める

10 **钿** diàn ❶名 金属細工の花飾り. 螺鈿(らでん) ‖ 螺luó～ 螺鈿 ❷象眼する
➤ tián

11 **淀**[1] diàn 名 浅い湖. (多く地名に用いる) ‖ 白洋～ 河北省にある地名

11 **淀**[2] (澱) diàn よどむ ‖ 沉chén～ 沈殿する
【淀粉】diànfěn 名 澱粉
【淀积作用】diànjī zuòyòng 名〈地〉集積作用

11 **惦** diàn 動 気にかける. 心配する. 心にかける
*【惦记】diànji ; diànjì 動 気にかける. 気にとめる. 心配する ‖ 她总～着孩子的身体 彼女はいつも子供の健康を気遣っている
【惦念】diànniàn 動 気にかける. 心配する. 気にとめる ‖ ～家乡的老母 ふるさとの年老いた母親を心配する

12 **奠** diàn ❶供物を供える ‖ 祭jì～ 供養する ❷定める. 打ち建てる ‖ →～定 ｜ →～基
*【奠定】diàndìng 動 安定させる. 築く. 打ち建てる ‖ 为两国的关系正常化～了基础 両国の関係正常化のために基礎を打ち建てた
【奠都】diàndū 動 都を定める ‖ ～开封 開封に都を定める
【奠基】diànjī 動 基礎を建てる. 基礎を築く ‖ ～石 礎石｜新学说的～人 新学説の基礎を築いた人
【奠酒】diànjiǔ 動 酒を地にそそいで神を祭る
【奠仪】diànyí 名 香典. (葬儀の)見舞金

13 **殿**[1] diàn 名 高大な建物. とくに宮殿や神殿などをさす ‖ 宫～ 宮殿｜佛～ 仏殿

13 **殿**[2] diàn しんがりをつとめる ‖ →～后
【殿后】diànhòu 動 しんがりをつとめる
【殿试】diànshì 名 古 殿試. 天子臨席で行う科挙の最終試験
【殿堂】diàntáng 名 宮殿. 仏殿. 殿堂
【殿下】diànxià 名 殿下
【殿宇】diànyǔ 名 殿堂. 殿宇(でんう). 御殿

16 **靛** diàn ❶名 天然藍(あい). 藍染料 ❷濃い青色の
【靛蓝】diànlán 名 インジゴ. ふつうは〔蓝靛〕という
【靛青】diànqīng 形 濃紺の 名 方 インジゴ色

18 **癜** diàn 名〈医〉なまず(皮膚病の一種) ‖ 白～风 白なまず

18 **簟** diàn 名 方 竹で作ったむしろ

diāo

2 **刁** diāo 形 ずるい. 狡猾(こうかつ)である. 悪辣(あくらつ)である ‖ 放～ 言いがかりをつける
【刁恶】diāo'è 形 ずる賢く凶悪である
【刁棍】diāogùn 名 悪漢. 無頼漢
【刁悍】diāohàn 形 狡猾で凶悪である
【刁横】diāohèng 形 悪賢く横暴である
【刁滑】diāohuá 形 狡猾である. ずる賢い ‖ ～的奸商jiānshāng 狡猾な悪徳商人
【刁赖】diāolài 形 ずる賢く道理をわきまえない
【刁蛮】diāomán 形 方 悪賢く横暴である
【刁难】diāonàn 動 故意に人を困らせる. 難癖をつける. 嫌がらせをする ‖ 他这样做是故意～我们 彼がこうするのはわざと我々に難癖をつけているのだ
【刁顽】diāowán 形 狡猾で頑固である
【刁钻】diāozuān 形 腹黒い. ずる賢い. 狡猾である. 意地の悪い ‖ ～古怪 意地悪く素直でない

5 * **叼** diāo 動 くわえる ‖ 野猫把鱼～走了 野良ネコが魚をくわえていった

10 **凋** diāo ❶(草木が)枯れる. (花が)しおれる ‖ →～谢 ❷(事業が)衰微している. (生活が)苦しい
【凋残】diāocán 動 ❶破損する. 荒れ果てる ❷(草木が)枯れる. (花が)しぼむ ‖ 百花～ (冬が来て)すべての花がしぼみ枯れる ❸書 疲弊する. 困窮する
【凋枯】diāokū 動 (葉や花が)枯れる. しぼむ. 落ちる
【凋零】diāolíng 動 ❶(葉や花が)しぼむ. 落ちる. 枯れる ‖ 草木～ 草木が枯れる ❷衰微する. 凋落(ちょうらく)する ‖ 百业～ 経済が衰微する
【凋落】diāoluò 動 (花や葉が)しぼんで落ちる. 枯れ落ちる
【凋萎】diāowěi 動 しぼむ. 枯れる
【凋谢】diāoxiè 動 ❶(花や葉が)枯れ落ちる. しぼんで落ちる ‖ 花木～ 花は枯れ落ちた ❷喩 (老人が)死ぬ

12 **貂** diāo 名〈動〉テン ‖ 紫～ クロテン
【貂皮】diāopí 名 テンの毛皮

13 **碉** diāo ↴
【碉堡】diāobǎo 名〈軍〉トーチカ
【碉楼】diāolóu 名 旧 (防衛を兼ねた)望楼

16 **雕**[1] (△鵰) diāo 名〈鳥〉ワシ属の鳥の通称

16 **雕**[2] (△彫 琱) diāo ❶動 彫る. 彫刻する ‖ →～刻 ❷色彩を施す. 彩色する ❸彫刻 ‖ 石～ 石の彫刻
【雕版】diāobǎn 動 版木を彫る 名 木版 ‖ ～印刷 木版印刷
【雕虫小技】diāo chóng xiǎo jì 成 微小で取るに足りない技巧(多くは修辞技巧をさす)
【雕红漆】diāohóngqī 名 堆朱(ついしゅ). 〔剔tī红〕ともいう
【雕花】diāo//huā 動 模様を彫る 名 (diāohuā)彫刻した模様 ‖ ～玻璃 カット・ガラス. 切り子ガラス
【雕镌】diāojuān 動 書 彫刻する
*【雕刻】diāokè 動 彫刻する 名 彫刻 ‖ 象牙～ 象牙の彫刻
【雕梁画栋】diāo liáng huà dòng 成 彫刻を施した梁(はり)と絵の描かれた棟(むね). 華麗な建物の形容
【雕漆】diāoqī 動 塗り重ねた漆に文様を彫刻する 名 彫漆(ちょうしつ) ＝〔漆雕〕
【雕饰】diāoshì 名 彫り物 動 ❶彫刻して飾る ❷(文章などを)過度に飾り立てる

*【雕塑】diāosù 動 彫刻や塑造の制作をする 名 彫塑
【雕像】diāoxiàng 名 彫像
【雕琢】diāozhuó 動 ❶(玉ぎょくを)彫刻する ❷文章を飾りたてる‖文字朴实，不加～ 文章が素直で，過度に飾っていない

16 **鲷** diāo 名〈魚〉タイ

diǎo

5 **鸟**（鳥）diǎo 名 俗 陰茎．男根．ペニス ➤ niǎo

diào

6 **吊**[1]（△弔）diào ❶弔う‖→～丧 ❷慰める‖→～民伐罪 ❸しのぶ．追憶する‖凭píng～ 冥福(めいふく)を祈る

6 ** **吊**[2]（△弔）diào ❶動 つるす．かける．ぶら下げる‖他开车的时候，我的心老是～着 彼が運転するとき私はいつもはらはらする｜上～ 首をつる ❷動 つり上げる．つりおろす‖把大件的家具从阳台上～下去 大きな家具をバルコニーからつりおろす ❸(発行した証明書などを)回収する．取り上げる．無効にする‖→～销 ❹高い所からボールを軽く打つ‖～球 フェイントをかける ❺量 昔の貨幣単位．ふつう穴あき銭1000文を1〔吊〕とした ❻動 毛皮に裏地を縫いつける．毛皮を服地の裏に縫いつける‖～里子lǐzi 裏地を縫いつける

> **類義語** 吊 diào 挂 guà 悬 xuán
>
> ◆〔吊〕上からぶら下がる(下げる)‖天花板上吊着一盏灯 天井には明かりが一つ下がっている ◆〔挂〕物の全体または一部分を，ある場所や物に掛ける‖把上衣挂在衣架上 上着をハンガーに掛ける ◆〔悬〕多く空中にぶら下がる(下げる)，宙に浮いた状態になる．単用することは少なく，四字句や文学作品に見られる‖悬灯结彩（お祝いのために）提灯(ちょうちん)をつるし，飾りをつける

【吊膀子】diào//bàngzi 慣 方 (異性を)誘惑する．ひっかける．〔吊膀〕ともいう
【吊车】diàochē 名〈機〉クレーン．起重機 ＝〔起重机〕
【吊窗】diàochuāng 名 外側からつり上げられた旧式の窓
【吊床】diàochuáng 名 ハンモック
【吊打】diàodǎ 動 つるし上げて責め打つ
【吊带】diàodài 名 靴下どめ．ガーター．〔吊袜带〕ともいう
【吊灯】diàodēng 名 ペンダント式の照明器具
【吊儿郎当】diào'erlángdāng 形 口 だらしがない．しまりがない．上調子である．ちゃらんぽらんである
【吊杆】diàogān 名 ❶口 はねつるべ ❷クレーンの腕木
【吊古】diàogǔ 動 いにしえをしのぶ
【吊挂】diàoguà 動 掛ける．ぶら下げる 名 方 入り口の上方に張る縁起のよい文字や図案を切り抜いた紙．〔吊钱儿〕ともいう
【吊环】diàohuán 名〈体〉つり輪
【吊祭】diàojì 動 弔う．祭祀(さいし)を行う
【吊兰】diàolán 名〈植〉オリヅルラン．〔挂兰〕ともいう
【吊楼】diàolóu 名 方 ❶水上に張り出した部分を柱で支えた住居 ❷山間部に見られる高床式住居の一種 ＊〔吊脚楼〕ともいう
【吊民伐罪】diào mín fá zuì 成 罪のある統治者を討伐し，虐げられている民を安んずる
【吊铺】diàopù 名 ハンモック
【吊桥】diàoqiáo 名 つり橋
【吊丧】diào//sāng 動 弔問する．お悔やみを述べる
【吊嗓子】diào sǎngzi 組 (伝統劇の役者や歌手が)伴奏楽器をつけて発声訓練をする
【吊扇】diàoshàn 名 天井に設置する扇風機
【吊死】diàosǐ 動 縊死(いし)する．首をつって死ぬ
【吊桶】diàotǒng 名 つるべ
【吊袜带】diàowàdài ＝〔吊带diàodài〕
【吊胃口】diào wèikǒu 組 相手の気を引く．興味をかきたてる
【吊线】diào//xiàn 動 錘重(すいじゅう)を用いて垂直かどうかを調べる
【吊销】diàoxiāo 動 (証明書などを)取り上げて取り消す．没収する‖～驾驶执照 運転免許証を没収する
【吊孝】diào//xiào 動 口 弔問する
【吊唁】diàoyàn 動 書 弔意を表す．弔問する‖来电～ 弔電を打ってくる
【吊装】diàozhuāng 動〈建〉クレーンなどでプレキャスト部材を組み立てる
【吊子】diàozi ＝〔铫子diàozi〕

8 ** **钓** diào ❶動 (魚などを)釣る‖→～鱼 ❷喩 手管を弄(ろう)して手に入れる‖沽gū名～誉yù (不正な手段で)名誉を求める．売名行為をする
【钓饵】diào'ěr 名 ❶釣り餌(え) ❷喩 (人を誘う)餌‖以金钱为～ 金を餌にする
【钓竿】diàogān (～儿) 名 釣り竿
【钓钩】diàogōu 名 ❶釣り針 ❷喩 わな
【钓具】diàojù 名 釣り道具
【钓丝】diàosī 名 釣り糸
【钓鱼】diào//yú 動 魚を釣る‖～用具 釣り道具

10 ** **调**[1] diào ❶動 移動する．かわる．まわす‖这位是新～来的王老师 この方は新しく転任して来られた王先生です｜借～ 出向する ❷調査する‖→～研 ❸取り出す‖→～卷

10 **调**[2] diào ❶名〈音〉調(ちょう)．調子‖C大～ ハ長調｜G小～ ト短調 ❷名〈音〉節(ふし)．メロディー ❸名〈劇〉伝統劇の伴奏音楽の節回し ❹名 (～儿)なまり．アクセント‖南腔qiāng北～ 南北各地のなまりが混ざっている ❺名 (～儿)言葉．意見．論調‖唱高～ 大口をたたく ❻風格．情緒‖色～ 色調 ❼名〈語〉声調．アクセント ➤ tiáo
【调包】diào//bāo ＝〔掉包diàobāo〕
【调兵遣将】diào bīng qiǎn jiàng 成 兵を移動し，将を派遣する．各種の人員を動員する
【调拨】diàobō 動 (物資などを)割り当てる．振り分ける．分配する．調達する‖～资金 資金を分配する
**【调查】diàochá 動 調査する．調べる‖事情还没有～清楚 事はまだはっきり調べがついていない｜问卷～ アンケート調査
【调调】diàodiao (～儿) 名 ❶節(ふし)．メロディー ❷論調
*【调动】diàodòng 動 ❶(位置や勤務などを)異動する．移動する．転勤する．転任する‖人事～ 人事異動 ❷動員する‖～各方面力量 各方面の力を動員する

D

*【调度】diàodù 動（仕事・物資・人員などを）管理し配置する．割り振る 名 配置係．指示係

【调防】diào//fáng 動〈軍〉守備任務を交替する

【调干】diàogàn 動 幹部を異動させる 形 職場派遣の．在職の ‖ ～生（学習のため）職場から派遣された幹部 名 在職幹部学生

【调个ㄦ】diào//gèr 動 口 物の向きを変える．位置を交換する ‖ 你比他高，你们俩的位置应该～ 君の方が彼より背が高いのだから君たち二人の位置を替えるべきだ

【调函】diàohán 名（人事部などが発信する）異動に関する文書

【调号】diàohào（～ㄦ）名 ❶〈語〉声調記号 ❷〈音〉調号

【调虎离山】diào hǔ lí shān 成 虎（とら）を山からおびき出す．相手をおびき出してその虚をつく

*【调换】diàohuàn ＝〔掉换diàohuàn〕

【调集】diàojí 動 一ヵ所に集める

【调卷】diào//juàn 動 書類を取り寄せる．〔吊卷〕とも書く

【调类】diàolèi 名〈語〉声調の種類

【调离】diàolí 動 転勤する．転任する．離れる ‖ ～原工作岗位 転任しもとの職場を離れる

【调令】diàolìng 名 転勤または転任の辞令

【调门ㄦ】diàoménr 名 口 ❶（声の）高さ．調子 ‖ 说话～高 甲高い声で話す ❷口調．論調

【调派】diàopài 動 派遣する．差し向ける

【调配】diàopèi 動 配置する．配分する．割り当てる ‖ 合理～人力 合理的に人力を配置する ➤ tiáopèi

【调遣】diàoqiǎn 動 派遣する ‖ ～军队 軍隊を派遣する

【调任】diàorèn 動 転任する

【调式】diàoshì 名〈音〉音階．モード

【调头】diào//tóu ＝〔掉头diàotóu〕

【调研】diàoyán 動 調査研究する

【调演】diàoyǎn 動（ある地域または劇団から）選抜し公演する

【调用】diàoyòng 動 調達して使う．動員して使用する

【调阅】diàoyuè 動（資料などを）取り出して調べる

【调运】diàoyùn 動 調達して送る ‖ 从各地～救灾物资 各地から救災物資を調達して送る

【调值】diàozhí 名〈語〉調値．実際の声調の高さ

【调职】diào//zhí 動 転任する

【调转】diàozhuǎn 動 ❶向きを変える．方向を変える ＝〔掉转〕❷（職場を）変わる．転任する

【调子】diàozi 名 ❶調べ．調子 ❷節（ふし）．メロディー ❸語調．口調．語気 ❹論調

【调走】diàozǒu 動 転任して去る．転勤してほかへ移る ‖ 他已经～了 彼はもう転任してここを去っていった

11 ★**掉**[1] diào ❶振る．振り回す ‖ 尾大不～ 尾が大きすぎて振れない．部下の勢力が強くて上からの押さえがきかないこと ❷ひけらかす ‖ →～文 ❸動 回す．向きを変える ‖ 把车头～过来 車の向きを変える ❹動 換える．取り替える ‖ 咱俩把坐位～一～ 僕たち座席を替えよう

11 ★**掉**[2] diào ❶動 落ちる．落とす．取れる ‖ ～牙 歯が抜ける｜～头发 髪の毛が抜ける｜纽扣niǔkòu～了 ボタンが取れた ❷動 遅れる．落後する ‖ →～队 ❸動 なくす．失う．脱落する ‖ 钱包～了 財布をなくした ❹①動（動詞の後に置き）取り除くことを表す ‖ 去～ 取り除く｜扔～ 捨ててしまう ②（動詞の後に置き）離れることを表す ‖ 走～ 行ってしまった｜溜liū～ 抜け出す ❺動 減る．下がる．（色などが）あせる ‖ →～价｜→～色

【掉包】diào//bāo（～ㄦ）動 こっそりすり替える．〔调包〕とも書く

【掉膘】diào//biāo 動（家畜が）痩せる

【掉秤】diào//chèng 動 方 目減りする

【掉点ㄦ】diào//diǎnr 動 俗 ぽつりぽつりと雨が降る

【掉队】diào//duì 動 落伍（らくご）する．遅れる ‖ 帮助班上～的学生把成绩搞上去 クラスの落ちこぼれの学生を助けて成績を向上させる

【掉过ㄦ】diào//guòr 動 位置を取り替える

【掉换】diàohuàn 動 ❶（新しいものと）取り替える．交換する ‖ ～工种（工場で）作業配置を替える ❷（互いに）交換する ‖ 咱俩～一下位置 僕たちちょっと位置を替わろう ＊〔调换〕とも書く

【掉价】diào//jià（～ㄦ）動 ❶価格が下がる．値下がりする ❷喩 社会的地位や格式などが落ちる ‖ 让她这个名演员当配角pèijué，她觉得太～ 彼女のような名優にわき役をやらせたので，彼女は体面を傷つけられたと感じている

【掉泪】diào//lèi 動 涙を落とす．落涙する

【掉色】diào//shǎi 動 色落ちする．色があせる

【掉书袋】diào shūdài 慣 貶 好んで古書の文句を引用して学があることをひけらかす

【掉头】diào//tóu 動 ❶書 振り向く ‖ 她不理我，～就走 彼女は私を無視し，背を向けると去っていった ❷書 頭を振る ❸（車や船が）向きを変える．Uターンする．〔调头〕とも書く

【掉文】diào//wén 動 文才をひけらかす．好んで文言を用い学をひけらかす

【掉线】diàoxiàn 動（ネットワークや電話の）接続が切断する

【掉以轻心】diào yǐ qīng xīn 成 たかをくくる．軽視する．油断する

【掉转】diàozhuǎn 動 向きを変える．方向を変える．〔调转〕とも書く ‖ ～话头 話題を変える

11 **铞** diào ➡〔钌铞ㄦ liàodiàor〕

11 **铫** diào 名（～ㄦ）薬を煎（せん）じたり湯を沸かしたりする土瓶 ＝〔铫子〕‖ 药～ㄦ 薬を煎じる土瓶｜沙～ㄦ 土瓶 ➤ yáo

【铫子】diàozi 名 ふたや取っ手のついたつぼ状の容器．薬を煎じたり湯を沸かしたりするのに用いる．〔吊子〕とも書き，また，〔铫〕ともいう

diē

10 ＊**爹** diē ❶名 口 父．お父さん ‖ →～娘 ❷方 老人の男性に対する敬称 ‖ 老～ おじいさん

【爹爹】diēdie 名 方 ❶父．お父さん ❷祖父．おじいさん

【爹妈】diēmā 名 父母．両親

【爹娘】diēniáng 名 父母．両親

12 ＊＊**跌** diē ❶動 転ぶ．つまずく ‖ 不小心～了一下子 うっかりしてすてんと転んでしまった ❷動 落ちる．落下する ‖ 脚一滑，～到河里去了 足を滑らせて川に落ちた ❸動（価格や生産量などが）下がる．下落する ‖ 美元～了 ドル安になった｜暴～ 暴落する

【跌倒】diēdǎo 動 つまずいて倒れる．転ぶ

【跌跌撞撞】diēdiezhuàngzhuàng（～的）形 ふらつきながら歩くさま．よろよろと歩くさま
【跌风】diēfēng 名（物価・株価などの）下落傾向．落勢‖日元处于～ 日本円は下落傾向にある
【跌幅】diēfú 名（物価や株価の）下落の幅．下げ幅‖最大～ 最大の下げ幅
【跌价】diē//jià 動 値が下落する．値下がりする‖股票～ 株価が下落する
【跌跤】diē//jiāo 動 ❶転ぶ．つまずく ❷喩 過ちを犯す．失敗する
【跌落】diēluò 動 ❶（物が）落ちる．転がり落ちる ❷（価格や生産高などが）下がる．下落する
【跌破】diēpò 動（価格などが）ある数値を割る‖在上市首日就～发行价 上場初日に発行価格を割った
【跌势】diēshì 名（価格などの）下落の勢い
【跌水】diēshuǐ 名 ❶急激に落下する水流 ❷水利施設で，水流を急激に落下させるための階段．せき
【跌停板】diētíngbǎn 名〈経〉（値幅制限で）ストップ安 ↔〔涨zhǎng停板〕
【跌足】diē//zú 動 書 足を踏み鳴らす．地団駄を踏む

dié

8 **迭** dié ❶交替する．交互に…する‖更gēng～ 更迭する ❷副 しばしば．次々と．続々と‖～有发现 続々と発見される ❸動（〔…不迭…〕の形で）…するいとまがない．しきりに…する‖后悔hòuhuǐ不～ しきりに後悔する
【迭次】diécì 副 書 しばしば．再三
【迭忙】diémáng 副 あたふたと
【迭起】diéqǐ 動 書 次々に出現する．相次いで起こる
10 **瓞** dié 書 小さいウリ‖瓜～ ウリ
11 **谍** dié ❶スパイ‖间jiàn～ スパイ．回し者．間諜 ❷スパイする
【谍报】diébào 名 諜報
【谍报员】diébàoyuán 名 諜報員．スパイ
12 **堞** dié 姫垣．城壁上に設けられた凹凸(おうとつ)状の低い壁．〔女墙〕ともいう‖城～ 同前
12 **揲** dié 動 古 折り畳む ➤ shé
12 **喋** dié ↴
【喋喋】diédié 形 絶え間なくしゃべる．ぺちゃくちゃしゃべる‖～不休 ぺちゃくちゃとひっきりなしにしゃべる
【喋血】diéxuè 動 書（戦場で）血の海を踏む．血にまみれる．〔蹀血〕とも書く
12 **耋** dié 書 70歳から80歳の高齢の（人）．老年の（人）‖耄mào～之年 老年．老齢
13 * **叠**（△疊 曡 疉）dié ❶動 積み重ねる‖把椅子～起来 椅子を積み上げる．❷重複する‖层见xiàn～出 次から次へと現れる ❸動 折り畳む．畳む‖把衣服～好 服をちゃんと畳む ❹量（～儿）一重ねのものを数える‖一～报纸 一重ねの新聞．
【叠床架屋】dié chuáng jià wū 成 屋上屋を架す．重複してむだなことをするたとえ
【叠翠】diécuì 動 書 青々として重なり合う
【叠合】diéhé 動 重なる．重なり合う
【叠罗汉】diéluóhàn 名（体操や曲芸で）多人数でさまざまな立体的な形をつくる演技．組み立て体操
【叠现】diéxiàn 動 繰り返し現れる
【叠印】diéyìn 動（映画の表現手法の一種）二重写しにする
【叠影】diéyǐng 名（テレビの）ゴースト．画像のぶれ
【叠韵】diéyùn 名〈語〉前後の2字が韻母を同じくすること．たとえば〔泛滥〕〔千年〕など
13 **牒** dié ❶古 文字を書き記す木片や竹片などの札．（広く）書籍 ❷文書．証明書‖通～ 通牒(つうちょう)
14 **碟** dié 名（～儿）小皿‖小～儿 小皿｜飞～ 空飛ぶ円盤．UFO
【碟机】diéjī 名 DVD・VCDなどを再生する機械
【碟片】diépiàn 名 DVD・VCDなどをさす
【碟子】diézi 名 小皿．〔盘子〕より小さめのものをさす
15 **蝶**（△蜨）dié 〈虫〉チョウ‖粉～ モンシロチョウ｜凤fèng～ アゲハチョウ
【蝶泳】diéyǒng 名〈体〉❶バタフライ ❷ドルフィン・キック
17 **鲽** dié 名〈魚〉カレイ

dīng

2 * **丁**[1] dīng 名 丁(てい)（十干の第4）➡〔天干tiāngān〕‖甲乙丙～ 甲乙丙丁
2 **丁**[2] dīng ❶成年の男子‖壮zhuàng～ 壮丁 ❷旧 ある種の仕事に従事している人‖园～ 庭師 ❸人口‖人～兴旺xīngwàng 人口が多い
2 **丁**[3] dīng 書 出合う．遭遇する‖～忧yōu 親の葬儀に当たる
2 * **丁**[4] dīng 名（～儿）（野菜や肉を）さいの目に切ったもの‖肉～ 豚肉のさいの目切り
【丁当】dīngdāng ＝〔叮当dīngdāng〕
【丁点儿】dīngdiǎnr 量 方 ほんの少し．ごくわずか．ちょっぴり‖酒只剩一～了 酒がほんのわずかしか残ってない
【丁冬】dīngdōng ＝〔叮咚dīngdōng〕
【丁二烯】dīng'èrxī 名〈化〉ブタジエン
【丁克】dīngkè 名 ディンクス‖～家庭 ディンクスの家庭
【丁零】dīnglíng 擬（鈴や小さい金属のぶつかり合う音）チリン．リンリン．チャリン
【丁零当啷】dīnglingdānglāng 擬（金属が続けざまにぶつかり合う音）ガチャガチャ．カチャカチャ
【丁宁】dīngníng ＝〔叮咛dīngníng〕
【丁是丁，卯是卯】dīng shì dīng, mǎo shì mǎo 慣 物事に几帳面である．けじめがはっきりしている．〔钉是钉，铆是铆〕とも書く
【丁税】dīngshuì 名 古 人頭税
【丁烷】dīngwán 名〈化〉ブタン‖～气 ブタンガス
【丁香】[1] dīngxiāng 名〈植〉ライラック．リラ
【丁香】[2] dīngxiāng 名 ❶〈植〉チョウジ‖～油 丁子油．丁香油 ❷〈中薬〉丁香(ちょうこう)
【丁忧】dīngyōu 動 書 父母の喪に服する
【丁字尺】dīngzìchǐ 名 丁字定規．T定規．T字形定規
【丁字钢】dīngzìgāng 名 T形鋼．〔丁字铁〕ともいう
【丁字镐】dīngzìgǎo 名 丁字形のつるはし
【丁字街】dīngzìjiē 名 T字路

4 **仃 dīng** ➡〔伶仃língdīng〕

5 **叮 dīng** ❶動（カなどが）刺す‖让蚊子～了一个大包 カに刺されてプクッとふくらんだ ❷動 懇ろに言い聞かせる. 念を押す‖千～万嘱zhǔ 何度も繰り返し言い聞かせる

【叮当】dīngdāng 擬（金属や磁器などのぶつかり合う音）カランカラン. チリンチリン. ガチャガチャ

【叮咚】dīngdōng 擬（玉ぎょくや金属の触れ合う音）コロン. カラン

【叮咛】dīngníng 動 懇ろに頼む. よく言い含める.‖千～万嘱咐zhǔfu 繰り返し繰り返し言い含める

【叮问】dīngwèn 動 方 問い詰める. 問いただす

*【叮嘱】dīngzhǔ 動 懇ろに言い聞かせる. 再三言い含める‖临走时母亲再三～我注意身体 出かける前に母は体に気をつけるようにと, 何度も私に言った

6 **玎 dīng** ↴

【玎珰】dīngdāng ＝〔叮当dīngdāng〕

【玎玲】dīnglíng 擬 玉(ぎょく)の触れ合う音

7 **疔 dīng** 名〈中医〉疔(ちょう)

【疔疮】dīngchuāng 名〈中医〉疔. 皮膚や皮下にできる悪性のはれもの

7 * **盯 dīng** 動 凝視する. 注視する. 見つめる. にらむ.〔钉〕とも書く‖你干吗老～着我？ なんで僕をそうじろじろ見るんだ

【盯防】dīngfáng 動（相手を）マークする‖紧紧～对方的前锋 相手のフォワードをぴったりマークする

【盯梢】dīng//shāo 動 尾行する. 後をつける‖有人盯我的梢 誰か私を尾行している

【盯视】dīngshì 動 凝視する. 見据える. じっと見つめる. まじまじと見つめる

7 **町 dīng** 地名用字‖畹Wǎn～ 雲南省にある地名 ➤tǐng

7 * **钉 dīng** ❶名（～儿）くぎ‖螺丝～ ねじ. ねじくぎ｜图～ 画びょう ❷動 相手にぴったり張りつく. 見張る‖～着他, 别让他跑了 やつを見張れ, 逃がすなよ ❸動 催促する. 厳しく迫る ❹〔盯dīng〕に同じ ➤dìng

【钉锤】dīngchuí 名 かなづち

【钉螺】dīngluó 名〈貝〉カタヤマガイ. ミヤイリガイ

【钉帽】dīngmào 名 くぎの頭

【钉耙】dīngpá 名〈農〉鉄製のくまで形の農具

【钉梢】dīng//shāo ＝〔盯梢dīngshāo〕

【钉是钉, 铆是铆】dīng shì dīng, mǎo shì mǎo ＝〔丁是丁, 卯是卯dīng shì dīng, mǎo shì mǎo〕

【钉鞋】dīngxié 名 ❶（防水布を用い, 底に鋲びょうを打った）旧式の雨靴 ❷〈体〉スパイク・シューズ

*【钉子】dīngzi 名 ❶くぎ‖钉dìng～ くぎを打つ ❷喩 拒否. 拒絶. ひじ鉄. 障害‖碰pèng～ はねつけられる. 断られる｜碰了个软～ 遠回しに断られた. やんわりと拒否された

【钉子户】dīngzihù 名（土地収用や再開発などに対する）立ち退き拒否世帯

8 **耵 dīng** ↴

【耵聍】dīngníng 名〈生理〉耳あか

9 **酊 dīng** 名〈薬〉チンキ.〔酊剂〕の略‖碘diǎn～ ヨードチンキ ➤dǐng

【酊剂】dīngjì 名 外〈薬〉チンキ

dǐng

8 ** **顶 dǐng** ❶頭のてっぺん. 頭頂部‖秃tū～ はげ頭 ❷名（～儿）てっぺん. 頂上‖房～ 屋根の上 ❸上限. 最高点 ❹副 最も. いちばん. きわめて‖这个菜～好吃 この料理はすごくおいしい ❺量 てっぺんのあるものを数える‖一～帽子 一つの帽子 ❻動 頭に載せる. 頭に受ける‖大热天～着太阳走了十里路 猛暑の日に炎天下を10里（5キロ）も歩いた ❼動 支える. つっかい棒をする. つっかいをする‖把大门～上 正門につっかい棒をする ❽動 担当する. 持ちこたえる. 担う‖出了问题我～着 問題が起きたら私が引き受ける ❾動 相当する. 匹敵する‖他干起活儿来一个～俩 彼の仕事は一人で二人に匹敵する ❿動 取って替わる. 代わる‖→～替 ⓫動（経営権や家の賃貸権など, 権利を）譲渡する. 取得する‖～出去 権利を譲渡する ⓬動 頭で突く‖→～球 ⓭動 向かう. 向かい合う.（風などを）真っ向から受ける‖～着狂风 激しい風を真っ向から受ける ⓮動 言葉で逆らう. 盾突く‖儿子～了他几句 息子は彼にちょっと口答えした ⓯動（芽が土を）押し上げる

【顶班】dǐng//bān 動（病欠などの）ほかの者に代わって勤務する

【顶板】dǐngbǎn 名 ❶〈鉱〉上盤(うわばん) ❷天井板

【顶不住】dǐngbuzhù 動 支えられない. 持ちこたえられない. 抗しきれない‖～这么大压力 こんな大きな圧力には抗しきれない

【顶戴】dǐngdài 名 旧（清代, 官吏の等級を示すための）帽子の頂の飾り‖被摘去～ 官職を免ぜられる

【顶灯】dǐngdēng 名 ❶自動車の屋根のライト ❷天井の電燈

【顶颠】dǐngdiān 名 頂. 頂上

*【顶点】dǐngdiǎn 名 ❶〈数〉頂点 ❷頂点. ピーク. 絶頂‖热烈的气氛达到了～ 熱気は最高潮に達した

*【顶端】dǐngduān 名 ❶てっぺん. 頂‖电视塔tǎ的～ テレビ塔のてっぺん ❷先端. どん詰まり

【顶多】dǐngduō 副 多くても. せいぜい‖他～五十出头 彼はせいぜい五十を越えたばかりだ

【顶风】dǐng//fēng 動 風に逆らう. 向かい風を受ける‖顶着风骑车 風に逆らって自転車に乗る 名（dǐngfēng）向かい風. 逆風 ✻↔〔顺风〕

【顶峰】dǐngfēng 名 ❶山の頂上. 山頂‖登上～ 頂上に登り詰める ❷喩 頂点. 最高峰

【顶缸】dǐng//gāng 動 口 代わりに罪を引き受ける. 代わって責任を負う

【顶岗】dǐnggǎng 動 方（人に）代わって勤務する

【顶杠】dǐng//gàng 動 言い争う.〔顶杠子〕ともいう

【顶骨】dǐnggǔ 名〈生理〉頭頂骨

【顶呱呱】【顶刮刮】dǐngguāguā （～的）形 口 たいへんすばらしい. 非常によい

【顶级】dǐngjí 形 最高の. 最高レベルの‖～专家 最高レベルの専門家

【顶尖】dǐngjiān （～儿）名 ❶てっぺん. 頂 ❷〈植〉綿花などの主茎の先端 形 最高レベルの. トップの

【顶角】dǐngjiǎo 名〈数〉頂角

【顶礼膜拜】dǐng lǐ mó bài 成 ひれ伏して拝む. 盲

目的に崇拝する
【顶梁柱】dǐngliángzhù 图 喩 大黒柱. 中心となる人物 ‖ 他是一家的～ 彼は一家の大黒柱だ
【顶楼】dǐnglóu 图 屋根裏部屋. 建物の最上層
【顶门杠】dǐngméngàng 图 戸のつっかい棒
【顶门立户】dǐngmén lìhù 慣 一家を興す. 家運をもり立てる
【顶牛ル】[1] dǐng∥niúr 動 口 ぶつかり合う. 互いに意地を張って譲らない. (予定などが)かち合う
【顶牛ル】[2] dǐngniúr 图〔骨牌〕(カルタ)の遊び方の一種. 〔接龙〕ともいう
【顶盘】dǐngpán (～ル) 動 旧 倒産した店や工場を買い取って引き続き商売をやる
【顶棚】dǐngpéng 图 天井 ‖ 糊～ 天井に紙を張る
【顶球】dǐng∥qiú 動〈体〉(サッカーなどで)ヘッディングする ‖ ～射门shèmén ヘッディング・シュートする
【顶事】dǐng∥shì (～ル) 形 役に立つ. 効果がある
【顶数】dǐng∥shù (～ル) 動 員数合わせする. 間に合わせに使う. 充てる 形 役に立つ. 有用である. (多く否定に用いる)
【顶替】dǐngtì 動 ❶人の代わりにする. 代わる. 替え玉になる ❷父母の退職後, 子供が同じ職場に就職する
【顶天立地】dǐng tiān lì dì 成 大地にすっくと立つ. 堂々として雄々しいさま ‖ 他才是～的好汉 彼こそ堂々たる好漢だ
【顶头上司】dǐngtóu shàngsi 图 直属の上司
【顶芽】dǐngyá 图〈植〉頂芽(ちょうが)
【顶用】dǐng∥yòng 形 役に立つ. 使える ‖ 光说顶什么用? 口で言うだけで何になるんだ
【顶账】dǐng∥zhàng 動 (何か代わりのもので)借金の返済に当てる. 帳消しにする
【顶针】dǐngzhen (～ル) 图 (裁縫の)指ぬき
【顶真】【顶针】dǐngzhēn 图 (修辞法の一つ)前の句の最後の部分を次の句の出だしに重ねて用いること
【顶珠】dǐngzhū (～ル) 图 旧 清代の官服で, 帽子の頂の丸い玉
【顶撞】dǐngzhuàng 動 (多く目上の人に対して)盾突く. 逆らう ‖ ～领导 上司に盾突く
【顶子】dǐngzi 图 ❶塔・亭(あずまや)・輿(こし)などの上部の飾り ❷=〔顶珠dǐngzhū〕 ❸屋根
【顶嘴】dǐng∥zuǐ 動 口 (多く目上の人に対して)口答えする. 言い争う. 口論する
【顶罪】dǐng∥zuì 動 ほかの人に代わって罪や責任を引き受ける

9 **酊** dǐng ➡〔酩酊mǐngdǐng〕 ➤ dīng

12 **鼎** dǐng ❶图 (古代の器の一種)かなえ ❷王位や政権を象徴するもの ❸喩 大きい ‖ 一言九～ 一言に重みがある ❹並び立つもの ‖ →～立 ❺書 まさに. ちょうど … である
【鼎鼎】dǐngdǐng 形 書 (名声などが)赫々(かくかく)としている. 盛大である ‖ 大名～ 名声赫々
【鼎沸】dǐngfèi 動 書 沸騰する. 沸き立つ. 沸き返る ‖ 街上人声～ 街は人々の声で沸き返っている
【鼎力】dǐnglì 副 書 敬 大いに. 力を尽くして ‖ 承蒙chéngméng～相助, 十分感谢 ご尽力を賜り感謝いたしております
【鼎立】dǐnglì 動 書 鼎立(ていりつ)する. 三つに分かれて対立する ‖ 三方～ 三つの勢力が並び立つ
【鼎盛】dǐngshèng 形 書 まさに盛りである
【鼎足】dǐngzú 图 かなえの足. 三者鼎立状態のたとえ

dìng

4 **订** dìng ❶書 評定する. 評議する ❷(文章などを)直す. 訂正する ‖ 修～ 改訂する ❸動 (規則・条約・契約などを)取り決める. 定める ‖ ～合同 契約をする | ～学习计划 学習計画を立てる ❹動 予約する. 注文する ‖ ～机票 飛行機のチケットを予約する | ～房间 部屋を予約する ❺動 装訂する. とじ合わせる. とじる ‖ →～书机
【订单】dìngdān 图 注文書. 〔定单〕とも書く
*【订购】dìnggòu 動 注文する. 発注する. 予約購入する. 〔定购〕とも書く
【订户】dìnghù 图 注文者. 予約者. 定期購読者. 〔定户〕とも書く
*【订婚】dìng∥hūn 動 婚約する. 〔定婚〕とも書く ‖ 他们俩～了 あの二人は婚約した | ～戒指jièzhi 婚約指輪. エンゲージリング
*【订货】dìng∥huò 動 (商品を)注文する. 発注する ‖ ～单 注文書 图 (dìnghuò)注文品 ＊〔定货〕とも書く
【订交】dìngjiāo 動 交友を結ぶ
【订金】dìngjīn 图 手付け金. 予約金. 内金. 〔定金〕とも書く
【订立】dìnglì 動 (条約や契約を)結ぶ. 取り決める. 締結する. (規則などを)定める
【订亲】dìng∥qīn 動 婚約する. 縁談を決める. 〔定亲〕とも書く
【订书机】dìngshūjī 图 ホッチキス
【订约】dìng∥yuē 動 (条約や契約を)締結する. 契約する. 約定する
*【订阅】dìngyuè 動 予約購読する. 〔定阅〕とも書く ‖ ～杂志 雑誌を予約購読する
【订正】dìngzhèng 動 訂正する
【订做】dìngzuò 動 注文して作る. あつらえる. 〔定做〕とも書く ‖ ～一套西服 背広の上下をあつらえる

7 **钉** dìng ❶動 (くぎやくさび形のものを)打ち込む. 打ちつける ‖ ～钉子dīngzi くぎを打つ ❷動 縫いつける. とじつける ‖ ～扣子kòuzi ボタンを縫いつける ➤ dīng

8 **定** dìng ❶形 落ち着いている. 平静である ‖ 稳～ 安定している ❷動 落ち着かせる. しずめる ‖ 好容易才把心～下来 ようやく気持ちをしずめた ❸動 定める. 定まる. 決める. 決まる ‖ 日期还没～ 期日はまだ決まっていない ❹不変の. 確定した ‖ →～律 ❺副 書 必ず. きっと ‖ ～能取胜 必ず勝てる ❻動 予約する. 注文する ‖ ～了两个房间 二部屋予約した ❼すでに取り決めた. すでに定められた ‖ →～价
【定案】dìng∥àn 動 (事件や案件に)結論を下す. 判決を下す 图 (dìng'àn)最終的な結論. 最終の判決
【定编】dìng∥biān 動 (人数などの)編成を確定する. 職場の定員を決める
【定场白】dìngchǎngbái 图〈劇〉(伝統劇で)登場人物が最初に言う自己紹介の独白
【定单】dìngdān =〔订单dìngdān〕
*【定点】dìngdiǎn 動 位置を定める. 場所を固定する ‖ ～观测 定点観測 形 ❶指定された. 専門の ‖ 涉外shèwài～饭店 外国人向け指定ホテル ❷時刻の定まった. 定時の ‖ ～航船 定時運行船

D

【定都】dìng//dū 動 都を定める
【定夺】dìngduó 動 書 決定する. 決裁する
*【定额】dìng'é 名 規定量. ノルマ ‖ 生产～ 生産ノルマ 動 一定量を定める ‖ ～供应 割り当て供給. 配給
【定岗】dìng//gǎng 動 仕事の部署を決める
【定稿】dìnggǎo 動 定稿にする. 最終稿にする 名 定稿. 最終稿
【定购】dìnggòu ＝〔订购dìnggòu〕
【定规】dìnggui 名 決まり. 取り決め. 規定
【定户】dìnghù ＝〔订户dìnghù〕
【定婚】dìng//hūn ＝〔订婚dìnghūn〕
【定货】dìng//huò ＝〔订货dìnghuò〕
*【定价】dìngjià 名 定価
【定见】dìngjiàn 名 定見. しっかりした考え
【定金】dìngjīn ＝〔订金dìngjīn〕
【定睛】dìngjīng 動 目を凝らす. じっと見据える
*【定居】dìng//jū 動 定住する. 住みつく ‖ ～北京 北京に定住する
【定居点】dìngjūdiǎn 名（遊牧民や漁民の）定住地
【定局】dìng//jú 動 最終決定する. 結末がつく. 決まる 名（dìngjú）定まった状態. 確定状態 ‖ 这种人事安排已成～ この人事異動はもうほとんど固まっている
【定礼】dìnglǐ 名 旧 結納
【定理】dìnglǐ 名 定理 ‖ 几何jǐhé～ 幾何の定理
【定例】dìnglì 名 定例. いつものならわし. 決まり
*【定量】dìngliàng 動 ❶一定量を定める ‖ ～供应 割り当て供給 ❷〈化〉物質の各構成成分の量などを分析する 名 決められた分量. 一定の量
【定量分析】dìngliàng fēnxī 名〈化〉定量分析
【定律】dìnglǜ 名 法則. 原理 ‖ 能量守恒shǒuhéng～ エネルギー不変の法則
【定论】dìnglùn 名 定論. 定説
【定苗】dìng//miáo 動〈農〉苗を間引く. 生育をよくするため, 間の苗を抜いてまばらにする
【定名】dìng//míng 動 命名する. 名づける.（人については用いない）
【定盘星】dìngpánxīng 名 ❶竿ばかりのゼロの目盛り ❷喩 一定の見解. 定見
【定评】dìngpíng 名 定評. 定まった評価
*【定期】dìngqī 動 期日や期限を定める ‖ ～开会 定期的に会議を開く 形 定期的な ‖ ～刊物 定期刊行物
【定钱】dìngqian；dìngqián 名 手付け金. 内金. 予約金 ‖ 付～ 手付け金を払う
【定亲】dìng//qīn ＝〔订亲dìngqīn〕
【定情】dìngqíng 動 旧 男女が愛情のしるしとなる物を取り交わし, めおとの約束をする. 時に結婚をさす
【定然】dìngrán 副 書 必ず. きっと
【定神】dìng//shén 動 ❶注意力を集中する ‖ ～一看, 什么都没有 じっと見たら何もなかった ❷気持ちを落ち着かせる. 気をしずめる
【定时】dìngshí 動 時間を定める ‖ 吃饭要～ 食事は決まった時間にとるべきだ 名 一定の時間. 定刻
【定时器】dìngshíqì 名 セルフタイマー
【定时炸弹】dìngshí zhàdàn 名 時限爆弾
【定式】dìngshì 名 ❶（囲碁の）定石（じょうせき） ❷固定した方式. パターン ‖ 思维～ 思考パターン
【定数】dìngshù 名 ❶規定の数量 ❷定まった運命. 天命
【定说】dìngshuō 名 定説
【定损】dìngsǔn 動（保険会社が）損害額を確定する
【定位】dìng//wèi 動 ❶物体の位置を計測する ❷（物事を評価し）位置づける 名（dìngwèi）定まった位置. 定位
【定息】dìngxī 名 ❶一定の率の利息 ❷新中国成立後, 公私合営化された企業の経営者に対して政府が一定期間支払った定率の利息
【定弦】dìng//xián（～儿）動 ❶弦楽器の調子を合わせる. 調弦する ❷方 考えを決める. 腹づもりをする
*【定向】dìngxiàng 動 ❶〈電〉方向を測定する ❷範囲・方向性を限る ‖ ～招生～分配 特定のある地域から学生を募集し, 卒業後その地域の職場に配属させること
【定心】dìng//xīn 動 気持ちを落ち着かせる. 気をしずめる
【定心丸】dìngxīnwán 名 喩 鎮静剤. 人を安心させるような言葉や措置
【定型】dìng//xíng 動 定型化する. 一定の型にはまる
*【定性】dìng//xìng 動 ❶〈化〉物質の成分や性質を測定する ❷（過ちや犯罪に対して）問題の性質を決める
【定性分析】dìngxìng fēnxī 名〈化〉定性分析
*【定义】dìngyì 名 定義 ‖ 下～ 定義を下す 動 定義する
【定音鼓】dìngyīngǔ 名〈音〉ティンパニー
【定影】dìngyǐng 動（写真を）定着する
【定语】dìngyǔ 名〈語〉定語. 連体修飾語
【定员】dìngyuán 動 人数を定める 名 定員
【定则】dìngzé 名 定則. 一定の規則
【定址】dìngzhǐ 動 建設地点を定める 名 決まった住所
【定准】dìngzhǔn 名（～儿）一定の基準 副 必ず. きっと 動 確定する
【定罪】dìng//zuì 動 罪を定める. 罪を言い渡す
【定做】dìngzuò ＝〔订做dìngzuò〕

11 **铤** dìng ❶書 粗金. 地金 ❷古〔锭dìng〕に同じ ➤ tǐng

12 **腚** dìng 名 方 臀部（でんぶ）. 尻

13 **碇**（△椗 矴）dìng 名 いかり ‖ 下～ いかりを下ろす | 起～ いかりを上げる

13 **锭** dìng ❶旧時, 貨幣を作るのに用いた鋳造した金銀のかたまり ‖ 金～ 金塊 ❷名 塊状の金属. 錠剤の薬 ‖ 钢～ 鋼塊. インゴット ❸量（塊状のものを数える）丁. 個 ‖ 一～墨 墨1本 ❹名 紡錘
【锭子】dìngzi 名〈紡〉紡錘. 錘（つむ）. スピンドル

diū

6 ★**丢** diū ❶動 なくす. 失う ‖ 我把钥匙～了 鍵をなくした | 放心, ～不了 安心しろよ, なくしはしないから ❷動 投げる. 捨てる ‖ 不要随地乱～纸屑zhǐxiè 紙くずをところかまわず捨ててはいけない ❸動 ほうっておく. ほったらかしにする ‖ 我学过两年法文, 现在差不多～光了 僕はフランス語を2年勉強したことがあるが, いまはほとんど忘れてしまった
【丢不开】diūbukāi 動 ほうっておけない. 捨てられない ‖ 我心里老也～这件事 私はこの事がいつまでも気になってしかたない
【丢丑】diū//chǒu 動 醜態をさらす. 恥をかく. 面目を

失う‖在众人面前～ 衆人の面前で醜態をさらす
【丢掉】diū∥diào 動 ❶なくす. 失う ❷捨てる. 捨て去る‖～幻想, 面对现实 幻想を捨て去って, 現実に立ち向かう
【丢份】diū∥fèn (～儿) 動 方 面目を失う. 恥をさらす
【丢官】diū∥guān 動 官職を失う
【丢魂落魄】diū hún luò pò 成 たまげる. びっくりする. 肝をつぶす ＝〔失魂落魄〕
【丢盔卸甲】diū kuī xiè jiǎ 成 よろいかぶとを捨てて逃げる. 戦いに敗れてほうほうの体で逃げるさま
【丢脸】diū∥liǎn 動 恥をかく. 面目を失う. 醜態をさらす‖决不能给父母～ 両親の面目をつぶすようなことは決してできない
【丢面子】diū miànzi 組 面目を失う. 恥をかく
【丢弃】diūqì 動 投げ捨てる. 捨て去る
【丢却】diūquè 動 ❶捨てておく. ほうっておく ❷なくす
*【丢人】diū∥rén 動 恥をかく. 面目を失う‖～现眼 面目なくて人に顔を合わせられない
【丢三落四】diū sān là sì 慣 よく物忘れをする. 忘れっぽい
*【丢失】diūshī 動 紛失する. 失う. なくす‖他不慎～了月票 彼はうっかり定期券をなくした
【丢手】diū∥shǒu 動 手を引く. 手を放す. ほうっておく
【丢下】diū∥xia(xià) 動 ❶捨てる. 置き去りにする‖父母去世了, ～了三个孩子 両親とも亡くなり, 3人の子供が残された ❷ほったらかしにしておく‖～不管 ほったらかしにする
【丢眼色】diū yǎnsè 組 目くばせする. 目で合図する

11 铥 diū 名〈化〉ツリウム(化学元素の一つ, 元素記号はTm)

dōng

5 ★冬[1] dōng 名 冬‖严～ 厳冬｜过～ 越冬する

5 冬[2](鼕) dōng 〔咚dōng〕に同じ

【冬奥会】Dōng'àohuì 名 ❶冬季オリンピック
【冬菜】dōngcài 名 ❶ハクサイやカラシナの葉に味をつけて乾燥したもの(スープの具に用いる) ❷秋に収穫し冬に食べる野菜
【冬虫夏草】dōngchóng xiàcǎo 名〈中薬〉冬虫夏草(とうちゅうかそう). 略して〔虫草〕ともいう
【冬储】dōngchǔ 動 冬に備えて貯蔵する‖～大白菜 冬に備えて貯蔵されるハクサイ
【冬防】dōngfáng 名 ❶冬季の治安維持 ❷冬期の防寒対策
【冬耕】dōnggēng 名 冬期耕作
【冬菇】dōnggū 名 肉厚のシイタケ. 冬菇(どんこ)
*【冬瓜】dōngguā 名 トウガン‖～汤 トウガンのスープ｜～条 トウガンを千切りにして砂糖漬けにした菓子
【冬寒】dōnghán 名 冬の寒冷な気候
*【冬季】dōngjì 名 冬季‖～奥运会 冬季オリンピック
【冬眠】dōngmián 動 冬眠する. 〔冬蛰zhé〕ともいう
【冬青】dōngqīng 名〈植〉ナナミノキ
【冬日】dōngrì 名 ❶冬 ❷書 冬日
【冬笋】dōngsǔn 名 冬に掘るモウソウチクのタケノコ
★【冬天】dōngtiān 名 冬
【冬闲】dōngxián 名 冬の農閑期
【冬小麦】dōngxiǎomài 名〈植〉秋まきのコムギ. 冬小麦. 〔冬麦〕ともいう
【冬学】dōngxué 名 冬の農閑期に農民に対して行われる読み書きなどの教育
【冬衣】dōngyī 名 冬服. 防寒着
【冬泳】dōngyǒng 動 寒中水泳をする
【冬月】dōngyuè 名 陰暦の11月
【冬至】dōngzhì 名 冬至(二十四節気の一つ)
【冬装】dōngzhuāng 名 冬服. 冬着. 防寒服‖换上～ 冬着に着替える

5 ★东(東) dōng ❶名 東. 東側‖往～走 東へ行く ❷名(～儿)主人役‖做～ ご馳走する. 主人役を務める ❸主人. あるじ‖房～ 家主｜股～ 株主

【东半球】dōngbànqiú 名 東半球
*【东北】dōngběi 名 ❶東北. 北東 ❷中国の東北地区. 遼寧省・吉林省・黒竜江省および内モンゴル自治区の東部
*【东奔西跑】dōng bēn xī pǎo 組 東奔西走する
★【东边】dōngbian (～儿) 名 東. 東の方角. 東側
*【东部】dōngbù 名 東部
【东窗事发】dōng chuāng shì fā 成 犯罪や陰謀が露見すること
【东床】dōngchuáng 名 書 娘婿
【东倒西歪】dōng dǎo xī wāi 組 傾いて倒れかかっているさま. ふらつくさま
*【东道主】dōngdàozhǔ 名 主催者. ホスト
【东渡】dōngdù 動 書 東へ渡る. 日本へ渡る‖～日本留学 日本に留学する
*【东方】dōngfāng 名 ❶東方. 東の方角‖～已经发白了 東の空がすでに白んできた ❷東洋. アジア‖～学 東洋学
【东非】Dōng Fēi 名 東アフリカ
【东风】dōngfēng 名 ❶春風‖刮～ 春風が吹く ❷革命や社会主義陣営の力, または勢い ❸有利な条件や情勢‖借～ 有利な条件に乗じる
【东宫】dōnggōng 名 古 ❶東宮(とうぐう). 皇太子の宮殿 ❷皇太子
【东家】dōngjia 名 ❶雇い人が雇い主に対して用いた呼称. 主人 ❷小作人が地主に対して用いた呼称
【东经】dōngjīng 名〈地〉東経
【东拉西扯】dōng lā xī chě 組 (話や文章に)とりとめがない. 出まかせである. 筋が通らない
【东鳞西爪】dōng lín xī zhǎo 成 (事物の)断片. 片鱗(へんりん). 一端
【东盟】Dōngméng 名 東南アジア諸国連合. ASEAN
*【东面】dōngmiàn 名(～儿)東. 東の方. 東側 動 東を向く. 東に面する‖～而坐 東向きに座る
*【东南】dōngnán 名 ❶東南. 南東 ❷中国の東南沿海地区. 上海・江蘇・浙江・福建・台湾一帯をさす
【东南亚】Dōngnán Yà 名 東南アジア
【东挪西借】dōng nuó xī jiè 組 あちこちから工面してかき集める. 無理算段する
【东欧】Dōng Ōu 名 東ヨーロッパ. 東欧
【东跑西颠】dōng pǎo xī diān 組 あちこち駆けずり回る. 東奔西走する
【东拼西凑】dōng pīn xī còu 組 あちこちからかき集める. あちこちから寄せ集める
【东三省】Dōngsānshěng 名 東北の遼寧・吉林・黒竜江の3省の総称
【东山再起】Dōngshān zài qǐ 成 再起すること, 昔

の勢力を盛り返すこと

【东施效颦】Dōngshī xiào pín 成 東施ひそみに倣(なら)う. 見境なく人まねをすること

【东西】dōngxī 名 ❶東西. 東と西 ❷東西間の距離 ‖ 这个湖～三里, 南北五里 この湖は東西が3華里で南北が5華里である

★【东西】dōngxi 名 ❶(具体的な)物. 品物. (抽象的な)事物. もの ‖ 丢～ 物をなくす | 肚子饿了, 想吃点ㄦ～ 腹がすいたので何か食べたい ❷人や動物をさす(多く好感または嫌悪感を伴う) ‖ 这小～真可爱 このちびちゃんは実にかわいい | 真不是～! ふざけたやつだ

【东乡族】Dōngxiāngzú 名 トンシャン族. (中国の少数民族の一つ, 主として甘粛省に居住)

【东亚】Dōng Yà 名 東アジア

【东洋】Dōngyáng 名 日本 ‖ ～人 日本人 | ～货 日本製の品物

【东瀛】dōngyíng 名 書 ❶東海 ❷日本の別称

【东张西望】dōng zhāng xī wàng 慣 あっちを見たりこっちを見たりする. きょろきょろする

【东正教】Dōngzhèngjiào 名〈宗〉ギリシア正教 =〔正教〕

8 **咚** dōng 擬(太鼓をたたいたり, ドアをノックしたりする音)ドンドン. トントン

8 **岽**(崬) dōng 地名用字 ‖ ～罗 広西チワン族自治区にある地名

9 **氡** dōng 名〈化〉ラドン(化学元素の一つ, 元素記号は Rn). 〔镭射气〕ともいう

10 **鸫**(鶇) dōng 名〈鳥〉ツグミ

dǒng

12 **董** dǒng ❶管理監督する. 取り締まる ‖ 一～事 ❷理事・重役の略称 ‖ 校～ 学校の理事

*【董事】dǒngshì 名 理事. 重役. 取締役

【董事会】dǒngshìhuì 名 理事会. 重役会

【董事长】dǒngshìzhǎng 名 理事長. 会長

15 ★**懂** dǒng ❶動 分かる. 理解する. わきまえる ‖ ～礼貌 礼儀をわきまえる | ～艺术 芸術が分かる | ～了吗? 分かりましたか ❷動 通暁する. 知識がある ‖ ～英语 英語が分かる

> **類義語** | 懂 dǒng 明白 míngbai
>
> ◆〔懂〕理解する, あることをしっかり体得することを表す ‖ 懂法语 フランス語が分かる | 懂礼貌 マナーを心得ている ◆〔明白〕疑問に思っていること, はっきりさせたいことに対し, 理解できたことを表す ‖ 明白真相 真相が分かる | 我才明白她为什么那么讨厌他 彼女がなぜあんなに彼を嫌うのかやっと分かった

*【懂得】dǒngde 動 分かる. 理解できる. 知る ‖ ～如何做人 身の持し方をわきまえる

【懂行】dǒngháng 形(その道に)通じている. くろうとである

*【懂事】dǒng∥shì 形 ものが分かる. 分別がある. 世事をわきまえる ‖ 这小家伙ㄦ很～ このおちびちゃんはとてもお利口だ

dòng

6 ★**动**(動 △働) dòng ❶動(もとの位置から)移動する. (もとの状態から)変わる. 動く ‖ 躺好别～ 横になって安静にしていなさい ❷動 移動させる. (位置や状態を)変える. 動かす ‖ 桌子上的东西好像被人～过了 机の上の物を誰か動かしたようだ ❸動 使う. 働かす ‖ ～脑子 頭を働かせる ❹動 心を動かす. 感動させる ‖ 一～人 ❺動 行動する ‖ 闻风而～ 気配を察してすぐに行動を起こす ❻副 書 しばしば. ややもすると. ともすれば. 往々にして ‖ 一～辄 zhé ❼動ける. 動かせる ‖ 一～物 ❽動 方 食べる. (多くは否定に用いる)

【动笔】dòng∥bǐ 動 筆を執る. 書き始める ‖ 想好了再～ よく考えてから筆を執る

【动兵】dòng∥bīng 動 兵を動かす. 出兵する

【动不动】dòngbudòng 副 ややもすると. ともすれば. 何かと言うと. よく…する. (多く〔就〕と用いる) ‖ 他脾气不好, ～就发火 彼は短気で, 何かというとすぐに怒る

【动产】dòngchǎn 名〈法〉動産

【动词】dòngcí 名〈語〉動詞

【动粗】dòngcū 動 方(人を)殴る. 手を出す

*【动荡】dòngdàng 動 波うつ. 波立つ. たゆたう ‖ 湖水～ 湖水が揺らめく 形 動揺する様子. 激動するさま ‖ ～的年代 激動の時代

【动肝火】dòng gānhuǒ 慣 かんしゃくを起こす. かっとなる

【动感】dònggǎn 名 躍動感. 動き. ムーブメント

*【动工】dòng∥gōng 動 ❶起工する. 着工する ‖ 这项工程明天破土～ この工事は明日くわ入れをする ❷工事をする. 施工する ‖ 前面的路正在～, 车辆只能绕行ràoxíng 前方の道は工事中で, 車両は迂回(うかい)しなければならない

【动滑轮】dònghuálún 名〈物〉動滑車

【动画片】dònghuàpiàn 名 アニメーション. 動画

【动火】dòng∥huǒ (～ㄦ) 動 口 怒る. かっとなる. 腹を立てる. かんしゃくを起こす

*【动机】dòngjī 名 動機 ‖ 作案～ 犯罪の動機

*【动静】dòngjing 名 ❶動静. 様子 ‖ 观察他们的～ 彼らの動静をうかがう ❷物音. 話し声 ‖ 屋里静悄悄的, 一点～也没有 部屋の中はしんとしてなんの物音もしない

【动口】dòng∥kǒu 動 口を動かす. 話す. 食べる ‖ 君子～不动手 君子たる者, 論は戦わすが手は出さない

*【动力】dònglì 名 ❶動力 ❷喩(事業や社会発展などの)原動力. エネルギー

【动力机】dònglìjī 名〈機〉エンジン =〔发动机〕

【动量】dòngliàng 名〈物〉運動量

*【动乱】dòngluàn 動 社会の秩序が激動し混乱する ‖ 发生～ 動乱が起こる

*【动脉】dòngmài 名 ❶〈生理〉動脈 ❷喩 動脈. 交通幹線. 重要な交通路

【动脉硬化】dòngmài yìnghuà 動〈医〉動脈が硬化する

【动漫】dòngmàn 名 アニメーションと漫画

【动脑筋】dòng nǎojīn 組 頭脳を働かせる. 知恵を絞る. 工夫する. 考える

【动能】dòngnéng 名〈物〉運動エネルギー

【动能武器】dòngnéng wǔqì 名〈軍〉運動エネルギ

一兵器
【动怒】dòng//nù 動 怒る. かっとなる. 腹を立てる. かんしゃくを起こす
【动气】dòng//qì 動 口 怒る
【动迁】dòngqiān 動 立ち退く. 立ち退かせる ‖ ～十万居民 10万人の住民を立ち退かせる
【动情】dòng//qíng 動 ❶感動する. 興奮する ❷愛情を抱く. 好きになる
⁑【动人】dòngrén 形 **感動的である. 人の心を動かす** ‖ ～的场面 感動的なシーン
【动人心弦】dòng rén xīn xián 成 (人を)感動させる. 心を揺さぶる. 心を打つ
⁑【动身】dòng//shēn 動 **出発する. 発つ. 旅立つ** ‖ 咱们六号～ 私たちは6日に出発しよう
⁑【动手】dòng//shǒu 動 ❶**着手する. 取り掛かる. 手をつける** ‖ 早点儿～早点儿完 早く取り掛かって早く終える ❷**手を触れる. 触る** ‖ 展出物品, 请勿～ 展示品に手を触れないでください ❸**手を動かす. 力仕事をする** ‖ 她很喜欢那个布娃娃wáwa, 就自己～做了一个 彼女はあの縫いぐるみがとても気に入り, 自分でも作ってみた ❹**手を出す. 殴る. 腕力に訴える** ‖ 有理讲理, 不要～ 手を出したりせず, 言い分があるならちゃんと言いなさい
【动手动脚】dòngshǒu dòngjiǎo 慣 ❶手を出す. 腕力に訴える ❷(女性に)ちょっかいを出す
【动手术】dòng shǒushù 組 手術をする
*【动态】dòngtài 名 動態. 動き ‖ 市场～ 市場の動き 形 活動状態の. 動態の
【动态助词】dòngtài zhùcí 名〈語〉アスペクト助詞. 動態助詞. 〔时态助词〕ともいう
【动弹】dòngtan 動 体を動かす. 身動きする. 動く ‖ 疼téng得一点儿都～不得 痛くて少しも動けない
【动听】dòngtīng 形 (聞いて)感動的である. 心が動かされる ‖ 这些政客们说得都很～ これら政治屋はみな聞こえのいいことばかり言う
【动土】dòng//tǔ 動 (建築や埋葬のために)土を掘る. 工事を始める
【动问】dòngwèn 動 方 尋ねる. ものを聞く. 問いかける
【动窝】dòng//wō (～儿) 動 方 (ある場所から)動く. 移る. 離れる ‖ 在这个厂里干了四十年, 一直没～ 40年間この工場から離れることなく働いてきた
【动武】dòng//wǔ 動 武力に訴える. 暴力を振るう. 戦争を仕掛ける ‖ 吵着吵着, 双方就动起武来了 言い争っているうちに殴り合いのけんかになった
★【动物】dòngwù 名 **動物**
【动物纤维】dòngwù xiānwéi 名 動物繊維
【动物油】dòngwùyóu 名 動物性の油
⁑【动物园】dòngwùyuán 名 **動物園**
【动向】dòngxiàng 名 動向. 動き
【动销】dòngxiāo 動 販売を開始する ‖ 空调机提前～ エアコンの販売開始時期を繰り上げる
【动心】dòng//xīn 動 心が動く. 心を動かす
【动刑】dòng//xíng 動 刑具を使う. 拷問する
*【动摇】dòngyáo 形 動揺している. ぐらぐらしている ‖ 意志坚定, 决不～ 意志堅固で決してぐらつかない 動 動揺させる. ぐらつかせる. 揺り動かす ‖ 再艰苦也～不了他们的决心 どんなに苦しくとも彼らの決意はぐらつかない
【动议】dòngyì 名 動議 ‖ 紧急～ 緊急動議
【动因】dòngyīn 名 動機. 原因 ‖ 股票上涨的～ 株価上昇の原因
*【动用】dòngyòng 動 ❶用いる. 使う ‖ 这项工程～了大批的人力物力 この工事は大量の人力と資材を使った ❷流用する ‖ 不能随便～救灾款 救済金を勝手に流用してはならない
⁑【动员】dòngyuán 動 **動員する. …するように働きかける. 説得する** ‖ 你去～～你弟弟 あなたは自分の弟を説得しなさい | ～大家献血xiànxuè みんなに献血するように働きかける
【动辄】dòngzhé 副 書 ややもすると. ともすれば. 何かというと. …しがちである. よく…する
【动嘴】dòng//zuǐ 動 口を動かす. しゃべる. 食べる
⁑【动作】dòngzuò 動 **行動する. 動かす. 動く** 名 **動作. 動き** ‖ ～敏捷mǐnjié 動作が敏捷(びんしょう)だ | ～迟缓chíhuǎn 動きが鈍い
【动作片】dòngzuòpiàn 名 アクション映画. 〔武打片〕ともいう

7 ⁑**冻**(凍) dòng ❶動 **凍る. 氷結する** ‖ 池子里的水～了 池に氷が張った | 把肉放在冰箱里～上 肉を冷蔵庫に入れて冷凍する ❷凍結. 氷結 ‖ 霜shuāng～ 霜害 ❸名 (～儿) 煮こごり. ゼリー ‖ 肉～儿 肉の煮こごり | 果～儿 果物のゼリー ❹動 **冷える. 凍える. 寒い** ‖ 穿这么少, 要～坏的 こんなに薄着していると冷えるよ
【冻冰】dòng//bīng 動 凍る. 氷が張る
【冻藏】dòngcáng 動 冷凍貯蔵する
【冻疮】dòngchuāng 名 霜焼け. 凍傷 ‖ 长zhǎng～ 霜焼けができる
【冻豆腐】dòngdòufu 名 豆腐を凍らせたもの. 凍り豆腐
【冻害】dònghài 名〈農〉冷害
*【冻结】dòngjié 動 ❶凍結する. 氷結する ❷(資金や人事などを)凍結する ‖ ～银行存款 銀行の預金を凍結する
【冻肉】dòngròu 名 冷凍肉
【冻伤】dòngshāng〈医〉動 凍傷にかかる 名 凍傷
【冻土】dòngtǔ 名 凍土 ‖ ～地带 ツンドラ. 凍土帯
【冻雨】dòngyǔ 名〈気〉氷雨. 雨氷. 凍雨. 氷晶雨

8 **侗** dòng ↴ ➤ tóng
【侗族】Dòngzú 名 トン族(中国の少数民族の一つ, 主に貴州省・湖南省・広西チワン族自治区に居住)

9 ⁑**洞** dòng ❶書 突き抜けている. 素通しの ❷見抜いている. 透徹している ‖ 一～察 ❸名 (～儿) **穴. 洞穴. 坑道** ‖ 山～ 山の洞窟(どうくつ) | 衣服破了个～ 服に穴があいた ❹数 無線や電話などで数を読むとき, 0 (ぜろ)をさす

類義語 洞 dòng 孔 kǒng 穴 xué

◆〔洞〕自然にできたぽっかりとした穴. 洞穴のような大きなものから, 虫歯の穴や服にできた小さなものまでいう ‖ 岩洞 岩のほら穴 | 老鼠洞 ネズミの穴 | 虫牙的洞 虫歯の穴 ◆〔孔〕何かの用途のために, 人工的に作られた穴. また, 体に関するものにも多く用いる ‖ 针孔 針穴 | 毛孔 毛穴 ◆〔穴〕人に見つからないように, 動物や盗賊がすみかとする穴. 入れ物としての穴なので, 突き抜けていない ‖ 巢穴 巣. 巣窟(そうくつ) | 蚁穴 アリの巣

【洞察】dòngchá 動 書 洞察する. 見抜く. 見通す
【洞彻】dòngchè 動 知り抜く. 通暁する
【洞穿】dòngchuān 動 ❶貫く ‖ 子弹zǐdàn～胸部

弹丸が胸を貫く ❷洞察する. 見抜く. 通暁する
【洞达】dòngdá 動 知り抜く. よくわかる
【洞房】dòngfáng 名 新婚夫婦の部屋 ‖ ～花烛 huāzhú 華燭(かしょく)の典 | 闹～ 新婚の寝室を騒がす. 結婚の初夜, 同年輩の親類や友人が新婚の寝室に押しかけて, 花嫁と花婿をからかってふざける中国の風習
【洞府】dòngfǔ 名 (神話や伝説で)仙人の住む洞穴
【洞见】dòngjiàn 動 見抜く. 見通す
【洞开】dòngkāi 動 (門や窓を)大きく開く ‖ 门户～ 門を開け放つ
【洞口】dòngkǒu 名 穴の口. ほら穴の入り口
【洞窟】dòngkū 名 洞窟. ほら穴
【洞若观火】dòng ruò guān huǒ 成 火を見るより明らかである. 明々白々で誰の目にもはっきり認められる
【洞天】dòngtiān 名 別天地. 佳境
【洞天福地】dòngtiān fúdì 名 道教で神仙が住むとされる場所. 広く景勝の地をさす. 佳境. 別天地
【洞悉】dòngxī 動 書 知り抜く. はっきり知る
【洞箫】dòngxiāo 名 中国の縦笛. 簫(しょう)
【洞晓】dòngxiǎo 動 通暁する. 知り抜く
【洞穴】dòngxué 名 ほら穴. 洞窟
【洞烛其奸】dòng zhú qí jiān 成 からくりを見抜く. 陰謀を看破する
【洞子】dòngzi 名 ❶方 温室 ‖ 花儿～ 草花を栽培する温室 ❷口 ほら穴. 洞窟

9 **恫** dòng 恐れる. 脅す ➤ tōng
【恫吓】dònghè 動 脅す. 威嚇(いかく)する. 恫喝(どうかつ)する ‖ 用武力～邻国 武力で隣国を威嚇する

9 **垌** dòng 方 田畑. (多く地名に用いる) ‖ 儒Rú～ 広東省にある地名 ➤ tóng

9 **峒**(^△峝) dòng 洞穴. (多く地名に用いる) ‖ ～中 広東省にある地名 ➤ tóng

9* **栋**(棟) dòng ❶書 棟. 棟木 ❷家屋 ❸量 家屋を数える. 棟 ‖ 一～房子 一棟の家屋
【栋梁】dòngliáng 名 喩 棟梁(とうりょう). 国家などの重責を担う人 ‖ 国家的～ 国を支える人材

9 **胨**(腖) dòng 名〈化〉ペプトン. 〔蛋白胨〕の通称

10 **胴** dòng 胴. 胴体
【胴体】dòngtǐ 名 ❶家畜の胴体. 頭・手足・内臓などを取った肉の部分 ❷(人の)胴体

11 **硐** dòng 洞穴. 坑道

dōu

10★ **都** dōu ❶副 すべて. 全部. みんな ‖ 大家～来了 全員来た | 你家～有什么人? あなたの家はどのような家族構成ですか ❷副 (〔是〕を伴い, 理由を説明する)すべて… のせいだ. みな… のおかげだ ‖ ～是你, 弄得大家不高兴 みんなが不愉快になったのもすべて君のせいだ ❸副 (程度が甚だしいことを表す)… さえ. … すら. ずっと ‖ 一点儿～不累 少しも疲れていない ❹副 もう. (文末によく〔了〕を伴う) ‖ ～八点了, 我们该走了 もう8時だ, 帰らなければ ➤ dū

11* **兜**(^△兠) dōu ❶動 (ハンカチなどで物を)包む ‖ 用手绢儿～着几个杏儿 xìngr ハンカチにアンズをいくつか包んである ❷名 (～儿) 物を入れられる袋. ポケット ‖ 裤～儿 ズボンのポケット ❸動 一回りする. うろうろする ‖ 她去公园～了一圈儿 彼女は公園を一回りしてきた ❹動 客を引く. 招き寄せる ‖ ～售 ❺動 責任を負う
【兜捕】dōubǔ 動 包囲して捕らえる
【兜抄】dōuchāo 動〈軍〉包囲攻撃する
【兜底】dōu//dǐ (～儿) 動 口 すっぱ抜く. さらけ出す
【兜兜】dōudou 名 口 腹掛け
【兜肚】dōudu 名 腹掛け
【兜风】dōu//fēng 動 ❶(帆・車の幌(ほろ)などが)風をはらむ. 風を受ける ❷方 ドライブする. 自動車などを走らせて涼をとる
【兜揽】dōulǎn 動 ❶客を集める ‖ ～生意 得意先回りをする. 取引先をつくる ❷請け負う ‖ 他爱～事儿 彼はおせっかい焼きだ
【兜圈子】dōu quānzi 組 ❶ぐるぐる回る ❷回りくどく言う. くどくど言う ‖ 你别～, 有话就直说吧 回りくどく言わないで, 単刀直入に言えよ
【兜售】dōushòu 動 売り込む. 売りつける
【兜头】dōutóu 副 頭めがけて. 真正面から
【兜头盖脸】dōu tóu gài liǎn 慣 真っ向から. いきなり ‖ ～臭骂 chòumà 他一顿 真っ向から彼に罵詈雑言(ばりぞうごん)を浴びせ掛ける
【兜销】dōuxiāo 動 売り込む. 売りつける ‖ ～积压商品 売れ残り商品を売りつける
【兜子】dōuzi 名 ❶物を入れる袋. ポケット ❷名 竹製の椅子を竹ざおにくくりつけた, 人を乗せるかご. 〔篼子〕とも書く

14 **蔸** dōu 方 ❶植物の根や根に近い茎をさす ❷量 植物の群れや株などを数える

17 **篼** dōu (タケ・トウ・ヤナギなどで編んだ)かご. ざる ‖ 背bèi～ 背負いかご

dǒu

4 **斗** dǒu ❶名 古代の酒器 ❷名 ①(二十八宿の一つ)ひきつぼし, 斗宿(としゅく) ②〈天〉北斗星. 〔北斗星〕の略 ❸名 一斗升 ❹量 容積の単位. 斗(と). 1〔斗〕は10〔升〕, 10〔斗〕は1〔石dàn〕 ❺升ぐらいの大きさの ‖ 一～室 ❻(～儿)升状のもの ‖ 漏lòu～ じょうご ❼名 渦巻状の指紋 ➤ dòu
【斗车】dǒuchē 名 トロッコ
【斗胆】dǒudǎn 副 謙 あえて. 思い切って. (多く謙譲語として用いる)
【斗拱】dǒugǒng ; dòugǒng 名〈建〉斗栱(ときょう). 枡組(ますぐみ). 〔枓拱〕〔枓栱〕とも書く
【斗箕】dǒuji 名 指紋
【斗笠】dǒulì 名 つばの広い笠(かさ)
【斗门】dǒumén 名 (灌漑(かんがい)用の)小型の水門
【斗篷】dǒupeng 名 ❶マント ❷方 笠
【斗渠】dǒuqú 名 導水渠(どうすいきょ)
【斗室】dǒushì 名 書 たいへん狭い部屋
【斗子】dǒuzi 名 ❶(炭鉱用の)バケット ❷(家庭用の)石炭を入れる桶 ❸木製の桶状の物入れ

7 **抖** dǒu ❶動 震える. 身震いする. わななく ‖ 吓得两条腿直～ 恐ろしくて足が震える ❷動 勢いよく振る. 振り動かす. 振るう ‖ 把床单拿出去～一

～ シーツを外へ持って行って振るってきなさい ❸動 奮い起こす．奮い立たせる‖～起精神 元気を奮い起こす ❹動 得意満面になる．鼻息が荒い．威張る‖老张当了老板，一下子～起来了 張さんは社長になったら，とたんに鼻息が荒くなった ❺動 振るって中身をすべて外に出す ❻動 暴露する．明らかにする‖他所做的一切，被知情人全～出来了 彼がやったことは事情を知る者にすべて暴露された

【抖颤】dǒuchàn 動 震える

【抖动】dǒudòng 動 ❶震える．揺れる．揺れ動く ❷振り動かす．振るう

【抖搂】dǒulou 動 方 ❶振るう．振るい落とす ❷明らかにする．暴く ❸使いきる．浪費する

【抖擞】dǒusǒu 動 奮い起こす．奮い立たせる‖～精神 志気を奮い立たせる

【抖索】dǒusuo 動 震える

【抖威风】dǒu wēifēng 組 羽振りをきかせる．威張りくさる

9 **陡** dǒu ❶形 険しい．勾配(こう)がきつい‖山很～ 山が険しい ❷にわかに．突然．いきなり‖→～变

【陡壁】dǒubì 名 絶壁‖悬崖xuányá～ 断崖絶壁

【陡变】dǒubiàn 動 書 急変する‖天气～ 天気がにわかに変わる

【陡地】dǒudì 副 いきなり．急に．突然．〔陡的〕ともいう

【陡峻】dǒujùn 形 (山や地勢が)高く険しい

【陡立】dǒulì 動 (建物や山などが)そそり立つ

【陡坡】dǒupō 名 急な坂．険しい坂

【陡峭】dǒuqiào 形 書 (山や地勢が)険しい

【陡然】dǒurán 副 書 急に．にわかに

【陡险】dǒuxiǎn 形 書 険しい

【陡斜】dǒuxié 形 傾斜が険しい．急勾配である

【陡削】dǒuxuē 形 (山などが)切り立っている

【陡直】dǒuzhí 形 (山や地勢が)険しい．切り立っている

10 **蚪** dǒu ➡〔蝌蚪kēdǒu〕

dòu

4 * **斗**(鬥 △鬦 鬪 鬭) dòu ❶殴り合う．けんかする．渡り合う ❷動 闘う ❸動 ある目的のために努力する‖奋～ 奮闘する ❹動 互いに争う．競争する‖→～智 ❺動 戦わせる‖→～鸡 ❻動 一ヵ所に集める．寄せ集める‖→～眼 ➤ dǒu

【斗不过】dòubuguò 動 (争っても)かなわない．勝ち目がない‖一个人怎么也～两个人 1対2ではどうしてもかないっこない

【斗法】dòu//fǎ 動 計略を用いて闘う

【斗富】dòufù 動 富を競い合う

【斗鸡】dòu//jī 動 ❶闘鶏をする ❷子供の遊びの一つ，片方の膝を両手で抱え，片足で立って相手を倒す

【斗口】dòukǒu 動 口げんかをする．言い争いをする

【斗牛】dòu//niú 動 闘牛をする

【斗殴】dòu'ōu 動 殴り合う

【斗气】dòu//qì (～儿) 動 意地をはって争う‖为这么点儿小事，斗什么气 こんなつまらないことで，何をそう意地になっているんだ

【斗士】dòushì 名 闘士

【斗心眼儿】dòu xīnyǎnr 組 互いに計略をめぐらす．策略を戦わす．知恵比べをする

【斗眼】dòuyǎn (～儿) 名 内斜視．〔内斜视〕の通称．〔斗鸡眼〕ともいう

【斗艳】dòuyàn 動 美を競う．〔斗妍yán〕ともいう

⁑【斗争】dòuzhēng 動 **闘争する．戦う．奮闘する**‖与犯罪分子作～ 犯罪者と闘う｜思想～ 思想闘争

*【斗志】dòuzhì 名 **闘志．闘魂**‖～昂扬ángyáng 闘志をみなぎらせる

【斗智】dòu//zhì 動 知恵比べをする

【斗嘴】dòu//zuǐ (～儿) 動 ❶言い争いをする．口論する ❷へらず口をたたく

7 **豆**[1] dòu 古 食物を盛った台付きの皿または鉢

7 **豆**[2] (△荳) dòu (～儿) ❶名 マメ ❷マメに似た形をしたもの‖花生～儿 ピーナッツ

【豆瓣儿酱】dòubànrjiàng 名 トウバンジャン．ダイズまたはソラマメを発酵させて作ったみそ

【豆包】dòubāo (～儿) 名 アズキあんの中華まんじゅう

【豆饼】dòubǐng 名 (固めて円形にした)マメかす

【豆豉】dòuchǐ 名 納豆の一種で，ダイズやクロマメを煮るなどしたのち発酵させて干したもの．調味料として用いる

⁑【豆腐】dòufu 名 **豆腐**‖麻婆～ マーボー豆腐｜杏仁儿xìngrénr～ 杏仁豆腐(きょうにん)

【豆腐干】dòufugān (～儿) 名 布で豆腐を包み，香料を加え蒸し上げた食品

【豆腐脑儿】dòufunǎor 名 煮立てた豆乳に石膏(せっこう)を入れて半固体に固めた食品

【豆腐皮】dòufupí 名 (～儿)ゆば

【豆腐乳】dòufurǔ 名 さいころ状に切った豆腐を発酵させ，塩漬けにした食品．〔腐乳〕〔酱豆腐〕ともいう

【豆腐渣工程】dòufuzhā gōngchéng 名 手抜き工事‖揭露jiēlù～ 手抜き工事を摘発する

【豆花儿】dòuhuār 名 方 豆乳を煮て，にがりで半固体にした食品．おぼろ豆腐

【豆荚】dòujiá 名 (マメ類の)サヤ

*【豆浆】dòujiāng 名 豆乳．〔豆腐浆〕〔豆乳〕ともいう

【豆角儿】dòujiǎor 名 口 (野菜としてのマメ類の)さや

【豆秸】dòujiē 名 マメがら

【豆蔻】dòukòu 名 ❶〈植〉ビャクズク ❷〈中薬〉白豆蔻(びゃくずく) ✻〔草果〕〔草豆蔻〕ともいう

【豆蔻年华】dòu kòu nián huá 成 少女の13，4歳の年ごろ．少女の思春期．妙齢

【豆绿】dòulǜ 形 青豆のような緑色の．〔豆青〕ともいう

【豆苗】dòumiáo 名 ❶マメの苗 ❷エンドウマメの若芽

【豆奶】dòunǎi 名 豆乳

【豆娘】dòuniáng 名〈虫〉イトトンボ

【豆青】dòuqīng ＝〔豆绿dòulǜ〕

【豆蓉】dòuróng 名 キマメ・ダイズ・エンドウ・リョクトウなどを煮て乾かした後，ひきつぶした粉

【豆乳】dòurǔ 名 ❶＝〔豆浆dòujiāng〕❷＝〔豆腐乳dòufurǔ〕

【豆沙】dòushā 名 こしあん．さらしあん

【豆芽儿】dòuyár 名 もやし．〔豆芽菜〕ともいう

【豆渣】dòuzhā 名 おから．うのはな．〔豆腐渣〕ともいう

【豆汁】dòuzhī (～儿) 名 ❶リョクトウから春雨を作る際に出る残り汁で，酸味があり飲料とする ❷方 豆乳

【豆制品】dòuzhìpǐn 名 大豆加工製品

*【豆子】dòuzi 名 ❶マメ類の農作物 ❷マメ状のもの‖金～ 金の粒

10 **读(讀) dòu** 〈語〉読(とう). 文の区切り ‖ 句～ 句読(くとう) ➤ dú

10 **逗[1] dòu** ❶滞在する ‖ → ～留 ❷〔读dòu〕に同じ

10 ** **逗[2] dòu** ❶動 からかう. 誘う. 引きつける ‖ 一句话～得大家笑了起来 その一言でみんなは笑い出した ❷動 (ある感情を)引き起こす. 招く ‖ 这孩子真～人爱 この子はほんとうに愛くるしい ❸形 方 面白い

【逗哏】dòu//gén 動 (多く漫才で)面白いことを言って笑わせる 名 (漫才のコンビの)つっこみ役

【逗号】dòuhào 名〈語〉コンマ. カンマ. 〔,〕

【逗乐ㄦ】dòu//lèr 動 方 笑わせる. おかしがらせる

【逗留】【逗遛】dòuliú 動 逗留する. 滞在する

【逗弄】dòunong 動 ❶あやす. 戯れる ❷からかう

【逗趣ㄦ】dòu//qùr 動 方 (人を)笑わせる

【逗笑ㄦ】dòuxiàor 動 方 笑わせる. おかしがらせる

【逗引】dòuyǐn 動 あやす. からかう

【逗嘴】dòu//zuǐ 動 冗談を言い合う

12 **痘 dòu** 〈医〉❶名 痘瘡(とうそう). 天然痘. 疱瘡 ❷痘苗 ‖ 种zhòng～ 種痘をする

【痘疮】dòuchuāng 名〈医〉痘瘡. 疱瘡

【痘苗】dòumiáo 名〈医〉痘苗. 天然痘ワクチン. 〔牛痘苗〕ともいう

13 **窦(竇) dòu** ❶穴. 孔(あな) ❷〈生理〉人体の器官や組織でくぼんだ部分

dū

10 **都 dū** ❶大都市. 都会 ‖ → ～市 ❷首都 ‖ 迁qiān～ 遷都する ❸総括することを表す ➤ dōu

【都城】dūchéng 名 首都

【都督】dūdu 名 旧 都督(ととく). 軍事長官

【都会】dūhuì 名 都会. 都市

*【都市】dūshì 名 都市. 都会 ‖ 大～ 大都市

13 **嘟 dū** ❶擬 (クラクションなどが発する音)ブーブー ‖ 司机～～～地直按喇叭lǎba 運転手はブーブーブーとクラクションを鳴らし続けた ❷動 方 口をとがらす ‖ → ～嘴

【嘟嘟】dūdū 擬 (クラクションなどの音)ブーブー. プープー

【嘟噜】dūlu 量 (房状のものを数える)房. 束 ‖ 一～葡萄 一房のブドウ 名 (～ㄦ)舌やのどを震わせて出す音 ‖ 打～ㄦ 舌を震わせる 動 束や房になって垂れ下がる

【嘟囔】dūnang 動 ぶつぶつ言う. 〔嘟哝〕ともいう

【嘟哝】dūnong =〔嘟囔dūnang〕

【嘟嘴】dū//zuǐ 動 方 口をとがらす. 膨れっ面をする

13 **督 dū** ❶調べる ‖ → ～察 ❷監督し指導する ‖ → ～战

【督办】dūbàn 動 監督して処置する

【督察】dūchá 動 監察する 名 監督. 監視人

【督察警】dūchájǐng 名 公安および人民警察の監督を行う警察

*【督促】dūcù 動 督促する. 催促する. 促す ‖ ～孩子做功课 子供にしっかり宿題をするよう言い聞かせる

【督导】dūdǎo 動 監督・指導する

【督军】dūjūn 名 旧 督軍(とくぐん). 中華民国初年に用いられた官名, 省の軍事長官

【督战】dūzhàn 動 督戦する

【督阵】dūzhèn 動 戦場で直接指揮する

dú

9 * **独(獨) dú** ❶単独の. 一つだけの ‖ → ～生子 ❷独り者. 老いて寄る辺のない人 ‖ 鳏寡孤guān guǎ gū～ 男やもめ・寡婦・孤児・子供のない老人. 寄る辺のない人 ❸副 ①単独で. 独自で ‖ → ～立 ②ただ(… だけ). ひとり(… だけ) ❹際立って. 特別に ‖ → ～创 ❺形 口 身勝手である. わがままである

【独霸】dúbà 動 独占する. 制覇する

【独白】dúbái 名 独白. モノローグ

【独步】dúbù 動 (他に比べるものがないほど)ぬきんでている ‖ ～文坛 文壇に独歩する

*【独裁】dúcái 動 独裁する ‖ ～者 独裁者

【独唱】dúchàng 動 独唱する 名 独唱

【独出心裁】dú chū xīn cái 成 (文学作品などで)独創性を発揮する

【独处】dúchǔ 動 一人暮らしをする

【独创】dúchuàng 動 独創する. 独特のものをつくり出す ‖ ～精神 独創的精神 | ～性 独創性

【独当一面】dú dāng yī miàn 成 単独で一つの仕事を受け持つ

【独到】dúdào 形 独特である. ユニークである ‖ 这篇作品很有～之处 この作品はとてもユニークなところがある

【独断】dúduàn 動 独断する. 一人で決める

【独断专行】dú duàn zhuān xíng 成 独断専行する. 〔独行独断〕〔独断独行〕ともいう

【独夫】dúfū 名 書 暴君. 独裁者

【独个】dúgè (～ㄦ) 名 一人. 単独

【独家】dújiā 名 (独占的な)一社. 一手 ‖ ～出售 一手販売 | ～经营 独占的に営業する

【独家新闻】dújiā xīnwén 名 独占ニュース. スクープ

【独角兽】dújiǎoshòu 名 ユニコーン. 一角獣

【独角戏】【独脚戏】dújiǎoxì 名 ❶一人芝居 ❷〈劇〉上海・杭州・蘇州で行われる民間芸能で, 漫才に似たもの

【独具匠心】dú jù jiàng xīn 成 独自の創造性を備えている

【独具只眼】dú jù zhī yǎn 成 独自の見解を持っていること

【独揽】dúlǎn 動 一手に握る. 独占する

【独力】dúlì 副 独力で ‖ ～设计 独力で設計する

** 【独立】dúlì 動 ❶単独で立つ. 一つだけ立つ ❷独立する. 独り立ちする. 分離独立する ‖ 经济上还不能～ 経済的にはまだ独立できない | 宣布～ 独立を宣言する

【独立王国】dúlì wángguó 名 独立王国. 独立の勢力圏

【独立性】dúlìxìng 名 (上級に対する)独立性

*【独立自主】dú lì zì zhǔ 成 自主独立

【独联体】Dúliántǐ 名 略 独立国家共同体. 〔独立国家联合体〕の略

【独龙族】Dúlóngzú 名 トールン族(中国の少数民族の一つ, 主として雲南省に居住)

【独轮车】dúlúnchē 名 手押しの一輪車

【独门】dúmén (～ㄦ) 名 ❶特技. 十八番 ❷独立した1軒

【独门独院】dúmén dúyuàn (～ㄦ) 名 一軒家. 独立家屋

【独苗】dúmiáo (～儿) 名 一人っ子. 一人息子
【独木桥】dúmùqiáo 名 丸木橋 ‖ 你走你的阳关道, 我过我的～ 君は君で大道を行け, 私は我が道を行く
【独木舟】dúmùzhōu 名 丸木舟
【独幕剧】dúmùjù 名〈劇〉一幕劇. 一幕物
【独辟蹊径】dú pì xī jìng 成 独自に新しい道を切り開く. 独創的なやり方で事を行うたとえ
【独善其身】dú shàn qí shēn 成 協調の精神に欠け, 自分のことだけを考えること. 独りよがり
【独身】dúshēn 名 一人. 単身 ‖ ～在外 単身外国(外地)にいる 動 まだ未婚である. 独身である ‖ ～宿舍 独身寮
【独生子女】dúshēngzǐnǚ 名 一人っ子(男子・女子を問わずいう)
【独树一帜】dú shù yī zhì 成 独自に一派を打ちたてる
*【独特】dútè 形 独特である. 特有である. ユニークである ‖ ～的见解 独特の見方 | 风格～ 風格が独特である
【独吞】dútūn 動 (利益などを)独り占めにする
【独舞】dúwǔ 名 ソロ・ダンス. 〔单人舞〕ともいう
【独行】dúxíng 動 ❶一人で行く ❷独自に行う. 独力で行う
【独眼龙】dúyǎnlóng 名 隻眼の人. 独眼竜
【独一无二】dú yī wú èr 成 唯一無二である. ほかに二つとない
【独院】dúyuàn (～儿) 名 一戸建ての家
【独占】dúzhàn 動 独占する. 独り占めする
【独占鳌头】dú zhàn áo tóu 成 科挙の試験で〔状元〕(首席)で合格する. 首位・第1位になること
【独酌】dúzhuó 動 書 独酌する
*【独资】dúzī 名 単独資本
*【独自】dúzì 副 一人で. 単独で
【独奏】dúzòu 動 独奏する

9 *毒 dú ❶名 毒 ‖ 以～攻～ 毒をもって毒を制す ❷毒のある. 有害な物質を含んだ ‖ 一～蛇 ❸形 残忍である. ひどい ‖ 心肠真～ 非常に残忍である ❹動 毒殺する. 毒を盛る ‖ 老鼠被～死了 ネズミは薬殺された ❺名 (思想上)有害なもの ‖ 流～ 弊害. 害毒 ❻名 毒物. 麻薬のたぐい ‖ 吸～ 麻薬を吸う | 贩～ 麻薬を販売する
【毒案】dú'àn 名 薬物事件
【毒草】dúcǎo 名 ❶毒草 ❷喩 社会にとって有害な作品や言論
【毒刺】dúcì 名 (動物や植物の)毒針
【毒打】dúdǎ 動 ひどく殴る. たたきのめす ‖ 挨ái了一顿～ こっぴどく殴られた
【毒饵】dú'ěr 名 (ネズミなどを駆除する)毒入りの餌
【毒犯】dúfàn 名 薬物犯
【毒贩】dúfàn 名 麻薬の売人
*【毒害】dúhài 動 毒する. 害毒を流す ‖ ～儿童的心灵 子供の心を毒する 名 害毒. 毒物
【毒化】dúhuà 動 ❶悪化させる ❷毒する. 害毒を流す ❸麻薬を常用させて人民を損なう
【毒计】dújì 名 悪計(あっけい). 悪巧み
【毒剂】dújì 名〈軍〉毒薬. 毒ガス
【毒箭】dújiàn 名 毒矢 ‖ 放～ 毒矢を放つ
【毒辣】dúlà 形 悪辣である. ひどい
【毒瘤】dúliú 名〈医〉がん. 癌腫(がんしゅ)
【毒骂】dúmà 動 激しく罵る. 罵倒する
【毒谋】dúmóu 名 悪巧み. 悪辣な計略
*【毒品】dúpǐn 名 (アヘン・モルヒネなどの)麻薬類
【毒气】dúqì 名 ❶毒ガス ❷有毒な気体
【毒杀】dúshā 動 毒殺する
【毒蛇】dúshé 名 毒ヘビ
【毒手】dúshǒu 名 毒手. 悪辣な手段 ‖ 下～ 毒手を下す
【毒素】dúsù 名 ❶〈生〉毒素. トキシン ❷思想などに悪影響をもたらすもののたとえ
【毒腺】dúxiàn 名〈動〉(ヘビなどの)毒腺(どくせん)
【毒枭】dúxiāo 名 麻薬売買の元締め
【毒刑】dúxíng 名 むごい体刑
【毒牙】dúyá 名 毒牙(どくが)
【毒焰】dúyàn 名 ❶激しい炎 ❷悪勢力の怪気炎
【毒药】dúyào 名 毒薬 ‖ 下～ 毒を盛る
【毒液】dúyè 名 毒液
【毒瘾】dúyǐn 名 麻薬の中毒症状
【毒汁】dúzhī 名 (動植物の)毒液
【毒资】dúzī 名 麻薬取引の資金. また麻薬取引で得た金

10 ★读(讀) dú **❶動 朗読する. 読み上げる** ‖ ～课文 テキストの本文を読む **❷動 読む. 見る** ‖ 这篇文章很值得zhíde一～ この文章は一読する価値がある **❸動 学校に通う. 勉強する. 学ぶ** ‖ 我正在～大学 私はいま大学で学んでいます ❹…と読む. …と発音する ➤dòu
【读本】dúběn 名 読本. テキスト
【读后感】dúhòugǎn 名 読後感
【读卡器】dúkǎqì 名 ❶(キャッシュカードなどの)カード読み取り機 ❷(メモリーカードの)カードリーダー
【读秒】dú//miǎo 動 ❶(囲碁で)秒読みに入る ❷(事態が)秒読み段階に入る
【读破】dúpò 動〈語〉一つの漢字に異なる字音がある場合, 一般によく使われる字音とは違うほうの字音で読むこと
【读书】dú//shū 動 **❶読書する. 本を読む ❷学校へ行く. 勉強する ‖ 在大学里～ 大学で勉強している
【读书人】dúshūrén 名 旧 読書人. 知識人
【读数】dúshù 名 計器類の指針が示す目盛り
*【读物】dúwù 名 読み物 ‖ 儿童～ 子供向けの読み物 | 通俗～ 通俗的な読み物
【读音】dúyīn 名 読音. 文字の読み方
【读者】dúzhě 名 **読者 ‖ ～来信 読者からの便り

10 顿 dú 人名用字 ➤dùn

11 渎[1](瀆) dú 溝. 溝渠(こうきょ). 用水路 ‖ 沟gōu～ 溝

11 渎[2](瀆) dú 侮蔑(ぶべつ)する
【渎职】dúzhí 動 汚職する ‖ ～罪 汚職罪

12 犊(犢) dú 子ウシ ‖ 初生之～不畏wèi虎 生まれて間がない子ウシはトラを恐れない. 若者が恐れを知らずに行動するたとえ
【犊子】dúzi 名 子ウシ ‖ 牛～ 同前

12 牍(牘) dú ❶木簡. 竹簡 ❷書簡. 文書 ‖ 尺chǐ～ 尺牘(せきとく). 書簡

20 黩(黷) dú 書 乱用する ‖ 穷兵～武 みだりに武力を用いる

dǔ

7 **肚 dǔ** 名（～儿）（食用にする）動物の胃‖牛～儿 ウシの胃 ➤ dù

【肚子】dǔzi 名（食用にする）動物の胃 ➤ dùzi

9 **笃 dǔ** 書 ❶形 心がこもっている．一心不乱である．誠実である ❷形（病状が）重い‖病～ 危篤である

【笃爱】dǔ'ài 動 深く愛する

【笃诚】dǔchéng 形 誠実である

【笃厚】dǔhòu 形 篤実である．真心がこもっている

【笃实】dǔshí 形 ❶篤実である．まじめで温厚である ❷本物である．しっかりしている‖学问很～ 学問が深い

【笃守】dǔshǒu 動 忠実に守る

【笃信】dǔxìn 動 篤信する‖～佛教fójiào 仏教を篤く信仰する

【笃学】dǔxué 動 一心不乱に勉強する

【笃志】dǔzhì 動 志をかたく守る

11 ** **堵 dǔ** ❶塀．垣 ❷量 塀や壁を数える‖一～墙 一続きの塀 ❸動 ふさぐ．せき止める．詰まる‖下水道～了 下水道が詰まってしまった ❹形 気がふさいでいる．気がめいっている‖心里～得难受 気がめいってしかたがない

*【堵车】dǔchē 動 車がつかえる．渋滞する‖这条路经常～ この道路はしょっちゅう渋滞する

【堵得慌】dǔdehuang 動 ひどく気がめいる．気がめいってしかたがない

【堵截】dǔjié 動 遮る．遮断する．せき止める

*【堵塞】dǔsè 動 ❶ふさぐ．埋める‖交通～ 交通渋滞 ❷（足りない所や欠損を）補う．穴埋めする

【堵心】dǔxīn 形（わだかまりがあって）気がふさぐ．めいる

【堵嘴】dǔ//zuǐ 動 口止めをする‖堵不住大家的嘴 人の口に戸は立てられない

12 * **赌 dǔ** ❶動 ばくちを打つ‖一～博 ❷動 賭（か）け事をする‖咱们～一顿饭 食事1回を賭けようじゃないか

【赌本】dǔběn 名 ❶ばくちの元手 ❷喩 冒険をするとき に頼りとするもの

*【赌博】dǔbó 動 賭博をする．ばくちを打つ

【赌场】dǔchǎng 名 賭場．鉄火場

【赌东道】dǔ dōngdào 慣 賭けをして負けた人がおごること．〔赌东儿〕ともいう

【赌风】dǔfēng 名 よく賭博をする風習

【赌鬼】dǔguǐ 名 博徒．ばくち打ち．遊び人

【赌棍】dǔgùn 名 博徒．ばくちを生業とする人

【赌局】dǔjú 名 賭博場．鉄火場

【赌具】dǔjù 名 賭博に用いる道具

【赌气】dǔ//qì 動 ふてくされる．意固地になる．意地を張る‖他～不干了 彼はふてくされて仕事をやめてしまった

【赌钱】dǔ//qián 動 賭博をする．金を賭ける

【赌窝】dǔwō 名 賭博の巣窟（そうくつ）

【赌咒】dǔ//zhòu 動 誓う‖他～，事情不是自己干的 彼はそれは自分のやった事ではないと誓って言った

【赌注】dǔzhù 名 賭博に賭ける金．賭博のかた‖下～ 金を張る．賭け物を張る

13 **睹（△覩）dǔ** 書 見る．目にする‖目～ 目の当たりにする｜先～为wéi快（話題の新作などを）人より早く目にしたい

【睹物思人】dǔ wù sī rén 成 故人の残した物を見てその（ありし日の）持ち主を偲（しの）ぶ

dù

6 **芏 dù** ➡〔茳芏jiāngdù〕

7 **妒（△妬）dù** ねたむ．そねむ‖忌jì～ 嫉妬（しっと）する

【妒火】dùhuǒ 名 嫉妬からの怒り‖～中烧shāo 嫉妬で怒りに燃えている

【妒嫉】dùjí 動 嫉妬する．ねたむ

【妒忌】dùjì 動 嫉妬する．ねたむ

【妒羡】dùxiàn 動 ねたみうらやむ

7 **杜[1] dù** 名〈植〉ヤマナシ．ふつうは〔杜树〕という

7 **杜[2] dù** 書 ふさぐ．閉じる．閉ざす‖→～门谢客

【杜鹃】[1] dùjuān 名〈鳥〉ホトトギス属の鳥の総称．〔布谷〕ともいう

【杜鹃】[2] dùjuān 名〈植〉ツツジ．〔映山红〕ともいう

*【杜绝】dùjué 動（悪いことを）なくす．根絶やしにする．断ち切る‖～浪费 浪費を根絶する

【杜康】dùkāng 名 周代の酒造りの名人．（酒の醸造技術を発明したとされる）転 酒

【杜梨】dùlí 名〈植〉トウマメナシ ＝〔棠táng梨〕

【杜门谢客】dù mén xiè kè 成 人を避けて世間と無縁の暮らしをする

【杜松子酒】dùsōngzǐjiǔ 名（酒の一種）ジン．〔金酒〕ともいう

【杜仲】dùzhòng 名 ❶〈植〉トチュウ ❷〈中薬〉杜仲

【杜撰】dùzhuàn 動 捏造（ねつ）する．でっち上げる

7 **肚 dù** （～儿）❶名 おなか．腹部‖啤酒～儿 ビール腹｜宰相zǎixiàng～里能撑chēng船 宰相の腹の中は船が通うことができる．大人物は度量が大きいたとえ ❷内心．腹の中‖嘴里不说，～里有数shù 口に出さないが，内心わかっている ❸腹のように丸く膨れているもの‖手指头～儿 指の腹 ➤ dǔ

【肚带】dùdài 名（ウマなどの）腹帯

【肚量】dùliàng 名 ❶喩 度量 ❷食べる量

【肚皮】dùpí 名 方 ❶腹の皮 ❷腹

【肚脐】dùqí （～儿）名 へそ‖～眼儿 へそ．へその穴

** 【肚子】dùzi 名 ❶腹部．おなか‖闹～ おなかをこわす．下痢をする｜一～气 満腔（まんこう）の怒り ❷腹のように丸く膨れているもの．物の腹部‖腿～ ふくらはぎ．こむら ➤ dǔzi

9 ** **度[1] dù** ❶ものさし‖→～量衡 ❷規則．基準 ❸量 角度の単位．度 ❹量 経度・緯度の単位．度 ❺量〈電〉キロワット時‖十～电 10キロワット・アワー ❻名 限度．限度額‖挥霍huīhuò无～ 節度なく金を使う ❼個人の思考が及ぶ範囲‖→～外 ❽一定範囲の時間・空間‖年～ 年度 ❾程度‖知名～ 知名度｜难～ 難しさ ❿度量．寛容の度合い‖→～量 ⓫人柄や風貌‖风～ 風格 ⓬ものの状態や性質の度合い‖长～ 長さ｜深～ 深さ

9 ★ **度[2] dù** ❶書 越える ❷（時間が）経過する．過ごす‖虚xū～ むだに日を送る｜安～晚年 平穏な晩年を送る ❸量 回数．度数‖一年一～ 1年に1度 ❹動〈仏〉済度（さい）する ➤ duó

【度牒】dùdié 名〈仏〉度牒（どちょう）．昔，官庁から僧尼に与えられた出家証明書．〔戒牒〕ともいう

*[度过] dùguo ; dùguò 動 過ごす. 暮らす ‖ ～了一个愉快的暑假 夏休みを楽しく過ごした
[度荒] dùhuāng 動 凶作時の飢饉(きん)を乗り切る
[度假] dù//jià 動 休暇を過ごす ‖ 你在哪儿度的假？ 君はどこで休暇を過ごしたの
[度假村] dùjiàcūn 名 レジャー・ランド. リゾート村
[度量] dùliàng 名 度量 ‖ 他～大 彼は度量が大きい
[度量衡] dùliànghéng 名 度量衡
[度日如年] dù rì rú nián 成 1日が1年のように長く感じる. 暮らしが苦しいさま
[度数] dùshu 名 度数. 目盛り ‖ 用电～ 電気の使用量
[度外] dùwài 名 書 範囲の外. 気に留めないこと

12 ** 渡 dù ❶動 (川などを)渡る ‖ ～河 川を渡る ❷名 渡し. 渡し場. (多く地名に用いる) ❸動 渡す. (人や貨物を積んで)川を渡る ‖ →～船 ❹渡し船 ‖ 轮～ (渡し船による)渡し
[渡槽] dùcáo 名 (用水路の)水路橋. 懸樋(かけひ)
*[渡船] dùchuán 名 渡し船. フェリーボート
[渡过] dù//guo(guò) 動 ❶渡る. 渡って越す ❷乗り切る. 切り抜ける ‖ ～难关 難関を切り抜ける
*[渡口] dùkǒu 名 渡し場. 〔渡头〕ともいう
[渡轮] dùlún 名 連絡船. フェリーボート
[渡桥] dùqiáo 名 臨時の橋. 仮橋
[渡头] dùtóu ＝〔渡口dùkǒu〕

14 * 镀 dù 動 めっきする ‖ ～镍niè ニッケルめっきをする
[镀铬] dù//gè 動 クロームめっきをする
[镀金] dù//jīn 動 ❶金めっきする ‖ ～项链xiàngliàn 金めっきのネックレス ❷箔(はく)を付ける ‖ 出国留学不是为了～ 外国に留学するのは箔を付けるためではない
[镀锡铁] dùxītiě 名 ブリキ板. 〔马口铁〕ともいう
[镀锌铁] dùxīntiě 名 トタン板. ふつうは〔白铁〕という
[镀银] dù//yín 動 銀めっきする

24 蠹 dù ❶紙類・衣類・木材などを食い荒らす虫の総称 ‖ 书～ (本の)シミ ❷虫が食う ‖ ～蚀shí むしばむ. 損なう
[蠹虫] dùchóng 名 ❶〈虫〉シミ ❷喩 集団の利益を損なう悪党. 虫けら

duān

14 端[1] duān ❶まっすぐである. 正しい ‖ →～正 ❷品行方正である. まじめである ‖ →～庄

14 * 端[2] duān ❶(物の)端. さき ‖ 顶～ 頂点. ピーク ❷(物事の)はじめ ‖ 开～ 糸口 ❸きっかけ. 原因. 源 ‖ 祸huò～ 禍根 ❹事故. もめごと ‖ 事～ 事件 ❺方面. 項目 ‖ 变化多～ 変化が目まぐるしい

14 ** 端[3] duān ❶動 (手で物を水平に)持つ ‖ ～菜 料理を運ぶ ❷動 口 (話を)持ち出す. さらけ出す ‖ 把问题全～出来, 让大家来讨论 問題を列挙してみんなで討論しよう ❸動 徹底的に取り除く ‖ ～贼窝zéiwō 賊の巣窟を一掃する
[端点] duāndiǎn 名〈数〉端点. 終点
[端架子] duān jiàzi 慣 もったいぶる. お高くとまる. 威張る.
[端肩膀] duān jiānbǎng 組 肩を怒らす
[端静] duānjìng 形 威厳があり, 落ち着いている
[端口] duānkǒu 名〈計〉ポート
[端丽] duānlì 形 端正である. 整っている
[端量] duānliang 動 子細に見る. しげしげと見つめる
[端面] duānmiàn (～儿) 名 円柱の両端の平面
[端倪] duānní 名 手掛かり. 糸口 動 (事の転末を)予測する
[端午][端五] Duānwǔ 名 端午の節句
[端线] duānxiàn 名〈体〉エンド・ライン
[端详] duānxiáng 形 端然としてゆったりしている. 上品である 名 委細. 子細
[端详] duānxiang 動 子細に見る. しげしげと眺める
[端雅] duānyǎ 形 端正で奥ゆかしい
[端砚] duānyàn 名 端渓(たんけい)の硯(すずり). 広東省高要県端渓に産する硯
[端阳] Duānyáng ＝〔端午Duānwǔ〕
[端由] duānyóu 名 原因. わけ
*[端正] duānzhèng 動 正す. きちんとする ‖ ～工作态度 勤務態度を正す 形 ❶端正である. 整っている ‖ 五官～ 目鼻だちが整っている ❷正しい ‖ 品行～ 品行方正である
[端重] duānzhòng 形 きちんとして重々しい. 端正重厚である
[端庄] duānzhuāng 形 端正で重々しい. 荘重である ‖ 举止～ 挙止が端正で重々しい
[端坐] duānzuò 動 正座する. 端座する

duǎn

12 ★ 短 duǎn ❶形 (距離・長さが)短い ↔〔长〕 ❷形 (時間が)短い ↔〔长〕 ❸動 欠ける. 不足する ‖ ～斤少两 目方が足りない ❹名 (～儿)短所. 欠点 ‖ 揭jiē人的～儿 人の欠点をあげつらう ❺形 (考えが)浅い ‖ 见识～ 見識が足りない
[短兵相接] duǎn bīng xiāng jiē 成 白兵戦をする
[短波] duǎnbō 名〈電〉短波 ‖ ～波段 短波波長帯
[短不了] duǎnbuliǎo 動 ❶欠かせない. 不可欠である ‖ 这个工作～你 この仕事には君が欠かせない ❷免れない. ありがちである ‖ 夫妻间也～磕磕碰碰kēkepèngpèng 夫婦の間であってもいさかいは免れない
[短长] duǎncháng 名 ❶長短. 優劣. 善し悪し ❷まさかの事態. 万一. (多く命にかかわることをいう)
[短程] duǎnchéng 形 短い道のりの
[短秤] duǎn//chèng 動 量目が不足する
[短池] duǎnchí 名〈体〉(水泳の)短水路
*[短处] duǎnchu 名 短所. 欠点 ↔〔长处〕
[短粗] duǎncū 形 短くて太い ‖ ～的身材 ずんぐりした体つき
*[短促] duǎncù 形 (時間が)短い. 差し迫っている. せわしない ‖ 时间～ 時間が短い ｜ 呼吸～ 呼吸が荒い
[短打] duǎndǎ〈劇〉動 (伝統劇の)立ち回りを演じる. 殺陣(たて)を演じる ‖ ～武生 立ち回りを演じる男役 名 軽装
[短笛] duǎndí 名〈音〉ピッコロ
[短工] duǎngōng (～儿) 名 臨時雇い. 日雇い労働者 ‖ 打～ 臨時雇いで働く
[短号] duǎnhào 名〈音〉コルネット
[短见] duǎnjiàn 名 ❶短見. 浅見 ❷自殺 ‖ 寻

xún～ 自殺をはかる
【短剑】duǎnjiàn 名 短剣
【短剧】duǎnjù 名 短い劇. 寸劇
【短裤】duǎnkù 名 ショートパンツ. 半ズボン
【短路】duǎnlù 動〈電〉ショートする
【短命】duǎnmìng 形 短命である. 長く続かない
【短命鬼】duǎnmìngguǐ（～儿）名 早死に. 若死に
【短跑】duǎnpǎo 名〈体〉短距離走
【短篇小说】duǎnpiān xiǎoshuō 名 短編小説
【短平快】duǎnpíngkuài 名 技術の成果が商品化されるのが速く, 経済効果もすぐに現れる商品やその技術
【短评】duǎnpíng 名（新聞や雑誌などの）短評
**【短期】duǎnqī 名 短期 ‖ ～内不会有大的变动 短期間に大きな変化はないだろう
【短浅】duǎnqiǎn 形（考えが）浅い.（見識が）狭い ‖ 目光～ 目先が利かない
【短欠】duǎnqiàn 動 欠ける. 不足する
【短枪】duǎnqiāng 名 短銃. ピストル
【短缺】duǎnquē 動 不足する. 欠ける ‖ 人手～ 人手が足りない
【短裙】duǎnqún 名 膝までの長さのスカート
【短少】duǎnshǎo 動 不足する. 足りない ‖ 斤量 jīnliàng～ 目方が足りない
【短视】duǎnshì 形 ❶近視である. 近眼である ❷近視眼的である
【短途】duǎntú 形 短距離の. 近距離の
【短线】duǎnxiàn 形 ❶供給不足の. 品薄の ❷短期間の ‖ ～投资 短期の売買
【短线产品】duǎnxiàn chǎnpǐn 名 供給不足の商品. 品不足の商品
【短小】duǎnxiǎo 形 ❶短小である ❷小柄である
【短小精悍】duǎn xiǎo jīng hàn 成 ❶体は小さいが精悍(せいかん)である ❷文章が簡潔で力強い
【短信】duǎnxìn 名 ❶きわめて短い手紙文 ❷ =〔短信息duǎnxìnxī〕
【短信息】duǎnxìnxī 名〈通信〉（携帯電話などの）ショートメッセージ. 略して〔短信〕ともいう
【短袖】duǎnxiù 名 半袖
【短讯】duǎnxùn 名 短いニュース
【短训班】duǎnxùnbān 名 短期訓練班. 速成クラス
【短语】duǎnyǔ 名〈語〉フレーズ. 句
*【短暂】duǎnzàn 形（時間的に）短い ‖ 时间～ 時間が短い｜～的停留 短い滞在
【短装】duǎnzhuāng 名 軽装

duàn

9★段 duàn ❶書 切断する. 分ける ❷量 ①細長いものを分割した一部分を数える ‖ 把葱切成数～ ネギをいくつかに切り分ける ②一定の時間や距離を数える ‖ 前一～我身体不太好 一時期私は体の調子が悪かった ③（事物の一部分を数える）段落. くだり. 切れ目. 区切り ‖ 一～文章 一区切りの文章 ❸（分かれてできた）部分 ‖ 一～落 ❹ある部門の下につくられた機関 ‖ 机务～ 鉄道の機関区 ❺段位
【段落】duànluò 名 段落. 区切り ‖ 准备工作告一～ 準備の仕事は一段落した
【段位】duànwèi 名（囲碁の）段位
【段子】duànzi 名（漫才や講談などの演芸で）一回で演じ終わる短い出し物

11**断（斷）duàn ❶動（長い物をいくつかに）切る. 断ち切る ‖ 腿摔～了 転んで足を折った ❷動 とぎれる. 絶える. 切れる ‖ 关系～了 関係が切れた ❸動（タバコや酒などを）断つ. やめる ‖ ～酒～烟 酒を断ちタバコをやめる ❹動 阻む. 遮る ‖ ～球 ボールをカットする ❺判断する. 決定する ‖ 一～案 ❻副 書 断じて. 絶対に ‖ 一～～
【断案】duàn//àn 動 裁判する
【断编残简】duàn biān cán jiǎn 成 断簡零墨
【断层】duàncéng 名 ❶〈地質〉断層 ❷（物事の）断絶現象
【断肠】duàncháng 動 断腸の思いをする
【断炊】duàn//chuī 動（貧しくて）食事にも事欠く
【断代】duàn//dài 動 跡継ぎが絶える. 事業が中断する
【断代史】duàndàishǐ 名 一時代または一王朝について記述した史書. 時代史 ↔〔通史〕
【断档】duàn//dàng 動 売り切れる. 品切れになる
*【断定】duàndìng 動 断定する. 判定する ‖ 可以～这是他的笔迹 これは彼の筆跡だと断定できる
【断断】duànduàn 副 決して. 絶対に.（多く否定に用いる）
*【断断续续】duànduànxùxù 形 とぎれとぎれである. 断続的である ‖ 我～学过几年日语 私は何度か中断しながらも数年間日本語を学んだ
【断顿】duàn//dùn（～儿）動 食事に事欠く. 三度の食事も満足にとれない
【断根】duàn//gēn（～儿）動 ❶（病気を）根治する. 除去する ❷跡継ぎがとぎれる
【断喝】duànhè 動 大きな声でどなる
【断后】[1] duàn//hòu 動 跡継ぎが絶える. 家系が途絶える
【断后】[2] duànhòu 動 旧（軍隊が撤退するとき）しんがりをつとめて援護する
【断乎】duànhū 副 書 断じて.（多く否定に用いる）
【断魂】duànhún 動 断腸の思いをする. 悲しみにくれる
【断交】duàn//jiāo 動 絶交する. 交わりを絶つ
【断井颓垣】duàn jǐng tuí yuán 成 家屋敷などが荒れ果てたさま
【断句】duàn//jù 動（古書の文章に）句読点をつける
*【断绝】duànjué 動 断絶する. 絶ち切る ‖ ～联系 関係を断ち切る
【断口】duànkǒu 名〈鉱〉断口. 破面. 割れ口
【断粮】duàn//liáng 動 食糧がなくなる
【断裂】duànliè 動 裂ける. 割れる 名〈地質〉断層. リフト
【断流】duànliú 動 川の水がかれる
【断码】duànmǎ 動（商品の）サイズがきれる ‖ ～的名牌夏装降价出售 サイズ不揃いの夏物ブランド服を大バーゲンする
【断面】duànmiàn 名 断面 =〔剖pōu面〕
【断奶】duàn//nǎi 動 離乳する. 乳離れする
【断片】duànpiàn 名 断片. 一部分
【断气】duàn//qì（～儿）動 呼吸が停止する. 死ぬ
【断然】duànrán 形 断固とした. きっぱりとした 副 断固として ‖ ～拒绝 きっぱりと拒絶する
【断送】duànsòng 動 葬り去る. 台なしにする. むだにする. 失う ‖ ～了前程 将来を棒に振った
【断头】duàn//tóu 動 ❶中断する. とぎれる ❷頭を切り落とす

【断头台】duàntóutái 图断頭台．ギロチン
【断弦】duàn//xián 動妻に先立たれる
【断线】duàn//xiàn 動❶糸が切れる ❷中断する
【断线风筝】duàn xiàn fēng zhēng 成 糸の切れた凧(たこ)．跡形もなく消えてなくなるたとえ
【断想】duànxiǎng 图断想．(多く書名に用いる)
【断行】duànxíng 動断行する．断固として実行する
【断续】duànxù 動断続する．とぎれとぎれに続く
【断崖】duànyá 图断崖(だんがい)
【断言】duànyán 動断言する．きっぱりと言う
【断语】duànyǔ 图結論 ‖ 妄wàng下～ むやみに結論を下す
【断狱】duànyù 動判決を下す．裁く
【断章取义】duàn zhāng qǔ yì 成 人の文章や話の一部分を自分に都合よく解釈して引用すること
【断种】duàn//zhǒng 動種が絶える．絶滅する
【断子绝孙】duàn zǐ jué sūn 成 子孫が絶える
【断奏】duànzòu 图〈音〉スタッカート
12 缎 duàn 图緞子(どんす) ‖ 绸～ 絹織物｜锦～ 錦
*【缎子】duànzi 图緞子 ‖ ～被 緞子の掛け布団
13 煅 duàn ❶〔锻duàn〕に同じ ❷動〈中薬〉生薬を火の中に入れて焼き，薬効を弱める ‖ ～石膏shígāo 焼石膏(しょうせっこう)
【煅烧】duànshāo 動〈化〉煆焼(かしょう)する
13 椴 duàn 〈植〉シナノキ．ふつうは〔椴树〕という
14 锻 duàn 動鍛える．鍛造する ‖ →～炼
【锻锤】duànchuí 图〈機〉鍛造用ハンマー
【锻打】duàndǎ 動❶金属を火中で熱し，ハンマーでたたく．鍛える ❷鍛練する
【锻工】duàngōng 图❶鍛造 ❷鍛冶工
【锻件】duànjiàn 图鍛造品．打ち物
★【锻炼】duànliàn 動❶鍛造する ❷**鍛練する．鍛える** ‖ ～身体 体を鍛える｜他每天早上～一个小时 彼は毎朝1時間運動している
【锻铁】duàntiě 图鍛鉄．錬鉄．〔熟铁〕ともいう
【锻压】duànyā 動鍛造・プレスする
【锻冶】duànyě 動❶鍛冶(たんや)する ❷陶冶(とうや)する．鍛える
【锻造】duànzào 動鍛造する
17 簖(籪) duàn 图竹のさくを水中に立てて，魚などを捕らえる仕掛け．やな

duī

11 ** 堆 duī ❶小山．(多く地名に用いる) ❷動**積む．積み上げる** ‖ 桌子上～满了东西 机の上に物がたくさん積み重なっている ❸图(～儿)**積んである物．積み上げた物** ‖ 雪～ 雪のたまり ❹图(～儿)たくさんの人やもの｜问题成～ 問題が山積している ❺量**山のように積んである物や群れを数える** ‖ 提了一大～意见 意見を山のように出した
【堆叠】duīdié 動積み重ねる．積み重なる
【堆放】duīfàng 動積んで置いておく．積んだままにしておく
【堆肥】duīféi 图〈農〉堆肥
*【堆积】duījī 動堆積する．積み上げる ‖ 木材～如山 材木が山のように積み上げられている
【堆集】duījí 動積み上げる．積み重ねる
【堆砌】duīqì 動❶(れんがなどを)積み重ねる ‖ ～台阶 石段を作る ❷喩(文章を書くときに)言葉を飾りたてる ‖ ～辞藻cízǎo 美辞麗句を並べたてる
【堆笑】duī//xiào 動笑みを浮かべる ‖ 满脸～ 満面に笑みをたたえる
【堆栈】duīzhàn 图倉庫

duì

4 ** 队(隊) duì ❶団体の編成単位 ‖ 中～ 中隊 ❷图**列．行列** ‖ 站～ 列をつくる｜排～ 列をつくる ❸量一団となって隊列をなしたものを数える．隊．列 ❹图**隊．チーム** ‖ 篮球～ バスケットチーム｜拉拉～ 応援団 ❺ピオニール．少年先鋒隊 ‖ →～日
【队礼】duìlǐ 图中国の少年先鋒隊の敬礼(手のひらを前方に向けて頭の上に挙げる)
【队列】duìliè 图隊列．行列
【队旗】duìqí 图隊旗．チームの旗
【队日】duìrì 图中国の少年先鋒隊の活動日
【队伍】duìwu 图❶軍隊．部隊** ❷**隊列** ‖ 游行～ パレードの隊列．デモ隊 ❸一定範囲に属する人々 ‖ 知识分子～ インテリ集団
【队形】duìxíng 图隊形
【队友】duìyǒu 图チームメイト．チームの仲間
*【队员】duìyuán 图隊員．チームのメンバー
【队长】duìzhǎng 图隊長．キャプテン**
5 ★ 对(對) duì ❶書 相当する ❷答える．応答する．返答する ‖ 应yìng～ 受け答えをする ❸動(多く〔着〕を伴い)**向ける．面する．向く** ‖ 家门口正～着大马路 家の入り口は大通りに面している ❹介**…に向かって．…へ．…に** ‖ ～他表示谢意 彼に対して謝意を表す ❺動対応する．対抗する．相対する ‖ 今天的比赛是中国队～美国队 今日の試合は中国チーム対アメリカチームだ ❻介**…にとって．…について** ‖ 吸烟～身体不好 喫煙は体によくない｜～他来说，每天骑车上下班是一种锻炼 彼にとってみれば，毎日の自転車通勤は運動のようなものだ ❼向き合った．対立した ‖ →～方 ❽対立する．向き合う ‖ →～抗 ❾動合わせる．接する ‖ 把两张桌子～在一起 二つの机をくっつける． ❿釣り合いのとれた人や物 ‖ 成双配～ 二人一組でペアになる． ⓫图(～儿)対聯(ついれん)．対句 ‖ →～子 ⓬量(～儿)**二つで一組になっているものを数える．対(つい)．組** ‖ 挺tǐng般配的一～儿 似合いのカップル ⓭動合致する．ぴったりする ‖ ～脾气 気が合う ⓮動**照合する．突き合わせる** ‖ ～笔迹 筆跡を突き合わせる ⓯形**正しい．合っている** ↔〔错〕‖ 您的意见很～ あなたの意見はごもっともです｜这事儿是你不～ これは君が間違っている｜气氛不～ 雰囲気がおかしい ⓰動(一定の規準に)**調整する．調節する** ‖ ～手表 腕時計の時間を合わせる｜～焦距jiāojù 焦点距離を合わせる ⓱半分に分ける．2等分する ‖ →～半 ⑱〔兑²duì ❸〕に同じ
*【对岸】duì'àn 图対岸．向こう岸
【对白】duìbái 图〈劇〉対話．ダイアローグ
【对半】duìbàn (～儿) 图❶半分 ‖ ～儿分 半分ずつ分ける ❷倍 ‖ ～儿利 元金が倍になること．元と同額の利益を得ること
【对本】duìběn 图元金と同額の利潤または利息

＊＊【对比】 duìbǐ 動 **対比する. 比べる** ‖ 构成了鲜明的～ 際立った対比をなした 名 **比率. 比例** ‖ 男女人数～是二对三 男女の数の比率は 2 対 3 である

【对比度】 duìbǐdù 名（テレビ画像の）コントラスト

【对比色】 duìbǐsè 名 補色. 反対色

★【对不起】 duìbuqǐ 動 **すまない. 申し訳ない.** 〔对不住〕ともいう ‖ ～, 我来晚了 すみません, 遅くなりました｜我觉得很～他 私は彼にたいへんすまないと思っている

類義語 对不起 duìbuqǐ 劳驾 láojià 麻烦 máfan

◆〔对不起〕相手に対して詫(わ)びる, または, すまない気持ちを表す ‖ 今天来晚了, 实在对不起 今日は来るのが遅くなって, ほんとうに申し訳ありません ◆〔劳驾〕人に用事を頼んだり道を通してもらうとき, 感謝の気持ちを表す ‖ 劳驾你给捎一封信 すみませんが, ついでに手紙を持っていってください｜劳驾, 让一下 すみません, ちょっと通してください ◆〔麻烦〕人に用事を頼み, 手を煩わしてすまない気持ちを表す. ご面倒ですが ‖ 麻烦你了 ご面倒をかけました ◆〔劳驾〕は〔对不起〕と言い換えられる場合もあるが, 謝罪のときには必ず〔对不起〕を用いる

【对簿】 duìbù 動 書 審問を受ける ‖ ～公堂 法廷で審問を受ける

＊【对策】 duìcè 名 対策 ‖ 采取～ 対策を講じる

【对茬儿】 duì//chár 動 方 一致する. つじつまが合う

【对唱】 duìchàng 動〈音〉二人の歌手または二組の合唱隊が応答形式で歌う

＊【对称】 duìchèn 形 対称的である ‖ 左右不～ 左右対称でない

【对冲资金】 duìchōng zījīn 名〈経〉ヘッジファンド

【对词】 duì//cí（～儿）動〈劇〉台詞(せりふ)の読み合わせをする

＊【对答】 duìdá 動 応答する. 返事する

【对答如流】 duì dá rú liú 成 すらすらと答える. 反応が早く弁舌が流暢(りゅうちょう)なさま

＊【对打】 duìdǎ 動 1 対 1 で殴り合う

＊＊【对待】 duìdài 動 **対応する. 扱う** ‖ ～顾客要热情 お客には真心を込めて接しなければいけない

＊【对得起】 duìdeqǐ 動 申し訳が立つ. 顔向けができる. 〔对得住〕ともいう ‖ 你这样做, ～父母吗？ 君, こんな事をして両親に顔向けができると思っているのか

＊【对等】 duìděng 形 対等である

【对等贸易】 duìděng màoyì 名〈経〉カウンタートレード

【对敌】 duìdí 動 敵に立ち向かう

【对调】 duìdiào 動（位置や仕事などを）交換する. 取り替える ‖ ～座位 座席を入れ替える

＊＊【对方】 duìfāng 名 **相手. 相手側. 先方** ‖ 征求～的意见 相手側の意見を求める

【对方付费电话】 duìfāng fùfèi diànhuà 名 コレクトコール

＊＊【对付】 duìfu 動 ❶**対処する. 対応する. 相手をする. 当たる** ‖ 这人很难～ この人は一筋縄ではいかない ❷**間に合わせる. しのぐ. 我慢する** ‖ ～着办吧 まあ適当にやっておこう ❸ 方 気が合う. 仲がいい

【对歌】 duì//gē 動 互いに歌のやりとりをする

【对光】 duì//guāng 動 ❶カメラのピント・絞り・シャッター速度を合わせる ❷（望遠鏡や顕微鏡などで）光線を調整する

【对过】 duìguò（～儿）名 向かい側

【对号】 duì//hào（～儿）動 ❶番号やサイズを合わせる ‖ ～锁 数字合わせ錠｜～席 指定席 ❷（事物や状況などが）合致する. 一致する ‖ 名字和人对不上号儿 名前と顔が一致しない 名（duìhào）（採点のときにつける）正解のマーク

【对号入座】 duìhào rùzuò 慣 あるものをほかのものに照らし合わせる. 当てはめる

＊＊【对话】 duìhuà 動 ❶**対話する** ❷**（外交上の）話し合いをする** ‖ 敌对双方开始了～ 敵対していた双方が話し合いを始めた 名 **対話. 会話**

【对话框】 duìhuàkuàng 名〈計〉ダイアログ・ボックス

【对换】 duìhuàn 動 互いに交換する

【对火】 duì//huǒ（～儿）動（タバコからタバコに）火を移す. タバコの火を貸す. タバコの火を借りる

【对家】 duìjiā 名 ❶（トランプなどで）相手. 先方 ❷縁談の相手方

【对讲机】 duìjiǎngjī 名 トランシーバー

【对焦】 duìjiāo 動 ピントを合わせる

【对角】 duìjiǎo 名〈数〉対角

【对角线】 duìjiǎoxiàn 名〈数〉対角線

【对接】 duìjiē 動（宇宙船が）ドッキングする

【对襟】 duìjīn（～儿）名 中国式の服装で, 前おくみが中央合わせになっているもの

【对劲】 duìjìn（～儿）形 ❶正常である. 適切である ❷仲がよい. 気が合う ‖ 谈得很～ 話していて馬が合う

【对局】 duìjú 動（囲碁で）対局する.（スポーツで）対戦する

【对决】 duìjué 動 対決する

【对开】 duìkāi 動 ❶（船や車など）二つの発着地点から双方に向かって同時に出発する ❷折半する. 半分ずつ分ける 名 半裁.（紙を）半分に切ること

＊【对抗】 duìkàng 動 ❶**対抗する. 対立する. 互いに譲らない** ❷**抵抗する** ‖ ～情绪qíngxù 敵対心

【对抗赛】 duìkàngsài 名 対抗試合

【对空台】 duìkōngtái 名 航空管制塔. コントロール・タワー

【对口】[1] duìkǒu 形（漫才や民謡などで）掛け合いの

【对口】[2] duìkǒu 形 つりあっている. 見合う ‖ 专业～（仕事の内容と）専門が合致する

【对口相声】 duìkǒu xiàngsheng 名 掛け合い漫才

＊【对了】 duì le 組 ❶はい, そのとおりです ❷あ, そうだ ‖ ～, 我想起来了 そうだ, 僕思い出したよ

【对垒】 duìlěi 動 対峙(たいじ)する ‖ 两军～ 両軍が対峙している

【对擂】 duìlèi 動 競争する. 争う. 対抗する ‖ 两家啤酒厂家展开～ 二大ビールメーカーがシェアを争う

＊【对立】 duìlì 動 対立する. 対立したものとみなす ‖ 不要把二者～起来 両者を対立させてはいけない

【对立面】 duìlìmiàn 名 ❶反対側. 敵 ‖ 树立～ 敵をつくる ❷〈哲〉対立面

＊【对联】 duìlián（～儿）名 対の掛け軸. 対聯(ついれん)

【对流】 duìliú 動〈物〉対流する

【对流层】 duìliúcéng 名〈気〉対流圏

【对路】 duìlù 形 ❶需要に合う ‖ 生产～产品 需要に見合った製品を生産する ❷気が合う. 馬が合う

＊【对门】 duìmén（～儿）動（入り口が）向かい合う ‖ 他们两家住～ 彼らの家は向かい合っている 名 向かいの家 ‖ 我家～儿就是邮局 私の家の向かいは郵便局だ

＊＊【对面】 duìmiàn（～儿）副 面と向かって. 顔を突き合

わせて ‖ ～谈 面と向かって話をする 名 ❶向かい. 向かい側 ❷前方. 真正面
【对牛弹琴】duì niú tán qín 成 馬の耳に念仏
【对偶】duì'ǒu 名〈語〉対偶. 対句
*【对手】duìshǒu 名 ❶(試合などの)相手 ❷好敵手 ‖ 论lùn速度, 他不是你的～ 速さでいえば, 彼は君の相手ではない
【对手戏】duìshǒuxì 名(舞台・映画・テレビドラマで)二人の俳優が演じるシーン ‖ 两人的～配合得相当默契mòqì 二人の共演はなかなか息が合っていた
【对台戏】duìtáixì 名 喩 双方が張り合うこと. 向こうを張る ‖ 唱～ 張り合う. 対抗する
*【对头】duì//tóu 形 ❶正しい. 適切である. ぴったりする ‖ 你这种想法可有点ㄦ不～ 君のこの考えはちょっと的外れだ ❷気が合う. 馬が合う.(多く否定に用いる) ❸正常である.(多く否定に用いる) ‖ 这机器的声音不～ この機械の音はおかしい ‖ 这几天她的情绪qíngxù有些不大～ 彼女はここ数日少し不機嫌だ
【对头】duìtou 名 ❶仇(かたき). 仇敵 ❷ライバル
【对外】duìwài 形 対外的な ‖ ～援助 対外援助
【对外贸易】duìwài màoyì 名 対外貿易
【对味ㄦ】duì//wèir 形 ❶口に合う ❷気に入る. 趣味に合う.(多く否定に用いる)
【对胃口】duì wèikǒu (～ㄦ) 慣 食欲をそそる. 口に合う. 転 趣味に合う. 性に合う
【对虾】duìxiā 名〈動〉❶タイショウエビ ❷クルマエビ
**【对象】duìxiàng 名 ❶対象 ‖ 研究的～ 研究対象 | 保护～ 保護の対象 ❷結婚相手. 婚約者. 恋人 ‖ 介绍～ 結婚を前提とした相手を紹介する
【对消】duìxiāo 動 相殺する. 帳消しにする
【对眼】duì//yǎn 形 口 気に入る. めがねにかなう ‖ 俩人对上眼了 二人は互いに気に入った 名(duìyǎn)(～ㄦ)〈医〉内斜視.〔内斜视〕の通称
【对弈】duìyì 動(碁や将棋で)対局する. 手合わせする
【对饮】duìyǐn 動 差し向かいで酒を飲む
*【对应】duìyìng 動 相応する. 応じる ‖ ～措施cuòshī 相応な措置
**【对于】duìyú 介 …に対して. …について. …に関して ‖ ～他的情况, 我了解得不多 彼の事情について, 私はあまり知らない | 这样做～解决问题没有一点ㄦ好处 このようにやっても問題の解決に少しもつながらない
【对仗】duìzhàng 動 詩文の対句を作る
*【对照】duìzhào 動 ❶照合する. 照らし合わせる ‖ ～原文加以修改 原文と照らし合わせて修正を加える ❷対比する ‖ 新旧～ 新旧を対比する
【对折】duìzhé 動 半値にする. 5割引きにする 名 半値. 5割引き ‖ 打～ 半値にする. 5割引きにする
【对着干】duìzhe gàn 慣 対抗する. 張り合う
【对阵】duìzhèn 動 対陣する. 相手と向かい合う
【对证】duìzhèng 動 照合する. 突き合わせる
【对症下药】duì zhèng xià yào 成 病状に合わせて投薬する. 具体的な状況に応じて救済手段をとるたとえ
【对质】duìzhì 動(法廷で)係争者同士を相対させて尋問を行う. 対質(たいしつ)する ‖ 当堂～ 法廷で対決する
【对峙】duìzhì 動 対峙(たいじ)する. 向き合って立つ
【对准】duì//zhǔn 動 ねらいをつける ‖ ～球门一记劲射jìngshè ゴールにねらいをつけて1発シュートする
【对酌】duìzhuó 動 差し向かいで酒を飲む
【对子】duìzi 名 ❶対聯(ついれん) ❷対句 ‖ 对～ 対句を合わせる. 対聯の上の句に下の句をつける ❸対(つい). 組

7 兑[1] duì 名 八卦(はっけ)の一つ, 兌(だ). ☱で示し, 沢を表す ➡〔八卦bāguà〕

7 兑[2] duì ❶動(手形や小切手などを)現金に換える ‖ →～现 ❷(中国将棋で)自分の駒と同等の駒を相手側から取る ❸動 混ぜ合わせる ‖ 往酒里～水 酒に水を混ぜ合わせる
【兑付】duìfù 動(手形や小切手などを)現金に換える
*【兑换】duìhuàn 動 両替する ‖ 用美元～人民币 米ドルを人民幣に両替する | ～率 為替相場. 為替レート
*【兑现】duìxiàn 動 ❶(手形などを)現金に換える ❷喩 約束を果たす. 現実のものにする.(口約束を)実現する ‖ 无法～的空头支票 現実化しない空手形

9 怼(懟) duì 書 恨む. 憎む ‖ 怨yuàn～ 恨む

13 碓 duì 唐臼(からうす). 踏み臼

dūn

7 **吨(噸) dūn ❶量(重さの単位)トン ❷量(船舶の貨客搭載容積の単位)登記トン. 純トン
【吨公里】dūngōnglǐ 量(陸上輸送量の計算単位)トン・キロメートル
【吨海里】dūnhǎilǐ 量(海上輸送量の計算単位)トン海里
【吨数】dūnshù 名 トン数
【吨位】dūnwèi 名(船舶の積載量)容積トン数

12 敦(△憞) dūn ❶促す ‖ →～促 ❷手厚い. 誠意がこもっている ‖ →～厚 | ～聘pìn 丁寧にお招きする
【敦促】dūncù 動 懇切に勧める. 丁寧に促す ‖ ～双方和解 双方が和解するよう勧める
【敦厚】dūnhòu 形 篤実である
【敦睦】dūnmù 動 むつまじくする
【敦请】dūnqǐng 動 懇ろに招く. 懇請する
【敦实】dūnshi 形 ずんぐりしている. 背が低くがっしている. 小さくて丈夫である

15 墩(△墪) dūn ❶名 土盛り ❷名(～ㄦ)厚みのある木や石など ‖ 门～ 門の土台 ❸名 腰掛けや台座のようなもの ‖ 坐～ 陶器でできた腰掛け ❹群生する草木など ❺量(群生したあるいは束になった植物を数える)群. 束 ‖ 一～稻秧dàoyāng 一束のイネの苗 ❻動 モップで床をふく
【墩布】dūnbù 名 モップ
【墩子】dūnzi 名 厚みのある木や石など ‖ 菜～ 切り株のまな板 | 桥～ 橋の礎石

17 礅 dūn 名 大きな石. どっしりした石 ‖ 石～ 石の台座

17 镦 dūn 動 金属板を圧延する ‖ 冷～ 冷間圧延する | 热～ 熱間圧延する

19 **蹲 dūn ❶動 しゃがむ. かがみ込む ‖ ～下 しゃがみ込む ❷動 喩(家で)くすぶる. じっとしている ‖ ～了两年监狱jiānyù 2年間臭い飯を食った ➤ cún
【蹲班】dūn//bān 動 原級にとどまる. 留年する
【蹲班房】dūn bānfáng 組 口 刑務所に入る. 刑務所暮らしをする. 臭い飯を食う

【蹲点】dūn//diǎn 動（地位の上の者が）現場に根を下ろして仕事をする
【蹲伏】dūnfú 動 うずくまる．しゃがみ込む
【蹲坑】dūn//kēng（～儿）動 ❶便器の上にしゃがむ ❷方（犯人を捕らえるために）刑事が張り込む
【蹲守】dūnshǒu 動 張りこむ‖～了三天三夜 三日三晩張りこんだ

dǔn

9 盹 dǔn 名（～儿）うたた寝．居眠り‖打～儿 居眠りをする
10 趸（躉）dǔn ❶まとまった．大口の‖一～批 ❷動（売るために）まとめて仕入れる
【趸船】dǔnchuán 名（乗降船のための）船．浮き桟橋
【趸批】dǔnpī 副 多量に．大口で‖～买进 大量に仕入れる｜～出卖 まとめて売る

dùn

7 沌 dùn ➡〔混沌hùndùn〕 ➤zhuàn
7 囤 dùn 名 穀物を貯蔵するためのわら・竹・柳などで編んだ囲い‖粮食～ 穀物を入れる囲い ➤tún
8 炖 dùn ❶動（とろ火で）煮込む‖～肉 肉を煮込む ❷動 湯煎（ゆせん）する．燗（かん）をつける
9 砘 dùn〈農〉❶名 種をまいた後，押さえるのに用いる石製のローラー‖一～子 ❷動 種をまいた後，石製のローラーで土を押さえる
【砘子】dùnzi 名〈農〉土を押さえるのに用いる石製のローラー
9 盾[1] dùn ❶名 盾‖后～ 後ろ盾 ❷盾のような形をしたもの‖金～ 金の盾
9 盾[2] dùn 名 オランダ・オーストリア・ベトナム・インドネシアなどの国の通貨‖荷兰～ ギルダー｜越南～ ドン
【盾牌】dùnpái 名 ❶盾 ❷喩 口実．言い訳
9 钝 dùn ❶形（刃物の切れ味が）悪い．鈍い ↔〔利〕〔锐ruì〕 ❷（頭や動作などが）鈍い．のろい‖迟～ のそのそしている
【钝化】dùnhuà 動〈化〉鈍化する．不活性化する
【钝角】dùnjiǎo 名〈数〉鈍角
【钝器】dùnqì 名 鈍器
【钝响】dùnxiǎng 名 鈍重な響き
10★ 顿 dùn ❶動（床に頭を）つける ❷動（足で）地面をける．（もので）地面をたたく ❸駐屯する．泊まる ❹宿泊する所，または身の回り品 ❺量 ①（食事の回数を数える）食‖星期天起得晚，只吃两～饭 日曜日は遅く起きるので，2食しか食べない ②（叱責・忠告・罵倒・殴打などの動作を数える）度．回‖挨ái了一～批 ひとしきり叱られた ❻動 しばらく停止する．少し止まる‖他说到这儿～了一下 彼はここまで話すと少し間を置いた ❼副 すぐに．直ちに‖一～时 ❽処置する．処理する‖安～ きちんと片付ける ❾動（書道の運筆で）筆を止める ❿くたびれる．へたばる‖劳～ くたびれる ➤dú
【顿挫】dùncuò 動（話や音の調子を）抑えたり止めたりして変化をつける‖抑扬yìyáng～ 抑揚をつける
【顿号】dùnhào 名〈語〉並列符号．てん．〔、〕
【顿开茅塞】dùn kāi máo sè ＝〔茅塞顿开máo sè dùn kāi〕
【顿然】dùnrán 副 書 突然．急に
*【顿时】dùnshí 副 にわかに．急に．たちどころに．（多く過去の出来事に用いる）‖一声枪响，会场～大乱 一発の銃声で会場はたちまち混乱に陥った
【顿首】dùnshǒu 動 翰 頓首（とんしゅ）．敬具
【顿悟】dùnwù 動 書〈仏〉たちどころに悟る
【顿足捶胸】dùn zú chuí xiōng 成 胸をたたき地団駄を踏んで悔しがる ＝〔捶胸顿足〕
12 遁（△遯）dùn ❶逃げる．逐電する．姿をくらます‖逃～ 逃げ去る ❷隠遁（いんとん）する‖～迹 隠遁する
【遁形】dùnxíng 動 身を隠す．姿をくらます

duō

6★ 多 duō ❶形 多い．たくさんある ↔〔少〕‖人～好办事 人が多いと仕事がはかどる｜请～保重 どうぞご自愛ください ❷動 超える．増える ↔〔少〕‖今天～干了一个小时 今日は1時間多く働いた｜他喝～了 彼は飲みすぎだ ❸程度を越えた．余計な‖一～事 ❹動 余る ❺数 数詞，または数詞＋量詞の後に置き，端数を表す‖十～个学生 十数人の学生｜二十～岁 20歳余り ❻形（動詞や形容詞の後に置き，差が大きいことを表す）ずっと…である．だいぶ…である‖他比我高得～ 彼は私よりずっと背が高い｜他的病好～了 彼の病気はだいぶよくなった ❼副（多くは積極的意味をもつ形容詞の前に置き，程度や数量を尋ねる）どのくらい．どれほど‖从你家到学校～远？ あなたの家から学校までどれくらい距離がありますか ❽副（感嘆文に用い，程度が高いことを表す）なんて．なんと．ほんとうに‖～不容易啊！ まったくたいしたものだ ❾副（不定の程度を表す）どんなに（…でも）．いくら（…であろうと）‖～远也得děi去 どんなに遠くても行かなくちゃ
*【多半】duōbàn（～儿）数 大半．大多数 副 たぶん．おそらく．おおかた‖他这会儿还不来，～不会来了 彼はいまになっても来ないとなると，たぶんもう来ないだろう
【多边】duōbiān 形 多角的な．多国間の‖～会谈 多国間会談
【多边贸易】duōbiān màoyì 名〈貿〉多角貿易
【多边形】duōbiānxíng 名〈数〉多角形
【多边主义】duōbiān zhǔyì 名 マルチラテラリズム．多国間主義
【多变】duōbiàn 形 変化が多い．目まぐるしい‖风云～ 情勢の変化が目まぐるしい
【多才多艺】duō cái duō yì 成 多芸多才
【多层次】duōcéngcì 形 多層的である．層をなしている‖～的社会保险体系 多層的な社会保険システム
【多层住宅】duōcéng zhùzhái 名 中低層住宅．4階から6階建ての，多くエレベーターが設置されていない住宅をさす
【多愁善感】duō chóu shàn gǎn 成 感じやすいこと．感傷的で多感であること
【多此一举】duō cǐ yī jǔ 慣 余計なことをする．いらない世話を焼く
【多大】duō dà 組 ❶何歳か‖他今年～岁数？ 彼は今年何歳ですか ❷どのくらい大きいか‖你住的屋子

有～？ 君の住んでいる家はどのくらいの大きさか
【多的是】duō de shì 組 たくさんある. いくらでもある ‖ 这种树, 在我们家乡～ こういう木なら私の田舎にいくらでもある
【多动症】duōdòngzhèng 名〈医〉多動症. 注意欠陥多動性障害
【多端】duōduān 形 多岐にわたっている. ありとあらゆる ‖ 作恶～ ありとあらゆる悪事をはたらく
【多多益善】duō duō yì shàn 成 多ければ多いほどよい
【多发】duōfā 形 多く発生する. 多発する
【多发病】duōfābìng 名〈医〉多発性疾患
【多方】duōfāng 副 多方面で. いろいろな角度から. 〔多方面〕ともいう ‖ ～协作 多方面で協力する
【多哥】Duōgē 名〈国名〉トーゴ
【多寡】duōguǎ 名 多寡. 分量
【多国公司】duōguó gōngsī 名 多国籍企業 ＝〔跨kuà国公司〕
【多会儿】duōhuir 代 口 ❶いつ. いつごろ ❷いつか. いつでも ❸どのくらいの時間. ある程度の時間 ‖ 睡下没～, 电话铃就响了 寝ついていくらもしないうちに, 電話が鳴った
【多极化】duōjíhuà 動 多極化する ‖ 世界正在走向～ 世界は多極化に向かっている
【多级火箭】duōjí huǒjiàn 名 多段式ロケット
【多加】duō jiā 組 くれぐれも. 十分に ‖ 请～小心 どうぞくれぐれもお気をつけください
【多角债】duōjiǎozhài 名 3社以上の会社の間で, たらい回しにされている債務
【多久】duō jiǔ 組 どれほどの時間 ‖ 你打算待dāi～？ あなたはどれくらい滞在するおつもりですか
【多口相声】duōkǒu xiàngsheng 名 3人以上で演じる掛け合い漫才
*【多亏】duōkuī 動 おかげをこうむる ‖ 这件事我忘得一干二净, ～你提醒tíxǐng このことはきれいさっぱり忘れていたが, 幸いあなたが教えてくれて助かった
*【多劳多得】duō láo duō dé 成 多く働いた者がそれだけ得る. 労力に応じて分配する
【多虑】duōlǜ 動 書 心配しすぎる
★【多么】duōme 副 ❶なんて. ほんとうに. 実に. どんなにか ‖ 他要是知道了该～高兴啊！ 彼がもし知ったならどんなに喜ぶことだろう ❷どんなに(… でも) ‖ 不论你～有理, 动手打人就是不对 あなたにどんな理由があろうと, 人を殴ったのは間違っている ❸(疑問文に用い程度や数量を尋ねる)どのくらい
【多媒体】duōméitǐ 名〈計〉マルチメディア
【多米尼加】Duōmǐníjiā 名〈国名〉ドミニカ共和国
【多米尼克国】Duōmǐníkèguó 名〈国名〉ドミニカ国
【多米诺骨牌】duōmǐnuò gǔpái 名 ドミノ
【多面手】duōmiànshǒu 名 多芸多才の人
【多面体】duōmiàntǐ 名〈数〉多面体
【多谋善断】duō móu shàn duàn 成 知謀に富み的確に判断する
【多幕剧】duōmùjù 名〈劇〉二幕以上の芝居
【多年生】duōniánshēng 形〈植〉多年生である
【多情】duōqíng 形 情愛が深い. 感じやすい ‖ 自作～ 思い込みが強い
【多日】duōrì 名 書 長い間
【多如毛牛】duō rú máo niú 成 非常に多いこと
【多少】duōshǎo 名 数. 多少. 多寡 ‖ ～不限 多少にかかわらない. いくつでもよい 副 多少. いくらか ‖ ～会一点儿 多少はできる | ～了解一些 少しは知っている
★【多少】duōshao 代 ❶いくつ. どのくらい ‖ 你要～？ いくついりますか | ～钱一个？ 一ついくらですか ❷(不定の数量を表す)どれだけか. いくらか. いくらでも ‖ 用不了～时间 たいして時間はとらない | 有～要～ あるだけ欲しい
【多神教】duōshénjiào 名〈宗〉多神教
【多时】duōshí 名 長い間
【多事】duō//shì 動 余計なことをする. いらない世話を焼く ‖ 你何必～？ なぜ余計なことをするのだ
【多事之秋】duō shì zhī qiū 成 多事多難なとき
⁂【多数】duōshù 名 多数 ‖ 大～ 大多数 | ～赞成 おおかたの人は賛成する
【多头】duōtóu 名〈経〉(相場で)強気筋. 買い手 ↔〔空头〕
【多谢】duōxiè 動 挨拶 感謝する. ありがとう ‖ ～大家帮忙 みなさんお手伝いありがとう | ～～！ ありがとうございます
【多心】duō//xīn 動 気を回す. 勘ぐる
【多样化】duōyànghuà 動 多様化する
【多一半】duōyībàn ＝〔多半duōbàn〕
【多一事不如少一事】duō yī shì bùrú shǎo yī shì 諺 触らぬ神にたたりなし
【多疑】duōyí 動 やたらに疑う
【多义词】duōyìcí 名〈語〉多義語
【多于】duōyú 動 … より多くなる ‖ 男生～女生 男子学生が女子学生より多い
*【多余】duōyú 形 余計である. 不必要である. むだである ‖ 这句话有点儿～ この言葉はちょっと余計だ 動 余る ‖ ～的人手 余分の人手
【多元论】duōyuánlùn 名〈哲〉多元論 ↔〔一元论〕
【多云】duōyún 名〈気〉(天気予報で)曇天. 曇り ‖ ～转晴qíng 曇りのち晴れ
【多种多样】duōzhǒng duōyàng 組 多種多様. さまざま ‖ ～的风格 さまざまなスタイル
【多种经营】duōzhǒng jīngyíng 名 多角経営
【多姿】duōzī 形 多彩である. 変化に富んでいる ‖ 婀娜ēnuó～ (女性の姿態が)あでやかで美しい
【多嘴】duōzuǐ 動 口出しする. 出しゃばる ‖ 又没问你, 别～！ 君には聞いていない, 口出しするな

8 **咄** duō ↴

【咄咄】duōduō 感 書 (驚きいぶかる声)おやおや
【咄咄逼人】duō duō bī rén 成 すごい剣幕で迫るさま
【咄咄怪事】duō duō guài shì 成 奇々怪々なこと. 奇怪千万なこと

9 **哆** duō ↴

【哆里哆嗦】duōliduōsuo 形 ぶるぶる震えるさま
*【哆嗦】duōsuo 動 震える. 身震いする ‖ 冻dòng得浑身húnshēn～ 凍えて全身が震える | 气得直～ 怒りのあまり体が震える

11 **掇** duō ↴

【掇弄】duōnòng 動 方 ❶直す. 修理する ❷愚弄(ぐろう)する

D

13 **裰** duō 服の破れやほころびを繕う‖补～ ほころびを繕う

duó

6 ** **夺**[1]（奪）duó ❶離れる．脱する．脱落する‖一～眶而出 ❷剝奪(はく)する‖剥bō～ 剝奪する ❸動 奪う．奪い取る‖抢～ 奪い取る ❹動 勝ち取る．獲得する‖他一个人～了两项冠军guànjūn 彼は一人で2種目に優勝した

6 **夺**[2]（奪）duó 旧（公文書用語）定める．決定する‖定～ 決定する

【夺杯】duó//bēi 動 優勝杯を獲得する．優勝する

【夺标】duó//biāo 動 ❶優勝する ❷落札する

*【夺得】duódé 動 奪取する．勝ち取る‖～丰收 苦労して豊作を得る｜～冠军 優勝を勝ち取る

【夺冠】duó//guàn 動 優勝を勝ち取る

【夺回】duó//huí 動 奪回する．取り戻す

【夺眶而出】duó kuàng ér chū 成 涙がせきを切ったようにあふれ出る‖热泪～ 熱い涙があふれ出る

【夺魁】duókuí 動 書 優勝する．首位を占める

【夺目】duómù 形 書（光や色彩が）まばゆい．まぶしい

*【夺取】duóqǔ 動 ❶奪取する．奪い取る ❷（努力して）獲得する．勝ち取る‖～全国足球锦标赛第一名 サッカー全国選手権大会の優勝を勝ち取る

【夺权】duó//quán 動 政権を奪い取る．奪権する

9 **度** duó 書 推測する．推し量る‖以己jǐ～人 自分の考えで人を推し量る ➤dù

【度德量力】duó dé liàng lì 成 自分の人望と能力をはかる．自分の力量を知る

10 **铎**（鐸）duó 名 古 鐸(たく)．青銅の鈴で，法令の発布や戦事に際して用いた

16 **踱** duó 動 ぶらぶら歩く‖在房间里～来～去 部屋の中を行きつ戻りつする

duǒ

6 ** **朵**（△朶）duǒ 量（～儿）（花またはそれに似たものを数える）輪(りん)．塊‖一～花 1輪の花｜一～白云 一ひらの白い雲

9 **垛**（△垜）duǒ 名 城壁や塀の上に突き出た部分 ➤duò

【垛口】duǒkǒu 名 ❶城壁上の凹凸状の腰壁の凹状の部分 ❷城壁上の凹凸状の腰壁

【垛子】duǒzi 名 城壁や塀の上に突き出た部分‖城～ 城壁上の凹凸状の腰壁の突起部．または，その腰壁全体 ➤duòzi

13 ** **躲** duǒ ❶動 避ける．よける．かわす‖这几天他老～着我 ここのところ彼は私をずっと避けている ❷動 逃げ隠れる．身を隠す‖～在桌子底下 机の下に隠れる

*【躲避】duǒbì 動 避ける．回避する．よける‖这几天风声很紧，你先到乡下～一阵 このところ情勢が緊迫しているから，君はひとまず田舎に行ってしばらく避難していなさい

*【躲不过】duǒbuguò 動 逃れられない．避けきれない‖躲得过今天，～明天 今日はなんとかやり過ごせても，明日はもう避けて通ることはできない．いつまでも逃げるわけにはいかないたとえ

*【躲藏】duǒcáng 動 隠れる．身を隠す．身を潜める

【躲躲闪闪】duǒduoshǎnshǎn 形 逃げ隠れする．人目を避ける．言を左右にする

【躲风】duǒ//fēng 動 風当たりを避ける

*【躲开】duǒ//kāi 動 よける．避ける‖撒sǎ水车过来了，快～！ 散水車が来たぞ，どいた，どいた

【躲懒】duǒ//lǎn （～儿）動 怠ける．ずるける．サボる

【躲让】duǒràng 動 場所を譲る．横にどく

【躲闪】duǒshǎn 動 素早くよける．身をかわす‖他～不及，和来人撞zhuàng个正着zhèngzháo 彼は身をかわすひまもなく人と出会い頭にぶつかった

【躲债】duǒ//zhài 動 借金取りから逃げる

duò

6 **驮** duò ↴ ➤tuó

【驮子】duòzi 名 家畜の背に載せて運ぶ荷．荷駄 量（荷駄を数える）駄(だ)

8 **剁** duò 動 たたき切る．たたき刻む‖～肉 肉をたたいてミンチにする

【剁馅】duò//xiàn （～儿）動 肉や野菜を包丁でたたき，あんを作る

9 **垛**（△垜）duò ❶動 きちんと積み上げる ❷名 積み上げたもの‖柴chái～ たきぎの山｜草～ わら塚．わらにお ❸量 積み上げたものを数える‖一～柴火 一山のたきぎ ➤duǒ

【垛子】duòzi 名 きちんと積み重ねた山 ➤duǒzi

11 **堕**（墮）duò 動 落ちる．落下する‖～地 地に落ちる

*【堕落】duòluò 動 堕落する‖腐化～ 腐敗堕落する

【堕马】duòmǎ 動 書 落馬する

【堕入】duòrù 動 書 陥る‖～泥坑níkēng 泥沼に陥る

【堕胎】duò//tāi 動 堕胎する

11 **舵** duò ❶名（船の）舵(かじ)‖掌～ 舵を取る ❷名（飛行機などの）舵(かじ)．ハンドル

【舵工】【舵公】duògōng 名 舵手(だしゅ)．操舵手

【舵轮】duòlún 名（船の）舵輪(だりん)．（車の）ハンドル

【舵盘】duòpán 名 舵輪

【舵手】duòshǒu 名 舵手．操舵手

12 **惰** duò ❶怠惰である ↔〔勤〕‖懒lǎn～ 無精である ❷変化しにくい‖一～性

【惰性】duòxìng 名 ❶惰性．習慣となった性癖 ❷〈化〉不活性‖～气体 不活性ガス

【惰性元素】duòxìng yuánsù 名〈化〉不活性元素

13 **跺**（△跥）duò 動 力を入れて足踏みする．足で地をける‖一～脚

【跺脚】duò//jiǎo 動 地団駄を踏む‖急得直～ いらだって地団駄を踏む

E

ē

7 **阿**[1] ē ❶書（山や川の）湾曲しているところ‖山～ 山あい ❷おもねる．へつらう‖一～谀｜刚直不～ 一本気で人にへつらわない
7 **阿**[2] ē 地名用字‖东～县 山東省にある県の名 ➤ā à
【阿胶】ējiāo 图〈中薬〉阿膠（あきょう）
【阿弥陀佛】Ēmítuófó 图〈仏〉阿弥陀仏
【阿谀】ēyú 動 書 おもねる．こびへつらう．おべっかを使う‖～奉承fèngchéng 阿諛（あゆ）追従する
10 **屙** ē 動 方 大小便をする‖孩子～屎shǐ了 子供がうんこをした
10 **婀**（△妸 婐）ē ➘
【婀娜】ēnuó 形 しなやかで美しい．たおやかな‖舞姿～ 舞い姿がしなやかで美しい

é

6 **讹**[1]（△譌）é うその．間違いの‖以～传～ 間違いをそのまま伝える
6 *讹[2] é 動 ゆする．たかる‖小心他～咱们 彼にぼったくられないように気をつけよう
【讹传】échuán 图 間違って伝わった話．虚報．誤報
【讹夺】éduó 图 書（文字の）誤りと脱落
【讹谬】émiù 图 誤り．間違い．ミス
【讹脱】étuō 图（文字の）誤りと脱落
【讹误】éwù 图 書（文字や記載の）誤り
*【讹诈】ézhà 動 ❶ゆする ❷脅す‖核～ 核の脅威
【讹字】ézì 图 誤字
9 **俄**[1] é またたく間に．にわかに．突然
9 **俄**[2] é ロシア．〔俄罗斯〕の略‖沙～ 帝政ロシア
【俄国】Éguó 图 ロシア‖～人 ロシア人
【俄罗斯】Éluósī 图〈国名〉ロシア
【俄罗斯族】Éluósīzú 图 ❶オロス族（中国の少数民族の一つ，主として新疆ウイグル自治区に居住） ❷（ロシア連邦内の）ロシア族
【俄顷】éqǐng 图 書 わずかな時間．またたく間
*【俄文】Éwén 图 ロシア語．ロシア文字
*【俄语】Éyǔ 图 ロシア語．〔俄文〕ともいう
10 **莪** é ➘
【莪蒿】éhāo 图〈植〉多年生草本植物の一種
10 **哦** é 書 口ずさむ．低い声で朗読する‖吟yín～ 吟詠する ➤ó ò
10 **峨**（△峩）é 書 高くそびえ立つさま．険しい‖一～
【峨峨】é'é 形 ❶高く険しい‖高山～ 高山は峨々（がが）たり ❷峻厳（しゅんげん）である．荘重である
10 **娥** é 書 ❶美しい．（多くは女性の容姿を指す）❷美女．美人‖娇jiāo～ 美しい女性
【娥眉】éméi 图 ❶三日月眉‖皓齿hàochǐ～ 白い歯と美しい眉（美人の形容）❷美女 ＊〔蛾眉〕とも書く
12 **锇** é 图〈化〉オスミウム（化学元素の一つ，元素記号は Os）
12 **鹅（△鵞 䳘）** é 图〈鳥〉ガチョウ
【鹅蛋脸】édànliǎn 图 卵形の顔．うりざね顔
【鹅黄】éhuáng 形 淡黄色の．クリーム色の
【鹅卵石】éluǎnshí 图 玉石．丸石
【鹅毛】émáo 图 ガチョウの羽．軽微なものや小さな物のたとえ‖千里送～，礼轻情意重 はるばる届いた贈り物は小さな物でも気持ちがこもっている
【鹅毛雪】émáoxuě 图 ぼたん雪
【鹅绒】éróng 图 鵝毛（がもう）．ガチョウの羽毛‖～服 ダウンウエア
【鹅行鸭步】é xíng yā bù 成 のろのろ歩くさま．よたよた歩くさま
13 **蛾** é 图〈虫〉ガ‖蚕cán～ カイコのガ｜飞～投火 飛んで火に入る夏の虫 ➤yǐ
【蛾眉】éméi ＝〔娥眉éméi〕
【蛾子】ézi 图〈虫〉ガ
15 *额（△頟）é ❶图 額（ひたい）‖前～ 額 ❷物体上部のてっぺんに近い部分‖碑bēi～ 石碑の上部 ❸額（がく）‖匾biǎn～ 扁額（へんがく） ❹定められた数量．額‖定～ ノルマ
【额度】édù 图 数量や金額の限度
【额角】éjiǎo 图 こめかみ
【额数】éshù 图 定数．ノルマ．基準数量
【额头】étou；étóu 图 おでこ．額
*【额外】éwài 形 規定数量外の‖～开支 予定外の支出

ě

10 **恶**（噁）ě ➘ ➤è wū wù
【恶补】èbǔ 動（短期間で知識や栄養を）詰め込む‖考试前要～一下了 試験前は一夜漬けで猛勉強しなければならない
*【恶心】ěxin 形 吐き気を催す．むかむかする‖闻见汽油味儿就～ ガソリンのにおいをかぐと胸がむかむかする 動 ❶不愉快になる．むかつく‖那样子让人见了～ あの格好ときたら見ただけで気持ちが悪くなる ❷恥をかかせる

è

4 **厄**（△戹 阨❸）è 書 ❶（災難や困難に）苦しむ．悩む ❷災い．災難‖困～（不運や災いに）苦しむ ❸険しい所．要害の地‖险～ 険しい所
【厄尔尼诺现象】è'ěrnínuò xiànxiàng 图〈気〉エルニーニョ現象
【厄瓜多尔】Èguāduō'ěr 图〈国名〉エクアドル
【厄境】èjìng 图 苦境．難局‖陷于～ 苦境に陥る
【厄立特里亚】Èlìtèlǐyà 图〈国名〉エリトリア
【厄难】ènàn 图 苦難．災難
【厄运】èyùn 图 不運．凶運

7 **苊** è 图〈化〉アセナフテン

7 **扼**(△搤) è ❶動 押さえつける. つかみつぶす. 手で締めつける ❷制御する. 守る

【扼杀】 èshā 動 絞め殺す. 息の根を止める. 圧殺する. つぶす ‖ ～新生事物 新しく生じた物事をつぶす

【扼守】 èshǒu 動 (要所を)守る

【扼死】 èsǐ 動 絞め殺す

【扼要】 èyào 形 (話や文章が)要領を得ている. 要点をかいつまむ ‖ 简单～地介绍一下 かいつまんで説明する

【扼制】 èzhì 動 押さえる. 牛耳る ‖ 受到～ 抑止される

7 **呃** è ↴ ➤e

【呃逆】 ènì 動〈医〉しゃっくりをする. ふつう〔打嗝儿gér〕という

8 **轭** è 軛(くびき)

9 **垩**(堊) è ❶白土(しらつち) ‖ 白～ 白亜 ❷書 (壁などを)白土で塗る

10 ★**饿** è ❶形 ひもじい. 飢えている ↔〔饱〕‖ 饥jī～ 飢餓 | 肚子～得咕咕gūgū叫 腹がすいておなかがグーグー鳴っている ❷動 ひもじい思いをさせる ‖ 宁可nìngkě自己不吃, 也不能～着孩子 たとえ自分が食べなくても子供を飢えさせるわけにはいかない

【饿饭】 è//fàn 動 ひもじい思いをする

【饿虎扑食】 è hǔ pū shí 成 飢えた虎(とら)が獲物に飛びかかるように. 猛烈な勢いで飛びつく様子のたとえ. 〔饿虎扑羊〕ともいう

【饿死】 è//sǐ 動 餓死する. 餓死させる ‖ 我快要～了 おなかがへって死にそうだ

10 ＊**恶**(惡) è ❶悪 ↔〔善〕‖ 罪～ 罪悪 | 作～ 悪事をはたらく ❷形 凶悪である. 凶暴である ‖ 穷凶极～ 極悪非道 | 险～ 険悪 ❸悪い. よくない ‖ →～习 ➤ě wū wù

【恶霸】 èbà 图 極悪なボス. 悪の主

【恶报】 èbào 图 悪事の報い ‖ 恶有～ 悪事をはたらけば必ずその報いを受ける

【恶变】 èbiàn 動〈医〉腫瘍(しゅよう)が良性のものから悪性のものに変わる. 〔癌ái变〕ともいう

【恶炒】 èchǎo 動 ❶(マスコミが)でっちあげる ‖ ～绯闻fēiwén スキャンダルをでっちあげる ❷投機的取引をする ‖ ～楼市提升房价 分譲マンションの投機的取引をして値を吊り上げる

【恶臭】 èchòu 图 悪臭. 臭いにおい

【恶斗】 èdòu 動 苦闘する. 激戦する ‖ 一场～ 一場の激戦

＊【恶毒】 èdú 形 あくどい. 陰険で悪辣(あくらつ)だ ‖ ～诽谤fěibàng 口汚くそしる | 手段～极了 やり口があくどい

【恶感】 ègǎn 图 悪い感情. 不満. 反感

【恶狗】 ègǒu 图 猛犬. 喩 ごろつき. 無頼漢

【恶贯满盈】 è guàn mǎn yíng 成 悪事の限りを尽くして裁きを受けるべく, そのときがついに来る

【恶鬼】 èguǐ 图 ❶悪鬼. 邪鬼 ❷罵 悪党. 悪人

【恶棍】 ègùn 图 ごろつき. ならず者

【恶果】 èguǒ 图 ❶悪い結末 ❷悪の報い

【恶耗】 èhào =〔噩耗èhào〕

【恶狠狠】 èhěnhěn (～的) 形 憎い. 腹立たしい. 憎たらしい ‖ 他～地骂了一句：“滚gǔn！” 彼は腹立たしげに「出ていけ」とどなった

＊【恶化】 èhuà 動 (状況が)悪い方向へ変化する. 悪い方向へ変化させる ‖ 伤口～了 傷口が悪化した

【恶疾】 èjí 图 いやな病気. たちの悪い病気

【恶浪】 èlàng 图 ❶荒荒しい波. 怒濤(どとう) ❷邪悪な勢力のたとえ

＊【恶劣】 èliè 形 あくどい. ひどい ‖ ～的环境 非常に悪い環境 | 品行～ 品行が悪い

【恶骂】 èmà 動 悪罵を浴びせる

【恶梦】 èmèng =〔噩梦èmèng〕

【恶名】 èmíng (～儿) 图 悪い評判

【恶魔】 èmó 图 悪魔. 悪人のたとえ

【恶念】 èniàn 图 悪い考え. 悪い思惑

【恶气】 èqì 图 ❶悪臭 ❷恨み. 怒り | 心里憋biē着一口～ 心に恨みを秘める | 出了一口～ 恨みを晴らした

【恶人】 èrén 图 凶悪な人. 憎まれ者 ‖ ～先告状 悪人が先手を打って告訴する

【恶煞】 èshà 图 邪鬼. 悪人のたとえ ‖ 凶神～ 悪神邪鬼. 殺人鬼

【恶少】 èshào 图 書 不良少年

【恶声恶气】 èshēng èqì 慣 すさまじい剣幕

【恶俗】 èsú 图 悪い風習 形 粗野である. 低俗である

【恶习】 èxí 图 悪習. 悪癖 ‖ 染上了赌博dǔbó的～ 賭博の悪癖に染まった

＊【恶性】 èxìng 形 悪性の. たちの悪い ↔〔良性〕‖ ～事故 大事故

【恶性循环】 èxìng xúnhuán 图 悪循環

【恶性肿瘤】 èxìng zhǒngliú 图〈医〉悪性腫瘍

【恶言】 èyán 图 野卑な言葉. 悪口 ‖ 口出～ 悪口雑言を吐く

【恶意】 èyì 图 悪意 ‖ ～挑拨tiǎobō 悪意で人をそそのかす

【恶语】 èyǔ 图 汚い言葉. 悪態

【恶战】 èzhàn 動 激しく戦う. 悪戦苦闘する

【恶仗】 èzhàng 图 悪戦苦闘

【恶浊】 èzhuó 形 汚れている. 濁っている ‖ 室内空气～ 室内の空気が汚れている

【恶作剧】 èzuòjù 图 悪ふざけ. 悪さ

11 **谔** è ↴

【谔谔】 è'è 形 書 諤々(がくがく). 遠慮なく意見を述べたてるさま

11 **鄂** è 图 湖北省の別称

【鄂伦春族】 Èlúnchūnzú 图 オロチョン族(中国の少数民族の一つ, 主として黒竜江省に居住)

【鄂温克族】 Ewēnkèzú 图 エヴェンキ族(中国の少数民族の一つ, 主として黒竜江省に居住)

11 **阏** è 古 ❶ふさぐ. ふさがる ❷何かをふさぐために使用するもの ‖ 堤dī～ 水門

12 **愕** è 驚く ‖ 惊～ 驚愕(きょうがく)する

【愕然】 èrán 形 愕然(がくぜん)とするさま

12 **遏** è 阻止する. 押さえる ‖ 怒不可～ 怒りを抑えることができない

【遏抑】 èyì 動 抑制する. 抑える

【遏止】 èzhǐ 動 押しとどめる. 必死に食い止める ‖

【遏制】 èzhì 動 抑える. 封じ込める ‖ ～不住内心的激动 感動を抑えることができない

12 **萼**(△蕚) è 萼(がく) ‖ 花～ 萼

【萼片】èpiàn 图〈植〉萼片(がくへん). 萼
13 腭(△齶) è 图〈生理〉口蓋(こうがい) ‖ 软～ 軟口蓋｜硬～ 硬口蓋
【腭裂】èliè 图〈医〉口蓋破裂. 口蓋裂
14 锷 è 書 刀の刃
14 鹗 è 图〈鳥〉ミサゴ. ふつうは〔鱼鹰yúyīng〕という
15 颚 è ❶图(節足動物の)あご ❷〔腭è〕に同じ
16 噩 è 恐ろしい. 恐怖の
【噩耗】èhào 图 身近な人や敬愛する人の死の知らせ. 凶報. 訃報(ふほう). 〔恶耗〕とも書く
【噩梦】èmèng 图 悪い夢. 〔恶梦〕とも書く ‖ 做～ 悪い夢を見る
【噩运】èyùn 图 悪運. 不運. 〔恶运〕とも書く
【噩兆】èzhào 图 悪い兆候. 〔恶兆〕とも書く
17 鳄(△鱷) è 图〈動〉ワニ. ふつうは〔鳄鱼〕という
【鳄鱼眼泪】èyú yǎnlèi 慣 ワニの目から涙がこぼれる. 善人を装うそら涙のたとえ

e

7 呃 e 助 文末に置き, 驚嘆の気持ちを示す ➤è

ē

11 欸(誒) ē ; ēi 感(呼びかけを示す)おい ‖ ～, 快点儿走！ おい, 速く歩けよ ➤āi ǎi é ě è

é

11 欸(誒) é ; éi 感(意外だという気持ちを示す)おや. あれ. ええっ ‖ ～, 你怎么来了？ おや, 君はどうして来たの ➤āi ǎi ē ě è

ě

11 欸(誒) ě ; ěi 感 不賛成や不満の気持ちを示す ‖ ～, 话可不能这么说！ おい, そういう言い方はないだろう ➤āi ǎi ē é è

è

11 欸(誒) è ; èi 感(承諾や同意の気持ちを示す)はい. うん. ええ ‖ ～, 我一定去！ はい, きっと行きます ➤āi ǎi ē é ě

ēn

10 *恩(△㤙) ēn ❶图 恩恵. 恩義. 恩情 ‖ 报～ 恩に報いる｜忘～负义 恩を忘れ義に背く. 恩知らず ❷图 恩愛. 情愛. いつくしむ心 ‖ 一日夫妻百日～ たった一日だけの夫婦でも, その情愛は深いものである
*【恩爱】ēn'ài 形(夫婦の)仲がよい. むつまじい ‖ 小两口儿恩恩爱爱 若夫婦が仲むつまじくしている
【恩宠】ēnchǒng 图 恩寵(おんちょう). 寵愛(ちょうあい)
【恩仇】ēnchóu 图 恩と仇(あだ)
【恩赐】ēncì 動 施す. 施しを与える
【恩德】ēndé 图 恩徳. 恩恵
【恩典】ēndiǎn 图 恩典 動 旧 恩典を与える
【恩格尔系数】Ēngé'ěr xìshù 图〈経〉エンゲル係数
【恩惠】ēnhuì 图 恩恵. 利益. 恵み
【恩将仇报】ēn jiāng chóu bào 成 恩を仇で返す
*【恩情】ēnqíng 图 恩情. 恩 ‖ ～重如山 山よりも重い恩
*【恩人】ēnrén 图 恩人 ‖ 救命～ 命の恩人
【恩师】ēnshī 图 恩師. 仕事上の師や学校の先生
【恩同再造】ēn tóng zài zào 成 恩恵がこの上なく大きいこと
【恩怨】ēnyuàn 图 恩怨. 恩讐. 情けと恨み. (多くは恨みを意味する)
【恩准】ēnzhǔn 動(君主が臣下に対し)恩典により許可する
13 蒽 ēn 图〈化〉アントラセン ‖ ～醌kūn染料 アントラキノン染料

èn

13 摁 èn 動 手で押す. 押さえる ‖ 把歹徒dǎitú～倒在地 悪党を地面に押さえつける｜～台灯的电钮diànniǔ 電気スタンドのスイッチを入れる｜～手印儿 指紋を押す｜～喇叭lǎba クラクションを鳴らす
【摁钉儿】èndīngr 图 口 画鋲(がびょう)
【摁扣儿】ènkòur 图 口 ホック. スナップ

ér

2 儿(兒) ér ❶子供. 小児. 児童 ‖ 托～所 託児所 ❷图 息子 ‖ 生了一～一女 一男一女を生んだ ❸雄の ‖ 一～马 ❹若者(多く青年男子をさす) ‖ 中华健～ 中華民族の健児 ❺接尾 口 ①名詞の後に付いて, 小さいことや親近感を表す ‖ 小孩～ 子供 ②名詞の後に付いて, 別の意味に変化させる ‖ 门～ 方法. 秘訣. こつ｜根～ 根源. 素性 ③動詞・形容詞・量詞の後に付いて, 名詞化する ‖ 盖～ ふた｜画～ 絵 ④限られた動詞の接尾語になる ‖ 玩～ 遊ぶ｜火～ 怒る ☞接尾辞の発音は r となる. 〔普通话〕(共通語)や北京語に見られる発音現象で, 〔儿化〕という
【儿歌】érgē 图 童謡. 子供の歌
【儿化】érhuà 動〈語〉r 化する. 〔儿〕が前の音節とともに 1 音節として発音され, 末尾が捲舌(けんぜつ)音化する
【儿皇帝】érhuángdì 图 傀儡(かいらい)の皇帝
【儿科】érkē 图〈医〉小児科 ‖ ～大夫 小児科医
【儿郎】érláng 图 書 ❶男児. 男子 ❷子息. 息子 ❸兵士 ❹子分. 手下. 手先
【儿马】érmǎ 图 口 雄のウマ
【儿男】érnán 图 男児. 男らしい男. 一人前の男
*【儿女】érnǚ 图 ❶子女. 子供たち ‖ ～都长大成人了 子供たちはみな成長して大人になった ❷男と女(とくに青年男女をさす) ‖ ～情长 男女が互いに引かれあう
【儿时】érshí 图 子供時代
【儿孙】érsūn 图 ❶息子と孫. 子孫 ❷後世

E

[儿童] értóng 名 児童. 子供 ‖ ～服装 子供服 | ～读物 子供向けの読み物

[儿童节] Értóngjié 名 国際児童デー(6月1日) =〔六一儿童节〕

[儿童票] értóngpiào 名 (航空機・列車・入場料などの)子供用切符

[儿童文学] értóng wénxué 名 児童文学

[儿媳妇儿] érxífur 名 息子の嫁

[儿戏] érxì 名 児戯. 取るに足りない事

E

★**[儿子]** érzi 名 息子 ‖ 大～ 長男 | 人民的好～ 人民の立派な息子

6 **而** ér ❶接 並列関係の形容詞・動詞あるいは句・節などを接続する ①並列あるいは累加関係を表す ‖ 伟大～艰巨jiānjù的任务 偉大にして困難な任務 ②継起関係を表す ‖ 取～代之 これに取って代わる ③相反する語句をつなぎ, 逆接を表す ‖ 物美～价廉lián 質がよくて値段が安い ❷接 相反する内容の主語と述語の間に置き, 逆接を表す ‖ 学生～不好好儿学习, 是不行的 学生なのにまじめに勉強しないなんて, だめだ ❸接 目的・原因・根拠・方法・状態などを表す語句を接続する ‖ 花草因缺水～干枯gānkū 花が水を切らして枯れてしまった | 为保卫和平～努力 平和を守るために努力する ❹接 …まで. …へ ‖ 从下～上 下から上へ

*[而后] érhòu 接 書 その後. それから

[而今] érjīn 名 いま. 目下 =〔如今〕

[而况] érkuàng 接 書 いわんや. まして

[而立] érlì 名 書 30歳 ‖ 年仅～ 歳はまだ30歳である

★**[而且]** érqiě 接 かつ. しかも. さらに. (多く〔不但〕〔不仅〕などと呼応する) ‖ 这种计算机不但功能多, ～操作简便 このコンピューターは多機能であるばかりでなく, 操作も簡単だ

*[而已] éryǐ 助 書 …だけである. …のみ ‖ 说说～, 别当真dàngzhēn ちょっと言ってみただけだ, 真に受けてはいけない

11 **鸸** ér ↴

[鸸鹋] érmiáo 名〈鳥〉エミュー

14 **鲕** ér 書 鮞(はらこ). 腹子(はらこ)

ěr

5 **尔**(爾 △尒) ěr 書 ❶その. あの ‖ 一～后 ❷お前. お前たち ‖ ～等 お前たち. 君たち ❸そのような. このような ❹接尾 一部の副詞と形容詞の後に付く ‖ 偶～ ときどき. たまに ❺(文末に置き, 断定の語気を表す) …のみ. …にすぎない

[尔后] ěrhòu 接 書 爾後(じご). その後. それ以来

[尔虞我诈] ěr yú wǒ zhà 成 互いに騙け引きし, だまし合う. 互いにたぶらかす

6 **耳**[1] ěr ❶名 耳. ふつうは〔耳朵〕という ‖ 隔墙有～ 壁に耳あり障子に目あり ❷耳状のもの ‖ 木～ キクラゲ ❸両側に対になっているもの ‖ 一～房

6 **耳**[2] ěr 書 (文末に置き, 断定の語気を表す) …のみ. …にすぎない. …だけである ‖ 想当然～ 当て推量でそう思っただけである

[耳背] ěr//bèi 形 耳が遠い

[耳鼻喉科] ěrbíhóukē 名〈医〉耳鼻咽喉科

[耳边风] ěrbiānfēng 名 馬耳東風. どこ吹く風. 〔耳旁风〕ともいう ‖ 当～ いいかげんに聞き流す

[耳鬓厮磨] ěr bìn sī mó 成 耳と鬢(びん)がすれ合う. (幼い子供同士が)仲むつまじいさま, 親密であるさま

[耳沉] ěrchén 形 方 耳が遠い. 〔耳朵沉〕ともいう

[耳垂] ěrchuí (～儿) 名〈生理〉耳たぶ

[耳聪目明] ěr cōng mù míng 成 よく聞こえ, よく見える. 賢くて優れた洞察力をもつ

*[耳朵] ěrduo 名 口 耳 ‖ 掏tāo～ 耳あかを取る | ～长 耳が早い | ～尖 耳ざとい

[耳朵软] ěrduo ruǎn 慣 自分の考えを持たず, 容易に人の言葉を信用する

[耳朵眼儿] ěrduoyǎnr 名 方 ❶耳の穴 ❷(ピアスなどを通すために)耳たぶにあけた穴

[耳房] ěrfáng 名 (四合院式の建物で)〔正房〕(母屋)の両側にある小さい部屋または小さな棟

[耳福] ěrfú 名 聴いて耳を楽しませること

[耳根] ěrgēn 名 耳のつけ根 ‖ 她羞xiū得脸一下子红到～ 彼女は恥ずかしくてたちまち耳のつけ根まで真っ赤になった

[耳垢] ěrgòu 名 耳あか. 耳くそ. 〔耳屎shǐ〕ともいう

[耳鼓] ěrgǔ 名〈生理〉鼓膜 =〔鼓膜〕

[耳刮子] ěrguāzi 名 口 びんた. =〔耳光〕‖ 给了他一～ 彼に一つびんたを食らわした

[耳光] ěrguāng 名 びんた ‖ 吃了一记大～ 一つ強烈なびんたを食らった

[耳环] ěrhuán 名 イヤリング ‖ 戴～ イヤリングをつける

[耳机] ěrjī 名 イヤホーン. ヘッドホーン

[耳际] ěrjì 名 耳もと. 耳のそば

[耳孔] ěrkǒng 名〈生理〉外耳道

[耳聋] ěr//lóng 形 耳が聞こえない

[耳轮] ěrlún 名〈生理〉耳輪(じりん)

[耳麦] ěrmài 名 ヘッドセット. ヘッドホンとマイクが一つになった機械

[耳鸣] ěrmíng 動 耳鳴りがする

[耳膜] ěrmó 名〈生理〉鼓膜 =〔鼓gǔ膜〕

[耳目] ěrmù 名 ❶耳と目 ‖ 掩yǎn人～ 人の耳目を覆う. 見せかけで人を欺くたとえ ❷見聞 ‖ ～所及 耳目の及ぶ限り ❸人の手足となって情報を探る人 ‖ 充当chōngdāng～ 人の耳目となって働く

[耳目一新] ěr mù yī xīn 成 聞くもの見るものがすっかり変わる. 面目を一新する

[耳旁风] ěrpángfēng =〔耳边风ěrbiānfēng〕

[耳热] ěrrè 動 耳が熱くなる ‖ 羞xiū得脸红～ 恥ずかしさで顔と耳が真っ赤になった

[耳濡目染] ěr rú mù rǎn 成 聞いたり見たりする回数が重なるうちに, 知らず知らずその影響を受けること. 〔耳习目染〕ともいう

[耳软心活] ěr ruǎn xīn huó 慣 定見がなく, たやすく人の言葉を信じること

[耳塞] ěrsāi 名 ❶(耳栓式の)イヤホーン ‖ 戴上～ イヤホーンをつける ❷(水泳などのときに用いる)耳栓

[耳勺子] ěrsháozi 名 耳かき

[耳生] ěrshēng 形 聞き慣れない. あまり聞かない ↔〔耳熟shú〕‖ 听着～ 聞き覚えがない

[耳屎] ěrshǐ 名 口 耳くそ. 耳あか ‖ 掏tāo～ 耳あかを取る

[耳饰] ěrshì 名 イヤリング. ピアス

[耳熟] ěrshú 形 聞き慣れている. 聞き覚えがある ↔〔耳生〕‖ 这支曲子qǔzi听着挺～ この曲は聞き覚えがある

【耳熟能详】ěr shú néng xiáng 成 何回も聞いているので，内容を熟知していて，詳しく話すことができる
【耳顺】ěrshùn 名 書 耳順(じゅん). 60歳
【耳提面命】ěr tí miàn mìng 成 人の耳を引き寄せて言い聞かせる. 懇切丁寧に教える
【耳挖子】ěrwāzi 名 耳かき
【耳闻】ěrwén 動 耳にする ‖ 有关他的为人我早有～ 彼の人となりについては早くから耳にしている
【耳闻目睹】ěr wén mù dǔ 成 じかに見聞きする
【耳穴】ěrxué 名〈中医〉耳にあるつぼ
【耳音】ěryīn 名 聴力. 聞き取る力
【耳语】ěryǔ 動 耳打ちする. 耳元に近づき，小さな声でひそひそ話をする
【耳针】ěrzhēn 名〈中医〉耳針(鍼(はり)療法の一つ)
【耳坠】ěrzhuì (～儿) 名 口 下げ飾りのついた耳飾り. 〔耳坠子〕ともいう
【耳子】ěrzi 名 (器物の)取っ手

8 **迩(邇)** ěr 書 近い ‖ 闻名遐xiá～ 名が広く知れわたる

9 **洱** ěr 地名用字 ‖ ～海 雲南省にある湖の名 | 普～ 雲南省にある地名

9 **饵** ěr ❶菓子類. 広く，食物 ❷名 餌(え). えさ ‖ 钓diào～ 釣り餌 ❸書 品物をもって誘う. おびき寄せる
【饵料】ěrliào 名 ❶魚の養殖餌 ❷害虫駆除用の毒入りの餌

10 **珥** ěr 書 真珠または玉(ぎょく)で作った耳飾り

11 **铒** ěr 名〈化〉エルビウム(化学元素の一つ，元素記号は Er)

èr

2 ★ **二** èr ❶数 2. 二つ ❷専一でない. 二心(ふたごころ)を抱いている ‖ 忠贞zhōngzhēn不～ 忠節で二心がない ❸同じでない. 異なる ‖ 一～价

> **類義語** ｜ 二位 èr wèi 两位 liǎng wèi
>
> ◆ともに敬意をもって「ふたり」というときに用いる ◆〔二位〕は目の前にいる聞き手に対して使われる. この時，〔两位〕も使えるが，〔二位〕の方が敬意の度合いが強くなる ‖ 二位吃点儿什么？ お二人は何を召し上がりますか ◆人数をいうときには〔两位〕が使われ，〔二位〕は使えない ‖ "几位老师参加？" "两位"「先生は何名出られますか」「お二人です」

【二把刀】èrbǎdāo 慣 方 ❶知識が生半可である. 腕前が未熟である ❷生かじりの人. 腕が未熟な人
【二把手】èrbǎshǒu 名 二番手. ナンバー・ツー
【二百五】èrbǎiwǔ 名 うすのろ. あほう
【二板市场】èrbǎn shìchǎng 名〈経〉新興企業向け二部市場
【二重唱】èrchóngchàng 名〈音〉二重唱. デュエット
【二重性】èrchóngxìng 名 二重性. 二面性
【二重奏】èrchóngzòu 名〈音〉二重奏
【二传手】èrchuánshǒu 名 ❶〈体〉(バレーボールの)

コラム "二"èr と "两"liǎng

「2」を表す中国語には"二"と"两"がある. その使い分けの基本原則は次のようになる.
順序・序数を表すときには … "二"
数量・分量を表すときには … "两"

"二"を用いる場合

1 単独に用いて数を数える:
一，二，三，四…(1,2,3,4…)

2 年月日・曜日:
公历二〇〇一年(西暦2001年)
二月二号星期二(2月2日火曜日)

3 分数・少数:
三分之二(⅔)　二点二二(2.22)

4 "第"の後に付くとき:
第二年(2年目)　第二天(2日目)　第二课(第2課)

5 数字を一つ一つ読むとき:
二号楼二层二〇二号(2号棟2階202号)
请转2034(内線2034番お願いします)

"两"を用いる場合

量詞，または量詞＋名詞の前に用いるとき:
两年(2年間)　两个月(2ヵ月間)　两个星期(2週間)　两天(2日間)　两本书(本2冊)
两只手(両手)
ただし12，22…は，必ず"二"を使う.

"二""两"ともに用いられる場合

1. 度量衡単位の前に置くときは，基本的に"二""两"ともに使える.

1 伝統的な度量衡単位"尺""丈""里""斤""亩""顷""合""升""斗"などの前では，主に"二"を用いるが，"两"も使える. ただし，重さを表す単位"两"(1两＝50g)の前では，同音衝突のため"两"は使えず，"二"に限られる.
二两面粉(小麦粉2両(りょう))　×两两面粉

2 新しい度量衡単位"厘米""米""千米(公里)""克""千克(公斤)""平方米""立方米"などの前では，主に"两"を用いるが，"二"も使える.

2. 位数の前に用いるときは，場合によって使い分ける.

1 ただし12は，必ず"二"を使う.
十二(12)　三十二(32)

2「十」の前では，必ず"二"を使う.
二十(20)　二十四(24)　二十天(20日間)

3「百」の前では主に"二"を使うが，"两"も使われる.
二百(200)　两百(200)

4「千・万・億」の位では，最初の位は"两"，それより下の位は"二"を使う.
两千二百(2200)
两亿二千二百二十二万(2億2222万)

3. 成語・熟語・慣用表現の場合は，"二"と"两"の使い分けが必ずしも明確ではない.
二重奏　二元论
独一无二　说一不二　三心二意
两重性　两面派
一举两得　一刀两断　三三两两

セッター ❷仲を取り持つ人
【二次方程】èr cì fāngchéng 图〈数〉二次方程式
【二次能源】èr cì néngyuán 图 二次エネルギー
【二次污染】èr cì wūrǎn 图 二次汚染
【二道贩子】èr dào fànzi 图 貶 やみブローカー
【二等公民】èrděng gōngmín 慣 (政治的・経済的に差別されている)二等市民
【二恶英】èr'èyīng 图 ダイオキシン
【二房】èrfáng 图 ❶妾(めかけ) ❷旧 一族の同世代のうち2番目の系統
【二房东】èrfángdōng 图 借りた家を人に又貸ししている人
【二伏】èrfú 图 中伏(土用のいちばん暑いとき) =〔中伏〕
【二副】èrfù 图 二等航海士
【二鬼子】èrguǐzi 图 旧 (抗日戦争中の)日本軍の手先. 傀儡(かいらい)政権の軍隊
【二锅头】èrguōtóu 图 北京の地酒でアルコール分は約60度ある
【二胡】èrhú 图〈音〉二胡(にこ)
【二乎】【二忽】èrhu 形 方 ❶迷ってぐずぐずしている. ためらっている ❷期待できない. 望み薄である
【二花脸】èrhuāliǎn 图〈劇〉(伝統劇で)性格や外貌(がいぼう)などが特異な男役で, 所作事(しょさごと)を主とする役
【二话】èrhuà 图 二の句. 異存. 文句. (多く否定文に用いる) ‖ 他～没说就答应了 彼は一も二もなく, すぐに承知した
【二黄】【二簧】èrhuáng 图 伝統劇で歌う節回しの一種
【二婚】èrhūn 貶 動 再婚する 图 (～儿)再婚の女性.〔二婚头〕ともいう
【二极管】èrjíguǎn 图〈電〉ダイオード. 二極管
【二价】èrjià 图 掛け値
【二进宫】èrjìngōng 图 ❶京劇の演目名 ❷俗 2度目の豚箱入り
【二进制】èrjìnzhì 图〈数〉二進法
【二郎腿】èrlángtuǐ 图 方 足を組んだ姿勢 ‖ 跷 qiāo着～ 足を組んでいる
【二愣子】èrlèngzi 图 無鉄砲な人
【二流】èrliú 形 二流である. やや劣っている
【二流子】èrliúzi 图 無頼漢. ごろつき
【二门】èrmén (～儿) 图 ❶表門内の次の門 ❷俗 (サッカーの)フルバック
【二拇指】èrmuzhǐ 图 口 人指し指. 食指
【二奶】èrnǎi 图 妾(めかけ) ‖ 包～ 妾を囲う
【二年生】èrniánshēng 形〈植〉二年生の(植物)
【二人台】èrréntái 图 ❶内蒙古自治区で行われている民間芸能の一種 ❷〔二人台〕から発展した舞台演目
【二人转】èrrénzhuàn 图 ❶黒竜江省・吉林省・遼寧省一帯で行われている民間芸能の一種 ❷〔二人转〕から発展した舞台演目.〔吉剧〕ともいう
【二十八宿】èrshíbā xiù 图〈天〉二十八宿
【二十四节气】èrshísì jiéqì 图 二十四節気(旧暦で, 15日を1気として1年を24に分けたもの)
【二十四史】èrshísì shǐ 图 中国の24部の正史(《史记 Shǐjì》から《明史 Míngshǐ》に至る二十四史)
【二手】èrshǒu (～儿) 形 二次的な. 副次的な. 間接的な ‖ ～资料 二次資料. 間接資料
【二手货】èrshǒuhuò 图 ❶転売品 ❷中古品
【二线】èrxiàn 图 第二線. 直接指導する責任を負わないポストをさす ‖ 退居～ 第二線に退く
【二心】èrxīn 图 忠実でない. ふたごころ.〔贰心〕とも書く ‖ 怀有～ 二心を抱く
【二氧化氮】èryǎnghuàdàn 图〈化〉二酸化窒素
【二氧化硫】èryǎnghuàliú 图〈化〉二酸化硫黄
*【二氧化碳】èryǎnghuàtàn 图〈化〉二酸化炭素. 炭酸ガス
【二一添作五】èr yī tiān zuò wǔ 慣 二一天作の五. 珠算の除法の九九で, 1÷2＝0.5の意. 転 折半する. 山分けにする
【二元论】èryuánlùn 图〈哲〉二元論
【二战】Èrzhàn 图 第二次世界大戦.〔第二次世界大战〕の略
【二者】èrzhě 图 二者 ‖ ～缺一不可 二者のいずれも欠くことはできない

9
*贰 èr ❶数〔二〕の大字(だいじ) ➡〔大写 dàxiě〕 ❷書 二心を抱く. 変節する ‖ 一～臣
【贰臣】èrchén 图 二君に仕える臣. 変節漢
【贰心】èrxīn 图 二心. ふたごころ ＝〔二心〕

F

fā

5 ★**发**(發) fā ❶動 発射する. 撃つ ‖ ～了一炮 大砲を1発撃った ❷発生する. 生じる ‖ →～电 ❸引き起こす. 誘発する ‖ 启～ 啓発する ❹動(ある状態が)現れる. …になる ‖ 脸色～青 顔色が真っ青だ | 垃圾～臭 ごみが臭くなる ❺動(感情を)あらわにする. 発する ‖ →～愁 ❻動(多く不愉快さを)感じる ‖ →～困 ❼動 裕福になる. 富む ‖ 这几年他可～了 この数年で彼は金持ちになった ❽広がる ‖ →～展 ❾動(発酵などで)膨らむ. 水を吸ってふやける ‖ 面～了 小麦粉の生地が発酵して膨らんだ ❿発(た)つ. 離れる ‖ 整装待～ 旅支度を整えて出発を待つ ⓫(人を)派遣する ‖ 打～ 人をやる. 使いに出す ⓬明るみに出す. オープンにする ‖ 告～ 告発する ⓭発散する ‖ 蒸～ 蒸発する ⓮動 開示する. 表明する ‖ →～言 ⓯動 発送する. 支給する. 配る ‖ ～工资 給料を支給する | ～通知 通知を出す | ～信 手紙を出す ⓰量(銃弾や砲弾を数える)発 ‖ 一～子弹 1発の銃弾 ➤ fà

【发案】fā'àn 動 事件が起きる

【发榜】fā//bǎng 動 合格者の名前を発表する

【发包】fābāo 動(工事などを)請負に出す

【发报】fā//bào 動(無線で)発信する

【发标】fā//biāo 動 入札の書類を提出する

⁑【发表】fābiǎo 動 ❶発表する. 公表する ‖ ～意见 意見を述べる | ～演说 演説を行う ❷(新聞や雑誌などに)発表する. 載せる ‖ 报上～了他的论文 新聞紙上に彼の論文が掲載された

【发兵】fā//bīng 動 派兵する

*【发病】fā//bìng 動 発病する

*【发布】fābù 動 発布する. 公布する ‖ ～命令 命令を発布する | ～重要新闻 重要なニュースを公表する

*【发财】fā//cái 動 金を儲ける. 金持ちになる ‖ 他发了大财 彼は大金持ちになった

【发颤】fāchàn 動(声や体が)震える. 〔发战〕ともいう ‖ 冻得浑身～ 寒くて体が震える

【发车】fā//chē 動 発車する

【发痴】fā//chī 動 方 ❶ぽかんとする. 茫然(ぼうぜん)とする ❷気が狂う. 気がふれる

*【发愁】fā//chóu 動 悩む. 気をもむ. 困る ‖ 他为儿子的学习～ 彼は息子の勉強のことで悩んでいる

⁑【发出】fā//chū 動 ❶(命令などを)出す. 発する ‖ ～命令 命令を発する | ～信号 信号を送る ❷(手紙などを)出す. 発送する ‖ ～通知 通知を出す ❸(音・光などを)発する ‖ 他刚一躺下, 便～一阵阵鼾声 hānshēng 彼は横になるとすぐにいびきをかき始めた

【发憷】fāchù 動 方 おじけづく. おびえる ‖ 一个人走夜道儿, 心里有点～ 一人夜道を行くのはちょっと怖い

【发喘】fāchuǎn 動 息切れがする. あえぐ

⁑【发达】fādá 形 発達している ‖ 交通～ 交通が発達している | 肌肉～ 筋肉が発達している 動 ❶発展させる ‖ ～经济 経済を発展させる ❷書 出世する

【发达国家】fādá guójiā 名 先進国

【发呆】fā//dāi 動 ぽかんとする. 茫然(ぼうぜん)とする ‖ 她望着窗外～ 彼女はぼんやりと窓の外を眺めている

*【发电】fā//diàn 動 ❶発電する ‖ ～厂 発電所 ❷打電する ‖ 给对方～ 相手方に打電する

【发电机】fādiànjī 名 発電機. ダイナモ

⁑【发动】fādòng 動 ❶発動する. 引き起こす ‖ ～进攻 攻撃を始める | ～政变 クーデターを起こす ❷働きかける. 動員する ‖ ～群众 大衆を動員する | ～农民的积极性 農民の積極性に働きかける ❸(機械を)起動させる. 始動させる ‖ 试了好几遍, 汽车也没～起来 何回も試したが, 自動車のエンジンはかからなかった

【发动机】fādòngjī 名 発動機. エンジン

⁑【发抖】fādǒu 動(体が)震える. 身震いする ‖ 冻得浑身～ 寒くて体が震える | 气得～ 怒りで体が震える

類義語 发抖 fādǒu 哆嗦 duōsuo 颤抖 chàndǒu

◆〔发抖〕人や動物が恐怖や寒さのために震える. 後に目的語をとらない ‖ 他冻得浑身发抖 彼は寒くて体中が震えた | 老鼠见了猫就吓得发抖 ネズミはネコを見て驚いて震えている ◆〔哆嗦〕〔发抖〕とほぼ同義で, 話し言葉によく用いる. 目的語をとる. 前に〔直〕(しきりに, ただ)や後ろに〔着〕など他の成分を必要とし, 述語や補語にならない ‖ 听到枪声, 她哆嗦着身子, 不敢动 銃声を聞き, 彼女は体を震わせ動こうにも動けなかった ◆〔颤抖〕人や動物のほか, 植物や事物にも用いられ, とくに細かく小刻みに震えることを表す. 書き言葉によく用いる. 目的語をとらない ‖ 枯草在寒风中颤抖着 枯れ草は寒風の中で揺れている

【发端】fāduān 動 端を発する. 始まる 名 発端. 始まり ‖ 事情的～ 事の発端

【发放】fāfàng 動 ❶(国や政府機関が資金や物資を)放出する. 交付する. 給与する ‖ ～救济金 救済金を出す ❷古 処分する. 処罰する

【发粉】fāfěn 名 ふくらし粉. ベーキングパウダー. 〔焙粉〕ともいう

【发奋】fāfèn 動 ❶発奮する. 奮起する. 奮い立つ ‖ ～有为 発奮してなすところがある ❷=〔发愤fāfèn〕

【发愤】fāfèn 動 発奮する. 奮起する. 〔发奋〕とも書く ‖ ～读书 奮起して勉強に励む

*【发愤图强】【发奋图强】fā fèn tú qiáng 成 発奮して向上を図る

【发愤忘食】fā fèn wàng shí 成 寝食を忘れて物事に打ち込む

【发疯】fā//fēng 動 気が狂う. 常軌を逸する

【发福】fā//fú 動 福々しくなる. 太る ‖ 您这两年可～了 この数年でたいへん福々しくおなりですね

【发干】fāgān 動 乾く. 渇く ‖ 土地～ 地面が乾く

【发糕】fāgāo 名 蒸しパンの一種

【发稿】fā//gǎo 動 送稿する

【发光】fā//guāng 動 発光する. 光る

【发汗】fā//hàn 動(薬物などで)汗を出す. 発汗させる ‖ 感冒了, 喝点儿姜汤发发汗 風邪をひいたらショウガ湯を飲んで汗を出す

【发号施令】fā hào shī lìng 成 命令を下す. 号令を下す

【发狠】fā//hěn 動 ❶思い切る. きっぱりと決心する ‖

他一～把烟酒都戒了 彼は思い切ってタバコも酒もやめてしまった ❷かっとなる‖发什么狠？ 何を怒っているのだ
【发横】fā//hèng 動 方 ❶怒る‖他不顺心的时候跟谁都～ 彼は気に入らないことがあると誰かれなく当たり散らす ❷横暴な態度をとる
【发横财】fā hèngcái 組 あくどいやり方でぼろ儲けをする. 暴利をむさぼる
【发花】fā//huā 動 (目が)ちらちらする. かすむ
【发话】fā//huà 動 ❶(上の者が下の者に)指示の言葉を伝える. 指示を発する‖局长～了,要大家遵守zūnshǒu作息时间 局長から勤務時間を遵守するよう指示があった ❷怒って話す
【发还】fāhuán 動 (多く上から下に対し)返す. 返還する‖～了抄走的东西 没収したものを返してくれた
【发慌】fā//huāng 動 慌てる. うろたえる. 狼狽(ろうばい)する‖考试时不要～ 試験のとき慌ててはいけない
**【发挥】fāhuī 動 ❶発揮する. 発揮させる‖因为太紧张,水平没～出来 緊張しすぎてふだんの力が出なかった ❷表現する. 展開する‖他把王老师的话又～了一下 彼は王先生の話をもう一度繰り返した
【发昏】fā//hūn 動 頭がぼうっとする. 意識がもうろうとする‖热得头～ 暑くて頭がぼうっとする
*【发火】fā//huǒ 動 ❶(～儿)かんしゃくを起こす. かっとなる‖他一不高兴就～ 彼はちょっと気に入らないとすぐ怒り出す ❷発火する ❸(銃が)暴発する ❹方 火事になる 形 方 (かまどの)火のつきがいい. よく燃える
【发货】fā//huò 動 出荷する. 積み出す
【发急】fā//jí 動 焦る. いらいらする. じれる
【发迹】fā//jì 動 出世する‖他一辈子也发不了迹 彼は一生涯出世できっこない
【发家】fā//jiā 動 家を興す. 家を豊かにする‖～致富 家を興し, 身代を築く
【发僵】fājiāng 動 こわばる. 硬直する‖两手冻得～ 両手が寒さでかじかむ
【发酵】fā//jiào 動 発酵する. 発酵させる. 〔酦酵〕とも書く‖～粉 ふくらし粉. ベーキングパウダー
【发紧】fājǐn 動 ❶(胸部が)しめつけられる‖胸口～ 胸がしめつけられる ❷緊張する
【发窘】fājiǒng 動 困る. 弱る. 決まりが悪くなる
【发酒疯】fā jiǔfēng 組 酒を飲んで乱れる. 酔ってくだを巻く
*【发觉】fājué 動 発覚する. 気が付く‖到了车站,才～没带钱包 駅に着いて財布を忘れたことに気付いた
【发掘】fājué 動 発掘する. 掘り起こす‖～古墓 古墳を発掘する｜～潜力 潜在力を掘り起こす
【发刊词】fākāncí 名 発刊の辞
【发苦】fākǔ 動 苦味が出る. 苦くなる
【发狂】fā//kuáng 動 発狂する. 気がふれる
【发困】fākùn 動 口 眠くなる‖一上课就～ 授業に出ると眠くなる
【发懒】fālǎn 動 嫌気がさす. おっくうになる‖浑身～,什么也不想干 体がだるくて何もしたくない
【发牢骚】fā láosao 慣 不平を言う. 愚痴をこぼす.
【发冷】fālěng 動 寒けがする‖浑身～,一定是感冒了 全身寒けがする, 風邪に違いない
【发愣】fā//lèng 動 口 ぽかんとする. ぼんやりする. 茫然(ぼうぜん)とする‖你发什么愣,还不快去道谢 何をぼんやりしているんだ, 早くお礼を言いなさい
【发力】fā//lì 動 全力を注ぐ. 全力を尽くす
【发利市】fā lìshì 組 方 ❶商店が開業して最初の取引をすること ❷利益を得る. 儲かる
【发亮】fā//liàng 動 輝く. ぴかぴか光る
【发令】fālìng 動 命令を発する
【发令枪】fālìngqiāng 名 〈体〉スターティングピストル
【发聋振聩】fā lóng zhèn kuì 成 声を大にして注意を喚起する. 大々的に人を啓蒙する
【发落】fāluò 動 始末する. 処分する. 処罰する‖从轻～ 軽い処罰ですます｜听候～ 処分を待つ
【发毛】fā//máo 動 ❶口 おじけづく. おびえる. ぞっとする ❷方 怒る. 腹を立てる
【发霉】fā//méi 動 かびる. かびが生える
【发闷】fāmēn 動 気分が悪い. 息苦しい‖心口～ みぞおちのあたりが重苦しい 形 (音が)こもる ➤fāmèn
【发闷】fāmèn 形 気がふさぐ. うんざりする. いらいらする ➤fāmēn
【发蒙】fāmēng 動 口 頭が真っ白になる. 頭がくらくらする. ぼうっとなる‖我一进考场脑袋就～ 私は試験場に入るだけで, 頭がぼうっとしてしまう ➤fāméng
【发蒙】fāméng 動 旧 読み書きを教える ➤fāmēng
【发面】fā//miàn 動 小麦粉の生地を発酵させる 名 (fāmiàn)発酵した生地
**【发明】fāmíng 動 ❶発明する‖～家 発明家｜电灯是爱迪生～的 電灯はエジソンが発明したものです ❷書 表現する. 展開する 名 発明‖新～ 新発明
【发木】fāmù 動 感覚が麻痺(まひ)する. しびれる‖两腿～ 両足がしびれる｜脑子～ 頭がぼうっとする
【发难】fā//nàn 動 ❶書 詰問する. 論難する ❷反乱する. 反旗を翻す
【发腻】fānì 動 うんざりする. 嫌になる‖总是老一套,让人听了都～ いつも同じ台詞で, すっかり聞き飽きた
【发蔫】fāniān 動 ❶しおれる‖叶子都～了 葉がすっかりしおれてしまった ❷元気をなくす‖他这几天有点～ 彼はこのところ元気がない
【发苶】fānié 動 元気をなくす. しょげる
【发怒】fā//nù 動 怒る. かんしゃくを起こす‖父亲动不动就～ 父は何かというとすぐ怒る
【发排】fāpái 動 〈印〉原稿を組み版に回す
【发盘】fāpán 動 〈貿〉オファーする. 申し込む
【发胖】fāpàng 動 体が太る
【发配】fāpèi 動 古 流刑の一種で, 辺境の地で兵役や苦役に従事させる
*【发脾气】fā píqi 組 かんしゃくを起こす. 怒って人に当たる‖科长冲我们～了 課長は我々に向かってかんしゃくを起こした

> **類義語** 发脾气 fā píqi 生气 shēngqì
>
> ◆〔发脾气〕言葉や行動で怒りをぶちまける‖他动不动就发脾气 彼は何かというとすぐに当たり散らす ◆〔生气〕不快な気持ちをもつ. 腹を立てる. 怒りを表面に出さない場合にも用いられる‖看得出来他很生气 彼がとても怒っているのは見れば分かる｜老师听了这件事虽然很生气,但没有发脾气 先生はこの件を聞いてとても腹を立てたが, かんしゃくを起こすことはなかった

【发飘】fāpiāo 動 ふわふわする
*【发票】fāpiào 名 ❶領収書. レシート‖请你开一张～ 領収書を書いてください ❷〈貿〉送り状. インボイス
【发泼】fā//pō 動 方 泣きわめいたりして暴れる
*【发起】fāqǐ 動 ❶発起する. 提唱する‖～倡议 提案する ❷発動する. 始める‖～反攻 反攻を開始する

【发青】fāqīng 動(顔などが)青ざめる
【发情】fāqíng 動 発情する‖~期 発情期
【发球】fā//qiú 動〈体〉サーブする‖~得分 サービス・エース|~失误 (サーブの)フォールト
*【发热】fā//rè 動❶熱を出す ❷喩 熱くなる. のぼせて冷静さを失う‖头脑~ 頭に血がのぼる ❸方(病気で)発熱する‖身上有点ㄦ~ 少し熱がある
【发人深思】fā rén shēn sī 成 深く考えさせる
【发人深省】【发人深醒】fā rén shēn xǐng 成 人を啓発して深く考えさせる. 深く反省させ覚醒(かくせい)させる
【发软】fāruǎn 動❶柔らかくなる ❷力が抜ける‖全身~ 全身に力が入らない
【发散】fāsàn 動❶(光線などが)拡散する ❷〈中医〉(薬で熱を)散らす
【发丧】fā//sāng 動❶訃報(ふほう)を出す ❷葬式を執り行う
【发傻】fā//shǎ 動❶ぼんやりする. ぼうっとする ❷ばかなことを言う. ばかなことをする
★【发烧】fā//shāo 動❶**発熱する. 熱を出す**‖发了三天烧 3日間熱を出した ❷**ほてる. 赤らめる**‖挨了批评, 脸上直~ 叱られて顔を赤くした
【发烧友】fāshāoyǒu 名 方 マニア. ファン
*【发射】fāshè 動 発射する. 打ち上げる‖~导弹 ミサイルを発射する|~人造卫星 人工衛星を打ち上げる
【发身】fāshēn 動(思春期の男女が)肉体的に成熟する
【发神经】fā shénjīng 組 気が狂う. 常軌を逸する
★【发生】fāshēng 動❶**発生する. 生じる. 起きる**‖~事故 事故が発生する|~兴趣 興味を感じる|~冲突 衝突が起きる|形势~了变化 事態に変化が生じた ❷〈生〉発生する

> **類義語** 发生 fāshēng / 产生 chǎnshēng
> ◆〔发生〕元来存在しなかった事柄が現れる. その出現は予測不可能なもので, 突然の感じがある‖发生了什么事? 何が起こったんだ ◆〔产生〕すでにあるものの中から新たなものが現れる‖各级领导应通过选举产生 各層のリーダーは選挙で選出されなければならない|因处理不当, 产生了很多矛盾 処理のまずさで, 多くの矛盾が出てきた|对他产生了好感 彼に好感を持った

【发声】fā//shēng 動 発声する. 声を出す. 声をたてる
*【发誓】fā//shì 動 誓う. 誓いを立てる‖他~要戒烟 彼は禁煙することを誓った
【发售】fāshòu 動 発売する. 売り出す
【发抒】fāshū 動 述べる. 表す‖~己见 自分の意見を述べる|~情感 情感を表す
【发水】fā//shuǐ 動 洪水になる
【发送】fāsòng 動❶発送する‖~文件 書類を発送する ❷発信する. 送信する
【发送】fāsong 動 葬式を執り行う
【发酸】fāsuān 動❶酸っぱくなる. すえる ❷もの悲しくなる. 胸がつまる‖想起往事, 心里就~ 昔のことを思い出すと胸がつまる ❸けだるくなる. 力が入らない‖路走得多, 腿都~了 歩きすぎて足がだるくなった
【发威】fā//wēi 動 威張る. 威勢をふるう
【发文】fā//wén 動 公文書を送付する 名(fāwén)送付した公文書‖~簿 公文書送付記録簿
【发问】fāwèn 動(口頭で)質問する. 問いを発する‖记者连连~ 記者が続けざまに質問する
★【发现】fāxiàn 動❶**発見する. 見つける**‖~了新油田 新しい油田を発見した ❷**気付く**‖我~他有心事 私は彼に心配事があるのに気付いた 名 **発見**‖重大的~ 重大な発見
【发祥】fāxiáng 動 書 ❶めでたいことが現れる ❷発祥する. 出現する‖中华文明~于黄河流域 中華文明は黄河流域に発祥した
【发祥地】fāxiángdì 名 発祥地
【发饷】fā//xiǎng 動 旧 俸給を支払う. (多く軍や警察に用いる)
【发笑】fāxiào 動 笑う. 吹き出す‖引人~ 笑わす
【发泄】fāxiè 動(気持ちを)発散する. もらす‖~不满情绪 不満な気持を発散する. うっぷんを晴らす
*【发行】fāxíng 動 発行する‖~杂志 雑誌を発行する|~股票 株を発行する
【发虚】fāxū 動❶不安になる. 臆(おく)する‖一提起考试, 心里就~ 試験の話題になると気後れしてしまう ❷(体が)虚弱に見える. 弱って見える‖病刚好, 身体还有些~ 病み上がりなので弱って見える
【发芽】fā//yá 動 発芽する. 芽が出る‖柳树~了 ヤナギが芽をふいた 名(fāyá)発芽
【发哑】fāyǎ 動(声が)かすれる. かれる‖嗓子~ 声がかすれる
【发烟弹】fāyāndàn 名 発煙弾. 煙幕弾. 〔烟幕弹〕ともいう
⁑【发言】fā//yán 動 **発言する**‖开会的时候, 他总是积极~ 会議で彼はいつも積極的に発言する 名(fāyán)発言‖他的~受到重视 彼の発言は重視された
【发言权】fāyánquán 名 発言権
【发言人】fāyánrén 名 スポークスマン
*【发炎】fā//yán 動〈医〉炎症を起こす‖牙床~ 歯茎が炎症を起こした
⁑【发扬】fāyáng 動 **発揚する. 優れた点を伸ばし広める**‖好的要~, 坏的要坚决改掉 よい所は伸ばし, 悪い所はきっぱりと改める|~民主 民主を発揚する
*【发扬光大】fā yáng guāng dà 成 大いに発揚する
【发洋财】fā yángcái 組(外国人相手に)大金を儲ける. 転 思わぬぼろ儲けをする
【发音】fā//yīn 動 発音する 名(fāyīn)〈語〉発音‖他的~很准确 彼の発音はとても正確だ
【发语词】fāyǔcí 名〈語〉(古代漢語における)発語の助詞
*【发育】fāyù 動 発育する. 成長する‖~得很好 発育がとてもよい|~正常 発育が健全である
【发源】fāyuán 動 源を発する. …より起こる‖长江~于青海省 長江は青海省に源を発している
【发愿】fāyuàn 動 誓いを立てる‖他起誓~一定要考上大学 彼は必ず大学に合格してみせると誓いを立てた
【发晕】fā//yūn 動 めまいがする. くらくらする‖饿得~ 腹が減ってめまいがする
【发运】fāyùn 動 積み出す. 出荷する
★【发展】fāzhǎn 動 **発展する. 発展させる**‖这一地区的经济迅速~起来 この地域の経済はめざましい勢いで発展し始めた|事情~到今天这一步, 是我们没有预料到的 こんなことになるとは予想だにしていなかった
【发展权】fāzhǎnquán 名(人権の一つ)発展の権利
【发展商】fāzhǎnshāng 名 ディベロッパー. 宅地開発業者

F

【发展中国家】fāzhǎnzhōng guójiā 图 発展途上国
【发怔】fāzhèng 動 ぼんやりする．ぽかんとする
【发作】fāzuò 動 ❶発作が起きる‖旧病～ 持病の発作が起きた ❷かんしゃくを起こす‖心里生气，但当着大家的面又不好～ 腹の中は怒りで煮えくり返っていたが，みんなの前で怒り出すわけにもいかなかった

fá

F

4 乏 fá ❶欠ける．不足する‖不～其人 人材に不足していない ❷動 疲れる．くたびれる‖干一天活儿有点儿～了 一日働いたのでちょっと疲れた ❸動 方 効力が弱まる．作用を失う‖药性～了 薬が効かなくなった
【乏力】fálì 形（体力や気力が）衰えている 動 力が不足する．能力が不足する
【乏术】fáshù 動 方法がない．手立てがない
【乏味】fáwèi 形 面白くない．つまらない．無味乾燥である‖语言单调而～ 描写が単調でつまらない
6 *伐[1] fá ❶動 木を伐(き)る‖～了两棵树 木を2本伐った ❷討伐する‖讨～ 討伐する
6 *伐[2] fá 書（自ら）誇る．自慢する‖自～其功 自らその功を誇る
【伐木】fámù 動 伐採する
9 垡 fá ❶動 方（田畑を）耕す‖耕～ 耕作する ❷图 方 すき起こした土の塊 ❸地名用字
9 阀[1] fá ❶封建時代の名門の家柄‖门～ 門閥 ❷派閥‖财～ 財閥｜军～ 軍閥
9 阀[2] fá 图〈機〉バルブ．〔阀门〕〔凡尔〕ともいい，ふつうは〔活门〕という‖气～ ガス管のバルブ｜水～ 水道管のバルブ
【阀门】fámén 图〈機〉バルブ ＝〔阀〕
9 *罚（△罸）fá 動 罰する ↔〔奖〕‖受～ 罰せられる｜来晚了，～三杯 駆けつけ3杯｜有赏有～ 賞罰をきちんとする
【罚不当罪】fá bù dāng zuì 成 罰その罪に当たらず．罰が犯した罪にふさわしくない
【罚单】fádān 图 罰金の通知書
【罚金】fájīn 動 罰金刑を科す 图 罰金
*【罚款】fá//kuǎn 動 ❶罰金を課す‖违章停车要～ 不法駐車は罰金を課す ❷違約金を取る 图（fákuǎn）❶罰金‖交～ 罰金を払う ❷違約金
【罚没】fámò 動 罰金を取る．没収する
【罚球】fá//qiú 動〈体〉（ラグビーやサッカーなどで）ペナルティー・キック，またはフリー・キックを課す．（バスケットなどの）フリー・スローを課す‖～区 ペナルティー・キック・エリア｜～圈 フリー・スロー・サークル｜～线 フリー・スロー・ライン
【罚则】fázé 图 罰則‖加强～ 罰則を強化する
12 筏（△栰）fá 图 いかだ‖竹～ 竹で作ったいかだ
【筏子】fázi 图 いかだ‖撑chēng～ いかだを操る

fǎ

8 *法[1]（△灋 浤）fǎ ❶图 刑法．（広く）法律‖违～ 法に違反する｜合～ 合法である ❷基準．手本‖不足为～ 手本とするには足りない ❸图（～儿）方法．やり方‖得想一个～ 何か方法を講じなければならない｜没～儿做 やりようがない ❹まねる．ならう．模倣する‖效～ まねる．見習う ❺合法的な．（否定辞の後に置く）‖不～分子 不法分子 ❻〈仏〉仏教の教義．仏法‖佛～ 仏法 ❼呪術（じゅじゅつ）．魔法‖魔～ 魔法
8 *法[2] fǎ 量 外〈電〉（静電容量の単位）ファラド．〔法拉〕の略
【法案】fǎ'àn 图 法案
【法办】fǎbàn 動 法律により処罰する
【法宝】fǎbǎo 图 ❶〈仏〉仏法．また，僧侶(そうりょ)の持つ衣鉢や錫杖(しゃくじょう)などをさす ❷（道教で）神通力をもった宝物 ❸喩 霊験あらたかな方法．有効な決め手
【法典】fǎdiǎn 图 法典
*【法定】fǎdìng 形 法定の．法律で定められた‖～继承人 法定相続人｜～代理人 法定代理人
【法定计量单位】fǎdìng jìliàng dānwèi 图 法定計量単位
【法定继承】fǎdìng jìchéng 图〈法〉法定相続‖～人 法定相続人
【法定人数】fǎdìng rénshù 图 法定数
【法度】fǎdù 图 書 ❶法律 ❷（行動の）規範．基準
*【法官】fǎguān 图 司法官．裁判官
*【法规】fǎguī 图 法規‖制定～ 法規を制定する
【法国】Fǎguó 图〈国名〉フランス
【法纪】fǎjì 图 法律と紀律
【法家】fǎjiā 图〈哲〉法家（諸子百家の一つ）
【法警】fǎjǐng 图 司法警察
*【法郎】fǎláng 图（通貨単位）フラン
【法老】fǎlǎo 图 外（古代エジプト王の称号）ファラオ
【法力】fǎlì 图 ❶〈仏〉法力 ❷神通力
*【法令】fǎlìng 图 法令‖颁布bānbù～ 法令を公布する｜政府～ 政令
*【法律】fǎlǜ 图 法律‖制定～ 法律を制定する｜颁布～ 法律を公布する｜～条款 法律条項
【法律援助】fǎlǜ yuánzhù 图〈法〉法律扶助．略して〔法援〕ともいう
【法螺】fǎluó 图〈貝〉ホラガイ
【法盲】fǎmáng 图 法律の知識のない者
【法门】fǎmén 图 ❶〈仏〉法門 ❷方法．要領
【法权】fǎquán 图 法権．特権‖治外～ 治外法権
*【法人】fǎrén 图 法人
【法人股】fǎréngǔ 图〈経〉法人株‖持～ 法人株を所有する
【法师】fǎshī 图（僧侶や道士に対する尊称）法師
【法帖】fǎtiè 图 法帖(ほうじょう)．法書
*【法庭】fǎtíng 图 法廷‖上～ 法廷に出る｜～辩论 法廷弁論
【法统】fǎtǒng 图（統治権力の）法的正統性
【法网】fǎwǎng 图 法の網‖难逃～ 法の網から逃げがたい｜落入～ 法の網に引っかかる
*【法西斯】fǎxīsī 图 外 ファッショ
【法西斯主义】fǎxīsī zhǔyì 图 ファシズム
【法学】fǎxué 图 法学．法律学
【法眼】fǎyǎn 图 ❶〈仏〉法眼(ほうげん) ❷慧眼(けいがん)
【法衣】fǎyī 图 法衣(ほうえ)．僧衣
【法医】fǎyī 图 法医学の専門家．法医学者
★【法语】Fǎyǔ 图 フランス語．〔法文〕ともいう
*【法院】fǎyuàn 图 裁判所‖最高人民～ 最高人民法院（日本の最高裁判所に相当する）
*【法则】fǎzé 图 ❶法則．規則‖自然～ 自然の法則｜经济～ 経済法則 ❷書 法規 ❸書 模範

【法治】fǎzhì 图 法治 動 法に基づき国を治める
*【法制】fǎzhì 图 法制 ‖ 健全～ 法制を整備する
*【法子】fǎzi 图 方法. 手立て ‖ 想～ 方法を考える | 有没有什么好～？ 何かよい手立てはないですか

10 **砝** fǎ ↴
【砝码】fǎmǎ 图 (はかりの)分銅

fà

5 **发**(髮) fà 頭髪. 髪の毛 ‖ 白～ 白髪 | 染～ 髪を染める ➤ fā
【发菜】fàcài 图 (藻の一種)ファーツァイ
【发际】fàjì 图 毛髪の生え際
【发胶】fàjiāo 图 (整髪用の)ジェル
【发蜡】fàlà 图 ポマード
【发廊】fàláng 图 美容院
【发妻】fàqī 图 書 最初の妻
【发卡】fàqiǎ 图 ヘアピン. 髪どめ
【发式】fàshì 图 髪形. ヘアスタイル
【发网】fàwǎng 图 ヘアネット
【发型】fàxíng 图 ヘアスタイル. 髪形
【发指眦裂】fà zhǐ zì liè 成 髪の毛を逆立て, 目をむく. 激怒するさま

9 **珐**(△琺) fà ↴
【珐琅】fàláng 图 珐瑯(ほうろう). エナメル
【珐琅质】fàlángzhì 图 珐瑯質 ＝〔釉yòu质〕

fān

6 *****帆**(△帆 颿) fān ❶图 船の帆 ‖ 扬～ 帆を揚げる ❷書 帆船
【帆板】fānbǎn 图〈体〉❶ボードセーリング ❷ボードセーリング用のボード
【帆布】fānbù 图〈織〉帆布. ズック. キャンバス
*【帆船】fānchuán 图 ❶帆船. ヨット ❷ヨット競技

12 *****番**[1] fān 旧 外国. 異民族 ‖ 一～薯

12 *****番**[2] fān ❶交替する. 代わる ‖ 轮～ 交替で. 代わる代わる ❷量 ①回. 度 ‖ 上下打量一～ 上から下までじろじろ眺める | 整理一～ 一通り整理する ②ある種の事柄に用いる ‖ 别有一～滋味zīwèi 独特な味わいがある ➤ pān
【番邦】fānbāng 图 旧 外国. 異民族
【番号】fānhào 图 部隊の通し番号
*【番茄】fānqié 图〈植〉トマト.〔西红柿〕ともいう ‖ ～酱 トマトケチャップ | ～汁 トマトジュース
【番薯】fānshǔ 图 方 サツマイモ

15 **蕃** fān 〔番[1] fān〕に同じ ➤ fán

15 **幡** fān 图 (細長い)旗. 幟(のぼり)
【幡然】fānrán 副 書 翻然と ＝〔翻然〕

18 **藩** fān ❶垣. 垣根 ‖ ～篱lí 垣根 ❷書 障壁. 守り ❸古 属国. 属領
【藩镇】fānzhèn 图 古 藩鎮(はんちん)

18 ★**翻**(△飜 繙❸) fān ❶動 引っくり返す. 引っくり返る. 裏返す ‖ 车～了 車が引っくり返った | ～抽屉 引き出しの中をかき回す ❷動 変える. 直す ‖ 一～新 ❸動 翻訳する. 通訳する ‖ 把中文～成日文 中国語を日本語に翻訳する ❹動 (～儿)態度が豹変する. 急に怒りだす ‖ 闹～ 仲たがいする | 惹～ 怒らせる ❺動 (決定したことや言った言葉を)翻す. 変える. 覆す ‖ 铁证如山, 谁也～不了 動かぬ証拠があるから, 誰も判決を覆せない ❻動 倍増する ‖ ～了两番 4倍にはね上がった ❼動 (山などを)越える ‖ ～过了一座大山 大きな山を越えた
【翻案】fān//àn 動 (判決や評価, 決定などを)翻す. 覆す ‖ 翻历史的案 歴史上の定説を覆す
【翻白眼】fān báiyǎn (～儿) 慣 ❶白目をむく. 怒りや不満の感情を示す ‖ 一句话气得他直～ その一言で彼は激怒して白目をむいた ❷危篤状態になる
【翻版】fānbǎn 图 ❶〈印〉翻刻. リプリント. 複製 ❷喩 焼き直し. 模倣行為
【翻本】fānběn (～儿) 動 賭博で負けた金を取り返す. 元を取り返す
【翻车】fān//chē 動 ❶車が引っくり返る ❷喩 つまずく. 挫折(ざせつ)する. 失敗する ‖ 计划翻了车 計画が挫折した ❸方 けんかする. 言い争う ❹方 (決定や承認などを)覆す 图 (fānchē) 方 水車
【翻船】fān//chuán 動 ❶(船が)転覆する ❷挫折する. 失敗する
【翻地】fān//dì 動 (田畑を)すき起こす
【翻动】fāndòng 動 (位置などを)動かす. いじる
【翻斗】fāndǒu 图〈鉱〉(鉱石を入れる)スキップバケット
【翻斗车】fāndǒuchē 图 ダンプカー
【翻番】fān//fān 動 倍になる ‖ 产量～ 生産高が倍になる
【翻飞】fānfēi 動 ❶(鳥やチョウなどが)高く低く行きつ戻りつして飛ぶ ❷ひらひらと揺れ動く
【翻覆】fānfù 動 ❶転覆する. 引っくり返る ‖ 客船～ 客船が転覆する ❷著しく変化する ‖ 天地～ 天地が引っくり返るほど著しく変化する ❸寝返りを打つ. 輾転(てんてん)する ‖ 辗转zhǎnzhuǎn～, 一夜未能安睡 寝返りばかり打って, 一晩中よく眠れなかった ❹書 気が変わる
【翻改】fāngǎi 動 (服を)仕立て直す. リフォームする
【翻盖】fāngài 動 建て直す. 改築する
【翻个儿】fān//gèr 動 引っくり返す. 裏返す ‖ 把晒的褥子rùzi翻个个儿 干してある敷き布団を裏返す
【翻跟头】fān gēntou 組 とんぼ返りを打つ
【翻供】fān//gòng 動 供述を翻す
【翻滚】fāngǔn 動 ❶波打つ. 波立つ ‖ 麦浪～ ムギの穂が波打っている ❷転げ回る ‖ 两个人在地上扭打～着 二人は地面を転げ回って取っ組み合いをしている
【翻悔】fānhuǐ 動 後悔して前言を翻す. 気を変える ‖ 既然答应了, 就不应～ 承諾したからには前言を翻すべきではない
【翻检】fānjiǎn 動 (書籍や資料などを)めくって調べる
【翻建】fānjiàn 動 建て直す. 改築する
【翻江倒海】fān jiāng dǎo hǎi 成 勢いが猛烈で力が込もっているさま.〔倒海翻江〕ともいう
【翻浆】fān//jiāng 動 春先になって凍っていた地面や道路の亀裂から水や泥水などがしみ出す
【翻旧账】fān jiùzhàng 慣 (古い恨みを)蒸し返す.〔翻老账〕ともいう ‖ 只要一吵架, 老婆就翻那些旧账 夫婦げんかを始めると, 女房はすぐに昔のことを蒸し返す
【翻卷】fānjuǎn 動 上下に動く. 翻る. 渦巻く ‖ 彩旗随风～ 色とりどりの旗が風にはためく
【翻刻】fānkè 動 翻刻する ‖ ～本 翻刻本

F

【翻来覆去】fān lái fù qù 成 ❶何度も繰り返す‖～地说 何度も繰り返して言う ❷寝返りを繰り返す‖～睡不着 寝返りを打つばかりで寝つかれない
【翻脸】fān//liǎn 動 突然態度が冷たくなる．突然怒り出す．仲たがいする‖她们婆媳póxí之间，从来没翻过脸 あのしゅうとめと嫁は仲たがいしたことがない
【翻领】fānlǐng（～儿）名 折り襟．開襟(かいきん)
【翻录】fānlù 動 ダビングする
【翻毛】fānmáo 形 ❶毛皮の‖～大衣 毛皮のコート ❷バックスキンの．裏皮の
【翻弄】fānnòng 動（ページなどを）めくる‖漫不经心地～着杂志 漫然と雑誌のページをめくっている
【翻拍】fānpāi 動 写真機で複製する
【翻盘】fān//pán 動 ❶〈経〉株価が〔红盘〕（上昇）から〔绿盘〕（下落）に転じる，あるいはその逆の現象をさす ❷（不利な局面を）逆転する．ひっくり返す
【翻皮】fānpí 形 裏皮の．バックスキンの‖～皮鞋 バックスキンの革靴
【翻然】fānrán 副 書 翻然と．〔幡然〕とも書く‖～悔悟huǐwù 翻然と悔い改める
【翻砂】fānshā〈冶〉名 鋳造．〔铸工〕の通称 動 砂鋳型を造る
【翻晒】fānshài 動（日に干しているものを）引っくり返す．裏返す‖～谷子 干している穀物を引っくり返す
*【翻身】fān//shēn 動 ❶寝返りを打つ．体の向きを変える‖他翻了个身，又打起呼噜hūlu来 彼は寝返りを打つとまたいびきをかき始めた ❷（劣悪な状態から）解放される‖～做主 解放され，国の主人となる ❸立ち直る‖打～仗 立ち直るために闘う
【翻升】fānshēng 動 倍々で増える
【翻腾】fānteng；fānténg 動 ❶うねる．逆巻く‖海浪～ 波が逆巻く ❷かき回す．引っかき回す‖在箱子里～了半天也没找着 箱の中を長いこと引っかき回して探したが見つからなかった ❸古いことを持ち出す．蒸し返す‖几年前的事了，还～它做什么！ 何年も前のことを何をいまさら蒸し返すのだ
【翻天】fān//tiān 動 ❶てんやわんやの騒ぎをする．上を下への大騒ぎをする‖家里闹翻了天了 家中がてんやわんやの大騒ぎになった ❷謀反を起こす．反逆する
【翻天覆地】fān tiān fù dì 成 天地を引っくり返す．変化が大きく徹底しているたとえ
【翻胃】fān//wèi ＝〔反胃fǎnwèi〕
【翻箱倒柜】fān xiāng dǎo guì 成 たんすや戸棚をかき回す．家中をくまなく探す．とことん探す
【翻新】fānxīn 動 ❶（衣服などを）リフォームする ❷一新する．新味を出す‖包装～ パッケージを一新する
【翻修】fānxiū 動（建物などを）改築する．建て直す．（道路などを）修復する
★【翻译】fānyì 動 通訳する．翻訳する．訳す‖请他给我们～ 彼に通訳してもらおう｜～成英语 英語に訳す．名 通訳．翻訳‖当～ 通訳をする
【翻印】fānyìn 動（印刷物を）複製する．翻刻する
【翻涌】fānyǒng 動（雲や水などが）うねる．逆巻く
【翻阅】fānyuè 動 ぱらぱらと頁をめくる．一読する
【翻越】fānyuè 動 越える．乗り越える
【翻云覆雨】fān yún fù yǔ 成 手を翻せば雲となり，手を覆せば雨となる．場合によって言葉や態度などをがらりと変え，手練手管を弄(ろう)すること
【翻造】fānzào 動 改築する．建て直す
【翻转】fānzhuǎn 動 回転する．宙返りする

fán

3 ** 凡[1]（△凣）fán ❶概要．大綱‖发～起例 要旨を述べ，凡例を記す ❷副 書 全部で．合計して‖全书～三十卷 その本は全部で30巻ある ❸副 およそ．総じて‖～年满十八岁的都有选举权 満18歳に達した者にはすべて選挙権がある
3 凡[2]（△凣）fán ❶平凡である‖平～ 平凡である ❷人の世．下界．俗世間‖思～ 僧尼などが俗世間を思い慕う
3 凡[3]（△凣）fán 名〈音〉中国の伝統音楽の階名の一つ．西洋音楽のファに相当する．➡〔工尺gōngchě〕
【凡尘】fánchén 名 書 俗界．俗世間
【凡夫俗子】fánfū súzǐ 名 凡夫．凡人．普通の人
【凡间】fánjiān 名 この世．世の中
【凡例】fánlì 名 凡例
【凡人】fánrén 名 ❶凡人 ❷俗人 ↔〔神仙〕
【凡士林】fánshìlín 名 外〈化〉ワセリン．〔矿脂〕ともいう
*【凡是】fánshì 副 およそ．すべて‖～答应了的，就一定做好 引き受けたからにはきちんとやり遂げる
【凡俗】fánsú 形 平凡である．凡俗である
【凡响】fánxiǎng 名 平凡な音楽 喩 ありふれた事物
【凡心】fánxīn 名 俗心．俗念
【凡庸】fányōng 形 書 凡庸な．平々凡々な
8 矾（礬）fán 明礬(みょうばん)‖明～ 明礬｜绿～ 硫酸鉄．緑礬(りょくばん)
8 钒 fán 名〈化〉バナジウム（化学元素の一つ，元素記号はV）
10 * 烦 fán ❶形 いらいらする．くさくさする‖心里～得慌 気持ちがひどくいらいらする ❷形 煩わしい．面倒である‖这些话已经听～了 そんなことはもう聞き飽きた ❸煩わす．いらいらさせる‖→～人 ❹動 面倒をかける．手数をかける‖～交李明 お手数をかけますが，李明さんに渡してください ❺繁雑である‖→～琐
【烦劳】fánláo 動 敬 面倒をかける．手数をかける‖～您跑一趟 ご足労をおかけします
【烦乱】fánluàn 形 ❶いらいらして心が乱れている ❷複雑である
*【烦闷】fánmèn 形 いらいらする．くさくさする‖问题没解决，心里～ 問題が解決せず，気がくさくさする
【烦难】fánnán ＝〔繁难fánnán〕
*【烦恼】fánnǎo 形 思い煩うさま．悩んでいる．気に病んでいる‖何必为这些小事～呢？ こんなささいなことで悩むことないじゃないか
【烦请】fánqǐng 動 敬 面倒をかける．手数をかける‖～光临 ご足労ですが，おいでをお待ちしております
【烦扰】fánrǎo 動 煩わす．じゃまをする．迷惑をかける‖不好意思去～她 彼女に面倒をかけるのは気がひける 形（じゃまなどされて）いらだつ．気がいらいらする
【烦人】fánrén 形 うるさい．煩わしい．いらいらする‖老闹，真～ 騒いでばかりいて，ほんとうに煩しい
【烦冗】fánrǒng 形 ❶繁雑である‖事务～ 事務が繁雑だ ❷（文章が）冗長である．くどい‖文章写得太～ 文章があまりに冗長である ＊〔繁冗〕とも書く
【烦琐】fánsuǒ 形 繁雑である．くどくどしい．煩わしい．〔繁琐〕とも書く‖～的手续 煩瑣(はんさ)な手続き
【烦琐哲学】fánsuǒ zhéxué 名 ❶〈哲〉煩瑣哲

学. スコラ哲学 ❷表面的なことをだらだらと並べ立てた, 無味乾燥で要領を得ない文章または考え方
【烦心】fánxīn 形 煩わしい. 悩しい 動 方 心配する. 気を使う
【烦忧】fányōu 形 憂鬱(ゆう)である. くさくさする. いらいらする 名 憂鬱(ゆう). 愁い
【烦杂】fánzá =〔繁杂fánzá〕
*【烦躁】fánzào 形 いらだたしい. いらいらする ‖ ～不安 いらいらしてじっとしていられない
15 **蕃** fán 書 ❶(草木が)生い茂る. 盛んである ❷繁殖する ➤ fān
15 **樊** fán 書 垣. 垣根
【樊篱】fánlí 名 書 まがき. 垣根 喩 障壁. 障害. 枠 ‖ 冲破封建思想的～ 封建思想の古い枠を破る
【樊笼】fánlóng 名 書 鳥かご 喩 不自由な境遇
16 **燔** fán 書 ❶燃やす ❷あぶる
17 * **繁** (△緐) fán ❶多い ‖ 频～ 頻繁である ❷盛んである. 繁栄している ‖ →～荣 ❸繁殖する. 増える ‖ →～殖 ❹形 複雑である. 込み入っている ↔〔简〕‖ →～体字 ➤ pó
【繁本】fánběn 名 ❶多数ある版本の中で内容・字数ともに最も充実している版本 ❷もとになる版本. 原本
*【繁多】fánduō 形 (種類が)極めて多い. おびただしい ‖ 品种～ 種類が非常に多い
【繁复】fánfù 形 繁雑である
【繁花】fánhuā 名 とりどりの花々
*【繁华】fánhuá 形 繁華である. 盛んで賑やかである ‖ ～的城市 繁華な都市
【繁丽】fánlì 形 (言葉が)豊富で華美である
【繁乱】fánluàn 形 繁雑である
*【繁忙】fánmáng 形 繁忙である. とても忙しい ‖ 公务～ 公務がとても忙しい
【繁茂】fánmào 形 繁茂している. 生い茂っている
【繁密】fánmì 形 びっしり詰まっている ‖ ～的枪qiāng声 絶え間ない銃声 | 人口～ 人口密度が高い
【繁难】fánnán 形 繁雑である. ややこしくて難しい. ややこしい. 〔烦难〕とも書く
⁑【繁荣】fánróng 形 **繁栄している. 栄えている** ‖ 市场～ 市場が栄えている 動 繁栄させる. 繁盛させる ‖ ～经济 経済を繁栄させる
【繁荣昌盛】fán róng chāng shèng 成 繁栄する. 富み栄える
【繁冗】fánrǒng =〔烦冗fánrǒng〕
【繁缛】fánrù 形 多くてこまごましている. 繁雑である
【繁盛】fánshèng 形 繁栄している. 栄えている
【繁琐】fánsuǒ =〔烦琐fánsuǒ〕
【繁体】fántǐ =〔繁体字fántǐzì〕
*【繁体字】fántǐzì 名〈語〉繁体字. 旧字体.
【繁文缛节】fán wén rù jié 成 繁文縟礼(はんぶんじょくれい). 規則や礼儀作法などが, こまごまとしていて煩瑣(はんさ)なこと. 〔繁文缛礼〕ともいう
【繁星】fánxīng 名 たくさんの星. 無数の星
【繁衍】fányǎn 動 増やす. 〔蕃衍〕とも書く
【繁育】fányù 動 繁殖し育てる
【繁杂】fánzá 形 繁雑である. 雑多である. 〔烦杂〕とも書く
*【繁殖】fánzhí 動 繁殖する. 繁殖させる ‖ 人工～熊猫 パンダを人工的に繁殖させる
*【繁重】fánzhòng 形 (仕事や任務が)量的に多くかつ荷が重い. 骨が折れる ‖ 任务～ 仕事の負担が大きい
19 **蹯** fán 書 獣の足 ‖ 熊～ クマの手のひら
20 **蘩** fán 書〈植〉シロヨモギ

fǎn

4 * **反** fǎn ❶動 向きを変える. 逆にする ‖ ～守为攻 守勢を攻勢に転ずる ❷形 さかさまの. 反対の ↔〔正〕‖ ～方向 逆方向 | 毛衣穿～了 セーターを後ろ前に着てしまった ❸副 反対に. かえって. 逆に ‖ 好心劝她, ～受埋怨mányuàn 好意で忠告したのに逆に彼女から恨まれた ❹(質問や攻撃を)返す ‖ →～攻 ❺動 反逆する. たてつく. 反抗する ‖ 造～ 反逆する. 謀反を起こす ❻反革命分子. 反動派 ‖ 镇～ 反革命を鎮圧する ❼反する. 背く ‖ 一～常态 がらりと態度を変える ❽〈語〉反切(はんせつ) ‖ →～切
【反霸】fǎnbà 動 ❶覇権主義に反対する ❷(土地改革運動で)悪徳地主の罪悪を暴き懲罰する
【反绑】fǎnbǎng 動 後ろ手に縛る
【反比】fǎnbǐ 名 ❶略〈数〉反比 ❷喩 反比例
【反比例】fǎnbǐlì 名〈数〉反比例
*【反驳】fǎnbó 動 反駁(はんばく)する. やり返す ‖ 我～了他的论点 私は彼の論点に反駁した
【反哺】fǎnbǔ 動 親の恩に報いる. 反哺(はんぽ)
【反差】fǎnchā 名 (写真などの)コントラスト
*【反常】fǎncháng 形 異常である. おかしい ‖ 这些天他有些情绪qíngxu～ このごろ彼は少しおかしい
【反超】fǎnchāo 動〈体〉逆転する ‖ 在最后的1分钟里把比分～过来 残り1分で逆転した
【反炒】fǎnchǎo 動 辞職する. 自ら退職する ‖ 我～了他 あいつに辞表をたたきつけてやった
【反衬】fǎnchèn 動 (正反対のものによって)際立たせる. 引き立てる ‖ ～手法 対比法
【反冲力】fǎnchōnglì 名〈物〉反動力
【反刍】fǎnchú 動 反芻(はんすう)する 名 反芻
【反串】fǎnchuàn 動〈劇〉役者が臨時に本役以外の役を演じる. 代役をする
【反唇相讥】fǎn chún xiāng jī 成 他人の批判に不服で, 逆に相手をとがめる. 古くは〔反唇相稽〕と書いた
*【反倒】fǎndào 副 かえって. 逆に. 反対に ‖ 说好我请客, ～让你掏钱tāoqián, 真不好意思 私が誘ったのに, かえってご馳走になり, ほんとうに決まりが悪い
【反调】fǎndiào (～儿) 名 反対の論調
⁑【反动】fǎndòng 形 **反動的である** ‖ 思想～ 思想が反動的である | ～分子 反動分子 | ～统治 反動的な支配 名 反作用. 反発. 反動
【反动派】fǎndòngpài 名 反動派
★【反对】fǎnduì 動 **反対する** ‖ 坚决～ 断固として反対する | 遭到～ 反対にあった
【反厄尔尼诺现象】fǎn'è'ěrnínuò xiànxiàng 名〈気〉ラニーニャ現象. 〔拉尼娜现象〕ともいう
*【反而】fǎn'ér 副 かえって. 逆に. 反対に ‖ 不但没赚zhuàn, ～赔péi了 儲けるどころか損をしてしまった
【反方】fǎnfāng 名 反対意見を持つ側 ↔〔正方〕
【反讽】fǎnfěng 動 皮肉を言う. 当てこすりを言う
【反腐倡廉】fǎn fǔ chàng lián 成 腐敗に反対し, 廉潔な政治を提唱する

*[反复] fǎnfù 副 繰り返し. 反復して ‖ ～说明 繰り返し説明する | 进行～推敲tuīqiāo 繰り返し推敲(すいこう)する 動 ❶気を変える ‖ 说话算话, 决不～ 言ったことはきちんと守り, 決して変心しない ❷再発する. 繰り返す 名 再発. 反復 ‖ 病情有～ 病気が再発した
[反复无常] fǎn fù wú cháng 成 変転きわまりない. よく変わる. 〔反复不常〕ともいう
*[反感] fǎngǎn 形 反感を持っている ‖ 我对他很～ 私は彼にとても反感を持っている 名 反感 ‖ 他的做法引起大家的～ 彼のやり方はみんなの反感を買った
[反戈一击] fǎn gē yī jī 成 矛を返して攻撃する. 矛先を味方に向ける
*[反革命] fǎngémìng 形 反革命的である ‖ ～言行 反革命的言動 名 反革命分子
*[反攻] fǎngōng 動 反撃する ‖ 伺机sìjī～ 時機を見て反撃する | 展开大规模的～ 大規模な反撃を行う
[反躬自问] fǎn gōng zì wèn 成 反省し自問する. わが身を振り返り反省する. 〔抚fǔ躬自问〕ともいう
[反顾] fǎngù 動 ❶振り向く ❷気が変わる. ためらう ‖ 义无～ 正義のためには後へ引けない
[反观] fǎnguān 動 翻って考える. 見方を逆にする
[反光] fǎn∥guāng 動 光が反射する 名(fǎnguāng)反射光
[反光灯] fǎnguāngdēng 名 反射鏡を用いたライト. サーチライト. スポットライト
[反光镜] fǎnguāngjìng 名 反射鏡
[反过来] fǎn∥guo(guò)∥lai(lái) 動 逆にする. 反対にする ‖ ～一想又觉得不对 翻って考えてみると間違っているようにも思える
[反话] fǎnhuà 名 反語. 皮肉. アイロニー
[反悔] fǎnhuǐ 動 後悔して前言を翻す
*[反击] fǎnjī 動 反撃する. 逆襲する ‖ ～敌人 敵に反撃する
[反季] fǎnjì =〔反季节 fǎnjìjié〕
[反季节] fǎnjìjié 形 季節はずれの. 〔反季〕ともいう ‖ ～蔬菜 季節はずれの野菜
[反剪] fǎnjiǎn 動 ❶手を後ろに組む. 後ろ手に組む ‖ ～双手 手を後ろに組む ❷両手を後ろ手に縛る
[反间] fǎnjiàn 動 旧 ❶敵のスパイを逆に利用する ❷計略を用いて敵を分裂させる
[反诘] fǎnjié 動 反問する
*[反抗] fǎnkàng 動 反抗する. 抵抗する. 逆らう ‖ ～期 反抗期 | ～暴政 暴政に抵抗する
[反客为主] fǎn kè wéi zhǔ 成 主客転倒する
[反恐] fǎnkǒng 動 テロリズムに反対する ‖ ～政策 反テロリズム政策
[反口] fǎnkǒu 動 前言を翻す
*[反馈] fǎnkuì 動 ❶〈電〉フィード・バックする ❷〈医〉フィード・バックする ❸(情報などが)戻って来る. フィード・バックする
*[反面] fǎnmiàn 名 ❶(～儿)裏面. 裏側 ‖ 信纸的～也写满了字 便箋(びんせん)の裏側までびっしりと字が書かれている ❷(問題などの)反対の面. 反面 ‖ 不仅要看问题的正面, 还要看问题的～ 問題を表面からだけでなく裏の面からも見なければならない 形 悪い見本である. 反面の ‖ ～教员 反面教師 | ～角色 敵役. 悪役 *↔〔正面〕
[反面人物] fǎnmiàn rénwù 名(文学作品の中の)否定的な人物. 悪玉 ↔〔正面人物〕
[反目] fǎnmù 動 反目する. 仲たがいする. (多く夫婦間に用いる) ‖ 夫妻～ 夫婦が反目する
[反扒] fǎnpá 名 すりを取り締まる. すりを防止する
[反派] fǎnpài 名(映画などで)悪役. 敵役. 悪玉
[反叛] fǎnpàn 動 謀反を起こす. 反逆する. 裏切る
[反叛] fǎnpan 名 口 謀反人. 裏切り者
[反扑] fǎnpū 動 逆襲する. 反撃する
[反其道而行之] fǎn qí dào ér xíng zhī 成 相手と反対の方法でことを行う
[反气旋] fǎnqìxuán 名〈気〉高気圧 ‖ 移动性～ 移動性高気圧
[反潜] fǎnqián 動〈軍〉敵側の潜水艦に対して, 捜索・攻撃・封鎖などを行う
[反切] fǎnqiè 名〈語〉反切(はんせつ)
[反倾销] fǎnqīngxiāo 動 アンチダンピング措置をとる. 反ダンピング課税をする ‖ ～税 ダンピング防止税
[反求诸己] fǎn qiú zhū jǐ 成 反省する
*[反射] fǎnshè 動 ❶〈物〉反射する ❷〈生理〉反射する ‖ 条件～ 条件反射
[反身] fǎn∥shēn 動 体の向きを変える ‖ 说完, ～就走了 話し終えると身を翻して出ていった
[反手] fǎn∥shǒu 動 ❶手を後ろに回す. 後ろ手に…する ❷手のひらを返す. 容易にできるたとえ ‖ ～可得 たやすく得られる
*[反思] fǎnsī 動(過去の事象を)考え直す ‖ 对历史进行～ 歴史に対し再認識を行う
[反诉] fǎnsù 名〈法〉反訴. ↔〔本诉〕
[反锁] fǎnsuǒ 動 外側から鍵をかけて閉じ込める. 内側から鍵をかけて閉め出す ‖ 门～着进不去 中から鍵がかかっていて入れない
[反贪] fǎntān 動 汚職や収賄を取り締まる
[反弹] fǎntán 動〈経〉反発する
[反胃] fǎnwèi 動〈中医〉胃がもたれる. 吐き気を催す. 〔翻胃〕ともいう
*[反问] fǎnwèn 動 反問する. 聞き返す
[反诬] fǎnwū 動 相手の告発を認めず, 逆に誣告(ぶこく)する
[反响] fǎnxiǎng 名 反響 ‖ 这篇报道引起了强烈的～ この報道は強烈な反響を巻き起こした
[反向] fǎnxiàng 動 反対の方向に向かう. 逆向する
[反省] fǎnxǐng 動 反省する
[反咬] fǎnyǎo 動 逆に人に罪をなすりつける. 逆に人のせいにする. (被告人が原告や証人などに対し)誣告する
[反义词] fǎnyìcí 名〈語〉反義語. 反意語
*[反应] fǎnyìng 動 反応する ‖ 事情来得突然, 他一下子没～过来 あまりの突然のことに彼はすぐにはなんのことか分からなかった 名 反応. 反響 ‖ ～迟钝 反応が鈍い | 迅速xùnsù作出～ 素早く対応する
[反应堆] fǎnyìngduī 名 略〈物〉原子炉 〔核反应堆〕の略
*[反映] fǎnyìng 動 ❶反映する ‖ 这部作品～了当代年轻人的追求 この作品は現代の若者の理想を反映している ❷伝達する. 報告する ‖ 这些意见已经向上级～过了 これらの意見はすでに上司に報告しておいた
[反映论] fǎnyìnglùn 名〈哲〉反映説
[反语] fǎnyǔ 名〈語〉反語
[反照] fǎnzhào 動 照り返す. 映える. 〔返照〕とも書く
[反正] fǎnzhèng 動 ❶正常に復する ❷(敵軍が)投降する
*[反正] fǎnzheng ; fǎnzhèng 副 どうせ. いずれにせよ. どのみち. (多く〔无论〕〔不管〕〔任凭〕などと呼

応する)‖走着去吧，～不远 歩いて行こうよ，どのみち遠くないから｜不管你爱听不爱听，～我要说 君が聞こうが聞くまいが，私は言わなければならない
【反证】fǎnzhèng 動 反証する 图 反証
【反证法】fǎnzhèngfǎ 图〈数〉背理法．〔归谬法〕ともいう
*【反之】fǎnzhī 接（前の文を受けて）これとは逆に．それと反対に‖勤qín学苦练才能学好外语，～，必然学无所成 努力して学べば外国語はきっとマスターできるが，逆に，努力をしなければなんの成果も得られない
【反转片】fǎnzhuǎnpiàn 图 リバーサルフィルム．スライドフィルム
【反作用】fǎnzuòyòng 動 反作用する 图 反作用．逆効果‖这样打孩子，只能起～ そうやって子供をたたいても逆効果になるだけだ

7 **返** fǎn 帰る．戻る‖往～票 往復切符｜流连忘～ 名残惜しくて帰るのを忘れる
【返场】fǎn//chǎng 動 アンコールにこたえる
【返潮】fǎn//cháo 動 しける．湿る
【返程】fǎnchéng 動 帰る．戻る 图 帰り道．帰途
【返岗】fǎn//gǎng 動（自宅待機していた職員が）もとの職場に復帰する
【返工】fǎn//gōng 動 手直しをする．やり直す‖这批活儿得děi～ これらの製品は手直ししなければならない
【返归】fǎnguī 動 回帰する．戻る．帰る
【返航】fǎn//háng 動（航空機や船舶が）帰航する
【返还】fǎnhuán 動 返す．戻す．返還する
*【返回】fǎnhuí 動 帰る．戻る‖～北京 北京に戻る
【返老还童】fǎn lǎo huán tóng 成 老いてますます盛んである．若返る
【返贫】fǎnpín 動 もとの貧しい生活に逆戻りする‖因病～ 病気がもとで，貧しい生活に逆戻りする
【返聘】fǎnpìn 動 定年退職者を職場に復帰させる
【返璞归真】fǎn pú guī zhēn 成 本来の姿に返る．〔归真返璞〕ともいう
【返迁】fǎnqiān 動 一時立ち退き者がもとの場所に戻る
【返乡】fǎnxiāng 動 帰郷する．故郷に戻る
【返销】fǎnxiāo 動 ❶国が農村から購入した穀物を再び農村に売る ❷輸入した原料や機械部品を製品に加工して，再び輸入先へ輸出する
【返修】fǎnxiū 動 修理をやり直させる．修理させる
【返照】fǎnzhào ＝〔反照fǎnzhào〕
【返祖现象】fǎnzǔ xiànxiàng 图〈生〉先祖返り．帰先遺伝．隔世遺伝

fàn

5 *** **犯** fàn ❶動 害する．損ねる‖人不～我，我不～人 人が私を侵害してこないかぎり，私は人を侵害しない ❷動 抵触する．侵犯する‖一～上作乱｜冒～（相手に）失礼なことをする ❸動 違反する．守らない‖一～法 ❹動 過ちを犯す‖～了主观主义 主観主義の過ちを犯した｜～了一个大错误 大きな過ちを犯した ❺犯罪者．犯人‖罪～ 犯人｜主～ 主犯 ❻動（病気や疑いなどが）生じる．起こる‖心脏病～了 心臓病の発作が起きた
【犯案】fàn//àn 動 犯罪が発覚する
【犯病】fàn//bìng 動 病気が再発する
【犯不上】fànbushàng 動 …には値しない．…までもない．…には及ばない‖～冒这个险 こんな危険を冒すまでのことはない
【犯不着】fànbuzháo 動 …には値しない．…までもない．…には及ばない‖为这么点儿小事，～生那么大气 こんな小さなことで，そんなに怒るほどのことはないよ
【犯愁】fàn//chóu 動 困る．気をもむ．憂鬱(ゆううつ)になる‖为资金的事～ 資金のことで悩む
【犯憷】fàn//chù 動 方 おじけづく．ひるむ．畏縮する
*【犯得上】fàndeshàng 動 …に値する．…する必要がある．‖为这么点儿小事情～再去麻烦他吗？ こんな小さなことでまた彼に面倒をかける必要があるのか
【犯得着】fàndezháo 動 …に値する．…する必要がある．‖～这么卖命吗？ こんなに頑張ってやるだけの値打ちがあるのか
【犯嘀咕】fàn dígu 組 あれこれためらう．躊躇(ちゅうちょ)する‖别～了，你到底去还是不去？ いつまで迷っているんだ，いったい君は行くのか行かないのか
【犯堵】fàndǔ 動 気が滅入る‖你没必要为这事～ こんなことぐらいで落ち込むな
*【犯法】fàn//fǎ 動 法を犯す．法に違反する‖～的事可不能干 法に違反するようなことはできない
【犯规】fàn//guī 動 ❶規則に違反する ❷〈体〉反則する
【犯讳】fàn//huì 動 ❶旧 諱(いみな)を犯す ❷忌諱(きき)に触れる．タブーに触れる
【犯浑】fànhún 動 見境をなくす．熱くなる．かっとなる
【犯急】fànjí 動 焦る．いらいらする．やきもきする
【犯忌】fàn//jì 動 タブーを犯す．忌諱に触れる
【犯贱】fàn//jiàn 動 行動に慎みを欠き，自ら恥をかく
【犯戒】fàn//jiè 動 戒律を犯す
【犯禁】fàn//jìn 動 禁制を犯す．禁を犯す
【犯境】fàn//jìng 動 書 国境を侵す．侵犯する
【犯困】fàn//kùn 動 うとうとする．眠くなる
【犯难】fàn//nán 動 困る‖别叫他～ 彼を困らすな｜这下子可犯了难了 こんどばかりは弱ってしまった
*【犯人】fànrén 图 犯人．犯罪者
【犯傻】fàn//shǎ 動 方 ❶ばかげたことをする‖你怎么又～，替那种人操心 なんてばかなんだ，あんなやつのことで気をもむなんて ❷ぼんやりする‖站着犯什么傻呀 何をぼんやり突っ立っているんだい ❸とぼける．わざと知らないふりをする‖别跟我～ とぼけるなよ
【犯上作乱】fàn shàng zuò luàn 成 上に逆らい騒ぎを起こす
【犯事】fàn//shì 動 犯罪を犯す
【犯疑】fàn//yí 動 疑いの心が生じる．疑いを抱く．〔犯疑心〕ともいう‖他的话让人～ 彼の話はうさん臭い
*【犯罪】fàn//zuì 動 罪を犯す‖那个人犯了什么罪？ あの人はなんの罪を犯したのですか
【犯罪嫌疑人】fànzuì xiányírén 图 容疑者
【犯罪学】fànzuìxué 图 犯罪学

7 * **泛**（△汎❶❷❺ 氾❶❷❹❺）fàn ❶書 浮かぶ．浮かべる‖轻舟浮～ 小舟が水に浮かんでいる ❷形 ありきたりである．皮相的である‖这篇文章内容太～ この文章は内容がない ❸動 表面に現れる．浮かび出る‖水面～起波纹 水面に波が立つ｜脸上～红 顔に赤みが差す ❹氾濫(はんらん)する‖一～滥 ❺広い．広範である‖一～读｜宽～ 広範に及んでいる
【泛称】fànchēng 動 書 総称する
【泛读】fàndú 動 広範囲に読む

F

【泛泛】fànfàn 图 うわべだけの. 皮相的な. 浅薄な ‖ ～之交 うわべだけの付き合い
*【泛滥】fànlàn 動 氾濫する. はびこる ‖ 防止河川～ 河川の氾濫を防ぐ | 拜金主义思潮～ 拝金主義の風潮がはびこる
【泛论】fànlùn 動 広く論述する
【泛神论】fànshénlùn 图〈哲〉汎神(はんしん)論
【泛酸】fàn//suān 動 方 胃酸過多になる
【泛音】fànyīn 图〈音〉倍音.〔陪音〕ともいう
【泛指】fànzhǐ 動 一般的にさす. 広くさす
【泛舟】fànzhōu 動 書 舟を浮かべる. 舟遊びをする ‖ ～湖上 湖で舟遊びをする

7 ★**饭** fàn ❶图 御飯. 特に, 米の飯 ‖ 熬áo稀～ お粥(かゆ)をつくる | 大米～ 米の飯 ❷食事をする ‖ ～前 食前 | ～后 食後 ❸图 食事 ‖ 早～ 朝食 | 一天三顿～ 1日3回の食事

逆引き単語帳 〔米饭〕mǐfàn 米飯. 御飯 〔早饭〕zǎofàn 朝御飯. 朝食 〔午饭〕wǔfàn 昼御飯. 昼食 〔晚饭〕wǎnfàn 晩御飯. 夕飯 〔炒饭〕chǎofàn チャーハン 〔稀饭〕xīfàn お粥 〔咖哩饭〕gālífàn カレーライス 〔盒饭〕héfàn 弁当 〔份ル饭〕fènrfàn 定食 〔剩饭〕shèngfàn 残り御飯 〔家常便饭〕jiācháng biànfàn ふだんの食事. ありあわせの食事 〔年饭〕niánfàn 大みそかに一家で囲む食事. 年越しの食事 〔团圆饭〕tuányuánfàn (春節や中秋節の)一家団欒(だんらん)の食事 〔大锅饭〕dàguōfàn (食堂などの)大きな鍋で一度に作った食事. 一律悪平等のたとえ 〔做饭〕zuò fàn 御飯を作る. 食事を作る 〔开饭〕kāifàn 食事を始める 〔盛饭〕chéngfàn 御飯をよそう 〔讨饭〕tǎofàn 〔要饭〕yàofàn 乞食(こじき)をする 〔蹭饭〕cèng fàn ただ飯を食う

【饭菜】fàncài 图 ❶飯とおかず ‖ ～做得非常可口 料理はとてもおいしくできている ❷(御飯の)おかず. 総菜
★【饭店】fàndiàn (～ル) 图 ❶ホテル ❷方 料理屋. 食堂. レストラン

類義語 饭店 fàndiàn 宾馆 bīnguǎn 酒店 jiǔdiàn 旅馆 lǚguǎn 招待所 zhāodàisuǒ
◆〔饭店〕〔宾馆〕〔酒店〕ともにホテルをさす. 普通のホテルから高級ホテルまで, この三つの語のどれもが使われる. 〔酒店〕は新しくできたホテル名に使われることが多い ◆〔旅馆〕庶民的で, 安く泊まれる宿泊施設. ホテルの高級なイメージはない ‖ 不住饭店, 有个旅馆就足够了 別にいい, 泊まるところがあれば十分だ ◆〔招待所〕(大学・企業・団体などの)宿泊所. 一般に中国人向けで, 身分証明書を必要とする. 最近では非営利的な施設から営利のものへと大きく変化している ◆〔饭店〕はレストランをさすこともある ‖ 去饭店吃吧 外で食べましょう

*【饭馆】fànguǎn (～ル) 图 料理屋. 飲食店. 食堂. レストラン.〔饭馆子〕ともいう ‖ 上～ル レストランへ行く | 吃～ レストランで食事をする
【饭盒】fànhé (～ル) 图 弁当箱
【饭局】fànjú 图 飲食の招待. 会食. 宴会 ‖ 他天天有～ 彼は毎日付き合いの宴会がある
【饭来张口, 衣来伸手】fàn lái zhāngkǒu, yī lái shēnshǒu 諺 飯が来れば口を開き, 着物が来れば手を伸ばす. 怠惰(たいだ)で自分からは何もしようとしないたとえ
【饭粒】fànlì (～ル) 图 飯粒
【饭量】fànliang ; fànliàng 图 食事の量. 1回の食事の量 ‖ 他的～大 彼は大食漢だ
【饭囊】fànnáng 图 ❶飯を入れておく布袋 ❷転 ごくつぶし. 役立たず. 能なし
【饭票】fànpiào (～ル) 图 食糧配給制度における主食用の食券.〔菜票〕(副菜用の食券)を含めることもある
【饭铺】fànpù (～ル) 图 (規模の小さい)食堂. 飯屋
【饭勺】fànsháo 图 しゃもじ
【饭食】fànshi (～ル) 图 飯とおかず. (多くその質の善し悪しについて用いる)
【饭堂】fàntáng 图 方 (学校などの)食堂
【饭厅】fàntīng 图 (広めの)食堂. レストラン
【饭桶】fàntǒng 图 ❶飯びつ ❷喩 大飯食らい. ごくつぶし
*【饭碗】fànwǎn 图 ❶飯茶碗 ❷喩 生活の手段. 飯の種 ‖ 丢了～ 失業した | 找～ 仕事を探す
【饭辙】fànzhé 图 方 生活の手段. 飯の種. 働き口
【饭庄】fànzhuāng 图 (規模の大きな)料理屋
【饭桌】fànzhuō (～ル) 图 食堂のテーブル. 食卓

8 **范**¹ fàn 图 姓

8 **范**² (範) fàn ❶图 書 型. 鋳型 ‖ 铁～ 鉄の鋳型 ❷手本. 模範 ‖ 模～ 模範 | 示～ 手本を示す ❸書 範囲. 限界 ‖ 就～ 言うとおりになる ❹書 制限する ‖ 防～ 防備する
【范本】fànběn 图 (書画の)手本 ‖ 习字～ 習字の手本 | 临摹línmó～ 手本を臨模する
*【范畴】fànchóu 图〈哲〉❶範疇(はんちゅう). カテゴリー ❷タイプ. 類型
【范例】fànlì 图 手本. 模範となる事例
【范式】fànshì 图 モデル. パターン. パラダイム ‖ 现代化～ 近代化のモデル
**【范围】fànwéi 图 範囲 ‖ ～很广 範囲が広い | 扩大～ 範囲を広げる | 势力～ 勢力範囲. 縄張り | 考试～ 試験の範囲 動 書 制限する. 概括する
【范文】fànwén 图 (学校などで)模範として用いられる文章. 模範文

8 **贩** fàn ❶商人. 商売人 ‖ 摊～ 露店商人 | 小～ 行商人 ❷動 仕入れる
【贩毒】fàndú 動 (毒薬や麻薬などの)毒物を売る
【贩黄】fànhuáng 動 ポルノ商品を売る ‖ 取缔qǔdì～ ポルノ商品販売を取り締まる
*【贩卖】fànmài 動 ❶販売する. 売りさばく. 商う ‖ ～钢材 鋼材を商う ❷喩 貶 (誤った考えなどを)宣伝する ‖ ～殖民主义货色 植民地主義思想を宣伝する
【贩私】fànsī 動 密輸品や禁製品を販売する
【贩运】fànyùn 動 (商人が)品物を仕入れてよそへ運び売る ‖ 长途～ 仕入れた商品を遠方に運ぶ
【贩子】fànzi 图 商人 ‖ 牲口～ 博労(ばくろう) | 人～ 人身売買をする人

9 **畈** fàn 方 ❶图 広々と続く畑(多く地名に用いる) ‖ ～田 畑 | 周党～ 河南省にある地名 ❷量 広々と続く田畑を数える ‖ 一～田 広大な田畑

11 **梵** fàn ❶古代インドに関係のあるもの ‖ ～文 ❷仏教に関するもの ‖ ～钟 寺の鐘
【梵蒂冈】Fàndìgāng 图〈国名〉バチカン市国
【梵文】fànwén 图〈語〉サンスクリット. 梵語(ぼんご)

fāng

4 ** 方 fāng ❶名〈数〉四角. 立方体‖长～ 長四角 ❷場所. 地方‖远～ 遠方 ❸方向. 方‖前～ 前方 ❹方面. 側‖我～ 我が方｜校～ 学校側 ❺書 法. 規範 ❻方法. てだて. やり方‖想～设法 あの手この手と工夫する ❼正しい. 正直である‖端duān～ 品行方正 ❽方術‖一～术 ❾名 (～儿)薬の処方. 処方箋(しょほうせん)‖开～ 処方箋を書く ❿名〈数〉累乗. 冪(べき)‖三的三次～是二十七 3の3乗は27 ⓫量 ①(四角いものを数える)枚. 個‖两～图章 2個の印章 ②平方. 立方. 多く平方メートル・立方メートルをさす‖占地面积二十～ 敷地面積は20平方メートル ⓬副 ①書 ちょうど. まさに. あたかも‖来日～长 これから先がまさに長い ②書 やっと. ようやく. 初めて‖如梦～醒 いま夢から覚めたばかりのようだ｜年～三十 ようよう30歳だ.

**【方案】fāng'àn 名 ❶計画. 企画. 構想‖施工～ 工事計画 ❷草案. 案. 方案‖汉语拼音～ 中国語ピンイン方案

★【方便】fāngbiàn 形 ❶便利である‖交通～ 交通が便利である ❷適している. 都合がよい‖这里说话不～ ここで話すのは都合が悪い ❸金銭の余裕がある‖手头ル不～ 手元不如意である 動 ❶便利にする. 便宜をはかる‖为了～顾客, 本店自即日起延长营业时间 お客様の便宜をはかり, 当店では本日より営業時間を延長します ❷用便をする‖我去～一下 ちょっとトイレに行ってきます 名 便利. 便宜. 都合‖提供～ 便宜を提供する｜行个～ 便宜をはかる

【方便面】fāngbiànmiàn 名 インスタント・ラーメン. 即席麵(そくせきめん)

【方便食品】fāngbiàn shípǐn 名 インスタント食品

【方步】fāngbù 名 ゆっくりした歩き方. 優雅でゆったりした歩き方‖迈着～走过来 ゆっくりおうように歩いてくる

【方才】fāngcái 副 やっと. ようやく‖等到天黑～回来 暗くなってやっと帰ってきた 名 いましがた. 先ほど‖～下了一场暴雨 先ほど大雨が降った

【方材】fāngcái 名 角材. 〔方子〕ともいう

【方程】fāngchéng 名〈数〉方程式. 〔方程式〕ともいう‖解～ 方程式を解く

【方程式】fāngchéngshì =〔方程fāngchéng〕

【方程式赛车】fāngchéngshì sàichē 名 フォーミュラーカー‖一级～ F1. フォーミュラカー

【方尺】fāngchǐ 名 1尺平方 量 平方尺

【方寸】fāngcùn 量 平方寸 名 ❶ 1寸平方 ❷書 内心. 心の中‖乱了～ 心が乱れる

★【方法】fāngfǎ 名 方法. やり方. 仕方. 手段‖学习～ 学習法｜使用～ 使用法｜考虑问题的～ ものの考え方｜～不当 方法が適当でない

【方法论】fāngfǎlùn 名〈哲〉方法論

【方方面面】fāngfāngmiànmiàn 名 それぞれの方面. さまざまな角度

【方根】fānggēn 名〈数〉ルート. 平方根

【方剂】fāngjì 名〈中医〉処方

【方今】fāngjīn 名 書 いま. 現在

【方块】fāngkuài (～儿) 名 ❶四角いもの‖～糖 四角いあめ ❷トランプのダイヤ

【方块字】fāngkuàizì 名 漢字

【方括号】fāngkuòhào 名〈語〉角形括弧. ブラケット. 〔 〕〔 〕

【方里】fānglǐ 量 平方里 名 1里平方

【方略】fānglüè 名 書 方略. 策略. 方策

★【方面】fāngmiàn 名 方面‖日本～ 日本側｜从多～考虑 いろいろな面から考える｜学习～哥哥比弟弟强 勉強のほうでは兄が弟よりできる

【方面军】fāngmiànjūn 名〈軍〉方面軍

【方枘圆凿】fāng ruì yuán záo 成 四角いほぞに丸いほぞ穴. 物事のかみ合わないたとえ. 〔圆凿方枘〕ともいう

【方始】fāngshǐ 副 やっと. ようやく

【方士】fāngshì 名 方士. 方術使い

**【方式】fāngshì 名 方式. やり方. 形式‖生活～ 暮らし方. 生き方｜工作～ 仕事のやり方

【方术】fāngshù 名 方術. 医術・占星術・不老長生術などの総称

【方糖】fāngtáng 名 角砂糖

【方位】fāngwèi 名 ❶方位. 方角 ❷方向と位置

【方位词】fāngwèicí 名〈語〉方位詞

★【方向】fāngxiàng 名 ❶方向. 方角‖迷失～ 方向を見失う. 迷い子になる｜～错了 方角を間違えた｜相反的～ 反対の方向｜汽车朝机场～开去 車は飛行場へ向けて走っていった ❷めざす方向. 目標‖政治～ 政治の方向｜努力的～ 努力目標

【方向】fāngxiang 名 方 情勢. 事の成り行き

【方向舵】fāngxiàngduò 名 方向舵(ほうこうだ)

【方向盘】fāngxiàngpán 名 ハンドル. 舵(かじ)

【方兴未艾】fāng xīng wèi ài 成 いままさに盛んになったところで当分衰えそうにない

【方言】fāngyán 名〈語〉方言

【方音】fāngyīn 名〈語〉方言の発音. 方言音

【方圆】fāngyuán 名 ❶界隈(かいわい). あたり. 周囲‖～左近 界隈 ❷周辺 ❸四角形と円形

【方丈】fāngzhàng 量 平方丈 名 1丈平方

【方丈】fāngzhang 名〈宗〉方丈. 仏教寺院や道教廟(どうきょうびょう)の住職の部屋. または, 住職. 住持

**【方针】fāngzhēn 名 方針‖教育～ 教育方針｜～政策 方針と政策

【方正】fāngzhèng 形 ❶正方形である. 曲がったり歪んだりせずに整っている‖字写得方方正正 字が整っている ❷書 正直である‖贤良～ 才徳兼備で正直である

【方志】fāngzhì 名 地方誌. 〔地方志〕ともいう

【方舟】fāngzhōu 名 箱船‖诺亚～ ノアの箱船

【方子】[1] fāngzi 名 処方. 処方箋(しょほうせん)‖药～ 処方箋｜请大夫开个～ お医者さんに処方を書いてもらう

【方子】[2] fāngzi =〔方材fāngcái〕

【方字】fāngzì 名 児童用の識字カード

6 邡 fāng 地名用字‖什Shí～ 四川省にある地名

7 坊 fāng ❶坊. 街の区画の名に用いる‖白纸～ 北京市にある地名 ❷忠孝貞節の人物を顕彰する鳥居形の記念碑 ➤ fáng

7 芳 fāng ❶芳しい. 香りがよい‖一～香｜芬～ 芳しい ❷美しい. すばらしい‖～音 美しい音色 ❸徳があって名声がある. 立派である‖千古流～ 名声をいつの世までも伝える ❹書 敬 相手のもの, または相手に関連のあるものに対する敬称‖～札 お手紙

【芳草】fāngcǎo 名 芳しい草

【芳邻】fānglín 名 書 敬 お隣. ご近所様

【芳龄】fānglíng 名 敬 芳紀．妙齢
【芳名】fāngmíng 名 ❶敬 お名前．尊名．芳名．(女性に対して用いる) ❷書 よい評判．名声
【芳年】fāngnián 名 (女性の)青春時代
【芳容】fāngróng 名 若い女性の美しい顔立ち
【芳香】fāngxiāng 形 芳しい 名 芳香．香り
【芳心】fāngxīn 名 若い女性の心．乙女心
【芳馨】fāngxīn 名 芳香．香り
【芳泽】fāngzé 名 書 ❶古 女性が髪につける香油 ❷芳香

7 **妨** fāng ➤ fáng

8 **枋** fāng ❶古 古書に見える樹木の一種．車を作るのに用いた ❷角材

9 **钫**[1] fāng ❶古 青銅の酒器の一つで，口が角形で胴が太い ❷名 書 鍋に似た器

9 **钫**[2] fāng 名〈化〉フランシウム(化学元素の一つ，元素記号はFr)

fáng

6 ** **防** fáng ❶堤防‖堤～ 堤．堤防 ❷動 防ぐ．備える‖预～ 予防する｜～腐蚀fǔshí 腐食を防止する｜对这样的人不能不～ こういう人は警戒しないわけにいかない ❸守る．防備する‖→～守 ❹防衛に関する仕事や措置‖国～ 国防
【防暴】fángbào 動 暴動を防ぐ‖～警察 治安維持警察．機動隊
【防备】fángbèi 動 防備する．用心する．警戒する
【防病】fángbìng 動 病気を予防する
【防不胜防】fáng bù shèng fáng 成 (防ぐべき対象が多すぎて)防ぐに防ぎきれない
【防潮】fángcháo 動 ❶防湿する‖～剂jì 防湿剤 ❷高潮に備える‖～闸门zhámén 防潮水門
【防尘】fángchén 動 ほこりやちりを防ぐ‖～装置 防塵(ぼうじん)装置｜～罩zhào ダスト・カバー
【防除】fángchú 動 病虫害を防除する
【防弹】fángdàn 動 銃弾を防ぐ‖～玻璃 防弾ガラス｜～服 防弾服
【防盗】fángdào 動 盗難を防止する
【防盗门】fángdàomén 名 防犯扉．玄関扉の外側に更に設置される金属や木製の扉
【防地】fángdì 名 (軍隊の)防衛区域．守備地域．警備区域
【防冻】fángdòng 動 ❶凍結を防ぐ‖～剂 凍結防止剤 ❷凍害を防ぐ
【防毒】fángdú 動 毒を防ぐ
【防毒面具】fángdú miànjù 名 防毒マスク
【防范】fángfàn 動 防備する．警備する．防止する‖～破坏活动 破壊活動を防止する
【防风林】fángfēnglín 名 防風林
【防腐】fángfǔ 動 腐食を防ぐ‖～剂 防腐剤
【防寒服】fánghánfú 名 防寒服
【防洪】fánghóng 動 洪水を防ぐ．水害を防ぐ
*【防护】fánghù 動 保護する．防護する‖～罩zhào 防護マスク｜～装置 防護装置．安全装置
【防护林】fánghùlín 名 防護林
【防滑链】fánghuáliàn 名 タイヤチェーン
【防化兵】fánghuàbīng 名〈軍〉化学兵器や核兵器の防御に当たる専用兵器または兵士
【防患未然】fáng huàn wèi rán 成 事故や災害の起こる前に予防措置をとること
【防火】fánghuǒ 動 火を防ぐ．火災を防ぐ
【防火墙】fánghuǒqiáng 名 ❶防火壁 ❷〈計〉ファイアウォール
【防空】fángkōng 動 防空措置をとる．空襲に備える
【防空洞】fángkōngdòng 名 ❶防空壕(ぼうくう) ❷喩 良からぬ思想や人間を人の目から隠すためのもの
【防空壕】fángkōngháo 名 防空壕
【防老】fánglǎo 動 老後に備える‖～钱 老後の資金
【防区】fángqū 名 防備地区．防衛区域
【防沙林】fángshālín 名 防砂林
【防身】fángshēn 動 身を守る‖～术 護身術
*【防守】fángshǒu 動 ❶防ぐ．守る．防衛する‖～边境 国境を防衛する ❷〈体〉守る．守備をする
【防暑】fángshǔ 動 暑さを防ぐ
【防水】fángshuǐ 動 防水する
【防水表】fángshuǐbiǎo 名 防水時計
【防特】fángtè 動 スパイ活動を防ぐ
【防微杜渐】fáng wēi dù jiàn 成 災いを大きくならないうちに防ぐ ＝〔杜渐防萌méng〕
【防伪】fángwěi 動 偽造を防ぐ‖～技术 偽造防止技術
【防卫】fángwèi 動 防衛する
【防卫过当】fángwèi guòdàng 名〈法〉過剰防衛
【防务】fángwù 名 国防事務
*【防线】fángxiàn 名 防御線‖突破～ 防御線を突破する
【防锈】fángxiù 動 さびを防ぐ‖～油 さび止め油
*【防汛】fángxùn 動 (河川が増水したとき)洪水防止の措置をとる．増水に備える
*【防疫】fángyì 動 防疫する‖～站 防疫ステーション｜打～针 予防注射を打つ
【防雨布】fángyǔbù 名 防水布
*【防御】fángyù 動 防御する．防衛する‖～工事 防御設備｜～系统 防衛システム｜～战 防衛戦
【防灾】fángzāi 動 災害を防止する
【防震】fángzhèn 動 ❶震動を防ぐ‖～装置 アンチ・ショック ❷地震に備える‖～结构 耐震構造
**【防止】fángzhǐ 動 防止する．防ぐ‖～感冒 風邪を予防する｜～发生事故 事故の発生を防止する
*【防治】fángzhì 動 予防治療する‖～结核 結核を予防治療する｜～病虫害 病虫害を予防する

7 **坊** fáng 工房．作業場‖作～ 仕事場｜粉～ 製粉工場 ➤ fāng

7 **妨** fáng 妨げる．じゃまする‖不～一试 試してみるとよい｜说说也无～ 言ってもかまわない
*【妨碍】fáng'ài 動 妨げる．じゃまする．差し支える‖～别人的工作 人の仕事をじゃまする｜你去也没有什么～ 君が行ってもなんら差し支えない
【妨害】fánghài 動 害する．損ねる‖～健康 健康を損ねる｜～治安 治安を害する

8 **房** fáng ❶名 家．家屋．部屋‖→～子｜书～ 書斎 ❷形状が部屋に似ているもの‖蜂～ ハチの巣 ❸名 大家族制における大家族を構成する一世帯，一家族‖长～ 長男の世帯 ❹妻‖正～ 正妻 ❺量 妻や嫁などを数える‖两～媳妇 二人の嫁 ❻性行為‖→～事 ❼名 (二十八宿の一つ)そいぼし，房宿(ぼうしゅく)

逆引き単語帳 〔住房〕zhùfáng 住居 〔平房〕píngfáng 平屋 〔楼房〕lóufáng 2階建て以上の建物 〔公房〕gōngfáng 官舎．社宅 〔民房〕mínfáng 民家 〔厨房〕chúfáng 台所．キッチン 〔卧房〕wòfáng 寝室 〔客房〕kèfáng 客間 〔书房〕shūfáng 書斎 〔洞房〕dòngfáng 新婚夫婦の部屋 〔病房〕bìngfáng 病室 〔票房〕piàofáng 切符売り場 〔茅房〕máofáng 便所．かわや 〔药房〕yàofáng(病院の)薬局 〔商品房〕shāngpǐnfáng 分譲住宅 〔班房〕bānfáng 牢屋

【房本】fángběn (～儿) 名 不動産権利書
【房补】fángbǔ 名 住宅手当．〔房贴〕ともいう
【房舱】fángcāng 名 (乗船客用の)船室
【房产】fángchǎn 名 家屋と地所．不動産
【房产主】fángchǎnzhǔ 名 家主．大家
【房车】fángchē 名 キャンピングカー．トレーラーハウス
【房贷】fángdài 名 住宅ローン
【房地产】fángdìchǎn 名 土地・建物．不動産
*【房东】fángdōng 名 家主．大家 ↔〔房客〕
【房改】fánggǎi 動 住宅制度を改革する ‖ ～政策 住宅制度改革政策
【房基】fángjī 名 (建物の)基礎．地盤
【房价】fángjià 名 家屋の値段
★【房间】fángjiān 名 部屋 ‖ 单人～ シングル・ルーム
【房客】fángkè 名 店子(たな)．借家人 ↔〔房东〕
【房龄】fánglíng 名 築年数
【房契】fángqì 名 家屋権利証
【房钱】fángqian；fángqián 名 口 家賃．部屋代
【房市】fángshì 名 不動産取引市場
【房事】fángshì 名 房事．性交
【房柁】fángtuó 名〈建〉家屋の梁(はり)
*【房屋】fángwū 名 家屋．建物．住宅
【房型】fángxíng 名 (多く集合住宅の)部屋のタイプ．間取り・面積・設備などを含む ＝〔户型〕
【房檐】fángyán (～儿) 名 家の軒
【房展】fángzhǎn 名 住宅展示会 ‖ 秋季～ 秋の住宅展示会
【房主】fángzhǔ 名 家主．大家
**【房子】fángzi 名 家．家屋 ‖ 盖～ 家を建てる

類義語 房子 fángzi 家 jiā
◆〔房子〕入れ物としての家屋をさす ‖ 盖房子 家を建てる｜三室一厅的房子 3DKの家 ◆〔家〕同じ屋根の下に住む家族や集団をさす．場所や入れ物としての「いえ」をさすこともできる ‖ 我家一共有五口人 うちは5人家族です｜想家 ホームシックにかかる

*【房租】fángzū 名 家賃．部屋代

8 **肪** fáng ➡〔脂肪zhīfáng〕

12 **魴** fáng 名〈魚〉ホウギョ

【魴鮄】fángfú 名〈魚〉ホウボウ．カナガシラ

fǎng

6 **访** fǎng ❶書 広く意見を求める．相談する ❷(人に)尋ねて調べる．調査する ‖ 采～ 取材する ❸訪問する．訪ねる ‖ 一～问

【访查】fǎngchá 動 聞き込み調査をする
【访古】fǎnggǔ 動 古跡を訪ねる
【访旧】fǎngjiù 動 昔の友やかつて住んでいた場所を訪ねる
【访求】fǎngqiú 動 訪ね求める．探し求める
【访谈】fǎngtán 動 訪問しインタビューする．訪問して会談する
★【访问】fǎngwèn 動 ❶訪問する．訪れる ‖ 国事～ 公式訪問｜礼节性～ 表敬訪問 ❷〈計〉アクセスする

類義語 访问 fǎngwèn 拜访 bàifǎng 参观 cānguān
◆〔访问〕目的を持って，人や場所を訪ねる ‖ 我国总理访问了西欧四国 我が国の総理は西欧4ヵ国を訪問した ◆〔拜访〕敬意を表するために訪ねる．対象は人に限られる ‖ 去拜访老朋友 旧友を訪ねに行く ◆〔参观〕学習や研究のために，ある場所を訪ねる ‖ 参观故宫博物院 故宫博物院を参観する

【访寻】fǎngxún 動 書 訪ね探す．探し求める

6 **仿**(△倣❶～❸) fǎng ❶似る．似通う ‖ 相～ 似ている ❷動 まねる．模倣する ‖ 一～效｜～着实物做了一个 実物を模倣して作った ❸名 (手本を見て書く)習字．臨書 ‖ 一～纸｜写了一张～ 習字を1枚書いた

【仿办】fǎngbàn 動 先例にならって処理する
**【仿佛】fǎngfú 副 …のようだ．…らしい ‖ 这事他～已经知道了 このことは彼はもうすでに知っているようだ 動 似る ‖ 性格跟她母亲相～ 彼女の性格は母親とよく似ている ＊〔彷彿〕〔髣髴〕とも書く
【仿古】fǎnggǔ 動 骨董品(こっとうひん)を模造する ‖ 这花瓶是～的 この花瓶はレプリカだ
【仿建】fǎngjiàn 動 (ある建築様式を)模して建築する
【仿冒】fǎngmào 動 模造する．コピーする ‖ ～产品 コピー商品
【仿若】fǎngruò 副 …のようだ
【仿生建筑】fǎngshēng jiànzhù 名〈建〉バイオニック建築．生体機能工学を応用して設計した建築
【仿生食品】fǎngshēng shípǐn 名 コピー食品．もどき食品
【仿生学】fǎngshēngxué 名 生体工学．バイオニクス
【仿宋】fǎngsòng 名〈印〉宋朝体．〔仿宋体〕〔仿宋字〕ともいう
【仿效】fǎngxiào 動 模倣する．まねる．手本とする
【仿行】fǎngxíng 動 まねて行う．習って行う ‖ 这个办法可以～ このやり方は見習ってもよい
【仿影】fǎngyǐng 名 (習字で)手本をなぞって書くこと
【仿造】fǎngzào 動 模造する．似せて作る ‖ ～品 模造品．複製品．レプリカ
【仿照】fǎngzhào 動 まねる．習う．準ずる ‖ ～办理 (先例に)準じて処理する
【仿真】fǎngzhēn 動〈計〉シミュレーションする 形 模造の ‖ ～手枪 モデルガン
【仿真枪】fǎngzhēnqiāng 名 モデルガン
【仿纸】fǎngzhǐ 名 (格子のついた)習字用紙
【仿制】fǎngzhì 動 模造する．似せて作る

7 **彷** fǎng ↴ ➤ páng

【彷佛】fǎngfú ＝〔仿佛fǎngfú〕

7 * **纺** fǎng ❶動 紡ぐ ‖ ～棉花 綿を紡ぐ ❷薄い絹織物．薄絹 ‖ 一～绸

【纺车】fǎngchē 名 糸繰り車. 糸車
【纺绸】fǎngchóu 名 平織りの薄い絹織物
【纺锤】fǎngchuí 名〈紡〉紡錘
【纺锭】fǎngdìng 名〈紡〉紡錘 =〔纱锭〕
【纺纱】fǎng//shā 動 紡ぐ ‖ ~机 紡績機
*＊【纺织】fǎngzhī 動 糸を紡ぎ布を織る ‖ ~厂 紡織工場｜~工业 紡織工業
【纺织品】fǎngzhīpǐn 名 織物. 繊維製品
10 **舫** fǎng 書 船 ‖ 画~ 画舫(がほう)｜游~ 遊覧船

F

fàng

8 ★**放** fàng ❶自由にする. 気ままにする. 好きにする ‖ 一~任 ❷(罪人を)追放する ‖ 流~ 流刑にする ❸動 **釈放する. 逃がす. 放す** ‖ 抓住绳子不~ 縄をしっかりつかんで放さない｜不要~掉这次机会 このチャンスを逃してはならない ❹動 **放牧する** ‖ ~猪 ブタを放し飼いにする ❺動 **休みになる** ‖ ~暑假 夏休みになる ❻動 **放火する. 火をつけて焼き払う** ‖ 一~火 ❼動 (銃などを)**発射する**. (においや光を)**放つ** ‖ ~枪 銃を撃つ｜~风筝 凧(たこ)を揚げる｜桂花~出阵阵清香 キンモクセイがすがすがしい香りを放つ ❽(資金や物資を)支給する ‖ 发~ 同前 ❾動 **貸し付ける. 貸し出す** ‖ ~高利贷 高利貸しをする. ❿(花が)咲く. ほころびる ‖ 含苞bāo欲~ つぼみがほころびようとしている ⓫動 **広げる. 伸ばす. 緩める** ‖ ~一张六寸的照片 写真をキャビネ・サイズに引き伸ばす ⓬動 **置く. 入れる. 預ける** ‖ ~进口袋里 ポケットに入れる｜~回原处 元の場所へ戻す｜把全部精力都~在学习上 ありったけの精力を勉強に注ぐ｜把孩子~在托儿所 子供を託児所に預ける｜不~在眼里 眼中に置いていない ⓭動 **放置する. 棚上げにする** ‖ 这事不着急, 先~一~ この件は急がない, とりあえず放っておきなさい ⓮動 切り倒す. 倒す ‖ 上山~树 山へ行って木を切り倒す ⓯動 **混入する. 入れる** ‖ 我喝咖啡不~糖 私はコーヒーに砂糖を入れない. ⓰動 (行動や態度を)**抑制する. ある状態にさせる** ‖ ~老实些 おとなしくしろ｜把速度~慢 速度を落とす｜把声音~低 声を低くする

> **類義語** 放 fàng 搁 gē 摆 bǎi 摊 tān
>
> ◆〔放〕物に一定の位置を与える. 置く ‖ 把报纸放在桌子上 新聞を机の上に置く ◆〔搁〕〔放〕と同じ意味を表し, 話し言葉によく用いる ‖ 桌子上搁着一瓶胶水儿 テーブルにのりが置いてある ◆〔摆〕配置を考えて置く. 並べる. 陳列する ‖ 把饭菜摆好 御飯とおかずをきちんと並べる ◆〔摊〕平らに広げて置く ‖ 把玩具摊在床上 おもちゃをベッドの上にいっぱいに広げる

【放暗箭】fàng ànjiàn 慣 陰で人を中傷する
*＊【放不下】fàngbuxià 動 ❶**放っておけない. 安心できない** ‖ 高考发榜以前, 我的心一直~ 大学の入試発表まで, 私は気が気でならない ❷**置ききれない. 下ろせない** ‖ 地方窄, ~这些东西 場所が狭いので, こんなに物は置けない｜她走到哪儿都~那局长夫人的架子 彼女はどこへ行っても局長夫人であることを鼻にかけて威張っている ❸**手が離せない** ‖ 如果工作~, 他就来不了 仕事から手が離れなければ, 彼は来られない
【放长线, 钓大鱼】fàng chángxiàn, diào dàyú 慣 糸を長くして大きな魚を釣る. じっくり構えて大きな収穫をねらうこと
*＊【放大】fàngdà 動 ❶**大きくする. 拡大する** ‖ 胆子~些 もう少し気を大きく持て ❷(写真などを)**引き伸ばす** ‖ ~照片 写真を引き伸ばす ❸〈電〉増幅する
【放大镜】fàngdàjìng 名 拡大鏡. ルーペ. 虫眼鏡
【放大炮】fàng dàpào 慣 大きなことを言う. 大ぼらを吹く. 大きな口をたたく. 過激なことを言う
【放大器】fàngdàqì 名〈電〉増幅器. アンプ
【放贷】fàngdài 動 (金を)貸し付ける
【放单飞】fàng dānfēi 慣 独り立ちさせる. 自立させる ‖ 等他们的业务再熟练一些, 就~ もう少し仕事に慣れてから, 彼らに任せることにしよう
【放胆】fàngdǎn 動 大胆にやる. 思い切る. 勇気を出す ‖ ~试一试 思い切ってやってみる
【放荡】fàngdàng 形 放埒(ほうらつ)である. 勝手気ままである ‖ ~的生活 勝手し放題の生活
【放荡不羁】fàng dàng bù jī 成 わがままで勝手である ‖ 性格~ 性格がわがままで勝手である
【放电】fàng//diàn 動 ❶〈物〉放電する ❷(男女間で)色目を使う. 秋波を送る
【放刁】fàng//diāo 動 意地悪して人を困らせる. 無理難題をふっかける
【放毒】fàng//dú 動 ❶毒を放つ. 毒を流す. 毒ガスを放つ ❷有害な言論を流す
【放飞】fàngfēi 動 ❶飛行機の離陸を許可する ❷(鳥を)放す ‖ ~信鸽 伝書鳩を放つ ❸たこを揚げる
【放风】fàng//fēng 動 ❶風を通す ‖ 打开窗户放放风吧 窓を開けて風を通そう ❷(情報を)漏らす. 言い触らす ❸(刑務所で)囚人を外で運動させたり便所に行かせたりする ❹方 見張りに立つ
【放歌】fànggē 動 放歌する. 思い切り歌う
【放工】fàng//gōng 動 (工場の仕事が)終わる. ひける ‖ 厂里下午五点~ 工場は午後5時にひける
【放光】fàng//guāng 動 光る. 光を放つ. 輝く
【放过】fàngguò 動 おろそかにする. 逃がす. ‖ ~机会 チャンスを逃がす｜哪怕是一个极小的细节, 他也决不~ 細かな点も, 彼は決しておろそかにしない
【放虎归山】fàng hǔ guī shān =〔纵虎归山 zòng hǔ guī shān〕
【放怀】fànghuái 動 ❶心ゆくまで…する. 思う存分…する ‖ ~痛饮 思う存分酒を飲む｜~大笑 腹の底から大笑いする ❷安心する. ほっとする
【放还】fànghuán 動 ❶釈放する. 解き放す ❷元の位置に戻す ‖ ~原处 元のところに戻す
【放火】fàng//huǒ 動 ❶放火する ❷騒ぎをあおる. けしかける
★【放假】fàng//jià 動 **休みになる. 休暇になる** ‖ 快~了 もうすぐ休暇だ｜春节放几天假？ 旧正月は何日間休みになりますか

> **類義語** 放假 fàngjià 休假 xiūjià 请假 qǐngjià
>
> ◆〔放假〕会社・役所・学校など, それ自体が休みになる ‖ 学校放一个月假 学校は1ヵ月休みになる ◆〔休假〕個人が会社や役所の規定にある休みをとる ‖ 单位太忙, 我休不了假 会社が忙しすぎて休みがとれない ◆〔请假〕個人が病気や用事のために, 許可を願い出て休みをとる ‖ 上个月我因为感冒请了两天假 先月, 私は風邪のため, 二日間休んだ

【放开】fàngkāi 動 ❶(手を)放す. 放免する ‖ ~手

手を放す ❷解き放つ ‖ ～眼界看未来 視野を広げて未来を見る｜～嗓子sǎngzi唱 声を張り上げて歌う
【放空】fàng∥kōng 動 空車で走る
【放空炮】fàng kōngpào 慣 空鉄砲(からでっぽう)を撃つ．喩 大きな口をたたく．できもしないことを言う
【放空气】fàng kōngqì 慣 貶 悪いうわさを広める．好ましくない雰囲気を作り出す
【放宽】fàngkuān 動 (規則などを)緩和する．緩める ‖ ～限制 規制を緩和する｜～标准 基準を緩和する
【放款】fàng∥kuǎn 動 (金融機関が)貸し付ける ‖ ～业务 貸し付け業務｜长期～ 長期貸し付け
【放浪】fànglàng 形 書 放縦である．自由気ままである
【放浪形骸】fàng làng xíng hái 成 自由奔放で形式にこだわらない
【放冷风】fàng lěngfēng 慣 いいかげんなうわさを流す．デマを飛ばす
【放冷箭】fàng lěngjiàn 慣 暗に人を陥れる．陰で人を中傷する
【放量】fàngliàng 動 目一杯食べる，または飲む ‖ ～喝吧 飲みたいだけお飲みなさい
【放疗】fàngliáo 動 放射線治療をする 图 略〈医〉放射線治療．〔放射线治疗〕の略
【放牧】fàngmù 動 放牧する．放し飼いにする
【放盘】fàng∥pán (～儿) 動 (商店が)値引きする．高値で引き取る ‖ ～大甩卖shuǎimài 大安売りする
【放炮】fàng∥pào 動 ❶大砲を打つ ❷花火を上げる ❸発破をかける ❹パンクする．破裂する ‖ 车胎～了 タイヤがパンクした ❺喩 激しい口調で人を批判する
【放屁】fàng∥pì 動 ❶放屁(ほうひ)する．おならをする ❷罵 でたらめを言う ‖ 简直是～！ まったくのでたらめだ
*【放弃】fàngqì 動 **放棄する．捨て去る** ‖ ～权利 権利を放棄する｜这是一个很好的机会，不能轻易～ これはいい機会だから，みすみす逃がすわけにはいかない
【放青】fàng∥qīng 動 (家畜を)草原に放牧する
【放情】fàngqíng 副 思う存分に．心のままに ‖ ～高歌 思い切り歌う
【放晴】fàng∥qíng 動 (雨の後)晴れ上がる ‖ 天一～，咱们就出发吧 雨が上がったらすぐに出発しよう
【放权】fàngquán 動 権力を下にゆだねる．権力を下位へ譲る
【放任】fàngrèn 動 放任する．放っておく ‖ ～自流 成り行きに任せる．あとは野となれ山となれ
【放散】fàngsàn 動 (煙やにおいが)発散する．放出する
【放哨】fàng∥shào 動 歩哨(ほしょう)に立つ．哨兵(しょうへい)を出す．見張りを出す
*【放射】fàngshè 動 放射する．輻射する ‖ 太阳～出光和热 太陽は光と熱を放射している
【放射病】fàngshèbìng 图〈医〉放射線障害
【放射疗法】fàngshè liáofǎ 图〈医〉放射線治療．放射線療法 ‖ 减轻～所带来的副作用 放射線治療の副作用を軽減する
【放射形】fàngshèxíng 图 放射状．放射線状
【放射性】fàngshèxìng 图〈物〉放射性
【放射性污染】fàngshèxìng wūrǎn 图 放射能汚染
【放生】fàng∥shēng 動〈宗〉放生(ほうじょう)する
【放声】fàngshēng 副 大声で ‖ ～大笑 大声で笑う
*【放手】fàng∥shǒu 動 ❶手を放す．手放す ‖ 对孩子不能～不管 子供に好き勝手をさせておいてはいけない ❷思い切って…する．思う存分…する ‖ 只管～去做 思う存分やってみなさい
【放水】fàng∥shuǐ 動 ❶(ダムや貯水池の水を)放水する ❷八百長をする．故意に相手に負ける ❸(スポーツの試合で)八百長をする
【放肆】fàngsì 形 勝手気ままである．わがままである ‖ 言行过于～ 言うことやることが勝手すぎる
*【放松】fàngsōng 動 ❶緩める．リラックスする ‖ 不能～警惕jǐngtì 警戒心を緩めてはならない｜游游泳，～～神经 一泳ぎしてリラックスする ❷いいかげんにする．なおざりにする ‖ 就算工作忙，也不能～学习 仕事が忙しいからといって勉強をなおざりにしてはいけない
【放送】fàngsòng 動 放送する
【放下】fàng∥xia(xià) 動 ❶下ろす** ‖ ～思想包袱bāofu 心の重荷をおろす｜请你把箱子～来 箱を下ろしてください ❷**置く．下に下ろす** ‖ 他怎么吃了一口就～了？ 彼はどうして一口食べただけで箸を置いたんだろう ❸捨てる．放棄する ‖ ～架子 尊大ぶらない
【放下屠刀，立地成佛】fàng xià tú dāo, lì dì chéng fó 成 凶器を捨てれば，その場で仏になれる．悪人も悔い改めればすぐに善人になれる
【放血】fàng∥xiě 動 ❶〈医〉瀉血(しゃけつ)する．刺胳(しらく)する ❷口 ばらす．やっつける．いためつける ❸商品の値段を大幅に下げる．大安売りをする ❹散財させる．相手に金を使わせる
【放心】fàng∥xīn 動 **安心する ‖ 家里的事～不下 家のことが心配でならない｜这事儿交给我，你尽管～ この件は私に任せてください，心配無用です｜～睡吧，到点我会叫你的 安心して寝なさい，時間になったら起こしてあげるよ
【放行】fàng∥xíng 動 (監視所や税関などの)通過を許可する ‖ 免税～ 免税で通過させる
*【放学】fàng∥xué 動 ❶学校がひける．授業が終わる ‖ 下午四点～ 午後4時に授業が終わる ❷学校が休みになる ‖ 国庆期间学校放两天学 国慶節の期間，学校は2日休みになる
【放眼】fàng∥yǎn 動 遠くに目を向ける
【放羊】fàng∥yáng 動 ❶ヒツジを放牧する ❷喩 放任する．好き勝手にさせる
【放养】fàngyǎng 動 放し飼いにする．養殖する
*【放映】fàngyìng 動 上映する ‖ ～新片 新作映画を上映する｜～室 映写室｜～机 映写機
【放债】fàng∥zhài 動 利息をとって金を貸す
【放账】fàng∥zhàng 動 金貸しをする
【放置】fàngzhì 動 放置する ‖ ～不用 放置して使わない｜～杂物 雑用品を置く
【放逐】fàngzhú 動 放逐する．追放する
【放纵】fàngzòng 動 気ままにさせる．放任する ‖ 不要～子女 子供を放任してはならない 形 放縦である．わがままである．身勝手である

fēi

³★**飞**(飛) fēi ❶動 (鳥や虫が)飛ぶ ‖ ～来一只鸟 鳥が1羽飛んできた ❷動 (雪・綿毛・砂などが)舞う．漂う ‖ 柳絮liǔxù满天～ 柳絮(りゅうじょ)が空一面に舞う ❸動 **(飛行機で)飛ぶ** ‖ 我明天～广州 私は明日広州へ飛ぶ ❹動 (飛ぶように)速く動く ‖ 火车从眼前～过 汽車は目の前をあっという間に通過した ❺根拠のない．意外な ‖ ～～语 ❻動

回 揮発する.（香りなどが）なくなる ‖ 樟脑都～净了 樟脳(しょうのう)が揮発してすっかりなくなってしまった

【飞白】fēibái 名 飛白(ひはく). かすれ書き

【飞报】fēibào 動 急報する. 速報する

【飞奔】fēibēn 動 飛ぶように走る

【飞镖】fēibiāo 名 ❶武器の一種, 形は矛の先端部に似る ❷ブーメラン

【飞播】fēibō 動 空中播種(はしゅ)する

【飞驰】fēichí 動 疾駆する ‖ 汽车在～ 自動車が疾駆している

*【飞船】fēichuán 名 ❶宇宙船 =〔宇宙yǔzhòu飞船〕❷旧 飛行船

【飞航式导弹】fēihángshì dǎodàn 名〈軍〉巡航ミサイル

【飞地】fēidì 名（行政区画の）飛び地

【飞碟】fēidié 名 ❶空飛ぶ円盤. ＵＦＯ ❷〈体〉クレー(クレー射撃の標的) ‖ ～射击 クレー射撃

【飞短流长】fēi duǎn liú cháng 成 あれこれ取りざたする. とかくのうわさを広める.〔蜚短流长〕とも書く

【飞蛾投火】fēi é tóu huǒ 成 飛んで火に入る夏の虫. 自ら身を滅ぼす.〔飞蛾扑火〕ともいう.

【飞黄腾达】fēihuáng téng dá 成（神馬が天に昇るように）またたくまに出世する.〔飞黄〕は伝説の神馬の名

【飞祸】fēihuò 名 思わぬ災難. 不慮の災禍

★【飞机】fēijī 名 飛行機 ‖ 坐～ 飛行機に乗る｜～票 航空券｜～失事 飛行機事故

> **外国の固有名詞** 航空会社 【アシアナ航空】…韩亚航空 【アリタリア航空】…意大利航空 【英国航空】…英国航空 【エールフランス】…法国航空 【カンタス航空】…澳洲航空 【キャセイパシフィック航空】…国泰航空 【全日本空輸】…全日空 【デルタ航空】…三角航空 【日本航空】…日本航空 【ノースウエスト航空】…西北航空 【ユナイテッド航空】…联合航空 【ルフトハンザ航空】…汉莎航空

【飞机场】fēijīchǎng 名 空港.〔机场〕ともいう

【飞溅】fēijiàn 動 飛び散る. はねる ‖ 水花～ しぶきが飛び散る

*【飞快】fēikuài 形 ❶飛ぶように速い. 素早い ‖ ～地奔跑 飛ぶように走る ❷非常に鋭利である. とびきりよく切れる ‖ 小刀ル～ ナイフがよく切れる

【飞来横祸】fēi lái hèng huò 成 思いがけない災難. 不慮の災厄

【飞掠】fēilüè 動 飛ぶようにかすめる ‖ 一辆汽车从身边～而过 自動車が傍らを飛ぶように走り抜けていった

【飞毛腿】fēimáotuǐ 名 ❶俊足. またその人 ❷（旧ソ連の）スカッド・ミサイル

【飞沫】fēimò 名 飛沫(ひまつ) ‖ 满嘴～ 口角泡を飛ばす

【飞沫传染】fēimò chuánrǎn 名〈医〉飛沫感染

【飞盘】fēipán 名（玩具(おもちゃ)の）フリスビー

【飞蓬】fēipéng 名〈植〉ムカシヨモギ.〔蓬〕ともいう.

【飞瀑】fēipù 名 飛瀑(ひばく). 高所から落ちる滝

【飞禽】fēiqín 名 鳥類 ‖ ～走兽 鳥獣類

【飞泉】fēiquán 名 滝. 瀑布(ばくふ)

【飞人】fēirén 動（サーカスの出し物で）空中ブランコをする 名 短距離走や跳躍種目でとくに優れた選手をさす

【飞散】fēisàn 動 飛散する. 飛び散る

【飞沙走石】fēi shā zǒu shí 成 砂を飛ばし, 石を走らす. 風が吹き荒れるさま

【飞身】fēishēn 動 身軽に跳び上がる. ひらりと跳ぶ

【飞升】fēishēng 動 ❶飛び上がる. 舞い上がる ❷旧（迷信で）修行の結果, 仙境に舞い上がる

【飞逝】fēishì 動（時間などが）またたく間に過ぎる ‖ 时光～ 時間があっという間に過ぎる

【飞速】fēisù 副 急速に. 飛ぶように ‖ ～发展 急速に発展する｜～行驶xíngshǐ 飛ぶように走る

【飞腾】fēiténg 動 ❶勢いよく立ち昇る. 舞い上がる ‖ 火焰～ 炎が燃え上がる ❷急騰する ‖ 地价～ 地価が急騰する

【飞天】fēitiān 名〈仏〉飛天(ひてん)

【飞艇】fēitǐng 名 飛行船

【飞吻】fēi//wěn 動 投げキスをする ‖ 给他飞了一个吻 彼に投げキスをした 名（fēiwěn）投げキス

*【飞舞】fēiwǔ 動（空中を）舞う ‖ 雪花漫天～ 雪が空一面に舞う｜彩旗～ 色とりどりの旗が風に舞う

*【飞翔】fēixiáng 動 飛翔(ひしょう)する. 飛び回る ‖ 老鹰yīng～在蓝蓝的天空 トビが真っ青な空を飛んでいる

*【飞行】fēixíng 動 飛行する. 空を飛ぶ ‖ 飞机在两万米高空～ 飛行機は２万メートルの高空を飛んでいる

【飞行器】fēixíngqì 名 飛翔体(ひしょうたい). 気球・ロケット・飛行機・人工衛星などを含む

【飞行员】fēixíngyuán 名 操縦士. パイロット

【飞旋】fēixuán 動 空中で旋回する

【飞檐】fēiyán 名〈建〉飛檐(ひえん). 亭や楼閣の反り返った軒先

【飞檐走壁】fēi yán zǒu bì 成 屋根や塀伝いに飛ぶように走る. 多く武芸者の身軽な動作をさす

【飞眼】fēi//yǎn（～儿）動 流し目を使う. 秋波を送る. ウインクする

【飞扬】【飞飏】fēiyáng 動 舞い上がる. 沸き上がる ‖ 神采～ 顔が輝いている｜歌声～ 歌声が沸き上がる

【飞扬跋扈】fēi yáng bá hù 成（得意になって）好き勝手にふるまう. 横柄な態度でほしいままにふるまう

【飞鱼】fēiyú 名〈魚〉トビウオ

【飞语】fēiyǔ 名 デマ. 根拠のないうわさ.〔蜚语〕とも書く ‖ 流言～ 流言飛語

*【飞跃】fēiyuè 動 ❶飛び上がる. ジャンプする ❷飛躍する. めざましく発展する ‖ ～发展 飛躍的に発展する ❸〈体〉（スキーで）ジャンプする

【飞越】fēiyuè 動 上空を飛び越える

【飞贼】fēizéi 名 ❶塀や屋根を乗り越えて侵入する賊 ❷空から侵入する敵

【飞涨】fēizhǎng 動 ❶（物価が）暴騰する. 急騰する ‖ 物价～ 物価が暴騰する ❷（水勢や水位が）急に増す ‖ 水位～ 水位が急に上昇する

【飞针走线】fēi zhēn zǒu xiàn 慣 針を飛ばし糸を走らす. 縫い物の速いさま

【飞舟】fēizhōu 名 飛ぶように速い船

6 **妃** fēi 名 ❶妃(きさき). 皇帝の側室で, 地位は〔后〕（皇后）に次ぐ ❷太子や王侯の妻

【妃嫔】fēipín 名 妃嬪(ひひん)

【妃子】fēizi 名 妃(きさき)

8 * **非**[1] fēi ❶反する. 背く. 合わない ‖ 一～法 ❷間違い. 誤り. 悪事 ‖ 文过饰～ 過失や誤りを繕って隠す ❸書 反対する. 非難する ‖ 一～难 ❹動 書 …ではない ‖ 其惨状cǎnzhuàng～言语所能形容 その惨状はとても言葉で形容できるものではない ❺接頭 ある範囲に属さないことを表す ‖ ～党员 非党員

❻否定を表す ‖ 一～常 ❼副(〔不行〕〔不可〕〔不成〕などと呼応して)どうしても. ぜひとも ‖ 这事儿～你去不成 この件は君が行かなければだめだ｜～说不行 言わずにはすまされない ❽副どうしても(〔不行〕〔不可〕などが省略されている) ‖ 不让我说, 我～说 話すなと言われても, 私はどうしても話すぞ

8 ＊ **非**[2] **fēi** アフリカ.〔非洲〕の略 ‖ 亚～国家 アジア・アフリカ諸国

【非标】fēibiāo 形 規格外の ‖ ～产品 規格外製品

＊＊【非…不可】fēi…bùkě 組 **どうしても … しなければならない. ぜひとも … しなければならない** ‖ 去晚了非挨骂不可 遅刻したら絶対に叱られるぞ｜这病非做手术不可 この病気はどうしても手術をしなければならない

＊【非…才…】fēi…cái… 組 ある条件が備わって, はじめて … できることを示す ‖ 要研究比较文学, 非得懂两、三门外语才行 比較文学を研究するには, 2, 3ヵ国語が分からなければどうしようもない

★【非常】fēicháng 形 **特殊な. 非常の** ‖ ～时期 非常時｜～措施cuòshī 非常措置｜热闹～ なんとも賑やかだ 副 非常に. とても. ひどく ‖ 天气～好 天気がたいへんよい｜～抱歉bàoqiàn ほんとうにすみません

【非处方药】fēichǔfāngyào 图〈医〉市販薬. 売薬

【非此即彼】fēi cǐ jí bǐ 成 これでなければあれだ. これかあれかのどちらか

【非但】fēidàn 接 … であるばかりか. ただ … のみでなく. (多く〔反而〕〔而且〕〔还〕〔连〕と呼応する) ‖ ～不认错, 而且还推卸tuīxiè责任 過ちを認めないばかりか, 責任逃れをする

【非得】fēiděi 副 どうしても … しなくてはならない. ぜひとも … しなくてはならない. (多く〔才〕〔不可〕〔不成〕などと呼応する) ‖ 这事～他去办才行 この件はぜひとも彼が処理しなければだめだ｜这种病, ～赶快医治不成 この病気はどうしても早く治療しなくてはならない

【非典】fēidiǎn ＝〔非典型肺炎 fēidiǎnxíng fèiyán〕

【非典型肺炎】fēidiǎnxíng fèiyán 图〈医〉重症急性呼吸器症候群. SARS. 略して〔非典〕ともいう

＊【非法】fēifǎ 形 不法である. 非合法である ‖ ～组织 非合法組織｜～占据zhànjù 不法に占拠する

【非凡】fēifán 形 非凡である. 抜きんでている ‖ ～的贡献 ずば抜けた貢献｜热闹～ とても賑やかである

【非…非…】fēi…fēi… 組 … でなければ … でもない ‖ 非亲非故 親戚でもなければ知人でもない. まったくの他人である｜非驴非马 ロバでもなければウマでもない. どっちつかずである. 得体が知れない

【非分】fēifèn 形 分不相応な ‖ 不做～的事 分不相応なことはしない

【非…即…】fēi…jí… 組 … でなければ … である ‖ 非攻即守 攻めるか守るかである

【非金属】fēijīnshǔ 图 非金属

【非礼】fēilǐ 形 書 礼儀にはずれる. 無礼である

【非卖品】fēimàipǐn 图 非売品

【非命】fēimìng 图 書 非命. 思いがけない災難や事故で死ぬこと ‖ 死于～ 非業の死をとげる

【非难】fēinàn 動 非難する ‖ 他这样做, 无可～ 彼がそうしたことに, なんら非難すべきところはない

【非企业法人】fēiqǐyè fǎrén 图〈経〉非営利法人

【非人】fēirén 形 非人間的な. 非人道的な

【非特】fēitè 接 書 … であるばかりでなく. … のみならず

【非条件反射】fēitiáojiàn fǎnshè 图〈生理〉無条件反射. 〔无条件反射〕ともいう

【非同小可】fēi tóng xiǎo kě 成 並たいていではない. 軽視できない. 事は重大である

【非刑】fēixíng 图 不法な刑罰

【非要】fēiyào 副 どうしても … しなくてはならない. ぜひとも … しなくてはならない ‖ 他～亲自去一趟不可 彼はどうしても一度自分で行ってみなくてはならないと言う

【非议】fēiyì 動 書 非難する. 責める

【非再生资源】fēizàishēng zīyuán 图 非再生資源

【非致命武器】fēizhìmìng wǔqì 图〈軍〉非殺傷兵器

【非洲】Fēizhōu 图 アフリカ

11 **菲**[1] **fēi** 草花が生い茂り, かぐわしいさま

11 **菲**[2] **fēi** 图〈化〉フェナントレン. ➤ fěi

【菲菲】fēifēi 形 書 ❶草花が生い茂って美しいさま ❷草花の香りがかぐわしい

【菲律宾】Fēilǜbīn 图〈国名〉フィリピン

11 **啡** **fēi** ➡〔咖啡kāfēi〕〔吗啡mǎfēi〕

11 **绯** **fēi** 緋色(ひいろ)の. 鮮やかな赤色の

【绯红】fēihóng 形 真っ赤な. 深紅色の

【绯闻】fēiwén 图 艶聞

12 **扉** **fēi** ❶扉 ‖ 柴～ (貧しい家の)柴で作った扉 ❷(書籍の)扉

【扉画】fēihuà 图 (書籍の)扉絵

【扉页】fēiyè 图 (書籍の)扉. 扉ページ

14 **蜚** **fēi** 〔飞fēi〕に同じ ➤ fěi

【蜚短流长】fēi duǎn liú cháng ＝〔飞短流长fēi duǎn liú cháng〕

【蜚声】fēishēng 動 書 名声が上がる. 有名になる ‖ ～海外 海外で名声が上がる

16 **霏** **fēi** ❶(雨や雪が)盛んに降っている. または(煙や雲が)立ちこめている ❷飛び散る. 漂う ‖ 烟～雨散 もやが立ちこめ, 雨が降りしきる

【霏霏】fēifēi 形 書 雨や雪が降りしきるさま. 煙や雲が立ちこめるさま ‖ 云雾～ 雲霧が立ちこめている

16 **鲱** **fēi** 图〈魚〉ニシン. 〔鲱〕ともいう

féi

8 ＊＊ **肥** **féi** ❶形 (食肉の)**脂身が多い**. (動物が)**肥えている** ↔〔瘦〕‖ 这块肉太～ この肉は脂身が多すぎる｜牛～马壮 牛馬がよく肥えている ❷形 **肥沃(ひよく)である. 地味が肥えている** ‖ 土地很～ 土地が肥沃だ ❸動 (土地や家畜を)肥やす ‖ 一～育 ❹图 肥料. こやし ‖ 施～ 肥料をやる ❺形 口 生活が豊かである. 富裕である ‖ 他倒卖文物, ～极了 彼は文物の横流しで裕福な暮らしをしている ❻動 私腹を肥やす ‖ 损sǔn了公家, ～了个人 国家に損害を与えて私腹を肥やす ❼収入の多い. 実入りのある ‖ 一～缺 ❽利益. 儲け ‖ 分～ 儲けを分ける ❾形 (服などが)**大きい. ぶかぶかである** ↔〔瘦〕‖ 裤腰kùyāo太～了 ズボンのウエストがだぶだぶだ

【肥差】féichāi 名 実入りの多い職務や仕事 ‖ 出国考察可是个～ 海外視察はなかなか割りのいい任務だ
【肥肠】féicháng（～ㄦ）名（食用の）ブタの大腸
【肥大】féidà 形 ❶ゆるい. 大きい ‖ 这件衣服有点ㄦ～ この服は少し大きい ❷（動植物などが）大きく, がっしりしている ‖ ～的身躯shēnqū 大きな図体 ❸〈医〉肥大している ‖ 心脏～ 心臓肥大
【肥分】féifèn 名〈農〉肥料に含まれる栄養素
【肥厚】féihòu 形 ❶肉厚である. 厚くがっしりしている ❷〈医〉肥大している ❸（土地が）肥沃である ❹多い. 手厚い

【肥活】féihuó（～儿）名 うまみのある仕事. おいしい仕事 ‖ 揽～ うまみのある仕事を請け負う
【肥力】féilì 名〈農〉土壌の肥沃度. 地力. 地味
*【肥料】féiliào 名 肥料. こやし ‖ 上～ 肥料をやる
【肥美】féiměi 形 ❶（土地が）肥沃である ❷肥えている ❸脂が乗っておいしい ‖ ～的羊肉 脂が乗っておいしいヒツジの肉
【肥胖】féipàng 形（人が）太っている ‖ ～的身材 でっぷりと太った体つき | ～症 肥満症. 脂肪過多症
【肥缺】féiquē 名 実入りの多いポスト
【肥肉】féiròu 名 ❶肉の脂身 ↔〔瘦肉〕❷喩 そこから多くの利益を得ることのできるものをさす ‖ 这笔买卖是块～, 谁都想吃 その商売はうまみがあるので, 誰もがやりたがる
【肥实】féishi 形 ❶肉付きがよくがっしりしている ❷脂身が多い ❸裕福である. 豊かである
【肥瘦ㄦ】féishòur 名 ❶（衣服の）大きさ ‖ 这件衣裳的～正合适 この服の大きさはちょうどよい ❷方 脂身と赤身がまじった肉. 脂身と赤身が半々の肉
【肥水】féishuǐ 名 液肥. 水肥 喩 うまい汁. 利得 ‖ ～不流外人田 うまい汁は他人に吸わせるものじゃない
【肥硕】féishuò 形 ❶（果実が）大きくてよく実っている ❷（体が）太っていて大きい
【肥私】féisī 動 私腹を肥やす ‖ 假公～ 職権を悪用して私腹を肥やす
【肥田】féi//tián 動（肥料などを施して）土地を肥やす 名（féitián）地味の肥えた田畑
*【肥沃】féiwò 形 肥沃である ↔〔贫瘠〕
【肥效】féixiào 名〈農〉肥効. 肥料の効力
【肥育】féiyù 動 肥育する.〔育肥〕〔催肥〕ともいう
*【肥皂】féizào 名 石けん. 洗濯石けん. 地方によっては〔胰子〕という
【肥皂剧】féizàojù 名 ソープオペラ. 昼のメロドラマ
【肥壮】féizhuàng 形 よく肥えてたくましい

11 **淝** féi 地名用字 ‖ ～水 安徽省にある川の名

12 **腓** féi ふくらはぎ. こむら
【腓骨】féigǔ 名〈生理〉腓骨(ひこつ)

fěi

10 **诽** fěi 誹謗(ひぼう)する
*【诽谤】fěibàng 動 誹謗する. 悪口を言う ‖ ～中伤 誹謗中傷する

10 **匪**[1] fěi 書 …でない. …にあらず ‖ 获益～浅 益するところ甚大である

10 **匪**[2] fěi 匪賊(ひぞく). 盗賊 ‖ →～徒 | 土～ 土匪(どひ)
【匪帮】fěibāng 名 ❶匪賊の一味 ❷反動グループ
【匪巢】fěicháo 名 匪賊の巣窟(そうくつ)
【匪盗】fěidào 名 匪賊. 盗賊
【匪患】fěihuàn 名 匪賊の害
【匪祸】fěihuò 名 匪賊の害
【匪首】fěishǒu 名 匪賊の頭目
*【匪徒】fěitú 名 ❶匪賊 ❷悪党. 反動派
【匪穴】fěixué 名 匪賊の巣窟
【匪夷所思】fěi yí suǒ sī 成 常人の考え及ぶところではない. 普通では思いもよらない

11 **悱** fěi 書 言おうとして言えない. 言うすべを知らない
【悱恻】fěicè 形 書 苦悩する. 心中苦しむ

11 **菲** fěi 書 謙 わずかなこと. 粗末なこと ‖ →～薄 ➤ fēi
【菲薄】fěibó 形 粗末である. 劣っている ‖ ～的礼物 粗末な贈り物 動 見下す. 軽視する
【菲酌】fěizhuó 名 謙 粗酒. 粗末なもてなし

12 **斐** fěi 目もあやに美しい
【斐济】Fěijì 名〈国名〉フィジー
【斐然】fěirán 形 ❶文才のあるさま ❷優れている. めざましい ‖ 成绩～ 成績がめざましい

14 **榧** fěi 名〈植〉カヤ. ふつう〔香榧〕という
【榧子】fěizi 名〈植〉カヤ. カヤの実

14 **蜚** fěi ↴ ➤ fēi
【蜚蠊】fěilián 名〈虫〉ゴキブリ. ふつう〔蟑螂〕という

14 **翡** fěi ↴
【翡翠】fěicuì 名 ❶〈鉱〉翡翠(ひすい).〔硬玉〕ともいう ❷〈鳥〉アカショウビン. ヤマショウビン

16 **篚** fěi 書 丸い竹かご

fèi

7 **吠** fèi （イヌが）吠える ‖ 狂～ けたたましく吠える | 鸡鸣狗～ ニワトリが鳴き, イヌが吠える
【吠形吠声】fèi xíng fèi shēng 成 一匹の犬が影に吠えるとほかの多くの犬がその声につられて吠える. 人の後について付和雷同するたとえ

8 **沸** fèi 沸く. 沸騰する ‖ →～腾 | ～天震地（大音響が）天地を揺るがす
【沸点】fèidiǎn 名〈物〉沸点. 沸騰点
【沸反盈天】fèi fǎn yíng tiān 成 大騒ぎをするさま
【沸沸扬扬】fèifèiyángyáng 形 諸説紛々するさま
【沸泉】fèiquán 名〈地質〉沸騰泉
【沸热】fèirè 形 焼けつくように熱い
【沸水】fèishuǐ 名 沸騰した湯. 熱湯
*【沸腾】fèiténg 動 ❶沸騰する ❷（雰囲気や感情などが）沸き立つ. 沸き返る ‖ 热血～ 血潮が沸き立つ

8 ***废**（廢）fèi ❶書 崩れる. 倒壊する ❷消滅する. 覆滅する ❸動 廃止する. やめる ‖ 这种规定早该～掉了 こんな決まりは早く廃止すべきだ ❹形 役に立たない. 無用の ‖ ～报纸 古新聞 ❺名 役に立たなくなったもの. 廃物 ‖ 修旧利～ 古い物を

修理し，廃物を利用する ❻身体に障害がある‖残～ 身体障害者 ❼荒れ果てた．さびれた‖一～墟 ❽気落ちする．打ち沈む‖颓tuí～ 退廃的である
【废弛】fèichí 動緩む‖纪律～ 紀律が緩む
*【废除】fèichú 動廃止する．取り消す．廃棄する‖～制度 制度を廃止する｜～合同 契約を廃棄する
【废次品】fèicìpǐn 名廃品．劣悪品．不良品
*【废话】fèihuà 動くだらぬことを言う．むだ口をたたく‖别～了，快做功课吧 むだ口をたたいてないで，早く宿題をやりなさい 名むだ口．くだらない話‖少说～ むだ口をたたくな
【废旧】fèijiù 形不用の．使い古された‖回收利用～物资 廃品を回収し利用する
【废料】fèiliào 名廃棄物．廃材．スクラップ
*【废品】fèipǐn 名❶廃品．廃物‖～收购站 廃品回収所 ❷不良品．おしゃか
*【废气】fèiqì 名廃ガス．排ガス ➡〔三废sānfèi〕
【废弃】fèiqì 動廃棄する．捨てる
【废寝忘食】fèi qǐn wàng shí 成寝食を忘れる．〔废寝忘餐〕ともいう‖～地工作 寝食を忘れて働く
【废热】fèirè 名廃熱‖工业～ 産業廃熱
【废人】fèirén 名❶身体障害者 ❷無能な者．役に立たない人
【废水】fèishuǐ 名廃水．廃液．〔废液〕ともいう． ➡〔三废sānfèi〕
*【废物】fèiwù 名廃物‖～利用 廃物利用
【废物】fèiwu 名罵役立たず．能なし
*【废墟】fèixū 名廃墟(はいきょ)‖地震把这座城市变成了一片～ 地震でその都市は一面の廃墟と化した
【废学】fèixué 動学業を中途でやめる．廃学する
【废渣】fèizhā 名固体廃棄物． ➡〔三废sānfèi〕
【废止】fèizhǐ 動廃止する．やめる
【废纸】fèizhǐ 名紙くず．反故(ほご)‖～篓lǒu 紙くずかご｜如同一张～ 反故同然である
【废置】fèizhì 動捨て置く．ほったらかしにする

8 **狒** fèi ↴

【狒狒】fèifèi 名〈動〉ヒヒ．マントヒヒ

8 ** **肺** fèi 名肺．肺臓．〔肺脏〕ともいう

【肺癌】fèi'ái 名〈医〉肺がん
【肺病】fèibìng 名回肺病．肺結核
【肺腑】fèifǔ 名肺腑(はいふ)．転内心．真心
【肺腑之言】fèifǔ zhī yán 慣真心のこもった言葉
【肺活量】fèihuóliàng 名〈生理〉肺活量
【肺结核】fèijiéhé 名〈医〉肺結核．俗に〔肺病〕〔肺痨〕という
【肺痨】fèiláo 名回肺病．肺結核 ＝〔肺病〕
【肺泡】fèipào 名〈生理〉肺胞
【肺气肿】fèiqìzhǒng 名〈医〉肺気腫(はいきしゅ)
【肺循环】fèixúnhuán 名〈生理〉肺循環．小循環
【肺炎】fèiyán 名〈医〉肺炎
【肺叶】fèiyè 名〈生理〉肺葉
【肺脏】fèizàng 名肺．肺臓 ＝〔肺〕

9 ** **费** fèi ❶動費やす．使う‖为了我的事，您～了不少心 私のことでは，ほんとうにいろいろお手数をおかけしました ❷名支出．費用．料金‖电～ 電気代｜生活～ 生活費 ❸形消耗が激しい↔〔省〕‖汽油用得太～ ガソリンを食いすぎる

【费电】fèi//diàn 動電力を食う．電力がかかる
【费工】fèi//gōng 動手間がかかる．時間がかかる
【费工夫】fèi gōngfu 組時間がかかる．時間をかける．手間がかかる．手間をかける‖费了好几天的工夫才修好 何日もかけてやっと修理し終えた
【费话】fèi//huà 動言葉を費やす．口が酸っぱくなるほど言う‖这种人不讲理，别跟他～了 こういう連中は道理をわきまえないから，いくら話したってだめさ
【费解】fèijiě 形分かりにくい．難しい‖他的话总觉得有点～ 彼の話にはどうしても腑(ふ)に落ちないところがある
【费尽心机】fèi jìn xīn jī 成あらゆる知恵を絞る
【费劲】fèi//jìn （～儿）動骨を折る．苦労する‖走山坡pō路真～儿 山道を歩くのは実に骨が折れる
*【费力】fèi//lì 動(体力や精力を)費やす．苦労する．骨を折る‖～不讨好 骨を折ったうえに人から文句を言われる．骨折り損のくたびれ儲け
【费率】fèilǜ 名料率‖保险～ 保険料率
【费钱】fèi//qián 動金をかける．金がかかる．費用が要る‖装修房子费了不少钱 家のリフォームにはずいぶん金を使った｜上大学很～ 大学に行くのには金がかかる
【费神】fèi//shén 動気を配る．気にかける．心をくだく‖这事请您多～ この件はどうかよろしくお願いいたします｜为了孩子的事，她真够～的 子供のことで彼女は心の休まる暇がない
【费时】fèishí 動時間をかける．時間がかかる‖这项工程～三年才完成 この工事は3年の歳月をかけてやっと完成した｜这种方法既费工又～ このやり方は手間もかかるし時間もかかる
【费事】fèi//shì 動手間をかける 形面倒である．手数がかかる‖自己做饭多～啊！ 自分で食事を作るのはなんて面倒くさいことか
【费手脚】fèi shǒujiǎo 組手間をかける．手数がかかる
【费心】fèi//xīn 動気を遣う．心配する‖叫您～了 ご心配をおかけしました｜请不必～ お気遣いなく
【费心思】fèi xīnsi 組気を遣う．苦心する．思い悩む
**【费用】fèiyong 名費用．経費‖我们家孩子多，～大 我が家は子供が多いので掛かりが大変だ｜～由我方负担 費用は我が方で負担します

13 **痱**(△疿) fèi あせも

【痱子】fèizi 名あせも‖起～ あせもが出る

14 **镄** fèi 名〈化〉フェルミウム(化学元素の一つ，元素記号は Fm)

fēn

4 ★ **分** fēn ❶動分ける．分かれる．分割する ↔〔合〕‖把蛋糕dàngāo～为六份儿 カステラを六つに切り分ける｜这套书～三册 この双書は3分冊に分かれる ❷動分け与える．分配する．配分する‖我们科新～来两个人 私たちの課に新しく二人が配属された｜老师～给每个孩子一个苹果 先生は子供たち一人一人にリンゴを1個ずつ配った ❸派生した．分かれた‖～校 分校 ❹動区別する．見分ける．弁別する‖好坏不～ 善悪をわきまえない ❺節気‖春～ 春分 ❻〈数〉分数‖约～ 約分する ❼名(～儿)(成績の)点数．(試合などの)得点‖考试得了一百～儿 試験で100点をとった ❽量10分の1を表す割合‖三～天资，七～努力 三分の天性と七分の努力 ❾量①長さの単位．1〔尺〕の100分の1 ②面積の単位．

1〔亩〕の10分の1 ③重さの単位．1〔斤〕の1000分の1 ④**貨幣の単位**．1〔圆〕(元)の100分の1 ⑤**時間の単位**．1時間の60分の1 ⑥角度の単位．1度の60分の1 ⑦経緯度の単位．1度の60分の1 ⑧利率．年利は1分(ぶ)で10パーセント，月利は1分で1パーセント ➤ fèn

【分包】fēnbāo 動 ❶分担して請け負う ❷請け負った仕事の一部を下請けに出す

【分保】fēnbǎo 動 再保険をかける．保険会社が危険分散のために保険契約の一部または全部を他の保険会社に転嫁すること

【分贝】fēnbèi 量〈物〉デシベル

【分崩离析】fēn bēng lí xī 成（集団や国家などが）瓦解(がかい)する．崩壊する

*【分辨】fēnbiàn 動 見分ける．区別する‖～是非 是非を見分ける｜真假难以～ 真偽の見分けがつきにくい

*【分辩】fēnbiàn 動 言い訳をする．弁解する‖不容～ 弁解は許されない

【分别】[1] fēnbié 動 **別れる‖暂时～ しばし別れる｜～已经一年多了 別れてもう1年余りが過ぎた

【分别】[2] fēnbié 動 **識別する．区別する．見分ける‖～是非 善し悪しを識別する｜～不出真假 本物か偽物か見分けがつかない 副 **それぞれ．別々に．次々と**‖～对待 それぞれに対処する｜～处理 別々に処理する 名 区別．違い‖没有什么～ なんの違いもない

【分拨】fēnbō 動 分配する．振り分ける

*【分不出】fēnbuchū 動 分けられない．区別ができない‖他们俩的技术水平～高低 彼ら二人の技術レベルは甲乙がつけられない

*【分不开】fēnbukāi 動 ❶分けられない．切り離せない‖他之所以能够成功是跟平时勤奋～的 彼が成功したのはふだんの努力のたまものだ ❷抜けられない‖现在很忙，～身子 いまは忙しくて抜けられない

【分不清】fēnbuqīng 動 はっきり分けられない．見分けがつかない．区別ができない

*【分布】fēnbù 動 分布する

【分册】fēncè 名 分冊‖第一～ 第1分冊

【分成】fēnchéng 動 比率に応じて分ける．分配する‖按股～ 持ち株に応じて利益を分配する

*【分寸】fēncun 名 程合い．度合い‖他说话很有～ 彼は分をわきまえた話し方をする｜开玩笑也得有个～啊！ 冗談にもほどがあるよ

【分担】fēndān 動 分担する‖这笔费用由我们几个～ この費用は私たちがそれぞれ負担する

【分道扬镳】fēn dào yáng biāo 成 別々の道を行く．たもとを分かつ

【分店】fēndiàn 名（商店の）支店．分店

*【分队】fēnduì 名〈軍〉分隊

【分发】fēnfā 動 ❶分配する．配付する‖材料～给每个人 資料を一人一人に配る ❷配属する

*【分割】fēngē 動 分割する．別々にする．切り離す‖这是一个问题的两个方面，不能把它们～开来 これは一つの問題の両側面であり，切り離すことはできない

【分隔】fēngé 動 ❶分け隔てる ❷（部屋などを）仕切る‖用屏风把客厅～开 ついたてで客間を二つに仕切る

*【分工】fēn//gōng 動 分業する

【分公司】fēngōngsī 名 支店．系列下の会社

【分管】fēnguǎn 動 分担して管理する．担当する

【分行】fēnháng 名（銀行などの）支店．分店

【分毫】fēnháo 名 一分一厘．ほんのわずか‖尺寸～不差 寸法は一分一厘違わない

【分号】[1] fēnhào 名〈語〉セミコロン，〔；〕

【分号】[2] fēnhào 名 支店

*【分红】fēn//hóng 動 利益を配当する‖按一成～ 1割の配当をする｜年终～ 年末の利益配当

【分洪】fēnhóng 動（人口密集地などに水害が及ぶのを防ぐために）上流域で流れの一部を別な場所へ導く

*【分化】fēnhuà 動 ❶分化する．分裂する‖两极～ 両極に分化する｜贫富～ 貧富の差が広がる ❷分裂させる‖～敌人 敵を分裂させる ❸〈生〉分化する

【分机】fēnjī 名（電話の）内線

【分级】fēn//jí 動 ランクづけする．区分する

【分家】fēn//jiā 動 ❶分家する‖～单过 分家して独立する ❷分離する‖鞋帮xiébāng和鞋底分了家了 靴底がはがれた

*【分解】fēnjiě 動 ❶〈物〉〈化〉分解する ❷仲裁する．和解させる‖双方各不相让，难以～ 双方とも頑として譲らないので，和解させることは難しい ❸分裂する．瓦解する‖促使敌人内部～ 敵が内部で分裂するように働きかける ❹（旧小説で，章の結びに用い）詳しく説く‖且听下回～ 詳しくは次回の説き明かしを聞かれたし

【分界】fēn//jiè 動 境界を分ける‖两国沿河～ 両国は川沿いを境界とする 名（fēnjiè）境界．境目

【分界线】fēnjièxiàn 名 分界線．境界線

【分斤掰两】fēn jīn bāi liǎng 成 ごくささいなことにこだわる

【分居】fēn//jū 動 別居する

【分句】fēnjù 名〈語〉クローズ．節

【分开】fēn//kāi 動 ❶別れる．離別する ❷分ける．別々にする‖请把这些东西～包 この品物を別々に包んでください

*【分类】fēn//lèi 動 分類する．仕分けする

*【分离】fēnlí 動 ❶別れる．離別する‖～多年 長年離れ離れである ❷分離する．切り離す‖理论与实践shíjiàn是不可～的 理論と実践は切り離すことができないものである

【分力】fēnlì 名〈物〉分力

【分列式】fēnlièshì 名〈軍〉分列式

*【分裂】fēnliè 動 ❶分裂する．分かれる‖细胞～ 細胞分裂 ❷分裂させる‖～组织 組織を分裂させる

【分龄】fēnlíng 形 年齢別の‖～泳赛 年齢別競泳試合

【分流】fēnliú 動 ❶本流から分かれて流れる ❷（人や車などが）それぞれ違う方向へ流れる

【分馏】fēnliú 動〈化〉分留する‖～塔 分留塔

【分路】fēn//lù 動 道を分ける．別々の道を行く 名（fēnlù）〈電〉分路‖～电阻diànzǔ 分路抵抗

【分门别类】fēn mén bié lèi 成 部類別に分類する

【分米】fēnmǐ 量 デシメートル

*【分泌】fēnmì 動〈生〉分泌する

【分娩】fēnmiǎn 動 分娩(ぶんべん)する．出産する

【分秒】fēnmiǎo 名 分秒．一分一秒‖准时到达，～不差 きっかり時間どおりに到着する

【分秒必争】fēn miǎo bì zhēng 成 一分一秒を争う．寸刻もむだにしない

*【分明】fēnmíng 形 はっきりしている．明白である‖黑白～ 是非が明らかである 副 明らかに．紛れもなく．確かに‖～是你的错误 明らかに君の誤りだ

*【分母】fēnmǔ 名〈数〉分母

【分派】fēnpài 動 ❶(仕事や任務を)振り当てる. 任せる ❷(費用などを)割り当てる
*【分配】fēnpèi 動 ❶分配する. 分けて配る ‖ 按劳～ 労働に応じて分配する ❷(職場に)配属する. (仕事や任務を)振り当てる ‖ ～给他适当的工作 彼に適当な仕事を振り当てる ❸〈経〉分配する
*【分批】fēn//pī 動 数回に分ける. いくつかのまとまりに分ける ‖ ～付邮 いくつかに分けて郵送する
*【分期】fēn//qī 動 時期を分ける. 期間を分ける ‖ ～付款 分割で支払う
*【分歧】fēnqí 名 相違. 食い違い ‖ ～很大 食い違いが大きい | 消除～ ずれをなくす 形 食い違う. 一致しない ‖ 意见～ 意見が分かれる
*【分清】fēn//qīng 動 はっきり区別する. はっきり見分ける ‖ ～好坏 善し悪しをはっきり見分ける
【分群】fēn//qún 動 ハチが巣分かれする. 分封(ぶんぽう)する
*【分散】fēnsàn 動 ❶分散する ‖ ～注意力 気を散らす ❷配る. ばらまく ‖ ～传单 ビラを配る 形 散らばっている. 散在する
【分设】fēnshè 動 それぞれ設置する
【分社】fēnshè 名 支社
【分身】fēn//shēn 動 手を離す. 時間を割く. (多く否定に用いる) ‖ 难以～ なかなか手が離せない | 我今天有事分不开身 今日は用事があって抜けられない
【分神】fēn//shén (～儿) 動 気を散らす. 気をとられる
【分式】fēnshì 名〈数〉有理分数式
【分手】fēn//shǒu 動 別れる ‖ 由于性格不合, 两人分了手 性格が合わないので, 二人は別れた
*【分数】fēnshù 名 ❶〈数〉分数 ❷(成績や試合の)点数 ‖ 他的～最高 彼が最高点をとった
【分数线】fēnshùxiàn 名 ❶(成績の)点数 ❷(試験の)合格ライン
【分水岭】fēnshuǐlǐng 名 ❶〈地〉分水嶺. 分水界. 〔分水线〕ともいう ❷(物事の)分かれ目. 分岐点
【分税制】fēnshuìzhì 名 分税制. 税収を税の種類によって中央税・地方税・中央地方共有税に分けて徴収する制度
【分说】fēnshuō 動 (〔不容〕〔不由〕などの後に置き)言い訳をする. 弁明する ‖ 不容～ 有無を言わせず
【分摊】fēntān 動 (費用などを)分担する. 均分する. 割り当てる ‖ 费用由大家～ 費用はみんなで割り勘にする
【分庭抗礼】fēn tíng kàng lǐ 成 主人と来客がそれぞれ庭の両端に立って挨拶を交わす. 互いに対等の関係にあり, 対立しているたとえ
【分头】[1] fēntóu 副 手分けして ‖ 我们～去找 私たちが手分けして探そう
【分头】[2] fēntóu 名 頭髪を左右に分ける髪型
【分文】fēnwén 名 わずかな金 ‖ ～不值 一文の価値もない | 身无～ 一文無し
【分文不取】fēn wén bù qǔ 成 無料である
*【分析】fēnxī 動 分析する ↔〔综合〕‖ ～问题 問題を分析する | ～形势 情勢を分析する
【分析语】fēnxīyǔ 名〈語〉分析語
【分享】fēnxiǎng 動 (喜びや幸福を)分かち合う
【分晓】fēnxiǎo 動 はっきりする 名 ❶(多く〔见〕の後に置いて)事の子細. 真相. 結果 ‖ 两队谁强谁弱, 明天就见～ 両チームのうち果たしてどちらが強いかは, 明日になれば分かる ❷分別. 道理. (多く否定に用いる) ‖ 没～的话 分別のない話

【分心】fēn//xīn 動 ❶心配する. 気を遣う ‖ 叫您～了 ご心配をおかけしました ❷気が散る ‖ 学习时听广播容易～ 勉強中にラジオを聞くと気が散りやすい
【分野】fēnyě 名 分野. 領域
【分忧】fēn//yōu 動 書 共に心配する. 力になる
【分赃】fēn//zāng 動 盗品を山分けする. 喩 不当な利益や権利を分け合う ‖ 坐地～ 上前をはねる
【分账】fēnzhàng 動 一定の比率に基づいて金銭や財物を分ける ‖ 三七～ 三分と七分で利益を分ける
【分针】fēnzhēn 名 時計の分針. 長針
★【…分之…】… fēn zhī … 組 … 分の … ‖ 百～百 100パーセント | 三～一 3分の1
【分支】fēnzhī 名 支系. 一つの系統や主体から分かれた部分 ‖ ～机构 出先機関
★【分钟】fēnzhōng 量 分. 分間 ‖ 一小时零五～ 1時間5分 | 还有十～ あと10分ある
*【分子】fēnzǐ 名〈数〉〈物〉分子 ➤ fènzǐ
【分子量】fēnzǐliàng 名〈化〉分子量
【分子式】fēnzǐshì 名〈化〉分子式

7 **芬** fēn 草花の香り ‖ →～芳

*【芬芳】fēnfāng 形 書 かぐわしい. 香りがよい 名 かぐわしい香り ‖ ～四溢 かぐわしい香りがあたり一面に漂う
【芬兰】Fēnlán 名〈国名〉フィンランド

7 **吩** fēn ↓

*【吩咐】fēnfu ; fēnfù 動 口 言いつける. 命じる. 指図する. 〔分付〕とも書く ‖ 有什么要我帮忙的, 请您～ 手伝うことがあったら, どうぞ申しつけてください | 妈妈～他把门锁好 お母さんは彼に鍵をかけるよう言いつけた

> **類義語** 吩咐 fēnfu 嘱咐 zhǔfu
>
> ◆〔吩咐〕口頭で相手に何かをさせる. 言いつける. 語気はやや重く, 強制的・命令的な調子がある ‖ 医生吩咐过, 她需要静养 医者は, 彼女には静養が必要であると言った ◆〔嘱咐〕相手を納得させるように話す. 言い含める. 言い聞かせる. 語気は柔らかで, 強制的・命令的な調子はない ‖ 哥哥嘱咐我别把这件事告诉妈妈 兄は私にこのことを母に知らせてはいけないと言い含めた

7 **纷** fēn ❶おびただしい. 乱雑である ‖ →～乱 | →～飞 ❷もめごと ‖ →～争

【纷繁】fēnfán 形 多くて複雑である. こみ入っている ‖ 事情～, 复杂 事がこみ入っている
【纷飞】fēnfēi 動 (雪や花などが)しきりに乱れ飛ぶ
*【纷纷】fēnfēn 形 雑多である. 入り乱れている ‖ 大雪～ 雪がしきりに降っている | 议论～ 議論がまちまちである 副 次から次へ. 続々と ‖ ～发言 次々と発言する
【纷纷扬扬】fēnfēnyángyáng 形 (花・雪・木の葉などが)しきりに舞い落ちるさま
【纷乱】fēnluàn 形 乱れている ‖ ～的脚步声 騒がしい足音 | 思绪～ 考えが乱れる
【纷扰】fēnrǎo 形 混乱している. 乱れている
【纷纭】fēnyún 形 書 (言論や事柄などが)入り乱れている. 錯綜している ‖ 众说～ 諸説紛々
【纷杂】fēnzá 形 錯綜している. 入り乱れている
【纷争】fēnzhēng 名 紛争 ‖ 国际间的～ 国際間の紛争 | 调解tiáojiě～ 紛争を調停する
【纷至沓来】fēn zhì tà lái 成 次々にやって来る

F

8 **氛**(△雰) **fēn** 雰囲気. 気配. 様子 ‖ 一～围 | 气～ 雰囲気

【氛围】fēnwéi 图 雰囲気.〔雰围〕とも書く

11 **酚 fēn** 图〈化〉フェノール. 石炭酸.(広く)フェノール類

【酚酞】fēntài 图〈化〉フェノールフタレーン

fén

7 **汾 fén** 地名用字 ‖ ～河 山西省にある川の名

F

【汾酒】fénjiǔ 图 汾酒(ふんしゅ). 山西省汾陽(ふんよう)県杏花(きょうか)村に産する,コーリャンを主原料とした蒸留酒

7 * **坟**(墳) **fén** 图 土を丸く盛り上げて作った墓. 土まんじゅう ‖ 上～ 墓参する

【坟地】féndì 图 墓地.〔坟场〕ともいう

*【坟墓】**fénmù** 图 墓. 墳墓 ‖ 自掘～ 墓穴を掘る

【坟头】féntóu (～儿) 图 墓の土まんじゅうの部分

12 **焚 fén** 焼く. 燃やす ‖ 一～香 | 心急如～ 火がついたように気がせく

【焚化】fénhuà 動 (死体や紙銭などを)焼いて灰にする

【焚毁】fénhuǐ 動 焼き払う. 焼失する

【焚琴煮鹤】fén qín zhǔ hè 成 琴を燃やし,鶴を煮て食う. 風雅を解さないたとえ =〔煮鹤焚琴〕

【焚烧】fénshāo 動 焼き払う

【焚书坑儒】fén shū kēng rú 成 焚書坑儒(ふんしょこうじゅ). 思想弾圧をすること

【焚香】fén//xiāng 動 書 香をたく. 焼香する

12 **棼 fén** 書 乱れる. もつれる ‖ 治丝益～ 糸をほぐそうとして,よけいもつれさせてしまう. 事の処理が要領を得ず,かえって混乱させてしまうたとえ

17 **鼢 fén** ↓

【鼢鼠】fénshǔ 图〈動〉モグラネズミ

fěn

10 * **粉 fěn** ❶图 おしろい ‖ 擦～ おしろいを塗る ❷图 粉末状のもの ‖ 洗衣～ 粉石けん ❸動 方 粉になる. 粉末状にする ❹图 (豆そうめんやはるさめなど)澱粉で作った食品 ‖ 一～丝 ❺图 はるさめ ‖ 米～ ビーフン ❻图 小麦粉 ‖ 富强～ 強力粉 ❼動 方 (壁などを)白く塗る ‖ 墙壁还没～过 壁はまだ白く塗っていない ❽白色の ‖ ～连纸 トレーシング・ペーパー ❾形 ピンク色の. 桃色の ‖ ～裙子 ピンク色のスカート

【粉笔】fěnbǐ 图 **白墨. チョーク**

【粉肠】fěncháng (～儿) 图 緑豆の澱粉に調味料を加えてこね,ブタなどの腸に詰めて蒸した食品

【粉尘】fěnchén 图 粉塵(ふんじん)

【粉刺】fěncì 图 口 にきび〔痤疮〕の通称

【粉黛】fěndài 图 ❶おしろいとまゆずみ ❷旧 女性

【粉蝶】fěndié 图〈虫〉シロチョウ科のチョウの総称. 主にモンシロチョウをいう ‖ 菜～ モンシロチョウ | 白～ 同前

【粉坊】【粉房】fěnfáng 图 製粉所

【粉盒】fěnhé (～儿) 图 (化粧用の)コンパクト

【粉红】fěnhóng 形 桃色の. ピンクの

【粉剂】fěnjì 图〈薬〉粉剤. 粉薬 殺虫剤

【粉领】fěnlǐng 图 ピンクカラー. 事務職の女性をさす.〔粉红领〕ともいう

*【粉末】**fěnmò** (～儿) 图 粉末. 粉

【粉墨登场】fěn mò dēng chǎng 成 メーキャップして舞台に出る. 悪人が政治舞台に登場するたとえ

【粉皮】fěnpí (～儿) 图 緑豆などの澱粉で作った幅広のはるさめ

【粉扑儿】fěnpūr 图 おしろいたたき. パフ

【粉芡】fěnqiàn 图 片栗粉などを水で溶いたもの.(中華料理で用いる)くずあん

【粉墙】fěnqiáng 图 しっくい塗りの壁. 白壁

【粉色】fěnsè 图 桃色. ピンク

【粉身碎骨】fěn shēn suì gǔ 成 粉骨砕身. ある目的のために犠牲になること

【粉饰】fěnshì 動 粉飾する. うわべを飾る. とりつくろう ‖ ～门面 見かけを飾り立てる | ～太平 太平を装う

【粉刷】fěnshuā 動 (壁などを)白く塗る. しっくいを塗る ‖ 墙壁～一新 壁を塗り替えて一新する

【粉丝】fěnsī 图 ❶はるさめ. 豆そうめん ❷ファン.〔追星族〕ともいう

*【粉碎】**fěnsuì** 動 粉々にする. 粉砕する ‖ ～敌人的进攻 敵の進攻を粉砕する 形 粉々である ‖ 玻璃杯摔shuāi得～ ガラスコップが落ちて粉々に割れた

【粉条】fěntiáo (～儿) 图 平たいひも状のはるさめ

【粉蒸肉】fěnzhēngròu 图〈料理〉厚く切った豚肉にしん粉をまぶし,調味料を加えて蒸し上げたもの

【粉状】fěnzhuàng 图 粉末状

fèn

4 **分 fèn** ❶〔份fèn〕に同じ ❷成分 ‖ 养～ 養分 ❸めぐり合わせや資質などの要素 ‖ 缘～ 縁 ❹本分. 職責 ‖ 本～ 本分 ➤ fēn

【分际】fènjì 图 書 ❶頃合い. 度合い ‖ 说话要注意～ 口をきくときは分をわきまえなければならない ❷程度

*【分量】**fènliang;fènliàng** 图 ❶重さ. 重量 ❷(言葉などの)重み. 重要さ ‖ 这篇论文很有～ この論文はなかなか内容が濃い

【分内】fènnèi 形 職責範囲内の. 本分内の ‖ 这是我～的事 これは私の職責範囲内のことです

*【分外】**fènwài** 副 格別に. 特別に. ことのほか ‖ 今日重逢chóngféng, ～高兴 今日またお会いできてことのほか嬉しい 形 本分以外の. 受け持ち以外の ‖ 他对～的工作也总是抢qiǎng着干 彼は自分の受け持ち以外の仕事でも決まって我先に買って出る

*【分子】**fènzǐ** 图 分子. ある階層や集団などを構成する個人 ‖ 知识～ 知識分子. インテリ ➤ fēnzǐ

6 ** **份 fèn** ❶图 (～儿)全体のうちの一部分. 取り分. 出し分 ‖ 每人都有～ 各人それぞれ取り分がある ❷量 (～儿)①**全体をいくつかに分けた部分** ‖ 把蛋糕dàngāo分成八～ ケーキを八つに分ける ②**組や揃いになっているものを数える** ‖ 送了一～礼物 贈り物を一つ送った ③(新聞や書類などを数える)**部** ‖ 订了两～杂志、一～报 雑誌2部と新聞1部の購読を申し込んだ ④口 状況. 様子 ‖ 瞧他那～德行 彼のあのざまをみろ ❸〔省〕〔县〕〔年〕〔月〕の後に置き,区分した単位を表す ‖ 这里几月～最热? ここは何月がいちばん暑いですか

【份额】fèn'é 图 割り当て. 分け前

【份儿】fènr 图 ❶取り分 ‖ 这是我的～ これは私の取り分だ ❷占める位置 ‖ 新的领导班子里没有他的～ 新しい指導者グループの中に彼は入っていない ❸方 気勢. 気炎 ‖ 摆～ 威張る ❹(物事の達する)程度 ‖

没想到他们会闹到这～上 彼らがこれほど大騒ぎするとは思ってもみなかった

【份子】fènzi 图 ❶(慶弔金などの)各自の出し分．割り前 ❷香典．祝儀．餞別(せんべつ)

8 **奋(奮) fèn** ❶鳥類が翼を広げてはばたく‖→～飞 ❷奮い起こす．頑張る‖振～ 奮い立つ ❸振る．振り上げる‖～笔疾jí书 筆を振るって一気に書き上げる

【奋不顾身】fèn bù gù shēn 成 勇気を奮い起こし，身の危険も顧みないこと

【奋斗】fèndòu 動 **奮闘する．力を尽くす．努力する‖艰苦～ 刻苦奮闘する

【奋发】fènfā 動 発奮する．奮発する

【奋发图强】fèn fā tú qiáng 成 奮い立って向上に努める．奮起して高い目標に向かって努力する

【奋飞】fènfēi 動 (鳥が)力をこめてはばたく

【奋激】fènjī 形 激昂(げきこう)するさま．高ぶるさま‖情绪～ 気持ちが高ぶっている

【奋进】fènjìn 動 勇気を奮い起こして突き進む

【奋力】fènlì 副 力の限り．全力で‖～抢救qiǎngjiù落水儿童 溺(おぼ)れている子供を全力で救出する

【奋起】fènqǐ 動 ❶奮起する．奮い立つ‖～反击 奮起して反撃に出る ❷力を入れて持ち上げる

*【奋勇】fènyǒng 動 勇気を奮う‖～当先 勇気を奮って先頭に立つ｜～杀敌 勇気を奮って敵を倒す

*【奋战】fènzhàn 動 奮戦する．力戦奮闘する‖浴血yùxuè～ 血まみれになって戦う．とことん戦い抜くさま

【奋争】fènzhēng 動 奮い立って戦う．奮戦する

8 **忿 fèn** 腹を立てる‖～怒 憤る

【忿忿】fènfèn ＝〔愤愤fènfèn〕

11 **偾 fèn** 書 損う．壊す

12 **愤 fèn** ❶気がふさぐ ❷憤る．憤慨する‖→～慨｜义～ 義憤

【愤愤】fènfèn 形 非常に腹が立っているさま．〔忿忿〕とも書く‖～不平 腹が立ってむかむかする

*【愤恨】fènhèn 動 憤り憎む．憤慨する‖大家都～这种欺软怕硬的人 強い者にはへつらい弱い者はいじめるような手合いの人間には誰もが憤慨する

【愤激】fènjī 形 憤激するさま

【愤慨】fènkǎi 形 怒りで気が静まらないさま．憤り嘆くさま

【愤懑】fènmèn 形 書 憤懣やる方ないさま

【愤怒】fènnù 形 **激しく怒るさま．憤怒するさま‖胸中充满了～ 心中激しい怒りに燃えている

【愤然】fènrán 形 憤然とする．かっとなるさま‖神情～ 気色ばむ｜～离去 憤然として立ち去る

【愤世嫉俗】fèn shì jí sú 成 腐敗した社会や低俗な世の中を憤り憎む

12 * **粪(糞) fèn** ❶图 糞(ふん)．大便．肥やし‖马～ 馬糞｜上～ 肥やしをやる ❷動 書 (畑に)肥やしをやる‖～田 田畑に施肥する

【粪便】fènbiàn 图 糞便．屎尿(しにょう)

【粪肥】fènféi 图〈農〉下肥

【粪坑】fènkēng 图 ❶糞つぼ ❷肥だめ

【粪土】fèntǔ 图 糞土 喩 値打ちのないもの．役に立たないもの

17 **鲼 fèn** 图〈魚〉トビエイ．イーグル・レイ

20 **瀵 fèn** 動 水が地下から噴出する

fēng

4 **丰(豐❶❷❹❺) fēng** ❶草木が繁茂している‖→～茂 ❷豊満である．ふくよかである‖→～润 ❸風采(ふうさい)．姿態‖→～韵 ❹豊富である．(種類や数量が)多い‖→～富 ❺高くて大きい．偉大である‖→～碑

【丰碑】fēngbēi 图 書 高く大きい石碑．優れた作品や偉大な功績などのたとえ

【丰采】fēngcǎi ＝〔风采fēngcǎi ❶〕

*【丰产】fēngchǎn 動 **たくさん収穫する**‖～田 多収量の田畑｜～作物 多収量作物

【丰登】fēngdēng 動 書 豊かに実る

★【丰富】fēngfù 形 **豊富である．豊かである**‖～的资源 豊富な資源｜经验～ 経験が豊富である 動 **豊富にする．豊かにする**‖这些活动～了我们的业余生活 これらの活動は我々の余暇を豊かにしてくれた

【丰富多彩】fēng fù duō cǎi 成 多種多様である

【丰功伟绩】fēng gōng wěi jì 成 偉大な功績

【丰厚】fēnghòu 形 ❶厚い ❷手厚い‖～的礼品 手厚い贈り物｜待遇～ 待遇がよい

*【丰满】fēngmǎn 形 ❶(倉庫に食糧などが)満ちている．いっぱいである ❷豊満である．ふくよかである‖她比以前～得多了 彼女は前よりずっとふくよかになった

【丰茂】fēngmào 形 豊かに茂っている

【丰美】fēngměi 形 豊かですばらしい

【丰年】fēngnián 图 豊年．豊作の年 ↔〔歉年〕

【丰饶】fēngráo 形 豊饒(ほうじょう)である

【丰乳】fēngrǔ 動 豊胸する．〔丰胸〕ともいう

【丰润】fēngrùn 形 ふくよかでみずみずしい

【丰盛】fēngshèng 形 豊富である．盛りだくさんである‖～的菜肴càiyáo 盛りだくさんの料理

*【丰收】fēngshōu 動 たくさん収穫する ↔〔歉收〕‖粮食大～ 穀物が大豊作だ｜～年 豊作の年

【丰硕】fēngshuò 形 実り多い．(多く抽象的な事物に用いる)‖获得～成果 実り豊かな成果をあげた

【丰沃】fēngwò 形 肥沃(ひよく)である

【丰胸】fēngxiōng ＝〔丰乳fēngrǔ〕

【丰衣足食】fēng yī zú shí 成 暖衣飽食．生活が豊かなこと

【丰盈】fēngyíng 形 ❶豊かである．満ち足りている ❷ふくよかである．豊満である

【丰腴】fēngyú 形 ❶ふくよかである．豊満である ❷(土地が)肥えている ❸豊かである．十分である

【丰裕】fēngyù 形 裕福である．豊かである

【丰韵】fēngyùn ＝〔风韵fēngyùn〕

【丰姿】fēngzī ＝〔风姿fēngzī〕

【丰足】fēngzú 形 十分にある．満ち足りている

4 ★ **风(風) fēng** ❶图 **風**‖刮～ 風が吹く｜是什么～把你吹来了？ 君が来るとはどういう風の吹き回しだ ❷風俗．風潮．風習‖歪～ よくない風潮 ❸民謡‖采～ 民謡を集める ❹気風．物事のやり方や態度‖→～格 ❺图 (～儿)**うわさ．風説．情報**‖他向我透了点儿～儿 彼は私に少しばかり内情を漏らした ❻根拠のない．伝え聞いた‖→～闻 ❼景色．情景‖→～景 ❽图〈中医〉六淫(りくいん)の一つ．風(ふう) ❾動 風に当てる．風で乾かす‖晒

干shàigān～净 天日に干し，風で乾かす．❿陰干しした‖→～鸡

*【风暴】fēngbào 名 ❶嵐(あらし)．暴風雨‖～来临了 嵐がやって来た ❷喩 事件や騒動‖民族解放的～ 民族解放の嵐

【风暴潮】fēngbàocháo 名〈気〉高潮(たかしお)．暴風津波．風津波

【风波】fēngbō 名 波風．騒ぎ．ごたごた‖一句话惹rě出一场大～ その一言で大騒ぎとなった

【风采】fēngcǎi 名 書 ❶(立派な)風貌(ふうぼう)．風采(ふうさい)．〔丰采〕とも書く ❷文才．文学的な才能

【风餐露宿】fēng cān lù sù 成 風にさらされ露にぬれて野宿する．長旅や野宿の苦しみを形容する

【风操】fēngcāo 名 書 風格と品位

【风潮】fēngcháo 名 騒動‖闹～ 騒動を起こす

【风车】fēngchē 名 ❶風車(ふうしゃ) ❷唐箕(とうみ)＝〔扇车〕❸(～儿)(玩具(がんぐ)の)かざぐるま

【风尘】fēngchén 名 喩 ❶旅の苦労 ❷さすらいの身の上‖沦落lúnluò～ 零落し世をさすらう ❸書 戦乱

【风尘仆仆】fēng chén pú pú 成 長旅で疲れ果てたさま

【风驰电掣】fēng chí diàn chè 成 電光石火．非常に速いさま

【风传】fēngchuán 動 うわさが流れる 名 うわさ．風聞

【风吹草动】fēng chuī cǎo dòng 成 風吹き草動く．わずかな動き．ちょっとした異変

【风吹雨打】fēng chuī yǔ dǎ 成 風に吹かれ雨に打たれる．厳しい試練にさらされること．ひどい痛手を受けること

【风挡】fēngdǎng 名 (車や飛行機の)風防．風よけ

【风刀霜剑】fēng dāo shuāng jiàn 成 寒風や霜が剣のように身を刺す．酷寒あるいは苦境のたとえ

【风灯】fēngdēng 名 防風用ランプ．カンテラ．〔风雨灯〕ともいう

【风笛】fēngdí 名〈音〉バグパイプ

【风电】fēngdiàn 名 ❶風力発電．〔风力发电〕の略 ❷風力発電によって得られた電気

【风电场】fēngdiànchǎng 名 風力発電所

【风洞】fēngdòng 名〈物〉風洞

*【风度】fēngdù 名 風格．態度．人柄‖～翩翩piānpiān 姿があかぬけている｜有～ 風格がある

【风发】fēngfā 形 盛んである．軒昂(けんこう)たるさま‖意气～ 意気軒昂である．意気盛んである

【风范】fēngfàn 名 書 風格．気概

【风风火火】fēngfēnghuǒhuǒ (～的) 形 ❶慌ただしいさま．慌てふためくさま ❷はつらつとしている．熱気に満ちている

【风风雨雨】fēngfēngyǔyǔ 慣 ❶度重なる困難や苦労 ❷うわさや中傷が至る所に広まるさま ❸方 熱中したり冷めたりするさま．気まぐれなさま

【风干】fēnggān 動 陰干しにする

*【风格】fēnggé 名 ❶風格．精神．気品‖～高 気品が高い ❷芸術上のスタイル．作風‖艺术～ 芸術のスタイル｜～豪放 作風が豪快である

【风骨】fēnggǔ 名 ❶気骨．気概 ❷(書画や詩文の)力強い筆致．雄壮な作風

*【风光】fēngguāng 名 風光．風景

【风光】fēngguang 形 口 権勢がある．羽振りがいい‖想当年他也～过一阵ル 思えばあのころ彼も羽振りがよかった

【风害】fēnghài 名 風害

【风寒】fēnghán 名 寒気．寒さ．冷え込み‖抵御dǐyù～ 寒さを防ぐ

【风和日丽】fēng hé rì lì 成 風が穏やかで日がうららかである．〔风和日暖〕ともいう

【风花雪月】fēng huā xuě yuè 成 花鳥風月

【风华】fēnghuá 名 書 風采と才気

【风化】fēnghuà 名 善良な風俗．良俗‖有伤～ 良俗を損なう 動 ❶〈地質〉風化する ❷〈化〉風解する

【风火墙】fēnghuǒqiáng 名 防火壁

【风鸡】fēngjī 名 鶏肉を塩漬けにし，陰干ししたもの

【风级】fēngjí 名〈気〉風力等級．0級から12級までに分け，級数が大きくなるほど強い風を表す

【风纪】fēngjì 名 風紀．紀律‖整顿～ 風紀を正す

**【风景】fēngjǐng 名 風景．景色‖～美丽 風景が美しい｜～如画 風景が絵のようである

【风景画】fēngjǐnghuà 名 風景画

【风景线】fēngjǐngxiàn 名 ❶観光スポット．景観地 ❷喩 土地の風物‖带狗散步已成为城市一道～ 犬の散歩はいまや都会の風物詩になっている

【风镜】fēngjìng 名 ゴーグル．風塵よけの眼鏡

【风卷残云】fēng juǎn cán yún 成 烈風が残雲を吹き払う．たちまち一掃してしまうこと

【风口】fēngkǒu 名 風当たりの強い所

【风口浪尖】fēng kǒu làng jiān 慣 風が吹きすさび，波頭の砕け散る所．激しい闘争の矢面にたとえる

*【风浪】fēnglàng 名 ❶風と波．風波 ❷(世の中の)風波．荒波‖经得起～考验 厳しい試練に耐える

【风雷】fēngléi 名 猛り狂う風と雷．喩 激しい力．嵐‖民族独立的～ 民族独立の嵐

**【风力】fēnglì 名 風力．風の強さ‖～四级 風力4

【风力发电】fēnglì fādiàn 名 風力発電．略して〔风电〕ともいう

【风凉】fēngliáng 形 風通しがよく涼しい

【风凉话】fēngliánghuà 名 水をさすような言葉．けちをつける言葉‖说～ 水をさすようなことを言う

【风铃】fēnglíng 名 ❶風鐸(ふうたく) ❷風鈴

【风流】fēngliú 形 ❶傑出している．非凡である‖～人物 傑出した人物 ❷風流である．優雅である‖～才子 風流を解する才人 ❸男女の情事にかかわる‖～韵事 男女のロマンス

【风流云散】fēng liú yún sàn 成 人が散り散りになるたとえ．四散する

【风马牛不相及】fēng mǎ niú bù xiāng jí 成 風馬牛(ふうばぎゅう)も相及ばず．両者が互いにまったくかかわりを持たないこと．無関係であること

【风帽】fēngmào 名 ❶風よけ防寒帽 ❷コートやジャケットのフード

【风貌】fēngmào 名 ❶風格．スタイル ❷風姿．容貌(ようぼう)‖～动人 容姿が優れている ❸光景．ありさま

【风门】fēngmén 名 (～儿)(出入り口の戸の外側に設けた)防寒防風用のドア．〔风门子〕ともいう

【风靡】fēngmǐ 動 風靡(ふうび)する‖～一时 一世を風靡する

【风魔】fēngmó ＝〔疯魔fēngmó〕

【风派】fēngpài 名 日和見主義者．風見鶏(かざみどり)

【风平浪静】fēng píng làng jìng 成 風もなく波も静かである．何事もなく平穏無事なさま

【风起云涌】fēng qǐ yún yǒng 成 大風が吹き，黒

雲が出る.(事物が)すさまじい勢いで次々と出現するさま
*【风气】fēngqì 图 気風. 風潮. 習慣 ‖ 社会～ 社会の気風 | ～不正 (社会や集団内の)気風がよくない
【风琴】fēngqín 图〈音〉オルガン ‖ 弹～ オルガンを弾く | 电子～ 電子オルガン | 手～ アコーディオン
【风情】fēngqíng 图 ❶貶 しな. 媚態(びたい). 思わせぶり ‖ 卖弄màinong～ しなを作る. 思わせぶりな様子をする ❷情緒. 風情 ‖ 异国～ 異国情緒 ❸〈気〉風向きや風力の状況
*【风趣】fēngqù 形 (話や文章に)おどけた味わいがある. ユーモアがある ‖ 言谈～ ユーモアあふれる話ぶりである 图 味わい. 風情
【风骚】[1] fēngsāo 图 ❶風騒. 広く文学や詩文をさす ❷喩 指導的地位
【风骚】[2] fēngsāo 形 色っぽくなまめかしい. あだっぽい ‖ 卖弄～ しなを作る. 媚態を示す
【风色】fēngsè 图 ❶風向き. 風の様子 ❷情勢
*【风沙】fēngshā 图 風と砂ぼこり ‖ ～漫天 空一面に砂ぼこりが巻き上がっている
【风扇】fēngshàn 图 ❶天井から吊してひもを引いて動かす布製の扇 ❷扇風機
*【风尚】fēngshàng 图 風潮. 流行 ‖ 时代的～ 時代の風潮 | 社会～ 社会の風潮
【风声】fēngshēng 图 ❶風の音 ❷うわさ. 情報 ‖ 不知是谁走漏了～ 誰かがうわさを流したのだ
【风声鹤唳】fēng shēng hè lì 成 風声鶴唳(ふうせいかくれい). わずかのことにも恐れおののくのたとえ
【风湿病】fēngshībìng 图〈医〉リューマチ
【风蚀】fēngshí 動〈地〉風食する
【风势】fēngshì 图 ❶風の勢い ❷形勢. 様子. 風向き ‖ ～不对 形勢がよくない
【风霜】fēngshuāng 图 喩 (旅や生活の)苦労. 辛酸 ‖ 饱经～ 辛酸をなめ尽くす
【风水】fēngshui ; fēngshuǐ 图 風水 ‖ 看～ 風水を占う | ～先生 風水の占い師
**【风俗】fēngsú 图 風俗. 風習. 習わし
【风俗画】fēngsúhuà 图 風俗画
【风速】fēngsù 图〈気〉風速 ‖ ～计 風速計
【风瘫】fēngtān 图 中風(ちゅうふう).〔瘫痪〕の通称.〔疯瘫〕とも書く
【风调雨顺】fēng tiáo yǔ shùn 成 風雨が季節にかなっている. 天候が順調である
【风头】fēngtou 图 ❶情勢. 風向き ‖ 看～ 情勢を見る ❷貶 目立ちたがること ‖ 出～ 目立ちたがる
【风土】fēngtǔ 图 風土 ‖ ～人情 風土と人情
*【风味】fēngwèi (～儿) 图 (地方独自の)風味. 特色 ‖ 这张画有中国～ この絵には中国的な味わいがある

> **類義語** | 风味 fēngwèi 滋味 zīwèi 味道 wèidao
>
> ◆〔风味〕事物の特色, 多く地方色をさす. 特別な味. 味わい ‖ 江南风味 長江以南の地方色 ◆〔滋味〕食物の味をさすとともに, よく心理的に感じるものに用いる. 味. 味わい. 気持ち ‖ 和她分手的时候, 我心里真不是滋味 彼女と別れたときはなんともやり切れない気持ちだった ◆〔味道〕食物の味をさす. また, あるものに含まれる面白みや情緒などをさすこともある. 味 ‖ 这个菜味道不错 この料理は味がなかなかいい | 这本小说很有味道 この小説は味わいがある

【风味小吃】fēngwèi xiǎochī 图 地方色や民族色のある軽食や点心類
【风闻】fēngwén 動 伝聞する. 伝え聞く
【风物】fēngwù 图 風物
*【风险】fēngxiǎn 图 (起こり得る)危険. リスク ‖ 担～ リスクを覚悟する | ～大 リスクが大きい
【风险管理】fēngxiǎn guǎnlǐ 图〈経〉リスクマネジメント. 危機管理
【风险企业】fēngxiǎn qǐyè 图〈経〉ベンチャー企業
【风险资金】fēngxiǎn zījīn 图 リスク資金
【风箱】fēngxiāng 图 ふいご ‖ 拉～ ふいごを押す
【风向】fēngxiàng 图 ❶〈気〉風向き ❷形勢. 風向き ‖ ～不对 風向きがおかしい
【风向标】fēngxiàngbiāo 图〈気〉風向計. 風見
【风行】fēngxíng 動 流行する. 風靡(ふうび)する ‖ ～一时 一時期流行する | ～全国 全国を風靡する
【风雅】fēngyǎ 图 風雅. 広く詩文をさす 形 優雅である. 品がある ‖ 举止～ 立ち居ふるまいが優雅である
【风烟】fēngyān 图 ❶風になびく煙 ❷戦乱. 戦火
【风言风语】fēng yán fēng yǔ 成 ❶根も葉もないうわさ. 風説 ❷陰であれこれうわさする
*【风衣】fēngyī 图 ダスターコート. ウインドブレーカー
【风雨】fēngyǔ 图 ❶風雨 ‖ ～表 晴雨計 | ～交加 風と雨が同時に激しくなる. 暴風雨になる ❷喩 困難. 苦労 ‖ 经～, 见世面 苦労を重ねて世間を知る
【风雨飘摇】fēng yǔ piāo yáo 成 風雨の中で揺れ動く. 情勢が流動的で不安定なさま
【风雨如晦】fēng yǔ rú huì 成 風雨に閉ざされ, やみ夜のようである. 希望のない暗い時局のたとえ
【风雨同舟】fēng yǔ tóng zhōu 成 嵐のなか同船して共に風雨と闘う. 力を合わせて困難に打ち勝つこと
【风雨无阻】fēng yǔ wú zǔ 成 雨風を妨げとしない. 雨が降っても風が吹いてもいつものとおり行うこと
【风雨衣】fēngyǔyī 图 レインコート. ウインドブレーカー
【风月】fēngyuè 图 ❶風月. 自然の風光 ‖ 家乡的～ 故郷の風光 ❷男女の色恋 ‖ ～场 色事
【风云】fēngyún 图 風雲. めまぐるしく変わる時勢をさす ‖ ～豪杰 乱世の英雄豪傑
【风云人物】fēngyún rénwù 图 風雲児
【风云突变】fēng yún tū biàn 成 情勢が急変する
【风韵】fēngyùn 图 (女性の)あでやかな姿態. あでやかさ.〔丰韵〕とも書く ‖ ～犹存 あでやかさいまだ衰えず
【风灾】fēngzāi 图 風災. 風害
【风疹】fēngzhěn 图〈医〉風疹(ふうしん). 三日ばしか
*【风筝】fēngzheng 图 凧(たこ) ‖ 放～ 凧を揚げる
【风致】fēngzhì 图 書 ❶美しい容貌と物腰 ❷趣
【风中之烛】fēng zhōng zhī zhú 成 風前の灯火
【风烛残年】fēng zhú cán nián 成 年老いて余命いくばくもない
【风姿】fēngzī 图 美しい容姿.〔丰姿〕とも書く
【风钻】fēngzuàn 图〈機〉空気鑿岩(さくがん)機

7 沣(灃) fēng 地名用字 ‖ ～水 陝西省にある川の名

8 枫 fēng 图〈植〉フウ. ふつう〔枫香〕〔枫香树〕という

9 ★封 fēng ❶動 書 君主が土地や爵位などを臣下に授ける ❷動 封をする. 閉ざす ‖ 信已经～好了 手紙はもう封をした ❸動 (通行や活動などを)禁止する. 制限する ‖ 所有的路口都～上了 すべての交差点を封鎖した ❹量 (手紙など封をしたものを数える)通. 封 ‖ 一～信 1通の手紙 ❺图 (～儿) (物を

入れて封をするための)紙の包みや紙袋のたぐい ‖ 信～ 封筒 | 启～儿 封を切る
【封笔】fēng//bǐ 動 (作家・書家・画家などが)創作活動を停止する
*【封闭】fēngbì 動 ❶密封する. 密閉する ‖ ～罐头 guàntou 缶を密封する ❷閉鎖する. 封鎖する ‖ 赌场 dǔchǎng被～了 賭博場が閉鎖された
【封闭疗法】fēngbì liáofǎ 名〈医〉遮断療法
【封闭式基金】fēngbìshì jījīn 名〈経〉クローズドエンド型投資信託 ↔〔开放式基金〕
【封存】fēngcún 動 封をして保存する
【封底】fēngdǐ 名〈印〉(本や雑誌の)裏表紙. 表4. 〔封四〕ともいう
【封地】fēngdì 名 旧 封地. 諸侯の領地
【封顶】fēngdǐng 動 ❶屋根が完成する. 建物が竣工する ❷上限を規定する
【封冻】fēngdòng 動 氷に閉ざされる. 結氷する
【封堵】fēngdǔ 動 ❶(道路などを)塞ぐ. 封鎖する ‖ 发生雪崩, 道路～ 雪崩で道が通行不能になった ❷〈体〉(相手の攻撃を)遮る. 阻む
【封港】fēnggǎng 動 港を封鎖する
【封官许愿】fēng guān xǔ yuàn 成 見返りに地位を与えることを約束する
【封航】fēngháng 動 (船舶や飛行機の)航行を禁止する
【封河】fēng//hé 動 河川が結氷する
【封火】fēng//huǒ 動 (炉のふたを閉じたり灰をかぶせたりして)火を埋(ʻ)ける
*【封建】fēngjiàn 名 封建. 封建制度 ‖ ～道德 封建的道徳 | ～制度 封建制度 形 **封建的である** ‖ 头脑～ 頭が古くさい | 奶奶很～ 祖母はとても封建的だ
【封建社会】fēngjiàn shèhuì 名 封建社会
【封建主】fēngjiànzhǔ 名 領主
【封建主义】fēngjiàn zhǔyì 名 封建主義
【封禁】fēngjìn 動 ❶密封する. 密閉する ❷(書籍や雑誌などを読むことを)禁止する. 発禁にする
【封口】fēng//kǒu (～儿) 動 ❶(瓶の口や手紙の)封をする ❷(傷口が)ふさがる. くっつく ‖ 脚上的伤还没～ 足の傷はまだふさがらない ❸口をつぐむ. 押し黙る 名 (fēngkǒu) 封筒の折り口のところ
【封门】fēng//mén 動 ❶(門や戸口に)封印する. 差し押さえる ❷(～儿)前言を変えない
【封面】fēngmiàn 名〈印〉❶(本や雑誌などの)表表紙と裏表紙 ❷(本や雑誌などの)表表紙. 表1. 〔封一〕ともいう ❸線装本の扉ページ
【封皮】fēngpí 名 ❶封筒 ❷方 封印の紙 ❸(本や雑誌の)表表紙 ❹方 包装用紙
【封妻荫子】fēng qī yìn zǐ 成 (功臣の)妻は称号を授けられ, 子は官職を世襲する. 父祖の功労で子や孫が特権を受けること
【封杀】fēngshā 動 ❶〈体〉(野球などで)フォース・アウトにする. 封殺する ❷(禁止などの手段で)抹殺する. 締め出す ‖ 被演艺界～ 芸能界から締め出される
【封山育林】fēng shān yù lín 組〈林〉樹木の保護のため一定期間伐採や放牧を禁じること
【封四】fēngsì =〔封底fēngdǐ〕
*【封锁】fēngsuǒ 動 封鎖する. 隔絶する. 遮断する ‖ ～交通要道 交通の要路を遮断する | 经济～ 経済封鎖 | ～线 封鎖線 | ～消息 情報を絶つ
【封套】fēngtào (～儿) 名 文書などを入れる厚紙でできたカバー
【封条】fēngtiáo 名 封印の紙 ‖ 在门上贴上～ 戸に封印の紙を張る
【封一】fēngyī =〔封面fēngmiàn ❷〕
【封装】fēngzhuāng 動 密封包装する
【封嘴】fēng//zuǐ 動 ❶口を封じる. 口止めする ‖ 休想封住我的嘴 私の口をふさげると思ったら大間違いだ ❷沈黙する

9 *疯 fēng ❶形 気が狂っている. 錯乱している ‖ 发～ 気が狂う ❷動 (子供が)遊ぶ ‖ 整天在外头～ 一日中外で遊びほうける ❸言動が軽薄である ‖ ～话 ❹形 農作物が徒長して実を結ばないさま ‖ 这些棉花长～了 この綿花は徒長して実を結ばない
【疯疯癫癫】fēngfengdiāndiān (～的) 形 言動が常軌を逸している
【疯狗】fēnggǒu 名 狂犬
【疯话】fēnghuà 名 でたらめな話. ばかげた話
*【疯狂】fēngkuáng 形 気が狂っている. 狂気じみている ‖ ～的反扑 たけり狂った反撃
【疯魔】fēngmó 動 ❶熱狂する. 熱狂させる ‖ 世界杯足球赛～了全世界的球迷 サッカーのワールドカップは世界中のファンを熱狂させた ❷気が狂う ＊〔风魔〕とも書く
【疯牛病】fēngniúbìng 名 狂牛病. BSE
【疯人院】fēngrényuàn 名 精神病院
*【疯子】fēngzi 名 精神障害者

9 砜 fēng 名 外〈化〉スルフォン

10 峰 (△峯) fēng ❶峰 ❷形が峰に似たもの ‖ 单～驼 tuó ヒトコブラクダ ❸量 ラクダの数を数える ‖ 一～骆驼 1頭のラクダ
【峰回路转】fēng huí lù zhuǎn 成 山道が幾重にも曲がりくねっているさま. つづら折り
【峰会】fēnghuì 名 サミット. 首脳会議
【峰峦】fēngluán 名 長く続く山並み
【峰年】fēngnián 名 ピークの年
【峰位】fēngwèi 名 最高点. ピーク ‖ 股指创下了历史～ 株価指数は史上最高値を記録した
【峰值】fēngzhí 名〈電〉ピーク値

11 烽 fēng のろし ‖ 一～火
【烽火】fēnghuǒ 名 ❶のろし ❷喩 戦争. 戦火
【烽烟】fēngyān 名 書 ❶のろし ❷戦争. 戦火

12 葑 fēng 古 蕪(ぶ). かぶら ➤ fèng

12 锋 fēng ❶(刀剣の)刃. 切っ先 ‖ 刀～ 刀の刃 ❷器物の先端部分 ‖ 笔～ 筆の穂先 ❸先頭. 先陣 ‖ 先～ 先頭部隊 ❹〈気〉前線面 ‖ 冷～ 寒冷前線 ❺(言葉や文章の)勢い. 鋭さ ‖ 笔～ 筆鋒(ひっぽう)
*【锋利】fēnglì 形 ❶(刃物が)鋭い. 鋭利である ‖ 这把刀～ このナイフは鋭い ❷(文章や言論が)鋭い | 以他那支～的笔, 揭开了政界黑幕的一角 彼は筆鋒鋭く政界の内幕の一角を暴いた
【锋芒】【锋铓】fēngmáng 名 ❶矛先 ‖ 斗争的～ 闘争の矛先 ❷喩 才気 ‖ 不露～ 才気を外に表さない
【锋芒毕露】fēng máng bì lù 成 才気にあふれている. 才能をことさらひけらかす

13 *蜂 (△蠭 逢) fēng ❶名〈虫〉ハチ ❷ミツバチをさす ‖ 一～箱 ❸喩 ハチの群れのようなもの ‖ 一～拥

【蜂巢】fēngcháo 名 ハチの巣
【蜂毒】fēngdú 名 ハチの毒
【蜂房】fēngfáng 名 ハチの巣. 蜂房(ほう)
【蜂蜡】fēnglà 名 蜜蠟(ろう). 〔黄蜡〕ともいう
*【蜂蜜】fēngmì 名 はちみつ
【蜂鸣器】fēngmíngqì 名 ブザー
【蜂鸟】fēngniǎo 名〈鳥〉ハチドリ
【蜂起】fēngqǐ 動 書 蜂起する
【蜂王】fēngwáng 名〈虫〉女王バチ
【蜂王浆】fēngwángjiāng 名 ロイヤルゼリー. 略して〔王浆〕という
【蜂窝】fēngwō 名 ❶ハチの巣. 〔蜂巢〕の通称 ❷ハチの巣のようにたくさん穴のあいているもの
【蜂窝煤】fēngwōméi 名 穴あき練炭
【蜂箱】fēngxiāng 名 養蜂箱. ミツバチの箱
【蜂拥】fēngyōng 動 大勢が群れる. 押し合いへし合いする ‖ ～而至 我がちにと殺到する
20 **酆** fēng 地名用字 ‖ ～都 重慶市にある県の名. 現在は〔丰都〕と書く

féng

5 **冯** féng 名 姓 ➤ píng
10 ** **逢** féng 動 出会う. 会う ‖ ～人便讲 会う人ごとに話す | ～休息日, 他们几个就聚jù到一起 休日になると, 彼らはよく集まる
【逢场作戏】féng chǎng zuò xì 成 その場をごまかす. その場を取り繕う
【逢集】féngjí 動 市の立つ日に当たる. 市が立つ
【逢年过节】féng nián guò jié 慣 新年と節句のたびごとに ‖ ～总回老家 正月や節句には田舎へ帰る
【逢凶化吉】féng xiōng huà jí 成 災いを転じて福となす
【逢迎】féngyíng 動 迎合する ‖ ～权势 権勢に迎合する | 阿谀ēyú～ 阿諛(あゆ)迎合する
13 * **缝** féng 動 縫う ‖ ～衣服 服を縫う | 伤口～上了 傷口を縫った ➤ fèng
【缝补】féngbǔ 動 縫い繕う. つぎをあてる
【缝缝连连】féngféngliánlián 慣 縫ったり繕ったりする. 針仕事をする
【缝合】fénghé 動〈医〉(傷口を)縫合する
【缝纫】féngrèn 動 裁縫をする. 縫い物をする
【缝纫机】féngrènjī 名 ミシン

fěng

6 **讽**[1] fěng 書 暗唱する. 朗誦する ‖ 一～诵
6 **讽**[2] fěng ❶遠回しにさとす. それとなく指摘する ‖ 借古～今 昔のことに事寄せて現在を風刺する ❷皮肉る. 当てこする ‖ 讥～ 皮肉を言う
*【讽刺】fěngcì 動 風刺する ‖ ～画 風刺画. カリカチュア | ～官僚主义 官僚主義を風刺する
【讽谏】fěngjiàn 動 書 遠回しにいさめる
【讽诵】fěngsòng 動 書 抑揚をつけて朗読する
【讽喻】fěngyù 動 諷喩(ふう)する
11 **唪** fěng (経文を)大きな声で読む

fèng

4 **凤(鳳)** fèng 鳳凰(ほうおう) ‖ 一～凰
【凤冠】fèngguān 名 旧 (后妃のかぶる)鳳凰を形どった冠. 明・清以降, 花嫁のかぶりものとしても用いられた
*【凤凰】fènghuáng 名 鳳凰
【凤梨】fènglí =〔菠萝bōluó〕
【凤毛麟角】fèng máo lín jiǎo 成 鳳凰の羽毛と麒麟(きりん)の角. きわめてまれな事物や人物のたとえ
【凤尾鱼】fèngwěiyú 名〈魚〉エツ. 〔鲚〕の通称
【凤仙花】fèngxiānhuā 名〈植〉ホウセンカ. 俗に〔指甲花〕ともいう
【凤眼】fèngyǎn 名 (女性の)切れ長な目
8 **奉** fèng ❶ささげ持つ. 恭しく持つ ❷動 頂戴する ‖ 今～手书 今日お手紙をいただきました ❸信奉する. あがめる ‖ 信～ 信奉する ❹動 差し上げる. 献じる ‖ 一～献 ❺かしずく. 仕える ‖ 侍～ そば近くに仕える ❻敬 謹んで(…する) ‖ 一～陪
【奉承】fèngcheng 動 お世辞を言う. へつらう. おべっかを使う ‖ ～上司 上役にお世辞を言う | ～话 お世辞
【奉复】fèngfù 動 翰 謙 ご返事申し上げる
【奉告】fènggào 動 謙 お話し申し上げる. お知らせする ‖ 无可～ ノーコメント
【奉公守法】fèng gōng shǒu fǎ 成 公務に精励し法を遵守する
【奉还】fènghuán 動 謙 お返しする. 返上する ‖ 如数～ 額面どおりお返しいたします
【奉令】fèng//lìng =〔奉命fèngmìng〕
【奉命】fèng//mìng 動 書 命を奉ずる. 命令に従う. 〔奉令〕ともいう ‖ ～前来 申しつけに従い, やって来る
【奉陪】fèngpéi 動 謙 陪席する. お相手をする ‖ 今天有事, 不能～了 今日は用がありますので, 失礼させていただきます
【奉劝】fèngquàn 動 謙 ご忠告する. お勧めする
【奉若神明】fèng ruò shén míng 成 貶 神仏をあがめ奉るように, 盲目的に崇拝する
【奉使】fèngshǐ 動 書 命を奉じて外国へ赴く
【奉送】fèngsòng 動 謙 進呈する. 献呈する
【奉为圭臬】fèng wéi guī niè 成 規範とする
*【奉献】fèngxiàn 動 献上する. 贈呈する. 捧げる
*【奉行】fèngxíng 動 のっとって行う. 励行する ‖ ～和平共处五项原则 平和共存五原則を励行する
【奉养】fèngyǎng 動 (父母などに)孝養を尽くす
【奉迎】fèngyíng 動 ❶へつらう. 機嫌をとる ‖ ～上级 上司におもねる ❷謙 お出迎えする
【奉赠】fèngzèng 動 謙 贈呈する. お贈りする
10 **俸** fèng (官吏の)俸給. 俸禄(ほうろく) ‖ 官～ 官吏の俸給 | 薪～ 俸給
【俸禄】fènglù 名 旧 俸禄. 官吏の俸給
12 **葑** fèng 古 マコモの根 ➤ fēng
13 * **缝** fèng ❶名(～儿)継ぎ目. つなぎ目. 縫い目 ‖ 无～钢管 シームレス鋼管 | 这道～儿不直 この縫い目は曲がっている ❷名(～儿)すきま. 割れ目. 裂け目 ‖ 墙～ 壁や塀の裂け目 | 玻璃窗裂了一道～儿 窓ガラスにひびが入った ➤ féng
【缝隙】fèngxì 名 すきま. 割れ目
【缝子】fèngzi 名 口 すきま. 裂け目

fó

7 *佛 fó ❶图 釈迦(しゃか). 仏陀(ぶっだ) ❷图 煩悩を解脱した人. 仏‖立地成～ たちどころに成仏する ❸仏教‖一～经 ❹图 仏像‖石～ 石の仏像 ❺念仏. 経‖念～ 念仏を唱える ➤ fú

【佛得角】Fódéjiǎo 图〈国名〉カーボベルデ.

【佛殿】fódiàn 图 仏殿. 仏堂

【佛法】fófǎ 图 ❶仏法 ❷法力(ほうりき). 仏法の力

【佛光】fóguāng 图 ❶〈仏〉仏の光明 ❷仏の後光. 仏像の光背 ❸〈気〉ハロー. 暈(かさ)

*【佛教】Fójiào 图 仏教‖～徒 仏教徒

【佛经】fójīng 图 仏教教典. 経

【佛龛】fókān 图 仏龕(ぶつがん)

【佛门】fómén 图 仏門‖～弟子 仏教徒

【佛事】fóshì 图 仏事. 法事. 法会

【佛手】fóshǒu 图〈植〉ブッシュカン

【佛寺】fósì 图 仏寺. 寺院

【佛头着粪】fó tóu zhuó fèn 成 仏像の頭に鳥の糞(ふん). よいものを台無しにするたとえ

【佛陀】Fótuó 图 仏陀

【佛像】fóxiàng 图 仏像

【佛学】fóxué 图 仏教学

【佛爷】fóye 图 口 仏さま. お釈迦さま

【佛珠】fózhū 图 数珠(じゅず)

【佛祖】fózǔ 图 ❶仏祖. 釈迦 ❷仏教各宗派の祖師

fǒu

6 缶 fǒu 書 ❶缶(ほとぎ). 胴が太く口が小さい土器 ❷古代の打楽器

7 *否 fǒu ❶動 否定する‖计划给～了 計画は否定された ❷副 書 (単独で用いて否定の回答となる)いな. いや. いいえ ❸(反復疑問の形で)…かどうか. …か否か‖是～真实 事実であるかどうか｜能～准时到达 期日どおり到着するかどうか ➤ pǐ

【否定】fǒudìng 動 **否定する. 打ち消す‖～一切 一切を否定する｜全盘～ 全面的に否定する｜事实不容～ 事実は否定する余地がない 形 否定的な. マイナスの‖～副词 否定副詞 ✻↔〔肯定〕

*【否决】fǒujué 動 否決する‖修正案被～了 修正案は否決された

【否决权】fǒujuéquán 图 拒否権

*【否认】fǒurèn 動 否認する. 否定する‖无法～的事实 否認しようのない事実｜矢shǐ口～ あくまで否定する

【否则】fǒuzé 接 **そうでないと. さもなければ‖除非下雨，～计划不变 雨が降らないかぎり, 予定は変更しない

fū

4 夫 fū ❶成年の男‖匹pǐ～ 匹夫 ❷夫‖有～之妇 人妻 ❸旧 肉体労働者‖农～ 農夫 ❹旧 労役に従う人. 人夫‖拉～ 労役や兵役に徴発する ➤ fú

【夫唱妇随】【夫倡妇随】fū chàng fù suí 成 夫唱婦随. 夫婦仲のむつまじいこと

*【夫妇】fūfù 图 夫婦‖新婚～ 新婚カップル

*【夫妻】fūqī 图 夫妻. 夫婦‖一对～ 一組の夫婦

【夫妻店】fūqīdiàn 图 夫婦二人だけで営む小さな店

【夫权】fūquán 图 夫権. 妻を支配する権力

★【夫人】fūrén；fūren 图 ❶古 諸侯・高官・貴人などの妻の称 ❷(**他人の妻への尊称**)**夫人. 奥様**‖总统～ 大統領夫人

> **類義語** 夫人 fūren 妻子 qīzi 爱人 àiren 太太 tàitai 老婆 lǎopo
>
> ◆〔夫人〕夫人. 奥様. 他人の妻に対する尊称. 外交や社交の場で使用頻度が高い‖总统夫人 大統領夫人 ◆〔妻子〕妻. 多く書き言葉または法律用語として用いる ◆〔爱人〕妻. 奥さん. 配偶者をさすので, 夫をいう場合にも用いられる‖我爱人是医生 妻(夫)は医者です ◆〔太太〕奥さん. 奥様. 既婚婦人に対する尊称. 人称代名詞やその夫の姓を付けて用いる‖这位是张太太(夫人) こちらは張さんの奥様です ◆〔老婆〕女房. かみさん. 話し言葉でくだけた言い方である‖怕老婆 女房の尻の下に敷かれている

【夫婿】fūxù 图 書 夫

【夫子】fūzǐ 图 ❶古 孔子や朱子に対する尊称 ❷古 妻が夫を呼ぶ時に使う呼称 ❸旧 諭 学生が先生に対して使う敬称 ❹貶 古書ばかり読んでいる頭の古い人

7 呋 fū ↴

【呋喃】fūnán 图 外〈薬〉フラン

8 肤(膚) fū ❶皮膚. 肌‖皮～ 同前 ❷浅い. 浅薄である‖一～浅

【肤泛】fūfàn 形 内容がなく薄っぺらである

【肤皮潦草】fūpí liáocǎo 慣 (やり方が)いいかげんである. おおざっぱである ＝〔浮皮潦草〕

【肤浅】fūqiǎn 形 (学識や理解が)浅い. 浅薄である.

【肤色】fūsè 图 皮膚の色. 肌の色

11 麸(麩 △稃 粰) fū ふすま‖一～子

【麸子】fūzi 图 (コムギの)ふすま. 〔麸皮〕ともいう

11 趺 fū 書 ❶〔跗fū〕に同じ ❷足を組んですわる‖一～坐 ❸石碑の台座

【趺坐】fūzuò 動 書〈仏〉趺坐(ふざ)する

12 稃 fū 图〈植〉イネ科植物の苞葉(ほうよう). 穎(えい)‖内～ 内花穎｜外～ 外花穎

12 跗 fū 足の甲‖～面 同前

【跗骨】fūgǔ 图〈生理〉跗骨(ふこつ). 足根骨(そっこんこつ)

14 孵 fū 動 卵をかえす. 孵化(ふか)する‖～小鸡 ニワトリのひなをかえす

【孵化】fūhuà 動〈動〉孵化する

【孵化器】fūhuàqì 图 ❶(卵の)孵化器 ❷新規事業育成支援機関. インキュベーター

【孵育】fūyù 動 卵をかえす. 孵化する

15 敷 fū ❶敷く. 敷設する‖一～设 ❷書 述べる. 陳述する‖～陈 詳しく述べる ❸動 塗る. 塗りつける‖把药～在伤口上 傷口に薬をつける ❹足りる‖入不～出 収入が支出をまかないきれない

【敷料】fūliào 图〈医〉(ガーゼや脱脂綿などの)医療用品

【敷设】fūshè 動 ❶(鉄道や水道管などを)敷設する‖～电缆lǎn ケーブルを敷設する｜～铁路 鉄道を敷設する ❷(地雷や機雷を)敷設する

【敷衍】【敷演】fūyǎn 動 書 敷衍(ふえん)する

F

*【敷衍】fūyan；fūyǎn 動 ❶いいかげんにする．ごまかす‖～塞责sèzé いいかげんにやって責めをふさぐ｜～了事liǎoshì お茶を濁す ❷もちこたえる‖钱还够～三四天 3,4日間もちこたえるくらいの金はまだある

fú

4 **夫** fú 古 ❶代 かの ❷代 彼．その人 ❸助 ①(文頭に置き，自分の見解を述べる発語とする)そもそも．それ ②(文末または文中に置き，感嘆の語気を表す)か．かな ➤fū

5 **弗** fú 書 (… し)ない．(… で)ない‖自愧～如 (彼に)及ばないことを恥じる｜～及 及ばない

6* **伏**[1] fú ❶動 伏せる．腹ばいになる．うつぶせる‖～在爸爸背上 お父さんの背中におぶさる ❷動 (顔を)伏せる．うつむく‖～在桌子上睡着了 机に突っ伏して眠ってしまった ❸隠れる．潜む‖埋mái～ 待ち伏せする ❹名 三伏(さんぷく)の日．夏の最も暑い期間‖→～天 ❺低くなる‖起～ 起伏する ❻屈服する．服する‖→～罪 ❼屈服させる‖降～ 屈服させる

6* **伏**[2] fú 量 略〈電〉ボルト．〔伏特〕の略

【伏案】fú'àn 動 書 机に向かう
【伏笔】fúbǐ 名 伏線‖埋mái下～ 伏線を張る
【伏兵】fúbīng 名 伏兵
【伏法】fúfǎ 動 (犯人が)死刑を執行される
【伏击】fújī 動 待ち伏せて攻撃をする．要撃する‖～敌人 敵を要撃する｜打～ 要撃戦をする
【伏侍】fúshi ＝〔服侍fúshi〕
【伏输】fú//shū ＝〔服输fúshū〕
【伏暑】fúshǔ 名 書 酷暑の季節
【伏特】fútè 量 外〈電〉ボルト．略して〔伏〕ともいう
【伏特加】fútèjiā 名 外 (酒の一種)ウォッカ
【伏天】fútiān 名〔三伏〕(三伏)の期間．夏の最も暑い時期
【伏帖】fútiē 形 ❶心地よい．気持ちがよい．〔伏贴〕とも書く ❷＝〔服帖fútiē ❶〕
【伏贴】fútiē 形 ❶ぴたっとくっついている ❷＝〔伏帖fútiē ❶〕
【伏线】fúxiàn 名 伏線
【伏汛】fúxùn 名 夏期の増水
【伏罪】fú//zuì ＝〔服罪fúzuì〕

6 **凫(鳧)** fú ❶カモ ❷〔浮fú❷〕に同じ

7 **佛(△彿 髴)** fú ➡〔仿佛fǎngfú〕 ➤fó

7 **芙** fú ↓

【芙蕖】fúqú 名 書 ハスの花
【芙蓉】fúróng 名 ハスの花‖出水～ つぼみをほころばせたハスの花．女性の初々しい美しさのたとえ

7 **芾** fú 草木が生い茂るさま

7** **扶** fú ❶動 (横たわっている人や倒れているものを)**支えて起こす．立たせる**‖把孩子～起来 子供を助け起こす ❷援助する．助ける．手助けする‖→～危济困 ❸動 (別の物につかまって，体を)**支える．寄りかかる．もたれる**‖～着栏杆lángān下楼 手すりにつかまって階下へ降りる ❹(病気やケガなどを)おして … する．無理に … する‖→～病

【扶病】fúbìng 動 書 病をおして … する‖～参加大会 病をおして大会に参加する
【扶残】fúcán 動 身体障害者を支援する
【扶持】fúchí 動 ❶支える．助ける ❷援助する．支援する‖～乡镇企业 郷鎮企業を支援する
【扶老携幼】fú lǎo xié yòu 成 老人を支え，子供の手をとる．老人や子供をいたわるさま
【扶贫】fúpín 動 貧困者を扶助する
【扶弱抑强】fú ruò yì qiáng 成 弱きを助け強きをくじく
【扶桑】[1] fúsāng 名 ❶扶桑(ふそう)．東海にあるという伝説の神木 ❷(Fúsāng)扶桑．東海にあるという伝説の国の名．古くは日本をさした．✻〔榑桑〕とも書く
【扶桑】[2] fúsāng 名〈植〉ブッソウゲ．〔朱槿〕ともいう
【扶手】fúshou 名 ❶ひじ掛け ❷欄干．手すり
【扶梯】fútī 名 ❶手すりのある階段 ❷方 はしご
【扶危济困】fú wēi jì kùn 成 危機や困難に陥っている人々を助ける．〔扶危济急〕〔扶危救困〕ともいう
【扶养】fúyǎng 動 扶養する．育てる‖～子女 子供を育てる
【扶摇直上】fú yáo zhí shàng 成 (地位・値段・名声などが)急激に上昇する
【扶正】fú//zhèng 動 旧 妾(めかけ)を正妻にする
【扶植】fúzhí 動 育てる．育てあげる
【扶助】fúzhù 動 手助けする‖～老弱妇幼 老人・弱者・婦人・子供に手を貸す

7 **孚** fú 書 心服される．心服させる‖深～众望 大いに衆望される

8 **怫** fú 書 鬱々(うつうつ)とするさま，または，むっとして腹を立てるさま‖→～然｜～郁 気がふさぐ

【怫然】fúrán 形 書 憤然とするさま．怒る様子

8 **苻** fú 〔莩fú〕に同じ

8 **拂** fú ❶動 払う．はたく‖～去尘土 ほこりを払い落とす ❷動 そっとかすめる．そっとなでる‖微风～面 そよ風がそっと顔をなでる ❸近づく‖→～晓 ❹振り払う‖→～袖 ❺書 逆らう．背く‖→～意

【拂尘】fúchén 名 払子(ほっす)．ちり払い
【拂拂】fúfú 形 書 風がそよそよと気持ちよく吹くさま
【拂拭】fúshì 動 (ほこりを)払う．拭う．拭き取る
【拂晓】fúxiǎo 名 書 払暁(ふつぎょう)．夜明け
【拂袖】fúxiù 動 書 (怒って)袖を振り払う‖～而去 憤然として去る
【拂煦】fúxù 動 書 暖かな風がそよそよと吹く
【拂意】fúyì 動 書 意にそまない．思うようにならない

8 **绂** fú ❶古 印章につけた絹ひも．印綬(いんじゅ) ❷〔韨fú〕に同じ

8 **绋** fú 書 太い綱．とくに出棺の際，柩(ひつぎ)を載せた車を引く綱‖执～ 野辺送りをする

8* **服**[1] fú ❶動 従事する．担う‖～劳役 強制労働に従事する ❷動 服役する．服する‖→～刑 ❸動 服従する．信服する‖这回我算～了你了 今回は君に降参したよ ❹動 説得する．心服させる‖以理～人 理を説いて人を説得する ❺適応する．慣れる‖水土不～ 気候風土に慣れない ❻動 (薬を)飲む．服用する‖日～三次，每次两粒 日に3回，毎回二粒ずつ服用する

8* **服**[2] fú ❶衣服．着物‖制～ 制服 ❷(衣服を)着る‖→～丧 ❸名 旧 喪服‖有～在身 服喪中である ➤fù

[服从] fúcóng 動 服従する. 従う ‖ ～命令 命令に従う｜少数～多数 少数は多数に従う

[服毒] fú//dú 動 服毒する. 毒を飲む

[服法] fúfǎ 動 法に服する. 有罪であることを認める ‖ 认罪～ 罪を認めて法に服する

[服老] fúlǎo 動 老人であることを認める. (多く否定で用いる) ‖ 仍不～ まだ若い気でいる

[服判] fúpàn 動 判決に服する

*__[服气] fú//qì__ 動 納得する. 心から認め従う ‖ 死不～ 断じて承服できない

[服软] fú//ruǎn (～儿) 動 屈服する. 降参する ‖ 明知自己错了, 嘴上却不～ 自分が間違っているとはっきり分かっているのに, 口では認めようとしない

[服丧] fúsāng 動 服喪する. 喪に服す

[服色] fúsè 名 衣服の様式や色

[服式] fúshì 名 衣服のスタイル

[服饰] fúshì 名 服飾

[服侍][服事] fúshi 動 面倒を見る. 〔伏侍〕とも書く ‖ ～父母 両親に仕える｜～病人 病人の面倒を見る

[服输] fú//shū 動 負けを認める. かぶとを脱ぐ. 降参する. 〔伏输〕とも書く

[服帖] fútiē 形 ❶従順である. おとなしい. 手なづけている. 〔伏帖〕とも書く ‖ 她把丈夫管得服服帖帖 彼女は夫をすっかり尻の下に敷いている ❷当を得ている. 適切である ‖ 收拾～ 処理が当を得ている

★**[服务] fúwù** 動 **奉仕する. サービスを提供する. 勤務する** ‖ ～态度 応対の態度｜～得很周到 サービスが行き届いている｜为人民～ 人民に奉仕する ‖ 售后～ アフターサービス

[服务行业] fúwù hángyè 名 サービス業

[服务贸易] fúwù màoyì 名〈経〉サービス貿易 ↔〔商品贸易〕

[服务器] fúwùqì 名〈計〉サーバー ‖ 代理～ プロキシ・サーバー｜邮件～ メール・サーバー

[服务商] fúwùshāng 名〈計〉プロバイダー. インターネット接続業者. 〔网络服务提供商〕の略

[服务台] fúwùtái 名 (ホテルなどの)フロント. カウンター

[服务业] fúwùyè 名 サービス業

★**[服务员] fúwùyuán** 名 **(ホテルやレストランの)従業員. 店員. サービス係**

[服刑] fú//xíng 動 服役する. 刑に服する

[服药] fú//yào 動 薬を飲む. 服薬する

[服役] fú//yì 動 兵役に服する. かつては労役に服することをもさした

[服用] fúyòng 動 (薬を)服用する ‖ 此药每日～三次 この薬は毎日3回服用する

*__[服装] fúzhuāng__ 名 服装. 身なり ‖ ～整洁 身なりがきちんとして清潔である｜～店 洋品店

[服罪] fú//zuì 動 罪に服する. 〔伏罪〕とも書く ‖ 低头～ おとなしく罪に服する

9 **俘 fú** ❶捕虜にする. とりこにする ‖ 被～ 捕虜になる ❷捕虜. とりこ ‖ 遣～ 捕虜を送還する

[俘获] fúhuò 動 敵を捕虜にし戦利品を鹵獲(ろかく)する

*__[俘虏] fúlǔ__ 動 捕虜にする. 俘虜(ふりょ)にする 名 捕虜 ‖ 优待～ 捕虜を寛大に扱う

9 **郛 fú** 古 城の外側の囲い. 外城

9 **茯 fú** ↴

[茯苓] fúlíng 名〈植〉ブクリョウ

9 **祓 fú** ❶祓(はら)う. 神に祈って罪や災いなどを除き去る ❷書 取り除く

9 **氟 fú** 名〈化〉フッ素(化学元素の一つ, 元素記号はF)

[氟利昂] fúlì'áng 名〈化〉フロン＝〔氟氯烷〕

[氟氯烷] fúlùwán 名〈化〉フロン. 〔氟利昂〕ともいう

9 **罘 fú** 地名用字 ‖ 芝～ 山東省にある半島の名

10 **浮 fú** ** ❶動 (液体に)浮かぶ. 浮く. 浮かべる ↔〔沉〕‖ 一叶小舟～在水面上 1艘(そう)の小舟が水に浮かんでいる｜脸上～着微笑 顔に微笑が浮かんでいる ❷動 方 泳ぐ ‖ 一口气～了五百多米 一気に500メートル余り泳いだ ❸動 (空中に)漂う. 浮かぶ ‖ 天边～着几朵白云 遠くの空に白い雲がいくつか浮かんでいる ❹空虚である. 実が伴わない ‖ →～名 ❺形 浮わついている. 落ち着きがない ‖ 他这人太～, 办事不牢靠láokao あの人はひどく上っ調子で, やることが当てにならない ❻表面の. 表面にある ‖ →～雕 ❼超過する. あり余る ‖ 人～于事 仕事より人手が多い ❽固定していない ‖ →～财 ❾臨時の. 仮の ‖ ～支 仮払い

[浮报] fúbào 動 数をごまかして報告する. 粉飾して報告する

[浮标] fúbiāo 名 浮標. ブイ

[浮财] fúcái 名 (金銭や家財道具のような)動産

[浮尘] fúchén 名 空気中に浮遊しているほこり. 器物にうっすらとついたほこり

[浮沉] fúchén 動 浮いたり沈んだりする. 浮き沈みする ‖ 宦海huànhǎi～ 官界での浮き沈み

[浮出水面] fú chū shuǐmiàn 組 公になる. 表面化する ‖ 丑闻chǒuwén～ スキャンダルが明るみに出る

[浮词] fúcí 名 書 浮言. 事実に基づかない話

[浮荡] fúdàng 動 漂う 形 軽佻浮薄である

*__[浮雕] fúdiāo__ 名〈美〉浮き彫り. レリーフ

[浮吊] fúdiào 名 クレーン船. 〔起重船〕ともいう

*__[浮动] fúdòng__ 動 ❶浮動する. 漂い流れる ❷揺れ動く. 動揺する ‖ 人心～ 人心が動揺する ❸変動する

[浮动汇率] fúdòng huìlǜ 名〈経〉変動為替相場

[浮动价格] fúdòng jiàgé 名〈経〉変動価格

[浮动利率] fúdòng lìlǜ 名〈経〉変動金利

[浮泛] fúfàn 動 ❶書 水面を漂う ❷(ある感情が)表情に出る. 浮かぶ. ‖ 脸上～着一丝忧虑 顔にはかすかに憂いの表情が表れている 形 表面的である ‖ ～的说明 うわっつらの説明｜知识～ 知識が浅薄だ

[浮光掠影] fú guāng lüè yǐng 成 水面にちらつく光や目の前をかすめる影. 印象の浅いたとえ

[浮华] fúhuá 形 浮薄である. 派手で浮ついている

[浮滑] fúhuá 形 軽薄でずる賢い

[浮夸] fúkuā 形 大げさで現実離れしている ‖ 言谈～ 言葉が大げさである｜～风 浮ついた風潮

[浮礼儿] fúlǐr 名 方 虚礼

[浮力] fúlì 名〈物〉浮力

[浮面] fúmiàn (～儿) 名 口 表面. うわべ. うわっつら

[浮名] fúmíng 名 虚名 ‖ 不求～ 虚名を求めない

[浮皮] fúpí (～儿) 名 ❶〈生〉表皮 ❷(物の)表面

[浮皮潦草] fúpí liáocǎo 慣 (やり方が)いいかげんである. おおざっぱである. 〔肤皮潦草〕ともいう

[浮漂] fúpiāo 形 (仕事や勉学の態度が)いいかげんである. 上滑りである ‖ 作风～ 態度が上っ調子である

[浮萍] fúpíng 名〈植〉ウキクサ

[浮浅] fúqiǎn 形 (知識や理解が)浅い. 表面的であ

る. 薄っぺらである ‖ 理解很～ 理解が浅い
【浮桥】fúqiáo 名 浮き橋
【浮生】fúshēng 名 書 浮き世. はかない人生 ‖ ～若梦 浮世は夢のごとし
【浮水】fúshuǐ 動 方 水泳する. 泳ぐ. 〔凫水〕とも書く
【浮筒】fútǒng 名 浮標. ブイ
【浮头儿】fútóur 名 方 表面
【浮屠】【浮图】fútú 名〈仏〉❶仏陀(ぶっだ) ❷古 僧 ❸塔. 仏塔
【浮土】fútǔ 名 ❶表土. 地層の最上層にある軟らかい土 ❷表面にうっすら積もったほこり
【浮现】fúxiàn 動 (脳裏に思い出や印象などが)浮かぶ. (感情が顔に)表れる ‖ 往事又一幕一幕地～在眼前 昔のことが次々と目に浮かぶ
【浮想】fúxiǎng 名 脳裏に浮かんだ思い ‖ ～联翩 liánpiān いろいろな思いが次から次へと浮かぶ 動 回想する
【浮艳】fúyàn 形 ❶けばけばしい ❷(文章が)深みがなく美辞麗句を並べてあるだけである
【浮游】fúyóu 動 ❶泳ぐ. 浮遊する ❷書 漫遊する
【浮游生物】fúyóu shēngwù 名〈生〉浮遊生物. プランクトン
【浮躁】fúzào 形 落ち着きがない. 浮わついている
【浮肿】fúzhǒng 動 むくむ. =〔水肿〕
【浮子】fúzi 名 (釣り用の)浮き

10 **莩** fú 書 アシの茎の中の白く薄い膜またはその種

10 **砩** fú ↴

【砩石】fúshí 名 旧 ホタル石. 現在は〔氟石〕と書く

11 **匐** fú ➡〔匍匐púfú〕

11 **涪** fú 地名用字 ‖ ～江 四川省にある川の名

11 **桴**[1] fú ❶書 (小型の)いかだ ❷名 方 大梁(おおはり)の上の小さな梁. 〔桴子〕ともいう

11 **桴**[2] fú 書 ばち. 太鼓のばち. 〔枹〕とも書く

11 **袱** fú 物を包んだり覆ったりする布. ふろしき

11 **符** fú ❶古 割り符 ❷符号. 記号 ‖ 音～ 音符 ❸名 (道教の)護符 ‖ 护身～ お守り札 ❹符合する. 一致する ‖ 相～ ぴったり合う

*【符号】fúhào 名 ❶符号. 記号 ❷(名札など)職業や身分を示すしるし

**【符合】fúhé 動 符合する. 一致する ‖ ～逻辑 luóji 論理にかなっている | ～要求 要求に合致する
【符咒】fúzhòu 名 護符と呪文(じゅもん)

11 **艴** fú 書 腹を立てるさま ‖ ～然 むっとする. 怒りを顔に表すさま

12 ** **幅** fú ❶名 (～儿)布地の幅 ‖ 单～儿 シングル幅 ❷幅 ‖ →～度 ❸量 (～儿)(布地や絵画を数える)幅. 枚 ‖ 一～油画 1枚の油絵

類義語 幅 fú 副 fù

◆〔幅〕布・毛織物・書画など, ある程度の幅のあるものを数える ‖ 一幅画 1枚の絵 | 一幅动人的情景 1幅の感動的な情景 ◆〔副〕対になっている, あるいは組になっているものを数える ‖ 一副对联 一組の対聯(ついれん) | 一副扑克 トランプ一組

*【幅度】fúdù 名 (変動の)幅. 度合い ‖ 物价大～上涨 物価が大幅に上昇する
【幅面】fúmiàn 名 (布地などの)幅 ‖ ～宽一米 幅は1メートルある
【幅员】fúyuán 名 領土の面積 ‖ ～辽阔 領土が広大である

13 * **福**[1] fú ❶名 幸福. 幸せ ↔〔祸〕‖ 造～ 幸せをもたらす | 有～之人 幸福な人 ❷名 運. 幸運 ‖ 托您的～ おかげさまで

13 * **福**[2] fú 福建省の略称

【福地】fúdì 名 ❶仙境. 楽土 ❷幸せな境遇
【福尔马林】fú'ěrmǎlín 名 外〈化〉ホルマリン
【福分】fúfen 名 口 幸せ. 果報. 好運
【福将】fújiàng 名 幸運に恵まれ連戦連勝の武将. 次々成功する人をたとえる
*【福利】fúlì 名 福利. 福祉 ‖ 为职工谋～ 従業員のために福利を図る 動 書 福利を図る
【福利院】fúlìyuàn 名 (養老院や孤児院などの)福祉施設 ‖ 儿童～ 児童福祉施設
*【福气】fúqi 名 幸せ. 幸運. 福 ‖ 您～真大, 中了头等奖 あなたは実にラッキーだ, 1等賞に当たるなんて
【福如东海】fú rú dōng hǎi 成 幸福が東海のように広く無限である(祝いの言葉)
【福无双至, 祸不单行】fú wú shuāng zhì, huò bù dān xíng 諺 福は二つ一緒にやって来ないし, 災難は一つきりでは来ない
【福相】fúxiàng 名 福相. 福々しい顔つき
【福星】fúxīng 名 人々に幸福や希望をもたらす人や事

コラム 記号の名称

記号	名称
○	圆儿 yuánr; 圈儿 quānr (まる)
◎	双圈儿 shuāngquānr (二重まる)
□	方块儿 fāngkuàir; 方框儿 fāngkuàngr (四角)
✓	对勾 duìgōu; 钩儿 gōur (チェックマーク＝正しい場合に使う)
×	叉儿 chār (ばつ印＝チェックまたは誤っている場合に使う)
( )	括号 kuòhào (かっこ, パーレン)
〔 〕	中括号zhōngkuòhào; 方括号fāngkuòhào (亀甲)
{ }	大括号 dàkuòhào (ブレース)
[ ]	方括号 fāngkuòhào (ブラケット)
§	章节号 zhāngjiéhào; 双S shuāng S (レッスンマーク)
※	米字号 mǐzìhào (米印)
*	星号 xīnghào (アステリスク)
～	浪号 lànghào (波ダッシュ)
→	箭头 jiàntóu (矢印)
﹏	浪线 làngxiàn (波けい, 波線)
----	虚线 xūxiàn (ミシンけい, 破線)

F

物. 福の神. マスコット‖～高照 幸運に恵まれる
【福音】fúyīn 图❶〈宗〉福音. ゴスペル ❷福音. よい知らせ‖癌症患者的～ がん患者への福音
【福音书】Fúyīnshū 图〈宗〉福音書
【福至心灵】fú zhì xīn líng 成 運が向いてくれば, 人も賢くなる
13 **辐** fú 图(車輪の)輻(や). スポーク‖→～射
【辐辏】【辐凑】fúcòu 動書 輻輳(ふくそう)する. いろいろな人や物が一ヵ所に集まる
*【辐射】fúshè 動❶放射する‖～状 放射状 ❷〈物〉輻射する. 放射する
【辐条】fútiáo 图口(車輪の)輻. スポーク
13 **蜉** fú ↓
【蜉蝣】fúyóu 图〈虫〉カゲロウ
15 **幞** fú ❶古 頭巾(ずきん)の一種 ❷〔袱fú〕に同じ
15 **蝠** fú ⇒〔蝙蝠biānfú〕

fǔ

4 **父** fǔ 書❶年配の男性に対する尊称 ❷男性に対する美称 ❸ある種の職業に従事する人に対する呼称‖田～ 農夫 ➤ fù
7 **抚(撫)** fǔ ❶手でそっと押さえる. なでる‖→～摸 ❷慰める. いたわる. ねぎらう‖→～慰 ❸養育する. 扶養する‖→～养
【抚爱】fǔ'ài 動 慈しむ. かわいがる
【抚躬自问】fǔ gōng zì wèn 成 胸に手を当てて我が身に問う. 自己反省する
【抚今追昔】fǔ jīn zhuī xī 成 現在のことから往事を追想する.〔抚今思昔〕ともいう
*【抚摸】fǔmō 動 さする. なでる‖妈妈～着儿子的头 お母さんが息子の頭をなでている
【抚摩】fǔmó 動 なでる
【抚琴】fǔqín 動書 琴を弾く
【抚慰】fǔwèi 動 慰問する. 慰める. いたわる
【抚恤】fǔxù 動(公傷病者またはその遺族に対し, 国や組織が)慰問や救済を行う
【抚恤金】fǔxùjīn 图 救済金. 弔慰金. 補償金
*【抚养】fǔyǎng 動 慈しみ養う. 扶養する‖把孩子们～成人 子供たちを一人前に育て上げる
*【抚育】fǔyù 動 扶育する. 育てる‖～幼林 若い林を守り育てる
【抚掌】fǔzhǎng ＝〔拊掌fǔzhǎng〕
7 **甫**[1] fǔ 古 年長の男子に対する敬称‖尼～ 孔子のこと｜台～ ご尊名
7 **甫**[2] fǔ 副書 初めて. やっと. したばかり‖～有端倪 duānní 初めて糸口がつかめた
8 **府** fǔ ❶旧 政府の文書や財物などを保管する所 ❷書 ある種の事物が集中する所‖学～ 学府 ❸役所. 官庁‖政～ 政府 ❹旧(貴族や高官の)屋敷. 邸宅. (現在では)官邸. 公邸‖总统～ 大統領官邸 ❺敬 お宅‖贵～ お宅 ❻图旧 古代の行政区の一つ‖开封～ 開封府
【府绸】fǔchóu 图 平織り木綿の一種. ポプリン
【府邸】fǔdǐ ＝〔府第fǔdì〕
【府第】fǔdì 图旧(貴族や高官の)屋敷. 邸宅
【府上】fǔshang；fǔshàng 图敬 お宅‖改日到～拜访 日を改めてお宅に伺います
8 **拊** fǔ 書 打つ. たたく
【拊掌】fǔzhǎng 動書 手を打つ. 拍手をする‖～大笑 手を打って大笑いする. 大喜びするさま. 得意なさま
8 **斧** fǔ ❶图 斧(おの) ❷古(武器の一種)まさかり
【斧头】fǔtou；fǔtóu 图 斧
【斧削】fǔxuē ＝〔斧正fǔzhèng〕
【斧凿】fǔzáo 图 斧とのみ 動(文学作品などで)手を加えすぎて不自然になる
【斧正】【斧政】fǔzhèng 動謙 斧正(ふせい)を加える. (詩文を)添削する‖敬请～ 謹んでご叱正(しっせい)を請う
*【斧子】fǔzi 图 斧
10 **俯(△俛 頫)** fǔ ❶うつむく. 顔を伏せる ↔〔仰〕‖→～拾即是 ❷下に向ける. 下を向く‖→～视 ❸翰 伏して… してくださる. まげて… してくださる‖→～就
【俯察】fǔchá 動❶見下ろす ❷敬 ご理解をいただく
【俯冲】fǔchōng 動(飛行機などが)急降下をする
【俯伏】fǔfú 動(地面に)うつぶせる. ひれ伏す
【俯角】fǔjiǎo 图〈数〉俯角(ふかく)
【俯就】fǔjiù 動❶敬 まげて引き受けていただく‖如蒙～, 不胜感谢 お引き受けいただければ感謝に堪えません ❷(我慢して)譲る. 妥協する. 折り合う‖不必那么～他 そんなに彼に譲歩する必要はない
【俯瞰】fǔkàn 動書 俯瞰(ふかん)する
【俯念】fǔniàn 動敬 ご配慮いただく
【俯拾即是】fǔ shí jí shì 成 うつむいて拾おうとすれば至る所にある. どこにでもあること. ざらにあること
【俯视】fǔshì 動 俯視(ふし)する. 見下ろす
【俯视图】fǔshìtú 图 俯瞰図(ふかんず) ＝〔顶视图〕
【俯首】fǔshǒu 動書❶うつむく‖～沉思 じっと考え込む ❷おとなしく従う‖～听命 おとなしく命令に従う
【俯首帖耳】【俯首贴耳】fǔ shǒu tiē ěr 成 非常に従順なさま. ひとの言うなりになること
【俯卧】fǔwò 動 うつぶせになる
【俯卧撑】fǔwòchēng 图〈体〉腕立て伏せ
【俯仰】fǔyǎng 動書 うつむいたりあおむいたりする‖随人～ 何もかも人の言いなりになる
【俯仰由人】fǔ yǎng yóu rén 成 万事人の言うがままである
【俯仰之间】fǔ yǎng zhī jiān 成 瞬時. またたく間. 非常に短い時間のたとえ
10 **釜** fǔ 古❶釜(かま)‖破～沉舟 釜を壊し, 船を沈める. 背水の陣をしく ❷計量器の一種
【釜底抽薪】fǔ dǐ chōu xīn 成 釜の下から薪を取り出す. 問題を根本的に解決するたとえ
【釜底游鱼】fǔ dǐ yóu yú 成 釜の中の魚. 絶体絶命の状態にあるたとえ
11 **辅** fǔ ❶助ける. 補助する‖相～相成 互いに補い助け合う ❷古 国都の近くの地方
【辅币】fǔbì ＝〔辅助货币fǔzhù huòbì〕
【辅车相依】fǔ chē xiāng yī 成 輔車(ほしゃ)相依る. 相互依存する. 持ちつ持たれつの関係にある
★【辅导】fǔdǎo 動(課外補習・家庭学習などを)指導する‖～孩子算术 子供の算数の勉強をみてやる
【辅料】fǔliào 图(製造物の主要原料に対して)補助原料

【辅路】fǔlù 图 幹線道路両脇に設けられた補助道路
【辅酶】fǔméi 图 コエンザイム
【辅食】fǔshí 图（乳児のための）補助食
【辅修】fǔxiū 動 大学生が専攻以外の分野を学ぶこと
【辅音】fǔyīn 图〈語〉子音.〔子音〕ともいう
*【辅助】fǔzhù 動 補佐する. 助ける ‖ 从旁～ 傍らから助ける 形 補助の. 付属の ‖ ～工作 補助的な仕事
【辅助货币】fǔzhù huòbì 图 補助貨幣. 略して〔辅币〕という
【辅佐】fǔzuǒ 動 書（多く政治面で）補佐する

11 **脯** fǔ ❶干し肉 ‖ 肉～ 同前 ❷干した果実の砂糖漬け ‖ 果～ 同前 ➤ pú

12 **腑** fǔ 〈中医〉胃・胆嚢（たんのう）・膀胱（ぼうこう）・三焦（さんしょう）・大腸・小腸の総称

13 **滏** fǔ 地名用字 ‖ ～阳 河北省にある川の名

14 **腐** fǔ ❶腐敗する ‖ 一～败 ❷（考えが）古臭い ‖ 陈～ 陳腐である ❸豆腐 ‖ 一～竹
*【腐败】fǔbài 動 腐る. 腐敗する ‖ 食物～了 食物が腐敗した 形 堕落している. 腐敗している ‖ 政治～ 政治が腐敗している｜生活～ 生活が堕落している
【腐臭】fǔchòu 動 腐臭を放つ
【腐恶】fǔ'è 形 腐敗して悪辣である 图 腐りきった反動勢力
*【腐化】fǔhuà 動 ❶（思想や行いが）堕落する. 腐敗する ‖ 生活～ 生活が堕落している ❷堕落させる ‖ ～干部 幹部を堕落させる ❸（物が）腐る. 腐敗する
【腐旧】fǔjiù 形 古臭い ‖ ～的观念 古臭い観念
*【腐烂】fǔlàn 動 腐乱する. 腐る ‖ 苹果～了 リンゴが腐った 形 腐り果てている ‖ 政权彻底～ 政権は腐りきっている
【腐儒】fǔrú 图 書 腐儒. 頭が固く役に立たない学者
【腐乳】fǔrǔ 图 豆腐を小さく切って発酵させ, 塩漬けにした食品 =〔豆腐乳〕
【腐生】fǔshēng 動〈生〉腐生する
*【腐蚀】fǔshí 動 ❶腐食する ❷むしばむ. 堕落させる
【腐蚀剂】fǔshíjì 图〈化〉腐食剤
【腐熟】fǔshú 動〈農〉堆肥などが腐り発酵する
*【腐朽】fǔxiǔ 動（木などが）朽ちる. 腐る 形 堕落している. 腐り果てている ‖ ～势力 腐り果てた勢力
【腐竹】fǔzhú 图 方 干し湯葉

fù

4 **讣** fù 死亡を告げる
【讣告】fùgào 動 訃報を出す 图 訃報. 死亡通知
【讣闻】【讣文】fùwén 图 訃報. 死亡通知（多く死者の経歴や事績が添付してある）

4 **父** fù ❶父. 父親 ‖ 家～ 私の父 ❷親族中の上の世代の男子に対する呼称 ‖ 祖～（父方の）祖父｜舅～（母方の）おじ ➤ fǔ
【父辈】fùbèi 图 父の代. 父の世代
【父老】fùlǎo 图 敬 お年寄り. 年輩者
【父母】fùmǔ 图 両親. 父母
★【父亲】fùqin ; fùqīn 图 父. 父親. お父さん

類義語 父亲 fùqin 爸爸 bàba 爹 diē
◆〔父亲〕父. 父親. 書き言葉に多く使われ, 呼び掛けには用いない ◆〔爸爸〕お父さん. 父. 話し言葉で多く使われ, 呼び掛けにも用いる.〔爸〕だけでも使われる ◆〔爹〕お父さん. 父. 話し言葉で呼び掛けにも用いる. 北方の一部で用いられるが, 近年使われなくなってきている ‖ 爹娘 父母. 両親

【父权制】fùquánzhì 图 家父長制
【父系】fùxì 形 ❶父方の ‖ ～亲属 qīnshǔ 父方の親族 ❷父系の ‖ ～社会 父系社会
【父兄】fùxiōng 图 ❶父と兄 ❷家長. 保護者
【父子】fùzǐ 图 父と息子 ‖ ～相传（学問や技芸などを）父から子へと代々伝える

5 ** **付** fù ❶動 付する. 渡す. 与える. 託する ‖ 交～ 渡す｜～诸实施 実施に移す ❷動 支払う. 払う ‖ ～钱 金を支払う｜～学费 学費を払う
*【付出】fùchū 動 支払う. 払う ‖ ～心血 心血をそそぐ｜～巨大代价 大きな代価を支払う
【付方】fùfāng 图（簿記の）貸方.〔贷方〕ともいう ↔〔收方〕
*【付款】fù//kuǎn 動 代金を支払う. 決済する ‖ 分期～ 分割で支払う. ローンで返済する
【付排】fùpái 動〈印〉（原稿を）組版に回す
【付讫】fùqì 動〈貿〉支払い済みである
【付托】fùtuō 動 委託する. 委ねる
【付现】fùxiàn 動〈貿〉現金で支払う
【付型】fùxíng 動〈印〉紙型（しけい）どりに回す. 下版（げはん）する
【付印】fùyìn 動 ❶〈印〉（組版や校正などを経て）印刷に回す ❷上梓（じょうし）する. 書物を出版する
【付邮】fùyóu 動 書 郵送する
【付与】fùyǔ 動 書 渡す. 与える. 任せる ‖ ～重任 重大な任務を与える
【付账】fù//zhàng 動 代金を支払う
【付之一炬】fù zhī yī jù 成 火にくべる. 焼き捨てる.〔付诸一炬〕ともいう
【付之一笑】fù zhī yī xiào 成 一笑に付す
【付诸东流】fù zhū dōng liú 成 水泡に帰す. 努力や成果がむだになる
【付梓】fùzǐ 動 書 上梓する. 出版する

6 **妇**（婦 △媍）fù ❶女性. 婦人 ‖ 一～女 ❷既婚の女性 ‖ 少～ 若い人妻 ❸妻 ‖ 夫～ 夫婦｜夫唱～随 夫唱婦随
【妇道】fùdào 图 旧 女性が守るべき道. 婦道
【妇道】fùdao 图 旧 婦人. 女子 ‖ 一个～, 懂什么！ 女のくせに何が分かる
【妇科】fùkē 图〈医〉婦人科
【妇联】fùlián =〔妇女联合会 fùnǚ liánhéhuì〕
** 【妇女】fùnǚ 图 婦人. 女性 ‖ 家庭～ 家庭の主婦
【妇女病】fùnǚbìng 图〈医〉婦人病
【妇女节】Fùnǚjié 图 国際婦人デー（3月8日）=〔三八妇女节〕
【妇女联合会】fùnǚ liánhéhuì 图 婦女連合会. 略して〔妇联〕ともいう
*【妇人】fùrén 图 婦人. 既婚女性
【妇孺】fùrú 图 婦人と子供 ‖ ～皆知 女子供でも知っている. だれでも知っていること
【妇幼】fùyòu 图 婦人と児童

6 * **负** fù ❶（荷物を）背負う ‖ 一～重 ❷動（責任や負担を）引き受ける. 負う. 担う ‖ ～全责 すべての責任を負う｜身～重任 重い任務を担っている

❸引き受けた任務や責任‖如释shì重～ 重荷を下ろしてほっとする ❹動(被害を)受ける. 被る‖～重伤 重傷を負う ❺(名声や人望を)受ける‖久～盛名 久しく盛名をうたわれている ❻頼る. 頼みとする‖→～隅顽抗 ❼動 借金がある. 債務を負う‖→～债 ❽背く. たがえる‖→～约 ❾動 負ける. 失敗する ↔〔胜〕‖甲队～于乙队 甲チームは乙チームに敗れた ❿形 ①〈数〉負(ふ)の. マイナスの ↔〔正〕‖→～数 ②〈電〉マイナスの. 陰極の ↔〔正〕‖→～极
*【负担】fùdān 動 負担する. 引き受ける 名 負担. 重荷‖精神上的～ 精神的な重荷｜减轻学生～ 学生の勉学の負担を軽くする
F
【负电】fùdiàn 名〈電〉負電気. 陰電気
【负号】fùhào (～儿) 名〈数〉マイナス記号
【负荷】fùhè 動 書 負担する 名 負荷. 荷重. ロード.
【负极】fùjí 名〈物〉陰極. 負極
【负荆请罪】fù jīng qǐng zuì 成 荆(いばら)の鞭(むち)を背負って処罰を求める. 自ら非を悟って深くわびるたとえ
【负疚】fùjiù 動 書 気がとがめる. 心が痛む. 後ろめたい
【负离子】fùlízǐ 名〈物〉陰イオン. 〔阴离子〕ともいう
【负面】fùmiàn 形 悪い. マイナスの. 消極的な‖～效果 マイナス効果
【负气】fùqì 動 腹を立てる. かっとなる. いきり立つ
*【负伤】fù//shāng 動 負傷する‖头部负了伤 頭部を負傷した｜因公～ 労災で負傷する
【负数】fùshù 名〈数〉負数 ↔〔正数〕
【负心】fùxīn 動 恩を忘れる. (多くは愛情について)心変わりする‖～汉 薄情者｜～贼 忘恩の徒
【负隅顽抗】fù yú wán kàng 成 (敵・悪人が)険要な地形を頼みとして頑強に抵抗する
【负约】fù//yuē 動 違約する. 約束に背く
【负载】fùzài 名 負荷. 荷重
★【负责】fùzé 動 **責任を負う. 責任を持つ**‖这事由他～ このことは彼が責任を持つ 形 **責任感が強い**‖他对工作很～ 彼は仕事に対してとても責任感が強い
【负增长】fùzēngzhǎng 動 マイナス成長になる
【负债】fù//zhài 動 債務を負う. 借金する‖～甚多 負債が非常に多い 名(fùzhài) 負債. 借金
【负重】fùzhòng 動 ❶重い荷物を背負う ❷重責を担う‖忍辱rěnrǔ～ 恥辱に耐えて重責を担う
【负罪】fùzuì 動 書 罪をかぶる
7 **附**(△坿) fù ❶従う. 従属する‖依～ つき従う ❷動 近づく‖～在耳边低语 耳元でささやく ❸動 付け加える. 添える‖信中～上近照两张 最近撮った2枚の写真を同封する
【附白】fùbái 動 説明を加える
【附笔】fùbǐ 名 付記. (手紙の)追伸
*【附带】fùdài 動 付帯する‖～说一句 一言付け加える｜不～任何条件 いかなる条件も付けない 形 副次的な. 二次的な‖～的劳动 二次的な労働
【附耳】fù'ěr 動 耳に口を寄せる. 耳打ちをする
【附凤攀龙】fù fèng pān lóng 成 権力者に取り入って, 立身出世しようとすること. 〔攀龙附凤〕ともいう
*【附和】fùhè 動 (自分の考えがなく, 他人の言動に)同調する. 追随する‖随声～ 付和雷同する
【附会】fùhuì 動 無理に結びつける. こじつける. 〔傅会〕とも書く‖牵强～ 牽強付会(けんきょうふかい)する
*【附加】fùjiā 動 付加する. 付け加える‖～条件 付加条件｜～说明 説明を付け加える
【附加税】fùjiāshuì 名 付加税
【附加刑】fùjiāxíng 名〈法〉付加刑 =〔从刑〕
【附加值】fùjiāzhí 名 付加価値
【附件】fùjiàn 名 ❶添付書類 ❷(協定や契約などの)付属文書 ❸付属品. アタッチメント ❹〈計〉添付ファイル
★【附近】fùjìn 名 **付近. 近辺**‖他家就在～ 彼の家はすぐ近くだ
【附录】fùlù 名 付録‖卷末～ 巻末付録
【附设】fùshè 動 付設する. 併設する
*【附属】fùshǔ 動 付属する. 属する‖这家医院～于某医科大学 この病院は某医科大学の付属病院である 形 附属の‖～机构 付属機関
【附属国】fùshǔguó 名 従属国. 属国
【附送】fùsòng 動 合わせて贈呈する
【附言】fùyán 名 (手紙の)追伸. 二伸
【附议】fùyì 動 (他人の提案に賛成して)共同提案者となる
【附庸】fùyōng 名 ❶従属国. 属国 ❷書 従属物
【附庸风雅】fù yōng fēng yǎ 成 名士と交わって風流人を気取る
【附载】fùzǎi 動 付載する. 付け加えて掲載する
【附则】fùzé 名 (法規や条約などの)付則
【附注】fùzhù 名 注. 付注
【附着】fùzhuó 動 付着する. つく
【附着力】fùzhuólì 名 付着力. 粘着力
8 **阜** fù 書 ❶土の山. 山 ❷(物資が)多い. 豊かである‖物～民丰 物が豊富で民は豊かである
8 **咐** fù ➡〔吩咐fēnfu〕〔嘱咐zhǔfu〕
8 **驸** fù 古 (数頭立ての馬車の)副(そ)え馬
【驸马】fùmǎ 名 皇帝の娘婿
8 **服** fù 量 漢方薬を数える‖每天吃一～药 毎日薬を1服飲む ➤ fú
9* **复**[1](復) fù ❶反復する. 繰り返す‖反～ 反復する ❷回答する. 返事する. 〔覆〕とも書く‖答～ 回答する ❸報復する‖→～仇 ❹復する. 回復する‖收～失地 失地を回復する ❺副 再び. また‖死灰～燃 消えた火が再び燃え上がる. 一度衰えた勢力がまた勢いを盛り返す
9 **复**[2](複) fù ❶書 あわせの衣服 ❷単一でない. 複数の ↔〔单〕‖→～数
*【复辟】fùbì 動 君主が復位する. (制度が)復活する
【复查】fùchá 動 再検査する. 再調査する
【复仇】fù//chóu 動 復讐(ふくしゅう)する. 報復する
【复出】fùchū 動 (多く著名人が)復帰する. 復職する
【复聪】fùcōng 動 聴力が回復する
【复读】fùdú 動 上級の学校に合格しなかった学生が卒業校に戻り, 受験をめざし一年間勉強をやり直すこと
【复发】fùfā 動 (病気が)再発する. ぶり返す‖老病～ 持病が再発する
【复辅音】fùfǔyīn 名〈語〉複子音. 子音連続
【复岗】fù//gǎng 動 (自宅待機していた職員が)もとの職場に復帰する
【复工】fù//gōng 動 操業を再開する
【复古】fùgǔ 動 復古する‖～运动 復古運動
【复归】fùguī 動 (ある状態に)戻る. 回復する
【复函】fù//hán 動 返信を出す 名 書 (fùhán)返信
【复航】fùháng 動 (飛行機や船舶が)運航を再開する

*【复合】fùhé 動 複合する. 結合する
【复合材料】fùhé cáiliào 名 複合材料
【复合词】fùhécí 名〈語〉(合成語の一種)複合語
【复合量词】fùhé liàngcí 名〈語〉複合量詞
【复合元音】fùhé yuányīn 名〈語〉複合母音
【复核】fùhé 動 ❶(資料や帳簿などを)照合する ❷〈法〉(最高人民法院が死刑案件を)再審する
【复会】fù//huì 動 会議を再開する
【复婚】fù//hūn 動 復縁する
*【复活】fùhuó 動 復活する. よみがえる
*【复活节】Fùhuójié 名 復活祭. イースター
【复建】fùjiàn 動 再建する. 建て直す
【复交】fùjiāo 動 ❶友情を戻す ❷国交を回復する
【复旧】fù//jiù 動 昔の体制や制度に戻る. 復古する
【复句】fùjù 名〈語〉複文 ↔〔单句〕
【复刊】fù//kān 動 復刊する
【复课】fù//kè 動 授業を再開する
【复利】fùlì 名〈経〉複利
【复明】fùmíng 動 視力が回復する
【复命】fù//mìng 動 書 復命する
【复牌】fùpái 動 売買停止株の取引を再開する
【复盘】fùpán 動 ❶(囲碁などで)対局を再現する ❷(株式市場で)取引を再開する
【复赛】fùsài 名〈体〉第2回戦から準決勝までの試合. 第1回戦は〔初赛〕, 決勝戦は〔决赛〕という
【复审】fùshěn 動 ❶再審査する ❷〈法〉再審する
【复生】fùshēng 動 復活する
【复市】fùshì 動(商店や市場などが)営業を再開する
【复试】fùshì 名 二次試験 ↔〔初试〕
**【复述】fùshù 動 ❶復唱する. 繰り返して言う ❷(国語の授業で)テキストの内容を自分の言葉で言い表す
【复数】fùshù 名 ❶〈数〉複素数 ❷〈語〉複数 ↔〔单数〕
【复苏】fùsū 動 書 蘇生する. 回復する ‖ 大地～(春になって)大地がよみがえる | 经济～ 経済が回復する
【复谈】fùtán 動(交渉や会談などを)再開する
【复通】fùtōng 動(交通が)復旧する. (運転を)再開する
【复位】fù//wèi 動 ❶〈医〉整復する. はずれた関節が元どおりになる ❷(君主が)復位する
★【复习】fùxí 動 復習する
【复线】fùxiàn 名(鉄道の)複線 ↔〔单线〕
【复写】fùxiě 動(カーボンなどで)複写する
【复写纸】fùxiězhǐ 名 複写紙. カーボン紙
【复信】fù//xìn 動 返信を出す 名(fùxìn) 返信
*【复兴】fùxīng 動 復興する. 復興させる ‖ ～经济 経済を復興させる | 文艺～ 文芸復興. ルネサンス
【复姓】fùxìng 名 複姓. 2文字以上の姓
【复学】fù//xué 動(休学の後)復学する
【复眼】fùyǎn 名(節足動物の)複眼
【复业】fù//yè 動 ❶復業する ❷営業を再開する
【复议】fùyì 動 再議する. 再討議する
【复音】fùyīn 名〈物〉複合音
【复音词】fùyīncí 名〈語〉多音節語 ↔〔单音词〕
**【复印】fùyìn 動 複写する. コピーする ‖ ～纸 コピー用紙 | 把资料～了五份 資料を5部コピーした
【复印机】fùyìnjī 名 複写機. コピー機
【复元】fù//yuán =〔复原 fùyuán ❶〕
【复员】fù//yuán 動 ❶戦時態勢が解ける. 平時に復する ❷復員する. 退役する ‖ ～军人 復員軍人
【复原】fù//yuán 動 ❶健康を回復する. 〔复元〕とも書く ❷原状を回復する. 復元する
【复圆】fùyuán 名〈天〉(日食や月食の後の)復円
**【复杂】fùzá 形 複雑である ↔〔简单〕‖ 人际关系～ 人間関係が複雑である
【复杂劳动】fùzá láodòng 名〈経〉複雑労働 ↔〔简单劳动〕
【复诊】fùzhěn 動(患者を)再診する. 再診を受ける
【复职】fù//zhí 動 復職する
*【复制】fùzhì 動 複製する ‖ ～品 複製品
【复转】fùzhuǎn 動(軍人が)復員しほかの職に就く

9 ** **赴** fù ❶動 書 赴く. 行く. 出かける ‖ ～京 北京へ赴く ❷死亡を告げる =〔讣〕
【赴敌】fùdí 動 書 戦いに赴く. 前線へ赴く
【赴任】fùrèn 動 赴任する ‖ 独身～ 単身赴任
【赴汤蹈火】fù tāng dǎo huǒ 成 火の中水の中も辞さない. 艱難辛苦(かんなんしんく)をものともしない
【赴宴】fùyàn 動 宴会に出席する
【赴约】fùyuē 動 約束した人に会いに行く

11 ** **副** fù ❶古(一つのものを)二つに割る ❷形 2番目の. 副. 補助的な ↔〔正〕〔主〕‖ ～总理 副首相 ❸補佐役. 補佐する人 ‖ 队～ 隊の副官 ❹付帯の. 副次的な ‖ →～作用 ❺二級の. 二流の ‖ →～品 ❻符合する. 合致する ‖ 名～其实 名実相伴う ❼量 ①(二つからなるもの, 対になったものを数える)組. 対. 俗に〔付〕の字を当てることもある ‖ 一～眼镜 眼鏡一つ ②(組や揃いになったものを数える)組. セット. 揃い. 一式 ‖ 一～扑克 トランプ一組 ③顔つきや表情についていう. (ふつう名詞の前には修飾語を置き, 数詞は〔一〕のみ) ‖ 一～笑脸 笑顔
【副本】fùběn 名 副本. 写し. 控え. コピー ↔〔正本〕
【副标题】fùbiāotí =〔副题 fùtí〕
【副产品】fùchǎnpǐn 名 副産物. 〔副产物〕ともいう
【副词】fùcí 名〈語〉副詞
【副歌】fùgē 名〈音〉リフレイン
【副官】fùguān 名 旧 副官
【副刊】fùkān 名(新聞の)文芸・学芸・学術欄
【副品】fùpǐn 名 二級品
【副热带】fùrèdài 名 亜熱帯 =〔亚热带〕
**【副食】fùshí 名 副食 ↔〔主食〕‖ ～品 副食品
【副手】fùshǒu 名 助手. 副手
【副题】fùtí 名 副題. サブタイトル. 〔副标题〕ともいう
【副性征】fùxìngzhēng 名〈生理〉第二次性徴
【副修】fùxiū 動 専攻以外の課程を履修する
*【副业】fùyè 名 副業. 内職. サイドビジネス ‖ 搞～ 内職をする
【副油箱】fùyóuxiāng 名 燃料補助タンク
【副职】fùzhí 名(正副職位のうちの)副の職位. 次席 ↔〔正职〕‖ ～干部 次席級の幹部
*【副作用】fùzuòyòng 名 副作用

12 **傅**[1] fù ❶教え導く. 指導する ❷師. (技芸などを教える)先生 ‖ 师～ 師匠

12 **傅**[2] fù ❶書 付着する ❷書 つける. 塗る ‖ ～粉 おしろいを塗る

12 ** **富** fù ❶多い. 豊富である ‖ →～饶 ❷形 富んでいる. 裕福である ↔〔贫〕〔穷〕‖ 农村～了 農村が豊かになった ❸資源. 財産 ‖ 财～ 財産 ❹富ませる. 豊かにする ‖ →～国
【富富有余】fùfù yǒu yú 慣 あり余っている

F

【富贵】fùguì 形 富貴の. 財産があって身分が高い
【富贵病】fùguìbìng 名 長期の療養と滋養摂取の必要がある病気
【富国】fùguó 動 国を豊かにする‖～强兵 国を富まし兵を強くする. 富国強兵 名 豊かな国. 富んだ国
【富豪】fùháo 名 富豪. 大金持ち
【富丽】fùlì 形 華麗である‖～堂皇（多く建築物が）華麗で堂々としている
【富民】fùmín 動 民を富ませる‖～政策 富民政策
【富农】fùnóng 名 富農. 富裕な農民
【富婆】fùpó 名 中年以上の裕福な女性. 大金持ちのマダム
*【富强】fùqiáng 形（国が）富強である. 経済が豊かで強大である‖繁荣～ 繁栄し強大になる
【富强粉】fùqiángfěn 名 強力粉
【富饶】fùráo 形 豊饒(ほうじょう)である. 豊かである
【富商】fùshāng 名 富商. 金持ちの商人
【富实】fùshi；fùshí 形（財産が）満ち足りている. 裕福である
【富庶】fùshù 形 物産に富み人口が多い
【富态】fùtai 形 婉（体が）太っている. 福々しい
【富翁】fùwēng 名 富豪. 大金持ち
【富营养化】fùyíngyǎnghuà 動 富栄養化する
*【富有】fùyǒu 動 豊富に持つ. …に富む‖～文采 文才に富む｜～韧性 耐久性に富む 形 裕福である
【富于】fùyú 動 …に富む‖～幽默 ユーモアに富む｜～同情心 同情心にあふれる
*【富余】fùyu 動 あり余る. 余分にある‖还～两张票 まだチケットが2枚余っている｜时间还～，不用着急 まだ時間に余裕があるから, あせることはない
*【富裕】fùyù 形 裕福である. 豊かである‖生活～起来了 生活が豊かになった 動 豊かにする. 裕福にする
【富足】fùzú 形 裕福である. 豊富である

12 **赋**[1] fù 旧 田地に対する租税‖田～ 地租

12 **赋**[2] fù ❶授ける. 与える‖→～予 ❷天性. 資質‖天～ 生まれつきの資質

12 **赋**[3] fù ❶名 賦(ふ). 中国古代の韻文の一種 ❷詩や詞を作る

【赋税】fùshuì 名 租税
【赋闲】fùxián 動 書 官職を退き閑居する. 転 失業する. 職を失う‖～在家 家でぶらぶらしている
【赋性】fùxìng 名 天性. 生まれつきの性質
【赋有】fùyǒu 動 天性として持つ. 生まれながら備える‖～艺术家的素质 芸術家の素質がある
*【赋予】fùyǔ 動（任務や使命を）授ける. 与える‖这是时代～我们的使命 これは時代が我々に与えた使命である

13 **缚** fù 縛る. くくる‖束～ 束縛する

13 * **腹** fù ❶名 腹. ふつうは〔肚子〕という ❷心の中. 腹の中‖→～案 ❸前の方. 前面‖→～背受敌 ❹（器物の）ふくらんでいる部分

【腹案】fù'àn 名 ❶腹案‖我已有了个～ 私にはすでに腹案がある ❷未公開のプラン. 公にしていない計画
【腹背受敌】fù bèi shòu dí 成 腹背に敵を受ける. 敵に前後から攻め立てられる
【腹地】fùdì 名 奥地. 内陸部
【腹诽心谤】fù fěi xīn bàng 成 口には出さないが, 心中深く不満を抱いているたとえ
【腹稿】fùgǎo 名 頭の中でまとめ上げた原稿. 腹案
【腹股沟】fùgǔgōu 名〈生理〉鼠蹊(そけい)部.〔鼠蹊〕ともいう
【腹面】fùmiàn 名 腹のある面. 体の前側
【腹膜】fùmó 名〈生理〉腹膜‖～炎 腹膜炎
【腹鳍】fùqí 名〈魚〉腹びれ
【腹腔】fùqiāng 名〈生理〉腹腔(ふくこう)
【腹水】fùshuǐ 名〈医〉腹水
【腹泻】fùxiè 動 下痢をする. ふつうは〔拉肚子〕〔闹肚子〕〔泻肚〕という
【腹心】fùxīn 名 書 ❶急所 ❷腹心. 心から信頼できる人 ❸誠意. 真心‖敢布～ 心の奥までさらけ出す
【腹心之疾】fù xīn zhī jí 成 内部に潜む禍根. 腹心の病. 獅子身中の虫
【腹议】fùyì 動 書 心の中で異を唱える

13 **鲋** fù 旧 フナ‖涸hé辙zhé之～ かれた轍(わだち)の中の鮒(ふな). 困窮の中で救いを求める人

14 **赙** fù 書 遺族に葬式の費用を援助するため金品を贈る

15 **蝮** fù ➘

【蝮蛇】fùshé 名〈動〉マムシ

17 **鳆** fù 〈貝〉アワビ

【鳆鱼】fùyú 名〈貝〉アワビ ＝〔鲍鱼bàoyú〕

18 **覆** fù ❶書 覆る‖天翻地～ 天地が引っくり返る ❷滅びる‖→～灭 ❸〔复[1]fù ❶〕に同じ ❹〔复[1]fù ❷〕に同じ ❺書 覆う. かぶせる‖→～盖

【覆被】fùbèi 名 被覆
【覆巢无完卵】fù cháo wú wán luǎn 成 鳥の巣が落ちれば中の卵も全部割れてしまう. 全体が災厄に遭えば一人も助からないたとえ
【覆车之鉴】fù chē zhī jiàn 成 覆車(ふくしゃ)の戒め. 他人の失敗を自分の教訓とするたとえ
*【覆盖】fùgài 動 覆う‖积雪～着地面 雪が地面を覆っている 名 地面に生えている植物
【覆盖面】fùgàimiàn 名 ❶覆っている面積. 被覆面 ❷関連する範囲. 影響範囲
【覆灭】fùmiè 動（軍隊が）全滅する
【覆没】fùmò 動 ❶（船が）転覆して沈没する ❷（軍隊が）潰滅する ❸書 陥落する.（敵に）占領される
【覆盆之冤】fù pén zhī yuān 成 引っくり返った盆の中には日の光がささない. 訴えることのできないぬれぎぬ
【覆水难收】fù shuǐ nán shōu 成 覆水盆に返らず. 一度し損じたことは取り返しがつかない. 一度こじれた夫婦の仲がまた元どおりになるのは難しい
【覆亡】fùwáng 動 覆滅する. 滅亡する
【覆辙】fùzhé 名 前車の轍(てつ). 同じ失敗をした先例‖重chóng蹈dǎo～ 前車の轍を踏む

18 **馥** fù 書 香りがよい. かぐわしい

【馥馥】fùfù 形 書 香りが高い. かぐわしい
【馥郁】fùyù 形 書 香りがよい馥郁(ふくいく)としている

G

gā

6 **夹**(夾) **gā** ↴ ➤ jiā jiá

【夹肢窝】gāzhiwō 图口 わき. 腋窩. 〔胳肢窝〕とも書く

6 **旮** **gā** ↴

【旮旮旯旯儿】gāgalálár 图方 あらゆる物陰. すみずみ ‖ ～都找遍了 隅々までまんべんなく捜した

【旮旯儿】gālár 图方 ❶隅. 角 ‖ 墙～ 塀の角. 部屋の隅っこ ❷狭くて辺鄙(へんぴ)な所 ‖ 山～ 山奥

7 **伽** **gā** ↴ ➤ jiā qié

【伽马射线】gāmǎ shèxiàn 图〈物〉ガンマ線. γ線. ふつう〔γ射线〕と書く

8 **咖** **gā** ↴ ➤ kā

【咖喱】gālí 图外 カレー ‖ ～饭 カレーライス

8 **呷** **gā** ↴ ➤ xiā

【呷呷】gāgā ＝〔嘎嘎gāgā〕

10 **胳** **gā** ↴ ➤ gē gé

【胳肢窝】gāzhiwō ＝〔夹肢窝gāzhiwō〕

14 **嘎**(△嘎) **gā** 擬 短く鋭い音 ‖ 汽车～地一声刹shā住了 キーッという音がして, 乗用車が急停車した ➤ gá gǎ

【嘎巴】gābā 擬(木の枝などが折れる音)ポキン. ポキッ ‖ 树枝～一声折了 木の枝がポキンと音を立てて折れた

【嘎巴】gāba 動方 くっつく. こびりつく ‖ 饭粒～在碗边上了 飯粒が茶碗にこびりついている

【嘎嘣脆】gābengcuì 形方 ❶さくさくしている ❷(言葉や行動が)てきぱきしている ‖ 他办事总是～ 彼は仕事がいつもてきぱきしている ＊〔嘎巴脆〕ともいう

【嘎嘎】gāgā 擬(アヒルやガンなどの鳴き声)ガアガア. 〔呷呷〕とも書く ➤ gága

【嘎渣儿】gāzhar 图方 ❶かさぶた ❷お焦げ. 食物が焦げて黄色くなった外皮

【嘎吱】gāzhī 擬 物のきしむ音 ‖ 地板～～响 床板がギシギシ鳴っている

gá

5 **轧** **gá** 方 ❶動 押す. 押し合う ‖ 人～人 押し合いへし合いをする ❷動(人と)付き合う. 交遊する ‖ ～朋友 友だちになる ❸動 確認する. 照合する ‖ ～账 帳簿を照合する ➤ yà zhá

6 **钆** **gá** 图〈化〉ガドリニウム(化学元素の一つ, 元素記号は Gd)

9 **尜** **gá** ↴

【尜尜】gága 图(～儿)子供の玩具(がんぐ)の一種(木を紡錘形に削ったもので, これを棒で打って遊ぶ). 〔嘎嘎〕とも書き, また〔尜儿〕ともいう

14 **嘎**(△嘎) **gá** ↴ ➤ gā gǎ

【嘎嘎】gága ＝〔尜尜gága〕 ➤ gāgā

15 **噶** **gá** ↴

【噶伦】gálún 图旧 ガロン(旧チベット地方政府の高級官吏)

【噶厦】gáxià 图旧 ガシャ(旧チベット地方政府の最高行政機関)

gǎ

5 **生** **gǎ** 方 ❶形(性格が)ひねくれている. 偏屈である ❷形 やんちゃである. いたずらっぽい

【生古】gǎgu 形方 ❶(性格が)悪い. ひねくれている ❷(品質が)悪い ❸(事態の結果が)芳しくない

【生子】gǎzi 图方 腕白坊主. 〔嘎子〕とも書く

5 **尕** **gǎ** 形方 年齢が幼い ‖ ～娃 幼児. 赤ん坊 ｜～王 王ちゃん

14 **嘎**(△嘎) **gǎ** 〔生gǎ〕に同じ ➤ gā gá

【嘎子】gǎzi ＝〔生子gǎzi〕

gà

7 **尬** **gà** ➡〔尴尬gāngà〕

gāi

8 ★**该**[1] **gāi** ❶動 述語となる ① … すべきである. 当然 … である ‖ 论技术, ～老李排第一 技術では, 当然李さんが一番にあげられる ② … の番になる. (順番で) … が当たる ‖ 这回～我去了 こんどは私が行く番だ ③それ見たことか. ざまを見ろ ‖ ～！谁叫他不听话来着！ それ見たことか, 人の言うことをきかなかったからだ ❷助動 述語を修飾する ①当然 … すべきである. … しなければならない ‖ 我～回去了 私はそろそろ帰らなければなりません ｜昨天的会, 你不～不来啊 きのうの会に君は来るべきだったよ ② … のはずだ. … に違いない ‖ 起这么晚, 又～迟到了 こんなに寝坊してはまた遅刻だ ③(感嘆文に用いて)なんと … だろう. どんなに … であろう ‖ 要是能多呆几天～有多好啊！ もう幾日か滞在を延ばせればどんなにいいだろう

8 **该**[2] **gāi** 動口 借りをつくる. 借金をする ‖ 今天没带钱, 先～着可以吗？ 今日はお金を持ってないので, とりあえず貸してくれませんか

8 ＊＊**该**[3] **gāi** 代 前掲の. 前述した. 当 …. 当該 …. その ‖ ～校 当校 ｜～地区 当地区

【该当】gāidāng 動 … するのは当たり前である. 当然のことである ‖ 这是大家的事, 我～出力 これはみんなのことだから, 私が尽力するのは当然のことです

【该欠】gāiqiàn 動 物を借りて返さない ‖ 我从不～别人什么 私はいままでに借りた物を返さなかったことはない

【该死】gāisǐ 形口 いまいましい. 憎たらしい ‖ 这～的雨, 下得真不是时候！ いまいましい雨だ, こんなときに降

り出すなんて | 真～，我又把课本忘了 なんてばかなんだ，また教科書を忘れてしまった
【该着】gāizháo 動 運命の巡り合わせでどうしてもそうなる ‖ 大年初一就把钱包丢了，～我倒霉dǎoméi 元旦から財布を落とすとは，私もまったくついてない

9 **垓** gāi 古 ❶(数の単位)垓(がい)．現在の億に当たる ❷地名用字 ‖ ～下 垓下(がいか)．現在の安徽省霊璧(れいへき)県東南にあった古代の地名

10 **赅** gāi 書 そろっている．具備している ‖ 言简意～ 言葉は簡潔だが意を尽くしている

gǎi

G

7 ★**改** gǎi ❶動 **変更する．変化させる** ‖ 开会的时间～到明天了 会議の時間は明日に変更された ❷動 **是正する．改める** ‖ 我错了，今后一定～ 私が間違っていました，今後は必ず改めます ❸動 **手直しをする．手を入れる** ‖ ～文章 文章を直す
【改版】gǎi∥bǎn 動 ❶〈印〉改版する ❷(放送で)番組の編制替えをする．番組改訂をする
【改扮】gǎibàn 動 変装する．顔や服装を変える
*【改编】gǎibiān 動 ❶原作に基づき，編集し直す．改編する ‖ 把小说～成话剧 小説を劇化する ❷(人事や軍隊などの)編制を替える ‖ 把原来的三个班～成两个班 もとの3分隊を2分隊に編制替えする
★【改变】gǎibiàn 動 ❶**変わる．変化する** ‖ 他的态度～了 彼の態度が変わった ❷**変える．変更する** ‖ ～作息时间 仕事と休憩の時間を変更する
【改产】gǎi∥chǎn 動 (別の品物に)生産変えする
【改朝换代】gǎi cháo huàn dài 成 古い王朝が滅びて新しい王朝にとって代わる．政権が交代する
【改道】gǎi∥dào 動 ❶道筋を変える．ルートを変える ‖ ～由上海去南京 コースを変えて上海経由で南京へ行く ❷河道が変わる
【改点】gǎi∥diǎn 動 (時間を)改める．変更する
【改订】gǎidìng 動 (文章や規則などを)改正する．改訂する ‖ ～交通规则 交通規則を改訂する
【改动】gǎidòng 動 (文章や順序などを)直す．手直しをする ‖ 只～了一个字，句子就通顺多了 1字手直ししただけで文章がだいぶ分かりやすくなった
⁑【改革】gǎigé 動 **改革する** ‖ ～制度 制度を改革する | ～机构 機構を改革する
【改观】gǎiguān 動 (様子・状況が)一新する．変貌する ‖ 城市的面貌已大大～ 町は面目を一新した
【改过】gǎi∥guò 動 過ちを悔い改める ‖ 不肯～ 悔い改めようとしない | ～自新 過ちを改め，新しく生まれかわる
【改行】gǎi∥háng 動 ❶転職する．商売替えする ❷改行する
【改换】gǎihuàn 動 取り替える ‖ ～方式 やり方を変える | ～姿势 姿勢を変える | ～地点 場所を変える
【改换门庭】gǎihuàn méntíng 慣 (自分の地位の維持や向上を図るため)新しい主人や勢力に身を投じる
【改悔】gǎihuǐ 動 改悛する．悔い改める
【改嫁】gǎi∥jià 動 (女性が)再婚する
*【改建】gǎijiàn 動 改築する．建て替える ‖ ～厂房 工場を改築する | 实验室～工程 実験室の改築工事
⁑【改进】gǎijìn 動 **改善する．改良する** ‖ ～装备 設備を改良する | 管理方法有了很大～ 管理のやり方が大いに向上した
【改口】gǎi∥kǒu 動 ❶口調を改める．言い改める ❷呼び方を変える ‖ 自小叫惯了叔叔，一时改不了口 小さいときからおじさんと呼び慣れているので，すぐには呼び方を改められない
*【改良】gǎiliáng 動 改良する．改善する ‖ ～品种 品種を改良する | ～服务态度 接客態度を改善する
【改良主义】gǎiliáng zhǔyì 名 改良主義
【改判】gǎipàn 動〈法〉判決を変える
【改期】gǎi∥qī 動 期日を変える．日を改める
【改日】gǎirì 副 日を改めて．他日に ‖ ～再去拜访 後日改めてお伺いします
【改色】gǎisè 動 ❶色が変わる ❷顔色を変える．表情を変える ‖ 面不～ 表情が変わらない
⁑【改善】gǎishàn 動 **改善する．よりよくする** ‖ ～关系 関係を改善する | ～生活 (外食するなどして)いつもよりおいしいものを食べる | 得到进一步的～ 一段と改善された
【改天】gǎitiān 副 後日．またの日 ‖ 这事不着急，咱们～再说吧 これは急がないからまたにしよう
【改天换地】gǎi tiān huàn dì 成 大改造する．徹底的に変える
【改头换面】gǎi tóu huàn miàn 成 中身を元のままにして，うわべだけを変える
【改为】gǎiwéi 動 …に改める．…に変える．…になる ‖ 把出发日期～明天 出発の日取りを明日に変える
【改弦更张】gǎi xián gēng zhāng 成 琴の弦を新しく張り替える．制度や方法などを根本的に変えること
【改弦易辙】gǎi xián yì zhé 成 計画・方法・態度などをすっかり変えるたとえ
【改线】gǎi∥xiàn 動 (道路やバスなどの)路線を変更する ‖ 公共汽车～ バスの路線が変わる
*【改邪归正】gǎi xié guī zhèng 成 邪道から抜け出して正道に立ち戻る
【改写】gǎixiě 動 (文章や著作を)書き換える．改作する ‖ 把小说～成电影剧本 小説をシナリオに改作する
【改型】gǎixíng 動 型や規格などを変える．モデルチェンジする
【改选】gǎixuǎn 動 改選する
【改样】gǎi∥yàng 動 変貌(へんぼう)する．様子が変わる
【改元】gǎiyuán 動 改元する．年号を改める
⁑【改造】gǎizào 動 **改造する** ‖ ～机器 機械を改造する | ～思想 思想を改造する
【改辙】gǎi∥zhé 動 喩 これまでのやり方を変える．いままでと違う方法をとる
⁑【改正】gǎizhèng 動 **改める．是正する．訂正する** ‖ ～缺点 欠点を直す | ～错别字 誤字を訂正する
【改制】gǎizhì 動 制度を改変する．制度を変える
【改装】gǎizhuāng 動 ❶顔や身なりを変える．変装する ❷パッケージを変える ❸(機械を)改装する
【改锥】gǎizhuī 名 ねじ回し．〔螺丝刀〕ともいう ‖ 十字～ プラス・ドライバー
*【改组】gǎizǔ 動 改組する．改編する ‖ ～内阁 内閣を改組する
【改嘴】gǎi∥zuǐ 動 口 話しぶりを変える．言い改める ‖ 话已出口，想～也来不及了 いったん口に出したら，引っ込めようと思ってもう遅い

gài

4 **丐**(△匄匃) gài ❶書 請う．ねだる ❷乞食(こじき) ‖ 乞～ 乞食

7 **芥** gài ➘ ➤ jiè

【芥蓝】gàilán 图（中国野菜の一つ）カイランサイ

9 **钙** gài 图〈化〉カルシウム（化学元素の一つ，元素記号は Ca）

【钙化】gàihuà 動〈医〉石灰化する

11 ** **盖**[1]（蓋）gài ❶图（～儿）ふた．かぶせるもの ‖ 盖～儿 ふたをする｜把～儿揿 xiān开 ふたを取る ❷古 傘．幌(ほろ)．覆い ❸（～儿）人の頭蓋骨・膝蓋骨など．動物の甲や甲羅 ‖ 指甲～儿 爪｜螃蟹pángxiè～儿 カニの甲羅 ❹動 **ふたをする．かぶせる** ‖ ～被子 掛け布団を掛ける｜～上锅 鍋にふたをする ❺動 覆い隠す．隠ぺいする ‖ 真相想～也～不住 真相は隠そうと思って隠せるものではない ❻動 **判を押す** ‖ ～图章 判を押す ❼動 **圧倒する．他を断然しのぐ** ‖ 他嗓门儿大，谁也～不过他 声の大きさでは彼にかなう者はいない ❽動 **建てる．建造する** ‖ ～房子 家を建てる ❾图 土ならしの農具の一種 ＝〔耢lào〕 ❿形 方 腕前が抜群である．最高である ‖ 唱得真～了 歌はとてもすばらしかった

11 **盖**[2]（蓋）gài 古 おおむね．およそ ➤ gě

> **類義語** 盖 gài 罩 zhào
>
> ◆〔盖〕ふたをするように上からかぶせる．〔罩〕より覆う対象が具体的・部分的で，密着した感じがある ‖ 盖被子 布団を掛ける ◆〔罩〕ふんわり包み込むように，全体をすっぽり覆う ‖ 山坡上罩着一层薄雾 山の斜面は一面薄いもやに覆われている

【盖棺论定】gài guān lùn dìng 成 棺を覆いて事定まる．人は死んでのち初めて本当の評価が下される

【盖帽儿】gài//màor 動 ❶〈体〉（バスケットボールの）ブロックショットをする ❷口 いいぞ．すごい．最高だ ‖ 这身儿衣服～了！ この服は最高だ

【盖然性】gàiránxìng 图 蓋然性(がいぜんせい)

【盖世】gàishì 動 世間を圧倒する．衆にぬきんでる ‖ ～英雄 天下の英雄｜～无双 天下無双である

【盖世太保】Gàishìtàibǎo 图 外〈史〉ゲシュタポ．〔盖斯塔波〕ともいう

【盖头】gàitou 图 旧 花嫁が婚礼の際にかぶる赤い布

【盖碗】gàiwǎn 图 ふたの付いた湯飲み茶碗

【盖销】gàixiāo 動 消印を押す

【盖章】gài//zhāng 動 捺印する．印を押す．判をつく

*【盖子】gàizi 图 口 ❶ふた ‖ 盖～ ふたをする｜揭开～ ふたを開ける．実情を明らかにする ❷甲羅．甲

12 **溉** gài 注ぐ ‖ 灌～ 灌漑(かんがい)する

13 **概**（△槩）gài ❶様子．風格 ‖ 气～ 気概 ❷概して．だいたい ‖ ～而论之 概して言えば ❸副 例外なく．すべて．ことごとく ‖ ～不赊账shēzhàng 掛け売りいっさいお断り

【概查】gàichá 動 概略調査を行う

【概观】gàiguān 图 概観．（多く書名に用いる）

*【概况】gàikuàng 图 概況 ‖ 市场～ 市場概況

【概括】gàikuò 動 **概括する．総括する ‖ ～内容要点 内容の要点をまとめる 形 **概括的である．簡潔で要点を押さえている** ‖ ～地介绍情况 状況をかいつまんで説明する

【概览】gàilǎn 图 概観．（多く書名に用いる）

【概率】gàilǜ 图〈数〉確率．かつては〔几率〕〔或然率〕ともいった

【概率论】gàilǜlùn 图〈数〉確率論

【概略】gàilüè 图 概略．あらかた．大略

【概论】gàilùn 图 概論．概説．（多く書名に用いる）

【概貌】gàimào 图 概貌(がいぼう)．おおよその様子

【概莫能外】gài mò néng wài 成 例外はない

【概念】gàiniàn 图 **概念 ‖ ～模糊 概念が曖昧(あいまい)である｜偷换～ 概念をすり替える

【概念车】gàiniànchē 图 コンセプト車

【概念股】gàiniàngǔ 图 コンセプト株

【概念化】gàiniànhuà 動 概念化する

【概述】gàishù 動 概略を述べる．略述する

【概数】gàishù 图 概数．おおよその数

【概说】gàishuō 图 概説

【概算】gàisuàn 動 概算する 图 概算

【概要】gàiyào 图 概要．大要．（多く書名に用いる）

13 **戤** gài 方 商標や名をかたって利益を図る

gān

3 **干**[1] gān 古 盾 ‖ →～戈

3 **干**[2] gān ❶動 書 犯す．触れる．抵触する ‖ 有～例禁 禁令に抵触する ❷攪乱(かくらん)する．妨げる ‖ →～扰 ❸書（地位や処遇を）要求する ‖ ～禄 官位を求める ❹動 かかわりをもつ．関係をもつ ‖ 这事与你毫不相～ この件は君とは何の関係もない

3 **干**[3] gān 書 水辺．ほとり ‖ 江～ 川岸

3 **干**[4] gān 十干 ‖ →～支

3 ** **干**[5]（乾 △乹 乾）gān ❶形 **乾燥している** ↔〔湿〕‖ 衣服～了 服が乾いた｜嗓子～得直冒烟 のどが渇いてからからだ ❷形 **枯渇している．尽きている** ‖ 壶里的水都熬áo～了 やかんのお湯がすっかり蒸発してしまった ❸動 飲み干す．干す ‖ 他一下子把杯子里的酒都～了 彼はコップの酒を一気に飲み干した ❹副 **むなしく．いたずらに** ‖ ～等了半天 長い時間むだに待った｜～赔péi上十块钱 むざむざと10元の損をした ❺形式的に．うわべだけ ‖ →～笑 ❻形（親戚関係で）義理の ‖ ～妈 義母｜～儿子 義理の息子 ❼图（～儿）乾燥させた食品 ‖ 鱼～儿 魚のひもの ❽形 **水を使わない．ドライの** ‖ →～洗 ❾動 方 そっけなくする．冷たく扱う ‖ 他一走，把我们～在那儿了 彼は我々をほったらかしにして行ってしまった ➤ gàn

【干巴】gānba 形 口 ❶干からびている ❷（皮膚が）かさかさしている

【干巴巴】gānbābā（～的）形 ❶乾ききっている．かさかさしている．干からびている．（嫌悪の意を含む） ❷無味乾燥である．味気ない．面白みがない ‖ 文章语言～的，枯燥kūzào无味 文章が味気なく，無味乾燥だ

【干白】gānbái 图 辛口の白ワイン

【干杯】gān//bēi 動 **乾杯する ‖ 为大家的健康～！ みなさんの健康を祝して乾杯！

【干贝】gānbèi 图〈料理〉干した貝柱

【干瘪】gānbiě 形 ❶干からびている．痩せこけている ‖ ～的脸 しわだらけの顔 ❷無味乾燥である．味もそっけも

G

ない‖文章～无味 文章が無味乾燥である
【干冰】gānbīng 图ドライ・アイス
【干菜】gāncài 图〈料理〉乾燥させた野菜
【干草】gāncǎo 图干し草‖～垛duò 干し草の山
【干柴烈火】gānchái lièhuǒ 慣よく干した柴(しば)と燃えさかる火. 一触即発のさま
[干脆] gāncuì 形思い切りがよい. きっぱりしている.** 手際がよい. てきぱきしている‖～利落lìluo てきぱきしている｜话说得很～ 話し方がきっぱりしている 副**いっそのこと. 思い切って**‖整天吵架, ～离婚算了 毎日けんかばかりしているんじゃ, いっそ離婚したほうがいい
【干打雷, 不下雨】gān dǎ léi, bù xià yǔ 慣雷だけで, 雨が降らない. 掛け声だけで実行が伴わない
【干瞪眼】gāndèngyǎn 慣やきもきするだけで解決する手だてがない. 気ばかり焦ってどうにもならない
【干电池】gāndiànchí 图乾電池
【干犯】gānfàn 動冒す. 侵犯する
【干饭】gānfàn 图(粥に対して)普通に炊いた御飯
【干粉】gānfěn 图〈料理〉水で戻していないはるさめ
【干戈】gāngē 图干戈(かんか). 一般に武器をさす. 喩戦争‖大动～ 武力に訴える
【干股】gāngǔ 图便宜や技術などを提供することにより, 出資せず配当だけ受ける権利株
【干果】gānguǒ 图❶(クリ・クルミなどの)ナッツ類 ❷干した果物. ドライフルーツ
*[干旱] gānhàn 形雨が少ないために土壌や気候が乾燥している‖去年～, 农业生产受到了很大影响 去年は干魃(かんばつ)で, 農業生産に大きな影響があった
【干号】【干嚎】gānháo 動涙は流さず, 声だけを張り上げて泣く
【干涸】gānhé 形(川や池などが)干上がっている. 涸(か)れている
【干红】gānhóng 图辛口の赤ワイン
【干花】gānhuā 图ドライフラワー
【干货】gānhuò 图干した果実. ドライフルーツ
【干急】gānjí 動いたずらに焦る
★[干净] gānjìng 形❶**清潔である. きれいである**‖打扫～ きれいに掃除する｜嘴里不～ 口汚い ❷**少しも残っていない. 空っぽである**‖把饭菜吃～ 食事を残さず食べる｜忘～ きれいさっぱり忘れる

> **類義語**｜干净 gānjìng 美丽 měilì 漂亮 piàoliang 好看 hǎokàn
> ◆〔干净〕ほこりや不純物がなく, 清潔でさっぱりしたきれいさを表す‖地面很干净 床がきれいだ ◆〔美丽〕主として自然の造り出す美しさを表す. 多くは景色・風光・動植物や女性を形容する‖美丽的春色 美しい春の景色 ◆〔漂亮〕主として人為的な美しさを表す. 格好のよさやセンスのよさなど, 外観的な美しさに重点があるので, 服装・装飾・用具を形容することが多い‖她今天打扮得很漂亮 今日の彼女はとてもおめかししている ◆〔好看〕見て美しいことを表す. 〔漂亮〕と言い換えられることが多い‖封面设计挺好看(漂亮)的 表紙のデザインがとてもきれいだ ◆〔干净〕と〔漂亮〕には重ね型の用法がある

【干净利落】gānjìng lìluo 慣きびきびしている. きちんとしている‖屋子收拾得～ 部屋はこざっぱりと整頓(せいとん)されている｜动作～ 動作がきびきびしている
【干咳】gānké 動空咳(からせき)をする. 咳払いをする
【干枯】gānkū 形❶枯れている ❷干上がっている. 涸(か)れている ❸(皮膚が)乾燥しかさかさしている
【干酪】gānlào 图チーズ
【干冷】gānlěng 形乾燥して寒い
【干连】gānlián 動累を及ぼす. 巻き添えにする. かかわる‖事件～了许多人 事件は多くの人を巻き込んだ
【干粮】gānliang ; gānliáng 图❶(マントーなど)旅行のとき携帯する汁気のない主食 ❷方(マントーなど小麦粉で作った)汁気のない主食
【干裂】gānliè 動乾いて裂ける. 乾燥してひび割れる
【干馏】gānliú 動〈化〉乾留する
【干啤】gānpí 图ドライビール
【干亲】gānqīn 图(血縁や婚姻関係のない)義理の親戚‖认～ 義理の親戚関係を結ぶ
*[干扰] gānrǎo 動❶(人を)じゃまする. 妨げる‖他正在写作业, 别去～他 彼はいま宿題をしているところだからじゃまするな ❷〈電〉受信障害が起きる
【干扰素】gānrǎosù 图〈医〉インターフェロン
【干涩】gānsè 形❶潤いのない. 乾ききっている. かさかさしている ❷しわがれている. かすれている‖沙哑～的声音 しわがれた声 ❸(表情や態度が)ぎこちない. わざとらしい
*[干涉] gānshè 動❶干渉する‖～他国内政 他国の内政に干渉する ❷書関連する. 関係する‖二者了liǎo无～ 両者には何の関連もない
【干尸】gānshī 图ミイラ
【干瘦】gānshòu 形痩せ細っている. 肉が落ちている
【干爽】gānshuǎng 形❶乾燥していてさわやかである ❷(地面などが)乾いている
【干松】gānsong 形方乾燥してふかふかしている
【干洗】gānxǐ 動ドライクリーニングする
【干系】gānxi ; gānxì 图(責任問題や紛糾を起こしかねない)かかわり. 責任‖脱不了～ 責任を逃れられない
【干笑】gānxiào 動無理に笑顔を作る. 作り笑いをする
【干薪】gānxīn 图実際に仕事をしない名ばかりの職務への給料‖拿～ 働かずして給料をとる
*[干预]【干与】gānyù 動干渉する. 関与する. かかわり合う‖这是他们家的事, 别人不便～ これは彼らの家のことだから他人が口出しするのは具合が悪い
[干燥] gānzào 形❶乾燥している. 乾いている**‖气候～ 気候が乾燥している ❷無味乾燥である. 味気ない. 面白みがない‖～无味 無味乾燥で面白くない
【干支】gānzhī 图干支(えと). 十干十二支

5 *甘 gān ❶甘い ↔〔苦〕‖～泉 ❷美しい. 人を満ち足りさせる‖～霖 ❸動甘んずる. 満足する‖不～示弱 弱みを見せたくない

【甘拜下风】gān bài xià fēng 成甘んじて後塵(こうじん)を拝す. 感服して負けを認める
【甘草】gāncǎo 图❶〈植〉ウラルカンゾウ ❷〈中薬〉甘草(かんぞう)
【甘瓜苦蒂】gān guā kǔ dì 成瓜(うり)は甘いが, 蒂(へた)は苦い. 完全無欠なものはないたとえ
【甘居】gānjū 動現状に甘んじる‖安于现状, ～中游 現状に満足し, 人並み程度で甘んじる
【甘苦】gānkǔ 图❶苦しみと楽しみ. 苦楽‖同～, 共患难 苦楽をともにし, 艱難(かんなん)を同じくする ❷つらさ. 辛酸‖搞创作的～ 創作の苦しみ
【甘蓝】gānlán 图〈植〉タマナ. カンラン
【甘霖】gānlín 图書慈雨. めぐみの雨
【甘美】gānměi 形美味である. おいしい
【甘泉】gānquán 图甘泉
【甘薯】gānshǔ 图〈植〉サツマイモ. 俗に〔红薯〕〔白

薯〕という
【甘甜】gāntián 形 甘い
*【甘心】gānxīn 動 ❶自分から進んで…する. 心から望んで…する ‖ 她～当一辈子老师 彼女は一生の仕事として喜んで教師の職を選んだ ❷満足する ‖ 不达到目的决不～ 目的を果たさないかぎり決して満足しない
【甘休】gānxiū 動 やめる. 引き下がる.（多くは否定に用いる）‖ 问题得不到解决, 决不～ 問題が解決しないかぎり決して手を引かない
【甘油】gānyóu 名〈化〉グリセリン
【甘于】gānyú 動 …に甘んじる. 喜んで…する. 進んで…する ‖ 她不～过这种平淡的生活 彼女はこうした単調な生活に耐えられない
【甘雨】gānyǔ 名 書 慈雨. 恵みの雨
【甘愿】gānyuàn 動 自分から進んで…する. 心から望んで…する ‖ 完不成指标～受罚fá ノルマを達成できなければ喜んで処分を受けます
【甘蔗】gānzhe 名〈植〉サトウキビ
【甘之如饴】gān zhī rú yí 成 飴(あめ)のような甘みを感じる. 苦労や困難を恐れない

7 ** **杆** gān 名（木・金属・コンクリートなどの）棒. 柱 ‖ 旗～ 旗竿｜电线～ 電柱 ➤ gǎn
【杆塔】gāntǎ 名 電柱の総称
【杆子】gānzi 名 ❶竿. 棒. 柱 ‖ 电线～ 電柱｜竹～ 竹竿 ❷方 土匪(ひ) ➤ gǎnzi

7 ** **肝** gān 名〈生理〉肝臓.〔肝脏〕ともいう
【肝肠】gāncháng 名 肝臓と腸.（多く比喩に用いる）‖ 痛断～ 断腸の思いである
【肝肠寸断】gān cháng cùn duàn 成 断腸の思い. たいへん悲しいたとえ
【肝胆】gāndǎn 名 喩 ❶誠心. 誠意 ‖ ～照人 誠意をもって人に対する ❷勇気. 胆力 ‖ ～过人 人一倍勇気がある
【肝胆相照】gān dǎn xiāng zhào 成 肝胆相照らす. 親密な友情のたとえ
【肝火】gānhuǒ 名 かんしゃく. 怒気 ‖ 动～ かんしゃくを起こす｜父亲近来～很盛 父は最近怒りっぽい
【肝脑涂地】gān nǎo tú dì 成 肝脳地にまみれる. 何かのために命を投げ出すことのたとえ
【肝气】gānqì 名 ❶かんしゃく ❷〈中医〉肋骨(ろっこつ)が痛んで嘔吐(おうと)・下痢を催す病気
【肝ル】gānr 名（食用としてのブタ・ウシなどの）レバー
*【肝炎】gānyán 名〈医〉肝炎
【肝硬变】gānyìngbiàn 名〈医〉肝硬変.〔肝硬化〕ともいう
【肝脏】gānzàng 名〈生理〉肝臓

8 **泔** gān 米・野菜・鍋などを洗った汚水 ‖ 一～水
【泔水】gānshui ; gānshuǐ 名 米・野菜・鍋などを洗った汚水. 地方によっては〔泔脚〕〔潲水〕ともいう

8 **坩** gān 書 土なべ. ものを入れる陶器
【坩埚】gānguō 名 るつぼ

8 **矸** gān ↴
【矸石】gānshí 名（石炭にまざっている）石. ぼた. 俗に〔矸子〕という

9 **柑** gān 名〈植〉ミカン
【柑橘】gānjú 名〈植〉柑橘(かんきつ)類
【柑子】gānzi 名 方 ミカン

9 * **竿** gān 名 竹竿 ‖ 竹～ 同前｜钓鱼～ 釣り竿
【竿子】gānzi 名 竹竿 ‖ 晾衣服的～ 物干し竿

10 **疳** gān 名〈中医〉脾疳(ひかん)
【疳积】gānjī 名〈中医〉脾疳.〔疳〕の俗称

10 **酐** gān 名 略〈化〉無水化合物.〔酸酐〕の略称

13 **尴**（尷）gān ↴
【尴尬】gāngà 形 ❶ばつが悪い. 気まずい. どうしたらよいかわからない. 困惑する ‖ 吃完饭付账时才发现钱没带够, 一时十分～ 食事を済ませ勘定を払う段になってお金の足りないことに気付き, とてもばつの悪い思いをした ❷方（表情や態度が）不自然である. ぎこちない

gǎn

7 **杆**（△桿）gǎn ❶名（～ル）器物の棒状の部分 ‖ 钢笔～ル ペン軸｜枪～ル 銃身 ❷量 器物の一部が棒状のものを数える ‖ 两～秤 2本の竿ばかり ➤ gān
【杆秤】gǎnchèng 名 竿ばかり
【杆菌】gǎnjūn 名〈医〉桿菌(かんきん). バチルス
【杆子】gǎnzi 名（器物の棒状の部分）棒. 軸 ‖ 笔～ ペン軸 ➤ gānzi

8 * **秆**（△稈）gǎn 名（～ル）（ムギなどの植物の）茎. わら ‖ 麦～ル ムギわら
【秆子】gǎnzi 名 茎 ‖ 玉米～ トウモロコシの茎

10 ** **赶**（趕）gǎn ❶動 追う. 追いかける ‖ 后边的人快～上来了 後方の人がまもなく追いつく ❷動 急いで…する. はやく…する ‖ ～火车 列車に間に合うように急ぐ｜一下班就骑上车拼命地往家～ 退勤時間になると自転車に乗って懸命に家路を急ぐ ❸動 追い払う ‖ ～蚊子 カを追っぱらう｜快把他～出去 はやく彼を追い出してしまえ ❹動（家畜を）駆る. 走らせる ‖ ～马车 馬車を御する ❺動（縁日や市に）出かけて行く. …に行く ‖ 一～集 ❻動（ある事態に）出くわす. ぶつかる ‖ 正～他不在家 あいにく彼は留守だった ❼介 口（時間を表す語の前に置き）…になったら. …の時になると ‖ ～学校放了假, 咱们一起去旅行吧 学校が休みになったら一緒に旅行に行こう
【赶不及】gǎnbují 動 間に合わない ‖ 火车八点开, 七点走恐怕～ 汽車は8時に発車するから, 7時に出たのではおそらく間に合わない
**【赶不上】gǎnbushàng 動 ❶（追いかけても）追いつかない. 及ばない ‖ 他已经走了一会ル了, ～了 彼が出かけてしばらくたつから, もう追いつけない ❷間に合わない ‖ 离开演只有十分钟了, 恐怕～了 開演まで10分しかないから, おそらくもう間に合わないだろう ❸巡り合えない. 出くわさない ‖ 连着几个休息日, 都～好天气 このところ, 休日はいつも好天気に恵まれない
【赶场】gǎn//cháng 動 方 市へ行く
【赶场】gǎn//chǎng 動（掛け持ちで出演する俳優が）次の舞台に駆けつける
【赶超】gǎnchāo 動 追いつき追い越す
【赶车】gǎn//chē 動 ❶馬車や牛車を御する. 走らせる ❷列車やバスなどに乗り遅れないように急ぐ ‖ 赶三点的

车 3時の列車に間に合うよう急ぐ

【赶得及】gǎndejí 動（時間的に）間に合う‖坐出租汽车去，还～ タクシーで行けばまだ間に合う

*【赶得上】gǎndeshàng 動 ❶追いつく‖他们刚走，我们快点ㄦ还～ 彼らは出かけたばかりだから急げばまだ追いつく ❷間に合う‖商店七点关门，现在去还～ 店は7時に閉まるから，いま行けばまだ間に合う ❸恵まれる．出くわす

【赶点】gǎn//diǎn 動 ❶（車や船などが）ダイヤどおりに着くように急ぐ‖为了～，火车开得飞快 定刻どおり到着するよう列車は猛スピードで走っている ❷タイミングよく来る‖你可真会～，饺子刚下锅 君はほんとうにタイミングがいいなあ，たったいまギョーザを鍋に入れたところなんだ

【赶赴】gǎnfù 動 …に駆けつける

【赶工】gǎngōng 動（期日に間に合うように）生産や工事を急ぐ‖日夜～ 昼夜兼行で急いでやる

【赶集】gǎn//jí 動 市へ行く

*【赶紧】gǎnjǐn 副 急いで．すぐに．はやく‖听见妈妈的声音，他～去开门 お母さんの声を聞いて，彼は急いでドアを開けにいった

【赶尽杀绝】gǎn jìn shā jué 成 徹底的に駆逐し，殺し尽す．根絶やしにする

*【赶快】gǎnkuài 副 すぐに．急いで‖～走吧，要不就迟到了 急がないと遅刻してしまうよ

> **類義語** 赶快 gǎnkuài ｜ 马上 mǎshàng
>
> ◆〔赶快〕あることをするために急ぐことを表す．主語の後ろ，動詞の前に置く‖他需要这本书，你赶快给他送去 彼はこの本が要るので，すぐに届けてあげなさい ◆〔马上〕次の動作との時間的間隔がないことを表す．動詞の前だけでなく主語の前にも置くことができる．多く副詞〔就〕を伴う‖我去打个电话，马上就回来 電話を一本かけたら，すぐ戻ってきます

【赶浪头】gǎn làngtou 慣（時代の）波に乗る．大勢に従う

【赶路】gǎn//lù 動 道を急ぐ‖赶了一天路，累死了 一日中道を急いだので，疲れ果てた

*【赶忙】gǎnmáng 副 急いで．慌てて‖听到电话铃响，他～去接 電話のベルを聞くと，彼は急いで受話器を取った

【赶庙会】gǎn miàohuì 組 縁日に行く

【赶明ㄦ】gǎnmíngr 副 方 後で．今度．近いうちに．〔赶明ㄦ个〕ともいう‖～再说 後日話そう

【赶巧】gǎnqiǎo 副 折よく．あいにく．ちょうど‖昨晚我去找他，～他不在家 昨晩私が彼を訪ねたら，あいにく彼は留守だった

【赶热闹】gǎn rènao 組 にぎやかなところへ行く．にぎわいに加わる

【赶任务】gǎn rènwu 組 急いで任務を完成する．（期日に間に合うように）任務の完成を急ぐ

*【赶上】gǎnshang；gǎnshàng 動 ❶追いつく．間に合う‖～先进水平 先進的レベルに追いつく ❷めぐり合う．出合う．ぶつかる．出くわす‖今天去郊游 jiāoyóu，正～好天气 今日のピクニックは幸いよい天気に恵まれた

【赶时间】gǎn shíjiān 組 時間に間に合うように急ぐ．時間に間に合わせる

【赶时髦】gǎn shímáo 組 流行を追う

【赶趟ㄦ】gǎn//tàngr 動 口（時間的に）間に合う

【赶鸭子上架】gǎn yāzi shàng jià 慣 アヒルを追い立てて止まり木の上に登らせる．できないことを無理にやらせようとすること．〔打鸭子上架〕ともいう

【赶早】gǎnzǎo（～ㄦ）副 早めに．早いとこ‖～准备 早めに準備する｜～动身 早めに出発する

【赶早不赶晚】gǎnzǎo bù gǎnwǎn 慣 早すぎても遅れるよりはいい．早いに越したことはない

11 ★**敢**[1] gǎn ❶勇気がある．度胸がある‖勇～ 勇敢である ❷助動（度胸があり）思い切って…する．大胆に…する．あえて…する‖爸爸的话他不～不听 彼は父親の言うことには逆らえない｜学习太紧，不～看电视 勉強が忙しいのでとてもテレビなんか見ていられない ❸助動（はっきりした根拠があり）確信をもって…する．きっぱりと断言する‖我～肯定他要迟到 彼はきっと遅刻すると断言できる｜这可不～说 これは断言しかねる ❹謙 おそれ入りますが‖～烦您帮我打听一下 すみませんがちょっと聞いてみてください

11 **敢**[2] gǎn 副 方 ひょっとすると．もしや．もしかすると‖一～是

【敢保】gǎnbǎo 動 保証する．責任をもって請け合う‖你～他会答应吗？ 彼が承知すると請け合えますか

【敢当】gǎndāng 動 引き受けるだけの自信・勇気がある‖我既敢做，就～ 自分がやったことは自分で責任をとる｜真不～ ほんとうに恐縮です

【敢怒而不敢言】gǎn nù ér bù gǎn yán 成 腹の中では怒っていても口には出して言えない

【敢情】gǎnqing 副 方 ❶意外にも．なんと‖～你们认识啊 なんだ君たち知り合いだったのか ❷（相手の言うことに同意して）もちろん‖你来送我，那～好 送ってくださるんですって，ほんとに願ってもないことです

【敢是】gǎnshi；gǎnshì 副 方 ひょっとすると．もしや．もしかして‖～记错了吧 ひょっとして記憶違いかな

【敢死队】gǎnsǐduì 名 決死隊

【敢问】gǎnwèn 動 謙 失礼ですがお尋ねいたします‖～尊姓大名？ ご尊名をお伺いしてよろしいでしょうか

*【敢于】gǎnyú 動 勇気をもって…する．大胆に…する．思い切って…する‖～说真话 思い切って本当のことをいう｜～挑战 tiǎozhàn 勇気をもって挑戦する

【敢作敢当】gǎn zuò gǎn dāng 成 恐れずに思い切ってことを行い，いさぎよく責任を取る

13 **感** gǎn ❶感動する．感動させる‖深有所～ 深く心を打たれる ❷感じ．感覚．思い‖责任～ 責任感 ❸〈中医〉風邪をひく‖外～ 風邪．暑気あたり ❹感謝する‖一～谢 ❺動 思う．感じる‖深～不安 ひどく不安を覚える｜身体稍～不适 体の具合が少し悪い ❻（フィルムが）感光する

【感触】gǎnchù 名 感銘．感慨‖旧地重游 chóngyóu，～万端 以前遊んだ地を再び訪れ，感慨深い

【感戴】gǎndài 動 恩義に感謝する．感激しありがたく思う．（上司や目上の人に使う）

★【感到】gǎndào 動 感じる．覚える‖～很愉快 とても楽しい｜～意外 意外に感じる｜我～这事不太好办 私はこの件は簡単にはやれないと思う

*【感动】gǎndòng 形 感動する‖～得说不出话来 感動のあまり声にならない 動 感動させる‖大家被他的话～了 みんなは彼の話に感動した

【感恩】gǎn//ēn 動 恩義を感じる．恩に着る

【感恩戴德】gǎn ēn dài dé 成 恩に着る．感謝感激する

【感恩图报】gǎn ēn tú bào 成 恩に感じて恩返しをしようとする

【感奋】gǎnfèn 動 感奮する．感激して奮起する
【感愤】gǎnfèn 動 憤りを感じる．憤慨する
【感官】gǎnguān 名 略 感覚器官．〔感觉器官〕の略
【感光】gǎn//guāng 動 感光する‖～计 感光計
【感光片】gǎnguāngpiàn 名 感光フィルム
【感光纸】gǎnguāngzhǐ 名 感光紙．印画紙
【感化】gǎnhuà 動 感化する‖～失足少年 非行少年を感化する
【感怀】gǎnhuái 動 懐かしむ．感慨を抱く
⁑【感激】gǎnjī；gǎnjī 動 **感激する．心から感謝する**‖我非常～刘先生 私は心から劉さんに感謝している｜～不尽 感激に堪えない
【感激涕零】gǎn jī tì líng 成 感激して涙にむせぶ．
⁑【感觉】gǎnjué 動 ❶**感じる．覚える**‖～有点冷 少し寒い ❷**…の気がする．…と思う**‖我～他有点ﾙ不高兴 私は彼が少し不機嫌なように思う 名 **感覚．感じ**‖～锐敏 感覚が鋭い｜脚冻得失去了～ 冷えて足の感覚がなくなった
【感觉器官】gǎnjué qìguān 名〈生理〉感覚器官．略して〔感官〕ともいう
【感觉神经】gǎnjué shénjīng 名〈生理〉感覚神経 ＝〔传入chuánrù神经〕
*【感慨】gǎnkǎi 動 感慨を催す‖回忆往事～万千 往事を回想すると感慨無量である
★【感冒】gǎnmào 動 **風邪を引く**‖我～了 私は風邪を引いた｜小心～ 風邪を引かぬようにしなさい 名 **感冒．風邪**‖得了～ 風邪を引いた ✻〔伤风〕ともいう
【感念】gǎnniàn 動 懐かしむ
⁑【感情】gǎnqíng 名 ❶**感情．気分**‖～丰富 感情豊かである｜～脆弱cuìruò 感情にもろい ❷**親密感．情愛．愛情**‖他们俩～很好 あの二人は仲がよい｜伤～ 仲たがいする｜联络～ 交際を深める
【感情用事】gǎnqíng yòngshì 慣 感情的になる．衝動的になる
*【感染】gǎnrǎn 動 ❶感染する．伝染する．うつる ❷影響する．感化する‖受儿子的～，全家都喜欢上了足球 息子の影響で一家全員がサッカー・ファンになった
【感人】gǎnrén 形 感動的である‖这部电影很～ この映画はとても感動的である
【感人肺腑】gǎnrén fèifǔ 慣 感動的である．感銘を与える
【感伤】gǎnshāng 形 感傷的である．もの悲しい
*【感受】gǎnshòu 動 感じる．感じとる‖他深深地～到了父母对他的爱 彼は両親の愛を身にしみて感じた 名 体験．感銘．感触‖留学时的生活～ 留学時代の生活体験
【感叹】gǎntàn 動 感嘆する．感じ入ってため息をつく‖听了她的身世，大家不由得～起来 彼女の身の上話を聞いてみんなは思わずため息をついた
【感叹词】gǎntàncí ＝〔叹词tàncí〕
【感叹号】gǎntànhào 名〈語〉感嘆符．〔！〕＝〔叹号〕
【感叹句】gǎntànjù 名〈語〉感嘆文
【感同身受】gǎn tóng shēn shòu 成 ❶我がことのように感謝する．（人に替わって，第三者に礼を述べるときに用いる）❷身をもって体験したかのようである
【感悟】gǎnwù 動 悟る．はっきり理解する
⁑【感想】gǎnxiǎng 名 **感想．考え．所感**‖看了这部影片，你有什么～？ この映画を見てあなたはどんな感想をお持ちですか
★【感谢】gǎnxiè 動 **感謝する**‖～您的热情招待 心からのおもてなしに感謝いたします｜～不尽 感謝に堪えない｜表示衷心zhōngxīn的～ 心から感謝の意を表する
⁑【感兴趣】gǎn xìngqù 組 **興味を覚える**‖我对音乐很～ 私は音楽にとても興味があります
【感性】gǎnxìng 形 感性の ↔〔理性〕
【感性认识】gǎnxìng rènshi 名〈哲〉感性的認識 ↔〔理性认识〕
【感言】gǎnyán 名 感想の言葉
【感应】gǎnyìng 動 ❶〈電〉感応する．誘導する．〔诱导〕ともいう ❷〈生理〉反応する．感応する
【感召】gǎnzhào 動 感化し呼びかける
【感知】gǎnzhī 動 感知する．察知する 名 直観

14 **澉** gǎn 地名用字‖～浦 浙江省にある地名

15 **橄** gǎn ↴

【橄榄】gǎnlǎn 名〈植〉❶カンラン ❷オリーブ．〔油橄榄〕の通称
【橄榄绿】gǎnlǎnlǜ 形 オリーブ色の
【橄榄球】gǎnlǎnqiú 名〈体〉❶ラクビー ❷ラグビーボール
【橄榄油】gǎnlǎnyóu 名 オリーブ油
【橄榄枝】gǎnlǎnzhī 名 オリーブの枝（西洋で平和のシンボルに用いる）

16 **擀** gǎn 動（棒状の道具で）押し伸ばす．押しつぶす‖～饺子皮ﾙ ギョーザの皮を作る
【擀面杖】gǎnmiànzhàng 名 めん棒
【擀毡】gǎn//zhān 動 ❶羊毛やラクダの毛をたたいてフェルトを作る ❷（髪の毛などが）よれ合う．よれる．もつれる

gàn

3 **干**[1]（幹 △榦❶）gàn ❶幹．幹に当たるもの．事物の主体，または主たる部分‖躯～ 胴体｜树～ 木の幹 ❷幹部‖提～ 幹部に抜擢(ばってき)する｜高～ 高級幹部

3★ **干**[2]（幹）gàn ❶動 **する．やる**‖～什么都得～好 何をするにもきちんとやらなくてはならない｜你～什么来着？ 君は何をしていたのか ❷能力．腕‖才～ 才幹 ❸有能である‖精明强～ 頭がよく腕も立つ ❹動 **任じる．つとめる．従事する**‖他～会计kuàijì 彼は会計をしている ➤ gān

★【干部】gànbù 名 ❶**幹部**（党・国家機関・軍隊・人民団体中の公職人員をさす．ただし，兵士や雑役夫を除く） ❷**（指導的な地位にある）幹部**‖工会～ 労働組合の幹部｜高级～ 高級幹部
【干部学校】gànbù xuéxiào 名 幹部学校．幹部を再養成する研修所．略して〔干校〕という
【干才】gàncái 名 ❶能力．腕 ❷敏腕家．やり手
【干道】gàndào 名 幹線道路
【干掉】gàn//diào 動 口 ❶取り除く．殺害する‖把他～ あいつを片付けてやる ❷（食べ物を）平らげる‖剩shèng下的我来～ 残った料理は僕が片付けよう
⁑【干活ﾙ】gàn//huór 動 **労働する．働く**．（ふつうは肉体労働をさす）‖他～干得快 彼は仕事が速い｜干了一个小时的活ﾙ 1時間働いた
【干将】gànjiàng 名 腕利き．やり手．猛者
*【干劲】gànjìn（～ﾙ）名 やる気．意気込み．意欲．

情熱‖～儿十足 やる気満々である

【干警】gànjǐng 图公安部門の幹部と警察官

【干练】gànliàn 形有能で経験豊かである

【干流】gànliú 图本流. 主流.〔主流〕ともいう

⁂【干吗】gànmá 代口なんで. どうして‖你～去那儿？ 君はどうしてそこに行くんだ｜他找你～？ 彼は君に何の用があるの

【干渠】gànqú 图幹線水路. 主水路

【干什么】gàn shénme 組❶どうするのか‖你买这么多～？ そんなにたくさん買ってどうするつもりか ❷なぜ. どうして‖你～不早说呀？ なぜはやく言わないんだ

【干事】gànshi 图幹事

【干细胞】gànxìbāo 图〈生〉幹細胞. ステムセル. 器官のもととなる細胞の総称

*【干线】gànxiàn 图幹線. 本線 ↔〔支线〕‖铁路～ 鉄道幹線｜～公路 幹線道路

【干校】gànxiào 图略 幹部学校.〔干部学校〕の略

7 **旰** gàn 書❶日が暮れている ❷夕暮れ. 夜

8 **绀** gàn 形赤みを帯びた黒色の

【绀青】gànqīng 形紫紺色の.〔绀紫〕ともいう

11 **淦** gàn 地名用字‖～水 江西省を流れる川の名

21 **赣**（贛 △贑 灨）gàn ❶地名用字‖～江 江西省を流れる川の名 ❷图贛(かん). 江西省の別称

gāng

4 **冈**（岡）gāng 低い山. 丘.（もとは山の尾根をさした）‖山～ 山の尾根

【冈比亚】Gāngbǐyà 图〈国名〉ガンビア

【冈陵】gānglíng 图丘陵

【冈峦】gāngluán 图幾重にも連なる丘陵

6 **刚**[1]（剛）gāng ❶堅い ↔〔柔〕‖一～毛 ❷形強靭(きょうじん)である. 強い ↔〔柔〕‖以柔克～ 柔をもって剛を制す

6 ★**刚**[2]（剛）gāng ❶副…したところだ. たったいま. いましがた‖他～从外面回来 彼はいましがた帰ってきたばかりだ ❷副やっと. ようやく. どうにかこうにか‖考了六十二分, ～及格 テストで62点をとり, どうにか合格した ❸副ちょうど. うまい具合に‖大小～合适 大きさがちょうどぴったりだ

【刚愎自用】gāng bì zì yòng 成頑固で他人の意見にまったく耳を貸さない

★【刚才】gāngcái 图いましがた. ついさっき. 先ほど‖他～还在这儿, 怎么不见了？ 彼はいましがたまでここにいたのに, どこへ行ってしまったのだろう｜～那个人是谁？ さっきの人は誰ですか

類義語｜刚才 gāngcái 刚 gāng 刚刚 gānggang

◆〔刚才〕話の時点から少し前の時点をさす.〔刚才〕は名詞でそれ自身, 時点を示すので, 時を表す語と一緒には使えない. さっき. いましがた‖你的话跟刚才不一样了 君の話はさっきと違うじゃないか ◆〔刚〕話し手にとって「つい少し前」と感じられる状態をさす.〔刚〕〔刚刚〕は副詞. …したばかり. たったいま‖我刚吃过饭 私は御飯を済ませたばかりです ◆〔刚刚〕〔刚〕を強めた表現で, 意味はほぼ同じ‖会议刚刚结束 会議はたったいま終わった ◆〔刚〕〔刚刚〕における「つい少し前」と感じる時間量は, 話し手の主観によって異なる.〔刚才〕は客観的に少し前の時点をさす‖刚来日本一年多 日本に来て1年ちょっとしかたっていない

【刚度】gāngdù 图硬度. 硬さ

⁂【刚刚】gānggang；gānggāng 副❶やっと. ようやく. どうにか‖人数～够 どうにか人数が足りた ❷…したばかり. ついさっき. いましがた‖飞机～起飞 飛行機はたったいま飛び立った

【刚果】Gāngguǒ 图〈国名〉❶コンゴ共和国 ❷コンゴ民主共和国(旧ザイール)

【刚好】gānghǎo 形ちょうどよい. ぴったりである‖人数不多不少, ～ 人数は多くもなく少なくもなく, ちょうどぴったりだ 副たまたま. ちょうどきっかり‖有个座儿～空着 運よく席が一つ空いている｜行李～二十公斤, 没有超重 荷物はぴったり20キロ, 重量はオーバーしてない

【刚健】gāngjiàn 形剛健である. たくましい

【刚劲】gāngjìng 形雄勁(ゆうけい)である. 力強い‖笔力～ 筆跡が雄勁だ

【刚烈】gāngliè 形気性が強くて気骨がある

【刚毛】gāngmáo 图〈生〉剛毛. かたい毛

【刚强】gāngqiáng 形(気性や意志が)強い. 気丈である‖意志～ 意志が強い｜～的性格 強い性格

【刚巧】gāngqiǎo 副ちょうど. うまい具合に. 運よく‖我～在路上碰见他 途中でうまい具合に彼に出会った

【刚韧】gāngrèn 形気丈である. しっかりしている

【刚柔相济】gāng róu xiāng jì 成剛と柔のバランスがとれている. 強弱の調和がとれている

【刚体】gāngtǐ 图〈物〉剛体

【刚性】gāngxìng 图〈物〉剛性

【刚毅】gāngyì 形剛毅(ごうき)である

【刚玉】gāngyù 图〈鉱〉鋼玉. コランダム

【刚正】gāngzhèng 形剛直である

【刚直】gāngzhí 形剛直である. 一本気である‖～不阿ē 一本気で人におもねらない

6 **扛**（△掆）gāng 動書(重い物を)両手で差し上げる‖力能～鼎dǐng 重い鼎(かなえ)を差し上げられるほど力が強い ➤ káng

7 **岗**（崗）gāng〔冈gāng〕に同じ ➤ gǎng gàng

7 * **纲**（綱）gāng ❶图漁網の引き綱 転(物事の)かなめ‖以粮为～ 食糧生産をかなめとする ❷图〈生〉綱(こう) ‖哺乳bǔrǔ～ 哺乳(ほにゅう)綱

【纲常】gāngcháng 图人がこの世で守らなければならないとされた道徳.〔三纲五常〕の略

【纲纪】gāngjì 图書綱紀

【纲举目张】gāng jǔ mù zhāng 成❶物事の要点をつかめば全体が解決されるたとえ ❷文章の筋道が立っているたとえ

*【纲领】gānglǐng 图綱領. テーゼ‖共同～ 共同綱領｜制定党的～ 党の綱領を定める

【纲目】gāngmù 图綱目. 大綱と細目

*【纲要】gāngyào 图❶大略. 大要. あらまし‖发言～ 発言の大要 ❷概要. 概論.(多く書名に用いる)

7 **杠** gāng 書❶橋 ❷旗竿 ➤ gàng

7 **肛** gāng 〈生理〉肛門(こうもん)および直腸の部分 ‖ 脱～ 脱肛(だっこう)する
【肛道】gāngdào ＝〔肛管gāngguǎn〕
【肛管】gāngguǎn 名〈生理〉肛門管.〔肛道〕ともいう
【肛门】gāngmén 名〈生理〉肛門

9 ** **钢**(鋼) gāng 名 鋼鉄. はがね. スチール ‖ 炼～ 製鋼する ➤ gàng
【钢板】gāngbǎn 名 ❶鋼板 ❷(自動車などの)板ばね ❸謄写版のやすり.〔誊写钢版〕の略
【钢镚儿】gāngbèngr 名 口 硬貨. コイン
★【钢笔】gāngbǐ 名 ❶万年筆.〔自来水笔〕ともいう ❷ペン. つけペン.〔蘸水钢笔〕ともいう
*【钢材】gāngcái 名 鋼材
【钢锭】gāngdìng 名〈機〉鋼塊. インゴット
【钢管】gāngguǎn 名 鋼管
【钢轨】gāngguǐ 名 軌条.(鉄道などの)レール.〔铁轨〕ともいう ‖ 铺pū～ レールを敷く
【钢筋】gāngjīn 名 鉄筋.〔钢骨〕ともいう
【钢筋混凝土】gāngjīn hùnníngtǔ 名〈建〉鉄筋コンクリート.〔钢骨水泥〕ともいう
【钢精】gāngjīng 名 (日用器具についていう)アルミニウム.〔钢种〕ともいう ‖ ～锅 アルミの鍋
【钢口】gāngkou (～儿) 名 (刀剣類の)切れ味
【钢盔】gāngkuī 名 金属製のヘルメット
【钢坯】gāngpī 名〈冶〉鋼片. ビレット
【钢瓶】gāngpíng 名 ボンベ
*【钢琴】gāngqín 名 ピアノ ‖ 弹～ ピアノを弾く | 三角～ グランド・ピアノ | 竖式～ アップライト・ピアノ
【钢砂】gāngshā 名 ❶〈鉱〉金鋼砂. エメリー.〔金钢砂〕ともいう ❷(広く)研磨材
【钢水】gāngshuǐ 名〈冶〉溶鋼
【钢丝】gāngsī 名 鋼線. スチール・ワイヤ
【钢丝锯】gāngsījù 名 糸のこ
【钢丝绳】gāngsīshéng 名 ワイヤ・ロープ. 鋼索
*【钢铁】gāngtiě 名 ❶鉄鋼. 鋼鉄 ‖ ～厂 製鉄所 ❷はがね. 鋼. スチール ❸(意志などが)堅く強いこと ‖ ～意志 鉄の意志
【钢印】gāngyìn 名 ドライ・スタンプ
【钢渣】gāngzhā 名〈冶〉鉱滓(こうさい). スラグ
【钢种】gāngzhǒng ＝〔钢精gāngjīng〕

9 * **缸** gāng ❶名 (～儿)口が広く胴が太く底の深い容器. かめ ‖ 水～ 水がめ ❷形がかめに似ている容器 ‖ 汽～ シリンダー ❸砂と陶土を混ぜ合わせたもので, かめや鉢を作る材料 ‖ →～瓦
【缸盖】gānggài 名 かめのふた
【缸盆】gāngpén 名 陶製の鉢
【缸瓦】gāngwǎ 名 瓦質のものに粗製のうわぐすりをかけた陶器類
【缸子】gāngzi 名 コップ. 湯のみ. つぼ

10 **罡** gāng 書 北斗七星 ‖ 天～星 同前

gǎng

7 **岗**(崗) gǎng ❶名 (～儿)丘 ‖ 黄土～ 黄土の丘陵 ❷名 (～儿)平面上の細長い突起物 ‖ 小腿上肿zhǒng起一道～儿 すねに細長いみみずばれができた ❸名 歩哨(ほしょう)所 ‖ 站～ 歩哨に立つ ❹職務上の地位 ‖ →～位 ❺歩哨. 見張り ‖ 门～ 門衛 ➤ gāng gàng
【岗地】gǎngdì 名 丘陵地にひらいた畑
【岗警】gǎngjǐng 名 交番に詰めている警官
【岗楼】gǎnglóu 名 望楼. 見張り塔
【岗哨】gǎngshào 名 ❶歩哨所 ❷歩哨. 見張り
【岗亭】gǎngtíng 名 哨舎(しょうしゃ). 交番
*【岗位】gǎngwèi 名 ❶(兵士や警官の)守備位置. 立哨する場所 ❷職場. 持ち場 ‖ 工作～ 仕事の持ち場 | 走上新的～ 新しい職場に就く
【岗子】gǎngzi 名 ❶丘. 丘陵 ❷平面上の細長い突起物

12 ** **港** gǎng ❶河川の支流.(多くは河川の名称に用いる) ‖ 江山～ 浙江省にある川の名 ❷名 港 ‖ 交货～ 受け渡し港 | 转口zhuǎnkǒu～ 中継港 ❸香港.〔香港〕の略 ‖ ～人 香港の住民
【港澳】Gǎng Ào 名 香港とマカオ
*【港币】gǎngbì 名 香港ドル
【港埠】gǎngbù 名 港. 港湾
【港汊】gǎngchà 名 河川の支流
*【港口】gǎngkǒu 名 ❶港. 港湾 ❷港の入り口
【港台】Gǎng Tái 名 香港と台湾
【港湾】gǎngwān 名 港湾. 港
【港务】gǎngwù 名 港湾管理事務. 港務

gàng

7 **岗**(崗) gàng ↴ ➤ gāng gǎng
【岗尖】gàngjiān (～儿) 形 方 山盛りの

7 **杠**(△槓) gàng ❶名 太めの棒 ‖ 门～ 心張り棒 ❷方 棺桶を運ぶのに使う道具 ❸〈体〉(器械体操用の)棒 ‖ 单～ 鉄棒 ❹〈機〉軸 ‖ 丝～ 親ねじ ❺名 (～儿)(文字訂正などで引く)線. 傍線. サイド・ライン ‖ 画～儿 傍線を引く ❻動 (文字訂正などで)傍線を引く. 線を引く ‖ 在不懂的地方～上红杠儿 不明な箇所に赤い傍線を引く ➤ gāng
*【杠杆】gànggǎn 名 ❶〈物〉槓杆(こうかん). てこ. レバー ❷てこに似た仕組み. レバレッジ ‖ ～原理 レバレッジの法則 | ～作用 経済てこ作用. レバレッジ効果
【杠铃】gànglíng 名〈体〉バーベル
【杠头】gàngtóu 名 方 議論好きな人
【杠子】gàngzi 名 ❶太めの棒 ❷〈体〉(器械体操用の)棒 ‖ 盘～ 鉄棒をする ❸(訂正で引く)傍線

9 **钢**(鋼) gàng ❶書 かたい ❷動 刃を付け焼きする ❸動 (刃物を)研ぐ ‖ ～刀布 革砥(かわと) ➤ gāng

13 **筻** gàng 地名用字 ‖ ～口 湖南省にある地名

25 **戆** gàng 形 方 間抜けである. そそっかしい ‖ ～头～脑 間抜けなさま ➤ zhuàng

gāo

10 **皋**(△皐 皐) gāo 書 水辺の丘陵地. 多く地名に用いる

10 **羔** gāo (～儿) ❶名 ヒツジの子. 子ヒツジ ❷名 動物の子 ‖ 鹿～儿 子ジカ
【羔皮】gāopí 名 子ヒツジの毛皮. アストラカン.
【羔羊】gāoyáng 名 ❶子ヒツジ ❷喩 純粋な人. か

弱い人 ‖ 迷途mítú的～ 迷える子ヒツジ

【羔子】gāozi 名 子ヒツジ.(広く)動物の子

10 ★**高** gāo ❶形 高い ↔〔低〕〔矮〕‖ 这座山很～ この山はとても高い｜个子～ 背丈が高い ❷名 高さ ‖ 那棵树有十米～ あの木は高さが10メートルある ❸名 高い所 ‖ 居～临下 高い所から見下ろす ❹形(地位や等級が)高い ↔〔低〕‖ 他比我～一班 彼は私より学年が一つ上だ ❺形(程度や水準が)高い. 優れている ↔〔低〕‖ 水平比别人～ レベルがほかの人より高い ❻敬 相手に関する事物への敬意を表す ‖ →～见 ❼〈化〉過 ‖ →～锰酸钾 ❽名〈数〉高さ

G

【高矮】gāo'ǎi（～儿）名 高さ ‖ 哥儿俩～差不多 兄弟二人は背丈がほとんど同じだ

【高昂】gāo'áng 動 高く上げる ‖ 他～着头 彼は昂然(こうぜん)と頭を上げている 形 ❶(声や気分などが)高揚している. 高まる ‖ 情绪～ 気分が高まる｜斗志～ 闘志がみなぎる ❷(値段が)高い ‖ 物价～ 物価が高い

【高傲】gāo'ào 形 傲慢(ごうまん)である. 尊大である

【高倍】gāobèi 形 高倍率の

【高不成，低不就】gāo bù chéng, dī bù jiù 慣(職場や恋人の選択で)願っているものには手が届かないし, 手の届くものは気に入らない

【高不可攀】gāo bù kě pān 成 高くてよじ登れない. とても手が届かない. 高嶺(たかね)の花

【高才生】【高材生】gāocáishēng 名 優等生

【高参】gāocān 名 ❶略 高級参謀.〔高级参谋〕の略 ❷喩 アドバイスにたけた人

【高层】gāocéng 形 ❶高層の ‖ ～建筑 高層建築 ❷上層の ‖ ～领导 上層部の指導者 名 高層階

【高层住宅】gāocéng zhùzhái 名 高層住宅. 中国では10階以上の住宅建築についていう

【高差】gāochā 名〈地〉高低差

*【高产】gāochǎn 形 高生産の. 多収量の ‖ ～作物 多収穫作物 名 高い生産量 ‖ 夺～ 高い生産量を勝ち取る

*【高超】gāochāo 形 群をぬいている. 段違いに優れている ‖ 技艺～ 腕前がずば抜けている

*【高潮】gāocháo 名 ❶高潮. 満潮 ❷喩 高まり. 盛り上がり ‖ 经济建设的～ 経済建設の高まり ❸喩(小説・劇・映画の)クライマックス. 見せ場 ‖ 这一章是小说的～部分 この章が小説の山場だ

【高程】gāochéng 名 ❶〈地〉標高 ❷(測量基準点からの)建築物の高さ

**【高大】gāodà 形 ❶高くて大きい. 高大である ↔〔矮小〕‖ ～的楼房 高大な建物｜～的身躯shēnqū 堂々たる体躯(たいく) ❷旧 高齢である

*【高档】gāodàng 形 上等な. 高級な ↔〔低档〕‖ ～饭店 高級ホテル｜～商品 高級品. ぜいたく品

*【高等】gāoděng 形 高等な ‖ ～数学 高等数学｜～法院 高等裁判所｜～动物 高等動物

【高等教育】gāoděng jiàoyù 名 高等教育. 略して〔高教〕という

【高等学校】gāoděng xuéxiào 名 大学と高等専門学校の総称. 略して〔高校〕という

*【高低】gāodī 名 ❶高低. 高さ ‖ 测定山的～ 山の標高を測定する ❷優劣 ‖ 棋逢féng对手，难分～ 実力が伯仲していて, なかなか優劣が決めがたい ❸程合い. 程度 ‖ 说话不知～深浅 話すのに程合いをわきまえない 副 方 ❶どうしても. どんなことをしても ‖ 劝了大半天，他～不听 ずいぶん説得したが, 彼は一向に聞こうとしなかった ❷ついに. とうとう ‖ 找了好几个地方，～把他找到了 あちこち捜し回ったすえに, やっと彼を捜し当てた

【高低杠】gāodīgàng 名〈体〉❶段違い平行棒 ❷段違い平行棒競技

【高地】gāodì 名 高地

【高调】gāodiào（～儿）名 上調子. 気炎. 大きな話 ‖ 唱～ 怪気炎をあげる

**【高度】gāodù 名 高度. 高さ ‖ 飞行～ 飛行高度 形(程度が)高い. 高度の ‖ ～责任心 強い責任感｜受到～赞扬zànyáng たいへんな称賛を博する

【高端】gāoduān 形(同種類の製品の中でランクや値段などが)高い ↔〔中端〕〔低端〕‖ ～产品 高級品 名 高級官僚. 政府責任者

【高尔夫球】gāo'ěrfūqiú 名〈体〉❶ゴルフ ‖ ～场 ゴルフ場｜打～ ゴルフをする ❷ゴルフボール

【高发】gāofā 形(病気・事故などの)発生率が高い ‖ 胃癌wèi'ái～地区 胃癌の発病率が高い地域｜交通事故～地段 交通事故多発地帯

【高分子】gāofēnzǐ 名〈化〉高分子

【高风亮节】gāo fēng liàng jié 成 高潔な人格と立派な節操

*【高峰】gāofēng 名 ❶高峰 ❷喩 ピーク. 絶頂. 最高潮 ‖ ～时间 ラッシュ・アワー｜～期 絶頂期

【高峰会议】gāofēng huìyì 名 サミット. 略して〔峰会〕ともいう

【高干】gāogàn 名 略 高級幹部.〔高级干部〕の略

【高高低低】gāogāodīdī 形 ❶でこぼこしている ❷(程度などが)一定でない. まちまちである ‖ 工人们的技术水平～ 労働者の技術水準はまちまちである

【高高在上】gāo gāo zài shàng 成(指導者が大衆から浮き上がって)高い所に構える

【高歌】gāogē 動 高らかに歌う ‖ 放声～ 大きな声で歌う｜引吭yǐnháng～ 声高らかに歌う

【高阁】gāogé 名 ❶高くて立派な楼閣. 高楼 ❷高い棚 ‖ 束之～ 高閣に束(つか)ねる. 放置して顧みないこと

【高个儿】gāogèr 名 長身. のっぽ.〔高个子〕ともいう

【高跟儿鞋】gāogēnrxié（～儿）名 ハイヒール

【高估】gāogū 動(実際より)高く評価する. 高く見積もる ‖ ～了对手的实力 相手の力を買いかぶりすぎた

【高官】gāoguān 名 高官 ‖ 政府～ 政府高官

【高官厚禄】gāo guān hòu lù 成 高位高禄(こういこうろく)

*【高贵】gāoguì 形 ❶貴い. 気高い. 高尚である ‖ 品德～ 人徳が高い ❷(身分が)高い ‖ 出身很～ 出身が高貴である ❸(値段が)高い. 高級である

【高寒】gāohán 形 地形が高く寒冷である ‖ ～地带 高冷地帯

【高喊】gāohǎn 動 大声で叫ぶ

【高呼】gāohū 動 大声で叫ぶ. 声を大にして叫ぶ

【高胡】gāohú 名〈音〉高音の胡弓(こきゅう)

*【高级】gāojí 形 ❶(階級や等級などが)高い. 上級である ‖ ～将领 高級将校 ❷(品質やレベルなどが)高い. 上等である. 高級である ‖ ～住宅 高級住宅

【高级干部】gāojí gànbù 名 高級幹部. 一般に〔行政级〕(官吏の職務等級)で13級以上, 中央官庁では局長クラス以上の幹部をいう. 略して〔高干〕ともいう

【高级中学】gāojí zhōngxué 名 高級中学(日本の高校に相当する). ふつう〔高中〕という

【高技术】gāojìshù 名 ❶ハイ・テクノロジー. ハイテク. 先端技術 ❷略 ハイテク産業.〔高技术产业〕の略

【高价】gāojià 名 高値. 高い値段 ↔〔低价〕‖ 低价

买进，～出手 安価で買い入れ，高値で売り出す
【高架路】gāojiàlù 名 高架道路
【高架桥】gāojiàqiáo 名 高架橋
【高架铁路】gāojià tiělù 名 高架鉄道
【高见】gāojiàn 名 敬 立派な見解．ご高見
【高教】gāojiào 名 略 高等教育．〔高等教育〕の略
【高洁】gāojié 形 高潔である
【高精尖】gāojīngjiān 形 高レベルで，精密で，先端的な‖～技术 高レベルで，精密で，先端的な技術
【高就】gāojiù 動 敬 栄転する‖另有～ 別の高いポストが用意されている
【高举】gāojǔ 動 高く掲げる．高く振りかざす
【高踞】gāojù 動 …の上にあぐらをかく．…の上に納まる‖～于群众之上的领导作风要不得 大衆の上にあぐらをかくような指導ぶりは許されない
【高峻】gāojùn 形 高くて険しい
【高亢】gāokàng 形 ❶(声が)高くてよく響く．音吐朗々としている ❷(地勢が)高い ❸書 おごり高ぶっている
*【高考】gāokǎo 名 略 大学・高等専門学校の入学統一試験．〔全国高等院校招生统一考试〕の略‖参加～ 大学の入学試験を受ける
【高科技】gāokējì 名 ハイ・テクノロジー．〔高新技术〕ともいう
*【高空】gāokōng 名 高空‖～飞行 高空飛行
【高空作业】gāokōng zuòyè 名 高所作業
【高栏】gāolán 名〈体〉(陸上の)ハイハードル
【高丽】Gāolí 名 高麗(こうらい)．現在では朝鮮に関係するものをさしていう
【高丽参】gāolíshēn 名〈中薬〉朝鮮人参
【高丽纸】gāolízhǐ 名 窓紙用の厚くて丈夫な紙
【高利】gāolì 名 高利．不当に高い利息
【高利贷】gāolìdài 名 高利での貸し付け．高利の貸付金
*【高粱】gāoliang 名〈植〉コーリャン．〔蜀黍〕ともいう
【高粱米】gāoliangmǐ 名(精白した)コーリャンの実
【高龄】gāolíng 名 ❶敬 高齢(ふつう60歳以上をさす) ❷適齢を過ぎている‖～产妇 高年齢の産婦
【高龄化】gāolínghuà 動 高齢化する．〔老龄化〕ともいう
【高龄社会】gāolíng shèhuì 名 高齢化社会．〔高龄化社会〕ともいう
【高领】gāolǐng (～儿) 名 タートルネック．ハイネック‖～毛衣 タートルネックのセーター
【高炉】gāolú 名〈冶〉高炉．溶鉱炉
【高论】gāolùn 名 敬 ご高説‖敬听～ 謹んでご高説を拝聴します
【高慢】gāomàn 形 高慢である．おごり高ぶっている．尊大である
【高帽子】gāomàozi 名 おだて．〔高帽儿〕ともいう‖戴dài～ おだてる
【高门大户】gāomén dàhù 名 権勢のある家柄
【高锰酸钾】gāoměngsuānjiǎ 名〈化〉過マンガン酸カリウム
【高妙】gāomiào 形 巧みである．優れている．見事である‖描写的手法很～ 描写のテクニックが巧みだ
*【高明】gāomíng 形(技能や見解などが)優れている．卓越している‖技术～ 技術が卓越している｜～的见解 卓越した見解 名 優秀な人．堪能な人‖另请～吧 どなたか別の優れた方にお願いしてください
【高难】gāonán 形 難しい．難度が高い‖～动作 (体操などで)難度の高い演技
【高能】gāonéng 形 高エネルギーの‖～γ射线 高エネルギーのガンマ線
【高年级】gāoniánjí 名 高学年
【高攀】gāopān 動 謙 自分より社会的地位の高い人と交際する，または姻戚(いんせき)関係を結ぶ‖不敢～ 身分が違いますので遠慮いたします｜～不起 背伸びしてまでご交際はできません
【高朋满座】gāo péng mǎn zuò 成 立派な人たちが座に満ちている．来客の多いこと
【高频】gāopín 名〈電〉高周波．HF．‖超～ 極超短波．マイクロ波．UHF． 形 高頻度の．高頻出の
【高聘】gāopìn 動 現在よりも高いポストを用意して招聘する
【高企】gāoqǐ 動 (価格や数値が)高止まりする
【高气压】gāoqìyā 名〈気〉高気圧
【高强】gāoqiáng 形(武術が)優れている．ずば抜けている‖本领～ 武術の腕がずば抜けている
【高跷】gāoqiāo 名 高足踊り．中国の民間芸能の一種で，竹馬のような木製の棒を足にくくりつけて踊り歩く
【高清晰度电视】gāoqīngxīdù diànshì 名 ハイビジョンテレビ．略して〔高清电视〕ともいう
【高热】gāorè ＝〔高烧gāoshāo〕
【高人】gāorén 名 優れた人．地位の高い人
【高人一等】gāo rén yī děng 成 他の人よりも優れている‖自以为～ 自分は人より優れているとうぬぼれる
【高僧】gāosēng 名 高僧
【高山病】gāoshānbìng 名 高山病．〔高山反应〕ともいう
【高山景行】gāo shān jǐng xíng 成 高い山と大きな道．徳が高くて行いが立派であること，または人
【高山流水】gāo shān liú shuǐ 成 喩 妙なる音楽．心の通い合う友．知己．〔流水高山〕ともいう
【高山族】Gāoshānzú 名 高山族(中国の少数民族の一つ，台湾に居住)
*【高尚】gāoshàng 形 ❶気高くて立派である．崇高である‖他的医德十分～ 彼は医者として立派である ❷高尚である‖具有～情调的作品 高尚な雰囲気の漂う作品
*【高烧】gāoshāo 名〈医〉高熱．〔高热〕ともいう‖发～ 高熱を出す｜～已经退了 高熱はもうひいた
【高射机枪】gāoshè jīqiāng 名〈軍〉高射機関銃
【高射炮】gāoshèpào 名〈軍〉高射砲
【高深】gāoshēn 形(学問などの)レベルが高い．造詣(ぞうけい)が深い‖学问～ 学問に造詣が深い｜～莫mò测 (哲理などが)はかり知れないほど深遠である
【高升】gāoshēng 動 昇進する‖步步～ とんとん拍子に出世する
【高师】gāoshī 名 略 師範大学・師範学院・教育学院など教育者を養成する大学や専門学校の総称．〔高等师范学校〕の略
【高视阔步】gāo shì kuò bù 成 あたりを睥睨(へいげい)して闊歩(かっぽ)する．態度が傲慢(ごうまん)なさま
【高手】gāoshǒu (～儿) 名 名手．達人
【高寿】gāoshòu 形 長寿である 名 敬 お年(老人に年齢を問うときに用いる)‖老人家～？ ご老人，お年はおいくつですか
【高耸】gāosǒng 動 高くそびえ立つ．そそり立つ‖～入云 天を突かんばかりにそびえ立つ
*【高速】gāosù 形 高速である．急速である‖～运转

G

(機械を)高速で動かす｜～发展 急速に発展する
【高速公路】gāosù gōnglù 名 高速道路
【高抬贵手】gāo tái guì shǒu 慣 (許しを請うときの言葉)お許しください. どうかお目こぼし願います
【高谈阔论】gāo tán kuò lùn 成 弁舌をふるう. (皮肉や批判を込めて)長広舌をふるう. 空論を弄(もてあそ)ぶ
【高汤】gāotāng 名 ❶ブタ・ニワトリ・アヒルなどで作ったスープ ❷コンソメ. 澄んだスープ
【高堂】gāotáng 名 ❶大広間. 天井が高くて広いホール ❷書 両親
【高挑ル】gāotiǎor 形 方 痩せて背が高い
【高头大马】gāo tóu dà mǎ 慣 ❶体の大きなウマ ❷喩 体の大きな人
G
【高徒】gāotú 名 高弟. 優れた弟子‖严师yánshī出～ 厳しい師匠のもとから優れた弟子が出る
【高危】gāowēi 形 危険性が高い‖～手术 危険性が高い手術
【高位】gāowèi 名 ❶書 高い官位‖身处～ 高い官位にある ❷〈医〉器官の上部
*【高温】gāowēn 名 高温‖～天气 高温気候
【高屋建瓴】gāo wū jiàn líng 成 屋根の上からかめの水を傾ける. 有利な形勢にあるたとえ. 勢い当たるべからざるものがあるたとえ
【高下】gāoxià 名 優劣‖两队势均力敌, 难分～ 両チームは力が拮抗(きっこう)しており, 優劣つけがたい
【高校】gāoxiào 名 略 総合大学・単科大学・高等専門学校などの総称. 〔高等学校〕の略
【高效】gāoxiào 形 効率が高い‖开发～节能新产品 高効率・省エネの新製品を開発する
【高新技术】gāoxīn jìshù 名 先端技術. ハイ・テクノロジー. 略して〔高科技〕ともいう
【高薪】gāoxīn 名 高給‖～阶层 高収入層
★【高兴】gāoxìng 動 ❶喜ぶ. 嬉しがる. 愉快になる‖快把考上大学的消息告诉家里, 让父母也～～ 大学に受かったことを早く家に知らせて, ご両親にも喜んでもらいなさい ❷喜んで…する. 好んでやる‖路太远, 我不～去 場所が遠すぎるから, 僕は行きたくない 形 嬉しい. 喜ばしい. 愉快だ‖老友重逢chóngféng, 分外～ 旧友と再会し格別に嬉しい

> **類義語** 高兴 gāoxìng 愉快 yúkuài
>
> ◆〔高兴〕愉快で心の高ぶりが外見に現れる. 〔高高兴兴〕の形で重ね型になるが, 〔愉快〕はならない‖女儿听说要带她去玩ル, 非常高兴 遊びに連れていってもらえると聞いて娘は非常に喜んだ ◆〔愉快〕心楽しい. 幸せで満ち足りた気持ちを含む‖假期过得很愉快 楽しく休暇を過ごした

*【高血压】gāoxuèyā 名〈医〉高血圧
*【高压】gāoyā 名 ❶高い圧力‖～阀fá 高圧バルブ ❷〈電〉高電圧 ❸〈医〉最大血圧 ❹〈気〉高気圧 形 高圧的である. 高飛車である‖～政策 高圧的な政策｜～统治 高圧的な統治
【高压电】gāoyādiàn 名〈電〉高圧電力
【高压锅】gāoyāguō 名 圧力鍋. 〔压力锅〕ともいう
【高压线】gāoyāxiàn 名〈電〉高圧線
【高雅】gāoyǎ 形 ❶(容姿や態度などが)上品である. 高尚である‖谈吐～ 言葉遣いが上品である ❷(衣服や装飾などが)優美である. 品がいい
【高扬】gāoyáng 動 ❶高揚する‖士气～ 士気が高揚する ❷高く評価する. 大いに称賛する
*【高原】gāoyuán 名 高原‖黄土～ 黄土高原
【高云】gāoyún 名〈気〉巻雲(上層雲の一つ)
【高瞻远瞩】gāo zhān yuǎn zhǔ 成 高所から遠くを見る. 遠大な見識を持つ
*【高涨】gāozhǎng 形 (意気や士気などが)高揚している. 高まっている‖情绪～ 気分が盛り上がる 動 (物価が)上がる‖物价～ 物価が上がる
【高招】【高着】gāozhāo (～ル) 名 良策. うまい方法. よい考え‖我自有～ 僕にいい方法がある
【高枕而卧】gāo zhěn ér wò 成 枕を高くして寝る. 天下太平のさま
【高枕无忧】gāo zhěn wú yōu 成 枕を高くしてなんの心配もなく寝る. 心配事がまったくないたとえ
【高枝ル】gāozhīr 名 口 高い地位‖攀pān～ 高い地位に昇る
【高职】gāozhí 名 ❶役職. 高いポスト ❷高等職業教育
*【高中】gāozhōng ＝〔高级中学gāojí zhōngxué〕
【高姿态】gāozītài 慣 (物事の処理に当たり)自分には厳しく, 他人には寛容な態度をさす
【高足】gāozú 名 敬 お弟子さん. ご門人
【高祖】gāozǔ 名 高祖父. 曾祖父(そうそふ)の父
【高祖母】gāozǔmǔ 名 高祖母. 曾祖母(そうそぼ)の母

14 **膏** gāo ❶脂肪. 油‖一～火 ❷名 クリーム状のもの‖雪花～ バニシング・クリーム｜软～ 軟膏(なんこう)｜牙～ 練り歯磨き ❸書 肥沃(ひよく)である‖～腴yú 肥沃である ➤gào
【膏肓】gāohuāng ➡〔病入膏肓 bìngrù gāohuāng〕
【膏火】gāohuǒ 名 ❶書 灯火 ❷喩 学資
【膏剂】gāojì 名〈中薬〉水あめ状の内服薬
【膏粱】gāoliáng 名 書 ❶肉の脂身と上等な米. 美食. ご馳走 ❷富貴‖～子弟 金持ちの家の子供
【膏血】gāoxuè 名 膏血‖人民的～ 人民の膏血
【膏药】gāoyao 名 膏薬‖贴～ 膏薬を張る

14 **睾** gāo ↴
【睾丸】gāowán 名〈生理〉睾丸(こうがん). 〔精巢〕ともいう

16 **糕**(△餻) gāo 名 米の粉や小麦粉などで作った菓子類‖蛋～ カステラ｜年～ 中国の正月用の餅
【糕饼】gāobǐng 名 蒸し菓子や餅菓子の総称
【糕点】gāodiǎn 名 菓子やケーキの類‖西式～ 欧風ケーキ｜中式～ 中国風の菓子
【糕干】gāogan 名 米の粉と砂糖で作った菓子

16 **篙** gāo 名 (船の)棹(さお)‖竹～ 竹の棹
【篙头】gāotou 名 方 (船の)棹
【篙子】gāozi 名 方 ❶(船の)棹 ❷物干し竿

gǎo

8 **杲** gǎo 書 明るい‖～日 明るい太陽｜如日之～ 太陽のように明るい

13 ★**搞** gǎo ❶動 ①する. やる‖你是～什么工作的？ あなたはどんな仕事をしていますか｜成不成我先～～看 できるかどうか僕がまずやってみよう ②他の動詞の代わりとして用いる‖～公司 会社を経

営する｜～交易 取引をする｜～关系 関係をつける. コネをつくる ❷動（手段を講じて）**獲得する. 手に入れる**‖～几张戏票 何枚か芝居の切符を手に入れる｜肚子饿得慌，～点ル东西吃 腹がすいてたまらない，何か食べよう ❸動 やっつける. とっちめる‖把他～臭 彼をとことんとっちめる

【搞不起来】gǎobuqǐlái 動（力不足で）やれない‖没有他给出谋划策，这次联欢会绝对～ 彼が知恵を貸してくれなかったら，今回の交歓会は絶対にやれなかった

*【搞不清】gǎobuqīng 動 はっきりしない. はっきりとは分からない‖他的来历一直～ 彼の来歴はずっと定かでない

【搞臭】gǎochòu 動 評判を落とす‖他自己把自己～了 彼は自分で自分の評判を落としてしまった

【搞定】gǎodìng 動 きちんと始末をつける. 問題を解決する. やり遂げる‖没想到事情这么快就～了 こんなに早く問題が解決するとは思いもよらなかった

【搞对象】gǎo duìxiàng 組 結婚相手を探す. 結婚相手と交際する. 恋愛中である‖没想到他俩搞上对象了 あの二人が恋に落ちるなんて思ってもみなかった

【搞法】gǎofǎ 名 やり方. 方法‖具体怎么个～可以再商量 具体的な方法については改めて相談しよう

*【搞鬼】gǎo//guǐ 動 悪だくみをする. よからぬことをたくらむ‖背地里～ 背後でよからぬことをたくらむ

*【搞活】gǎo//huó 動 活性化する. 活発にさせる‖～经济 経済を活性化する

【搞垮】gǎokuǎ 動 だめにする. 台なしにする‖总熬áo夜，把身体～了 夜更かしばかりして，体を壊してしまった

【搞上去】gǎo//shang(shàng)//qu(qù) 動 向上させる. 引き上げる‖把国民经济～ 国民経済を向上させる｜加把劲，把学习～ 頑張って学力を上げる

【搞头】gǎotou（～ル）名 物事を行う意義や価値

【搞卫生】gǎo wèishēng 組 掃除をする. 清掃する

【搞小动作】gǎo xiǎodòngzuò 組 小細工を弄(ろう)する. 陰で不正行為をはたらく

【搞笑】gǎoxiào 動 方 人を笑わせる‖～片 コメディー映画

13 **缟** gǎo ❶古 白絹 ❷白い

【缟素】gǎosù 名 書 白い衣服（喪服をさす）

14 **槁**（△**槀**）gǎo 枯れる‖枯～（草木が）枯れる

【槁木】gǎomù 名 枯れ木

【槁木死灰】gǎo mù sǐ huī 成 枯れた木と燃えた後の冷たい灰. 意気消沈し，すべてに無関心なさま

15 **镐** gǎo 名 つるはし. くわ‖十字～ つるはし. 十字ぐわ ➤hào

【镐头】gǎotou 名 つるはし. くわ

15 * **稿**（△**稾**）gǎo ❶書（稲やムギなどの穀類植物の）わら ❷名（～ル）（詩文・文書・絵などの）草稿. 文案. 下書き‖打个～ル 下書きをする｜拟nǐ～ 文案を作る ❸名（～ル）原稿. 著作‖投了一篇～ル（新聞社などに）原稿を一つ送った

【稿本】gǎoběn 名 著作の原稿

【稿酬】gǎochóu 名 原稿料‖拿～ 原稿料をもらう

【稿费】gǎofèi 名 原稿料. 稿料

*【稿件】gǎojiàn 名 原稿

【稿源】gǎoyuán 名 原稿の供給源‖～不足 原稿が不足している｜～丰富 原稿がいくらでも集まる

【稿约】gǎoyuē 名 投稿規定

*【稿纸】gǎozhǐ 名 原稿用紙

*【稿子】gǎozi 名 ❶（詩文や絵などの）草稿. 下書き‖～已经打好了 草稿はもうでき上がった ❷（書き上げた）原稿 ❸心積もり‖准～ はっきりした心積もり

17 **藁** gǎo 地名用字‖～城 河北省にある県の名

gào

7 ** **告** gào ❶動（目上の人に）報告する. 上申する‖禀bǐng～ 上申する｜电～中央 党中央に電報で報告する ❷動（事情や意見などを）**告げる. 知らせる. 述べる**‖不可～人的目的 人に言えない目的 ❸申請する. 乞(こ)う. 願い出る‖～假 ❹動（ある事柄の終わりや実現を）**告げる**‖～一段落 一段落つける｜已～结束 すでに終わりを告げた ❺表明する. 表す‖～别 ❻動 **告発する. 訴える**‖到法院去～他 彼を裁判所に訴える

【告白】gàobái 名 知らせ. 触れ. 掲示‖发出～ 触れを出す 動 打ち明ける. 告白する

【告败】gàobài 動 負ける. 失敗に終わる

【告便】gào//biàn 動 ちょっと失礼する（少しの間席をはずすときの決まり文句で，多くトイレに立つときに使う）

【告别】gào//bié 動 ❶別れる. 離れる**‖～故乡 故郷を離れる ❷（旅立つ前に）**別れを告げる**‖昨天大家赶到车站去向他～ きのうみんなは駅に駆けつけて彼に別れを告げた ❸**死者と最後の別れをする. 告別する**‖向遗体～ 遺体に告別する

【告别赛】gàobiésài 名（スポーツ選手の）引退試合

【告病】gàobìng 動 書 病気休暇届けを出す

【告成】gàochéng 動 完成を告げる. 完成する‖大功～ 大きな仕事が完成する

【告吹】gàochuī 動 口 だめになる. ふいになる‖谈判～ 交渉が決裂する

*【告辞】gào//cí 動 いとま乞いをする. 辞去する‖我还有事，先～了 用事があるので，先に失礼します

【告贷】gàodài 動 借金を頼む. 借金を申し込む

【告地状】gàodìzhuàng 慣 路上に自分の身の上の不幸をチョークで書いたり，あるいはそれを書いた紙を広げたりして，通行人の同情を引いて物乞いをする

【告发】gàofā 動 告発する. 摘発する

【告负】gàofù 動（試合で）負ける. 敗北する

【告急】gào//jí 動 急を告げる. 救援を求める

【告假】gào//jià 動 届け出て休みをとる‖告三天假 3日間の休暇届けを出す

【告捷】gào//jié 動 ❶（戦争や試合などで）勝つ. 勝利を得る‖首战～ 緒戦で勝つ｜连连～ 連戦連勝する ❷勝利を告げる. 勝利を知らせる

【告竭】gàojié 動 尽き果てる. 枯渇する

*【告诫】【告戒】gàojiè 動 戒める. 忠告する. 警告する‖他一再～孩子，不要骄傲jiāo'ào自满 彼は子供におごり高ぶってはいけないと繰り返し戒めた

【告借】gàojiè 動 借金を頼み込む

【告警】gàojǐng 動 急を知らせる

【告绝】gàojué 動 跡を絶つ. 根絶する

【告竣】gàojùn 動 書 竣工(しゅんこう)する. 完成する.（多く大規模な工事についていう）

【告劳】gàoláo 動 苦労を訴える

【告老】gào//lǎo 動 老齢のため辞職を願い出る. 年を取って職を辞する‖～还乡 退職して故郷に帰る

【告满】gàomǎn 動 満員になる. 満席になる. 満額にな

G

る‖还不到 7 点，电影院的座位已经～ まだ 7 時前なのに映画館はすでに満席になった
【告密】gào∥mì 動 密告する
【告破】gàopò 動（事件が）解決する
【告缺】gàoquē 動（人や物資が）不足する
【告饶】gào∥ráo（～儿）動 許しを請う．勘弁してもらう‖～求情 情に訴えて許しを請う
【告胜】gàoshèng 動 勝つ．勝利する
【告示】gàoshi 名 布告
【告诉】gàosù〈法〉動 告訴する 名 告訴
★【告诉】gàosu 動 告げる．知らせる．伝える．教える‖医生把病情～了病人 医者は患者に病状を告げた｜请把你的电话号码～我 あなたの電話番号を教えてください
【告退】gàotuì 動 ❶（中途で）退出する ❷旧 辞職を願い出る
【告慰】gàowèi 動 ❶慰める．安心してもらう ❷安心する．安心したと知らせる
【告枕头状】gào zhěntouzhuàng 慣（妻が夫に）寝物語に人の悪口を言う
【告知】gàozhī 動 知らせる．通知する
【告终】gàozhōng 動 終わりを告げる．終わりになる‖以失败～ 失敗に終わる
*【告状】gào∥zhuàng 動 口 ❶告訴する．訴える‖到法院～ 裁判所へ訴え出る ❷告げ口する．こっそり知らせる‖他向老师～了 彼は先生に告げ口をした
【告罪】gào∥zuì 動 謙 過ちを詫(わ)びる

9 **诰** gào ❶（古代の）訓戒的な文章 ❷詔．詔命‖～令 皇帝の命令

9 **郜** gào 名 姓

12 **锆** gào 名〈化〉ジルコニウム（化学元素の一つ，元素記号は Zr）
【锆石】gàoshí 名〈鉱〉ジルコン．〔锆英石〕ともいう

14 **膏** gào ❶書 潤す ❷動 油をさす‖～车 車軸に油をさす ❸動 筆先を整える‖～笔 筆先を均一にならす｜～墨 同前 ➤ gāo

gē

4 **戈** gē 矛(ほこ)‖兵～ 戦争．戦い｜干～ 干戈(かんか)．武器
【戈比】gēbǐ 量 外（ロシアの貨幣単位）カペイカ
【戈壁】gēbì 名（モンゴル語の音訳）砂漠

5 **仡** gē ↴
【仡佬族】Gēlǎozú 名 コーラオ族（中国の少数民族の一つ，主として貴州省に居住）

6 **圪** gē ↴
【圪垯】【圪塔】gēda 名 ❶＝〔疙瘩gēda〕❷小山．丘

6 **屹** gē ↴ ➤ yì
【屹嶝】gēda ＝〔圪垯gēda〕

6 **纥** gē ↴ ➤ hé
【纥繨】gēda 名 結び目‖线～ 糸の結び目

8 **疙** gē ↴
【疙疤】gēba 名 方 かさぶた‖结～ かさぶたができる
*【疙瘩】【疙疸】gēda 名 ❶できもの．はれもの‖长～ できものができる ❷小さな球状または塊状のもの‖面～ 中国式すいとんに入れる水でこねた小麦粉 ❸心中の晴れない思い．わだかまり‖心里的～老也解不开 心の中のわだかまりがいつまでも解けない 形 方 面倒である 量 方 かたまり状のものを数える‖一～泥 一かたまりの泥
【疙疙瘩瘩】gēgedādā（～的）形 口 ❶でこぼこしている．ごつごつしている ❷順調でない．具合が悪い‖两人吵架后，心里总是～的 二人はけんかしてからというものぎくしゃくしている ＊〔疙里疙瘩〕ともいう

9 **咯** gē ↴ ➤ kǎ
【咯噔】gēdēng 擬（足音や堅いものが触れ合う音）コツコツ．コツン．〔格登〕とも書く‖～～的皮靴声 コツコツという革靴の音｜心里～一下，腿都软了 胸がどきっとして，足から力が抜けてしまった
【咯咯】gēgē 擬 ❶（笑い声）クスクス ❷（機関銃の射撃音）ダッダッ ❸（ニワトリの鳴き声）コッコッ ❹（歯ぎしりする音）ギリギリ ＊〔格格〕とも書く
【咯吱】gēzhī 擬（ものが圧力を受けてきしむ音）ギシギシ‖椅子被压得～～响 椅子が重みでギシギシ鳴る

10 **哥** gē ❶名 口 兄‖大～ 長兄｜二～ 次兄 ❷親戚の中で，自分と同世代で年上の男子‖表～ 父の姉妹または母の兄弟姉妹の子で自分よりも年上の者．従兄(いとこ) ❸名 同年輩の男子に対する親しみや尊敬の意をこめた呼称‖李大～ 李兄さん
★【哥哥】gēge 名 ❶兄 ❷親戚の中で，自分と同世代で年上の男子‖叔伯～ 従兄（父の兄弟の子）
【哥伦比亚】Gēlúnbǐyà 名〈国名〉コロンビア
【哥们儿】gēmenr 名 口 ❶兄弟たち ❷兄弟分（男性同士で親しみをこめた呼び方）＊〔哥儿们〕ともいう
【哥斯达黎加】Gēsīdálíjiā 名〈国名〉コスタリカ

10 **格** gē ↴ ➤ gé
【格登】gēdēng ＝〔咯噔gēdēng〕
【格格】gēgē ＝〔咯咯gēgē〕

10 **胳**（△肐）gē ↴ ➤ gā gé
【胳臂】gēbei ＝〔胳膊gēbo〕
*＊【胳膊】gēbo 名 腕（肩から手首までの部分）
【胳膊拧不过大腿】gēbo nǐngbuguò dàtuǐ 慣 腕では太ももはねじ曲げられない．太きには呑(の)まれよ，長きには巻かれよ．〔胳膊扭niǔ不过大腿〕ともいう
【胳膊腕子】gēbo wànzi 名 口 手首．〔胳膊腕儿〕ともいう
【胳膊肘朝外拐】gēbo zhǒu cháo wài guǎi 慣 他人の肩を持つ．〔胳膊肘向外拐〕ともいう
【胳膊肘子】gēbo zhǒuzi 名 口 ひじ．〔胳膊肘儿〕ともいう

11 **袼** gē ↴
【袼褙】gēbei 名 紙や布をのりで幾重にも張り固めたもの（多く箱や布靴を作るのに用いる）

11 **鸽** gē 名〈鳥〉ハト‖信～ 伝書バト
【鸽派】gēpài 名 ハト派
【鸽哨】gēshào 名 ハトの尾羽につける笛で，飛ぶときに風を受けて出る音を楽しむ
*【鸽子】gēzi 名〈鳥〉ハト

12 ** **割** gē ❶動 切る. 刈る‖～麦子 ムギを刈る ❷分割する. 分ける‖分～ 分割する ❸捨てる‖一～爱

【割爱】gē'ài 動 割愛する

【割除】gēchú 動 切り取る. 切除する

【割地】gē//dì 動 領土を割譲する

【割断】gēduàn 動 断ち切る. 切断する. 分断する‖难以～的父子之情 断ち切りがたい親子の情

【割鸡焉用牛刀】gē jī yān yòng niúdāo 諺 鶏を割くのにどうして牛刀を用いる必要があろう. 小事を処理するのに大げさな手段は必要ないたとえ

【割据】gējù 動 割拠する‖军阀～ 軍閥が割拠する

【割礼】gēlǐ 名〈宗〉割礼

【割裂】gēliè 動 切り離す. 分割する.（多くは抽象的な事物に用いる）‖不能把内容与形式～开来 内容と形式を切り離してはいけない

【割弃】gēqì 動 捨て去る. 切り捨てる

【割让】gēràng 動（領土を）割譲する

【割肉】gē//ròu 動 損を承知で売る‖现在～, 只损失百分之三十 いま売れば3割の損失ですむ

【割舍】gēshě 動 捨て去る. 断ち切る

【割席】gēxí 動 書 絶交する

【割线】gēxiàn 名〈数〉割線

12 ** **搁** gē ❶動 置く. しまう‖把花盆～在窗台上 植木鉢を窓台に置く ❷動 放置する. ほうっておく‖这件事先～一下吧 その件はとりあえずわきへ置いておこう ❸動 加える. 入れる‖汤里～点儿味精 スープに化学調味料を加える ➤gé

【搁笔】gē//bǐ 動 筆を置く. 書くことをやめる

【搁浅】gē//qiǎn 動 ❶（船が）座礁する ❷頓挫（とんざ）する. 行き詰まる‖这次考察活动因经费问题～了 今回の調査は経費の面で行き詰まってしまった

【搁置】gēzhì 動 放置する. ほうっておく. そのままにする‖这件事要抓紧处理, 不能～ この件は急いで処理しなければならず, 放置しておくわけにはいかない

14 ★ **歌**（△謌） gē ❶歌う‖载zài～载舞 歌いかつ踊る ❷名（～儿）歌‖唱个～儿 歌を歌う ❸たたえる‖一～颂

【歌本】gēběn 名 歌の本. 歌集

*【歌唱】gēchàng 動 ❶（歌を）歌う‖纵情zòngqíng～ 思う存分歌う|～家 歌手 ❷歌や朗読などでほめたたえる‖～美丽的自然 美しい自然を歌いたたえる

【歌词】gēcí 名 歌詞

【歌功颂德】gē gōng sòng dé 成 貶 功績や徳行をほめたたえる

【歌喉】gēhóu 名（歌を歌う人の）のど. 歌声‖甜美tiánměi的～ 甘美な歌声

*【歌剧】gējù 名 歌劇. オペラ‖～演员 オペラ歌手

【歌诀】gējué 名 暗誦（あんしょう）しやすいように, 要点を韻文または覚えやすい文にしたもの

【歌迷】gēmí 名 歌謡曲ファン

【歌女】gēnǚ 名（女の）クラブ歌手

【歌谱】gēpǔ 名（歌曲の）楽譜

*【歌曲】gēqǔ 名 歌曲

【歌声】gēshēng 名 歌声

*【歌手】gēshǒu 名 歌手. 歌い手

*【歌颂】gēsòng 動 たたえる. 賛美する

【歌坛】gētán 名 歌謡界. 声楽界

【歌厅】gētīng 名 カラオケホール

【歌舞】gēwǔ 名 歌舞. 歌や踊り‖～团 歌舞団

【歌舞剧】gēwǔjù 名 ミュージカル. 歌舞劇

【歌舞升平】gē wǔ shēng píng 成 歌い舞い, 太平の世を謳歌（おうか）する

【歌舞厅】gēwǔtīng 名 カラオケとダンスホールを兼ねた娯楽施設

*【歌星】gēxīng 名 有名歌手. スター歌手

【歌谣】gēyáo 名 歌謡（民謡や童謡といったものをさす）

【歌吟】gēyín 動 歌を歌う. 詩を吟じる

*【歌咏】gēyǒng 動 歌を歌う

【歌仔戏】gēzǎixì 名〈劇〉台湾や福建省薌江（きょうこう）一帯で行われている地方劇

【歌子】gēzi 名 方 歌‖唱支～ 歌を歌う

gé

9 **阁**（△閣） gé ❶書 物を載せておく棚‖束shù之高～ 放置して顧みない ❷大きな部屋の一部を仕切って作った小部屋‖一～楼 ❸旧 婦人の居室‖闺guī～ 閨房（けいぼう） ❹楼閣. 高殿‖楼～ 楼閣 ❺古 書物などを収蔵する部屋 ❻古 中央官庁 ❼内閣‖组～ 組閣する

【阁楼】gélóu 名 中二階. 屋根裏部屋. 部屋の上部を仕切って作った天井の低い部屋

【阁下】géxià 名 敬 閣下‖大使～ 大使閣下

【阁员】géyuán 名 閣員. 閣僚

【阁子】gézi 名 ❶木造の小屋 ❷中二階. 屋根裏部屋

9 **革** gé ❶皮革‖制～ 製革する ❷変える. 変革する‖变～ 変革する ❸（職務を）罷免する. 免職する‖一～职 ➤jí

【革出】géchū 動 やめさせる. 除名する

【革除】géchú 動 ❶解雇する. 罷免する‖～公职 公職を解く ❷除去する. 取り除く‖～陋习lòuxí 陋習（ろうしゅう）を取り除く

【革故鼎新】gé gù dǐng xīn 成 古いものを捨て去り新しいものを打ち立てる

【革履】gélǚ 名 書 革靴‖西装～ 洋服に革靴. よそ行きの服装

【革面洗心】gé miàn xǐ xīn 成 すっかり悔い改める. =〔洗心革面〕

**【革命】gé//mìng 動 ❶革命する‖闹～ 革命を起こす ❷（gémìng）革新する. 変革する‖思想～ 思想の変革|技术～ 技術革命|产业～ 産業革命 形（gémìng）革命的である‖那时他觉得自己很～ 当時彼は自分がとても革命的であると思った

【革命家】gémìngjiā 名 革命家

*【革新】géxīn 動 革新する‖～设备 設備を新しくする

【革职】gé//zhí 動 免職する. 解雇する. 首にする

10 * **格**[1] gé ❶名（～儿）（格子形の）罫（けい）. ます. 枠‖一个标点占一～儿 句読点は一ますに入れる|打～儿 罫を引く ❷書 制限する. 阻む‖～于成例 慣例に制限される

10 **格**[2] gé ❶標準. 基準‖合～ 合格する ❷格. 風格‖人～ 人格 ❸名〈語〉格

10 **格**[3] gé 格闘する‖一～斗 ➤gē

【格调】gédiào 名 ❶格調. 風格‖～高雅 格調が高い|～不高 格調が低い ❷書 人品. 品格

【格斗】gédòu 動 格闘する

*【格格不入】gé gé bù rù 成 相容（あい）れない. ぜん

G

ぜんかみ合わない ‖ 她这身打扮dǎban和晚会的气氛～ 彼女の服装はパーティーの雰囲気にまったく合わない

*【格局】géjú 名 構造. 仕組み. 組み立て ‖ 两套房子的～不一样 二つの住宅の間取りは異なる

【格林纳达】Gélínnàdá 名〈国名〉グレナダ

【格林尼治时间】Gélínnízhì shíjiān 名 グリニッジ標準時. 〔世界时〕ともいう

【格鲁吉亚】Gélǔjíyà 名〈国名〉グルジア

【格律】gélǜ 名 (詩歌の)形式と韻律

【格杀勿论】gé shā wù lùn 成 逮捕を拒んだり, 禁令を犯したりする者はその場で殺しても殺人罪に問わない. 斬(き)り捨てご免

G

*【格式】géshi 名 様式. 書式. 型 ‖ 公文～ 公文書の書式 | 书信～ 書簡文の型

【格式化】géshihuà 動〈計〉フォーマットする

**【格外】géwài 副 ❶とくに. とりわけ. 格別 ‖ 雨天开车要～小心 雨の日の運転はとくに気を付けなければならない ❷別に. 別途. ほかに ‖ 我怕人不够, ～叫了两个人来帮忙 人手が足りないのではないかと思って, ほかに二人を手伝いに呼んでおいた

【格物】géwù 動 書 事理を窮める ‖ ～致知 格物致知(かくぶつちち)

【格言】géyán 名 格言

【格致】gézhì 動 略 事物の原理を窮め, 知識を得る. 〔格物致知〕の略 名 旧 物理・化学の総称

【格子】gézi 名 (格子形の)罫(け). ます. 枠 ‖ 打～ 罫を引く | ～布 チェック柄の布 | 爬pá～ 文章を書く

10 **胳** gé ┐ ➤ gā gē

【胳肢】gézhi 動 方 くすぐる ‖ 怕～ くすぐったがる

10 **鬲** gé ❶人名用字 ❷地名用字 ‖ ～津 河北省から山東省にかけて流れる川の名 ➤ lì

12 ** **隔** gé ❶動 隔てる. 遮断する. 遮る ‖ 把屋子～成两间 部屋を二間に仕切る ❷動 (距離や時間が)離れる. 隔たる ‖ ～一天来一次 1日おきに来る | 事～多年 何年も前のことである

【隔岸观火】gé àn guān huǒ 成 岸を隔てて火事を見る. 対岸の火事. 人の危難を救おうとせず傍観すること

**【隔壁】gébì 名 隣. 隣家. 隣室 ‖ ～是一家洗衣店 隣はクリーニング屋さんです

【隔断】géduàn 動 遮る. 阻む

【隔断】géduan 名 (部屋の)仕切り. 間仕切り

【隔行】géháng 動 商売を異にする ‖ ～如隔山 畑違いのことはまったく分からないものだ

*【隔阂】géhé 名 わだかまり. 溝 ‖ 消除民族之间的～ 民族間の溝を取り除く | 产生～ わだかまりが生じる

*【隔绝】géjué 動 遮断する. 隔絶する ‖ 音信～ 音信が途絶える | 与世～ 世間と隔絶する

*【隔离】gélí 動 ❶分離する. 引き離す. 隔離する. 隔てる ‖ ～审查 隔離して審査をする ❷〈医〉隔離する ‖ ～病房 隔離病室 | 把传染病患者～起来 伝染病患者を隔離する

【隔离带】gélídài 名 分離帯 ‖ 中央～ 中央分離帯

【隔膜】gémó 名 わだかまり. 溝 ‖ 两人之间产生了～ 二人の間にわだかまりが生じた 形 疎い. 不案内である ‖ 我对法律很是～ 私は法律についてはまったく疎い

【隔墙有耳】gé qiáng yǒu ěr 成 壁に耳あり

【隔热】gé//rè 動 断熱する

【隔日】gérì 名 中一日. 隔日

【隔三差五】【隔三岔五】gé sān chà wǔ 慣 しばしば. ときどき

【隔山】géshān 形 腹違いの ‖ ～兄弟 腹違いの兄弟

【隔世】géshì 動 一時代を隔てる ‖ 恍如huǎngrú～ さながら隔世の感がある

【隔心】géxīn 動 (気持ちに)わだかまりがある. (考えや性格が)ぴったりしない

【隔靴搔痒】gé xuē sāo yǎng 成 隔靴搔痒(かっかそうよう). はがゆくてじれったいこと. もどかしいこと

【隔夜】gé//yè 動 一晩おく. 一夜を越す ‖ ～的茶最好别喝 宵越しの茶は飲まないほうがよい

【隔音】gé//yīn 動 防音する ‖ ～板 防音板

【隔音符号】géyīn fúhào 名〈語〉隔音符号, 〔'〕

12 **葛** gé ❶名〈植〉クズ ❷名〈紡〉縦糸に絹, 横糸に木綿または麻を使った布 ➤ gě

【葛布】gébù 名 葛布(くずふ)

【葛藤】géténg 名 喩 もつれて収拾がつかないこと

12 **搁** gé 動 耐えられる ➤ gē

【搁不住】gébuzhù 動 耐えられない ‖ ～人家给他两句好话, 便答应了 人からお世辞を言われて, 彼は二つ返事で承諾した

【搁得住】gédezhù 動 耐えられる ‖ 再苦再累, 我也～ もっとつらくとも私は平気だ

12 **颌** gé 名 書 口 ➤ hé

12 **蛤** gé 名〈貝〉弁鰓(べんさい)類の軟体動物. ニマイガイ類の軟体動物 ➤ há

【蛤蚧】géjiè 名〈動〉オオヤモリ

【蛤蜊】géli；gélí 名〈貝〉❶シオフキガイ ❷ハマグリ. 〔文蛤〕の通称

13 **塥** gé 方 砂地. (多く地名に用いる)

13 **嗝** gé 名 (～儿)げっぷ. しゃっくり ‖ 打饱～儿 げっぷをする | 打～儿 しゃっくりをする

14 **搿** gé 動 方 力いっぱい抱きしめる

14 **膈** gé 名〈生理〉横隔膜. 〔膈膜〕〔横膈膜〕ともいう ➤ gè

【膈膜】gémó 名〈生理〉横隔膜 ＝〔膈〕

15 **镉** gé 名〈化〉カドミウム(化学元素の一つ, 元素記号は Cd)

15 **骼** gé ➡〔骨骼gǔgé〕

gě

3 **个(個)** gě ➡〔自个儿zìgěr〕 ➤ gè

6 **合** gě ❶名 一合升(ます) ❷量 (容積の単位)合(ごう). 1〔升〕の10分の1 ➤ hé

6 **各** gě ❶形 方 変わっている ❷ ➡〔自各儿zìgěr〕 ➤ gè

10 **哿** gě 書 よろしいと認める

11 **盖(蓋)** gě 名 姓 ➤ gài

11 **舸** gě [書] 大きな船.（広く）船

12 **葛** gě [名] 姓 ➤ gé

gè

3 ★ **个**[1]（個 △箇）gè ❶[量] ①人や事物に用いる.（多く特定の量詞をもたない名詞に用いるが, 特定の量詞をもつ名詞にも用いることがある）‖ 两～苹果 2個のリンゴ | 一～人 一人 | 一～星期 1週間 ②概数の前に置き, 軽い口調を表す ‖ 他酒量大, 喝～七杯八杯的不算事儿 彼は大酒飲みだから, 7杯や8杯ぐらいどうっていうことない ③動詞と目的語の間に置き,「ちょっと … する」という口調を表す ‖ 帮～忙好不好？ ちょっと手伝ってくれないか ④動詞と補語の間に置く ‖ 吃～够 腹いっぱい食う | 问～不住 しきりに尋ねる ⑤[口] 強調を表す ‖ 这样做对你没～好 こうすると, あなたにいいことはないよ | 还有～找不着的？ 見つからないわけがないでしょう ❷単独の. ありふれてない ‖ 一～别 ❸（～儿）人間の身長. あるいは物の大きさ ‖ 一～儿

3 **个**[2]（個 △箇）gè ❶[接尾] 量詞〔些〕の接尾辞 ‖ 好些～学生 たくさんの学生 ❷[接尾][方] 時間名詞の後に置き,「その日」の意味を表す ‖ 明儿～ 明日 ➤ gě

【个案】gè'àn [名] 個別または特殊な事件や事例

⁂【个别】gèbié [形] ❶個々の. それぞれの ‖ ～辅导 個々に指導する ❷少数の. ごく一部の. まれな ‖ 只有～的人反对 ほんの一部の人が反対しているだけだ

【个唱】gèchàng [名] ソロコンサート. ソロリサイタル

【个个】gègè（～儿）[代] 一つ一つ. 一人一人. 各々. それぞれ. めいめい ‖ 我们足球队～都是好样儿的 我がサッカーチームは一人一人いずれも優秀である

【个股】gègǔ [名]〈経〉個別株

【个例】gèlì [名] 個別的で特殊な事例 ‖ 此类现象绝非～ こうした現象は決して特殊なものではない

*【个儿】gèr [名] ❶背丈. 身長. 体つき ‖ ～不高 身長は高くない | 长～ 背丈が伸びる ❷（物の）大きさ ❸一つ一つの物. 一人一人の人. 個々 ‖ 论～卖 1個いくらで売る

⁂【个人】gèrén [名] ❶個人 ↔〔集体〕‖ 不计～得失 個人の得失をてんびんにかけない | ～问题 個人の問題（婉曲に結婚問題をさす） ❷私. 自分.（改まった場所で自分の意見を表明するときに用いる）‖ ～认为这样做不太合适 自分はこうするのは不適当だと思います

【个人崇拜】gèrén chóngbài [名] 個人崇拝.

【个人数字助理】gèrén shùzì zhùlǐ [名] PDA. 個人用携帯情報端末の一種.〔掌上电脑〕ともいう

【个人所得税】gèrén suǒdéshuì [名] 個人所得税

【个人主义】gèrén zhǔyì [名] 個人主義

⁂【个体】gètǐ [名]（人または生物の）個体

*【个体户】gètǐhù [名] 個人経営者. 自営業者

【个体经济】gètǐ jīngjì [名]〈経〉個別経済

【个头儿】gètóur [名] ❶（物の）大きさ ‖ 这南瓜～真大 このカボチャはほんとうに大きい ❷身長 ‖ 她～大 彼女は背が高い

【个位】gèwèi [名]〈数〉十進法での一の位

*【个性】gèxìng [名] ❶個性 ‖ 富有～的演技 個性あふれる演技 | ～强 個性的である ❷特殊性

⁂【个子】gèzi [名]（人や動物の）身長. 体つき ‖ 他～高 彼は背が高い | ～大 体が大きい

6 ★ **各** gè ❶[代]（ある範囲内でのすべての個体をさす）各(かく). それぞれ ‖ 世界～国 世界各国 | ～门功课 各科目 ❷[代] おのおの. それぞれ. 各自 ‖ 男女生～占一半 男女の生徒がそれぞれ半分ずつを占めている | 他们～有～的打算 彼らはそれぞれに考えをもっている ➤ gě

*【各奔前程】gè bèn qián chéng [成] それぞれ自分の道を歩む

*【各别】gèbié [形] ❶それぞれ異なる. 区別がある ‖ ～处理 別々に処理する ❷[方] 風変わりだ. 奇抜である ‖ 她的发式很～ 彼女の髪形はとても変わっている ❸[貶] 変である. 特別だ ‖ 他很～ 彼は変わり者だ

【各不相同】gè bù xiāngtóng [熟] それぞれ異なる

【各持己见】gè chí jǐ jiàn [成] それぞれ自分の意見を主張し譲らない

【各处】gèchù [名] 各所. 至る所 ‖ ～都找了, 还是没找到 至る所捜したがやはり見つからなかった

【各得其所】gè dé qí suǒ [成] 各々その所を得る. 適材適所である

【各地】gèdì [名] 各地 ‖ 世界～ 世界各地

【各方】gèfāng [名] 各方面

【各个】gègè [代] 各. 一つ一つの ‖ 找遍～角落 jiǎoluò, 也没找着 あらゆる所を捜したが見つからなかった [副] 一つ一つ. 各個 ‖ ～击破 各個撃破

*【各行各业】gèháng gèyè [熟] いろいろな業種

*【各界】gèjiè [名] 各界. 各方面

【各尽所能】gè jìn suǒ néng [熟] 各人が能力に応じて働く

【各就各位】gè jiù gè wèi [熟] 各自がそれぞれの位置につく

【各人】gèrén [代] 各人 ‖ ～自扫门前雪, 莫管他人瓦上霜 各人が自分の門前の雪を掃き, 他人の瓦の上の霜はかまわない. 自己本位で他人のことは顧みない

【各色】gèsè [形] ❶いろいろの. さまざまな. 種々の ‖ ～家具 種々の家具 ❷[方][貶] 変わっている. 変である

*【各式各样】gèshì gèyàng [熟] 各種各様の. 種々さまざまの. いろいろの ‖ ～的皮鞋 各種各様の革靴

【各抒己见】gè shū jǐ jiàn [成] 各々自分の意見を表明する

【各位】gèwèi [代][敬] みなさん

【各显其能】gè xiǎn qí néng [熟] 各人がその特技を発揮する

【各行其是】gè xíng qí shì [成] 各人が自分で正しいと思うことをやる. めいめい思い思いのことをやる

【各有千秋】gè yǒu qiān qiū [成] それぞれ特色がある. 各々取り柄がある

【各有所好】gè yǒu suǒ hào [成] それぞれに好みがある

【各执一词】gè zhí yī cí [成] それぞれが自分の意見を言い張る

★【各种】gèzhǒng [形] 各種の. 種々の ‖ ～方法 各種の方法 | ～书籍 さまざまな書籍

【各种各样】gèzhǒng gèyàng [熟] さまざまな. いろいろな

*【各自】gèzì [代] 各自. 各々. それぞれ ‖ ～买票 各自が切符を買う

【各自为政】gè zì wéi zhèng [成] 全体を顧みず, 各自が思い思いにやる

G

9 **虼** gè ↴

【虼螂】gèláng 图〈虫〉クソムシ. タマオシコガネ

11 **硌** gè 動 でこぼこしたものや硬いものが当たって不快に感じたり痛かったりする ‖ 垫子diànzi下面可能有东西，～得慌 マットの下に何かあるみたいで，でこぼこして痛い ➤ luò

11 **铬** gè 图〈化〉クロム(化学元素の一つ, 元素記号はCr)

14 **膈** gè ↴ ➤ gé

【膈应】gèying ; gèyīng 動 方 反感を持つ. 嫌悪する. いやらしいと思う

G

gěi

9 ★**给** gěi ❶動 与える. あげる. やる ‖ 奶奶～他十块钱 おばあさんは彼に10元あげた｜上海～他的印象很好 上海が彼に与えた印象はとてもよいものだった ❷動 ひどい目に遭わせる ‖ 父亲～了他一巴掌bāzhang 父は彼に平手打ちを食らわせた ❸動 許す. …させてやる. …させる. (〔叫〕〔让〕に相当する) ‖ ～我看看，好吗？ ちょっと見せてくれませんか ❹介 (動作の主体を導き, 受け身を表す) …に(…される) ‖ 手～小刀划破了 手をナイフで切ってしまった ❺介 (被害者を導く) …に(…してしまう) ‖ 对不起，～您添麻烦了 申し訳ありません, お手数をおかけしました ❻助 (処置を表す動詞の前に置き, 動作を強調する) …を…する. …を…してくれる ‖ 他把书～弄丢diū了 彼は本をなくしてしまった｜这件事你可别～忘了 この事は絶対に忘れないでくれよ ❼介 ①(物や伝達を受け取る相手を示す) …に(…する) ‖ ～他打个电话 彼に電話をかける ②動詞の後に置き, あげたり渡したりすることを表す ‖ 这是送～你的礼物 これはあなたへのプレゼントです｜快讲～我听听 早く話して聞かせてよ ❽介 (動作の対象を導く) …に向かって. …に対して ‖ ～小张道喜 張さんにおめでとうを言う ❾介 (受益者を導く) …のために(…してあげる) ‖ 这件毛衣是我妈妈～我织的 このセーターは母が私に編んでくれたものです｜～代表团当翻译 代表団の通訳を務める ❿介 (〔给我〕の形で, 命令の語気を強める) …しろ ‖ 你～我滚gǔn出去！ お前なんか出ていけ ➤ jǐ

【给脸】gěi∥liǎn 動 顔を立てる. メンツを立てる ‖ ～不要脸，是不是？ こっちが引き下がって顔を立ててやろうっていうのに突っぱねようっていうんだな

＊【给以】gěi∥yǐ 動 与える. 授ける ‖ 对先进工作者～奖励 優れた従業員に褒賞を与える｜希望大家对救灾工作～支持 みなさん救援活動にご支援ください

gēn

10 ★**根** gēn ❶图 (～儿) 植物の根. 根っこ ‖ 树～ 木の根｜生～ 根が生える ❷图 (～儿) (物の)つけ根. 根元 ‖ 牙～ 歯の根｜墙～ 壁の根元 ❸图 (～儿) (物事の)根源. 根本 ‖ 病～ 病根｜这件事得从～说起 このことは事の発端から話さなくてはならない ❹图 喩 子孫 ‖ 赵家只有他这么一条～ 趙家の子孫は彼一人しかいない ❺根拠. よりどころ ‖ 一～据 ❻根本的に. 徹底的に ‖ 一～治 ❼图〈数〉①ルート. 根(こん) ‖ 方～ ルート ②方程式の解 ❽图〈化〉根基 ‖ 酸～ 酸基 ❾量 (～儿) (草木や細長いものを数える)本 ‖ 一～儿绳子 1本のロープ｜一～儿葱 1本のネギ

> **類義語** 根 gēn 支 zhī 条 tiáo
>
> ◆ともに量詞として, 細長い具体物を数える ◆〔根〕繊細な根毛状のものを数える. また, 長くて細いものだけでなく, 短くて太いものにも用いる. よく〔根儿〕とr化する ‖ 一根头发 1本の髪の毛｜一根火柴 1本のマッチ ◆〔支〕細長くまっすぐで硬いものを数える ‖ 一支粉笔 1本のチョーク ◆〔条〕細長く湾曲しているものを数える. また, 人や動物にも用いる ‖ 一条河 1本の川｜一条鱼 1匹の魚

⁂【根本】gēnběn 图 (物事の)根本. 大本 ↔〔枝节〕 ‖ 诚实chéngshi是做人的～ 誠実さは人としての基本である｜从～上说 根本的に言って 形 根本的な. 抜本的な ‖ ～利益 基本的利益｜～措施cuòshī 抜本的な措置 副 ❶まるっきり. 全然. (多く否定で用いる) ‖ 我～没去过那儿 私はそこへは一度も行ったことがない ❷根本的に. 徹底的に ‖ 问题已经～解决了 問題はすでに根本的に解決された

【根本法】gēnběnfǎ 图 国家の根本をなす法. 憲法

【根除】gēnchú 動 根絶やしにする. 根絶する

【根底】gēndǐ 图 ❶基礎 ‖ 他的英文～很好 彼の英語は基礎がしっかりしている ❷くわしい事情. 内情. 素性 ‖ 都知道他的～ みんな彼の素性を知っている

【根号】gēnhào 图〈数〉根号. ルート記号

【根基】gēnjī 图 土台. 基礎 ‖ 他家～比较差 彼の家は経済的に苦しい｜他的数学～很好 彼は数学の基本ができている

【根究】gēnjiū 動 徹底的に追究する ‖ 要～事故的责任 徹底的に事故の責任を究明しなければならない

⁂【根据】gēnjù 介 …に基づく. …による ‖ 这部小说是～作家自身的经历写成的 この小説は作家自身の経験に基づいて書かれたものである 動 基づく. 根拠とする ‖ 选择学校要～自己的兴趣和实力 受験校の選択にあたっては自分の興味と実力に基づくべきである 图 根拠. よりどころ ‖ 科学～ 科学的根拠｜你这样说，有什么～？ あなたがそう言うのには何か根拠があるのですか

＊【根据地】gēnjùdì 图 根拠地

【根绝】gēnjué 動 根絶する

【根瘤】gēnliú 图〈植〉根瘤(こんりゅう)

【根毛】gēnmáo 图〈植〉根毛

【根苗】gēnmiáo 图 ❶根と芽 ❷物事の始まり. 根源. 由来 ❸跡継ぎ. 跡取り

＊【根深蒂固】gēn shēn dì gù 成 基礎が堅固で動揺しない. 〔根深柢固〕ともいう ‖ 这种思想在她的脑子里已～了 こういう考え方は彼女の頭にしっかり染み込んでいる

【根式】gēnshì 图〈数〉無理式

【根系】gēnxì 图〈植〉根系

【根由】gēnyóu 图 原因. 由来

＊【根源】gēnyuán 動 根源となる. …に根ざす ‖ 他走上犯罪道路，～于家庭的不幸 彼が犯罪の道に走ったのは, 家の不幸が根源にある 图 根源 ‖ 骄傲jiāo'ào自满是犯错误的～ 自信過剰は過ちを犯すもとになる

【根植】gēnzhí 動 喩 根を下ろす. 根を張る. 根ざす

【根治】gēnzhì 動 (病気を)根治する. (災害の原因

を)抜本的に改善する

【根子】gēnzi 图 回 ❶(草木の)根 ❷(物事の)根源. もと. よりどころ ❸素性. 出身

13 ★**跟** gēn ❶图(～儿)かかと. きびす.(靴や靴下の)かかと‖脚～ かかと|高～儿鞋 ハイヒール ❷動 すぐ後について行く. 伴をする‖～我走 私について来なさい ❸動 嫁に行く. 妻になる‖她答应～我了 彼女は僕との結婚を承知した ❹介 ①(動作にかかわる対象を示す)…と(…する). …に(…する)‖我～你一起去 僕は君と一緒に行く|这事儿得～大家商量商量 この件はみんなと相談しなければならない ②(比較する対象を示す)…と(比べて)‖他～我一样大 彼と私は同い年だ|这儿的气候～我家乡差不多 ここの気候は私のふるさととそれほど変わらない ③方(場所を示す)…で‖哥哥～家里呢 兄さんは家にいるよ ❺接 回(並列の関係を示す)…と…‖他～我是同学 彼と私はクラスメートです

> **類義語** 跟 gēn 同 tóng 和 hé
>
> ◆〔跟〕…と. 並列の関係にある名詞(句)を接続する. 話し言葉に多く用いる‖我跟他都是学生 私と彼は学生です ◆〔同〕…と.〔跟〕の用法以外に, 並列の関係にある動詞も接続する. 書き言葉や公の場に用いる‖致力于维护同发展地区和平 地域の平和を維持しさらに推進するよう尽力する ◆〔和〕…と.〔跟〕の用法以外に, 並列の関係にある動詞(句)・形容詞(句)も接続する. 話し言葉と書き言葉のどちらにも使い,〔跟〕〔同〕より広範囲に用いられる‖今天上、下午都是工作和学习时间 今日の午前と午後は仕事と勉強の時間です ◆この三つの語はいずれも介詞の用法があり, 一般的に接続詞としては〔和〕, 介詞として話し言葉には〔跟〕, 書き言葉には〔同〕と使い分けられることが多い

【跟班】gēn//bān 動 作業グループに加わる. 学習グループに入る 图(gēnbān) 旧 従者. かばん持ち.〔跟班儿的〕ともいう

*【跟不上】gēnbushàng 動 ついていけない. 追いつけない‖你走得太快, 我～ 君の歩き方は速すぎる, ついていけないよ|功课～, 他很着急 授業についていけないので, 彼は焦っている

【跟差】gēnchāi 图 旧 従僕. 供の者

【跟从】gēncóng 動 従う. ついて行く

*【跟得上】gēndeshàng 動 ついていける. 追いつくことができる‖他们走得很快, 你～吗？ 彼らは歩くのが速いが, あなたついていけますか|你的程度高, 上快班也～ 君はレベルが高いから, 上級クラスへ入ってもついていける

【跟风】gēnfēng 動 大勢に従う. 同調する. 追従する

【跟脚】gēnjiǎo 方 動(子供が)まつわりつく. つきまとう 形(靴が)足に合っている 副(～儿)すぐに. 続いて‖我刚进门, 他～儿也到了 私が中へ入ると, 彼も続いて到着した

【跟进】gēnjìn 動 ❶後に続いて進む ❷後に続いて同じ事をする. 先例に倣う‖继一些进口电器大幅降价后, 国产品牌也纷纷～降价 一部の輸入家電製品が大幅に値下がりしたのを受け, 国産品も次々と値下げをした

【跟屁虫】gēnpìchóng(～儿)图 人の後ろにまとわりついて離れない人

*【跟前】gēnqián(～儿)图 ❶すぐ前. そば‖房子～有棵树 家の前に木が1本ある ❷(時間的に)目の前‖临到考试～, 大家都忙着复习准备 テストを目前にして, 全員が復習に余念がない

【跟前】gēnqian 图 親などの養護のもと. ひざもと. 膝下(しっか)‖他们夫妇～只有一个男孩儿 あの夫婦には息子が一人いるだけだ

【跟梢】gēn//shāo 動 尾行する. 跡をつける

【跟手】gēnshǒu(～儿)副 方 ❶すぐさま. 直ちに ❷(動作の)ついでに. すぐ続いて

*【跟随】gēnsuí 動 従う. ついていく‖从小就～父亲下海捕鱼 子供のときから父親について海で魚を捕っていた

*【跟头】gēntou 图 方 ❶とんぼ返り. 宙返り‖翻～ 宙返りする ❷転倒したり引っくり返る動作‖栽zāi了个大～ もんどり打って引っくり返った. 大失態をしでかした

【跟着】gēnzhe 動 つき従う. 後について行く‖你～他走 君は彼について行きなさい 副 …に引き続き. 続いて‖笔试完了, ～就是口试 筆記試験が終わったら, 引き続き口頭試験だ

*【跟踪】gēnzōng 動 後をつける. 尾行する‖他发觉有人～自己 彼は誰かにつけられていることに気付いた

【跟踪调查】gēnzōng diàochá 組 追跡調査をする

gén

9 **哏** gén 方 ❶形 滑稽(こっけい)である. おかしい ❷图(漫才や演劇などの)おどけたしぐさ. ギャグ‖逗dòu～ ギャグを言って笑わせる

gěn

6 **艮** gěn 方 ❶形(食べ物の)歯切れが悪い ❷形 強情っ張りである. 無愛想である‖脾气píqi～ 強情っ張りである ➤gèn

gèn

6 **亘**(△亙) gèn 連綿と続く‖绵～ 延々と連なる

【亘古】gèngǔ 图 古来. 古代. いにしえ‖～至今 昔から今に至るまで|～未有 古今未曾有(みぞう)である

6 **艮** gèn 图 八卦(はっけ)の一つ, 艮(ごん). ☶で示し, 山を表す. ➡〔八卦bāguà〕 ➤gěn

gēng

7 **更** gēng ❶変える. 改める. 変更する‖变～ 変更する ❷图 旧 更(こう). 日没から日の出までの夜間を五等分して呼ぶ時間の単位‖深～半夜 真夜中 ❸图 旧 時刻を知らせるために使用する太鼓 ❹書 経験する ➤gèng

【更迭】gēngdié 動 入れ替える. 更迭する

【更定】gēngdìng 動 修訂する. 改訂する

【更动】gēngdòng 動 変更する. 異動する. 改める‖人事安排有所～ 人事に異動があった|会议日程不能～ 会議の日程は変更できない

【更番】gēngfān 副 交替で. 順番に‖～值班 交替で当直する

*【更改】gēnggǎi 動 変更する‖～名称 名称を改める|～作息时间 仕事と休憩の時間割りを変更する

*【更换】gēnghuàn 動 交替する. 入れ替える‖～出

场运动员 出場選手を交替させる｜～了新设备 新しい設備に入れ替えた
【更名】gēng∥míng 動 名前を変える
【更年期】gēngniánqī 名〈医〉更年期
【更深人静】gēng shēn rén jìng 成 夜が更け，あたりが静かになる
【更生】gēngshēng 動 ❶よみがえる．復活する．更生する ❷再生する‖～纸 再生紙
【更始】gēngshǐ 動 書 更新する．新たにスタートする
【更替】gēngtì 動 交替する．代わる
*【更新】gēngxīn 動 ❶更新する．改める．新しくなる‖万象～ 万物が新しく変わる｜岁序suìxù～ 年が改まる｜～设备 設備を新しくする ❷〈林〉森林が再生する

G

【更新换代】gēngxīn huàndài 組 新しいものが古いものにとって代わる
【更衣】gēngyī 動 ❶更衣する．着替える ❷婉 トイレへ行く．手洗いへ行く
【更衣室】gēngyīshì 名 更衣室．化粧室
【更易】gēngyì 動 修正する．改める．取り替える
【更张】gēngzhāng 動 琴の弦を張り直す．転 方針や計画などを根本から改める‖改弦xián～ 改革する
*【更正】gēngzhèng 動 訂正する．正す‖～错字 誤字を訂正する

8 **庚** gēng ❶名 庚(かのえ)(十干の第７) ➡〔天干tiāngān〕❷年齢．年
【庚帖】gēngtiě 名 旧 婚約のとき取りかわす男女双方の生年月日と時刻を記した書きつけ＝〔八字帖〕

10 * **耕**(△畊) gēng 動 耕す‖→～地｜→～种｜春～ 春季の耕作
【耕畜】gēngchù 名 役畜
*【耕地】gēng∥dì 動 田畑を耕す 名(gēngdì)耕地‖～面积 耕地面積
【耕牛】gēngniú 名 役牛．耕作用のウシ
【耕云播雨】gēng yún bō yǔ 成 雲を耕し雨をまく．物事を育成したり発展させたりするためにいろいろな措置を施すたとえ
【耕耘】gēngyún 動 耕耘(こううん)する．耕す．開拓する
*【耕种】gēngzhòng 動 耕して植えつける．耕作する
【耕作】gēngzuò 動 耕作する

12 **赓** gēng 書 継続する‖～续 引き続く

19 **羹** gēng 名 蒸したり煮たりして作ったとろみのあるスープやどろどろしたのり状の食品‖鸡蛋～ 茶碗蒸し｜莲子～ ハスの実のスープ
【羹匙】gēngchí 名 ちりれんげ．スプーン．さじ

gěng

10 **埂** gěng ❶書 堤．土手‖～堰 土手 ❷名 長くのびた丘‖山～ 同前 ❸名(～儿)あぜ‖田～儿 田畑のあぜ
【埂子】gěngzi 名 あぜ．あぜ道‖地～ 田畑のあぜ道

10 **哽** gěng ❶動 (のどに)つかえる．詰まる．むせる‖吃得太急，～着了 慌てて食べて，のどにつかえた ❷動 むせぶ．声をつまらす‖她非常难过，喉咙hóulong也～住了 彼女は悲しさのあまり胸が詰まった
【哽塞】gěngsè 動 むせる．(のどが)詰まる
【哽噎】gěngyē 動 ❶(のどに)つかえる．詰まる ❷涙にむせぶ
【哽咽】gěngyè 動 悲しみにむせぶ．むせび泣く．涙で声が詰まる．〔梗咽〕とも書く

10 **绠** gěng 書 つるべ縄
【绠短汲深】gěng duǎn jí shēn 成 短いつるべに，深い井戸．その任につく能力がないとへりくだって言うたとえ

10 **耿** gěng 正直である．誠実である‖→～直
【耿耿】gěnggěng 形 ❶きらめいている ❷忠誠である‖忠心～ 忠誠心に燃えている ❸不安である．気掛かりである‖～不寐mèi 気掛かりで眠れない
【耿耿于怀】gěng gěng yú huái 成 気掛かりで忘れることができない
【耿直】gěngzhí 形 真っ正直である．一本気である．〔梗直〕〔鲠直〕とも書く

11 **梗** gěng ❶名(～儿)草本植物の茎‖花～儿 花の茎 ❷動 まっすぐにする．ぴんと伸ばす‖～着脖子bózi就是不认错 ふんぞり返って謝ろうともしない ❸(性格が)真っ正直な．一本気な‖→～直 ❹ふさぐ．じゃまする‖作～ じゃまをする
【梗概】gěnggài 名 梗概(こうがい)．あらすじ．あらまし
【梗塞】gěngsè 動 ❶ふさがる．詰まる‖交通～ 道路が渋滞する ❷〈医〉(動脈が)詰まる．梗塞(こうそく)する
【梗死】gěngsǐ 動〈医〉梗塞する‖心肌～ 心筋梗塞
【梗直】gěngzhí ＝〔耿直gěngzhí〕
【梗阻】gěngzǔ 動 ❶ふさがる．詰まる．遮る ❷引き止める．阻む．じゃまする‖横加～ 横やりを入れる

11 **颈**(頸) gěng ➡〔脖颈儿bógěngr〕 ➤ jǐng

15 **鲠**(△骾❷❸) gěng ❶書 魚の骨‖如～在喉，不吐不快 まるで魚の骨がのどに刺さったようで，吐き出さなければ気分が悪い．転 言いたいことを言わなければ気が済まない ❷動 (魚の骨などが)のどに引っ掛かる ❸正直である‖→～直
【鲠直】gěngzhí ＝〔耿直gěngzhí〕

gèng

7 ★ **更** gèng ❶書 さらに．また ❷副 ますます．いっそう‖雨～大了 雨はますます激しくなった｜我比你来得～早 私は君よりもっと早く来ていた｜～不明白了 いっそう分からなくなった ➤ gēng
*【更加】gèngjiā 副 ますます．一段と．さらに‖他～关心别人了 彼はいっそう人のことを考えるようになった
【更其】gèngqí 副 書 ますます．さらに．なおのこと
【更上一层楼】gèng shàng yī céng lóu 成 さらに登る一層の楼．さらにレベル・アップする．さらにステップ・アップする
【更为】gèngwéi 副 さらに．いっそう．なおのこと

gōng

3 * **工**[1] gōng ❶職人．労働者‖→～人｜木～ 大工 ❷労働．仕事‖做～ (工場で)働く｜上～ (工場に)出勤する ❸名 労働者一人の１日あたり仕事量‖这活儿有四十个～就能完成 この仕事は延べ40人の労働力があれば完成する ❹工事‖动～ 起工する ❺工業‖化～ 化学工業 ❻略 技師．エンジニア．〔工程师〕の略‖高～ 高級工程師 ❼精巧である．精密である‖→～笔 ❽堪能である．巧

みである ‖ ～诗善画 詩もよく作れれば絵も上手に描ける ❾(～儿)技術. 技巧 ‖ 唱～ (京劇などの)歌唱力. 歌のテクニック

3 **工**[2] **gōng** 图〈音〉中国の伝統音楽の階名の一つで, 音符としても用いる. 西洋音楽のミに相当する. ➡〔工尺gōngchě〕

逆引き単語帳 〔职工〕zhígōng 職員と労働者. 従業員 〔劳工〕láogōng 労働者 〔电工〕diàngōng 電気工 〔木工〕mùgōng 大工. 指物師 〔美工〕měigōng 美術スタッフ 〔民工〕míngōng 出稼ぎ農民 〔双职工〕shuāngzhígōng 共働きの夫婦 〔开工〕kāigōng 仕事を始める 〔收工〕shōugōng 一日の仕事を終える 〔旷工〕kuànggōng 無断欠勤する 〔磨洋工〕mó yánggōng のろのろ仕事をする 〔怠工〕dàigōng 仕事をサボる. 怠業する 〔罢工〕bàgōng ストライキを行う

【工本】gōngběn 图 製品コスト. 元手 ‖ ～费 生産費. コスト | 节省～ コストを節約する

【工笔】gōngbǐ 图〈美〉中国画の画法の一つ, 細密画法 ↔〔写意〕‖ ～画 工筆画. 密画

【工残】gōngcán 图 労災事故による障害

★【工厂】gōngchǎng 图 **工場**

【工场】gōngchǎng 图 町工場. 作業場

【工潮】gōngcháo 图 労働争議

【工尺】gōngchě 图〈音〉中国の伝統音楽における音階の総称. 現在は, 〔合〕〔四〕〔一〕〔上〕〔尺〕〔工〕〔凡〕〔六〕〔五〕〔乙〕の10音階がよく使わる

⁑【工程】gōngchéng 图 ❶**(規模の大きな)工事** ‖ 水利～ 水利施設の工事 ❷**プロジェクト** | "西气东输shū" ～ 「西部のガスを東部へ送る」プロジェクト

【工程兵】gōngchéngbīng 图〈軍〉工兵

⁑【工程师】gōngchéngshī 图 **エンジニア. 技師**

【工程院】gōngchéngyuàn 图 工程院. エンジニアアカデミー

*【工地】gōngdì 图 工事現場. 作業現場 ‖ 建筑～ 建築現場 | 施工～ 施工現場

【工读】gōngdú 動 働きながら学校に通う

【工段】gōngduàn 图 ❶工事の施工区域によって分けた作業部門 ❷工場の生産プロセスによって分けた作業部門

【工房】gōngfáng 图 方 ❶労働者の宿舎 ❷飯場. 建設現場の仮設事務所

【工分】gōngfēn 图 労働点数. 仕事量や労働報酬を評価するための計算単位

【工蜂】gōngfēng 图〈虫〉働きバチ

⁑【工夫】gōngfu (～儿) 图 ❶**(費やされる)時間** ‖ 一天的～就把那本书看完了 1日であの本を読み終えた ❷**(空いた)時間. 暇** ‖ 有～的话, 教教我打高尔夫球 お暇でしたら, ゴルフでも教えてください ❸方 とき. ころ ‖ 正说话的～, 老李来了 ちょうど話しているとき, 李さんが来た ＊〔功夫〕とも書く

⁑【工会】gōnghuì 图 **労働組合**

【工价】gōngjià 图 手間賃. 工賃

【工架】gōngjià 图〈劇〉京劇俳優の身のこなし. 所作(しょ). 〔功架〕とも書く

【工间】gōngjiān 图 作業の間の休憩時間

【工间操】gōngjiāncāo 图 作業の休憩時間にする体操. 職場体操

【工件】gōngjiàn 图〈機〉加工部品. 〔作件〕ともいう

【工匠】gōngjiàng 图 職人

【工交】gōngjiāo 图 工業と輸送

⁑【工具】gōngjù 图 ❶**道具. 工具** ‖ ～箱 道具箱 | 生产～ 生産用具 ❷**手段** ‖ 交通～ 交通手段 | 外语是学习外国先进技术的重要～ 外国語は外国の先進的な技術を学ぶための重要な手段である

*【工具书】gōngjùshū 图 辞書・事典・年鑑・年表・索引類の総称

【工卡】gōngkǎ 图 (仕事のときにつける)ネームカード

【工楷】gōngkǎi 图 きちんとした形の楷書(かいしょ)

【工科】gōngkē 图 工科 ‖ ～大学 工科大学

【工矿】gōngkuàng 图 工鉱業

【工力】gōnglì 图 ❶腕前. 技量 ❷労働力

【工料】gōngliào 图 ❶(コスト計算で)労賃と材料費 ❷工事に要する材料

*【工龄】gōnglíng 图 勤続年数

【工农联盟】gōngnóng liánméng 图 労農同盟

【工棚】gōngpéng 图 飯場. 建設現場の仮設事務所

【工期】gōngqī 图 工事の期限. 工期 ‖ 缩短suōduǎn～ 工期を短縮する

*【工钱】gōngqian 图 ❶手間賃. 報酬 ‖ 做一套西服要多少～? 背広上下一着の仕立て代はいくらになりますか ❷口 賃金

【工巧】gōngqiǎo 形 (多く工芸品・詩文・書画が)巧みである. 巧緻(こうち)である

【工区】gōngqū 图 鉱工業の末端生産部門

★【工人】gōngren ; gōngrén 图 **労働者**

*【工人阶级】gōngrén jiējí 图 労働者階級. プロレタリア階級

【工日】gōngrì 图 人日(にんぴ). 一人の労働者が1日で行なう仕事量. 〔人日〕ともいう

【工伤】gōngshāng 图 仕事中の事故による負傷. 労働傷害 ‖ ～事故 労災事故

【工商业】gōngshāngyè 图 商工業

【工时】gōngshí 量 一人の労働者が1時間で行なう労働量 ‖ 这工作需要一百个～ この仕事は延べ100時間の労働量を要する

*【工事】gōngshì 图〈軍〉軍事陣地の構築施設の総称 ‖ 防御～ 防御施設 | 修筑～ 塹壕(ざんごう)を築く

【工头】gōngtóu (～儿) 图 飯場頭. 職人頭. 職長

【工亡】gōngwáng 動 労災事故で死亡する

【工稳】gōngwěn 形 (主に詩文の字句の使い方が)巧みできちんとしている. 無理がない

【工细】gōngxì 形 (細工などが)精巧である

【工效】gōngxiào 图 略 仕事の能率. 〔工作效率〕の略 ‖ 提高～ 仕事の能率を高める

【工薪】gōngxīn 图 賃金. 給料 ‖ ～阶层jiēcéng 給料生活者

【工薪族】gōngxīnzú 图 サラリーマン. 勤め人. 給料生活者. 〔工薪一族〕ともいう

【工休】gōngxiū 動 ❶(工場が)休日になる ‖ ～日 (工場の)休日 ❷(工場などの職場で)休憩時間になる

*【工序】gōngxù 图 工程. 生産プロセス ‖ ～复杂 工程が複雑だ | 每一道～都要经过严格检验 各工程で厳しい検査を経なければならない

★【工业】gōngyè 图 **工業** ‖ ～总产值 工業総生産額

【工业产权】gōngyè chǎnquán 图 産業財産権.

G

工業所有権. 知的財産権の一つで, 特許発明・実用新案・意匠・商標などを含む権利
【工业革命】gōngyè gémìng 名 産業革命 =〔产业革命〕
【工业国】gōngyèguó 名 工業国
【工业化】gōngyèhuà 動 工業化する
【工蚁】gōngyǐ 名〈虫〉働きアリ
【工艺】gōngyì 名 ❶製造工程. 製造・加工方法 ‖ ～流程 製造工程 ❷手工芸 ‖ ～玻璃 工芸ガラス
【工艺美术】gōngyì měishù 名 工芸美術
【工艺品】gōngyìpǐn 名 工芸品. 手工芸品
【工友】gōngyǒu 名 ❶(役所や学校の)用務員 ❷ 旧 工場労働者. また, 労働者同士の呼称

G

【工于】gōngyú 動 書 …に巧みである. …に長じている ‖ ～楷书 楷書(かい)に長じている
【工余】gōngyú 名 労働の余暇 ‖ 利用～时间学外语 仕事の余暇を利用して外国語を学ぶ
【工欲善其事, 必先利其器】gōng yù shàn qí shì, bì xiān lì qí qì 成 大工がよい仕事をしようとすれば, まず道具をよく整えておかなければならない. 事を行うにはまず十分な準備が必要であるたとえ
【工整】gōngzhěng 形 きちんとしている. 整っている ‖ 字迹～ 字がきちんとしている
【工致】gōngzhì 形 巧みである. 巧緻である
【工种】gōngzhǒng 名 (鉱工業の)職種
【工资】gōngzī 名 賃金. 給料 ‖ 发～ 給料を出す ｜ 领～ 給料を受け取る ｜ ～条 給与明細表
【工字钢】gōngzìgāng 名〈冶〉I 型鋼. H 型鋼
★**【工作】gōngzuò 動 働く. 勤める. 仕事をする.** (機械などが)稼働する ‖ 你在哪ル～？ あなたはどこにお勤めですか ｜ 昨天他～到深夜 きのう彼は夜中まで働いた ｜ 发动机正在～ 発動機は作動中だ 名 ❶**職業. 職** ‖ 分配～ 職を分配する. 就職先を手配する ｜ ～单位 職場. 勤め先 ❷**仕事. 作業** ‖ ～态度 仕事ぶり ｜ 从事科学研究～ 科学研究に従事する
【工作餐】gōngzuòcān 名 職員に無料で提供される食事. また, 会議や業務の際に公費で出される食事
【工作访问】gōngzuò fǎngwèn 名 (政府首脳の)実務訪問 ↔〔礼仪访问〕
【工作服】gōngzuòfú 名 作業服. 仕事着
【工作母机】gōngzuò mǔjī 名〈機〉工作機械.
【工作人员】gōngzuò rényuán 名 職員. スタッフ.
【工作日】gōngzuòrì 名 ❶1日の規定の就労時間 ❷規定の就労日
【工作小组】gōngzuò xiǎozǔ 名 作業部会. ワーキンググループ
【工作效率】gōngzuò xiàolǜ 名 仕事の能率. 略して〔工效〕ともいう
【工作站】gōngzuòzhàn 名〈計〉ワークステーション
【工作证】gōngzuòzhèng 名 (手帳形の)勤務先の身分証明書

3 * **弓** gōng ❶名 弓 ‖ 挽wǎn～ 弓を引く ❷名 (～ル)弓形の器具 ‖ 琴～子 (バイオリンなどの)琴の弓 ❸名 旧 土地測量用の器具. コンパス状で, 両端の間隔は5〔尺〕(約1.6メートル). 〔步弓〕ともいう ❹量 旧 土地測量の単位. 1〔弓〕は5〔尺〕, 240〔弓〕が1〔亩〕に相当 ❺動 曲げる. 湾曲させる ‖ 腰～着 腰をかがめている
【弓箭】gōngjiàn 名 弓と矢. 弓矢
【弓弦】gōngxián (～ル) 名 弓のつる
【弓形】gōngxíng 名 弓形. アーチ形
【弓腰】gōng//yāo 動 腰をかがめる
【弓子】gōngzi 名 弓のような形状をしたものや弓のような働きをもつもの ‖ 胡琴～ 胡弓(こきゅう)の弓

4 **公**[1] gōng ❶公の ↔〔私〕‖ 一～款 ❷大衆・集団・国家 ‖ 归～ 公のものとする ❸公務 ‖ 办～ 執務する ❹公平である. 公正である ‖ 分配不～ 分配が不公平だ ❺共通の ‖ 一～敌 ❻国際間で共通の ‖ 一～海 ❼公開されている ‖ 一～演 ❽書 公にする. 公開する ‖ 一～之于世

4 * **公**[2] gōng ❶古 五等爵(〔公〕〔侯〕〔伯〕〔子〕〔男〕)の第1位 ❷年配の男性に対する敬称 ‖ 李～ 李先生 ❸しゅうと. 夫の父 ‖ 一～婆 ❹形 雄の ↔〔母〕‖ ～鸡 おんどり
*【公安】gōng'ān 名 ❶社会の治安. 公安 ‖ ～局 警察署 ｜ ～机关 警察の各部門の総称 ❷警察官
【公案】gōng'àn 名 ❶旧 裁判事件の審理に使った大机 ❷難事件 ‖ ～小说 裁判小説
【公办】gōngbàn 形 国の設立した ‖ ～企业 国営企業
*【公报】gōngbào 名 ❶コミュニケ. 声明 ‖ 联合～ 共同コミュニケ ｜ 新闻～ プレス・コミュニケ ❷官報
【公报私仇】gōng bào sī chóu 成 公事に託して私憤をはらす
*【公布】gōngbù 動 公布する. 公表する ‖ ～婚姻法 婚姻法を公布する ｜ ～名单 名簿を公表する
【公厕】gōngcè 名 略 公衆便所. 〔公共厕所〕の略
【公差】gōngchā 名 ❶〈数〉公差 ❷〈機〉公差 ➤ gōngchāi
【公差】gōngchāi 名 ❶公務出張 ❷旧 (使い走りなどをする)下級役人. 小役人 ➤ gōngchā
【公产】gōngchǎn 名 公共財産. 公有財産
【公车】gōngchē 名 公用車
【公称】gōngchēng 名 公称 ‖ ～值 公称値
*【公尺】gōngchǐ 量 メートル〔米〕の旧称
【公出】gōngchū 動 公務のために出張する. 公用で外出する
【公道】gōngdào 名 正しい道理. 正道. 正義 ‖ 主持～ 正義を主張する
*【公道】gōngdao 形 ❶公正である. 公平である ‖ 说句～话 公平に言うならば ｜ 做事～ 物事の処理が公正である ❷(値段が)適正である ‖ 价格～ 値段が適正である. 高くない
【公德】gōngdé 名 公衆道徳. 公徳
4 【公敌】gōngdí 名 共通の敵. 民衆の敵
【公断】gōngduàn 動 ❶第三者によって客観的に裁断する ‖ 谁是谁非, 听候～ どちらが正しくどちらが間違っているのか, 公平な裁定を仰ぐ ❷公の機関によって裁断を下す
【公法】gōngfǎ 名〈法〉公法 ↔〔私法〕‖ 国际～ 国際公法. 国際法
【公方】gōngfāng 名 公私共営企業における政府側 ↔〔私方〕
【公房】gōngfáng 名 公舎. 公有住宅
【公费】gōngfèi 名 公費. 官費 ↔〔私费〕‖ ～留学生 公費留学生 ｜ ～医疗 公費負担医療
*【公分】gōngfēn 量 ❶センチメートル. 〔厘米〕の旧称 ❷グラム. 〔克〕の旧称
【公愤】gōngfèn 名 公憤. 民衆の怒り
【公干】gōnggàn 名 ❶敬 ご用件 ‖ 有何～？ どん

なご用件ですか ❷公務
*【公告】gōnggào 图公告. 布告 動公告する
【公告牌】gōnggàopái 图❶掲示板 ❷〈計〉電子掲示板. BBS
【公公】gōnggong 图❶しゅうと. 夫の父 ❷方祖父. 外祖父 ❸男性の老人に対する敬称. おじいさん ‖ 赵～ 趙おじいさん ❹旧宦官(かんがん)に対する呼称
【公共】gōnggòng 形公共の. 共通の. 公衆の** ‖ ～场所 公共の場所 | ～厕所 公衆便所 | ～卫生 公衆衛生 | ～财物 公共財産
【公共关系】gōnggòng guānxi 图広報. 渉外. パブリシティー. PR. 略して〔公关〕ともいう
★【公共汽车】gōnggòng qìchē 图**路線バス**
【公共意识】gōnggòng yìshi 图公共意識
*【公关】gōngguān 图略広報. 渉外〔公共关系〕の略 ‖ ～部 広報部 | ～小姐 渉外担当の女性
【公馆】gōngguǎn 图旧邸宅. 屋敷
【公海】gōnghǎi 图公海
【公害】gōnghài 图公害
【公函】gōnghán 图公翰(こうかん)
【公会】gōnghuì 图旧略同業組合. 〔同业公会〕の略
【公积金】gōngjījīn 图積立金
【公祭】gōngjì 動公の機関が組織して葬儀を行なう 图公葬
【公家】gōngjia 图口公(国家・政府機関・公共団体・企業などをさす) ↔〔私人〕‖ 花～的钱游山玩水 公費を使って物見遊山をする
【公假】gōngjià 图公休 ‖ 经期～ 生理休暇
【公交】gōngjiāo 图公共交通機関
【公教人员】gōngjiào rényuán 图旧公務員と教職員の総称
★【公斤】gōngjīn 量**キログラム**. 〔千克〕の通称
【公举】gōngjǔ 動大勢で推挙する. みなで推薦する
【公决】gōngjué 動衆議決定する
【公开】gōngkāi 動公開する. 公表する. 明るみに出す** ↔〔秘密〕‖ ～研究成果 研究成果を公表する | 秘密被～了 秘密が明るみに出た 形**公開の. おおっぴらな** ‖ ～的秘密 公然の秘密 | ～的场合 公の場 | ～反对 公然と反対する
【公开信】gōngkāixìn 图公開状. 公開書簡
【公筷】gōngkuài 图取り箸
【公款】gōngkuǎn 图公金 ‖ ～吃喝 公金で飲み食いする | 挪用～ 公金を使い込む
【公款旅游】gōngkuǎn lǚyóu 組公費を使い, 視察や会議などの名目で行う観光旅行
【公厘】gōnglí 量❶ミリメートル. 〔毫米〕の旧称 ❷デシグラム. 〔分克〕の旧称
★【公里】gōnglǐ 量**キロメートル**. 〔千米〕の通称
【公理】gōnglǐ 图❶社会に広く通用する道理 ❷〈数〉公理
【公历】gōnglì 图陽暦. 新暦. ふつう〔阳历〕という
【公立】gōnglì 形公立の ‖ ～学校 公立の学校
【公例】gōnglì 图一般の規律. 通則. 原則
【公粮】gōngliáng 图現物農業税. 農業税として政府に納める穀物 ‖ 交～ 現物税の穀物を政府に納める
【公了】gōngliǎo 動公的な調停や裁判で紛争を解決する ↔〔私了〕
【公路】gōnglù 图幹線道路** ‖ 高速～ 高速道路
【公论】gōnglùn 图公論. 世論
*【公民】gōngmín 图公民
【公民权】gōngmínquán 图公民権
【公亩】gōngmǔ 量アール. 100平方メートル
【公墓】gōngmù 图共同墓地
【公派】gōngpài 動政府によって派遣する ‖ ～留学 公費留学する
【公判】gōngpàn 動❶〈法〉公開の民衆大会で判決を宣告する ❷社会一般が判断を下す
*【公平】gōngping ; gōngpíng 形公平である. 公正である ‖ ～竞争 公正な競争 | 买卖～ 売り買いが公正である | 不～的世道 不公平な世の中
【公平秤】gōngpíngchèng 图公正ばかり(自由市場などで買い物客が目方を確かめられるように設置してあるはかり)
【公婆】gōngpó 图❶夫の両親 ❷〈方〉夫婦
【公仆】gōngpú 图公僕
*【公顷】gōngqǐng 量ヘクタール. 100アール
*【公然】gōngrán 副公然と. おおっぴらに ‖ ～违反wéifǎn协定xiédìng 公然と協定に違反する
*【公认】gōngrèn 動公認する. みんなが認める ‖ ～的事实 みんなが認めている事実
*【公社】gōngshè 图❶原始共同体 ❷プロレタリアート政権の一形式. コミューン ‖ 巴黎Bālí～ (1871年の)パリ・コミューン ❸略人民公社. 〔人民公社〕の略称
【公审】gōngshěn 動〈法〉公開の法廷で裁判を行う
【公升】gōngshēng 量リットル. 〔升〕の旧称
【公使】gōngshǐ 图公使. 特命全権公使
【公示】gōngshì 動公示する ‖ 现将候选名单予以～ ここに候補者のリストを公示する
*【公式】gōngshì 图❶〈数〉公式 ❷公式. 普遍的な法式
【公式化】gōngshìhuà 動公式化する. 形式化する. 画一化する. ワンパターン化する
【公事】gōngshì 图❶公務. 公のこと ↔〔私事〕‖ 办～ 公務を行う ❷口公文書
【公事公办】gōng shì gōng bàn 慣公のことは公の規定どおりに処理する. 情実にとらわれず処理する
【公署】gōngshǔ 图公署. 官署
【公司】gōngsī 图公司(コンス). 会社** ‖ 分～ 支社 | 股份有限～ 株式会社 | 皮包～ ペーパー・カンパニー
【公司债券】gōngsī zhàiquàn 图社債. 社債券
【公司制】gōngsīzhì 图会社制度. 有限会社・株式会社などの企業形態をとる現代的な会社制度
【公私】gōngsī 图公私. 公と個人 ‖ ～分明 公私の別がはっきりしている | ～混淆hùnxiáo 公私混交
【公私合营】gōngsī héyíng 图公私共営. 政府と民間の共同出資企業
【公诉人】gōngsùrén 图〈法〉公訴人
【公摊】gōngtān 動割り勘にする. みんなで分担する.
【公堂】gōngtáng 图❶法廷 ❷祖先を祭る祠(ほこら)
【公推】gōngtuī 動みんなで推薦する
【公文】gōngwén 图公文書 ‖ ～旅行 公文書が役所の中でたらい回しにされること. 責任逃れ
*【公务】gōngwù 图公務 ‖ ～护照 公用旅券
【公务员】gōngwùyuán 图❶公務員 ❷旧(官公庁や団体の)雑用係
【公物】gōngwù 图公共物. 公用物 ‖ 爱护～ 公共の物を大切にする
【公心】gōngxīn 图❶公正な心 ‖ 处以～ 公正を旨に処理する ❷民衆の利益をはかる心

【公信力】gōngxìnlì 名 社会的信用
【公休】gōngxiū 動 公休になる ‖ ～日 公休日
【公演】gōngyǎn 動 公演する. 上演する ‖ 定期～ 定期公演する 名 公演. 上演
【公议】gōngyì 動 衆議する. 合議する
【公益】gōngyì 名 公益 ‖ ～事业 公益事業
【公益广告】gōngyì guǎnggào 名 公共広告
【公益金】gōngyìjīn 名（企業の）福利厚生費
【公意】gōngyì 名 公衆の意思. 総意
【公营】gōngyíng 形 公営の ‖ ～事业 公営事業
【公映】gōngyìng 動 公開上映する. 封切る
*【公用】gōngyòng 動 共同で使用する. 共用する ‖ 这间屋子是～的 この部屋はみんなの共用だ

⁑【公用电话】gōngyòng diànhuà 名 **公衆電話**
【公用面积】gōngyòng miànjī 名（マンションなどの）共有面積
【公用事业】gōngyòng shìyè 名（水道・電気・ガス・電話・交通などの）公益事業
*【公有】gōngyǒu 動 共有する ‖ ～财产 共有財産
*【公有制】gōngyǒuzhì 名（生産手段の）共有制 ↔〔私有制〕
【公余】gōngyú 名 仕事の余暇 ‖ ～自修外语 仕事の余暇に外国語を独学する
【公寓】gōngyù 名 ❶アパート. マンション ❷旧 長期滞在者に月ぎめで部屋を貸す旅館
⁑【公元】gōngyuán 名 **西暦紀元** ‖ ～前三世纪 紀元前3世紀 | ～1998年 西暦1998年
★【公园】gōngyuán 名 **公園**
*【公约】gōngyuē 名 ❶（多く多国間の）条約 ❷規約. 条項 ‖ 居民～ 居住者間の申し合わせ
【公允】gōngyǔn 形 書 公平で当を得ている
*【公债】gōngzhài 名〈経〉公債
【公债券】gōngzhàiquàn 名〈経〉公債証書
【公章】gōngzhāng 名 公印 ‖ 盖～ 公印を押す
【公正】gōngzhèng 形 公正である ‖ 办事～ 事の処理が公正である | ～的裁判 公正な審判
*【公证】gōngzhèng 動 公証する 名 公証 ‖ ～人 公証人 | ～处 公証人役場 | ～书 公証証書
【公之于世】gōng zhī yú shì 成 表ざたにする. 広く公にする
【公职】gōngzhí 名 公職 ‖ 开除～ 公職を解く
【公制】gōngzhì 名 略 メートル法.〔国际公制〕の略
【公众】gōngzhòng 名 公衆. 民衆
【公众人物】gōngzhòng rénwù 名 公人. 著名人
【公诸同好】gōng zhū tóng hào 成 同好の士に公開する
【公主】gōngzhǔ 名 皇女. 王女 ‖ 白雪～ 白雪姫
【公助】gōngzhù 動 ❶共同で資金援助する ‖ 社会～ 社会が資金援助する ❷国が資金援助する
【公转】gōngzhuàn 動〈天〉公転する
【公子】gōngzǐ 名 ❶旧 諸侯や貴族の子息. 若様 ‖ 花花～ プレイボーイ ❷敬 ご令息
【公子哥儿】gōngzǐgēr 名 ❶旧（官僚や大家の）若様. 若旦那 ❷お坊ちゃん

5 *功 gōng ❶名 功労. 功績 ↔〔过〕‖ 立～ 功績をたてる ❷成果. 効用 ‖ 教育之～ 教育の成果 ❸名（～儿）技能. 技術 ‖ 基本～ 基礎的な技能 ❹名〈物〉仕事
【功败垂成】gōng bài chuí chéng 成 成功の一歩手前で失敗する
【功臣】gōngchén 名 ❶功臣 ❷功労者（革命事業で功績を立てた人）
【功成不居】gōng chéng bù jū 成 功績があっても, それを自分の手柄としない
【功成名就】gōng chéng míng jiù 成 功成り名を遂げる.〔功成名遂〕ともいう
【功德】gōngdé 名 ❶功と徳 ❷〈仏〉功徳
【功底】gōngdǐ 名 芸や技能の基礎 ‖ ～不深 基礎がしっかりしてない
⁑【功夫】gōngfu 名 ❶**技量. 腕前** ‖ 字写得很有～ なかなか立派な字を書く | ～还不到家 腕はまだまだだ ❷**中国武術. カンフー** ❸＝〔工夫gōngfu〕
【功夫片】gōngfupiàn 名 カンフー映画
【功过】gōngguò 名 功績と過ち. 功罪 ‖ ～相抵 xiāngdǐ 功罪相償う
*【功绩】gōngjì 名 功績 ‖ 立下不朽xiǔ的～ 不滅の功績を立てる
【功架】gōngjià ＝〔工架gōngjià〕
*【功课】gōngkè 名 ❶学業. 学校の勉強 ‖ ～很重 学校の勉強がとてもきつい | ～表 授業の時間割り表 ❷〈仏〉勤行（ごんぎょう）
【功亏一篑】gōng kuī yī kuì 成 九仞（きゅうじん）の功を一篑（いっき）に欠く. 多年の努力を最後のわずかなことで失敗に終わらせてしまうたとえ
*【功劳】gōnglao ; gōngláo 名 功労. 手柄. 功績 ‖ 办成这件事, 他的～不小 この件を成しとげるに当たっては, 彼の力が大きかった
【功力】gōnglì 名 ❶効果. 効き目 ❷技と能力
【功利】gōnglì 名 功利. 実利. 実益
【功利主义】gōnglì zhǔyì 名 功利主義
【功率】gōnglǜ 名〈物〉仕事率
*【功能】gōngnéng 名 機能. 働き ‖ ～齐全qíquán 機能が完備している | 消化～ 消化機能
【功能材料】gōngnéng cáiliào 名 機能性材料
【功能食品】gōngnéng shípǐn 名 機能性食品
【功能团】gōngnéngtuán 名〈化〉官能基.〔官能团〕ともいう
【功能饮料】gōngnéng yǐnliào 名 機能性飲料
*【功效】gōngxiào 名 効能. 効き目 ‖ 该药治疗糖尿病～显著 この薬は糖尿病の治療に著しい効き目がある
【功勋】gōngxūn 名 勲功. 功績. 手柄
【功业】gōngyè 名 功績の著しい事業
【功用】gōngyòng 名 効用. 功能
【功罪】gōngzuì 名 功罪 ‖ ～各半 功罪相半ばする

6 红 gōng ➡〔女红nǚgōng〕 ➤hóng

7 *攻 gōng ❶動 攻める. 攻撃する ↔〔守〕‖ ～其薄弱bóruò环节 弱点を突く ❷書 糾弾する. 批判する ‖ 群起而～之 みんな口を揃えて責める ❸動 研究する. 修める ‖ 专～法律 法律を専攻する
【攻城略地】gōng chéng lüè dì 成 町を攻め, 土地を略取する
【攻错】gōngcuò 動 書 他人の長所で自分の短所を補う ‖ 他山～ 他山の石とする
【攻打】gōngdǎ 動 攻撃する
*【攻读】gōngdú 動 一生懸命に学ぶ. 学問を修める ‖ ～硕士shuòshì学位 修士課程で学ぶ
*【攻关】gōngguān 動 ❶関所を攻める. 難所を攻める ❷喩 難しい研究テーマに取り組む ‖ 协作～ 一致協力して研究テーマに取り組む

*【攻击】gōngjī 動 ❶攻撃する ‖ ～敌人 敵を攻撃する | ～目标 攻撃目標 ❷非難する. 責めとがめる ‖ 进行人身～ 人身攻撃を行う
【攻歼】gōngjiān 動 攻撃殲滅(せんめつ)する
【攻坚】gōngjiān 動 堅塁を攻撃する
*【攻克】gōngkè 動 攻め取る. 突破する ‖ ～敌人碉堡 敵のトーチカを攻め落とす | ～难关 難題を解決する
【攻略】gōnglüè 图 攻略. ストラテジー
【攻破】gōng//pò 動 攻め落とす. 突破する
【攻其不备】gōng qí bù bèi 成 不意を突く
【攻取】gōngqǔ 動 攻略する. 攻め取る
【攻势】gōngshì 图 攻勢 ‖ 采取～ 攻勢をかける | 上海队的～非常猛 上海チームの攻勢はすさまじい
【攻守同盟】gōng shǒu tóng méng 成 ❶攻守同盟 ❷貶 仲間同士が互いにかばい合うこと
【攻陷】gōngxiàn 動 攻めて陥落させる. 攻め落とす
【攻心】gōngxīn 動 ❶思想面や心理面から敵を攻め落とす ‖ ～战术 心理作戦 ❷〈中医〉内攻する
【攻占】gōngzhàn 動 攻略する

8 ** **供** gōng ❶動 **供給する. 提供する** ‖ ～儿子上大学 お金を出して息子を大学に行かせる ❷動 (役に立つように)**提供する** ‖ 仅～参考 ご参考までに | 这ル是～旅客就餐jiùcān的地方 ここは旅行者に食事を供する場所である ➤ gòng
*【供不应求】gōng bù yìng qiú 成 供給が需要に追いつかない. 供給不足
【供电】gōngdiàn 動 電気を供給する
【供稿】gōnggǎo 動 原稿を提供する
【供过于求】gōng guò yú qiú 慣 供給が需要より多い. 供給過剰
【供给】gōngjǐ 動 **供給する ‖ ～生活用品 生活用品を供給する
【供暖】gōngnuǎn 動 (ビルや集合住宅などで)暖房を供給する ‖ ～设备 暖房設備
【供求】gōngqiú 图 供給と需要. 需給. 〔供需〕ともいう ‖ ～差距 需給ギャップ
【供体】gōngtǐ 图〈医〉ドナー. 臓器提供者. また, 提供される器官
*【供销】gōngxiāo 图 供給と販売
【供销合作社】gōngxiāo hézuòshè 图 購買販売協同組合. 主として農村で, 生活必需品や生産用具を供給し, 各種農産物や副業産物を買い上げるために設けられた商業機構. 略して〔供销社〕ともいう
【供需】gōngxū 图 供給と需要. 需給 =〔供求〕‖ ～失调shītiáo 需給のバランスが崩れる
【供养】gōngyǎng 動 (親や目上の人を)養う. 扶養する ‖ ～老人 親を養う ➤ gòngyǎng
*【供应】gōngyìng 動 供給する. 提供する ‖ ～原料 原料を供給する | ～短缺 供給が不足する
【供应链】gōngyìngliàn 图〈経〉供給の鎖. サプライチェーン

8 **肱** gōng 書 ❶二の腕 ‖ 曲～而枕 腕まくらをする ❷腕 ‖ 股～ 股肱(ここう). 腹心
【肱骨】gōnggǔ 图〈生理〉上膊骨(じょうはくこつ). 上腕骨

9 * **宫** gōng ❶图 宮殿 ‖ 皇～ 王宮 ❷图〈音〉中国の伝統音楽の階名の一つ, 西洋音楽のドに相当 ❸(神話で)神仙の住む所 ‖ 龙～ 龍宮 ❹廟(びょう)や寺院の名称に用いる ‖ 雍和Yōnghé～ 雍和宮(ようわきゅう) ❺文化娯楽センターの名称に用いる ‖ 文化～ 文化宮(文化娯楽センター) ❻子宮

【宫灯】gōngdēng 图 釣り灯籠(とうろう)
*【宫殿】gōngdiàn 图 宮殿
【宫调】gōngdiào 图〈音〉宮調. 中国の古代楽曲の調べの一種.
【宫娥】gōng'é =〔宫女gōngnǚ〕
【宫颈】gōngjǐng 图 略 子宮頸(しきゅうけい). 〔子宫颈〕の略 ‖ ～炎 子宮頸の炎症
【宫女】gōngnǚ 图 宮女. 〔宫娥〕ともいう
【宫阙】gōngquè 图 宮闕(きゅうけつ). 宮殿. 宮城
【宫室】gōngshì 图 ❶古 家屋 ❷宮殿
【宫廷】gōngtíng 图 ❶宮廷. 禁中 ❷朝廷
【宫廷政变】gōngtíng zhèngbiàn 图 ❶宮廷内の政変 ❷クーデター
【宫刑】gōngxíng 图 古 宮刑

10 **恭** gōng 恭しい. 丁重である ‖ 谦～ 謙虚で丁重である | 洗耳～听 恭しく拝聴する
【恭贺】gōnghè 動 謹んでお祝いを申し上げる ‖ ～新禧 謹賀新年
【恭候】gōnghòu 動 敬 謹んでお待ち申し上げる ‖ ～佳音 吉報をお待ちしております
【恭谨】gōngjǐn 形 丁重である. 恭しい
*【恭敬】gōngjìng 形 恭しい. 丁重である ‖ 她对婆婆向来很～ 彼女はしゅうとめに対してずっと恭順である
【恭请】gōngqǐng 動 敬 恭しくお願いする ‖ ～光临 謹んでご来訪をお待ちしております
【恭顺】gōngshùn 形 恭順である. 従順である
【恭桶】gōngtǒng 图 便器. おまる =〔马桶〕
【恭维】【恭惟】gōngwei 動 お世辞を言う. 持ち上げる ‖ 他会～人 彼は人をおだてるのがうまい
*【恭喜】gōngxǐ 動 挨拶 おめでとうございます ‖ ～发财 お金持ちになれますように | 听说你们有孩子了, ～! ～! 子供が生まれたんだってね, おめでとう
【恭祝】gōngzhù 動 謹んでお祝いする

10 **蚣** gōng ➡〔蜈蚣wúgong〕

10 **躬**(△躳) gōng ❶身体. 体 ‖ 鞠～ (体を曲げて)深くおじぎをする ❷自身. 我が身. 自ら ‖ 事必～亲 何事によらず必ず自分でやる ❸体を曲げる ‖ ～身下拜 腰をかがめて礼拝する

11 **龚**(龔) gōng 图 姓

13 **觥** gōng 古 獣の角や青銅・木で作った大きな酒杯 ‖ ～筹chóu交错 宴たけなわなさま

gǒng

6 **巩**(鞏) gǒng 強固である. 堅固である
【巩固】gǒnggù 形 (多く抽象的な物事に用い)強固である. 堅固である** ‖ 政权～ 政権がしっかりしている 動 強固にする. しっかりと固める ‖ ～学过的知识 学んだ知識を確固たるものにする | ～关系 関係を強化する

7 **汞** gǒng 图〈化〉水銀(化学元素の一つ, 元素記号はHg). ふつうは〔水银〕という
【汞灯】gǒngdēng 图 水銀灯. 〔水银灯〕ともいう

9 * **拱**[1] gǒng ❶動 両手を胸元で合わせたり組んだりして, 敬意を表す. 拱手(きょうしゅ)の礼をする ❷ぐるりと囲む. 取り巻く ‖ 众星～月 多くの星が月を取り巻いている ❸アーチ形の. アーチ式の ‖ 一～桥 ❹動 (体を反らせたり前かがみにして)弓なりにする. 曲げる ‖

小猫～了一下腰 小ネコが伸びをした

9 *拱[2] gǒng ❶動（体やその一部で）押す．押しのける‖用脊背jǐbèi把门～开了 背中でドアを押し開けた ❷動（植物が）土の中から芽を出す‖～芽 土中から芽が顔を出す

【拱抱】gǒngbào 動 ❶抱きかかえる ❷（山々が）取り囲む‖四周群山～ 四方を山々が取り囲んでいる

【拱火】gǒng//huǒ（～儿）動 口（言動が）人を怒らせる．怒っている人をよけい怒らせる

【拱门】gǒngmén 名〈建〉アーチ形の門．拱門（きょうもん）

【拱棚】gǒngpéng 名〈農〉ビニールハウス

【拱桥】gǒngqiáo 名〈建〉アーチ橋．拱橋（きょうきょう）

【拱让】gǒngràng 動 恭しく相手に譲る

【拱手】gǒng//shǒu 動 拱手の礼をする

【拱卫】gǒngwèi 動 周りを囲むようにして守る．周囲を取り巻いて護衛する

10 珙 gǒng 書 玉（ぎょく）の一種

gòng

6 *** 共 gòng ❶共にする‖同甘～苦 苦楽を共にする ❷共通の‖一～性 ❸一緒に．共に‖～商大计 重要な計画を一緒に相談する ❹副 全部で．合計で‖这部电视连续剧～二十集 この連続テレビドラマは全部で20回ある｜～花了三十五元 しめて35元使った ❺略 共産党．〔共产党〕の略

**【共产党】gòngchǎndǎng 名 共産党

【共产国际】Gòngchǎn guójì 名 共産主義インターナショナル．コミンテルン．第三インター．〔第三国际〕ともいう

*【共产主义】gòngchǎn zhǔyì 名 共産主義

【共产主义青年团】gòngchǎn zhǔyì qīngniántuán 名 共産主義青年団．略して〔共青团〕ともいう

【共处】gòngchǔ 動 共存する‖和平～ 平和共存

【共存】gòngcún 動 共存する．共にある

【共度】gòngdù 動 共に過ごす‖合家团聚tuánjù，～佳节 一家揃ってめでたい祝日を過ごす

【共犯】gòngfàn〈法〉動 共同で犯罪を犯す 名 共犯

【共管】gòngguǎn 動 共同で管理する

【共和】gònghé 名〈政〉共和．共和制

*【共和国】gònghéguó 名 共和国

【共和制】gònghézhì 名〈政〉共和制

【共话】gònghuà 動 一緒に語る．共に語り合う

*【共计】gòngjì 動 ❶合計する‖全部费用～三百元 費用は全部で300元である ❷共に話し合う．一緒に相談する‖～国家大事 国家の大事を共に話し合う

【共建】gòngjiàn 動 共同で建設する

【共居】gòngjū 動 ❶同居する ❷同時に存在する．（多く抽象的な事物について用いる）

【共勉】gòngmiǎn 動 互いに励む．一緒に努力する

*【共鸣】gòngmíng 動 ❶〈物〉共鳴する．共振する ❷共鳴する．共感する‖产生～ 共感を覚える

【共栖】gòngqī 動〈生〉共生する

*【共青团】gòngqīngtuán 名 略 共産主義青年団．〔共产主义青年团〕の略称

【共生】gòngshēng 動〈生〉共生する

【共时】gòngshí 形 共時性の．シンクロニシティ ↔〔历时〕‖～语言学 共時言語学

【共识】gòngshí 名 共通の観念や認識‖改革开放已成了每个中国人的～ 改革と開放はすでにすべての中国人の共通認識となっている

【共事】gòng//shì 動 一緒に仕事をする

【共通】gòngtōng 形 共通の．相通じる‖这是各部门～的问题 これは各部門に共通する問題だ

**【共同】gòngtóng 形 共通の．共有の‖～点 共通点 副 共同で．一緒に．共に‖～学习 一緒に勉強する｜～努力 共に努力する

【共同市场】gòngtóng shìchǎng 名〈経〉統一市場．共同市場

【共同体】gòngtóngtǐ 名 ❶共同体 ❷国家連合体

【共同语】gòngtóngyǔ 名 共通語．標準語

【共同语言】gòngtóng yǔyán 名 共通の興味や話題‖我们之间没有～ 私たちには共通の話題がない

【共享】gòngxiǎng 動 共に享受する‖有福～，有苦同担 楽しみは共に享受し，苦しみは共に分かち合う

【共享软件】gòngxiǎng ruǎnjiàn 名〈計〉シェアウエア

*【共性】gòngxìng 名 共通性

【共议】gòngyì 動 書 協議する

【共赢】gòngyíng 動 共に利益を得る．全員が利益を受ける．ウィンウィン‖互帮互助，互利～ 互いに助け合い，皆が利益を享受する

【共用】gòngyòng 動 共用する．共同で使用する

【共有】gòngyǒu 動 共有する．共同で所有する‖～的财产 共有の財産

【共振】gòngzhèn 動〈物〉共振する

7 贡 gòng ❶古 貢ぐ‖朝～ 朝貢する ❷古 貢ぎ物‖进～ 進貢する．貢ぎ物を献上する ❸古 朝廷に優れた人材を選抜して推薦する

【贡奉】gòngfèng 動（朝廷に）貢ぎ物をする．（上の地位の者に）贈り物をする

【贡品】gòngpǐn 名 貢ぎ物

**【贡献】gòngxiàn 動 貢献する．…を捧げる‖～资金 資金面で貢献する｜～出自己的一切 自己のすべてを捧げる 名 貢献．寄与‖作～ 貢献をする

8 供[1] gòng ❶動（神仏や先祖の位牌の前に）供え物をする．供える‖～佛 仏に供え物をする ❷供え物．供物‖上～ お供えする ❸従事する．担当する‖一～职

8 供[2] gòng ❶動 供述する‖～出同伙 共犯者を自供する ❷供述．自供‖口～ 供述する｜诱～ 誘導尋問する ➤ gōng

【供案】gòng'àn ＝〔供桌gòngzhuō〕

【供词】gòngcí 名 供述．自供内容

【供奉】gòngfèng 動（神仏や祖先などを）祭る‖～祖先 祖先を祭る 名 宮廷お抱えの芸人

【供品】gòngpǐn 名 供え物．供物

【供认】gòngrèn 動 自供して認める

【供事】gòng//shì 動 奉職する．職務に就く

【供养】gòngyǎng 動（神仏や祖先に）供え物をして祭る ➤ gōngyǎng

【供职】gòng//zhí 動 奉職する．勤める

【供状】gòngzhuàng 名 供述書．自供書

【供桌】gòngzhuō 名 供物台

gōu

4 * **勾**[1] gōu ❶かぎのように曲がっている. かぎ形の‖鹰～鼻子 かぎ鼻 ❷動 かぎ印をつける. チェックする‖用红笔把重要的地方～出来 赤ペンで重要な箇所に印をつける ❸動 輪郭をとる. 縁取りを描く‖～轮廓 輪郭を描く ❹結びつく. 結託する‖→～结 ❺動 引き出す. 誘う‖～起食欲 食欲をそそる｜～起回忆 記憶を呼び起こす ❻動(しっくいやセメントなどで)すきまを埋め込む. 塗る‖～墙缝qiángfèng 壁のすきまを埋める ❼動〈料理〉(澱粉などで)とろみをつける

4 **勾**[2] gōu 名 古 不等辺直角三角形の直角をはさむ短いほうの辺 ➤ gòu

【勾搭】gōuda 動 結託する. なれ合う. ぐるになる. ひそかに通じる‖同敌人暗中～ ひそかに敵と内通する

【勾画】gōuhuà 動 輪郭を描く. 簡潔に描写する

【勾魂】gōu//hún (～儿) 動 心を奪われる. 気もそぞろになる‖他心神不定, 像被勾了魂似的 彼は落ち着きがなく, まるでうわの空だ

*【勾结】gōujié 動 結託する. ぐるになる. 気脈を通じる‖相互～ 互いに結託する

【勾勒】gōulè 動 ❶線で輪郭をとる ❷(物事の概況を)簡潔な文章で描き出す

【勾连】【勾联】gōulián 動 ❶徒党を組む. 結託する‖暗中～ こっそり結託する ❷巻き込む. 波及する

【勾脸】gōu//liǎn (～儿) 動〈劇〉くま取りをする

【勾留】gōuliú 動 滞在する. 逗留(とうりゅう)する‖途经上海, 小作～ 上海に立ち寄り, しばらく滞在する

【勾描】gōumiáo 動 輪郭をとる. ざっと描写する

【勾芡】gōu//qiàn 動〈料理〉澱粉(でんぷん)や片栗粉などでとろみをつける. あんかけにする

【勾通】gōutōng 動 ひそかに通じる. 結託する

【勾销】gōuxiāo 動 取り消す. 抹消する. 帳消しにする

【勾心斗角】gōu xīn dòu jiǎo ＝〔钩心斗角gōu xīn dòu jiǎo〕

【勾引】gōuyǐn 動 ❶不正を働くよう誘惑する. 悪の道に誘い込む ❷引き出す. 誘い出す. 引きつける

【勾针】gōuzhēn ＝〔钩针gōuzhēn〕

5 **句** gōu ❶〔勾gōu〕に同じ ❷国名や人名に用いる‖高～骊 高句麗(こうくり) ➤ jù

7 **佝** gōu ↴

【佝偻】gōulou ; gōulóu 動 背骨が曲がる

【佝偻病】gōulóubìng 名〈医〉くる病. 〔软骨病〕ともいう

7 * **沟**(溝) gōu ❶名 溝. 用水路‖暗～ 暗渠(あんきょ)｜挖wā～ 溝を掘る ❷溝状に掘った防御施設‖深～高垒lěi 堅固な防御設備のたとえ ❸名(～儿)谷. 谷間‖穷山～ 辺鄙(へんぴ)な山あいの村 ❹名(～儿)溝状の浅いくぼみ‖地面上轧yà了一道～ 地面に一筋のわだちができた

【沟沟坎坎】gōugōukǎnkǎn 慣 困難や障害

【沟壑】gōuhè 名 書 渓谷. 谷間

【沟坎】gōukǎn 名 溝

【沟堑】gōuqiàn 名 溝. 堀. 塹壕(ざんごう)

【沟渠】gōuqú 名 溝渠(こうきょ). 用水路. クリーク

*【沟通】gōutōng 動 橋渡しをする. 疎通させる. 交流する. つなぐ‖～思想 意思疎通をはかる

9 **枸** gōu ↴ ➤ gǒu jǔ

【枸橘】gōujú 名〈植〉カラタチ

9 * **钩**(△鉤) gōu ❶名(～儿)かぎ状のもの. かぎ. フック‖钓鱼～ 釣り針 ❷動(かぎ状のもので)引っかける‖钉子把衣服～住了 服がくぎに引っかかってしまった｜用拐棍儿guǎigùnr把床底下的鞋～出来 杖でベッドの下の靴を引っかけて取り出す ❸書 探求する ❹動 かぎ針で編む ❺名(～儿)(漢字の筆画の一つ)はね ❻名(～儿)"✓"のしるし. チェックマーク ❼動 まつり縫いをする. かがり縫いをする‖～贴边 縁をかがる ❽数 口 9を表す(電話などで数字を伝えるとき代用する)

【钩秤】gōuchèng 名 かぎばかり

【钩虫】gōuchóng 名 十二指腸虫. 鉤虫(こうちゅう)

【钩心斗角】gōu xīn dòu jiǎo 成 互いに腹を探り排斥し合う. 〔勾心斗角〕とも書く

【钩针】gōuzhēn (～儿) 名 ❶かぎ針. クロッシェ・フック ❷かぎ針編み. クロッシェ ✻〔勾针〕とも書く

*【钩子】gōuzi 名 ❶かぎ. 物を掛けたり, 引っかけて取り出したりする道具‖火～ 炭かき. 火かき棒 ❷形がかぎ状のもの‖蝎子xiēzi的～ サソリの針

12 **缑** gōu 名 書 刀剣などの柄に巻いたひも

16 **篝** gōu 書 竹かご

【篝火】gōuhuǒ 名 ❶かがり火 ❷たき火

19 **鞲** gōu ↴

【鞲鞴】gōubèi 名〈機〉ピストン ＝〔活塞huósāi〕

gǒu

8 **苟**[1] gǒu ❶いいかげんである. なおざりである‖一丝不～ 少しもおろそかにしない ❷いいかげんに. 軽々しく‖不～言笑 軽はずみに話したり笑ったりしない ❸副 一時的に. かろうじて‖→～全

8 **苟**[2] gǒu 書 もしも. 仮に‖～富贵, 毋相忘 もしも富や地位を得ても, 互いに忘れることなかれ

【苟安】gǒu'ān 動 書 一時逃れをする. かりそめの安泰を求める

【苟活】gǒuhuó 動 書 当座をごまかして生き長らえる‖忍辱～ 屈辱を忍んで生き続ける

【苟且】gǒuqiě 形 ❶いいかげんである. なおざりである‖～了事 いいかげんにつじつまを合わせる ❷一時逃れである. 間に合わせである. かりそめである‖～偷安 かりそめの安泰を求める. 一時の安逸を貪(むさぼ)る ❸道にはずれた. (多く男女関係をさす)‖～行为 不義密通

【苟全】gǒuquán 動(命を)かろうじて保つ. いたずらに全うする‖～性命 いたずらに命を長らえる

【苟同】gǒutóng 動 書 軽々しく同意する

【苟延残喘】gǒu yán cán chuǎn 成 かろうじて生命を保つ. しばしの間, 無理に勢力を維持しようとする

8 **岣** gǒu 地名用字‖～嵝lǒu 湖南省にある衡山の主峰

8 ** **狗** gǒu ❶名〈動〉イヌ. 〔犬〕の通称 ❷罵 手下. 回し者. 悪人‖走～ 手先

【狗吃屎】gǒuchīshǐ 慣 四つんばい(人を嘲笑(ちょうしょう)した言い方)‖摔shuāi了个～ 四つんばいに倒れた

【狗胆包天】gǒu dǎn bāo tiān 慣 罵 大胆不敵で

G

ある
【狗苟蝇营】gǒu gǒu yíng yíng 成 =〔蝇营狗苟yíng yíng gǒu gǒu〕
【狗急跳墙】gǒu jí tiào qiáng 成 貶 犬も追いつめられれば塀を跳び越える. 窮鼠(きゅうそ)猫をかむ
【狗拿耗子】gǒu ná hàozi 歇 犬がネズミを捕まえる.〔多管闲事〕と続いて, 余計なおせっかいをする意
【狗皮膏药】gǒupí gāoyao 名 イヌの皮に薬を塗った一種の膏薬(こうやく). 喩 にせの商品
【狗屁】gǒupì 名 罵 (話や文章が)でたらめなこと. ばかげたこと. 取るに足りないこと
【狗屎堆】gǒushǐduī 名 喩 鼻つまみ者. 人間のくず
【狗头军师】gǒutóu jūnshī 名 貶 頭の悪い策士. 名案良策が考え出せない軍師
【狗腿子】gǒutuǐzi 名 口 (悪人の)手先. 犬
【狗尾草】gǒuwěicǎo 名〈植〉エノコログサ. ネコジャラシ.〔莠〕ともいう
【狗熊】gǒuxióng 名 ❶〈動〉ツキノワグマ. ヒマラヤグマ.〔黑熊〕ともいう ❷喩 弱虫. いくじなし
【狗血喷头】gǒu xuè pēn tóu 成 口汚く罵るさま‖把他骂了个～ 彼をくそみそに罵った
【狗咬狗】gǒu yǎo gǒu 慣 仲間うちのけんか. 内輪もめ.
【狗仔队】gǒuzǎiduì 名 パパラッチ
【狗仗人势】gǒu zhàng rén shì 成 犬が人間の威を借る. 人の権勢を笠(かさ)に着て威張るたとえ
【狗嘴吐不出象牙】gǒuzuǐ tǔbuchū xiàngyá 諺 犬の口の中からは象牙(ぞうげ)は生えない. 下司(げす)には下司の言葉.〔狗嘴长不出象牙〕ともいう

9 **枸** gǒu ➘ ➤ gōu jǔ
【枸杞】gǒuqǐ 名〈植〉クコ
【枸杞子】gǒuqǐzǐ 名〈中薬〉枸杞子(くこし)

11 **笱** gǒu 名 方 竹で編んだ漁具. うえ. うけ

gòu

4 **勾** gòu ➘ ➤ gōu
【勾当】gòudang ; gòudàng 名 悪い事. よくない行為‖谁知他们背后搞些什么～ 彼らが陰で何をやっているか分かったものじゃない

8 **诟** gòu 書 ❶恥. 恥辱‖忍辱含～ 恥辱を耐え忍ぶ ❷罵倒(ばとう)する‖→～骂
【诟骂】gòumà 動 書 口汚く罵る. 罵倒する

8 **构**¹(構 △搆) gòu ❶構成する. 組み立てる‖→～件 ❷(抽象的な事物を)構成する‖虚～ 虚構 ❸文芸作品‖佳～ 優れた文芸作品

8 **构**²(構) gòu 名〈植〉カジノキ. ふつうは〔构树〕という =〔楮chǔ〕
**【构成】gòuchéng 動 構成する. 組み立てる. 成り立つ‖这些行为已～犯罪 こうした行為は犯罪になる 名 構成. 組み立て‖文章的～ 文章の構成
【构词法】gòucífǎ 名〈語〉語の構成法
【构架】gòujià 名 骨組み. 枠組み 動 (多く抽象的なものを)打ち立てる. 構築する
【构件】gòujiàn 名 ❶〈機〉部品. 構造部材. 組立材料 ❷〈建〉(柱や梁(はり)などの)建築資材
【构建】gòujiàn 動 (多く抽象的な事柄を)打ち立てる. 構築する
【构拟】gòunǐ 動 構想する
*【构思】gòusī 動 構想する. 考えを練る‖凝神níngshén～ じっくり構想を練る｜巧妙的～ 巧みな構想
【构图】gòutú 動 (絵の)構図を考える
【构陷】gòuxiàn 動 人を陥れる. ぬれぎぬを着せる
*【构想】gòuxiǎng 動 構想する. 考えを練る 名 構想
【构型】gòuxíng 名〈化〉配置
【构怨】gòuyuàn 動 書 恨みの種をまく
**【构造】gòuzào 名 構造. 構成. 仕組み. 組み立て‖机器的～ 機械の構造｜句子～ 文の構成 動 建てる. 建造する‖～房屋 家を建てる
【构造地震】gòuzào dìzhèn 名〈地質〉構造地震
【构筑】gòuzhù 動 ❶建造する. 修築する ❷(多く抽象的なものを)打ち立てる. 構築する
【构筑物】gòuzhùwù 名 構築物

8 ***购**(購) gòu 買う. 購入する‖订～ 注文する｜采～ 買いつける
【购并】gòubìng 動 買収合併する
【购货】gòuhuò 動 (商品を)仕入れる. 買いつける
【购货单】gòuhuòdān 名 注文書
【购价】gòujià 名 仕入れ価格
*【购买】gòumǎi 動 買い入れる. 購入する‖～股票 株を買う｜～日用品 日用品を購入する
【购买动机】gòumǎi dòngjī 名 購買動機
*【购买力】gòumǎilì 名 購買力‖～提高 購買力が上向く
【购买心理】gòumǎi xīnlǐ 名 購買心理
【购物】gòuwù 動 買い物をする
【购物券】gòuwùquàn 名 買い物券
【购物中心】gòuwù zhōngxīn 名 ショッピングセンター
【购销】gòuxiāo 名 仕入れと販売. 購入と販売‖～差价 売買差額｜～两旺 経済が活況を呈している
【购置】gòuzhì 動 (耐久品を)買い入れる. 購入する‖～房产 家を購入する

9 **垢** gòu ❶あか. 汚れ. 汚いもの‖污～ あか ❷書 汚い. 不潔である‖蓬péng头～面 髪は乱れ顔はあかだらけである ❸〔诟❶〕と同じ
【垢污】gòuwū 名 あか. 汚れ

11 ★**够**(△夠) gòu ❶動 (必要な数量や基準に)達する. 足りる. 十分にある‖钱～不～? お金は足りますか｜时间不～用 時間が足りない｜～退休年龄了 定年に手が届いた｜～了, ～了! もうたくさん ❷副 十分に. 甚だ. たいへん‖这条绳子～结实了 このロープはとても丈夫だ ❸(動詞の後に置き, 程度が十分であることを表す)たっぷり … する. 嫌というほど … する‖听～了 聞き飽きた｜还没睡～ まだ寝足りない｜玩了个～ 思う存分遊んだ ❹動 (手を伸ばしたり道具を使ったりして離れた所にあるものを)取る‖请把房顶上的羽毛球～下来 屋根の上のシャトルを取ってください
【够本】gòu//běn (～儿) 動 とんとんになる
【够不上】gòubushàng 動 (ある水準に)達しない. 資格が十分でない‖～标准 基準に達しない
【够不着】gòubuzháo 動 (手などが)届かない
【够得上】gòudeshàng 動 (ある水準に)達する. 資格が十分である‖～国标水平 国際水準に達している
【够格】gòu//gé (～儿) 動 (一定の条件や基準に)合う. 達する‖他当班长不～ 彼は班長に適さない
【够交情】gòu jiāoqing 組 ❶友だちがいがある ❷

交わりが深い
【够劲儿】gòujìnr 形 口（程度が）甚だしい．ひどい．
【够朋友】gòu péngyou 組 友だちがいがある‖这么点儿忙你都不帮，真不～ こんなことも助けてくれないなんて，まったく君は友だちがいがない
【够戗】【够呛】gòuqiàng 形 方 たまらない．すごい．ひどい‖累得～ 疲れ果てた
【够瞧的】gòuqiáode 形 口 とてもひどい‖这场火灾可～ こんどの火災はほんとうにひどかった
【够受的】gòushòude 形 口 たまらない．耐えがたい‖这么热，真～ こんなに暑くては，とてもやりきれない
【够味儿】gòuwèir 形 口 味がある．味がよい‖她唱得真～ 彼女の歌はなかなか味がある
【够意思】gòu yìsi 組 口 ❶すばらしい．たいしたものだ ❷友だちがいがある‖他这么做真不～ 彼がこんなことをするなんて，まったく友だちがいがない

13 遘 gòu 書 会う

13 媾 gòu 書 ❶縁組みをする‖婚～ 縁組み ❷和睦（ぼく）する‖～和 ❸交配する
【媾和】gòuhé 名 書 和睦する．講和する

13 彀 gòu ❶書 弓をいっぱいに引く ❷〔够gòu〕に同じ

14 覯 gòu 書 出会う．見かける‖罕hǎn～ めったにない．珍しい

gū

7 估 gū 動 見積もる．推測する‖你来～一～，这个西瓜有多重 このスイカはどれくらい重いかあててごらん ➤ gù
【估测】gūcè 動 推し量る．予測する．占う
⁂【估计】gūjì 動 **見積もる．推測する**‖这么晚了，～他不会来了 こんなに時間が遅いから，彼はもう来ないだろう｜你～这次能考多少分？ 君はこんどのテストで何点ぐらいとれたと思う
【估价】gū//jià 動 ❶値段を見積もる‖这张画儿～一万元 この絵は1万元の値がつくだろう ❷（gūjià）評価する‖～过高 評価が高すぎる
【估量】gūliang；gūliáng 動 見積もる．推測する
【估摸】gūmo 動 見積もる．推測する‖我～着他不会同意 私は彼が同意するはずがないと思う
【估算】gūsuàn 動 推算する‖～所需的费用 経費を見積もる

8 沽[1] gū 名 天津市の別称

8 沽[2] gū 書 ❶買う‖～酒 酒を買う ❷売る‖待价而～ 値の上がるのを待って売る
【沽名】gūmíng 動 売名行為をする

8 咕 gū 擬（めんどりやハトなどの鳴く声）コッコッ．クックッ‖母鸡～～叫 めんどりがコッコッと鳴く
【咕咚】gūdōng 擬 ❶（重い物が落ちる音）ドサッ．ドシン．ドスン．ドブン ❷（水などを勢いよく飲む音）ゴクン
【咕嘟】gūdū 擬 ❶（液体が沸騰する音やわき出る音）グラグラ．グツグツ．ゴトゴト ❷（水を勢いよく飲む音）ゴクリ．ゴクゴク‖～～地大口喝水 ゴクゴクと水を飲む
【咕嘟】gūdu 動 ❶長時間煮込む．グツグツと煮る‖牛肉已经～烂了 牛肉がやわらかく煮えた ❷方 口をとがらす．ふくれっつらをする‖她～着嘴zuǐ，谁也不理 彼女は口をとがらせて，誰にも取り合おうとしない
【咕唧】【咕叽】gūjī 擬（水や泥が圧力を受けて発する音）グチャグチャ．ベチャベチャ
【咕唧】【咕叽】gūji 動 ひそひそ話す．独り言を言う
【咕隆】gūlōng 擬（雷鳴や車のきしむ音）ゴロゴロ‖雷声～～地响起来了 雷がゴロゴロ鳴り出した
【咕噜】gūlū 擬 ❶（水ギセルを吸う音や水を勢いよく飲む音）ゴボゴボ．ゴクリゴクリ ❷（腹の鳴る音や物の転がる音）グーグー．グルグル．ゴロゴロ‖肚子饿得～～直叫 ひもじくて腹がグーグー鳴る ❸（くぐもった声）ぼそぼそ
【咕噜】gūlu 動 ぶつぶつ独り言を言う．ひそひそ話す
【咕哝】gūnong 動 ぶつぶつ独り言を言う．ひそひそ話す

8 呱 gū ↴ ➤ guā
【呱呱】gūgū 擬 書（幼児の泣き声）呱々（こ）．オギャー ➤ guāguā
【呱呱坠地】gū gū zhuì dì 成 呱々の声をあげる

8 姑[1] gū ❶書 しゅうとめ‖翁～ しゅうととしゅうとめ ❷名（～儿）父の姉妹．おば‖表～ 父の従姉妹 ❸夫の姉妹．こじゅうと‖大～子 夫の姉 ❹（農村の）娘．少女‖村～ 村の娘 ❺尼‖尼～ 尼僧

8 姑[2] gū 書 暫時．しばらく‖～置勿论 それはさておき
【姑表】gūbiǎo 形 父の姉妹の子，または母の兄弟の子とのいとこ関係 ↔〔姨表〕‖～亲 いとこ関係の親戚
【姑夫】gūfu 名 おじ．父の姉妹の夫
【姑父】gūfu ＝〔姑夫gūfu〕
⁂【姑姑】gūgu 名 口 **おば．父の姉妹**
【姑舅】gūjiù ＝〔姑表gūbiǎo〕
【姑老爷】gūlǎoye 名 ❶娘婿に対する敬称 ❷母の父の姉妹の夫．母のおじ
【姑姥姥】gūlǎolao 名 母の父の姉妹．母のおば
【姑妈】gūmā 名 口 おば．父の既婚の姉妹
【姑母】gūmǔ 名 おば．父の既婚の姉妹
【姑奶奶】gūnǎinai 名 口 ❶嫁いだ娘に対する里方での呼称 ❷父のおば
★【姑娘】gūniang 名 ❶**未婚の女性．娘．少女．女の子**‖大～ 一人前の娘．年ごろの娘｜小～ 幼女．お嬢ちゃん｜老～ オールドミス ❷口（父母からみた）娘｜大～ いちばん上の娘
【姑婆】gūpó 名 方 ❶夫のおば ❷父のおば
*【姑且】gūqiě 副 しばらく．一時的に．しばし‖～不论 しばらく論じない．さておき
【姑嫂】gūsǎo 名 嫁とその兄弟の妻の総称
【姑妄听之】gū wàng tīng zhī 成 ひとまず聞いておく．聞くだけは聞いておく
【姑妄言之】gū wàng yán zhī 成 ひとまず言っておく．一応伝えるだけで真実のほどは保証の限りではない
【姑息】gūxī 動 甘やかす．大目に見る
【姑息养奸】gū xī yǎng jiān 成 寛大に扱って悪人をいっそう増長させる
【姑爷】gūye 名 口 娘婿に対する敬称
【姑爷爷】gūyéye 名 父のおじ
【姑丈】gūzhàng 名 書 おじ．父の姉妹の夫
【姑子】gūzi 名 口 尼．尼僧

8 孤 gū ❶幼くして父または両親を亡くしている．親のいない‖一～儿 ❷独りぼっちの．単独の‖～雁yàn 孤雁（こがん） ❸独特である．際立っている ❹古 封建時代の王侯の自称
【孤傲】gū'ào 形 ひねくれた性分で傲慢（ごうまん）である
【孤本】gūběn 名 孤本．1冊だけ伝わった本

【孤雌生殖】gūcí shēngzhí 名〈生〉単為生殖. 単性生殖. 処女生殖

*【孤单】gūdān 形 ❶孤独で寂しい. 寄る辺がなく独りぼっちである ‖ 感到～ 孤独を感じる | 一个人孤孤单单地生活 独りぼっちで暮らす ❷力が弱い. 力がない

【孤胆】gūdǎn 形 書 一騎当千の

【孤岛】gūdǎo 名 孤島

*【孤独】gūdú 形 孤独である. 独りぼっちである

【孤儿】gū'ér 名 ❶父を亡くした児童 ❷孤児

【孤芳自赏】gū fāng zì shǎng 成 自ら孤高であると思い込み, 自己陶酔に陥る

【孤负】gūfù =〔辜负gūfù〕

【孤高】gūgāo 形 書 孤高である

【孤寡】gūguǎ 名 孤児と寡婦 形 孤独である

【孤寂】gūjì 形 書 孤独で寂しい

【孤家寡人】gū jiā guǎ rén 成 古代の君主の自称. 一般大衆から遊離し, 孤立無援な人

【孤军】gūjūn 名 孤軍. 孤立無援の軍隊

【孤苦】gūkǔ 形 身寄りもなく生活も苦しい

【孤苦伶仃】【孤苦零丁】gū kǔ líng dīng 成 独りぼっちで頼るところがない

【孤老】gūlǎo 形 年老いて身寄りがない 名 年寄りで子供のいない人

*【孤立】gūlì 形 孤立している ‖ ～无援yuán 孤立無援である 動 孤立させる ‖ ～对方 相手を孤立させる

【孤立语】gūlìyǔ 名〈語〉孤立語

【孤零零】gūlínglíng 形 孤独で寂しげなさま

【孤陋寡闻】gū lòu guǎ wén 成 学識が浅く見識が狭い

【孤僻】gūpì 形 ひねくれた性分で人付き合いが悪い

【孤身】gūshēn 名 独りぼっち. 天涯孤独

【孤孀】gūshuāng 名 寡婦. 未亡人

【孤行】gūxíng 動 書 独断的に事を行う ‖ 一意～ 独断専行する

【孤行己见】gū xíng jǐ jiàn 成 自分の考えを押し通す

【孤掌难鸣】gū zhǎng nán míng 成 片方の手だけで拍手はできない. 一人では何もできないたとえ

【孤证】gūzhèng 名 唯一の証拠

【孤注一掷】gū zhù yī zhì 成 有り金を全部はたいて, 最後の賭けに出る. のるかそるかの勝負をする

9 **轱** gū ↴

【轱轳】gūlu =〔轱辘gūlu〕

【轱辘】gūlu 名 口 車輪 ‖ 前～ 前輪 動 転がる ‖ 一块石头从山上～下去了 石が一つ山の上から転がり落ちた. ＊〔轱轳〕〔毂辘〕とも書く

9 **骨** gū ↴ ➤gǔ

【骨朵儿】gūduor 名 口 つぼみ ‖ 花～ つぼみ

【骨碌碌】gūlūlū 形 素早く回転するさま

【骨碌】gūlu 動 転がる

10 **鸪** gū ➡〔鹁鸪bógū〕〔鹧鸪zhègū〕

11 **菰** gū 名〈植〉マコモ

11 **菇** gū 名〈植〉キノコ ‖ 香～ シイタケ | 冬～ 冬に採れる肉厚のシイタケ | 蘑mó～ キノコ

11 **蛄** gū ➡〔蟪蛄huìgū〕〔蝼蛄lóugū〕 ➤gǔ

12 **辜** gū ❶罪 ‖ 死有余～ 死してもなお罪を償いきれない | 无～ 無辜(むこ)

*【辜负】gūfù 動（人の好意や期待・援助などを）無にする. 裏切る. 背く. 〔孤负〕とも書く ‖ ～期望 期待に背く | ～好意 好意を無にする

12 **酤** gū 書 ❶酒を買う ❷酒を売る

12 **觚** gū ❶古代の杯の一種, 觚(こ) ❷昔, 文字を記すのに用いた木の札. 木簡(もっかん)

13 **毂** gū ↴ ➤gǔ

【毂辘】gūlu =〔轱辘gūlu〕

14 **箍** gū ❶動 たがをかける. (帯状または筒状のもので)周囲をきつく締める ‖ ～桶tǒng 桶にたがをかける ❷名（～儿）たが. 輪. 筒状のもの ‖ 铁～ 鉄のたが | 黑～儿 喪章

gǔ

5 **古** gǔ ❶古代. 昔 ↔〔今〕‖ 自～以来 昔から ❷昔の事物. 昔のもの ‖ 怀～ 懐古する ❸形 古い. 昔の ‖ 这座塔～得很 この塔はとても古い ❹質朴である. 誠実である ‖ 人心不～ 人の心が昔のように純朴ではない ❺古体詩 ‖ 五～ 五言古体詩

【古奥】gǔ'ào 形（多く詩文について）古めかしく奥深い

【古巴】Gǔbā 名〈国名〉キューバ

【古板】gǔbǎn 形 堅苦しい. 融通が利かない

【古刹】gǔchà 名 古刹(こさつ). 古寺

*【古代】gǔdài 名 古代 ‖ ～史 古代史 | ～建筑 古代建築 | ～传说 古代の伝説

【古道热肠】gǔ dào rè cháng 成 真心があり人情に厚い

*【古典】gǔdiǎn 名 典故. 故事 形 古典の. クラシックな ‖ ～文学 古典文学 | ～音乐 クラッシック音楽

【古典主义】gǔdiǎn zhǔyì 名 古典主義

【古董】gǔdǒng 名 ❶骨董(こっとう) ❷貶 喩 時代遅れのもの. 頑迷な人. 古臭い人 ‖ 老～ 頭が古い人 ＊〔骨董〕とも書く

【古都】gǔdū 名 古都

【古尔邦节】Gǔ'ěrbāngjié 名〈宗〉コルバン祭(イスラム教の祭日の一つ). =〔宰牲zǎishēng节〕

【古风】gǔfēng 名 ❶古風 ❷=〔古体诗gǔtǐshī〕

*【古怪】gǔguài 形 風変わりである. 奇異である. とっぴである ‖ 脾气～ 性格が変わっている

【古国】gǔguó 名 古い歴史をもつ国 ‖ 文明～ 悠久の歴史をもつ文明国

【古话】gǔhuà 名 昔から伝わる古人の言葉

【古籍】gǔjí 名 書 古書. 古書籍

*【古迹】gǔjì 名 古跡. 遺跡. 旧跡 ‖ 名胜～ 名所旧跡

【古今】gǔjīn 名 古今 ‖ 学贯～ 古今の学問に通じる | ～未有 未曾有(みぞう)

【古今中外】gǔ jīn zhōng wài 成 古今東西

【古旧】gǔjiù 形 古い. 古臭い. 古めかしい

【古来】gǔlái 副 昔から. 古来

【古兰经】Gǔlánjīng 名〈宗〉コーラン

*【古老】gǔlǎo 形 歴史が古い. 歴史がある ‖ ～的民族 歴史の古い民族 | ～的钟楼 歴史のある鐘楼

【古老肉】gǔlǎoròu 名（中国料理の一つ）酢豚

【古朴】gǔpǔ 形 古風でかつ素朴である. 質朴で昔なが

らの風格がある
【古琴】gǔqín 名〈音〉(中国の伝統楽器の一つ)古琴(きん).〔七弦琴〕ともいう
*【古人】gǔrén 名 古人. 昔の人
【古色古香】gǔ sè gǔ xiāng 成 古色蒼然(こしょくそうぜん)としている. 古めかしい. 時代がかっている
【古生物】gǔshēngwù 名 古生物
【古诗】gǔshī 名 ❶ =〔古体诗gǔtǐshī〕❷古い詩歌
【古书】gǔshū 名 古書. 古代の著作
【古体诗】gǔtǐshī 名 古体詩. 古詩.〔古风〕〔古诗〕ともいう ↔〔近体诗〕
【古铜色】gǔtóngsè 名 (古い銅器のような)濃い褐色
【古玩】gǔwán 名 骨董(こっとう)
【古往今来】gǔ wǎng jīn lái 成 古往今来. 昔から今まで. 古今を通じて
【古为今用】gǔ wéi jīn yòng 成 昔のものを今に役立てる
*【古文】gǔwén 名 ❶〈語〉文語文の総称. 一般に駢儷(べんれい)文は含まない ❷秦代以前の書体
【古文字】gǔwénzì 名 古代の文字. 中国では甲骨文字や金文をさす
【古物】gǔwù 名 古物. 古代の器物
【古昔】gǔxī 名 書 昔. 古昔
【古稀】gǔxī 名 書 古稀(こき). 数え年70歳
【古训】gǔxùn 名 古訓. 古人の訓戒
【古雅】gǔyǎ 形 古雅である. 古風で優雅である
【古谚】gǔyàn 名 古いことわざ
【古音】gǔyīn 名〈語〉❶(広く)古代の語音 ❷周・秦代の語音 ＊↔〔今音〕
【古语】gǔyǔ 名 ❶古代の言語 ❷古人の言葉
【古远】gǔyuǎn 形 古い. はるか昔の
【古筝】gǔzhēng 名〈音〉(中国の伝統楽器の一つ)箏(そう).〔筝〕ともいう
【古装】gǔzhuāng 名 昔の服装 ↔〔时装〕‖ ～戏 時代劇 | ～片 時代劇映画
【古拙】gǔzhuō 形 古拙である. 古風で飾り気がない

7 **诂** gǔ 古語の解釈をする ‖ 训xùn～ 訓詁(くんこ) | 字～ 古代の文字を解釈する

7 **汩** gǔ ↴
【汩汩】gǔgǔ 擬 (水の流れる音)ザーザー

7 **谷**[1] gǔ 谷. 谷間. 谷川 ‖ 山～ 谷間

7 **谷**[2] (穀) gǔ ❶穀物の総称 ‖ 五～ 五穀 ❷(脱穀していない)アワ. ふつうは〔谷子〕という ❸方 イネ. もみ米 ‖ 稻dào～ もみ
【谷底】gǔdǐ 名 ❶谷底 ❷(株や為替レートなどで)底 ‖ 跌至diēzhì～ 底を突く
【谷地】gǔdì 名 くぼ地
【谷类作物】gǔlèi zuòwù 名 穀物
【谷物】gǔwù 名 ❶穀物 ❷穀類
【谷雨】gǔyǔ 名 穀雨(二十四節気の一つ)
【谷子】gǔzi 名 ❶〈植〉アワ.〔粟〕ともいう ❷(脱穀していない)アワ.〔粟〕ともいう ❸方 もみ米

8 * **股**[1] gǔ ❶腿(もも) ❷名 (官庁・企業の業務区分の一つ)係 ‖ 人事～ 人事係 ❸名 (～儿)(糸や縄などをつくる)より糸の1本1本をいう ‖ 四～的粗毛线 4本よりの太い毛糸 ❹量 (～儿)①(細長いものや筋状のものを数える)本. 筋 ‖ 一～线 1本の糸 | 一～黑烟 一筋の黒煙 ②気体・におい・力などを数える ‖ 一～清香 さわやかな香り | 他有一～韧劲儿 rènjìnr 彼には粘り強さがある ③集団を数える ‖ 一～敌军 一団の敵軍 ❺名 (～儿)持ち株. 持ち分 ‖ 入～ 出資する. 株主になる | 按～分红 持ち株に応じて配当金を分ける ❻株券 ‖ →～市

8 **股**[2] gǔ 名 古 不等辺直角三角形の直角をはさむ2辺のうちの長い方の辺
【股本】gǔběn 名 ❶株式資本 ❷資本. 資本金
*【股东】gǔdōng 名 ❶株主 ❷出資者
*【股份】【股分】gǔfèn 名 ❶株式 ❷(協同組合に対する)出資の単位
【股份公司】gǔfèn gōngsī 名 株式会社
【股份有限公司】gǔfèn yǒuxiàn gōngsī 名 (中国の企業形態の一つ)株式有限会社. 株式会社
*【股份制】gǔfènzhì 名 株式制度
【股骨】gǔgǔ 名〈生理〉大腿骨(だいたいこつ)
【股海】gǔhǎi 名 株の世界
【股价】gǔjià 名〈経〉株価
【股利】gǔlì 名 株の定期配当とボーナス配当
*【股民】gǔmín 名 株の投資家. 株をやる人
*【股票】gǔpiào 名 株券 ‖ ～交易 株式取引 | ～市场 株式市場 | ～价格 株価 | ～行情 株式相場
【股票价格指数】gǔpiào jiàgé zhǐshù 名〈経〉株価指数. 略して〔股指〕ともいう
【股票期权】gǔpiào qīquán 名〈経〉ストックオプション
【股权】gǔquán 名〈経〉株主権. 株主が持っている権利
【股市】gǔshì 名 ❶株式市場 ❷株価
【股息】gǔxī 名 株式配当. 株の定期配当
【股友】gǔyǒu 名 株仲間
【股指】gǔzhǐ 名 略〈経〉株価指数.〔股票价格指数〕の略
【股子】gǔzi 量 ❶細長いものを数える ❷気体・におい・力などを数える ❸集団を数える

9 **牯** gǔ 雄ウシ
【牯牛】gǔniú 名 雄ウシ

9 * **骨** gǔ ❶名 骨 ❷気骨. 気性 ‖ 傲ào～ 硬骨 ❸(文字や文章の)力強い風格 ‖ 风～ 力強い筆致 ❹(器物の)骨. 骨組み ‖ 伞～ 傘の骨 ➤ gū
【骨董】gǔdǒng =〔古董gǔdǒng〕
【骨感】gǔgǎn 形 痩せていて, シャープな感じがするさま ‖ ～美人 超スリムな体型の美人
*【骨干】gǔgàn 名 ❶〈生理〉骨幹 ❷中核となる人や事物 ‖ ～企业 柱となる企業 | ～工程 基幹工事
【骨骼】gǔgé 名〈生理〉骨格
【骨骼肌】gǔgéjī 名〈生理〉骨格筋
【骨鲠在喉】gǔ gěng zài hóu 成 魚の骨がのどに引っかかる. 言いたいことを口に出せないさま
【骨灰】gǔhuī 名 遺骨 ‖ ～堂 納骨堂 | ～盒hé 骨つぼ
【骨架】gǔjià 名 ❶骨格 ❷喩 骨組み. 骨格
【骨库】gǔkù 名〈医〉骨バンク
【骨力】gǔlì 名 力強い筆勢
【骨龄】gǔlíng 名 骨年齢
【骨膜】gǔmó 名〈生理〉骨膜 ‖ ～炎 骨膜炎
【骨牌】gǔpái 名 骨牌(こっぱい). カルタ

G

【骨牌效应】gǔpái xiàoyìng 名 ドミノ効果
【骨盆】gǔpén 名〈生理〉骨盤
【骨气】gǔqì 名 ❶気骨. 気概 ‖ 有～ 気概がある ❷(書道で)力強い筆勢 ‖ 他的字很有～ 彼の字はとても力強い
*【骨肉】gǔròu 名 ❶肉親 ‖ ～团聚tuánjù 一家団欒(だん)する | 亲生～ 肉親 ❷喩 緊密な関係
【骨瘦如柴】gǔ shòu rú chái 成 枯木のようにひどく痩せている
【骨髓】gǔsuǐ 名〈生理〉骨髄
【骨痛热】gǔtòngrè 名〈医〉デング熱 =〔登革热〕
**【骨头】gǔtou 名 ❶骨 ❷人格. 気骨 ‖ 懒～ 怠け者 ❸方(言葉の)とげ ‖ 话里有～ 言葉にとげがある
G
【骨头架子】gǔtou jiàzi 名 口 ❶骨格 ❷ひどく痩せている人. 痩せっぽち
【骨血】gǔxuè 名 肉親. 骨肉
【骨折】gǔzhé 動〈医〉骨折する
【骨子】gǔzi 名(器物の)骨. 骨組み ‖ 伞～ 傘の骨
【骨子里】gǔzili 名 ❶腹の中. 心. 実質 ‖ 他表面上认了错, ～却不服 彼は表向きは誤りを認めたが, 腹ではそう思っていない ❷方 内部. 内輪

10 **贾** gǔ ❶商売をする. 商いをする ‖ 多财善～ 元手が多ければ商売もしやすい ❷商人. 特に店舗を構える商人 ‖ 书～ 書籍商 ❸買う ‖ ～马 ウマを買いつける ❹書 招く. 引き起こす ‖ ～祸 災いを招く ❺書 売る ‖ 余勇可～ まだ余力がある ➤ jiǎ

10 **罟** gǔ 書 ❶(魚を捕る)網 ❷網で魚を捕る

10 **钴** gǔ 名〈化〉コバルト(化学元素の一つ, 元素記号はCo)

11 **蛊**(蠱) gǔ ❶伝説上の毒虫の一種 ❷害毒を流す. 毒する
【蛊惑】gǔhuò 動 蠱惑(こわく)する. 惑わす. 〔鼓惑〕とも書く ‖ ～民心 民心を惑わす

11 **蛄** gǔ ➡〔蝲蛄làgǔ〕 ➤ gū

12 **鹄** gǔ 書(弓の)的の中心. 標的. 喩 目標. 目的 ‖ ～的 的の中心 ➤ hú

13 **毂** gǔ 轂(こしき). 車輪の中心部分 ➤ gū

13 *** **鼓**(^△皷) gǔ ❶名(～儿)太鼓. 鼓 ‖ 打～ 太鼓をたたく ❷太鼓をたたく ‖ 一～作气 一気呵成(いっきかせい)にやり遂げる ❸動 たたいて鳴らす. 弾く ‖ 一～掌 ❹動 奮い立たせる. 鼓舞する ‖ ～起勇气 勇気を奮い起こす ❺動(ふいごなどで)あおる. 風を送る ‖ ～风 ふいごで風を送る ❻動 膨らます. 膨れる ‖ ～着腮帮子sāibāngzi 膨れっ面をする | 头上～起一个大包 頭に大きなこぶができた ❼名 旧 夜間に時刻を知らせるために鳴らされた太鼓 ❽形・音・働きなどが太鼓に似たもの ‖ 耳～ 鼓膜
【鼓包】gǔ//bāo (～儿) 動 こぶができる. はれものができる 名 (gǔbāo)こぶ. たんこぶ
*【鼓吹】gǔchuī 動 ❶鼓吹する. 宣伝して吹き込む ‖ ～革命 革命を鼓吹する ❷大きなことを言う
【鼓捣】gǔdao 動 方 ❶いじる. いじくり回す ❷あおる. そそのかす. けしかける
【鼓点】gǔdiǎn (～儿) 名 ❶(太鼓の)リズム. テンポ ❷〈劇〉(伝統劇に用いる打楽器〔鼓板〕の)拍子. リズム. 〔鼓点子〕ともいう
*【鼓动】gǔdòng 動 ❶ばたつかせる. ばたばたさせる ❷扇動する. 奮い立たす. そそのかす ‖ ～学生罢课bàkè 学生を扇動して授業をボイコットさせる
【鼓风机】gǔfēngjī 名〈機〉送風機. 〔风机〕ともいう
【鼓鼓囊囊】gǔgunāngnāng (～的) 形 (袋などに物が詰め込まれて)膨れ上がっているさま
【鼓惑】gǔhuò =〔蛊惑gǔhuò〕
【鼓劲】gǔ//jìn (～儿) 動 元気づける ‖ 给他们～儿 彼らを元気づける
**【鼓励】gǔlì 動 励ます. 激励する ‖ 对孩子应多～ 子供は大いに励ましてやるべきだ | 受到～ 激励される
【鼓楼】gǔlóu 名 古 鼓楼. 時を告げる太鼓が置かれた建物
【鼓膜】gǔmó 名〈生理〉鼓膜
【鼓弄】gǔnong 動 口 弄(もてあそ)ぶ. いじくる. いじり回す
【鼓手】gǔshǒu 名〈音〉太鼓の奏者. ドラマー
【鼓书】gǔshū 名 民間芸能の一種. 演者が左手で〔板〕(拍子木)を, 右手では〔鼓〕を打ちながら, 〔三弦〕(弦楽器の一種)の伴奏に合わせて歌いかつ語るもの
**【鼓舞】gǔwǔ 動 鼓舞する. 奮い立たせる ‖ ～斗志 闘志を奮い立たせる | ～人心 人心を鼓舞する 形 興奮している. 奮い立っている ‖ 欢欣～ 欣喜雀躍(きんきじゃくやく)する | 令人～的消息 人を元気づけるニュース
【鼓乐】gǔyuè 名 太鼓を伴った音楽 ‖ ～喧xuān天 楽の音が天まで響きわたる
【鼓噪】gǔzào 動 がやがや騒ぐ. 騒ぎ立てる
**【鼓掌】gǔ//zhǎng 動 (歓迎や賛意を表すために)拍手する ‖ 热烈～ 嵐のような拍手を送る
【鼓胀】gǔzhàng 動 はれる. むくむ. 膨らむ 名〈中医〉鼓腸. 水・ガス・瘀血(おけつ)・寄生虫などが原因で腹部が膨れる病気. 〔臌胀〕とも書く

14 **嘏** gǔ 書 幸福

14 **鹘** gǔ ↴ ➤ hú
【鹘鸼】gǔzhōu 名 古 鳥の一種

17 **臌** gǔ 〈中医〉鼓腸. 腹部が膨れる病気 ‖ 水～ 腹水
【臌胀】gǔzhàng =〔鼓胀gǔzhàng〕

18 **瞽** gǔ 書 ❶盲目である. 目が見えない ❷分別がない. 見識がない. 理が通らない

gù

7 **估** gù ↴ ➤ gū
【估衣】gùyi 名 旧 (売りに出されている)古着. あるいは質の悪い安物の衣類 ‖ ～铺pù 古着屋

8 **固**[1] gù ❶しっかりしている. 揺るぎない ‖ 牢～ 堅固である ❷しっかり固める. 固定する ‖ ～本 基礎を固める | ～防 守りを固める ❸固い ‖ 凝níng～ 凝固する ❹確固としている. 頑としている ‖ 顽wán～ 頑固である ❺断固として. 頑として ‖ ～请 強く要請する ❻〔痼gù〕に同じ

8 **固**[2] gù ❶書 本来. もとより. もともと ❷書 むろん(… ではあるが)
【固步自封】gù bù zì fēng =〔故步自封gù bù zì fēng〕
【固辞】gùcí 動 書 固辞する. 固く断る
*【固定】gùdìng 動 固定する. 定着させる ‖ 把书架～在墙qiáng上 本棚を壁に固定する 形 固定している ‖

～收入 定収入｜～的办法 決まったやり方
【固定汇率】gùdìng huìlǜ 图〈経〉固定為替相場
【固定价格】gùdìng jiàgé 图 不変価格
【固定资产】gùdìng zīchǎn 图〈経〉固定資産
【固定资金】gùdìng zījīn 图 固定資金
【固陋】gùlòu 形 書 見識が狭い. 固陋(ころう)である
*【固然】gùrán 接 確かに…ではあるが. むろん…ではあるが‖困难～很多, 但是总有办法解决 困難はもとより大いにあるが, 解決する方法は必ずある
【固若金汤】gù ruò jīn tāng 成 金城湯池の守り. 都市や陣地の守りが堅固で攻撃が困難なたとえ
【固沙】gùshā 動 砂の被害を防ぐ‖～植物 砂防植物
【固沙林】gùshālín 图 砂防林
【固守】gùshǒu 動 ❶固守する. しっかりと守る ❷墨守する‖～成规 旧習を墨守する
【固态】gùtài 图〈物〉固体状態
*【固体】gùtǐ 图 固体
【固习】gùxí ＝〔痼习gùxí〕
*【固有】gùyǒu 形 固有の. もとからある. もとから具わっている‖～文化 固有の文化｜～名词 固有名詞
*【固执】gùzhi ; gùzhí 動 固執する. こだわる‖～己见 自分の考えをかたくなに守る 形 頑固である. 強情っ張りである‖性格很～ 性格がとても頑固である

9 * **故**[1] gù ❶原因. 理由‖缘～ 原因. 訳 ❷接 書 ゆえに. したがって‖证据zhèngjù不足, ～难作结论 証拠不足のゆえに, 結論を下しがたい ❸突発的な出来事‖事～ 事故 ❹故意に. わざと‖明知～犯 明らかに悪いと知っているのにわざとやる

9 **故**[2] gù ❶古いもの. 過去の事物‖温～知新 温故知新 ❷旧友. 友情‖非亲非～ 赤の他人 ❸昔の. 以前の‖一～乡 ❹婉 死亡する‖病～ 病死する
【故步自封】gù bù zì fēng 成 古い殻に閉じこもって進歩を求めない.〔固步自封〕とも書く
【故此】gùcǐ 接 それゆえ. そのため. よって
【故地】gùdì 图 以前住んでいた場所‖～重chóng游 以前住んでいた地を再訪する
【故都】gùdū 图 古都. 昔の都
【故而】gù'ér 接 書 ゆえに. よって. それで
【故宫】gùgōng 图 故宮. かつての宮城
【故国】gùguó 图 書 ❶歴史のある国 ❷祖国. 故国 ❸故郷
【故技】【故伎】gùjì 图 使い古した手口
【故旧】gùjiù 图 故旧. 旧友
【故居】gùjū 图 旧居. 故居
【故里】gùlǐ 图 故郷. 郷里
【故弄玄虚】gù nòng xuán xū 成 簡単なことをことさらに難しく見せかけ, 煙に巻く
【故去】gùqù 動 逝去する. 他界する
【故人】gùrén 图 ❶旧知. 旧友 ❷故人
【故实】gùshí 图 ❶歴史的意義のある古い事実 ❷典拠. 典故. 故事
【故世】gùshì 動 逝去する. 他界する
【故事】gùshì 图 昔の行事や制度. 古いしきたり‖奉行fèngxíng～ 従来のしきたりどおりに行う
★【故事】gùshi 图 ❶物語. 話 ❷話の筋. 筋書き. ストーリー‖～性 ストーリー性
【故事片儿】gùshipiānr 图 口 劇映画
【故事片】gùshipiàn 图 劇映画
【故态】gùtài 图 旧態‖～依然 旧態依然としている
【故态复萌】gù tài fù méng 成 昔の悪い癖がまた出る
【故土】gùtǔ 图 故郷. 郷里
【故我】gùwǒ 图 昔と変わらない自分. もとのままの自分‖依然～ 今もなお昔のままの自分である
**【故乡】gùxiāng 图 故郷. ふるさと
**【故意】gùyì 副 故意に. わざと. 意識的に‖他不是～的 彼はわざとやったわけではない 图〈法〉故意
【故友】gùyǒu 图 ❶亡き友 ❷旧友. 旧知
*【故障】gùzhàng 图 故障‖发生～ 故障を起こす｜排除～ 故障を直す
【故知】gùzhī 图 書 旧知. 旧友
【故作】gùzuò 動 わざと…を装う. もっともらしく繕う. わざと…する‖～姿态 わざとらしいポーズをとる

10 ** **顾**(顧) gù ❶振り返って見る. 見る‖左～右盼 周りをきょろきょろ見る ❷訪問する. 訪れる‖三～茅庐máolú 三顧の礼 ❸客が来店する. 愛顧する‖惠～敝店 ご愛顧を賜る ❹顧客‖主～ 得意先 ❺動 面倒を見る. 世話をする‖只～自己, 不～别人 自分のことだけを考えて人のことには構わない ❻気にかける. いたわる‖奋不～身 身の危険も顧みず立ち向かう ❼書 かえって. 逆に ❽書 しかし. だが
*【顾不得】gùbude 動 面倒を見られない. 構っていられない‖为了抢救qiǎngjiù病人, 医生们都～吃饭睡觉了 病人を救うために医者たちは食事も睡眠もとれない
【顾不上】gùbushàng 動 面倒を見きれない. 構っていられない‖忙得连饭都～吃 忙しくて食事をする余裕さえない
【顾此失彼】gù cǐ shī bǐ 成 一方にかまけていれば, ほかがおろそかになってしまう
【顾及】gù//jí 動 気を配る. 気をつける
【顾忌】gùjì 動 はばかる. 遠慮する
【顾家】gù//jiā 動 家庭を顧みる‖他工作忙, 没有时间～ 彼は仕事が多忙で, 家庭を顧みる時間がない
【顾客】gùkè 图 お客. 顧客‖老～ 常連の客
【顾怜】gùlián 動 心にかけ慈しむ
【顾脸】gù//liǎn 動 口 体面を重んじる. 体裁を考える
【顾恋】gùliàn 動 心配する. 気遣う
*【顾虑】gùlǜ 動 顧慮する. 心配する. 気にかける‖～重重chóngchóng いろいろと心配する 图 顧慮. 懸念. 気がかり‖打消～ 懸念を取り除く
【顾名思义】gù míng sī yì 成 名前を見ればその意味や本質が分かる. 名の示すとおりである. 文字どおりである
【顾念】gùniàn 動 気遣う. 配慮する. 懸念する
【顾盼】gùpàn 動 見回す‖左右～ 辺りを見回す
【顾全】gùquán 動 (損害や損失を与えないよう)配慮する. 気を配る‖～名誉 名誉を損なわないよう気を配る
*【顾全大局】gùquán dàjú 組 大局を配慮する. 全局に気を配る
*【顾问】gùwèn 图 顧問‖技术～ 技術顧問
【顾惜】gùxī 動 いたわる. いとおしむ. 大切にする‖～身体 体をいたわる｜～物力 物資を大切にする
【顾影自怜】gù yǐng zì lián 成 自分の影をながめて自分を哀れむ. 孤独・失意を嘆くさま. また, 自己憐憫(れんびん)の情に浸るさま
【顾主】gùzhǔ 图 お客. 顧客. お得意様

11 **崮** gù 周囲が切り立ち頂上は比較的平坦(へいたん)な山.(多く地名に用いる)

G

11 **梏** gù 古 刑具の一種. 手かせ ‖ 桎zhì～ 桎梏(しっこく). 行動を束縛するもの

11 **牿** gù 書 ウシが人を突くのを防ぐために角に結びつける横木

12 * **雇**(△僱) gù ❶動 雇う ‖ ～一位保姆 お手伝いさんを1人雇う ❷動 雇われる ‖ 一～衣 ❸動 (乗り物などを)雇う ‖ ～车 車を雇う

【雇工】gù//gōng 動 人を雇う. 労働者を雇う 名(gùgōng) 雇用人. 雇い人

【雇农】gùnóng 名 雇われて農作業をする人

【雇请】gùqǐng 動 人を雇い入れる

【雇凶】gùxiōng 動 殺し屋を雇う

*【雇佣】gùyōng 動 雇用する. 雇う

【雇佣兵役制】gùyōng bīngyìzhì 名 傭兵(ようへい)制度

【雇佣劳动】gùyōng láodòng 名〈経〉賃労働

【雇用】gùyòng 動 雇用する. 雇う

*【雇员】gùyuán 名 臨時の職員. 雇員. 臨時雇い

【雇主】gùzhǔ 名 雇用主. 雇い主

13 **痼** gù ❶(病気を)長く患っている ❷(癖や習慣などが)しみついている

【痼弊】gùbì 名 容易に改まらない弊害

【痼疾】gùjí 名 ❶痼疾(こしつ). 持病 ❷喩 容易に直らない弊害 ‖ 官僚主义的～ 容易に改まらない官僚主義の弊害

【痼癖】gùpǐ 名 容易に直らない長年の癖

【痼习】gùxí 名 弊習. 〔固习〕とも書く

13 **锢** gù ❶鋳掛(いか)けをする ❷禁止する. 封じる ‖ 禁～ 封じ込める. かせをはめる

16 **鲴** gù 名〈魚〉ヨコグチ

guā

5 * **瓜** guā (～儿) ❶名〈植〉ウリ科植物の総称 ❷形がウリに似たもの ‖ 脑～儿 頭

逆引き単語帳 〔西瓜〕xīguā スイカ 〔南瓜〕nánguā カボチャ 〔黄瓜〕huánggua キュウリ 〔酱瓜〕jiàngguā キュウリのしょうゆ漬け 〔冬瓜〕dōngguā トウガン 〔苦瓜〕kǔguā ニガウリ 〔木瓜〕mùguā パパイヤ 〔丝瓜〕sīguā ヘチマ 〔哈密瓜〕hāmìguā ハミウリ 〔白兰瓜〕báilánguā 蘭州特産のメロン 〔傻瓜〕shǎguā 愚か者. ばか

*【瓜分】guāfēn 動 (ウリを割るように領土や土地を)分割する ‖ 列强～世界 列強が世界を分割する

【瓜葛】guāgé 名 掛かり合い. ひっかかり ‖ 这件事和他有～ この件は彼とひっかかりがある

【瓜农】guānóng 名 ウリ類の栽培農家

【瓜皮帽】guāpímào (～儿) 名 スイカを真っ二つにしたような形の中国風の帽子. おわん帽

【瓜熟蒂落】guā shú dì luò 成 ウリは熟せば自然につるから落ちる. 時が熟せば物事は自然に成功する

【瓜田李下】guā tián lǐ xià 成 瓜田李下(かでんりか). 人の誤解を招きやすい行為や場所

*【瓜子】guāzǐ (～儿) 名 ウリ類の種. とくにスイカやカボチャなどの種に塩などを加えて煎った食品

【瓜子脸】guāzǐliǎn 名 うりざね顔

8 ★ **刮**[1] guā ❶動 そる. こそげる ‖ ～胡子 ひげをそる | ～锅guō底 鍋の底の焦げ付きや汚れをこそぎ落とす ❷動 収奪する. 搾り取る ‖ ～老百姓的钱 庶民の金を搾り取る ❸動 こすりつける. 塗りつける ‖ 先～泥子再刷漆qī パテを塗ってからペンキを塗る

8 ★ **刮**[2](颳) guā 動 (風が)吹く ‖ ～风 風が吹く | 什么风把你～来了? 君がやって来るとはいったいどういう風の吹き回しだい

【刮鼻子】guā bízi 組 ❶人差し指で相手の鼻をこすったりそぐようなしぐさをする. ゲームで相手に罰を与える動作 ❷方 叱る. とがめる ‖ 你不好好儿做功课, 当心给爸爸～ ちゃんと勉強しないと, お父さんに叱られるよ

【刮地皮】guā dìpí 慣 民衆の財産を搾り取る. 人民の膏血(こうけつ)を搾る

【刮宫】guā//gōng 動〈医〉子宮掻爬(そうは)をする

【刮刮叫】guāguājiào ＝〔呱呱叫 guāguājiào〕

【刮脸】guā//liǎn 動 顔をあたる. ひげをそる

【刮脸皮】guā liǎnpí 組 方 指で頰をこすったりそるようなしぐさをして, 相手が厚かましい, ずうずうしい, 恥知らずだということを示す

【刮目相看】guā mù xiāng kàn 成 目をこすって見る. 新しい目で見る. 見直す. 〔刮目相待〕ともいう

【刮痧】guā//shā 動 民間治療法の一つ. 銅貨などに水や油をつけて胸や背などをこすり, 皮膚を局部的に充血させて炎症を軽減する

【刮水器】guāshuǐqì 名 (車の)ワイパー

8 **呱** guā 擬 物がぶつかり合う音. また, アヒルやカエルの鳴き声 ➤ gū

【呱嗒】【呱哒】guādā 擬 (硬い物の触れ合う音)ガタッ, ガタン, バタッ, バタン 動 方 皮肉る. あてこする. 嫌がらせを言う ‖ 她那两片嘴皮子, ～起人来可够利害的 彼女のあの達者な口で皮肉を言われるとかなりきつい

【呱嗒】【呱哒】guāda 動 方 ❶おしゃべりする ❷(不機嫌になり)頰を膨らませる. 膨れっ面をする ‖ 一天到晚～着个脸 朝から晩まで膨れっ面をしている

【呱呱】guāguā 擬 (カエルやアヒルなどの鳴き声)ゲロゲロ. ガアガア ➤ gūgū

【呱呱叫】guāguājiào 形 口 すばらしい. あっぱれである. 〔刮刮叫〕とも書く

【呱唧】guāji 擬 (拍手の音)パチパチ 動 拍手する

9 **括** guā ➡〔挺括tǐnggua〕 ➤ kuò

9 **胍** guā 名〈化〉グアニジン. 〔亚氨脲〕ともいう

10 **栝** guā 書 ❶古書でいうヒノキ科の常緑高木 ❷矢はず

guǎ

9 **剐**(剮) guǎ ❶動 古 (昔の処刑法で)人体を少しずつ切り刻む. 〔凌迟〕ともいう ❷動 引っかき傷をつくる. かぎ裂きを作る ‖ 裤腿上～了个口儿 ズボンにかぎ裂きを作った | 手～破了 手に引っかき傷をつくった

14 **寡** guǎ ❶少ない ↔〔众〕〔多〕‖ 敌众我～ 多勢に無勢 ❷夫を亡くした. 後家の ‖ 一～妇 ❸古 昔の王侯の謙称 ❹(料理に)味がない. 薄味である

【寡不敌众】guǎ bù dí zhòng 成 衆寡(しゅうか)敵せず. 少人数では多人数に勝てない

*【寡妇】guǎfu 图 寡婦. 後家
【寡欢】guǎhuān 形 楽しまない. 楽しくない
【寡廉鲜耻】guǎ lián xiǎn chǐ 成 厚顔無知
【寡人】guǎrén 代 書 ❶君主が謙遜(けんそん)して用いた自称 ❷やもめ. 独り身
【寡头】guǎtóu 图 政治や経済を掌握する少数の支配者 ‖ 金融jīnróng～ 金融寡頭
【寡头政治】guǎtóu zhèngzhì 图 寡頭政治. 少数の統治者が全てを掌握する政治制度
【寡味】guǎwèi 形 味気のない. 面白みのない
【寡言】guǎyán 形 寡黙である. 言葉少なである ‖ 沉默～ 口数が少ない

guà

8 **诖** guà 書 かかわり合いになる. 巻き添えにする
8 **卦** guà ❶图 卦(け). 易の符号 ‖ 八～ 八卦(はっけ) ❷图 広く, 占いをさす ‖ 用骨牌打了一～ トランプで占ってみた
【卦辞】guàcí =〔彖辞tuàncí〕
9 ★**挂**(△掛 罣❶❷❺) guà ❶動 (フックや釘などに物を)掛ける. つるす ‖ 把帽子～在衣架上 帽子を洋服掛けのフックに掛ける ❷動 気にかける. 心配する ‖ 事情已经过去了, 就别老～在心上了 もう過ぎた事だ, いつまでも気にしていてはだめだ ❸動 (表面に)付着する. 帯びる ‖ 路面～了一层霜shuāng 道に霜が降りている | 脸上～着笑容 顔に笑みを浮かべている ❹動 そのままにしておく. ほうっておく ‖ 这个问题先～起来 この問題はとりあえず保留しておこう ❺動 引っ掛かる. 引っ掛ける ‖ 风筝fēngzheng～到树上了 たこが木に引っ掛かった ❻動 (受話器を置いて)電話を切る ‖ ～电话 電話を切る ❼動 電話をつなぐ(かける) ‖ 有事给我～个电话 用があったら電話してください ❽量 ①つながっていて引っ掛けられるものを数える ‖ 一～串珠 真珠の首飾り1つ ②家畜が引く荷車を数える ‖ 拴shuān了一～大车 (家畜に)荷車が1台つなげてある ❾動 登録する. 申し込む ‖ ～内科 内科に申し込む
【挂碍】guà'ài 動 気にかかる. 心配する
【挂不住】guàbuzhù 動 方 きまりが悪くて仕方がない. 恥ずかしくてたまらない
【挂彩】guà//cǎi 動 ❶(祝い事のために)色とりどりの絹布を飾り付ける ❷婉 (戦争などで)負傷する.
【挂车】guàchē 图 トレーラー. 牽引車につけて引っぱる付随車
【挂齿】guàchǐ 動 取り上げる. 言及する ‖ 区区小事, 何足～ これしきのこと, 言うほどのことではありません
【挂挡】guà//dǎng 動 ギアを入れる
【挂斗】guàdǒu 图 トレーラー. 牽引車につけて引っぱる箱形の付随車
*【挂钩】guà//gōu 動 ❶列車を連結する. 車両をつなぐ ❷連携する. 提携する. 連動する ‖ 人民币兑换率与美元～ 人民元の為替レートは米ドルとリンクしている ❸口 コネをつける. 橋渡しする. 渡りをつける 图 (guàgōu) ❶列車の連結器 ❷リンク. 為替レートの連動
【挂冠】guàguān 動 書 官職を辞す
【挂果】guà//guǒ 動 (果物の)実がなる. 結実する
**【挂号】guà//hào 動 ❶受付の番号を登録する. 届け出る. 手続きを申し込む ‖ 先在一楼～, 然后再上楼看病 先に1階で受付をすませてから2階で診察を受ける ❷書留にする ‖ 这封信寄～ この手紙は書留で出す
【挂号信】guàhàoxìn 图 書留郵便
【挂花】guà//huā 動 ❶(樹木が)花をつける ❷(戦争で)負傷して出血する. 戦傷を負う
【挂怀】guàhuái 動 心配する. 気にかける
【挂幌子】guà huǎngzi 組 方 ❶看板を掛ける. 看板を出す ❷喩 顔に出る. 外に表れる ‖ 一喝酒, 脸上就～ 酒を飲むとすぐ顔に出てしまう
【挂火】guà//huǒ (～儿) 動 方 かっとする. かっとなる. 腹を立てる
【挂机】guà//jī 動 受話器を置く. 電話を切る
【挂记】guàji 動 気にかける. 心配する
【挂甲】guàjiǎ 動 (軍人が)退役する
【挂靠】guàkào 動 (規模の大きな企業や機関に)所属する. 帰属する
【挂累】guàlěi 動 巻き添えにする. 累を及ぼす
【挂历】guàlì 图 壁掛け用カレンダー
【挂镰】guà//lián 動 1年で最後の収穫が終わる
【挂零】guà//líng (～儿) 動 端数がある. …とちょっとである ‖ 他四十～ 彼は四十過ぎだ
【挂虑】guàlǜ 動 懸念する. 気がかりである. 心配する
【挂面】guàmiàn 图 干した麺(めん). 乾麺(かんめん)
【挂名】guà//míng (～儿) 動 形だけ名を連ねる. 名ばかりの籍を置く ‖ 他就在这里～, 没实权 彼はここでは名前だけで実権はない
*【挂念】guàniàn 動 気にかける. 気がかりである. 心配する ‖ 别让家里人～ 家の人に心配をかけないようにね
【挂拍儿】guàpāir 動 (卓球やテニスなどラケット球技の)選手が引退する
【挂牌】guà//pái 動 ❶(新会社・法律事務所・医院などが)看板を掲げる. 開業する ❷(～儿)ネーム・プレートをつける ❸〈経〉上場する ‖ ～股票 上場株 ❹(プロのスポーツクラブが)自由契約選手の名簿を公表する
【挂屏】guàpíng (～儿) 图 額縁仕立てにした書画
【挂牵】guàqiān 動 気にかける. 心配する
【挂欠】guàqiàn 動 掛けで売り買いする
【挂失】guà//shī 動 紛失届を出して無効にする
【挂帅】guà//shuài 動 ❶元帥となる. 全軍の指揮者になる ❷指揮をとる. 指導者になる
【挂锁】guàsuǒ 图 南京錠
【挂毯】guàtǎn 图 壁掛け用の絨毯(じゅうたん)
【挂图】guàtú 图 壁掛け用の地図や図版
【挂孝】guà//xiào 動 服喪する. 喪に服す =〔戴孝〕
【挂心】guà//xīn 動 気にかける. 心配する. 懸念する ‖ 叫你～了 ご心配をおかけしました
【挂羊头卖狗肉】guà yángtóu mài gǒuròu 慣 羊頭を掲げて狗肉(くにく)を売る. 看板に偽りあり. 表向きは立派な名目を掲げ, 裏では悪事をはたらくたとえ
【挂一漏万】guà yī lòu wàn 成 一をあげて万を漏らす. 遺漏が多いこと
【挂账】guà//zhàng 動 掛けで売り買いする. つけにする
【挂职】guàzhí 動 ❶(研究や調査などのために)一時的に他の職位に就く ❷(下位機関に出向する際)もとの職場に籍を残す
【挂钟】guàzhōng 图 柱時計. 掛け時計
【挂轴】guàzhóu (～儿) 图 掛け軸. 掛け物
13 **褂** guà 图 (～儿)単衣(ひとえ)の中国服 ‖ 大～儿 着丈の長さが膝下まである〔褂〕

G

【褂子】guàzi 图 单衣の中国服

guāi

8 乖[1] guāi 書 ❶背く. 反する. もとる ❷(性格や行動が)ひねくれている

8 * 乖[2] guāi ❶形 賢い. 聡明である. さとい ‖ 你嘴倒挺～ なかなか口が達者だね | 挨ái了几次批评, 人也变～了 何度か怒られて本人も賢くなった ❷形 (子供が)言うことをよく聞く. 聞き分けがいい ‖ 小宝贝真～ ほんとにお利口さんだね

【乖乖】guāiguāi (～儿的) 形 言うことをよく聞く. お利口である ‖ 你～儿的, 妈妈明天带你去游乐园 お利口さんにしていたら, 明日ママが遊園地に連れていってあげるよ 图 (子供に対する呼びかけ)いい子. お利口さん

【乖乖】guāiguai ; guāiguāi 感 あらまあ. なんとまあ ‖ ～, 下这么大的雨 あらまあ, こんな大雨が降るなんて

【乖觉】guāijué 形 抜け目がない. はしこい

【乖戾】guāilì 形 (性格や言動が)ひねくれている. ねじけている. つむじ曲がりである. あまのじゃくである

【乖僻】guāipì 形 (性格などが)ひねくれている. 偏屈である. つむじ曲がりである

【乖巧】guāiqiǎo 形 ❶利発である. 機転がきいて賢い ❷(言動などが)人に気に入られる. 人から好かれる

【乖张】guāizhāng 形 偏屈で頑固である. つむじ曲がりで自分勝手である

11 掴(摑) guāi ; guó 動 平手で打つ. びんたをする

guǎi

8 ** 拐[1](△枴❶) guǎi ❶杖. ステッキ ‖ 一～棍 ❷图 松葉杖 ❸形 足を引きずっている ‖ ～着腿 足を引きずる ❹動 曲がる ‖ 到十字路口往右～ 交差点に出たら右へ曲がる ❺数 口 7を表す(電話などで数字を伝えるとき代用する)

8 * 拐[2] guǎi 動 だまして連れ去る. 誘拐(ゆうかい)する ‖ 孩子被～走了 子供がさらわれた

【拐带】guǎidài 動 かどわかす. 誘拐する

【拐点】guǎidiǎn 图 転換点. ターニングポイント

【拐棍】guǎigùn (～儿) 图 杖. ステッキ

【拐角】guǎijiǎo (～儿) 图 曲がり角. 角

【拐卖】guǎimài 動 誘拐して売りとばす ‖ ～人口 人をさらって売りとばす

【拐骗】guǎipiàn 動 (財物を)だまし取る. 持ち逃げする. (人を)だまして連れ去る. 誘拐する ‖ ～公款 公金を持ち逃げする | ～妇女 婦女を誘拐する

*【拐弯】guǎi∥wān (～儿) 動 ❶角を曲がる ‖ 往北一～就到 北に折れるとすぐ着きます ❷(思考や話題の方向を)切り替える ‖ 思想一时拐不过弯儿来 考えをすぐに切り替えることができない 图 (guǎiwān)曲がり角

【拐弯抹角】guǎi wān mò jiǎo (～的) 慣 ❶曲がりくねった道を行く. くねくねと続く道を歩く ❷喩 (話や文章が)遠回しである. 回りくどい. 単刀直入ではない ‖ 说话～的 話が回りくどい

【拐杖】guǎizhàng 图 杖. ステッキ

【拐子】[1] guǎizi 图 足の不自由な人

【拐子】[2] guǎizi 图 ❶糸巻き ❷松葉杖

【拐子】[3] guǎizi 图 人さらい. 誘拐犯

guài

8 ** 怪(△恠) guài ❶形 奇怪である. 変である. おかしい ‖ ～现象 不思議な現象 | 他的想法很～ 彼の考え方は変わっている | ～脾气 偏屈な性格 ❷怪物. 妖怪(ようかい) ‖ 妖～ 妖怪 ❸驚き怪しむ. 不審に思う ‖ 大惊小～ つまらないことに大げさに驚く ❹副 口 (多く〔的〕を伴って)非常に. 実に ‖ 扔了～可惜的 捨てるなんて, 実にもったいない | ～不好意思 どうにも決まりが悪い ❺動 恨む. とがめる. 非難する ‖ 是我不好, 不能～她 私が悪いのだから, 彼女をとがめてはいけない | 都～你 みんな君のせいだ

*【怪不得】[1] guàibude 副 道理で. なるほど ‖ 原来空调kōngtiáo停了, ～屋里这么热 なんだエアコンが止まっていたのか, 道理で部屋の中がこんなに暑いわけだ

【怪不得】[2] guàibude 動 責められない. とがめることはできない ‖ 他不知道开会时间提前了, 来晚了也～他 彼は会議の時間が繰り上がったことを知らなかったのだから, 遅れたからといって彼をとがめるわけにはいかない

【怪诞】guàidàn 形 荒唐無稽である. 奇怪である

【怪话】guàihuà 图 ❶でたらめな話 ‖ ～连篇 でたらめを並べ立てる ❷愚痴. 文句 ‖ 说～ 文句を言う

【怪里怪气】guàiliguàiqì 形 貶 (形・服装・音・声などが)変てこりんである. 奇妙きてれつである

【怪模怪样】guài mú guài yàng (～儿的) 組 (形や身なりが)おかしい. 変てこである

【怪癖】guàipǐ 图 奇癖. 変な癖. 風変わりな好み

【怪僻】guàipì 形 偏屈である. ひねくれている

【怪圈】guàiquān 图 無限連鎖の輪. 喩 悪循環

【怪事】guàishì 图 不思議な事. 奇妙な事

【怪物】guàiwu 图 怪物. 化け物. 変人

【怪异】guàiyì 形 奇怪である. 奇異である ‖ ～的山石 奇怪な形の岩 图 不思議な現象. 怪奇現象

【怪怨】guàiyuàn 動 恨みに思う. 恨む

【怪罪】guàizuì 動 責める. とがめる. なじる ‖ 你自己没做好, 还～别人 自分ができなかったくせに, 人を責めるとは

guān

6 ★ 关(關) guān ❶かんぬき ‖ 门插～儿 同前 ❷動 閉める. 閉じる ↔〔开〕‖ ～窗户 窓を閉める | 随手把门～上 ついでにドアを閉める ❸動 閉じこめる. 監禁する ‖ 把老虎～进笼子里 トラをおりに閉じ込める | 他成天把自己～在书房里 彼は一日中書斎にこもっている ❹動 閉店する. 休業する. 倒産する ‖ 那家银行～了 あの銀行は倒産した ❺動 スイッチを切る. 消す ‖ ～灯 明かりを消す | ～电视 テレビを消す ❻图 関所 ❼特に〔山海关〕(万里の長城の起点で河北省にある)をさす ‖ 一～内 ❽城門を出たあたり一帯 ❾税関 ‖ 海～ 税関 ❿图 喩 難関. 関門 ‖ 过了笔试这一～, 还得过口试这一～ 筆記試験をパスしてもまだ口頭試験という関門が残っている ⓫图 節目. 重要な部分 ‖ 一～键 ⓬動 関係する. かかわる ‖ 事～大局 事は大局にかかわる | 不～你的事, 不必多问! お前には関係のないことだ, 余計なことを聞くな. ⓭かかわり. 関連 ‖ 与我无～ 私とは関係がない. ⓮图 略 <中医> 手首にある脈の名.〔关上脉〕の略. ⓯旧 (給料を)支給する. 受領する ‖ 一～饷

類義語 关 guān 合 hé 闭 bì

◆〔关〕何かを遮断するために閉じる. 目的語には遮断する役割を果たす扉や窓, あるいはスイッチ機能のあるものなどがくる ‖ 请把窗户关上 窓を閉めてください｜关电视机 テレビを消す ◆〔合〕本来の姿である閉じた状態に戻す ‖ 把书合上 本を閉じる ◆〔闭〕単に物理的に「閉める・閉じる」ことを表す ‖ 他紧闭着嘴, 一言不发 彼はきゅっと口を閉じたまま, 一言も言わない ◆なお, 〔闭〕は抽象的な意味合いを帯びることが多い ‖ 闭幕 閉幕する

【关爱】guān'ài 動 書 愛護する. 目をかける

【关隘】guān'ài 名 書 険要な関所

【关碍】guān'ài 動 妨げる. 妨害する

*【关闭】guānbì 動 ❶閉める. 閉じる ❷(店などを)たたむ. 廃業する ‖ 因为经营不善, 工厂只好～ 経営状態が悪く, 工場を閉鎖せざるを得ない

【关东】Guāndōng 名 山海関以東の地域. (広く)中国の東北地方. 〔关外〕ともいう

【关东糖】guāndōngtáng 名 麦芽糖の一種

【关防】guānfáng 名 ❶防備 ‖ ～严密 防備が厳しい ❷旧 官公署で用いた長方形の公印 ❸書 関所

【关乎】guānhū 動 …と関係がある. …に関連する. …にかかわる ‖ ～成败 事の成否にかかわる

*【关怀】guānhuái 動 関心を寄せる. 心にかける. 配慮する ‖ 老校长始终～青年教师的成长 校長は若い教師の成長をいつも温かく見守っている

【关机】guānjī 動 ❶(機械などの)スイッチを切る ❷(映画やテレビの)撮影を終了する

【关键】guānjiàn 形 **肝心である. 大事である ‖ ～时刻 正念場｜～人物 かぎを握る人物 名 **かなめ. キーポイント. かぎ** ‖ 问题的～ 問題のキーポイント

【关键词】guānjiàncí 名 ❶キーワード ‖ 解读时代的～ 時代を解くキーワード ❷〈計〉キーワード

【关节】guānjié 名 ❶〈生理〉関節 ❷重要なポイント. 肝心かなめの点 ❸賄賂やコネなどの手段を使って役所の主管官吏に渡りをつけること

*【关节炎】guānjiéyán 名〈医〉関節炎

【关口】guānkǒu 名 ❶関所 ❷肝心な時. 正念場. 瀬戸際 ‖ 紧急～ 瀬戸際

【关里】Guānlǐ ＝〔关内Guānnèi〕

【关联】【关连】guānlián 動 関連する. つながる

【关联词】guānliáncí 名〈語〉関連語句

【关贸总协定】Guān Mào zǒngxiédìng 名 略 ガット. GATT. 関税と貿易に関する一般協定. 〔关税及贸易总协定〕の略

【关门】guān//mén 動 ❶閉店する. 一日の営業を終える ‖ 下午七点～ 午後7時に閉店する ❷喩 店を閉じる. 店をたたむ ‖ 商店经营不下去, 只好关了门 商店は経営が行き詰まってやむなく店を閉じた ❸喩 門戸を閉ざす 形 (guānmén)最後の ‖ ～之作 最後の作品 名 (guānmén)関門. 関所の門

【关门大吉】guānmén dàjí 慣 (商店や工場が)倒産する. 閉店する. 閉鎖する

【关门弟子】guānmén dìzǐ 名 最後の弟子

【关门主义】guānmén zhǔyì 名 閉鎖主義. 排他主義

【关内】Guānnèi 名 山海関以西, 嘉峪関(かよくかん)以東の地. 〔关里〕ともいう

【关卡】guānqiǎ 名 関門. 検問所

*【关切】guānqiè 動 関心をもつ. 配慮する. 気にかける ‖ 同事们都十分～地询问xúnwèn他的病情 同僚たちはみな彼の病状をとても心配し, あれこれ尋ねた

【关塞】guānsài 名 関所の要塞

【关涉】guānshè 動 書 関連する. 関係する ‖ ～全局 全局にかかわる｜他与此案毫无háowú～ 彼はこの事件にぜんぜん関係がない

【关税】guānshuì 名 関税

【关税壁垒】guānshuì bìlěi 名〈貿〉関税障壁

*【关头】guāntóu 名 重要な分かれ目. 瀬戸際. 土壇場 ‖ 生死～ 生きるか死ぬかの瀬戸際｜紧要～ 重大な瀬戸際｜危急～ 土壇場

【关外】Guānwài 名 山海関以東の地. または嘉峪関以西の地

★【关系】guānxi ; guānxì 名 ❶**関係. 関連** ‖ 食道癌ái与饮食习惯有一定～ 食道がんは飲食習慣にある程度関係がある｜因果～ 因果関係 ❷**(人間どうしの)つながり. 間柄** ‖ 人际～ 人間関係｜拉～ コネをつける｜断绝～ 関係を断つ｜两人～紧张 二人の間が険悪になっている ❸**影響. 差し障り** ‖ 说错了也没～ 言い間違っても構いませんよ ❹**(広く原因や条件などにおける)関係** ‖ 由于时间～, 今天就说到这里 時間の関係で話はここまでとします ❺組織の所属関係の証明書 ‖ 团～ 共産主義青年団の団員証明書 動 かかわる. 影響する ‖ 这是～到民生的大问题 これは生活にかかわる大問題だ

【关系户】guānxìhù 名 コネで結ばれた個人や組織

【关系网】guānxìwǎng 名 コネクション

【关系学】guānxìxué 名 人脈づくりのノウハウ

【关饷】guān//xiǎng 動 給料を支給する.

★【关心】guān//xīn 動 **関心をもつ. 気にかける. 気を配る** ‖ 他很～孩子的学习 彼は子供の勉強にたいへん気を配っている｜对政治不大～ 政治にあまり関心がない｜多谢您的～ ご配慮ありがとうございます

類義語 关心 guānxīn 关怀 guānhuái

◆〔关心〕関心をもつ. 気にかける. 気を配る. 人間や事物を目的語にでき, 〔关怀〕より広く用いられる ‖ 老师关心学生 教師が学生を気遣う｜他不关心公司的事务 彼は会社のことに関心がない ◆〔关怀〕関心を寄せる. 配慮する. 気を配る. 一般に事物は目的語にならない. 〔关怀〕自体を否定することはなく, 〔不关怀〕とは言わない ‖ 老人对她十分关怀 老人は彼女をたいへん温かく見守っている ◆〔关怀〕にはシテ(動作主)に対する敬意がある. 〔关心〕にはそのような制約はなく, 話し手自身をシテにできる ‖ 我很关心他 私は彼をとても気遣っている

【关押】guānyā 動 閉じこめる. 拘禁する ‖ ～犯人 犯人を勾留する

【关于】guānyú 介 ❶ **…に関して. …について ‖ ～这个问题, 我们以后再谈 この件については後日また話し合おう ❷ **…に関する. …についての** ‖ ～中国古代史方面的文章 中国古代史に関する文章

【关张】guānzhāng 動 店をたたむ. 廃業する

【关照】guānzhào 動 ❶面倒をみる. 世話を焼く** ‖ 这事ｊ请你多～ この件をどうかよろしくお願いします ❷**声をかけて知らせる. 一声かける** ‖ 你～他一声, 明天别忘了把那本书带来 明日あの本を持ってくるのを忘れ

G

ないよう彼に一声かけておいてください
【关中】Guānzhōng 名 関中．陝西省渭河(いが)流域をさす
【关注】guānzhù 動 注目する．関心をもつ‖新闻界～着事态的发展 マスコミは成り行きを注目している

6 观(觀) guān ❶見る．観察する．眺める‖参～ 参観する ❷光景．眺め‖外～ 外観 ❸客観的な認識や態度．見方‖人生～ 人生観 ➤ guàn

*【观测】guāncè 動 ❶(天文・気象・地理などを)観測する‖～气象 気象を観測する ❷(状況を)観察し予測する．監視する‖～敌情 敵情を監視する
**【观察】guānchá 動 観察する‖～地形 地形を観察する｜～病情 病状を見守る
【观察家】guānchájiā 名 政治評論家．オブザーバー．ふつう新聞雑誌などに発表される重要な政治評論文の署名に用いられる
【观察哨】guāncháshào 名〈軍〉❶監視所．監視哨 ❷哨兵(しょう)．＊〔瞭望哨〕ともいう
【观察所】guānchásuǒ 名〈軍〉監視所．監視哨
【观察员】guāncháyuán 名 オブザーバー
**【观点】guāndiǎn 名 観点．見解‖文章的～ 文章の観点｜错误～ 間違った見方
【观风】guān∥fēng 動 動静をうかがう．見張る
【观感】guāngǎn 名 印象．感想
*【观光】guānguāng 動 観光する
【观光农业】guānguāng nóngyè 名 観光農業．農業体験・農家民泊など，農業を観光に結び付けた新たな産業
*【观看】guānkàn 動 見物する．眺める．見る‖～比赛 試合を見る｜～话剧演出 新劇の公演を見る
【观览】guānlǎn 動 ❶眺める．見る ❷見物する
【观礼】guān∥lǐ 動 (招待を受けて)式典を参観する
【观摩】guānmó 動 相互に経験を交流し，学習する
*【观念】guānniàn 名 ❶意識‖打破传统～ 伝統的な意識を打破する ❷〈哲〉観念．表象
【观念形态】guānniàn xíngtài 名〈哲〉イデオロギー
*【观赏】guānshǎng 動 観賞する．見て楽しむ‖～樱花yīnghuā 花見をする
【观赏鱼】guānshǎngyú 名 観賞魚
【观赏植物】guānshǎng zhíwù 名 観賞植物
【观世音】Guānshìyīn 名〈仏〉観世音．〔观音大士〕〔观自在〕ともいい，略して〔观音〕ともいう
【观望】guānwàng 動 ❶状況を見守る．成り行きを見る‖采取～态度 傍観的な態度をとる ❷見回す．眺める‖左右～ 左右を見回す
【观音】Guānyīn 名〈仏〉観世音．〔观世音〕の略
【观瞻】guānzhān 名 外観．外見．眺め‖以壮～ 外観を立派にする 動 観賞する．眺める
【观战】guānzhàn 動 戦況を眺める．観戦する
【观照】guānzhào 動 観照する．観察し分析する
【观止】guānzhǐ 動 最高のものを見て堪能する‖叹为～ 賛嘆してやまない
**【观众】guānzhòng 名 観衆．観客．視聴者

7 纶(綸) guān ↴ ➤ lún
【纶巾】guānjīn 名 古 黒絹のひもがついた頭巾(ずきん)の一種．諸葛孔明が愛用したとされる

8 *** 官 guān ❶国家や政府に属するもの‖～办 ❷名(～儿)役人．官吏‖当～儿 役人になる ❸公共のもの．共用するもの‖～话 ❹器官‖五～ 五官

【官办】guānbàn 形 国営の‖～企业 国営企業
【官报私仇】guān bào sī chóu 成 公事に名をかりて，私的な恨みを晴らす．〔公报私仇〕ともいう
【官兵】guānbīng 名 ❶旧 官軍．政府軍 ❷将兵．
【官差】guānchāi 名 ❶公務 ❷(役所の)下働き．小役人
【官场】guānchǎng 名 旧 官界
【官邸】guāndǐ 名 官邸
*【官方】guānfāng 名 政府側．政府当局．官辺．‖～消息 政府筋のニュース｜～人士 政府筋
【官费】guānfèi 名 旧 国費．官費
【官府】guānfǔ 名 旧 ❶官府．役所 ❷官吏．役人
【官官相护】guān guān xiāng hù 成 役人同士が互いにかばい合うこと．〔官官相卫〕ともいう
【官话】guānhuà 名 旧 官話．共通語
【官宦】guānhuàn 名 役人．官吏
【官家】guānjiā 名 旧 ❶官府．朝廷 ❷皇帝に対する呼称 ❸官吏．役人
【官价】guānjià 名 公定価格
【官阶】guānjiē 名 官階．官等
【官爵】guānjué 名 官爵．官級と爵位
【官吏】guānlì 名 旧 官吏．役人
*【官僚】guānliáo 名 ❶官僚 ❷官僚主義
*【官僚主义】guānliáo zhǔyì 名 官僚主義
【官僚资本】guānliáo zīběn 名 官僚資本
【官僚资产阶级】guānliáo zīchǎn jiējí 名 官僚ブルジョアジー
【官迷】guānmí 名 仕官に執着している人
【官名】guānmíng 名 旧 ❶正式の名前 ❷官名
【官能】guānnéng 名〈生理〉官能
【官能团】guānnéngtuán 名〈化〉官能基
【官气】guānqì 名 役人風．官僚的な態度．官僚臭
【官腔】guānqiāng 名 役人口調．官僚ぶった口ぶり‖打～ 役人口調で話す
【官商】guānshāng 名 ❶旧 官営の商業活動 ❷接客態度の悪い公営の商店，また，その従業員
【官署】guānshǔ 名 旧 官署．官庁．役所
【官司】guānsi 名 口 訴訟‖打～ 訴訟を起こす．訴える｜吃～ 訴えられる．告訴される
【官厅】guāntīng 名 旧 官庁．役所
【官衔】guānxián 名 官職名．官職の肩書き
【官样文章】guānyàng wénzhāng 成 お役所式の文章．形式的で中身のない文章
*【官员】guānyuán 名 官吏．役人．政府関係者．政府要員．‖外交～ 外交官
【官运】guānyùn 名 官吏の出世運‖～亨通hēngtōng 官途は上々である
【官长】guānzhǎng 名 旧 ❶高級官吏 ❷将校
【官职】guānzhí 名 官職

9 冠 guān ❶冠(かんむり)．かぶりもの．帽子‖免～照片 無帽の写真 ❷冠や帽子に似たもの‖树～ 樹冠 ➤ guàn

【冠盖】guāngài 名 官吏．役人
【冠冕堂皇】guān miǎn táng huáng 成 表面上は堂々として立派である．見掛けだけは堂々としている‖他只会说些～的话，不干实事 彼は口では立派なこと

を言うが何も実行していない
【冠心病】guānxīnbìng 图〈医〉冠状動脈性心疾患
【冠状动脉】guānzhuàng dòngmài 图〈生理〉冠状動脈
【冠子】guānzi 图〈鳥〉とさか ‖ 鸡～ ニワトリのとさか
9 **矜** guān 古〔鳏guān〕に同じ ➤jīn qín
10 **倌** guān （～儿）❶旧 単純労働に従事する人 ‖ 堂～儿 旅館や料理屋などの給仕 ❷家畜の飼育に携わる人 ‖ 牛～儿 牛飼い
10 **莞** guān 图古〈植〉〔水葱〕（フトイ）の類の植物 ➤guǎn wǎn
12 **棺** guān 图 棺桶．ひつぎ ‖ 盖gài～论定 棺を蓋(おお)いて事定まる
*【棺材】guāncai 图 棺桶．ひつぎ
【棺木】guānmù 图 棺桶．ひつぎ
18 **鳏** guān 独身の男．妻を亡くした男．男やもめ
【鳏夫】guānfū 图書 男やもめ．独身の男
【鳏寡孤独】guān guǎ gū dú 成 生活を支える働き手を失った寄る辺のない身の上の人．身寄りのない人

guǎn

10 **莞** guǎn 地名用字 ‖ 东～ 広東省にある市の名 ➤guān wǎn
11 **馆**（△舘）guǎn ❶旅館．宿 ‖ 宾～ ホテル ❷邸宅．館(やかた) ‖ 公～ 役人や金持ちの邸宅 ❸古 昔の官庁 ❹外交官の事務所 ‖ 大使～ 大使館 ❺文化・スポーツ活動を行う場所 ‖ 图书～ 図書館 ❻旧 私塾 ‖ 坐～ 私塾で教える ❼（～儿）店舗 ‖ 照相～ 写真館．
【馆藏】guǎncáng 動（図書館や博物館などが）所蔵する 图 図書館の蔵書や博物館の所蔵品
【馆子】guǎnzi 图 レストラン．飲食店 ‖ 吃～ レストランで食事する｜下～ 料理屋へ行く
14 *** **管**（△筦❶～⓫）guǎn ❶管楽器 ‖ 黑～ クラリネット ❷图（～儿）管．パイプ ‖ 水～ 水道管｜吸～ ストロー ❸量 管状のものを数える ‖ 两～毛笔 毛筆2本｜一～牙膏 チューブ入りの練り歯磨き1本 ❹電気器具の管状の部品 ‖ 显像xiǎnxiàng～ ブラウン管 ❺動 **管轄する** ‖ 直辖zhíxiá市由国务院直接～ 直轄市は国務院が直接管轄する ❻動 **担当する．受け持つ** ‖ ～家务 家事を受け持つ ❼動 **監督する．束縛する** ‖ 这孩子得好好儿～一～了 この子はちょっと厳しくしつけなきゃ ❽動 **かかわる．関与する** ‖ 多～闲事 余計なおせっかいである｜楼道卫生要大家～ 廊下の掃除はみんながやらなくちゃいけない ❾接方 …にかかわらず．いかに…であろうと ‖ ～他怎么说，我是不相信的 彼がどう言おうとも，僕は信じない ❿動 **負担する．提供する** ‖ ～吃～住 食事を支給し住居を供与する ⓫動 **請け合う．保証する** ‖ 次品～换 不良品の交換を保証する｜坏了～修 故障したら修理します． ⓬介口（〔管…叫…〕の形で）…を（…と呼ぶ）‖ 日语～这个叫什么？ 日本語でこれをどう言いますか． ⓭介方（動作行為の対象を導く）…に．…に対して．…に向かって ‖ 没钱花～你爸要 金がないんならお父さんからもらいなさい
【管保】guǎnbǎo 動 保証する．請け合う ‖ 有你出面，这事～能成 君が顔を出せばこのことはきっとうまくいく
*【管不了】guǎnbuliǎo 動 構いきれない．世話をやききれない．手が回らない ‖ 孩子大了，就～了 子供が大きくなって言うことを聞かなくなった｜我可～这么多事 私はこんなにたくさんのことには手が回らない
【管不着】guǎnbuzháo 動 構うことができない．干渉できない ‖ 这是我自己的事，谁也～ これは私の個人的なことで，誰も干渉できない
【管不住】guǎnbuzhù 動 管理できない ‖ 自己～自己 自己管理ができない
【管材】guǎncái 图 管．パイプ
*【管道】guǎndào 图 管．パイプ ‖ ～煤气 都市ガス
【管道运输】guǎndào yùnshū 图 パイプライン輸送
【管段】guǎnduàn 图 管轄区域
【管风琴】guǎnfēngqín 图 パイプオルガン
【管家】guǎnjia；guǎnjiā 图 ❶旧（官僚・地主・資本家の）執事 ❷集団のために財物や日常生活を管理する人
【管家婆】guǎnjiāpó 图 ❶旧（官僚・地主・資本家などの）女中頭 ❷おかみさん．主婦
【管见】guǎnjiàn 图書謙 管見．愚見 ‖ 略陈～ 少々愚見を述べる
【管教】[1] guǎnjiào 動方 保証する．請け合う
【管教】[2] guǎnjiào 動 ❶しつける．教育する ‖ 严加～ 厳しくしつける ❷拘束し労働による再教育を施す
【管界】guǎnjiè 图 ❶管轄区域 ❷管轄区域の境界
【管控】guǎnkòng 動 管理制御する．コントロールする
【管理】guǎnlǐ 動 ❶管理する** ‖ ～不善 管理が悪い ❷（人や動物を）**拘束する．監督する** ‖ ～罪犯 犯人を拘束する｜～牲口 家畜を飼う
【管片】guǎnpiàn （～儿）图 管轄区域
【管区】guǎnqū 图 管轄区域．管区
【管事】guǎn//shì 動 業務をつかさどる．責任を負う 形（～儿）効果がある．役に立つ ‖ 找领导管什么事？ 上司に会ったところでどうにもなるまい 图（guǎnshì）旧 総務．庶務係．執事
【管束】guǎnshù 動 監督する．しつける ‖ 对这孩子得严加～ この子はもっと厳しくしつけなければならない
*【管辖】guǎnxiá 動 管轄する ‖ ～区域 管轄区域
【管弦乐】guǎnxiányuè 图〈音〉管弦楽
【管押】guǎnyā 動（一時的に）拘禁する．拘留する
【管用】guǎn//yòng 形 効果がある．役に立つ ‖ 这药很～ この薬はとても効き目がある
【管乐器】guǎnyuèqì 图〈音〉管楽器
【管制】guǎnzhì 動 ❶管制する．統制する．規制する ‖ ～物价 物価を統制する｜交通～ 交通規制 ❷（犯罪者や悪人を）拘束する．監督する
【管中窥豹】guǎn zhōng kuī bào 成 竹の管から豹(ひょう)をのぞく，豹の体の斑紋(はんもん)しか見えない．見識が狭く，物事の一面しか見えないたとえ．また，後ろに〔可见一斑〕（斑紋が一つ見える）と続け，一部分から全体を類推できるという意にもなる
*【管子】guǎnzi 图 管．パイプ ‖ 自来水～ 水道管
【管自】guǎnzì 副方 ❶勝手に．おかまいなしに ❷ひたすら

guàn

4 **丱** guàn 古〔贯guàn〕に同じ

6 **观**（觀）guàn 道教の寺院 ‖ 道～ 道観 ➤ guān

8 **贯** guàn ❶書古 穴あき銅銭1000個をひもに通したものを1〔贯〕とした ‖ 腰缠chán万～ 非常に金持ちである ❷貫く.通じる ‖ 学～古今 古今の学問に通じている ❸次々につながる.連なる ‖ 鱼～而入（魚が群れをなして泳ぐように）一列になって入場する ❹先祖代々の居住地.出身地 ‖ 籍～ 原籍.本籍

G **【贯彻】** guànchè 動 **貫徹する.貫く.徹底的に行う** ‖ ～到底 最後までやり通す

【贯穿】 guànchuān 動 ❶貫く.通じる.突き通す ‖ 京广铁路～南北 京広線は中国を南北に貫いている ❷貫く.首尾一貫する ‖ 人道主义精神～全书 ヒューマニズムが全文を貫いている

【贯串】 guànchuàn 動 貫く.首尾一貫する

【贯通】 guàntōng 動 ❶貫通する.全面開通する ‖ 环城公路已全线～ 環状道路はすでに全線開通した ❷通暁する.…に通じる ‖ ～古今 古今の学問に通暁している｜豁然huòrán～ 目からうろこが落ちる

【贯注】 guànzhù 動 ❶（神経を）集中する.（精力を）傾注する ‖ 把精力～在学习上 勉学に精力を注ぐ ❷（語や語調が）首尾一貫する

9 **冠** guàn ❶書 かぶる ❷第1位になる ‖ 一～军 ❸第1位.トップ ‖ 学习成绩为全班之～ 学業成績がクラスでトップだ ❹動 前に加える.冠する ‖ 在称呼熟人的时候，常在对方的姓前～以"老"或"小"字 親しい人を呼ぶときは，しばしば相手の姓の前に「老」または「小」の字をつける ➤ guān

【冠军】 guànjūn 名 **優勝.第1位** ‖ 得了～ 優勝した｜争夺zhēngduó～ 優勝を争う

【冠军赛】 guànjūnsài 名 決勝戦

【冠名权】 guànmíngquán 名 命名権.ネーミングライツ

11 **涫** guàn 書 たぎる.沸く.沸騰する

11 **惯** guàn ❶形 慣れている ‖ 干～了，不觉得累 やり慣れているので，疲れは感じない ❷動 甘やかす.溺愛（できあい）する ‖ 把孩子给～坏了 子供を甘やかしてしまった

【惯常】 guàncháng 形 手慣れている.習いとなる 副 いつも.よく.しょっちゅう ‖ 早餐zǎocān后～要喝杯咖啡 朝食の後いつもコーヒーを飲む 名 平常.ふだん ‖ 恢复了～的镇静 ふだんの平静さを取り戻した

【惯犯】 guànfàn 名 常習犯

【惯匪】 guànfěi 名 常習犯の強盗や悪人

【惯技】 guànjì 名 貶 常套（じょうとう）手段.いつもの手

【惯家】 guànjia 名 したたか者.やり手

【惯例】 guànlì 名 慣例 ‖ 打破～ しきたりを破る｜按照～ 慣例に従う

【惯窃】 guànqiè 名 窃盗常習犯

【惯性】 guànxìng 名〈物〉慣性.惰性

【惯用】 guànyòng 動 常用する.いつも用いる ‖ ～这种伎俩jìliǎng いつもこの種の手口を使う

【惯用语】 guànyòngyǔ 名〈語〉慣用語

【惯于】 guànyú 動（…に）慣れる ‖ 他～早起 彼は早起きである

【惯贼】 guànzéi 名 窃盗常習犯

【惯纵】 guànzòng 動 甘やかして育てる

11 **掼** guàn 方 ❶動 投げ捨てる.放り出す ‖ ～下书包就走了 かばんを放り出すとすぐ出ていった ❷動 転ぶ.転倒する.転倒させる

16 **盥** guàn 書 手や顔を洗う

【盥漱】 guànshù 動 顔を洗ったり，口をすすいだりする

【盥洗】 guànxǐ 動（手や顔を）洗う ‖ ～室 洗面所.化粧室｜～间 洗面所.化粧室

20 **灌** guàn ❶動 灌漑（かんがい）する ❷動（口の小さい容器に）注ぐ.注ぎ入れる ‖ 暖瓶里已经～满了开水 魔法瓶にはお湯がすでにいっぱい入っている｜他整天把自己～得醉醺醺zuìxūnxūn的 彼は朝から晩まで酒を飲んでいる ❸動（レコードやCDに）録音する ‖ 这首歌曲已经～了唱片了 この歌はもうレコード化されている

【灌肠】 guàn//cháng 動〈医〉浣腸（かんちょう）する

【灌肠】 guànchang 名 腸詰め.ソーセージ

【灌溉】 guàngài 動 灌漑する ‖ ～工程 灌漑工事

【灌浆】 guàn//jiāng 動 ❶〈建〉セメントなどを流し込む ❷〈農〉（穀物の実が）乳熟する ❸疱疹（ほうしん）が化膿（かのう）する

【灌录】 guànlù 動（テープやビデオなどを）制作する

【灌米汤】 guàn mǐtang 慣 人をおだててその気にさせる.殺し文句を並べて有頂天にさせる

【灌木】 guànmù 名〈植〉灌木（かんぼく）.低木

【灌区】 guànqū 名 灌漑区

【灌输】 guànshū 動 ❶（水を）引き入れる.注ぎ込む ❷（知識や思想を）注入する.注ぎ込む ‖ ～新思想 新しい思想を教え込む

【灌音】 guàn//yīn 動 録音する

【灌制】 guànzhì 動（録音装置で）制作する

【灌注】 guànzhù 動 注入する.注ぎ込む

22 **鹳** guàn 名〈鳥〉コウノトリ

23 **罐**（鑵）guàn ❶名（～儿）広口で円筒形の容器.かめ.つぼ.缶 ‖ 茶叶～儿 茶筒｜糖～儿 砂糖つぼ ❷〈鉱〉トロッコ

【罐车】 guànchē 名 タンクローリー

【罐头】 guàntou 名 ❶略 **缶詰.**〔罐头食品〕の略 ‖ 牛肉～ 牛肉の缶詰 ❷方 つぼ.かめ

【罐子】 guànzi 名 つぼ.かめ

guāng

6 **光** guāng ❶名 光.光線 ‖ 阳～ 陽光 ❷明るい.光っている ‖ 一～辉 ❸光栄.栄誉 ‖ 增～ 栄誉をもたらす ❹名声を高める.栄誉あるものにする ‖ 一～宗耀祖 ❺敬 相手の行為に対して感謝の気持ちを表す ‖ 一～临 ❻おかげ.恩恵 ‖ 沾zhān～ おかげをこうむる ❼時間.月日 ‖ 一～阴 ❽景色.景物 ‖ 风～ 風光 ❾形 **滑らかである.つるつるしている** ‖ 冰面～得站不住人 氷がつるつるしていて立っていられない. ❿形（多く動詞の後に置き）**空である.少しも残っていない** ‖ 用～ 使い果たす｜卖～了 売り切れた ⓫動 **肌を見せる.むき出しにする** ‖ ～着膀子 上半身裸になっている ⓬副 **ただ.…ばかり.だけ** ‖ 他不～自己学习好，还热心帮助同学 彼はよく勉強するだけでな

く，クラスメートの世話もよくする
【光板ル】guāngbǎnr 名 ❶毛がすりきれて地肌がむき出しになっている毛皮 ❷旧 模様や字の消えた銅貨
【光笔】guāngbǐ 名〈計〉ライトペン（ペン状のコンピューター入力装置）
【光标】guāngbiāo 名〈計〉カーソル
【光波】guāngbō 名〈物〉光波
*【光彩】guāngcǎi 名 色つや．彩り ‖ ～夺目duómù 目を奪うばかりに鮮やかである 形 光栄である．面目を施す ‖ 一人立功，全家都很～ 家族の一人が手柄を立てれば一家が面目を施す
【光灿灿】guāngcàncàn（～的）形 まばゆいさま．きらきらとまぶしいさま ‖ ～的奖杯 まぶしく光るトロフィー
【光打雷，不下雨】guāng dǎléi, bù xiàyǔ 慣 雷鳴だけで，雨は降らない．掛け声だけに終わること
【光大】guāngdà 動 書 輝かせる．盛んにする ‖ ～优秀的传统文化 優れた伝統文化を盛んにする
【光刀】guāngdāo 名 ❶レーザーメス ❷レーザー光束
【光导纤维】guāngdǎo xiānwéi 名〈物〉光ファイバー．略して〔光纤〕という
【光电池】guāngdiànchí 名〈電〉光電池
【光电子】guāngdiànzǐ 名〈物〉光電子
【光度】guāngdù 名〈物〉光度
【光风霁月】guāng fēng jì yuè 成 雨後のさわやかな風と明るい月．性格があっさりしていて俗気のないさま．また，天下太平なさま
【光复】guāngfù 動（国を）再興する．（失地を）取り返す ‖ ～河山 国土を取り戻す
【光杆ル】guānggǎnr 名 ❶葉のついていない枝 ❷喩 独りぼっち ‖ ～司令 部下のいない司令官．大衆から孤立した指導者のたとえ
【光顾】guānggù 動 敬 ご愛顧を賜る ‖ 敬请～ どうかご愛顧を賜りますようお願い申し上げます
【光怪陆离】guāng guài lù lí 成 奇妙で雑多である．風変わりで色とりどりである
【光棍】guānggun；guānggùn 名 ❶ごろつき．無頼漢 ❷方 利口者 ‖ ～不吃眼前亏kuī 利口な者はみすみすばかをみたりしない
*【光棍ル】guānggùnr 名 口 男の独り者．男やもめ ‖ 打～ やもめ暮らしをする
【光合作用】guānghé zuòyòng 名〈植〉光合成
【光华】guānghuá 名 明るい光．輝き
*【光滑】guānghua；guānghuá 形 つるつるしている．滑らかである．すべすべしている ‖ ～的皮肤 滑らかな皮膚 | 地面很～ 床がつるつるしている
【光化学反应】guānghuàxué fǎnyìng 名〈化〉光化学反応．〔光化作用〕ともいう
【光化学烟雾】guānghuàxué yānwù 名 光化学スモッグ
【光化作用】guānghuà zuòyòng ＝〔光化学反応 guānghuàxué fǎnyìng〕
【光环】guānghuán 名 ❶〈天〉星の輪 ‖ 土星～ 土星の輪 ❷〈宗〉光輪．光の輪
*【光辉】guānghuī 名 輝き．光輝 形 輝かしい．華々しい ‖ ～灿烂cànlàn的前景 輝かしい将来
【光火】guāng//huǒ 動 方 怒る．憤慨する
【光洁】guāngjié 形 光沢がありきれいである
【光洁度】guāngjiédù 名〈機〉平滑度．仕上げ度
【光解作用】guāngjiě zuòyòng 名〈化〉光分解
【光景】guāngjǐng 名 ❶光景．景色 ❷様子．ありさま．状況 ‖ 回想起刚入学的～，好像就在昨天 入学当時のことがまるできのうのことのように思い出される ❸（～ル）暮らし．生活．境遇 ‖ 这几年～不错 この数年，暮らしぶりは悪くない ❹（時間や数量を表す語の後に置き）前後．内外 ‖ 来人约有二十来岁～ 来た人はだいたい20歳ぐらいの人だ ❺方 様子．情況 ‖ 他～是有事不能来了 この様子だと彼はたぶん用事ができて来られなくなったのだろう
【光控】guāngkòng 形 光センサーの．フォトセンサーの ‖ ～报警器 光センサー警報機
【光缆】guānglǎn 名〈通信〉光ファイバー・ケーブル．光ケーブル．〔光纤电缆〕の略
*【光亮】guāngliàng 形 ❶明るい ❷ぴかぴかしている．光沢がある ‖ 地板擦得很～ 床がぴかぴかに磨いてある 名 光．明るい光
【光量子】guāngliàngzǐ ＝〔光子guāngzǐ〕
*【光临】guānglín 動 敬 ご来臨を賜る．ご来訪いただく ‖ 恭候～ 謹んでご光臨をお待ち申し上げます
【光溜】guāngliu 形 口 つるつるしている．すべすべしている ‖ 头发梳得很～ 髪は梳(す)いてつやつやしている
【光溜溜】guāngliūliū（～的）形 ❶滑らかである．つるつるしている ❷（地面・物体・体を）覆うものがない ‖ 身上～的 まる裸である
*【光芒】guāngmáng 名 光芒(こうぼう)．光．きらめき ‖ ～万丈 燦然(さんぜん)と輝く
**【光明】guāngmíng 名 光明．光．明かり ‖ 黑暗中见到一线～ 暗やみの中に一筋の光明を見いだす 形 ❶明るい．光り輝いている ‖ 华灯齐qí放，格外～ 街灯がいっせいにともり，ことのほか明るい ❷喩 希望に満ちている．輝かしい ‖ 前途～ 前途は明るい ❸公明正大である ‖ 心地～ 心にやましいところがない
【光明磊落】guāng míng lěi luò 成 率直で私心がない．公明正大である
【光明正大】guāng míng zhèng dà 成 公明正大である
【光能】guāngnéng 名〈物〉光のエネルギー
【光年】guāngnián 量〈天〉光年
【光盘】guāngpán 名〈計〉CD-ROM
【光盘刻录机】guāngpán kèlùjī 名〈計〉CD－R（W）ドライブ．DVD－R（W）ドライブ．略して〔刻录机〕ともいう
【光谱】guāngpǔ 名〈物〉スペクトル
【光前裕后】guāng qián yù hòu 成 祖先の名誉を輝かし，子孫を裕福にする．多く，業績が偉大であることをほめたたえる時に用いる
【光球】guāngqiú 名〈天〉光球
【光驱】guāngqū 名〈計〉CD-ROMドライブ．〔光盘驱动器〕の略
【光圈】guāngquān 名（レンズの）絞り
**【光荣】guāngróng 形 光栄である．名誉である ‖ ～牺牲xīshēng 名誉ある死を遂げる | 无上～ 身に余る光栄である 名 光栄．誉れ
【光荣榜】guāngróngbǎng 名 功労者表彰掲示板．〔红榜〕ともいう
【光润】guāngrùn 形（多く皮膚が）つやつやしている
【光闪闪】guāngshǎnshǎn（～的）形 光り輝くさま
【光束】guāngshù 名〈物〉光束．光線束．光ビーム
【光速】guāngsù 名〈物〉光速．光線の速度
【光天化日】guāng tiān huà rì 成 白日の下．昼日中

【光通量】guāngtōngliàng 名〈物〉光束密度. 単位は〔流明〕(ルーメン)
【光头】guāng//tóu 動 帽子をかぶらない 名(guāngtóu) ❶坊主頭 ‖ 剃tì～ 坊主頭にする ❷はげ頭 ❸喩 得点0. 不合格 ‖ 去年高考全班剃了～ 去年の大学入試では, クラス全員が不合格だった
【光秃秃】guāngtūtū (～的) 形 はげている ‖ 山上～的, 寸草不生 山は丸坊主で草一本生えていない
【光污染】guāngwūrǎn 名 光公害
【光纤】guāngxiān 名〈通信〉光ファイバー
【光鲜】guāngxiān 形 ❶真新しく立派である ❷方 みごとである. 立派である
*【光线】guāngxiàn 名 光. 光線. 明かり ‖ 这间屋子～充足chōngzú この部屋は日当たりがよい
【光学】guāngxué 名〈物〉光学
【光焰】guāngyàn 名 光芒(こうぼう). 光
【光耀】guāngyào 名 光. 輝き 形 光栄である. 名誉である 動 輝かしいものにする ‖ ～史册 歴史の上に燦然(さんぜん)と光を放っている
【光阴】guāngyīn 名 ❶光陰. 時間 ‖ 一寸～一寸金 時は金なり | ～似箭 光陰矢のごとし ❷方 暮らし
【光源】guāngyuán 名〈物〉光源
【光泽】guāngzé 名 光沢. つや
【光照】guāngzhào 動 ❶照らす. 照射する ❷喩 照らす
【光照度】guāngzhàodù 名〈物〉照度. 単位は〔勒克斯〕(ルクス). 略して〔照度〕ともいう
【光柱】guāngzhù 名〈物〉光線束. ビーム
【光子】guāngzǐ 名〈物〉光子. フォトン. 〔光量子〕ともいう
【光宗耀祖】guāng zōng yào zǔ 成 出世して祖先の名を大いに高める

9 咣 guāng 擬(物が強くぶつかる音)ガタン. バタン ‖ 他把门～地一摔shuāi, 走了 彼はバタンとドアを閉めて立ち去った
【咣当】guāngdāng 擬(重い物がぶつかって振動する音)ガタン. ゴットン

10 珖 guāng 玉(ぎょく)の一種. (多く人名に用いる)

10 胱 guāng ➡〔膀胱pángguāng〕

guǎng

3 * 广(廣) guǎng ❶形 広い ↔〔狭〕‖ 受灾面很～ 被害は広範囲にわたっている | 地～人稀 土地は広く人口は少ない ❷広める. 大きくする ‖ 推～ 押し広める ❸広東省および広州市の略称 ❹形 普遍的である. 幅広い ‖ 知识面～ 知識が広い | 门路～ 人脈が広い ❺(人が)多い ‖ 大庭～众 大衆の面前 ➤ ān
★【广播】guǎngbō 動 放送する. 放映する ‖ ～员 アナウンサー | 实况～ 実況放送. 生放送 名 ラジオ放送 ‖ 听～ ラジオを聞く
【广播电台】guǎngbō diàntái 名 放送局
【广播剧】guǎngbōjù 名 ラジオ・ドラマ
【广播体操】guǎngbō tǐcāo 名 ラジオ体操. 〔广播操〕ともいう
【广博】guǎngbó 形(学識や心が)広い ‖ 学识～ 学識が豊かである
*【广场】guǎngchǎng 名 広場
*【广大】guǎngdà 形 ❶(面積などが)広い. 広大である ‖ 幅员fúyuán～ 国土が広い ❷(範囲や規模が)大きい ‖ ～的组织 大規模な組織 ❸大勢の. 多くの ‖ 产品受到了～消费者的欢迎 製品は幅広い消費者の人気を博した
【广东戏】guǎngdōngxì 名〈劇〉広東地方の伝統劇 =〔粤yuè剧〕
【广东音乐】guǎngdōng yīnyuè 名 広東省一帯の民族音楽
【广度】guǎngdù 名(多く抽象的な事物の)幅
【广而言之】guǎng ér yán zhī 慣 一般的に言って. 概して言えば
*【广泛】guǎngfàn 形 広範である. 多方面にわたる. 普遍的である ‖ 爱好～ 趣味が広い
*【广告】guǎnggào 名 広告 ‖ 登～ 広告を掲載する | 电视～ テレビ・コマーシャル
【广告歌】guǎnggàogē 名 コマーシャルソング
【广货】guǎnghuò 名 広東省産の品
【广角镜头】guǎngjiǎo jìngtóu 名 広角レンズ
【广开言路】guǎng kāi yán lù 成 できるだけ多くの人々に意見を発表する場や機会を提供する
*【广阔】guǎngkuò 形 広々としている. 広大である ‖ ～的田野 広々とした田野 | ～天地 広大な天地 | 视野～ 視野が広い | 胸怀～ 度量が広い
【广漠】guǎngmò 形 広漠とした ‖ ～的荒野 広漠とした荒地
【广土众民】guǎng tǔ zhòng mín 成 広大な土地と多くの民
【广义】guǎngyì 名 広義 ↔〔狭义〕
【广域网】guǎngyùwǎng 名 広域ネットワーク. WAN
【广远】guǎngyuǎn 形 広大で奥深いさま

6 犷(獷) guǎng 粗野である ‖ 粗～ 粗野である
【犷悍】guǎnghàn 形 粗野で勇猛である

guàng

10 * 逛 guàng 動 散歩する. ぶらぶらする. 見物する ‖ ～公园 公園を散歩する | ～夜市 夜店を冷やかす | ～马路 街をぶらつく
【逛荡】guàngdang 動 貶 ぶらぶらする. 遊びほうける
【逛灯】guàng//dēng 動 旧暦1月15日の〔灯节〕(元宵節)に街の飾り灯籠(どうろう)を見て歩く
【逛街】guàng//jiē 動 街をぶらつく
【逛游】guàngyou 動 ぶらぶらする. 散歩する

10 桄 guàng ❶名(糸を巻きとる)かせ ‖ ～子 かせ ❷動 糸を巻きとる ❸名(～儿)束ね糸. かせ糸 ❹量(～儿)(かせ糸を数える)かせ ‖ 三～儿线 三かせの糸

guī

5 * 归(歸) guī ❶帰る. 戻る ‖ 早出晚～ 朝早く出かけて夜遅く帰る ❷返す. 戻す. 返却する ‖ 物～原主 物がもとの持ち主に戻る ❸動(…に)向かう. 集まる. 集める ‖ 把不用的东西～在一起 使わない物は一ヵ所にまとめておく ❹付き従う ‖ 一～顺 ❺動 …に属する. …のものである ‖ 这钱就全部～我 この金は全部僕のものだ ❻動(後の動作の主体を

示す）… がする ‖ 做饭的事～我管，送孩子上学～你管 食事の支度は私がするから，子供の送り迎えはあなたがしてね ❼動（二つの同じ動詞の間に置いて）… することは … するが（… だ）‖ 说～说，做～做 言うことは言うが，やることもやる ❽名〈数〉珠算で除数が一けたの割り算

【归案】guī//àn 動（犯人を）逮捕する．引き渡す ‖ 捉拿zhuōná～（犯人を）逮捕して引き渡す

【归并】guībìng 動 合併する．併合する ‖ 把两个科～为一个科 二つの課を一つに合併する

【归程】guīchéng 名 書 帰路．帰りの行程

【归档】guī//dàng 動（公文書や資料などを）分類して保管する

【归队】guī//duì 動 ❶帰隊する ❷喩 もとの職業に就く．本職に戻る

【归附】guīfù 動 帰服する．帰順する

*【归根结底】【归根结柢】guī gēn jié dǐ 成 結局．つまるところ．〔归根结蒂〕〔归根到底〕ともいう

【归公】guī//gōng 動 公有に帰する

【归功】guīgōng 動 … のたまものである．功績を … に帰する ‖ 这次实验成功，～于他的正确领导 今回の実験が成功したのは彼の正確な指導があったからだ

*【归还】guīhuán 動 返す．返却する ‖ ～借款 借金を返す｜按期～ 期限どおりに返す

【归回】guīhuí 動 帰る．戻る

*【归结】guījié 動 まとめる．総括する．要約する ‖ 事故原因很多，但～起来无非就是缺乏责任心 事故の原因はいろいろあるが，総括すると責任感の欠如にほかならない 名 結果．帰結

【归咎】guījiù 動（罪や責任を）他になすりつける．… のせいにする ‖ ～于他人 人のせいにする

【归口】guī//kǒu 動 ❶一定の管理体制に統一する ‖ ～管理 管理を一本化する ❷本業に戻る

【归来】guīlái 動 よその土地から帰る

【归拢】guīlong；guīlǒng 動 一ヵ所に集める．片付ける

【归谬法】guīmiùfǎ 名〈数〉帰謬法（きびゅうほう）＝〔反证法〕

*【归纳】guīnà 動〈哲〉帰納する ↔〔演绎〕‖ ～推理 帰納推理｜～法 帰納法

【归期】guīqī 名 帰る時期．帰りの日時

【归侨】guīqiáo 名 略 帰国華僑．〔归国华侨〕の略

【归属】guīshǔ 動 帰属する．… に属する ‖ 这个岛屿dǎoyǔ的～问题引起了两国之间的争端zhēngduān この島の帰属問題は両国間に紛争を引き起こした

【归顺】guīshùn 動 帰服する．帰順する

【归宿】guīsù 名 最終的に落ち着く所．結末 ‖ 人生的～ 人生の終着点

【归天】guī//tiān 動 婉 死ぬ．逝去する

【归田】guītián 動 書 役人を辞めて故郷に帰る

【归途】guītú 名 帰途．帰り道 ‖ 踏上～ 帰途につく

【归西】guī//xī 動 婉（人が）死ぬ

【归降】guīxiáng 動 投降する．降服する

【归向】guīxiàng 動（形勢のよいほうに）つく．近寄る ‖ 民心～ 民心が傾く

【归心】guīxīn 動 帰服する．心服する ‖ 天下～ 天下の人々が帰服する 名 帰心．帰りたい気持ち

【归心似箭】guī xīn sì jiàn 成 帰心矢のごとし

【归省】guīxǐng 動 書 帰省する

【归依】guīyī ＝ 動 ❶〔皈依guīyī〕 ❷書 身を寄せる．頼る

【归于】guīyú 動 ❶… に属する．… のものである．（多く抽象的事物を目的語にとる）‖ 光荣～祖国 栄光は祖国のものである ❷… に向かう．… になる ‖ 大家的意见终于～一致 みんなの意見はとうとう一つにまとまった

【归真返璞】guī zhēn fǎn pú 成 もとの状態に戻る．本来の姿に立ち返る．〔返璞归真〕ともいう

【归整】guīzheng；guīzhěng 動 口 整頓する．片付ける

【归置】guīzhi 動 口 整理する．片付ける

【归总】guīzǒng 動 一つにまとめる ‖ 把大家的意见～一下 みんなの意見をまとめる 副 全部で．全部まとめて ‖ 连杂费～五十元 雑費までひっくるめると50元になる

【归罪】guīzuì 動（罪を）なすりつける ‖ 你不应把失败都～于他 失敗をみな彼のせいにすべきではない

6 **圭**[1] guī ❶圭（けい）．天子や諸侯が祭祀（さいし）に用いた玉器 ❷中国古代の天文計器

6 **圭**[2] guī 量 古代の容積単位．1〔升〕の10万分の1

【圭亚那】Guīyànà 名〈国名〉ガイアナ

7 **妫（嬀）** guī 地名用字 ‖ ～河 北京にある川の名

7 * **龟（龜）** guī 名〈動〉カメ．ふつうは〔乌龟〕という ➤ jūn qiū

【龟趺】guīfū 名 碑の基部にある亀を形どった台座

【龟甲】guījiǎ 名 亀甲．カメの甲羅

【龟缩】guīsuō 動 縮こまる．畏縮する

【龟头】guītóu 名〈生理〉亀頭（きとう）

【龟足】guīzú 名〈動〉カメノテ．〔石蜐〕ともいう

8 **规（△槼）** guī ❶コンパス ‖ 圆～ コンパス ❷規則．規範 ‖ 校～ 校則 ❸企てる．計画する ‖ →～划 ❹戒める ‖ →～劝

【规避】guībì 動 方策を講じて回避する

【规程】guīchéng 名 規程．規則

【规定】guīdìng 動 **規定する．定める ‖ 学校～上学必须穿校服 学校では登校時に必ず制服を着用するように定めている 名 **規定．定め** ‖ 遵zūn守～ 決まりを守る

【规定动作】guīdìng dòngzuò 名〈体〉（体操などの競技種目の）規定動作．規定演技

*【规范】guīfàn 名 規範．基準．標準 ‖ 国际～ 国際的な基準 形 規範に合っている．標準に合っている

【规范化】guīfànhuà 動 規範化する

【规费】guīfèi 名（官公庁での手続きに際し徴収される）手数料．規定費用

*【规格】guīgé 名 ❶規格 ‖ 不合～ 規格に合わない ❷（広く）規準．標準 ‖ 这个代表团的～很高 この代表団は大物揃いだ

*【规划】guīhuà 動 企画する．プランを立てる．計画する ‖ 政府正在～修建一个大型水库 政府は大型ダムの建設を計画している 名 企画．プラン．計画 ‖ 城市～ 都市計画｜制定～ 計画を立てる

*【规矩】guīju 名 規則．決まり．習慣．しきたり ‖ 每家都有每家的～ どの家にもその家のしきたりがある｜不以～，不成方圆 決まりがないと，何事もうまくいかない｜不懂～ 行儀が悪い 形 きちんとしている．まじめである．品行方正である ‖ 她说话做事总是规规矩矩的 彼女は言葉遣いも立ち居振る舞いもいつもきちんとしている

【规律】guīlǜ 名 ❶法則**．〔法则〕ともいう ‖ 自然～ 自然の法則｜经济～ 経済の法則 ❷**規律** ‖ 他的生活没有～ 彼は生活が不規則だ

【规模】 guīmó 名 規模 ‖ 初具～ だいたいの形ができ上がっている｜～宏大hóngdà 規模が大きい
【规劝】 guīquàn 動 忠告する
【规行矩步】 guī xíng jǔ bù 成 ❶決まりに従って行動する ❷古い決まりにこだわって融通が利かない
【规约】 guīyuē 名 規約 ‖ 遵zūn守～ 規約を守る
*【规则】 guīzé 名 ❶規則．ルール ‖ 交通～ 交通規則｜比赛～ 試合のルール ❷法則 形 規則正しい．きちんと整っている．整然としている ‖ 整个城市布局非常～ 町並み全体が整然としている
*【规章】 guīzhāng 名 規則．規約．定款 ‖ 按～办事 規則どおりに事を処理する｜～制度 規則と制度
【规整】 guīzhěng 形 規則正しい．整っている ‖ 字体～ 字が整っている 動 整理する
【规制】 guīzhì 名 ❶規則．制度 ❷(建築物の)規模と外観

G

9 **闺** guī 奥の部屋．閨房(けいぼう) ‖ →～房
【闺房】 guīfáng 名 旧 婦人の居室．閨房
【闺阁】 guīgé 名 書 婦人の居室．閨房
*【闺女】 guīnü 名 ❶未婚の女性 ❷口 娘
【闺秀】 guīxiù 名 書 名門の娘．大家の娘

9 **皈** guī ↓
【皈依】 guīyī 動〈仏〉帰依する．〔归依〕とも書く

11 **硅** guī 名〈化〉珪素(けいそ)（化学元素の一つ，元素記号は Si）．かつては〔矽〕といった
【硅肺】 guīfèi 名〈医〉珪肺(けいはい)
【硅钢】 guīgāng 名〈機〉珪素鋼
【硅谷】 guīgǔ 名 シリコンバレー．ハイテク企業集積地の別称

13 **瑰**[1]（△瓌）guī 書 珍しい．珍奇である ‖ →～宝｜→～丽

13 **瑰**[2] guī ➡〔玫瑰méigui〕
【瑰宝】 guībǎo 名 珍宝．至宝
【瑰丽】 guīlì 形 非常に美しい．きれいだ
【瑰奇】 guīqí 形 非常に美しい．なんとも言えず美しい

14 **鲑** guī 名〈魚〉サケ ➤ xié

guǐ

6 **轨** guǐ ❶書 わだち．車輪の跡 ❷路線 ❸喩 規則．秩序 ‖ 常～ 常軌 ❹軌道．線路 ‖ 出～ 脱線する ❺レール ‖ 钢～ レール
*【轨道】 guǐdào 名 ❶(汽車や電車などの)レール．軌道 ❷〈天〉(天体運動の)軌道．〔轨迹〕ともいう ❸〈物〉(物体運動の)軌道 ‖ 人造卫星已进入～ 人工衛星が軌道に乗った ❹喩 軌道．安定した状態 ‖ 生产开始走上～ 生産が軌道に乗った
【轨度】 guǐdù 名 書 おきて．のり．規則
【轨范】 guǐfàn 名 (行動の)規範．のり
【轨迹】 guǐjì 名 ❶軌跡 ❷＝〔轨道guǐdào〕
【轨枕】 guǐzhěn 名 枕木(まくらぎ)

7 **庋** guǐ 書 ❶物を置く棚 ❷保存する ‖ ～藏 保存する

8 **诡** guǐ ❶ずる賢い．狡猾(こうかつ)である ‖ →～计 ❷書 奇異である．尋常でない ‖ →～异
【诡辩】 guǐbiàn 動 詭弁(きべん)を弄(ろう)する ‖ ～家 詭弁家．ソフィスト｜～学派 詭弁学派
【诡称】 guǐchēng 動 詐称する．偽称する
【诡计】 guǐjì 名 詭計(きけい)．ペテン ‖ 阴谋～ 陰謀詭計｜识破敌人的～ 敵の詭計を見破る
【诡谲】 guǐjué 形 書 ❶怪しい．奇怪である ❷でたらめである．とりとめがない ❸悪賢い．ずるい
【诡秘】 guǐmì 形 なぞめいていてとらえがたい ‖ 行踪xíngzōng～ 行動がなぞめいていて察知しがたい
【诡异】 guǐyì 形 奇異である．尋常でない
【诡诈】 guǐzhà 形 ずる賢い．狡猾(こうかつ)だ

8 **匭** guǐ 小さな箱．ケース ‖ 票～ 投票箱

9 **癸** guǐ 名 癸(みずのと)（十干の第10）．➡〔天干tiāngān〕

9 **鬼** guǐ ❶名 幽霊．亡霊 ‖ 闹～ お化けが出る ❷性向や特徴などを表す語の後に置き，罵り卑しめる気持ちを表す ‖ 胆小～ 臆病者｜酒～ 飲んだくれ ❸名 悪だくみ．やましいこと ‖ 心里有～ 心中やましいことがある｜这事一定有～ これには必ず悪だくみが隠されている ❹まともでない．でたらめである．うさん臭い ‖ →～话 ❺形 不快な．悪い．ひどい ‖ ～天气 ひどい天気｜～地方 条件の劣悪な場所 ❻形 口 利発である．賢い．(多く子供や動物に用いる) ‖ 这小家伙真～ このおちびちゃんはほんとうにお利口だ ❼性向や特徴などを表す語の後に置き，子供に対する親しみを表す ‖ 机灵～ お利口さん ❽名 (二十八宿の一つ)たまほめぼし．たまおのほし．鬼宿(きしゅく)

> **逆引き単語帳** 〔魔鬼〕móguǐ 悪魔．魔物 〔小鬼〕xiǎoguǐ(子供に対する愛称)小僧．ちびっ子 〔酒鬼〕jiǔguǐ 飲んだくれ．のんべえ 〔醉鬼〕zuìguǐ 酔っぱらい 〔烟鬼〕yānguǐ ヘビースモーカー 〔色鬼〕sèguǐ 色魔．女たらし 〔馋鬼〕chánguǐ 食いしん坊 〔胆小鬼〕dǎnxiǎoguǐ 臆病者 〔冒失鬼〕màoshiguǐ 粗忽者(そこつもの)．慌てん坊 〔吝啬鬼〕lìnsèguǐ けちん坊．しみったれ 〔讨厌鬼〕tǎoyànguǐ 嫌なやつ 〔死鬼〕sǐguǐ(人を罵ったり冗談で相手を呼ぶとき)この死にぞこない 〔吸血鬼〕xīxuèguǐ 吸血鬼．搾取者 〔替死鬼〕tìsǐguǐ(人の罪をかぶる)身代わり

【鬼把戏】 guǐbǎxì 名 陰険な手段または策略．インチキ．からくり．ペテン ‖ 揭穿jiēchuān～ からくりを暴く
【鬼才】 guǐcái 名 鬼才
【鬼点子】 guǐdiǎnzi 名 方 悪知恵．悪だくみ ‖ 出～ 悪知恵をはたらかせる
【鬼风疙瘩】 guǐfēng gēda 名 方 じんましん
【鬼斧神工】 guǐ fǔ shén gōng 成 神業．人間離れした優れたわざ．〔神工鬼斧〕ともいう
【鬼怪】 guǐguài 名 幽霊と妖怪(ようかい)
【鬼鬼祟祟】 guǐguǐsuìsuì 形 こそこそしている．正々堂々としていない
【鬼话】 guǐhuà 名 でたらめ．うそ ‖ ～连篇 うそ八百
【鬼画符】 guǐhuàfú 名 喩 ❶下手な字 ❷うそ．でまかせ
【鬼魂】 guǐhún 名 幽霊．亡霊
【鬼混】 guǐhùn 動 まともでない生活をする．だらしない生活をする ‖ 天天和一帮坏青年～在一起 毎日，不良仲間と遊び歩いている
【鬼火】 guǐhuǒ 名 口 鬼火．きつね火．〔磷火〕の俗

称
【鬼哭狼嚎】guǐ kū láng háo 成 声を張り上げて泣きわめく
【鬼脸】guǐliǎn（～儿）图 ❶(玩具の)面 ❷(あかんべえなどの)おどけた表情‖做～ おどけた顔をする
【鬼门关】guǐménguān 图 ❶地獄の入り口．冥土(めいど)の一里塚 ❷喩 きわめて危険な場所
【鬼迷心窍】guǐ mí xīn qiào 成 魔が差す
【鬼使神差】guǐ shǐ shén chāi 成 物の怪にとりつかれたようである．魔が差す．〔神差鬼使〕ともいう
【鬼祟】guǐsuì 形 こそこそしている
【鬼胎】guǐtāi 图 悪だくみ．やましい考え‖心怀～ 胸に一物ある
【鬼剃头】guǐtìtóu 图 俗 円形脱毛症．〔斑秃〕の俗称
【鬼头鬼脑】guǐ tóu guǐ nǎo 細 うさん臭い．こそこそしている
【鬼雄】guǐxióng 图 書 英霊．英魂
【鬼主意】guǐzhǔyi 图 悪知恵．悪い考え
*【鬼子】guǐzi 图 罵 外国人に対する憎悪をこめた呼称‖日本～ 日本人に対する憎悪をこめた呼称｜洋～ 西洋人に対する憎悪をこめた呼称

12 **晷** guǐ ❶書 日影 ❷古代の日時計‖日～ 日時計 ❸書 喩 時間‖余～ 暇な時間

7 **簋** guǐ 古代の食器，円形で両耳が付いている

guì

8 **刿**（劌）guì 古 傷つける．割く

8 **刽**（劊）guì 書 切断する．断ち切る
【刽子手】guìzishǒu 图 ❶旧 死刑執行人 ❷転 人民を虐殺する者

8 **炅** guì 图 姓 ➤ jiǒng

8 **炔** guì 图 姓 ➤ quē

8 **柜**（櫃）guì ❶图（～儿）たんす．戸棚‖衣～ 洋服だんす ❷銭箱．帳場‖掌zhǎng～的 店主 ➤ jǔ
【柜橱】guìchú 图 食器棚
【柜房】guìfáng 图 帳場
【柜上】guìshang 图 ❶帳場 ❷商店
*【柜台】guìtái 图（商店の）カウンター‖日用品～ 日用品売り場｜站～ 売り場に立つ．売り子になる
【柜员】guìyuán 图（金融機関の）職員．行員‖银行～ 銀行員
【柜员机】guìyuánjī 图 ATM．現金自動預け入れ支払い機
*【柜子】guìzi 图 たんす．戸棚

贵 guì ❶形（値段や価値が）高い ↔〔便宜〕〔贱〕‖价钱太～了 値段が高すぎる ❷（社会的地位が）高い．貴い ↔〔贱〕‖富～ 富貴 ❸貴重である．珍重する‖珍～ 貴重である ❹尊ぶ．重んじる‖学外语～在坚持 外国語の勉強にいちばん大事なことは継続することである ❺接頭 敬 あなたの．貴…‖～校 貴校
*【贵宾】guìbīn 图 貴賓‖～室 貴賓室．VIPルーム｜～卡 VIPカード
【贵耳贱目】guì ěr jiàn mù 成 人のうわさを信じて，自分の目で見たものを信じない
【贵妃】guìfēi 图 古 貴妃(きひ)．宮中の女官の名称
【贵干】guìgàn 图 敬 御用．御用向き
【贵庚】guìgēng 图 敬 お年．年齢‖请问王先生～？ 王さんのお年はおいくつですか
【贵贱】guìjiàn 图 ❶値段の高低 ❷貴賤(きせん) 副 方 どうしても
【贵金属】guìjīnshǔ 图 貴金属
【贵客】guìkè 图 身分や地位の高い客．賓客
【贵人】guìrén 图 ❶貴人．高貴な人 ❷古 貴人．宮中の女官の名称
★【贵姓】guìxìng 图 敬 お名前．御芳名‖您～？ お名前はなんとおっしゃいますか
【贵恙】guìyàng 图 敬 ご病気
*【贵重】guìzhòng 形 貴重である‖～物品 貴重品
【贵子】guìzǐ 图 敬 坊っちゃん
*【贵族】guìzú 图 貴族‖没落mòluò～ 没落貴族

10 **桂**[1] guì ❶〈植〉ニッケイ ❷〈植〉ゲッケイジュ ❸〈植〉モクセイ‖金～ キンモクセイ

10 **桂**[2] guì ❶图 桂江．広西チワン族自治区を流れる川の名 ❷広西チワン族自治区の別称
【桂冠】guìguān 图 桂冠．月桂冠
【桂花】guìhuā 图 モクセイ．〔木犀〕ともいう
【桂皮】guìpí 图 ❶〈植〉セイロンニッケイ ❷セイロンニッケイの樹皮 ❸〈中薬〉ニッケイの樹皮．桂皮(けいひ)
【桂圆】guìyuán 图〈植〉リュウガン ＝〔龙眼〕

10 **桧**（檜）guì 图〈植〉イブキ．ビャクシン．〔刺柏〕ともいう ➤ huì

13 ** **跪** guì 動 ひざまずく‖～在地上 地面にひざまずく｜单腿～下 片ひざをつく
【跪拜】guìbài 動 叩頭(こうとう)する．跪拝(きはい)する
【跪射】guìshè 動 片ひざをついて射撃する
【跪坐】guì//zuò 動 正座する

20 **鳜** guì 图〈魚〉ケツギョ．ふつう〔鳜鱼〕といい，地方によっては〔花鲫jì鱼〕ともいう

gǔn

10 **衮** gǔn 帝王または顕官が着る礼服
【衮衮诸公】gǔn gǔn zhū gōng 成 お歴々．お偉方．無能な高官を皮肉った言葉

11 **绲** gǔn ❶編んだひも ❷動 縁取りをする‖袖口上～着一道花边 袖口に縁取りをする

12 **辊** gǔn 图〈機〉ローラー．〔罗拉〕ともいう
【辊子】gǔnzi 图〈機〉ローラー

13 ** **滚** gǔn ❶動 転がる．転がす‖她不小心绊bàn了一下，从楼梯上～下来了 彼女はうっかりつまずいて階段から転げ落ちた ❷動 沸く．沸騰する‖水～了，下饺子吧 お湯が沸いたから，ギョーザを入れよう ❸動 出て行く‖你给我～！ うせろ｜～出去！ 出て行け ❹〔绲gǔn ❷〕に同じ
【滚齿机】gǔnchǐjī 图〈機〉ホブ盤
【滚存】gǔncún 動（簿記で）繰り越す
【滚蛋】gǔn//dàn 動 罵 消えうせろ．出て行け．どけ
【滚刀肉】gǔndāoròu 图 方 罵 手に負えないやつ．
*【滚动】gǔndòng 動 ❶転がる ❷雪だるま式に大きくな

る‖利息～ 利子が雪だるま式に増える ❸立て続けに行なう‖二十四小时～播出 終夜放送
【滚动条】gǔndòngtiáo 图〈計〉スクロールバー
【滚翻】gǔnfān 图〈体〉宙返り
【滚肥】gǔnféi 形（家畜が）丸々と肥えているさま
【滚沸】gǔnfèi 動 煮えたぎる．沸騰する
【滚瓜烂熟】gǔn guā làn shú 成 朗読や暗誦(あんしょう)がすらすらとよどみないさま
【滚瓜溜圆】gǔnguā liūyuán 慣（家畜が）丸々と肥えているさま
【滚滚】gǔngǔn 形 勢いよく湧(わ)き起こるさま．また，湧き出して尽きないさま‖乌云～ 黒雲がもくもくと湧き起こる｜～的热泪 はらはらと流れ落ちる熱い涙

G

【滚轮】gǔnlún 图〈体〉フープ．かつては〔虎伏〕といった
【滚热】gǔnrè 形 とても熱い．（多くは飲食物または体温についていう）‖～的茶 熱い茶
【滚水】gǔnshuǐ 图 熱湯．沸騰した湯
【滚烫】gǔntàng 形 非常に熱い．焼けつくように熱い
【滚梯】gǔntī 图 エスカレーター．〔自动扶梯〕の通称
【滚筒】gǔntǒng 图〈機〉ロール
【滚雪球】gǔn xuěqiú 組 ❶雪だるまを作る ❷喩 雪だるま式に増える
【滚圆】gǔnyuán 形 真ん丸い．丸々としている
【滚珠】gǔnzhū 图〈機〉（軸受けの）スチール・ボール．鋼球．〔钢珠〕ともいう

15 **磙** gǔn ❶图〈機〉ローラー ❷動 ローラーでならす‖～地 ローラーで地をならす
【磙子】gǔnzi 图〈機〉❶穀物などをひく石製のローラー ❷播種(はしゅ)後，覆土を固める農具 ❸ローラー

15 **鲧** gǔn ❶图 古 鲧(こん) ❷图 夏の禹(う)の父とされる伝説中の人物

gùn

12 **棍** gùn ❶图（～儿）棒．棍棒(こんぼう) ‖拐guǎi～ 杖 ❷悪人．ごろつき‖恶～ 悪党
【棍棒】gùnbàng 图 ❶棒．棍棒 ❷〈体〉（体操用の）棍棒
*【棍子】gùnzi 图 棒．棍棒．杖

guō

6 **过**（過）guō 图 姓 ➤ guò

7 **呙**（咼）guō 图 姓

10 **郭** guō 古 城の周囲に築いた壁や石垣．城壁‖城～ 城郭

10 **涡**（渦）guō 地名用字 ➤ wō

10 **埚**（堝）guō ➡〔坩埚gānguō〕

11 **崞** guō 地名用字‖～山 山西省にある山の名

12 **锅**（鍋）guō ❶图 鍋．釜(かま) ❷（～儿）（器物の）鍋状の部分‖→～子

逆引き単語帳 〔炒锅〕chǎoguō 中華鍋 〔煎锅〕jiānguō フライパン 〔蒸锅〕zhēngguō 蒸し鍋．蒸し器 〔奶锅〕nǎiguō ミルクパン 〔沙锅〕shāguō 土鍋 〔双耳锅〕shuāng'ěrguō 両手鍋 〔单柄锅〕dānbǐngguō 片手鍋 〔平底锅〕píngdǐguō 平底鍋 〔电饭锅〕diànfànguō 電気がま 〔压力锅〕yālìguō 〔高压锅〕gāoyāguō 圧力鍋 〔火锅〕huǒguō しゃぶしゃぶ鍋

【锅巴】guōbā 图 ❶お焦げ．焦げ飯 ❷（スナック菓子の一種）お焦げ風せんべい
【锅饼】guōbing 图 こねた小麦粉を丸く伸ばして焼いた厚みのある大きな〔饼〕
*【锅炉】guōlú 图〈機〉ボイラー‖～房 ボイラー室
【锅台】guōtái 图 かまど．へっつい
【锅贴儿】guōtiēr 图 焼きギョーザ
【锅烟子】guōyānzi 图 鍋墨．鍋底についたすす
【锅子】guōzi 图 ❶（器物の）鍋状の部分‖烟袋～ キセルのがん首 ❷しゃぶしゃぶ用鍋‖涮shuàn～ しゃぶしゃぶをする ❸方 鍋

12 **聒** guō やかましい．騒がしい
【聒耳】guō'ěr 形 やかましい．うるさい．耳ざわりである

14 **蝈**（蟈）guō ➘
【蝈蝈儿】guōguor 图〈虫〉キリギリス

guó

8 ★**国**（國）guó ❶国．国家‖外～ 外国 ❷国を代表するもの‖→～歌 ❸自国のもの‖→～产
【国宝】guóbǎo 图 ❶国宝 ❷喩 国に特別の貢献をした人
【国本】guóběn 图 国本(こくほん)．国のもとい
【国标码】guóbiāomǎ 图〈計〉GB コード
【国宾】guóbīn 图 国賓‖～馆 迎賓館
【国策】guócè 图 国策．国家の基本政策
*【国产】guóchǎn 形 国産の．自国産の‖～品 国産品｜这辆汽车是～的 この自動車は国産である
【国耻】guóchǐ 图 国辱．国の恥
【国粹】guócuì 图 国粋．自国の文化の精華
【国道】guódào 图 国道
【国都】guódū 图 首都．首府
【国度】guódù 图 国家‖遥远的～ はるか遠い国
*【国法】guófǎ 图 国法．国家の法規‖国有～，家有家规 国には国の法があり，家には家の決まりがある
*【国防】guófáng 图 国防‖～力量 国防力｜～白皮书 国防白書｜巩固gǒnggù～ 国防を強化する
【国防军】guófángjūn 图 国防軍
【国父】guófù 图 国父
【国歌】guógē 图 国歌‖奏～ 国歌を演奏する
【国格】guógé 图 国家の名誉と尊厳．（外交関係についていう場合が多い）‖有失～ 国の尊厳を失う
【国号】guóhào 图 国号．朝代の名
【国画】guóhuà 图〈美〉中国画．中国伝統の絵画
【国徽】guóhuī 图 国章
*【国会】guóhuì 图 国会 =〔议会〕
【国会制】guóhuìzhì 图 議会制度
【国魂】guóhún 图 国の魂．民族精神
【国货】guóhuò 图 国産品

*【国籍】guójí 图 国籍
【国计民生】guó jì mín shēng 成 国家の経済と人民の生活
⁑【国际】guójì 形 国際的な ‖ ～关系 国際関係 | ～新闻 国際ニュース | ～电话 国際電話
【国际标准交谊舞】guójì biāozhǔn jiāoyìwǔ 图 国際社交ダンス ＝〔体育舞蹈〕
【国际单位制】guójì dānwèizhì 图 国際単位系. 略して〔国际制〕という
【国际儿童节】Guójì értóngjié 图 国際児童デー(6月1日) ＝〔六一儿童节〕
*【国际法】guójìfǎ 图 略 国際法. 〔国际公法〕の略
【国际分工】guójì fēngōng 图 国際分業
【国际妇女节】Guójì fùnǚjié 图 国際婦人デー(3月8日) ＝〔三八妇女节〕
【国际公法】guójì gōngfǎ 图 国際公法. ふつうは〔国际法〕という
【国际公制】guójì gōngzhì 图 万国メートル法. 略して〔公制〕という
【国际惯例】guójì guànlì 图 国際慣行
【国际劳动节】Guójì láodòngjié 图 メーデー(5月1日) ＝〔五一劳动节〕
【国际日期变更线】guójì rìqī biàngēngxiàn 图 国際日付変更線
【国际私法】guójì sīfǎ 图 国際私法
【国际象棋】guójì xiàngqí 图 チェス. 西洋将棋
【国际音标】guójì yīnbiāo 图〈語〉万国音標文字. 国際音声記号. IPA.
*【国际主义】guójì zhǔyì 图 国際主義. インターナショナリズム
★【国家】guójiā 图 国. 国家 ‖ ～大事 国家の大事
【国家标准】guójiā biāozhǔn 图 国家基準
【国家公园】guójiā gōngyuán 图 国立公園. ナショナルパーク
【国家机关】guójiā jīguān 图 ❶国家機関. 政府機関. 〔政权机关〕ともいう ❷中央の機関
【国家赔偿】guójiā péicháng 图 国家賠償
【国家税】guójiāshuì 图 国税. 〔中央税〕ともいい, また略して〔国税〕ともいう
【国家所有制】guójiā suǒyǒuzhì 图 国家所有制
【国脚】guójiǎo 图 サッカーのナショナルチームのメンバー.
【国教】guójiào 图〈宗〉国教
【国界】guójiè 图 国境
【国境】guójìng 图 ❶国土 ❷国境
【国君】guójūn 图 君主. 帝王
【国库】guókù 图 国庫. 〔金库〕の通称
*【国库券】guókùquàn 图 国債. 国庫債券
*【国力】guólì 图 国力. 国家の勢力
【国立】guólì 形 国立の ‖ ～大学 国立大学
【国门】guómén 图 書 首都の門. 国境
*【国民】guómín 图 国民 ‖ ～教育 国民教育
【国民待遇】guómín dàiyù 图 内国民待遇. 他国民に対しても自国民と同等の待遇を与えること
⁑【国民党】guómíndǎng 图 中国国民党の略称
【国民经济】guómín jīngjì 图 国民経済
【国民生产总值】guómín shēngchǎn zǒngzhí 图〈経〉国民総生産. GNP.
【国民收入】guómín shōurù 图〈経〉国民所得
【国难】guónàn 图 国難 ‖ ～当头 国難が迫る
【国内】guónèi 图 国内 ↔〔国外〕
【国内生产总值】guónèi shēngchǎn zǒngzhí 图 国内総生産. GDP
【国戚】guóqī 图 皇帝の母または妻の親戚
*【国旗】guóqí 图 国旗 ‖ 挂～ 国旗を掲げる
【国企】guóqǐ 图 国営企業. 〔国营企业〕の略
*【国情】guóqíng 图 国情 ‖ 符合～ 国情に合致する
【国庆】guóqìng 图 建国記念日
*【国庆节】Guóqìngjié 图 国慶節. 建国記念日. 中国の建国記念日は10月1日. 〔国庆〕ともいう
【国人】guórén 图 書 国民
【国丧】guósāng 图 国葬
【国色天香】guó sè tiān xiāng 成 ボタンの花を賛辞する言葉. 転 絶世の美女. 〔天香国色〕ともいう
【国史】guóshǐ 图 ❶国史. 一国または一王朝の歴史 ❷古 史官. 王朝の歴史を記録する官吏
【国事】guóshì 图 国事. 国家の大事
【国事访问】guóshì fǎngwèn 图 公式訪問
【国势】guóshì 图 国力. 国の勢い
【国书】guóshū 图 (大使や公使の)信任状. 国書
【国税】guóshuì ＝〔国家税guójiāshuì〕
【国泰民安】guó tài mín ān 成 国家が安泰で人民の暮らしも平穏である
【国体】guótǐ 图 ❶国体. 国の体制 ❷国の体面
*【国土】guótǔ 图 国土. 領土
【国外】guówài 图 国外. 海外 ↔〔国内〕
⁑【国王】guówáng 图 国王
【国威】guówēi 图 国威. 国の威信
【国文】guówén 图 ❶自国の文字. 国語 ❷旧 中国語 ❸(学校教科の)国語
【国务】guówù 图 国務
【国务卿】guówùqīng 图 ❶旧 国務卿. 中華民国初期, 大総統を補佐して国務の処理にあたった人 ❷(アメリカの)国務長官
【国务委员】guówù wěiyuán 图 国務委員. 中国国務院の構成員で副総理に相当する
*【国务院】guówùyuàn 图 ❶(中国の)国務院(中央人民政府) ❷旧 中華民国初期の内閣 ❸(アメリカの)国務省
【国学】guóxué 图 ❶中国固有の学術文化 ❷古 国が設立した学校. 〔太学〕や〔国子监〕をさす
【国宴】guóyàn 图 国賓を招待する政府主催の宴会
【国药】guóyào 图 漢方薬
【国音】guóyīn 图 旧 国家が定めた中国語の標準音
*【国营】guóyíng 形 国営の ↔〔私营〕‖ ～农场 国営農場 | ～企业 国営企業 | ～商店 国営商店
*【国有】guóyǒu 動 国が所有する ↔〔私有〕‖ 土地～化 土地の国有化
【国有股】guóyǒugǔ 图 国有株
【国有经济】guóyǒu jīngjì 图 国有経済
【国有企业】guóyǒu qǐyè 图 国有企業 ‖ 加强～的活力 国有企業を活性化する
【国有资产】guóyǒu zīchǎn 图 国有財産
【国语】guóyǔ 图 旧 ❶国語 ❷(学校教科の)国語
【国运】guóyùn 图 書 国運. 国家の運命
【国葬】guózàng 图 国葬 ‖ 举行～ 国葬を執り行う
【国贼】guózéi 图 国賊
【国债】guózhài 图 国の債務
【国子监】guózǐjiàn 图 古 国子監. 中国古代の教育行政機関. また, 教育機関としての最高学府
【国足】guózú 图 サッカーのナショナルチーム. 〔国家足

球队〕の略

11 **掴** guó ➤guāi

11 **帼**（幗）guó 古代の婦人の髪飾り‖巾jīn～ 頭巾(ずきん)と髪飾り. 転 婦人

15 **虢** guó 名 虢(かく). 春秋時代の国名. 西虢と東虢があり, 陝西省と河南省にあった

17 **馘** guó 古 戦争で殺した敵の左耳を切り取る(切り取った耳の数を数えて戦功とした)

guǒ

8 **果**[1]（△菓❶）guǒ ❶名（～儿）植物の実. 果実. 果物‖水～ 果物｜结～ 実を結ぶ ❷結果. 成果 ↔〔因〕‖结～ 結果 ❸はたして. やはり‖→～然

8 **果**[2] guǒ きっぱりとしている. 思いきりがよい. ためらわない‖→～断

【果不其然】guǒ bù qí rán 成 はたして. やはり‖我知道早晚要出岔子chàzi, 你看, ～吧！ 遅かれ早かれ間違いをしでかすと思っていたが, はたして思ったとおりだ

【果丹皮】guǒdānpí 名 サンザシの果実に砂糖などを加えて作った菓子

【果冻】guǒdòng（～儿）名 果物のゼリー

*【果断】guǒduàn 形 思いきりがよい. 断固としている‖～的措施 断固たる措置｜～拒绝 きっぱりと断る

【果脯】guǒfǔ 名 果物の砂糖漬け

【果干儿】guǒgānr 名 ドライフルーツ

【果敢】guǒgǎn 形 果敢である. 勇敢で決断力がある

【果酱】guǒjiàng 名 ジャム.〔果子酱〕ともいう

【果胶】guǒjiāo 名〈化〉ペクチン

【果酒】guǒjiǔ 名 果実酒.〔果子酒〕ともいう

【果决】guǒjué 形 きっぱりとしている. 断固としている

【果料儿】guǒliàor 名 菓子の上に飾りつける松の実・カボチャの種・干しブドウなどの総称

【果木】guǒmù 名 果樹

【果农】guǒnóng 名 果樹栽培の農家

【果皮】guǒpí 名 果皮. 果物の皮

【果皮箱】guǒpíxiāng 名 ごみ箱

【果品】guǒpǐn 名 果物とドライフルーツの総称

【果然】guǒrán 副 **やはり. はたして‖～不出我所料 やはり私が思ったとおりだ 接 もし. ほんとうに…ならば‖～像你所说那样, 事情就好办了 もしも君の言うとおりであれば, 事はやりやすい

【果肉】guǒròu 名 果肉

*【果实】guǒshí 名 ❶果実 ❷喩（闘争や労働の）成果. 収穫‖分享劳动～ 労働の成果を分かち合う

*【果树】guǒshù 名 果樹‖种植～ 果樹を植える

【果糖】guǒtáng 名 果糖. フルクトース

【果园】guǒyuán 名 果樹園.〔果木园〕ともいう

【果真】guǒzhēn 副 はたして. やっぱり‖他～上当了 彼はやっぱりだまされた 接 もし. …ならば‖你～要去的话, 就尽早走 行くのなら, できるだけ早く行きなさい

【果汁】guǒzhī 名 果汁. フルーツジュース

【果枝】guǒzhī 名〈植〉結果枝(けつかし)

【果子】guǒzi 名 ❶果実. 果物 ❷＝〔馃子guǒzi〕

【果子酱】guǒzijiàng ＝〔果酱guǒjiàng〕

【果子酒】guǒzijiǔ ＝〔果酒guǒjiǔ〕

【果子狸】guǒzilí 名〈動〉ハクビシン ＝〔花面狸〕

【果子露】guǒzilù 名 シロップ

11 **馃** guǒ ↴

【馃子】guǒzi 名 ❶小麦粉をこねて発酵させ, 棒状に伸ばして油で揚げた食品 ❷方 旧式の菓子の総称 ＊〔果子〕とも書く

12 **椁**（△槨）guǒ 古 上柩(うわひつぎ). 棺を入れる外箱‖棺guān～ 内棺と外棺

*14 **裹** guǒ ❶動 包む. くるむ‖～好伤口 傷口をしっかりくるむ ❷動 巻き込む‖这次事件他也被～了进去 今回の事件に彼も巻き込まれた

【裹脚】guǒ//jiǎo 動 旧 纏足(てんそく)をする

【裹乱】guǒ//luàn 動 方 じゃまをする. かき乱す

【裹腿】guǒtui 名 脚絆(きゃはん). ゲートル

【裹胁】guǒxié 動（悪事に加担するように）脅迫する.〔裹挟〕とも書く

【裹挟】guǒxié 動 ❶（風や流水が物を）巻き込む. 飲み込む ❷（時代の情勢や潮流などが人を）巻き込む ❸＝〔裹胁guǒxié〕

【裹扎】guǒzā 動 包む. 巻く. くるむ

【裹足不前】guǒ zú bù qián 成 二の足を踏む. 尻込みする

14 **蜾** guǒ ↴

【蜾蠃】guǒluǒ 名〈虫〉トックリバチ

guò

*6 **过**[1]（過）guò ❶**動（ある場所を）通過する. 通り過ぎる. 渡る**‖～马路 道路を渡る｜～了天津, 就到北京了 天津を過ぎれば間もなく北京に到着する ❷**動（時間が）経過する.（時を）過ごす**‖时间～得真快！ 時間のたつのはほんとうに早い｜～春节 旧正月を過ごす ❸動 移動する. 移す‖他把房产～到了弟弟的名下 彼は家屋敷を弟の名義に換えた ❹**動（ある処理を）経る**‖先把鱼～一下油 まず魚をさっと油に通す ❺量 方（～儿）動作の回数を数える. 回. 度. 遍‖把这封信看了好几～ その手紙を何度も読み返した ❻**動（ある限度を）越す. 越える**‖～了期限 期限を過ぎた｜年～八旬xún 年は80歳を越える｜赞成票没～半数 賛成票が過半数に達しない ❼副（単音節形容詞の前に置き, ある限度を越えていることを表す）…**すぎる**‖要求～高 要求が高すぎる｜讲得～快 話し方が早すぎる ❽名 過失. 過ち ↔〔功〕‖功大于～ 功績のほうが過ちより大きい ❾動 動詞の後に置く ①(guo;guò)**ある場所を通り過ぎる, または一方から一方へ移ることを表す**‖穿～马路 道路を横断する｜递dì～茶杯 湯飲みを手渡す ②(guo;guò)**向きを変えることを表す**‖翻～一页 ページをめくった ③(guo;guò)**ある適当な限度を越えることを表す**‖坐～了站 駅を乗り越した｜别睡～了 寝過ごすなよ ④**相手よりも勝ることを表す**. 多く〔得〕〔不〕を伴い可能または不可能を表す‖他跑得～你吗？ 彼は君より足が速いのかい？｜谁也说不～她 誰も彼女を言い負かすことができない ❿(guo;guò) 動 形容詞の後に置き, 超過することを表す‖他比你强～百倍！ 彼は君よりずっとやり手だ

*6 **过**[2]（過）guo ❶(guo;guò) 動 動詞の後に置き, **動作が終了済みであることを表す**.〔了〕とともに用いることができる‖会已经开～了 会議はもう終わった｜吃～饭再走吧 ご飯を食べてか

ら行きなさいよ ❷動 動詞の後に置き，**過去の経験を表す** ‖ 这个电影我看～三遍 この映画を私は3回見た｜我没说～那样的话 私はそんなことは言っていない ❸動 形容詞の後に置き，**過去にあった性質や状態を表す** ‖ 他从来没这么高兴～ 彼はいままでこんなに喜んだことはない ➤ guō

【过半】**guòbàn** 動 半分を超える．過半数になる

【过磅】**guò//bàng** 動 台ばかりにかける．台ばかりで計る

【过不去】**guòbuqù** 動 ❶通れない．通過できない ‖ 这条路太窄zhǎi～ この道は狭すぎて通れない｜没有～的桥 乗り越えられない困難はない ❷困らせる．難癖をつける ‖ 他总跟我～ 彼はいつも私に難癖をつける ❸すまないと思う．申し訳なく思う ‖ 让你破费，心里真有点儿～ あなたに散財をかけて，ほんとうに申し訳ない

【过场】**guòchǎng** 〈劇〉動 舞台を横切る(進軍または道中を表す) 名 幕間劇

⁑【过程】**guòchéng** 名 **過程．プロセス** ‖ 转变～ 変化の過程｜发展～ 発展過程｜全～ 全過程

【过秤】**guò//chèng** 動 はかりにかける．はかりではかる

【过从】**guòcóng** 動 書 交際する．付き合う

【过错】**guòcuò** 名 過ち．過失．落ち度

【过错责任】**guòcuò zérèn** 名〈法〉過失責任 ↔〔无过错责任〕

【过当】**guòdàng** 動 行きすぎる．限度を越える ‖ 防卫～ 過剰防衛｜处分～ 処理が妥当でない

【过道】**guòdào** 名 ❶廊下．通路 ❷伝統的家屋の庭と庭をつなぐ通路．また，とくに表門にある狭い部屋をさす

*【过得去】**guòdequù** 動 ❶通れる．通り抜けられる ‖ 这条胡同很宽，卡车都～ この横町は道幅が広いから，トラックでも通り抜けられる ❷(生活が)苦しくない．やっていける ‖ 工资不算多，但四口之家还算～ 給料は多くないが，4人の生活はなんとかやっていける ❸まあまあよい．まずまずである ‖ 成绩还～ 成績はまあまあといったところだ ❹気がすむ．(多く反語に用いる) ‖ 你这样做，良心上～吗？ 君，こんなことをして恥ずかしくないのか

【过得硬】**guòdeyìng** 慣 ❶厳しい試練に耐えられる ❷(技量や思想が)しっかりしている

【过电】**guò//diàn** 動 感電する

【过冬】**guò//dōng** 動 冬を過ごす．冬を越す

*【过度】**guòdù** 形 程度を越えている．度が過ぎている ‖ ～紧张 過度に緊張する｜操劳～ 過労に陥る

*【过渡】**guòdù** 動 移行する ‖ 由计划经济～到市场经济 計画経済から市場経済へ移行する 形 過渡的な ‖ ～时期 過渡期｜～形式 過渡的な形式

【过渡内阁】**guòdù nèigé** 名 臨時内閣．臨時政府．〔过渡政府〕ともいう

【过渡政府】**guòdù zhèngfǔ** 名 暫定政府．臨時政府

*【过分】**guò//fèn** 形 (話や行為が)行きすぎている ‖ 说得太～ 言いすぎだ｜谨慎jǐnshèn得～ 慎重すぎる

【过付】**guòfù** 動 仲介人を通して支払う．あっせん業者を通して取引をする

【过关】**guò//guān** 動 関門を通り抜ける．難関を突破する．(多く比喩的に用いる) ‖ 口试～可不容易 面接試験をパスするのはとても難しい

【过关斩将】**guò guān zhǎn jiàng** 成 次々と敵や対戦相手を倒す．または，次々と困難を克服する

【过河拆桥】**guò hé chāi qiáo** 成 川を渡り終えて橋を壊す．目的を達してしまうと，世話になった人のことを忘れる．後足で砂をかける

*【过后】**guòhòu** 名 ❶今後．以後 ‖ 这事～再商量 この件はあとでまた相談しましょう ❷その後．それから後 ‖ 起先他答应了，～又变了卦guà 最初彼は承知したのに，後になって気が変わってしまった

【过户】**guò//hù** 動〈法〉(不動産や有価証券などの)名義を書き換える．名義変更をする

【过话】**guò//huà** 動 方 ❶言葉を交わす ‖ 我和他从来不～ 私は彼と口をきいたことがない ❷ことづける．伝える ‖ 明天的会我去不了了，你帮我过个话 明日の会議に行けなくなったので，君から伝えておいてください

【过活】**guòhuó** 動 生活する．暮らす

【过火】**guò//huǒ** 形 (話や行為が)度を越している

【过激】**guòjī** 形 過激である ‖ ～言论 過激な言論

【过季】**guò//jì** 動 (商品が)季節を過ぎる ‖ ～夏装大减价 夏物一掃セール

【过继】**guòjì** 動 養子にもらう．養子にやる．(兄弟や親戚の間で行われる養子縁組をさす)

【过家伙】**guò jiāhuo** ＝〔打出手dǎ chūshǒu〕

【过奖】**guòjiǎng** 動 謙 ほめすぎる ‖ “你的中文真好”“～！” 「中国語がたいへんお上手ですね」「とんでもございません」

【过街老鼠】**guò jiē lǎoshu** 歇 通りを横切る鼠(ねずみ)．後に〔人人喊打〕(みんながたたけと叫ぶ)と続いて，衆人の敵となる，または，攻撃の的となること

【过街楼】**guòjiēlóu** 名 アーチ門のように通りや路地にまたがり，下が通行可能な建物

【过街天桥】**guòjiē tiānqiáo** 名 歩道橋．陸橋

【过节】**guò//jié** 動 ❶祝日を祝う ‖ 准备～ 祝日を祝う準備をする ❷祝日が過ぎる ‖ 这计划过了节再讨论 この計画は祝日が過ぎてから検討しよう

【过节儿】**guòjier；guòjiér** 名 方 ❶(対人関係での)義理．礼儀 ❷心の溝．わだかまり ❸些事(さじ)．細事

【过境】**guò//jìng** 動 国境を通過する ‖ ～签证 通過ビザ

【过境货物】**guòjìng huòwù** 名〈経〉通過貨物．トランジット貨物

【过境贸易】**guòjìng màoyì** 名 通過貿易

【过客】**guòkè** 名 旅人．旅行者

★【过来】**guò//lai(lái)** 動 (ある場所から)**やって来る．近づく** ‖ 请～一下 ちょっとこちらへいらしてください｜那边～一个人 向こうから誰かやって来る

⁑【…过来】**…//guo(guò)//lai(lái)** 動 ❶動詞の後に置き，**時間・能力・数量が十分であることを表す**．多く〔得〕〔不〕と連用する ‖ 名胜古迹很多，一、两天玩儿不～ 名所旧跡が多くて一日二日では回りきれない ❷動詞の後に置き，**動作が話し手の方へ移動することを表す** ‖ 对面开～一辆卡车 正面からトラックが1台やって来る ❸動詞の後に置き，**動作が話し手の正面に向きを変えることを表す** ‖ 把车头掉diào～ 車の向きを変える ❹動詞の後に置き，**本来の正常な状態を取り戻すことを表す** ‖ 把错字改～ 誤字を正す

【过来人】**guòlairén；guòláirén** 名 経験者．経験のある人

【过劳死】**guòláosǐ** 動 過労死する

【过了这村没这店】**guòle zhè cūn méi zhè diàn** 慣 この村を通り過ぎたらこの店はない．機会を逃がしてはいけないたとえ

【过礼】**guò//lǐ** 動 旧 (男性側から)結納を贈る

【过量】**guò//liàng** 動 量を過ごす．過度にする

G

【过淋】guòlìn 動 濾過(ろか)する. こす
【过录】guòlù 動 転記する. 書き写す
【过路】guòlù 動 通り過ぎる. 通過する
【过路财神】guò lù cái shén 成 通りすがりの福の神. 一時の間手元に大金を預っている人
【过虑】guòlǜ 動 余計な心配をする. 取り越し苦労をする ‖ 不必～ 余計な心配をするな
*【过滤】guòlǜ 動 濾過する. こす ‖ ～器 濾過器
【过滤嘴】guòlǜzuǐ 图 ❶(タバコの)フィルター ❷フィルター付きタバコ
【过门】guò//mén (～儿) 動 嫁入りする. 嫁ぐ
【过门儿】guòménr 图〈劇〉〈音〉間奏
【过敏】guòmǐn 動〈医〉過敏に反応する ‖ 药物～ 薬物アレルギー 形 過敏である
【过目】guò//mù 動 目を通す ‖ 日程表排好了, 请～ 日程表ができましたので, 目を通してください
【过目成诵】guò mù chéng sòng 成 一度目を通しただけで暗誦できる. 記憶力が非常に優れていること
**【过年】guò//nián 動 ❶新年を祝う. 正月を祝う ‖ 回老家～ 故郷に帰って正月を迎える ❷年を越す ‖ 一～就开工 年が明けたらすぐに工事が始まる
【过年】guònian 图 口 来年. 明年
【过期】guò//qī 動 期限が過ぎる
【过谦】guòqiān 形 謙遜(けんそん)しすぎる ‖ 您～了 ご謙遜しすぎです
★【过去】guò//qu(qù) 動 ❶(ある場所を)通る. 通り過ぎる. 離れる ‖ 前边正在修路, 汽车过不去 前方は道路工事中のため, 自動車は通れない ❷(時間・時期・ある状態が)過ぎる. 終わる. 去る ‖ 两个月～了, 还没得到他的回信 2ヵ月過ぎたが, まだ彼から返事の手紙がない ❸婉 亡くなる. 世を去る. (後に必ず〔了〕を伴う) ‖ 他祖母昨晚～了 彼のおばあさんは昨晩亡くなった 图 (guòqù)過去. 以前. これまで ↔〔现在〕〔将来〕 ‖ 怀恋～ 過去を懐かしむ
**【…过去】…//guo(guò)//qu(qù) 動 ❶動詞の後に置き, 動作が話し手から離れる, あるいは通過することを表す ‖ 这沟gōu不宽, 咱们跳～ この溝は幅が広くないから, 僕らは飛び越していこう ❷動詞の後に置き, 動作の向きを変えることを表す ‖ 她别过脸去, 不说话了 彼女は顔をそむけて黙ってしまった ❸動詞の後に置き, 本来の正常な状態を失うことを表す ‖ 她晕yūn～了 彼女は気を失った ❹動詞の後に置き, 動作の完成を表す. 多く不都合なことを強引に, または意図的にやりとおすときに用いる ‖ 犯了错误, 竟想瞒mán～ 過ちを犯してもあくまでごまかしとおそうとする ❺形容詞の後に置き, 超過することを表す. 多く〔得〕〔不〕と連用する ‖ 你跑得再快, 也快不过他去 君がどんなに速く走っても彼にはかなわない
【过热】guòrè 形 過熱している
【过人】guòrén 動 抜きん出る. ‖ 聪慧cōnghuì～ 並はずれて聡明だ
【过日子】guò rìzi 組 暮らす. 生活する ‖ 那家媳妇xífù会～ あの家の嫁はやりくりが上手だ
【过筛子】guò shāizi 組 ❶(穀物などを)ふるいにかける ❷喩 ふるいにかける. 選別する
【过山车】guòshānchē 图 ジェットコースター
【过晌】guòshǎng 图 方 昼すぎ. 午後
【过甚】guòshèn 形 (多く話が)大げさである. 誇大である ‖ ～其词 言い方が大げさである
【过剩】guòshèng 動 多すぎて余る. 過剰になる ‖ 材料～ 材料がだぶつく | 生产～ 生産過剰になる
*【过失】guòshī 图 過失. 過ち ‖ 自己的～自己负责 自分の過ちは自分で責任を負う
【过时】guò//shí 動 時間に遅れる 形 時代後れの. 流行後れである ‖ ～的服装 流行後れの服
【过世】guò//shì 動 世を去る. 逝去する
【过手】guò//shǒu 動 取り扱う. 手がける
【过数】guò//shù (～儿) 動 数を改める. 数を調べる
【过堂】guò//táng 動 旧 裁きを受ける
【过堂风】guòtángfēng (～儿) 图 部屋を吹き抜ける風. 通り抜ける風
【过天】guòtiān 副 方 後日. 近いうち
【过厅】guòtīng 图 旧式家屋で, 前後に出入り口があり通り抜けられる部屋
【过头】guò//tóu (～儿) 形 度を越している. 行き過ぎている ‖ 你说的话太～了 あなたは言い過ぎだ | 累过了头, 连饭都不想吃了 疲れすぎて御飯も食べたくない
【过屠门而大嚼】guò túmén ér dà jué 成 自分をごまかして自己満足するたとえ
【过往】guòwǎng 動 ❶行き来する. 往来する ❷交際する. 付き合う 图 過去. 以前
【过望】guòwàng 動 (自分が)望んでいた以上になる ‖ 大喜～ 望外の喜び
*【过问】guòwèn 動 かかわって意見を言う. 口出しする ‖ 这事不归我管, 所以不好～ この件は私の担当ではないので, あれこれ言うわけにはいかない
【过午】guòwǔ 图 昼すぎ. 午後
【过细】guòxì 形 綿密である. きめ細かい. 詳しい
【过心】guòxīn 動 方 ❶気を回す ❷気心が知れる. 互いに理解し合う
【过眼】guò//yǎn 動 目を通す
【过眼云烟】guò yǎn yún yān 成 目の前を雲や煙が流れていく. あっという間に消えてしまうものや事柄
【过夜】guò//yè 動 ❶一夜を過ごす. 一夜を明かす. (多く外泊をさす) ❷一夜を越す ‖ 不喝～茶 宵越しの茶は飲まない
【过意不去】guòyì bù qù 組 申し訳なく思う. 決まり悪く思う. 〔不过意〕ともいう
【过瘾】guò//yǐn 形 十分に満足できる. 堪能できる ‖ 这场足球比赛看得真～ このサッカーの試合は面白くて十分楽しめた | 今儿的饺子太少, 不～ 今日のギョーザは少なすぎて物足りない
【过硬】guò//yìng 形 しっかりしている. 厳しい試練に耐える ‖ 技术～ 技術がしっかりしている
【过犹不及】guò yóu bù jí 成 過ぎたるはなお及ばざるがごとし
*【过于】guòyú 副 …すぎる. あまりにも…である ‖ ～不拘jū小节 おおざっぱすぎる | 你～莽撞mǎngzhuàng了 君はあまりにも無鉄砲だ | 不要～相信 信用しすぎてはいけない
【过誉】guòyù 動 謙 ほめすぎる ‖ 如此～, 倒叫我汗颜了 過分のおほめの言葉をいただき, 汗顔の至りです
【过载】【过儎】guòzài 動 ❶積載オーバーする ❷(貨物や乗客を)積み換える
【过账】guò//zhàng 動 帳簿に転記する

H

【H股】H gǔ 名〈経〉H株．中国大陸の企業が香港で上場した株

hā

9 **哈**[1] hā 動 口を大きく開けて息を吐く ‖ →～气 | →～欠

9 **哈**[2] hā ❶感 得意なさまや驚き喜ぶさまを表す．(多くは重ねて用いる) ❷擬 (大笑いする声)わはは．(多くは重ねて用いる)

9 **哈**[3] hā 動 口 (腰を)曲げる．かがめる ‖ →～腰 ➤hǎ hà

★【哈哈】hāhā 擬 (笑い声)ははは．わはは ‖ ～大笑 わっはっはと大笑いする 感 得意なさまや満足なさまを表す

【哈哈】hāha ➡〔打哈哈dǎ hāha〕

【哈哈镜】hāhājìng 名 凹面あるいは凸面で人の姿がゆがんで映る鏡

【哈哈ル】hāhar 名 方 滑稽(こっけい)なこと．失態 ‖ 让人瞧～ 人の物笑いのたねになる

【哈喇】hāla 動 口 (油ものが)酸化して傷む

【哈喇子】hālázi 名 方 よだれ

【哈雷彗星】hāléi huìxīng 名〈天〉ハレー彗星(すいせい)

【哈里发】hālǐfā 名 外〈宗〉❶カリフ．ハリファ．イスラム教国で，政教一致の最高指導者の称号 ❷中国のイスラム寺院で経典を学ぶ修行者

【哈密瓜】hāmìguā 名〈植〉ハミウリ

【哈尼族】Hānízú 名 ハニ族(中国の少数民族の一つ，主として雲南省に居住)

【哈气】hā//qì 動 はあっと息を吐きかける 名 (hāqì) (吐く息や結露による)くもり

【哈欠】hāqian 名 あくび ‖ 打～ あくびをする

【哈萨克斯坦】Hāsàkèsītǎn 名〈国名〉カザフスタン．略して〔哈萨克〕ともいう

【哈萨克族】Hāsàkèzú 名 カザフ族(中国の少数民族の一つ，主として新疆ウイグル自治区に居住)

【哈腰】hā//yāo 動 口 ❶腰をかがめる ❷軽く体をかがめて礼をする ‖ 点头～ ぺこぺこする

11 **铪** hā 名〈化〉ハフニウム(化学元素の一つ，元素記号は Hf)

há

9 **虾**(蝦) há ↴ ➤xiā

【虾蟆】háma；hámá ＝〔蛤蟆háma〕

12 **蛤** há ↴ ➤gé

【蛤蟆】háma；hámá 名〔青蛙〕(トノサマガエル)と〔蟾蜍chánchú〕(ヒキガエル)の総称．〔虾蟆〕とも書く

hǎ

9 **哈** hǎ 名 姓 ➤hā hà

【哈巴狗】hǎbagǒu 名 ❶〈動〉ペキニーズ．〔巴ル狗〕〔狮子狗〕ともいう ❷喩 ごますり．おべっか使い

【哈达】hǎdá 名 ハター．カター．チベット族やモンゴル族が祝賀や敬意のしるしに人に贈る帯状の布

hà

9 **哈** hà ↴ ➤hā hǎ

【哈巴】hàba 動 方 がにまたで歩く ‖ ～腿 がにまたの足

hāi

9 * **咳** hāi ❶感 (呼びかけや注意を促すときに発する声)やあ．さあ．〔嗨〕とも書く ‖ ～，大家快来呀！ さあ，みんな早く来いよ！ ❷感 (後悔や驚き，不審を表すときに発する声)あれまあ．おやまあ ‖ ～，能有这样的好事吗？ へえっ，そんなうまい話があるのかい ➤ké

13 **嗨** hāi 〔咳hāi ❶〕に同じ

【嗨哟】hāiyō 感 よいしょ．えんやこりゃ

hái

7 ★ **还**(還) hái ❶副 (前の状態や動作などが継続していること，または変化のないことを表す)**依然として．まだ** ‖ 外边～在下雨 外はまだ雨が降っている | 这件事他～不知道呢 この事を彼はまだ知らないんだ ❷副 (後に〔就〕を伴い，時期の早いことを強調する)**まだ… のときに(もう)** ‖ ～不到一年，他就学会了日常会话 1年もたたないうちに，彼はもう日常会話をマスターした ❸副 (複文の前節に用い，とくに一例をあげ，後節で他の場合はなおさら当然であると類推させる)**… でさえ．… ですら** ‖ 大人～搬bān不动，何况孩子呢？ 大人でさえ動かせないのだから，子供ではなおさらだ ❹副 (範囲の拡大や追加を表す)**その上．さらに** ‖ 考完笔试，～有口试 筆記試験が終わると，さらに口頭試験がある | 您～要别的吗？ ほかにも何かお入り用でしょうか ❺副 (〔比〕と連用し，比較の対象となるものの性質・状態・程度が増すことを表す)**もっと．(… よりも)さらに** ‖ 今天比昨天～热 今日はきのうよりもっと暑い ❻副 (形容詞の前に置き，十分ではないがまずまずである意味を表す)**まあまあ．まあどうやら．なんとか** ‖ 脑子～聪明，就是不太用功 頭はまあいいほうなのだが，あまり勉強しない ❼副 (予想外に好ましいことに対して，賛嘆の気持ちを表す)**案外．思ったより．なかなか．けっこう** ‖ 他跑得～挺快 彼は走るのがなかなか速い ❽副 (あるべき姿やあるべき行動への期待が裏切られたとき，それを詰問する気持ちを表す)**それでも(… か)** ‖ ～是大学生呢，怎么连这点ル道理都不懂！ それでも大学生かね，こんな当たりまえのことすら分からなくて ❾副 (反語を強める)**それでも．それなのに** ‖ 欢迎会是为你开的，你不去～行？ 歓迎会は君のために開くんだ，君が行かなくてすむわけないだろ ➤huán

★【还是】háishi 副 ❶(状態や動作が継続していること，または変化のないことを表す)**まだ．依然として** ‖ 他～住在老地方 彼はまだ以前の所に住んでいる ❷(物事が

予想外に好ましいことに対して，賛嘆の気持ちを表す）案外．思ったよりも．なかなか．けっこう ‖ 这个谜mí～真难猜cāi このなぞなぞはなかなかどうして難しい ❸（比較・考慮した上でよりよいと思った判断を表す）やはり … するほうがいい ‖ ～叫出租车吧，要不来不及了 やはりタクシーを呼んだほうがいい，でないと遅れてしまう [接] ❶（多く〔是 … 还是 …〕の形で，選択すべき事項を並列する） … か それとも … か ‖ 你是喝茶～喝咖啡？ お茶にしますか，コーヒーにしますか ❷（〔不管〕〔无论〕などと呼応して，いずれにせよの意味を表す） … であれ … であれ ‖ 不管中国画～油画，他都画得很好 中国画にしろ油絵にしろ，彼はとても上手だ

【还有】háiyǒu [接] それから．それに．あと ‖ 你去把这些资料交给他，～，把开会时间也告诉他 この資料を彼に渡してください，それから会議の時間も伝えてください

9 **孩** hái （～儿）❶子供．幼児 ‖ 小～儿 子供 ❷息子や娘 ‖ 他们两口子只有一个女～儿 彼ら夫婦には娘が一人いるきりだ

【孩提】háití [名][書] 幼年 ‖ ～时代 幼年時代

【孩童】háitóng [名] 子供

★【孩子】háizi [名] ❶児童．子供 ‖ 小～ 子供 | 男～ 男の子 | 女～ 女の子 ❷自分の子．息子や娘 ‖ 你有几个～？ お子さんは何人ですか

【孩子气】háiziqì [名] 幼さ．あどけなさ ‖ 脸上带着几分～ 顔にいくぶん幼さが残っている [形] 子供じみた．大人気ない ‖ 这么大岁数了，还那么～ いい年をして，いまだにあんな子供じみた調子なんだから

【孩子头】háizitóu （～儿）[名] ❶子供を相手に遊ぶのが好きな大人 ❷がき大将．〔孩子王〕ともいう

【孩子王】háiziwáng [名] ❶がき大将 ❷幼稚園や小学校の教師．揶揄をこめた呼称

15 **骸** hái ❶骸骨（がいこつ） ‖ 一～骨 ❷体 ‖ 病～ 病軀（びょうく） | 形～ 形骸（けいがい）

【骸骨】háigǔ [名] 骸骨

hǎi

10 ★**海** hǎi ❶[名] 海 ‖ 大～ 海 ❷[古] 外国から入ってきたもの．舶来の ‖ 一～棠 ❸海に生息するもの．海でとれるもの ‖ 一～龟 ❹湖の名称に用いる ‖ 北～ 北海（北京市内にある人造湖） ❺[喩] 多く集まっている人やもの ‖ 林～ 樹海 ❻[形][方]（後に助詞〔了〕や〔啦〕を伴い）非常に多い ‖ 公园里的人可～啦！ 公園はたいへんな人出だ ❼大きい ‖ 一～量 ❽[副][方] やたらに．むやみに ‖ ～吃～喝 牛飲馬食する

> **逆引き単語帳** 〔东海〕Dōnghǎi 東シナ海 〔南海〕Nánhǎi 南シナ海 〔渤海〕Bóhǎi 渤海 〔地中海〕Dìzhōnghǎi 地中海 〔北海〕Běihǎi 北海 〔红海〕Hónghǎi 紅海 〔死海〕Sǐhǎi 死海 〔里海〕Lǐhǎi カスピ海 〔爱琴海〕Àiqínhǎi エーゲ海 〔波罗的海〕Bōluódìhǎi バルト海 〔加勒比海〕Jiālèbǐhǎi カリブ海 〔中南海〕Zhōngnánhǎi （北京の）中南海．政府・党の最高機関の所在地で，要人の居住地として知られる

*【海岸】hǎi'àn [名] 海岸

【海岸线】hǎi'ànxiàn [名] 海岸線

*【海拔】hǎibá [名] 海抜．標高

【海报】hǎibào [名] ポスター ‖ 贴～ ポスターを張る

【海豹】hǎibào [名]〈動〉アザラシ

*【海滨】hǎibīn [名] 海浜．海辺 ‖ ～浴场 海水浴場

【海菜】hǎicài [名]（食用の）海草

【海产】hǎichǎn [形] 海産の [名] 海産物

【海潮】hǎicháo [名] 潮．潮の干満

【海程】hǎichéng [名]（船の）航程

【海带】hǎidài [名]〈植〉コンブ

【海盗】hǎidào [名] 海賊 ‖ ～船 海賊船

【海底】hǎidǐ [名] 海底 ‖ ～电缆diànlǎn 海底ケーブル | ～隧道suìdào 海底トンネル

【海底捞月】hǎi dǐ lāo yuè [成] 海の中の月をすくう．まったく望みのない努力をすること，または，むだ骨を折ることのたとえ．〔水中捞月〕ともいう

【海底捞针】hǎi dǐ lāo zhēn [成] 海の底から針をすくい取る．捜し当てるのがきわめて難しいことのたとえ．〔大海捞针〕ともいう

【海地】Hǎidì [名]〈国名〉ハイチ

【海防】hǎifáng [名] 海防．海岸警備

【海匪】hǎifěi [名] 海賊

【海风】hǎifēng [名] 海風

*【海港】hǎigǎng [名] 海港．港

【海沟】hǎigōu [名]〈地〉海溝

【海狗】hǎigǒu [名]〈動〉オットセイ．〔膃肭兽〕ともいう

**【海关】hǎiguān [名] 税関 ‖ 过～ 通関手続きをする

【海归】hǎiguī [動] 海外から帰国する．主に帰国して起業，または就職することをさす [名] 海外から帰国した人

【海龟】hǎiguī [名]〈動〉アオウミガメ

【海涵】hǎihán [動][書][敬] 海容する．大目に見る

*【海货】hǎihuò [名] 海産物

【海疆】hǎijiāng [名] 沿海域の領土

【海角天涯】hǎi jiǎo tiān yá [慣] 地の果て海の果て ＝〔天涯海角〕

【海进】hǎijìn ＝〔海侵hǎiqīn〕

*【海军】hǎijūn [名] 海軍

【海口】[1] hǎikǒu [名] ❶湾．入り江 ❷湾内の港

【海口】[2] hǎikǒu ➡〔夸海口kuā hǎikǒu〕

【海枯石烂】hǎi kū shí làn [成] 海がかれ岩が砕けて砂になろうとも．永遠に．（多くは誓いの言葉として用いる）

【海况】hǎikuàng [名]〈気〉❶海況（かいきょう）．水温・海流・プランクトンの分布などの海洋の状況 ❷波の高さやうねりなどの度合い．0～9級で示す

【海阔天空】hǎi kuò tiān kōng [成] 天地が茫漠として限りない．想像や話の内容がとりとめのないさま

【海蓝】hǎilán [名] マリンブルー．海の青

【海狸】hǎilí [名] ビーバー．〔河狸〕の旧称

【海里】hǎilǐ [量] 海里．ノット．古くは〔浬〕と書いた

【海量】hǎiliàng [名] ❶[敬] 広い度量．海容 ❷上戸（じょうご）．酒豪

【海岭】hǎilǐng [名]〈地〉海嶺（かいれい）．海底山脈

【海流】hǎiliú [名] ❶〈地〉海流．〔洋流〕ともいう ❷海水の流れ．潮の流れ

【海路】hǎilù [名] 海路 ↔〔陆路〕

【海轮】hǎilún [名] 大型船舶．外洋汽船

【海螺】hǎiluó [名]〈貝〉マキガイ．ホラガイ

【海洛因】hǎiluòyīn [名][外] ヘロイン

【海马】hǎimǎ [名]〈魚〉タツノオトシゴ．カイバ

【海米】hǎimǐ [名] 干しエビ

【海绵】hǎimián [名] ❶〈動〉カイメン ❷海綿．海綿動物の繊維状骨格を乾燥させたもの ❸スポンジ

*【海面】hǎimiàn [名] 海面

【海难】hǎinàn 名 海難 ‖ ～信号 海難信号
【海内】hǎinèi 名 四海の内. 国内をさす
【海牛】hǎiniú 名〈動〉カイギュウ
【海鸥】hǎi'ōu 名〈鳥〉カモメ
【海派】hǎipài 名 ❶〈劇〉(京劇の流派の一つ)上海派 ❷上海風. 上海式. 上海流
【海盆】hǎipén 名〈地〉海底の盆地. 海盆(かいぼん)
【海侵】hǎiqīn 名〈地〉海進(かいしん). 海浸(かいしん). 〔海进〕ともいう
【海区】hǎiqū 名 海域
【海上】hǎishàng 名 海上 ‖ ～封锁 海上封鎖
【海参】hǎishēn 名〈動〉ナマコ
【海狮】hǎishī 名〈動〉アシカ科の海獣の総称
【海蚀】hǎishí 名〈地〉海食(かいしょく)
【海市蜃楼】hǎi shì shèn lóu 成 ❶蜃気楼(しんきろう). 〔蜃景〕ともいう ❷喩 空中楼閣. 非現実的でむなしい事物のたとえ
【海事】hǎishì 名 ❶海に関する事柄. 海事 ‖ ～仲裁zhòngcái 海事仲裁 ❷船舶の事故
【海誓山盟】hǎi shì shān méng 成 永遠の愛の誓い. 〔山盟海誓〕ともいう
【海兽】hǎishòu 名〈動〉海獣
【海损】hǎisǔn 名〈貿〉海の事故で船や積み荷が受けた損害. 海損 ‖ ～契约qìyuē 海損契約書
【海獭】hǎitǎ 名〈動〉ラッコ. 俗に〔海龙〕という.
【海滩】hǎitān 名 砂浜
【海滩排球】hǎitān páiqiú 名〈体〉ビーチバレー
【海棠】hǎitáng 名〈植〉カイドウ
【海塘】hǎitáng 名 防潮堤. 防波堤
【海图】hǎitú 名 海図
【海豚】hǎitún 名〈動〉イルカ. 俗に〔海猪〕ともいう
【海豚泳】hǎitúnyǒng 名〈体〉ドルフィン・キック
*【海外】hǎiwài 名 海外. 国外
【海外关系】hǎiwài guānxi 名 海外に住む親戚や知人との関係
【海外奇谈】hǎi wài qí tán 成 根も葉もないうわさ. 不思議な話. めずらしい話
【海湾】hǎiwān 名 海湾. 入り海
【海王星】hǎiwángxīng 名〈天〉海王星
【海味】hǎiwèi 名 海産物. 海の幸
*【海峡】hǎixiá 名 海峡
*【海鲜】hǎixiān 名 新鮮な海産物. 海の幸
【海象】hǎixiàng 名〈動〉ゾウアザラシ
【海啸】hǎixiào 名〈地〉津波. 高潮
【海星】hǎixīng 名〈動〉ヒトデ
【海选】hǎixuǎn 動 立候補制をとらない直接選挙のこと
【海盐】hǎiyán 名 海水を原料とする塩
【海蜒】hǎiyán 名 カタクチイワシの稚魚の干物
【海晏河清】hǎi yàn hé qīng 成 黄河の水は清く海はないでいる. 天下太平なさま ＝〔河清海晏〕
【海燕】hǎiyàn 名 ❶〈動〉イトマキヒトデ ❷〈鳥〉ヒメウミツバメ
【海洋】hǎiyáng 名 海洋 ‖ ～国家 海洋国
【海洋权】hǎiyángquán 名〈法〉海洋権
【海洋性气候】hǎiyángxìng qìhòu 名〈気〉海洋性気候
【海洋学】hǎiyángxué 名 海洋学
*【海鱼】hǎiyú 名 海の魚
【海域】hǎiyù 名 海域
【海员】hǎiyuán 名 船員
*【海运】hǎiyùn 名 海運 ‖ ～局 海運局
【海葬】hǎizàng 名 海葬. 水葬
【海藻】hǎizǎo 名 海草
【海战】hǎizhàn 名 海戦
【海蜇】hǎizhé 名〈動〉クラゲ

10 **胲** hǎi 名〈化〉ヒドロキシルアミン

17 **醢** hǎi 古 ❶肉や魚の塩辛 ❷(古代の刑罰の一種)人を細かく切り刻む刑

hài

6 **亥** hài 名 亥(い) (十二支の第12). ➡〔地支dìzhī〕

9 **骇** hài 驚く. 驚かす ‖ 惊jīng涛tāo～浪 逆巻く大波
【骇然】hàirán 形 驚くさま. 愕然(がくぜん)とするさま ‖ ～失色 愕然として色を失う
【骇人听闻】hài rén tīng wén 成 世間を驚かせる ‖ ～的杀人案件 ショッキングな殺人事件

10 ** **害** hài ❶動 損害を与える. 良くない結果を招く ‖ 他弄错了时间, ～得大家白等了半天 彼が時間を間違えたせいで, みんな長いこと待たされた ❷名 害. 悪い点 ↔〔利〕〔益〕‖ 抽烟对身体有～ 喫煙は体に害がある ❸災い. 災禍 ‖ 灾～ 災害 ❹有害な ↔〔益〕‖ 一～虫 ❺殺害する. 殺す ‖ 杀～ 殺害する ❻動 病気になる ‖ ～了肝炎 肝炎にかかった ❼不安になる ‖ 一～怕
【害病】hài//bìng 動 病気になる. わずらう
*【害虫】hàichóng 名 害虫
**【害处】hàichu 名 不利なこと. 悪いところ ‖ 年轻时吃点儿苦没什么～ 若いときに苦労するのは悪いことではない
【害鸟】hàiniǎo 名 害鳥
**【害怕】hài//pà 動 怖がる. 恐れる. 心配する ‖ ～困难 困難を恐れる | 她出门前～下雨, 把晾liàng的衣服都收了进来 彼女は留守中に雨が降るのを心配して, 干してある服を全部取り込んだ

> **類義語** 害怕 hàipà　怕 pà　可怕 kěpà
> ◆〔害怕〕〔怕〕ともに動詞で, 困難あるいは危険な場面に出くわして(またはそういう場面に遭遇することを想像して)怖がる. 恐れる. 心配する ‖ 我害怕(怕)的不是开刀, 而是留下后遗症 私が心配しているのは手術のことではなくて, 後遺症のことだ　◆〔可怕〕形容詞で恐怖を感じることをいう. 恐ろしい ‖ 可怕的事情终于发生了 恐ろしい事がついに起きた

【害群之马】hài qún zhī mǎ 成 群れに危害を加える馬. 集団に危害を加える者のたとえ
【害人虫】hàirénchóng 名 喩 社会の害虫
【害臊】hài//sào 動 口 恥ずかしい. 決まりが悪い ‖ 说这种话, 你也不觉得～！ そんなことを言うとは, 君はよく恥ずかしくないもんだ
【害喜】hài//xǐ 動 口 つわりになる
*【害羞】hài//xiū 形 恥ずかしい. 決まりが悪い ‖ 客人来了, 她却～不敢出来 お客様が見えたのに, 彼女は恥ずかしがって出て来ない
【害眼】hài//yǎn 動 目をわずらう. 眼病にかかる

H

10 **氦** hài 图〈化〉ヘリウム(化学元素の一つ，元素記号は He). ふつうは〔氦气〕という

13 **嗐** hài 感 不満だったり悔やんだりする気持を表す ‖ ～，来晚了一步！ ああ，来るのがひと足遅かった

hān

9 **顸** hān 形 方 太い ‖ 这根棍儿 gùnr太～ この棒は太すぎる

11 **蚶** hān 图〈貝〉フネガイ. ふつうは〔蚶子〕という

【蚶子】hānzi 图〈貝〉フネガイ

12 **酣** hān ❶思う存分酒を飲む ‖ 一～饮 ❷快い ‖ 一～睡 ❸(戦闘が)激しい ‖ 一～战

【酣畅】hānchàng 形 気持ちがよい. 痛快である ‖ 喝得～ 痛飲する | 笔锋～淋漓 筆鋒(ひっぽう)がのびやかだ

【酣梦】hānmèng 图 快い眠り. 熟睡

【酣然】hānrán 形 心地よい. うっとりとしている

【酣睡】hānshuì 動 熟睡する. ぐっすり眠る

【酣饮】hānyǐn 動 思う存分酒を飲む. 痛飲する

【酣战】hānzhàn 動 激しく戦う

15 **憨** hān ❶形 頭が悪い. 愚鈍である ❷形 まじめである. 実直である ‖ 一～厚

【憨厚】hānhou；hānhòu 形 実直である

【憨实】hānshí 形 無邪気で実直である

【憨态】hāntài 图 無邪気. 天真爛漫(てんしんらんまん) ‖ ～可掬jū 無邪気そのものである

【憨笑】hānxiào 動 屈託なく笑う. へらへら笑う

【憨直】hānzhí 形 素直である. 実直である

【憨子】hānzi 图 方 間抜け. うすのろ

17 **鼾** hān 图 いびき ‖ 打～ いびきをかく

【鼾声】hānshēng 图 いびき

【鼾睡】hānshuì 動 熟睡していびきをかく

hán

5 **邗** hán 地名用字 ‖ ～江 江蘇省にある地名

6 **汗** hán 图 略 〈史〉ハン. 古代モンゴル族などの最高統治者の称号. 〔可汗〕の略 ‖ 成吉思～ チンギス・ハン ➤ hàn

7 **邯** hán 地名用字 ‖ ～郸 河北省にある地名

【邯郸学步】Hándān xué bù 成 邯鄲(かんたん)の歩み. 他人のまねをして自分本来のものまで失うこと

7 ** **含** hán ❶動(口に)含む ‖ 嘴里～着糖 口にあめを入れている ❷動 含有する. 含む ‖ ～着眼泪 目に涙をためる ❸書 堪え忍ぶ. 我慢する ‖ 一～辛茹苦 ❹動(ある感情を)抱く. 帯びる ‖ 一～怒

【含苞】hánbāo 動 書 つぼみがつく. つぼみをつける

【含垢忍辱】hán gòu rěn rǔ 成 恥かしめに堪える.

【含恨】hán//hèn 動 恨みを抱く ‖ ～死去 恨みを抱いて死ぬ

*【含糊】【含胡】hánhu 形 ❶曖昧(あいまい)である ‖ 回答得含含糊糊 曖昧に答える ❷いいかげんである. ちゃんとしていない ‖ 这件事绝不能～ この事は決していいかげんにしてはならない 動 尻込みする. 弱みを見せる. (多く否定に用いる) ‖ 说到比试手艺，那我绝不～ 腕比べとなれば敵に背を見せるわけにはいかない

【含糊其辞】【含糊其词】hánhu qí cí 慣 言葉を曖昧にする. 言葉を濁す

【含混】hánhùn 形 不明瞭である. 曖昧である

【含金量】hánjīnliàng 图 ❶金の含有量 ❷(事物の)実質的価値. 値打ち

【含量】hánliàng 图 含有量 ‖ 氧～ 酸素含有量

【含怒】hán//nù 動 怒りを抱く. 怒りを秘める

【含情】hánqíng 動 思いを秘める. 感情を抑えて胸にしまっておく. (多く男女間の愛情に用いる)

【含沙射影】hán shā shè yǐng 成 ひそかに人を攻撃する. 暗に人を非難中傷する

【含笑】hán//xiào 動 ほほえむ. 笑みを浮かべる

【含辛茹苦】hán xīn rú kǔ 成 辛酸をなめる. 苦労を堪え忍ぶ. 〔茹苦含辛〕ともいう

【含羞】hán//xiū 動 はにかむ. 恥ずかしがる ‖ ～不语 はにかんで黙りこくる

【含羞草】hánxiūcǎo 图〈植〉オジギソウ. ネムリグサ

【含蓄】hánxù 動 含む 形 ❶含蓄がある ‖ 话说得很～ 話に含蓄がある ❷内に秘めている. 表に出さない ‖ ～地指出 暗に指摘する ＊〔涵蓄〕とも書く

【含血喷人】hán xuè pēn rén 成 根も葉もないことを言い触らして人を傷つける. 人を中傷する

【含饴弄孙】hán yí nòng sūn 成 あめをしゃぶって孫をあやす. 楽しい老後生活を送るさま

*【含义】hányì 图(言葉に)含まれている意味. 〔涵义〕とも書く ‖ ～很深 意味深長である

【含意】hányì 图 含意. 含み

【含英咀华】hán yīng jǔ huá 成 文章の精華を十分に味わう. 熟読玩味(がんみ)する

*【含有】hányǒu 動 含む. 含有する ‖ 他的话里～恶意 彼の言葉には悪意が含まれている

【含冤】hán//yuān 動 冤罪(えんざい)が晴れない ‖ ～而死 冤罪を負ったまま死ぬ

8 **函**(△凾) hán ❶書 箱. 帙(ちつ) ❷書簡 ‖ 来～ 来信

【函电】hándiàn 图 書簡と電報の総称

【函告】hángào 動 書 手紙で知らせる ‖ 会议日程，另行～ 会議の日程は改めて書面でご通知いたします

【函购】hángòu 動 通信販売で購入する

【函件】hánjiàn 图 手紙. 書信. 郵便物

*【函授】hánshòu 動 通信教育を行う

【函售】hánshòu 動 通信販売で商品を売る ‖ ～业务 通信販売業務

【函数】hánshù 图〈数〉関数

【函索】hánsuǒ 動 書 手紙で請求する

11 **涵** hán ❶包含する. 内包する ‖ 蕴yùn～ 含む ❷排水路 ‖ 桥～ 橋と暗渠

【涵洞】hándòng 图(鉄道や道路の下の)排水路

【涵盖】hángài 動 含む. 包含する

【涵蓄】hánxù ＝〔含蓄hánxù〕

【涵养】hányǎng 動(水を)蓄える 图 修養. 自制心 ‖ 他很有～ 彼は自制心が強い

【涵义】hányì ＝〔含义hányì〕

11 **焓** hán 图〈物〉エンタルピー

11 **晗** hán 古 夜明け. 黎明(れいめい)

12 **寒 hán** ❶寒い. 冷たい ↔〔暑〕‖ 御～ 寒さを防ぐ ❷寒い季節 ↔〔暑〕‖ →～假 ❸恐れる. ぞっとする ‖ 胆～ 怖がる ❹貧しい. 貧困である ‖ 贫～ 貧しい ❺謙 自分の家庭などに用いる ‖ →～舍 ❻图〈中医〉六淫(ろくいん)の一つ, 寒(かん)

【寒蝉】hánchán 图 ❶書 寒空のセミ ‖ 噤jìn若～ 寒空のセミのように押し黙る ❷夏の終わりに鳴くセミの一種

【寒潮】háncháo 图〈気〉寒波

【寒碜】【寒伧】hánchen 口 形 ❶みっともない. 恥ずかしい ❷醜い. 貧弱である 動 恥をかかせる. メンツをつぶす ‖ 叫人当面～了一顿 面と向かって恥をかかされた

【寒窗】hánchuāng 图 苦労して学問をすること ‖ 十年～ 蛍雪10年

【寒带】hándài 图〈地〉寒帯

【寒冬】hándōng 图 厳冬

【寒冬腊月】hándōng làyuè 慣 厳冬. 真冬

【寒光】hánguāng 图(刀などの)冷たい光

【寒号鸟】hánhàoniǎo 图 寒苦鳥. 仏教説話の想像上の鳥. 夜は寒さに苦しめられ明日こそは巣をつくろうと思うが, 朝の太陽をみるとそんな気持ちを忘れてしまい, 結局凍え死んでしまう鳥

★【寒假】hánjià 图 **冬休み** ‖ 放～ 冬休みになる

【寒噤】hánjìn 图 身震い ‖ 打～ 身震いする

【寒苦】hánkǔ 形 貧しい ‖ 家境～ 生活が苦しい

【寒来暑往】hán lái shǔ wǎng 成 寒さが来て暑さが去る. 季節が移りゆくこと

【寒冷】hánlěng 形 **寒い. 寒冷である ‖ 气候～ 気候が寒冷である｜～的冬天 寒さの厳しい冬

【寒流】hánliú 图 ❶〈地〉寒流 ↔〔暖流〕❷〈気〉寒波

【寒露】hánlù 图 寒露(二十四節気の一つ)

【寒毛】hánmao 图 産毛. =〔汗毛〕

【寒门】hánmén 图 書 ❶謙 拙宅. 陋屋(ろうおく) ❷貧しい家柄. 身分の低い家柄 ↔〔豪门〕

【寒气】hánqì 图 ❶寒け. 悪寒 ❷寒気. 冷気. 寒さ ‖ ～逼bī人 寒さがひしひしと身に迫る

【寒峭】hánqiào 形 書 寒さが身に迫るさま

【寒秋】hánqiū 图 晩秋

【寒热】hánrè 图〈中医〉発熱や寒けの症状

【寒舍】hánshè 图 謙 拙宅

【寒食】Hánshí 图 寒食. 清明節の前日をさす

【寒暑】hánshǔ 图 ❶寒暖 ‖ ～表 寒暖計 ❷冬と夏. また, 一年をさす ‖ 共度过四个～ 4年間共に過ごした

【寒酸】hánsuān 形 貧乏くさい. 貧相である ‖ 穿得很～ 身なりが貧乏たらしい｜～相 貧相な姿

【寒微】hánwēi 形 貧しく卑しい. 貧賤(ひんせん)である

【寒心】hán//xīn 動 ❶がっかりする. 失望する ‖ 她如此忘恩负义, 真叫人～ 彼女のこのような恩知らずの行いにはほんとうにがっかりさせられる ❷恐れる. 心細がる

*【寒暄】hánxuān 動 時候の挨拶をする ‖ 邻居línjū们见了面总少不了～几句 隣近所の人々は顔を合わせるといつも挨拶を交わす｜～话 挨拶の言葉

【寒衣】hányī 图 冬着. 防寒用の服

【寒意】hányì 图 寒さ. 冷え

【寒战】hánzhàn 图 身震い ‖ 打～ 身震いする

12 **韩(韓) hán** 图 韓(かん). 戦国時代の国名.

【韩国】Hánguó 图〈国名〉大韓民国. 韓国

hǎn

7 **罕 hǎn** まれである. 珍しい ‖ ～有 まれである｜人迹～至 人跡まれである

*【罕见】hǎnjiàn 形 まれな. めったにない ↔〔常见〕‖ 百年～的珍宝 まれに見る宝物

12 ★**喊 hǎn** ❶動 **大声で叫ぶ** ‖ 有人在～救命 誰かが助けてくれと叫んでいる ❷動 **呼ぶ** ‖ 走的时候～我一声 行く時私にひと声掛けてください

【喊话】hǎn//huà 動 大声で呼びかける

【喊价】hǎn//jià 動 値段をつける ‖ 一张错版人民币竟然～20万元 人民元のエラー紙幣になんと20万元の値がついた

*【喊叫】hǎnjiào 動 叫ぶ. 大声で呼ぶ ‖ 大家～着为他助威zhùwēi みなが喚声をあげて彼を応援している

【喊嗓子】hǎn sǎngzi 組(京劇などの俳優が)発声練習をする. のどの調子を整える

【喊冤】hǎn//yuān 動 冤罪(えんざい)だと訴える. 無実を訴える ‖ ～叫屈jiàoqū 無実を叫ぶ

hàn

5 **汉(漢) hàn** ❶漢水.(長江最大の支流の名)❷銀河. 天の川 ‖ 银～ 銀河 ❸漢中. 陝西省にある地名 ❹图 ①王朝名, 漢(前206～220年). 劉邦(りゅうほう)の建てた王朝 ②王朝名, 後漢(947～950年). 劉知遠の建てた王朝 ❺漢民族 ‖ →～语 ❻男. 男子 ‖ 好～ 好漢 ❼漢語. 中国語 ‖ ～译日 中文日訳

【汉堡包】hànbǎobāo 图 外 ハンバーガー

*【汉奸】hànjiān 图 漢奸(かんかん). 売国奴

【汉民】Hànmín 图 口 漢民族の人

【汉人】Hànrén 图 ❶漢民族. 漢民族の人 ❷前漢・後漢時代の人

【汉文】Hànwén 图 ❶漢語. 中国語 ❷漢字

【汉姓】hànxìng 图 ❶漢民族の姓 ❷漢民族以外の人が用いる漢民族の姓

*【汉学】hànxué 图 ❶漢学. 実証主義的な訓詁(くんこ)注解を主とする学風 ❷外国人による中国に関する学問の総称. 中国学. シノロジー

★【汉语】Hànyǔ 图 **中国語. 漢語.**

> **類義語** 汉语 Hànyǔ 中国话 Zhōngguóhuà 中文 Zhōngwén 普通话 pǔtōnghuà
>
> ◆〔汉语〕狭義では〔普通话〕, 広義では漢民族の言語をさす ‖ 学习汉语 中国語を学ぶ ◆〔中国话〕〔汉语〕が学術的・専門的なのに比べ, 通俗的な表現で, 話し言葉で多く用いる ‖ 她会说中国话 彼女は中国語が話せる ◆〔中文〕「中国語」の意味を表すほかに, とくに中国語で書かれた作品を表す. また,〔中文〕は〔中国语言文学〕の省略でもある ‖ 中文小说 中国語の小説 ◆〔普通话〕現代中国語の標準語をさす

【汉语拼音】Hànyǔ pīnyīn 图〈語〉ピンイン. 中国語をローマ字で表音化したもの

【汉语水平考试】Hànyǔ shuǐpíng kǎoshì 图 HSK. 中国が実施している中国語能力認定試験.

【汉子】hànzi 图 ❶男. 男子 ❷方 夫. 亭主

★【汉字】Hànzì 名 漢字
【汉族】Hànzú 名 漢民族. 漢族

6 ** 汗 hàn ❶名 汗 ‖ 出～ 汗をかく ❷汗をかく. 汗をかかせる ‖ ～颜之至 汗顔の至り ❸書 火で竹をあぶり水分を抜く ‖ →～青 ➤ hán
【汗褂ㄦ】hànguàr 名 回 肌着. 下着. アンダーシャツ
【汗碱】hànjiǎn 名 (衣服などについた)汗じみ
【汗津津】hànjīnjīn (～的) 形 方 じっとり汗ばんでいるさま ‖ 手心里～的 手のひらが汗ばんでいる
【汗孔】hànkǒng 名〈生理〉毛穴.〔毛孔〕ともいう
【汗淋淋】hànlīnlīn (～的) 形 汗がだらだらと流れるさま. びっしょりと汗をかくさま ‖ 浑身～的 全身汗まみれだ
【汗流浃背】hàn liú jiā bèi 成 体中汗だくになる
【汗马功劳】hàn mǎ gōng láo 成 汗馬の労. 戦場での手柄. 戦功
【汗毛】hànmáo 名〈生理〉産毛.〔寒毛〕ともいう
【汗牛充栋】hàn niú chōng dòng 成 汗牛充棟. 書物をたくさん所蔵しているたとえ
【汗青】hànqīng 動 ❶青竹を火であぶって油を抜く ❷喩 著作を書き上げる 名 史書
【汗衫】hànshān 名 ❶肌着. 下着 ❷シャツ. ブラウス
【汗水】hànshuǐ 名 (多量の)汗. 汗水
【汗腺】hànxiàn 名〈生理〉汗腺(かんせん)
【汗液】hànyè 名〈生理〉汗
【汗珠子】hànzhūzi 名 玉の汗.〔汗珠ㄦ〕ともいう
【汗渍】hànzì 名 汗の跡. 汗のしみ

7 * 旱 hàn ❶形 長い間雨が降っていない. 日照りで乾いている ↔〔涝〕‖ 庄稼zhuāngjia都～死了 作物が日照りで枯れた ❷干魃(かんばつ). 干害 ‖ 防～ 干魃を防ぐ ❸水と関係のない. 陸地の ‖ →～伞 | →～稻 ❹陸上交通 ‖ →～路
【旱冰】hànbīng 名 ローラースケート
【旱稻】hàndào 名 陸稲. おかぼ.〔陆稻〕ともいう
【旱地】hàndì 名 畑=〔旱田〕
【旱季】hànjì 名 乾季. 乾期 ↔〔雨季〕
【旱井】hànjǐng 名 雨水をためるための井戸
【旱涝保收】hàn lào bǎo shōu 慣 干魃や洪水などに関係なく一定の収穫を確保できる. いかなる状況にあっても利益を確保できること
【旱路】hànlù 名 陸路 ↔〔水路〕
【旱桥】hànqiáo 名 陸橋
【旱情】hànqíng 名 干害の状況
【旱伞】hànsǎn 名 日傘. パラソル
【旱獭】hàntǎ 名〈動〉マーモット.〔土拨鼠〕ともいう
【旱田】hàntián 名 ❶畑.〔旱地〕ともいう. ↔〔水田〕❷灌漑施設の整っていない耕地
【旱鸭子】hànyāzi 名 回 泳げない人. 金づち
【旱烟】hànyān 名 刻みタバコ. 刻み
*【旱灾】hànzāi 名 干害. 干魃の害

10 悍(△猂) hàn ❶勇猛である. 辣腕(らつわん)である ‖ 强～ 勇猛果敢である ❷凶暴である. 粗暴である ‖ 凶～ 凶暴である
【悍妇】hànfù 名 書 気性の激しい女性
【悍然】hànrán 形 強硬である. 横暴である ‖ ～入侵 強硬に侵入する | ～不顾 頑として一切を顧みない

10 捍(△扞) hàn 防ぐ. 守る
*【捍卫】hànwèi 動 守る. 防ぐ ‖ ～主权 主権を守る

11 菡 hàn ↴
【菡萏】hàndàn 名 書 ハスの花

11 * 焊(△釬 銲) hàn 動 溶接する. はんだ付けをする ‖ ～洋铁壶 ブリキのやかんを鋳掛ける | 电～ 電気溶接 | 气～ ガス溶接
【焊工】hàngōng 名 ❶溶接作業 ❷溶接工
【焊剂】hànjì 名 溶接剤.〔焊药〕ともいう
【焊接】hànjiē 動 ❶溶接する ❷はんだ付けをする
【焊料】hànliào 名 溶接材料. はんだ類. 鑞(ろう)
【焊枪】hànqiāng 名 溶接トーチ. 溶接銃
【焊条】hàntiáo 名 溶接棒
【焊锡】hànxī 名 はんだ. 地方によっては〔锡镴〕ともいう
【焊药】hànyào =〔焊剂hànjì〕

13 颔 hàn 書 ❶下あご ❷うなずく ‖ →～首
【颔首】hànshǒu 動 書 うなずく

14 撖 hàn 名 姓

16 憾 hàn 残念に思う. 落胆する ‖ 遗～ 残念に思う
【憾事】hànshì 名 遺憾なこと

16 撼 hàn 揺り動かす. 揺する ‖ 摇～ 揺さぶる | 震～ 震撼(しんかん)する
【撼动】hàndòng 動 揺り動かす. 震わせる
【撼天动地】hàn tiān dòng dì 成 天地を揺り動かす. 音や気迫がすさまじいさま

16 翰 hàn 書 長くて硬い羽根 転 筆. 文章. 書簡 ‖ 挥～ 揮毫(きごう)する | 文～ 文章
【翰林】hànlín 名〈史〉翰林(かんりん). 唐代に設けられた皇帝の文学侍従官. 明・清代には進士から選抜した
【翰墨】hànmò 名 書 筆と墨. (広く)文章や書画など

19 瀚 hàn 書 広大なさま ‖ 浩～ 広大である. 非常に多い | ～海 砂漠

hāng

5 夯 hāng ❶名 胴突き(地固めの道具) ❷動 (胴突きで)地固めする. 突く ‖ 把地基～结实 地盤をしっかりと地固めする ❸動 方 (力を入れて)打つ ‖ 用大锤～ 大きなハンマーで打つ ➤ bèn

háng

4 亢 háng 〔吭háng〕に同じ ➤ kàng

6 ** 行 háng ❶名 行列. 列 ‖ 排成一～ 1列に並ぶ ❷動 (兄弟姉妹の順) …番目に当たる ‖ 我～四 私は兄弟の中で4番目です ❸量 (行や列になったものを数える)行. 列. 筋 ‖ 一～柳树 1列のヤナギの木 | 两～眼泪 二筋の涙 ❹旧 商店. (多くは問屋・金融業者・手工業者などの屋号に用いた) ‖ 商～ 商社 | 银～ 銀行 ❺名 業種. 職業 ‖ 同～ 同業者 | 我喜欢干这一～ 私はこの職業が好きだ ❻専門の知識や経験 ‖ 内～ くろうと | 外～ しろうと ➤ héng xíng
【行辈】hángbèi 名 長幼の序. 世代 ‖ 他的～大 あの人は世代が上だ
【行当】hángdang 名 ❶(～ㄦ) 回 稼業. 商売. なりわい ❷〈劇〉(伝統劇の)役柄
【行道】hángdao 名 方 稼業. 商売
【行规】hángguī 名 同業者間のきまり

【行话】hánghuà 图 業界用語. 符丁. 〔行业语〕ともいう
【行货】hánghuò 图 ❶粗悪品. 劣等品 ❷正規ルートで流通している商品
【行家】hángjia 图 専門家. エキスパート. ベテラン 形 方 くろうとである. 通である
【行间】hángjiān 图 ❶書 隊列の間隔 ❷行や列の間隔 ‖ 字里～ 行間
【行距】hángjù 图 隣り合う列間の距離
*【行列】hángliè 图 列. 行列 ‖ 游行～ デモ隊の列
【行情】hángqíng 图 相場. 市況 ‖ 外汇wàihuì～ 為替相場 | ～看涨zhǎng 相場は先高の見込みだ
【行市】hángshi 图 相場. 市価
【行伍】hángwǔ 图 軍隊の隊伍(たいご). (広く)軍隊
*【行业】hángyè 图 業種. 職種. 職業 ‖ 服务～ サービス業
【行业语】hángyèyǔ =〔行话hánghuà〕
7 **吭** háng 書 のど ‖ 引～高歌 声を張り上げて歌う ➤ kēng
8 **杭** háng 杭州(こうしゅう)の略称 ‖ 苏～一带 蘇州(そしゅう)杭州一帯
【杭育】hángyō 感 よいしょ. えんやこら
9 **绗** háng 動 とじつける ‖ ～棉衣 綿入れをとじ縫いする | ～被子 布団をとじつける
10 **航** háng ❶船 ❷(船・飛行機が)航行する ‖ →～行 | →～海
*【航班】hángbān 图 就航ダイヤ. 便(びん) ‖ 飞往上海的～ 上海へ飛ぶ便 | ～号 フライト・ナンバー
【航标】hángbiāo 图 航路標識
【航测】hángcè 動 航空測量をする
【航程】hángchéng 图 航程. 航続距離
【航次】hángcì 图 ❶航行ナンバー. フライト・ナンバー ❷出航回数
*【航道】hángdào 图 航路
*【航海】hánghǎi 動 航海する ‖ 环球～ 世界一周航海
⁑【航空】hángkōng 動 空中を飛行する ‖ ～公司 航空会社 | 民用～ 民間航空
【航空港】hángkōnggǎng 图 空港. ターミナル空港
【航空母舰】hángkōng mǔjiàn 图 航空母艦
【航空信】hángkōngxìn 图 航空便. エアメール
【航龄】hánglíng 图 ❶(船舶や航空機の)就航年数 ❷(パイロットなどの)飛行経験年数
【航母】hángmǔ 图 空母. 航空母艦. 〔航空母舰〕の略
【航拍】hángpāi 動 航空撮影する
【航速】hángsù 图 航行速度
*【航天】hángtiān 動 宇宙空間を飛行する ‖ ～服 宇宙服 | ～员 宇宙飛行士
【航天飞机】hángtiān fēijī 图 スペース・シャトル. 宇宙船
【航天器】hángtiānqì 图 人工衛星や宇宙ステーションなど大気圏外を飛ぶ飛行体
【航天员】hángtiānyuán 图 宇宙飛行士
【航天站】hángtiānzhàn 图 宇宙ステーション =〔空间站〕
*【航线】hángxiàn 图 航路 ‖ 国际～ 国際航路 | 开辟kāipì新～ 新しい航路を切り開く
【航向】hángxiàng 图 (航行の)針路. コース
*【航行】hángxíng 動 航行する
【航宇】hángyǔ 動 宇宙飛行をする
*【航运】hángyùn 图 水上運輸 ‖ 内河～ 河川輸送 | 沿海～ 近海運輸 | 远洋～ 遠洋海運

hàng

7 **沆** hàng 書 水面が広々と果てしないさま
【沆瀣一气】hàng xiè yī qì 成 気脈を通じる. ぐるになる
9 **巷** hàng ➘ ➤ xiàng
【巷道】hàngdào 图〈鉱〉坑道

hāo

13 **蒿** hāo 图〈植〉ヨモギ ‖ 艾ài～ ヨモギ
【蒿子】hāozi 图〈植〉ヨモギ
16 **薅** hāo ❶動 雑草を抜く. むしる ‖ ～草 草むしりをする ❷動 方 つかむ. 引っ張る
16 **嚆** hāo ➘
【嚆矢】hāoshǐ 图 かぶら矢. 嚆矢(こうし). 転 物事の始まり. 先触れ. 先駆け

háo

5 **号**(號) háo ❶叫ぶ. わめく ‖ 呼～ 大声で叫ぶ ❷(風が)鋭く長い音をたてる ‖ 北风怒～ 北風が吹きすさぶ ❸大声で泣く. 泣きわめく ‖ 哀～ 号泣する ➤ hào
【号叫】háojiào 動 大声で叫ぶ. わめく
【号哭】háokū 動 号泣する. 泣きわめく
【号丧】háo∥sāng 動 旧 (葬儀の際, 死者を弔うために)大声で泣く. 泣きわめく
【号丧】háosang 動 方 罵 泣く
【号啕】【号咷】háotáo 動 号泣する. 泣きわめく. 〔嚎啕〕〔嚎咷〕とも書く ‖ ～大哭 大声で泣き叫ぶ
10 **蚝**(^△蠔) háo 图〈貝〉カキ =〔牡蛎mǔlì〕
【蚝油】háoyóu 图〈料理〉カキ油. オイスター・ソース
11 **毫** háo ❶動物の細くとがった毛 ‖ 狼～笔 イタチの毛で作った筆 ❷毛筆 ‖ 挥～ 筆をふるう ❸量 ①(長さの単位)毫(ごう). 1〔寸〕の1000分の1 ②(重さの単位)毫. 1〔钱〕の1000分の1 ③ある単位の1000分の1を表す ‖ →～米 ④ 方 (貨幣の単位) 1〔元〕の10分の1. ❹副 (否定に用い)少しも. ちっとも ‖ →～不 ❺图 (竿ばかりの)取り緒
⁑【毫不】háobù 副 少しも… しない. いささかも… しない ‖ ～足怪 少しも怪しむに足りない | 虽然多次失败, 但他～灰心 何回も失敗をしたが, 彼は少しも気を落とさなかった
【毫发】háofà 图 書 喩 わずかなことのたとえ ‖ ～不爽shuǎng 寸分も違わない | 不差～ いささかもたがわない
【毫克】háokè 量 ミリグラム
【毫厘】háolí 图 毫厘(ごうり). きわめて少ない数量のたとえ ‖ 失之～, 差之千里 毫厘の差は千里の誤り. 始めのわずかな違いが後で大きな違いになる
【毫毛】háomáo 图 うぶ毛 ‖ 看你敢动我一根～ 毛

一本でも触れるものなら触ってみろ

*【毫米】háomǐ 圖ミリメートル

【毫米汞柱】háomǐ gǒngzhù 圖(圧力の単位)ミリメートル水銀. mmHg

【毫升】háoshēng 圖ミリリットル

**【毫无】háowú 動少しも…ない. いささかも…ない ‖～兴趣 少しも興味がない｜～准备 まったく準備していない｜～诚意 いささかも誠意がない

【毫无二致】háo wú èr zhì 成いささかも違わない.

13 **嗥**(△嘷 獋) háo 動(オオカミやヤマイヌなどが)吠える

13 **貉** háo ↴ ➤ hé

【貉子】háozi 图タヌキ. ムジナ. 〔貉〕の通称

14 **豪** háo ❶(才能や力量が)優れた人 ‖文～ 文豪 ❷豪放である ‖ →～爽 ❸横暴である ‖ →～强｜→～横 ❹富と勢力を有する人 ‖土～ 土豪 ❺光栄に思う. 誇らしい ‖自～ 誇りに思う

【豪赌】háodǔ 動大金を賭ける

【豪放】háofàng 形豪放である ‖～不羁jī 豪放で物事にこだわらない｜性情～ 太っ腹である

【豪富】háofù 形財産が多く勢力もある 图富豪

【豪横】háohèng 形横暴である. 横柄である

【豪横】háoheng 形方硬骨である. 剛毅(ごうき)である

*【豪华】háohuá 形豪華である. ぜいたくである ‖～的住宅 豪華な邸宅｜～的生活 ぜいたくな生活

【豪杰】háojié 图豪傑 ‖英雄～ 英雄豪傑

【豪迈】háomài 形豪胆である. 勇壮である

【豪门】háomén 图書権勢のある家柄 ↔〔寒门〕

【豪气】háoqì 图豪気. 英雄的な気概

【豪强】háoqiáng 形横暴である 图権勢をたてに横暴にふるまう者 ‖不畏wèi～ 権勢家を恐れない

【豪情】háoqíng 图豪気. 雄々しい気概

【豪绅】háoshēn 图土豪劣紳. 地方のボス

【豪爽】háoshuǎng 形豪放でさっぱりしている. 太っ腹である

【豪侠】háoxiá 形勇敢で義侠心(ぎきょうしん)に富んでいる. 任侠心(にんきょうしん)がある 图義侠心に富む人

【豪言壮语】háo yán zhuàng yǔ 成気概に満ちた言葉. 気迫と自信にあふれた言葉

【豪饮】háoyǐn 動豪飲する. 痛飲する

【豪雨】háoyǔ 图豪雨

【豪语】háoyǔ 图豪語. 気概のこもった言葉

【豪宅】háozhái 图豪邸

【豪猪】háozhū 图〈動〉ヤマアラシ. 〔箭猪〕ともいう

【豪壮】háozhuàng 形壮大である. 勇壮である

【豪族】háozú 图豪族

17 **濠** háo 書(城の)堀

17 **壕** háo ❶(城の周りの)堀 ‖城～ 城の堀 ❷壕(ごう) ‖防空～ 防空壕

【壕沟】háogōu 图❶堀. みぞ ❷塹壕

17 **嚎** háo ❶動大声で叫ぶ. 吠える ‖狼～ オオカミが吠える ❷〔号háo ❸〕に同じ

【嚎啕】【嚎咷】háotáo ＝〔号啕háotáo〕

hǎo

6 ★**好** hǎo ❶形よい. すばらしい. 好ましい ↔〔坏〕 ‖～茶 上等の茶｜～消息 よい知らせ｜还是你去比较～ やはり君が行ったほうがいい ❷形仲むつまじい. 親密である ‖他们俩的关系很～ 彼ら二人の関係はとてもいい｜小两口ㄦ吵架一会ㄦ就～ 若夫婦はちょっと言い争いをしてもすぐ仲直りするものだ ❸形(動詞の後に置き, その動作の完成を表す)…し終わる ‖信写～了 手紙を書き終えた｜我们说～在车站见面 私たちは駅で会うことを約束した ❹形健康である. 体の調子がよい ‖天气暖和以后, 病就会～起来的 気候が暖かくなれば, 病気も快方に向かうだろう｜家里人都～吗？ ご家族のみなさんはお元気ですか ❺副①(感嘆の気持ちを含み, 程度の強いことを表す)なんと. ずいぶん ‖～漂亮 とてもきれいだ｜今天～冷 今日はずいぶん冷え込む ②数量が多いことを強調する ‖来了～多人 たくさんの人が来た ③時間が長いことを強調する ‖等了你～一会ㄦ ずいぶん長いこと君を待ったよ｜找了～半天才找到 長いこと探してやっと見つけた ④〔好(一)个…〕または〔好你个…〕の形で用いて, 意外で驚く意を表す ‖～你个老王, 又喝上酒了 王さんったらまあ, また酒を飲んでいるのか ❻形(応答に用いて同意・了承・終了・不満・警告などを表す)よろしい. よし. もういい ‖～, 就这么定了 よし, そう決めよう｜～, 这下可麻烦了 やれやれ, 面倒なことになってしまった ❼形(動詞の前に置き, その動作が容易である意を表す)…しやすい ↔〔难〕‖这篇文章不～翻译 この文章は訳しにくい｜～懂 わかりやすい ❽動(複文の後節に用い, 目的が実現しやすくなることを表す)…するのによいように. 容易に…できる ‖买了两本杂志, ～在火车上看 雑誌を2冊買ったのは, 汽車の中で読むためだ ❾動詞の前に置き, 五官に快い, あるいは感覚的に受け入れることができる意を表す ‖ →～看｜→～受 ❿图(～ㄦ)ほめ言葉. 喝采(かっさい) ‖叫～ㄦ 喝采を送る. ⓫图(～ㄦ)挨拶 ‖给我带个～ㄦ 私の代わりによろしくお伝えください ➤ hào

*【好比】hǎobǐ 動まるで…だ. ちょうど…のようだ ‖学习～逆水行舟zhōu, 不进则退 勉強はちょうど流れを船でさかのぼるようなもので, 前進しなければ後退してしまう

【好不】hǎobù 副とても. なんと ‖朋友们误解了我, 叫我～伤心 友人たちが私のことを誤解しているので, 私はほんとうに悲しくなる

【好不容易】hǎoburóngyì 副やっとのことで. どうにかこうにか ‖～才考上大学 なんとか大学に受かった

★【好吃】hǎochī 形味がいい. おいしい. うまい ‖这个菜真～ この料理はほんとうにおいしい ➤ hàochī

★【好处】hǎochu 图❶有利な点. 利点 ‖锻炼身体的～ 体を鍛える利点 ❷利益. 恩恵 ‖我永远也忘不了他的～ 私は永遠に彼の恩を忘れないだろう

【好处费】hǎochùfèi 图リベート. 割り戻し. 手数料

【好歹】hǎodǎi 图❶善し悪し. 善悪 ‖知道～ 事の善し悪しをわきまえる ❷(～ㄦ)(多く生命についての)危険. 万一のこと ‖你万一有个～, 我和孩子可怎么办呢 あなたに万一のことがあったら, 私と子供はどうすればいいの 副❶いいかげんに. 適当に ‖～应付一下 いいかげんにお茶を濁す ❷善かれ悪しかれ. いずれにせよ ‖快毕业了, ～也要把论文写完 もうすぐ卒業なので, とにかく論文を書き上げなければならない

【好端端】hǎoduānduān (～的) 形正常である. 何事もない ‖刚才还～的, 又发哪门子脾气？ ついいましがたまでご機嫌だったのに, 何を怒っているのだろう

*【好多】hǎoduō 形多くの. たくさんの ‖～人 大勢の人｜这本书看了～遍了 この本は何度も読んだ 代方

いくつ. どれくらい
*【好感】hǎogǎn 图好感‖产生～ 好感を持つ｜给人～ 人に好感を与える
【好过】hǎoguò 形❶暮らし向きが楽である. 生活しやすい‖她家现在～多了 彼女の家はいまでは暮らし向きがだいぶ楽になった ❷体や気持ちが楽である. 快適である‖我吃了药, 觉得～一点ル了 薬を飲んだら, 少し気分がよくなった
【好汉】hǎohàn 图好漢‖～不提当年勇 好漢は往年の勇を語らず. 敗軍の将, 兵を語らず｜～做事～当 男なら自分でやったことは自分で責任を負うものだ
⁑【好好ル】hǎohāor (～的) 形 **正常である. ちゃんとしている**‖～的一件衣服, 挂了一个口子 せっかくのよい服にかぎ裂きをつくってしまった｜他昨天还～的, 怎么今天就住院了？ 彼はきのうはあんなに元気だったのに, どうして今日入院することになったのか 副 **十分に. ちゃんと. しっかりと**‖～学习 よく学ぶ｜你和他～谈谈 彼とよく話し合いなさい
【好好先生】hǎohǎo xiānsheng 图贬 お人よし. イエスマン. 事なかれ主義の人
【好喝】hǎohē 形(飲んで)おいしい. 飲みやすい
【好话】hǎohuà 图❶有益な話. 忠告‖不要把我的～当作耳旁风ěrpángfēng 私の忠告をぼんやり聞き流してはいけない ❷聞こえのよい言葉. お追従(ついしょう)‖说了他许多～ 彼をここぞとばかりほめちぎった ❸なだめる言葉. わびる言葉‖说了好多～, 她才消了气 ずいぶんなだめて, 彼女はやっと怒りを収めた
*【好坏】hǎohuài 图 善し悪し. いい悪い‖条件的～ 条件の善し悪し｜～无所谓 善し悪しはどうでもよい
【好几】hǎojǐ 数❶数詞の後に置き, 端数がかなりあることを表す‖他已经二十～了 彼は20歳をだいぶ過ぎている ❷数詞や時を示す語の前に置き, 多いことを表す‖～天没来上班呢 何日も出勤していない
【好家伙】hǎojiāhuo 感(驚きや称賛を表す)すごい. なんとまあ. おやまあ
【好景不长】hǎo jǐng bù cháng 成 よいことは長続きしない. 月にむら雲, 花に風
⁑【好久】hǎojiǔ 图 **長い間**‖我等了他～ 彼をずいぶん待った｜～不见了 久しぶりですね
★【好看】hǎokàn 形❶**美しい. きれいである**‖这件衣服真～ この服はほんとうに見栄えがする ❷**面目が立つ**‖儿子考上了名牌大学, 做母亲的脸上也～ 息子が有名大学に合格したので, 母親も大いに面目を施した ❸…に恥をかかせる. …を困らせる. (〔要…的好看〕の形で反語となる)‖我不会唱, 你偏让我唱, 这不是要我的～吗？ 僕は歌を歌えないのに無理にも歌わせようとするなんて, 君は僕に恥をかかせるつもりかい ❹(テレビ・映画・芝居などが)見て面白い. 見る価値がある‖这部电视剧～极了 そのテレビドラマはほんとうに面白い
【好赖】hǎolài 图 善し悪し. 善悪 副❶いいかげんに. 適当に ❷善かれ悪しかれ. いずれにせよ‖～找个工作, 总比在家呆dāi着强 なんでもいいから仕事を見つけるほうが, 家でぼんやりしているよりずっとましだ
【好了伤疤忘了痛】hǎole shāngbā wàngle tòng 谚 のどもと過ぎれば熱さを忘れる
【好脸】hǎoliǎn (～ル) 图口 嬉しそうな顔. うきうきした顔‖整天没个～ 1日中不機嫌そうな顔をしている
【好马不吃回头草】hǎomǎ bù chī huítóu cǎo 谚 よい馬は後に戻って草を食べない. 立派な人間は過ぎ去ったことに未練をもたないたとえ
【好评】hǎopíng 图好評‖博得～ 好評を博す
【好气ル】hǎoqìr 图口 機嫌のよい口ぶりや態度. (多く否定で用いる)‖没～地回答 ぶっきらぼうに答える
【好惹】hǎorě 形 相手にしやすい. くみしやすい. 御しやすい‖这人可不～ この人間は一筋縄ではいかないぞ
【好人】hǎorén 图❶善人. いい人 ❷口 健康な人‖谁一个～整天躺tǎng着 病気でもないのに朝から晩まで寝ているやつがあるか ❸お人よし. 好人物
【好人家】hǎorénjiā (～ル) 图 しつけの厳しい家. 良家
【好日子】hǎorìzi 图❶(誕生日・婚礼の日などの)めでたい日 ❷いい暮らし向き‖过～ いい生活をする
⁑【好容易】hǎoróngyì 副 **やっと. ようやく**‖跑了七八家书店, ～才买到了那本书 7,8軒の書店を回って, やっとその本を手に入れた｜～来一趟, 再多坐一会ル吧 せっかく来たんだから, もう少しゆっくりしていかないか
【好生】hǎoshēng 副方❶しっかりと. 十分に‖这件事很重要, 你们～听着 この事はとても大事だから, 君たちちゃんと聞いていなさい ❷非常に. とても‖这个人～奇怪 この人はとても変だ
【好声好气】hǎo shēng hǎo qì (～的) 组 口調が柔らかで態度が穏やかである
【好使】hǎoshǐ 形 使いやすい. よく働く‖这个扫帚sàozhou很～ このほうきはたいへん使いやすい‖眼睛不～了 目がよく見えなくなった
【好事】hǎoshì 图❶よいこと. 役に立つこと ❷书 めでたい事. 慶事 ❸旧 慈善事業 ❹〈宗〉(仏教や道教の)法会. 法事 ➤hàoshì
【好事不出门, 恶事传千里】hǎoshì bù chūmén, èshì chuán qiānlǐ 谚 よい事は世の中に伝わらず, 悪事はたちまち世間に知れ渡る. 悪事千里を走る
【好事多磨】hǎoshì duō mó 谚 好事魔多し
【好手】hǎoshǒu (～ル) 图 腕利き. 名手. やり手
【好受】hǎoshòu 形 体や気分がよい. 楽である‖现在觉得～一点ル了 いまは気分が少しよくなってきた｜心里很不～ 心中非常につらい
*【好说】hǎoshuō 形❶同意・承諾, あるいは相談の余地があることを表す‖要是你真能做好这件工作, 报酬～ 君がほんとうにこの仕事をやれるのなら, 報酬は相談にのります ❷挨拶 どういたしまして. とんでもありません
【好说歹说】hǎo shuō dǎi shuō 惯 あの手この手で言い聞かせる. 説得する‖我跟他～, 他就是不听 いくら説得しても彼は聞こうとしない
【好说话】hǎo shuōhuà (～ル) 组 頼みやすい. 気さくである. 融通が利く. 話しやすい‖他～, 谁有事都去找他 あの人は気さくな人だから, 誰でも何かあると頼みにいく
【好似】hǎosì 動 まるで…のようである
【好天ル】hǎotiānr 图口 よい天気
⁑【好听】hǎotīng 形❶(聞いて)**快い. 美しい**‖她唱得真～ 彼女の歌はほんとうにすばらしい ❷**言うことが立派である. 耳触りがよい**‖话倒说得～, 可总是不兑现 言うことはなかなか立派だけれど, 実現したためしがない
⁑【好玩ル】hǎowánr 形口 **面白い. 楽しい**‖这小狗～极了 この子イヌはほんとうにかわいい｜城里～的地方很多 町には面白い所がたくさんある
【好闻】hǎowén 形 香りがよい
【好戏】hǎoxì 图❶よい芝居 ❷喻 面白い場面. 見もの‖这下可有～了 これは面白いことになるぞ｜～还在后头呢 これからが見ものさ
★【好像】hǎoxiàng 動 **よく似ている. …のようである**

圖まるで … のようである. … のような気がする ‖ 我们～在哪ル见过 私たちはどこかで会ったことがあるようだ | 听口音, 她～是上海人 なまりからすると, 彼女は上海人のようだ

類義語 好像 hǎoxiàng 简直 jiǎnzhí

◆〔好像〕「まるで … のようだ」と状況を描写する. 動詞と副詞の用法がある ‖ 孩子们的小脸, 好像一只只红苹果 子供たちのかわいい顔はまるで赤いりんごのようだ
◆〔简直〕「まるで … ほどである」と程度の高さを誇張する. 副詞の用法に限られる ‖ 消息简直像长了翅膀, 飞快地传遍了全校 ニュースはまるで羽が生えたかのように, またたく間に全校に伝わった

【好笑】hǎoxiào 形 おかしい. 滑稽(こっけい)である ‖ 这有什么～的？ 何がおかしいんだ
**【好些】hǎoxiē 数 たくさんの. 多くの ‖ ～书 たくさんの本 | 病了～天 何日も病気だった
【好心】hǎoxīn 名 好意. 善意. 親切心
【好心不得好报】hǎoxīn bù dé hǎobào 慣 親切心があだになる
*【好样ル的】hǎoyàngrde 名 立派な人. 手本となる人. 気骨のある人. 硬骨漢
【好意】hǎoyì 名 好意. 親切心
【好意思】hǎoyìsi 形 平気である. 悪びれない. (多く反語で用いる) ‖ 为了工作向人请教, 有什么不～的？ 仕事のことで人に教えを請うのになんで決まりが悪いのか | 人家再三邀请yāoqǐng, 我怎么～拒绝？ 再三お誘いを受けているのに, どうしてむげに断れますか
【好用】hǎoyòng 形 使いやすい. 役に立つ
【好运】hǎoyùn 名 好運 ‖ 交～ 好運に巡り合う
*【好在】hǎozài 副 幸い. 都合のいいことに ‖ ～我会点ル英语, 所以在英国还算顺利 幸い英語が少しできるので, イギリスでもなんとかうまくいった
【好找】hǎozhǎo 形 探しやすい ‖ 你住的地方～不～？ あなたの家は探しやすいですか 動 ずいぶん探す ‖ 原来你躲duǒ在这里, 害得我～ なんだこんな所に隠れていたのか, ずいぶん探したよ
*【好转】hǎozhuǎn 動 好転する ‖ 病情～了 病気が持ち直した | 形势有所～ 形勢がいくぶん好転した
【好自为之】hǎo zì wéi zhī 成 慎重に構え, 自力で適切に処理する. 自力で頑張る. 自力で最善を尽くす
【好走】hǎozǒu 形 歩きよい. 道がいい ‖ 这条路平时～, 可是一下雨就不～了 この道はふだんは歩きよい道だが, 雨が降ると歩きにくくなってしまう 動 挨拶 (人を送り出すときの言葉) お気をつけて

9 **郝** hǎo 名 姓

hào

5 ★**号**(號) hào ❶命令 ‖ 发～施令 命令を下す ❷名 ラッパ ‖ 吹～ ラッパを吹く ❸名 ラッパでする合図 ‖ 集合～ 集合ラッパ ❹名称 ‖ 年～ 年号 ❺名 号. 雅号 ❻動 … と号する ‖ 李白字太白, ～青莲Qīnglián居士 李白(りはく)は字(あざな)を太白, 青蓮居士(せいれんこじ)と号する ❼(～ル) しるし. 合図. 信号 ‖ 记～ しるし | 信～ 信号 ❽名 (～ル) (順序を表す) 番号. 順番. (日付の) … 日 ‖ 编～ 番号を付ける | 先拿个～ 先に番号札を取る | 十月一号 10月1日 ❾名 (～ル) サイズ. 等級 ‖ 大～ 大きいサイズ. Lサイズ | 你穿几～的鞋？ あなたは何号の靴を履いていますか. ❿特殊な状況にある人員を表す ‖ 病～ 患者 ⓫量 (人数を数える) 人. 名 ‖ 这个食堂每天要做几百～人的饭 この食堂は毎日数百人分の食事をつくる. ⓬動 しるしを付ける. 番号を付ける ‖ 这些箱子都～过了 これらの箱はみな番号を付けた. ⓭商店. 屋号 ‖ 商～ 商店 | 分～ 支店 ⓮動〈中医〉脈をとる ‖ ～脈 ➤ háo
【号兵】hàobīng 名〈軍〉ラッパ手
*【号称】hàochēng 動 ❶ … で知られる. … と称される ‖ 喜马拉雅山～世界屋脊wūjǐ ヒマラヤは世界の屋根と称されている ❷表向き … と称する. … と名乗る ‖ 实际拥yōng兵十万, 但对外～五十万 実際の兵力は10万だが, 対外的には50万と称している
【号角】hàojiǎo 名 ラッパ
【号令】hàolìng 動 号令する 名 号令
**【号码】hàomǎ (～ル) 名 番号 ‖ 电话～ 電話番号 | 门牌～ 住居表示の番号
【号脉】hào∥mài 動 ❶〈中医〉脈をとる. 脈診する ❷探りを入れる
【号炮】hàopào 名 号砲 ‖ 一声～ 1発の号砲
【号手】hàoshǒu 名 ラッパ手
【号外】hàowài 名 (新聞の) 号外
**【号召】hàozhào 動 呼び掛ける ‖ 市政府～市民开展美化环境的活动 市政府は市民に環境美化運動を呼び掛けている
【号志灯】hàozhìdēng 名 手提げ式信号灯
【号子】[1] hàozi 名 方 記号. しるし
【号子】[2] hàozi 名 労働のときに掛け声をまじえて歌う歌

6 **★**好** hào ❶動 好む. 好きである ‖ 自幼～武术 幼いときから武術を好む | ～打抱不平 好んで弱い者の味方になる ❷副 よく (… する). ともすれば (… しがちである) ‖ 这孩子从小就～闹病 この子は小さいときから病気がちだ ➤ hǎo
【好吃】hàochī 形 食べるのが好きである ‖ ～懒做lǎnzuò 食いしん坊の怠け者 ➤ hǎochī
【好大喜功】hào dà xǐ gōng 成 功名心にはやる
【好动】hàodòng 形 活発である
【好高骛远】【好高务远】hào gāo wù yuǎn 成 足元を固めず高望みする. 現実的でなく望みばかりが高い
*【好客】hàokè 形 客好きである
*【好奇】hàoqí 形 好奇心が強い. もの好きである ‖ 他很～ 彼は好奇心旺盛(おうせい)だ
【好强】hàoqiáng 形 向上心が強い. 負けず嫌いだ
【好色】hàosè 形 好色である ‖ ～之徒 好色のやから
【好尚】hàoshàng 名 書 好み. 愛好
【好胜】hàoshèng 形 勝ち気である. 負けず嫌いである ‖ ～心 負けん気 | 他很～ 彼はとても負けず嫌いだ
【好事】hàoshì 形 もの好きである. 余計なおせっかいをしたがる. 要らぬ世話を焼きたがる ➤ hǎoshì
【好为人师】hào wéi rén shī 成 人の先生になりたがる. よく教師面をする. 知識をひけらかしたがる
【好恶】hàowù 名 好き嫌い. 好み ‖ 不能根据个人的～评价别人 個人の好みで人を評価してはならない
【好学】hàoxué 形 学問好きである. 勉強好きである
【好逸恶劳】hào yì wù láo 成 楽ばかりしたがる
【好战】hàozhàn 形 好戦的である ‖ ～派 好戦派
【好整以暇】hào zhěng yǐ xiá 成 どんなに多忙でも悠揚迫らざる余裕がある

8 **昊 hào** 書 広大な空．天

10 **浩 hào** ❶(気勢・規模などが)盛大である‖一～大 ❷多い．たくさんの‖一～如烟海

【浩大】hàodà 形 ❶(勢いが)すさまじい．盛んである ❷(規模が)大きい‖工程～ 工事が大規模である

【浩荡】hàodàng 形 ❶(水勢が)盛んである ❷雄大である．壮大である

【浩繁】hàofán 形 書 規模が大きく繁雑である‖～的开支 おびただしい支出

【浩瀚】hàohàn 形 書 ❶広大である‖～的大海 広大な海 ❷おびただしい．非常に多い

【浩浩】hàohào 形 書 ❶広々としている ❷水量が豊かで水勢が盛んなさま

【浩劫】hàojié 名 大災禍．大災害‖十年～ 10年の大災禍(1966～76年の文化大革命をさす)

【浩渺】【浩淼】hàomiǎo 形 水の広々としているさま

【浩气】hàoqì 名 浩然(こうぜん)の気．正気

【浩然】hàorán 形 書 広くゆったりしている

【浩然之气】hào rán zhī qì 成 浩然の気

【浩如烟海】hào rú yān hǎi 成 文献や資料などが非常に豊富であるたとえ

10 * **耗 hào** ❶動 消耗する．費やす‖这辆车～油太多 この車はガソリンを食う ❷知らせ．(多く悪い知らせをさす)‖噩è～ 訃報(ふほう) ❸動 口(時間を)引き延ばす．ぐずぐずする‖～时间 時間をつぶす｜有病要赶紧gǎnjǐn治，可不能～着 悪いところがあるなら早く治療すべきだ，ぐずぐずしてはいけない

【耗材】hàocái 動 原料を消費する 名 消耗品

【耗电量】hàodiànliàng 名 電気消費量

***【耗费】hàofèi** 動 費やす．消耗する．浪費する‖～宝贵时间 貴重な時間をむだにする

【耗竭】hàojié 動 消耗し尽くす．使い果たす

【耗能】hàonéng 動 エネルギーを消費する‖减少～量 エネルギー消費量を減らす

【耗损】hàosǔn 動 すり減らす．消耗する．ロスを出す‖～精神 神経をすり減らす｜减少煤炭运输中的～ 石炭運送中の目減りを少なくする

【耗油量】hàoyóuliàng 名 ガソリン消費量．燃費

【耗资】hàozī 動 資材または資金を消耗する

【耗子】hàozi 名 口 ネズミ

12 **皓(△皜 暠) hào** ❶明るい ❷白い．真っ白い‖～首 白髪頭

【皓月】hàoyuè 名 書 白く輝く月．明月

15 **镐 hào** 名 周代初期の国都．現在の陝西省西安市の西南にあった ➤ gǎo

18 **颢 hào** 書 白い．白く光るさま

21 **灏 hào** 古 水勢の盛んなさま

hē

7 **诃 hē** ↴

【诃子】hēzǐ 名〈植〉カリロク．〔藏青果〕ともいう

8 **呵¹ hē** 大声で非難する．叱る‖一～斥

8 **呵² hē** 動 息を吐く．息を吹きかける‖～一口气 はあと息を吹きかける

8 **呵³ hē** 〔嗬hē〕に同じ． ➤ kē

【呵斥】【呵叱】hēchì 動 大声で責める．叱りつける

【呵呵】hēhē 擬 (笑い声)フフフ．ハッハッ

【呵护】hēhù 動 書 守る．擁護する

【呵欠】hēqian；hēqiàn 名 方 あくび‖打～ あくびをする

【呵责】hēzé 動 大声で責める．叱りつける

12 ★ **喝¹ hē** ❶動 飲む‖～水 水を飲む｜～粥zhōu 粥を食べる ❷動 (とくに)酒を飲む‖咱们去～一杯吧 一杯やりにいこうよ

12 **喝² hē** 〔嗬hē〕に同じ． ➤ hè

【喝闷酒】hē mènjiǔ 組 鬱々(うつうつ)とした気持ちで酒を飲む．憂さ晴らしに飲む．やけ酒を飲む

【喝墨水】hē mòshuǐ 慣 (学校に入って)勉強する

【喝西北风】hē xīběifēng 慣 北西の風を食らう．貧乏で食べる物さえない．すきっ腹を抱える

13 * **嗬 hē** 感 (驚嘆を表す)ほう．へえ‖～，真不简单！ ほう，たいしたもんじゃないか

hé

5 **禾 hé** ❶古 アワ ❷穀類作物の苗．とくに水稲の苗をさす‖一～苗

【禾场】hécháng 名 方 脱穀場またはもみ干し場

【禾苗】hémiáo 名 穀類作物の苗

6 ** **合¹(閤❸) hé** ❶動 閉じる．閉める ↔〔开〕‖～上书 本を閉じる｜笑得～不上嘴 笑いが止まらない ❷動 一緒にする．合わせる ↔〔分〕‖把两个班～为一个班 二つのクラスを一つのクラスにする ❸すべての．全部の‖～村 村中 ❹一緒に‖～译 共訳する ❺量 旧(合戦の渡り合いの回数を数える)合(ごう) ‖大战十余～，不分胜负 大いに渡り合うこと十余合，なお勝負はつかない ❻動 一致する．適合する‖两人性格不～ 二人は性格が合わない｜不～要求 要求に合わない ❼動 相当する．換算する‖三尺～一米 3尺は1メートルに相当する

6 **合² hé** 名〈音〉中国の伝統音楽の階名の一つ，西洋音楽のソに相当する． ➡〔工尺gōngchě〕 ➤ gě

【合抱】hébào 動 (多くは樹木や柱などを)両腕を広げて抱える‖～的木柱 一抱えもある木の柱

【合璧】hébì 動 異なるものが組み合わさって一体となる．二つのものが対照的に並ぶ‖中西～ 中国と西洋の合体

***【合并】hébìng** 動 ❶合併する．一括する‖两个公司～了 二つの会社が合併した ❷〈医〉併発する‖肝炎～糖尿病 肝炎に糖尿病を併発する

【合并症】hébìngzhèng 名〈医〉合併症．併発症

【合不来】hébulái 動 気が合わない．そりが合わない‖他们两个人～ あの二人はそりが合わない

【合不着】hébuzháo 形 方 引き合わない．割りが合わない‖咱们出力，他得好处，多～ 我々が苦労したのに彼だけ得をするとは，まるで割りに合わない

***【合唱】héchàng** 動 合唱する‖～团 合唱団

***【合成】héchéng** 動 ❶合成する．組み合わせて作る‖这张照片的人物和背景是～的 この写真は人物と背景を合成したものだ ❷〈化〉合成する

【合成词】héchéngcí 名〈語〉合成語

【合成革】héchénggé 名 合成皮革
【合成洗涤剂】héchéng xǐdíjì 名〈化〉合成洗剤
【合成纤维】héchéng xiānwéi 名〈紡〉合成繊維
【合得来】hédelái 動 気が合う. 馬が合う
【合得着】hédezháo 形 方 引き合う. 割りに合う
【合订本】hédìngběn 名 合冊. 合本
【合度】hédù 形 程がよい. 手ごろである ‖ 长短～ 長さが手ごろである
*【合法】héfǎ 形 合法的である ‖ ～斗争 合法的な闘争 | ～权利 合法的権利
【合该】hégāi 助動 …すべきである. …しなければならない ‖ ～如此 こうあるべきだ
*【合格】hégé 形 規格に合う. 合格する ‖ 体检不～ 身体検査に合格しなかった | 产品～ 製品が規格に合う

類義語 | **合格 hégé 及格 jígé**

◆〔合格〕規格や基準に合う. 一般に製品の品質検査などに用いる. 規格に合う. 合格する ‖ 产品合格 製品が規格に合う ◆〔及格〕試験の成績が基準のラインに達する. 及第する. 合格する ‖ 及格分数 合格点 ◆学力試験には〔合格〕ではなく〔及格〕を用いる

【合共】hégòng 副 合計して. 全部合わせて
【合股】hégǔ 動 合資する. 資本を出し合う ‖ ～办公司 資本を出し合って会社をつくる
*【合乎】héhū 動 …に合う. 合致する. かなう ‖ ～规格 規格に合う | ～事实 事実に合致する
【合欢】héhuān 動 (相愛の男女が)仲むつまじく楽しむ 名 ❶〈植〉ネムノキ.〔马缨花〕ともいう ❷〈中薬〉合歓皮(ごうかんひ). 合歓花(ごうかんか)
*【合伙】héhuǒ (～儿) 動 共同で行う. 一緒に組む ‖ ～经营 共同で経営する | 两家～买了一辆拖拉机 tuōlājī 2軒共同でトラクターを1台買った
【合伙企业】héhuǒ qǐyè 名〈経〉共同経営企業. パートナーシップ企業
【合击】héjī 動 同一目標に共同して攻撃する
【合计】héjì 動 合計する ‖ 三本书～一百块钱 3冊で合計して100元です
【合计】héji 動 ❶考えを巡らす. 思案する ‖ 他一天到晚心里老～工厂的事 彼は一日中ずっと工場のことで思案していた ❷相談する. 検討する ‖ 大伙儿～～咱们怎么干 みなでどうするか相談しよう
【合家】héjiā 名 一家全員 ‖ ～欢乐 家族円満
【合家欢】héjiāhuān 名 家族全員で撮った写真
【合脚】hé//jiǎo 動 (靴や靴下が)足に合う
*【合金】héjīn 名〈冶〉合金
【合口】¹ hé//kǒu 動 傷口がふさがる
【合口】² hékǒu 形 (味が)口に合う. おいしい
【合饹】héle =〔饸饹héle〕
【合理】hélǐ 形 **合理的である. 理にかなっている ‖ 价格～ 価格は合理的である | ～要求 理にかなった要求
【合理冲撞】hélǐ chōngzhuàng 名〈体〉(サッカーで)フェアチャージ
【合理化】hélǐhuà 動 合理化する
【合力】hélì 動 力を合わせる ‖ 同心～ 心を一つにして力を合わせる 名〈物〉合力. 合成力
【合流】héliú 動 ❶(川が)合流する ‖ 两条河在这儿～ 2本の川はここで合流する ❷思想や行動を共にする
【合拢】hé//lǒng 動 ❶合わせる. 閉じる ‖ ～书本 本を閉じる ❷集まる. 合わせる ‖ 大家～过来, 商量对策 みんなで集まって対策を練る
【合谋】hémóu 動 共謀する
【合拍】¹ hé//pāi 形 調子が合う. 息が合う ‖ 我们俩的想法总不～ 我々二人の考えはいつも合わない
【合拍】² hépāi 動 ❶共同で映画制作に当たる ‖ ～片 共同制作された映画 ❷一緒に写真に収まる
*【合情合理】hé qíng hé lǐ 成 情にも理にもかなっている ‖ 她的要求～ 彼女の要求はもっともだ
【合群】héqún (～儿) 形 みんなと仲よくできる. 打ち解け合う ‖ 这孩子在幼儿园还有些不～ この子は幼稚園でまだ仲間に入っていけないでいる
【合身】hé//shēn (～儿) 形 (衣服が)体にぴったり合う
【合十】héshí 動〈仏〉合掌する
【合时】héshí 形 時流に乗っている. 時代に合っている
★【合适】héshì 形 **ぴったりしている. 適切である. ちょうどいい** ‖ 不大不小, 正～ 大きくも小さくもなくて, ちょうどぴったりだ | 他的性格当演员很～ 彼の性格は俳優をやるのにぴったりだ
【合数】héshù 名〈数〉合成数
*【合算】hésuàn 形 引き合う. 割りに合う ‖ 这生意不～ この商売は引き合わない 動 考慮する. 検討する
【合体】¹ hé//tǐ 形 体にぴったり合う
【合体】² hétǐ 名〈語〉漢字で, 偏や旁(つくり)を二つ以上合わせてつくられた文字 ↔〔独体〕
【合同】hétong 名 **契約. 契約書 ‖ 签订qiāndìng～ 契約する | 信守～ 契約を守る | 撕毁sīhuǐ～ 契約を破棄する
【合同工】hétonggōng 名 契約労働者
【合同书】hétongshū 名 契約書
【合同条款】hétong tiáokuǎn 名 契約約款. 契約条項
【合围】héwéi 動 ❶(狩猟や作戦などで)包囲する ❷(樹木などを)両腕を広げて抱える
【合心】hé//xīn 形 気に入る ‖ 这件衣服挺～ この服はとても気に入っている
【合眼】hé//yǎn 動 ❶目を閉じる ❷眠る. 寝る ‖ 已经两天没～了 2日も眠らずにいる ❸永眠する. 死ぬ
【合演】héyǎn 動 合同公演を行う. 共演する
【合叶】【合页】héyè 名 口 ちょうつがい
【合宜】héyí 形 適当である. あつらえ向きである
【合议制】héyìzhì 名〈法〉(裁判の)合議制 ‖ 采用～审理案件 合議制で事件の審理をする
【合意】hé//yì 形 気に入る. 意にかなう ‖ 正合我意 まさに我が意を得たり
*【合营】héyíng 動 共同経営する ‖ 公私～ 国営企業と私企業の共同経営
【合影】hé//yǐng 動 二人以上で一緒に写真を撮る ‖ ～留念 記念にみんなで写真を撮る 名 (héyǐng) 二人以上で一緒に撮った写真
【合用】héyòng 動 共用する. 共同で使う 形 使用に適している. 役に立つ
【合于】héyú 動 …に合致する. …に合う ‖ ～国情的方针 国情に合った方針
【合约】héyuē 名 (比較的略式の)契約. 契約書
【合葬】hézàng 動 (夫婦を)合葬する
【合照】hézhào 動 二人以上で一緒に写真を撮る 名 二人以上で一緒に撮った写真
【合辙】hé//zhé (～儿) 動 ❶二つ以上のわだちの跡がぴったり合う. 転 物事がぴったり一致する ‖ 他们两个人的想法挺～ あの二人の考え方はぴったり一致する ❷

(芝居のうたいや小唄などで)韻をふむ
*【合资】hézī 動 共同出資する
【合资企业】hézī qǐyè 名 合資企業
【合子】hézi 名 小麦粉をこねまるく延ばして焼いたものの中に肉や野菜を入れて,再度焼いた食品
【合奏】hézòu 〈音〉動 合奏する 名 合奏
**【合作】hézuò 動 協力する.提携する.合作する ‖ ～出版 共同出版 | ～经营 共同経営 | 分工～ 分担して協力する | 技术～ 技術提携する

類義語 | 合作 hézuò 协作 xiézuò

◆〔合作〕ある事業を完成するために対等の立場で協力する.多くは二者間の協力をさす ‖ 双方决定在开发新技术方面进行合作 双方は新技術開発の分野で協力することを取り決めた ◆〔协作〕ある事業を完成するために,複数の人間や組織が協力する.参加者間に主と従の関係があり,仕事の分担に大小がある ‖ 只要大家齐心协作,事业就一定能成功 みなが心と力を一つに合わせれば,事業は必ず成功する

【合作化】hézuòhuà 動 協同化する
6 纥 hé ➡〔回纥Huíhé〕 ➤ gē
7 *何 hé 書 ❶代 疑問を表す ①何 ‖ 他为～不来? 彼はなぜ来ないのか | 后悔又有～用? 後悔してなんの役に立つというのか ②いずこ.どこ ‖ ～往? いずこへ行くか ③(反語に用い)どうして.なぜ ‖ ～济jì于事? なんの足しになろうか ❷書 程度の深さを強調する.なんと ‖ →～其
*【何必】hébì 副 (反語に用い)なにも…することはあるまい.なぜ…する必要があろうか ‖ 朋友之间～客气? 友だちの仲だ,なにも遠慮はいらない | 事情已经过去了,～再提? とっくに過ぎた事だ,なにも蒸し返すことはない
【何不】hébù 副 どうして…しないのだ ‖ 既然不愿意,～早说? その気がないのだったら,なぜ早く言わないのか
【何曾】hécéng =〔何尝hécháng〕
【何尝】hécháng 副 書 これまで…したことがあろうか.どうして…であろうか.〔何曾〕ともいう ‖ 我～撒sā过谎huǎng? 私がこれまでうそをついたことがあったろうか
【何处】héchù 代 書 いずこ.どこ
*【何等】héděng 代 書 どのような.どんな ‖ 谁知他是～人物? 彼がどんな人か誰が知ろう 副 なんと.いかに.(感嘆の意を表す) ‖ 获得huòdé冠军是～的光荣啊! チャンピオンの座に着くのはなんと光栄なことか
【何妨】héfáng 副 …してみてはどうか.…すればよいではないか ‖ 既然领导同意,我们～试试呢? 上司が同意したのだから,ともかくやってみようじゃないか
【何干】hégān 動 (反語表現で)なんのかかわりがあるのか ‖ 去不去与你～? 私が行こうが行くまいが君となんのかかわりがあるというんだ
【何故】hégù 代 書 なにゆえ.どうして.なぜ
【何苦】hékǔ 副 なぜわざわざ…するのか.わざわざ…することもあるまい ‖ 为这么一点小事生气,～来 こんな小さな事に腹を立てるなんて,ばからしいではないか
*【何况】hékuàng 接 まして…は言うまでもない ‖ 你得去接她,这ㄦ不好找,～她又是头一次来 彼女を迎えにいかなくちゃだめだよ,ここは探しにくいところだし,まして彼女は初めて来るのだから
【何乐而不为】hé lè ér bù wéi 成 喜んでやらないわけがない.もちろん喜んでする
【何其】héqí 副 書 なんと.いかに ‖ ～荒谬miù なんとばかげたことか | ～相似 なんとよく似ていることか
【何去何从】hé qù hé cóng 成 どちらと別れ,どちらに従うか.(重大問題で)どのような態度を取るべきか
【何如】hérú 接 …するにしかず.…したほうがよい ‖ 与其靠别人,～自己动手 人に頼るよりも,自分でやったほうがよい 代 どうか ‖ 你去办此事,～? この件はあなたがやるということで,どうでしょう
【何谓】héwèi 動 書 ❶…とは何か ‖ ～天才? 天才とはなんぞや ❷(後ろに"也"を伴い)何をさすか.いかなる意味か ‖ 此～也? これはどういう意味か
【何须】héxū 副 書 なにも…することはない.なにも…する必要はない ‖ 此话～重复 その話は繰り返すまでもない
【何许】héxǔ 代 書 ❶いずこ.どこ ‖ ～人也? いずこの人ぞ ❷どのような.いかなる
【何以】héyǐ 副 ❶書 どうして.なぜ ‖ 既经决定,～更改? すでに決定済みである以上,なぜ改めるのか ❷何によって.何をもって ‖ 不努力学习～报答父母 努力して勉強しないなら,何をもって父母に報いればよいのか
【何在】hézài 動 書 どこにあるか ‖ 正义～? 正義はどこにあるのか | 原因～? 原因はどこにあるのか
【何止】hézhǐ 動 …にとどまらない.ただ…だけではない
【何足挂齿】hé zú guà chǐ 成 歯牙(しが)にかけるまでもない.問題とするに足らない ‖ 区区小事,～ さきいな事で,問題にするまでもない
8 劾 hé 罪状を暴く.摘発する ‖ 弹～ 弾劾する
8 ★河 hé ❶黄河 ‖ ～西 黄河の西側の地域 ❷名 川.河川 ‖ 一条～ 一筋の川 | 运～ 運河 | 护城～ 城の堀 ❸銀河 ‖ 银～ 銀河
【河北梆子】héběi bāngzi 名 河北省の伝統地方劇
【河槽】hécáo =〔河床héchuáng〕
【河汊子】héchàzi 名 川の支流
【河川】héchuān 名 河川.川
【河床】héchuáng 名 河床.川床.〔河槽cáo〕〔河身〕ともいう
*【河道】hédào 名 川筋.ふつうは船の航行が可能な河川をさす
【河防】héfáng 名 ❶河水の氾濫(はんらん)防止事業.とくに黄河についていう ❷旧 黄河の軍事的防御
【河工】hégōng 名 ❶河川工事.とくに黄河の治水工事 ❷治水工事に従事する労働者
【河沟】hégōu 名 小川.クリーク
【河谷】hégǔ 名 河谷
【河口】hékǒu 名 河口
【河狸】hélí 名 〈動〉ビーバー
*【河流】héliú 名 河川.河流
【河马】hémǎ 名 〈動〉カバ
【河南梆子】hénán bāngzi 名 河南省および陝西省で行われる伝統地方劇 =〔豫yù剧〕
【河南坠子】hénán zhuìzi 名 河南省・安徽省・山東省などで行われる民間演芸の語り物.
【河清海晏】hé qīng hǎi yàn 成 黄河の水は澄み,海は波静かである.天下泰平のさま.〔海晏河清〕ともいう
【河曲】héqū 名 川の湾曲したところ
【河渠】héqú 名 川と堀.(広く)水路
【河山】héshān 名 山河.国土
【河身】héshēn =〔河床héchuáng〕

【河滩】hétān 图川辺の砂地. 河原
【河套】hétào 图❶半円を描いてカーブする川筋. または, その川が囲む土地 ❷寧夏横城から陕西省府谷にかけて黄河が大きく湾曲した部分. また, この部分の黄河に囲まれた地域. オルドス
【河豚】hétún 图〈魚〉フグ. 〔鲀〕ともいう
【河外星系】héwài xīngxì 图〈天〉銀河系外星雲
【河网】héwǎng 图(河川・運河の)水路網
【河西走廊】Héxī zǒuláng 图河西回廊. 甘粛省の北西部. 黄河の西に当たる東西に長い地域
【河鲜】héxiān 图〈料理〉河川で取れた魚介類
【河沿】héyán (～儿) 图川岸. 川辺
【河鱼】héyú 图川魚. 淡水魚
【河运】héyùn 图河川や運河による運輸

8 和[1] (△龢❶～❺ 咊❶～❺) hé ❶仲がよい. 仲むつまじい ‖ 失～ 仲が悪くなる ❷穏やかである. 和やかである ‖ 心平气～ 心が平静で態度も穏やかである ❸気候が温暖である ‖ 风～日丽 風は穏やかで日はうららかである ❹和解する. 仲直りする ‖ 讲～ 講和する ❺形(球技・将棋・碁などで)引き分けである ‖ 这盘棋～了 この対局は引き分けだ

8 ★和[2] hé ❶…のまま. …ごと ‖ ～衣而睡 服を着たまま寝る ❷介…と(…する). …に対して(…する). …に比べ(…である). (比較に用いる場合, しばしば〔一样〕〔相同〕〔不同〕〔差不多〕などと呼応する) ‖ 你～我一起去吧 君は私と一緒に行きましょうよ | 这件事已经～他说了 この件はもう彼に話しました | 他的腿疼～天气有关系 彼の足が痛むのは天候と関係がある | 他的个头儿～我差不多 彼の背丈は私と同じぐらいだ ❸接…と…. …と…と. および(列挙に用いる) ‖ 老师～学生 先生と生徒 | 我家有四口人, 爸爸、妈妈、姐姐～我 私の家は4人家族で, 父と母と姉それに私です ❹图〈数〉和(わ) ‖ 两数之～ 二つの数の和 | 总～ 総和. 総額

8 和[3] hé 日本をさす ‖ →～服 ➤ hè hú huó huò

*【和蔼】hé'ǎi 形和やかである. 優しい. 穏やかである ‖ 态度～ 立ち居ふるまいが穏やかである
【和畅】héchàng 形(風が)穏やかである ‖ 大地春回, 惠风～ 大地に春が戻り, 暖かい風がそよそよと吹く
【和风】héfēng 图❶穏やかな風. 暖かい風 ‖ 温馨wēnxīn的～ 暖かくて穏やかな風 ❷旧〈気〉和風(風力4の風)
【和风细雨】hé fēng xì yǔ 成そよ風とこぬか雨. (批判などの)やり方が穏やかなたとえ
【和服】héfú 图和服. 日本の着物
【和光同尘】hé guāng tóng chén 成自分を顕示せず世の中と争わずに生きる
【和好】héhǎo 動仲直りする. 和解する ‖ ～如初 もとどおり仲直りする
【和缓】héhuǎn 形穏やかである ‖ 语气～ 話しぶりが穏やかである | 国际局势～了 国際情勢が緩和された 動緩和する. 和らげる ‖ ～一下紧张的气氛 張りつめた雰囲気を和らげる
【和会】héhuì 图講和会議. 平和会議
*【和解】héjiě 動和解する. 仲直りする ‖ 夫妻～了 夫婦が和解する
【和局】héjú 图(碁や球技の)引き分け. 持碁(じ). 持将棋(じょうぎ)
【和美】héměi 形仲むつまじい
*【和睦】hémù 形仲むつまじい. 仲がいい ‖ 邻里～ 隣近所の仲がいい | ～相处 仲よく付き合う
【和暖】hénuǎn 形暖かい ‖ 天气～ 気候が暖かい
【和盘托出】hé pán tuō chū 成盆ごと差し出す. 洗いざらいさらけ出すたとえ. 包み隠さず打ち明けるたとえ
★【和平】hépíng 图平和 ‖ 热爱～ 平和を熱愛する | ～条约 和平条約 形穏やかである ‖ 药性～ 薬の性質が穏やかである | 语气～ 話しぶりが穏やかだ
【和平鸽】hépínggē 图平和を象徴するハト
*【和平共处】hépíng gòngchǔ 图平和共存
【和平谈判】hépíng tánpàn 图和平交渉
【和棋】héqí 图将棋や碁の引き分け. 持碁. 持将棋
*【和气】héqi 形❶(態度が)穏やかである. 温和である ‖ 说话～ 言葉遣いが穏やかである | 他待人总是和和气气的 彼はいつも穏やかに人と接する ❷仲むつまじい ‖ 媳妇xífù们彼此很～ 嫁たちは互いに仲よくやっている 图仲むつまじい感情 ‖ 斤jīn斤计较容易伤～ 細かいことにまであれこれうるさく言われると気まずくなってしまう
【和亲】héqīn 動旧(封建王朝が他国と)姻戚(いんせき)関係を結んで親善をはかる
【和善】héshàn 形和やかで善良である ‖ ～的老人 温和で優しい老人
*【和尚】héshang 图〈仏〉和尚. 僧侶(そうりょ). 坊主
【和尚头】héshangtóu 图坊主頭
【和声】héshēng 图〈音〉和声. ハーモニー
【和事老】héshìlǎo 图仲裁者. とりなし役. (とくに事なかれ主義でその場を収めたがる人をいう)
【和数】héshù 图〈数〉数の和
【和顺】héshùn 形温和で従順である
【和谈】hétán 图和平交渉 ‖ ～破裂 和議が決裂する
【和文】héwén 图和文. 日本語. ふつうは〔日文〕〔日语〕という
【和弦】héxián 图〈音〉和弦. 和音
*【和谐】héxié 形調和がとれている. 整っている ‖ 颜色搭配dāpèi很～ 色の組み合わせがとてもよい | ～的气氛 和やかな雰囲気
【和谐社会】héxié shèhuì 图調和のある社会
【和煦】héxù 形暖かい ‖ ～的阳光 暖かい日の光
【和颜悦色】hé yán yuè sè 成にこやかな顔. 愛想のいい顔
【和议】héyì 图和議. 講和会議
*【和约】héyuē 图和平条約. 講和条約
【和衷共济】hé zhōng gòng jì 成互いに心を合わせて協力する. 協力して困難をのりきる

9 阂 hé 隔てる. 妨げる ‖ 隔gé～ 隔たり. 溝. わだかまり

9 饸 hé ↴
【饸饹】héle 图麺(めん)の一種. こねあげたソバ粉やコーリャン粉を, 底にたくさん穴の開いた容器に入れ, 上から押し出して作る. 〔合饹〕とも書く. 〔河漏〕ともいう

9 曷 hé 書❶何 ❷いつ ❸なぜ. どうして

10 荷[1] hé ハス ‖ →～花

10 荷[2] hé オランダ. 〔荷兰〕の略称. ➤ hè
【荷包】hébao ; hébāo 图(伝統的服飾品の一つ

で，こまごました物を入れる）小さな袋．巾着(きんちゃく)
【荷包蛋】hébaodàn 图〈料理〉❶目玉焼き ❷落とし玉子．ポーチドエッグ
【荷尔蒙】hé'ěrméng 图 外〈生理〉ホルモン．〔激素〕の旧称
【荷花】héhuā 图 ❶ハスの花 ❷〈植〉ハス ＝〔莲〕
【荷兰】Hélán 图〈国名〉オランダ
【荷兰豆】hélándòu 图〈植〉サヤエンドウ．オランダエンドウ．〔食荚豌豆〕の俗称
【荷塘】hétáng 图 ハス池

10 *核[1] hé ❶图（～儿）果実の種 ‖ 杏xìng～ アンズの種｜桃～ 桃の種 ❷中核 ‖ 细胞～ 細胞核 ❸原子核 ‖ →～武器｜→～能

10 核[2]（△覈）hé 照合する．突き合わせる ‖ 审～ 審査する ➤ hú

【核保护伞】hébǎohùsǎn 图 核の傘
【核爆炸】hébàozhà 動 核爆発する
【核裁军】hécáijūn 動 核軍縮する
【核查】héchá 動 詳細に調査する．検査する
【核磁共振】hécí gòngzhèn 图〈物〉核磁気共鳴
【核弹】hédàn 图〈軍〉核爆弾
【核弹头】hédàntóu 图〈軍〉核弾頭
【核电】hédiàn 图 ❶原子力発電．〔核能发电〕の略 ❷原子力発電によって得られた電力
【核电站】hédiànzhàn 图 原子力発電所
【核定】hédìng 動 審査して決める．査定する ‖ ～奖金 ボーナスを査定する
【核对】héduì 動 照合する．突き合わせる．チェックする ‖ ～身份证 身分証明書をチェックする｜～账目zhàngmù 帳簿を照合する
【核讹诈】hé'ézhà 動 核で脅す．核の脅威を行使する
【核发】héfā 動（審査の上）発給する
【核反应】héfǎnyìng 動〈物〉核反応を起こす
【核反应堆】héfǎnyìngduī 图 原子炉
【核分裂】héfēnliè 動〈物〉核分裂する
【核辐射】héfúshè 動〈物〉放射性物質を放射する
【核果】héguǒ 图〈植〉液果．多肉果
【核计】héjì 動 ❶（企業運営上採算がとれるかどうかを）計算する．見積もる．算定する ❷口（是非や損得などを）相談する ‖ 这件事得大家～～ この件はみんなでよく相談してみなければならない
【核价】héjià 動 価格を決める．値段を査定する
【核减】héjiǎn 動 審査のうえ削減する
【核禁试】héjìnshì 組 核実験全面禁止．〔全面禁止核试验〕の略
【核竞赛】héjìngsài 動〈軍〉核競争をする
【核聚变】héjùbiàn 動〈物〉核融合する
【核扩散】hékuòsàn 動 核拡散する
【核能】hénéng 图〈物〉核エネルギー．原子力
【核能发电】hénéng fādiàn 图 原子力発電．略して〔核电〕ともいう
【核批】hépī 動 審査批准する
【核潜艇】héqiántǐng 图〈軍〉原子力潜水艦．原潜
【核燃料】héránliào 图〈物〉核燃料
【核实】héshí 動 ❶事実を確かめる．事実に当たって確かめる ‖ 情况～后，再做决定 状況を確かめてから，決定を下す ❷事実であると結論を出す
【核试验】héshìyàn 動 核実験をする
【核素】hésù 图〈化〉核種
【核酸】hésuān 图〈生化〉核酸．ヌクレイン酸
【核算】hésuàn 動（採算が取れるかどうか）計算する．見積もる．算定する ‖ ～成本 原価を計算する
【核糖】hétáng 图〈生化〉リボース ‖ ～核酸 リボ核酸．RNA｜～体 リボゾーム
*【核桃】hétao 图 ❶〈植〉クルミの木 ❷クルミの実 ‖ ～仁 殻を取り去ったクルミの実 ＊〔胡桃〕ともいう
【核威慑】héwēishè 動（核保有国が）核で脅す．核の脅威を行使する ‖ 在～面前屈服 核の脅威に屈する
*【核武器】héwǔqì 图〈軍〉核兵器．〔原子武器〕ともいう
【核销】héxiāo 動 審査のうえ帳消しにする
*【核心】héxīn 图 ❶（果実の中の）胚(はい) ❷核心．中心．中核 ‖ ～力量 核心的な力｜～成员 中心メンバー｜～工程 重点工事
【核心家庭】héxīn jiātíng 图 核家族
【核验】héyàn 動 検査する．チェックする
【核战争】hézhànzhēng 图〈軍〉核戦争 ‖ 遏止èzhǐ～ 核戦争を抑止する
【核准】hézhǔn 動 審査のうえ許可する
【核资】hézī 動 資産調査をする．資金を調べる
【核子】hézǐ 图〈物〉核子．核粒子

10 盍（△盇）hé 書 どうして…しないのか．…したらいいではないか

11 涸 hé 書 水がかれる．干上がる ‖ 干～ （川や池などが）かれる．干上がる
【涸泽而渔】hé zé ér yú 成 水を干して魚を取る．目先の利益を求めるばかりで，遠い見通しのないたとえ

11 菏 hé 地名用字 ‖ ～泽zé 山東省にある県の名

11 ** 盒 hé （～儿）图 小型の容器．小箱 ‖ 饭～ 弁当箱｜火柴huǒchái～ マッチ箱
【盒带】hédài 图 カセット・テープ．ふつう〔磁带〕という
【盒饭】héfàn 图（外で売られる）箱詰め弁当
【盒式磁带录音机】héshì cídài lùyīnjī 图 カセット・テープレコーダー
【盒子】hézi 图 ❶小型の容器．小さな箱 ❷仕掛け花火の一種
【盒子枪】héziqiāng 图 方 モーゼル銃

12 颌 hé 图〈生理〉あご ‖ 上～ 上あご｜下～ 下あご ➤ gé

13 阖 hé 書 ❶閉める．閉じる ‖ ～眼 目を閉じる．眠る．永眠する ❷全部の．すべての ‖ ～家 一家全員．一家揃って
【阖府】héfǔ 图 翰 御一家．〔阖第〕ともいう

13 貉 hé 图〈動〉タヌキ．ムジナ．〔狸〕ともいい，ふつうは〔貉子〕という ‖ 一丘qiū之～ 同じ穴のムジナ ➤ háo

16 翮 hé 書 ❶羽のつけ根．羽茎(はぐき) ❷鳥の翼 ‖ 振～高飞 翼を羽ばたいて空高く飛ぶ

hè

6 吓（嚇）hè ❶感（不満を表す）へえ．ちぇっ ❷脅す ‖ 恐～ 恐喝する ➤ xià

8 和 hè ❶（声を）合わせる．和する ❷他人の言ったことに調子を合わせる ‖ 随声附～ 付和雷同する ❸動（他人の詩歌に和して）詩作する ‖ →～诗 ➤ hé hú huó huò

【和诗】hè//shī 动 相手の詩に和して詩作する

9 **贺** hè ❶賀する. 祝う. 祝意を表す ‖ 祝～ 祝いを述べる. 祝賀する

*【贺词】hècí 名 祝辞 ‖ 致～ 祝辞を述べる

【贺电】hèdiàn 名 祝電 ‖ 拍～ 祝電を打つ

【贺函】hèhán 名 祝賀状. 祝いの手紙

【贺卡】hèkǎ 名 結婚祝いや誕生日に贈るカード

【贺礼】hèlǐ 名 祝いに贈る品物

【贺年】hè//nián 动 新年を祝賀する

【贺年片】hèniánpiàn 名 年賀状. 年賀葉書

【贺岁】hèsuì 动 新年を祝う

【贺岁片儿】hèsuìpiānr 名 口 正月映画

【贺岁片】hèsuìpiàn 名 正月映画

【贺喜】hè//xǐ 动 お祝いを述べる

【贺信】hèxìn 名 賀状. お祝いの手紙

【贺仪】hèyí 名 祝儀. お祝いの贈り物

10 **荷** hè ❶动 担ぐ. 背負う ‖ ～枪 銃を担ぐ ❷引き受ける. 負担する ‖ 身～重任 重責を負う ❸旧 (多く手紙文に用いて謝意を表す) 恩恵をこうむる ‖ 为～ 幸甚(こうじん)です ❹〈電〉電荷 ‖ 正～ 陽電荷 ❺負担. 責任 ‖ 重～ 重荷 ➤ hé

【荷枪实弹】hè qiāng shí dàn 成 銃を担ぎ弾をこめる. 軍隊や警察が臨戦態勢にあること

【荷载】hèzài 动 積載する 名 荷重

【荷重】hèzhòng 名〈建〉荷重

12 **喝** hè 动 大声で叫ぶ. どなる ‖ 大声～了一嗓子 大声でどなった ➤ hē

【喝彩】hè//cǎi 动 喝采(かっさい)する ‖ 全场的人都喝起彩来 満場の人々がどっと喝采した

【喝倒彩】hè dàocǎi 惯 野次を飛ばす. ブーイングする

【喝道】hèdào 动 旧 (高官の外出の際) 先払いをする

【喝令】hèlìng 动 大声で命令する. 大声で言いつける

【喝问】hèwèn 动 書 大声で問いただす

14 **褐** hè ❶粗末な綿布で作った衣服 ‖ 短～ 丈の短い粗末な服 ❷褐色の. こげ茶色の

【褐煤】hèméi 名 褐炭. 〔褐炭〕ともいう

【褐色】hèsè 名 褐色

14 **赫**[1] hè ❶明らかである. 盛大である ‖ 显～ (権勢や名声などが) 赫々(かくかく)たるものである

14 **赫**[2] hè 量〈物〉(振動数の単位) ヘルツ. 〔赫兹〕の略 ‖ 兆zhào～ メガヘルツ

【赫赫】hèhè 形 輝かしい. 赫々たる ‖ ～大名 赫々たる名声 | 战功～ 戦功が輝かしい

【赫然】hèrán 形 ❶驚くべき物が突然現れるさま. ぬっと ❷かっと怒るさま ‖ ～大怒 かっとなって大いに怒る

【赫哲族】Hèzhézú 名 ホジェン族 (中国の少数民族の一つ, 主として黒竜江省に居住)

【赫兹】hèzī 量 外〈物〉(振動数の単位) ヘルツ

15 **鹤** hè 名〈鳥〉ツル ‖ 丹顶～ タンチョウ | 白～ ソデグロヅル | 灰～ クロヅル

【鹤发童颜】hè fà tóng yán 成 白髪頭に血色のよい顔. 老いてもなお元気なさま

【鹤立鸡群】hè lì jī qún 成 鶏群の一鶴(いっかく). 多くの凡人の中にひときわ優れた人が混じっているたとえ

【鹤嘴镐】hèzuǐgǎo 名 つるはし

17 **壑** hè ❶谷間 ‖ 千山万～ 千の山, 万の谷. 道のりが長く険しいさま ❷溝 ‖ 沟～ 堀や溝

hēi

12 ★**黑** hēi ❶形 黒い ↔〔白〕‖ 头发很～ 髪が黒々としている ❷形 暗い ↔〔亮〕‖ 天～了 日が暮れた ❸夜. 夜中 ‖ 起早贪～ 朝早くから夜遅くまで働く ❹〔白〕と対比的に用いて, 是非・善悪・正邪を表す ‖ →～白 ❺形 悪い. 腹黒い. あくどい ‖ 心太～了 実に腹黒い ❻秘密の. 非合法の ‖ ～交易 やみ取引 ❼动 方 だましとる. くすねる

**【黑暗】hēi'àn 形 ❶暗い. 真っ暗である ‖ 请存放在～低温处 冷暗所に保存してください ❷喩 (社会が) 暗い. 暗黒の ‖ ～统治 暗黒統治 | ～面 暗黒面

*【黑白】hēibái 名 ❶白黒. モノクロ ‖ ～胶卷ル モノクロフィルム | ～电视机 白黒テレビ ❷是非. 善悪. 正邪 ‖ ～不分 是非や善悪の区別がない

【黑白片ル】hēibáipiānr 名 口 モノクロ映画. 白黒映画 ↔〔彩色片ル〕

【黑白片】hēibáipiàn 名 モノクロ映画 ↔〔彩色片〕

★【黑板】hēibǎn 名 黒板 ‖ 擦～ 黒板をふく

【黑板报】hēibǎnbào 名 (学校や職場の) 黒板に書いた壁新聞. 黒板報

【黑帮】hēibāng 名 やくざ. ギャング

【黑不溜秋】hēibuliūqiū (～的) 形 方 黒ずんで汚い. 真っ黒い ‖ ～的旧书包 黒ずんだ古いかばん

【黑车】hēichē 名 ❶盗難車. やみで取り引きされた車 ❷無許可営業の車

【黑沉沉】hēichénchén (～的) 形 (多く空が) 真っ暗なさま ‖ 天阴得～的 空が曇って真っ暗だ

【黑吃黑】hēi chī hēi 慣 暴力団同士が抗争をする ‖ 因争抢zhēngqiǎng地盘, 常常～ 縄張りをめぐって頻繁に抗争が起きる

【黑道】hēidào (～ル) 名 ❶夜道. 暗い道 ‖ 走～ 暗い夜道を行く ❷やくざの世界 ‖ 入～ やくざの世界に入る ❸違法な行為 ‖ ～买卖 やみ取引

【黑灯瞎火】hēidēng xiāhuǒ (～的) 惯 明かりがなくて暗いさま. 〔黑灯下火〕ともいう

【黑地】hēidì 名 登記しないで隠し持っている土地. 台帳にない田畑

【黑店】hēidiàn 名 ❶旧 客を殺して金品を巻き上げる悪徳宿屋 ❷無許可営業の商店や旅館

【黑洞洞】hēidōngdōng (～的) 形 (空間が) 真っ暗であるさま ‖ 山洞里～的 洞穴は真っ暗だ

【黑洞】hēidòng 名〈天〉ブラックホール. 〔坍缩星〕ともいう

【黑豆】hēidòu 名 クロマメ

【黑恶】hēi'è 形 暴力団の. 凶悪な ‖ ～势力 暴力団

【黑更半夜】hēigēng bànyè (～的) 惯 真夜中

【黑咕隆咚】hēigulōngdōng (～的) 形 口 真っ暗ではっきりしないさま

【黑管】hēiguǎn 名〈音〉クラリネット ＝〔单簧管〕

【黑鹳】hēiguàn 名〈鳥〉ナベコウ

【黑孩子】hēiháizi 名 出生を届け出ていない子供. 戸籍のない子供

【黑糊糊】【黑乎乎】hēihūhū (～的) 形 ❶非常に黒いさま ‖ ～的浓烟 もくもくと立ち上る黒煙 ❷薄暗く, ものがはっきり見えないさま ‖ 房间里～的 部屋の中は薄暗い ❸(人または物が) 黒々と密集しているさま

【黑户】hēihù 名 ❶戸籍のない世帯 ❷正式な営業

許可を受けていない商店
【黑户口】hēihùkǒu 名 戸籍のない人
【黑话】hēihuà 名 (やくざなどが使う)隠語. 符丁
【黑货】hēihuò 名 不法に入手した品物. やみ物資. 密輸品. 禁制品
【黑金】hēijīn 名 不正な金 ‖ 接受～ 不正な金を受け取る
【黑客】hēikè 名〈計〉ハッカー
【黑亮】hēiliàng 形 黒光りしているさま
【黑溜溜】hēiliūliū (～的) 形 黒く光るさま
【黑马】hēimǎ 名 ダークホース. 穴馬
【黑麦】hēimài 名〈植〉ライムギ. クロムギ
【黑茫茫】hēimángmáng (～的) 形 真っ暗なさま. 暗くて何も見えないさま
【黑霉】hēiméi 名 クロカビ
【黑名单】hēimíngdān 名 ブラックリスト
【黑木耳】hēimù'ěr 名〈植〉キクラゲ
【黑幕】hēimù 名 内幕. 内情. 裏事情 ‖ 揭露 jiēlù～ 内幕を暴く
【黑啤酒】hēipíjiǔ 名 黒ビール
【黑漆漆】hēiqīqī (～的) 形 真っ黒なさま. 真っ暗なさま ‖ ～的大门 黒々とした門 | ～的夜晚 真っ暗な夜
【黑钱】hēiqián 名 不正行為で手に入れたお金
【黑枪】hēiqiāng 名 ❶(不法に)隠し持っている銃器 ❷凶弾 ‖ 打～ 凶弾を発射する
【黑热病】hēirèbìng 名〈医〉黒熱病
【黑人】[1] hēirén 名 黒人
【黑人】[2] hēirén 名 戸籍のない人. 無戸籍者
【黑色】hēisè 名 黒色
【黑色火药】hēisè huǒyào 名 黒色火薬
【黑色金属】hēisè jīnshǔ 名〈鉱〉鉄金属. 鉄化合物 ↔〔有色金属〕
【黑色素】hēisèsù 名〈化〉メラニン. 黒色色素. 黒素
【黑色食品】hēisè shípǐn 名 天然の黒色色素を含む栄養食品の総称. きくらげ・黒米・黒豆・黒胡麻など
【黑色收入】hēisè shōurù 名 不正な手段で得た収入 ↔〔白色收入〕〔灰色收入〕
【黑色幽默】hēisè yōumò 名 ブラックユーモア
【黑森森】hēisēnsēn (～的) 形 ❶暗くて不気味なさま ❷黒々としているさま. 黒く濃いさま
【黑山】Hēishān 名〈国名〉モンテネグロ
【黑哨】hēishào 名 黒いホイッスル. 球技の試合中に故意になされる不正な審判行為をさす
【黑社会】hēishèhuì 名 やくざの世界. 暗黒街
【黑市】hēishì 名 やみ市場. ブラックマーケット ‖ ～价格 やみ値 | ～交易 やみ取引
【黑市汇率】hēishì huìlǜ 名 闇レート. 闇相場
【黑势力】hēishìli 名 暴力団. 犯罪組織. ギャング
【黑手】hēishǒu 名 黒幕. 陰で操る人や集団 ‖ 背后有～在操纵 cāozòng 背後で黒幕が操っている
【黑死病】hēisǐbìng 名〈医〉黒死病. ペスト
【黑糖】hēitáng 名 方 黒砂糖. 赤砂糖
【黑桃】hēitáo 名 トランプのスペード
【黑陶】hēitáo 名〈考古〉黒陶
【黑体】hēitǐ 名 ❶〈印〉ゴシック体 ↔〔白体〕❷〈物〉黒体(こくたい)
【黑土】hēitǔ 名〈農〉黒色または黒褐色の肥沃な土. 黒土. 〔黑钙土〕ともいう
【黑窝】hēiwō 名 犯罪組織の巣窟(そうくつ) ‖ 掏 tāo～ 犯罪組織を摘発する

【黑瞎子】hēixiāzi 名〈動〉方 ツキノワグマ. ヒマラヤグマ
【黑匣子】hēixiázi 名 ブラックボックス
【黑箱】hēixiāng 名 構造が複雑な電子部品または電子機器などをさす
【黑箱操作】hēixiāng cāozuò 組 隠れて不正行為をする. 陰で操る. 裏工作をする. 〔暗箱操作〕ともいう
【黑心】hēixīn 形 腹黒い. 陰険な ‖ 这种～事可不能干 こんな陰険なことはとてもやるわけにはいかない 名 悪心. 悪事をしようとする心 ‖ 起了～ 悪心を抱いた
【黑信】hēixìn 名 口 匿名の手紙
【黑猩猩】hēixīngxing 名〈動〉チンパンジー
【黑熊】hēixióng 名〈動〉アジアクロクマ. ヒマラヤグマ. 〔狗熊〕ともいう
【黑魆魆】hēixūxū (～的) 形 真っ暗なさま
【黑压压】【黑鸦鸦】hēiyāyā (～的) 形 人や物が群がり集まっているさま. 黒山のようである ‖ 会场里～地挤 jǐ满了人 会場は黒山の人だかりだ | ～的乌云 wūyún 布满了天空 垂れ込めた黒雲が空を覆っている
【黑眼珠】hēiyǎnzhū (～儿) 名 瞳(ひとみ)
*【黑夜】hēiyè 名 暗夜. やみ夜 ‖ 不分白天～地干 昼夜を分かたず働く | ～总会过去, 曙光 shǔguāng 就在前头 やみ夜はいずれ過ぎ去るものであり, 光明はすぐ目の前にある
【黑油油】【黑黝黝】hēiyōuyōu (～的) 形 真っ黒でつやのあるさま ‖ ～的长发 黒くつやゃかな長い髪
【黑黝黝】hēiyǒuyǒu (～的) 形 ❶＝〔黑油油 hēiyōuyōu〕❷真っ暗なさま. 〔黑幽幽〕とも書く
【黑鱼】hēiyú 名〈魚〉カムルチー. 〔鳢 lǐ〕の通称
【黑枣】hēizǎo (～儿) 名 ❶〈植〉マメガキ. シナノガキ ❷喩 銃弾 ‖ 吃～ 鉄砲の弾に当たる
【黑账】hēizhàng 名 裏帳簿
【黑痣】hēizhì 名 ほくろ. 黒色母斑(こくしょくぼはん)
【黑种】hēizhǒng 名 黒色人種 ‖ ～人 黒人
【黑子】hēizǐ 名 ❶書 黒痣(あざ) ❷〈天〉太陽の黒点 ❸(～儿)囲碁の黒い石

15 ★**嘿** hēi ❶感 ①(得意がる気持ちを表す)**どうだい. ほうら** ‖ ～, 这回我可赢 yíng 了 どうだい, こんどは僕が勝ったぞ ②(呼び掛けや注意の喚起を表す)**おい. ちょっと. おおい** ‖ ～! 该你啦! おい, 君の番だよ ③(驚きを表す)**おや. あら. まあ** ‖ ～, 你也来了! おや, 君も来たのか ❷擬 (笑い声)へへ. フフ. 多く重ね型で用いる ➤ mò
【嘿嘿】hēihēi 擬 (笑い声)へへ. フフ

hén

11 **痕** hén ❶傷口やできものの直った跡 ‖ 伤～ 傷跡 ❷痕跡(こんせき) ‖ 泪～ 涙の跡
*【痕迹】hénjì 名 ❶何事かがあった跡. 痕跡 ‖ 雪地上留有人走过的～ 雪の上には人の歩いた跡が残っている ❷面影. 名残. 気配 ‖ 古老的建筑物为小城留下了历史的～ 古い建物はこの町の昔日の面影をとどめている

hěn

9 ★**很** hěn 副 **程度が高いことを表す** ①**たいへん. とても. 非常に** ‖ 我家离学校～近 私の家は学校からとても近い | 我～喜欢看电影 私は映画を見るのが大好きだ | 我～了解他的脾气 私は彼の気性

をよく知っている ②(〔… 得很〕の形で) **たいへん, とても, 非常に** ‖ 忙得～ たいへんに忙しい | 热闹得～ とても賑やかだ ③(〔不很 …〕の形で)あまり…(でない), さして…(でない) ‖ 身体不～好 体の調子があまりよくない ④(〔很不 …〕の形で)まったく…(でない) ‖ 他显得～不高兴 彼はとても不機嫌そうに見える

類義語 很 hěn 非常 fēicháng 怪 guài 挺 tǐng
◆ともに程度が高いことを表し, 形容詞や〔想〕〔喜欢〕などの心理的活動を表す動詞を修飾する. 程度は〔非常〕が一番高く, 〔很〕〔怪〕〔挺〕と弱くなる. 〔怪〕〔挺〕は話し言葉で用いられる ◆〔很〕行為を表す一部の動詞も修飾する. とても ‖ 我很赞成你的观点 私は君の見方に大賛成だ ◆〔非常〕重ねて言うことができる. 非常に ‖ 我非常非常喜欢这本书 私はこの本がとっても好きだ ◆〔怪〕〔怪 … 的(地)〕の形をとることが多い. すごく ‖ 大家怪想念他的 みんな彼をとても懐しがっている ◆〔挺〕話し手の満足感や不満などを含む. なかなか ‖ 这个电影挺有意思 この映画はなかなか面白い

9 * **狠** hěn ❶形 残酷である, 凶悪である, 無慈悲である ‖ 心～手辣 残忍で悪辣(あくらつ)だ ❷形 思い切りがよい, 断固としている ‖ 刚才的球应该抽得再～一些 さっきの球はもっと強く打つべきだ ❸動 決心する, 思い切る ‖ 发～ 思い切る ❹〔很hěn〕に同じ. 多く近代漢語に用いた

*【狠毒】hěndú 形 残酷である, 悪辣である ‖ 心肠～ 血も涙もない | ～凶残xiōngcán 残忍冷酷である

【狠命】hěnmìng 副 方 必死に, 精いっぱい

*【狠心】hěn//xīn 動 心を決める, 意を決して … する ‖ 他一～拿出所有的积蓄买下了一套房子 彼は思い切って貯金をはたき, マンションを購入した | 狠不下心和他分手 彼と別れるに忍びない 形 (hěnxīn) 冷酷である, 無慈悲である 名 (hěnxīn) 一大決心, 一大決意

hèn

9 ** **恨** hèn ❶動 **恨む, 憎いと思う** ‖ 她一直～着他 彼女はずっと彼を恨んでいる ❷後悔する, 遺憾に思う, 残念に思う ‖ 悔～ 悔やむ

*【恨不得】hènbude 動 … できないのがもどかしい, … であったらなあと思う, 〔恨不能〕ともいう ‖ ～把他揍zòu一顿 できるものなら彼を殴ってやりたい

【恨不能】hènbunéng ＝〔恨不得hènbude〕

【恨人】hènrén 形 方 腹立たしい, 憎たらしい ‖ 刚换的衣服又弄脏nòngzāng了, 真～ 着替えたばかりの服をまた汚して, まったく憎たらしい

【恨铁不成钢】hèn tiě bù chéng gāng 慣 鉄が鋼にならないのを遺憾とする, なんとか立派な人間になるよう切望するたとえ

【恨之入骨】hèn zhī rù gǔ 成 腹の底から恨む, 恨み骨髄に徹す, 〔恨入骨髓〕ともいう

hēng

7 **亨**[1] hēng 順調である ‖ →～通

7 **亨**[2] hēng 量 (インダクタンスの単位) ヘンリー, 〔亨利〕の略

【亨通】hēngtōng 形 書 順調である, 都合よくはかどる ‖ 官运～ 出世が順調である | 万事～ 万事順調だ

10 ** **哼** hēng ❶擬 (苦しんでうめく声や低い声) ウンウン, フンフン, ブツブツ ❷動 **うなる, うめく** ‖ 他痛得直冒汗, 但却没～一声 彼は痛みに脂汗を流したが, うめき声一つあげなかった ❸動 **鼻歌を歌う** ‖ ～着歌儿 鼻歌を歌う ➤hng

【哼哧】hēngchī 擬 はあはあ, ぜいぜい

【哼哈二将】Hēng Hā èr jiàng 名 ❶寺院の山門に配される一対の仁王像 ❷喩 権力者の頼みとする二人の有能な手下, 二人の悪者

【哼唧】hēngji 動 ❶鼻歌を歌う, 小声で話す ❷すねたりむずかったりする, だだをこねる ‖ 孩子～着不肯去幼儿园 子供がぐずぐず言って幼稚園に行こうとしない

【哼儿哈儿】hēngrhār 擬 (無関心であったり, その場を取り繕ったりするときの声) はあはあ, ふんふん

【哼唷】hēngyō 感 (労働でみんなが一斉に力を出すときの掛け声) よいしょ, えんやこら

héng

6 **行** héng ➡〔道行dàoheng〕 ➤háng xíng

9 **恒** (^恆) héng ❶永遠の, 永久の ‖ 永～ 永久 ❷恒心 ‖ 有～ 根気がある ❸常の, 普段の ‖ ～言 常用語

【恒产】héngchǎn 名 不動産

【恒等式】héngděngshì 名〈数〉恒等式

【恒定】héngdìng 形 いつまでも不変である

【恒久】héngjiǔ 形 恒久的である, 永久である

【恒量】héngliàng 名〈物〉定数, 恒数

【恒温】héngwēn 名 恒温, 定温

【恒温动物】héngwēn dòngwù 名〈動〉恒温動物

【恒心】héngxīn 名 長く続ける気力, 精根, 根気 ‖ 做什么事都要有～ 何をするにも根気が必要だ

【恒星】héngxīng 名〈天〉恒星

【恒星年】héngxīngnián 名〈天〉恒星年

【恒星日】héngxīngrì 〔名〕〈天〉恒星日

【恒星月】héngxīngyuè 名〈天〉恒星月

【恒牙】héngyá 名〈生理〉永久歯

10 **珩** héng 古代の佩(はい)の上部にある横玉

10 **桁** héng 名〈建〉桁(けた)

【桁条】héngtiáo 名〈建〉桁

【桁架】héngjià 名〈建〉トラス

15 * **横** héng ❶形 (地面に対し水平方向の) 横の ↔〔竖〕〔直〕‖ ～额 横額 ❷形 (東西に) 横の ↔〔纵〕‖ →～渡 ❸形 (左右に) 横の ↔〔竖〕〔直〕〔纵〕‖ →～队 ❹名 (～儿) (漢字の筆画) 横棒 ❺形 (長い一辺に対して) 垂直の ❻動 横にする ‖ 把镜框jìngkuàng～过来 額縁を横向きにする ❼縦横入り乱れた ‖ →～生 ❽横暴な, 道理を分きまえない ‖ →～加 ➤hèng

【横标】héngbiāo 名 横長の標語

【横冲直撞】héng chōng zhí zhuàng 成 しゃにむに突進する, やみくもに突き進む

【横穿】héngchuān 動 横切る, 横断する ‖ ～马路 道路を横断する

【横倒竖歪】héng dǎo shù wāi 慣 物があちこち乱

雑に置かれているさま
【横笛】héngdí 名 横笛 =〔笛子〕
【横渡】héngdù 動 (川や海洋などを)横断する. 渡る
【横断面】héngduànmiàn =〔横剖面 héngpōumiàn〕
【横队】héngduì 名 横隊. 横の隊形
【横幅】héngfú 名 横軸. 横断幕
【横膈膜】hénggémó 名〈生理〉横隔膜 〔膈〕の旧称
【横贯】héngguàn 動 横に貫く. 横切る ‖ 黄河~本省 黄河は本省を横断している | ~东西 東西に貫く
【横加】héngjiā 動 やたらに … する. むやみに … する. 無理に … する ‖ ~干涉 むやみに干渉する
【横眉】héngméi 動 眉(まゆ)をつり上げる. にらみつけるさま ‖ ~竖shù眼 眉(まゆ)をつり上げかっと目を見開く
【横眉怒目】héng méi nù mù 成 眉をつり上げ目を怒らせる. 怒りに燃えてにらみつける. 〔横眉努目〕〔横眉立目〕ともいう
【横批】héngpī 名 対聯(ついれん)に組み合わせる横書きの句. 多く4字からなる
【横披】héngpī 名 (書画の)横軸
【横剖面】héngpōumiàn 名 横断面. 〔横断面〕〔横切面〕ともいう
【横七竖八】héng qī shù bā 慣 雑然としているさま. 乱雑なさま
【横切面】héngqiēmiàn =〔横剖面héngpōumiàn〕
【横肉】héngròu 名 残忍な顔つき
【横扫】héngsǎo 動 一掃する. 掃討する ‖ ~一切封建残余 いっさいの封建社会の残滓(ざんし)を一掃する
【横生】héngshēng 動 ❶(草木が)繁茂する. 生い茂る ‖ 百弊bì~ 不正行為がはびこる ❷次々に現れる ‖ 妙趣~ 妙趣があふれている ❸予想外のことが起こる
【横生枝节】héng shēng zhī jié 成 予想外の問題が生じる
【横是】héngshi 副 方 たぶん. きっと. おそらく
【横竖】héngshu ; héngshù 副 口 どうせ. いずれにしても ‖ ~都得干, 早干完早歇xiē着 どっちみちやらなければならないのだから, 早くやり終えて早く休もう
【横挑鼻子竖挑眼】héng tiāo bízi shù tiāo yǎn 慣 口 重箱の隅をほじくる. 他人のあら捜しをする
【横向】héngxiàng 形 ❶水平の. (多く隷属関係にない部門間の関係をさす) ‖ ~比较 横の比較. 水平的比較 | ~经济联系 同業種間の経済的結びつき ❷東西の ‖ ~铁路 東西を結ぶ鉄道
【横心】héng∥xīn 動 思い切って決断する. 腹を決める ‖ 左思右想, 横不下这条心 あれこれ思い悩んで決断がつかない
*【横行】héngxíng 動 横暴なふるまいをする. のさばる ‖ ~天下 世にはびこる | 肆意~ 横暴をほしいままにする
【横行霸道】héng xíng bà dào 成 権力を笠に勝手気ままにふるまう
【横溢】héngyì 動 ❶氾濫(はんらん)する. あふれる ❷(才能や感情が)あふれ出る ‖ 才华~ 才気があふれる
【横征暴敛】héng zhēng bào liǎn 成 重税を取り立てる. 人民から厳しく徴税する
【横直】héngzhí 副 方 どうせ. しょせん. いずれにしても
【横坐标】héngzuòbiāo 名〈数〉横座標

16 **衡** héng ❶はかり. 竿ばかり ❷(重さを)量る ❸判定する. 推量する ‖ 权~ 判断する ❹平らな. 傾斜のない ‖ 平~ 平衡がとれている
【衡量】héngliang ; héngliáng 動 ❶評価して比べる. はかりに掛ける ‖ ~能力 能力を評価する ❷よく考える. 考えをめぐらす ‖ 该怎么做, 我已经~过了 どうすべきか, 僕はもうちゃんと考えてある
【衡器】héngqì 名 はかり

hèng

15 * **横** hèng ❶形 粗暴である. 横暴である ‖ 他这个人真~ 彼はほんとうに横暴だ ❷思いがけない. 不吉な ‖ ~祸 ➤ héng
【横财】hèngcái 名 (多く不正な手段で得た)利益. あぶく銭 ‖ 发~ あぶく銭を手にする
【横祸】hènghuò 名 思いぬ災難. 奇禍 ‖ 飞来~ とんだ災難をこうむる
【横蛮】hèngmán 形 横暴である. 強引である
【横事】hèngshì 名 凶事. 不慮の災難
【横死】hèngsǐ 動 横死する. 非業の死を遂げる

hng

10 ** **哼** hng ❶感(不満や不信を表す)ふん. ちぇっ ❷感(威嚇する気持ちを表す)ふん ‖ ~, 走着瞧吧！ ふん, いまに見てろよ ➤ hēng

hōng

8 **轰(轟)** hōng ❶擬 (大砲・爆破・雷などの音)ドーン. ゴロゴロ ❷(雷が)鳴る. (弾薬が)炸裂する. 砲撃する ‖ 雷~电闪 雷鳴がとどろき稲妻が光る ❸動 追い払う. 追い出す ‖ 把鸡~回窝wō里 ニワトリを小屋へ追い込む
【轰出去】hōng∥chu(chū)∥qu(qù) 動 追い出す. 追い払う ‖ 把他~！ あいつを追い出せ
*【轰动】hōngdòng 動 (人々を)沸かせる. あっと言わせる. 〔哄动〕とも書く ‖ 这一消息~了学术界 このニュースは学界にセンセーションを巻き起こした
【轰赶】hōnggǎn 動 追い払う. 追い出す ‖ ~围观wéiguān的人群 野次馬を追い払う
*【轰轰烈烈】hōnghōnglièliè 形 規模が大きくすさまじい勢いである ‖ 爱国卫生运动~地开展起来 愛国衛生運動が大規模に繰り広げられた
【轰击】hōngjī 動 ❶砲撃する ❷〈物〉(原子核に)衝撃を加える
【轰隆】hōnglōng 擬 (大砲・爆破・雷・機械などの音)ドーン. ドカン. ゴーゴー
【轰鸣】hōngmíng 動 (大砲・雷・機械などが)大きな音を出す ‖ 机器~ 機械の音が鳴り響く
【轰然】hōngrán 形 大きな音がとどろくさま ‖ ~大笑 (大勢が)どっと笑う | ~作响 ゴーゴー鳴り響く
【轰响】hōngxiǎng 動 (大きな音が)鳴り響く ‖ 马达~ モーターがうなっている | 波涛bōtāo~ 大波がとどろく
*【轰炸】hōngzhà 動 爆撃する
【轰炸机】hōngzhàjī 名〈軍〉爆撃機
【轰走】hōng∥zǒu 動 ❶追い出す. 追い払う ‖ 把他~ 彼を追い出す ❷(家畜などを)追って移動させる

9 **訇** hōng 擬 (大きな音)ドスン. ドカン. ゴーッ ‖ ~的一个炸雷 ドーンと響く雷鳴一つ

9 **哄** hōng ❶擬 (大勢の人が笑ったり騒いだりする声)がやがや. わっ(と) ❷大勢の人が

一度に声をあげる ‖ →～传 ➤ hǒng hòng
【哄传】hōngchuán 動 口々にうわさする ‖ 近来～要涨工资 このところ給料が上がるとのうわさが広がっている
【哄动】hōngdòng ＝〔轰动hōngdòng〕
【哄抢】hōngqiǎng 動 ❶大勢の人がよってたかって略奪する ❷大勢の人が殺到し先を争って買う
【哄然】hōngrán 形 大勢が同時に声を出すさま ‖ 大家～大笑 みんなはどっと笑った｜舆论～ 世論が沸く
【哄抬】hōngtái 動 (物価を)あおって釣り上げる
【哄堂大笑】hōng táng dà xiào 成 大勢の人がどっと笑う
【哄笑】hōngxiào 動 (大勢が)大声で笑う

10 **烘** hōng ❶動 (火で)あぶる. 焼く. (火にかざして)乾かす ‖ 衣服都淋透了，快脱下来～一～ 服がすっかりぬれてしまっているから，早く脱いで乾かしなさい ❷目立たせる. 浮き立たせる ‖ →～衬
【烘焙】hōngbèi 動 焙(ほう)じる. 焙煎(ばいせん)する
【烘衬】hōngchèn 動 (ある事物によって別の事物を)浮き立たせる. 引き立てる
【烘干】hōng//gān 動 火にあぶって乾かす
【烘烘】hōnghōng 擬 (火が勢いよく燃える音)ボウボウ
【烘烤】hōngkǎo 動 火で乾かす. 火にあぶる
【烘染】hōngrǎn 動 誇張して際立たせる
【烘托】hōngtuō 動 ❶〈美〉(中国画の技法の一種)輪郭にぼかしを入れ，物の形を浮かび上がらせる ❷際立たせる. 目立たせる ‖ ～主题 テーマを際立たせる
【烘箱】hōngxiāng 名 乾燥装置
【烘云托月】hōng yún tuō yuè 成 側面から描写することによって主体を際立たせること

16 **薨** hōng 古 (皇族や大官など身分の高い人が)死ぬ. みまかる

hóng

5 **弘** hóng ❶広い. スケールが大きい ❷広げる. 発揚する
【弘论】hónglùn ＝〔宏论hónglùn〕
【弘图】hóngtú ＝〔宏图hóngtú〕
【弘扬】hóngyáng 動 書 大いに発揚する
【弘愿】hóngyuàn ＝〔宏愿hóngyuàn〕
【弘旨】hóngzhǐ ＝〔宏旨hóngzhǐ〕

6 ★**红** hóng ❶形 赤い ‖ 她的脸～了 彼女は顔を赤くした ❷赤い布 ‖ 挂～ 慶事に赤い布を飾りつける ❸めでたい ‖ →～事 ❹形 成功している. 受けている. 売れている ‖ ～极一时 一世を風靡(ふうび)する｜她越唱越～ 彼女は歌で人気が出てきた ❺(企業が株主に配当する)利潤 ‖ 分～ 利益を配当する ❻形 革命的である ➤ gōng
【红案】hóng'àn (～儿) 名 料理人の仕事の分担で，主食以外の料理を作る仕事 ↔〔白案〕
【红白喜事】hóng bái xǐshì 名 慶弔. "红事"(結婚)と"白事"(葬儀)の合称
【红榜】hóngbǎng 名 表彰者掲示板. 表彰板 ＝〔光荣榜〕‖ 上了～ 表彰者掲示板に張り出される
【红包】hóngbāo (～儿) 名 ❶祝儀 ❷ボーナス. 臨時の手当 ❸賄賂. 袖の下
【红宝石】hóngbǎoshí 名〈鉱〉ルビー
【红不棱登】hóngbulēngdēng (～的) 形 口 赤みがかっている. 赤茶けている
*【红茶】hóngchá 名 紅茶
【红潮】hóngcháo 名 ❶紅潮. 赤らみ ‖ 脸上泛起了～ 顔が赤くなった ❷赤潮 ＝〔赤潮〕❸月経
【红尘】hóngchén 名 俗世間. 人の世. 世の中
【红筹股】hóngchóugǔ 名〈経〉レッドチップ. 香港市場に上場している中国企業の銘柄の総称
【红蛋】hóngdàn 名 出産祝いに親戚や友人へ配る赤く染めたゆで玉子 ＝〔喜蛋〕
【红灯】hóngdēng 名 ❶赤信号 ❷赤い灯籠(とうろう). 赤い提灯(ちょうちん)
【红灯区】hóngdēngqū 名 歓楽街. 紅灯の巷(ちまた)
【红豆】hóngdòu (～儿) 名 ❶〈植〉トウアズキ ❷トウアズキの実. 相思相愛の象徴とされた. 〔相思子〕ともいう
【红股】hónggǔ 名〈経〉無償株. 特別配当株
【红光满面】hóng guāng mǎn miàn 成 顔色がよい. 非常に血色がよく元気に満ちあふれている
【红果儿】hóngguǒr 名 方 サンザシの実
【红红绿绿】hónghónglùlù 形 色とりどりで華やかである ‖ ～的糖果 色とりどりのキャンディー
【红火】hónghuo 形 方 活気がある. 勢いが盛んである ‖ 日子越过越～ 暮らし向きがどんどんよくなってくる
【红教】Hóngjiào 名〈宗〉チベットのラマ教旧派
【红角】hóngjué (～儿) 名 人気俳優
【红军】Hóngjūn 名〈史〉❶紅軍. 赤軍. 〔中国工农红军〕(中国労農赤軍)の略称 ❷赤軍(1946年までのソ連軍)
【红利】hónglì 名 ❶株の配当金 ❷賞与. ボーナス
【红脸】hóng//liǎn 動 ❶(恥ずかしさで)顔を赤らめる. はにかむ ❷(怒りで)顔を紅潮させる. 言い争う ‖ 我们夫妻之间，从来没红过脸 私たち夫婦はこれまでけんかしたことがない 名 (hóngliǎn) 喩 (伝統劇で，英雄のくま取りが赤いことから)正義の味方. 熱血漢. 善玉 ↔〔白脸〕
【红磷】hónglín 名〈化〉赤燐(せきりん). 〔赤磷〕ともいう
*【红领巾】hónglǐngjīn 名 ❶赤いスカーフ. 少年先鋒隊員のしるし ❷少年先鋒隊員
【红柳】hóngliǔ 名〈植〉ギョリュウ. タマリクス
【红绿灯】hónglùdēng 名 交通信号灯
【红马甲】hóngmǎjiǎ 名 証券取引所の職員. 〔红马甲〕(赤いベスト)を着ていることから
【红帽子】hóngmàozi 名 ❶旧 共産主義者のレッテル ‖ 被戴上～ 赤のレッテルを張られる ❷(駅の)赤帽
【红煤】hóngméi 名 方 無煙炭
【红棉】hóngmián 名〈植〉インドワタノキ. パンヤ ＝〔木棉〕
【红模子】hóngmúzi 名 習字練習用の用紙. 習う文字が赤で印刷してある
【红木】hóngmù 名 マホガニー材. 紫檀(したん)材
【红男绿女】hóng nán lù nǔ 成 華やかな服装の若い男女
【红娘】hóngniáng 名 ❶『西廂記(せいしょうき)』の主人公鶯鶯(おうおう)と張生との仲を取り持った侍女の名. 転 仲人 ❷〈虫〉テントウムシ. 〔红娘虫〕〔红娘子〕ともいう
【红牌】hóngpái 名〈体〉レッドカード
【红盘】hóngpán 名〈経〉値上がりした株価. 証券取引所の電光掲示板に赤色の数字で表示されるところから ↔〔绿盘〕
【红皮书】hóngpíshū 名 政府の公式の調査報告書. 白書 ＝〔白皮书〕
【红票】hóngpiào 名 旧 出演者が知り合いなどに贈る入場券や招待券
【红扑扑】hóngpūpū (～的) 形 (顔色が)紅潮してい

る. 赤い ‖ 小姑娘脸蛋～的 女の子のほっぺたが赤い
**【红旗】hóngqí 名 ❶赤旗. 赤色の旗.（共産主義の象徴）‖ 五星～ 五星紅旗 ❷模範的であること. 思想が先進的であること
【红区】hóngqū 名〈史〉第二次国共内戦時に, 中国共産党軍が農村に設けた革命根拠地
【红人】hóngrén（～儿）名 もてはやされる人. 人気者. お気に入り ‖ 领导的～ 上層部のお気に入り
【红润】hóngrùn 形（肌に）赤みとつやがある
【红色】hóngsè 名 赤色 形 革命的な. 政治的自覚の高い ‖ ～政权 革命的な政権. 赤色政権
【红烧】hóngshāo 形〈料理〉（調理法の一つ）しょうゆで煮込んである ‖ ～肉 豚肉のしょうゆ煮込み
【红苕】hóngsháo 名 方 サツマイモ
【红生】hóngshēng 名〈劇〉伝統劇で赤いくま取りをした立ち回りの中年以上の男性の役
【红十字会】Hóngshízìhuì 名 赤十字社
【红事】hóngshì 名 吉事. 祝い事. ↔〔白事〕
【红薯】hóngshǔ 名〈植〉サツマイモ. 〔甘薯〕の通称
【红糖】hóngtáng 名 赤褐色または黒色の砂糖. 〔黑糖〕〔黄糖〕ともいう
【红桃】hóngtáo 名（トランプの）ハート
【红彤彤】【红通通】hóngtōngtōng（～的）形 真っ赤である ‖ ～的朝zhāo阳 真っ赤な朝日
【红头文件】hóngtóu wénjiàn 名 中国共産党指導部より発行される重要文書. 先頭の文書名が赤で印字されることからいう
【红外线】hóngwàixiàn 名〈物〉赤外線
【红细胞】hóngxìbāo 名〈生理〉赤血球. かつては〔红血球〕といった
【红小豆】hóngxiǎodòu 名〈植〉アズキ ＝〔赤豆〕
【红心】hóngxīn 名 革命事業に徹する純粋な心
【红星】hóngxīng 名 ❶赤い星 ❷売れっこのスター
【红学】hóngxué 名 清代の小説『紅楼夢』を研究する学問
【红血球】hóngxuèqiú ＝〔红细胞hóngxìbāo〕
【红颜】hóngyán 名 書 美人 ‖ ～薄命 美人薄命
【红眼】hóng//yǎn 動 ❶腹を立てる. いらつく ‖ 输shū～了 負けてかっかとしている 形 方 ねたむさま. やっかむさま ‖ 看人家穿件新衣服, 她也～ 人が新しい服を着ているのを見て彼女も欲しくなった 名（hóngyǎn）結膜炎. 〔红眼病〕の俗称
【红眼病】hóngyǎnbìng 名 ❶〈医〉結膜炎. 俗に〔红眼〕ともいう ❷他人をねたんでばかりいること
【红艳艳】hóngyànyàn（～的）形 鮮やかに赤い
【红样】hóngyàng 名 校正ずみのゲラ
【红药水】hóngyàoshuǐ 名 口〈薬〉マーキュロクロム. 赤チン
【红叶】hóngyè 名 紅葉
【红衣主教】hóngyī zhǔjiào 名〈宗〉枢機卿(すうきけい) ＝〔枢机shūjī主教〕
【红运】hóngyùn 名 よい運勢. 幸運. 〔鸿运〕とも書く
【红晕】hóngyùn 名 真ん中が濃く, 周りが淡い赤色. 多く頬の赤さをいう ‖ ～的脸庞liǎnpáng 紅潮した顔
【红装】【红妆】hóngzhuāng 名 書 ❶女性の美しい装い ❷若い女性

7 **宏 hóng** ❶広大である ‖ 宽～大量 度量が大きい ❷大きくする. 広げる
*【宏大】hóngdà 形 巨大である. 壮大である ‖ 规模～ 規模が非常に大きい ｜ ～的计划 壮大な計画
【宏观】hóngguān 形 巨視的である. マクロ的である ↔〔微观〕‖ ～现象 巨視的現象
【宏观经济】hóngguān jīngjì 名〈経〉マクロ経済 ↔〔微观经济〕
【宏观控制】hóngguān kòngzhì 名 物事の発展を全体的に把握し, 制御すること. マクロ・コントロール
【宏观世界】hóngguān shìjiè 名 巨視的な世界
【宏观调节】hóngguān tiáojié 名 マクロ調整. マクロ規制
【宏观调控】hóngguān tiáokòng 名 マクロコントロール
【宏丽】hónglì 形 大きく華やかである. 堂々として美しい
【宏论】hónglùn 名 見識ある発言. 高論. 〔弘论〕とも書く
【宏图】hóngtú 名 大きなはかりごとや構想. 遠大な計画. 〔弘图〕〔鸿图〕とも書く ‖ ～大略 遠大なはかりごと
*【宏伟】hóngwěi 形（計画や規模などが）壮大である. 雄大である ‖ ～的计划 壮大な計画
【宏愿】hóngyuàn 名 大きな望み. 大願. 〔弘愿〕とも書く
【宏旨】hóngzhǐ 名 要旨. 趣旨. 〔弘旨〕とも書く

7 **闳 hóng** 書 広く大きい ‖ ～中肆sì外 文章の内容が充実し, 書いた文字がみごとなこと

8 **泓 hóng** 書 ❶水が広くて深い ❷量（清水などを数える）筋. 面 ‖ 一～春水 一筋の雪溶け水

9 **洪 hóng** ❶洪水. 大水 ‖ 防～ 洪水を防ぐ ❷大きい ‖ 一～福
【洪大】hóngdà 形（音声が）大きい
【洪都拉斯】Hóngdūlāsī 名〈国名〉ホンジュラス
【洪峰】hóngfēng 名（河川の洪水や増水時の）最高水位. 高水のピーク
【洪福】hóngfú 名 大きな福. 至福. 〔鸿福〕とも書く
【洪荒】hónghuāng 名 混沌(こんとん)として蒙昧(もうまい)な状態. 人類がまだ文明を持たない太古の時代をさす
【洪亮】hóngliàng 形（音声が）大きくてよく響く ‖ 回答得很～ よく響く大きな声で答える
【洪量】hóngliàng 名 ❶大きい度量. 雅量 ❷酒量の多い人. 大酒飲み
【洪流】hóngliú 名 大きな流れ. 奔流
【洪炉】hónglú 名 大きな溶鉱炉. 人を教育し鍛える環境をたとえる ‖ 革命的～ 革命の溶鉱炉
*【洪水】hóngshuǐ 名 洪水. 大水
【洪水猛兽】hóng shuǐ měng shòu 成 洪水と猛獣. きわめて大きい災害のたとえ
【洪灾】hóngzāi 名 水害. 出水や洪水がもたらす災害
【洪钟】hóngzhōng 名 書 大きな鐘

9 **荭 hóng** ↴
【荭草】hóngcǎo 名〈植〉オオケタデ

9 * **虹 hóng** 名〈気〉虹(にじ). 〔彩虹〕ともいう ➤ jiàng
【虹膜】hóngmó 名〈生理〉虹彩
【虹吸管】hóngxīguǎn 名 サイフォン
【虹吸现象】hóngxī xiànxiàng 名 サイフォン現象
【虹鳟】hóngzūn 名〈魚〉ニジマス

11 **鸿 hóng** ❶名〈鳥〉サカツラガン ❷書 書簡 ‖ 来～ 来簡 ❸大きい ‖ ～文 大著
【鸿福】hóngfú ＝〔洪福hóngfú〕
【鸿沟】Hónggōu 名 喩 境界. 隔たり. 溝 ‖ 他们之

间有着难以逾越的～ 彼らの間には越えがたい溝がある
【鸿鹄】hónghú 图 喩 大きな志のある人 ‖ ～之志 鴻鵠(こうこく)の志．雄大な志
【鸿毛】hóngmáo 图 書 鴻毛(こうもう)．非常に軽いものや取るに足りないもののたとえ ‖ 轻于～ 鴻毛より軽い
【鸿门宴】Hóngményàn 图 喩 人を陥れる目的で開く宴会
【鸿篇巨制】hóng piān jù zhì 成 大著
【鸿儒】hóngrú 图 書 大学者
【鸿图】hóngtú ＝〔宏图hóngtú〕
【鸿雁】hóngyàn 图 ❶〈鳥〉サカツラガン．〔大雁〕ともいう ❷ 喩 手紙．便り
【鸿运】hóngyùn ＝〔红运hóngyùn〕

16 **蕻** hóng ➡〔雪里蕻xuělǐhóng〕 ➤ hòng

16 **黉**(黌) hóng 古 学校．学び舎(や)
【黉门】hóngmén 图 古 学校

hǒng

9 *__哄__ hǒng ❶ 動 だます．欺く ‖ 你想～我，我才不上当呢 私をだまそうとしたって，だまされないぞ ❷ 動 あやす．機嫌を取る ‖ ～孩子睡觉 子供をあやして寝かしつける ｜ ～得妈妈气也消了 ご機嫌を取ったのでお母さんの腹立ちもおさまった ➤ hōng hòng
【哄逗】hǒngdòu 動 あやす ‖ ～孩子 子供をあやす
【哄弄】hǒngnong；hǒngnòng 動 方 だます．たぶらかす
【哄骗】hǒngpiàn 動 だます．たぶらかす．欺く
【哄劝】hǒngquàn 動 あやしなだめる．なだめすかす

hòng

5 **讧** hòng 書 乱れる．内部からもめる ‖ 内～ 内訌(ないこう)

9 **哄**(△閧 鬨) hòng 動(大勢が)騒ぐ．からかってはやす ‖ 起～ わいわい騒ぐ ➤ hōng hǒng
【哄闹】hòngnào 動(大勢が)騒ぐ．騒ぎ立てる

16 **蕻** hòng ❶ 書 茂っている ❷ 图 方 野菜の長く伸びた茎 ➤ hóng

hōu

19 **齁**[1] hōu いびき ‖ 一～声

19 **齁**[2] hōu ❶ 動(食物がのどを)刺激する ‖ 这个菜咸得～人 このおかずは塩辛くてのどがひりひりする ❷ 副 方 いやに．ばかに ‖ ～热 ひどく暑い
【齁声】hōushēng 图 いびき

hóu

9 **侯** hóu ❶ 古 侯爵．五等爵の第２位 ‖ 王～ 王侯 ❷ 顕官．高官 ‖ ～门难入 高位高官の家は近寄りがたい ➤ hòu

12 **喉** hóu 图〈生理〉のど．喉頭(こうとう)．〔喉头〕ともいう
【喉擦音】hóucāyīn 图〈語〉喉擦音(こうさつおん)．喉頭音
【喉结】hóujié 图〈生理〉のどぼとけ．〔结喉〕ともいう
*【喉咙】hóulong；hóulóng 图〈生理〉咽喉．のど
【喉塞音】hóusèyīn 图〈語〉喉塞音(こうさいおん)．喉頭閉塞音．(国際音標では？で表示する)
【喉舌】hóushé 图 ❶ のどと舌 ❷ 代弁者 ‖ 报纸是人民的～ 新聞は人民の代弁者である
【喉头】hóutóu 图〈生理〉のど

12 **猴** hóu ❶ 图(～儿)〈動〉サル ‖ 要shuǎ～ 猿回し ｜ 我是属shǔ～的 私は申年(さるどし)です ❷ 形 方 利発である．やんちゃである．活発である ‖ 瞧这孩子多～ この子ったら，なんてやんちゃなんでしょう
【猴儿急】hóurjí 形 方 気をもむ．あせる
【猴年马月】hóu nián mǎ yuè 慣 いつのことか分からない．〔驴年马月〕〔牛年马月〕ともいう
【猴皮筋儿】hóupíjīnr 图 口 ゴムひも．輪ゴム．〔猴筋儿〕ともいう ‖ 跳～ ゴム跳びをする
【猴儿精】hóurjīng 方 形 こずるい．ずる賢い 图 ずる賢い人．はしこい人
【猴戏】hóuxì 图 ❶(見世物の一種)猿芝居 ❷(京劇などの伝統劇で)孫悟空が活躍する劇．孫悟空物
**【猴子】hóuzi 图〈動〉サル

14 **瘊** hóu ↘
【瘊子】hóuzi 图 いぼ．〔疣〕の通称

15 **糇**(△餱) hóu 書 乾飯(ほしいい)

15 **篌** hóu ➡〔箜篌kōnghóu〕

15 **骺** hóu 图〈生理〉骨端．〔骨骺〕ともいう

hǒu

7 *__吼__ hǒu ❶ 動 どなる．どなりつける．怒号する ❷ 動(獣が)吠える ❸ 動(風が)うなる．(汽笛が)鳴り響く．(飛行機などの爆音が)とどろく ‖ 狂风在怒～ 狂風が吹き荒れている
【吼叫】hǒujiào 動(人が)大声でどなる．(獣が)吠える ‖ 棕熊zōngxióng～了一声 ヒグマが一声吠えた
【吼声】hǒushēng 图 叫び声 ‖ 群众发出愤怒fènnù的～ 群衆は怒りの叫びをあげた

hòu

6 **后**[1] hòu ❶ 古 君主 ❷ 后(きさき)．皇后

6 ★**后**[2](後) hòu ❶ 图(時間的に)あと．のち ↔〔前〕‖ 先人～己 人の事は先に，自分の事は後にする ｜ 前因～果 原因と結果．事のいきさつ ❷ 图 後継ぎ．子孫 ‖ 绝～ 後継ぎがいない ❸ 图(空間的に)後ろ．後方．裏側 ↔〔前〕‖ 房～有一棵大树 家の裏側に大きな木が１本ある ｜ 向～转(号令で)回れ右 ❹ 图(順序の)後．後ろ ↔〔前〕‖ 他的名次落luò到了～十名里 彼の順位は後ろから10番内に落ちた
【后半晌】hòubànshǎng (～儿) 图 方 午後．〔下半晌〕ともいう
【后半天】hòubàntiān (～儿) 图 午後．〔下半天〕ともいう

【后半夜】hòubànyè 图 夜半過ぎ. 夜中過ぎ.〔下半夜〕ともいう
【后备】hòubèi 形 予備の. 備えの ‖ 这些钱还是留作～吧 このお金はやはり予備として残しておきましょう
【后备军】hòubèijūn 图 ❶〈軍〉予備軍 ❷喩 補充人員. 予備軍
【后背】hòubèi 图 ❶背中 ❷方 背後
【后辈】hòubèi 图 ❶後輩 ❷子孫
★【后边】hòubian (～儿) 图 **後ろ. 後ろ側. 裏手. 裏** ‖ 朝～看了看 後ろをちらっと見た | 有人在～撑腰chēngyāo 誰かが裏で後押ししている
【后部】hòubù 图 後部. 後方
【后尘】hòuchén 图 書 人や車馬の後ろに立つ土ぼこり. 後塵(こうじん) ‖ 步人～ 後塵を拝する
*【后代】hòudài 图 ❶後代. 後世 ‖ 这幅画是～画家临摹línmó的 この絵は後世の画家が模写したものである ❷後の世代. 子孫 ‖ 要为子孙～着想zhúoxiǎng 子々孫々のために考えなければならない
【后爹】hòudiē 图 口 継父. まま父
【后盾】hòudùn 图 後ろ盾. 後押し
【后发制人】hòu fā zhì rén 成 相手に一歩譲っておき, 出方を見て相手を制する
*【后方】hòufāng 图 ❶〈軍〉後方. 銃後 ↔〔前线〕〔前方〕❷後ろの方. 裏手
【后福】hòufú 图 将来の幸せ. 晩年の幸福 ‖ 大难不死, 必有～ 大きな災難を生き延びれば, きっとよいことに巡り合うものだ
【后父】hòufù 图 継父. まま父
【后跟】hòugēn (～儿) 图 かかと ‖ 鞋～ 靴のかかと
【后宫】hògōng 图 後宮
【后顾】hòugù 動 ❶後の事を顧慮する ‖ 无暇xiá～ 後の事を心配する暇がない ❷回想する. 回顧する
【后顾之忧】hòu gù zhī yōu 成 後顧の憂い
*【后果】hòuguǒ 图 結果. 結末. (多くは悪い結果をいう) ‖ 这次事故是忽视安全的必然～ こんどの事故は安全をないがしろにした必然的な結果だ
【后话】hòuhuà 图 後の話
【后患】hòuhuàn 图 書 後患. 将来の憂い ‖ 根绝～ 将来の憂いを断つ | ～无穷 後顧の憂いが尽きない
⁑【后悔】hòuhuǐ 動 **後悔する** ‖ ～莫及 後悔先に立たず | 现在～也晚了 いまになって後悔してももう遅い
【后悔药】hòuhuǐyào 图 喩 後悔をいやす薬 ‖ 吃～ ほぞをかむ
【后会有期】hòu huì yǒu qī 成 後日再会することを期待する. そのうちまたお目にかかりましょう
【后记】hòujì 图 後記. 後書き
【后继】hòujì 動 後に続く ‖ ～有人 後に続く者がある. 後継者がいる | ～无人 後継者がいない
【后脚】hòujiǎo 图 ❶(歩くときの)後ろ足 ❷(〔前脚〕と呼応し)時間的に差がないこと ‖ 我前脚进门, 他～就到了 私が来たあとすぐ彼も着いた
【后襟】hòujīn 图 (服の)後ろ身ごろ
【后进】hòujìn 图 ❶後進. 後輩 ❷後れている人または集団. レベルの低い人または集団
【后劲】hòujìn 图 ❶後から効いてくる働きまたは力 ‖ 这种酒～大 この酒は後になって効いてくる ❷最後の追い込み. ラストスパート
【后景】hòujǐng 图 背景
⁑【后来】hòulái 图 **その後. それから** ↔〔起先〕‖ 一开始两人还通信, ～就失去了联系 最初二人は手紙のやりとりをしていたが, その後連絡が途絶えてしまった 形 後進の ‖ ～人 後輩. 後進
【后来居上】hòu lái jū shàng 成 後から来た者が上になる. 後の雁(かり)が先になる
【后浪推前浪】hòu làng tuī qián làng 慣 後の波が前の波を押すようにたえず前進する
【后脸儿】hòuliǎnr 图 方 ❶(人の)後ろ姿 ‖ 看～好像是个女的 後ろ姿からは女性に見える ❷(物の)裏側. 後ろ ‖ 柜子guìzi的～ 戸棚の裏側
【后路】hòulù 图 ❶退路 ❷(～儿)逃げ道. (話の)含み ‖ 他把话说得很活, 以便给自己留个～儿 言い逃れしやすいように, 彼はどちらともとれる言い方をする
【后妈】hòumā 图 口 継母. まま母
【后门】hòumén (～儿) 图 ❶裏門. 裏口 ❷転 コネ. 不正なルート ‖ 走～ コネを使う. つてを頼る
⁑【后面】hòumian (～儿) 图 ❶**後ろ. 後ろ側. 裏側** ‖ 他坐在教室的～ 彼は教室の後ろの席に座っている | 有人在～帮他出主意 誰かが裏で彼に知恵をつけている ❷**(順序の)後ろ** ‖ 这部小说的精彩部分在～ この小説の見どころは後半にある
【后母】hòumǔ 图 継母. まま母
【后脑勺儿】hòunǎosháor 图 方 後頭部.〔后脑勺子〕ともいう
⁑【后年】hòunián 图 **明後年. 再来年**
【后娘】hòuniáng 图 継母
【后怕】hòupà 動 事後に考えて恐ろしくなる. 思い出して身震いする
*【后期】hòuqī 图 後期 ‖ ～施工 後期工事
【后起】hòuqǐ 形 後から現れた. 新進の ‖ ～作家 新進の作家 | ～之秀 優秀な新人
*【后勤】hòuqín 图 後方勤務(多くは事務や総務の仕事) ‖ 搞～ 後方勤務に当たる | ～基地 補給基地
【后儿】hòur 图 口 明後日. あさって.〔后儿个〕ともいう
【后人】hòurén 图 ❶後世の人 ❷子孫
【后任】hòurèn 图 後任. 後任者
【后晌】hòushǎng 图 方 午後
【后晌】hòushang 图 方 夕方. 晩 ‖ ～饭 晩飯
【后身】hòushēn 图 ❶(～儿)後ろ姿 ❷(～儿)(服の)後ろ身ごろ ❸(～儿)(建物の)裏手 ❹〈仏〉生まれ変わり ❺(団体や組織などの)後身
【后生】hòusheng ; hòushēng 方 图 若者 形 若々しい ‖ 长zhǎng得～ 若々しい
【后生可畏】hòu shēng kě wèi 成 後生畏(おそ)るべし. 若い人はこれから進歩し先輩を追い越していくのでおそれ敬うに値する
【后市】hòushì 图〈経〉後場 ↔〔前市〕
【后世】hòushì 图 後世 ‖ 名垂～ 後世に名を残す
【后事】hòushì 图 ❶先の事 ‖ 欲知～如何, 且听下回分解 それから先はどうなったか, まずは次回のお楽しみ ❷死後の事. 後事 ‖ 料理～ 死後の後始末をする | 准备～ 葬儀の支度をする | 托付～ 後事を託す
【后视镜】hòushìjìng 图 ❶バック・ミラー
【后手】hòushǒu 图 ❶旧 後任 ❷旧 有価証券の引き受け人 ❸(～儿)(話の)含み. 逃げ道 ‖ 留个～儿 含みを残しておく ❹(～儿)(将棋や碁などにおける)後手 ↔〔先手〕
【后嗣】hòusì 图 書 後世の人. 子孫
*【后台】hòutái 图 ❶楽屋. 舞台裏 ❷喩 後ろ盾. 黒幕 ‖ ～硬 後ろ盾がしっかりしている

H

【后台老板】hòutái lǎobǎn 名 ❶(芝居の)座長 ❷貶 後ろ盾. バック
**【后天】[1] hòutiān 名 明後日. あさって
**【后天】[2] hòutiān 名 後天 ↔〔先天〕‖ 习惯是～养成的 習慣は後天的に身につくものである
*【后头】hòutou 名 ❶後ろ. 後ろ側 ‖ 他跟在大家的～ 彼はみんなの後ろについていく ❷(順序の)後. 今後 ‖ 麻烦的事还在～呢 これから先が厄介なんですよ
*【后退】hòutuì 動 後退する. 後ずさりする ↔〔前进〕‖ 在困难面前谁也不肯～ 困難を前に誰もひるまない
【后卫】hòuwèi 名 ❶〈軍〉後衛部隊 ❷〈体〉後衛. バック. フル・バック. ディフェンス ↔〔前锋〕‖ 踢tī～ (サッカーで)フルバックで守りにつく
【后效】hòuxiào 名 後の効果. その後の態度
【后心】hòuxīn 名 背中の中央部
【后行】hòuxíng 動 後でする. 後から実行する
【后续】hòuxù 形 後続の. 後から続く ‖ ～部队 後続部隊 動 方 後妻をめとる
【后学】hòuxué 名 謙 後学. 後進の学徒
【后遗症】hòuyízhèng 名 後遺症
【后尾ル】hòuyǐr 名 口 後尾. 後方. しんがり
【后裔】hòuyì 名 後裔(こうえい)
【后影】hòuyǐng (～ル) 名 後ろ姿 ‖ 光看～就知道是他 後ろ姿を見ただけで彼だと分かる
【后援】hòuyuán 名 後援. 援軍
【后院】hòuyuàn (～ル) 名 ❶裏庭.〔正房〕(母屋)の裏側にある庭 ❷喩 内部. 内輪
【后账】hòuzhàng 名 ❶裏帳簿 ❷清算. 決着. かた ‖ 算～ かたをつける
【后肢】hòuzhī 名 (昆虫や脊椎(せきつい)動物の)後肢
【后缀】hòuzhuì 名〈語〉接尾辞.〔词尾〕ともいう
【后坐力】hòuzuòlì 名 (銃弾発射の)反動力

9 **厚 hòu ❶形 厚い ↔〔薄〕‖ 很～的书 分厚い本 | 脸皮～ 面の皮が厚い ❷形 厚さを表す ‖ 积雪足有一米～ 積雪はゆうに1メートルはある ❸形 多い. (利潤などが)大きい ‖ 家底ル～ 財産が多い ❹重く見る. 尊ぶ ‖ 一～待 ❺形 (情が)深い ↔〔薄〕‖ 深～ (情が)厚い. 深い ❻親切である. 思いやりがある ‖ 憨hān～ 温厚篤実である ❼(味が)こってりしている. 濃厚である ↔〔薄〕‖ 醇chún～ こくがある
【厚爱】hòu'ài 名 敬 ご厚情 ‖ 承蒙～ ご厚情を賜る
【厚薄】hòubó 名 ❶厚さ. 厚み ‖ 两本书的～差不多 2冊の本の厚さは同じくらいだ ❷待遇. 遇し方
【厚此薄彼】hòu cǐ bó bǐ 成 一方を厚遇し, 他方を冷遇する
【厚待】hòudài 動 厚遇する
【厚道】hòudao 形 温厚である. 篤実である
【厚度】hòudù 名 厚さ. 厚み
【厚墩墩】hòudūndūn (～的) 形 厚ぼったい. 分厚い ‖ ～的棉大衣 分厚い綿入れのコート
【厚古薄今】hòu gǔ bó jīn 成 古い時代を重んじ, 新しい時代を軽んじる
【厚今薄古】hòu jīn bó gǔ 成 今の時代を重んじ, 古い時代を軽んじる
【厚礼】hòulǐ 名 丁重な贈り物
【厚利】hòulì 名 大きな利益. 大きな利潤
【厚实】hòushi 形 ❶口 厚い. 厚くしっかりしている ‖ 这件大衣挺～的 このオーバーは生地がかなり厚手だ ❷方 裕福である ‖ 家底ル～ 家が裕福である
【厚望】hòuwàng 名 大きな期待 ‖ 寄予～ 大きな期待を寄せる
【厚颜】hòuyán 形 書 面の皮が厚い
【厚颜无耻】hòu yán wú chǐ 成 厚顔無恥
【厚谊】hòuyì 名 厚誼(こうぎ)
【厚意】hòuyì 名 厚意. 思いやりのある心 ‖ 不辜负gūfù他的～ 彼の厚意を無にしない
【厚遇】hòuyù 名 優遇. 手厚いもてなし
【厚葬】hòuzàng 動 盛大な葬儀を行う
【厚重】hòuzhòng 形 ❶厚くて重い ❷手厚い. 丁重である ‖ 谢礼十分～ 謝礼は非常に丁重である ❸書 温厚かつ篤実である ‖ 为人～ 人柄は誠実である

9 **侯** hòu 地名用字 ‖ 闽Mǐn～ 福建省にある県の名 ➤ hóu

9 **逅** hòu ➡〔邂逅xièhòu〕

10 **候** hòu ❶見張る. 観察する ‖ 斥chì～ 斥候 ❷ご機嫌を伺う. 挨拶する ‖ 问～ 挨拶する ❸動 待つ ‖ 请您稍～ どうかしばらくお待ちください ❹気象情況 ‖ 气～ 気候 ❺名〈気〉候. 旧時, 5日間を〔一候〕といった ❻季節. 時期 ‖ 一～鸟 ❼(～ル)状況. 加減 ‖ 火～ 火加減
*【候补】hòubǔ 名 候補 ‖ ～代表 代表候補
【候场】hòuchǎng 動 (出演者が)出番を待つ
【候车室】hòuchēshì 名 (駅の)待合室
【候虫】hòuchóng 名 季節の虫. 季節を告げる虫
【候光】hòuguāng 動 書 謙 ご来駕(らいが)を待つ ‖ 敬备小酌～ 粗餐を用意してお待ち申し上げております
【候机室】hòujīshì 名 (空港の)待合室
【候教】hòujiào 動 書 謙 ご教示を待つ
【候鸟】hòuniǎo 名 渡り鳥 ↔〔留鸟〕
【候鸟企业】hòuniǎo qǐyè 名 渡り鳥企業
【候审】hòushěn 動〈法〉審問を待つ
*【候选人】hòuxuǎnrén 名 候補者 ‖ ～名单 候補者名簿 | 被提名为～ 指名されて候補者になる
【候诊室】hòuzhěnshì 名 (病院の)待合室

12 **堠** hòu 古 見張り台. 物見台

13 **鲎(鱟)** hòu 名〈動〉カブトエビ

hū

5 **乎**[1] hū 古 ❶助 文末に用いる ①疑問または反語を表す. 口語の〔吗〕〔呢〕に同じ ②推測を表す. 口語の〔吧〕に同じ ③命令・願望を表す. 口語の〔吧〕に同じ ④感嘆を表す. 口語の〔啊〕に同じ ❷助 形容詞または副詞に付いて, 状態を表す

5 **乎**[2] hū 動詞に付いて, 場所・時間・原因などを導く. 口語の〔于〕に同じ ‖ 出～意料 予想外である. 思いがけない

8 **呼**[1] (△虖❷ 嘑❷ 謼❷) hū ❶動 息を吐き出す ↔〔吸〕‖ ～气 息を吐く ❷動 叫ぶ. 大きな声を出す ‖ ～口号 スローガンを叫ぶ ❸動 呼ぶ. 呼び付ける ‖ 传～ (電話の)呼び出し

8 **呼**[2] hū 擬 (風やいびきなどの音, あるいは物が風を切る音)ヒュウ. ビュウ. ピュウ
【呼哱哱】hūbōbō 名 口〈鳥〉ヤツガシラ.〔戴胜〕の通称
【呼哧】【呼蚩】hūchī 擬 ハアハア. ゼーゼー ‖ 累得～

～地喘粗气 くたびれてハアハアと荒い息を吐いている
【呼风唤雨】hū fēng huàn yǔ 成 自由自在に風を吹かせ，雨を降らせる．大きな力で大自然を支配するたとえ．局面を支配左右するたとえ
【呼喊】hūhǎn 動 大声をあげる．叫ぶ‖～口号 スローガンを叫ぶ．シュプレヒコールをあげる
【呼号】hūháo 動 (悲痛な)叫び声をあげる．呼号する‖仰天～ 天を仰いで叫ぶ ➤hūhào
【呼号】hūhào 名 ❶呼び出し信号 ❷(ある組織が掲げる)スローガン ➤hūháo
*【呼呼】hūhū 擬 ❶(風の音，あるいは物が風を切る音)ヒュウヒュウ．ビュウビュウ．ピュウピュウ‖北风～地刮着 北風がヒュウヒュウ吹いている ❷(熟睡中の寝息またはいびきの音)グウグウ‖～地打呼噜hūlu グウグウいびきをかく
【呼唤】hūhuàn 動 呼ぶ．呼び招く‖～他的名字 彼の名を呼ぶ
【呼机】hūjī 名 ポケベル．〔寻呼机〕の略．〔BP机〕ともいう
【呼叫】hūjiào 動 ❶(無線で相手を)呼ぶ ❷叫ぶ．大声をあげる
【呼救】hūjiù 動 声をあげて救いを求める‖大声～ 大声で救いを求める
【呼拉圈】hūlāquān (～儿) 名 フラフープ
【呼啦】【呼喇】hūlā 擬 ❶(旗や布切れなどが風にはためく音)パタパタ．バタバタ ❷(高く積み上げた物が崩れ落ちるときの音)ガラッ．ガラガラ ❸(大勢がいちどきに同じ行動を起こすさま)一斉に．どっと‖同学们～一下子全站了起来，给老师行礼 クラス全員が一斉に立ち上がって先生におじぎをした ＊〔呼啦啦〕ともいう
【呼噜】hūlū 擬 いびきや粥・めんなどを食べるときの音
【呼噜】hūlu 名 口 いびき‖打～ いびきをかく
【呼朋引类】hū péng yǐn lèi 成 (悪事をはたらこうとして)仲間に引き入れる．徒党を組む
【呼扇】hūshan；hūshān 動 ❶(板状のものが上下に)揺れる．しなる ❷平たいものであおいで風を送る‖拿着草帽不停地～ 麦わら帽子でひっきりなしにあおいでいる ❸(鳥が翼を)羽ばたく ＊〔唿扇〕とも書く
【呼哨】hūshào 名 指笛．〔唿哨〕とも書く
*【呼声】hūshēng 名 ❶呼び声 ❷大衆の声‖倾听群众的～ 大衆の声に耳を傾ける
【呼台】hūtái 名 ポケットベルの伝言ステーション．〔寻呼台〕の略
【呼天抢地】hū tiān qiāng dì 成 (悲痛のあまり)天に向かって叫び，地面に額を打ちつける
**【呼吸】hūxī 動 ❶呼吸する‖～新鲜空气 新鮮な空気を吸う｜同～，共命运 同じ境遇に身を置き，運命を共にする ❷書 ひと呼吸する‖～之间 あっという間．瞬く間
【呼吸道】hūxīdào 名〈生理〉気道
【呼啸】hūxiào 動 長く鋭い音を立てる‖北风～ 北風がピューピュー音を立てる
【呼幺喝六】hū yāo hè liù 成 ❶ばくちでさいころを振るときに出す掛け声．広く，賭場の喧噪をさす ❷方 威張り散らすさま
【呼应】hūyìng 動 呼応する．照応する‖彼此相～ 互いに呼応する
*【呼吁】hūyù 動 呼びかける．訴えかける‖～禁止核试验 核実験の禁止を呼びかける
【呼之欲出】hū zhī yù chū 成 呼べばすぐ絵の中から出てきそうである．絵画や小説の人物描写が生き生きしているたとえ

8 **忽**[1] hū いいかげんにする．おろそかにする‖～略｜疏～ おろそかにする

8 **忽**[2] hū 副 (〔忽…忽…〕の形で)たちまち．…したかと思えば，すぐまた…する‖天气～冷～热 寒くなったり暑くなったりする

8 **忽**[3] hū ❶量 古 長さ・重さの単位．〔丝〕の10分の1，〔毫〕の100分の1 ❷旧 (一部の計量単位で)10万分の1‖一～米

【忽地】hūdì 副 急に．突然．不意に
【忽而】hū'ér 副 (〔忽而…忽而…〕の形で)…したかと思えばすぐ…(する)．…したり…したり(する)‖～天晴～下雨，气候变化无常 晴れたかと思うとすぐに雨になり，天候が目まぐるしく変わる
【忽忽】hūhū 形 書 あっという間である‖十年时间～过去了 10年という歳月がまたたく間に過ぎてしまった
*【忽略】hūlüè 動 おろそかにする．いいかげんにする．見過ごす．見落とす‖我们～了这个重要问题 我々はこの重要な問題を見落としていた
【忽米】hūmǐ 量 センチミリメートル．10万分の1メートル
★【忽然】hūrán 副 **急に．不意に．だしぬけに．突然**‖～想起老李的话来了 ふっと李さんの言った言葉を思い出した

> **類義語** 忽然 hūrán 突然 tūrán
>
> ◆〔忽然〕状況の発生が急で，しかも意外なことを表す‖我忽然想出来一个好主意 僕はふといい手を思いついた ◆〔突然〕表す意味は〔忽然〕と同じであるが，程度が強く突発的であることを強調する‖突然下起雨来了 いきなり雨が降り出した ◆〔突然〕は形容詞なので否定することができるが，〔忽然〕には否定形式はない‖突然的事故 思いがけない事故｜这件事不突然，我有准备 この件は思いがけないことではない，私は心構えができている

【忽闪】hūshǎn 動 ぴかっと光る
【忽闪】hūshan 動 きらめく．輝かす
*【忽视】hūshì 動 軽視する．いいかげんにする．おろそかにする‖～别人的意见 人の意見を軽視する｜小病～不得 軽い病状だからといって軽視してはならない
【忽悠】hūyou 動 方 ゆらゆら揺れる

9 **烀** hū 動 方〈料理〉鍋に少量の水を入れ，ふたをしっかり閉じて蒸すようにして煮る

9 **轷** hū 名 姓

11 **惚** hū ➡〔恍惚huǎnghu〕

11 **唿** hū ↓

【唿扇】hūshan；hūshān ＝〔呼扇hūshan〕
【唿哨】hūshào ＝〔呼哨hūshào〕

14 **滹** hū 地名用字‖～沱 河北省にある川の名

15 **糊** hū 動 (のり状のものをすきまや物体の表面に)塗る．塗り込める‖用灰泥把墙缝～上 しっくいで壁のすきまを塗りつぶす ➤hú hù

hú

7 **囫** hú ↴

【囫囵】 húlún 形 丸ごと全部である

【囫囵觉】 húlunjiào 名 朝まで熟睡すること

【囫囵吞枣】 hú lún tūn zǎo 成 丸ごとナツメをのみ込む．なんの検討も加えずうのみにするたとえ

8 **和** hú 動（マージャンやトランプで）上がる．つもる‖～了 上がったぞ ➤hé hè huó huò

8 **狐** hú 名〈動〉キツネ．ふつうは〔狐狸〕という

【狐步舞】 húbùwǔ 名（社交ダンスの）フォックス・トロット

【狐臭】 húchòu 名 わきが

【狐假虎威】 hú jiǎ hǔ wēi 成 小人物が権勢のある者の力に乗じて威張る．虎(とら)の威を借る狐(きつね)

*【狐狸】 húli 名〈動〉キツネ．〔狐〕の通称

【狐狸精】 húlijīng 名 罵 色気で男をたぶらかす女．牝(め)ギツネ

【狐狸尾巴】 húli wěiba 名 化けの皮．しっぽ‖露出～ しっぽを出す．化けの皮がはがれる

【狐媚】 húmèi 動 こびる．こびを売る

【狐朋狗友】 hú péng gǒu yǒu 成 ろくでもない友人たち．悪い仲間

【狐群狗党】 hú qún gǒu dǎng 成 悪事を企てる仲間．悪党仲間．〔狐朋狗党〕ともいう．

【狐疑】 húyí 動 疑いの気持ちを抱く

【狐疑不决】 hú yí bù jué 成 狐疑逡巡(しゅんじゅん)する

8 **弧** hú ❶古 木製の弓 ❷名〈数〉弧‖～形 弧形．アーチ形

【弧度】 húdù 量〈数〉弧度．ラジアン

【弧光】 húguāng 名 弧光．アーク

【弧光灯】 húguāngdēng 名 アーク灯

9 **胡**[1] hú ❶古代，北方と西方の異民族の総称．えびす ❷異民族のもの．異国から渡来したもの‖→～椒 ❸胡弓（こきゅう） ❹大きい‖→～豆

9 * **胡**[2] hú 副 むやみに．やたらに．でたらめに‖→～说

9 **胡**[3] hú 代 書 なぜ．どうして

9 **胡**[4]（鬍）hú ひげ‖→～须｜→～子｜八字～ 八の字ひげ

【胡扯】 húchě 動 ❶とりとめもなく雑談をする ❷でたらめを言う．うそを言う

【胡吹】 húchuī 動 駄ぼらを吹く．でたらめを言う

【胡蝶】 húdié ＝〔蝴蝶húdié〕

【胡豆】 húdòu 名 方〈植〉ソラマメ

【胡蜂】 húfēng 名〈虫〉スズメバチ．俗に〔马蜂〕という

【胡搞】 húgǎo 動 ❶でたらめにやる．いいかげんにやる‖要听上级的，不能～ 上司の言うとおりにすべきで，でたらめにやってはいけない ❷（男女が）みだらな関係を結ぶ‖在外面～ 外で浮気をする

【胡话】 húhuà 名 うわごと‖说～ うわごとを言う

【胡笳】 hújiā 名〈音〉胡笳(こか)

【胡椒】 hújiāo 名 ❶〈植〉コショウ ❷（調味料の）胡椒(こしょう)‖～粉 粉胡椒｜～面儿 粉胡椒｜撒sǎ～ 胡椒を振りかける

【胡搅】 hújiǎo 動 ❶騒ぐ．かく乱する ❷屁理屈(へりくつ)をこねる．詭弁(きべん)を弄する

【胡搅蛮缠】 hújiǎo mánchán 慣 やたらにからむ．無理難題をふっかけてごねる

*【胡来】 húlái 動 ❶でたらめにやる．いいかげんにやる‖不懂就问，可别～ 分からなければ聞くべきで，でたらめにやってはいけない ❷むやみに騒ぐ

**【胡乱】 húluàn 副 ❶そそくさと．そこそこに．適当に‖他～吃了几口饭又下地去了 彼はそそくさと食事をすませるとまた野良仕事に出掛けた ❷やたらに．むやみに．勝手に‖不能～花钱 お金をむだ遣いしてはいけない

【胡萝卜】 húluóbo 名〈植〉ニンジン．〔红萝卜〕ともいう

【胡闹】 húnào 動 ❶むやみに騒ぐ．ふざける ❷でたらめにやる

【胡琴】 húqin（～儿）名〈音〉胡弓(こきゅう)

*【胡说】 húshuō 動 でたらめを言う．いいかげんなことを言う．うそを言う‖知道的说，不知道的就不要～ 知っていることは言い，知らないことはでたらめを言うな

【胡说八道】 hú shuō bā dào 成 たわごとを言う．うそ八百を並べる

【胡思乱想】 hú sī luàn xiǎng 成 つまらないことをあれこれ考える．妄想にふける

【胡桃】 hútáo 名〈植〉クルミ ＝〔核桃〕

*【胡同】 hútòng（～儿）名 路地．横町‖钻～ 横道を通り抜ける｜死～ 袋小路｜～口 横町の入り口

【胡涂】 hútu ＝〔糊涂hútu〕

【胡须】 húxū 名 ひげ

【胡言】 húyán 動 出まかせを言う．うそを言う‖～乱语 口から出まかせを言う 名 でたらめの言葉．出まかせ

【胡诌】 húzhōu 動 でたらめを言う

**【胡子】 húzi 名 ひげ‖刮～ ひげを剃(そ)る

【胡子拉碴】 húzilāchā（～的）慣 ひげもじゃ．無精ひげが見苦しいさま

【胡作非为】 hú zuò fēi wéi 成 やりたい放題悪事をはたらく．非道な行いをする

10 ** **壶**（壺）hú 名 ポット．急須．水差し．やかん‖茶～ 急須｜水～ やかん

10 **核** hú ↴ ➤hé

【核儿】 húr 名 口 ❶さね．芯(しん)‖梨～ ナシの実の芯 ❷さねや芯のようなもの‖煤～ 石炭の燃え殻

11 **斛** hú 古 ❶名 ます ❷量 容積の単位，斛(こく)

12 ★ **湖** hú ❶名 湖‖西～ 西湖｜人工～ 人造湖 ❷浙江省の湖州市をさす‖→～笔 ❸湖北省あるいは湖南省をさす‖两～ 湖北省と湖南省

【湖笔】 húbǐ 名 湖筆(こひつ)．浙江省湖州産の筆

【湖滨】 húbīn 名 湖畔

【湖光山色】 hú guāng shān sè 成 湖と山とが互いに照り映える景色．山紫水明の風光

【湖广】 Húguǎng 名 略 湖北省と湖南省

【湖蓝】 húlán 形 湖水の青色の．水色の

【湖绿】 húlǜ 形 淡緑色の

【湖泊】 húpō 名 湖と沼の総称

【湖色】 húsè 名 淡緑色．水色

【湖泽】 húzé 名 湖沼

【湖绉】 húzhòu 名〈紡〉浙江省湖州市産のちりめん

12 **葫** hú ↴

【葫芦】 húlu 名 ❶〈植〉ヒョウタン ❷ヒョウタンの実

12 **猢** hú ↴
【猢狲】húsūn 图方 サル. 特に〔猕猴〕(アカゲザル)をさす
12 **鹄** hú 图〈鳥〉クグイ. ハクチョウ. オオハクチョウ ＝〔天鹅tiān'é〕 ➤gǔ
【鹄立】húlì 動書 直立する. 身じろぎ一つせずに立ち続ける
【鹄望】húwàng 動書 待ち望む. 待ちわびる
13 **煳** hú 動(食物や衣服などが)焦げる ‖ 烤～了 焼きすぎて焦げてしまった | 饭～了 御飯が焦げた | 衣服熨yùn～了 服をアイロンで焦がした
13 **瑚** hú ➡〔珊瑚shānhú〕
14 **鹘** hú 图〈鳥〉ハヤブサ. 〔隼〕の旧称 ➤gǔ
15 **槲** hú 图〈植〉カシワ. ふつうは〔槲树〕という
15 *__糊__[1] (△粘❷ 餬❷) hú ❶書 かゆ ❷かゆで飢えをしのぐ ❸動(のり状のもので)張る. 張りつける ‖ ～墙纸 壁紙を張る | ～风筝 凧(たこ)を作る ❹のり状のもの
15 **糊**[2] hú 〔煳hú〕に同じ. ➤hū hù
【糊糊】húhu 图方 トウモロコシ粉や小麦粉で作った粥
【糊口】húkǒu 動 糊口(ここう)をしのぐ
【糊里糊涂】húlihútū (～的) 形 ぼんやりしている. 訳が分からない ‖ 别～的 ぼんやりしてるんじゃないよ
【糊涂】hútu 形 ❶ぼんやりしている. 愚かである. 物分かりが悪い** ‖ 装～ とぼける | 越听越～ 聞けば聞くほど訳が分からなくなる ❷**いいかげんである. でたらめである** ❸方 曖昧(あいまい)である. はっきりしない ‖ 字迹～ 文字がはっきりしない ✻〔胡涂〕とも書く
【糊涂虫】hútuchóng 图罵 愚か者. ばか者
【糊涂账】hútuzhàng 图 いい加減な帳簿. こんがらがっている事情
15 **蝴** hú ↴
*【蝴蝶】húdié 图〈虫〉チョウチョウ. チョウ. 略して〔蝶〕ともいい, 〔胡蝶〕とも書く
【蝴蝶结】húdiéjié 图 ちょう結び
【蝴蝶瓦】húdiéwǎ 图〈建〉中国式かわら
16 **醐** hú ➡〔醍醐tíhú〕
17 **觳** hú ↴
【觳觫】húsù 動書 恐れおののく

hǔ

8 **虎** hǔ ❶图〈動〉トラ. ふつうは〔老虎〕という ❷勇猛である ‖ 一～将 ➤hù
【虎背熊腰】hǔ bèi xióng yāo 成 体格が堂々としてたくましい
【虎彪彪】hǔbiāobiāo (～的) 形 雄々しくたくましい様子 ‖ ～的大汉 たくましい大男
【虎步】hǔbù 图 威厳があって堂々とした足取り 動書 一方にあって覇を唱える ‖ ～关中 関中に覇を唱える
【虎符】hǔfú 图古 虎符(こふ). トラの形をした軍事用の割り符
【虎将】hǔjiàng 图 勇将. 猛将
【虎劲】hǔjìn (～儿) 图 猛虎(もうこ)のような意気込み
【虎鲸】hǔjīng 图〈動〉シャチ
【虎踞龙盘】【虎踞龙蟠】hǔ jù lóng pán 成 虎(とら)がうずくまり, 竜がとぐろを巻いている. 地勢の険要なさま. 〔龙盘虎踞〕ともいう
【虎口】[1] hǔkǒu 图 虎口(ここう). きわめて危険な所 ‖ 逃离～ 虎口を脱する
【虎口】[2] hǔkǒu 图 親指と人差し指の間のくぼみ
【虎口拔牙】hǔ kǒu bá yá 成 虎の口の中で虎の牙を抜く. 危険を承知でことにあたるたとえ
【虎口余生】hǔ kǒu yú shēng 成 虎口から脱して命拾いをする. 九死に一生を得る
【虎狼】hǔláng 图喩 極悪非道な人間
【虎魄】hǔpò ＝〔琥珀hǔpò〕
【虎气】hǔqì ; hǔqi 形 たくましい. 精悍である
【虎钳】hǔqián 图〈機〉バイス. 万力 ＝〔老虎钳〕
【虎生生】hǔshēngshēng 形 勇ましく意気盛んなさま
【虎视眈眈】hǔ shì dān dān 成 虎視眈々(こしたんたん). すきあらばと機をうかがっているさま
【虎头虎脑】hǔ tóu hǔ nǎo 組 (男の子が)元気で見るからに丈夫そうなさま
【虎头蛇尾】hǔ tóu shé wěi 成 竜頭蛇尾
【虎头鞋】hǔtóuxié 图 甲の部分にトラの頭がデザインされた布靴. 魔よけとして幼児にはかせる
【虎威】hǔwēi 图 堂々たる威風
【虎穴】hǔxué 图書 虎穴(こけつ). 非常に危険な場所 ‖ 不入～, 焉得虎子 虎穴に入らずんば虎児を得ず
【虎牙】hǔyá 图口 糸切り歯. 犬歯. 八重歯
【虎跃龙腾】hǔ yuè lóng téng ＝〔龙腾虎跃 lóng téng hǔ yuè〕
9 **浒** hǔ 水のほとり ‖ 水～ 水辺 ➤xǔ
11 **唬** hǔ 動(強そうなふりをして)脅す ‖ ～人 人を脅かす ➤xià
12 **琥** hǔ ↴
【琥珀】hǔpò 图 琥珀(こはく). 〔虎魄〕とも書く

hù

4 **互** hù 副 互いに. 相互に ‖ ～不来往 互いに行き来しない | ～不退让 互いに譲らない
【互补】hùbǔ 動 互いに補い合う
【互动】hùdòng 動 互いに影響し合う. 互いに作用し合う
【互动电视】hùdòng diànshì 图 双方向テレビ
【互感】hùgǎn 图〈物〉相互感応する
【互换】hùhuàn 動 交換する. 取り交わす ‖ ～大使 大使を交換する | ～批准书 批准書を取り交わす
【互换交易】hùhuàn jiāoyì 图〈経〉スワップ取引
【互惠】hùhuì 動 互いに利する. 互いに有利である ‖ ～条约 互恵条約 | ～关税 互恵関税
【互见】hùjiàn 動 ❶相互に補足説明し合う ❷同時に存在する. 併存する ‖ 瑕瑜xiáyú～ 長所も短所もある
*【互利】hùlì 動 互いに利する. 互いに有利である ‖ 搞合资, 要～才行 合弁事業をやるなら, 互いに利益になるようにすべきだ | 平等～ 平等互恵
【互联网】hùliánwǎng 图 インターネット. 〔因特网〕ともいう

【互让】hùràng 動 相互に譲る. 互いに譲り合う
【互生】hùshēng 名〈植〉互生 ‖ ～叶 互生葉
【互通】hùtōng 動 互いに交流する. 互いに取り交わす ‖ ～消息 互いに連絡を取り合う
★【互相】hùxiāng 副 **相互に. 互いに** ‖ ～帮助 互いに助け合う｜～尊重 互いに尊重し合う
*【互助】hùzhù 動 互いに助け合う ‖ ～合作 互いに助け合い協力する

4 ** **户** hù ❶戸. 戸口 ‖ 门～ 出入り口 ❷名 **世帯. 住民** ‖ 一～口 ❸ある職業に従事する家または人 ‖ 农～ 農家 ❹家柄 ‖ 门当～对 家柄が釣り合っている ❺口座 ‖ 账～ 口座

> 逆引き単語帳 〔住户〕zhùhù 住民. 世帯 〔黑户〕hēihù 戸籍のない世帯. 営業許可のない店 〔存户〕cúnhù 預金者 〔用户〕yònghù 使用者. ユーザー 〔订户〕dìnghù 予約者. (新聞雑誌の)定期購読者 〔个体户〕gètǐhù 個人営業者 〔农户〕nónghù 農家 〔富户〕fùhù 金持ち 〔爆发户〕bàofāhù にわか成り金 〔困难户〕kùnnanhù 貧困世帯. 結婚適齢期を過ぎても相手が見つからない人 〔拆迁户〕chāiqiānhù 立ち退き世帯 〔钉子户〕dīngzihù 立ち退き拒否世帯. 不法占拠者

【户籍】hùjí 名 戸籍
【户籍警察】hùjí jǐngchá 名 戸籍の登記と管理を担当する警官. 略して〔户籍警〕ともいう
【户均】hùjūn 動 各戸の平均をとる ‖ 北京～人口降至2.71人 北京の1世帯当たりの平均人数は2.71人に減少した
*【户口】hùkǒu 名 ❶**戸籍** ‖ 报～ 戸籍を登録する｜迁qiān～ 戸籍を移す ❷世帯と住民の数
【户口簿】hùkǒubù 名 戸籍簿. 〔户口本儿〕ともいう
【户枢不蠹】hù shū bù dù 成 扉の枢(くるる)はいつも動いているので虫が食わない. 〔流水不腐〕(流れる水は腐らない)の後に続けることが多い
【户头】hùtóu 名 口座 ‖ 开～ 口座を開く
【户型】hùxíng 名(多く集合住宅の)部屋のタイプ. 間取り・面積・設備などを含む. 〔房型〕ともいう
【户主】hùzhǔ 名 戸主. 世帯主

6 **沍** hù 書 ❶凍結する ❷ふさがる. ふさぐ

7 **沪(滬)** hù 名 上海市の別称

7 * **护(護)** hù ❶世話をする. 保護する ‖ 保～ 保護する ❷動 かばう ‖ 别老～着孩子 いつも子供をかばってはいけない
【护岸】hù'àn 名 護岸
【护壁】hùbì 名〈建〉腰羽目(ばめ) ＝〔墙裙〕
【护兵】hùbīng 名 旧 護衛兵
【护城河】hùchénghé 名 城壁の周囲の堀
【护持】hùchí 動 ❶守り維持する ❷いたわり保護する
【护从】hùcóng 動 護衛する 名 護衛する人
【护短】hù//duǎn 動(自分または自分の側の人の)過ちをかばう ‖ 为孩子～ 子供の過ちをかばう
【护耳】hù'ěr 名(防寒用の)耳当て
【护法】hùfǎ 動 ❶法律を擁護する ❷〈仏〉仏法を擁護する 名〈仏〉仏法擁護者. 転 施主. 壇家(だんか)
【护发素】hùfàsù 名 リンス ＝〔润丝〕
【护封】hùfēng 名(本の)カバー. ブックカバー
【护工】hùgōng 名(入院患者の)付添人
【护航】hùháng 動 船や飛行機を護送する
【护具】hùjù 名〈体〉プロテクター
【护栏】hùlán 名 ❶ガードレール ❷周りを囲む柵(さく)
【护理】hùlǐ 動 ❶(病人を)看護する ‖ ～病人 病人を看護する｜～员 付き添い看護人 ❷保護管理する
【护林】hùlín 動 森林を保護する
【护坡】hùpō 名(川などの)護岸壁. (道路の)擁壁(ようへき)
【护身符】hùshēnfú 名 ❶〈宗〉護身符 ❷喩 隠れみの. 後ろ盾 ✻〔护符〕ともいう
** 【护士】hùshi 名 **看護婦. 看護士** ‖ 女～ 看護婦｜～长 婦長
【护送】hùsòng 動 護送する
【护腿】hùtuǐ 名〈体〉すね当て. レガーズ
【护腕】hùwàn 名〈体〉腕当て
【护卫】hùwèi 動 護衛する 名 護衛兵. ボディーガード
【护卫舰】hùwèijiàn 名〈軍〉護衛艦. 護送艦
【护卫艇】hùwèitǐng 名〈軍〉小型護衛艦. 巡視艇 〔炮艇〕ともいう
【护膝】hùxī 名〈体〉ひざ当て
【护养】hùyǎng 動 ❶丹精こめて育てる ‖ ～秧苗 苗を丹精こめて育てる ❷保守管理する. メンテナンスする
【护佑】hùyòu 動 保護する. かばう
** 【护照】hùzhào 名 ❶**パスポート. 旅券** ‖ 办～ パスポートを作る ❷旧 旅行証明書. 通行許可書
【护罩】hùzhào 名(電気溶接などの)防護用マスク

8 **怙** hù 書 ❶頼む. 頼りにする ❷父親 ‖ 失～ 頼りを失う. 父親を亡くす
【怙恶不悛】hù è bù quān 成 悪事をはたらくばかりで悔い改めようとしない

8 **岵** hù 古 草木の茂った山

8 **戽** hù ❶名 田へ水を汲(く)み入れる旧式農具の一種 ❷動(田へ水を)汲み入れる

8 **虎** hù ↴ ➤ hǔ
【虎不拉】hùbulǎ 名 方〈鳥〉モズ

9 **祜** hù 書 福

10 **笏** hù 古 笏(しゃく). 朝廷において君臣が手にした細長い板

11 **扈** hù 書 付き従う. 護衛する

11 **瓠** hù 名〈植〉ユウガオ. ふつうは〔瓠瓜〕という
【瓠瓜】hùguā 名〈植〉ユウガオ
【瓠果】hùguǒ 名 スイカ・キュウリ・カボチャなどのウリ類

15 **糊** hù 名 粥状の食品 ‖ 芝麻～ ごまペースト ➤ hū hú
【糊弄】hùnong 動 方 ❶ごまかす. だます ‖ 你别～我, 我早知道了 ごまかすのはやめてくれ, 私はとっくに知っているんだから ❷いいかげんにすませる ‖ 他做事总是～ 彼のやることといったら決まっていいかげんだ

18 **鳠** hù 名〈鳥〉ミズナギドリ

huā

4 **化** huā 〔花²huā〕に同じ ➤ huà

【化子】huāzi ＝〔花子huāzi〕

7 ★**花¹**（△苍蘤）huā ❶名（～儿）花 ‖ ～开了 花が咲いた ❷名（～儿）観賞用の植物 ‖ 养～儿 植物を栽培する ❸（～儿）花形に似たもの ‖ 水～ 水しぶき ❹綿. 綿花 ‖ 纺～ 綿を紡ぐ ❺花火 ‖ 放～ 花火を上げる ❻滴・粒・小さな塊状のもの ‖ 泪～ 涙のしずく ❼名（～儿）模様. 図案. 柄 ‖ 这块布的～儿太艳yàn了 この布の柄は派手すぎる ❽形 花や模様で飾った. 柄のある ‖ ～裙子 柄もののスカート ❾形 まだら模様の ‖ ～牛 まだら模様の牛 ❿形（目が）かすんでいる ‖ 眼睛～了 老眼になった ⓫見た目は美しいが実はうその. 偽りの ‖ 一～招 ⓬喩 美女 ‖ 校～ 学園の花. ⓭旧 遊女 ‖ 寻～问柳 遊里に遊ぶ. ⓮戦傷 ‖ 挂～ 戦傷を負う. ⓯名 喩 精華. 華(はな) ‖ 艺术之～ 芸術の華 ⓰（～儿）天然痘. 疱瘡(ほうそう) ‖ 天～ 天然痘

7 ★**花²** huā 動 使う. 費やす ‖ ～时间 時間を費やす｜～钱 お金を使う

> **類義語** 花 huā 费 fèi
>
> ◆〔花〕お金や時間を意図的に使うことを表す. 使う. 費やす ‖ 有计划地花钱 計画的にお金を使う ◆〔费〕お金・時間・資源などが使われることを表す. 非意図的な状態描写である. かかる ‖ 自己做饭很费工夫 自分で食事を作るのは時間がかかる｜上大学很费钱 大学に行くのは金がかかる

【花白】huābái 形 ごま塩である. 白髪がまじっている
【花瓣】huābàn 名〈植〉花弁. 花びら
【花苞】huābāo 名 つぼみ.〔苞〕の通称
【花边】huābiān 名 ❶（～儿）縁飾り. 縁取り ❷（～儿）レース. レース製品 ❸（～儿）〈印〉飾り罫(け). 飾り模様のついた枠 ‖ ～新闻 囲み記事. コラム
【花不棱登】huābulēngdēng（～的）形 口 配色や柄がごてごてしているさま
【花菜】huācài 名 方 カリフラワー. ハナヤサイ
【花草】huācǎo 名 観賞用の草花
【花插】huāchā 名 ❶（生け花に使う）剣山 ❷花瓶
【花茶】huāchá 名 花の香りをつけた茶.〔香片〕ともいう
【花车】huāchē 名（祝典や婚礼, また, 貴賓を迎えるときに）特別に装飾を施した自動車・汽車・馬車
【花池子】huāchízi 名 花壇
【花丛】huācóng 名 群生している花々
【花搭着】huādazhe ; huādāzhe 副（種類や品質の異なるものを）取り混ぜて. 組み合わせて. 代わる代わる ‖ 裤子和裙子～穿 ズボンとスカートを代わる代わるはく
【花旦】huādàn 名〈劇〉伝統劇の女形の一つで, 活発な若い女性の役柄
【花灯】huādēng 名 旧暦 1 月15日元宵節の〔灯会〕（灯籠(とうろう)祭り）に出品される飾り灯籠
【花灯戏】huādēngxì 名〈劇〉雲南省・四川省一帯の地方劇
【花点子】huādiǎnzi 名 ❶術策. 奸計(かんけい). 手管 ❷非現実的な考え
【花雕】huādiāo 名 上等の紹興酒の一種
*【花朵】huāduǒ 名 花 ‖ 儿童是祖国的～ 子供は祖国の花である
【花萼】huā'è 名〈植〉萼(がく)
【花儿】huā'ér 名 甘粛省・青海省・寧夏回族自治区一帯の民謡
【花房】huāfáng 名（花草用の）温室
*【花费】huāfèi 動 使う. 費やす ‖ ～金钱 金を使う｜～时间 時間を費やす｜～心血 心血を注ぐ
【花费】huāfei 名 出費. 支出 ‖ 如今孩子的～越来越大 最近は子供にますます掛かりがかさむ
【花粉】huāfěn 名 ❶花粉 ❷〈中薬〉天花粉
【花岗岩】huāgāngyán 名〈鉱〉花崗岩(かこうがん). みかげ石. ふつう〔花岗石〕という
【花岗岩脑袋】huāgāngyán nǎodai 名 石頭
【花梗】huāgěng 名〈植〉花梗(かこう). 花柄
【花骨朵】huāgūduo 名 口 つぼみ.〔花蕾〕の通称
【花鼓】huāgǔ 名 中国の民間舞踊の一つ. ふつう男女二人で組み, 一人はどらを, もう一人は小太鼓を持ち, それを打ち鳴らしながら歌い踊る
【花鼓戏】huāgǔxì 名〈劇〉湖北省・湖南省・安徽省一帯の地方劇
【花冠】[1] huāguān 名〈植〉花冠
【花冠】[2] huāguān 名 旧 嫁入りのときに花嫁がかぶった美しい飾りのついた帽子
【花好月圆】huā hǎo yuè yuán 成 花は美しく月は円い. 円満で申し分なく調和がとれていること. 多く新婚の祝いの語として用いる
【花和尚】huāhéshang 名 なまぐさ坊主
【花红】[1] huāhóng 名〈植〉ワリンゴ.〔林檎〕〔沙果〕ともいう
【花红】[2] huāhóng 名 ❶（慶事の）贈り物 ‖ ～彩礼 結納品 ❷配当金. 賞与金. ボーナス
【花红柳绿】huā hóng liǔ lǜ 成 花紅にして柳緑なり. うららかな春景色の形容
【花花肠子】huāhua chángzi 名 方 奸計. 計略
【花花搭搭】huāhuadādā（～的）形 口 ❶取り混ぜてある ‖ 各式各样的糖果～地装了一大盒 いろいろなキャンディーが取り混ぜて箱に詰められている ❷（大きさや疎密さが）揃っていない. むらがある
【花花公子】huāhuā gōngzǐ 名 金持ちのどら息子. プレーボーイ
【花花绿绿】huāhuālùlù（～的）形 色とりどりである. 色鮮やかである ‖ ～的衣服 彩り鮮やかな衣装
【花花世界】huāhuā shìjiè 名 ❶歓楽街. 繁華街 ❷浮世. 俗世間
【花环】huāhuán 名 首にかける花輪. レイ
【花卉】huāhuì 名 ❶花卉(かき). 草花 ❷〈美〉中国画で, 草花を題材にした絵
【花会】huāhuì 名 ❶フラワーフェスティバル. 園芸植物の展示即売会 ❷多く春節期間に開かれるお祭りで, 民間の伝承芸能などが演じられる
【花季】huājì 名 青春期. 思春期. 5 歳から18歳の間の少年少女をさす
【花甲】huājiǎ 名 華甲(花甲). 還暦
【花架】huājià 名 フラワースタンド. 栽培棚
【花架子】huājiàzi 名 見かけ倒し ‖ 要扎扎实实zhāzhashíshí地做好工作, 不要搞～ パフォーマンスばかりしてないで地道に仕事をやりなさい
【花椒】huājiāo 名 ❶〈植〉ミカン科サンショウ属の木本

H

植物．トウサンショウ ❷〈中薬〉花椒(かしょう)
【花轿】huājiào 图 婚礼のときに新婦が乗る花かご
【花街柳巷】huā jiē liǔ xiàng 成 花街．色町
【花茎】huājīng ＝〔花轴huāzhóu〕
【花镜】huājìng 图 老眼鏡
【花卷】huājuǎn （～儿）图 こねた小麦粉を薄くのばし螺旋(らせん)状に巻いて蒸した食品
【花魁】huākuí 图 ❶百花の王．多くウメの花をさす ❷旧 名妓(めいぎ)．おいらん
【花篮】huālán （～儿）图 ❶花籠(はなかご) ❷美しく装飾された籠
【花蕾】huālěi 图〈植〉つぼみ．ふつう〔花骨朵〕という
【花里胡哨】huālihúshào （～的）形 口 ❶（色が）派手である．けばけばしい ❷ぎょうぎょうしい．華やかなだけで中身がない

【花脸】huāliǎn 图〈劇〉敵役．〔净〕の通称
【花令】huālìng 图 花期．開花期
【花柳病】huāliǔbìng 图 花柳病．性病
【花露水】huālùshuǐ 图 香りのあるローション類
【花面狸】huāmiànlí 图〈動〉ハクビシン．〔果子狸〕ともいう
【花名册】huāmíngcè 图 人名簿
【花木】huāmù 图（観賞用の）花と木
【花呢】huāní 图 模様のある毛織物
【花鸟】huāniǎo 图〈美〉花鳥画 ‖ ～画 同前
【花农】huānóng 图 花卉(かき)栽培農家
【花炮】huāpào 图 花火と爆竹の総称
【花瓶】huāpíng （～儿）图 花瓶．花器
【花圃】huāpǔ 图 花畑
【花期】huāqī 图 花期．開花期
【花旗】huāqí 图 旧 アメリカ（アメリカ国旗から）
【花枪】huāqiāng 图 ❶古代の兵器．飾りのついた短槍(たんそう) ❷術策．策謀．奸計．手管
【花腔】huāqiāng 图 ❶〈音〉コロラチュラ ❷巧言．うまい話 ‖ 别耍shuǎ～ 甘い言葉で人をのせるな
【花圈】huāquān 图（死者を弔うための）花輪
【花拳绣腿】huā quán xiù tuǐ 成 格好ばかりで役立たない拳術(けんじゅつ)
【花儿匠】huārjiàng 图 ❶植木職人．庭師．花卉(かき)栽培家 ❷造花職人
【花容月貌】huā róng yuè mào 成 美人の形容．〔花容玉貌〕ともいう
【花蕊】huāruǐ 图〈植〉花蕊(かずい)
*【花色】huāsè 图 ❶模様と色彩．色柄 ❷（同一商品のカラー・サイズなどの）種類．品柄
【花纱布】huāshābù 图 綿花・綿糸・綿布の総称
【花哨】huāshao 形 ❶派手である．華美である ‖ 打扮得dǎban特别～ かなり派手に着飾っている ❷多様である．変化に富んでいる ‖ 如今广告越来越～ 最近広告はますますバラエティーに富んできた
*【花生】huāshēng 图〈植〉ラッカセイ．＝〔落花生〕
【花生豆儿】huāshēngdòur 图 方 ナンキンマメ
【花生酱】huāshēngjiàng 图 ピーナッツ・バター
【花生米】huāshēngmǐ 图 ピーナッツ．ナンキンマメ．〔花生仁儿〕〔花生豆儿〕ともいう
【花生油】huāshēngyóu 图 落花生油．ピーナッツ油
【花市】huāshì 图 花市．花を売買する市
【花饰】huāshì 图 装飾用の模様
【花束】huāshù 图 花束 ‖ 手捧～ 手に花束を持つ
【花坛】huātán 图 花壇
【花天酒地】huā tiān jiǔ dì 成 酒色にふける荒廃しきった生活
【花厅】huātīng 图 庭園に面して建てられた客間
【花头】huātou 图 方 ❶模様．図案 ❷手管．術策 ‖ 玩弄～ 手練手管を弄する ❸奇抜な思いつき．奇抜な方法 ❹秘訣．極意．奥義
【花团锦簇】huā tuán jǐn cù 成 色とりどりで華やかなさま
【花托】huātuō 图〈植〉花托．花床
*【花纹】huāwén （～儿）图 模様．図案
【花项】huāxiang；huāxiàng 图 方 金銭の用途．入費．掛かり ‖ ～太多 掛かりが多すぎる
【花消】【花销】huāxiao 動（金を）使う 图 ❶出費 ‖ 城里东西贵，每月～也大 都会は物価が高いから毎月の出費も大変だ ❷旧 手数料．口銭(こうせん)
【花心】huāxīn 图 浮気心．移り気．（多く男性に用いる）‖ 起～ 浮気心を起こす 形 移り気な．浮気っぽい
*【花信】huāxìn 图 開花時期
【花序】huāxù 图〈植〉花序
【花絮】huāxù 图 余話．エピソード．余聞．（多く新聞の見出しに用いる）‖ 球赛～ 試合のエピソード
【花押】huāyā 图 旧 花押(かおう)．書き判
【花言巧语】huā yán qiǎo yǔ 成 甘言を用いる．口車に乗せる ‖ 用～欺骗人 言葉巧みに人をだます
【花眼】huāyǎn 图 老眼．〔老视眼〕の通称
*【花样】huāyàng （～儿）图 ❶模様．図案 ‖ ～很新颖xīnyǐng 図案がとてもユニークだ ❷種類．様式 ‖ ～翻新 新機軸を打ち出す ❸手管．悪巧み ‖ 玩儿～ 手管を弄する ❹刺繍の下絵
【花样刀】huāyàngdāo 图 フィギュアスケート靴のエッジ
【花样滑冰】huāyàng huábīng 图〈体〉フィギュアスケート
【花样滑雪】huāyàng huáxuě 图〈体〉フリースタイルスキー
【花样游泳】huāyàng yóuyǒng 图〈体〉シンクロナイズドスイミング
【花椰菜】huāyēcài 图〈植〉カリフラワー．ふつう〔菜花〕といい，地方によっては〔花菜〕ともいう
**【花园】huāyuán （～儿）图 花園．〔花园子〕ともいう
【花账】huāzhàng 图 二重帳簿．粉飾会計
【花招】【花着】huāzhāo （～儿）图 ❶（武術で）見た目に形はよいが，実戦的でない動作 ❷手練手管．術策 ‖ 耍shuǎ～儿 手管を弄する
【花枝招展】huā zhī zhāo zhǎn 成 花を着けた枝が風を受けて揺れる．女性の装いがあでやかなさま
【花轴】huāzhóu 图〈植〉花軸．〔花茎〕ともいう
【花烛】huāzhú 图 旧 華燭(かしょく)．新婚夫婦の部屋にともす装飾を施したろうそく ‖ ～之喜 新婚の慶事
【花柱】huāzhù 图〈植〉花柱
【花砖】huāzhuān 图 化粧タイル．模様入りのタイル
【花子】huāzi 图 貶 乞食(こじき)．〔化子〕とも書く
【花子儿】huāzǐr 图 ❶草花の種子 ❷方 ワタの種

9 **哗**（嘩）huā 擬（物が勢いよくぶつかる音，水が勢いよく流れる音）ガチャン．ザー ➤ huá

【哗啦】huālā 擬 ❶（物が勢いよくぶつかる音）ガチャン．ガラン ‖ ～一声自行车倒了 ガチャンと音がして自転車が倒れた ❷（水が勢いよく流れる音や雨が激しく降る音）ザーザー｜雨～～地下着 雨がザーザー降っている

9 **砉 huā** 擬(すばやい動きを表す音)ぱっと. さっと ‖ 小兔～的一下钻zuān进山洞 ウサギがさっと穴の中に潜り込んだ ➤xū

huá

6 **华[1](華) huá** ❶盛んである. 賑やかである ‖ 繁～ 賑やかである ❷華美である. 派手である ‖ 一～而不实 ❸輝いている. 光っている ‖ 一～灯 ❹〈天〉暈(かさ). ハロー ❺(すばらしい)年月. 歳月 ‖ 年～ 年月 ❻書 敬 あなたの. 相手に関係ある事物に用い, 敬意を表す ‖ 一～诞 ❼(髪の毛に)白髪がまじっている ‖ ～发 白髪まじりの髪 ❽最も優れた部分. 精華 ‖ 精～ 精華

6 **华[2](華) huá** ❶中国 ‖ 驻～大使馆 中国駐在大使館 | 访～团 訪中団 ❷中国語 ‖ ～语广播 中国語放送 ➤huà

【华北】Huáběi 名 華北. 北京市・天津市と河北・山西両省および内モンゴル中部を含む地域をさす

【华表】huábiǎo 名 龍や鳳凰などの彫刻がほどこされた大型の石柱. 宮殿や陵墓の前に建てられる

【华诞】huádàn 名 敬 お誕生日

【华灯】huádēng 名 華やかな装飾を施した街灯 ‖ ～初上 火ともしごろ

【华东】Huádōng 名 華東. 山東・江蘇・浙江・安徽・江西・福建・台湾の7省および上海市を含む地域

【华而不实】huá ér bù shí 成 外見は立派だが, 中身がない. 看板倒れである

【华尔兹】huá'ěrzī 名 外〈音〉ワルツ

【华工】huágōng 名 旧 外国で働く中国人労働者

【华贵】huáguì 形 ❶上等である. 豪華である ❷富貴である

【华里】huálǐ 量 旧 華里. 長さの単位. 1華里は500メートル

*【华丽】huálì 形 華美である. 華麗である ‖ ～的辞藻cízǎo 美辞麗句 | ～的服饰 華美な装い

【华美】huáměi 形 華美である. ゴージャスである

【华南】Huánán 名 華南. 広東省・広西チワン族自治区一帯, および海南省を含む地域

*【华侨】huáqiáo 名 華僑(かきょう). 中国国籍をもち外国に居住する中国人

*【华人】huárén 名 ❶中国人 ❷華人. 居住国の国籍をもつ中国系住民

【华氏温度】huáshì wēndù 名 華氏温度

【华文】Huáwén 名 中国語. 中国文

【华西】Huáxī 名 華西. 長江上流の四川省一帯の地域

【华夏】Huáxià 名 華夏(中国の古称). 広く, 中華民族をさす

【华严宗】huáyánzōng 名〈仏〉華厳宗

【华裔】huáyì 名 居留国で出生し, その国籍を取得した中国系住民

【华语】Huáyǔ 名 中国語 ‖ ～圈 中国語圏

【华中】Huázhōng 名 華中. 長江中流域の湖北省・湖南省一帯

6 ** **划[1] huá** 動 水をかいて進む. (かいなどで)舟をこぐ ‖ 一～船

6 **划[2] huá** 損得の勘定が合う. 採算が合う. 割に合う ‖ 一～算

6 * **划[3](劃) huá** 動(先の鋭いもので引くようにして)切る. 擦る ‖ 皮包让扒手～了个大口子 すりにかばんを切り裂かれた | 手～破了 手にひっかき傷をつくった | ～火柴 マッチをする ➤huà

【划不来】huábulái 動 そろばんに合わない. 引き合わない ‖ 为这点事再请一个人就～了 こんな事のためにもう一人頼むとなると引き合わない

【划船】huá//chuán 動 舟をこぐ

【划得来】huádelái 動 そろばんに合う. 引き合う ‖ 每天坐车, 还是买月票～ 毎日乗るのだからやはり定期を買ったほうが割りに合う

【划拉】huála 動 方 ❶掃く. はたく. ぬぐう ❷ぞんざいに書く. 書きなぐる ❸かき集める

【划拳】huá//quán 動 拳(けん)を打つ(宴席で行われるゲームの一つ). 〔豁拳〕〔搳拳〕とも書く

【划算】huásuàn 動 あれこれ考える ‖ ～来, ～去 あれこれ思案する 形 割に合う. 引き合う ‖ 这顿饭才花了一百元, 真～ この料理が100元とはほんとうに安い

【划艇】huátǐng 名〈体〉ボート. 漕艇

【划子】huázi 名 ボート. 小舟

9 **哗(嘩 △譁) huá** (人の声が)騒々しい. 騒然としている ‖ 喧～ 騒がしい | 听众大～ 聴衆が騒然となる ➤huā

【哗变】huábiàn 動(軍隊が)反乱を起こす

【哗然】huárán 形 群衆が騒然とするさま. 世間でかまびすしく言いたてるさま ‖ 全场～ 満場騒然となる

【哗众取宠】huá zhòng qǔ chǒng 成 派手に立ち回り大衆の歓心を買う. 派手な言動で人気を博そうとする

9 **骅(驊) huá** ↴

【骅骝】huáliú 名 書 栗毛(くりげ)の良馬

11 **铧(鏵) huá** 名 犂(すき)の刃 ‖ 犁lí～ 同前

12 ** **滑 huá** ❶形(表面が)滑らかである. よく滑る ‖ 路很～ 道が滑る ❷動 滑る ‖ ～了一跤jiāo つるりと滑って転んだ ❸動 ごまかしとおす. その場をしのぐ ‖ 人证物证俱在, 你是～不过去的 人証・物証ともにそろっているのだから, ごまかしとおせはしないぞ ❹形 狡猾(こうかつ)である. 悪賢い ‖ 这家伙～得很 あいつは実にずる賢い

【滑板】huábǎn 名〈体〉スケートボード

**【滑冰】huá//bīng 動 アイススケートをする ‖ ～滑得很好 アイススケートが大変うまい 名(huábīng)〈体〉アイススケート ‖ ～场 スケートリンク

【滑不唧溜】huábujīliū (～的) 形 方 ぬるぬるしてすべっこい. 〔滑不唧〕ともいう

【滑草】huácǎo 名〈体〉グラススキー

【滑车】huáchē 名 滑車. プーリー. 〔滑轮〕の通称

【滑动】huádòng 動 滑る. 滑走する

【滑动价格】huádòng jiàgé 名〈経〉スライド価格

【滑竿】huágān (～儿) 名 乗り物の一種で, 2本の竹竿の間に竹で編んだ椅子を縛りつけたもの

【滑旱冰】huá hànbīng 組 ローラースケートをする

【滑稽】huáji ; huájī 形 滑稽(こっけい)である ‖ ～的动作 おどけた動作 名 上海・蘇州・杭州などで行われる漫才の一種. 〔独角戏〕ともいう

【滑精】huá//jīng 動〈中医〉遺精する

【滑熘】huáliū 動〈料理〉片栗粉をまぶした肉や魚を下炒めあるいは下揚げし, 調味料を加えてあんかけにする

【滑溜】huáliu 形 口 滑らかで光沢がある

【滑轮】huálún 名〈物〉滑車. ふつう〔滑车〕という
【滑腻】huánì 形（多く皮膚などが）すべすべしている. つるつるしている‖皮肤～ 皮膚がすべすべしてきめ細かい
【滑坡】huápō 動❶地滑りする. 山崩れする ❷（生産が）低下する. 下り坂になる‖生产～ 生産が低下する
【滑润】huárùn 形 しっとりと潤いがある. つやつやしている
【滑石】huáshí 名〈化〉滑石. タルカン
【滑水撬】huáshuǐqiāo 名〈体〉水上スキーの板. 〔水撬〕ともいう
【滑水运动】huáshuǐ yùndòng 名〈体〉水上スキー
【滑梯】huátī 名 滑り台‖玩～ 滑り台で遊ぶ
【滑头】huátóu 形 ずる賢い. 悪知恵にたけている‖耍shuǎ～ ずる賢く立ち回る 名 ずる賢い人. 油断のならない人. 狡猾な人
【滑头滑脑】huátóu huánǎo 組 ずる賢い. 信用のおけない
【滑翔】huáxiáng 動 滑空する
【滑翔机】huáxiángjī 名 滑空機. グライダー
【滑翔运动】huáxiáng yùndòng 名〈体〉ハンググライダー
【滑行】huáxíng 動 滑る. 滑走する. 慣性で進む
*【滑雪】huá//xuě 動 スキーをする 名（huáxuě）〈体〉スキー
【滑雪板】huáxuěbǎn 名〈体〉スキーの板
【滑雪杖】huáxuězhàng 名〈体〉スキーのストック

12 **猾** huá 狡猾(こうかつ)である‖狡jiǎo～ 同前

17 **豁** huá ↴ ➤ huō huò
【豁拳】huá//quán ＝〔划拳huáquán〕

huà

4 *** **化** huà ❶変化する. 変わる‖进～ 進化する‖❷動 変化させる. 変える‖～敌为友 敵を友に変える ❸（言語・行動で）変化させる‖感～ 感化する ❹風習. 気風‖文～ 文化 ❺（僧侶や道士が）布施を請う‖募～ 布施を募る ❻動 溶かす. 溶ける‖雪～了 雪が溶けた ❼消化する. 取り除く‖～食 食物を消化する ❽焼いて灰にする‖火～ 火葬にする ❾（僧・道士が）死ぬ ❿化学 ⓫接尾（名詞または形容詞の後に置き, そのような状態にする, あるいは変わることを表す）…化する‖美～ 美化する ➤ huā
【化除】huàchú 動（多く抽象的な事物について）取り去る. なくす‖～疑虑yílǜ 心配を取り除く
*【化肥】huàféi 名 略〈農〉化学肥料. 〔化学肥料〕の略‖施～ 化学肥料を施す
【化干戈为玉帛】huà gān gē wéi yù bó 成 争いをやめて友好関係を結ぶ
*【化工】huàgōng 名 略 化学工業. 〔化学工业〕の略
*【化合】huàhé 動〈化〉化合する
【化合价】huàhéjià 名〈化〉原子価. 略して〔价〕ともいう
【化合物】huàhéwù 名〈化〉化合物
【化解】huàjiě 動 取り除く. 除去する. なくす‖～矛盾 矛盾を取り除く
【化疗】huàliáo 名 略〈医〉化学療法. 〔化学疗法〕の略 動 化学療法を行う
【化名】huà//míng 動 変名する. 仮名を使う 名（huàmíng）偽名. 変名. 仮名
【化脓】huà//nóng 動〈医〉化膿(かのう)する
【化身】huàshēn 名❶化身. 生まれかわり ❷象徴
*【化石】huàshí 名 化石
【化为】huàwéi 動 …に変える. …に変わる‖把悲痛～力量 悲しみを力に変える
【化为泡影】huà wéi pào yǐng 成 水泡に帰す
【化为乌有】huà wéi wū yǒu 成 烏有(うゆう)に帰す. すべてなくなる
*【化纤】huàxiān 名 略 化学繊維. 〔化学纤维〕の略
【化险为夷】huà xiǎn wéi yí 成 危険な状態を平穏な状態に変える. 危機を乗り越える. 窮地を救う
★【化学】huàxué 名 化学
【化学变化】huàxué biànhuà 名〈化〉化学変化
【化学反应】huàxué fǎnyìng 名〈化〉化学反応
【化学方程式】huàxué fāngchéngshì 名〈化〉化学方程式. 〔化学反应式〕ともいう
【化学肥料】huàxué féiliào 名〈農〉化学肥料
【化学分析】huàxué fēnxī 名 化学分析
【化学工业】huàxué gōngyè 名 化学工業
【化学键】huàxuéjiàn 名〈化〉化合結合
【化学疗法】huàxué liáofǎ 名〈医〉化学療法
【化学能】huàxuénéng 名〈化〉化学エネルギー
【化学式】huàxuéshì 名〈化〉化学式
【化学武器】huàxué wǔqì 名〈軍〉化学兵器
【化学纤维】huàxué xiānwéi 名〈紡〉化学繊維. 化繊. 略して〔化纤〕ともいう
【化学元素】huàxué yuánsù 名〈化〉化学元素
*【化验】huàyàn 動 化学検査をする‖抽血xuè～ 採血して検査する｜～室 化学検査室. 化学実験室
【化油器】huàyóuqì ＝〔汽化器qìhuàqì〕
【化缘】huà//yuán 動 布施を請う. 托鉢(たく)する
*【化妆】huà//zhuāng 動 化粧する. メーキャップする

外国の固有名詞 化粧品 【エイボン】…雅芳 【エスティローダー】…雅诗兰黛 【クリニーク】…倩碧 【コーセー】…高丝 【資生堂】…资生堂 【マックスファクター】…密丝佛陀 【メイベリン】…美宝莲 【ランコム】…兰蔻

【化妆品】huàzhuāngpǐn 名 化粧品
【化装】huà//zhuāng 動❶〈劇〉扮装(ふんそう)する ❷変装する. 仮装する‖～舞会 仮装舞踏会

6 **华（華）** huà 地名用字‖～山 陝西省にある山の名 ➤ huá

6 *** **划（劃）** huà ❶動 分ける. 画する. 区切る‖～地界 土地の境界を決める ❷計画する‖策～ 策をたてる ❸動（勘定や金品などを）振り分ける. 割り当てる‖把这笔钱～出一部分来给他们买设备 備品を買うよう彼らにこのお金の一部を回す ❹〔画huà ❻～❽〕に同じ ➤ huá
【划拨】huàbō 動❶振り分ける. 割り当てる ❷（代金などを）振り替える
【划策】huàcè 動 画策する. 策略をめぐらす. 〔画策〕とも書く‖出谋～ 入れ知恵する
*【划分】huàfēn 動 分ける. 区別する‖～行政区域 行政区画を分ける｜～财产 財産を分ける
【划价】huà//jià 動 病院で医療費や薬代を処方箋(しょほうせん)に記入する
【划清】huà//qīng 動 明確に区分する. はっきりと線引きする‖～职权范围 職権の範囲をはっきりさせる

【划清界线】huàqīng jièxiàn 組 一線を画する
【划时代】huàshídài 形 時代を画する. 画期的な ‖ 具有～的意义 画期的な意義を持つ
【划一】huàyī 動 一致させる. 統一する ‖ ～步骤bùzhòu 段取りを統一する 形 画一的である. 一様である
【划一不二】huà yī bù èr 成 ❶掛け値なし ❷画一的. 型どおり

8 ★**话**(△語) huà ❶名 (～儿)話. 言葉. (書面に記されたものも含む) ‖ 一句～ 一言｜说～ 話をする｜这人～真多 この人はほんとうに口数が多い ❷動 語る. 話す ‖ 对～ 対話する

逆引き単語帳 〔假话〕jiǎhuà うそ 〔实话〕shíhuà 本当の話 〔梦话〕mènghuà 寝言 〔大话〕dàhuà 威勢のいい話. 大ぶろしき 〔空话〕kōnghuà 空論 〔傻话〕shǎhuà ばかげた話. 子供っぽい話 〔笑话〕xiàohua 滑稽(こっけい)な話. 笑い話 〔气话〕qìhuà 腹立ちまぎれの言葉 〔脏话〕zānghuà 下品な言葉. 汚い言葉 〔粗话〕cūhuà 荒っぽい言葉 〔闲话〕xiánhuà むだ話 〔行话〕hánghuà 同業者仲間の専門語. 符丁 〔黑话〕hēihuà 合い言葉. 隠語 〔客套话〕kètàohuà 〔套话〕tàohuà 決まり文句. 儀礼の文句 〔风凉话〕fēngliánghuà 嫌味. からかい 〔俏皮话〕qiàopihuà しゃれ. 皮肉っぽい冗談

【话把儿】huàbàr 名 話の種. 笑いぐさ ‖ 叫人抓住～ 物笑いの種になる
【话本】huàběn 名 話本. 宋代に興った白話小説
【话别】huà//bié 動 別れに臨んで名残を惜しみ語り合う ‖ 临行～ 出発前に名残を惜しんで語り合う
【话柄】huàbǐng 名 話の種. 笑いぐさ
【话茬儿】huàchár 名 方 ❶話の糸口 ‖ 接不上～ 口をはさむことができない ❷口調. 話しぶり
【话费】huàfèi 名 通話料 ‖ 长途～ 長距離通話料
【话锋】huàfēng 名 話題. 話の矛先 ‖ 避开～ 話をそらす｜～一转 話題を変える
【话机】huàjī 名 受話機
【话旧】huà//jiù 動 懐旧談をする. 昔話をする
*【话剧】huàjù 名 新劇. 現代劇
【话里带刺】huàli dài cì 慣 言葉にとげがある
【话里有话】huàli yǒu huà 慣 話に含みがある. 話の裏に何かがある
【话梅】huàméi 名 梅の実を砂糖と塩で漬け乾燥させた食品
【话说】huàshuō 動 話に言う. さて. そもそも. (旧小説でよく用いる発語の言葉) 動 話す. 述べる
*【话题】huàtí 名 話題. 話の主題 ‖ 换个～ 話題を変える｜～一转 話題が変わる
【话亭】huàtíng 名 電話ボックス
【话筒】huàtǒng 名 ❶メガホン.〔传声筒〕の通称 ❷マイクロフォン ❸(電話の)送話器
【话头】huàtóu (～儿) 名 話の糸口 ‖ 打断～ 話の腰を折る
【话网】huàwǎng 名 電話通信システム
【话务员】huàwùyuán 名 (電話の)オペレーター. 交換手
【话匣子】huàxiázi 名 方 ❶旧 蓄音機 ❷ラジオ ❸喩 おしゃべり ‖ 打开～ おしゃべりを始める
【话音】huàyīn (～儿) 名 ❶話し声 ‖ ～未落luò 言葉が終わらぬうちに ❷口 言外の含み. 口ぶり
【话语】huàyǔ 名 言葉. 話 ‖ 他～不多, 但句句在理 彼は口数は少ないが, いちいち理屈は通っている

8 ★**画**(畫) huà ❶動 (境界線を)引く ‖ ～江而治 長江を境として治める ❷動 描く. かく ‖ ～速写 スケッチをする ❸名 (～儿)絵. 絵画 ‖ 画一张～儿 絵を1枚かく｜风景如～ 景色が絵のように美しい ❹絵や図がかいてある ‖ ～舫 ❺(ことばで)描写する ‖ 描～ 描写する ❻動 (線・記号・しるしなどを)かく. 引く ‖ ～一条线 線を引く｜～记号 記号をつける｜～表格 表を作る ❼名 漢字の点画. 字画 ‖ "大"字是三～ 「大」の字は3画である ❽手ぶりで意図を表す.〔划〕とも書く ‖ 比～ 手まねをする
【画板】huàbǎn 名 画板
**【画报】huàbào 名 画報. グラフ
【画笔】huàbǐ 名 絵筆. 画筆
【画饼充饥】huà bǐng chōng jī 成 餅(もち)をかいて飢えを充たす. 空想によって自分自身を慰めること
【画布】huàbù 名 (油絵などの)画布. キャンバス
【画册】huàcè 名 ❶画集. 写真集 ❷スケッチブック
【画策】huàcè ＝〔划策huàcè〕
【画到】huà//dào 動 (出勤簿, または出席簿に)出勤や出席の印をつける
【画等号】huà děnghào 慣 (二つの事物を)同等に見なす. 同等に扱う. 多く否定に用いる ‖ 经济发达不能与幸福～ 経済的に豊かであることがイコール幸福ではない
【画地为牢】huà dì wéi láo 成 地面に円をかいて牢とする. 限られた範囲内でのみ活動を許すこと
【画舫】huàfǎng 名 画舫. 装飾を施した遊覧船
【画幅】huàfú 名 ❶絵. 絵画 ❷絵の大きさ. サイズ
【画稿】huàgǎo (～儿) 名 画稿. 絵の下書き
【画工】huàgōng 名 画工. 絵師
【画供】huà//gòng 動 犯人が供述書に署名する
【画虎类狗】huà hǔ lèi gǒu 成 トラを描いたつもりがイヌそっくりなものとなる. 高望みして結局何も成し遂げられず, 物笑いの種となること.〔画虎类犬〕ともいう
【画夹】huàjiā 名 画板
*【画家】huàjiā 名 画家
【画架】huàjià 名 画架. イーゼル
【画匠】huàjiàng 名 絵師. 絵かき
【画境】huàjìng 名 画境. 絵の境地
【画句号】huà jùhào 慣 ピリオドを打つ. 終止符を打つ ‖ 给15年的婚姻画上了句号 15年の結婚生活に終止符を打った
【画卷】huàjuàn 名 絵巻物. 巻き物になっている絵
【画廊】huàláng 名 ❶画廊. ギャラリー ❷絵の装飾を施した廊下
【画龙点睛】huà lóng diǎn jīng 成 画竜点睛(がりょうてんせい). 最後に大事な部分を付け加えて完璧(かんぺき)に仕上げること
【画眉】huàméi 名 〈鳥〉ガビチョウ
*【画面】huàmiàn 名 (絵・映画・テレビなどの)画面
【画皮】huàpí 名 化けの皮 ‖ 剥下bōxia～ 化けの皮をはがす
【画片儿】huàpiānr 名 口 絵葉書. 絵入りのカード
【画片】huàpiàn 名 絵入りカード. 絵葉書
【画屏】huàpíng 名 絵屏風(えびょうぶ)
【画谱】huàpǔ 名 ❶画帖. 絵の手本 ❷画論や絵画の技法に関する書籍. 画譜
*【画蛇添足】huà shé tiān zú 成 ヘビを描いて足を

書き足す. 余計なつけ足しをする. 蛇足を加える
【画师】huàshī 名 画家. 絵かき
【画十字】huà shízì 組 ❶無筆者が契約書などに十を書いて署名に代える ❷〈宗〉十字を切る
【画室】huàshì 名 画室. アトリエ
【画坛】huàtán 名 絵画界. 画壇
【画帖】huàtiè 名 画帖(がじょう). 絵の手本
【画图】huà//tú 動 製図する. 図面をかく ‖ 去图书馆怎么走, 给我画个图 図書館へはどう行けばいいのか, 地図をかいてくれませんか 名 (huàtú) 絵画. 絵. (多く比喩に用いる)
【画外音】huàwàiyīn 名 効果音. ナレーション
【画像】huà//xiàng 動 肖像画を描く. 似顔絵を描く 名 (huàxiàng) 肖像画. 似顔絵
【画押】huà//yā 動 書き判を書く. 花押(かおう)する
【画院】huàyuàn 名 画院. 翰林図画院(かんりんずがいん). 翰林院に属する宮廷の絵画制作機関
【画展】huàzhǎn 名 絵画展 ‖ 个人～ 個展
【画知】huà//zhī 動 (回覧文書や招待状などで) 自分の名前の下に〔知〕の字を書いて, 承知あるいは出席の意を表す
【画轴】huàzhóu 名 絵画の掛け軸
【画作】huàzuò 名 絵画作品
10 **桦**(樺) huà 名〈植〉カバノキ属の木本植物の総称

huái

7 ＊**怀**(懷) huái ❶名 ふところ. 胸 ‖ 母亲把孩子搂在～里 お母さんは子供を胸に抱いている ❷心にかける. 念ずる. 懐かしむ ‖ 一～念 ❸動 心に抱く. 心に秘める ‖ 不～好意 下心がある ｜ 心中～着希望 心に希望を抱く ❹考え. 心のうち. 胸のうち ‖ 情～ 心のうち ❺動 子を宿す. 身ごもる ‖ 她～的是第二胎 彼女は二人目の子を身ごもっている
【怀抱】huáibào 動 ❶抱く. だっこする ‖ ～婴儿 yīng'ér 赤ん坊を抱く ❷心に抱く. 胸に抱く ‖ ～远大的理想 心に遠大な理想を抱く 名 ❶ふところ. 胸 ‖ 时隔四十年, 回到祖国的～ 40年ぶりに祖国のふところに帰る ❷(～儿) 方 赤ちゃんのころ
【怀表】huáibiǎo 名 懐中時計
【怀才不遇】huái cái bù yù 成 才能がありながら機会に恵まれず埋もれていること
【怀春】huáichūn 動 書 少女が恋心を抱く
【怀古】huáigǔ 動 懐古する. いにしえをしのぶ
【怀鬼胎】huái guǐtāi 慣 よからぬ考えを抱く
【怀恨】huái//hèn 動 恨みを抱く. 恨む
【怀旧】huáijiù 動 往事をしのぶ. 昔を懐かしむ
【怀恋】huáiliàn 動 恋しく思う. 懐かしむ
＊【怀念】huáiniàn 動 しのぶ. 慕う. 懐かしむ ‖ ～母校 母校を懐かしく思う ｜ ～亲人 身内を懐かしむ
【怀柔】huáiróu 動 懐柔する ‖ ～政策 懐柔策
【怀胎】huái//tāi 動 妊娠する. 身ごもる
【怀想】huáixiǎng 動 しのぶ. 慕う. 懐かしく思う
＊【怀疑】huáiyí 動 ❶疑念を抱く. 疑う ‖ 用～的目光看 疑いの目で見る ｜ 我～其中有鬼 裏に何か企みがあるのではなかろうか ❷推測する ‖ 我～她怀孕了 彼女は妊娠したのじゃないだろうか
【怀疑主义】huáiyí zhǔyì 名〈哲〉懐疑主義
＊【怀孕】huái//yùn 動 妊娠する. みごもる. 子を宿す ‖ 她～七个月了 彼女は妊娠7ヵ月になる
9 **徊** huái ➡〔徘徊páihuái〕 ➤ huí
11 **淮** huái 地名用字 ‖ ～河 河南省から安徽省・江蘇省にかけて流れる川の名
【淮北】Huáiběi 名 淮河(わいが)北側の地域, 特に安徽省北部をさす
【淮海】Huái Hǎi 名 江蘇省徐州市を中心とする淮河の北側の地域と連雲港市付近の海州一帯をさす
【淮南】Huáinán 名 淮河と長江に挟まれた地域, 特に安徽省中部をさす
13 **槐** huái 名〈植〉エンジュ. ふつう〔槐树〕という
【槐树】huáishù 名〈植〉エンジュ
15 **踝** huái 名〈生理〉くるぶし ‖ 内～ 内側のくるぶし ｜ 外～ 外側のくるぶし
【踝子骨】huáizigǔ 名 口 くるぶし

huài

7 ★**坏**(壞) huài ❶動 壊れる. 傷む. 腐る ‖ 电视机～了 テレビが壊れた ｜ 吃～了肚子 おなかを壊した ｜ 这碗饭～了 この御飯は傷んでしまった ❷動 壊す. 損なう ‖ 都是你, ～了我们大家的事 あなた一人のために, 私たち全員のことがだめになってしまった ❸形 悪い. 劣っている ↔〔好〕‖ 这个主意不～ この考えは悪くない ❹名 口 悪巧み ‖ 这家伙憋着biēzhe一肚子～ あいつの頭の中は悪巧みでいっぱいだ ❺形 動詞・形容詞の後に置き, 程度がはなはだしいことを表す ‖ 饿～了 ひどく腹が減った ｜ 他考上了名牌大学, 把父母高兴～了 彼は有名大学に合格し両親を大喜びさせた
＊【坏处】huàichu 名 害. 悪い点. 不都合 ‖ 偶尔喝一点儿酒对身体没什么～ たまにちょっと酒を飲む程度なら体に害はない ｜ 往～想 悪い方へ考える
＊【坏蛋】huàidàn 名 口 悪人. 悪党. ろくでなし
【坏东西】huàidōngxi 名 悪党. ろくでなし. 悪たれ
【坏话】huàihuà 名 悪口. 陰口 ‖ 说～ 悪口を言う
【坏人】huàirén 名 悪人. 悪玉. ろくでなし
【坏事】huài//shì 動 事をぶち壊す. 物事を台無しにする ‖ 这下可坏了大事了 これで大事な一件もぶち壊しになった 名 (huàishì) 悪事 ‖ 干～ 悪事をはたらく
【坏水】huàishuǐ (～儿) 名 口 悪心. 悪巧み ‖ 憋biē了一肚子～ 悪巧みしか考えていない
【坏死】huàisǐ 動〈医〉壊死(えし)する
【坏账】huàizhàng 名〈経〉不良債権
【坏主意】huài zhǔyi 組 悪い考え. 悪巧み

huān

6 **欢**(歡 △懽 讙 驩) huān ❶嬉しい. 喜ばしい. 楽しい ‖ 一～喜 ❷恋人 ‖ 另有新～ ほかに恋人がいる ❸形 口 活発である. 力がこもっている ‖ 人们越干越～ 人々はいっそう精を出して働いている ｜ 孩子们玩儿得真～ 子供たちは夢中になって遊んでいる
【欢蹦乱跳】huān bèng luàn tiào 慣 元気いっぱいなさま. 生き生きしているさま. 活発に動いている様子
【欢畅】huānchàng 形 楽しい. 痛快である.
【欢度】huāndù 動 愉快に過ごす. 楽しく送る

【欢歌】huāngē 動 楽しく歌う 名 楽しそうな歌声
*【欢呼】huānhū 動 歓呼する. 喜びのあまり声をあげる ‖ ～胜利 勝利に歓呼する
【欢聚】huānjù 動 喜び集う. 楽しく会す
【欢快】huānkuài 形 浮き浮きした. 陽気である ‖ ～的笑声 晴れ晴れとした笑い声
*【欢乐】huānlè 形 楽しい. 喜ばしい. 浮き浮きした ‖ 舞会上充满了～的气氛 qìfēn ダンスパーティーの会場は浮き浮きしたムードに満ちあふれている
【欢洽】huānqià 形 楽しく打ち解け合う
【欢声】huānshēng 名 歓声. 歓呼の声
【欢声雷动】huān shēng léi dòng 成 割れんばかりの大歓声. 大勢の人々の熱気で沸き立っているさま
【欢实】【欢势】huānshi 形 方 活発である. 元気いっぱいである. 勢いがある
**【欢送】huānsòng 動 歓送する. 喜び励まして送る ‖ ～会 歓送会 | ～毕业生 卒業生を歓送する
【欢腾】huānténg 動 喜びに沸く. 飛び上がらんばかりに喜ぶ. 大いに喜ぶ ‖ 举国～ 国をあげて喜びに沸く
【欢天喜地】huān tiān xǐ dì 成 喜びにあふれるさま
*【欢喜】huānxǐ 形 嬉しい. 楽しい ‖ 脸上露出～的笑容 顔に嬉しそうな笑みが現れる 動 方 好む. 愛好する ‖ 我～这样做 私はこうするのが好きなのだ
*【欢笑】huānxiào 動 陽気に笑う. 楽しそうに笑う ‖ 喜讯 xǐxùn 传来, 人们无不拍手～ 吉報が伝えられ人々はみな笑顔になって拍手した
【欢心】huānxīn 名 歓心. よろこぶ心 ‖ 讨人～ 人の歓心を買う
【欢欣】huānxīn 形 喜んでいる
【欢欣鼓舞】huān xīn gǔ wǔ 成 欣喜雀躍(きんきじゃくやく)する
【欢宴】huānyàn 動 歓迎の宴を張る
★【欢迎】huānyíng 動 歓迎する. 喜んで迎える ‖ ～词 歓迎の言葉 | ～会 歓迎会 | ～你们再来北京 またぜひ北京においでになってください | ～大家多提意见 みなさんどんどんご意見をお出しください | 她的课很受学生们的～ 彼女の授業は学生たちに人気がある
【欢愉】huānyú 形 嬉しい. 楽しい
【欢悦】huānyuè 形 嬉しい. 楽しい
【欢跃】huānyuè 動 喜びに沸く. 小躍りして喜ぶ

20 **貛**(ᐞ貛 貛) huān 名〈動〉アナグマ. 〔猪獾〕ともいう

huán

7 ★**还**(還) huán ❶動 帰る. 戻る. (元の状態を)回復する ‖ 生～ 生還する | ～历史的本来面目 歴史のほんとうの姿を復元する ❷動(借りたお金や物を)返す ‖ 钱已经～给他了 金はもう彼に返した ❸動 報いる. 仕返しをする ‖ 他骂我, 我也～了他几句 彼が罵るから私も言い返してやった ➤ hái

【还报】huánbào 動 報いる. 応じる
【还本】huán//běn 動 元金を返済する
【还不起】huánbuqǐ 動 (金がなくて)返済できない
【还不清】huánbuqīng 動 完済しきれない. きれいに全額返せない ‖ ～的人情债 zhài 返しきれない心の負い目
【还魂】huán//hún 動 死者がよみがえる
【还击】huánjī 動 反撃する
【还价】huán//jià (～儿) 動 値切る. まけさせる
【还口】huán//kǒu 動 言い返す. 口答えする ‖ 打不还手, 骂不～ 殴られても殴り返さず, 罵られても言い返さない
【还礼】huán//lǐ 動 ❶答礼する. 敬礼にこたえる ❷(贈り物などで)返礼する. お返しをする
【还情】huán//qíng 動 恩義や厚意に報いる. 義理を返す
【还手】huán//shǒu 動 殴り返す. 反撃する
【还俗】huán//sú 動〈宗〉還俗(げんぞく)する
【还席】huán//xí 動 宴席に招待されたお返しに一席設ける
【还阳】huán//yáng 動 魂が戻る. 死者が生き返る
*【还原】huán//yuán 動 ❶復元する. 元に戻す ‖ 会后, 请把桌子～ 会が終わったらテーブルを元へ戻してください ❷〈化〉還元する
【还愿】huán//yuàn 動 ❶(神仏へ)願いがかなったお礼参りをする. 願ほどきする ❷喩 約束を果たす
【还债】huán//zhài 動 借金を返す. 返済する ‖ 逼 bī 人～ 借金の返済を迫る
【还账】huán//zhàng 動 借金を返す. 返済する
【还嘴】huán//zuǐ 動 口答えする. 言い返す

8 **郇** huán 名 姓 ➤ xún

8 **环**(環) huán ❶輪形の玉器 ‖ 玉～ 玉環(ぎょっかん) ❷名(～儿) 輪. 広く輪形のものをさす ‖ 吊 diào～ つり輪 ❸囲む. 一周する ‖ ～太平洋地区 環太平洋地域 ❹周囲. 四方 ‖ 一～境 ❺一環. 物事を構成する一部分 ‖ 必不可少的一～ 欠かすことのできない一環 ❻量(射撃やアーチェリーで)標的に命中した点数を表す

【环靶】huánbǎ 名(射撃などの)的. 標的
【环保】huánbǎo 名 略 環境保護. 〔环境保护〕の略 ‖ ～运动 環境保護運動 形 環境にやさしい
【环抱】huánbào 動 囲む. 取り囲む. (多くは景色の描写に用いる)
【环衬】huánchèn 名(本の)見返し
【环城】huánchéng 動 都市を一周する ‖ ～地铁 地下鉄環状線 | 举行～赛跑 市内一周マラソンを行う
【环岛】huándǎo 名 ロータリー
【环顾】huángù 動 書 周りを見渡す. 見回す ‖ ～四周 四方を見回す
*【环节】huánjié 名 ❶〈動〉環節 ❷ポイント. 要 ‖ 关键～ キーポイント | 薄弱～ (全体の中の)弱い部分
【环节动物】huánjié dòngwù 名〈動〉環節動物
**【环境】huánjìng 名 環境. 周囲の状況 ‖ 新居的～很幽静 新居の周囲はとても静かだ | 搞好～卫生 環境衛生に気を配ろう | 学习～ 学習環境
【环境保护】huánjìng bǎohù 名 環境保護
【环境壁垒】huánjìng bìlěi 名 グリーン障壁. 環境障壁. 環境規制によって発生する貿易障壁のこと. 〔绿色壁垒〕ともいう
【环境标志】huánjìng biāozhì 名 環境保護ラベル. エコマーク. エコラベル. 中国の環境保護ラベルは緑の山と川に10個の輪をデザインしたもの. 〔绿色标志〕〔生态标志〕などともいう
【环境标准】huánjìng biāozhǔn 名 環境基準
【环境激素】huánjìng jīsù 名 環境ホルモン
【环境科学】huánjìng kēxué 名 環境科学
【环境难民】huánjìng nànmín 名 環境難民
【环境权】huánjìngquán 名 環境権

【环境容量】huánjìng róngliàng 名 環境容量. 環境収容力. 〔环境承载力〕ともいう
【环境污染】huánjìng wūrǎn 名 環境汚染
【环境武器】huánjìng wǔqì 名 地震・津波・生態破壊など人工的に自然災害を起こし, 敵に打撃を与える武器
【环境要素】huánjìng yàosù 名 環境要素. 環境を構成する基本要素
【环境影响评估】huánjìng yǐngxiǎng pínggū 名 環境アセスメント
【环流】huánliú 名 (液体や気体の)循環. 流動
【环路】huánlù 名 環状道路
【环球】huánqiú 動 地球を巡る. 世界を回る ‖ ～飞行 世界一周飛行 名 =〔寰球huánqiú〕
【环绕】huánrào 動 取り巻く. 周りを巡る. 取り囲む
【环绕速度】huánrào sùdù 名 第一宇宙速度
【环生】huánshēng 動 次から次へと発生する
【环视】huánshì 動 周りを見回す ‖ ～四周 周りをぐるりと見回す
【环卫】huánwèi 形 環境衛生の
【环线】huánxiàn 名 循環路線. 環状線 ‖ ～地铁 地下鉄環状線
【环行】huánxíng 動 周囲を回る. 環状に巡る ‖ ～公路 環状道路 | ～一周 ぐるりと一巡りする
【环形】huánxíng 名 輪状. 環状
【环形交叉】huánxíng jiāochā 名 環状交差点. ロータリー
【环形山】huánxíngshān 名〈天〉クレーター
【环宇】huányǔ 名 書 全世界. =〔寰宇〕
【环子】huánzi 名 輪. 輪っか ‖ 耳～ イヤリング

9 **洹** huán 地名用字 ‖ ～水 河南省にある川の名

10 **桓** huán 名 姓

11 **萑** huán 地名用字 ‖ ～苻泽fúzé 春秋時代, 鄭の国にあった沢の名

14 **锾** huán 古 重さの単位. 一般に1〔锾〕は6〔两〕に当たる

16 **寰** huán 広大な地域 ‖ 一～球 | 尖～ 俗世 | ～海 天下
【寰球】huánqiú 名 全世界. 地球全体. 〔环球〕とも書く
【寰宇】huányǔ 名 書 全世界. 世界中. 〔环宇〕とも書く

16 **圜** huán 書 取り巻く ➤ yuán

16 **缳** huán 書 ❶縄を結んでつくった輪 ‖ 投～自缢zìyì 首をくくって自殺する ❷絞殺する ‖ ～首 絞首する

23 **鬟** huán 古 輪状に結い上げた女性の髪のまげ ‖ 云～ まげ | 丫yā～ 下女. 小間使い

huǎn

12 * **缓** huǎn ❶(情勢などが)落ち着いている. ゆったりしている ‖ 一～和 ❷形 緩慢である. ゆっくりしている ‖ 放～脚步 歩みを緩める ❸動 遅らせる. 延ばす ‖ 这笔钱～两天再给你 このお金はもう2, 3日してから君に渡します ❹動 正常な状態に回復する ‖ 他从昏迷中～了过来 彼は昏睡状態から回復した
【缓兵之计】huǎn bīng zhī jì 成 敵の攻撃を遅らせる策略. 時間かせぎの作戦
【缓不济急】huǎn bù jì jí 成 遅くて急場に間に合わない
【缓步】huǎnbù 動 ゆっくり歩く. そぞろ歩きする
【缓冲】huǎnchōng 動 衝突を和らげる ‖ ～材料 クッション材 | ～地带 緩衝地帯 | ～剂 緩衝剤
*【缓和】huǎnhé 形 穏やかである. 和らいでいる ‖ 他的话, 使紧张的气氛～了下来 彼の言葉で張りつめた空気が和らいだ 動 緩和させる. 和らげる ‖ ～矛盾 矛盾を緩和させる
*【缓缓】huǎnhuǎn 副 ゆっくりと. ゆったりと
【缓急】huǎnjí 名 ❶緩急. 余裕のあることと切迫していること ‖ 按事情的轻重～依次处理 ことの軽重や緩急に応じて順次処理する ❷差し迫った事態. 危急の事態
【缓解】huǎnjiě 動 ❶和らぐ. 緩む. 軽減する ‖ 病情～ 病状が緩和する ❷和らげる. 緩和させる ‖ ～交通堵塞dǔsè 交通渋滞を緩和させる
*【缓慢】huǎnmàn 形 ゆっくりしている. のろい ‖ 动作～ 動きがのろい
【缓坡】huǎnpō 名 緩やかな坂. だらだら坂
【缓期】huǎnqī 動 延期する. 猶予する
【缓气】huǎn//qì 動 息をつく. ひと息入れる ‖ 先缓口气再说 まず一息ついてから話しなさい
【缓限】huǎnxiàn 動 期限を緩める
【缓行】huǎnxíng 動 ❶ゆっくり行く. 徐行する ❷(施行や実行を)延ばす. 延期する
【缓刑】huǎnxíng 動〈法〉刑の執行を猶予する
【缓征】huǎnzhēng 動 (税の徴収や徴兵などを)猶予する

huàn

4 **幻** huàn ❶幻の. 非現実な ‖ 一～觉 ❷変幻する. 変化する ‖ 变～ 変幻する
*【幻灯】huàndēng 名 ❶幻灯. スライド ‖ 放～ スライドを映す | ～片 スライド用フィルム ❷スライド映写機
【幻化】huànhuà 動 不思議な変化をとげる
【幻景】huànjǐng 名 幻の光景. 幻想的な光景
【幻境】huànjìng 名 幻の世界. 夢の世界
【幻觉】huànjué 名 幻覚 ‖ 产生～ 幻覚が生じる
【幻梦】huànmèng 名 夢幻. 夢まぼろし
【幻灭】huànmiè 動 (希望や夢などが)幻のように消える ‖ 希望～了 希望が泡と消えた
【幻视】huànshì 名 幻覚
【幻术】huànshù 名 魔術. 奇術. 手品 =〔魔术〕
【幻听】huàntīng 名 幻聴
*【幻想】huànxiǎng 動 夢想する. 空想する. 夢見る ‖ ～未来 未来を空想する 名 幻想. 空想. ファンタジー
【幻象】huànxiàng 名 幻像. 幻影. 幻
【幻影】huànyǐng 名 幻影. 幻

7 **奂** huàn 書 ❶多い. 盛大である ❷鮮やかで美しい

9 **宦** huàn 書 ❶仕官する. 官職につく ‖ 仕～ 仕官する ❷官吏. 役人 ❸宦官(かんがん)
【宦官】huànguān 名 宦官 =〔太监〕
【宦海】huànhǎi 名 書 官界. 役人の世界
【宦游】huànyóu 動 書 官職を求めて歩き回る

10 **涣** huàn 散り散りになる. 消散する

【涣然冰释】huàn rán bīng shì [成] 疑いや誤解が氷解すること
【涣散】huànsàn [形] (気持ちや紀律などが)緩んでいる. だらけている [動] 緩む. たるむ. 緩ませる

10 **浣**(△澣) huàn [書] 洗う. すすぐ ‖ ～衣 衣服を洗う | ～纱 布を洗う

10 ★**换** huàn ❶[動] 交換する ‖ ～零钱 小銭に換える | 拿鸡蛋～盐 卵を塩と交換する ❷[動] 替える. 取り替える ‖ ～衣服 着替えをする | ～时间 時間を替える
【换班】huàn//bān [動] 交替で勤務する
【换不来】huànbulái [動] 取り替えられない ‖ 幸福用金钱是～的 幸せは金で買えない
【换茬】huàn//chá [動]〈農〉輪作する
【换车】huàn//chē [動] (バスや電車を)乗り換える ‖ 路上要换三次车 途中3回乗り換えなくてはならない
【换乘】huànchéng [動] (乗り物を)乗り換える
【换代】huàn//dài [動] ❶モデルチェンジをする. 製品改良をする ❷王朝が変わる
【换挡】huàn//dǎng [動] (自動車の)ギアチェンジをする
【换岗】huàn//gǎng [動] ❶歩哨(ほしょう)勤務を交替する ❷(職場で)部署が変わる
【换个儿】huàn//gèr [動][口] 場所を取り替える ‖ 把书桌与书柜换个个儿 机と本棚の置き場所を替える
【换汇】huàn//huì [動] 外貨を取得する. 外貨を稼ぐ ‖ 外贸出口为国家～五亿美元 貿易輸出で国に5億ドルの外貨をもたらした
【换季】huàn//jì [動] 季節が変わる
【换肩】huàn//jiān [動] (担いでいる荷物を)別の肩に移し換える
【换届】huàn//jiè [動] (任期満了に伴い指導者機構を)改選する. 再編成する
【换句话说】huàn jù huà shuō [組] 換言すれば
【换马】huànmǎ [動][貶] 人員を入れ替える
【换脑筋】huàn nǎojīn [組] 考え方をすっかり改める. 古い観念を改める
【换气】huàn//qì [動] 換気する ‖ 开开窗户, 换换气 窓を開けて空気の入れ替えをしよう
【换气扇】huànqìshàn [名] 換気扇.〔排风扇〕ともいう
【换钱】huàn//qián [動] ❶両替する ❷換金する
*【换取】huànqǔ [動] 交換によって入手する. 取り換えて手に入れる ‖ 用真诚～对方的信任 誠意を示して相手の信用を得る
【换算】huànsuàn [動] 換算する
【换汤不换药】huàn tāng bù huàn yào [慣] 煎(せん)じ薬の水は換えたが, 薬は換えない. 形式だけを変えて実質を変えないことのたとえ
【换帖】huàn//tiě [動][旧] 姓名・年齢・出身地・家系などを書いた文書を互いに交換して, 義兄弟になる
【换位思考】huànwèi sīkǎo [組] 相手の立場に立って問題を考える
【换文】huàn//wén [動] (国家間で)文書を取り交わす. 覚え書きを交換する [名] (huànwén) 交換した公文書. 覚え書き
【换洗】huànxǐ [動] 服を着替えて洗う ‖ 准备～的衣服 着替えを用意する
【换血】huànxiě [動][喩] 人員を入れ換える
【换牙】huàn//yá [動] 歯が生え替わる
【换言之】huàn yán zhī [組][書] 換言すれば

10 ＊**唤** huàn 喚起する. 呼ぶ. 叫ぶ ‖ 召～ 召喚する
【唤起】huànqǐ [動] ❶(人を)喚起する. 呼びかける ❷(記憶を)呼び起こす ‖ 一张照片～了我儿时的记忆 1枚の写真が私の幼いころの記憶を呼び起こした
【唤醒】huàn//xǐng [動] ❶呼び起こす. 呼び覚ます ‖ 该上学了, 快～他 もう学校へ行く時間だ, 早くあの子を起こしてきて ❷覚醒(かくせい)させる ‖ 七七事变～了中国人民 盧溝橋(ろこうきょう)事件は中国人民を覚醒させた

11 **逭** huàn [書] 避ける. 逃避する ‖ ～暑 避暑する

11 **焕** huàn ❶鮮明である. 明るい ‖ 一～然一新 ❷光り輝いている ‖ 一～发
【焕发】huànfā [動] ❶輝きが現れる ❷奮い立たせる ‖ ～出干劲 やる気を奮い立たせる
【焕然一新】huàn rán yī xīn [成] 面目を一新する

11 ＊**患** huàn ❶憂える. 案じる ‖ 忧～ 憂い ❷災い. 災禍 ‖ 内忧外～ 内憂外患 ❸病気 ‖ 疾～ 病気 ❹[動] 病を患う. 病気になる ‖ 一年前他～了癌症 1年前, 彼はがんを患った
【患处】huànchù [名] 患部(多くは外傷)
【患得患失】huàn dé huàn shī [成] 自分の損得にばかりかかずらう. 損得に心を悩ます
【患难】huànnàn [名] 難儀. 苦難. 苦労 ‖ ～夫妻 苦労を分かち合った夫婦 | ～之交 苦難を共にした友
【患难与共】huàn nàn yǔ gòng [成] 苦難を共にする
*【患者】huànzhě [名] 患者

12 **痪** huàn ➡〔瘫痪tānhuàn〕

13 **豢** huàn 飼育する
【豢养】huànyǎng [動] ❶飼育する ❷[喩] 飼い慣らす

15 **鲩** huàn [名]〈魚〉ソウギョ ＝〔草鱼〕

16 **擐** huàn [書] 身に着ける. まとう

huāng

7 **肓** huāng ➡〔病入膏肓bìng rù gāo huāng〕

9 ＊**荒** huāng ❶[形] (土地が)荒れている ‖ 这块地～了 その土地は荒れ果ててしまった ❷荒れ地. 開墾されていない土地 ‖ 开～种地 開墾して農地にする ❸凶作の. 作柄の悪い. 飢饉の ‖ 饥～ 飢饉 ❹凶年. 凶作. 飢饉 ‖ 救～ 飢饉から人々を救う ❺(重大な)不足. 欠乏 ‖ 水～ 水不足 ❻人家の少ない. うら寂しい. 荒れはてた ‖ 一～僻 ❼[動] (学業や修業を)怠る ‖ 暑假期间, 别～了功课 夏休みの間, 勉強を怠けてはいけない ❽道理に合わない. でたらめである ‖ 一～诞 ❾放縦である ‖ 一～淫
【荒草】huāngcǎo [名] 野草. 雑草
【荒诞】huāngdàn [形] でたらめである. 荒唐無稽(こうとうむけい)である ‖ ～离奇 奇妙きてれつである
【荒诞不经】huāng dàn bù jīng [成] でたらめで理屈に合わない
【荒诞无稽】huāng dàn wú jī [成] 荒唐無稽である. でたらめである
*【荒地】huāngdì [名] 荒れ地. 未開墾地

H

【荒废】huāngfèi 動 ❶荒れたままにする‖土地～ 土地が荒れ果てる ❷おろそかにする. なおざりにする‖～学业 学業をおろそかにする ❸むだに費す. 浪費する‖～了青春年华 青春の日々を無為に過ごした
【荒凉】huāngliáng 形 荒涼としている. 寂れている
【荒乱】huāngluàn 形 世の中が乱れている. 物情が騒然としている‖世道～ 社会秩序が混乱している
*【荒谬】huāngmiù 形 でたらめである. 道理に合っていない‖逻辑luóji上十分～ 論理がめちゃくちゃである
【荒谬绝伦】huāng miù jué lún 成 でたらめが甚だしい
【荒漠】huāngmò 形 荒漠としている. 果てしなく荒涼としている 名 砂漠や荒れ地
【荒漠化】huāngmòhuà 動 砂漠化する.〔沙漠化〕ともいう
H
【荒年】huāngnián 名 凶年. 飢饉の年
【荒僻】huāngpì 形 辺鄙(へんぴ)である. 人里離れている
【荒歉】huāngqiàn 名 凶作. 不作. 飢饉
【荒山】huāngshān 名 荒れ山
【荒时暴月】huāng shí bào yuè 成 凶年. 飢饉の年
【荒疏】huāngshū 動 (学業などを)おろそかにする
*【荒唐】huāngtang ; huāngtáng 形 ❶(言動などが)荒唐無稽である. でたらめである‖这种想法实在～ そうした考えはどうにも荒唐無稽だ ❷勝手気ままである. 放縦である‖成家后, 他一改过去的～举止 結婚後, 彼は以前の放埒(ほうらつ)な生活をすっかり改めた
【荒无人烟】huāng wú rén yān 成 荒涼として人の住む家もない
【荒芜】huāngwú 動 田畑が荒れ果てる. 雑草が生い茂る‖田园～了 田畑は荒れ果ててしまった
【荒信】huāngxìn (～儿) 名 方 不確実な情報. あやふやな情報
【荒野】huāngyě 名 荒涼とした原野
【荒淫】huāngyín 形 酒色におぼれている. 生活がすさんでいる
【荒淫无度】huāng yín wú dù 成 酒色におぼれる. 生活がひどくすさんでいる
【荒原】huāngyuán 名 荒野
【荒置】huāngzhì 動 使わずに放置する

12 ** **慌** huāng ❶形 慌てる. 気が気でない. 落ち着かない‖不要～ 慌てるな｜不～不忙 慌てず騒がず ❷(huang)(〔… 得慌〕の形で) …でたまらない. …でやりきれない. ひどく…である‖饿得～ ひもじくてたまらない｜困得～ 眠くてしかたがない
【慌里慌张】huānglihuāngzhāng (～的) 形 慌てふためくさま
*【慌乱】huāngluàn 形 あたふたするさま. 慌てて取り乱すさま‖任何情况下都不～ どんな状況においても決して取り乱したりしない
*【慌忙】huāngmáng 形 慌ただしい. 慌てて事を急ぐさま‖慌慌忙忙地出了门 あたふたと外へ出ていった
【慌手慌脚】huāng shǒu huāng jiǎo (～的) 慣 ひどく慌てるさま. あたふたするさま
*【慌张】huāngzhang ; huāngzhāng 形 慌てふためいている. そわそわしている‖她慌慌张张地跑进门来 彼女は慌てた様子で家に駆け込んできた

huáng

9 **皇** huáng ❶書 大きい. 盛大である‖堂～ 堂々として立派である ❷古代伝説上の君主‖三～五帝 三皇五帝 ❸皇帝‖一～帝
【皇朝】huángcháo 名 皇朝. 王朝
**【皇帝】huángdì 名 皇帝
【皇宫】huánggōng 名 皇宮. 王宮
【皇冠】huángguān 名 皇帝の冠. 王冠. 多く, 皇帝の権力の象徴として用いる
*【皇后】huánghòu 名 皇后
【皇皇】[1] huánghuáng 形 堂々として立派である
【皇皇】[2] huánghuáng ＝〔惶惶huánghuáng〕
【皇皇】[3] huánghuáng ＝〔遑遑huánghuáng〕
【皇家】huángjiā 名 皇室. 王室
【皇历】huángli 名 口 暦. 転 古いしきたり. 時代後れの事物.〔黄历〕とも書く
【皇粮】huángliáng 名 ❶旧 政府が備蓄する食糧. 政府に納める食糧 ❷国が支給する資金や物資
【皇亲国戚】huáng qīn guó qī 成 皇帝の親戚
【皇权】huángquán 名 皇帝の権力
【皇上】huángshang 名 皇帝に対する尊称
【皇室】huángshì 名 皇室
【皇太后】huángtàihòu 名 皇太后
【皇太子】huángtàizǐ 名 皇太子
【皇天】huángtiān 名 古 天に対する呼称
【皇天后土】huáng tiān hòu tǔ 成 天の神と地の神. 天と地
【皇位】huángwèi 名 皇位. 王位
【皇子】huángzǐ 名 皇帝の息子
【皇族】huángzú 名 皇族

11 **凰** huáng ➡〔凤凰fènghuáng〕

11 **隍** huáng 書 水のない堀

11 ★ **黄**[1] huáng ❶形 黄色い. 黄色の‖～皮肤 黄色い肌 ❷黄河をさす‖治～ 黄河を治める ❸黄色いもの‖蛋～ 卵黄 ❹猥褻(わいせつ)である‖一～色 ❺猥褻な書物やビデオなど‖扫～ ポルノを一掃する ❻動 口 (物事が)失敗する. だめになる‖那笔买卖～了 あの取引はふいになった

11 **黄**[2] huáng 黄帝の略称‖炎～子孙 炎帝・黄帝の子孫. 中華民族. 中国人
【黄斑】huángbān 名〈生理〉黄斑(おうはん)
【黄包车】huángbāochē 名 旧 方 人力車
【黄檗】【黄柏】huángbò 名 ❶〈植〉キハダ. オウバク ❷〈中薬〉黄柏(おうばく) *〔黄柏〕とも書く
【黄菜】huángcài 名 方 玉子を使った料理
【黄灿灿】huángcàncàn (～的) 形 黄金色に輝くさま‖～的油菜花 黄金色に輝く菜の花
【黄疸】huángdǎn 名〈医〉黄疸(おうだん)
【黄道】huángdào 名〈天〉黄道
【黄道带】huángdàodài 名〈天〉黄道帯
【黄道吉日】huángdào jírì 名 黄道吉日(こうどうきちにち). 大安吉日.〔黄道日〕ともいう
【黄道十二宫】huángdào shí'èrgōng 名〈天〉黄道十二宫
【黄澄澄】huángdēngdēng (～的) 形 山吹色の. 黄金色の‖～的金牌 黄金色に輝く金メダル

【黄帝】Huángdì 名（伝説上の帝王）黄帝
【黄豆】huángdòu 名〈植〉ダイズ
【黄毒】huángdú 名（映像や写真などの）ポルノ
**【黄瓜】huánggua 名〈植〉キュウリ．地方によっては〔胡瓜〕ともいう
【黄花】huánghuā 名 ❶書 菊の花 ❷（～ル）黄色の花をつけるユリ科植物の総称．〔金针菜〕の通称 ❸処女．童貞 ‖ ～闺guī女 処女
【黄花女ル】huánghuānǚr 名 口 おぼこ娘．処女
【黄花鱼】huánghuāyú ＝〔黄鱼huángyú〕
*【黄昏】huánghūn 名 夕暮れ．たそがれどき
【黄昏恋】huánghūnliàn 名 老いらくの恋
【黄酱】huángjiàng 名 大豆と小麦粉を原料にして作った黄褐色のみそ
【黄教】Huángjiào 名〈宗〉黄教．チベット仏教の主要教派で，15世紀初頭に成立した
*【黄金】huángjīn 名 ❶黄金．金．〔金〕の通称 ❷喩 最も貴重であること．最も盛んなこと ‖ ～季节 ゴールデン・シーズン｜～周 ゴールデンウィーク
【黄金分割】huángjīn fēngē 名〈数〉黄金分割．〔中外比〕ともいう
【黄金时代】huángjīn shídài 名 黄金時代．全盛期
【黄金时段】huángjīn shíduàn ＝〔黄金时间huángjīn shíjiān〕
【黄金时间】huángjīn shíjiān 名 ゴールデン・タイム．〔黄金时段〕ともいう
【黄金周】huángjīnzhōu 名 ゴールデンウィーク
【黄酒】huángjiǔ 名 うるち米・もち米・もちあわなどで造る醸造酒の総称
【黄鹂】huánglí 名〈鳥〉コウライウグイス．オウチョウ．〔黄莺〕〔鸧鹒〕ともいう
【黄历】huángli ＝〔皇历huángli〕
【黄连】huánglián 名 ❶〈植〉オウレン ❷〈中薬〉黄連(おうれん)
【黄粱梦】huángliángmèng 名 はかない夢．むなしい夢．〔黄粱美梦〕〔一枕黄粱〕ともいう
【黄磷】huánglín 名〈化〉黄磷(おうりん) ＝〔白磷〕
【黄龙】Huánglóng 名 金・宋の交戦時の金の都．転 敵の都．敵の要衝
【黄栌】huánglú 名〈植〉マルバハゼ
【黄毛丫头】huángmáo yātou 慣 小娘．尼っ子
【黄梅季】huángméijì 名 梅雨期．梅雨(つゆ)時
【黄梅天】huángméitiān 名 梅雨期
【黄梅戏】huángméixì 名〈劇〉安徽省中部一帯の地方劇．〔黄梅调〕ともいう
【黄梅雨】huángméiyǔ 名 梅雨．梅雨時の雨．〔梅雨〕〔霉雨〕ともいう
【黄米】huángmǐ 名 もちあわ．きび
【黄鸟】huángniǎo 名〈鳥〉カナリア．〔金丝雀〕の通称
【黄牛】huángniú 名 ❶〈動〉アカウシ．アメウシ ❷方 だふ屋．やみ屋
【黄牌】huángpái 名 ❶〈体〉イエローカード ❷警告 ‖ 亮liàng出～ 警告を出す
【黄袍加身】huáng páo jiā shēn 成 皇帝の着物を身に着ける．皇帝の位に就くこと．または，権力を握ること
【黄皮书】huángpíshū 名 白書の一種．イエローブック．フランス政府などが出す表紙の黄色いもの
【黄片儿】huángpiānr 名 口 ポルノ映画
【黄片】huángpiàn 名 ポルノ映画．〔黄片儿〕ともいう
【黄泉】huángquán 名 黄泉(よみ)．冥土(めいど)．あの世
【黄热病】huángrèbìng 名〈医〉黄熱病
*【黄色】huángsè 名 黄色 形 退廃的な．猥褻(わいせつ)な．ポルノチックな ‖ ～电影 ポルノ映画
【黄色炸药】huángsè zhàyào 名〈化〉T N T．〔梯恩梯〕ともいう
【黄鳝】huángshàn 名〈魚〉タウナギ
【黄熟】huángshú 動〈農〉黄熟(おうじゅく)する
【黄鼠狼】huángshǔláng 名〈動〉タイリクイタチ．〔黄鼬〕の俗称
【黄汤】huángtāng 名 貶 酒 ‖ 他一灌guàn上点ル～就胡说八道 彼はちょっとアルコールが入るとたちまち口から出任せを言い出す
【黄土】huángtǔ 名 黄土 ‖ ～高原 黄土高原
【黄羊】huángyáng 名〈動〉モウコガゼル
【黄页】huángyè 名 イエローページ．職業別企業別電話帳．黄色い紙に印刷されていることから ↔〔白页〕
【黄莺】huángyīng ＝〔黄鹂huánglí〕
**【黄油】huángyóu 名 ❶バター．〔奶油〕ともいう ‖ ～抹mǒ面包 バターをパンに塗る ❷グリース
【黄鼬】huángyòu 名〈動〉タイリクイタチ
【黄鱼】huángyú 名 ❶〈魚〉〔大黄鱼〕（フウセイ）あるいは〔小黄鱼〕（キグチ）の通称．〔黄花鱼〕ともいう ❷旧（船員や運転手などが小遣い稼ぎを目的に）正規の客以外にこっそり乗せる客 ❸方 金の延べ棒
【黄玉】huángyù 名〈鉱〉黄玉．トパーズ
【黄纸板】huángzhǐbǎn 名 板紙．ボール紙．ふつうは〔马粪纸〕という
【黄种】huángzhǒng 名 黄色人種．モンゴロイド

12 **湟** huáng 地名用字 ‖ ～水 青海省から甘粛省にかけて流れる川の名

12 **惶** huáng 恐れる．不安でびくびくする ‖ 惊～ 驚き恐れる｜诚～诚恐 恐れ多くも
【惶惶】huánghuáng 形 恐れて落ち着かないさま．びくびくしているさま．〔皇皇〕とも書く
【惶惑】huánghuò 形 恐れて戸惑うさま
【惶恐】huángkǒng 形 恐れ慌てるさま
【惶恐不安】huáng kǒng bù ān 成 恐れおののき落ち着いていられない様子

12 **遑** huáng 書 暇 ‖ 不～ 忙しい
【遑遑】huánghuáng 形 書 慌ただしくて落ち着かないさま．〔皇皇〕とも書く

12 **徨** huáng ➡〔彷徨pánghuáng〕

13 **煌** huáng 明るい ‖ 辉～ 光り輝いている
【煌煌】huánghuáng 形 きらきらと光り輝くさま ‖ 灯火～ 明かりがきらきら輝いている

14 **潢**[1] huáng 書 水たまり．池

14 **潢**[2] huáng 紙を染める ‖ 装～ 飾りつける

15 **璜** huáng 名 書 玉器の一種で，璧(へき)を半円にした形のもの

15 **蝗** huáng イナゴ ‖ ➡～灾｜灭～ イナゴを退治する
【蝗虫】huángchóng 名〈虫〉イナゴ．地方によっては〔蚂蚱〕ともいう

【蝗灾】huángzāi 名 イナゴによる災害

15 **篁** huáng 書 竹林. (広く)竹 ‖ 幽～ ひっそりとした竹林 | 翠cuì～ 青竹

16 **癀** huáng ↓

【癀病】huángbìng 名 方 (家畜の)炭疽病(たんそびょう)

16 **磺** huáng イオウ ‖ 硫liú～ イオウ | 硝～ 硝石とイオウ. かつては〔硫磺〕といった

17 **蟥** huáng ➡〔蚂蟥mǎhuáng〕

17 **簧** huáng ❶名 (管楽器の)リード. 簧(こう) ‖ 单～管 クラリネット ❷名 ばね. ぜんまい ‖ 弹～ ばね. スプリング

17 **鳇** huáng 名〈魚〉チョウザメ

H

huǎng

9 **恍**(△怳❶) huǎng ❶ぼんやりしている ‖ ―～惚 ❷書 (多く〔恍如〕〔恍若〕の形で)あたかも…のようである ❸はっと悟るさま ‖ ―～悟

【恍惚】【恍忽】huǎnghu；huǎnghū 形 ❶ぼんやりしている. ぼうっとしている ‖ 神志～ 意識がぼんやりしている ❷(記憶や見聞きしたことが)定かでない. はっきりしない

【恍然】huǎngrán 形 はっと悟るさま

【恍然大悟】huǎng rán dà wù 成 はっと悟る

【恍如隔世】huǎng rú gé shì 成 隔世の感がある

【恍悟】huǎngwù 動 はたと悟る. 突然分かる

10* **晃** huǎng ❶書 明るい ❷動 輝く. きらめく ‖ 阳光～得睁zhēng不开眼睛 太陽の光がまぶしくて目を開けていられない ❸動 さっと過ぎる ‖ 一～就是十年 またたく間に10年たった ➤ huàng

【晃眼】huǎngyǎn 形 まぶしい ‖ 湖水反射着阳光，十分～ 湖水に太陽の光が照り返して，とてもまぶしい

11 **谎** huǎng ❶名 うそ. 偽り ‖ 撒sā～ うそをつく ❷うその. 偽りの ‖ ―～报

【谎报】huǎngbào 動 偽って報告する

【谎称】huǎngchēng 動 偽って称する. 詐称する

【谎花】huǎnghuā (～儿) 名 むだ花. 雌雄異化植物の雄花

【谎话】huǎnghuà 名 うそ ‖ ～连篇 うそ八百

【谎价】huǎngjià (～儿) 名 掛け値. 実際より高くつけた値段 ‖ 报～ 掛け値を言う

【谎信】huǎngxìn (～儿) 名 方 風聞. うわさ

【谎言】huǎngyán 名 うそ. 偽り. 虚言

13 **幌** huǎng 書 幔幕(まんまく). とばり

【幌子】huǎngzi 名 ❶旧 店の入り口に出す幟(のぼり)や看板 ❷表向きの名目. 表看板. 見せかけ ‖ 打着募捐mùjuān的～骗钱 募金の名目で金をだまし取る

huàng

10* **晃**(△㨪) huàng ❶動 ふらふら揺れる. ゆらゆら揺する ‖ 小船不停地～着 小舟は絶えず揺れている | ～一～瓶子 瓶を揺すってみる ❷動 方 ぶらぶら歩きまわる ➤ huǎng

【晃荡】huàngdang 動 ❶ゆらゆらする. 揺れる. ふらふらする ‖ 灯怎么直～，是不是有地震？ 電灯がゆらゆら揺れているけれど，もしかしたら地震かしら ❷ぶらぶらする ‖ 整天瞎xiā～ 一日中ぶらぶらしている

【晃动】huàngdòng 動 ❶揺れ動く. 揺れる ‖ 车厢～得很厉害 車両がひどく揺れる ❷振る. 揺らす ‖ ～着手里的围巾 手にしたスカーフを左右に振っている

【晃悠】huàngyou 動 揺れる. ゆらゆらする ‖ 吊桥直～ 釣り橋がゆらゆら揺れている

huī

6** **灰** huī ❶名 灰 ‖ 把炉子里的～掏出来 かまどの灰をかき出す ❷名 ほこり ‖ 窗台上积了一层～ 窓台にほこりが積もっている ❸名 石灰. しっくい ‖ 抹～ しっくいを塗る ❹形 灰色の ‖ ～毛衣 グレーのセーター ❺元気がない. 気落ちしている ‖ 心～意冷 気落ちしてやる気を失う

【灰暗】huī'àn 形 薄暗い. どんよりしている. (色などが)ぼんやりと鮮明でない ‖ ～的天空 どんよりと薄暗い空

【灰白】huībái 形 薄い灰色の. くすんだ色の. 青ざめている ‖ 脸色～ 顔色が青白い

【灰不溜丢】huībuliūdiū (～的) 形 方 灰色でくすんだ色の. くすんで見栄えがしない. 〔灰不溜秋〕ともいう

*【灰尘】huīchén 名 ほこり ‖ 掸dǎn掉～ ほこりを払う

【灰沉沉】huīchénchén (～的) 形 どんよりした

【灰顶】huīdǐng 名 しっくいの屋根

【灰分】huīfèn 名 灰分

【灰膏】huīgāo 名 石灰乳

【灰化土】huīhuàtǔ 名〈地質〉ポドゾル. 灰白土

【灰浆】huījiāng 名〈建〉❶漆喰(しっくい) ❷モルタル. セメントモルタル ＝〔砂浆〕

【灰烬】huījìn 名 灰燼(かいじん) ‖ 化为～ 灰燼に帰す

【灰空间】huīkōngjiān 名〈建〉ファジー空間. 曖昧な空間. 用途が曖昧かつ多様である空間をさす. 〔模糊空间〕ともいう

【灰溜溜】huīliūliū (～的) 形 ❶色がくすんでいるさま ❷気落ちしている. しょんぼりしている ‖ 这次失败搞得大伙儿～的 こんどの失敗でみんなが気を落としてしまった

【灰蒙蒙】huīmēngmēng (～的) 形 ぼんやりと薄暗いさま. どんよりしている

【灰棚】huīpéng (～儿) 名 方 しっくいの屋根の小屋

【灰色】huīsè 名 灰色 ‖ ～的毛衣 グレーのセーター 形 ❶暗い. 希望がない ‖ ～的人生观 暗い人生観 ❷どっちつかずである. あやふやである

【灰色市场】huīsè shìchǎng 名 グレーマーケット. 非正規のルートで取引を行う市場. 略して〔灰市〕ともいう

【灰色收入】huīsè shōurù 名 副収入. 給料以外の収入で，完全には合法的でない不透明な収入 ↔〔白色收入〕〔黑色收入〕

【灰市】huīshì ＝〔灰色市场huīsè shìchǎng〕

【灰头土脸】huītóu tǔliǎn (～儿)(～的) 慣 ❶ほこりだらけの頭や顔になっているさま ‖ 在地里干了一天活，一个个都～的 畑で一日働いて，みんなどの顔も土まみれだ ❷落胆するさま. 元気のないさま

【灰土】huītǔ 名 土ぼこり. 砂ぼこり

*【灰心】huī//xīn 動 がっかりする. 落胆する ‖ 即使失败了，也不要灰心 失敗しても落胆してはいけない

【灰质】huīzhì 名〈生理〉灰白質

8 **诙** huī 書 ❶からかう. 冗談を言う ❷ユーモアがある. おどけている ‖ ―～谐

【诙谐】huīxié 形 ユーモアがある. おどけている. おかしい

9 **恢** huī 広大である

**【恢复】huīfù 動 回復する. 取り戻す ‖ ～邦交 国交を回復する | ～体力 体力を回復する | 谈判～了 交渉が再開した | ～平静 平静を取り戻す

【恢恢】huīhuī 形 書 非常に広大である ‖ 天网～, 疏而不漏 天網恢恢(てんもうかいかい), 疎にして漏らさず. 天の網は広く, 目は粗くても悪事をはたらいた者を見逃すことはない

【恢廓】huīkuò 書 形 広大である. 広い 動 拡大する. 広げる

9 ** **挥** huī ❶動 振るう. 振る. 振り回す ‖ 他～着木棒冲了过来 彼は木の棒を振り回しながら突進してきた ❷(軍を)指揮する ‖ 指～ 指揮する ❸(手で涙や汗を)拭う. 振り払う ‖ 一～泪 ❹まき散らす ‖ 一～金如土

【挥动】huīdòng 動 揺り動かす. 振る ‖ ～手臂shǒubì, 向大家告别 手を振って, みんなに別れを告げる

【挥发】huīfā 動 揮発する. 気化する

【挥戈】huīgē 動 戈(ほこ)を振るう 喩 勇ましく進軍する

【挥毫】huīháo 動 書 揮毫(きごう)する. 筆を揮(ふる)う

*【挥霍】huīhuò 動 金銭を思いのままに使う ‖ ～无度 節度なく金を使う | 像你这样～, 有多少钱也不够 あなたみたいに金遣いが荒くては, いくら金があっても足りない 形 書 (動作が)軽快で自由自在なさま

【挥金如土】huī jīn rú tǔ 成 金を湯水のように使う. 金を使うのに糸目をつけない

【挥泪】huī//lèi 動 書 涙を拭う

【挥洒】huīsǎ 動 ❶(水や涙を)流す. まく ❷(文章や絵を)思いのままに書く ‖ ～自如 自由自在に筆を運ぶ

【挥师】huīshī 動 書 軍隊を指揮する

【挥手】huī//shǒu 動 手を(左右に大きく)振る ‖ ～告别 手を振って別れを告げる | ～致意 手を振ってこたえる

【挥舞】huīwǔ 動 振り回す. (手などを)振る ‖ ～指挥棒 指揮棒を振る

9 **咴** huī ↴

【咴儿咴儿】huīrhuīr 擬 (ウマのいななく声)ヒヒーン

9 **虺** huī ↴ ➤huǐ

【虺隤】huītuí 動 古 (多くウマが)疲れて病気になる

10 **珲** huī 地名用字 ‖ 瑷Ài～ 黒竜江省にある県の名. 現在は〔爱辉〕と書く ➤hún

10 **晖** huī 日の光. 太陽の光 ‖ 朝～ 朝日の光 | 斜～ 斜陽. 夕日 | 春～ 春の日差し

【晖映】huīyìng ＝〔辉映huīyìng〕

12 **辉**(△煇) huī ❶輝き ‖ 余～ 残照 ❷輝く. 照り輝く ‖ 一～映

*【辉煌】huīhuáng 形 光り輝いている. 輝かしい ‖ 灯火～ 明かりが光り輝いている | ～的成果 輝かしい成果

【辉映】huīyìng 動 照り輝く. 輝き映える. 〔晖映〕とも書く

15 **麾** huī ❶古 軍隊を指揮するのに使った旗 ❷書 (軍隊を)指揮する

【麾下】huīxià 名 書 ❶部下. 麾下(きか) ❷敬 将軍や指揮者に対する敬称. 閣下

17 **徽**[1](△微) huī ❶印. 標識 ‖ 国～ 国章 ❷書 美しい. よい ‖ ～音 ためになる言葉

17 **徽**[2](△微) huī 徽州(きしゅう). 旧府名, 安徽省歙(しょう)県一帯にあった

【徽号】huīhào 名 美称. 称号

【徽记】huījì 名 標識. 記号

【徽墨】huīmò 名 安徽省徽州(現在の歙県)産の墨

【徽章】huīzhāng 名 記章. バッジ

17 **隳** huī 書 損なう. 壊す

huí

6 ★**回**(迴❶～❸ 9 △廻❶～❸ 9 逥❶～❸ 9) huí ❶回転する. 巡る ‖ 巡～ 巡回する ❷動 振り向く. 振り返る ‖ ～过身来 体の向きを変える. 振り返る ❸動 戻る. 帰る ‖ ～故乡 帰省する | 快去快～ 早く行って早く帰る ❹量 ①(動作・行為の回次を数える)回. 度 ‖ 我去过两～青岛 私は2回青島に行ったことがある ②(〔事〕を修飾して)事柄を数える ‖ 是这么～事 そういうことなのです ③(中国の章回小説の)回 ‖ 《水浒传》第三十～ 『水滸伝』第30回 ❺(hui;huí) 動 動詞の後に置き, 元の場所に戻ることを表す ‖ 放～原处 元の場所に戻しておく ❻動 回答する. 返答する ‖ 请他回来以后, 给我～个电话 彼が帰ってきたら, 私に電話をするように伝えてください ❼動 取りやめる. (招待や来訪者を)断る. (使用人を)解雇する ‖ 把保姆～了吧 お手伝いさんに暇を出そう ❽処理し直す. 戻す ‖ 一～锅 ❾回避する ‖ 一～避

【回拜】huíbài ＝〔回访huífǎng〕

【回报】huíbào 動 ❶報告する ‖ ～上级 上役に報告する ❷(好意に)応える. 報いる ❸報復する

*【回避】huíbì 動 ❶避ける. 逃げる ‖ 现实不能～ 現実から逃げることはできない ❷〈法〉回避する

【回禀】huíbǐng 動 旧 (地位の上の人に)申し上げる

【回驳】huíbó 動 反駁(はんばく)する. 反論する ‖ 我当面～了他 私は面と向かって彼に反駁した

【回肠】[1] huícháng 名〈生理〉回腸

【回肠】[2] huícháng 動 書 あせって気をもむ. 焦慮する

【回肠荡气】huí cháng dàng qì 成 (文章や音楽などが)深く心を動かす. 〔荡气回肠〕ともいう

【回潮】huí//cháo 動 ❶湿る. しける ❷喩 (好ましくない昔の慣習などが)復活する

【回嗔作喜】huí chēn zuò xǐ 成 不機嫌だったのが上機嫌に変わる

【回程】huíchéng 名 帰路. 帰り道

【回春】huíchūn 動 ❶春がめぐってくる. 春が戻る ‖ 大地～ 大地に春が戻る ❷喩 重い病を治す

★【回答】huídá 動 回答する. 答える ‖ ～问题 質問に答える | ～不上来 回答できない

【回单】huídān (～儿) 名 ❶回答の通知. 簡単な返事 ❷受領書. 領収証

【回荡】huídàng 動 こだまする. 反響する ‖ 欢呼声在广场上～ 歓呼の声が広場にこだまする

【回电】huí//diàn 動 返電を打つ ‖ 请速～为荷 至急ご返電いただければ幸甚です 名 (huídiàn)返電

【回跌】huídiē 動 (相場や物価が)反落する ‖ 价格～ 価格が反落する

【回返】huífǎn 動 帰還する. 帰る

【回访】huífǎng 動 答礼訪問する. 〔回拜〕ともいう

【回复】huífù 動 ❶(主として手紙で)返事する ‖ 收到信后应马上～ 手紙をもらったらすぐに返事を出すべきだ ❷回復する ‖ ～原状 原状に戻す

*【回顾】huígù 動 回顧する．思い返す．振り返る‖～自己走过的道路 自ら歩んできた道程を振り返る
【回光返照】huí guāng fǎn zhào 成 日没寸前に日の光が明るくなる．喩 人が臨終を前に一時元気を取り戻すこと．滅亡する事物が最後に一時栄えること
【回归】huíguī 動 ❶後退する ❷復帰する．元へ帰る
【回归年】huíguīnián 名 回帰年．〔太阳年〕ともいう
【回归线】huíguīxiàn 名〈地〉回帰線
【回锅】huí//guō 動（料理を）温め直す．煮直す
【回国】huí//guó 動 帰国する
【回过头来】huíguo tóu lai 慣 元に戻る．始めに帰る‖咱们再～谈谈刚才那个问题 話を元に戻して，もう一度さっきのあの問題を話しましょう
【回合】huíhé 名（武芸の）手合わせ．（試合などの）ラウンド‖较量了几个～ 数回手合わせをした
【回纥】Huíhé 名〈史〉（古代の民族名）回鶻（かいこつ）．〔回鹘〕ともいう
【回鹘】Huíhú ＝〔回纥Huíhé〕
【回护】huíhù 動 かばう．庇護（ひご）する
【回话】huí//huà 動 旧（上の人に）答える．返事する 名（huíhuà）（～儿）返事．回答
【回还】huíhuán 動 元の場所に戻る
【回回】Huíhui 名 旧 回族．〔回民〕の旧称
【回火】huí//huǒ 動〈機〉❶焼き戻す ❷逆火を起こす．バックファイアを起こす
*【回击】huíjī 動 反撃する．反攻する‖～敌人的进攻 敵の進攻に反撃する｜加以～ 反撃を加える
【回家】huí//jiā 動 ❶帰宅する．帰る ❷帰省する
【回见】huíjiàn 動 挨拶 後ほどまた．また後で
【回教】Huíjiào 名〈宗〉回教．イスラム教 ＝〔伊斯兰教〕
【回敬】huíjìng 動 ❶返礼する‖～主人一杯！ご主人に返杯いたします ❷反撃する．お返しする
【回绝】huíjué 動 断る．拒む
【回空】huíkōng 動（車などが）空で戻る．回送する
【回扣】huíkòu 名 手数料．コミッション
【回馈】huíkuì 動 お返しをする．酬いる‖～社会 社会にお返しする
★【回来】huí//lai(lái) 動 帰ってくる．戻ってくる‖他每天很晚才～ 彼は毎晩遅くでないと帰ってこない
⁂【…回来】…//hui(huí)//lai(lái) 動 動詞の後に置き，元の所へ帰ってくることを表す‖我去机场把他接～了 私は空港に彼を迎えにいってきた
【回廊】huíláng 名 回廊
【回老家】huí lǎojiā 組 ❶帰郷する．里帰りする ❷喩 死ぬ‖去年我得了一场大病，差点～ 去年，私は大病を患って，もう少しで死ぬところだった
【回礼】huí//lǐ 動 ❶答礼する ❷お返しの贈り物をする．返礼する 名（huílǐ）お返し．返礼の品
【回历】Huílì 名 回教暦．イスラム暦．＝〔伊斯兰教历〕
【回流】huíliú 動 逆流する．流れ出たものが戻る
【回笼】huí//lóng 動 ❶冷めた食品をせいろうで蒸し直す ❷〈経〉（発行通貨が銀行に）回収される
【回笼觉】huílóngjiào 名 二度寝‖睡～ 二度寝する
【回炉】huí//lú 動 ❶（金属を）炉に戻して鋳つぶす ❷（経験や学習歴のある者を）たたき直す．訓練し直す
【回路】huílù 名 ❶帰り道 ❷〈電〉回路
【回落】huíluò 動（水位や物価などが）反落する．上がった後で下がる
【回马枪】huímǎqiāng 名 逃げる者が振り向きざま追う者に反撃の槍（やり）を食らわすこと
【回门】huí//mén 動 旧 結婚後数日内に，嫁が婿を伴って里帰りする
【回民】Huímín 名 回族の人
【回眸】huímóu 動 振り向く．振り返る．（ふつう女性について言う）‖～一笑 振り向いてにこりと笑う
【回娘家】huí niángjia 組（嫁が）里帰りする
【回暖】huínuǎn 動 天気が一度寒くなってからまた暖かくなる
【回聘】huípìn 動 退職者を再雇用する
【回棋】huí//qí 動（将棋や碁で）待ったをかける ＝〔悔棋〕‖不许～ 待ったなし
【回迁】huíqiān 動 元の住所に引っ越す
【回请】huíqǐng 動 答礼の宴会を開く
★【回去】huí//qu(qù) 動 帰る．戻る‖你赶快～吧！君，早く帰りなさい
⁂【…回去】…//hui(huí)//qu(qù) 動 動詞の後に置き，元の所へ戻ることを示す‖他把学校的辞典带回家去了 彼は学校の辞書を家に持ち帰った
【回绕】huírào 動 曲がりくねる．ぐるりを回る
【回身】huí//shēn 動 体の向きを転じる．振り向く
【回神】huí//shén（～儿）動 口 我に返る
【回升】huíshēng 動（下がっていたものが）再上昇する‖股票～ 株が反騰する
【回生】[1] huíshēng 動 生き返る．よみがえる‖起死～ 起死回生
【回生】[2] huíshēng 動 覚えたことを忘れる．疎くなる
【回声】huíshēng 名 反響．こだま
【回师】huíshī 動 軍を後方へ移動させる
*【回收】huíshōu 動 回収し再利用する‖～废品 廃品を回収する｜～率 回収率
【回手】huíshǒu 動 ❶打ち返す．手向かいする ❷返す手で…する．すぐその手で…する‖～把门带上 後ろ手でドアを閉めた
【回首】huíshǒu 動 ❶後ろを振り向く．振り返る ❷書 回想する．思い返す‖～往事 往事を顧みる
【回溯】huísù 動 書 ❶さかのぼる ❷顧みる．追想する‖～过去，瞻望zhānwàng未来 過去を回顧し，未来を展望する
【回天】huítiān 動 盛り返す．挽回（ばんかい）する‖～乏术 fáshù 盛り返すすべがない
【回填】huítián 動 掘り返した土を埋め戻す
【回条】huítiáo（～儿）名 受け取り．受領書
⁂【回头】huí//tóu 動 ❶（～儿）振り返る．振り向く‖～看了一眼 振り返ってちらっと見た ❷心を入れかえる．改心する‖浪子～ 道楽息子が改心する 副（huítóu）後で．のちほど‖～见！ また後で｜去旅行的事儿我们～再商量 旅行のことは後でまた相談しよう
【回头客】huítóukè 名 常連の客．リピーター
【回头路】huítóulù 名 喩 もと来た道
【回头率】huítóulǜ 名 ❶（顧客の）リピーター率．固定客率 ❷すれ違う人が振り返って見る割合
【回头是岸】huí tóu shì àn 成 苦海に漂う罪人も改心すれば，そこが岸になる．罪深くとも改心しさえすれば救われること
【回味】huí//wèi 動 ❶後味を楽しむ．よくかみしめる‖耐人～ 味わい深い ❷回想する．かみしめる 名（huíwèi）後味．後口‖～不尽 味わいが尽きない

【回文诗】huíwénshī 图 回文詩
【回翔】huíxiáng 動 空中を旋回する
【回响】huíxiǎng 動 ❶反響する. こだまする ❷共鳴する. 賛同する ‖ 引起了极大的～ 大きな共鳴を引き起こした 图 反響. こだま
*【回想】huíxiǎng 動 回想する. 思い返す. 思い起こす ‖ ～起来, 当时真不应该跟她吵架 思い返してみれば, あのとき彼女とけんかするんじゃなかった
【回心转意】huí xīn zhuǎn yì 成 考え直す. 思い直す. 多くは仲直りすることについて用いる
【回信】huí//xìn 動 **返信する. 返事を出す ‖ 我给他回了一封信 私は彼に返事を一通出した 图 (huíxìn) **❶返事. 返信 ❷(～儿)(口頭による)返事. ことづて** ‖ 我等你的～儿 君の返事を待つことにしよう
【回形针】huíxíngzhēn 图 ゼムクリップ =〔曲别针〕
【回旋】huíxuán 動 ❶旋回する. 円を描くように回る ❷変更の余地がある. 融通が利く ‖ 别把话说死了, 要留点儿～的余地 そうはっきり言い切ってしまわないで, 話には多少融通性を持たせておかなければいけない
【回旋曲】huíxuánqǔ 图〈音〉ロンド. 輪舞曲
【回忆】huíyì 動 **追憶する. 回想する ‖ ～往事 往事を追憶する
【回忆录】huíyìlù 图 回想録
【回音】huíyīn 图 ❶こだま. 反響 ❷返事. 返信
【回应】huíyìng 動 返事をする. 回答する
【回游】huíyóu =〔洄游huíyóu〕
【回赠】huízèng 動 返礼をする. お返しの贈り物をする
【回涨】huízhǎng 動 ❶(水位が)再び上昇する ❷下がっていた値が上がる. 値戻りする. 相場が持ち直す
【回执】huízhí 图 ❶受領書. 受け取り ❷郵便物受領証. 配達証明
【回转】huízhuǎn 動 向きを転じる
【回族】Huízú 图 回族(中国の少数民族の一つ, 寧夏回族自治区をはじめとして全国各地に居住)
【回嘴】huí//zuǐ 動 口答えする. 抗弁する. 言い返す

9 **洄** huí 書 渦巻く. 流れが旋回する
【洄游】huíyóu 動〈生〉回遊する.〔回游〕とも書く

9 **茴** huí ↴
【茴香】huíxiāng 图 ❶〈植〉ウイキョウ ❷方〈料理〉八角(はっかく). ふつう〔八角〕または〔大料〕という

9 **徊** huí ⇒〔低徊dīhuí〕 ➤ huái

12 **蛔**(△蛕 蚘 痐 蜖) huí ↴
【蛔虫】huíchóng 图 回虫

huǐ

9 **虺** huǐ 古 古書に見える毒ヘビの一種 ➤ huī

10 *悔 huǐ 悔いる ‖ 后～ 後悔する | 追～ 悔やむ
【悔不当初】huǐ bù dāng chū 成 初めからそうしなければよかったと後悔する
【悔不该】huǐ bù gāi 組 …すべきではなかったのに
*【悔改】huǐgǎi 動 過ちを認めて改める. 悔い改める ‖ 死不～ 死んでも悔い改めない
【悔过】huǐguò 動 過ちを悔いる ‖ ～自新 過ちを悔いて新しく出直す
*【悔恨】huǐhèn 動 ひどく悔やむ. 残念に思う
【悔婚】huǐ//hūn 動 婚約を解消する
【悔棋】huǐ//qí 動 (碁や将棋などで)待ったをする.〔回棋〕ともいう
【悔悟】huǐwù 動 過ちを悟る. 悔悟する
【悔之晚矣】huǐ zhī wǎn yǐ 成 後悔しても遅い
【悔之无及】huǐ zhī wú jí 成 後悔先に立たず
【悔罪】huǐ//zuì 動 罪過を悔いる

13 *毁(△燬❷ 譭❸) huǐ ❶動 壊す. 損ねる ‖ 好端端的一件事儿让他给～了 すべてうまくいっていたのに彼のせいでだめになった ❷焼き捨てる ‖ 销～ 焼却する ❸中傷する ‖ 一～一谤 ❹動 方 作り替える(多く衣類についていう) ‖ 用这裤子～条短裤 このズボンをショートパンツに仕立て直す
【毁谤】huǐbàng 動 中傷する
【毁害】huǐhài 動 破壊する. 台無しにする
*【毁坏】huǐhuài 動 壊す. 破壊する
【毁家纾难】huǐ jiā shū nàn 成 国難に臨んで個人の全財産を国に寄贈する
*【毁灭】huǐmiè 動 壊滅する. 破壊する. 消滅する ‖ 整个城市在地震中～了 町全体が地震で壊滅した
【毁弃】huǐqì 動 破棄する. 反故(ほご)にする
【毁容】huǐ//róng 動 顔を傷つける
【毁伤】huǐshāng 動 書 毀傷(きしょう)する. 損なう
【毁损】huǐsǔn 動 破損する. 毀損する
【毁誉】huǐyù 图 毀誉(きよ) ‖ ～参半 毀誉褒貶(ほうへん)が相半ばする
【毁约】huǐ//yuē 動 契約を反故にする. 約束を破る

huì

5 **卉** huì 観賞用の草花の総称 ‖ 花～ 花卉(かき) | 奇花异～ 珍しい花や草

5 *汇[1](匯❶ 彙❷❸ △滙❶) huì ❶動 合流する ‖ 江河～成大海 河川が集まり大海となる ❷動 まとめる ‖ ～印成书 まとめて本にする ❸まとめたもの ‖ 词～ 語彙

5 *汇[2](匯 △滙) huì ❶動 為替で送る. 送金する ‖ 给他～钱 彼に金を為替送金する ❷外貨 ‖ 创～ 外貨を得る
*【汇报】huìbào 動 (上級部門や一般に向けて)状況を取りまとめて報告する ‖ ～工作 仕事の状況を報告する
【汇编】huìbiān 動 集成する ‖ ～资料 資料を作成する 图 集成(多く書名に用いる) ‖ 法规～ 法規集
【汇兑】huìduì 動 為替を組む
【汇费】huìfèi 图 為替手数料. 送金手数料.〔汇水〕ともいう
【汇合】huìhé 動 合流する. (流れが)集まる
*【汇集】huìjí 動 集める. 集まる. 集中する.〔会集〕とも書く ‖ 把搜集sōují来的资料～在一起 収集してきた資料を一つに取りまとめる
【汇价】huìjià =〔汇率huìlǜ〕
【汇聚】huìjù =〔会聚huìjù〕
*【汇款】huì//kuǎn 動 為替送金する 图 (為替による)送金 ‖ 取～ 送金を受け取る
【汇流】huìliú 動 (川や人の)流れが集まる. 合流する
【汇拢】huìlǒng 動 集まる. 集合する. 合流する
*【汇率】huìlǜ 图 為替相場. 為替レート.〔汇价〕ともいう ‖ 固定～ 固定相場 | 浮动～ 変動相場

H

【汇票】huìpiào 图 為替手形
【汇市】huìshì 图 外国為替市場
【汇演】huìyǎn ＝〔会演huìyǎn〕
【汇映】huìyìng 動 集中して上映する‖百年中国影片回顾展～经典中的经典 中国映画100年回顧展では名作中の名作を集中上映する
【汇展】huìzhǎn 動 商品を一堂に集めて，展示即売する 图 物産展．展示即売会
【汇总】huìzǒng 動（資料などを）一まとめにする

6 **讳**（諱）huì ❶忌む．はばかる‖忌～ 忌み嫌う ❷忌諱(きき)．タブー‖犯～ 忌諱に触れる ❸图 旧 忌み名
【讳疾忌医】huì jí jì yī 成 病気を隠して治療を嫌う．自分の欠点や過ちを隠して改めようとしないたとえ
【讳忌】huìjì 動 忌み嫌う．はばかる
【讳莫如深】huì mò rú shēn 成 事が露見することを恐れてひた隠しにする
【讳言】huìyán 動 書 明言を避ける

6★ **会**[1]（會）huì ❶集まる．一緒になる‖聚～ 集まる ❷動 **会う．面会する**‖今晚要去～一个朋友 今晚，友人と会わなければならない ❸图 **会合．集まり**‖今天有一个～ 今日は一つ会議がある ❹图（寺や廟(びょう)付近で開かれる）縁日‖赶～ 縁日に行く ❺图 団体．組織‖工～ 労働組合｜同学～ クラス会 ❻图 頼母子(たのもし)講．無尽講 ❼大都市．行政の中心地‖都～ 都会 ❽時機．機会‖机～ 機会

6★ **会**[2]（會）huì ❶理解する．悟る‖体～ 体得する ❷動（**練習や習得の結果）できる．通暁する**‖他～日文 彼は日本語ができる｜他什么都～ 彼はなんでもできる ❸助動（**練習や習得の結果）…できる**‖我不～游泳 私は泳げません ❹助動 **上手にできる．長じる**‖很～说话 話が実にうまい｜～买东西 買い物上手だ ❺助動 **…する可能性がある．…するはずである**‖这事ル他不～不知道 この件を彼が知らないはずはない｜我们一定～成功的！ 我々は必ず成功する

6 **会**[3]（會）huì 動（飲食店などで）代金を支払う‖饭钱我～过了 飯代は僕が払っておいた

6 **会**[4]（會）huì ➡〔会ル huìr〕 ➤kuài

逆引き単語帳｜〔宴会〕yànhuì 宴会 〔舞会〕wǔhuì ダンスパーティー 〔联欢会〕liánhuānhuì 交歓会 〔研讨会〕yántǎohuì 研究討論会．シンポジウム 〔家长会〕jiāzhǎnghuì 保護者会 〔学生会〕xuéshenghuì（大学の）学生自治会 〔工会〕gōnghuì 労働組合 〔记者招待会〕jìzhě zhāodàihuì 記者会見 〔新闻发布会〕xīnwén fābùhuì プレス・ブリーフィング 〔碰头会〕pèngtóuhuì 打ち合わせ 〔博览会〕bólǎnhuì 博覧会 〔展览会〕zhǎnlǎnhuì 展示会．展覧会 〔展销会〕zhǎnxiāohuì 展示即売会．フェア 〔约会〕yuēhui 人と会う約束．デート 〔运动会〕yùndònghuì 運動会．スポーツ大会 〔奥运会〕Àoyùnhuì オリンピック 〔亚运会〕Yàyùnhuì アジア大会 〔安理会〕Ānlǐhuì（国連の）安全保障理事会 〔联合国大会〕Liánhéguó dàhuì 国連総会

【会标】huìbiāo 图（団体または集会の）シンボルマーク
【会餐】huì//cān 動 会食する
【会操】huì//cāo 動 合同演習をする．全体で訓練する
⁑【会场】huìchǎng 图 **会場**
【会钞】huì//chāo ＝〔会账huìzhàng〕
【会车】huìchē 動 対向車とすれ違う
【会费】huìfèi 图 会費‖缴jiǎo～ 会費を納める
【会攻】huìgōng 動 合流して攻撃する
【会馆】huìguǎn 图 旧 会館（同郷出身者や同業者などが都市に設けた施設で，宿泊や集会に供された）
【会海】huìhǎi 图 会議がきわめて多い現象をさす言葉‖文山～现象必须予以纠jiū正 山のような書類，頻繁に開かれる会議，こうした現象は正されねばならない
【会合】huìhé 動 合流する．集まる
★【会话】huìhuà 動 **会話する**‖用英语～ 英語で会話する
【会徽】huìhuī 图（大会の）シンボルマーク
【会集】huìjí ＝〔汇集huìjí〕
⁑【会见】huìjiàn 動 **会見する**．（多く外交の場での会見をさす）‖总统～大使 大統領が大使と会見する
【会聚】huìjù 動 集まる．集合する．〔汇聚〕とも書く
【会考】huìkǎo 图 統一試験．共通試験
⁑【会客】huì//kè 動 **来客と会う．接客する**‖整个上午，他一直在～ 午前中，彼はずっと接客していた｜～室 応接室
【会面】huì//miàn 動 会う‖我经常同他～ 私はしょっちゅう彼と会っている
【会期】huìqī 图 会期
【会齐】huì//qí 動 集まる．揃う
【会旗】huìqí 图 大会の旗
【会签】huìqiān 動 多者間で共同調印する
【会ル】huìr 量 わずかな時間．少しの間‖等～，我就来 ちょっと待っててね，すぐ行くから
【会商】huìshāng 動 相談する．協議する
【会审】huìshěn 動（事件などを）合同で審理する
【会师】huì//shī 動 部隊が合流する
【会试】huìshì 图 古 会試．郷試に合格した挙人を対象とした科挙試験
【会首】huìshǒu 图 旧 民間で組織する会の代表者
【会水】huì//shuǐ 動 泳げる
【会所】huìsuǒ 图 会所．集会所．クラブ‖健身～ フィットネスクラブ｜围棋～ 碁会所
⁑【会谈】huìtán 動 **会談する．話し合う**‖举行～ 会談を行う
【会堂】huìtáng 图 講堂．ホール‖人民大～ 人民大会堂
【会通】huìtōng 動 さまざまな知識や道理を考え合わせて全面的にしっかり把握する
【会同】huìtóng 動 合同する．共同する‖～有关部门研究处理 関係部門と合同で検討し処理する
【会头】huìtóu 图 会頭．会の代表者
【会务】huìwù 图 会議に関する事務
*【会晤】huìwù 動（政府首脳が）会う．会見する
【会心】huìxīn 動 察しがつく．了解する
【会演】huìyǎn 動 演芸のコンクールを催す．合同公演する．〔汇演〕とも書く
⁑【会议】huìyì 图 **会議**‖举行～ 会議を行う｜召开～ 会議を招集する｜参加～ 会議に出席する
【会意】[1] huìyì 图〈語〉（六書(りくしょ)の一つ）会意
【会意】[2] huìyì 動 察しがつく．了解する．納得する

【会阴】huìyīn 图〈生理〉会陰(えいん)
【会友】huìyǒu 图会員. 会友 動書交わりを結ぶ
*【会员】huìyuán 图会員. メンバー
【会展】huìzhǎn 图イベント
【会展经济】huìzhǎn jīngjì 图イベント経済‖～效应 イベント経済効果
【会战】huìzhàn 動❶会戦する ❷喩集団である目標に挑戦する
【会账】huì//zhàng 動勘定を払う.(多くは，一人が全員の分を支払うことをいう)〔会钞〕ともいう
【会诊】huì//zhěn 動数人の医師が協力して難病患者の診察に当たる
【会子】huìzi 量しばらく. 少しの時間.〔一会子〕ともいう‖还要等～ もうしばらく待たなくてはならない

9 诲 huì ❶諭す. 教え導く‖教～ 教え諭す ❷誘い込む
【诲人不倦】huì rén bù juàn 成辛抱強く人を教え導く
【诲淫诲盗】huì yín huì dào 成人を悪の道に誘い込む

9 浍(澮) huì 地名用字‖～河 河南省から安徽省にかけて流れる川の名 ➤kuài

9 荟(薈) huì ❶書草木が繁茂するさま‖木～草蔚 同前 ❷(一ヵ所に)集まる
【荟萃】huìcuì 動(優秀な人物や精美な物が)一ヵ所に集まる‖～一堂 (優れたものが)一堂に会する

9 哕(噦) huì ↴ ➤yuě
【哕哕】huìhuì 擬書鈴の音

9 绘(繪) huì ❶(絵や図を)描く‖→～画 ❷描写する‖→～声～色
*【绘画】huìhuà 動(絵を)描く‖～艺术 絵画芸術
【绘声绘色】huì shēng huì sè 成描写や叙述が巧みで真に迫っているさま.〔绘影绘声〕〔绘声绘影〕ともいう
【绘图】huìtú 動図案を描く. 作図する
【绘制】huìzhì 動制作する.(多く図表の制作をいう)

10 烩(燴) huì 〈料理〉❶動炒めた後，濃いめの汁で煮る ❷動いろいろな材料を混ぜ合わせて煮込む

10 恚 huì 書恨む

10 桧(檜) huì 人名用字 ➤guì

10 贿 huì ❶書財貨 ❷賄賂を贈る. 袖の下を使う‖→～选 ❸賄賂‖行～ 賄賂を贈る
【贿金】huìjīn ＝〔贿款huìkuǎn〕
【贿款】huìkuǎn 图賄賂.〔贿金〕ともいう
*【贿赂】huìlù 動賄賂を贈る 图賄賂
【贿赂公行】huì lù gōng xíng 成大っぴらに贈収賄行為を行う
【贿选】huìxuǎn 動選挙で買収する

11 彗 huì 書ほうき
【彗星】huìxīng 图〈天〉彗星(すいせい)

11 晦 huì ❶(旧暦で)月の末日. みそか ↔〔朔〕❷夜‖风雨如～ 風雨で夜のように暗い ❸暗くてはっきりしない‖→～暗 ❹(意味が)不明瞭である‖→～涩 ❺隠す‖～迹 行方をくらます
【晦暗】huì'àn 形暗い
【晦气】huìqi；huìqì 形運が悪い. 不吉である‖这两天真～，事事不顺 このところほんとうに運が悪くて，何をやってもうまくいかない 图憂鬱そうな顔付き. 浮かぬ顔
【晦涩】huìsè 形(詩文や楽曲が)難しくて意味が分かりにくい. 難解である

11 秽(穢) huì ❶汚い‖污～ 不潔である ❷醜悪である
【秽迹】huìjì 图書ふしだらな行為. 醜行
【秽气】huìqì 图臭気
【秽闻】huìwén 图書醜聞
【秽行】huìxíng 图書みだらな行為
【秽语】huìyǔ 图下品な言葉. 下品な話

12 喙 huì ❶書(鳥獣の)口. くちばし ❷転人の口‖无庸yōng置～ 口出し無用

12 缋 huì 古〔绘huì〕に同じ

12 惠 huì ❶書慈しむ ❷恩恵. 援助‖恩～ 恩恵 ❸恵む‖互～ 互恵 ❹敬相手の行為を敬っていう‖→～顾 ❺温和である. 柔順である‖贤～ (女性が)気立てがよくて賢い
【惠存】huìcún 動書敬ご受納ください.(多く写真や書籍などの品を贈呈するときに用いる)
【惠顾】huìgù 動敬ご愛顧を賜る. ご贔屓(ひいき)にあずかる‖欢迎～ ご来店をお待ちしております
【惠及】huìjí 動情をかける. 恩恵を施す
【惠临】huìlín 動敬ご光臨を賜る. ご来駕(らいが)を賜る
【惠允】huìyǔn 動敬お許しをいただく
【惠赠】huìzèng 動敬(物を)賜る. お贈りくださる

15 蕙 huì 图〈植〉ケイラン
【蕙兰】huìlán 图〈植〉ケイラン

15 慧 huì 賢い. 聡明である‖聪～ 同前｜智～ 知恵
【慧根】huìgēn 图〈仏〉慧根(えこん).転天賦の知恵
【慧心】huìxīn 图〈仏〉慧心(えしん).転深い知恵
【慧眼】huìyǎn 图慧眼(けいがん). 並はずれた眼力

18 蟪 huì ↴
【蟪蛄】huìgū 图〈虫〉ニイニイゼミ

hūn

8 *昏(△昬) hūn ❶夕暮れ‖黄～ たそがれ ❷薄暗い‖天～地暗 天も地も暗い ❸形頭がぼんやりしている. 意識がはっきりしない‖头～眼花 頭がくらくらして目がかすむ ❹動気を失う. 気絶する‖吓得～了过去 驚いて気を失った
【昏暗】hūn'àn 形暗い‖天色～ 空が薄暗い
【昏沉】hūnchén 形❶暗い. 薄暗い ❷朦朧(もうろう)としている. ぼんやりしている
【昏黑】hūnhēi 形(光が)暗い‖夜色～ 夜であたりは真っ暗である
【昏花】hūnhuā 形(多くは老人の)目がぼんやりかすんでいる‖老眼～ 老いて目がかすんでいる
【昏话】hūnhuà 图でたらめ. たわごと
【昏黄】hūnhuáng 形書薄暗い
【昏昏欲睡】hūnhūn yù shuì 慣眠気を催す
【昏厥】hūnjué 動〈医〉意識を失う. 気絶する.〔晕厥〕ともいう

【昏君】hūnjūn 名 愚かな君主
【昏聩】hūnkuì 形 愚かで物事の善し悪しが分からない ‖ ～无能 愚かで無能である
【昏乱】hūnluàn 形 ❶意識が朦朧としている ❷書 (社会が)混乱する. 乱れている
**【昏迷】hūnmí 動 意識不明になる. 昏睡(こんすい)状態になる ‖ ～不醒 人事不省に陥る
【昏睡】hūnshuì 動 昏睡する. 人事不省になる
【昏天黑地】hūn tiān hēi dì 成 ❶あたりが真っ暗である ❷意識が朦朧としている ‖ 他失血过多，只觉得眼前～的 ひどい出血で，彼は目の前が真っ暗になった ❸社会が暗黒なさま ❹生活が乱れて退廃しているさま ❺けんかがひどいさま ‖ 吵得～ 大げんかを繰り広げた
【昏头昏脑】hūn tóu hūn nǎo 慣 頭がぼうっとしてはっきりしないさま.〔昏头涨脑〕ともいう
【昏星】hūnxīng 名 古 宵(よい)の明星
【昏眩】hūnxuàn 動 目まいがする
【昏庸】hūnyōng 形 愚昧(ぐまい)である. 愚鈍である ‖ ～无能 愚かでなんの役にもたたない
【昏着】hūnzhāo (～儿) 名 ❶(囲碁などで)悪手. 悪手 ❷愚かな考え，または手段 ‖ 这种做法无疑是个～ こうしたやり方が愚かなものであることは疑いをさしはさむ余地もない

9 荤 hūn ❶名〈仏〉匂いの強い野菜 ‖ 不许～酒入山门 葷酒(くんしゅ)山門に入るを許さず ❷名 (魚・肉などの)動物性食品 ↔〔素〕‖ 这几天没沾zhān一点～ この数日間，肉をまったく口にしていない ❸形 下品な. 卑猥(ひわい)な
【荤菜】hūncài 名 生臭物. 魚や肉の料理
【荤话】hūnhuà 名 下品な話. 卑猥(ひわい)な話
【荤口】hūnkǒu 名 (民間演芸で)下品な言葉
【荤腥】hūnxīng 名 魚や肉の料理
【荤油】hūnyóu 名〈料理〉ラード

11 阍 hūn 書 ❶門番 ❷門. 宮門

11 婚 hūn ❶結婚する. 夫婦になる ‖ 已～ 既婚 ❷婚姻. 結婚 ‖ 结～ 結婚する
【婚变】hūnbiàn 名 (離婚や浮気などによる)夫婦関係の崩壊 ‖ 发生～ 離婚騒ぎになる
【婚典】hūndiǎn 名 結婚式. 婚礼
【婚假】hūnjià 名 結婚休暇 ‖ 休～ 結婚休暇をとる
【婚嫁】hūnjià 名 婚姻. 縁結び
【婚检】hūnjiǎn 名 結婚前の健康診断
【婚介】hūnjiè 名 結婚紹介 ‖ ～机构 結婚紹介所
【婚礼】hūnlǐ 名 結婚式 ‖ 举行～ 結婚式を挙げる | ～蛋糕dàngāo ウエディング・ケーキ
【婚恋】hūnliàn 名 結婚と恋愛
【婚龄】hūnlíng 名 ❶婚姻を結んでいる年数 ‖ ～已有四十年 結婚してもう40年になる ❷結婚年齢 ‖ 法定～ 法定結婚年齢
【婚配】hūnpèi 動 結婚する.(多く既婚未婚について述べるとき用いる) ‖ 尚未～ まだ結婚していない
【婚期】hūnqī 名 婚礼の期日
【婚庆】hūnqìng 名 結婚披露宴
【婚纱】hūnshā 名 ウエディングドレス
【婚事】hūnshì 名 (縁談など)婚姻に関すること ‖ 办～ 縁組みを進める
【婚俗】hūnsú 名 結婚に関する風習や風俗
【婚外恋】hūnwàiliàn 名 不倫. 浮気.〔婚外情〕ともいう
【婚外情】hūnwàiqíng ＝〔婚外恋hūnwàiliàn〕
**【婚姻】hūnyīn 名 婚姻 ‖ ～自主 婚姻を当事者自身で決める | 包办～ 親が取り決める結婚
【婚姻法】hūnyīnfǎ 名〈法〉婚姻法
【婚姻介绍所】hūnyīn jièshàosuǒ 名 結婚紹介所. 結婚相談所
【婚约】hūnyuē 名 婚姻の取り決め. 婚約 ‖ 订下～ 婚約する | 解除～ 婚約を破棄する

hún

9 浑[1] hún 形 (液体などが)濁っている ‖ 井水有些～ 井戸の水が少し濁っている

9 浑[2] hún ❶書 混ざっている ❷質朴な ‖ 一～厚 ❸形 愚かである ‖ ～不讲理 愚かで道理をわきまえない ❹全部の ‖ 一～身
【浑蛋】húndàn 名 罵 ばか. ばかもの.〔混蛋〕とも書く
【浑噩】hún'è 形 無知蒙昧(むちもうまい)である. 分別がない
【浑厚】húnhòu 形 ❶篤実である. 純朴でおっとりしている ❷(書画などが)雄渾(ゆうこん)である ‖ 笔法～苍劲cāngjìng 筆致が雄勁(ゆうけい)である ❸(声が)太い
【浑话】húnhuà 名 筋の通らない話. でたらめな話
【浑金璞玉】hún jīn pú yù 成 粗金と磨いていない玉(ぎょく). 純朴で飾らない人柄のたとえ ＝〔璞玉浑金〕
【浑朴】húnpǔ 形 質実純朴である
【浑球儿】húnqiúr 名 方 罵 愚か者.〔混球儿〕とも書く
【浑然】húnrán 形 渾然としている. はっきりしないさま ‖ ～一体 渾然一体 副 まったく. ぜんぜん ‖ ～不觉 まったく気付いていない. ぜんぜん自覚しない
【浑如】húnrú 動 酷似する. よく似る
*【浑身】húnshēn 名 全身. 体中 ‖ ～是劲儿 体中に力がみなぎっている | ～酸痛 体中だるくて痛い
【浑水摸鱼】hún shuǐ mō yú 成 水の濁っている間に魚を捕る. 混乱に紛れて利益を得る.〔混水摸鱼〕とも書く
【浑说】húnshuō 動 でたらめを言う ‖ 信口～ 口から出まかせを言う
【浑似】húnsì 動 書 よく似る. 酷似する ‖ ～活地狱 さながら生き地獄のようである
【浑天仪】húntiānyí 名〈天〉渾天儀(こんてんぎ). 古代の天体観測器械.〔浑仪〕ともいう
【浑圆】húnyuán (～的) 形 真ん丸い
【浑浊】húnzhuó 形 濁っている ＝〔混浊〕

10 珲 hún ❶書 玉(ぎょく)の一種 ❷地名用字 ‖ ～春 吉林省にある県の名 ➤ huī

11 混 hún 〔浑[2]hún❶❸〕に同じ ➤ hùn
【混蛋】húndàn ＝〔浑蛋húndàn〕
【混水摸鱼】hún shuǐ mō yú ＝〔浑水摸鱼hún shuǐ mō yú〕

11 馄 hún ↴
【馄饨】húntun；húntún 名〈料理〉ワンタン

13 魂(△䰟) hún ❶名 (～儿)魂. 霊魂 ‖ 灵～ 霊魂 | 吓掉了～儿 胆をつぶす ❷(人の)精神. 気持ち ‖ 神～颠diān倒 夢中になる ❸精霊. 精 ‖ 花～ 花の精 ❹名 (国家や民族の)崇高な精神 ‖ 国～ 国家の精神 | 民族～ 民族の魂
【魂不附体】hún bù fù tǐ 成 肝をつぶす

【魂不守舍】hún bù shǒu shè 成 心ここにあらず. 放心状態である
【魂飞魄散】hún fēi pò sàn 成 気が動転する. 胆をつぶす. びっくり仰天する
【魂灵】húnling ; húnlíng（～儿）图 口 魂. 精神
【魂魄】húnpò 图 魂‖动人～ 人の魂を揺さぶる
【魂牵梦萦】hún qiān mèng yíng 成 夢にまで見る. いつも気にかかる

hùn

8 诨 hùn ❶冗談‖打～ 冗談を言う｜～语 ざれごと. 冗談 ❷冗談を言う
【诨号】hùnhào ＝〔诨名hùnmíng〕
【诨名】hùnmíng 图 あだ名. ニックネーム
11 ** 混 hùn ❶動 混ぜる. 混じる‖我把你们俩搞～了 私はあなた方二人を取り違えていた ❷動 偽る. かたる‖蒙～ 偽ってごまかす ❸濁っている‖一～浊 ❹動 よく行き来する. 仲よく付き合う‖没几天他们就～熟了 何日もしないうちに彼らはもう仲よしになった ❺動 怠惰に暮らす. 無為に日を送る. どうにか暮らす‖他在这家公司～不下去了, 想换个地方 彼はこの会社にいづらくなり, ほかへ移ろうと思っている ➤ hún
【混充】hùnchōng 動 なりすます. …のふりをする‖～名牌 有名ブランドをかたる
【混沌】hùndùn 图 書 混沌(こんとん)‖～初开 天地開闢(てんちかいびゃく) 形 無知蒙昧(むちもうまい)である‖头脑～ 知恵がない. 愚かだ
【混饭】hùn//fàn 動 ❶飯にありつく. どうにか生活していく ❷いいかげんな仕事で給料をもらう
*【混纺】hùnfǎng 動〈紡〉二種以上の繊維を混ぜて糸を紡ぐ 图 混紡
*【混合】hùnhé 動 ❶混ぜる. 混じる‖哭声、叫喊声～在一起 泣き声と叫び声が一緒くたになっている｜男女～双打 男女混合ダブルス ❷〈化〉混合する
*【混合物】hùnhéwù 图〈化〉混合物
【混混儿】hùnhunr 图 口 与太者. ごろつき
【混迹】hùnjì 動 書 身分を隠し紛れ込む
【混交林】hùnjiāolín 图 混合林. 混淆(こう)林
*【混乱】hùnluàn 形 混乱するさま. 乱れているさま‖秩zhì序～ 秩序が混乱する｜思绪～ 考えが混乱する
*【混凝土】hùnníngtǔ 图 コンクリート‖～搅拌机 コンクリート・ミキサー｜～浇注机 コンクリート・プレーサー
【混日子】hùn rìzi 組 どうにかその日を送る. 無為にその日暮らしをする
【混世魔王】hùn shì mówáng 慣 世を騒がせる大悪人. 世にまれな大悪党
【混事】hùn//shì 動 貶 生きるために働く. 生計を立てるために不本意な職に就く
【混同】hùntóng 動 混同する
【混为一谈】hùn wéi yī tán 成 異なるものを同じものとして論じる
*【混淆】hùnxiáo 動 混同する. ごちゃ混ぜにする‖～黑白 黒白を混同する｜玉石～ 玉石混交
【混血儿】hùnxuè'ér 图 混血児
【混一】hùnyī 動 混ざって一つになる. 統合する
【混杂】hùnzá 動 混じり合う. 入り混じる‖鱼龙～ よい人も悪い人も入り混じるたとえ
【混战】hùnzhàn 動 混戦する. 入り乱れて戦う
【混账】hùnzhàng 形 罵 愚かである. 恥知らずな
【混浊】hùnzhuó 形 濁っている. 混濁している.〔浑浊〕ともいい,〔溷浊〕とも書く‖空气～ 空気が濁っている
【混子】hùnzi 图 書 ならず者
13 溷 hùn 書 厠(かわや). 便所‖～厕 同前

huō

12 耠 huō 動 すきで土を掘り起こす‖～地 同前
13 锪 huō 動〈機〉（金属加工法の一種）座繰(ざぐり)をする
15 劐 huō ❶動 口 切り裂く‖鱼已经～好洗净了 魚は腹を裂いて洗ってある ❷〔耠〕に同じ
17 * 豁 huō ❶動 裂け目ができる. 裂ける. 欠ける. 切れる‖碗～了个小口儿 茶碗がちょっと欠けた｜袖子～开了 袖が裂けた ❷動 一切投げ出す. 思い切ってやる‖～出三天不睡觉也要完成任务 たとえ３日間睡眠をとらなくとも仕事を成し遂げなくてはならない｜为了试验他把命都～上了 実験のために彼は命さえ犠牲にした ➤ huá huò
【豁出去】huō//chuqu(chūqù) 動 一切投げ出す‖～跟对手较量一番 死に物狂いで相手と争う
【豁口】huōkǒu（～儿）图 裂け目. 割れ目. 欠損部分‖茶碗上有个～ 茶碗が欠けている
【豁子】huōzi 图 方 ❶裂け目. 割れ目. 欠損部分 ❷兎唇(としん)の人
【豁嘴】huōzuǐ（～儿）图 ❶口 兎唇 ❷兎唇の人
19 擢 huō 動 積み重ねたものを別の場所または容器に移す‖～煤 積み上げた石炭を他に移す

huó

8 和 huó 動（粉などに水を加えて）こねる‖～面 小麦粉をこねる ➤ hé hè hú huò
9 ★ 活 huó ❶動 生きる. 生存する ↔〔死〕‖经过抢救病人～过来了 応急手当ての結果, 病人は一命を取り留めた ❷生かす. 生命を維持する‖养家～口 一家を養う ❸图（～儿）(主に肉体的な)仕事‖粗～ 力仕事 ❹图（～儿）製品‖这～儿做得真好 この品は実によくできている ❺形 固定していない. 変動する. 自由に動かせる‖这件羽绒衣的帽子是～的, 可以取下来 このダウンジャケットのフードは取り外しがきく ❻形 生き生きしている. 機敏である‖心眼儿～ 機転が利く ❼生きたままで. 生きながら. むざむざ‖一～捉 ❽まったく. まるで. 真に迫って‖一～像
【活版】huóbǎn 图〈印〉活版‖～印刷 活版印刷
【活宝】huóbǎo 图 おどけ者. ひょうきん者. 面白い人‖耍～ ふざける. おどける
【活报剧】huóbàojù 图 旧 街頭啓蒙宣伝劇
【活蹦乱跳】huó bèng luàn tiào 慣（人間や動物が）元気よく飛び回るさま
【活便】huóbian 形 口 ❶きびきびしている. てきぱきしている ❷便利である. 具合がいい
【活茬】huóchá 图 口 野良仕事. 農作業
【活地图】huódìtú 图 土地の地理に明るい人
【活地狱】huódìyù 图 喩 生き地獄
★【活动】huódong ; huódòng 動 ❶体を動かす. 運動する‖要常到室外～～ なるべく戸外で運動すべきである ❷活動する‖上午参观, 下午自由～ 午前は見

H

学で，午後は自由行動である ❸(ある目的を達成するために)**奔走する．働きかける** ‖ 调diào工作的事还得托人再～～ 転勤の件はやはり人に頼んで運動してもらわなければならない ❹ぐらつく．ぐらぐら揺れ動く ‖ 椅子腿有些～了 椅子の足がちょっとぐらつく 形 固定していない．取りはずしたり分解したりできる．融通が利く ‖ ～床 折り畳みベッド｜他为人很～ 彼はとても機転が利く 名 活動 ‖ 课外～ 課外活動｜犯罪～ 犯罪活動

【活动家】huódòngjiā 名 活動家

【活断层】huóduàncéng 名〈地質〉活断層

【活法】huófa：huófǎ（～儿） 名 生き方 ‖ 换个～ 生き方を変える

【活泛】huófan 形 口 ❶機転が利く ‖ 脑筋～ 機転が利く ❷(経済的に)豊かである．余裕がある ‖ 手头～ 懐が暖かい

H

【活佛】huófó 名 ❶〈宗〉(ラマ教の)活仏(かつぶつ) ❷(旧小説で)世を救い人々を助ける僧

*【活该】huógāi 動 口 当然である．当り前のことである ‖ 劝过你不听，出了事～ 忠告したのに聞こうともしないで，問題を起こしたって自業自得さ

【活化】huóhuà 動 ❶〈化〉活性化する ❷活性化する ‖ ～体制 体制を活性化する

【活化石】huóhuàshí 名 生きた化石

【活话】huóhuà（～儿） 名 含みのある話．曖昧(あいまい)な言葉 ‖ 他答应帮你只是个～，是不是真帮忙还不一定呢 彼が君を手伝うと言ったのは口ばかりだ，ほんとうのところは当てにならないよ

【活活】huóhuó（～儿） 副 生きたまま．むざむざ ‖ ～儿地饿死了 無残にも餓死した｜快把人～儿地气死了 腹が立ってしかたがない

【活火山】huóhuǒshān 名〈地質〉活火山

【活计】huóji 名 ❶仕事(広く肉体労働をさす) ‖ 针线～ 針仕事 ❷(手仕事の)製品

【活检】huójiǎn 動〈医〉生検を行う

【活见鬼】huójiànguǐ 慣 摩訶不思議(まかふしぎ)である．奇怪である ‖ 刚放在这儿就不见了，真是～ さっきここに置いたものがなくなってしまうとは，ほんとうに奇怪千万だ

【活结】huójié 名 引けばすぐ解ける結び．蝶結び ↔〔死结〕‖ 系jì～ 蝶結びに結ぶ

【活口】huókǒu 名 ❶(殺人事件の現場に居合わせた)生き証人 ❷(情報を聞き出せる)捕虜または犯人など

【活扣】huókòu（～儿） 名 口 引けばすぐ解ける結び．花結び．蝶結び

【活劳动】huóláodòng 名〈経〉生産過程で消費される労働 ↔〔物化劳动〕

*【活力】huólì 名 活力．活気．バイタリティー．エネルギー ‖ 充满～ 活力がみなぎっている

【活灵活现】huó líng huó xiàn 成 (文章・絵などが)躍如としている．真に迫っている．〔活龙活现〕ともいう

【活路】huólù 名 ❶たずき．活路 ‖ 找条～ たずきを求める ❷打開策 ‖ 为企业寻找～ 会社のために打開策を考える

【活路】huólu 名 肉体労働 ‖ 做～ 肉体労働をする

【活络】huóluò 方 動 ぐらつく．ぐらぐらする 形 弾力性がある．臨機応変である

【活埋】huómái 動 生き埋めにする

【活门】huómén 名〈機〉バルブ．〔阀〕の通称

【活命】huó//mìng 動 ❶暮らしてゆく．露命をつなぐ．生活を維持する ‖ 失去了健康，靠什么挣钱～呢？ 健康を損ねたらどうやって生活していくんだ ❷書 命を助ける 名 (huómìng)命 ‖ 留一条～ 命は勘弁してやる

【活泼】huópo 形 ❶活発である．生き生きとしている** ‖ 这孩子～好动 この子はとても活発だ｜文章生动～ 文章が生き生きとしている ❷〈化〉反応しやすい

【活期】huóqī 形〈経〉当座の ‖ ～存款 当座預金

【活契】huóqì 名 買い戻し権利付き不動産売買契約

【活钱】huóqián（～儿） 名 ❶現金 ❷給料以外の収入

【活塞】huósāi 名〈機〉ピストン．かつては〔鞲鞴 gōubèi〕といった

【活生生】huóshēngshēng 形（～的）生き生きとしている．生々しい 副 生きたまま．むざむざ

【活食】huóshí（～儿） 名 生き餌(え)

【活受罪】huóshòuzuì 慣 とんだ災難に遭う．まったくひどい目に遭う．生きながらの苦しみを受ける

【活水】huóshuǐ 名 流水

【活死人】huósǐrén 名 方 罵 生ける屍(しかばね)

【活体】huótǐ 名〈生〉生体

【活脱儿】huótuōr 副 口 まるで．さながら ‖ 她那模样múyàng～就是年轻时的她母亲 彼女のあの姿は彼女の母親の若いころにそっくりだ

【活物】huówù（～儿） 名 生き物

【活现】huóxiàn 動 生き生きと現れる．躍如とする

【活像】huóxiàng 動 よく似る．そのもののように似る ‖ 她的嗓音～她妈 彼女の声は母親にそっくりだ

【活性炭】huóxìngtàn 名 活性炭

【活血】huóxuè 動〈中医〉血液の循環をよくする

【活阎王】huóyánwang 名 喩 極悪人

【活页】huóyè 名 ルーズリーフ ‖ ～夹 バインダー

【活用】huóyòng 動 活用する

【活跃】huóyuè 形 **活発である．活気がある．積極的である ‖ 会场气氛～ 会場に活気がある 動 **活発にする．盛んにする** ‖ ～市场经济 市場経済を活発にする

【活捉】huózhuō 動 生け捕りにする．生きたまま捕らえる

【活字】huózì 名〈印〉活字

【活字版】huózìbǎn 名〈印〉活字版．活版

【活字典】huózìdiǎn 名 喩 生き字引．物知り

【活字印刷】huózì yìnshuā 名〈印〉活字印刷

【活罪】huózuì 名 生きながら味わう苦難

huǒ

4***火 huǒ ❶名(～儿)**火** ‖ 点～ 火をつける｜灭～ 火を消す ❷緊急である ‖ 一～急 ❸名(～儿)**怒り．かんしゃく** ‖ 好大的～儿 すさまじい怒り ❹動(～儿)**怒る．かんかんになる** ‖ 几句话就把他惹rě～了 ちょっと言っただけで彼はかんかんに怒ってしまった ❺名〈中医〉六淫(りくいん)**の一つ，火**(か)．のぼせ ‖ 上～ のぼせる ❻武器．兵器 ‖ 军～ 兵器 ❼戦争 ‖ 停～ 停戦する ❽赤色の ‖ 一～红 ❾形 盛んである．流行している ‖ 手机～得很 携帯電話がはやっている

【火把】huǒbǎ 名 たいまつ

【火把节】Huǒbǎjié 名 たいまつ祭．イ族・ペー族・リス族・ナシ族・ラフ族などの少数民族の伝統行事

【火伴】huǒbàn ＝〔伙伴huǒbàn〕

【火暴】【火爆】huǒbào 形 方 ❶賑やかである．活気がある．盛んである ❷怒りっぽい．短気である．せっかちである

【火并】huǒbìng 動 仲間割れして争う

【火柴】huǒchái 名 **マッチ ‖ 划huá～ マッチを擦る

【火场】huǒchǎng 图 火災現場
★【火车】huǒchē 图 汽車. 列車 ‖ ～站（鉄道の）駅
【火车头】huǒchētóu 图 ❶機関車 ❷喩 率先的または指導的な役割をする人または物. 牽引車(けんいんしゃ)
【火炽】huǒchì 形 ❶盛んである ❷緊迫している. 白熱している. クライマックスである
【火铳】huǒchòng 图 火縄銃
【火电】huǒdiàn 图 略 火力発電.〔火力发电〕の略 ‖ ～站 火力発電所
【火夫】huǒfū 图 旧 ❶かまたき ❷(軍隊や学校などの)炊事係.〔伙夫〕とも書く
【火罐ル】huǒguànr 图〈中医〉吸い玉 ‖ 拔 bá～ 吸い玉治療をする
【火锅】huǒguō（～儿）图 中国式のしゃぶしゃぶ用鍋
【火海】huǒhǎi 图 火の海 ‖ 变成一片～ 一面火の海と化した
【火海刀山】huǒ hǎi dāo shān ＝〔刀山火海dāo shān huǒ hǎi〕
【火红】huǒhóng 形 ❶火のように赤い. 真紅である ❷活気に満ちあふれている. 血気盛んである
【火候】huǒhou（～儿）图 ❶火加減 ‖ 看～ 火加減を見る ❷適当な時期 ‖ 来的正是～ ちょうどいい時に来た ❸(学問や技能などの)程度. 域. 水準 ‖ 技艺还不到～ テクニックはまだ円熟の域に達していない
【火花】[1] huǒhuā 图 火花
【火花】[2] huǒhuā 图 マッチ箱のラベル
【火花塞】huǒhuāsāi 图〈機〉点火プラグ
【火化】huǒhuà 動 火葬する
【火鸡】huǒjī 图〈鳥〉シチメンチョウ.〔吐绶鸡〕の通称
【火急】huǒjí 形 火急の. 至急の ‖ 十万～ 大至急
【火急火燎】huǒ jí huǒ liǎo 慣 やきもきする. いらいらする. 焦る
【火剪】huǒjiǎn 图 ❶火ばさみ.〔火钳〕ともいう ❷パーマ用のこて
【火碱】huǒjiǎn 图〈化〉苛性(かせい)ソーダ
*【火箭】huǒjiàn 图 ロケット
【火箭弹】huǒjiàndàn 图〈軍〉ロケット砲の弾
【火箭炮】huǒjiànpào 图〈軍〉ロケット砲
【火箭筒】huǒjiàntǒng 图〈軍〉ロケット・ランチャー
【火警】huǒjǐng 图 火事. 火災 ‖ 不慎shèn引起～ 不注意で火事を出した | 打～ 火災通報する
【火炬】huǒjù 图 たいまつ. トーチ
【火炕】huǒkàng 图(中国式の)オンドル
【火坑】huǒkēng 图 喩 生き地獄. 悲惨な生活のたとえ
【火筷子】huǒkuàizi 图 火箸
【火辣辣】huǒlālā（～的）形 ❶焼けつくように暑いさま ❷(傷などが)ひりひりする ‖ 烫tàng伤的手臂shǒubì～的疼 やけどした腕がひりひり痛む ❸興奮・焦り・羞恥心などで感情が激しく刺激されるさま ‖ 挨了批评, 脸上～的直发烧 叱られて顔が火のようにほてった
*【火力】huǒlì 图 ❶(動力としての)火力 ❷火器の威力. 火力 ❸寒さに対する抵抗力
【火力点】huǒlìdiǎn 图〈軍〉火点
【火力发电】huǒlì fādiàn 图 火力発電
【火力圈】huǒlìquān 图 火器の威力の及ぶ範囲
【火烈鸟】huǒlièniǎo 图〈鳥〉フラミンゴ
【火龙】huǒlóng 图 ❶連なっている明かりや花火 ❷方 かまどから煙突に通じる煙道
【火炉】huǒlú（～儿）图 こんろ. ストーブ.〔火炉子〕ともいう
【火轮船】huǒlúnchuán 图 汽船.〔火轮〕ともいう
【火冒三丈】huǒ mào sān zhàng 慣 激怒するさま
【火煤】【火媒】huǒméi（～儿）图 火付け用のこより. 火付け木
【火苗】huǒmiáo（～儿）图 炎.〔火焰〕の通称
【火捻】huǒniǎn（～儿）图 ❶火付け用のこより. 火付け木 ❷導火線
【火炮】huǒpào 图 火砲. 大砲
【火盆】huǒpén 图 火鉢
【火拼】huǒpīn 動(仲間割れして)殺し合う
【火漆】huǒqī 图 封蠟(ふうろう).〔封蜡〕ともいう
【火气】huǒqì 图 ❶〈中医〉六淫(りくいん)の一つ. のぼせ ‖ 去～ のぼせをとる ❷怒り ‖ 好大的～, 谁又得罪他了？ すごい剣幕だが, 誰が彼の機嫌を損ねたんだ ❸(体内の)エネルギー
【火器】huǒqì 图〈軍〉火器. 銃砲類
【火钳】huǒqián ＝〔火剪huǒjiǎn〕
【火枪】huǒqiāng 图 火縄銃
【火墙】huǒqiáng 图 ❶内部に暖を取るための煙道を設けた壁 ❷〈軍〉火網(かもう)
【火情】huǒqíng 图 ❶火災 ❷(火事の)火勢
【火热】huǒrè 形 ❶火のように熱い ❷激しい. 激烈な ❸非常に親密である ‖ 他们打得～ 彼らはとても仲がいい
*【火山】huǒshān 图 火山 ‖ 活～ 活火山
【火山岛】huǒshāndǎo 图〈地質〉火山島
【火山地震】huǒshān dìzhèn 图〈地質〉火山性地震
【火上加油】huǒ shàng jiā yóu 慣 火に油を注ぐ
【火烧】huǒshao 图 表面にゴマをまぶしていない〔烧饼〕
【火烧火燎】huǒ shāo huǒ liǎo（～的）組 焼けつくように熱い. やきもきする. じりじりする
【火烧眉毛】huǒ shāo méimao 慣 焦眉(しょうび)の急. 情況がおし迫っているたとえ
【火烧云】huǒshāoyún 图 朝焼け雲. 夕焼け雲
【火舌】huǒshé 图 やや大きな炎
【火石】huǒshí 图 ❶火打ち石.〔燧suì石〕の通称 ❷(ライターの)発火石
【火势】huǒshì 图 火の燃える勢い. 火勢
【火树银花】huǒ shù yín huā 成 灯火や花火が光り輝くさま
【火速】huǒsù 副 至急. 大急ぎで ‖ ～奔赴bēnfù灾区 大至急被災地に赴く
【火炭】huǒtàn 图 燠(おき)
【火塘】huǒtáng 图 方 土間に造りつけた暖炉
【火烫】huǒtàng 動 髪にこてを当てる 形 やけどをするほど熱い.(多く病気で高熱を出すさま)
【火头】huǒtóu 图 ❶(～儿)炎 ❷(～儿)火加減 ❸火元 ❹(～儿)怒り
【火头上】huǒtóushang 图 怒りのまっただ中. かっかしているとき ‖ 他正在～, 千万别惹rě他 彼はいまかっかしているから, 絶対に逆らうな
【火腿】huǒtuǐ 图 塩漬けにしたブタのもも肉. ハム
【火险】huǒxiǎn 图 ❶火災保険 ❷火災の危険性
【火线】huǒxiàn 图 ❶最前線 ❷〈電〉活線
【火星】[1] huǒxīng 图〈天〉火星
【火星】[2] huǒxīng 图（～儿）火花. 小さな火
【火性】huǒxìng 图 すぐにかっとなる性格. かんしゃく.〔火性子〕ともいう ‖ ～大发 怒りを爆発させる

【火眼金睛】huǒ yǎn jīn jīng 成 すべてを見通すことのできる眼力．千里眼
*【火焰】huǒyàn 名 炎．火炎．ふつう〔火苗〕という
【火焰喷射器】huǒyàn pēnshèqì 名〈軍〉火炎放射機
*【火药】huǒyào 名 火薬．爆薬‖～库 火薬庫
【火药味】huǒyàowèi 名 喩 ❶激しい敵意 ❷きな臭さ
【火印】huǒyìn 名 焼き印
*【火灾】huǒzāi 名 火災．火事‖～现场 火災現場｜发生～ 火災が起こる
【火葬】huǒzàng 動 火葬にする‖～场 火葬場
【火针】huǒzhēn 名〈中医〉針刺療法の一つ．火針
【火纸】huǒzhǐ 名 硝酸を塗った火つけ紙
【火中取栗】huǒ zhōng qǔ lì 成 火中の栗(くり)を拾う．他人の利益のために危険を冒すこと
【火种】huǒzhǒng 名 火種
【火烛】huǒzhú 名 火災を引き起こしやすいもの．火の元‖小心～ 火の元に用心
【火主】huǒzhǔ 名 火元
【火柱】huǒzhù 名 火柱‖燃起～ 火柱が立つ
【火箸】huǒzhù 名 方 火箸

6 *伙(夥❶～❺) huǒ ❶名(～儿)仲間．連れ‖仲間 ❷仲間の集まり‖入～ 仲間に入る ❸量 群れ．組‖一～学生 一群の学生 ❹旧 店員‖→～计 ❺動 共同で…する．組になる‖～买了辆汽车跑运输 共同で自動車を購入して運送業をやる ❻(軍隊や学校などの)給食．賄い‖包～ (月ぎめなどで)給食を請け負う ❼給食を調理する‖→～房
*【伙伴】huǒbàn 名 仲間．連れ．〔火伴〕とも書く
【伙房】huǒfáng 名(学校や軍隊などの)厨房(ちゅうぼう)
【伙夫】huǒfū =〔火夫huǒfū ❷〕
【伙耕】huǒgēng 動 共同で耕す
*【伙计】huǒji 名 ❶仲間．相棒 ❷旧 店員
**【伙食】huǒshi；huǒshí 名(軍隊・機関・学校などの)給食．賄い．食事
【伙同】huǒtóng 動 仲間になる．一緒になる．つるむ‖～几个人开饭馆 仲間数人でレストランを開く
【伙种】huǒzhòng 動 共同で耕作する
【伙子】huǒzi 量(人の群れを数える)仲間．群れ‖他们是一～ 彼らは同じ仲間だ

9 钬 huǒ 名〈化〉ホルミウム(化学元素の一つ，元素記号はHo)

14 夥 huǒ 書 多い‖地狭xiá而人～ 土地が狭く，人が多い

huò

8 和[1] huò ❶動(粉状のものを)混ぜ合わせる．水を加えてかき混ぜる‖～药 薬をとく

8 和[2] huò 量 ①洗濯の水を換える回数を数える‖衣裳已经洗了三～了 服はもう3回すすいだ ②薬を煎(せん)じる回数を数える‖头～药，二～药 一番煎じの薬，二番煎じの薬 ➤hé hè hú huó
【和弄】huònong 動 方 ❶かき混ぜる ❷けしかける．そそのかす
【和稀泥】huò xīní 慣 無原則の妥協主義でいいかげんに物事をまとめる

8 **或 huò ❶書 ある人‖～告之曰yuē ある人が言うには ❷副 もしかすると．あるいは‖这个建议对改进工作～有好处 この意見はあるいは仕事の改善に役立つかもしれない ❸接 あるいは．または‖你来～我去都行 君が来てもいいし，僕が行ってもいい
【或…或…】huò…huò… 接(相反する語を対置して)…かあるいは…．…かまたは…‖或多或少 多かれ少なかれ｜或早或晚 遅かれ早かれ
【或然】huòrán 形 蓋然(がいぜん)的である
【或然率】huòránlǜ 名 旧〈数〉蓋然率．確率．〔概率〕の旧称
*【或是】huòshì 接 …かそれとも…‖～你去，～他去，都可以 君が行こうが彼が行こうが，どちらでもよい
*【或许】huòxǔ 副 あるいは…かもしれない．もしかしたら…かもしれない‖他没来，～生病了吧 彼は来なかったけれど，もしかして病気にでもなったのだろうか
【或则】huòzé 接 あるいは．または．もしくは
★【或者】huòzhě 副 もしかすると．あるいは‖这种书图书馆～会有 この種の本はもしかすると図書館にあるかもしれない 接 ❶(同格または選択を表す)あるいは．または‖骑车去～坐车去都行 自転車で行ってもいいし，バスで行ってもいい｜～你来拿，～我送去 君が取りに来るか，あるいは私が届けるか ❷あるものは…し，あるものは…する‖假日里人们～在家团聚tuánjù，～探亲访友，～观光旅游 休みには人々は家で団欒(だんらん)したり，親戚や友人を訪ねたり，観光旅行をしたりする

8 **货 huò ❶書 財物 ❷名 品物．商品‖订～ 商品を注文する ❸名 罵 やつ．野郎‖蠢chǔn～ 間抜け ❹貨幣‖通～ 通貨
*【货币】huòbì 名 貨幣．通貨
【货币贬值】huòbì biǎnzhí 名〈経〉❶通貨の切り下げ ❷貨幣価値の下落
【货币供给】huòbì gōngjǐ 名 通貨供給．貨幣供給
【货币供应量】huòbì gōngyìngliàng 名 通貨供給量．貨幣供給量．マネーサプライ
【货币升值】huòbì shēngzhí 名〈経〉❶通貨の切り上げ ❷貨幣価値の上昇
【货舱】huòcāng 名(飛行機の)貨物室．(船の)船倉
【货场】huòchǎng 名 貨物置き場
【货车】huòchē 名 貨物車．貨車
【货船】huòchuán 名 貨物船
【货到付款】huò dào fùkuǎn 組 代金引き換え払い．代金着荷払い．COD
【货柜】huòguì 名 ❶商品棚 ❷方 コンテナ
【货机】huòjī 名 貨物輸送機
【货架子】huòjiàzi 名 ❶(商店の)商品棚 ❷(自転車の)荷台
【货款】huòkuǎn 名 商品代金
【货郎】huòláng 名 行商人
【货轮】huòlún 名 貨物船
【货品】huòpǐn 名 ❶貨物．商品 ❷商品の種類
【货色】huòsè 名 ❶商品．(種類・品質についていうときに用いる)‖各样～ 各種の商品 ❷貶 代物．やつ
【货摊】huòtān (～儿) 名 露店．屋台店
【货梯】huòtī 名 荷物用エレベーター
【货位】huòwèi 名 ❶鉄道の貨車1両に積載可能な量を1〔货位〕という ❷(駅・商店などの)荷物置き場
*【货物】huòwù 名 貨物．商品

【货样】huòyàng 名 商品見本．サンプル
【货源】huòyuán 名（商品の）仕入れ先
【货运】huòyùn 名 貨物運送
【货栈】huòzhàn 名（倉庫業の）倉庫
【货真价实】huò zhēn jià shí 成 品物もよく値段も安い．正真正銘である．掛け値なしである
【货主】huòzhǔ 名 荷主

10 *获（獲❶❷ 穫❸）huò ❶捕らえる ‖ 捕～ 捕獲する ❷動 得る．手に入れる ‖ 主队～冠军 地元チームが優勝した ❸（作物を）取り入れる．収穫する ‖ 收～ 収穫する

**【获得】huòdé 動 獲得する．手に入れる ‖ ～宝贵经验 貴重な経験をした｜～显著xiǎnzhù效果 著しい効果を収める｜～一致通过 満場一致で可決する
【获奖】huò//jiǎng 動 受賞する
【获救】huòjiù 動 救出される．助けられる ‖ 遇难yùnàn人员全部～ 遭難者は全員救出された
【获利】huò//lì 動 利益を得る
*【获取】huòqǔ 動 取る．得る．獲得する ‖ ～利润rùn 利潤をあげる｜～情报 情報を得る
【获胜】huòshèng 動 勝利を得る．勝つ ‖ 甲队以六比三～ 甲チームは6対3で勝った
【获释】huòshì 動 釈放される
【获悉】huòxī 動 書 知らせに接する．委細を聞き及ぶ
【获许】huòxǔ 動 認可される．許可される
【获知】huòzhī 動 知らせに接する．委細を聞き及ぶ ‖ 从报上～你荣获大奖，我们都为你高兴 新聞であなたの受賞を知り，私たちはとても嬉しく思います
【获致】huòzhì 動 獲得する．収める
【获准】huòzhǔn 動 許可される ‖ 请求业已～ 申請はすでに許可された｜～开业 開業の許可を得る

11 *祸（禍 △旤）huò ❶名 災い．災難 ↔〔福〕‖ 惹～ 災いを招く｜战～ 戦禍 ❷損なう．害する ‖ →～害
【祸不单行】huò bù dān xíng 諺 災いは重なるものである．泣き面に蜂（はち）．弱り目にたたり目
【祸从口出】huò cóng kǒu chū 諺 災いは口から．口は災いのもと
【祸端】huòduān 名 書 災いのもと．災いの起こり
【祸根】huògēn 名 禍根．災いのもと ‖ 断绝～ 禍根を断つ｜铲除chǎnchú～ 禍根を除く
【祸国殃民】huò guó yāng mín 成 国家を損ない，国民に災いをもたらす
*【祸害】huòhai 動 損なう．害する 名 ❶災い．災難 ‖ 忽视安全生产将带来极大的～ 安全生産の軽視は大災害をもたらす ❷災いになるもの．禍根
【祸患】huòhuàn 名 災い．災難
【祸乱】huòluàn 名 災難と騒乱
【祸起萧墙】huò qǐ xiāo qiáng 成 災いが内部に生じる．内輪もめが起こる
【祸事】huòshì 名 災い．災難
【祸首】huòshǒu 名（災いの）元凶．張本人
【祸水】huòshuǐ 名 喩 災いを引き起こす人やもの
【祸祟】huòsuì 名 たたり
【祸胎】huòtāi 名 災いのもと．禍根
【祸心】huòxīn 名 禍心．悪事をたくらむ心
【祸殃】huòyāng 名 災い．災禍 ‖ 惹起～ 災いを招く

12 惑 huò ❶惑っている．迷っている ‖ 困～ 困惑する．戸惑う ❷惑わす．迷わす ‖ 蛊gǔ～（人心を）惑わす
【惑乱】huòluàn 動 かき乱す．迷わす ‖ ～人心 人心を迷わす

16 霍 huò 迅速である．素早い
【霍地】huòdì 副 さっと．ぱっと ‖ ～站起来 ぱっと立ち上がる
【霍霍】huòhuò 形 光が閃（ひらめ）くさま ‖ 电光～ 稲妻が閃く 擬（刃物を研ぐ音）シュッシュッ
【霍乱】huòluàn 名 ❶〈医〉コレラ ❷〈中医〉霍（かく）．激しい下痢・嘔吐（おうと）・腹痛を伴う胃腸疾患
【霍然】huòrán 書 副 突然．さっと ‖ 脸色～一变 顔色がさっと変わる 形 病気がかき消すように快癒するさま

17 豁 huò ❶広々と開けている．通じている ‖ →～亮 ❸（性格が）明朗である．度量が大きい ‖ →～朗 ❹免除する ‖ →～免 ➤ huá huō
【豁达】huòdá 形 闊達（かったつ）である．度量が大きい ‖ ～大度 闊達で度量が大きい
【豁朗】huòlǎng 形（気持ちが）明るい．さっぱりしている
【豁亮】huòliàng 形 ❶広々として明るい ‖ 屋子挺～ 部屋が広々としてとても明るい ❷（声が）よく通る ‖ 嗓音～ 声がよく通る
【豁免】huòmiǎn 動（税や労役などを）免除する
【豁然】huòrán 副 豁然（かつぜん）と ‖ ～开朗 突然視界が開ける．豁然と悟る｜～开悟 豁然と悟りを開く

18 镬 huò ❶古代の大型の鍋 ❷名 方 鍋

19 藿 huò 書 マメ類作物の葉
【藿香】huòxiāng 名 ❶〈植〉カワミドリ ❷〈中薬〉藿香（かっこう）

19 嚯 huò ❶感 驚きを表す ‖ ～，真棒！ ほお，すごいなあ ❷擬（笑い声）ハハハ

J

jī

2 **几**[1] **jī** (～儿)小さなあるいは低いテーブル‖茶～ 茶道具を乗せる小机

2 **几**[2] **(幾) jī** 副書 ほとんど. あと少しで. …近く‖字迹模糊, ～不可辨认biànrèn 筆跡がかすれていて, ほとんど読めない ➤jǐ

【几案】jī'àn 名 細長いテーブル

**【几乎】jīhū 副 ❶ほとんど. ほぼ‖他为了考试, 这两天～没睡觉 彼は試験のために, この2,3日ほとんど寝ていない｜那次聚会jùhuì～全班都来了 あのときの集まりにはほぼクラス全員が出席した ❷もう少しで‖我～误了火车 私はもう少しで汽車に乗り遅れるところだった

【几率】jīlǜ 名〈数〉確率 =〔概率〕

【几维鸟】jīwéiniǎo 名〈鳥〉キーウィ.〔无翼yì鸟〕の通称

4 **讥**(譏) **jī** けなす. あざける. 当てこする. そしる‖一～笑

【讥嘲】jīcháo 動 あざける. けなす. そしる

【讥刺】jīcì 動書 皮肉る. けなす. そしる

【讥讽】jīfěng 動 風刺する. 皮肉る. いやみを言う

【讥诮】jīqiào 動 皮肉る

*【讥笑】jīxiào 動 あざ笑う. そしり笑う. 嘲笑(ちょう)する

5 **叽**(嘰) **jī** 擬(小鳥や虫の鳴き声)チッチッ. チュンチュン. ジージー

【叽咕】jīgu 動 小声で話す. ひそひそ話をする.〔唧咕〕とも書く

【叽叽嘎嘎】jījigāgā 擬(甲高い声でしゃべったり笑ったりする声)ぺちゃくちゃ. けらけら. キャーキャー.〔唧唧嘎嘎〕とも書く

【叽叽喳喳】jījizhāzhā =〔唧唧喳喳jījizhāzhā〕

【叽里旮旯儿】jīligālár 名方 そこらじゅう. 至る所

【叽里咕噜】jīligūlū 擬 ❶(くぐもり声)むにゃむにゃ ❷(物が転がる音)コロコロ. ゴロゴロ ❸(空腹や腹下しでおなかが鳴る音)グーグー. ゴロゴロ‖肚子饿得～响 腹がすいてグーグー鳴る

【叽里呱啦】jīliguālā 擬(騒がしい話し声)ぺちゃくちゃ. べらべら

5* **击**(擊) **jī** ❶動 打つ. たたく‖～鼓 太鼓をたたく ❷つき刺す‖一～剑 ❸動 攻撃する‖攻～ 攻撃する ❹当たる. ぶつかる‖撞zhuàng～ 激突する｜冲～ 突き当たる

【击败】jībài 動 打ち破る. 撃破する

【击毙】jībì 動 銃殺する

【击发】jīfā 動(銃の)引き金を引く

【击毁】jīhuǐ 動 撃砕する. ぶち壊す

【击剑】jījiàn 名〈体〉フェンシング

【击节】jījié 動書 調子をとる

【击溃】jīkuì 動 撃破する. 散り散りにさせる

【击落】jīluò 動 撃墜する

【击破】jīpò 動 撃破する‖各个～ 各個撃破する

【击赏】jīshǎng 動書 激賞する

【击水】jīshuǐ 動 ❶書 水面を打つ‖举翼yì～ 水面を打って羽ばたく ❷泳ぐ

【击掌】jīzhǎng 動 手を打つ. 拍手する‖～示意 手をたたいて合図する｜～赞叹 拍手で称賛する

5 **饥**[1] **jī** 飢えている. 空腹である‖一～饿｜如～如渴kě地学习 むさぼるように勉強する

5 **饥**[2] **(饑) jī** 飢饉(ききん)‖一～荒

【饥不择食】jī bù zé shí 成 飢えているときは選り好みができない. 必要に迫られればぜいたくは言えない

【饥肠】jīcháng 名 空腹. 飢え

*【饥饿】jī'è 形 餓えている. ひもじい‖人在～的时候, 吃什么都觉着香 空腹のときは, 何を食べてもおいしい

【饥寒交迫】jī hán jiāo pò 成 飢えと寒さがこもごも迫る‖～的生活 飢えと寒さに苦しむ生活

【饥荒】jīhuang 名 ❶飢饉 ❷口 経済上の困難. 家計のやりくりができないこと‖家里闹～ 家計は火の車だ ❸方 借金‖没拉过～ 借金をつくったことがない

【饥馑】jījǐn 名書 飢饉

【饥渴】jīkě 名 飢えと渇き

【饥色】jīsè 名書 栄養不良の顔つき‖面有～ 飢えのため血色が悪い

6 **圾** **jī** ➡〔垃圾lājī〕

6 **芨** **jī** ↓

【芨芨草】jījīcǎo 名〈植〉ハネガヤ.〔枳机草〕ともいう

6 **玑**(璣) **jī** ❶書 丸くない真珠 ❷古 天体観測器の一種

6 **机**(機) **jī** ❶ 機械‖收音～ ラジオ ❸機敏である. 精巧である‖一～灵 ❹(生物の)生活機能‖无～物 無機物 ❺飛行機‖客～ 旅客機 ❻かなめ. 要因. きっかけ‖危～ 危機 ❼機会. チャンス‖良～ 好機 ❽機密‖军～ 軍事上の機密 ❾意図. 動機‖动～ 動機

逆引き単語帳〔洗衣机〕xǐyījī 洗濯機〔耳机〕ěrjī イヤホーン. ヘッドホーン〔照相机〕zhàoxiàngjī カメラ〔电视机〕diànshìjī テレビ〔收音机〕shōuyīnjī ラジオ〔录音机〕lùyīnjī テープレコーダー〔录相机〕lùxiàngjī ビデオ〔摄影机〕shèyǐngjī 撮影カメラ. ビデオカメラ〔视盘机〕shìpánjī VCDプレーヤー. DVDプレーヤー〔吹风机〕chuīfēngjī ドライヤー〔打火机〕dǎhuǒjī ライター〔BP机〕B P jī ポケットベル. ポケベル〔手机〕shǒujī 携帯電話〔电子游戏机〕diànzǐ yóuxìjī テレビゲーム〔电子计算机〕diànzǐ jìsuànjī コンピューター〔打印机〕dǎyìnjī プリンター〔传真机〕chuánzhēnjī ファクシミリ〔复印机〕fùyìnjī コピー機〔订书机〕dìngshūjī ホッチキス〔打字机〕dǎzìjī タイプライター〔总机〕zǒngjī(電話の)交換台〔分机〕fēnjī 内線電話〔班机〕bānjī 定期航空便. フライト便〔滑翔机〕huáxiángjī グライダー〔飞机〕fēijī 飛行機〔航天飞机〕hángtiān fēijī スペースシャトル〔商机〕shāngjī ビジネスチャンス〔死机〕sǐjī フリーズする

【机变】jībiàn 動書 臨機応変に処置する. 機転を利かせる

【机不可失】jī bù kě shī 成 機会を逃してはならない
【机舱】jīcāng 名 ❶船舶の機関室. 機関部 ❷飛行機の客室と貨物室
★【机场】jīchǎng 名 **空港** ‖ ～大楼 空港ターミナルビル | ～旅馆 空港ホテル
【机车】jīchē 名 機関車. ふつうは〔火车头〕という
⁑【机床】jīchuáng 名〈機〉❶**工作機械** ❷**旋盤**
【机电】jīdiàn 名 機械と電力設備の総称 ‖ ～设备 機械設備と電力設備
【机顶盒】jīdǐnghé 名〈通信〉セットトップボックス
*【机动】[1] jīdòng 形 機械で作動する. メカニカルな ‖ ～阀fá 動力操作弁
【机动】[2] jīdòng 形 ❶機敏である. 融通性がある ❷予備の. 応急の ‖ ～款 予備費 | ～时间 予定の入っていない空き時間
【机房】jīfáng 名 ❶旧 機織り屋 ❷機械室. コンピューター・ルーム
【机耕】jīgēng 動〈農〉機械を用いて耕作する
*【机构】jīgòu 名 ❶機構. 仕組み. メカニズム ‖ 齿轮chǐlún～ 歯車の仕組み ❷組織. 団体. 機構 ‖ 对外宣传～ 対外的な宣伝組織
⁑【机关】jīguān 名 ❶(公の事務を処理するための)**機関. 官庁. 役所** ‖ 司法～ 司法機関 ❷**機械制御の装置** ❸**計略. 策略** ‖ 识破～ 計略を見破る 形 機械仕掛けの ‖ ～布景 機械仕掛けの舞台装置
【机关报】jīguānbào 名 機関紙
【机关刊物】jīguān kānwù 名 機関誌
【机关枪】jīguānqiāng 名〈軍〉マシンガン. 機関銃. 〔机枪〕の旧称
【机徽】jīhuī 名 (機体に描かれた所属を示す)マーク
★【机会】jīhuì ; jīhuì 名 **機会. チャンス** ‖ 好～ よい機会 | ～难得 機会は得がたい | 找～ 機会を見つける | 错过～ チャンスを逃がす | 有～再来啊! 機会があったらまた来てください
【机会成本】jīhuì chéngběn 名〈経〉機会費用. 逸失利益
【机会主义】jīhuì zhǔyì 名 日和見主義. 機会主義. オポチュニズム ‖ 左倾qīng～ 左傾日和見主義
【机件】jījiàn 名〈機〉部品. 部分品. パーツ
【机井】jījǐng 名 動力付きのポンプ井戸
【机警】jījǐng 形 機敏である. 鋭敏である
【机具】jījù 名 機械と工具の総称
【机理】jīlǐ 名 仕組み. メカニズム
*【机灵】[1] jīling 形 機敏で利口である. 気が利く. 〔机伶〕とも書く ‖ ～的眼睛 利口そうな目 | 他的儿子很～ 彼の息子はとても利発だ
【机灵】[2] jīling =〔激灵jīling〕
*【机密】jīmì 名 機密 ‖ 严守～ 機密を厳守する | 泄漏xièlòu～ 機密を漏らす | 涉及国家～ 国家機密にかかわる 形 極秘である ‖ ～文件 機密文書
【机敏】jīmǐn 形 機敏である. 気が利く. すばしこい
【机谋】jīmóu 名 書 機敏な計略. 臨機応変な策略
【机能】jīnéng 名〈生理〉機能 ‖ 消化～ 消化機能
【机票】jīpiào 名 航空券. フライト・チケット ‖ 减价～ 格安航空券 | 往返～ 往復航空券
★【机器】jīqi ; jīqì 名 ❶**機械. 機器** ‖ 开～ 機械を動かす ❷機構. 機関
【机器翻译】jīqi fānyì 名 自動翻訳. 機械翻訳
【机器人】jīqirén 名 ロボット
*【机枪】jīqiāng 名 略 機関銃. かつては〔机关枪〕といった ‖ 用～扫射 機銃掃射する
【机巧】jīqiǎo 形 臨機応変で巧みである. 器用である
【机群】jīqún 名 飛行機の編隊
*【机体】jītǐ 名〈生〉有機体. 〔有机体〕ともいう
【机务】jīwù 名 機械の補修・維持に関する作業
⁑【机械】jīxiè 名 **機械** 形 機械的である ‖ 不能～地照搬zhàobān他人的经验 他人の経験を機械的にまねてはいけない
【机械化】jīxièhuà 動 機械化する
【机械论】jīxièlùn 名〈哲〉機械論
【机械能】jīxiènéng 名〈物〉力学的エネルギー
【机械手】jīxièshǒu 名〈機〉マジック・ハンド
【机械唯物主义】jīxiè wéiwù zhǔyì 名〈哲〉機械的唯物論
【机械效率】jīxiè xiàolǜ 名 機械効率
【机械运动】jīxiè yùndòng 名〈物〉機械運動
【机心】jīxīn 名 書 悪だくみ
【机修】jīxiū 動 機械の補修をする
【机要】jīyào 形 極秘である ‖ ～文件 機密文書
【机宜】jīyí 名 書 情勢に即した方策・指針 ‖ 请示～ 処置について指示を願う
【机油】jīyóu 名 機械油. マシン油. 〔机械油〕の通称
*【机遇】jīyù 名 好機. チャンス ‖ 抓住～ チャンスをつかむ | 这是个难得的～ これは得がたいチャンスだ
【机缘】jīyuán 名 機縁. 縁 ‖ ～巧合, 我们在北京相遇了 ふとした縁で, 私たちは北京で出会った
【机制】[1] jīzhì 形 機械製の ‖ ～煤球méiqiú 機械で生産された豆炭
【机制】[2] jīzhì 名 仕組み. 構造. 機能. メカニズム. 〔机理〕ともいう ‖ 计算机的～ コンピューターの仕組み | 竞争～ 競争の原理 | 市场～ 市場メカニズム
*【机智】jīzhì 形 機知に富んでいる. 機転が利く
【机杼】jīzhù 名 ❶機(はた). 機織りの用具 ❷書 (文章などの)構想. 組み立て
【机子】jīzi 名 口 ❶機械 ❷(銃の)引き金
【机组】jīzǔ 名 ❶〈機〉ユニット. シングル・ユニット ❷(飛行機の)搭乗チーム. 乗り組みチーム ‖ ～人员 クルー

6 **肌** jī 筋肉 ‖ 平滑～ 平滑筋 | 横纹～ 横紋筋
【肌肤】jīfū 名 書 皮膚. 肌
【肌腱】jījiàn 名〈生理〉腱(けん)
【肌理】jīlǐ 名 書 (肌の)きめ ‖ ～细腻 きめが細かい
*【肌肉】jīròu 名 筋肉. 〔筋肉〕ともいう ‖ ～疲劳 筋肉疲労 | ～结实 筋骨隆々である
【肌体】jītǐ 名 書 ❶身体. 肢体(したい) ❷喩 機構. 組織 ‖ 健全党的～ 党組織を健全化する

7 **矶**(磯) jī 書 水面に出た岩. 磯(いそ) (多く地名に用いる)

7 ★**鸡**(鷄 △雞) jī 名〈鳥〉**ニワトリ**. 〔家鸡〕ともいう ‖ 母～ めんどり
【鸡巴】jība 名 ❶口 陰茎 ❷罵 畜生め
【鸡虫得失】jī chóng dé shī 成 細かい損得. つまらない得失
【鸡雏】jīchú 名 ニワトリのひな. ひよこ
★【鸡蛋】jīdàn 名 **鶏卵** ‖ ～羹gēng 茶碗蒸し | 炒～ いり玉子 | 煎～ 目玉焼き | 煮～ ゆで玉子
【鸡蛋里挑骨头】jīdànli tiāo gǔtou 慣 卵の中から骨を探す. 意地悪くあらを探す
【鸡飞蛋打】jī fēi dàn dǎ 慣 鶏は飛んで逃げ卵は割れる. あれこれ欲張って結局だめになる. あぶはち取らず

J

【鸡飞狗跳墙】jī fēi gǒu tiào qiáng 慣 ハチの巣を突っついたような大騒ぎ
【鸡冠】jīguān 图 とさか. 鶏冠. 〔鸡冠子〕ともいう
【鸡冠花】jīguānhuā 图〈植〉ケイトウ
【鸡冠石】jīguānshí 图〈鉱〉鶏冠石. =〔雄黄〕
【鸡奸】jījiān 動 男同士が性行為を行う. 〔要奸〕とも書く
【鸡精】jījīng 图〈料理〉チキン味の顆粒状調味料. チキンブイヨン
【鸡口牛后】jī kǒu niú hòu 成 鶏口となるも牛後となるなかれ. 大きいものの後ろにつき従うより, 小さくてもその頭になったほうがよいこと. 〔鸡尸牛从〕ともいう
【鸡肋】jīlèi 图 鶏肋(けいろく). 大した価値はないが, 捨てるにも惜しいもののたとえ
【鸡零狗碎】jī líng gǒu suì 成 こまごまとしてまとまりがない
【鸡毛蒜皮】jīmáo suànpí 慣 ニワトリの毛やニンニクの皮. どうでもいい事
【鸡毛信】jīmáoxìn 图 緊急を要する文書や手紙(目印にニワトリの羽をつけたことから)
【鸡鸣狗盗】jī míng gǒu dào 成 鶏鳴狗盗(けいめいくとう). 取るに足りない技. つまらない技能の持ち主
【鸡皮疙瘩】jīpí gēda 图 鳥肌 ‖ 起～ 鳥肌が立つ
【鸡犬不留】jī quǎn bù liú 成 鶏も犬も残さない. 皆殺しにする
【鸡犬不宁】jī quǎn bù níng 成 鶏や犬までも安らかでいられない. 治安が非常に乱れている. 世情が騒然としている
【鸡犬升天】jī quǎn shēng tiān 成 一人が仙人になるとその家の鶏や犬まで仙薬をなめて昇天する. 一人が出世するとその親類縁者まで権勢を得ること
【鸡肉】jīròu 图 鶏肉 ‖ ～丝 鶏肉の細切り
【鸡尸牛从】jī shī niú cóng =〔鸡口牛后jī kǒu niú hòu〕
【鸡头】jītóu 图〈植〉オニバス =〔芡qiàn〕
【鸡尾酒】jīwěijiǔ 图 カクテル ‖ 调～ カクテルを作る
【鸡瘟】jīwēn 图 ニワトリの伝染病. ニューカッスル病
【鸡心领】jīxīnlǐng 图(服の) V ネック
【鸡新城疫】jīxīnchéngyì 图(ニワトリの)ニューカッスル病
【鸡胸】jīxiōng 图 鳩胸(はとむね)
【鸡血石】jīxuèshí 图〈鉱〉鶏血石(けいけつせき)
【鸡眼】jīyǎn 图〈医〉魚の目
【鸡杂】jīzá (～儿) 图(ニワトリの)臓物. もつ肉
【鸡子】jīzi 图 方 ニワトリ
【鸡子儿】jīzǐr 图 口 鶏卵. ニワトリの卵

8 **其** jī 人名用字 ➤ qí

8 **奇** jī ❶奇数の ↔〔偶〕‖ 一～数 ❷書 端数 ‖ 一百有～ 100余り ➤ qí
【奇零】jīlíng 图 書 端数. 〔畸零〕とも書く
【奇数】jīshù 图〈数〉奇数 ↔〔偶数〕

9 **咭** jī 〔叽jī〕に同じ

10 **剞** jī ↴
【剞劂】jījué 書 图 先の曲がった彫刻用の小刀やのみ 動 版木に字を彫る

10 **唧** jī 動 水を勢いよく吹きかける ‖ ～了我一脸的水 顔に水をかけられた
【唧咕】jīgu =〔叽咕jīgu〕
【唧唧】jījī 擬(虫や鳥の鳴き声)チーチー. ジージー
【唧唧嘎嘎】jījigāgā =〔叽叽嘎嘎jījigāgā〕
【唧唧喳喳】jījizhāzhā 擬 ❶(騒がしくしゃべる声)ぺちゃくちゃ ‖ ～地说个不停 ぺちゃくちゃと際限なくおしゃべりをしている ❷(鳥の騒がしくしきりに鳴く声)ピーチクパーチク. チュンチュン ＊〔叽叽喳喳〕とも書く
【唧哝】jīnong 動 小声で話す. ひそひそ話をする

10 **屐** jī ❶木製のはきもの ‖ 木～ 木靴 ❷はきもの ‖ ～履lǚ はきもの

10 **姬** jī ❶古 女子に対する美称 ❷古 妾(めかけ) ❸旧 歌舞を職業とする女性 ‖ 歌～ 歌姫

10 ＊**积(積)** jī ❶動 積む. 積もる. ためる ‖ 把压岁钱都～起来 お年玉を全部ためておく | 桌子上～了厚厚的一层灰 テーブルにほこりが厚く積もっている ❷長年にわたり積み重ねた. 積年の ‖ 一～怨 ❸图〈中医〉小児の消化不良症 ‖ 食～ 小児の消化不良 ❹图〈数〉積. 〔乘积〕の略称
【积案】jī'àn 图〈法〉長期間未解決の訴訟事件
【积弊】jībì 图 積弊. 長い間積み重なった弊害
【积不相能】jī bù xiāng néng 成 普段から仲が悪い
【积储】jīchǔ 動 ためる. 蓄える
【积存】jīcún 動 蓄える. ストックする
【积德】jī//dé 動〈仏〉徳を積む. 功徳を積む
【积淀】jīdiàn 動(知識・歴史・文化などを)積み重ねる 图(知識・歴史・文化などの)積み重ね
【积肥】jī//féi 動 堆肥を作る
【积分】jīfēn 图〈数〉積分 ‖ 微～ 微積分
【积分卡】jīfēnkǎ 图 ポイントカード
【积愤】jīfèn 图 積もり積もった憤り
【积毁销骨】jī huǐ xiāo gǔ 成 絶え間ない誹謗(ひぼう)中傷は人を殺す. 度重なるそしりや悪口は人を破滅に至らしめる
＊＊【积极】jījí 形 ❶肯定的な. プラスの ‖ ～作用 プラスの効果 ❷熱心な. 積極的な ‖ 他工作很～ 彼は仕事に熱心だ | 他对找对象不太～ 彼は結婚相手探しにあまり熱心ではない ＊↔〔消极〕
【积极分子】jījí fènzǐ 图 ❶(政治活動や仕事に)熱心で積極的な人 ❷(文化活動やスポーツなどで)活躍する人
＊＊【积极性】jījíxìng 图 積極性. 意欲. 熱意 ‖ 调动diàodòng大家的～ みんなの積極性を引き出す
【积聚】jījù 動 蓄積する. 集めてためる ‖ ～资金 資金をためる | ～力量 力を蓄える
【积劳】jīláo 動 疲労がたまる. 疲労が重なる
【积劳成疾】jī láo chéng jí 成 過労で病気になる. 疲労がたまって倒れる
＊＊【积累】jīlěi 動 蓄える. 積み重ねる ‖ ～经验 経験を積む | ～资金 資金を蓄える 图〈経〉蓄積
【积累基金】jīlěi jījīn 图〈経〉蓄積基金
【积木】jīmù 图 積み木 ‖ 搭dā～ 積み木をして遊ぶ
【积年】jīnián 動 年月を重ねる ‖ ～弊病bìbìng 積年の悪弊
【积年累月】jī nián lěi yuè 成 長い歳月を重ねる
【积欠】jīqiàn 動 借金をためる 图 たまった借金
【积善】jī//shàn 動 善行を積む
【积少成多】jī shǎo chéng duō 成 ちりも積もれば山となる. 〔积沙成塔tǎ〕ともいう
【积食】jī//shí 動 方(主に子供が)消化不良になる

【积水】jī∥shuǐ 動 水がたまる 名 (jīshuǐ) 水たまり
【积习】jīxí 名 長年の習慣 ‖ ～难改 長年の習慣は改めがたい
【积蓄】jīxù 動 貯蓄する. 蓄える 名 貯蓄. 蓄え ‖ 现在我手头有点儿～ いま私にはいくらか蓄えがある
【积雪】jī∥xuě 動 雪が積もる 名 (jīxuě) 積もった雪. 積雪 ‖ 清除～ 雪かきをする
*【积压】jīyā 動 長く滞る. 長く放置したままにする ‖ 清理～物资 寝かせたままにしていた物資を処分する | 长期～在心头的疑问, 终于解开了 長い間わだかまっていた疑問がついに解けた
【积羽沉舟】jī yǔ chén zhōu 成 軽い羽もたくさん積めば船を沈める. 小さな過ちでも積み重なれば大きな災いとなる
【积郁】jīyù 動 鬱積(うっせき)する 名 わだかまり
【积怨】jī∥yuàn 動 恨みが積もる 名 (jīyuàn) 積怨(せきえん)
*【积攒】jīzǎn 動 少しずつためる. 少しずつ集める ‖ 把零用钱～起来 小遣いを少しずつためておく
【积重难返】jī zhòng nán fǎn 成 積年の悪弊は改めにくい
【积铢累寸】jī zhū lěi cùn =〔铢积寸累 zhū jī cùn lěi〕

10 **笄** jī ❶古 (髪を結うための道具) 笄(こうがい) ❷書 (女子が15歳になって) 笄を髪に挿す

11 **基** jī ❶もと. 礎 ‖ —～础 ❷基本の. 根本の ‖ —～层 ❸名〈化〉基 ‖ 氨ān～ アミノ基
★【基本】jīběn 形 基本の. 根本的な. 主要な ‖ ～任务 主要な任務 | ～原则 基本原則 | ～内容 主な内容 副 ほぼ. だいたい. ほとんど ‖ 问题已经～解决 問題はもうほとんど解決した 名 基本. 根本. 基(もと) ‖ 人民是国家的～ 人民は国家の礎である
【基本词汇】jīběn cíhuì 名〈語〉基本語彙
【基本单位】jīběn dānwèi 名 (国際単位制度の) 基本的な単位
【基本法】jīběnfǎ 名〈法〉基本法. 国家の憲法
【基本功】jīběngōng 名 基本的な知識. 基礎技能 ‖ 舞蹈的～ ダンスの基礎 | 练～ 基礎を練習する
【基本工资】jīběngōngzī 名 基本給
【基本建设】jīběn jiànshè 名〈経〉インフラ整備. 略して〔基建〕ともいう
【基本粒子】jīběn lìzǐ 名〈物〉素粒子. =〔粒子〕
【基本矛盾】jīběn máodùn 名 根本的な対立. 根本的なずれ
【基本上】jīběnshang 副 ❶主に. おおむね ‖ 参加舞会的～是年轻人 ダンスパーティーに参加するのはおおむね若い人たちだ ❷たいてい. だいたい ‖ 星期天我～在家 私は日曜日はたいてい家にいる
*【基层】jīcéng 名 (組織や社会の) 末端. 下層部. 基層部. 現場 ‖ ～单位 末端組織 | 深入～进行调查研究 現場に入って調査研究をする
★【基础】jīchǔ 名 ❶(建物の) 土台. 基礎 ❷(物事の) 基礎. 基本. 基盤 ‖ ～知识 基礎知識 | 打下了坚实的～ しっかりした基盤を打ち立てた
【基础教育】jīchǔ jiàoyù 名 初等教育
【基础科学】jīchǔ kēxué 名 基礎科学
【基础课】jīchǔkè 名 基礎科目. 必修科目
*【基地】jīdì 名 基地. 拠点となる場所 ‖ 运动员训练～ 選手のトレーニング基地 | 军事～ 軍事基地
【基点】jīdiǎn 名 ❶基点. 中心. 重点 ❷根底. 基礎. 出発点
【基调】jīdiào 名 ❶〈音〉主調. 基調 ❷(論説・作品・行動などの) 基調. 基本的な傾向
【基督】Jīdū 名〈宗〉キリスト ‖ 耶稣Yēsū～ イエス・キリスト
*【基督教】Jīdūjiào 名〈宗〉キリスト教. 多く〔新教〕(プロテスタント)をさす
【基肥】jīféi 名〈農〉基肥. 根肥. 〔底肥〕ともいう
【基干】jīgàn 名 基幹. 中堅 ‖ ～部队 基幹部隊
【基价】jījià 名〈経〉(物価指数の) 基準価格
【基建】jījiàn =〔基本建设 jīběn jiànshè〕
*【基金】jījīn 名 基金 ‖ 儿童～ 児童基金
【基里巴斯】Jīlǐbāsī 名〈国名〉キリバス
【基尼系数】jīní xìshù 名〈経〉ジニ係数
【基诺族】Jīnuòzú 名 チノー族 (中国の少数民族の一つ, 主として雲南省に居住)
【基期】jīqī 名〈経〉基準期間. 基本期間
【基色】jīsè 名 原色. =〔原色〕
【基石】jīshí 名 礎石. 礎. (多く比喩に用いる)
【基数】jīshù 名 ❶〈数〉基数 ❷計算上基準となる数
【基态】jītài 名〈物〉基底状態
【基体】jītǐ 名〈物〉基体
【基线】jīxiàn 名 (測量の) 基準線. 基線
【基业】jīyè 名 事業の基礎
【基因】jīyīn 名 外〈生〉遺伝子
【基因重组】jīyīn chóngzǔ 名〈生〉遺伝子組み換え ‖ ～食品 遺伝子組み換え食品
【基因工程】jīyīn gōngchéng 名〈生〉遺伝子工学. 〔遗传工程〕ともいう
【基因疗法】jīyīn liáofǎ 名〈医〉遺伝子療法
【基因芯片】jīyīn xīnpiàn 名〈生〉DNAチップ. 〔生物芯片〕ともいう
【基因组】jīyīnzǔ 名〈生〉ゲノム. 全遺伝子情報. 〔染色体组〕ともいう ‖ 人类～ ヒトゲノム
【基于】jīyú 介 …に基づく. …による ‖ ～这些原因, 我们否定了这个方案 これらの理由により, 我々はこの草案を却下した
【基站】jīzhàn 名〈通信〉(移動通信の) 基地局. ベースステーション
【基质】jīzhì 名〈生〉基質
【基准】jīzhǔn 名 基準. 標準 ‖ 以国际法为～ 国際法を基準とする

12 **嵇** jī 名 姓

12 **缉** jī 捕らえる. 捕縛する ‖ —～拿 | 通～ 指名手配する ➤ qī
【缉捕】jībǔ 動 逮捕する
【缉查】jīchá 動 捜査する
【缉毒】jīdú 動 麻薬取引を取り締まる. 麻薬の売人を捕らえる
【缉获】jīhuò 動 捕らえる. 逮捕する ‖ ～逃犯 逃亡犯を捕らえる
【缉拿】jīná 動 捕らえる. 逮捕する ‖ ～要犯 重要犯人を逮捕する
【缉私】jīsī 動 (密輸や密売を) 取り締まる. 摘発する

12 **赍** (△賫 齎) jī 書 ❶贈り物をする ❷(考えを) 抱く ‖ ～恨 恨みを抱く

12 **犄** jī ↴

J

【犄角】jījiǎo（～儿）图口❶角‖桌子～ テーブルの角 ❷隅‖屋子～ 部屋の隅

【犄角】jījiao 图(動物の)角(つの)‖牛～ ウシの角

12 期(△朞) jī 書まる1年．1ヵ月‖～年 満1年｜～月 満1ヵ月 ➤qī

13 畸 jī ❶古狭すぎたり，形が整っていないために使用できない土地 ❷不規則な．正常でない‖→～形 ❸偏っている‖～轻～重 軽重のバランスを欠く ❹書端数．余り‖～零 端数

【畸变】jībiàn 動ひずむ．ゆがむ

【畸形】jīxíng 形❶奇形である‖～胎儿 奇形児 ❷ゆがんでいる‖～发展 不均衡な発展

13 跻(躋) jī 書登る．上がる‖～于全国名人之列 全国の著名人の仲間入りをする

【跻身】jīshēn 動(ある中に)入る．身を置く‖～影坛 映画界に身を置く

14 箕 jī ❶箕(み)．ちりとり ❷图(二十八宿の一つ)みぼし，箕宿(きしゅく) ❸箕状の指紋‖→～斗

【箕斗】jīdǒu 图指紋‖验明～ 指紋を確認する

15 畿 jī 国都の周辺の地区‖京～ 国都とその周辺地域

15 稽[1] jī 書とどまる．とどめる．遅らせる‖→～留

15 稽[2] jī ❶検査する．調査する‖无～之谈 荒唐無稽(こうとうむけい)な話 ❷逆らう．非難する‖反唇chún相～ 批判を受け入れず，逆に相手をそしる

【稽查】jīchá 動検査する．取り調べる‖～走私品 密輸品を取り調べる 图査察官．取り調べ官

【稽核】jīhé 動(帳簿の)検査をする．会計監査をする

【稽留】jīliú 動書とどまる．逗留(とうりゅう)する

【稽延】jīyán 動書時間を延ばす‖～时日 日時を延長する

15 齑(齏) jī 書❶ショウガなどの薬味のみじん切り ❷細かい．粉々である‖→～粉

【齑粉】jīfěn 图書粉．砕けたくず

16 * 激 jī ❶動(水が)逆巻く．はね上がる‖～起浪花 波しぶきが上がる ❷急激である．激しい‖偏～ 過激である ❸(感情が)高ぶる．興奮する．奮い立つ‖感～ 感激する ❹動興奮させる．たきつける刺激する‖～起民愤 民衆の怒りを招く｜一～他，他肯定去 ちょっとたきつければ彼はきっと行く ❺動水にぬれて病気になる‖让雨给～着了 雨にぬれて病気になった ❻動方(食物を)水で冷やす‖把葡萄pútao酒放在冰水里～一～ ワインを氷水に入れて冷やす

【激昂】jī'áng 形激昂(げきこう)する．高ぶる

【激昂慷慨】jī áng kāng kǎi ＝〔慷慨激昂kāng kǎi jī áng〕

【激变】jībiàn 動(情勢や状態が)激変する‖政局～ 政局が激変する

【激磁】jīcí 動〈物〉励磁(れいじ)する

【激荡】jīdàng 動❶激しく揺れ動く ❷激しく揺り動かす‖～心灵 心を激しく揺さぶる

**【激动】jīdòng 形感動する．感激する‖～得热泪盈眶yíngkuàng 感動のあまり涙があふれる 動❶感動させる‖～人心 心を打つ ❷＝〔激荡jīdàng〕

*【激发】jīfā 動❶奮い立たせる．かき立てる‖要～大家的干劲儿 みんなのやる気を出させなくてはいけない ❷〈物〉励起(れいき)する

【激发态】jīfātài 图〈物〉励起状態

【激奋】jīfèn 形奮起するさま 動(勇気や熱意などを)奮い立たせる．かき立てる

【激愤】jīfèn 形憤激するさま．激怒するさま

*【激光】jīguāng 图〈物〉レーザー光線．かつては〔莱塞láisè〕といった‖～技术 レーザー技術｜～疗法 レーザー療法

【激光唱机】jīguāng chàngjī 图コンパクト・ディスク・プレーヤー．CDプレーヤー

【激光唱片】jīguāng chàngpiàn 图コンパクト・ディスク．CD

【激光打印机】jīguāng dǎyìnjī 图レーザー・プリンター

【激光刀】jīguāngdāo 图〈医〉レーザーメス

【激光器】jīguāngqì 图レーザー・デバイス．レーザー．かつては〔莱塞〕といった

【激光视盘】jīguāng shìpán 图ビデオ・ディスク．レーザー・ディスク

【激光武器】jīguāng wǔqì 图〈軍〉レーザー兵器

【激光照排】jīguāng zhàopái 图レーザー製版

【激化】jīhuà 動激化する‖矛盾～ 対立が激化する

【激活】jīhuó 動(細胞が)活動する．活性化する

【激将】jījiàng 動たきつける．けしかける．そそのかす‖请将不如～ 口説くよりたきつけるほうがうまくいく

【激进】jījìn 形急進的である．過激である‖～派 過激派｜思想～ 思想が過激である

【激剧】jījù 形激烈である．激しい

【激浪】jīlàng 图書大波．怒濤(どとう)

*【激励】jīlì 動奮い立たせる．励ます‖～斗志 闘志を奮い立たせる

【激励机制】jīlì jīzhì 图インセンティブシステム

【激励效应】jīlì xiàoyìng 图インセンティブ効果

**【激烈】jīliè 形激烈な．激しい‖竞争得很～ 競争は激烈である｜病刚好，不要进行～运动 病気が治ったばかりだから，激しい運動はしないように

【激灵】jīling 方動びくっとする．ぶるっと震える．〔机灵〕とも書く‖突然肩膀被人拍了一下，吓得我浑身一～ 急に肩をたたかれて，私は驚いてびくっとした

【激流】jīliú 图激流‖时代的～ 時代の激流

【激怒】jīnù 動怒らせる‖儿子的态度把父亲～了 息子の態度が父親を怒らせた

【激切】jīqiè 形書(言葉が)激しい．きつい

*【激情】jīqíng 图激しい感情．激情‖产生一种强烈的创作～ 強烈な創作意欲がわいてきた

*【激素】jīsù 图〈生理〉ホルモン

【激扬】jīyáng 動書❶奮い立たせる ❷悪を非難し善を称賛する 形勇壮である．高揚するさま

【激越】jīyuè 形激しく高ぶっている‖～的号子 勇ましい掛け声｜感情～ 気持ちが高ぶっている

【激增】jīzēng 動激増する‖销售xiāoshòu量～ 販売量が急激に伸びる｜人口～ 人口が激増する

【激战】jīzhàn 動激しく戦う．激戦する

【激浊扬清】jī zhuó yáng qīng 成濁った水を除いて澄んだ水を出させる．悪を非難し善をたたえる．〔扬清激浊〕ともいう

17 羁(△覊) jī 書❶ウマのおもがい ❷束縛する．拘束する‖冗rǒng事～身 雑事に縛られる ❸とどまる．逗留(とうりゅう)する‖→～留

【羁绊】jībàn 動書束縛する‖摆脱bǎituō传统思想的～ 伝統的思想の束縛から解放される

【羁留】jīliú 動❶(他郷に)滞在する．逗留する‖～数月 数ヵ月滞在する ❷拘留する

【羁押】jīyā 動書 拘留する. 拘禁する

jí

3 ** 及 jí ❶間に合う. 追いつく‖一～时 ❷及ぶ. 達する‖普～ 普及する ❸波及する‖言不～义 くだらないことばかり言う ❹動…に及ぶ. 比べられる.（多く否定に用いる）‖干工作我不～他 仕事では私は彼に及ばない ❺接 および. ならびに‖听力、口语、阅读yuèdú～写作 ヒアリング・会話・読解および作文

【及第】jídì 動古 科挙で進士の試験に合格する

【及锋而试】jí fēng ér shì 成 士気旺盛(しきおうせい)なときに軍を動かす. 有利なうちに行動する

**【及格】jí//gé 動 合格する. 及第する

【及格线】jígéxiàn 名 合格ライン. ボーダーライン

【及冠】jíguàn 動書 男子が成人に達する

【及龄】jílíng 動 適齢になる‖～儿童 学齢になった児童

【及门】jímén 動書 正式に師につく. 弟子入りする

**【及时】jíshí 形 適時である. 時宜にかなっている‖这场雨下得很～ ちょうどいい具合に雨が降った 副 すぐに. すぐさま. 直ちに‖有了虫牙要～治疗 虫歯があればすぐに治療しなければならない

【及时雨】jíshíyǔ 名 ❶よいおしめり. 恵みの雨. 慈雨 ❷喩 時宜にかなった援助. ありがたい支援‖你们的援助, 真是～ あなたがたの援助はまさに恵みの雨です

*【及早】jízǎo 副 早いうちに. 早めに‖～做好准备 早めに準備を整える

【及至】jízhì 接…になって. …に及んで. …に至って‖～他后来告诉我, 我才知道真相 後で彼から聞いて私はようやく真相を知った 介…になって

6 汲 jí 動（水を）くむ. くみあげる‖～水 水をくむ

【汲汲】jíjí 形 あくせくと追い求めるさま. 汲々(きゅうきゅう)とするさま‖～于名利 名利を求めて汲々としている

【汲取】jíqǔ 動 くみ取る. 吸収する‖～知识 知識を吸収する｜从失败中～教训 失敗から教訓をくみ取る

6 吉[1] jí めでたい. 縁起がよい ↔〔凶〕‖一～日｜逢凶化～ 凶を吉に変える

6 吉[2] jí 略 吉林省.〔吉林省〕の略

【吉卜赛人】Jíbǔsàirén 名 ジプシー

【吉布提】Jíbùtí 名〈国名〉ジブチ

【吉尔吉斯斯坦】Jí'ěrjísīsītǎn 名〈国名〉キルギス. 略して〔吉尔吉斯〕ともいう

【吉光片羽】jí guāng piàn yǔ 成 残存する珍しい文物

【吉利】jílì 形 めでたい. 縁起がよい‖～话 縁起のよい言葉｜这号码不～ この番号は縁起が悪い

*【吉普】jípǔ 名 ジープ.〔吉普车〕ともいう

【吉庆】jíqìng 形 縁起がよい. めでたい

【吉人天相】jí rén tiān xiàng 成 善人には天の助けがある（苦しい境遇にある人や失意の人を慰める言葉）

【吉日】jírì 名 吉日‖择zé～ 吉日を選ぶ

【吉他】jítā 名外 ギター. =〔六弦琴〕

*【吉祥】jíxiáng 形 縁起がよい. めでたい‖～话 縁起のよい言葉｜～如意 順調に思いどおりにいく

【吉祥物】jíxiángwù 名（スポーツ大会などの）マスコット・キャラクター

【吉星】jíxīng 名 幸運のめでたい星. 福の神

【吉凶】jíxiōng 名 吉凶‖～未卜wèibǔ 吉と出るか凶と出るか分からない

【吉兆】jízhào 名 吉兆

6 岌 jí ❶書 山の高いさま ❷非常に危険である‖一～～

【岌岌】jíjí 形書 非常に危険なさま‖～可危 危険きわまりない

6 ** 级 jí ❶名 等級. ランク‖初～ 初級 ❷階段‖石～ 石段 ❸量 階段やはしごなどの段を数える‖十多～台阶 十数段の階段 ❹名 学年‖他是九八～的 彼は98年に入学した学生だ

*【级别】jíbié 名 等級の区別. クラス. ランク‖工资～ 給料のランク｜分～比赛 クラス別の試合

【级任】jírèn 名 学級担任. クラス担任

7 ** 即 jí ❶書 接近する. くっつく‖不～不离 つかず離れず ❷就任する‖一～位 ❸介 その場で. その時に‖一～景 ❹目前. 目下‖毕业在～ 卒業が目前に迫っている ❺副書 ①すぐに. すぐさま. 直ちに‖一学～会 ちょっと学んだだけですぐできる ②まさしく. ほかでもなく‖问题症结zhēngjié～在于此 一番の問題点はここにある ❻動書 すなわち…である. とりもなおさず…である‖北平～现在的北京 北平とはすなわち現在の北京である ❼接書 たとえ…としても. よしんば…でも‖～有天大困难, 也要按期完成 たとえどんなに大きな障害があっても, 期日どおりに達成しなければならない

*【即便】jíbiàn 接 たとえ…でも. 仮に…でも‖～没有别人的帮助, 我也可以完成这件工作 たとえ人の助けがなくても, 私はこの仕事を完成させてみせる

【即或】jíhuò 接 たとえ…でも. 仮に…でも‖～是孩子不对, 你也不该打他！ 仮に子供が間違っていたとしても, たたくべきではない

*【即将】jíjiāng 副書 もうすぐ. まもなく. ほどなく. やがて‖春节～到来 もうすぐ旧正月がやってくる

【即景】jíjǐng 動書 眼前の風景に触発されて創作する‖北海～ 北海でのスケッチ

【即景生情】jí jǐng shēng qíng 成 眼前の情景に触発されて感興がわく

【即刻】jíkè 副書 直ちに. すぐさま

【即令】jílìng 接書 たとえ…でも. よしんば…でも

【即日】jírì 名書 ❶即日. 当日‖本条例自～起施行 本条例は即日施行される ❷近いうち. 近日中‖货物～可到 品物は近日中に到着する

【即如】jírú 動 まさに…である. 確かに…である

【即若】jíruò 接書 たとえ…でも. よしんば…でも

【即时】jíshí 副 即刻. すぐに. 直ちに‖接到通知～出发 通知を受け取りしだい, 即刻出発する

【即食】jíshí 動 すぐに食せる‖～面 インスタント・ラーメン

*【即使】jíshǐ 接 たとえ…でも. よしんば…でも‖～只剩下一个人, 我也要坚持下去 たとえ最後の一人になっても, 私は頑張り抜く

【即事】jíshì 動書 眼前の事物や情景に触発されて創作を行う

【即位】jí//wèi 動書 ❶即位する ❷席に着く

【即席】jíxí 動書 即席で行う. その場で行う‖～讲话 即席でスピーチする

【即兴】jíxìng 動 即興で行う‖～演奏 即興で演奏する

7 ** 极（極）jí ❶限り. 極み. 果て‖无礼之～ 無礼極まりない ❷極める. 極まる. 頂点

J

に達する. 絶頂に達する ‖ 愤怒fènnù已～ 怒りはすでに絶頂に達した ❸極度の. 最高の ‖ 一～度 ❹副 この上なく. 甚だ. きわめて ‖ 心里～不高兴 甚だ不愉快である ❺名 極. 磁極. 電極 ‖ 南～ 南極

【极地】jídì 名〈地〉極地

【极点】jídiǎn 名 最高度. 極点 ‖ 他简直不负责任到了～ 彼はまったく無責任だ

【极顶】jídǐng 名 ❶頂上 ❷極点. 最高度 副 きわめて. 非常に ‖ ～聪明 非常に聡明である

*【极度】jídù 副 極度に. きわめて ‖ 神经～紧张 極度に緊張する 名 極度 ‖ 我的忍耐已达到了～ 私の我慢はもう限界に達した

*【极端】jíduān 名 極端 ‖ 从一个～走向另一个～ 極端から極端に走る 形 極端である. 極度の ‖ ～的利己主义者 極端な利己主義者 副 きわめて. 甚だ ‖ ～不满 きわめて不満である

【极而言之】jí ér yán zhī 慣 極言すると. 極端に言えば

【极光】jíguāng 名〈天〉オーロラ

【极境】jíjìng 名 最高の境地

【极口】jíkǒu 副 口を極めて ‖ ～称许 口を極めて称賛する｜～诋毁dǐhuǐ 口を極めて罵る

【极乐世界】jílè shìjiè 名〈仏〉極楽世界. 極楽浄土.〔西天〕ともいう

★【…极了】…jí le（形容詞・動詞の後に置き）きわめて. 実に ‖ 这两天忙～ このところとても忙しい

*【极力】jílì 副 力を尽くして. 懸命に. 極力 ‖ ～说服 懸命に説得する｜～反对 極力反対する

【极量】jíliàng 名〈薬〉極量

【极目】jímù 動 はるか遠くまで見る. 見渡すかぎり…する ‖ ～所视 見渡すかぎり

【极品】jípǐn 名 極上品

⁂【极其】jíqí 副 きわめて. この上なく ‖ 买东西～方便 買い物はとても便利だ

【极圈】jíquān 名〈地〉極圏

【极权】jíquán 名 全体主義

【极为】jíwéi 副 きわめて. とても ‖ ～遗憾yíhàn きわめて遺憾である｜内心～不安 内心とても不安である

⁂【极限】jíxiàn 名 ❶極限. 限界. 最大限 ‖ 载重达到了～ 積載量は限度に達した ❷〈数〉極限

【极限运动】jíxiàn yùndòng 名〈体〉エクストリームスポーツ. ロッククライミングやバンジージャンプなどの冒険性に富んだスポーツ

【极刑】jíxíng 名 極刑. 死刑

【极致】jízhì 名 極致 ‖ 美的～ 美の極致

8 **诘** jí ➤ jié

【诘屈聱牙】jí qū áo yá =〔佶屈聱牙jí qū áo yá〕

8 **佶** jí

【佶屈聱牙】jí qū áo yá 成 文章がごつごつして読みにくい.〔诘屈聱牙〕とも書く

8 **亟** jí 書 早急に. 至急 ‖ ～须处理 直ちに処理しなければならない ➤ qì

9 ★**急** jí ❶形 急激である. 激しい ‖ 雨下得很～ 雨が激しく降っている ❷形 差し迫っている. 切迫している ‖ 催cuī得太～ 矢のような催促である ❸緊急事態 ‖ 告～ 急を告げる ❹動（人の急難を）助ける ‖ ～顾客之所急 顧客の求めに急いで応じる ❺形（性格が）せっかちである. 短気である ‖ 脾气太～ 性格がせっかちだ ❻動 焦る. せく. 急ぐ. 慌てる ‖ ～着要出门儿 慌てて出かける ❼動 いらだたせる. 気をもませる ‖ 还不来, 真～人 まだ来ないのか, ほんとうにいらいらする ❽動 口 かっとなる. 怒る ‖ 他～了, 张口就骂了起来 彼はかっとなって, 口を開くや罵り出した

【急巴巴】jíbābā 形 差し迫ったさま. せっぱ詰まったさま

【急变】jíbiàn 名 急変 ‖ 发生～ 急変する

【急病】jíbìng 名 急病 ‖ 得～ 急病になる

【急不可待】jí bù kě dài 成 差し迫っていて待ちきれない. 一刻も早くと焦る

【急步】jíbù 名 急ぎ足 ‖ ～走 急ぎ足で歩く

【急茬儿】jíchár 名 口 急用

【急赤白脸】jíchìbáiliǎn（～的）形 方 いきり立って顔色を変えるさま. いらいらした表情を露骨にするさま〔急扯白脸〕ともいう

【急匆匆】jícōngcōng 形 あたふたと急ぐさま ‖ 天要下雨了, 行人都～地赶回家去 雨になりそうな雲行きなので通行人はみなせかせかと家路を急いでいる

【急促】jícù 形 ❶慌ただしい. せかせかしている ‖ 呼吸～ 息づかいが荒い ❷（時間が）差し迫っている ‖ 时间很～, 快决定吧！ 時間が迫っている, はやく決めよう

【急待】jídài 動 至急に…すべきだ ‖ ～解决的问题 早急に解決しなければならない問題

【急电】jídiàn 動 至急電報を打つ 名 至急電報. ウナ電 ‖ 发～ 至急電報を打つ

【急风暴雨】jí fēng bào yǔ 成 暴風雨. 勢いの激しいさま

【急公好义】jí gōng hào yì 成 熱心に公に尽くし, 義侠心（ぎきょうしん）に富む

【急功近利】jí gōng jìn lì 成 功を焦り, 目先の利を求める

【急火】[1] jíhuǒ 名 強火

【急火】[2] jíhuǒ 名 いらいらした気持ち

【急急巴巴】jíjíbābā（～的）形 非常に急ぐさま. 慌てるさま ‖ ～地赶来了 急いで駆けつけて来た

【急件】jíjiàn 名 緊急を要する文書

【急进】jíjìn 形 急進的な ‖ ～派 急進派

【急救】jíjiù 動 救急手当てをする ‖ ～包 救急用品の入ったかばん｜～措施cuòshī 救急処置

【急救箱】jíjiùxiāng 名 救急箱

【急就章】jíjiùzhāng 名 喩 当座の用のために急ぎつくった作品あるいは事物.〔急就篇〕ともいう

*【急剧】jíjù 形 急激である ‖ 形势～变化 情勢が急激に変化した｜病情～恶化 病状が急に悪化した

【急遽】jíjù 形 急激である

【急口令】jíkǒulìng 名 方 早口言葉

【急来抱佛脚】jí lái bào fójiǎo 慣 せっぱ詰まってからあわてて対策をとること. 泥棒を捕らえて縄をなう

【急流】jíliú 名 急流

【急流勇退】jí liú yǒng tuì 成（官吏などが）華々しいうちに思い切って一線から退く

⁂【急忙】jímáng 副 慌ただしく. せわしなく ‖ 他一下班, 就～回家了 彼は会社がひけると慌てて家へ帰った｜他急急忙忙地吃了几口饭就出去了 彼は慌ただしく飯をかき込むと出ていった

類義語 急忙 jímáng 连忙 liánmáng

◆〔急忙〕慌てるために動作がせわしくなる. 心理面に重

点がある‖听到呼救声，他急忙跑到河边 助けを呼ぶ声に，彼は慌てて川岸に駆けつけた ◆〔连忙〕ある動作に続けて，すぐに次の動作に移る．動作に重点があり，「慌てる」気持ちはない‖听到妈妈叫我，我连忙跑了过去 母が私を呼ぶのが聞こえたので，すぐさま駆けていった

【急难】jí//nàn 書 動 人の危難を救う‖扶危fúwēi～ 人の危難を救う 名（jínàn）差し迫った危難

【急迫】jípò 形 急迫している．差し迫っている

【急起直追】jí qǐ zhí zhuī 成 奮起して懸命にあとを追う

*【急切】jíqiè 形 ❶切実である．せっぱ詰まっている ❷急である．差し迫っている‖～间找不到适当的地方 急には適当な場所が見つからない

【急如星火】jí rú xīng huǒ 成 流星のように速い．（事態などが）切迫しているさま

【急刹车】jíshāchē 慣 急ブレーキ．歯止め‖踩～ 急ブレーキをかける｜来一个～ 歯止めをかける

【急事】jíshì 名 急用．緊急事

【急速】jísù 形 急速なさま．急ぐさま‖气温～上升 気温が急に上昇する｜他爸爸病危，让他～返回 彼の父親が危篤だ，急いで帰らせなさい

【急湍】jítuān 名 急流．早瀬

【急弯】jíwān 名 ❶（道路の）急カーブ ❷（飛行機・船・車などの）急な方向転換．急旋回

【急务】jíwù 名 急務．緊急を要する仕事

【急先锋】jíxiānfēng 名 急先鋒（きゅうせんぽう）．先頭に立って積極的に行動する人

【急行军】jíxíngjūn 動〈軍〉急行軍を行う

【急性】jíxìng 形 ❶〈医〉急性の ↔〔慢性〕‖～肝炎 急性肝炎 ❷（～儿）性急な．せっかちな 名（～儿）せっかち

【急性病】jíxìngbìng 名 ❶〈医〉急性の病気 ❷喩 せっかち

【急性子】jíxìngzi 形 性急な．せっかちな 名 せっかち

*【急需】jíxū 動 急に必要とする．至急に入用である‖病人～输血 病人が至急輸血を必要としている

【急眼】jí//yǎn 動 口 ❶怒る ❷焦る．やきもきする

【急用】jíyòng 動 急に必要となる．（多く金銭について用いる）‖这些钱你带着，以备路上～ 道中の急な入用に備えてこのお金を持っていきなさい

*【急于】jíyú 動 …を急ぐ．急いで… しようとする．… しようと焦る‖～求成 功を焦る

*【急躁】jízào 形 焦る．いらいらする‖性情～ せっかちである｜遇事不要～ 問題が起きても焦ってはいけない

【急增】jízēng 動 急増する

【急诊】jízhěn 名 救急 動 救急診療を行う．救急診療を受ける‖～室 救急診療室

【急症】jízhèng 名 急病

【急智】jízhì 名 とっさの知恵．機転‖顿dùn生～ とっさに機転を利かせる

【急中生智】jí zhōng shēng zhì 成 とっさによい知恵が浮かぶ．窮すれば通ず

【急骤】jízhòu 形 書 慌ただしい．せわしい

【急转直下】jí zhuǎn zhí xià 成（形勢や劇の筋などが）急転する．急転直下‖形势～ 形勢が急転する

9 **笈** jí 書 ❶（書物を入れる）笈（きゅう）‖负～从师 遊学して師につく ❷書物．書籍

9 **革** jí 書 危篤である．急である‖病～ 危篤になる ➤ gé

10 **疾** jí ❶早い．素早い‖迅～ 迅速である ❷猛烈な．激しい‖→～风 ❸病気‖→～病 ❹痛む‖→～首蹙额 ❺（生活上の）苦しみ．難儀‖→～苦 ❻憎む．恨む‖→～恶如仇

*【疾病】jíbìng 名 病気．疾病（しっぺい）

【疾步】jíbù 名 早足‖～追赶 早足で追いかける

【疾驰】jíchí 動（車や馬などが）疾走する

【疾恶如仇】jí è rú chóu 成 悪事や悪人を仇（かたき）のように憎む．〔嫉恶如仇〕とも書く

【疾风】jífēng 名 ❶猛烈な風．疾風‖～暴雨 暴風雨 ❷〈気〉強風（風力7の風）

【疾风劲草】jí fēng jìng cǎo 成 強い風が吹いてはじめて強い草が分かる．逆境において初めてその人の真価が分かる．〔疾风知劲草〕ともいう

【疾患】jíhuàn 名 書 疾患．病

【疾进】jíjìn 動（隊列が）早足で進む

【疾苦】jíkǔ 名（人々の生活の）苦しみ．困苦

【疾驶】jíshǐ 動（車などが）疾走する

【疾首蹙额】jí shǒu cù é 成 頭が痛くて眉間（みけん）にしわを寄せる．極端に嫌悪するさま

【疾书】jíshū 動 速筆で書く．一気に書く

【疾言厉色】jí yán lì sè 成 言葉を荒げ，きつい顔をする．怒るときのありさま

12 **棘** jí ❶〈植〉サネブトナツメ．ふつう〔酸枣〕という ❷（広く）とげのある草木 ❸刺す．‖→～手

【棘刺】jícì 名 とげ

【棘手】jíshǒu 形 手を焼く．手に負えない‖你提出的问题可真～ 君が出した問題はまったく厄介だ

12 **殛** jí 書 殺す‖雷～ 落雷で人が死ぬ

12 **戢** jí 書 収める．しまう‖～怒 怒りをおさめる｜戢～干戈gāngē 武器を収める．戦争をやめる

12 ** **集** jí ❶動 集まる．集める‖～邮票 切手を集める｜～全家的期望于一身 家中の期待を一身に集める ❷詩や文章などを集めたもの．集録．著作集‖诗～ 詩集 ❸量（大部の小説や映画などの区分を数える）回．部‖十二～电视连续剧 全12回の連続テレビドラマ ❹名 市（いち）‖赶～ 市へ行く

【集部】jíbù 名 集部（中国古代の図書分類の一つ，詩文集の総称）

【集成】jíchéng 動 集成する（多く書名に用いる）

【集成电路】jíchéng diànlù 名〈電〉集積回路．IC

【集成电路卡】jíchéng diànlùkǎ 名 ICカード．〔IC卡〕ともいう

【集大成】jí dàchéng 慣 集大成する

★【集合】jíhé 動 ❶集合する．集まる‖八点半在学校大门口～ 8時30分に学校の正門入り口に集合する ❷集める‖～全班同学打扫卫生 クラス全員を集めて大掃除をする 名〈数〉集合．略して〔集〕ともいう

*【集会】jíhuì 動 集会をする 名 集会

【集结】jíjié 動（軍隊などが）集結する．結集する

【集锦】jíjǐn 名 優れた絵画・写真・詩文などを集めて編集したもの．傑作集．名品集．（多く書名に用いる）

【集句】jíjù 動 古人の句を集めて詩や詞を作る 名 前記の方法で作った詩や詞

【集聚】jíjù 動 集合する．集める

【集刊】jíkān 名 学術研究機関が刊行する論文集

【集录】jílù 動 集録する
【集权】jíquán 動 権力を集中する ‖ 中央～ 中央集権
【集日】jírì 名 市の立つ日
【集散地】jísàndì 名 (生産物の)集散地
*【集市】jíshì 名 (農村や都市の)定期市
【集思广益】jí sī guǎng yì 成 衆知を集める
**【集体】jítǐ 名 集団. 団体 ↔〔个人〕‖ ～生活 集団生活 | ～参观博物馆 団体で博物館を見学する
【集体经济】jítǐ jīngjì 名 集団経済
【集体所有制】jítǐ suǒyǒuzhì 名 集団所有制
【集体舞】jítǐwǔ 名〈体〉マスゲーム
【集体主义】jítǐ zhǔyì 名 集団主義
*【集团】jítuán 名 集団. グループ ‖ ～公司 グループ会社 | 暴力～ 暴力団
【集训】jíxùn 動 集団訓練をする
【集腋成裘】jí yè chéng qiú 成 狐(きつね)のわきの下の毛を集めて皮衣を作る. ちりも積もれば山となる

J

*【集邮】jí//yóu 動 切手を収集する
【集邮册】jíyóucè 名 切手帳. スタンプブック
【集约】jíyuē 形 集約の ↔〔粗放〕‖ ～经营 集約経営
【集运】jíyùn 動 集めて輸送する
【集镇】jízhèn 名 町. 都市よりも小さな居住区
**【集中】jízhōng 動 集中する. 集める. まとめる ‖ ～精力 精力を傾ける | 把群众的意见～起来 大衆の意見をまとめる 形 集中している ‖ 注意力不～ 注意力が散漫である | 大城市里人口过于～ 大都市に人口が集中しすぎている
【集中营】jízhōngyíng 名 貶 強制収容所
【集注】[1] jízhù 動 集中する. (視線が)一点に集まる
【集注】[2] jízhù 動 諸家の注釈を集め, 評釈する. 名 集注. (多く書名に用いる) ✻〔集解〕〔集释〕ともいう
【集装箱】jízhuāngxiāng 名 コンテナ ‖ ～运输 コンテナ輸送 | ～货轮 コンテナ船
*【集资】jízī 動 資金を集める ‖ ～五亿 5億の資金を集める | ～建设住宅 資金を集めて住宅を建設する
【集子】jízi 名 文集. 作品集

13 **嵴** jí 書 山の脊梁(せきりょう)

13 **蒺** jí ↴

【蒺藜】jíli ; jílí 名 ❶〈植〉ハマビシ ❷〈中薬〉蒺藜(しつれい) ❸ハマビシのようにとげのあるもの ‖ 铁～ 鉄びし

13 **嫉** jí ❶ねたむ ‖ →～妒 | →～贤妒能 ❷憎む ‖ 愤世～俗 世を憤り憎む
*【嫉妒】jídù 動 嫉妬する. ねたむ ‖ ～心 嫉妬心 | ～比自己有能力的人 自分より能力のある人をねたむ
【嫉恶如仇】jí è rú chóu ＝〔疾恶如仇 jí è rú chóu〕
【嫉恨】jíhèn 動 ねたむ. 恨む
【嫉贤妒能】jí xián dù néng 成 賢才をねたむ

13 **楫**(△檝) jí 書 櫂(かい) ‖ 舟～ 櫂

13 **辑** jí ❶編集する. 集録する ‖ 编～ 編集する ❷(全集・資料集などの)内容あるいは発表の順序で分けた部分. 集. 冊 ‖《中国哲学史资料选编》第一～ 『中国哲学史資料選集』第1集
【辑录】jílù 動 集めて記録する. 収録する
【辑要】jíyào 動 要点を集める. 抜粋する 名 摘要. 要約 ‖ 新闻～ ニュース・ダイジェスト
【辑佚】【辑逸】jíyì 動 散逸した関係資料を拾い集める 名 散逸した文章を他の本の引用から集めてまとめたもの(多く書名に用いる)
【辑印】jíyìn 動 分散した資料などを集めて出版する

15 **蕺** jí ↴

【蕺菜】jícài 名〈植〉ドクダミ. 〔鱼腥草〕ともいう

15 **瘠** jí 書 ❶(体が)痩せている ❷(土地が)痩せている ‖ ～土 痩せた土地
【瘠薄】jíbó 形 (土地が)痩せている
【瘠田】jítián 名 痩せた田畑

15 **鹡** jí ↴

【鹡鸰】jílíng 名〈鳥〉セキレイ

17 **藉** jí ❶書 踏みにじる. 辱める ❷ひどく雑然としている ‖ 狼～ ひどく乱雑である ➤ jiè

20 **籍** jí ❶書籍. 帳簿 ‖ 书～ 書物 ❷籍. 戸籍 ‖ 原～ 本籍 ❸個人と組織との所属関係. 籍 ‖ 美～华人 米国籍の中国人
*【籍贯】jíguàn 名 原籍. 本籍

jǐ

2 ★ **几**(幾) jǐ ❶数 いくつ. ふつう10未満の数を尋ねるときに用いる ‖ 这孩子～岁了? この子は何歳になりましたか | 现在～点? いま何時ですか ❷数 (2から9の間の)不定数を示す ‖ ～天前, 他就走了 数日前に彼は出かけた | 她才十～岁 彼女はまだ十数歳だ ❸数 はっきりした数が分かる具体的な文脈で, その数の代わりに用いる ‖ 屋里只有老张、小王、老周和我～个人 部屋には張さん・王さん・周さんと私の数人だけがいた ➤ jī

類義語 | 几 jǐ 多少 duōshao

◆ともに数量を尋ねるときに用いる ◆〔几〕求める答えに, 10未満あるいはせいぜい10ぐらいの数を予測する場合に用いる. ただし, 日付や時刻などを尋ねるときには10以上であっても〔几〕を用いる. 普通, 後ろには量詞か量詞性の名詞を必要とする ‖ 小朋友, 你几岁? 坊っちゃん(お嬢ちゃん), いくつ | "几月几号?" "十二月二十五号" 「何月何日ですか」「12月25日です」 ◆〔多少〕求める答えの大小にかかわりなく用いられる. 後ろの名詞との間には量詞があってもなくてもよい ‖ 你们系有多少(个)学生? 君の学部には学生が何人いますか

【几曾】jǐcéng 副 書 (反語に用い)いまだかつて(…ことがない)
【几次三番】jǐ cì sān fān 慣 何度も何度も. 繰り返し. 再三再四
【几多】jǐduō 代 方 いくら. どれだけ 副 なんて. 実に
*【几何】jǐhé 代 書 どれほど. どのくらい ‖ 曾～时 いくばくもなく. ほどなく 名 略〈数〉幾何学
【几何体】jǐhétǐ 名〈数〉立体. 〔立体〕ともいう
【几何图形】jǐhé túxíng 名〈数〉幾何図形
【几何学】jǐhéxué 名〈数〉幾何学
【几经】jǐjīng 動 書 何度も経る ‖ ～波折 bōzhé あれこれ紆余曲折(うよきょくせつ)を経る
【几内亚】Jǐnèiyà 名〈国名〉ギニア
【几内亚比绍】Jǐnèiyà bǐshào 名〈国名〉ギニアビ

サウ
【几ル】jǐr 代方 どの日. 何日. いつ
【几时】jǐshí 代 どんな時. いつ ‖ 你～能回来？ あなたはいつごろ帰ってこられますか
【几许】jǐxǔ 代書 どれほど

3 **己**[1] jǐ 名 己(つちのと)(十干の第6). ➡〔天干 tiāngān〕

3 **己**[2] jǐ 自分 ‖ 自～ 自分自身 | 知～知彼 自分を知り, 相手も知る
【己方】jǐfāng 名 (先方に対して)こちら. 自分の側
【己见】jǐjiàn 名書 自分の意見 ‖ 固执～ 自分の考えに固執する | 各抒～ 各人が自分の意見を述べる
【己任】jǐrèn 名書 おのれの務め. 自分の任務

6 **纪** jǐ 名 姓 ➤ jì

8 **虮**(蟣) jǐ 名 シラミの卵. ふつう〔虮子〕という

9 **济**(濟) jǐ 地名用字 ‖ ～水 済水. 古代の川の名 | ～南 山東省の省都 ➤ jì
【济济】jǐjǐ 形 人が多いさま ‖ 人才～ 多士済々(せいせい)

9 ★**挤**(擠) jǐ ❶動 割り込む. 押し込む. かき分ける ‖ 好不容易才从人群里～出来 押し合いへし合いしてやっとのことで人込みから外に出た ❷動 締め出す. 排斥する ‖ 他的出国名额被人～掉了 彼は出国人員の定員からはじき出されてしまった ❸動 搾る. (時間を)さく ‖ 最近我实在忙, 去医院的时间都～不出 最近私はとても忙しくて, 病院に行く時間さえとれない ❹動 ぎっしり詰まる. 込み合う ‖ 公共汽车里很～ バスの中はとても込み合っている
【挤兑】jǐduì 動旧 (多くの預金者が銀行に)払い戻しのために押しかける. 取り付け騒ぎとなる
【挤对】jǐdui 動方 ❶無理強いする. 強引に従わせる ❷いじめる. 意地悪をする ‖ ～人 人をいじめる
【挤咕】jǐgu 動方 まばたきする. 目で合図する
【挤垮】jǐ∥kuǎ 動 押しつぶす
【挤眉弄眼】jǐ méi nòng yǎn 慣 眉(まゆ)を寄せたり目くばせしたりして注意を引く
【挤压】jǐyā 動 (左右や上下から)圧する. 押す
【挤牙膏】jǐ yágāo 組 練り歯磨きを(チューブから)押し出す. 喩 小出しにする. 少しずつ本音を吐く
【挤轧】jǐyà 動 押さえつける. 圧迫する
【挤占】jǐzhàn 動 無理やり占拠する. 割り込む

9 **给** jǐ ❶供給する ‖ 供～ 供給する ❷豊かである. 満ち足りている ‖ 家～人足 どの家も豊かで人々は満ち足りている ➤ gěi
【给付】jǐfù 動 支払う. 給付する
【给水】jǐshuǐ 動 給水する ‖ ～车 給水車
【给养】jǐyǎng 名 (軍隊での)給養
*【给予】jǐyǔ 動書 与える. やる ‖ ～帮助 援助を与える | ～足够的重视 十分に重視する

10 **脊** jǐ ❶背骨. 脊椎(せきつい) ❷背骨のように高くなっている所 ‖ 山～ 尾根 | 书～ 本の背
【脊背】jǐbèi 名 背. 背中
*【脊梁】jǐliang 名 背中
【脊梁骨】jǐlianggǔ 名 背骨. 脊柱(せきちゅう)
【脊神经】jǐshénjīng 名〈生理〉脊髄(せきずい)神経
【脊髓】jǐsuǐ 名〈生理〉脊髄
【脊髓灰质炎】jǐsuǐ huīzhìyán 名〈医〉ポリオ. 急性灰白髄炎. 小児麻痺(しょうにまひ)
【脊柱】jǐzhù 名〈生理〉脊柱
【脊椎】jǐzhuī 名〈生理〉脊椎
【脊椎动物】jǐzhuī dòngwù 名〈生〉脊椎動物
【脊椎骨】jǐzhuīgǔ 名 椎骨(ついこつ). 〔椎骨〕の通称

11 **掎** jǐ 書 ❶(傍らあるいは後ろから)ぐっと引っ張る. つかまえる ❷牽制する. 自由な行動を妨げる

12 **戟** jǐ 名 (古代の武器の一つ)戟(げき). 矛(ほこ)に似ている

13 **麂** jǐ 名〈動〉キョン. ふつう〔麂子〕という

jì

4 ***计** jì ❶動 計算する ‖ 不～其数 数えきれない ❷動 合計する ‖ 全组～有五人 グループ全体で計5人いる ❸動 画策する. 考える ‖ 为工作方便～, 把人员分为三个组 仕事がやりやすいように人員を3班に分ける ❹名 考え. はかりごと ‖ 百年大～ 百年の大計 ❺動 (得失を)考慮する. もくろむ. (多く否定に用いる) ‖ 不～名利 名利を気にかけない ❻計器. メーター ‖ 温度～ 温度計
【计步器】jìbùqì 名 万歩計
【计策】jìcè 名 方策. 策略. 戦略
【计程车】jìchéngchē 名方 (メーター付きの)タクシー
【计酬】jìchóu 動 賃金を計算する ‖ 按件～ 出来高で賃金を払う. 出来高給
★【计划】jìhuà 名 計画. もくろみ ‖ 制定～ 計画を立てる 動 企てる. 計画する ‖ 我们～暑假去北京旅行 私たちは夏休みに北京を旅行する予定だ
【计划经济】jìhuà jīngjì 名〈経〉計画経済
【计划生育】jìhuà shēngyù 名 計画出産
【计价】jìjià 動 価格を計算する. 料金を算出する
【计件工资】jìjiàn gōngzī 名 出来高給. 出来高払い
*【计较】jìjiào 動 ❶損得勘定する. 気にかける. こだわる ‖ 这些小事你不要～了 こんなささいな事を気にするな ❷論争する ‖ 我懒lǎn得和他～ 彼とは議論したくない ❸考える. 画策する ‖ 时机尚不成熟, 此事以后再作～ 機が熟さないから, この件はまた改めて考えよう
【计量】jìliàng 動 ❶(計器で)はかる. 計測する ❷計る ‖ 付出的心血无法～ 注いだ心血は計り知れない
【计谋】jìmóu 名 策. 戦術. はかりごと
【计日程功】jì rì chéng gōng 成 日ならずして成功する. 完成の日まで指折り数えることができる
【计时】jìshí 動 時間を計る ‖ ～器 タイマー | 倒dào～ カウントダウンする
【计时工资】jìshí gōngzī 名 労働時間によって算出する給与. 時給
【计数】jìshǔ 動 数を数える. 計算する
【计数】jì∥shù 動 数値を出す. 計数する
**【计算】jìsuàn 動 ❶計算する ‖ ～一下得花多少钱 いくらお金がかかるか計算してみる ❷あれこれ考えをめぐらす ‖ 心里～着该怎么办 どうすべきか思案中である ❸(人を)陥れる. わなにはめる ‖ 暗中～别人 ひそかに他人を陥れようとたくらむ
*【计算机】jìsuànjī 名 計算機. コンピューター
【计算机安全】jìsuànjī ānquán 名〈計〉コンピューターセキュリティー
【计算机病毒】jìsuànjī bìngdú 名 コンピューター・ウイルス
【计算机层析成像】jìsuànjī céngxī chéngxiàng

J

名〈医〉コンピューター断層撮影. CTスキャン.〔计算机断层扫描〕ともいう
【计算机程序】jìsuànjī chéngxù 名〈計〉コンピューター・プログラム
【计算机断层扫描】jìsuànjī duàncéng sǎomiáo ＝〔计算机层析成像jìsuànjī céngxī chéngxiàng〕
【计算机网络】jìsuànjī wǎngluò 名 コンピューター・ネットワーク
【计算器】jìsuànqì 名 計算器. 電卓
【计议】jìyì 動 協議する. 検討する
5 ★**记** jì ❶動 書きとめる. 記録する‖～日记 日記をつける ❷動 記憶する. 覚える‖～单词 単語を覚える ❸(～儿)しるし. 記号‖标～ 同前 ❹名 痣(あざ)‖黑～ 黒い痣 ❺事柄を記した文章や書物(多く題名に用いる)‖传zhuàn～ 伝記 ❻量 物や人を打つ動作を数える‖一～耳光 びんた1回
*【记不得】jìbude 動 覚えていない. 記憶していない‖具体的日期我已经～了 具体的な期日はとうに忘れてしまった
【记不清】jìbuqīng 動 はっきり覚えていない
⁂【记不住】jìbuzhù 動 しっかりと覚えられない. 記憶できない‖生词太多了, 我～ 新出単語が多すぎて, とても覚えられない
【记仇】jì//chóu 動 恨む. 根にもつ
⁂【记得】jì//de 動 忘れずにいる. 覚えている‖我们以前来过这儿, 你还～吗? 私たちは以前ここに来たことがあるけれど, 君は覚えているかい
*【记得住】jìdezhù 動 覚えられる. 記憶できる‖这段台词这么长, 你～吗? この部分の台詞(せりふ)はこんなに長いけれど, あなたは覚えられますか
【记分】jì//fēn (～儿) 動 (仕事・試合・遊戯の)点数を記録する. 得点をつける‖～员 記録係. スコアラー
【记工】jì//gōng 動 (かつての農業生産集団で)労働時間または作業量を点数に換算して記録する
【记功】jì//gōng 動 功績や功労を記録する
【记挂】jìguà 動 方 案じる. 気にかける
【记过】jì//guò 動 (処罰の一種)過失を記録する
*【记号】jìhao 名 記号. マーク‖用红笔做了个～ 赤鉛筆でしるしを付けた
【记恨】jìhen；jìhèn 動 恨む. 恨みに思う
⁂【记录】jìlù 動 書きとめる. 記録する‖把大家发言的要点～下来 みんなの発言の要点を記録する 名 ❶記録‖会议～ 会議録 ❷書記. 記録係‖开会的时候, 我当～ 会議のときに私は記録係を務める ❸(競技などの)記録. レコード‖打破世界～ 世界記録を破る ＊〔纪录〕とも書く
【记录片儿】jìlùpiānr ＝〔纪录片儿jìlùpiānr〕
【记录片】jìlùpiàn ＝〔纪录片jìlùpiàn〕
【记名】jìmíng 動 姓名を記す. 記名する‖～支票 記名小切手｜无～投票 無記名投票
【记念】jìniàn ＝〔纪念jìniàn〕
【记取】jìqǔ 動 (教訓や言いつけなどを)しっかり覚える. 心に刻む‖～教训 教訓を心に銘記する
【记认】jìrèn 動 見分ける. 識別する 名 方 しるし
【记事】jì//shì 動 記録する. 記述する
【记事儿】jìshìr 動 物心がつく‖我刚刚～, 父亲就去世了 私がやっと物心がついたころ, 父が亡くなった
【记述】jìshù 動 書き記す. 記述する
【记诵】jìsòng 動 暗唱する. そらんじる
*【记性】jìxing 名 物覚え. 記憶力‖～好 記憶力がよい｜～差 物覚えが悪い
【记叙】jìxù 動 書き記す. 記述する
【记叙文】jìxùwén 名 記述文
【记要】jìyào ＝〔纪要jìyào〕
⁂【记忆】jìyì 動 記憶する‖学外语要反复～才行 外国語を学ぶには繰り返し覚えることが大切である 名 記憶‖美好的～ 美しい記憶
【记忆合金】jìyì héjīn 名 形状記憶合金.〔形状记忆合金〕の略
*【记忆力】jìyìlì 名 記憶力
*【记载】jìzǎi 動 記載する‖如实～ ありのままに記載する 名 記載された文章. 記事
⁂【记者】jìzhě 名 記者‖新闻～ 新聞記者
【记住】jì//zhù 動 覚えこむ. 記憶して忘れない‖牢牢láoláo～ しっかり覚える
6 **伎** jì ❶巧みなわざ. 腕前‖→～俩 ❷古 芸伎(げい)‖舞～ 舞伎
【伎俩】jìliǎng 名 (不当な)手口. やりくち
6 **纪** jì ❶書 糸口. 筋道. 条理 ❷きまり. 規律‖违～ 規律違反 ❸(年代の単位)紀‖世～ 世紀 ❹名〈地質〉紀‖奥陶～ オルドビス紀 ❺記す. 記載する‖→～念 ➤jǐ
【纪纲】jìgāng 名 書 規律. きまり
【纪检】jìjiǎn 名 略 紀律検査.〔纪律检查〕の略
【纪录】jìlù ＝〔记录jìlù〕
【纪录片儿】jìlùpiānr 名 口 記録映画. ドキュメンタリー映画.〔记录片儿〕とも書く
【纪录片】jìlùpiàn 名 記録映画. ドキュメンタリー映画.〔记录片〕とも書く
⁂【纪律】jìlǜ 名 規律. 決まり‖遵守zūnshǒu～ 規律を守る｜违反～ 規律を破る
【纪年】jìnián 動 年代を記す 名〈史〉編年体(歴史記述の一形式で, 年代の順を追って記述したもの)
⁂【纪念】jìniàn 動 記念する 名 記念となるもの. 記念品‖照张相留个～吧 記念に写真を撮ろうよ｜这支钢笔送给你, 做个～ この万年筆を記念に君にあげよう ＊〔记念〕とも書く
【纪念碑】jìniànbēi 名 記念碑. モニュメント
【纪念币】jìniànbì 名 記念硬貨
【纪念册】jìniàncè 名 アルバム. 記念帳
【纪念馆】jìniànguǎn 名 記念館
【纪念品】jìniànpǐn 名 記念品
【纪念日】jìniànrì 名 記念日
【纪念邮票】jìniàn yóupiào 名 記念切手
【纪念章】jìniànzhāng 名 記念章. 記念バッジ
【纪实】jìshí 動 事実を記録する 名 (事実の)報告書. リポート.(多く標題に用いる)
【纪事】jìshì 動 事績や史実を書き記す 名 事績や史実の記録.(多く書名に用いる)
【纪委】jìwěi 名 規律検査委員会.〔纪律检查委员会〕の略
【纪行】jìxíng 名 紀行文.(多く標題に用いる)
*【纪要】jìyào 名 紀要. 要点を記した文. 抜粋. 摘要.〔记要〕とも書く‖会议～ 議事録
【纪元】jìyuán 名 紀元‖～前 紀元前
【纪传体】jìzhuàntǐ 名〈史〉紀伝体(歴史記述の一形式で, 主に人物の事績を中心に史実を記したもの)
6 **齐**(齊) jì ❶書 調合する ❷書 調味料 ❸合金.(現在は qí と発音することが多い) ➤qí

7 **际**(際) jì ❶境目. 際(きわ) ‖ 漫无边～ どこまでも際限がない ❷中. 内 ‖ 脑～ 脳裏 ❸交際する. 付き合う ‖ 交～ 交際する ❹互いの間 ‖ 国～ 国際 ❺名 とき. おり. 際 ‖ 新婚之～ 新婚当時 ❻書(ある機会に)居合わせる. 巡り合う ‖ ～此多事之秋 この多難な時に際して

【际遇】jìyù 動 巡り合う. 出会う. (多くよいことをさす)

7 **芰** jì 古〈植〉ヒシ

7 **技** jì ある領域での能力. 技術. 技能 ‖ →～术 | 绝～ 卓越した腕前

【技法】jìfǎ 名(芸術などの)技法. 技芸

【技工】jìgōng 名 専門技術をもった労働者. 熟練工

【技工学校】jìgōng xuéxiào 名 技術労働者養成専門学校. 略して〔技校〕という

【技击】jìjī 名 格闘技

*【技能】jìnéng 名 技術的な能力. 技能

*【技巧】jìqiǎo 名 技法. テクニック

【技巧运动】jìqiǎo yùndòng 名〈体〉アクロ体操. アクロバチックス

【技师】jìshī 名 技師(技術者の職階名の一つ, 〔工程师〕より下に位置する)

★【技术】jìshù 名 ❶技術. 技能 ‖ 尖端jiānduān～ 先端技術 | ～合作 技術提携 ❷生産設備

【技术革命】jìshù gémìng 名 技術革命

【技术革新】jìshù géxīn 名 技術革新. イノベーション. 〔技术改革〕ともいう

【技术科学】jìshù kēxué 名 応用科学

【技术性】jìshùxìng 形 技術的な. テクニカルな ‖ ～问题 技術的な問題 名 技術性

【技术学校】jìshù xuéxiào 名 技術者養成学校. 略して〔技校〕という

**【技术员】jìshùyuán 名 技術員(技術者の職階名の一つ, 〔工程师〕の指導を受ける)

【技术装备】jìshù zhuāngbèi 名 生産設備

【技校】jìxiào 名 略 技術者養成学校または技術工養成専門学校. 〔技术学校〕〔技工学校〕の略

【技艺】jìyì 名 技芸 ‖ ～高超 わざがぬきんでている

7 **妓** jì ❶妓女(ぎじょ) ‖ 歌～ 歌い女(め) ❷娼婦 ‖ →～女

【妓女】jìnǚ 名 旧 売春婦

【妓院】jìyuàn 名 旧 娼家. 女郎屋

7 **系**(繫) jì 動 結ぶ. 結わえる. 留める ‖ ～领带 ネクタイを締める | ～皮带 ベルトを締める | ～扣子kòuzi ボタンを留める ➤ xì

7 **忌**[1] jì ねたましく思う. そねむ ‖ ～才 自分より優れたものをねたむ | 妒dù～ ねたむ

7* **忌**[2] jì ❶畏(おそ)れ慎む. 怖がる ‖ →～惮 ❷動 忌(い)み遠ざける ‖ 这种病要～生冷 この種の病気は生ものや冷たい食べ物を避けなければならない ❸動(悪習などを)絶つ ‖ ～烟 禁煙する

【忌辰】jìchén 名(祖先の)命日

【忌惮】jìdàn 動 書 畏れ慎む. 畏怖する

【忌妒】jìdu 動 嫉妬(しっと)する ‖ ～他人 他人をねたむ

【忌恨】jìhèn 動 恨む. 憎み恨む

【忌讳】jìhui ; jìhuì 動 ❶忌み嫌う. はばかる ❷努めて避ける. 極力控える ‖ 交朋友最～的是不诚实 友だち付き合いでもっとも避けるべきは不誠実であることだ

【忌口】jì//kǒu 動(病気などの理由で)合わない食物を避ける. 〔忌嘴〕ともいう

【忌日】jìrì 名 ❶＝〔忌辰jìchén〕❷忌み日. 縁起の悪い日

【忌食】jìshí 動 ❶(体質や薬の服用などの理由で)合わない食物を食べない ❷〈宗〉タブーの食物を断つ ‖ 回民～猪肉 イスラム教徒は豚肉を口にしない

【忌语】jìyǔ 名 忌み言葉. タブーの言葉

【忌嘴】jì//zuǐ ＝〔忌口jìkǒu〕

8 **剂**(劑) jì ❶(薬や味などを)配合して作る ‖ 调tiáo～ 薬を調合する ❷調剤した薬 ‖ 消化～ 消化剤 ❸化学・物理作用のある物質 ‖ 防腐～ 防腐剤 ❹量 煎(せん)じ薬を数える ‖ 只吃了两～药, 病就好了 煎じ薬を2服飲んだだけで病気がよくなった ❺名(～儿)こねた小麦粉を長い棒状にして小さくちぎった塊 ‖ →～子

【剂量】jìliàng 名〈薬〉投与量. 薬剤の分量

【剂型】jìxíng 名〈薬〉形状による薬のタイプ

【剂子】jìzi 名 マントーやギョーザの皮を作るとき, こねた小麦粉を長い棒状にして, 1個分ずつ小さくちぎり分けたもの

8* **季**[1] jì ❶書 兄弟の序列での最年少 ‖ ～父 父の末の弟 ❷書 ある王朝やある時期また季節の末 ‖ 明～ 明朝末年 | ～冬 旧暦の12月

8 **季**[2] jì ❶名 一年を春夏秋冬の四季に分け, 3ヵ月を1季とする季 ‖ 四～ 四季 ❷(～儿)一年のうちで特色ある時期 ‖ 淡～ シーズンオフ

*【季度】jìdù 名 四半期 ‖ 第一～预算 第1四半期の予算

【季风】jìfēng 名〈気〉季節風. モンスーン

【季风气候】jìfēng qìhòu 名 モンスーン気候

【季候】jìhòu 名 方 季節

**【季节】jìjié 名 季節. 時期 ‖ 旅游～ 旅行シーズン | 秋天是北京最好的～ 秋は北京の最もよい季節である

【季节工】jìjiégōng 名 季節労働者

【季军】jìjūn 名 第3位. 〔冠军〕〔亚军〕に次ぐもの

【季刊】jìkān 名 季刊

9 **济**[1](濟) jì (川を)渡る ‖ 同舟zhōu共～ 苦難を共にする

9 **济**[2](濟) jì ❶救済する. 助ける ‖ →～世 ❷役立つこと. 利益 ‖ 假公～私 公を装って利益を自分のものとする ➤ jǐ

【济贫】jìpín 動 貧民を救済する. 貧苦の人を助ける

【济世】jìshì 動 書 世人を救済する. 人々を助ける

【济事】jìshì 形 役に立つ. 用が足りる. (多く否定に用いる) ‖ 眼睛也不～了 目もだめになった

9 **洎** jì 書(～にまで)至る. 達する ‖ 自古～今 昔から現在まで

9 **迹**(△跡 蹟) jì ❶足跡 ‖ 人～罕hǎn至 めったに人の訪れない ❷(行動の)痕跡(こんせき) ‖ 行～不明 行方不明 ❸旧跡. 遺物 ‖ 史～ 史跡 ❹(物が残す)痕跡 ‖ 血～ 血痕

*【迹象】jìxiàng 名 予兆. 兆し

9 **荠**(薺) jì 名〈植〉ナズナ ➤ qí

【荠菜】jìcài 名〈植〉ナズナ

9 **哜**(嚌) jì ↴

【哜哜嘈嘈】jìjicáocáo 擬(慌ただしく騒がしい話し声)がやがや. ざわざわ

9** **既** jì ❶書 完了する. 終わる ‖ 言未～ まだ言い終わっていない ❷すでに ‖ →～往 ❸接(〔又〕

J

〔也〕〔且〕などと呼応して）… **でもあり … でもある.** … し … **もする** ‖ 他～不爱喝酒, 也不喜欢抽烟 彼は酒も好まないし, タバコも嫌いだ ❹接（〔就〕〔也〕〔那么〕などと呼応して）… である以上は. … であるからには ‖ ～签了合同, 就该严格遵守zūnshǒu 契約を結んだ以上は厳格に守らなくてはならない

【既成事实】jìchéng shìshí 图 既成事実

【既得利益】jìdé lìyì 图 既得利益

【既而】jì'ér 接 書 まもなく. ほどなく

**【既然】jìrán 接 … した以上は. … であるからには.（複文の前節に用い, 後の文には多く〔就〕〔也〕〔还〕などを伴う）‖ 你～来了, 就多住几天吧 せっかく来たんだから, もっと泊まっていきなさい

【既是】jìshì 接 … した以上は. … であるからには

【既往】jìwǎng 图 ❶以前. 昔 ‖ 一如～ 以前とまったく変わらない ❷過ぎ去った事. 昔の事

【既往不咎】jì wǎng bù jiù 成 過去の過ちはとがめない. 〔不咎既往〕ともいう

J

10 继（繼）jì 連続する. 継続する. 引き継ぐ ‖ 一～续 | 夜以～日 夜を日に継いで

*【继承】jìchéng 動 ❶〈法〉相続する ‖ ～父母遗产 父母の遺産を相続する ❷引き継ぐ ‖ ～先辈的遗志 先人の遺志を継ぐ

【继承权】jìchéngquán 图〈法〉相続権

【继承人】jìchéngrén 图 ❶〈法〉相続人 ❷王位継承者

【继而】jì'ér 接 引き続き. 次いで

【继父】jìfù 图 継父

【继母】jìmǔ 图 継母

【继配】jìpèi 图 後妻. 後添い. 〔继室〕ともいう

【继任】jìrèn 動 任務を引き継ぐ. 後任に就く

【继室】jìshì ＝〔继配jìpèi〕

【继嗣】jìsì 書 動 養子にやる. 養子をもらう 图 跡継ぎ

【继往开来】jì wǎng kāi lái 成 先人の跡を引き継ぎ, 将来の道を開く

【继武】jìwǔ 動 書 前人の事業を引き継ぐ

★【继续】jìxù 動 **継続する** ‖ ～学习 勉強を続ける | 比赛还在～ 試合はまだ続いている

【继续教育】jìxù jiàoyù 图（技術者に対する）継続専門教育. また一般に生涯教育もさす

【继子】jìzǐ 图 ❶養子 ❷先夫または先妻の子

10 觊（覬）jì 書 たくらむ. 望む ‖ ～觎yú 望むべきでないものを得ようと望む

11 偈 jì 图 外〈仏〉偈（げ）（経文で仏徳をたたえ, 教理を説く詩）➤ jié

11 悸 jì 書 胸がどきどきする ‖ 心有余～ 胸の動悸（どうき）がおさまらない

11 ★寄 jì ❶動 **託す** ‖ ～希望于他 彼に希望を託す ❷頼る. 依存する ‖ 一～居 ❸義理の関係 ‖ ～父 義父 ❹書 託送する. 人づてに届ける ‖ ～书故友 人に頼んで旧友に手紙を届ける ❺動 **郵送する** ‖ ～信 手紙を出す | ～包裹 小包を送る

【寄存】jìcún 動 預ける ‖ 行李～处 荷物預かり所 | 把行李～在车站 荷物を駅に預ける

【寄存器】jìcúnqì 图〈計〉レジスター

【寄递】jìdì 動 郵便物を配達する

【寄放】jìfàng 動（荷物を）預ける. 預けておく

【寄费】jìfèi 图 郵便料金

【寄籍】jìjí 图 寄留先の戸籍

【寄件人】jìjiànrén 图（郵便物の）差出人. 発信人 ↔〔收件人〕

【寄居】jìjū 動 一時的に身を寄せる. 寄留する

【寄卖】jìmài 動 委託販売する. 受託販売する. 〔寄售〕ともいう

【寄人篱下】jì rén lí xià 成 他人の垣根に身を寄せる. 人に頼って生活する

【寄生】jìshēng 動 ❶〈生〉寄生する ❷喩 他人に頼って生活する

【寄生虫】jìshēngchóng 图 ❶寄生虫 ❷喩 自分は働かないで他人に頼って生活する者

【寄食】jìshí 動 書 人に頼って暮らす. 寄食する

【寄售】jìshòu 動 委託販売する. 受託販売する

【寄宿】jìsù 動 ❶人の家に泊まる. 身を寄せる ‖ 暂时在伯母家里～ 一時おばの家に身を寄せる ❷（学生が学校の）寮に入る. 寄宿する

【寄宿生】jìsùshēng 图 寮生. 寄宿生

*【寄托】jìtuō 動 ❶託す. 預ける. 頼む ‖ 把孩子临时～给嫂子 子供をしばらく兄嫁に預ける ❷託す. 寄せる ‖ 把希望～在孩子身上 望みを子供に託す

【寄养】jìyǎng 動（子供や動物を）人に養育してもらう. 預ける. 里子に出す

【寄予】【寄与】jìyǔ 動 書 ❶託す ‖ 对孩子～希望 子供に希望を託す ❷（同情や関心などを）寄せる. 与える ‖ ～同情 同情を寄せる

【寄语】jìyǔ 動 書 メッセージを送る. 言葉を贈る 图 メッセージ

【寄寓】jìyù 動 書 寄留する. 一時的に身を寄せる

【寄主】jìzhǔ 图〈生〉宿主. 〔宿主〕ともいう

11 寂 jì ❶ひっそりとしている. 物音がしない ‖ 一～静 | 沉～ ひっそりとしている ❷もの寂しい. さびれている ‖ 一～寞 | 孤～ 孤独で寂しい

*【寂静】jìjìng 形 音もなく静かである. ひっそりとしている

【寂寥】jìliáo 形 書 ひっそりとしている. もの寂しい

*【寂寞】jìmò 形 ❶寂しい. うら寂しい ‖ 身处异乡, 常常感到很～ 異郷で生活していると, いつも寂しさを感じる ❷ひっそりとしている. 静かである ‖ ～的荒野 寒々とした荒野

【寂然】jìrán 形 書 ひっそりとしているさま

11 绩（△勣❷）jì ❶繊維を縒（よ）って糸にする. 紡ぐ ‖ ～麻 アサを紡ぐ ❷功績. 業績 ‖ 丰功伟～ 偉大な功績 | 战～ 戦果

【绩效】jìxiào 图 成績. 効果

【绩优股】jìyōugǔ 图〈経〉優良株 ‖ 本周～榜bǎng 今週の優良株一覧

11 祭 jì ❶動（神や祖先を）祭る.（死者を）追悼する ‖ ～神 神を祭る ❷動（呪文じゅを唱えて）神通力のある宝物を使う

【祭奠】jìdiàn 動 弔う. 供養のための祭事を行う ‖ ～祖先 祖先を供養する

【祭礼】jìlǐ 图 ❶祭の儀式. 祭礼 ❷供え物

【祭品】jìpǐn 图 祭祀のときに用いる供え物

【祭扫】jìsǎo 動 墓参りをする

【祭祀】jìsì ; jìsì 動 祭る

【祭坛】jìtán 图 祭壇

【祭文】jìwén 图 祭文

【祭灶】jì//zào 動 旧 旧暦12月23日または24日に, 家の禍福をつかさどるかまどの神を天に送る行事

13 蓟 jì 图〈植〉アザミ ‖ 大～ アザミ | 小～ アレチアザミ

14暨 jì 書 ❶及ぶ. 至る ‖ 自古～今 古(いにしえ)よりいままで ❷…と…. および

14跽 jì 書 上半身を伸ばした姿勢でひざまずく

14霁(霽) jì 書 ❶(雨や雪が)やむ. 天気がよくなる ‖ 雨～ 雨があがる ❷(怒りが)おさまる ❸晴れわたり澄みきっている ‖ ～月 澄みきった月

【霁月光风】jì yuè guāng fēng =〔光风霁月 guāng fēng jì yuè〕

14鲚(鱭) jì 名〈魚〉エツ. ふつうは〔凤尾鱼〕という

15稷 jì ❶古 コーリャン. 一説にアワやキビなどの穀物 ❷五穀の神 ‖ 社～ 土地の神と五穀の神

15鲫 jì 名〈魚〉フナ. ふつうは〔鲫鱼〕という

16冀[1] jì 動 書 望む. 希望する ‖ ～望 望む. 願う | ～图 もくろむ

16冀[2] jì 名 河北省の別称

【冀求】jìqiú 動 書 希求する. 願い求める

16髻 jì 名 頭の上や後ろに束ねた髪. まげ ‖ 发～ 同前 | 抓～ 頭の両側に結ったまげ

19骥 jì 書 ❶駿馬(しゅんめ) ❷喩 傑出した人物. 俊才

jiā

5★加 jiā ❶(あるものを別のものの上に)置く ‖ →～冕 ❷動(ないところへ)加える. 付け足す ‖ 我喝咖啡不～糖 私はコーヒーを飲むのに砂糖は入れない ❸動(すでにあるところへ)加える. 増やす ‖ 再～几个人 あと何人か加える ❹動(ある行為を他人に)加える ‖ →～害 | 强～于人 (自分の考えなどを)他人に押しつける ❺動 …する. 行う ‖ 多～小心 よく気を付ける ❻動(二つ以上の数を)合わせる. 足す. プラスする ‖ 三～五等于八 3足す5は8

*【加班】jiā∥bān 動 時間外勤務をする. 残業する ‖ 昨天加了三个小时班 きのう3時間の残業をした

【加倍】jiā∥bèi 動 倍増する ‖ ～偿还 倍にして弁償する 副 いっそう. 一段と ‖ ～努力 いっそう努力する

【加餐】jiā∥cān 動 三度の食事のほかに食事をとる 名 (jiācān)三食以外に食べる食事 ‖ 课间～ 授業の合間に設けられた補食給食

【加大】jiādà 動 増大する. 拡大する

【加点】jiā∥diǎn 動 残業する. 時間外勤務をする

【加法】jiāfǎ 名〈数〉加法. 足し算 ↔〔减法〕

【加封】jiā∥fēng 動 ❶封印する. 封じる ❷(jiāfēng) 古 官職や領地を授ける. 封(ほう)ずる

⁂【加工】jiā∥gōng 動 ❶加工する. 手を加える ‖ ～零件 部品を加工する | 把水果～成罐头 guàntou 果物を加工して缶詰にする ❷手を入れる. 仕上げる ‖ 这个剧本还得～一下 このシナリオはもう少し手を入れなくてはならない

【加固】jiāgù 動 固める. さらに強固にする ‖ 这段堤防 dīfáng 还需～ この堤防はさらに補強する必要がある

【加害】jiāhài 動 危害を加える ‖ ～于人 人に危害を加える

*【加急】jiājí 動 慌ただしくなる. 激しくなる ‖ 雨势～了 雨あしが強くなった 形 至急の. 緊急の ‖ ～电报 至急電報

*【加紧】jiājǐn 動 強化する. 力を入れる. 拍車をかける ‖ ～训练 訓練を強化する | 今后一定～学习 今後はいっそう身を入れて勉強しよう

【加劲】jiā∥jìn (～儿) 動 頑張る. 精を出す

*【加剧】jiājù 動 激しくなる. 甚だしくなる ‖ 病势日益～ 病状が日ごとに重くなる

【加快】jiākuài 動 ❶(速度を)速める ‖ ～步伐 bùfá 歩調を速める | ～进度 進度を速める ❷(途中から)急行列車や特急列車に乗り換える

【加料】jiā∥liào 動 原料を機械装置の容器に入れる 形 (jiāliào)成分増強の

【加仑】jiālún 量(容積の単位)ガロン

【加码】jiā∥mǎ 動 ❶(～儿)(商品などの)価格を上げる ❷(数量やノルマの)基準量が増える. 指標が上がる

【加盟】jiāméng 動(団体や組織に)加入する. 加わる

【加密】jiā∥mì 動〈計〉暗号化する ‖ ～软件 暗号化ソフト

【加冕】jiā∥miǎn 動 戴冠(たいかん)する

【加拿大】Jiānádà 名〈国名〉カナダ

【加纳】Jiānà 名〈国名〉ガーナ

【加农炮】jiānóngpào 名〈軍〉カノン砲

【加蓬】Jiāpéng 名〈国名〉ガボン

⁂【加强】jiāqiáng 動 力を入れる. 強める. 効果が現れるようにする ‖ ～教育 教育に力を入れる | ～合作 協力を強める | ～语气 語気を強める

*【加热】jiā∥rè 動 加熱する. 温める

【加人一等】jiā rén yī děng 成(学識や能力などが)人一倍優れている. ずば抜けている

*【加入】jiārù 動 ❶加える ‖ ～适量的精盐 塩を適量加える ❷(メンバーに)加わる. 加入する ‖ ～保险 保険に入る

【加塞儿】jiā∥sāir 動 口(順番を守らず)割り込む

【加上】jiāshang 動 加える ‖ 再～一个人 あと一人加える 接(…に)加えて. さらに. おまけに ‖ 天黑, 又～下雨, 路上要小心 あたりは暗いし雨も降っているから, 足元に気をつけてください

*【加深】jiāshēn 動 深める. 深まる ‖ ～理解 理解を深める | ～印象 印象が深まる

【加时赛】jiāshísài 名〈体〉延長戦

*【加速】jiāsù 動 加速する ‖ ～建设 建設を加速する

【加速度】jiāsùdù 名〈物〉加速度

【加速器】jiāsùqì 名〈機〉加速器. アクセル

【加温】jiā∥wēn 動 加熱する

【加薪】jiā∥xīn 動 賃上げする. 給料を上げる

【加压】jiāyā 動 加圧する. 圧力を加える

⁂【加以】jiāyǐ 動(多く2音節の動詞の前に置き)…を加える. …する ‖ ～重视 重視する | ～解释 解釈を加える 接 その上. さらに ‖ 质量好, ～价格低廉 dīlián, 很快便销售 xiāoshòu 一空 質がいい上に価格も低く, たちまち売り切れになった

【加意】jiāyì 動 とくに注意する. 細心の注意を払う

*【加油】jiā∥yóu 動 ❶給油する ‖ 汽车该～了 そろそろ車に給油しなければならない | ～站 ガソリンスタンド ❷(～儿)頑張る. 元気づける. 応援する ‖ 大家～啊! みんな頑張ろう | 大家都来给他～ 全員揃って彼を応援しにきている

【加之】jiāzhī 接 そのうえ. それに加えて

*【加重】jiāzhòng 動(重量や程度が)ひどくなる. 強くなる ‖ 病情又～了 病状がまた重くなった | 不要再给他～负担了 それ以上彼の負担を重くしてはいけない

6 ＊＊ **夹**(夾) **jiā** ❶動 挟む ‖ 用胳膊gēbo～着书包 かばんを小わきに抱えている ｜ 给客人～菜 お客さんに料理を取ってあげる ❷名(～儿)物を挟む用具 ‖ 月票～ 定期入れ ❸動 二つのものの間に置く. 両側から挟む ‖ 把书签qiān～在书里 しおりを本に挟む ❹動 混じる. 混ざる ‖ 普通话里～着一些方言 共通語に方言が混じっている ➤ gā jiá

【夹板】jiābǎn 名(包装用や医療用などの木製または金属製の)保護・固定用の板

【夹板气】jiābǎnqì 名(双方から)責められること ‖ 母亲说我不对, 爱人也说我不好, 整天受～ 母親からは私が間違っていると言われ, 家内からも私が悪いと言われ, 毎日両方から責められている

【夹层】jiācéng 名 二重になった板状の物

【夹层玻璃】jiācéng bōli 名 合わせガラス

【夹带】jiādài 動 ひそかに携帯する. ひそかに持ち込む ‖ 严禁～危险品上车 危険物の車内持ち込み厳禁 名 カンニング用の物

J

【夹道】jiādào 名 両側を塀などに挟まれた狭い道 動(人や物が)道を挟んで両側に並ぶ ‖ 受到了～欢迎 道を挟んで並ぶ人々の歓迎を受けた

【夹缝】jiāfèng (～儿) 名 ❶すきま ❷喩 間隙 ‖ 在～中求生存 間隙を縫って生き残りを図る

【夹攻】jiāgōng 動 挟み撃ちにする ‖ 受到前后～ 前後からの挟み撃ちに遭う

【夹击】jiājī 動 挟み撃ちする

【夹剪】jiājiǎn 名 やっとこ

【夹角】jiājiǎo 名〈数〉夾角(きょうかく)

【夹具】jiājù 名〈機〉(部品の)取り付け具

【夹克】jiākè 名 ジャンパー. ジャケット. 〔茄克〕とも書く

【夹批】jiāpī 名 行間に書かれた評語や注釈

【夹七夹八】jiā qī jiā bā 慣 話に脈絡がなくてまとまりがないさま. 話が要領を得ない

【夹生】jiāshēng 形 ❶十分に煮えていない. 生煮えである ‖ 米饭有点儿～ 御飯がちょっと生煮えだ ❷喩 生半可である. 中途半端である

【夹生饭】jiāshēngfàn 名 ❶まだ芯のある半煮えの飯 ❷喩 やりかけの物事. 懸案の問題. 中途半端な事 ‖ 这次的机构调整煮zhǔ了～ 今回の機構の調整は中途半端で終わった

【夹馅】jiāxiàn (～儿) 形 あん入りの. 具の入った ‖ ～饼干 ジャムなどを挟んだビスケット

【夹心】jiāxīn (～儿) 形 あん入りの. 中身の入っている

＊【夹杂】jiāzá 動 混ざる. 混じる ‖ 处理问题不应～个人感情 問題を処理するときに私的な感情をさしはさんではいけない

【夹竹桃】jiāzhútáo 名〈植〉キョウチクトウ

【夹注】jiāzhù 名 本文中に入れる小さい活字の注. 割り注

＊【夹子】jiāzi 名 物を挟む用具. クリップ. ファイル. 書類フォルダー ‖ 衣服～ 洗濯挟み ｜ 报～ 新聞挟み ｜ 文件～ ファイル ｜ 发～ 髪留め. バレッタ

7 **伽** **jiā** ↴ ➤ gā qié

【伽倻琴】jiāyēqín 名 朝鮮族の伝統的な弦楽器の一つ, カヤグム

8 **佳** **jiā** 書 優れている. よい ‖ 味道颇pō～ 味がたいへんよい ｜ 身体欠～ 体調がよくない

【佳话】jiāhuà 名 美談

【佳绩】jiājì 名 優秀な成績. 優れた業績 ‖ 创～ 優れた業績を生み出す

【佳节】jiājié 名 よき日. 祝祭日 ‖ 每逢～倍思亲 節句の日の来るたび家族のことがひとしお懐かしい

【佳境】jiājìng 名 書 ❶風景の美しい所 ❷(話や小説などの)興味深いところ ‖ 渐入～ 佳境に入る

【佳句】jiājù 名 書 美しい詩句

【佳丽】jiālì 書 形(風景や容姿が)美しい. きれいである 名 容姿端麗な女性. 美人

【佳酿】jiāniàng 名 書 美酒. うま酒

【佳偶】jiā'ǒu 名 書 よき妻(夫). 仲むつまじい夫婦

【佳期】jiāqī 名 ❶結婚の日 ❷あいびきの時

【佳人】jiārén 名 書 美人 ‖ 才子～ 才子佳人

【佳肴】jiāyáo 名 佳肴(かこう). おいしい料理

【佳音】jiāyīn 名 よい便り. 吉報

【佳作】jiāzuò 名 優れた作品

8 **迦** **jiā** ➡〔释迦牟尼Shìjiāmóuní〕

8 **茄** **jiā** ↴ ➤ qié

【茄克】jiākè ＝〔夹克jiākè〕

9 **浃**(浹) **jiā** 書 しみ透る ‖ 汗流～背 背中に汗をびっしょりかく

9 **珈** **jiā** 古 貴族の女性の装身具の一種

9 **枷** **jiā** 名 旧(罪人の首にはめた刑具)首かせ ‖ 披pī～带锁 首かせをはめられ鎖につながれる

【枷锁】jiāsuǒ 名 首かせと鎖 ‖ 精神～ 精神的束縛 ｜ 法西斯统治的～ ファシズム支配の圧迫と束縛

10 ★ **家**[1] **jiā** ❶名 住まい. 家 ‖ 回～ 家に帰る ｜ 对门就是他的～ 向かいが彼の家だ ❷名 家庭. 家族 ‖ 我～有四口人 うちは4人家族です ‖ 两～关系很好 両家の関係はとてもよい ❸ある種の職業に従事する人 ‖ 农～ 農家 ❹接尾 ある知識や技能などに精通する人 ‖ 画～ 画家 ❺自分とあるかかわりをもつ人 ‖ 亲～ 娘または息子の配偶者の両親を呼ぶ呼称 ❻謙(他人に対し)自分より年長の家族をいう ‖ 一～父 ❼家で飼う. 飼育している ‖ 一～畜 ❽民族をさす ‖ 傣～姑娘 タイ族の娘 ❾学問の流派 ‖ 百～争鸣 百家争鳴 ❿(囲碁・将棋・マージャン・カードなどの)対戦相手 ‖ 上～ (3人以上が加わるゲームで)プレーヤー本人の左隣りの人 ⓫量(家・店・会社などを数える)軒. 社 ‖ 两～商店 2軒の商店 ｜ 三～公司 3社

10 **家**[2] **jia** 接尾 口 人を示す語の後に置き, その種類に属することを示す ‖ 女人～ 女の人 ｜ 小孩子～懂什么！ 子供のくせに何が分かる ➤ jie

逆引き単語帳 〔画家〕huàjiā 画家 〔作家〕zuòjiā 作家 〔书法家〕shūfǎjiā 書家 〔安家〕ānjiā 定住する. 家を構える 〔成家〕chéngjiā(男性が)結婚する. 家庭を持つ 〔搬家〕bānjiā 引っ越す 〔当家〕dāngjiā 一家の主となる 〔抄家〕chāojiā 家財を差し押さえる 〔起家〕qǐjiā 家業を興す 〔发家〕fājiā 財産を築く 〔败家〕bàijiā 家を没落させる 〔分家〕fēnjiā 分家する 〔看家〕kānjiā 留守番をする 〔公家〕gōngjia 公. 政府 〔人家〕rénjia(不特定の)人様. (特定の)あの人. (自分をさして)私 〔行家〕hángjia くろうと 〔冤家〕yuānjia 仇(かたき) 〔东家〕dōngjia 雇い主. 主人 〔婆家〕pójia 嫁ぎ先. 婚家 〔娘家〕niángjia(結婚した女性

の)実家 〔亲家〕qìngjia 婚姻による姻戚(いんせき)関係. 夫婦双方の親が相手の親を呼ぶ呼称

【家财】jiācái 图 家財. 家産
【家蚕】jiācán 图〈虫〉カイコ.〔桑蚕〕ともいう
【家产】jiāchǎn 图 家の財産. 家産
【家长里短】jiā cháng lǐ duǎn (~儿) 慣 方 日常のささいな事. 日常のこまごましたこと
*【家常】jiācháng 图 日常生活. 日常の物事. ふだんの事 ‖ 叙xù~ 世間話をする | 拉~ 世間話をする
【家常便饭】jiācháng biànfàn 图 ❶ふだんの食事. 家庭料理 ❷ありきたりのこと. 日常茶飯事
【家常话】jiāchánghuà 图 ありふれた話. 雑談 ‖ 说~ 世間話をする
【家丑】jiāchǒu 图 家の恥. 家庭内のいざこざ ‖ ~不可外扬yáng 家の恥を世間へさらすな
*【家畜】jiāchù 图 家畜 ‖ 饲sì养~ 家畜を飼う
【家传】jiāchuán 動 代々家に伝わる ‖ ~的手艺 家伝の技
【家慈】jiācí 图 書 謙 私の母
【家当】jiādang ; jiādàng (~儿) 图 口 家の財産 ‖ 辛辛苦苦才挣zhèng下这份儿~ 苦労してやっとこればかりの財産を作った
【家道】jiādào 图 暮らしむき. 家の経済状態
【家底】jiādǐ (~儿) 图 代々築き上げた財産. 家の蓄え ‖ ~薄 家産が少ない | ~厚 財産が多い
【家电】jiādiàn 图 略 家電.〔家用电器〕の略

外国の固有名詞 | 家電・OA・AV 【アイワ】…爱华 【オムロン】…欧姆龙 【カシオ】…卡西欧 【サンヨー電機】…三洋电机 【シャープ】…夏普 【ソニー】…索尼 【松下電器産業】…松下电器 【富士ゼロックス】…富士施乐

【家丁】jiādīng 图 旧 召し使い. 家僕
【家法】jiāfǎ 图 ❶師弟間で伝承してきたその学派の学術理論や研究方法 ❷一家のおきて ❸旧 家長が一族内の人を折檻(せっかん)する用具
【家访】jiāfǎng 動 家庭訪問する ‖ 明天老师来~ 明日先生が家庭訪問に来る
【家父】jiāfù 图 謙 私の父
【家鸽】jiāgē 图〈鳥〉イエバト. カイバト =〔鹁bó鸽〕
【家馆】jiāguǎn 图 旧 一族の子弟の教育のために設けた私塾. 家塾
【家规】jiāguī 图 一家のおきて. 家法. 家訓 ‖ 国有国法, 家有~ 国には国の法があり, 家には家の法がある
*【家伙】jiāhuo 图 ❶用具. 道具. 武器 ‖ 没有~怎么干? 道具がなくてどうやってやれというのだ ❷(人を軽蔑したり, からかったりして)やつ. こいつ ‖ 你这~, 有两下子 お前も, なかなかやるな ❸(動物に対して親しみを込めて)こいつ ‖ 这~, 一见生人就叫 こいつ, 知らない人を見るとすぐ吠える ✻〔傢伙〕とも書く
【家鸡】jiājī 图〈鳥〉ニワトリ
【家给人足】jiā jǐ rén zú 成 どの家も満ち足りている. 庶民の暮らしが豊かであること
【家计】jiājì 图 書 家計 ‖ ~艰难 家計が苦しい
【家家户户】jiājiāhùhù 图 家々. 各戸. 軒並み
【家教】jiājiào 图 ❶家庭のしつけ. 家庭教育 ‖ 这孩子缺少~ この子はしつけがなってない ❷略 家庭教師.〔家庭教师〕の略 ‖ 请~ 家庭教師を頼む
【家景】jiājǐng 图 家の暮らし向き
【家境】jiājìng 图 家計. 生計. 家の暮らし向き ‖ ~贫困 暮らしが貧しい
【家居】[1] jiājū 動 閑居する 图 居間
【家居】[2] jiājū 图 住まい ‖ ~装饰 住まいのインテリア | ~服 部屋着. ホームウエア
⁑【家具】jiāju ; jiājù 图 **家財道具. 家具**
【家眷】jiājuàn 图 書 妻子.(妻だけをさす場合もある) ‖ 携带xiédài~ 家族を引き連れる
【家口】jiākǒu 图 家族の人数. 家族 ‖ 他~多, 生活负担重 彼は家族が多くて, 生活の負担が重い
【家累】jiālěi 图 生活の負担. 家累
【家门】jiāmén 图 ❶玄関. 家の表門. 転 家 ❷書 自分の一族一門 ❸方(同姓の)一族 ❹個人の来歴や家庭の状況 ‖ 自报~ 自己紹介する
【家母】jiāmǔ 图 謙(私の)母. 母親
【家破人亡】jiā pò rén wáng 成 一家離散する
【家谱】jiāpǔ 图 一族の系譜. 家系図
【家雀儿】jiāqiǎor 图 方〈鳥〉スズメ
【家禽】jiāqín 图 家禽(かきん)
【家人】jiārén 图 ❶家族の人. 家の者 ‖ ~团聚tuánjù 一家団欒(だんらん)する ❷旧 使用人
【家什】jiāshi 图 口 什器(じゅう). 用具. 道具.
【家世】jiāshì 图 書 家系 ‖ 炫耀xuànyào~ 家柄をひけらかす
【家事】jiāshì 图 ❶家の中の用事. 家庭内の事柄 ‖ 不问~ 家庭を顧みない | ~都由我老婆做主 家事はみんな女房が取り仕切っている ❷方 暮らし向き. 家計
【家室】jiāshì 图 ❶家庭. 妻子(妻のみをさす場合もある) ‖ ~之累 家庭の負担 ❷書 住宅. 住居
【家书】jiāshū 图 家族からの手紙. 家族への手紙
*【家属】jiāshǔ 图(本人を除いた)家族
【家鼠】jiāshǔ 图〈動〉イエネズミ
【家私】jiāsī 图 口 家の財産. 家産 ‖ 变卖~ 家産を売って金にする
★【家庭】jiātíng 图 **家庭** ‖ ~成员 家族構成員. 家族 | ~不和 家庭が不和である | ~纠纷jiūfēn 家庭のもめごと | ~教师 家庭教師 | ~作业 宿題
【家庭暴力】jiātíng bàolì 图 ドメスティックバイオレンス. 家庭内暴力
【家庭病床】jiātíng bìngchuáng 图(訪問看護制度によって治療を受ける)在宅病床
【家庭妇男】jiātíng fùnán 图 家庭の主夫.〔家庭主夫〕ともいう
【家庭妇女】jiātíng fùnǚ 图 家庭の主婦
【家庭教师】jiātíng jiàoshī 图 家庭教師. 略して〔家教〕ともいう
【家庭医生】jiātíng yīshēng 图 ホームドクター. 家庭医.〔全科医生〕ともいう
【家庭影院】jiātíng yǐngyuàn 图 ホームシアター
【家徒四壁】jiā tú sì bì 成 家に家具一つなく壁があるだけ. 非常に貧しいことのたとえ.〔家徒壁立〕ともいう
*【家务】jiāwù 图 家庭内のさまざまな仕事. 家事 ‖ 料理~ 家事を切り盛りする | 做~ 家事をする | ~事 家庭内の事柄 | ~活儿 家事労働
⁑【家乡】jiāxiāng 图 **故郷. ふるさと** ‖ ~观念 里心
【家小】jiāxiǎo 图 妻子.(妻だけをさす場合もある)
【家信】jiāxìn 图 家族間で互いにやりとりする手紙 ‖ 盼望~ 家からの手紙を待ち望む
【家兄】jiāxiōng 图 書 謙 私の兄
【家学】jiāxué 图 家に伝わる学問. 家学

【家训】jiāxùn 名 家訓
【家严】jiāyán 名 書 謙 私の父．おやじ
【家宴】jiāyàn 名 ❶自宅で開く宴会 ❷家族や親戚の宴会
【家燕】jiāyàn 名〈鳥〉ツバメ．ふつうは〔燕子〕という
【家养】jiāyǎng 形 人工飼育の
【家业】jiāyè 名 身代．家産
【家用】jiāyòng 名 家庭の経費‖补贴～ 生活費を補う 形 家庭用の‖～电器 家庭用電気製品
*【家喻户晓】jiā yù hù xiǎo 成 どこの家でも知っている．だれでも承知している
【家园】jiāyuán 名 ❶家の庭．故郷のたとえ‖重建 chóngjiàn～ 郷里を再建する ❷方 自家の畑
【家宅】jiāzhái 名 家屋．住宅
*【家长】jiāzhǎng 名 ❶世帯主 ❷父母やその他の保護者‖～会 保護者会
【家长制】jiāzhǎngzhì 名 家父長制度
【家种】jiāzhòng 形 ❶家庭栽培の‖～的西红柿 家庭栽培のトマト ❷人工栽培の
【家装】jiāzhuāng 名 家の内装．インテリア．〔家庭装修〕の略
【家资】jiāzī 名 家産．身代
【家子】jiāzi 名 口 一家．家族
【家族】jiāzú 名 家族‖大～ 大家族
10 **痂** jiā 名 かさぶた‖伤口已经结了～ 傷口にはすでにかさぶたができた
11 **袈** jiā ↴
【袈裟】jiāshā 名 書 袈裟(けさ)
11 **笳** jiā ➡〔胡笳hújiā〕
12 **葭** jiā ❶書 生え出たばかりのアシ‖蒹jiān～ 穂の出ていないアシ ❷地名用字‖～县 陕西省にある地名．現在は〔佳县〕と書く
14 **嘉** jiā 書 ❶よい．すばらしい．うるわしい‖→～宾 ｜～偶ǒu 仲むつまじい夫婦 ❷称讃する．たたえる‖精神可～ (その)精神は称讃すべきだ
【嘉宾】jiābīn 名 賓客．〔佳宾〕とも書く
*【嘉奖】jiājiǎng 書 名 ほめたたえ励ますこと．称讃と励まし‖最高的～ 最高の褒賞 動 たたえる．ほめる．褒賞を与える‖受到上级～ 上級機関の褒賞を受ける
【嘉勉】jiāmiǎn 動 書 称賛し奨励する．励ます
【嘉年华】jiāniánhuá 名 外 カーニバル．祭り
【嘉许】jiāxǔ 動 書 称賛する．ほめたたえる
【嘉言懿行】jiā yán yì xíng 成 嘉言善行．有益な言葉と優れた行い
15 **镓** jiā 名〈化〉ガリウム(化学元素の一つ，元素記号は Ga)

jiá

6 **夹**(夾 △袷 袷) jiá 形 (衣服などで)裏つきの．あわせの‖这件风衣是～的 このダスターコートは裏つきだ ➤ gā jiā
8 **郏**(郟) jiá 地名用字‖～县 河南省にある県の名
9 **荚**(莢) jiá 名 (豆類の)さやに覆われた実．さや‖豆～ 豆のさや
【荚果】jiáguǒ 名〈植〉(豆類の)さやに覆われた実
10 **恝** jiá 書 気にかけない．平然としている‖～然置之 気にもとめずに放っておく
11 **戛**(△戞) jiá 書 (軽く)打つ．たたく
【戛戛】jiájiá 形 書 ❶難しく至難であるさま ❷独創性に富んださま
【戛然】jiárán 形 書 ❶ツルなどの鳴き声がかん高く響きわたるさま ❷物音が急に途絶えるさま‖歌声～而止 歌声がはたと止む
11 **铗**(鋏) jiá 書 ❶(鍛冶(かじ)用の)かなばさみ．やっとこ ❷剣．剣のつか
12 ****颊**(頰) jiá 名 書 頰‖面～ 頰｜两～红润 rùn 頰がつやつやして赤い

jiǎ

5 ***甲**[1] jiǎ ❶名 甲(きのえ)(十干の第1)．➡〔天干 tiāngān〕 ❷第1位を占める‖～天下 天下第一である
5 ***甲**[2] jiǎ ❶名 (動物の体を覆う)殼．甲羅‖龟～ カメの甲羅 ❷爪‖指～ 指の爪 ❸よろい．かぶと‖盔kuī～ 甲冑(かっちゅう) ❹金属製の防御用装備‖装～车 装甲車
*【甲板】jiǎbǎn 名 船のデッキ．甲板(かんぱん)
【甲苯】jiǎběn 名〈化〉メチルベンゼン．トルエン
【甲兵】jiǎbīng 名 ❶よろいと武器．(広く)軍備や軍事一般 ❷武装した兵士
【甲虫】jiǎchóng 名〈虫〉甲虫．鞘翅(しょう)類
【甲醇】jiǎchún 名〈化〉メチルアルコール
【甲骨文】jiǎgǔwén 名 甲骨文字．甲骨文
【甲壳】jiǎqiào 名 甲殻(こうかく)
【甲壳动物】jiǎqiào dòngwù 名〈動〉甲殻動物
【甲醛】jiǎquán 名〈化〉ホルムアルデヒド．〔蚁醛〕ともいう‖～溶液 ホルマリン
【甲烷】jiǎwán 名〈化〉メタン
【甲午战争】Jiǎwǔ zhànzhēng 名〈史〉日清戦争(1894～1895年)
【甲鱼】jiǎyú 名〈動〉スッポン ＝〔鳖biē〕
【甲胄】jiǎzhòu 名 書 よろいとかぶと
【甲状腺】jiǎzhuàngxiàn 名〈生理〉甲状腺
【甲子】jiǎzǐ 名 60組みの干支(えと)の一巡り(60年)
8 **岬** jiǎ 岬．(多く地名に用いる)‖成山～ 山東省にある地名
【岬角】jiǎjiǎo 名〈地〉岬
9 **胛** jiǎ ↴
【胛骨】jiǎgǔ 名〈生理〉肩胛骨(けんこうこつ) ＝〔肩胛骨〕
10 **贾** jiǎ 名 姓 ➤ gǔ
10 **钾** jiǎ 名〈化〉カリウム(化学元素の一つ，元素記号はK)
【钾肥】jiǎféi 名〈農〉カリ肥料
11 ****假**(△叚) jiǎ ❶書 借りる．借用する‖→～借 ❷頼る．利用する‖狐～虎威 虎の威を借る狐 ❸想定する．推断する‖→～定 ❹もしも．仮に‖→～如 ❺偽る．騙(かた)る‖→～冒 ❻形 にせの．偽りの ↔〔真〕‖～笑 作り笑いする｜那幅画是～的 あの絵はにせものだ ❼にせもの．まがいもの‖搀chān～ 本物ににせものを混ぜる ➤ jià

逆引き単語帳 〔病假〕bìngjià 病気休暇 〔事假〕shìjià 私用休暇 〔产假〕chǎnjià 産休 〔探亲假〕tànqīnjià(遠隔地にいる両親や配偶者に会うための)帰省休暇 〔丧假〕sāngjià 服喪のための休暇. 忌引(きびき) 〔暑假〕shǔjià(学校の)夏休み 〔寒假〕hánjià(旧正月をはさんだ学校の)冬休み 〔农忙假〕nóngmángjià(農村部の学校で, 春の種まきや秋の収穫を手伝うための)農繁期休暇 〔例假〕lìjià(婉曲な表現)女性の生理期間

【假扮】jiǎbàn 動 変装する
【假币】jiǎbì 名 にせ札
【假钞】jiǎchāo 名 にせ札
【假充】jiǎchōng 動 …であると偽る. …のふりをする. …になりすます ‖ ～好人 善人のふりをする
【假慈悲】jiǎ cíbēi 組 うわべだけの同情
【假道学】jiǎdàoxué 名 偽君子
*【假定】jiǎdìng 動 仮定する. 仮に…とする ‖ ～坐飞机去, 当天就能到 もし飛行機で行くのなら, その日のうちに着ける 名 旧 (科学上の)仮定. 仮説
【假根】jiǎgēn 名〈植〉仮根(かこん)
【假公济私】jiǎ gōng jì sī 成 公務の地位を利用して私腹を肥やす
【假果】jiǎguǒ 名〈植〉偽果(ぎか). 仮果(かか)
【假话】jiǎhuà 名 作り話. うそ ‖ 说～ うそをつく
【假货】jiǎhuò 名 にせもの. まがいもの
【假借】jiǎjiè 動 ❶借用する. 口実にする ❷書 容赦する. 大目に見る 名〈語〉(六書(りくしょ)の一つ)仮借(かしゃ)
*【假冒】jiǎmào 動 本物と偽る. …のふりをする ‖ ～伪劣产品 にせものや粗悪品
【假寐】jiǎmèi 動 書 仮眠する. うたた寝する
【假面具】jiǎmiànjù 名 ❶お面 ❷喩 仮面. 化けの皮 ‖ 揭jiē下虚伪的～ 偽りの化けの皮を暴く
【假名】jiǎmíng 名 (日本の)仮名文字
【假模假式】jiǎmojiǎshì 慣 見せかけの態度をとる. うわべを装う. 〔假模假样〕ともいう
【假撇清】jiǎpiēqing 動 方 潔白なふりをする.
【假球】jiǎqiú 名 (球技の)八百長試合 ‖ 打～ 八百長試合をする
【假仁假义】jiǎ rén jiǎ yì 成 うわべだけの親切. 見せかけの善意
*【假如】jiǎrú 接 もしも…なら. 仮に…ならば ‖ ～没时间, 就别去了 時間がないのなら, 行かなければいい
*【假若】jiǎruò 接 もしも…なら ‖ 明天～下雨, 运动会就不开了 明日雨なら運動会は中止する
【假嗓子】jiǎsǎngzi 名 ❶裏声 ❷作り声
【假山】jiǎshān 名 (太湖石などで築いた)築山
*【假设】jiǎshè 動 仮定する. 仮に…とする ‖ ～每人发一本, 也得要三十本 仮に一人1冊ずつ配るとしても, 30冊は要ることになる 名 (科学上の)仮定. 仮説
*【假使】jiǎshǐ 接 もしも…なら ‖ ～他不答应, 那该怎么办? もし彼がうんと言わなかったら, どうしよう
【假释】jiǎshì 動〈法〉仮釈放する
【假手】jiǎ//shǒu 動 人を利用する ‖ ～于人 (自分の目的を果たすために)人を利用する
【假摔】jiǎshuāi 動〈体〉(サッカーで)相手のファウルと見せかけてわざところぶ. シミュレーションする
【假说】jiǎshuō 名 (科学上の)仮定. 仮説
【假死】jiǎsǐ 動 ❶〈医〉仮死状態になる ❷(動物の)擬死(ぎし)状態になる
【假托】jiǎtuō 動 ❶かこつける. …を口実にする ‖ 他～有事, 先走了 彼は用事にかこつけて, 先に帰ってしまった ❷他人の名義をかたる. 詐称する ❸…に託する
【假想】jiǎxiǎng 動 仮想する. 空想する
【假象】【假相】jiǎxiàng 名 うわべの現象. 見せかけの姿 ‖ 不要被～所迷惑 見せかけの姿に惑わされるな
【假小子】jiǎxiǎozi 名 男まさりの女の子
【假惺惺】jiǎxīngxing ; jiǎxīngxīng (～的) 形 偽り装うさま. わざとらしい. しらじらしい
【假性近视】jiǎxìng jìnshì 名〈医〉仮性近視
【假牙】jiǎyá 名 入れ歯. 義歯 ‖ 镶～ 入れ歯をする
【假意】jiǎyì 名 偽りの心 ‖ 虚情～ うわべだけの親切. おためごかし 副 わざと ‖ 他～摔倒shuāidǎo, 以引起别人注意 彼はわざと転んで人の注意を引こうとした
【假造】jiǎzào 動 ❶偽造する. 贋造(がんぞう)する ‖ ～身份证 身分証明書を偽造する ❷捏造(ねつぞう)する ‖ ～理由 理由をでっち上げる
【假账】jiǎzhàng 名 にせ帳簿 ‖ 举报～ 不正会計を通報する
【假肢】jiǎzhī 名 義肢. 義手と義足
*【假装】jiǎzhuāng 動 …を装う. …のふりをする ‖ ～好人 善人を装う | ～镇静zhènjìng 冷静を装う

14 **暇** jiǎ ➤ gǔ

14 **榎** jiǎ 古 キササゲまたは茶の木をさす

14 **瘕** jiǎ 書〈中医〉腹の中にしこりのできる病気

jià

6 * **价**(價) jià ❶名 価格. 値段 ‖ 物美～廉lián 品物がよくて値段も安い | 批发～ 卸し値 | 零售～ 小売り値 ❷価値 ‖ 等～交换 等価交換 ❸名〈化〉原子価 ➤ jiè jie
【价差】jiàchā 名 価格差
**【价格】jiàgé 名 価格. 値段 ‖ 销售～ 販売価格
【价格大战】jiàgé dàzhàn 名 値引き競争
【价款】jiàkuǎn 名 代金
【价码】jiàmǎ (～儿) 名 値段. 金額 ‖ 标明～ 値段を明示する
【价目】jiàmù 名 商品価格. 定価 ‖ ～表 値段表
【价签】jiàqiān 名 値札
*【价钱】jiàqian 名 値段. 価格 ‖ 东西不错, 就是～贵了点儿 物はよいのだが, ちょっと値段が高い
【价位】jiàwèi 名 価格帯 ‖ 低～商品 低価格帯の商品
**【价值】jiàzhí 名 ❶値打ち. 価値 ‖ 有参考～ 参考にする価値がある ❷〈経〉価値
【价值观】jiàzhíguān 名 価値観
【价值规律】jiàzhí guīlǜ 名〈経〉価値法則
【价值连城】jià zhí lián chéng 成 その価値がいくつもの城に匹敵する. 非常に価値があることのたとえ
【价值形式】jiàzhí xíngshì 名〈経〉価値形態. 交換価値

8 * **驾** jià ❶動 (車や農具を)家畜に引かせる ‖ 一匹马～着车 1頭のウマが車を引いている ❷またがる. 乗る ‖ 腾téng云～雾 雲霧に乗って飛行する. 疾走するさま ❸動 (車・船・飛行機などを)運転する.

操縦する‖～车 車を運転する ❹繰る. 駆使する‖一～驭 ❺敬 相手の車. 喩 相手‖劳～ ご足労をおかけします ❻帝王の車. 喩 帝王

【驾到】jiàdào 動 敬 ご来駕(らいが)になる. おいでになる

【驾临】jiàlín 動 敬 ご来駕になる. ご光臨いただく

【驾龄】jiàlíng 名 車の運転年数. 運転歴. また, 飛行機の操縦歴

【驾轻就熟】jià qīng jiù shú 成 軽快な車を駆って慣れた道を行く. よく慣れた仕事で楽にできること

*【驾驶】jiàshǐ 動 (車・船・飛行機などを)運転する. 操縦する‖～执照 運転免許証

【驾校】jiàxiào 名 略 自動車教習所

【驾驭】【驾御】jiàyù 動 ❶(車馬を)御する ❷制御する. 意のままに従わせる‖～部下 部下を意のままにする

【驾照】jiàzhào 名 (車などの)運転免許証.〔驾驶执照〕の略‖考～ 運転免許の試験を受ける

9 **架** jià ❶名(～儿)(物を支えたり置いたりするもの)台. 棚. 架台. 枠‖书～ 本棚｜脚手～ 足場 ❷(人体や事物の)骨組み. 構造. 組み立て‖骨～ 骨格 ❸動 **架け渡す. 据え付ける**‖～桥 橋を架ける｜把梯子tīzi～上 はしごを立て掛ける ❹動(わきの下や腕を両側から)支える‖～着双拐guǎi 左右2本の松葉杖をつく｜～着胳膊 腕を両方から支える ❺拉致(らち)する. 誘拐する‖绑～ 同前 ❻動 **受け止める. 防ぎ止める** ❼量 **台. 機. 挺(ちょう)**‖三～飞机 3機の飛行機 ❽けんかする‖吵～ 口げんかをする

【架不住】jiàbuzhù 動 方 ❶持ちこたえられない. 耐えきれない‖身体再好也～成天熬夜áoyè 体がどんなに丈夫でも毎日徹夜では持ちこたえられまい ❷かなわない‖咱们人干得再快也～人家有机器呀 我々がどれほど速くやっても, 彼らの機械にはかなわないよ

【架次】jiàcì 量 (飛行機の)延べ便数. 延べ機数

【架得住】jiàdezhù 動 方 持ちこたえられる

【架构】jiàgòu 名 (理論や論文などの)骨格. 構成

【架空】jiàkōng 動 ❶空中に架け渡す. 高架にする ❷具体性がない. 浮き上がる ❸(名だけで実権のない地位に)祭り上げる

【架设】jiàshè 動 架設する. 架ける‖～电缆lǎn 電信ケーブルを架設する｜～天桥 歩道橋を架ける

【架势】【架式】jiàshi 名 ❶姿勢. 身構え ❷方 形勢. 様子‖看现在这～, 今天这会短不了 この様子では, 今日の会議は長引きそうだ

【架秧子】jiàyāngzi 動 方 (大勢で)騒ぐ. やじる

*【架子】jiàzi 名 ❶棚. 枠. 台. 骨組み‖书～ 本棚 ❷もったいぶった態度. 偉そうな態度‖他一点儿也没有～ 彼はちっとも威張ったところがない ❸喩 骨組み. アウトライン. 構成 ❹姿勢. 身構え. ポーズ

【架子车】jiàzichē 名 二輪車

11 **假** jià 名 休み. 休暇‖春节放三天～ 旧正月は3日間休みになる ➤jiǎ

*【假期】jiàqī 名 休暇. 休みの期間

【假日】jiàrì 名 休日. 休み

【假日经济】jiàrì jīngjì 名 休日経済. 余暇消費型経済

【假条】jiàtiáo (～儿) 名 **休暇届け. 休暇願い

13 **嫁** jià ❶動 嫁ぐ. 嫁入りする ↔〔娶〕‖出～ 嫁ぐ｜～闺女guīnü 娘を嫁がせる ❷(責任や罪などを)転嫁する‖转～ 転嫁する

【嫁祸】jiàhuò 動 (災いや責任を)人に転嫁する

【嫁鸡随鸡, 嫁狗随狗】jià jī suí jī, jià gǒu suí gǒu 諺 嫁に行けば夫に従う

【嫁接】jiàjiē 動 接ぎ木する

【嫁妆】【嫁装】jiàzhuang 名 嫁入り道具

15 **稼** jià ❶(穀物を)植えつける‖耕～ 耕作する ❷農作物‖禾～ 穀物｜庄～ 農作物

【稼穑】jiàsè 動 書 植えつけや収穫をする. 農事をする

jiān

5 **戋**(戔) jiān ↴

【戋戋】jiānjiān 形 書 少ない. 些少である

6 ** **尖** jiān ❶形 **とがっている**‖这支铅笔两头都给削～了 この鉛筆は両端とも削ってある ❷名(～儿)(とがっている物の)先. 先端‖钢笔～儿 ペン先 ❸名(～儿)とがって突き出た部分‖鼻子～儿 鼻先 ❹名(～儿)方 ぬきんでた人または物‖他在我们班是个～儿 彼はわがクラスの優等生だ ❺先進的な. 先端の‖一～端 ❻形 **(声が)甲高い**‖她的嗓子～得刺耳 彼女の声は甲高くて耳障りだ ❼動 甲高い声を出す. 金切り声を出す‖～着嗓子学女人说话 甲高い声を出して女性の話し方をまねる ❽形 **(視覚・聴覚・嗅覚(きゅうかく)が)鋭い. 利く**‖眼睛真～ ほんとうに目ざとい ❾形 **とげとげしい. 辛辣(しんらつ)である**‖这句话又～又毒 その言葉は辛辣で毒がある

【尖兵】jiānbīng 名 ❶〈軍〉尖兵(せんぺい) ❷喩 尖兵

【尖刀】jiāndāo 名 喩 先鋒(せんぽう). 先駆け. 先陣

【尖顶】jiāndǐng 名 先端. てっぺん

*【尖端】jiānduān 名 先端 形 先端的である. 最も進んでいる‖～科学 先端科学｜～技术 先端技術

【尖叫】jiānjiào 動 甲高い声で叫ぶ

【尖刻】jiānkè 形 とげとげしい. 手厳しい

【尖厉】jiānlì 形 (声が)鋭く甲高い

【尖利】jiānlì 形 鋭い‖笔锋～ 筆鋒(ひっぽう)が鋭い

【尖溜溜】jiānliūliū (～的) 形 方 細長くとがったもの または鋭いものの形容‖～的声音 甲高い声

【尖锐】jiānruì 形 ❶鋭い. とがっている**‖～的刺刀 鋭い銃剣 ❷**(批判などが)鋭い. 手厳しい**. 容赦がない‖～的批评 手厳しい批判 ❸**(物事の理解・判断が)鋭敏である**. 鋭い‖他看问题很～ 彼はものの見方がたいへん鋭い ❹**(声や音が)甲高い**. 耳をつんざくようだ‖～的汽笛声 耳をつんざくような汽笛の音

【尖酸】jiānsuān 形 (言葉に)とげがある. 辛辣である

【尖团音】jiāntuányīn 名〈語〉〔尖音〕と〔团音〕の併称

【尖音】jiānyīn 名〈語〉声母 z, c, s に i, ü または i, ü で始まる韻母とを綴り合わせた音をさす

*【尖子】jiānzi 名 ❶先. 先端 ❷ぬきんでた人または物‖学习～ 優等生 ❸〈劇〉(伝統劇で)突然高音の節回しになる部分

【尖嘴薄舌】jiān zuǐ bó shé 成 言葉がとげとげしく辛辣である. 口やかましくあれこれ批評する

【尖嘴猴腮】jiān zuǐ hóu sāi 成 とがった口と猿のようにこけた頬. 顔が痩せて貧相であるさま

6 * **奸**[1] jiān ❶狡猾である. 腹黒い. よこしまである‖一～计 ❷ずる賢い人. 腹黒い人‖权～ 権力を笠に着る奸臣(かんしん) ❸(君主や国家に対して)不忠である‖一～臣 ❹反逆者. 売国奴‖内～ 裏切り者 ❺形 口 身勝手である. 利己的である‖那个人又～又猾huá あいつは身勝手でずる賢い

6 **奸**2（△姦）**jiān** 姦淫(かんいん)する‖通～ 姦通する｜强～ 強姦(ごうかん)する
【奸臣】jiānchén 名 奸臣(かんしん)
【奸恶】jiān'è 形 書 邪悪である. よこしまである
【奸夫】jiānfū 名 姦夫(かんぷ). 間男
【奸妇】jiānfù 名 姦婦(かんぷ)
【奸猾】【奸滑】jiānhuá 形 ずる賢い
【奸计】jiānjì 名 奸計(かんけい). 奸策‖中zhòng～ 悪だくみにひっかかる
【奸佞】jiānnìng 書 形 悪賢く迎合にたけている 名 奸物(かんぶつ)
【奸情】jiānqíng 名 姦通. 不義
【奸人】jiānrén 名 悪者. 悪党
【奸商】jiānshāng 名 悪徳商人
【奸徒】jiāntú 名 悪人. 悪党
【奸污】jiānwū 動 強姦する. 犯す
【奸细】jiānxi 名 スパイ. 敵の回し者
【奸险】jiānxiǎn 形 悪賢く陰険である
【奸笑】jiānxiào 動 ずるそうに笑う. 陰険に笑う
【奸邪】jiānxié 書 形 邪悪である. よこしまである 名 性悪な者. よこしまな人間
【奸雄】jiānxióng 名 奸雄(かんゆう)
【奸淫】jiānyín 動 書 ❶姦淫する ❷強姦する
【奸贼】jiānzéi 名 奸賊(かんぞく)
【奸诈】jiānzhà 形 ずる賢い. 狡猾である

7 **坚**（堅）**jiān** ❶かたい. 堅固である. 頑丈である‖～冰 かたい氷 ❷堅固なもの‖攻～ 堅固な陣地を攻略する ❸断固としている. しっかりしている. 決然としている‖→～决
【坚壁】jiānbì 動 敵に奪われないように隠す
【坚不可摧】jiān bù kě cuī 成 非常に堅固でつぶすことができない‖～的防线 難攻不落の防御線
【坚称】jiānchēng 動 強く主張する
★【坚持】jiānchí 動 **堅持する. 持ち続ける. やり抜く**‖～原则 原則を堅持する｜她～要去机场送我 彼女はどうしても私を空港まで送っていくと言い張る
【坚持不懈】jiānchí bùxiè 慣 倦(う)まずたゆまずやる
【坚辞】jiāncí 動 きっぱりと辞退する. 固辞する‖～不受 固辞して受けない
*【坚定】jiāndìng 形 しっかりしている. 確固としている. 揺るぎない‖立场～ 立場がしっかりしている｜～不移 堅固で揺るぎない 動 揺るぎないものにする. 不動のものにする‖～自己的信念 自分の信念を揺るぎないものにする
*【坚固】jiāngù 形 頑丈である. 堅固である‖～耐用 丈夫で長持ちする
【坚果】jiānguǒ 名〈植〉堅果
⁑【坚决】jiānjué 形 **断固としている. きっぱりしている**‖态度十分～ 態度が断固としている｜～反对 断固として反対する
【坚苦】jiānkǔ 形 我慢強く苦しみに耐える
【坚苦卓绝】jiān kǔ zhuó jué 成 忍耐強さが人並み外れていること
⁑【坚强】jiānqiáng 形 **強固である. 粘り強い**‖意志很～ 意志強固である 動 強化する. 強固にする‖～组织 組織を強化する
【坚忍】jiānrěn 形 意志強固で我慢強い. 堅忍な‖～不拔bá的精神 堅忍不抜の精神
【坚韧】jiānrèn 形 強靱(きょうじん)である
*【坚实】jiānshí 形 強固である. かたい. 丈夫である‖～的基础 しっかりした基盤
【坚守】jiānshǒu 動 堅守する. 堅持する
【坚挺】jiāntǐng 形〈経〉(市況が)強気である
*【坚信】jiānxìn 動 かたく信じる. 確信する‖～自己的理想一定能够实现 自分の夢が必ず実現できるとかたく信じている
【坚毅】jiānyì 形 毅然(きぜん)としている
*【坚硬】jiānyìng 形 かたい. かたくて強い‖地面冻得很～ 地面がかたく凍りついている
【坚贞】jiānzhēn 形 書 節操がかたい
*【坚贞不屈】jiān zhēn bù qū 成 節操をかたく守って屈しない

7 ★**间** **jiān** ❶名(二つの事物または時間の)あいだ‖事情发生在下午四点与五点之～ 事件は午後4時から5時の間に起きた｜朋友～要讲信用 友人同士は信用を大事にしなければならない ❷一定の範囲内をさす‖民～ 民間 ❸部屋や部屋内部の仕切った部分‖洗手～ トイレ ❹量(**部屋数を数える**)間(ま)‖四～房子 四部屋の家 ➤jiàn
【间不容发】jiān bù róng fà 成 1本の髪の毛の入るすきまもない. 情況が切迫しているたとえ
【间架】jiānjià 名 ❶家の構造 ❷転(書道の)筆画の配置. (文章の)筋の組み立て
【间距】jiānjù 名(二点間の)距離. 間隔
【间脑】jiānnǎo 名〈生理〉間脳
【间奏曲】jiānzòuqǔ 名〈音〉間奏曲

7 **歼**（殲）**jiān** 動 書 殲滅(せんめつ)する‖→～灭｜～敌数万 敵数万を殲滅する
【歼击】jiānjī 動 攻撃して殲滅する
【歼击机】jiānjījī 名〈軍〉戦闘機
*【歼灭】jiānmiè 動 殲滅する. みな殺しにする
【歼灭战】jiānmièzhàn 名〈軍〉殲滅戦

8 **艰**（艱）**jiān** 困難である. 骨が折れる‖→～巨｜→～苦
⁑【艰巨】jiānjù 形 **きわめて困難である. 繁雑で骨が折れる**‖十分～的工程 きわめて困難な工事
⁑【艰苦】jiānkǔ 形 **苦しい. つらい**‖～奋斗 刻苦奮闘する｜生活十分～ 暮らし向きがとても苦しい
【艰苦卓绝】jiān kǔ zhuó jué 成 苦難に満ちて苦しいさま
【艰困】jiānkùn 形 困難である. 苦しい
*【艰难】jiānnán 形 困難である. 苦難に満ちている‖～岁月 苦難に満ちた歳月
【艰涩】jiānsè 形 書(文章が)分かりにくい. 難解である
【艰深】jiānshēn 形 奥深くて分かりにくい. 難解である
【艰危】jiānwēi 形 書 危急存亡にある
*【艰险】jiānxiǎn 形 困難で危険である‖旅途～ 道中危険である｜不避～ 困難や危険を避けない
【艰辛】jiānxīn 形 苦しい. つらい. 難儀である

8 **浅**（淺）**jiān** ↴ ➤qiǎn
【浅浅】jiānjiān 擬 水の流れる音

8 ⁑**肩** **jiān** ❶名 肩‖双～ 両肩 ❷担う. 引き受ける‖身～重任 重任を帯びる
*【肩膀】jiānbǎng (～儿) 名 肩
【肩负】jiānfù 動 担う. 負う‖～期望 期待を担う
【肩胛】jiānjiǎ 名 書 肩
【肩胛骨】jiānjiǎgǔ 名〈生理〉肩胛骨(けんこうこつ). 〔胛骨〕ともいう
【肩摩毂击】jiān mó gǔ jī 成 行き来する人や車両が多くこみ合うさま. 〔摩肩击毂〕ともいう

【肩摩踵接】jiān mó zhǒng jiē ＝〔摩肩接踵mó jiān jiē zhǒng〕
【肩头】jiāntóu 图 ❶書 肩先 ❷方 肩
【肩窝】jiānwō (～儿) 图 肩のくぼみ
【肩章】jiānzhāng 图 肩章

10 *兼 jiān ❶動 兼ねる ‖ 他～着好几个职务 彼はいくつかの職務を兼ねている ❷同時に ‖ →～顾 ❸ 2倍の ‖ →～程
【兼备】jiānbèi 動 兼ね備える
【兼并】jiānbìng 動 書 併呑(へいどん)する
【兼差】jiānchāi 動 旧 兼職する
【兼程】jiānchéng 動 1日で2日の行程を進む. 倍の速度で道を急ぐ ‖ ～回国 大急ぎで帰国する
【兼顾】jiāngù 動 同時に各方面に心を配る ‖ 这么多工作, 我一个人～不了 こんなにたくさんの仕事を私一人で見るのは無理だ
【兼毫】jiānháo 图 ヒツジの毛とイタチの毛で作った筆
【兼课】jiān//kè 動 (教師が授業を)掛け持ちする
*【兼任】jiānrèn 動 兼任する. 兼務する 形 兼任の. 兼務の ‖ ～教员 兼任の教員
【兼容】jiānróng 動 さまざまのものを同時に受け入れる
【兼容并包】jiān róng bìng bāo 成 関わりのあるもの全てを包括する
【兼施】jiānshī 動 (いろいろなやり方や手段を)併せ用いる ‖ 软硬～ 硬軟併せ用いる. 脅したりすかしたりする
【兼收并蓄】jiān shōu bìng xù 成 内容の異なるものや性質の相反するものでもすべて受け入れる
【兼之】jiānzhī 接 そのうえ. それに加えて
【兼职】jiān//zhí 動 兼職する. 兼務する 图 (jiānzhí) 兼職. 兼務

10 监[1] (監) jiān 監督する. 監視する ‖ →～察 | →～督
10 监[2] (監) jiān ❶刑務所. 監獄 ‖ 出～ 出獄する | 收～ 刑務所に入れる ❷拘禁する. 投獄する ‖ →～禁 ➤ jiàn
【监测】jiāncè 動 監視測定する
*【监察】jiānchá 動 監察する. 監督する
【监场】jiān//chǎng 動 試験会場の監督をする
*【监督】jiāndū 動 監督する ‖ ～劳动 労働を監督する 图 監督 ‖ 舞台～ 舞台監督
【监工】jiān//gōng 動 旧 現場で監督をする 图 (jiāngōng) 現場監督
【监管】jiānguǎn 動 監視し管理する
【监护】jiānhù 動 〈法〉後見する
【监护人】jiānhùrén 图 〈法〉後見人
【监禁】jiānjìn 動 (犯人を)拘禁する
【监考】jiān//kǎo 動 試験会場の監督をする 图 (jiānkǎo) 試験官
【监控】jiānkòng 動 ❶監視測定し, コントロールする ❷監督し制御する
【监牢】jiānláo 图 口 監獄. 刑務所
【监票】jiānpiào 動 選挙の投開票に立ち会う ‖ ～人 投開票立会人
【监事】jiānshì 图 監事会のメンバー
【监事会】jiānshìhuì 图 監事会
*【监视】jiānshì 動 監視する ‖ ～敌人的动静 敵の動きを監視する
【监守】jiānshǒu 動 管理する
【监听】jiāntīng 動 (ラジオの番組などを)モニターする
【监外执行】jiān wài zhíxíng 图 〈法〉裁判所が重病などの理由により犯人の拘留を一時猶予し, 他の機関の監督下に置くこと
【监押】jiānyā 動 ❶(犯人を)拘禁する ❷(犯人を)護送する
*【监狱】jiānyù 图 監獄. 刑務所
【监制】jiānzhì 動 (主管部門が)製造を監督する

11 渐 jiān ❶流れ込む ‖ 东～于海 東に流れ海へ注ぐ ❷浸す. 浸透する ➤ jiàn
【渐染】jiānrǎn 動 書 長い間にしだいに影響を受ける

11 菅 jiān 图 〈植〉カルカヤ属の草本植物

11 笺[1] (箋) jiān 古書の注釈の一種 ‖ →～注
11 笺[2] (箋 △牋 椾❷) jiān ❶書簡 ‖ →～札 ❷便箋(びんせん) ‖ 便～ 便箋 | 信～ 便箋
【笺札】jiānzhá 图 書 書簡
【笺注】jiānzhù 图 箋注(せんちゅう). 注解. 注釈

12 湔 jiān 書 ❶洗う ❷(恥や冤罪などを)すすぐ ‖ ～雪冤屈 yuānqū 無実の罪をはらす

12 缄 (△椷❸) jiān ❶閉じる ‖ →～口 ❷封をする. (多く封筒の差出人の名前の後に書く) ‖ 张～ 張より ❸書 書信
【缄口】jiānkǒu 動 書 口をつぐむ
【缄默】jiānmò 動 口を閉じてしゃべらない. 沈黙する

12 犍 jiān 去勢したウシ ➤ qián
【犍牛】jiānniú 图 去勢したウシ

13 蒹 jiān 古 アシの一種

13 搛 jiān 動 (箸で)はさむ. つまむ ‖ 给客人～菜 客に料理を取り分ける

13 缣 jiān 图 書 薄い絹

13 *煎 jiān ❶動 〈料理〉少量の油を入れて表面をきつね色に焼く ‖ ～鸡蛋 玉子焼きを作る ❷動 煎(せん)じる ‖ ～药 薬を煎じる ❸量 (漢方で)薬を煎じる回数 ‖ 头～ 一番煎じ

類義語 ｜ 煎 jiān 烤 kǎo 烧 shāo

◆〔煎〕少量の油で材料を鍋底につけたまま焼く ‖ 煎鸡蛋 目玉焼きを作る. 目玉焼き ◆〔烤〕油を使わず, 材料を火のそばに置いて焼く. 多くオーブン・レンジ・トースターなど間接火による加熱をさす ‖ 烤面包 パンを焼く. トースト ◆〔烧〕油で揚げてから, スープを加えて炒めるか煮込む. または, 煮て軟らかくしてから油で揚げる. 単に直火で焼くことも〔烧〕という ‖ 烧茄子 ナスの揚げ煮を作る

【煎熬】jiān'áo 動 喩 苦しめる. いびる. 痛めつける
【煎饼】jiānbing 图 コーリャン・コムギ・アワなどの粉を水で溶き, 鉄板の上で薄く延ばしながら焼いた食物
【煎剂】jiānjì 图 煎じ薬

15 鹣 jiān 伝説中の比翼の鳥

15 鲣 (鰹) jiān 图 〈魚〉カツオ. ふつう〔鲣鱼〕という

jiǎn

6 **囝** jiǎn 方 息子

8 ** **拣**（揀）jiǎn ❶動 **選ぶ．選び取る** ‖ 把米里的石子儿～出来 米に混じっている小石をより出す ❷〔捡jiǎn〕に同じ

【拣选】jiǎnxuǎn 動 選択する．選ぶ

【拣择】jiǎnzé 動 選び出す．拾い出す

8 **枧** jiǎn ❶方 石けん ‖ 香～ 化粧石けん ❷〔笕jiǎn〕に同じ

9 **俭**（儉）jiǎn 倹約する．節約する ‖ 节～ 節約する｜勤～ 勤勉でつましい

【俭朴】jiǎnpǔ 形 質素である．つましい

【俭省】jiǎnshěng 形 つましい．切り詰めて浪費しない

【俭约】jiǎnyuē 形 書 つましい

9 **茧**（繭 △蠒）jiǎn ❶名 繭 ❷〔趼jiǎn〕に同じ

【茧子】[1] jiǎnzi 名 方 繭

【茧子】[2] jiǎnzi ＝〔趼子jiǎnzi〕

9 **柬** jiǎn 書簡・招待状・書き付けなどの総称 ‖ 请～ 招待状｜礼～ 贈り物に添える名刺

【柬埔寨】Jiǎnpǔzhài 名〈国名〉カンボジア

10 ** **捡**（撿）jiǎn 動 **拾う** ‖ 在街上～了一个钱包 道で財布を拾った

【捡漏】jiǎn//lòu 動 屋根の雨漏りを修膳する

【捡漏儿】jiǎn//lòur 動 方（人の）揚げ足を取る

【捡破烂儿】jiǎn pòlànr 組 くず拾いをする

10 **笕** jiǎn （竹の管で水を引く）筧(かけい)

11 ** **减**（△減）jiǎn ❶動 **減る．減らす** ‖ 体重～了两公斤 体重が２キロ減った ❷衰える ‖ 不～当年 当時と比べて衰えていない ❸動〈数〉引く ‖ 九～五等于四 ９引く５は４

【减仓】jiǎn//cāng 動 ❶〈経〉（保有株などを）手放す．放出する ❷喩 リストラする．人員整理する

*【减产】jiǎn//chǎn 動 生産が減る．減産する

*【减低】jiǎndī 動 減らす．下げる ‖ ～能耗nénghào エネルギーの消費を抑える｜～速度 スピードを落とす

【减法】jiǎnfǎ 名〈数〉減法．引き算 ↔〔加法〕

【减肥】jiǎn//féi 動 減量する．ダイエットする

【减幅】jiǎnfú 名 減少幅

【减负】jiǎnfù 動 過重な負担を減らす ‖ 给农民～ 農民の過重負担を減らす

【减河】jiǎnhé 名 放水路．〔引河〕ともいう

【减缓】jiǎnhuǎn 動 ❶（程度を）緩める．軽くする．軽くなる ❷（速度を）落とす．落ちる ‖ ～速度 減速する

【减价】jiǎn//jià 動 値段を安くする．値引きする ‖ ～出售 安売りする｜大～ バーゲンセール

【减亏】jiǎnkuī 動〈経〉（企業が）欠損を減らす．赤字を減らす

【减慢】jiǎnmàn 動 スピードが落ちる．スピードを落とす ‖ ～速度 スピードを落とす

【减免】jiǎnmiǎn 動 軽減する．免除する．免ずる

** 【减轻】jiǎnqīng 動 **軽減する．軽くなる** ‖ ～痛苦 苦痛をやわらげる｜～负担 負担を軽減する

*【减弱】jiǎnruò 動 弱まる．弱める．弱くなる ‖ 火势～ 火勢が弱まる｜兴趣～ 興味が薄れた

【减色】jiǎnsè 動 精彩を欠く．活気を失う

** 【减少】jiǎnshǎo 動 **減少する．減らす** ‖ 交通事故有所～ 交通事故が減少した｜～人员 人員を減らす

【减速】jiǎn//sù 動 減速する

【减损】jiǎnsǔn 動 減損する．減少する

【减缩】jiǎnsuō 動 削減する．縮減する

【减退】jiǎntuì 動 減退する．だんだん後退する

【减薪】jiǎn//xīn 動 減俸する．給料を減らす

【减刑】jiǎn//xíng 動〈法〉減刑する

【减削】jiǎnxuē 動 削減する

【减压】jiǎn//yā 動 減圧する

【减员】jiǎn//yuán 動 ❶〈軍〉（傷病や死亡などで）人員が減る ❷人員を減らす

【减灾】jiǎnzāi 動 自然災害を減らす ‖ 防震～ 地震に備え災害を減らす

11 ** **剪** jiǎn ❶切断する．折る ❷除く．取り除く ‖ 一～除 ❸動 **（はさみで）切る** ‖ ～头发 髪を切る ❹はさみ ‖ 裁衣～ 裁縫ばさみ ❺はさみ状の器具 ‖ 夹～ やっとこ

【剪报】jiǎn//bào 動 新聞を切り抜く．スクラップする 名（jiǎnbào）新聞の切り抜き．スクラップ

【剪裁】jiǎncái 動 ❶（服地を）裁断する ❷喩（文章を書くための資料を）整理する

*【剪彩】jiǎn//cǎi 動（開幕式や落成式などで）テープカットする ‖ 为开幕式～ 開幕式のテープカットをする

【剪除】jiǎnchú 動 排除する．取り除く

*【剪刀】jiǎndāo 名 はさみ ‖ 这把～很快 このはさみはとてもよく切れる

【剪刀差】jiǎndāochā 名〈経〉はさみ状価格差．シェーレ

【剪辑】jiǎnjí 動（映画フィルムなどを）カッティングする．編集する 名 カッティング．編集．モンタージュ

【剪接】jiǎnjiē 動（映画フィルムなどを）カッティングする．編集する

【剪票】jiǎn//piào 動（検札のために）切符にはさみを入れる

【剪贴】jiǎntiē 動 ❶（新聞などの）切り抜きをする ‖ ～簿 スクラップブック ❷〈計〉カット・アンド・ペーストする ‖ ～板 クリップボード ❸切り紙細工をする

【剪影】jiǎnyǐng 動 切り紙細工をする 名 ❶喩 粗描 ❷切り紙細工

【剪纸】jiǎnzhǐ 動 切り紙をする 名 切り紙細工

【剪纸片】jiǎnzhǐpiàn 名 切り紙を使ったアニメ

【剪子】jiǎnzi 名 はさみ

11 **检**（檢）jiǎn ❶制約する．制限する ‖ 行为不～ 行いが慎みを欠く ❷調べる ‖ 翻～（書物を）めくって調べる ❸〔捡jiǎn〕に同じ

【检波】jiǎnbō 動〈電〉検波する

*【检测】jiǎncè 動 検査測定する

★【检查】jiǎnchá 動 ❶**調べる．検査する** ‖ ～行李 手荷物を調べる｜～身体 健康診断を受ける ❷**調査する** ‖ ～工作 仕事ぶりを点検する ❸**自己批判する．反省する** ‖ 名 自己批判書．始末書 ‖ 写～ 自己批判書を書く

*【检察】jiǎnchá 動 摘発し，犯罪事実を審理する

【检察官】jiǎncháguān 名 検察官

【检察院】jiǎncháyuàn 名 検察庁

【检场】jiǎnchǎng 旧〈劇〉動 幕を降ろさずに道具類の出し入れをする 名 裏方．道具方

【检点】jiǎndiǎn 動 ❶点検する．検査する ❷（自分の言動に）気を付ける．注意する．慎む ‖ 他的发言有失

～ 彼の発言は慎重さを欠いている
【检定】jiǎndìng 動 検査する
【检核】jiǎnhé 動 照合する
【检获】jiǎnhuò 動 押収する‖～大批毒品 大量の麻薬を押収する
*【检举】jiǎnjǔ 動 摘発する‖～犯罪分子 犯罪者を摘発する
【检录】jiǎnlù 動（試合前に）選手の点呼と入場案内をする
【检票】jiǎn//piào 動 検札する. 切符を点検する‖～口 改札口｜～员 検札係
【检视】jiǎnshì 動 調べる
【检束】jiǎnshù 動 書（自己の言動を）反省し慎む
【检索】jiǎnsuǒ 動 ❶検索する ❷〈計〉検索する. サーチする‖～功能 検索機能
*【检讨】jiǎntǎo 動 ❶（自分の思想や言動を）反省する‖～自己的错误 自分の誤りを反省する｜召开～会 反省会を開く ❷書 検討する
*【检修】jiǎnxiū 動 点検修理する
*【检验】jiǎnyàn 動 検査する. 検証する
【检疫】jiǎnyì 動〈医〉検疫する‖～站 検疫所
【检阅】jiǎnyuè 動 ❶閲兵する. 観閲する ❷（書物や資料などで）調べる
【检字法】jiǎnzìfǎ 名〈語〉字の検索法

11 **趼** jiǎn 名（手足にできる）たこ
【趼子】jiǎnzi 名（手足にできる）たこ.〔茧子〕とも書き, また,〔老趼〕ともいう

12 **裥** jiǎn 方（衣服の）プリーツ. ひだ

12 **硷**（鹼 △鹻）jiǎn 〔碱jiǎn〕に同じ

12 **睑**（瞼）jiǎn まぶた ＝〔眼睑〕

12 **锏** jiǎn 名 古 兵器の一種で, 断面が四角形の金属製の棒 ➤ jiàn

13 **简**[1] jiǎn ❶竹簡‖竹～ 竹簡｜断～残编 断簡零墨 ❷手紙‖书～ 書簡

13 **简**[2] jiǎn ❶簡単である. 単純である ↔〔繁〕‖～而言之 簡単に言うと ❷簡素にする. 簡略化する‖精～ 簡素化する

13 **简**[3] jiǎn 書（人材を）選ぶ. 選別する‖～材 人材を選ぶ
【简报】jiǎnbào 名 短信. 短いニュース
【简本】jiǎnběn 名 ダイジェスト版. 簡約本
【简编】jiǎnbiān 名 簡約本.（多く書名に用いる）
*【简便】jiǎnbiàn 形 簡便である. 手軽で便利である. 簡単である‖手续～ 手続きが簡単である
*【简称】jiǎnchēng 動 略称する 名 略称
★【简单】jiǎndān 形 ❶簡単である. 単純である ↔〔复杂〕‖～扼è要 簡単に要点をかいつまむ｜头脑～ 考えが単純である ❷おおざっぱである. いいかげんである‖～从事 いいかげんに片付ける ❸平凡である. 普通である.（多く否定に用いる）‖真不～ たいしたものだ
【简单机械】jiǎndān jīxiè 名 単純な機械
【简单劳动】jiǎndān láodòng 名〈経〉単純労働 ↔〔复杂劳动〕
【简单商品生产】jiǎndān shāngpǐn shēngchǎn 名〈経〉単純商品生産.〔小商品生产〕ともいう
【简单再生产】jiǎndān zàishēngchǎn 名〈経〉単純再生産
*【简短】jiǎnduǎn 形（文章などが）簡潔である. 手短である‖～的发言 簡潔な発言
*【简化】jiǎnhuà 動 簡単にする. 簡素化する‖～手续 手続きを簡素化する
【简化汉字】jiǎnhuà Hànzì 名〈語〉簡体字
【简化字】jiǎnhuàzì ＝〔简化汉字jiǎnhuà hànzì〕
【简洁】jiǎnjié 形 簡潔である
【简捷】【简截】jiǎnjié 形 直截（ちょくさい）である. 端的である
【简介】jiǎnjiè 動 簡単に紹介する. 簡単に説明する 名 簡単な紹介. 簡単な案内‖公司～ 会社案内
【简况】jiǎnkuàng 名 概況
【简括】jiǎnkuò 形 簡単だが包括的である
【简历】jiǎnlì 名 略歴
【简练】jiǎnliàn 形 簡潔でむだがない. 要領を得ている
*【简陋】jiǎnlòu 形（家屋や設備などが）簡素である. 貧弱である‖设备～ 設備が貧弱だ
【简略】jiǎnlüè 形（言葉や文章の内容が）簡略である. おおまかである‖～地介绍 ざっと説明する
【简慢】jiǎnmàn 動（客への応対が）礼を失する. 行き届かない‖别～了客人 お客様に対し失礼のないように
*【简明】jiǎnmíng 形 簡明である
【简朴】jiǎnpǔ 形（文章や生活などが）簡素である
【简谱】jiǎnpǔ 名〈音〉略譜. 数字譜
【简省】jiǎnshěng 動 節約する. 余計なものを取り除く
【简缩】jiǎnsuō 動（量や規模を）縮小する‖～开支 支出を切り詰める｜～机构 機構を縮小する
【简体】jiǎntǐ ＝〔简体字jiǎntǐzì〕
*【简体字】jiǎntǐzì 名〈語〉簡体字
【简写】jiǎnxiě 動 簡体字で書く 名 簡略化した書き方
【简讯】jiǎnxùn 名 短いニュース
*【简要】jiǎnyào 形 簡単で要を得ている‖～地谈谈事情的经过 事の経過をかいつまんでお話ししましょう
*【简易】jiǎnyì 形 ❶簡易な. 手軽で簡単な ❷（施設が）簡易である. 粗末である‖～住房 仮設住宅
【简约】jiǎnyuē 形 ❶簡単である. 簡略である. おおざっぱである ❷つましい. 質素である
【简则】jiǎnzé 名 簡明な規則
【简章】jiǎnzhāng 名 簡単な規約. 要覧. 要項
*【简直】jiǎnzhí 副 まったく. まるで. ほとんど‖这哪里是帮忙, ～是捣乱dǎoluàn これでは手伝うどころかじゃまをしているようなものだ｜～不敢相信自己的耳朵 まったく自分の耳が信じられない

> **類義語** 简直 jiǎnzhí 几乎 jīhū 差不多 chàbuduō
>
> ◆〔简直〕きわめて近いことをやや誇張して強調する. まるで. まったく‖他的音容笑貌, 简直和他哥哥一模一样 彼の顔や声はまったく兄さんとそっくりだ ◆〔几乎〕かなり近いことを表し, 誇張や強調の語気はない. ほとんど‖粮食几乎完全依赖进口 食糧はほとんど全部輸入に頼っている ◆〔差不多〕二つのものを比べて, 大きな差がない, 同じであることを表す. だいたい. ほぼ‖这几棵树差不多一样高矮 これらの木は高さがほぼ同じだ

【简装】jiǎnzhuāng 形 簡易包装の‖～书 並製本

14 **戬** jiǎn 書 ❶取り去る. 消滅する ❷福. 幸運

14 *碱（△堿）jiǎn ❶图〈化〉塩基 ❷動（アルカリ性の浸食によって）はげ落ちる‖厕所的墙～了 便所の壁がはげ落ちた
【碱荒】jiǎnhuāng 图 アルカリ性の荒廃地
【碱土】jiǎntǔ 图 アルカリ土
【碱性】jiǎnxìng 图〈化〉アルカリ性 ↔〔酸性〕
15 翦 jiǎn 图 姓
17 謇 jiǎn 古 ❶どもる. 言葉がつかえる‖～吃 どもる ❷率直である‖～辞 率直な言葉
17 蹇 jiǎn ❶書 足が不自由である. 足を引きずる‖～足～ 足が不自由だ ❷書 困難である

jiàn

4 ★见[1]（見）jiàn ❶動 **見る. 目に入る. 見かける**‖我没～他来过 私は彼が来たのを見かけなかった｜我的手表不～了 私の腕時計が見当たらない ❷動 **会う. 対面する**‖明天～! さようなら, また明日｜他想～～你 彼は君に会いたがっている ❸動 接触する. 触れる‖那人～便宜就沾 zhān あいつはうまい話があるとすぐ分け前にあずかろうとする ❹見識. 見方. 見解. 考え方‖意～ 意見 ❺動 **はっきり現れる. 見てとれる**‖他一点ル都不～老 彼は少しも老けて見えない ❻聞こえる. 耳に入る‖叫了半天, 不～有人答应 しばらく呼んだが, 返事がない ❼動 **参照する. …を見よ**‖～下图 下図参照 ❽動（単音節動詞の後に置いて）**知覚した結果を表す**‖看～ 見える｜听不～ 聞こえない
4 见[2]（見）jiàn ❶（単音節動詞の前に置いて受け身を表す）…される‖一～笑｜～重于当时 当時の人に重んじられた ❷敬（単音節動詞の前に置いて）…していただく‖一～谅
【见报】jiàn//bào 動 新聞に載る. 新聞に掲載される
【见背】jiànbèi 動 婉（目上の人に）死なれる
*【见不到】jiànbudào 動 見られない. 見かけない. 会えない‖这些日子怎么～他了? このごろどうして彼を見かけないんだろう｜我们那里～这种水果 私たちの所でこの種の果物は見られない
【见不得】jiànbude ; jiànbudé 動 ❶人目をはばかる. 顔向けできない‖没做坏事, 有什么～人的? 悪い事はしていないのだから, どうして人に顔向けできないことがあろうか ❷避けなければならない. 禁物である‖胶卷～光 フィルムは光が禁物である ❸方 気にくわない. 好まない
【见长】jiàncháng 動 得意とする. 長じる ➤ jiànzhǎng
【见得】jiànde ; jiàndé 動 …と分かる. …と思われる.（否定文・疑問文のみに用いる）‖怎么～他考不上大学呢? どうして彼が大学入試に受からないと思うんだ
【见地】jiàndì 图 見識
【见多识广】jiàn duō shí guǎng 成 博識で経験が豊富である. 見聞が豊かで知識が広い
【见方】jiànfāng 图 正方形. 平方.（長さを表す数量詞の後ろに用いる）
【见分晓】jiàn fēnxiǎo 組 はっきりする. はっきり分かる
【见风使舵】jiàn fēng shǐ duò 成 風を見て舵（かじ）をとる. 情勢を見て風向きのいい方につく
【见风是雨】jiàn fēng shì yǔ 成 物事の一端を見て軽率に判断を下すこと
【见缝插针】jiàn fèng chā zhēn 成 利用できるものはなんでも利用する. ちょっとした機会も逃さない
【见怪】jiànguài 動 悪く思う. 責める. とがめる‖说几句不中听的话, 请您不要～ 耳障りなことも言いますが, 気を悪くしないでください
【见怪不怪】jiàn guài bù guài 成 おかしなことを見ても驚かない. 慣れっこになっている
【见鬼】jiàn//guǐ 形 おかしい. 奇妙である 動 死亡する. 死滅する
【见好】jiànhǎo 動（病気が）よくなる. 好転する‖他的病一天比一天～ 彼の病気は日増しによくなる
【见机】jiànjī 動 機会を見計らう. 情勢を見る
【见机行事】jiàn jī xíng shì 成 機会を見計らって事を行う. 情勢を見て事を進行する
【见教】jiànjiào 動 敬 ご教示いただく
*【见解】jiànjiě 图 見解. 考え方‖对这个问题他有自己的～ この問題について彼は自分の考えを持っている
【见老】jiànlǎo 動 年寄りじみる. 老け込む
【见礼】jiàn//lǐ 動 会って礼をする. 挨拶する
【见利忘义】jiàn lì wàng yì 成 利に目がくらんで道義を忘れる
【见谅】jiànliàng 動 敬 大目にみてくださる. お許しいただく‖如有不周之处, 请各位～ もし行き届かない点があっても, 皆様どうかお許しください
【见猎心喜】jiàn liè xīn xǐ 成（腕に覚えのあるスポーツや芸事を見て）腕が鳴る. 腕がむずむずする
★【见面】jiàn//miàn（～ル）動 **会う. 面会する**‖初次～ 初めまして｜我跟他只见过一次面 私は彼と1回だけ会ったことがある
【见面礼】jiànmiànlǐ 图 初対面のときの手みやげ
【见钱眼开】jiàn qián yǎn kāi 慣 金を見ると顔がほころぶ. 貪欲に財貨や利益を求める
【见轻】jiànqīng 動（病状が）軽くなる. よくなる
【见仁见智】jiàn rén jiàn zhì 成 仁者が見れば仁と言い智者が見れば智と言う. 各人各様の見解があること
【见世面】jiàn shìmiàn 組 社会経験を積んでいる. 見聞が広い‖没见过世面 世の中に疎い
*【见识】jiànshi 图 見聞. 考え‖长 zhǎng～ 見聞を広める 動 見聞を広める
【见死不救】jiàn sǐ bù jiù 成 人の危急を見て救わない. 見殺しにする
【见所未见】jiàn suǒ wèi jiàn 成 これまで見たことがない. きわめて珍しい
【见天】jiàntiān（～ル）副 方 毎日
【见外】jiànwài 形 他人行儀である. よそよそしい‖这么说可就有点ル～了 そんなこと言うとは水臭いね
【见旺】jiànwàng 動（市況が）活況である. 好調である
【见危授命】jiàn wēi shòu mìng 成 危急存亡の時には惜しまず命を捧げる
【见微知著】jiàn wēi zhī zhù 成 わずかな兆候からすべてを見通す
【见闻】jiànwén 图 見聞. 見たり聞いたりしたこと
【见习】jiànxí 動 実地に研修する. 実習する‖～生 実習生｜他正在医院～ 彼は病院で研修中である
*【见效】jiànxiào 動 効果が現れる. 効き目が出る‖吃了各种药, 也不～ いろいろ薬を飲んだが, 効き目がない
【见笑】jiànxiào 動 謙 笑われる‖请别～ どうかお笑いにならないでください
【见新】jiàn//xīn 動 方（手を入れて）新しく見せる
【见义勇为】jiàn yì yǒng wéi 成 正義のためには

J

勇敢に行う. 正しいと思ったことを勇敢に実行する
【见异思迁】jiàn yì sī qiān 成 ほかのものを見て心移りする. 気まぐれである
【见于】jiànyú 動 …に見える. …を参照せよ.（多く出典を示す）‖ ～《论语》『論語』に見える
【见责】jiànzé 動 書 非難される
【见长】jiànzhǎng 動 成長する. 目に見えて大きくなる ➤ jiàncháng
【见证】jiànzhèng 名 証拠品. 証人 ‖ 历史的～ 歴史の証人 動 証人になる ‖ ～人 証人. 目撃者
【见罪】jiànzuì 動 書 悪く思う. 責める
6 ★件 jiàn ❶（～儿）一つ一つ数えられる物や事をさす ‖ 案～ 訴訟事件｜配～（機械の）部品 ❷文書などをさす ‖ 文～ 書類. 文書 ❸量（～儿）（事柄や上着などを数える）件. 着. 枚 ‖ 买～衬衫 シャツを1枚買う｜一～礼物 一つの贈り物

逆引き単語帳 〔案件〕ànjiàn 訴訟事件 〔信件〕xìnjiàn 郵便物 〔证件〕zhèngjiàn 証明書 〔稿件〕gǎojiàn 原稿 〔邮件〕yóujiàn 郵便物 〔文件〕wénjiàn 書類. 文書 〔密件〕mìjiàn 機密文書 〔附件〕fùjiàn 付属文書. 添付書類. 添付ファイル 〔急件〕jíjiàn 緊急書類 〔零件〕língjiàn 〔部件〕bùjiàn 部品. パーツ 〔备件〕bèijiàn 予備部品. スペアー 〔配件〕pèijiàn 付属品. 部品 〔硬件〕yìngjiàn ハードウェア 〔软件〕ruǎnjiàn ソフトウェア

7 间（間）jiàn ❶すきま. 溝 ‖ 一～隙 ❷（～儿）二つの間に位置する. 直接的でない ‖ 中～儿 中間 ❸隔てる. 間隔をおく ‖ 晴～多云 晴れときどき曇り ❹離間する ‖ 反～计 離間策 ❺動〈農〉間引く ‖ 一～苗 ➤ jiān
【间壁】jiànbì 名 仕切り壁
【间谍】jiàndié 名 スパイ
【间断】jiànduàn 動 中断する. 中途でやめる
*【间隔】jiàngé 名 間隔 動 間隔をおく. 隔てる
【间隔号】jiàngéhào 名〈語〉中点, 中黒,〔・〕
【间或】jiànhuò 副 たまに. どうかすると. 時として
*【间接】jiànjiē 形 間接的である ↔〔直接〕‖ 这些原因都是～的 これらの原因はみな間接的なものである
【间接经验】jiànjiē jīngyàn 名 間接的経験
【间接税】jiànjiēshuì 名 間接税
【间接推理】jiànjiē tuīlǐ 名〈哲〉間接推理
【间接选举】jiànjiē xuǎnjǔ 名 間接選挙
【间苗】jiàn//miáo 動〈農〉間引く
【间色】jiànsè 名 中間色. 間色
【间隙】jiànxì 名 すきま. 合間 ‖ 利用工作～读书 仕事の合間を利用して読書する
【间歇】jiànxiē 動 一定の間隔をおいて起こったりやんだりする. 断続する ‖ 这种病常～发作 この種の病気はよく間欠的に発作が起きる
【间杂】jiànzá 動 混じる
【间作】jiànzuò 動〈農〉間作する.〔间种〕ともいう
8 ⁂建[1] jiàn ❶動 建設する. 建てる ‖ ～工厂 工場を建てる ❷動 創立する. 設立する ‖ 一～国 ❸提出する. 首唱する ‖ 一～议
8 建[2] jiàn ❶〔建江〕（福建省の旧地名, 現在の閩江(びんこう)）をさす ❷福建省をさす
【建白】jiànbái 動 書 建白する. 建言する
【建材】jiàncái 名 略 建築材料.〔建筑材料〕の略
【建仓】jiàn//cāng 動〈経〉（株などを）買い入れる
【建档】jiàn//dàng 動 記録書類を作成する. ファイルを作成する
【建都】jiàn//dū 動 都を定める
【建构】jiàngòu 動 打ち立てる. 構築する ‖ ～良好的人际关系 よい人間関係をつくる
【建国】jiàn//guó 動 ❶建国する ❷国家を建設する
*【建交】jiàn//jiāo 動 国交を樹立する. 外交関係を結ぶ ‖ 中国已同一百多个国家～ 中国はすでに百余の国と国交を樹立している
【建军节】Jiànjūnjié 名（中国人民解放軍）建軍記念日（8月1日）
【建兰】jiànlán 名〈植〉スルガラン
⁂【建立】jiànlì 動 打ち立てる. 築く. 樹立する ‖ ～邦交 国交を樹立する｜～政权 政権を築く
★【建设】jiànshè 動 建設する. 築き上げる ‖ ～祖国 祖国を建設する｜基本～ 基本建設. インフラ整備
【建设性】jiànshèxìng 名 建設的 ‖ 提出～意见 建設的な意見を出す｜富有～ 建設的である
【建树】jiànshù 動 功績を立てる 名 功績. 手柄
【建言】jiànyán 動 書 建言する. 建議する
⁂【建议】jiànyì 動 提案する. 提言する ‖ 我～开会讨论这个问题 私は会議を開いてこの問題を討議するよう提案します 名 提案. 提言 ‖ 提出～ 提案する
【建元】jiànyuán 動 書 ❶（建国後）年号を定める ❷建国する
*【建造】jiànzào 動 建造する. 建設する ‖ ～高楼大厦 高層ビルを建設する｜～油轮 タンカーを建造する
【建制】jiànzhì 名（行政区画などの）制度.（軍隊や機関などの）編制
⁂【建筑】jiànzhù 動 建築する. 建設する. 建造する ‖ ～桥梁qiáoliáng 橋を架ける 名 建築. 建造物
【建筑物】jiànzhùwù 名 建物. 構築物
【建筑学】jiànzhùxué 名 建築学
8 饯[1]（餞）jiàn 書 送別の宴を催す. 壮行する ‖ 一～别
8 饯[2]（餞）jiàn（果物を）砂糖漬けにする ‖ 蜜～ 果物の砂糖漬け
【饯别】jiànbié 動 送別の宴を催す. 壮行する
【饯行】jiànxíng 動 送別の宴を催す. 壮行する
9 剑（劍 △劒）jiàn 名 剣. 両刃の刀 ‖ 两把～ 二ふりの剣
【剑拔弩张】jiàn bá nǔ zhāng 成 剣は抜かれ, 弩(いしゆみ)は張られている. 一触即発の状態. 緊迫したさま
【剑客】jiànkè 名 剣客
【剑眉】jiànméi 名 まっすぐで両端の跳ね上がった眉(まゆ). 男らしい眉
【剑术】jiànshù 名〈体〉剣術
【剑侠】jiànxiá 名 剣客
9 荐[1]（薦）jiàn ❶書 ござ. むしろ ❷書（野生動物や家畜の食べる）草
9 荐[2]（薦）jiàn 紹介する. 推挙する ‖ 推～ 推薦する
【荐举】jiànjǔ 動 推挙する. 推薦する ‖ 大家～他为代表 みんなは彼を代表者に推挙した
【荐引】jiànyǐn 動 書 推薦する
9 *贱（賤）jiàn ❶形 値段が安い ↔〔贵〕‖ ～买贵卖 安く買って高く売る ❷形 卑しい. 地位が低い ↔〔贵〕‖ 卑～ 卑しい ❸形 げすな. 下品な. げびた ‖ 一～货 ❹旧 謙 自分のこと ‖

～恙yàng已愈yù 私めの病気はすでに治りました
【贱骨头】jiàngǔtou 名罵ろくでなし. 卑しいやつ
【贱货】jiànhuò 名❶安物 ❷罵げす
【贱民】jiànmín 名❶旧賎民(せんみん) ❷(インドのカースト制度で最下層の)スードラ

9 **笕** jiàn ❶つっかい棒をして支える ❷(土や石で)水をせき止める

10 **健** jiàn ❶強健な. 元気な‖→～康 ❷丈夫にする. 強くする‖→～身｜～脑 脳の働きをよくする ❸…に強い. よく…する‖→～谈
【健步】jiànbù 名書健脚
【健存】jiàncún 動健在である
【健儿】jiàn'ér 名書健児. 元気な若者
【健将】jiànjiàng 名❶達人. 猛者 ❷〈体〉(国家が授ける)スポーツ選手の最高の称号
★【健康】jiànkāng 形**健康である. 健全である**‖身体很～ 健康である 名**健康である**‖恢复～ 健康を取り戻す｜抽烟有损于～ 喫煙は健康を損なう
【健康寿命】jiànkāng shòumìng 名健康寿命
*【健美】jiànměi 形健康美に富んでいる 名略ボディービル.〔健美运动〕の略
【健美操】jiànměicāo 名エアロビクス運動
【健美运动】jiànměi yùndòng 名〈体〉ボディービル
*【健全】jiànquán 形❶健全な‖身心～ 心身ともに健全である ❷完備している‖机构不～ 機構が十全でない 動整備する‖～制度 制度を整備する
【健全人】jiànquánrén 名健常者
【健身】jiànshēn 動体を健康にする
【健身房】jiànshēnfáng 名トレーニング・ジム. アスレチック・クラブ
【健谈】jiàntán 形話好きである. よくしゃべる
【健忘】jiànwàng 形忘れっぽい. よく忘れる
【健旺】jiànwàng 形健康で精力旺盛(おうせい)である
【健在】jiànzài 動(多く老人について)健在である
*【健壮】jiànzhuàng 形壮健である. 頑健である

10 **涧** jiàn 書渓流. 谷川‖山～ 渓谷

10 **监**(監) jiàn 古役所名‖国子～ 国子監. 古代の最高学府 ➤ jiān
【监本】jiànběn 名古国子監で刻印した書物
【监生】jiànshēng 名古〔国子监〕の学生

10 **舰**(艦) jiàn 軍艦‖军～ 軍艦
【舰船】jiànchuán 名(軍用や民間の)艦船
【舰队】jiànduì 名艦隊
【舰日】jiànrì 名1隻の軍艦の1日の活動
【舰艇】jiàntǐng 名艦艇
【舰只】jiànzhī 名艦船の総称

11 **谏** jiàn 書諫言(かんげん)する. いさめる‖进～ 諫言する｜纳～ 諫言を聞き入れる
【谏劝】jiànquàn 動書いさめる. 忠告する

11 * **渐** jiàn 副しだいに. 徐々に. だんだん‖天气～热 だんだん暑くなる ➤ jiān
【渐变】jiànbiàn 動しだいに変化する
【渐次】jiàncì 副書しだいに. 徐々に
【渐渐】jiànjiàn 副しだいに. 徐々に. だんだん**‖街上的人～多了起来 人通りがだんだん多くなってきた
【渐进】jiànjìn 動書漸進する. しだいに進行する
【渐趋】jiànqū 動書しだいに…の方向へ向かう
【渐入佳境】jiàn rù jiā jìng 成しだいに佳境に入る. だんだん興味がわいてくる

12 * **溅**(濺) jiàn 動(液体が)跳ね上がる. 四方に飛び散る‖～了一裤子泥 泥を跳ねられズボンが泥だらけになった
【溅落】jiànluò 動(人工衛星や飛行船が予定の地点に)落下する. 着水する

12 **楗** jiàn 書❶門(かんぬき) ❷堤防の決壊箇所をふさぐ竹・木・土・石などの材料

12 **毽** jiàn 名(～儿)羽根けりの羽根
【毽子】jiànzi 名羽根けりの羽根

12 **腱** jiàn 名〈生理〉腱(けん)‖肌～ 腱
【腱鞘】jiànqiào 名〈生理〉腱鞘(けんしょう)
【腱子】jiànzi 名(人や動物の)ふくらはぎの筋肉の発達した部分

12 **锏** jiàn (車軸の摩擦を減らすために)車軸の上にはめる鉄棒 ➤ jiǎn

12 **践**(踐) jiàn ❶踏む‖→～踏 ❷実行する. 実践する. 履行する‖→～约
【践诺】jiànnuò 動書承諾したことを履行する
*【践踏】jiàntà 動❶踏む. 踏みつける‖请勿～草坪cǎopíng 芝生に入らないでください ❷侮る. 踏みにじる‖～民意 民意を踏みにじる
【践行】jiànxíng 動実行する. 履行する
【践约】jiàn//yuē 動(主に面会の)約束を履行する

13 **鉴**(鑒 △鑑 鍳) jiàn ❶書鏡‖铜～ 銅鏡｜波平如～ 波が穏やかで鏡のようである ❷書照らす. 映す‖水清可～ 顔が映るほど水が澄んでいる ❸戒め‖前车之～ 前車の戒め ❹詳しく見る. 鑑別する‖→～别 ❺翰(あて名の姓名の後につけて)ご高覧. 机下
*【鉴别】jiànbié 動(真偽や善悪を)見分ける. 鑑別する. 識別する‖～真伪 真偽を見分ける
*【鉴定】jiàndìng 動❶(事物の真偽や優劣を)見分ける. 鑑定する. 評定する‖～年代 年代を鑑定する ❷(人の優劣を)評定する. 評価する‖自我～ 自己評価する 名(人の)評定書. 評価書
【鉴定人】jiàndìngrén 名〈法〉鑑定人
【鉴戒】jiànjiè 名書戒め‖引为～ 戒めとする
【鉴赏】jiànshǎng 動鑑賞する
*【鉴于】jiànyú 介…にかんがみて. …の点から考えて‖～问题的严重性 問題の重要性をかんがみて

13 **键** jiàn ❶書戸の閂(かんぬき) ❷書鍵(かぎ) ❸名(楽器の)鍵盤(けんばん). (パソコンなどの)キー‖→～盘｜琴～ 鍵盤 ❹名〈機〉くさび. ボルト

> **逆引き単語帳**　〔回车键〕huíchējiàn リターン・キー 〔空格键〕kònggéjiàn スペース・キー 〔字母键〕zìmǔjiàn キャラクター・キー 〔数字键〕shùzìjiàn テン・キー 〔功能键〕gōngnéngjiàn ファンクション・キー 〔控制键〕kòngzhìjiàn コントロール・キー

*【键盘】jiànpán 名❶鍵盤 ❷〈計〉キーボード
【键盘乐器】jiànpán yuèqì 名〈音〉鍵盤楽器
【键入】jiànrù 動〈計〉キー入力する. 打ち込む‖～密码 パスワードを打ち込む

14 **僭** jiàn 書分を越える
【僭号】jiànhào 動書帝王の称号を僭称(せんしょう)する

J

14 **槛**(檻) jiàn 書 ❶檻(おり) ❷監獄 ❸欄干. 手すり ➤ kǎn

15 ** **箭** jiàn 图矢‖射～ 矢を射る｜光阴似～ 光陰矢のごとし｜一～双雕 一石二鳥

【箭靶子】jiànbǎzi 图矢の的.〔箭垛子〕ともいう

【箭步】jiànbù 图ぱっと前へ出ること‖一个～跳过去 ぱっと跳び越す

【箭垛子】jiànduǒzi 图❶=〔箭靶子jiànbǎzi〕❷姫垣

【箭楼】jiànlóu 图城壁上のやぐら

【箭头】jiàntóu (～儿)图❶矢じり ❷矢印

【箭在弦上】jiàn zài xián shàng 慣 矢はすでにつがえられている. どうにも避けようのない情勢にあるたとえ

【箭竹】jiànzhú 图〈植〉ヤダケ

【箭镞】jiànzú 图矢じり

15 **踺** jiàn ↴

【踺子】jiànzi 图〈体〉宙返りの一種

jiāng

6 ★ **江** jiāng ❶〔长江〕(長江)をさす‖一～南 ❷图大きな川‖珠～ 珠江(しゅこう)

【江北】Jiāngběi 图❶長江下流(江蘇・安徽両省のあたり)の北岸一帯 ❷広く長江より北の地域

【江东】Jiāngdōng 图古 南京以東の長江南岸地域(三国時代の呉の支配地域をさすこともある)

【江防】jiāngfáng 图❶長江の治水 ❷長江の軍事的防御

【江河日下】jiāng hé rì xià 成(川の流れが日夜絶え間なく流れ下るように)状況がどんどん悪くなっていく

【江湖】jiānghú 图全国至る所. 津々浦々. 世間‖流落～ 落ちぶれて各地をさすらう

【江湖】jiānghu；jiānghú 图各地を渡り歩いて物を売ったり芸をして稼ぐ人. 旅芸人. てきや

【江湖骗子】jiānghú piànzi 图詐欺師. ペテン師

【江郎才尽】Jiāngláng cái jìn 成 才能が枯渇する

【江轮】jiānglún 图河川を航行する船舶

【江米】jiāngmǐ 图もち米 =〔糯nuò米〕

【江米酒】jiāngmǐjiǔ 图甘酒.〔酒酿niàng〕〔醪糟láozāo〕ともいう

【江米纸】jiāngmǐzhǐ 图(あめなどを包む)オブラート

【江南】Jiāngnán 图❶長江下流(江蘇・安徽両省のあたり)の南岸一帯 ❷広く長江より南の地域

【江山】jiāngshān 图山河. 国土 転 国家, または国家の政権‖打～ 天下をとる｜坐～ 天下を治める

【江山易改, 禀性难移】jiāngshān yì gǎi, bǐngxìng nán yí 諺 山河は容易に移り変わるが, 人の本性は変わることがない. 三つ子の魂百まで

【江天】jiāngtiān 图川面の上に広がる空

【江豚】jiāngtún 图〈動〉スナメリ

【江洋大盗】jiāng yáng dà dào 成 海や河川の盗賊. 海賊

【江珧】jiāngyáo 图〈貝〉タイラギ. タイラガイ

9 **茳** jiāng ↴

【茳芏】jiāngdù 图〈植〉シチトウ. シチトウイ. リュウキュウイ

9 ** **将**[1](將) jiāng ❶古 支える. 助ける ❷古 仕える ❸養生する‖一～养 ❹古 引き連れる‖挈qiè妇～雏chú 妻子を引き連れる ❺古 持つ. 手にする ❻介 ①…で. …でもって‖一～功补过 ②…を =〔把〕‖～钟拨bō到十点 時計を10時に合わせる ❼動(将棋で)王手を掛ける‖一～军 ❽動 そそのかす. 困らせる. けしかける‖你不要老拿话来～我 何かと言っては僕をたきつけるのはやめてくれ

9 ** **将**[2](將) jiāng ❶副 ①…しようとする. …するだろう‖明天～有大雨 明日は大雨になるでしょう ②方 かろうじて. なんとか‖这钱～够买一台电视机 このお金でなんとかテレビが買える ❷(〔将…将…〕の形で)…かつ…する‖一～信～疑 ❸助 動詞と〔起来〕〔出来〕〔进去〕などの方向補語との間に挿入し, 語調を整える‖叫～起来 叫び出す ➤ jiàng qiāng

【将错就错】jiāng cuò jiù cuò 成 過ちであることを知りながらその過ちをそのまま押し通す

【将功补过】jiāng gōng bǔ guò 成 手柄を立てて過ちを償う

【将功赎罪】jiāng gōng shú zuì 成 手柄を立てて罪を償う.〔将功折罪〕ともいう

【将计就计】jiāng jì jiù jì 成 相手の計略を逆手にとる. 相手の計略の裏をかく

【将将】jiāngjiāng 副方 ちょうど. どうやら. なんとか

*【将近】jiāngjìn 副ほぼ. およそ‖我来日本～三年了 私は日本に来てほぼ3年になる

【将就】jiāngjiu 動 間に合わせる. 適当にやる‖菜做得不好, ～着吃吧！ あまりおいしくありませんが, まあ我慢して食べてください

*【将军】jiāng//jūn 動❶(将棋で)王手を掛ける ❷わざと困らせる 图(jiāngjūn)将軍

【将军肚】jiāngjūndù 图太鼓腹

★【将来】jiānglái 图将来 ↔〔过去〕‖为孩子的～着想zhuóxiǎng 子供の将来を考える

【将息】jiāngxī 動 養生する

【将心比心】jiāng xīn bǐ xīn 成 相手の心で考える. 相手の身になって考える

【将信将疑】jiāng xìn jiāng yí 成 半ば信じ半ば疑う. 半信半疑である

【将养】jiāngyǎng 動 保養する. 養生する

** 【将要】jiāngyào 副 まもなく…しようとしている. もうじき…になる‖春天～到了 春がもうじきやって来る

9 * **姜**(薑) jiāng 图ショウガ‖鲜～ 生ショウガ｜干～ 干しショウガ

【姜黄】jiānghuáng 图❶〈植〉ウコン ❷〈中薬〉姜黄(きょうおう)(ウコンの根) ❸ショウガのような黄色

【姜是老的辣】jiāng shì lǎo de là 諺 ショウガは古いものほど辛い. 亀の甲より年の功

10 **浆**(漿) jiāng ❶濃い液体‖豆～ 豆乳｜刷～ 壁にモルタルを塗る ❷動(衣服などに)のり付けする‖这件衬衫得～一下 このワイシャツはのり付けしなくてはならない

【浆果】jiāngguǒ 图〈植〉液果. 湿果. 多肉果

【浆洗】jiāngxǐ 動 洗ってのり付けする. 洗い張りする

【浆液】jiāngyè 图〈生理〉漿液(しょうえき)

10 **豇** jiāng ↴

【豇豆】jiāngdòu 图〈植〉ジュウロクササゲ. ナガササゲ

15 * **僵** (△殭❶) **jiāng** ❶形 硬直している. こわばっている ‖ 手冻～了 手がかじかんでしまった ❷形 膠着(こうちゃく)している. 気まずい ‖ 把事情闹～了 事は膠着状態に陥った

【僵持】jiāngchí 動 対峙(たいじ)して引きさがらない. 対立する ‖ 彼此～不下 互いに譲らない

【僵化】jiānghuà 動 硬直化する

【僵局】jiāngjú 名 膠着状態. 行き詰まり状態 ‖ 陷入～ 膠着状態になる | 打破～ 膠着状態を打ち破る

【僵尸】jiāngshī 名 死骸(しがい). 喩 衰退・没落した事物

【僵死】jiāngsǐ 動 死後硬直する

【僵硬】jiāngyìng 形 ❶かたい. 硬直している ❷融通が利かない. 柔軟性がない

【僵直】jiāngzhí 形 硬直している. こわばっている

16 **缰** (△繮) **jiāng** 手綱 ‖ 一～绳

【缰绳】jiāngsheng ; jiāngshéng 名 手綱

18 **礓** **jiāng** ↴

【礓碴儿】jiāngcār 名 石段

19 **疆** **jiāng** ❶(国や地域間の)境界 ‖ 边～ 辺境. 国境地帯 ❷限界 ‖ 万寿无～ 永遠の長寿をお祈りする ❸新疆ウイグル自治区をさす

【疆场】jiāngchǎng 名 戦場

【疆界】jiāngjiè 名 境界. 国境

【疆土】jiāngtǔ 名 国の領土

【疆域】jiāngyù 名 国の領域. 国土

jiǎng

6 ★ **讲** (講) **jiǎng** ❶動 話す. しゃべる ‖ ～故事 物語を話す ❷動 …について話す. …から言う ‖ ～文化水平, 你比他高得多 教育レベルについて言えば, 君は彼よりずっと高い ❸動 協議する. 掛け合う. 話し合う ‖ 一～价 ❹動 口頭で説明する. 解説する. 筋道を立てて話す ‖ 这怎么～? それはどういう意味ですか ❺動 重んじる. 注意する. 問題にする ‖ 一～面子

【讲唱文学】jiǎngchàng wénxué 名 語り物文学

【讲法】jiǎngfa 名 ❶表現の仕方. 言い回し ❷解釈. 見方

【讲稿】jiǎnggǎo (～儿) 名 講演や講義用の原稿

【讲古】jiǎnggǔ 動 昔語りをする. 昔の話をする

【讲和】jiǎng∥hé 動 講和する. 和議する

⁑【讲话】jiǎng∥huà 動 話をする. 発言する 名 (jiǎnghuà) ❶話. 発言. スピーチ ‖ 发表重要～ 重要発言を発表する ❷講話. (多く書名に用いる)

【讲价】jiǎng∥jià (～儿) 動 ❶値段を掛け合う. 値段の駆け引きをする ❷取引などで条件上の駆け引きをする ＊〔讲价钱〕ともいう

【讲价钱】jiǎng jiàqian ＝〔讲价jiǎngjià〕

【讲交情】jiǎng jiāoqing 組 友情を大切にする

*【讲解】jiǎngjiě 動 解説する. 説明し解釈する ‖ ～幻灯片 スライドを説明する

*【讲究】jiǎngjiu 動 ❶重んじる. 重視する ‖ 工作要～实效 仕事は実効を重んじるべきだ ❷凝る. こだわる ‖ ～吃穿 衣食に凝る | 不～穿戴 身なりにこだわらない ❸特別な習慣がある ‖ 中国人过年～吃饺子 中国人は正月にギョーザを食べる習慣がある 形 凝っている. 精美である ‖ 家里布置得很～ 家の中はとても立派にしつらえてある 名 道理. いわれ ‖ 端午节吃粽子zòngzi是有～的 端午の節句にちまきを食べるのには意味がある

*【讲课】jiǎng∥kè 動 授業する. 講義する ‖ 一天讲四堂课 1日に4時間講義する

【讲礼貌】jiǎng lǐmào 組 礼儀正しくする

*【讲理】jiǎng∥lǐ 動 是非を論じる. 道理を説く ‖ 跟他～也没用 彼に道理を説いてもむだだ 形 分別がある. 物分かりがよい

【讲论】jiǎnglùn 動 ❶うわさする ❷論述する. 論じる

【讲面子】jiǎng miànzi 組 体面を重んじる. メンツにこだわる

【讲排场】jiǎng páichang 組 派手にやる

【讲评】jiǎngpíng 動 講評する. 論評する

【讲情】jiǎng∥qíng 動 情に訴える. 人のために仲裁する. 人に代わって謝罪する ‖ 替他～ 彼のためにとりなす

【讲求】jiǎngqiú 動 大切にする. 追求する

【讲人情】jiǎng rénqíng 組 情理を尽くす. 義理を立てる

【讲师】jiǎngshī 名 講師(高等教育機関の教員で〔副教授〕に次ぐもの)

【讲史】jiǎngshǐ 名 宋・元代の〔讲唱文学〕(語り物文学)の一種で, 歴史を題材とした語り物

【讲授】jiǎngshòu 動 講義する. 教授する

*【讲述】jiǎngshù 動 語る. 述べる ‖ ～自己的人生经历 自らの経歴について語る

【讲台】jiǎngtái 名 教壇. 演壇

【讲坛】jiǎngtán 名 演壇. (広く)討論の場

【讲堂】jiǎngtáng 名 旧 教室

【讲卫生】jiǎng wèishēng 組 清潔さを重んじる

【讲习】jiǎngxí 動 講習する ‖ ～会 講習会

【讲学】jiǎng∥xué 動 (他校や外国で)講義をする. 学術講演をする ‖ 出国～ 外国に学術講演に行く

*【讲演】jiǎngyǎn 動 講演する ‖ ～会 講演会

*【讲义】jiǎngyì 名 講義プリント. 講義用教材

⁑【讲座】jiǎngzuò 名 講座 ‖ 广播～ ラジオ講座

9 ⁑ **奖** (奬 △獎) **jiǎng** ❶ほめる. 称賛する ↔〔惩〕‖ 夸～ ほめる ❷動 表彰する ↔〔惩〕〔罚〕‖ 爸爸～你一台游戏机 お父さんがごほうびにテレビゲームを買ってあげよう ❸名 賞. 褒賞 ‖ 得了一等～ 1等賞になった

【奖杯】jiǎngbēi 名 トロフィー. 優勝カップ

【奖惩】jiǎngchéng 動 賞罰を行う ‖ ～严明 賞罰が厳正である

【奖额】jiǎng'é 名 賞金額

*【奖金】jiǎngjīn 名 賞金. ボーナス. 特別手当

*【奖励】jiǎnglì 動 奨励する. 褒賞を与える ‖ ～先进工作者 優れた業績をあげた人を褒賞する

【奖牌】jiǎngpái 名 (スポーツ大会の)表彰メダル

*【奖品】jiǎngpǐn 名 賞品. 奨励品 ‖ 颁发bānfā～ 賞品を授ける

【奖旗】jiǎngqí 名 表彰旗

【奖券】jiǎngquàn 名 抽選券

【奖赏】jiǎngshǎng 動 褒賞する. ほうびを与える

【奖售】jiǎngshòu 動 (農民に物質的褒賞を与えて)農産物の国への売り渡しを奨励する

⁑【奖学金】jiǎngxuéjīn 名 奨学金 ‖ 领取～ 奨学金を受ける | 发放～ 奨学金を支給する

【奖章】jiǎngzhāng 名 表彰メダル. 勲章

*【奖状】jiǎngzhuàng 名 賞状 ‖ 颁发bānfā～ 賞

状を授与する

10 *桨(槳) jiǎng 名 櫓(ろ). 櫂(かい). 短いものは〔桨〕, 長いものは〔橹〕という

12 蒋(蔣) jiǎng 名 姓

16 膙 jiǎng ↴

【膙子】jiǎngzi 名 口 (手足にできる)たこ

16 耩 jiǎng 動〈農〉種まき車で種をまく.〔耧播〕ともいう ‖ ～豆子 種まき車でマメの種をまく

jiàng

6 匠 jiàng ❶職人. 細工師 ‖ 工～ 職人 ❷ある方面に造詣(ぞうけい)の深い人 ‖ 宗～ 巨匠. 宗匠 ❸巧みな ‖ →～心

【匠人】jiàngrén 名 旧 職人. 細工人

【匠心】jiàngxīn 名 (芸術における)創意. 意匠

【匠心独运】jiàng xīn dú yùn 成 芸術などの分野で, 前人の模倣をせず独自の特色を出すこと

8 ** 降 jiàng ❶動 下がる. 落ちる ↔〔升〕‖ 温度～到冰点了 温度が氷点まで下がった ❷動 下げる. 降ろす ‖ 再～一块钱, 我就买 もう1元値を下げてくれたら買おう ➤ xiáng

【降班】jiàng//bān 動 留年する. 落第する

【降半旗】jiàng bànqí 組 半旗を掲げる ＝〔下半旗〕

【降尘】jiàngchén 名 積もったほこり.〔落尘〕ともいう

**【降低】jiàngdī 動 ❶下がる. 低下する ↔〔升高〕‖ 气温～了 気温が下がった ❷下げる. 低くする ↔〔提高〕‖ ～成本 コストを引き下げる

【降幅】jiàngfú 名 下げ幅. 下がった割合

【降格】jiànggé 動 ランクを下げる. レベルを落とす

【降耗】jiànghào 動 エネルギー消費を減らす ‖ 节能～新技术 エネルギー節約の新技術

【降级】jiàng//jí 動 ❶(職務ランクの)等級を下げる. 降格する ❷落第する. 留年する ＊↔〔升级〕

*【降价】jiàng//jià 動 価格を下げる

*【降临】jiànglín 動 訪れる. ふりかかる ‖ 夜幕～ 日暮れが訪れる | 灾难～ 災難に見舞われる

*【降落】jiàngluò 動 ❶着陸する ↔〔起飞〕‖ 因为天气关系, 飞机不能～ 天気の関係で飛行機が着陸できない ❷降りる. 下がる

【降落伞】jiàngluòsǎn 名 落下傘. パラシュート

【降旗】jiàng//qí 動 旗を下ろす ↔〔升旗〕

【降生】jiàngshēng 動 書 出生する

【降水】jiàngshuǐ 名〈気〉降水

【降水量】jiàngshuǐliàng 名〈気〉降水量

【降温】jiàng//wēn 動 ❶温度を下げる ❷〈気〉気温が下がる ‖ 一刮guā北风, 天气就～ 北風が吹けば気温はぐっと下がる ❸喩 ブームが冷める. 関心が薄らぐ

【降雨】jiàng//yǔ 動 雨が降る ‖ ～量 降雨量

【降噪】jiàngzào 動 騒音を減らす

【降职】jiàng//zhí 動 (職階が)降格する ‖ 他受到了～处分 彼は降格処分を受けた

9 洚 jiàng 書 川が氾濫(はんらん)する

9 将(將) jiàng ❶書 (兵を)統率する ❷高級将校. (広く)将校をさす ‖ →～士 ❸将官 ‖ →～官 ➤ jiāng qiāng

【将才】jiàngcái 名 大将の器量

【将官】jiàngguān 名 将官

【将领】jiànglǐng 名 高級将校

【将门】jiàngmén 名 将軍を出す家柄

【将士】jiàngshì 名 将兵

【将帅】jiàngshuài 名 将帥

【将校】jiàngxiào 名 将校. 将官と佐官

9 绛 jiàng 形 深紅色の

【绛紫】jiàngzǐ 形 えび茶色の.〔酱紫〕とも書く

9 虹 jiàng 名 虹(にじ). 意味は〔虹〕と同じで, 単用に限り, 複合語には用いない ➤ hóng

12 强(△彊 強) jiàng 形 強情である. 頑固である. 意地っ張りである ‖ 倔jué～ 強情である ➤ qiáng qiǎng

【强嘴】jiàngzuǐ ＝〔犟嘴jiàngzuǐ〕

13 * 酱(醬) jiàng ❶名 みそ ❷動 みそまたはしょうゆで漬ける. また, しょうゆで煮込む ‖ 把萝卜luóbo～一下 大根を漬ける ❸形 同前の方法で漬けた, またはしょうゆで煮込んだ ‖ ～肘子zhǒuzi ブタのもも肉のしょうゆ煮込み ❹名 ペースト状の食品や調味料類 ‖ 果～ ジャム

> **逆引き単語帳** 〔草莓酱〕cǎoméijiàng いちごジャム 〔番茄酱〕fānqiéjiàng トマトケチャップ 〔花生酱〕huāshēngjiàng ピーナツバター 〔芝麻酱〕zhīmajiàng 練りごまの調味料 〔红果酱〕hóngguǒjiàng さんざしジャム 〔甜面酱〕tiánmiànjiàng 甘みそ 〔豆瓣ル酱〕dòubànrjiàng 引き割りみそ. トウバンジャン 〔黄酱〕huángjiàng 〔大酱〕dàjiàng 大豆や小麦粉から作った黄褐色のみそ 〔虾酱〕xiājiàng すりつぶした小えびを発酵させた調味料 〔炸酱〕zhájiàng 油で炒めたみそ 〔鱼子酱〕yúzǐjiàng キャビア

【酱菜】jiàngcài 名 みそやしょうゆで漬けた漬物の総称

【酱豆腐】jiàngdòufu 名 豆腐の生乾きにしたものを発酵させ, 塩とこうじで漬けたもの ＝〔豆腐乳〕

【酱坊】jiàngfáng ＝〔酱园jiàngyuán〕

【酱色】jiàngsè 名 濃褐色

**【酱油】jiàngyóu 名 しょうゆ

【酱园】jiàngyuán 名 みそやしょうゆの醸造工場. または, 販売所.〔酱坊〕ともいう

【酱紫】jiàngzǐ ＝〔绛紫jiàngzǐ〕

16 犟 jiàng 形 強情である. 頑固である. 意地っ張りである ‖ 这孩子脾气píqi可～了 この子はまったく強情っ張りだ

【犟劲】jiàngjìn 名 強い意志. 頑強さ

【犟嘴】jiàngzuǐ 動 口答えする. 抗弁する.〔强嘴〕とも書く ‖ 这孩子总和大人～ この子はいつも大人に口答えする

18 糨 jiàng 形 (のりや粥などが)濃い. ねっとりしている. どろっとしている

【糨糊】jiànghu 名 のり

【糨子】jiàngzi 名 口 のり ‖ 熬áo～ のりを煮る

jiāo

6 ★ 交[1] jiāo ❶動 交わる. 交差する ‖ 两线相～ 2線が交わる ❷名 境. 変わり目 ‖ 秋冬之～ 秋から冬への変わり目 ❸動 (ある時に)なる ‖

一～立秋，早晚就凉快了 立秋になると朝晩涼しくなる ❹動（ある運に）巡り合う‖～好运 好運に巡り合う ❺動 **交際する．付き合う**‖～朋友 友だちになる ❻名 友情．交際‖绝～ 絶交する ❼接触する‖一～手 ❽性交する．交尾する．交配する‖性～ 性交する ❾互いに．交互に‖一～流 ❿一斉に．同時に‖心力～瘁 心身ともに疲れ切る ⓫動 **渡す．提出する．任せる．支払う**‖～作业 宿題を提出する｜～会费 会費を納める｜这件事就～你办了 この件は君に処理を任せるよ

6 交[2] **jiāo** 〔跤jiāo〕に同じ

【交白卷】**jiāo báijuàn**（～儿）慣 ❶白紙答案を出す ❷喩 任務を果たさない

【交班】**jiāo//bān** 動（退勤するとき）仕事を引き渡す‖我下午三点～ 私は午後3時に勤務交替する

【交办】**jiāobàn** 動（部下に仕事を）引き渡す

【交保】**jiāo//bǎo** 動〈法〉仮保釈する

【交杯酒】**jiāobēijiǔ** 名 婚礼で行う夫婦の固めの杯

【交兵】**jiāobīng** 動 書 武力衝突する．戦争する

*【交叉】**jiāochā** 動 ❶交差する．交わる‖～路口 交差点 ❷（他の事を）さしはさむ．交ぜる ❸（内容が）入り交じる．錯綜（さくそう）する‖会上的意见有些～ 会議での意見はさまざまに分かれた

【交叉科学】**jiāochā kēxué** 名 いくつかの専門分野にまたがる新興科学．〔跨学科学〕ともいう

【交差】**jiāo//chāi** 動 任務を果たした後，結果を報告する‖学习成绩不好，向父母交不了差 勉強の成績が悪くて両親に報告できない

*【交错】**jiāocuò** 動 交錯する．入り組む‖公路纵横zònghéng～ 道路が縦横に入り組んでいる

*【交代】**jiāodài** 動 ❶（仕事を次の人に）引き継ぐ‖～工作 仕事を引き継ぐ ❷言いつける．指示する‖领导再三～要把问题解决好 指導者は問題を解決するようにと何度も言いつけた ❸説明する．釈明する．〔交待〕とも書く‖坦白tǎnbái～ 率直に白状する

【交待】**jiāodài** 動 ❶＝〔交代jiāodài〕❷けりをつける．終わる．（冗談で言う）

【交道】**jiāodao**；**jiāodào** 名 付き合い．交際．交渉‖打～ 付き合う．交際する

【交底】**jiāo//dǐ**（～儿）動 委細を知らせる．内情を話す．手の内を見せる

*【交点】**jiāodiǎn** 名〈数〉〈天〉交点

【交锋】**jiāo//fēng** 動 矛を交える．交戦する．対決する

*【交付】**jiāofù** 動 交付する．引き渡す‖新校舍xiàoshè已～使用 新校舎はすでに引き渡され使用されている

【交感神经】**jiāogǎn shénjīng** 名〈生理〉交感神経

【交割】**jiāogē** 動 ❶決済する ❷引き渡す．引き継ぐ

【交工】**jiāo//gōng** 動 工事を仕上げて引き渡す

【交媾】**jiāogòu** 動 性交する

【交关】**jiāoguān** 動 関連する‖性命～ 生命にかかわる 副 方 たいへん．とても 形 方 たいへん多い

【交好】**jiāohǎo** 動 親密に付き合う．仲よくする

【交合】**jiāohé** 動 ❶交わる．交じる ❷交配する．（動物を）掛け合わせる

【交互】**jiāohù** 副 書 ❶互いに ❷交互に

【交欢】**jiāohuān** 動 書 ❶交歓する ❷性交する

【交还】**jiāohuán** 動 返す．返却する‖借出的物品要按时～ 貸りた物は期日どおり返却しなければならない

⁑【交换】**jiāohuàn** 動 **交換する**‖～名片 名刺を交換する｜～意见 意見をやりとりする

【交换机】**jiāohuànjī** 名（電話の）交換機

【交换价值】**jiāohuàn jiàzhí** 名〈経〉交換価値

【交换台】**jiāohuàntái** 名 電話交換台

【交汇】**jiāohuì** 動（水や気流が）合流する．交じり合う

【交会】**jiāohuì** 動 出会う．交差する

【交火】**jiāo//huǒ** 動 交戦する．戦火を交える

【交货】**jiāo//huò** 動 貨物を引き渡す．品物を納める

【交集】**jiāojí** 動 同時にやって来る．こもごも至る‖悲喜～ 悲喜こもごも至る｜百感～ 万感こもごも至る

⁑【交际】**jiāojì** 動 **交際する．付き合う**‖她很善于～ 彼女は人付き合いがうまい｜语言是人们～的工具 言葉はコミュニケーションの手段である

【交际花】**jiāojìhuā** 名 社交界の花．遊び好きの女

【交际舞】**jiāojìwǔ** ＝〔交谊舞jiāoyìwǔ〕

【交加】**jiāojiā** 動 書 同時に現れる．同時に加わる‖贫病pínbìng～ 貧乏と病気にさいなまれる

【交接】**jiāojiē** 動 ❶引き続く．つなぐ．つながる‖季节～ 季節が変わる ❷交替する．引き継ぐ‖～工作 仕事を交替する ❸交際する．関係する

【交结】**jiāojié** 動 ❶交際する．友好を結ぶ‖这个人～很广 この人は付き合いが広い ❷書 つながる．絡まる

【交界】**jiāojiè** 動 境界を接する

【交警】**jiāojǐng** 名 交通警察．〔交通警察〕の略

【交九】**jiāojiǔ** 動 厳冬期に入る

【交卷】**jiāo//juàn**（～儿）動 ❶答案を提出する ❷喩 任務を完成して報告する．復命する

【交口】**jiāokǒu** 副 口々に．口をそろえて‖～称赞chēngzàn 口々に称賛する 動 口を利く

【交款】**jiāo//kuǎn** 動 代金を支払う

【交困】**jiāokùn** 動 書 いろいろな困難が同時に起こる

⁑【交流】**jiāoliú** 動 **交流する．交換する**‖～感情 気持ちを通わせる｜学术～ 学術交流をする

【交流电】**jiāoliúdiàn** 名〈電〉交流電気

【交纳】**jiāonà** 動 納める．納付する‖～税金 税金を納付する｜～房租 家賃を納める

【交配】**jiāopèi** 動〈生〉交配する．交配させる

【交迫】**jiāopò** 動 書 同時に逼迫（ひっぱく）する‖饥寒jīhán～ 飢えと寒さに苦しめられる

【交情】**jiāoqing** 名 友情．よしみ．間柄

【交融】**jiāoróng** 動 解け合う

*【交涉】**jiāoshè** 動 交渉する．折衝する．話し合う‖双方就产品的质量zhìliàng问题进行～ 双方は製品の質の問題について交渉を進めている

【交手】**jiāo//shǒu** 動 ❶取っ組み合いをする．格闘する ❷対戦する．手合わせする

*【交谈】**jiāotán** 動 話す．語り合う‖俩liǎ人用英语～起来 二人は英語で話し始めた

*【交替】**jiāotì** 動 ❶交替する．入れ替わる‖新旧～ 新旧交代 ❷交互に行う．代わる代わるやる‖两班～休息 二つの班は交代で休む｜～使用 取り替えながら使う

⁑【交通】**jiāotōng** 名 ❶**交通**‖～堵塞dǔsè 交通渋滞 ❷運輸 ❸〈史〉抗日戦争期および国共内戦期における通信連絡任務 ❹＝〔交通员jiāotōngyuán〕 動 書 結託する

【交通标志】**jiāotōng biāozhì** 名 交通標識

【交通车】**jiāotōngchē** 名 通勤通学用の送迎バス

【交通岛】**jiāotōngdǎo** 名 安全地帯．また，交通整理の警官が立つ台

【交通工具】**jiāotōng gōngjù** 名 交通手段．交通

J

機関

【交通壕】jiāotōngháo 图 各塹壕(ざんごう)をつなぐ通信・連絡のための塹壕.〔交通沟〕ともいう

【交通警察】jiāotōng jǐngchá 图 交通警察. 略して〔交警〕ともいう

【交通线】jiāotōngxiàn 图 輸送ライン

【交通员】jiāotōngyuán 图〈史〉抗日戦争および国共内戦期における秘密連絡員

【交头接耳】jiāo tóu jiē ěr 成 耳打ちする. 内緒話をする

【交投】jiāotóu 图〈経〉(多く金融市場での)取引 ‖ 市场～清淡 市場は薄商いである | ～活跃huóyuè 取引が活発である

*【交往】jiāowǎng 動 付き合う. 行き来する ‖ 我从不跟他～ 私はまったく彼と付き合っていない

【交尾】jiāowěi 動 交尾する

【交相辉映】jiāo xiāng huī yìng 成 (とりどりの色や光が)照り映える. きらきらと照り輝く

【交响诗】jiāoxiǎngshī 图〈音〉交響詩

【交响乐】jiāoxiǎngyuè 图〈音〉交響楽

【交心】jiāo//xīn 動 心中を打ち明ける

【交验】jiāoyàn 動 関係部門に渡して検査を受ける.

【交椅】jiāoyǐ 图 ❶喩 席次. ポスト ‖ 他坐了第一把～ 彼はトップのポストについた ❷方 椅子(多くはひじ掛け椅子をさす)

*【交易】jiāoyì 图 交易. 取引 ‖ 政治～ 政治取引 動 取り引きをする ‖ 不能拿原则做～ 原則を取引材料に使ってはいけない

【交易所】jiāoyìsuǒ 图 取引所

【交谊】jiāoyì 图 書 交誼(こうぎ). 交情. 友誼(ゆうぎ)

【交谊舞】jiāoyìwǔ 图 社交ダンス.〔交际舞〕ともいう

【交游】jiāoyóu 動 書 交遊する. 交際する

【交友】jiāoyǒu 動 友人とつきあう. 友人をつくる ‖ 网络～要谨慎jǐnshèn ネットでの交際は慎重に

【交运】jiāo//yùn 動 運が向く

【交战】jiāo//zhàn 動 武力衝突する. 交戦する

【交战国】jiāozhànguó 图 交戦国

【交账】jiāo//zhàng 動 ❶帳簿を引き渡す ❷(仕事の)報告をする. 状況を告げる

【交织】jiāozhī 動 ❶交錯する. 入り交じる ‖ 心中～着爱与恨 心の中で愛と憎しみが交錯する ❷〈紡〉交織する. 混織する

8 **郊** jiāo 郊外 ‖ 城～ 町はずれ. 市外 | 近～ 近郊

【郊区】jiāoqū 图 市郊外の行政区域. 近郊

【郊外】jiāowài 图 郊外. 市街地に隣接する地域

【郊野】jiāoyě 图 郊外の広野

【郊游】jiāoyóu 動 ピクニックをする. 遠足をする

9 * **浇**(澆) jiāo ❶動 灌漑(かんがい)する ‖ 抽水～地 水を引いて灌漑する ❷動 (液体を)かける. まく ‖ ～花 草花に水をやる ❸動 (溶かした金属を鋳型に)流し込む ‖ ～铅字qiānzì 活字を鋳造する ❹書 (人情が)薄い. 冷淡である

*【浇灌】jiāoguàn 動 ❶水をかける. 灌漑する ❷(型に)流し込む ‖ ～铁水 溶鉄を流し込む

【浇冷水】jiāo lěngshuǐ 慣 冷や水を浴びせる. 気持ちをそぐ.〔泼pō冷水〕ともいう

【浇头】jiāotou 图 方 麺(めん)や御飯の上にかける汁やあんかけ

【浇注】jiāozhù 動〈冶〉流し込む. 鋳込む

【浇筑】jiāozhù 動〈建〉型にコンクリートを流し込む

【浇铸】jiāozhù 動〈冶〉鋳込む. 鋳造する

9 **茭** jiāo 書 干し草. まぐさ

【茭白】jiāobái 图〈植〉マコモタケ

9 **姣** jiāo 書 (容貌(ようぼう)が)美しい

【姣好】jiāohǎo 形 美しい. 麗しい

【姣美】jiāoměi 形 美しい. 麗しい

9 * **娇**(嬌) jiāo ❶かわいらしい. 愛らしい ‖ →～柔 ❷色彩が鮮やかである ‖ 嫩nèn红～绿 色鮮やかで美しい ❸美女をさす ❹形 意志が弱い ‖ 没干多少活就喊hǎn累, 也太～了 たいして働いてもいないのにもう疲れただなんて, ずいぶんひ弱だ ❺動 甘やかす ‖ 这孩子让父亲～坏了 この子は父親にひどく甘やかされた

【娇嗔】jiāochēn 動 (若い女性が)駄々をこねる. 怒ったふりをする

【娇宠】jiāochǒng 動 溺愛する. 甘やかす

【娇滴滴】jiāodīdī 形 甘ったれるさま. 愛くるしいさま

【娇儿】jiāo'ér 图 いとしい息子. かわいい我が子

【娇惯】jiāoguàn 動 甘やかす. 溺愛する

【娇贵】jiāogui 形 ❶ひ弱である. 過保護である ❷(物が)貴重で壊れやすい

【娇憨】jiāohān 形 無邪気である. あどけない

【娇客】jiāokè 图 ❶娘婿 ❷裕福な家庭に育った人. お上品ぶった人

【娇媚】jiāomèi 形 ❶甘ったれている様子. こびを売る様子 ❷色気があって美しい

【娇嫩】jiāonen 形 きゃしゃである. 弱々しい. たおやかである ‖ 她的身体太～了 彼女の体はあまりにもきゃしゃだ

【娇妻】jiāoqī 图 美しい妻. かわいい妻

*【娇气】jiāoqi；jiāoqì 形 弱々しい. ひ弱である. 甘ったれている ‖ 挨ái句批评就哭, 太～了 一言叱られたくらいで泣くなんて, 軟弱すぎる | 这种花十分～, 不好养 この花はとても弱くて育てにくい

【娇娆】jiāoráo 形 書 あでやかである

【娇柔】jiāoróu 形 なまめかしくしとやかである

【娇生惯养】jiāo shēng guàn yǎng 成 甘やかして育てる ‖ 从小～ 小さいころから甘やかされて育った

【娇娃】jiāowá 图 愛らしい少女. みめよい乙女

【娇小】jiāoxiǎo 形 小さくてかわいらしい. か弱くて愛らしい ‖ ～的花朵 小さくて愛らしい花

【娇小玲珑】jiāo xiǎo líng lóng 成 小さくて愛くるしい. (物が)小さくて手が込んでいる

【娇羞】jiāoxiū 形 はにかむ様子. 恥じらう様子

【娇艳】jiāoyàn 形 あでやかである

【娇养】jiāoyǎng 動 甘やかして育てる

【娇纵】jiāozòng 動 甘やかし放任する ‖ ～孩子只会害了孩子 甘やかすと子供がだめになるだけだ

9 **骄**(驕) jiāo ❶書 強い. 激しい ‖ →～阳 ❷おごり高ぶっている. うぬぼれている ‖ 胜不～, 败不馁něi 勝ってもうぬぼれず, 負けてもしょげない ❸甘やかされた ‖ →～子

【骄傲】jiāo'ào 形 ❶傲慢(ごうまん)である. おごり高ぶっている ‖ ～自满 うぬぼれていい気になる ❷誇らしい ‖ 我们为有这样一位校友而感到～ 私たちはこのような卒業生がいることを誇らしく思う 图 誇り

【骄横】jiāohèng 形 不遜(ふそん)である. 横暴である

【骄矜】jiāojīn 形 書 高慢である

J

【骄狂】jiāokuáng 形 書 おごり高ぶっている
【骄慢】jiāomàn 形 傲慢である
【骄气】jiāoqi ; jiāoqì 名 傲慢な態度. 人を食った態度 ‖ ～十足 非常に傲慢な態度
【骄奢淫逸】jiāo shē yín yì 成 ぜいたくで自堕落な暮らし
【骄阳】jiāoyáng 名 書 烈日. 強烈な日差し
【骄躁】jiāozào 形 傲慢で不まじめである
【骄子】jiāozǐ 名 書 寵児(ちょうじ). 驕児(きょうじ) ‖ 时代的～ 時代の寵児
【骄纵】jiāozòng 形 傲慢で身勝手である

10 * **胶**（膠）jiāo ❶名 にかわ ❷動 (のりやにかわで)接着する ‖ 鞋底开了, 把它～上 靴底がはがれたから, くっつけよう ❸粘り気のあるもの. ねばねばしたもの ‖ 一～泥 ❹ゴム ‖ 橡～ ゴム
【胶版】jiāobǎn 名〈印〉❶オフセット印刷 ‖ ～印刷机 オフセット印刷機 ❷ゴム版
【胶布】jiāobù 名 ❶ゴム引き布 ❷口 ばんそうこう
【胶带】jiāodài 名 ❶磁気テープ ‖ 录音～ 録音テープ ❷ガムテープ. セロテープ ❸ゴムベルト. ゴムバンド
【胶合】jiāohé 動 張り合わせる
【胶合板】jiāohébǎn 名 ベニヤ板. 合板
【胶结】jiāojié 動 (のりやにかわが乾いて)凝固する. 膠着(こうちゃく)する
*【胶卷】jiāojuǎn (～儿) 名 (写真用)フィルム ‖ 彩色～ カラー・フィルム | 冲～ フィルムを現像する
【胶木】jiāomù 名〈化〉エボナイト. ベークライト
【胶囊】jiāonáng 名 嚢剤(のうざい). カプセル
【胶泥】jiāoní 名 粘土
【胶皮】jiāopí 名 ❶ゴム ❷方 人力車
*【胶片】jiāopiàn 名 フィルム. 〔软片〕ともいう ‖ 电影～ 映画のフィルム
【胶乳】jiāorǔ 名〈化〉ラテックス
【胶水】jiāoshuǐ (～儿) 名 ゴムのり. のり
【胶体】jiāotǐ 名〈化〉コロイド. 膠質(こうしつ)
【胶鞋】jiāoxié 名 ゴム靴. ゴム底靴
【胶靴】jiāoxuē 名 ゴム長靴
【胶印】jiāoyìn 動〈印〉オフセット印刷する
【胶柱鼓瑟】jiāo zhù gǔ sè 成 琴柱(ことじ)を膠(にかわ)す. 物事に執着して融通が利かないたとえ
【胶着】jiāozhuó 動 膠着する ‖ 陷入xiànrù～状态 膠着状態に陥る

11 ★ **教** jiāo 動 教える ‖ ～孩子们唱歌 子供たちに歌を教える ➤ jiào
【教课】jiāo//kè 動 授業をする
【教书】jiāo//shū 動 勉強を教える. 授業する ‖ 我在小学～ 私は小学校で教師をしている
【教书匠】jiāoshūjiàng 名 貶 教師
【教学】jiāo//xué 動 教える. 授業する ➤ jiàoxué

12 **焦**[1] jiāo ❶動 焦げる. 焦げつく ‖ 鱼烧～了 魚を焦がした ❷形 干からびる. からからに乾く ‖ 天旱hàn, 庄稼都晒～了 干魃(かんばつ)で作物は枯れてしまった ❸形 もろい. さくさくしている ‖ 麻花炸得挺～ 麻花はぱりっと揚がっている ❹形 焦っている. いらいらしている ‖ 心～ いらいらしている ❺石炭の燃えかすの塊 ‖ ～砟zhǎ 石炭の燃えかす ❻コークス ‖ 一～炭 ❼名〈中医〉体腔(たいこう)内の部位を表す ➡〔三焦sānjiāo〕

12 **焦**[2] jiāo 量〈物〉ジュール. 〔焦耳〕の略称
【焦愁】jiāochóu 形 いらだっている. 気をもんでいる
*【焦点】jiāodiǎn 名 ❶〈数〉〈物〉焦点 ‖ ～距离 焦点距離 | 对～ 焦点を合わせる ❷(関心の)焦点 ‖ 争论的～ 争論の焦点 | 问题的～ 問題の焦点
【焦耳】jiāo'ěr 量〈物〉ジュール(エネルギーおよび仕事の絶対単位)
【焦黑】jiāohēi 形 黒焦げである
【焦黄】jiāohuáng 形 きつね色の. 干からびて茶色い
*【焦急】jiāojí 形 焦っている. 気をもんでいる. いらいらしている ‖ 找不到孩子, 他～万分 子供が見つからず, 彼はひどく気をもんでいる
【焦距】jiāojù 名〈物〉焦点距離
【焦渴】jiāokě 形 ひどくのどが渇いている
【焦枯】jiāokū 形 (植物が)枯れている
【焦雷】jiāoléi 名 大音響の雷. 激しい雷
【焦虑】jiāolǜ 形 焦慮している. 焦っている ‖ 为找不到工作而～ 仕事が見つからず焦りを覚える
【焦煤】jiāoméi 名 粘結炭
【焦炭】jiāotàn 名 コークス
【焦头烂额】jiāo tóu làn é 成 火事でやけどを負う形容. さんざんな目に遭い狼狽(ろうばい)するさま
【焦土】jiāotǔ 名 焦土
【焦心】jiāoxīn 形 焦っている. 気をもんでいる ‖ 这孩子真让人～ この子はほんとうに人を心配させる
【焦油】jiāoyóu 名〈化〉タール. コールタール. かつては〔溚tǎ〕といった
【焦枣】jiāozǎo 名 (あぶってつくった)干しナツメ
【焦躁】jiāozào 形 いらいらしている. やきもきしている ‖ 这几天～不安 ここ数日いらいらして落ち着かない
【焦炙】jiāozhì 形 非常に焦っている. じりじりしている
【焦灼】jiāozhuó 形 焦っている. 気をもんでいる

12 **椒** jiāo サンショウやコショウなどの香辛植物 ‖ 花～ サンショウ | 青～ ピーマン | 胡 コショウ
【椒盐】jiāoyán (～儿) 名 サンショウの粉と塩を混ぜて作った調味料 ‖ ～点心 〔椒盐〕の入った菓子類

12 **蛟** jiāo 名 みずち. 古代伝説上の竜の一種で, 水中にすみ洪水を起こすとされる
【蛟龙】jiāolóng 名 みずち. 蛟竜(こうりゅう)

13 **跤** jiāo 名 つまずき ‖ 摔shuāi～ 転ぶ | 跌diē了一～ つまずいて転んだ

14 **僬** jiāo ↴
【僬侥】jiāoyáo 名 古 伝説上の小人

14 **鲛** jiāo 古 サメ. フカ

15 **蕉** jiāo バショウのような大きな葉の植物をさす ‖ 芭～ バショウ | 香～ バナナ

17 **礁** jiāo ❶暗礁 ‖ 触～ 座礁する ❷サンゴ礁
【礁石】jiāoshí 名 暗礁

17 **鹪** jiāo ↴
【鹪鹩】jiāoliáo 名〈鳥〉ミソサザイ

jiáo

11 **矫**（撟）jiáo ↴ ➤ jiǎo
【矫情】jiáoqing 形 方 意地っ張りである. いこじである ‖ 犯～ 意地を張る ➤ jiǎoqíng

J

20 ＊**嚼 jiáo** 動（歯で）かむ．咀嚼(そしゃく)する ‖ ～口香糖 ガムをかむ ➤ jiào jué
【嚼不动】jiáobudòng 動 かみ切れない
【嚼不烂】jiáobulàn 動 ❶かみ砕けない ❷（勉強などが）消化しきれない ‖ 学习要慢慢ル来，贪tān多～ 勉強はじっくりやることだ，あまり欲張っても消化しきれない
【嚼裹ル】jiáoguor 名 生活費
【嚼舌】jiáoshé 動 ❶意味のない口争いをする．つまらない口論をする ‖ 没时间跟你～ 君とごちゃごちゃ言い合っている暇はない ❷陰であれこれ言う．陰口をきく．告げ口をする ＊〔嚼舌头〕〔嚼舌根〕ともいう
【嚼用】jiáoyong 名 方 生活費
【嚼子】jiáozi 名 くつわ

jiǎo

7 ★**角[1] jiǎo** ❶名 角(つの) ‖ 羊～ ヒツジの角 ❷動物の頭についている角に似たもの ‖ 触～ 触角 ❸名（二十八宿の一つ）すぼし，角宿(かくしゅく) ❹古代の軍隊で用いた笛 ‖ 号～ ラッパ ❺角状のもの ‖ 菱líng～ ヒシの実 ❻名（～ル）角(かど)．隅 ‖ 墙～ル 壁の隅 | 眼～ 目じり ❼名〈数〉角 ‖ 直～ 直角 ❽名 突き出たものの先端．岬．（多く地名として用いる）‖ 好望～ 喜望峰 ❾量 塊を切り分けて角の形になったもの ‖ 一～饼 一切れの〔饼〕

7 ★**角[2] jiǎo** 量（貨幣の単位）角．1〔圆〕（元）の10分の1．話し言葉では〔毛〕という ➤ jué
【角尺】jiǎochǐ 名 かね尺．曲がり尺
＊【角度】jiǎodù 名 ❶〈数〉角度 ❷（ものを考える）角度．観点 ‖ 立场不同，看问题的～也不同 立場が異なれば問題を見る角度も違う
【角钢】jiǎogāng 名〈冶〉L形鋼．山形鋼
【角弓反张】jiǎogōng fǎnzhāng 名〈医〉弓なり緊張
【角果】jiǎoguǒ 名〈植〉角果（アブラナなどの蒴果(さっか)）
【角楼】jiǎolóu 名 城壁の四隅の望楼．隅櫓(すみやぐら)
＊【角落】jiǎoluò 名 ❶隅．隅っこ ‖ 客厅的～里放着一架钢琴 客間の隅にピアノが置いてある ❷片隅．目立たない場所
【角门】jiǎomén（～ル）名 側門．くぐり戸．〔脚门〕とも書く
【角膜】jiǎomó 名〈生理〉角膜
【角膜炎】jiǎomóyán 名〈医〉角膜炎
【角票】jiǎopiào 名〔角〕（1元の10分の1）を単位とする紙幣．〔毛票〕ともいう
【角球】jiǎoqiú 名〈体〉❶（サッカーの）コーナー・キック ‖ 踢tī～ コーナー・キックをする ❷（水泳やハンドボールの）コーナー・スロー ‖ 发～ コーナー・スローをする
【角质】jiǎozhì 名〈生理〉角質

8 **佼 jiǎo** 書 ❶秀でている．優れている ‖ 一～～ ❷美しい
【佼佼】jiǎojiǎo 形 書 優れている．ずば抜けている ‖ 庸yōng中～ 平凡の中の非凡なもの
【佼佼者】jiǎojiǎozhě 名 ずば抜けた者．花形

8 **侥（僥 △儌）jiǎo** ↴ ➤ yáo
【侥幸】jiǎoxìng 形 僥倖(ぎょうこう)に恵まれる．幸運である．〔儌倖〕〔徼倖〕とも書く ‖ ～取胜 運よく勝てた | ～心理 射幸心 | 心存～ 幸運を当てにする

9 **挢（撟）jiǎo** 古 持ち上げる．もたげる

9 **狡 jiǎo** ずるい．狡猾(こうかつ)である ‖ 一～猾
【狡辩】jiǎobiàn 動 詭弁(きべん)を弄(ろう)する．言い逃れを言う
＊【狡猾】【狡滑】jiǎohuá 形 狡猾である．悪賢い
【狡计】jiǎojì 名 悪だくみ．たくらみ．奸計(かんけい)
【狡谲】jiǎojué 形 書 狡猾である．ずる賢い．悪賢い
【狡狯】jiǎokuài 形 書 ずるい．悪賢い
【狡赖】jiǎolài 動 言い逃れる ‖ 百般～，不肯认罪 なんのかのと言い逃ればかり言い，罪を認めようとしない
【狡兔三窟】jiǎo tù sān kū 成 すばしこい兎(うさぎ)は多くの隠れ穴をもつ．あらかじめ逃げ道を用意しておき，巧みに身の安全をはかるたとえ
【狡黠】jiǎoxiá 形 書 悪賢い．ずる賢い
【狡诈】jiǎozhà 形 悪賢い．ずる賢い

9 **饺 jiǎo** 名（～ル）ギョーザ ‖ 水～ル ゆでギョーザ | 蒸～ル 蒸しギョーザ
★【饺子】jiǎozi 名 ギョーザ ‖ 包～ ギョーザを作る | ～皮 ギョーザの皮 | ～馅ルxiànr ギョーザの餡(あん)

9 **绞 jiǎo** ❶動 撚(よ)り合わせる．ねじり合わせる ‖ ～麻绳 麻縄を撚る ❷動 絞る．ねじる ‖ ～毛巾 タオルを絞る ❸動（縄で）締め殺す ‖ 一～杀 ❹動（滑車で）巻き上げる ‖ ～辘轳lùlu 滑車を巻き上げる ❺動 もつれる．絡みつく ‖ 各种矛盾～在一起 いろいろな矛盾がからみ合っている ❻量（繊維製品の）束．かせ ‖ 一～丝 一かせの絹糸
【绞缠】jiǎochán 動 ❶巻きつけて一つにまとめる ❷つきまとう．まとわりつく
【绞车】jiǎochē 名 巻き上げ機．ウインチ．〔卷扬机〕の通称
【绞架】jiǎojià 名 絞首台
【绞脸】jiǎo//liǎn 動 旧 既婚女性の顔の手入れ法の一種．撚りをかけた糸を張り，顔の産毛を抜き取る
【绞脑汁】jiǎo nǎozhī 慣 脳みそを絞る．知恵を絞る ‖ 绞尽脑汁 あらゆる知恵を絞る
【绞盘】jiǎopán 名 キャプスタン．巻き上げ機
【绞杀】jiǎoshā 動 絞殺する．締め殺す
【绞索】jiǎosuǒ 名 絞首刑用の縄
【绞痛】jiǎotòng 動（内臓が）激しく痛む．きりきり痛む．差し込む ‖ 肚子一阵～ おなかが差し込む 名（内臓の）激痛．差し込み ‖ 心～ 狭心症
【绞心】jiǎo//xīn 動 知恵を絞る．工夫の限りを尽くす
【绞刑】jiǎoxíng 名 絞首刑

11 ★**脚（△腳）jiǎo** ❶名 足（足首から下の部分）‖ 光着～ はだしで ❷物の下の部分 ‖ 山～ 山のふもと ❸後に残ったかす．残滓(ざんし) ‖ 下～料 材料の切れ端 ❹旧 運搬に関係のある物事 ‖ 一～夫 ➤ jué
【脚板】jiǎobǎn 名 足の裏
【脚背】jiǎobèi 名 足の甲．〔脚面〕ともいう
【脚本】jiǎoběn 名 脚本．台本．シナリオ
【脚脖子】jiǎobózi 名 方 足首．くるぶし
＊【脚步】jiǎobù 名 ❶歩き方．足取り．歩調 ‖ 放慢～ 歩調を緩める | 时代的～ 時代の足取り | 迈mài开～ 大きく一歩踏み出す ❷歩幅 ‖ ～小 歩幅が小さい
【脚踩两只船】jiǎo cǎi liǎng zhī chuán 慣 二股(ふたまた)をかける．〔脚踏两只船〕ともいう
【脚灯】jiǎodēng 名（舞台の）フットライト．脚光

【脚蹬子】jiǎodēngzi 图（機械などの）ペダル
【脚底】jiǎodǐ 图 足の裏
【脚底板】jiǎodǐbǎn（～儿）图 足の裏
【脚夫】jiǎofū 图 旧 ❶運搬夫．荷担ぎ人夫 ❷馬方．馬追い
【脚跟】【脚根】jiǎogēn 图 かかと．〔脚后跟〕ともいう
【脚行】jiǎoháng 图 旧 運送業者．運搬夫
【脚后跟】jiǎohòugen ＝〔脚跟jiǎogēn〕
【脚尖】jiǎojiān 图 足の先．つま先
【脚劲】jiǎojìn（～儿）图 方 歩く力．脚力
【脚扣】jiǎokòu 图 電柱に登るとき，靴にはめる鉄製の器具
【脚力】jiǎolì 图 ❶脚力 ❷旧 運搬夫．荷担ぎ人夫 ❸人夫に与える駄賃（だちん）
【脚镣】jiǎoliào 图 足かせ ‖ 上～ 足かせをつける
【脚炉】jiǎolú 图（足を暖める器具）足あぶり
【脚轮】jiǎolún 图（トランクなどの）キャスター
【脚门】jiǎomén ＝〔角门jiǎomén〕
【脚面】jiǎomiàn ＝〔脚背jiǎobèi〕
【脚盆】jiǎopén 图 足を洗うたらい
【脚蹼】jiǎopǔ 图（潜水用の）足ひれ．フィン
【脚气】jiǎoqì 图 ❶〈医〉脚気（かっけ） ❷口（足の）水虫．〔脚癣〕の俗称
【脚手架】jiǎoshǒujià 图（建築現場の）足場
【脚踏车】jiǎotàchē 图 方 自転車
【脚踏两只船】jiǎo tà liǎng zhī chuán ＝〔脚踩两只船jiǎo cǎi liǎng zhī chuán〕
【脚踏实地】jiǎo tà shí dì 成 足が地に着いている．手堅く着実である．地道である
【脚腕子】jiǎowànzi 图 くるぶし．足首．〔脚腕儿〕〔腿腕子〕ともいう ‖ 扭niǔ伤了～ 足首を捻挫（ねんざ）した
【脚下】jiǎoxià 图 ❶足元 ‖ ～太滑 足元が滑る ❷方 現今．目下 ❸方 ころ ‖ 年节～ 旧正月のころ
【脚心】jiǎoxīn 图（足の）土踏まず
【脚癣】jiǎoxuǎn 图〈医〉（足の）水虫．俗に〔脚气〕という
【脚丫子】【脚鸭子】jiǎoyāzi 图 方 足
【脚印】jiǎoyìn（～儿）图 足跡
【脚掌】jiǎozhǎng 图 足の裏
【脚爪】jiǎozhǎo 图 方（動物の）足のつめ
【脚指头】jiǎozhǐtou 图 足の指
【脚趾】jiǎozhǐ 图 足の指のまた
【脚注】jiǎozhù 图（ページの下部の）脚注
【脚镯】jiǎozhuó 图 アンクレット．足輪

11 **铰** jiǎo ❶動 口 はさみで切る ‖ ～布 布地を切る ❷動 リーマーで削る ❸ちょうつがい
【铰刀】jiǎodāo 图〈機〉リーマー
【铰接】jiǎojiē 動〈機〉ヒンジで連結する
【铰链】jiǎoliàn 图〈機〉ちょうつがい．丁番．ヒンジ

11 **矫**[1]（矯）jiǎo ❶曲がっているものをまっすぐにする．矯正（きょうせい）する ‖ →～正 ❷かたちだけ取り繕う ‖ →～饰 ❸偽る ‖ →～命

11 **矫**[2]（矯）jiǎo 強い．勇ましい ‖ →～健 ➤ jiáo
【矫健】jiǎojiàn 形 書 たくましい．壮健な ‖ ～的体魄tǐpò たくましい体と精神力 | 步伐bùfá～ 歩みが力強い
【矫捷】jiǎojié 形 たくましく敏捷（びんしょう）である
【矫命】jiǎomìng 動 書 上の命令だと偽る
【矫情】jiǎoqíng 動 故意に常識に外れたことをして目立とうとする ➤ jiáoqing
【矫揉造作】jiǎo róu zào zuò 成（ふるまいなどが）わざとらしく不自然である
【矫饰】jiǎoshì 動 書 取り繕う
【矫枉过正】jiǎo wǎng guò zhèng 成 弊害を直そうとしてかえって行きすぎる．角を矯（た）めて牛を殺す
【矫形】jiǎoxíng 動〈医〉整形する
【矫正】jiǎozhèng 動 矯正する．正しく直す ‖ ～视力 視力を矯正する | ～坏习惯 悪い癖を直す
【矫治】jiǎozhì 動（斜視や吃音（きつおん）などを）矯正治療する

11 **皎** jiǎo 冴（さ）えて明るい ‖ ～月 明るい月 | ～然如雪 雪のようにさえざえと白い
【皎皎】jiǎojiǎo 形 皓々（こうこう）たる．さえざえとして明るい
【皎洁】jiǎojié 形（月などが）白く明るい

12 **湫** jiǎo 書（土地が）くぼんでいる ‖ ～隘ài 低く狭まっている ➤ qiū

12 * **搅**（攪）jiǎo ❶動 乱す．混乱する．じゃまする ‖ 他一来，把整个聚jù会都给～了 彼が来たとたん，集まり全体がかき乱されてしまった ❷動（棒などを使って）かき混ぜる．かき回す ‖ 粥zhōu里加上糖，～一～ 粥の中に砂糖を加えてかき混ぜる
*【搅拌】jiǎobàn 動 攪拌（かくはん）する．かき混ぜる ‖ 把肉馅儿和菜～均匀 ひき肉あんと野菜をむらなくかき混ぜる
【搅拌机】jiǎobànjī 图 攪拌機．コンクリート・ミキサー
【搅动】jiǎo//dòng 動 ❶かき混ぜる ❷かき乱す
【搅浑】jiǎo//hún 動 かき回して濁らせる ‖ 把水～ 水をかき混ぜて濁らせる．故意に混乱を引き起こすこと
【搅混】jiǎohun 動 口 入り乱れる
【搅和】jiǎohuo 動 口 ❶混じり合う．入り混じる ‖ 惊恐和悲伤的情绪～在一起 恐れと悲しみの気持ちが入り混じる ❷かき乱す．じゃまする ‖ 这是他们两人的事，你在中间～什么？ これは彼ら二人の間のことだ，君は間に入ってなにをかき乱しているんだ
【搅局】jiǎo//jú 動 かき乱す
【搅乱】jiǎoluàn 動 攪乱（かくらん）する．じゃまする．かき回す ‖ 计划都给～了 予定がすっかり乱されてしまった
【搅扰】jiǎorǎo 動 じゃまをする．騒がす

13 **剿**（△勦 勦）jiǎo 討伐する ‖ 围～ 包囲討伐する ➤ chāo
【剿除】jiǎochú 動 殲滅（せんめつ）する
【剿灭】jiǎomiè 動 書 討伐し殲滅する

13 **敫** jiǎo 图 姓

16 **徼** jiǎo 書 求める ➤ jiào
【徼倖】jiǎoxìng ＝〔侥幸jiǎoxìng〕

16 * **缴** jiǎo ❶動 納付する．渡す ‖ ～费 費用を納める ❷動（多くは武器を）分捕る．取り上げる ‖ ～武器 武器を取り上げる ➤ zhuó
【缴获】jiǎohuò 動 書 鹵獲（ろかく）する
*【缴纳】jiǎonà 動 納める．納付する ‖ ～公粮 供出穀物を納める | ～税款shuìkuǎn 税金を納める
【缴税】jiǎo//shuì 動 納税する
【缴械】jiǎo//xiè 動 ❶強制的に武器を差し出させる．武装解除する ‖ 敌人都被缴了械 敵は全員武装解除された ❷武装解除される

J

jiào

5★**叫**(△呌) **jiào** ❶動(人が)叫ぶ‖疼得他大～ 痛みに彼は大声をあげた ❷動(獣・鳥・虫が)鳴く.(ブザーなどが)鳴る‖青蛙～ カエルが鳴く｜火车～ 汽車の汽笛が鳴る ❸動**…と呼ぶ.…と称する.…とみなす**‖你～什么名字？ あなたはなんという名前ですか｜这才～英雄好汉 それでこそ英雄豪傑というものだ ❹動**呼ぶ.声をかける**‖你放心地睡吧，到时候我～你 安心して寝ていなさい，時間になったら起こしてあげます｜这孩子不爱～人 この子は人見知りをする ❺動**頼んで来てもらう.注文する.注文して届けさせる**‖～出租汽车 ハイヤーを呼ぶ ❻動**…させる.要求する**‖这事儿可别～她知道 このことは彼女に知らせるな ❼動**許可する.承諾する**‖妈妈不～他去 お母さんは彼を行かせようとしない ❽介**…に(…される).…から(…される)**‖小树～风给刮guā倒了 小さな木が風で吹き倒された ❾方(鳴き声の大きい)雄の‖～鸡 オンドリ

類義語 | 叫 jiào 喊 hǎn

◆〔叫〕人や動物などが声をあげる.叫ぶ.鳴く‖小狗叫个不停 小犬が吠え続ける ◆〔喊〕人が大きな声を出す.人の声にのみ用い，その声は〔叫〕より大きい.叫ぶ.わめく‖有人喊"别让他跑了" 誰かが「そいつを逃がすな」と叫んだ

【叫板】jiào∥bǎn 動 ❶(jiàobǎn)〈劇〉京劇などで台詞(せりふ)の最後の一言を長く引っ張り，囃子方(はやしかた)へつなぎやすいように合図すること ❷挑む.挑戦する
【叫春】jiàochūn 動(ネコが発情して)鳴く
*【叫喊】jiàohǎn 動 叫ぶ‖大声～ 大声で呼ぶ
【叫好】jiào∥hǎo (～儿) 動(芝居見物で演技をほめて)掛け声をかける.拍手喝采(かっさい)する
【叫号】jiào∥hào 動 ❶(病院で)受付番号を呼ぶ ❷掛け声をかける ❸方 けんかを売る
【叫花子】【叫化子】jiàohuāzi 名 貶 乞食(こじき)
*【叫唤】jiàohuan 動 ❶叫ぶ.わめく ❷(動物が)鳴く.鳴る‖狗～ イヌが吠える｜肚子～ 腹が鳴る
【叫魂】jiào∥hún 動(瀕死(ひんし)の)人の魂を呼び戻す
【叫价】jiào∥jià 動〈経〉売買の値段を唱える.呼び値を提示する‖～竞卖 値段をつけて競りにかける
【叫劲】jiào∥jìn ＝〔较劲jiàojìn〕
【叫绝】jiào∥jué 動 喝采する.すばらしいと声をあげる‖拍案～ 机をたたいて賛美する
【叫苦】jiào∥kǔ 動 苦しみを訴える.悲鳴をあげる.こぼす‖从来没叫过苦 一度も弱音を吐いたことがない
【叫苦连天】jiào kǔ lián tiān 成 あまりのつらさにしきりに悲鳴をあげる
【叫骂】jiàomà 動 どなる.大声で罵る
【叫卖】jiàomài 動 呼び売りする.振り売りをする
【叫门】jiào∥mén 動 入り口で声をかけて案内を請う
【叫屈】jiàoqū 動 不平不満を訴える.無実を訴える‖喊冤hǎnyuān～ 無実の罪を訴える
*【叫嚷】jiàorǎng 動 叫ぶ.わめきたてる.大声で叫ぶ‖一听说年底不发奖金了，大家都～起来 年末にボーナスが支給されないと聞き，みんなは騒ぎ出した
【叫停】jiàotíng 動 ❶〈体〉(試合中に)タイムアウトを要求する ❷(関係当局が)中止を命じる‖环保局～该开发项目 環境保護局はその開発プロジェクトにストップをかけた
【叫嚣】jiàoxiāo 動 やかましく叫ぶ.わめきたてる
【叫醒】jiào∥xǐng 動 呼び起こす.呼びさます
【叫真】jiào∥zhēn ＝〔较真jiàozhēn〕
【叫阵】jiào∥zhèn 動 挑む.挑戦する
【叫座】jiàozuò (～儿) 形(芝居や役者が)評判を呼ぶ.客を呼ぶ‖这出戏很～ この芝居はたいへん人気を呼んでいる
*【叫做】jiàozuò 動 **…と呼びなす.…と称する.…と言う**‖什么～几何学 幾何学とは何か

9**峤**(嶠) **jiào** 書 山道 ➤qiáo

9*****觉**(覺) **jiào** 名 眠ること.睡眠‖一～睡到中午 昼まで寝てしまった ➤jué

10**校** **jiào** ❶比較する.比べる ❷動 校訂する.校正する‖一～对｜这稿子我还没～ この原稿は私はまだ校正してない ➤xiào
【校本】jiàoběn 名 校本
【校场】jiàochǎng 名 旧 練兵場.練武場.〔较场〕とも書く
【校点】jiàodiǎn 動 古書などの本文を他の伝本と比べ合わせ，句読点をつける
【校订】jiàodìng 動 校訂する
【校对】jiàoduì 動 ❶検査する.検定する ❷校正する‖～原稿 原稿を校正する 名 校正者.校正係
【校改】jiàogǎi 動 校訂する.改訂する
【校勘】jiàokān 動 校勘する.校訂する
【校勘学】jiàokānxué 名 校勘学
【校验】jiàoyàn 動(機器類を)点検する.検査する
【校样】jiàoyàng 名 校正刷り.ゲラ刷り
【校阅】jiàoyuè 動 ❶校閲する ❷書 観閲する
【校正】jiàozhèng 動 文字を比べ合わせて正す.訂正する‖～错字 誤字を訂正する
【校注】jiàozhù 動 校注をほどこす 名 校注(多く書名に用いる)
【校准】jiào∥zhǔn 動(機器類を)検査修正する

10**较** **jiào** ❶動 比べる.比較する‖两者相～，甲优于乙 両者を比較すると甲が乙にまさっている ❷副 **比較的.やや.わりあいに**‖价钱～贵 値段がやや高い ❸介 **…と比べて**‖～前大有进步 以前に比べて大きく進歩した ❹書 明らかである‖差别～然 差は明らかである
【较场】jiàochǎng ＝〔校场jiàochǎng〕
【较劲】jiào∥jìn (～儿) 動 ❶張り合う.やり合う‖别跟他～儿了，没意思 彼と張り合うな，つまらないよ ❷(jiàojìn)肝心要(かんじんかなめ)である.力を入れるべき時である.ここ一番(の時期)である‖现在正是工作～的时候，你怎么能休假？ いま仕事が正念場にあるというのに，君はどうして休みなどとれるんだい ✽〔叫劲〕とも書く
*【较量】jiàoliàng 動 ❶力比べをする.勝負する‖你俩～～，看哪个有劲儿 君たちどっちが強いか力比べをしてごらん ❷方 言い争う
【较为】jiàowéi 副 書 比較的.わりあいに
【较真】jiào∥zhēn (～儿) 形 きまじめである.真剣である‖何必为这么点儿小事～ こんなささいなことにむきになることはない

10**轿**(轎) **jiào** 名 かご.こし‖一～子｜花～ 花嫁を乗せるこし
*【轿车】jiàochē 名 ❶乗用車 ❷旧 箱型馬車

【轿子】jiàozi 名 かご. こし ‖ 抬～ かごを担ぐ

11 **教**[1] jiào ❶動 教える. 教育する ‖ 因材施～ 学習者の能力に応じて教え方を変える ❷名 宗教 ‖ 宗～ 宗教

11 **教**[2] jiào ❶動 …させる. 許可する ❷〔叫jiào ❽〕に同じ ➤ jiāo

【教案】jiào'àn 名 授業の指導案. 教案

【教本】jiàoběn 名 教科書. 教本

【教鞭】jiàobiān 名 書 教鞭(きょうべん)

⁂【教材】jiàocái 名 **教材**

【教参】jiàocān 名 教師用学習指導書 ‖ 初中英语～ 中学英語学習指導書

【教程】jiàochéng 名 カリキュラム. 教程本

*【教导】jiàodǎo 動 教え導く. 指導する ‖ ～有方 指導が的を射ている｜～主任 教務主任

【教导员】jiàodǎoyuán 名 中国人民解放軍の大隊級部隊の政治工作責任者. 〔政治教导员〕の通称

【教范】jiàofàn 名〈軍〉軍事教練の教科書. 典範

【教辅】jiàofǔ 形 授業の補助となる. 〔教学辅助〕の略 ‖ ～人员 授業のアシスタント・助手｜～读物 補助教材の読み物

【教父】jiàofù 名〈宗〉司教

【教改】jiàogǎi 動 教育改革をする

【教工】jiàogōng 名 学校の教職員・用務員の総称

【教官】jiàoguān 名 軍事教官

【教规】jiàoguī 名〈宗〉教規. 教範

【教化】jiàohuà 動 教化する. 感化する

【教皇】jiàohuáng 名〈宗〉法王. 教皇

*【教会】jiàohuì 名 教会 ‖ ～学校 ミッション・スクール

【教诲】jiàohuì 動 書 教え諭す

【教具】jiàojù 名 教育用器具. 教具

【教科书】jiàokēshū 名 教科書

*【教练】jiàoliàn 動 訓練する. コーチする 名 コーチ. トレーナー ‖ 国家队～ 国代表チームの監督

【教龄】jiàolíng 名 教職に就いている年数. 教職歴

【教令】jiàolìng 名〈軍〉訓練基準. 訓練規定

【教门】jiàomén (～ル) 名 ❶旧 イスラム教 ❷宗派

【教母】jiàomǔ 名〈宗〉修道女. シスター

【教派】jiàopài 名〈宗〉教派. 宗派

【教区】jiàoqū 名〈宗〉教区

⁂【教师】jiàoshī 名 **教師. 教員**

【教师节】Jiàoshījié 名 教師の日（9月10日）

【教士】jiàoshì 名〈宗〉宣教師. 伝道師

★【教室】jiàoshì 名 **教室**

> **類義語** | **教室 jiàoshì 课堂 kètáng**
>
> ◆〔教室〕授業をするための仕切られた空間や設備としての部屋を表す. 教室 ‖ 电化教室 ＬＬ教室 ◆〔课堂〕設備としての教室を表すほかに, 教室内で行われる教学行為や授業活動それ自体を表す. 教室. 授業 ‖ 扰乱课堂 授業を妨害する

⁂【教授】jiàoshòu 名 **教授** 動（学術・技芸などを）教授する ‖ ～化学 化学を教える

*【教唆】jiàosuō 動 教唆(きょうさ)する. そそのかす. けしかける ‖ ～犯罪 犯罪をそそのかす｜～犯 教唆(きょうさ)犯

*【教堂】jiàotáng 名 礼拝堂. 教会

*【教条】jiàotiáo 名 教条. 教義. ドグマ 形 教条主義的である

【教条主义】jiàotiáo zhǔyì 名 教条主義

【教廷】jiàotíng 名〈宗〉法王庁. ローマ教皇庁

【教头】jiàotóu 名 ❶技芸や武芸の師匠 ❷転 スポーツの監督（冗談で言う）

【教徒】jiàotú 名 教徒. 信徒

【教务】jiàowù 名 教務 ‖ ～处 教務課

【教习】jiàoxí 名 旧 教師. 教員

⁂【教学】jiàoxué 名 **教学. 教育過程** ‖ ～大纲 教育指導要領｜～大楼 教室棟 ➤ jiāoxué

【教学相长】jiào xué xiāng zhǎng 成 生徒を教えることにより教師も向上する. 教うるは学ぶの半ば

⁂【教训】jiàoxun 動 **教え諭す. 諭す** ‖ ～孩子 子供を諭す 名 **教訓** ‖ 接受～ 教訓として受け止める

*【教研室】jiàoyánshì 名 教学研究室. 主として大学で, 各専攻課程ごとに編成される

*【教养】jiàoyǎng 動 教え育てる. 礼儀作法をしつける 名 教養 ‖ 没有～ 教養がない

【教养员】jiàoyǎngyuán 名 幼稚園の教諭. 保母

【教义】jiàoyì 名〈宗〉教義. 教理

【教益】jiàoyì 名 有益な教え ‖ 他的话使我受到不少～ 彼の話から多くの有益な教えを得た

★【教育】jiàoyù 動 **教育する. 教え導く. 諭す** ‖ ～青年 若者を教育する 名 **教育** ‖ 接受～ 教育を受ける

⁂【教员】jiàoyuán 名 **教員. 教師. 教諭**

【教正】jiàozhèng 動 書 匡正(きょうせい)する. 叱正(しっせい)する. 斧正(ふせい)する ‖ 敬希～ 謹んでご叱正を請う

【教职员】jiàozhíyuán 名 教職員

【教主】jiàozhǔ 名 教主. 開祖. 教祖

12 **窖** jiào ❶名 品物を貯蔵する穴蔵. むろ ‖ 冰～ 氷室(ひむろ) ❷動 むろに入れて貯蔵する ‖ ～白菜 ハクサイを貯蔵する

【窖藏】jiàocáng 動 穴蔵に貯蔵する

14 **酵** jiào 発酵する ‖ 发～ 発酵

【酵母】jiàomǔ 名 酵母. イースト

【酵子】jiàozi 名 方 パン種. 〔引酵〕ともいう

15 **噍** jiào 咀嚼(そしゃく)する. 食べる

16 **徼** jiào 書 境界. 国境 ➤ jiǎo

18 **藠** jiào ↴

【藠头】jiàotou 名〈植〉ラッキョウ ＝〔薤xiè〕

19 **醮** jiào ❶古 婚儀において神へ酒を供する儀式 ❷嫁ぐ ‖ 再～ 女子が再婚する ❸旧 道士が祭壇を設けて祈禱(きとう)する ‖ 打～ 祈禱する

20 **嚼** jiào （動物が）反芻(はんすう)する ‖ 倒～ 反芻する ➤ jiáo jué

jiē

5 **节**（節）jiē ↴ ➤ jié

【节骨眼】jiēguyǎn (～ル) 名 方 肝心かなめのとき. 瀬戸際. 勘所 ‖ 在高考的～上他病倒了 大学入試という肝心なときに彼は病気で倒れた

【节子】jiēzi 名（木材の）節

6 **阶**（階 △堦❶）jiē ❶階段. きざはし. はしご ‖ 台～ 階段 ❷段階. 等級 ‖ 一～段｜官～ 宮階. 官職の階級

*【阶层】jiēcéng 名 階層 ‖ 知识～ インテリ階層

【阶乘】jiēchéng 图〈数〉階乗
【阶地】jiēdì 图〈地〉段丘．段地
⁑【阶段】jiēduàn 图 段階‖实验～ 実験段階
⁑【阶级】jiējí 图 階級‖工人～ 労働者階級
【阶级性】jiējíxìng 图 階級意識から生まれる特性
【阶梯】jiētī 图 階段．はしご．ステップ
【阶下囚】jiēxiàqiú 图 書 とらわれの身．囚人

7 **疖**(癤) jiē ↴
【疖子】jiēzi 图〈医〉疔(ちょう)．急性で悪性のはれもの

9 ＊**结** jiē 動 結実する．実がなる‖～了很多桃 桃がたくさんなった ➤jié
【结巴】jiēba 動 どもる 图 吃音(きつおん)者
＊【结果】jiē//guǒ 動 実がなる．実を結ぶ‖我的努力终于开花～ 私の努力はついに実った ➤jiéguǒ
⁑【结实】jiēshi 形 ❶(物が)頑丈である．しっかりしている‖这料子很～ この生地はとても丈夫だ ❷(体が)丈夫である‖身体～ 体が丈夫である

9 ＊**皆** jiē 副 書 みな．全部．すべて‖放之四海而～准 世界のどこでもみな共通する
【皆大欢喜】jiē dà huān xǐ 成 誰もみなたいへん満足し大喜びである

11 ★**接** jiē ❶近づく．接近する．接する‖邻～ 隣接する ❷動 つなぐ．つながる‖～电线 電線をつなぐ ❸動 続く．続ける‖上气不～下气 息切れがする ❹動 引き継ぐ‖师傅退休以后，他～下了这个工作 師匠が引退した後，彼がこの仕事を引き継いだ ❺動(手で)受け取る．受ける‖把行李～过来 荷物を受け取る ❻動(電話・手紙などを)受ける．受け取る．(仕事を)受け入れる．引き受ける‖～电话 電話に出る ❼動 出迎える．迎える‖到机场～朋友 空港へ友人を迎えにいく
＊【接班】jiē//bān (～儿) 動 ❶勤務を引き継ぐ．仕事をうけつぐ ❷(事業や地位を)引き継ぐ．継承する
【接班人】jiēbānrén 图 後継ぎ．後継者．継承者
【接茬儿】jiē//chár 動 方 ❶受け答えする．応答する 副(ある行動をした後で)すぐに‖刚吃了药，～就喝茶不好 薬を飲んだ後すぐお茶を飲むのはよくない
⁑【接触】jiēchù 動 ❶触れる．触る‖～实际 現実に接する ❷(人と)接する．交流する‖我和他没有什么～ 私と彼とはなんの付き合いもない
【接触镜】jiēchùjìng 图 コンタクトレンズ
⁑【接待】jiēdài 動 接待する．客をもてなす‖～客人 客を接待する｜～单位 受け入れ団体
⁑【接到】jiē//dào 動 受け取る．受ける‖～你的来信，非常高兴 お便りを頂戴し，たいへん嬉しく思います
【接地】jiēdì 動〈電〉アースを設置する
＊【接二连三】jiē èr lián sān 慣 続けざまに．ひっきりなしに．次から次へと
【接访】jiēfǎng 動 陳情を受け付ける‖～农民 農民の陳情を受け付ける
【接风】jiēfēng 動 歓迎の宴を設ける ↔〔饯行〕
【接羔】jiē//gāo 動〈牧〉ヒツジやシカの出産を助ける
【接骨】jiēgǔ 動〈医〉接骨する
【接管】jiēguǎn 動 引き継ぐ．接収する‖～工作 仕事を引き継ぐ｜～政权 政権を引き継ぐ
【接轨】jiē//guǐ 動 ❶線路を接続する ❷喩 統一的な規格や方法等を採用する．リンクする‖使我国经济与国际市场～ わが国の経済を国際市場とリンクさせる
【接合】jiēhé 動 接合する．継ぎ合わせる
【接火】jiē//huǒ (～儿) 動 ❶電線をつなぐ ❷戦闘を交える．砲撃を開始する
【接济】jiējì 動 物質的に助ける．救済する．援助する
【接驾】jiē//jià 動(皇帝の)来駕(らいが)を迎える
⁑【接见】jiējiàn 動 高位の人が公に人に会見する．接見する‖～外宾 外国からの客を接見する
【接界】jiējiè 動 境を接する
⁑【接近】jiējìn 動 近づく．接近する‖生产技术已～国际先进水平 生産技術は世界の第一線のレベルに近づいている 形 近い．接近している．似ている‖他俩的兴趣爱好很～ 彼ら二人の趣味はよく似ている
【接境】jiējìng 動 境界を接する
【接客】jiē//kè 動 ❶客をもてなす ❷妓女(ぎじょ)が遊び客をもてなす
【接口】jiēkǒu 图 ❶継ぎ目‖管道～ パイプの継ぎ目 ❷〈計〉ポート．インタフェース‖USB～ USBポート｜并行～ パラレルポート
【接力】jiēlì 動 リレーする‖～运输 リレー輸送する
【接力棒】jiēlìbàng 图〈体〉リレーのバトン
【接力赛跑】jiēlì sàipǎo 图〈体〉リレー競走
＊【接连】jiēlián 副 連続して．続けざまに‖我～讲了三遍，他还是没听明白 私は続けて3度も説明したが，彼はまだ理解できないでいる
【接纳】jiēnà 動(組織に)受け入れる．(申し出を)受け入れる．引き受ける
【接气】jiē//qì 動(多く文章が)つながる‖这两段之间根本不～ この二つの段落はまるで脈絡がない
＊【接洽】jiēqià 動 話し合う．打ち合わせをする．折衝する‖～工作 仕事の打ち合わせをする
【接腔】jiēqiāng 動(話に)受け答えする．応じる
【接亲】jiē//qīn 動(婚礼の日に)花嫁を迎えにいく
【接球】jiē//qiú 動〈体〉ボールを受ける．レシーブする
【接任】jiērèn 動 職務を引き継ぐ
【接墒】jiēshāng 動〈農〉降雨や灌漑(かんがい)によって土中に水分が十分含まれること
【接生】jiē//shēng 動 助産する．子供を取り上げる
【接事】jiēshì 動 仕事を引き継ぐ
＊【接收】jiēshōu 動 ❶受理する．受けつける‖～稿件 原稿を受理する ❷接収する ❸(組織に)受け入れる．迎え入れる‖～留学生 留学生を受け入れる
【接手】jiēshǒu 動 引き継ぐ‖我们班的工作由小李～ 我々の班の仕事は李君が引き継ぐ
⁑【接受】jiēshòu 動 引き受ける．受け入れる．承認する‖～任务 任務を引き受ける｜～批评 批判を受け入れる｜～贿赂huìlù 賄賂を受け取る
【接穗】jiēsuì 图〈植〉接ぎ穂．義枝
【接榫】jiē//sǔn 動 ❶〈建〉ほぞを組み合わせる ❷つなぐ．つながる‖前后～ 前後のつながり
【接谈】jiētán 動 直接に話す．会談する
【接替】jiētì 動(仕事を)交代する．引き継ぐ．受け継ぐ‖他～了科长的工作 彼は課長の仕事を引き継いだ
【接通】jiē//tōng 動 通じる．つながる‖电话才～ 電話がやっとつながった
【接头】jiē//tóu 動 ❶(長いものを)つなぎ合わせる．結びつける ❷口 連絡をとる．打ち合わせをする‖先跟负责人接一下头吧 あらかじめ責任者と打ち合わせておこう ❸事の経緯に通じている．よく知っている
【接头儿】jiētour；jiētóur 图 つなぎ目．結び目
【接吻】jiē//wěn 動 接吻(せっぷん)する．キスする
【接戏】jiē//xì 動(監督あるいは俳優が)映画の仕事を

引き受ける‖他一年没有～ 彼は1年間映画出演を引き受けなかった
【接线】jiē//xiàn 動〈電〉電線をつなぐ. 配線をする
【接线员】jiēxiànyuán 名 電話交換手
【接续】jiēxù 動 受け継ぐ. 継承する
【接应】jiēyìng 動 ❶加勢する. 手助けする. バックアップする ❷補給する‖粮食就要～不上了 食糧が底を突こうとしている
【接援】jiēyuán 動(主に軍隊で)加勢する. 支援する
【接站】jiē//zhàn 動 駅で迎える
★【接着】jiēzhe 動 **続いて…する. 引き継いで…する. 続けて…する**‖他干完以后, 你～干 彼がやり終えたら, あなたが続けてやりなさい
【接诊】jiēzhěn 動 病人を診察する‖每天要～很多患者 毎日たくさんの患者を診なければならない
【接踵】jiēzhǒng 動 書 きびすを接する. 次から次へと続く‖～而来 次から次へと起きる
【接种】jiēzhòng 動〈医〉接種する

11 **秸**(△稭) jiē 名 わら‖麦～ 麦わら | 玉米～ きびがら | 豆～ 豆がら
【秸秆】jiēgǎn 名 わら

12 ***揭** jiē ❶書 揚げる. 高く掲げる‖→～竿而起 ❷動(かぶせてあるものを)取る. まくる. 開ける‖～下面纱miànshā ベールをまくる ❸動 暴く. 暴露する‖～内幕 内幕を暴く ❹動(くっついているものを)はがす. はぎとる‖～胶布jiāobù 絆創膏(ばんそうこう)をはがす
【揭榜】jiē//bǎng 動 ❶合格発表をする‖什么时候～? 合格発表はいつですか ❷旧 応募する
【揭不开锅】jiēbukāi guō 慣 生活が苦しくて食べ物がなく, 煮炊きすることもできない
【揭穿】jiēchuān 動(悪事を)暴く. 暴露する‖～假面具 仮面をはがす | 谎言被～了 うそが暴かれた
【揭疮疤】jiē chuāngbā 組 人の欠点を暴く
【揭底】jiē//dǐ (～儿) 動 秘密を暴く. 内情をばらす
【揭短】jiē//duǎn (～儿) 動 人の欠点を暴露する
*【揭发】jiēfā 動(悪事などを)暴く. 暴き出す‖～贪污tānwū行为 汚職行為を摘発する
【揭盖子】jiē gàizi 組 公にする. 明るみに出す
【揭竿而起】jiē gān ér qǐ 成 むしろ旗を掲げて決起する. 民衆が蜂起(ほうき)すること
【揭开】jiē//kāi 動 ❶はがす. めくる‖～伤口上的纱布shābù 傷口のガーゼをはがす ❷開ける. 封を切る. 切り開く‖把锅盖～瞧瞧 鍋のふたを開けて見てみよう ❸暴く. 公開する‖～事件的内幕 事件の内幕を暴く
【揭老底】jiē lǎodǐ (～儿) 組 素性を暴く
*【揭露】jiēlù 動(隠されたものを)暴露する. 明るみに出す. 明らかにする. さらけ出す‖～问题的实质 問題の本質を明らかにする | ～隐私yǐnsī プライバシーを暴く
【揭秘】jiēmì 動 秘密を明らかにする
【揭幕】jiēmù 動 ❶除幕する‖～典礼 除幕式 ❷(物事が)始まる. 開幕する‖展览会将于明天～ 展覧会は明日開幕する
【揭破】jiēpò 動(悪事を)暴いて公表する. 暴露する
*【揭示】jiēshì 動 ❶掲示する ❷指し示す. 明るみに出す‖～矛盾 矛盾を明らかにする
【揭晓】jiēxiǎo 動(結果を)発表する. 公表する

12 **嗟** jiē 書 ❶嘆息する声‖～乎 ああ ❷嘆息する‖→～叹
【嗟悔】jiēhuǐ 動 嘆き悔やむ. 後悔する
【嗟来之食】jiē lái zhī shí 成 嗟来(さい)の食(し). さげすんだ態度で与える施し. 屈辱的な援助
【嗟叹】jiētàn 動 書 嘆息する

12 **喈** jiē ↴
【喈喈】jiējiē 擬 書 ❶鐘や太鼓の音 ❷鳥の鳴き声

12 ★**街** jiē 名 **街路. 大通り. 街**‖大～小巷xiàng 大通りと小さな横町 | 上～ 街へ行く
*★【街道】jiēdào 名 ❶**大通り. 街路**‖热闹的～ 賑やかな通り ❷町内‖～办事处 町内事務所(都市の最末端の行政機関出張所)
【街灯】jiēdēng 名 街灯
*【街坊】jiēfang 名 隣近所. 隣人. お隣
【街景】jiējǐng 名 街の景観. 街のながめ
【街垒】jiēlěi 名(街中に築いた)バリケード
【街门】jiēmén 名 大通りに面した門. 表門
【街面儿上】jiēmiànrshang 名 口 ❶街の様子. 市況‖一到星期天, ～可热闹了 日曜日になると街中はとても賑やかになる ❷町内. 界隈(かいわい)‖这～的事, 没有他不知道的 この界限のことで彼が知らないことはない
【街区】jiēqū 名 街区. 都市の1区画
【街市】jiēshì 名 市街地
【街谈巷议】jiē tán xiàng yì 成 ちまたのうわさ. 世間の評判
*【街头】jiētóu 名 街頭. 街かど. 路上‖十字～ 四つ角 | 流落～, 无家可归 路頭に迷い, 帰る家もない
【街头巷尾】jiē tóu xiàng wěi 慣 大通りや小さな路地. 街中いたるところ
【街舞】jiēwǔ 名 ストリートダンス‖跳～ ストリートダンスを踊る
【街心】jiēxīn 名 大通りの中央‖～花园 大通りのロータリーにある花壇

13 **楷** jiē 名 方〈植〉トネリバハゼノキ ➤ kǎi

jié

3 **孑** jié 書 単独である. 孤独である‖→～然一身
【孑孓】jiéjué 名〈虫〉ボウフラ. 俗に〔跟头虫〕ともいう
【孑然一身】jiérán yìshēn 成 独りぼっちで寄る辺がない

5 **讦** jié 書 人の過失を責める. 人の私事を暴く‖攻～ 他人の過失や私事を暴いて責める

5 ★**节**(節) jié ❶名 **植物の節**(ふし)‖竹～ タケの節 ❷動物の関節‖关～ 関節 ❸節気‖清明～ 清明節 ❹祝日‖春～ 春節. 旧正月 ❺物事の区切り. 節(せつ)‖音～ 音節 ❻(全体から)一部分を切り取る. 抜き出す‖删shān～ 要約する ❼量 **区切れるものを数える. 節. 区切り**‖两～课 二こまの授業 ❽制限する. 制御する‖→～制 ❾倹約する. 切り詰める‖～电 節電. ❿礼節‖礼～ 礼節 ⓫節操‖变～ 寝返る. ⓬古 楽曲のリズムをとる打楽器 ⓭リズム. 調子‖→～律 ⓮古 身分を証明するための割り符 ➤ jiē
【节哀】jié'āi 動 書(喪中の人を慰める言葉として)悲しみをこらえ忍ぶ‖请～保重 あまりお力をお落としになりませんように
【节本】jiéběn 名 抜粋本. 抄本. ダイジェスト版
【节操】jiécāo 名 書 節操. 操‖保持～ 節操を保つ

J

【节假日】jiéjiàrì 名 休暇となる祝祭日
【节俭】jiéjiǎn 形 つましい. 質素である. 倹約である ‖ 生活～ 生活が質素だ
【节减】jiéjiǎn 動 節減する. 切り詰めて減らす ‖ ～经费 経費を節減する
【节节】jiéjié 副 逐次. 順次. 次々と
【节礼】jiélǐ 名 春節・端午節・中秋節などの節句にやりとりする贈り物
【节令】jiélìng 名 気候. 季節. 時候
【节录】jiélù 動 抜き書きする. 抜粋する. 抄録する 名 抜き書き. 抜粋. 抄録
【节律】jiélǜ 名 リズム. 律動
【节略】jiélüè 動 (文章を)省略する. 割愛する 名 ❶抜粋. 要約 ❷口上書. 覚え書き. メモランダム
★【节目】jiémù 名 番組. プログラム. 出し物. 演目 ‖ 广播～ ラジオ番組 | ～单 (印刷された)プログラム
【节目主持人】jiémù zhǔchírén 名 (テレビやラジオなどの)番組の司会者
*【节能】jiénéng 動 エネルギー資源を節約する ‖ ～型 省エネルギー・タイプ
【节能灯】jiénéngdēng 名 省エネランプ
【节拍】jiépāi 名〈音〉拍子. リズム
【节气】jiéqi 名 節気. 季節 ‖ 二十四～ 二十四節気

コラム 祝日と年中行事

中国の祝日には国民全体を対象とした祝日と，一部の人を対象としたものがある．一部を対象とした場合は半日休みになったり，関係者で行事が催されたりする．祝日は新暦で定められているが，伝統的な年中行事は“农历”と言われる旧暦に基づいている．

新暦	★全国民の祝日 ☆一部の人々の祝日	主な伝統行事 （＊旧暦）	新旧暦対応 （08—09年）
1月1日	★元旦(元旦)		
		春节(春節(旧正月)) （＊1月1日）	2月7日
		元宵节(元宵節) （＊1月15日）	2月21日
3月8日	☆国际妇女节(国際婦人デー)		
		清明节(清明節) （＊3月初旬ごろ）	4月4日
5月1日	★国际劳动节(メーデー)		
5月4日	☆青年节(五・四青年デー)		
6月1日	☆国际儿童节(国際児童デー)		
		端午节(端午の節句) （＊5月5日）	6月8日
7月1日	☆建党纪念日(中国共産党成立記念日)		
8月1日	☆建军节(中国人民解放軍建軍記念日)		
		七夕(七夕祭) （＊7月7日）	8月7日
9月10日	☆教师节(教師デー)		
		中秋节(中秋節) （＊8月15日）	9月14日
10月1日	★国庆节(国慶節(建国記念日))		
		重阳(重陽の節句) （＊9月9日）	10月7日
		腊八(臘八会) （＊12月8日）	(2009年) 1月3日
		祭灶(かまど祭) （＊12月23，24日）	1月18日 19日
		除夕(大晦日) （＊12月29日または30日 この年は29日）	1月25日

・台湾では1月1日　元旦，2月28日　平和記念日，4月4日　子供の日，10月10日　国慶節(双十節)，12月25日　憲法記念日，＊1月1日　春節，＊5月5日　端午の節句，＊8月15日　中秋節，＊12月29または30日　大晦日を法定の祝日としている．平和記念日は二・二八事件に，国慶節は辛亥革命の発端となった武昌蜂起に由来している．

【节庆】jiéqìng 名 祝祭日
★【节日】jiérì 名 ❶記念日. 祝祭日 ❷中国伝統の祝日. 節句
⁑【节省】jiéshěng 動 節約する. 切り詰める ‖ ～时间 時間を節約する | ～费用 費用を節約する | 把零花钱～下来买书 小遣いを節約して本を買う
【节食】jiéshí 動 減食する. 節食する
【节水】jiéshuǐ 動 節水する
【节外生枝】jié wài shēng zhī 成 枝からまた枝が出る. 元からある問題に加え, 別の問題が派生する
【节下】jiéxia 名 口 (正月などの)節句のころ. 祝祭日
【节选】jiéxuǎn 動 文章の段落や章を抜粋する 名 抄録. 抜き書き
【节衣缩食】jié yī suō shí 成 衣類を節約し食を減らす. 生活を切り詰める
【节余】jiéyú 動 倹約して残す 名 倹約して残した金や物
*【节育】jiéyù 動 計画出産を行う. バースコントロールを行う ‖ ～环 避妊リング
⁑【节约】jiéyuē 動 節約する. 倹約する ‖ ～时间 時間を節約する | 励行lìxíng～ 節約を励行する
【节支】jiézhī 動 支出を節約する. 支出を切り詰める
【节肢动物】jiézhī dòngwù 名〈動〉節足動物
【节制】jiézhì 動 ❶書 統率する. 管轄する ❷抑制する. 制限する. コントロールする
*【节奏】jiézòu 名 ❶〈音〉リズム. テンポ. 拍子 ‖ ～快 テンポが速い ❷喩 (物事の進み具合)テンポ. リズム ‖ 工作进行得很有～ 仕事がとても順調に進んでいる

7 **劫**[1] (△刼刧刦) jié ❶暴力で奪い取る. 略奪する ‖ 抢qiǎng～ 強奪する ❷暴力で人をおどしつける ‖ →～持

7 **劫**[2] jié ❶〈仏〉劫(ごう). きわめて長い時間. 永劫(えいごう) ❷災難 ‖ 浩～ 大きな災難
【劫案】jié'àn 名 強盗事件
*【劫持】jiéchí 動 脅迫する. 乗っ取る. 誘拐する ‖ ～客机 旅客機をハイジャックする
【劫道】jié//dào 動 通行人をおどして金品を奪う. 追いはぎをする
【劫夺】jiéduó 動 強奪する. 奪取する
【劫犯】jiéfàn 名 強盗犯
【劫匪】jiéfěi 名 追いはぎや乗っ取り犯など
【劫机】jiéjī 動 ハイジャックする ‖ ～犯 ハイジャック犯
【劫掠】jiélüè 動 かすめ奪う. 強奪する
【劫难】jiénàn 名 災難. 大厄
【劫数】jiéshù 名〈仏〉厄運. 災厄 ‖ ～难逃 厄運から逃れられない
【劫狱】jié//yù 動 牢獄を襲って囚人を脱出させる

8 **诘** jié 書 詰問する. 問い詰める. 責める ‖ 反～ 反問する | 盘～ 問い詰める ➤jí
【诘问】jiéwèn 動 詰問する. なじる. 責める
【诘责】jiézé 動 書 詰問し責める

8 **杰** (△傑) jié ❶優れている. 秀でている ‖ →～作 ❷優秀な人. ぬきんでた人物 ‖ 豪～ 豪傑 | 俊～ 俊傑
*【杰出】jiéchū 形 傑出している. ぬきんでている ‖ ～的作品 ぬきんでた作品 | ～人才 傑出した人材
*【杰作】jiézuò 名 優れた作品. 傑作

9 **洁** (潔 △絜) jié ❶清潔である ‖ 清～ 清潔である ❷潔白である. 清廉である ‖ 廉～ 廉潔である
*【洁白】jiébái 形 ❶真っ白い ‖ ～的床单 真っ白なシーツ ❷清純である. 純潔である ‖ ～的心灵 純潔な心
【洁净】jiéjìng 形 きれいである. 清潔である
【洁具】jiéjù 名 (浴槽・トイレ・洗面台などの)サニタリー設備
【洁癖】jiépǐ 名 潔癖
【洁身自好】jié shēn zì hào 成 自分の品位を保ち, 軽はずみな行動を慎む

9 **拮** jié ↴
【拮据】jiéjū 形 書 経済状態が逼迫(ひっぱく)している ‖ 手头～ 手元不如意である | 财政～ 財政が困難である

9 * **结** jié ❶動 結ぶ. 編む ‖ ～了一张网 網を1枚編んだ ❷名 結び目 ‖ 打～ 結び目を作る ❸結び目の形をしたもの ‖ 喉～ のどぼとけ ❹動 凝り固まる. 固まる ‖ 河上～了一层冰 川の水面が凍りついた ❺動 結合する. 関係を結ぶ ‖ ～下了深厚的友谊 厚い友情で結ばれた ❻動 結末をつける. 締めくくる ‖ 那个案子已经～了 あの訴訟事件はもう判決が出た ❼旧 証拠となる文書 ‖ 保～ 保証書 ➤jiē
【结案】jié//àn 動 事件の判決が出る. 事件の片が付く
【结拜】jiébài 動 契りを結んで義兄弟(姉妹)になる
【结伴】jié//bàn (～儿) 動 一緒に行く. 連れ立つ
【结冰】jié//bīng 動 結氷する. 氷が張る
【结彩】jié//cǎi 動 祝いのときに色テープ・色絹・色紙などで飾りつける
【结肠】jiécháng 名〈生理〉結腸 ‖ ～癌 結腸がん
【结仇】jié//chóu 動 敵(かたき)同士になる. 憎しみ合うようになる ‖ 为这么点儿小事结什么仇啊？ こんなささいなことで, なぜ憎み合ったりするのか
【结存】jiécún 動 残高がある 名 残高. 残金
【结党营私】jié dǎng yíng sī 成 徒党を組んで私利私欲を図る. ぐるになって不正をはたらく
【结发夫妻】jiéfà fūqī 名 互いに初婚で結ばれた夫妻
⁑【结构】jiégòu 名 ❶構成. 構造 ‖ 经济～ 経済構造 ❷〈建〉構造. 組み立て ‖ 木～ 木造づくり
【结构式】jiégòushì 名〈化〉構造式
【结关】jié//guān 動 (海外に航行する船などが)税関の手続きを終える
★【结果】[1] jiéguǒ 名 結果 ‖ 取得冠军, 是他刻苦训练的～ 優勝は彼がつらいトレーニングに耐えてきた結果だ 副 結局. やはり ‖ 考虑了好几天, ～还是决定放弃了 何日も考えたが, やはり断念することにした ➤jiēguǒ
【结果补语】jiéguǒ bǔyǔ 名〈語〉結果補語
⁑【结合】jiéhé 動 ❶結合する. 結び合う ‖ 理论和实际相～ 理論と実際を結びつける ❷夫婦として結ばれる. 結婚する ‖ 冲破重重阻碍zǔ'ài, 他俩终于～了 数々の障害を乗り越え, 二人はついに結ばれた
【结合能】jiéhénéng 名〈物〉結合エネルギー
【结核】jiéhé 名 ❶〈医〉結核 ❷〈地〉結核. 団塊
【结汇】jiéhuì 動〈経〉外国為替の決済をする
⁑【结婚】jié//hūn 動 結婚する ‖ ～登记 結婚届け | ～典礼 結婚式 | 他已经～了 彼はもう結婚している
【结伙】jié//huǒ 動 ❶仲間になる. 連れ立つ ❷ぐるになる. 共謀する ‖ ～行窃qiè 共謀して盗みをはたらく
【结集】jié//jí 動 ❶多数の文章を集めて本にする ❷(jiéjí) (軍隊が)結集する
【结交】jiéjiāo 動 交わりを結ぶ. 友人になる. 交際する

J

【结节】jiéjié 图〈生〉結節
*【结晶】jiéjīng 動 結晶する 图 ❶結晶. 結晶体 ❷喩 貴重な成果‖智慧的～ 知恵の結晶
*【结局】jiéjú 图 結果. 結末‖～出人意料 結末は予想外だった
*【结论】jiélùn 图 ❶結論‖下～ 結論を出す ❷〈哲〉(三段論法で前提から導き出される)結論. 断案. 〔断案〕ともいう
【结盟】jié//méng 動 盟約を結ぶ. 同盟する
【结膜】jiémó 图〈生理〉結膜‖～炎 結膜炎
【结亲】jiéqīn 動 ❶婚姻によって両家が親戚関係になる ❷口 結婚する
【结舌】jiéshé 動 言葉に詰まる. しどろもどろになる
【结社】jiéshè 動 団体を作る‖～自由 結社の自由
【结石】jiéshí 图〈医〉結石
【结识】jiéshí 動 交友関係を結ぶ‖～了很多体育界的朋友 たくさんのスポーツ界の人と交友関係を持った

★【结束】jiéshù 動 ❶終結する. 終了する. 打ち切る. 終わらせる‖联欢晚会到此～ 交歓会はこのへんでお開きにします｜暑假就要～了 夏休みはもうすぐ終わりだ ❷旧 身支度する
【结束语】jiéshùyǔ 图 結びの言葉. 終わりの言葉
*【结算】jiésuàn 動 決算する‖年终～ 年末決算
【结尾】jiéwěi 動 終わりになる. 結末をつける 图 結末. 最後の締めくくり‖这本小说的～很精彩 この小説の結末はたいへんすばらしい
*【结业】jié//yè 動 (訓練・講習・補習などが)修了する‖～典礼 修了式
【结义】jiéyì 動 契りを結んで義兄弟(姉妹)になる
【结余】jiéyú 图 (勘定を締めくくった後の)余り. 残り 動 残る. 余る. 繰り越す
【结语】jiéyǔ 图 結語. 結びの言葉
【结缘】jié//yuán 動 縁を結ぶ. あることに関係する. 手を染める‖我从小就和象棋结了缘 私は小さいときから将棋に親しんできた
【结怨】jié//yuàn 動 恨みを抱く. 恨みの種をまく
【结扎】jiézā 動 ❶物を結わえる. くくる‖把袋口～起来 袋の口をくくる ❷〈医〉結紮(けっさつ)する
【结账】jié//zhàng 動 決算する. 勘定を決済する‖请给结一下账 お勘定をお願いします
【结子】jiézi 图 結び目‖这个～不好解 この結び目は解けにくい｜心里打了个～ 心にわだかまりが生じた

10 **桔** jié ↴ ➤ jú
【桔梗】jiégěng 图〈植〉キキョウ

10 **桀** jié ❶凶暴である‖一～骜不驯 ❷图 桀(けつ). 夏王朝の最後の王の名
【桀骜不驯】jié ào bù xùn 成 荒馬は人に慣れない. 性質が凶暴で服従しないこと
【桀纣】Jié Zhòu 图 夏の桀王と殷(いん)の紂王(ちゅうおう). 歴史上, 暴君の代名詞

11 **偈** jié 書 ❶走るのが速い ❷勇ましい ➤ jì

11 **捷**[1] (^△^捷) jié 戦勝する‖三战三～ 3戦3勝｜连连告～ 連戦連勝

11 **捷**[2] (^△^捷) jié ❶速い. すばしこい‖敏～ 敏捷(びんしょう)である ❷書 近道する‖～而行 近道して行く ❸近くて便利である. 便利である‖便～ 手軽である
【捷报】jiébào 图 勝報. 戦勝の知らせ
【捷径】jiéjìng 图 近道. 早道. 速成法‖在学习上没有～可寻 勉強に近道はない
【捷克】Jiékè 图〈国名〉チェコ
【捷足先登】jié zú xiān dēng 成 早い者勝ち

11 **婕** jié ↴
【婕妤】jiéyú 图古 漢代の宮中で, 妃やそれに次ぐ者の称号. 〔倢伃〕とも書く

12 **颉** jié 人名用字 ➤ xié

13 **睫** jié まつ毛‖目不交～ まんじりともしない
【睫毛】jiémáo 图〈生理〉まつ毛‖～膏 マスカラ

14 * **截** jié ❶動 (細長いものを一定の長さに)切断する. 断ち切る‖一根竹杆 zhúgān～成三段 1本の竹竿を三つに切断する ❷動 行く手を遮る. 止める‖快去把他们～住了 はやく彼らを止めろ ❸量 (～儿)(切り離した部分を数える)区切り. 節(ふし). 切れ‖话说到半～, 不说了 途中まで話して口をつぐんだ ❹(一定の期間で)締め切る. 打ち切る‖一～至
【截长补短】jié cháng bǔ duǎn 成 余分なところを削って足りないところを補う. 長所を生かし短所を補う
【截断】jié//duàn 動 ❶切断する. 断ち切る‖～退路 退路を断つ｜～木头 丸太を切断する ❷遮る. 中断する‖他～了我的话 彼は私の言葉を遮った
【截稿】jiégǎo 動 原稿の受け付けを締め切る
【截获】jiéhuò 動 待ち受けて捕獲する. 押収する
【截击】jiéjī 動 (敵の進路または退路を)遮断して攻撃する. 敵を迎え撃つ‖～机 迎撃機
【截流】jiéliú 動 流れをせき止める
【截留】jiéliú 動 差し止める. 保留する. 見合わせる
【截门】jiémén 图 パイプのバルブ
【截面】jiémiàn 图 切り口. 切断面. 断面
【截取】jiéqǔ 動 (一部分を)切り取る‖从中～一段, 作为教材 中から一段落を取って教材にする
【截然】jiérán 副 はっきりと. 明らかに. 截然(せつぜん)と‖二者不能～分开 両者をはっきりと分けることはできない
【截然不同】jié rán bù tóng 成 明らかに異なる
【截瘫】jiétān 動〈医〉対麻痺(ついまひ)になる
【截肢】jié//zhī 動〈医〉手足の切断手術をする
*【截止】jiézhǐ 動 締め切る‖～日期 締め切り日｜报名什么时候～呢? 申し込みはいつ締め切りますか
【截至】jiézhì 動 …までで締め切る. (多く〔为止〕と呼応する)‖申请日期～本月底为止 申請は本月末で締め切る
【截子】jiézi 量 一区切りの長さを表す‖离车站还有一大～路呢 駅まではまだだいぶ道のりがある

14 **竭** jié ❶尽きる‖用之不～ 使っても使いきれない ❷尽くす. ある限り出す‖一～尽 ❸書 (水が)かれている‖枯～ 枯渇する
【竭诚】jiéchéng 副 誠意を尽くして‖～相待 誠意を尽くして遇する｜～拥护 yōnghù 誠心誠意擁護する
【竭尽】jiéjìn 動 十分に尽くす. …の限りを尽くす‖～全力 全力を尽くす
*【竭力】jiélì 副 力の限り. できる限り‖～帮助他 精いっぱい彼を援助する
【竭泽而渔】jié zé ér yú 成 池を干して魚をとる. 目先の利益だけを見て, 長い将来を考えないこと

14 **碣** jié 書 石碑. いしぶみ‖墓～ 墓碑

14 **鲒** jié ❶古 カラスガイ ❷地名用字

15 **羯**[1] jié 去勢された雄ヒツジ ‖ →～羊

15 **羯**[2] jié 〈史〉(山西省に居住した匈奴きょうどの一部族の名)羯(けつ)

【羯羊】jiéyáng 名 去勢された雄ヒツジ

jiě

8 **姐** jiě ❶名口 姉. お姉さん ‖ 大～ 一番上の姉 ❷名 親戚で自分と同世代の年上の女性. ただし, 兄嫁や従兄の妻は〔嫂子〕と呼ぶ ‖ 表～ (母方の)従姉 ❸名 自分の姉に相当する年齢の女性に対する呼称 ‖ 李～ 李さん

【姐夫】jiěfu 名 姉の夫. 姉婿. 義兄

★【姐姐】jiějie 名 ❶**姉. お姉さん** ❷**親戚で自分と同世代の年上の女性の呼称**

【姐妹】jiěmèi 名 ❶姉妹. 女きょうだい ❷兄弟姉妹. きょうだい ‖ ～城市 姉妹都市

【姐儿】jiěr 名方 姉妹. 女きょうだい

【姐们儿】jiěmenr 名口 ❶女性同士の親友 ‖ 她是我高中时的～ 彼女は高校時代の親友なの ❷姉妹 ＊〔姐儿们〕ともいう

【姐儿们】jiěrmen ＝〔姐们儿 jiěmenr〕

【姐丈】jiězhàng 名書 姉婿

13 ⁑ **解** jiě ❶切開する ‖ →～剖 ❷(ばらばらに)分解する. 分散する ‖ 分～ 分解する ❸解消する ‖ →～职 ❹用便をする ‖ →～手 ❺動 **結び目を解く. ほどく** ‖ ～扣子kòuzi ボタンをはずす｜～腰带 ベルトをはずす｜～疙瘩gēda わだかまりが消える ❻分析・説明をする ‖ 图～ 図解する ❼理解する. 分かる ‖ 令人不～ 理解に苦しむ ❽動〈数〉計算式を解く ‖ 这道题不好～ この問題は解きにくい ❾名〈数〉方程式の解 ➤ jiè xiè

【解饱】jiěbǎo 動方 腹いっぱいになる. 腹がふくれる

【解馋】jiě//chán 動 おいしいものを食べて食欲を満たす ‖ 这顿饭真～ この食事はほんとうにうまかった

【解嘲】jiě//cháo 動 からかわれて言い訳をする. 照れ隠しをする ‖ 自我～ 照れ隠しをする

【解愁】jiě//chóu 動 うさを晴らす

＊【解除】jiěchú 動 解除する. 除去する. なくす ‖ ～职务 職務を解く｜～病人的痛苦 病人の苦痛をなくす

⁑【解答】jiědá 動 **解答する. (疑問に)答える** ‖ ～学生的问题 学生の質問に答える

【解冻】jiě//dòng 動 ❶氷が解ける. 融解する ❷(資金などの凍結を)解除する. (緊張状態が)緩和する ‖ ～资产 資産凍結が解除された｜两国关系已经开始～ 両国の関係はすでに緩和されつつある

【解毒】jiě//dú 動 ❶毒を消す. 解毒する ❷〈中医〉のぼせや発熱などの病因を取り除く

【解读】jiědú 動 ❶解読する. 読み解く ‖ ～古文字 古代文字を解読する ❷分析する. 研究する ❸理解する. 感じ取る

【解饿】jiě//è 動 飢えを満たす

【解乏】jiě//fá 動 疲れをとる

⁑【解放】jiěfàng 動 ❶**解放する. 自由になる** ‖ 孩子们参加了工作, 我也～了 子供たちが社会に出たので, 私も解放された ❷**解放する**(反動的政権を打倒すること. とくに1949年の中華人民共和国の建国をさす)

＊【解放军】jiěfàngjūn 名 中国人民解放軍の略称

【解放区】jiěfàngqū 名〈史〉解放区. 抗日戦争(1937～1945年)および国共内戦(1946～1949年)期の中国共産党の支配地域

【解放战争】jiěfàng zhànzhēng 名 ❶解放戦争 ❷〈史〉1946～1949年, 中国の〔第三次国内革命战争〕(国共内戦)をさす

【解构】jiěgòu 動 脱構築する. 解体する ‖ ～主义 脱構築主義

＊【解雇】jiě//gù 動 解雇する ‖ ～工人 従業員を解雇する｜被～了 解雇された

【解恨】jiě//hèn 動 怒りが収まる. 溜飲(りゅういん)を下げる

【解甲归田】jiě jiǎ guī tián 成 軍職を退き故郷で農事にいそしむ

【解禁】jiě//jìn 動 解禁する. 禁制が解かれる

【解救】jiějiù 動 救出する. (命を)助ける

★【解决】jiějué 動 ❶**解決する. 片付ける** ‖ ～问题 問題を解決する ❷消滅させる. 始末する ‖ 那只蚊子被我～了 あのカは私がやっつけてやった

【解渴】jiě//kě 動 渇きをいやす

【解扣儿】jiě//kòur 動 ❶ボタンをはずす ❷わだかまり・恨み・難題などを除く ‖ 一番话解开了他心里的扣儿 その話は彼の心のわだかまりを解いた

【解困】jiěkùn 動 困難を解決する. 苦境から救い出す ‖ 为民～ 庶民の悩みを解決する

【解铃系铃】jiě líng jì líng 成 問題を解決するにはその原因をつくった本人にさせるべきである. まいた種は自ら刈り取れ. 〔解铃还是系铃人〕ともいう

【解码】jiěmǎ 動〈通信〉復号する. デコードする

【解闷】jiě//mèn (～儿) 動 気晴らしをする

【解密】jiě//mì 動 ❶機密指定を解除し, 文書を公開する ❷〈計〉復号する ↔〔加密〕

【解民倒悬】jiě mín dào xuán 成 人民を苦しみの中から救い出すこと

【解难】jiě//nán 動 困難や難問を解決する

【解难】jiě//nàn 動 危険や災難を取り除く

【解囊】jiěnáng 動 財布のひもをほどいて援助する

【解聘】jiě//pìn 動 (招聘しょうへいした人を)解任する

＊【解剖】jiěpōu 動 ❶解剖する ❷細かく分析する. 詳しく解明する ‖ 严于～自己 自分を厳しく分析する

【解气】jiě//qì 動 腹の虫が収まる. 気を晴らす

【解劝】jiěquàn 動 なだめる. なごやかにする

＊【解散】jiěsàn 動 解散する ‖ ～议会 議会を解散する｜他们在火车站前～了 彼らは駅前で解散した

⁑【解释】jiěshì 動 ❶**解釈する. 説明する** ‖ 这句诗应该怎么～? この詩はどのように解釈すべきか ❷**誤解をとく. 言い訳する** ‖ 为什么来晚了, 请你～一下 なぜ遅くなったのかご説明願います

【解手】jiě//shǒu 動 (～儿)大小便をする. 手洗いに行く ‖ 我解个手就来 ちょっとトイレへ行ってきます

【解说】jiěshuō 動 解説する. 説明する

【解体】jiětǐ 動 解体する. 瓦解(がかい)する ‖ 小农经济～ 小農経済が瓦解する

【解调】jiětiáo 動〈電〉復調する

【解脱】jiětuō 動 ❶〈仏〉解脱(げだつ)する ❷抜け出す ‖ 从痛苦中～出来 苦痛から抜け出す ❸逃れる. 免れる ‖ ～责任 責任から逃れる

【解围】jiě//wéi 動 ❶包囲を取り除く ❷窮状を打開する. 助け船を出す ‖ 你这一句话可给他解了围了 あなたのこの一言が彼を窮状から救うことになった

J

【解悟】jiěwù 動 悟る. 理解する. 分かる
【解吸】jiěxī 動〈化〉吸着物を分離する. 吸収物を分離する
【解析几何】jiěxī jǐhé 图〈数〉解析幾何
【解压】jiěyā 動〈計〉(圧縮ファイルを)解凍する ↔〔压缩〕
【解严】jiěyán 動 戒厳令を解除する
【解疑】jiěyí 動 難題を解明する. 疑念を解く
【解约】jiě//yuē 動 解約する. キャンセルする
【解职】jiě//zhí 動 解任する

jiè

4 **介**[1] jiè ❶中間に存在する. 介する ‖ 一～人 ❷紹介する ‖ 一～绍 ❸仲介者. 仲介するもの ‖ 中～ 仲介 ❹心にとめる. 気にかける ‖ 一～意

4 **介**[2] jiè 書 ❶よろい ‖ ～胄 zhòu 甲冑(かっちゅう) ❷殻. 甲羅 ‖ ～虫 甲虫 ❸殻や甲羅を持つ水生動物 ‖ 鳞lín～ うろこや殻. 広く魚介類をさす

4 **介**[3] jiè 書 ❶量 人を数える ‖ 一～书生 一人の書生 ❷気骨のある ‖ 耿～ 剛直である

4 **介**[4] jiè 古 戯曲の台本に書かれた用語で, しぐさを表す ‖ 哭～ 泣くしぐさ

【介词】jiècí 图〈語〉介詞
【介乎】jièhū 動 介在する. …の間にある
【介怀】jiè//huái 動 気にかける ‖ 毫不～ 少しも気にかけない
【介壳】jièqiào 图 貝殻
【介入】jièrù 動 介入する. 間に割り込む ‖ 我不愿意～这场争论 私はこの論争には口出ししたくない
★【介绍】jièshào 動 ❶(人を)紹介する. 引き会わせる ‖ 自我～ 自己紹介 | 把他～给大家 彼をみんなに紹介する ❷(物事や思想を)紹介する. (人を会などの組織に)紹介する ‖ 是他～我参加美术小组的 彼の紹介で私は美術部に入った ❸説明して分からせる. 知らせる ‖ ～内容 内容を説明する
【介绍人】jièshàorén 图 紹介者. 仲人
【介绍信】jièshàoxìn 图 推薦状. 紹介状
【介意】jiè//yì 動 気にする. 気にかける. (多く否定で用いる) ‖ 请您不要～ どうか気にしないでください
【介音】jièyīn 图〈語〉介音. わたり音. 中国語の音韻学で, 1音節中の〔声母〕(頭子音)と〔韵腹〕(主母音)との間に介在する半母音
【介于】jièyú 動 …の間にある
【介质】jièzhì 图〈物〉媒質
【介子】jièzǐ 图〈物〉中間子

6 **价** jiè 書 ❶使いの者 ❷使用人 ➤ jià jie

7 **芥**[1] jiè 〈植〉カラシナ. ふつうは〔芥菜〕という.

7 **芥**[2] jiè ささいなこと. 微小な物 ‖ 草～ ちりあくた ➤ gài

【芥菜】jiècài 图〈植〉カラシナ
【芥蒂】jièdì 图 書 わだかまり. しこり ‖ 心存～ 心にしこりを残す
【芥末】jièmo 图 からし粉. 〔芥黄〕ともいう
【芥子气】jièzǐqì 图〈化〉マスタード・ガス. イペリット

7 **戒** jiè ❶警戒する. 防備する ❷警告する. 戒める ❸動 断つ. やめる ‖ ～赌 ばくちをやめる ❹图〈仏〉戒律 ❺指輪 ‖ 钻zuàn～ ダイヤの指輪

【戒备】jièbèi 動 ❶警戒する. 警備する ❷警戒心を抱く ‖ 加强～ 警戒心を強める
【戒尺】jièchǐ 图 旧 私塾の教師が体罰に用いた物差し状の板
【戒除】jièchú 動 (悪い習慣を)断つ. やめる
【戒刀】jièdāo 图 旧 戒刀(僧侶(そうりょ)の持つ刀)
【戒牒】jièdié 图〈仏〉度牒(どちょう)
【戒毒】jiè//dú 動 麻薬中毒を治す ‖ ～所 麻薬中毒更生所
【戒忌】jièjì 图 タブー. 禁忌 動 忌む. 避ける
【戒骄戒躁】jiè jiāo jiè zào 慣 おごりや短気を自戒する
【戒酒】jiè//jiǔ 動 酒を断つ. 禁酒する
【戒惧】jièjù 動 警戒する
【戒律】jièlǜ 图〈仏〉戒律. 〔戒条〕ともいう
【戒条】jiètiáo ＝〔戒律jièlǜ〕
【戒心】jièxīn 图 書 警戒心 ‖ 存有～ 警戒心を抱く
【戒烟】jiè//yān 動 禁煙する
*【戒严】jiè//yán 動 戒厳令を布(し)く ‖ ～令 戒厳令
【戒指】jièzhi (～儿) 图 指輪 ‖ 订婚～ 婚約指輪

8 ** **届**(^△屆) jiè ❶(予定した時期に)達する. (…に)なる ‖ 年～四十 年が四十になる ❷量 (定例会や卒業年次などを数える)期. 回 ‖ 九四～毕业生 94年度の卒業生

【届满】jièmǎn 動 (任期が)満了になる
【届期】jièqī 副 期日に ‖ ～不另通知 当日はとくに連絡しない 图 任期の各期間をさす
【届时】jièshí 副 書 その時に. 当日 ‖ 敬请～光临 謹んで当日のお越しをお待ちしています

9 **诫** jiè 警告する. 忠告する. 戒める ‖ 告～ 戒める | 训～ 訓戒する

9 **疥** jiè 图〈医〉疥癬(かいせん). 皮癬(ひぜん)

【疥疮】jièchuāng 图〈医〉疥癬. 皮癬
【疥蛤蟆】jièháma 图 ヒキガエル. 〔蟾蜍chánchú〕の通称

9 * **界** jiè ❶图 境. 境界 ‖ 国～ 国境 ❷(一定の)範囲. 限度 ‖ 眼～ 視界 ❸图 分野. 階層. 社会層 ‖ 教育～ 教育界 ❹ある特殊な領域. 界. 境(きょう) ‖ 仙～ 仙界 ❺〈生〉界. 類 ‖ 动物～ 動物界 ❻〈地質〉界 ❼書 境界を接する ‖ 北～黄河 北は黄河を境とする

【界碑】jièbēi 图 境界の標石. 境界標
【界标】jièbiāo 图 境界標. 境界を示す標示
【界尺】jièchǐ 图 (目盛りのない)直線用定規
【界定】jièdìng 動 境界線を引く. 範囲を確定する
【界河】jièhé 图 境界をなす川
【界面】jièmiàn 图 ❶界面 ❷〈計〉インターフェース
【界内球】jiènèiqiú 图〈体〉フェア・ボール. インサイド・ボール ↔〔界外球〕
【界山】jièshān 图 境界となる山
【界石】jièshí 图 境界を示す石や石碑
【界说】jièshuō 图 旧 定義
【界外球】jièwàiqiú 图〈体〉ファウル・ボール. アウトサイド・ボール ↔〔界内球〕
*【界限】jièxiàn 图 ❶境目. けじめ ‖ 公私～要划清 公私のけじめをきちんとつけなくてはいけない ❷限度. 際限
*【界线】jièxiàn 图 ❶境界線 ‖ 两家土地的～ 両家の土地の境界線 ❷限界. 境目. けじめ
【界域】jièyù 图 境を接する地区

【界约】jièyuē 图（国家間の）境界条約
【界桩】jièzhuāng 图 境界を示す木の標識
10 ★**借**[1] jiè ❶動 借りる‖向朋友～钱 友だちから金を借りる ❷動 貸す‖你的辞典～我用一下好吗？ あなたの辞書をちょっと貸してもらえませんか
10 **借**[2]（藉）jiè ❶動 利用する．借りる‖～出差之便，去看看老朋友 出張の機会に，昔の友人と会ってくる｜～着酒意 酔った勢いで ❷かこつける．口実にする‖→～口
【借词】jiècí 图〈語〉借用語
【借代】jièdài 图〈語〉換喩(かんゆ)．転喩(てんゆ)
【借贷】jièdài 動 借金をする 图 借方と貸方
【借刀杀人】jiè dāo shā rén 成 人を利用して相手を倒す．自分の手を汚さずに人を陥れる
【借调】jièdiào 動 臨時に人や物資を借りる
【借读】jièdú 動 ❶戸籍を置いてない地区の小・中学校で学ぶ ❷正式の学籍のない学校でしばらく学ぶ
【借端】jièduān 副 言い掛かりをつけて‖～滋事zīshì 言い掛かりをつけて面倒を起こす
【借方】jièfāng 图（簿記の）借方 ↔〔贷方〕
【借风使船】jiè fēng shǐ chuán 成 人の力を借りて目的を果たすたとえ．〔借水行舟〕ともいう
【借古讽今】jiè gǔ fěng jīn 成 昔の人物や事物に事寄せて現在のことを風刺する
【借故】jiè//gù 副 口実を設けて．理由をつけて‖～推辞 口実を設けて断る
【借光】jiè//guāng 動 ❶挨拶（人に頼んだり助けを借りたりするときの言葉）ちょっとすみません．失礼します．ちょっとお願いします‖～～！让我过一下 ちょっと失礼，通してください ❷恩恵を受ける．人の威光を利用する
【借花献佛】jiè huā xiàn fó 成 借りた花を仏に供える．他人の物で義理を果たす
【借火】jiè//huǒ（～儿）動（タバコの）火を借りる
【借记卡】jièjìkǎ 图 デビットカード
*【借鉴】jièjiàn 動 書 参考にする．手本にする‖可资～ 参考に資するに足る
【借景】jièjǐng 動（造園法の一種）庭園の外の風景を庭を構成する一部として取り入れること．借景
【借据】jièjù 图 借用証書
*【借口】jièkǒu 動（何かを）口実にする．口実を設ける‖他～有事不来 彼は用事にかこつけて来ない 图 口実．言い逃れ‖找～ 口実を探す
【借款】jiè//kuǎn 動 ❶借金する．金を借りる ❷金を貸す 图（jièkuǎn）借金．借入金
【借尸还魂】jiè shī huán hún 成 過去の好ましくない事物が姿を変えて再び現れる
【借宿】jiè//sù 動 宿を借りる．泊めてもらう
【借题发挥】jiè tí fā huī 成 他の話題に事よせて自分の真意を述べる．事にかこつけて言いたい放題を言う
【借条】jiètiáo（～儿）图 略式の借用証
【借位】jiè//wèi 動（引き算で）上の桁(けた)から借りる
【借问】jièwèn 動 敬 お尋ねします
【借以】jièyǐ 接 書 それによって…する．それをもって…する‖举个例子～说明这个原理 例を挙げてこの原理を説明する
【借用】jièyòng 動 ❶借用する．借りて使う‖～一下你的自行车 あなたの自転車をちょっと借ります ❷（多く言葉を）流用する．転用する
【借喻】jièyù 图〈語〉隠喩(いんゆ)
【借阅】jièyuè 動（図書館などから）借りて読む
【借债】jiè//zhài 動 借金する‖为治病借了不少债 病気治療のためにたくさん借金をした
【借账】jiè//zhàng 動 借金する
【借支】jièzhī 動（給料を）前借りする．前貸しする
【借重】jièzhòng 動 敬 お力添えを仰ぐ．助力を仰ぐ
*【借助】jièzhù 動（人や事物の）助けを借りる‖～外援 外国の援助を受ける
10 **蚧** jiè ➡〔蛤蚧géjiè〕
13 **解** jiè 護送する‖押～ 護送する ➤jiě xiè
【解送】jièsòng 動（犯人を）護送する．（品物を）押収して送る
【解元】jièyuán 图 古（明・清代の）科挙の〔乡试〕（地方試験）の首席合格者
13 **骱** jiè 图 方 関節‖脱～ 脱臼する
17 **藉** jiè 書 ❶むしろ．敷物 ❷敷く．下に当てる ➤jí

jie

6 **价**（價）jie ❶接尾 一部の副詞の後に置く．〔地〕に相当する‖成天～忙 一日中忙しい ❷助 方 否定副詞の後に置き，語気を強める‖甭béng～！ だめだ ➤jià jiè
10 **家** jie〔价jie ❶〕に同じ ➤jiā

jīn

3 **巾** jīn 布．きれ
【巾帼】jīnguó 图 書 婦人．女性．（〔帼〕は古代の婦人の頭巾(ずきん)をさした）‖～英雄 女傑．女性の英雄
4 **今** jīn ❶現在．いま‖当～ 当今 ❷現代．いま ↔〔古〕‖古为～用 昔のものをいまに役立てる ❸この‖～秋 この秋
【今草】jīncǎo 图〔章草〕から分かれた草書の一書体
⁑【今后】jīnhòu 图 今後．これから‖～请多关照 今後ともよろしくお願いいたします｜我保证～不再犯同样的错误 今後二度と同じ過ちを犯さないことを誓います
★【今年】jīnnián 图 今年
【今儿】jīnr 图 方 今日．〔今儿个〕ともいう
【今人】jīnrén 图 書 現代人．当世の人
*【今日】jīnrì 图 ❶今日．本日 ❷今日(こんにち)
【今生】jīnshēng 图 書 今生(こんじょう)．この生涯‖～今世 今生．一生涯
【今世】jīnshì 图 書 ❶いまの世．当代 ❷今生
★【今天】jīntiān 图 ❶今日‖～天气不错 今日は天気がいい ❷現在．目下‖～的世界是一个动荡dòngdàng的世界 いまの世の中は不穏な世の中である
【今文】jīnwén 图（漢代の隷書）今文(きんぶん)
【今昔】jīnxī 图 今と昔‖感慨gǎnkǎi～之别 今昔の違いに感慨を覚える
【今译】jīnyì 图（古い文献の）現代語訳
【今音】jīnyīn 图〈語〉❶現代の言語音 ❷《切韵》《广韵》などに代表される隋唐音 ✻↔〔古音〕
【今朝】jīnzhāo 图 ❶方 今日 ❷現在．目下‖～有酒～醉 今日酒があればそれを飲んで酔う．目前のこと

だけ考えて，将来のことは考えない

4 **斤**[1] jīn 古 伐採する道具．おの ‖ 斧～ 同前

4 ★**斤**[2]（觔）jīn 量 重さの単位，斤(きん)（1〔斤〕は500グラム）．〔市斤〕の通称 ‖ 一～猪肉 1斤(500グラム)の豚肉 | 我体重一百四十～ 私の体重は140斤(70キロ)だ

【斤斗】jīndǒu 名 方 とんぼ返り，もんどり

【斤斤】jīnjīn 動（細かいことやつまらないことに）こだわる

【斤斤计较】jīn jīn jì jiào 成 細かいことにまで気にかける．小さなことまであげつらう

【斤两】jīnliǎng 名 ❶目方 ❷喩（言行などの）重み ‖ 他的话很有～ 彼の言葉にはたいへん重みがある

8 **金**[1] jīn ❶金属の総称 ‖ 冶yě～ 冶金(やきん) ❷お金(かね) ‖ 现～ 現金 ❸古 金属製の器物 ‖ →～文 ❹名〈化〉金(きん)（化学元素の一つ，元素記号はAu）．ふつうは〔金子〕〔黄金〕という ❺貴重な ‖ →～科玉律 ❻黄金色の ‖ →～灿灿

8 **金**[2] jīn 名 王朝名，金(1115～1234年)．女真族の完顔部の阿骨打(あくだ)が建てた王朝

逆引き単語帳 〔白金〕báijīn プラチナ 〔五金〕wǔjīn 金属材料の総称．金物類 〔奖金〕jiǎngjīn 奨励金．ボーナス 〔礼金〕lǐjīn 謝礼金．礼金 〔佣金〕yòngjīn 手数料．コミッション 〔押金〕yājīn 保証金 〔租金〕zūjīn 賃貸料．借り賃 〔资金〕zījīn 資金 〔基金〕jījīn 基金 〔助学金〕zhùxuéjīn 就学補助金 〔奖学金〕jiǎngxuéjīn 奨学金 〔公积金〕gōngjījīn 公立積立金 〔养老金〕yǎnglǎojīn 年金 〔抚恤金〕fǔxùjīn 遺族弔慰金．補償金 〔千金〕qiānjīn 良家のお嬢さま．令嬢

【金榜】jīnbǎng 名〔殿试〕（科挙の最終試験）の合格者名簿の俗称

【金镑】jīnbàng 名（貨幣単位）ポンド．〔镑〕の別称

【金本位】jīnběnwèi 名〈経〉金本位

【金笔】jīnbǐ 名（金ペンの）万年筆

【金币】jīnbì 名 金貨

【金碧辉煌】jīn bì huī huáng 成 金色や緑色がきらびやかである．建築物が壮麗で美しいさま

【金箔】jīnbó 名 金箔(きんぱく)

【金不换】jīnbuhuàn 慣 万金にも代えがたい．お金に代えられないほど貴重である

【金灿灿】jīncàncàn（～的）形 金色にまばゆく輝く

【金蝉脱壳】jīn chán tuō qiào 成 蝉(せみ)が殻を脱ぐ．相手の目をくらまして逃げるたとえ

【金城汤池】jīn chéng tāng chí 成 金城湯池．きわめて守りのかたい城と堀

【金点子】jīndiǎnzi 名 すばらしいアイディア ‖ 五大赚zhuàn钱～ お金のもうかる5大アイディア

*【金额】jīn'é 名 金額

【金发】jīnfà 名 金髪 ‖ ～女郎 ブロンドの美女

【金饭碗】jīnfànwǎn 名 喩 待遇のよい職位

【金刚】jīngāng 名 ❶方 昆虫のさなぎ ❷〈仏〉金剛仏．金剛力士

【金刚努目】Jīngāng nǔ mù 成 金剛力士が目を怒らせる．容貌(ようぼう)が恐ろしいさま．〔金刚怒目〕ともいう

【金刚砂】jīngāngshā 名〈鉱〉金剛砂．エメリー．

【金刚石】jīngāngshí 名〈鉱〉金剛石．ダイヤモンド．〔金刚钻〕ともいう．研磨したものは〔钻石〕という

【金刚石婚】jīngāngshíhūn 名 ダイヤモンド婚式

【金刚钻】jīngāngzuàn ＝〔金刚石jīngāngshí〕

【金工】jīngōng 名 金属の加工作業の総称

【金箍棒】jīngūbàng 名（孫悟空の）如意棒

【金瓜】jīnguā 名 ❶〈植〉カボチャの一種 ❷古 武器の一種．儀仗(ぎじょう)に用いた

【金龟】jīnguī 名〈動〉クサガメ

【金龟子】jīnguīzǐ 名〈虫〉コガネムシ

【金贵】jīngui；jīnguì 形 口 貴重である．大切である

【金煌煌】【金晃晃】jīnhuānghuāng（～的）形 ぴかぴかと光っているさま．金色に光り輝いているさま

*【金黄】jīnhuáng 形 黄金色の．金色の ‖ ～色的麦浪 黄金色したムギの穂波

【金婚】jīnhūn 名 金婚式．金婚の祝い

【金鸡独立】jīnjī dúlì 慣 片足で立つ姿勢（多く武術や技芸の所作をいう）

【金奖】jīnjiǎng 名 金賞．1等賞

【金橘】jīnjú 名〈植〉キンカン

【金科玉律】jīn kē yù lǜ 成 金科玉条．変更できない絶対的な信条や決まり

【金口玉言】jīn kǒu yù yán 成 貴重で得がたい言葉．変更することのできない言葉

【金库】jīnkù 名 国庫．ふつうは〔国库〕という

【金兰】jīnlán 名 固い友情．転 義兄弟の契り

【金莲】jīnlián（～儿）名 旧 纏足(てんそく)した女性の足

【金领】jīnlǐng 名 ゴールドカラー．企業の高級技術職．主として事務管理職系の〔白领〕に対していう

【金绿宝石】jīnlǜ bǎoshí 名（宝石の一種）金緑石．アレキサンドライト．クリソベリル

【金銮殿】jīnluándiàn 名 皇帝に謁見する宮殿

【金迷纸醉】jīn mí zhǐ zuì ＝〔纸醉金迷zhǐ zuì jīn mí〕

【金牛座】jīnniúzuò 名 ❶金牛宮(きんぎゅうきゅう)．黄道十二宮の第2宮 ❷〈天〉牡牛座(おうしざ)

*【金牌】jīnpái 名 金メダル．最優秀賞 ‖ ～得主 金メダリスト | 在奥运会上获得～ オリンピックで金メダルをとる

*【金钱】jīnqián 名 金銭

【金钱豹】jīnqiánbào 名〈動〉エジプトヒョウ

【金钱松】jīnqiánsōng 名〈植〉イヌカラマツ

【金枪鱼】jīnqiāngyú 名〈魚〉マグロ．コシナガマグロ

【金秋】jīnqiū 名 錦秋(きんしゅう) ‖ ～时节 錦秋の候

【金曲】jīnqǔ 名 とくに人気のある曲 ‖ ～排行榜 páihángbǎng ゴールデン・ヒットチャート

*【金融】jīnróng 名 金融 ‖ ～市场 金融市場

【金融寡头】jīnróng guǎtóu 名〈経〉金融寡頭．

【金融危机】jīnróng wēijī 名〈経〉金融危機

【金嗓子】jīnsǎngzi 名 書 耳に快い声．美声 ‖ 天生一副～ 天性の美声

【金色】jīnsè 名 金色

【金闪闪】jīnshǎnshǎn（～的）形 きらきら輝いている

【金石】jīnshí 名 ❶喩 きわめてかたいもの ‖ 精诚所至，～为开 意志がかたければどんなことでもやり通せる ❷金石．文字や文章が刻まれた金属器や石碑など

★【金属】jīnshǔ 名 金属 ‖ ～加工 金属加工

【金丝猴】jīnsīhóu 名〈動〉キンシコウ．ゴールデンモンキー．チベットコバナテングザル

【金丝雀】jīnsīquè 名〈鳥〉カナリア

【金丝燕】jīnsīyàn 名〈鳥〉アマツバメ

【金汤】jīntāng 名 略 金城湯池．〔金城汤池〕の略

【金条】jīntiáo 名 金の延べ棒

【金文】jīnwén 图 金文. 古代の青銅器に刻まれた銘文. 〔钟鼎文〕ともいう
【金乌】jīnwū 图 書 太陽 ‖ ～玉兔 太陽と月
【金星】[1] jīnxīng 图〈天〉金星
【金星】[2] jīnxīng 图 ❶金色をした星形 ❷頭がくらくらした時に, 目の中に映る小さな星のようなもの
【金钥匙】jīnyàoshi 图 金の鍵. 喩 秘訣. こつ
【金银花】jīnyínhuā 图〈植〉スイカズラ. 〔忍冬〕ともいう
*【金鱼】jīnyú 图〈魚〉金魚 ‖ ～缸gāng 金魚鉢
【金鱼藻】jīnyúzǎo 图〈植〉マツモ. キンギョモ
【金玉】jīnyù 图 書 金銀珠玉. 宝物. 喩 貴重なもの ‖ ～其外, 败絮bàixù其中 見かけ倒しである
【金玉良言】jīn yù liáng yán 成 金言
【金盏花】jīnzhǎnhuā 图〈植〉キンセンカ
【金针】jīnzhēn 图 ❶書（裁縫や刺繍に使う）針 ❷鍼灸(しんきゅう)の針 ❸（食用の）〔金针菜〕の花
【金针菜】jīnzhēncài 图〈植〉黄色の花をつけるユリ科の植物の総称. ふつうは〔黄花〕という
【金枝玉叶】jīn zhī yù yè 成 金枝玉葉. 皇族または高貴な家の子女をたとえる
【金字塔】jīnzìtǎ 图 ピラミッド
【金字招牌】jīnzì zhāopái 慣 ❶金文字の看板 ❷（人にひけらかす）称号や肩書のたとえ. 金看板
【金子】jīnzi 图〈化〉金. 〔金〕の通称
9 **津**[1] jīn ❶渡し場 ❷喩 要職 ‖ 窃qiè据要～ 不当に要職を占める ❸〔天津〕の別称
9 **津**[2] jīn ❶（人や動植物の）体液 ‖ 一～液 ❷唾液(だえき). つば ❸汗 ‖ 遍体生～ 全身汗まみれである ❹潤いがある. 湿っている
【津巴布韦】Jīnbābùwéi 图〈国名〉ジンバブエ.
【津津】jīnjīn 形 ❶味わいがある. 興味深い ❷（汗や水が）流れ出るさま ‖ 汗～的 汗まみれである
【津津乐道】jīn jīn lè dào 成 興に乗って話す
*【津津有味】jīn jīn yǒu wèi 成 興味が尽きないさま ‖ 他听得～ 彼は興味津々に聞いている
*【津贴】jīntiē 图（賃金以外の）手当 ‖ 夜班～ 夜勤手当 動 手当を支給する ‖ 政府每月～她一笔生活费 政府は毎月, 彼女に生活費を支給している
【津液】jīnyè 图〈中医〉人体の体液の総称. ふつうは唾液をさす
9 **衿** jīn ❶〔襟jīn ❶❷〕に同じ ❷書 衣服の帯
9 **矜** jīn ❶同情する. 不憫(ふびん)に思う ‖ ～其不幸 その不幸を哀れむ ❷うぬぼれる. 自慢する ‖ 自～其能 自らその能力を誇る ❸慎重である. 謹直である ‖ 一～持 ➤guān qín
【矜持】jīnchí 形 堅苦しい. 謹厳である
【矜夸】jīnkuā 動 書 おごり高ぶる. うぬぼれる
12 **筋** jīn ❶图（～儿）口〈生理〉筋腱(きんけん). 靱帯(じんたい) ‖ 猪蹄～儿（料理材料の）ブタの足の筋 ❷〈生理〉筋(きん). 筋肉. 〔肌〕の旧称 ❸口 静脈 ‖ 青～暴露 青筋が立つ ❹（～儿）筋状になっているもの ‖ 橡皮～ 輪ゴム ｜ 丝瓜～ ヘチマのたわし
【筋道】jīndao 形 方 ❶（食物の）歯ごたえがある. かみごたえがある ‖ 这面吃起来很～ この麺(めん)はとてもこしがある ❷（多く老人に対して）体が丈夫である. 達者である
【筋斗】jīndǒu 图 方 もんどり. とんぼ返り
【筋骨】jīngǔ 图 筋肉と骨. （広く）体. 体格
【筋疲力尽】jīn pí lì jìn 成 疲れて力が尽きる. 疲れ果てる. 〔精疲力竭jié〕ともいう
【筋肉】jīnròu 图〈生理〉筋. 筋肉 =〔肌肉〕
13 **禁** jīn ❶動 持ちこたえる. 耐える ‖ 一～不起 ❷こらえる. 抑える. 我慢する ‖ 忍俊不～ 思わず笑い出す ❸動 長持ちする. 持ちこたえる ‖ 这伞不～使, 用了两次就坏了 この傘はちゃちで, 二度使ったら壊れてしまった ➤jìn
*【禁不起】jīnbuqǐ 動 耐えられない. （多く人について用いる）‖ ～考验 試練に耐えられない ｜ 他这人就是～别人的几句好话 彼という人はお世辞に弱い
*【禁不住】jīnbuzhù 動 ❶持ちこたえられない. 耐えられない ‖ 这花可～冻 この花は寒さに弱い ｜ 多结实的东西也～你这么用 どんなに丈夫な物でも君の使い方ではもたないよ ❷我慢できない. こらえきれない ‖ 我～笑了起来 私はこらえきれずに笑い出した
【禁得起】jīndeqǐ 動 耐えられる. （多く人について用いる）‖ ～挫折cuòzhé 挫折(ざせつ)に耐えられる
【禁得住】jīndezhù 動 持ちこたえられる. 耐えられる ‖ ～诱惑 誘惑に耐えられる
【禁受】jīnshòu 動 耐えしのぐ. こらえる ‖ ～压力 プレッシャーに耐える ｜ ～不住打击 ショックに耐えきれない
18 **襟** jīn ❶上着や中国服の前身ごろ ‖ 开～ 前開き ❷胸のうち ‖ 一～怀 ❸相婿. 妻が姉妹の関係にある夫同士 ‖ ～兄 妻の姉の夫
【襟抱】jīnbào 图 書 心の中. 襟懐(きんかい). 抱負
【襟怀】jīnhuái 图 胸中. 心中

jǐn

4 *** **仅**（僅）jǐn 副（範囲や数量がごく限られることを表す）わずかに. ただ. かろうじて ‖ ～供参考 ご参考までに ｜ 他死时～二十岁 彼が死んだのはわずか20歳だった ➤jìn
【仅见】jǐnjiàn 動 まれに見る. めったに見られない
**【仅仅】jǐnjǐn 副 わずかに. ただ ‖ 我在北京～住了一个星期 私は北京にわずか1週間いただけである
【仅只】jǐnzhǐ 副 わずかに…だけ. ただ…だけ ‖ 他的书～一个月就卖出了三万部 彼の著作はわずか1ヵ月で3万部を売った
6 *** **尽**[1]（儘）jǐn ❶動 すべてを尽くす. できるかぎりする ‖ ～可能 できるだけ ｜ ～着力气干 力のかぎりを尽くしてやる ❷動 …の範囲に限る. …を限度とする ‖ ～着两天把手续办完 2日以内に手続きを終える ❸動 いちばん先にする. 最優先する ‖ 自行车你先～着用, 不用了再还huán我 自転車はあなたが先に使って, 用が済んだら返してください ❹副（多く方位を表す語の前に置き）いちばん. 最も ‖ ～前头 いちばん前
6 **尽**[2]（儘）jǐn 副 方 いつまでも. ひっきりなしに ‖ 这几天～下雨 ここ数日ずっと雨が降っている ➤jìn
**【尽管】jǐnguǎn 副 ❶遠慮せずに. 構わずに ‖ 你有什么困难～跟我说 なにか困ったことがあったら, 遠慮なく私に言ってください ❷方 いつも. いつまでも ‖ 事情已经过去了, ～后悔有什么用？ 過ぎたことをいつまでも後悔してなんになる 接 …ではあるけれども. …だが. （多く〔但(是)〕〔可是〕〔还是〕〔然而〕〔却〕などと呼応する）‖ 他～身体不好, 可是仍然坚持工作 彼は体調がよくないが, 頑張って仕事を続けている

J

類義語 尽管 jǐnguǎn 不管 bùguǎn

◆〔尽管〕…ではあるけれども．事実は容認するが，それによって結論は影響を受けないことを表す．〔尽管〕の後ろに事実を述べ，逆接の〔还是〕〔但是〕〔可是〕などで受ける‖尽管他去了三次，事情也没办好 彼が3度行ったが，事はうまくいかなかった ◆〔不管〕…にかかわらず．いかなる状況のもとでも，結論は変わらないことを表す．〔不管〕の後ろには，疑問詞あるいは対立的事項をあげて選択をゆだねる内容をとり，〔都〕〔也〕〔全〕〔总〕などで呼応させる‖不管你来不来，我们都两点出发 君が来ても来なくても，僕たちは2時に出発する

*【尽快】jǐnkuài 副 できるだけ早く．なるべく早く‖请你～将资料寄来 早急に資料をお送りください

【尽量】jǐnliàng 副 **なるべく．できるかぎり．存分に．‖～拿吧，有的是 存分にお持ちください．たくさんありますから｜你明天能早来，就～早来吧 明日早く来られるようだったら，できるだけ早く来なさい ➤ jìnliàng

【尽先】jǐnxiān 副 優先的に．真っ先に‖～解决住房问题 優先的に住宅問題を解決する

【尽早】jǐnzǎo 副 できるかぎり早く‖～动身 できるだけ早く出発する

8 **卺** jǐn 書 古代，婚礼のとき二つに割って酒杯に用いたひさご‖合～ 婚礼をする．結婚する

10 ★**紧**（緊 △緊 緊）jǐn ❶形 (ゆるみがなく)**ぴんと張っている．ぱんぱんに張ってある** ↔〔松〕‖绳子拉得很～ 縄がぴんと張ってある ❷形 堅固である．動かない‖把螺丝 luósī拧～ ねじを締めて固定した ❸動 きつく締める ↔〔松〕‖把绳子再～一～ ひもをさらにきつく締める ❹形 **きつい．ゆるみやゆとりがない** ↔〔松〕‖这双鞋有点ル～ この靴は少しきつい｜我们两个的坐位～挨着 私たち二人の席はすぐ隣り合っている ❺副 立て続けに．絶え間なく‖汽车一辆～跟着一辆 車が1台また1台とひっきりなしに続いていく ❻形 厳格である．厳しい‖对孩子不要管得太～ 子供に対して厳しすぎてはいけない ❼形 (情勢が)緊迫している‖风声～ 情勢が緊迫している ❽形 **(経済的に)余裕がない．逼迫(ひっぱく)している**‖他家孩子多，生活相当～ 彼の家は子供が多いので，生活はかなり苦しい ❾形 **(時間や期日が)差し迫っている．迫っている**‖时间很～，我们快走吧 時間が迫っているから，早く行こう

【紧巴巴】jǐnbābā (～的) 形 ❶窮屈である．きつい ❷(経済的に)困窮している．ぴいぴいしている

【紧绷绷】jǐnbēngbēng (～的) 形 ❶ぎゅっと縛ってある．ぴんと張ってある ❷表情がかたい．緊張している

【紧逼】jǐnbī 動 厳しく迫る‖步步～ 一歩一歩と厳しく追いつめる

【紧闭】jǐnbì 動 ぴったり閉じる‖这幢 zhuàng房子的门窗一直～着 この家の戸や窓はずっと閉まったままだ

【紧凑】jǐncòu 形 むだがない．緊密である‖日程安排得十分～ スケジュールがびっしりと組まれている

【紧促】jǐncù 形 逼迫(ひっぱく)している．差し迫っている

【紧箍咒】jǐngūzhòu 名『西遊記』に出てくる唐僧玄奘(げんじょう)が孫悟空を押さえるのに唱えた呪文(じゅもん)．人を服従させるのに用いる有効な手段のたとえ．金縛りの法

*【紧急】jǐnjí 形 緊急の．緊迫している‖事情很～ 事はたいへん緊迫している｜～集合 緊急の集まり

【紧急进口限制】jǐnjí jìnkǒu xiànzhì 名 緊急輸入制限．セーフガード

【紧急状态】jǐnjí zhuàngtài 名 緊急事態

【紧邻】jǐnlín 名 すぐ隣．お隣

【紧锣密鼓】jǐn luó mì gǔ 成 活動をする前にあらかじめ世論を盛り上げておくたとえ．〔密锣紧鼓〕ともいう

【紧忙】jǐnmáng 副 急いで．慌てて

*【紧密】jǐnmì 形 ❶緊密である‖～合作 緊密に協力する｜联系～ 連絡が密である ❷絶え間がない‖枪声更加～起来 銃声がますます激しくなってきた

*【紧迫】jǐnpò 形 緊迫している．差し迫っている‖～感 緊迫感｜情况～ 状況は緊迫している

*【紧俏】jǐnqiào 形 (よく売れて)品薄である．供給が需要に追いつかない‖～商品 手に入りにくい売れ筋商品

【紧缺】jǐnquē 形 (物資などが)非常に欠乏している‖大米～ 米が欠乏している

【紧身ル】jǐnshenr 名 肌着

*【紧缩】jǐnsuō 動 ❶引き締める．縮小する‖～开支 支出を引き締める｜～编制 人員を縮小する ❷緊張する‖听到这里，他的心一下～起来 それを聞いて，彼は急に緊張した

【紧要】jǐnyào 形 重要である．重大である‖～关头 大事な瀬戸際．重要な時機｜～事项 重要事項

★【紧张】jǐnzhāng 形 ❶**緊張している．精神が張りつめている**‖第一次讲演，免不了有些～ 初めての講演だから，どうしてもいくらか緊張してしまう ❷**激しい．緊迫している**‖工作太～了 仕事がとても忙しい｜局势～ 情勢が緊迫している ❸**(物資が)不足している．供給不足である．手詰まりである**‖这条线机票很～ この路線の飛行機の切符はなかなか手に入らない｜财政～ 財政が逼迫している

【紧着】jǐnzhe 動 口 手早くする．急ぐ．スピードアップする‖咱们～干吧 急いでやろう

11 **堇** jǐn ↴

【堇菜】jǐncài 名〈植〉スミレ．〔堇堇菜〕ともいう

【堇色】jǐnsè 名 スミレ色．薄紫色

13 **谨** jǐn ❶慎重である．注意深い‖恭～ 慎み深い ❷謹んで‖～向大家表示祝贺 謹んで皆様に祝賀の意を表します

【谨防】jǐnfáng 動 用心して防ぐ．用心する．(多く標語などに用いる)‖～上当 だまされないようにご用心

【谨启】jǐnqǐ 動 翰 謹んで申し上げます．拝啓

*【谨慎】jǐnshèn 形 慎重である．注意深い．細心である‖～小心 慎重である．用心深い

【谨小慎微】jǐn xiǎo shèn wēi 成 ささいなことまで過度に慎重なさま

【谨严】jǐnyán 形 ❶謹厳である．注意深く厳密である‖治学～ 研究態度が謹厳である ❷緻密(ちみつ)である‖逻辑 luójí～ 論理が緻密である

【谨言慎行】jǐn yán shèn xíng 成 言動を慎む．

13 **锦** jǐn ❶錦‖衣～还乡 故郷に錦を飾る ❷錦のように美しい．色鮮やかである‖一～缎

【锦标】jǐnbiāo 名 優勝牌．優勝旗．優勝カップ

【锦标赛】jǐnbiāosài 名〈体〉選手権大会

【锦缎】jǐnduàn 名 金襴緞子(きんらんどんす)．錦

【锦鸡】jǐnjī 名〈鳥〉キンケイ

【锦纶】jǐnlún 名〈紡〉ナイロン．ポリアミド繊維．かつては〔尼龙〕といった

【锦囊妙计】jǐn náng miào jì 成 嚢中(のうちゅう)の妙計．緊急事態や難題を解決できる方法

【锦旗】jǐnqí 图 ❶優勝旗. ペナント ❷錦で作った旗(感謝・敬意・褒賞の意を表すときに人に贈る)
【锦上添花】jǐn shàng tiān huā 成 錦上花を添える. 立派なものをさらに立派にする
【锦心绣口】jǐn xīn xiù kǒu 成 美しい思想と美しい言葉. 文章が優れて美しいたとえ
【锦绣】jǐnxiù 图 錦繡(きんしゅう). 転 美しいものやすばらしいものをさす ‖ ～前程 輝かしい前途
【锦衣玉食】jǐn yī yù shí 成 立派な着物を着ておいしい食物を食べる. ぜいたくな生活をする

14 廑 jǐn 古〔仅jǐn〕に同じ ➤ qín

14 馑 jǐn 野菜が不作である. (広く)農作物が不作である ‖ 饥～ 飢饉(きん)

15 瑾 jǐn 書 美しい玉(ぎょく)

jìn

4 仅(僅) jìn 書…に近い. ほぼ… ‖ 士卒～万人 兵士は1万人に近い ➤ jǐn

6 ** 尽(盡) jìn ❶動 尽きる. 終わる ‖ 用～了 すっかり使い果たした | 想～办法 あらゆる方法を講じる ❷極まる. 極限に達する ‖ 山穷水～ 行き詰まる. 絶体絶命 ❸死亡する ‖ 自～ 自殺する ❹動 出し尽くす. 使い果たす ‖ ～最大努力 できるかぎり努力する | ～全力 全力を上げる ❺動 (力を尽くして)やり遂げる. 成し遂げる ‖ ～责任 責任を果たす | ～义务 責務を果たす ❻あらゆる. すべての ‖ 一～人皆知 ❼副 すべて. ことごとく ‖ 他的话不～对 彼の話はすべてが正しいわけではない | 一天到晚～玩ル 朝から晩まで遊んでばかりいる ❽副 ただ. …ばかり ‖ ～偷懒 tōulǎn 怠けてばかりいる ➤ jǐn
【尽瘁】jìncuì 動 書 尽瘁(じんすい)する. 尽力する
【尽欢】jìn∥huān 動 思う存分興じる. 心ゆくまで楽しむ ‖ 参加晚会的人们～而散 夜の集いに参加した人たちは, 心ゆくまで楽しんで帰った
*【尽力】jìn∥lì 動 尽力する. 全力を挙げる ‖ 我一定～促cù成此事 私は必ずやこのことの実現に尽力します
【尽量】jìnliàng 動 限りを尽くす ‖ 他喝酒已～了 彼は酒量の限界まで酒を飲んだ ➤ jǐnliàng
【尽情】jìnqíng 副 心ゆくまで. 存分に
【尽然】jìnrán 形 まったくそのとおりである. (否定に用いる) ‖ 未必～ あながちそういうわけでもない
【尽人皆知】jìn rén jiē zhī 成 みんなが知っている. 周知のことである
【尽人事】jìn rénshì 組 人事を尽くす. できることはすべてやる ‖ ～, 听天命 人事を尽くして天命を待つ
【尽如人意】jìn rú rén yì 成 完全に心にかなう. すっかり満足できる
【尽善尽美】jìn shàn jìn měi 成 完璧(かんぺき)である. 非の打ちどころがない
【尽收眼底】jìn shōu yǎn dǐ 成 (全景観が)一望のもとに見渡せる
【尽数】jìnshù 副 全部. すべて. ことごとく
【尽头】jìntóu 图 尽きるところ. 果て. 突き当たり ‖ 走廊的～ 廊下の突き当たり
【尽孝】jìn∥xiào 動 両親に孝行を尽くす
【尽心】jìn∥xīn 動 (人のために)心を尽くす. 誠意を尽くす ‖ ～竭力jiélì 十分に誠意を尽くす
【尽兴】jìn∥xìng 動 思いきり遊ぶ. 歓を尽くす ‖ 玩ル了一天还觉得没～ 一日中遊んだのにまだ物足りない
【尽意】jìnyì 動 意を尽くす ‖ 言不～ 気持ちはまだまだ書き尽くせません(多く手紙の結びに用いる)
【尽责】jìn∥zé 動 責任を果たす ‖ 做到这一步, 你已经尽了责了 ここまでやれば, 君はもう責任を果たしたことになる
【尽职】jìn∥zhí 動 職責を果たす. 職務に精励する ‖ ～尽责 職務に精励し責任を果たす
【尽忠】jìn∥zhōng 動 ❶忠誠を尽くす ❷忠誠を尽くし命を捧げる

7 ** 劲(勁) jìn ❶图 (～ル)力 ‖ 有～ル 力がある. 力が強い | 再使点～ル もう少し力を入れなさい ❷图 (～ル)効力. ききめ ‖ 酒～ル上来了 酔いが回ってきた ❸图 (～ル)意気込み. 気力 ‖ 干～ やる気. 意欲 | 拼命～ 必死の意気込み ❹图 (～ル)(人の)表情や態度, 様子 ‖ 傲～ル 偉そうな様子 | 高兴～ル 嬉しそうなさま. 喜びよう ❺面白み. やりがい ‖ 没～ 面白くない ➤ jìng
*【劲头】jìntóu (～ル) 图 ❶力 ‖ 个子不大, ～可不小 背は高くないが, 力はなかなか強い ❷やる気. 意欲 ‖ ～十足 意欲十分だ. やる気満々だ

7 ★ 进(進) jìn ❶動 (上または前に)進む ↔〔退〕‖ 再往前～一步 もう一歩前に進みなさい | 他和她的关系比以前更～了一层 彼と彼女の間柄は前よりもさらに深まった ❷献上する. 呈上する ‖ 一～言 ❸動 (中へ)入る ↔〔出〕‖ 快请～！ さあどうぞお入りください | ～大学 大学に入る ❹動 受け取る. 受け入れる ‖ 书店～了一批新书 本屋に新刊書が入荷した ❺(jin;jìn) 動 動詞の後に置き, 中の方へ入ることを表す ‖ 走～剧场 劇場に入っていく | 装～箱里 トランクに詰めこむ ❻量 (伝統的家屋で)門から奥までの建物の重なりを数える ‖ 三～宅院 zháiyuàn 奥行きが3層の屋敷
【进逼】jìnbī 動〈軍〉(敵の)間近に迫る
【进兵】jìnbīng 動 進軍する
【进补】jìnbǔ 動 滋養をとる
**【进步】jìnbù 動 (人や事物が)進歩する ‖ 他这几年～很大 彼はこの数年ずいぶん進歩した 形 進歩的な. 先進的な ‖ ～书刊 進歩的な書籍や雑誌
【进餐】jìn∥cān 動 食事をする ‖ 按时～ 時間どおりに食事をとる
【进呈】jìnchéng 動 書 献上する. 差し上げる
【进城】jìn∥chéng 動 都会へ行く. 市の中心部へ行く ‖ ～看电影 町へ行って映画を見る
*【进程】jìnchéng 图 進行過程. 経過 ‖ 工作～ 仕事のプロセス | 历史的～ 歴史の進行過程
【进尺】jìnchǐ 图〈鉱〉掘削作業の進度(単位はメートル) ‖ 月～ 月間掘進度
【进出】jìnchū 動 ❶出入りする ‖ 请由正门～ 正門から出入りしてください ❷(金が)出入りする ‖ 每月有几百万元的～ 毎月何百万元かの収支がある
【进出口】jìnchūkǒu 图 輸出入
【进寸退尺】jìn cùn tuì chǐ 成 一寸進み, 一尺退く. 得たものは少なく, 失ったものは多いことのたとえ
【进抵】jìndǐ 動 (軍隊が)ある地点に到達する
【进度】jìndù 图 進度. 進み具合 ‖ 工程～要加快 工事の進度をスピードアップしなければならない
*【进而】jìn'ér 接 ひいては. さらに一歩進んで. ついで ‖ 首先学好第一外语, ～再学第二外语 まずは第一外

国語をマスターし，さらには第二外国語を学ぶ

【进发】jìnfā 動（車や船あるいは団体が）出発する．前進する‖游行队伍向市中心～ デモ隊が市の中心部へ向かって出発する

【进犯】jìnfàn 動 侵犯する

⁑【进攻】jìngōng 動 ❶〈軍〉攻める．攻撃する‖发动～ 進撃を始める ❷（試合で）攻勢をかける．攻める

【进贡】jìn//gòng 動 貢ぎ物を献上する

⁑【进化】jìnhuà 動 進化する

【进化论】jìnhuàlùn 名〈生〉進化論

【进货】jìn//huò 動（商品を）仕入れる

【进击】jìnjī 動（軍隊が）進撃する．攻撃をかける

【进见】jìnjiàn 動（身分の高い人に）お目にかかる．謁見する．拝謁する‖～部长 大臣に謁見する

【进谏】jìnjiàn 動 書 いさめる．諫言（かんげん）する

*【进军】jìnjūn 動 進軍する．（ある目的に向かって）突き進む‖向现代化～ 近代化に向かって突き進む

⁑【进口】[1] jìn//kǒu 動 ❶輸入する ↔〔出口〕‖这是从日本～的 これは日本から輸入したものだ｜～手续 輸入手続き｜～货 輸入品 ❷（船舶が）入港する

【进口】[2] jìnkǒu 名（建物などの）入り口

【进款】jìnkuǎn 名 回（個人・家庭・団体などの）収入．所得

★【进来】jìn//lai(lái) 動 入ってくる‖有人～了 誰か入ってきた｜快～ さあ中に入って

★【…进来】…//jin(jìn)//lai(lái) 動 動詞の後に置き，外から中へ入ってくる動作を表す‖小孩子从外面跑～了 子供が外から駆け込んできた

【进门】jìn//mén 動 ❶門を入る ❷初歩を身につける．要領をつかむ ❸嫁入りする．嫁ぐ‖王家的媳妇～才两个月，就同婆婆吵架了 王家の嫁さんは結婚して2ヵ月にしかならないのに，もう姑（しゅうとめ）と口げんかをした

*【进取】jìnqǔ 動 進歩向上を求める．努力して向上する‖～心很强 向上心が強い

★【进去】jìn//qu(qù) 動 中へ入る．中に入っていく‖你一个人～吧，我在外面等你 私は外で待っているから，中へは君ひとりで入れよ

★【…进去】…//jin(jìn)//qu(qù) 動 動詞の後に置き，中に入っていく，中に入れる動作を表す‖公共汽车太挤jǐ，挤不～了 バスがとてもこんでいて乗り込めない

⁑【进入】jìnrù 動（ある範囲や段階に）入る‖～会场 会場に入る｜～梦乡 眠りに就く｜比赛～最后阶段 試合は最終段階に入った

【进深】jìnshen；jìnshēn 名（庭や部屋の）奥行き‖这间屋～有五米 この部屋の奥行きは5メートルある

【进食】jìnshí 動 食事をする

【进食障碍】jìnshí zhàng'ài 名〈医〉摂食障害

【进士】jìnshì 名 古 科挙の殿試の合格者．進士

【进退】jìntuì 動 ❶進むことと退くこと‖～自如 進むのも退くのも思いのままである ❷進むべきときに進み，退くべきときに退く‖不知～ 身の程を知らない

【进退两难】jìn tuì liǎng nán ＝〔进退维谷jìn tuì wéi gǔ〕

【进退维谷】jìn tuì wéi gǔ 成 進退きわまる．にっちもさっちも行かない

【进位】jìnwèi 動〈数〉桁（けた）を繰り上げる．切り上げる

【进献】jìnxiàn 動 贈呈する．贈る

【进香】jìn//xiāng 動（仏教や道教で，寺院に）参拝する．参詣（さんけい）する

【进项】jìnxiang 名 収入‖～少，出项多 実入りは少なく，出費は多い

★【进行】jìnxíng 動（継続性のある物事を）行う．する．進行する‖～实验 実験を行う｜～比赛 試合をする｜～参观访问 訪問見学する｜谈判～不下去了 交渉は物別れとなった

【进行曲】jìnxíngqǔ 名〈音〉行進曲．マーチ

⁑【进修】jìnxiū 動 研修する．講習を受ける‖脱产一年到大学～日语 1年間職場を離れ，大学で日本語を研修する｜出国～人员 出国研修者

【进言】jìn//yán 動 進言する．（尊敬または謙遜の語気で）意見を述べる‖大胆～ 大胆に意見を具申する

⁑【进一步】jìn yi bù 副 さらに．いっそう．いちだんと‖要～提高中文水平 中国語のレベルをさらに向上させなければならない

*【进展】jìnzhǎn 動 進展する．（物事の状況が）発展する‖工程～很快 工事は速やかに進展している

【进占】jìnzhàn 動 進攻して占拠する．占領する

【进账】jìn//zhàng 動 ❶記帳する ❷収入が入る．入金する 名 収入．所得

【进驻】jìnzhù 動（軍隊が）進駐する

7 ★**近** jìn ❶形（距離的・時間的に）近い ↔〔远〕‖我家离车站很～ 私の家は駅からとても近い｜～一百年 この100年間 ❷形 親しい‖两人关系很～ 二人は親しい間柄だ ❸差が小さい．似ている‖两人性格相～ 二人の性格は似通っている ❹動 近づく．接近する‖年～六十 年は六十に近い

【近便】jìnbian 形（道が）近くて便利である‖走小路要～些 横町を行くほうが近くて便利だ

【近程导弹】jìnchéng dǎodàn 名〈軍〉近距離ミサイル

【近处】jìnchù 名 付近．近所

*【近代】jìndài 名 ❶現代に近い時代．近代 ❷〈史〉（歴史上の時代区分の一つ）近代．中国史では，1840年のアヘン戦争から1919年の五・四運動までをさす

類義語｜近代 jìndài 现代 xiàndài 当代 dāngdài

◆歴史上の区分である ◆〔近代〕1840年のアヘン戦争から1919年の五・四運動までをさすことが多い ◆〔现代〕1919年から現在まで，または1949年以前までの期間をさす ◆〔当代〕中華人民共和国成立後の時期，現在のみをさす

【近道】jìndào 名 近道．早道‖抄～ 近道を行く

【近地点】jìndìdiǎn 名〈天〉近地点

【近东】Jìndōng 名 近東

【近古】jìngǔ 名 ❶近い昔 ❷〈史〉（歴史上の時代区分の一つ）近古．近世．中国史では多く宋・元・明・清の時代をさす

【近海】jìnhǎi 名 近海‖～渔业 近海漁業

【近乎】jìnhū 動 …に近い‖这一论点～荒谬huāngmiù この論点はでたらめに近い

【近乎】jìnhu（～儿）形 方 親しい．親密である‖你少跟我套～ 私になれなれしくしないでくれ

【近郊】jìnjiāo 名 近郊‖上海～ 上海の近郊

【近景】jìnjǐng 名 ❶近景 ❷クローズショット．大写し ❸ごく近い将来‖～规划 当面の計画

【近况】jìnkuàng 名 近況‖～如何？ 近況はいかがですか

⁑【近来】jìnlái 名 近ごろ．最近‖～天气不正常 近ごろ天気がおかしい｜好久没见了，～怎么样？ 久し

ぶりですね, 近ごろいかがですか
【近邻】jìnlín 名 隣近所. 隣人‖远亲不如～ 遠くの親類より近くの他人
【近路】jìnlù 名 近道‖走～上学 近道して登校する
*【近年】jìnnián 名 近年. ここ数年‖～来 ここ数年来｜～少见 近年まれである
【近旁】jìnpáng 名 近辺. そば
*【近期】jìnqī 名 近い将来. 近日中‖～会不会发生大地震？ 近いうちに大地震は起きるだろうか
【近前】jìnqián 名 方 近く. そば
【近亲】jìnqīn 名 近い親戚. 近親
【近亲繁殖】jìnqīn fánzhí 名 ❶〈生〉近親交配 ❷喩 学問の世界で, 排他主義をとること ❸喩 (幹部の採用で) 縁故関係のある者ばかりを任用すること
【近情】jìnqíng 形 人情にかなう‖～近理 人情にも理屈にもかなっている
【近人】jìnrén 名 ❶近代または現代の人 ❷書 親しい人. 内輪の者
【近日】jìnrì 名 ❶近ごろ. このところ‖～常生病 近ごろよく病気をする ❷近日中‖～开业 近日開業
【近日点】jìnrìdiǎn 名〈天〉近日点(きんじつてん)
【近世】jìnshì 名 近代
*【近视】jìnshì 形 ❶近視である. 近眼である‖～镜 近眼鏡 ❷近視眼的である
【近水楼台】jìn shuǐ lóu tái 成〔近水楼台先得月〕の略. 水辺の楼台は月が真っ先に照らす. 位置や関係が近いと有利なこと
*【近似】jìnsì 動 似ている. 似通っている‖我们俩的脾气有点儿～ 私たち二人の気性はいくらか似通っている
【近似值】jìnsìzhí 名〈数〉近似値
【近体诗】jìntǐshī 名 近体詩(唐代に成立した律詩と絶句の通称)
【近因】jìnyīn 名 近因↔〔远因〕
【近影】jìnyǐng ＝〔近照jìnzhào〕
【近于】jìnyú 動 …に近い‖这种说法～荒谬 huāngmiù そのような話はほとんど荒唐無稽(こうとうむけい)だ
【近在咫尺】jìn zài zhǐ chǐ 成 ごく近いところにある
【近战】jìnzhàn〈軍〉動 接近戦をする 名 接近戦
【近照】jìnzhào 名 近影.〔近影〕ともいう
【近朱者赤, 近墨者黑】jìn zhū zhě chì, jìn mò zhě hēi 諺 朱に近づけば赤くなり, 墨に近づけば黒くなる. 朱に交われば赤くなる

7 **妗** jìn ❶方 おば(母の兄弟の妻) ❷妻の兄弟の嫁
【妗母】jìnmǔ 名 方 おば(母の兄弟の妻)
【妗子】jìnzi 名 口 ❶おば(母の兄弟の妻) ❷妻の兄弟の嫁‖大～ 妻の兄の嫁｜小～ 妻の弟の嫁

9 **荩**(藎) jìn 書 忠誠である‖～臣 忠臣

10* **浸** jìn ❶動 (液体に)つける. 浸す‖放在水里～一～ 水の中へ浸しておく ❷動 (液体が)しみる. しみ込む‖→～透｜衣服被雨～湿了 服が雨でびしょぬれになった
【浸沉】jìnchén 動 書 浸る. 耽溺(たんでき)する
【浸没】jìnmò 動 ❶水浸しになる ❷浸る. 耽る
【浸泡】jìnpào 動 水に浸す. 水につける
【浸染】jìnrǎn 動 ❶(多く悪習に)染まる‖～恶习 悪い習慣に染まる ❷(染料などに)染まる
【浸润】jìnrùn 動 ❶(液体が)だんだんとしみ込む. にじむ‖墨水在纸上慢慢～开了 インクは紙の上でゆっくりとにじんで広がった ❷〈医〉浸潤する‖肺～ 肺浸潤
【浸透】jìntòu 動 ❶しみ通る. 水浸しになる‖出了一身大汗, 把汗衫都～了 体中汗をかいて, シャツがびしょびしょになった ❷(感情や思想が)しみ込む. 浸透する‖这份调查报告的一字一句都～着他的心血 この調査報告の一字一句に彼の心血がしみ込んでいる
【浸种】jìn//zhǒng 動〈農〉種子を水に浸す. 浸種(しんしゅ)する
【浸渍】jìnzì 動 (液体に)つける. 浸す

10 **烬**(燼) jìn 書 燃えかす‖化为灰～ 灰燼(かいじん)に帰す｜余～ 余燼(よじん)

10 **晋**[1] (△晉) jìn (前または上へ)進む‖→～见

10 **晋**[2] (△晉) jìn ❶名 晋(しん). 周代の国名 ❷名 山西省の別称 ❸名 ①王朝名, 晋(西晋265～317年, 東晋317～420年) ②名 王朝名, 後晋(936～946年)
【晋级】jìn//jí 動 書 昇級する. 昇進する
【晋见】jìnjiàn 動 書 謁見する. 拝謁する
*【晋升】jìnshēng 動 (地位や級が)上がる. 昇進する‖～为局长 局長に昇進する

10 **赆**(贐) jìn 書 餞別(せんべつ)‖～仪 はなむけ. 餞別

13 **缙** jìn 書 ❶赤く染めた絹布 ❷挿す. 差し込む‖→～绅
【缙绅】jìnshēn 名 古 官吏または官位に就いたことのある人をさす.〔搢绅〕とも書く

13* **禁** jìn ❶動 禁じる. 禁止する‖严～烟火 火気厳禁 ❷禁制. 法律や習慣上禁止されていること‖犯～ 禁を犯す ❸宮中‖～中 宮中 ❹書 監獄‖～子 看守 ❺閉じ込める. 監禁する‖监～ 監禁する ➤ jīn
【禁闭】jìnbì 動 監禁する. 禁足する. (軍隊では) 営倉に入れる‖～两天 2日間監禁する
【禁地】jìndì 名 立ち入り禁止の場所
【禁毒】jìn//dú 動 麻薬の吸飲を禁止する
【禁赌】jìn//dǔ 動 賭博を禁じる
【禁飞区】jìnfēiqū 名 飛行禁止空域
【禁锢】jìngù 動 ❶束縛する. 封じ込める ❷監禁する. 閉じ込める ❸古 罰として官吏になる資格を奪う
【禁果】jìnguǒ 名 禁断の果実. 社会的に許されない行為
【禁忌】jìnjì 名 タブー 動〈中薬〉食用・服用を避ける. 禁忌する
【禁绝】jìnjué 動 徹底的に禁止する
【禁军】jìnjūn 名 古 禁衛軍. 近衛軍
【禁例】jìnlì 名 禁例. 禁止条例
【禁猎】jìnliè 動 狩猟を禁じる‖～区 禁猟区
【禁令】jìnlìng 名 禁令. 禁止令
【禁律】jìnlǜ 名 書 禁令
*【禁区】jìnqū 名 ❶立ち入り禁止地区‖军事～ 軍事上の立ち入り禁止地区 ❷喩 犯してはならない領域. タブー ❸禁猟区. 自然保護地区 ❹〈体〉(サッカーやバスケットボールなどの) ペナルティ・エリア ❺〈医〉体の中の手術や鍼灸(しんきゅう)をしてはならない部位
【禁赛】jìn//sài 動 試合出場停止処分にする‖因服用兴奋剂被～六个月 ドーピングで6ヵ月間の出場停止処分となった
【禁书】jìnshū 名 発禁本. 禁書
【禁烟】jìn//yān 動 ❶アヘンを禁じる ❷喫煙を禁じる

‖～区 禁煙区域
【禁渔】jìnyú 動 漁を禁じる‖～区 禁漁区
【禁欲】jìnyù 動 禁欲する‖过着～生活 禁欲的な生活をする
【禁运】jìnyùn 動 輸出入を禁止する
**【禁止】jìnzhǐ 動 禁止する‖～通行 通行を禁ず｜室内～摄影 屋内の撮影を禁ず
【禁制品】jìnzhìpǐn 名 禁制品
【禁阻】jìnzǔ 動 禁止する. 阻止する
13 靳 jìn 書 物惜しみする. 惜しむ
15 覲 jìn 旧 ❶(君主に)まみえる. 謁見する ❷(聖地を)参拝する
【覲见】jìnjiàn 動 書 (君主に)謁見する
16 噤 jìn ❶書 口をつぐむ. 口を閉ざす‖～声不语 口をつぐんで語ろうとしない ❷書 寒さに震える‖打寒～ 寒くて身震いする
【噤若寒蝉】jìn ruò hán chán 成 寒くなり鳴かなくなった蝉(せみ)のように黙り込む. 貝のように押し黙る

jīng

8 京[1] jīng ❶首都‖一～师 ❷名 北京の別称‖一～腔｜进～ 北京へ行く
8 京[2] jīng 数 旧 1000万の位
【京白】jīngbái 名 ❶〈劇〉京劇で使われる北京語の台詞(せりふ) ❷北京方言. 北京の話し言葉
【京菜】jīngcài 名 北京料理
【京都】jīngdū 名 書 都. 国都
【京二胡】jīng'èrhú 名〈音〉京劇の伴奏に用いられる胡弓(こきゅう)の一種.〔嗡子〕ともいう
【京官】jīngguān 名 旧 中央政府の役人
【京胡】jīnghú 名〈音〉胡弓の一種.〔二胡〕よりも形が小さく, 主に京劇の伴奏に用いられる
【京华】jīnghuá 名 書 都. 首都
**【京剧】jīngjù 名〈劇〉京劇
【京派】jīngpài 名 ❶〈劇〉(京劇の流派の一つ)北京派 ❷広く, 北京の特色をもつものをさす
【京腔】jīngqiāng 名 北京なまり. 北京方言
【京师】jīngshī 名 書 京師(けいし). 都
【京味】jīngwèi (～儿) 名 北京の地方色. 北京風
【京戏】jīngxì 名〈劇〉京劇‖听～ 京劇を見る
【京韵大鼓】jīngyùn dàgǔ 名 語り物芸能の〔大鼓〕の一種で, 北京を中心とした北方地域に流行した
【京族】Jīngzú 名 ❶キン族(中国の少数民族の一つ, 主として広西チワン族自治区に居住) ❷ベトナムの一民族
8 泾(涇) jīng 地名用字‖～县 安徽省にある県の名
【泾渭分明】Jīng Wèi fēn míng 成 澄んだ涇河(けいが)と濁った渭河(いが)は合流しても清濁の水が混じり合わない. 区別がはっきりしていること
8 茎(莖) jīng ❶名 植物の茎 ❷茎状のもの‖阴～ 陰茎｜刀～ 刀の柄 ❸量 細長いものを数える. 本‖数～小草 数本の草
8 ** 经(經) jīng ❶(織物の)縦糸 ↔〔纬〕‖一～线 ❷道理. 法則‖天～地义 不変の真理 ❸名 経典. 経書‖圣～ 聖書 ❹不変である. 常である. 正常である‖一～常 ❺月経‖闭～ 閉経 ❻経営する. 治める‖一～商 ❼動 経る. 通過する. 経験する‖～天津到北京 天津を経由して北京に着く｜～他这么一说, 我才明白过来了 彼のこの説明で私はやっと分かった ❽動 耐える. 持ちこたえる‖堤dī防～住了洪水的冲击 堤防は洪水の衝撃に耐えた ❾書 首をつる‖自～ 首つり自殺をする. ❿書 南北にのびる道路. (広く)道路. ⓫名〈中医〉経絡 ⓬〈地〉経度 ↔〔纬〕‖东～ 東経 ➤ jìng
【经办】jīngbàn 動 取り扱う
【经闭】jīngbì 動〈生理〉閉経する
【经不起】jīngbuqǐ 動 耐えきれない. こらえられない‖从小娇jiāo生惯养, ～风浪 小さいころから甘やかされて育ったので, 世間の荒波に耐えられない
【经不住】jīngbuzhù 動 耐えきれない‖这椅子可～你这么晃荡huàngdang この椅子は君がそんなふうに揺らすと壊れてしまう
【经部】jīngbù 名 経部(中国古代の図書分類の一つ, 経書の総称)
★【经常】jīngcháng 副 いつも. しょっちゅう. よく‖～散步对身体有好处 しょっちゅう散歩をすると体にいい｜这趟火车～晚点 この列車はよく遅れる 形 日常の. 平常の‖～开支 日常の支出

> **類義語** 经常 jīngcháng／总是 zǒngshì
>
> ◆〔经常〕動作・行為の頻度が高いことを表す. 頻繁に発生し,「絶え間なく. 途絶えずに」というニュアンスがある. しょっちゅう. いつも‖他经常去图书馆 彼はよく図書館に行く ◆〔总是〕動作・行為が恒常的であったり, 習慣的であったりすることを表す. 常に. いつも. 変わることなく‖他星期六晚上总是睡得很晚 彼は土曜の夜に決まって夜更かしする

【经得起】jīngdeqǐ 動 耐えきれる. 耐えられる‖～考验 試練に耐えられる
【经得住】jīngdezhù 動 耐えられる‖这种建筑～地震吗? このような建物で地震に耐えられますか
*【经典】jīngdiǎn 名 ❶経典. 古典. ❷〈宗〉教典. 経典 形 権威ある. 古典的な‖～著作 権威ある著作. 古典的名著
【经度】jīngdù 名〈地〉経度 ↔〔纬度〕
*【经费】jīngfèi 名 経費
【经管】jīngguǎn 動 取り扱う. 管理する
★【经过】jīngguò 動 ❶通る. 通過する. 経由する‖从上海坐火车到南京要～无锡 上海から汽車に乗って南京に行くには無錫(むしゃく)を経由しなければならない ❷(過程や手続きを)経る. 通す. (時間が)経過する‖～多次失败, 才取得成功 多くの失敗を経てやっと成功した｜工程从施工到完成整整～了十年 工事は着工から完成まできる10年かかった 名 経過. いきさつ‖陈述了事故发生的～ 事故発生の経緯を陳述した
【经籍】jīngjí 名 書 ❶経書. 経籍 ❷古 図書
【经纪】jīngjì 動 ❶経営する ❷書 切り盛りする. 切り回す 名 仲買人. ブローカー. 仲立ち人
【经纪人】jīngjìrén 名 仲買人. ブローカー
★【经济】jīngjì 名 ❶経済‖国民～ 国民経済 ❷生活費｜～拮据jiéjū 懐具合が苦しい 形 経済的である. むだがない. 安価である‖最～的办法是买月票 いちばん経済的なやり方は定期券を買うことだ
【经济法】jīngjìfǎ 名 経済法
【经济犯罪】jīngjì fànzuì 名 経済犯罪

【经济封锁】jīngjì fēngsuǒ 名 経済封鎖
【经济杠杆】jīngjì gànggǎn 名〈経〉(物価・税収・金利などの)経済のレバレッジ
【经济核算】jīngjì hésuàn 名 経済計算
【经济基础】jīngjì jīchǔ 名 経済基盤
【经济林】jīngjìlín 名 経済林
【经济实体】jīngjì shítǐ 名〈経〉経済主体.(工場・農場・商店・会社など)独立採算の事業単位
【经济适用房】jīngjì shìyòngfáng 名 中低所得層のために政府が低価格で分譲する住宅
【经济特区】jīngjì tèqū 名 経済特区. 外資や技術の導入のために特別に設けた産業・貿易地区.(深圳・珠海・汕頭・厦門・海南省の5地域に設置)
【经济体制】jīngjì tǐzhì 名 経済体制
【经济危机】jīngjì wēijī 名 経済危機. 恐慌.〔经济恐慌〕ともいう
【经济效益】jīngjì xiàoyì 名 経済効率
【经济学】jīngjìxué 名 経済学
【经济增长率】jīngjì zēngzhǎnglǜ 名〈経〉経済成長率
【经济制裁】jīngjì zhìcái 名 経済制裁
【经济制度】jīngjì zhìdù 名 経済制度
【经济作物】jīngjì zuòwù 名〈農〉経済作物. 工芸作物.〔技术作物〕ともいう
【经久】jīngjiǔ 形 長持ちする ‖ ～耐用 長持ちする 動 長い時間がたつ ‖ 掌声～不息 拍手が鳴りやまない
【经理】jīnglǐ 動 経営する ‖ ～百货商店 百貨店を経営する 名 **企業の部門責任者. 中小企業の経営者. 支配人 ‖ 饭馆～ レストランの支配人 | 部门～ 部門の責任者 | 总～ 総支配人
【经历】jīnglì 動 **経験する. 体験する. 味わう ‖ 他～了千辛万苦才取得今日的成功 彼はあらゆる辛酸をなめてやっと今日の成功を手に入れた 名 **経験. 体験. 経歴** ‖ 生活～ 生活体験
【经纶】jīnglún 名 書 経綸. 治国の方策
【经络】jīngluò 名〈中医〉経絡
【经脉】jīngmài 名〈中医〉経脈
【经贸】jīngmào 名 経済と貿易
【经年累月】jīng nián lěi yuè 成 幾多の年月を経る
【经期】jīngqī 名〈生理〉月経期
*【经商】jīng//shāng 動 商売をする
【经史子集】jīng shǐ zǐ jí 組 経史子集. 中国の伝統的な図書分類法. 経(経書)・史(歴史)・子(諸子類)・集(詩文集)の四部からなる
【经手】jīng//shǒu 動 手掛ける. 担当する ‖ 那件事是他～办理的 あの件は彼が直接処理したものだ
*【经受】jīngshòu 動 (試練などを)受ける. 耐え忍ぶ ‖ ～了考验 試練を経験した | ～打击 打撃を受ける
【经售】jīngshòu 動 取次販売する
【经书】jīngshū 名 経書. 経籍. 四書・五経の類
【经天纬地】jīng tiān wěi dì 成 天下を治められるほどのきわめて偉大な才能 ‖ ～之才 偉大な才能の人
【经痛】jīngtòng 動〈医〉生理痛がする ＝〔痛经〕
【经纬度】jīngwěidù 名〈地〉経度と緯度
【经纬仪】jīngwěiyí 名〈天〉経緯儀. セオドライト
【经线】jīngxiàn 名 ❶〈紡〉縦糸 ❷〈地〉経線. 子午線 *↔〔纬线〕
*【经销】jīngxiāo 動 取次販売する ‖ ～土特产品 特産品を販売する | 由特约店～ 特約店で販売する
【经心】jīngxīn 動 気を配る. 気にかける ‖ 漫不～ とんと気にかけない
【经学】jīngxué 名 経学
【经血】jīngxuè 名〈中医〉月経
★【经验】jīngyàn 動 経験する. 体験する ‖ 这种事我还从来没～过 私はこれまでこんな経験をしたことがない 名 **経験. 体験** ‖ ～丰富 経験が豊富である | ～不足 経験が足りない | 吸取xīqǔ～ 経験を取り入れる
【经验主义】jīngyàn zhǔyì 名〈哲〉経験主義
【经一事，长一智】jīng yī shì, zhǎng yī zhì 諺 一つの事を経験すればそれだけ知恵がつく
【经意】jīngyì 動 気を配る. 気にかける
*【经营】jīngyíng 動 ❶経営する. 運営する ‖ ～一家饭馆 レストランを経営する ❷工夫する. 苦心する ‖ 惨淡cǎndàn～ 事を進めるのにいろいろ苦心する
【经由】jīngyóu 介 経由して. …を経て ‖ ～天津回北京 天津を経由して北京に帰る
【经院哲学】jīngyuàn zhéxué 名〈哲〉スコラ学. スコラ哲学.〔烦琐哲学〕ともいう
【经传】jīngzhuàn 名 経伝. また広く, 重要な古代の書物

9 **荆** jīng ❶〈植〉イバラ ❷イバラの枝で作った荊杖 ‖ 负～请罪 自らいばらの刑杖を背負って謝罪を請う ❸書 謙 自分の妻の呼び方 ‖ ～妻 荊妻. 愚妻 ❹名 春秋時代の楚国の別称
【荆棘】jīngjí 名 ❶〈植〉イバラ ❷喩 いばらの道. 苦難 ‖ 前进的道路上布满～ 行く手は苦難に満ちている
【荆棘载途】jīng jí zài tú 成 イバラが道に生い茂る. 前途多難であるたとえ

11 * **惊(驚)** jīng ❶動 (ウマやラバなどが)驚いて暴れ回る ❷動 驚く. びっくりする ‖ 他～得目瞪口呆 彼は驚いてしばらくは声も出なかった ❸動 驚かす. 騒がす ‖ 一鸣～人 目立たない人が突然世間をあっと言わせることをする
【惊诧】jīngchà 形 書 驚き怪しむさま
【惊呆】jīngdāi 動 驚いて茫然となる
*【惊动】jīngdòng 動 驚かす. 騒がす. かき乱す ‖ 这消息～了全国 そのニュースは国中を驚かせた | 咱们几个就够了, 别～他 私たち数人で足りるから, 彼を煩わすのはやめよう
【惊愕】jīng'è 形 書 驚愕するさま. 驚いて茫然となるさま ‖ 他～地站在那里 彼は驚いてそこに立ちすくんだ
【惊弓之鸟】jīng gōng zhī niǎo 成 一度恐ろしい目に遭うとささいなことでもおびえること
【惊怪】jīngguài 動 驚き怪しむ. 不思議に思う
【惊骇】jīnghài 形 驚き恐れるさま
*【惊慌】jīnghuāng 形 驚き慌てるさま. うろたえるさま ‖ ～失措 慌てふためく | 何必～ 何もうろたえることはない
【惊惶】jīnghuáng 形 驚き慌てるさま. うろたえるさま ‖ ～不安 うろたえて気もそぞろになる
【惊魂】jīnghún 名 驚きで取り乱した気持ち ‖ ～未定 びっくりしてまだ気持ちがおさまらない
【惊叫】jīngjiào 動 驚いて叫ぶ
【惊厥】jīngjué 動 驚いて失神する. ショックで倒れる 名〈中医〉(小児の)ひきつけ. けいれん
【惊恐】jīngkǒng 形 驚き恐れるさま ‖ ～万状 ひどく驚き恐れる | ～失色 驚いて顔色が変わる
【惊雷】jīngléi 名 雷鳴
*【惊奇】jīngqí 形 不思議に思うさま. 変に思うさま ‖ 这

种事多了，用不着～ こういうことはよくあることだから，驚くには及ばない
【惊扰】jīngrǎo 動 驚いて大騒ぎする
*【惊人】jīngrén 形 驚異的である．めざましい ‖ 取得了～的成果 めざましい成果を収めた｜他的记忆力好得～ 彼の記憶力のよさには目を見張る
【惊世骇俗】jīng shì hài sú 成（言行が）世間の耳目を驚かす．世間をびっくりさせる．〔惊世震俗〕ともいう
【惊悚】jīngsǒng 形 恐怖で胸がどきどきする．ぞっとするような ‖ ～片 スリラー映画
【惊叹】jīngtàn 動 驚き感心する．驚嘆する
【惊叹号】jīngtànhào 名〈語〉感嘆符．〔！〕＝〔感叹号〕
【惊涛骇浪】jīng tāo hài làng 成 ❶たけり狂う荒波．逆波 ❷苦難の荒波．波瀾(はらん)の境遇．
【惊天动地】jīng tiān dòng dì 成 驚天動地．世の中を非常に驚かすこと
【惊喜】jīngxǐ 形 驚喜するさま ‖ 不想在这里碰见了老朋友，他～万分 ここで思いがけず旧友に会い，彼はひどく喜んだ
【惊吓】jīngxià 動 驚かす．おびえさせる ‖ 请勿～动物 動物を驚かさないでください
【惊险】jīngxiǎn 形 はらはらする．スリリングである ‖ ～场面 はらはらするシーン｜～小说 スリラー小説
【惊心动魄】jīng xīn dòng pò 成 心を揺さぶる．はらはらさせる．〔动魄惊心〕ともいう
【惊醒】jīngxǐng 動 びっくりして目を覚ます．驚かして目を覚まさせる ‖ 轻点儿，别把孩子～了 静かにして，子供を起こさないように
【惊醒】jīngxing 形 眠りが浅い．すぐ目を覚ます
*【惊讶】jīngyà 形 驚きあきれるさま．意外さに驚くさま ‖ 她的运算速度令人～ 彼女の計算の速さにはまったく驚かされる
【惊疑】jīngyí 形 驚きいぶかるさま
*【惊异】jīngyì 形 不思議さに驚くさま ‖ 脸上现出～的表情 顔に驚きの表情が現れる
【惊蛰】jīngzhé 名 啓蟄(けいちつ)（二十四節気の一つ，3月5～7日ごろに当たる）

11 **菁** jīng ↴
【菁华】jīnghuá 名 精華．精粋
【菁菁】jīngjīng 形 書 草木の生い茂るさま

11 **旌** jīng ❶古 先端に五色の羽飾りのついた旗 ❷（広く）旗をさす ‖ →～旗 ❸書 顕彰する
【旌旗】jīngqí 名 いろいろな旗 ‖ ～招展 いろいろな旗がはためく

12 **晶** jīng ❶明るい．きらきら光っている ❷水晶 ‖ 水～ 水晶 ❸結晶．クリスタル ‖ →～体
【晶亮】jīngliàng 形 きらきら輝いている
【晶体】jīngtǐ 名 結晶．結晶体．〔结晶〕〔结晶体〕ともいう ‖ ～玻璃bōli クリスタル・ガラス｜～二极管 クリスタル・ダイオード｜～结构 結晶構造
【晶体管】jīngtǐguǎn 名 トランジスター
【晶莹】jīngyíng 形 透き通って輝いている
【晶状体】jīngzhuàngtǐ 名〈生理〉水晶体

12 **腈** jīng 名〈化〉ニトリル

13 **睛** jīng 書 ひとみ ‖ 眼～ 目｜画龙点～ 画竜点睛(がりょうてんせい)

13 **粳**（△稉秔）jīng 名〈植〉ウルチ
【粳稻】jīngdào 名〈植〉ウルチ（イネの一種）
【粳米】jīngmǐ 名 うるち米

14 **兢** jīng ↴
*【兢兢业业】jīngjīngyèyè 形 勤勉でまじめである．こつこつと励むさま ‖ 他几十年如一日，～地工作着 彼は数十年一日のごとく，まじめにこつこつと働いている

14 * **精** jīng ❶書 選りすぐりの米 ❷精華．精髄．エッセンス ‖ 柠檬～ レモンエッセンス ❸精神．精根．精力 ‖ 聚jù～会神 精神を集中する ❹精液．精子 ‖ 受～ 受精する ❺妖怪(ようかい)．化け物 ‖ 妖～ 化け物 ❻精製された．純化された．選りすぐりの ‖ →～盐 ❼優れている．すばらしい ‖ →～美 ❽形 精通している．熟知している ‖ 他什么都学，但什么不～ 彼はなんでも習ったけれど，どれもこれも中途半端だ ❾方 とても．たいへん ‖ →～瘦 ❿きめ細かい．精密な ↔〔粗〕 ‖ →～密 ⓫形 細心で頭が切れる．賢い ‖ 别看他人小，办事还挺～ 彼は若いけれど仕事はよくできる
【精白】jīngbái 形 純白である．真っ白い
【精兵】jīngbīng 名 選りすぐりの兵．精兵
【精兵简政】jīng bīng jiǎn zhèng 成 人員を削減して精鋭化し，機構を簡素化すること
★【精彩】jīngcǎi 形 **精彩がある．優れている** ‖ 节目很～ プログラムはとてもすばらしい 名 書 精彩

> **類義語** 精彩 jīngcǎi 出色 chūsè
>
> ◆〔精彩〕文章・講演・演技などの出来映えが非常によい．さらに「優美である」意味も含む ‖ 她的平衡木真精彩 彼女の平均台の演技はほんとうにすばらしい ◆〔出色〕人の能力や行為が並外れてよい，突出していて非凡である ‖ 他们班数山田的英语最出色 彼らのクラスでは山田君が英語がいちばんよくできる

【精巢】jīngcháo 名〈生理〉❶精巣 ❷睾丸(こうがん)
【精诚】jīngchéng 書 形 誠実である
【精赤】jīngchì 動 裸になる
【精赤条条】jīngchìtiáotiáo（～的）慣 丸裸なさま
【精虫】jīngchóng 名〈生理〉精子．〔精子〕の俗称
【精粹】jīngcuì 名 精華．精粋．選り抜き 形（文章などが）よく練れている ‖ 他的评论可谓短小～ 彼の評論はまさに簡潔にしてむだがないと言える
*【精打细算】jīng dǎ xì suàn 成 綿密に計画する．細かく見積もる
【精当】jīngdàng 形（言論や文章などが）的確である．適切である
【精到】jīngdào 形 周到である ‖ 用心～ 用意周到である｜～的见解 周到な見方
【精雕细镂】jīng diāo xì lòu 成 入念に行うこと．注意深く念を入れて行う．〔精雕细刻〕ともいう
【精读】jīngdú 動 精読する
【精度】jīngdù 名 精度
【精干】jīnggàn 形 やり手である．有能である
【精耕细作】jīng gēng xì zuò 成 丹念に耕作する
【精工】jīnggōng 形 精巧である．丁寧である
【精怪】jīngguài 名 妖怪(ようかい)．物の怪．精霊
【精光】jīngguāng 形 ❶ぴかぴか光っている ❷少しも残らないさま ‖ 剩饭被他吃了个～ 残り御飯は彼がきれいに平らげた｜钱花得～ 金をすっかり使い果たした

【精悍】jīnghàn 形 ❶選り抜きである. 精鋭である ❷(文章の筆致が)練れていて鋭い

*【精华】jīnghuá 名 精華. 精髄 ‖ 取其～, 去其糟粕zāopò 精華を取り入れ, かすを捨てる

*【精简】jīngjiǎn 動 簡素化する. 簡略にする ‖ ～机构 機構を簡素化する | ～人员 人員を整理する

**【精力】jīnglì 名 精力. 気力 ‖ ～旺盛wàngshèng 気力が旺盛(おうせい)である | 他把全部～都放在了工作上 彼は全精力を仕事に注いだ

【精练】jīngliàn 形 (文章や話が)簡潔である

【精炼】jīngliàn 動 精錬する. 精製する 形 (文章や話が)簡潔である. むだがない

【精良】jīngliáng 形 優れている. 非常によい. 申し分ない ‖ 装备～ 装備が優れている

【精灵】jīngling 名 お化け. 妖怪 形 方 賢い ‖ 这个人真～ この人はほんとに頭がいい

*【精美】jīngměi 形 精美である. 精緻(せいち)で美しい ‖ ～的工艺品 精美な工芸品

*【精密】jīngmì 形 精密である. 精巧である ‖ ～仪器 精密な計器 | ～的计算 綿密な計算

【精密度】jīngmìdù 名〈機〉精密度. 精度

【精妙】jīngmiào 形 精妙である. 巧みである

【精明】jīngmíng 形 頭の回転が早い. 頭が切れる ‖ 能干 頭も切れるし仕事もできる

【精明强干】jīng míng qiáng gàn 成 頭脳明晰(めいせき)で実行力がある. 頭が切れて仕事ができる

【精囊】jīngnáng 名〈生理〉精嚢(せいのう)

【精疲力竭】jīng pí lì jié 成 精根尽き果てる. へとへとになる

【精辟】jīngpì 形 書 (理論や見解など)透徹している. 徹底している ‖ 分析fēnxī得～入理 分析は明晰で理にかなっている

【精品】jīngpǐn 名 良質な品物. 逸品

【精气】jīngqì 名 ❶書 精気. 元気 ❷〈中医〉精気

【精巧】jīngqiǎo 形 精巧である. 巧みである ‖ 这花绣xiù得很～ この花はとても精緻に刺繍してある

*【精确】jīngquè 形 精確である. 綿密である ‖ 计算～ 計算が綿密である | ～的统计 精確な統計

【精肉】jīngròu 名 方 (主に豚肉の)赤身

【精锐】jīngruì 形 (軍隊が)精鋭である ‖ ～部队 精鋭部隊

【精深】jīngshēn 形 (学問や理論に)精通している. 深く理解している

★【精神】jīngshén 名 ❶精神. 心 ‖ ～状态 精神状態 | ～食粮 心の糧 | 你别～负担太重 あまり深く悩まないで ❷真意. 主旨 ‖ 要深刻领会文件～ 文書の真意をきちんと理解しなければならない

*【精神】jīngshen 形 はつらつとしている. 生き生きしている. 元気である ‖ 他虽年近八十, 却很～ あの人は八十近いというのに, 元気そのものだ 名 元気. 活力 ‖ ～焕发huànfā 元気はつらつとしている | 要振作起～来 元気を出しなさい

【精神病】jīngshénbìng 名〈医〉精神病

【精神分裂症】jīngshén fēnlièzhèng 名〈医〉精神分裂症

【精神控制】jīngshén kòngzhì 組 マインドコントロール

【精神赔偿】jīngshén péicháng 名 精神的苦痛に対する損害賠償. 慰謝料 ‖ 提出～要求 慰謝料を請求する

【精神损耗】jīngshén sǔnhào 名〈経〉無形の損耗. 技術の進歩により機械などの価値が減少すること

【精神头ㄦ】jīngshentóur 名 方 元気になること ‖ 他玩ㄦ起扑克pūkè来, ～可大了 彼はポーカーをはじめると, とたんに元気になる

【精神文明】jīngshén wénmíng 名 精神文明

【精神污染】jīngshén wūrǎn 名 精神汚染. 外国の好ましくない思想や風俗に染まること

【精审】jīngshěn 形 書 (文章・計画などが)綿密で周到である

【精湿】jīngshī 形 ひどくぬれている

【精瘦】jīngshòu 形 痩せこけている

【精算】jīngsuàn 動 数理計算をする. 保険数理に基づき, 保険料率や責任準備金を算出すること

【精算师】jīngsuànshī 名 アクチュアリー. 保険数理士

【精髓】jīngsuǐ 名 精髄. 真髄

*【精通】jīngtōng 動 精通する ‖ 他对业务很～ 彼は業務に精通している

【精微】jīngwēi 形 深く緻密である 名 精微

【精卫填海】jīngwèi tián hǎi 成 精衛, 海を填(う)む. 深い恨みを晴らすために努力すること. 大きな困難にひるまず頑張り抜くこと

*【精细】jīngxì 形 ❶細心である. 綿密である ‖ 考虑问题～ 考えが綿密である ❷(細工などが)精緻(せいち)である. 精巧である ‖ 做工～ 細工が細かい

*【精心】jīngxīn 形 入念である. 丹念である ‖ ～培育幼苗 丹精込めて苗を栽培する

【精选】jīngxuǎn 動 精選する

【精盐】jīngyán 名 精製塩

【精液】jīngyè 名〈生理〉精液

*【精益求精】jīng yì qiú jīng 成 さらに倦(う)まずたゆまず向上する ‖ 对医术～ 医学に研鑽(けんさん)を積む

【精英】jīngyīng 名 ❶精華. 逸品 ❷優れた人. 精鋭. エリート ‖ 体育～ スポーツの精鋭

【精于】jīngyú 動 詳しい. 精通している

【精湛】jīngzhàn 形 書 深く理解している. 熟達して完璧である ‖ 技艺～ テクニックが高度である

【精制】jīngzhì 動 精製する

*【精致】jīngzhì 形 精緻である. 精巧である. 緻密(ちみつ)である ‖ 绣xiù得很～ 刺繍のできばえが緻密である

【精忠】jīngzhōng 形 (国家や民族に)忠実である

【精装】jīngzhuāng 形 ❶上製の ↔〔平装〕‖ ～本 上製本 ❷上等な包装の ↔〔简装〕

【精壮】jīngzhuàng 形 壮健である. 丈夫である

【精准农业】jīngzhǔn nóngyè 名 精密農業. 精密農法.〔精确农业〕ともいう

【精子】jīngzǐ 名〈生理〉精子. 精虫

【精子库】jīngzǐkù 名〈医〉精子バンク

16 **鲸** jīng 名〈動〉クジラ

【鲸鲨】jīngshā 名〈魚〉ジンベイザメ

【鲸吞】jīngtūn 動 書 奪う. 併呑(へいどん)する

【鲸鱼】jīngyú 名 口〈動〉クジラ

jǐng

4 ** **井**[1] jǐng ❶名 井戸 ‖ 打一眼～ 井戸を一つ掘る ❷井戸状のもの ‖ 煤～ 炭坑 ❸人の集まり住む所. 人里 ‖ 市～ 市井 ❹名 (二十八宿の一つ)ちちりぼし, 井宿(せいしゅく)

4 井[2] jǐng 整然としている. 整っている ‖ ～～有条
【井底之蛙】jǐng dǐ zhī wā 成 井の中の蛙(かわず)
【井架】jǐngjià 图〈機〉巻き揚げやぐら
【井井有条】jǐng jǐng yǒu tiáo 成 秩序立っている. 整然としている. きちんとしている
【井然】jǐngrán 形 書 整然としている
【井水不犯河水】jǐngshuǐ bù fàn héshuǐ 諺 井戸水は河水を犯さず. 互いの縄張りを明らかにし, 他を荒らさない
【井台】jǐngtái (～儿) 图 井戸端
【井田制】jǐngtiánzhì 图〈史〉井田法
【井筒】jǐngtǒng 图 ❶井戸の筒状の壁, またはその空間 ❷坑道
【井盐】jǐngyán 图 塩分を多量に含む地下水から製造した塩
6 阱(△穽) jǐng (獣を捕らえるための)落とし穴 ‖ 陷～ 落とし穴. 陥穽(かんせい)
7 刭(剄) jǐng 書 刀で首を切る ‖ 自～ 首を切って自刃する
8 肼 jǐng 图 外〈化〉ヒドラジン
11 颈(頸) jǐng ❶首 ‖ 长～鹿 キリン ❷形が首に似ているもの, または首に相当する部分 ‖ 瓶～ 瓶の首 ➤ gěng
【颈项】jǐngxiàng 图 首
【颈椎】jǐngzhuī 图〈生理〉頸椎(けいつい)
12 *景[1] jǐng ❶状況. 様子 ‖ 背～ 背景 ❷图 (～儿)風景. 景色 ‖ 这儿的～不错 ここは景色がいい ❸(映画や演劇の)背景. セット ‖ 外～ 屋外のセット ❹图〈劇〉景(けい) ‖ 第一幕第一～ 第一幕第一景
12 景[2] jǐng 尊敬する. 敬い慕う ‖ ～仰
【景点】jǐngdiǎn 图 観光地. 観光スポット
【景观】jǐngguān 图 景観. 眺め
【景况】jǐngkuàng 图 状況. 身の上. 境遇 ‖ 他的～很悲惨 彼の境遇はとても悲惨だ
【景慕】jǐngmù 動 書 敬慕する
【景颇族】Jǐngpōzú 图 チンポー族(中国の少数民族の一つ, 主として雲南省に居住)
【景气】jǐngqì 形 景気がいい ‖ 最近很不～ 最近はとても不景気だ 图 景気 ‖ ～回升 景気が回復する
【景区】jǐngqū 图 観光地
*【景色】jǐngsè 图 景色. 風景 ‖ ～宜人 yírén 景色がすばらしい
【景深】jǐngshēn 图 (写真の)被写界深度
【景泰蓝】jǐngtàilán 图 中国の伝統的美術工芸品で, 七宝焼の一種
*【景物】jǐngwù 图 書 景物. 風物
*【景象】jǐngxiàng 图 光景. 情景. 様子 ‖ 田野上一片丰收的～ 見渡すかぎり豊作の情景を呈している
【景仰】jǐngyǎng 動 景仰する
【景致】jǐngzhì 图 風景. 景色. 風光
14 儆 jǐng 戒める ‖ 以～效尤 yóu もって悪事をまねる者を戒める
15 憬 jǐng 書 悟る
19 警 jǐng ❶警告する. 注意を促す ‖ ～告 ❷警戒する. 用心する ‖ ～戒 ❸(危険や変化に)敏感である. 鋭敏である ‖ 机～ 機敏である ❹警察. 警官 ‖ 武～ 武装警察 ❺危急な状況や事態 ‖ 火～ 火災警報
【警报】jǐngbào 图 警報 ‖ 台风～ 台風警報
【警备】jǐngbèi 動 警備する
**【警察】jǐngchá 图 警察. 警官. 巡査 ‖ 交通～ 交通警察 | 刑事～ 刑事
【警车】jǐngchē 图 パトカー
【警笛】jǐngdí (～儿) 图 ❶警官が用いる呼び子 ❷警笛. サイレン ‖ 拉响～ 警笛を鳴らす
【警方】jǐngfāng 图 警察. 警察当局
【警匪片】jǐngfěipiàn 图 口 刑事ものの映画やドラマ. 〔警匪片儿〕ともいう
【警服】jǐngfú 图 警察の制服
*【警告】jǐnggào 動 警告する. 注意を促す ‖ 发出～ 警告を与える 图 (行政処分の一つ)警告. 戒告
【警官】jǐngguān 图 警官
【警棍】jǐnggùn 图 ❶警棒 ❷旧 警察の手先
【警号】jǐnghào 图 警戒信号
【警花】jǐnghuā 图 若い女性警官をいう
【警徽】jǐnghuī 图 警察の徽章
*【警戒】jǐngjiè 動 ❶戒める. 〔警诫〕とも書く ❷警戒する. 用心する ‖ ～线 警戒線 | 加强～ 警戒を強める | 不可放松～ 警戒を緩めてはいけない
【警戒色】jǐngjièsè 图〈生〉警告色. 警戒色
【警句】jǐngjù 图 警句
【警觉】jǐngjué 動 (危険を)敏感に察知する. 機敏に反応する 图 警戒心 ‖ 提高～ 警戒心を高める
【警犬】jǐngquǎn 图 警察犬
【警嫂】jǐngsǎo 图 警察官の妻に対する尊称
【警世】jǐngshì 動 世に警告を発する ‖ ～之作 警世の書
*【警惕】jǐngtì 動 警戒する ‖ 时刻～敌人的进犯 常に敵の侵犯を警戒する 图 警戒心 ‖ 提高～ 警戒心を高める
*【警卫】jǐngwèi 動 警護する 图 護衛
【警醒】jǐngxǐng 動 覚醒(かくせい)する. 悟る. 悟らせる. 気付かせる 形 眠りが浅い
【警钟】jǐngzhōng 图 警鐘 ‖ 敲～ 警鐘を鳴らす

jìng

7 劲(勁) jìng 力強い ‖ 强～ 力強い. 強力である ➤ jìn
【劲拔】jìngbá 形 書 力強くぬきんでている. 勢いがよい
【劲敌】jìngdí 图 強敵. 強い相手
【劲风】jìngfēng 图 強風
【劲歌】jìnggē 图 強烈なビートのポップソング
【劲旅】jìnglǚ 图 書 ❶精鋭部隊 ❷喩 強豪チーム
【劲射】jìngshè 動〈体〉(サッカーなどで)力強くシュートする ‖ ～破门 力強くシュートを決める
【劲舞】jìngwǔ 图 ビートの利いた激しいダンス
8 *净[1](△淨) jìng ❶形 清潔である. きれいである ‖ 都洗～了 全部きれいに洗った ❷動 (ふいたり洗ったりして)清潔にする. きれいにする ‖ 菜已经～过了 野菜はもう洗った ❸〈仏〉迷いを断ち切り心身を清らかにする ❹形 動詞の後に置き, 少しも残らないことを表す ‖ 钱花～了 金は使い果たした ❺純粋な. 正味の ‖ ～重 ❻副 ①ただ. わずかに ‖ 好的都挑完了, ～剩下些次的 よいものはすべてえり分け, 残っ

たものは粗悪品だけだ ②全部．すべて‖他家里～是书 彼の家は本だらけだ ③いつも．しょっちゅう‖这几天～下雨 ここ数日雨ばかり降っている

8 **净²**（△凈）**jìng** 名〈劇〉（伝統劇の）敵役（かたき）．ふつう〔花脸〕という

【净菜】jìngcài 名 清浄野菜．加工済みのパック野菜 ↔〔毛菜〕
【净产值】jìngchǎnzhí 名〈経〉純生産額
*【净化】jìnghuà 動 浄化する‖～社会风气 社会の気風を浄化する｜～心灵 魂を清める
【净价】jìngjià 名〈経〉正味価格
【净尽】jìngjìn 形 少しも残っていない．すっかりない‖把老鼠消灭～ ネズミを全滅させる
【净角】jìngjué 名〈劇〉（伝統劇の）敵役
【净利】jìnglì 名〈経〉純益 ↔〔毛利〕
【净手】jìng∥shǒu 動 ❶方 手を洗う ❷古 婉 便所へ行く．用便をする
【净水】jìngshuǐ 動 浄水する‖～厂 浄水場
【净土】jìngtǔ 名 ❶〈仏〉浄土 ❷汚れていないところ
【净余】jìngyú 動（経費などを差し引いて）残りは…である
【净值】jìngzhí 名〈経〉純価値
【净重】jìngzhòng 名 正味重量．ネット ↔〔毛重〕

8 **径**（徑 △逕❶❸❹）**jìng** ❶小道．狭い道‖小～ 小道 ❷名 略 直径．〔直径〕の略‖半～ 半径 ❸方法．てだて‖门～ こつ．秘訣 ❹副 まっすぐに．直接に‖～回北京 まっすぐ北京に帰る

【径流】jìngliú 名〈地〉地表を流れる雨水
【径情直遂】jìng qíng zhí suì 成 望んでいたとおりに成功を収める
【径赛】jìngsài 名〈体〉トラック競技
【径庭】jìngtíng 形 大きな隔たりのあるさま‖大相～ 大きな隔たりがある．差が甚だしい
【径直】jìngzhí 副 ❶まっすぐに．直接‖963次班机是～飞往北京的 963便の飛行機は北京への直行便である ❷ひたすら．かまわず‖有话～说 話があるならかまわず言いなさい
【径自】jìngzì 副 勝手に．断りなしに‖他没等报告结束就～离去了 彼は報告が終わらぬうちに勝手に出ていった

8 **弪**（弳）**jìng** 名〈数〉ラジアン．弧度 ＝〔弧度〕

8 **经**（經）**jìng** 〈紡〉（布を織る前に）糸をよく梳（す）く‖～纱 同前 ➤ jīng

9 **胫**（脛 △踁）**jìng** 名〈生理〉すね．はぎ

【胫骨】jìnggǔ 名〈生理〉脛骨（けいこつ）

10 **竞**（競）**jìng** ❶競う．争う．競争する‖→～赛 ❷競って．争って‖→～相

【竞标】jìng∥biāo 動 入札して競り合う
【竞猜】jìngcāi 動 クイズに答える‖有奖～ 賞品つきクイズ
【竞答】jìngdá 動（クイズ番組などで）競って解答する‖法制知识～ 法律知識クイズ
【竞渡】jìngdù 動 ❶ボートレースをする ❷競泳する
【竞岗】jìnggǎng 動 ポストを競う．人事考課や選抜試験により役職を獲得する‖～制度 選抜昇進制度
【竞技】jìngjì 動〈体〉競技する‖～场 競技場
【竞技体操】jìngjì tǐcāo 名〈体〉体操競技
【竞技状态】jìngjì zhuàngtài 名〈体〉（選手の）試合中のコンディション
【竞价】jìngjià 動 競売する．競りにかける．入札する
【竞买】jìngmǎi 動 競り落とす．競りで買う
【竞卖】jìngmài 動 競りで売る．競りに出す
【竞赛】jìngsài 動 **競争する‖小组之间开展～ グループの間で競争を繰り広げる
【竞相】jìngxiāng 副 競って．争って‖～逃命 我がちに逃げ出す
【竞销】jìngxiāo 動 販売競争をする
*【竞选】jìngxuǎn 動（候補者が）選挙運動をする‖参加～ 選挙に立候補する｜～演说 選挙演説
*【竞争】jìngzhēng 動 競争する．競り合う‖互相～ 互いに競争する｜～激烈 競争が激しい
【竞走】jìngzǒu 名〈体〉競歩

10 **痉**（痙）**jìng** ↴

【痉挛】jìngluán 名〈医〉痙攣（けいれん）

11 **婧** **jìng** 古 ❶（女性が）きゃしゃである ❷才女である

11 **竟¹** **jìng** ❶書 終わる．完了する‖未～之业 まだ成し遂げられていない事業 ❷書 最後に．ついに‖有志者事～成 精神一到何事か成らざらん ❸始めから終わりまで‖～夜 一晩中 ❹徹底的に追究する‖穷qióng原～委 物事の委細を深く追究する

11 * **竟²** **jìng** 副 意外にも．驚いたことに‖没想到他～如此无理 彼がこれほど理不尽だとは思わなかった

【竟敢】jìnggǎn 動 大胆にも…する．よくも…する‖～打人 よくも人を殴ったりするものだ
*【竟然】jìngrán 副 意外にも．あろうことか‖真没想到，他～说出这种话来 彼がこんなことを言い出すなんて，思ってもいなかった
【竟日】jìngrì 副 書 終日．一日中
【竟至】jìngzhì 動 思いがけず…となる．つい…してしまう‖他太困了，～在上课时睡着了 彼はあまりに眠くて，つい授業中に眠ってしまった
【竟自】jìngzì 副 思わず．つい‖听了这话，她～哭了起来 その話を聞いて，彼女は思わず泣き出してしまった

12 **靓** **jìng** 書 ❶装う．化粧する ❷装いがあでやかなさま‖→～妆 ➤ liàng

【靓妆】jìngzhuāng 名 書 美しい装い

12 * **敬** **jìng** ❶専心する．励む‖→～业 ❷敬 礼儀正しい．うやうやしい‖→～候 ❸敬う．尊敬する‖→～佩 ❹動（酒や料理などを）勧める．献上する‖～您一杯 一献差し上げます

【敬爱】jìng'ài 動 **敬愛する‖学生们都非常～老校长 生徒たちはみな，校長先生をたいへん敬愛している
【敬称】jìngchēng 動 敬意をこめて呼ぶ 名 敬称
【敬辞】jìngcí 名〈語〉敬語
*【敬而远之】jìng ér yuǎn zhī 成 敬して遠ざける．敬遠する
【敬奉】jìngfèng 動 ❶書 謹んで献上する ❷うやうやしく祭る‖～神佛 神仏をうやうやしく祭る
【敬服】jìngfú 動 書 敬服する
【敬告】jìnggào 動 敬 申し上げる‖～读者 読者にお知らせします
【敬贺】jìnghè 動 敬 敬賀する
【敬候】jìnghòu 動 敬 ❶お待ちする‖～光临 おいでをお待ちしております ❷ご機嫌をお伺いする

J

*【敬酒】jìng//jiǔ 動 酒を勧める. 献杯する
【敬酒不吃吃罚酒】jìngjiǔ bù chī chī fájiǔ 慣 親切に勧められたときは断るが, 無理に押しつけられたときは受け入れること
【敬老院】jìnglǎoyuàn 名 老人ホーム. 養老院 =〔养老院〕
**【敬礼】jìng//lǐ 動 敬礼する. おじぎをする ‖ 向老师～ 先生に礼をする 名(jìnglǐ) 敬 敬具(手紙の結び) ‖ 此致～! 敬具
【敬慕】jìngmù 動 敬慕する. 慕う
【敬佩】jìngpèi 動 敬服する
【敬畏】jìngwèi 動 畏敬(いけい)する
【敬献】jìngxiàn 動 謹んで献上する
【敬谢不敏】jìng xiè bù mǐn 成 その任に堪えないので謝絶する. 謹んでお断りする
【敬仰】jìngyǎng 動 敬慕する. 崇敬する
【敬业】jìngyè 動 仕事や学業にまじめに励む ‖ ～精神 勤勉な精神
【敬意】jìngyì 名 敬意 ‖ 表示～ 敬意を表する
【敬赠】jìngzèng 動 書 謹んで贈る(贈り物などに記載する)
【敬重】jìngzhòng 動 尊敬する. 重んじる
【敬祝】jìngzhù 動 翰 (手紙の末尾などで)謹んで祈る ‖ ～健康 謹んでご健康をお祈りいたします

13 **靖** jìng ❶太平である. 平穏である ‖ 宁～ 社会が安定している ❷秩序を安定させる. 平定する ‖ ～乱 乱を平らげる | 绥suí～ 鎮撫(ちんぶ)する

14 **境** jìng ❶境. 境界 ‖ 边～ 国境 ❷ところ. 区域 ‖ 止～ 果て. 行き止まり ❸境遇. おかれている状況 ‖ 处～ 境遇
*【境地】jìngdì 名 ❶境地. 状態 ‖ 他陷入了左右为难的～ 彼はにっちもさっちも行かない境地に陥った ❷(到達した)境地
*【境界】jìngjiè 名 ❶(土地の)境界 ‖ ～线 境界線 ❷(到達した)境地. 域 ‖ 理想的～ 理想の境地
【境况】jìngkuàng 名 (主として経済的)境遇. 暮らし向き ‖ ～不太好 暮らし向きはあまりよくない
【境内】jìngnèi 名 境界内. 国内
【境外】jìngwài 名 境界外. 国外
【境域】jìngyù 名 ❶領域. 境界内の地 ❷境地
【境遇】jìngyù 名 境遇. 身の上

14 **獍** jìng トラやヒョウに似た伝説上の凶暴な獣

14
** **静** jìng ❶形 静止している. 静まっている ↔〔动〕‖ 这孩子整天动个不停, 就没有个～下来的时候 この子は一日中動き回っていて, じっとしているときがない ❷形 落ち着いている. 穏やかである ‖ 心里～不下来 気持ちが落ち着かない ❸形 静かである ‖ 夜深人～ 夜が更けて人々は寝静まっている ❹動 心を静める. 落ち着かせる ‖ ～下心来 心を静める
【静场】jìng//chǎng 動 (映画館や劇場, スケート場やプールなどで)入場者を退出させる
【静电】jìngdiàn 名〈電〉静電気
【静观】jìngguān 動 静観する ‖ ～局势变化 情勢の変化を静観する
【静候】jìnghòu 動 翰 静かに待つ ‖ ～佳音 よい知らせをお待ちしております
【静脉】jìngmài 名〈生理〉静脈(じょうみゃく)
【静脉曲张】jìngmài qūzhāng 名〈医〉静脈瘤(じょうみゃくりゅう)
【静谧】jìngmì 形 書 静謐(せいひつ)である
【静默】jìngmò 形 静まりかえっている. 物音ひとつしない 動 黙禱(もくとう)する ‖ ～致哀 黙禱をささげる
【静穆】jìngmù 形 書 静粛である. 厳かである ‖ 神情～ 表情が厳かだ | ～的气氛 静粛な雰囲気
*【静悄悄】jìngqiāoqiāo (～的) 形 ひっそりとしている. 静まりかえっている ‖ 教室里～的 教室の中はひっそりとしている | 他～地走了出去 彼はそっと出て行った
【静态】jìngtài 名〈物〉静的. スタティック ‖ ～电路 スタティック回路 形 静態の. 静止状態でとらえた
【静物】jìngwù 名〈美〉静物 ‖ ～画 静物画
【静心】jìng//xīn 動 心を静める. 気持ちを平静にする ‖ ～写作 心静かに書き物をする
【静养】jìngyǎng 動 静養する
【静园】jìng//yuán 動 (公園で閉園時間に)入園者を外に出す
【静止】jìngzhǐ 動 静止する ‖ ～状态 静止状態
【静坐】jìngzuò 動 ❶静座する ❷(要求や抗議のために)座り込む ‖ ～示威 座り込みをする

16 **镜** jìng ❶鏡 ‖ 一～子 ❷レンズ ‖ 透～ レンズ | 眼～ 眼鏡

> **逆引き単語帳** 〔透镜〕tòujìng レンズ 〔望远镜〕wàngyuǎnjìng 望遠鏡 〔显微镜〕xiǎnwēijìng 顕微鏡 〔放大镜〕fàngdàjìng 虫眼鏡 〔反光镜〕fǎnguāngjìng 反射鏡 〔聚光镜〕jùguāngjìng 集光レンズ 〔眼镜〕yǎnjìng 眼鏡 〔花镜〕huājìng 老眼鏡 〔墨镜〕mòjìng 〔太阳镜〕tàiyángjìng サングラス 〔风镜〕fēngjìng ゴーグル 〔隐形眼镜〕yǐnxíng yǎnjìng コンタクトレンズ 〔胃镜〕wèijìng 胃鏡. 胃カメラ 〔喉镜〕hóujìng 喉頭鏡(こうとうきょう) 〔棱镜〕léngjìng プリズム 〔哈哈镜〕hāhājìng(遊園地などにある)形がゆがんで映る鏡

【镜花水月】jìng huā shuǐ yuè 成 鏡の中の花, 水中の月. 絵空事. 幻想. つかみどころのない事柄
【镜框】jìngkuàng (～儿) 名 ガラスの入った額縁
【镜片】jìngpiàn (～儿) 名 (カメラやメガネなどの)レンズ
【镜台】jìngtái 名 鏡台
*【镜头】jìngtóu 名 ❶(カメラなどの)レンズ ‖ 望远～ 望遠レンズ ❷(映画の)シーン. 場面 ‖ 特技～ 特撮シーン | 特写～ クローズアップ | 这个～拍得很成功 このカットはよく撮れている ❸(写真の)ショット
【镜像】jìngxiàng 名〈計〉ミラー ‖ ～站点 ミラー・サイト
**【镜子】jìngzi 名 ❶鏡 ‖ 照～ 鏡を見る ❷口 眼鏡 ‖ 摘zhāi下～ 眼鏡をはずす

jiōng

9 **扃** jiōng 書 ❶外から門を閉めるのに使うかんぬき ❷門. 門扉 ❸門を閉じる

jiǒng

8 **迥**(△逈) jiǒng はるかに異なる ‖ ～非昔xī比 昔とは比べものにならない
【迥别】jiǒngbié 形 書 全然異なっている
【迥然】jiǒngrán 形 書 はるかにかけ離れているさま ‖ 两地气候～不同 両地の気候はまるきり違う

【迥异】jiǒngyì 形 書 まるで異なっている

8 **炅** jiǒng 固 明るい ➤ guì

9 **炯**(△烱) jiǒng 光り輝いているさま

【炯炯】jiǒngjiǒng 形 書 鋭く光っているさま. 炯々(けいけい)としている ‖ 目光～ 眼光が鋭い

12 **窘** jiǒng ❶動 書 苦境に陥る ‖ ～于饥寒jīhán 飢えと寒さに苦しむ ❷形 (経済的に)困窮している ‖ 日子很～ 生活が非常に苦しい ❸形 困惑している. ばつが悪い ‖ 答不上来, 一时很～ 返事ができず, 一瞬窮してしまった ❹動 困らせる ‖ 这个问题把他给～住了 この問題に彼はすっかり困りきってしまった

【窘促】jiǒngcù 形 書 ❶(経済的に)窮迫している ❷(立場が)苦しい

【窘境】jiǒngjìng 名 窮境. 窮地

【窘况】jiǒngkuàng 名 窮境. 窮状. 苦しい境遇

【窘迫】jiǒngpò 形 ❶(経済的に)困窮している. 窮迫している ❷(立場が)苦しい. 追い詰められている

【窘态】jiǒngtài 名 困り果てた様子. 困惑した表情

jiū

5 **纠**[1](△糺) jiū ❶書 より合わせた縄 ❷貶 集める ❸まとわりつく. 絡みつく

5 **纠**[2](△糺) jiū ❶正す. 是正する ‖ 一～偏 ❷監察する ‖ 一～察

【纠察】jiūchá 動 秩序を維持する. 取り締まる ‖ ～队 ピケ隊 名 監視員

【纠缠】jiūchán 動 ❶絡みつく. もつれる ❷じゃまする. 面倒をかける

【纠错】jiū//cuò 動 ❶過ちを正す. 間違いを修正する ❷〈計〉バグを取る. デバッグする

*【纠纷】jiūfēn 名 紛争. もめごと ‖ 引起～ 紛争を引き起こす | 家庭～ 家庭内のいざこざ

【纠葛】jiūgé 名 いざこざ. もめごと. 悶着(もんちゃく)

【纠合】jiūhé 動 糾合する. 呼び集める. かき集める. (多くけなす意味に用いる)〔鸠合〕とも書く

【纠集】jiūjí 動 貶 呼び集める. かき集める. 〔鸠集〕とも書く

【纠结】jiūjié 動 絡み合う. もつれる

【纠偏】jiū//piān 動 書 偏向を正す. 行き過ぎを正す

【纠正】jiūzhèng 動 **改める. 正す. 直す ‖ 对不良习惯要及时～ 悪い習慣は直ちに直さなければならない

7 **究** jiū ❶深く究める. 研究する ‖ 深～ 探究する ❷追跡調査する. 追及する ‖ 追～ 追及する ❸副 書 いったい. 詰まるところ ‖ 事故责任～应谁负? 事故の責任はいったい誰が負うべきなのか

【究办】jiūbàn 動 取り調べて処罰する

【究根儿】jiū//gēnr 動 口 根源を探る ‖ 他这人遇事总爱～ 彼は事あるごとにいつも徹底的に追究する

【究诘】jiūjié 動 書 問い詰める

【究竟】jiūjìng 名 結果. 結末 副 ❶(疑問文に用いて)いったい. 詰まるところ. 結局** ‖ ～哪个办法好呢? いったいどの方法がよいのか | 你～去不去? 結局, 君は行くのか行かないのか ❷**やはり. しょせん. さすがに** ‖ 孩子～是孩子 子供はしょせん子供だ

【究问】jiūwèn 動 厳しく問いただす. 詰問する

7 **鸠**[1] jiū 〈鳥〉ハト類の総称 ‖ 鹊巢quècháo～占 カササギの巣にハトが住む. 他人の住居を占拠する

7 **鸠**[2] jiū 集まる. 集合する

【鸠合】jiūhé =〔纠合jiūhé〕

【鸠集】jiūjí =〔纠集jiūjí〕

9 **赳** jiū ↴

【赳赳】jiūjiū 形 勇ましい. 雄々しい

10 **阄**(鬮) jiū 名(～儿)くじ ‖ 抓～儿 くじを引く

12 * **揪**(△揫) jiū 動 しっかり握る. 強くつかむ. つかんで引っ張る ‖ ～住绳子手 ロープをしっかり握 | 被人家～住尾巴wěiba了 人にしっぽを握られた. 人に弱点を握られてしまった

【揪辫子】jiū biànzi 慣 (人の)弱点を握る. 弱みにつけ込む. 〔抓辫子〕ともいう

【揪痧】jiū//shā 動〈中医〉手の指で治療部位の皮膚を皮下出血するまでつまみ, 患部の炎症を軽くする

【揪心】jiū//xīn 形 落ち着かない. 心配である

12 **啾** jiū ↴

【啾唧】jiūjī 擬 (小鳥や虫などの鳴く声)チッチッ. チュンチュン

【啾啾】jiūjiū 擬 ❶(小鳥や虫などが一斉に鳴く声)チッチッ. チュンチュン ❷甲高い叫び声

19 **鬏** jiū 名(～儿)髷(まげ) ‖ 绾wǎn～儿 髷を結う

jiǔ

2 ★ **九** jiǔ ❶数 9. 九つ ❷数が多いことを表す ‖ 一～死一生 ❸冬至の日から起算して81日間. 1年のうち寒い季節 ‖ 数shǔ～ 冬至の日から9日間ずつ区切って〔一九〕から〔九九〕までを数える

【九重霄】jiǔchóngxiāo =〔重霄chóngxiāo〕

【九鼎】jiǔdǐng 名 (伝説上の)夏朝の禹(う)王が造った九つの鼎(かなえ). 喩 重み ‖ 一言～ 一言の重み

【九宫格儿】jiǔgōnggér 名 習字練習用の正方形の罫(け)が入っている画仙紙

【九九歌】jiǔjiǔgē =〔小九九xiǎojiǔjiǔ〕

【九九归一】jiǔ jiǔ guī yī 慣 結局のところ. つまるところ. とどのつまり. 〔九九归原〕ともいう ‖ ～, 还是他的话对 結局のところ, やはり彼の言ったことが正しい

【九流三教】jiǔ liú sān jiào =〔三教九流sān jiào jiǔ liú〕

【九牛二虎之力】jiǔ niú èr hǔ zhī lì 慣 9頭の牛と2頭の虎(とら)の力. 非常に大きな力

【九牛一毛】jiǔ niú yī máo 成 九牛の一毛. 多くのうちの微々たる部分. 取るに足りないこと

【九泉】jiǔquán 名 書 九泉(きゅうせん). 黄泉(こうせん). あの世 ‖ 含恨～ 恨みを晴らせずに世を去る

【九死一生】jiǔ sǐ yī shēng 成 九死に一生を得る

【九天】jiǔtiān 名 書 高い天. 九重の天 ‖ ～九地 天地の隔たり. 非常に隔たりのあること

【九头鸟】jiǔtóuniǎo 名 ❶伝説上の頭が九つある怪鳥 ❷喩 ずるい人. 悪賢い人

【九霄云外】jiǔ xiāo yún wài 成 天空のかなた ‖ 早就忘到～了 とっくの昔に忘れてしまった

【九一八事变】Jiǔ Yībā shìbiàn 名〈史〉柳条湖事件. 1931年9月18日

【九音锣】jiǔyīnluó 图〈音〉(打楽器の一種)雲鑼(うんら). =〔云锣〕
【九州】jiǔzhōu 图(伝説上の)古代中国の行政区域の九つの州. 転 中国. 中国全土
【九族】jiǔzú 图 旧 九族. 高祖父母から玄孫(やしゃ)までの9世代にわたる親族, または, 父方の親族(4), 母方の親族(3), 妻方の親族(2)を合わせた呼び名

3 ★久 jiǔ ❶形 時がたっている. 久しい ↔〔暂〕‖很~没有见面了 久しく会っていませんね｜等了好~ 長い時間待った ❷形 時間の長さを表す ‖你来北京有多~了? 君は北京に来てどのくらいですか
【久别】jiǔbié 動 長い間別れる ‖ ~重逢chóngféng 久々に再会する
【久而久之】jiǔ ér jiǔ zhī 成 長い時間がたつと
【久旱逢甘雨】jiǔ hàn féng gān yǔ 成 長い日照り続きに恵みの雨が降る. 長い間待ち望んだことがかなえられて喜ぶたとえ
【久假不归】jiǔ jiǎ bù guī 成 長い間借りたままで返さない
【久经】jiǔjīng 動 長い間経験する ‖ ~考验 長年試練に耐える
【久久】jiǔjiǔ 副 長い間. ずっと ‖ ~难忘 いつまでも忘れられない
【久留】jiǔliú 動 長く留まる. 長逗留(ながとうりゅう)する ‖ 这里不是~之地 ここは長居する場所ではない
【久慕】jiǔmù 動 挨拶 ご高名はかねて承っております
【久违】jiǔwéi 動 挨拶 ご無沙汰(ぶさた)しております. お久しぶりです
【久仰】jiǔyǎng 動 挨拶 ご高名はかねて承っております. 初めてお目にかかります ‖ ~大名 ご高名はかねがね承っております
【久已】jiǔyǐ 副 とっくに. とうの昔に ‖ 此事~淡忘 このことはとうに忘れてしまった
【久远】jiǔyuǎn 形 時間が長い. 久しい ‖ 由于年代~, 相片已经发黄 年代がたっているので, 写真はもう黄ばんでしまった

7 灸 jiǔ 图〈中医〉灸(きゅう) ‖ 针~疗法 鍼灸(しんきゅう)療法

7 玖[1] jiǔ 書 玉(ぎょく)のような浅い黒色の美石

7 ★玖[2] jiǔ 数〔九〕の大字(だいじ). ➡〔大写dàxiě〕

9 韭(△韮) jiǔ 图〈植〉ニラ
【韭菜】jiǔcài 图〈植〉ニラ
【韭黄】jiǔhuáng 图〈植〉黄ニラ

10 ★酒 jiǔ 图 酒 ‖ 酿niàng~ 酒を造る

逆引き単語帳 〔黄酒〕huángjiǔ 醸造酒 〔白酒〕báijiǔ 〔烧酒〕shāojiǔ 蒸留酒. 焼酎(しょうちゅう) 〔茅台酒〕máotáijiǔ マオタイ酒 〔绍兴酒〕shàoxīngjiǔ 〔老酒〕lǎojiǔ 紹興酒 〔桂花陈酒〕guìhuā chénjiǔ 桂花陳酒(けいかちんしゅ) 〔药酒〕yàojiǔ 薬用酒 〔葡萄酒〕pútaojiǔ ぶどう酒. ワイン 〔啤酒〕píjiǔ ビール 〔料酒〕liàojiǔ 料理酒. 調理用酒 〔威士忌酒〕wēishìjì-jiǔ ウイスキー 〔白兰地酒〕báilándìjiǔ ブランデー 〔香槟酒〕xiāngbīnjiǔ シャンパン 〔喜酒〕xǐjiǔ 結婚式の祝い酒 〔交杯酒〕jiāobēijiǔ 新郎新婦が腕をからませて飲む固めの杯 〔碘酒〕diǎnjiǔ ヨードチンキ 〔喝酒〕hē jiǔ 酒を飲む 〔敬酒〕jìng jiǔ 献杯する 〔斟酒〕zhēn jiǔ 酒をつぐ 〔劝酒〕quànjiǔ 酒を勧める 〔酗酒〕xùjiǔ 酒を飲んで乱れる 〔祝酒〕zhùjiǔ 祝杯を挙げる 〔罚酒〕fá jiǔ 罰杯を課す 〔醒酒〕xǐngjiǔ 酔いをさます

【酒吧】jiǔbā 图 バー. 酒場. 〔酒吧间〕ともいう
【酒菜】jiǔcài 图 ❶酒と料理 ❷酒のさかな. おつまみ
【酒池肉林】jiǔ chí ròu lín 成 酒池肉林. ぜいたくの限りを尽くすこと
*【酒店】jiǔdiàn 图 ホテル
【酒逢知己千杯少】jiǔ féng zhījǐ qiān bēi shǎo 諺 酒は知己と巡り会って飲めば千杯でも多くない. 気の合った者同士は話題がつきないの意
【酒馆】jiǔguǎn (~儿) 图 酒場. 居酒屋
【酒鬼】jiǔguǐ 图 酒好き. 飲んべえ. 飲み助
【酒酣耳热】jiǔ hān ěr rè 成 酒を飲んで耳まで赤くなる. 酒興が盛んなさま
【酒花】jiǔhuā =〔啤酒花píjiǔhuā〕
*【酒会】jiǔhuì 图 パーティー. 〔宴会〕に比べて比較的簡素で気楽な場合をいう ‖ 鸡尾~ カクテル・パーティー
【酒家】jiǔjiā 图 ❶飲食店. レストラン ❷ホテル
【酒浆】jiǔjiāng 图 書 酒
【酒劲】jiǔjìn (~儿) 图 酒の勢い. 酒の力. 酔い
*【酒精】jiǔjīng 图〈化〉アルコール =〔乙醇〕‖ ~灯 アルコール・ランプ｜~中毒 アルコール中毒
【酒力】jiǔlì 图 ❶酒の量. 酒量 ❷酒のアルコール度
【酒量】jiǔliàng 图 酒量 ‖ ~不大 あまり飲めない
【酒令】jiǔlìng (~儿) 图 酒席で, 負けた者に罰杯を課すゲーム ‖ 行~ 酒席でゲームをする
【酒囊饭袋】jiǔ náng fàn dài 成 飲むことと食べること以外に能のない者. 大酒飲みのろくでなし
【酒酿】jiǔniàng 图 甘酒
【酒器】jiǔqì 图 酒を飲むときに使う器. 酒器
【酒钱】jiǔqian 图 旧 心づけ. チップ
【酒曲】jiǔqū 图 (酒を造る)こうじ
【酒肉朋友】jiǔ ròu péng yǒu 成 飲み食いだけの友人. 遊び仲間
【酒色】jiǔsè 图 酒色 ‖ 沉湎miǎn~ 酒色にふける
【酒食】jiǔshí 图 酒と食事. 酒食
【酒水】jiǔshuǐ 图 ❶飲み物. 飲料 ❷方 酒席. 宴席
【酒徒】jiǔtú 图 書 大酒飲み. 飲んべえ
【酒望】jiǔwàng 图 旧 酒屋の幟(のぼり). 〔酒望子〕〔酒帘〕ともいう
【酒窝】【酒涡】jiǔwō (~儿) 图 えくぼ
【酒席】jiǔxí 图 宴会の料理. 酒席. 宴席
【酒兴】jiǔxìng 图 酒の上の楽しみ. 酒興
【酒宴】jiǔyàn 图 酒宴. 宴席
【酒肴】jiǔyáo 图 書 酒のつまみ. 酒肴(しゅこう)
【酒药】jiǔyào 图 (醸造酒や甘酒を造る)こうじ
【酒靥】jiǔyè 图 方 えくぼ
【酒意】jiǔyì 图 ほろ酔い機嫌
【酒糟】jiǔzāo 图 酒かす
【酒渣鼻】jiǔzhābí 图〈医〉赤鼻. ざくろ鼻. 〔酒糟鼻子〕ともいう
【酒盅】【酒钟】jiǔzhōng (~儿) 图 小さな酒杯. おちょこ

jiù

5 ★**旧**（舊）jiù ❶形 **古い. 使い古した** ↔〔新〕‖ ～车 中古車｜这些家具虽然很～了，但他一直舍不得扔 これらの家具はずいぶん古くなったが，彼はもったいなくて捨てられないでいる ❷形 **古めかしい. 時代後れの** ↔〔新〕‖ ～脑筋 時代後れの考え方｜衣服的式样太～了 服のスタイルが古すぎる ❸形 以前の. 元の ‖ ～北平市市长 旧北平市の市長 ❹もとからの人・物事 ‖ 叙xù～ 懐旧談をする ❺昔からの友人・友情 ‖ 故～ 旧知

【旧案】jiù'àn 名 ❶未処理で残っている案件 ‖ 积年～ 長年未処理の案件 ❷前例

【旧病】jiùbìng 名 持病. また，悪い癖をさす ‖ ～复发 持病が再発する. 悪い癖がまた出る

【旧部】jiùbù 名 元の部下. かつての部下

【旧地】jiùdì 名 以前住んだことのある土地. かつて旅行したことのある土地 ‖ ～重游 なじみの土地を再び訪ねる

【旧调重弹】jiù diào chóng tán 成 古い曲を何度も弾く. 古臭い考えや主張を蒸し返すたとえ.〔老调重弹〕ともいう

【旧都】jiùdū 名 旧都. 昔の都

【旧恶】jiù'è 名 書 旧悪. 昔の恨み

【旧观】jiùguān 名 書 元の姿

【旧国】jiùguó 名 旧都. 古都

【旧好】jiùhǎo 名 書 ❶旧交 ‖ 重修chóngxiū～ 旧交を温める ❷昔なじみ. 古くからの友人

【旧货】jiùhuò 名 古道具. 中古品

【旧交】jiùjiāo 名 古くからの友人

【旧教】jiùjiào 名〈宗〉旧教. カトリック教

【旧居】jiùjū 名 旧居. 昔住んでいた所

> **類義語** 旧居 jiùjū 故居 gùjū
>
> ◆〔旧居〕まだ生きている人のかつての住居をさす. 特に有名人でなくてもよい ‖ 这个假期我回以前的旧居看了看 私はこの休みに以前住んでいた所に行ってみた
>
> ◆〔故居〕かなり以前のもので，多くはすでに故人となった有名人が家族とともに暮らした所についていう. 尊敬の気持ちも込められる ‖ 我们参观了鲁迅先生的故居 私たちは魯迅の旧居を見学した

【旧历】jiùlì 名 旧暦. 陰暦

【旧例】jiùlì 名 旧例. 先例 ‖ 依照～办理 先例に照らして処理する｜打破～ 旧例を打ち破る

【旧瓶装新酒】jiù píng zhuāng xīn jiǔ 慣 古い形式に新しい内容を盛り込むこと

【旧情】jiùqíng 名 旧情. 昔抱いた愛情や友情

【旧日】jiùrì 名 書 旧日. 昔日

【旧诗】jiùshī 名 伝統の形式を踏襲し文語を用いて作られた詩

【旧石器时代】Jiùshíqì shídài 名 旧石器時代

【旧时】jiùshí 名 旧時. 昔

【旧式】jiùshì 形 古い形式の. 古いスタイルの

【旧事】jiùshì 名 過去の事. 昔の事. 旧事 ‖ ～重chóng提 昔の事を蒸し返す

【旧书】jiùshū 名 古本. 古書 ‖ ～店 古本屋

【旧俗】jiùsú 名 古い風俗や習慣. 因習

【旧闻】jiùwén 名 昔の出来事. 語り草. 逸話

【旧物】jiùwù 名 先代より伝わる骨董品や遺産（多く文化財についていう）

【旧习】jiùxí 名 古いしきたり. 因習

【旧学】jiùxué 名 近代西洋文化に影響される以前の中国伝統の学術

【旧业】jiùyè 名 ❶昔の事業. 元の仕事 ‖ 重chóng操～ 元の職業に戻る ❷前にあった財産. 昔の財産

【旧友】jiùyǒu 名 旧友. 古くからの友人

【旧账】jiùzhàng 名 昔のつけ. 過去の負債. 過去の犯した過失や怨恨（えんこん）などをたとえる

【旧知】jiùzhī 名 古い友人. 旧知

【旧址】jiùzhǐ 名 ❶旧跡 ❷元の住所. 旧住所

【旧制】jiùzhì 名 旧制（とくに度量衡の制度をいう）

6 **臼** jiù ❶名 うす ❷形がうすに似たもの ‖ 脱～ 脱臼（だっきゅう）する

【臼齿】jiùchǐ 名〈生理〉臼歯（きゅうし）.〔磨牙〕の通称

8 **咎** jiù ❶過失. 罪 ‖ 引～ 責任を取る ❷とがめる. 責任を問う ‖ 既往不～ 過去のことは水に流す ❸書 凶 ‖ 休～ 吉凶

【咎由自取】jiù yóu zì qǔ 成 自業自得. 身から出たさび

8 **疚** jiù 気がとがめる. やましく思う ‖ 负～ 気がとがめる｜内～于心 心にやましさを感じる

9 **柩** jiù 棺桶. ひつぎ ‖ 灵～ ひつぎ｜～车 霊柩（れいきゅう）車

10 **桕** jiù 名〈植〉ナンキンハゼ

11 **厩**（△廐 廏）jiù うまや. 馬小屋

11 ＊＊**救**（△捄）jiù ❶災害や危機を終束させる ‖ 一～火 ❷動 **救助する. 助ける. 救う** ‖ ～落luò水儿童 水に落ちた子供を助ける

【救兵】jiùbīng 名 援軍. 援兵

【救场】jiù//chǎng 動〈劇〉急病などの理由で演技が続けられない場合，別の役者が出演して芝居を続ける

【救国】jiù//guó 動 国を救う. 国難を救う

【救护】jiùhù 動 救護する ‖ ～病人 病人を救護する

【救护车】jiùhùchē 名 救急車.〔救急车〕ともいう

【救荒】jiù//huāng 動 救荒する ‖ ～作物 救荒作物

【救火】jiù//huǒ 動 消火する ‖ ～车 消防車

【救急】jiù//jí 動 急場を救う

＊【救济】jiùjì 動 救済する. 救援する ‖ ～灾区 被災地を救援する｜～难民nànmín 難民を救済する

【救驾】jiù//jià 動 皇帝の救援に参ずる. 人を助ける（冗談めかして言うときに用いる）

【救苦救难】jiù kǔ jiù nàn 成 人の苦難を救済する. 難儀している人を救う

【救命】jiù//mìng 動 人命を救助する ‖ ～恩人 命の恩人｜～啊！ 助けてくれ

【救生】jiùshēng 動 人命を救う

【救生圈】jiùshēngquān 名 救命ブイ. 救命浮き輪

【救生艇】jiùshēngtǐng 名 救命艇. 救命ボート

【救生衣】jiùshēngyī 名 ライフ・ジャケット. 救命胴衣.〔救生服〕ともいう

【救世主】Jiùshìzhǔ 名〈宗〉救世主. キリスト

【救死扶伤】jiù sǐ fú shāng 成 命を助け傷をいやす. 献身的な医療活動を形容する

【救亡】jiùwáng 動 国家や民族を滅亡から救う

【救星】jiùxīng 名 救いの神

J

【救应】jiùying 動 救援する．応援する
【救援】jiùyuán 動 救援する
*【救灾】jiù//zāi 動 ❶災難から救う．被災者を救済する‖～物资 救援物資 ❷災害をなくす‖防震～ 地震に対する防備をし，災害をなくす
【救治】jiùzhì 動 応急手当てをする
【救助】jiùzhù 動 救助する

12 ★**就** jiù ❶近寄る．寄る‖避重～轻 重要なことを避けて軽微なことを取り上げる ❷至る．着く‖各～各位 各自がそれぞれの位置につく ❸始める．就く‖一～餐 ❹従う．言うことを聞く‖迁qiān～ 歩み寄る ❺介 ①(その場)で．(身近)に‖～着烛zhú光写信 ろうそくの明かりのそばで手紙を書く ②(ある対象・範囲)について．に関して‖～实力来讲，对方比我们要强 実力からいえば相手は我々より強いはずだ ③(目先の機会を)利用して．借りて‖～着出差chūchāi的机会，回了趟老家 出張を利用して田舎の家に帰ってきた ❻副 ①すぐに．もうすぐ‖电影马上～开演 映画はすぐ始まる ②はやくも．もう‖两人上中学时～很好 二人は中学のときから仲よしだった ③(… すると)すぐ．(二つの動作が引き続いて行われることを表す)‖吃完饭～睡了 御飯を食べてすぐ寝た ④… ならば … である．… だから … する．(前文の条件を受けて結論を表す)‖既然你这么喜欢，～送给你吧 そんなに気に入ったのならあなたに差し上げましょう ⑤まさしく．まさに‖他家～住这儿 彼の家はまさしくここだ ⑥絶対．何がなんでも．(強い断定を表す)‖我～知道他不会来的 彼が来ないことは分かってたんだ ⑦… のみ．… だけ‖她～一个儿子 彼女には息子が一人いるだけだ ⑧… も．(数量を特に強調する)‖我一天～看了两本 私は1日で2冊も読んだ ⑨… ならば … でも(よい)．(二つの同じ言葉の間に置き，それを認める，または許すことを表す)‖不来～不来吧，咱们自己去 来ないなら来なくていい，私たちだけで行こう ❼接 たとえ … でも‖你～不说，我也知道 あなたが言わなくても私は知っている ❽完成する‖功成名～ 功成りて名遂げる ❾動(… に)添えて食べる．御飯のおかずにする．酒のつまみにする‖～点儿猪头肉，两个人喝了半瓶酒 ブタの頭の肉の料理をつまみながら，二人で酒を瓶半分あけた

【就伴】jiù//bàn (～儿) 動 連れ立つ．連れになる
【就便】jiù//biàn (～儿) 副 ことのついでに‖回家的路上，～买了些菜 帰る途中，ついでに野菜を買った
*【就餐】jiùcān 動 食事を取る‖到食堂～ 食堂に行って食事を取る
【就此】jiùcǐ 副 ここで．これで‖问题并没有～了结liǎojié 問題はこれで終わったわけではない
*【就地】jiùdì 副 その場で．現地で‖～取材 現地で資材を調達する｜～卧倒wòdǎo その場で横たわる
【就读】jiùdú 動 学校で学ぶ．学校に在籍する‖～于山东大学 山東大学で勉強する
【就范】jiùfàn 動 言うことを聞く．おとなしく服従する‖迫使对手～ 相手に言うことを聞かせる
【就合】jiùhe 動 方 我慢する．折れる‖他脾气不好，你～着点儿 彼は気難しいから，あなたが我慢しなさい
【就教】jiùjiào 動 教えを受ける
*【就近】jiùjìn 副 近場で．近くで‖～买点儿东西 近くでちょっと買い物をする
【就里】jiùlǐ 名 内部のようす．内情
【就擒】jiùqín 動 生け捕りにされる．捕まる
【就寝】jiùqǐn 動 寝床に就く．床に入る．寝る
【就任】jiùrèn 動 任務に就く．就任する‖～总理 総理に就任する
【就事论事】jiù shì lùn shì 成 その件についてのみ論じる．事柄に即して考える
【就势】jiùshì 副 勢いに乗って．ことのついでに‖六号冲到球门前，～一脚，将球踢入tīrù球门 ゼッケン6番の選手はゴールへ突進し，その勢いでボールをゴールへけり込んだ
**【就是】[1] jiùshi 副 ❶そのとおりだ．そうだ．もっともだ‖～嘛！ そのとおりですとも｜～，早就应该这么办 そうでしょう，最初からそうすべきだったんです ❷絶対．なんといっても．何がなんでも．(意志の確定を強調する)‖任你怎么劝，他～不去 あなたがどんなに勧めても，彼は絶対行かないだろう｜不行～不行 だめなものはだめだ ❸ほんとうに．まったく．なんといっても．(肯定の気持ちを強調する)‖他的字写得～好 彼は字がほんとうにうまい ❹(… すると)そのまま．それきり．(状態の確定を強調する)‖一走～好几年 行ってしまってそれきり何年にもなる ❺… するやすぐに．… したとたんに‖抬手～一记巴掌bāzhang 手をあげるや平手打ちを食らわせた ❻わずかに．ただ．… だけ．(他を除外し，ある範囲だけであることを示す)‖我～这一块钱了 私にはこの1元の金しか残っていない
**【就是】[2] jiùshi 接 たとえ … でも．よしんば … でも‖～不吃不睡，也要完成任务 不眠不休でも任務をやり遂げなくてはいけない
【就是了】jiùshìle 助 ❶(文末に置き) … すればそれでよい‖这事交给我～ この件は私に任せておけばいい ❷(文末に置き) … であるだけだ．… のみにすぎない‖我不过提醒一下～，听不听在他 私はちょっと注意を促しただけで，聞くかどうかは彼しだいだ
*【就是说】jiùshì shuō 組 言うなれば．つまりは．すなわち‖你的意思～除此以外没有更好的办法了？ あなたの考えでは，つまり，これ以外にはいい方法がないということですか
【就手】jiù//shǒu (～儿) 副 ことのついでに‖他站起身～把烟头掐灭qiāmiè了 彼は立ち上がるついでにタバコの火をもみ消した
*【就算】jiùsuàn 接 たとえ … でも．かりに … だとしても‖～他骂了你，你也不该动手打人呀 たとえ彼に罵られても，手など出したりしてはだめだ
【就位】jiù//wèi 動 書 席につく．着席する
【就席】jiùxí 動 (宴会などで)席に着く
【就绪】jiùxù 動 書 緒につく．ことが軌道に乗る‖一切准备～ すべて準備は整った
【就学】jiùxué 動 学校に入って勉強する‖她～于北京大学 彼女は北京大学で学んでいる
【就要】jiù yào 組 もうすぐ … する．まもなく … する‖北京站～到了 北京駅にもうすぐ着く
*【就业】jiù//yè 動 就職する．職に就く‖他大学没毕业就～了 彼は大学を卒業せずに就職した
【就医】jiù//yī 動 医者に診てもらう
【就义】jiùyì 動 義のために死ぬ
【就诊】jiù//zhěn 動 医者にかかる．医者に診てもらう
【就正】jiùzhèng 動 書 (作品・論文の)添削批評を請う．叱正を請う
*【就职】jiù//zhí 動 (高い地位に)就任する
【就中】jiùzhōng 副 中に入って‖～调停tiáoting 中に立って調停する 名 中でも．その中で‖宋家三姐妹都很聪明，～要数shǔ老三最能干 宋(そう)家の三姉妹はみな聡明だが，中でも三女がいちばん才能がある

【就座】【就坐】jiù//zuò 動 席に着く

13 **舅** jiù ❶图 母の兄弟. 母方のおじ ‖ 大～ 母方の一番上のおじ ❷書 夫の父. しゅうと ‖ ～姑 しゅうと・しゅうとめ ❸妻の兄弟 ‖ 妻～ 妻の兄弟

【舅父】jiùfù 图 母の兄弟. 母方のおじ

*【舅舅】jiùjiu 图 口 おじさん(母方のおじ)

【舅妈】jiùmā 图 口 おばさん(母方のおじの妻)

*【舅母】jiùmu 图 母の兄弟の妻. 母方のおじの妻

【舅嫂】jiùsǎo 图 口 妻の兄弟の妻

【舅子】jiùzi 图 口 妻の兄弟 ‖ 大～ 妻の兄

14 **僦** jiù 書 賃借りする ‖ ～屋而居 家を借りて住む

17 **鹫** jiù ❶图〈鳥〉ワシ ❷タカ科の鳥の総称

jū

4 **车(車)** jū 图 中国将棋の駒(こま)の一つで, 動かし方は飛車に似る ➤ chē

5 **且** jū ❶古〔啊a〕に同じ ❷人名用字 ➤ qiě

8 **苴** jū ↴

【苴麻】jūmá 图〈植〉アサの雌株.〔种麻〕ともいう

8 **拘** jū ❶書 制止する. 阻止する ❷捕らえる. 拘留する ‖ ～留 ❸束縛する ‖ 无～无束 勝手気ままである ❹制限する ‖ 不～一格 形式にこだわない ❺拘泥する. とらわれる. こだわる ‖ ～泥

【拘捕】jūbǔ 動 逮捕する

【拘传】jūchuán 動〈法〉強制出頭させる

【拘管】jūguǎn 動 監督する. 制限する. 厳しくしつける

【拘谨】jūjǐn 形 謹厳である. きまじめである ‖ 为人处事过于～ 性格があまりにもきまじめすぎる

【拘禁】jūjìn 動 拘禁する

【拘礼】jūlǐ 動 礼儀にこだわる. 四角張る ‖ 熟不～ 親しい間柄なので堅苦しくしなくてよい

*【拘留】jūliú 動〈法〉❶勾留(こうりゅう)する ❷拘留する

【拘泥】jūnì 動 拘泥する. こだわる ‖ ～于小节 細かいことに拘泥する 形 堅苦しい. ぎこちない

【拘票】jūpiào 图〈法〉逮捕状

*【拘束】jūshù 動 拘束する. しばる ‖ 传统观念～着人们的思想 伝統的観念が人々の考えを拘束している 形 堅苦しくかしこまる. 堅くなる ‖ 在客人面前, 他显得有点儿～ 客の前で, 彼は少し堅くなっているようだ

【拘押】jūyā 動 拘禁する

【拘役】jūyì 動〈法〉拘禁刑を科す

【拘执】jūzhí 動 拘泥する. こだわる

8 **狙** jū ❶古 サルの一種 ❷ねらう ‖ ～伺sì ひそかにうかがう

【狙击】jūjī 動 狙い撃ちする ‖ ～敌人 敵を狙撃する

【狙击手】jūjīshǒu 图〈軍〉狙撃手

8 * **居** jū ❶住む. 居住する ‖ 定～ 定住する ❷住居. 住まい ‖ 新～ 新居 ❸とどまる. 固定する ‖ 岁月不～ 月日は流れ行く ❹蓄える. 貯蔵する ‖ ～积 蓄える ❺動(ある場所に)ある. いる ‖ ～世界首位 世界のトップの座を占める ❻当たる. 担当する ‖ 身～要职 身を要職に置く ❼(ある状況に)ある. 占める ‖ ～少 少数である ❽商店とくに料理屋の屋号に用いる ‖ 六必～ 六必居(北京市前門外にある有名な漬物店)

【居安思危】jū ān sī wēi 成 安きに居(お)りて危うきを思う. 平和なときでも警戒を怠らない

【居多】jūduō 動 多数を占める

【居高临下】jū gāo lín xià 成 高所に立って下を見下ろす. 有利な位置を占める

【居功】jūgōng 動 書 (事がうまくいったのは)自分の手柄だと思い込む ‖ ～自傲ào 自分の手柄と思い込んで威張り散らす

【居家】jūjiā 動 家にいる ‖ 外出自然不如～方便 外出すればもちろん家にいるように便利ではない

【居间】jūjiān 動 書 間に立つ

【居留】jūliú 動 居留する ‖ ～证 居留証

【居留权】jūliúquán 图 居留権

*【居民】jūmín 图 住民. 住人

【居民点】jūmíndiǎn 图 居住区

【居民身份证】jūmín shēnfenzhèng =〔身份证 shēnfenzhèng〕

【居民委员会】jūmín wěiyuánhuì 图 居民委員会. 日本の町内会に似た都市の大衆自治管理組織で, 一番末端の行政組織である〔街道办事处〕(町内事務所)の指導のもとに活動している. 略して〔居委会〕ともいう

【居奇】jūqí 動 物を売り惜しみ値上りを待つ

*【居然】jūrán 副 意外にも. はからずも. なんと ‖ 这样的话你～说得出口 あなたともあろう人がこんな言葉を口にするなんて

【居士】jūshì 图〈仏〉在家の信者

*【居室】jūshì 图 居室 ‖ 三～的单元房 3Kのアパート

【居首】jū//shǒu 動 書 第1位を占める. トップに立つ

【居所】jūsuǒ 图 住まい. 住んでいる所

【居心】jū//xīn 動 貶 たくらむ ‖ ～不良 了見が悪い｜是何～? どういう魂胆だろう

【居心叵测】jū xīn pǒ cè 成 了見が測り知れない

【居于】jūyú 動 …にある. …にいる ‖ ～世界领先地位 世界をリードする立場にある

【居中】jūzhōng 動 ❶中に入る. 間に立つ ‖ ～说合 中に立って和解させる ❷真ん中にある. 間にある ‖ 他家弟兄三个, 他～ 彼は兄弟三人の真ん中に当たる

*【居住】jūzhù 動 居住する. 住む ‖ 他一直～在四合院里 彼はずっと四合院に住んでいる

8 **驹** jū ❶若くたくましいウマ ❷图(～儿)生まれて1年未満のウマ・ロバ・ラバ

【驹子】jūzi 图 生まれて1年未満のウマ・ロバ・ラバ

10 **俱** jū 图 姓 ➤ jù

10 **疽** jū 图〈中医〉悪性の腫(は)れ物 ‖ 痈yōng～ 同前

11 **掬** jū 動 両手ですくう ‖ ～起水来喝 両手で水をすくって飲む｜笑容可～ 笑顔がこぼれるばかりである

11 **据** jū ➡〔拮据jiéjū〕 ➤ jù

12 **锔** jū 動(金属器や陶磁器に)かすがいを打つ ‖ ～缸 割れがめをかすがいでつなぐ ➤ jú

【锔子】jūzi 图(割れた陶磁器の修繕に使う)両端の曲がったくぎ. かすがい

13 **裾** jū 古 衣服の前後の身頃(みごろ)

13 **雎** jū ↴

[雎鸠] jūjiū 名古 鳥の一種

17 **鞠**[1] jū 名古 まり ‖ 蹴cù～ 蹴(け)まりをする

17 **鞠**[2] jū 書 養う. 育てる ‖ →～养｜～育 育てる

17 **鞠**[3] jū 腰を曲げる ‖ →～躬

*[鞠躬] jū//gōng 動 頭を下げておじぎをする ‖ ～道谢 頭を下げて礼を言う 形(jūgōng) 書 用心深く慎重であるさま

[鞠躬尽瘁] jū gōng jìn cuì 成 献身的に国事に力を尽くす

[鞠养] jūyǎng 動書 養育する. 慈しみ育てる

18 **鞫** jū 書 尋問する. 審問する ‖ ～问 尋問する

jú

7 **局**[1](△侷 跼) jú 拘束する ‖ →～限

7 **局**[2] jú ❶部分 ‖ →～部 ❷名(政府の行政機関の一つ)局. 〔部〕〔省〕〔厅〕の下, 〔处〕(処)の上に位置する ‖ 公安～ 公安局 ❸一部の公共機関の呼称 ‖ 邮～ 郵便局 ❹ある種の商店や企業の呼称 ‖ 书～ 書局

7 **局**[3] jú ❶書 碁や将棋の盤 ❷量(碁・将棋やスポーツ競技を数える)局. ゲーム. ラウンド ‖ 下了一～棋 1局碁をうった. 1局将棋をさした ❸形勢. 局面 ‖ 政～ 政局 ❹わな. 落とし穴 ‖ 设～ わなを仕掛ける ❺集まり ‖ 饭～ 会食

*[局部] júbù 名 局部. 一部 ‖ ～麻醉 局部麻酔｜～地区有小雨 一部の地区では小雨となるでしょう

[局促] júcù 形 ❶狭い. せせこましい. 窮屈だ ❷方(時間的に)慌ただしい. 余裕がない ❸窮屈である. 気詰まりである ＊〔侷促〕〔跼促〕とも書く

[局点] júdiǎn 名〈体〉(テニス・卓球・バドミントンなどで)ゲームポイント

*[局面] júmiàn 名 ❶局面. 形勢 ‖ 打开～ 局面を打開する｜扭转niǔzhuǎn～ 局面を転換させる ❷方 規模 ‖ 他的商店～不大 彼の店は規模が大きくない

[局末平分] júmò píngfēn 名〈体〉ジュース

[局内人] júnèirén 名 当事者. 関係者. 〔局中人〕ともいう

[局骗] júpiàn 動 わなをかけて人をだます. ペテンにかける

*[局势] júshì 名 情勢. 形勢 ‖ ～动荡dòngdàng不安 情勢が流動的で不安定である

[局外] júwài 名 局外. ある事柄にかかわりをもたないこと

[局外人] júwàirén 名 局外者. 第三者

*[局限] júxiàn 動 局限する. 限る ‖ 时代的～ 時代の制約｜学习不能只～于书本知识 勉強は書物から得る知識だけに限ってはならない

[局域网] júyùwǎng 名〈計〉LAN. ローカル・エリア・ネットワーク

**[局长] júzhǎng 名 局長

[局子] júzi 名口 警察

10 **桔** jú 〔橘〕の俗字 ➤jié

11 **菊** jú 名〈植〉キク. ふつうは〔菊花〕という

*[菊花] júhuā 名〈植〉キク

11 **焗** jú 動(調理法の一種)蒸す 形 蒸し暑くて息苦しい

[焗油] júyóu 動(高温の蒸気で)ヘアトリートメントやカラーリングをする

12 **锔** jú 名〈化〉キュリウム(化学元素の一つ, 元素記号は Cm) ➤jū

16 **橘** jú 名〈植〉ミカン. ふつうは〔橘子树〕という

[橘柑] júgān 名方 ミカン

[橘红] júhóng 名〈中薬〉ミカンの皮を乾燥したもの 形 濃いだいだい色の. オレンジ色の

[橘黄] júhuáng 形 ミカン色の. 山吹色の

[橘络] júluò 名〈中薬〉ミカンの筋

★[橘子] júzi 名 ミカン

jǔ

8 **沮** jǔ ❶書 遮る. 阻む ‖ ～其成行 行くのを阻止する ❷書 がっかりする. 意気消沈する ‖ 气～ やる気がうせる ➤jù

[沮丧] jǔsàng 形 意気沮喪(いきそそう)するさま. がっかりするさま ‖ 神情～ がっかりした顔つきをしている 動 挫(くじ)く. 殺(そ)ぐ. 沮喪させる

8 **咀** jǔ 味わう ‖ →～嚼 ➤zuǐ

[咀嚼] jǔjué 動 ❶咀嚼(そしゃく)する ❷喩 理解し味わう ‖ 细细～ じっくりと味わう

8 **柜** jǔ ↴ ➤guì

[柜柳] jǔliǔ 名〈植〉カンボウフウ ＝〔枫杨〕

9 ★**举**(舉 △擧) jǔ ❶動 持ち上げる. 差し上げる ‖ ～双手赞成 もろ手を挙げて賛成する｜这么重, 我～不起来 こんなに重くては私には持ち上げられない ❷挙動. 行動 ‖ 一～一动 一挙一動 ❸引き起こす. 始める ‖ →～事 ❹推挙する. 選ぶ ‖ 选～ 選挙する ❺古 挙人. 明・清代の科挙の郷試の合格者 ❻動 提示する. あげる ‖ 请～个例子 例を一つあげてください ❼書 全部. ことごとく ‖ →～国

[举哀] jǔ'āi 動旧(葬儀で)大きな泣き声を上げて悲しみを表現する

[举案齐眉] jǔ àn qí méi 成 夫婦が互いに礼儀正しく敬い合う

*[举办] jǔbàn 動 開催する. 挙行する. 催す ‖ ～义卖活动 チャリティー・バザーを催す

[举报] jǔbào 動 報告する. 通報する

[举兵] jǔbīng 動書 兵を挙げる. 挙兵する

[举步] jǔbù 動書 足を踏み出す. 歩き出す ‖ 改革～维艰wéijiān 改革の歩みは苦難に満ちている

[举措] jǔcuò 名 挙止. 措置 ‖ 重大～ 重大な措置

*[举动] jǔdòng 名 挙動. 立ち居ふるまい ‖ ～迟缓 動作がのろい｜监视着敌人的～ 敵の行動を監視する

[举发] jǔfā 動 暴く. 摘発する

[举凡] jǔfán 副書 すべて. 全部

[举国] jǔguó 名 全国 ‖ ～上下 国を挙げて

[举火] jǔhuǒ 動 ❶のろしをあげる ‖ ～为号 のろしをあげて合図する ❷(炊事のための)火をたきつける

[举荐] jǔjiàn 動 推挙する ‖ ～人才 人材を推薦する

[举例] jǔ//lì 動 例を挙げる ‖ ～说明 例を挙げて説明する

[举目] jǔmù 動書 目を上げて見る ‖ ～四望 目を上

げてあたりを見回す
【举目无亲】jǔ mù wú qīn 成 肉親がまったくいない. 寄る辺がない
【举棋不定】jǔ qí bù dìng 成 碁石を手に持ったまま打つのをためらう. ためらって態度を決しかねる
【举人】jǔrén 名 古 挙人. 科挙の郷試に合格した者
【举世】jǔshì 名 全世界. 天下
*【举世闻名】jǔ shì wén míng 成 天下に名が知られている
【举世无双】jǔ shì wú shuāng 成 天下無双
*【举世瞩目】jǔ shì zhǔ mù 成 世の注目を集める
【举事】jǔshì 動 書 事を起こす. 武装蜂起(ほうき)する
【举手】jǔ//shǒu 動 手を挙げる. 挙手する ‖ ～表决 挙手で採決する
【举手之劳】jǔ shǒu zhī láo 成 わずかな骨折り
【举行】jǔxíng 動 **挙行する. 実行する. 行う ‖ ～婚礼 婚礼を行う | ～谈判 交渉を行う
【举要】jǔyào 動 大要を述べる. (多く書名に用いる)
【举一反三】jǔ yī fǎn sān 成 一つのことから多くのことを類推する. 一を聞いて十を知る
【举证】jǔzhèng 動〈法〉証拠を示す. 証拠を提示する
【举止】jǔzhǐ 名 挙止. 動作. 物腰 ‖ ～大方 立ち居ふるまいがゆったりとおおらかである
【举重】jǔzhòng 名〈体〉重量挙げ
【举足轻重】jǔ zú qīng zhòng 成 重要なポストを占め, 一挙手一投足が重大な決定力を持っていること
【举座】jǔzuò 名 在席者全員. その場にいるすべての人

9 **莒** jǔ 地名用字 ‖ ～县 山東省にある県の名

9 **枸** jǔ ↴ ➤ gōu gǒu
【枸橼】jǔyuán 名〈植〉マルブシュカン. 〔香橼〕ともいう

9 **矩**(△榘) jǔ ❶定規 ❷方形. 幾何学では長方形をさす ❸書 則(のり). 規則
【矩尺】jǔchǐ 名 直角定規. かね尺
【矩形】jǔxíng 名〈数〉矩形(くけい) =〔长方形〕

13 **蒟** jǔ ↴
【蒟酱】jǔjiàng 名 ❶〈植〉キンマ =〔蒌lóu叶〕❷キンマの実で作ったみそ
【蒟蒻】jǔruò 名〈植〉コンニャクイモ =〔魔芋móyù〕

13 **龃** jǔ ↴
【龃龉】jǔyǔ 動 書 齟齬(そご)する. かみ合わない. 転 食い違う. 〔钽铻〕とも書く

16 **踽** jǔ ↴
【踽踽】jǔjǔ 形 書 一人寂しく道を行くさま

jù

4 **巨**(△鉅❶) jù 大きい ‖ →～款 | 赤字甚～ 赤字が甚だ大きい
【巨变】jùbiàn 名 大きな変化. 巨大な変化
【巨大】jùdà 形 **巨大な. 非常に大きい ‖ 规模～ 規模がきわめて大きい | ～损失 莫大(ばくだい)な損失
【巨额】jù'é 形 巨額の ‖ ～借款 巨額の借款
【巨富】jùfù 形 莫大な財産がある 名 大金持ち. 富豪
【巨匠】jùjiàng 名 書 巨匠 ‖ 文坛～ 文壇の巨匠
【巨款】jùkuǎn 名 大金. 巨額の金
【巨流】jùliú 名 巨大な川の流れ. 喩 時代の潮流
【巨轮】jùlún 名 ❶巨大な車輪 ‖ 历史～滚gǔn滚向前 歴史の車輪が力強く前進する ❷大きな船. 巨船
【巨人】jùrén 名 ❶〈医〉巨人症にかかった人 ❷(童話などに出てくる)大男 ❸喩 巨人. 偉人
【巨贪】jùtān 名 巨額の横領犯
【巨头】jùtóu 名 貶 巨頭. ボス. 大親分
【巨万】jùwàn 形 書 巨万の ‖ 耗资hàozī～ 巨万の金を費やす
【巨无霸】jùwúbà 名 どでかいもの. ビッグ. 巨大資本や巨大集団などの比喩
【巨细】jùxì 名 大小. 巨細(きょさい) ‖ 事无～, 一一过问 事の大小にかかわらずいちいち口出しする
【巨蟹座】jùxièzuò 名 ❶巨蟹宮(きょかいきゅう). 黄道十二宮の第4宮 ❷〈天〉蟹座(かにざ)
【巨星】jùxīng 名 ❶〈天〉巨星 ❷喩 偉大な人物. 巨星
【巨著】jùzhù 名 巨著. 大著
【巨子】jùzǐ 名 書 大家. 巨頭. 重鎮
【巨作】jùzuò 名 大規模な作品. 大作. 巨編 ‖ 好莱坞Hǎoláiwù～ ハリウッド巨編

5 ★**句** jù ❶名 文. センテンス ‖ 造～ 短文を作る ❷量 (言葉や文を数える)言(こと). 句 ‖ 我一～法语也不会说 私はフランス語を一言もしゃべれない ➤ gōu
【句点】jùdiǎn 名 句点. 終止符. 〔。〕または〔.〕
【句读】jùdòu 名 旧 句読
【句法】jùfǎ 名 ❶文の構成 ❷〈語〉統辞論. シンタックス
【句号】jùhào 名〈語〉句点. 終止符. 〔。〕または〔.〕
【句型】jùxíng 名〈語〉文型
★【句子】jùzi 名〈語〉**文. センテンス**
【句子成分】jùzi chéngfèn 名〈語〉文法成分

6 **讵** jù 書 なんぞ. いずくんぞ. あに. (反問の意を表す) ‖ ～料 あにはからんや. どうして分かろうか

7 **苣** jù ➡〔莴苣wōju〕

7 **拒** jù ❶抵抗する. 防ぎ止める ‖ 抗～ 反抗する ❷拒絶する. 断る ‖ ～之门外 きっぱり断る
【拒捕】jùbǔ 動 抵抗して逮捕されまいとする
【拒谏饰非】jù jiàn shì fēi 成 忠告を退けて, 過ちを覆い隠す
【拒绝】jùjué 動 **拒絶する. 拒否する. はねつける ‖ ～跟他见面 彼に会うのを断る | ～不了金钱的诱惑 yòuhuò 金銭の誘惑をはねのけられない
【拒聘】jùpìn 動 招聘(しょうへい)を断る
【拒签】jùqiān 動 署名あるいは調印を拒否する
【拒收】jùshōu 動 受けることを拒絶する
【拒守】jùshǒu 動 書 防守する. 守る
【拒载】jùzài 動 (タクシーが)乗車拒否をする

8 *****具** jù ❶書 用意する ‖ 谨jǐn～薄礼bólǐ 粗品を用意する ❷(日常生活の)器具 ‖ 工～ 道具 ❸量 書 棺桶・死体・一部の器具を数える ‖ 一～尸体shītǐ 一体の死体 ❹才能 ‖ 才～ 才能 ❺備えている ‖ →～备 ❻書く. 署名する ‖ →～名
【具保】jùbǎo 動 旧 保証人を立てる
【具备】jùbèi 動 **備える. 備わる ‖ ～条件 条件が整う | ～能力 能力が備わる
【具结】jù//jié 動 旧 (役所に)誓約書を入れる

【具名】jù//míng 動 署名する
**【具体】jùtǐ 形 ❶具体的である ↔〔抽象〕‖ ～内容 具体的内容｜用例子～地说明 例を用いて具体的に説明する ❷特定の ‖ 指定～的人 特定の人を指定する｜～集合时间和地点还没有定 集合の時間と場所はまだ決まっていない 動 具体化する ‖ 这一政策～到各地区，还会有一些调整 この政策を各地区で実施するには，まだ多少の調整が必要だろう
【具体而微】jù tǐ ér wēi 成 内容はおおよそ備えているが規模が小さい
【具体劳动】jùtǐ láodòng 名〈経〉具体的労働 ↔〔抽象劳动〕
【具文】jùwén 名 空文．実効力のない規定
**【具有】jùyǒu 動 具有する．備える．（多く抽象的なものに用いる）‖ ～悠久的历史 長い歴史を持つ

8 沮 jù 書 湿っている ➤ jǔ
【沮洳】jùrù 名 腐乱した植物が堆積してできた泥沼

8 炬 jù 書 ❶たいまつ ‖ 火～ たいまつ｜目光如～ 眼光が鋭い ❷ろうそく ‖ 蜡là～ ろうそく ❸焼く ‖ 付之一～ 焼いてしまう

10 剧[1]（劇）jù 書 激しい．ひどい ‖ →～痛｜→～烈｜加～ 激化する

10 *剧[2]（劇）jù 名 芝居．演劇 ‖ 京～ 京劇｜喜～ 喜劇｜丑～ 茶番劇

> **逆引き単語帳** 〔悲剧〕bēijù 悲劇 〔喜剧〕xǐjù 喜劇 〔闹剧〕nàojù どたばた喜劇．茶番劇 〔歌剧〕gējù 歌劇．オペラ 〔舞剧〕wǔjù 舞踊劇 〔话剧〕huàjù 現代劇．新劇 〔哑剧〕yǎjù パントマイム 〔广播剧〕guǎngbōjù 放送劇．ラジオドラマ 〔电视剧〕diànshìjù テレビドラマ 〔恶作剧〕èzuòjù 悪ふざけ．いたずら 〔川剧〕chuānjù 四川省の地方劇 〔沪剧〕hùjù 上海の地方劇 〔淮剧〕huáijù 江蘇省の地方劇 〔徽剧〕huījù 安徽省南部の地方劇 〔吉剧〕jíjù 吉林省の地方劇 〔晋剧〕jìnjù 山西省の地方劇 〔京剧〕jīngjù 京劇 〔吕剧〕lǚjù 山東省の地方劇 〔豫剧〕yùjù 河南省の地方劇 〔越剧〕yuèjù 浙江省の地方劇 〔粤剧〕yuèjù 広東省の地方劇

*【剧本】jùběn 名 シナリオ．台本
【剧变】jùbiàn 動 激変する
**【剧场】jùchǎng 名 劇場
【剧跌】jùdiē 動（相場などが）大幅に下落する
【剧毒】jùdú 名 猛毒 形 猛毒である
【剧减】jùjiǎn 動 激減する
*【剧烈】jùliè 形 強烈である．激しい ‖ 老人不宜yí做～运动 老人が激しい運動をするのはよくない
【剧目】jùmù 名 芝居の演目．レパートリー
【剧情】jùqíng 名 劇のストーリー
【剧痛】jùtòng 名 激痛
*【剧团】jùtuán 名 劇団．一座
【剧务】jùwù 名 ❶劇団に関する諸事務 ❷同前の事務をする人．ステージ・プロデューサー
*【剧院】jùyuàn 名 ❶劇場 ❷規模の比較的大きな劇団の名称に用いる
【剧增】jùzēng 動 激増する
【剧照】jùzhào 名 舞台写真．（芝居や映画のシーンを写した）スチール写真
【剧种】jùzhǒng 名 劇の種類
【剧组】jùzǔ 名（映画・ドラマ・演劇などで）俳優やスタッフ．撮影クルー

10 俱 jù 副 書 いずれも．みな ‖ 面面～到 すみずみまで行き届いている． ➤ jū
【俱备】jùbèi 動 書 全部備わる ‖ 万事～，只欠东风 準備はすべて整ったが，まだ機が熟していない
**【俱乐部】jùlèbù 名 外 クラブ
【俱全】jùquán 形 全部揃っている ‖ 一应～ すべて揃っている｜日用百货～ 日用雑貨がすべて揃っている

10 倨 jù 書 傲慢（ごうまん）である．横柄である ‖ ～傲 ào 傲慢である

11 惧（懼）jù 書 恐れる．怖がる ‖ 畏wèi～ 恐れる｜恐～ 恐れる
【惧内】jùnèi 動 書 女房を恐れる
【惧怕】jùpà 動 恐れる．おじけづく
【惧色】jùsè 名 おびえた表情

11 *据（據 △㨿）jù ❶拠る．根拠とする ‖ →～点 ❷介 …によれば ‖ ～我看，这个问题不难解决 私の考えではこの問題を解決するのは難しくない ❸証拠 ‖ 论～ 論拠 ❹占拠する ‖ 占～ 占拠する ➤ jū
【据称】jùchēng 動 …と言われている．…だそうだ
【据传】jùchuán 動 …と伝えられる．…だそうだ
*【据点】jùdiǎn 名 拠点．要衝 ‖ 军事～ 軍事拠点
【据守】jùshǒu 動 占拠して守る．固守する
**【据说】jù//shuō 動 …だとのことである．…だそうだ ‖ ～以前这儿是一片森林 以前ここは森だったそうだ
【据闻】jùwén 動 …だとのことである．…だそうだ
*【据悉】jùxī 動 書 …だそうだ．…だとのことである ‖ ～这次会谈十分成功 今回の会談は大成功だったそうだ

11 距[1] jù 名 蹴爪（けづめ）

11 *距[2] jù ❶介（時間的・距離的に隔たることを表す）…より．…から ‖ ～今已有十年 いまからすでに10年になる｜～市中心不远 市の中心から遠くない ❷距離．隔たり ‖ 差～ 差．格差．ギャップ
**【距离】jùlí 動 相隔たる ‖ 现在～新年还有两个星期 新年までまだ2週間ある｜天津～北京仅一百多公里 天津は北京からわずか100キロ余りしか離れていない 名 距離．隔たり ‖ 两车之间保持着一定的～ 一定の車間距離を保つ

12 椇 jù 量 畜力の単位を数える．1本のすき，あるいはくまでなどを引っぱる力を1〔椇〕という

12 飓（△颶）jù ↴
【飓风】jùfēng 名〈気〉❶ハリケーン ❷台風

13 锯 jù ❶名 のこぎり ‖ 拉～ のこぎりを引く ❷動 のこぎりで切る ‖ ～树 木をのこぎりで切り倒す
【锯齿】jùchǐ（～儿）名 のこぎりの歯
【锯床】jùchuáng 名〈機〉のこぎり盤．金切り盤
【锯末】jùmò 名 のこくず．おがくず
【锯条】jùtiáo 名 鋸身（のこみ）
【锯子】jùzi 名 口 のこぎり

14 窭（窶）jù 書 貧しい

14 *聚 jù 動 集まる．集合する．集める ‖ 大家～在一起商量 みなが集まって相談する
【聚宝盆】jùbǎopén 名（中の金銀をいくら取ってもなくならないという）伝説の宝の鉢． 喩 資源の豊富な土地

【聚变】jùbiàn 動〈物〉核融合する. =〔热核反应〕
【聚餐】jù//cān 動 会食する ‖ 新年～ 新年会
【聚光灯】jùguāngdēng 名 スポットライト
【聚光镜】jùguāngjìng 名〈物〉集光レンズ
【聚合】jùhé 動 ❶集合する ❷〈化〉重合する
【聚合物】jùhéwù 名〈化〉重合体. ポリマー
*【聚会】jùhuì 動 寄り合う. 会合する. 集会を持つ ‖ 老同学们～在一起畅谈chàngtán了一个晚上 昔の同窓生たちが集まって一晩中歓談した 名 集会. 会合
【聚积】jùjī 動 蓄積する. 蓄える
*【聚集】jùjí 動 集まる. 集合する. 集める ‖ 广场上～着欢迎的人群 広場には歓迎の群衆が集まっている｜～力量 力を集中する
【聚歼】jùjiān 動 包囲殲滅(せんめつ)する
【聚焦】jùjiāo 動〈物〉焦点を合わせる
*【聚精会神】jù jīng huì shén 成 精神を集中する. 一心不乱に…する
【聚居】jùjū 動 書 一ヵ所に集まって住む
【聚敛】jùliǎn 動 書 多額の税金を人民から収奪する
【聚拢】jùlǒng 動 集まる. 集める
【聚落】jùluò 名 集落. 村落. 村
【聚齐】jù//qí 動 (約束の場所へ)集合する. 集まる ‖ 去参观的客人已在大厅～ 参観に行く客はホールにすでに集合した
【聚沙成塔】jù shā chéng tǎ 成 ちりも積もれば山となる
【聚首】jùshǒu 動 書 顔を合わせる. 集まる
【聚星】jùxīng 名〈天〉重星. 多重星
【聚议】jùyì 動 みんなで集まって討議する. 衆議する
【聚众】jùzhòng 動 書 多人数が集まる. 衆を集める
15 **屦**(屨) jù 書 わらじ
15 **踞** jù ❶書 しゃがむ. うずくまる ‖ 龙盘pán虎～ 地勢が険しいさま ❷占拠する
16 **遽** jù 書 ❶急である ‖ ～增 急増する ❷慌てふためいている ‖ 惶huáng～ 慌てふためくさま
【遽然】jùrán 副 書 突然. にわかに
【瞿然】jùrán 形 古 驚いたさま
20 **醵** jù 書 ❶金を出し合い酒を飲む ❷金銭を出し合う ‖ ～金 醵金(きょきん)する

juān

10 **涓** juān 書 細い水の流れ ‖ 一～滴
【涓滴】juāndī 名 書 わずかな水. ごくわずかな財物のたとえ ‖ ～归公 公の財物はすべて公に納める
【涓涓】juānjuān 形 書 水がちょろちょろと流れるさま
10 * **捐** juān ❶書 捨てる ‖ 一～弃 ❷動 (財物を)寄付する. (生命を)なげうつ ‖ 为灾民～衣物 被災者に衣服や日用品を寄付する ❸名 旧 税の一種 ‖ 苛kē～杂税 苛酷な重税
*【捐款】juān//kuǎn 動 金を寄付する ‖ 为灾民～ 被災者に金を寄付する 名(juānkuǎn) 寄付金
【捐弃】juānqì 動 書 捨て去る ‖ ～前嫌xián, 通力合作 以前のしこりを捨て, 力を合わせて行う
【捐钱】juān//qián 動 金を寄付する
【捐躯】juānqū 動 書 身命を捧げる. 生命をなげうつ
【捐税】juānshuì 名 旧 税金の総称
*【捐献】juānxiàn 動 寄付する. 寄贈する ‖ 把所有的藏书都～给母校 すべての蔵書を母校に寄贈する
*【捐赠】juānzèng 動 寄贈する ‖ ～图书 書物を寄贈する
【捐助】juānzhù 動 財物を寄付して援助する
【捐资】juān//zī 動 (物や金を)寄付する
10 **娟** juān 書 美しい ‖ 一～秀
【娟秀】juānxiù 形 書 秀麗である. 麗しい
11 **圈** juān ❶動 (家畜などを)囲う ‖ 把小羊～起来 子ヒツジを囲いの中に入れる ❷動 口 (人を)閉じ込める. 拘禁する ➤ juàn quān
12 **鹃** juān ➡〔杜鹃dùjuān〕
15 **镌** juān 書 彫る. 彫刻する ‖ 一～刻
【镌刻】juānkè 動 彫り刻む. 彫刻する
23 **蠲** juān 書 除く. 免除する

juǎn

8 ** **卷**(捲) juǎn ❶動 (円筒形または半円形に)巻く ‖ ～袖子 袖をまくる ❷動 (大きな力で)巻き上げる. 巻き込む ‖ 那个事件把他也～了进去 その事件は彼をも巻き込んだ ❸名 (～儿) 円筒形に巻いたもの ‖ 胶～儿 フィルム ❹量 巻いたものを数える ‖ 一～纸 一巻きの紙 ➤ juàn
【卷笔刀】juǎnbǐdāo 名 鉛筆削り器
【卷尺】juǎnchǐ 名 巻き尺
【卷发】juǎnfà 名 縮れ毛. ウエーブした髪
【卷帘门】juǎnliánmén 名 シャッター
【卷铺盖】juǎn pūgai 組 布団を巻く. 転 解雇または辞職で職場を離れる
【卷曲】juǎnqū 形 丸まっている. ウェーブしている ‖ ～的发梢 ウェーブのかかった毛先 動 丸める. カールする
【卷入】juǎnrù 動 巻き込む. 巻き込まれる ‖ 被～那个事件 あの事件に巻き込まれた.
【卷舌音】juǎnshéyīn 名〈語〉そり舌音. 巻き舌音. 捲舌音(けんぜつおん)
【卷舌元音】juǎnshé yuányīn 名〈語〉捲舌母音. そり舌母音. 巻き舌母音
【卷逃】juǎntáo 動 (家の者または会社内部の者が)金目のものを全部持ち去る
【卷土重来】juǎn tǔ chóng lái 成 捲土重来(けんどちょうらい). 勢力を巻き返す
【卷心菜】juǎnxīncài 名 方 キャベツ
【卷须】juǎnxū 名〈植〉(アサガオなどの)巻きひげ
【卷烟】juǎnyān 名 ❶紙巻きタバコ ❷葉巻き
【卷扬机】juǎnyángjī 名〈機〉巻き上げ機. ウインチ. 〔绞车〕ともいう
【卷子】juǎnzi 名 練った小麦粉を薄くのばし, 表面に塩や油を塗った後, 巻いて蒸した食品 ➤ juànzi
13 **锩** juǎn (刃物の) 刃がまくれる

juàn

8 **卷** juàn ❶量 (書物の巻数を数える)巻(かん) ‖ 下～ 下巻 ❷本. 書物 ‖ 开～有益 読書は有益である ❸官公庁で保管する文書 ‖ 底～

原簿 ❹名（～儿）試験の答案‖交～儿 答案用紙を提出する ➤juǎn

【卷次】juàncì 名 書籍の分冊の順序

【卷轴】juànzhóu 名 書 巻物

【卷轴装】juànzhóuzhuāng 名（製本で）巻子（かんす）仕立て

【卷子】juànzi 名 ❶答案用紙．答案‖发～ 答案用紙を配る ❷巻子本（かんすぼん） ➤juǎnzi

【卷宗】juànzōng 名 ❶官庁で保管されている公文書 ❷文書保存用のファイル

10 **倦**（△勌）**juàn** ❶形 疲れている．くたくたである‖忙了一天，～得很 一日中忙しくてとても疲れた ❷飽き飽きしている．うんざりしている‖诲huì人不～ 辛抱強く教え諭す

【倦怠】juàndài 形 書（疲れて）だるい

【倦容】juànróng 名 疲労の色．疲れた表情

【倦色】juànsè 名 書 疲れた表情．疲労の色

【倦意】juànyì 名 倦怠感（けんたいかん）．疲労感．眠気

10 **狷**（△獧）**juàn** 書 ❶短気である．性急である ❷狷介（けんかい）である

【狷急】juànjí 形 書 せっかちである．気が短い

10 **绢** **juàn** 名 絹．絹織物

【绢本】juànběn 名〈美〉絹本（けんぽん）

【绢花】juànhuā 名 絹布で作った造花

【绢子】juànzi 名 方 ハンカチ

10 **隽**（△雋）**juàn** 書（言論や詩文が）意味深長である‖～永

【隽永】juànyǒng 形 書（詩文が）意味深長である

11 **鄄** **juàn** 地名用字‖～城 山東省にある県の名

11 * **圈** **juàn** 名 家畜を囲っておく場所‖猪～ 豚小屋｜羊～ 羊小屋 ➤juān quān

【圈肥】juànféi 名〈農〉厩肥（きゅうひ）．〔厩肥〕ともいう

【圈养】juànyǎng 動（家畜小屋で）飼育する

11 **眷**（△睠❶）**juàn** ❶書 目をかける．気にかける ❷親族‖家～ 家族

【眷顾】juàngù 動 書 心にかける．愛顧する

【眷怀】juànhuái 動 書 思いをはせる．懐かしく思う

【眷眷】juànjuàn 形 書 絶えず心にかけている

【眷恋】juànliàn 動 書 懐かしむ．恋しがる．思慕する

【眷念】juànniàn 動 書 懐かしむ．恋しがる

【眷属】juànshǔ 名 ❶家族．親戚．身内 ❷夫婦

【眷注】juànzhù 動 書 心にかける．愛顧する

juē

12 **嗟** **juē** ➤jiē

15 **撅**[1]（△噘）**juē** 動 ぴんと立てる‖～着尾巴 しっぽをぴんと立てている

15 **撅**[2] **juē** ❶動 折る‖把筷子～成两半 箸を二つに折る ❷動 逆らう．たてつく‖～人 人に逆らう

【撅嘴】juē//zuǐ 動 口をとがらせる．ふくれっ面をする

jué

3 **孓** **jué** ➡〔孑孓jiéjué〕

6 **决**[1]（△決）**jué** ❶動（堤防が）決壊する．切れる‖堤岸～了个口子 堤防が決壊した ❷決裂する．断絶する‖～裂

6 ** **决**[2]（△決）**jué** ❶確定する．決定する‖表～ 表決する ❷死刑にする．処刑する‖处～ 処刑する ❸動（最後の勝負を）判定する．決める‖～冠亚军 優勝を決する ❹果断である．思いきりがよい‖果～ 果断である ❺副 **決して．断じて．**（否定に用いる）‖～无恶意 決して悪意はない

*【决不】jué bù 組 決して…しない．絶対に…しない‖～食言 決して約束はたがえない

*【决策】juécè 動 戦略や方針などを決定する‖～机构 決定機関 名 決定した戦略や方針‖英明～ 英断

【决雌雄】jué cíxióng 組 書 雌雄を決する

【决堤】jué//dī 動 堤防が決壊する

★【决定】juédìng 動 ❶**決める．決定する**‖日期还没有～ 期日はまだ決まっていない ❷決する．決定する‖～因素 決定的な要因｜～的作用 決定的な役割 名 **決定**‖做出～ 決定を下す｜上级的～ 指導部の決定

【决定性】juédìngxìng 名 決定的‖起～作用 決定的な役割を果たす

【决斗】juédòu 動 決闘する

【决断】juéduàn 動 決断する．決定を下す 名 決断．決断力‖他做事很有～ 彼はたいへん決断力がある

【决非】jué fēi 組 書 決して…ではない‖～偶然 決して偶然ではない

【决计】juéjì 動 考えを決める 副 きっと．必ず

【决绝】juéjué 動 関係を断つ．決裂する 形 きっぱりしている．決然としている‖态度～ 態度が決然としている

*【决口】jué//kǒu 動（堤防が）決壊する

【决裂】juéliè 動 決裂する．絶縁する．決別する‖两人彻底～了 二人は完全に決裂した

【决然】juérán 書 形 決然としたさま．きっぱりとしたさま 副 必ずや．決して

*【决赛】juésài 動 決勝戦をする‖半～ 準決勝戦

【决胜】juéshèng 動 勝敗を決する

【决死】juésǐ 形 死にもの狂いの．必死の‖～战 決死の戦い

*【决算】juésuàn 名 決算書

【决心】juéxīn 動 **決心する‖我～戒jiè烟 僕は禁煙することを決心した 名 **決心．決意**‖～动摇了 決心が揺らいだ｜下了离婚的～ 離婚を決意した

【决一雌雄】jué yī cí xióng 成 雌雄を決する

【决一死战】jué yī sǐ zhàn 成 決死の戦いを交える．決戦する‖同敌人～ 敵と決戦する

*【决议】juéyì 名 決議‖作出～ 決議する

【决意】juéyì 動 決意する

*【决战】juézhàn 動 決戦する

6 **诀**[1] **jué** 別れる‖～别｜永～ 永訣（えいけつ）する

6 **诀**[2] **jué** ❶奥義．方法．こつ‖秘～ 秘訣（ひけつ）｜妙～ 妙手 ❷法則などを記憶しやすいようにした口調のよい言葉‖口～ 同前

【诀别】juébié 動 書 別れる．最後の別れをする

【诀窍】juéqiào（～儿）名 秘訣．こつ

【诀要】juéyào 名 秘訣．奥の手．こつ

7 **抉** **jué** ❶書 えぐる．ほじくり出す ❷選ぶ‖～择

【抉择】juézé 動 選ぶ．選択する

7 **角**[1] **jué** 古代の酒器の一種

7 **角**[2] **jué** 图〈音〉中国伝統音楽の階名の一つ，西洋音楽のミに相当する． ➡〔五音wǔyīn〕

7 **角**[3] **jué** ❶图（～儿）役．役者が扮(ふん)する役目‖主～ 主役 ❷（～儿）役柄‖丑chǒu～ 三枚目 ❸俳優．役者‖名～ 名優

7 **角**[4] **jué** 争う．競争する‖→～斗 ➤jiǎo

【角斗】juédòu 動 格闘する．取っ組み合いをする

【角力】juélì 動 力比べをする

【角色】juésè 图 役．配役．役柄

【角逐】juézhú 動 角逐する．力を競う．しのぎを削る

9 ＊**绝 jué** ❶断つ．断絶する‖断～ 断ち切る ❷（動詞の後に置いて）絶える．尽きる‖坏事都叫他做～了 彼は悪事をし尽くした ❸形 この上なく優れている．比類ない‖他那笔字真～ 彼の字は実にすばらしい ❹副 最も．きわめて‖～大多数 絶対多数 ❺行き詰まる．手立てがない‖→～路 ❻副 絶対に．断じて．決して．（否定に用いる）‖～无此事 絶対にこうしたことはない ❼息がとまる．絶命する‖气～ 気絶する ❽絶句‖五～ 五言絶句

【绝版】jué//bǎn 動 絶版にする

【绝笔】juébǐ 图 ❶絶筆 ❷書 最高傑作の詩文または書画

【绝壁】juébì 图 絶壁‖断崖yá～ 断崖絶壁

【绝不】jué bù 組 決して…しない．絶対に…しない‖饶ráo了我吧，我～再偷了 勘弁してください，もう二度と盗みはしませんから

【绝唱】juéchàng 图 絶唱．すばらしい詩歌

【绝处逢生】jué chù féng shēng 成 死地にあって命拾いする．九死に一生を得る

【绝代】juédài 動 書 世に比類がない．世に二つとない．並ぶものがない‖～佳人 絶世の美人

【绝倒】juédǎo 動 書 抱腹絶倒する．笑い崩れる

【绝地】juédì 图 ❶険阻な場所 ❷窮地．死地

【绝顶】juédǐng 图 書 絶頂．頂上 副 非常に．とても

＊＊**【绝对】juéduì** 形 **絶対的である** ↔〔相对〕‖不要把话说得太～了 あまり決めつけた言い方をするな｜～服从 無条件に服従する 副 **絶対に．必ず．きっと**‖～没错儿 絶対に間違いない

【绝对高度】juéduì gāodù 图 絶対高度

【绝对零度】juéduì língdù 图〈物〉絶対零度

【绝对湿度】juéduì shīdù 图〈気〉絶対湿度

【绝对真理】juéduì zhēnlǐ 图〈哲〉絶対的真理

【绝对值】juéduìzhí 图〈数〉絶対値

【绝好】juéhǎo 形 この上なくすばらしい．絶好の‖～的机会 絶好の機会

【绝后】jué//hòu 動 ❶跡継ぎが絶える ❷今後二度とない‖空前～ 空前絶後である

【绝活】juéhuó 图 絶技．特技

【绝技】juéjì 图 絶技．すばらしい技

【绝迹】jué//jì 動 跡を断つ

【绝佳】juéjiā 形 絶妙である．絶品である

【绝交】jué//jiāo 動 絶交する．交際を断つ．（国交を）断絶する‖我已经跟他～了 私はもう彼と絶交した

【绝经】juéjīng 動〈生理〉閉経する

【绝境】juéjìng 图 窮地．のっぴきならない境地‖濒bīn于～ 窮地に瀕(ひん)する｜陷入～ 窮地に陥る

【绝句】juéjù 图 絶句‖五言～ 五言絶句

【绝口】juékǒu 動 ❶話をやめる．（必ず前に〔不〕を伴う）‖赞不～ しきりにほめそやす ❷黙る．沈黙する‖～不提 口を閉ざして触れない

【绝路】jué//lù 動 活路を失う．行き詰まる 图（juélù）袋小路．行き詰まり‖走上～ 破滅の道を歩む

【绝伦】juélún 動 書 比類ない．ほかにない‖荒谬miù～ でたらめも甚だしい｜精美～ 美しいことこの上ない

【绝门】juémén 图 ❶跡継ぎのいない人 ❷（～儿）後継者のいない仕事 ❸（～儿）絶技．特技 形（～儿）方 ひどい．すごい

【绝密】juémì 形 極秘の．機密の

【绝妙】juémiào 形 絶妙な．巧みな

【绝灭】juémiè 動 絶滅する‖濒于～ 絶滅に瀕する

【绝命书】juémìngshū 图 旧（自殺者の）遺書

【绝情】juéqíng 形 情のない．人情味のない．冷酷である 動 情を断つ．情を忘れる‖～忘义 人情を解せず，義を忘れる

【绝色】juésè 图 書 世に並びなき容色．絶世の美人

【绝食】jué//shí 動 絶食する．ハンストする

【绝世】juéshì 形 書 絶世の．またとない

【绝收】juéshōu 動 収穫がまったくない．作物がまったくとれない

＊**【绝望】jué//wàng** 動 絶望する‖对前途感到～ 前途に絶望を感じる｜脸上流露出一副～的神情 顔に絶望的な表情が現れる

【绝无仅有】jué wú jǐn yǒu 成 きわめて少ない．ほとんどない

【绝响】juéxiǎng 图 書 伝承の絶えた音楽．（広く）伝承の絶えた事物

【绝续】juéxù 動 断絶することと継続すること

【绝艺】juéyì 图 すばらしい技芸

【绝育】jué//yù 動〈医〉不妊手術をする

＊**【绝缘】juéyuán** 動 ❶〈電〉絶縁する‖～纸 絶縁紙｜～材料 絶縁材料 ❷（外界と）隔絶する

【绝缘体】juéyuántǐ 图〈電〉絶縁体

【绝招】【绝着】juézhāo（～儿）图 ❶絶技．離れ業 ❷他人が予期できないような策略

【绝症】juézhèng 图 不治の病．死病

【绝种】jué//zhǒng 動（生物が）死滅する．絶滅する

9 **珏 jué** 書 合わさった二つの玉(ぎょく)

9 ＊**觉(覺) jué** ❶目覚める ❷動 悟る．分かる ❸動 感じる．覚える‖不知不～ 知らず知らず ❹感覚‖味～ 味覚 ➤jiào

＊**【觉察】juéchá** 動 悟る．気付く‖我～到他这几天有些反常 私はこの数日彼がふだんと違うのに気付いた

★**【觉得】juéde** 動 ❶**感じる**‖～寂寞 寂しさを感じる｜今天我～有点儿不舒服 今日私は少し体調がすぐれない ❷**…と思う．…と感じる**‖这幅画你～怎么样？ この絵をどう思いますか

＊＊**【觉悟】juéwù** 動 **目覚める．悟る．自覚する．認識する**‖～到问题的严重性 問題の重大性を認識する 图 **自覚．意識**‖提高～ 自覚を強める

＊**【觉醒】juéxǐng** 動 覚醒する．目覚める‖在事实面前她终于～了 現実を目のあたりにして彼女はついに目が覚めた

10 **倔 jué** ↴ ➤juè

【倔强】juéjiàng 形 強情である

11 *掘 jué 動 掘る ‖ 发～ 発掘する | 在村头～了一眼井 村に井戸を一つ掘った

【掘土机】juétǔjī 名〈機〉パワーショベル．掘削機

11 崛 jué （山などが）そびえ立つ ‖ 一～起

【崛起】juéqǐ 動 書 ❶（山などが）そびえ立つ．そそり立つ ❷出現する

11 桷 jué 書 方形の垂木

11 脚（△腳）jué 〔角³ jué〕に同じ ➤ jiǎo

11 觖 jué 書 不満である

12 厥¹ jué 〈中医〉気絶する．昏倒する ‖ 昏～ 気絶する

12 厥² jué 書 その ‖ ～后 その後

14 谲 jué 書 ❶偽る．欺く．たぶらかす ❷珍しい．奇異である ‖ 怪～ 奇怪である

【谲诈】juézhà 形 狡猾(こうかつ)である

14 劂 jué ➡〔剞劂jījué〕

15 蕨 jué 名〈植〉ワラビ．ふつう〔蕨菜〕という

【蕨类植物】juélèi zhíwù 名〈植〉シダ植物

15 獗 jué ➡〔猖獗chāngjué〕

16 噱 jué 書 大笑する ‖ 谈笑大～ 大笑いしながら談笑する ➤ xué

16 橛（△橜）jué （～儿）名 短い木の杭(くい)

【橛子】juézi 名 短い木の杭

17 爵¹ jué 名 古代の酒器の一種，爵

17 爵² jué 爵位 ‖ 伯bó～ 伯爵 | 封～ 爵位を授ける

【爵禄】juélù 名 書 爵位と俸禄(ほうろく)

【爵士】juéshì 名 ナイト．一代限りの爵位

【爵士乐】juéshìyuè 名〈音〉ジャズ

【爵位】juéwèi 名 爵位

19 蹶 jué 書 転ぶ．つまずく．転 挫折(ざせつ)する ‖ 一～不振 挫折して立ち直れない ➤ juě

20 矍 jué ↴

【矍铄】juéshuò 形 書（年寄りが）元気がよい．かくしゃくとしている ‖ 精神～ 気持ちがしゃんとしている

20 嚼 jué かむ．意味は〔嚼jiáo〕に同じで，一部の複合語や成語に用いる ➤ jiáo jiào

21 爝 jué ↴

【爝火】juéhuǒ 名 古 たいまつ

23 攫 jué つかむ．奪い取る ‖ 一～取

【攫取】juéqǔ 動 貶 奪い取る．略奪する

juě

19 蹶 juě ↴ ➤ jué

【蹶子】juězi ➡〔尥蹶子liàojuězi〕

juè

10 倔 juè 形 無愛想．ぶっきらぼうである．頑固である ➤ jué

【倔头倔脑】juè tóu juè nǎo 成 無愛想である．頑固一徹である

jūn

6 **军 jūn ❶名 軍隊．軍 ❷名〈軍〉（軍隊の編制単位）方面軍． ➡〔中国人民解放军 Zhōngguó rénmín jiěfàngjūn〕

*【军备】jūnbèi 名 軍備 ‖ 扩充～ 軍備を拡張する | 裁减cáijiǎn～ 軍備を縮小する

【军车】jūnchē 名 軍用の機動車両

【军刀】jūndāo 名 軍刀

**【军队】jūnduì 名 軍隊

*【军阀】jūnfá 名 軍閥

【军法】jūnfǎ 名 軍法 ‖ ～从事 軍法によって裁く

【军费】jūnfèi 名 軍費．軍事費

【军服】jūnfú 名 軍服

【军港】jūngǎng 名 軍港

【军工】jūngōng 名 ❶軍需産業 ❷軍事工事

【军功】jūngōng 名 軍功．武功．戦功

*【军官】jūnguān 名 将校．士官

【军管】jūnguǎn 動 軍事管制を敷く

【军国主义】jūnguó zhǔyì 名 軍国主義

【军号】jūnhào 名 軍用ラッパ

【军徽】jūnhuī 名 軍隊の記章

【军火】jūnhuǒ 名 武器弾薬の総称

【军机】jūnjī 名 ❶軍機．軍事機密 ‖ 泄漏xièlòu～ 軍事機密を漏洩(ろうえい)する ❷軍事行動を起こす機会

【军籍】jūnjí 名 軍籍 ‖ 开除～ 軍籍を解く

【军纪】jūnjì 名 軍紀．軍律

*【军舰】jūnjiàn 名 軍艦

【军阶】jūnjiē 名 軍人の階級

【军垦】jūnkěn 動 軍隊が田地を開墾し生産する

【军礼】jūnlǐ 名（軍隊の）敬礼 ‖ 行～ 敬礼する

【军力】jūnlì 名 軍事力．兵力

【军粮】jūnliáng 名 軍糧

【军龄】jūnlíng 名 兵役年数

【军令】jūnlìng 名 軍令．軍事命令

【军令状】jūnlìngzhuàng 名 旧（伝統劇や旧小説で）軍令を受けたときに書く誓約書

【军旅】jūnlǚ 名 書 軍隊 ‖ ～生涯yá 軍隊生活

【军马】jūnmǎ 名 ❶軍馬 ❷書 部隊．軍隊

【军民】jūnmín 名 軍隊と人民 ‖ ～鱼水情 軍と人民が魚と水のように親密な関係にある

【军棋】jūnqí 名（将棋の一種）軍人将棋

【军旗】jūnqí 名 軍旗

【军情】jūnqíng 名 軍事情勢

【军区】jūnqū 名 軍管区．軍区

【军权】jūnquán 名 軍隊の指揮権．兵権

*【军人】jūnrén 名 軍人

【军容】jūnróng 名 軍容．軍の紀律

【军嫂】jūnsǎo 名 軍人の妻に対する尊称

【军师】jūnshi；jūnshī 名 ❶軍師．古代の官名の一つで，軍機をつかさどった ❷策士．参謀

【军士】jūnshì 名 下士官．〔尉官〕の下，〔兵〕の上

[军事] jūnshì 名 軍事 ‖ ～训练 軍事訓練 | ～演习 軍事演習
[军事法庭] jūnshì fǎtíng 名 軍事法廷
[军事管制] jūnshì guǎnzhì 名 軍事管制
[军事基地] jūnshì jīdì 名 軍事基地
[军事训练] jūnshì xùnliàn 名〈軍〉軍事訓練
[军事演习] jūnshì yǎnxí 名〈軍〉軍事演習
[军售] jūnshòu 動〈軍〉武器弾薬を輸出する ‖ 解除对华～禁令 対中武器禁輸を解除する
[军属] jūnshǔ 名 現役軍人の家族
[军团] jūntuán 名 ❶旧 紅軍時代の軍隊の編制単位. 現在の〔集团军〕に相当する ❷(外国の軍隊の編制単位)軍団
[军威] jūnwēi 名 軍の名声と権威
[军务] jūnwù 名 軍務
[军衔] jūnxián 名 軍人の階級を表す称号
[军饷] jūnxiǎng 名 軍人の俸給や手当
[军校] jūnxiào 名 士官学校
[军械] jūnxiè 名 兵器. 武器 ‖ ～库 兵器庫
[军心] jūnxīn 名 (軍隊の)士気 ‖ ～动摇dòngyáo 士気が動揺する
[军需] jūnxū 名 ❶軍需品 ‖ ～物资 軍需物資 ❷旧 軍需業務を取り扱う要員
[军训] jūnxùn 動 軍事訓練をする
\[军医\] jūnyī 名 軍医
[军营] jūnyíng 名 兵営
*[军用]** jūnyòng 形 軍用の ‖ ～飞机 軍用機 | ～列车 軍用列車 | ～品 軍用品
[军邮] jūnyóu 名 軍事郵便
[军乐] jūnyuè 名 軍楽 ‖ ～队 軍楽隊
[军政] jūnzhèng 名 ❶軍事と政治 ❷軍政. 軍事上の政務 ❸軍隊と政府
[军种] jūnzhǒng 名 (陸海空の)軍隊の基本的種別
*[军装]** jūnzhuāng 名 軍服

7 * **均** jūn ❶形 平均している. 等しい. 平等である ‖ 分配不～ 分け方が公平でない ❷副 全部. すべて. いずれも ‖ 一切费用～由我方负担 費用はいっさい当方で負担します
[均等] jūnděng 形 均等である. 平等である
[均分] jūnfēn 動 均等に分ける. 均分する
[均衡] jūnhéng 形 均衡をとる. バランスをとる ‖ ～发展 バランスよく発展する
[均势] jūnshì 名 均勢. 力の均衡
[均摊] jūntān 動 平等に負担する. 頭割りにする
[均线] jūnxiàn 名〈経〉移動平均線. 一定期間の株価の平均値を表したグラフ ‖ 五日～ 5日移動平均線
*[均匀]** jūnyún 形 平均している. 均等である ‖ 人口分布很不～ 人口分布にかなりばらつきがある

7 **君** jūn ❶君主 ‖ 国～ 君主 ❷古代の称号 ❸書 人に対する敬称 ‖ 李～ 李さん
[君临] jūnlín 動 ❶君臨する ❷到来する
[君权] jūnquán 名 君主の権力
[君王] jūnwáng 名 君主. 帝王
[君主] jūnzhǔ 名 国君. 君主
[君主国] jūnzhǔguó 名 君主国
[君主立宪] jūnzhǔ lìxiàn 名 立憲君主制
[君主制] jūnzhǔzhì 名 君主制
[君子] jūnzǐ 名 君子. 学識や人格の優れた人 ↔〔小人〕‖ 伪～ えせ君子 | 正人～ 聖人君子
[君子动口, 不动手] jūnzǐ dòngkǒu, bù dòngshǒu 諺 君子は道理で争い, 腕力は用いない
[君子兰] jūnzǐlán 名〈植〉クンシラン
[君子协定] jūnzǐ xiédìng 名 紳士協定

7 **龟**(龜) jūn 〔皲jūn〕に同じ ➤ guī qiū
[龟裂] jūnliè 動 ❶＝〔皲裂jūnliè〕❷亀裂(きれつ)ができる. ひび割れる

9 **钧** jūn ❶(陶器を作るための)ろくろ ❷書 敬 相手の事物や行為を表す語につけて尊敬の意を表す(多く目上の人に用いる) ‖ ～座 貴下. 閣下 ❸古代の重量単位. 1〔钧〕は30〔斤〕に相当する ‖ 千～一发 一髪千鈞(せんきん)を引く. きわめて危険なたとえ

11 **菌** jūn 菌. 菌類 ‖ 细～ 細菌 | 真～ 菌類 ➤ jùn
[菌落] jūnluò 名 (細菌・かび類などの)コロニー

11 **皲** jūn あかぎれができる
[皲裂] jūnliè 動 書 あかぎれができる. 〔龟裂〕とも書く

13 **筠** jūn 地名用字 ‖ ～连 四川省にある県の名 ➤ yún

16 **麇** jūn 古 キバノロ ➤ qún

jùn

9 **俊**(^△^儁❶❷ 雋❶❷) jùn ❶才知が優れている人 ‖ →～杰 ❷才知が優れている ‖ 英～ 才能が優れている ❸形 美しい ‖ 这小姑娘真～ この娘さんはほんとうに美しい
[俊杰] jùnjié 名 書 才能の優れた人. 俊傑
[俊美] jùnměi 形 (容貌が)美しい. みめ麗しい
[俊俏] jùnqiào 形 口 (容貌が)美しい. 器量がよい
[俊秀] jùnxiù 形 (容貌が)美しい

9 **郡** jùn 名 古 (地方行政区画の一つ)郡

10 **浚**(^△^濬) jùn (川底などを)さらう ‖ 疏shū～ さらう. 浚渫(しゅんせつ)する ➤ xùn

10 **捃** jùn 書 拾う. 取る

10 **峻** jùn ❶(山が)高く険しい ‖ 险～ (山が)険しい ❷厳しい ‖ 严～ 峻厳(しゅんげん)である
[峻拔] jùnbá 形 険しく切り立っている
[峻急] jùnjí 形 書 ❶(水の)流れが速い ❷(性格が)短気で厳しい
[峻峭] jùnqiào 形 書 (山が)高く険しい

10 **骏** jùn 書 駿馬(しゅんめ)
[骏马] jùnmǎ 名 書 駿馬. 良馬

11 **菌** jùn 名〈植〉キノコ ➤ jūn
[菌子] jùnzi 名 方 キノコ

12 **竣** jùn 完成する. 完了する ‖ →～工 | 完～ 完成する. 終わる
[竣工] jùngōng 動 竣工(しゅんこう)する. 工事が完成する

J

K

kā

8 **咖** kā ↴ ➤ gā

★**[咖啡]** kāfēi 图 外 ❶〈植〉コーヒーノキ ❷**コーヒー** ‖ 冲chōng～ コーヒーを入れる｜煮～ (サイフォンなどで)コーヒーを入れる｜速溶sùróng～ インスタント・コーヒー

[咖啡馆] kāfēiguǎn 图 喫茶店．コーヒー・ショップ

[咖啡色] kāfēisè 图 茶色．コーヒー色

[咖啡厅] kāfēitīng 图 (ホテルなどの)喫茶室．コーヒー・ショップ

[咖啡因] kāfēiyīn 图〈薬〉カフェイン．〔咖啡碱〕〔茶素〕ともいう ‖ ～中毒 カフェイン中毒

8 **咔** kā 擬 (金属質のものが軽くぶつかる音)カチャ．カチャン．カチャリ ‖ ～的一声打开了锁suǒ カチャリと鍵を開けた ➤ kǎ

[咔吧] kābā 擬 (ものが折れたり割れたりするときの乾いた音)ガサッ．パリッ．〔喀吧〕とも書く

[咔嚓] kāchā 擬 (ものが折れたり，ぶつかったりする音)カチャッ．カチャン．〔喀嚓〕とも書く

[咔哒] kādā 擬 (硬いものがぶつかる音)ガタン．ガチャン．〔喀哒〕とも書く

12 **喀** kā 擬 ❶(嘔吐(おうと)や咳(せき)をする音)コンコン．ゴホゴホ．ゲー ‖ ～～地直咳嗽 コンコンとしきりに咳をする ❷(ものが裂ける音)ピシッ

[喀麦隆] Kāmàilóng 图〈国名〉カメルーン

[喀斯特] kāsītè 图 外〈地質〉カルスト

15 **擖** kā 動 口 (ナイフ状のもので)削り落とす．こそげる ‖ ～土豆皮 ジャガイモの皮をこそげる

kǎ

5 *__卡__ kǎ ❶量 略 カロリー．〔卡路里〕の略 ❷トラック ❸图 カード ‖ 信用～ クレジットカード ❹カセット ➤ qiǎ

[卡宾枪] kǎbīnqiāng 图〈軍〉カービン銃

★**[卡车]** kǎchē 图 **トラック** ‖ 重型～ 大型トラック

[卡尺] kǎchǐ 图 略〈機〉ノギス．〔游标卡尺〕の略

[卡丁车] kǎdīngchē 图 ゴーカート

[卡规] kǎguī 图〈機〉はさみゲージ．スナップゲージ

[卡介苗] kǎjièmiáo 图〈医〉BCGワクチン ‖ 接种jiēzhòng～ BCGを接種する

[卡拉OK] kǎlāOK 图 外 カラオケ ‖ ～厅 カラオケホール｜唱～ カラオケで歌う

[卡路里] kǎlùlǐ 图 外 カロリー ‖ 低～食品 低カロリー食品｜～高 カロリーが高い

*__[卡片]__ kǎpiàn 图 カード ‖ 查～ カードを調べる｜～柜 カード・キャビネット｜把资料做成～保存起来 資料をカード式にして保存する

[卡钳] kǎqián 图〈機〉カリパス

[卡塔尔] Kǎtǎ'ěr 图〈国名〉カタール

[卡特尔] kǎtè'ěr 图 外〈経〉カルテル

[卡通] kǎtōng 图 ❶アニメーション ‖ ～片 アニメ映画 ❷漫画

7 **佧** kǎ ↴

[佧佤族] Kǎwǎzú 图 ワ族．〔佤族〕の旧称

8 **咔** kǎ ↴ ➤ kā

[咔叽] kǎjī 图〈紡〉ドリル．〔卡其〕ともいう

9 **咯** kǎ 動 (のどまたは気管につかえているものを)吐き出す ‖ ～痰tán たんを吐く ➤ gē

[咯血] kǎ//xiě 動〈医〉喀血(かっけつ)する

9 **胩** kǎ 图〈化〉カルビラミン

kāi

4 ★**开**[1] (開) kāi ❶動 (閉じていたものを)**開ける．開(ひら)く** ↔〔关〕‖ ～锁 鍵を開ける｜～罐头 缶詰を開ける ❷動 **広げる．広がる．**(凍っていたものが)**溶ける** ‖ 花～了 花が咲いた｜拉锁ル lāsuǒr～了 ファスナーが開いた ❸(禁令や制限などを)**解く** ‖ →～禁 ❹解き放つ ‖ →～除 ❺動 (液体が)**沸騰する．沸く** ‖ 水～了 湯が沸いた ❻量 口 (～ル)湯が沸騰する回数を数える ‖ 水已经开了两～ル了 もう2度湯が沸いた ❼動 **切り開く** ‖ →～山 ❽動 **設立する．開設する** ‖ ～医院 病院を開設する ❾始まる．開始する ‖ →～学 ❿動 (会を)**開く．開催する** ‖ ～画展 絵の展覧会を開く｜下午的会不～了 午後の会議は取り止めになった ⓫動 (機械や車などを)**操縦する．操作する．**(銃などを)**発射する** ‖ →～枪｜船已经～了 船はもう出航した ⓬動 (部隊が)**出動する** ‖ 救援部队正～往灾区 救援部隊はいま被災地に向かっている ⓭動 (結び目などが)**ほどける．裂ける** ‖ 鞋带～了 靴ひもがほどけた ⓮動 (項目別に)**書く．書き出す．**(値段を)**つける** ‖ ～药方 処方箋(しょほうせん)を書く｜～发票 領収書を書く ⓯動 **支払う** ‖ ～工资 給料を支払う ⓰動 …の割合に分ける ‖ 三七～ 3対7の割合に分ける ⓱量〈印〉全紙の何分の1かを表す ‖ 三十二～ 全紙の32分の1の判型 ⓲動 動詞の後に置き，動作の方向や結果などを表す ①**分かれることや離れることを表す** ‖ 切～蛋糕 カステラを切り分ける｜他悄悄qiāoqiāo地走～了 彼はこっそりその場を去った ②**広がっていくことを表す** ‖ 消息很快传～了 ニュースはたちまち広まった ③解消することやはっきりすることを表す ‖ 你想～一点ル吧 思いつめないほうがいいよ ④**開始して継続していくことを表す** ‖ 两人一见面就吵～了 二人は顔を合わせたとたんけんかを始めた ⑤収容することを表す ‖ 屋子虽小，两张床总还能摆～ 部屋は狭いが，ベッド二つくらいは置くことができる

4 **开**[2] (開) kāi ❶量 カラット ‖ 十八～金的项链xiàngliàn 18金のネックレス ❷量 略〈物〉(熱力学の温度単位)ケルビン．〔开尔文〕の略

[开拔] kāibá 動〈軍〉(軍隊が駐屯地から)出発する

[开班] kāi//bān 動 (各種講座や研修クラスなどを)開設する．開講する

*__[开办]__ kāibàn 動 (学校・工場・病院などを)創設する．開業する ‖ ～电视讲座 テレビ講座を新設する

【开本】kāiběn 图〈印〉判型‖三十二～ 全紙の32分の1の判型(B6判)
【开编】kāibiān 動 編纂(さん)を始める. 編集し始める
【开标】kāi//biāo 動 入札した札を人々の前で発表する. 開札をする
【开播】[1] kāibō 動 番組の放送を開始する
【开播】[2] kāibō 動〈農〉種まきを始める
【开不开】kāibukāi 動 開かない. 開けられない‖锁锈住xiùzhù了, ～ 鍵がさびついてしまって開かない
*【开采】kāicǎi 動(地下資源を)採掘する
【开衩】kāi//chà (～儿) 動(上着やスカートに)スリットを入れる
【开拆】kāichāi 動 ❶封を開ける. 封を切る ❷(建物などを)取り壊す. 解体する
【开场白】kāichǎngbái 图(芝居や講演などの)前口上. 前置き. プロローグ
【开畅】kāichàng 形(気持ちが)伸びやかである. おおようである.〔宽畅〕ともいう
*【开车】kāi//chē 動 ❶車を運転する‖严禁酒后～ 飲酒運転を禁ず ❷発車する ❸機械を操作する
【开诚布公】kāi chéng bù gōng 成 私心を挟まず誠意をもって人に接する
【开诚相见】kāi chéng xiāng jiàn 成 誠意をもって人に接する
【开秤】kāi//chèng 動(主として季節物の)取引を始める
【开初】kāichū 图 当初. 初め
*【开除】kāichú 動 やめさせる. 解雇する. 除名する. 追放する‖他被学校～了 彼は退学させられた
【开锄】kāi//chú 動 その年初めて畑にくわを入れる
【开船】kāi//chuán 動 出帆する. 出港する
【开创】kāichuàng 動 始める. 切り開く
【开春】kāi//chūn 動(～儿)春になる(一般に旧暦の正月または立春のころをさす)
【开打】kāidǎ 動〈劇〉立ち回りをする. 殺陣(たて)を演じる
【开裆裤】kāidāngkù 图(用便に便利なように)またの部分が開く幼児用ズボン
*【开刀】kāi//dāo 動 ❶旧 打ち首にする ❷喩 やり玉にあげる‖拿问题最多的车间～ 問題のいちばん多い現場をやり玉にあげる ❸手術する
【开导】kāidǎo 動 指導する. 教え導く
【开倒车】kāi dàochē 慣(発展や時代の流れに)逆行する. 後戻りする
【开道】kāi//dào 動 道を開いて先導する‖由警车～ パトカーが先導する
*【开动】kāidòng 動(機械などを)動かす.(頭を)働かす‖车子～了 車が動き出した
【开冻】kāi//dòng 動(凍った川や地面の氷が)解ける
【开端】kāiduān 图 きっかけ. 発端. 始まり
【开恩】kāi//ēn 動 旧 恩恵を施す. 寛大にする. 容赦する‖您开开恩吧 どうか大目に見てください
*【开发】kāifā 動 開発する. 開拓する‖～智力 知力を開発する｜～出新产品 新製品を開発する
【开发区】kāifāqū 图 略 開発区.〔经济技术开发区〕の略
【开发商】kāifāshāng 图 不動産業者. 不動産ディベロッパー
*【开饭】kāi//fàn 動 ❶膳立てが整う. 食事にする‖～了 食事の用意ができました ❷(職場や学校などの食堂で)食事の供給を始める‖食堂六点～ 食堂は6時から始まる
【开方】[1] kāi//fāng 動 処方を書く.〔开方子〕ともいう
【开方】[2] kāi//fāng 動〈数〉平方根を求める
【开房间】kāi fángjiān 組 方(ホテルなどに)部屋をとる‖开了两个房间 二部屋とった
【开放】kāifàng 動 ❶(花が)咲く‖各种花朵竞相～ いろいろな花が競って咲く ❷(公共の場所を)一般に公開する**‖图书馆暑期全天～ 図書館は夏休みの間, 毎日開館する ❸(制限・規制などをとりやめ)**開放する**‖对外～ 対外的に開放する 形 開かれている. 開放的である‖思想～ 考え方が開放的で自由である
【开放式基金】kāifàngshì jījīn 图 オープンエンド型投資信託 ↔〔封闭式基金〕
【开付】kāifù 動 発行する. 交付する‖～收据 領収書を発行する
【开赴】kāifù 動 行く. 赴く
【开革】kāigé 動 除名する. 免職にする
*【开工】kāi//gōng 動 ❶(工場が)生産を始める. 操業する‖纺织fǎngzhī厂明年可以～ 紡績工場は来年生産を始めることができる ❷着工する‖新机场建设已经～了 新空港の建設はすでに着工した
【开工率】kāigōnglǜ 图(工場の機械の)稼働率
*【开关】kāiguān 图 ❶〈電〉スイッチ‖按～ スイッチを押す｜把～关上 スイッチを切る ❷〈機〉バルブ
【开光】kāi//guāng 動〈仏〉開眼供養をする
【开锅】kāi//guō 動 口 ❶(鍋の中の湯などが)沸騰する. 煮えたぎる ❷喩 大騒ぎする‖他的话音刚落, 屋子里顿时开了锅 彼の話が終わるやいなや部屋の中はたちまち大騒ぎになった
【开国】kāiguó 動 建国する‖～元勋yuánxūn 建国の元勲
【开航】kāi//háng 動 ❶就航する ❷出航する
【开河】[1] kāi//hé 動 川の氷が解ける
【开河】[2] kāi//hé 動 河道を開削する. 川を開く
【开红灯】kāi hóngdēng 慣 禁止措置をとる. ストップをかける
【开后门】kāi hòumén (～儿) 慣 便宜を与える‖他利用工作之便, 被撤职了 彼は職権を利用して他人の便宜をはかったので免職された
【开户】kāi//hù 動 口座を開く
【开花】kāi//huā (～儿) 動 ❶花が咲く. 開花する ❷喩 割れる. 炸裂(さく)する‖～儿馒头 上が花のように割れたマントー ❸喩 満面に笑みを浮かべる‖心里乐开了花 嬉しくてたまらない ❹喩(事業が)発展する‖技术革新, 遍地～ 技術革新で, あまねく発展する
【开化】kāihuà 動 ❶(文化が)開化する ❷(川や大地の)氷が解け始める 形(考えが)開放的である
【开怀】kāihuái 副 思う存分. 心ゆくまで‖～痛饮 思いきり痛飲する｜～大笑 思う存分大笑いする
【开荒】kāi//huāng 動 荒地を開拓する
【开会】kāi//huì 動 **会を開く. 会議をする‖开了一整天会 会議が丸一日かかった｜开完会他就走了 会が終わると彼はすぐ出ていった
【开荤】kāi//hūn 動〈仏〉精進落としをする
【开火】kāi//huǒ (～儿) 動 発砲する. 戦いの火ぶたを切る‖～！ 撃て！
【开伙】kāi//huǒ 動 ❶食事を作る ❷(学校や職場などの食堂が)営業する
【开机】kāi//jī 動 ❶(機械が)作動する ❷(映画やテ

K

レビドラマなどの)撮影を開始する. クランクインする
【开价】kāi//jià (～儿) 動 値段をつける
【开架】kāijià 動 ❶書架を開放する ❷棚を開放する. (客が商品を)棚から自由に選び出す ‖ ～售货 自由に手に取って選ぶことのできる販売方式
【开间】kāijiān 量 方 (伝統家屋の)間口の広さを表す単位. 桁(けた)1本の長さは約3.3メートル ‖ 单～ 間口が桁1本分の長さの部屋 名 間口
【开讲】kāijiǎng 動 ❶講義を始める ❷講談を始める
【开奖】kāijiǎng 動 抽選する
【开交】kāijiāo 動 (多く否定文に用いて)収拾する. 結末をつける ‖ 吵得不可～ 口論が激しくて収拾がつかない | 每天忙得不可～ 毎日てんてこ舞いの忙しさだ
【开胶】kāi//jiāo 動 (くっついていたものが)裂ける. はがれる
【开街】kāijiē 動 (商店街や観光街などの)通りがオープンする
【开解】kāijiě 動 慰める. なだめる
【开戒】kāi//jiè 動 戒律を解く. 絶っていたものをまた始める
【开金】kāijīn 名 金を含む合金
【开襟】kāijīn 名 (服の身ごろの開口部の形で)前開き ‖ ～毛衣 カーディガン | 对～ 前中央あわせ
【开禁】kāijìn 動 禁を解く. 解禁する
【开镜】kāijìng 動 (映画やテレビドラマなどの)撮影を開始する
【开局】kāi//jú 動 (将棋や球技が)始まる 名 (kāijú)(将棋や球技の)序盤戦
【开具】kāijù 動 (多く項目別に)書き出す. (書状を)作成する ‖ ～清单 明細書を書く
【开卷】kāijuàn 動 ❶書 本を開く ❷(試験で)参考書類を持ち込む ‖ ～考试 ノートや参考書持ち込み可の試験
【开掘】kāijué 動 ❶掘削する. 掘る ‖ ～矿井 立て坑を掘る ❷(文学作品などで)内容を深く掘り下げる
**【开课】kāi//kè 動 ❶授業が始まる ‖ 学校九月一日～ 学校は9月1日に始まる ❷(大学などで)講義する ‖ 我今年开两门课 私は今年二つの課目を担当する
*【开垦】kāikěn 動 開墾する ‖ ～荒地 荒地を開墾する
*【开口】kāi//kǒu 動 ❶口を開く. 話を始める ‖ 大家七嘴八舌, 根本容不得róngbude我～ みんながやたらにしゃべるので, 私が口を挟むすきがまったくない ❷刃をつける. 刃を立てる
【开口闭口】kāikǒu bìkǒu 慣 口を開くたびに言う. いつも同じことを言う
【开口子】kāi kǒuzi 組 ❶堤防が決壊する ❷抜け道をつくる. 特例を設ける
【开快车】kāi kuàichē 慣 (仕事の)能率を上げる. 効率を上げる
【开矿】kāi//kuàng 動 採鉱する
*【开阔】kāikuò 形 ❶広々としている ❷おおようである. おおらかである. 度量が大きい ‖ 心胸～ 度量が大きい 動 広げる ‖ ～视野 視野を広げる
【开阔地】kāikuòdì 名〈軍〉視野の開けた地形
*【开朗】kāilǎng 形 ❶明るく広々としている ‖ 眼前豁然huòrán～ 急に視界がひらけた ❷明るい. 明朗である ‖ 他性格～, 为人热情 彼は性格が明るくて, 人柄が温かい
【开犁】kāi//lí 動〈農〉その年初めて畑を耕す. くわ入れをする ‖ ～播种bōzhòng くわ入れをして種をまく
【开例】kāi//lì 動 先例を作る
【开镰】kāi//lián 動 かまを使って取り入れを始める
【开脸】kāi//liǎn 動 ❶旧 嫁入りする女性が顔や首のうぶ毛をそり, 髪型を変える ❷顔の部分を彫刻する
【开列】kāiliè 動 書き出す. 列記する
【开裂】kāiliè 動 裂け目が入る
【开路】kāi//lù 動 ❶道を開く. 道をつける ❷先に立って案内する. 先導する 名〈電〉開回路. オープン・サーキット
【开绿灯】kāi lǜdēng 慣 許可する. 便宜を図る
【开锣】kāi//luó 動 ❶開演する ❷(スポーツ大会などが)開幕する
【开门】kāi//mén 動 ❶営業を始める. 営業する ‖ 春节期间商店照常～ 春節の間も商店はいつもどおり営業する ❷門戸を開く
【开门红】kāiménhóng 名 喩 滑り出しから大成功を収めること. 幸先よいスタート
【开门见山】kāi mén jiàn shān 成 単刀直入に話す
【开门揖盗】kāi mén yī dào 成 戸を開けて悪人を引き入れる. 自ら災いを招くこと
【开蒙】kāi//méng 動 旧 (私塾で)児童が読み書きを教わる. 児童が読み書きを習い始める
**【开明】kāimíng 形 進歩的である ‖ 思想～ 考え方が進歩的である | ～人士 進歩的な人
*【开幕】kāi//mù 動 ❶(芝居の)幕が開く ❷(会議や展覧会などが)開幕する. 始まる | 致～词 開会の挨拶をする
【开拍】kāipāi 動 (テレビや映画の)撮影を開始する. クランクインする
【开盘】kāi//pán 動〈経〉寄りつく ‖ ～价 寄りつき値段. 寄りつき相場
【开炮】kāi//pào 動 ❶大砲を撃つ ❷(相手を)攻撃する. 批判を浴びせる
**【开辟】kāipì 動 ❶創設する. 開設する ‖ ～新航线 新しい航路を開設する ❷開拓する. 切り開く ‖ ～商品市场 商品市場を開拓する
【开篇】kāipiān 名 (語り物などの)まくら. 前置きのうた
【开瓢儿】kāi//piáor 動 方 頭を打ち割る. 頭を打ち割られる. (多く冗談の意を含む)
【开票】kāi//piào 動 ❶開票する ❷伝票を切る
【开屏】kāi//píng 動 (雄のクジャクが)尾羽を広げる
【开启】kāiqǐ 動 ❶開く. 開ける ❷始める. 創始する ‖ ～了一代新画风 時代を代表する新しい画風を創始した
【开枪】kāi//qiāng 動 発砲する. 銃を撃つ. ピストルを撃つ
【开腔】kāi//qiāng 動 俗 口を開く. ものを言う
【开窍】kāi//qiào (～儿) 動 ❶悟る. 納得がいく. 釈然とする ‖ 思想不～ 納得しない ❷(子供の)知恵がつく. 物心がつく ❸方 見聞を広める(からかいの意を含む)
【开球】kāi//qiú 動〈体〉キック・オフする
【开缺】kāi//quē 動 旧 (官吏の)空席になったポストの後任を選び補充する
【开刃儿】kāi//rènr 動 刃をつける. 刃を立てる
【开赛】kāisài 動 試合が始まる. 競技が開始する
【开山】kāi//shān 動 ❶山を切り開く ❷山開きをする ❸〈宗〉寺院を創建する

【开山祖师】kāishān zǔshī 名 開山の祖師. 転 創始者.〔开山祖〕ともいう
【开衫】kāishān（～儿）名 カーディガン
【开哨】kāishào 動〈体〉(試合開始の)ホイッスルが鳴る. 試合が始まる
*【开设】kāishè 動 ❶(店や工場などを)設立する. 開設する ‖ ～医疗保健中心 医療保健センターを開設する ❷(課目や講座を)設ける ‖ 这学期新～了两门选修课 今学期から選択課目が新たに2課目設けられた
【开审】kāishěn 動 審理を始める
★【开始】kāishǐ 動 **開始する. 始まる. 取りかかる. 着手する** ‖ 新学期～了 新学期が始まった 名 **初め. 最初. 手始め**

> **類義語** 开始 kāishǐ 开头 kāitóu 开端 kāiduān
> ◆〔开始〕初め. 最初. 初めのうち. 時間的始まりに重きをおく ‖ 开始我一点儿也听不懂日语 最初は日本語がまったく分からなかった ◆〔开头〕最初. 初め. 冒頭. 事柄の始まりに重きをおく ‖ 这支歌儿我只会唱个开头 この歌の最初のところだけ歌える ◆〔开端〕発端. 始まり. 始め. 事柄の始まりを表し, 書き言葉に用いる ‖ 这是中国近代史的开端 これが中国近代史の始まりである

【开市】kāi//shì 動(休みのあとで)商売を始める. 取引を開始する ‖ ～大吉 商売繁盛 名 その日の初商い
【开释】kāishì 動 釈放する ‖ 刑满～ 刑期満了で釈放する
【开涮】kāishuàn 動 方(人を)だましからかう ‖ 少拿我～ 僕をからかうなよ
*【开水】kāishuǐ 名 湯. 熱湯 ‖ 烧shāo～ 湯を沸かす
【开司米】kāisīmǐ 名 外〈紡〉カシミヤ
【开台】kāitái 動 芝居が始まる. 幕が開く
【开膛】kāi//táng 動(動物や鳥の)腹を開く
【开天窗】kāi tiānchuāng 慣 ❶梅毒で鼻が欠けること ❷新聞記事が検閲で止められ紙面に空白ができる
*【开天辟地】kāi tiān pì dì 成 開闢(かいびゃく)以来. 有史以来
【开庭】kāi//tíng 動〈法〉開廷する
【开通】kāitōng 動 ❶開通する ‖ 新建的公路桥正式～使用了 新しい道路橋が正式に開通した ❷(思想などを)新しくさせる
【开通】kāitong 形 開けている. さばけている. 進歩的である ‖ 思想很～ 考えが開けている
*【开头】kāi//tóu（～儿）動 ❶始める. 始まる ❷口火を切る ‖ 我先开个头儿, 大家接着谈 私が口火を切るからみなさん続けて話してください 名(kāitóu)最初. 冒頭 ‖ 万事～难 万事初めが難しい
【开脱】kāituō 動(罪や責任を)免れる ‖ 设法替自己～ 自分の罪を逃れるのに手を尽くす
*【开拓】kāituò 動 開拓する. 切り開く ‖ ～边疆biānjiāng 辺境を切り開く | ～市场 市場を開拓する
【开外】kāiwài 名(ある数量を)超えていること. 以上 ‖ 老人看上去有八十～ 老人は見たところ八十を越している
★【开玩笑】kāi wánxiào 組 ❶**冗談を言う. ふざける. 笑わせる** ‖ 他用半～的口气向我认了错 彼は冗談めかした口調で私に間違いを認めた ❷**不まじめな態度をとる. 冗談事にする** ‖ 不重视安全生产, 就是拿工人的生命～ 安全な生産を重視しないことは, すなわち工場労働者の生命を軽んずることである
【开往】kāiwǎng 動 …に向けて発車する ‖ 这趟火车是～北京的 この列車は北京行きです
【开胃】kāiwèi 動 ❶食欲を増進する. 食欲がわく. 食欲をそそる ‖ ～酒 食前酒. アペリチフ ❷方 気晴らしをする
【开线】kāi//xiàn 動(縫い目が)ほどける. ほころびる
【开销】kāixiao ; kāixiāo 動 支払う 名 出費. 費用
【开小差】kāi xiǎochāi（～儿）慣 ❶(兵隊が)逃亡する ❷さぼる. エスケープする ‖ 今天开会, 他又～了 今日の会議を彼はまたさぼった ❸喩 気が散る
【开小会】kāi xiǎohuì 慣(会議中などに)ひそひそ話をする
【开小灶】kāi xiǎozào 慣 特別待遇する. とくに優遇する
*【开心】kāixīn 動 ❶気晴らしをする ❷からかう. 冷やかす ‖ 拿人～ 人をからかう 形 楽しい. 愉快である ‖ 今天玩儿得真～ 今日はとても楽しく遊んだ
【开心果】kāixīnguǒ 名 ❶(木の実の一種)ピスタチオ ❷みんなを楽しませる人. 愛嬌者. ひょうきん者
【开心丸儿】kāixīnwánr 名 気休めの言葉. 慰めの言葉 =〔宽心丸儿〕
【开行】kāixíng 動(船や車が)動き出す
★【开学】kāi//xué 動 **学校が始まる. 学期が始まる** ‖ 学校九月一日～ 学校は9月1日に始まる
【开颜】kāiyán 動 書 顔をほころばす. 笑う
【开眼】kāi//yǎn 動 見聞を広める
⁑【开演】kāiyǎn 動 **開演する** ‖ 电影还没～呢 映画の上映はまだ始まっていない
【开洋荤】kāi yánghūn 慣 初めて経験する
【开业】kāi//yè 動 開業する. 営業する
*【开夜车】kāi yèchē 慣 徹夜する. 夜なべをする ‖ 他开了好几个夜车, 终于把稿子赶出来了 彼は幾晩も徹夜して原稿をついに仕上げた
【开印】kāiyìn 動 印刷を開始する
【开映】kāiyìng 動(映画を)上映する
【开园】kāi//yuán 動(果物などを)摘み取る. 取り入れる
【开源节流】kāi yuán jié liú 成 財源を開拓して支出を抑える
【开凿】kāizáo 動 掘る. 開削する ‖ ～海底隧道suìdào 海底トンネルを掘る
【开闸】kāi//zhá 動 水門を開く. 水門を開ける
【开斋】kāi//zhāi 動 ❶精進落としをする ❷〈宗〉イスラム教徒が断食を終える
【开斋节】Kāizhāijié 名〈宗〉イスラム教の精進落としの祝日. ラマダーンの断食明け. (イスラム暦の10月1日)
⁑【开展】kāizhǎn 動 ❶**展開する. 押し進める** ‖ ～群众性的体育活动 大衆的なスポーツ活動を発展させる ❷(展覧会が)始まる. 開かれる 形 闊達(かったつ)である. おうようである
【开战】kāi//zhàn 動 開戦する. 戦い(闘い)を始める
【开绽】kāizhàn 動(縫い目が)ほころびる
【开张】kāi//zhāng 動 ❶開店する. 店開きする ❷(商店で)その日最初の商いが成立する
【开仗】kāi//zhàng 動 開戦する. 戦争を始める
【开账】kāi//zhàng 動 ❶勘定書を作成する ❷代金を支払う

K

【开诊】kāizhěn 動 診療を始める
【开征】kāizhēng 動 税金の徴収を始める
*【开支】kāizhī 動 ❶支出する ❷方 給料を支払う‖厂里每月二十五号～ 工場は毎月25日が給料日だ 图 支出. 出費. 経費‖日常～ 生活費
【开宗明义】kāi zōng míng yì 成 冒頭で全編の主旨を明らかにする. 最初に内容の大要を示す
【开罪】kāizuì 動 機嫌を損なう. 怒らせる

12 揩 kāi 動 ふく. 拭う‖～干gān血迹xuèjì 血の跡をふいて乾かす
【揩拭】kāishì 動 ふく‖用手帕shǒupà～着脸上的泪 ハンカチで顔の涙をふいている
【揩油】kāi//yóu 動 うまい汁を吸う. 上前をはねる. 着服する

12 锎 kāi 图〈化〉カリホルニウム(化学元素の一つ, 元素記号は Cf)

kǎi

8 剀(剴) kǎi ↓
【剀切】kǎiqiè 形 書 ❶理にかなった ❷懇切である

8 凯(凱) kǎi 戦勝を祝う歌声や楽曲‖奏zòu～ 凱歌(がいか)を奏する
【凯歌】kǎigē 图 凱歌. 勝利の歌声
*【凯旋】kǎixuán 動 凱旋(がいせん)する‖盼望将士jiàngshì们早日～ 将兵の一日も早い凱旋を待ちわびる

9 垲(塏) kǎi 書 地勢が高く乾燥している

11 铠(鎧) kǎi よろい‖铁～ 鉄のよろい
【铠甲】kǎijiǎ 图 よろい‖身披～ よろいに身をかためる

12 慨(△嘅❷) kǎi ❶憤激する‖愤～ 憤慨する ❷慨嘆する‖→～叹 ❸快く. 惜しみなく‖→～允
【慨然】kǎirán 副 ❶感慨深く‖～长叹 感慨深く長いため息をつく ❷快く. 惜しみなく
【慨叹】kǎitàn 動 慨嘆する
【慨允】kǎiyǔn 動 快く聞き入れる. 快諾する

12 蒈 kǎi 图〈化〉カラン

13 楷 kǎi ❶手本. 模範 ❷楷書(かいしょ)‖小～ 小さな楷書文字 ➤ jiē
【楷模】kǎimó 图 鑑(かがみ). 模範. 手本
【楷书】kǎishū 图 楷書. 楷書体. 〔正楷〕ともいう
【楷体】kǎitǐ 图 ❶楷書. 楷書体 ❷(欧文の)活字体 ❸〈印〉教科書体

14 锴 kǎi 古 良質の鉄

kài

7 忾(愾) kài 書 憤り恨む

kān

5 刊(△栞) kān ❶書 削る. 削り取る ❷訂正する. 直す‖→～误 ❸(書籍・雑誌・新聞を)刊行する. 出版する‖创～ 創刊する ❹雑誌. (新聞の)特集欄‖报～ 新聞・雑誌｜副～ 新聞の文芸などの特集欄
【刊本】kānběn 图 刊本. 印本. 版本
【刊播】kānbō 動 新聞に掲載し, テレビ・ラジオで放送する‖严禁～性生活产品广告 セックス用品の広告の掲載・放送を厳禁する
【刊布】kānbù 動 書 印刷して周知徹底する
*【刊登】kāndēng 動 (新聞や雑誌に)掲載する. 掲載される. 載せる. 載る‖报上～了这一消息 新聞にそのニュースが掲載された
【刊发】kānfā 動 掲載して発表する
【刊授】kānshòu 動 定期刊行物で通信教育を行う
【刊头】kāntóu 图 (新聞や雑誌の)紙・誌名や号数などが印刷された標題部分
*【刊物】kānwù 图 出版物. 刊行物‖定期～ (新聞や雑誌などの)定期刊行物｜内部～ 内部刊行物
【刊误】kānwù 動 文字の誤りを訂正する
【刊行】kānxíng 動 刊行する
【刊印】kānyìn 動 刊行する. 印刷出版する
【刊载】kānzǎi 動 (新聞や雑誌に)掲載する. 掲載される. 載せる. 載る‖报上～了几封读者来信 新聞にいくつか読者からの手紙が掲載された

9 *看 kān ❶動 見守る. 世話をする. 看護する‖～孩子 子供の面倒を見る｜～仓库 倉庫の番をする ❷動 監視する. 見張る‖→～押 ➤ kàn
【看财奴】kāncáinú 图 守銭奴 =〔守财奴〕
【看管】kānguǎn 動 ❶監視する. 監禁する‖～犯人 犯人を拘禁する ❷(物品や子供の)番をする
【看护】kānhù 動 看護する. 介護する. 世話をする
【看家】kān//jiā 動 留守番をする 形 得意の. 取って置きの. おはこの‖～本领 得意の技. お家芸
【看家狗】kānjiāgǒu 图 ❶番犬 ❷手下. 手先
【看家戏】kānjiāxì 图 得意の出し物. おはこの演目
【看门】kān//mén 動 ❶門番をする ❷留守番をする
【看青】kān//qīng 動〈農〉(実ってはいるがまだ熟してはいない)作物の見回りをする
【看守】kānshǒu 動 ❶見張る. 番をする ❷(囚人を)監視して管理する. 拘禁する 图 看守
【看守内阁】kānshǒu nèigé 图 暫定内閣
【看守所】kānshǒusuǒ 图 留置場
【看摊】kān//tān (～儿) 動 露天の番をする. 店番をする. また, 仕事で持ち場についていることをさす
【看押】kānyā 動 拘留する. 監禁する‖～俘虏fúlǔ 捕虜を監禁する

11 勘 kān ❶照合して調べる. 校正する‖→～误 ❷実地に調べる. 探査する‖→～探
【勘测】kāncè 動 測量調査する
【勘察】【勘查】kānchá 動 (工事現場や採掘現場を)実地調査する. 踏査する
【勘定】kāndìng 動 ❶測量して確定する ❷書 審査して裁定する
【勘校】kānjiào 動 校勘する. 照合する
*【勘探】kāntàn 動 (地下資源の埋蔵状況などを)実地調査する. 探査する‖地质～队 地質調査隊
【勘误】kānwù 動 (刊行物の)文字の誤りを訂正する‖～表 正誤表
【勘验】kānyàn 動〈法〉現場検証する
【勘正】kānzhèng 動 (文字を)校正する

11 龛(龕) kān 仏像や神像を安置する厨子(ずし)‖佛fó～ 仏壇

12 **堪** kān ❶堪え得る. 我慢できる‖不～入耳 とても聞いていられない ❷書…し得る. …できる. …するに足る‖一～称

【堪称】 kānchēng 動…といえる. …というに値する‖～茶中上品 茶の中の上等品といえる

13 **戡** kān 書 平定する‖～定 同前

【戡乱】 kānluàn 動 反乱を平定する

kǎn

7 **坎**[1]（埳❶）kǎn ❶名 書 低くくぼんだ所. 穴. くぼみ ❷名 八卦(はっ)の一つ, 坎(かん). ☵で示し, 水を表す ➡〔八卦 bāguà〕❸名（～儿）（自然にまたは人工的に）高く盛り上がっている所‖土～儿 地面の盛り上がった所｜田～儿 田のあぜ

7 **坎**[2] kǎn 量 略（光度の単位）カンデラ.〔坎德拉〕の略

【坎肩】 kǎnjiān（～儿）名 袖なしの上着. 多く綿入れや毛糸のものをさす

【坎坷】 kǎnkě 形 ❶（地面が）でこぼこである ❷書 志を得ない. 不遇である‖半生～ 半生を志を得ずに過ごす

【坎儿】 kǎnr 名 肝心な点. ポイント. 肝心かなめのとき. 正念場‖帮人要帮到～上 人を助けるなら肝心かなめのときに助けるべきだ

【坎儿井】 kǎnrjǐng 名（新疆ウイグル自治区一帯で見られる）灌漑(かんがい)用掘り抜き井戸. カレーズ

【坎子】 kǎnzi 名 地面の盛り上がっている部分

8 **侃**（△偘❶）kǎn ❶書 剛直である ❷からかう. ばかにする‖调 tiáo～ からかう. あざ笑う ❸名 方（～儿）隠語. スラング. 合い言葉. 符丁 ❹動 方 世間話をする. おしゃべりする

【侃大山】 kǎn dàshān 慣 方 とりとめなく世間話をする. よもやま話をする.〔砍大山〕とも書く

【侃侃而谈】 kǎn kǎn ér tán 成 堂々と語る. 大いにしゃべる

【侃爷】 kǎnyé 名 方 おしゃべりな男の人

9 ⁂ **砍** kǎn ❶動（なたやおので）たたき切る‖～柴 柴(しば)を刈る ❷動 削除する. 削る‖～价 値引きする ❸動 方（物を）投げつける

【砍刀】 kǎndāo 名 なた

【砍掉】 kǎn//diào 動 切り落とす. 削除する

【砍伐】 kǎnfá 動（樹木を）切る. 伐採する

【砍价】 kǎn//jià 動 口 値切る

10 **莰** kǎn 名〈化〉カンフェン

14 **槛**（檻）kǎn （門や戸などの）敷居 ➤ jiàn

kàn

9 ★ **看** kàn ❶動 見る.（声を出さずに本などを）読む‖～电影 映画を見る｜～杂志 雑誌を読む ❷動 観察する. 判断する. …と思う‖你看怎么样？ あなたはどう思いますか ❸動 対応する. 扱う‖一～待 ❹世話をする. 面倒をみる‖照～ 世話をする ❺助（動詞の重ね型などの後に置き）…してみる. 試しに…する‖试试～ 試してみる ❻動 診察する. 診察してもらう‖一～病 ❼動 予測する. 成り行きを見る‖一～涨｜一～好 ❽動 気をつける. 用心する‖别跳了，～摔着 shuāizhe！ 飛び跳ねるんじゃない, 転ぶよ ❾動 会う. 見舞う. 訪ねる‖～朋友 友人に会う｜我～病人去 私は病気見舞いにいく ➤ kān

> **類義語** 看 kàn 见 jiàn 看见 kànjian
>
> ◆〔看〕見ようとする意志や目的を持って見る‖看展品 展示物を見る ◆〔见〕本人の意志や目的とは関係なく, 対象が目に入って見える‖见好的就要买 いいものを見るとすぐ買いたくなる ◆〔看见〕動作〔看〕＋結果補語〔见〕で, 動作の結果を表す‖我看了半天, 什么也没看见 しばらく見ていたが, 何も見えなかった

【看板】 kànbǎn 名 お知らせや広告などの掲示板. ネット上の情報欄などもさす‖求才～ 求人情報掲示板

【看扁】 kànbiǎn 動 軽く見る. 見くびる

★**【看病】** kàn//bìng 動 ❶診察する. 治療する‖刘大夫给人～去了 劉先生は往診に出かけた ❷診察を受ける. 治療してもらう‖明天我要～去 あした私は診てもらいにいかねばならない

【看不惯】 kànbuguàn 動 目障りである. 気に入らない‖～他那身打扮 彼のあの格好は目障りだ

【看不过去】 kànbuguòqù 動 見過ごせない. 見かねる

⁂**【看不起】** kànbuqǐ 動 軽く見る. 軽んじる. 侮る‖别～这辆破车，还是名牌货呢 このボロ車をばかにしちゃいけない, これでも有名メーカーの製品なのだから

【看茶】 kànchá 動 旧 来客にお茶を出すよう召し使いに命じる言葉

【看穿】 kàn//chuān 動 見破る

【看待】 kàndài 動 待遇する. 取り扱う‖把他当一家人～ 彼を家族のように扱う｜另眼～ 特別扱いする

【看淡】 kàndàn 動〈経〉先安と見る. 嫌気する

***【看得起】** kàndeqǐ 動 尊敬する. 重視する. 眼中におく‖既然大家～我, 我就不推辞了 みなさんのたっての ご推挙でもありますから, お引き受けすることにいたしましょう

【看低】 kàndī 動 軽視する

【看点】 kàndiǎn 名 見どころ. 注目される点

【看跌】 kàndiē 動 相場が低落ぎみになる. 弱含みになる ↔〔看涨 zhǎng〕‖价钱～ 先行き値下がりの模様だ

⁂**【看法】** kànfa；kànfǎ 名 見方. 考え‖～不一致 見方が一致しない

> **類義語** 看法 kànfa 意见 yìjian
>
> ◆〔看法〕事柄に対する見解. 見方. 考え. 語気は〔意见〕より軽く, 婉曲表現に向いている‖她的看法不对 彼女の見方は間違っている ◆〔意见〕他と異なる見解や主義主張. 意見. 考え.〔看法〕より語気が重く, 多く公共の場で用いる‖我有意见 私には異議があります

【看风使舵】 kàn fēng shǐ duò 成 貶 風を見て舵(かじ)をとる. 情勢を見て態度を決める. 日和見(ひより)主義

【看顾】 kàngù 動 介護する. 面倒をみる

【看官】 kànguān 名 旧（章回小説などで作者から読者に呼び掛ける言い方）読者のみなさん

【看惯】 kàn//guàn 動 見慣れる. 慣れっこになる

【看好】 kànhǎo 動 ❶（見通しが）明るい. 上向きである. 上り調子である ❷（試合などで）優勢であると見る‖明天的决赛, 大家～北京队 明日の決勝では, みんなは北京チームに分があると見ている

★【看见】kàn//jian(jiàn) 動 見える. 見かける. 目にする ‖ 那是我亲眼～的 それは私がこの目で見たのだ
【看开】kàn//kāi 動 見限る. あきらめる. 悟る ‖ 凡事得～一点儿 何事もあきらめが肝心だ
**【看来】kànlai；kànlái 動 見たところ…と思う. どうも…のようだ ‖ 这活儿～今天干不完了 この仕事はどうも今日中にできそうにない
【看你】kàn nǐ 組 お前ときたら.（非難する調子で, 冒頭にいう）‖ ～, 又迟到了！ なんだ, また遅刻して
【看破】kàn//pò 動 見破る. 見抜く. 見通す
【看破红尘】kàn pò hóng chén 成 浮き世を見限る
【看齐】kànqí 動 ❶〈体〉(体操の号令. 左または右へ)ならえ ‖ 向左～！ 左へならえ ❷…に見習う. …を手本とする
【看起来】kànqilai；kànqǐlái 動 見たところ…のようだ ‖ ～容易, 做起来难 見たところは簡単そうだが, やるとなると難しい
【看俏】kànqiào 動 商品の売れ行きがよい. 人気がある
【看轻】kànqīng 動 軽く見る. 軽視する
【看清】kàn//qīng 動 はっきり見る. 読みとる. 見極める
【看热闹】kàn rènao 組 野次馬見物する. 高見の見物をする
【看人下菜】kàn rén xià cài 慣 人を見て, もてなす料理を変える. 相手を見て応対を変える
【看上】kàn//shang(shàng) 動 見て気に入る. ほれ込む
*【看上去】kànshangqu；kànshàngqù 動 一見したところ…の様子だ. …のように見える.（副詞的に用いる）‖ 她～很年轻 彼女は見たところとても若い
【看死】kànsǐ 動 思い込む. 決めつける
【看台】kàntái 名（競技場などの）スタンド. 観覧席
【看头】kàntou 名 口 見るだけの価値. 見ごたえ ‖ 这场chǎng球实在没～ この試合はまったく見ごたえがない
【看透】kàn//tòu 動 ❶（相手の意図などを）見抜く. 見通す ❷見限る. 無意味だと悟る ‖ 这个人我算是～了 あいつのことはとっくに見限っている

類義語 看透 kàntòu 看破 kànpò 看穿 kànchuān
◆ともに相手の意図や欠点, 事物の本質などを見抜くことを表す ◆〔看透〕見抜く, 見透かす. 広く人や抽象的事物に用い, 褒貶の色彩をもたない ‖ 我早就看透（×看破, ×看穿）了他的心事 私はとっくに彼の悩みを見抜いていた ◆〔看破〕見抜く. 見破る. 意味は〔看透〕より重く, 抽象的事物に多く用いる. 目的語は貶義のものをとる ‖ 看破（看穿）了他们的卑劣勾当 彼らの卑怯(ひきょう)な仕業を見破った ◆〔看穿〕徹底的に見抜く. 見破る. 意味は〔看破〕よりさらに重く, 抽象的事物に多く用いる. 目的語は多く貶義のものをとる ‖ 看穿了敌人的阴谋 敵の陰謀を完璧に見抜く

*【看望】kànwang；kànwàng 動 訪ねていく. 訪れる ‖ ～中学时的老师 中学（または高校）時代の先生に会いにいく
【看相】kàn//xiàng 動 人相を見る
【看笑话】kàn xiàohua 組（人の失敗などを）笑う. 笑いものにする
**【看样子】kàn yàngzi 組 見たところ. どうやら ‖ ～她来不了了 どうやら彼女は来られなくなったようだ
【看医生】kàn yīshēng 組 方 医者に診てもらう ‖ 带孩子去～ 子供を医者に診てもらいに連れていく
【看涨】kànzhǎng 動 相場が上昇ぎみになる. 強含みになる ↔〔看跌diē〕‖ 行情～ 相場は強含みだ
*【看中】kàn//zhòng 動 気に入る. 眼鏡にかなう ‖ ～了一块表 腕時計が一つ気に入った
【看重】kànzhòng 動 重く見る. 重視する
【看准】kàn//zhǔn 動 見通しをつける. 見極める ‖ ～机会 チャンスを見極める
*【看做】kànzuò 動 …と見なす. …と考える ‖ 把老人～自己的亲人 老人を自分の肉親のように見る

12 **嵌** kàn 地名用字 ‖ 赤～ 台湾にある地名 ➤ qiàn

14 **阚** kàn 名 姓

16 **瞰**[1] kàn 見下ろす ‖ 俯fǔ～ 俯瞰(ふかん)する. 見下ろす｜鸟～ 鳥瞰(ちょうかん)する

16 **瞰**[2]（矙）kàn 書 のぞく. うかがい見る

kāng

11 **康** kāng ❶安らかである ❷豊かである. 満ち足りている ‖ 小～ まずまず満ち足りている ❸健やかである ‖ →～复
【康复】kāngfù 動 健康を回復する ‖ 祝你早日～ 一日も早く元気になってください｜～中心 リハビリ・センター
【康健】kāngjiàn 形 健康である. 元気である
【康乐】kānglè 形 書 平穏安楽である
【康乃馨】kāngnǎixīn 名 外〈植〉カーネーション
【康泰】kāngtài 形 書 健康な. 平安な
【康庄大道】kāng zhuāng dà dào 成 四通八達の大きな道.（目的に達する）まっすぐな道. 明るい前途

14 **慷** kāng ↴
*【慷慨】kāngkǎi 形 ❶意気に燃えている. 意気にあふれている ‖ ～陈词 意気軒昂(いきけんこう)と意見を述べる ❷（人助けに）お金の出し惜しみをしない. 気前がよい
【慷慨激昂】kāng kǎi jī áng 成 意気軒昂である. 意気高らかである

17 **糠**（△穅 粇）kāng ❶名 ぬか ‖ 米～ 米ぬか ❷形（ダイコンなどに）すが入っている. すが立っている ‖ 这萝卜～了 このダイコンはすが入ってしまった

káng

6 ** **扛** káng ❶動（肩に）担ぐ. 担う ‖ ～麻袋 麻袋を担ぐ ❷動 方 我慢する. こらえる ➤ gāng
【扛大个儿】káng dàgèr 組 旧 方（波止場や駅で重い物を運搬したり）力仕事をする ‖ ～的 荷役夫
【扛活】káng//huó（～儿）動 旧 地主の常雇いとして働く. 作男になる

kàng

4 **亢** kàng ❶高い ‖ 高～（地勢が）高い.（声が）高くよく響く ❷高ぶる. いばる ‖ 不～不卑bēi 高ぶりもへつらいもしない ❸ひどい. 甚だしい ‖ →

～旱 ❹图（二十八宿の一つ）あみぼし，亢宿(こうしゅく)
➤ háng
【亢奋】kàngfèn 形（気持ちが）高揚している．たかぶっている
【亢旱】kànghàn 形 日照りがひどい
【亢进】kàngjìn 動〈生理〉亢進(こうしん)する ‖ 甲状腺机能～ 甲状腺(こうじょうせん)機能亢進

6 伉 kàng 書 ❶匹敵する．並ぶ．釣り合う ❷（体が）強壮である ‖ ～健 体が丈夫だ
【伉俪】kànglì 图 書 夫婦．配偶者

7 抗 kàng ❶抵抗する．防ぎ止める ‖ →～旱 ❷拒絶する．逆らう ‖ →～命 ❸対等にする．並べる ‖ →～衡
【抗癌】kàng'ái 動〈医〉がんに対抗する．抗がん ‖ ～药 抗がん剤
【抗暴】kàngbào 動 暴力に抵抗する
【抗辩】kàngbiàn 動 抗弁する
【抗毒素】kàngdúsù 图〈医〉抗毒素．アンチトキシン
【抗法】kàngfǎ 動〈法〉公務執行を妨害する
【抗寒】kàng//hán 動 寒さと闘う．防寒する
*【抗旱】kàng//hàn 動 干魃(かんばつ)と闘う
【抗衡】kànghéng 動 対抗する．拮抗(きっこう)する
【抗洪】kàng//hóng 動 洪水と闘う．水害と闘う ‖ ～救灾 洪水の災害救援活動をする
*【抗击】kàngjī 動 抵抗して反撃を加える
【抗拒】kàngjù 動 抵抗し拒絶する．あらがい拒む
【抗捐】kàng//juān 動 税金を納めることを拒否する
【抗涝】kàng//lào 動 水害と闘う ‖ 防汛fángxùn～ 洪水を防ぎ増水と闘う
【抗美援朝】kàng Měi yuán Cháo 图〈史〉米国に抗戦して朝鮮を援助する．朝鮮戦争（1950～1953年）への参戦をさす
【抗命】kàngmìng 動 書 命令に逆らって従わない
【抗凝】kàngníng 動〈医〉血液の凝固を抑える
【抗日战争】Kàng Rì zhànzhēng 图〈史〉抗日戦争（1937～1945年）
【抗生素】kàngshēngsù 图〈医〉抗生物質
【抗税】kàng//shuì 動 徴税に抵抗する
【抗诉】kàngsù 動〈法〉（検察庁が）控訴する
【抗体】kàngtǐ 图〈医〉抗体．免疫体
【抗性】kàngxìng 图〈生〉（作物などの環境に対する）抵抗力．耐性
【抗药性】kàngyàoxìng 图〈医〉薬物耐性
*【抗议】kàngyì 動 抗議する ‖ ～示威 抗議デモをする｜表示严重～ 厳しく抗議する
【抗御】kàngyù 動 抵抗し防御する
【抗原】kàngyuán 图〈医〉抗原．アンチゲン
【抗灾】kàng//zāi 動 災害と闘う
*【抗战】kàngzhàn 動 抗戦する ‖ 英勇～ 勇敢に抵抗して戦う 图 略 抗日戦争．〔抗日战争〕の略
【抗震】kàng//zhèn 動 耐震性がある 動 地震の災害と闘う ‖ ～救灾 地震の災害救援活動をする
【抗争】kàngzhēng 動 抗争する ‖ 奋力～ 力の限りあらがう

8 * 炕（△匟❷）kàng ❶動 方 あぶる．火に当てる ❷图 オンドル（土れんがで造った北方の床暖房装置）
【炕洞】kàngdòng 图 オンドルのたき口
【炕梢】kàngshāo （～儿）图 オンドルのたき口から離れた側
【炕头】kàngtóu （～儿）图 オンドルのたき口に近い側
【炕席】kàngxí 图 オンドルの上に敷くアシで編んだ敷物
【炕沿儿】kàngyánr 图 オンドルのへり
【炕桌儿】kàngzhuōr 图 オンドルの上に置く小机

9 钪 kàng 图〈化〉スカンジウム（化学元素の一つ，元素記号は Sc）

kāo

5 尻 kāo 古 尻(しり)

kǎo

6 ** 考[1]（△攷）kǎo ❶詳しく調査する ‖ →～核 ❷動 **試験する．テストする** ‖ ～大学 大学を受験する｜数学～了满分 数学で満点を取る ❸動（質問して）答えさせる．試す ‖ 他被我～住了 彼は私に問われて答につまった ❹試験．テスト ‖ 大～ 学期末試験｜高～ 大学入試 ❺考える ‖ →～虑 ❻研究する．探究する ‖ →～古

6 考[2] kǎo 書 ❶年老いている ❷亡き父 ↔〔妣bǐ〕‖ 先～ 亡父｜～妣 亡き両親
【考博】kǎo//bó 動 博士課程を受験する ‖ ～热 博士課程受験ブーム
【考查】kǎochá 動 考査する．審査する
*【考察】kǎochá 動 ❶実地に調査する．視察する ❷考察する．きめ細かく観察する
【考场】kǎochǎng 图 試験場．試験を行う場所
【考点】kǎodiǎn 图 試験を実施する地点．試験会場
【考订】kǎodìng 動（古書の真贋(しんがん)などを）考証して訂正する．考訂する ‖ 史料～ 歴史資料の考訂
【考分】kǎofēn （～儿）图 試験の得点．点数
【考风】kǎofēng 图 試験におけるモラル
*【考古】kǎogǔ 動 遺跡や遺物を考察し，古代の文化を研究する 图 考古学
【考古学】kǎogǔxué 图 考古学
【考官】kǎoguān 图 旧 試験官．試験の監督
*【考核】kǎohé 動 審査する．考査する ‖ ～饭店的服务质量 ホテルのサービスの質を審査する
【考级】kǎojí 動（各種の）技能検定試験を受ける
【考纪】kǎojì 图 試験における規律
【考绩】kǎojì 動 勤務成績を査定する 图 勤務評定
【考究】kǎojiu 動 ❶調査する．研究する ❷重んじる．大切にする 形 凝っている．贅沢(ぜいたく)である ‖ 室内陈设～ 室内の飾りつけが豪華だ
【考据】kǎojù 動 考証する
【考卷】kǎojuàn 图 試験の答案．答案用紙
【考虑】kǎolǜ 動 **考慮する．考える ‖ 认真～ 真剣に考える｜～不周 配慮が行き届かない
【考聘】kǎopìn 動 試験によって選抜採用する ‖ 干部～制度 幹部の選抜制度
【考评】kǎopíng 動 審査し評価を下す．査定する
【考期】kǎoqī 图 試験の期日．試験日
【考勤】kǎoqín 動 出退勤状況を管理・記録する ‖ ～制度 出退勤管理制度｜～簿 出勤簿
【考勤机】kǎoqínjī 图 タイムレコーダー
【考区】kǎoqū 图（統一試験の）各区分試験区
*【考取】kǎo//qǔ 動 試験をして採用される．試験に合格する ‖ 他～了大学 彼は大学に合格した

K

【考上】kǎo//shang(shàng) 動 試験に合格する‖没～ 試験に落ちる|他～技校了 彼は専門学校に合格した
【考生】kǎoshēng 图 受験生
★【考试】kǎoshì 動 試験する‖昨天我们～了 きのう私たちは試験だった‖升学～ 入学試験|期末～ 期末テスト|物理～ 物理のテスト
【考释】kǎoshì 動 古代の文字を考証し解釈する
【考题】kǎotí 图 試験問題‖出～ 試験問題を出す
【考问】kǎowèn 動 ❶試問する ❷問いただす. 詰問する
【考学】kǎo//xué 動 入学試験を受ける. 受験する
【考研】kǎoyán 動 大学院を受験する.〔考研究生〕の略
*【考验】kǎoyàn 動 試練を与える. 試す‖面临严峻yánjùn的～ 厳しい試練に直面する
【考证】kǎozhèng 動 考証する‖～壁画的年代 壁画の年代を考証する

9 **拷**[1] kǎo 拷問する‖→～打

9 **拷**[2] 動 コピーする.〔拷贝〕の略
【拷贝】kǎobèi 外 图 プリント. コピー 動 コピーする
【拷贝粘贴】kǎobèi zhāntiē 組〈計〉コピーアンドペーストする
【拷绸】kǎochóu 图〔薯莨〕(ソメモノイモ)から取った染料で染めた平織りの絹地
【拷打】kǎodǎ 動 (刑罰で)打つ. 拷問する
【拷问】kǎowèn 動 拷問する

10 ** **烤** kǎo ❶動 (火にかざして)あぶる. 焼く‖～羊肉 ヒツジの肉を焼く ❷動 火に当たる. 暖を取る‖～手 手をあぶる
【烤电】kǎo//diàn 動〈医〉透熱療法で治療する
【烤火】kǎo//huǒ 動 火に当たる‖我们烤烤火, 暖和一下 私たちは火に当たってちょっと暖まろう
【烤面包】kǎo miànbāo 組 パンを焼く. トーストする 图(kǎomiànbāo) トースト
【烤肉】kǎoròu 图 焼き肉
【烤箱】kǎoxiāng 图 天火. オーブン
【烤鸭】kǎoyā 图 ロースト・ダック. アヒルの丸焼き‖北京～ 北京ダック
【烤烟】kǎoyān 图 乾燥させたタバコの葉. 葉タバコ

10 **栲** kǎo ブナ科シイ属の常緑喬木の総称
【栲栳】kǎolǎo 图 ヤナギや竹で編んだかご

kào

11 **铐** kào ❶图 手錠‖手～ 手錠 ❷動 手錠をはめる‖把犯人～起来 犯人に手錠をかける

14 **犒** kào 慰労する‖→～劳
【犒劳】kàolao; kàoláo 動 (酒食で)ねぎらう. 慰労する 图 慰労のためのご馳走
【犒赏】kàoshǎng 動 ほうびを与えてねぎらう

15 ** **靠** kào ❶動 (人が)もたれる. 寄り掛かる‖～在沙发上休息 ソファーにもたれて休む ❷動 (物を)立て掛ける ❸動 近づく. 寄せる‖把车～在路边 車を路肩に寄せる ❹動 頼る. あてにする. 依存する‖～丈夫的工资生活 夫の給料で生活する ❺信頼する‖可～ 信頼できる
【靠岸】kào//àn 動 接岸する
【靠背】kàobèi 图 (椅子の)背もたれ
【靠边】kào//biān (～儿) 動 端に寄る. わきに寄る
【靠边儿站】kàobiānrzhàn 慣 左遷される. ポストからはずされる
【靠不住】kàobuzhù 形 信頼できない. 当てにならない
【靠得住】kàodezhù 形 信頼できる. 信用できる
【靠垫】kàodiàn 图 (腰に当てる)クッション. 背当て‖沙发～ ソファー・クッション
*【靠近】kàojìn 動 ❶近い距離にある ❷近づく. 接近する‖她～丈夫的耳边小声说了几句话 彼女は夫の耳元で二言三言ささやいた
【靠拢】kàolǒng 動 歩み寄る. 接近する
【靠山】kàoshān 图 喩 頼みの綱. 頼りになる人あるいは組織‖找～ 後ろ盾を探す
【靠山吃山, 靠水吃水】kào shān chī shān, kào shuǐ chī shuǐ 諺 山に近ければ山で生計を立て, 川や湖が近ければ川や湖で生計を立てる. それぞれの有利な条件に依拠して生活するたとえ
【靠手】kàoshǒu 图 椅子のひじ掛け
【靠头】kàotou 图 頼り. 頼りにできるもの
【靠枕】kàozhěn 图 クッション. 腰当て

kē

8 **坷** kē ➘ ➤kě
【坷垃】kēla; kēlā 图 方 土の塊. 土くれ

8 **苛** kē ❶煩瑣である. わずらわしい‖→～捐杂税 ❷形 苛酷(かこく)である. 厳しすぎる‖→～刻
【苛待】kēdài 動 苛酷に取り扱う. 虐待する
【苛捐杂税】kē juān zá shuì 成 取り立ての厳しい雑多な税金. 苛酷な重税
【苛刻】kēkè 形 (条件や要求などが)厳しい. 高すぎる‖对方提出的条件太～, 我们无法接受 相手方が出した条件は厳しすぎて, 我々には受け入れられない
【苛评】kēpíng 動 酷評する‖备受媒体méitǐ～ さんざんマスコミから酷評を受ける
【苛求】kēqiú 動 苛酷な要求をする
【苛杂】kēzá =〔苛捐杂税kē juān zá shuì〕
【苛责】kēzé 動 厳しく責める. 情け容赦なく非難する
【苛政】kēzhèng 图 書 暴虐な政治

8 **呵** kē 地名用字‖～叻lè タイ国にある地名 ➤hē

9 **珂** kē 書 玉(ぎょく)に似た白色の石

9 **柯** kē ❶書 斧(おの)の柄 ❷書 草木の枝や茎
【柯尔克孜族】Kē'ěrkèzīzú 图 キルギス族(中国の少数民族の一つ, 主として新疆ウイグル自治区に居住)

9 **轲** kē 人名用字‖孟Mèng～ 孟軻(もうか). 孟子の本名

9 ** **科** kē ❶書 種類. 等級 ❷科目. 条目 ❸書 法律の条目 ❹動 書 刑罰を加える. 科する‖～以罚款 罰金を科する ❺图 刑罰‖前～ 前科 ❻图 (学問や業務の)科‖理～ 理科 ❼图 科挙の科目・等級・年度など ❽图 (事務組織上の)課‖→～长 ❾图 (生物分類の)科 ❿图 旧〈劇〉しぐさ. 所

作.（台本の中で役者のしぐさを指示するのに用いる）
【科白】kēbái 图〈劇〉（役者の）所作と台詞(せりふ)
【科班】kēbān（～儿）图 ❶旧 俳優志願の児童を集めて小さいときから芝居を学ばせた劇団組織 ❷喩 正式な教育あるいは訓練 ‖ 他是～出身 彼は正規の教育を受けている
【科处】kēchǔ 動 判決して処罰する ‖ ～徒刑 懲役刑に処する
【科第】kēdì 图 古 科挙制度における官吏の選考試験の各科ごとの成績順位
【科幻】kēhuàn 图 略 空想科学. ＳＦ.〔科学幻想〕の略
*【科技】kējì 图 略 科学技術.〔科学技术〕の略
【科技扶贫】kējì fúpín 图 科学技術による貧困援助
【科甲】kējiǎ 图 古 科挙.〔科举〕の別称
【科教】kējiào 图 略 科学教育.〔科学教育〕の略
【科教片儿】kējiàopiānr 图 口 科学教育映画
【科教片】kējiàopiàn 图 略 科学教育映画.〔科学教育影片〕の略
【科教兴国】kējiào xīngguó 组 科学技術と教育によって国家を振興する
【科举】kējǔ 图 古 科挙
【科盲】kēmáng 图 口 科学知識にうとい人. 科学オンチ
【科摩罗】Kēmóluó 图〈国名〉コモロ
*【科目】kēmù 图 科目. 条目
*【科普】kēpǔ 图 略 科学の普及.〔科学普及〕の略 ‖ ～杂志 科学普及のための雑誌
【科室】kēshì 图（機関や企業などの）管理部門の各室や各課の総称
【科特迪瓦】Kētèdíwǎ 图〈国名〉コートジボワール
【科威特】Kēwēitè 图〈国名〉クウェート
★【科学】kēxué 图 科学 形 科学的である ‖ 这种说法不～ そのような見解は科学的でない
【科学城】kēxuéchéng 图 テクノ・ポリス
【科学发展观】kēxué fāzhǎnguān 图 科学的な発展観. 調和のとれた持続可能な発展をめざすという考え方
***【科学家】kēxuéjiā 图 科学者
***【科学院】kēxuéyuàn 图 科学院. アカデミー
***【科研】kēyán 動 略 科学を研究する.〔科学研究〕の略 ‖ ～人员 科学研究者
**【科长】kēzhǎng 图 課長 ‖ 人事～ 人事課長

10 **疴**（△痾）kē 書 病(やまい). 病気 ‖ 染～ 病になる｜沉～ 長患い

10 **砢** kē ↴
【砢碜】kēchen 形 方 みっともない. 体裁が悪い

12★ **棵** kē 量（多く植物を数える）本. 株 ‖ 几～树 数本の木｜一～向日葵xiàngrìkuí 1本のヒマワリ

12 **颏** kē あご. ふつうは〔下巴xiàba〕〔下巴颏儿〕という

13 **嗑** kē 图（～儿）方 話. 世間話 ‖ 唠lào～ 世間話をする ➤kè

13 **窠** kē 图（鳥や獣の）巣 ‖ 蜂～ ハチの巣
【窠臼】kējiù 图 書 常套(じょうとう).（文章などの）旧来の型 ‖ 落～ ありきたりの型になってしまう

13 **稞** kē ↴
【稞麦】kēmài 图〈植〉ハダカムギ ＝〔青稞〕

14** **颗** kē ❶小さくて丸いもの ‖ 一～粒 ❷量 小さい球状のものあるいは粒状のものを数える ‖ 一～珍珠zhēnzhū 一粒の真珠｜一～火热的心 熱い心
*【颗粒】kēlì 图 ❶粒 ‖ ～大小不齐 粒の大きさが揃っていない ❷（穀物の）一粒 ‖ 去年闹水灾, 这里～未收 去年は水害に遭って, ここでは一粒もとれなかった

15* **磕** kē 動（かたいものに）ぶつかる. ぶつける ‖ 膝盖xīgài～破了 ひざをぶつけてすりむいた
【磕巴】kēba 方 動 どもる 图 吃音(きつおん)者
【磕打】kēda 動（くっついているものを）たたいて落とす. たたき落とす
【磕磕绊绊】kēkebànbàn 形 ❶歩きかたがよろよろしているさま ‖ 走路～ 道を歩くさまが危なっかしい ❷道がでこぼこで歩きにくいさま
【磕磕撞撞】kēkezhuàngzhuàng 形（慌てたり酒に酔ったりして）あちこちぶつかりながら歩くさま
【磕碰】kēpèng 動 ❶（物と物が）ぶつかる ❷（人間関係で）もめごとが起こる. ごたごたする ‖ 在一块儿住, 难免有个～ 一緒に暮らせばなにかともめ事も起こりやすい 图 挫折. つまずき
【磕头】kē//tóu 動 旧 地に頭を打ちつけて礼をする
【磕头虫】kētóuchóng 图 ❶〈虫〉コメツキムシ ＝〔叩kòu头虫〕❷喩 人にぺこぺことへつらう人物
【磕头碰脑】kētóu pèngnǎo 慣 人が大勢集まってぶつかるさま, あるいは, 物が多くて人と物がぶつかるさま

15 **瞌** kē ↴
【瞌睡】kēshuì 動 居眠りする. うたた寝する ‖ 打～ 居眠りをする
【瞌睡虫】kēshuìchóng 图 ❶（旧小説に出てくる）人を居眠りさせる虫 ❷よく居眠りする人

15 **蝌** kē ↴
【蝌蚪】kēdǒu 图〈動〉オタマジャクシ

17 **髁** kē 图〈生理〉髁(か). 骨の両端の関節に近い部分のふくらみ

ké

7* **壳**（殼）ké 图 口（～儿）殻. 意味は〔壳qiào〕に同じで, 多く話し言葉に用いる ‖ 贝～儿 貝殻｜蛋～儿 卵の殻 ➤qiào

9 **咳**（△欬）ké 動 咳をする ‖ 止～药 咳止め薬｜轻轻地～了一下 軽くゴホンと咳をした ➤hāi
★【咳嗽】késou 動 咳をする ‖ ～起来 咳が出る｜～个不停 咳が止まらない

12 **揢** ké 方 ❶動 引っかかる. つかえる ‖ 抽屉～住了, 拉不开 引き出しが引っかかって開かない ❷動 言い掛かりをつける ‖ ～人 人に難癖をつける

kě

5*** **可**[1] kě ❶許可や同意を表す ❷助動 許可や可能を表す. … できる. … し得る. … してよい ‖ 一～否｜不～改变 変えることができない ❸助動

…するだけの価値がある．…すべきである‖ 一～爱｜一～耻 ❹副 ①反問の語気を強める．いったい(…だろうか)‖ 都说来帮忙，～谁来了？ みんな手伝いに来ると言っていたが，いったい誰が来たというのだ ②推測を表す‖ 您近来～好？ 最近お元気のようですね ③語気を強める．感情や感想を強く訴える‖ 托你的事～别忘了 頼んだことどうか忘れないでくれよ ④感嘆文に用いて，語気を強める‖ 这担子dànzi～不轻啊！ これは責任重大だ ⑤命令文などに用いて，必ず…するようにと強調する‖ 路上～得小心！ 道中くれぐれも気をつけなさい ❺接 しかし．だが‖ 一～是｜嘴上不说，～心里乐着呢 口では言わないが，心の中では喜んでいる ❻副 書 およそ．…ほど．…ばかり‖ 年～十二三 年はおよそ十二，三

5 **可**[2] **kě** 動 適している．ぴったりしている‖ 一～口｜一～人 ➤ kè

＊＊【可爱】kě'ài 形 かわいい．愛すべき‖ ～的祖国 愛する祖国｜活泼～ 活発で愛らしい

【可悲】kěbēi 形 悲しむべき．かわいそうな．哀れな‖ ～的下场 哀れな末路

【可比价格】kěbǐ jiàgé 名〈経〉不変価格 ＝〔不变价格〕

【可鄙】kěbǐ 形 軽蔑すべき．卑しい

【可不】kěbù ＝〔可不是kěbushì〕

＊【可不是】kěbushì 慣 (相手の話に同感であることを示すあいづちの言葉)そうですよ．そうですとも．〔可不〕ともいう‖ "他这人好hào唠叨láodao" "～，说起来没个完" 「彼って人はほんとに話がくどいんだから」「ほんとにね，話し出すときりがありませんよ」

【可怖】kěbù 形 書 恐るべき．恐ろしい

【可操左券】kě cāo zuǒ quàn 成 成功すること請け合いである．成功の見込みが十分にある

【可乘之机】kě chéng zhī jī 慣 つけ込むチャンス．乗ずべき機会

【可持续发展】kěchíxù fāzhǎn 名 持続可能な発展

【可耻】kěchǐ 形 恥ずべきである

【可丁可卯】【可钉可铆】kě dīng kě mǎo (～儿) 慣 ❶多からず少なからず．過不足なくちょうどぴったり ❷厳格である．杓子定規(しゃくしじょうぎ)である

【可读性】kědúxìng 名 (本などの)面白さ．読みごたえ‖ ～很强 読んでなかなか面白い

【可否】kěfǒu 名 可否．よい悪い‖ 不置～ よいとも悪いとも言わない．肯定も否定もしない 助動 書 よいかどうか．可能かどうか‖ ～来一下 おいで願えないでしょうか

＊【可歌可泣】kě gē kě qì 成 人の心を揺り動かす‖ ～的壮举zhuàngjǔ 感動的な壮挙

【可更新资源】kěgēngxīn zīyuán 名 再生可能資源．リサイクル可能な資源．〔可再生资源〕ともいう

【可耕地】kěgēngdì 名〈農〉耕作に適した土地

＊【可观】kěguān 形 ❶(数・量・大きさなどが)みごとなものである．かなりのものである‖ 规模相当～ スケールがすばらしい ❷(芝居などが)見る値打ちがある．見ごたえがある

＊【可贵】kěguì 形 貴い‖ 难能～ なかなかできないことである．立派である．感心である

【可好】kěhǎo 副 都合よく．折しも

【可恨】kěhèn 形 憎たらしい．恨めしい

【可嘉】kějiā 形 書 称賛すべき．よしとすべき

＊【可见】kějiàn 接 (以上のことから)…ということが分かる‖ 由此～ このことから分かる

【可见度】kějiàndù 名〈物〉可視度．鮮明度

【可见光】kějiànguāng 名 可視光線

【可脚】kějiǎo (～儿) 形 方 (靴などが)足にぴったり合う‖ 这双鞋太大，不～ この靴は大きすぎて足に合わない

【可敬】kějìng 形 敬うべき．尊敬すべき

【可卡因】kěkǎyīn 名 外〈薬〉コカイン

＊＊【可靠】kěkào 形 信頼できる．頼りになる．確かである‖ 这事要交给～的人 この件は信頼できる人にやってもらわなくてはいけない

【可靠度】kěkàodù 名 (商品の)信頼度．信頼性

【可可】kěkě 名 外 ❶〈植〉カカオ．カカオノキ ❷ココア ＊〔蔻蔻kòukòu〕ともいう

＊【可口】kěkǒu 形 口に合う．おいしい‖ ～的饭菜 おいしい食事

【可乐】kělè 形 楽しい．おかしい 名 コーラ飲料‖ 可口～ (商標)コカ・コーラ｜百事～ (商標)ペプシ・コーラ

＊＊【可怜】kělián 形 ❶哀れである．かわいそうである‖ ～的孤儿 かわいそうな孤児 ❷哀れなほどひどい．情けないほどである‖ 屋子小得～ 部屋がみじめなほど小さい 動 かわいそうに思う．同情する‖ 决不～犯罪分子 決して犯罪分子に同情などしはしない

【可怜巴巴】kěliánbābā (～的) 形 哀れっぽいさま．みじめなさま

【可怜虫】kěliánchóng 名 貶 哀れな人間

【可怜见】kěliánjiàn (～儿) 形 方 かわいそうである．哀れである

【可恼】kěnǎo 形 腹立たしい．いまいましい

★【可能】kěnéng 形 できる．可能である‖ 明天交货完全～ 明日の納品は間違いなくできる 助動 …かもしれない．…だろう‖ 今天～要下雪 今日は雪が降るかもしれない｜他～不在家 彼はたぶん留守だろう｜～发生的问题 起こり得る問題 名 可能性‖ 事情的发展有两种～ 事の進展には二つの可能性がある

【可能性】kěnéngxìng 名 可能性‖ ～很大 可能性が大きい

【可逆反应】kěnì fǎnyìng 名〈化〉可逆反応

＊＊【可怕】kěpà 形 恐ろしい．怖い‖ 感到非常～ 非常に恐ろしいと感じる｜～的后果 恐るべき結果

【可气】kěqì 形 腹立たしい

＊【可巧】kěqiǎo 副 折しも．折悪しく‖ 正想找他时，～遇到了他 ちょうど彼を訪ねようと思っていたら，折よく彼に出会った

【可亲】kěqīn 形 親しみを感じる．親しみやすい‖ 和蔼hé'ǎi～ 穏やかで親しみがある

【可取】kěqǔ 形 価値がある．役に立つ‖ 这项方案毫无～之处 この提案はいいところがまったくない

【可圈可点】kě quān kě diǎn 慣 特筆に価する．めざましい．すばらしい

【可燃冰】kěránbīng 名 (天然ガスの一種)メタンハイドレート．メタン水和物

【可燃性】kěránxìng 名〈化〉可燃性

【可人】kěrén 書 形 好ましい．気に入る‖ 风味～ 味わいがよろしい 名 取り柄のある人物．ひとかどの人

【可溶性】kěróngxìng 名〈化〉可溶性

【可身】kěshēn (～儿) 形 方 (衣服が)体にぴったりしている‖ 这衣服正～ この服はちょうどぴったりだ

【可视电话】kěshì diànhuà 名 テレビ電話

【可视性】kěshìxìng 名 (映画・テレビ番組などの)おもしろさ．見ごたえ

★【可是】kěshì 接 しかし．だが．けれど‖ 这孩子虽调

K

皮tiáopí, ～很聪明 この子は腕白だけどとても頭がいい
副 実に. まったく ‖ 这下～放心了 これでほんとにほっとした

【可塑性】kěsùxìng 图 ❶〈生〉〈物〉可塑性 ❷喩 柔軟性

【可叹】kětàn 形 嘆かわしい. 情けない

【可体】kětǐ 形 (衣服が)体に合っている

【可望而不可即】kě wàng ér bù kě jí 成 望んでも得られない. 高嶺(たかね)の花

【可谓】kěwèi 動 書 …というべきである. …といえる

*【可恶】kěwù 形 憎らしい. しゃくにさわる

【可吸入颗粒物】kěxīrù kēlìwù 图 吸入可能な粒子状物質. 空気中に漂う微小なほこりや煙などの粒子

*【可惜】kěxī 形 惜しい. 残念である ‖ 这个电扇还能用, 扔了怪～的 この扇風機はまだ動くのに, 捨ててしまうなんてもったいない | 我也很想去, ～没时间 私も行きたいけれど, 残念ながら暇がない

*【可喜】kěxǐ 形 喜ばしい ‖ ～的成果 喜ばしい成果

*【可想而知】kě xiǎng ér zhī 成 推して知るべし. 想像できる

*【可笑】kěxiào 形 おかしい. 滑稽である. ばかげている ‖ 这种行为荒唐～ このような行為はまったくばかげている

【可心】kěxīn 形 意にかなっている

【可信】kěxìn 形 信ずべき. 信用できる

【可信度】kěxìndù 图 信頼性. 信ぴょう性 ‖ 数据水分shuǐfèn大, ～低 データは水増しが多く, 信ぴょう性が低い

*【可行】kěxíng 形 実行できる ‖ 这个办法是～的 この方法ならやれる

【可行性】kěxíngxìng 图 実行の可能性. 実現性 ‖ ～研究 産業予備調査. フィージビリティ・スタディ

【可疑】kěyí 形 疑わしい. 怪しい ‖ 来历～ 出所がいかがわしい | 形迹xíngjì～ 挙動不審である

★【可以】[1] kěyǐ 助動 ❶(可能を表す) …できる. …られる ‖ 明天～完成 明日完成できる ❷(許可を表す) …してもよい. よろしい ‖ 我～看看吗? ちょっと見てもいいですか ❸(示唆を表す) …する価値がある. …したらよい ‖ 这本书倒～参考一下 この本はけっこう参考になる

⁂【可以】[2] kěyǐ 形 ❶比較的よい. まあまあだ. (多く〔还〕を前に置く) ‖ 他俩关系还～ 彼ら二人の関係はまあまあよい ❷手厳しい. ひどい. 甚だしい ‖ 你真～, 问也不问, 就把东西拿走了 ずいぶんじゃないか, 一言の断りもなく持っていくなんて

【可意】kěyì 形 心にかなった. 気に入っている

【可再生资源】kězàishēng zīyuán ＝〔可更新资源kěgēngxīn zīyuán〕

【可憎】kězēng 形 憎らしい. 憎むべきである ‖ 面目～ 顔つきが憎たらしい

【可着】kězhe 動 口 …の範囲内でする. 可能なかぎりせいいっぱいする ‖ ～嗓子喊 のどを振り絞って叫ぶ

【可知】kězhī 動 知ることができる ‖ 由此～ このことからも分かる

8 **坷** kě ➡〔坎坷kǎnkě〕 ➤ kē

8 **岢** kě 地名用字 ‖ ～岚lán县 山西省にある県の名

12 ★**渴** kě ❶形 のどが渇いている ‖ 解～ 渇きをいやす | 吃得咸了, 口～ 塩辛いものを食べたので, のどが渇く ❷切望するさま. ひたすらなさま ‖ →～望 ❸動 のどが渇いたままにさせる ‖ ～他一会ル ちょっと彼ののどを干してやれ

【渴慕】kěmù 動 切に思い慕う. 深く慕う

【渴念】kěniàn 動 切に思う

【渴盼】kěpàn 動 切に待ち望む. 強く期待する

【渴求】kěqiú 動 熱心に求める

*【渴望】kěwàng 動 渇望する. 切望する ‖ ～已久的日子终于来到了 長く待っていた日がついに来た

類義語 渴望 kěwàng / 盼望 pànwàng / 期望 qīwàng 希望 xīwàng

◆〔渴望〕願望や欲求の実現を切実に強く望む ‖ 渴望自由 自由を渇望する ◆〔盼望〕実現を一心に期待する. 「待つ」ことに重点があり, その対象は多く年月・情報・人などである. 待ち望む ‖ 盼望亲人早日归来 身内の早い帰りを待ち望む ◆〔期望〕理想や志などの実現を望む. 一般に目上の人が目下の人に対して用いる ‖ 每一个父母都期望自己的孩子能够成材 どの親も自分の子供にひとかどの人間になってほしいと望む ◆〔希望〕目的の達成や状況の出現を望む. 立場や相手・対象を問わず広く用いられる. 希望する. 望む ‖ 我希望能出国留学 私は外国へ留学できるよう望んでいる ◆願望の強さ・切実さは〔渴望〕〔盼望〕〔期望〕〔希望〕の順に弱くなる

kè

5 **可** kè ↴ ➤ kě

【可汗】kèhán 图 古 可汗(かかん). 鮮卑(せんぴ)・突厥(とっけつ)・ウイグル・モンゴルなどの諸民族の最高統治者の称号

7 **克**[1] kè 書 できる. よく…する ‖ →～勤～俭

7 **克**[2] (剋❶❷❹ △尅❶❷❹) kè ❶攻め落とす. (戦争に)勝つ ‖ 攻无不～ 攻めて落とさないところはない ❷克(か)つ. 克服する. 抑える ‖ →～制 ❸消化する ‖ →～食 ❹削る. 減らす ‖ →～扣

7 **克**[3] (剋 △尅) kè (期限を)厳しく切る. 〔刻〕とも書く ‖ ～日 日限を決める

7 ★**克**[4] kè ❶量 グラム(重さの単位) ‖ 千～ キログラム ❷量 チベット族地区の容量単位, あるいは地積単位 ①容量単位. 1〔克〕は約25～28〔市斤〕に相当する ②地積単位. 1〔克地〕は約1〔市亩〕に相当する

【克敌制胜】kè dí zhì shèng 成 敵を打ち負かして勝ちを制する

⁂【克服】kèfú 動 ❶克服する. 打ち勝つ ‖ ～困难 困難を克服する ❷口 我慢する ‖ 这里不能吸烟, 请～一下吧 ここは禁煙なので, どうか我慢してください

【克复】kèfù 動 (戦って)取り戻す. 奪回する

【克格勃】Kègébó 图 外 ❶旧ソ連国家保安委員会. KGB(カー・ゲー・ベー) ❷KGBの要員

【克己】kèjǐ 動 自分に打ち勝つ. 自己を制する 形 つましい. 倹約である

【克己奉公】kè jǐ fèng gōng 成 私心を捨てて公のために尽くす. 滅私奉公

【克扣】kèkòu 動 上前をはねる

【克拉】kèlā 圖外(宝石の重さの単位)カラット
【克里姆林宫】Kèlǐmǔlíngōng 图(ロシアの)クレムリン宮殿
【克隆】kèlóng 動❶〈生〉クローンをつくる‖～技术 クローン技術 ❷コピーする. まねする
【克罗地亚】Kèluódìyà 图〈国名〉クロアチア
【克勤克俭】kè qín kè jiǎn 成 勤勉でつましい. よく働きとてもつましい
【克食】kèshí 動 消化を助ける
【克星】kèxīng 图 占星術で運命を制する者. 転 相性の悪い人. 天敵
【克制】kèzhì 動 我慢する.（感情を）抑制する

8 ★**刻** kè ❶動 彫刻する‖～印章 印章を彫る ❷冷酷である. 苛酷(かこく)である‖→～薄 ❸彫刻‖石～ 石彫 ❹量 1時間の4分の1. 15分‖九点一～开会 9時15分に会議を始める ❺短い時間. 時‖此时此～ まさにこのとき ❻古〔克³ kè〕に同じ
【刻板】kèbǎn 動 版木に字を彫る. 版を刻む.〔刻版〕とも書く 形 融通がきかない‖做事～ やることが型にはまっている｜性格～ 性格的に融通が利かない
【刻本】kèběn 图 木版印刷の書籍. 刻本
【刻薄】kèbó 形 酷薄である. 容赦がない. 辛辣(しんらつ)である‖尖酸～ 辛辣(しんらつ)で手厳しい
【刻不容缓】kè bù róng huǎn 成 一刻の猶予もならない
【刻毒】kèdú 形 冷酷無慈悲である. 残酷である
【刻度】kèdù 图 目盛り‖～盘 目盛り盤
【刻骨】kègǔ 形 心に深く刻まれる. 忘れがたい‖～仇恨chóuhèn 骨髄に徹する恨み｜～铭心míngxīn 深く肝に銘じる
【刻画】kèhuà 動 はっきりと描き出す. 描写する
【刻记】kèjì 動 心に深く刻む 图(器などに)刻まれた記号. 印
⁑【刻苦】kèkǔ 形 ❶労苦をいとわない. 骨身を惜しまない‖学习十分～ 勉強でとても頑張っている ❷質素である. つましい
【刻镂】kèlòu 動 彫刻する. 彫る
【刻录机】kèlùjī 图〈計〉CD-R(W)ドライブ
【刻石】kèshí 動 石に彫りつける 图 文字や絵を刻んだ石
【刻丝】kèsī ＝〔缂丝kèsī〕
【刻下】kèxià 图 当面. 目下
【刻意】kèyì 副 なんとかして. 苦心して
【刻印】kè//yìn 動 ❶印章を彫る ❷刻み込む. 印す
【刻制】kèzhì 動 彫刻で造る. 彫り上げて造る
【刻舟求剑】kè zhōu qiú jiàn 成 舟のへりに目印をつけて川に落とした剣を捜す. 融通がきかないこと
【刻字】kè//zì 動 印章を彫る

9 **恪** kè 書 謹む. 敬意を込める
【恪守】kèshǒu 動書 遵守する. 厳守する. 忠実に守る‖～协议 協議を厳守する

9 ＊**客** kè ❶图 客 ↔〔主〕‖作～ 客として招待される ❷旅人となる. 旅先で寄寓する‖→～居 ❸旅客‖→～车 ❹各地である活動を行う人‖政～ 政治屋 ❺旧 行商人 ❻よそから来た人. 外部の者‖→～队 ❼顧客. 得意先‖顾～ 顧客 ❽量 方 …人前‖一～客饭 定食一人前 ❾人の意識とは別個に存在している. 客体の‖→～观
【客舱】kècāng 图(船や飛行機の)客室. 船室. キャビン‖二等～ 二等船室
【客场】kèchǎng 图〈体〉アウェー ↔〔主场〕
＊【客车】kèchē 图 ❶客車. バス‖旅游～ 観光バス｜大～ 大型バス ❷普通列車
【客船】kèchuán 图 客船
【客串】kèchuàn 動〈劇〉(俳優が所属劇団以外の公演に)特別出演する. 客演する.（しろうとがくろうとの劇団に)飛び入り出演する
【客店】kèdiàn 图 宿屋. 旧式で規模の小さい旅館
【客队】kèduì 图〈体〉招待チーム ↔〔主队〕
【客饭】kèfàn 图 ❶(臨時に出される)外来者のための食事. 客膳(きゃくぜん) ❷(ホテル・列車・船などで出す)客用の食事. 定食
【客房】kèfáng 图(ホテルの)客室‖～服务 ルーム・サービス
＊【客观】kèguān 形 客観的である‖～规律 客観的な規則｜他看问题很～ 彼は問題をたいへん客観的にとらえる ＊↔〔主观〕
【客官】kèguān 图旧 お客さん. お客様
【客户】kèhù 图 ❶よそから移住して来た者 ❷顧客. 取引先
【客户机】kèhùjī 图〈計〉クライアント ↔〔服务器〕
【客机】kèjī 图 旅客機
【客籍】kèjí 图 ❶寄留地. 寄留先の戸籍 ↔〔原籍〕❷他の土地から来た人
【客家】Kèjiā 图 客家(ハッカ). 4～12世紀にかけ黄河流域から南方各地に移住した漢民族で, 客家語を話し, 固有の文化を持つ
【客家话】kèjiāhuà 图 中国主要方言の一つ, 客家語
【客居】kèjū 動 旅住まいする. 寄留する
【客流】kèliú 图 乗客の流れ
【客轮】kèlún 图 客船‖豪华～ 豪華客船
【客满】kèmǎn 形 満員である
【客票】kèpiào 图 ❶乗車券. 搭乗券 ❷(旧時芝居の関係者などに配られた)無料優待券
★【客气】kèqi 動 ❶気をつかう. 遠慮する‖请不要～ どうぞ御遠慮なく ❷挨拶する. 礼を交わす‖遇到熟人shúrén, 总要～几句 知っている人と会ったら挨拶くらいするものだ 形 遠慮深い. 丁寧である‖说话很～ 話し方がとても丁寧である
⁑【客人】kèren；kèrén 图 ❶お客. 来客 ↔〔主人〕‖招待～ 客をもてなす ❷乗客. 旅客‖热情周到地为～服务 心を込め, 至れり尽くせりで旅客にサービスする ❸行商人
【客商】kèshāng 图 外国や国内他地域からの投資企業, あるいはビジネスマン
【客死】kèsǐ 動書 旅先で死ぬ. 客死する‖～他乡 他郷で死ぬ
【客套】kètào 图 他人行儀な言葉. 堅苦しい挨拶 動 型どおりの挨拶をする‖～了几句, 才谈正事 一応の挨拶を交わしてから本題に入る
【客套话】kètàohuà 图 ❶型どおりの挨拶 ❷外交辞令. お愛想
【客体】kètǐ 图〈哲〉客体 ↔〔主体〕
＊【客厅】kètīng 图(広めの)客間. 応接間. ロビー
【客位】kèwèi 图(飛行機・船・レストランなどの)座席
【客源】kèyuán 图 旅行客の来源
【客运】kèyùn 图 旅客運輸. 乗客輸送業務
【客栈】kèzhàn 图旧 簡易旅館(多くは宿泊する行

商人のために倉庫があり，運送屋を兼ねる）
【客座】kèzuò 图客席 形客員の
【客座教授】kèzuò jiàoshòu 图客員教授
10★**课** kè ❶書 考査する，審査する ❷書 教える，あるいは学ぶ ❸图 **授業，講義**‖备～ (教師が)授業の準備をする｜讲～ 授業をする ❹图 **授業時間**‖一节～ 一こま ❺图 **科目，学科**‖这学期有八门～ 今学期は8科目ある ❻图 **(教科書の)課**‖今天讲第二～ 今日は第2課を勉強します ❼(税を)徴収する，課す‖→～税 ❽旧 税，租税‖国～ 国税 ❾图 占いの一種‖起～ 占いをたてる ❿图旧 (行政・企業などの)課．現在は〔科〕を用いる
★【课本】kèběn（～儿）图 **教科書，テキスト**‖语文～ 国語の教科書
【课表】kèbiǎo 图時間割り
⁂【课程】kèchéng 图 **課程**‖～表 授業時間表
【课间】kèjiān 图授業と授業の間‖～休息 授業の間の休み時間
【课间操】kèjiāncāo 图学校で授業の合間の休み時間に行う体操
【课件】kèjiàn 图学習コンテンツ，コースウエア
*【课时】kèshí 图授業時間，時限‖每周有十六～ 毎週16こまの授業がある
【课室】kèshì 图教室
【课税】kè//shuì 動課税する，税金を徴収する
*【课堂】kètáng 图教室‖～教学jiàoxué 教室での授業
*【课题】kètí 图（研究や討論の）テーマ，課題，問題‖研究～ 研究テーマ
【课外】kèwài 图課外，授業以外‖参加～活动 課外活動に参加する
★【课文】kèwén（～儿）图 **教科書の本文**（注釈や練習問題を除く）
【课业】kèyè 图学業，学校の勉強
【课余】kèyú 图課外，放課後
【课桌】kèzhuō 图教室の机
11**骒** kè 雌の（ウマやラバ）
【骒马】kèmǎ 图雌ウマ
11**氪** kè 图〈化〉クリプトン（化学元素の一つ，元素記号はKr）
12**缂** kè ↴
【缂丝】kèsī 图 ❶つづれ織りの一種（下絵に合わせて織り上げるもの） ❷同前の織物 ＊〔刻丝〕とも書く
13**溘** kè 書 突然に，不意に
【溘逝】kèshì 動書 にわかに死亡する，急逝する
【溘然】kèrán 副書 不意に，急に‖～长逝cháng-shì 急逝する
13**嗑** kè 動（固いものを）前歯で割る，かじる‖～瓜子儿 スイカなどの種を食べる ➤ kē
13**锞** kè ↴
【锞子】kèzi 图旧 通貨として用いられた小さい金塊や銀塊

kěn

8**肯**¹（△肎）kěn 書 骨についた肉‖～綮qǐng 骨と肉の接するところ，事物の要点
8⁂**肯**² kěn ❶動 同意する，承諾する‖首～ うなずく，承諾する ❷助動 **快く…する，すすんで…する**‖怎么问他也不～说 いくら尋ねても彼は話そうとしない ❸助動方 よく…する，えてして…しやすい
⁂【肯定】kěndìng 動 **肯定する，是認する，認めて評価する** ↔〔否定〕‖要充分～他的成绩 彼の業績を十分に認めねばならない 形 ❶はっきりしている，明確である‖我敢～他不会同意这么干的 私は断言するが，こうすることを彼が承知するわけがない ❷**肯定的である，賛成である** ↔〔否定〕‖回答是～的 答えはイエスである 副 きっと，間違いなく‖这事～是他干的 これはきっと彼のしわざに違いない

類義語｜肯定 kěndìng 一定 yīdìng
◆〔肯定〕「疑いをさしはさむ余地はない」という話し手の客観的判断を表す．間違いなく，きっと‖这种话肯定是他说的 この話は間違いなく彼の言ったことだ ◆〔一定〕話し手の主観的な「確信」を表す．語気は〔肯定〕より弱い．必ず，きっと‖时间到了他还没来，一定是出了什么事 時間になっても彼がまだ来ないのは，きっと何かあったのだろう

【肯干】kěngàn 形進んで仕事をするさま，積極的に仕事をするさま
【肯尼亚】Kěnníyà 图〈国名〉ケニア
【肯于】kěnyú 助動書 進んで，積極的に
9**垦**（墾）kěn 耕す，開墾する‖～地 土地を耕す
【垦荒】kěnhuāng 動荒れ地を開墾する
【垦区】kěnqū 图開拓地域
【垦殖】kěnzhí 動荒れ地を開拓して耕作する
【垦种】kěnzhòng 動開墾して作物を植える
10**恳**（懇）kěn ❶誠意のこもった，懇ろな‖→～切 ❷頼み込む，願い出る
【恳辞】kěncí 動丁重にお断りする
【恳切】kěnqiè 形誠意がこもっている，懇ろである‖态度～ 態度が丁重である
【恳请】kěnqǐng 動懇願する，切に願う‖～原谅 なにとぞお許しください
*【恳求】kěnqiú 動懇願する，切に求める‖～大家原谅他 どうかみなさん彼を許してやってください
【恳谈】kěntán 動懇談する，じっくりと話し合う
【恳托】kěntuō 動折り入って頼む，心から依頼する
【恳挚】kěnzhì 形書 懇ろである，誠実である
11*__啃__ kěn 動かじる．転（一生懸命）本を読む‖～老玉米 トウモロコシをかじる｜学习不能光死～书本 勉強はひたすら本にかじりついているだけではだめだ
【啃不动】kěnbudòng 動 ❶（硬くて）かじれない，かめない ❷もて余す，手を焼く
【啃青】kěnqīng 動方 農作物が成熟しないうちに食べる，青田刈りをして飢えをしのぐ
【啃硬骨头】kěn yìnggǔtou 慣 難題に取り組む

K

kèn

11 **揹** kèn 方 ❶押さえる. 押さえつける ❷難癖をつける

11 **裉** kèn 衣服の身ごろの両脇の縫合部 ‖ 抬～ 袖ぐり | 煞～ 身ごろの脇を縫い合わせる

kēng

7 * **坑**（^阬）kēng ❶名（～儿）地面のへこみ. 穴 ❷書 生き埋めにする ❸動 回 損害を与える. ひどい目にあわせる ‖ 不能用次品～顾客 質の悪い商品で客をだましてはいけない ❹坑道

【坑道】kēngdào 名 ❶〈鉱〉坑道 ❷〈軍〉地下道

【坑害】kēnghài 動 陥れる. ひどい目にあわせる

【坑井】kēngjǐng 名〈鉱〉坑道と縦坑

【坑坑洼洼】kēngkēngwāwā（～的）形 でこぼこしている ‖ ～的小路 でこぼこの小道

【坑蒙】kēngmēng 動 人をだまし陥れる

【坑蒙拐骗】kēngmēng guǎipiàn 慣 詐欺や騙(かた)りなどの悪事

【坑木】kēngmù 名〈鉱〉坑木

【坑骗】kēngpiàn 動 人をだまし陥れる

【坑人】kēng//rén 動 人を陥れてひどい目にあわせる ‖ 质量这么差, 太～了 質がこんなにひどいとは, ずいぶんインチキだ

【坑洼】kēngwā 名 くぼみ

【坑子】kēngzi 名 くぼみ. 穴

7 **吭** kēng 動 言葉を発する. 声を立てる ‖ 一声没～ 一言も言わなかった ➤ háng

【吭哧】kēngchi 動 口ごもる. もぐもぐ言う 擬（力んだときに思わず出るうなり声）うんうん. よいしょ ‖ ～～地砸zá夯hāng よいしょこらしょと胴突きをする

【吭气】kēng//qì（～儿）動 声を立てる. 口を開く

【吭声】kēng//shēng（～儿）動 声を出す. 言葉を発する ‖ 伤口很疼, 但他强忍着rěnzhe没～儿 傷口が痛んだが, 彼はじっと我慢して声を出さなかった

12 **铿**（鏗）kēng 擬（金属の触れ合うよく響く音）ガラン. ガチャン. チャリン

【铿锵】kēngqiāng 形（声や音が）力強く律動的であるさま ‖ 发出～有力的声音 威勢よく力強い声を発する

【铿然】kēngrán 形 書 音が勢いよく響くさま

kōng

8 ** **空** kōng ❶形 空っぽである ‖ ～房子 空っぽの部屋 | 脑子里～～的 頭の中が空っぽだ ❷形 空虚な. 非現実的な ‖ 一～谈 ❸空. 天 ‖ 天～ 空 ❹存在しない ‖ 目～一切 何物も眼中にない ❺副 むだに. むなしく ‖ ～有一纸文凭 wénpíng 卒業証書があってもなんの役にも立たない ➤ kòng

【空仓】kōng//cāng 動〈経〉（手持ち株や国債などを）全部投げ出す. 全部売りはらう ↔〔满仓〕

【空巢家庭】kōngcháo jiātíng 名 子供たちが成長して出て行き, 老人だけになった家庭

【空城计】kōngchéngjì 名 もぬけの殻. 諸葛孔明がわざと城門を開いてもぬけの殻の城内に伏兵ありと思わせ, 優勢な敵の軍隊を撤退させた故事による

【空乘】kōngchéng 名 ❶旅客機の乗務 ‖ ～人员 客室乗務員 ❷客室乗務員. フライトアテンダント

【空挡】kōngdǎng 名〈機〉（ギヤの）ニュートラル

【空荡】kōngdàng 形 がらんとしている

【空荡荡】kōngdàngdàng（～的）形 がらんとして何もない ‖ 一放暑假, 校园里～的 夏休みになると, キャンパスの中はがらんとしている

【空洞】[1] kōngdòng 名 空洞

*【空洞】[2] kōngdòng 形 からっぽでむなしい. 空疎である ‖ ～乏味fáwèi 空疎でつまらない

【空乏】kōngfá 形 ❶貧窮している ❷内容がない. 空疎である

【空翻】kōngfān 名〈体〉宙返り. とんぼ返り

【空泛】kōngfàn 形 漠然として要領を得ない. 空漠としている ‖ 内容～ 内容が漠然としてつかみどころがない

【空腹】kōngfù 動 おなかがすく. 空腹である ‖ ～喝酒容易醉 空腹で酒を飲むと酔いやすい

【空岗】kònggǎng 名 仕事の欠員 ‖ ～信息 求人情報

【空港】kōnggǎng 名 空港.（日本語からの借用語）＝〔机场〕

【空谷足音】kōng gǔ zú yīn 成 人跡まれな谷間にふと聞こえてくる人の足音. 思いがけない便りや貴重な言葉などのたとえ

【空喊】kōnghǎn 動 空言を吐く. 口先だけで威勢のいいことを言う

【空耗】kōnghào 動 空費する. むだ遣いする

*【空话】kōnghuà 名 絵空事. 空念仏 ‖ 只说～, 不干实事 空論を並べるだけで, 実際に即したことはやらない

【空欢喜】kōng huānxǐ 組 ぬか喜びする

【空幻】kōnghuàn 形 非現実的である. 夢のようで真実みがない

【空际】kōngjì 名 虚空. 天涯. 空のはるかかなた

【空寂】kōngjì 形 空漠として静まりかえっている. がらんとして寂しい

【空架子】kōngjiàzi 名 外見だけの体裁. 形だけで内実のない.（多く外面的な形式を整えただけの機構や文章について用いる）

**【空间】kōngjiān 名 空間 ‖ 三维～ 三次元空間 | ～技术 宇宙開発技術

【空间科学】kōngjiān kēxué 名 宇宙科学

【空间技术】kōngjiān jìshù 名 宇宙技術.〔宇航技术〕ともいう

【空间站】kōngjiānzhàn 名 ❶宇宙ステーション ❷（衛星通信の）宇宙局 ＊〔航天站〕ともいう

【空降】kōngjiàng 動（人員・武器・物資などを）パラシュートで降下させる ‖ ～部队 空挺(くうてい)部隊

【空降兵】kōngjiàngbīng 名〈軍〉パラシュート兵

【空姐】kōngjiě 名 略 スチュワーデス.〔空中小姐〕の略

【空警】kōngjǐng 名 航空警察官.〔空中警察〕の略

*【空军】kōngjūn 名 空軍

【空空如也】kōng kōng rú yě 成 何一つない. 空っぽである

【空口】kōngkǒu 副 ❶（飲食で）取り合わせなしで ‖ ～喝酒 さかな抜きで酒を飲む ❷口先だけで

【空口说白话】kōngkǒu shuō báihuà 慣 口先で言うだけで当てにならない

【空口无凭】kōng kǒu wú píng 成 口先だけでは当てにならない

【空旷】kōngkuàng 形（遮るものがなく）広々としている．空漠としている‖～的原野 広々とした原野
【空灵】kōnglíng 形 変幻自在である
【空落落】kōngluòluò（～的）形 がらんとしてもの寂しい
【空忙】kōngmáng 動 むだに忙しがる．ばたばたしたのがむだになる‖大家～了一场 みんなむだに奔走してしまった
【空名】kōngmíng 名 実質を伴わない名義．実権を伴わない肩書き
【空漠】【空寞】kōngmò 形 書 空漠とした
*【空难】kōngnàn 名 飛行機事故‖发生～ 飛行機事故が起きる
★【空气】kōngqì 名 ❶空気‖换房间的～ 部屋の空気を入れ換える ❷雰囲気．空気‖学术～浓厚 学術的な雰囲気が濃い
【空气污染】kōngqì wūrǎn 名 大気汚染
【空气污染指数】kōngqì wūrǎn zhǐshù 名〈気〉大気汚染指数
【空气质量】kōngqì zhìliàng 名〈気〉大気の質．大気の清浄度
⁂【空前】kōngqián 動 前代未聞である．いまだかつてない‖盛况shèngkuàng～ 盛況この上ない｜经济得到了～的发展 経済は空前の発展を見せている
【空前绝后】kōng qián jué hòu 成 空前絶後である．後にも先にもない
【空前未有】kōng qián wèi yǒu 成 かつてない．未曽有（みぞう）である
【空勤】kōngqín 名 空中勤務．機上勤務 ↔〔地勤〕‖～人员 機上スタッフ
【空嫂】kōngsǎo 名 既婚の（女性）客室乗務員
【空身】kōng∥shēn（～儿）動 何も持たない．身一つである
【空驶】kōngshǐ 動 車が荷や人を乗せずに走る．空荷である．空車である
【空手】kōng∥shǒu（～儿）動 ❶手に何も持たない．手ぶらである ❷（絵画や刺繡で）下絵なしに描いたり刺したりする
【空手道】kōngshǒudào 名〈体〉（日本の）空手
【空疏】kōngshū 形 書（学問・文章・議論などが）空っぽで内容がない．空疎である
【空谈】kōngtán 動 口で言うだけで実行しない 名 空談．根拠のない話．絵空事
【空天飞机】kōngtiān fēijī 名 スペースプレーン．〔航空航天飞机〕の略
*【空调】kōngtiáo 名 エアコンディショナー．エアコン‖装～ エアコンを付ける｜～病 エアコン病
【空头】kōngtóu 名 ❶〈経〉（投機市場の思惑売買で）売り手 ↔〔多头〕 形 口先だけの．有名無実の‖～人情 口先だけの好意
【空头支票】kōngtóu zhīpiào 名 ❶〈経〉不渡り手形．空手形 ❷喩 空約束．安請け合い‖开～ できもしないことを安請け合いする
【空投】kōngtóu 動 空中投下する‖～救灾物资 救援物資を空中投下する
【空文】kōngwén 名 ❶内容のない文章 ❷なんの効力もない法律や規則など．空文‖一纸～ 一編の空文
【空袭】kōngxí 動 空襲する
*【空想】kōngxiǎng 動 空想する．夢想する‖闭门～ 閉じこもって空想にふける 名 空想．夢想

*【空心】kōng∥xīn 動（木の幹が）空洞になる．（ハクサイやキャベツなどの）葉の巻きが固くない 形（kōngxīn）中が空洞の‖～粉 マカロニ ➤ kòngxīn
【空心菜】kōngxīncài 名（野菜の一種）エンサイ．ヨウサイ．アサガオナ．クウシンサイ ＝〔蕹wèng菜〕
【空心砖】kōngxīnzhuān 名〈建〉空洞れんが
*【空虚】kōngxū 形 うつろである．むなしい．無意味である‖生活～ 生活が空虚である
【空穴来风】kōng xué lái fēng 成 穴があるとすきま風が入ってくる．根も葉もないうわさが立つこと
【空邮】kōngyóu 名 略 航空郵便．エアメール．〔航空邮件〕の略 動 航空便で送る
【空域】kōngyù 名 空域‖警戒～ 警戒空域
【空运】kōngyùn 動 空中輸送する．空輸する
【空载】kōngzài 動（車を）空荷で運転する．（機械や設備を）空運転する
【空战】kōngzhàn 動〈軍〉空中戦を行う
⁂【空中】kōngzhōng 名 空中‖气球升入～ ふうせんが空中に舞い上がる 形 放送の．電波の．オンエアの．（ラジオ番組の名称に用いる）‖～信箱 お便りの時間
【空中警察】kōngzhōng jǐngchá 名 航空警察官．略して〔空警〕ともいう
【空中楼阁】kōng zhōng lóu gé 成 空中の楼閣．絵空事．根拠のない物事
【空中小姐】kōngzhōng xiǎojie 名 スチュワーデス．略して〔空姐〕ともいう
【空竹】kōngzhú 名 唐ごま．うなりごま
【空转】kōngzhuàn 動 ❶〈機〉空運転する ❷（車輪などが）空回りする．空転する

10 **倥** kōng ↴ ➤ kǒng
【倥侗】kōngtóng 形 書 物を知らず道理にうとい

11 **崆** kōng 地名用字‖～峒tóng 甘粛省にある山の名．山東省にある島の名

14 **箜** kōng ↴
【箜篌】kōnghóu 名 古 箜篌（くご）．百済琴（くだらごと）．たて琴に似たやや小型の撥弦（はつげん）楽器

kǒng

4 ⁂ **孔** kǒng ❶名 穴‖钻zuān～ 穴を開ける ❷通じている‖～道 ❸量 方 山西・陝西地方に多い洞窟（どうくつ）式住居，また油井など穴のあるものを数える‖三～土窑tǔyáo 三つの洞窟式住居
【孔道】kǒngdào 名 方々に通じる道．要衝
【孔洞】kǒngdòng 名（器物に開けた）穴
【孔方兄】kǒngfāngxiōng 名 銭（ぜに）．おあし．旧時の〔方孔钱〕（四角い穴があいたまるい銅銭）の俗称
【孔径】kǒngjìng 名 口径．内径
【孔孟之道】Kǒng Mèng zhī dào 成 孔孟の教え
【孔庙】Kǒngmiào 名 孔子廟（びょう）
*【孔雀】kǒngque；kǒngquè 名〈鳥〉クジャク‖～开屏píng クジャクが羽を広げる
【孔雀绿】kǒngquelǜ 名（クジャクの羽のような）青緑色．ピーコックブルー
【孔雀石】kǒngqueshí 名〈鉱〉孔雀石
【孔隙】kǒngxì 名 穴．すきま‖堵塞dǔsè～ すきまをふさぐ
【孔穴】kǒngxué 名 小さな穴

K

【孔眼】kǒngyǎn 名 小さな穴.（ざるなどの）目

10 倥 kǒng ↘ ➤kōng

【倥偬】kǒngzǒng 形 書 ❶緊迫して慌ただしいさま ❷貧窮しているさま

10 恐 kǒng ❶恐れる. 怖がる ‖ 有恃shì无～ 後ろ盾を頼みとして恐れるところがない ❷脅す ‖ →～吓 ❸副 おそらく ‖ →～怕

*【恐怖】kǒngbù 形 恐ろしい. 残忍な ‖ 采取～手段 残忍な手段をとる ‖ 白色～ 白色テロ

【恐怖主义】kǒngbù zhǔyì 名 テロリズム

【恐吓】kǒnghè 動 脅かす. 脅す ‖ ～信 脅迫状

【恐慌】kǒnghuāng 動 恐慌をきたす. パニックになる ‖ 引起～ パニックを引き起こす ‖ 经济～ 経済恐慌

*【恐惧】kǒngjù 形 恐ろしくてびくびくしている. 怖くてたまらない. 恐れる. 怖がる ‖ 脸上流露出～的神色 顔に恐怖の色を浮かべる

【恐龙】kǒnglóng 名〈古生〉恐竜

**【恐怕】kǒngpà 副 ❶（よくない結果を予測して）おそらく. まず ‖ 事情～没那么简单吧 事はおそらくそう簡単ではないだろうよ ❷（およその推測で）たぶん. おそらく. おおかた ‖ 咱们～有二十年没见了吧？ 我々が顔を合わせるのはおそらく20年ぶりになるんじゃないか

【恐水病】kǒngshuǐbìng 名〈医〉狂犬病 =〔狂犬病〕

kòng

8 ** 空 kòng ❶動 あける. 空にする ‖ 写不出来的先～着 書けないところはひとまずあけておく ❷形 空である. あいている ‖ 这间房一直～着没人住 この部屋はずっとあいていて誰も住んでいない ❸名（～儿）あいた時間・場所. ひま. すきま ‖ 填tián～ 空欄を埋める｜今天我没～儿 今日私は暇がない ➤kōng

*【空白】kòngbái 名 空白. 余白. ブランク ‖ 脑子里一片～ 頭の中が真っ白になる

【空白点】kòngbáidiǎn 名 未開拓あるいは未達成の分野

【空场】kòngchǎng（～儿）名 空き地

【空当】kòngdāng（～儿）名 口 ❶すきま. 空間 ❷あき時間. 暇 ＊〔空当子〕ともいう

【空地】kòngdì 名 ❶空き地 ❷（～儿）すきま. 空間

【空额】kòng'é 名 欠員数. あき ‖ 吃～ 人員を水増し報告して経費を横領する

【空格】kònggé 名（表や升目の）空白部分

【空缺】kòngquē 名 ❶（ポストの）あき. 欠員 ❷欠けた部分. 空白の部分

*【空隙】kòngxì 名 ❶すきま. 空間 ❷暇. 合間 ‖ 利用工作的～学习外语 仕事の合間を利用して外国語を学ぶ ❸つけ込む機会. すき

【空暇】kòngxiá 名 あいた時間. 暇

【空闲】kòngxián 形 ❶手があいている. 暇である ❷使っていない. 遊んでいる ‖ ～设备 遊休設備 名 あいた時間. 暇 ‖ 一有～就去图书馆 暇さえあれば図書館へ行く

【空心】kòngxīn（～儿）名 空腹. すきっ腹 ➤kōngxīn

【空余】kòngyú 形 あいている. 暇である

【空子】kòngzi 名 ❶すきま. 空間 ❷つけ込む機会. すき ‖ 钻zuān～ すきを見てつけ込む

11 控¹ kòng 制御する. コントロールする ‖ 遥～ 遠隔操作する. リモートコントロールする｜失～ 制御できなくなる. コントロールを失う

11 控² kòng 訴える ‖ 指～ 非難する｜被～ 訴えられる

11 控³ kòng ❶動（体の一部分を）支えのない状態にする. ぶらりと垂らす ‖ ～着头睡着了 枕も当てずにそのまま寝入ってしまった ❷動（人を逆さにして, 水や食べた物を）吐かせる.（容器を逆さにして水分を）切る ‖ 洗完了～一会儿水 洗ったらしばらく水を切る

【控告】kònggào 動 告訴する. 告発する

【控购】kònggòu 動〈経〉集団による購入を規制する

【控股】kòng∥gǔ 動〈経〉（ある企業の）株式を一定量買い占める

【控股公司】kònggǔ gōngsī 名〈経〉持ち株会社. ホールディングカンパニー

*【控诉】kòngsù 動 告発する. 告訴する ‖ ～大会 告発集会

**【控制】kòngzhì 動 制御する. コントロールする. 抑制する. 支配する ‖ 他竭力jiélì～住自己的感情, 没有掉下眼泪 彼は懸命に自分の感情を抑え, 涙をこぼさなかった｜经费应该～在一定限度以内 経費は一定限度以内に抑えるべきである

【控制论】kòngzhìlùn 名〈数〉サイバネティックス

【控制面板】kòngzhì miànbǎn 名〈計〉コントロールパネル

kōu

7 * 抠（摳）kōu ❶動（指や細い棒の先などで）ほじくる ‖ ～鼻子 鼻をほじくる ❷動 彫る ❸動 根掘り葉掘りほじくるようにして調べる. ささいなことをあれこれと詮索（せんさく）する ‖ →～字眼儿｜死～书本 書物の知識をそのままうのみにする ❹形 方 けちである. みみっちい. しみったれている ‖ 花钱太～ 金の使い方がとてもしみったれている

【抠抠缩缩】kōukousuōsuō 形 方 けちけちしている. しみったれている

【抠门儿】kōuménr 形 方 けちけちしている

【抠字眼儿】kōu zìyǎnr 慣 言葉じりをとらえる

9 眍（瞘）kōu 動 目が落ちくぼむ ‖ 几天没睡, 眼睛都～进去了 幾日も寝ていないので, 目がすっかりくぼんでしまった

kǒu

3 ★ 口 kǒu ❶名（人や動物の）口. ふつうは〔嘴〕という ‖ 漱shù～ 口をすすぐ ❷味の好み. 嗜好（しこう）‖ →～轻 ❸話しぶり. 弁舌 ‖ →～才 ❹（家族などの）人数 ‖ 户～ 戸籍 ❺名（～儿）（容器の）口 ‖ 瓶子～儿 瓶の口 ❻（物の）口 ‖ 袖～ 袖口 ❼（～儿）出入り口 ‖ 门～ 出入り口. 戸口 ❽万里の長城の関所.（多く地名に用いる）‖ 张家～ 張家口 ❾港. 港湾 ‖ 出～产品 輸出品. ❿部門. 分野 ‖ 农林～ 農林部門 ⓫名（～儿）裂け目. 傷口 ‖ 衣服挂了个～儿 服がかぎ裂きになった ⓬刃物の刃 ‖ 刀～ 刀の刃 ⓭名（ウマやラバなど家畜の）年齢 ‖ 这马六岁～ このウマは6歳だ ⓮量 ①家族の人数を数える ‖ 我家有四～人 私の家は4人家族です｜老两～ 老夫婦｜小两～ 若夫婦 ②家畜を数える ‖ 十～猪 10

頭のブタ ③口のあいた器物を数える‖五～缸gāng かめ5個｜一～井 井戸一つ ④(刃物類を数える)本. 振り‖两～刀 刀二振り

*【口岸】kǒu'àn 名 港‖通商～ 貿易港

【口杯】kǒubēi 名 コップ. カップ‖塑料～ プラスチックのコップ

【口才】kǒucái 名 弁舌‖～好 弁が立つ

【口彩】kǒucǎi 名 めでたい言葉‖讨个～ おめでたい話をする

【口吃】kǒuchī 動 どもる. ふつうは〔结巴jiēba〕という‖他说话～ 彼は話をするときどもる

【口齿】kǒuchǐ 名 ❶話し方. 発音. 弁舌‖～清楚 発音が明瞭である ❷(ウマやロバなどの)年齢

【口臭】kǒuchòu 動 口臭がある. 口がにおう 名 口臭‖消除～ 口臭を消す

【口传】kǒuchuán 動 口授する. 伝承する

【口疮】kǒuchuāng 名〈医〉口内炎

⁑【口袋】kǒudai (～儿) 名 ❶(紙・布・皮などで作った)袋‖塑料～ ビニール袋 ❷(衣服の)ポケット

【口风】kǒufeng ; kǒufēng 名 口裏. 口吻(こうふん)

【口服】¹ kǒufú 動 口先だけ信服する‖心服～ 心から納得する. 感服する

【口服】² kǒufú 動 内服する‖～药 内服薬.

【口服心不服】kǒufú xīn bùfú 慣 口では服従するように見せかけて内心では従わない. 面従腹背

【口福】kǒufú 名 口 口の幸い. おいしいものにありつくこと. 〔口头福〕ともいう

【口腹】kǒufù 名 書 口腹. 飲食

【口干舌燥】kǒu gān shé zào 成 (しゃべったり歌ったりしすぎて)のどがからからになる

【口感】kǒugǎn 名 歯ざわり. 口あたり. 舌ざわり

【口供】kǒugòng 名 (犯人や容疑者の)自供. 供述

⁑【口号】kǒuhào (～儿) 名 スローガン‖高呼～ 高らかにスローガンを叫ぶ

【口红】kǒuhóng 名 口紅‖抹mǒ～ 口紅をつける

【口技】kǒujì 名 声帯模写. 物まね

【口角】kǒujiǎo 名 口角. 口の両脇 ➤ kǒujué

【口角炎】kǒujiǎoyán 名〈医〉口角炎. 口角びらん

【口紧】kǒujǐn 形 口がかたい

【口径】kǒujìng 名 ❶口径 ❷話の筋道. 口裏‖统一～ 口裏を合わせる ❸規格. 仕様‖这两个零件对不上～ この二つの部品は規格に合わない

【口诀】kǒujué 名 口ずさんで覚えるのに便利な調子のよい言葉‖乘法～ 掛け算の九九

【口角】kǒujué 動 口論する. 口げんかをする ➤ kǒujiǎo

【口渴】kǒukě 形 のどが渇いている

【口口声声】kǒukoushēngshēng 副 一度ならず. しきりに. 口癖のように. 口を開けば

【口粮】kǒuliáng 名 兵士一人分の食糧. 口糧(こうりょう). 転 生活に必要な食糧

【口令】kǒulìng 名 ❶(教練や体操の)号令‖喊～ 号令をかける ❷合い言葉. パスワード

【口蜜腹剑】kǒu mì fù jiàn 成 口では甘言を弄(ろう)し, 心には奸計(かんけい)を抱く. 陰険な人のたとえ

【口蘑】kǒumó 名〈植〉キシメジ属のキノコ. 張家口一帯で産するものが有名

*【口气】kǒuqi ; kǒuqì 名 ❶語気. 口調‖严肃yánsù的～ 厳しい口調 ❷話しぶり‖～好大 鼻息が荒い

*【口腔】kǒuqiāng 名〈生理〉口腔(こうこう) ‖～科 口腔科

【口琴】kǒuqín 名〈音〉ハーモニカ‖吹～ ハーモニカを吹く

【口轻】¹ kǒuqīng 形 ❶(料理の)塩気が足りない. 薄味である‖这菜有点儿～ このおかずは少し塩気が足りない ❷塩味の薄いものが好きである‖她～, 吃不了太咸的 彼女は薄味が好きだから, あまり塩辛いものは食べられない ✻↔〔口重〕

【口轻】² kǒuqīng 形 (ウマやラバなどの)年が若い

【口若悬河】kǒu ruò xuán hé 成 弁舌の流暢なさま. 滔々(とうとう)としゃべる

【口哨儿】kǒushàor 名 口笛‖吹～ 口笛を吹く

【口舌】kǒushé 名 ❶(交渉や説得をするための)言葉‖这事免不了费～ この件は説得にかなり骨を折りそうだ ❷口舌. 物言い

【口实】kǒushí 名 書 口実. 言い訳

*【口试】kǒushì 動 口頭試問をする. 口述試験をする ↔〔笔试〕

【口是心非】kǒu shì xīn fēi 成 口で言うことと腹の中が食い違う

【口授】kǒushòu 動 ❶口頭で伝授する. 口授(こうじゅ)する ❷口述する‖～遗嘱yízhǔ 遺言を口述する

【口述】kǒushù 動 口頭で述べる. 口述する

【口水】kǒushuǐ 名 口 つば. よだれ‖流～ よだれが出る

【口水战】kǒushuǐzhàn 名 口角泡を飛ばし合うような激しい議論

【口算】kǒusuàn 動 口で唱えながら暗算する

【口条】kǒutiao ; kǒutiáo 名 方 (食材としての)ブタやウシの舌. タン

*【口头】kǒutóu 形 口頭による ↔〔书面〕‖～汇报huìbào 口頭で報告する｜～答复 口頭で返事する 名 口先‖只停留在～上 言うだけにとどめる

【口头禅】kǒutóuchán 名 口癖

【口头文学】kǒutóu wénxué 名 口承文学

【口头语】kǒutóuyǔ (～儿) 名 口癖

【口味】kǒuwèi (～儿) 名 ❶(食べ物の)味‖换换～吧 たまには違う料理でも食べてみよう ❷(各人の)味の好み. 嗜好(しこう) ‖京剧最合我的～ 京劇は私の好みにぴったりだ

【口吻】kǒuwěn 名 ❶(イヌ・魚などの)口や鼻など突き出た部分 ❷口ぶり. 口調‖用对小孩儿说话的～说 子供に話をするような口調でしゃべる

【口误】kǒuwù 動 言い間違える. 読み間違える 名 言い間違い. 読み間違い

【口涎】kǒuxián 名 つば. よだれ

【口香糖】kǒuxiāngtáng 名 チューインガム‖嚼jiáo～ ガムをかむ

【口信】kǒuxìn (～儿) 名 伝言. ことづて‖请给我家里捎shāo个～ 家にことづてをお願いします

【口型】kǒuxíng 名 発音するときの口の形状

【口译】kǒuyì 動 通訳する. 〔口头翻译〕ともいう ↔〔笔译〕

【口音】kǒuyin 名 ❶発音‖听～, 他像河北人 発音を聞くと彼は河北の人のようだ ❷方言. なまり‖他有上海～ あの人には上海なまりがある｜他的～很重 彼のなまりはとても強い

★【口语】kǒuyǔ 名 口語. 話し言葉 ↔〔书面语〕‖他英语的～很好 彼は英会話が上手だ

【口谕】kǒuyù 名 旧 (目上の人の)口頭による指示

K

【口占】kǒuzhàn 動書 ❶(メモなしにその場で)口述する ❷即興で詩を作り吟じる
【口罩】kǒuzhào (～儿)名 マスク‖戴～ マスクをかける|摘下～ マスクをはずす
【口重】kǒuzhòng 形 ❶(料理の味が)塩辛い. 塩味である ❷塩辛い味が好きである ＊↔〔口轻〕
【口诛笔伐】kǒu zhū bǐ fá 成 言葉や文章で人を激しく攻撃する
【口拙】kǒuzhuō 形謙 口べたである
【口子】[1] kǒuzi 量口 人を数える 名口(他人に対して自分の連れ合いをさす)家内. うちの人‖我家那～ うちの女房
【口子】[2] kǒuzi 名 ❶傷口 ❷割れ目. 決壊口

kòu

5 **叩**(△敂❶) kòu ❶動 たたく. ノックする‖一～门 ❷ぬかずく. 叩頭(こうとう)する‖一～首 ❸書 尋ねる. 聞く‖一～问
【叩拜】kòubài 動旧 ぬかずく. ひざまずいて拝礼する
【叩打】kòudǎ 動 ノックする. 打つ
【叩击】kòujī 動 ノックする. 打つ
【叩见】kòujiàn 動書謙 謁見する. お目にかかる
【叩门】kòu//mén 動 戸をたたく. ノックする
【叩首】kòushǒu 動書 頭を地につけてお辞儀する. 叩頭(こうとう)する
【叩头】kòu//tóu 動 頭を地につけて敬礼する. 叩頭する
【叩头虫】kòutóuchóng 名〈虫〉コメツキムシ. 〔磕kē头虫〕ともいう
【叩问】kòuwèn 動書謙 お尋ねする. お聞きする
【叩谢】kòuxiè 動書謙 懇ろに礼を述べる‖当面～ 直接お目にかかってお礼を申し上げる
【叩诊】kòuzhěn 動〈医〉(指先または器具で)打診する

6 ＊＊ **扣**(△釦❸) kòu ❶動 かける. とめる‖～上衣领 襟のボタンをとめる ❷名(ひもなどの)結び目‖活～儿 蝶結び|死～儿 こま結び ❸名(～儿)ボタン‖系jì～儿 ボタンをとめる ❹動 拘留する. 差し押さえる‖警察～了他的驾驶执照 警官は彼の運転免許証を差し押さえた ❺動 差し引く. 減らす‖～手续费 手数料を差し引く ❻名 割り引き. 値引き‖减价八～ 2割引き ❼ねじ山‖螺丝～ ねじ山 ❽動(容器を)かぶせる. ふたをする‖用大碗把菜～上 おかずをどんぶりでかぶせておく ❾動 スマッシュする. スパイクする‖一～球
【扣除】kòuchú 動 控除する. 差し引きする
【扣发】kòufā 動 ❶(給料や賞与を)支給しない ❷(原稿などを)差し止めて発表しない
【扣减】kòujiǎn 動 差し引く. 削減する. 控除する
【扣缴】kòujiǎo 動(収入などから)天引きする
【扣留】kòuliú 動 拘留する. 差し押さえる
【扣帽子】kòu màozi 慣 レッテルを張る
【扣球】kòu//qiú 動〈体〉❶(バレーボールで)スパイクする ❷(テニスや卓球などで)スマッシュを打つ
【扣人心弦】kòu rén xīn xián 成 心の琴線に触れる. 人の心を打つ
【扣杀】kòushā 動〈体〉(テニスや卓球で)スマッシュを打つ
【扣题】kòutí 動 テーマにぴったり合う
【扣压】kòuyā 動(文書などを)差し止めて処理しない
【扣押】kòuyā 動 差し押さえる. 拘留する‖把犯罪分子～起来了 犯人を拘留した
【扣眼】kòuyǎn (～儿)名 ボタン穴
【扣子】kòuzi 名 ❶結び目‖把～解开 結び目をほどく ❷ボタン ❸(小説や講談などの)やま場

11 **寇**(△寇 寇) kòu ❶強盗. 侵入者 ❷侵入する‖入～ (敵が)侵入する
【寇仇】kòuchóu 名 仇敵(きゅうてき)
【寇盗】kòudào 名 強盗. 匪賊(ひぞく)

12 **筘** kòu 名〈紡〉(機織りの)おさ. 〔杼zhù〕ともいう

14 **蔻** kòu ↴
【蔻丹】kòudān 名 マニキュア
【蔻蔻】kòukòu ＝〔可可kěkě〕

kū

8 **刳** kū 書 えぐる. くりぬく‖～木为舟zhōu 木をくりぬいて丸木舟を作る

8 **矻** kū ↴
【矻矻】kūkū 書形 こつこつ勤めるさま. せっせと働くさま‖孜孜zīzī～ うまずたゆまず一事に励むさま 動 こつこつ勤める. せっせと働く‖～终日 一日中休むことなく精を出して働く

9 ＊ **枯** kū ❶形(草木が)枯れている‖树～了 木が枯れた ❷形(川や井戸などが)涸(か)れている ❸痩せ細っている. 憔悴(しょうすい)している‖一～瘦 ❹単調である. つまらない‖一～燥
【枯饼】kūbǐng 名方 油粕を円盤状に固めたもの ＝〔油饼〕
【枯草】kūcǎo 名 枯れ草
【枯肠】kūcháng 名書 浅学で文才に乏しい頭脳. 空っぽの頭‖搜索～ 無い知恵を絞る
【枯干】kūgān 形 水が涸れて干上がっている. 干からびている
【枯槁】kūgǎo 形 ❶(草木が)枯れて干からびたさま ❷転(人が)年を取って痩せ衰えたさま
【枯骨】kūgǔ 名(人や獣の)骸骨(がいこつ). 白骨
【枯涸】kūhé 動書 水が涸れる
【枯黄】kūhuáng 動(草木が)枯れて黄色く変色する‖树叶渐渐～了 木の葉がしだいに枯れて黄ばんできた
【枯寂】kūjì 形書 もの寂しい. わびしい
【枯焦】kūjiāo 動 枯れ干からびる
【枯竭】kūjié 動 ❶(水が)涸れる. 干上がる ❷尽きる‖财源～ 財源が尽きる
【枯井】kūjǐng 名 涸れた井戸
【枯木逢春】kū mù féng chūn 成 枯れ木に花. 一陽来復. 衰えたものが再び時勢に巡り合うこと
【枯涩】kūsè 形 ❶無味乾燥で難解である‖文字～ 文章が無味乾燥で難解である ❷乾いて潤いがない
【枯瘦】kūshòu 形 痩せ細って生気がない. 痩せ衰えている‖身体～ 体が痩せ衰えている
【枯水期】kūshuǐqī 名 渇水期
【枯萎】kūwěi 動 枯れしおれる. しぼむ‖花～了 花がしぼんだ
【枯朽】kūxiǔ 動 枯れ朽ちる

*【枯燥】kūzào 形 無味乾燥である．味気ない．面白みがない ‖ 生活～ 生活が味気ない

10 ★**哭** kū 動（声を出して）泣く ‖ 她～什么呢？ 彼女はなぜ泣いているんだ｜～成了泪人儿 顔中涙でぬらして泣く．泣きじゃくる

【哭鼻子】kū bízi 慣 泣く．泣きべそをかく

【哭喊】kūhǎn 動 泣きわめく

【哭哭啼啼】kūkutítí（～的）形 いつまでも泣きやまないさま．めそめそするさま

【哭灵】kū//líng 動 ひつぎや位牌（いはい）の前で泣き叫ぶ

【哭泣】kūqì 動 しくしく泣く．むせび泣く

【哭腔】kūqiāng 名 ❶〈劇〉（伝統劇で）泣く調子の歌や台詞（せりふ） ❷（～儿）涙にうるんだ声．涙声

【哭穷】kū//qióng 動 貧をかこつ．貧しさをこぼす

【哭丧】kū//sāng 動 旧（葬儀や葬送のときに）大声で泣く．（泣き声が大きいほど，人徳や孝心が厚いとされる）

【哭丧着脸】kūsangzhe liǎn 組 しょげきった顔をする．苦りきった顔つきをする

【哭诉】kūsù 動 泣いて訴える

【哭笑不得】kū xiào bù dé 慣 泣くに泣けず，笑うに笑えず．泣いていいのか笑っていいのか分からない

11 **堀** kū 書 ❶洞穴 ❷穴を掘る

13 **窟** kū ❶洞窟．ほら穴 ‖ 石～ 石窟（せっくつ） ❷（ある人達が）集まる場所 ‖ 贫民～ 貧民窟

*【窟窿】kūlong 名 ❶穴．孔（あな） ‖ 烟头把衣服烧shāo了一个～ 吸い殻で服に焼け焦げの穴ができた ❷喩 赤字．損失 ‖ 拉了个大～ 大赤字を出した ❸喩 抜け穴．抜け道

【窟窿眼儿】kūlongyǎnr 名 小さな穴．〔洞dòng眼儿〕ともいう ‖ 补～ 小さな穴をふさぐ

14 **骷** kū ↘

【骷髅】kūlóu 名 どくろ．されこうべ

kǔ

8 ★**苦** kǔ ❶形 苦い ↔〔甘gān〕‖ 这药很～ この薬は苦い ❷形 きつい．疲れる ‖ 练得很～ 練習が厳しい ❸副 辛抱強く．ひたすら ‖ 她～等了他三年 彼女は彼を3年間ひたすら待ち続けた ❹形 苦しい．つらい ‖ 生活很～ 生活が苦しい ❺動 苦しめる．つらい目に遭わせる ‖ 这次可～了他了 こんどは彼にずいぶん苦労をかけた ❻（ある状況に）苦しむ．困る ‖ 一～于 ❼形 方 程度がはなはだしい．ひどい

【苦熬】kǔ'áo 動 耐え忍んで過ごす．じっと辛抱する

【苦不堪言】kǔ bù kān yán 成 苦しくて言葉にならない．言語に絶する苦しさ

【苦差】kǔchāi 名 割に合わない役目．実入りの悪い仕事

【苦楚】kǔchǔ 名 書 苦しみ．苦痛

【苦处】kǔchu 名 困ったこと．つらいこと

【苦大仇深】kǔ dà chóu shēn 成 苦しみは多く恨みは深い．よく地主や資本家への階級的な感情を表す

【苦胆】kǔdǎn 名 俗 胆嚢（たんのう）．〔胆囊náng〕の通称

【苦工】kǔgōng 名 旧 ❶苦しい労働．苦役 ❷苦しい労働に従事する労働者

【苦功】kǔgōng 名 苦しい努力．こつこつと励むこと ‖ 下～ 忍耐強く努力する

【苦瓜】kǔguā 名〈植〉ニガウリ．ツルレイシ

【苦果】kǔguǒ 名 喩 苦い結果 ‖ 自食～ 自業自得

【苦海】kǔhǎi 名〈仏〉苦界．苦しみの多い世の中 ‖ ～无边，回头是岸 苦海は果てしないが，振り返りさえすれば彼岸に到達できる．改心すれば救われる

【苦寒】kǔhán 形 ❶寒さが厳しい．酷寒である ‖ 气候～ 気候がとても寒い ❷貧しい．貧困である

【苦活儿】kǔhuór 名 苦しい仕事．苦役

【苦尽甘来】kǔ jìn gān lái 成 苦しい日々の果てに楽しい日々がやって来る．苦あれば楽あり

【苦境】kǔjìng 名 困難な状態．苦境．逆境 ‖ 陷入～ 苦境に陥る｜摆脱～ 逆境から抜け出す

【苦口】kǔkǒu 副 口を酸っぱくして 動 口に苦い ‖ 良药～利于病，忠言zhōngyán逆耳利于行 良薬は口に苦いがよく効き，忠言は耳に痛いがためになる

【苦口婆心】kǔ kǒu pó xīn 成 老婆心から何度も忠告する．懇々と諭す

【苦苦】kǔkǔ 副 ❶ひたすら．しきりに ❷苦労して．苦しんで

【苦劳】kǔláo 名 辛労．辛苦．（〔功劳〕と対にして用いる）‖ 没有功劳也有～ 功労はなかったとしても，骨折りの労はあったといえる

【苦力】kǔlì 名 肉体労働者．クーリー

【苦练】kǔliàn 動 ひたすら修練する

【苦闷】kǔmèn 形 苦悶（くもん）するさま ‖ 心中～ 心中思い悩む

【苦命】kǔmìng 名 苦しい運命．不運 ‖ ～的人 不幸な巡り合わせの人

*【苦难】kǔnàn 名 苦難．苦労と災難 ‖ 历尽lìjìn～ 苦労の限りをなめ尽くす｜～的一生 苦難の生涯

*【苦恼】kǔnǎo 形 苦しい．悩ましい ‖ 何必为这点小事儿～？ こんなつまらないことで悩むことはないじゃないか 動 苦しめる．悩ます ‖ 这件事一直～着他 その事はずっと彼を悩ませてきた

【苦情】kǔqíng 名 悲惨な境遇 形 方 悲惨である．みじめである

【苦肉计】kǔròujì 名 苦肉の策

【苦涩】kǔsè 形 ❶（味が）苦くて渋い ❷（表情が）苦渋に満ちている

【苦水】kǔshuǐ 名 ❶苦みのある水．硬水 ❷嘔吐（おうと）した胃液 ❸喩 心中の苦痛．苦しみ ‖ 满肚子～没处倒dào 胸にあふれる苦しみを訴える先もない

【苦思冥想】kǔ sī míng xiǎng 成 じっと考え込む．頭をひねる

【苦痛】kǔtòng 形 苦しい．苦痛である

【苦头】kǔtou；kǔtóu 名 苦しみ．苦痛．苦難

【苦味】kǔwèi（～儿）名 苦い味．喩 苦痛．苦しみ

【苦夏】kǔxià 動 夏ばてする．夏負けする

【苦相】kǔxiàng 名 苦悩に満ちた顔つき

【苦笑】kǔxiào 動 苦笑する．苦笑いする

【苦心】kǔxīn 名 苦心．気苦労 ‖ 煞shà费～ 非常に苦心する 副 苦心して ‖ ～经营 苦心して切り盛りする

【苦心孤诣】kǔ xīn gū yì 成 ひたすら研鑽して優れた境地に達する．または，優れた成果を得る

【苦刑】kǔxíng 名 厳刑．酷刑

【苦行】kǔxíng 動〈仏〉苦行を行う

【苦行僧】kǔxíngsēng 名 苦行僧

【苦学】kǔxué 動 苦労して勉強する

【苦役】kǔyì 名 苦役 ‖ 服～ 苦役に服する

【苦于】kǔyú 動 ❶…に苦しむ．…に困る ‖ ～没有

时间 時間のないのが困る ❷…以上に苦しい‖野外作业～室内工作 野外作業は室内の仕事よりきつい
【苦雨】kǔyǔ 名 降りやまない長雨
【苦战】kǔzhàn 動 苦戦する. 苦闘する
【苦中作乐】kǔ zhōng zuò lè 成 苦しみの中でも努めて楽しみを見つける
【苦衷】kǔzhōng 名 苦衷. 苦しい心

kù

7 *库[1] kù ❶古 戦車や武器などを納める場所 ❷名 物を蓄える場所. 倉. 倉庫‖仓～ 倉庫 ❸国の資金を保管・出納する機関‖国～ 国庫
7 库[2] kù 量〈電〉クーロン.〔库仑〕の略称
【库藏】kùcáng 動 所蔵する. 在庫としてストックする
*【库存】kùcún 名 在庫品. ストック‖清理～ 在庫を点検する. 棚卸しする
*【库房】kùfáng 名 物置小屋. 倉庫
【库仑】kùlún 量〈電〉クーロン. 略して〔库〕という
【库容】kùróng 名（ダムの）貯水量.（倉庫などの）貯蔵容量
9 绔 kù ➡〔纨绔wánkù〕
12 喾（嚳）kù 名 帝嚳(ていこく). 伝説上の帝王.〔尧Yáo〕(堯(ぎょう))の父とされる
12 裤（△袴）kù ズボン‖一～子

逆引き単語帳｜〔长裤〕chángkù 長ズボン 〔短裤〕duǎnkù 半ズボン. ショートパンツ 〔牛仔裤〕niúzǎikù ジーンズ 〔筒裤〕tǒngkù ストレートズボン 〔喇叭裤〕lǎbakù ラッパズボン. ブーツカット 〔皮裤〕píkù 革ズボン 〔裙裤〕qúnkù キュロットスカート 〔游泳裤〕yóuyǒngkù 水泳パンツ 〔三角裤〕sānjiǎokù パンティー. ブリーフ 〔内裤〕nèikù（下着）パンツ 〔紧身裤〕jǐnshēnkù ガードル. スパッツ 〔背带裤〕bēidàikù つりズボン 〔棉裤〕miánkù 綿入れのズボン 〔衬裤〕chènkù ズボン下 〔毛裤〕máokù 毛糸編みのズボン下 〔开裆裤〕kāidāngkù 股(また)の部分が開いている幼児用ズボン

【裤衩】kùchǎ（～儿）名（男性下着の）パンツ. ブリーフ.（女性下着の）パンティー. ショーツ
【裤带】kùdài 名 ズボンのバンド. ズボンのベルト‖勒紧 lēijǐn～（ズボンのベルトを強く締め）空腹を我慢する
【裤裆】kùdāng 名 ズボンのまち
【裤兜】kùdōu（～儿）名 ズボンのポケット
【裤脚】kùjiǎo 名（～儿）ズボンのすその折り返しの部分
【裤腿】kùtuǐ（～儿）名 ズボンの脚の部分
【裤袜】kùwà 名 パンティーストッキング
【裤线】kùxiàn 名 ズボンの折り目
【裤腰】kùyāo 名 ズボンの胴回り. ベルトを締める部分
【裤腰带】kùyāodài 名 ズボンのベルト
**【裤子】kùzi 名 ズボン. スラックス‖一条～ ズボン1本｜穿～ ズボンをはく｜脱～ ズボンを脱ぐ
14 酷 kù ❶書（酒が）きつい. こくがある ❷むごい. 残虐である‖残～ 残酷である ❸ひどく. 甚だ‖一～暑 ❹形 外（人や物が）格好いい. クールである
【酷爱】kù'ài 動 熱愛する‖～京剧 京劇に目がない
【酷寒】kùhán 形 ひどく寒い‖天气～ 寒さが厳しい
【酷烈】kùliè 形 書 ❶苛烈(かれつ)である. ひどく厳しい ❷（香りが）強い ❸勢いが盛んである. 激しい
【酷热】kùrè 形 非常に暑い
【酷暑】kùshǔ 名 酷暑
【酷似】kùsì 動 酷似する. とても似ている
【酷刑】kùxíng 名 残忍な刑罰. 酷刑

kuā

6 *夸[1]（誇）kuā ❶動 誇張する. 大げさに言う ❷動 ほめる. 称賛する‖大家都～她唱得好 誰もが彼女は歌がうまいとほめそやす
6 夸[2] kuā 人名用字‖～父（『山海経』に見られる人の名）夸父(こほ)
【夸大】kuādà 動 誇張する. 誇大に言う‖～成绩 成果を誇張して言う 形 大げさである
【夸大其词】【夸大其辞】kuā dà qí cí 成 話が大げさである. 文章が誇張して書かれている. 針小棒大である
【夸诞】kuādàn 形 書 大げさでいいかげんである
【夸父追日】Kuāfù zhuī rì 成（神話で夸父が太陽を追いかけ, のどが渇いて死んだ故事から）自分の力を量らずに大事を企てる. 身の程知らず
【夸海口】kuā hǎikǒu 慣 大言壮語する. 大口をたたく
*【夸奖】kuājiǎng 動 ほめる. 称賛する‖大家都～他进步快 みんなが彼は進歩が早いとほめた
【夸克】kuākè 名 外〈物〉クォーク
【夸口】kuā//kǒu 動 ほらを吹く. 偉そうなことを言う
【夸夸其谈】kuā kuā qí tán 成 大言壮語する. 大げさに話す
【夸示】kuāshì 動 誇示する. 自慢する. ひけらかす
【夸饰】kuāshì 動 飾り立てる. 大げさに描写する
【夸耀】kuāyào 動 見せびらかす. ひけらかす
【夸赞】kuāzàn 動 ほめたたえる
【夸张】kuāzhāng 形 大げさである‖他也说得太～了 彼はあまりにも大げさに言う 名〈語〉（修辞の）誇張法
【夸嘴】kuā//zuǐ 動 口 大口をたたく. 偉そうなことを言う

kuǎ

8 侉 kuǎ 方 ❶形 言葉になまりがある ❷形 かさばって大きい. ばかでかくて不細工である
【侉子】kuǎzi 名 方 貶 言葉に強いなまりのある人
9 *垮 kuǎ ❶動 倒壊する. 崩れる‖堤坝dībà被洪水冲chōng～了 堰堤(えんてい)が洪水で倒壊した ❷動 壊滅する. つぶれる‖打～敌人 敵をやっつける ❸動（体を）こわす‖身体累～了 疲れて体をこわした
【垮台】kuǎ//tái 動 瓦解する. 崩壊する. 失脚する‖这个政权就要～了 この政権は崩壊しようとしている

kuà

9 *挎 kuà ❶動 腕を曲げて組む.（物を）腕に提げる‖～着菜篮子 買い物かごを腕に提げる ❷動（肩や腰に）提げる‖～着照相机 カメラを肩から提げている
【挎包】kuàbāo（～儿）名 ショルダーバッグ
【挎斗】kuàdǒu（～儿）名（オートバイなどの）サイドカー

10 **胯** kuà 图 腰の両側と太ももの間の部分
【胯骨】kuàgǔ 图 寛骨．〔髋kuān骨〕の通称
【胯下】kuàxià 图 股間(こかん)
13 *** **跨** kuà ❶動 (大またに)踏み出す．またぎ越す ‖ ～过栏杆lángān 手すりを乗り越える ❷動 またを開いて座る．またがる ‖ ～上摩托车 オートバイにまたがる ❸動 (空間的・時間的な境界の両側に)またがる ‖ 一～年度 ❹端に位置する ‖ 一～院儿
【跨度】kuàdù 图〈建〉支間．支点間距離．スパン
【跨国公司】kuàguó gōngsī 图〈経〉多国籍企業
【跨栏】kuàlán 图〈体〉ハードル競走
【跨年度】kuà niándù 組 翌年度にまたがる．繰り越し．持ち越し ‖ ～计划 両年度にまたがる計画
【跨院儿】kuàyuànr 图 (四合院式の建物で)母屋の東側と西側にある小さな横庭
【跨越】kuàyuè 動 (空間や時間の境界線を)またいで越える ‖ ～时代 時代を飛び越える

kuǎi

8 **扸(擓)** kuǎi 方 ❶動 (爪で)かく．軽くひっかく ❷動 (腕を曲げて)提げる ‖ ～着篮子 腕にかごを提げている ❸(水などを)くむ
13 **蒯** kuǎi ❶〈植〉アブラガヤ．ふつうは〔蒯草〕という ❷图 姓

kuài

6 **会(會)** kuài 合計する ➤ huì
*【会计】kuàiji；kuàijì 图 ❶会計業務．会計 ❷会計係
【会计师】kuàijìshī 图 (職階名)会計師
7 **快**[1] kuài ❶楽しい．嬉しい．喜ばしい ‖ 拍手称chēng～ 手をたたいて快哉(かいさい)を叫ぶ | 先睹dǔ为～ いちばん先に見ることを喜びとする ❷明快である．率直である ‖ 心直口～ 率直で思ったことをすぐ口に出す
7 ★ **快**[2] kuài ❶形 速い．早い ↔〔慢〕‖ 这只表～了一点儿 この時計は少し進んでいる ❷形 (刃物が)鋭利である．切れ味がよい ↔〔钝dùn〕‖ 这把刀不～了 この刀は切れ味が悪くなった ❸形 すばしこい．(頭が)切れる．敏捷(びんしょう)である ‖ 他脑子～ 彼は頭が切れる ❹形 速さを表す ‖ 这种车的速度有多～？ この車の速度はどれくらい出るのか ❺副 早く．急いで ‖ 你～来呀！ 早く来いよ ❻副 (文末に〔了〕を伴い)まもなく．じきに．もうすぐ ‖ ～到时间了 もうすぐ時間だ
【快板儿】kuàibǎnr 图 ❶北方の民間芸能の一種．竹板を打ち鳴らして拍子をとりながら早い節回しで物語を語る ❷〈劇〉伴奏音楽の速い調子
【快步流星】kuàibù liúxīng 組 大またにすたすた歩くさま．早足．急ぎ足
【快步舞】kuàibùwǔ 图 (社交ダンスの一種)クイックステップ
*【快餐】kuàicān 图 ファースト・フード ‖ ～店 ファースト・フード店

外国の固有名詞 | ファーストフード 【ケンタッキー・フライドチキン】…肯德基家乡鸡 【スターバックスコーヒー】…星巴克 【ドミノ・ピザ】…达美乐比萨 【ハードロックカフェ】…硬石餐厅 【ピザ・ハット】…必胜客 【マクドナルド】…麦当劳 【モスバーガー】…摩斯汉堡 【ロッテリア】…乐天利

【快车】kuàichē 图 ❶急行列車 ❷急行バス
【快车道】kuàichēdào 图 追い越し車線 ↔〔慢车道〕
【快当】kuàidang 形 手早い．手際がよい
【快刀斩乱麻】kuài dāo zhǎn luàn má 慣 快刀乱麻を断つ．果断に物事を処理する
【快递】kuàidì 图 (郵便の)速達
【快感】kuàigǎn 图 愉快な感じ．痛快感．快感
*【快活】kuàihuo 形 楽しい．嬉しい．愉快である ‖ 心里很～ 嬉しくてたまらない
【快货】kuàihuò 图 売れ行きのよい商品
【快件】kuàijiàn 图 (輸送貨物の)急行便．(郵便の)速達便 ↔〔慢件〕
【快捷】kuàijié 形 ❶(動作や速度が)早い．素早い ❷〈計〉ショートカットの ‖ ～键 ショートカット・キー | ～菜单 ショートカット・メニュー
【快镜头】kuàijìngtóu 图 (映画で)動きの速いシーン．こま落とし ↔〔慢镜头〕
**【快乐】kuàilè 形 楽しい．愉快である ‖ 暑假过得很～ 夏休みはとても楽しかった | 祝新年～ 楽しい新年をお迎えください(年賀状の慣用語)
【快马加鞭】kuài mǎ jiā biān 成 駿馬(しゅんめ)に鞭(むち)をくれる．さらに速度を速めるさま
【快慢】kuàimàn 图 速度．スピード
【快门】kuàimén 图 (カメラの)シャッター ‖ 按～ シャッターを押す
【快枪】kuàiqiāng 图 連発銃
【快人快语】kuài rén kuài yǔ 慣 さっぱりした気性と率直な言葉．さっぱりとした人柄をたとえる
【快三步】kuàisānbù 图 (社交ダンスの一種)ウインナワルツ．〔维也纳Wéiyěnà华尔兹huá'ěrzī〕ともいう
【快事】kuàishì 图 痛快な事．快事
【快手】kuàishǒu (～儿) 图 てきぱきした人．手早い人．機敏な人
【快书】kuàishū 图 銅板や竹板を鳴らしながら韻を踏んだ詩文を語り，早い節回しで演じる語り物の一種
*【快速】kuàisù 形 高速の．ハイ・スピードの ‖ ～摄影机 高速カメラ | ～行进 早足行進
【快艇】kuàitǐng 图 モーターボート ＝〔汽艇〕
【快慰】kuàiwèi 形 ほっとする．気持ちが慰められる
【快信】kuàixìn 图 速達
【快要】kuàiyào 副 (文末に〔了〕を伴い)まもなく．もうすぐ ‖ 他～来了吧 彼はもうじき来るだろう | ～下雨了 いまにも雨が降りそうだ
【快意】kuàiyì 形 気持ちがいい．快い
【快嘴】kuàizuǐ 图 口の軽い人．おしゃべり
7 ★ **块(塊)** kuài ❶图 (～儿)塊状のもの．球状のもの ‖ 把土豆切成～儿 ジャガイモを角切りにする ❷量 ①一かたまりになったものを数える ‖ 一～糖 あめ一つ ②四角く平たいものを数える ‖ 一～地 一区切りの土地 ③口 中国の本位貨幣の単位，元．〔圆〕の通称 ‖ 一～钱 1元

【块儿八毛】kuài'er bāmáo 名 俗 (ほんの) 1 元足らず. わずかな金
【块石】kuàishí 名〈建〉切り石
【块头】kuàitóu 名 方 体つき. 体格
8 **侩**（儈）kuài 旧 仲買人. ブローカー ‖ 市～ ブローカー. 悪徳商人
8 **郐**（鄶）kuài 名 郐(かい). 春秋時代の国名. 現在の河南省にあった
9 **浍**（澮）kuài 書 田畑の用水路 ➤ huì
9 **狯**（獪）kuài 書 ずるい. 悪賢い ‖ 狡jiǎo～ ずるい
10 **脍**（膾）kuài 書 細かく切った肉や魚
【脍炙人口】kuài zhì rén kǒu 成 人口に膾炙(かいしゃ)する. 広く人々に知れわたること
13 **筷** kuài 名 箸 ‖ 竹～ 竹で作った箸 | 碗～ 碗と箸. 食器類
★【筷子】kuàizi 名 箸 ‖ 火～ 火箸 | 一双象牙～ 象牙(ぞうげ)の箸一組

kuān

10 ** **宽**（寬）kuān ❶形 幅が広い. 面積が広い. 範囲が広い ↔〔窄zhǎi〕‖ 路很～ 道幅がとても広い ❷形 幅や広さを表す ‖ 长方型的长和～ 長方形の長さと幅 ❸動 緩める. 和ませる. 楽にする ‖ 一～松 ❹形 度量が大きい. 寛容である. 厳しくない ‖ 从～处理 寛大に処理する ❺形 豊かである. 余裕がある ‖ 手头不～ 懐に余裕がない
*【宽敞】kuānchang 形 場所が広くゆったりしている ‖ 房间很～ 部屋が広くゆったりしている
【宽畅】kuānchàng 形 (心が) ゆったりしている
【宽绰】kuānchuo 形 ❶(場所が) 広く余裕がある ❷(経済的に) ゆとりがある. 裕福である ❸(心に) 余裕がある. ゆったりしている
【宽打窄用】kuān dǎ zhǎi yòng 慣 多めに見積もり, 少なめに使う
*【宽大】kuāndà 形 ❶広くて大きい ❷寛大である ‖ ～处理 寛大な処置
【宽大为怀】kuān dà wéi huái 成 寛大を旨とする
【宽带】kuāndài 名〈通信〉広帯域. ブロードバンド
【宽待】kuāndài 動 寛大に取り扱う
【宽贷】kuāndài 動 寛容にする. 大目にみる
【宽度】kuāndù 名 広さ. 幅
【宽泛】kuānfàn 形 (意味が) 広い. 広範囲にわたる
*【宽广】kuānguǎng 形 (面積や範囲が) 広い ‖ 道路～ 道が広い
【宽和】kuānhé 形 大らかである
【宽宏】kuānhóng 形 度量が大きい
【宽宏大量】【宽洪大量】kuān hóng dà liàng 成 度量が大きく太っ腹である
【宽洪】kuānhóng 形 ❶(声などが) 大きくてよく響く ‖ ～的嗓音sǎngyīn 張りのある声 ❷(度量が) 大きい
【宽厚】kuānhòu 形 ❶やさしい. 心が広く思いやりがある ‖ 待人～ 人に対して寛大で思いやりがある ❷広くて厚い ‖ ～的胸膛xiōngtáng 広くて厚い胸 ❸(声が) 低い. 太い
【宽怀】kuān//huái 動 気を許す. 安心する
【宽解】kuānjiě 動 慰める. 気持ちを和らげる
【宽旷】kuānkuàng 形 広々と果てしないさま
*【宽阔】kuānkuò 形 ❶広々している. 広大である ‖ 湖面很～ 湖の水面が広々としている ❷(考え方が) 開けている. 開放的である
【宽让】kuānràng 動 遠慮する. 譲る
【宽饶】kuānráo 動 許す. 大目に見る
【宽仁】kuānrén 形 書 寛大で慈悲深い
【宽容】kuānróng 動 寛大になる. 大目に見る ‖ 要学会～别人 人に対して寛大になることを学ばなければならない
【宽赦】kuānshè 動 寛大に赦免する
【宽舒】kuānshū 形 ❶(気分が) のびのびしている. ゆったりしている ❷(場所が) 広々としている
【宽恕】kuānshù 動 許す. 大目に見る
【宽松】kuānsong ; kuānsōng 形 ❶(心が) ゆったりしている ❷(場所が) 空いている ❸(服が) 大きい ❹(経済的に) 豊かである. 余裕がある ❺(雰囲気が) 落ち着いている. ゆったりしている
【宽慰】kuānwèi 動 ほっとする. 気持ちを和ませる 形 慰められる. 和む
【宽限】kuān//xiàn 動 期限を緩める. 延期する ‖ 请再～几天 もう数日間先に延ばしてください
【宽心】kuān//xīn 動 心を広く持つ. 気分を和ませる
【宽心丸ル】kuānxīnwánr 名 口 慰めの言葉. 気休めの言葉. 〔开心丸ル〕ともいう
【宽衣】kuān//yī 動 (衣服を) 脱いでくつろぐ ‖ 请～ 上を脱いでお楽になさってください
【宽银幕电影】kuānyínmù diànyǐng 名 ワイドスクリーンの映画. シネマスコープ
【宽余】kuānyú 形 ❶広々として快適である ❷豊かである. ゆとりがある
【宽裕】kuānyù 形 余裕がある. ゆとりがある ‖ 生活～ 生活にゆとりがある | 时间～ 時間がたっぷりある
【宽窄】kuānzhǎi (～ル) 名 広さ. 幅. 大きさ
【宽展】kuānzhǎn 形 方 ❶気持ちよい. 心地よい ❷(場所が) 広々している ❸(経済的に) 余裕がある
【宽纵】kuānzòng 動 放任する. するがままにさせる
19 **髋**（髖）kuān ↴
【髋骨】kuāngǔ 名〈生理〉寛骨. ふつうは〔胯kuà骨〕という

kuǎn

12 **款**[1]（△欵）kuǎn 心を込めた. 懇ろな ‖ 一～待 | 一～留
12 ** **款**[2]（△欵）kuǎn ❶(～ル) 鼎(かなえ)などに刻んである文字. 書画の署名や押印 ‖ 落～ 落款 ❷(～ル) デザイン. スタイル. 様式 ‖ 一～式 ❸量 様式や型を数える ‖ 两～法式点心 2種類のフランスのケーキ ❹名 (法令や条約などの) 条項. 項目 ‖ 第一条第二～ 第1条第2項 ❺名 金額. 費用 ‖ 一～子
12 **款**[3]（△欵）kuǎn 書 ゆるやかに. ゆっくりと ‖ 一～～

逆引き単語帳 〔存款〕cúnkuǎn 預金 〔罚款〕fákuǎn 罰金 〔公款〕gōngkuǎn 公金 〔捐款〕juānkuǎn 寄付金. 献金 〔税款〕shuìkuǎn 税金 〔现款〕xiànkuǎn 現金

〔脏款〕zāngkuǎn 賄賂で得た金．盗んだ金
〔欠款〕qiànkuǎn 借金 〔汇款〕huìkuǎn 送金
〔赔款〕péikuǎn 賠償金

【款步】kuǎnbù 動 歩を緩める．ゆっくり歩く
*【款待】kuǎndài 動 丁重にもてなす．歓待する‖谢谢您的～ おもてなし，ありがとうございます
【款额】kuǎn'é 名 金額
【款款】kuǎnkuǎn 形 書 誠実である．きまじめである 副 ゆっくりと．のんびりと‖～而行 悠々と歩く
【款留】kuǎnliú 動 書 客を懇ろに引き留める
【款式】kuǎnshì 名 デザイン．様式．型‖流行的～ 流行のデザイン
【款项】kuǎnxiàng 名 ❶(法令·規則·条約などの)条項 ❷(多額の)費用．金額
【款型】kuǎnxíng 名 (ファッション)デザイン
【款识】kuǎnzhì 名 鐘や鼎(かなえ)などに刻んである文字．陰刻のものを〔款〕，陽刻のものを〔识〕という
【款子】kuǎnzi 名 口 金額．費用‖一笔～ 一定額の金

kuāng

6 匡 kuāng ❶書 正す．訂正する‖一～正 ❷書 助ける．補佐する‖～助 補佐する ❸方 ざっと計算する‖一～算
【匡扶】kuāngfú 動 書 補佐する
【匡算】kuāngsuàn 動 おおざっぱに計算する
【匡正】kuāngzhèng 動 書 正す‖～纲纪 綱紀を正す

8 诓 kuāng 動 だます．欺く
【诓骗】kuāngpiàn 動 だます

9 哐 kuāng 擬 (物が当たって響く大きな音)バタン．ガタン．ガラン
【哐啷】kuānglāng 擬 (物がぶつかる音)ガタン．バタン

12 *筐 kuāng 名 (～儿)かご‖土～ 土を入れるかご｜柳条儿～ 柳の枝で編んだかご
【筐子】kuāngzi 名 小さいかご‖菜～ 買い物かご

kuáng

7 *狂 kuáng ❶正気を失う．気が狂う ❷形 思い上がっている．高慢である．威張っている‖那个人太～ あの人はすごく威張っている ❸思う存分に‖一～笑 ❹甚だしい．猛烈である‖一～风
【狂暴】kuángbào 形 凶暴である．荒れ狂って激しい‖～的洪水 激しい洪水
【狂奔】kuángbēn 動 狂奔する．猛烈な勢いで走る
【狂飙】kuángbiāo 名 書 激しい暴風
【狂草】kuángcǎo 名 草書体の一つ，狂草
【狂放】kuángfàng 形 書 勝手気ままである．放らつである
【狂吠】kuángfèi 動 (イヌが)狂ったように吠える．口汚く罵る．でたらめなことをわめく
*【狂风】kuángfēng 名 ❶激しい風‖～大作 猛烈な風が吹き荒れる ❷〈気〉全強風(風力10の風)
【狂欢】kuánghuān 動 狂喜する．大はしゃぎする
【狂欢节】kuánghuānjié 名 カーニバル．謝肉祭
【狂劲】kuángjìn (～儿) 名 荒々しい力．熱狂的な力
【狂劲】kuángjìng 形 奔放で力強い．ビートの利いた．パワフルな
【狂澜】kuánglán 名 狂瀾(きょう)．荒波．抗しがたい時代の変化や激動の状態をたとえる‖力挽wǎn～ 荒れ狂う波を押しとどめる．激動の危機を乗り切るたとえ
【狂烈】kuángliè 形 猛烈である．非常に激しい
【狂怒】kuángnù 形 書 怒り狂っている．激怒している
【狂虐】kuángnüè 形 凶暴である．荒れ狂って激しい
【狂气】kuángqi 形 高慢である．尊大である
【狂犬病】kuángquǎnbìng 名〈医〉狂犬病．〔恐水病〕ともいう
【狂热】kuángrè 形 熱狂的である．狂信的である‖～的足球迷 熱狂的なサッカー·ファン
【狂人】kuángrén 名 貶 狂人．気違い
【狂胜】kuángshèng 動 圧勝する
*【狂妄】kuángwàng 形 傲慢である．身の程をわきまえない．思い上がっている
【狂喜】kuángxǐ 形 非常に嬉しい．喜ばしい
【狂想】kuángxiǎng 動 妄想する．空想する
【狂想曲】kuángxiǎngqǔ 名〈音〉狂想曲．ラプソディー
【狂笑】kuángxiào 動 大笑いする．ばか笑いする
【狂言】kuángyán 名 誇大妄想の話．大言壮語‖口出～ 大言壮語する
【狂躁】kuángzào 形 非常にいらだっている．焦燥している

9 诳 kuáng 動 欺く．たぶらかす‖别～人了 人をだますのはやめろ
【诳骗】kuángpiàn 動 だます．口車に乗せる
【诳语】kuángyǔ 名 うそ．でたらめ．〔诳话〕ともいう

kuǎng

6 夼 kuǎng 方 くぼ地．(多く地名に用いる)

kuàng

5 邝(鄺) kuàng 名 姓
6 圹(壙) kuàng 墓穴‖～穴 墓穴｜打～ 墓穴を掘る
6 纩(纊) kuàng 書 真綿
7 况[1](△況) kuàng ❶書 たとえる‖比～ 比べたとえる｜以古～今 昔をいまにたとえる ❷状況．ありさま‖情～ 状況．様子
7 况[2](△況) kuàng 書 まして．いわんや‖一～且｜何～ まして
*【况且】kuàngqiě 接 そのうえ．さらに．おまけに‖天已黑了，～又下着雨，改日再去吧 もう暗くなったし，おまけに雨も降っている，日を改めて行くことにしよう
7 旷(曠) kuàng ❶遮るものがなく広い‖一～野 ❷(気持ちが)押さえつけられることなく自由であるさま．くつろいださま‖心～神怡yí 気分が伸び伸びして楽しい ❸怠る．手を抜く‖一～课 ❹久しい‖一～远 ❺形 方 ゆるんだ状態にある．大きい
【旷达】kuàngdá 形 書 度量が大きく闊達である
【旷废】kuàngfèi 動 捨てて顧みない．いいかげんにする

K

‖～学业 学業をいいかげんにしてほうっておく
【旷费】kuàngfèi 動書 空費する. むだに費やす ‖～时日 月日をむだに送る
*【旷工】kuàng//gōng 動 無断欠勤する. 仕事をサボる
*【旷课】kuàng//kè 動 怠けて授業を欠席する
【旷日持久】kuàng rì chí jiǔ 成 だらだらと事を引き延ばす. ずるずると時間を長びかせる
【旷世】kuàngshì 動 並ぶ者がない. 書 たぐいまれである ‖～之作 世にたぐいなき作品
【旷野】kuàngyě 名 荒野. 果てしなく広々とした原野
【旷远】kuàngyuǎn 形 ❶広々として果てしない ❷書 はるかなる昔の ‖年代～ 年代ははるかにさかのぼる
【旷职】kuàng//zhí 動書 職務を怠る. 仕事をサボる

8 ** 矿(礦 △鑛) kuàng ❶名 鉱石 ❷名 鉱山. 採掘場 ‖煤～ 炭坑. 炭鉱 ❸採鉱にかかわるもの ‖→～工
*【矿藏】kuàngcáng 名 埋蔵鉱石. 鉱物資源 ‖丰富的～ 豊富な鉱物資源
*【矿产】kuàngchǎn 名 鉱産物. 鉱物
【矿车】kuàngchē 名 トロッコ. 採鉱車
【矿床】kuàngchuáng 名 鉱床
【矿灯】kuàngdēng 名 坑内作業用のライト
【矿工】kuànggōng 名 鉱夫. 鉱員
*【矿井】kuàngjǐng 名 縦坑
【矿警】kuàngjǐng 名 採鉱地区を管轄する警察
【矿坑】kuàngkēng 名 鉱坑. ピット
【矿脉】kuàngmài 名 鉱脈
【矿难】kuàngnàn 名 炭鉱や鉱山の事故
*【矿区】kuàngqū 名 鉱区. 採鉱地区
**【矿泉水】kuàngquánshuǐ 名 ミネラル・ウォーター
【矿砂】kuàngshā 名 鉱砂
*【矿山】kuàngshān 名 鉱山
*【矿石】kuàngshí 名 ❶鉱石 ❷(ラジオ用の)鉱石
【矿物】kuàngwù 名 鉱物
【矿业】kuàngyè 名 鉱業
【矿源】kuàngyuán 名 鉱物資源
【矿渣】kuàngzhā 名 鉱滓(こうさい). スラグ

9 贶 kuàng 書 贈る. 賜う

10 * 框 kuàng ❶名 かまち. (ドアや窓の)枠 ‖门～ 門がまち ❷名 (～儿)支えるもの. 枠. フレーム ‖镜～ 額縁 ❸名 囲み. 縁取り ❹動 線で囲む ‖用红线～起来 赤い線で囲む ❺動 制限する. 束縛する
【框架】kuàngjià 名 ❶(建物や家具の)骨組み. 枠組み ❷(事物の)枠組み. 輪郭. 骨格
【框框】kuàngkuang 名 ❶枠. 囲み ❷古いしきたり. 固定した形式 ‖打破旧～ 古い枠組みを打破する
【框子】kuàngzi 名 (小さめの物で)枠. 縁. フレーム

11 眶 kuàng 目の縁. まぶた ‖眼～ 目の縁 | 热泪盈yíng～ 熱い涙があふれる

kuī

3 * 亏(虧) kuī ❶動 損する ‖这笔买卖～了 この取引は損をした ❷欠ける. 足りない ‖理～ 理に欠ける ❸動 義理を欠く. 好意に背く ‖你放心, 决～不了你 大丈夫, 悪いようにはしないから ❹動 …のおかげを被る. 幸いにも ‖～你提醒, 我差点忘了 君が注意してくれなかったら忘れるところだった ❺動 (反語的に皮肉って) …のおかげを被る. …のくせに. よくもまあ… ‖这种话, ～你说得出口 そんな話を君はよく口にできるもんだ
【亏本】kuī//běn 動 元手をすり減らす. 欠損を出す ‖不做～的买卖 損をする商売はしない
【亏秤】kuī//chèng 動 目方が足りない
*【亏待】kuīdài 動 粗末な扱いをする ‖好好ル干, 他～不了你 一生懸命働けば, 彼は君に悪いようにはしない
【亏得】kuīde 動 ❶…のおかげをこうむる ‖～有你帮助, 我才有今天 あなたに助けてもらったおかげで, 今日の私がある ❷…のくせに. よくもまあ… ‖～你还是医生呢, 一点ル不注意身体 それでも医者かね, ぜんぜん体を大事にしないで
【亏短】kuīduǎn 動 欠ける. 足りない
【亏负】kuīfù 動 ❶(期待に)背く. 裏切る ‖～大家的期望 みんなの期待を裏切る ❷義理を欠く. 好意に背く
【亏耗】kuīhào 動 消耗する. すり減る
【亏空】kuīkong 動 赤字になる. 赤字を出す 名 赤字. 欠損. 借金. 負債 ‖拉～ 赤字を出す
【亏累】kuīlěi 動 赤字が累積する
【亏欠】kuīqiàn 動 欠損を出す. 赤字を出す
【亏折】kuīshé 動 元手をする ‖～血本xuèběn 元手をする
【亏蚀】kuīshí 名 日食, または月食 動 ❶元手をすり減らす. 欠損を出す ❷ロスを出す
*【亏损】kuīsǔn 動 ❶損失を出す. 欠損を生じる ‖因管理不善造成严重～ 管理が悪く深刻な欠損を生じた ❷(体を)損なう
【亏心】kuī//xīn 形 気がとがめる. やましい ‖不做～事 良心に恥じることはしない

8 岿(巋) kuī ↴
【岿然】kuīrán 形書 独り堂々とそびえ立つさま
【岿巍】kuīwēi 形書 高くそびえ立つさま

11 盔 kuī ❶素焼きの鉢に似てやや深めの容器 ❷ヘルメット. かぶと ‖头～ ヘルメット
【盔甲】kuījiǎ 名 甲冑(かっちゅう). よろいかぶと ‖身披pī～ 身によろいかぶとを着ける
【盔子】kuīzi 名 鉢. (多くは陶器製)

13 窥(△闚) kuī (すきまや小さな穴を通して) のぞき見る ‖→～探 | →～视
【窥豹一斑】kuī bào yī bān 成 管の穴から豹(ひょう)の斑紋(はんもん)の一つを見る. 見方の狭いことのたとえ
【窥测】kuīcè 動書 こっそりと探る. うかがう
【窥察】kuīchá 動 ひそかに見る. うかがい探る
【窥见】kuījiàn 動書 のぞき見る. うかがい知る
【窥视】kuīshì 動 のぞき見る. うかがい探る
【窥视镜】kuīshìjìng 名 ドアののぞきレンズ
【窥伺】kuīsì 動貶 ひそかに様子をうかがう
【窥探】kuītàn 動 のぞき見る

kuí

9 奎 kuí 名 (二十八宿の一つ)とかきぼし, 奎宿(けいしゅく)
【奎宁】kuíníng 名外 <薬> キニーネ

11 隗 kuí 名 姓 ➤ wěi

11 逵 kuí 書 四方に通じる道

11 馗 kuí 〔逵kuí〕に同じ

12 葵 kuí ❶ゼニアオイ科の植物 ❷ビロウ =〔蒲pú葵〕❸ヒマワリ =〔向日葵〕

【葵花】kuíhuā 图〈植〉ヒマワリ =〔向日葵〕

【葵花子】kuíhuāzǐ（～儿）图 ヒマワリの種

【葵扇】kuíshàn 图 ビロウの葉のうちわ．俗に〔芭蕉bājiāo扇〕ともいう

12 揆 kuí 書 推し量る．推測する ‖ ～时度duó势 世の移り変わる勢いを推測する

【揆情度理】kuí qíng duó lǐ 成 人情と道理に基づいて推し量る

13 暌 kuí 書（ある人や場所から）隔たる．離れる

【暌违】kuíwéi 動 翰 無沙汰（ぶさた）をする

13 魁 kuí ❶北斗七星の第一星 =〔魁星〕❷一群の長．首領．トップ ‖ 夺～ トップに立つ．優勝する ❸（体が）大きい ‖ →～梧

【魁首】kuíshǒu 图 ❶最も優れた人．才能のぬきんでた人 ❷首領

【魁伟】kuíwěi 形（体格が）立派で堂々としている

【魁梧】kuíwu；kuíwú 形（体格が）たくましい．堂々としている ‖ 身材～ 体格が立派である

【魁星】kuíxīng 图 北斗七星の第1星から第4星までの星．または，その第1星．〔魁〕ともいう

14 睽 kuí ↴

【睽睽】kuíkuí 形 注視するさま ‖ 众目～ 衆人環視のもとにある

15 蝰 kuí ↴

【蝰蛇】kuíshé 图〈動〉カラフトマムシ

21 夔 kuí ❶古代伝説中の生き物で，頭部は竜，体は牛に似た一本足の動物 ❷地名用字 ‖ ～州 現在の重慶市奉節一帯にあった昔の府名

kuǐ

11 傀 kuǐ ↴

【傀儡】kuǐlěi 图 操り人形．喩 傀儡（かいらい）

【傀儡戏】kuǐlěixì 图 人形芝居 =〔木偶戏〕

13 跬 kuǐ 書 片足を踏み出すこと ‖ ～步 一歩

kuì

11 匮 kuì 書（物資が）乏しい．不足する ‖ →～乏

【匮乏】kuìfá 形 書 欠乏している．乏しい ‖ 资金～ 資金が不足している

【匮竭】kuìjié 動 書 尽きてなくなる．枯渇する

【匮缺】kuìquē 動 欠乏する．不足する

12 溃 kuì ❶（堤防が）決壊する ‖ ～堤dī 堤防が決壊する ❷（囲みを）突破する ‖ ～围 包囲を突破する ❸（軍隊が）潰走（かいそう）する．敗れる ‖ 崩bēng～ 総崩れになる．崩壊する ❹（体の組織が）化膿（かのう）する．ただれる ‖ →～烂

【溃败】kuìbài 動 総崩れになる．壊滅状態になる

【溃兵】kuìbīng 图 総崩れになった軍隊

【溃不成军】kuì bù chéng jūn 成 軍隊が総崩れになる

【溃决】kuìjué 動 決壊する

【溃军】kuìjūn 图 敗軍

【溃烂】kuìlàn 動〈医〉化膿する．ただれる

【溃乱】kuìluàn 動 総崩れになる．壊滅して混乱状態となる

【溃灭】kuìmiè 動 崩壊滅亡する．壊滅する

【溃散】kuìsàn 動 敗走する．潰走する

【溃逃】kuìtáo 動 敗走する．潰走する

【溃退】kuìtuì 動 敗退する．退却する

【溃疡】kuìyáng 图〈医〉潰瘍（かいよう）

12 愦 kuì 書 頭が混乱している．ぼんやりしている ‖ ～乱 頭がくらくらする｜昏hūn～ 愚かである

12 愧（△媿）kuì 恥じる．面目なく思う ‖ 惭cán～ 恥じる｜问心无～ 良心に恥じない

【愧恨】kuìhèn 動 恥じて悔やむ

【愧悔】kuìhuǐ 動 恥じて悔やむ

【愧疚】kuìjiù 形 書 やましさに恥じ入る．気がとがめる ‖ 深感～ 深く恥じ入る

【愧色】kuìsè 图 恥じ入る表情．恥ずかしげな様子

【愧痛】kuìtòng 形 気がとがめる．恥じ入る

12 蒉 kuì 書 土や穀物などを盛るかます

12 喟 kuì 書 嘆息を漏らす ‖ 感～ 嘆息する

【喟叹】kuìtàn 動 書 深々とため息をつく．嘆息する

12 馈（△餽）kuì ❶贈り物をする ‖ →～赠 ❷伝える．知らせる ‖ 反～ フィードバックする

【馈送】kuìsòng 動 物を贈る

【馈线】kuìxiàn 图〈電〉給電線．饋電線（きでん）．フィーダー

【馈赠】kuìzèng 動 物を贈る ‖ ～纪念品 記念品を贈る

15 聩 kuì ❶書 耳が聞こえない ❷道理が分からない ‖ 昏～ 道理が分からない．愚かである

15 篑 kuì 書 土を盛る竹のもっこ ‖ 功亏一～ 九仞の功を一簣（いっき）に虧（か）く

kūn

8 坤（△堃）kūn ❶图 八卦（はっけ）の一つ，坤（こん）．☷で示し，地を表す ➡〔八卦bāguà〕‖ 乾qián～ 天地．陰陽 ❷書 女性をさす

【坤包】kūnbāo 图 女性用バッグ

【坤表】kūnbiǎo 图 女性用腕時計

【坤车】kūnchē 图 女性用自転車

【坤角儿】kūnjuér 图 旧（伝統劇の）女優

8 昆（△崑❷）kūn ❶書 兄 ‖ ～弟 兄弟 ❷地名用字 ‖ ～仑lún 崑崙（こんろん）山脈

【昆布】kūnbù 图〈中薬〉昆布（こんぶ）

*【昆虫】kūnchóng 图〈生〉昆虫

【昆腔】kūnqiāng 图〈劇〉地方劇の節回しの一つ．〔昆曲〕ともいう

K

【昆曲】kūnqǔ 图〈劇〉❶〔昆腔〕を用いて歌われる地方劇 ❷＝〔昆腔kūnqiāng〕

12 **琨** kūn 書 玉のような美しい石

15 **醌** kūn 图 外〈化〉キノン

16 **鲲** kūn 古代の伝説に出てくる大魚. 鲲(こん)

【鲲鹏】kūnpéng 图 鲲(こん)と鹏(ほう). また, 鲲が変じて鹏となったもの

kǔn

10 **悃** kǔn 書 赤心. 誠意 ‖ 谢～ 感謝の念

10 ** **捆**(△綑) kǔn ❶動 縛る. 束ねる ‖ 把书～成一摞luò 本を一くくりに束ねる ❷图 (～儿) なわ・ひもなどで束ねたもの. 一くくりのもの ❸量 (～儿) (束ねたものを数える)把(わ). 束 ‖ 一～葱 一束のネギ

【捆绑】kǔnbǎng 動 縄で縛る

【捆缚】kǔnfù 動 縄で縛る

【捆扎】kǔnzā 動 梱包(こんぽう)する

10 **阃** kǔn 書 ❶敷居 ❷婦人の居室 ❸転 婦人, あるいは妻

kùn

7 ** **困**(睏❺) kùn ❶苦しい. つらい ‖ 一～苦 ❷動 困る. 苦しむ ‖ 为wéi债务所～ 債務に悩まされる ❸動 包囲する ‖ 围～ 封じ込める ❹疲れている ‖ 一～乏 ❺形 (疲れて)眠い ‖ 我～了 私は眠くなった

【困顿】kùndùn 形 ❶疲れきっている ❷(生活や境遇が)困窮している

【困厄】kùn'è 形 (生活や境遇が)困窮している. 行き詰まっている

【困乏】kùnfá 形 ❶疲労している. くたくたである ❷書 (暮らしが)窮乏する

【困惑】kùnhuò 形 困惑している 動 困惑させる. 戸惑わせる

【困境】kùnjìng 图 苦境. 窮地 ‖ 陷入～ 苦境に陥る

【困窘】kùnjiǒng 形 ❶困っている ❷貧しい. 困窮している ‖ 家境～ 暮らし向きが楽でない

【困倦】kùnjuàn 形 疲れて眠い

*【困苦】kùnkǔ 形 (生活が)苦しくつらい

★【困难】kùnnan 图 困難. 苦しみ ‖ 克服～ 困難を克服する 形 困難である. 苦しい ‖ 呼吸～ 呼吸が苦しい. 息苦しい ｜ 住房～ 住居に困っている

【困难户】kùnnanhù 图 ❶(生活や住居などに)困っている世帯. 貧困世帯 ❷結婚適齢期を過ぎても相手の見つからない人

【困扰】kùnrǎo 動 かき乱す. じゃまする. 悩ます

【困兽犹斗】kùn shòu yóu dòu 成 追いつめられた獣がなおも抵抗する. 悪あがきする

kuò

6 ** **扩**(擴) kuò 広げる. 拡張する ‖ 一～大 ｜ 一～建

【扩版】kuòbǎn 動 (新聞や雑誌が)紙面や誌面を拡大する. ページを増やす

【扩编】kuòbiān 動 (軍隊の)編制を拡充する

【扩产】kuòchǎn 動 生産を拡大する. 増産する

*【扩充】kuòchōng 動 拡充する ‖ ～人员 人員を拡充する ｜ ～军备 軍備を拡張する

**【扩大】kuòdà 動 拡大する ‖ ～影响 影響を拡大する ｜ ～势力范围 勢力範囲を拡大する

【扩股】kuò//gǔ 動〈経〉新株を発行して増資する

*【扩建】kuòjiàn 動 (建物を)建て増しする. (規模を)拡張する ‖ ～厂房 工場を建て増しする

【扩军】kuòjūn 動 軍備を拡張する ↔〔裁cái军〕

【扩权】kuòquán 動 (企業・団体などが)自主権を拡大する

【扩容】kuòróng 動 ❶通信設備などの容量を拡大する ❷規模・範囲・数量などを拡大する

*【扩散】kuòsàn 動 拡散する. 拡散させる ‖ 癌细胞áixìbāo～了 がん細胞が拡散した ｜ ～谣言 デマを広める

【扩销】kuòxiāo 動 販路を拡大する. 売り上げを増やす

【扩音机】kuòyīnjī 图 拡声器. ラウドスピーカー

*【扩印】kuòyìn 動 焼き付けする. プリントする ‖ ～彩色照片 カラーフィルムをプリントする

*【扩展】kuòzhǎn 動 拡張する

【扩展槽】kuòzhǎncáo 图〈計〉拡張スロット

*【扩张】kuòzhāng 動 拡張する

【扩招】kuòzhāo 動 入学募集枠を広げる ‖ 交大今年～500人 交通大学は今年募集枠を500人増やした

9 **括**(△擖) kuò ❶束ねる ❷包括する. 一まとめにする ‖ 概～ 概括する ❸かっこでくくる ‖ 用括号～起来 かっこでくくる ➤ guā

【括号】kuòhào 图 かっこ ‖ 圆～ 丸かっこ. パーレン. (　) ｜ 方～ ブラケット. [　]〔　〕

【括弧】kuòhú (～儿) 图 丸かっこ. パーレン

12 * **阔**(△濶) kuò ❶距離が長い. 幅が広い ❷漠然とした. とりとめのない ‖ 高谈～论 長広舌をふるう ❸広大である. 広い ‖ 辽～ 果てしなく広い ❹形 ぜいたくである. 豪勢である ‖ 摆～ 豪勢にふるまう ❺時が長くたっている. 久しい ‖ 一～别

【阔别】kuòbié 動 長い間離別する

【阔步】kuòbù 動 広い歩幅で歩く. 闊歩(かっぽ)する

【阔绰】kuòchuò 形 豪奢(ごうしゃ)である. ぜいたくである

【阔佬】【阔老】kuòlǎo 图 金持ち

【阔气】kuòqi 形 豪華である. ぜいたくである

【阔少】kuòshào 图 金持ちの家の息子. 若旦那

【阔叶树】kuòyèshù 图〈植〉広葉樹

13 **廓** kuò ❶書 広々としたさま. 大きい ❷書 広げる. 拡大する ❸書 一掃する. 取り除く ‖ 一～清 ❹(物体の)外縁. 周り ‖ 轮～ 輪郭. 概要

【廓清】kuòqīng 動 書 (混乱を)一掃する. 除く

L

lā

8 **垃** lā ↴

**【垃圾】lājī 图ごみ．ちり‖～箱 ごみ箱｜倒dào～ ごみを捨てる‖～分类 ごみの分別

【垃圾股】lājīgǔ 图〈経〉ボロ株．低位株

【垃圾邮件】lājī yóujiàn 图〈通信〉ジャンクメール．スパムメール．迷惑メール

【垃圾债券】lājī zhàiquàn 图〈経〉ジャンクボンド

8 ★**拉** lā ❶動引く．引き寄せる‖把绳子～紧 ロープを引っ張ってきつく縛る ❷動(車で)運ぶ‖把大家～到车站 みんなを駅まで運ぶ ❸動(引いて)音を出す．(弦楽器を)奏でる．演奏する‖～二胡 二胡(に)を弾く ❹動引き連れる．集める‖把校队～出去训练 学校の選手団を引き連れて練習をしに行く ❺動伸ばす．引き伸ばす‖～开距离 引き離す ❻動返済を延ばす．延滞する‖～水电费 水道・電気料金を延滞する ❼動引っぱり込む．巻き添えにする‖你自己做的事，～上我干什么！ 君が自分でやったことなのに，私を引きずり込んでどうするつもりだ ❽動関係をつける．渡りをつける‖→～交情 ❾動方おしゃべりをする．雑談をする‖→～话 ❿動口大便をする‖→～屎 ➤lá lǎ

【拉帮结伙】lā bāng jié huǒ 組徒党を組む

【拉不下脸】lābuxià liǎn 組(情にとらわれたり体面を重んじたりして)気がひける．… できない‖我实在～向别人借钱 人に金を借りるなど私には決まりが悪くてできない

【拉场子】lā chǎngzi 組❶大道芸人が街頭で芸をする ❷見栄を張る．外観を取り繕う

【拉扯】lāche 動口❶引く．引き止める ❷養育する．扶育する‖娘好不容易才把你～大了 お母さんは苦労してお前を育てたんだよ ❸助ける．世話をする ❹結託する．ぐるになる ❺関係する．影響を及ぼす ❻おしゃべりをする．雑談をする

【拉倒】lādǎo 動口やめる‖你不愿意就～ 君が嫌ならやめにしよう

【拉丁美洲】Lādīng Měizhōu 图ラテンアメリカ．中南米

【拉丁文】Lādīngwén 图〈語〉ラテン語

【拉丁舞】lādīngwǔ 图ラテンダンス

【拉丁字母】Lādīng zìmǔ 图〈語〉ラテン文字．アルファベット．ローマ字

【拉动】lādòng 動牽引する 引っ張る．喚起する‖～内需nèixū 内需を喚起する

【拉肚子】lā dùzi 組口下痢をする．腹をこわす

【拉钩】lā//gōu 動(約束を誓って)指切りする

【拉关系】lā guānxi 組貶(ある目的のために)関係を利用する．コネをつける

【拉管】lāguǎn 图〈音〉トロンボーン．〔长号〕の俗称

【拉后腿】lā hòutuǐ 組足を引っ張る．人のじゃまをする．〔扯chě后腿〕ともいう

【拉祜族】Lāhùzú 图ラフ族(中国の少数民族の一つ，主として雲南省に居住)

【拉花ㄦ】lāhuār 图祝祭日などに飾る色紙の花飾り

【拉话】lā//huà 動方おしゃべりをする

【拉饥荒】lā jīhuang 慣負債がある

【拉家常】lā jiācháng 組世間話をする．よもやま話をする．おしゃべりする

【拉家带口】lā jiā dài kǒu 慣一家を引き連れる．家族の面倒をみる

【拉架】lā//jià 動けんかに割って入る．仲裁をする

【拉交情】lā jiāoqing 組貶とり入る．へつらう

【拉锯】lā//jù 動(二人で)大のこぎりを引いて切る

【拉锯战】lājùzhàn 图シーソーゲーム

【拉客】lā//kè 動❶(旅館などが)客を引く ❷(輪タクやタクシーなどが)客を運ぶ ❸旧(娼婦が)客を引く

【拉亏空】lā kuīkong 慣赤字を出す．借金をする

【拉拉扯扯】lālachěchě 動❶引っ張る ❷なれなれしくする ❸結託する．仲間に引き入れる

【拉拉队】lālāduì 图応援団．〔啦啦队〕とも書く

【拉郎配】lā láng pèi 組(行政が)無理に合併や連合を強行する

【拉力器】lālìqì 图〈体〉エキスパンダー ＝〔扩胸器〕

【拉力赛】lālìsài 图自動車レース．カー・ラリー

【拉链】lāliàn ＝〔拉锁lāsuǒ〕

【拉拢】lālong；lālǒng 動仲間に引き入れる．抱き込む

【拉买卖】lā mǎimai 組得意先を広げる．商売を広げる

【拉门】lāmén 图引き戸

【拉面】lāmiàn 图手打ち麺

【拉尼娜现象】lānínà xiànxiàng 图〈気〉ラニーニャ現象

【拉皮条】lā pítiáo 慣売春の客引きをする

【拉平】lā//píng 動ならす．同じにする‖双方比分～ 両者のスコアは同点になった

【拉纤】lā//qiàn 動❶(岸からロープを使って)船を引く ❷周旋する．仲介する

【拉山头】lā shāntóu 組分派をつくる．セクトを結成する

【拉屎】lā//shǐ 動方大便をする

【拉手】lā//shǒu 動握手をする

【拉手】lāshou 图ノブ．取っ手‖门～ ドアのノブ

【拉锁】lāsuǒ (～ㄦ) 图ファスナー．〔拉链liàn〕ともいう‖拉开～ ファスナーを開ける｜拉上～ ファスナーを閉める

【拉套】lā//tào 動❶轅(ながえ)の前面または側面で副(そ)え馬が馬車を引く．〔拉梢shāo〕ともいう ❷方手伝う．手助けする

【拉脱维亚】Lātuōwéiyà 图〈国名〉ラトビア

【拉稀】lā//xī 動下痢をする．〔腹泻fùxiè〕の通称

【拉下脸】lāxia liǎn 組❶口情実にとらわれない．相手のメンツを考えない ❷不機嫌な顔をする．仏頂面をする‖他听了这句话，立刻拉下了脸 彼はその話を聞いたとたんに不機嫌な顔になった

【拉下水】lāxia shuǐ 慣人を巻き込んで悪事をはたらく

【拉线】lā//xiàn 動喩仲を取り持つ．仲立ちをする

【拉秧】lā//yāng 動〈農〉(収穫の済んだウリ類や野菜などの)茎や株を引き抜く

L

【拉杂】lāzá 形 まとまりがない. 要領を得ない ↔〔扼要èyào〕
【拉赞助】lā zànzhù 組 資金援助を募る. スポンサーを探す
【拉闸】lā//zhá 動 スイッチを切る
11 啦 lā ➤ la
【啦啦队】lālāduì =〔拉拉队lālāduì〕
12 喇 lā ⇨〔呼喇hūlā〕〔哇喇wālā〕 ➤ lá lǎ
18 邋 lā ↴
【邋遢】lāta ; lātā 形 だらしがない. いいかげんである

lá

6 旯 lá ⇨〔旮旯儿gālár〕
8 拉 lá 動 口 (刃物で)切る. 切り裂く ‖ 手～破了 手を切った ➤ lā lǎ
10 砬 lá 山上の巨岩. (多く地名に用いる) ‖ 红石～ 河北省にある地名
12 喇 lá ⇨〔哈喇子hālázi〕 ➤ lā lǎ

lǎ

8 拉 lǎ ↴ ➤ lā lá
【拉忽】lǎhu 形 方 いいかげんである. ぞんざいである
12 喇 lǎ ↴ ➤ lā lá
*【喇叭】lǎba 名 ❶ラッパ ‖ 吹～ ラッパを吹く ❷拡声器 ‖ 汽车～ 車のクラクション
【喇叭花】lǎbahuā (～儿) 名〈植〉アサガオ
【喇叭裤】lǎbakù 名 ラッパズボン. ベルボトムズ
【喇叭筒】lǎbatǒng 名 ❶マイクロフォン ❷拡声器
【喇嘛】lǎma 名〈宗〉ラマ教の僧侶
【喇嘛教】Lǎmajiào 名〈宗〉ラマ教. チベット仏教

là

9 剌 là 書 (性格や行動が)ひねくれている. あまのじゃくである ‖ 乖guāi～ ひねくれている
12 * 落 là ❶動 遅れる. 取り残される ‖ 她跑不快, ～在了后边 彼女は走るのが遅いので, 後方に取り残されてしまった ❷動 漏れる. 抜ける ‖ 这里～了一行 ここが1行抜けている ❸動 (物を)忘れる. 置き忘れる ‖ 出门太急, 把眼镜～在家里了 慌てて家を出たので, 眼鏡を家に置き忘れてしまった ➤ lào luò
12 腊 (臘 △臈) là ❶古代, 旧暦の12月に行われた神々や祖先を祭る祭祀(さいし) ❷旧暦の12月 ‖ →～月 ❸冬期に, 干したり薫製にしたりして作った魚や肉 ‖ →～肉 ➤ xī
【腊八】Làbā (～儿) 名 臘八会(ろうはちえ). 成道会(じょうどうえ). (旧暦の12月8日)
【腊八粥】làbāzhōu 名 旧暦の12月8日に食べる粥
【腊肠】làcháng (～儿) 名 腸詰め. ソーセージ
【腊梅】làméi 名〈植〉ロウバイ. カラウメ. ナンキンウメ
【腊肉】làròu 名 肉の薫製. 干し肉
【腊味】làwèi (～儿) 名 薫製食品の総称
*【腊月】làyuè 名 旧暦の12月 ‖ 寒冬～ 厳冬の候
14 瘌 là ↴
【瘌痢】làli ; làlì 名 方〈医〉黄癬(おうせん)
【瘌痢头】làlitóu ; làlìtóu 名 方 ❶黄癬にかかった頭部. しらくも頭 ❷黄癬の患者
14 蜡 (蠟) là ❶名〈化〉ろう ‖ 石～ パラフィン ❷名 ろうそく ‖ →～烛 ❸ろうのような淡い黄色 ‖ →～黄 ➤ zhà
【蜡白】làbái 形 (顔面に)血の気がない. 青ざめている
【蜡笔】làbǐ 名 クレヨン
【蜡黄】làhuáng 形 (ろうに似た)黄色の ‖ 脸色～ 顔色が黄みを帯びている
【蜡泪】làlèi 名 ろうそくを燃やしたときに滴るろうのしずく
【蜡染】làrǎn 名〈紡〉ろう染め. ろうけつ染め
【蜡人】làrén (～儿) 名 ろう人形
【蜡台】làtái 名 ろうそく立て. 燭台
【蜡丸】làwán (～儿) 名〈中薬〉❶丸薬を包むろう製の殻 ❷外皮がろう製の丸薬
【蜡像】làxiàng 名 ろう人形 ‖ ～馆 ろう人形館
【蜡纸】làzhǐ 名 ❶パラフィン紙 ❷〈印〉謄写原紙
*【蜡烛】làzhú 名 ろうそく ‖ 点～ ろうそくに火をともす
14 ** 辣 (△辢) là ❶形 辛い ‖ 这菜真～ この料理はほんとうに辛い ❷動 (舌・目・鼻などを)刺激する ❸形 悪辣(あくらつ)である. ひどい. むごい ‖ 手段～ 手段が悪辣である
【辣乎乎】làhūhū (～的) 形 (辛くて)ひりひりする. ぴりぴりする ‖ 这菜～的 この料理はとても辛い
【辣酱】làjiàng 名 トウガラシみそ
*【辣椒】làjiāo 名〈植〉トウガラシ
【辣手】làshǒu 名 あくどい手口 形 口 手を焼く. 扱いにくい ‖ 这件事可真～ これはほんとうにやりにくい
【辣丝丝】làsīsī (～儿的) 形 ちょっと辛い. やや辛い
【辣酥酥】làsūsū =〔辣丝丝làsīsī〕
【辣味】làwèi (～儿) 名 辛い味. 辛み
【辣油】làyóu 名 ラー油
【辣子】làzi 名〈植〉トウガラシ
15 蝲 là ↴
【蝲蛄】làgǔ 名〈動〉ザリガニ
20 镴 là 名 はんだ. すずと鉛の合金. ふつうは〔焊锡hànxī〕あるいは〔锡镴〕という

la

11 ★ 啦 la 助〔了〕と〔啊〕の合音で, 感嘆・不満・喚起・禁止などの語気を表す ‖ 你来～ いらっしゃい | 吃饭～ 御飯ですよ | 不高兴～? 腹を立てたのかい ➤ lā

lái

7 ★ 来[1] (來) lái ❶動 (他の場所から話し手のほうへ)来る. やって来る ↔〔去〕‖ 家里～了好多客人 家に客が大勢来た ❷将来の. 未来の ‖ →～年 ❸名 以来 ‖ 近年～ ここ数年来 ❹動 (問題などが)起きる. 発生する. 到来する ‖ ～任务了 仕事ができた ❺動 ①他の動詞または動詞句の後に置き, 何かしに来ることを表す ‖ 我出差～了 私は

出張で来た ②他の動詞の前に置き, **積極的に行おうとすることを表す** ‖ 你去洗衣服, 我～做饭 君が洗濯をして私が食事を作る | 资料由你～保管 資料は君が保管しておいてください ❻動 **(ある動作を)する. やる.** (具体的な動作を表す動詞の代わりに用いる) ‖ 您歇着xiēzhe吧, 让我～ あなたは休んでいてください, 私がやりますから | 我还是～瓶啤酒吧 私はやはりビールにしよう ❼ (lai;lái) 動 他の動詞の後に置き, **動作が話し手に向かうことを表す** ‖ 前面跑～两个孩子 前方から二人の子供が駆けてくる ❽ (lai;lái) 動 他の動詞の後に置き, 動作の結果や推測を表す ‖ 说～话长 話したら長くなる | 看～事情没那么严重 見たところ事はそんなに深刻ではない ❾動 動詞句(または介詞句)と動詞(または動詞句)の間に置き, 前者は方法・態度を表し, 後者は目的を表す. … でもって … する ‖ 准备用强攻～战胜对手 強攻して相手に打ち勝つつもりだ ❿動〔得〕または〔不〕と連用して, 可能・不可能を表す ①気が合う(合わない), 融合する(しない), 打ち解ける(打ち解けない)などの意味を表す. 動詞は〔谈〕〔合〕〔处chǔ〕などに限られる ‖ 俩人挺tǐng谈得～ 二人はとても話が合う ②その動作をする能力の有無を表す ‖ 吃不～ 食べられない | 我唱不～流行歌曲 私は流行歌は歌えない

7 **来**[2] (來) **lái** 助 詩歌や物売りの呼び声に用いて, 口調を整える

7 ** **来**[3] (來) **lái** ❶助 文末に置き, **過去のことを回想する気持ちを表す** ‖ →～着 ❷助 (数詞または数量詞の後に置き, 概数を表す) **… ぐらい** ‖ 十～天 10日ばかり ❸助〔一〕〔二〕〔三〕などの数詞の後に置き, 列挙を表す ‖ 一～工作忙, 二～孩子生病, 这次我就不去了 一つには仕事が忙しく, 二つには子供が病気なので, 今回私は行きません.

*【来宾】**láibīn** 名 来賓 ‖ 招待～ 来賓を接待する

【来不及】láibují** 動 (時間的に) **間に合わない** ‖ 现在后悔也～了 いまになって後悔しても間に合わない

【来潮】**lái//cháo** 動 ❶潮が満ちてくる ‖ 心血xīnxuè～ ある考えがふと心に浮かぶ ❷月経になる

【来到】**láidào** 動 来る. 到着する

【来得】[1] **láide** 動 口 能力がある. よくできる

【来得】[2] **láide** 動 口 (比較して) もっと … である. ずっと … である ‖ 下棋太费脑子, 还是打乒乓球～痛快 将棋は頭を使うから, やはりピンポンをやるほうがずっと楽しい

【来得及】láideji** 動 (時間的に) **間に合う** ‖ 明天报名才截止jiézhǐ, 现在去还～ 申し込みは明日が締め切りなので, いま行ってもまだ間に合う

【来电】**lái//diàn** 動 電報が届く. 来電する 名 (láidiàn) 届いた電報

*【来访】**láifǎng** 動 訪ねて来る. 来訪する

【来复枪】**láifùqiāng** 名〈軍〉ライフル銃

【来稿】**lái//gǎo** 動 投稿してくる ‖ 欢迎大家～ みなさんの投稿を歓迎します 名 (láigǎo) 投稿原稿

【来归】**láiguī** 動 ❶帰順する ❷古 夫の家に嫁ぐ

【来函】**lái//hán** 動 手紙をよこす 名 (láihán) 書 来書. 貴翰(きかん)

【来亨鸡】**láihēngjī** 名〈鳥〉レグホン(鶏の一品種)

*【来回】**láihuí** 動 往復する ‖ ～要三天 往復するのに3日かかる 副 行ったり来たり ‖ 楼上楼下～跑 建物の中を駆け上がったり駆け降りたりする 名 (～儿) 往復 ↔〔单程〕

*【来回来去】**lái huí lái qù** 慣 (動作や話を) 何回も繰り返す ‖ 几句话～地说 同じ言葉を何度も繰り返す

【来回票】**láihuípiào** 名 往復切符 ↔〔单程票〕

【来火】**lái//huǒ** (～儿) 動 腹が立つ. 怒る

【来件】**láijiàn** 名 届いた文書や品物

【来劲】**lái//jìn** (～儿) 形 ❶元気が出る. 張り切る. 調子に乗る ‖ 他们正干得～ 彼らはまさに精を出してやっている ❷奮い立たせるさま

*【…来看】**…lái kàn** 組 … から見ると. … から言うと. … によると ‖ 从考试结果～ 試験の結果から見ると …

*【来客】**láikè** 名 来客. お客 ‖ ～请登记 外来者は受付で名前を書いてください

*【来历】**láilì** 名 (人や事物の) 経歴. 由来

【来料加工】**láiliào jiāgōng** 名〈経〉原料受託加工

*【来临】**láilín** 動 到来する. やってくる ‖ 暴风雨即将jíjiāng～ 嵐(あらし)がまもなくやって来る

【来龙去脉】**lái lóng qù mài** 成 いきさつ. 経緯. 因果関係 ‖ 弄清事情的～ 事のいきさつをはっきりさせる

【来路】**láilù** 名 ❶来た道 ❷来歴. 経歴 ‖ ～不明的钱 来歴のはっきりしないお金

*【来年】**láinián** 名 口 来年. ふつうは〔明年〕という

【来去】**láiqù** 動 ❶往復する ❷行き来する ‖ ～自由 行き来は自由である

【来日】**láirì** 名 将来. 未来

【来日方长】**lái rì fāng cháng** 成 事を行うための時間やチャンスがまだ十分にあること

【来神】**lái//shén** (～儿) 動 元気が出る. 勢いづく ‖ 他越说越～ 彼は話すにつれて興が乗ってきた

【来生】**láishēng** 名〈仏〉来世. 後世

【来使】**láishǐ** 名 (相手からの) 使い. 使者

【来世】**láishì** ＝〔来生láishēng〕

【来事】**láishì** 動 (～儿) 方 貶 歓心を買う. 機嫌をとる ‖ 他很会～ 彼は立ち回りが上手だ

【来势】**láishì** 名 勢い ‖ ～凶猛 勢いがすさまじい

*【…来说】**…lái shuō** 組 … から言うと. … にとって言えば ‖ 对小学生～, 这本书太深了 小学生にはこの本は難しすぎる

【来头】**láitou** 名 ❶(～儿) 経歴. キャリア. バック ‖ 这个人好像～不小 この人には強力なバックがありそうだ ❷原因. 理由 ‖ 有～ わけがある ❸勢い ❹(～儿) 興味. 関心

*【来往】**láiwǎng** 動 通行する. 行き来する ‖ 频繁pínfán～于东京北京之间 東京・北京間を頻繁に往復する

【来往】**láiwang** 動 交際する. 付き合う ‖ 我和他不～ 私は彼と付き合わない

【来文】**láiwén** 名 届いた文書

【来信】lái//xìn** 動 **手紙が届く. 手紙をよこす** ‖ 他给我来过两封信 彼は私にこれまで2通の手紙をよこした 名 (láixìn) **来信. 便り** ‖ 读者～ 読者からの投書

【来样加工】**láiyàng jiāgōng** 名 意匠受託加工

【来意】**láiyì** 名 来意. 訪問の理由

【来由】**láiyóu** 名 原因. 理由

*【来源】**láiyuán** 名 根源. 出所 ‖ 经济～ お金の出所 動 (後に〔于〕を伴い) … に由来する. … による

【来者不拒】**lái zhě bù jù** 成 来る者は拒まず

【来着】**láizhe** 助 (文末に用い, 過去に起きたことを回想する気持ちを表す) … していた. … であった ‖ 刚才说到哪儿～? さっきどこまで話していたっけ

【来之不易】**lái zhī bù yì** 成 (このような成果を手に入れたのは) 容易なことではない

L

[来自] láizì 動 …から来る. …から生まれる ‖ 班里的同学～全国各地 クラスメートは全国各地から来ている

10 **涞**(淶) lái 地名用字 ‖ ～水 河北省にある県の名

10 **莱**(萊) lái ❶書〈植〉アカザ ❷書 群生する野草 ❸古 荒地

[莱索托] Láisuǒtuō 名〈国名〉レソト

10 **崃**(崍) lái 地名用字 ‖ 邛Qióng～ 四川省にある山の名

10 **徕**(徠) lái ➡〔招徕zhāolái〕

12 **铼**(錸) lái 名〈化〉レニウム(化学元素の一つ, 元素記号は Re)

lài

12 **睐**(睞) lài 書 見る ‖ 青～ 好意の目

13 **赖**[1](^△^賴) lài ❶動 頼る. 頼りにする ❷形 ずうずうしい. 厚かましい ‖ 一～皮 ❸形 口 悪い. 劣っている ‖ 干得真不～ 実に立派な仕事ぶりだ ❹動 居座る ‖ ～着不走 居座って動かない

13 **赖**[2](^△^賴) lài ❶動 (自分の誤りや責任を)認めない. 否認する ‖ 犯了错误还想～ 過ちを犯しているのにまだ責任逃れをしようとする ❷動 (自己の責任や過ちを)人のせいにする. 人に罪を着せる ‖ 干吗把过错～在我身上 過ちをどうして僕になすりつけるんだ ❸動 とがめる. 責める

[赖婚] lài//hūn 動 婚約を解消する

[赖皮] làipí 動 ごねる. 難くせをつける 名 横暴なふるまい. ごろつき行為 ‖ 耍shuǎ～ ごねる. 因縁をつける

[赖账] lài//zhàng 動 借金の返済をしないでしらを切る. 借金を踏み倒す

[赖子] làizi 名 口 ならず者. ごろつき

16 **濑** lài 名 書 早瀬

18 **癞** lài ❶名 口〈医〉ハンセン病 =〔麻风〕❷名 方〈医〉黄癬(おうせん) ❸毛が抜け落ちた, または表面がでこぼこしたもの ‖ 一～蛤蟆

[癞蛤蟆] làiháma 名〈動〉ヒキガエル

[癞皮狗] làipígǒu 名 喩 恥知らず

[癞子] làizi 名 方 ❶頭に黄癬ができた人 ❷〈医〉黄癬

19 **籁** lài ❶名 古 簫(しょう)の一種 ❷穴から出る音. (広く)音・声・響きなどをさす ‖ 万～俱jù寂jì しんと静まりかえっている

lán

5 **兰**(蘭) lán ❶〈植〉フジバカマ ❷古 ハクモクレン ❸〈植〉シュンラン

[兰草] láncǎo 名〈植〉❶フジバカマ ❷シュンラン. 〔兰花〕の俗称 ❸スルガラン. 〔兰花〕の俗称

*[**兰花**] lánhuā 名〈植〉❶シュンラン. 〔春兰〕ともいう ❷スルガラン ＊俗に〔兰草〕という

[兰花指] lánhuāzhǐ 名〈劇〉伝統劇のしぐさの一つ. 親指と中指を曲げてその先端を合わせ, 他の指を伸ばした手つき. 〔兰花手〕ともいう

[兰若] lánrě 名〈仏〉寺院. 蘭若(らんにゃ)

7 **岚** lán 書 (山中に立ちこめる)霧. もや ‖ 山～ 同前 | 晓xiǎo～ 朝もや

8 **拦**(攔) lán ❶動 遮る. 妨げる. じゃまする ‖ 你想去就去, 没人～你 君が行きたければ行けばいい, 誰もじゃまはしないよ ❷…に向かって ‖ 一～腰

[拦不住] lánbuzhù 動 止められない. 阻止できない

[拦挡] lándǎng 動 遮る. 阻止する

[拦柜] lánguì 名 (商店の)カウンター. 〔栏柜〕とも書く

[拦河坝] lánhébà 名〈建〉ダム. 堰堤(えんてい)

[拦击] lánjī 動 ❶(敵を)迎え撃つ. 迎撃する ‖ ～敌人 敵を迎撃する ❷〈体〉(卓球の)ボレー

[拦劫] lánjié 動 追いはぎをする

[拦截] lánjié 動 遮る. 妨げる ‖ ～洪水 洪水を防ぐ

[拦路] lán//lù 動 道を遮る ‖ ～抢劫qiǎngjié 追いはぎをする

[拦路虎] lánlùhǔ 名 ❶旧 追いはぎ ❷喩 障害物

[拦网] lánwǎng 動〈体〉(バレーボールで)ブロックする

[拦蓄] lánxù 動 流れをせき止めて水を蓄える

[拦腰] lányāo 副 真ん中から. 中途から ‖ 大江被～截断jiéduàn 大河は途中でせき止められた

[拦阻] lánzǔ 動 遮る. 阻む. じゃまをする

9 **栏**(欄) lán ❶欄干. フェンス. 手すり ‖ 一～杆 ❷(家畜を入れる)柵(さく). 囲い ‖ 牛～ ウシを入れる囲い ❸(表の)欄 ‖ 备注～ 備考欄 ❹(新聞や雑誌などの)欄. 囲み. コラム ‖ 专～ コラム ❺ポスターや新聞を張り出しておく設備 ‖ 报～ 新聞の掲示板 ❻〈体〉ハードル ‖ 跨kuà～ ハードル走

*[**栏杆**] lángān 名 欄干. 手すり. 〔阑干〕とも書く ‖ 桥～ 橋の欄干

[栏柜] lánguì =〔拦柜lánguì〕

[栏目] lánmù 名 コラム. 囲み記事

11 **婪**(^△^惏) lán むさぼるさま. 満足しないさま ‖ 贪tān～ むさぼるさま

12 **阑** lán ❶柵(さく) ❷終わりに近い ‖ 岁～ 年の暮れ | 更gēng深夜～ 夜が更ける

[阑尾炎] lánwěiyán 名〈医〉虫垂炎. 俗に〔盲肠mángcháng炎〕という

13 **蓝**(藍) lán ❶〈植〉アイ ❷(広く)あい色の染料がとれる植物, あるいは葉が青緑色の植物 ❸形 あい色の. 青色の

[蓝宝石] lánbǎoshí 名〈鉱〉サファイア

[蓝本] lánběn 名 原本. 種本

[蓝筹股] lánchóugǔ 名〈経〉安定優良株. ブルーチップ

[蓝靛] lándiàn 名 (染料の)藍(あい). インジゴ

[蓝矾] lánfán 名〈鉱〉胆礬(たんばん) =〔胆矾〕

[蓝晶晶] lánjīngjīng (～的) 形 (水・宝石などが)青く光るさま. 青くきらきらするさま

[蓝鲸] lánjīng 名〈動〉シロナガスクジラ

[蓝领] lánlǐng 名 ブルーカラー ↔〔白领〕

[蓝皮书] lánpíshū 名 白書 =〔白皮书〕

[蓝色] lánsè 名 あい色. 青色

[蓝色农业] lánsè nóngyè 名〈漁〉青い農業. 水産養殖業をさす

[蓝天] lántiān 名 青空

[蓝田猿人] Lántián yuánrén 名〈考古〉藍田原人

[蓝图] lántú 名 ❶青写真. ブループリント ❷喩 青写真. 未来図. 計画

【蓝牙】lányá 图〈通信〉(近距離無線通信技術)ブルートゥース
【蓝盈盈】【蓝莹莹】lányīngyīng (～的) 形方 青く輝くさま‖～的天空 青く輝く大空
【蓝藻】lánzǎo 图〈植〉藍藻(らんそう)
14 **谰** lán 書 言い逃れする. しらを切る
【谰言】lányán 图 でたらめ. デマ
15 **澜** lán 波. 波濤(はとう)‖狂kuáng～ 荒波
15 **褴**(襤) lán ↘
【褴褛】lánlǚ 形(衣服が)ぼろぼろである.〔蓝缕〕とも書く‖衣衫yīshān～ 身なりがぼろでみすぼらしい
16 **斓** lán ➡〔斑斓bānlán〕
16 **篮**(籃) lán ❶图(～儿)かご‖竹～ 竹かご ❷〈体〉(バスケットボールの)バスケット‖投～ シュートする ❸〈体〉バスケットボール‖男～ 男子バスケットボール
【篮板】lánbǎn 图〈体〉(バスケットボールの)バックボード
【篮板球】lánbǎnqiú 图〈体〉(バスケットボールの)リバウンドボール
★【篮球】lánqiú 图〈体〉❶**バスケットボール**‖打～ バスケットボールをする ❷バスケットボールのボール

外国の固有名詞 NBAのチーム名 【アトランタ・ホークス】…老鹰队 【インディアナ・ペイサーズ】…步行者队 【オーランド・マジック】…魔术队 【オクラホマシティ・サンダー】…雷霆队 【クリーブランド・キャバリアーズ】…骑士队 【ゴールデンステイト・ウォリアーズ】…勇士队 【サクラメント・キングス】…国王队 【サンアントニオ・スパーズ】…马刺队 【シカゴ・ブルズ】…公牛队 【シャーロット・ボブキャッツ】…山猫队 【ダラス・マーベリックス】…小牛队 【デトロイト・ピストンズ】…活塞队 【デンバー・ナゲッツ】…掘金队 【トロント・ラプターズ】…猛龙队 【ニューオーリーンズ・ホーネッツ】…黄蜂队 【ニュージャージー・ネッツ】…网队 【ニューヨーク・ニックス】…尼克斯队 【ヒューストン・ロケッツ】…火箭队 【フィラデルフィア・76ers】…76人队 【フェニックス・サンズ】…太阳队 【ポートランド・トレイルブレイザーズ】…开拓者队 【ボストン・セルティックス】…凯尔特人队 【マイアミ・ヒート】…热火队 【ミネソタ・ティンバーウルブズ】…森林狼队 【ミルウォーキー・バックス】…雄鹿队 【メンフィス・グリズリーズ】…灰熊队 【ユタ・ジャズ】…爵士队 【ロサンゼルス・レイカーズ】…湖人队 【ロサンゼルス・クリッパーズ】…快船队 【ワシントン・ウィザーズ】…奇才队

【篮圈】lánquān 图〈体〉(バスケットボールの)バスケット・リング
【篮坛】lántán 图〈体〉バスケットボール界.〔篮球界〕ともいう
*【篮子】lánzi 图 かご‖菜～ 買い物かご
17 **镧** lán 图〈化〉ランタン(化学元素の一つ, 元素記号はLa)

lǎn

9 **览**(覽) lǎn 眺める. 見る‖阅～ 閲覧する|展～ 展覧する. 展示する
【览古】lǎngǔ 動書 古跡を遊覧する
【览胜】lǎnshèng 動書 景勝地を遊覧する‖京都～ 首都の景勝地を遊覧する
12 **揽**(攬) lǎn ❶握る. 手中に収める‖独～大权 権力を独占する ❷集める‖延～人才 人材を集める ❸動(責任や仕事などを)引き受ける. 請け負う ❹動(腕を回して)抱き寄せる ❺動(縄などで)くくる. 縛る
【揽承】lǎnchéng 動 引き受ける. 請け負う
【揽储】lǎnchǔ 動〈経〉預金を集める. 預金者を獲得する.〔揽存〕ともいう
【揽存】lǎncún ＝〔揽储lǎnchǔ〕
【揽活】lǎn//huó (～儿) 動 仕事を請け負う
【揽货】lǎn//huò 動 荷物の運搬や売りさばきを引き受ける. 輸送や販売を請け負う
【揽客】lǎn//kè 動(旅館や食堂などが)客を引く
【揽权】lǎn//quán 動 権力を握る
【揽胜】lǎnshèng 動書 美しい風景を一望に収める
12 **缆**(纜) lǎn ❶(船をつなぐ)ともづな. もやい‖解～ 出帆する ❷より合わせた綱状のもの‖电～ ケーブル ❸動書(船を)つなぐ. もやう
【缆车】lǎnchē 图 ケーブルカー
【缆绳】lǎnshéng 图 ともづな. 太いロープ
【缆索】lǎnsuǒ 图 ケーブル
13 **榄**(欖) lǎn ➡〔橄榄gǎnlǎn〕
14 **漤** lǎn 方❶動(生の魚・肉・野菜などを)砂糖や塩などの調味料であえる ❷動(湯や石灰水に漬けて)柿の渋を抜く‖～柿子 同
14 **罱** lǎn ❶图 2本の竹竿に網を張ったもので, 魚をとったり, 水草や河泥をさらったりするための道具 ❷動 さらう. すくう‖～河泥 河泥をさらう
16 ** **懒**(△嬾) lǎn ❶形 **ものぐさである. 怠惰である. 勤勉でない** ↔〔勤qín〕‖→～惰 ❷形 **だるい. 力が入らない**‖身子发～ 体がだるい
【懒虫】lǎnchóng 图口 怠け者. ぐうたら者
【懒怠】lǎndai 形 無精である. ものぐさである 動 おっくうがる. …したくない
【懒得】lǎnde 動 気が進まない. …する気がしない‖～自己做饭 自分で御飯をつくるのがおっくうだ
*【懒惰】lǎnduò 形 怠惰である. 無精である
【懒骨头】lǎngǔtou 图口 怠け者
【懒鬼】lǎnguǐ 图 怠け者
【懒汉】lǎnhàn 图 怠け者. 無精者
【懒汉鞋】lǎnhànxié 图 履き口の甲部の両脇(わき)にゴムが入っていて, 履いたり脱いだりするのに便利な靴
【懒猴】lǎnhóu 图〈動〉スローロリス
【懒散】lǎnsǎn 形 だらけている. たるんでいる
【懒洋洋】lǎnyāngyāng (～的) 形 元気のないさま. けだるいさま

làn

9 **烂**(爛) làn ⓿形(よく煮えて)柔らかい‖牛肉已经煮～了 牛肉はもう柔らかく煮えた ❷形(固形物が水分を含んで)どろどろになるさま．柔らかくなるさま‖→～泥 ❸形 腐っている．傷んでいる‖葡萄都放～了 ブドウが全部腐ってしまった ❹形 ぼろぼろである‖～布头 ぼろ布 ❺形 乱れている．でたらめである‖→～账 ❻程度がきわめて深いことを表す‖→～醉

【烂糊】lànhu 形 よく煮えて柔らかい

【烂漫】【烂熳】【烂缦】lànmàn 形 書 ⓿色鮮やかで美しいさま‖花朵～ 花が美しい ❷率直で自然である‖天真～的孩子 天真爛漫(てんしんらんまん)な子供

【烂泥】lànní 名 どろどろの泥‖～塘táng 泥沼

【烂熟】lànshú 形 ⓿よく煮えている ❷(繰り返し記憶して)すっかり覚えている．習熟している

【烂摊子】làntānzi 名 喩 手の施しようがない事柄・仕事・局面など‖收拾～ 事態を収拾する

【烂尾】lànwěi 形 (建設工事が)いつまでも完成しない．途中でストップしたままである‖～楼 工事が止まったままのビル

【烂账】lànzhàng 名 ⓿でたらめな帳簿 ❷貸し倒れ．焦げつき

【烂醉】lànzuì 動 泥酔する．ひどく酔っぱらう‖他喝得～ 彼は酔いつぶれてしまった

13 **滥**(濫) làn ⓿(川などが)氾濫(はんらん)する‖泛fàn～ 氾濫する ❷度を越えている．制限がない‖→～用 ❸中身のない．表面的な‖→～调

【滥调】làndiào (～儿) 名 内容のないつまらない言葉‖陈词～ ありきたりで内容に乏しい言葉

【滥发】lànfā 動 乱発する‖～钞票 紙幣を乱発する

【滥伐】lànfá 動 乱伐する‖～乱砍kǎn 乱伐する

【滥交】lànjiāo 動 相手を選ばず交際する‖～朋友 相手を選ばず付き合う

【滥权】lànquán 動 職権を濫用する．〔滥用职权〕の略

【滥用】lànyòng 動 乱用する‖～职权 職権を乱用する

【滥竽充数】làn yú chōng shù 成 無能な者が紛れ込んで有能であるかのようにふるまう．数を揃えるために不良品を優良品の中に混ぜてごまかす

lāng

11 **啷** lāng ➡〔哐啷kuānglāng〕

láng

8 **郎**[1] láng 古 官名‖兵部侍shì～ 軍備をつかさどる役所の次官

8 **郎**[2] láng ⓿書 女性から，夫または恋人に対する呼称‖→～君 ❷若い男性に対する呼称 ❸他人の息子をさす‖令～ ご子息 ❹ある種の職業についている人‖货～ 行商人 ➤ làng

【郎才女貌】láng cái nǚ mào 成 婿は才子で嫁は器量よし．似合いのカップル．〔男才女貌〕ともいう

【郎当】lángdāng ＝〔锒铛lángdāng〕

【郎君】lángjūn 名 古 (夫に対する呼称)あなた

【郎猫】lángmāo 名 口 雄ネコ

【郎中】lángzhōng 名 ⓿古代の官名 ❷方 漢方医

10 **狼** láng 名〈動〉オオカミ

*【狼狈】lángbèi 形 困り果てたさま．狼狽(ろうばい)するさま．困惑するさま‖～不堪bùkān 困惑の極み

【狼狈为奸】láng bèi wéi jiān 成 悪人同士が結託して悪事をはたらく

【狼狗】lánggǒu 名〈動〉シェパード

【狼毫】lángháo 名 イタチの毛で作った筆

【狼藉】【狼籍】lángjí 形 書 乱雑にとり散らかっているさま‖声名～ 名声が地に落ちる

【狼吞虎咽】láng tūn hǔ yàn 成 (まるでオオカミかトラのように)がつがつと食う．むさぼるように食う

【狼心狗肺】láng xīn gǒu fèi 成 残忍冷酷である．極悪非道である

【狼烟】lángyān 名 狼煙(のろし)

11 **廊** láng 廊下‖回～ 回廊｜游～ 渡り廊下｜走～ 渡り廊下

【廊檐】lángyán (～儿) 名 廊下の屋根のひさし

11 **琅**(△瑯) láng ↴

【琅琅】lángláng 擬 ⓿(金属や玉石のかち合う音)チャリン．チャラン ❷読書する声の高らかなさま

12 **榔** láng ↴

【榔头】lángtou 名 木づち．ハンマー

12 **锒** láng ↴

【锒铛】lángdāng 名 書 罪人をつないでおく鉄の鎖‖～入狱rùyù 獄につなぐ 擬 (金属がぶつかる音)ガチャガチャ．ガチャンガチャン

14 **螂**(△蜋) láng ➡〔螳螂tángláng〕〔蟑螂zhāngláng〕

lǎng

10 **朗** lǎng ⓿(光線が)明るい‖晴～ 晴れ渡っている ❷(声が)はっきりしてよく響く

*【朗读】lǎngdú 動 朗読する．大きな声で読む‖～课文 教科書を朗読する

【朗朗】lǎnglǎng 形 ⓿(声が)明るく澄んでいる．朗々としている ❷明るく輝いている

【朗声】lǎngshēng 副 明るく澄んだ声で．声高らかに

*【朗诵】lǎngsòng 動 朗誦(ろうしょう)する．朗読する

làng

8 **郎** làng ➡〔屎壳郎shǐkelàng〕 ➤ láng

10 **浪**[1] làng ⓿名(大きな)波‖波～ 波 ❷波のように起伏のあるもの．波動するもの‖声～ どよめき

10 **浪**[2] làng ⓿放縦である．気ままである ❷淫蕩(いんとう)である．みだらである

*【浪潮】làngcháo 名 喩 波．うねり．運動‖社会变革的～ 社会変革のうねり

【浪船】làngchuán 名 船の形をしたぶらんこ

【浪荡】làngdàng 動 職もなくぶらぶらする 形 放蕩(ほうとう)である. 勝手気ままである
*【浪费】làngfèi 動 浪費する‖～时间 時間をむだに使う
【浪花】lànghuā (～儿) 名 波しぶき‖～四溅sìjiàn 波しぶきが四方に飛び散る
【浪迹】làngjì 動 さすらう‖～江湖 世間を流浪する. あちこちさすらい歩く
*【浪漫】làngmàn 形 外 ❶ロマンチックである‖充满～的情调 ロマンチックなムードにあふれている ❷(男女関係が)ふしだらである
【浪漫主义】làngmàn zhǔyì 名 ロマンチシズム
【浪木】làngmù 名〈体〉遊動円木.〔浪桥〕ともいう
【浪桥】làngqiáo ＝〔浪木làngmù〕
【浪人】làngrén 名 ❶書 一定の職業や住所のない者. 浮浪者 ❷いわゆる日本の「大陸浪人」をさす
【浪涛】làngtāo 名 波. 波濤(はとう)
【浪头】làngtou 名 ❶口 波‖～很高 波が高い ❷転 潮流. 趨勢(すうせい)‖赶～ 時代の潮流を追う
【浪语】làngyǔ 名 ❶みだらな言葉 ❷むだ口. でたらめ 動 でたらめを言う. 放言する
【浪子回头】làngzǐ huítóu 名 放蕩息子が改心する

10 **莨** làng ➘ ➤liáng
【莨菪】làngdàng 名〈植〉ヒヨス

lāo

10 ** **捞**(撈) lāo ❶動(水中から)取り出す. すくう‖打～(水死体や沈没船などを)引き上げる ❷動(不当な手段で)得る. 手に入れる‖～油水 甘い汁を吸う
【捞本】lāo//běn (～儿) 動 元手を取り戻す. 損失を埋め合わせる
【捞稻草】lāo dàocǎo 慣(おぼれるものは)わらをもつかむ. 無駄な悪あがきをすること
【捞钱】lāo//qián 動 あぶく銭を得る
【捞取】lāoqǔ 動(うまく立ち回って)手に入れる. せしめる‖～政治资本 政治的な得点を稼ぐ
【捞外快】lāo wàikuài 組 本職以外で金を稼ぐ
【捞一把】lāo yī bǎ 慣 一儲けする
【捞着】lāo//zháo 動(機会に)ありつく. うまい汁を吸う

láo

7 **劳**(勞) láo ❶苦労する. 骨が折れる‖吃苦耐～ 苦労をいとわない ❷苦労させる. 疲弊させる‖→～民伤财 ❸動 敬 苦労をかける. 煩わす. 面倒をかける‖→～驾 ❹功労. 手柄‖汗马之～ 汗馬(かんば)の労. 献身的な貢献 ❺慰労する. ねぎらう‖犒kào～(酒食で)ねぎらう ❻働く. 労働する‖不～而获 働かないで利益を得る ❼労働者‖～资关系 労資関係
【劳保】láobǎo 名 略 ❶労働者保護.〔劳动保护〕の略 ❷労働保険.〔劳动保险〕の略
★【劳动】láodòng 名 ❶労働‖体力～和脑力～ 肉体労働と頭脳労働 ❷肉体労働 動 働く. 労働する
【劳动】láodong 動 人を煩わす. 人に骨を折らせる‖～您跑一趟 ご足労をお願いします
【劳动保险】láodòng bǎoxiǎn 名 労働保険. 略して〔劳保〕ともいう
【劳动布】láodòngbù 名〈紡〉デニム
【劳动法】láodòngfǎ 名 労働法
【劳动改造】láodòng gǎizào ＝〔劳改láogǎi〕
【劳动教养】láodòng jiàoyǎng ＝〔劳教láojiào〕
【劳动节】Láodòngjié 名 メーデー(5月1日) ＝〔五一劳动节〕
*【劳动力】láodònglì 名 ❶〈経〉労働力 ❷働き手. 人手. 労働力‖～过剩guòshèng 人手があり余っている
【劳动模范】láodòng mófàn ＝〔劳模láomó〕
【劳动强度】láodòng qiángdù 名〈経〉労働強度
【劳动日】láodòngrì 名(労働時間の計算単位)労働日. 通常8時間を1労働日とする
【劳动者】láodòngzhě 名 勤労者. 労働者
【劳而无功】láo ér wú gōng 成 労多くして功なし. むだ骨を折る.〔徒劳无功〕ともいう
【劳烦】láofán 動 敬 煩わす. 迷惑をかける
【劳改】láogǎi 動 略 労働改造する. 懲役刑を科す.〔劳动改造〕の略‖～农场 労働改造農場
【劳改犯】láogǎifàn 名 労働改造犯. 懲役囚
★【劳驾】láo//jià 動 挨拶 ちょっとすみません‖～, 让我过去 すみません, ちょっと通してください
【劳教】láojiào 動 略 教育改造(非刑事罰の行政処分)を行う. 1～3年程度の労働と政治教育を科す.〔劳动教养〕の略‖～人员 教育改造の服役者
【劳军】láo//jūn 動 軍隊を慰問する
【劳苦】láokǔ 形 苦労である. 骨が折れる‖不辞～ 労苦をいとわない
【劳苦功高】láo kǔ gōng gāo 成 苦労を重ねて大きな功績をあげること
【劳累】láolèi 形(働きすぎて)くたくたである‖～过度 過労でくたくたである 動 敬 お手数をおかけする. お手を煩わせる
【劳力】láolì 名 ❶骨折り. 労力 ❷人手. 労力 動 書 力を労する ↔〔劳心〕
【劳碌】láolù 動 あくせく働く
【劳民伤财】láo mín shāng cái 成 民衆を酷使し, 財貨を浪費する
【劳模】láomó 名 略 模範労働者.〔劳动模范〕の略
【劳伤】láoshāng 名〈中医〉過労が原因で起こる内臓の病気
【劳神】láo//shén 動 精神を消耗する. 心を労する. 気を遣う
【劳什子】láoshízi 名 方 つまらないもの. 得体の知れないもの. がらくた.〔牢什子〕とも書く
【劳损】láosǔn 名〈医〉過労による(内臓や筋肉などの)損傷‖腰肌～ 腰筋疲労
【劳务】láowù 名 労働を提供すること. 労務‖～输出 労働力の輸出
【劳务费】láowùfèi 名 労務費
【劳心】láoxīn 動 心を砕く. 頭を働かす
【劳燕分飞】láo yàn fēn fēi 成〔伯劳〕(モズ)は東に,〔燕〕(ツバメ)は西に飛ぶ. 離別するたとえ
【劳役】láoyì 名 懲役. 強制労働 動(役畜を)使役する
【劳逸结合】láoyì jiéhé 慣 労働と休養を結びつける. 仕事と休養のバランスをとる

L

【劳资】láozī 名 労資. 労働者と資本家 ‖ ～纠纷 jiūfēn 労働争議. 労資間の紛争

【劳作】láozuò 動 労働する. 力仕事をする ‖ 在田间～ 田畑で農作業をする

7 *牢 láo ❶家畜の檻(おり). 囲い ❷名 牢獄. 監獄 ‖ 坐～ 監獄に入る. 入獄する ❸形 堅固である. しっかりしている ‖ 绳子拴 shuān 得很～ 縄は固くくくりつけてある ❹形 穏当である. 確かである. 危なげがない ‖ 嘴上没毛, 办事不～ まだひげも生えていない若造では, 何をやっても頼りにならない

【牢不可破】láo bù kě pò 成 非常に堅固で壊すことができない

*【牢房】láofáng 名 牢獄. 監房

*【牢固】láogù 形 堅固である. 頑丈である

*【牢记】láojì 動 しっかりと記憶する. いつまでも忘れないで覚えている ‖ ～先生的教诲 jiàohuì 先生のお教えはいつまでも忘れません

【牢靠】láokao ; láokào 形 ❶確かである. 信頼できる ‖ 办事～ 仕事ぶりが確かである ❷丈夫である. 頑丈である

【牢笼】láolóng 名 ❶(鳥獣を囲っておく)檻. 喩 束縛 ‖ 冲破～ 束縛を打ち破る ❷計略. 策略

*【牢骚】láosao ; láosāo 名 不平. 不満 ‖ 发～ 不平不満をもらす. 愚痴をこぼす | ～满腹 mǎnfù 不平たらたら 動 恨み言を言う. 愚痴をこぼす

【牢什子】láoshízi =〔劳什子láoshízi〕

【牢实】láoshi ; láoshí 形 しっかりしている. 堅固である

【牢稳】láowěn 形 ❶穏当である. 確かである. 危なげがない ‖ 办事～ 仕事ぶりが確かである ❷ぐらぐらしない. 安定している

【牢狱】láoyù 名 牢獄. 牢屋

10 唠(嘮) láo ↴ ➤ lào

【唠叨】láodao 動 繰り返し口やかましく言う. くどくど言う

10 崂(嶗) láo 地名用字 ‖ ～山 山東省にある山の名

12 痨(癆) láo 〈中医〉(結核性の)病気 ‖ 肺～ fèi～ 肺結核

【痨病】láobìng 名〈中医〉結核

12 铹(鐒) láo 名〈化〉ローレンシウム(化学元素の一つ, 元素記号は Lr)

18 醪 láo 書 ❶濁り酒. どぶろく ❷酒の総称

【醪糟】láozāo (～ル) 名 甘酒

lǎo

6 ★老 lǎo ❶形 年をとっている. 老いている ↔〔少 shào〕‖ 人～心不～ 年はとっても気持ちは若い ❷年寄り. 老人 ‖ 尊～爱幼 老人を尊敬し子供を慈しむ ❸名 (姓の後につけて)年配者に対する敬称 ‖ 张～ 張先生. 張長老 ❹形 老練である. 豊かな経験がある ‖ 一～手 ❺形 長年の. 古くからの ↔〔新〕‖ ～邻居 古くからの隣人 ❻形 古い. 古臭い. 古びている ↔〔新〕‖ ～设备 古い設備 ❼形 もともとの. もとの ‖ ～地方 いつもの場所 ❽方 (色が)濃い ❾形 (野菜が)とうが立っている. 育ちすぎて固い ↔〔嫩 nèn〕‖ 茄子～得净是籽 zǐ ナスはとうが立って種だらけだ. ❿形 (料理が)加熱しすぎている ‖ 肉片不要炒得太～ 豚肉の薄切りは余り炒めすぎないように ⓫(高分子化合物が)変質する. 劣化する ⓬副 長いこと. ずっと ‖ 他～不来 彼はいつまでたっても来ない ⓭副 いつも. 常に ‖ 他～迟到 彼はいつでも遅れてくる ⓮接頭 ①ある種の動植物名につける ‖ 一～虎 | 一～鹰 | 一～玉米 ②(年長または同年輩の者の姓に冠して)親近感を示す ‖ 一～兄 | ～李 李さん. 李君 ③兄弟姉妹を長幼の順で表す ‖ 一～大 | ～二 兄弟姉妹の2番目 ⓯副 非常に. ずいぶん ‖ 队排得～长～长的 行列は長々と続いている ⓰動 婉 死ぬ. (後に〔了〕を伴う) ‖ 邻居家～了人了 近所で不幸があった ⓱いちばん末の. 最年少の ‖ ～儿子 末の息子

> **類義語** | 老 lǎo 旧 jiù 古 gǔ
>
> ◆〔老〕人や物の寿命が長く古い, あるいは長いつながりをもつことを表す. プラス評価の場合が多い. 古くからの. いつもの. 年をとっている. 年月を経ている. 由緒ある ‖ 老朋友 古い友人. 親友 | 老店 しにせ ◆〔旧〕物の外見が古びることを表す. マイナス評価であることが多い. 古い. 昔の. 旧式の ‖ 房子旧了 建物が古くなった | 旧传统 昔の(悪い)習慣 ◆〔古〕昔の. 古い. 年月を経ている. 〔老〕〔旧〕が〔新〕と対応するのに対して,〔古〕は〔今〕と対応する. 複音節語になったり, 後ろに補語や〔的〕を伴って用いられ, 単独では使えない ‖ 这座寺庙很古老(×很古) この寺はとても古い | 这种风俗古得很 この風習はとても古い

【老媪】lǎo'ǎo 名 書 老女. 媼(おうな)

【老八辈子】lǎobābèizi 慣 古臭いこと ‖ 这是～的事了, 还提它干什么? そんな古臭い話を持ち出してなんになるんだ

【老白干ル】lǎobáigānr 名 方 パイカル(北方の酒で, コーリャンを主原料とした蒸留酒)

**【老百姓】lǎobǎixìng 名 庶民. 一般大衆 ‖ 普通～ 一般庶民

**【老板】lǎobǎn 名 ❶(商店や中小企業の)経営者. 社長 ❷旧 京劇の名優に対する尊称

【老板娘】lǎobǎnniáng 名 (商店や中小企業経営者の)奥さん. おかみさん

【老半天】lǎobàntiān 名 しばらく. 長い間

【老伴】lǎobàn (～ル) 名 (老夫婦の一方が相手をさして言う言葉)連れ合い. 老妻. 老夫

【老鸨】lǎobǎo 名 旧 妓楼のおかみ. やり手ばば

【老辈】lǎobèi 名 ❶(～ル)父祖. 先代 ❷年長者

【老本】lǎoběn (～ル) 名 元手. 喩 立派な経歴や功労. キャリア ‖ 吃～ル かつての経歴や功労に自足する

【老鼻子】lǎobízi 形 方 非常に多い. (後に〔了〕を伴う) ‖ 他家的书～了 彼の家には本がどっさりある

【老病】lǎobìng (～ル) 名 持病

【老伯】lǎobó 名 敬 (父の友人, または友人の父などに対する呼称)おじさま. おじさん

【老伯伯】lǎobóbo 名 敬 年配の男性に対する呼称

【老不死】lǎobusǐ 名 罵 (老人を罵って)死にぞこない

【老成持重】lǎo chéng chí zhòng 成 経験豊富で物事を行うのに慎重である

【老诚】lǎochéng 形 まじめで誠実である

【老粗】lǎocū (～ル) 名 謙 (自分をさして)教養のない者. 無学な者

【老搭档】lǎodādàng 名 長年一緒にやってきた仲間. 古くからの相棒

【老大】lǎodà 動 書 年齢を重ねる. 年をとる 名 ❶(兄

弟姉妹の中で)いちばん年上の者 ❷マフィアのボス．親分 ❸方 船頭 副 甚だ．非常に ‖ 心里～不高兴 心中甚だ面白くない
【老大不小】lǎo dà bù xiǎo (～的) 慣 すっかり大人である．いい大人である ‖ ～的人了，还这么不懂事 いい大人のくせに，いまだに分別がつかないんだから
【老大哥】lǎodàgē 名 口 (同年代で年上の男性に対する呼称)兄さん．兄貴
⁑【老大妈】lǎodàmā 名 口 (老婦人に対する敬称)おばあさん．おばあさま
【老大难】lǎodànán 形 以前からの重大で解決困難な(問題) ‖ ～单位 未解決の困難な問題が山積している部門
⁑【老大娘】lǎodàniang；lǎodàniáng 名 口 (老婦人に対する敬称)おばあさん．おばあさま
⁑【老大爷】lǎodàye；lǎodàyé 名 口 (老人に対する敬称)おじいさん．おじいさま
【老旦】lǎodàn 名〈劇〉(京劇で)老女役．また，それに扮(ふん)する俳優
【老当益壮】lǎo dāng yì zhuàng 成 老いてますます盛んである
【老到】lǎodao 形 方 老練周到である．手慣れて堅実である
【老道】lǎodào 名 口 道士
【老底】lǎodǐ (～儿) 名 ❶内情．実情 ‖ 揭jiē他的～ 彼の素性を暴く ❷先祖から受け継いだ資産．身代
【老弟】lǎodì 名 ❶親しい同輩または年少者に対する呼称 ❷方 弟
【老雕】lǎodiāo 名〈鳥〉ワシ
【老调】lǎodiào 名 ❶決まり文句．陳腐な論調．変わりばえのしない言いぐさ ‖ 唱～ 相も変わらず同じ論を唱える ❷〈劇〉河北省保定一帯で行われる地方劇
【老掉牙】lǎodiàoyá 形 古臭い．時代後れである ‖ 你那套理论已经～了 君のその理論はもう時代後れだ
【老豆腐】lǎodòufu 名 豆乳ににがりを入れて固めた食品．普通の豆腐より柔らかく，〔豆腐脑儿〕よりやや固い
【老夫】lǎofū 名 古 (年とった男子の謙称)小生．私
【老夫老妻】lǎofū lǎoqī 慣 長年連れ添った夫婦
【老夫子】lǎofūzǐ 名 ❶旧 (私塾教師の敬称)先生 ❷貶 世事に疎い知識人
【老干部】lǎogànbù 名 老幹部．一般に新中国成立以前に革命に参加した幹部をいう
【老哥】lǎogē ＝〔老兄lǎoxiōng〕
【老革命】lǎogémìng 名 老革命家．一般に延安時代から革命に参加していた人
【老公】lǎogōng 名 方 夫．亭主
【老公】lǎogong 名 旧 口 宦官(かんがん)
【老公公】lǎogōnggong 名 ❶方 (子供の老人に対する呼称)おじいさん．おじいちゃん ❷方 夫の父．しゅうと ❸旧 宦官に対する呼称
【老姑娘】lǎogūniang 名 ❶老嬢．年かさの未婚女性 ❷口 いちばん末の娘
【老古董】lǎogǔdǒng 名 ❶昔のもの．古臭いもの．骨董品 ❷時代遅れの頑固者
*【老汉】lǎohàn 名 ❶老人．年寄り ❷(老人の自称)わし．老輩
【老好人】lǎohǎorén 名 口 誰の機嫌も損ねず相手に合わせる人．好人物
【老糊涂】lǎohútu 名 年をとってぼけぎみの人
⁑【老虎】lǎohǔ 名 ❶〈動〉トラ ‖ 母～ 雌トラ．気性の激しい女性のたとえ | 纸～ 張り子のトラ ❷エネルギーや原料などを大量に消費すること
【老虎凳】lǎohǔdèng 名 古 拷問の一つ
【老虎机】lǎohǔjī 名 スロットマシン
【老虎屁股摸不得】lǎohǔ pìgu mōbude 慣 独りよがりで批判を受け付けない
【老虎钳】lǎohǔqián 名 ❶万力(まんりき)．バイス．〔台钳〕〔虎钳〕ともいう ❷やっとこ．ペンチ
【老花镜】lǎohuājìng 名 老眼鏡
【老花眼】lǎohuāyǎn 名 老眼．〔老视眼〕の通称
*【老化】lǎohuà 動 ❶〈化〉(ゴムやプラスチックなどが)劣化する ❷老齢化する ❸(知識や技術などが)時代後れになる
【老话】lǎohuà 名 ❶ことわざ．古くからの言葉 ❷(～儿)古い話．過ぎ去った昔の事柄
【老皇历】lǎohuángli 名 昔の暦書．こよみ．転 古臭いしきたり．時代後れの決まり
【老黄牛】lǎohuángniú 名 喩 黙々とみなのために立ち働く人 ‖ 甘当～ 喜んで人民の奉仕者となる
【老几】lǎojǐ 代 ❶(兄弟の長幼の順序を尋ねる)何番目 ‖ 你们兄弟几个？你是～？ 君は何人兄弟で，何番目ですか ❷貶 反語として用い，物の数に入らないことを示す ‖ 你算～！ いったい何様だと思ってるんだ
【老骥伏枥】lǎo jì fú lì 成 老いてなお壮志のあることのたとえ ‖ ～，志在千里 年老いた名馬は飼い葉桶に顔を伏せているが，なお千里を走りたいと思っている
*【老家】lǎojiā 名 ❶故郷．ふるさと ‖ 他每年放暑假都回～ 彼は毎年夏休みになると田舎へ帰る ❷原籍．本籍．(本人の出生地とは限らず，父親や数代さかのぼった先祖の出自を含めていう) ‖ 我～是山东 私の原籍は山東だ
【老奸巨猾】lǎo jiān jù huá 成 ずる賢くしたたかである．世故にたけている．海千山千である
【老茧】【老趼】lǎojiǎn 名 (手足にできる)たこ ‖ 双手磨mó出了～ 両手にたこができた
【老江湖】lǎojiānghu 名 世故にたけた人．海千山千
【老将】lǎojiàng 名 老将．ベテラン選手
【老景】lǎojǐng 名 晩年の境遇．老後の暮らし向き
【老境】lǎojìng 名 ❶老年期．老境 ‖ 步入～ 老境に入る ❷晩年の境遇
【老酒】lǎojiǔ 名 方 醸造後，何年か貯蔵して出荷する酒．とくに浙江省紹興産のものをさして〔绍兴shàoxīng酒〕ともいう
【老辣】lǎolà 形 あくどい．情け容赦がない
【老来俏】lǎoláiqiào 名 口 年を取ってもおしゃれ好きなこと．若作り
【老来少】lǎoláishào 名 年をとっても心が若いこと
【老泪】lǎolèi 名 老人の涙．老いの涙 ‖ ～纵横zònghéng 老いの涙をはらはらと流す
【老例】lǎolì 名 前例．先例．古いしきたり．習わし
【老脸】lǎoliǎn 名 ❶謙 (老人が自分について言う)面目．体面 ‖ 凭píng我这张～替他求个情 この年寄りの顔に免じてどうか彼を許してもらいたい ❷厚顔．鉄面皮
【老练】lǎoliàn 形 老練である．手慣れている．熟達している ‖ ～的外交家 老練な外交家
【老两口】lǎoliǎngkǒu (～儿) 名 老夫婦．長年連れ添った夫婦．〔老两口子〕ともいう
【老龄化社会】lǎolínghuà shèhuì 名 高齢化社

会
【老路】lǎolù 名 ❶以前通ったことのある道. 歩き慣れた道 ❷転 古い手段. 昔のやり方
【老妈子】lǎomāzi 名 旧 女中. 下女
【老马识途】lǎo mǎ shí tú 成 経験を積んだ者はその道に詳しく, 判断が正しいことのたとえ
【老迈】lǎomài 形 書 年老いている. 老け込んでいる
【老毛病】lǎomáobing 名 ❶いつもの悪い癖. 前からのよくない習慣 ‖ ～又犯了 またいつもの癖が出た ❷方 持病
【老面】lǎomiàn 名 方 パン種. 〔发面头〕ともいう
【老命】lǎomìng 名 (老人が自分について言う)老い先短い命 ‖ 差点ㄦ把～搭上dāshang もう少しで命を落とすところだった
【老谋深算】lǎo móu shēn suàn 成 深謀遠慮する. 深思熟考する
【老奶奶】lǎonǎinai 名 ❶父方の曾祖母(そうそぼ). ひいおばあさん ❷(子供の年とった女性に対する尊称)おばあさん. おばあちゃん
【老脑筋】lǎonǎojīn 名 ❶古臭い頭. 旧式の考え ❷頭の古い人. 頑固者
【老蔫ㄦ】lǎoniānr 名 口 口数の少ない人. 無愛想な人. 〔老闷ㄦmēnr〕ともいう
*【老年】lǎonián 名 老年 ‖ ～病 老人病
【老年斑】lǎoniánbān 名 老人性のしみ. 老人斑. 〔老人斑〕ともいう
【老年间】lǎoniánjiān 名 口 以前. 昔
【老年人】lǎoniánrén 名 老人. 老齢者
【老年性痴呆】lǎoniánxìng chīdāi 名〈医〉老人性認知症
【老娘】lǎoniáng 名 ❶年とった母. 老母 ❷方 (年輩の女性がたんかを切るとき自分をさして言う)私
【老娘们ㄦ】lǎoniángmenr 名 方 ❶既婚女性 ❷(多少の軽蔑をこめて女性をさす)女ども ❸女房. 妻
【老牛破车】lǎo niú pò chē 成 老牛がぼろ車を引く. 仕事をのろのろやっているさま
【老牛舐犊】lǎo niú shì dú 成 親牛が子牛をなめる. 親が子を溺愛(できあい)することのたとえ
【老农】lǎonóng 名 老農民. また, 広く農民
【老牌】lǎopái (～ㄦ) 名 老舗(しにせ)のブランド. 有名ブランド 形 匠 古株の. 名うての
【老派】lǎopài (～ㄦ) 形 古風である. 旧式である 名 古めかしい人. 保守派. 守旧派 ✻↔〔新派〕
【老朋友】lǎopéngyou 名 長年の友人. 古い友だち
*【老婆】lǎopo 名 口 (自分や他者の)妻. 女房. 家内. 細君 ‖ 他～ 彼の奥さん | ～孩子 妻や子. 妻子
【老婆婆】lǎopópo 名 方 ❶(子供の年とった女性に対する呼称)おばあさん ❷夫の母. しゅうとめ
【老婆子】lǎopózi 名 俗 ❶(年とった女性に対する, 多く嫌悪の情を含んだ呼称)ばばあ ❷(老夫の老妻に対する呼称)お前. ばあさん
【老气】lǎoqi ; lǎoqì 形 ❶老成している. 大人びている ❷(服装などが)地味で古臭い ‖ 这衣服你穿太～了 この服は君には地味すぎる
【老气横秋】lǎo qì héng qiū 成 ❶古顔気取りで横柄なさま ❷年寄りじみているさま. しょぼくれているさま
【老前辈】lǎoqiánbèi 名 大先輩
【老亲】lǎoqīn 名 ❶年とった両親. 老父母 ❷親戚
【老区】lǎoqū 名 略〈史〉かつての革命根拠地
【老拳】lǎoquán 名 げんこつ. 握りこぶし

⁑【老人】lǎoren ; lǎorén 名 ❶老人. 年寄り ‖ 八旬xún～ 八十過ぎの老人 ❷年とった父母や祖父母
【老人斑】lǎorénbān =〔老年斑lǎoniánbān〕
*【老人家】lǎorenjia 名 口 ❶年輩者に対する敬称 ‖ 他～ あの方 ❷(自分または相手の)父または母
【老弱病残】lǎo ruò bìng cán 成 老齢者・虚弱者・病人・身障者の総称
【老弱残兵】lǎo ruò cán bīng 成 年をとって体力が衰え, 十分に役に立てない者
【老少边穷地区】lǎo shǎo biān qióng dìqū 名 かつての革命根拠地, 少数民族居住地区, 辺境, 貧困地区の総称. 経済発展の立ち遅れている地区
【老少】lǎoshào 名 老人と若者 ‖ 男女～ 老若男女
【老生】lǎoshēng 名〈劇〉京劇で中年以上の男性の老け役. 〔须生〕ともいう
【老生常谈】lǎo shēng cháng tán 成 老書生のありきたりの平凡な話. 誰もが知っているごくありふれた話
★【老师】lǎoshī 名 ❶(教師に対する敬称)先生 ❷(広く知識・教養・技術などをもつ人に対する敬称)先生

> **類義語** 老师 lǎoshī 教师 jiàoshī 教员 jiàoyuán
> ◆〔老师〕幼稚園や学校の先生をさす ‖ 历史老师 歴史の先生 ◆〔教师〕職業として「先生」をさす. 〔老师〕は広く話し言葉で使われ, 〔教师〕は正式でやや固い ‖ 英语教师 英語の先生. 英語教師 ◆〔教员〕学校の中で教学を担当する人をさす ‖ 汉语教员 中国語担当の教員 ◆〔老师〕は単独で呼びかけに用いたり, 名前の後につけられるが, 〔教师〕〔教员〕はできない.

【老师傅】lǎoshīfu 名 (技能に優れた年輩者に対する敬称)親方. 師匠
⁑【老实】lǎoshi 形 ❶まじめである. 誠実である. 正直である ‖ 厚道～的小伙子 人情に厚く実直な若者 ❷おとなしい. 温順である ‖ 老老实实地过日子 分を守って暮らす ❸婉 ばか正直である. 気が利かない
【老实巴交】lǎoshibājiāo 形 方 きまじめである. 真っ正直である
【老实说】lǎoshi shuō 組 実を言えば. 正直なところ ‖ ～, 这事是你不对 率直なところ, この件は君が悪い
【老式】lǎoshì (～ㄦ) 形 旧式の. 昔風の ↔〔新式〕
⁑【老是】lǎoshi ; lǎoshì 副 いつでも. ずっと ‖ 妹妹这几天～愁chóu眉苦脸的 妹はここ数日ずっと浮かない顔をしている
【老手】lǎoshǒu (～ㄦ) 名 熟練者. ベテラン ‖ 情场～ 男女の機微を知り尽くした人
【老寿星】lǎoshòuxing 名 ❶(長寿の老人に対する尊称)ご老人 ❷老人星. 南極星
*【老鼠】lǎoshǔ 名 ネズミ ‖ ～洞dòng ネズミの巣 | 米～ ミッキー・マウス
【老鼠过街, 人人喊打】lǎoshu guò jiē, rénrén hǎn dǎ 歇 ネズミが通りを横切ると, 誰もが「それ, やっつけろ」と叫ぶ. 誰からも憎まれる人物や事物をたとえる
【老死不相往来】lǎo sǐ bù xiāng wǎng lái 成 互いにまったく接触がない. なんらの付き合いもない
*【老太婆】lǎotàipó 名 老婆. 老女. おばあさん
⁑【老太太】lǎotàitai 名 ❶(老婦人に対する敬称)おばあさん. おばあさま ❷(相手または自分の年老いた母親をいう)お宅のお母さま. うちの母
【老太爷】lǎotàiyé 名 ❶(老人に対する敬称)おじいさん. おじいさま ❷(相手または自分の年老いた父親をい

う)お宅のお父さま. うちの父
【老态龙钟】lǎo tài lóng zhōng 成 年をとってよぼよぼしている
【老汤】lǎotāng 名 ❶ニワトリ・ブタなどの肉を何回も煮出した濃いスープ ❷方 年数のたった漬物の漬け汁
*【老天爷】lǎotiānyé 名 お天道さま. 神さま ‖ ～有眼, 让我大难dànàn不死 お天道さまのおかげで, なんとか命拾いした 感 (驚嘆を表す)おや！あれ！
**【老头ル】lǎotóur 名 じいさん. じじい
【老头ル乐】lǎotóurlè 名 (背中をかく道具)孫の手
【老头子】lǎotóuzi 名 ❶(年取った男性に対する多く嫌悪の情を含んだ呼称)じいさん. じじい ❷(老妻の老夫に対する呼称)じいさん. あんた ❸旧 (秘密結社の首領に対する呼称)かしら. 親分. ボス
【老外】lǎowài 名 口 ❶しろうと ❷外国人
【老顽固】lǎowángu ; lǎowángù 名 頑固者. 頭がこちこちの人間. 分からず屋
【老翁】lǎowēng 名 書 老人. おきな. おじいさん
【老挝】Lǎowō 名 〈国名〉ラオス
【老窝】lǎowō 名 ❶鳥や獣の巣 ❷悪人の巣窟(そうくつ)
*【老乡】lǎoxiāng 名 ❶同郷人 ❷見知らぬ農民に対する呼称
【老相识】lǎoxiāngshí 名 ずっと以前からの知り合い
【老相】lǎoxiang ; lǎoxiàng 形 老けて見える ‖ 长得～ 顔立ちが老けている
【老小】lǎoxiǎo 名 老人と子供. 広く家族をさす
【老兄】lǎoxiōng 名 (男性の友人や知人間の敬称)君. 貴兄
【老羞成怒】lǎo xiū chéng nù 成 恥ずかしさのあまり怒り出す
【老朽】lǎoxiǔ 形 ❶老いぼれている. もうろくしている ❷ひどく古びている. ぼろぼろである 名 謙 (老人の自称)愚老. 老いぼれ
【老鸦】lǎoyā 名 方 カラス
【老眼光】lǎoyǎnguāng 名 昔と変わらない物の見方や考え方
【老眼昏花】lǎo yǎn hūn huā 成 老眼のために物がかすんで見える
【老样子】lǎoyàngzi 名 これまでどおりの様子. 相変わらずの状態 ‖ 屋里干净了两天, 又恢复～了 部屋はしばらくはきれいに片付いていたが, またもや元どおりになってしまった
*【老爷】lǎoye 名 旧 (役人・権力者・主人に対する呼称)旦那(だんな)さま. ご主人さま 形 (自動車などの型式かたちが)古い. 時代後れの ‖ ～车 時代後れの乗用車
【老爷们ル】lǎoyémenr 名 方 ❶(一人前の)男 ❷夫
【老爷爷】lǎoyéye 名 ❶曾祖父(そうそふ). ひいおじいさん ❷(子供の年寄りに対する敬称)おじいさん
【老爷子】lǎoyézi 名 口 ❶(年とった男性に対する敬称)ご老人. おじいさん ❷(自分または相手の年老いた父親をいう)おやじ. おやじさん ‖ 我们家～ うちのおやじ
*【老一辈】lǎoyībèi 名 一つ前の世代 ‖ ～革命家 一世代前の革命家
【老一套】lǎoyītào 名 古臭い方法. 相変わらずのやり方. 常套(じょうとう)手段.〔老套〕ともいう
【老鹰】lǎoyīng 名 俗 トビ. トンビ
【老营】lǎoyíng 名 旧 ❶駐屯地 ❷(匪賊ひぞくや悪党の)根城. 巣窟
【老油条】lǎoyóutiáo =〔老油子lǎoyóuzi〕
【老油子】lǎoyóuzi 名 海千山千. 古だぬき. したたか者.〔老油条〕ともいう
【老于世故】lǎo yú shì gù 成 貶 世故にたけている
【老玉米】lǎoyùmi 名 方 トウモロコシ
【老妪】lǎoyù 名 書 老婦人. 老女 ↔〔老翁〕
【老远】lǎoyuǎn 形 非常に遠い
【老早】lǎozǎo 形 ずっと以前である. ずっと早い
【老丈】lǎozhàng 名 書 (老人に対する尊称)ご老人. ご老体
【老丈人】lǎozhàngren 名 妻の父. 岳父 =〔岳父〕
【老账】lǎozhàng 名 ❶古い債務 ❷喩 これまでのいざこざ ‖ ～新账一块ル算 昔の恨みつらみも今のいざこざも一緒に片を付ける｜翻～ 昔の事を蒸し返す
【老者】lǎozhě 名 書 老人. 年寄り
【老着脸皮】lǎozhe liǎnpí 慣 恥を顧みず. 厚かましく
【老字号】lǎozìhao 名 老舗(しにせ)
【老子】lǎozi 名 口 ❶父親. おやじ ❷我が輩. おれさま ‖ ～不吃你这一套！ おれさまはお前のそんな手には乗らないぞ
【老总】lǎozǒng 名 ❶旧 (一般軍人に対する呼称)軍人さん. 兵隊さん ❷中国人民解放軍の総司令官に対する敬称 ‖ 朱～ 朱(徳)司令官｜彭Péng～ 彭(徳懐)司令官 ❸企業の〔总经理〕(社長)をさす
【老祖宗】lǎozǔzong 名 一族の祖. ご先祖さま

8 **佬** lǎo (軽蔑の意を含んで)男 ‖ 阔kuò～ 金持ち. お大尽｜美国～ ヤンキー

9 **姥** lǎo ↴

*【姥姥】lǎolao 名 口 母方の祖母. 外祖母. おばあさん
【姥爷】lǎoye 名 口 母方の祖父. おじいさん

10 **栳** lǎo ➡〔栲栳kǎolǎo〕

11 **铑** lǎo 名〈化〉ロジウム(化学元素の一つ, 元素記号は Rh)

15 **潦** lǎo 書 ❶雨がひどく降るさま ❷雨の後にあふれた水 ➤ liáo

lào

9 **络** lào ↴ ➤ luò

【络子】làozi 名 ❶(糸やひもで編んだ)編み袋 ❷糸巻き ‖ 用～绕rào线 糸巻きで糸を巻く

10 * **涝**(澇) lào ❶動 (雨のために作物が)水浸しになる. 冠水する ↔〔旱hàn〕‖ 庄稼～了 農作物が水浸しになった ❷田畑の冠水
【涝害】làohài 名 冠水による農作物の被害
【涝灾】làozāi 名 冠水による農作物の被害

10 **唠**(嘮) lào 動 方 話す. しゃべる ➤ láo

【唠嗑】lào//kē (～ル) 動 方 世間話をする. むだ口をたたく

10 **烙** lào ❶動 こてを当てる. アイロンをかける. (熱した鉄で)焼き印を付ける ❷動 (小麦粉を練ったものを平らにのばして)フライパンで焼く ‖ ～馅ル饼xiànrbǐng 肉野菜のあん入りの餅(ピン)を焼く
【烙饼】làobǐng 名 こねた小麦粉に油や塩を加えて丸くのばし, 鉄板で焼き上げた食品

L

【烙花】lào//huā 動（美術工芸の一種）焼きごてで木製や竹製の器物の表面に模様を付ける.〔烫tàng花〕ともいう

【烙铁】làotie 名 ❶火のし. 焼きごて ❷ハンダごて

【烙印】làoyìn 名 烙印 ‖ 打上了不可磨灭mómiè的～ 消しようのない烙印を押した 動 烙印を押す

12 **落** lào 口 意味は〔落 luò❶❷❼❽❾〕に同じで, 多く話し言葉に用いる ➤ là luò

【落不是】lào bùshi 組 批判を受ける. あれこれ言われる. とがめだてされる ‖ 我是为他好, 却落了一身不是 私は彼によかれと思ってやったのに, 逆に非難されてしまった

【落汗】lào//hàn 動 口 汗がひく. 汗がおさまる

【落价】lào//jià （～儿）動 口 値段が下がる. 値下がりする

【落忍】làorěn 動 方 気にしない. 平気である.（ふつう否定に用いる）‖ 让您这么操心, 真不～呀 そんなにお手数をおかけしては, こちらの気がすみませんよ

【落色】lào//shǎi 動（布や衣服などの）色が落ちる. 色あせする

【落枕】lào//zhěn 動 首を寝違える

13 **耢**（耮）lào ❶名 籐（とう）またはいばらを編んで長方形にした畑などの土をならす農具.〔耱mò〕〔盖〕ともいう ❷動〔耢〕で土をならす

13 **酪** lào ❶ウシやヒツジなどの乳を半凝固させた食品 ‖ 奶～ ヨーグルト状の食品 | 干～ チーズ ❷果物などで作るゼリー状の食品

lē

6 **肋** lē ↴ ➤ lèi

【肋脦】lēde ; lēte 形 方 服装がきちんとしていない. 格好がだらしない

lè

5 * **乐**（樂）lè ❶形 楽しい. 嬉しい. 喜ばしい ‖ ～得嘴都合不上了 嬉しくてにこにこし通しだった ❷楽しみ ‖ 一～儿 ❸喜んで…する. …するのが好きである ‖ 一～于 ❹動 笑う ‖ 你～什么呀？ あなたは何を笑っているの ➤ yuè

【乐不可支】lè bù kě zhī 成 嬉しくてたまらない

【乐不思蜀】lè bu sī Shǔ 成 楽しさのあまり故郷に帰ることを忘れる. 快楽に浸り根本を忘れる

【乐此不疲】lè cǐ bù pí 成 楽しくて疲れを感じない

【乐得】lèdé 動 喜んでする. これ幸いと…する

【乐观】lèguān 形 **楽観的である ↔〔悲观〕‖ 大家对公司前景都很～ みんなは会社の今後の見通しにたいへん楽観している

【乐观主义】lèguān zhǔyì 名 楽観主義

【乐呵呵】lèhēhē （～的）形 楽しそうである. 嬉しそうである ‖ 她成天～的 彼女はいつもにこにこしている

【乐和】lèhe 形 方（多く生活が）楽しい. 幸せである

【乐极生悲】lè jí shēng bēi 成 楽しみ極まりて悲しみを生ず. 幸福の絶頂のとき悲しい出来事が起きる

*【乐趣】lèqù 名 楽しみ. 喜び. 面白み ‖ 读书的～ 読書の楽しみ

【乐儿】lèr 名 ❶楽しみ ‖ 逗dòu～ おどける | 找～ 気晴らしする ❷物笑いの種. 笑い物

【乐融融】lèróngróng 形 和気藹々（わきあいあい）としている

【乐善好施】lè shàn hào shī 成 喜んで慈善を施す. 進んで喜捨する. 気前よく金を出す

【乐事】lèshì 名 喜び. 楽しみ

【乐陶陶】lètáotáo 形 書 この上なく楽しいさま.

【乐天】lètiān 動 楽天的である ‖ ～派 楽天家

【乐天知命】lè tiān zhī mìng 成 楽観的で運命に安んずる

【乐土】lètǔ 名 楽土. 楽園. パラダイス

*【乐意】lèyì 動 …したいと思う. …するのを喜ぶ ‖ 大家都～帮助她 みんな喜んで彼女を助けている 形 満足である. うれしい ‖ 你说话太直, 他听了当然不～ 君はものをはっきり言いすぎる, 彼が気を悪くするのはもっともだ

【乐悠悠】lèyōuyōu （～的）形 ゆったりと余裕のある. 悠々自適の ‖ 日子过得～的 暮らしに余裕がある

【乐于】lèyú 動 書 喜んで…する

【乐园】lèyuán 名 楽園. パラダイス ‖ 儿童～ 遊園地

【乐滋滋】lèzīzī （～的）形 口 嬉しくて浮き浮きするさま

【乐子】lèzi 名 方 ❶楽しみ ❷物笑いの種. 笑い物

5 **叻** lè シンガポールの別称 ‖ ～埠bù シンガポールの旧称 | 石～ 同前 | ～币 シンガポール・ドル

7 **泐** lè 書 ❶彫る. 刻む ‖ ～碑 碑文を刻む ❷（多く手紙を）書く ‖ 手～ 自筆. 手書き

11 **勒**[1] lè ❶書 馬のくつわ ❷手綱を引き締める ‖ ～马收缰jiāng ウマの手綱を引き締める ❸強制する. 無理強いする ‖ 一～令

11 **勒**[2] lè 書 彫る. 刻む ‖ ～石 石に彫る

11 **勒**[3] lè 量〈物〉ルクス（照度の単位）.〔勒克斯〕の略 ➤ lēi

【勒逼】lèbī 動 強制する. 強要する. 無理強いする

【勒令】lèlìng 動 命令によって強制的に…させる ‖ ～退学 強制退学させる | ～停刊 発禁を命じる

【勒派】lèpài 動 強制的に割り当てる

【勒索】lèsuǒ 動 おどし取る. 巻き上げる ‖ 敲诈qiāozhà～ 恐喝して巻き上げる

19 **鳓** lè 名〈魚〉ヒラ. ふつうは〔鳓鱼〕という.〔鲙kuài鱼〕〔白鳞鱼〕〔曹白鱼〕ともいう

le

2 ★ **了** le ❶助 ①文中の動詞・形容詞の後に置き, **動作や状態の実現・完了を示す** ‖ 我给他打～电话 私は彼に電話した | 最近又胖～三公斤 最近また3キロ太った ②文中の動詞の後に置き, **動作の未来における実現を仮定する** ‖ 雨停～再走 雨がやんだら出かけよう ❷助 文末・句末に置き, 確定の語気を表す ①**新しい状況が発生したことやまさに発生しようとしていることを示す** ‖ 刮风～ 風が出てきた | 快十二点～ もう12時になる ②**ある条件のもとにある状況が発生することを示す** ‖ 你一看就明白～ 見ればすぐ分かる ③**状況に変化が生じたことを確認する** ‖ 我不想去～ 私は行きたくなくなった ❸助 動詞・形容詞の後に置き, **催促または制止を示す** ‖ 走～, 走～！ さあ行った, 行った！ | 别哭～！ もう泣かなくていい ❹助 文末・句末に置き, **感嘆の語気を表す**. 多く〔可〕〔太〕などと呼応する ‖ 这孩子可懂事～ この子はとても利口だ ❺助（消失を表す動詞の後に置き, 動作の結果を示す）…してしまう. …やってしまう ‖ 托你办的事别忘～ 君に頼

んだこと忘れないでくれよ ➤liǎo

lēi

11 **勒** lēi 動（縄などで）きつく縛る．しっかり締める‖～紧鞋带 靴のひもをしっかり締める ➤lè

【勒脖子】 lēi bózi 組 首を締める．（襟ぐりが小さくて）首が苦しい

【勒紧裤腰带】 lēijǐn kùyāodài 慣 ズボンの帯をきつく締める．飢えを耐え忍ぶこと

léi

11 **累**（纍）léi 書 ❶太い縄．綱 ❷縄で縛る ➤lěi lèi

【累累】[1] léiléi 形 書 やつれ果てて元気のないさま．がっくり気落ちしたさま ➤lěilěi

【累累】[2] léiléi 形 書 物が多く連なっているさま‖硕果shuòguǒ～ 多くの成果が得られたことのたとえ ➤lěilěi

【累赘】【累坠】 léizhui 形 ❶（余分などで）煩わしい．足手まといである‖我嫌xián孩子～，没带来 子供がじゃまになるから連れてこなかった ❷（文章が）くどい．しつこい 動 手数をかける．煩わせる 图 足手まとい．お荷物‖不仅没帮上忙，反而成了你的～ お手伝いできなかったばかりかかえって足手まといになってしまった

13 ** **雷** léi ❶图 雷‖打～ 雷が鳴る ❷图〈軍〉地雷や水雷などの爆破性火器‖地～ 地雷｜扫～ 地雷や水雷を取り除く

*【雷达】 léidá 图 外〈電〉レーダー

【雷打不动】 léi dǎ bù dòng 成 固く守り抜き，何事があっても変更しない．やり抜く決意の固いこと

【雷电】 léidiàn 图 雷電．雷と稲妻

【雷动】 léidòng 動 書 雷のように鳴り響く‖掌声～ 拍手が万雷のように鳴りわたる

【雷公】 Léigōng 图 雷さま．雷神‖～打豆腐，拣jiǎn软的欺qī 雷が豆腐を打つように弱い者いじめをする

【雷击】 léijī 動 落雷する．雷が落ちる

【雷厉风行】 léi lì fēng xíng 成 疾風迅雷．（政策や法令などを）厳格かつ迅速に執行するたとえ

【雷鸣】 léimíng 動 雷が鳴る‖～般的掌声 嵐（あらし）のような拍手

【雷鸟】 léiniǎo 图〈鳥〉ライチョウ

【雷区】 léiqū 图 触れてはいけない部分．デリケートな部分‖职场上的心理～ 職場における心理的タブー

【雷声大，雨点小】 léishēng dà, yǔdiǎn xiǎo 慣 雷鳴は大きいが，雨は少しだけ．掛け声ばかりで行動が伴わないことのたとえ

【雷霆】 léitíng 图 書 ❶激しい雷 ❷喩 威圧．激怒‖大发～ かんかんになって怒る

【雷霆万钧】 léi tíng wàn jūn 成 力がきわめて大きいことのたとえ

【雷同】 léitóng 動 書 附和雷同する．定見がなくむやみに賛同する

*【雷雨】 léiyǔ 图〈気〉雷雨

【雷阵雨】 léizhènyǔ 图〈気〉雷を伴うにわか雨

14 **嫘** léi 人名用字

14 **缧** léi 捕り縄

【缧绁】 léixiè 图 書 捕り縄．牢獄をさす

16 **擂** léi ❶動（鼓を）打つ．たたく‖～鼓 太鼓をたたく ❷すりつぶす‖～钵bō すり鉢 ➤lèi

17 **檑** léi 古 城壁などの高所から敵に向かって丸太を落とす戦法‖～木 投下する丸太

18 **镭** léi 图〈化〉ラジウム（化学元素の一つ，元素記号は Ra）

19 **羸** léi 書 痩せる．やつれる

【羸弱】 léiruò 形 書 痩せて弱々しい

lěi

6 **耒** lěi 古 ❶（農具の）すきの柄 ❷すき

【耒耜】 lěisì 图 古 すき．または，農具の総称

8 **诔** lěi 古 ❶（多く下位の者に対して）死者の功徳をたたえ哀悼する ❷故人を哀悼する文章

9 **垒**（壘）lěi ❶砦（とりで）‖堡bǎo～ 堡塁（ほうるい） ❷動（れんがや石などを）積み上げる．（石垣や壁を）築く ❸图〈体〉（野球などの）ベース‖本～ ホーム・ベース

【垒球】 lěiqiú 图〈体〉❶ソフトボール ❷ソフトボールの球

11 **累**[1]（纍❶）lěi ❶積み重ねる‖积～ 累積する ❷連続する．つながる‖长年～月 長い年月 ❸たびたび．しばしば‖～教jiào不改 いくら戒めても改めない ❹〔垒lěi❷〕に同じ

11 **累**[2] lěi 巻き込む．巻き添えにする‖连～ 累を及ぼす｜受～ 巻き添えを食う ➤léi lèi

【累次】 lěicì 副 たびたび．何度も

【累犯】 lěifàn 图 常習犯

【累积】 lěijī 動 積み重ねる．積み立てる．累積する

【累及】 lěijí 動 巻き添えにする

【累计】 lěijì 動 累計する

【累进】 lěijìn 動 累進する‖～率 累進率

【累进税】 lěijìnshuì 图 累進課税

【累累】 lěilěi 副 しばしば．たびたび 形 積み重なるさま．次々と連なるさま‖罪行～ 罪行が山ほどある ➤léiléi

【累卵】 lěiluǎn 图 書 累卵（るいらん）．きわめて危険なことのたとえ

【累年】 lěinián 動 年を重ねる．年々

【累世】 lěishì 動 代を重ねる．代々

15 **磊** lěi ↴

【磊落】 lěiluò 形 書 細かい事にこだわらず，大らかである．大らかで隠し事をしないさま‖光明～ 光明正大である

16 **蕾** lěi 花のつぼみ‖花～ つぼみ｜蓓bèi～ つぼみ

【蕾铃】 lěilíng 图〈農〉ワタのつぼみと実

17 **儡** lěi ➡〔傀儡kuǐlěi〕

lèi

6 **肋** lèi 图 胸の両わき．あばら‖两～ 両方のあばら｜左～ 左わき ➤lē

【肋骨】 lèigǔ 图〈生理〉肋骨．あばら骨

【肋膜】 lèimó 图〈生理〉肋膜（ろくまく） =〔胸膜〕‖～炎yán 肋膜炎

【肋条】 lèitiao ; lèitiáo 图 方 ❶肋骨 ❷〈料理〉あばら肉．スペアリブ

L

8 **泪**(^△^淚) **lèi** 名 涙‖眼～ 涙｜落luò～ 涙をこぼす

【泪痕】lèihén 名 涙の跡

【泪花】lèihuā (～儿) 名 目にあふれる涙. 涙のしずく

【泪涟涟】lèiliánlián 形 涙の止まらないさま

【泪人儿】lèirénr 名 とめどなく泣いている人. 激しく泣いている人‖她哭成了个～ 彼女は涙に泣きぬれていた

【泪水】lèishuǐ 名 涙

【泪汪汪】lèiwāngwāng (～的) 形 目に涙をいっぱい浮かべているさま‖两眼～的 目に涙があふれている

【泪腺】lèixiàn 名〈生理〉涙腺(るいせん)

【泪眼】lèiyǎn 名 涙でうるんだ目. 涙ぐんだ目

【泪液】lèiyè 名〈生理〉涙液. 涙

【泪珠】lèizhū (～儿) 名 涙のつぶ. 涙のしずく

9 ** **类**(類) **lèi** ❶名 **たぐい. 種類**‖种～ 種類 ❷似る. 類似する‖一～人猿

【类比】lèibǐ 動 類比する. 比べ合わせる. 類推する

【类别】lèibié 名 類別. 部類. 分類

【类地行星】lèidì xíngxīng 名〈天〉地球型惑星

【类固醇】lèigùchún 名〈化〉ステロイド

【类乎】lèihu 動 書 …に似ている. …のたぐいである

【类激素】lèijīsù 名 環境ホルモン. 〔环境激素〕ともいう

【类木行星】lèimù xíngxīng 名〈天〉木星型惑星

【类人猿】lèirényuán 名〈動〉類人猿

*** 【类似】lèisì** 動 類似する‖防止～事故再次发生 類似した事故の再発を防ぐ

【类同】lèitóng 動 類似する. 同様である

【类推】lèituī 動 書 類推する‖其余可以～ その他は推して知るべし

*** 【类型】lèixíng** 名 類型. 型. タイプ‖不同～的人 違うタイプの人

11 ★ **累** **lèi** ❶形 **疲れる. 疲労する**‖我走～了 私は歩き疲れた ❷動 **疲れさせる**‖～脑子的活儿 頭を使う仕事 ❸動 **あくせく働く. 働き通しになる**‖～了一天，早点睡吧 一日中働き詰めだったから, 早く寝なさい ➤ léi lěi

【累活】lèihuó (～儿) 名 きつい仕事. 骨の折れる仕事. 力仕事

【累人】lèi//rén 動 (人に)苦労をかける. 骨を折らせる‖这孩子真～ この子はほんとに世話を焼かせる

【累死累活】lèi sǐ lèi huó 慣 死ぬ思いで働く. へとへとになるまで働く

14 **酹** **lèi** 書 (祭祀(さいし)や誓いのために)地面に酒を注ぐ

16 **擂** **lèi** 演武台‖一～台｜打～ 競技に応じる ➤ léi

【擂台】lèitái 名 演武台. 転 試合や競争の場‖打～ 試合に参加する. 競争に加わる｜摆～ 挑戦する

【擂台赛】lèitáisài 名 (スポーツ・囲碁などの)勝ち抜き戦. トーナメント

lei

14 **嘞** **lei** 動 断定や相手に注意を促す比較的軽い語気を表す‖行～，您就放心吧 よし, もう心配要らないよ

lēng

12 **棱** **lēng** ➡〔扑棱pūlēng〕 ➤ léng líng

léng

12 **塄** **léng** 方 田畑の周囲の低い土手‖～坎kǎn 土手とあぜ

12 **棱**(^△^稜) **léng** ❶名 (～儿)棱(りょう). 角‖桌子～儿 テーブルのへり ❷名 細長く盛り上がった部分. うね. 筋‖瓦wǎ～ かわら屋根のうね ➤ lēng líng

【棱角】léngjiǎo 名 ❶角 ❷喩 才気. 頭のよさ. かどかどしさ‖不露lù～ 才気を表に出さない

【棱镜】léngjìng 名〈物〉プリズム. 〔三棱镜〕ともいう

【棱台】léngtái 名〈数〉角錐台

【棱柱】léngzhù 名〈数〉角柱

【棱锥】léngzhuī 名〈数〉角錐

【棱子】léngzi 名 方 角. へり. 縁

13 **楞** **léng** 〔棱léng〕に同じ

lěng

7 ★ **冷** **lěng** ❶形 **寒い. 冷たい** ↔〔热〕‖外面～，多穿点衣服 外は冷えるから多めに着ていきなさい ❷形 **冷淡である. 冷ややかである**‖一～遇 ❸さびれている. ひっそりしている‖一～清 ❹辺鄙(へんぴ)である. 見かけない‖一～僻 ❺突然の. 不意の‖一～不防 ❻形 人気がない. 注目されない‖一～门 ❼形 喩 がっかりするさま. 気落ちするさま‖听了这话，她的心～了半截jié この話を聞き, 彼女はすっかり気落ちした

> **類義語** 冷 lěng 凉 liáng
>
> ◆〔冷〕気温や温度が低いことを表す. 寒い. 冷たい‖下雪天，天气真冷 雪の日はとても寒い ◆〔凉〕気温や温度が低いことを表す. 涼しい. 冷たい. 温度は〔冷〕ほど低くない. 「冷たい」ことを言う場合, 一般的に気候以外では〔凉〕を用いることが多い‖天凉了 涼しくなった｜她的手很凉 彼女の手は冷たい｜菜早凉了 料理はとっくに冷めてしまった

【冷板凳】lěngbǎndèng 名 冷たい腰掛け. 転 閑職や冷遇のたとえ‖坐～ 冷遇される

【冷冰冰】lěngbīngbīng (～的) 形 氷のように冷たい‖态度～的 態度が冷ややかである

【冷兵器】lěngbīngqì 名 (銃砲類の兵器に対して)刀剣類の武器

【冷不丁】lěngbudīng 副 方 不意に. 出し抜けに

【冷不防】lěngbufáng 副 不意に. 出し抜けに‖～窜cuàn出一个人来，吓了我一跳 不意に人が飛び出してきたので, ぎょっとしてしまった

【冷餐】lěngcān 名 バイキング料理

【冷藏】lěngcáng 動 冷蔵する‖～库 冷凍倉庫

【冷场】lěng//chǎng 動 ❶〈劇〉役者が舞台に出遅れたり, 台詞(せりふ)を忘れたりして芝居が一時止まる. 舞台がしらける ❷(討論会などで)全員沈黙して座がしらける

【冷嘲热讽】lěng cháo rè fěng 成 辛辣(しんらつ)な嘲

笑や風刺
【冷处理】lěngchǔlǐ 名 ❶〈機〉冷間処理 ❷喩 冷却期間を置いて処理すること
【冷待】lěngdài 動 冷遇する. 冷たくあしらう
*【冷淡】lěngdàn 形 ❶さびれている. 盛んでない. ひっそりしている ❷冷淡である. 無関心である ↔〔亲热〕‖ 反应～ たいした反応がない 動 冷遇する
【冷点】lěngdiǎn 名 人気がなく, さびれた場所や事物 ↔〔热点〕
【冷碟ㄦ】lěngdiér 名 方 (小皿盛りの)冷菜. 前菜
【冷冻】lěngdòng 動 冷凍する. 凍結する ‖ ～食品 冷凍食品
【冷风】lěngfēng 名 ❶冷たい風. 寒風 ❷(陰で言い触らす)冷やかし. 皮肉. 陰口 ‖ 吹～ 陰で中傷する
【冷锋】lěngfēng 名〈気〉寒冷前線
【冷敷】lěngfū 動〈医〉冷湿布する. 冷罨法(れいあんぽう)をする
【冷宫】lěnggōng 名 君主の寵愛(ちょうあい)を失った后妃の居所 ‖ 被打入～ お蔵入りにされる
【冷孤丁】lěnggūdīng 副 方 不意に. 出し抜けに
【冷光】lěngguāng 名〈物〉冷光. ルミネッセンス
【冷柜】lěngguì 名 冷凍ショーケース. 冷蔵庫
【冷汗】lěnghàn 名 冷や汗 ‖ 吓出了一身～ びっくりして冷や汗をかいた
【冷话】lěnghuà 名 冷淡な言葉. 水をさす言い方
【冷荤】lěnghūn 名 肉類の冷たい前菜
【冷货】lěnghuò 名 売れ行きの悪い商品. 人気のない商品. 〔冷门货〕ともいう
【冷寂】lěngjì 形 書 ひっそりともの寂しい
【冷箭】lěngjiàn 名 不意打ち. 陰口. 中傷
【冷噤】lěngjìn 名 身震い ‖ 打～ 身震いする
*【冷静】lěngjìng 形 ❶冷静である. 落ち着いている ‖ 头脑～ 思考が冷静である ❷もの静かである. ひっそりしている
【冷峻】lěngjùn 形 書 冷たい. 冷厳である
【冷库】lěngkù 名 冷凍倉庫. 〔冷藏库〕ともいう
【冷酷】lěngkù 形 冷酷である. むごい ‖ ～无情 冷酷で思いやりがない
【冷脸子】lěngliǎnzi 名 方 冷ややかな表情
【冷冽】lěngliè 形 寒さの厳しい. 身を切るように冷たい
【冷落】lěngluò 形 さびれている. もの寂しい 動 冷遇する. 粗末に扱う ‖ 被大家～在一旁 みんなからほうっておかれる
【冷眉冷眼】lěngméi lěngyǎn 組 冷ややかで軽蔑したような表情
【冷门】lěngmén (～ㄦ) 名 ❶(試合や賭博などで)番狂わせ ‖ 爆bào出～ 番狂わせが起きた ❷あまり注目されていない分野. 人気のない部門 ↔〔热门〕
【冷门货】lěngménhuò =〔冷货lěnghuò〕
【冷漠】lěngmò 形 冷ややかである. 無関心である. 冷淡である ‖ ～的目光 冷ややかな目つき
【冷暖】lěngnuǎn 名 ❶寒暖. 暑さ寒さ ❷暮らし. 生活 ‖ 关心群众的～ 民衆の生活に気を配る
【冷盘】lěngpán (～ㄦ) 名 (中国風の)オードブル
【冷僻】lěngpì 形 ❶辺鄙(へんぴ)である. さびれている ❷めったに使用されることがないなじみのない(言葉や文字) ‖ 这个字很～ この字はめったに使われない
【冷气】lěngqì 名 ❶冷気. 冷却空気 ❷冷房装置. クーラー ‖ 开～ クーラーを入れる
【冷气团】lěngqìtuán 名〈気〉寒気団
【冷枪】lěngqiāng 名 不意打ち. 奇襲
【冷峭】lěngqiào 形 ❶寒さが厳しく身にしみるさま ❷(態度や言葉が)冷たい. とげとげしている
【冷清】lěngqing 形 もの寂しい. 閑散
【冷清清】lěngqīngqīng (～的) 形 ひっそりともの静かなさま. 寒々ともの寂しいさま ‖ 店里～的, 没有一个顾客 店は閑散として一人の客もいない
*【冷却】lěngquè 動 冷える. 冷やす ‖ ～器 冷却器
【冷热病】lěngrèbìng 名 ❶方 マラリア ❷喩 熱しやすく冷めやすいこと. 気分の変わりやすいこと
【冷若冰霜】lěng ruò bīng shuāng 成 (性格が)氷のように冷たいさま. 冷厳で近寄りがたいこと
【冷色】lěngsè 名〈美〉寒色 ↔〔暖色〕
【冷森森】lěngsēnsēn (～的) 形 冷気がぞくぞく身にしみる. 恐ろしくてぞっとする
【冷杉】lěngshān 名〈植〉モミ
【冷食】lěngshí 名 (アイスキャンデーやアイスクリームなどの)冷たい食品
【冷霜】lěngshuāng 名 コールドクリーム
【冷水】lěngshuǐ 名 冷水. 冷たい水. 生水 ‖ ～澡 冷水浴 | 泼pō～ 冷や水を浴びせかける. 水をさす
【冷丝丝】lěngsīsī (～的) 形 少し寒けがする. うすら寒い. 〔冷丝ㄦ丝ㄦ〕ともいう
【冷飕飕】lěngsōusōu (～的) 形 寒風が強いさま. 風が冷たいさま ‖ ～的北风 身を切るような北風
【冷烫】lěngtàng 動 パーマをかける
【冷天】lěngtiān 名 寒い日. 寒い天気
【冷笑】lěngxiào 動 冷笑する. あざ笑う
【冷血动物】lěngxuè dòngwù 名 ❶冷血動物 ❷喩 冷酷な人間. 感情のない人間
【冷言冷语】lěng yán lěng yǔ 成 風刺やあざけりを含んだ言葉
【冷眼】lěngyǎn 名 ❶冷静な視点. 客観的な見方 ❷冷ややかな目つき. 冷たい視線
【冷眼旁观】lěng yǎn páng guān 成 冷ややかな目で眺める. 冷淡な態度で傍観する
*【冷饮】lěngyǐn 名 冷たい飲み物. 清涼飲料 ↔〔热饮〕‖ ～部 清涼飲料やヨーグルトなどの販売カウンター
【冷硬】lěngyìng 形 ❶(物が)冷えて硬い ❷(態度が)冷たく打ち解けない. かたくなである
【冷遇】lěngyù 名 冷遇. 冷淡なあしらい ‖ 遭到～ 冷たいあしらいを受ける
【冷战】lěngzhàn 名 冷戦 ↔〔热战〕
【冷战】lěngzhan 名 口 (寒さや恐怖による)震え ‖ 吓得浑身húnshēn直打～ ぎょっとして全身が震えた
【冷招】lěngzhāo 名 意表を突くわざ. あまり知られていないテクニック

lèng

12 *愣 lèng ❶動 ぼんやりする. あっけにとられる. ぽかんとする. あきれる ‖ 他～了一会ㄦ才说出话来 彼はしばらくあっけにとられていたが, やっと口をきいた ❷形 口 軽率である. 粗忽(そこつ)である. 無鉄砲である ‖ 一～小子 ❸副 方 強いて. あえて. どうしても ‖ 叫他半天, 他～不出来 ずいぶん呼んだが, 彼はどうしても出てこない
【愣干】lènggàn 動 口 強引にやる. がむしゃらにやる
【愣乎乎】lènghūhū (～的) 形 ❶ぼんやりしているさま. あっけにとられるさま ❷軽はずみである. 向こう見ずである

【愣神ル】lèng//shénr 動 方 ぼんやりする. ぽかんとする
【愣是】lèngshi 副 方 どうしても. 何がなんでも. 強引に
【愣头愣脑】lèng tóu lèng nǎo 組 そそっかしくてがさつである. 後先を考えない
【愣头ル青】lèngtóurqīng 图 方 向こう見ず. 結果を考慮せずに行動する人
【愣小子】lèngxiǎozi 图 口 向こう見ずな若者

lī

10 **哩** lī ↘ ➤li

【哩哩拉拉】līlilālā 形 まばらなさま. とぎれたり続いたりしているさま. ぼつぼつ. ぱらぱら ‖ 开会时, 人总是～的来不齐 会議を開くとき, いつも人がぽつりぽつりで揃わない
【哩哩啰啰】līliluōluō 形 話が長々としてはっきりしないさま. くどくど

lí

L

7 **丽**（麗）lí ❶地名用字 ‖ ～水 浙江省にある県の名 ❷ ➡〔高丽 Gāolí〕 ➤lì

9 **厘**¹（^△釐）lí 動 書 整える ‖ ～定 整えて制定する

9 **厘**²（^△釐）lí ❶量 ①長さの単位. 1〔尺〕の1000分の1 ②重さの単位. 1〔斤〕の1万分の1 ③面積の単位. 1〔亩〕の100分の1 ❷量 利率の単位. 年利1〔厘〕は元金の100分の1. 月利1〔厘〕は元金の1000分の1

⁂【厘米】límǐ 量（長さの単位）センチメートル. 〔公分gōngfēn〕ともいう

10 ★**离**¹（離）lí ❶動 離れる. 分かれる ‖ 他～家已经五年了 彼が家を出てもう5年になる ❷背く. 違える ‖ 一～经叛道 ❸動 欠く. 欠ける ‖ 一～不了 ❹動（距離や時間が）隔たる. 離れている ‖ 车站～这ル有多远？ 駅はここからどれくらい離れているか｜～开车只有两分钟了 発車まであと2分しかない

10 **离**²（離）lí 图 八卦(はっ)の一つ, 離(り). ☲で示し, 火を表す ➡〔八卦bāguà〕

【离岸价格】lí'àn jiàgé 图〈貿〉FOB価格. 本船渡し値段
*【离别】líbié 動（慣れ親しんだ人や土地と）別れる. 離別する ‖ ～故乡 故郷を離れる
*【离不开】líbukāi 動 切り離せない. 離れられない ‖ 这孩子还～父母 この子はまだ両親から離れられない
【离不了】líbuliǎo 動 欠かせない. 欠くことができない
【离愁】líchóu 图 離別の悲しみ. 離愁
【离岛】lídǎo 图（大きな島の周囲の）小島
【离队】lí//duì 動 隊列を離れる. 職場を離れる
【离格ル】lí//gér 形 常軌を逸している. 常識を外れている ‖ 他办的这事ル太～了 彼のやった事はでたらめすぎる
【离合器】líhéqì 图〈機〉クラッチ
⁂【离婚】lí//hūn 動 離婚する ‖ 他～了 彼は離婚した｜离过婚 離婚歴がある｜闹～ 離婚騒ぎをする
【离间】líjiàn 動 離間させる. 仲たがいさせる ‖ 挑拨tiǎobō～ けしかけて仲たがいさせる
【离解】líjiě 動〈化〉解離する
【离经叛道】lí jīng pàn dào 成（儒教の）経典に背き道に逆らう. 伝統に反逆すること
★【离开】lí//kāi 動 立ち去る. 離れる. 離す. 別れる ‖ ～故乡 故郷を離れる｜～父母 両親と別れる
【离谱】lí//pǔ（～ル）形 常軌を逸している. 常識はずれである ‖ 他越说越～了 彼は話せば話すほど脱線していく
【离奇】líqí 形 不思議である. 奇異である. 突飛である
【离弃】líqì 動 捨てる. 見離す. 放棄する
【离情】líqíng 图 別離の情
【离群索居】lí qún suǒ jū 成 仲間から離れて孤独に生きる
【离任】lí//rèn 動 離任する. 任務や任地から離れる
【离散】lísàn 動 離散する. 分かれてばらばらになる
【离世】líshì 動 婉 この世を去る. 他界する
【离题】lí//tí 動（話や議論が）本筋からそれる. 脱線する ‖ 话说得～了 話をしているうちに本題からそれてしまった
【离题万里】lí tí wàn lǐ 成（話や文章の内容が）本筋から遠く離れる. 主題から遠く離れる
【离乡背井】lí xiāng bèi jǐng ＝〔背井离乡 bèi jǐng lí xiāng〕
【离心】líxīn 動 ❶気持ちが揃わない. 心が離れる ❷中心から遠ざかる ‖ ～作用 遠心作用
【离心泵】líxīnbèng 图〈機〉遠心ポンプ
【离心机】líxīnjī 图〈機〉遠心分離機
【离心离德】lí xīn lí dé 成 団結せず不和反目する
【离心力】líxīnlì 图〈物〉遠心力 ↔〔向心力〕
*【离休】lí//xiū 動（1949年以前に革命に参加した一定以上の地位のある者が地位はそのままで）離職休養する. 引退する ‖ ～老干部 引退した幹部

> **類義語** 离休 líxiū 退休 tuìxiū 退职 tuìzhí 辞职 cízhí
>
> ◆〔离休〕一定の地位から引退する. 新中国成立以前から中国共産党の仕事に従事し, 一定の地位にあった者を対象とする ‖ 他离休后每年都去旅游 彼は引退してから毎年旅行に行っている ◆〔退休〕定年退職する ‖ 退休后在家养花 退職したら家で花を育てる ◆〔退职〕退職する. 定年になる前に, 怪我や病気のために退職する場合をいう ‖ 他受伤后退职在家 彼は怪我をしたあと仕事をやめて家にいる ◆〔辞职〕辞職する. 自分の意志で仕事をやめる ‖ 他辞职单干了 彼は仕事をやめて独立した

【离异】líyì 動 書 離婚する
【离辙】lízhé 動 口 正しい道から離れる
【离职】lí//zhí 動 ❶一時的に職務から離れる ‖ ～学习 一時期職場を離れ勉強する ❷退職する
【离子】lízǐ 图〈物〉イオン

10 **狸**（^△貍）lí ↘

【狸猫】límāo 图〈動〉ベンガルヤマネコ ＝〔豹bào猫〕

10 **骊**（驪）lí 書 黒い馬

11 ⁂**梨**（^△棃）lí 图〈植〉ナシ. ナシの実

【梨膏】lígāo 图 ナシで作った咳止(せき)めシロップ
【梨园】líyuán 图 書 梨園(りえん). 伝統劇の世界や劇場をさす
【梨园戏】líyuánxì 图〈劇〉福建省南部の地方劇
【梨园子弟】líyuán zǐdì 图 旧 役者. 俳優

11* **犁**（△犂）lí ❶图（農具の）すき ❷動（すきで土を）すく ‖ ～地 田畑をすき起こす
【犁铧】líhuá 图〈農〉すきの刃.〔铧〕ともいう
12 **喱** lí ➡〔咖喱gālí〕
12 **鹂**（鸝）lí ➡〔黄鹂huánglí〕
13 **漓**¹ lí ➡〔淋漓línlí〕
13 **漓**²（灕）lí 地名用字 ‖ ～江 広西チワン族自治区にある川の名
13 **缡** lí 古 花嫁が身につけた布 ‖ 结～ 嫁に行く
13 **蜊** lí ➡〔蛤蜊gélí〕
14 **嫠** lí ↴
【嫠妇】lífù 图書 寡婦. 後家
14 **璃**（△琍 瓈）lí ➡〔玻璃bōli〕〔琉璃liúli〕
15 **鲡**（鱺）lí ➡〔鳗鲡mánlí〕
15 **黎** lí ❶書 人が多い ‖ 一～民 ❷及ぶ. 近づく ‖ 一～明
【黎巴嫩】Líbānèn 图〈国名〉レバノン
【黎黑】líhēi ＝〔黧黑líhēi〕
【黎民】límín 图書 民衆. 庶民 ‖ ～百姓 庶民
*【黎明】límíng 图 黎明（れいめい）. 明け方. 夜明け. 払暁
【黎族】Lízú 图 リー族（中国の少数民族の一つ, 主として海南省に居住）
16 **罹** lí 書（不幸な目に）あう.（不幸な出来事に）遭遇する ‖ ～病 病気にかかる
【罹难】línàn 動書 災難に見舞われて死ぬ
16 **篱**（籬）lí ❶垣. 竹や木の枝で編んだ垣根 ‖ 一～笆 ❷ ➡〔笊篱zhàoli〕
【篱笆】líba 图 垣根
【篱落】líluò 图書 まがき
【篱栅】lízhà 图 垣根. 柵（さく）
18 **藜**（△蔾❷）lí ❶图〈植〉シロザ. シロアカザ. アカザ ❷ ➡〔蒺藜jílí〕
20 **黧** lí ↴
【黧黑】líhēi 形書（顔の色が）黒い.〔黎黑〕とも書く
21 **蠡** lí 書 ❶图 ひさご ❷貝殻 ➤ lǐ

lǐ

5* **礼**（禮）lǐ ❶儀式. 儀礼. セレモニー ‖ 婚～ 結婚式 ❷图 礼. 古代に制定された行動や道徳上の規範 ❸敬意を表すことばや動作 ‖ 给老师敬个～ 先生に礼をする ❹图 贈り物. 進物. プレゼント ‖ 送～ プレゼントを贈る
*【礼拜】lǐbài 動〈宗〉礼拝する. 拝む 图 口 ❶〈宗〉礼拝 ‖ 做～ 礼拝をする ❷週. 週間 ‖ 上～ 先週 ❸曜日 ‖ ～一 月曜日 ❹日曜日
【礼拜寺】lǐbàisì ＝〔清真寺qīngzhēnsì〕
【礼拜堂】lǐbàitáng 图〈宗〉（キリスト教の）礼拝堂
【礼拜天】lǐbàitiān 图 口 **日曜日.〔礼拜日〕ともいう
【礼宾】lǐbīn 形（多く外交上の）儀礼の. 儀典の. 賓客をもてなすための ‖ ～车 リムジン. 高級大型乗用車
【礼成】lǐchéng 動 式が終わる. 儀式が終了する
【礼单】lǐdān 图 贈答品目録.〔礼帖tiě〕ともいう
【礼多人不怪】lǐ duō rén bù guài 慣 どんなに礼を尽くしても人はとがめない. 礼儀は厚く尽くしたほうがよい
【礼法】lǐfǎ 图 礼法. 礼儀作法
【礼佛】lǐ//fó 動 仏を拝む ‖ 烧香～ 香をたいて拝む
【礼服】lǐfú 图 礼服. 式服
【礼花】lǐhuā 图 祝賀や祭典の際に打ち上げる花火
【礼教】lǐjiào 图 旧 礼儀と道徳. 礼法 ‖ 封建～ 封建的儀礼と道徳
*【礼节】lǐjié 图 礼節. 礼儀 ‖ ～性访问 表敬訪問
【礼金】lǐjīn 图 祝儀. 謝礼金
【礼帽】lǐmào 图 礼帽. 礼装用の帽子
【礼貌】lǐmào 图 **礼儀. エチケット. マナー ‖ 有～ 礼儀正しい 形 礼儀正しい ‖ 不～ 失礼である
【礼炮】lǐpào 图 礼砲
*【礼品】lǐpǐn 图 贈り物. プレゼント
【礼聘】lǐpìn 動 礼を尽くして招聘（しょうへい）する
【礼器】lǐqì 图 祭礼用の器物
【礼让】lǐràng 動 礼儀を尽くして譲る. 礼譲する
【礼尚往来】lǐ shàng wǎng lái 成 礼を受けたら返礼が大事である. 相手のやり方次第でそれ相応の対処をする
【礼数】lǐshù 图 礼儀作法. エチケット
【礼俗】lǐsú 图 冠婚葬祭. 一般儀礼
【礼堂】lǐtáng 图 **式場. 講堂. ホール
【礼帖】lǐtiě ＝〔礼单lǐdān〕
★【礼物】lǐwù 图 **贈り物. プレゼント** ‖ 生日～ バースデー・プレゼント ｜ 送～ 贈り物を贈る
【礼贤下士】lǐ xián xià shì 成（地位のある者が）賢者に対しては礼をもって接し, 学者にはへりくだって交わりを結ぶ. 人材を重んじることのたとえ
【礼仪】lǐyí 图 儀礼 ‖ 外交～ 外交儀礼
【礼仪小姐】lǐyí xiǎojiě 图 サービス業で, 接待・案内などを専門に受け持つ若い女性
【礼义廉耻】lǐ yì lián chǐ 熟 礼を重んじ, 義を行い, 高潔で, 恥を知る
【礼遇】lǐyù 图 礼遇. 手厚いもてなし. 厚遇 ‖ 受到～ 手厚いもてなしを受ける
【礼治】lǐzhì 图 礼治. 礼制をもって国家を治めること
7 **李** lǐ 图〈植〉スモモ
【李代桃僵】lǐ dài táo jiāng 成 他人の身代わりになって罪を背負う
【李子】lǐzi 图 ❶〈植〉スモモ ❷スモモの実
7★ **里**¹ lǐ ❶居住地域 ‖ 一～弄 ❷古 行政単位. 5〔邻〕（25世帯）を1〔里〕とした ❸量 **長さの単位.〔市里〕の略称.** 1〔里〕は500メートル ❹ふるさと. 郷里 ‖ 故～ 故郷
7★ **里**²（裏 △裡）lǐ ❶图（～儿）（**衣服などの**）**裏. 裏地** ‖ 衣服～儿 服の裏地 ❷图 **中. 内. 内部. 奥** ↔〔外〕
7★ **里**³（裏 △裡）li ❶图（場所・範囲・時間を示す言葉の後に置き）**…の中. …の内** ‖ 抽屉～ 引き出しの中 ｜ 寒假～我去滑雪了 冬休みに私はスキーに行った ❷接尾〔这〕〔那〕〔哪〕などの後に置き, **場所を示す** ‖ 这～ ここ ｜ 那～ あそこ

★【里边】lǐbian（～儿）图 中．内部．内．奥‖～有人吗？ 中に誰かいますか｜～坐 奥に座ってください．中へどうぞ
【里层】lǐcéng 图（コートや綿入れなどの服の）裏地
【里程】lǐchéng 图 道のり．道程．路程．道筋
【里程碑】lǐchéngbēi 图 道標．道しるべ．里程標
【里程表】lǐchéngbiǎo 图（自動車や船などの）スピードメーター．距離メーター
【里程卡】lǐchéngkǎ 图 マイレージカード
【里出外进】lǐ chū wài jìn 慣 雑然としている．揃っていない‖牙长zhǎng得～的 歯並びが不揃いだ
【里带】lǐdài 图 タイヤのチューブ．〔内胎〕の通称
【里勾外联】lǐ gōu wài lián 慣 内部と外部が通じ合って共謀する
【里脊】lǐji 图 ヒレ肉‖软炸zhá～ ヒレ肉の衣揚げ
【里间】lǐjiān（～儿）图 奥の間．奥の部屋
【里拉】lǐlā 图 イタリアの通貨．リラ
【里里外外】lǐliwàiwài 慣 内も外も‖里里外外一把手 家内の仕事でも外の仕事でも腕をふるう有能な人
【里弄】lǐlòng 图 方 路地．裏通り．横町．町内
⁑【里面】lǐmian；lǐmiàn（～儿）图 内．中‖日记本放在抽屉的最～ 日記帳は引き出しのいちばん奥にしまってある
【里手】[1] lǐshǒu 图（～儿）（車や機械を操作する場合の車や機械の）左側．内側
【里手】[2] lǐshǒu 图 その道の達人．名人．くろうと
【里通外国】lǐ tōng wàiguó 慣 祖国を裏切り外国と通じる
*【里头】lǐtou 图 中．内．内部‖屋～ 家の中
【里外】lǐwài 图 ❶中と外．内と外‖弄得我～不是人 おかげで私は両方の板挟みになった ❷（数詞の後に用い概数を示す）ほど．くらい．前後
【里外里】lǐwàilǐ 副 方 ❶（収入と支出を計算して）差し引き．都合 ❷どっちみち．いずれにせよ．結局
【里屋】lǐwū 图 奥の部屋．奥の間
【里巷】lǐxiàng 图 路地．裏通り．横町．町内
【里应外合】lǐ yìng wài hé 成 外からの攻撃に内応する
【里院】lǐyuàn 图 中庭
【里子】lǐzi 图（衣服などの）裏．裏地

9 **俚** lǐ ❶書 下品である．低俗である ❷民間の．通俗的な‖→～语
【俚歌】lǐgē 图 民謡．俗謡
【俚曲】lǐqǔ 图 通俗的な歌．〔俗曲〕ともいう
【俚俗】lǐsú 形 通俗的である．低俗である
【俚语】lǐyǔ 图 俗語．スラング．田舎言葉

10 **逦（邐）** lǐ ➡〔迤逦yǐlǐ〕

10 **娌** lǐ ➡〔妯娌zhóuli〕

11 * **理** lǐ ❶書 筋目に沿って原石を切り開き玉を取り出す ❷管理する．処理する．取りしきる‖食宿shísù自～ 食事と宿の費用は自己負担とする ❸動 相手にする．かまう‖别～他 彼にはかまうな ❹動 きちんと整える‖～清思路 考えを整理する ❺石の筋目．（広く，さまざまな物質の）きめ‖纹～ 木目．模様 ❻图（～儿）道理．条理．理屈．筋‖按～说 道理から言えば ❼自然科学，あるいは物理学‖数～化 数学・物理学・化学
【理财】lǐ//cái 動 資産を管理・運用する
*【理睬】lǐcǎi 動 かかわる．取り合う．かまう‖问了半天，也不～我 いくら聞いても，私に返事をしてくれない
【理当】lǐdāng 動 当然…すべきである．…するのが当たりまえである‖～如此 理の当然である
【理短】lǐduǎn 形 理に欠ける‖你先动的手，当然～ 君が先に手を出したのだ，君のほうが悪い
⁑【理发】lǐ//fà 動 理髪する．散髪する．調髪する‖我每月理一次发 私は毎月1回散髪に行く
【理该】lǐgāi 動 当然…すべきである
【理化】lǐhuà 图 物理学と化学
*【理会】lǐhuì 動 ❶理解する．会得する．分かる‖内容深奥，难以～ 内容が奥深く理解するのは難しい ❷気がつく．感じ取る．（多く否定に用いる） ❸相手にする．取り合う．かまう．（多く否定に用いる）
【理家】lǐjiā 動 一家を切り盛りする
⁑【理解】lǐjiě 動 理解する．分かる‖我很～你的心情 私はあなたの気持ちがとてもよく分かる

> **類義語** 理解 lǐjiě 了解 liǎojiě
>
> ◆〔理解〕理性的に認識する，あるいは判断や推理を通して深く認識することを表す．理解する．分かる‖对这一问题理解得太片面 この問題に対する理解があまりに一方的である ◆〔了解〕直観的に認識することを表す．分かる．（ある状況・結論・規律などを）知っている‖我想了解一下生产情况 ちょっと生産状況を知りたいのだが

【理据】lǐjù 图 理由．根拠
【理科】lǐkē 图 理科．学校教育における物理・化学・数学・生物などの自然科学の総称
【理亏】lǐkuī 形 理に欠ける．理屈が通らない‖～心虚xū 道理に背いて後ろめたい
【理疗】lǐliáo 图〈医〉物理療法．理学療法
【理路】lǐlù 图 ❶（思考や文章の）条理．筋道‖～清楚 条理が明らかである ❷方 道理．理屈
⁑【理论】lǐlùn 图 理論 動 是非を議論する．論争する‖这事儿得跟他～清楚 この件は彼にはっきり話をつけなくてはいけない
【理念】lǐniàn 图 理念
【理赔】lǐpéi 動（保険会社が）賠償金を支払う．クレームを清算する
【理气】lǐqì 動〈中医〉気滞・気逆・気虚など気の不正常な流れを投薬で治療する
【理屈词穷】lǐ qū cí qióng 成 理が通らず言葉に窮する
*【理事】lǐshi；lǐshì 图 理事
【理顺】lǐshùn 動 調整する．順調にする
*【理所当然】lǐ suǒ dāng rán 成 理の当然である．道理にかなっている
⁑【理想】lǐxiǎng 图 理想 形 理想的である．理想にかなっている‖我这次考得不～ こんどの試験は不本意だった
【理性】lǐxìng 图 理性 形 理性的である．理知的である↔〔感性〕
【理性认识】lǐxìng rènshi 图〈哲〉理性的認識↔〔感性认识〕
【理学】lǐxué 图〈哲〉理学．性理学．宋・明代の理気の説を主とする哲学思想．〔道学〕ともいう
【理应】lǐyīng 動 当然…すべきである．…するのが当然である

L

[理由] lǐyóu 图 理由. 口実. わけ ‖ ～充分chōngfèn 十分な理由がある | 不成～ 理由にならない
[理喻] lǐyù 動 道理を説いて諭す
*[理直气壮] lǐ zhí qì zhuàng 成 理屈が通っていて正々堂々としている
[理智] lǐzhì 图 理知. 理性 ‖ 失去～ 理性を失う 形 理性的である. 知性的である

12 **锂** lǐ 图〈化〉リチウム(化学元素の一つ, 元素記号はLi)
15 **鲤** lǐ 图〈魚〉コイ
[鲤鱼] lǐyú 图〈魚〉コイ
16 **澧** lǐ 地名用字 ‖ ～水 湖南省にある川の名
20 **醴** lǐ 書 ❶甘酒 ❷甘くてうまい泉の水
21 **蠡** lǐ ❶人名用字 ❷地名用字 ‖ ～县 河北省にある県の名 ➤ lí
21 **鳢** lǐ 图〈魚〉カムルチー. ライギョ

lì

2 **力** lì ❶图 力. 体力 ‖ 四肢无～ 手足がだるい ❷能力 ‖ 能～ 能力 ❸作用. 働き ‖ 水～ 水力 ❹图〈物〉(力学の)作用. 力 ‖ 地心引～ 重力 ❺努力する. 尽力する ‖ 办事不～ 仕事に身が入っていない ❻一生懸命に. 努めて ‖ →～挽狂澜

> 逆引き単語帳 〔体力〕tǐlì 体力 〔财力〕cáilì 財力 〔精力〕jīnglì 精力. エネルギー 〔劳力〕láolì 労力. 労働力 〔抵抗力〕dǐkànglì 抵抗力 〔脑力〕nǎolì 頭脳の働き. 知力 〔魄力〕pòlì 大胆さ. 度胸 〔毅力〕yìlì 意志の強さ. 根気 〔智力〕zhìlì 知能 〔视力〕shìlì 視力 〔听力〕tīnglì 聴力. (外国語の)リスリング能力 〔阻力〕zǔlì 抵抗力. 障害 〔吸引力〕xīyǐnlì 〔魅力〕mèilì 引きつける力. 魅力 〔说服力〕shuōfúlì 説得力 〔记忆力〕jìyìlì 記憶力 〔免疫力〕miǎnyìlì 免疫力 〔生产力〕shēngchǎnlì 生産力 〔战斗力〕zhàndòulì 戦闘力 〔潜力〕qiánlì 潜在力. 潜在的可能性 〔凝聚力〕níngjùlì 団結力. 凝集力 〔想像力〕xiǎngxiànglì 想像力. イマジネーション

[力避] lìbì 動 できるだけ避ける
[力臂] lìbì 图〈物〉てこの力点と支点との距離
[力不从心] lì bù cóng xīn 成 心に思っても力不足でどうすることもできない
[力持] lìchí 動 堅持する ‖ ～正义 正義を貫く
[力畜] lìchù 图 役畜. 〔役畜〕ともいう
[力促] lìcù 動 極力促す. 催促する
[力挫] lìcuò 動 努力して打ち破る. 打ち砕く
[力度] lìdù 图 ❶(力の)強さ. 強度 ❷〈音〉強弱 ❸深さ. 程度
[力克] lìkè 動 全力で打ち破る. 打ち負かす
[力荐] lìjiàn 動 極力推薦する
[力竭声嘶] lì jié shēng sī =〔声嘶力竭shēng sī lì jié〕
[力戒] lìjiè 動 厳しく戒める
[力矩] lìjǔ 图〈物〉力のモーメント
[力量] lìliang ; lìliàng 图 ❶力. 勢力 ‖ 人多～大 人が多ければ力も大きい ❷能力. 力量 ‖ 尽一切～ あらんかぎりの力を尽くす ❸作用. 効力
[力排众议] lì pái zhòng yì 成 さまざまな異論を極力排除する
[力气] lìqi 图 力. 体力. 腕力 ‖ ～大 力が強い

> 類義語 力气 lìqi 力量 lìliang
> ◆〔力气〕筋肉が生み出すような具体的な力をさす. 抽象的な意味には用いない. 多く話し言葉に用いる ‖ 那匹马力气很大 あのウマは力が強い ◆〔力量〕筋肉による力のほかに, 広く抽象的な能力・作用・効果などもさす. 多く書き言葉に用いる ‖ 团结就是力量 団結は力なり

[力气活] lìqihuó (～儿) 图 力仕事. 労働
*[力求] lìqiú 動 努めて… する. できるだけ … する ‖ ～通俗易懂 できるだけ分かりやすくする
[力士] lìshì 图 力持ち. 力士
[力所能及] lì suǒ néng jí 成 力の及ぶかぎり. 力の及ぶ範囲 ‖ 退休以后还可以做些～的工作 退職後も力の及ぶ範囲の仕事ならまだできる
[力透纸背] lì tòu zhǐ bèi 成 力(ちから)紙背にとおる. (書道で)筆力が雄勁(ゆうけい)であるたとえ. 文章が深みがあり力のあることのたとえ
*[力图] lìtú 動 努めて… しようとする. 極力 … しようとする. … しようと躍起になる ‖ ～挽回败局 努めて敗勢を挽回(ばんかい)しようとする
[力挽狂澜] lì wǎn kuáng lán 成 力を尽くして劣勢を挽回する
[力行] lìxíng 動 書 力を尽くして行う. 努める
[力学] lìxué 图〈物〉力学
[力战] lìzhàn 動 奮戦する
*[力争] lìzhēng 動 ❶極力 … するように努める. 力を傾ける. 闘い取る ‖ ～上游 懸命に高い目標をめざす ❷激しく論争する ‖ 据理～ 理詰めで激しく議論する
[力证] lìzhèng 图 有力な証拠
[力主] lìzhǔ 動 精いっぱい主張する
[力阻] lìzǔ 動 力を尽くして阻止する

4 **历**(歷❶～❹ 曆❺❻) lì ❶経る. たつ. 経過する ‖ →～时 ❷経歴. 体験 ‖ 来～ 来歴. いわれ ❸過去の ‖ →～代 ❹次々と. 一つ一つ ‖ →～数 ❺图 暦法 ‖ 阳～ 陽暦. 新暦 | 农～ 農暦 ❻暦. カレンダー ‖ 台～ 卓上カレンダー
[历朝] lìcháo 图 ❶歴代の王朝 ❷(同じ王朝の)歴代皇帝の治世
[历程] lìchéng 图 歴程. 過程
[历次] lìcì 形 これまでの各回の
*[历代] lìdài 图 歴代. 代々 ‖ ～王朝 歴代王朝
[历法] lìfǎ 图〈天〉暦法
[历届] lìjiè 形 (これまで)各回の. 各期の. 各年次の ‖ ～毕业生 これまでの各年度の卒業生
[历尽] lìjìn 動 幾度となく遭遇する
[历经] lìjīng 動 書 幾度も経験する. 何度もなめ尽くす ‖ ～艰辛jiānxīn 幾度もつらい目に遭う
[历久] lìjiǔ 動 長い時間が経過する
*[历来] lìlái 副 従来. 以前から. かねて. これまで. ずっと. 一貫して ‖ ～如此 昔からこうである
[历历] lìlì 形 書 いかにもはっきりしている. 一つ一つ明ら

L

かなさま‖当时的情景还～在目 当時の情景がいまもなおはっきりと目に浮かぶ

【历练】lìliàn 動 試練をへて鍛えられる 形 経験豊富である. 練達している

*【历年】lìnián 名 長年. 数年来. 過去毎年‖～的积蓄jīxù 長年の蓄え

【历任】lìrèn 動 歴任する 形 歴代の‖～总理的照片 歴代総理の写真

【历时】lìshí 動 書 時がたつ. 時間が経過する‖这次会议～三天 こんどの会議は3日を費やした 形 通時の ↔〔共时〕

★【历史】lìshǐ 名 ❶歴史 ❷経歴. 履歴‖他有～问题 彼は経歴に問題がある ❸過去の事柄 ❹歴史学

【历史唯物主义】lìshǐ wéiwù zhǔyì 名〈哲〉史的唯物論. 唯物史観.〔唯物史观〕ともいう

【历史性】lìshǐxìng 形 歴史的な‖～的转折 歴史的転換

【历书】lìshū 名〈天〉暦. 暦書. 暦本

【历数】lìshǔ 動 一つ一つ並べ立てる. 列挙する

【历险】lìxiǎn 動 危険に遭遇する 名 冒険

5 **厉(厲)** lì ❶厳粛である. 激しい‖严～ 厳しい. 厳重である ❷厳しい. 厳格である‖→～行

【厉兵秣马】lì bīng mò mǎ 成 武器を磨き, 馬にまぐさを与える. 戦闘準備をするたとえ.〔秣马厉兵〕ともいう

【厉鬼】lìguǐ 名 悪鬼. 妖怪(ようかい)

⁑【厉害】lìhai 形 **激しい. ひどい. きつい. すごい. 恐ろしい**.〔利害〕とも書く‖他很～, 孩子们都怕他 彼はとても厳しいから子供たちはみんな怖がっている｜抽烟抽得很～ かなりのヘビースモーカーである

【厉色】lìsè 名 険しい顔つき. 憤怒の表情

【厉声】lìshēng 副 厳しい声で. 荒々しい口調で

【厉行】lìxíng 動 励行する. 厳格に実施する‖～节约, 反对浪费 節約を励行し, 浪費に反対する

5 ⁑ **立** lì ❶動 **立つ**‖坐～不安 居ても立ってもいられない ❷動 **(物を)立たせる**. (横になっている物を)**縦にする**‖把梯子tīzi～在墙边 はしごを壁に立て掛ける ❸動 **創立する. 開設する**‖～户头 口座を開く ❹動 制定する‖～规矩guīju 規則を定める ❺直立した‖→～柜 ❻生存する‖自～ 自立する ❼書 (君主が)即位する ❽動 位に就かせる. 立てる‖～皇太子 皇太子を立てる ❾すぐ. たちまち. たちどころに‖～见功效 たちどころに効き目が現れる

【立案】lì//àn 動 ❶登録する. 登記する ❷〈法〉立件する ❸事件や重要な出来事について専門の調査機関を設ける

⁑【立场】lìchǎng 名 **立場. 態度**‖站稳wěn～ 立場をしっかりさせる｜阐明chǎnmíng～ 立場を明らかにする

【立春】lì//chūn 動 立春(二十四節気の一つ, 2月3日から5日ごろに当たる)になる 名 (lìchūn)立春

【立此存照】lì cǐ cún zhào 慣 (契約書や証文に使う慣用語)後日のために記載保存する

【立等】lìděng 動 ❶少し待つ‖～可取 (写真店や修理店などで)即時でき上がり ❷すぐさま… するのを待つ

【立地】[1] lìdì 動 足を踏まえて立つ‖顶天～ 大地にすっくと立つ. 気概に満ちたさま

【立地】[2] lìdì 副 すぐに. 直ちに‖放下屠刀túdāo, ～成佛fó 屠畜(とちく)用の刃物を捨てれば, たちどころに成仏(じょうぶつ)する. 悔い改めれば, すぐに善人になれるたとえ

【立定】lìdìng 動 ❶しっかりと立つ ❷しっかりと固める ❸(軍隊や体操などでの号令)止まれ

【立冬】lì//dōng 動 立冬(二十四節気の一つ, 11月7日または8日に当たる)になる 名 (lìdōng)立冬

【立法】lì//fǎ 動 法律を制定する‖～机关 立法機関. 立法府

⁑【立方】lìfāng 名 ❶〈数〉**立方** ❷略 **立方体**.〔立方体〕の略 量 略 **立方メートル**.〔立方米〕の略

*【立方米】lìfāngmǐ 量 立方メートル. 略して〔立方〕〔立米〕ともいう

【立方体】lìfāngtǐ 名〈数〉立方体.〔正方体〕ともいい, 略して〔立方〕という

【立竿见影】lì gān jiàn yǐng 成 竿を立てれば影ができる. 効果がすぐに現れるたとえ. 効果てきめん

【立功】lì//gōng 動 功績を上げる. 手柄を立てる

【立功赎罪】lì gōng shú zuì 成 功を立て罪を償う

【立柜】lìguì 名 衣装だんす. 洋服だんす

【立国】lìguó 動 国をつくる. 国家を建設する

⁑【立即】lìjí 副 書 **直ちに. 即刻. すぐさま**‖合同～生效 契約は直ちに効力が発生する

*【立交桥】lìjiāoqiáo 名 立体交差になっている道路, あるいは鉄道橋. 立体交差橋

【立脚点】lìjiǎodiǎn 名 ❶立場. 立脚点 ❷足場. 拠点 ＊〔立足点〕ともいう

【立决】lìjué 動 書 直ちに処刑する

★【立刻】lìkè 副 **すぐに. 直ちに. 即刻**‖两杯酒下肚, 话～多了起来 お酒が少し入ると, すぐに饒舌になった

【立论】lìlùn 動 立論する. 論を組み立てる

【立马】lìmǎ 副 方 すぐに. たちどころに

【立秋】lì//qiū 動 立秋(二十四節気の一つ, 8月7日から9日ごろに当たる)になる 名 (lìqiū)立秋

【立时】lìshí 副 直ちに. 即刻

【立誓】lì//shì 動 誓いを立てる. 誓約する

【立陶宛】Lìtáowǎn 名〈国名〉リトアニア

*【立体】lìtǐ 名 ❶立体‖～感 立体感 ❷〈数〉立体 =〔几何jǐhé体〕 形 立体感のある. ステレオの

【立体电影】lìtǐ diànyǐng 名 立体映画. シネラマ

【立体交叉】lìtǐ jiāochā 名 立体交差

【立体声】lìtǐshēng 名 立体音響. ステレオ

【立体图】lìtǐtú 名 立体図形

【立体战争】lìtǐ zhànzhēng 名〈軍〉(近代的)立体戦

【立夏】lì//xià 動 立夏(二十四節気の一つ, 5月5日から7日ごろに当たる)になる 名 (lìxià)立夏

【立宪】lìxiàn 動 憲法を制定する

【立项】lìxiàng 動 建設項目にあげる

【立业】lì//yè 動 事業を起こす. 独立して生計を営む‖成家～ 結婚して独立する

【立意】lìyì 動 決意する. 考えを決める 名 構想. 趣旨

【立约】lì//yuē 動 (契約や条約などを)結ぶ. 締結する

【立账】lì//zhàng 動 (専門の)帳簿を設ける

【立正】lìzhèng 動 直立不動の姿勢をとる. (軍隊や体操などでの号令)気をつけ

【立志】lì//zhì 動 志を立てる

【立轴】lìzhóu 名 (縦長細身の)掛け軸

【立锥之地】lì zhuī zhī dì 成 立錐(りっすい)の地. (多く否定に用いる)‖贫无～ 貧乏で身の置き場所すらない

【立字】lì//zì (～儿) 動 証文を書く. 一札入れる‖～为证 文書に認(したた)めて証拠とする

【立足】lìzú 動 立脚する. 足場を定める‖没有～之地 足場がない

【立足点】lìzúdiǎn =〔立脚点lìjiǎodiǎn〕

6 **吏** lì 旧 ❶官吏. 役人‖官～ 官吏 ❷地位の低い官吏. 小役人‖胥xū～ 小役人

【吏治】lìzhì 名旧 地方官吏の執務態度とその治績

7 **丽**[1]（麗）lì 美しい. 麗しい‖～人｜美～ きれいである. 美しい

7 **丽**[2]（麗）lì 書 付着する. くっつく‖附～ くっつく ➤lí

【丽人】lìrén 名書 麗人. 美しい女性‖白领～ 若くて美しいキャリアウーマン

【丽日】lìrì 名書 うららかな太陽

【丽质】lìzhì 名（女性の）美しい容姿‖天生～ 天成の美貌

7 * **利** lì ❶鋭い. 鋭利である ↔〔钝dùn〕‖锋～ 鋭利である ❷弁がたつ‖～口 口達者 ❸順調である. 不都合がない‖顺～ 順調である ❹名 利点. メリット ↔〔害〕〔弊bì〕有～ 有利である ❺名 利得. 儲け‖薄bó～多销 薄利多売 ❻利子‖高～ 高利 ❼利する. 役立てる‖～人 人のためになる

【利比里亚】Lìbǐlìyà 名〈国名〉リベリア

【利比亚】Lìbǐyà 名〈国名〉リビア

*【利弊】lìbì 名 利益と弊害. 利害‖各有～ それぞれ利点もあれば弊害もある｜权衡quánhéng～ 利害を計り比べる

【利差】lìchā 名〈経〉金利差

【利淡】lìdàn =〔利空lìkōng〕

【利钝】lìdùn 名 ❶（刀剣などの）鋭利となまくら ❷運不運‖成败～ 成否と運不運

【利多】lìduō =〔利好lìhǎo〕

【利滚利】lì gǔn lì 組 利息が利息を生む. 利息に利息がついて雪だるま式に借金が膨らむ

【利害】lìhài 名 利害. 損得‖～关系 利害関係

【利害】lìhai =〔厉害lìhai〕

【利好】lìhǎo 名〈経〉株価を上昇させる情報. 株価にプラスのニュース.〔利多〕ともいう

【利己】lìjǐ 動 自分の利益だけを考える

【利己主义】lìjǐ zhǔyì 名 利己主義. エゴイズム

【利剑】lìjiàn 名 切れ味の鋭い剣

【利空】lìkōng 名〈経〉株価を下落させる情報. 株価にマイナスのニュース.〔利淡〕ともいう

【利令智昏】lì lìng zhì hūn 成 金に目がくらむ

【利率】lìlǜ 名 利率. 歩合

【利落】lìluo 形 ❶（言動が）てきぱきしている. 機敏である. しっかりしている‖说话很～ はきはきものを言う ❷（状態が）整然としている. さっぱりしている ❸（経過が）片付いている. 仕末がついている

【利尿】lìniào 動 排尿を促す‖～剂 利尿剤

【利器】lìqì 名 ❶鋭い武器 ❷便利な道具. 利器

【利钱】lìqian 名 利息. 利子

【利权】lìquán 名（主として国家の）利権

【利刃】lìrèn 名 鋭利な刃物

*【利润】lìrùn 名 利潤‖上缴shàngjiǎo～ 利潤を上納する

【利税】lìshuì 名〈経〉利益と税金

【利索】lìsuo 形 ❶（動作が）てきぱきしている‖办事干脆～ なんでもてきぱきと片付ける ❷（状態が）整然としている‖屋子收拾得很～ 部屋がきちんと片付いている

*【利息】lìxī 名 利息. 利子

【利益】lìyì 名 **利益‖个人～服从集体～ 個人の利益は集団の利益に従う

★【利用】lìyòng 動 **利用する**‖～先进技术 先進的技術を利用する｜被人～ 人に利用される

【利诱】lìyòu 動 利で誘う. 金銭などで懐柔する‖威逼wēibī～ 脅したりすかしたりする

【利于】lìyú 動 …に利がある. …を利する‖这样安排～工作 こうしたほうが仕事に有利である

【利欲熏心】lì yù xūn xīn 成 利欲に心が惑わされる. 欲に目がくらむ

7 **励**（勵）lì 激励する. 鼓舞する‖奖jiǎng～ 褒賞する｜鼓～ 激励を与える

【励精图治】lì jīng tú zhì 成 精励して国家の経営に当たる

7 **沥**（瀝）lì ❶滴る‖～血xuè 血が滴る ❷ろ過した酒. にじみ出る液体‖余～ 残り酒. ちょっとした分け前

【沥沥】lìlì 擬書（風や水の音）しとしと. さらさら

*【沥青】lìqīng 名 アスファルト. ふつう〔柏油〕という‖～路 アスファルト道路

【沥水】lìshuǐ 名（雨後の）水たまり

7 **坜**（壢）lì 地名用字‖中～ 台湾にある地名

7 **呖**（嚦）lì ➘

【呖呖】lìlì 形書 鳥の美しくさえずるさま

8 ** **例** lì ❶類例‖不在此～ この例には入らない ❷前例. 先例. しきたり‖下不为wéi～ 今回かぎりで以後先例としない ❸書 対照する. 類比する ❹名 **例. 実例. 事例**‖举～说明 例を挙げて説明する ❺基準. 規則‖条～ 条例 ❻定例. 決まり‖～会

【例规】lìguī 名 ❶慣例 ❷法規

【例会】lìhuì 名 例会

【例假】lìjià 名 ❶祝日の休暇 ❷婉 月経. 生理日

【例句】lìjù 名 例文. 用例

★【例如】lìrú 動 **例を挙げる**‖他喜欢的运动很多,～足球、游泳、滑雪等等 彼の好むスポーツはたくさんあり, たとえばサッカー・水泳・スキーなどである

【例题】lìtí 名 例題

*【例外】lìwài 名 例外‖毫háo无～ いささかの例外もない 動 例外とする. 例外である‖谁也不能～ 誰であれ例外はあり得ない

【例行公事】lìxíng gōngshì 慣 型どおりの手続き

【例言】lìyán 名 例言. 凡例

【例证】lìzhèng 名 例証

【例子】lìzi 名 **例. サンプル‖举～ 例を挙げる

8 **戾** lì 書 ❶ひねくれている. 偏屈である. 暴虐である‖乖guāi～ ひねくれている ❷罪. 罪過

8 **枥**（櫪）lì 書 飼い葉桶

8 **隶**（隸 △隷 隸）lì ❶奴隷. 召し使い‖奴nú～ 奴隷 ❷従属する. 隷属する‖～属 ❸旧 下働きの小役人 ❹隷書‖～书

【隶书】lìshū 名 隷書

【隶属】lìshǔ 動 隷属する. 従属する. 支配下に入る

【隶字】lìzì =〔隶书lìshū〕

8 **疠**（癘）lì 書 疫病. 流行病

9 **俐** lì ➡〔伶俐língli〕

L

9 **俪**（儷）lì ❶対(つい)の．一組の ‖ ～句 対句 ❷夫婦 ‖ 伉kàng～ 夫妻

9 **郦**（酈）lì 名 姓

9 **荔**（△茘）lì ↴

*【荔枝】lìzhī 名〈植〉レイシ．ライチ

9 **栎**（櫟）lì 名〈植〉クヌギ．ふつうは〔柞zuò树〕という ➤ yuè

9 **轹**（轢）lì 書 ❶車輪でひく ❷踏みつけにする ‖ 凌líng～ 侮辱する

10 **莅**（△蒞 涖）lì 書 来る．至る．出席する ‖ ～场 来場する

【莅会】lìhuì 動 会に出席する

【莅临】lìlín 動 書 親しく臨む．臨席する．（多く賓客に対して用いる）‖ 敬请～指导 なにとぞご来臨のうえ，ご指導賜りたく存じます

【莅任】lìrèn 動 書 着任する

10 **莉** lì ➡〔茉莉mòlì〕

10 **栗**[1] lì 名〈植〉クリ．ふつうは〔栗子〕という

10 **栗**[2]（△凓❶ 慄❷）lì ❶書 寒い ❷震える．身震いする ‖ 战～ 戦慄(せんりつ)する．おののき震える

【栗色】lìsè 名 クリ色

*【栗子】lìzi 名 ❶〈植〉クリ ❷クリの実 ‖ 糖炒～ 甘栗

10 **砾**（礫）lì 礫(れき)．小石．石ころ ‖ 沙～ 砂礫(されき)．砂と小石 | 瓦～ 瓦礫(がれき)

【砾石】lìshí 名 小石．水に洗われて丸くなった石

【砾岩】lìyán 名 礫岩(れきがん)

10 **砺**（礪）lì 書 ❶砥石(といし) ‖ ～石 同前 ❷(刀を)研ぐ ‖ ～兵 武器を研ぐ ❸磨きをかける．鍛練する ‖ 磨mó～ 磨きをかける．練磨する

10 **鬲** lì 古 鬲(れき)（煮炊きをする用具の一種）➤ gé

11 **唳** lì ➡〔风声鹤唳fēng shēng hè lì〕

11 **粒 lì ❶名(～儿)粒 ‖ 饭～儿 飯粒 ❷量 **粒状のものを数える** ‖ 每次服五～ 毎回5錠を服用する

類義語 | **粒 lì 颗 kē**

◆〔粒〕小さくて丸い，粒状のものを数える．固体として硬さのある名詞と結びつくが，〔粒〕は〔颗〕で言い換えられる場合も少なくない ‖ 一粒(×颗)药 丸薬1錠 | 一粒(颗)珍珠 一粒の真珠 ◆〔颗〕粒状を広くとらえて，〔粒〕より広範な名詞と結びつく．〔粒〕で数えられるものより形状も大きく，円柱・円筒形ともいえる名詞と結びつき，さらに遠くから見て粒状に見える，あるいは粒に見立てられるものなども数える ‖ 一颗星星 一つの星 | 一颗心沉甸甸的 心が重く沈んでいる

【粒状】lìzhuàng 名 粒状

【粒子】lìzǐ 名〈物〉粒子．パーティクル

【粒子】lìzi 名 粒

11 **粝**（糲）lì 書 玄米

11 **蛎**（蠣）lì ➡〔牡蛎mǔlì〕

11 **笠** lì （竹や草で編んだ）笠(かさ)．かぶり笠 ‖ 斗dǒu～ 笠 | 竹～ 竹で編んだ笠

12 **詈** lì 書 罵る ‖ ～骂 罵る

12 **傈** lì ↴

【傈僳族】Lìsùzú 名 リス族（中国の少数民族の一つ，主として雲南省や四川省に居住）

12 **痢** lì 名〈医〉下り腹．痢病 ‖ 白～ 白痢 | 赤～ 赤痢

【痢疾】lìji 名〈医〉伝染性下痢症の総称

12 **跞**（躒）lì 書 歩く．動く

12 **雳**（靂）lì ➡〔霹雳pīlì〕

13 **溧** lì 地名用字 ‖ ～水 江蘇省にある県の名

li

10 **哩** li 方 ❶助 文末につけて確認・強調の語気を表す ‖ 时间还早～ 時間はまだ早いよ ❷助 事物を列挙するときに用いる ➤ lī

liǎ

9 ★**俩**（倆）liǎ ❶数 **二つ．2個．二人．**（〔两〕と〔个〕の合音）‖ 咱～ 私たち二人 | 哥儿～ 兄弟二人 ❷数 **ちょっと．いくつか．少し** ‖ 这～钱买不了什么 こんなわずかな金では何も買えない ➤ liǎng

lián

7 ★**连** lián ❶動 **つながる．連なる．連続する** ‖ 天～水，水～天 空と水面が接している．水面が果てしなく広がるさま ❷副 **引き続き．たて続けに** ‖ ～叫几声，没人答应dāying たて続けに何回も呼んだが，誰も返事をしない ❸介 **…も加えて．含めて．一緒に** ‖ ～你八个人 君も入れて8人 ❹介（多く〔都〕〔也〕〔还〕と呼応し）**…さえ．…すら．…まで** ‖ 忙得～饭还没吃呢 忙しすぎて食事もしていない ❺名〈軍〉中隊 ➡〔中国人民解放军Zhōngguó rénmín jiěfàngjūn〕‖ 通信～ 通信中隊

【连鬓胡子】liánbìn húzi 名 口 鬢(びん)まで続く頬ひげ．鍾馗(しょうき)ひげ

【连茬】liánchá ＝〔连作liánzuò〕

【连词】liáncí 名〈語〉接続詞

【连带】liándài 動 ❶互いに関連する ❷累を及ぼす．巻き添えにする ‖ 我做错了事，还～你也挨ái了批评 私が過ちを犯したことで君まで巻き添えを食わせてしまった ❸ついでにやる

【连裆裤】liándāngkù 名（用便のための開口部がない）子供用のズボン．〔开裆裤〕と区別していう

*【连队】liánduì 名〈軍〉中隊

【连发】liánfā 動（銃弾を）連発する ‖ ～连中zhòng 百発百中

【连根拔】liángēnbá 動 根こそぎ取り除く．殲滅(せんめつ)

する
【连亘】liángèn 動 書（山などが）切れ目なく連なる．うねうねと続く‖山岭shānlǐng～　尾根がうねうねと続く
【连贯】liánguàn 動 つながる．連なる．つなげる．〔联贯〕とも書く‖文章前后不～　文章の前後がつながらない
【连冠】liánguàn 動 連覇する‖取得五～　5連覇した
【连锅端】liánguōduān 動 根こそぎにする．一掃する．そっくり移動する
【连环】liánhuán 形 連なっている．つながっている
【连环画】liánhuánhuà 名 連環画．子供向けの劇画
【连击】liánjī 動〈体〉❶（バレーボールの）ドリブルをする ❷（ボクシングの）ダブルパンチを打つ
【连脚裤】liánjiǎokù 名 足先までくるむようになっている幼児用のズボン
*【连接】liánjiē 動 ❶連なり続く．つながる ❷つなぐ‖把两条铁路干线～起来　二つの鉄道幹線をつなぐ
【连接号】liánjiēhào 名〈語〉ダッシュ．〔一〕
【连结】liánjié ＝〔联结liánjié〕
【连襟】liánjīn（～儿）名 相婿(あいむこ)．姉妹の夫同士の関係
【连累】liánlei ; liánlěi 動 巻き添えにする．累を及ぼす‖不愿～别人　他人を巻き添えにしたくない
【连理】liánlǐ 名 書 相愛の夫婦．連理
【连理枝】liánlǐzhī 名 連理の枝．夫婦相愛のたとえ
*【连连】liánlián 副 たて続けに．しきりに‖～道歉dàoqiàn　しきりに謝る｜～失手　続けざまに敗れる
**【连忙】liánmáng 副 すぐさま．急いで‖他接到电话就～赶来了　彼は電話を受けるとすぐさま駆けつけてきた
【连袂】liánmèi ＝〔联袂liánmèi〕
【连绵】liánmián 動（山脈・雨・雪などが）連綿と続く．いつまでも途切れずに続く‖～不断　連綿と続く
*【连年】liánnián 副 連年．毎年．年々‖～丰收　連年の豊作である
【连篇】liánpiān 動 ❶一編また一編と続く ❷（全編に）わたる．満ちる‖废话～　くだらないことばかり言う
【连篇累牍】lián piān lěi dú 成 文章が冗長である
【连翘】liánqiáo 名 ❶〈植〉レンギョウ．イタチグサ．イタチハゼ ❷〈中薬〉連翹(れんぎょう)
【连任】liánrèn 動（主として選挙により）再任する
【连日】liánrì 副 連日．毎日
【连声】liánshēng 副 たて続けに‖～叫好　たて続けに喝采(かっさい)の声をあげる
【连书】liánshū 動（ピンイン表記で）続け書きする
【连锁】liánsuǒ 形 連なっている．つながっている
【连锁店】liánsuǒdiàn 名 チェーン店
【连锁反应】liánsuǒ fǎnyìng 名 ❶〈物〉連鎖反応 ＝〔链liàn式反应〕❷喩 連鎖反応
【连体】liántǐ 形 二重体である‖～婴儿yīng'ér　シャム双生児
【连天】liántiān 副 連日‖～连夜　連日連夜 動 ❶連なる．続く‖叫苦～　しきりに苦しみを訴える ❷（遠望したとき，山・水・炎などが）天際に接する‖湖水～　湖水が天に連なる
【连通】liántōng 動 つながって続いている．通じている
*【连同】liántóng 接 …と一緒に．…と併せて．…に加えて‖把钱包～月票全丢diū了　財布から定期までみな落としてしまった
【连写】liánxiě 動 続け書きをする ↔〔分写〕
**【连续】liánxù 動 連続する‖～刮了好几天大风　何日も続けて大風が吹いた
*【连续剧】liánxùjù 名 連続ドラマ‖电视～　テレビ連続ドラマ｜广播～　ラジオ連続ドラマ
*【连夜】liányè 副 ❶その夜のうちに‖～赶路　夜を徹して道を急ぐ ❷連夜．数晩続けて
【连衣裙】liányīqún 名 ワンピース
【连阴天】liányīntiān 名 曇りまたは雨が続く天気
【连阴雨】liányīnyǔ 名 何日も降り続く雨．長雨
【连用】liányòng 動 連用する．続けて用いる
【连载】liánzǎi 動 連載する‖～小说　連載小説
【连长】liánzhǎng 名〈軍〉中隊長
【连轴转】liánzhóuzhuàn 動 昼も夜も休みなく働く‖这几天大家忙得～　この数日みんなは忙しくて休みなく働きづめだ
【连珠】liánzhū 名 ❶連珠 ❷（音などが）絶え間なく続くさま‖妙语～　機智に富んだ言葉が次々に出る
【连珠炮】liánzhūpào 名 喩 途切れることがないさま‖他像放～似的一口气把话说完　彼は矢継ぎ早に一気に話し終えた
【连属】liánzhǔ 動 書 連結する．つなぐ
【连缀】liánzhuì 動 連結する．結びつける．つなぎ合わせる
【连作】liánzuò 動〈農〉連作する．〔连茬chá〕〔重chóng茬〕ともいう
【连坐】liánzuò 動 連座する

7 **奁**（奩 △匳 匲 籢）lián 古 女性の鏡つき化粧箱‖妆zhuāng～　嫁入り道具

8 **怜**（憐）lián ❶哀れむ．同情する‖可～　気の毒である ❷愛する．慈しむ‖爱～　慈しむ
【怜爱】lián'ài 動 かわいがる．慈しむ
【怜悯】liánmǐn 動 哀れむ．気の毒に思う．同情する
【怜贫惜老】lián pín xī lǎo 成 貧しい人を哀れみ，老人をいたわる
【怜惜】liánxī 動 哀れみいたわる．同情する
【怜香惜玉】lián xiāng xī yù 成 女性を思いやり慈しむ
【怜恤】liánxù 動 書 哀れむ．同情する

8 **帘**[1] lián 名（～儿）旧（商店が客寄せのために掲げた）のぼり．旗

8* **帘**[2]（簾）lián 名（～儿）（布・竹・プラスチックなどで作られた）すだれ．カーテン‖窗～儿（窓の）カーテン｜竹～　竹のすだれ
【帘布】liánbù 名 タイヤコード．〔帘子布〕ともいう
【帘幕】liánmù 名 すだれと幕．（戸口や窓の）カーテン
【帘子】liánzi 名 口 すだれ．カーテン

10 **涟** lián 書 ❶さざなみ．波紋‖～漪 ❷涙がとめどなく流れるさま‖～洏
【涟洏】lián'ér 形 書 涙と鼻水でぐしょぐしょになって泣くさま
【涟漪】liányī 名 書 さざなみ．小波

10 **莲** lián 名〈植〉ハス．〔荷hé〕〔芙蓉fúróng〕〔芙蕖qú〕ともいう
【莲步】liánbù 名 書 美人の足どり
【莲房】liánfáng 名 書 ❶ハスの花托(かたく) ❷僧房
【莲花】liánhuā（～儿）名 ❶ハスの花 ❷ハス
【莲藕】lián'ǒu 名〈植〉ハスの地上茎と地下茎．とくに

地下茎をさす‖～同根 密接不可分な関係のたとえ
【莲蓬】liánpeng 名 ハスの花托
【莲蓬头】liánpengtóu 名 方 シャワーノズル
【莲蓬子ル】liánpengzǐr 名 ❶ハスの実 ❷ハスの実状のもの(比較的小さなものについていう)
【莲台】liántái =〔莲座liánzuò〕
*【莲子】liánzǐ 名 ❶〈植〉ハスの実 ❷〈中薬〉蓮子(れんし)
【莲座】liánzuò 名 ❶〈植〉ハスの花托 ❷〈仏〉蓮(はす)の台(うてな). 蓮華座(れんげざ). 〔莲台〕ともいう

12 **裢** lián ➡〔褡裢dālian〕

12 **联(聯)** lián ❶連なる. 続く‖蝉chán～ 地位を保持する ❷結びつく. 連合する‖一～欢 ❸つながりがつく. 関係が生じる‖一～络 ❹対聯(ついれん)‖春～ 旧正月の祝いの対聯
【联办】liánbàn 動 共同で主催する. 共同で開催する
*【联邦】liánbāng 名 連邦
【联播】liánbō 動 (複数の放送局が同一プログラムを)同時放送する‖新闻～ (全国ネットの)ニュース番組
【联产】liánchǎn 動 ❶生産高と関連させる‖～承包 生産請負 ❷共同で生産する‖～联销 共同生産・共同販売
【联唱】liánchàng 動 メドレー形式で歌う
【联大】Liándà 名 略 ❶国連総会. 〔联合国大会〕の略 ❷連合大学. 〔联合大学〕の略
【联动】liándòng 動 (事物が)連動する
【联防】liánfáng 動 ❶共同防衛する‖军民～ 軍民による共同防衛 ❷〈体〉連係して守備する
【联贯】liánguàn =〔连贯liánguàn〕
**【联合】liánhé 動 連合する. 連携する. 団結する‖～举办 共催する 形 連合した. 共同の‖～声明 共同声明. コミュニケ
【联合国】Liánhéguó 名 国際連合. 国連‖～大会 国連総会｜～秘书长 国連事務総長｜～安理会 国連安全保障理事会
**【联欢】liánhuān 動 交歓する. 交流する‖新年～会 新年懇親会. 新年交歓会
【联机】liánjī 動〈計〉(コンピューターが)ネットワークにつながっている. オンラインである
【联建】liánjiàn 動 共同で建設する
【联结】liánjié 動 連結する. 結びつける
【联军】liánjūn 名 連合軍
*【联络】liánluò 動 連絡する. 通じ合う‖失去～ 連絡がとだえる｜加强～ つながりを強める
【联袂】liánmèi 動 書 手に手をとる. 転 一緒に. ともに. 〔连袂〕とも書く‖～演出 共演する
*【联盟】liánméng 名 同盟‖结成～ 同盟を結ぶ
【联绵】liánmián =〔连绵liánmián〕
【联名】liánmíng 動 連名する. 名を連ねる. 連署する
【联翩】liánpiān 形 書 ❶鳥の飛ぶ様子 ❷喩 次から次へと絶え間なく続くさま‖浮想～ いろいろな考えが次から次へと浮かんでくる
【联赛】liánsài 名〈体〉リーグ戦‖女子排球～ 女子バレーボール・リーグ戦
【联手】liánshǒu 動 連合する. 連携する. 団結する
【联网】liánwǎng 動 (コンピューター・電力・通信などの)ネットワークをつくる. ネットワーク化する
★【联系】liánxì 動 連絡する. 結びつける. 結びつく‖保持～ 関係を維持する‖及时～ ただちに連絡する
【联系汇率制】liánxìhuìlǜzhì 名〈経〉ペッグ制
*【联想】liánxiǎng 動 連想する‖这部小说使我～起奶奶的一生 この小説は私に祖母の一生を連想させた
【联销】liánxiāo 動 共同で販売する
【联谊】liányì 動 友誼を深め合う‖～会 懇親会
【联姻】liányīn 動 書 姻戚(いんせき)関係になる
【联营】liányíng 動 共同で経営する
【联运】liányùn 動 連絡輸送する‖国际～ 国際連絡輸送｜～票 通しキップ
【联展】liánzhǎn 動 展示会などを共同開催する
【联宗】lián//zōng 動 直接血縁のない同姓の人が同族関係を結ぶ

13 **廉(△亷 㢘)** lián ❶廉潔である‖一～洁 ❷価格が安い. 安価である‖低～ 安い
【廉耻】liánchǐ 名 廉恥. 心が清らかで恥を知る気持ちが強いこと‖不知～ 恥知らずである
*【廉价】liánjià 名 廉価. 安価‖～出售 安売りする. バーゲンセール｜～劳动力 安価な労働力
*【廉洁】liánjié 形 書 廉潔である. 清廉潔白である‖～奉公fènggōng 清廉潔白に身を持して公のために尽力する
【廉明】liánmíng 形 清廉潔白である
【廉正】liánzhèng 形 書 廉直である. 清廉で公正である
*【廉政】liánzhèng 動 政治を廉潔なものにする‖～建设 清潔な政治の建設
【廉直】liánzhí 形 廉直である

15 **鲢** lián 名〈魚〉レンギョ. コイ科に属する淡水魚のハクレンとコクレンの総称. 〔鲊xù〕ともいう

16 **濂** lián 地名用字‖～江 江西省にある川の名

17 **臁** lián すねの両側‖～骨 脛骨(けいこつ)

18 **镰(△鎌 鐮)** lián 名〈農〉(農具の)かま
*【镰刀】liándāo 名〈農〉かま

19 **蠊** lián ➡〔蜚蠊fěilián〕

liǎn

11 **琏** liǎn 古 宗廟(そうびょう)で穀物を盛るのに用いた祭器・食器

11 **敛(斂 △歛)** liǎn ❶集める. 徴収する‖横征暴～ 税金を厳しく取り立てる ❷収める. しまう. 拘束する‖一～容
【敛财】liǎncái 動 財貨を収奪して私腹を肥やす
【敛迹】liǎnjì 動 書 姿を隠す. 行方をくらます
【敛钱】liǎn//qián 動 集金する. 募金をする
【敛容】liǎnróng 動 書 表情を引き締める

11 ★**脸(臉)** liǎn ❶名 顔‖刮～ 顔をそる｜洗～ 顔を洗う ❷名 メンツ. 面目. 体面‖没～见人 面目が立たない ❸名 (～ル)顔つき. 面持ち‖翻～ 急に態度が変わる ❹(～ル)(物の)前部. 正面. 表‖门～ル 門構え. 店構え
【脸蛋ル】liǎndànr 名 頬. (広く)幼児の顔をさす
【脸红】liǎn//hóng 動 顔を赤らめる. 恥ずかしがる
【脸红脖子粗】liǎn hóng bózi cū 慣 怒りやいらだ

ちなどで顔が真っ赤になるさま
【脸颊】liǎnjiá 名 頬
【脸孔】liǎnkǒng 名 顔．顔つき
【脸面】liǎnmiàn 名 ❶顔 ❷メンツ．体面‖看我的～，帮他这一回吧 私の顔に免じてこんどだけ彼を助けてやってくれ
【脸嫩】liǎn∥nèn 形 恥ずかしがり屋である．はにかみ屋である
【脸盘儿】liǎnpánr 名 顔かたち．顔の輪郭．〔脸盘子〕ともいう‖圆～ 丸顔
【脸庞】liǎnpáng 名 顔かたち．顔の輪郭
*【脸盆】liǎnpén 名 洗面器
【脸皮】liǎnpí 名 ❶面目．メンツ‖撕破sīpò～ メンツをかなぐり捨てて思い切ってやる ❷面の皮‖～薄báo とてもはにかみ屋だ｜～厚 面の皮が厚い．厚かましい ❸顔の皮膚
【脸谱】liǎnpǔ 名〈劇〉伝統劇の俳優の顔のくま取り
【脸热】liǎn∥rè 形 顔が上気する．恥ずかしがる‖被夸kuā得有些～ ほめられて顔がほてる
*【脸色】liǎnsè 名 ❶顔色．血色‖～红润hóngrùn 血色がよい ❷表情．面持ち‖看上级的～行事 上司の顔色をうかがって行動する
【脸膛儿】liǎntángr 名 方 顔．容貌
【脸形】【脸型】liǎnxíng 名 顔の形

12 **裣**（襝）liǎn ↴
【裣衽】liǎnrèn 動 旧（女性のあいさつ）衣服のすそを少し持ち上げてあいさつする．〔敛衽〕とも書く

liàn

8 ⁂ **练**（練）liàn ❶書 生糸を精練する ❷白絹．練り絹 ❸動 **練習する**‖训～ 訓練する．トレーニングする ❹熟練している．手慣れている‖老～ 老練である
【练笔】liàn∥bǐ 動 ❶文章を書く練習をする ❷書画の練習をする
*【练兵】liàn∥bīng 動 ❶軍隊を訓練する‖现场～ 実戦訓練をする ❷（広く）各種の人員を訓練する
【练达】liàndá 形 書 経験が豊かで人情の機微に通じている‖处世～ 世故にたけている
【练队】liàn∥duì 動（整列や行進などの）予行演習をする
【练功】liàn∥gōng 動（技芸・武芸を）訓練する．けいこする
【练就】liànjiù 動 習得する．練習して身につける‖～一身硬功夫 名人芸を身につける
【练脑】liànnǎo 動 脳のトレーニングをする．思考能力を鍛える
【练手】liàn∥shǒu（～儿）動 技を磨く．けいこする
【练摊儿】liàn∥tānr 動 方 露店を出す．露店の商売をする
【练武】liànwǔ 動 ❶武芸のけいこをする．武芸を学ぶ ❷軍事訓練をする ❸（広く）技を磨く．けいこする
★【练习】liànxí 動 **練習する**‖反复～ 繰り返し練習をする 名 **練習問題．練習作業．練習**‖作～ 練習問題をやる

9 * **炼**（煉 △鍊）liàn ❶動 精錬する‖→～铁 ❷推敲（すいこう）する．文章を練る‖→～句 ❸動（品性・技能・身体能力などを）高める
【炼丹】liàn∥dān 動 旧 煉丹（れんたん）を行う．道士が辰砂（しんしゃ）を練って不老不死の薬を作ること‖～术 煉丹術
【炼钢】liàn∥gāng 動〈冶〉鋼鉄を造る
【炼焦】liàn∥jiāo 動〈冶〉コークスを作る
【炼句】liànjù 動 推敲（すいこう）する．字句を練る
【炼乳】liànrǔ 名 コンデンスミルク．練乳
【炼铁】liàn∥tiě 動 製鉄する
【炼油】liàn∥yóu 動 ❶石油を分留する ❷製油する ❸（食用にするために）動物性油や植物性油を加熱する
【炼狱】liànyù 名 煉獄（れんごく）
【炼制】liànzhì 動 精製する‖～石油 石油精製
【炼字】liànzì 動 詩文の字句を推敲する

10 * **恋**（戀）liàn ❶恋しがる．離れがたく思う‖留～ 名残を惜しむ ❷男女が恋する‖→～爱
⁑【恋爱】liàn'ài 名 **恋愛**‖谈～ 恋愛をする 動 **恋愛する**‖～了两年结的婚 2年間交際して結婚した
【恋歌】liàngē 名 恋の歌
【恋家】liàn∥jiā 動 家を離れたがらない
【恋旧】liànjiù 動 ❶旧 故郷を恋しがる ❷懐古する
【恋恋不舍】liàn liàn bù shě 成 いつまでも心残りである．名残惜しくて離れがたい．後ろ髪を引かれる思いである
【恋慕】liànmù 動 恋い慕う
【恋念】liànniàn 動 懐かしく思う
【恋情】liànqíng 名 ❶恋情．恋慕 ❷慕情
【恋群】liànqún 動 ❶一人では寂しく大勢と一緒にいたがる ❷（動物が）群れたがる
【恋人】liànrén 名 恋人
【恋战】liànzhàn 動 書 深入りする．（多く否定に用いる）‖不敢～ 深入りしない

11 **殓**（殮）liàn 死者を棺（ひつぎ）に入れる．納棺する‖装～ 死者を納棺する｜入～ 入棺する

12 **链** liàn 名（～儿）鎖．チェーン‖→～子｜项～ 首飾り．ネックレス
【链轨】liànguǐ 名〈機〉キャタピラー ＝〔履lǚ带〕
【链接】liànjiē 動〈通信〉リンクする
【链霉素】liànméisù 名〈薬〉ストレプトマイシン
【链球】liànqiú 名〈体〉❶ハンマー投げ ❷（ハンマー投げの）ハンマー‖投掷tóuzhì～ ハンマー投げをする
【链球菌】liànqiújūn 名〈医〉連鎖球菌
【链套】liàntào 名（自転車の）チェーンケース
【链条】liàntiáo 名（機械の動力を伝える）チェーン
*【链子】liànzi 名 ❶鎖．チェーン‖铁～ 鉄鎖 ❷（自転車やオートバイの）チェーン

13 **楝** liàn 名〈植〉センダン．〔苦楝〕ともいう

14 **潋**（瀲）liàn ↴
【潋滟】liànyàn 形 書 波が揺れ動いているさま

liáng

7 **良** liáng ❶よい．良好である‖→～好 ❷善良な人‖→～莠不齐 ❸書 非常に．甚だ．きわめて‖→～久
【良策】liángcè 名 良策．うまい案
【良辰】liángchén 名 書 よい時期．吉日‖吉日～

大安吉日
【良方】liángfāng 名 ❶(薬の)有効な処方 ❷名案. 妙案
**【良好】liánghǎo 形 よい. 好ましい‖～的祝愿 心からの祝福｜～的比赛风格 すばらしいスポーツマンシップ
【良机】liángjī 名 書 絶好の機会‖～莫mò失 到来した機会は逃がしてはならない
【良家】liángjiā 名 良家. 家柄のよい家庭
【良久】liángjiǔ 形 書 久しい. 時間が長い
【良民】liángmín 名 旧 公民. 平民. 良民
【良人】liángrén 名 古 ❶夫. 良人(りょうじん) ❷良民. 平民. (奴婢(ぬひ)と区別していう)
【良师益友】liáng shī yì yǒu 成 優れた師とよい友. 自分にとって大事な先生や友人
【良田】liángtián 名 良田. 美田
*【良心】liángxīn 名 良心‖～上过不去 良心がとがめる｜真没～！ まったく良心のかけらもない
【良性】liángxìng 形 良性の ↔〔恶性〕‖～循环 xúnhuán 好ましい流れ. 良好な循環
【良言】liángyán 名 よい言葉. ためになる善意の言葉
【良药苦口】liángyào kǔkǒu 諺 良薬は口に苦し‖～利于病, 忠言zhōngyán逆耳nì'ěr利于行 よく効く薬は飲みづらくても疾病によく, 忠言は聞き入れがたいが行いを正しくさせる
【良莠不齐】liáng yǒu bù qí 成 秀才と凡才, 善人と悪人が入り交じっている
【良缘】liángyuán 名 良縁
【良知】liángzhī 名〈哲〉良知. 生まれつき備わった是非善悪を判断する知能
*【良种】liángzhǒng 名 優良品種‖～水稻 優良品種の水稲

10 **凉(△涼) liáng ❶形 うすら寒い. 涼しい. 温度が低い‖天气渐渐～了 しだいに涼しくなった｜你的手真～ 君の手はほんとに冷たい ❷悲しい‖悲～ うら悲しい ❸落ちぶれた. さびれた‖凄qī～ 荒れはてた ❹日よけの. 暑さよけの‖一～棚 ❺涼しい日陰やそよ風‖纳～ 涼む ➤ liàng
【凉白开】liángbáikāi 名 口 冷ました湯. 湯冷まし
【凉半截儿】liáng bànjiér 組 がっかりする. 気が抜ける‖他听到这个消息, 心里凉了半截儿 彼はそのニュースを聞くと, すっかり気抜けしてしまった
【凉拌】liángbàn 動〈料理〉冷たいあえ物にする
【凉冰冰】liángbīngbīng (～的) 形 氷のように冷たい. ひやりと冷たい
【凉菜】liángcài 名 冷やして供する料理. 前菜
【凉碟】liángdié (～儿) 名 小皿料理. 前菜
【凉粉】liángfěn (～儿) 名〈料理〉緑豆の粉で作ったところてんに似た夏向きの食品. たれであえて食べる
【凉风】liángfēng 名 涼風. すず風
【凉开水】liángkāishuǐ 名 湯冷まし
★【凉快】liángkuai 形 涼しい‖天气很～ 天気がとても涼しい 動 涼む. 涼をとる‖去树底下～～吧！ 木陰に行ってちょっと涼もう
【凉帽】liángmào 名 夏の日よけ帽子
【凉棚】liángpéng 名 (丸太を組みアンペラなどを張った)日よけ. 日覆い‖搭dā～ 日覆いをする
【凉气】liángqì 名 涼しい空気. 冷気
【凉爽】liángshuǎng 形 涼しい. すがすがしい
*【凉水】liángshuǐ 名 ❶冷水. 冷たい水 ❷生水
【凉丝丝】liángsīsī (～的) 形 うすら寒い. ひんやりしている
【凉飕飕】liángsōusōu (～的) 形 (風が)ひんやりとする. うすら寒い‖脊背jǐbèi感到～的 背筋がぞくぞくする
【凉台】liángtái 名 露台. ベランダ. バルコニー
【凉亭】liángtíng 名 亭(ちん). あずまや
【凉席】liángxí (～儿) 名 寝ござ. 花ござ
【凉鞋】liángxié 名 サンダル
【凉药】liángyào 名〈中薬〉消炎・解熱薬
【凉意】liángyì 名 涼しさ. 涼味. 肌寒さ
【凉枕】liángzhěn 名 陶器・竹・アシなどで作った夏用枕

10 莨 liáng ↴ ➤ làng
【莨绸】liángchóu 名〈紡〉〔薯shǔ莨〕(ソメモノイモ)から取った染料で染めた平織りの絹地. 夏向きの衣料で広東省が主産地. 〔黑胶jiāo绸〕ともいう

11 梁[1](△樑❷) liáng ❶橋. 橋梁(きょうりょう)‖桥～ 橋梁 ❷名 梁(はり). 桁(けた)‖房～ うつばり ❸水平方向に重量を支える細長い部材‖横～ 横梁 ❹(～儿)物体や人体の隆起したり弓なりになったりしている部分‖脊jǐ～骨 背骨

11 梁[2] liáng ❶名 梁(りょう). 戦国時代の国名. 魏(ぎ)が大梁(現在の河南省開封市)に遷都してからの名 ❷名 王朝名 ①梁(502～557年). 南北朝時代の南朝の一つ ②梁(907～923年). 五代の最初の王朝. 〔后梁〕ともいう
【梁上君子】liáng shàng jūn zǐ 成 梁上の君子. 泥棒や盗人のたとえ

12 椋 liáng ↴
【椋鸟】liángniǎo 名〈鳥〉ムクドリ

12 **量 liáng ❶動 (物の大きさ・長さ・量などを)はかる. 計量する. 測定する‖～一～体重 体重をはかってみる｜～血压 血圧をはかる ❷推し量る. 推量する‖估～ 見積もる ➤ liàng
【量杯】liángbēi 名 (液体の容積を量る)メートルグラス
【量度】liángdù 動 (長さ・重さ・容量・エネルギー量・仕事量などを)測定する. 計量する
【量规】liángguī 名〈機〉ゲージ. 限界ゲージ
【量角器】liángjiǎoqì 名 分度器. 角度計
【量具】liángjù 名 計器. 測定器
【量热器】liángrèqì 名 熱量計. カロリー・メーター
【量筒】liángtǒng 名 メスシリンダー

13 粮(糧) liáng ❶名 穀物. 食糧‖一～食｜细～ 白米や小麦粉｜五谷杂～ 五穀雑穀 ❷納税する穀物
【粮仓】liángcāng 名 穀物倉庫. 喩 穀倉地帯
【粮草】liángcǎo 名 兵糧とまぐさ. 糧秣(りょうまつ)‖兵马未动, ～先行 人馬を動員する前に糧秣を準備する. 用意周到であることのたとえ
【粮店】liángdiàn 名 食糧販売店. 主に米や小麦粉などを販売する店
【粮荒】liánghuāng 名 食糧不足. 飢饉(ききん)‖闹～ 食糧不足に見舞われる
【粮库】liángkù 名 穀物倉庫
【粮农】liángnóng 名 主として穀物を栽培する農家
【粮票】liángpiào 名 食糧配給切符
**【粮食】liángshi 名 (穀類の)食糧. 米や小麦のほかトウモロコシ・アワ・コーリャンなどの雑穀, 大豆などの豆類, サツマイモ・ジャガイモなどのイモ類を含む‖～供应gōng-

yìng站 食糧供給センター
【粮食作物】liángshi zuòwù 〔名〕食糧用作物．米・小麦・雑穀類の総称
【粮栈】liángzhàn 图 旧 ❶穀物問屋 ❷穀物倉庫
【粮站】liángzhàn 图 食糧供給センター
13 **粱 liáng** ❶書 アワの優良品種 ❷書 上等の主食物‖膏～ 上等の肉や穀物．美食
14 **踉 liáng** ➡〔跳踉tiàoliáng〕 ➤ liàng

liǎng

★**两**[1]（兩）**liǎng** ❶数 2．二つ．ふつう，量詞の前や〔半〕〔千〕〔万〕〔亿〕の前に用いる‖～点半 2時半｜～次 2回｜～千 2000 ❷双方‖→～败俱伤 ❸数 **不定数を表す．2,3．いくつか**‖我说了他～句 私から彼に一言注意しておいた｜多住～天吧 もう2,3日泊まっていきなさい
7 ⁂**两**[2]（兩）**liǎng** 量（重さの単位）両．1〔两〕は50グラム．1〔斤〕の10分の1，1〔钱〕の10倍
【两岸】liǎng'àn 图 ❶（川や海峡の）両岸 ❷台湾海峡をはさむ両岸．台湾と大陸
【两败俱伤】liǎng bài jù shāng 成 敵・味方とも傷つく．相打ちで共倒れになる
【两半】liǎngbàn（～儿）图 二つ．半分‖把苹果切qiē成～ リンゴを半分に切る
【两边】liǎngbiān 图 ❶両側．両端 ❷両方．双方‖～讨好 両方の機嫌を取る
【两边倒】liǎngbiāndǎo 慣 二股（ふたまた）をかける
【两便】liǎngbiàn 形 ❶双方ともに都合がよい ❷挨拶 別れるときの挨拶に用いる‖咱们～吧 それじゃここで（別れましょう）
【两不找】liǎng bù zhǎo 慣（代金が）お釣りなしのぴったりである．過不足がない
【两重性】liǎngchóngxìng 图 二重性．二面性 ＝〔二重性〕
【两党制】liǎngdǎngzhì 图〈政〉二大政党制
【两抵】liǎngdǐ 動 相殺する‖收支～ 収支が相殺する
【两地】liǎngdì 图 二つの土地‖～分居 離れた土地に分かれて住む
【两端】liǎngduān 图 両端
【两分法】liǎngfēnfǎ 图〈哲〉二分法
【两广】Liǎng Guǎng 图 広東省と広西チワン族自治区の併称
【两湖】Liǎng Hú 图 湖南省と湖北省の併称
【两虎相斗】liǎng hǔ xiāng dòu 成 両雄相争う．両雄並び立たず．〔两虎相争〕ともいう
【两回事】liǎng huí shì（～儿）慣 別の事柄．別の話．〔两码事〕ともいう‖这完全是～，怎么能往一块扯chě呢 これはまったく別の事だ，一緒にするわけにはいかない
*【两极】liǎngjí 图 ❶〈地〉南極と北極 ❷〈電〉陰極と陽極 ❸転 対立する両極‖～分化 二極分化する．格差が広がる
【两江】Liǎng Jiāng 图 旧 清代における江南省（康熙（こうき）年間以降の江蘇省・安徽省）と江西省の併称
【两可】liǎngkě 動 どちらでも構わない．どうでもいい
*【两口儿】liǎngkǒur 图 口 夫婦‖小～ 若夫婦｜老～ 老夫婦
*【两口子】liǎngkǒuzi 图 口 夫婦二人．夫婦
【两肋插刀】liǎng lèi chā dāo 成 両脇（りょうわき）に刀を受ける．危険に立ち向かい大きな犠牲を払うこと‖为朋友～ 友人のために命懸けで尽力する
【两利】liǎnglì 形 双方に利益がある
【两码事】liǎng mǎ shì ＝〔两回事liǎng huí shì〕
【两面】liǎngmiàn（～儿）图 ❶両面．表裏 ❷両側．二方面 ❸（事物の対立する）二側面
【两面光】liǎngmiànguāng 慣 双方にへつらう．両方にいい顔をする
【两面派】liǎngmiànpài 图 裏表のある人．二股をかけている人間
【两面三刀】liǎng miàn sān dāo 成 二股かけて人を欺くやり口．二枚舌を使う手口
【两面性】liǎngmiànxìng 图 二面性
*【两旁】liǎngpáng 图 両側‖大街～ 大通りの両側
【两栖动物】liǎngqī dòngwù 图〈動〉両生類
【两歧】liǎngqí 動（意見などが）二つに分かれる
【两讫】liǎngqì 動〈経〉決済する．納品と支払いが完了する‖货款～ 商品納品と代金支払いが完了する
【两清】liǎngqīng 動 貸し借りなどを清算する‖咱们～了 我々はこれで貸し借りなしだ
【两全】liǎngquán 動 両方に配慮する．双方とも丸く収まる
【两全其美】liǎng quán qí měi 成 双方とも円満にまとめる．両方に配慮して満足させる
【两世为人】liǎng shì wéi rén 成 命拾いをする
*【两手】liǎngshǒu 图 ❶（～儿）能力．腕前．技能‖留～儿 切り札を残しておく ❷相反する二つの可能性に対処する方法‖做～准备 相反する二つの場合に備えて準備する
【两下子】liǎngxiàzi 图 ❶（動作の）2,3回．数回 ❷能力．腕前‖他做菜很有～ 彼の料理の腕はたいしたものだ
【两厢情愿】【两相情愿】liǎng xiāng qíng yuàn 成 双方が希望する．双方とも納得する
【两厢】liǎngxiāng 图 ❶伝統的住宅建築で，母屋の両側の〔厢房〕（脇棟） ❷両脇．両側
【两小无猜】liǎng xiǎo wú cāi 成 幼い男女の付き合いは無邪気でなんの疑いもない
【两性】liǎngxìng 图 ❶両性．男と女．雄と雌‖～关系 男女関係 ❷〈化〉両性
【两性人】liǎngxìngrén 图〈医〉二なり．半陰陽
【两袖清风】liǎng xiù qīng fēng 成 役人が袖の下を取らず清廉であること
【两样】liǎngyàng 形 違う．同じでない‖没有什么～ どこも違うところはない
【两翼】liǎngyì 图 左右の翼．両翼
【两用衫】liǎngyòngshān 图 合い服の上着．〔春秋衫〕ともいう
【两院制】liǎngyuànzhì 图〈政〉二院制
【两造】liǎngzào 图 書 原告と被告の双方
【两者】liǎngzhě 图 両者．双方
9 **俩**（倆）**liǎng** ➡〔伎俩jìliǎng〕 ➤ liǎ

liàng

9 ★**亮** **liàng** ❶形 明るい ‖ 天快～了 もうすぐ夜が明ける ‖ 灯不太～ 電灯があまり明るくない ❷動 **明るくなる. 光る. 輝く** ‖ 屋里～着灯光 部屋には明かりがともっている ❸(～儿)光. 光線 ❹(～儿)灯火. 明かり ❺形 (音が大きく)よく通る. よく響く ‖ 她的嗓音sǎngyīn真～ 彼女の声は実によく通る ❻形 はっきりしている ‖ 心明眼～ 物事を見極める目がある ❼動 **あかす. 明らかにする. 披露する** ‖ ～一手 腕前を見せる | ～记者证 記者証を提示する

【亮底】**liàng//dǐ** 動 ❶内幕をさらけ出す. 本当のところを見せる ❷決着がつく. 結末を見る

【亮点】**liàngdiǎn** 名 ❶スポットライトを浴びる人や事物. 注目の的. ハイライト ❷とくに優れた点. 目立つ長所

【亮度】**liàngdù** 名 光度. 明るさ

【亮分】**liàng//fēn** (～儿) 動 (審判や審査員が)得点を掲げて見せる ‖ 请评委～儿 審査員のみなさん, 得点を出してください

*【亮光】**liàngguāng** (～儿) 名 明かり. 光線 ‖ 从门缝ménfèng里透出一道～ 戸のすきまから一筋明かりが漏れている

【亮光光】**liàngguāngguāng** (～的) 形 (表面が)つややかなさま

【亮化】**liànghuà** 動 (都市を)照明で明るくする

【亮晃晃】**liànghuānghuāng** (～的) 形 ぎらぎらとまぶしく光るさま

【亮晶晶】**liàngjīngjīng** (～的) 形 (透明で美しいものが)きらきら輝くさま ‖ ～的露珠lùzhū きらきら光る露

【亮丽】**liànglì** 形 ❶輝かしい. 目にも鮮やかな ❷優美である. 美しい

【亮牌】**liàng//pái** 動 手持ちのカードを見せる. 手の内をさらけ出す

【亮色】**liàngsè** 名 ❶明るい色 ‖ ～衣服 明るい色の服 ❷美しいいろどり. 精彩

【亮闪闪】**liàngshǎnshǎn** (～的) 形 きらきら輝くさま

【亮堂堂】**liàngtāngtāng** (～的) 形 非常に明るいさま. 灯火があかあかとしているさま

【亮堂】**liàngtang** 形 ❶明るい. 輝いている ❷(気持ちが)すっきりしている. (考えが)はっきりしている

【亮相】**liàng//xiàng** 動 ❶〈劇〉見得を切る ❷公に態度を表明する. 立場や見解を明らかにする

【亮锃锃】**liàngzēngzēng** (～的) 形 ぴかぴか光るさま ‖ 把铜壶擦得～的 銅のやかんがぴかぴかに磨いてある

【亮铮铮】**liàngzhēngzhēng** (～的) 形 (刀などが反射して)ぎらぎら光るさま ‖ ～的剑jiàn ぎらりと光る剣

10 **凉**(△涼) **liàng** 動 冷ます. 冷やす ‖ ～一下再喝吧 冷ましてから飲みなさい ➤ liáng

10 **谅** **liàng** ❶察する. くみ取る ‖ 原～ 許す ❷動 推測する ‖ ～他也不敢怎么样 おそら

L

コラム 海峡両岸の用語

中国大陸と台湾は同じく中国語を使用していながら, 社会体制や生活方式の違い, 長年の隔絶などにより, 使われる言葉にかなり多くの差異がある. このような違いは主として次のような面に見られる.

(1)新しい言葉(時代の変化により後から増えた語)
(2)古い言葉(大陸ではいわゆる「旧社会」の語として使われなくなった語が台湾ではそのまま使われているもの)
(3)外来語(それぞれ独自に作った訳語)
(4)方言(大陸各地域や台湾の方言からきた語)

しかし, 中国の対外開放が進み, 海峡両岸の交流が増えるにつれ, 特に台湾の用語が大陸側で流行し, 取り入れられる現象が顕著になっている. たとえば"上班族"(サラリーマン), "写字楼"(オフィスビル), "比基尼"(ビキニ)などなど, である.

一般名詞	中国大陸	台湾
インターネット	因特网 yīntèwǎng	网际网路 wǎngjì wǎnglù
ハッカー	黑客 hēikè	骇客 hàikè
スペースシャトル	航天飞机 hángtiān fēijī	太空梭 tàikōngsuō
UFO	飞碟 fēidié 不明飞行物 bùmíng fēixíngwù	幽浮 yōufú
放送大学	广播电视大学 guǎngbō diànshì dàxué	空中大学 kōngzhōng dàxué
バス	公共汽车 gōnggòng qìchē	公车 gōngchē
自転車	自行车 zìxíngchē	脚踏车 jiǎotàchē
パントマイム	哑剧 yǎjù	默剧 mòjù
人形劇	木偶戏 mù'ǒuxì	傀儡戏 kuǐlěixì
男性独身者	光棍儿 guānggùnr	罗汉脚 luóhànjiǎo
エイズ	艾滋病 àizībìng	爱死病 àisǐbìng
ボールペン	圆珠笔 yuánzhūbǐ	原子笔 yuánzǐbǐ
偽物	冒牌 màopái	假包 jiǎbāo
カルテ	病历 bìnglì	病程 bìngchéng
カンフー	武术 wǔshù	国术 guóshù
卓球	乒乓球 pīngpāngqiú	桌球 zhuōqiú
ビリヤード	台球 táiqiú	撞球 zhuàngqiú
アニメ	动画片 dònghuàpiàn	卡通片 kǎtōngpiàn

〈彼とていかんともしがたいだろう

*【谅解】liàngjiě 動（相手の気持ちや立場を）了解する．察する‖得到大家的～ みんなの理解を得る

11 ★**辆**（輛）liàng 量（自動車・自転車・馬車などを数える）台．両

12 ***晾** liàng ❶動（日光に当てたり陰干しにしたりして）干す．乾かす‖把毛巾～在绳子上 タオルをロープに干す ❷ほうっておく．そっちのけにする‖只顾自己聊天ル，把顾客～在一边 おしゃべりに夢中で，お客のほうはほったらかしだ ❸〔凉liàng〕に同じ

【晾晒】liàngshài 動 日に干す

【晾台】liàngtái 图 物干し場．ベランダ．バルコニー

【晾衣绳】liàngyīshéng 图 物干しロープ

12 **靓** liàng 形 方 美しい ➤ jìng

【靓丽】liànglì 形（容姿が）美しい．麗しい．（商品などが）ファッショナブルである．魅力的である

【靓女】liàngnǚ 图 方 美しい娘．美女

【靓仔】liàngzǎi 图 方 美しい若者．美男子

12 ***量** liàng ❶古 升などの容量を量る器 ❷許容量．限度‖酒～ 酒量｜饭～ 食べる量．食事量 ❸图 数量．重さ．かさ‖每天都能卖出一些，但～不大 毎日少しずつ売れているが，量は多くない ❹動 推し量る．見積もる‖一～力 ➤ liáng

逆引き単語帳 〔数量〕shùliàng 数量．数 〔重量〕zhòngliàng 重量．重さ 〔质量〕zhìliàng 質．品質 〔产量〕chǎnliàng 生産高 〔含量〕hánliàng 含有量 〔热量〕rèliàng 熱量．カロリー 〔胆量〕dǎnliàng 度胸．勇気 〔气量〕qìliàng 度量．包容力 〔力量〕lìliang 力．能力 〔能量〕néngliàng エネルギー 〔容量〕róngliàng 容量 〔音量〕yīnliàng 音量．ボリューム 〔饭量〕fànliàng 食事の量 〔酒量〕jiǔliàng 酒量 〔海量〕hǎiliàng 酒量が多いこと．酒豪

【量变】liàngbiàn 图〈哲〉量的変化↔〔质变〕

【量才录用】liàng cái lù yòng 成 能力に応じて人材を用いる．適材適所

【量词】liàngcí 图〈語〉量詞．助数詞

【量贩店】liàngfàndiàn 图 方 量販店

【量化】liànghuà 動 ❶数値化する．数量化する ❷量子化する

【量力】liànglì 動 自分の能力に応じたことをする．分相応にする‖～而为wéi 力量を考えて行う

【量入为出】liàng rù wéi chū 成 収入を考えて支出する

【量体裁衣】liàng tǐ cái yī 成 体に合わせて服を作る．実際に即応して行動することのたとえ

【量刑】liàngxíng 動〈法〉量刑にする

L

	中国大陆	台湾
タクシー	出租汽车 chūzū qìchē	计程车 jìchéngchē
宇宙飛行士	宇航员 yǔhángyuán	太空人 tàikōngrén
国語	语文 yǔwén	国文 guówén
基本給	基本工资 jīběn gōngzī	底薪 dǐxīn
年金	退休金 tuìxiūjīn	终身俸 zhōngshēnfèng
立体橋	立交桥 lìjiāoqiáo	高架公路 gāojià gōnglù 交流道 jiāoliúdào
サンドイッチ	三明治 sānmíngzhì	三文治 sānwénzhì

人名	中国大陆	台湾
ブッシュ	布什 Bùshí	布希 Bùxī
ニクソン	尼克松 Níkèsōng	尼克森 Níkèsēn
スターリン	斯大林 Sīdàlín	史达林 Shǐdálín
アインシュタイン	爱因斯坦 Àiyīnsītǎn	艾因斯坦 Àiyīnsītǎn
マルクス	马克思 Mǎkèsī	马克斯 Mǎkèsī
ケネディ	肯尼迪 Kěnnídí	甘乃迪 Gānnǎidí

国名・地名	中国大陆	台湾
ラオス	老挝 Lǎowō	寮国 Liáoguó
イタリア	意大利 Yìdàlì	义大利 Yìdàlì
ケニア	肯尼亚 Kěnníyà	肯亚 Kěnyà
シドニー	悉尼 Xīní	雪梨 Xuělí
ニュージーランド	新西兰 Xīnxīlán	纽西兰 Niǔxīlán
チュニジア	突尼斯 Tūnísī	突尼西亚 Tūníxīyà
バルセロナ	巴赛罗那 Bāsàiluónà	巴赛隆纳 Bāsàilóngnà
カンヌ	戛纳 Jiánà	坎城 Kǎnchéng
ミシシッピ川	密西西比河 Mìxīxībǐhé	密士失必河 Mìshìshībìhé
サンディエゴ	圣地亚哥 Shèngdìyàgē	桑堤亚哥 Sāngdīyàgē

日本語から	中国大陆	台湾
刺身	生鱼片 shēngyúpiàn	撒西米 sāxīmǐ
新聞紙	报纸 bàozhǐ	新闻纸 xīnwénzhǐ
弁当	盒饭 héfàn	便当 biàndāng

【量子】liàngzǐ 图〈物〉量子‖～力学 量子力学

14 踉 liàng ↴ ➤liáng

【踉跄】【踉蹡】liàngqiàng 動 よろめきながら歩く.足がよろめく‖踉踉跄跄地走进来 ふらつく足取りで入ってきた

liāo

15 撩 liāo ❶動 まくる.たくし上げる‖～了一下头发 ちょっと髪をかき上げた ❷動（水を手ですくって下から上へ向かって）まく‖～水 水をまく ➤liáo

liáo

5 辽[1]（遼）liáo はるかに遠い‖→～远｜→～阔

5 辽[2]（遼）liáo 图 王朝名,遼(907～1125年)

*【辽阔】liáokuò 形 広々と果てしない‖幅员fúyuán～ 領土が広々と果てしない

【辽远】liáoyuǎn 形 果てしなく遠い‖～的天空 はるかかなたの大空｜～的地方 かなたの土地

7 疗（療）liáo 病をいやす.治療する‖诊zhěn～ 診療する｜化～ 化学療法

【疗程】liáochéng 图〈医〉治療コース.クール‖一个～ 1クール

【疗法】liáofǎ 图 治療法‖针灸zhēnjiǔ～ 鍼灸(しんきゅう)療法

*【疗效】liáoxiào 图 治療の効果‖～显著 治療効果が顕著である

*【疗养】liáoyǎng 動 療養する‖好好ㄦ～一段时间,恢复体力 しばらくきちんと療養し,体力を回復させる

【疗养院】liáoyǎngyuàn 图 療養所.サナトリウム

11 聊[1] liáo ❶ひとまず.一応‖→～且 ❷いささか‖～表寸心 いささか微意を表する

11 聊[2] liáo 頼り安んずる‖→～生｜无～ 退屈でむなしい

11 ** 聊[3] liáo 動 おしゃべりする.無駄話をする‖有工夫咱俩好好ㄦ～～ 時間があったらゆっくりおしゃべりでもしましょうよ

【聊且】liáoqiě 副 ひとまず.さしあたって

【聊生】liáoshēng 動 書 生活の頼みとする.(多く否定に用いる)‖民不～ 民衆が安心して暮らせない

【聊胜于无】liáo shèng yú wú 成 ないよりはよい

**【聊天ㄦ】liáo//tiānr 動 口 ❶おしゃべりをする.雑談する ❷〈計〉チャットする‖～室 チャットルーム

> **類義語** 聊天ㄦ liáotiānr / 谈话 tánhuà
>
> ◆〔聊天ㄦ〕二人またはそれ以上の人が,これといった目的を持たずに,自由に話をする.くつろいだときや用事のないときに,気楽におしゃべりをすることをいい,正式の場合には用いない‖同学们一边ㄦ吃瓜子ㄦ,一边ㄦ聊天ㄦ(×谈话) クラスメートたちはスイカの種を食べながらおしゃべりしている ◆〔谈话〕二人またはそれ以上の人が,ある目的やテーマを持って話をする‖老师说要找你谈话(×聊天ㄦ) 先生が君に話があると言っていた

【聊以自慰】liáo yǐ zì wèi 成 いささか慰められる

【聊以卒岁】liáo yǐ zú suì 成 どうにか年を過ごす

14 僚 liáo ❶官僚.役人‖官～ 官僚 ❷旧 役人仲間‖同～ 同僚

【僚属】liáoshǔ 图 旧 属僚.下役

14 寥 liáo ❶書 広々として果てしない ❷静かである.もの寂しい ❸まばらである

【寥寂】liáojì 形 寂しい.静まりかえっている

【寥廓】liáokuò 形 書 広々として果てしない‖～的天空 広々として果てしなく続く大空

【寥寥无几】liáo liáo wú jǐ 成 いくらもない.寥々たるものである

【寥落】liáoluò 形 ❶まばらである ❷もの寂しい

【寥若晨星】liáo ruò chén xīng 成 明け方の星のように少ない

15 潦 liáo ↴ ➤lǎo

*【潦草】liáocǎo 形 ❶(字が)乱雑である.いいかげんである‖字迹zìjì～ 筆跡が乱雑である ❷(やり方が)粗雑である.いいかげんである.ぞんざいである

【潦倒】liáodǎo 形 落ちぶれてみすぼらしい.みじめである‖穷困～ 落ちぶれてみすぼらしい

15 寮 liáo 方 小屋.小部屋‖僧sēng～ 僧房｜茶～酒肆jiǔsì 茶屋と居酒屋

15 撩 liáo 挑発する.あおる‖春色～人 春の気配が人の心を浮き浮きさせる ➤liāo

【撩拨】liáobō 動 ひっかける.そそのかす‖拿话～她 彼女に誘いをかける.彼女にモーションをかける

【撩动】liáodòng 動 突き動かす‖～心弦xīnxián 心をそそる

【撩逗】liáodòu 動 からかう.ちょっかいをかける

【撩乱】liáoluàn ＝〔缭乱liáoluàn〕

【撩惹】liáorě 動 からかう

15 嘹 liáo ↴

【嘹亮】【嘹喨】liáoliàng 形 (音声が)高く響きわたるさま‖歌声～ 歌声がさえわたる

15 獠 liáo ↴

【獠牙】liáoyá 图 鋭いきば‖青面～ 相貌が醜く恐ろしいさま

15 缭 liáo ❶からまる‖→～绕 ❷動 まつる.かがる‖～衣缝yīfèng 服の縫い目をまつる

【缭乱】liáoluàn 形 書 入り乱れるさま.〔撩乱〕とも書く

【缭绕】liáorào 動 渦巻く.からまる‖歌声～ 歌声が響きわたる｜炊烟chuīyān～ かまどの煙が立ち上る

16 燎 liáo ❶燃え広がる‖→～原 ❷やけどする‖→～泡 ➤liǎo

【燎泡】liáopào 图〈中医〉やけどによって生じる水泡

【燎原】liáoyuán 動 野原を焼き払う‖～之势 燎原(りょうげん)の火.勢い盛んで止めようがないさま

17 鹩 liáo ➡〔鹪鹩jiāoliáo〕

liǎo

2 ★ 了[1] liǎo ❶動 終わる.終える.完了する.済む‖私～ 示談にする｜一～百～ すっかり終わりになる.すっかり片が付く ❷書 まったく.少しも.(多く否定に用いる)‖～无痕迹hénjì 少しの痕跡(こんせき)もない ❸動 (動詞・形容詞の後に〔…得了…〕または〔…不了…〕の形で続き,可能または不可能を表す)…し

きれる，しきれない．…できる，できない ‖ 来不～ 来られない｜这是名牌货，恐怕便宜不～ これはブランド品だから恐らく安くはないだろう

2 **了²(瞭) liǎo** 明らかである．明白である ‖ 一～然 ➤ le

【了不得】liǎobude ; liǎobudé 形 ❶たいしたものである．すごい．すばらしい ‖ 会三门儿外语？真～！ 3ヵ国語ができるんですか，それはたいしたものだ ❷…でたまらない．すごく…である ‖ 渴得～ のどが渇いてたまらない ❸大変である．大事である ‖ 可～啦，老王晕倒yūndǎo了 大変だ，王さんが気絶した

****【了不起】liǎobuqǐ** 形 **たいしたものである．すばらしい．すごい** ‖ ～的人物 すごい人物｜没有什么～的 別にたいしたことはない

【了当】liǎodàng 形 はっきりしている．さっぱりしている ‖ 直截zhíjié～ 単刀直入 動 都合よく片が付く．妥当なところに落ち着く

【了得】liǎode 形 とんでもない．なんてことだ．(驚きや詰問の口調を示す．多く〔还〕を伴う) ‖ 酒后开车还～！ 酒を飲んで運転するなんてとんでもない

【了结】liǎojié 動 解決する．片付く

★**【了解】liǎojiě** 動 ❶**分かる．知る．了解する．理解する** ‖ 我很～他 私は彼のことをよく知っている ❷**調べる．問う** ‖ 这究竟是怎么回事？你去～一下 これはいったいどういうことなのか，ちょっと調べてみてください．

【了局】liǎojú 動 結末がつく 名 ❶結末 ❷結末をつける方法．解決策

【了了】liǎoliǎo 形 書 はっきりしている．はっきり分かっている

【了却】liǎoquè 動 けりがつく．片付く ‖ ～了一桩zhuāng心事 心配事が一つ解決した

【了然】liǎorán 形 明白である．はっきりしている ‖ 一目～ 一目瞭然(いちもくりょうぜん)である

【了如指掌】liǎo rú zhǐ zhǎng 成 明らかなること掌(たなごころ)を指すがごとし．事情によく通じていること

【了事】liǎo∥shì 動 事を済ませる．終わらせる．片付ける ‖ 草草～ いいかげんに片付ける

【了账】liǎo∥zhàng 動 ❶勘定を済ます．清算する ❷喩 終わらせる．けりをつける

7 **钌 liǎo** 名〈化〉ルテニウム(化学元素の一つ，元素記号は Ru) ➤ liào

14 **蓼 liǎo** 名〈植〉タデ．〔水蓼〕ともいう ➤ lù

【蓼蓝】liǎolán 名〈植〉アイ．タデアイ

16 **燎 liǎo** 動 (火に近づけて)焦がす ‖ 心急火～ ➤ liáo

liào

7 **尥 liào** ↴

【尥蹶子】liào juězi 組 (ロバ・ウマなどが)後足を後ろにけりあげる

7 **钌 liào** ↴ ➤ liǎo

【钌铞儿】liàodiàor 名 (戸や窓の)円環の掛け金

10 * **料 liào** ❶書 量る ❷動 推測する．推定する ‖ 不出所～ 予想したとおりである ❸対処する．面倒をみる ‖ 照～ 世話する ❹名 材料．素材 ‖ 毛～ ウール地 ❺名 飼料 ‖ 给牲口喂wèi～ 家畜に餌(え)を与える ❻資料 ‖ 史～ 史料 ❼半透明状のガラス細工 ‖ →～器 ❽量 ①〈中薬〉(処方に基づいて調合した)丸薬の1調合分 ‖ 配一～药 1回分の丸薬を調合する ②旧 木材を数える．断面1平方尺，長さ7尺のものを1〔料〕とした ❾名 喩 人材．器(うつわ) ‖ 我不是当演员的～ 私は俳優になる柄ではない

【料到】liào∥dào 動 思い当たる．予想がつく

【料定】liàodìng 動 必ず…に違いない．きっと…のはずだ ‖

【料豆儿】liàodòur 名 飼料用の豆類

【料及】liàojí 動 書 予測する．思い至る

【料酒】liàojiǔ 名 調味用の酒．調理酒

【料理】liàolǐ 動 ❶処置する．取り仕切る ‖ ～家务 家のことを取り仕切る ❷方 料理する．調理する 名 方 料理 ‖ 日本～店 日本料理店

【料器】liàoqì 名 半透明状のガラス細工の工芸品

【料峭】liàoqiào 形 書 肌寒い．(多く春の寒さをいう) ‖ 春寒～ 早春の肌寒さを感じる

【料事如神】liào shì rú shén 成 神のように先を的確に見通す

【料想】liàoxiǎng 動 推測する．予想する ‖ ～不到的事 思いもよらない事

【料子】liàozi 名 ❶衣服の生地．服地 ‖ 西服～ 洋服の生地 ❷方 ウール地 ❸回 人材．器量．素質 ‖ 不是当老师的～ 先生になる柄じゃない

14 **廖 liào** 名 姓

14 **撂(撩) liào** ❶動 (無雑作に)置く ‖ 她～下手里的活儿就来了 彼女はやりかけの仕事を置いたまますぐやって来た ❷動 ほったらかしにする．うち捨てる ‖ ～下不管 ほったらかして知らん顔をする ❸転倒させる．倒す ‖ 一下子就把对方～倒了 たちまち相手を倒した

【撂地】liàodì (～儿) 動 (芸人が)路上で出し物を演じる．〔撂地摊〕ともいう

【撂手】liào∥shǒu 動 ほったらかす．投げ出す

【撂挑子】liào tiāozi 組 てんびん棒をほうり出す．責任ある仕事を投げ出すことのたとえ

17 **瞭 liào** 眺望する．遠くを見渡す ‖ 一～望

【瞭望】liàowàng 動 ❶遠くを展望する．はるかに見渡す ❷高い所から見張りをする

【瞭望哨】liàowàngshào 名 見張り台．歩哨所

17 **镣 liào** 犯罪人の足首につけるかせ ‖ 脚～ 足かせ

【镣铐】liàokào 名 足かせと手かせ

liē

9 **咧 liē** ↴ ➤ liě

【咧咧】liēliē ⇒〔大大咧咧dàdaliēliē〕〔骂骂咧咧màmaliēliē〕

liě

9 **咧 liě** 動 口の端を横に伸ばす．口をゆがめる ➤ liē

【咧嘴】liě∥zuǐ 動 口の端を横に伸ばす．口をゆがめる ‖ 咧着嘴笑 口もとをほころばす

L

12 **裂** liě 動方 真ん中から二つに分かれる. 開く ‖ ～着怀 胸をはだけている ➤ liè

liè

6 ** **列** liè ❶動 並ぶ. 並べる ‖ →～队 ❷列. 行列 ‖ 队～ 隊列 ❸それぞれの. 各々の ‖ →～国 ❹部類 ‖ 不在讨论之～ 討論の類には入らない ❺量 列をなしているものを数える ‖ 一～火车 1列車 ❻動 配置する. 割りふる ‖ →～入

【列兵】 lièbīng 名 兵卒. 軍の最下級の兵士

*【列车】 lièchē 名 列車 ‖ ～员 列車乗務員. 車掌 ☞直接〔坐〕〔乘〕の目的語にはならない

【列出】 liè//chu(chū) 動 書き連ねる. 書き並べる

【列岛】 lièdǎo 名〈地〉列島

【列队】 lièduì 動 列を作る. 隊を組む

【列国】 lièguó 名 列国. 各国

*【列举】 lièjǔ 動 列挙する ‖ ～大量数据 大量のデータを列挙する

*【列入】 lièrù 動 入れる. 組み込む ‖ ～黑名单 ブラックリストに載せる

【列为】 lièwéi 動 (…に)入れる. 列する ‖ ～重点项目 重点プロジェクトに列する

【列位】 lièwèi 代書 各位. 諸君

*【列席】 liè//xí 動 (会議にオブザーバーとして)参加する. 列席する ‖ ～代表 投票権のない参会代表者

【列支敦士登】 Lièzhīdūnshìdēng 名〈国名〉リヒテンシュタイン

【列传】 lièzhuàn 名 列伝. 個人の伝記を書き連ねた記録

【列祖列宗】 lièzǔ lièzōng 名 代々の先祖

6 **劣** liè 劣っている. よくない ↔〔优yōu〕‖ →～质

【劣等】 lièděng 形 粗悪な. 下等の ‖ ～货 粗悪品

【劣根性】 liègēnxìng 名 悪い性質. 曲がった根性

【劣迹】 lièjì 名 悪辣(あくらつ)な所業. 不行跡

【劣品】 lièpǐn 名 質の悪い製品. 粗悪品

【劣绅】 lièshēn 名 劣等紳士. 悪徳名士 ‖ 土豪tǔháo～ 地方の有力者やボス. 土豪劣紳

【劣势】 lièshì 名 劣勢 ‖ 处于～ 劣勢の状態にある

【劣质】 lièzhì 形 品質が劣っている. 粗悪である ‖ ～酒 質の悪い酒

【劣种】 lièzhǒng 名 (家畜や農作物の)不良品種

8 **冽** liè 書 (肌を刺すように)寒い. 冷たい ‖ 凛lǐn～ 身を切るように寒い

9 **洌** liè 書 (水や酒が)清らかなさま ‖ 泉香而酒～ 泉香りて酒は清らかなり

10 **埒** liè 書 同等である ‖ 兄妹才力相～ 兄と妹の才能は相等しい

10 **烈** liè ❶火勢が強い ‖ →～焰 ❷激しい. 強烈である ‖ →～日 ❸形 剛直である ‖ 这人性子很～ この人は気性が激しい ❹正義のために犠牲となった ‖ →～士 ❺正義のために犠牲となった人 ‖ 先～ 烈士 ❻書 功績. 偉業

【烈度】 lièdù 名略 震度.〔地震dìzhèn烈度〕の略

【烈风】 lièfēng 名 ❶烈風 ❷〈気〉大強風(風力9の風)

*【烈火】 lièhuǒ 名 烈火 ‖ ～熊熊 火が激しく燃えさかっている

【烈酒】 lièjiǔ 名 強い酒

【烈马】 lièmǎ 名 暴れ馬. 容易に調教できない馬

【烈女】 liènǚ 名旧 烈婦. 烈女.(貞操を守るために死を選んだり, 夫の死に殉じたりした婦人のこと)

【烈日】 lièrì 名書 烈日. 灼熱(しゃくねつ)の太陽 ‖ ～炎炎yányán 太陽がかんかんと照りつける

*【烈士】 lièshì 名 ❶烈士. 正義のために犠牲になった人. 革命に殉じた人 ❷古 功績を立てようと志している人

【烈属】 lièshǔ 名略 烈士の家族. 革命に殉じた人の遺族.〔烈士家属〕の略

【烈性】 lièxìng 形 ❶(人の)気性が激しい ‖ ～汉子 熱血漢 ❷性質がきつい. 激しい ‖ ～酒 アルコール度数の高い酒. 強い酒

【烈焰】 lièyàn 名 激しい炎

11 **捩** liè ねじる. ねじ曲げる

11 **猎(獵)** liè ❶動書 狩りをする. 狩猟をする ‖ 不许～象 ゾウを捕獲してはならない ❷求める. 追求する ‖ →～奇

【猎豹】 lièbào 名〈動〉チーター

【猎场】 lièchǎng 名 猟場. 狩り場

【猎狗】 liègǒu 名 猟犬.〔猎犬quǎn〕ともいう

【猎户】 lièhù 名 狩猟を業とする家. 猟師. 狩人

【猎户座】 lièhùzuò 名〈天〉オリオン座

【猎猎】 lièliè 擬書 (風の音や旗が風にはためく音)ヒューヒュー. パタパタ ‖ 北风～ 北風がヒューヒュー吹きすさぶ

【猎奇】 lièqí 動貶 奇怪なものを捜し求める ‖ ～心理 猟奇趣味

【猎潜艇】 lièqiántǐng 名〈軍〉駆潜艇

【猎枪】 lièqiāng 名 猟銃

【猎取】 lièqǔ 動 ❶猟で捕る. 狩りをして捕らえる ❷(名誉や利益を)奪い取る. あさる ‖ ～名利 名利を求める

【猎犬】 lièquǎn ＝〔猎狗liègǒu〕

*【猎人】 lièrén 名 猟師. 狩人

【猎手】 lièshǒu 名 (多く熟練した)猟師. 狩人

【猎头】 liètóu 名 ヘッドハンティング ‖ ～公司 ヘッドハンティング会社

【猎物】 lièwù 名 狩りの獲物

【猎鹰】 lièyīng 名 (狩りに使う)タカ. ハヤブサ

【猎装】 lièzhuāng 名 狩猟服. サファリ・スーツ

12 * **裂** liè ❶動 二つに裂ける. 割れる ‖ 四分五～ 四分五裂. ばらばらに分かれる ❷動 裂け目ができる. ひびが入る ‖ →～痕 ➤ liě

【裂变】 lièbiàn 動 ❶〈物〉核分裂する ❷分裂し変化する

【裂唇】 lièchún 名〈医〉兎唇(としん)

【裂缝】 liè//fèng (～儿) 動 ひびが入る. 裂け目ができる 名(lièfèng) ひび. 割れ目. 裂け目 ‖ 门上有一道～ 扉にひびが1本入っている

【裂痕】 lièhén 名 裂け目. ひび割れ ‖ 镜子上的～ 鏡のひび割れ

【裂口】 liè//kǒu (～儿) 動 ひび割れる. ひびが入る 名(lièkǒu) ひび割れ. 割れ目 ‖ 碗上有个～ 茶碗にひびが入っている

【裂纹】 lièwén 名 ❶ひび. ひび割れ.〔裂璺wèn〕ともいう ❷貫乳(かんにゅう). 貫入. 陶磁器の面に出る細かいひび

【裂隙】 lièxì 名 割れ目. 裂け目

13 **趔** liè ↴

【趔趄】lièqie 動 よろめく. よろける ‖ 他～着走进屋来 彼はよろよろしながら家に入ってきた

22 **躐** liè 書 越える. 越す ‖ ～升 飛び越えて昇進する

25 **鬣** liè （ライオンやウマなどの）たてがみ ‖ 狮～ ライオンのたてがみ

līn

8 **拎** līn 動 方（手に）提げて持つ ‖ ～包 手提げかばん

lín

7 **邻**(鄰 △隣) lín ❶隣. 近所 ‖ →～居 ❷近接する. 隣り合う ‖ ～座 隣の座席. 隣に座っている人

【邻邦】línbāng 名 隣国. 隣邦

【邻村】líncūn 名 隣の村

*【邻国】línguó 名 隣国. 隣の国

【邻接】línjiē 動 隣接する

【邻近】línjìn 動 近接する. 隣り合う 名 付近. 隣近所 ‖ ～的商店 近所の商店

【邻居】línjū 名 **隣家. 隣近所. 隣人 ‖ 老～ 昔からの隣人 | 做～ 隣人になる | 街坊～ 隣近所

【邻里】línlǐ 名 ❶隣近所. 町内 ❷同じ町内の人

【邻舍】línshè 名 隣家. 隣近所. 隣人

8 **林** lín ❶林 ‖ 防风～ 防風林 ❷林業の略称 ‖ 农～牧副渔 農業・林業・牧畜業・副業・漁業 ❸集まった同類の人や物 ‖ 禅chán～ 禅林. 禅宗の寺院

【林产】línchǎn 名 林産. 山林地帯の産物

*【林场】línchǎng 名 ❶営林署 ❷造林地

【林丛】líncóng 名 林の茂み

【林带】líndài 名〈林〉防風や防砂のための森林帯

【林地】líndì 名 森林地域. 森林地帯

【林海】línhǎi 名 樹海

【林垦】línkěn 動 荒れた山を開墾して造林する

【林立】línlì 動 林のように群がり立ち並ぶ. 林立する

【林林总总】línlínzǒngzǒng 形 非常に多いさま

【林莽】línmǎng 名 林と草むら

【林木】línmù 名 ❶林. 樹林. 森林 ❷〈林〉林木

【林农】línnóng 名 林業関係の仕事をする農民

*【林区】línqū 名 森林地域

【林涛】líntāo 名 風に吹かれて森林が起こす波濤(はとう)のような音

【林网】línwǎng 名 縦横に広がる林

*【林业】línyè 名 林業 ‖ ～工人 林業労働者

【林阴道】línyīndào 名 並木道

【林政】línzhèng 名 林業に関する行政. 林政

【林子】línzi 名 口 林 ‖ 树～ 林

9 ** **临**(臨) lín ❶見下ろす ‖ 居高～下 高所から見下ろす. 有利な位置を占める ❷(その場へ)出向く. 訪れる ‖ 亲～现场 自ら現場に赴く ❸来る. 到来する ‖ →～头 ❹動 …**に面する. 臨む** ‖ ～窗户的座位 窓側の席 ❺まもなく. すぐに ‖ →～行 ❻動 書画を模写する

【临别】línbié 動 別れに臨む. 別れに際する

【临产】línchǎn 動（妊婦が）出産に臨む. 出産間際になる

【临场】línchǎng 動 本番に臨む ‖ ～发挥 本番で実力を発揮する

*【临床】línchuáng 動〈医〉実際に病人を治療する. 臨床 ‖ ～诊断 臨床診断 | ～经验丰富 臨床経験が豊富である

【临到】líndào 動 ❶(…に)臨む. 至る ‖ ～开会 会議の間際になって ❷(身に)及ぶ. ふりかかる ‖ 这种事如果～你的头上，你怎么办？ こういう事がもし君の身にふりかかったら，君は一体どうする

【临风】línfēng 動 書 風に当たる. 風に吹かれる

【临机】línjī 副 その場に臨んで ‖ ～应变yìngbiàn 臨機応変

【临街】línjiē 動 通りに面している. 道路に臨む

【临界点】línjièdiǎn 名〈物〉臨界点

*【临近】línjìn 動 接近する. 近づく ‖ ～海滨的一所别墅biéshù 海辺に近い別荘

【临渴掘井】lín kě jué jǐng 成 のどの渇きを感じてから井戸を掘る. 問題が起きてから慌てて対策を考えても間に合わないこと

【临客】línkè 名 臨時旅客列車 ‖ 暑运增开～ 夏期休暇期間は臨時旅客列車を増発する

【临了】línliǎo（～儿）副 口 結局は. とどのつまり. 最後には.〔临末了儿mòliǎor〕ともいう

【临门】línmén 動 ❶門のところに来る. 訪れる ‖ 贵客～ 賓客が訪れる ❷〈体〉(サッカーやラグビーなどで)ゴールに迫る ‖ ～一脚 ゴール直前のシュート

【临摹】línmó 動 模写する. 手本どおりに見て写すまたは透き写しする ‖ ～书画 書画を模写する

【临难】línnàn 動 書 危難に直面する

【临盆】línpén 動 分娩(ぶんべん)する. 出産する

【临深履薄】lín shēn lǚ bó 成 深い淵(ふち)に臨み，薄氷を踏む. 注意深く慎重に事を行うたとえ

【临时】línshí 副 **そのときになって ‖ 事先不准备，～就来不及了 事前の準備がなければ，いざというときには間に合わない 形 **臨時の. 短期の. 仮の** ‖ ～措施cuòshī 暫定措置

【临时抱佛脚】línshí bào fójiǎo 慣 そのときになって仏の足にすがりつく. 苦しいときの神頼み

【临时代办】línshí dàibàn 名 代理大使〔公使〕

【临时工】línshígōng 名 臨時工. 一時雇い

【临死】línsǐ 動 死に臨む

【临帖】lín//tiè 動 手本を見ながら字を練習する

【临头】líntóu 動（危険や災難が）身にふりかかる ‖ 大难nàn～ 大きな災難がふりかかる

【临危】línwēi 動 ❶(病気で)危篤になる. 臨終を迎える ❷生命の危険に直面する

【临危受命】línwēi shòumìng 慣 危機に当たり任務を与えられる

【临危授命】lín wēi shòu mìng 成 危急存亡のときに，勇敢に命を投げ出す

【临刑】línxíng 動 死刑に臨む

【临行】línxíng 動 出発に際する. まもなく出発する

【临渊羡鱼】lín yuān xiàn yú 成 川の淵に臨んで魚をうらやむ. 欲しい物をただ見ているだけでは手に入らないたとえ

【临月】línyuè（～儿）動 臨月に入る. 産み月になる

【临战】línzhàn 動 戦いに臨む. 試合に臨む

【临阵】línzhèn 動〈軍〉❶戦地に臨む ❷戦闘に参加する

【临阵磨枪】lín zhèn mó qiāng 成 戦いに臨んで

から槍(やり)を磨く. 事態が急迫してから準備するたとえ
【临阵脱逃】lín zhèn tuō táo 成 敵前で脱走する. いざというときに尻込みするたとえ
【临终】línzhōng 動 臨終になる
【临终关怀】línzhōng guānhuái 名 ターミナルケア. 末期医療
11 * 淋 lín ❶動(水などが)かかる. ぬれる‖衣服被～透了 服がびしょぬれだ ❷動(液体を)そそぐ. かける ➤ lìn
【淋巴】línbā 名〈生理〉リンパ. 〔淋巴液〕ともいう
【淋巴结】línbājié 名〈生理〉リンパ節. リンパ腺
【淋漓】línlí 形 書 ❶ぬれるさま. しずくになって落ちるさま‖墨迹mòjì～ 墨痕(ぼっこん)鮮やかである ❷のびやかなさま
【淋漓尽致】lín lí jìn zhì 成(言葉や文章が)流暢(りゅうちょう)で余すところなく表現されている
【淋淋】línlín 形(水や汗などが)滴り落ちるさま
【淋雨】lín//yǔ 動 雨にぬれる‖昨天～感冒了 きのう雨にぬれて風邪を引いてしまった
【淋浴】línyù 動 シャワーを浴びる‖洗～ シャワーを浴びる
12 琳 lín 書 美しい玉(ぎょく)
【琳琅】línláng 名 書 美しい玉. 喩 美しく貴重なもの
【琳琅满目】lín láng mǎn mù 成 逸品揃いであるさま(多く美術品や書籍についていう)
14 粼 lín ↴
【粼粼】línlín 形 書 水や石が清らかに澄んでいるさま‖波光～ 波がきらきら光っている
15 遴 lín 慎重に選ぶ‖～才 人材を選ぶ
15 嶙 lín ↴
【嶙峋】línxún 形 書 ❶岩や山が重なり合いそびえ立つさま ❷(人が)痩せこけて骨ばっているさま‖瘦骨～ 痩せ細って骨と皮だけである ❸剛直である. 一本気である
16 辚 lín ↴
【辚辚】línlín 擬 書 車輪の回る音‖车～, 马萧萧xiāoxiāo 車の音が響き, 馬がいななく. 戦争がまさに始まろうとしている
16 霖 lín 名 霖雨(りんう). 長雨‖甘～ 甘雨. 慈雨
【霖雨】línyǔ 名 長雨
17 磷(△燐 粦) lín 名〈化〉燐(りん)(化学元素の一つ, 元素記号はP)
【磷肥】línféi 名〈農〉燐酸肥料
【磷光】línguāng 名〈物〉燐光
【磷灰石】línhuīshí 名〈鉱〉燐灰石
【磷火】línhuǒ 名 燐火(りんか). 鬼火
【磷酸】línsuān 名〈化〉燐酸
【磷脂】línzhī 名〈化〉燐脂質. フォスファチド
17 瞵 lín 書 目を凝らして見る. じっと見る
20 鳞 lín ❶名(魚やヘビなどの)うろこ‖鱼～ 魚のうろこ ❷うろこ状のもの‖一～波
【鳞波】línbō 名 うろこのような波
【鳞次栉比】lín cì zhì bǐ 成 魚のうろこやくしの歯のようにびっしり並んでいる. 〔栉比鳞次〕ともいう
【鳞甲】línjiǎ 名 うろこと甲殻. (広く)魚介類
【鳞茎】línjīng 名〈植〉鱗茎
【鳞片】línpiàn 名 ❶(魚や爬虫類などの)うろこ ❷(昆虫や植物の)鱗片
【鳞爪】línzhǎo 名 書 うろこと爪. 転 物事の一部分. 断片
23 麟(△麐) lín 書 麒麟(きりん). 古代の想像上の獣‖麒～ 麒麟
【麟凤龟龙】lín fèng guī lóng 成 麒麟・鳳凰(ほうおう)・亀・竜の4種の神聖な獣. 傑出した人物のたとえ
【麟角凤嘴】lín jiǎo fèng zuǐ 成 麒麟の角と鳳凰のくちばし. 珍しく貴重なもの

lǐn

15 凛 lǐn ❶寒い. 冷たい‖一～冽 ❷恐れる. 怖がる ❸厳かである. 厳粛である‖一～然
【凛冽】lǐnliè 形 肌を刺すように冷たい
【凛凛】lǐnlǐn 形 ❶寒い. 冷たい ❷威厳がある‖威风～ 威風堂々としている
【凛然】lǐnrán 形 厳然としている. 厳粛である‖正气～ 公明正大で厳然としている
16 懔 lǐn 〔凛lǐn❷❸〕に同じ
16 廪 lǐn 書 ❶穀物倉庫. 米倉 ❷(食糧などを)役所が支給する‖～米 支給される米
17 檩 lǐn 名〈建〉桁(けた). 〔桁héng〕〔檩条〕ともいう
【檩条】lǐntiáo 名〈建〉桁

lìn

7 吝(△悋) lìn けちである. しみったれである
【吝啬】lìnsè 形 けちけちしている. しみったれである‖～鬼 けちんぼう
【吝惜】lìnxī 動 けちけちする. 物惜しみする
10 赁 lìn ❶動 賃借りする. 賃貸しする‖租～ 賃貸しする. 賃借りする
11 淋 lìn 動 こす. 濾過(ろか)する‖把药用纱布～一～ 薬をガーゼでこす ➤ lín
【淋病】lìnbìng 名〈医〉淋病
14 蔺 lìn 名 姓
16 膦 lìn 名〈化〉ホスフィン
21 躏 lìn ➡〔蹂躏róulìn〕

líng

1 ★〇 líng 数 零. まる. ゼロ‖二～五号房间 205号室｜一～三路汽车 103号線バス
5 令 líng ↴ ➤ lǐng lìng
【令狐】Línghú 名 古代の地名. 現在の山西省臨猗(りんい)県一帯
7 伶 líng 旧 役者. 俳優‖优～ 役者｜坤kūn～ 女優
【伶仃】língdīng 形 ❶孤独である‖孤苦～ 独りぼっちで頼るところがない ❷痩せさらばえている ＊〔零丁〕とも

書く
*【伶俐】língli；línglì 形 賢い. 利発である ‖ 聪明～ 利発そのものである | 口齿～ 口が達者だ. 弁が立つ
【伶俜】língpīng 形 書 孤独である
【伶牙俐齿】líng yá lì chǐ 成 弁説さわやかである. 口が達者である

7 *灵（靈）líng ❶神. 仙人. 妖精 ‖ 神～ 神の総称 ❷霊魂. 精神. 魂 ‖ 英～ 英霊 ❸ひつぎ. 死者に関するもの ‖ 守～ 通夜を行う ❹形 効能がすぐれている. よく効く ‖ 这一招真～ このやり方はなかなか効き目がある ❺形 賢い. 利発である ‖ 脑子～，学得快 頭がよく, 覚えが早い ❻形 (動作や反応が) すばやい ‖ 鼻子很～ 鼻がよく利く
【灵便】língbian 形 ❶(手足や五官などの) 反応がすばやい. よく利く ‖ 虽然上了年纪，手脚倒还～ 年は取っていても, 手足はまだしゃんとしている ❷(機械や器具などが) 使いやすい
【灵车】língchē 名 霊柩車(れいきゅうしゃ)
【灵床】língchuáng 名 死者を安置する台
【灵丹妙药】líng dān miào yào 成 特効薬の
【灵幡】língfān (～儿) 名 旧 出棺のとき, 喪家の人が振る旗
【灵感】línggǎn 名 霊感. インスピレーション ‖ 触发 chùfā 了～ 霊感が触発された
【灵怪】língguài 名 神仙と妖怪
【灵光】língguāng 名 ❶霊光 ❷後光
【灵慧】línghuì 形 賢い. さとい. 聡明である
*【灵魂】línghún 名 ❶霊魂 ❷心. 精神. 思想 ‖ 高尚的～ 気高い心 ❸人格. 良心 ‖ 出卖～ 良心を売り渡す ❹核心. 決定的要素
**【灵活】línghuó 形 ❶(頭や手足の) 反応がすばやい. 敏捷(びんしょう)である. 機敏である ‖ 脑子～ 頭の回転が早い ❷臨機応変である. 弾力性がある ‖ ～地处理 柔軟に処理する
【灵机】língjī 名 霊感. インスピレーション ‖ ～一动，计上心来 霊感がひらめいて, よい考えが浮かんだ
【灵柩】língjiù 名 霊柩. ひつぎ
【灵猫】língmāo 名〈動〉ジャコウネコ
*【灵敏】língmǐn 形 鋭敏である. 敏感である. 機敏である ‖ 反应～ 反応が鋭い | 动作～ 動作が機敏である
【灵敏度】língmǐndù 名〈電〉感度. レスポンス
【灵牌】língpái ＝〔灵位língwèi〕
*【灵巧】língqiǎo 形 敏捷である. 機敏である. 機転が利く ‖ 动作～ 動作が機敏である
【灵寝】língqǐn 名 ひつぎを一時的に安置する場所
【灵台】língtái 名 ❶書 心 ❷ひつぎ・遺影・骨つぼなどを置く台. 祭壇
【灵堂】língtáng 名 葬儀の祭壇を設ける部屋
【灵通】língtōng 形 消息通である. 耳が早い ‖ 消息～人士 消息通
【灵位】língwèi 名 位牌. 〔灵牌pái〕ともいう
【灵犀】língxī 名 書 霊犀(れいさい). 心が通じ合うたとえ ‖ 心有～一点通 心が互いに通じ合う. 共感共鳴する
【灵性】língxìng 名 ❶知恵. 才知 ❷(動物が飼育や訓練によって会得した) 知恵
【灵秀】língxiù 形 美しい. 優れている
【灵验】língyàn 形 ❶(薬や方法が) 有効である. よく効く ‖ 这种药可真～ この薬はなかなかよく効く ❷(予言や予報が) 当たっている
【灵药】língyào 名 霊薬. 不思議な効き目のある薬
【灵异】língyì 名 ❶神仙と妖怪 ❷不思議なこと. 奇異なこと
【灵芝】língzhī 名〈植〉レイシ. マンネンタケ

8 泠 líng ㇕
【泠泠】línglíng 形 ❶涼しいさま ❷音が澄んで清らかなさま

8 苓 líng ⇒〔茯苓fúlíng〕

8 囹 líng ㇕
【囹圄】【囹圉】língyǔ 名 書 牢獄. 監獄 ‖ 身陷 xiàn～ 牢獄につながれる. 捕らわれの身となる

9 柃 líng ㇕
【柃木】língmù 名〈植〉ヒサカキ

9 玲 líng ㇕
【玲玲】línglíng 擬 書 玉(ぎょく)がぶつかり合う音
*【玲珑】línglóng 形 ❶(物が) 精巧で美しい ‖ 小巧～ 小さくて精巧である ❷利発である. 敏捷である ‖ ～活泼 利発で元気がいい
【玲珑剔透】líng lóng tī tòu 成 ❶(透かし彫りなどの細工が) きわめて精巧である ❷聡明で機転が利く

9 瓴 líng 書 水がめ ‖ 高屋建～ 高い屋根の上より水がめを傾ける. 高所から下を臨む

10 凌[1] líng 名 方 氷 ‖ 冰～ 氷

10 凌[2] líng ❶高く昇る. 越える. しのぐ ‖ →～空 ❷侮る. おさえつける. 辱める ‖ →～辱 ❸接近する. 迫る ‖ →～晨
【凌逼】língbī 動 書 強制する. 無理強いする
【凌波】língbō 動 書 (女性が) 軽快な足どりで歩く
*【凌晨】língchén 名 明け方. 夜明け. 払暁 ‖ 一直工作到～ 明け方までずっと仕事をした

> **類義語** 凌晨 língchén　清晨 qīngchén　黎明 límíng
>
> ◆〔凌晨〕深夜から空が白み始めるころまでをさす ‖ 次日凌晨，狂风呼啸，大雨倾盆 次の日の明け方は風が吹き荒れ, どしゃ降りの雨だった ◆〔清晨〕夜が明けてからの2,3時間をさす ‖ 欢乐的笑声给清晨的校园带来了新的活力 楽しげな笑い声が早朝のキャンパスを活気づかせた ◆〔黎明〕夜明け前後をさす. 描写性が強い ‖ 那长长的鬃鬃在黎明清淡的天光下飘着 その長いたてがみは夜明けの淡い光の中で揺れていた

【凌迟】língchí 動 古 処刑の一種. まず四肢を断ち, 最後にのどを切り裂く. 〔陵迟〕とも書く
【凌驾】língjià 動 凌駕(りょうが)する. 人をしのぐ
【凌空】língkōng 動 天をしのぐ. 空高くそそり立つ ‖ 飞机～而过 飛行機が空高く飛んでいく
【凌厉】línglì 形 (勢いが) 激しい. 猛烈である ‖ 攻势～ 攻撃が激しい
【凌乱】língluàn 形 乱雑である. 乱れている. 〔零乱〕とも書く
【凌虐】língnüè 動 書 虐待する
【凌辱】língrǔ 動 書 凌辱(りょうじょく)する. 侮辱する. 辱める. 侮る ‖ 遭受～ 辱めを受けた
【凌侮】língwǔ 動 侮る. 辱める
【凌霄】língxiāo 動 書 天高くそびえる

L

【凌霄花】língxiāohuā 名 ❶〈植〉ノウゼンカズラ. 〔鬼目〕〔紫葳〕ともいう ❷〈中薬〉凌霄花(りょうしょうか)
【凌汛】língxùn 名 氷が解けて起こる河川の洪水
【凌夷】língyí 動 書 衰える. 衰微する. 下り坂になる
【凌云】língyún 動 雲をしのぐ ‖ ～之志 壮大な志
【凌杂】língzá 形 乱雑である

10 **陵** líng ❶丘. 丘陵 ‖ 丘～ 丘陵 ❷名 陵墓. 御陵 ‖ →～墓
【陵墓】língmù 名 ❶古代の帝王や諸侯の陵墓 ❷国家の指導者や革命烈士の墓
【陵寝】língqǐn 名 書 帝王の陵墓
【陵园】língyuán 名 陵墓を中心とした公園 ‖ 烈士～ 革命烈士の公園墓地

10 ** **铃** líng ❶名(～儿)鈴. りん. ベル ‖ 门～ 呼び鈴 | 车～ 自転車のベル | 上课～响了 始業のベルが鳴った ❷形状が鈴に似たもの ‖ 哑 yǎ～ ダンベル. 亜鈴 | 杠 gàng～ バーベル
【铃铛】língdang 名 鈴 ‖ 摇～ 鈴を振る
【铃鼓】línggǔ 名〈音〉タンバリン
【铃兰】línglán 名〈植〉スズラン

11 **菱**(△淩) líng 名〈植〉ヒシ. ヒシの実. ふつうは〔菱角〕という
【菱角】língjiao 名 ❶〈植〉ヒシ ❷ヒシの実
【菱形】língxíng 名 菱形(ひしがた)

11 **绫** líng 名〈紡〉綸子(りんず). あや絹
【绫罗绸缎】língluó chóuduàn 名〈紡〉絹織物の総称
【绫子】língzi 名 綸子. あや絹

11 **棂**(欞) líng 伝統的家屋の窓の格子 ‖ 窗～ 窓格子

11 **羚** líng 名〈動〉カモシカ
【羚牛】língniú 名〈動〉ターキン. 〔扭角 niǔjiǎo 羚〕ともいう
【羚羊】língyáng 名〈動〉カモシカ. アンテロープ

11 **聆** líng 書 注意深く聴く. 承る
【聆听】língtīng 動 書 拝聴する

11 **蛉** líng ➡〔螟蛉 mínglíng〕

11 **翎** líng 名(～儿)鳥の翼や尾にある長くて硬い羽毛 ‖ 孔雀～ クジャクの羽
【翎毛】língmáo 名 ❶羽毛 ❷鳥を題材とした中国画 ‖ 擅长 shàncháng～ 鳥を描くことにたけている
【翎子】língzi 名 ❶清代, 官吏の礼帽につけた階級を表す羽飾り ❷伝統劇で, 武将の冠につけるキジの尾

12 **棱** líng 地名用字 ‖ 穆 Mù～ 黒竜江省にある地名 ➤ lēng léng

13 **零**[1] líng ❶(雨が)降る. (涙が)こぼれる ❷(花や葉が)枯れて落ちる ‖ 凋 diāo～ しおれる

13 ★ **零**[2] líng ❶形 細かい. 零細な ↔〔整〕‖ ～钱 ❷名(～儿)端数. 余り ‖ 抹 mǒ～ 端数を切り捨てる ❸数 ①二つの数の間に置いて端数の追加を示す ‖ 一年～两天 1年と2日 | 三个小时～十分钟 3時間と10分 ②零. ゼロ ‖ 效果等于～ 効果は無きに等しい ③くらいの上のゼロ. けたの上での空位 ‖ 一百～一 101 ④(温度計上での)零度 ‖ ～下十五摄氏度 摂氏零下15度

【零部件】língbùjiàn 名〈機〉部品. パーツ
【零吃】língchī (～儿) 名 口 間食. おやつ
【零担】língdàn 名 小口 ‖ ～货物 小口の貨物
【零蛋】língdàn 名 零点. 0点 ‖ 数学考了个～ 数学の試験で0点を取った
【零点】língdiǎn 名(時刻の)零時 ‖ ～一刻 零時15分 | 午夜～ 真夜中の零時
【零丁】língdīng =〔伶仃 língdīng〕
【零风险】língfēngxiǎn 名 リスクゼロ. ノーリスク
【零工】línggōng 名 ❶臨時の仕事. アルバイト ❷臨時労働者. 日雇い労働者. アルバイト
【零花】línghuā 動 細かい雑費に使う. 小遣い銭を使う 名(～儿)小遣い銭
【零花钱】línghuāqián 名 小遣い銭
【零活儿】línghuór 名 こまごました仕事. 雑事
*【零件】língjiàn 名〈機〉部品. 付属品. パーツ
【零距离】língjùlí 名 距離ゼロ. 至近距離 ‖ ～接触 親密な接触
【零乱】língluàn =〔凌乱 língluàn〕
【零落】língluò 動 ❶(花や葉が)枯れて落ちる ❷(事物が)衰える. 衰微する. 寂れる 形 まばらである. 途切れ途切れである ‖ ～的掌声 まばらな拍手
【零配件】língpèijiàn 名〈機〉部品やユニット部品
【零七八碎】língqībāsuì 形(～的)こまごまとしてまとまりのないさま ‖ ～的东西摆了一桌子 こまごまとした物がテーブルの上に雑然と並んでいる 名(～儿)こまごました物. 雑事
** 【零钱】língqián 名 ❶**小銭. ばら銭** ‖ 没有～, 找不开 小銭がないから, おつりが出せない ❷**小遣い銭** ❸心づけ. チップ
【零敲碎打】líng qiāo suì dǎ 慣 物事をばらばらに処理する. まとまりのないやり方をする. 〔零打碎敲〕ともいう
【零散】língsan ; língsǎn 形 散らばっている. ばらばらである. まとまりがない
【零声母】língshēngmǔ 名〈語〉ゼロ声母. ài, é, iān, uān などのように母音で始まる音節の声母のこと
【零食】língshí 名 間食
*【零售】língshòu 動 小売りする ↔〔批发〕‖ ～店 小売り店 | ～价格 小売り価格
【零数】língshù (～儿) 名 端数
*【零碎】língsuì 形 こまごました. ばらばらの ‖ 利用～时间学习 わずかな暇を見つけて勉強する 名(～儿)こまごました物
【零头】língtóu (～儿) 名 ❶(一定の計量単位や包装単位に満たない)端数. 半端 ❷使い残した材料 ‖ 衣料～ 服地の端切れ
【零销】língxiāo 動 小売り販売する
*【零星】língxīng 形 ❶少量の. こまごました. こま切れの ‖ ～资料 ばらばらの資料 ❷まばらの. 途切れ途切れの | ～的枪声 途切れ途切れに聞こえる銃声
【零讯】língxùn 名 雑報. 豆ニュース
【零用】língyòng 動 小遣い銭として使う 名 小遣い銭
【零增长】língzēngzhǎng 動 成長がストップする. ゼロ成長である
【零嘴】língzuǐ (～儿) 名 方 間食

13 **龄** líng ❶とし. 年齢 ‖ 超～ 規定の年齢を越える ❷年限. 年数 ‖ 工～ 労働者の勤続年数 ❸名〈生〉齢(れい). 一部の生物の発育過程の各段階を表すのに用いられる

L

16 **鲮 líng** 名〈魚〉コイ科の魚の一種

【鲮鲤】línglǐ 名〈動〉センザンコウ ＝〔穿山甲〕

19 **酃 líng** 地名用字‖～湖 湖南省にある湖の名

lǐng

5 **令 lǐng** 量 紙の計量単位. 印刷用紙の全紙500枚を1〔令〕という. 日本の「連」の2分の1 ➤líng lìng

8 * **岭(嶺) lǐng** ❶名 峰. 峠‖翻山越～ 山を登り峰を越える ❷名 高い山脈 ❸とくに〔大庾Dàyǔ岭〕〔越城岭〕〔都庞Dūpáng岭〕〔萌渚Méngzhǔ岭〕〔骑田岭〕の〔五岭〕をさす

【岭南】Lǐngnán 名〔五岭〕以南の地域. 広東省および広西チワン族自治区一帯をさす

11 ** **领[1] lǐng** ❶首. うなじ‖一～带 ❷名（～儿）襟‖～扣 襟ボタン ❸要点. 綱領‖纲～ 綱領 ❹領有する. 管轄する. 占有する‖一～海 ❺動 率いる. 導く. 案内する‖一～路 ❻量 ①書 上着や〔长袍páo儿〕を数える ②むしろやござを数える‖一～凉席 1枚のござ ❼名（～儿）襟ぐり. 襟元. 首まわり‖尖～ Vネック

11 ** **领[2] lǐng** ❶動 受ける. 受け入れる‖您的心意我～了 あなたのお気持ちはいただきました ❷動（規定により支給されるものを）受け取る. もらう. 受領する‖～工资 給料を受け取る ❸心得る. 理解する‖一～悟

【领班】lǐngbān 動（工場や鉱山の）班や組の作業を指導する 名 班長. 組頭

【领唱】lǐngchàng 動 音頭をとって歌う. 合唱をリードする 名 合唱をリードする人

【领带】lǐngdài 名 ネクタイ‖系jì～ ネクタイを締める

★【领导】lǐngdǎo 動 指導する 名 指導者. リーダー‖他是我们公司的～ 彼は我々の会社の上司です

【领导班子】lǐngdǎo bānzi 名 指導陣. 経営陣

【领道】lǐng//dào（～儿）動 道案内をする

【领地】lǐngdì 名 ❶旧（封建領主の）領地 ❷領土

【领读】lǐngdú 動 集団で朗読するとき, その朗読の音頭をとる‖～课文 音頭をとって教科書を朗読する

【领队】lǐngduì 動 隊を率いる. チームを引率する 名 引率者. チームリーダー‖足球～ サッカーチームの監督

【领港】lǐnggǎng 動 水先案内をする‖～员 水先案内員 名 水先案内人. パイロット ✻〔引港〕ともいう

【领钩】lǐnggōu（～儿）名 襟のホック

【领海】lǐnghǎi 名 領海‖～权 領海権

【领航】lǐngháng 動 水先案内をする.（飛行機の）航行を誘導する 名 パイロット. 水先案内人. 航行管制員.〔领航员〕ともいう

【领花】lǐnghuā（～儿）名 ❶蝶ネクタイ ❷襟章

*【领会】lǐnghuì 動 理解する. 納得する. 会得する‖～上级意图 上司の意図をよく理解する

【领江】lǐngjiāng 動（河川の）水先案内をする 名（河川の）水先案内人. パイロット

【领教】lǐngjiào 動 ❶挨拶 相手から教えを受けたり, 何かの技能の実演などを求めるときの決まり文句‖您的话很对, ～～ お説ごもっともです, たいへん勉強になりました ❷教えを請う‖有件事特来向您～ とくに教えを請いたいことがあり参りました ❸（風刺や皮肉をこめて）教えを受ける‖让对手也～一下我们的厉害 相手に我々の強さを教えてやろう

【领结】lǐngjié（～儿）名 蝶ネクタイ. ボータイ

【领巾】lǐngjīn 名 ネッカチーフ. スカーフ‖红～（少年先鋒隊の）赤いネッカチーフ

【领空】lǐngkōng 名 領空

【领口】lǐngkǒu 名 ❶襟ぐり. 襟元. 首まわり ❷襟の合わせ目‖解开～ 襟ボタンをはずす

【领路】lǐng//lù 動 道案内をする. 先導する‖我来～ 私がご案内しましょう

【领略】lǐnglüè 動 味わう. 理解する. 会得する

【领情】lǐng//qíng 動（贈り物や好意を受けて）感謝する. 感激する‖大家的好意, 我～了 みなさんのご好意はありがたくちょうだいします

【领取】lǐngqǔ 動 受け取る. 受領する‖～包裹bāoguǒ 小包を受け取る

*【领事】lǐngshì 名 領事‖总～ 総領事

【领事裁判权】lǐngshì cáipànquán 名〈政〉領事裁判権

【领事馆】lǐngshìguǎn 名 領事館

【领受】lǐngshòu 動（好意などを）受ける. 受け取る

【领属】lǐngshǔ 動 隷属する. 所属する‖～关系 隷属関係

【领水】lǐngshuǐ 名 ❶領水 ❷領海 ❸パイロット. 水先案内人

【领头】lǐng//tóu（～儿）動 率先する. 先頭に立つ‖～发言 率先して発言する

*【领土】lǐngtǔ 名 領土

【领悟】lǐngwù 動 理解する. 把握する. 悟る

*【领先】lǐng//xiān 動 先頭を行く. リードする. トップに立つ‖客队比分一直～ 招待チームがずっとスコアをリードしている

【领衔】lǐngxián 動 筆頭に名前が出る‖～主演 筆頭主役

**【领袖】lǐngxiù 名 指導者. リーダー

【领养】lǐngyǎng 動 養子または養女をとる‖～孤儿gū'ér 孤児を養子にする

【领有】lǐngyǒu 動 領有する. 所有する

*【领域】lǐngyù 名 ❶（国家が主権を行使する）領域 ❷分野. 領域‖自然科学～ 自然科学の分野

【领章】lǐngzhāng 名 襟章‖佩带pèidài～ 襟章を付ける

【领主】lǐngzhǔ 名 旧 領主. 封建領主

*【领子】lǐngzi 名 襟. カラー‖毛～ 毛皮の襟

【领罪】lǐngzuì 動 過失を認める. 非を認める

lìng

5 * **令[1] lìng** ❶動 命令する‖学校～他退学 学校側は彼に退学を命じた ❷命令‖命～ 命令 ❸季節‖夏～ 夏季 ❹酒席の遊び‖酒～ 酒席での遊び ❺動（人に）…させる. …せしめる‖～人陶醉táozuì 陶酔させる｜～人羡慕xiànmù うらやましがらせる ❻古 古代の官名‖县～ 県令. 県知事 ❼名〔词〕（詩の一種）や〔曲qǔ〕（戯曲の一種）の形式の名‖小～ 小令

5 **令[2] lìng** ❶よい. 優れている ❷接頭 敬 相手の親族に対する敬称‖一～堂｜一～尊 ➤líng lǐng

【令爱】【令嫒】lìng'ài 名 敬 ご令嬢. お嬢さま.（相

手の娘に対する敬称)
【令箭】lìngjiàn [名][古] 軍隊で命令を出すときに証拠としたもの．矢の形に似ていたことからこの名がある‖拿着鸡毛当～ 上司の言った取るに足りないことをあたかも重大な指示のように見なす
【令郎】lìngláng [名][敬] ご令息．ご子息．(相手の子息に対する敬称)
【令亲】lìngqīn [名][敬] ご親戚．(相手の親戚に対する敬称)
【令堂】lìngtáng [名][敬] ご母堂．お母上．(相手の母親に対する敬称)
【令行禁止】lìng xíng jìn zhǐ [成] 命令は必ず実行し，禁じられたことは必ずやめる．命令の執行が厳正で迅速である
【令尊】lìngzūn [名][敬] ご尊父．お父上．(相手の父親に対する敬称)

5 ＊＊ **另** lìng ❶[代] **別の．ほかの**‖～一方面 別の面 ❷[副] **そのほかに．別に**‖～想办法 ほかにやり方を考える
【另案】lìng'àn [名] 別件‖～处理 別件処理
【另册】lìngcè [名][旧] 清代，犯罪者など要注意人物を登記した戸籍簿．別冊．ブラックリスト
【另寄】lìngjì [動] 別便で送る
【另类】lìnglèi [形] 異色な．ひと味違う．ユニークな‖～名牌 異色ブランド [名] 異色なもの．個性的なもの‖求～ ユニークさを求める
【另起炉灶】lìng qǐ lú zào [成] ❶新たにやり直す ❷(自分のやり方で)別途にやる．独立してやる
【另请高明】lìngqǐng gāomíng [慣] (私は辞退しますから)ほかの優れた人に頼んでください
＊＊【另外】lìngwài [代] **別の．ほかの．他の**‖～几个人 そのほか数人 [副] 別に．そのほかに‖～买一个 別にもう一つ買う [接] **それから．そのほか．別に**‖同学们都来了，～小张的女朋友也来了 同級生が全員来たほかに，張さんのガールフレンドも来た
【另行】lìngxíng [動] 別に…する‖～规定 別に規定する｜～通知 改めて知らせる
【另眼相看】lìng yǎn xiāng kàn [成] 特別の眼で見る．ある人やある事に対し，特別扱いをする
【另纸】lìngzhǐ [名] 別紙‖见～ 別紙参照

liū

13 ＊ **溜** liū ❶[動] 滑る．滑り落ちる‖说～了嘴 うっかり口を滑らせた ❷[動] そっと抜け出す．こっそり逃げる‖→～之大吉 ❸滑らかである．つるつるしている．すべすべしている‖滑～ つるつるしている ❹〔熘liū〕に同じ ➤ liù
【溜边】liūbiān (～儿) [動][口] ❶わきに寄る．端に沿って進む ❷[喩] よける．避ける
【溜冰】liū//bīng [動] スケートをする
【溜冰场】liūbīngchǎng [名] スケート場．スケートリンク
【溜达】liūda [動] ぶらぶら散歩する．ぶらつく‖吃完饭出去～～吧 御飯が済んだら散歩に行きましょう
【溜光】liūguāng [形][方] 非常に滑らかである．すべすべしている‖头发梳得～ とかした髪はつやつやしている
【溜号】liū//hào (～儿) [動][方] こっそり抜け出す
【溜肩膀】liūjiānbǎng (～儿) [名] なで肩
【溜溜转】liūliūzhuàn [動] (丸いものが)くるくる回る
【溜门撬锁】liūmén qiàosuǒ [慣] 門や錠をこじあけて盗みに入る．空き巣ねらい
【溜索】liūsuǒ [名] 谷間にかけた渡り綱(かごをぶらさげ，人や物を乗せて渡す)
【溜须拍马】liū xū pāi mǎ [慣] おべっかを使う．ごまをする．ご機嫌をとる
【溜圆】liūyuán [形][方] 真ん丸い‖眼睛瞪dèng得～ 目を真ん丸に見開く
【溜之大吉】liū zhī dà jí [成] 逃げるが勝ちと姿をくらます．雲を霞(かすみ)と遁走(とんそう)する
【溜之乎也】liū zhī hū yě [成] こっそり逃げ出す
【溜走】liūzǒu [動] こそこそ逃げ出す．こっそり逃げ去る

14 **熘** liū [動]〈料理〉油で炒めてから，あんかけにする‖醋～白菜 酢味のあんかけ白菜

liú

6 **刘**(劉) liú [名] 姓
【刘海儿】liúhǎir [名] ❶(伝説上の)仙界の童子(前髪を垂らし，ヒキガエルに乗って，ひもに通した穴開き銭を持つ) ❷切り揃えて額に垂らした短い前髪

9 **浏**(瀏) liú ↘
【浏览】liúlǎn [動] ざっと目を通す
【浏览器】liúlǎnqì [名]〈通信〉ブラウザー

10 ★ **流** liú ❶[動] **(液体が)流れる．流す**‖～鼻涕bíti はなをたらす ❷(決まった方向がなく)移動する‖→～动 ❸伝わる．流布する‖→～行 ❹(悪い方向に)傾く．進む‖→～于 ❺水流‖顺～而下 流れに沿って下る ❻水のように流れるもの‖人～ 人の流れ ❼河川の流れ‖支～ 支流 ❽[名] **流派．等級．ランク**‖名～ 有名人 ❾流刑に処する‖→～刑 ❿(流れのように)滑らかである‖→～利
【流弊】liúbì [名] 世の中に広く行われている悪い習慣．積弊．弊害‖革除～ 弊害を取り除く
【流标】liúbiāo [動] ❶(オークションで)流札となる．オークション流れとなる ❷(プロジェクトの入札で)流札となる
【流播】liúbō [動][書] 伝播(でんぱ)する．流布する
【流布】liúbù [動][書] 流布する
【流产】liú//chǎn [動] ❶〈医〉流産する ❷[喩] (物事が)だめになる．お流れになる‖计划～了 計画は流れた
【流畅】liúchàng [形] 滑らかで滞りがない．流麗である‖线条～ 線が滑らかだ｜文笔～ 文章が滑らかである
【流程】liúchéng [名] ❶水流の道のり ❷(工業生産の)工程‖工艺～ 生産工程
【流程图】liúchéngtú [名] フローチャート
＊【流传】liúchuán [動] 流布する．伝わる‖这个故事一直～到今天 この物語はずっと今日まで伝わっている
【流窜】liúcuàn [動] (悪人が)逃げ回る．あちこちに逃げ込む
【流弹】liúdàn [名] 流れ弾．それ弾
【流荡】liúdàng [動] さすらう．さまよい歩く．うろつく
＊【流动】liúdòng [動] ❶(気体や液体が)流れる‖～人口 流動人口
【流动资产】liúdòng zīchǎn [名]〈経〉流動資産
【流动资金】liúdòng zījīn [名]〈経〉流動資金．運転資金
【流毒】liúdú [動] 悪影響を及ぼす．弊害をもたらす [名] 流れた害毒．悪影響‖肃清sùqīng～ 害毒を一掃する

【流芳】liúfāng 動 書（後世に）美名を残す. よい評判を伝える‖～百世 末代まで美名を残す
【流放】[1] liúfàng 動 流刑にする. 島流しにする
【流放】[2] liúfàng 動（材木を）川に流して運ぶ
【流感】liúgǎn 名 略〈医〉流感. インフルエンザ.〔流行性感冒〕の略‖闹～ 流感がはやる｜禽qín～ 鳥インフルエンザ
【流光】liúguāng 名 書 光陰. 歳月
【流金铄石】liú jīn shuò shí 成 石や金属も溶けるほど非常に暑いこと.〔铄石流金〕ともいう
【流寇】liúkòu 名 諸方を荒らし回る盗賊. 流賊
*【流浪】liúlàng 動 流浪する. 放浪する‖～海外 国外を放浪する｜～汉 放浪者. ルンペン
【流泪】liú∥lèi 動 涙を流す
【流离】liúlí 動 書（天災や戦乱で）散り散りになる. 離散する
【流离失所】liú lí shī suǒ 成 流浪して住む場所もない. 路頭に迷う
【流里流气】liúliliúqì（～的）形 浮ついて不良じみている‖～的样子 不良っぽい格好
**【流利】liúlì 形 流暢(りゅうちょう)である. よどみない‖他英语说得很～ 彼は英語をとても流暢に話す

> **類義語**｜流利 liúlì　流畅 liúchàng
>
> ◆〔流利〕話しぶりや文章にスピードがあってよどみない. 流暢である‖她流利地回答了老师的提问 彼女は先生の質問にすらすらと答えた ◆〔流畅〕文章や文学作品など書かれたもの, あるいは歌が滑らかで心地よさがある. 流麗である‖他的文学作品特点是文笔流畅 彼の文学作品の特徴は文章のタッチが流麗なことである

【流连】liúlián 動 名残を惜しむ. 離れがたく思う.〔留连〕とも書く‖～忘返 名残惜しく立ち去りがたい
【流量】liúliàng 名 ❶流量 ❷（人や車両の）通行量‖旅客～ 旅行客の通行量
*【流露】liúlù 動（考えや気持ちが）現れる. にじみ出る‖脸上～出惊讶jīngyà的神色 顔に驚きの表情が現れる
【流落】liúluò 動（困窮して）さすらう. さまよう
*【流氓】liúmáng 名 ❶無頼漢. ならず者. チンピラ. やくざ者 ❷破廉恥行為. 下劣な行為‖耍shuǎ～ 破廉恥行為をする
【流民】liúmín 名 流浪の民
【流脑】liúnǎo 名 略〈医〉流行性脳膜炎.〔流行性脑脊髓膜炎nǎojǐsuǐmóyán〕の略
【流年】liúnián 名 ❶ 書 光陰. 年月 ❷その年の運勢‖～不利 一年の運勢がよくない
【流派】liúpài 名（学術や文芸などの）流派. 分派
【流盼】liúpàn 動（女性が）流し目をする
【流配】liúpèi 動 流罪になる. 流罪にする
【流气】liúqi ; liúqì 形 不まじめである. 不良っぽい 名 ごろつきの気風. やくざっ気
【流散】liúsàn 動 離れ離れになる.（文物などが）散逸する
【流沙】liúshā 名（砂漠や川底の）流砂
【流失】liúshī 動 流失する. 流出する‖防止水土～ 土砂の流失を防ぐ
【流失生】liúshīshēng 名（義務教育の）中途退学者
【流食】liúshí 名 流動食. 液体食物
【流势】liúshì 名 流勢. 流れの勢い
【流逝】liúshì 動（またたく間に時が）流れる
*【流水】liúshuǐ 名 ❶流れる水. 流水 ❷ 口（商店の）売上高‖饭馆ル每天的～不下两万元 レストランの毎日の売り上げは2万元を下らない
【流水不腐, 户枢不蠹】liú shuǐ bù fǔ, hù shū bù dù 成 常に活動するものは朽ちることがないたとえ
【流水席】liúshuǐxí 名 客が随時に来て随時に帰る形式の宴席
【流水线】liúshuǐxiàn 名 流れ作業による生産ライン
【流水账】liúshuǐzhàng 名 ❶金銭出納簿 ❷（分析や考えなどを加えずに）出来事だけを羅列した記述
【流水作业】liúshuǐ zuòyè 名 流れ作業
【流苏】liúsū 名 旧（車馬・幕・旗などにつける）房飾り
【流俗】liúsú 名 世俗. 俗世間
【流淌】liútǎng 動（液体が）流れる
【流体力学】liútǐ lìxué 名〈物〉流体力学
*【流通】liútōng 動 流通する‖～货币 流通貨幣
【流通渠道】liútōng qúdào 名 流通経路. 流通ルート
【流亡】liúwáng 動 亡命する‖～国外 海外に亡命する
【流线型】liúxiànxíng 名 流線型
【流向】liúxiàng 名 ❶水流の方向 ❷（人や貨物の）流れる方向
【流泻】liúxiè 動（液体が）流れ出る.（光が）射す
【流星】[1] liúxīng 名〈天〉流星. 流れ星. 俗に〔贼zéi星〕という
【流星】[2] liúxīng 名 ❶武術の道具の一種で, くさりの両端に鉄の重りをつけたもの ❷曲芸の一種で, 長い縄の両端に水の入った碗をつなぎ, 手で縄の中央を持って水が落ちないようにぐるぐる回す
【流星赶月】liú xīng gǎn yuè 成 流れ星が月を追いかけるように非常に速いこと
【流星雨】liúxīngyǔ 名〈天〉流星雨. 星雨
【流刑】liúxíng 名 古 流刑. 流罪
*【流行】liúxíng 動 流行する‖这首歌很～ この歌はとてもはやっている
【流行病】liúxíngbìng 名〈医〉流行病
【流行歌曲】liúxíng gēqǔ 名 流行歌. 歌謡曲
【流行色】liúxíngsè 名（多く服装の）流行色
【流行性感冒】liúxíngxìng gǎnmào 名〈医〉流行性感冒. 流感. 略して〔流感〕ともいう
【流行语】liúxíngyǔ 名 流行語. はやり言葉
【流血】liúxuè 動 血を流す. 血が出る‖防止事态扩大, 避免～ 事態の拡大を食い止め, 流血を避ける
【流言】liúyán 名 流言. 根拠のないうわさ. デマ‖散布～ デマを飛ばす
【流言飞语】liú yán fēi yǔ 成 流言飛語. デマ
【流溢】liúyì 動 書 わき上がる. あふれる
【流萤】liúyíng 名 書 乱れ飛ぶホタル
【流于】liúyú 動 …に流れる. …にかたよる‖～形式 形式に流れる
*【流域】liúyù 名 流域‖黄河～ 黄河流域
【流贼】liúzéi 名 書 諸方を荒らし回る賊
【流质】liúzhì 形 流動質の. 液状の‖～膳食shànshí 流動食 名 流動食
【流注】liúzhù 動 流れ注ぐ 名〈中医〉流注(るちゅう)
【流转】liúzhuǎn 動 ❶流転する. あちこち移転する‖四处～ 各地を転々とする ❷（商品や資金が）回転する

10 ★**留**(△畄 畱 㽞) **liú** ❶動(ある場所や地位に)とどまる. 残る ‖下课后, 我们~下打扫卫生 放課後, 私たちは残って掃除をする ❷動引き止める. とどめる ‖~朋友吃饭 友人を引き止めて食事をご馳走する ❸動保存する. 取っておく. 残しておく ‖~座位 座席を取っておく | ~长发 髪を長く伸ばしている ❹動置いていく.(後日に)残す. 遺留する ‖~了地址和电话 住所と電話を書き残した ❺動受け取る. 収める ‖~下做个纪念吧 記念に受け取ってください ❻注意する. 留意する. 気をつける ‖一~神 ❼留学する ‖~美 アメリカに留学する

【留别】liúbié 動書 別離にあたって友人に詩を書き残したり記念品を贈ったりする

【留步】liúbù 動挨拶 お見送りには及びません.(客が主人の見送りを断るときの言葉)‖请~ どうぞそのままで

【留成】liú//chéng (~儿) 動 総額から一定の比率を残しておく ‖利润~ 利潤を留保する

【留传】liúchuán 動 後世に伝える

【留存】liúcún 動 ❶保存する. 残しておく ❷存在する. ある

【留待】liúdài 動(処理を)先に延ばす. 保留する

【留得青山在, 不怕没柴烧】liúdé qīngshān zài, bù pà méi chái shāo 諺 緑の山を残しておけば, 薪がなくなる心配をしなくてすむ. 命あっての物種

【留底】liú//dǐ (~儿) 動 控えを残す 名(liúdǐ)控え

【留后路】liú hòulù (~儿) 慣 前もって逃げ道を残しておく. 引っ込みがつくようにしておく

【留后手】liú hòushǒu (~儿) 慣 将来のためにゆとりを残しておく

【留话】liú//huà 動 伝言を残す

【留级】liú//jí 動 留年する. 落第する

【留居】liújū 動 在留する. 居留する. とどまる

【留客】liú//kè 動 客を引きとめる

【留兰香】liúlánxiāng 名〈植〉スペアミント

【留连】liúlián =〔流连liúlián〕

*【留恋】liúliàn 動 名残を惜しむ. 未練が残る ‖就要分别了, 大家都很~ まもなく別れようというとき, 誰もみな名残を惜しんだ

【留门】liú//mén 動 戸締まりをしないで帰りを待つ

【留名】liú//míng 動 ❶名を言い残す. 名を書き留める ❷(後世に)名を残す

【留难】liúnàn 動 わざと難癖をつける

★【留念】liú//niàn 動 記念として残す ‖合影~ 写真を一緒に撮って記念にする

【留鸟】liúniǎo 名 留鳥 ↔〔候hòu鸟〕

【留聘】liúpìn 動 雇用契約を延長する

【留情】liú//qíng 動 情をかける. 容赦する. 許す ‖毫不~ 少しも容赦しない | 笔下~ 手かげんして書く

【留任】liúrèn 動 留任する

*【留神】liú//shén 動 気をつける. 注意する ‖天冷了, ~别感冒 寒くなってきたから風邪をひかないよう気をつけて

【留声机】liúshēngjī 名 蓄音機

【留守】liúshǒu 動 ❶古 皇帝が巡幸で都を離れるとき, 命を受けた大臣が都の防衛を務める ❷部隊や機関などが居住地を離れるとき, 残留する人員が留守勤務をする

【留宿】liúsù 動 ❶(客を)引き止めて泊める ❷宿泊する ‖在朋友家~ 友人の家に泊まる

【留题】liútí 動(参観や観光した場所で)感想や意見を書き残す ‖~簿 同前のために備えつけられたノート

【留退路】liú tuìlù 組 前もって逃げ道を残しておく. 引っ込みがつくようにしておく

【留尾巴】liú wěiba 組 しっぽを残す 喩(ことが)中途である. 不徹底である

【留校】liú//xiào 動(卒業後も教職に就くなどして)学校に残る

*【留心】liú//xīn 動 気をつける. 注意する. 留意する ‖~听老师讲课 先生の授業を注意してよく聞く

*【留学】liú//xué 動 留学する ‖他准备去日本~ 彼は日本に留学するつもりだ | 他在美国留了一年学 彼はアメリカに1年留学した

★【留学生】liúxuéshēng 名 留学生

【留言】liú//yán 動 伝言を残す.(感想や意見などを)書き残す ‖~簿 来訪者ノート. 感想や意見を記すノート 名 伝言

【留洋】liú//yáng 動旧 外国に留学する. 洋行する

【留一手】liú yī shǒu (~儿) 慣 秘訣やこつを他人に教えない. 手の内を明かさない. 奥の手を隠しておく

【留医】liúyī 動〈医〉(診察後にそのまま)入院する

*【留意】liú//yì 動 注意する. 気をつける

【留影】liú//yǐng 動 記念撮影をする 名(liúyǐng)記念写真

【留用】liúyòng 動 解雇せずに引き続き雇用する

【留余地】liú yúdì 組(話し方ややり方に)含みやゆとりを残す ‖说话要~ 話には含みをもたせるべきだ

【留职】liúzhí 動(降格処分をせず)職位はそのままにする ‖停薪~ 現職のまま給与を止める

【留置】liúzhì 動書(人や物を)その場に残しておく. 留めておく. 保存する

【留驻】liúzhù 動 駐留する

11 **琉**(△瑠 璢) **liú** ↴

【琉璃】liúli ; liúlí 名 うわぐすりの一種. かめなどの器やかわらなどに用い, 緑色と黄土色の二種ある

【琉璃瓦】liúliwǎ 名 るりがわら.〔琉璃〕のうわぐすりをかけて焼いたかわら

12 **硫** **liú** 名〈化〉硫黄(いおう)(化学元素の一つ, 元素記号はS). ふつうは〔硫磺〕という

【硫化】liúhuà 名〈化〉硫化. 加硫. サルファー

【硫化氢】liúhuàqīng 名〈化〉硫化水素

【硫磺】liúhuáng 名〈化〉硫黄.〔硫〕の通称

【硫酸】liúsuān 名〈化〉硫酸

【硫酸雾】liúsuānwù 名〈気〉(大気汚染物質の一種)硫酸ミスト

13 **遛** **liú** ➡〔逗遛dòuliú〕 ➤ liù

13 **馏** **liú** 蒸留する ‖蒸zhēng~ 蒸留する ➤ liù

13 **骝** **liú** 古 たてがみと尾が黒い赤馬

13 **旒** **liú** ❶書 旗につける吹き流しなどの飾り ❷古 帝王の冠の前後に垂れ下がる玉飾り

14 **榴** **liú** 〈植〉ザクロ ‖石~ ザクロ

【榴弹炮】liúdànpào 名〈軍〉榴弾砲(りゅうだんほう)

【榴莲】liúlián 名〈植〉ドリアン

15 **瘤**(△癅) **liú** 名 こぶ. 腫瘤(しゅりゅう) ‖肉~ 肉腫

【瘤子】liúzi 名 ❶こぶ ❷腫瘍

15 **鎦** liú ↴ ➤liù

【鎦金】liújīn 動 めっき工芸の一種

18 **鎏** liú 書 ❶純度の高い金 ❷〔鎦liú〕に同じ

liǔ

9 **柳**（△栁 桺）liǔ ❶名〈植〉ヤナギ. ふつうは〔柳树〕という ❷名〈天〉(二十八宿の一つ)ぬりこぼし. 柳宿（りゅうしゅく）

【柳暗花明】liǔ àn huā míng 成 困難の中で希望を見いだすことのたとえ

【柳编】liǔbiān 名 ヤナギの枝で編んだかご

【柳笛】liǔdí 名 ヤナギの枝の皮で作った笛

【柳眉】liǔméi 名 女性の細く美しい眉

【柳琴】liǔqín 名〈音〉柳琴（りゅうきん）. 形が琵琶に似たやや小ぶりの4弦の楽器

*【柳树】liǔshù 名〈植〉ヤナギ

【柳丝】liǔsī 名 細長く垂れ下がるヤナギの枝

【柳体】liǔtǐ 名 唐代の書道家柳公権の書体. 柳体

【柳条】liǔtiáo（～儿）名 ヤナギの枝

【柳絮】liǔxù 名 柳絮（りゅうじょ）. ヤナギのわた

【柳腰】liǔyāo 名 柳腰. 女性のしなやかな腰

【柳子戏】liǔzixì 名〈劇〉山東省・江蘇省・河南省の一部地域で発展した地方劇

11 **绺** liǔ 量（～儿）(糸・髪・ひげなどの細い物で根元が一ヵ所にまとまっているものを数える)束. 筋 ‖ 一～头发 一筋の髪 | 几～丝线 数束の絹糸

liù

4 ★**六**[1] liù 数 6. 六つ

4 **六**[2] liù 名〈音〉中国の伝統音楽の階名の一つで, 音符としても用いる. 西洋音楽のソに相当する. ➡〔工尺gōngchě〕

【六畜】liùchù 名 六畜(豚・牛・羊・馬・鶏・犬の6種の家畜) ‖ ～兴旺xīngwàng 六畜が栄える. 農家が繁栄すること

【六腑】liùfǔ 名〈中医〉六腑（ろっぷ）. 胃・胆・三焦・膀胱（ぼうこう）・大腸・小腸の総称 ‖ 五脏zàng～ 五臓六腑

【六根】liùgēn 名〈仏〉六根（ろっこん）. 六識を生ずる眼・耳・鼻・舌・身・意の総称

【六合】liùhé 名 書 上下と東西南北. 全宇宙

【六甲】liùjiǎ 名 旧 ❶干支の一覧表 ❷旧 身ごもること ‖ 身怀huái～ 身重になる

【六路】liùlù 名 上下と東西南北. (広く)あらゆる方面

【六亲】liùqīn 名 親族の総称. 六親（りくしん）

【六亲不认】liù qīn bù rèn 成 義理人情を無視する. いっさい私情を挟まない

【六神无主】liù shén wú zhǔ 成 六神(道教でいう心・肺・肝・腎（じん）・脾（ひ）・胆の六臓に宿る神)がいなくなる. びっくり仰天するさま. 胆をつぶすさま

【六书】liùshū 名〈語〉六書（りくしょ）. 漢字字形の構成を表す, 指事・象形・形声・会意・転注・仮借の6種

【六四】Liù Sì 名〈史〉天安門事件(1989年6月4日)

【六弦琴】liùxiánqín 名〈音〉ギター. 〔吉他〕ともいう

【六一儿童节】Liù Yī értóngjié 名 国際児童デー(6月1日). 〔国际儿童节〕〔儿童节〕ともいう

【六艺】liùyì 名 古 ❶六芸（りくげい）. 士大夫が身につけるべき技能で, 礼儀・音楽・弓術・馬術・書道・数学の6種 ❷六経（りくけい）. 詩経・書経・礼記（らいき）・楽記・易経・春秋の六種の経書

【六指儿】liùzhǐr 名 ❶(奇形で)6本指の手や足 ❷6本指の人

7 *****陆**（陸）liù 数〔六〕の大字（だいじ） ➡〔大写dàxiě〕 ➤lù

13 **溜**[1] liù ❶名 水勢の急な流れ. 急流 ❷(軒先の)雨垂れ ‖ 檐yán～ 軒の雨垂れ ❸雨樋 ‖ 水～ 樋 ❹量(～儿)並び. 列. 筋 ‖ 一～楼房 一列に建ち並ぶ建物 ❺名(～儿) 方 近所. 付近

13 **溜**[2] liù 動 方 (しっくいやセメントなどで壁や窓のすき間を)ふさぐ ➤liū

13 **遛** liù ❶動 ぶらぶら歩く. 散歩する ‖ 出去～～ 外に出て散歩する ❷動 (家畜やペットを)連れて歩く ‖ 去～～狗 イヌを散歩に連れていく ❸動 方 人を走り回らせる. むだ足を踏ませる ➤liú

【遛马】liù//mǎ 動 (ウマを運動させるため)ゆっくり引いて歩かせる

【遛鸟】liù//niǎo 動 鳥かごを提げて静かな所を散歩する

【遛弯儿】liù//wānr 動 散歩する. ぶらぶら歩く

【遛早儿】liùzǎor 動 朝の散歩をする

13 **馏** liù 動 口 蒸して温め直す. ふかし直す ‖ 把馒头～一～ マントーを蒸し直す ➤liú

15 **鎦** liù ↴ ➤liú

【鎦子】liùzi 名 方 指輪 ‖ 金～ 金の指輪

lōng

11 **隆** lōng ➡〔黑咕隆咚hēigulōngdōng〕 ➤lóng

lóng

5 ****龙**（龍）lóng ❶名 (古代伝説中の動物)竜 ❷皇帝の象徴. 皇帝に関係するものをさす ‖ ～颜 天子の顔. 天顔 ❸連なって竜のようになったもの. あるいは竜の装飾を施したもの ‖ 水～ 消火用ホース ❹恐竜など巨大な爬虫類をさす ‖ 雷léi～ 雷竜. ブロントサウルス

【龙船】lóngchuán 名 竜に似せて作られた船. 竜船

【龙胆】lóngdǎn 名 ❶〈植〉リンドウ ❷〈中薬〉竜胆（りゅうたん）. 胆草（たんそう）

【龙胆紫】lóngdǎnzǐ 名〈薬〉ゲンチアナ・バイオレット. ふつうは〔紫药水〕〔甲紫〕という

【龙灯】lóngdēng 名 竜の形をした長い張り子の灯籠. 旧正月や祭日に灯をともし, 数人で棒に高く掲げ, 踊りながら街中をねり歩く ‖ 耍shuǎ～ 竜灯を掲げてねり歩く

【龙飞凤舞】lóng fēi fèng wǔ 成 竜が天を駆け, 鳳凰（ほうおう）が空に舞う. 雄大に連なる山脈の形容. または, 筆勢が雄渾（ゆうこん）で生き生きしているさま

【龙宫】lónggōng 名 竜王の宮殿. 竜宮

【龙虎榜】lónghǔbǎng 名 ランキング. ベストチャート ＝〔排行páiháng榜〕

【龙井】lóngjǐng 名 (浙江省杭州竜井産の緑茶)ロンジン茶. 緑茶の代名詞としても用いる

【龙卷风】lóngjuǎnfēng 图〈気〉竜巻. つむじ風

【龙马精神】lóng mǎ jīng shén 成 元気はつらつとした精神. 元気旺盛な心意気

【龙盘虎踞】lóng pán hǔ jù 成 竜がとぐろを巻き, 虎がうずくまる. 地形が入り組んで険しいことのたとえ =〔虎踞龙盘〕

【龙袍】lóngpáo 图 皇帝の礼服. 竜が刺繍してある

【龙山文化】Lóngshān wénhuà 图〈考古〉竜山文化. 新石器時代後期の文化

【龙舌兰】lóngshélán 图〈植〉リュウゼツラン

【龙蛇混杂】lóng shé hùn zá 成 優れた人と凡人, あるいは善人と悪人とが入り交じっている. 玉石混淆. (人に限って用いる)

【龙潭虎穴】lóng tán hǔ xué 成 竜の潜む淵と虎のいる穴. 非常に危険な場所のたとえ

【龙套】lóngtào 图 ❶〈劇〉芝居で護衛や兵卒に扮する役者が着る衣服 ❷〈劇〉端役の役者. 端役 ❸転 使い走り ‖ 跑～ 使い走りをする

【龙腾虎跃】lóng téng hǔ yuè 成 力にあふれ活気に満ちた様子

*【龙头】[1] lóngtóu 图 水道の蛇口. コック

【龙头】[2] lóngtóu 图 リーダーシップ. 主導的存在

【龙王】Lóngwáng 图 竜王. 竜神. 水神

【龙虾】lóngxiā 图〈動〉イセエビ

【龙涎香】lóngxiánxiāng 图 竜涎香(りゅうぜんこう). マッコウクジラの腸内からとる香料

【龙须菜】lóngxūcài 图〈植〉❶オゴノリ ❷方 オランダキジカクシ. 〔石刁柏shídiāobǎi〕ともいう

【龙须面】lóngxūmiàn 图 手延べ麵の一種で, 麵がきわめて細いもの

【龙眼】lóngyǎn 图 ❶〈植〉リュウガン. 〔桂圆guìyuán〕ともいう ❷〈中薬〉竜眼肉(りゅうがんにく)

【龙争虎斗】lóng zhēng hǔ dòu 成 竜虎(りゅうこ)相搏(う)つ. 両雄相戦う. 死闘する

【龙钟】lóngzhōng 形 書 年老いて手足の不自由なさま. 年を取ってよぼよぼしている ‖ 老态～ 年老いてよぼよぼしている

【龙舟】lóngzhōu 图 船首を竜頭で飾りつけた船. 端午の節句の行事としてこの船を操って競漕(きょうそう)する

8 **泷**(瀧) lóng 图 方 急流. (多く地名に用いる) ➤ shuāng

8 **茏**(蘢) lóng ➡〔茏葱lóngcōng〕〔葱茏cōnglóng〕

【茏葱】lóngcōng 形 (草木が)青々と生い茂るさま

8 **咙**(嚨) lóng ➡〔喉咙hóulong〕

9 **珑**(瓏) lóng ❶古 雨ごいに用いた玉(ぎょく) ❷ ➡〔玲珑línglóng〕

9 **栊**(櫳) lóng 書 ❶(猛獣などを入れる)おり ❷窓 ‖ 珠～ 玉で飾られた窓

9 **胧**(朧) lóng ➡〔朦胧ménglóng〕

10 **砻**(礱) lóng ❶图 もみ米の殻をとって玄米にするのに用いる磨臼(すりうす) ❷動 もみ米をすって玄米にする ‖ ～稻子 イネのもみすりをする

11 **隆** lóng ❶盛んである. 盛大である ‖ 一～重 ❷栄えている ‖ 兴xīng～ 繁盛している ❸盛り上がる. 高くなる ‖ 一～起 ❹(程度が)深い. 激しい ‖ 一～冬 ➤ lōng

【隆冬】lóngdōng 图 真冬. 厳冬

【隆隆】lónglóng 擬 (雷・砲声・機械などの激しく震動する音)ゴロゴロ. ドーン. ゴーゴー

【隆起】lóngqǐ 動 隆起する. 盛り上がる

【隆情】lóngqíng 图 厚情 ‖ ～厚谊 厚い志

【隆乳】lóngrǔ =〔隆胸lóngxiōng〕

【隆盛】lóngshèng 形 隆盛である. 盛んである

【隆胸】lóngxiōng 動 豊胸手術をする. 〔隆乳rǔ〕ともいう

*【隆重】lóngzhòng 形 盛大である. 荘厳である ‖ 代表大会～开幕 代表大会は盛大に開幕した

11 * **聋**(聾) lóng 形 耳が聞こえない ‖ 耳～ 耳が聞こえない

【聋哑人】lóngyǎrén 图 聾唖者(ろうあしゃ)

【聋哑症】lóngyǎzhèng 图 聾唖

【聋子】lóngzi 图 耳の不自由な人

11 **笼**(籠) lóng ❶图 かご. ざる ‖ 鸟～ 鳥かご ❷古 罪人を監禁した木の檻(おり) ‖ 囚qiú～ 罪人用の木の檻 ❸图 せいろう. せいろ ‖ 蒸zhēng～ せいろう ❹火をつける ‖ ～火 火を起こす ➤ lǒng

【笼屉】lóngtì 图 せいろう ‖ 用～蒸zhēng馒头 せいろうでマントーを蒸す

【笼头】lóngtou 图 (馬具の一つ)おもがい

*【笼子】lóngzi 图 かご ‖ 鸟～ 鳥かご

【笼嘴】lóngzui 图 家畜の口にはめて, 餌を食べたり咬(か)みついたりしないようにするかご状のもの

16 **窿** lóng ➡〔窟窿kūlong〕

16 **癃** lóng ❶書 (体が)衰えて病気がちである ❷排尿に障害があること

lǒng

7 **陇**(隴) lǒng ❶地名用字 ‖ ～山 陝西省と甘粛省の境にある山の名 ❷图 甘粛省の別称 ‖ 得～望蜀Shǔ 隴(ろう)を得て蜀(しょく)を望む. 貪欲(どんよく)であることのたとえ

8 **垄**(壟) lǒng ❶图 畑のあぜ ❷图 うね ❸图 農作物の列, あるいは列と列の間 ❹うね状のもの ‖ 瓦～ 屋根がわらのうね状になった列

*【垄断】lǒngduàn 動 独占する. 占有する ‖ ～市场 市場を独占する

【垄断资本】lǒngduàn zīběn 图〈経〉独占資本.

【垄沟】lǒnggōu 图〈農〉畝間(うねま). うねあい

【垄作】lǒngzuò 動〈農〉うねづくりをする

8 * **拢**(攏) lǒng ❶動 合う. 合わさる. ひとまとめにする ‖ 两人总也谈不～ 二人の話し合いは平行線をたどったままだ ❷動 接近する. 近づく. 近寄る. 着く ‖ 靠～ 寄りつく ❸動 合計する. 総計する ‖ 归～ まとめる ❹動 髪をすく. とかす ‖ 把头发～一～ 髪をとかす

【拢岸】lǒng//àn 動 岸につける. 接岸する

【拢共】lǒnggòng 副 合わせて. 合計して

【拢音】lǒng//yīn (～儿) 動 (建築構造上)音声がよく通る. 音響効果がよい

【拢子】lǒngzi 图 (目の細かい)くし

【拢总】lǒngzǒng 副 合計して. 全部ひっくるめて

11 **笼**(籠) lǒng ❶動 包み込む. 覆い包む. 立ちこめる ‖ 暮色～住了山城 夕

暮れが山の中の町を包み込んだ ❷大きな箱 ‖ 箱～ トランク ➤ lóng
【笼络】lǒngluò 動 籠絡(ろうらく)する. 丸め込む ‖ ～人心 人心を籠絡する
【笼统】lǒngtǒng 形 おおまかである. 漠然としている ‖ 他说得很～ 彼の言い方はずいぶん漠然としている
*【笼罩】lǒngzhào 動 覆い包む. 立ちこめる ‖ 晨雾chénwù～在湖面上 朝霧が湖の水面に立ちこめている

lòng

7 弄(△衖) lòng 名 方 路地. 横町 ‖ 里～ 路地. 裏通り ➤ nòng
【弄堂】lòngtáng 名 方 (主に上海で)横町. 路地 ‖ ～口 横町の入り口

lōu

12 搂(摟) lōu ❶動 (手あるいは道具を使い自分のほうに)かき集める. 寄せ集める ‖ ～点儿柴火去 たき木を少しかき集めにいく ❷動 収奪する. かすめ取る ‖ 大把大把地～钱 どっさりと金をまき上げる ❸動 (衣服の袖やすそなどを)たくし上げる. まくり上げる ‖ ～起袖子 袖をたくし上げる ❹動 方 そろばんをはじく. 勘定する ➤ lǒu
【搂头盖脸】lōu tóu gài liǎn 慣 頭部めがけて(打つ, または投げる). 〔搂头盖顶〕ともいう

lóu

9 娄(婁) lóu ❶形 方 (ウリ類が)熟しきって果肉が柔かくなっている ❷形 方 体が虚弱である. 衰弱している ❸名〈天〉(二十八宿の一つ)たたらぼし, 婁宿(ろうしゅく)
【娄子】lóuzi 名 口 面倒. ひと悶着(もんちゃく) ‖ 捅tǒng～ 厄介なことをしでかす
11 偻(僂) lóu ➡〔佝偻gōulou〕〔偻啰lóuluo〕 ➤ lǚ
【偻啰】lóuluo ; lóuluó =〔喽啰lóuluo〕
12 蒌(蔞) lóu ↴
【蒌蒿】lóuhāo 名〈植〉キク科ヨモギ属の草本植物
【蒌叶】lóuyè 名〈植〉キンマ. 〔蒟酱jǔjiàng〕ともいう
12 喽(嘍) lóu ↴ ➤ lou
【喽啰】【喽罗】lóuluo ; lóuluó 名 子分. 手下
13★ 楼(樓) lóu ❶名 (2階建て以上の)高い建物. ビル ‖ →～房 ❷(～儿)建築物の上に付け加えて建てられた部分. やぐら ‖ 城～ 城門の上の望楼 ❸門の形の装飾的建築 ‖ 牌～ 街頭などに建てた屋根のついた装飾門 ❹店舗の名称に用いる ❺名 建物の階 ‖ 住在五～ 5階に住んでいる
【楼板】lóubǎn 名 床板
【楼层】lóucéng 名 (建物の)各階
*【楼道】lóudào 名 (ビルの)廊下
*【楼房】lóufáng 名 2階建て以上の建物. ビル
【楼阁】lóugé 名 高楼. 楼閣
【楼花】lóuhuā 名 未竣工の分譲建築物件
【楼盘】lóupán 名 (分譲マンション・分譲オフィスなどの)分譲建築物件
【楼上】lóushàng 名 2階. 階上 ↔〔楼下〕
【楼市】lóushì 名 分譲建築市場. または, 広く不動産市場
【楼台】lóutái 名 高楼. 高殿(たかどの)
⁑【楼梯】lóutī 名 階段 ‖ 从～走上去 階段を登っていく
【楼下】lóuxià 名 階下. 下のフロア ↔〔楼上〕
【楼宇】lóuyǔ 名 建物. ビル ‖ 智能～ インテリジェントビル
15 耧(耬) lóu 名〈農〉種まき車. 地方によっては〔耩子jiǎngzi〕ともいう
15 蝼(螻) lóu ↴
【蝼蛄】lóugū 名〈虫〉ケラ. オケラ
【蝼蚁】lóuyǐ 名 ケラとアリ. 転 虫けら. とるに足らないもの. 無能な者や地位の低いもののたとえ
18 髅(髏) lóu ➡〔骷髅kūlóu〕

lǒu

12* 搂(摟) lǒu ❶動 抱く. 抱きしめる. 抱き寄せる ‖ 妈妈把孩子紧紧～在怀里 お母さんが子供をぎゅっと抱きしめる ❷量 (両腕で抱えられる分量や太さを表す)抱え ➤ lōu
【搂抱】lǒubào 動 抱く. 抱き寄せる ‖ 两人紧紧地～在一起 二人はひしと抱き合っている
12 嵝(嶁) lǒu 地名用字 ‖ 岣Gǒu～ 湖南省にある衡山(こうざん)の主峰
15 篓(簍) lǒu 名 (～儿)木の枝や竹で編んだ深めのかご ‖ 纸～ 紙くずかご
【篓子】lǒuzi 名 竹やアシなどで編んだ底の深い容器

lòu

8 陋 lòu ❶(住まいが)狭苦しい. みすぼらしい ‖ →～室 ❷見識が狭い ‖ 孤～寡guǎ闻 学識が浅く見聞も狭い ❸野蛮である. 文化的でない. よくない ‖ →～规 ❹醜い ‖ 丑chǒu～ 醜い. 醜悪である ❺拙劣である. 粗悪である ‖ 简～ 貧弱である
【陋规】lòuguī 名 悪い習わし. よくないしきたり
【陋见】lòujiàn 名 浅薄な見解
【陋室】lòushì 名 狭苦しい部屋. 転 私の部屋(家)
【陋俗】lòusú 名 古臭い習わし. 野蛮な風俗
【陋习】lòuxí 名 悪い習慣. 陋習(ろうしゅう)
【陋巷】lòuxiàng 名 書 狭い路地. みすぼらしい裏通り
14⁑ 漏 lòu ❶動 (ものが穴やすきまから)漏れる. にじみ出る ❷古〔漏壶〕(水時計)をさす ❸書 時刻の単位 ‖ 夜已三～ 午前0時前後 ❹動 (情報などを外部に)漏洩(ろうえい)する. 漏らす ‖ 走～消息 情報を漏らす ❺動 抜かす. 遺漏する ‖ 一个字不～, 全背下来了 一字も落とさず全部暗記した ❻動 (穴やすきまがあって)漏る ‖ 房子～雨 家は雨漏りがする ❼〈中医〉体液や膿(うみ)の出る病気 ‖ 痔zhì～ 痔漏(じろう)
【漏报】lòubào 動 報告漏れをする ‖ ～所得税 所得税の申告漏れがある
【漏乘】lòuchéng 動 乗り物に乗り遅れる
【漏窗】lòuchuāng 名〈建〉庭園建築で, 紙やガラスなどをつけていない窓
【漏电】lòu//diàn 動 漏電する =〔跑电〕

【漏洞】lòudòng 名 ❶漏れ穴. すきま ❷漏れ. 矛盾. ぼろ‖他的话～百出 彼の話は矛盾だらけだ
【漏斗】lòudǒu (～儿) 名 ろうと. じょうご
【漏风】lòu//fēng 動 ❶すきま風が入る ❷(歯のすきまから)息が漏れる ❸(秘密を)漏らす. (秘密が)漏れる
【漏光】lòu//guāng 動 感光する‖这胶卷jiāojuǎn～了 このフィルムは感光してだめになった
【漏壶】lòuhú 名 古 水時計. 〔漏刻〕〔漏〕ともいう
【漏检】lòujiǎn 動 検査漏れする
【漏勺】lòusháo 名 穴杓子(あなじゃくし)
*【漏税】lòu//shuì 動 脱税する‖偷税～ 税金をごまかす
【漏题】lòu//tí 動 試験問題を漏らす
【漏网】lòu//wǎng 動 逮捕をまぬかれる. 法の網をかいくぐる
【漏泄】lòuxiè 動 ❶(水や光などが)外に漏れる ❷秘密が漏れる
【漏诊】lòuzhěn 動〈医〉診察で見落とす. 誤診をする
【漏子】lòuzi 名 ❶口 じょうご ❷手落ち. 不手際. しくじり
【漏嘴】lòu//zuǐ 動 うっかり口にする. 口をすべらす‖一不小心说漏了嘴 うかつにも口をすべらせてしまった

14 **瘘**(瘻) lòu ↴
【瘘管】lòuguǎn 名〈医〉瘻管(ろうかん)

14 **镂**(鏤) lòu 彫刻する‖～花 模様を彫る
【镂骨铭心】lòu gǔ míng xīn 成 深く肝に銘じる
【镂刻】lòukè 動 ❶彫刻する ❷心に深く刻み込む. 銘記する
【镂空】lòukōng 動 透かし彫りする
【镂月裁云】lòu yuè cái yún 成 技芸がきわめて精緻(せいち)であること

21 ** **露** lòu 動 口 現す. さらけ出す. 現れる. 露顕する. 意味は〔露lù ❸〕に同じで, 話し言葉に用いる‖→～一手 ➤ lù
【露丑】lòu//chǒu 動 恥をさらす. 面目をつぶす
【露底】lòu//dǐ 動 内情を漏らす. 内幕が暴かれる
【露风】lòu//fēng 動 (内情を)漏らす. 知らせる
【露富】lòu//fù 動 金持ちであることをひけらかす. 裕福であることが知られる
【露脸】lòu//liǎn 動 面目が立つ. 顔向けできる. 鼻が高い‖孩子考上好大学, 父母也～ 子がいい大学に受かれば, 親も鼻が高い
*【露马脚】lòu mǎjiǎo 慣 馬脚を現す. ぼろを出す‖这下子可～了 こんどばかりはしっぽを出した
*【露面】lòu//miàn (～儿) 動 顔を見せる. 姿を見せる. 現れる‖他有好几天没～了 このところ彼はずっと顔を見せていない
【露苗】lòu//miáo 動〈農〉苗が出る. 芽が出る
【露怯】lòu//qiè 動 方 (知識や教養がないため)物笑いの種になる. ぼろを出す
*【露头】lòu//tóu 動 ❶(～儿)頭を出す ❷現れる‖骄傲的情绪露了头 傲慢(ごうまん)な心が現れた
【露馅儿】lòu//xiànr 動 暴露される. ぼろが出る. よくないことがばれる
【露相】lòu//xiàng (～儿) 動 方 正体を現す
*【露一手】lòu yīshǒu (～儿) 組 腕前を披露する. 得意技を発揮する

lou

12 * **喽**(嘍) lou 助 (人を呼びたてたり注意を促したりする)…だよ‖客人来～ お客さんだよ｜开饭～ 御飯ですよ ➤ lóu

lū

15 **撸** lū 方 ❶動 しごく. たくし上げる‖～起袖子 袖をたくし上げる ❷動 免職する ❸動 叱りつける

15 **噜** lū ↴
【噜苏】lūsu ; lūsū 形 方 (話が)くどい. くだくだしい

lú

5 **卢**(盧) lú 名 姓
【卢比】lúbǐ 名 外 インド・パキスタン・バングラデシュ・ネパール・スリランカなどの貨幣, ルピー
【卢布】lúbù 名 外 ロシアの貨幣, ルーブル
【卢森堡】Lúsēnbǎo 名〈国名〉ルクセンブルク
【卢旺达】Lúwàngdá 名〈国名〉ルワンダ

7 **庐**(廬) lú 簡素なつくりの小屋. いおり‖草～ 草ぶきの小さい家｜茅～ 同前
【庐山真面】Lúshān zhēn miàn 成 廬山(ろざん)の真面目. 事物の本来の姿. 〔庐山真面目〕ともいう
【庐舍】lúshè 名 書 謙 粗末な家. 陋屋(ろうおく). 田舎家

7 **芦**(蘆) lú 〈植〉アシ. ヨシ‖→～苇
【芦柴】lúchái 名 アシの茎
【芦荡】lúdàng 名 アシが一面に生えた湖沼 =〔苇wěi荡〕
【芦花】lúhuā 名 アシの花軸に密生している白い絹毛
【芦荟】lúhuì 名〈植〉アロエ. ロカイ
【芦笙】lúshēng 名〈音〉蘆笙(ろしょう). ミャオ族やトン族など少数民族の竹製の管楽器
【芦笋】lúsǔn 名〈植〉アスパラガス. 〔石刁柏shídiāobǎi〕の通称
【芦苇】lúwěi 名〈植〉アシ. ヨシ. 〔苇〕〔苇子〕ともいう
【芦席】lúxí 名 アシで編んだ敷物

8 **泸**(瀘) lú 地名用字‖～州 四川省にある地名

8 **垆**[1](壚) lú 黒く硬い土‖～土 黒土

8 **垆**[2](壚) lú 古 (酒屋で)酒がめをのせる土の台. 転 酒屋‖酒～ 酒屋｜当～ 酒を売る

8 **炉**(爐 △鑪) lú 名 (炊事・暖房などに用いられる)炉. ストーブ. こんろ‖火～ ストーブ. こんろ｜壁～ 暖炉｜熔～ 溶鉱炉
【炉灰】lúhuī 名 ストーブの灰. 炉の燃え殻
【炉火纯青】lú huǒ chún qīng 成 炉の火が青い炎を上げて燃えさかるさま. 学問・技術・芸術などが最高の水準に達しているたとえ
【炉具】lújù 名 ストーブの用具一式
【炉门】lúmén 名 ストーブのたき口

L

【炉台】lútái (～儿) 图 ストーブの上部の平らな部分
【炉膛】lútáng (～儿) 图 炉やストーブなどの胴
【炉条】lútiáo 图 火格子, ロストル
【炉灶】lúzào 图 ストーブやかまどなどの総称 ‖ 砌qì～ かまどを築く
【炉渣】lúzhā 图 ❶(石炭の)燃え殻 ❷〈冶〉スラグ
*【炉子】lúzi 图 ストーブ, こんろ ‖ 生～ (ストーブなどの)火を起こす | 封～ (ストーブなどの)火をいける

9 **栌**(櫨) lú 图〈植〉ハゼノキ. ふつうは〔黄栌〕という

9 **轳**(轤) lú ➡〔辘轳lùlu〕

9 **胪**(臚) lú 書 陳列する

10 **鸬**(鸕) lú ↴
【鸬鹚】lúcí 图〈鳥〉カワウ

11 **颅**(顱) lú 图〈生理〉頭蓋(ずがい). 転 頭 ‖ 头～ 頭
【颅骨】lúgǔ 图〈生理〉頭蓋骨
【颅腔】lúqiāng 图〈生理〉頭蓋腔(とうがいこう)

11 **舻**(艫) lú 書 船首, へさき. 転 舟, 船 ‖ 舳zhú～ 船尾と船首

13 **鲈**(鱸) lú 图〈魚〉スズキ. ふつうは〔鲈鱼〕という

lǔ

7 **卤**(鹵❶❹ 滷❷❸) lǔ ❶图 にがり ‖ 盐～ にがり ❷動〈料理〉塩水あるいはしょうゆに調味料を加えて煮る ‖ ～鸡 調味料を加えた塩水でニワトリを丸煮にする ❸图 (～儿)〈料理〉スープにくず粉を加えた濃いかけ汁, または濃いめの飲料 ‖ 打～面 あんかけうどん ❹图〈化〉ハロゲン族元素
【卤莽】lǔmǎng =〔鲁莽lǔmǎng〕
【卤水】lǔshuǐ 图 ❶にがり ❷(塩井からくみ出した製塩用の)塩水
【卤素】lǔsù 图〈化〉ハロゲン族元素. 〔卤族〕ともいう
【卤味】lǔwèi 图 塩水に調味料を加えて煮たり, しょうゆで煮たりした後, 冷まして出す料理
【卤虾】lǔxiā 图 小エビをすりつぶして糊状にし, 塩で味つけしたもの
【卤虾油】lǔxiāyóu 图〔卤虾〕の上澄み. 調味料の一種
【卤族】lǔzú =〔卤素lǔsù〕

8 **虏**(虜 △虜) lǔ ❶(戦場で)生け捕りにする. 捕虜にする ‖ →～获 ❷捕虜, とりこ ‖ 俘fú～ 捕虜 ❸書 敵に対する蔑称 ❹古 北方民族に対する蔑称
【虏获】lǔhuò 動 書 敵を捕虜とし, 武器を接収する

11 **掳**(擄) lǔ 奪う, 奪い取る ‖ →～掠
【掳掠】lǔlüè 動 略奪する, 強奪する

12 **鲁**[1](魯) lǔ ❶書 愚かである, 鈍い ❷そそっかしい, 粗野である ‖ →～莽

12 **鲁**[2](魯) lǔ ❶图 魯(ろ). 周代の国名. 現在の山東省曲阜(きょくふ)一帯にあった ❷图 山東省の別称 ‖ →～菜
【鲁班尺】lǔbānchǐ 图 大工道具の一つ, 曲尺(かねじゃく)
【鲁菜】lǔcài 图 山東料理
【鲁莽】lǔmǎng 形 そそっかしい, 向こう見ずである, 軽率である. 〔卤莽〕とも書く
【鲁直】lǔzhí 形 書 愚直である

16 **橹**[1](△櫓 艪 艣 樐) lǔ 图 櫓(ろ) ‖ 摇～ 櫓をこぐ

16 **橹**[2](△櫓) lǔ 書 大型の盾

17 **镥** lǔ 图〈化〉ルテチウム(化学元素の一つ, 元素記号は Lu)

lù

7 **陆**(陸) lù ❶陸, 陸地, 大陸 ‖ 登～ 上陸する ❷陸路 ‖ 水～交通 水陸交通
►liù
【陆稻】lùdào 图〈植〉陸稲(りくとう・おかぼ) =〔旱稻〕
*【陆地】lùdì 图 陸地
*【陆军】lùjūn 图 陸軍
【陆离】lùlí 形 色とりどりなさま ‖ 光怪～ 色彩が複雑に入り混じっている, けばけばしい
【陆路】lùlù 图 陸路, 陸上交通 ↔〔海路〕〔水路〕
【陆桥】lùqiáo 图〈地〉陸橋
【陆续】lùxù 副 **絶え間なく, 引き続き, 続々と ‖ 人～到齐了 次から次へと集まってきて全員揃った
【陆运】lùyùn 图 陸運, 陸路運送
【陆战队】lùzhànduì 图〈軍〉海軍陸戦隊, 海兵隊

8 ** **录**(録) lù ❶記載する, 書き写す ‖ 摘zhāi～ 摘録する ❷記録 ‖ 备忘～ 備忘録 ❸任用する, 採用する ‖ →～用 ❹動 **録音する, テープにとる** ‖ 转～ ダビングする
【录播】lùbō 動 録画放送する. 〔录放〕ともいう
【录放】lùfàng 動 (録音あるいは録画したものを)再生する
【录供】lùgòng 動〈法〉供述を記録する
*【录取】lùqǔ 動 (合格者を)採用する, 採る ‖ 择zé优～ 成績順に採用する
【录取线】lùqǔxiàn 图 (入試などの)合格ライン
【录入】lùrù 動〈計〉文字データなどをコンピューターに入力する ‖ ～员 入力スタッフ, オペレーター
【录像】lù//xiàng 動 **録画する 图 (lùxiàng) **録画** ‖ 放～ ビデオを再生する
【录像带】lùxiàngdài 图 **ビデオテープ
【录像机】lùxiàngjī 图 **ビデオ・レコーダー
【录像片】lùxiàngpiàn 图 テレビ放送以外の目的で製作された商業ビデオ
★【录音】lù//yīn 動 **録音する, 音声を吹き込む** ‖ 今天的报告全部录了音了 今日の演説はすべて録音した 图 (lùyīn) **録音, 吹き込み** ‖ 放～ 録音を再生する
【录音笔】lùyīnbǐ 图 ペン型ボイスレコーダー
【录音带】lùyīndài 图 **録音テープ ‖ 空白kòngbái～ 生テープ
【录音电话】lùyīn diànhuà 图 留守番電話
【录音机】lùyīnjī 图 **テープレコーダー ‖ 袖珍xiùzhēn～ 携帯用小型テープレコーダー
*【录用】lùyòng 動 (人を)採用する, 任用する ‖ 量liàng材～ 人材にふさわしい職務に就ける, 適材適所
【录制】lùzhì 動 録音制作する, 録画制作する ‖ ～唱片 レコードを録音制作する

10 **辂** lù 古 大型の車の一種.（多く皇帝が乗るものをさす）‖ 龙～ 皇帝の車

10 **赂** lù ❶書 財物を贈る ❷賄賂(わいろ)を使う ‖ 贿huì～ 賄賂を贈る ❸書 財物. 贈り物

11 **渌** lù ❶地名用字 ‖ ～水 江西省に発し, 湖南省を経て湘江に注ぐ川の名 ❷ ➡〔湿渌渌shīlùlù〕

11 **逯** lù 名 姓

11 **绿** lù ↴ ➤ lǜ

【绿林】lùlín 名 旧 緑林(りょくりん). 山中に拠点を置き, 時の権力に反抗した武装集団 ‖ ～好汉 緑林の英雄

【绿营】lùyíng 名〈史〉緑営(りょくえい). 清代, 漢族によって組織され地方に分駐した軍隊

11* **鹿** lù ❶名〈動〉シカ ‖ ～羔gāo 子ジカ ❷喩 政権 ‖ 一～死谁手

【鹿角】lùjiǎo 名 ❶シカの角. 鹿角(ろっかく) ❷＝〔鹿砦lùzhài〕

【鹿皮】lùpí 名 シカの皮. バックスキン

【鹿茸】lùróng 名〈中薬〉鹿茸(ろくじょう)

L

【鹿死谁手】lù sǐ shéi shǒu 成（帝位を鹿にたとえて）天下は誰の手に帰するか.（現在では多くスポーツ競技で）いずれに軍配が上がるか

【鹿砦】【鹿寨】lùzhài 名 木の枝などを交差させてシカの角のような形にし, 敵の侵入を防ぐもの. 鹿砦(ろくさい)

12 **禄** lù 旧 官吏の俸給 ‖ 俸fèng～ 俸給. 俸禄(ほうろく) ‖ 无功受～ 労せずして報酬を受ける

【禄位】lùwèi 名 書 俸禄と官職

13 **碌** lù ❶凡庸である ‖ 庸yōng～ 凡庸である ❷繁忙である. せわしい ‖ 劳～ あくせく働く

【碌碌】lùlù 形 ❶平凡である ‖ ～无为 平々凡々でなんらなすところがない ❷気ぜわしく働くさま

13★ **路** lù ❶名 道路. 通路. 通り道 ‖ 大马～ 大通り ❷名 道のり. 行程 ‖ ～不算太远 道のりはそれほど遠くない ❸(～儿)手段. 方法 ‖ 门～ 要領. こつ. つて. 人脈 ❹筋道 ‖ 思～ 考えの筋道 ❺名 コース. 路線 ‖ 三～无轨电车 路線番号が3番のトロリーバス ❻方面. 地区 ‖ 北～货 北方の品物 ❼名 種類や等級などに用いる ‖ 大～货 大衆向け商品 ❽量 列 ‖ 六～纵队 6列縦隊

逆引き単語帳 〔铁路〕tiělù 鉄道 〔山路〕shānlù 山道 〔马路〕mǎlù (広い)道路. 大通り 〔岔路〕chàlù 分かれ道 〔公路〕gōnglù 自動車道路. 幹線道路 〔高速公路〕gāosù gōnglù 高速道路. ハイウエー 〔弯路〕wānlù 回り道 〔出路〕chūlù 出口. 活路 〔销路〕xiāolù 商品の販路 〔活路〕huólù 活路. 生き延びる道 〔死路〕sǐlù 袋小路. 破滅への道 〔退路〕tuìlù 退路 〔半路〕bànlù 途中 〔线路〕xiànlù 路線. 回路 〔门路〕ménlu コネ. 人脈. つて 〔思路〕sīlù 考えの筋道. 考え 〔电路〕diànlù 電気回路 〔集成电路〕jíchéng diànlù 集積回路. IC

【路霸】lùbà 名 公道上で職権を乱用し, 罰金の名目で金銭をだまし取る者

【路标】lùbiāo 名 道標. 道しるべ

【路不拾遗】lù bù shí yí 成 道に落とし物があっても, 拾って自分の物にしてしまうようなことがない. 社会秩序がよく保たれているたとえ.〔道不拾遗〕ともいう

*【路程】lùchéng 名 路程. 道のり ‖ 现代化的～是漫长的 近代化への道程はきわめて長い

【路灯】lùdēng 名 街灯

【路段】lùduàn 名（道路や鉄道の）区間

*【路费】lùfèi 名 旅費 ‖ ～很贵 旅費が高い

【路风】lùfēng 名（鉄道労働者の）仕事ぶりや気風

【路规】lùguī 名 鉄道の運行などの規則や制度

【路轨】lùguǐ 名 軌道. レール

*【路过】lùguò 動 通過する. 通る ‖ 由上海去北京要～南京 上海から北京に行くには南京を通る

【路徽】lùhuī 名 中国の鉄道のシンボルマーク

【路基】lùjī 名〈建〉路床. 路盤

【路肩】lùjiān 名 路肩(ろかた)

【路检】lùjiǎn 動 路上で車の検問を行う ‖ 加强～ 検問を強化する

【路劫】lùjié 動 追いはぎをする. 往来で強盗をはたらく

【路警】lùjǐng 名 略 鉄道警察.〔铁路警察〕の略

【路径】lùjìng 名 ❶（目的地に到着するまでの）道. コース ❷方法. 手だて. やり方 ❸〈計〉パス

【路局】lùjú 名 鉄道管理局. 道路管理局

【路考】lùkǎo 動（自動車免許をとる際の）路上での実技試験をする

*【路口】lùkǒu（～儿）名 辻. 交差点 ‖ 到第一个十字～向左拐guǎi 最初の十字路まで行ったら左に折れる

【路况】lùkuàng 名 道路情況. 交通情況

*【路面】lùmiàn 名 路面 ‖ ～坑坑洼洼kēngkengwāwā的 路面がでこぼこしている

【路牌】lùpái 名 街路名プレート

【路卡】lùqiǎ 名 検問所

【路签】lùqiān 名 鉄道の通行票

【路人】lùrén 名 路上を往来する人. 赤の他人

**【路上】lùshang 名 ❶路上 ‖ ～行人不多 道には通行人が少ない ❷途中. 道中 ‖ 放了学～别贪tān玩儿 放課後道草など食わないように

【路数】lùshù 名 ❶方法. やり方. 手立て ❷（武術の）手 ❸内情. 内幕. 素性 ‖ 不知这人是个什么～ この人がどんな素性の持ち主なのか分からない

【路条】lùtiáo 名 旧 略式の通行許可証

【路途】lùtú 名 ❶道. 道路 ❷道のり. 行程. 旅程

【路网】lùwǎng 名 網の目のように交錯した道路

**【路线】lùxiàn 名 ❶路線. コース. ルート ‖ 行车～ 車両通行ルート ❷（思想上や政治上の）路線. 方針 ‖ 坚持群众～ 大衆路線を堅持する

【路向】lùxiàng 名 方 喩 ゆくえ. 先行き ‖ 电子游戏产业的～何方？ ゲーム産業はどこへ向かうのか

【路演】lùyǎn 名〈経〉経営投資セミナー. 株式会社が投資家向けに開く会社説明会

【路椅】lùyǐ 名 街路のベンチ. ストリートベンチ

【路由器】lùyóuqì 名〈計〉ルータ

【路障】lùzhàng 名 路上に置く障害物. バリケード ‖ 设置～ バリケードを設ける

【路政】lùzhèng 名 道路や鉄道の管理の仕事

*【路子】lùzi 名 ❶方法. 手だて. 手段 ‖ 他训练的～不对 彼はトレーニングのやり方が間違っている ❷縁故. コネ. つて ‖ 他的～可野yě了 彼は実に顔が広い

14 **漉** lù ❶こす. 濾過(ろか)する ‖ ～酒 酒をこす ❷ ➡〔湿漉漉shīlùlù〕

14 **蓼** lù 古 植物が丈高く伸びているさま ➤ liǎo

15 **辘** lù ↴

【辘轳】lùlu；lùlú 图❶（水くみ用の）ろくろ．滑車 ❷巻き上げ機．ウインチ‖摇～ ろくろを回す

【辘辘】lùlu；lùlù 擬❶（車輪が回転する音）ゴロゴロ．ガラガラ ❷（腹が減って鳴る音）グウグウ‖饥肠jīcháng～ お腹がすいて腹がグウグウ鳴る

15 **戮**1（△剹）lù 殺す‖杀～ 殺戮（さつりく）する

15 **戮**2（△勠）lù 書合わせる．一緒にする

【戮力同心】lù lì tóng xīn 成力を合わせ心を一つにする．一致団結する

16 **潞** lù 地名用字‖～水 山西省を流れる濁漳河（だくしょうが）の旧称｜～江 現在の怒江

17 **璐** lù 書美しい玉（ぎょく）

17 **簏** lù 竹や柳などで編んだ入れ物‖书～ 本を入れる竹製の箱

18 **鹭** lù 图〈鳥〉サギ科の鳥の総称

【鹭鸶】lùsī 图〈鳥〉コサギ ＝〔白鹭báilù〕

19 **麓** lù 書山すそ．ふもと‖山～ 山麓（さんろく）

21 * **露** lù ❶图露．ふつうは〔露水〕という‖朝zhāo～ 朝露 ❷野外．野天‖→～天 ❸動現す．現れる．露出する．さらけ出す‖不～声色 言葉にも表情にも現さない ❹飲料あるいは化粧品の一種‖→～酒 ➤lòu

【露地】lùdì 图❶書空地 ❷〈農〉露地

*【露骨】lùgǔ 形露骨である．あからさまである‖～地干涉别国内政 他国の内政に露骨に干渉する

【露酒】lùjiǔ 图果実ジュースなどを混入した酒

【露水】lùshui 图口露

【露水夫妻】lùshui fūqī 图正式に結婚せず，同棲（どうせい）している男女‖做了几天～ 何日か同棲した

【露水珠儿】lùshuizhūr 图露の玉

【露宿】lùsù 動野宿する．露宿する

*【露天】lùtiān 图露天．屋外 形露天の．屋外の‖～剧场 野外劇場

【露天矿】lùtiānkuàng 图〈鉱〉露天採掘鉱

【露头角】lù tóujiǎo 慣頭角を現す．初めて才能を発揮すること

【露营】lùyíng 動❶〈軍〉露営する ❷キャンプする

【露珠】lùzhū 图露の玉．露しずく．〔露水珠儿〕ともいう

lú

7 * **驴**（驢）lú 图〈動〉ロバ‖草～ 雌ロバ｜叫～ 雄ロバ

【驴唇不对马嘴】lú chún bù duì mǎ zuǐ 慣（言うことが）とんちんかんである．つじつまが合わない

【驴打滚】lúdǎgǔn（～儿）图❶高利貸しの一種（利息が雪だるま式に増えるもの） ❷モチアワの粉に砂糖を混ぜて蒸し，きなこをまぶしたもち菓子の一種

【驴肝肺】lúgānfèi 图喩悪意‖好心当作～ 好意を悪意にとる

【驴年马月】lú nián mǎ yuè 慣（ロバの年やウマの月などあるはずもないということから）いつのことやら．いつになったら．〔猴年马月〕〔牛年马月〕ともいう

【驴皮胶】lúpíjiāo 图〈中薬〉阿膠（あきょう） ＝〔阿胶ējiāo〕

【驴皮影】lúpíyǐng 图方影絵芝居の一種（ロバの皮で作った人形を用いる）

【驴子】lúzi 图方ロバ

9 **闾** lú ❶書路地の入り口にある門‖倚yǐ～而望 路地の入り口の門にもたれて子の帰りを待つ．親が子の帰宅を待ちわびるたとえ ❷古戸籍上の編制単位．周代では25戸を1〔闾〕とした ❸書横町．隣近所

【闾里】lúlǐ 图書故郷．村里

【闾巷】lúxiàng 图書横町．小路

13 **榈** lú ➡〔棕榈zōnglú〕

lǚ

6 **吕** lǚ 古〈音〉中国音階12音のうち偶数番目の6音をさす

【吕宋烟】lǚsòngyān 图旧葉巻タバコ．葉巻．シガー

8 **侣** lǚ 仲間．相棒‖情～ 恋人｜伴～ 伴侶（はんりょ）

10 **捋** lǚ ❶動しごく‖～胡子 ひげをなでる ❷動整理する‖问题太多，一时～不出个头绪tóuxù 問題がありすぎて，すぐにはすっきり整理できない ➤luō

10 * **旅**1 lǚ ❶衆人．多くの人 ❷图〈軍〉旅団 ❸軍隊‖劲jìng～ 精鋭部隊 ❹書共に．共同で‖→～进～退

10 **旅**2 lǚ 旅をする‖→～居｜～美华人 在米中国人

【旅伴】lǚbàn（～儿）图旅の道連れ

【旅差费】lǚchāifèi ＝〔差旅费chāilǚfèi〕

【旅程】lǚchéng 图旅の行程．旅程

*【旅店】lǚdiàn 图旅館．宿屋

*【旅费】lǚfèi 图旅費‖～自理 旅費は自己負担とする

**【旅馆】lǚguǎn 图（比較的小さな）旅館．ホテル

【旅进旅退】lǚ jìn lǚ tuì 成みんなと進退を共にする．自分の考えがなく大勢に従って行動すること

*【旅居】lǚjū 動他郷に逗留する．外地に滞在する‖～国外 海外に逗留する

**【旅客】lǚkè 图旅行者．旅客‖～登记簿 宿帳

【旅社】lǚshè 图旅館．（多く旅館の名称に用いる）

【旅舍】lǚshè 图書旅館．宿舎

**【旅途】lǚtú 图旅の途中．道中‖踏上～ 旅に出る

★【旅行】lǚxíng 動旅行する‖环球huánqiú～ 世界一周旅行｜～指南 旅行ガイドブック

【旅行车】lǚxíngchē 图ワゴン車．マイクロバス

【旅行袋】lǚxíngdài 图リュック．ザック．ナップザック

**【旅行社】lǚxíngshè 图旅行社．旅行代理店

【旅行支票】lǚxíng zhīpiào 图トラベラーズ・チェック

*【旅游】lǚyóu 動観光する．遊覧する‖～车 観光バス｜～旺季wàngjì 旅行シーズン

【旅游农业】lǚyóu nóngyè 图〈農〉観光農業．〔观光农业〕ともいう

【旅游鞋】lǚyóuxié 图スニーカー

*【旅游业】lǚyóuyè 图観光業

11 **偻**（僂）lǚ 書❶腰や背が曲がっている ❷直ちに．速やかに ➤lóu

11 *铝 lǚ 名〈化〉アルミニウム(化学元素の一つ, 元素記号は Al)
【铝箔】lǚbó 名 アルミ箔(はく)
【铝土矿】lǚtǔkuàng 名〈鉱〉ボーキサイト
11 稆 lǚ (穀物などが)自生する‖～生 自生する
12 屡(屢) lǚ しばしば. たびたび. 幾度となく‖～战～胜 何度戦ってもそのたびに勝つ
*【屡次】lǚcì 副 たびたび. 幾度も
【屡次三番】lǚ cì sān fān 成 しきりに. たびたび. 何度も繰り返し. 再三再四
*【屡见不鲜】lǚ jiàn bù xiān 成 たびたび目にするので珍しくない
【屡教不改】lǚ jiào bù gǎi 成 いくら戒めても改めない
【屡屡】lǚlǚ 副 書 しばしば. たびたび. 幾度となく
【屡试不爽】lǚ shì bù shuǎng 成 何度試してみても必ずよい結果が出る. いつも効果がある‖这一招ル还真灵líng, ～ この方法は効果抜群だ, 何回試しても必ずよい結果が出る
12 缕(縷) lǚ ❶糸‖千丝万～ 多くの糸が絡み合うように, 物事が複雑に入り組んでいるさま ❷詳細である. 筋道が通っている‖～述shù 縷々(るる)説明する ❸量(細いものを数える)すじ‖一～白云 一筋の白い雲
【缕缕】lǚlǚ 形 絶え間のないさま. 縷々とした. 綿々とした‖～炊烟chuīyān かまどの煙が絶えず立ち上る
14 膂 lǚ 書 背骨
【膂力】lǚlì 名 体力‖～过人 ずば抜けた体力
14 褛(褸) lǚ ➡〔褴褛lánlǚ〕
15 履 lǚ ❶踏む. 踏みつける‖如～薄báo冰 薄氷を踏むがごとし ❷靴. 履物‖革～ 革靴 ❸経験する. 歩む‖一～历 ❹履行する. 実行する‖一～行 ❺足. 足どり‖步～维艰 歩行が困難である
【履带】lǚdài 名〈機〉キャタピラー. 〔链轨〕ともいう
【履历】lǚlì 名 ❶履歴. 経歴‖～表 履歴書 ❷履歴書. 経歴書
【履任】lǚrèn 動 任務や職務に就く
【履险如夷】lǚ xiǎn rú yí 成 険しい道を平地のように歩く. 危険や困難を意に介さないこと
*【履行】lǚxíng 動 履行する. 実際に行う‖～诺言nuòyán 約束を履行する|～义务 義務を果たす
【履约】lǚyuē 動 書 約束を実行する

lù

9 律 lù ❶古〈音〉中国音階12音のうち奇数番目の6音をさす‖旋～ 旋律 ❷法律. 規則. きまり‖定～ 法則 ❸書 律する. 制約する‖一～己 ❹(伝統的な詩の体裁)律詩‖七～ 七言律詩
【律动】lǜdòng 動 律動する‖脉搏màibó的～ 脈のリズム
【律己】lǜjǐ 動 書 自分を律する
【律例】lǜlì 名 刑法の正文と付属判例
【律令】lǜlìng 名 法令
*【律师】lǜshī 名 弁護士‖请～ 弁護士に依頼する
【律诗】lǜshī 名 律詩
【律条】lǜtiáo 名 法律の条文

10 虑(慮) lǜ ❶おもんぱかる. 思考する‖考～ 考慮する. 考える ❷気にかける. 心配する. 気に病む‖焦jiāo～ 焦慮する. やきもきする
11 ★绿(△菉) lǜ 形 緑色の‖草～ 草色の. もえぎ色の ➤ lù
【绿宝石】lǜbǎoshí 名〈鉱〉エメラルド
**【绿茶】lǜchá 名 緑茶
【绿葱葱】lǜcōngcōng (～的) 形 草木の茂っているさま‖～的树木 青々とした樹木
*【绿灯】lǜdēng 名 青信号. 喩 (許可の)ゴーサイン‖开～ 青信号になる. ゴーサインを出す. 許可を与える
【绿地】lǜdì 名 緑地
【绿豆】lǜdòu 名〈植〉リョクトウ
【绿豆汤】lǜdòutāng 名 リョクトウのスープ(多く暑気払いに冷やして飲む)
【绿豆粥】lǜdòuzhōu 名 リョクトウ入りの粥
【绿肥】lǜféi 名〈農〉緑肥. 草肥え
【绿肺】lǜfèi 名 緑の肺. 緑地や森林をさす
*【绿化】lǜhuà 動 植樹造林する. 緑化する‖～带 グリーンベルト
【绿卡】lǜkǎ 名 (アメリカの)グリーン・カード. 永住権
【绿篱】lǜlí 名 生け垣
【绿帽子】lǜmàozi =〔绿头巾lǜtóujīn〕
【绿内障】lǜnèizhàng 名〈医〉緑内障 =〔青光眼〕
【绿泥石】lǜníshí 名〈鉱〉緑泥石
【绿盘】lǜpán 名〈経〉下降株. 証券取引所の電光掲示板に緑色の数字で表示されるところから ↔〔红盘〕
【绿茸茸】lǜróngróng (～的) 形 青々と茂っているさま‖～的草坪cǎopíng 青々とした芝生
【绿色】lǜsè 名 緑色 形 自然志向の. エコロジカルな. 無公害の
【绿色壁垒】lǜsè bìlěi 名〈貿〉グリーン障壁. 環境障壁. 農産物に対する非関税障壁の一種
【绿色标志】lǜsè biāozhì 名 エコマーク
*【绿色食品】lǜsè shípǐn 名 自然食品
【绿色通道】lǜsè tōngdào 名 (交通機関・医療機関などの)緊急専用通路. また, スピーディーな手続きや特別優待制度をたとえる
【绿视率】lǜshìlǜ 名 人の視野の中に緑色が占める比率
【绿头巾】lǜtóujīn 慣 妻を寝取られた亭主. 〔绿帽子〕ともいう‖戴～ 妻を寝取られる
【绿衣使者】lǜyī shǐzhě 名 郵便配達員の愛称
【绿阴】lǜyīn 名 木陰. 緑陰
【绿茵】lǜyīn 名 緑の草原. 芝生‖～场 サッカー場
【绿莹莹】lǜyíngyíng (～的) 形 青緑色に輝いているさま‖～的宝石 青緑色に輝く宝石
【绿油油】lǜyōuyōu (～的) 形 緑が濃くて光沢がある. 緑したたるさま‖～的麦苗màimiáo 青々としたムギの苗
【绿藻】lǜzǎo 名〈植〉緑藻類
【绿洲】lǜzhōu 名 オアシス‖沙漠shāmò中的～ 砂漠の中のオアシス
11 率 lǜ 率. 比率. 割合‖概～ 確率|汇huì～ 為替レート ➤ shuài
12 氯 lǜ 名〈化〉塩素(化学元素の一つ, 元素記号は Cl)
【氯仿】lǜfǎng 名〈化〉クロロホルム. 〔哥罗仿〕ともいう
【氯化铵】lǜhuà'ǎn 名〈化〉塩化アンモニウム

【氯化钾】lǜhuàjiǎ 名〈化〉塩化カリウム
【氯化钠】lǜhuànà 名〈化〉塩化ナトリウム
【氯化物】lǜhuàwù 名〈化〉塩化物
【氯纶】lǜlún 名〈化〉ポリ塩化ビニール
【氯霉素】lǜméisù 名〈薬〉クロロマイセチン
【氯乙烯】lǜyǐxī 名〈化〉塩化ビニール．クロルエチレン
13 **滤**(濾) lǜ 動 こす．濾過(ろか)する ‖ ～纸 | 过～ 濾過する
【滤波】lǜbō 動〈電〉フィルタリングする
【滤器】lǜqì 名 濾過器．フィルター
【滤纸】lǜzhǐ 名 濾紙(ろし)．濾過紙．フィルターペーパー

luán

9 **峦**(巒) luán 書 小さく尖った山．広く山の峰をさす ‖ 峰～ 重なり合った峰々
【峦嶂】luánzhàng 名 書 屏風(びょうぶ)のように切り立った山並み
9 **娈**(孌) luán 書 容貌が美しい
9 **孪**(孿) luán 書 双子の
【孪生】luánshēng 形 双子の．双生児の
10 **栾**(欒) luán 名〈植〉モクゲンジ．ふつうは〔栾树〕という
10 **挛**(攣) luán 手足が曲がって伸びない ‖ 痉jìng～ 痙攣(けいれん)する
11 **鸾**(鸞) luán 名 書 鸞鳥(らんちょう)．伝説中の霊鳥
【鸾凤】luánfèng 名 喩 夫婦 ‖ ～和鸣héming 鸞鳥と鳳凰が和して鳴く．夫婦仲がむつまじいさま
12 **脔**(臠) luán 書 ❶肉をかたまり状に切る ‖ ～割 細かく切る ❷細かく切った肉 ‖ 尝鼎dǐng一～ 鼎(かなえ)の中の一切れの肉を味わえば鼎全体の肉の味が分かる．小によって大を知る
13 **滦**(灤) luán 地名用字 ‖ ～河 河北省にある川の名
14 **銮**(鑾) luán 古 ❶皇帝の車馬につけた鈴 ‖ ～铃 同前 ❷皇帝の馬車

luǎn

7* **卵** luǎn ❶名(鳥類の)卵 ‖ 产～ 産卵する ❷名〈虫〉受精卵
【卵巢】luǎncháo 名〈生理〉卵巣
【卵黄】luǎnhuáng 名 卵黄．卵の黄身 ＝〔蛋黄〕
【卵磷脂】luǎnlínzhī 名〈生〉レシチン ‖ 大豆～ 大豆レシチン
【卵生】luǎnshēng 形〈動〉卵生の
【卵石】luǎnshí 名〈建〉玉石．丸石
【卵胎生】luǎntāishēng 形〈生〉卵胎生の
【卵翼】luǎnyì 動 書 貶 (親鳥がひなをかえすため)翼で卵を守る．転 庇護(ひご)する．保護する
【卵用鸡】luǎnyòngjī 名 卵用種のニワトリ
【卵子】luǎnzǐ 名〈生〉卵子

luàn

7★ **乱**(亂) luàn ❶形 **乱れている．秩序がない** ‖ 桌子上又脏又～ 机の上は汚くてごちゃごちゃだ ❷動 混乱させる．乱す ‖ 捣dǎo～ かき乱す．じゃまする ❸(社会が)不穏である ‖ 天下大～ 世の中が非常に不安定である ❹形 **(心が)安らかではない．いらだっている** ‖ 心里～得很 気持ちが千々に乱れている ❺みだらである ‖ 淫yín～ 淫乱(いんらん)である ❻副 **みだりに．やたらに．好き勝手に** ‖ ～猜一气 むやみに当てずっぽうを言う
【乱兵】luànbīng 名 ❶反乱兵 ❷総崩れになった兵．散り散りになった兵
【乱臣】luànchén 名 乱臣．逆臣 ‖ ～贼子zéizǐ 逆賊．謀反者
【乱纷纷】luànfēnfēn (～的) 形 ごたごたと乱れているさま．ごちゃごちゃしているさま
【乱坟岗】luànféngǎng ＝〔乱葬岗子 luànzàng gǎngzi〕
【乱哄哄】luànhōnghōng (～的) 形 がやがやと騒がしいさま ‖ 会场里～的 会場内はがやがやしている
【乱来】luànlái 動 むちゃなことをする．むやみやたらなことをする ‖ 不要～ むちゃなことをやってはいけない
【乱离】luànlí 動 書 戦乱のため一家が離散する
【乱伦】luànlún 動 近親相姦(きんしんそうかん)する
【乱码】luànmǎ 名〈計〉文字化け
【乱民】luànmín 名 旧 反乱民
【乱蓬蓬】luànpēngpēng (～的) 形 (髪・ひげ・草などが)ぼうぼうと乱れているさま
*【乱七八糟】luànqībāzāo 形 ごちゃごちゃしている．めちゃくちゃである．乱雑である ‖ 屋里总是～的 部屋の中はいつも散らかっている
【乱世】luànshì 名 乱世．動乱の時代 ‖ ～出英雄 乱世には英雄が現れる
【乱说】luànshuō 動 でたらめを言う．無責任に話す
【乱弹琴】luàntánqín 慣 ばかげたことをする．筋のとおらないことを言う
【乱套】luàn//tào 動 方 秩序を乱す．混乱する ‖ 老师一不在，教室里就～了 先生がいなくなると教室はすぐ騒々しくなる
【乱腾腾】luànténgténg (～的) 形 (心が)千々に乱れている．(部屋などが)雑然としている
【乱营】luàn//yíng 動 方 混乱する．大騒ぎになる
【乱葬岗子】luànzàng gǎngzi 名 無縁墓地
【乱糟糟】luànzāozāo (～的) 形 混乱して無秩序である．雑然としている．(胸が)むしゃくしゃしている ‖ 心里～的，谁也不想见 気分がむしゃくしゃして，誰にも会いたくない
【乱真】luànzhēn 動 (書画や骨董(こっとう)などのにせものが)本物と見まがう．本物と区別できない．真に迫る
【乱子】luànzi 名 騒動．もめごと．ごたごた．トラブル

lüè

11 **掠** lüè ❶奪い取る．略奪する．かすめる ‖ 抢～ 略奪する ❷動 かすめる．なでる ‖ 一～而过 さっと通りすぎる
*【掠夺】lüèduó 動 強奪する ‖ ～资源 資源を略奪する
【掠取】lüèqǔ 動 かすめ取る．略奪する
【掠视】lüèshì 動 さっと見渡す
【掠影】lüèyǐng 名 一瞥(いちべつ)した印象．概観．(多く文章や本の表題に用いる) ‖《日本～》『日本の印象』

11 **略**[1] (△畧) lüè 略奪する. 奪う ‖ 侵～ 侵略する

11 **略**[2] (△畧) lüè 計画. 計略 ‖ 战～ 戦略 | 策～ 策略

11 ** **略**[3] (△畧) lüè ❶概略. あらまし ‖ 概～ 概略 ❷形 簡単である. 大まかである ↔〔详〕‖ 一～图 略図 ❸動 略す. 省く ‖ 省～ 省略する ❹副 少し. わずか ‖ ～看一遍 さっと一通り見る

【略称】lüèchēng 名 略称.

【略见一斑】lüè jiàn yī bān 成 物事のごく一部をうかがうことができる. かいま見ることができる

【略略】lüèlüè 副 ほんの少し. いくらか. ちょっと

【略胜一筹】lüè shèng yī chóu 成 やや優れている. わずかに勝っている

【略识之无】lüè shí zhī wú 成 之や無などのわずかばかりの字を知っている. 少ししか字を知らないこと

【略图】lüètú 名 略図

*【略微】lüèwēi 副 少し. いささか. 多少. 若干 ‖ ～受了点儿伤 ちょっと怪我をした

【略为】lüèwéi 副 少々. 少しばかり. いくらか

【略语】lüèyǔ 名〈語〉略語

L 【略知一二】lüè zhī yī èr 成 いくらか知っている

12 **锊** lüè 古 重さの単位

lūn

7 * **抡** (掄) lūn 動 (腕を) 力いっぱい振る. 振り回す ‖ ～起斧子fǔzi劈pī柴 おのを振るってまきを割る ➤ lún

lún

4 **仑** (侖 △崘❷ 崙❷) lún 書 条理. 筋道. 順序

6 **论** (論) lún 論語. 〔论语〕の略 ➤ lùn

6 **伦** (倫) lún ❶類する ‖ 不～不类 似ても似つかない. まったくさまにならない ❷人の道. 人倫 ‖ 人～ 人倫 ❸条理. 順序 ‖ 一～次

【伦巴】lúnbā 名 外〈音〉ルンバ ‖ 跳～ ルンバを踊る

【伦比】lúnbǐ 動 書 匹敵する. 肩を並べる

【伦常】lúncháng 名 人の常に守るべき五つの徳目. 五常. 五倫

【伦次】lúncì 名 (言葉や文章の) 筋道. 順序. 条理 ‖ 语无～ 話がしどろもどろである

【伦理】lúnlǐ 名 倫理 ‖ ～道德 倫理道徳.

【伦理学】lúnlǐxué 名 倫理学

7 **沦** (淪) lún ❶沈む. 水没する ‖ 沉～ 沈む. 零落する ❷(不幸やよくない状況に) おちいる. 没落する. 落ちぶれる ‖ 一～落 ❸喪失する. 消える ‖ 一～亡

【沦落】lúnluò 動 ❶(落ちぶれて) さまよう. さすらう ‖ ～他乡 異郷の地をさすらう ❷書 没落する. 落ちぶれる

【沦丧】lúnsàng 動 消滅する. 喪失する

【沦亡】lúnwáng 動 滅亡する. 消滅する. 喪失する

【沦为】lúnwéi 動 落ちぶれて…となる ‖ ～殖民地 植民地になり下がる

【沦陷】lúnxiàn 動 (領土が) 占領される. 陥落する ‖ ～区 被占領地域

7 **抡** (掄) lún 動 選抜する. 選ぶ ‖ ～材 人材を選ぶ ➤ lūn

7 **囵** (圇) lún ➡〔囫囵húlún〕

7 **纶** (綸) lún ❶古 (印章につける) 青い絹の組み緒 ❷古 釣り糸 ❸合成繊維 ‖ 腈jīng～ アクリル繊維 ➤ guān

8 **轮** (輪) lún ❶名 (～儿) 車輪. 回転する円形の機械部品 ‖ 齿～ ギヤ ❷動 順繰りにやる. 代わる代わるやる. 順番が回ってくる ‖ 怎么老～不上我呀! どうしていつまでも私に順番が回ってこないんだ ❸車輪の形をしたもの ‖ 月～ 丸い月. 満月 ❹汽船 ‖ 一～船 ❺量 ①(太陽や月など円形のものに用いる) 輪 ‖ 一～明月 一輪の明月 ②(～儿) 一巡する事柄に用いる ‖ 第一～比赛 (トーナメントの) 第1回戦 ❻(年齢の) 一回り. 十二支で一巡すること

【轮班】lún//bān (～儿) 動 (グループごとに) 代わる代わる…する. 順番に…する ‖ ～休息 交替で休む

【轮唱】lúnchàng 名〈音〉輪唱

*【轮船】lúnchuán 名 (動力で動く) 船. 汽船 ‖ 搭乘dāchéng～ 汽船に乗る

【轮次】lúncì 副 順番に. 順繰りに 名 番が回ってくる回数

【轮带】lúndài 名 タイヤ. 〔轮胎tāi〕の通称

【轮到】lún//dào 動 …の番になる ‖ 下次该～我了 この次は私の番だ

【轮渡】lúndù 名 (フェリーボートや渡し船による) 渡し

【轮番】lúnfān 副 代わる代わる. 入れ替わり立ち替わり ‖ ～进攻 代わる代わる攻撃をかける

【轮滑】lúnhuá 名〈体〉ローラースケート. 〔滑旱hàn冰〕ともいう

【轮换】lúnhuàn 動 交替する. 代わる代わる…する

【轮回】lúnhuí 動 ❶〈仏〉輪廻(りんね)がめぐる ❷循環する. めぐる

【轮机】lúnjī 名〈機〉❶略 タービン. 〔涡轮wōlún机〕の略 ❷船のエンジン ‖ ～室 機関室 | ～长 機関長

【轮奸】lúnjiān 動 輪姦(りんかん)する

【轮空】lúnkōng 動〈体〉(トーナメントで) 不戦勝となる

*【轮廓】lúnkuò 名 ❶輪郭. シルエット ❷(物事の) あらまし. 概況

*【轮流】lúnliú 動 順繰りにやる. 交替でやる. 順々にやる ‖ ～发言 代わる代わる発言する

【轮牧】lúnmù 動〈牧〉(草原地帯をいくつかの地区に分けて) 順番に放牧する

【轮盘】lúnpán 名 (裁縫用具の) ルーレット

【轮生】lúnshēng 動〈植〉(葉が) 輪生する

【轮胎】lúntāi 名 タイヤ. 〔车胎〕〔轮带〕ともいう

【轮休】lúnxiū 動 ❶〈農〉土地を順次休耕する ❷交替で休みをとる. 順番に休みをとる

【轮训】lúnxùn 動 順番に研修を行う

【轮椅】lúnyǐ 名 車椅子

【轮栽】lúnzāi =〔轮作lúnzuò〕

【轮值】lúnzhí 動 順繰りに当番になる

【轮种】lúnzhòng =〔轮作lúnzuò〕

【轮轴】lúnzhóu 名〈機〉車軸. ホイール

【轮转】lúnzhuàn 動 回転する

*【轮子】lúnzi 名 車輪. 歯車

【轮作】lúnzuò 動〈農〉輪作する. 〔轮栽zāi〕〔轮种zhòng〕〔倒茬dǎochá〕ともいう ‖ 粮棉～ 穀物と綿を

輪作する

lùn

6 * **论**（論）**lùn** ❶動 論じる. 議論する. 批評する ‖ 议～ 議論する ❷動 評定する. （ある基準に従って）判断する ‖ →～功行赏 ❸介 ①（量詞と用いて）…に基づいて ‖ 西瓜～斤卖 スイカは目方で売る ②…の面では. …について言うと ‖ ～人品, 他没的说 人柄について言えば, 彼はまったく申し分ない ❹動 取り扱う. 談じる. 語る. 論じる ‖ 不能一概而～ 一概には言いきれない ❺言論. 評論 ‖ 谬miù～ 誤った論 ❻主張. 学説. 観点 ‖ 立～ 立論する. 自分の観点を示す ❼論文.（多く書名や篇名に用いる）‖《实践～》『実践論』 ➤ lún

【论辩】lùnbiàn 動 論争する

【论处】lùnchǔ 動 処罰する. 処する ‖ 依法～ 法に照らして処罰する

【论敌】lùndí 名 論敵

*【论点】lùndiǎn 名 論点 ‖ ～鲜明 論点は非常にはっきりしている

【论调】lùndiào（～儿）名 貶 論調. 議論にみられる傾向. 意見 ‖ 悲观～ 悲観的な論調

【论断】lùnduàn 名 論断 動 論断する

【论功行赏】lùn gōng xíng shǎng 成 論功行賞. 功績により賞を与える

【论据】lùnjù 名 論拠 ‖ ～不足 論拠が十分でない

【论理】lùn//lǐ 動 道理を述べる ‖ 和他当面～ 彼にじかに意見する 副（lùnlǐ）道理から言うと

*【论述】lùnshù 動 論述する. 論じる. 述べる ‖ 具体～ 具体的に論じる

【论说】[1] lùnshuō 動 論説する

【论说】[2] lùnshuo 副 口 理屈から言えば. 筋から言うと. 本来ならば

【论说文】lùnshuōwén 名 論説文

【论坛】lùntán 名 論壇. フォーラム

【论题】lùntí 名 論題

**【论文】lùnwén 名 論文 ‖ ～答辩dábiàn 論文の質疑応答 | 提交毕业～ 卒業論文を提出する

【论战】lùnzhàn 動 論戦する. 意見をたたかわせる ‖ 双方展开～ 双方が論戦を繰り広げる

【论争】lùnzhēng 動 論争する

*【论证】lùnzhèng 名 ❶〈哲〉論証 ❷論拠 動 論証する ‖ 从理论上加以～ 理論面から論証する

【论旨】lùnzhǐ 名 論旨

【论著】lùnzhù 名 論著

【论资排辈】lùn zī pái bèi 慣 年功序列を重んじる

【论罪】lùn//zuì 動 罪を問う. 刑を定める

luō

10 **捋** **luō** 動 しごく. たくし上げる ‖ ～起袖子xiùzi 袖をまくる ➤ lǚ

【捋虎须】luō hǔxū 慣 虎のひげをしごく. 危険を冒すことや権威者の逆鱗（げきりん）に触れることのたとえ

11 **啰**（囉）**luō** ↴

*【啰唆】【啰嗦】luōsuo ; luōsuō 形 ❶（言葉が）くどい ‖ 他说话太～ 彼は話がくどすぎる ❷（事柄が）煩わしい. 煩雑である 動 くどくどと話す

luó

8 **罗**[1]（羅）**luó** ❶鳥を捕らえる網 ‖ →～网 ❷網を張って捕らえる ‖ 门可～雀 門前雀羅（じゃくら）を張る. 訪ねる人がなくひっそりとして寂しいさま ❸かき集める. 招聘（しょうへい）する. 含む ‖ 搜sōu～ 収集する ❹薄絹 ‖ 绫～绸缎 綾絹（あやぎぬ）・薄絹・繻子（しゅす）・緞子（どんす）. 絹織物の総称 ❺名（目の細かい）ふるい ‖ 把面过过～ 小麦粉をちょっとふるいにかける ❻動 ふるいにかける ‖ ～面 小麦粉をふるいにかける ❼並べる. 分布する ‖ →～列

8 **罗**[2] **luó** 量 グロス（12ダース）

【罗锅】luóguō 動（～儿）背中が曲がる. 猫背である ‖ 她有点～ 彼女は背中が少し曲がっている 名（～儿）亀背（きはい）.〔罗锅子〕ともいう 形 アーチ型の

【罗锅】luóguo 動 口 腰を曲げる. 背を丸める

【罗汉】luóhàn 名〈仏〉羅漢 ‖ 十八～ 十八羅漢

【罗汉豆】luóhàndòu 名 方 ソラマメ

【罗汉果】luóhànguǒ 名 ❶〈植〉ラカンカ ❷〈中薬〉羅漢果（らかんか）

*【罗列】luóliè 動 ❶散らばる. 散在する. 分布する ❷並べ上げる. 列挙する ‖ ～理由 理由を列挙する

【罗马尼亚】Luómǎníyà 名〈国名〉ルーマニア

【罗马数字】luómǎ shùzì 名 ローマ数字

【罗马字】luómǎzì 名 ローマ字

【罗曼蒂克】luómàndìkè 形 外 ロマンチックである

【罗盘】luópán 名 羅針盤. 羅針儀. コンパス

【罗圈儿腿】luóquānrtuǐ 名 がにまた. O脚

【罗圈儿揖】luóquānryī 名 体をぐるりと回しながら周囲の人に向かって拱手（きょうしゅ）の礼をすること

【罗网】luówǎng 名 鳥や魚を捕らえる網. 喩 計略. わな ‖ 自投～ 自らわなに掛かる

【罗纹】luówén 名（手足の）指紋

【罗织】luózhī 動 書 罪をでっち上げて, 無実の人を陥れる. ぬれぎぬを着せる ‖ ～罪名 罪名をでっち上げ罪をきせる

【罗致】luózhì 動 招聘する ‖ ～人才 人材を集める

11 **逻**（邏）**luó** 巡邏（じゅんら）する. パトロールする ‖ 巡～ パトロールする

*【逻辑】luóji ; luójí 名 外 ❶論理. ロジック ‖ 他讲话～性强 彼の話は論理性が高い ❷論理学

11 **萝**（蘿）**luó** 〈植〉つる植物 ‖ 藤téng～ フジ

**【萝卜】luóbo 名〈植〉ダイコン ‖ 心里美～ コウシンダイコン（皮が緑で中が赤いもの）| 水～ ラディッシュ

11 **猡**（玀）**luó** ➡〔猪猡zhūluó〕

11 **脶**（腡）**luó** 指紋 ‖ ～纹 指紋

13 * **锣**（鑼）**luó** 名〈音〉どら ‖ 敲～ どらを鳴らす

【锣鼓】luógǔ 名 どらと太鼓 ‖ ～喧xuān天 どらや太鼓の音が空に鳴り響く

14 **骡**（△驘）**luó** ↴

*【骡子】luózi 名〈動〉ラバ

14 **箩**（籮）**luó** 名 竹で編んだざるやかご. 多く口が丸く, 底が四角いもの

L

*【箩筐】luókuāng 名 竹や柳の枝で編んだかごやざる

17 **螺** luó ❶名〈貝〉マキガイ，ニシ ‖ 田～ タニシ ❷名 渦状の筋や模様があるもの ‖ 一～纹

【螺钉】luódīng 名 ねじ，ボルト．〔螺丝〕〔螺丝钉〕ともいう

【螺号】luóhào 名 法螺貝(ほらがい)

【螺母】luómǔ 名 ナット．〔螺帽〕〔螺丝母〕〔螺丝帽〕ともいう

【螺栓】luóshuān 名 ボルト

【螺丝】luósī 名 口 ねじ，ボルト

【螺丝刀】luósīdāo 名 ドライバー，ねじ回し ＝〔改锥gǎizhuī〕

*【螺丝钉】luósīdīng 名 ねじ，ボルト

【螺丝扣】luósīkòu 名 口 ねじ山

【螺丝帽】luósīmào ＝〔螺母luómǔ〕

【螺丝母】luósīmǔ ＝〔螺母luómǔ〕

【螺蛳】luósi；luósī 名〈貝〉淡水のマキガイの通称

【螺纹】luówén 名 ❶(手足の)指紋 ❷ねじ山．〔螺丝扣〕ともいう

【螺旋】luóxuán 名 螺旋(らせん)

【螺旋桨】luóxuánjiǎng 名 プロペラ，スクリュー

L

luǒ

10 **倮** luǒ 古〔裸luǒ〕に同じ

13 **裸**(△躶 羸) luǒ 動 はだかになる，むき出しになる ‖ 赤～～ 赤裸々な

【裸机】luǒjī 名 ❶未契約の携帯電話やポケットベル，白ロム携帯電話 ❷OSなしのパソコン，OSなしモデル

【裸露】luǒlù 動 露出する，むき出しになる

【裸视】luǒshì 動 裸眼で見る 名 裸眼の視力

【裸体】luǒtǐ 動 裸体になる，ヌードになる 名 裸体

【裸线】luǒxiàn 名〈電〉裸線(はだかせん)

【裸眼】luǒyǎn 名 裸眼 ‖ ～视力 裸眼の視力

【裸照】luǒzhào 名 ヌード写真．〔裸体照片〕の略

19 **羸** luǒ ➡〔蜾羸guǒluǒ〕

luò

8 **泺**(濼) luò 地名用字 ‖ ～口 山東省にある地名

9 **洛** luò 地名用字 ‖ ～河 陝西省から河南省にかけて流れる川の名

【洛阳纸贵】Luòyáng zhǐ guì 成 洛陽(らくよう)の紙価を高める，書物が好評を博して盛んに売れるたとえ

9 **骆** luò 名 姓

*【骆驼】luòtuo 名〈動〉ラクダ ‖ 单峰fēng～ ヒトコブラクダ ｜ 双峰～ フタコブラクダ

【骆驼刺】luòtuocì 名〈植〉ラクダソウ

【骆驼绒】luòtuoróng 名〈紡〉キャメル

9 **络** luò ❶網に似た形状のもの ‖ 橘～ ミカンの筋 ｜ 丝瓜～ ヘチマの繊維 ❷名〈中医〉経絡 ‖ 经～ 経絡 ❸動 網状のもので包む ❹巻きつける，巻く ➤ lào

【络腮胡子】luòsāi húzi 名 鬢(びん)まで連なるひげ，ほおひげ．〔落腮胡子〕とも書く ‖ 长zhǎng着一脸～ 顔中ひげだらけだ

【络绎不绝】luò yì bù jué 成 往来が絶え間なく続くさま ‖ 来往行人～ 行き交う人々が跡を絶たない

9 **荦**(犖) luò 書 顕著である，はっきりとみてとれる ‖ 卓zhuó～ 卓抜である

10 **珞** luò ➡〔璎珞yīngluò〕

【珞巴族】Luòbāzú 名 ロッパ族(中国の少数民族の一つ，主としてチベットに居住)

11 **硌** luò 古 山上の巨石 ➤ gè

12 ** **落** luò ❶動 落ちる，落下する ‖ 树叶都～了 木の葉がすっかり落ちた ❷動 下がる ‖ 降～ 降下する ❸動 下ろす ‖ 一～幕 ❹はまる，落ちる ‖ 一～水 ❺動 落伍(らくご)する，不合格になる ‖ 一～伍 ❻落ちぶれる，すたれる，さびれる ‖ 破～ 落ちぶれる ❼動 手に落ちる，帰する ‖ 重担zhòngdàn～在我们肩上 重責が我々の肩にかかっている ❽動 得る，手に入れる ‖ 什么好处也没～着zháo なんの見返りも得られなかった ❾動 止まる，止める ‖ 一～脚 ❿動 とどめる，書き残す，残す ‖ 不～痕迹hénjì 跡を残さない ⓫とどまる所 ‖ 下～ 行方，居場所 ⓬集まっている場所 ‖ 村～ 村落 ➤ là lào

【落案】luò'àn 動 判決を下す，決着をつける

【落榜】luò//bǎng 動 試験に落ちる，不合格になる

【落笔】luò//bǐ 動 筆を下ろす，書き始める，描き始める

【落标】luò//biāo 動 競争入札にはずれる，(広く)競り合って負ける

【落膘】luò//biāo (～儿) 動 (家畜が)痩せる

【落泊】【落魄】luòbó 形 書 ❶落ちぶれている，零落している ‖ 家贫～ 家が貧しく落ちぶれている ❷おおらかで豪放である

【落槽】luò//cáo 動 ❶川の水が引いて本来の河道に戻る ❷方 家が没落する ❸(～儿)ほぞがほぞ穴にはまる ❹方 (気持ちが)落ち着く

【落草】[1] luòcǎo 動 古 山にこもって強盗になる，山賊になる ‖ ～为寇kòu 山賊になる

【落草】[2] luòcǎo (～儿) 動 方 (子供が)生まれる

【落差】luòchā 名 ❶(水位の)落差 ❷(物事の)落差，ギャップ

【落潮】luò//cháo 動 潮が引く ＝〔退潮〕

*【落成】luòchéng 動 (建物などが)落成する ‖ 机场大楼将于年底～ 空港ターミナルビルは年末に落成する

【落槌】luò//chuí 動 ❶(オークションで)競売人がハンマーを打ち下ろす，落札する ‖ 以100万元～ 100万元で落札された ❷オークションが終了する

【落得】luòde 動 結局…になる，…という結果に終わる，…するのが落ちだ

*【落地】luò//dì 動 ❶地上に落ちる，着地する ‖ 心里的石头落了地 心の重しが取れた ❷生まれる，誕生する ‖ 呱呱gūgū～ 呱々(ここ)の声を上げる，誕生する

【落地窗】luòdìchuāng 名 床まで届く幅の広い高窓

【落地灯】luòdìdēng 名 フロアスタンド式の照明器具

【落地扇】luòdìshàn 名 フロアスタンド式扇風機

【落地式】luòdìshì 名 床置き式，フロアスタンド式

【落第】luò//dì 動 古 (科挙の試験で郷試以上の試験に)落第する

【落点】luòdiǎn 名 落下点

【落发】luò//fà 動 剃髪(ていはつ)する ‖ ～为僧sēng 剃髪して僧となる

**【落后】luò//hòu 動 ❶後になる，後れを取る ‖ 思想

～于形势 考え方が情勢に追いつかない ❷(時期が)遅れる 形(luòhòu)**時代後れである. 立ち後れている. 取り残されている** ‖ 经济很～ 経済がたいへん立ち後れている
【落户】luò//hù 動 定住する. 住みつく
【落花流水】luò huā liú shuǐ 成 春の景色が盛りを過ぎて衰えるさま. 完膚なきまでに打ちのめされることのたとえ
【落花生】luòhuashēng 名〈植〉ラッカセイ.〔花生〕ともいう
【落荒而逃】luò huāng ér táo 成 荒野へ落ちゆく. 遠方へ逃げる
【落脚】luò//jiǎo (～儿) 動 足を休める. しばらくの間とどまる ‖ ～点 足掛かり
【落井下石】luò jǐng xià shí 成 人の災難につけ込んでさらに追い打ちをかける
【落空】luò//kōng 動 目的や目標がだめになる. ふいになる ‖ 计划～了 計画がふいになった
【落款】luò//kuǎn (～儿) 動 落款を押す 名(luòkuǎn)落款
【落泪】luò//lèi 動 涙を流す
【落落大方】luò luò dà fāng 成 おおらかである. おおようである. 落ち着いている
【落落寡合】luò luò guǎ hé 成 他人と折り合わない
【落马】luò//mǎ 動 落馬する. 喩 競技などで敗れる
【落寞】【落漠】【落莫】luòmò 形 もの寂しい. 寂れている
【落墨】luòmò 動 書 執筆する. 筆を下ろす ‖ 大处dàchù～ 最も重要な部分に力を入れる
【落幕】luòmù 動 閉幕する
【落难】luò//nàn 動 災難に遭う. 苦境に陥る. 窮地に立つ
【落聘】luòpìn 動 不採用となる. 採用から漏れる
【落魄】luòpò ; luòtuò 形 書 ❶落ちぶれている. 零落している ❷おおらかで豪放である ＊ =〔落泊bó〕
【落日】luòrì 名 落日. 夕日
*【落实】luòshí 動 ❶はっきり確かめる. 確認する. 決定する. 決める ‖ 出发的时间还没～ 出発の時間はまだ決まっていない ❷実行する. 遂行する. 成し遂げる ‖ ～政策 政策を実行する 形 方 (気持ちが)落ち着いている
【落水】luò//shuǐ 動 ❶水に落ちる ❷喩 堕落する
【落水狗】luòshuǐgǒu 名 水に落ちたイヌ. 喩 勢力を失った悪人 ‖ 痛打～ 弱っている悪者に追い打ちをかける
【落锁】luò//suǒ 動 鍵をかける. 施錠する
【落汤鸡】luòtāngjī 名 全身ずぶぬれのさま. ぬれねずみ
【落套】luòtào 動 (文学作品などで)旧套に堕(だ)す. 型にはまる
【落体】luòtǐ 名〈物〉落体
【落拓】【落魄】luòtuò 形 書 ❶落ちぶれている. 零落している ❷おおらかで豪放である
【落网】luò//wǎng 動 網にかかる. (犯人が)逮捕される. つかまる
【落伍】luò//wǔ 動 ❶隊伍に後れる. 落伍する ❷時代後れになる ‖ 思想～ 考えが時代後れである
*【落选】luò//xuǎn 動 落選する ‖ 在预选中就落了选 予選で落ちた
【落叶归根】luò yè guī gēn 成 葉が落ちて根に帰る. 他郷をさすらう人もいずれは故郷に帰るたとえ =〔叶落归根〕
【落音】luò//yīn (～儿) 動 (話や歌声などが)終わる
【落英】luòyīng 名 書 ❶落花 ‖ ～缤纷bīnfēn 花がはらはらと散りゆくさま ❷咲いたばかりの花
【落账】luò//zhàng 動 帳簿に記帳する
【落照】luòzhào 名 書 落日の輝き
【落座】luò//zuò 動 着席する. 座席に着く

14 **漯** luò 地名用字 ‖ ～河 河南省にある市の名 ➤ tà

14 **摞** luò ❶動 一つ一つ積み上げる. 積み重ねる ‖ ～盘子 皿を積み重ねる ❷量 重ねて置いてあるものを数える ‖ 一～碗 一重ねの茶碗

14 **雒** luò 地名用字 ‖ ～河 河南省にある川の名. 現在は〔洛河〕と書く

L

M

ḿ

8 **呣** ḿ 國(疑問を表す)うん？え？‖～，你说什么？ うん？何だって？ ➤ m̀

m̀

8 **呣** m̀ 國(承諾を表す)うん‖～，知道了 うん，分かった ➤ ḿ

mā

6 **妈** mā ❶图回お母さん‖～，快来啊！ お母さん，早く来て ❷親属で年長の既婚女性に対する呼称‖姑gū～ おばさん(父の姉妹)｜姨yí～ おばさん(母の姉妹) ❸年配の既婚女性に対する敬称‖张大～ 張おばさん ❹旧 年配の女性使用人に対する呼称．ばあや‖王～ 王ばあや

★【妈妈】māma 图 **お母さん．お母ちゃん**

【妈祖】māzǔ 图〈宗〉中国東南沿海一帯の伝説上の海を守る女神．媽祖(ﾏｿ)‖～庙 媽祖を祭る廟(ﾋﾞｮｳ)

8 **抹** mā ❶動 拭(ﾌ)く．拭(ﾇｸﾞ)う‖～桌子 机を拭く ❷動 手で下ろす．ずらす‖把卷起的袖子～下来 まくり上げた袖を下ろす ➤ mǒ mò

【抹布】mābù 图 ❶ぞうきん ❷台ぶきん

【抹脸】mā//liǎn 動 顔色を変える．転 仏頂面をする‖抹不下脸来（情にほだされて）つれない態度をとれない

11 **麻** mā 方（空が）ほの暗い‖→～～亮 ➤ má

【麻麻黑】māmahēi 形 方（日が暮れかかって）薄暗い

【麻麻亮】māmaliàng 形 方（空が）ほんのりと明るい

15 **摩** mā ↴ ➤ mó

【摩挲】māsa；māsā 動 なでる．さする ➤ mósuō

má

6 **吗** má 代 方 なに‖干～？ なにをするの｜～事？ なんの用だい ➤ mǎ ma

11 ＊**麻**[1]（△蔴❶～❸）má ❶图〈植〉アサ．タイマ・アマ・チョマなどの総称 ❷图 アサ類植物の繊維‖→～袋 ❸〈植〉ゴマ‖→～酱 ❹あばた‖→～脸 ❺形（表面が）ざらざらしている．すべすべしていない ❻まだらの．斑点のある

11 **麻**[2] má ❶形 麻痺している．しびれている‖蹲dūn的时间太长，两腿都～了 長い間しゃがんでいたので，両足がしびれてしまった ❷形（舌が）ひりひりして痛い‖这菜又～又辣 この料理は辛くて舌がひりひりする ➤ mā

＊【麻痹】mábì 動 ❶〈医〉麻痺する．しびれる‖小儿～ 小児麻痺 ❷麻痺させる‖～人们的斗志 人々の闘志を鈍らせる 形 気が緩んでいる．油断している‖可不能～大意 決して気を緩めてはいけない

【麻布】mábù 图 麻織りの布．麻布‖细～ リンネル

＊【麻袋】mádài 图 麻袋

★【麻烦】máfan 形 **煩わしい．面倒である．厄介である**‖赶不上末班车可～了 最終電車に間に合わないと困ってしまう 图 面倒．厄介‖添～ 面倒をかける 動 **面倒をかける．迷惑をかける．手数をかける**‖不好意思去～他 かれに面倒をかけるのは気がひける

【麻纺】máfǎng 形 麻織物の

【麻风】máfēng 图〈医〉ハンセン病．レプラ

【麻花】máhuā（～儿）图 小麦粉を練った生地を細長く伸ばし縄状にして油で揚げた菓子

【麻将】májiàng 图 マージャン‖打～ マージャンをする｜～牌pái マージャンのパイ

【麻酱】májiàng 图 ゴマみそ ＝〔芝麻酱〕

【麻利】máli 形 敏捷(ﾋﾞﾝｼｮｳ)である．手際がいい‖手脚～ 動作が敏捷である

【麻脸】máliǎn 图 あばた面

＊【麻木】mámù 形 ❶しびれている．麻痺している‖手脚都冻～了 手足が凍えてしびれてしまった ❷無神経である．鈍い‖感情～ 鈍感である

【麻木不仁】má mù bù rén 成 無関心である．冷淡である

＊【麻雀】máquè 图〈鳥〉スズメ

【麻雀虽小，五脏俱全】máquè suī xiǎo, wǔzàng jùquán 諺 雀は小さいが，五臓六腑欠けるところがない．小さいながらもあるべき機能がそろっていることをたとえる

【麻纱】máshā 图〈紡〉❶麻糸 ❷綿または綿と麻混紡の薄手の布

【麻绳】máshéng（～儿）图 麻縄．麻ひも

【麻酥酥】másūsū（～的）形 軽くしびれるさま

【麻糖】mátáng 图 ごまキャンデー

【麻线】máxiàn（～儿）图 麻糸

【麻药】máyào ＝〔麻醉药mázuìyào〕

【麻衣】máyī 图 旧 白い麻の喪服

【麻油】máyóu 图 ゴマ油 ＝〔芝麻油〕

【麻渣】mázhā 图 アマやゴマなどの油のしぼりかす

【麻疹】mázhěn 图〈医〉麻疹(ﾏｼﾝ)．はしか‖出～ はしかにかかる

【麻织品】mázhīpǐn 图 麻織物

【麻子】mázi 图 ❶あばた ❷あばた面の人

＊【麻醉】mázuì 動 ❶〈医〉麻酔をする ❷喩 麻痺させる‖他失恋后开始酗酒xùjiǔ，试图～自己 彼は失恋してから酒で気を紛らそうと酒浸りになった

【麻醉药】mázuìyào 图〈薬〉麻酔薬．麻酔剤．〔麻药〕ともいう

16 **蟆**（△蟇）má ➡〔蛤蟆háma〕

mǎ

3 ★**马**（馬）mǎ ❶图〈動〉ウマ‖一匹白～ 一頭の白馬 ❷大きい‖→～蜂

【马鞍】mǎ'ān 图 鞍(ｸﾗ)

【马帮】mǎbāng 图 旧 荷馬車の隊列

【马鞭】mǎbiān 图 鞭(ﾑﾁ)．役畜に使う鞭．〔马鞭子〕ともいう

【马鳖】mǎbiē 图〈動〉ヒル．〔水蛭zhì〕の通称

【马不停蹄】mǎ bù tíng tí 成 馬が足を休めない．

ひたすら前進する. 一刻も休まず進む

*【马车】mǎchē 名 ❶馬車 ‖ 赶～ 馬車を駆る ❷荷馬車

【马褡子】mǎdāzi 名 ウマの背に掛ける布袋

*【马达】mǎdá 名 外〈機〉モーター

【马达加斯加】Mǎdájiāsījiā 名〈国名〉マダガスカル

【马大哈】mǎdàhā 形 おおざっぱである. いいかげんである. そそっかしい 名 いいかげんな人. 粗忽者(そこつもの)

【马刀】mǎdāo 名 騎兵用の軍刀. サーベル. 〔战刀〕ともいう

【马到成功】mǎ dào chéng gōng 成 直ちに成功を収める ‖ 祝你～ ご成功をお祈りします

【马灯】mǎdēng 名 夜間の乗馬用カンテラ

【马镫】mǎdèng 名 (馬具の一種)鐙(あぶみ)

【马队】mǎduì 名 ❶荷馬車の隊列 ❷騎兵隊

【马尔代夫】Mǎ'ěrdàifū 名〈国名〉モルディブ

【马耳他】Mǎ'ěrtā 名〈国名〉マルタ

【马粪纸】mǎfènzhǐ 名 板紙. ボール紙. 〔黄纸板〕の通称

【马蜂】mǎfēng 名〈虫〉スズメバチ. 〔胡蜂〕の通称

【马蜂窝】mǎfēngwō 名 スズメバチの巣. 喩 扱いにくい相手. 厄介な事柄 ‖ 捅tǒng～ ハチの巣をつつく. 面倒なことを引き起こす

【马夫】mǎfū 名 旧 馬丁. 馬方

【马竿】mǎgān (～儿) 名 探り杖. 盲人用の杖

【马褂】mǎguà (～儿) 名 旧 男性の長い中国服の上にはおる短い上着

【马倌】mǎguān (～儿) 名 ウマを飼育する人. 馬飼い

【马海毛】mǎhǎimáo 名〈紡〉モヘア

【马号】[1] mǎhào 名 旧 (役所の)厩舎(きゅうしゃ)

【马号】[2] mǎhào 名 騎兵隊のラッパ

【马后炮】mǎhòupào 慣 中国将棋で馬のあとに砲が控える手. 転 時機がはずれてしまい無駄なこと. 後の祭り

**【马虎】【马糊】mǎhu 形 いいかげんである. おおざっぱである. ぞんざいである ‖ 这个工作非常重要, 绝不能～ この仕事はとても重要だから, 決していいかげんに扱ってはならない

【马甲】mǎjiǎ 名 方 チョッキ. ベスト

【马鲛鱼】mǎjiāoyú 名〈魚〉サワラ ＝〔鲅bà〕

【马脚】mǎjiǎo 名 馬脚. 化けの皮 ‖ 露lòu～ 馬脚を露す

【马厩】mǎjiù 名 馬小屋. 厩舎

【马驹子】mǎjūzi 名 口 子ウマ

**【马克】mǎkè 名 ドイツなどの通貨. マルク

【马克杯】mǎkèbēi 名 マグカップ

【马克思列宁主义】Mǎkèsī Lièníng zhǔyì 名 マルクス・レーニン主義. 略して〔马列主义〕ともいう

*【马克思主义】Mǎkèsī zhǔyì 名 マルクス主義

【马口铁】mǎkǒutiě 名 ブリキ ＝〔镀锡dùxī铁〕

【马裤】mǎkù 名 乗馬用ズボン

【马快】mǎkuài 名 旧 捕吏. 罪人を捕らえる役人

【马拉松】mǎlāsōng 名 外〈体〉マラソン ‖ ～赛跑 マラソン競走 形 喩 だらだらした. 冗長な ‖ ～式的会议 だらだらとした長い会議

【马拉维】Mǎlāwéi 名〈国名〉マラウイ

【马来西亚】Mǎláixīyà 名〈国名〉マレーシア

【马里】Mǎlǐ 名〈国名〉マリ

*【马力】mǎlì 量〈物〉馬力 名 馬力. 精力 ‖ 开足～ 馬力を出す | 加大～ スピードを上げる

【马列主义】Mǎ Liè zhǔyì 名 略 マルクス・レーニン主義. 〔马克思列宁主义〕の略

*【马铃薯】mǎlíngshǔ 名〈植〉バレイショ. ジャガイモ. 地方によっては〔土豆儿〕〔山药蛋〕ともいう

【马鹿】mǎlù 名〈動〉スイロク. サンバー. 〔水鹿〕ともいう

**【马路】mǎlù 名 大通り ‖ 柏油bǎiyóu～ アスファルト道路

【马路新闻】mǎlù xīnwén 名 俗 街のうわさ. 風聞

【马马虎虎】mǎmahūhū ; mǎmǎhūhū (～的) 形 ❶いいかげんである. おおざっぱである. でたらめである ❷それほど悪くはない. まずまずである ‖ "近来生意怎么样?" "～" 「近ごろ商売はどうですか」「まずまずですよ」

【马趴】mǎpā 名 口 つんのめる ‖ 摔shuāi了个大～ 大きくつんのめって倒れた

【马匹】mǎpǐ 名 ウマの総称. 馬匹(ばひつ)

【马屁】mǎpì 名 喩 べんちゃら. へつらい ‖ 他很会给领导拍～ 彼は上司にごまをするのが上手だ

【马屁精】mǎpìjīng 名 おべっか使い. ご機嫌取り

【马其顿】Mǎqídùn 名〈国名〉マケドニア

【马前卒】mǎqiánzú 名 手先. お先棒

【马枪】mǎqiāng 名 騎兵銃

【马球】mǎqiú 名 ❶〈体〉ポロ ❷ポロ用のボール

【马赛克】mǎsàikè 名 外 モザイク模様

★【马上】mǎshàng 副 すぐに. さっそく ‖ 等一下, 我～就来 ちょっと待っていて, すぐに行くから

【马勺】mǎsháo 名 (粥や御飯をよそう)しゃくし

【马绍尔群岛】Mǎshào'ěr qúndǎo 名〈国名〉マーシャル諸島

【马失前蹄】mǎ shī qián tí 慣 思わぬ災難に遭って挫折(ざせつ)するたとえ

【马首是瞻】mǎ shǒu shì zhān 成 兵士が大将の馬首の向きを見て進退を決める. 人に追随するたとえ

【马术】mǎshù 名 馬術

【马蹄】mǎtí 名 ❶馬蹄(ばてい) ❷方〈植〉シナクログワイ. オオクログワイ

【马蹄莲】mǎtílián 名〈植〉オランダカイウ

【马蹄铁】mǎtítiě 名 ❶ウマの蹄鉄(ていてつ). ふつうは〔马掌〕という ❷U字形の磁石

【马蹄形】mǎtíxíng 名 ❶馬蹄形 ❷U字形

【马桶】mǎtǒng 名 ❶おまる. ふた付きの室内用便器 ❷便器 ‖ 抽水～ 水洗式便器

【马头琴】mǎtóuqín 名〈音〉馬頭琴

【马尾松】mǎwěisōng 名〈植〉クロマツ

*【马戏】mǎxì 名 曲馬. サーカス ‖ ～团 曲馬団. サーカス

【马靴】mǎxuē 名 乗馬靴. 長靴

【马仰人翻】mǎ yǎng rén fān 成 収拾のつかない混乱のたとえ. てんてこ舞い ＝〔人仰马翻〕

【马缨花】mǎyīnghuā 名〈植〉ネムノキ ＝〔合欢〕

【马贼】mǎzéi 名 旧 馬賊

【马扎】【马劄】mǎzhá (～儿) 名 折りたたみ式の腰掛け. 床几(しょうぎ)

【马掌】mǎzhǎng 名 ❶ウマのひづめ ❷ウマの蹄鉄. 〔马蹄mǎtí铁〕の通称 ‖ 钉dìng～ 蹄鉄を打ちつける

【马鬃】mǎzōng 名 ウマのたてがみ

6 **吗** mǎ ↴ ➤ má ma

【吗啡】mǎfēi 名〈薬〉モルヒネ

6 **犸** mǎ ➡〔猛犸měngmǎ〕

M

7 **玛** mǎ ↴

【玛瑙】mǎnǎo 图 ❶〈鉱〉メノウ ❷〈中薬〉瑪瑙(めのう)

8 **码**[1] mǎ ❶(～儿)数を表す記号‖号～ 番号．ナンバー ❷数を示す道具‖砝fǎ～ 分銅 ❸量 事柄を数える．〔一码〕〔两码〕の形でのみ用いる‖你去我去还不是一～事 君が行っても私が行っても同じことだ

8 **码**[2] mǎ 動 積む．積み上げる‖把砖～在这里吧 れんがをここに積み上げよう

8 **码**[3] mǎ 量(長さの単位)ヤード

【码放】mǎfàng 動 きちんと並べて置く

**【码头】mǎtou 图 ❶埠頭(ふとう)．波止場．港‖～工人 港湾労働者 ❷方 交通の便利な商業都市．要衝

9 **蚂** mǎ ↴ ➤mà

【蚂蟥】mǎhuáng 图〈動〉ヒル ＝〔水蛭zhì〕

*【蚂蚁】mǎyǐ 图〈虫〉アリ

【蚂蚁搬泰山】mǎyǐ bān Tàishān 慣 蟻が泰山を移す．大勢が力を出し合えば大きな仕事ができるたとえ

【蚂蚁啃骨头】mǎyǐ kěn gǔtou 慣 蟻が骨をかじる．根気強くこつこつと大仕事を成し遂げるたとえ

mà

7 **杩** mà ↴

【杩头】màtou 图 ベッドや扉の上下の横木

9 **骂**(△罵 傌) mà ❶動 罵る．悪口を言う‖有理讲理，不能～人 筋道を通してものを言い，人を罵ってはいけない ❷動 厳しく責める．叱責する．説教する

【骂大街】mà dàjiē ＝〔骂街màjiē〕

【骂架】mà//jià 動 口げんかをする．罵り合う

【骂街】mà//jiē 動 大勢の前でわめき散らす

【骂骂咧咧】màmaliēliē (～的) 形 口汚く罵るさま

【骂名】màmíng 图 悪名．汚名

【骂娘】màniáng 動 罵り散らす．罵詈雑言(ばりぞうごん)を浴びせる

9 **蚂** mà ↴ ➤mǎ

【蚂蚱】màzha 图 方 イナゴ

ma

6 ★**吗** ma ❶助 文末に置いて疑問を表す‖听明白了～？ (いまの話は)分かりましたか ❷助 文末に置いて問いただしたり詰問したりする語気を表す‖这书不是你的～？ この本は君のじゃないの｜难道没有别的办法～？ まさかほかのやり方がないわけじゃないだろう ➤má mǎ

14 ★**嘛** ma ❶助 明確な肯定を表す‖人多力量大～ 人が多ければ力だって大きいとも ❷助 制止や希望を表す‖累了就休息休息～ 疲れたら休まなくっちゃ ❸助 文中の区切りに用い，相手方に注意を促す‖关于这个问题～，我们以后再谈 この問題についてはだね，また今度話し合おう｜所以～，有困难应该互相帮助 だからね，困ったらお互いに助け合うべきなんだ

mái

10 **埋** mái ❶動 埋める．うずめる‖掩yǎn～ 埋める ❷隠す．ひそむ‖一～伏 ➤mán

【埋藏】máicáng 動 埋蔵する．うずめる．しまう‖地下～着丰富的矿产 地下には豊富な鉱物資源が埋蔵されている

【埋单】máidān 動 (レストランなどで)勘定を支払う．〔买单〕ともいう

【埋伏】máifu；máifú 動 ❶伏兵を置く．待ち伏せする‖打～ 待ち伏せする ❷潜伏する

【埋名】máimíng 動 名前を伏せる．名前を出さない‖隐yǐn姓～ 姓名を隠す

*【埋没】máimò 動 ❶埋める ❷うずもれる‖～人材 人材をうずもれさせる

【埋设】máishè 動 埋設する‖～电缆diànlǎn ケーブルを埋設する

【埋汰】máitai 方 形 汚い．汚れている 動 人の欠点をあばく．皮肉る

*【埋头】mái//tóu 動 没頭する．専念する．熱中する‖～工作 仕事に没頭する

【埋葬】máizàng 動 埋葬する．葬り去る

22 **霾** mái 書 煙霧

mǎi

6 ★**买**(買) mǎi ❶動 買う ↔〔卖〕‖～东西 買い物をする ❷買収する‖收～ 買収する

【买办】mǎibàn 图 旧 買弁(ばいべん)

*【买不到】mǎibudào 動 (物がなくて)買えない

*【买不起】mǎibuqǐ 動 (高すぎて)買えない

*【买不着】mǎibuzháo 動 (物がなくて)買えない．手に入らない‖那东西哪儿也～ その品物はどこに行っても手に入らない

【买春】mǎichūn 動 買春する

【买单】mǎidān 動 (レストランなどで)勘定を支払う ＝〔埋mái单〕 图〈経〉買い注文 ↔〔卖单〕

【买椟还珠】mǎi dú huán zhū 成 真珠の入っている箱を買って，中身を返す．取捨選択を誤ること

【买断】mǎiduàn 動 買い占める

【买点】mǎidiǎn 图 ❶購入の決め手．購入の理由 ❷〈経〉(株などの)買い時．購入のチャンス‖股票～和卖点 株の買い時と売り時

【买方】mǎifāng 图〈経〉買い手．買い方 ↔〔卖方〕‖～市场 買い手市場

【买关节】mǎi guānjié 慣 賄賂を使う．買収する

【买好】mǎi//hǎo (～儿) 動 人の機嫌を取る．取り入る

【买价】mǎijià (～儿) 图〈経〉買い値．購入価格 ↔〔卖价〕

【买进】mǎijìn；mǎijìn 動 買い入れる

**【买卖】mǎimai 图 ❶商売．商い‖～兴隆xīnglóng 商売が繁盛する｜做～ 商売をする ❷商店．店

【买卖人】mǎimairén 图 商売人．あきんど

【买面子】mǎi miànzi 慣 顔を立てる．メンツを立てる

【买通】mǎi//tōng 動 賄賂を使う．買収する

【买账】mǎi//zhàng 動 相手の好意または権威を受け

入れる.〔否定に用いることが多い〕
【买主】mǎizhǔ 图〈経〉買い主. 買い手 ↔〔卖主〕
【买醉】mǎi//zuì 動 書 酒を買って痛飲する. 酒で愁いを紛らす

mài

5 **劢**（勱）mài 書 励む. 努める

6 ☆☆ **迈**[1]（邁）mài 動 大股(おおまた)で歩く. またぐ ‖ ～过门槛儿 ménkǎnr 敷居をまたぐ

6 **迈**[2]（邁）mài 年をとる. 老いる ‖ 年～多病 年老いて病気がちである

6 **迈**[3]（邁）mài 量 外 (速度を表す単位)時速…マイル

【迈步】mài//bù 動 足を大きく前に出す. 大股で歩く
【迈方步】mài fāngbù （～儿）組 ゆったりとした足取りで歩く.〔迈四方步〕ともいう
【迈进】màijìn 動 邁進(まいしん)する

7 **麦**（麥）mài ❶图〈植〉ムギ ‖ 小～ コムギ ｜ 不辨 biàn 菽 shū～ 豆と麦との区別もつかない. 世事に疎く, 実際的な知識に乏しいたとえ ❷图〈植〉コムギ. ふつうは〔麦子〕という
【麦茬】màichá 图〈農〉❶ムギの刈り株 ❷ムギの裏作の畑または作物 ‖ ～地 ムギの裏作の畑
【麦秆】màigǎn 图 麦わら
【麦秸】màijiē 图 麦わら ‖ ～草帽 麦わら帽子
【麦精】màijīng 图 麦芽エキス
【麦克风】màikèfēng 图 外 マイクロフォン. マイク
【麦浪】màilàng 图 (風に揺れる)ムギの穂波
【麦粒】màilì （～儿）图 麦粒
【麦粒肿】màilìzhǒng 图〈医〉麦粒腫(ばくりゅうしゅ). ものもらい. 俗に〔针眼〕という
【麦芒】màimáng （～儿）图 ムギの穂のノギ
【麦片】màipiàn 图 エンバクなどのひき割り ‖ ～粥 オートミール
【麦秋】màiqiū 图 ムギの収穫の季節. 麦秋
【麦收】màishōu 图 ムギの取り入れ
【麦穗】màisuì 图 ムギの穂
【麦芽糖】màiyátáng 图〈化〉麦芽糖
【麦子】màizi 图〈植〉❶ムギ ❷コムギ

8 ★ **卖**（賣）mài ❶動 売る ↔〔买〕‖ ～高价 高値で売る ｜ 票全～光了 切符はすっかり売り切れてしまった ❷動 (労働や技芸などで)稼ぐ ‖ ～艺 ❸動 売り渡す. 裏切る ‖ 出～ 同前 ❹動 力を振り絞る. 尽力する ‖ ～命 ❺ひけらかす. 見せびらかす ‖ ～弄 ❻量 旧 (料理店で料理を数える)皿
【卖不出去】màibuchūqù 動 売れない. 品物がはけない ‖ 这么贵, 我看～ こんなに高くては, 売れそうにない
【卖不动】màibudòng 動 (買い手がなくて)売れない
【卖场】màichǎng 图 大面積の売り場. 大型店舗
【卖唱】mài//chàng 動 歌を歌ってお金をかせぐ
【卖春】màichūn 動 売春をする
【卖单】màidān 图〈経〉売り注文 ↔〔买单〕
【卖点】màidiǎn 图 ❶セールスポイント ❷〈経〉(株などの)売り時. 売るチャンス
【卖方】màifāng 图〈経〉売り手. 売り方 ↔〔买方〕‖ ～市场 売り手市場
【卖风流】mài fēngliú 慣 しなを作る. こびを売る
【卖狗皮膏药】mài gǒupí gāoyao 慣 うまいことを言って人をだます
【卖乖】mài//guāi 動 ❶利口ぶる ❷何も分からないふりをする. 馬鹿を見たふりをする ‖ 得了便宜还～ うまい汁を吸っておきながら, 割りを食ったふりをする
【卖关节】mài guānjié 慣 こっそりと賄賂を受け取って他人に便宜を図る
【卖关子】mài guānzi 慣 思わせぶりをする. もったいをつける. 人をじらせる
【卖官鬻爵】mài guān yù jué 成 官職を売り爵位をひさぐ. 賄賂を取って官職や爵位を与える
*【卖国】mài//guó 動 他国に自国の利益を売り渡す ‖ ～求荣 祖国を売って栄達を求める
【卖国贼】màiguózéi 图 売国奴
【卖好】mài//hǎo （～儿）動 他人によく思われようと努める. 恩着せがましくする
【卖价】màijià （～儿）图〈経〉売り値 ↔〔买价〕
【卖劲】mài//jìn （～儿）形 一生懸命である
【卖力】mài//lì 形 一生懸命である. 骨身を惜しまない ‖ 他干活可真～ 彼は仕事をするとほんとによく頑張る
【卖力气】mài lìqi 組 ❶＝〔卖力màilì〕❷力仕事をして暮らしを立てる ‖ 靠～过日子 力仕事をして暮らしを立てる
【卖命】mài//mìng 動 命懸けで働く. ありったけの力を振り絞って仕事する ‖ 为老板～ 店主のため命懸けで働く 形 一生懸命である
【卖弄】màinong 動 ひけらかす. 自慢げに見せびらかす. 得意になる ‖ ～小聪明 こざかしくふるまう
【卖俏】mài//qiào 動 こびを売る
【卖人情】mài rénqíng 慣 恩を売る
【卖身】mài//shēn 動 ❶身売りする ‖ ～契 qì 身売り証文 ❷体を売る
【卖身投靠】màishēn tóukào 組 権勢のある者に身売りする. 反動勢力の手先となる
【卖笑】màixiào 動 旧 (娼妓などが)客にこびを売る
【卖艺】mài//yì 動 (街頭で)芸を演じて暮らしを立てる
【卖淫】mài//yín 動 売春をする
【卖友】mài//yǒu 動 友を裏切る ‖ ～求荣 友を売って栄達を図る
【卖主】màizhǔ 图〈経〉売り主. 売り手 ↔〔买主〕
【卖嘴】mài//zuǐ 動 大きな口をたたく. 自分をひけらかして話す
【卖座】mài//zuò 形 客の入りがよい. 客足がよい

9 **脉**（△脈 衇 衂）mài ❶图〈生理〉脈 ‖ 动～ 動脈 ｜ 静～ 静脈 ❷图〈生理〉脈拍. 脈.〔脉搏bó〕の略 ‖ 把～ 脈を見る ❸血管のように連なって一つのまとまりをなすもの ‖ 叶～ 葉脈 ➤ mò
*【脉搏】màibó 图〈生理〉脈拍. 脈
【脉冲】màichōng 图〈電〉❶パルス ❷インパルス
【脉动】màidòng 動 脈動する
【脉络】màiluò 图 ❶〈中医〉動脈と静脈の総称 ❷脈絡. 筋. 道理 ‖ ～分明 理路整然としている

mán

10 **埋** mán ↴ ➤ mái
*【埋怨】mányuàn 動 恨み言を言う. 不平不満を言う

M

‖你自己忘了，怎么能～别人呢 自分で忘れておいて，人に不平なんて言えないだろう

12 **蛮**（蠻）**mán** ❶古 南方の異民族に対する蔑称(べっしょう) ❷形 手荒い．粗暴である．理不尽である‖～不讲理 横暴で情理をわきまえない ❸軽卒である‖一～干 ❹副 方 非常に．とても

【蛮干】**mángàn** 動 むちゃくちゃやる．しゃにむにやる‖要多动脑子，不能～ しゃにむにやらずに頭を使わなくちゃ

【蛮悍】**mánhàn** 形 野蛮で凶暴である

【蛮横】**mánhèng** 形 横暴である．強引である

【蛮荒】**mánhuāng** 形 野蛮である 名 書 未開の地

【蛮劲】**mánjìn** 名 ばか力．腕力

13 **谩** **mán** 欺く．ごまかす ➤ màn

14 **蔓** **mán** ↴ ➤ màn wàn

【蔓菁】**mánjing** 名〈植〉カブ ＝〔芜wú菁〕

14 **馒** **mán** ↴

*＊【馒头】**mántou** 名 マントー．小麦粉で作った一種の蒸しパン‖蒸zhēng～ マントーをふかす

15 * **瞒**（瞞）**mán** 動 本当の事を隠す．欺く‖不～你说，我也没有信心 正直に言って，僕も自信がない

M

【瞒报】**mánbào** 動 虚偽の報告をする

【瞒不过】**mánbuguò** 動 隠しおおせない．だまし通せない‖瞒得过今天，～明天 今日はなんとかごまかしおおせても，明日はそうはいかない

【瞒哄】**mánhǒng** 動 ごまかす．欺く

【瞒上欺下】**mán shàng qī xià** 慣 上を欺き下を虐げる

【瞒天过海】**mán tiān guò hǎi** 成 天を欺いて海を渡る．人の目をごまかし，陰でこっそり悪事をはたらくたとえ

16 **鞔** **mán** ❶書 靴の底以外の部分 ❷布靴の甲の部分の布を張る ❸太鼓の皮を張る

19 **鳗** **mán** 名 略 ウナギ．〔鳗鲡〕の略称

【鳗鲡】**mánlí** 名〈魚〉ウナギ．〔白鳝shàn〕〔白鳗〕ともいう

mǎn

13 ★ **满**（滿）**mǎn** ❶形 満ちている．いっぱいである‖客～（ホテルなどで）満室 ❷満足する‖不～现状 現状に満足しない ❸うぬぼれている．傲慢(ごうまん)である‖～招损，谦qiān受益 慢心すれば損をし，謙虚であれば得をする ❹動（一定の限度に）達する‖不～一年 1年に満たない ❺動 満たす．いっぱいにする‖再给你～上一杯 もう一杯おつぎしましょう ❻形 すべての．全部の‖～屋子烟味ㄦ 部屋中にタバコの臭いがたちこめている ❼副 まるで．すっかり‖他～以为我一定来 彼は私が来るものとばかり思い込んでいる

【满不在乎】**mǎn bù zàihu** 組 少しも気にしない．まったく平気である

【满仓】**mǎn//cāng** 動〈経〉手持ち資金の全額で株を買い入れる

【满城风雨】**mǎn chéng fēng yǔ** 成 町中至る所にうわさが広まる‖闹得～ 町中うわさでもちきりだ

【满打满算】**mǎn dǎ mǎn suàn** 慣 あれもこれもすべて計算に入れる

【满登登】**mǎndēngdēng**（～的）形 口 ぎっしり詰まっているさま

【满点】**mǎndiǎn** 動 規定の時間に達する

【满肚子】**mǎndùzi** 組 腹いっぱい‖～委屈wěiqu 無念でやりきれない

【满额】**mǎn//é** 動 定数に達する

【满分】**mǎnfēn**（～ㄦ）名 満点‖打～ 満点をつける｜得～ 満点を取る

【满负荷】**mǎn fùhè** 組（機械などが）フル稼働する．（人の）潜在能力を限界まで引き出す‖～生产 フル稼働で生産する

【满腹】**mǎnfù** 動 腹に満ち満ちる．胸の中が…でいっぱいになる‖～疑云 疑いの気持ちでいっぱいである｜牢骚láosao～ 不平たらたらである

【满腹经纶】**mǎn fù jīng lún** 成 政治的才能に富んでいる．学問がある

*【满怀】**mǎnhuái** 動 胸が…でいっぱいになる．心を満たす‖～信心 自信たっぷりである 名 胸全体‖正好跟他撞zhuàng了个～ 彼と正面からぶつかった

【满口】**mǎnkǒu** 名 ❶口いっぱい．口の中全部‖～假牙 総入れ歯である ❷（発音や話の内容などが）生粋で混じり気がないこと‖～京腔qiāng 生粋(きっすい)の北京語である 副 自信たっぷりな口調で．きっぱりとした口調で‖～答应 二つ返事で引き受ける

【满满当当】**mǎnmǎndāngdāng**（～的）形 満ちあふれるさま．あふれるほどいっぱいである

【满满登登】**mǎnmǎndēngdēng**（～的）形 ぎっしり詰まっているさま．満ちあふれるさま

【满门】**mǎnmén** 名 家中．家族全員‖～抄斩chāozhǎn 一族すべて処刑され，全財産が没収される

【满面】**mǎnmiàn** 名 満面．顔中‖泪流～ 顔中涙にぬれる｜～红光 輝くばかりの顔色をしている

【满面春风】**mǎn miàn chūn fēng** 成 満面に笑みをたたえる．顔中に喜びがあふれる．〔春风满面〕ともいう

【满目】**mǎnmù** 名 あたり一面．見渡すかぎり

【满目疮痍】**mǎn mù chuāng yí** 成 見渡すかぎり傷跡だらけである．至る所破壊の跡ばかりである

【满脑子】**mǎnnǎozi** 組 頭の中が…でいっぱいである

【满拧】**mǎnnìng** 形 方 まったく逆である．相反する

*【满腔】**mǎnqiāng** 名 満腔(まんこう)．満身．体中‖～热情地接待顾客 真心込めてお客を接待する

【满勤】**mǎnqín** 動 皆勤する‖出～ 皆勤する

【满山遍野】**mǎn shān biàn yě** 成 非常に多いさま．また，勢いの盛んなさま

【满山红】**mǎnshānhóng** 名 ❶〈植〉ツツジ科の植物 ❷〈中薬〉満山紅(まんざんこう)

【满世界】**mǎn shìjie** 慣 どこもかしこも．あちらこちら‖～乱跑 あちこち駆け回る

【满堂】**mǎntáng** 名 満場．満場の人 動 ❶方 満席になる ❷家中に満ちる

【满堂彩】**mǎntángcǎi** 名 満場の拍手喝采(かっさい)

【满堂灌】**mǎntángguàn** 慣 詰め込み式教育

【满堂红】**mǎntánghóng** 慣 全面的勝利．また，至る所活況を呈すること 名〈植〉サルスベリ．〔紫薇〕の通称

【满天】**mǎntiān** 名 空一面‖～的繁星 満天の星

【满天飞】**mǎntiānfēi** 慣 忙しくあちこち飛び回る

【满心】**mǎnxīn** 名 心中いっぱいの思い

【满眼】**mǎnyǎn** 名 ❶目の中すべて ❷見渡すかぎり

★【满意】**mǎnyì** 動 心にかなう．気に入る．満足する．よしとする‖他对饭店的服务十分～ 彼はホテルのサー

ビスにたいへん満足している

類義語 满意 mǎnyì 满足 mǎnzú

◆〔满意〕自分の希望にかなっている．自分の気持ちにあっている‖我对这项工作很满意 この仕事に私は満足している ◆〔满足〕必要なものが十分足りていると思う．目的語に抽象的な事柄をとる場合は，多く〔满足于〕の形をとる‖对温暖的小家庭感到满足 温かでささやかな家庭に満足する

【满员】mǎn∥yuán 動 定員になる．満員になる

*【满月】mǎn∥yuè 動 生後満１ヵ月になる‖这孩子刚～ この子は生後満１ヵ月になったばかりである 名（mǎnyuè）満月．望月(もちづき)

【满载】mǎnzài 動 いっぱいに積む．満載する

【满载而归】mǎn zài ér guī 成 満載して帰る．収穫が非常に多いたとえ

**【满足】mǎnzú 動 ❶満足する‖能找到一份工作，我已经很～了 仕事が見つかっただけで私はもう十分満足だ ❷満足させる‖想方设法～顾客的要求 八方手を尽くして客の要望にこたえる．

【满族】Mǎnzú 名 満族(中国の少数民族の一つ，主に遼寧・吉林・黒竜江・河北・北京・内蒙古に居住)

【满嘴】mǎnzuǐ 名 ❶口いっぱい．口中‖～金牙 歯がすべて金歯である ❷転 言うことすべて

【满座】mǎn∥zuò 動 満席になる．満員になる

16 **螨**（蟎）**mǎn** 名〈動〉クモ形綱ダニ目に属する節足動物の一種

【螨虫】mǎnchóng 名〈動〉ダニ

màn

11 **曼** **màn** ❶長い ❷優美である．柔和である‖轻歌～舞 軽やかに歌い，しなやかに踊る

【曼妙】mànmiào 形 書（舞い姿が）しなやかで美しい

【曼声】mànshēng 動 書 声を長く引く

【曼延】mànyán 動 延々と続く

13 **谩** **màn** 礼儀知らずである ➤ mán

【谩骂】mànmà 動 あざけり罵る

14 **漫** **màn** ❶至る所にある．充満する‖一～天 ❷動（水が）あふれ出る‖浴缸 yùgāng 里的水～出来了 浴槽の水があふれ出した ❸随意に．ほしいままに‖～无目的 なんの目的もない ❹長い．遠い‖一～长 ❺否定を表す‖一～说

【漫笔】mànbǐ 名 漫筆．雑記．(多く文章のタイトルに用いる)

【漫不经心】màn bù jīng xīn 成 少しも気乗りしないさま．うわの空である

【漫步】mànbù 動 漫歩する．散歩する．ぶらつく

*【漫长】màncháng 形 長々と続くさま．たいへん長い‖～的岁月 長い歳月

【漫话】mànhuà 動 放談する．漫談する．雑談する

【漫画】mànhuà 名 漫画‖画～ 漫画を描く

【漫流】mànliú 動 あふれ出る

【漫骂】mànmà 動 罵倒(ばとう)する

【漫漫】mànmàn 形（時間や空間が）長く果てしない

【漫山遍野】màn shān biàn yě 成 野にも山にも．非常に多いさま

【漫说】mànshuō ＝〔慢说mànshuō〕

【漫坛】màntán 名 漫画界

【漫谈】màntán 動 自由に語る．雑談する

【漫天】màntiān 動 空一面に広がる‖～大雪 空一面を覆う大雪 形 際限がない‖～要价 法外な値段をふっかける

【漫无边际】màn wú biān jì 成 ❶広々として果てしがない ❷話や文章がとりとめがないこと

【漫延】mànyán 動（どこまでも）だらだらと続く

【漫溢】mànyì 動（水が）あふれ出る

【漫游】mànyóu 動 ぶらぶら見物する．漫遊する

【漫语】mànyǔ 名 ❶きりのない話．終わりのない話 ❷漫語．(多く文章のタイトルや書名などに用いる)

14 ★**慢** **màn** ❶書 怠けている ❷（態度が）冷淡である．無礼である‖简～（もてなしが）行き届かない ❸形 **遅い．のろい．ゆっくりしている** ↔〔快〕‖你能说～点ㄦ吗？ もう少しゆっくり話してくれませんか‖我的表～了五分钟 私の腕時計は５分遅れている

【慢车】mànchē 名 鈍行．各駅停車

【慢车道】mànchēdào 名 自動車道の走行車線 ↔〔快车道〕

【慢待】màndài 動 ❶冷淡にあしらう ❷おろそかにもてなす‖多有～，请原谅 もてなしが行き届かず，申し訳ございません

【慢火】mànhuǒ 名 とろ火

【慢件】mànjiàn 名（郵便物や鉄道貨物などの）普通便 ↔〔快件〕

【慢镜头】mànjìngtóu 名 スローモーション

【慢慢】mànmàn（～ㄦ）副 ゆっくりと．だんだん‖开始可能不习惯，～ㄦ就好了 始めは慣れないかもしれないが，おいおいよくなるでしょう

類義語 慢慢 mànmàn 渐渐 jiànjiàn

◆〔慢慢〕動作や行為が緩慢で，速度が遅いことを表す．ゆっくりと‖太阳慢慢地升起来了 太陽がゆっくり昇ってきた ◆〔渐渐〕程度や数量が連続して緩やかに変化することを表す．ただし，〔走〕〔看〕〔讲〕など，人の具体的な動作に用いることはできない．多く書き言葉に用いる．しだいに‖树上的石榴渐渐地变红了 木になったザクロはだんだん赤くなった

【慢慢腾腾】mànmantēngtēng（～的）形 のろのろしている．ぐずぐずしている．〔慢慢吞吞〕ともいう

【慢慢悠悠】mànmanyōuyōu ＝〔慢悠悠mànyōuyōu〕

【慢坡】mànpō 名 緩やかな坂．なだらかな傾斜

【慢三步】mànsānbù 名（ダンスの）ワルツ．〔华尔兹huá'ěrzī〕ともいう

【慢说】mànshuō 接 …は言うまでもなく．…はおろか．…はもちろん．〔漫说〕とも書く

【慢腾腾】màntēngtēng（～的）形 ゆっくりしている．のんびりしている．〔慢吞吞〕ともいう

【慢条斯理】màntiáo sīlǐ（～ㄦ）形 ゆっくりと落ち着きはらっている．ゆったりと構えている．のんびりしている

*【慢性】mànxìng 形 ❶慢性の ↔〔急性〕‖～胃炎 wèiyán 慢性胃炎 ❷（～ㄦ）気が長い．のんびりしている

【慢性病】mànxìngbìng 名〈医〉慢性病

【慢性子】mànxìngzi 形 気が長い．のんびりしている 名 ぐずぐずした性格の人．のんびりした性格の人

【慢悠悠】mànyōuyōu（～的）形 ゆっくりしているさま．ゆったり落ち着いているさま．〔慢慢悠悠〕ともいう

【慢走】mànzǒu 組 挨拶 (人を送り出すときの言葉)気をつけてお帰りください. お気をつけて

14 **墁** màn 動 (れんがやタイルなどを)敷く ‖ 花砖zhuān～地 床にタイルを張る

14 **蔓** màn ❶名 (植物の)つる ‖ →～草 ❷繁殖する. 広がる ‖ →～延 ➤ mán wàn

【蔓草】màncǎo 名 つる草

*【蔓延】mànyán 動 蔓延(まんえん)する ‖ 火势还在～ 火はなおも燃え広がっている | 瘟疫wēnyì～ 疫病が蔓延する

14 **幔** màn 幕. カーテン ‖ 窗～ 窓のカーテン | 帷wéi～ とばり. (舞台などの)幕

【幔帐】mànzhàng 名 幕. とばり. カーテン

14 **缦** màn 書 模様の入っていない絹織物

15 **熳** màn ➡〔烂熳lànmàn〕

16 **镘** màn 書 ❶(壁を塗る)こて ❷(～儿)硬貨の裏側

máng

5 **邙** máng 地名用字 ‖ 北～ 河南省洛陽(らくよう)郊外にある山の名

6 ★**忙** máng ❶形 忙しい. せわしい ↔〔闲xián〕‖ 你近来都～些什么？ 君はこのごろ何をしているの ❷動 急ぐ. 急いでやる ‖ 你别～, 绿灯亮了再过去 慌てずに青信号になってから渡りなさい

【忙不迭】mángbùdié 副 慌てて. 急いで

【忙不过来】mángbuguòlái 動 忙しくて手が回らない. 応接にいとまがない

【忙乎】mánghu 動 忙しく立ち働く ‖ ～了一天, 连饭都没顾得上吃 一日中忙しくて, 食事をとる暇さえなかった

【忙活】mánghuo 動 忙しく働く

【忙里偷闲】máng lǐ tōu xián 成 忙中閑を盗む. 忙しい中にもなんとか暇をこしらえる

*【忙碌】mánglù 形 忙しい. 何やかやとせわしい ↔〔安闲〕‖ 蜜蜂忙忙碌碌地飞来飞去 ミツバチが忙しそうに飛び回っている

【忙乱】mángluàn 形 忙しすぎて混乱している. 仕事が多くてごたごたしている

【忙人】mángrén 名 忙しい人. 多忙な人

【忙音】mángyīn 名 電話の話し中の信号音

【忙于】mángyú 動 …に忙しく働く

【忙月】mángyuè 名 農作業が忙しくなる月. 農繁期

6 **芒** máng ❶〈植〉イネ科植物の実の外殻に生じるとげ. のぎ ‖ 麦～ ムギののぎ ❷名〈植〉ススキ ❸のぎ状のもの ‖ 锋fēng～ 切っ先. 矛先

【芒刺在背】máng cì zài bèi 成 背中にとげが刺さっている. (不安や恐れで)居ても立ってもいられないたとえ

【芒果】mángguǒ 名〈植〉マンゴー. 〔杧果〕とも書く

【芒硝】mángxiāo 名〈化〉芒硝(ぼうしょう). 〔硭硝〕とも書く

【芒种】mángzhòng 名 芒種(ぼうしゅ) (二十四節気の一つ, 6月5日から7日ごろに当たる)

8 **氓** máng ➡〔流氓liúmáng〕 ➤ méng

8 **盲** máng ❶目が見えない ‖ →～人 ❷(ある事柄について)知らない. はっきりしない ‖ 色～ 色盲 | 文～ 文盲

【盲肠】mángcháng 名〈生理〉盲腸

【盲肠炎】mángchángyán 名〈医〉盲腸炎. 〔阑尾lánwěi炎〕の俗称

*【盲从】mángcóng 動 人の言いなりになる. 盲従する

【盲打】mángdǎ 動 (キーボードを)ブラインドタッチで打つ

【盲道】mángdào 名 点字ブロックを敷いた道

【盲点】mángdiǎn 名 ❶〈生理〉盲点 ❷転 盲点

【盲动】mángdòng 動 なんの考えも目的もなく行動する. 妄動する

【盲干】mánggàn 動 手当たりしだいに事を運ぶ. 盲目的にやる ‖ 事先做好安排, 避免～ 盲目的に行動するのを避けるべく, あらかじめ周到な準備をする

【盲降】mángjiàng 動 (視界不良時に)航空機が計器着陸装置に誘導されて着陸する. 自動着陸する

*【盲目】mángmù 形 無分別である. 盲目的である ‖ ～崇拜chóngbài 盲目的に崇拝する

【盲棋】mángqí 名 盤を見ずに将棋(また碁)をさすこと

【盲区】mángqū 名 レーダー・サーチライト・胃カメラなどが届かない区域. ブラインドエリア

*【盲人】mángrén 名 盲人

【盲人摸象】máng rén mō xiàng 成 群盲象をなでる. 全体を見ずに一部分で判断するたとえ

【盲人瞎马】máng rén xiā mǎ 成 盲人が目の見えない馬に乗る. きわめて危険なたとえ

【盲文】mángwén 名 ❶点字 ❷点字の文章

【盲杖】mángzhàng 名 盲人用の白い杖

9 **茫** máng ❶広々と果てしないさま ‖ →～～ ❷何も分からない ‖ →～然

*【茫茫】mángmáng 形 広々として果てしない. 茫漠としている ‖ 前途～ 将来の見通しがはっきりとつかめない

*【茫然】mángrán 形 何がなんだかさっぱり分からない. 茫然自失のさま ‖ ～若失 放心状態である

【茫无头绪】máng wú tóu xù 成 少しも手掛かりがない. 何から始めたらよいか見当がつかない

mǎng

10 **莽**[1] mǎng ❶生い茂った草. 草むら ❷(草が)一面に生い茂っているさま ❸書 大きい. 広々としている

10 **莽**[2] mǎng 荒っぽい. 軽率である. 粗忽(そこつ)である ‖ 鲁～ そそっかしい. 軽率である

【莽苍】mǎngcāng 書 形 (風景などが)茫漠(ぼうばく)としている

【莽汉】mǎnghàn 名 粗忽者. がさつな男

【莽莽】mǎngmǎng 形 ❶草木の生い茂るさま ❷(原野が)広々と果てしないさま ‖ ～草原 広大な草原

【莽撞】mǎngzhuàng 形 軽率である. 粗暴である. そそっかしい

16 **蟒** mǎng ❶名〈動〉インドニシキヘビ. ふつうは〔蟒蛇〕という ❷名〔蟒袍〕をさす

【蟒袍】mǎngpáo 名 明・清代, 大臣が着用した礼服で, 黄金色のウワバミの刺繡がしてある

【蟒蛇】mǎngshé 名〈動〉インドニシキヘビ. 〔蚺rán蛇〕ともいう

māo

11 ⁂ **猫**（△貓） **māo** ❶图〈動〉ネコ ‖ 一只～ 1匹のネコ ❷動 方 隠れる
➤ máo

逆引き単語帳 〔白猫〕báimāo 白ネコ 〔黑猫〕hēimāo 黒ネコ 〔花猫〕huāmāo 三毛ネコ．ぶちネコ 〔波斯猫〕bōsīmāo ペルシャネコ 〔野猫〕yěmāo のらネコ 〔狸猫〕límāo ヤマネコ 〔熊猫〕xióngmāo 〔大熊猫〕dàxióngmāo パンダ．ジャイアントパンダ 〔小熊猫〕xiǎoxióngmāo レッサーパンダ 〔闹猫〕nàomāo 発情したネコ 〔藏猫儿〕cángmāor かくれんぼをする

【猫步】**māobù** 图 キャットウォーク．ファッションショーでのモデルの歩き方
【猫哭老鼠】**māo kū lǎoshu** 慣 猫が鼠のために泣く．偽りの慈悲．見せかけの同情．〔猫哭耗子hàozi〕ともいう
【猫儿腻】**māornì** 图 方 隠しごと．子細．わけ．うら
【猫儿眼】**māoryǎn** 图 猫目石
【猫头鹰】**māotóuyīng** 图〈鳥〉ミミズク．フクロウ．地方によっては〔夜猫子〕ともいう
【猫熊】**māoxióng** 图〈動〉パンダ．ジャイアントパンダ．〔熊猫〕〔大熊猫〕ともいう
【猫眼】**māoyǎn** 图 ❶猫目石 ❷回 防犯レンズ．ドアビュアー

máo

4 ★ **毛**[1] **máo** ❶图（動植物の）毛．羽毛 ‖ 拔一根～ 毛を1本抜く ❷人の髪・ひげ・眉・体毛．特に人のひげと髪の毛をさす ❸細かい．小さい ‖ 一～～雨 ❹量 回 貨幣の単位．〔角〕の通称．1〔圆〕（元）の10分の1 ‖ 一块五～钱 1.5元 ❺形 俗 貨幣価値が下落している ‖ 钱～了 貨幣価値が下がった ❻图 かび ‖ 馒头都长zhǎng～了 マントーにかびが生えた

4 **毛**[2] **máo** ❶大まかな．大ざっぱな ‖ 一～估 ❷正味ではない．すべて込みの ‖ 一～重 ❸きめが粗い．ざらざらしている．未加工である ‖ 光面和～面 つるつるした面とざらざらした面 ❹そそっかしい．落ち着きがない ‖ 一～躁 ❺形 おじけづいている．びくびくしている ‖ 他一见他爸爸，就发～ 彼は父親の前に出るとおどおどする

【毛白杨】**máobáiyáng** 图〈植〉ポプラ科ヤマナラシ属の木本植物
*【毛笔】**máobǐ** 图 毛筆．筆 ‖ 他的～字很好 あの人の毛筆の字は上手だ
【毛边】**máobiān** 图 ❶書籍や衣類で，きれいに縁を裁断していないもの ❷略 唐紙（とう）．〔毛边纸〕の略
【毛边纸】**máobiānzhǐ** 图 唐紙．竹の繊維ですいた紙．略して〔毛边〕ともいう
⁂【毛病】**máobing；máobìng** 图 ❶（機械類の）故障．事故 ‖ 收音机出～了 ラジオが故障した ❷欠点．（悪い）癖 ‖ 改掉粗心大意的～ そそっかしい癖を改める ❸病気 ‖ 他从小心脏xīnzàng就有～ 彼は小さい時から心臓が悪い
【毛玻璃】**máobōli；máobōlí** 图 すりガラス
【毛菜】**máocài** 图 泥つき野菜 ↔〔净菜〕
【毛糙】**máocao** 形 ❶目が粗い．ざらざらしている ❷粗雑である．いいかげんである
【毛虫】**máochóng** 图〈虫〉毛虫．〔毛毛虫〕ともいう
【毛刺】**máocì**（～儿）图〈機〉けば立ち．ささくれ
【毛豆】**máodòu** 图 枝豆
【毛发】**máofà** 图（人の）体毛と髪
【毛纺】**máofǎng** 图 毛織物紡績
【毛估】**máogū** 動 おおざっぱに見積もる．だいたいの見当をつける
【毛骨悚然】**máo gǔ sǒng rán** 成 恐ろしくて身の毛がよだつ．総毛立つ．ぞっとする
【毛孩子】**máoháizi** 图 子供．転 青二才．ひよっこ
【毛蚶】**máohān** 图 方 アカガイ
【毛烘烘】**máohōnghōng**（～的）形 毛がたくさんあるさま．毛むくじゃらである
【毛乎乎】**máohūhū**（～的）形 毛深い
【毛活】**máohuó**（～儿）图 毛糸の編み物
【毛尖】**máojiān** 图 毛尖（もうせん）．高級緑茶の一種
⁂【毛巾】**máojīn** 图 タオル ‖ 洗脸～ 洗顔用のタオル
【毛巾被】**máojīnbèi** 图 タオルケット
【毛孔】**máokǒng** 图〈生理〉毛穴 ＝〔汗孔〕
【毛裤】**máokù** 图 毛糸編みのズボン下
【毛里求斯】**Máolǐqiúsī** 图〈国名〉モーリシャス
【毛里塔尼亚】**Máolǐtǎníyà** 图〈国名〉モーリタニア
【毛利】**máolì** 图 粗利益 ↔〔净利〕
【毛料】**máoliào** 图 毛織物の服地
【毛驴】**máolǘ**（～儿）图 ロバ（多く小型のロバをさす）
【毛毛虫】**máomaochóng** ＝〔毛虫máochóng〕
【毛毛雨】**máomaoyǔ** 图 霧雨．こぬか雨
【毛南族】**Máonánzú** 图 マオナン族（中国の少数民族の一つ，主として広西チワン族自治区に居住）
【毛囊】**máonáng** 图〈生理〉毛嚢（もうのう）
【毛坯】**máopī** 图 未研磨の鋳物．半製品
【毛坯房】**máopīfáng** 图 竣工後，まだ内装を施してない家屋
【毛皮】**máopí** 图 毛皮
【毛片儿】**máopiānr** 图 ポルノ映画
【毛票】**máopiào**（～儿）图 回（中国の）1角・2角・5角の紙幣 ＝〔角票〕
【毛茸茸】**máorōngrōng**（～的）形 細い毛がふさふさと生えているさま ‖ ～的小白兔 毛のふさふさした白ウサギ
【毛瑟枪】**máosèqiāng** 图 モーゼル銃
【毛手毛脚】**máo shǒu máo jiǎo** 組 そそっかしい．粗忽（そこつ）である．不注意である
【毛遂自荐】**Máo Suì zì jiàn** 成 自ら任務を買って出ること．自薦すること
【毛笋】**máosǔn** 图（モウソウチクの）タケノコ
【毛毯】**máotǎn** 图 毛布
【毛桃】**máotáo** 图〈植〉野生のモモ
【毛头毛脑】**máo tóu máo nǎo**（～的）組 そそっかしい．軽率なさま
【毛细管】**máoxìguǎn** 图 ❶〈生理〉毛細血管．〔毛细血管〕ともいう ❷〈物〉毛細管
【毛细现象】**máoxì xiànxiàng** 图〈物〉毛細管現象．毛管現象
*【毛线】**máoxiàn** 图 毛糸 ‖ ～衣 セーター
【毛丫头】**máoyātou** 图 回 無知な小娘
【毛样】**máoyàng** 图〈印〉校正刷り

【毛腰】máo//yāo 動 方 腰を曲げる. 腰をかがめる. 〔猫腰〕とも書く
**【毛衣】máoyī 名 (毛糸の)セーター ‖ 织zhī～ セーターを編む | 打～ 同前
【毛躁】máozao 形 ❶せっかちである. 性急である ❷落ち着きがない. 粗忽である
【毛毡】máozhān 名〈紡〉フェルト
【毛织品】máozhīpǐn 名〈紡〉❶毛織物 ❷(毛糸の)編み物
【毛重】máozhòng 名 風袋込み重量 ↔〔净重〕
【毛竹】máozhú 名〈植〉モウソウチク. 〔南竹〕ともいう
【毛装】máozhuāng 名 化粧裁ちせず装丁した本

5 矛 máo 名 (古代の武器)矛(ほこ)
**【矛盾】máodùn 名 ❶矛盾. 不一致 ‖ 闹～ 悶着(もんちゃく)を起こす ❷〈哲〉矛盾 形 矛盾している ‖ 该怎么办好, 心里十分～ どうしたらいいか決めかねる
【矛头】máotóu 名 矛先. 攻撃の目標

8 茅 máo 〈植〉チガヤ ＝〔白茅〕
【茅草】máocǎo 名〈植〉チガヤ. 〔白茅〕の俗称
【茅房】máofáng 名 口 便所. かわや
【茅坑】máokēng 名 ❶口 便つぼ ❷方 便所
【茅庐】máolú 名 草ぶきの家. 茅屋(ぼうおく) ‖ 初出～ 初めて世間に出る
【茅棚】máopéng 名 かやぶきの小屋
【茅塞顿开】máo sè dùn kāi 成 はっと悟る. はたと合点がゆく. 目からうろこが落ちる
*【茅台酒】máotáijiǔ 名 マオタイ酒
【茅亭】máotíng 名 かやぶきのあずま屋
【茅屋】máowū 名 かやぶきの小屋. 茅屋

8 茆 máo 古〔茅máo〕に同じ

8 牦(△犛 氂) máo ↴
【牦牛】máoniú 名〈動〉ヤク

10 旄 máo 古 ヤクの尾を飾りに付けた旗

11 猫(△貓) máo 動 (腰を)曲げる. かがめる ➤ māo
【猫腰】máo//yāo ＝〔毛腰máoyāo〕

13 锚 máo 名 (船の)いかり. アンカー ‖ 起～ いかりを上げる | 抛pāo～ いかりを下ろす
【锚泊】máobó 動 停泊する
【锚地】máodì 名 停泊地

14 髦 máo 古 幼児の前髪. 転 子供 ‖ ～稚 子供

17 蟊 máo 苗の根を食う害虫. 根切り虫

mǎo

5 卯[1](△戼 夘) mǎo ❶名 卯(う) (十二支の第4) ➡〔地支dìzhī〕❷点呼や出勤簿への記帳 ‖ 点～ 点呼する

5 卯[2](△戼 夘) mǎo 名 ほぞ穴 ‖ →～榫 | 凿záo个～ ほぞ穴を掘る
【卯榫】mǎosǔn 名 ほぞ穴とほぞ
【卯眼】mǎoyǎn 名 ほぞ穴

8 泖 mǎo 水面の静かな湖

8 峁 mǎo 中国西北部の黄土地帯に見られる丘陵

9 昴 mǎo 名〈天〉(二十八宿の一つ)すばるぼし. 昴宿(ぼうしゅく)

10 铆 mǎo ❶動 リベットを打つ ❷動 口 (すべての力を)集中する ‖ →～劲ル
【铆钉】mǎodīng 名 リベット ‖ 铆～ リベットを打つ
【铆接】mǎojiē 動 リベットで固定する
【铆劲ル】mǎo//jìnr 動 力を集中させる. 力を入れる

mào

8 茂 mào ❶(樹木が)茂っている ‖ →～密 ❷(内容が)豊富で優れている ‖ 声情并～ 声がよく情感もたっぷりである
*【茂密】màomì 形 (草木が)密生しているさま. 鬱蒼(うっそう)と生い茂っているさま ‖ ～的森林 鬱蒼とした森林
*【茂盛】màoshèng 形 (草木が)繁茂しているさま ‖ 芦苇lúwěi长得很～ アシが一面に生い茂っている

9 贸 mào ❶商取引をする ‖ 外～ 外国貿易 ❷そそっかしい. 軽率である ‖ →～然
【贸然】màorán 副 軽率に. 考えなしに ‖ 不要～下结论 軽々しく結論を下してはならない
**【贸易】màoyì 名 貿易. 商業取引 ‖ ～逆差nìchā 輸入超過. 入超 | 双边～ 二国間貿易
【贸易保护主义】màoyì bǎohù zhǔyì 名 保護貿易主義
【贸易壁垒】màoyì bìlěi 名〈貿〉貿易障壁 ‖ 消除～ 貿易障壁を取り除く
【贸易收支】màoyì shōuzhī 名 貿易収支

9 ** 冒[1](△冐) mào ❶動 冒す. 顧みない ‖ ～着雨跑回家 雨の中を駆けて帰った ❷(大胆にも)法や規則を犯す. 違反する ‖ →～犯 ❸無謀である. そそっかしい ‖ →～失 ❹偽る. 偽称する ‖ →～名

9 ** 冒[2](△冐) mào 動 外に向かって噴き出す. 出る. 出現する. 立ちのぼる ‖ 这饭还～热气ル呢 御飯はまだ湯気が立っている ➤ mò
【冒充】màochōng 動 欺く. 名をかたる ‖ ～记者 記者を詐称する | ～名牌 ブランドをかたる
【冒渎】màodú 動 書 冒瀆(ぼうとく)する
【冒犯】màofàn 動 (相手に)失礼なことをする. 逆らって怒らせる ‖ ～了上司 上司の機嫌を損ねた
【冒功】mào//gōng 動 他人の功績を横取りする
【冒汗】mào//hàn 動 汗が出る
【冒号】màohào 名〈語〉コロン, 〔:〕
【冒火】mào//huǒ (～儿) 動 腹を立てる. 怒る
【冒尖】mào//jiān (～儿) 動 ❶(入れ物からはみ出すように)山盛りになる ❷(数が)ほんの少し超過する. わずかにはみ出す ‖ 一公斤～ル 1キログラムちょっと ❸突出する. 際立つ ‖ 他的成绩在班里是～的 彼の成績はクラスの中でずば抜けている ❹表面化してくる
【冒金星】mào jīnxīng (～儿) 慣 目から火花が散る
*【冒进】màojìn 動 猪突猛進(ちょとつもうしん)する. 暴走する. 先走る ‖ 盲目～ 猪突猛進する
【冒领】màolǐng 動 名義をかたって横領する
【冒昧】màomèi 形 僭越(せんえつ)である. ぶしつけである.

失礼である.(多く謙譲語として用いる) ‖ 请原谅我～打扰您 突然お伺いいたしまして, 申し訳ありません

【冒名】mào//míng 動 名をかたる. 詐称する ‖ ～顶替 他人の名義をかたって替え玉になる

*【冒牌】màopái (～儿) 形 偽ブランドの ‖ ～货 にせもの. まやかしもの. にせブランド品

【冒傻气】mào shǎqì 慣 ばかげたことをする. とんでもないことを言う ‖ 你别～了 ばかなことをするな

【冒失】màoshi 形 軽率である. そそっかしい. 向こう見ずである

【冒失鬼】màoshiguǐ 名 慌て者. 粗忽者

【冒天下之大不韪】mào tiānxià zhī dà bù wěi 成 天を天とも思わぬ大悪事を犯す

【冒头】mào//tóu (～儿) 動 ❶突出する. 際立つ ❷表面に出てくる

*【冒险】mào//xiǎn 動 危険を冒す. 冒険する ‖ 这样做太～ そんなことをしたらとても危険だ

10 **耄** mào 書 80～90歳の高齢. 広く, 年老いていることをいう ‖ 老～ 年寄り

12 **帽**(△帽) mào ❶名 帽子 ‖ 一～子 ❷(～儿)器物にかぶせる帽子状のもの ‖ 螺丝～ ナット

【帽耳】mào'ěr 名 防寒帽の耳覆い

【帽花】màohuā (～儿) 名 回 帽章

【帽徽】màohuī 名 帽子の徽章(きしょう). 帽章

【帽盔儿】màokuīr 名 おわん型の帽子

【帽舌】màoshé 名 帽子のひさし

【帽檐】màoyán (～儿) 名 帽子のつば. 帽子のへり

★【帽子】màozi 名 ❶帽子 ‖ 戴～ 帽子をかぶる | 摘～ 帽子を脱ぐ ❷喩 レッテル ‖ 扣kòu上落后分子的～ 落伍者(らくごしゃ)のレッテルを張る

【帽子戏法】màozi xìfǎ 名〈体〉(サッカーなどで)ハットトリック

13 **瑁** mào ➡〔玳瑁dàimào〕

14 **瞀** mào 書 ❶目がくらむ ❷心が乱れる

14 **貌** mào ❶顔つき. 顔だち ‖ 相～ 容貌 ❷人の外見. 見かけ ‖ 其～不扬 風采(ふうさい)があがらない. 見かけがぱっとしない ❸様子. 状況 ‖ 全～ 全貌

【貌合神离】mào hé shén lí 成 うわべは親しそうにしているが, 気持ちはしっくりしない

【貌似】màosì 動 外見は … に似る. 見たところ … のようである ‖ ～公正 いかにも公正そうに見える

【貌相】màoxiàng 名 顔かたち. 容姿 動 見た目で人を判断する ‖ 人不可～, 海水不可斗量dǒuliáng 人は見かけによらない, 海の水はますでは量れない

17 **懋** mào 書 ❶勤勉である ❷盛大である

me

3 **么**(麼) me ❶接尾 一部の指示代詞・疑問代詞, または副詞の後に付く ‖ 那～ そんなに. それでは | 什～ 何 ❷助 歌詞の口調を整える

méi

7 ★**没** méi ❶動 ①(所有や具備について)持っていない. ない ↔〔有〕‖ 我现在～时间 私はいま時間がない ②(存在について)いない. ない ↔〔有〕‖ 屋里～人 部屋の中には人がいない ③(数量が) … に足りない. … に満たない ‖ 来了还～一个月 来てからまだ1ヵ月たっていない ④(比較して) … ほど … でない. … に及ばない ‖ 我～你大 私はあなたよりも年下だ ❷副 動詞・形容詞の前に置き, 動作や状態の発生を否定する ①(行為・状態の発生を否定する) … しなかった. (まだ) … していない ‖ 她还～来吗? 彼女はまだ来ませんか ②(過去の経験を否定する) … したことがない. (〔过〕とともに用いる) ‖ 我～去过中国 私は中国へ行ったことがない ③(ある動作を現在していないことを表す)(いま) … していない ‖ "你在想什么?" "～想什么" 「何を考えているの」「別に何も」 ➤ mò

【没把握】méi bǎwò 組 確信がない. 自信がない ‖ 这事我～ これについて私は自信がない

【没边儿】méibiānr 形 方 ❶根拠がない ❷際限がない. きりがない ‖ 吹牛吹得～了 よくも際限なく大ぼらを吹くもんだ

【没出息】méi chūxi 組 うだつがあがらない. ろくでなし

【没词儿】méi//cír 動 回 言葉につまる. 返す言葉がない ‖ 这下你可～了吧 こんどばかりは君も返す言葉がないだろう

**【没错儿】méi//cuòr 動 間違いない. そのとおりである ‖ 听我的准～ 私の言うことをきけば絶対間違いない

【没大没小】méi dà méi xiǎo (～的) 組 長幼の序をわきまえない

【没的说】méideshuō =〔没说的méishuōde〕

【没法】méifǎ (～儿) 動 ❶しようがない. しかたがない. 〔没法子〕ともいう ‖ 这病已经～治了 この病気はどうにも手の施しようがなくなった ❷方 これ以上の事(物)はない ‖ 好得～儿再好了 これ以上すばらしいものはない

★【没关系】méi guānxi 組 挨拶 構わない. 問題ない. 大丈夫だ ‖ 穿着鞋进来～ 靴のまま入っても構わない | "对不起" "～" 「すみません」「構いませんよ」

【没好气】méi hǎoqì (～儿) 組 不機嫌である

【没劲】méijìn 回 動 (～儿) 力がない. 元気がない 形 面白くない. つまらない ‖ 这个电影可～了 この映画はほんとにつまらない

【没精打采】méi jīng dǎ cǎi 成 しょんぼりと元気がないさま. 意気消沈したさま

【没来由】méi láiyóu 組 関係がない. いわれがない

【没脸】méi//liǎn 動 メンツが立たない. 面目がない ‖ ～见人 人に会わせる顔がない

【没门儿】méi//ménr 動 方 無理である. だめである ‖ 不好好儿学习, 还想考上大学, ～ 勉強もろくにしていないのに大学に入ろうと思っても, それは無理だ

【没命】méi//mìng 動 ❶命をなくす ❷死に物狂いで … する. 懸命に … する. 必死で … する ‖ 他白天黑夜～地干活儿 彼は朝から晩まで一生懸命働いている

【没跑儿】méipǎor 動 回 きっとそうなる. 間違いない

【没皮没脸】méi pí méi liǎn 組 面の皮が厚い. ずうずうしい

【没谱儿】méi//pǔr 動 方 成算がない. 心積もりができていない ‖ 心里～ どうすればいいか分からない

【没趣】méiqù (～儿) 形 面白くない. つまらない 名 恥.

ばつの悪さ. 不面目 ‖ 自找～ 自ら恥をさらす

【没商量】méi shāngliang 組 相談の余地がない ‖ 说不行就不行，这事～ だめといったらだめだ，この件に相談の余地はない

⁑【没什么】méi shénme 組 挨拶 なんでもない ‖ ～，请别介意 いや，なんでもありませんよ，どうか気になさらずに

⁑【没事】méi//shì (～ル) 動 ❶用事がない．暇である ❷何事もない．たいしたことはない ‖ 我看他的病～，过几天就好了 彼の病気はたいしたことがない，2,3日もすればよくなる ❸責任がない．かかわりがない ‖ 这里没你的事 これは君には関係ない

【没事人】méishìrén (～ル) 名 関係のない人．局外者 ‖ 跟～似的 まるで自分とは関係ないような顔をする

【没事找事】méi shì zhǎo shì 慣 何事もないのに事を構える．ことさらに波風を立てる

*【没说的】méishuōde 慣 ❶申し分ない．文句のつけようがない ‖ 这孩子身体好，学习好，真是～ この子は体も丈夫だし，成績もよいし，まったく申し分がない ❷言うまでもない．当然だ ‖ 领导让你去就得去，～ 上司が行けというのなら，そりゃもう行かなくちゃ ✻〔没的说〕ともいう

【没挑ル】méitiāor 動 申し分ない．文句のつけようがない．最高である

【没头没脑】méi tóu méi nǎo 慣 やみくもに．見境なく ‖ 一进门就～地骂人 入ってくるなりやぶから棒にどなり散らした

【没完】méi//wán 動 ❶きりがない．果てしがない ‖ 一提起钓鱼，他就说个～ 彼は釣りの話になるときりがなくなる ❷とことんやる．あくまでやる ‖ 他不还钱，我跟他～ 彼が金を返さないのなら，こっちもとことんやり合うぞ

【没完没了】méi wán méi liǎo 組 きりがない．果てしがない

【没戏】méi//xì 動 だめだ．見込みがない．希望がない ‖ 春游的事～了 春のピクニックは実現の見込みがなくなった

【没心没肺】méi xīn méi fèi 慣 考えがない．分別がない

【没羞】méixiū 形 恥知らずである．ずうずうしい

★【没意思】méi yìsi 組 ❶意味がない．無意味である ‖ 这样做，我看～ こんなふうにするのは意味がないと思う ❷面白くない．つまらない ‖ 这小说太～了 この小説はまるでつまらない

【没影ル】méi//yǐngr 動 ❶姿がなくなる．雲隠れする．見えなくなる ❷根拠がない．根も葉もない ‖ 外面传他离婚了，那都是～的事 彼が離婚したといううわさがあるが，根も葉もないことである

⁑【没用】méi//yòng 動 役に立たない ‖ 事已至此，哭也～ 事ここに至っては，泣いてもなんの役にも立たない

★【没有】[1] méiyǒu；méiyou 動 ❶(所有や具備について)持っていない．ない ↔〔有〕‖ 他性格怪僻guàipì，一个朋友也～ 彼は性格がたいへん変わっていて，友だちが一人もいない ❷(存在について)いない．ない ↔〔有〕‖ ～什么问题不能解决 どんな問題だろうと解決できないものはない ❸(数量が)…に足りない．…に満たない ‖ 离高考已经～几天了 大学入試までもう幾日もない ❹(比較して)…ほど…ではない．…に及ばない ‖ 我～他学得好 私は彼ほど勉強ができない

★【没有】[2] méiyou；méiyǒu 副 ❶動詞・形容詞の前に置き，動作や状態の発生を否定する ①(行為・状態の発生を否定する)…しなかった．(まだ)…していない ‖ 很长时间～收到来信 長いこと手紙を受け取っていない ②(過去の経験を否定する)…したことがない．(〔过〕とともに用いる) ‖ 从来～这么激动过 いままでこんなに感激したことはない ③(ある動作を現在していないことを表す)(いま)…していない ‖ 大家都在打盹ル dǎdǔnr，谁也～做笔记 みんな居眠りしていて，ノートをとっている者などいない ❷文末に置き，単純な疑問を示す ‖ 钥匙找到了～？ 鍵は見つかりましたか ❸〔没有〕＋動詞・形容詞＋〔吗〕の形をとり，疑問や驚きの語気を伴い，相手の確答を求めることを示す ‖ 他今年～考上大学吗？ 彼は今年大学に受からなかったのですか ❹いいえ．(否定の回答として単独で用いる) ‖ "你去过西藏Xīzàng吗？" "～" 「チベットへ行ったことがありますか」「いいえ」

> **類義語** 没有 méiyou 没 méi
>
> ◆ともに以下の①②の意味を表し，言い換えることができる．①(動詞)所持あるいは存在の否定を表す．持っていない．いない ‖ 没有(没)票，进不去 切符を持っていないと入れない｜屋里没有(没)人 室内に人はいない．②(副詞)動作や状態が未発生であることを表す．まだ…していない．…しなかった．…したことがない ‖ 他还没有(没)来 彼はまだ来ていない ◆次の場合，原則的には〔没有〕のほうを用いる．①反復疑問文で，文末に置く場合 ‖ 你买了没有？ 買いましたか．②応答する場合．〔没有〕は単独で用いることができる ‖ "看了吗？" "没有" 「見ましたか」「いいえ」◆次の場合は〔没〕を用いる．同じ動詞の間に置いて，反復疑問文をつくる場合 ‖ 听见没(×没有)听见？ 聞こえましたか ◆話し言葉では〔没〕が多く用いられる

*【没辙】méi//zhé 動 口 どうにも方法がない．当てがない．どうしようもない ‖ 这机器连专家都修不好，看来～了 この機械は専門家でも直せないのだから，お手上げだ

【没治】méizhì (～ル) 口 動 救いようがない．どうしようもない ‖ 这个病～了 この病気は治りっこない 形 この上なくよい．すばらしい ‖ 这里的风景真是～了 ここの景色はほんとうにすばらしい

【没准ル】méi//zhǔnr 動 不確かである ‖ 我去不去还～呢 行くかどうか，私はまだはっきりしていない

8 **玫** méi ↴

*【玫瑰】méigui 名 ❶俗にバラをいう ❷〈植〉ハマナス

【玫瑰紫】méiguizǐ 形 赤みがかった紫色の．〔玫瑰红〕ともいう

8 * **枚** méi ❶量 (形が小さく平たいものを数える)枚．個 ‖ 三～奖章jiǎngzhāng メダル3個

9 **眉** méi ❶名 書 眉(まゆ)．眉毛 ‖ 浓～大眼 濃い眉に大きな目 ❷本のページの上部余白 ‖ 书～ 書籍の上部の余白

【眉笔】méibǐ 名 ペン型の眉墨(まゆずみ)．アイブロウペンシル

【眉端】méiduān 名 ❶眉間(みけん) ❷本の上部の余白

【眉飞色舞】méi fēi sè wǔ 成 喜色満面なさま．得意満面なさま

【眉高眼低】méi gāo yǎn dī 慣 顔色．表情

【眉睫】méijié 名 眉毛とまつ毛 ‖ 这件事已是迫pò在～了 その一件はもう目前に迫っている

【眉开眼笑】méi kāi yǎn xiào 成 喜びがあふれるさま．嬉しそうににこにこする

【眉来眼去】méi lái yǎn qù 成 貶 互いに目で情を

M

通わす. 色目を使う

*【眉毛】méimao 名 眉. 眉毛 ‖ 修～ 眉毛を整える

【眉毛胡子一把抓】méimao húzi yī bǎ zhuā 慣 眉毛とひげを一緒につかむ. 十把一からげにする

【眉目】méimù 名 ❶眉と目. 顔立ち ❷筋道. 文脈

【眉目】méimu 名 手掛かり. 糸口. 目鼻 ‖ 那件事还没有一点ル～ あの一件はまだ糸口がつかめない

【眉批】méipī 名 本や原稿のページの上部余白に書き入れた評語や注釈

【眉清目秀】méi qīng mù xiù 成 眉目秀麗である. 顔立ちが美しいさま

【眉梢】méishāo 名 眉尻(まゆじり) ‖ 喜上～ 顔に喜びの色が現れる

【眉题】méití 名 新聞や雑誌の大見出しの上につける小見出し

*【眉头】méitóu 名 眉のあたり. 眉間(みけん) ‖ 皱zhòu～ 眉を寄せる. 眉をひそめる

【眉心】méixīn 名 眉間

【眉眼】méiyǎn 名 顔立ち. 見目(みめ)

【眉宇】méiyǔ 名 書 眉のあたり

10 **莓** méi 〈植〉イチゴ ‖ 草～ イチゴ

11 **梅**(^△^楳 槑) méi ❶名〈植〉ウメ ‖ 望～止渴 梅林を眺めて渇きをいやす. 空想で自分を慰めること

【梅毒】méidú 名〈医〉梅毒

*【梅花】méihuā 名 ❶ウメの花 ❷方 ロウバイ

【梅花鹿】méihuālù 名〈動〉ニホンジカ

【梅花针】méihuāzhēn 名〈中医〉鍼灸(しんきゅう)で用いる皮膚針の一種

【梅雨】méiyǔ 名〈気〉梅雨. つゆ =〔黄梅雨〕

【梅子】méizi 名 ❶ウメの木 ❷ウメの実

12 **湄** méi 書 水辺. 岸辺

12 **嵋** méi 地名用字 ‖ 峨É～ 四川省にある山の名. 今はふつう〔峨眉〕と書く

12 **媒** méi ❶仲人. 媒酌人 ‖ 做～ 仲人をする. 媒酌する｜明～正娶qǔ 仲人を立てて正式にめとる ❷媒介する ‖ 触～ 触媒 ❸縁談をとりもつ ‖ 一～人

*【媒介】méijiè 名 媒介する物または人 ‖ 新闻～ ニュースメディア

【媒婆】méipó (～ル) 名 仲人を職業とする女性

【媒人】méiren 名 媒酌人. 仲人

【媒妁】méishuò 名 書 媒酌人

【媒体】méitǐ 名 メディア. マスコミ ‖ 新闻～ ニュースメディア｜～人 マスコミ関係者

【媒质】méizhì 名〈物〉媒体

13 ** **煤** méi 名 石炭. 〔煤炭〕ともいう ‖ 无烟～ コークス｜原～ 原炭

【煤层】méicéng 名 石炭層. 炭層

【煤尘】méichén 名 炭塵(たんじん)

【煤耗】méihào 名 石炭消費量

【煤核ル】méihúr 名 石炭や豆炭の燃え殻

【煤焦油】méijiāoyóu 名 コールタール

【煤矿】méikuàng 名 炭鉱

【煤炉】méilú 名 石炭ストーブ. 〔煤炉子〕ともいう

【煤末】méimò (～ル) 名 粉炭. 〔煤末子〕ともいう

【煤坯】méipī 名 石炭の粉に土と水を混ぜてれんが状に固めた燃料

**【煤气】méiqì 名 ❶石炭ガス. ガス ‖ ～灶zào ガスこんろ｜管道～ 都市ガス ❷石炭の不完全燃焼によって発生する有毒ガス. とくにその主成分である一酸化炭素をさす. 〔煤毒〕ともいう ‖ ～中毒 一酸化炭素中毒

【煤气罐】méiqìguàn 名 プロパンガスのボンベ

【煤球】méiqiú (～ル) 名 豆炭. たどん

【煤炭】méitàn 名 石炭 ‖ ～产量 石炭の生産量

【煤田】méitián 名 炭田

【煤烟子】méiyānzi 名 (石炭の)すす

【煤窑】méiyáo 名 (比較的小規模の)炭坑

【煤油】méiyóu 名 灯油

【煤油灯】méiyóudēng 名 石油ランプ

【煤油炉】méiyóulú 名 石油ストーブ. 石油こんろ

【煤渣】méizhā 名 石炭殻. 石炭の燃えかす

【煤砖】méizhuān 名 石炭の粉に水などを加えてれんが状に作ったもので, 燃料に用いる

13 **楣** méi 門やドアの周囲の枠の上の横木 ‖ 门～ 同前

14 **镅** méi 名〈化〉アメリシウム(化学元素の一つ, 元素記号はAm)

14 **酶** méi 名〈生理〉酵素

15 * **霉**(黴❷) méi ❶動 かびる ‖ 箱子里的衣服～了 箱の中の服がかびた ❷名 カビ ‖ 发～ カビが生える

【霉变】méibiàn 動 カビが生えて変質する

【霉菌】méijūn 名 カビ菌

【霉烂】méilàn 動 カビが出て腐る

【霉气】méiqi ; méiqì 名 カビ臭さ 形 方 不運である. 不吉である

17 **糜** méi ↴ ➤mí

【糜子】méizi 名〈植〉キビの一変種

měi

7 ★ **每** měi ❶代 どれも. みな ‖ ～周 毎週｜～个人 各人 ❷副 そのつど ‖ ～学三课便有一次考试 3課勉強するごとに1度試験がある ❸副 書 しばしば. よく. 往々 ‖ 一～～

【每况愈下】měi kuàng yù xià 成 状況がますます悪くなること

【每每】měiměi 副 たびたび. いつも ‖ 他们～一谈就是好几个钟头 彼らがおしゃべりし出すといつも何時間にもなる

9 ** **美**[1] měi ❶形 美しい. きれいである ↔〔丑chǒu〕‖ 她长得很～ 彼女はなかなか器量よしだ ❷美しくする ‖ 一～发 ❸形 よい. 優れている ‖ 物～价廉lián 品物がよくて値段が安い ❹形 方 うれしい. 得意気である ‖ 你别臭chòu～！ いい気になるな

9 **美**[2] měi ❶(南・北)アメリカ大陸. 〔美洲〕の略 ❷アメリカ合衆国. 〔美国〕の略

【美不胜收】měi bù shèng shōu 成 立派なものがあまりに多くて一度には見きれないこと

【美餐】měicān 名 ご馳走 動 思う存分食べる ‖ ～一顿dùn たらふく食べる

【美差】měichāi 名 いい役目. 実入りのよい役 ↔〔苦差〕

【美称】měichēng 名 美称. 美名

*【美德】měidé [名] 美徳
【美发】měifà [動] 髪形を整え美しくする ‖ ～师 美容師
【美感】měigǎn [名] 美感. 美しさについての感覚
【美工】měigōng [名] ❶(セットや衣装デザインを含む)映画の美術関係の仕事 ❷(映画などの)美術スタッフ
*【美观】měiguān [形] (形・スタイルが)美しい. きれいである ‖ 这件衣服～大方 この服は見た目に美しく上品だ
★【美国】Měiguó [名]〈国名〉アメリカ
⁂【美好】měihǎo [形] (多くは生活・前途・願望などの抽象的事物について)美しい. すばらしい ‖ 将来的生活会更～ 将来の暮らしはもっとよくなるに違いない
【美化】měihuà [動] 美化する. 美しくする
【美金】měijīn ＝〔美元měiyuán〕
【美景】měijǐng [名] 美しい景色. 美景
【美酒】měijiǔ [名] 美酒. おいしい酒
⁂【美丽】měilì [形] (多く風景・女性について)美しい. きれいである ‖ ～的海岛 美しい島 ｜ ～的姑娘 美しい娘
【美利坚合众国】Měilìjiān hézhòngguó [名]〈国名〉アメリカ合衆国
【美轮美奂】měi lún měi huàn [成] (建物が)壮大で美しい
*【美满】měimǎn [形] 満ち足りている. 申し分がない. 円満である ‖ ～的家庭 円満な家庭
【美貌】měimào [名] 美貌. 美しい顔立ち [形] 美貌である. 美人である
【美眉】měiméi [名][俗] (かわいい)女の子
【美美】měiměi (～的) [副] 思う存分. 思いきり ‖ ～地睡上一觉jiào ぐっすりと眠る
【美梦】měimèng [名] 甘い夢. 愚かな夢
*【美妙】měimiào [形] 麗しい. すばらしい ‖ ～的风光 すばらしい景色 ｜ ～的歌声 美しい歌声
【美名】měimíng [名] 美名. 名声
【美女】měinǚ [名] 美女. 美人
【美其名曰】měi qí míng yuē [成] 聞こえがいい. 聞こえのいい言い方をする
【美人】měirén (～儿) [名] 美人. 美女 ‖ 英雄难过～关 英雄も美人の誘惑に打ち勝つのは難しい
【美人计】měirénjì [名] つつもたせ. 色仕掛け ‖ 设下～ 色仕掛けをたくらむ
【美人蕉】měirénjiāo [名]〈植〉カンナ. ダンドク
【美容】měiróng [動] 容姿を美しく整える ‖ ～手术 美容整形手術
【美食】měishí [名] 美食 ‖ ～家 美食家. グルメ
【美事】měishì [名] 願ってもないよいこと. うまい話
【美属萨摩亚】Měishǔ Sàmóyà [名]〈国名〉米領サモア
⁂【美术】měishù [名] ❶美術 ‖ 工艺～ 工芸美術 ❷絵画 ‖ ～明信片 絵葉書
【美术片】měishùpiàn [名] アニメーション
【美术字】měishùzì [名] (標題などに用いる)装飾的な書体. デザイン文字. (手書きの)飾り文字
【美谈】měitán [名] 美談. 佳話. エピソード
【美体】měitǐ [動] フィットネスをする. シェイプアップをする
【美味】měiwèi (～儿) [名] おいしい食べ物. 美味
【美学】měixué [名]〈哲〉美学
【美言】měiyán [動] (人に代わって)よろしくと伝える. よしなに言う ‖ 请你代我～几句 なにぶんにもよしなにおっしゃってください
【美艳】měiyàn [形] 美しくあでやかである
【美意】měiyì [名] 好意. 厚意
【美育】měiyù [名] 情操教育
【美誉】měiyù [名] すばらしい名誉
⁂【美元】měiyuán [名] 米ドル
【美院】měiyuàn [名] 美術大学. 〔美术学院〕の略
【美展】měizhǎn [名] 美術展. 〔美术展览会〕の略
*【美中不足】měi zhōng bù zú [成] 玉にきず
【美洲】Měizhōu [名]〈地〉アメリカ大陸 ‖ 北～ 北米
【美滋滋】měizīzī (～的) [形] 得意なさま. 嬉しさがこみ上げるさま ‖ 嘴上不说，心里却～的 口にこそしないが，内心得意になっている

10 **浼** měi [書] ❶汚染する. 汚す ❷頼む. 依頼する

12 **渼** měi [書] 波紋

14 **镁** měi [名]〈化〉マグネシウム(化学元素の一つ，元素記号は Mg)

【镁光灯】měiguāngdēng [名] フラッシュ

mèi

8 **妹** mèi ❶妹. ふつう〔妹妹〕という ❷一族の同世代の者のうち自分より年下の女子 ‖ 表～ 従妹(いとこ) ❸[方] 若い女性 ‖ 打工～ 出稼ぎの若い女性

【妹夫】mèifu [名] 妹の夫
★【妹妹】mèimei [名] ❶妹 ❷一族の同世代の者のうち自分より年下の女子
【妹子】mèizi [名][方] ❶妹 ❷女の子

9 **昧** mèi ❶[書] 暗い ❷道理をよくわきまえない. 愚かである ‖ 愚yú～ 愚昧(ぐまい)である ❸[動] 隠す. ごまかす ‖ →～良心 ❹失礼なことをする ‖ 冒～ ぶしつけである

【昧良心】mèi liángxīn [組] 良心に背く. 良心を欺く
【昧心】mèixīn [動] 良心に背く. 良心を欺く

9 **袂** mèi [書] 袖. たもと ‖ 联～ 連れ立つ

11 **谜** mèi ↴ ➤ mí

【谜儿】mèir [名][方] なぞなぞ ‖ 猜～ なぞなぞをする

12 **寐** mèi [書] 寝る. 眠る ‖ 梦～以求 寝ても覚めても求めてやまない

12 **媚** mèi ❶[書] 好む. 好感をもつ ❷こびる. へつらう ‖ →～外 ❸こびている. へつらっている ‖ →～态 ❹こびへつらうさま ‖ 献～ こびへつらう ❺麗しい. あでやかである ‖ 春光明～ うららかな春景色

【媚骨】mèigǔ [名] 人にこびる卑しい根性. へつらい根性
【媚气】mèiqi ; mèiqì [名] なまめかしさ. あでやかさ
【媚世】mèi//shì [動][書] 世俗におもねる. 世間にこびる
【媚俗】mèisú [動] 世俗におもねる
【媚态】mèitài [名] ❶なまめかしさ ❷こびへつらう様子. 媚態(びたい)
【媚外】mèiwài [動] 外国にこびへつらう ‖ 崇chóng洋～ 外国のものを崇(あが)め，追従する
【媚笑】mèixiào [動] お追従笑いをする [名] お追従笑い
【媚眼】mèiyǎn (～儿) [名] なまめかしいまなざし
【媚悦】mèiyuè [動][書] おもねる. こびる

14 **魅** mèi ❶[書] すだま. 化け物 ‖ 鬼～ 化けもの ❷誘惑する. ひきつける ‖ →～惑

【魅惑】mèihuò 動 惑わす ‖ ～人心 人心を惑わす
【魅力】mèilì 名 魅力 ‖ 富有～ 魅力にあふれる
【魅人】mèirén 形 人をひきつける. 魅力的である

mēn

7 * 闷 mēn ❶形 (空気がよどんで)うっとうしい. むしむししている ‖ 屋里太～, 快开开窗户 部屋の中がいやにむっとする, 早く窓を開けなさい ❷動 (ふたをして)むらす ‖ ～一会儿, 茶味儿就出来了 しばらくむらすと, 茶はよい味が出てきた ❸動 家の中に閉じこもる ‖ 星期天他总是～在家里 日曜日には彼はいつも家の中に閉じこもっている ❹形 方 (音が)くぐもっている ‖ →～声 ～气 ❺動 声を出さない. 黙する ‖ →～头儿 ➤ mèn

【闷沉沉】mēnchénchén (～的) 形 ❶(空気がよどんで)うっとうしい. さっぱりしない ❷音が低くこもっている ‖ ～的雷声 低くこもった雷鳴 ➤ mènchénchén
【闷气】mēnqì 形 うっとうしい. むっとしている ➤ mènqì
*【闷热】mēnrè 形 蒸し暑い ‖ 天气～ 天気が蒸し暑い
【闷声不响】mēn shēng bù xiǎng 成 黙りこくって一言も発しない
【闷声闷气】mēn shēng mēn qì (～的) 慣 声が内にこもる. くぐもる ‖ 说话～的 話す声がくぐもっている
【闷头儿】mēn//tóur 副 ものも言わず. わきめもふらず. 黙々と ‖ ～吃饭 黙々と食事をする

mén

3 ★ 门 (門) mén ❶名 **出入り口. 門扉** ‖ 出～ 外出する | 太平～ 非常口 ❷名 (～儿) **家具や電気器具などの扉** ‖ 柜～儿 戸棚の扉 ❸門のように開閉する部分. スイッチやバルブのたぐい ‖ 阀fá～ バルブ ❹人体の穴 ‖ 产～ 産道 ❺家族. 家庭 ‖ 长zhǎng～长子zhǎngzǐ 本家の長男 ❻宗派. 学派 ‖ 佛fó～子弟 仏教徒 ❼先生の家・門 ‖ →～生 ❽分類 ‖ 五花八～ 多種多様 ❾名〈生〉(分類上の)門. ❿量 ①(**学科や技術などを数える**)**学科. 科目** ‖ 两～功课不及格 2科目が不合格となる ②親戚や婚姻を数える ‖ 这～亲事 今回の縁談 ③(**大砲を数える**)**門** ⓫名 (～儿)方法. 秘訣 ‖ →～路

逆引き単語帳 〔大门〕dàmén 大門. 正門 〔后门〕hòumén 裏門. 裏口 〔旁门〕pángmén 〔侧门〕cèmén 〔便门〕biànmén 通用門 〔闸门〕zhámén コック. 水門 〔太平门〕tàipíngmén 非常口 〔球门〕qiúmén (サッカーやアイスホッケーの)ゴール 〔快门〕kuàimén (カメラの)シャッター 〔冷门〕lěngmén 人気のない分野 〔热门〕rèmén 人気のある分野 〔脑门儿〕nǎoménr ひたい. おでこ 〔嗓门儿〕sǎngménr 声. のど 〔窍门〕qiàomén うまい方法. こつ 〔油门〕yóumén 車のアクセル 〔阀门〕fámén バルブ. コック

【门巴族】Ménbāzú 名 メンパ族(中国の少数民族の一つ, 主にチベット自治区に居住)
【门把】ménbǎ (～儿) 名 門や戸の取っ手. ドアのノブ
【门板】ménbǎn 名 ❶戸板 ❷(朝取りはずし, 夜取り付ける商店の)板戸
【门鼻儿】ménbír 名 戸に付ける半円形の金具で, 錠前や掛け金をひっかけるもの
【门插关儿】ménchāguanr 名 (門につけた)かんぬき
【门齿】ménchǐ 名〈生理〉門歯. ふつう〔门牙〕という
【门窗】ménchuāng 名 戸と窓
*【门当户对】mén dāng hù duì 成 (結婚する双方の)家柄や身分がつり合っている ‖ 讲究～ (結婚するのに)家柄や身分のつり合いを重んじる
*【门道】méndao 名 口 (問題解決や目的達成のための)方法. 要領 ‖ 他做买卖可有～了 あの人は商売のこつをなかなか心得ている
【门第】méndì 名 家柄 ‖ 书香～ 読書人の家柄
【门店】méndiàn 名 チェーン店の各店舗
【门洞儿】méndòngr 名 門のくぐり抜けの通路部分
【门墩】méndūn 名 門の扉の回転軸を支える台座
【门阀】ménfá 名 門閥. 権勢のある家柄
【门房】ménfáng (～儿) 名 ❶門衛の詰め所 ❷門衛
【门风】ménfēng 名 家風 ‖ 败坏～ 家風に泥を塗る. 家名を汚す
【门缝】ménfèng (～儿) 名 戸のすきま
【门岗】méngǎng 名 門に設けた歩哨(ほしょう)所
【门户】ménhù 名 ❶門. 戸口 ❷喩 出入りの際の重要な地点. 玄関口 ❸家庭. 家 ‖ 自立～ 家を出て独立する. 一本立ちする ❹派閥 ❺旧 家柄 ‖ ～相当 家柄がつり合う
【门户之见】mén hù zhī jiàn 成 派閥的な偏見. セクト的な考え
【门环子】ménhuánzi 名 門の扉につけてある金属製の環. 門環
【门将】ménjiàng 名〈体〉〔守门员〕(ゴールキーパー)の別称
【门禁】ménjìn 名 門の警備. 出入りの取り締まり
【门警】ménjǐng 名 門の警備をする警備員
【门径】ménjìng 名 方法. 要領
【门镜】ménjìng 名 防犯レンズ. ドアビュアー
【门槛】【门坎】ménkǎn 名 ❶(～儿)門や戸の敷居 ‖ 迈过màiguò～ 敷居をまたぐ | ～儿高 気軽には訪れにくい. 敷居が高い ❷方 要領. こつ. 勘どころ
【门可罗雀】mén kě luó què 成 訪ねて来る人もなくまったく落ちぶれたさま
【门客】ménkè 名 旧 (富豪や貴族の)居候. 食客
★【门口】ménkǒu (～儿) 名 **出入り口. 門口. 戸口** ‖ 把客人送到～ 客を門口まで送る
【门框】ménkuàng (～儿) 名 門のかまち
【门廊】ménláng 名 ❶表門と建物の入り口をつなぐ廊下 ❷部屋の扉の前の廊下
【门类】ménlèi 名 部類. 部門. 分野
【门帘】ménlián (～儿) 名 戸口に掛けるカーテン. のれん. 垂れ幕 ‖ 挂～ 入り口のカーテンを掛ける
【门联】ménlián (～儿) 名 門の両側に張る対聯(ついれん)
【门脸儿】ménliǎnr 名 方 商店の間口
【门铃】ménlíng (～儿) 名 門や玄関のベル ‖ 按～ 玄関のベルを押す
【门楼】ménlóu (～儿) 名 ❶屋根つきの表門 ❷城門のやぐら
【门路】ménlu 名 ❶手段. 方法. ルート ‖ 发财的～ 金儲けのルート ❷手づる. コネ ‖ 走～ コネをつかう
【门楣】ménméi 名 ❶門または戸口の上に渡した横

木. 楣(まぐ) ❷家柄
【门面】ménmian 图❶建物の間口. 店構え‖～不大 間口はそれほどない ❷喩外見. 体裁‖装点～ 体裁をとりつくろう｜撑chēng～ 体面をなんとか維持する
【门面话】ménmianhuà 图上っつらだけの話. 体裁のよい話
【门牌】ménpái 图(番地を表記した)門札. 転番地‖～号码 番地
*【门票】ménpiào 图(公園や博物館などの)入場券. チケット‖不收～ 入場券がいらない
【门前三包】ménqián sānbāo 組(住宅やオフィスビルで)建物の前の掃除・緑化・治安に責任をもつこと
【门球】ménqiú 图ゲートボール
【门儿清】ménrqīng 形方内情に詳しい. 事情通である
【门人】ménrén 图❶門人. 門弟 ❷食客
【门扇】ménshàn 图扉. ドア
【门神】ménshén 图(扉に張る)魔よけの神の画像
【门生】ménshēng 图門弟. 弟子
*【门市部】ménshìbù 图小売り部. 販売店‖新华书店～ 新華書店小売り部
【门闩】ménshuān 图かんぬき‖插上～ かんぬきをかける
【门厅】méntīng 图玄関を入ってすぐの部屋. 建物の入り口を入ってすぐの空間
【门庭】méntíng 图❶門前 ❷家門‖光耀guāngyào～ 家門の誉れ
【门庭若市】mén tíng ruò shì 成門前市をなす. 来訪者が多いことのたとえ
【门徒】méntú 图門人. 門下生. 弟子
【门外汉】ménwàihàn 图門外漢. しろうと
【门卫】ménwèi 图門衛. 門番
【门下】ménxià 图❶食客 ❷門弟. 弟子
【门牙】ményá 图口門歯. 前歯
*【门诊】ménzhěn 動外来治療をする‖看～ 外来で診てもらう｜～部 外来診療部
【门子】ménzi 图❶旧門番. 取り次ぎ ❷コネ. つて. うしろだて‖找～ 手づるを求める 量方事柄を数える

6 **扪** mén 書手を当てる. 手で軽く触れる
【扪心自问】mén xīn zì wèn 成胸に手を当てて反省する

8 **钔** mén 图〈化〉メンデレビウム(金属元素の一つ, 元素記号は Md)

mèn

7 * **闷** mèn ❶形憂鬱(ゆう)である. 気がめいる. くさくさする‖一～得慌 ❷图(～儿)憂鬱な気持ち. くさくさした気分‖解～儿 憂さ晴らしをする ❸形密閉した. 閉じ込めた‖～葫芦罐儿 (陶製の)貯金箱‖～子车 屋根のついた貨物列車 ➤ mēn
【闷沉沉】mènchénchén (～的) 形気がめいる. くさくさする ➤ mēnchénchén
【闷得慌】mèndehuang 組気がめいってどうしようもない. 退屈でたまらない‖一个人在家～ 一人で家に閉じこもっていると退屈でたまらない
【闷罐车】mènguànchē 图方有蓋貨車
【闷棍】mèngùn 图やぶから棒の一撃. 予期せぬ非難. 思わぬ仕打ち
【闷葫芦】mènhúlu 图口❶雲をつかむような話. 不可解な事柄. なぞ ❷無口な人. だんまり屋
【闷酒】mènjiǔ 图めいった気持ちで飲む酒
【闷倦】mènjuàn 形退屈である. くさくさする
【闷雷】mènléi 图低く沈んだ雷鳴. 喩突然のショック
【闷闷不乐】mèn mèn bù lè 成鬱々としている. ふさぎ込んでいる
*【闷气】mènqì 图くさくさした気持ち. 鬱憤(うん) ‖生～ むかっ腹を立てる ➤ mēnqì
【闷死】mènsǐ 動❶窒息死する. 息が詰まる ❷転ひどく退屈する. ひどく気がめいる

11 **焖** mèn 動〈料理〉しっかりふたをし, とろ火で長時間煮る‖一～饭
【焖饭】mèn//fàn 動御飯を炊く

17 **懑**(懣) mèn ➡〔愤懑fènmèn〕

men

5 ★ **们** men 接尾(人称代詞や人をさす名詞の後に置いて複数を示す) … たち. … ら. ただし,〔三个孩子〕(3人の子供)のように前に具体的な数がある場合は用いない‖我～ 我々. 私たち. 我ら｜人～ 人々｜孩子～ 子供たち

mēng

13 **蒙**[1](矇) mēng ❶動だます. 欺く‖～人 人をだます ❷動当て推量する‖想好了再回答, 别瞎xiā～ よく考えてから答えなさい, 当てずっぽうはだめだ

13 **蒙**[2](矇) mēng ❶形(頭が)ぼうっとしている. ぼんやりしている‖头有点儿发～ 頭が少しぼうっとする ❷動人事不省になる‖被打～了 殴られて目を回した ➤ méng měng
【蒙蒙亮】mēngmēngliàng 形(夜が明けて)ぼんやりと明るい
【蒙骗】mēngpiàn 動だます. ごまかす
【蒙事】mēngshì 動方ごまかす. インチキをする
【蒙头转向】mēng tóu zhuàn xiàng 慣頭が混乱して方向が分からなくなる. てんてこ舞いする. まごまごする

méng

8 **氓** méng 古流民 ➤ máng

9 **虻**(蝱) méng 图〈虫〉アブ

11 **萌** méng ❶芽が出る‖一～芽 ❷起こる. 始まる‖故态复～ またいつもの癖が出る
【萌动】méngdòng 動❶芽を吹く ❷(ある種の感情が)芽生える
【萌发】méngfā 動❶芽が出る. 芽を吹く ❷(ある種の感情が)芽生える
【萌生】méngshēng 動書芽生える. 起こる. (多く抽象的な事柄に用いる)‖～邪念xiéniàn 邪念が生じる
*【萌芽】méngyá 動芽を出す. 芽生える‖种子已开始～ 種子がもう芽生えようとしている 图芽生え. (事物の)始まり‖～状态 萌芽(ほう)段階

M

13 *蒙[1] méng ❶動 かぶす．かぶせる．覆う‖～头大睡 頭から布団をかぶってぐっすり眠る ❷動 遭う．こうむる‖→～难 ❸動 敬 受ける．いただく‖～您照顾，非常感谢 お世話になり，まことにありがとうございます ❹隠す．ごまかす‖→～哄 ❺無知である．無学である‖启～ 啓蒙する

13 蒙[2]（濛）méng 形 雨がしとしと降るさま‖→～～

13 蒙[3]（懞）méng 書 飾り気がなく篤実である

13 蒙[4]（矇）méng 書 失明している．➤ mēng měng

【蒙蔽】méngbì 動 だます．欺く‖～群众 大衆を欺く

【蒙尘】méngchén 動 書 ほこりにまみれる．君主が戦乱で都から逃れるたとえ

【蒙垢】ménggòu 動 書 恥辱を受ける

【蒙馆】méngguǎn 名 旧 初等教育を行った塾

【蒙汗药】ménghànyào 名 旧 しびれ薬

【蒙哄】ménghǒng 動 だます．欺く

【蒙混】ménghùn 動 だます．ごまかす‖～过关 なんとかごまかしてその場をしのぐ

【蒙眬】ménglóng 形 寝ぼけてぼうっとしている．うとうとしている．〔矇眬〕とも書く‖睡眼～ 寝ぼけまなこである

【蒙昧】méngmèi 形 ❶未開である ❷愚昧（ぐまい）である．無知である‖～无知 無知蒙昧（むちもうまい）

【蒙蒙】méngméng 形 ❶雨がしとしと降るさま．〔濛濛〕とも書く‖～细雨 しとしとそぼ降るこぬか雨 ❷霧や煙などが立ちこめるさま

【蒙难】méng//nàn 動 受難する．事故の犠牲となる

【蒙受】méngshòu 動 こうむる．受ける‖～耻辱chǐrǔ 恥辱を受ける｜～不白之冤yuān 無実の罪をかぶる

【蒙太奇】méngtàiqí 名 外（映画の）モンタージュ

【蒙药】méngyào 名 麻酔薬の通称

【蒙冤】méng//yuān 動 ぬれぎぬを着せられる

【蒙在鼓里】méng zài gǔli 慣 事情を知らされない‖他还～呢 彼はまだ何も知らされていないんだ

13 盟 méng ❶（国家間などで）盟約を結ぶ‖→～约 ❷天に向かって誓いを立てる．宣誓する‖→～誓 ❸契りを結ぶ‖→～兄弟 ❹（多く集団や国家間の）盟約．同盟‖同～ 同盟 ❺名 盟．内モンゴル自治区での旗・県・市を管轄する行政単位

【盟邦】méngbāng 名 同盟国．〔盟国〕ともいう

【盟国】méngguó ＝〔盟邦méngbāng〕

【盟军】méngjūn 名 同盟軍

【盟誓】méng//shì 動 誓いを立てる

【盟兄弟】méngxiōngdì 名（契りを結んだ）義兄弟

【盟友】méngyǒu 名 ❶盟友 ❷同盟国

【盟员】méngyuán 名 同盟員

【盟约】méngyuē 名 盟約．同盟条約

【盟主】méngzhǔ 名 盟主．指導的人物

14 甍 méng 書 屋根の一番高い所．棟

15 瞢 méng 書 目がよく見えない‖～然 よく見えないさま

17 檬 méng ➡〔柠檬níngméng〕

17 朦 méng ↴

【朦胧】ménglóng 形 ❶（月の光が）おぼろである‖～的月光 ぼんやりとかすむ月の光 ❷はっきり見えない．ぼんやりしている‖暮色～ 日暮れの景色がぼんやりかすむ

18 礞 méng ↴

【礞石】méngshí 名〈中薬〉礞石（ぼうせき）

19 艨 méng ↴

【艨艟】méngchōng 名 古 古代のいくさ船

měng

10 勐[1] měng 書 勇猛である

10 勐[2] měng 名 旧 雲南省シーサンパンナのタイ族地区の行政単位

11 *猛 měng ❶凶暴である‖凶～ 凶暴である ❷形 激しい．強い‖药劲儿jìnr太～ 薬効が強すぎる ❸動 力をふりしぼる．頑張る‖→～劲儿 ❹副 急に．いきなり．突然‖→～然 ❺副 口 心ゆくまで．思う存分‖～吃～喝 思う存分飲んだり食べたりする

【猛不丁】měngbuding 副 方 突然．出し抜けに

【猛不防】měngbufáng 副 突然．急に

【猛攻】měnggōng 動 猛攻撃する．激しく攻める

【猛将】měngjiàng 名 猛将．勇将．猛者（もさ）‖足球～ サッカーの猛者

【猛劲儿】měngjìnr 動 ぐっと力を入れる．あらんかぎりの力を込める 名 強烈なエネルギー．瞬発力‖她干事有股子gǔzi～ 彼女は仕事を精力的にこなす

【猛力】měnglì 副 猛烈な力で．力を込めて

*【猛烈】měngliè 形 猛烈である．激烈である．すさまじい‖这次台风来势～ 今回の台風は勢力がすさまじい

【猛犸】měngmǎ 名〈古生〉マンモス．〔毛象〕ともいう

【猛禽】měngqín 名 猛禽（もうきん）

*【猛然】měngrán 副 突然．急に．不意に‖～回头 急に振り返る｜～想起 とっさに思いつく

【猛士】měngshì 名 勇士．勇者．猛者（もさ）

【猛兽】měngshòu 名 猛獣‖凶xiōng如洪水～ まるで洪水や猛獣のようにすさまじい

【猛醒】【猛省】měngxǐng 動 突然分かる．はたと思い当たる

【猛增】měngzēng 動 激増する．急増する

13 蒙 měng ↴ ➤ mēng méng

【蒙古】Měnggǔ 名〈国名〉モンゴル

【蒙古包】měnggǔbāo 名 天幕式住居．パオ．ゲル

【蒙古族】Měnggǔzú 名 モンゴル族（中国の少数民族の一つ，内モンゴル自治区・吉林省・黒竜江省・遼寧省・寧夏回族自治区・新疆ウイグル自治区・甘粛省・青海省などに居住）

【蒙文】Měngwén 名 モンゴル語．モンゴル文字

【蒙族】Měngzú 名 略 モンゴル族．〔蒙古族〕の略

13 锰 měng 名〈化〉マンガン（化学元素の一つ，元素記号は Mn）

14 蜢 měng ➡〔蚱蜢zhàměng〕

18 懵 měng ↴

【懵懂】měngdǒng 形 無知である

19 蠓 měng 名〈虫〉ヌカカ

mèng

8 **孟 mèng** ❶〔孟〕〔仲zhòng〕〔叔shū〕〔季jì〕で表す兄弟姉妹の序列での最年長 ❷旧暦で, 各季節の第1番目の月. 一季節(3ヵ月)を〔孟〕〔仲〕〔季〕の順で表す ‖ ～春 旧暦正月 ｜ ～夏 旧暦4月

【孟加拉】Mèngjiālā 名〈国名〉バングラデシュ

【孟浪】mènglàng 形 書 軽々しい. 軽率である

11 ** **梦(夢) mèng** ❶名 夢 ‖ 做～ 夢を見る ❷夢を見る ‖ 一～见 ❸幻想. 夢想 ‖ 一～想

【梦话】mènghuà 名 ❶寝言.〔梦呓yì〕〔呓语〕ともいう ‖ 说～ 寝言を言う ❷たわごと. 空言

【梦幻】mènghuàn 名 幻. 夢幻

【梦幻泡影】mèng huàn pào yǐng 成 泡や影のようにはかなく消える夢. むなしい夢

【梦见】mèng//jian(jiàn) 動 夢に見る ‖ 我～了死去的妈妈 私は亡くなった母を夢に見た

【梦境】mèngjìng 名(美しい)夢の境地. 夢の世界

【梦寐以求】mèng mèi yǐ qiú 成 夢の中でも追い求める. 願望の切実なことのたとえ

【梦乡】mèngxiāng 名 熟睡状態. 夢路 ‖ 他一躺下, 就进入了～ 彼は横になると, すぐに深い眠りについた

*【梦想】mèngxiǎng 名 願望. 夢 ‖ 脱离现实的～ 現実から遊離した夢想 動 ❶夢想する. 妄想する ❷渇望する. 熱望する

【梦魇】mèngyǎn 動 夢でうなされる

【梦遗】mèngyí 動〈医〉夢精する. 遺精する

【梦呓】mèngyì ＝〔梦话mènghuà〕

【梦游症】mèngyóuzhèng 名〈医〉夢遊病

mī

9 **咪 mī** ↴

【咪表】mībiǎo 名(路上駐車用の)パーキングメーター

【咪咪】mīmī 擬(ネコの鳴き声)ニャーニャー

11 * **眯(^△^瞇) mī** ❶動 目を細める ‖ 他的眼睛～成了一条缝fèng 彼は目を細めた ❷動 方 うたた寝する ‖ ～一会儿 しばしうとうとする ➤ mí

【眯缝】mīfeng 動 目を細める

mí

8 **弥(彌 瀰❶) mí** ❶満ちる. みなぎる ‖ 一～漫 ❷補う. 繕う ‖ 一～补 ❸いっそう. ますます ‖ 欲盖～彰zhāng 隠そうとすればするほどぼろが出る

*【弥补】míbǔ 動 補う. 補足する ‖ 无法～的损失 補いようのない損失

【弥勒】Mílè 名〈仏〉弥勒(みろく)

【弥留】míliú 動 書 死に臨む ‖ ～之际 いまわのきわ

*【弥漫】mímàn 動 弥漫(びまん)する. 充満する. 立ちこめる.〔瀰漫〕とも書く ‖ 烟雾～ 煙や霧が立ちこめる

【弥蒙】míméng 形(霧や煙が)もうもうと立ちこめているさま

【弥撒】mísa 名 外〈宗〉ミサ

【弥天大谎】mí tiān dà huǎng 成 真っ赤なうそ

【弥天大罪】mí tiān dà zuì 成 極悪非道の大罪

【弥陀】Mítuó 名〈仏〉阿弥陀仏.〔阿弥陀佛Ēmítuófó〕の略

9 * **迷 mí** ❶動 迷う ‖ 一～路 ❷動 夢中になる. 没頭する ‖ 他～上了围棋 彼は囲碁に夢中だ ❸ファン. マニア ‖ 足球～ サッカーファン ｜ 影～ 映画ファン ❹名 陶酔状態 ‖ 入～ 夢中になる ❺動 惑わす. 迷わす. うっとりさせる ‖ 一～人

> **逆引き単語帳** 〔棋迷〕qímí 囲碁・将棋ファン 〔影迷〕yǐngmí 映画ファン 〔球迷〕qiúmí(サッカーなどの)球技ファン 〔歌迷〕gēmí 歌謡曲ファン 〔戏迷〕xìmí 芝居好き 〔官迷〕guānmí 役人になりたがる人 〔财迷〕cáimí 金の亡者. 守銭奴

【迷彩】mícǎi 名 迷彩 ‖ ～服 迷彩服

【迷航】míháng 動(船や飛行機が)針路を見失う

*【迷糊】míhu 形(目や意識が)はっきりしない. ぼんやりしている ‖ 睡～了 寝ぼけた

【迷幻药】míhuànyào 名 幻覚剤. 麻薬の一種

【迷魂汤】míhúntāng 名 人を惑わす甘言または行為.〔迷魂药〕〔迷汤〕ともいう

【迷魂阵】míhúnzhèn 名 落とし穴. わな

*【迷惑】míhuo ; míhuò 形 困惑する. 戸惑う ‖ ～不解 困惑する 動 迷わせる. 惑わせる ‖ 被假象所～ 偽りの姿に惑わされる

【迷津】míjīn 名 書 誤った道. 邪道

【迷离】mílí 形 ぼんやりしている. はっきりしない

【迷恋】míliàn 動 病みつきになる. 夢中になる

【迷路】mí//lù 動 ❶道に迷う ❷正しい方向を見失う. 誤った傾向に陥る

【迷乱】míluàn 動 惑乱する

【迷漫】mímàn 動 立ちこめる. 充満する

【迷茫】mímáng 形 ❶広すぎてはっきり見えないさま. 茫漠(ぼうばく)としているさま ❷(表情が)ぼうっとしている

【迷蒙】míméng 形 ❶暗くてはっきり見えない.〔迷濛〕とも書く ❷(意識が)ぼんやりしている. 定かでない

【迷梦】mímèng 名 妄想

【迷你】mínǐ 形 外 ミニの. 小型の ‖ ～型 小型

【迷你裙】mínǐqún 名 ミニスカート

*【迷人】mírén 形 魅力的である. うっとりさせる ‖ 她长着一双～的大眼睛 彼女は魅力的な大きい目をしている

*【迷失】míshī 動(道や方向などを)見失う. 迷う ‖ ～方向 方向を見失う

*【迷途】mítú 動 道に迷う ‖ ～的羔羊gāoyáng 迷える小羊 名 誤った道 ‖ 误入～ 道を踏みはずす

【迷途知返】mí tú zhī fǎn 成 道に迷っても戻り方を知っている. 自分の誤りを悟って正道に立ち返る

【迷惘】míwǎng 形 困惑する. 茫然(ぼうぜん)とする ‖ 感到～ 茫然とする

【迷雾】míwù 名 ❶濃霧 ❷喩 人を迷わせる事柄

*【迷信】míxìn 動 ❶迷信を信じる ‖ 破除～ 迷信を打破する ❷盲信する. 盲目的に崇拝する ‖ 不要那么～名牌 有名ブランドをそんなに盲信してはだめだ

9 **祢(禰) mí** 名 姓

11 **谜 mí** ❶名 なぞなぞ ‖ 猜～ なぞなぞ遊びをする ❷名 謎(なぞ). 不可解な事柄 ‖ 这个问题现在还是个～ この問題はいまもなお謎のままだ ➤ mèi

【谜底】mídǐ 名 なぞなぞの答え. 喩 真相‖揭开jiē-kāi了～ 謎が解けた. 真相がはっきりした
【谜面】mímiàn 名 なぞなぞの問題
【谜团】mítuán 名 謎の塊. 疑念
*【谜语】míyǔ 名 なぞなぞ‖猜～ なぞ当て遊びをする

11 **猕**(獼) mí ↴
【猕猴】míhóu 名〈動〉アカゲザル
【猕猴桃】míhóutáo 名〈植〉キウイフルーツ

11 **眯**(△瞇) mí 動 ほこりなどが目に入って一時的に目をあけられない‖沙子～了眼 砂が目に入って目をあけられない ➤ mī

16 **醚** mí 名〈化〉エーテル‖乙～ エチルエーテル

17 **糜** mí ❶粥. 粥状の食品‖肉～ ひき肉 ❷ただれる. 腐ってぐずぐずになる‖→～烂 ❸浪費する ➤ méi
【糜费】mífèi ＝〔靡费mífèi〕
【糜烂】mílàn 動 ただれる. 腐敗する‖～的生活 腐敗した生活｜疮口chuāngkǒu～ 傷口が腐る

17 **縻** mí 書 つなぎとめる‖羁jī～ 籠絡(ろうらく)する

17 **麋** mí 名〈動〉シフゾウ
【麋鹿】mílù 名〈動〉シフゾウ. 〔四不像〕ともいう

19 **靡** mí 浪費する. むだ遣いする‖→～费 ➤ mǐ
【靡费】mífèi 動 浪費する. むだ使いする. 〔糜费〕とも書く‖～钱财 金銭を浪費する

mǐ

6 ** **米**[1] mǐ ❶穀や皮を取り去った穀類‖花生～ 殻を取った落花生 ❷名 米‖大～ 米. 白米 ❸米粒状のもの‖海～ むき身の干しエビ

6 ★ **米**[2] mǐ 量 メートル‖千～ キロメートル｜厘lí～ センチメートル｜毫háo～ ミリメートル｜平方～ 平方メートル
【米波】mǐbō 名 超短波 ＝〔超短波〕
【米醋】mǐcù 名 米酢
★【米饭】mǐfàn 名 **米の飯. 御飯**
【米粉】mǐfěn 名 ❶糁粉(しんこ). 米の粉 ❷ビーフン
【米黄色】mǐhuángsè 形 淡黄色. ベージュ色
【米酒】mǐjiǔ 名 もち米やもちアワなどで醸造した酒
【米糠】mǐkāng 名 米ぬか
【米粒】mǐlì (～儿) 名 米粒
【米面】mǐmiàn 名 ❶米と小麦粉 ❷(～儿)米の粉. 糁粉(しんこ)
【米色】mǐsè ＝〔米黄色mǐhuángsè〕
【米汤】mǐtang；mǐtāng 名 ❶重湯 ❷米を炊く際に出る煮汁. スープとして飲む
【米制】mǐzhì 名 メートル法
【米珠薪桂】mǐ zhū xīn guì 成 物価が高く生活が苦しいたとえ
【米猪】mǐzhū 名 体内にノウチュウが寄生したブタ

7 **芈** mǐ ❶擬 (ヒツジの鳴き声)メエーメエー

9 **弭** mǐ 書 鎮める. 消滅する‖～兵 兵を収める｜消灾～祸huò 災禍を取り除く

10 **敉** mǐ 書 落ち着かせる. 安定させる

10 **脒** mǐ 名〈化〉アミジン

19 **靡**[1] mǐ なびく‖风～一时 一世を風靡(ふうび)する

19 **靡**[2] mǐ ❶書 ない‖～日不思 思わない日はない ❷書 否定を表す ➤ mí
【靡靡】mǐmǐ 形 退廃的である. 低俗である‖～之音 退廃的な音楽
【靡然】mǐrán 形 一辺倒のさま. なびき従うさま

mì

7 **汨** mì 地名用字‖～罗 江西省に源を発し, 湖南省に流入する川の名

8 **泌** mì 分泌する‖内分～ 内分泌 ➤ bì
【泌尿器】mìniàoqì 名〈生理〉泌尿器官

8 **宓** mì 書 静かである. 安らかである

8 **觅**(△覓) mì 探す. 探し求める‖→～食｜寻xún～ 探し求める
【觅取】mìqǔ 動 探し当てる
【觅食】mì//shí 動 (鳥や獣が)餌を探す

10 **秘**(△祕) mì ❶ふさがる. 詰まる‖便～ 便秘する ❷秘密の. ひそかな. 隠された‖→～诀 ❸珍しい. 貴重な‖→～宝 ❹秘める. 隠す. 秘密にする‖→～而不宣 ➤ bì
【秘宝】mìbǎo 名 秘宝. 珍しい宝
【秘本】mìběn 名 秘本. 貴重な書物
【秘藏】mìcáng 動 秘蔵する. 隠して保存する
【秘而不宣】mì ér bù xuān 成 秘して公にしない
【秘方】mìfāng 名 秘伝の処方. 秘方‖祖传～ 先祖代々伝わる秘方
【秘籍】mìjí 名 秘本. 貴重な書籍
【秘计】mìjì 名 秘密の計略. はかりごと
【秘诀】mìjué 名 秘訣. こつ
【秘密】mìmì 形 **秘密の ↔〔公开〕‖～通道 秘密の通路 名 **秘密**‖保守～ 秘密を守る
【秘史】mìshǐ 名 未公開の歴史. 秘史
*【秘书】mìshū 名 秘書
【秘闻】mìwén 名 奇聞. 異聞. 奇談

11 **密**[1] mì ❶秘密の. ひそかな‖→～件 ❷秘密. 隠し事‖告～ 密告する

11 ** **密**[2] mì ❶形 **密である. 稠密(ちゅうみつ)である. 距離が接近している** ↔〔稀xī〕〔疏shū〕‖稠chóu～ 密集している ❷密接である. 親密である. 親しい‖亲～ 親密である ❸精巧である. 緻密である‖周～ 綿密である
【密报】mìbào 動 密告する 名 秘密の報告
【密闭】mìbì 動 密閉する‖～容器 密閉容器
【密布】mìbù 動 すきまなく覆う‖乌云～ 黒雲が空を覆っている
【密电】mìdiàn 名 暗号電報. 秘密の電報 動 秘密電報を送る
【密度】mìdù 名 ❶密度‖人口～ 人口密度 ❷〈物〉密度
*【密封】mìfēng 動 密封する‖把文件～起来 文書を密封する

【密告】mìgào 動 密告する 名 密告
【密会】mìhuì 名 秘密の会議 動 密会する
【密集】mìjí 動 密集する. 集中する 形 密集している. 稠密(ちゅうみつ)である ‖ 人口～ 人口が密集している
【密件】mìjiàn 名 密書. 機密文書
【密克罗尼西亚】Mìkèluóníxīyà 名〈国名〉ミクロネシア
【密令】mìlìng 名 秘密の命令. 密命 動 密命を下す
【密码】mìmǎ 名 暗号 ‖ 破译～ 暗号を解読する
【密码箱】mìmǎxiāng 名 ダイヤルロック式のトランクやアタッシュケース
【密密层层】mìmicéngcéng (～的) 形 びっしり重なり合っているさま ‖ 看热闹的人～地围了好几圈quān 野次馬が十重二十重(とえはたえ)に取り囲んでいる
【密密丛丛】mìmicóngcóng (～的) 形 (草木が)すきまなく生い茂っているさま
【密密麻麻】mìmimámá (～的) 形 口 (多く小さなものをさして)数が多く密なさま ‖ 笔记本上～地记满了小字 ノートに小さな字がびっしりと書かれている
【密密匝匝】mìmizāzā (～的) 形 ぎっしりとすきまのないさま. 〔密匝匝〕ともいう
*【密谋】mìmóu 動 ひそかに謀議する. ひそかに企てる
**【密切】mìqiè 形 ❶親密である. 緊密である. 親しい ‖ 关系～ たいへん親しい ❷注意深い. 丹念である ‖ ～注视 じっくり見守る 動 親密にする. 緊密にする ‖ 进一步～双方的关系 双方の関係を一段と緊密にする
【密商】mìshāng 動 密議する
【密使】mìshǐ 名 密使
【密室】mìshì 名 密室
【密谈】mìtán 動 密談する
【密探】mìtàn 名 密偵. スパイ
【密信】mìxìn 名 密書
【密议】mìyì 動 密議する
【密友】mìyǒu 名 親密な友人. 親友
【密语】mìyǔ 名 暗号 動 密談する
*【密约】mìyuē 動 密約する 名 秘密の条約. 密約
【密钥】mìyuè 名〈計〉秘密鍵. 復号鍵
【密云不雨】mì yún bù yǔ 成 事がまさに起ころうとしているが, まだ発生するに至っていない
【密匝匝】mìzāzā ＝〔密密匝匝mìmizāzā〕
【密召】mìzhào 動 ひそかに呼び戻す
【密植】mìzhí 動〈農〉密植する
【密旨】mìzhǐ 名 旧 密勅. 密旨

12 **幂**(△冪) **mì** ❶書 ものを覆う布 ❷書 覆う. かぶせる ❸名〈数〉冪(べき)

12 **谧** **mì** 書 静かである. 安らかである ‖ 安～ 平穏である｜静～ 静謐(せいひつ)である

14 * **蜜** **mì** ❶名 蜂蜜(はちみつ) ❷蜜のように甘い ❸甘い. 甘美である ‖ 甜～的生活 甘い生活. 幸せな生活 ❹外観や味が蜜のようなもの

**【蜜蜂】mìfēng 名〈虫〉ミツバチ
【蜜柑】mìgān 名〈植〉柑橘(かんきつ)類の一種
【蜜饯】mìjiàn 動 (果実などを)砂糖漬けにする. 蜜漬けにする 名 砂糖漬け. 蜜漬け
【蜜色】mìsè 名 あめ色. 淡黄色
【蜜糖】mìtáng 名 糖蜜
【蜜丸子】mìwánzi 名 粉薬を蜂蜜で調合して作った丸薬
*【蜜月】mìyuè 名 蜜月(みつげつ). ハネムーン ‖ 度～ 新婚生活を送る｜～旅行 新婚旅行
【蜜枣】mìzǎo (～儿) 名 ナツメの砂糖漬け

mián

10 **眠** **mián** ❶眠る ‖ 睡～ 睡眠をとる ❷冬眠する ‖ 冬～ 冬眠する

11 **绵**(△緜) **mián** ❶長く続く ‖ 连～ 連綿としている ❷真綿 ❸(綿のように)柔らかい. 弱い ‖ 一～软 ❹つきまとう ‖ 缠chán～ まとわりついて離れない

【绵白糖】miánbáitáng 名 粉砂糖. パウダーシュガー. 〔绵糖〕ともいう
【绵薄】miánbó 名 謙 微力 ‖ 略尽～之力 いささかなりと微力を尽くす
【绵长】miáncháng 形 長く続くさま
【绵绸】miánchóu 名〈紡〉紬(つむぎ)
【绵亘】miángèn 動 延々と続く
【绵里藏针】mián lǐ cáng zhēn 成 真綿に針を隠す. 表向きは柔和であるが, 内心は悪辣(あくらつ)であるたとえ
【绵力】miánlì 名 謙 微力. 力が弱いこと
【绵连】【绵联】miánlián 動 連綿として続く
【绵密】miánmì 形 (言動や考えが)綿密である. 周到である ‖ 思路～ 考え方がこと細かで手ぬかりがない
【绵绵】miánmián 形 長々と間断なく続くさま ‖ 秋雨～ 秋雨が幾日も降り続く
【绵软】miánruǎn 形 ❶柔らかい ❷(体が)だるい. くたくたである ‖ 觉得浑身húnshēn～ 全身がだるい
【绵延】miányán 動 長々と続く. 延々と続く
【绵羊】miányáng 名〈動〉メンヨウ
【绵远】miányuǎn 形 はるかに遠い
【绵纸】miánzhǐ 名 薄く柔らかい紙. ティッシュ・ペーパー

12 * **棉** **mián** ❶名〈植〉キワタノキ. インドワタノキ. パンヤノキ ❷名〈植〉ワタ. 綿花

【棉袄】mián'ǎo 名 綿入れの上着
【棉被】miánbèi 名 綿入れの掛け布団
【棉布】miánbù 名 綿布. 木綿布
【棉大衣】miándàyī 名 綿入れのオーバー・コート
【棉纺】miánfǎng 形 綿糸紡績の ‖ ～厂 綿織工場
【棉猴儿】miánhóur 名 方 フードの付いた防寒用上着. アノラック
**【棉花】miánhua 名 ❶〈植〉ワタ ❷綿花
【棉裤】miánkù 名 綿入れズボン
【棉铃】miánlíng 名 ワタの実. ふつう〔棉桃〕という
【棉毛裤】miánmáokù 名 厚手のメリヤスのズボン下
【棉毛衫】miánmáoshān 名 厚手のメリヤスのシャツ
【棉农】miánnóng 名 綿作農家
【棉袍子】miánpáozi 名 綿入れの中国式の長い女性用の服. 〔棉袍儿〕ともいう
【棉签】miánqiān (～儿) 名 綿棒
【棉纱】miánshā 名 綿糸 ‖ 纺fǎng～ 綿を糸に紡ぐ
【棉毯】miántǎn 名 綿毛布
【棉桃】miántáo 名 ワタの実
【棉套】miántào 名 (飯びつやティー・ポットにかぶせる保温用の)綿入れのカバー
【棉线】miánxiàn 名 綿糸. 木綿糸. カタン糸
【棉鞋】miánxié 名 綿入れの靴
【棉絮】miánxù 名 ❶綿の繊維 ❷布団や服に詰める綿
**【棉衣】miányī 名 綿入れの衣服

M

【棉织品】miánzhīpǐn 图 綿織物
【棉子】【棉籽】miánzǐ 图 ワタの種子
【棉子油】【棉籽油】miánzǐyóu 图 綿実油(めんじつゆ)

miǎn

7 * **免** miǎn ❶動 免ずる. 免除する ‖ 为了节省时间, 这些手续就都～了 時間を節約するため, これらの手続きはすべて省いた | ～去科长的职务 課長の職を免ずる ❷動 免れる. 避ける ‖ 难～ 避けがたい ❸副 …すべからず. …してはならない ‖ 工程重地, 闲人～进 工事現場につき, 無用の者立ち入るべからず

*【免不了】miǎnbuliǎo 動 免れない. 避けられない ‖ 工作中犯点儿错误是～的 仕事でミスをするのは避けられないことだ

*【免除】miǎnchú 動 免除する. 解く ‖ ～他的职务 彼の職務を解く | ～兵役bīngyì 兵役を免除する

*【免得】miǎnde 接 (…すれば) …しないですむ. …しないですむように. …するといけないから ‖ 这事得说清楚, ～引起误会 誤解を招かないように, この事ははっきり言っておかなくてはならない

*【免费】miǎn//fèi 動 料金を免除する. 無料にする. ただにする ‖ ～提供饮料 飲み物は無料で提供する

【免冠】miǎnguān 動 ❶書 脱帽する ❷帽子を脱ぐ ‖ 半身～相片xiàngpiàn 上半身無帽の写真

【免贵】miǎnguì 動 挨拶 謙 (私に)そんな丁寧な言い方はご無用です ‖ "贵姓?" "～, 姓李" 「お名前は何とおっしゃいますか」「李と申します」

【免检】miǎnjiǎn 動 検査を免除する

【免票】miǎn//piào 動 (乗車や入場のさいに)チケットがいらない. 無料になる 图 (miǎnpiào)無料券. フリーパス

【免签】miǎnqiān 動 ビザを免除する

【免试】miǎnshì 動 試験を免除する

【免税】miǎn//shuì 動 免税にする ‖ ～品 免税品

【免提】miǎntí 图 ハンズフリー ‖ 车载chēzài～ 車載用ハンズフリー | ～通话 ハンズフリー通話

【免刑】miǎn//xíng 動 刑を免除する

【免修】miǎnxiū 動 (ある学科の)履修を免除する

【免验】miǎnyàn 動 検査を免除する

【免役】miǎnyì 動 兵役を免除する

【免疫】miǎnyì 動〈医〉免疫をもつ ‖ ～力 免疫力

【免疫疗法】miǎnyì liáofǎ 图〈医〉免疫療法

【免予起诉】miǎnyǔ qǐsù 組 起訴を取り下げる ‖ 因证据不足～ 証拠不足のため起訴を取り下げる

【免征】miǎnzhēng 動 徴収を免除する

【免职】miǎn//zhí 動 免職する

【免罪】miǎn//zuì 動 免罪する

7 **沔** miǎn 地名用字 ‖ ～水 漢水の上流域

8 **黾**(黽) miǎn 古〔渑miǎn〕に同じ

9 **勉** miǎn ❶努力する. 励む ❷励ます. 元気づける ‖ 互～互励lì お互いに励まし合う ❸無理をする ‖ 一～强

【勉力】miǎnlì 動 力を注ぐ. 努力する

*【勉励】miǎnlì 動 励ます. 激励する ‖ 互相～ お互いに励まし合う

*【勉强】miǎnqiǎng 形 ❶無理である ‖ 他当翻译很～ 彼が通訳をつとめるのは難しい ❷無理なさま. いやなさま ‖ 她答应得很～ 彼女はしかたなくうんと言った ❸無理がある. 十分でない ‖ 这个理由很～ その理由はどうもこじつけがましい ❹なんとか間に合う. かろうじて間に合う ‖ 这点儿钱勉勉强强够用到月底 これだけのお金で, 月末までなんとかやっていけそうだ 動 無理強いする. 無理にさせる ‖ 他不愿意就算了, 不要～他了 彼が望まなければそれまでだ, 無理強いすることはない

【勉为其难】miǎn wéi qí nán 成 力の及ばないことを無理に引き受ける

10 **娩** miǎn 分娩(ぶんべん)する ‖ 分～ 分娩する

11 **渑**(澠) miǎn 地名用字 ‖ ～池 河南省にある県の名 ➤ shéng

11 **冕** miǎn (古代の帝王・諸侯・卿(けい)・大夫がかぶった)冠(かんむり) ‖ 加～ 戴冠(たいかん)する

12 **湎** miǎn 書 ふける. おぼれる ‖ 沉～おぼれる

12 **缅** miǎn はるか遠いさま ‖ 一～怀

【缅甸】Miǎndiàn 图〈国名〉ミャンマー

【缅怀】miǎnhuái 動 追想する. 偲(しの)ぶ ‖ ～已故的母亲 亡き母を偲ぶ | ～往事 往事を追想する

13 **腼** miǎn ➘

【腼腆】miǎntian ; miǎntiǎn 形 はにかむさま. 恥ずかしがるさま. 〔靦覥〕とも書く

miàn

9 ** **面**[1] miàn ❶顔 ‖ 见～ 顔を合わせる | 笑容满～ 満面に笑みをたたえる ❷面と向かって. 直接に ‖ 一～谢 ❸面会する. 会う ‖ 谋～ 会う. 知り合う ❹量 (面会の回数を数える)回. 度 ‖ 以前见过几～ 以前何度か会ったことがある ❺動 向かう. 面する ‖ ～街 通りに面している ❻前面. 前 ‖ 门～ 間口 ❼方面. 面 ‖ 问题的另一～ 問題の別の一面 ❽接尾 (方向を示す語の後に置き) …の方. …の側 ‖ 外～ 外. 外側 | 上～ 上. 上方 ❾图 (～儿)(物体の)表面. 面 ‖ 桌～ 机の表面 ❿量 (平たいものを数える)枚 ‖ 一～镜子 1枚の鏡 | 三～旗子 3枚の旗 ⓫图〈数〉面 ⓬图 (～儿)(服や布などの)おもて. 表側. 外側 ‖ 大衣的～儿 オーバーの表

9 ** **面**[2](麵 麪) miàn ❶图 小麦粉. (広く)穀物をひいた粉 ‖ 白～ 小麦粉 | 豆～ 大豆の粉. きな粉 ❷图 (～儿)粉状のもの ‖ 胡椒hújiāo～儿 コショウ | 药～儿 粉薬. 散薬 ❸图 麵(めん)類. うどん. そば ‖ 一～条 | 凉～ 冷やしそば ❹形 方 (食物が)軟らかい

★【面包】miànbāo 图 パン. パン類 ‖ 烤～ パンをトーストする. パンを焼く

*【面包车】miànbāochē 图 マイクロバス. ステーション・ワゴン

【面包圈】miànbāoquān (～儿) 图 ドーナツ. 〔油炸yóuzhá面包圈儿〕〔油炸面圈儿〕ともいう

【面不改色】miàn bù gǎi sè 成 顔色一つ変えない. 泰然自若としているさま

【面部】miànbù 图 顔面. 顔

【面茶】miànchá 图 北京独特のおやつの一種. 炒ったキビの粉を熱湯で練ったもので, 〔麻酱〕(ごまペースト)や〔椒盐〕(サンショウ入りの塩)などをかけて食べる

M

【面陈】miànchén 動 直接会って述べる. じかに話す

【面呈】miànchéng 動 書 手渡す. じかに渡す

【面斥】miànchì 動 面責する. じかに会ってとがめる

【面的】miàndí 名 マイクロバスを使った乗り合いタクシー

*【面对】miànduì 動 面と向かう. 直面する ‖ ～困难 困難に直面する

【面对面】miàn duì miàn 組 面と向かって. 顔を突き合わせて ‖ ～地提意见 面と向かって異議を唱える

【面额】miàn'é 名 (紙幣や切手の)額面

【面访】miànfǎng 動 面接調査をする ‖ 问卷 wènjuàn式～调查 アンケート形式の面接調査

【面肥】miànféi 名 ❷〈料理〉マントーなどを作る際に用いる発酵の種で, 次回作るときのために取っておく発酵した小麦粉のかたまり

*【面粉】miànfěn 名 小麦粉

【面馆】miànguǎn (～儿) 名 麵類専門の食堂

【面红耳赤】miàn hóng ěr chì 成 (恥ずかしさ・焦り・怒りなどで)顔を真っ赤にする. 耳まで赤くなる

【面糊】miànhù 名 (食品の材料にする)水で練ったのり状の小麦粉

【面糊】miànhu 形 方 (イモなどが)筋が少なく軟らかい

【面黄肌瘦】miàn huáng jī shòu 成 顔色が悪く, 痩せこけている

**【面积】miànjī 名 面積 ‖ ～很大 面積がとても広い

【面颊】miànjiá 名 書 頰

【面交】miànjiāo 動 手渡す. じかに渡す ‖ 请把这个东西～王先生 この品物を王さんに手渡してください

【面巾】miànjīn 名 方 タオル

【面巾纸】miànjīnzhǐ 名 ❶紙ナプキン. ペーパータオル ❷ティッシュペーパー. 〔面纸〕ともいう

【面筋】miànjin 名 グルテン. 生麩(なまふ)

【面具】miànjù 名 ❶面. 覆面. マスク ‖ 防毒～ 防毒マスク ❷仮面 ‖ 假～ 仮面. 化けの皮

*【面孔】miànkǒng 名 顔. 顔つき ‖ 板着～ 仏頂面をする

【面料】miànliào 名 (服の)生地. 表地

*【面临】miànlín 動 ❶…に臨む. …に面する ❷直面する. 瀕(ひん)する ‖ 公司～着破产的危机 会社が倒産の危機に直面している

**【面貌】miànmào 名 ❶顔立ち. 顔つき ❷ありさま. 状態 ‖ 改变落后的～ 立ち後れた状態を変える

【面面观】miànmiànguān 名 諸相. (多く書物などのタイトルに用いる) ‖ 《日本社会～》『日本社会の諸相』

*【面面俱到】miàn miàn jù dào 成 隅々まで行き届く ‖ 照顾得～ 世話が至れり尽くせりである

【面面相觑】miàn miàn xiāng qù 成 互いに顔を見合わせる

【面膜】miànmó 名 顔面の美容パック

*【面目】miànmù 名 ❶顔. 顔つき ‖ ～可憎 kězēng 顔つきが憎たらしい ❷様相. 状態. 姿 ‖ 政治～ 政治的立場 ❸面目. メンツ

【面目全非】miàn mù quán fēi 成 昔の様相を少しも留めていない. 変わり果てて見る影もない

【面目一新】miàn mù yī xīn 成 面目を一新する

【面嫩】miànnèn 形 ❶年よりも若く見える ❷恥ずかしがり屋である. 気が弱い

【面庞】miànpáng 名 顔の形. 面差(おもざ)し

【面盆】miànpén 名 小麦粉をこねる鉢

【面坯儿】miànpīr 名 ゆでただけのうどん

【面皮】miànpí (～儿) 名 方 ギョーザやパオズの皮

【面洽】miànqià 動 直接会って話をする. 面談する

**【面前】miànqián 名 面前. 目の前 ‖ 事实摆在～, 他只好认错 事実を突きつけられて, 彼はやむなく誤りを認めた

【面人儿】miànrénr 名 糁粉(しんこ)細工の人形

*【面容】miànróng 名 顔つき. 顔かたち. 容貌 ‖ ～憔悴 qiáocuì 面やつれしている

【面如土色】miàn rú tǔ sè 成 顔色が土のようである. 顔に血の気がないさま. 〔面色如土〕ともいう

【面软】miàn//ruǎn 形 情にもろい. 気が弱い

【面色】miànsè 名 顔色 ‖ ～苍白 顔面蒼白である

【面纱】miànshā 名 ❶(婦人用の)ベール ❷ベール. 覆い ‖ 神秘～ 神秘のベール

【面善】miànshàn 形 ❶顔に見覚えがある ❷顔つきが穏やかである

【面商】miànshāng 動 顔を合わせて相談する. 直接話し合う

【面生】miànshēng 形 顔に見覚えがない

【面食】miànshí 名 小麦粉で作った食品の総称 ‖ 北方人喜欢吃～ 中国北方の人は小麦粉で作った食品を好む

【面市】miànshì 動 商品が市場に出る. 発売される

【面世】miànshì 動 (作品や生産物が)世に出る. (出来・不出来を)世に問う

【面试】miànshì 動 面接試験をする

【面授】miànshòu 動 直接授ける. じきじきに伝授する

【面授机宜】miàn shòu jī yí 成 その場にふさわしい対策を直接授ける. じきじきに指南する

【面熟】miànshú 形 顔に見覚えがある ‖ 这人很～, 好像在哪儿见过 この人は確かに見覚えがある顔だ, どうもどこかで会ったことがあるような気がする

【面诉】miànsù 動 面と向かって訴える

【面瘫】miàntān 名〈医〉顔面神経麻痺

*【面谈】miàntán 動 面談する. 直接会って話をする ‖ 电话里说不清楚, 改日～吧 電話じゃ話がはっきりしないから, 日を改めて直接会って話そう

【面汤】miàntāng 名 麵のゆで汁

★【面条】miàntiáo (～儿) 名 うどん. そば. 麵類 ‖ 擀～ こねた小麦粉を麵棒で延ばす | 下～ 麵を煮る

【面团】miàntuán (～儿) 名 こねた小麦粉のかたまり

【面无人色】miàn wú rén sè 成 顔に血の気がない. 顔が真っ青になる ‖ 吓得～ 恐怖のあまり色を失う

【面晤】miànwù 動 書 面会する

【面向】miànxiàng 動 …の方に向かう. …に顔を向ける ‖ ～小学生的读物 小学生向けの読み物

【面相】miànxiàng 名 方 顔つき. 容貌

【面谢】miànxiè 動 会って礼を言う

【面叙】miànxù 動 直接会って語り合う

【面议】miànyì 動 書 直接会って相談する

【面影】miànyǐng 名 面影 ‖ 母亲的～ 母の面影

【面誉背毁】miàn yù bèi huǐ 成 目の前ではほめて, 陰では悪口を言う

【面罩】miànzhào 名 マスク. 顔面につける防具

【面值】miànzhí 名 額面価格. 額面金額

【面纸】miànzhǐ 名 ティッシュペーパー =〔面巾纸〕‖ 盒装～ 箱入りティッシュペーパー

*【面子】miànzi 名 ❶(物の)表面. 表地(おもて) ❷面目. メンツ. 顔 ‖ 爱～ メンツを重んじる | 丢 diū～ 面目をつぶす ❸情実. よしみ ‖ 给他个～ 彼の顔を立てる |

碍ài于～，不好说他 彼とのよしみを配慮すれば，非難するわけにもいかない

miāo

11 **喵** miāo 擬（ネコの鳴き声）ニャーニャー ‖ 小猫～～叫 小ネコがニャーニャーと鳴く

miáo

8 * **苗** miáo ❶名（～儿）芽．苗．若い茎 ‖ 麦～儿 ムギの苗 ❷名（～儿）子孫．後継者 ‖ 他家就这么一根～儿了 あの家は子孫を一人残すのみだ ❸（ニンニクや豆などの）食材にする茎や葉 ‖ 豌豆wāndòu～ エンドウの若芽 ❹兆候 ‖ →～头 ❺〈鉱〉露頭 ‖ 矿～ 露頭 ❻稚魚や家畜の子 ‖ 鱼～ 稚魚 ❼（～儿）苗に似た形のもの ‖ 火～ 炎 ❽ワクチン ‖ 疫yì～ ワクチン

【苗木】miáomù 名 苗木

【苗圃】miáopǔ 名 苗圃（びょうほ）．苗畑

【苗条】miáotiao 形（女性の体つきが）すらりとしている．きゃしゃである．ほっそりしている ‖ 身材～ 体つきがスリムだ

【苗头】miáotou 名 ❶兆し．徴候 ❷事態の方向．風向き ‖ 他一看～不对，赶紧溜liū了 彼は雲行きが怪しいと見てとると，慌ててこっそり逃げ出した

【苗子】miáozi 名 喩 若い後継者．跡継ぎ．跡取り

【苗族】Miáozú 名 ミャオ族（中国少数民族の一つ，主として貴州・湖南・雲南・四川・広東・湖北の各省と広西チワン族自治区に居住）

11 * **描** miáo ❶動 原画のとおりに描く．手本をなぞってかく．敷き写す ‖ ～图案 図案を敷き写す ❷動（同じ場所を）上から重ねて塗る．なぞる ‖ ～眉 眉（まゆ）を引く

【描红】miáohóng 動（習字で）手本をなぞる 名 赤いインクで印刷した習字用手本

【描画】miáohuà 動 描く．描写する．（多く比喩に用いる）‖ 他常常在心里～着自己的未来 彼は自分の将来をいつも心の中に描いている

*【描绘】miáohuì 動 描く．描写する ‖ 这幅fú画～的是人们欢庆节日的场面 この絵は人々が祝日を祝う情景を描いたものである

【描金】miáojīn 動（器物・壁・柱などに）金泥（きんでい）で装飾を施す

【描摹】miáomó 動 描写する．模写する

*【描述】miáoshù 動 描写する．叙述する ‖ 他向我们～了当时dāngshí的情景 彼は我々に当時の光景を語ってくれた

【描图】miáo//tú 動 トレースする

【描图纸】miáotúzhǐ 名 トレーシング・ペーパー

**【描写】miáoxiě 動 描写する．叙述する ‖ ～得很生动 生き生きと描写してある

13 **瞄** miáo 動 視線を一点に集中させる ‖ ～得真准 ねらいが実に正確だ

【瞄准】miáo//zhǔn（～儿）動 ねらいをつける．ねらい定める ‖ ～靶子bǎzi 標的をねらう

13 **鹋** miáo ➡〔鸸鹋érmiáo〕

miǎo

8 **杪** miǎo 書 ❶梢（こずえ） ❷年・月・四季の末 ‖ 岁～ 年末 ｜ 春～ 晩春

9 **眇**（△眇）miǎo 書 ❶片方の目が見えない ❷きわめて小さい

9 ** **秒** miǎo 量 単位名，秒 ①古代の長さの単位 ②弧・角・経緯度の単位 ③時間の単位 ‖ 争分夺～ 分秒を争う

【秒表】miǎobiǎo 名 ストップ・ウォッチ

【秒差距】miǎochājù 量〈天〉（宇宙での距離を表す単位）パーセク

12 **渺**[1]（△渺 淼❶）miǎo ❶（海や湖が）広々として果てしない ‖ 烟波浩hào～ もやが一面にたなびいている ❷遠くかすんではっきり見えない．見通しがつかない．広々と果てしない．渺茫（びょうぼう）としている ‖ →～无人烟

12 **渺**[2]（△渺）miǎo きわめて小さい ‖ ～不足道 ささいなことで取るに足りない

【渺茫】miǎománg 形 ❶遠くかすんでいる．はるかに果てしない ❷どうなるか分からない．見通しがつかない ‖ 前途～ これから先どうなるのか見通しがつかない

【渺渺】miǎomiǎo 形 書 渺々としている．はるかに遠い

【渺然】miǎorán 形 かすかではっきりしないさま ‖ 音信～ 杳（よう）として便りがない

【渺无人烟】miǎo wú rén yān 成 渺茫として一軒の人家も見当たらない

【渺无音信】miǎo wú yīn xìn 成 杳として消息がない

*【渺小】miǎoxiǎo 形 微小である．きわめて小さい ‖ 个人的力量是～的 個人の能力など知れたものである

【渺远】miǎoyuǎn 形 書 はるかに遠い

12 **缈** miǎo ➡〔缥缈piāomiǎo〕

17 **邈** miǎo 書 はるかに遠い ‖ 消息～然 ずっとなんの便りもない

17 **藐** miǎo 小さい．微小である ‖ →～小

【藐视】miǎoshì 動 見下す．軽視する

【藐小】miǎoxiǎo ＝〔渺小miǎoxiǎo〕

miào

7 ** **妙**（△玅❶～❸）miào ❶精緻（せいち）である ‖ 精～ 精妙である ❷形 すばらしい ‖ 这个办法真～ このやり方はなかなか鮮やかなものだ ❸形 玄妙である．摩訶（まか）不思議である ‖ 灵丹língdān～药 霊験あらたかな妙薬

【妙笔】miàobǐ 名 優れた書画や文章

【妙不可言】miào bù kě yán 成 口では言い表せないほどすばらしい

【妙处】miàochù 名 優れた点．精彩を放つところ ‖ 说到～，听众齐声喝彩hècǎi 話が佳境に入ると，聴衆はいっせいに喝采（かっさい）を送った

【妙法】miàofǎ 名 妙法．うまい方法

【妙计】miàojì 名 妙案．巧妙なはかりごと

【妙诀】miàojué 名 こつ．要領

【妙龄】miàolíng 名 妙齢．年ごろ

【妙论】miàolùn 名 すばらしい理論．巧みな論法

【妙年】miàonián 图妙齢. 年ごろ
【妙品】miàopǐn 图絶品. 優れた作品
【妙趣横生】miào qù héng shēng 成 妙趣が横溢(おういつ)する. 軽妙洒脱(しゃだつ)だ
【妙手回春】miào shǒu huí chūn 成 回春の妙手. 医術が優れているたとえ
【妙算】miàosuàn 图妙策. 妙計
【妙药】miàoyào 图妙薬. 万能薬
【妙用】miàoyòng 图すばらしい効き目
【妙语】miàoyǔ 图機知に富む言葉‖～连珠 当意即妙の言葉が次々に飛び出す
【妙语解颐】miào yǔ jiě yí 成 しゃれで人を笑わせる

8 ** 庙(廟) miào ❶图 廟(びょう). 祖先を祭る所‖祖～ 祖先を祭る廟 ❷图 廟. 神仏や高貴な人を祭る所‖寺～ 寺院. 寺や廟｜孔kǒng～ 孔子廟 ❸廟の縁日‖赶gǎn～ 縁日に出かける
【庙号】miàohào 图古 皇帝の諡(おくりな). 廟号(びょうごう)
*【庙会】miàohuì 图縁日
【庙堂】miàotáng 图❶廟 ❷書 朝廷
【庙宇】miàoyǔ 图廟. (建物をさす)
【庙主】miàozhǔ 图〈宗〉(仏教や道教の)廟の住職

14 缪 miào 图姓 ➤ miù móu

miē

2 乜 miē ↴ ➤ niè
【乜斜】miēxie 動❶横目で見る. 多く軽蔑や不満を表す‖他～着眼睛, 冷笑了一下 彼は横目で見ながら, せせら笑いをした ❷眠くてまぶたがくっつきそうになる
9 咩(△哶 咩) miē 擬(ヒツジの鳴き声)メエメエ

miè

5 ** 灭(滅) miè ❶動(火や明かりが)消える‖火～了 火が消えた ❷動(火や明かりを)消す‖吹～了蜡烛làzhú ろうそくを吹き消した ❸水没させる‖→～顶 ❹動 消えてなくなる. 消滅する‖自生自～ 自然に発生し, 自然に消滅する ❺動 滅ぼす‖～了他的威风 彼の威光がなくなる
【灭顶】miè//dǐng 動書 頭の上まで水につかる. おぼれ死ぬ‖～之灾zāi 致命的な災難
【灭火】miè//huǒ 動 火を消す
【灭火器】mièhuǒqì 图消火器
【灭迹】miè//jì 動痕跡(こんせき)を消す
【灭绝】mièjué 動❶すっかり消滅する. 絶滅する ❷まったく喪失する‖～人性 人間性を喪失する
【灭口】miè//kǒu 動秘密が漏れないように関係者を殺す. 口封じをする‖杀人～ 人を殺して口封じする
【灭门】mièmén 動一族が皆殺しにされる
*【灭亡】mièwáng 動❶滅ぶ. 滅亡する ❷滅ぼす. 滅亡させる
【灭种】miè//zhǒng 動❶種族を絶滅させる. 民族を滅ぼす ❷種が絶滅する‖稀有动物濒临bīnlín～ 希少動物が絶滅の危機に瀕(ひん)している
【灭族】mièzú 動古 (刑罰の一種)一族皆殺しにする

14 蔑[1] miè 小さい. 軽微である‖→～视｜轻～ 軽蔑(けいべつ)する
14 蔑[2] (衊) miè 人を中傷しおとしめる‖诬wū～ 中傷する
【蔑称】mièchēng 動さげすんで呼ぶ 图蔑称(べっしょう)
*【蔑视】mièshì 動さげすむ. 軽視する‖不可～的力量 侮りがたい力
17 篾 miè 图(～儿)竹やアシなどの皮を細く割いたもの(細工物の材料とする)
【篾匠】mièjiàng 图竹細工師
【篾片】mièpiàn 图竹を薄く割いたもの
【篾青】mièqīng 图竹の外皮
【篾条】miètiáo 图細割りの竹ひご
【篾席】mièxí 图竹で編んだむしろやござ

mín

5 民 mín ❶民. 民衆‖～以食为天 民は食をもって天となす. 民衆にとって食べることは何よりも大切なものである ❷(官に対して)民間の‖～营 民営 ❸ある民族の人‖藏Zàng～ チベット族の人｜回～ 回族の人 ❹ある種の職業に従事する人‖牧民 牧畜民 ❺(軍に対して)民間の‖→～航
【民办】mínbàn 形民間が設立した. 民営の‖～小学 民間が運営する小学校
【民变】mínbiàn 图旧 民衆蜂起(ほうき)
*【民兵】mínbīng 图民兵
【民不聊生】mín bù liáo shēng 成 人民が生活のよりどころを失う. 人々が安心して暮らせない
【民船】mínchuán 图民間用の船
【民法】mínfǎ 图〈法〉民法
【民房】mínfáng 图民家. 私有の家屋
【民愤】mínfèn 图民衆の憤激
【民风】mínfēng 图社会の気風. 民間の気風
【民夫】【民伕】mínfū 图旧 役所や軍隊の賦役に駆り出された人民
【民负】mínfù 图民の負担. 庶民の負担‖减轻～ 庶民の負担を減らす
*【民歌】míngē 图民間の歌謡. 民謡
【民工】míngōng 图❶道路建設や堤防修築工事などに動員された民間人 ❷出稼ぎ農民
【民国】Mínguó 图❶中華民国(1912～1949年) ❷同前の年号
*【民航】mínháng 图略 民用航空.〔民用航空〕の略‖～客机 民間の旅客機
*【民间】mínjiān 图民間. 世間一般‖～故事 民間説話. 民話｜～验方 民間処法
【民间文学】mínjiān wénxué 图民間文学
【民间艺术】mínjiān yìshù 图民間芸術
【民警】mínjǐng 图略 人民警察.〔人民警察〕の略
【民居】mínjū 图民家
【民康物阜】mín kāng wù fù 成 人々は健やかに暮らし, 物も豊かである. 社会が安定し繁栄しているさま
【民力】mínlì 图人民の経済力. 民力
【民女】mínnǚ 图平民の女性
【民品】mínpǐn 图民需物資.〔民用品〕ともいう
【民企】mínqǐ 图民間企業.〔民营企业〕の略
【民情】mínqíng 图❶民情. 人々の生産活動や風俗習慣などの状況 ❷大衆の心情や願望. 国民感情
【民权】mínquán 图民権. 人民の権利

【民生】mínshēng 图 人民の生活 ‖ 国计～ 国家経済と国民生活
*【民事】mínshì 形〈法〉民事の ‖ ～案件 民事事件
【民事案件】mínshì ànjiàn 图〈法〉民事事件
【民事权利】mínshì quánlì 图〈法〉民法上の権利
【民事诉讼】mínshì sùsòng 图〈法〉民事訴訟
【民事责任】mínshì zérèn 图〈法〉民事責任
【民俗】mínsú 图 民俗. 民間の風俗習慣
【民俗学】mínsúxué 图 民俗学
【民望】mínwàng 图 書 ❶(政府に対する)人民の期待. 大衆の希望 ❷人民の手本
*【民心】mínxīn 图 人心 ‖ 深得dé～ 広く人々の支持を得る
【民选】mínxuǎn 動 人民が選出する. 民選する
【民谚】mínyàn 图 ことわざ. 諺語(げんご)
【民谣】mínyáo 图 (多く世相や時事に関する)民間歌謡. 落首(らくしゅ)
*【民意】mínyì 图 民意 ‖ ～测验 世論調査. アンケート
【民营经济】mínyíng jīngjì 图 民営経済. 国有経済以外の経済の総称
【民营企业】mínyíng qǐyè 图 民営企業
*【民用】mínyòng 形 (公用や軍用に対して)民用の. 民需の ‖ ～航空 民間航空
【民怨】mínyuàn 图 人民大衆の恨み
【民乐】mínyuè 图 民族楽器による伝統音楽
【民运】mínyùn 图 ❶民需品の輸送 ❷民主化運動
【民贼】mínzéi 图 人民の敵. 国賊
【民宅】mínzhái 图 個人が所有する住宅. 民家
【民政】mínzhèng 图 (行政事務の一部門)民政
【民脂民膏】mín zhī mín gāo 成 人民の血と汗の結晶 ‖ 搜刮sōuguā～ 人民の血と汗の結晶を搾り取る
【民智】mínzhì 图 国民の文化的水準
*【民众】mínzhòng 图 民衆. 大衆
**【民主】mínzhǔ 图 民主 ‖ ～选举 民主的選挙 | 作风～ やり方が民主的である
【民主党派】mínzhǔ dǎngpài 图 民主党派. 中国共産党の指導する民主統一戦線に参加している諸党派の総称. 中国国民党革命委員会(民革), 中国民主同盟(民盟), 中国民主建国会(民建), 中国民主促進会(民進), 中国農工民主党(農工党), 中国致公党(致公党), 台湾民主自治同盟(台盟), 九三学社(九三)の８党派
【民主改革】mínzhǔ gǎigé 图 民主的改革
【民主革命】mínzhǔ gémìng 图 民主主義革命
【民主集中制】mínzhǔ jízhōngzhì 图 民主集中制. 民主主義的中央集権制
【民主主义】mínzhǔ zhǔyì 图 民主主義. デモクラシー
★【民族】mínzú 图 民族 ‖ ～服装 民族衣装
【民族区域自治】mínzú qūyù zìzhì 图 少数民族居住区(自治区・自治州・自治県など)の地域自治
【民族形式】mínzú xíngshì 图 民族固有の文化・芸術上の表現スタイル
【民族主义】mínzú zhǔyì 图 ❶民族主義. ナショナリズム ❷民族主義(孫文が提唱した三民主義の一つ)
【民族资本】mínzú zīběn 图 民族資本. 土着資本
8 苠 mín 形〈農〉晩生(おくて)である ‖ ～高粱gāoliáng 晩生のコーリャン

8 岷 mín 地名用字 ‖ ～山 四川省と甘粛省の境界にある山の名
9 珉 mín 古 玉(ぎょく)に似た美しい石
12 缗 mín 古 ❶銅銭を通した縄. 銭差し ❷ひもに通した銅銭を数える. 一差しが1000文

mǐn

5 皿 mǐn ⇒〔器皿qìmǐn〕
8 泯(△泯) mǐn 消える. なくなる. 消す. なくす ‖ 童tóng心未～ 童心がまだ残っている
【泯灭】mǐnmiè 動 書 (痕跡(こんせき)や印象などが)なくなる. 消える. 忘れる ‖ 难以～的印象 忘れがたい印象
【泯没】mǐnmò 動 書 (形跡や功績などが)消失する
8 抿[1] mǐn 動 (刷毛(はけ)に油や水をつけて)髪をなでつける
8 抿[2] mǐn ❶動 (口を)すぼめる. (翼を)たたむ ‖ ～着嘴ㄦ笑 口をすぼめて笑う ❷動 口をすぼめてほんの少し飲む. ちょっと口につける
【抿子】mǐnzi 图 髪をなでつける刷毛. ブラシ
9 闽 mǐn ❶古代の民族名. 現在の福建一帯に居住していた ❷地名用字 ‖ ～江 福建省にある川の名 ❸图 福建省の別称
【闽剧】mǐnjù 图〈劇〉福建省中部・東部沿海地区から発展した地方劇.〔福州戏〕ともいう
【闽南话】mǐnnánhuà 图 閩南語(びんなんご). 福建省南部・広東省東部・台湾の方言
10 悯 mǐn 哀れむ. 同情する ‖ 怜～ 不憫(ふびん)に思う. 同情する
11 敏 mǐn ❶反応が早い. すばしこい ❷聡明である. 賢い
*【敏感】mǐngǎn 形 敏感である. 複雑微妙である ‖ ～问题 微妙な問題
【敏慧】mǐnhuì 形 聡明である. 頭が切れる
*【敏捷】mǐnjié 形 (動作が)敏捷(びんしょう)である. すばしこい ‖ 动作～ 動作がきびきびしている
*【敏锐】mǐnruì 形 鋭敏である. 鋭い ‖ 目光～ 眼光が鋭い | 嗅觉xiùjué很～ 嗅覚(きゅうかく)が鋭い
13 愍 mǐn 古〔悯mǐn〕に同じ

míng

6 ** 名 míng ❶图 (～ㄦ)名前 ‖ 姓～ 姓名 | 点～ 点呼する. 指名する ❷書 名付ける. 命名する ❸書 (ものの)名を呼ぶ. 言い表す ❹動 名を…という ‖ 姓李～向军 姓を李, 名を向軍という ❺图 名目. 名称 ‖ 以工作为～, 用公款吃喝 仕事にことよせて, 公費で飲み食いする ❻書 所有する. 持つ ‖ 一文不～ 1文なし ❼名声. 評判 ‖ ～扬天下 広く天下に名を馳(は)せる ❽有名な ‖ ～画 名画 ❾量 人数をかぞえる. …名. …人 ‖ 第一～ 第1位. トップ

逆引き単語帳 〔姓名〕xìngmíng 姓名 〔笔名〕bǐmíng 筆名. ペンネーム 〔艺名〕yìmíng 芸名 〔小名〕xiǎomíng 〔乳名〕

M

rǔmíng 幼名．子供のころの愛称 〔曾用名〕céngyòngmíng 別名 〔化名〕huàmíng 偽名．変名．偽名を使う 〔签名〕qiānmíng 署名する．サインする 〔报名〕bàomíng 申し込む 〔点名〕diǎnmíng 点呼する．指名する 〔冒名〕màomíng 人の名前をかたる 〔匿名〕nìmíng 名前を隠す．名を秘す 〔起名ル〕qǐmíngr 〔取名ル〕qǔmíngr 名前をつける．名づける 〔出名〕chūmíng 〔闻名〕wénmíng 〔有名〕yǒumíng 〔著名〕zhùmíng 有名である．名高い

【名不副实】míng bù fù shí 成 有名無実である．〔名不符实〕ともいう ↔〔名副其实〕

【名不虚传】míng bù xū chuán 成 その名に背かない．評判どおりである

【名菜】míngcài 名 有名料理．名物料理

【名册】míngcè 名 名簿‖职工～ 従業員名簿

【名茶】míngchá 名 有名な茶．銘茶

【名产】míngchǎn 名 名産．名物

【名场】míngchǎng 名 科挙の試験場．広く，名誉や地位を競い合う場所

*【名称】míngchēng 名 名称

【名城】míngchéng 名 名高い都市．著名な都市

【名厨】míngchú 名 名調理師．名コック

M

【名垂千古】míng chuí qiān gǔ 成 名を永久にとどめる．〔名垂千秋〕ともいう

【名垂青史】míng chuí qīng shǐ 成 歴史に名をとどめる．その名が後世に長く伝えられる

**【名词】míngcí 名 ❶〈語〉名詞 ❷(～ル)術語．専門用語‖新～ル 新しい概念．新しい術語．新語

*【名次】míngcì 名 順位．席次‖排列～ 順位

【名存实亡】míng cún shí wáng 成 名だけが残り実質がない．有名無実である

*【名单】míngdān (～ル) 名 名簿．人名リスト‖宣布获奖者～ 受賞者名を発表する｜黑～ ブラック・リスト

*【名额】míng'é 名 定員．員数‖～有限，报名从速 cóngsù 人数に限りがありますので，応募の方はお早めに

【名分】míngfèn 名 名分．名義‖正～ 名分を正す

*【名副其实】míng fù qí shí 成 名実ともに備わっている．名実相伴う．〔名符其实〕ともいう ↔〔名不副实〕

*【名贵】míngguì 形 珍しくて貴重である．有名で高価である‖～的药材 高価な生薬(しょうやく)

【名过其实】míng guò qí shí 成 評判だけが高い．評判倒れ

【名号】mínghào 名 名前と号

【名讳】mínghuì 名 旧 尊敬する人の名前

【名家】míngjiā 名 ❶名家．名人 ❷(春秋戦国時代の一学派)名家

【名缰利锁】míng jiāng lì suǒ 成 名誉や利欲は手綱や鎖のように人を束縛する．名利のために縛られること

【名将】míngjiàng 名 名将．転 名選手‖足坛～ サッカー界の花形選手

【名教】míngjiào 名 人としての名分を示す教え．儒教の道徳

【名节】míngjié 名 名誉と節操．名節

【名句】míngjù 名 名句．有名な詩句

【名角】míngjué (～ル) 名 名優．花形役者

【名款】míngkuǎn 名 (書画の)作者の姓名の落款

【名利】mínglì 名 名利．名誉と利益‖～双收 名利ともに手にする

【名利场】mínglìchǎng 名 名利を争う場

【名列前茅】míng liè qián máo 成 上位に名を連ねる

【名伶】mínglíng 名 書 名優

【名流】míngliú 名 名士‖各界～ 各界の名士

【名录】mínglù 名 名簿．名鑑

【名落孙山】míng luò Sūn Shān 成 科挙の試験にびりで受かった孫山より下位である．不合格になること

【名满天下】míng mǎn tiān xià 成 その名が広く天下に知れわたる

【名门】míngmén 名 名門．声望のある家柄

【名模】míngmó 名 有名モデル

【名目】míngmù 名 ❶事物の名称．名目 ❷転 口実‖巧qiǎo立～ 巧みに口実を設ける

*【名牌】míngpái 名 ❶(～ル)有名銘柄．有名ブランド‖～大学 名門大学 ❷名札．表札．ネームプレート

**【名片】míngpiàn (～ル) 名 名刺‖交换～ 名刺を交換する｜递dì～ 名刺を差し出す

【名品】míngpǐn 名 名品．逸品

*【名气】míngqi 名 名声．評判‖～大 評判が高い｜小有～ 少しは名が知られている

【名签】míngqiān 名 (会議・宴会などで座席に置く)名札．ネームプレート

*【名人】míngrén 名 著名人．名士

【名山大川】míng shān dà chuān 成 名山と大河．景勝の地

*【名声】míngshēng 名 名声．評判‖好～ 立派な評判．名声｜～很坏 評判が甚だよくない

**【名胜】míngshèng 名 名所‖～古迹gǔjì 名所旧跡

【名师】míngshī 名 高名の師‖～出高徒 立派な先生からは優秀な学生が育つ

【名实】míngshí 名 名称と内実．名実

【名士】míngshì 名 ❶旧 詩や文章で名高い人 ❷古 在野の名士

【名氏】míngshì 名 書 姓名

【名手】míngshǒu 名 名手．名人

【名堂】míngtang 名 ❶さまざまな趣向や名目．あの手この手の策‖这回他又不知想出什么～来了 こんどは彼がまたどんな手を使ってくることやら ❷成果．結果‖问了半天，也没问出个～ ひとしきり尋ねてみたが，結局何も聞き出せなかった ❸道理．深い内容‖他的话里还真有点ル～呢！ 彼の話にはなかなかどうして中身があるよ

【名帖】míngtiě ＝〔名片míngpiàn〕

【名头】míngtou 名 方 名声．評判

【名望】míngwàng 名 名声と人望．声望

【名位】míngwèi 名 名誉と地位

【名下】míngxià 名 名義‖这笔账就记在我～吧 この勘定は私の名前でつけておいてください

*【名义】míngyì 名 ❶名義 ❷(多く〔名义上〕の形で)名目．形式‖他只是～上的顾问 彼は名ばかりの顧問である

【名义工资】míngyì gōngzī 名〈経〉名目賃金

【名优】[1] míngyōu 名 名優．優れた役者

【名优】[2] míngyōu 形 有名ブランドで品質がよい‖～产品 有名で品質も確かな製品

*【名誉】míngyù 名 名誉．名声‖～扫地 名声が地に落ちる 形 地位や職名に冠して，名誉職を表す‖～教授 名誉教授

【名噪一时】míng zào yī shí 成 一時期その名が世間に知れわたる. 一世を風靡(ふうび)する
【名章】míngzhāng 名 人名を彫った印章
【名正言顺】míng zhèng yán shùn 成 道理が正しく筋道が通っている. 文句なく正当であること
【名著】míngzhù 名 名著. 有名な著作
【名状】míngzhuàng 動 言い表す. 名状する. (多く否定的に用いる) ‖ 难以～ なんとも言い表せない
★【名字】míngzi 名 ❶姓名(フルネーム) ‖ 我的～叫王小明 私の名前は王小明といいます ❷(姓を含まない)名前 ‖ 我姓张, ～叫志强 私は姓は張, 名前は志強といいます ❸事物の名称 ‖ 电影的～ 映画の題名
【名作】míngzuò 名 有名な作品. 名作
8 明[1] míng ❶形 明るい ↔〔暗〕 ❷形 (夜が明けて)空が明るい ❸翌. 明くる ‖ ～晚七点 明晩7時 ❹形 明らかである. はっきりしている ‖ 问～原因 原因を問いただす ❺分かる. 理解する ‖ 不～真相 真相が分からない ❻書 明らかにする ‖ 开宗zōng～义 冒頭で全編の主旨を明らかにする ❼形 公然の. 現れている ↔〔暗〕‖ →～争暗斗 ❽副 明らかに. はっきりと ‖ →～知故犯 ❾視力 ‖ 双目失～ 両目を失明する ❿視力がよい. 目ざとい ‖ 耳聪cōng目～ 耳がさとく, 目ばしこい. 物分かりが早い
8 明[2] míng 名 (中国の王朝名)明(みん). 明代 ‖ ～清白话小说 明・清代の口語体小説
*【明白】míngbai 形 ❶明瞭(めいりょう)である. はっきりしている ‖ 事故的原因弄～了 事故の原因が明らかになった ❷おおっぴらである. 公然と ‖ 他～表示不赞成这个提议 彼は公然とこの提案に反対であることを表明した ❸物分かりがよい ‖ 这人很～ この人はとても分かりがいい 動 分かる. 理解する. わきまえる ‖ 嘴上不说, 心里～ 口では言わなくても, 心の中では分かっている
【明白人】míngbairén 名 道理をよくわきまえた人. 賢明な人
【明摆着】míngbǎizhe 動 すぐ目の前に置いてある. 分かりきっている ‖ ～的事实 明々白々な事実
【明辨是非】míng biàn shì fēi 成 是非をはっきりさせる
【明察】míngchá 動 明察する. はっきり見透かす
【明察暗访】míng chá àn fǎng 成 公然と調べたり, こっそり訪ねたりする. いろいろな方法でとことん調べ上げる
【明察秋毫】míng chá qiū háo 成 どんな小さなことも見てとる. 眼力の鋭いこと
【明畅】míngchàng 形 (言葉や文章が)分かりやすく, なめらかである
【明澈】míngchè 形 明るく澄みきっている
【明处】míngchù 名 ❶明るい場所. 日なた ❷公の場所. 人前
【明达】míngdá 動 道理に通じる. 道理をわきまえる ‖ ～事理 道理をよくわきまえている
【明灯】míngdēng 名 明かり. 大衆を正しい方向に導く人または事物のたとえ
【明断】míngduàn 動 明快で公正に判定を下す ‖ 做出～ 明断を下す
【明矾】míngfán 名〈化〉明礬(みょうばん)
【明沟】mínggōu 名 ふたのない下水溝 ↔〔暗沟〕
【明后天】mínghòutiān 名 明日かあさって. 近日中
【明晃晃】mínghuānghuāng (～的) 形 きらきら光っている. ぴかぴかしている
【明火】mínghuǒ 名 炎の上がっている火. 明るい火
【明火执仗】míng huǒ zhí zhàng 成 たいまつをかざし, 武器を手に持つ. 公然と悪事をはたらく
【明间儿】míngjiānr 名 直接外部に通じる部屋. 入り口の間
【明鉴】míngjiàn 名 ❶くもりのない鏡. 明鏡 ❷はっきりとした手本や戒め 動 旧 敬 明察する
【明胶】míngjiāo 名 ゼラチン
【明净】míngjìng 形 明るくくもりがない. 澄みわたっている
【明镜】míngjìng 名 くもりのない澄みきった鏡 ‖ 心如～ 心は鏡のように澄んでいる
【明镜高悬】míng jìng gāo xuán 成 裁判官の裁きが厳正であることのたとえ.〔秦Qín镜高悬〕ともいう
【明快】míngkuài 形 ❶(言葉や文章が)分かりやすくすっきりしている. 明快である ❷(性格が)明るくさっぱりしている. 思い切りがよい
【明来暗往】míng lái àn wǎng 成 貶 あるときは公然と, あるときはひそかに接触する. 陰に陽に通じる
*【明朗】mínglǎng 形 ❶(光が)明るい ❷明確である. はっきりしている ‖ 态度～ 態度が明瞭である ❸明朗である. 明るく朗らかである ‖ ～的性格 明るくさっぱりした性格
【明里】míngli ; mínglǐ 名 表面上. 表向き
【明理】mínglǐ 動 道理をよくわきまえる 名 (～儿)明白な道理
【明丽】mínglì 形 (風物が)清らかで美しい. 明媚(めいび)である ‖ 风光～ 風光明媚である
**【明亮】míngliàng 形 ❶(光が)明るい ❷きらきら輝いている ‖ ～的月光 明るく輝く月の光 ❸(疑問やわだかまりが解けて)爽快(そうかい)である ‖ 听了这话, 我心里～多了 その話を聞いて, 私の気持ちはだいぶすっきりした
【明了】míngliǎo 動 はっきりと分かる. きちんと理解している ‖ 不甚shèn～ さほど分かってはいない 形 明白である
【明令】mínglìng 名 文章で明示し公布する命令 ‖ ～禁止 明文で禁止する
【明码】míngmǎ 名 ❶(普通の)電報コード ↔〔密码〕 ❷正価. 正札 ‖ ～标价 正札で価格を表示する
【明媒正娶】míng méi zhèng qǔ 成 正式な手続きを踏んで結婚する
【明媚】míngmèi 形 明媚(めいび)である ‖ 春光～, 风和hé日暖 春の景色は美しく, 日和はうららかである
【明面】míngmiàn (～儿) 名 表面. 表向き. 公(おおやけ)
【明灭】míngmiè 動 明滅する
*【明明】míngmíng 副 明らかに. 間違いなく ‖ ～放在桌上了, 怎么又不见了呢? 確かにテーブルに置いたのに, どうしてなくなってしまったんだろう
【明眸皓齿】míng móu hào chǐ 成 すっきりした目元と真っ白な歯並み. 明眸皓歯(めいぼうこうし)
【明目张胆】míng mù zhāng dǎn 成 おおっぴらにはばかることなく(悪事をはたらく)
★【明年】míngnián 名 明年. 来年
【明器】míngqì 名 古 明器. 墓の副葬品. はにわの類
【明枪暗箭】míng qiāng àn jiàn 成 公然たる攻撃と背後での中傷. 陰に陽に攻撃や中傷を加えること
【明渠】míngqú 名 露溝. ふたのない水路
**【明确】míngquè 形 はっきりしている ‖ ～的答复 はっきりした返答 動 はっきりさせる. 明確にする ‖ ～前进的方向 進むべき方向を明確にする
【明人】míngrén 名 公明正大な人 ‖ ～不做暗事

公明正大な人物はこそこそしたことはしない

【明日】 míngrì 图 明日

【明日黄花】 míng rì huáng huā 成(重陽節の)翌日の菊の花．十日の菊，六日のアヤメ．時節はずれで役に立たないもののたとえ

【明锐】 míngruì 形 光って鋭い ‖ 目光～ 眼光が鋭い

【明闪闪】 míngshǎnshǎn (～的) 形 明るく輝いている．きらきら輝いている

【明示】 míngshì 動 書 明示する．明白に示す

【明说】 míngshuō 動 はっきりと言う．ありのままに言う ‖ 你有什么要求，就～吧！ 何か希望があるなら，遠慮なく言いなさい

【明太鱼】 míngtàiyú 图〈魚〉スケトウダラ．スケソウダラ

★**【明天】** míngtiān 图 ❶明日 ‖ ～见 またあした(会いましょう)．さようなら ❷将来 ‖ 美好的～ 麗しい未来

【明瓦】 míngwǎ 图 貝殻を薄く研磨したものをつなぎ合わせ，天窓や窓にガラス替わりにはめたもの

【明文】 míngwén 图(法令や規則などを)明確に規定した条文．明文

【明晰】 míngxī 形 はっきりしている．鮮やかである

【明细账】 míngxìzhàng 图 略(取引先別)明細帳簿．〔明细分类账〕の略

M

⁑**【明显】** míngxiǎn 形 明らかである ‖ 效果～ 効果が明らかである | 病情～好转 病状は著しく好転した

*__【明信片】__ míngxìnpiàn (～儿) 图 葉書 ‖ 寄～ 葉書を出す | 美术～ 絵葉書 | 有奖jiǎng～ 懸賞つき葉書

*__【明星】__ míngxīng 图 ❶旧 金星．明星(みょうじょう) ❷有名な俳優．スター ‖ 足球～ サッカーの花形選手

外国の固有名詞 | 映画監督・俳優・歌手 【オリバー・ストーン】…奥利佛・斯通 【ケリー・チャン】…陈慧琳 【ジャッキー・チェン】…成龙 【ジャック・ニコルソン】…杰克・尼科尔森 【スティーブン・スピルバーグ】…史蒂芬・斯皮尔伯格 【チャン・ツィイー】…章子怡 【テレサ・テン】…邓丽君 【フェイ・ウォン】…王菲 【ブリトニー・スピアーズ】…布兰妮 【マイケル・ジャクソン】…迈克尔・杰克逊 【マドンナ】…麦当娜 【モーニング娘。】…早安少女组 【レオナルド・ディカプリオ】…迪卡普里奥 【ロバート・デ・ニーロ】…罗伯特・德尼罗

【明修栈道，暗度陈仓】 míng xiū zhàn dào, àn dù Chéncāng 成 カモフラージュで相手を欺くたとえ．また，男女がひそかに関係を結ぶたとえ

【明言】 míngyán 動 明言する．はっきり言い切る

【明眼人】 míngyǎnrén 图 見識のある人．道理の分かる人．具眼の士

【明艳】 míngyàn 形 鮮明である．明るくて鮮やかである

【明油】 míngyóu 图〈料理〉炒め物で最後に少量加えて照りを出す油

【明喻】 míngyù 图〈語〉直喩

【明月】 míngyuè 图 ❶明月 ❷書〔夜明珠〕(夜も光るという伝説上の真珠)をさす

【明早】 míngzǎo 图 明朝．翌朝

【明哲保身】 míng zhé bǎo shēn 成 こざかしく立ち回って保身をはかる

【明争暗斗】 míng zhēng àn dòu 成 陰に陽にしのぎを削ること

【明正典刑】 míng zhèng diǎn xíng 成 法に照らして極刑に処する

【明证】 míngzhèng 图 明白な証拠

【明知】 míngzhī 動 よく知っている．百も承知している

【明知故犯】 míng zhī gù fàn 成 悪いと知っていながらわざとやる

【明知故问】 míng zhī gù wèn 成 知っているのにわざと尋ねる

【明志】 míngzhì 動 書 志を表明する

【明智】 míngzhì 形 賢明である．賢い

【明珠】 míngzhū 图 玉(ぎょく)．珠玉

【明珠暗投】 míng zhū àn tóu 成 ❶立派な物の価値が理解されず埋もれている ❷優れた人物が才能を発揮するチャンスに恵まれない

8 *__鸣__ míng ❶(鳥や虫が)鳴く ‖ 蝉chán～ セミが鳴く ❷(音が)鳴る．鳴らす ‖ 雷～ 雷が鳴る ❸(意見を)主張する．訴える ‖ 自～得意 自分をひけらかせて得意になる

【鸣鞭】 míngbiān 動 鞭(むち)を鳴らす

【鸣不平】 míng bùpíng 慣(不公正に対して)憤る．憤慨する

【鸣笛】 míngdí 動(笛・サイレン・呼び子などを)鳴らす

【鸣放】 míngfàng 動 ❶撃ち鳴らす ‖ ～礼炮pào 礼砲を鳴らす ❷意見をたたかわせる．議論を巻き起こす

【鸣鼓而攻之】 míng gǔ ér gōng zhī 成 相手の罪を鳴り物入りで攻撃する．人の非を大いに責めたてる

【鸣叫】 míngjiào 動(鳥や虫が)鳴く

【鸣金】 míngjīn 動 古(戦場で兵を引く合図の)どらを鳴らす ‖ ～收兵 どらを鳴らして兵を引き上げる

【鸣锣开道】 míng luó kāi dào 成 鳴り物入りで前宣伝をする．大々的に世論作りをしておく

【鸣谢】 míngxiè 動 書(公に)謝意を表明する

【鸣冤】 míngyuān 動 無実を訴える ‖ ～叫屈qū 無実を訴える

【鸣奏】 míngzòu 動(楽音が)鳴り響く．奏でる

9 **茗** míng 茶の若芽 ‖ 香～ 香りのよい茶．上等のお茶

10 **冥**(△冥冥) míng ❶書 暗い ‖ 天地晦huì～ 天地が真っ暗である ❷書 物分かりが悪い．愚昧(ぐまい)である ‖ →～顽 ❸奥深い ‖ →～想 ❹冥土(めいど)．あの世 ‖ ～界 あの世

【冥暗】 míng'àn 形 暗い

【冥钞】 míngchāo 图(葬式や命日のときに焼く)紙銭

【冥府】 míngfǔ 图 冥府(めいふ)．あの世

【冥冥】 míngmíng 形 書 ❶薄暗い ❷愚かである ❸はるかに遠い ‖ 鸿hóng飞～ ガンが空高く飛ぶ

【冥寿】 míngshòu 图 亡くなった人の誕生日

【冥思苦索】 míng sī kǔ suǒ 成 思案を巡らす．知恵をしぼる．〔冥思苦想〕ともいう

【冥顽】 míngwán 形 書 頑迷である．かたくなで見聞が狭い ‖ ～不灵 かたくなで事理に暗い

【冥王星】 míngwángxīng 图〈天〉冥王星(めいおうせい)

【冥想】 míngxiǎng 動 冥想(めいそう)する．沈思黙考する

11 **铭** míng ❶古 器物に刻み記した文字．銘文 ‖ →～文 ❷人の功徳をたたえたり，自分の戒めとする言葉 ‖ 座右～ 座右の銘 ❸しっかり記憶する．刻みつける ‖ 刻骨～心 肝に命じる

【铭记】 míngjì 動 しっかり記憶する

【铭刻】 míngkè 图 銘文 動 心に銘記する ‖ 永远～

在心中 いつまでも心に刻みつけておく
【铭文】míngwén 名 銘．銘文
【铭心】míngxīn 動 心に刻みつける．銘記する
【铭心刻骨】míng xīn kè gǔ 成 心に銘記して永遠に忘れない．〔刻骨铭心〕ともいう
13 溟 míng 書 海 ‖ 沧cāng～ 滄海．青い海
14 暝 míng 書 ❶暗い ❷日が暮れる ❸夕方．たそがれ ‖ 薄bó～ 薄明かり
15 瞑 míng 目を閉じる
【瞑目】míngmù 動 瞑目(めいもく)する．安らかに死ぬ ‖ 不达目的，死不～ 目的を達しなければ，死んでも死にきれない
16 螟 míng 名〈虫〉メイチュウ．ズイムシ．ふつう〔螟虫〕という
【螟虫】míngchóng 名〈虫〉メイチュウ．ズイムシ
【螟蛉】mínglíng 名 養子のこと

mǐng

13 酩 mǐng ↴
【酩酊】mǐngdǐng 形 酩酊(めいてい)するさま．ひどく酔っぱらうさま ‖ ～大醉 酔いつぶれる

mìng

8* 命(△𠇮) mìng ❶動 命令する ‖ ～人回去报信 もどって知らせるよう命ずる ❷命令 ‖ 待～ 命令を待つ ❸名 運命．運 ‖ 她的～好 彼女は幸運に恵まれている ❹名 寿命．命 ‖ 他救了我的～ 彼は私の命を救ってくれた ❺(題を)出す．(名称を)つける ‖ →～名 | →～题
【命案】mìng'àn 名 殺人事件
【命笔】mìngbǐ 動 書 筆を執る
【命大】mìngdà 形 強運である．好運である
【命定】mìngdìng 動 運命で決まっている
【命根子】mìnggēnzi 名 命の綱．命より大切なもの
【命苦】mìngkǔ 形 不幸な運命にある
**【命令】mìnglìng 動 命令する．命ずる 名 命令 ‖ 下～ 命令を下す | 服从～ 命令に従う
【命令句】mìnglìngjù 名〈語〉命令文 =〔祈使qíshǐ句〕
【命脉】mìngmài 名 命脈．生命．命の綱
*【命名】mìng//míng 動 命名する．名づける ‖ ～仪式yíshì 命名式
*【命题】mìng//tí 動 問題を出す．題を出す ‖ ～作文 題を与えて作文をさせる 名 (mìngtí)〈哲〉命題．テーゼ
【命途】mìngtú 名 運命に導かれる人生 ‖ ～多舛chuǎn 波乱に満ちた生涯
【命相】mìngxiàng 名 結婚の相性
**【命运】mìngyùn 名 ❶運命 ‖ 悲惨bēicǎn的～ 悲惨な運命 ❷命運．前途 ‖ 这件事情关系到国家的～ この事は国家の命運にかかわる
【命中】mìngzhòng 動 命中する ‖ ～率 命中率

miù

13 谬 miù ❶誤った．情理に背いた ‖ →～误 ❷書 謙 過分にも ‖ →～奖
【谬奖】miùjiǎng 動 挨拶 (過分の)おほめにあずかり恐縮です
*【谬论】miùlùn 名 謬論(びゅうろん)．間違った議論 ‖ 这种说法纯属～ そういう論法はまったくでたらめな理屈である
【谬说】miùshuō 名 謬説(びゅうせつ)．間違った見解
【谬误】miùwù 名 間違い．誤り
【谬种】miùzhǒng 名 ❶間違った言論や学術流派 ❷罵 ろくでなし．できそこない
14 缪 miù ➡〔纰缪pīmiù〕 ➤ miào móu

mō

13** 摸 mō ❶動 (手で)触る．触れる．さする ‖ 这是展品，不能随便～ これは展示品だから，やたらに触ってはいけない ❷動 手探りする．探す ‖ ～鱼 (水中で)手探りで魚を捕る ❸動 模索する．探求する ‖ ～透了他的脾气 彼の気性が分かった ❹動 暗がりの中，あるいは見知らぬ道を進む ‖ →～黑儿
【摸不透】mōbutòu 動 はっきりとつかめない．はっきり分からない ‖ ～他的真正意图 彼の本当の意図が分からない
【摸不着头脑】mōbuzháo tóunǎo 慣 何がなんだか分からない．さっぱり訳が分からない
【摸彩】mō//cǎi 動 くじを引く
【摸底】mō//dǐ 動 (内情を)探る．つかむ．詳しく知る ‖ 去摸摸他的底 彼の腹を探る | ～测验 実力テスト
【摸高】mōgāo 動〈経〉最高値をつける ‖ 股价一度～150美元 株価は一時150ドルの最高値をつけた
【摸黑儿】mō//hēir 動 口 暗やみで手探りする ‖ ～赶路 闇路(やみじ)を急ぐ
【摸奖】mō//jiǎng 動 くじ引きをする．抽選をする
【摸门儿】mō//ménr 動 こつが少し分かる
【摸排】mōpái 動 一斉捜査する．一斉調査する
*【摸索】mōsuo；mōsuǒ 動 ❶手探りする ❷模索する ‖ 在工作中～出一套经验 仕事のうえで試行錯誤し，一通りの経験を身につけた

mó

4 无(無) mó ➡〔南无nāmó〕 ➤ wú
12 谟(△謩) mó 書 計略．策略 ‖ 宏hóng～大略 壮大な計画
13 馍(△饝) mó 名 方 マントー．〔馍馍〕ともいう ‖ 蒸～ マントーをふかす
13 嫫 mó 人名用字 ‖ ～母 伝説中の醜女
14 模 mó ❶規範．規格．模範．手本 ‖ →～式 ❷まねる．似せる ‖ →～仿 ❸模範的な人物 ‖ 评～ 模範的人物を選ぶ ➤ mú
【模本】móběn 名 模本．臨本
*【模范】mófàn 名 模範．手本 ‖ ～教师 模範教師 形 模範的である ‖ ～事迹 模範的業績
**【模仿】mófǎng 動 まねる．似せる．〔摹仿〕とも書く ‖ ～动物的叫声 動物の鳴き声をまねる

M

【模仿秀】mófǎngxiù 名 ものまね大会. ものまねショー

*【模糊】【模胡】móhu 形 はっきりしない. ぼんやりしている ‖ 碑bēi面字迹zìjì～ 石碑の文字がはっきりしない 動 ぼかす. 曖昧にする ‖ 泪水～了他的双眼 涙が彼の目をくもらせた

【模糊理论】móhu lǐlùn 名〈数〉ファジー理論

【模块】mókuài 名 ❶〈計〉モジュール ❷〈機〉ダイス

【模棱两可】mó léng liǎng kě 成 曖昧でどちらにでも取れる. どっちつかずではっきりしない

【模拟】mónǐ 動 模する. 再現する. 類似する.〔摹拟〕とも書く ‖ ～器 シミュレーター 形 アナログの

【模拟通信】mónǐ tōngxìn 名 アナログ通信 ↔〔数字通信〕

【模拟信号】mónǐ xìnhào 名 アナログ信号 ↔〔数字信号〕

*【模式】móshì 名 類型. モデル. パターン. モード

【模特ル】mótèr 名 外 モデル ‖ 时装～ ファッションモデル

【模效】móxiào ＝〔摹效móxiào〕

【模写】móxiě ＝〔摹写móxiě〕

*【模型】móxíng 名 ❶模型. 複製. モデル ‖ 汽车～ 自動車の模型 ❷鋳型. プレス型. 俗に〔模子múzi〕という

M

14 **摹** mó 模写する. 模倣する. 手本どおりになぞる ‖ 临～ 臨摹(りんぼ)する. 手本を見ながら書く

【摹本】móběn 名 手本. 模本. 臨本

【摹仿】mófǎng ＝〔模仿mófǎng〕

【摹刻】mókè 動 (書画や彫刻を)模刻する 名 模刻品. 模刻本

【摹拟】mónǐ ＝〔模拟mónǐ〕

【摹效】móxiào 動 模倣する.〔模效〕とも書く

【摹写】móxiě 動 ❶まねて書く. 模写する ‖ ～碑文bēiwén 碑文を模写する ❷描写する ＊〔模写〕とも書く

【摹印】móyìn 動 (書画などを)模写し印刷する

【摹状】mózhuàng 動 描写する

14 * **膜** mó (～ル) ❶名〈生〉膜 ‖ 胸～ 胸膜 ❷名 膜のようなもの ‖ 塑料薄báo～ ラップ

【膜拜】móbài 動 ひざまずき両手をあげて礼をする ‖ 顶礼～ うやうやしくひざまずいて礼拝する(権力や権威などにひれふすことのたとえ)

15 **摩**[1] mó ❶摩擦する. こすれる ‖ →～擦 ❷(手で)こする. さする ‖ 按～ 按摩(あんま). マッサージ ❸接触する. 近づく ‖ →～天 ❹切磋琢磨(せっさたくま)する. 研究する ‖ 观～ 互いに見比べて参考し合う

15 **摩**[2] mó 量 外〈化〉モル. グラム分子.〔摩尔〕の略称 ➤ mā

*【摩擦】mócā 動 摩擦する. こすれる 名 摩擦. あつれき ‖ 婆媳póxí之间不断发生～ 嫁姑(よめしゅうとめ)の間でいざこざが絶えない ＊〔磨擦〕とも書く

【摩擦力】mócālì 名〈物〉摩擦力

【摩擦音】mócāyīn 名〈語〉摩擦音 ＝〔擦音〕

【摩登】módēng 形 外 モダンだ ‖ ～女郎nǚláng モダンガール

【摩尔】mó'ěr 量 外〈化〉モル. グラム分子

【摩尔多瓦】Mó'ěrduōwǎ 名〈国名〉モルドバ

【摩肩接踵】mó jiān jiē zhǒng 成 人が押し合いへし合いするさま

【摩羯座】mójiézuò 名 ❶磨羯宮(まかつきゅう). 黄道十二宮の第10宮 ❷〈天〉山羊座(やぎ)

【摩洛哥】Móluògē 名〈国名〉モロッコ

【摩纳哥】Mónàgē 名〈国名〉モナコ

【摩拳擦掌】mó quán cā zhǎng 成 指を鳴らし手ぐすねを引く. やる気満々で奮い立つさま

【摩丝】mósī 名 外 (整髪料の)ムース

【摩挲】mósuō 動 なでる. さする ➤ māsa

【摩天】mótiān 動 天に届く. 非常に高いことのたとえ ‖ ～大楼 摩天楼

【摩托】mótuō 名 外 ❶モーター ❷オートバイ. バイク

*【摩托车】mótuōchē 名 オートバイ. バイク

【摩托艇】mótuōtǐng 名 モーター・ボート ＝〔汽艇〕

【摩崖】móyá 名 岩壁に彫刻された文字や仏像など

16 ** **磨** mó ❶動 書 (玉石などを)磨く ‖ 琢zhuó～削ったり磨いたりする ❷動 **摩擦する. こする. すれる. こすれる** ‖ 脚上～出了大泡pào すれて足に大きなまめができた ❸動 消滅する. 消えてなくなる ‖ →～灭 ❹動 (時間を)つぶす. **引き延ばす** ‖ →～洋工 ❺動 **苦しめる. 痛めつける** ‖ 她被这场病～得瘦了好多 彼女はこの病気でずいぶん痩せた ❻動 **まつわりつく. ねばる** ‖ 这孩子真～人 この子はほんとによくだだをこねる ❼動 **研ぐ. 磨く. する** ‖ ～菜刀 包丁を研ぐ ➤ mò

類義語 磨 mó 擦 cā

◆〔磨〕ある一定の時間, 繰り返し強く摩擦する. こする. 磨く. 研ぐ ◆〔擦〕短時間に, ごく軽く摩擦する. 擦る. 拭う. 薄く塗る ‖ 擦火柴 マッチをする

【磨擦】mócā ＝〔摩擦mócā〕

【磨蹭】móceng 動 ❶ぐずぐずする. のろのろする ‖ 快点ル吧, 别～了 ぐずぐずしないで早くしなさい ❷ねだる. しつこくせがむ ‖ 我小时候时常为买玩具跟父母～ 私は子供のころ, よく両親におもちゃを買ってくれとせがんだものだ

【磨杵成针】mó chǔ chéng zhēn 成 鉄杵(てっしょ)を磨いて針にする. 根気よく頑張れば何事も成し遂げられる

【磨刀】mó//dāo 動 刃物を研ぐ

【磨刀不误砍柴工】mó dāo bù wù kǎn chái gōng 諺 時間をかけてしっかり準備することは, 仕事の進行を遅らせることにはならない

【磨刀霍霍】mó dāo huò huò 成 シュッシュッと刀を研ぐ. 悪人や敵が着々と準備を整えている様子

【磨刀石】módāoshí ＝〔磨石móshí〕

【磨耗】móhào 動 磨耗する

【磨合】móhé 動 ❶慣らし運転をする ❷人間関係において, 衝突と和解を経て一致協力に至ること ‖ 教练的意图要变成队员的行动, 还需～一段时间 コーチの意向がメンバーの行動に反映されるようになるには, まだしばらく時間がかかる

【磨砺】mólì 動 練磨する. 鍛え磨く

【磨炼】【磨练】móliàn 動 練磨する. 鍛錬する

【磨灭】mómiè 動 すり減る. 消え去る ‖ 不可～的功绩gōngjì 不滅の功績

【磨墨】mó//mò 動 墨をする

【磨难】mónàn 名 苦しみ. 苦難.〔魔难〕とも書く

【磨漆画】móqīhuà 名 蒔絵(まきえ)

【磨砂玻璃】móshā bōli 名 すりガラス ＝〔毛玻璃〕

【磨石】móshí 名 砥石(といし).〔磨刀石〕ともいう

【磨蚀】móshí 動 ❶〈地質〉浸食する. 海食する ❷しだいに消し去る. しだいに摩滅させる

【磨损】mósǔn 動 磨耗する

【磨牙】[1] mó//yá 動 ❶歯ぎしりをする ❷方 むだ口をたたく. つまらないことで口げんかをする

【磨牙】[2] móyá 名〈生理〉臼歯(きゅう)
【磨洋工】mó yánggōng 慣 のろのろ仕事をする. だらだら働く. 仕事中に油を売る. サボる
【磨嘴】mó//zuǐ 動 方 むだ口をたたく. つまらないことで言い争う.〔磨嘴皮子〕ともいう

17 **嬷** mó ↴

【嬷嬷】mómo 名 方 ❶老婦人に対する呼称 ❷乳母

19 **蘑** mó キノコ ‖ →～菇

*【蘑菇】[1] mógu 名 キノコ
【蘑菇】[2] mógu 動 ❶まつわる. からむ. うるさくつきまとう ❷ぐずぐずする. のろのろする
【蘑菇云】móguyún 名 きのこ雲

20 **魔** mó ❶魔. 悪魔 ‖ 恶～ 悪魔 ❷人に害を与えるもの, または邪悪な勢力 ‖ 病～ 病魔 ❸神秘的な. 不思議な ‖ →～术

【魔方】mófāng 名 (商標名)ルービック・キューブ
【魔怪】móguài 名 妖怪変化(ようかいへんげ). 化け物
*【魔鬼】móguǐ 名 鬼. 悪魔. 化け物. (多く邪悪な者のたとえに用いる)
【魔幻】móhuàn 形 魔術的な. 幻想的な
【魔窟】mókū 名 悪の巣窟(そうくつ). 魔窟(まくつ)
【魔难】mónàn ＝〔磨难mónàn〕
*【魔术】móshù 名 魔術. 手品. マジック.〔幻术〕〔戏法〕ともいう ‖ ～师 魔術師 | 变～ マジックをする
【魔头】mótóu 名 ❶悪魔 ❷方 祈禱師(きとう)
【魔王】mówáng 名 ❶〈仏〉魔王. 悪鬼 ❷暴君. 極悪人 ‖ 杀人～ 殺人鬼
【魔影】móyǐng 名 魔の影. 不吉な兆し
【魔芋】móyù 名〈植〉コンニャクイモ.〔蒟蒻jǔruò〕ともいう
【魔杖】mózhàng 名 魔法の杖. 手品用のステッキ
【魔障】mózhàng 名〈仏〉魔障
【魔爪】mózhǎo 名 悪魔の爪. 魔の手

mǒ

8
* **抹** mǒ ❶動 塗る. つける ‖ ～口红 口紅をつける ❷動 消す. 除去する ‖ 把那段录音～掉 その部分の録音を消す ❸動 ふく. ぬぐう ‖ ～眼泪 涙をぬぐう ❹量 雲・霞・陽光などを数える ‖ 一～晚霞wǎnxiá 一ひらの夕焼け空 ➤ mā mò

【抹脖子】mǒ bózi 慣 刃物を自分の首に当ててかき切る. のどをかき切って自殺する
【抹黑】mǒ//hēi 動 顔に泥を塗る. 面目をつぶす
【抹零】mǒ//líng (～儿) 動 (支払いのとき)端数を切り捨てる. 端数をおまけする
*【抹杀】【抹煞】mǒshā 動 抹殺する. 抹消する. 消し去る ‖ 一笔～ あっさり否定しさる. 一切帳消しにする
【抹消】mǒxiāo 動 取り消す. 抹消する
【抹一鼻子灰】mǒ yī bízi huī 慣 わざわざ人の不興を買う ＝〔碰pèng一鼻子灰〕

mò

5
* **末**[1] mò ❶梢(こずえ). (事物の)端. 末端 ‖ →～端 ❷名 終末. 最後 ‖ 周～ 週末 ❸形 最後の. いちばん終わりの ‖ →～班车 ❹二次. 副次. 末節 ↔〔本〕‖ 本～倒dào置 本末転倒 ❺名 (～儿)粉. かす ‖ 粉笔～ チョークの粉

5 **末**[2] mò 名〈劇〉(京劇の役柄の一つ)中年の男役

【末班车】mòbānchē 名 ❶終電. 終バス ‖ 没赶上～ 終バスに間に合わなかった ❷喩 ラストチャンス
【末代】mòdài 名 王朝の最後の治世 ‖ 清朝～皇帝 清朝最後の皇帝
【末端】mòduān 名 末端. 末尾
【末伏】mòfú 名 末伏(まっぷく). 三伏の一つ, 立秋後の最初の庚(かのえ)の日. また, 立秋後の最初の庚の日から次の庚の日の前日までの10日間
【末后】mòhòu 名 最後. しんがり. 終末
【末节】mòjié 名 末節. ささいなこと
【末了】mòliǎo (～儿) 名 最後. 結局
【末流】mòliú 名 (学術や文芸などの)末派. 末流 ‖ ～作家 三流作家
【末路】mòlù 名 末路. 最期 ‖ 穷途qióngtú～ 絶体絶命の窮地に陥る
【末年】mònián 名 末期. 晩年 ‖ 明朝～ 明代末期
【末期】mòqī 名 末期
【末日】mòrì 名 (キリスト教でいう)最後の1日. 世界の最期の日 ‖ ～审判shěnpàn 最後の審判
【末梢】mòshāo 名 末. 端
【末世】mòshì 名 末期. 終期
【末尾】mòwěi 名 末尾. いちばん最後
【末席】mòxí 名 末席. 末座
【末叶】mòyè 名 末葉. 末期 ‖ 唐朝～ 唐代末期
【末子】mòzi 名 粉末. 粉
【末座】mòzuò 名 末座. 末席

7 **没** mò ❶動 沈没する. 沈む ‖ 沉chén～ 沈没する ❷終わる. 尽きる ‖ →～世 ❸消える. 見えなくなる ‖ 埋～ 埋没する ❹没収する ‖ →～收 ❺動 没する. うずまる ‖ →～顶 ➤ méi

【没齿难忘】mò chǐ nán wàng 成 生涯忘れることができない.〔没世不忘〕ともいう
【没顶】mòdǐng 動 頭が覆い隠れる ‖ ～之灾 滅亡
【没落】mòluò 動 没落する. 落ちぶれる
【没奈何】mònàihé 慣 やむなく. しかたなく. やむを得ず
【没世】mòshì 名 終生. 一生
【没收】mòshōu 動 没収する

8 **陌** mò ❶あぜ道 ‖ 阡qiān～ あぜ道 ❷道. 道路

【陌路】mòlù 名 書 路傍の人. 見知らぬ人. 赤の他人.〔陌路人〕ともいう
*【陌生】mòshēng 形 なじみがない. 疎い. 不案内である ‖ ～人 見知らぬ人. 赤の他人

8 **沫** mò ❶名 (～儿)泡. あぶく ‖ 泡～ 泡. 泡沫(ほうまつ) ❷つば ‖ 唾tuò～ つば

【沫子】mòzi 名 泡. あぶく

8 **茉** mò ↴

【茉莉】mòli ; mòlì 名〈植〉マツリカ. ジャスミン
【茉莉花茶】mòli huāchá 名 ジャスミン茶

8 **抹** mò ❶動 (泥やしっくいなどを)塗る. こてで塗る ‖ ～灰 しっくいを塗る ❷巡る. 迂回(うかい)する ‖ 拐guǎi弯～角 (道が)曲がりくねっている. (話が)遠回しである ➤ mā mǒ

【抹不开】mòbukāi ＝〔磨不开mòbukāi〕

M

8 **殁** mò 死ぬ.〔没〕とも書く‖病～ 病没する

9 **脉**(△脈) mò ↘ ➤mài

【脉脉】mòmò 形 目つきやそぶりで思いを伝えるさま.‖双眼～含hán情 まなざしには無量の思いがこもっている

9 **冒** mò 人名用字‖～顿dú 冒頓(ぼくとつ). 漢代初期の匈奴(きょうど)の王の一人 ➤mào

10 *__莫__ mò ❶書 誰も…ない. 何一つとして…ない‖→～过于 ❷…ではない. …しない‖望尘chén～及 塵(ちり)を望んで及ばず. 実力や才能などが足元にも及ばないこと ❸副 …するな. …してはいけない‖～哭 泣くな ❹推測や反語を表す‖→～非

【莫不】mòbù 副 …しないものはない

【莫不是】mòbùshì 副 ひょっとして…ではないだろうか. まさか…ではあるまい‖～认错人了吧 まさか人違いしたんじゃないだろうね

【莫测高深】mò cè gāo shēn 成 はかり知れないほど奥深い. 難しすぎて理解できない

【莫大】mòdà 形 この上ない. 甚だしい‖～的光荣 無上の光栄

【莫非】mòfēi 副 ひょっとして…ではなかろうか. まさか…ではあるまい‖老王今天没有来, ～是病了? 王さんは今日来ていないが, まさか病気になったわけじゃないだろうな

【莫过于】mò guòyú 組 …に過ぐるなし. …以上に…なことはない

【莫可名状】mò kě míng zhuàng 成 名状しがたい. 言い表しようがない. 筆舌に尽くしがたい

*【莫名其妙】【莫明其妙】mò míng qí miào 成 わけが分からない. 奇妙である‖听了这话, 大伙儿都感到～ みんなはこの話を聞いてわけが分からなかった

【莫逆】mònì 動 書 意気投合する‖～之交 莫逆(ばくぎゃく)の交わり

【莫如】mòrú 接 いっそ…したほうがよい. …に越したことはない

【莫若】mòruò 接 いっそ…したほうがよい. …に越したことはない

【莫桑比克】Mòsāngbǐkè 图〈国名〉モザンビーク

【莫须有】mòxūyǒu 形 書 ありもしない. でっち上げの

【莫衷一是】mò zhōng yī shì 成 意見がまちまちで一つにまとまらない

10 **秣** mò ❶まぐさ. 飼い葉‖粮～ 糧秣(りょうまつ) ❷まぐさをやる‖→～马厉兵

【秣马厉兵】mò mǎ lì bīng 成 馬にまぐさをやり, 武器を研ぐ. 戦闘準備を整える.〔厉兵秣马〕ともいう

13 **漠**[1] mò 砂漠‖大～ 大砂漠｜荒～ 荒野

13 **漠**[2] mò 冷淡である. 気にかけない‖淡～ 冷ややかである｜冷～ 冷淡である

【漠不关心】mò bù guān xīn 成 なんの関心も持たない. まったく無関心である

【漠漠】mòmò 形 ❶雲や霧が立ちこめるさま ❷広々として何もないさま. 広漠としたさま

【漠然】mòrán 形 無関心である. 冷淡である‖～置之 冷然として取り合わない

【漠视】mòshì 動 冷たくあしらう. 軽視する

13 **寞** mò 静かである. ひっそりとしている‖寂～ 寂しい｜落luò～ もの寂しい

13 **蓦** mò 不意に. 急に‖→～地｜→～然

【蓦地】mòdì 副 不意に. 急に. やにわに

【蓦然】mòrán 副 ふと. 急に. 突然

13 **貊** mò 古 貊(ばく). 中国東北地方に居住した民族

15 *__墨__[1] mò ❶图 墨(すみ)‖研～ 墨をする ❷黒い. 黒っぽい‖→～镜 ❸書 汚職をする. 不正な行為をする ❹古 (刑罰の一種)墨刑. 入れ墨の刑.〔黥qíng〕ともいう ❺詩文. 書画‖遗～ 遺墨 ❻知識. 学問‖胸无点～ まったくの無学である ❼インク. 顔料‖油～ 印刷用インク ❽墨子(ぼくし). 墨家(ぼっか)

15 **墨**[2] mò 图 略 メキシコ.〔墨西哥〕の略

【墨宝】mòbǎo 图 ❶優れた書画. 墨宝(ぼくほう) ❷他人の書画に対する敬称

【墨笔】mòbǐ 图 毛筆

【墨斗】mòdǒu 图 (大工などが用いる)墨つぼ

【墨斗鱼】mòdǒuyú 图 イカ.〔乌贼〕の俗称

【墨盒】mòhé (～儿) 图 墨汁入れ. 墨入れ. 墨つぼ

【墨黑】mòhēi 形 非常に黒い. とても暗い‖天～～的, 伸手不见五指 あたりは漆黒のやみで, 一寸先も見えない

【墨迹】mòjì 图 ❶書いた字の墨の跡 ❷墨跡. 書跡‖名家～ 有名人の書画作品

【墨家】Mòjiā 图 (諸子百家の一つ)墨家(ぼっか)

【墨镜】mòjìng 图 色眼鏡. サングラス‖戴～ サングラスを掛ける

【墨菊】mòjú 图〈植〉キクの園芸品種の一つ

【墨客】mòkè 图 書 墨客‖文人～ 文人墨客

【墨绿】mòlǜ 形 濃い緑の. 深緑色の

【墨守成规】mò shǒu chéng guī 成 古いやり方に固執し改革しないこと

**【墨水】mòshuǐ (～儿) 图 ❶墨汁 ❷インク‖红～ 赤インク ❸喩 学問‖肚里有～ 学問がある

【墨西哥】Mòxīgē 图〈国名〉メキシコ

【墨鱼】mòyú 图 イカ.〔乌贼〕の俗称

【墨汁】mòzhī (～儿) 图 墨汁

【墨渍】mòzì 图 墨の跡. インクのしみ

15 **嘿** mò 〔默mò〕に同じ ➤hēi

16 **磨** mò ❶图 ひき臼(うす)‖一盘～ 1台のひき臼 ❷動 (ひき臼で)ひく‖～麦子 小麦をひく ❸動 方向転換させる‖～车 車の向きを変える ➤mó

【磨不开】mòbukāi 動 ❶気恥ずかしい. 気がひける‖想催cuī他还钱, 又觉得有点儿～ 彼に金を返すように催促したいけれどちょっと決まりが悪い ❷方 納得できない. うまくいかない *〔抹不开〕とも書く

【磨叨】mòdao 動 口 くどくど言う

【磨坊】【磨房】mòfáng 图 粉ひき小屋

【磨面】mò//miàn 動 粉をひく. 製粉する

【磨盘】mòpán 图 ❶ひき臼の台 ❷方 ひき臼

16 *__默__ mò ❶黙る. 口を閉じる‖→～读 ❷動 口 (暗記したものを)空で書く‖～生字 新しい単語を空で書く

【默哀】mò'āi 動 哀悼のために黙禱(もくとう)する‖全场起立, ～三分钟 全員起立, 3分間黙禱!

【默祷】mòdǎo 動 黙禱する

【默读】mòdú 動 黙読する

【默记】mòjì 動 声を出さずに暗記する

*【默默】mòmò 副 黙々と. 黙り込んで‖～无言 押し

黙って何も言わない
【默默无闻】mò mò wú wén 成 まったく無名である
【默念】mòniàn 動 ❶黙読する ❷じっと考える
【默片】mòpiàn 名 無声映画 ＝〔无声片〕
【默契】mòqì 名 黙約. 暗黙の了解 形 言わず語らずのうちに気持ちが通じ合っている. 息が合っている ‖ 配合十分～ 呼吸がぴったりだ
【默然】mòrán 形 黙っているさま
【默认】mòrèn 動 ❶黙認する ❷〈計〉黙認する. デフォルト ‖ ～值 デフォルト値
【默诵】mòsòng 動 心の中で暗誦する. 黙読する
【默想】mòxiǎng 動 黙想する. 黙考する
【默写】mòxiě 動 (暗記したものを)空で書く
【默许】mòxǔ 動 黙認する. 見逃す. 知らぬふりをする

17 **貘** mò 名〈動〉バク

22 **耱** mò 〈農〉❶名 藤(ふじ)またはいばらを編んで作った土をならす長方形の農具 ❷動 同前で土をならす

mōu

9 **哞** mōu 擬 (ウシの鳴き声)モウ

móu

6 **牟** móu (名誉や利益を)むさぼる ‖ ─～利 ➤ mù
【牟利】móu//lì 動 私利をむさぼる
【牟取】móuqǔ 動 (名誉や利益を)むさぼる ‖ ～暴利 暴利をむさぼる

8 **侔** móu 書 相等しい ‖ 得失相～ 得失相半ばする

11 * **谋** móu ❶画策する. たくらむ ‖ ─～划 ❷はかりごと. 策略 ‖ 阴～ 陰謀 ❸動 (方策を講じて)手に入れる. はかる. 求める ‖ ─～生 ❹相談する ‖ 不～而合 期せずして一致する
【谋反】móufǎn 動 反逆する. 謀反(むほん)する
【谋害】móuhài 動 ❶人を陥れようとする ❷謀殺する
【谋划】móuhuà 動 計画する. 企てる
【谋略】móulüè 名 策略. 策謀
*【谋求】móuqiú 動 求める. 追求する ‖ ～和解 和解を求める
【谋取】móuqǔ 動 手に入れようとはかる
【谋杀】móushā 動 謀殺する
【谋生】móushēng 動 生計をはかる. 暮らしを立てる
【谋士】móushì 名 策士
【谋事】móushì 動 ❶事をはかる. 事を計画する ‖ ～在人, 成事在天 事を計画するのは人間だが, その成否は天の意志による ❷(móu//shì) 旧 職を探す
【谋私】móusī 動 私利をはかる ‖ 以权～ 権力を利用して私利をはかる
【谋算】móusuàn 動 ❶思案する. 胸算用する ❷陥れる. わなを掛ける 名 考え. 計画. 心づもり

11 **眸** móu ひとみ. (広く)目 ‖ 凝níng～ ひとみを凝らす
【眸子】móuzǐ 名 ひとみ. 目

14 **缪** móu ➡〔未雨绸缪 wèi yǔ chóu móu〕 ➤ miào miù

mǒu

9 ** **某** mǒu ❶代 特定できる人や事物に用いる ‖ 张～ 張某(なにがし). 張という人物 ｜ ～～公司 ある会社 ❷代 不確定な人や事物をさす ‖ ～人 ある人 ｜ ～种手段 ある種の手段 ❸代 自分の名前をさす ‖ 我王～说话算话！ この私, 王はうそは申しません ❹代 人の名前をさす. (相手を軽視する気持ちを含む)
*【某些】mǒuxiē 代 (複数の人や事物について いる)ある… ‖ ～人 ある人々

mú

10 **毪** mú ↴
【毪子】múzi 名 チベット産の毛織物の一種

14 **模** mú ❶(～儿)型. 抜き型. 鋳型 ❷形. 形状 ‖ ─～样 ➤ mó
【模板】múbǎn 名〈建〉(コンクリートを流し込む)枠板
【模具】mújù 名 鋳型. 模型
**【模样】múyàng (～儿) 名 ❶顔だち. 容貌(ようぼう). 格好 ‖ ～不错 器量がよい. 格好がいい ❷(時間や年齢について)ほど. くらい ‖ 等了大概有半个钟头～ おおよそ30分ほど待った ❸状況. 様子 ‖ 看～, 这天要下雪 この様子だと今日は雪になるだろう

> **類義語** 模样 múyàng 样子 yàngzi
>
> ◆〔模样〕顔かたち・服装など, 人の外見をいう. 容貌. 格好. 身なり ‖ 模样不错 容貌がよい ◆〔样子〕感情の表れた顔や体全体をいう. 顔つき. そぶり. 様子 ‖ 高高兴兴的样子 嬉しそうな顔(様子) ◆また, 〔样子〕は物の外見や形状をいう

【模子】múzi 名 口 抜き型. 鋳型. 模型

mǔ

5 ** **母** mǔ ❶母親. 母 ‖ ─～亲 ｜ 父～ 父母. 両親 ❷(親族中の)年長の女性をさす ‖ 姑gū～ おば(父の姉妹) ｜ 岳yuè～ 岳母. 妻の母 ❸形 雌の ↔〔公〕‖ 这只兔子tùzi是～的 このウサギは雌である ❹(～儿)〈機〉ナット ‖ 螺～ ナット ❺生み出すもと. 最初のもの ‖ 酵jiào～ 酵母
【母爱】mǔ'ài 名 母性愛. 母の愛
【母畜】mǔchù 名 雌の家畜
【母带】mǔdài 名 (録音・録画の)マザーテープ
【母公司】mǔgōngsī 名 親会社 ↔〔子公司〕
【母老虎】mǔlǎohǔ 名 雌のトラ. 気の強い女性のたとえ. じゃじゃ馬
【母女】mǔnǚ 名 母と娘
【母盘】mǔpán 名 (CDなどの)マザーディスク. 原盤
★【母亲】mǔqin；mǔqīn 名 母. 母親

> **類義語** 母亲 mǔqin 妈妈 māma 娘 niáng
>
> ◆〔母亲〕書き言葉に多く使われ, 呼びかけには用いない ◆〔妈妈〕話し言葉に多く使われ, 呼びかけにも用いる. 単に〔妈〕と言うこともできる. 夫が自分の妻をさして〔孩子他妈(妈)〕と呼ぶこともある ◆〔娘〕お母さん. 母. 話し言葉で呼びかけにも用いる

【母亲节】mǔqinjié 图 母の日（5月の第2日曜日）
【母权制】mǔquánzhì 图 母権制
【母乳】mǔrǔ 图 母乳
【母体】mǔtǐ 图 母体
【母系】mǔxì 图 ❶母方 ❷母系‖～社会 母系社会
【母校】mǔxiào 图 母校．出身校
【母性】mǔxìng 图 母性
【母夜叉】mǔyècha 图 性格がきつい女．恐ろしい女
【母音】mǔyīn 图〈語〉母音 ＝〔元音〕
【母语】mǔyǔ 图 ❶母語．母国語 ❷〈語〉祖語．母語

7 **牡** mǔ 雄 ↔〔牝pìn〕‖～牛 雄ウシ
【牡丹】mǔdan 图〈植〉ボタン
【牡蛎】mǔlì 图〈貝〉カキ．〔蚝háo〕〔海蛎子〕ともいう

7 ＊＊**亩**（畝 △畂 晦 畆 亩 畮）mǔ 量（土地面積の単位）ムー（666.7平方メートル）．〔市亩〕の通称．100〔亩〕は1〔顷qǐng〕‖～产七百斤 ムー当たり収量700斤（350キロ）

8 **拇** mǔ 親指
【拇指】mǔzhǐ 图 親指．〔大拇指〕ともいう

8 **姆** mǔ ➡〔保姆bǎomǔ〕

mù

4 ＊＊**木** mù ❶樹木．木‖草～ 草木 ❷图 木材．材木‖红～ 紫檀（たん）材 ❸棺．ひつぎ‖棺guān～ 棺桶（かんおけ） ❹質朴である‖一～讷 ❺ぼんやりしている．茫然（ぼう）としている‖一～然 ❻形 しびれている．感覚がない‖麻～ しびれる
【木板】mùbǎn 图 木の板‖～房 バラック
【木版】mùbǎn 图 木版‖～印刷 木版印刷
【木版画】mùbǎnhuà ＝〔木刻mùkè〕
【木本植物】mùběn zhíwù 图〈植〉木本（ぼく）植物
＊【木材】mùcái 图 木材．材木
【木柴】mùchái 图 たきぎ．柴（しば）
【木船】mùchuán 图 木造船
【木呆呆】mùdāidāi（～的）形 茫然としているさま
【木雕】mùdiāo 图 木彫
【木耳】mù'ěr 图〈植〉キクラゲ
【木筏】mùfá 图 筏（いかだ）．〔木筏子〕ともいう
【木工】mùgōng 图 ❶木工．大工仕事 ❷大工（職人）．指物師
【木瓜】mùguā 图 ❶〈植〉カリン ❷〈中薬〉木瓜（もっか） ❸口 パパイヤ
【木棍】mùgùn 图 木の棒．棍棒
【木屐】mùjī 图 木のサンダル．下駄（げた）．突っかけ
【木简】mùjiǎn 图〈考古〉木簡
＊【木匠】mùjiang 图 大工（職人）．指物師
【木结构】mùjiégòu 图〈建〉木材構造．木造
【木刻】mùkè 图〈美〉木版画．〔木版画〕ともいう
【木立】mùlì 動 ぼんやりと立つ．立ち尽くす
【木莲】mùlián 图〈植〉❶モクレン科の常緑高木 ❷フヨウ．〔木芙蓉〕ともいう ❸オオイタビ ＝〔薜荔bìlì〕
【木料】mùliào 图 木材
【木马计】mùmǎjì 图 トロイの木馬．ギリシャ伝説に見える木馬に兵を潜ませる奇計
【木棉】mùmián 图 ❶〈植〉キワタノキ．パンヤノキ．〔攀枝pānzhī花〕ともいう ❷パンヤノキの繊維．パンヤ
【木模】mùmú（～儿）图 木製の模型
【木乃伊】mùnǎiyī 图 外 ミイラ
【木讷】mùnè 形 書 朴訥（ぼくとつ）である
【木偶】mù'ǒu 图 でく．木製の人形
【木偶片】mù'ǒupiàn 图 人形アニメ．人形劇映画
【木偶戏】mù'ǒuxì 图 人形劇．人形芝居
【木排】mùpái 图 筏‖放～ 筏を流す
【木琴】mùqín 图〈音〉木琴．シロホン．マリンバ
【木然】mùrán 形 茫然とするさま．あっけにとられるさま
【木塞】mùsāi（～儿）图 コルク栓
【木梳】mùshu；mùshū 图 木製の櫛（くし）
【木炭】mùtàn 图 木炭．炭．ふつうは〔炭〕という
【木炭画】mùtànhuà 图〈美〉木炭画
【木糖醇】mùtángchún 图〈化〉キシリトール．天然甘味料の一種
＊＊【木头】mùtou 图 木材．丸太．木切れ‖一根～ 丸太1本｜～椅子 木の椅子
【木头人儿】mùtourénr 图 でくの坊．機転の利かない人．のろま
【木屋】mùwū 图 木造家屋
【木樨】【木犀】mùxi 图 ❶〈植〉ウスギモクセイ．ギンモクセイ．キンモクセイ．ふつうは〔桂guì花〕という ❷〈料理〉（主材料となる）かき玉子．〔木须〕ともいう‖～汤 かきたま汁．玉子スープ｜～肉 玉子と肉の炒め料理
【木星】mùxīng 图〈天〉木星
【木已成舟】mù yǐ chéng zhōu 成 木は舟になってしまった．既成事実となり，元へは戻せないことのたとえ
【木鱼】mùyú（～儿）图 木魚（もくぎょ）
【木桩】mùzhuāng 图 杭（くい）．棒杭

5 **仫** mù ↴
【仫佬族】Mùlǎozú 图 ムーラオ族（中国の少数民族の一つ，主として広西チワン族自治区に居住）

5 **目** mù ❶目．眼（まなこ）‖双～ 両眼 ❷書 見る．見なす‖一～了然liǎorán 一目瞭然である ❸網の目‖网～ 網の目 ❹項目‖细～ 細目 ❺目録．リスト‖书～ 図書目録 ❻图〈生〉目（もく） ❼名称．見出し‖题～ 題．テーマ ❽量（囲碁で地や石を数える）目（もく）
＊＊【目标】mùbiāo 图 ❶的．標的 ❷目標．目的‖达到～ 目標を達成する｜实现～ 目的を遂げる
【目不见睫】mù bù jiàn jié 成 自分のまつ毛は見えない．身近なことがかえって分からないこと
【目不交睫】mù bù jiāo jié 成 一睡もしない
【目不忍睹】mù bù rěn dǔ 成 見るに忍びない．見るに耐えない
【目不识丁】mù bù shí dīng 成 目に一丁字（いってい）もない．全く字が読めない
【目不暇接】mù bù xiá jiē 成（見るものが多すぎて）一つ一つ見ていられない
【目不斜视】mù bù xié shì 成 余計なことやよくないことに気を取られない
【目不转睛】mù bù zhuǎn jīng 成 目を凝らす．目を据えてじっと見つめる
【目测】mùcè 動 目測する
【目瞪口呆】mù dèng kǒu dāi 成（びっくりして）目を見開き，口をぽかんと開ける．驚いて茫然（ぼう）とするさま

M

＊＊【目的】 mùdì 名 目的. 目当て ‖ 明确的～ はっきりした目的｜学习的～ 勉強の目的

【目的地】 mùdìdì 名 目的地

＊【目睹】 mùdǔ 動 この目で見る. 目の当たりにする ‖ 耳闻～ 直接見聞きする

＊【目光】 mùguāng 名 ❶視線. 目つき. まなざし ❷(物事の)見方. 見る目 ‖ ～短浅 目先が利かない

【目光如豆】 mù guāng rú dòu 成 見方が浅い. 目先が利かない

【目光如炬】 mù guāng rú jù 成 目の光がたいまつのように輝いている. やる気満々のたとえ. 怒っている様子. 物事を鋭く見抜くことのたとえ

【目击】 mùjī 動 目撃する ‖ ～者 目撃者

【目空一切】 mù kōng yī qiè 成 何物も眼中にない. 非常に高慢であるたとえ

【目力】 mùlì 名 視力 =〔视shì力〕

【目力表】 mùlìbiǎo 名 (視力検査の)視力表 =〔视力表〕

＊【目录】 mùlù 名 ❶目録. カタログ. リスト ‖ 图书～ 図書目録 ❷(本の)目次 ❸〈計〉ディレクトリ

【目迷五色】 mù mí wǔ sè 成 事態が錯綜(さくそう)して判断に迷うことのたとえ

★【目前】 mùqián 名 **現在. 当面. いまのところ** ‖ 到～为止 wéizhǐ 我还没接到通知 いまのところまだなんの通知も受け取っていない

【目送】 mùsòng 動 目送する. 見送る

【目无余子】 mù wú yú zǐ 成 他人などに目もくれない. 傲慢(ごうまん)であることのたとえ

【目眩】 mùxuàn 形 目がくらむ. まぶしい

＊【目中无人】 mù zhōng wú rén 成 眼中人なし. 非常に尊大で傲慢である

6 **牟** mù 地名用字 ‖ ～平 山東省にある県の名 ➤ móu

7 **沐** mù 髪を洗う. (広く)洗う

【沐猴而冠】 mù hóu ér guàn 成 猿が人まねをして冠をかぶる. 見かけ倒しである

【沐浴】 mùyù 動 書 ❶沐浴(もくよく)する. 入浴する ❷浴びる. 浴する

8 **苜** mù ↴

【苜蓿】 mùxu 名〈植〉❶ムラサキウマゴヤシ. 〔紫花苜蓿〕ともいう ❷マメ科ウマゴヤシ属の総称

8 **牧** mù (家畜を)放牧する ‖ ～马 ウマを放牧する｜游～ 遊牧

【牧草】 mùcǎo 名 牧草

＊【牧场】 mùchǎng 名 牧場. 〔牧地〕ともいう

【牧放】 mùfàng 動 放牧する. 放し飼いにする

【牧歌】 mùgē 名 ❶牧歌 ❷〈音〉マドリガル

【牧工】 mùgōng 名 牧場で働く人. 牧場労働者

＊【牧民】 mùmín 名 牧畜民

＊【牧区】 mùqū 名 ❶放牧地. 牧場地区 ❷牧畜が主たる産業の地区. 畜産地区

【牧人】 mùrén 名 牧畜民. 牧人

【牧师】 mùshi 名〈宗〉牧師

【牧童】 mùtóng 名 牧童

【牧畜】 mùxù 名 牧畜

＊【牧业】 mùyè 名 牧畜業

10 **钼** mù 名〈化〉モリブデン(化学元素の一つ, 元素記号は Mo)

12 **募** mù (物や人を)募る. 募集する ‖ 招zhāo～ 募集する｜征zhēng～ (兵士を)募る

【募兵制】 mùbīngzhì 名 募兵制度

【募股】 mù//gǔ 動 株を公募する

【募化】 mùhuà 動 (僧侶や道士などが)布施や寄進を請う. 喜捨を求める

【募集】 mùjí 動 募集する. 募る

【募捐】 mù//juān 動 義援金や救援物資を募る ‖ 为灾区～ 被災地のため救援物資を募る

13 **＊墓** mù 名 墓 ‖ 坟fén～ 墓. 墳墓｜扫～ 墓参り

【墓碑】 mùbēi 名 墓碑. 墓石

【墓道】 mùdào 名 ❶墓地に通じる道 ❷(地下の)墓室に通じる道

＊【墓地】 mùdì 名 墓地

【墓室】 mùshì 名 墓室. 棺を安置する空間

【墓穴】 mùxué 名 墓穴

【墓园】 mùyuán 名 墓場. 墓地

【墓葬】 mùzàng 名〈考古〉墓. 古墳

【墓志】 mùzhì 名 墓碑の碑文. 墓誌 ‖ ～铭míng 墓碑銘. 墓誌銘

13 **＊幕**(△幙) mù ❶覆い隠すもの. テント. とばり ‖ 夜～ 夜のとばり ❷古代の将軍のテント. 将軍が政治を執り行った場所 ‖ 一～府 ❸名(舞台の)幕. (映画の)スクリーン ‖ 开～ 開幕する ❹量〈劇〉幕. こま ‖ 独～喜剧 一幕もののコメディ

【幕布】 mùbù 名 ❶幕. カーテン ❷(映画の)スクリーン

【幕府】 mùfǔ 名 古 将軍の執務所

＊【幕后】 mùhòu 名 幕の背後. 舞台裏 ‖ 一定有人在～操纵cāozòng 裏で操っている者がいるに違いない

【幕僚】 mùliáo 名 書 幕僚. 将軍などの補佐役

【幕友】 mùyǒu 名 明清代の地方官の私設補佐役. 俗に〔师爷shīyé〕といった

13 **睦** mù むつまじい. 親しく仲がよい ‖ 和～ 仲むつまじい

＊【睦邻】 mùlín 動 書 隣家や隣国と仲よくする ‖ ～友好关系 友好的善隣関係

14 **慕** mù ❶うらやむ. 敬慕する ‖ 羡～ うらやましく思う ❷慕う. 慕わしく思う ‖ 爱～ 愛慕する

【慕名】 mù//míng 動 名声を慕う ‖ ～而来 名声を慕ってやって来る

14 **暮** mù ❶日暮れ. 暮れ ‖ 一～色 ❷終わりに近い ‖ 岁～ 年の瀬

【暮霭】 mù'ǎi 名 書 夕もや

【暮春】 mùchūn 名 晩春

【暮鼓晨钟】 mù gǔ chén zhōng 成 (寺院の)暮れ方の太鼓と明け方の鐘. 警世の文章や言葉. 警鐘

【暮景】 mùjǐng 名 書 ❶夕暮れの景色 ❷晩年の状況

【暮年】 mùnián 名 晩年

【暮气沉沉】 mùqì chénchén 名 元気のない様子

【暮色】 mùsè 名 暮色. 夕やみ

16 **穆** mù 恭しい. 厳粛である ‖ 肃sù～ 厳かで恭しい

＊【穆斯林】 mùsīlín 名 外〈宗〉ムスリム. イスラム教徒

M

N

ń

13嗯(唔) ń ➤ńg

ň

13嗯(呒) ň ➤ňg

ǹ

13嗯(叽) ǹ ➤ǹg

nā

6那 nā 图姓 ➤nà

9南 nā ↴ ➤nán

【南无】nāmó 動〈仏〉南無(なむ). 帰命(きみょう) ‖ ～阿弥陀佛Ēmítuófó 南無阿弥陀仏(なむあみだぶつ)

ná

10★拿(△舒拏挐) ná ❶動(手で)持つ. つかむ. 取る ‖ 随便～ 自由に取る｜把书从架子上～下来 棚から本をおろす ❷動 捕まえる. 奪う ‖ 狗～耗子hàozi, 多管闲事 イヌがネズミをつかまえるようなもので, 余計なおせっかいだ ❸動口 困らせる. 足元を見る ‖ 这事ㄦ没你也行, ～谁呀？ この事は君がいなくてもやっていける, 困りはしないよ ❹ふりをする. 装う ‖ 你要～出当哥哥的样子来 兄さんらしくしなさい ❺動 手に入れる. 得る ‖ ～工资 給料をもらう ❻動 掌握する. 把握する ‖ 这事ㄦ你～得稳吗？ 君はそれを確かだと言いきれますか ❼介 ①…でもって. …によって ‖ ～眼睛看 目で見る ②…を. …に対して ‖ 别～我开心 私をからかわないでくれ｜我简直～他没有办法 私は彼にはまったくお手上げだ

> **類義語** 拿 ná 带 dài 有 yǒu
>
> ◆〔拿〕手のひらで握る, あるいはつかむように持つ ‖ 拿枪 銃を手にする ◆〔带〕身につけて持つ. 携帯する ‖ 我总是随身带着驾驶证 私はいつも運転免許証を携帯している ◆〔有〕所有している. 具体的な物品だけでなく, 広く抽象的なものまでいうことができる ‖ 他有经验 彼は経験がある

【拿不出去】nábuchūqù 動 ❶(恥ずかしくて)人に見せられない ‖ 这样的文章恐怕～ このような文章はおそらくおおっぴらにできない ❷外へ持ち出すことができない

【拿不出手】nábuchū shǒu 組(恥ずかしくて)人前に出せない ‖ 礼物太轻, 真～ 贈り物が粗末で恥ずかしくて出せない

【拿不准】nábuzhǔn 動 はっきりとつかめない. 判断ができない

【拿大】ná∥dà 動方 偉そうに人を見下す

【拿大头】ná dàtóu 慣 人を食いものにする. かもにする

【拿顶】ná∥dǐng 動 逆立ちする. 〔拿大顶〕ともいう

【拿获】náhuò 動 逮捕する. 捕まえる

【拿架子】ná jiàzi 組 威張る. もったいぶる

【拿捏】nánie 動方 ❶もったいつける ❷難癖をつける ‖ ～人 人の弱みにつけ込む

【拿腔拿调】ná qiāng ná diào 慣 声色や語気がもったいぶっている

*【拿手】náshǒu 形 得意である. たけている. 熟練している ‖ ～菜 自慢料理｜～好戏 得意技. おはこ

【拿下】ná∥xia(xià) 動 ❶逮捕する ❷手中に収める. 攻略する

【拿主意】ná zhǔyi 組 考えを決める. 腹を決める. 対策を考え出す ‖ 是去是留, 她一直拿不定主意 去るべきかとどまるべきか, 彼女はずっと迷っている

15镎 ná 图〈化〉ネプツニウム(化学元素の一つ, 元素記号は Np)

nǎ

9★哪 nǎ ❶代 ①単独で用いる. (特定の人や事物について)どれ ‖ ～是你的, ～是他的？ どれがあなたので, どれが彼のですか ②量詞または量詞句の前に置く. どの｜～位是王先生？ どなたが王さんでしょうか ❷代(任意に選んだ一つについて)どれ. どの. (多く後ろに〔都〕〔也〕を伴う) ‖ 喜欢～件你自己挑tiāo吧 どれでも好きな服を自分で選びなさい ❸代(不特定の時間について)いつ. いつか ‖ ～天有空kòng来玩ㄦ吧 いつか暇な時に遊びにきてください ❹代(反語として)どうして…なものか. そういうことはない ‖ ～有这个道理？ どこにそんな道理があろうか. まったくなんたることか ✻ ❶～❸は, 話し言葉ではしばしば něi または nǎi と発音する ➤na né

⁂【哪个】nǎge 代 ❶どちら. どちらの ‖ 你要～？ どちらにしますか｜你是～系的？ あなたは何学部ですか ❷方 誰 ‖ ～敲门？ (ノックしているのは)どなたですか

【哪会ㄦ】nǎhuìr 代 ❶いつ ‖ 这么多活ㄦ, ～才能干完？ こんなにたくさんの仕事, いつになったら終わるのか ❷いつなんどき ‖ 先预备着, 说不定～就有用 まず準備をしておこう, いつなんどき役に立つかしれない

★【哪里】nǎli；nǎlǐ 代 ❶どこ ‖ 他住在～？ 彼はどこに住んでいるのか ❷(不特定の場所)どこか ‖ 记得在～见过她 どこかで彼女に会ったことがある ❸(任意の場所)どこもかしこも. 至る所 ‖ 他走到～, 记者就跟到～ 彼が行くところ, どこでも記者がついていく ❹(反語として)なんで. どうして ‖ ～有这样的事？ そんな事があってたまるか ❺挨拶 とんでもありません. いいえ ‖ "您照顾得太周到了！" "～, ～！" 「とても行き届いたお世話をいただきました」「いいえ, どういたしまして」

【哪门子】nǎménzi 慣方(反語として)いったい何事だ. なんでもないじゃないか. いわれのないことだ ‖ 你生～气呀！ 君はいったい何を怒っているんだ

【哪能】nǎ néng 組(反語として)どうして…できよう. と

てもできない ‖ 我～和你比呢！ 僕は君とはとても比べものにならないよ

*[哪怕] nǎpà 圏 たとえ…でも ‖ ～只剩一个人，也要坚持下去 たとえ一人になっても絶対頑張ってみせる

★[哪ㄦ] nǎr 代 ❶どこ ‖ 你在～工作？ どちらにお勤めですか｜你去～？ どこへ行くんですか ❷(不特定の場所)どこか ‖ 星期天你没去～转转zhuànzhuan？ 日曜日はどこかへ遊びに出かけなかったの ❸(任意の場所)どこでも．至る所 ‖ ～都买不到那本书 あの本はどこへ行っても買えない ❹(反語として)なぜ．どうして ‖ ～有这么办事的？ こんなやり方がどこにあるか

[哪ㄦ的话] nǎr de huà 組 挨拶 どういたしまして ‖ ～，都是自己人，就别客气了 どういたしまして，みな内輪だから遠慮はいりませんよ

[哪天] nǎtiān 代 ❶どの日 ‖ ～来的？ いつ来たのですか ❷いつの日か ‖ ～咱们看电影去吧 いつか一緒に映画を見にいきましょう

*[哪些] nǎxiē 代 (複数の)どれ．どの．どのような ‖ 你去过～地方？ あなたはどのような所へ行きましたか

nà

6★那 nà ❶代 その．あの ‖ ～时候 その時．あの時｜～两个人 あの二人 ❷代 あれ．それ ‖ ～是谁的孩子？ あれは誰の子供か ❸代 (上に述べたことをさして)それ ‖ 你也一块ㄦ去，～太好了 君も一緒に行くの，それはありがたい ❹代 口 動詞·形容詞の前に置き，強調する ‖ 她～一哭，我就没了主意 彼女が泣き出したので，私はどうしてよいか分からなくなった ✻❶～❸は，話し言葉ではしばしば nèi または nè と発音する ➤ nā

[那般] nàbān 代 そのような．あのような．そんな．あんな

*[那边] nàbiān (～ㄦ) 代 そちら．あちら ‖ 你往～去去！ 向こうへ行ってください

[那达慕] nàdámù 名 ナダム．モンゴル族に伝わる祭り．相撲·弓術·競馬などの伝統スポーツが催される

★[那个] nàge 代 ❶その．あの ‖ 我喜欢听～老师的课 私はあの先生の講義を聞くのが好きだ． ❷あれ．それ ‖ ～比这个大一点ㄦ それのほうがこれより少し大きい ❸口 あんなに…である．あの…と言ったらない．(強調で用いる) ‖ 这人～瘦啊！ この人の痩せてることと言ったらない ❹口 (言葉を避けて言う)あれ ‖ 你刚才的玩笑也太～了 君のさっきの冗談はちょっとあれだったね(きつかった ね)

[那会ㄦ] nàhuìr 代 (過去の)あのころ．あの当時．(未来の)その時．そのころ．

★[那里] nàli；nàlǐ 代 そこ．あそこ ‖ 你们～冬天下雪吗？ あなた方の所では，冬，雪が降りますか

★[那么][那末] nàme 代 ❶そのように．あのように ‖ 你可不能～做！ 絶対そんなふうにしてはいけない｜他吃饭总是～慢 彼は御飯を食べるのがいつもあんなにのろい｜有足球场～大 広さがサッカー場ほどもある｜事情没有想像的～复杂 事は思っていたほど込み入ってはいない ❷数量詞の前に置き，見積もりを示す ‖ 借～二十来个就够了 20個ぐらいも借りれば十分だ 圏 では．じゃあ ‖ ～我就先走了！ では，お先に失礼します

[那么点ㄦ] nàmediǎnr 代 (多く量の少なさをさす)それだけの．それっぽっちの ‖ 帮了～忙，用不着yòngbuzháo谢 わずかそれだけの手助けだ，礼には及ばない

[那么些] nàmexiē 代 (名詞の前に置き，量の多さや少なさを強調する)それほど多くの．あんなにたくさんの．それっぽっちの ‖ 一下子来了～人，屋里都坐不下了 一度にそんなに大勢来られても，家の中に座りきれない｜才～？哪够呀！ たったそれっぽっち，足りないよ

[那么一来] nàme yì lái 組 そうなると．それじゃ ‖ ～不就更糟zāo了吗？ それじゃ，よけいまずいじゃないか

[那么着] nàmezhe 代 (動作または状況をさす)あのように．そのように ‖ ～干省劲ㄦshěngjìnr あのようにやれば，力が省ける｜～最好 そうするのが一番だ

★[那ㄦ] nàr 代 口 ❶そこ．あそこ ‖ 你的书在～ 君の本はあそこにある ❷(〔从〕〔打〕〔由〕の後に置き)その時．あの時 ‖ 打～起，我们成了朋友 それ以来，私たちは友だちになった

*[那时] nàshí 代 あの時．その時

[那是] nàshi 慣 それはそうだ．当然．もちろん ‖ ～，光为钱我还不干呢！ もちろん，金のためだけならやらないよ

★[那些] nàxiē 代 それらの．あれらの．それら．あれら ‖ 这些归我，～归你 これらは私のもので，あれらはあなたのものです

★[那样] nàyàng (～ㄦ) 代 ❶(性質·状態·程度·方式などを示す)そのような．あのような．それほど．あれほど ‖ 他没有你～认真 彼は君ほどまじめではない ❷(ある動作や状態を表す)あのようにする．そのようである ‖ 他这人怎么～啊 彼という人はどうしてああなんだろう

[那阵ㄦ] nàzhènr 代 その時．そのころ

7呐 nà ↴ ➤ nè

[呐喊] nàhǎn 動 声高に叫ぶ ‖ ～助威zhùwēi 声を張り上げて声援する

7纳[1] nà ❶受け入れる．中に入れる ‖ 出～ 出納する ❷採り入れる ‖ 采～ 採用する ❸享受する．受ける ‖ →～凉 ❹(税を)納める．納入する ‖ →～税 ❺取り込む．組み入れる ‖ →～入

7纳[2] nà 動 刺し子に縫う．刺し縫いをする ‖ ～鞋底ㄦ 布靴の底を刺し縫いする

[纳粹] Nàcuì 名 外 ナチス ‖ ～党 ナチ党．ナチス

[纳福] nàfú 動 のんびり暮らす．幸せに暮らす

[纳贡] nà//gòng 動 旧 貢ぎ物を献上する

[纳贿] nàhuì 動 ❶賄賂(わいろ)を取る．収賄(しゅうわい)する ❷賄賂を使う．贈賄(ぞうわい)する

[纳谏] nàjiàn 動 書 諫言(かんげん)を受け入れる

[纳客] nàkè 動 客を受け入れる

[纳凉] nàliáng 動 涼を取る．納涼する

[纳粮] nà//liáng 動 旧 税金や年貢を納める

*[纳闷ㄦ] nà//mènr 動 納得できない．腑(ふ)に落ちない．奇妙に思う ‖ 听了他的话，我很～ 彼の話を聞いたが，どうも合点がいかない

[纳米] nàmǐ 量 ナノ·メートル．10億分の1メートル

[纳米比亚] Nàmǐbǐyà 名 〈国名〉ナミビア

[纳米材料] nàmǐ cáiliào 名 ナノ材料

[纳米技术] nàmǐ jìshù 名 ナノテクノロジー

[纳米科学] nàmǐ kēxué 名 ナノサイエンス

[纳妾] nà//qiè 動 旧 妾(めかけ)を囲う．〔纳小〕ともいう

[纳入] nàrù 動 (抽象的なものを)取り入れる．組み込む ‖ 正式～工作日程 正式に仕事のスケジュールに乗せる

*[纳税] nà//shuì 動 税金を納める

[纳税人] nàshuìrén 名 納税者

[纳西族] Nàxīzú 名 ナシ族(中国の少数民族の一つ，主として雲南省や四川省に居住)

【纳降】nàxiáng 動 投降を受け入れる
【纳新】nàxīn 動 新鮮な空気を吸い込む. 新しい党員を受け入れることのたとえ

9 **娜** nà 人名用字 ➤ nuó

9 **衲** nà ❶つぎを当てる. つぎはぎする ‖ 百～衣 つぎはぎだらけの着物. (僧衣の)袈裟(けさ) ❷僧衣 ❸僧の自称または別称 ‖ 老～ 拙僧 ❹〔纳²〕に同じ. 今は普通〔纳〕と書く

9 **钠** nà 名〈化〉ナトリウム(化学元素の一つ, 元素記号は Na)
【钠灯】nàdēng 名 ナトリウム灯. ナトリウム・ランプ

11 **捺** nà ❶動 指で下へ押す ‖ ～手印 拇印(ぼいん)を押す ❷動 こらえる. 抑える ‖ 按～ 抑制する ❸名(～儿)(漢字の筆画の一つ)右払い,〔㇏〕

na

9 ★**哪** na 助 語気助詞〔啊〕が直前の韻母の尾音 n の影響で na と発音される場合, その音に当てる字 ‖ 大家快点儿干～! みんな, 早くやろうぜ ➤ nǎ né

nǎi

2 ***乃**(△迺 廼) nǎi 書 ❶副 すなわち(… である). 確かに(… である) ‖ 此话～至理名言 この言葉はまさに名言である ❷接 そのため. そこで ❸副(… してこそ)はじめて(… である) ❹代 汝(なんじ). 汝の
【乃尔】nǎi'ěr 副 書 かくのごとく. このように
【乃是】nǎishì 動 書 … はすなわち … である ‖ 此物～家传之宝 これがすなわち家伝の宝である
【乃至】nǎizhì 接 ないし. さらには ‖ 病孩儿的不幸, 引起了全省～全国人民的关注 病気の子供の不幸な話は, 全省のひいては全国の人々の関心を集めた

5 ***奶**(△嬭 妳) nǎi ❶名 乳房 ❷名 乳. 乳汁. 乳製品 ‖ 吃～ 乳を飲む | 断～ 乳離れする. 離乳する ❸動 口 母乳を与える. 乳を飲ませる ‖ ～孩子 赤ん坊に乳を飲ませる ❹嬰児期の ‖ 一～牙
【奶茶】nǎichá 名 ミルク茶(牛乳や羊乳を加えた茶)
*【奶粉】nǎifěn 名 粉ミルク. 粉乳 ‖ 冲chōng～ 粉ミルクを溶かす | 脱脂tuōzhī～ 脱脂粉乳
【奶酒】nǎijiǔ 名 牛乳などから作った酒
【奶酪】nǎilào 名 チーズ. バター. ヨーグルト
【奶妈】nǎimā 名 乳母
【奶名】nǎimíng (～儿) 名 幼名. 乳名 =〔小名〕
**【奶奶】nǎinai 名 ❶(父方の祖母に対する呼称)おばあさん ❷(年を取った女性に対する呼称)おばあさん ‖ 老～ おばあさん | 王～ 王おばあさん
【奶牛】nǎiniú 名 乳牛 =〔乳牛〕
【奶皮】nǎipí (～儿) 名 沸かした牛乳や羊乳の表面にできる薄い膜
【奶声奶气】nǎishēng nǎiqì (～的) 慣 幼く言葉もたどたどしいさま
【奶水】nǎishuǐ 名 口 乳. おっぱい ‖ ～很足 乳が満ち足りている
【奶糖】nǎitáng 名 キャラメル
【奶头】nǎitóu 名 ❶〈生理〉乳首 =〔乳头〕❷ゴム製の乳首
【奶牙】nǎiyá 名 口 乳歯. 〔乳齿〕の通称
【奶羊】nǎiyáng 名〈牧〉乳用種のヒツジ
【奶油】nǎiyóu 名 生クリーム ‖ ～蛋糕 生クリームを使ったケーキ
【奶油小生】nǎiyóu xiǎoshēng 名 なよなよした二枚目
【奶罩】nǎizhào 名 ブラジャー =〔乳罩〕
【奶汁】nǎizhī (～儿) 名 母乳. お乳
【奶子】nǎizi 名 ❶動物の乳の総称 ❷方 乳房
【奶嘴】nǎizuǐ (～儿) 名 (哺乳びんの)ゴム製の乳首

6 **氖** nǎi 名〈化〉ネオン(化学元素の一つ, 元素記号は Ne)
【氖灯】nǎidēng 名 ネオン・サイン =〔霓虹灯 níhóng 灯〕

9 **哪** nǎi ➤ nǎ

nài

8 **奈** nài ❶書 対処する ‖ 一～何 ❷書 いかにすべきか. どうしたものか ‖ 无～ どうしようもない
【奈何】nàihé 動 いかんせん. いかにすべきか ‖ 无可～ いかんともすべなし. どうすることもできない | ～不得 どうすることもできない 代 書 (反語として)どうして … できようか. どうすることもできない

9 ***耐** nài ❶動 … に耐える. … に耐え得る ‖ 一～火 ❷動 耐え忍ぶ. 辛抱する. 我慢する. こらえる ‖ 忍～ 辛抱する
【耐穿】nàichuān 形 (着用するものが)丈夫で長持ちする
*【耐烦】nàifán 形 辛抱強い. 忍耐強い ‖ 谁～听你讲那些牢骚láosao话? 誰があなたの愚痴など喜んで聞くものか
【耐旱植物】nàihàn zhíwù 名〈植〉乾燥に強い植物
【耐寒】nàihán 形 寒さに強い ‖ ～作物 耐寒作物
【耐火】nàihuǒ 形 火に強い ‖ ～纤维xiānwéi 耐火繊維
【耐火材料】nàihuǒ cáiliào 名 耐火材料
【耐久】nàijiǔ 形 持ちがよい. 耐久性がある ‖ ～性 耐久性 | 颜色～不变 色があせない
【耐看】nàikàn 形 いくら見ても飽きない. 鑑賞に堪える
【耐劳】nàiláo 形 苦労に耐え得る ‖ 吃苦～ 労苦によく耐える
*【耐力】nàilì 名 耐久力. 持久力 ‖ 长跑能锻炼～ マラソンは持久力がつく
【耐热】nàirè 形 熱に強い. 耐熱性がある
【耐热合金】nàirè héjīn 名 耐熱合金
【耐人寻味】nài rén xún wèi 成 味わえば味わうほど, よさが分かる. 示唆に富み, 味わい深い
【耐酸】nàisuān 形 酸に強い. 耐酸性がある
**【耐心】nàixīn 形 忍耐強い. 辛抱強い. 根気強い ‖ ～劝说 根気強く説得する 名 辛抱強さ. 根気 ‖ 缺乏～ 辛抱強さに欠ける
【耐性】nàixìng 名 根気. 忍耐力. こらえ性 ‖ 做事要有～ どんなことをやるにも根気が必要だ
**【耐用】nàiyòng 形 長く使える. 長持ちする ‖ 经久～ 長持ちして丈夫である

11 **萘** nài 名〈化〉ナフタリン，ナフタレン

14 **鼐** nài 書 大きな鼎(かなえ)

nān

6 **囡** nān 名 方 子供 ‖ 小～ 子供

【囡囡】nānnān 名 方 子供に対して用いる愛称

nán

7 ★**男**[1] nán ❶形 男性の ↔〔女〕‖ 我们老师是～的 私たちの先生は男性だ ❷息子 ‖ 她生了一～一女 彼女は一男一女をもうけた

7 **男**[2] nán 古 五等爵位〔公〕〔侯hóu〕〔伯bó〕〔子〕〔男〕の第5位 ‖ 一～爵

【男宾】nánbīn 名 男性客

【男厕】náncè 名 男子トイレ．男性用トイレ

【男盗女娼】nán dào nǚ chāng 成 男といえば盗賊，女といえば娼婦．みなろくでもない者ばかり

【男低音】nándīyīn 名〈音〉バス

【男儿】nán'ér 名 ますらお．男子たる者 ‖ ～有泪不轻弹tán 男は涙を見せてはならない

【男方】nánfāng 名 婿側．新郎側

【男高音】nángāoyīn 名〈音〉テノール

【男工】nángōng 名 男性の労働者

【男孩儿】nánháir 名 ❶男の子．男児 ❷息子 ＊〔男孩子〕ともいう

【男婚女嫁】nán hūn nǚ jià 成 男はめとり女は嫁ぐ．男女とも適齢期になれば結婚し家庭を持つものだということ

【男家】nánjiā 名 夫の実家．夫の家

【男爵】nánjué 名 男爵

【男科】nánkē 名〈医〉男性の泌尿器科

【男男女女】nánnánnǚnǚ 慣 大勢の男女

【男女】nánnǚ 名 男と女．男女 ‖ ～老少shào 老若男女 ｜ ～平等 男女平等

【男朋友】nánpéngyou 名 男友だち．彼氏

⁂【男人】nánrén 名（大人の）男．男性

【男人】nánren 名 口 夫．亭主

【男生】nánshēng 名 男子学生．男子生徒

【男声】nánshēng 名〈音〉男声

【男士】nánshì 名 殿方．紳士．男の方 ↔〔女士〕

＊【男性】nánxìng 名 男性．男

【男友】nányǒu 名 ❶男性の友人．男友達 ❷ボーイフレンド．恋人．〔男朋友〕ともいう

【男中音】nánzhōngyīn 名〈音〉バリトン

【男装】nánzhuāng 名 ❶紳士服 ❷男装．男のなり

＊【男子】nánzǐ 名 男子．男 ‖ ～单打冠军guànjūn 男子シングルスの優勝者 ｜ ～团体赛 男子の団体競技

【男子汉】nánzǐhàn 名 男らしい男

9 ★**南** nán ❶名 南 ‖ 这房子朝cháo～ この家は南向きだ ❷名（特に中国の）南部地域．南方 ‖ 一～货 ➤ nā

【南半球】nánbànqiú 名〈地〉南半球

【南北】nánběi 名 南北．南と北．南から北まで

★【南边】nánbian 名 ❶（～儿）南．南側．南の方 ‖ 学校就在我家的～儿 学校は私の家のすぐ南側にある ❷口 中国の南部地方

⁂【南部】nánbù 名 南部

【南昌起义】Nánchāng qǐyì 名〈史〉南昌蜂起(なんしょうほうき)．1927年8月1日，周恩来や朱徳らが中心となり江西省南昌市で起こした中国共産党の武装蜂起

【南豆腐】nándòufu 名 柔らかくきめの細かい豆腐 ↔〔北豆腐〕

⁂【南方】nánfāng 名 ❶南方．南の地域 ❷中国の南部地域．長江流域および長江以南の地域

【南非】Nánfēi 名〈国名〉南アフリカ

【南瓜】nánguā 名〈植〉カボチャ

【南国】nánguó 名 書 中国の南部地方

【南胡】nánhú 名〈音〉〔二胡〕の別称

【南回归线】nánhuíguīxiàn 名 南回帰線

【南货】nánhuò 名 中国南部特産の食品

【南极】nánjí 名 ❶南極 ❷磁南極．南磁極．S極

【南极光】nánjíguāng 名 南極のオーロラ．南極光

【南极圈】nánjíquān 名 南極圏

【南京大屠杀】Nánjīng dàtúshā 名〈史〉南京大虐殺．1937年12月，南京を攻略した日本軍が中国軍の捕虜や一般市民に対して行った大量虐殺事件

【南柯一梦】Nánkē yī mèng 成 はかない一場の夢．南柯(なんか)の夢

【南美洲】Nán Měizhōu 名 南米．〔南美〕ともいう

【南面】[1] nánmiàn 動 書 南面する．王位に就く

⁂【南面】[2] nánmiàn 名（～儿）南側．南の方

【南欧】Nán Ōu 名 南欧．南ヨーロッパ

【南腔北调】nán qiāng běi diào 成 ❶さまざまな方言が混じりあっているさま ❷言葉のなまりが強いこと ‖ 他说话～的 彼の言葉は地方なまりがある

【南曲】nánqǔ 名〈劇〉南曲．宋・元・明代の中国南方の演劇に使われた各種の節の総称．または，その演劇

【南式】nánshì 形 南方風の ‖ ～糕点 南方風の菓子

【南纬】nánwěi 名〈地〉南緯

【南味】nánwèi 名 南方風味

【南戏】nánxì 名〈劇〉中国伝統劇の一つ．宋・元代に南方で形成され，曲調は南曲を用いる．〔戏文〕ともいう

【南下】nánxià 動 南下する．南方に行く ‖ ～经商 南方へ行って商売をする

【南洋】Nányáng 名 ❶旧 清末に江蘇・浙江・福建・広東各省の沿海地域をさした ❷南洋諸島

【南辕北辙】nán yuán běi zhé 成 行動が目的に反していることのたとえ

10 ★**难**（難）nán ❶形 ①難しい．困難である ↔〔易〕‖ 这道题特别～ この問題はとくに難しい ②（動詞の前に置き，その動作が難しいことを表す）…しにくい．…しづらい ↔〔好〕‖ 日语很～学 日本語の勉強は難しい ❷動 困らせる．閉口させる ‖ 这一下子可把他～住了 これでたちまち彼はまいってしまった ❸動詞の前に置き，その動作の結果，受ける印象が悪いこと，または，受け入れがたいことを表す ↔〔好〕‖ 一～看 ➤ nàn

【难熬】nán'áo 形 耐え難い

【难办】nánbàn 形 やりにくい．処理しづらい

【难保】nánbǎo 動 保証しかねる．…しないとも限らない

【难缠】nánchán 形 方 扱いきれない．始末に負えない

【难产】nánchǎn 動 ❶〈医〉難産する ❷喩（著作物や計画など）完成することが容易でない

N

【难吃】nánchī 形 おいしくない. まずい
【难处】nánchǔ 形 付き合いにくい. 対処しにくい
【难处】nánchu 名 困まること. 悩み. 問題 ‖ 各有各的～ 人それぞれに悩みがある
【难当】nándāng 動 引き受けがたい ‖ ～重任 重任を引き受けかねる | 羞愧xiūkuì～ 恥ずかしくてたまらない
【难倒】nán//dǎo 動 困らせる. 参らせる ‖ 这么点ㄦ问题难不倒nánbudǎo我 これしきの問題で僕を参らせることはできない
**【难道】nándào 副 まさか…ではあるまい. よもや…ではなかろう.（多く文末に〔吗〕〔不成〕を置く）‖ 这里不许抽烟, ～你不知道吗？ ここが禁煙だということ, まさか君は知らないわけではあるまい | ～他是吃人的老虎不成？ まさか彼は人食いトラでもあるまい
*【难得】nándé 形 ❶得がたい. 容易でない ‖ 这机会很～ こういう機会はなかなか得がたい ❷なかなかない. まれである ‖ ～全家团聚在一起 一家団欒(らん)するなんてめったにないことだ
【难点】nándiǎn 名 解決しにくい点
*【难度】nándù 名（仕事や技術などの）難しさ. 難度 ‖ 这个工程～相当大 この工事は相当難しい
【难分难解】nán fēn nán jiě 成 ❶なかなか勝負がつかない. 相譲らない. 判定がつかない ❷親密で離れがたい. 別れがたい ＊〔难解难分〕ともいう
*【难怪】nánguài 副 道理で. なるほど ‖ ～他的发音那么标准, 他留过三年学呢！ 道理で彼の発音はあんなにきれいなわけだ, 3年留学したんだもの 動 責められない. 無理もない ‖ 这也～你爸爸, 他工作太忙嘛 あなたのお父さんをとがめるわけにはいかない, お父さんは忙しすぎるんだよ
*【难关】nánguān 名 難関. 難所 ‖ 突破技术～ 技術上の難関を突破する
**【难过】nánguò 形 ❶生活が苦しい. 暮らしにくい ‖ 物价飞涨fēizhǎng, 这日子真～ 物価が暴騰して, ほんとうに暮らしにくい ❷つらい. やりきれない. 悲しい ‖ 好朋友去世了, 他心里很～ 親友が亡くなって, 彼はとても悲しんだ
*【难堪】nánkān 動 耐えられない. 忍びがたい. やりきれない ‖ 闷热mēnrè～ 蒸し暑くてたまらない 形 恥ずかしくて耐えられない. 決まりが悪い ‖ 让人～ 人に恥をかかせる. 顔をつぶす
**【难看】nánkàn 形 ❶見た目が悪い. みっともない. 格好が悪い ‖ 这衣服真～ この服はほんとうに格好が悪い ❷体裁が悪い. みっともない ‖ 这么大了, 还叫妈妈抱, 多～ こんなに大きくなってもまだお母さんに抱っこしてもらうなんて, なんてみっともないんでしょう ❸（表情などが）けわしい. 不機嫌である
*【难免】nánmiǎn 形 免れがたい. あり得る ‖ 工作中犯点ㄦ错误是～的 仕事上の小さなミスはありがちである | 这么不注意身体, ～生病 こんなに健康に無関心だと, 病気にかかりやすい
【难耐】nánnài 動 耐えがたい. 耐えきれない ‖ 痛苦～ 苦痛に耐えられない
【难能可贵】nán néng kě guì 成 得がたく貴い. 並たいていのことではない. 奇特である
【难色】nánsè 名 困った顔つき. 難色 ‖ 面有～ 難色を示す
【难舍难分】nán shě nán fēn 成 別れがたい
【难事】nánshì 名 難しいこと. 難事 ‖ 天下无～, 只怕有心人 この世に困難なことは何もない, ただ志しだいである. なせば成る
**【难受】nánshòu 形 ❶体の調子が悪い. 体調がすぐれない ‖ 天热得～ 暑くてたまらない ❷（精神的に）つらい. やりきれない. 情けない. 苦しい ‖ 和女朋友吹了, 心里很～ 彼女と別れてとてもつらい
*【难说】nánshuō 動 ❶（きまりが悪くて）口にしにくい. 言い出せない ❷言いきれない ‖ 谁胜谁负还很～ いったいどちらが勝つかまるで分からない
【难说话ㄦ】nán shuōhuàr 組 気難しい. とっつきにくい. 融通が利かない
【难逃】nántáo 動 免れがたい. 逃げることはできない ‖ 罪责～ 罪の責任は免れない
*【难题】nántí 名 難しい問題 ‖ 给人出～ 人に難題を吹っかける
*【难听】nántīng 形 ❶（音声が）耳障りである. 聞くに耐えない ‖ 他唱歌跑调ㄦ, 真～ 彼の歌は調子っぱずれでほんとに耳障りだ ❷（言葉が粗野で）聞き苦しい. 聞くに耐えがたい ❸外聞が悪い. 世間体が悪い ‖ 这种事传出去多～ このことが外に漏れたら外聞が悪い
【难忘】nánwàng 動 忘れがたい. 忘れられない ‖ 终身～ 生涯忘れられない
【难为】nánwei 動 ❶困らせる. 苦しめる ‖ 他不能喝酒, 就别再～他了 彼は下戸なんだから, これ以上無理強いしてはいけない ❷苦労をかける ‖ 一个人整天忙里忙外, 真～她了 一人で毎日忙しく立ち働いて, 彼女はほんとうにたいへんだ 形 挨拶 ご苦労さまでした. お手数をおかけしました ‖ 真～你了 ほんとうにお手数をおかけしてすみませんでした
【难为情】nánwéiqíng 形 恥ずかしい. 決まりが悪い. 具合が悪い. ばつが悪い
【难闻】nánwén 形 臭い. 不快なにおいがする
【难兄难弟】nán xiōng nán dì 成 兄(けい)たりがたく弟(てい)たりがたし. いずれも負けず劣らずで甲乙つけがたい. どっちもどっちである ➤ nàn xiōng nàn dì
【难言之隐】nán yán zhī yǐn 成 口には出しにくい事情. 人には言えない隠しごと
*【难以】nányǐ 動 なかなか…しがたい. …するのが難しい ‖ ～置信 信じられない | ～对付（人が）扱いにくい
【难于】nányú 動 容易に…できない. …するのが難しい ‖ ～回答 返事に困る. 返答に窮する

12 **喃** nán ↴

【喃喃】nánnán 擬 書 ❶（小声で話す音）ぼそぼそ. ぶつぶつ ‖ ～自语 ぶつぶつ独り言をつぶやく ❷鳥の鳴き声

13 **楠**（△柟 枏）nán ↴

【楠木】nánmù 名〈植〉タイワンイヌグス

nǎn

11 **赧** nǎn 書 恥ずかしくて顔を赤らめる

【赧然】nǎnrán 形 書 恥ずかしがるさま
【赧颜】nǎnyán 動 書 恥ずかしくて顔を赤らめる

13 **腩** nǎn ➡〔牛腩niúnǎn〕

15 **蝻** nǎn ↴

【蝻子】nǎnzi 名〈虫〉イナゴの幼虫

nàn

10 **难(難) nàn** ❶災難. 災厄 ‖ 大～临头 大きな災いが身に降りかかる ❷詰問する. 問いただす ‖ 责～ とがめる ➤ nán

【难胞】nànbāo 名 自国の難民(多く国外で迫害を受けている華僑をさす)

【难船】nànchuán 名 難波船

*【难民】nànmín 名 難民 ‖ ～营 難民キャンプ

【难侨】nànqiáo 名 国外で迫害を受けている華僑

【难兄难弟】nàn xiōng nàn dì 成 苦労を共にした仲. 同じ苦境にある者 ➤ nán xiōng nán dì

【难友】nànyǒu 名 共に災難に遭った友

nāng

22 **囊 nāng** ↴ ➤ náng

【囊膪】nāngchuài 名 ブタの胸部や腹部の脂身の多い肉. 〔囊揣〕とも書く

25 **囔 nāng** ↴

【囔囔】nāngnang 動 小声で話す. ぶつぶつ言う

náng

22 **囊 náng** ❶袋 ‖ 酒～饭袋 飲むこと食うこと以外に能のないごくつぶし ❷袋状のもの ‖ 智～ 知恵袋. ブレーン ➤ nāng

【囊空如洗】náng kōng rú xǐ 成 嚢中(のうちゅう)一物もなし. 一銭も持っていない. すっからかん

【囊括】nángkuò 動 すべてを自分の物にする. 独占する

【囊中物】nángzhōngwù 名 たやすく手に入れることのできるもの ‖ 冠军guànjūn已是～ 優勝はもはや不動のものである

【囊肿】nángzhǒng 名〈医〉嚢腫(のうしゅ)

25 **馕 náng** 名 ナン. ウイグル族やカザフ族などの主食であるパンの一種 ➤ nǎng

nǎng

21 **曩 nǎng** 書 以前. 昔 ‖ ～昔 かつて

25 **攮 nǎng** 動 突き刺す ‖ 用锥子～ きりで突き刺す

【攮子】nǎngzi 名 どす. あいくち

25 **馕 nǎng** 動 方 (食べ物を)口に詰め込む. かき込む ➤ náng

nàng

36 **齉 nàng** 形 鼻が詰まっている. 鼻声である ‖ 说话声发～ 話し声が鼻声だ

【齉鼻儿】nàngbír 形 鼻声である ‖ 他感冒没好, 说话还有点儿～ 彼は風邪が治らなくて, まだ少し鼻声だ

nāo

10 **孬 nāo** 方 ❶形 よくない. 悪い ❷形 意気地がない. 臆病である

【孬种】nāozhǒng 名 方 罵 臆病者. 意気地なし

náo

8 **呶 náo** 書 叫ぶ. わめく ‖ 喧xuān～ 騒がしい

9 **挠[1](撓) náo** ❶阻む. 阻止する ‖ 阻～ 阻む ❷動 (爪または専用の道具で)かく ‖ 伤口刚长zhǎng好, 千万别～ 傷口が塞がったばかりだから, 絶対にかかないように

9 **挠[2](撓) náo** たわむ. 屈服する ‖ 不屈不～ 不撓不屈(ふとうふくつ)

【挠头】náotóu 形 頭が痛い. やっかいである

11 **铙(鐃) náo** ❶名 古 戦いのときに用いたどらに似た鐘. 陣鐘(じんがね) ❷名〈音〉鐃鈸(にょうはち) ‖ ～钹bó 鐃鈸. シンバル

12 **猱 náo** 古 サルの一種

12 **蛲(蟯) náo** ↴

【蛲虫】náochóng 名 (寄生虫の一種)蟯虫(ぎょうちゅう)

nǎo

9 **恼(惱) nǎo** ❶動 憤る. 腹を立てる ‖ 一～火 ❷いらいらする. 思い悩む. 煩悶(はんもん)する ‖ 烦～ 悩む

【恼恨】nǎohèn 動 恨む. 憎らしく思う. 根に持つ

*【恼火】nǎohuǒ 形 腹立たしい. 憤るさま ‖ 事情办成这样, 真让人～ こんなふうにしてしまって, ほんとうに腹が立つ

【恼怒】nǎonù 形 腹立たしい 動 怒らせる. 機嫌を損ねる

【恼人】nǎorén 形 悩ましい. いらいらさせられる

【恼羞成怒】nǎo xiū chéng nù 成 恥ずかしさのあまり怒り出す

9 **垴 nǎo** 方 小さな丘. (多く地名に用いる) ‖ 南～ 山西省昔陽県にある地名

10 **脑(腦) nǎo** ❶名〈生理〉脳. 脳髄 ‖ 大～ 大脳 ❷頭部. 頭 ‖ 探头探～ そっと様子をうかがう. こっそりのぞく ❸知力. 頭脳 ‖ 头～ 思考能力 ❹エキス. 精髄 ‖ 樟zhāng～ 樟脳(しょうのう)

【脑充血】nǎochōngxuè 名〈医〉脳充血

【脑出血】nǎochūxuè 名〈医〉脳出血. 脳溢血. 〔脑溢血〕ともいう

【脑卒中】nǎocùzhòng 名〈医〉脳卒中

**【脑袋】nǎodai 名 ❶頭 ‖ 今天我～有点儿疼 今日は少し頭痛がする ❷頭脳. 知力 ‖ ～好使hǎoshǐ 頭がいい. 頭が切れる *〔脑袋瓜子〕〔脑瓜子〕ともいう

【脑电波】nǎodiànbō 名〈生理〉脳波

【脑电图】nǎodiàntú 名〈医〉脳電図

【脑海】nǎohǎi 名 頭の中. 心の中 ‖ 童年时代的往事, 时时浮现在我的～里 子供のころの思い出が, しばしば私の脳裏に浮かぶ

【脑际】nǎojì 名 頭の中. 脳裏

N

【脑浆】nǎojiāng 名 ❶〈生理〉脳漿(のうしょう) ❷脳みそ
*【脑筋】nǎojīn 名 ❶頭脳．頭．脳みそ‖费～ 頭を使う｜他的～特别好 彼は頭がよく切れる ❷思想．意識
【脑壳】nǎoké 名 方 頭
【脑库】nǎokù 名 シンクタンク．〔智囊zhìnáng团〕ともいう
*【脑力】nǎolì 名 知力．知能．記憶力
【脑力劳动】nǎolì láodòng 名 頭脳労働．精神労働‖从事～ 頭脳労働に従事する
【脑磷脂】nǎolínzhī 名〈生〉セファリン
【脑门儿】nǎoménr 名 口 額．おでこ．〔脑门子〕ともいう
【脑膜】nǎomó 名〈生理〉脳膜
【脑膜炎】nǎomóyán 名〈医〉脳膜炎
【脑勺儿】nǎosháor 名 方 後頭部．〔脑勺子〕ともいう
【脑神经】nǎoshénjīng 名〈生理〉脳神経
【脑栓塞】nǎoshuānsè 名〈医〉脳塞栓
【脑死亡】nǎosǐwáng 名〈医〉脳死
【脑血栓】nǎoxuèshuān 名〈医〉脳血栓
【脑炎】nǎoyán 名〈医〉脳炎
【脑溢血】nǎoyìxuè 名〈医〉脳溢血(のういっけつ)
【脑汁】nǎozhī 名 脳みそ．知恵‖绞尽jiǎojìn～也想不出办法来 一生懸命考えてもうまい方法が思い浮かばない
**【脑子】nǎozi 名 ❶〈生理〉脳 ❷頭脳．脳みそ‖他～好，一点就透tòu 彼は頭がいいので，ちょっと教えただけですぐ理解できる

13 **瑙** nǎo ➡〔玛瑙mǎnǎo〕
【瑙鲁】Nǎolǔ 名〈国名〉ナウル

nào

8 *** **闹**(△鬧) nào ❶形 (人や声などが)騒がしい．騒々しい‖这儿～得很，没法儿讲话 ここはひどく騒々しくて，話ができない ❷動 騒ぐ．わめく‖孩子～着要买玩具 子供がおもちゃを買ってくれとだだをこねている ❸動 騒がす．騒ぎを起こす‖大～会场 会場を大いに騒がせる ❹動 当たり散らす．発散する‖～情绪 ❺動 (病気や災害などが)起こる‖～流感 インフルエンザにかかる｜～水灾 水害が起こる ❻動 からかう．ふざける‖～着玩儿 ❼動 行う．する‖～学生运动 学生運動をやる｜～离婚 離婚騒ぎになる
*【闹别扭】nào bièniu 慣 仲が悪くなる．衝突する‖小两口总～ 若夫婦はいつもけんかばかりしている
【闹病】nào//bìng 動 病気を患う．病気になる
【闹洞房】nào dòngfáng ＝〔闹房nàofáng〕
*【闹肚子】nào dùzi 組 口 腹を壊す．腹を下す
【闹翻】nào//fān 動 仲たがいする
【闹房】nào//fáng 動 婚礼の夜，親戚や友人が新婚夫婦の部屋に集まってからかったり騒いだりする．〔闹洞房〕〔闹新房〕ともいう
【闹鬼】nào//guǐ (～儿) 動 ❶幽霊が出る．お化けが出る ❷こそこそと悪いことをする．インチキをやる
【闹哄】nàohong 動 ❶騒ぐ．やかましくする．大声でけんかする ❷大勢の人がせわしく立ち働く
【闹哄哄】nàohōnghōng (～的) 形 騒々しい．騒がしい‖集市上～的 市場は雑踏をきわめている
【闹饥荒】nào jīhuang 組 ❶凶作になる ❷方 生活に困る．金に困る
【闹监】nào//jiān 動 監獄で騒ぎを起こす
【闹剧】nàojù 名 ❶どたばた喜劇．笑劇．〔趣剧〕〔笑剧〕ともいう ❷喩 滑稽(こっけい)なこと．茶番
【闹了半天】nàole bàntiān 慣 (いろいろやって)結局のところ．(なんだかんだ言って)つまり‖～你们认识呀！ なんだ君たち知り合いだったのか
【闹乱子】nào luànzi 組 問題を起こす．騒ぎを起こす
【闹矛盾】nào máodùn 組 悶着(もんちゃく)を起こす．意見が衝突する
【闹脾气】nào píqi 組 怒る．かんしゃくを起こす‖他在外面不顺心，回家和老婆～ 彼は外で面白くないことがあると，家に帰り奥さんに当たり散らす
【闹情绪】nào qíngxu 組 気を腐らせる．不機嫌になる．不平をこぼす
【闹嚷嚷】nàorāngrāng (～的) 形 騒がしい．騒々しい
【闹市】nàoshì 名 盛り場．繁華街
*【闹事】nào//shì 動 問題を起こす．騒ぎを起こす‖这孩子在外面尽～ この子は外で問題を起こしてばかりいる
【闹腾】nàoteng 動 ❶騒ぐ ❷ふざける．ばか騒ぎをする
*【闹笑话】nào xiàohua (～儿) 組 しくじって笑いものになる．失態を演じる‖不懂装懂难免～ 分かりもせずに知ったかぶりをすると，結局笑いものになる
【闹心】nàoxīn 方 形 うんざりする．いやになる 動 腹の具合が悪くなる
【闹新房】nào xīnfáng ＝〔闹房nàofáng〕
【闹意见】nào yìjian 組 意見が衝突する．仲たがいする‖他们俩又～了 あの二人はまた悶着を起こした
【闹意气】nào yìqì 組 意地になる．意地を張る
【闹灾】nào//zāi 動 災害が起こる．災難に見舞われる
【闹贼】nào//zéi 動 泥棒が出没する
*【闹着玩儿】nàozhe wánr 組 ❶騒いで遊ぶ ❷冗談を言う．ふざける‖刚才的话是～的，你别当真dàngzhēn哪na！ さっきの話は冗談だから，本気にしないでくれ ❸冗談ごとにする．遊びですませる‖再忙也得当心身体，生了病可不是～的 忙しくても体には十分気をつけなさい，病気になったら冗談ではすまないよ
*【闹钟】nàozhōng 名 目覚まし時計

11 **淖** nào 書 泥．ぬかるみ．泥沼

né

9 **哪** né ↴ ➤nǎ na
【哪吒】Nézha；Nézhā 名 神話や伝説中の神の名

nè

6 **讷** nè 書 訥々(とつとつ)としている．訥弁(とつべん)である‖木～寡guǎ言 木訥(ぼくとつ)で寡黙である
【讷讷】nènè 形 書 訥々としている．口ごもるさま

6 **那** nè ➤nà

7 **呐** nè 〔讷nà〕に同じ ➤nà

N

ne

8
★**呢** ne ❶助 **疑問文の文末に置き，疑問の語気を強める**‖我的雨伞～？ 私の傘は？ ❷助 **選択疑問文の文末に置き，疑問の語気を強める**‖你要的是这个～，还是那个～？ あなたが欲しいのはこれですか，それともあれですか ❸助 **平叙文の文末に置き，相手に対して念を押すような語気を表す**．なお，やや誇張の語気をも伴う‖他九点才能回来～ 9時にならないと彼は帰ってこないんです｜这里的冬天可冷～ ここの冬はほんとに寒いんですよ ❹助 **文中に置き，中断を表す**．多く列挙または対比に用いる‖其实～，你比我强多了 実はね，君のほうが僕よりずっとましさ ➤ní

něi

9
哪 něi ➤nǎ

10
馁 něi ❶飢える‖冻～而死 寒さと飢えで死ぬ ❷気弱である‖气～ 落胆する

nèi

4
★**内** nèi ❶名 **内側．内部．(一定範囲の)中** ↔〔外〕‖包括在～ …を含む ❷妻．妻方の親類‖→～弟 ❸体内．内臓‖→～伤 ❹胸の内‖→～疚

【内宾】nèibīn 名 国内の客 ↔〔外宾〕
⁑【内部】nèibù 名 **内部．内側**‖～矛盾 内部の矛盾
【内参】nèicān 名 略 高級幹部だけが閲覧できるニュースレターの一種．〔内部参考〕の略
【内出血】nèichūxuè 名〈医〉内出血
【内存】nèicún 名〈計〉メモリー
【内存储器】nèicúnchǔqì 名〈計〉メモリー．略して〔内存〕ともいう
【内当家】nèidāngjiā 名 方 ❶女房 ❷おかみさん
*【内地】nèidì 名 内陸．奥地
【内弟】nèidì 名 妻の弟．義弟
【内定】nèidìng 動（人事などを）内部決定する
【内耳】nèi'ěr 名〈生理〉内耳
【内分泌】nèifēnmì 名〈生理〉内分泌
【内服】nèifú 動〈医〉内服する ↔〔外敷fū〕
*【内阁】nèigé 名 内閣
【内功】nèigōng 名 身体の内部器官を鍛錬する武術．気功 ↔〔外功〕
【内海】nèihǎi 名 内海．内洋
【内涵】nèihán 名 ❶〈哲〉内包‖概念的～和外延 概念の内包と外延 ❷内面的な修養
*【内行】nèiháng 形 その道に精通している．くろうとである‖他对印刷和出版都很～ 彼は印刷にも出版にもたいへん詳しい 名 くろうと．エキスパート ✻↔〔外行〕
【内耗】nèihào 名 ❶機械などの装置自体が消耗するエネルギー．自家消耗 ❷喩 内部抗争などによる人力や物力のむだな消耗
【内河】nèihé 名 国内の河川
【内核】nèihé 名（事物の）実質．核心
【内讧】【内哄】nèihòng 名 内訌(ないこう)．内紛．うちわもめ
【内画】nèihuà 名（工芸品の一種）ガラスの小瓶の内側に山水・人物・花などの絵を施したもの
【内急】nèijí 動 婉 尿意や便意を催す
【内奸】nèijiān 名（組織内に潜入した）敵の回し者．スパイ
【内景】nèijǐng 名 ❶映画のセット． ❷室内の光景を示す舞台装置
【内镜】nèijìng 名〈医〉内視鏡
【内疚】nèijiù 形 やましい．気がとがめる．うしろめたい‖深感～ たいへん気がとがめる
【内聚力】nèijùlì 名〈物〉凝集力．〔凝聚力〕ともいう
【内眷】nèijuàn 名 家族の中の女性
*【内科】nèikē 名〈医〉内科
【内控】nèikòng 動 企業内部で規制する．内部でコントロールする
【内裤】nèikù 名（下着の）パンツ．パンティー
【内窥镜】nèikuījìng ＝〔内镜nèijìng〕
【内愧】nèikuì 形 やましい．気がとがめる．うしろめたい
【内涝】nèilào 名 水害．水浸し
【内敛】nèiliǎn 形 内向的である
【内陆】nèilù 名 内陸‖～河 内陸河川
【内乱】nèiluàn 名 内乱‖平息～ 内乱を鎮める
【内贸】nèimào 名 略 国内の商取引 ↔〔外贸〕
*【内幕】nèimù 名 内幕．内情‖揭开jiēkāi谈判的～ 交渉の内幕を明るみに出す
【内企】nèiqǐ 名 国内企業 ↔〔外企〕
【内勤】nèiqín 名 ❶内勤 ❷内勤者
*【内情】nèiqíng 名 内情．内部事情‖了解～ 内情をよく知っている
【内燃机】nèiránjī 名〈機〉内燃機関．ディーゼル機関
【内人】nèiren；nèirén 名 家内．人に対して自分の妻をいう
★【内容】nèiróng 名 **内容**‖～丰富 内容が豊かである｜这本书很有～ この本はとても内容がある
【内伤】nèishāng 名〈医〉❶〈中医〉内傷(ないしょう)．心身の過労や不摂生から起こる症状 ❷外力により身体内部に受けた損傷
【内室】nèishì 名 奥の部屋（多く寝室をさす）
【内水】nèishuǐ 名 内水．国家の領域内の河川・湖沼・運河など
【内胎】nèitāi 名 タイヤの内側のチューブ．ふつう〔里带〕〔内带〕という
【内廷】nèitíng 名 旧 内廷．皇帝が起居する所
【内退】nèituì 動（企業の内部規定により定年前に）早期退職する．繰り上げ退職する
【内外】nèiwài 名 ❶内外．内部と外部．内側と外側 ❷（概数を示す）…内外．…前後‖他看上去五十岁～ 彼は見たところ50歳そこそこだ
【内外交困】nèi wài jiāo kùn 成 内外いずれにおいても苦境に立つ
【内务】nèiwù 名 ❶国内の政務（多く民政をさす）．内務 ❷（集団生活において）日常生活に関する室内での仕事．ベッドの整頓や掃除など
*【内线】nèixiàn 名 ❶スパイ．手引き．スパイ活動．地下工作 ❷〈軍〉敵の包囲の内側での戦線 ❸（電話の）内線
【内详】nèixiáng 動 詳しくは内側に．封筒の表書きに書いて差出人の住所や姓名に代える言葉
【内向】nèixiàng 形 ❶国内向けの‖～型经济 国内指向型経済 ❷内向的である‖她性格～，不爱说

话 彼女は内向的な性格で無口である
【内销】nèixiāo 動 国内販売をする ↔〔外销〕‖ ～产品 国内販売商品
*【内心】nèixīn 名 ❶心. 腹の中 ‖ 发自～的赞叹 心底からの賛嘆 ❷〈数〉内心
【内省】nèixǐng 動 内省する. 反省する
【内兄】nèixiōng 名 妻の兄
【内秀】nèixiù 形 外見はぱっとしないが, 実際は繊細かつ聡明である ‖ 他这个人～ 彼は見た目とは違い, 実際はたいへん優秀である
【内需】nèixū 名 内需 ‖ 拉动～ 内需を喚起する
【内衣】nèiyī 名 下着. 肌着
【内应】nèiyìng 動 内部から相呼応する 名 内応者
【内忧外患】nèi yōu wài huàn 成 内憂外患
【内援】nèiyuán 名 ❶内部からの援助 ❷〈体〉国内招聘選手. 国内のほかのチームから移籍した選手
【内蕴】nèiyùn 動 心に蓄える 名 (含んでいる)内容
*【内在】nèizài 形 ❶内在的な ↔〔外在〕‖ ～原因 内在的原因 ❷内に潜んでいる. 内に秘めている ‖ 感情～ 感情を内に秘めている
*【内脏】nèizàng 名〈生理〉内臓
*【内战】nèizhàn 名 内戦 ‖ 停止～ 内戦を中止する
【内争】nèizhēng 名 内部闘争. 内輪もめ. 内紛
*【内政】nèizhèng 名 内政 ‖ 干涉别国～ 他国の内政に干渉する
【内侄】nèizhí 名 妻の甥(おい)
【内侄女】nèizhínǚ 名 妻の姪(めい)
【内痔】nèizhì 名〈医〉肛門(こうもん)内部の粘膜にできる痔疾(じっ)
【内中】nèizhōng 名 (多く抽象的なものについて)中. 内. 内側
【内助】nèizhù 名 書 妻 ‖ 贤xián～ 賢妻
【内资】nèizī 名 国内の資金 ↔〔外资〕

6 **那** nèi ➤ nà

nèn

10 **恁** nèn 方 ❶代 その. あの ‖ ～时 その時 ❷代 そんなに. そのように ‖ 你咋zǎ～大胆 どうして君はそんなに度胸があるんだ
【恁地】nèndì 代 方 ❶そんなに. あんなに ‖ 不要～说 そんなふうに言うな ❷どうして. なぜ

14 * **嫩**(△嫰) nèn ❶形 若い. みずみずしい ↔〔老〕‖ ～芽 ❷形 (食物に)さっと火が通っていて軟らかい ↔〔老〕‖ 肉炒～点 肉を(硬くならないように)さっと炒める ❸形 (色が)淡い. 薄い ‖ ～黄 ❹形 未熟である. 経験が少ない ‖ 脸皮～ うぶである | 这工作交给他不行, 他还太～ 彼はまだ未熟だから, この仕事を任せてはだめだ
【嫩红】nènhóng 形 淡紅色の. 淡いピンクの
【嫩黄】nènhuáng 形 淡黄色の
【嫩绿】nènlǜ 形 萌葱色(もえぎ)の. 薄緑の
【嫩弱】nènruò 形 なよなよとしている. 柔らかい
【嫩芽】nènyá 名 新芽. 若芽

néng

10 ★ **能** néng ❶才能. 能力 ‖ 软弱无～ 弱々しく意気地がない ❷有能な. 才能のある ‖

コラム “能” néng　“会” huì　“可以” kěyǐ

「できる」を表すには“能”“会”“可以”の三つの助動詞がよく使われる.

会

人間や動物が生まれつきもっている潜在能力が, 学習により開花してできる. 少し練習したり, 手ほどきをしてもらえば, 基本的には誰でもできることに使う.

孩子会走路了　子供が歩けるようになった
他会弹钢琴　彼はピアノがひける
鸟会飞, 鱼会游　鳥は空を飛べ, 魚は泳ぐことができる

ふだん誰でもしていることに“会”を使うと,「(あることが)うまい. (あることに)たけている」という意味を表す. 前によく副詞“很”“真”“最”などを置く.

她很会过日子　彼女はやりくりがうまい

能

内に能力や力をもっていてできる, 何かができる能力や条件を備えている. “会”が学習の結果, 基本的にできるようになることを表すのに対して, その上に立って具体的に能力がどの程度かをいうには“能”を用いる.

他能游五百米　彼は500メートル泳げる
小张能当领导　張君はリーダーになれる

1) 個別的・具体的状況において, 実現可能であることをいう.

你在明天的联欢会上能表演吗？　君は明日の歓迎会に出演できますか
车坏了, 他不能来学校上课了　自転車が故障したので, 彼は学校の授業に出られなくなった

2) いったん喪失した能力の回復には“能”が使われ, “会”は用いない.

病人能下地了　病人はベッドから起きられるようになった

可以

状況が許して可能である, または, 客観的条件が備わって可能である.

这间屋子可以住六个人　この部屋には6人泊まれる
今天晚上我没事, 可以和你在一起　今晩私は用事がないので, あなたと一緒にいられる

上の例では“能”も使えるが,“可以”のほうは「…するのに差し障りがない(程度の)条件がある」ことを消極的に表す.

您要多买, 我可以打八折　たくさん買ってくれるなら, 8掛けにしてもいいですよ

・否定には“不能”を用い,“不可以”は使わない.

我明天有事不能来了　私は明日用事があって来られない

・単独で「いけない」と不許可を表すときには,“不行”を用いる.

“汽车可以从这儿通过吗？”“不行”
「車はここを通れますか」「だめです」

一～人 ❸助動 ①(能力や条件が備わっていることを表す) … することができる. … し得る ‖ 腿受伤了, 不～走路 足がけがをしているので, 歩くことができない ②(あることに長じていることを表す) … するのがうまい. よく … する ‖ 他最～吃苦 彼がいちばん我慢強い ❹助動(可能性を表す) … することがあり得る. … かもしれない ‖ 我不信这件事他～不知道 このことを彼が知らないはずはない ❺助動(情理上または客観的に見て許されることを表す) … することが許される. … してもよい. (多く疑問文や否定文に用いる) ‖ 我们不～太自私 我々はあまりに利己的であってはならない | 这儿～抽烟吗? ここでタバコを吸ってもいいですか ❻助動(機能が備わっていることを表す) … できる ‖ 这种自行车～变速 この種類の自転車はギアチェンジができる ❼图〈物〉エネルギー. 〔能量néngliàng〕ともいう ‖ 太阳～ 太陽エネルギー

【能动】néngdòng 形 能動的である. 積極的である

【能否】néngfǒu 副 書 … できるか否か ‖ 此事～成功, 关键在他 これが成功するかどうかは, 彼しだいだ

⁑【能干】nénggàn 形 有能である. 仕事がよくできる ‖ 他是个十分～的人 彼はなかなか有能な人物である

*【能歌善舞】néng gē shàn wǔ 成 歌や踊りが上手である

【能工巧匠】néng gōng qiǎo jiàng 慣 腕利きの職人. 名匠. 名工

★【能够】nénggòu 助動(能力や条件が備わっていて) … することができる. … し得る ‖ 他完全～独立工作了 彼はもう完全に独立して仕事ができる | 这个会场～容纳róngnà五千人 この会場は5000人収容できる

【能耗】nénghào 图 エネルギー消費

【能见度】néngjiàndù 图 可視度. 視感度. 視程

⁑【能力】nénglì 图 能力. 技量. 力. 才腕 ‖ 他的业务～很强 彼の仕事上の能力はなかなかのものだ

*【能量】néngliàng 图 ❶〈物〉エネルギー ‖ ～守恒shǒuhéng定律 エネルギー保存の法則 ❷喩 活動能力

【能耐】néngnai 图 口 技量. 力量 ‖ 这人真有～ この人はなかなか力量がある

【能掐会算】néng qiā huì suàn 慣 占いが巧みである. 物事の予測がよくできる

【能屈能伸】néng qū néng shēn 成 逆境にあってはじっと耐え, 順境にあっては大いに手腕をふるう. 状況がよいときも悪いときも適応できる ‖ 大丈夫～ 男というものは進退自在でなければならない

【能人】néngrén 图 才能のある人. 有能な人. やり手

【能上能下】néng shàng néng xià 慣 偉い幹部にもなれるし, 普通の労働者にもなれる. 地位や待遇が下がっても, こだわらずに仕事をすること

【能事】néngshì 图 得意とすること ‖ 极尽挑拨tiǎobō离间líjiàn之～ あらんかぎりの手を使って人をそそのかし仲を引き裂こうとする

*【能手】néngshǒu (～儿) 图 腕利き. 達人. 名人

*【能说会道】néng shuō huì dào 成 話が上手である. 口がうまい. 口が達者である. 弁が立つ

【能效】néngxiào 图 エネルギー効率

⁑【能源】néngyuán 图〈物〉エネルギー源. エネルギー ‖ ～危机 エネルギー危機

【能者多劳】néng zhě duō láo 成 能力のある人は人より多く働く. 多くの仕事を分担する人に称賛の意味を込めていう言葉

ńg

[10]**唔** ńg 〔嗯ńg〕に同じ

[13]★**嗯** ńg ; ń 感(疑問を表す)えっ. はて. なに ‖ ～? 这是什么? はて, これはなんだ ➤ňg ǹg

ňg

[13]**嗯** ňg ; ň 感(不満・反対・意外な気持ちを表す)おや. なんだって ‖ ～! 你还没干完哪? なんだ, 君はまだやり終えていないのか ➤ ńg ǹg

ǹg

[13]**嗯** ǹg ; ǹ 感(肯定や承諾を表す)うん. ええ ‖ 他～了一声, 表示同意 彼はうんと言って同意を示した ➤ ńg ňg

nī

[8]**妮** nī ↴

【妮子】nīzi 图 方 女の子. 〔妮儿〕ともいう

ní

[5]**尼** ní 尼. 尼僧 ‖ →～姑

【尼泊尔】Níbó'ěr 图〈国名〉ネパール

【尼姑】nígū 图〈仏〉尼. 尼僧

【尼姑庵】nígū'ān 图〈仏〉尼寺. 〔尼庵〕ともいう.

【尼古丁】nígǔdīng 图 外 ニコチン

【尼加拉瓜】Níjiālāguā 图〈国名〉ニカラグア

*【尼龙】nílóng 图 外 ナイロン

【尼日尔】Nírì'ěr 图〈国名〉ニジェール

【尼日利亚】Nírìlìyà 图〈国名〉ナイジェリア

[8]⁑**泥** ní ❶图 泥. 泥土 ‖ 淤yū～ 川などに沖積した泥 ❷泥状のもの. どろどろにしたもの ‖ 印～ 印肉 | 土豆～ マッシュポテト ➤ nì

【泥巴】níbā 图 方 泥

【泥饭碗】nífànwǎn 图 土の飯茶碗. 〔铁饭碗〕(食いはぐれのない職業)と違い, 収入や地位が保証されない職業 ↔〔铁饭碗〕

【泥封】nífēng 图 封泥(ふうでい)

【泥垢】nígòu 图 泥と垢(あか) ‖ 满身～ 体中の泥と垢

【泥浆】níjiāng 图〈鉱〉泥漿(でいしょう). スラリー

【泥金】níjīn 图 金泥(きんでい)

【泥坑】níkēng 图 泥沼 ‖ 掉进～里 泥沼にはまる

【泥疗】níliáo 图〈医〉泥療法.

【泥煤】níméi =〔泥炭nítàn〕

【泥淖】nínào 图 ぐちゃぐちゃした泥. ぬかるみ

【泥泞】nínìng 形 ぬかるんでいる ‖ 雨后道路～ 雨の後は道がぬかるんでいる 图 ぬかるみ ‖ 陷入～ ぬかるみにはまる

【泥牛入海】ní niú rù hǎi 成 泥の牛が海に入る. 行ったきり戻ってこない. なしのつぶて

N

【泥鳅】níqiu；níqiū 图〈魚〉ドジョウ
【泥人】nírén （～儿）图 泥人形．土人形
【泥沙俱下】ní shā jù xià 成 泥も砂も一緒に押し流す．玉石混淆（ぎょく）である．みそもくそも一緒くたにする
【泥石流】níshíliú 图 土石流
【泥水匠】níshuǐjiàng ＝〔泥瓦匠níwǎjiàng〕
【泥塑】nísù 图（民間工芸の一つ）泥人形
【泥塑木雕】ní sù mù diāo 成 粘土の像や木彫りの像．生気がなく無表情なさま．または，じっと動かないさま
【泥胎】nítāi 图 色を塗る前の泥人形
【泥潭】nítán 图 泥沼
【泥炭】nítàn 图 泥炭．〔泥煤〕ともいう
【泥塘】nítáng 图 泥沼．泥水のたまったくぼ地
*【泥土】nítǔ 图 ❶土壌．土 ❷粘土
【泥腿子】nítuǐzi 图 農民に対する蔑称．田舎者
【泥瓦匠】níwǎjiàng 图 左官．〔泥水匠〕ともいう
【泥污】níwū 图 泥と垢
【泥沼】nízhǎo 图 泥沼
【泥足巨人】nízú jùrén 慣 見かけ倒し．張り子の虎

8 **怩** ní ➡〔忸怩niǔní〕

8 **坭** ní 地名用字 ‖ 白～ 広東省にある地名

8 **呢** ní 图〈紡〉ラシャ ‖ 制服～ 制服用のラシャ地 ｜～大衣 ラシャのコート ➤ ne
【呢喃】nínán 擬 書 ❶ツバメの鳴き声 ❷ひそひそと話す声 ‖ ～细语 小さな声で話す
【呢绒】níróng 图 毛織物の総称
【呢子】nízi 图〈紡〉ラシャ ‖ ～大衣 ラシャのコート

10 **倪** ní きっかけ．始まり ‖ 端～ 糸口

10 **铌** ní 图〈化〉ニオブ．ニオビウム．（化学元素の一つ，元素記号は Nb）

11 **猊** ní ➡〔狻猊suānní〕

16 **霓**（△蜺）ní 图〈気〉副虹（にじ）．第二次虹．〔副虹〕ともいう
【霓虹灯】níhóngdēng 图 ネオンサイン．ネオン灯

16 **鲵** ní 图〈動〉オオサンショウウオとサンショウウオの総称

nǐ

7 ★**你**（△妳❶）nǐ ❶代（第二人称単数をさす）君．あなた ‖ ～叫什么名字？ お名前はなんとおっしゃいますか ❷代 広く任意の相手をさす ‖ 他办事很有一套，叫～不得不bù dé bù服气 彼は仕事ぶりがなかなか有能で，誰もが心服せずにはいられない ❸代〔我〕または〔他〕と組み合わせて，大勢が参加すること，または互いにあることをすることを表す ‖ 大家～一言我一语地议论起来了 みんな我がちに議論を始めた ❹代（書面で複数の相手をさす）あなたがたの．貴… ‖ ～厂 貴工場
【你来我往】nǐ lái wǒ wǎng 慣 互いに行き来する
★【你们】nǐmen 代（第二人称の複数をさす）君たち．あなた方 ‖ ～都来了！ みなさんようこそ
【你死我活】nǐ sǐ wǒ huó 成 生きるか死ぬか．食うか食われるか．命懸けの争い
【你争我夺】nǐ zhēng wǒ duó 慣 お互いに奪い合う．しのぎを削る
【你追我赶】nǐ zhuī wǒ gǎn 慣 追いつ追われつする．我がちに競い合うさま

7 **拟**[1]（擬△儗）nǐ ❶比べる．比較する ‖ 比～ 比べる ❷まねる．なぞらえる ‖ ～作 ｜模～ なぞらえ似せる．模擬

7 * **拟**[2]（擬）nǐ ❶動 …するつもりである．…する予定である ‖ ～于yú下月去中国访问 来月中国を訪問する予定である ❷動 計画する．起草する ‖ ～稿 ｜草～ 立案する
【拟订】nǐdìng 動 起草する．立案する
*【拟定】nǐdìng 動 ❶起草して制定する ‖ ～草案 草案を作る ❷推測して断定する
【拟稿】nǐ//gǎo （～儿）動 起草する．草稿を作る
【拟古】nǐgǔ 動 古いものに似せる．擬古
【拟人】nǐrén 图〈語〉擬人 ‖ ～化 擬人化
【拟声词】nǐshēngcí 图〈語〉擬音語
【拟态】nǐtài 图〈生〉擬態
【拟议】nǐyì 图 予見 動 立案する．起草する
【拟音】nǐyīn 動 音を擬する．擬音
【拟于不伦】nǐ yú bù lún 成 比較が当を得ない．比べものにならない人や事物を引き合いに出すこと
【拟作】nǐzuò 图 模作．擬作

11 **旎** nǐ ➡〔旖旎yǐnǐ〕

nì

8 **泥** nì ❶動（土やしっくいなどを）塗りつける．塗る ‖ 用泥子nízi～缝儿fèngr パテですきまを塗りつぶす ❷こだわる．固執する ‖ ～古 ｜拘jū～ こだわる ➤ ní
【泥古】nìgǔ 動 昔のしきたりや言いならわしにこだわる ‖ ～不化 古いしきたりにこだわり改めない
【泥子】nìzi 图 パテ．〔腻子〕とも書く

9 **逆** nì ❶書 迎える ‖ ～旅 宿屋 ❷逆になる．反対になる ‖ ～行 ❸逆である．さかさまである ↔〔顺〕‖ ～序 ❹逆らう．反発する ‖ ～耳 ❺順調でない．不運である ‖ ～境 ❻反逆する．裏切る ‖ 叛～行为 裏切り行為 ❼反逆者．裏切り者 ‖ 抄没chāomò～产 売国奴の財産を押収する ❽前もって．事前に ‖ ～料
【逆差】nìchā 图〈貿〉輸入超過．入超 ↔〔顺差〕
【逆定理】nìdìnglǐ 图〈数〉逆定理
【逆耳】nì'ěr 動 耳に逆らう．耳が痛い．聞くのが不快である ‖ 忠言～ 忠言耳に逆らう
【逆反】nìfǎn 動 反発する．逆らう ‖ ～心理 反抗心
【逆风】nì//fēng 動 風に逆らう ‖ ～而行 逆風をついて進む 图（nìfēng）逆風．向かい風
【逆光】nìguāng 图 逆光
【逆价】nìjià 图 逆ざや．販売価格が仕入れ価格を下回ること ↔〔顺价〕
【逆境】nìjìng 图 逆境
【逆来顺受】nì lái shùn shòu 成 悪い境遇や相手の理不尽に対しておとなしく耐え忍ぶ．じっと辛抱する
【逆料】nìliào 動 予想する．予知する．予測する
*【逆流】nìliú 動 流れに逆らう ‖ 沿长江～而上 長江を遡る 图 逆流．反動的な潮流のたとえ
【逆时针】nìshízhēn 形 逆時計回りの．左回りの

【逆水】nì//shuǐ 動 流れに逆らう. 遡る ↔〔顺水〕
【逆水行舟】nì shuǐ xíng zhōu 成 流れに逆らって舟を進める ‖ 学如～, 不进则退 学問は流れに逆らって舟を進めるようなもので, 努力しなければ退歩する
【逆温层】nìwēncéng 名〈気〉逆転層
【逆向】nìxiàng 名 逆方向
【逆向思维】nìxiàng sīwéi 名 逆転の発想
【逆行】nìxíng 動 逆方向に進む. 逆行する
【逆序】nìxù 名 逆の配列. 〔倒dào序〕ともいう
【逆转】nìzhuǎn 動 (形勢が)悪化する. 逆転する
【逆子】nìzǐ 名 親不孝の息子

9 **昵**(△暱) nì 親しい ‖ 亲～ むつまじい
【昵称】nìchēng 名 愛称

10 **匿** nì 隠す. 隠れる ‖ 逃～ 逃げ隠れる | 藏cáng～ 隠匿する. かくまう
【匿藏】nìcáng 動 隠匿する. かくまう ‖ ～逃犯 逃亡犯をかくまう
【匿伏】nìfú 動 潜伏する. 潜む
【匿迹】nìjì 動 行方をくらます. 姿をくらます
【匿名】nìmíng 動 名を隠す. 本名を伏せる
【匿名信】nìmíngxìn 名 匿名の手紙
【匿影藏形】nì yǐng cáng xíng 成 影を隠し形を隠す. 姿をくらます

13 **溺** nì ❶(水に)溺(おぼ)れる ‖ →～水 ❷おぼれる. ふける ‖ →～爱 ➤ niào
【溺爱】nì'ài 動 溺愛(できあい)する. 盲愛する
【溺水】nìshuǐ 動 (水に)溺れる
【溺婴】nìyīng 動 生まれたばかりの子を水につけて殺す

13 **腻** nì ❶形 脂っこい ‖ 油～ 脂っこい ❷動 (脂っこくて)食べる気を起きさせない ‖ 一点ㄦ不觉得～人 ちっとも脂っこく感じない ❸形 飽き飽きする. うんざりする ‖ 吃～了 食べ飽きた | 听～了 聞き飽きた ❹つやつやしている. きめ細かい ‖ 细～ きめ細かい ❺汚れ ‖ 垢gòu～ 汚れ ❻形 ねばねばする. べとつく
【腻虫】nìchóng 名〈虫〉アブラムシ. アリマキ. 〔蚜yá虫〕の俗称
【腻烦】nìfan 形 飽き飽きしている. うんざりである 動 嫌悪する. 反感を覚える ‖ 我最～那种人 ああいう人間はいちばん嫌いだ
【腻人】nì//rén 動 ❶(料理が脂っこくて)食べる気がしない ❷(話がくどくて)うんざりさせる
【腻味】nìwei 形 方 飽き飽きしている. うんざりである
【腻子】nìzi =〔泥子nìzi〕

13 **睨** nì 書 横目で見る ‖ 睥pì～ 睥睨(へいげい)する
【睨视】nìshì 動 横目で見る

niān

8 **拈**(△撚) niān 動 (指で)挟む. つまむ ‖ 信手～来 手当たりしだいに持ってくる. 文章を書くとき, 古典などの表現や題材を自由自在に使いこなすこと
【拈花惹草】niān huā rě cǎo 成 女性を誘惑する. 女遊びをする. 〔惹草拈花〕ともいう
【拈阄ㄦ】niān//jiūr 動 くじを引く
【拈轻怕重】niān qīng pà zhòng 成 楽な仕事を選り好みし, 骨の折れる仕事を嫌がる

14 **蔫** niān ❶形 (植物が)しおれている. しなびている ‖ 老不下雨, 庄稼zhuāngjia都～了 ずっと雨が降らないので, 作物がすっかりしおれてしまった ❷形 しょんぼりしている. 元気がない ‖ 挨ái了父亲的骂, ～了 父に叱られてしょげかえった ❸形 方 (性格が)ぐずぐずして煮えきらない. てきぱきしない
【蔫巴】niānba 動 口 しおれる
【蔫不唧】niānbujī (～ㄦ的) 形 方 ❶元気がない. しおれている. しょんぼりしている ❷ひっそりと音を立てないさま. こっそり
【蔫呼呼】niānhūhū (～的) 形 煮えきらない. ぐずぐずしている. てきぱきしない
【蔫ㄦ坏】niānrhuài 形 方 心根がよくない. 陰でこそこそする
【蔫头耷脑】niān tóu dā nǎo (～的) 形 ぐったりして元気のないさま. 生気のないさま

nián

6 ★**年**(△秊) nián ❶一年の収穫 ‖ →～成 ❷名 年(ねん) ‖ 学了三～ 3年間学んだ ❸年齢. 年 ‖ →～纪 ❹生涯のある期間 ‖ 童～ 幼年. 子供のころ ❺時期. 時代 ‖ 清朝末～ 清代末期 ❻名 新年. 正月 ‖ 过～ 年越し ❼正月用品. 年越し用品 ‖ →～货
【年报】niánbào 名 年間報告. 年報
【年表】niánbiǎo 名 年表
【年菜】niáncài 名 正月料理. おせち料理
【年成】niáncheng 名 (一年の)作柄. 収穫
【年初】niánchū 名 年頭. 年の初め ‖ 今年～ 今年の年頭
⁂【年代】niándài 名 ❶(10年を一区切りとする)年代 ‖ 二十世纪九十～ 20世紀90年代 ❷時代. 時期 ‖ 都什么～了, 你还这么死脑筋nǎojīn もうそんな時代じゃないよ, まったく相変わらずの石頭なんだから
【年底】niándǐ 名 年の暮れ. 年末
*【年度】niándù 名 年度 ‖ 会计kuàijì～ 会計年度
【年饭】niánfàn 名 旧暦大みそかの夜に食べる一家団欒(だんらん)の食事. 年越しの食事
【年份】niánfèn 名 ❶年. 年度 ❷経過した年月の長さ. 年代
【年富力强】nián fù lì qiáng 成 年が若く, 力が充実している(多く中年の働き盛りをさす)
【年高德劭】nián gāo dé shào 成 高齢で徳がある
【年糕】niángāo 名 (もち米やうるちの粉をこね, 蒸してついた)餅. 中国の正月用の餅
【年根】niángēn (～ㄦ) 名 年末. 年の暮れ
【年庚】niángēng 名 出生した年・月・日・時刻
【年关】niánguān 名 年の瀬. 年の暮れ ‖ 过～ なんとかして年の瀬(の難関)を越す
【年光】niánguāng 名 ❶年月. 歳月 ❷作柄. 収穫 ❸方 時世. 時代
【年号】niánhào 名 年号
【年华】niánhuá 名 年月. 時期. 時代 ‖ 虚度xūdù～ 年月を空しく送る | 青春～ 青春時代
【年画】niánhuà 名 旧正月に飾る縁起物の絵
【年会】niánhuì 名 年に一度の例会. 年会
【年货】niánhuò 名 (餅・年画・爆竹など, 旧正月の)年越し用品. 正月用品
★【年级】niánjí 名 学年 ‖ 他刚上三～ 彼は3年生

N

になったばかりだ｜大学一～学生 大学1年生

★【年纪】niánjì 名 年齢．年‖～轻 年が若い｜上了～ 年を取っている

類義語 | 年纪 niánjì 年龄 niánlíng

◆〔年纪〕人の年齢を表す．話し言葉にも書き言葉にも用いる ◆〔年龄〕人のほか動植物の生存年数も表す．主に書き言葉である ◆年齢の多寡を表す形容詞との結びつきに違いがある．〔年纪〕は〔大〕〔小〕〔轻〕などが使えるが，〔高〕は使えない．逆に〔年龄〕は〔大〕〔小〕〔高〕は使えるが，〔轻〕は使えない

【年假】niánjià 名 旧 ❶旧正月の休み ❷(学校の)冬休み＝〔寒假〕

【年间】niánjiān 名 年間．年代．時期‖清朝康熙Kāngxī～ 清代康熙(こうき)帝の時代

【年鉴】niánjiàn 名 年鑑

【年节】niánjié 名 旧正月前後の数日間

【年景】niánjǐng 名 ❶(1年間の)作柄．収穫‖好～ 豊作 ❷年越し風景．正月の光景

【年均】niánjūn 動 年ごとに平均する‖～降jiàng雨量 年平均降雨量

【年刊】niánkān 名 年1回刊行の出版物

【年来】niánlái 名 1年来．近年来

【年历】niánlì 名 (1年分が1枚になった)カレンダー

【年利】niánlì 名 年利．年利率

N

⁑【年龄】niánlíng 名 (人や動植物の)年齢．年‖入学～ 入学年齢｜～段 年齢層

【年轮】niánlún 名〈植〉年輪．生長輪

【年迈】niánmài 形 年を取っている．年老いている‖～多病 高齢で病気がちである

【年末】niánmò 名 年末

【年谱】niánpǔ 名 年譜

【年前】niánqián 名 年越し前．年内

⁑【年青】niánqīng 形 青少年期にある．若者の‖～的一代 若者の世代

★【年轻】niánqīng 形 年が若い‖～人 若い人．若者．青年｜～力壮zhuàng 若くてエネルギーに満ちている

【年少】niánshào 形 年少である．年が若い 名 若者

【年深日久】nián shēn rì jiǔ 成 年月が久しい．長い年月がたつ

【年事】niánshì 名 書 年齢‖～已高 高齢である

【年岁】niánsuì 名 ❶年齢．年‖上了～ 年を取った ❷歳月．年月

*【年头儿】niántóur 名 ❶(足かけの)年数‖他到上海已经三个～了 彼が上海に来てもう3年になる ❷長い年月‖她干这一行有～了 彼女がこの仕事をするようになってもうずいぶんたつ ❸時代．時世‖这～还有谁用那玩意儿？ いまどき誰がそんなものを使うもんか ❹(一年の)作柄．収穫 ❺年頭．年の初め

【年尾】niánwěi 名 年末

【年息】niánxī 名 年利

【年下】niánxia 名 口 (旧暦で)正月を迎える前後．年始．(年があけてからの半月程度をさすことが多い)

【年限】niánxiàn 名 年限

【年薪】niánxīn 名 年給．年俸

【年夜】niányè 名 (旧暦の)除夜．大みそかの夜．年越し‖～饭 大みそかのご馳走

【年幼】niányòu 形 幼少である．幼い．年若い‖～无知 年端(とし)もゆかず世間知らずである

*【年月】niányue 名 ❶時世 ❷年月‖我们共同度过了那段漫长的～ 我々はあの長い年月を共に暮らしてきた

【年长】niánzhǎng 形 年長である．年上である

【年终】niánzhōng 名 年末‖～结算 年末決済

【年资】niánzī 名 年功．勤続年数と経験‖打破～框框kuàngkuang，起用优秀人才 年功の枠を超え，優秀な人材を起用する

11 **粘** nián 〔黏nián〕に同じ ➤ zhān

13 **鲇** nián 名〈魚〉ナマズ‖～鱼 ナマズ

17 **黏** nián 形 ねばねばしている．粘っこい．〔粘〕と書くことも多い‖这糯米nuòmǐ很～ このもち米はとても粘りがある

【黏虫】niánchóng 名〈虫〉アワヨトウ

【黏度】niándù 名 粘度．粘り‖～大 粘度が高い

【黏附】niánfù 動 粘りつく．へばりつく．くっつく

【黏合】niánhé 動 粘りつく．接着する

【黏合剂】niánhéjì 名 粘着剤．接着剤

【黏糊】niánhu 形 ❶粘りけがある．ねばねばしている ❷ぐずぐずと煮えきらない．てきぱきしていない

【黏结】niánjié 動 粘りつく．くっつく‖～力 粘着力

【黏米】niánmǐ 名 方 キビ．モチキビ

【黏膜】niánmó 名〈生理〉粘膜

【黏土】niántǔ 名 粘土

【黏性】niánxìng 名 粘性．粘りけ‖～大 粘りけが強い

【黏液】niányè 名 粘液

【黏着】niánzhuó 動 粘着する．くっつく．粘りつく

niǎn

11 * **捻** niǎn ❶動 (糸・ひも・縄などを)よる．ひねる‖～线 糸をよる ❷(～儿) 名 よったもの．こより状のもの‖纸～儿 紙こより

【捻捻转儿】niǎnnianzhuànr 名 口 玩具(がんぐ)の一種．こま

【捻子】niǎnzi 名 よったもの．こより状のもの

12 **辇** niǎn 古 (皇帝が乗る)輦車(れんしゃ)．手車(てぐるま)．

15 * **撵** niǎn ❶動 追い出す．駆逐する‖他被父母～出了家门 彼は両親に家から追い出された ❷動 方 追う．追いかける

【撵走】niǎn//zǒu 動 (強制的に)追い出す

15 **碾** niǎn ❶名 ひき臼(うす)．石臼‖一～子 ❷動 (臼などで)ひく．つぶす‖把地～平 (石のローラーなどで)地面を平らにならす

【碾场】niǎn//cháng 動 方 (脱穀場で)脱穀する

【碾坊】【碾房】niǎnfáng 名 精米所．製粉所

【碾磙子】niǎngǔnzi 名 石臼のローラー

【碾盘】niǎnpán 名 石臼の台

【碾砣】niǎntuó ＝〔碾磙子niǎngǔnzi〕

【碾子】niǎnzi 名 ❶ひき臼‖石～ 石臼 ❷ひきつぶしたり，圧延したりする道具‖药～ 薬研(やげん)

niàn

4 **廿** niàn 数 二十．20．〔二十〕の別称‖～四史 二十四史

8 * **念¹ niàn** ❶動 いつも思う. 気にかける. 懐かしむ ‖ ～着他的好处 彼の恩義を忘れない ❷動 考慮する. 配慮する ‖ ～你年幼无知, 原谅这一次 君は年端(とし)もいかない世間知らずだから, 今回は許してあげよう ❸考え. 思い. 心づもり ‖ 一～之差chā ちょっとした考え違い

8 ★ **念² (△唸) niàn** ❶動 (声を出して)読む. 唱える ‖ ～课文 テキストを朗読する ❷動 学ぶ. 勉学する ‖ 一～书 | 你～几年级了? 君は何年生ですか

8 **念³ niàn** 数〔廿〕の大字(だいじ) ➡〔大写 dàxiě〕

【念叨】【念道】niàndao 動 ❶(心配したり懐かしんだりして)話題にする. 口にする. うわさをする ❷方 話す. 言う

【念佛】niànfó 動 念仏を唱える

【念经】niàn//jīng 動 お経を読む. 読経する

【念旧】niànjiù 動 旧交を思う. 旧友を忘れない

【念念不忘】niàn niàn bù wàng 成 片時も忘れない. いつも心にかけている

【念念有词】niàn niàn yǒu cí 成 ぶつぶつなにか言う. ぶつぶつとつぶやく

*【念书】niàn//shū 動 ❶(声を出して)本を読む ‖ 每天念两课书 毎日2課ずつテキストを読む ❷勉学する ‖ 在大学～ 大学で学ぶ | 不喜欢～ 勉強が嫌いだ

【念诵】niànsòng 動 抑揚をつけて朗読する

*【念头】niàntou 名 考え. 思い. 意図. 心づもり ‖ 打消了调动工作的～ 仕事を変わろうという考えを捨てた

> **類義語** | 念头 niàntou 想法 xiǎngfa
>
> ◆〔念头〕ふっと出てきた考えを表す. 発生・消失を意味する動詞の目的語となることが多い. 話し言葉に多く用いる ◆〔想法〕考えた結果のやり方や意見を表す. 書き言葉に多く用いる ‖ 你的想法不错 君のアイディアはすばらしい

【念珠】niànzhū (～ル) 名 念珠. 数珠(じゅず)

11 **埝 niàn** 名 土手. 小さな堤

niáng

10 * **娘 (△孃❶) niáng** ❶名 母親. お母さん ↔〔爹 diē〕‖ 爹～ 父母. 両親 ❷親族の中で母親と同世代の既婚女性 ‖ 婶shěn～ 叔父の妻. おば ❸若い女性. 娘 ‖ 姑～ 若い娘. 娘さん

【娘家】niángjia 名 (結婚した女性の)実家 ↔〔婆pó家〕‖ 新媳妇回～ 新婚の嫁が里帰りする

【娘娘】niángniang 名 ❶皇后. 妃 ‖ 正宫～ 皇后 ❷女神 ‖ ～庙 子授け神の社

【娘ル】niángr 名 回 上の世代の女性と下の世代の者の合称. 母と子, おばとおいやめいなど. (後に必ず助数詞がつく) ‖ ～俩 母子二人

【娘ル们】niángrmen 名 方 (軽蔑の意を含み, 単数・複数両方に用いる) 女. 女ども

【娘胎】niángtāi 名 母胎 ‖ 出～ 生まれる

【娘子】niángzi ; niángzi 名 ❶方 妻 ❷古 中年までの女性に対する敬称

【娘子军】niángzijūn 名 女性だけの部隊. 女性軍

niàng

14 * **酿 (釀) niàng** ❶動 醸造する ‖ ～酒 酒を醸造する ❷酒 ‖ 佳～ 美酒 ❸動 (情勢を)しだいにつくり出す. 醸成する ‖ ～成大祸huò 大変な災いを引き起こす ❹動 (ミツバチが蜜(みつ)を)つくる ‖ ～蜜mì ミツバチが蜜をつくる ❺(調理方法の一種) くり抜いたピーマンや冬瓜(とうがん)の中に肉あんなどを詰めて, 焼いたり蒸したりする

【酿造】niàngzào 動 醸造する

niǎo

5 ** **鸟 (鳥) niǎo** 名 鳥 ‖ 一只～ 1羽の鳥 ➤ diǎo

【鸟巢】niǎocháo 名 鳥の巣

【鸟尽弓藏】niǎo jìn gōng cáng 成 鳥が捕り尽くされると無用になった弓矢はしまい込まれる. 事が成功すると力を尽くした者は顧みられなくなるたとえ

【鸟瞰】niǎokàn 動 鳥瞰(ちょうかん)する. 見下ろす 名 概観. 概説. (多く書名などに用いる)

【鸟笼】niǎolóng 名 鳥かご.〔鸟笼子〕ともいう

【鸟枪】niǎoqiāng 名 鳥打ち銃. 空気銃

【鸟枪换炮】niǎo qiāng huàn pào 慣 空気銃が大砲に替わる. 事業などが比べものにならないほど盛んになること

【鸟兽散】niǎoshòu sàn 慣 クモの子を散らすように分かれる. 散り散りになる

【鸟窝】niǎowō 名 鳥の巣

【鸟语花香】niǎo yǔ huā xiāng 成 鳥がさえずり, 花が香る. 春の景色のすばらしいこと

8 **茑 niǎo** 名〈植〉ツタ

【茑萝】niǎoluó 名〈植〉ルコウソウ

10 **袅 (△嬝 嫋 褭) niǎo** か細く弱々しい. か弱い ‖ 一～娜

【袅袅】niǎoniǎo 形 ❶(煙が)細くゆるやかに立ち上るさま ‖ 炊烟chuīyān～ 炊煙がゆらゆらと立ち上る ❷か細くしなやかなさま. なよなよとしたさま ❸(音や声が)尾を引くように続くさま ‖ 余音～ 余韻が嫋々(じょうじょう)として尽きない

【袅袅婷婷】niǎoniǎotíngtíng 形 書 (女性の姿が)優美でしなやかなさま. なよやかなさま

【袅娜】niǎonuó 形 書 ❶(草木が)なよやかである. たおやかである ❷(女性の姿が)優美でなよやかなさま. たおやかである ‖ ～的身姿 たおやかな姿

【袅绕】niǎorào 動 書 (煙や歌声などが)細く途絶えずに立ち上る

17 **嬲 niǎo** 古 からかう. なぶる. まとわりつく

niào

7 * **尿 niào** ❶名 尿. 小便 ‖ 撒sā～ 小便をする ❷動 小便をする ‖ 一～床 ➤ suī

【尿布】niàobù 名 おしめ. おむつ ‖ 给孩子垫diàn上～ 子供におむつを当てる

【尿床】niào//chuáng 動 寝小便をする. おねしょをする

【尿道】niàodào 名〈生理〉尿道

【尿毒症】niàodúzhèng 名〈医〉尿毒症

N

【尿壶】niàohú 图しびん
【尿检】niàojiǎn 動〈医〉❶尿検査をする ❷(ドーピング検査のための)尿検査をする
【尿素】niàosù 图〈化〉尿素.〔脲niào〕ともいう
【尿酸】niàosuān 图〈化〉尿酸
【尿血】niào//xiě 動〈医〉血尿を出す
11 脲 niào 图〈化〉尿素 =〔尿素〕
13 溺 niào 〔尿niào〕に同じ ➤ nì

niē

10 *捏(△揑) niē ❶動つまむ.はさみ持つ‖手里～着一根针 手に針を持っている ❷動こねて作る‖用橡皮泥～了一只小兔 ゴム粘土で小さなウサギを作った ❸くっつける.一つにまとめる‖→～合 ❹捏造(ねつぞう)する.でっち上げる‖→～造 ❺動握る‖命～在人家手里 運命は人の手の中に握られている
【捏合】niēhé 動❶こね合わせる.くっつける 古捏造する
【捏弄】niēnong 動❶手でいじくる ❷思うままに動かす.操る ❸ひそかにもくろむ ❹捏造する.でっち上げる
【捏一把汗】niē yī bǎ hàn 慣手に汗を握る.極度に緊張するさま.〔捏把汗〕ともいう
*【捏造】niēzào 動捏造する.でっち上げる‖凭空píngkōng～ ありもしないことをでっち上げる

niè

2 乜 niè 图姓 ➤ miē
10 涅(△湼) niè 書❶(黒色染料に用いる)みょうばん石 ❷黒色に染める
【涅而不缁】niè ér bù zī 成染めても黒くならない.悪い影響を受けないこと
【涅槃】nièpán 图〈仏〉涅槃(ねはん)
10 臬 niè 書❶矢の的(まと) ❷古日時計 ❸規準.法規
10 聂(聶) niè 图姓
11 啮(△齧 囓) niè 書(ネズミやウサギなどが)かむ.かじる
【啮合】nièhé 動かみ合う‖上下齿～不好 上下の歯のかみ合わせがよくない
13 嗫(囁) niè ↴
【嗫嚅】nièrú 形書口ごもるさま.言葉を濁すさま
15 镊(鑷) niè ❶图毛抜き.ピンセット‖→～子 ❷動(ピンセットなどで)つまみ取る.はさみ取る‖把刺儿cìr～出来 とげを抜く
【镊子】nièzi 图ピンセット.毛抜き
15 镍 niè 图〈化〉ニッケル(化学元素の一つ,元素記号はNi)
【镍币】nièbì 图ニッケル貨
17 蹑(躡) niè ❶書踏む‖→～足 ❷尾行する.追跡する ❸動忍び足でそっと歩く.つま先でそろりそろりと歩く
【蹑手蹑脚】niè shǒu niè jiǎo (～的)成抜き足差し足で歩くさま‖她怕惊醒jīngxǐng孩子,～地走进屋子 彼女は子供が目を覚ますといけないと思って,抜き足差し足で部屋に入ってきた
【蹑足】niè//zú 動❶足音を忍ばせる ❷書仲間に加わる.参加する
【蹑足潜踪】niè zú qián zōng 成足音を忍ばせるさま.忍び足で
19 孽(△孼) niè ❶邪悪なもの ❷災い.罪悪‖造～ 罰つくりなことをする
【孽根】niègēn 图災いの種.禍根
【孽海】nièhǎi 图〈仏〉無限罪悪の世界
【孽障】nièzhàng 图罪障.罪業
【孽种】nièzhǒng 图❶禍根.災いのもと ❷罵親不孝者.できそこない
20 蘖 niè 〈植〉❶切った草木の根や株から生え出た芽.ひこばえ ❷(広く)分枝

nín

11 ★您 nín 代敬あなた.〔你〕の敬称.複数の場合,ふつう〔您们〕とはいわず〔你们〕という‖～贵姓? あなたのお名前は? | ～老 年配者に対する敬称 | ～二位 お二人.お二方

níng

5 宁(寧 △寕 甯) níng ❶安らかである.安寧である‖→～静 ❷書鎮める.収める‖息xī事～人 紛争を収めて秩序を回復する ❸書(嫁に行った娘が)実家を訪ねる ❹图南京の別称‖沪Hù～铁路 (鉄道の)上海南京線 ➤ nìng
*【宁静】níngjìng 形静かである.平穏である‖～的夜晚 ひっそりと静まりかえった夜
【宁日】níngrì 图安らかな日々.平穏無事な暮らし
8 拧(擰) níng ❶動(両手で)ねじる.絞る‖把衣服～干gān 洗濯物を絞って水気をとる ❷動つねる‖～孩子的耳朵 子供の耳をつねる ➤ nǐng nìng
8 咛(嚀) níng ⇨〔叮咛dīngníng〕
8 狞(獰) níng (顔つきが)凶悪である‖狰zhēng～ 凶悪である
【狞笑】níngxiào 動凶悪な笑いを浮かべる.毒々しく笑う
9 柠(檸) níng ↴
*【柠檬】níngméng 图〈植〉レモン
【柠檬酸】níngméngsuān 图〈化〉クエン酸 =〔枸橼jǔyuán酸〕
11 聍(聹) níng ⇨〔耵聍dīngníng〕
16 凝 níng ❶動凝固する‖→～固 ❷注意力を集中する‖→～视
【凝冻】níngdòng 動凍り固まる.凝結する
*【凝固】nínggù 動❶(液体から固体に)凝固する‖油～了 油が固まった ❷停滞する
【凝固点】nínggùdiǎn 图〈物〉凝固点
【凝集】níngjí 動凝集する
*【凝结】níngjié 動(気体から液体,あるいは液体から固体に)凝結する.凝固する

【凝聚】níngjù 動 (気体から液体に)凝集する. 凝結する‖ 枝叶上～着露珠lùzhū 葉っぱに露の玉ができている

*【凝聚力】níngjùlì 名 ❶〈物〉凝集力 =〔内聚力nèijùlì〕❷求心力. 団結力

【凝练】【凝炼】níngliàn 形 (文章などが)簡潔でよく練れている. 洗練されている

【凝眸】níngmóu 動 書 凝視する‖ ～远望 目を凝らして遠くを見つめる

【凝目】níngmù 動 目を凝らす

【凝神】níngshén 動 じっと心を凝らす. 神経を集中する‖ ～思索 じっくりと思索にふける

*【凝视】níngshì 動 じっと見つめる. 凝視する. 注目する‖ ～着远方 じっと遠くを見つめている

【凝思】níngsī 動 深く考え込む. 沈思する

【凝望】níngwàng 動 じっと見つめる

【凝想】níngxiǎng 動 書 瞑想(めいそう)する

【凝脂】níngzhī 名 書 凝り固まった脂肪. 白くてきめの細かい肌をさす‖ 肤fū如～ 皮膚が白くてきめが細かい

【凝滞】níngzhì 動 ❶滞る. 停滞する‖ ～的眼神 どんよりとした目つき ❷書 凝結する

【凝重】níngzhòng 形 書 ❶重々しい. 重厚である‖ 神态～ 重々しい態度 ❷濃い. 濃厚である

nǐng

8
* 拧(擰) nǐng ❶動 ひねる. ねじる‖ ～开瓶盖 瓶のふたを開ける ❷動 間違える. 逆さまにする‖ 你把意思弄～了 君は意味を取り違えている ❸動 意見が合わない. しっくりいかない. こじれる‖ 他俩越说越～ 二人は話せば話すほど意見が食い違う ➤ níng nìng

nìng

5 宁(寧 △甯 甯) nìng 書 ❶副 あに…ならんや. どうしてそんなことがあろうか. まさか. よもや ❷いっそ…するほうがよい. …のほうがましである‖ → ～死不屈 ➤ níng

*【宁可】nìngkě 副 むしろ. いっそ‖ ～自己多吃点苦, 也要让孩子上学 自分はいくら苦労をなめても, 子供は学校にやりたい

*【宁肯】nìngkěn =〔宁可nìngkě〕

【宁缺毋滥】nìng quē wú làn 成 たとえ数が足りなくてもよい物〔人〕だけを揃えたほうがよい. 数より粒を揃えよ

【宁死不屈】nìng sǐ bù qū 成 たとえ死んでも屈服はしない

【宁为鸡口, 无为牛后】nìng wéi jī kǒu, wú wéi niú hòu 成 鶏口となるも牛後となるなかれ

*【宁愿】nìngyuàn =〔宁可nìngkě〕

7 佞 nìng ❶弁舌が巧みである ❷口がうまい. こびへつらうのがうまい‖ 奸jiān～ 悪賢い ❸書 才知がある‖ 不～ 私. 小生

【佞臣】nìngchén 名 書 悪賢く主君におもねる臣下

【佞人】nìngrén 名 書 人におもねりへつらう人

8 泞(濘) nìng 書 泥濘(でいねい). ぬかるみ‖ 泥ní～ 泥濘. ぬかるみ

8 拧(擰) nìng 形 方 強情である. 意地っ張りである‖ 这人真～, 怎么劝她也不听 彼女はほんとに強情だ, なんと言っても聞き入れないんだから ➤ níng nǐng

【拧劲儿】nìngjìnr 名 強情. 意地っ張り

【拧脾气】nìngpíqi 名 へそ曲がりの気性

【拧种】nìngzhǒng 名 罵 強情っ張り. ひねくれ者

niū

7 妞 niū (～儿) 名 口 女の子. 娘‖ 大～儿 長女. 年ごろの娘

【妞妞】niūniū 名 方 小さな女の子

niú

4
★ 牛[1] niú ❶名〈動〉ウシ‖ 奶～ 乳牛 ❷名 (二十八宿の一つ)いなみぼし. 牛宿(ぎゅうしゅく) ❸頑固である. 強情である. 高慢である‖ → ～脾气

4 牛[2] niú 量 略 (力の基本単位)ニュートン. 〔牛顿〕の略

【牛蒡】niúbàng 名〈植〉ゴボウ

【牛鼻子】niúbízi 名 喩 (事物の)かなめ. かぎ. 急所

【牛刀小试】niú dāo xiǎo shì 成 (余裕しゃくしゃくで小手調べする. 軽く小手調べする.

【牛痘】niúdòu 名 ❶ウシの天然痘. 牛痘 ❷痘苗 =〔痘苗miáo〕‖ 种zhòng～ 種痘をする

【牛犊】niúdú 名 子ウシ. 〔牛犊子〕ともいう

【牛顿】niúdùn 量 外 (力の基本単位)ニュートン

【牛倌】niúguān (～儿) 名 牛飼い

【牛黄】niúhuáng 名〈中薬〉牛黄(ごおう)

【牛角】niújiǎo 名 ❶ウシの角 ❷ウシの角で作った笛

【牛角尖】niújiǎojiān (～儿) 名 ウシの角の先‖ 钻zuān～ くだらないことで頭を悩ませる. こまごましたことにこだわる

【牛劲】niújìn (～儿) 名 馬鹿力. 怪力

【牛圈】niújuàn 名 牛舎

【牛郎星】niúlángxīng 名 口 牽牛星. 彦星. 〔牵qiān牛星〕の通称

【牛郎织女】niú láng zhī nǚ 成 ❶牽牛星と織女星 ❷喩 仕事の都合で遠く離れて暮らしている夫婦

【牛马】niúmǎ 名 牛馬. 喩 人のために奴隷のように働く者

【牛毛】niúmáo 名 牛毛. 数の多いたとえ‖ ～细雨 霧雨｜多如～ 数えきれないほどたくさんある

【牛虻】niúméng 名〈虫〉アブ. ウシアブ

★【牛奶】niúnǎi 名 牛乳‖ 酸～ ヨーグルト

【牛腩】niúnǎn 名 方 ウシの軟らかい腰肉. サーロイン

【牛年马月】niú nián mǎ yuè 慣 いつのことやら. いつになるか分からない =〔驴lǘ年马月〕

【牛排】niúpái 名 ビーフ・ステーキ. ビフテキ

【牛皮】niúpí 名 ❶牛皮. 牛革 ❷牛皮に似たもの‖ ～糖 ゴムのように弾力のあるアメの一種 ❸俗 大げさな作り話‖ 吹～ ほらを吹く. 大口をたたく

【牛皮癣】niúpíxuǎn 名〈医〉乾癬(かんせん)

【牛皮纸】niúpízhǐ 名 ハトロン紙. クラフト紙

【牛脾气】niúpíqi 名 頑固で強情な性格. 強情っ張り

【牛气】niúqi 形 口 傲慢尊大である. 威張っている

【牛肉】niúròu 名 牛肉. ビーフ

【牛市】niúshì 名〈経〉(株式市場の)強気相場. 上げ相場. ブルマーケット ↔〔熊xióng市〕

【牛头不对马嘴】niú tóu bù duì mǎ zuǐ 慣 ちぐはぐである. とんちんかんである. 〔驴唇lúchún不对马嘴〕

ともいう
【牛头马面】niú tóu mǎ miàn 成 牛頭馬頭(ごず). 陰険で醜悪な人物のたとえ
【牛蛙】niúwā 图〈動〉食用ガエル. ウシガエル
【牛饮】niúyǐn 動 牛飲する. 無茶苦茶に飲む
【牛仔】【牛崽】niúzǎi 图 ❶カウボーイ ‖ 西部～片儿 (アメリカの)西部劇 ❷方 小牛
*【牛仔裤】【牛崽裤】niúzǎikù 图 ジーパン. ジーンズ

niǔ

7 **忸** niǔ ↴
【忸怩】niǔní 形 恥ずかしげなさま. はにかんでもじもじするさま ‖ ～作态 はにかんだようにしなを作る

7 ** **扭** niǔ ❶動 (手で物を)ねじる ‖ ～开水龙头 水道の蛇口をひねる ❷動 くじく. 捻挫(ねんざ)する ‖ 不小心～了脚脖子 不注意で足首をくじいた ❸動 方向を転じる. 向きを変える ‖ ～过脸去 顔をそむける ❹動 (歩くとき)体をくねらせる. 腰を振る ‖ 她一～一～地走了过来 彼女はしゃなりしゃなりとやって来た ❺動 つかんで引っ張る. ひっつかむ ‖ 两个人～成一团 二人は取っ組み合いをしている
【扭摆】niǔbǎi 動 体をくねらせる. からだを左右にゆする
【扭打】niǔdǎ 動 つかみ合う. 取っ組み合いをする
【扭动】niǔdòng 動 (体を)くねらせる
【扭结】niǔjié 動 絡まる. こんがらがる
【扭亏】niǔkuī 動 欠損を埋める. あれこれ償いをする ‖ ～为盈yíng 欠損を埋めて利益が上がるようにする
【扭捏】niǔnie 動 (歩くとき)体をくねらせる. しゃなりしゃなりと歩く 形 (ものの言い方や態度が)はっきりしない. ためらいがちである. もじもじしている ‖ 有话快说, 别扭扭捏捏的 話があるなら早く言いなさい, もじもじしていないで
【扭曲】niǔqū 動 ❶ねじれる. ゆがむ ❷(事実やイメージなどが)ゆがむ
【扭伤】niǔshāng 動 くじく. 筋を違える. 捻挫する
【扭送】niǔsòng 動 (犯人などを)捕らえて突き出す
【扭头】niǔ//tóu (～儿) 動 (顔や体の)向きを変える. そっぽを向く. 背を向ける
【扭秧歌】niǔ yāngge 組〔秧歌〕(田植え踊り)を踊る
*【扭转】niǔzhuǎn 動 ❶向きを変える ‖ ～身子 くるりと背を向ける ❷転 (好ましくない考え方や状況を)正す. 転ずる. 逆転させる ‖ ～混乱hùnluàn的局面 混乱した局面を正す

7 **狃** niǔ (旧来のやり方を)踏襲する. (旧習に)とらわれる ‖ ～于陋习lòuxí 陋習(ろうしゅう)にとらわれる

7 **纽** niǔ ❶(器物を持ち上げるための)ひも ‖ 印～ 印章のつまみ ❷(～儿)ボタン ‖ 一～扣 ❸結ぶ. つなぐ ‖ 一～带 ❹重要な部分. かなめ ‖ 枢shū～ かなめ
【纽带】niǔdài 图 紐帯(ちゅうたい). きずな
*【纽扣】niǔkòu (～儿) 图 ボタン類の総称 ‖ 扣上～ ボタンをかける | 解开～ ボタンをはずす
【纽襻】niǔpàn (～儿) 图 ボタンのかけひも

9 **钮** niǔ ❶〔纽niǔ〕に同じ ❷スイッチ. つまみ ‖ 电～ (電気器具や設備の)スイッチ

niù

8 **拗** niù 形 強情である. 片意地である. 頑固である ➤ ào
【拗不过】niùbuguò 動 (相手の意見などに)逆らえない. 押し切れない
【拗劲】niùjìn (～儿) 图 強情な気性. 意地っ張り

nóng

6 **农**(農 △莀) nóng ❶農作業をする. 農作物をつくる ‖ 一～具 ❷農業 ‖ 务～ 農業に従事する ❸農民 ‖ 菜～ 野菜作り農家
*【农产品】nóngchǎnpǐn 图 農産物. 農産品
*【农场】nóngchǎng 图 農場
★【农村】nóngcūn 图 農村 ‖ ～户口 農村の戸籍
【农妇】nóngfù 图 農婦
【农耕】nónggēng 图 農作業. 野良仕事
【农工】nónggōng 图 ❶農民と労働者 ❷農業労働者. 〔农业工人〕の略
*【农户】nónghù 图 農家
【农活】nónghuó (～儿) 图 農作業
【农机】nóngjī 图 農業用機械
【农家】nóngjiā 图 ❶農家 ❷(中国古代の諸子百家の一つ)農家
*【农具】nóngjù 图 農具. 農機具
【农垦】nóngkěn 图 開墾. 開拓
【农历】nónglì 图 旧暦. 陰暦. 〔旧历〕〔阴历〕ともいう ‖ ～正月初一 旧暦の1月1日
【农林牧副渔】nóng lín mù fù yú 組 農業・林業・牧畜業・副業・漁業の総称
【农忙】nóngmáng 图 農繁 ↔〔农闲〕‖ ～季节 農繁期
*【农贸市场】nóngmào shìchǎng 图 農産物市場. 自由市場
★【农民】nóngmín 图 農民
【农民起义】nóngmín qǐyì 图 農民蜂起(ほうき). 百姓一揆(ひゃくしょういっき)
【农奴】nóngnú 图 農奴 ‖ ～制 農奴制
【农奴主】nóngnúzhǔ 图 領主. 農奴の主人
【农舍】nóngshè 图 農家. 農民の住居
【农时】nóngshí 图 農作業の時機
【农事】nóngshì 图 農事 ‖ ～繁忙 農作業が忙しい
*【农田】nóngtián 图 農地. 田畑
【农闲】nóngxián 图 農閑 ↔〔农忙〕
【农谚】nóngyàn 图 農事から生れた諺(ことわざ)
*【农药】nóngyào 图 農薬
★【农业】nóngyè 图 農業 ‖ 实现～机械化 農業の機械化を実現する
【农业工人】nóngyè gōngrén 图 農業労働者
【农业国】nóngyèguó 图 農業国
【农业税】nóngyèshuì 图 農業税
【农艺】nóngyì 图 (農作物の栽培や優良品種育成などの)農業技術
【农用】nóngyòng 形 農業用の. 農民用の
*【农作物】nóngzuòwù 图 農作物

8 **侬**(儂) nóng ❶代 (旧詩文で)我. 私 ❷代 方 あなた. あんた

9 ** **浓**（濃）nóng ❶形（液体や気体が）濃い ↔〔淡〕‖ 味道～ 味が濃い ❷形（色が）濃い ‖ 呈～绿色 濃い緑色をしている ❸形（程度が）深い．強い ‖ 迷信色彩太～了 迷信の色合いが強すぎる

【浓茶】nóngchá 名 濃いお茶
【浓淡】nóngdàn 名 濃淡 ‖ 颜色～ 色の濃淡
*【浓度】nóngdù 名〈化〉濃度
【浓馥】nóngfù 形 書 香りが強い
*【浓厚】nónghòu 形 ❶濃い．厚い ‖ 带有～的地方色彩 地方色豊かである ❷（興味が）深い
【浓烈】nóngliè 形 濃厚で強烈である
【浓眉】nóngméi 名 濃い眉（まゆ） ‖ ～大眼 濃い眉に大きな目．男らしい顔つき
【浓密】nóngmì 形（すき間がなく）密である ‖ ～的原始森林 鬱蒼（うっそう）とした原始林
【浓墨重彩】nóng mò zhòng cǎi 成（絵や文章などを）重点的にかく．力強く描写する
【浓缩】nóngsuō 動 濃縮する ‖ ～橘汁júzhī 濃縮オレンジジュース
【浓缩铀】nóngsuōyóu 名 ～铀yóu 濃縮ウラン
【浓艳】nóngyàn 形（色彩が）濃艶（のうえん）である．あでやかで美しい
【浓郁】nóngyù 形 書 ❶（香りが）濃い ‖ 丁香花散发着～的芳fāng香 ライラックの花が馥郁（ふくいく）たる香りを放っている ❷（樹木などが）びっしりと生えている．密生する ❸（雰囲気などが）濃い．濃厚である ❹（興味が）深い ‖ 兴致xìngzhì～ たいへん興味深い
【浓重】nóngzhòng 形（色やにおいなどが）濃い．強い ‖ ～的四川口音 強い四川訛（なま）り
【浓妆艳抹】nóng zhuāng yàn mǒ 成 厚化粧

9 **哝**（噥）nóng ↴
【哝哝】nóngnong 動 小声で言う．つぶやく．ささやく

10 **脓**（膿）nóng 名〈医〉膿（うみ） ‖ 化～ 化膿（かのう）する
【脓包】nóngbāo 名 ❶〈医〉（膿のたまった）はれもの．できもの ❷喩 能無し．ごくつぶし
【脓疮】nóngchuāng 名〈医〉化膿したはれもの
【脓肿】nóngzhǒng 名〈医〉膿瘍（のうよう）

nòng

7 ★**弄**（^挵）nòng ❶動 手に持って遊ぶ．いじる．もてあそぶ ‖ 不要～火 火をおもちゃにしてはだめだ ❷動（〔做〕〔搞〕〔办〕などの代わりに用いて）する．やる．つくる ‖ 饿了，快～点饭吃吧！ お腹がすいたから，早く御飯を作って食べましょう ❸動（いろいろ方法を考えてやっと）手に入れる ‖ 我好容易才～到一张票 私はやっとのことで入場券を１枚手に入れた ❹かき乱す．混乱させる ‖ 这事～得全家不得dé安宁 このことが家中を落ち着かなくさせてしまった ❺動 もてあそぶ．おもちゃにする ‖ 捉～（人を）からかって困らせる ➤ lòng

【弄不好】nòngbuhǎo 副 口 ひょっとすると．悪くすると
【弄不清】nòngbuqīng 動 はっきり区別がつけられない ‖ 到底是怎么回事，我也～ 結局のところどういうことなのか，私にもよく分からない
【弄潮儿】nòngcháo'ér 名 ❶波乗りや急流下りなど冒険的な水上スポーツをする若者 ❷喩 チャレンジ精神の旺盛（おうせい）な人 ‖ 时代的～ 時代の先駆者
【弄出】nòngchu；nòngchū 動 しでかす．引き起こす ‖ ～毛病来了 かえって厄介なことになってしまった
【弄到手】nòng//dào shǒu 組 手に入る．入手する
【弄鬼】nòng//guǐ 動 方 悪だくみをする．陰謀をめぐらす ‖ 弄神～ 手練手管を弄する
【弄假】nòngjiǎ 動 でたらめをする．インチキをする
【弄假成真】nòng jiǎ chéng zhēn 成 うそから出たまこと
【弄巧成拙】nòng qiǎo chéng zhuō 成 小細工を弄してかえって失敗する
【弄清】nòng//qīng 動 明らかにする．明確にする
【弄权】nòng//quán 動 権力を振り回す
*【弄虚作假】nòng xū zuò jiǎ 成 インチキをやる．虚言を弄する

nòu

16 **耨** nòu 書 ❶除草用の農具 ❷草をとり除く ‖ 深耕细～ 深く耕し，ていねいに草を取り除く

nú

5 **奴** nú ❶奴隷．奴僕（ぬぼく） ↔〔主〕‖ 家～ 召し使い ❷奴隷のような待遇や労役 ‖ 一～役 ❸古 謙 私．わたし．（後に若い女性の自称となる）‖ ～家 わたし ❹ある種の人に対する蔑称 ‖ 守财～ 守銭奴

【奴婢】núbì 名 ❶奴婢（ぬひ）．下男と下女 ❷皇帝や后妃に対する宦官（かんがん）の自称
【奴才】núcai 名 ❶明・清代，宦官や満州族官吏の皇帝に対する自称．また清代，満州族の家庭で奴僕の主人に対する自称 ❷走狗（そうく）．手先．先棒
【奴化】núhuà 動 奴隷化する
*【奴隶】núlì 名 奴隷
【奴隶主】núlìzhǔ 名 奴隷主．奴隷の所有者
【奴仆】núpú 名 下男．下女．下僕（使用人の総称）
【奴性】núxìng 名 奴隷根性
【奴颜婢膝】nú yán bì xī 成 ぺこぺことこびへつらう
【奴颜媚骨】nú yán mèi gǔ 成 卑屈な態度でこびへつらう
*【奴役】núyì 動 奴隷のようにこき使う

8 **驽** nú 書 ❶駑馬（どば）．足ののろい馬 ❷（人の）能力が劣っている ‖ ～弱 無能である｜～下 才能のない者．自分の謙称
【驽钝】núdùn 形 書 愚鈍である

8 **孥** nú 書 ❶子女 ❷妻子

nǔ

7 **努** nǔ ❶（最大限に）力を出す ‖ 一～力 ❷動 突き出す．とがらせる ‖ 一～嘴 ❸動 方 力を入れすぎて体を痛める
【努劲儿】nǔ//jìnr 動 口 力を振りしぼる．頑張る
★【努力】nǔ//lì 動 努力する．努める ‖ 大家再努把力，就干完了 みんなでもうひとふんばりすればやり終える 形（nǔlì）勤勉である ‖ 这孩子学习很～ この子はたいへんまじめに勉強する
【努嘴】nǔ//zuǐ（～儿）動 口をとがらせる．口を突き出し

N

て合図する

8 **弩** nǔ 名 弩(ど). 石弓. 大弓 ‖ 剑jiàn拔～张 剣を抜き弓を張る. 一触即発の状態をいう

【弩弓】 nǔgōng 名 古 (兵器の一種)弩. 石弓

nù

9 * **怒** nù ❶勢いが激しい. 猛烈な ‖ 一～放 ❷動 怒る. 憤る ‖ 愤～ 憤怒する

【怒不可遏】 nù bù kě è 成 怒りを禁じ得ない. 怒りを抑えきれない

【怒潮】 nùcháo 名 怒濤(どとう) (激しくわき上がる大衆的な抗議行動のたとえ)

【怒斥】 nùchì 動 怒り叱責する. 怒り非難する

【怒冲冲】 nùchōngchōng (～的) 形 激しく怒るさま. かんかんに怒るさま

【怒发冲冠】 nù fà chōng guān 成 怒髪, 天を衝く(激しい怒りの形相をいう)

【怒放】 nùfàng 動 (花が一斉に)咲きこぼれる. 満開となる

【怒号】 nùháo 動 怒号する

【怒喝】 nùhè 動 どなる

***【怒吼】** nùhǒu 動 怒号する ‖ 战士们～着冲向敌阵 兵士たちが雄叫(おたけ)びをあげながら敵陣に突進する

***【怒火】** nùhuǒ 名 激しい怒り. たぎる怒り ‖ ～中烧shāo 怒りの炎が胸中に燃えたぎる

【怒目】 nùmù 動 書 目を怒らせる. 怒った目をする ‖ ～而视 怒った目でにらみつける 名 怒った目

【怒气】 nùqì 名 激怒. 怒りの気持ち

【怒容】 nùróng 名 怒った顔つき. 憤怒の表情 ‖ ～满面 満面怒気を含む

【怒色】 nùsè 名 怒りの表情

【怒视】 nùshì 動 怒りのまなざしで見る

【怒涛】 nùtāo 名 書 怒濤(どとう). 逆巻く荒波

【怒形于色】 nù xíng yú sè 成 怒りが顔に出る

【怒族】 Nùzú 名 ヌー族(中国の少数民族の一つ, 主として雲南省に居住)

nǚ

3 ★ **女** nǚ ❶形 女性の ↔〔男〕‖ 男～平等 男女平等 ❷娘 ‖ 生儿育～ 子供を生み育てる ❸名〈天〉(二十八宿の一つ)うるきぼし, 女宿(じょしゅく)

【女伴】 nǚbàn 名 連れの女性. 同伴の女性

【女宾】 nǚbīn 名 女性客

【女傧相】 nǚbīnxiàng 名 花嫁側の女性の介添人

【女厕】 nǚcè 名 女性用トイレ. 〔女厕所〕ともいう

【女车】 nǚchē 名 婦人用自転車. 〔坤kūn车〕ともいう

【女低音】 nǚdīyīn 名〈音〉アルト

★**【女儿】** nǚ'ér 名 娘 ‖ 大～ 上の娘

【女儿墙】 nǚ'érqiáng ＝〔女墙nǚqiáng〕

【女方】 nǚfāng 名 女性の側. 花嫁の側

【女高音】 nǚgāoyīn 名〈音〉ソプラノ

【女工】 nǚgōng 名 ❶女性労働者 ❷女の使用人

【女红】 nǚgōng 名 旧 (針仕事や機織りなどの)女の仕事

【女孩儿】 nǚháir 名 ❶女児. 女の子. 少女. 〔女孩子〕ともいう ❷娘

【女皇】 nǚhuáng 名 女帝

【女家】 nǚjiā 名 (妻の)実家. 里方

【女监】 nǚjiān 名 女性刑務所. 〔女牢láo〕ともいう

【女将】 nǚjiàng 名 ❶女性の統率者 ❷ある分野で活躍している女性 ‖ 乒坛pīngtán～ 女子卓球界のエース

【女眷】 nǚjuàn 名 家族の中の婦女子

【女郎】 nǚláng 名 若い女性 ‖ 封面～ カバー・ガール

【女里女气】 nǚlinǚqì 形 (男性が)女っぽい. めめしい

【女流】 nǚliú 名 貶 女. ‖ ～之辈 女風情(ふぜい)

【女朋友】 nǚpéngyou 名 ガールフレンド. 恋人

【女仆】 nǚpú 名 旧 女中. 下女

【女气】 nǚqi 形 (男性が)女っぽい

【女强人】 nǚqiángrén 名 男まさりで有能な女性. キャリア・ウーマン

【女墙】 nǚqiáng 名 姫垣(ひめがき). 城壁の上にめぐらす凹凸形の低い壁. 〔女儿墙〕ともいう

【女权】 nǚquán 名 女性の権利. 女権

【女权主义】 nǚquán zhǔyì 名 フェミニズム ‖ ～者 フェミニスト

****【女人】** nǚrén 名 **女性**. 女の人. 女

【女人】 nǚren 名 口 妻. 家内

【女色】 nǚsè 名 女色. 女の美しさ. 色香

【女神】 nǚshén 名 女神 ‖ 自由～ 自由の女神

【女生】 nǚshēng 名 女子生徒. 女子学生 ‖ ～宿舍 女子学生宿舎. 女子寮

【女声】 nǚshēng 名〈音〉女声 ‖ ～合唱 女声合唱

****【女士】** nǚshì 名 **女史. 女性に対する敬称** ‖ ～们, 先生们！晚会现在开始 紳士・淑女のみなさん, ただいまよりレセプションを開催いたします

> **類義語** 女士 nǚshì 女性 nǚxìng 女人 nǚrén 妇女 fùnǚ 女的 nǚde
>
> ◆〔女士〕女性に対する敬称. よく量詞〔位〕とともに用いる ◆〔女性〕女性を社会の一員として見るとき, あるいは地域的に広い範囲で女性をとらえたときに用いる ‖ 新女性 新しい女性 ◆〔女人〕成人女性を表すが敬意は含まない. 妻をさすこともある ◆〔妇女〕成人女性の通称. 他の名詞とともに用いて, 熟語を作ることが多い ‖ 妇女干部 女性幹部 ◆〔女的〕女の人. 女性. 話し言葉で用いる

【女娲】 Nǚwā 名 女媧(じょか). 神話上の女神. 伏羲(ふっき)の妹で人面蛇身. 天に穴があいたとき, 五色の石を錬(ね)って補い, 大洪水を治め, 人類を創造したと伝えられる

【女王】 nǚwáng 名 女王. 女帝. クイーン

【女巫】 nǚwū 名 みこ. 女祈禱師. 〔巫婆pó〕ともいう

***【女性】** nǚxìng 名 女性. 女の人 ‖ 职业～ 仕事をしている女性

【女婿】 nǚxu 名 ❶娘婿 ‖ 上门～ 入り婿 ❷口 夫

【女佣】 nǚyōng 名 女性の使用人. お手伝い

【女友】 nǚyǒu 名 ❶女性の友人. 女友達 ❷ガールフレンド. 恋人. 〔女朋友〕ともいう

【女招待】 nǚzhāodài 名 旧 女給. ウエートレス

【女中音】 nǚzhōngyīn 名〈音〉メゾソプラノ

【女主角】 nǚzhǔjué 名 女主人公. ヒロイン

【女主人】 nǚzhǔren 名 (客をもてなす側の夫人に対して, 客側が用いる敬称)女主人. 奥様

【女装】 nǚzhuāng 名 ❶婦人服 ❷女装

***【女子】** nǚzǐ 名 女子 ‖ ～团体赛 女子団体競技

8 **钕** nǔ 图〈化〉ネオジム(化学元素の一つ, 元素記号は Nd)

nù

10 **恧** nù 書 恥じる. 恥ずかしく思う

10 **衄**(△衂 䶊) nù 書 ❶鼻血が出る. (広く)出血する ‖ 鼻～ 鼻血 ❷戦いに負ける ‖ 战～ 戦いに敗れる

nuǎn

13 ⁑**暖**(△煖 暝 㬉) nuǎn ❶形(気候や環境が)暖かい ‖ 春～花开 春うららかにして花開く ❷動(物や体を)暖(温)かくする. 暖(温)める ‖ 把酒～上 酒を温める

【暖冬】nuǎndōng 图〈気〉暖冬

【暖房】nuǎn//fáng 動 旧 ❶結婚の前日に親戚友人がお祝いに行く ❷(親戚や友人の)新居の落成を祝う 图(nuǎnfáng)温室

【暖烘烘】nuǎnhōnghōng (～的) 形 ぽかぽかと暖かいさま

【暖乎乎】nuǎnhūhū (～的) 形 ぽかぽかと暖かいさま

【暖壶】nuǎnhú 图 魔法瓶. ポット

★【暖和】nuǎnhuo 形 暖かい ‖ 这间屋子朝阳cháoyáng, 很～ この部屋は南向きだから, とても暖かい 動 暖まる. 暖める ‖ 屋里有火, 快进来～～吧 部屋の中にはストーブがあるから, 早く入って暖まりなさい

【暖帘】nuǎnlián 图 冬季, 室内の保温のため出入り口にかける綿入れのカーテン

【暖流】nuǎnliú 图 ❶〈地〉暖流 ↔〔寒流〕❷ 転 (込み上げてくる)暖かいもの. 感動の気持ち ‖ 听了这句话, 一股～涌yǒng上心头 その言葉を聞いて, 暖かいものが胸に込み上げてきた

【暖棚】nuǎnpéng 图 温室

【暖瓶】nuǎnpíng 图 魔法瓶. ポット

⁑【暖气】nuǎnqì 图 ❶(蒸気や熱湯を利用した)暖房 ❷集中暖房設備 ❸暖かい空気

【暖融融】nuǎnróngróng (～的) 形 ぽかぽかと暖かいさま

【暖色】nuǎnsè 图〈美〉暖色 ↔〔冷色〕

⁑【暖水瓶】nuǎnshuǐpíng 图 魔法瓶. 〔暖壶〕〔暖瓶〕ともいい, 地方によっては〔热水瓶〕ともいう ‖ 灌guàn～ 魔法瓶にお湯を入れる

【暖洋洋】nuǎnyángyáng (～的) 形 暖かいさま

nüè

8 **疟**(瘧) nüè 〈医〉マラリア

【疟疾】nüèji 图〈医〉マラリア. ふつうは〔疟子〕という

9 **虐** nüè むごたらしい. 残酷である ‖ 暴～ 暴虐

【虐待】nüèdài 動 虐待する. 虐げる. 苦しめいじめる ‖ 受～ 虐待される

【虐俘】nüèfú 動 捕虜を虐待する

【虐囚】nüèqiú 動 囚人を虐待する

【虐杀】nüèshā 動 虐殺する

【虐政】nüèzhèng 图 苛酷(かこく)な政治. 苛政(かせい)

nuó

9 *⁎***挪**(△挼 捼) nuó ❶動(近い距離に場所を)変える. 移す. 動かす. 移動する ‖ 把桌子～一下 テーブルの位置をちょっと変える ❷流用する ‖ →～用

【挪动】nuódong 動 場所を変える. 移す. 動かす

【挪借】nuójiè 動 (他人の金を)一時的に借用する

【挪开】nuó//kāi 動 (他の場所へ)どける. のける

【挪威】Nuówēi 图〈国名〉ノルウェー

*【挪用】nuóyòng 動 本来の目的以外のことにお金を動かす. 流用する ‖ ～公款是犯罪行为 公金の使い込みは犯罪行為である

9 **娜** nuó ➡〔婀娜ēnuó〕〔袅娜niǎonuó〕 ➤ nà

12 **傩**(儺) nuó (旧暦12月に行った厄払いの儀式)追儺(ついな). 後に一種の舞踊となる

【傩神】nuóshén 图 (疫病などを除く)厄払いの神

nuò

10 **诺** nuò ❶同意や命令に従うことを表す声 ‖ 唯唯wěiwěi～～ 唯々諾々(いいだくだく). 従順に従うさま ❷承諾する ‖ 许～ 請け合う. 引き受ける

【诺贝尔奖】Nuòbèi'ěrjiǎng 图 ノーベル賞

【诺言】nuòyán 图 承諾. 約束. 誓約 ‖ 信守～ 約束を守る

11 **喏** nuò ❶感 方 (相手に注意を促すときに発する言葉)ほら ‖ ～, 这不就是你那本词典? ほら, これは君の辞書じゃないのか ❷古〔诺nuò〕に同じ

13 **搦** nuò 書 ❶手に取る. 持つ ❷挑発する. (やっかいごとなどを)引き起こす ‖ →～战

【搦战】nuòzhàn 動 古 戦いをしかける

13 **锘** nuò 图〈化〉ノーベリウム(化学元素の一つ, 元素記号は No)

17 **懦** nuò 臆病である. 意気地がない ‖ 怯qiè～ 意気地がない

【懦夫】nuòfū 图 懦夫(だふ). いくじなし. 臆病者

【懦弱】nuòruò 形 意気地がない. 臆病である

20 **糯**(△稬 稬) nuò もち米

【糯稻】nuòdào 图 もち稲

【糯米】nuòmǐ 图 もち米. 〔江米〕ともいう

【糯米纸】nuòmǐzhǐ 图 オブラート

O

ō

15 *噢 ō [感] (合点や納得の気持ちを表す)ああ, そうか ‖ ～, 他走啦la そうか, 彼は帰ったのか

ó

10 哦 ó [感] (半信半疑の気持ちを表す)ええっ ‖ ～, 这话真是他说的？ ええっ, その話ほんとうに彼が言ったの ➤ é ò

ò

10 *哦 ò [感] (納得の気持ちを表す)ははあ, なるほど ‖ ～, 是你呀！ そうか, 君だったのか ➤ é ó

ōu

4 区(區) ōu [名] 姓 ➤ qū

6 讴(謳) ōu ❶歌いあげる. (詩歌で)ほめたたえる ❷民間の歌謡. 俗謡

【讴歌】ōugē [動][書] (詩歌で)ほめたたえる

7 沤(漚) ōu 泡. あぶく ‖ 浮～ あぶく ➤ òu

8 瓯¹(甌) ōu [方] 小鉢や小さな碗, 湯飲みの類 ‖ 酒～ 酒杯 | 茶～ 湯飲み

8 瓯²(甌) ōu ❶地名用字 ‖ ～江 浙江省南部から東海にそそぐ河の名 ❷[名] 浙江省温州市の別称

8 欧(歐) ōu ❶ヨーロッパ. 欧州. 〔欧洲〕の略 ‖ ～亚大陆 ユーラシア大陸 ❷[量][略] オーム. 〔欧姆〕の略

【欧化】ōuhuà [動] 欧化する. ヨーロッパ化する

【欧美】Ōu Měi [名] 欧米

【欧盟】Ōuméng [名] 欧州連合. EU. 〔欧洲联盟〕の略

【欧姆】ōumǔ [量][外] (電気抵抗の単位)オーム. 略して〔欧〕ともいう

【欧体】ōutǐ [名] 書の流派の一つ, 唐代の欧陽詢(おうようじゅん)およびその子欧陽通の書体

【欧元】ōuyuán [名] (EUの通貨単位)ユーロ

【欧洲】Ōuzhōu [名] 〈地〉ヨーロッパ. 欧州

8 殴(毆) ōu 殴る. たたく ‖ 斗dòu～ 殴り合いをする

*【殴打】ōudǎ [動] 殴打する. 殴りつける ‖ 双方～了起来 両方で殴り合いを始めた | 遭zāo人～ 人に殴られる

【殴斗】ōudòu [動] 殴り合いのけんかをする

9 鸥(鷗) ōu [名] 〈鳥〉カモメ属の鳥 ‖ 海～ カモメ

11 𫫇(嘔) ōu ❶[感] 驚いたり, はっと気付いたりする気持ちを表す ‖ ～, 对了 あっ, そうだ ❷[感] 呼びかけを表す(長く伸ばしていう) ‖ ～, 你别过来, 危险！ お～い, 来てはだめだ, 危ない！ ❸[感] (多く子供を)あやす時に用いる ‖ ～, 宝宝别哭 よしよし, いい子だ, 泣くんじゃないよ ❹[擬] 泣き声を表す

ǒu

7 呕(嘔) ǒu [動] 吐く. 嘔吐(おうと)する ‖ ～出来了 吐き出した

*【呕吐】ǒutù [動] 嘔吐する. 吐く ‖ ～胃液 胃液を吐く

【呕心】ǒuxīn [動] (多く芸術活動に)心血を注ぐ

【呕心沥血】ǒu xīn lì xuè [成] 苦心惨憺(さんたん)する. 心血を注ぐ

【呕血】ǒu//xuè [動] 〈医〉吐血する

8 怄(慪) ǒu ❶[動] いぶる. 煙る. くすぶる ❷[動] いぶす ‖ ～蚊子wénzi 力をいぶす

11 偶¹ ǒu 木や泥などで作った人形 ‖ 一～像 | 玩～ 人形 | 木～ 木の人形

11 偶² ǒu ❶偶数の. 対になった ↔〔奇jī〕‖ 一～数 ❷夫婦. 連れ合い. 配偶者 ‖ 求～ 配偶者を求める

11 偶³ ǒu [副] 偶然に. たまたま ‖ 一～然

*【偶尔】ǒu'ěr [副] たまに. ときどき. ときおり ‖ ～给他打个电话 たまには彼に電話をする [形] まれである

【偶发】ǒufā [形] 偶発的な ‖ ～事件 偶発的な事件

【偶感】ǒugǎn [名] 偶感. (多く書名に用いる)

【偶合】ǒuhé [動] たまたま一致する. 偶然に一致する

【偶或】ǒuhuò [副] ときに. たまに

*【偶然】ǒurán [形] 偶然である ‖ ～的机会 偶然のチャンス | 认识他非常～ 彼と知り合ったのはほんとに偶然のことだった [副] 偶然に. たまたま ‖ ～发生的事故 偶然の出来事

> **類義語** 偶然 ǒurán 偶尔 ǒu'ěr
>
> ◆〔偶然〕起こりそうもないことや思ってもみなかったことが, たまたま発生する, その意外性を表す. たまたま. 偶然. ↔〔必然〕‖ 在街上偶然遇见一个老同学 街で偶然昔の同級生に出会った ◆〔偶尔〕いつもではなく, たまに発生する, その発生頻度の低いことを表す. たまに. ときどき. ときおり. ↔〔经常〕◆〔偶然〕は形容詞として述語・補語・定語(連体修飾語)・状語(連用修飾語)になるが, 〔偶尔〕は状語にしかならない ‖ 偶然事故 偶然の事故 | 发生这种现象非常偶然 この種の現象が起こるたいへんな偶然だ

【偶然性】ǒuránxìng [名] 偶然性 ↔〔必然性〕

【偶人】ǒurén [名] 人形

【偶数】ǒushù [名] 〈数〉偶数. 正の偶数は〔双数〕ともいう ↔〔奇jī数〕

【偶像】ǒuxiàng [名] 偶像 ‖ 青春的～ 若者のアイドル. 若者の憧(あこが)れの的

15 耦 ǒu ❶〔偶² ǒu〕に同じ ❷[書] (昔の耕作法の一つで)二人並んで耕す

【耦合】ǒuhé [動] 〈物〉結合する. カップリングする

18 藕 ǒu [名] レンコン

【藕断丝连】ǒu duàn sī lián [成] 蓮(はす)の根は切れても糸はつながっている. 腐れ縁が続くこと. 未練があること

【藕荷】【藕合】ǒuhé 形 赤みがかった薄紫色の
【藕灰】ǒuhuī 形 赤みがかった灰色の
【藕色】ǒusè 名 赤みがかった薄い灰色 =〔藕灰色〕

òu

7 **沤**（漚）òu 動（汗や水に）長時間つかる. つける ‖ 汗水把衣服～烂làn了 汗で服がだめになった ➤ ōu

【沤肥】òu∥féi 動 雑草・緑肥・下肥・ごみ・泥などを穴に入れ, 水に浸して分解させて肥料にする 名（òuféi）同前の肥料

7 **怄**（慪）òu ❶動 むしゃくしゃする.（怒りで）むかむかする ‖ ～气 ❷動 方 怒るようにしむける. 不快にさせる

【怄气】òu∥qì 動 しゃくにさわる. 怒りがこみ上げる. 腹を立てる ‖ 怄了一肚子气 むかっ腹を立てる

P

【PC机】PC jī 图〈経〉パソコン. PC

pā

9 *趴 pā ❶動 腹を下にして伏せる. 腹ばいになる ❷動 体を前に傾けて物にもたれる ‖ ～在桌子上睡着了 テーブルに突っ伏したまま眠ってしまった

【趴伏】pāfú 動 伏せる. 腹ばいになる ‖ ～在地上 地面に腹ばいになる

【趴窝】pā//wō 動 方 ❶めんどりが巣で卵を温める ❷体調を悪くして倒れる ‖ 连日工作把他累～了 連日の仕事がたたって彼は過労で倒れた

11 啪 pā 擬 (銃声・拍手・物のぶつかり合う音)パン. パン. パチッ. パタン. バタン

【啪嚓】pāchā 擬 (物が下に落ちたり, ぶつかり合ったり, 壊れたりする音)ガチャン. ガタン. バタン. ゴトン ‖ ～一声, 碗掉在地上摔碎shuāisuì了 ガチャンと茶碗が床に落ちて壊れた

【啪嗒】pādā 擬 (物が落ちたり, ぶつかったりする音)カタン. パタッ. バタッ ‖ ～～的脚步声 バタバタと歩く足音

【啪唧】pājī 擬 (物が落ちたり, ぶつかったりする音)パチン. ガチャン ‖ 那孩子光着脚在～～地踩水cǎishuǐ あの子ははだしになって水たまりでバシャバシャ遊んでいる

【啪啦】pāla 擬 (たたいたり, こすれたりする音)パタパタ. パラパラ

12 葩 pā 書 花 ‖ 艺苑yìyuàn奇～ 文芸界の優れた作品または若い人材

pá

5 *扒[1] pá ❶動(手や熊手などの道具で)かき集めたり分散させたりする ❷動 方 (手や道具を使って)かく. 引っかく ❸動 (人の物を)する. すり取る ‖ ～钱包 財布をする

5 扒[2] pá 動〈料理〉(調理法の一種)半分火を通した材料を鍋に入れ, スープや調味料を加えて, 原形を保ったままとろ火で長時間煮込む ‖ ～白菜 形を崩さずに煮込んだ白菜料理

➤ bā

【扒拉】pála 動 方 箸で御飯をかき込む ➤ bāla

【扒窃】páqiè 動 (人の物を)する. こっそり抜き取る

*【扒手】páshǒu 图 すり ‖ 抓～ すりを捕まえる

8 杷 pá ➡〔枇杷pípa〕

8 ★爬 pá ❶動 はう. はいずる ‖ 这孩子刚会～, 还不会走呢 この子ははいはいができたばかりで, まだ歩けない ❷動 物をつかみながら上へと登る. よじ登る. はい上がる ‖ 一～山 | ～上了总经理的宝座 社長の椅子に登りつめた

【爬格子】pá gézi 慣 原稿用紙の升目を埋める. 原稿を書く

【爬山】pá//shān 動 山に登る. 登山する. 山登りする

【爬山虎】páshānhǔ 图〈植〉ツタ

【爬升】páshēng 動 (ロケットや飛行機などが)空に向かって飛ぶ. 上昇する

【爬行】páxíng 動 ❶はう. 腹ばいになって進む ❷喩 しきたりを墨守してのろのろ仕事をする

【爬行动物】páxíng dòngwù 图〈動〉爬虫類

【爬泳】páyǒng 图〈体〉クロール

10 耙 pá ❶图 熊手(くまで). レーキ ‖ 钉dīng～ 歯が鉄製の熊手 ❷動 熊手でかき寄せる. かき散らす ‖ 把地～平 畑を平らにかきならす ➤ bà

【耙子】pázi 图 熊手. レーキ

12 琶 pá ➡〔琵琶pípa〕

13 筢 pá 熊手

pà

8 ★怕 pà ❶動 恐れる. 怖がる. おびえる ‖ 我～大家笑话 みんなの笑い物になりたくない ❷動 心配する. 気になる ‖ 我～你忘了, 才提醒tíxǐng你一句 君が忘れているんじゃないかと思ったから, ひとこと言ったんだよ ❸副 おそらく. たぶん ‖ 这孩子～有十二三岁了 この子は12か13歳くらいだろう ❹動 …に弱い. 耐えられない. 苦手である ‖ 这手表～水 この腕時計は防水ではない | ～热 暑さに弱い. 暑がり

【怕老婆】pà lǎopo 慣 女房に頭が上がらない. 恐妻家である ‖ 他可～了 彼は女房に頭が上がらない

【怕人】pà//rén 動 人見知りする. 人おじする ‖ 这孩子从小就～ この子は小さいときから人見知りする 形 (pàrén)恐ろしい. 怖い

【怕生】pàshēng 動 (子供が)人見知りする

【怕事】pà//shì 動 事を起こすのを恐れる. 事なかれ主義の態度をとる. 面倒がる ‖ 胆小～ 臆病者である

【怕是】pàshi 副 方 おそらく. たぶん

【怕死鬼】pàsǐguǐ 图 臆病者. 意気地なし. 腰抜け

【怕羞】pà//xiū 動 恥ずかしがる. はにかむ. 決まり悪がる

8 帕[1] pà ハンカチ. スカーフ ‖ 手～ ハンカチ

8 帕[2] pà 量〈物〉(圧力の単位)パスカル. 〔帕斯卡〕の略

【帕金森病】pàjīnsēnbìng 图〈医〉パーキンソン病

【帕劳】Pàláo 图〈国名〉パラオ共和国

【帕斯卡】pàsīkǎ 量〈物〉(圧力の単位)パスカル. 略して〔帕〕ともいう

pāi

8 ★拍 pāi ❶動(手のひらや平たいもので)たたく. 打つ ‖ ～着孩子睡 子供を手のひらであやしながら寝かしつける | ～苍蝇cāngying ハエをたたく ❷图 (～儿)たたく道具 ‖ 网球～ テニスのラケット | 苍蝇～ ハエたたき ❸图〈音〉拍子. リズム. テンポ ‖ 四分之一～ 4分の1拍子 ❹動 回 おべっかを使う. ごまをする ‖ 你可真会～ 君はほんとうにごまをするのが上手だね ❺動 電報を打つ. 打電する ❻動 写真を撮る. (テレビ番組・映画などを)撮影する ‖ ～电视剧 テレビ・ドラマを撮影する

類義語 拍 pāi 捶 chuí 敲 qiāo 打 dǎ

◆〔拍〕手のひらや平らなもので軽くたたく ◆〔捶〕こぶしや棒でたたく ◆〔敲〕音を出す目的でたたく ‖ 敲门 ドアをノックする | 敲木鱼 木魚をたたく ◆〔打〕手のひらやこぶし，または道具を使い，力を入れて強くたたく．道具の形状に制限はない ‖ 打门 ドアをドンドンとたたく ◆次のような場合には，〔打〕〔敲〕どちらも用いられる ‖ 敲(打)锣 どらをたたく

【拍案】pāi'àn 動（驚き・憤怒・称賛の気持ちを表して）机をたたく ‖ ～而起 机をたたき立ち上がる（怒りの表現）| ～叫绝 テーブルを打ち鳴らして絶賛する

【拍板】pāi//bǎn 動 ❶〈音〉〔拍板〕を打ち鳴らして拍子をとる ❷（旧時，競売で取引が成立した合図として）拍子木を鳴らす ‖ ～成交 取引や商談が成立する．手打ちになる ❸喩（当事者が）最終的な判断，または決定を下す ‖ ～定案 最終決定が出る 图（pāibǎn）〈音〉3枚の板からなり，打ち鳴らして拍子をとる伝統的打楽器 ＝〔鼓板〕

【拍打】pāida 動 ❶軽くたたく．はたく．払う ‖ ～身上的雪 体についた雪をはたく ❷羽ばたきをする

【拍发】pāifā 動（電報を）打つ

【拍价】pāijià 图 オークション価格．落札価格

【拍马屁】pāi mǎpì 慣 おべっかを言う．お世辞を言う．ごまをする ‖ 他最会～ 彼はごますりがとても上手だ

*【拍卖】pāimài 動 ❶競売する ‖ 文物～会 骨董（こっとう）オークション ❷投げ売りをする ‖ 大～ 大安売り

【拍品】pāipǐn 图 オークションの品物．競りにかける商品

*【拍摄】pāishè 動 撮影する ‖ 那部影片正在～中 あの映画は目下撮影中である

*【拍手】pāi//shǒu 動 手をたたく．拍手をする ‖ ～叫好 拍手喝采（かっさい）する

【拍手称快】pāi shǒu chēng kuài 成 手を打って快哉（かいさい）を叫ぶ

【拍拖】pāituō 動 方 恋愛する．デートする

【拍戏】pāi//xì 動 劇などを映画に撮る

【拍胸脯】pāi xiōngpú 組 胸をたたく（請け合うこと）

*【拍照】pāi//zhào 動 写真を撮る．写す ‖ 禁止～ 写真撮影を禁ず ☞後に目的語をとれない ‖ ×～雪景

*【拍子】pāizi 图 ❶物をたたく用具 ‖ 球～ 球技用のラケット | 苍蝇～ ハエたたき ❷〈音〉拍子．リズム．テンポ ‖ 打～ 拍子をとる

pái

10 **俳** pái ❶古 道化芝居．道化師 ❷書 滑稽（こっけい）．諧謔（かいぎゃく）

【俳句】páijù 图 日本の俳句

11 ** **排**[1] pái ❶（障害物を）押しのける．押し開く ‖ ～闼tà直入 扉を押し開けて入る ❷動 排除する．取り除く ‖ 把积水～出去 冠水を排出する

11 ** **排**[2] pái ❶動 並ぶ．配列する ‖ 一～队 ❷图 横並びの列．隊列 ‖ 后～还有很多空座kòngzuò 後ろの列にはまだたくさん空席がある ❸图 いかだ ‖ 竹～ 竹のいかだ ❹图〈軍〉小隊 ➡〔中国人民解放军Zhōngguó rénmín jiěfàngjūn〕 ❺〈体〉バレーボール．バレーボールチーム ‖ 男～ 男子バレー ❻量 列に並んだ人や物を数える ‖ 上下两～牙齿 上下2列の歯 ❼動（演劇や演奏などの）下稽古をする．本番の前に練習をする．リハーサルをする ‖ 彩～ 舞台稽古をする．ドレスリハーサルをする

11 **排**[3] pái 图〈料理〉ステーキ ‖ 猪～ ポークステーキ | 牛～ ビーフステーキ ➤pǎi

【排班】pái//bān 動 仕事や勤務の順番を決める

【排版】pái//bǎn 動〈印〉版を組む．組版する

【排笔】páibǐ 图（塗装や染色で使う）はけの一種．筆を数本並べて束ねたもの

【排查】páichá 動 一斉捜査する．しらみつぶしに調べる

【排叉ㄦ】páichàr 图 小麦粉でつくった生地を長方形の小片にし，中央に切り口を入れてひねり，油で揚げた菓子．〔排杈ㄦ〕とも書く

【排杈ㄦ】páichàr 图 ❶室内の間仕切りに使う透かし彫りの屏風（びょうぶ） ❷＝〔排叉ㄦ páichàr〕

【排场】páichang；páichǎng 形（やり方が）派手である．大げさに見栄を張る 图 見栄．見映え．構え．格式 ‖ 讲～ 見栄を張る

*【排斥】páichì 動 排斥する．押しのける．退ける ‖ ～异己yìjǐ 敵対する者を排除する

【排斥反应】páichì fǎnyìng 图〈医〉拒絶反応

*【排除】páichú 動 排除する．除去する ‖ ～障碍zhàng'ài 障害を除去する

【排挡】páidǎng 图〈機〉（車やトラクターなどの）ギア．変速器．略して〔挡〕ともいう

*【排队】pái//duì 動 列を作る．順に並ぶ ‖ 请～上车 順に並んでご乗車ください

【排筏】páifá 图（杉の木や竹で編んだ）いかだ

【排放】páifàng 動 ❶順序よく並べる ❷（廃棄物を）排出する．外に出す ‖ ～污水 汚水を排出する ❸動物が排卵または射精する

【排放权】páifàngquán 图（温室効果ガスの）排出権 ‖ ～交易 排出権取引

【排风扇】páifēngshàn 图 換気扇 ＝〔换气扇〕

【排骨】páigǔ 图〈料理〉ウシ・ブタ・ヒツジなどの肋骨（ろっこつ）部分の骨つき肉．スペアリブ

【排灌】páiguàn 動 排水し灌漑（かんがい）する

【排行】páiháng 動（兄弟姉妹の）長幼の順に並ぶ ‖ 他～第二，所以叫老二 彼は上から2番目なので，〔老二〕と呼ばれている

【排行榜】páihángbǎng 图 人気ランキング．ヒットチャート

【排号】pái//hào 動 口 列に並んで受け付けを待つ

*【排挤】páijǐ 動 排斥する．押しのける ‖ 受～ のけ者にされる

【排检】páijiǎn 動（データなどを）配列し検索する

【排解】páijiě 動 ❶（争いを）調停する．仲裁する ❷気を紛らわす．気晴らしをする

【排空】páikōng 動 書 空高く上る

【排涝】pái//lào 動 田畑の冠水を排出する

【排雷】pái//léi 動〈軍〉地雷や水雷を排除する

*【排练】páiliàn 動（演劇や演奏などの）稽古をする．リハーサルをする ‖ ～歌剧 オペラのリハーサルをする

*【排列】páiliè 動 配列する．順序どおりに並べる ‖ 按姓氏xìngshì笔划～ 姓の筆画順に並べる

【排卵】pái//luǎn 動〈生理〉排卵する ‖ ～期 排卵期

【排名】pái//míng 動 順位を決める．序列を決める

【排难解纷】pái nàn jiě fēn 成 困難を排して紛争を調停解決する．譲らない双方を調停して解決をはかる

【排炮】páipào 图 ❶集中砲火 ❷発破を連結し，

同時に爆破すること
【排遣】páiqiǎn 動 気を紛らわす. 気晴らしをする
【排枪】páiqiāng 图 一斉射撃
★【排球】páiqiú 图〈体〉❶バレーボール ‖ ～场 バレーコート | 打～ バレーボールをやる ❷バレーボールの球
【排山倒海】pái shān dǎo hǎi 成 山をどかし, 海をひっくり返すような勢い. 力強く勢いがすさまじいさま
【排水】pái//shuǐ 動 排水する ‖ ～管 排水管
【排水量】páishuǐliàng 图 ❶(船舶の)排水量 ❷(川や運河などの)流水量
【排他性】páitāxìng 图 排他的な性質
【排坛】páitán 图 バレーボール界
【排头】páitóu 图 列の先頭. 最前列に立つ人
【排头兵】páitóubīng 图 ❶隊列の先頭に立つ兵士 ❷喩 率先して手本を示す人
*【排外】páiwài 動 外国人や外国の事物を排除する ‖ ～主义 排外主義
【排尾】páiwěi 图 列の最後尾. しんがり ↔〔排头〕
【排污】pái//wū 動 汚染物質を排出する
【排污权】páiwūquán =〔排放权 páifàngquán〕
【排戏】pái//xì 動 芝居の稽古をする
【排险】pái//xiǎn 動 危険な状況を変える. 危険な状態を除く
【排泄】páixiè 動 ❶(雨水や汚水などを)排出する. 排水する ❷〈生理〉排泄(はいせつ)する ‖ ～物 排泄物
【排演】páiyǎn 動 芝居のリハーサルをする. 舞台稽古をする
【排印】páiyìn 動 組版して印刷する
【排忧解难】pái yōu jiě nàn 慣 心配や困難を取り除く ‖ 为群众～ 人々の心配や困難を取り除く
【排油烟机】páiyóuyānjī 图(台所用の)フード付き換気扇. レンジフード
*【排长】páizhǎng 图〈軍〉小隊長
【排字】pái//zì 動〈印〉活字を拾う. 植字する

11 徘 pái ↴

*【徘徊】páihuái 動 ❶徘徊(はいかい)する. うろつく. あてもなく歩き回る ❷ためらう. 躊躇(ちゅうちょ)する. 決心がつかない ❸(数値などが)ある範囲内で上下に浮動する

12 ** 牌 pái ❶图(～儿)札. 立て札. 看板. プレート ‖ 车～ 車のナンバープレート | 招～ 屋号を書いた看板 ❷〔词〕(詞)や〔曲〕(元曲)の調子や節 ❸图(マージャンやトランプなどの)札. カード. パイ. カルタ ‖ 麻将～ マージャンパイ | 洗～ トランプを切る. カードを切る. マージャンパイをかき混ぜる ❹图(～儿)商標. 印. マーク. ブランド ‖ 名～ 有名ブランド ❺(～儿)メダル ‖ 金～ 金メダル

逆引き単語帳 〔奖牌〕jiǎngpái 表彰メダル 〔金牌〕jīnpái 金メダル 〔银牌〕yínpái 銀メダル 〔铜牌〕tóngpái 銅メダル 〔路牌〕lùpái 街路名プレート 〔门牌〕ménpái 門札 〔车牌〕chēpái 車や自転車のナンバープレート 〔标牌〕biāopái 商標プレート 〔骨牌〕gǔpái 中国式カルタ. さいころと同じような点で 1 ～ 6 の数を示す 〔多米诺骨牌〕duōmǐnuò gǔpái ドミノ 〔扑克牌〕pūkèpái トランプ 〔麻将牌〕májiàngpái マージャンのパイ 〔灵牌〕língpái 位牌 〔招牌〕zhāopai 看板 〔广告牌〕guǎnggàopái 広告板 〔标语牌〕biāoyǔpái 標語やスローガンを書いた板. プラカード 〔王牌〕wángpái 切り札 〔金字招牌〕jīnzì zhāopai 金看板. 立派な肩書 〔名牌〕míngpái 有名ブランド 〔冒牌〕màopái にせブランド

【牌匾】páibiǎn 图 扁額(へんがく). 横額
【牌坊】páifāng 图 旧 忠孝貞節の人物を顕彰するために建立した〔牌楼〕に似た建造物
【牌号】páihào (～儿) 图 ❶屋号 ❷商標. トレードマーク. ブランド
【牌价】páijià 图〈経〉公定価格. 公示価格 ‖ 外汇 wàihuì～ 外国為替相場
【牌九】páijiǔ =〔骨牌gǔpái〕
【牌局】páijú 图 マージャンやカルタなどの集まり
【牌楼】páilou 图 街頭に飾りとしてまたは記念・祝賀用に建てた屋根のある装飾門
【牌位】páiwèi 图 位牌
【牌照】páizhào 图 ❶営業許可証. 鑑札. 免許証 ❷(車の)ナンバープレート
*【牌子】páizi 图 ❶札. 合い札. 預かり札 ‖ 存车～ 自転車の一時預かり札 ❷商標. ブランド ‖ 老～ 昔から名の知られた商標 ❸〔词〕(詞)や〔曲〕(元曲)の調子や節

pǎi

8 迫(△廹) pǎi ↴ ➤ pò

【迫击炮】pǎijīpào 图〈軍〉迫撃砲

11 排 pǎi 動 方 新しい靴に靴型を入れて形を調節する ➤ pái

pài

9 ★ 派[1] pài ❶書 川の支流 ❷图 派. 宗派. 流派 ‖ 宗zōng～ 宗派. 流派 ❸風格. 貫禄. 風采(ふうさい) ‖ 为人正～ 人柄がまじめある ❹動(強制的に)配分する. 割り当てる ‖ 摊tān～ (寄付金などを)割り当てる ❺動 派遣する. 差し向ける. 手配する ‖ ～一辆车去机场接客 空港へ出迎えに車をやる ❻動 過失を指摘する. とがめる. 責める ‖ 一～不是 ❼量 数詞〔一〕と連用し, 景色・音声・話などを数える ‖ 一～丰收景象 どこもかしこも豊年の光景

9 派[2] pài 图 外 パイ ‖ 巧克力qiǎokèlì～ チョコレートパイ | 苹果～ アップルパイ

*【派别】pàibié 图(学術・政党・宗教教団内部の)分派. 流派. 派閥 ‖ 宗教～ 宗教の流派
【派兵】pài//bīng 動〈軍〉軍隊を派遣する
【派不是】pài bùshi 組 人の失敗を責める. 人の落ち度をとがめる
*【派出所】pàichūsuǒ 图 派出所
【派定】pàidìng 動 ❶指定する. 任命し派遣する ❷判断する
【派对】pàiduì 图 外 パーティ
【派饭】pài//fàn 動 農村に派遣された幹部に, 割り当てられた農家が食事を提供する 图(pàifàn)同前の食事
【派活】pài//huó (～儿) 動(一般に肉体労働について)仕事を割り振る. 作業を配分する
【派款】pài//kuǎn 動 旧 農家や商家に寄付金を割り

当てる
【派位】pàiwèi 動 入学志望者を各学校に割り振る
*【派遣】pàiqiǎn 動 派遣する. 差し向ける ‖ ～军队 軍隊を派遣する | ～留学生 留学生を派遣する
【派生】pàishēng 動 派生する
【派生词】pàishēngcí 图〈語〉(合成語の一種)派生語.〔椅子〕〔画儿〕のように語幹に接辞をつけて一語になるもの.
【派头】pàitóu (～儿) 图 態度. 風格 ‖ 那人真有点儿学者～儿 彼にはいかにも学者らしい風格がある
【派系】pàixì 图 派閥 ‖ ～斗争 派閥闘争
【派性】pàixìng 图 党派性. 派閥性. セクト主義
【派用场】pài yòngchǎng 組 方 役に立てる. 利用する ‖ 到冬天这火炉就派上用场了 冬になるとこのストーブが役に立つ
【派驻】pàizhù 動 派遣されて駐在する ‖ ～海外 海外に駐在する

12 湃 pài ➡〔澎湃péngpài〕

12 蒎 pài ↴
【蒎烯】pàixī 图〈化〉ピネン

pān

7 扳 pān 〔攀pān〕に同じ ➤ bān

12 番 pān 地名用字 ‖ ～禺yú 広東省にある市の名 ➤ fān

15 潘 pān 图 姓

19 *攀 pān ❶動 よじ登る. 物につかまって登る ‖ ～登 ❷動 (地位が高い人と)近づきになる. 交わりを結ぶ. 取り入る ‖ 高～ 身分の高い人に取り入って交わりを結ぶ ❸動 接近しようとする. 巻き込む ‖ ～扯
【攀比】pānbǐ 動 自分より上の者と張り合う ‖ 互相～ 互いに張り合う
【攀冰】pānbīng 動〈体〉アイスクライミングをする
【攀扯】pānchě 動 巻き添えにする. 連座させる
*【攀登】pāndēng 動 よじ登る ‖ ～科学技术高峰 科学技術の高峰を極める
【攀附】pānfù 動 ❶物にすがってはい上がる. よじ登る ❷(権勢のある者に)取り入る. へつらう ‖ ～权势 権勢のある人に取り入る
【攀高枝】pān gāozhī (～儿) 慣 身分の高い人に取り入って交わりを結んだり, 姻戚関係を結んだりすること. 地方によっては〔巴bā高枝儿〕という
【攀供】pāngòng 動 取り調べのとき, 偽りの供述をして無実の人を巻き添えにする
【攀龙附凤】pān lóng fù fèng 成 権勢のある者に取り入ること
【攀亲】pān//qīn 動 ❶縁故にかこつけて取り入る ❷婚約する. 縁談を取りまとめる
【攀绕】pānrào 動 上方に向かって絡みつく
【攀升】pānshēng 動 (価格や数値などが)上昇する. 高騰する
【攀谈】pāntán 動 雑談する. 話をする
【攀岩】pānyán 動〈体〉岩登りをする. ロッククライミングをする
【攀缘】【攀援】pānyuán 動 ❶物につかまってよじ登る ❷権勢のある人に取り入る
【攀越】pānyuè 動 乗り越える ‖ ～山岭 山を越える
【攀折】pānzhé 動 引っ張って折る ‖ 严禁yánjìn～花木 花や枝を折ることを固く禁ずる
【攀枝花】pānzhīhuā 图〈植〉キワタノキ.〔木绵〕の通称

pán

4 爿 pán 方 ❶小さく割った竹や木など ‖ 柴chái～ たきぎ ❷量 土地や田畑を数える ‖ 一～田 畑1枚 ❸量 商店や工場などを数える ‖ 一～店 店1軒

9 胖 pán 心が安らかである. 気持ちがゆったりしている ‖ 心广体～ 気持ちがリラックスすると健康な体になる ➤ pàng

10 般 pán 書 歓楽 ➤ bān bō

11 **盘(盤) pán ❶图(～儿)大皿. 盆. 鉢 ‖ 大拼pīn～ 大皿に盛った前菜 ❷動 ぐるぐる巻く ‖ 把头发～在头上 髪をアップにしてくるりと結う ❸動(一つ一つあるいは繰り返し)調べる. 点検する ‖ ～账 ❹動(れんがなどを)積み上げる. 築く ❺(～儿)〔盘〕に似たもの ‖ 棋～ 碁盤. 将棋盤 ❻量 ①平たいものを数える ‖ 一～菜 一皿に盛った料理 ②ぐるぐる巻きつけたものを数える ‖ 一～蚊香wénxiāng 渦巻き蚊取り線香一つ ③将棋・碁・球技などの試合を数える ‖ 下一～棋 将棋を1局さす. 碁を1局打つ ❼(～儿)相場. 市況 ‖ 开～ 寄りつき | 收～ 引け ❽動(店舗や工場を商品や設備ごとそっくり)売り渡す. 譲渡する ‖ 把铺子～给别人 店舗を他人に譲渡する

類義語 盘 pán 碟 dié 碗 wǎn
◆〔盘〕料理を盛る大きい平皿. また, 物を載せて運ぶための盆も〔盘〕という ◆〔碟〕〔盘〕より小ぶりの平皿. 小皿 ◆〔碗〕碗. 口が大きく底が小さい半球形の器

逆引き単語帳 〔棋盘〕qípán 碁盤. 将棋盤 〔算盘〕suànpan そろばん 〔键盘〕jiànpán 鍵盤. キーボード 〔冷盘〕lěngpán 〔拼盘〕pīnpán 前菜. オードブル 〔方向盘〕fāngxiàngpán 車のハンドル 〔罗盘〕luópán 羅針盤. コンパス 〔脸盘儿〕liǎnpánr 顔立ち. 顔かたち 〔地盘〕dìpán 地盤. 勢力圏 〔胎盘〕tāipán 胎盤 〔小算盘〕xiǎosuànpan 個人的な利益のための打算

【盘剥】pánbō 動 (高利で金を貸して)搾取する. 絞り取る ‖ 重利～ 高い利息で絞り取る
【盘查】【盘察】pánchá 動 詳しく尋問して取り調べる. 問いただして細かく検査する
【盘缠】pánchan 图 旅費
【盘存】páncún 動 在庫を点検する. 棚卸しをする.
【盘道】pándào 图 曲がりくねった山道
【盘底】pán//dǐ 動 いきさつを問いただす
【盘点】pándiǎn 動 在庫を点検する. 棚卸しをする ‖ 每月月底～一次 毎月月末に1回在庫のチェックをする
【盘店】pándiàn 動 旧 店を譲渡する. 店を人手に渡す
【盘跌】pándiē 動 (株価などが)ゆっくり下落する

P

【盘费】pánfei 图 旅費
【盘根错节】pán gēn cuò jié 成 事柄が込み入って複雑であること. 事態が複雑に絡み合っていること
【盘根究底】pán gēn jiū dǐ 成 徹底的に追及する
【盘古】Pángǔ 图 盤古(ばんこ). 中国の神話で天地を創造した人物 ‖ ～开天地 盤古が天と地を押し開く
【盘货】pán//huò 動 在庫を点検する. 棚卸しをする
【盘诘】pánjié 動 尋問する. 取り調べる
【盘结】pánjié 動 巻きつく. 絡みつく
【盘究】pánjiū 動 とことん追究する. 問い詰める
【盘踞】【盘据】pánjù 動 場所を占拠して勢力を振るう. 盤踞(ばんきょ)する
【盘空】pánkōng 動 空中で旋回する. 宙に舞う
【盘库】pán//kù 動 在庫調べをする. 棚卸しをする
【盘面】pánmiàn 图〈経〉(株式市場などの)取引状況
【盘尼西林】pánníxīlín 图 外〈薬〉ペニシリン ＝〔青霉素qīngméisù〕
【盘儿菜】pánrcài 图 皿に盛って, そのまま調理できるようになっている料理の材料
【盘绕】pánrào 動 絡まる. まつわる
【盘山】pánshān 動 (山腹に沿って)山の周囲をめぐる ‖ ～公路 山をめぐるつづら折りの道路
【盘升】pánshēng 動 (株価などが)ゆっくり上昇する
【盘算】pánsuan 動 心の中で見積もる. 計算する. 思案する ‖ 不知他心里在～什么 彼はいったい何をあれこれ考えているのだろう
【盘梯】pántī 图 螺旋(らせん)階段
【盘头】pántóu 图 女性の髪型の一つで, 髪の毛を後頭部でぐるぐる巻いてまげを作ったもの
【盘腿】pán//tuǐ 動 足を組む. あぐらをかく ‖ ～坐着 あぐらをかいて座っている
【盘问】pánwèn 動 とことん問い詰める. 尋問する
【盘膝】pánxī 動 あぐらをかく
【盘香】pánxiāng 图 渦巻き状の線香
*【盘旋】pánxuán 動 ❶ぐるぐる回る. 渦巻く. 旋回する ‖ 直升飞机在空中～ ヘリコプターが空中を旋回している ❷逗留(とうりゅう)する. 徘徊する. ぶらつく
【盘账】pán//zhàng 動 帳簿を点検する
**【盘子】pánzi 图 ❶(大きめの)皿 ❷旧 相場. 市場価格

15 **磐** pán 書 巨大な石. 岩. 巌(いわお)
【磐石】pánshí 图 磐石(ばんじゃく). 〔盘石〕とも書く ‖ 坚jiān如～ 非常に堅固なさま

17 **蹒(蹣)** pán ↴
【蹒跚】pánshān 形 書 (足取りが)よろよろしているさま. 〔盘跚〕とも書く ‖ 步履bùlǚ～ 足取りがよろよろしている

18 **蟠** pán 書 輪のように丸くなってうずくまる. とぐろを巻く ‖ 虎踞龙lóng～ 地勢の険しいさま
【蟠桃】[1] pántáo 图 ハントウ. モモの一種で, 実が平たい. 地方によっては〔扁桃〕という
【蟠桃】[2] pántáo 图 蟠桃(ばんとう). 中国古代神話で3000年に一度実のなるモモ

pàn

7 **判** pàn ❶分ける. 分かつ ‖ 一～别 ❷動 評議して優劣を定める. 評定する ‖ ～分数 テストの点数をつける ❸動 審判する. 判決を下す ‖ ～了两年徒刑túxíng 懲役2年の判決が下された ❹(違いが)明らかである. はっきりとしている ‖ 一～若两人
【判案】pàn//àn 動 判決を下す
【判别】pànbié 動 判別する. 見分ける ‖ ～是非 是非を見分ける
*【判处】pànchǔ 動〈法〉判決を言い渡す. 刑を言い渡す ‖ ～十五年徒刑 懲役15年を言い渡す
【判词】pàncí 图 ❶旧 判決文 ❷結論
*【判定】pàndìng 動 判定する ‖ ～胜负 勝ち負けを判定する
【判读】pàndú 動 判読する
【判断】pànduàn 動 **判断する. 断定する ‖ 正确地～形势 正確に形勢を判断する
【判罚】pànfá 動 (スポーツ競技の試合で)審判員がペナルティーを科す ‖ ～点球 ペナルティーキックを科す
【判分】pàn//fēn 動 (テストの)点数をつける. 採点する
【判官】pànguān 图 ❶判官. 唐・宋代の官職名で, 地方長官を補佐した ❷閻魔(えんま)大王の下にあって生死をつかさどる役人
*【判决】pànjué 動〈法〉判決を下す ‖ 不服～ 判定に不服である
【判决书】pànjuéshū 图〈法〉判決書
【判例】pànlì 图〈法〉判例
【判明】pànmíng 動 きちんと見分ける. 区別を明らかにする ‖ ～真伪zhēnwěi 真偽を明らかにする
【判若鸿沟】pàn ruò Hónggōu 成 境界や限界がきわめて明瞭(めいりょう)であることのたとえ
【判若两人】pàn ruò liǎng rén 成 まるで人が変わったようである. まるっきり別人のようである
【判若云泥】pàn ruò yún ní 成 雲泥の差がある. 非常に大きな相違がある. 〔判若天渊yuān〕ともいう
【判刑】pàn//xíng 動 刑罰を下す. 刑を定める
【判罪】pàn//zuì 動〈法〉有罪の判決を下す. 刑を定める

8 **泮** pàn 古〔泮宫〕(地方の官立の学校)をさす

8 **拚** pàn 捨て去る. 投げ捨てる. 全てを顧みず(闘う)

9 **叛** pàn (味方に)背く. 逆らう. 裏切る ‖ 背bèi～ 背く. 裏切る
*【叛变】pànbiàn 動 裏切る. 寝返る ‖ ～投敌 寝返って敵につく
【叛党】pàn//dǎng 動 党(特に中国共産党をさす)に背く. 党を裏切る ‖ ～叛国 党を裏切り国に反逆する
【叛匪】pànfěi 图 逆賊 ‖ 剿灭jiǎomiè～ 逆賊を掃討する
【叛国】pàn//guó 動 祖国を裏切る. 国を売る
【叛军】pànjūn 图 反乱軍
【叛离】pànlí 動 裏切る. 寝返る. 離反する
【叛乱】pànluàn 動 反乱を起こす
【叛卖】pànmài 動 裏切って敵に売り渡す
【叛逆】pànnì 動 反逆する 图 反逆者. 反逆の徒
【叛逃】pàntáo 動 裏切って逃走する
*【叛徒】pàntú 图 反徒. 逆徒. 裏切り者. 反逆の徒
【叛贼】pànzéi 图 反逆者. 裏切り者. 逆賊

9* **盼** pàn ❶見る ‖ 流～ 流し目をする ❷動 期待する. 待ち望む ‖ ～了多年 長年待ち望んでいた
【盼头】pàntou 图 望み. 見込み. 見通し ‖ 这事总

P

算有～了 この件はやっと希望が持てるようになった
**[盼望] pànwàng 動 待ち望む. 切望する ‖ 母亲～儿子早日学成归来 母親は我が子が一日も早く学問を修めて帰ってくることを待ち望んでいる

10 袢 pàn 〔襻pàn〕に同じ

10 畔 pàn ❶土地の境界. あぜ. くろ ❷そば. 傍ら ‖ 桥～ 橋のたもと ｜ 路～ 道端

15 鋬 pàn 名 器物の取っ手 ‖ 桶～ おけやバケツの取っ手 ｜ 壶～ やかんや急須のつる

24 襻 pàn ❶名 (～儿) 中国服の布製で輪っか状のボタン掛け. ボタンの耳 ‖ 纽niǔ～ 同前 ❷名 (～儿) 形状や用途が〔襻〕に似ているもの ‖ 帽～儿 帽子のあごひも ❸動 (分かれている物をひもや糸などで) 一つにくくる. かがる. 結わえる. 結ぶ. 縛る ‖ 用绳子～上 ひもで結わえつける

pāng

6 乓 pāng 擬 (銃声, 物がぶつかり合う音, 物が破裂したり割れたりする音) パン. パタン. ガタン ‖ ～地一声关上了门 バタンとドアを閉めた

13 滂 pāng ↴
[滂沱] pāngtuó 形 雨が激しく降るさま

14 膀 pāng 動 水膨れになる. 水疱(すいほう)ができる. はれる. むくむ ➤ bǎng bàng páng
[膀肿] pāngzhǒng 動 水膨れになる. はれる. むくむ

páng

7 彷 páng ↴ ➤ fǎng
[彷徨] pánghuáng 動 あてもなくさまよう. うろつく. ためらう. 〔旁皇〕とも書く ‖ ～歧途qítú 岐路に立つ. 選択に迷う

8 庞[1] (龐) páng ❶ (形状または数量が) 極めて大きい. 巨大である ‖ →～大 ❷雑然としている ‖ →～杂

8 庞[2] (龐) páng 名 (～儿) 顔つき. 顔の輪郭 ‖ 脸～ 顔かたち. 顔の輪郭
*[庞大] pángdà 形 膨大である. とてつもなく大きい ‖ 机构～, 人浮fú于事 組織機構が巨大で, 仕事の割に人員が多すぎる
[庞然大物] páng rán dà wù 成 非常に巨大なもの. 途方もなく大きなもの
[庞杂] pángzá 形 (数が多すぎて) 雑然としている. 乱雑である ‖ 机构～ 機構が多すぎて秩序がない

9 逄 páng 名 姓

10 旁[1] páng 幅広い. 普遍的である ‖ →～征博引

10 ** 旁[2] páng ❶名 そば. 傍ら. はた ‖ 街道两～ 通りの両側 ❷形 回 その他の. 別の ‖ 现在只好这么做, 也顾不了gùbuliǎo～的了 いまはこのようにするしかない, 他のことにかまっていられない ❸名 (～儿) (漢字の) 偏 ‖ 金字～儿 かねへん ｜ 言字～儿 ごんべん
[旁白] pángbái 名 (演劇の) 独白. モノローグ
★[旁边] pángbiān (～儿) 名 そば. 傍ら. わき. はた ‖ 你先在～看着我怎么做！ 私がどうやるか, まずそばで見ていなさい
[旁侧] pángcè 名 そば. 傍ら. わき
[旁岔儿] pángchàr 名 方 (話の) 横道. 横筋
[旁出] pángchū 動 派生する. 枝分かれする
[旁顾] pánggù 動 他のことを顧る ‖ 无暇wúxiá～ 他のことをかまっているひまはない
[旁观] pángguān 動 傍観する ‖ 袖手xiùshǒu～ 手をこまぬいて傍観する
[旁观者清] páng guān zhě qīng 成 傍観者にはよく見える. 局外者のほうが物事を正確に見極められる. 岡目八目(おかめはちもく) ‖ ～, 当局者迷 当事者よりもはたで見ている者のほうがかえって物事の是非などがよく分かる
[旁及] pángjí 動 関連するものにも及ぶ
[旁落] pángluò 動 (権力が) 他人の手に落ちる. 横取りされる ‖ 大权～ 権力が他人の手に帰する
[旁门] pángmén (～儿) 名 大門のわきにある小門. 通用門. 勝手口
[旁门左道] páng mén zuǒ dào 成 (宗教または学術上の) 邪道. 異端 =〔左道旁门〕
[旁敲侧击] páng qiāo cè jī 成 持って回った言い方をする. 遠回しに言う
[旁人] pángrén 代 他人. ほかの人. 部外者. 関係のない人 ‖ 视若～ 赤の他人を見るような目で見る
[旁若无人] páng ruò wú rén 成 傍若無人. まわりの目をまったく気にしていないさま
[旁听] pángtīng 動 傍聴する. 聴講する ‖ ～生 聴講生 ｜ 法院的～席 裁判所の傍聴席
[旁系亲属] pángxì qīnshǔ 名 傍系の血族
[旁征博引] páng zhēng bó yǐn 成 博引旁証(はくいんぼうしょう)
[旁证] pángzhèng 名 傍証. 間接的な証拠
[旁支] pángzhī 名 傍系

14 膀 páng ↴ ➤ bǎng bàng pāng
[膀胱] pángguāng 名 〈生理〉膀胱(ぼうこう)

15 磅 páng ↴ ➤ bàng
[磅礴] pángbó 動 書 充満する. みなぎる. 広がる 形 (気勢が) 盛んである. 盛大である ‖ 这篇宣言气势～ この声明には気迫が満ち満ちている

16 螃 páng ↴
[螃蟹] pángxiè 名 〈動〉カニ

pǎng

16 耪 pǎng 動 鋤(すき)で土を起こす. 土をすき返す ‖ ～地 田畑をすき起こす

pàng

9 ** 胖 pàng 形 (人の体が) 太っている. 肥えている ↔〔瘦〕‖ 又～了一公斤 また1キロ太ってしまった ➤ pán
[胖大海] pàngdàhǎi 名 ❶〈植〉アオギリ科の木本植物 ❷〈中薬〉胖大海(はんたいかい) ＊〔膨大海〕ともいう
[胖嘟嘟] pàngdūdū (～的) 形 よく太ったさま
[胖墩墩] pàngdūndūn (～的) 形 ずんぐりと太っているさま ‖ ～的身材 ずんぐりした体つき

P

【胖墩ル】pàngdūnr 图 背が低く太っている人.(多くは子供をさす)
【胖乎乎】pànghūhū (～的) 形 人が太っているさま. まるまる太っている
【胖头鱼】pàngtóuyú 图〈魚〉コクレン =〔鳙yōng〕
*【胖子】pàngzi 图 太った人. 太っちょ‖大～ とても太った人

pāo

7
*抛 pāo ❶動 投げる. ほうり投げる‖队员们激动地把教练jiàoliàn～了起来 チームのメンバーは感激して監督を胴上げした ❷動 捨てる. 投げ捨てる‖把杂念～到脑后nǎohòu 雑念を追い払う ❸暴露する. あらわにする‖→～头露面
【抛出】pāochu；pāochū 動 ❶投げ出す. ほうり出す ❷売り出す‖～股票 株を売り出す ❸言い出す. 打ち出す. 持ち出す
【抛光】pāoguāng 動〈機〉つや出しする. バフ磨きをする. 光沢を出す
【抛荒】pāo//huāng 動 ❶(田畑を)荒れるに任せる ❷(学業や仕事を)怠る. おろそかにする
【抛离】pāolí 動 (家族を)置き去りにする. (家を)捨てて行く
【抛锚】pāo//máo 動 ❶いかりを下ろす. 投錨(とうびょう)する ❷転 (車が)えんこする‖汽车半路上抛了锚 車が途中でえんこした ❸(仕事が)ストップする. 頓挫(とんざ)する‖调动diàodòng的事又～了 異動の件がまた中断した
【抛盘】pāopán〈経〉動 (株などを)売却する. 売り注文を出す 图 売り注文
*【抛弃】pāoqì 動 投げ捨てる. 捨て去る‖无情地～妻子儿女érnǚ 無情にも妻子を捨て去る
【抛却】pāoquè 動 捨てる. 投げ捨てる‖～幻想 幻想を捨てる
【抛洒】【抛撒】pāosǎ 動 まき散らす‖～无数汗水 無数の汗の粒を飛び散らす
【抛舍】pāoshě 動 投げ捨てる
【抛射】pāoshè 動 はじき出す
【抛售】pāoshòu 動 投げ売りする. 大安売りする‖～积压商品 長期在庫の商品を投げ売りする
【抛头露面】pāo tóu lù miàn 成 公開の場に姿を現す. 人前に顔を出す. しゃしゃり出る
【抛物线】pāowùxiàn 图〈数〉放物線. パラボラ
【抛掷】pāozhì 動 放擲(ほうてき)する. 投げ捨てる
【抛砖引玉】pāo zhuān yǐn yù 成 れんがを投げて玉(ぎょく)を引く. 自分の未熟な意見をたたき台として述べることで他人の立派な意見を引き出す

8
泡[1] pāo (～ル)膨れて柔らかいもの. 空気が入ってふわふわしているもの‖豆～ 油揚げ｜肿zhǒng眼～ はれぼったいまぶた

8
泡[2] pāo 量 屎尿(しにょう)を数える‖撒sā～尿niào 小便をする｜拉了一～屎shǐ 大便を1回した ➤ pào
【泡桐】pāotóng 图〈植〉シナギリ.〔白桐〕ともいう

11
脬 pāo〔泡[2] pāo〕に同じ

páo

7
*刨 páo ❶動 掘る. 掘り起こす. 掘り返す‖～土 土を掘る ❷動 口 差し引く. 除く‖～去生活费，只剩shèng一点ル零花钱了 生活費を差し引くとわずかな小銭しか残らない ➤ bào
【刨除】páochú 動 差し引く. 除く
【刨根】páo//gēn (～ル) 動 根源を追究する. とことん突き詰める

8
庖 páo 書 ❶厨房(ちゅうぼう) ❷料理人‖名～ 有名な調理人

8
咆 páo 書 (猛獣が)吠える. 怒号する. 叫ぶ
【咆哮】páoxiào 動 ❶(猛獣が)吠える. 咆哮(ほうこう)する ❷(人が)怒声を張り上げる. どなり声を上げる. (水流や雷鳴が)とどろく. 鳴り響く

8
狍 páo ↓
【狍子】páozi 图〈動〉ノロ. ノロジカ

9
炮 páo 動〈中薬〉(生薬を高温の鉄鍋で)急激に炒めて焦げめをつける. 焦げ茶色になるまであぶる. 焙(ほう)じる ➤ bāo pào
【炮制】páozhì 動 ❶〈中薬〉薬材を精製加工する ❷でっち上げる. 仕立て上げる‖～政治纲领gānglǐng 政治綱領をでっち上げる

10
袍 páo 图 (～ル)中国伝統スタイルの長衣‖旗～ チャイナドレス｜长～ 男物の長衣
【袍笏登场】páo hù dēng chǎng 成 礼服に威儀を正して舞台に登場する. 高官として政治的に脚光を浴びることを風刺する
【袍子】páozi 图 中国伝統スタイルの長衣

11
匏 páo ↓
【匏瓜】páoguā 图〈植〉ユウガオ. 実は俗に〔瓢葫芦piáohúlu〕という

12
跑 páo 動 (動物が足で)土をける. 地面をかく ➤ pǎo

pǎo

12
★跑 pǎo ❶動 走る. 駆ける‖赛～ 競走｜长～ 長距離走 ❷動 行く. でかける‖最近到上海～了一趟 最近上海に1度行ってきた ❸動 (仕事のために)走り回る. 駆け回る‖→～买卖 ❹動 逃げる‖上了钩gōu的鱼又～了 釣った魚にまた逃げられた ❺動 逃がす. 失う‖→～题 ❻動 漏れる. 蒸発する‖→～气 ➤ páo
【跑表】pǎobiǎo 图 ストップ・ウォッチ =〔马表〕
★【跑步】pǎo//bù 動 駆け足をする. ジョギングする‖～前进！ 駆け足, 進め
【跑步机】pǎobùjī 图 ルームランナー
【跑步鞋】pǎobùxié 图 ジョギングシューズ. ランニングシューズ
【跑车】pǎo//chē 動 ❶(鉱山などで)坑道作業車が暴走する ❷列車に乗務する 图 (pǎochē) ❶競輪用の自転車 =〔赛车〕❷〈林〉(森林伐採用の)材木運搬車. キャリッジ
【跑刀】pǎodāo 图 スピードスケート用エッジ
*【跑道】pǎodào 图 ❶滑走路 ❷〈体〉ランニング・コー

ス. トラック
【跑电】pǎo//diàn 動 漏電する.〔漏lòu电〕ともいう
【跑调】pǎo//diào (～儿) 動 (歌の)調子がはずれる
【跑动】pǎodòng 動 動く. 駆け回る
【跑肚】pǎo//dù 動 おなかをこわす. 腹を下す
【跑官】pǎo//guān 動 (不正な手段で)猟官運動をする
【跑光】pǎo//guāng 動 (密封状態が悪くフィルムや印画紙などに)光が入る. 感光する
【跑旱船】pǎo hànchuán 組 民間演芸の一種. 若い娘に扮(ふん)した人が模型の船の中に入って上半身を出し, 船を腰に結びつけて踊り歌いながら練り歩くもの. 地方によっては〔采莲cǎilián船〕ともいう
【跑江湖】pǎo jiānghú 組 大道芸・占い・薬売りなどをやりながら各地を転々とする‖～的 旅芸人. 大道商人. 香具師(やし)
【跑了和尚跑不了庙】pǎole héshang pǎobuliǎo miào 諺 坊主は逃げても寺は逃げ出せない. 姿をくらましても物が残っているからいずれ帰ってくる. 犯人は逃げても物証は残っているからいずれ捕らえられる
【跑龙套】pǎo lóngtào 組 ❶〈劇〉数人が一組となり兵卒や雑役夫の役を演じる ❷喩 下っ端になる. 雑用係をやる. 使い走りになる
【跑马】pǎo//mǎ 動 ❶ウマに乗って駆ける ❷旧 競馬をする
【跑马场】pǎomǎchǎng 名 競馬場
【跑码头】pǎo mǎtou 組 港町で商売して回る
【跑买卖】pǎo mǎimai 組 各地を巡って商売をする
【跑跑颠颠】pǎopǎodiāndiān (～的) 形 忙しく奔走するさま. 慌ただしく駆けずり回るさま
【跑气】pǎo//qì 動 空気や蒸気が漏れる‖车带～了 タイヤの空気が抜けた
【跑生意】pǎo shēngyi 組 各地を回って商売する
【跑题】pǎo//tí 動 本題から外れる. 脱線する‖说着说着就跑了题 しゃべっているうちに話が脱線してしまった
【跑腿儿】pǎo//tuǐr 動 走り使いをする. 使い走りをする‖～打杂 使い走りや雑用をこなす
【跑鞋】pǎoxié 名〈体〉競走用の靴. スパイクシューズ

pào

8 *泡[1] pào ❶名 (～儿)泡. あぶく‖肥皂féizào～儿 シャボン玉 ❷名 (～儿)泡状のもの‖脚底磨mó起了～ 足の裏にまめができた
8 *泡[2] pào ❶動 比較的長い時間液体に漬ける. 浸す. ふやかす‖茶～好了 お茶が入った ❷動 時間をつぶす. 入り浸りになる‖一～吧 ❸まとわりつく. からむ‖软磨mó硬～ あれこれしつこくせがむ ➤ pāo
【泡吧】pàobā 動 バーで時間をつぶす
【泡病号】pào bìnghào (～儿) 慣 仮病を使ってずる休みする. たいした病気ではないのに長く休む
【泡菜】pàocài 名 塩・酒・サンショウなどを加えた漬け汁にキャベツ・ダイコン・ハクサイなどを漬け込んだ酸味のある漬物‖泡～ 漬物を漬ける
【泡饭】pào//fàn 動 御飯に湯や汁をかける 名 (pàofàn)御飯に湯をかけたもの. 湯漬け. 水を加えて煮た御飯‖茶～ お茶漬け
【泡蘑菇】pào mógu 慣 ❶ごねる. まとわりつく. 絡む ❷怠ける. サボる
*【泡沫】pàomò 名 泡沫(ほうまつ). 泡. あぶく
【泡沫经济】pàomò jīngjì 名 バブル経済
【泡沫塑料】pàomò sùliào 名 発泡スチロール
【泡泡纱】pàopaoshā 名〈紡〉綿サッカー
【泡泡糖】pàopaotáng 名 風船ガム
【泡汤】pào//tāng 動 方 水の泡となる. ふいになる‖计划泡了汤 プランがおじゃんになった
【泡影】pàoyǐng 名 水の泡‖满心的希望都成了～ 胸ふくらませた希望があえなく消えてしまった
【泡子】pàozi 名 口 電球 =〔灯泡〕
9 **炮(△砲 礮❶❷) pào ❶ 名〈軍〉砲. 大砲‖一门～ 大砲1門｜放～ 大砲を撃つ. 砲撃する ❷名 爆竹‖鞭biān～ 爆竹 ❸名 (鉱山や採石場で使う)火薬. 発破 ➤ bāo páo
【炮兵】pàobīng 名〈軍〉砲兵
【炮车】pàochē 名〈軍〉砲車
*【炮弹】pàodàn 名〈軍〉砲弾
【炮轰】pàohōng 動 砲撃する
【炮灰】pàohuī 名 大砲のえじき. 無意味な戦争で犬死にする兵士のたとえ‖不当～ 大砲のえじきにならない
*【炮火】pàohuǒ 名 砲火‖～连天 砲火天を焦がす
【炮击】pàojī 動 砲撃する
【炮舰】pàojiàn 名〈軍〉砲艦
【炮舰外交】pàojiàn wàijiāo 名 砲艦外交. 武力で脅しながら行う外交.〔炮舰政策〕ともいう
【炮楼】pàolóu 名〈軍〉望楼のあるトーチカ
【炮手】pàoshǒu 名〈軍〉砲手
【炮塔】pàotǎ 名〈軍〉砲塔
【炮台】pàotái 名〈軍〉砲台
【炮膛】pàotáng 名〈軍〉砲身の内腔(ないこう)
【炮艇】pàotǐng 名〈軍〉小型護衛艦. 巡視艇
【炮筒子】pàotǒngzi 名 ❶大砲の筒 ❷喩 思ったことをずけずけ言う人‖～脾气 気短でずけずけものを言う性格
【炮眼】pàoyǎn 名 ❶〈軍〉砲眼 ❷発破を仕掛ける穴
【炮衣】pàoyī 名〈軍〉大砲の覆い
【炮仗】pàozhang 名 爆竹
10 疱(△皰) pào 名 皮膚の水泡やはれもの‖水～ 水疱. 水膨れ
【疱疹】pàozhěn 名〈医〉疱疹(ほうしん). ヘルペス

pēi

8 呸 pēi 感 (吐いて捨てるように言ったり, 叱りつけたりするときに用いる)ふん. へん
9 胚(△肧) pēi 名〈生〉胚(はい). 胚芽(はいが)
【胚胎】pēitāi 名 ❶〈生理〉胚胎(はいたい) ❷物事の始まり. 芽生え
【胚芽】pēiyá 名 ❶〈植〉胚芽 ❷萌芽. 兆し
15 醅 pēi 書 濁り酒

péi

10 **陪 péi 動 付き添う. お供する‖我～你去 私が一緒に行きます｜她心情不好, 你多～～她 彼女は気落ちしているから, あなたがそばにいてあげなさ

い
【陪伴】péibàn 動 お供する. 付き添う
【陪绑】péibǎng 動 旧 (見せしめや自白を強要するため)罪人を死刑執行をする死刑囚とともに刑場へ引き出す
【陪产】péichǎn 動 妻の出産に夫が付き添う. 立ち会い出産をする
【陪衬】péichèn 動 引き立てる. 際立たせる ‖ 绿叶～着红花 緑の葉が赤い花を引き立てている 名 引き立て役
【陪床】péichuáng 動 入院患者に付き添う ‖ 病人需要家属～ 病人には家族の付き添いが必要だ
【陪都】péidū 名 旧 (戦時の)代替首都. 副首都
【陪读】péidú 動 ❶留学生の配偶者として海外に滞在する ❷旧 勉強の相手をする
【陪房】péifang 名 旧 新婦についてきた侍女
【陪护】péihù 動 付き添って看護する. 病人の介護をする
【陪祭】péijì 動 主祭者を補佐して祭祀(さいし)を行う
【陪嫁】péijià 名 嫁入り道具
【陪酒】péi∥jiǔ 動 酒席に相伴する. 酒席を取り持つ
【陪客】péi∥kè 動 客の相手をする. 相伴する
【陪客】péike 名 相伴客. 陪席する客
【陪练】péiliàn 〈体〉 動 (主力選手の)相手となってトレーニングする 名 トレーニング・パートナー
【陪审员】péishěnyuán 動〈法〉陪審員
【陪审制】péishěnzhì 名〈法〉陪審制度
【陪侍】péishì 動 旧 そば仕えをする
【陪送】péisòng 動 付き添って送る. 人を見送る
【陪送】péisong 旧 動 実家が娘に嫁入り道具を持たせる 名 嫁入り道具
*【陪同】péitóng 動 お供する. 付き添う. 随行する ‖ ～代表团参观访问 代表団に随行して視察訪問する
【陪葬】péizàng 動 古 ❶(副葬品や殉死者を)死者とともに葬る ‖ ～品 副葬品 ❷帝王や夫の墓の近くに臣下や妻妾(さいしょう)の棺を埋葬する
【陪住】péizhù 動 入院患者に付き添って病院で寝起きする

11 **培** péi ❶動 (植物や堀の根元に)土をかけて保護する ❷(人を)育てる. 育成する ‖ →～养
*【培训】péixùn 動 (幹部や技術者を)訓練養成する ‖ ～师资 教員を養成する | 业务～ 業務研修
*【培养】péiyǎng 動 ❶(微生物などを)培養する. 繁殖させる ❷はぐくむ. 養成する. 培う ‖ ～接班人 後継者を育てる
*【培育】péiyù 動 ❶栽培する. 飼育する ‖ ～树苗shùmiáo 苗木を栽培する ❷(人を)育てる
【培植】péizhí 動 ❶(植物を)栽培する ❷(人材を)育てる. (力を)助長する

12 ** **赔** péi ❶動 償う. 弁償する ‖ 损坏sǔnhuài东西要～ 物を壊せば弁償しなければならない ❷動 (商売で)損をする. 欠損する ↔〔赚zhuàn〕‖ 这笔生意不～不赚 この商売は損もしなければ儲かりもしない ❸動 わびる. 謝罪する ‖ →～罪
【赔本】péi∥běn (～儿) 動 損をする. 欠損が出る ‖ 这笔生意赔不了本儿 この商売は損をすることがない
【赔补】péibǔ 動 (金銭的)穴埋めをする
【赔不是】péi bùshi 慣 わびる. 謝る ‖ 自己错了就该向人家赔个不是 自分が悪かったのなら相手にきちんと謝るべきだ
*【赔偿】péicháng 動 賠償する. 弁償する ‖ ～损失 損失を弁償する | 照价～ 実費で弁償する
【赔话】péi∥huà 動 わびる. 遺憾の意を表す
*【赔款】péi∥kuǎn 動 金銭で弁償する. 賠償する ‖ 要求对方～ 相手に賠償金を求める 名 (péikuǎn)賠償金
【赔了夫人又折兵】péile fūren yòu zhé bīng 慣 夫人を取られ兵も失う. 予期に反して二重の損失を被ること. 泣き面に蜂(はち)
【赔礼】péi∥lǐ 動 わびる ‖ ～道歉dàoqiàn わびを入れる
【赔钱】péi∥qián 動 ❶(金銭の)損をする ❷金で弁償する. 賠償する
【赔情】péi∥qíng 動 方 わびる. わびを入れる
【赔小心】péi xiǎoxin 慣 気を遣う. 取り入る. ご機嫌をうかがう
【赔笑】péi∥xiào 動 義理で笑顔を作る. 愛想笑いをする. 追従笑いをする. 〔赔笑脸〕ともいう
【赔账】péi∥zhàng 動 ❶方 赤字になる ❷(経理担当者が)業務上の過失による損失を弁償する
【赔罪】péi∥zuì 動 過ちをわびる

13 **锫** péi 名〈化〉バークリウム(化学元素の一つ, 元素記号は Bk)

14 **裴** péi 名 姓

pèi

7 **沛** pèi ❶書 (水の流れが)豊かである ‖ →～然 ❷充足している. 旺盛(おうせい)である ‖ 丰～(雨量が)豊富である
【沛然】pèirán 形 書 盛んである. 沛然(はいぜん)たる ‖ 大雨～ 雨が盛んに降る

8 **佩** pèi ❶動 (装飾品・徽章・刀・銃などを)身につける. 身に帯びる ‖ →～带 ❷古 帯に下げる飾り玉. おびもの ‖ 玉～ 玉佩(ぎょくはい) ❸感服する ‖ 精神可～ その精神に感服する
【佩带】pèidài 動 ❶(銃や刀剣を)身に帯びる ❷＝〔佩戴pèidài〕
【佩戴】pèidài 動 (バッジや腕章などを)身につける. 〔佩带〕とも書く ‖ ～臂章bìzhāng 腕章をつける
【佩刀】pèidāo 名 佩刀(はいとう). サーベル
*【佩服】pèifu ; pèifú 動 感服する. 感じ入る ‖ 由衷yóuzhōng地～ 心から感じ入る | ～得五体投地 ほとほと感服する
【佩剑】pèijiàn 名 ❶佩刀. サーベル ❷〈体〉(フェンシングの一種目)サーブル

8 **帔** pèi 古 肩掛けの一種

10 **旆** pèi ❶古 先が燕尾形(えんび)に分かれた旗 ❷書 旗

10 * **配** pèi ❶配偶者. (多くは妻をさす) ‖ 择zé～ 配偶者を選ぶ ❷動 連れ添う. 結婚する ‖ 匹pǐ～ 夫婦になる ❸動 交配させる. 交尾させる. 種付けする ‖ 交～ 掛け合わせる ❹動 配合する. 組み合わせる ‖ 这服药～不齐 この処方箋(しょほうせん)は薬材が揃わない ❺動 割り当てる. 振り分ける. 配分する ‖ 调～ 配置する ❻動 条件が合うものを補う. ほかに作る ‖ ～钥匙 合い鍵を作る ❼動 (引き立てるために)添える. あしらう ‖ 红花～绿叶 赤い花に緑の葉をあしらう ❽助動 値する. 似つかわしい ‖ 这种人不～当班长 こういう人は級長

となるにはふさわしくない
*【配备】pèibèi 動 配備する ‖ 合理～专业技术人员 合理的に専門技術者を配置する 名 装備．設備
【配比】pèibǐ 名 配合や調合の比率
【配不上】pèibushàng 動 ❶釣り合わない．資格がない ‖ 我条件差chà，～她 私は(結婚の)条件が悪いので，彼女とは釣り合わない ❷補充できない ‖ 这是成套的，丢diū一个可～ これは一揃いのものだから，一つでもなくしたらもう補充できない
【配餐】pèicān 動 (食品を)取り合わせる 名 定食 ‖ 营养～ バランス定食．栄養定食
【配搭】pèidā 動 ❶(主要なものを引き立てるために)取り合わせる．あしらう．脇に配する ❷抱き合わせる．セットにする
【配电盘】pèidiànpán 名 配電盤．分電盤
【配殿】pèidiàn 名 (宮殿や廟屋びょうおくの)本殿の左右に配する建物
【配对】[1] pèi//duì (～儿) 動 対に揃える．ペアを組む
【配对】[2] pèi//duì (～儿) 動 口 交尾させる．ペアリングする
【配额】pèi'é 名 割当数．割当額
【配发】pèifā 動 配給する．支給する
【配方】[1] pèi//fāng 動〈数〉(不完全平方式を)完全平方式に変換する
*【配方】[2] pèi//fāng 動〈薬〉処方どおりに薬を調合する 名 (pèifāng) (化学製品や冶金やきん製品などの)調製法．ふつう〔方子〕という
【配房】pèifáng 名 伝統的な四合院建築で，母家の左右に配する脇棟(わきむね) =〔厢xiāng房〕
【配股】pèigǔ 動〈経〉新株を発行する．増資する
**【配合】pèihé 動 各々が任務を分担し一つの仕事を完成させる．協力する ‖ 密切～ 緊密なチームワークをとる｜双方～默契mòqì 両方の息がぴったり合っている
【配合】pèihe 形 似つかわしい．ふさわしい
【配给】pèijǐ 動 配給販売する
【配件】pèijiàn 名 ❶構成部品．組み立て部品 ‖ 汽车～ 自動車部品 ❷(～儿)交換部品
【配角】pèijué (～儿) 名 ❶〈劇〉脇役．助演者 ↔〔主角〕‖ 演～ 脇役を演じる ❷喩 (仕事や役割などの)脇役．補佐
【配料】pèi//liào 動 原料を配合する 名 (pèiliào) 配合した原料
*【配偶】pèi'ǒu 名 配偶者．(多く書面で用いる)
【配器】pèiqì 動 演奏楽器を割り振る．楽器の組み合わせを指示する
【配曲】pèiqǔ 動 (歌詞に)曲をつける
【配色】pèisè 動 配色する．カラー・コーディネイトをする
【配售】pèishòu 動 配給販売する
【配属】pèishǔ 動〈軍〉配属する
【配送】pèisòng 動 配送する．配達する
*【配套】pèi//tào 動 組み合わせて一揃いにする．一体化する ‖ ～成龙 組み合わせて系統化する
【配戏】pèi//xì 動 助演する．脇役を演じる
【配药】pèi//yào 動 処方どおりに薬を調合する
【配音】pèi//yīn 動 (外国の映画やテレビ番組の)当てレコをする．吹き替えをする ‖ ～演员 声優
【配乐】pèi//yuè 動 (朗読や劇に)音楽や音響効果をつける．バックグラウンド・ミュージックを入れる
【配制】pèizhì 動 調合する．調剤する
【配置】pèizhì 動 配置する ‖ ～人手 人手を配置する
る
【配种】pèi//zhǒng 動〈牧〉交配させる．種付けする

13 **辔** pèi ウマにつけるくつわと手綱 ‖ 一～头
【辔头】pèitóu 名 くつわ

15 **霈** pèi 書 ❶大雨 ‖ 甘gān～ 慈雨．恵みの雨 ❷雨や雪の多いさま ‖ 雨～ 大雨

pēn

12 ** **喷** pēn 動 噴き出す．噴出する ‖ 一～射｜他笑得饭都～出来了 彼はおかしくて御飯を吹き出してしまった ➤ pèn
【喷薄】pēnbó 形 水がわき上がるさま．太陽が昇るさま
【喷发】pēnfā 動 噴火する．噴出する
【喷饭】pēnfàn 動 おかしくて吹き出す
【喷粪】pēn//fèn 動 罵 聞くに耐えない言葉を浴びせる
【喷灌】pēnguàn 動〈農〉散水灌漑(かんがい)する
【喷壶】pēnhú 名 じょうろ
【喷火器】pēnhuǒqì 名〈軍〉火炎放射器
【喷溅】pēnjiàn 動 (水や泥などが)飛び散る．はねる
【喷墨打印机】pēnmò dǎyìnjī 名 インクジェット・プリンター．略して〔喷打〕ともいう
【喷漆】pēn//qī 動 吹きつけ塗装する 名 (pēnqī) スプレー・ラッカー
【喷气发动机】pēnqì fādòngjī 名 ジェット・エンジン
【喷气式飞机】pēnqìshì fēijī 名 ジェット機
【喷泉】pēnquán 名 泉．噴水 ‖ 人工～ 噴水
【喷洒】pēnsǎ 動 散布する ‖ ～农药 農薬を散布する
*【喷射】pēnshè 動 噴射する．発射する ‖ ～出的水龙把大火扑灭pūmiè了 放出された水が火事の炎を消した
【喷水池】pēnshuǐchí 名 噴水池
【喷嚏】pēntì 名 くしゃみ．〔嚏喷〕ともいう ‖ 打～ くしゃみをする
【喷头】pēntóu 名 (シャワー・じょうろ・散布器の)噴水口．地方によっては〔莲蓬liánpeng头〕ともいう
【喷吐】pēntǔ 動 (光・火・気体などが)放出する．噴出する
【喷雾器】pēnwùqì 名 噴霧器．スプレー
【喷涌】pēnyǒng 動 (液体が)勢いよくわき出る．噴き出す ‖ 泉quán水～ 泉の水がわき出す
【喷云吐雾】pēn yún tǔ wù 成 タバコや煙突の煙がもくもく上がるさま
【喷子】pēnzi 名 噴霧器．スプレー
【喷嘴】pēnzuǐ (～儿) 名 噴射ノズル

pén

9 ** **盆** pén 名 (～儿)口が広くて底のすぼまった器．鉢．ボウル ‖ 花～ 植木鉢｜脸～ 洗面器｜搪瓷tángcí～ ほうろう引きのボウル
*【盆地】péndì 名〈地〉盆地 ‖ 四川～ 四川盆地
【盆花】pénhuā (～儿) 名 鉢植えの花
【盆景】pénjǐng (～儿) 名 盆景．盆栽
【盆满钵满】pén mǎn bō mǎn 慣 大もうけする
【盆汤】péntāng 名 銭湯の，一人用のバスタブつき個室．〔盆塘táng〕ともいう
【盆浴】pényù 名 バスタブに入って洗うこと
【盆栽】pénzāi 動 鉢植えをする 名 鉢植え．盆栽

P

【盆子】pénzi 图 鉢やたらいなどの通称

12 **湓** pén 書 水がわき出る ‖ ～涌yǒng 水がわき出る

pèn

12 **喷** pèn (～儿) 方 (香りが)強い ➤ pēn

【喷香】pènxiāng 形 香ばしい. ぷんぷんよい香りがする

pēng

8 **怦** pēng 擬 (心臓が高鳴るさま)どきどき. どきり ‖ 吓得心里～～地跳 びっくりして胸がどきどき鳴る

8 **抨** pēng 書 非難する. 責める

【抨击】pēngjī 動 批判攻撃する ‖ ～时弊shíbì 時代の弊害を非難する

10 **砰** pēng 擬 (重い物がぶつかったり, また何かが破裂したりする音)バタン. ガタン. バン. パン ‖ ～的一声推门进来 バンとドアを押しあけて入ってくる

11 **烹** pēng ❶煮る ‖ →～饪 | →～调 ❷動 <料理>油でさっと炒め, 調味料を加えて手早くからませる ‖ 油～大虾xiā クルマエビの油炒め

【烹茶】pēng//chá 動 書 茶を沸かす. 茶を入れる

*【烹饪】pēngrèn 動 調理する. 料理する ‖ ～技术 調理技術

*【烹调】pēngtiáo 動 調理する. 料理する ‖ ～菜肴càiyáo 料理を作る | ～高手 料理の達人

15 **嘭** pēng 擬 (物がぶつかる音やドアをたたく音)バン. バタン. ドン. トン ‖ 用力～～地敲门 力を入れてドンドンと戸をたたく

péng

8 **朋** péng ❶友 ‖ →～友 ❷書 徒党を組む. ぐるになる ‖ →～党

【朋辈】péngbèi 图 書 朋輩(ほうばい). 友. 仲間

【朋比为奸】péng bǐ wéi jiān 成 ぐるになって悪事をはたらく

【朋党】péngdǎng 图 (権力争いなどの)仲間. 徒党

【朋克】péngkè 图 パンク. 〔碰pèng克〕ともいう ‖ ～摇滚yáogǔn パンクロック | ～服装 パンクファッション

★【朋友】péngyou 图 ❶友人. 友だち ‖ 老～ 古くからの友人. 昔からの友人 | 两人成了～ 二人は友人になった ❷恋人 ‖ 男～ 彼氏. ボーイフレンド

11 **堋** péng 古 戦国時代の技術者李冰(りひょう)が考案したといわれる分水用の堤

12 **彭** péng 图 姓

12 * **棚** péng ❶图 日よけや雨よけの掛け小屋 ‖ 搭dā～ 小屋掛けをする ❷图 粗末な建物. 小屋 ‖ 工～ 工事現場のバラック. 飯場 ❸天井. 天井板 ‖ 顶～ 天井

【棚车】péngchē =〔篷车péngchē〕

【棚户】pénghù 图 方 バラック. あばら屋の住居

【棚子】péngzi 图 粗末な小屋

13 **蓬** péng ❶<植>ムカシヨモギ =〔飞蓬〕❷動 ぼうぼうに乱れる. 振り乱す ‖ →～松 ❸量 生い茂る草花を数える

【蓬荜增辉】péng bì zēng huī 成 謙 寒舎に輝きを添える. 人の来訪を受けたり, 書画を贈られたりして, 非常に光栄であるという社交用語. 〔蓬荜生辉〕ともいう

*【蓬勃】péngbó 形 勢い盛んである. はつらつとしている. 栄えている ‖ ～兴xīng起 勢いよく興る

【蓬户瓮牖】péng hù wèng yǒu 成 蓬(よもぎ)の戸にかめのかけらで築いた窓. 清く貧しい生活のたとえ

【蓬莱】Pénglái 图 蓬莱山(ほうらいさん). 神話で仙人が住むという山の名

【蓬乱】péngluàn 形 (髪や草が)ぼうぼうである

【蓬门荜户】péng mén bì hù 成 蓬(よもぎ)の門に茨(いばら)の戸. 貧乏人の住むぼろ屋. 自宅を謙遜していう

【蓬茸】péngróng 形 書 (草が)青々と生い茂っている

【蓬散】péngsan 形 (髪などが)ばさばさである. (たくさんの葉が)伸びている

【蓬松】péngsōng 形 (髪が)ふさふさしている. (草が)茂っている. (毛が)ふかふかしている

【蓬头垢面】péng tóu gòu miàn 成 髪は伸び放題, 顔はあかで真っ黒である

13 **硼** péng 图 <化>硼素(ほうそ) (化学元素の一つ, 元素記号はB)

【硼砂】péngshā 图 <化>硼砂

【硼酸】péngsuān 图 <化>硼酸(ほうさん)

13 **鹏** péng (伝説の鳥)おおとり

【鹏程万里】péng chéng wàn lǐ 成 限りなき前途. 前途洋々である

15 **澎** péng 地名用字 ‖ ～湖列岛 台湾南西部にある群島の名

【澎湃】péngpài 形 ❶大波がぶつかり合うさま ❷気勢の盛んなさま ‖ 心潮～ 感情が高まる

16 **膨** péng 膨れる. 膨張する ‖ →～胀

【膨大】péngdà 動 膨れる

【膨化】pénghuà 動 (穀物に熱と圧力をかけて)膨らませる ‖ ～米 爆弾あられ | ～食品 ポン菓子

*【膨胀】péngzhàng 動 膨張する ‖ 气体因受热而～ 気体は加熱によって膨張する | 人口～ 人口が膨れ上がる | 通货～ インフレになる | 野心～ 野心を膨らませる

16 **篷** péng ❶图 (～儿) (多く船や車の)日よけ・風よけ・雨よけのための設備 ‖ 车～ 車の幌 ❷图 船の帆 ‖ 船～ 同前

【篷布】péngbù 图 帆布

【篷车】péngchē 图 ❶有蓋(ゆうがい)貨車 ❷旧 幌つきの馬車 ＊〔棚车〕とも書く

【篷子】péngzi 图 とま. 幌. テント. 掛け小屋 ‖ 搭dā～ とま掛けする

pěng

11 ** **捧** pěng ❶動 両手で捧げるように持つ. 抱える ‖ 用手～水喝 手で水をすくって飲む ❷量 両手ですくえる物を数える ‖ 一～花生米 一すくいの落花生 ❸動 人を持ち上げる. おだてる. 担ぐ ‖ ～人 人をおだてる

【捧杯】pěng//bēi 動 優勝カップを手にする. 優勝する

【捧场】pěng//chǎng 動 人のために場を盛り上げる. 人を持ち上げる. (本来は劇場へ行ってひいきの役者に喝さいを送ることをさした) ‖ 咱们给他捧捧pěngpeng场 私

たち，彼のために盛り上げてやろう
【捧臭脚】pěng chòujiǎo 慣 こびへつらう．太鼓持ちをする
【捧读】pěngdú 動 書 拝読する
【捧腹】pěngfù 動 腹を抱えて笑いころげる．大笑いする
【捧哏】pěng//gén 動（掛け合い漫才で）ぼけ役が適宜に〔逗dòu哏〕（突っ込み役）の相づちを打って客を笑わせる 名（pěnggén）（掛け合い漫才の）ぼけ役
【捧角】pěng//jué（～儿）動 役者をひいきにする．ひいき役者を後援する
【捧杀】pěngshā 動 人をおだてて堕落させる．ほめ殺す
【捧上天】pěngshang tiān 慣 高く祭り上げる．おだて上げる

pèng

13 ★碰（$^{\triangle}$掽 踫）pèng ❶動 ぶつかる．衝突する．触れる ‖ 杯子～坏了 コップをぶつけて壊した｜硬～硬 強硬な態度に強硬な態度で当たる ❷動 ばったり会う ‖ 两人在车站～上了 二人は駅でばったり会った ❸動 試してみる．やってみる ‖ 一～运气 ❹動 逆らう．たてつく ‖ 谁也不敢～他 誰も彼に逆らおうとしない
【碰杯】pèng//bēi 動（乾杯で）グラスを合わせる
【碰壁】pèng//bì 動 壁にぶつかる．行き詰まる ‖ 到处～ 八方ふさがりである
*【碰钉子】pèng dīngzi 慣 拒絶される．断られる ‖ 他不会同意的，别去～ 彼が同意するはずはないから，断わられに行くことはない
【碰击】pèngjī 動 ぶつかる．当たる
⁂【碰见】pèng//jian(jiàn) 動 偶然出会う．ばったり会う ‖ 在街上～老同学了 街で昔のクラスメートとばったり会った
【碰面】pèng//miàn 動 人に会う ‖ ～以后再细说 会ってから詳しいことを話しましょう
【碰碰车】pèngpengchē 名 衝突させて楽しむ遊戯用のゴーカート
【碰巧】pèngqiǎo 副 ちょうどそのとき．うまい具合に
【碰头】pèng//tóu 動 顔合せをする．出会う ‖ 大家碰碰头，商量一下怎么办 みんなで集まって，どうしたらいいか相談しませんか
【碰头会】pèngtóuhuì 名 打ち合わせ．ミーティング ‖ 每天早上都开～ 毎朝ミーティングをやる
【碰硬】pèngyìng 動 強い相手に真っ向からぶつかる
【碰运气】pèng yùnqi 組 運に任せてやってみる．当たってみる ‖ 买张彩票碰碰运气 宝くじを買って運を試す
【碰撞】pèngzhuàng 動 ❶当たる．ぶつかる ❷怒らせる．気を損ねる ‖ ～领导 上司を怒らせる

pī

5 丕 pī 書 大きい
7 邳 pī 地名用字 ‖ ～州 江蘇省にある地名
7 批[1] pī 書（平手で）打つ．引っぱたく
7 *批[2] pī ❶動（書類に）意見・指示を書き入れる．決裁する．（作文や宿題などに）評語を書きつける ‖ ～文件 文書に指示を書く｜我的申请已经～下来了 私の申請はすでに許可がおりた ❷動 批判する．叱責（しっせき）する ‖ 挨ái～ 叱られる
7 ⁂批[3] pī ❶ひとまとまりの．大口の ‖ 一～发 ❷量（まとまった数の人や物を数える）口．組．群れ ‖ 分～装运 一組ごとに分けて積み出しをする
7 批[4] pī（～儿）綿や麻でまだ紡いでいない状態の繊維 ‖ 麻～儿 麻繊維
【批驳】pībó 動 批判反駁（はんばく）する
【批捕】pībǔ 動 逮捕を許可する
【批处理】pīchǔlǐ 動〈計〉バッチ処理をする
【批次】pīcì 量 1回にひとまとまりの量を処理する場合の回数
【批点】pīdiǎn 動（詩文などに）評語を加え，傍点を付ける
*【批发】pīfā 動 卸売りをする ‖ ～店 問屋
*【批复】pīfù 動（下級機関からの文書に対して）意見を書きつけて返答する ‖ 审查～ 審査のうえ返事をする
*【批改】pīgǎi 動（文章や宿題などに）手を入れて評価を付す．採点する ‖ 给学生～作文 生徒の作文を添削する｜～试卷shìjuàn 試験の答案を採点する
【批件】pījiàn 名 決裁済み文書．許可書
【批量】pīliàng 名 大量．ロット ‖ ～小 ロットが小さい 副 大量に ‖ ～生产 大量生産
【批零】pīlíng 動 卸売りと小売り
⁂【批判】pīpàn 動 批判する ‖ ～官僚guānliáo主义 官僚主義を批判する｜～地继承传统文化 伝統文化を批判的に継承する
★【批评】pīpíng 動 批判する．叱責する ‖ 自我～ 自己批判｜挨ái～ 批判される．叱責される．叱られる
*【批示】pīshì 動（下級機関からの報告書や申請書に対して，書面で）指示回答する 名 指示 ‖ 上级的～ 上からの指示
【批售】pīshòu 動 まとまった量を売る．卸売りをする
【批文】pīwén 名（上級機関からの）決裁文書．許可書
【批语】pīyǔ 名 ❶（文章に対する）評語．評言 ❷（上級機関からの）決裁．指示
【批阅】pīyuè 動 文書に目を通し，手直ししたり指示を書きつけたりする
【批注】pīzhù 動 評注を施す 名 評注
【批转】pīzhuǎn 動 下級機関からの文書に回答や指示を書き込み，関係機関に回覧伝達する
⁂【批准】pī//zhǔn 動 許可する．承認する ‖ 得到～ 許可を得る
【批租】pīzū 動（土地の）賃貸を許可する
7 纰 pī ❶動（布地が）ほころびる．（糸が）ほつれる ‖ 线～了 糸がほつれた ❷誤り．しくじり
【纰漏】pīlòu 名 手落ち．しくじり．落ち度 ‖ 工作出了～ 仕事に手落ちが生じた
【纰缪】pīmiù 名 書 誤り
8 *坯 pī ❶名（れんがや陶磁器などを焼く前の）成型した素地（きじ）‖ 一～子 ❷名 土れんが．日干しれんが ‖ 打～ 日干しれんがを作る ❸（～儿）方 半製品 ‖ 毛～ 未加工品．半加工品
【坯布】pībù 名 プリントなどの加工がなされていない布
【坯料】pīliào 名 未加工品．半加工品
【坯胎】pītāi 名 型．鋳型
【坯子】pīzi 名 ❶（れんがや陶磁器を焼く前の）成型した素地 ❷半製品．未加工品 ❸素質をもった人材．…のたまご ‖ 美人～ 美人のたまご

P

8 **披**[1] **pī** ❶動(木や竹が)裂ける. 割れる ❷開く. 広げる ‖ 一~阅 ❸散らす. ばらばらにする ‖ 一~散

8 ** **披**[2] **pī** 動(衣類を)はおる. まとう ‖ ~着羊皮的狼láng 羊の皮をかぶった狼(おおかみ). 善人を装った悪人

【披风】pīfēng 名 マント

【披拂】pīfú 動 書 (かすかな風が)吹く. そよぐ

【披肝沥胆】pī gān lì dǎn 成 真情を披瀝(ひれき)する. 誠意を示す

【披挂】pīguà 書 動 よろいかぶとを身につける ‖ ~上阵 武装して戦場に赴く 名 よろいかぶと

【披红】pīhóng 動(祝賀の意を表して)赤い絹をたすきがけにつける ‖ ~戴花 赤い絹や花をつける

【披坚执锐】pī jiān zhí ruì 成 よろいかぶとを身につけ, 武器を手にとる

【披肩】pījiān 名 肩掛け. ショール

【披肩发】pījiānfà 名 肩までのロングヘア

【披荆斩棘】pī jīng zhǎn jí 成 いばらの道を切り開く. 種々の困難や障害を克服し, 前途を切り開くたとえ

【披卷】pījuàn 動 書籍を閲覧する

【披览】pīlǎn 動 書 書物をひもとく

【披露】pīlù 動 ❶発表する. 公にする ❷披瀝(ひれき)する. 打ち明ける

【披麻戴孝】pī má dài xiào 成 喪服を着て, 父母の喪に服する

【披靡】pīmǐ 動 ❶(草木が風に吹かれて)倒れる ❷(軍隊が)負けて散り散りになる ‖ 敌人望风~ 敵軍が気勢に押されて総崩れとなる

【披散】pīsan 動 髪を振り乱す

【披沙拣金】pī shā jiǎn jīn 成 砂の中から金を拾い出す. 多数の中から精華を選び出す

【披头散发】pī tóu sàn fà 成 髪を振り乱すさま

【披星戴月】pī xīng dài yuè 成 星を仰ぎ, 月を戴(いただ)く. 朝早くから夜遅くまで仕事に励むたとえ. また, 昼夜兼行で旅路を急ぐたとえ

【披阅】pīyuè 動 書 書物をひもとく

9 **砒** **pī** ❶名 旧 砒素(ひそ). 〔砷shēn〕の旧称 ❷ =〔砒霜pīshuāng〕

【砒霜】pīshuāng 名〈化〉白砒. 三酸化二砒素. 無水亜砒酸. 〔信石〕ともいう

9 **钍** **pī** 古 矢じりが平たく矢柄の長い矢 ‖ ~箭jiàn 同前

10 **铍** **pī** 古 ❶(刀のような形で)両側に刃のある剣 ❷鈹(はり)治療に用いる長い針 ➤ pí

15 * **劈** **pī** ❶動(刀やおのなどで)たたき割る. たたき切る ‖ ~柴 薪を割る | ~成两半 真っ二つに割る ❷動(木や竹などが)裂ける. 割れる ‖ 木板~了 板が割れた ❸動 雷に撃たれる. 落雷で死ぬ ‖ 大树叫雷~了 大木に雷が落ちた ❹名 くさび. (切削工具の刃など)くさび状のもの. 〔尖劈〕ともいう ❺介 真正面から, …をめがけて ‖ 一~脸 ➤ pǐ

【劈波斩浪】pī bō zhǎn làng 成 船が風や波をついて進む. 困難や障害を乗り越えて進むたとえ

【劈刺】pīcì 名〈軍〉銃剣

【劈刀】[1] pīdāo 名 なた

【劈刀】[2] pīdāo 名〈軍〉剣術

【劈里啪啦】pīlipālā 擬(加熱されてものがはじける音, 拍手の音, 粒状のものが散らばる音など)パチパチ. パラパラ. バラバラ. 〔噼里啪啦〕とも書く ‖ ~的鞭炮biānpào 声 パチパチと鳴る爆竹の音

【劈脸】pīliǎn 副 顔をめがけて. 真っ向から. いきなり ‖ ~就是一巴掌bāzhang いきなり平手打ちを食らわした

【劈面】pīmiàn 副 顔をめがけて. 真っ向から. いきなり

【劈啪】pīpā 擬(ものがはじける音や拍手の音など)パチパチ. パンパン. ポンポン. 〔噼啪〕とも書く

【劈杀】pīshā 動(多く軍人が馬上から)人を切り殺す

【劈山】pīshān 動 山を切り開く

【劈手】pīshǒu 副 さっと. ぱっと. (手の動作が素早いこと)

【劈头】pītóu 副 ❶頭をめがけて. 真っ向から. いきなり ‖ ~打了两拳quán 真っ向からげんこつを二つ食らわした ❷最初から. はなから. のっけから. 〔辟头〕とも書く ‖ 他一见我, ~就骂了起来 彼は僕の顔を見るなり罵り始めた

【劈头盖脸】pī tóu gài liǎn 成 真正面から. 真っ向から. 〔劈头盖脑〕〔劈头盖顶〕ともいう ‖ ~地骂了他一顿 正面切って彼を叱りつけた

【劈胸】pīxiōng 副 胸ぐらをめがけて

16 **噼** **pī** ➘

【噼里啪啦】pīlipālā =〔劈里啪啦pīlipālā〕

【噼啪】pīpā =〔劈啪pīpā〕

21 **霹** **pī** ➘

【霹雷】pīléi 名 落雷

【霹雳】pīlì 名〈気〉落雷. 〔落雷〕ともいう ‖ 晴qíng天~ 青天の霹靂(へきれき)

【霹雳舞】pīlìwǔ 名 ブレークダンス

pí

5 ** **皮** **pí** ❶名 皮膚. 表皮 ‖ 手上脱了一层~ 手の皮膚がむけた ❷名 なめし革. 皮革 ‖ 一~包 ❸弾力のある. もろくない ‖ 一~糖 ❹形 食物がしけっている. ぱりぱりしない ‖ 花生米~了 ピーナッツがしけった ❺丈夫である. タフである ‖ 一~实 ❻ゴム ‖ 一~筋ㄦ ❼(~ㄦ)(物体の)表面 ‖ 地~ 地面 ❽(理解などが)表面的な. 浅はかな ‖ 一~相 ❾名(~ㄦ)外側を包んでいるもの ‖ 饺子~ㄦ ギョーザの皮. ❿(~ㄦ)(皮のように)薄いもの ‖ 铁~ ブリキ. トタン. ⓫形 いたずらである. やんちゃである ‖ 这孩子太~了 この子はほんとに腕白だ ⓬形(怒られても)こたえない ‖ 整天挨ái说, 都~了 毎日毎日叱られどおしで, もう何も感じなくなった

【皮袄】pí'ǎo 名 毛皮の裏地を付けた中国式の長い上衣

【皮包】píbāo 名 革製の手提げかばん

【皮包公司】píbāo gōngsī 名 ペーパーカンパニー

【皮包骨】píbāogǔ 慣 痩せて骨と皮ばかりである. がりがりに痩せている ‖ 瘦得~ 痩せて骨と皮になってしまった

【皮鞭】píbiān 名 革製の鞭(むち). 〔皮鞭子〕ともいう

【皮草】pícǎo 名 方 毛皮. 皮革製品

【皮层】pícéng 名〈生理〉❶(人や生物体の)表皮 ❷略 大脳皮質. 〔大脑皮层〕の略

【皮尺】píchǐ 名(革または布製の)巻き尺

【皮大衣】pídàyī 名 毛皮の外套(がいとう)

*【皮带】pídài 名 ❶〈機〉コンベヤ用ベルト ❷(衣服に締める)ベルト. バンド. 革ベルト ‖ 系jì~ ベルトを締める

【皮蛋】pídàn 名 ピータン. アヒルの卵を木灰・泥・塩などで漬けたもの =〔松花蛋〕

【皮筏】pífá 名 牛皮や羊皮を空気でふくらませてつなぎ合わせ，その上に丸太や板を載せたいかだ状の舟

**【皮肤】pífū 名〈生理〉皮膚．肌‖～细嫩 xìnèn 肌がきめ細かく滑らかだ｜粗糙cūcāo的～ 荒れた肌

【皮肤病】pífūbìng 名〈医〉皮膚病

【皮傅】pífù 動 書（浅薄な知識で）こじつける．牽強付会(けんきょうふかい)する

*【皮革】pígé 名 皮革．レザー‖～制品 皮革製品

【皮猴儿】píhóur 名 フードつきの毛皮コート

【皮黄】【皮簧】píhuáng 名 京劇の歌の節で，〔西皮〕と〔二黄〕の総称

【皮货】píhuò 名 毛皮類の総称

【皮夹克】píjiākè 名 革のジャケット．革のジャンパー

【皮匠】píjiang 名 ❶靴職人 ❷革細工職人

【皮筋儿】píjinr 名 輪ゴム．〔猴hóu皮筋儿〕ともいう‖跳～ ゴム跳びをする

【皮具】píjù 名（かばん・札入れ・ベルトなどの）革製品

【皮开肉绽】pí kāi ròu zhàn 成 皮が裂け肉がはみ出す．重傷を負う

【皮里阳秋】pí lǐ Yángqiū 成 皮裏の陽秋．心底に秘めて口に出さない批判．〔皮里春秋〕ともいう

【皮毛】pímáo 名 ❶毛皮 ❷喩 表面的な知識．表面的なもの‖略lüè知～ 表面的に知っているだけである

【皮帽子】pímàozi 名 毛皮の帽子．〔皮帽儿〕ともいう

【皮棉】pímián 名 原綿

【皮囊】pínáng 名 ❶皮袋 ❷喩 貶〈仏〉人の肉体‖臭chòu～ 人間の体

【皮袍】pípáo（～儿）名 毛皮の裏地を付けた中国式の長衣

【皮球】píqiú 名（遊び用具の）ゴムのボール‖拍～ まりつきをして遊ぶ｜踢tī～ ボール蹴(け)りをして遊ぶ．転（役所の各部門などで）責任をたらい回しにする

【皮肉】píròu 名 肉体．体‖～受点苦，算不了什么 体が多少つらくてもどうということはない

【皮褥子】pírùzi 名 毛皮の敷物．〔皮褥〕ともいう

【皮实】píshi 形 ❶（体が）丈夫である ❷（器物が）頑丈である

【皮试】píshì 名〈医〉アレルギーチェック

【皮糖】pítáng 名 ヌガー状のキャンデーの一種

【皮条】pítiáo ➡〔拉皮条lā pítiáo〕

【皮艇】pítǐng 名（カヌー競技の）カヤック

【皮划艇】píhuátǐng 名 ❶〔皮艇〕（カヤック）と〔划艇〕（カヌー） ❷〈体〉カヌー競技

【皮下注射】píxià zhùshè 名〈医〉皮下注射

【皮下组织】píxià zǔzhī 名〈生理〉皮下組織

【皮箱】píxiāng 名 革製のトランク．スーツケース．〔皮箱子〕ともいう

【皮相】píxiàng 形 表面的である．皮相である

【皮笑肉不笑】pí xiào ròu bù xiào 慣 うわべは笑っているが心は笑っていない．陰険な笑いや不自然な笑いの形容

【皮鞋】píxié 名 革靴

【皮靴】píxuē 名 革のブーツ

【皮炎】píyán 名〈医〉皮膚炎

【皮影戏】píyǐngxì 名（民間芸能の一種）影絵芝居．〔影戏〕〔驴皮影〕ともいう

【皮疹】pízhěn 名〈医〉皮疹(ひしん)．発疹(はっしん)

【皮之不存，毛将焉附】pí zhī bù cún, máo jiāng yān fù 成 皮がなければ毛のつきどころがない．物事は根拠があってこそ成り立つたとえ

【皮脂】pízhī 名〈生理〉皮脂

【皮脂腺】pízhīxiàn 名〈生理〉皮脂腺(ひしせん)．脂腺

【皮质】pízhì 名〈生理〉❶皮質 ❷略 大脳皮質

【皮重】pízhòng 名 風袋の重量

【皮子】pízi 名 皮革．毛皮

7 **陂** pí 地名用字‖黄～ 湖北省にある地名 ➤ bēi

8 **枇** pí ↴

【枇杷】pípa；pípá 名〈植〉ビワ

9 **毗**（^△毘）pí 書 つながる．連なる‖→～连

【毗连】pílián 動 連なる．隣接する‖山东省～大海 山東省は海につながっている

【毗邻】pílín 動 連なる．つながる．続く‖两省～ 二つの省は隣接している

10 **陴** pí 古 姫垣(ひめがき)．城壁の上の凹凸状の低い壁

10 **郫** pí 地名用字‖～县 四川省にある県の名

10 **疲** pí ❶疲れる‖→～乏 ｜→～倦 ❷緊張がゆるむ．だらける‖→～软

*【疲惫】píbèi 形 疲労困憊(こんぱい)している．疲れ果てている‖～不堪kān くたくたに疲れてどうにもならない．綿のようにぐったり疲れる 動（相手を）疲労させる

【疲敝】píbì 形 疲弊している．疲れ弱っている

【疲顿】pídùn 形 書 疲れきっている．疲れ果てている

*【疲乏】pífá 形 疲労している．疲れている‖迈mài着～的步子走回了家 疲れた足取りで家へ帰った

*【疲倦】píjuàn 形 疲れてだるい．くたびれている‖不知～地工作 疲れを知らぬかのように働く

【疲困】píkùn 形 疲れ果てている．疲労困憊している

**【疲劳】píláo 形 疲れている．疲労している‖这几天工作很忙，十分～ この数日仕事が忙しくて，すっかり疲れた 名 ❶疲労‖恢复huīfù～ 疲労を回復する ❷〈物〉（物体の）疲労‖弹性tánxìng～ 弾性疲労

【疲软】píruǎn 形 ❶（疲れて）ぐったりしている‖全身～ 体中がだるい ❷〈経〉（相場が）弱含みである．軟調である

【疲弱】píruò 形 疲れきって力が入らない．衰弱している

【疲沓】【疲塌】píta 形 だらしない．たるんでいる

【疲于奔命】pí yú bēn mìng 成 奔命に疲れる．（駆けずり回って）くたくたになる．忙しくて手が回らないたとえ

10 **铍** pí 名〈化〉ベリリウム（化学元素の一つ，元素記号はBe） ➤ pī

10 **蚍** pí ↴

【蚍蜉】pífú 名 書 オオアリ

【蚍蜉撼大树】pífú hàn dà shù 成 蚍蜉(ひふ)大樹を撼(うご)かす．身の程知らず

11 **埤** pí 古 増加する

11 **啤** pí ↴

★【啤酒】píjiǔ 名 ビール．〔麦酒〕ともいう‖生～ 生ビール

【啤酒肚】píjiǔdù 名 ビール腹．太鼓腹

【啤酒花】píjiǔhuā 名〈植〉ホップ

P

12 **琵** **pí** ↴

【琵琶】pípa；pípá 名〈音〉琵琶(びわ) ‖ 弹 tán～ 琵琶を弾く

12 **脾** **pí** 名〈生理〉脾臓(ひぞう). 〔脾脏zàng〕ともいう

** **【脾气】píqi** 名 ❶性質. 気性. 気立て ‖ ～好 気性が穏やかである｜～随和suíhé 協調性のある性格である ❷怒りっぽい気性. 気短 ‖ 发～ 怒る. かんしゃくを起こす｜没～ 気立てが穏やかである

> **類義語** 脾气 píqi 性格 xìnggé
>
> ◆〔脾气〕個人の性質．気性．性情．すぐにかっとなる気性の意味でよく用いる ‖ 他脾气很好 彼は気性がよい｜发脾气 かんしゃくを起こす ◆〔性格〕人や事に対してとる心理的特徴を表し〔英勇〕〔刚强〕〔开朗〕などの語と結びつく．性格 ‖ 刚强的性格 しっかりした性格｜性格很内向 内向的な性格

【脾胃】píwèi 名 好み ‖ 两人～相投 二人は意気投合している

【脾性】píxìng 名 方 気性. 気立て

【脾脏】pízàng 名〈生理〉脾臓 =〔脾pí〕

13 **裨** **pí** 書 補佐する. 助ける ‖ ～将 jiàng 副将 ➤ bì

14 **罴**(羆) **pí** 古 ヒグマ

14 **蜱** **pí** 名〈虫〉ダニ. マダニ. 〔壁虱bìshī〕ともいう

17 **貔** **pí** 古 貔(ひ). 猛獣の一種

21 **鼙** **pí** ↴

【鼙鼓】pígǔ 名 古 軍隊で用いた小太鼓. 軍鼓

pǐ

4 ** **匹**(△疋❹❺) **pǐ** ❶書 対になったもの ❷匹敵する. 相並ぶ. つり合う ‖ 举世无～ 世に並ぶものなし ❸単独の. ただ一人の ‖ 一～马单枪 ❹量(ウマやロバなどを数える)匹. 頭 ‖ 两～骡子luózi 2頭のラバ ❺量(巻いた布地を数える)匹 ‖ 一～布 布1匹

【匹敌】pǐdí 動 匹敵する. 肩を並べる

【匹夫】pǐfū 名 ❶書 一人の人間. 普通の人 ‖ 国家兴亡xīngwáng, ～有责 国家の興亡については国民一人一人に責任がある ❷旧 学識も知恵もない人間. 匹夫(ひっぷ)

【匹夫之勇】pǐ fū zhī yǒng 成 匹夫の勇. 血気にはやるだけの勇気

【匹马单枪】pǐ mǎ dān qiāng 成 単独で敵陣に切り込む =〔单枪匹马〕

【匹配】pǐpèi 動 ❶書 婚姻により結ばれる ‖ ～成亲 結ばれて夫婦となる ❷〈電〉整合する

5 **庀** **pǐ** 書 ❶準備する ❷統治する. 管理する

6 **圮** **pǐ** 書 崩壊する. 壊れる

7 **否** **pǐ** 書 ❶悪い. よくない ‖ →～极泰来 ❷けなす. 悪く言う ➤ fǒu

【否极泰来】pǐ jí tài lái 成 悪運がその極に達すれば, 幸運がやって来る

12 **痞** **pǐ** ❶〈中医〉腹腔(ふくこう)内にできた硬いかたまり. 肝脾腫(かんぴしゅ) ‖ →～块 ❷ちんぴら. ならず者. 無頼漢 ‖ 兵～ 兵隊ごろ

【痞棍】pǐgùn 名 ごろつき. 無頼漢

【痞块】pǐkuài 名〈中医〉痞積塊(ひせきかい). 腹腔内にできた硬いかたまり. 〔痞积〕ともいう

【痞子】pǐzi 名 ごろつき. 無頼漢

15 **劈** **pǐ** ❶動 (いくつかに)分ける. 割る ‖ ～成四份 四つに分ける ❷動 (手で)むしりとる. はがす ‖ ～白菜叶 ハクサイの葉をはぎとる ❸動 (足の股きや指の股などを)大きく開く ‖ →～叉 ➤ pī

【劈叉】pǐ//chà 動〈体〉(体操や武術で)床に座り, 足を前後または左右に大きく開く

【劈柴】pǐchai；pǐchái 名 たきぎ

16 **擗** **pǐ** 動 はぎとる. もぎとる. むしりとる ‖ ～棒子 トウモロコシをもぐ

18 **癖** **pǐ** 名 性癖. 癖 ‖ 洁jié～ きれい好きである｜嗜shì酒成～ 酒をたしなんで癖となる

【癖好】pǐhào 名 好み. 嗜好(しこう). 愛好癖 ‖ 他有逛guàng旧书店的～ 彼は古本屋めぐりが好きだ

【癖性】pǐxìng 名 (個人特有の)性癖

pì

7 * **屁** **pì** ❶名 屁(へ). おなら ‖ 放了一个～ おならを1発した ❷名 (屁のように)つまらないこと. 役に立たないこと ‖ 这么点钱管个～用 こんなはした金なんかなんの足しにもなりゃしない｜简直是放～！ まるででたらめだ ❸名 軽蔑するニュアンスを伴い, 否定を表す. (〔什么〕に相当する) ‖ 好个～ 何がいいものか｜你知道个～ お前なんかに何が分かるものか

【屁颠儿屁颠儿】pìdiānrpìdiānr (～的) 形 方 いかにも得意然としているさま. 浮き浮きうかれているさま

* **【屁股】pìgu** 名 ❶(人の)尻. 臀部(でんぶ) ‖ 拍拍～就走了 尻をはたいて出て行った. 断りもなしにそそくさと立ち去った ❷(動物や生物の)尻に相当する部分 ❸(物体の末端)はし

【屁股沉】pìgu chén 慣 長っちりだ. 長居する

【屁滚尿流】pì gǔn niào liú 成 おならはするし, 小便は漏らす. 恐れおののくさま ‖ 吓得～ 腰を抜かさんばかりに驚いた

【屁话】pìhuà 名 出まかせ. くだらない話

【屁事】pìshì (～儿) 名 ❶たいしたこともないこと. わずかなこと ❷くだらないこと. どうでもよいこと ‖ 那算～儿！ それが何だっていうんだ

【屁眼儿】pìyǎnr 名 俗 尻の穴

11 **淠** **pì** 地名用字 ‖ ～河 安徽省にある川の名

13 **媲** **pì** 比肩する. 匹敵する

【媲美】pìměi 動 (美しさやすばらしさに)遜色(そんしょく)ない. 比肩し得る ‖ 这种人造珍珠zhēnzhū可与天然珍珠～ この人工真珠は天然ものと比べて遜色ない

13 **辟**[1](闢) **pì** ❶切り開く. 開発する ‖ 开天～地 広大な天地を切り開く ❷透徹している. 洞察が鋭い ‖ 精～ 同前 ❸反駁(はんばく)して退ける ‖ →～谣

13 **辟**[2] **pì** 書 法律. 刑法 ‖ 大～ 死刑
➤ bì
【辟谣】pì//yáo 動 真相を明らかにしてデマを退ける ‖ 对此传闻, 官方已正式～ このうわさについて, 政府側はすでに公式に否定した

15 **僻** **pì** ❶辺鄙(へんぴ)である. ひなびている ‖ 偏～ 辺鄙である ❷(文字や語句が)めったに見かけない. めったに使われない ‖ 冷～ めったに見かけない ❸(性格が)ひねくれている. 偏屈である ‖ 怪～ 偏屈である
【僻静】pìjìng 形 辺鄙で静かである
【僻陋】pìlòu 形 さびれて荒涼としている
【僻壤】pìrǎng 名 辺鄙な所. 僻地
【僻远】pìyuǎn 形 遠く離れた. 僻遠(へきえん)の ‖ ～的山村 遠く離れた山村

17 **甓** **pì** 書 れんが

20 **譬** **pì** ❶たとえる ‖ ～如 ❷たとえ ‖ 设～ たとえる
【譬方】pìfāng 動 たとえる 名 たとえ. 比喩 接 もし…なら. 仮に…
*【譬如】pìrú 動 例を挙げる ‖ ～说 たとえば
【譬喻】pìyù 動 たとえる. 比喩する

piān

4 **片** **piān** ↴ ➤ piàn
【片儿】piānr 名 ❶平たくて薄いもの ‖ 画～ 絵葉書 ｜相～ 写真 ❷映画 ‖ 武打～ カンフー映画
【片子】piānzi 名 ❶映画. 映画フィルム ‖ 外国～ 外国映画. 洋画 ❷レコード ‖ 灌guàn～ レコードを吹き込む ❸X線写真のネガ ‖ 拍～ X線写真を撮る ➤ piànzi

9 **扁** **piān** ↴ ➤ biǎn
【扁舟】piānzhōu 名 書 小舟 ‖ 一叶～ 1艘(そう)の小舟

11 ** **偏** **piān** ❶形 傾いている. 偏っている ↔〔正〕‖ 画挂～了 絵が傾いてかかっている ❷形 不公平である. 公正でない ‖ 奶奶的心太～了, 总是向着弟弟 祖母はえこひいきしていつも弟の肩を持つ ❸外れる. ずれる ‖ ～离 ❹形 中心から離れた. めったに見ない ‖ ～远 ❺補助の. 副次的な ‖ ～房 ❻動 傾く. 寄る. 偏る ‖ 血压xuèyā～低 血圧が低いほうだ ❼副 ①どうしても. 意地でも ‖ 我～不听他的 僕は意地でも彼の言うことは聞かない ②あいにく. 折あしく ‖ 刚要出门, ～下起雨来 出かけようとしたら, 折あしく雨が降ってきた ❽動 挨拶 多く〔了〕や〔过了〕を伴って, 食事を先に済ませたことをいう ‖ 我～过了, 您请用吧 私は先に済ませました, どうぞ召し上がってください
【偏爱】piān'ài 動 偏愛する. ひいきする
【偏安】piān'ān 動 封建時代の王朝が中原を失って地方に安んじる ‖ ～一隅yú 地方に安んじる
*【偏差】piānchā 名 ❶偏差. ずれ. ひずみ. 偏り ❷(仕事上の)手違い. 過ち ‖ 工作中出了～要及时纠正jiūzhèng 仕事中手違いを起こしたら, すぐに正さねばならない
【偏殿】piāndiàn 名 正殿の左右両脇の建物
【偏饭】piānfàn ➡〔吃偏饭chī piānfàn〕
【偏方】piānfāng (～儿) 名 民間の処方. 民間療法
【偏房】piānfáng 名 ❶(四合院式の建物で)母屋の左右両側の棟 ❷旧 妾(めかけ)
【偏废】piānfèi 動 一方をおろそかにする. 片方をゆるがせにする
【偏航】piānháng 動 航路からそれる. 針路から外れる
【偏好】piānhào 動 とくに好む. 凝る. ふける
【偏护】piānhù 動 えこひいきする. 一方をかばう
【偏激】piānjī 形 (意見や主張などが)過激である. 度を越している ‖ ～的言论 過激な発言
*【偏见】piānjiàn 名 偏見. 偏った考え ‖ 他对此事抱有～ 彼はこのことに偏見を持っている
【偏口鱼】piānkǒuyú 名〈魚〉ヒラメ科とカレイ科の魚の総称 =〔比目鱼〕
【偏劳】piānláo 動 挨拶 (他人に手伝ってもらうとき, また, 手伝ってもらったときに)ご苦労さま. ご面倒をかけます ‖ 谢谢, 让您～了 ありがとうございます, すっかりお世話になってしまいました
【偏离】piānlí 動 逸脱する. それる. 外れる
【偏旁】piānpáng (～儿) 名〈語〉偏旁(へんぼう)
*【偏僻】piānpì 形 辺鄙(へんぴ)である. さびれている. 人気がない ‖ ～的山村 辺鄙な山村
*【偏偏】piānpiān 副 ❶どうしても. あくまで. 何がなんでも. 意地でも ‖ 说你不行, 可你～要做 君には無理だと言ってるのに, むきになってやろうとするんだから ❷あいにく. 折あしく ‖ 今天想出去玩儿, 可～天气不好 今日は遊びに行きたかったのに, あいにく天気がよくない ❸よりによって. …に限って. …だけが ‖ 想不到～在这时候他病了 よりによってこんなときに彼が病気になるとは思わなかった
【偏颇】piānpō 形 書 偏頗(へんぱ)である
【偏巧】piānqiǎo 副 ❶折よく. ちょうどよく. 都合よく ❷折あしく. あいにく
【偏食】[1] piānshí 名〈天〉部分食 ‖ 日～ 部分日食
【偏食】[2] piānshí 動 偏食する
【偏私】piānsī 動 私情に偏る. 私情にとらわれる
【偏瘫】piāntān 動 半身が麻痺(まひ)する. 半身不随になる. 〔半身不遂bùsuí〕ともいう
【偏袒】piāntǎn 動 えこひいきする. 一方の肩を持つ
【偏疼】piānténg 動 口 偏愛する
【偏题】piāntí 名 ひねった試験問題. めったに出ないような試験問題 ‖ 出～ 予想外の問題が出る
【偏听偏信】piān tīng piān xìn 成 一方の話だけを聞き, それだけを信じる
【偏头痛】piāntóutòng 名〈医〉偏頭痛
【偏西】piānxī 動 (日が)西に傾く
【偏狭】piānxiá 形 偏狭である. 度量が小さい
*【偏向】piānxiàng 名 偏向. 偏り ‖ 要纠正jiūzhèng只重书本知识的～ 書物の知識ばかり重視する偏りを是正しなければならない 動 えこひいきする. 一方の肩を持つ ‖ 我不～任何人 私は誰の肩も持たない
【偏斜】piānxié 形 偏っている. ゆがんでいる
【偏心】piānxīn 形 一方に偏っている. 不公平である
【偏心眼儿】piānxīnyǎnr 口 名 偏って不公平な考え. えこひいき ‖ 做父母的对儿女可不能有～ 親たる者は決して子供をえこひいきしてはいけない 形 一方に偏っている. 不公平である
【偏远】piānyuǎn 形 辺鄙(へんぴ)な. 遠く離れた ‖ ～的边境地区 遠く離れた国境地帯
【偏正】piānzhèng 名〈語〉修飾と被修飾 ‖ ～结构 修飾・被修飾構造
【偏执】piānzhí 形 いこじである

P

【偏重】piānzhòng 動 偏重する. 一方だけを重んじる
【偏转】piānzhuǎn 動〈物〉振れる. 偏向する

15 ★篇 piān ❶(詩や文の)編 ‖ 长～大论 長編の大論文 ❷(～儿) 1 枚 1 枚になった書き物や印刷物 ❸量 (～儿)(文章・紙・書物のページなどを数える)編. 枚. 葉 ‖ 一～论文 1 編の論文
【篇幅】piānfu 名 ❶文章の長さ ❷紙幅. 紙面 ‖ 限于～, 不能详尽xiángjìn论述 紙幅に限りがあるため, 詳しく論述し尽くせない
【篇目】piānmù 名 ❶書籍の文章のタイトル ❷書籍の目次
【篇章】piānzhāng 名 文章の章節. 文章 ‖ 揭开jiēkāi了历史的新～ 歴史に新しい 1 ページを開いた

15 翩 piān 書 ❶素早く飛び立つ ❷軽快である ‖ 一～然
【翩翩】piānpiān 形 ❶軽快に踊るさま. 軽快に舞うさま ‖ ～起舞 軽やかに踊り出す ❷書 洒脱(しゃだつ)である. 風雅である ‖ ～少年 さっそうとした若者
【翩然】piānrán 形 書 軽やかである. ひらひらしている

pián

9 便 pián ➘ ➤ biàn
【便便】piánpián 形 肥え太っている ‖ 大腹fù～ 便々たる太鼓腹
★【便宜】piányi 形 値が安い. 安価である ↔〔贵〕‖ 又～又好 値が安くて物がよい 名 得. 利益. もうけ ‖ 占～ 得する. うまい汁を吸う 動 (相手に)得をさせる. 大目に見てやる ‖ 算了, ～了你吧 まあいい, お前を許してやる ➤ biànyí

9 骈 pián 書 ❶並ぶ ‖ ～肩 肩を並べる ❷対をなした ‖ 一～文
【骈俪】piánlì 名 主として 4 字および 6 字の対句を用いる文体. 駢儷(べんれい)
【骈体】piántǐ 名 駢儷体 ↔〔散体〕
【骈文】piánwén 名 駢儷文. 駢体文

10 胼 pián ➘
【胼胝】piánzhī 名 (手足の)たこ.〔跰胝〕とも書く

12 缏 pián 動 方 針で縫う ➤ biàn

16 蹁 pián 書 足の踏み出し方が正しくないさま

piǎn

11 谝 piǎn 動 方 自慢する. ひけらかす

piàn

4 ★片 piàn ❶書 割る. 分ける ❷片方の. 片面の ‖ 一～面 ❸断片的な ‖ 一～言只语 ❹名 (～儿)平たくて薄いもの. 薄片 ‖ 雪～ 雪片. 雪の一ひら | 牛肉～ 牛肉のスライス ❺量 (～儿)①(薄いものを数える)片. 枚. 錠 ‖ 两～面包 2 枚のパン ②広い範囲の地面や水面などを数える ‖ 一～草地 一面の草原 ③〔一片〕の形で, 景色・音・言葉・気持ちなどを数える ‖ 一～好心 まったくの親切心 ❻動 薄く切る ‖ ～肉片 肉をスライスする ❼(～儿)映画 ‖ 一～头 ❽名 (～儿)小区域. 小区画 ‖ 分～包干bāogàn 地域別に分けてそれぞれ仕事を引き受ける ➤ piān

逆引き単語帳 〔肉片〕ròupiàn 薄切りの肉 〔唱片〕chàngpiàn レコード 〔卡片〕kǎpiàn カード 〔名片〕míngpiàn 名刺 〔明信片〕míngxìnpiàn 葉書 〔贺年片〕hèniánpiàn 年賀状 〔刀片〕dāopiàn かみそりの刃 〔镜片〕jìngpiàn レンズ 〔图片〕túpiàn 写真や絵. 図版 〔照片〕zhàopiàn 写真 〔底片〕dǐpiàn 写真のネガ. 原版 〔药片〕yàopiàn 錠剤 〔鸦片〕yāpiàn アヘン 〔影片〕yǐngpiàn 映画 〔黑白片〕hēibáipiàn モノクロ映画 〔彩色片〕cǎisèpiàn カラー映画 〔故事片〕gùshipiàn 劇映画 〔纪录片〕jìlùpiàn 記録映画 〔动画片〕dònghuàpiàn アニメーション

【片酬】piànchóu 名 (映画やテレビドラマの)ギャラ. 出演料
【片段】piànduàn 名 (文章・演劇・生活・経歴などの)一段. 一こま. 一区切り. ひとくだり.〔片断〕とも書く ‖ 生活～ 生活の一こま
【片断】piànduàn 名 ❶ =〔片段piànduàn〕❷断片. 片鱗(へんりん)
【片甲不存】piàn jiǎ bù cún 成 よろいの一かけらも残っていない. (軍隊が)全滅するたとえ.〔片甲不留〕ともいう
【片假名】piànjiǎmíng 名 (日本語の)片仮名
【片警】piànjǐng 名 口 地区担当の警官. 派出所の警官. おまわりさん.〔片儿警〕ともいう
*【片刻】piànkè 名 わずかな時間. 一刻. しばし ‖ 他犹豫yóuyù了～ 彼はちょっとためらった
**【片面】piànmiàn 形 ❶一方的である ‖ 听信～之词 一方的な言い分を信じる ❷一面的である ↔〔全面〕‖ ～地看问题 問題を一面的に見る
【片面性】piànmiànxìng 名 一面性
【片儿汤】piànrtāng 名 すいとんに似た料理で, 練った小麦粉を薄くのばし, 小さくちぎって汁に入れて煮たもの
【片头】piàntóu 名 クレジットタイトル
【片瓦无存】piàn wǎ wú cún 成 かわら 1 枚残っていない. 家屋が全壊したさま
【片尾】piànwěi 名 (映画やテレビ番組の)エンディング
【片言只语】piàn yán zhī yǔ 成 片言隻語. 一言半句. 一言二言. わずかな言葉.〔只言片语〕ともいう
【片约】piànyuē 名 (映画やテレビドラマの)出演契約
【片子】piànzi 名 ❶平たくて薄いもの. 薄片 ❷名刺 ➤ piānzi

12 骗[1] piàn またがって乗る ‖ 一～腿儿

12 **骗[2] piàn ❶動 だます. ペテンにかける. 欺く. かつぐ ‖ 那人～了他 あいつは彼をだました ❷動 (金品を)だまし取る. かたり取る ‖ ～钱 金をだまし取る
【骗汇】piànhuì 動 架空の海外取引などで外貨を手に入れる
【骗局】piànjú 名 ペテン. かたり
【骗取】piànqǔ 動 だまし取る. かたり取る ‖ ～别人的信任 他人の信頼をだまし取る
【骗人】piàn//rén 動 人をだます. 人を欺く. 人をペテンにかける ‖ ～的鬼话 人だましの絵そらごと

【骗术】piànshù 图 人だましの手口. ペテン. いかさま
【骗税】piàn//shuì 動 輸出書類を偽造するなどして,国の輸出還付金を騙し取る
【骗腿ル】piàntuǐr 動 (ウマや自転車に乗るため)片足を高く上げる
【骗子】piànzi 图 詐欺師. ペテン師

piāo

13 **剽** piāo ❶かすめ取る ‖ —～掠 ❷奪い取る. 盗み取る ‖ —～窃 ❸(動作が)敏捷である. 身軽ですばしこい ‖ —～悍
【剽悍】piāohàn 形 敏捷で勇猛である. 剽悍(ひょうかん)である. 〔慓悍〕とも書く
【剽掠】piāolüè 動 略奪する. 強奪する
【剽窃】piāoqiè 動 (他人の著作から)剽窃(ひょうせつ)する. 盗作する ‖ ～别人的作品 他人の作品を剽窃する
【剽取】piāoqǔ 動 (他人の著作から)剽窃する
【剽袭】piāoxí 動 かすめ取る. 剽窃する
14 * **漂** piāo 動 漂う. 浮かぶ ‖ 碗里～着一层油花 お椀の中に油が浮かんでいる ➤ piǎo piào
【漂泊】piāobó 動 漂泊する. 放浪する. さすらう. 〔飘泊〕とも書く ‖ 四处～ あちらこちらを放浪する
【漂浮】piāofú 動 漂い浮かぶ 形 上っ調子である. 表面的である ✻〔飘浮〕とも書く
【漂流】piāoliú 動 ❶漂流する ❷流浪する ✻〔飘流〕とも書く
【漂洋过海】piāo yáng guò hǎi 成 海を渡る. 大洋を渡る. 〔飘洋过海〕とも書く
【漂移】piāoyí 動 漂流する
【漂游】piāoyóu 動 ❶浮遊する. 漂う ❷放浪する
14 **缥** piāo ↴ ➤ piǎo
【缥缈】piāomiǎo 形 かすんではっきり見えない. 〔飘渺〕とも書く ‖ 前途～ 将来が見通せない
15 ** **飘**(飃) piāo 動 翻る. 漂う. ひらひらする. 揺らめく. ゆらゆらする ‖ 天边～着一朵白云 遠い空に白い雲が一つ漂っている
【飘泊】piāobó ＝〔漂泊piāobó〕
【飘尘】piāochén 图 フライアッシュ. 飛灰
【飘带】piāodai ; piāodài (～ル) 图 (旗や帽子などにつける)飾りリボン. 綬帯(じゅたい)
【飘荡】piāodàng 動 ❶はためく. 翻る ‖ 彩旗在春风中～ 色とりどりの旗が春風に翻る ❷漂泊する. 流浪する
【飘动】piāodòng 動 揺れ動く. 翻る
【飘拂】piāofú 動 軽やかに漂い動く
【飘浮】piāofú ＝〔漂浮piāofú〕
【飘红】piāohóng 動〈経〉株価が軒並み上昇する ↔〔飘绿〕
【飘忽】piāohū 動 ❶(風や雲が)軽やかに漂う ❷揺れ動く. 絶えず変化する ‖ 他的行踪xíngzōng～不定 彼の行方は定まりない
【飘零】piāolíng 動 ❶(花や葉が)散る. 落ちる ‖ 红叶～ 紅葉が散る ❷凋落(ちょうらく)して放浪する. 零落して放浪する
【飘流】piāoliú ＝〔漂流piāoliú〕
【飘绿】piāolǜ 動〈経〉株価が軒並み下落する ↔〔飘红〕
【飘落】piāoluò 動 飛び散る. 舞い落ちる. 舞い降りる
‖ 雪花～ 雪が舞い落ちる
【飘飘然】piāopiāorán 形 有頂天である. いい気になって足が地につかない ‖ 夸kuā了他几句, 他就～起来 ちょっとほめたら, 彼はすっかり有頂天になった
【飘然】piāorán 形 飄然(ひょうぜん)としている. 飄々(ひょうひょう)としている.
【飘洒】piāosǎ 動 舞い落ちる. 舞い散る
【飘洒】piāosa 形 (人の居ずまいや筆跡が)洒脱(しゃだつ)である. しゃれている. あかぬけている
【飘散】piāosàn 動 (煙や香りが空中に)広がって漂う
【飘逝】piāoshì 動 ❶漂い消える ❷(月日が)流れ去る
【飘舞】piāowǔ 動 (風に)翻る. 舞う. なびく
*【飘扬】【飘飏】piāoyáng 動 (風に)翻る. はためく ‖ 国旗迎风～ 国旗が風にはためいている
【飘摇】【飘飖】piāoyáo 動 (風に)揺れ動く. ひらひらする
【飘曳】piāoyè 動 (風で)ゆらゆら揺れ動く
【飘移】piāoyí 動 ゆらゆらと移動する
【飘逸】piāoyì 形 書 洒脱である. 飄々としている 動 漂い広がる
【飘溢】piāoyì 動 一面に漂う. 満ちあふれる ‖ 院子里～着桂花的香味 庭中にモクセイの香りが漂っている
【飘悠】piāoyou 動 (空中や水面に)漂う. ひらひらする. 揺れ浮かぶ
【飘游】piāoyóu 動 さすらう. 放浪する

piáo

6 **朴** piáo 图 姓 ➤ pò pǔ
14 **嫖** piáo 動 女郎買いをする. 女遊びをする ‖ 吃喝～赌dǔ 飲む, 打つ, 買う
【嫖娼】piáo//chāng 動 売春婦を買う. 買春する
【嫖妓】piáo//jì 動 売春婦を買う. 買春する
【嫖客】piáokè 图 買春客
【嫖宿】piáosù 動 娼婦と一夜を過ごす
16 **瓢** piáo 图 (～ル)ひしゃく. ひさご ‖ 水～ ひしゃく
【瓢虫】piáochóng 图〈虫〉テントウムシ
【瓢泼】piáopō 動 ひしゃくで水をかける(雨がどしゃぶりのさま) ‖ ～大雨 どしゃぶりの大雨. しのつく雨

piǎo

14 **漂** piǎo ❶動 水ですすぐ ‖ 把衣服～干净 洗濯物をきれいにすすぐ ❷動 (化学薬品などで)漂白する. さらす ‖ —～白 ➤ piāo piào
【漂白】piǎobái 動 漂白する. さらす
【漂白粉】piǎobáifěn 图 漂白剤. さらし粉
【漂染】piǎorǎn 動 (布を)さらして染める
【漂洗】piǎoxǐ 動 水洗いする. すすぎ洗いする
14 **缥** piǎo 書 ❶薄藍色の絹織物 ❷薄い藍色の. 縹色(はなだ)の ➤ piāo
16 **瞟** piǎo 動 横目で見る. ちらりと見る ‖ 她不断拿眼～我 彼女はしきりに私を横目で見る

P

piào

11 ★**票** piào ❶图（～儿）（切符・チケット・有価証券など）証明となる紙片 ‖ 电影～ 映画の入場券 | 剪jiǎn～ 改札する | 补～（乗り越しなどをしたとき）あらためて切符を買う ❷（～儿）札(さつ)．紙幣 ‖ 钞chāo～ 紙幣 ❸图（～儿）人質 ‖ 绑bǎng～儿 人質を取る ❹旧 しろうとが演じる芝居 ‖ → ～友

【票额】piào'é 图 額面．金額

【票贩子】piàofànzi 图 ダフ屋

【票房】[1] piàofáng（～儿）图 切符売り場

【票房】[2] piàofáng（～儿）图 旧 しろうと芝居をやる人たちの稽古場(けいこば)

【票房收入】piàofáng shōurù 图（映画や演劇などの）興行収入

【票根】piàogēn 图（入場券や乗車券などの）切符の半券．手形などの控え

【票汇】piàohuì 動〈経〉手形送金する

【票夹】piàojiā 图 定期券入れ

【票价】piàojià 图 入場券や乗車券などの値段

【票据】piàojù 图 ❶手形．証券 ❷受取書．領収書 ‖ 开～ 領収書を出す

【票款】piàokuǎn 图 ❶（入場券・航空券・乗車券などの）チケット代金 ❷〔票据〕（伝票）と〔款项〕（現金）

【票面】piàomiàn 图（紙幣や手形などの）額面

【票箱】piàoxiāng 图 投票箱 ‖ 把选票投进～ 投票用紙を投票箱に投入する

【票选】piàoxuǎn 動 投票によって選出する

【票友】piàoyǒu（～儿）图 しろうと役者

【票证】piàozhèng 图 食糧・油・綿布などの配給券の総称

【票子】piàozi 图 紙幣．札(さつ)

14 **漂** piào ➘ ➤ piāo piǎo

★【漂亮】piàoliang 形 ❶きれいである．美しい．見た目がよい ‖ 她长得很～ 彼女はとても美人だ ❷すばらしい．みごとである．立派である ‖ 那件事儿，你办得真～ あの仕事を君はもののみごとにこなした | 说一口～的英语 流暢(りゅうちょう)な英語を話す

【漂亮话】piàolianghuà 图 口先だけで現実みのない話 ‖ 别净jìng说～！ きれいごとばかり言うな

14 **嘌** piào 書 迅速である

【嘌呤】piàolìng 图 外〈化〉プリン．プリン体

14 **骠** piào 書 勇ましい．勇猛である ‖ ～勇 勇猛である ➤ biāo

piē

5 **氕** piē 图〈化〉プロチウム．軽水素

14 ＊**撇** piē ❶動 捨てて顧みない．投げ出す．捨てる ‖ 把孩子～在一边，自己打麻将májiàng 子供をほうっておいて，自分はマージャンをしている ❷動（液体の表面に浮いているものを）すくい取る ‖ ～出浮沫fúmò あくをすくい取る ❸動（液体の表面を）そっとすくう ❹動 口 なまりをまねる ‖ ～京腔（地方の人が）北京語をひけらかす ➤ piě

【撇开】piē//kāi 動 ほうっておく．捨ておく．構わないでおく ‖ ～家务不管 家事をほったらかしにする

【撇弃】piēqì 動 捨て去る．ほうり出して顧みない

【撇清】piēqīng 動 潔白を装う．自分と関係ないふりをする

【撇下】piē//xia(xià) 動 捨てる ‖ 她三十多岁就死了，身后还～两个孩子 彼女は三十数歳で亡くなり，後に二人の子が残された

16 ＊**瞥** piē 動 ちらっと見る．一瞥(いちべつ)する．瞥見(べっけん)する ‖ 他～了我一眼 彼は私をちらっと見た

【瞥见】piējiàn 動 ぱっと目に入る．ちらっと見かける

【瞥视】piēshì 動 ちらっと見る．一瞥する

piě

8 **苤** piě ➘

【苤蓝】piělan 图〈植〉（野菜の一種）コールラビ．カブカンラン

14 **撇**[1] piě ❶图（～儿）（漢字の筆画の一つ）左払い，〔丿〕‖ 这事儿八字还没有一～儿呢 この件はまだまったく目鼻がついてない ❷量（～儿）ひげや眉(まゆ)など漢字の払いのような形状のものを数える ‖ 两～胡子 八の字ひげ

14 **撇**[2] piě 動（水平方向に）投げる．放る ‖ ～石头 石ころを水平に投げる

14 **撇**[3] piě ❶動 口（外側に）傾く，ゆがむ ❷動 口をへの字にする．口をゆがめる ‖ → ～嘴

➤ piē

【撇嘴】piě//zuǐ 動（不服や不愉快などの表情）口をへの字にする．口をゆがめる ‖ 那孩子一～，哭了起来 あの子は口をへの字にしたかと思うと泣き出した

pīn

9 ＊**拼**[1] pīn 動 寄せ合わせる．つなぎ合わせる ‖ 把几块布～起来 数枚の布をつなぎ合わせる

9 ＊**拼**[2] pīn 動 命がけでやる．必死になる ‖ 这次我跟他～了 こんどこそ彼と徹底的にやり合うぞ

【拼版】pīn//bǎn 動〈印〉版を組む．組版をする

【拼比】pīnbǐ 動 全力で競い合う ‖ 首届厨艺chúyì～活动 第一回調理技術コンテスト

＊【拼搏】pīnbó 動 懸命に奮闘する．苦闘する ‖ ～精神 敢闘精神．ファイト

【拼刺】pīncì 動〈軍〉❶銃剣術をする ❷銃剣で切り合う．白兵戦をする

【拼凑】pīncòu 動 かき集める．寄せ合わせる．つなぎ合わせる ‖ 临时～了一个球队 臨時に人をかき集めてチームを作った

【拼合】pīnhé 動 集め合わせる．寄せ集める

【拼接】pīnjiē 動 まとめてつなぐ ‖ 把几张桌子～在一起 いくつかの机を集めてつなぐ

【拼力】pīnlì 副 全力で．必死に

＊＊【拼命】pīn//mìng 動 命がけでやる．必死になる．命を顧みずにやる ‖ 你弄坏了他的花，他会跟你～的 彼の花をだめにしてしまって，ただではすまないぞ 副（pīnmìng）懸命に．必死に ‖ 他～地读书 彼は必死になって勉強する

【拼盘】pīnpán（～儿）图 盛り合わせ．オードブル

【拼抢】pīnqiǎng 動 必死に争う．必死に争奪する

【拼杀】pīnshā 動 命がけで格闘する
【拼死】pīnsǐ 副 命がけで‖～一搏bó 必死で闘う
【拼死拼活】pīn sǐ pīn huó 成 死ぬか生きるかの闘いをする. 生死をかける. 死に物狂いでやる
【拼图】pīntú 名 ジグソーパズル
【拼写】pīnxiě 動〈語〉ピンインでつづる
【拼音】pīnyīn 動〈語〉(中国語の)二つ以上の音素を結合する.‖汉语～ 中国語のピンイン
【拼音文字】pīnyīn wénzì 名〈語〉表音文字
【拼音字母】pīnyīn zìmǔ 名〈語〉❶表音文字 ❷中国語のピンイン
【拼争】pīnzhēng 動 命がけで争う
【拼装】pīnzhuāng 動 組み立てる

9 **姘** pīn 夫婦でない男女が肉体関係をもつ. 内縁関係になる
【姘夫】pīnfū 名 情夫. 内縁の夫
【姘妇】pīnfù 名 情婦. 内縁の妻
【姘居】pīnjū 動 同棲(どうせい)する
【姘头】pīntou 名 内縁の夫または妻. 情夫. 情婦

pín

8 **贫**[1] pín ❶貧しい. 貧乏である ↔〔富〕‖一～如洗 赤貧洗うがごとし ❷欠乏する. 不足する‖→～乏
8 **贫**[2] pín 形 方 言うことがくどい. 口数が多い‖他的嘴可真～ 彼はほんとうにおしゃべりだ
【贫病交迫】pín bìng jiāo pò 成 貧乏と病気にこもごも悩まされる
【贫道】píndào 名 謙 道士の自称
*【贫乏】pínfá 形 ❶貧しい. 貧乏である ❷乏しい. 貧弱である. 欠乏している‖经验～ 経験が乏しい
【贫寒】pínhán 形 貧しい. 貧乏である‖出身～ 出身が貧しい
【贫化铀】pínhuàyóu 名 劣化ウラン. 略して〔贫铀〕ともいう
【贫瘠】pínjí 形 (土地が)痩せている ↔〔肥沃féiwò〕
【贫贱】pínjiàn 形 貧しく卑しい. 貧乏で身分が低い‖～不移, 富贵不淫yín 貧賤(ひんせん)の身にあっても志を変えず, 富貴の身となっても人道に背かない
【贫贱之交】pín jiàn zhī jiāo 成 貧しかった時代の付き合い. 下積み時代の友情
*【贫苦】pínkǔ 形 生活が貧しく苦しい‖家境～ 暮らし向きが苦しい
【贫矿】pínkuàng 名〈鉱〉貧鉱 ↔〔富矿〕
*【贫困】pínkùn 形 貧困である. 貧しい‖尽快摆脱bǎituō～ なるべく早く貧困から抜け出す
【贫困线】pínkùnxiàn 名 貧困ライン. 最低所得ライン
*【贫民】pínmín 名 貧民
【贫民窟】pínmínkū 名 貧民窟(ひんみんくつ). スラム
【贫农】pínnóng 名 貧農. 貧しい農民
【贫气】[1] pínqi 形 貧乏性である. けちくさい. みみっちい
【贫气】[2] pínqi 形 (話が)くどい. しつこい
*【贫穷】pínqióng 形 貧困である. 困窮している‖过去他家里很～ 以前, 彼の家はとても貧しかった
【贫弱】pínruò 形 (国家や民族が)貧窮し衰微している
【贫僧】pínsēng 名 謙 僧侶の自称
【贫血】pínxuè 動〈医〉貧血になる
【贫油】pínyóu 動 石油資源に乏しくなる. 石油が欠乏する
【贫铀】pínyóu 名 劣化ウラン. 〔贫化铀〕の略
【贫铀弹】pínyóudàn 名〈軍〉劣化ウラン弾
【贫嘴】pínzuǐ 形 口が減らない. ぺらぺらとよくしゃべる‖耍～ むだ口をたたく
【贫嘴薄舌】pín zuǐ bó shé 成 おしゃべりで口が悪い. 憎まれ口ばかりきく. いやがらせばかり言う

13 **嫔**(嬪) pín 書 嬪(ひん). 皇帝の側室‖妃fēi～ 妃(ひ)や嬪

13 **频** pín ❶回数が多い. 頻繁である‖→～繁 ❷しきりに. 次から次へ‖→～～ ❸〈物〉振動数. 周波数‖视～ 映像周波数｜音～ 音声周波数
【频传】pínchuán 動 (多くよいニュースなどが)しきりに伝わってくる. 次々と知らせが入る
【频次】píncì 名 頻度. 出現度数
【频带】píndài 名〈物〉周波数帯. 周波数バンド. 帯域
**【频道】píndào 名 (テレビの)チャンネル‖二～ 第2チャンネル
【频度】píndù 名 頻度
【频段】pínduàn 名 周波数範囲
*【频繁】pínfán 形 頻繁である. 頻度が激しい‖会议太～了 会議の回数が多すぎる
*【频率】pínlǜ 名 ❶〈物〉周波数. 〔周率〕ともいう ❷頻度‖使用～高 使用頻度が高い
【频密】pínmì 形 頻度が高い. 頻繁である‖文化交流～ 文化交流が活発だ
【频频】pínpín 副 書 しきりに. 次々と. ひっきりなしに‖～点头 しきりにうなずく｜～举杯 しきりに乾杯する
【频谱】pínpǔ 名〈物〉スペクトル

21 **颦** pín 書 眉をひそめる‖她的一～一笑都充满了魅力mèilì 彼女は眉をひそめても, ほほえんでも魅力にあふれている

pǐn

9* **品** pǐn ❶書 多種多様な. いろいろな ❷品物. 物‖消费～ 消費財｜产～ 製品 ❸種類‖→～种 ❹等級‖上～ 上等品｜下～ 下等品 ❺古 官吏の等級 ❻品格. 人品‖人～ 人柄. 人品 ❼品評する. 善し悪しをみる‖→～评 ❽動 味をみる‖→～酒 ❾(管楽器を)演奏する

逆引き単語帳 〔礼品〕lǐpǐn 贈り物 〔奖品〕jiǎngpǐn 賞品 〔小品〕xiǎopǐn 文学・音楽・演劇などの小品 〔样品〕yàngpǐn サンプル. 見本 〔补品〕bǔpǐn 滋養品. 滋養補給剤 〔次品〕cìpǐn 二級品 〔残品〕cánpǐn 欠陥製品. 傷物 〔废品〕fèipǐn 廃品. 不合格品 〔工艺品〕gōngyìpǐn 工芸品 〔奢侈品〕shēchǐpǐn ぜいたく品 〔宣传品〕xuānchuánpǐn 宣伝用の印刷物 〔处理品〕chǔlǐpǐn 見切り品. 処分品 〔消费品〕xiāofèipǐn 消費物資 〔日用品〕rìyòngpǐn 日用品 〔毒品〕dúpǐn 麻薬 〔艺术品〕yìshùpǐn 芸術品 〔印刷品〕yìnshuāpǐn 印刷物 〔纺织品〕fǎngzhīpǐn 織物 〔针织品〕zhēnzhīpǐn ニット製品 〔化妆品〕huàzhuāngpǐn 化粧品

P

【品茶】pǐn//chá 動 茶の味をみる
*【品尝】pǐncháng 動 味見をする．味わう．吟味する‖细细～ 細かに味わう
*【品德】pǐndé 名 品性と徳性．人品‖～高尚gāoshàng 人品高尚である
【品第】pǐndì 書 動 等級を定める 名 等級．地位
【品读】pǐndú 動 味読する．味わって読む
【品格】pǐngé 名 ❶人格．品格．品性．人品 ❷(文学や芸術作品の)格調
【品红】pǐnhóng 形 薄赤色の．明るい赤色の
【品级】pǐnjí 名 ❶古 官位や官職の等級 ❷(商品や製品の)等級
【品节】pǐnjié 名 品格と節操
【品酒】pǐn//jiǔ 動 きき酒をする．酒を賞味する
【品蓝】pǐnlán 形 やや赤みがかった藍色の．藍紫色の
【品类】pǐnlèi 名 種類
【品绿】pǐnlǜ 形 青竹色の
【品貌】pǐnmào 名 ❶容貌(ようぼう)．顔立ち ❷人品と容貌‖～兼jiān优 人柄も容貌もともに優れている
【品名】pǐnmíng 名 品物の名称．品名
【品茗】pǐnmíng 動 茶を賞味する
【品目】pǐnmù 名 品目‖～繁多fánduō 品目は豊富である
【品牌】pǐnpái 名 ブランド．とくに，有名ブランド
【品评】pǐnpíng 動 品評する．品定めする‖～他人的长短 他人の善し悪しを品評する
【品题】pǐntí 動 書 (作品や人物を)批評する
【品头论足】pǐn tóu lùn zú 成 (人の外見や美醜などを)あれこれと品定めする =〔评头论足〕
【品位】pǐnwèi 名〈冶〉品位．グレード
【品味】pǐnwèi 動 ❶味をみる．賞味する ❷味わう．玩味(がんみ)する 名 ❶(物の)風味．品質 ❷格調．趣
【品系】pǐnxì 名 (祖先を同じくする)種族．品種
*【品行】pǐnxíng 名 品行‖～不端duān 品行が正しくない｜学业优良，～端正 成績優秀で，品行方正である
【品性】pǐnxìng 名 品性．人柄
【品学兼优】pǐn xué jiān yōu 成 品行・学問ともに優れている
【品议】pǐnyì 動 品評する
*【品质】pǐnzhì 名 ❶(人の)品性．資質‖高尚gāoshàng的思想～ 高尚な思想性 ❷品質
**【品种】pǐnzhǒng 名 ❶〈生〉品種‖改良～ 品種を改良する ❷製品の種類‖～齐全 (製品の)種類が揃っている

13 **榀** pǐn 量〈建〉家の骨組みを数える

pìn

6 **牝** pìn 雌の ↔〔牡mǔ〕‖～鸡 めんどり｜～马 牝馬(ひんば)
【牝鸡司晨】pìn jī sī chén 成 めんどりが夜明けを告げる．女性が権力を握ること．女性上位

13* **聘** pìn ❶書 使節を他国に派遣する ❷動 招聘(しょうへい)する‖被～为顾问 顧問に任ぜられる ❸結納を交わす‖→～礼 ❹動 嫁にやる．嫁がせる
【聘金】pìnjīn 名 結納金
【聘礼】pìnlǐ 名 ❶(人を招聘するときの)贈り物．貢ぎ物 ❷結納‖下～ 結納を納める
*【聘请】pìnqǐng 動 招聘する‖～专家指导 専門家を招聘して指導に当たらせる
*【聘任】pìnrèn 動 招聘して任命する‖他被～为该大学的教授 彼は招聘されて同大学の教授となった
【聘书】pìnshū 名 招聘状‖发～ 招聘状を出す
【聘问】pìnwèn 動 書 友邦に使節を派遣する
*【聘用】pìnyòng 動 招聘して任用する‖～外籍wàijí教师 外国人教師を招聘して任用する

pīng

6 **乒** pīng ❶擬 (銃声や物がぶつかる音)パン．バン ❷卓球．ピンポン‖→～坛
【乒乓】pīngpāng 擬 (銃声や物がぶつかる音)パンパン．パチパチ．パラパラ‖雹子báozi打在屋顶上～乱响 ひょうが屋根の上に落ちてパラパラと音を立てている 名 卓球．ピンポン‖打～ 卓球をする
【乒乓球】pīngpāngqiú 名〈体〉❶卓球．ピンポン** ❷卓球の球
【乒坛】pīngtán 名 卓球界‖～新秀 卓球界の新星

9 **俜** pīng ➡〔伶俜língpīng〕

10 **娉** pīng ↓
【娉婷】pīngtíng 形 書 (女性の)容姿がすらりとしてあでやかなさま

píng

5** **平** píng ❶形 **平らである**‖把裤子熨yùn～ ズボンにアイロンをかけてしわを伸ばす ❷動 平らにする．平坦にする‖把沟gōu～了 溝を埋めた ❸形 **対等である．上下がない**‖乙yǐ队同甲jiǎ队踢～了 (サッカー試合で)乙チームと甲チームは引き分けになった ❹平等である．均等である‖→～分 ❺正す‖→～反 ❻安定している．穏やかである‖→～安 ❼動 落ち着かせる．抑える．安定させる‖先～一～气再谈吧 まずは怒りをしずめて，それから話し合おう ❽鎮圧する．鎮める‖→～定 ❾普通の．ありふれた．一般的な‖→～装 ❿名〈語〉古代中国語の四つの声調の一つ，平声(ひょうしょう) ↔〔仄zè〕‖阴～ 上平(じょうひょう)．第1声｜阳～ 下平(かひょう)．第2声
【平安】píng'ān 形 **平安である．平穏無事である‖～到达 無事到着する
【平白】píngbái 副 なんのいわれもなく．なんの理由もなく‖～无故地 なんの理由もなく 形 わかりやすい
【平板】píngbǎn 形 平板である．めりはりがない
【平板车】píngbǎnchē 名 ❶平らな荷台付きの三輪自転車．〔平板三轮〕ともいう ❷平台型トレーラー
【平板电脑】píngbǎn diànnǎo 名 タブレット・パソコン
【平辈】píngbèi 名 同世代の者
【平步青云】píng bù qīng yún 成 とんとん拍子に出世する．一挙に高い地位に就くこと
【平常】píngcháng 名 **ふだん．平素．日ごろ‖和～一样 常日ごろと変わりない 形 **普通である．なんの変哲もない．月並みである**‖他的长相zhǎngxiàng很～ 彼の容貌(ようぼう)はごくありふれている
【平川】píngchuān 名 平坦な土地．平地．平野‖一马～ 一望千里の平原｜山区和～ 山地と平地

【平淡】píngdàn 形（事物や文章が）平板である．変化に乏しい‖～无奇 ありきたりで変化に乏しい

**【平等】píngděng 形 平等である‖男女～ 男女平等である｜～互利 平等互恵

【平地】píng∥dì 動〈農〉整地する 名（píngdì）平地．平坦な土地

【平地风波】píng dì fēng bō 成 平地に波が起きる．平穏無事なところに突然事件が起きるたとえ

【平地楼台】píng dì lóu tái 成 平地に高殿を建てる．裸一貫で始めて事業で成功するたとえ

【平地一声雷】píngdì yī shēng léi 慣 平地に雷が響く．なんの前触れもなく重大な変動やニュースが発生すること．（多く喜ばしい出来事についていう）

【平定】píngdìng 形 落ち着いている．平穏である 動（動乱を）鎮圧する．平定する‖～叛乱pànluàn 反乱を鎮める

*【平凡】píngfán 形 平凡である．普通である‖他们在～的岗位gǎngwèi上，做出了不～的贡献gòngxiàn 彼らは平凡な職場において非凡な成績をあげた

【平反】píngfǎn 動 無実の罪をすすぐ．名誉を回復する‖～冤案yuān'àn 冤罪（えんざい）をすすぐ．無実を晴らす

**【平方】píngfāng 名〈数〉平方．自乗．2乗‖开～ 平方根を求める｜四的～是十六 4の2乗は16である 量 略 平方メートル．〔平方米〕の略

【平方根】píngfānggēn 名〈数〉平方根

【平方公里】píngfāng gōnglǐ 量 平方キロメートル

【平方米】píngfāngmǐ 量 平方メートル．略して〔平米〕ともいう

【平房】píngfáng 名 ❶平屋建ての家 ↔〔楼房〕❷ 方 平屋根の家

【平分】píngfēn 動 均一に分ける．等分する

【平分秋色】píng fēn qiū sè 成 秋の景色を分かち合う．双方が半分ずつ分かち合うこと‖～，打了个平局 この試合は両チーム互いに譲らず，引き分けとなった

【平服】píngfú 動 ❶（気持ちが）落ち着く．しずまる ❷納得する．心服する

【平复】píngfu；píngfù 動 ❶元どおり平穏になる‖风浪fēnglàng逐渐zhújiàn～了 波風はしだいに収まった ❷（病気や怪我が）よくなる．回復する

【平光】píngguāng 形（レンズで）度のついていない．度なしの‖～镜 度なし眼鏡

【平和】pínghé 形 ❶（性質や言動が）穏やかである．温和である‖他尽量jǐnliàng把话说得～一些 彼はなるべく穏やかな言葉遣いで話した ❷（薬の作用が）穏やかである．激しくない

*【平衡】pínghéng 形 釣り合っている．バランスがとれている‖收支～ 収支のバランスがとれている｜失去～ バランスを失う 動 バランスをとる．均衡をはかる‖～国家收支 国の収支のバランスをとる

【平衡木】pínghéngmù 名〈体〉平均台

【平滑】pínghuá 形 滑らかですべすべしている

【平滑肌】pínghuájī 名〈生理〉平滑筋

【平话】pínghuà 名 古 平話（へいわ）．口承文学の一形式で，宋代に最も流行した．〔评话〕とも書く

【平缓】pínghuǎn 形 ❶（地形が）平坦である．なだらかである ❷（気持ちや言葉遣いが）穏やかである．落ち着いている ❸（動きが）緩慢である．ゆったりしている

【平价】píngjià 動 旧 物価を抑制する 名 ❶公定価格 ❷適正な価格 ❸〈経〉平価．パー

【平角】píngjiǎo 名〈数〉平角

**【平静】píngjìng 形（気持ちまたは環境などが）平静である．穏やかである．静かである‖～的湖面 静かな湖面｜心情难以～ 心の高ぶりが抑えきれない

【平局】píngjú 名（多く球技・囲碁・将棋などで）引き分け．勝負なし‖以一比一踢成了～（サッカーの試合は）1対1で引き分けになった

**【平均】píngjūn 動 平均する．均等にする．ならす‖～起来，每人只能得到一个 平均すると，一人当たり一つしか手に入らない 形 均等である‖～分配 均等に配分する

【平均海平面】píngjūn hǎipíngmiàn 名〈気〉平均海面

【平均期望寿命】píngjūn qīwàng shòumìng 名 平均余命

【平均数】píngjūnshù 名〈数〉平均値

【平均主义】píngjūn zhǔyì 名 均等主義

【平列】píngliè 動 並列する．同様に扱う

【平流层】píngliúcéng 名〈気〉成層圏

【平乱】píngluàn 動 反乱を平定する

【平米】píngmǐ 量 略 平方メートル．〔平方米〕の略

*【平面】píngmiàn 名〈数〉平面

【平面几何】píngmiàn jǐhé 名〈数〉平面幾何

【平面镜】píngmiànjìng 名〈物〉平面鏡

【平面图】píngmiàntú 名 平面図

*【平民】píngmín 名 平民．庶民‖～百姓 庶民．民衆

【平年】píngnián 名 ❶〈天〉平年．閏年（うるうどし）でない年 ❷（豊作でも凶作でもなく）収穫が普通の年．平年

【平盘】píngpán 名〈経〉持ち合い相場

【平叛】píngpàn 動 反乱を鎮める

【平平】píngpíng 形 普通である．並である．平凡である‖成绩chéngjì～ 成績は普通である

【平铺直叙】píng pū zhí xù 成 修辞に凝らず，平淡直截（ちょくさい）に描写する

【平起平坐】píng qǐ píng zuò 成（地位や資格が）対等である．対等な立場に立つ

【平权】píngquán 動 権利が同等である．同権である

*【平日】píngrì 名 ふだんの日．平日‖～公园里人并不太多 平日は公園にはそれほど人が多くない

【平绒】píngróng 名〈紡〉別珍（べっちん）．綿ビロード

【平射炮】píngshèpào 名〈軍〉平射砲

【平生】píngshēng 名 ❶一生．終生．生涯‖～最大愿望yuànwàng 生涯最大の願い ❷平生．ふだん．日ごろ．常々‖素昧mèi～ 一面識もない

【平声】píngshēng 名〈語〉古代中国語の四声の一つ，平声（ひょうしょう）．現代語の〔阴平〕（第1声）と〔阳平〕（第2声）に相当する ➡〔四声sìshēng〕

**【平时】píngshí 名 ❶ふだん．日ごろ．平常‖他～起得很早 ふだん彼は早起きである ❷（非常時や戦時に対する）平時

【平实】píngshí 形 素朴である

【平视】píngshì 動 目を真正面に向けてまっすぐ見る

【平手】píngshǒu（～儿）名 引き分け‖两个队打了个～ 両チームは引き分けになった

【平顺】píngshùn 形 平穏である

【平素】píngsù 名 平素．平生．ふだん．日ごろ

【平台】píngtái 名 ❶屋上露台．物干し台 ❷平屋根の家 ❸作業台 ❹〈計〉プラットフォーム

【平摊】píngtān 動 割り勘にする．〔均摊〕ともいう

*【平坦】píngtǎn 形 平坦である．平らである‖前进的

P

道路并不～ 行く手は決して平坦ではない
【平添】píngtiān 動 自然にもたらされる. 自然に増加する
【平头】píngtóu 名 (頭髪の)角刈り‖推tuī了个～ 角刈りにした
【平头百姓】píngtóu bǎixìng 名 口 庶民
【平头正脸】píng tóu zhèng liǎn (～儿) 慣 容貌(ようぼう)が端正なさま
【平妥】píngtuǒ 形 穏当である. 当を得ている
【平纹】píngwén 名〈紡〉平織り‖～布 平織物
*【平稳】píngwěn 形 平穏である. 安定している. 落ち着いている‖车开得很～ 車の走りが静かである
【平息】píngxī 動 ❶静まる. 収まる ❷平定する. 鎮圧する‖～动乱 動乱を平定する
【平心而论】píng xīn ér lùn 成 冷静に論じる. 公平に論じる
【平心静气】píng xīn jìng qì 成 心を落ち着け平静さを保つ. 冷静な態度をとる
【平信】píngxìn 名 普通郵便‖寄～也来得及 普通便で出しても間に合う
*【平行】píngxíng 動 平行する 形 ❶同等である. 同格である‖～单位 同格の部門 ❷同時に進行している. 並行している
【平行线】píngxíngxiàn 名〈数〉平行線
【平行作业】píngxíng zuòyè 名 並行作業
【平野】píngyě 名 平原. 平野
【平抑】píngyì 動 抑制して安定させる. 抑える
【平易】píngyì 形 ❶(性格や態度が)温和である ❷(言葉や文章が)やさしく分かりやすい
【平易近人】píng yì jìn rén 成 ❶穏やかで近づきやすい ❷(文章が)平易で分かりやすい
【平庸】píngyōng 形 平凡である. 凡庸である. 月並みである
【平邮】píngyóu 名 普通郵便
【平鱼】píngyú 名〈魚〉マナガツオ.〔鲳chāng〕の通称
*【平原】píngyuán 名 平原‖华北～ 華北平原
【平月】píngyuè 名 陽暦の平年の2月
【平仄】píngzè 名 平仄(ひょうそく)
【平展】píngzhǎn 形 ❶平坦で広々している ❷しわがない. ぴんとしている
【平账】píng//zhàng 動〈経〉帳簿の収支を一致させる. 帳尻を合わせる
*【平整】píngzhěng 動 平坦にする. ならす‖～土地 地ならしをする 形 平坦である. 平らである
【平正】píngzheng 形 ❶曲がっていない. まっすぐである‖被子叠dié得很～ 布団がきちんと畳んである ❷しわが寄っていない. ぴんとしている‖他穿的衣服总是熨yùn得很～ 彼の着ている服はいつもぴんとアイロンがかけてある
【平装】píngzhuāng 形 (本の)並製の ↔〔精装〕‖～本 並製本. ペーパーバック
【平足】píngzú 名〈医〉扁平足(へんぺいそく) =〔扁biǎn平足〕

5 **冯** píng ❶ ➡〔暴虎冯河bào hǔ píng hé〕 ❷古〔凭píng〕に同じ ➤ féng

7 *
评 píng ❶動 評する. 批評する. 判定する‖～先进 模範的労働者を評する ❷評論. 論評. 批評‖书～ 書評 | 好～ 好評
*【评比】píngbǐ 動 (優劣などを)比べて判定する. 比較評定する‖～产品质量 製品の質を比較評定する
【评标】píngbiāo 動 入札者への評価を行い, 落札者を決定する
【评点】píngdiǎn 動 (詩文などに)評語と圏点をつける
*【评定】píngdìng 動 評議して優劣を定める. 評定する‖～职称zhíchēng 職階の評定をする
【评断】píngduàn 動 批評し判断する
【评分】píng//fēn (～儿) 動 (試験や試合で)点数をつける. 採点する‖裁判～不公 判定が不公平である 名 (píngfēn) 点数
【评改】pínggǎi 動 添削する‖～作文 作文を添削する
【评功】píng//gōng 動 功績を評定する
*【评估】pínggū 動 評価し見積もる‖～企业资产 企業資産を見積もる
【评话】pínghuà 名 ❶=〔平话pínghuà〕❷(民間芸能の一種)地方の言葉で演じる語りもの
【评级】píng//jí 動 ❶(幹部や職員の)等級を評定する ❷(商品の)等級を評定する
*【评价】píngjià 動 評価する 名 評価‖人们对他的～很高 人々の彼に対する評価はとても高い
【评奖】píng//jiǎng 動 (成績を)評価して表彰する‖年终～ 年末の表彰
【评介】píngjiè 動 批評して紹介する
【评卷】píngjuàn 動 答案を採点する
【评理】píng//lǐ 動 是非を判定する‖谁是谁非, 让大家来评评这个理 誰が正しく誰が間違っているか, みんなに決めてもらおうじゃないか
*【评论】pínglùn 動 評論する. 論評する. 批評する 名 評論. 論評. 批評
【评脉】píngmài 動 方 脈を診る. 脈をとる
【评模】píng//mó 動 模範的人物を選び出す
【评判】píngpàn 動 (勝ち負けまたは優劣を)判定する
*【评审】píngshěn 動 評議し審査する‖经过～被提升为副教授 審査を経て准教授に昇進した
【评书】píngshū 名 (民間芸能の一種)講談. 講釈. 扇子や拍子木などを小道具に長編の歴史物語などを節をつけて語る‖说～ 講談を語る
【评述】píngshù 動 批評し論じる. 論評する
【评说】píngshuō 動 論評する. 評価する
【评弹】píngtán 名 江蘇省・浙江省一帯の民間芸能の一種
【评头论足】píng tóu lùn zú 成 細かいことまであれこれとあげつらい批評すること
【评委】píngwěi 名 (コンテストなどの)選考委員
【评析】píngxī 動 批評し分析する
*【评选】píngxuǎn 動 比較評定して選ぶ. 選出する‖～劳模láomó 模範的労働者を選出する
【评议】píngyì 動 評定する. 評議する
【评优】píngyōu 動 優秀な人物や作品, 製品などを選出する
【评语】píngyǔ 名 評語. 批評の言葉
【评阅】píngyuè 動 (試験答案や作品などに)目を通して採点する. 評価する‖～试卷 試験答案を採点する
【评注】píngzhù 動 評注を施す
【评传】píngzhuàn 名 評伝‖《鲁迅Lǔ Xùn～》『魯迅評伝』

8 *
凭(憑 △凴) píng ❶寄りかかる. もたれる‖～几jī 机に寄りかかる ❷動 頼る. 依存する‖要吃饭得～本事 生計を立てるのは自分自身の腕に頼らなければならない ❸介 …に基

づいて. …に従って. …を根拠として ‖ ～良心办事 良心に従って事を行う ❹証拠 ‖ 空口无～ 口先だけでは当てにならない ❺接 たとえ…でも. よしんば…であっても ＝〔任凭〕‖ ～你怎么说, 反正我不去 たとえ君がなんと言おうと, どっちみち私は行かない
【凭单】píngdān 名 引換証. 証書
【凭吊】píngdiào 動(墓前などで故人を)弔う. 冥福(めいふく)を祈る ‖ ～革命烈士 革命烈士を弔う
【凭借】píngjiè 動 基づく. 頼る. よりどころとする ‖ ～经验 経験に基づく
【凭据】píngjù 名 証拠物件
【凭靠】píngkào 動 頼る
【凭空】píngkōng 副 なんの根拠もなく. いわれがなく ‖ 他～捏造niēzào了一大堆谎言huǎngyán 彼は根も葉もないうそ八百をでっち上げた
【凭栏】pínglán 動 手すりに寄りかかる
【凭票】píngpiào 動 チケットと引き換えにする ‖ ～入场 チケットで入場する
【凭恃】píngshì 動 頼みとする. 頼る
【凭眺】píngtiào 動 高い所から眺める. 遠望する
【凭险】píngxiǎn 動 険要な地勢に依拠する
【凭信】píngxìn 動 信じる. 信用する 名 証拠. 証書
【凭依】píngyī 動 依拠する. よりどころとする. 頼りにする
【凭仗】píngzhàng 動 頼みとする. 依拠する. 盾にする ‖ ～权势为wéi非作歹dǎi 権勢を頼んで悪事の限りを尽くす
【凭照】píngzhào 名 証明書. 鑑札. 免許証
【凭证】píngzhèng 名 証拠 ‖ 出示～ 証拠を提示する

8 **坪** píng ❶地名用字 ‖ 杨家～ 陝西省にある地名 ❷平地 ‖ 草～ 芝生 | 停机～ (空港の)駐機場. エプロン
【坪坝】píngbà 名 方 平坦(へいたん)な場所

8 **苹**(蘋) píng ➘
★【苹果】píngguǒ 名〈植〉リンゴ ‖ ～酱jiàng リンゴジャム
【苹果绿】píngguǒlǜ 形 淡緑色の

9 **屏** píng ❶遮るもの. 障害物 ‖ 一～障 ❷屏風(びょうぶ). ついたて ‖ 画～ 絵屏風 ❸屏風に似たもの ‖ 孔雀kǒngquè开～ クジャクが尾羽を広げる ❹(～儿)組みになった掛け軸 ‖ 四扇shàn～ 4幅で組みになった掛け軸 ❺遮る. 隠す ‖ 一～蔽 ➤ bǐng
【屏保】píngbǎo 名〈計〉スクリーン・セーバー. 〔屏幕保护〕の略
【屏蔽】píngbì 動 ❶たちふさがる. たちはだかる. 遮る ‖ ～一方 一地方を鎮めて国の守りとする ❷〈電〉遮蔽(しゃへい)する 名 防壁. 障壁 ‖ 天然～ 天然の防壁
【屏风】píngfēng 名 屏風. ついたて
【屏幕】píngmù 名(テレビなどの)スクリーン
【屏条】píngtiáo(～儿) 名 組みになった掛け軸. 通常4幅を一組とする ↔〔单条〕
*【屏障】píngzhàng 名 障壁. 防壁 動 書 遮り防ぐ

9 **枰** píng 古 碁盤. すごろく盤 ‖ 棋～ 同前

10 ★**瓶**(^△缾) píng 名(～儿)瓶 ‖ 花～ 花瓶 | 暖～ 魔法瓶
【瓶胆】píngdǎn 名 魔法瓶の中瓶
【瓶颈】píngjǐng 名 ❶瓶の上部のすぼまった部分 ❷喩 ボトルネック. ネック. 障害 ‖ 经济发展的～ 経済発展のネック
【瓶啤】píngpí 名 瓶ビール
【瓶塞】píngsāi(～儿) 名 瓶の栓
【瓶装】píngzhuāng 形 瓶詰めの ‖ ～啤酒 瓶入りのビール
**【瓶子】píngzi 名 瓶 ‖ 空～ 空き瓶

11 **萍** píng 〈植〉ウキクサ ‖ 浮～ 同前 | 紫～ 同前
*【萍水相逢】píng shuǐ xiāng féng 成 見知らぬ者同士が偶然に知り合うことのたとえ
【萍踪】píngzōng 名 書 浮き草のように行き先が定まらないこと ‖ ～无定 行き先が定まらない

13 **鲆** píng 名〈魚〉ダルマガレイ科の海水魚

pō

7 **钋** pō 名〈化〉ポロニウム(化学元素の一つ, 元素記号は Po)

8 *__泼__[1](潑) pō 動(液体を)まく. かける

8 **泼**[2](潑) pō 理不尽である. 野蛮である ‖ 撒sā～ 泣きわめいたりしてだだをこねる
【泼妇】pōfù 名 気の荒い女. あばずれ女 ‖ ～骂街 あばずれ女が通りでわめき散らす. 公然と口汚く罵るさま
【泼辣】pōla 形 ❶気性が荒い. 向こうっ気が強い. あばずれである ❷気迫がある. てきぱきしている ‖ 她办事很～ 彼女は大胆に事をさばく
【泼冷水】pō lěngshuǐ 慣 冷水を浴びせる. 水をさす
【泼墨】pōmò 名(水墨画の手法の一つ)潑墨(はつぼく). 筆に十分墨を含ませ, 飛沫(ひまつ)を散らして描く
【泼皮】pōpí 名 ごろつき. よた者
【泼洒】【泼撒】pōsǎ 動(液体を)まく. こぼす. こぼれる
【泼水节】Pōshuǐjié 名 タイ族の正月. 水かけ祭. (4月中旬ごろ)

8 **泊** pō 湖 ‖ 湖～ 湖 | 倒dǎo在血xuè～中 血の海に倒れている ➤ bó

8 *__坡__ pō ❶名(～儿)坂. スロープ. 傾斜 ‖ 上～ 上り坂 | 下～ 下り坂 | 这个～儿真陡dǒu この坂はほんとうに急だ ❷形 傾斜している. 斜めである
【坡道】pōdào 名 坂道
【坡地】pōdì 名 山の斜面に作られた田畑
【坡度】pōdù 名 勾配(こうばい) ‖ ～很大 勾配がきつい
【坡跟】pōgēn(～儿) 名 ウエッジソール

11 *__颇__ pō 書 ❶偏っている. 不公平である ‖ 偏piān～ 不公平である. 偏頗(へんぱ)である ❷副 かなり. 大いに ‖ ～有好感 たいへん好意をもつ
【颇为】pōwéi 副 かなり. きわめて. とても ‖ 听了他的话～感动 彼の話を聞いてたいへん感動した

pó

11 **婆** pó ❶老女. 老婆 ‖ 老～～ おばあさん ❷夫の母. 姑(しゅうとめ) ‖ 公～ 舅(しゅうと)と姑 ❸祖母または祖母と同世代の女性 ❹(～儿)旧 ある種の職業に就いている女性 ‖ 巫wū～ 巫女(みこ)
【婆家】pójia 名 嫁ぎ先. 〔婆婆家〕ともいう ↔〔娘家〕
【婆罗门教】Póluóménjiào 名〈宗〉バラモン教

P

【婆母】pómǔ 名 姑. 夫の母
【婆娘】póniáng 名 方 ❶既婚の女性 ❷女房. 妻
*【婆婆】pópo 名 姑. 夫の母 ‖ 媳妇xífù和～不和 嫁と姑が仲が悪い
【婆婆妈妈】pópomāmā (～的) 形 (動作が)のろのろしている. てきぱきしない. (言葉が)くどい. くだくだしい
【婆婆嘴】pópozuǐ 慣 話のくどい人
【婆娑】pósuō 形 書 ❶(舞う姿の)美しく軽やかなさま ‖ ～起舞 軽やかに踊り出す ❷喩 揺れ動くさま
【婆媳】póxí 名 姑と嫁 ‖ ～关系处chǔ得还不错 嫁姑の関係がなかなかいい
【婆姨】póyí 名 方 ❶既婚の若い女性 ❷妻
【婆子】pózi 名 ❶旧 年取った女性 ❷方 妻. 女房 ❸旧 年配の女性の使用人

14 鄱 pó 地名用字 ‖ ～阳湖 江西省にある湖の名

17 繁(△緐) pó 名 姓 ➤ fán

17 皤 pó 書 ❶(髪が)白い ‖ 须发～然 ひげと髪がみごとに白い ❷腹の大きいさま

pǒ

5 叵 pǒ 書 …できない. 不可能である ‖ →～测
【叵测】pǒcè 動 形 推測できない. 計り知れない ‖ 居心～ 心底が計り知れない. なにやら下心がある

10 钷 pǒ 名〈化〉プロメチウム(化学元素の一つ, 元素記号は Pm)

11 笸 pǒ ↴
【笸箩】pǒluo 名 (竹やヤナギの枝で編んだ)ざる

pò

6 朴 pò 名〈植〉ニレ科エノキ属の木本植物の総称 ➤ piáo pǔ

8 迫(△廹) pò ❶近づく. 接近する ‖ →～近 ❷迫る. 強いる ‖ 被～ 余儀なくされる. ❸切迫している. 差し迫っている ‖ 急～ 差し迫っている ➤ pǎi
【迫不得已】pò bù dé yǐ 成 やむを得ず…する. どうすることもできず…する
【迫不及待】pò bù jí dài 成 気がせいて待ちきれない. 矢も盾もたまらず…する
*【迫害】pòhài 動 迫害する ‖ 受～ 迫害をこうむる
【迫降】pòjiàng 動 ❶(飛行機が故障や燃料切れで)緊急着陸する. 強行着陸する ❷(越境などで)強制着陸させられる ➤ pòxiáng
【迫近】pòjìn 動 間近に迫る. 近づく
【迫令】pòlìng 動 (迫って)…させる ‖ 被～停业 営業停止処分を受ける
**【迫切】pòqiè 形 差し迫っている. 急を要している ‖ 当前的～任务 当面の差し迫った任務
*【迫使】pòshǐ 動 …せざるを得なくする. …を余儀なくさせる ‖ ～对方让步 相手に譲歩を余儀なくさせる
【迫降】pòxiáng 動 強制して投降させる ➤ pòjiàng
【迫在眉睫】pò zài méi jié 成 (事態が)切迫している. 焦眉(しょうび)の急である

9 珀 pò ➡〔琥珀hǔpò〕

10 ★破 pò ❶動(物の一部分が)損傷を受ける. 割れる. 破れる ‖ 衣服～了 服が破れた ❷壊す ‖ →～釜沉舟 ❸動 (敵を)打ち破る. (拠点を)打ち落とす ❹取り除く. 除去する ‖ →～除 ❺動(記録や規則を)破る. 打ち破る ‖ 他又～了一项全国记录 彼はまた全国記録を破った ❻(時間や金を)むだに使う. 費やす. 散財する ‖ →～费 ❼動 分ける. 切り裂く ‖ →～冰船 ❽動(お金を)細かくする. くずす ‖ 请给我把这十块钱～开 この10元札をくずしてください ❾動(真相を)明らかにする. 暴く ‖ →～案 | 说～ ずばりと言う ❿形 壊れている. ぼろぼろの ‖ ～车 おんぼろ自転車 | ～房子 あばらや ⓫形(質が)悪い. レベルが低い. くだらない ‖ 这种～电影没人看 こんなくだらない映画は誰も見やしない
【破案】pò//àn 動 刑事事件の真相を突きとめる. 刑事事件を解決する
【破败】pòbài 動 朽ち果てる. 荒れ果てる ‖ 这座古庙miào已～不堪bùkān この廟(びょう)は見る影もなく朽ち果てている
【破冰船】pòbīngchuán 名 砕氷船
【破不开】pòbukāi 動 金をくずせない
【破财】pò//cái 動 思わぬ出費をする. (盗難など予期せぬ災難で)損をする
【破财免灾】pòcái miǎnzāi 慣 いま損しておけば今後災いに遭わずにすむ(盗難に遭ったときなどに自分を慰める言葉)
*【破产】pò//chǎn 動 ❶破産する. 倒産する ‖ 这个厂经营不善búshàn, ～了 この工場は経営がうまくいかず倒産した ❷(陰謀や悪だくみが)失敗する. 破綻(はたん)する
【破钞】pòchāo 動 散財する. (多く他人が自分のためにお金を使ったことに対し感謝を表すときに用いる)
*【破除】pòchú 動 打破する. 除去する ‖ ～封建迷信 封建的な迷信を打ち破る
【破读字】pòdúzì 名〈語〉意味によって字音の読み分けのある漢字
【破费】pòfèi 動 (金や時間を)かける. 費やす
【破釜沉舟】pò fǔ chén zhōu 成 釜(かま)を壊し船を沈める. 不退転の決意を固める. 背水の陣を敷く
【破格】pògé 動 慣例を打ち破る. 破格の扱いをする ‖ ～提拔 破格の抜擢(ばってき)をする
【破罐破摔】pò guàn pò shuāi 慣 自暴自棄になる
**【破坏】pòhuài 動 ❶(建造物などを)破壊する. 壊す ‖ 搞～ 破壊活動をする ❷(事物に)損害を与える. 損なう. 傷つける ‖ ～环境 環境を破壊する ❸(社会制度や風俗習慣を)打破する. 変革する ‖ ～旧的生产关系 古い生産関係を打破する ❹(規則や条件に)違反する ‖ ～协定 協定に違反する
*【破获】pòhuò 動 犯人を逮捕する ‖ ～一起银行抢劫qiǎngjié案 銀行強盗事件の犯人を検挙する
【破解】pòjiě 動 謎を解く. 解き明かす
【破戒】pò//jiè 動 ❶戒律を破る ❷禁酒や禁煙を破る
【破镜重圆】pò jìng chóng yuán 成 (別れた夫婦が)元のさやに納まる
*【破旧】pòjiù 形 古ぼけてぼろぼろである ‖ 衣服～ 服が古ぼけている
【破旧立新】pò jiù lì xīn 成 古きを破り, 新しきを立

てる．古い風俗習慣を改めて，新しい気風を育成する

【破口大骂】pò kǒu dà mà 成 下品な言葉で，大声で罵る

*【破烂】pòlàn 形 ぼろになっている ‖ ～不堪bùkān ひどくぼろぼろになっている 名(～儿) 口 ぼろ．くず．廃品 ‖ 捡jiǎn～ くず拾いをする

【破浪】pòlàng 動 波をかき分ける ‖ 乘风chéngfēng～ 風に乗り波をけたてて進む．困難を乗りきって雄々しく前進するたとえ

【破例】pò∥lì 動 前例を破る．特例とする

*【破裂】pòliè 動 ❶破裂する．裂け目ができる ❷(関係が)決裂する．破綻(はたん)する ‖ 谈判～ 交渉が決裂する | 感情～ 愛情が破綻する

【破陋】pòlòu 形 古ぼけて粗末である

【破落】pòluò 動 落ちぶれる．零落する

【破落户】pòluòhù 名 旧 落ちぶれた旧家，またはその子弟

【破谜儿】pò∥mèir 動 口 なぞなぞ解きをする

【破门】pòmén 動 ❶ドアを打ち破る ‖ ～而入 ドアを破って入る ❷〈体〉(サッカーなどでシュートした球が)ゴールに入る

【破灭】pòmiè 動 (夢や希望が)消滅する

【破伤风】pòshāngfēng 名〈医〉破傷風

【破身】pò∥shēn 動 処女を失う

*【破碎】pòsuì 動 ❶壊れてこなごなになる．かけらになる．ぼろぼろになる ‖ 支离～ 支離滅裂 | ～的心 悲しみに打ち砕かれた心 ❷こなごなにする．かけらにする

【破损】pòsǔn 動 壊れる．破損する

【破题】pòtí 名 旧 破題．八股文(はっこぶん)の第一段で，冒頭の解題部分をいう

【破涕为笑】pò tì wéi xiào 成 涙をぬぐって笑顔を見せる．悲しみが転じて喜びとなる

【破天荒】pòtiānhuāng 動 未開の天地を切り開く．破天荒である．前代未聞である

【破土】pòtǔ 動 (建設着工などのために)土地を掘り起こす．くわ入れをする ‖ ～动工 工事にとりかかる

【破相】pò∥xiàng 動 (怪我などの原因で)面相が変わる．顔が変わる

【破晓】pòxiǎo 動 夜が明けそめる．空が白み始める

【破鞋】pòxié 名 罵 身持ちの悪い女

【破译】pòyì 動 (秘密通信や暗号を)解読する ‖ ～密码 暗号を解読する

【破绽】pòzhan；pòzhàn 名 衣服のほころび．喩 (話や行為の)ぼろ．破綻(はたん) ‖ 露lù出～ ぼろを出す．馬脚をあらわす

【破折号】pòzhéhào 名〈語〉ダッシュ，〔——〕

【破竹之势】pò zhú zhī shì 成 破竹の勢い

11 **粕** pò 書 かす．おり ‖ 豆～ 豆かす

14 **魄** pò ❶魂．精霊 ‖ 丧sàng魂落～ 肝をつぶす．腰が抜ける．気が動転する ❷精神．気力．気迫 ‖ 气～ 気迫 ➤bó tuò

【魄力】pòli；pòlì 名 大胆さ．度胸．決断力

pōu

10 **剖** pōu ❶動 切り開く．断ち割る ‖ 解～ 解剖する ❷解明する．分析する ‖ →～析

【剖白】pōubái 動 弁明する．申し開きをする

【剖腹】pōufù 動 腹を割く ‖ ～明心 胸のうちを明かす

【剖腹藏珠】pōu fù cáng zhū 成 腹を切って真珠を隠す．物を惜しんで体を損なう．本末転倒

【剖腹产】pōufùchǎn 動〈医〉帝王切開で出産する

【剖宫产】pōugōngchǎn ＝〔剖腹产pōufùchǎn〕

【剖解】pōujiě 動 分析する

【剖面图】pōumiàntú 名 断面図．切断図

【剖视】pōushì 動 (多く抽象的なものについて)分析し注意深く見極める

【剖视图】pōushìtú 名 透視断面図

【剖释】pōushì 動 分析し解釈する

【剖析】pōuxī 動 分析する

póu

11 **掊** póu 書 ❶搾り取る．収奪する ❷掘り出す．掘り起こす ➤pǒu

12 **裒** póu 書 ❶寄せ集める．集まる ❷取り出す

pǒu

11 **掊** pǒu 書 ❶攻撃する ❷裂く．割る ➤póu

pū

4 **仆** pū (前に)倒れる．転ぶ ‖ 前～后继 前の者が倒れても後ろの者が続く ➤pú

5 * **扑**[1] (撲) pū ❶動 たたく．打つ．たたくようにして捕まえる ‖ →～打 ❷動 軽くはたく．羽ばたく ‖ →～粉 | ～翅膀chìbǎng 翼を羽ばたかせる ❸軽くはたく道具 ‖ 粉～ (化粧の)パフ

5 ** **扑**[2] (撲) pū ❶動 勢いよく飛びつく．飛び掛かる ‖ 那条狗～了上来 そのイヌはパッと飛び掛かってきた ❷(気体などが)当たる ‖ →～面 ❸動 方 かぶさるように寄りかかる ‖ 他～在桌上看书 彼は机にかぶさるようにして本を読んでいる ❹動 (仕事や事業などに)全力を傾ける．全力を注ぐ．打ち込む ‖ 她一心～在工作上 彼女は一心に仕事に打ち込んだ

【扑鼻】pūbí 動 (濃厚な香りが)鼻をつく

【扑哧】pūchī 擬 (おかしくて吹き出すときの声)ぷっ．(水や空気が勢いよく噴き出す音)シュッ．〔噗嗤〕とも書く ‖ ～一声笑了 ぷっと吹き出した

【扑打】pūdǎ 動 (平らなもので)ぱっとたたく．はたく ‖ ～苍蝇cāngying ハエをたたく

【扑打】pūda 動 軽くたたく．はたく ‖ ～身上的灰尘 体のほこりを軽くはたく

【扑粉】pūfěn 名 ❶おしろい ❷ベビーパウダー

【扑救】pūjiù 動 消火して人や家財を救出する

*【扑克】pūkè 名 トランプ ‖ 打～ トランプ遊びをする | 洗～ トランプを切る

【扑空】pū∥kōng 動 むだ足になる．空振りする

【扑拉】pūla 動 軽くたたく．はたく

【扑棱】pūlēng 擬 (羽を羽ばたかせる音)パタパタ

【扑棱】pūleng 動 振り動かす．羽ばたく

【扑面】pūmiàn 動 (風などが)顔を打つ．顔に当たる

*【扑灭】pū∥miè 動 ❶撲滅する．根絶する ‖ ～蚊蝇wényíng カやハエを撲滅する ❷(火を)消す ‖ ～烈火 猛火を消し止める

【扑闪】pūshan 動 まばたきする．目をぱちぱちする

【扑扇】pūshan [動][方] 羽ばたく
【扑朔迷离】pū shuò mí lí [成] 事情がこんがらがってはっきりしないことのたとえ
【扑簌】pūsù [形] 涙がぽろぽろと落ちるさま.〔扑簌簌〕ともいう
【扑腾】pūtēng [擬]（重い物が落ちた音）ドスン
【扑腾】pūteng [動] ❶（泳ぐとき）ばた足をする.〔打扑腾〕ともいう ❷跳びはねる. 脈打つ ‖ 吓得心里直～ びっくりして胸がどきどきする ❸[方] 駆け回る. ばたばたする ❹（金を）むだ遣いする
【扑通】pūtōng [擬]（重い物が地面や水中に落ちた音）ドブン. ドシン. ズシン.〔噗通〕とも書く

12 **铺** pū ❶[動]（平らに）広げる. 敷く ‖ ～铁轨 レールを敷く｜地上～着瓷砖cízhuān 地面にはタイルが敷きつめてある ❷[量][方] オンドルを数える ‖ 一～炕kàng オンドル一つ ➤ pù
【铺陈】pūchén [動][書] ❶詳しく述べる. 叙述する ❷[方] 並べる. 飾りつける
【铺衬】pūchen [名]（継ぎ当てなどに用いる）端切れ. 古切れ. ぼろ布
【铺床】pū//chuáng [動] ベッドに布団を敷く
【铺垫】pūdiàn [動] ❶（体や物の下に）敷く. 当てる ❷（話や物語の）伏線を敷く ‖ 为后文作～ 後のくだりのために伏線を張っておく [名]（～儿）布団
【铺盖】pūgài [動]（平らに）かぶせる
【铺盖】pūgai [名] 敷き布団と掛け布団. 寝具 ‖ 卷juǎn～ 布団を巻く. 解雇されて主家を去る. 夜逃げする
【铺盖卷儿】pūgaijuǎnr [名]（持ち運ぶために）まるめた布団.〔行李卷儿〕ともいう
【铺轨】pū//guǐ [動] 線路を敷設する. 軌道を敷く
【铺路】pū//lù [動] ❶道路を舗装する ❷道をつける. 条件を整える ‖ 他乐于lèyú为别人～ 彼は喜んで人のために手はずを整えてあげる
【铺排】pūpái [動] 配置する. 案配する [形][方] 派手である
【铺砌】pūqì [動]（れんがや石を）敷きつめる
【铺设】pūshè [動] 敷設する. 敷く ‖ ～铁路 鉄道を敷設する
【铺天盖地】pū tiān gài dì [成] 空を覆い地を覆う. 天地を覆うほど勢いが盛んであるさま
【铺叙】pūxù [動] 詳しく叙述する
【铺展】pūzhǎn [動] 繰り広げる. 展開する
【铺张】pūzhāng [形] ❶派手である. 金に糸目をつけない ‖ ～浪费 見栄を張り, むだ遣いをする ❷大げさである
【铺张扬厉】pū zhāng yáng lì [成] 見栄を張って仰々しくやる. やたらに体裁を飾る

15 **潽** pū [動][口]（汁が煮立って）吹きこぼれる ‖ 粥zhōu从锅里～出来了 お粥が鍋から吹きこぼれた

15 **噗** pū [擬]（液体や気体が噴き出す音）プー. プッ. シュッ
【噗噜噜】【噗碌碌】pūlūlū [擬]（涙などがこぼれ落ちるさま）ぽろぽろ. ぽろぽろ

pú

4 **仆**（僕）pú ❶使用人. 召し使い ↔〔主〕‖ 男～ 下男｜女～ 下女 ❷[古] 男性が自身を謙遜（けんそん）していう言葉 ➤ pū
【仆从】púcóng [名] 従僕. 召し使い. [転] ほかのものに従属した個人または集団 ‖ ～国家 従属国
【仆仆】púpú [形] 旅路で疲れるさま. 苦労すること ‖ 风尘fēngchén～ 長い旅路にやつれ果てたさま
*【仆人】púrén [名][旧] 下僕. 使用人
【仆役】púyì ＝〔仆人púrén〕

9 **匍** pú ↴
【匍匐】púfú [動] ❶はって進む. 腹ばいになって進む ‖ ～前进 匍匐（ほふく）前進する ❷腹ばいになる. うつ伏せになる ‖ ～在地上 地面に腹ばいになる

10 **莆** pú 地名用字 ‖ ～田 福建省にある市の名

11 **菩** pú ↴
【菩萨】púsà [名] ❶〈仏〉菩薩（ぼさつ） ‖ 观音～ 観音菩薩 ❷[喩] 慈悲深い人 ‖ 活～ 生き菩薩
【菩提】pútí [名]〈仏〉菩提（ぼだい）
【菩提树】pútíshù [名]〈植〉ボダイジュ

11 **脯** pú 胸. 胸部 ‖ 胸～ 胸. 胸部 ➤ fǔ

12 **葡** pú ↴
*【葡萄】pútao ; pútáo [名]〈植〉ブドウ ‖ ～架 ブドウ棚｜一串chuàn～ 一房のブドウ
【葡萄干】pútaogān（～儿）[名] 干しブドウ. レーズン
【葡萄酒】pútaojiǔ [名] ブドウ酒. ワイン ‖ 红～ 赤ワイン｜白～ 白ワイン
【葡萄球菌】pútao qiújūn [名] ブドウ球菌
*【葡萄糖】pútaotáng [名]〈化〉ブドウ糖
【葡萄牙】Pútáoyá [名]〈国名〉ポルトガル
【葡萄紫】pútaozǐ [形] 灰色を帯びた深紫色の

13 **蒲**[1] pú [名]〈植〉ガマ ‖ 香～ ガマ

13 **蒲**[2] pú 現在の山西省永済県の西にあった旧府名〔蒲州〕の略称
【蒲草】púcǎo [名]〈植〉❶ガマの茎と葉 ❷[方] ジャノヒゲ.〔麦冬〕の通称
【蒲公英】púgōngyīng [名]〈植〉タンポポ
【蒲葵】púkuí [名]〈植〉ビロウ
【蒲柳】púliǔ [名]〈植〉カワヤナギ. [喩] 体質がひ弱であること. 蒲柳（ほりゅう）
【蒲扇】púshàn（～儿）[名] ガマの葉を編んだうちわ
【蒲团】pútuán [名] ガマの葉や麦わらを編んで作った円形の敷物

16 **璞** pú ❶玉（ぎょく）を含んだ石. 磨かれていない玉 ❷純朴な ‖ 返～归真 本来の自然な状態に戻ること
【璞玉浑金】pú yù hún jīn [成] 人の手の加えられていない自然な美しさ. 人柄が純朴で飾り気のないさま

17 **濮** pú 地名用字 ‖ ～阳 河南省にある市の名

17 **镤** pú [名]〈化〉プロトアクチニウム（化学元素の一つ, 元素記号は Pa）

pǔ

6 **朴**（樸）pǔ 質朴である. 素朴である. 飾り気がない ‖ 纯～ 純朴である ➤ piáo pò
【朴厚】pǔhòu [形] 人情に厚く実直である
*【朴实】pǔshí [形] ❶質素である. 飾り気がない ❷質実

である. 実直である ‖ 忠厚～的农民 温厚で実直な農民 ❸堅実である. 手堅い ‖ 作风～ 仕事のやり方が堅実である
**[朴素] pǔsù 形 ❶(身なりなどが)質素である. 飾り気がない ‖ 她总是穿得很～ 彼女はいつも質素な身なりをしている ❷(生活が)つつましい. つましい. 質素である ‖ 他一直过着十分～的生活 彼はずっとつましい暮らしをしてきた ❸質実である. 実直である. 素朴である ‖ ～的语言 飾り気のない言葉 ❹未発達な. 単純素朴な
[朴学] pǔxué 名 実証性を尊ぶ堅実な気風の学問. とくに清代の考証学をさす
[朴直] pǔzhí 形 率直で飾り気がない
[朴质] pǔzhì 形 質実である. ありのままで飾り気がない
10 浦 pǔ 水辺. 河口. (多く地名に用いる) ‖ ～口 江蘇省にある地名
10 埔 pǔ 地名用字 ‖ 黄～ 広東省にある地名 ➤ bù
10 圃 pǔ 畑. 菜園 ‖ 花～ 花畑 | 苗miáo～ 苗圃(びょうほ)
12 普 pǔ 広く行き渡っている. 全体的である ‖ 一～遍 | 一～查
**[普遍] pǔbiàn 形 普遍的である. 全体に及んでいる ‖ ～的看法 一般的な見方 | 这种现象很～ このような現象はきわめて普遍的である | 人们～关心的问题 人々が一様に関心をもっている問題
[普遍服务] pǔbiàn fúwù 名 ユニバーサルサービス
[普测] pǔcè 動 全面的に調査・測量する
*[普查] pǔchá 動 全面的に調査する. 一斉調査する ‖ 人口～ 国勢調査
[普度] pǔdù 動〈仏〉衆生を済度する. 多くの人々を仏門に導く ‖ ～众生 衆生を済度する
[普洱茶] pǔ'ěrchá 名 プーアル茶. 雲南省西南部で産する. 〔普洱〕は旧府名
[普法] pǔfǎ 動 略 国民の間に法律の常識を普及させる ‖ ～教育 法律知識の普及教育
[普惠制] pǔhuìzhì 名〈貿〉開発途上国に対する貿易特恵制度. 一般特恵制度
*[普及] pǔjí 動 ❶普及する. 広く行き渡る. 大衆化する ‖ 家用电脑已经～起来 家庭用パソコンはすでに広く行き渡るようになった ❷普及させる. 押し広める ‖ ～科学知识 科学的知識を普及させる
[普及本] pǔjíběn 名 普及版
[普降] pǔjiàng 動 (雨や雪が)広域にわたって降る
[普快] pǔkuài 名 普通快速列車. 〔特快〕(特急列車)より遅く, 〔普客〕(普通列車)よりは速い
[普米族] Pǔmǐzú 名 プミ族(中国の少数民族の一つ, 主として雲南省に居住)
[普天同庆] pǔ tiān tóng qìng 成 すべての人がこぞって祝賀する
**[普通] pǔtōng 形 普通である. 一般的である ‖ 穿得很～ ごくありふれた身なりをしている
*[普通话] pǔtōnghuà 名 現代中国の標準語
[普通教育] pǔtōng jiàoyù 名 普通教育. 小・中学校における基礎的な教育をいう
[普通邮票] pǔtōng yóupiào 名 (記念切手に対して)普通の切手. 通常切手
[普选] pǔxuǎn 動 総選挙を行う ‖ 举行～ 総選挙を行う
[普照] pǔzhào 動 広く照らす. あまねく照らす
13 溥 pǔ 書 普遍的である
14 *谱 pǔ ❶分類あるいは系統立てて編纂した本や図表 ‖ 菜～ 献立. メニュー | 家～ 家系図 ❷名 楽譜. 音譜 ‖ 乐～ 楽譜 | 总～ スコア ❸動 (詞に)曲をつける. 作曲する ‖ 一～曲 ❹名 (～儿)見当. 目安. 成算 ‖ 这件事我心里有～儿 これについてはあらまし見当がついている ❺名 (～儿)体裁. 格式. 見栄 ‖ 摆bǎi～ 見栄を張る
[谱表] pǔbiǎo 名〈音〉五線譜
[谱号] pǔhào 名〈音〉音部記号
[谱曲] pǔ//qǔ 動 詞に曲をつける ‖ 给歌词～ 歌詞に曲をつける
[谱系] pǔxì 名 ❶家系上の系統. 系譜 ❷〈生〉種の変化の系統
[谱写] pǔxiě 動 (楽曲などを)書く. 作曲する ‖ ～歌曲 歌曲を書く
[谱子] pǔzi 名〈音〉楽譜
17 镨 pǔ 名〈化〉プラセオジム(化学元素の一つ, 元素記号は Pr)
19 蹼 pǔ ❶名〈動〉水かき ‖ 鸭～ アヒルの水かき ❷水かきのような用具 ‖ 脚～ 足ひれ. フィン
[蹼泳] pǔyǒng 名〈体〉フィンスイミング

pù

12 堡 pù 地名用字 ➤ bǎo bǔ
12 铺[1] (△舖) pù (～儿)小さな店. 店舗 ‖ 杂货～ 雑貨店. 小間物屋
12 铺[2] pù 名 板を渡した寝台. 広く寝台 ‖ 床～ 寝台 | 卧wò～ 列車の寝台
12 铺[3] (△舖) pù 古 宿場. 現在は多く地名に用いる ➤ pū
[铺板] pùbǎn 名 臨時にしつらえる寝床用の板
[铺户] pùhù 名 店. 商店
[铺面] pùmiàn 名 ❶店構え. 店先 ❷売り場
[铺面房] pùmiànfáng 名 通りに面した商売向きの家屋
[铺位] pùwèi 名 (汽船・汽車などの)寝台席. (ホテルの)ベッド
[铺子] pùzi 名 商店
18 瀑 pù 滝. 瀑布(ばく) ‖ 飞～ 飛瀑(ひばく). 高い所から落ちる滝 ➤ bào
*[瀑布] pùbù 名 滝. 瀑布
19 曝 pù 書 (日に)当てる. さらす ‖ 一～十寒 一日日に当てて十日冷やす. 仕事や学習が長続きしないたとえ. 三日坊主 ➤ bào
[曝晒] pùshài 動 日光にさらす. 太陽に当たる.

P

Q

qī

2★**七** qī ❶数 7．七つ ❷人の死後，7 日ごとに行う法事をさす‖头～ 初七日
【七彩】qīcǎi 名 光の七原色
【七绝】qījué 名 七言絶句．七絶
【七老八十】qīlǎobāshí 慣 7,80歳の高齢
【七零八落】qī líng bā luò 成 ばらばらである‖树上的果子被狂kuáng风吹得～ 木になっている実が強風でばらばらと落ちた
【七律】qīlǜ 名 七言律詩．七律
【七拼八凑】qī pīn bā còu 慣 かき集める．寄せ集める
【七七】qīqī 名 旧 四十九日．七七日(なななぬか)
【七七事变】Qī Qī shìbiàn 名〈史〉盧溝橋(ろこうきょう)事件．1937年 7 月 7 日，北京郊外の盧溝橋で日本軍が中国軍を攻撃し，日中戦争の発端となった．〔卢沟桥Lúgōuqiáo事变〕ともいう
【七巧板】qīqiǎobǎn 名 タングラム(形の違う 7 枚の板を並べ替えて遊ぶ玩具)
【七窍】qīqiào 名 人の顔面の七つの孔(あな)（両目・両耳・両鼻孔・口）
【七窍生烟】qī qiào shēng yān 成 かんかんになって怒るさま‖气得他～ 彼は頭から湯気を立てて怒っている
【七擒七纵】qī qín qī zòng 成 七回捕らえて七回釈放する．策略により相手を心服させるたとえ
【七情六欲】qī qíng liù yù 成 人間のあらゆる感情と欲望
【七上八下】qī shàng bā xià 慣 心が千々に乱れるさま．気が気でない．心配でたまらない
【七十二行】qīshí'èr háng 慣 工業・農業・商業などあらゆる業種の総称
【七手八脚】qī shǒu bā jiǎo 慣 大勢の人が忙しく動き回るさま．あたふたと．ばたばたと
【七夕】qīxī 名 七夕(旧暦 7 月 7 日の夜)
【七弦琴】qīxiánqín 名〈音〉七弦琴．古琴 ＝〔古琴〕‖弹tán～ 七弦琴をひく
【七项全能】qīxiàng quánnéng 名〈体〉(陸上の)七種競技
【七言诗】qīyánshī 名 七言詩
【七一】Qī Yī 名 中国共産党創立記念日（7 月 1 日）
【七折八扣】qī zhé bā kòu 慣 あれこれの名目で支給額を差し引く
*【七嘴八舌】qī zuǐ bā shé 成 大勢の人がそれぞれ考えをのべる．あれこれ言う．ぺちゃくちゃしゃべる‖大家～地给他出主意 みんなはあれこれと彼に知恵を出す

7****沏** qī 動（熱湯を）かける．（茶を）いれる‖～茶 お茶をいれる

8**妻** qī 妻．女房‖夫～ 夫婦｜未婚～ 婚約者．フィアンセ｜前～ 先妻
【妻儿老小】qī ér lǎo xiǎo 成 妻子老幼．家族すべて
【妻管严】qīguǎnyán 名 俗 恐妻家．かかあ天下 ➡〔气管炎qìguǎnyán〕
【妻舅】qījiù 名 妻の兄弟
【妻离子散】qī lí zǐ sàn 成 一家離散する
【妻妾】qīqiè 名 妻と妾(めかけ)．妻妾(さいしょう)
【妻室】qīshì 名 書 妻
【妻小】qīxiǎo 名 旧 妻子
【妻子】qīzǐ 名 妻と子供．妻子
**【妻子】qīzi 名 妻．女房‖娶qǔ她为～ 彼女を妻とする

9****柒** qī 数〔七〕の大字(だいじ) ➡〔大写dàxiě〕

10**凄**(△凄❶❸ 悽❷) qī ❶寒い．寒冷である‖→～～ ❷痛ましい．もの悲しい‖→～楚 ❸寂しい．さびれている‖→～凉
*【凄惨】qīcǎn 形 凄惨(せいさん)である．痛ましくむごたらしい‖～的景象 悲惨な情景
【凄楚】qīchǔ 形 書 痛ましい．悲しい．悲痛である
【凄怆】qīchuàng 形 書 凄惨である．悲惨である
【凄风苦雨】qī fēng kǔ yǔ 成 冷たく激しい風雨．悪天候のたとえ．また，厳しい境遇のたとえ
【凄惶】qīhuáng 形 書 悲しく不安なさま
【凄苦】qīkǔ 形 悲惨で苦しい‖生活～ 生活が苦しくみじめである
【凄冷】qīlěng 形 ❶もの寂しい．うら悲しい ❷冷え冷えとしている
【凄厉】qīlì 形（声が）痛ましくかん高い．（音が）すさまじい‖～的喊叫hǎnjiào声 かん高い叫び声
*【凄凉】qīliáng 形 もの寂しい．荒涼としている．荒れ果てている‖日子过得很～ 生活がとても苦しい
【凄迷】qīmí 形 書 ❶（情景が）うら寂しくかすんで見えるさま ❷悲しみに気落ちしているさま．茫然(ぼうぜん)とするさま
【凄凄】qīqī 形 冷え冷えとしたさま．もの寂しいさま
【凄切】qīqiè 形（声が）もの悲しい
【凄清】qīqīng 形 ❶寒々と澄みきっている ❷もの寂しい．うら悲しい
【凄然】qīrán 形 書 もの悲しく痛ましい‖～泪下 悲しみにうちひしがれて，はらはらと涙をこぼす
【凄婉】qīwǎn 形（声が）美しくもの悲しい
【凄惘】qīwǎng 形 茫然とするさま．打ちのめされたさま

10**桤**(榿) qī 〈植〉ハンノキ．ふつうは〔桤木〕という

10**栖**(△棲) qī 動 ❶（鳥が木に）とまる．（鳥が）棲みつく‖→～息 ❷住む．逗留(とうりゅう)する‖→～身｜共～ 共生する
【栖居】qījū 動 書（多く動物が）住む．生息する
【栖身】qīshēn 動 仮住まいする．身を寄せる
【栖息】qīxī 動（鳥が木に）とまる．生息する
【栖止】qīzhǐ 動 身を寄せる．仮住まいをする

11**萋** qī ↴
【萋萋】qīqī 形 書（草が）生い茂っているさま‖芳草fāngcǎo～ 香りのよい草が生い茂っている

11**戚**[1] qī 古 斧(おの)に似た武器の一種

11**戚**[2](△慼 慽) qī 憂える．悲しむ‖哀～不止 いつまでも悲しみいたむ｜休

～相关 苦楽を共にする

11 **戚**[3] qī 親戚(しんせき) ‖ 亲～ 親戚. 親類 | 外～ 外戚(がいせき)

12 **缉** qī 動 細かい針目で返し縫いをする ‖ ～鞋口 靴の口まわりを返し縫いで縫う ➤ jī

12 ** **期**(△朞❺) qī ❶時間を決める. 会う約束をする ‖ 不～而遇 期せずして遇う ❷期日. 予定の時間 ‖ 到～ 期限になる | 过～ 期限が過ぎる ❸名 **(一定の)期間. 期** ‖ 学～ 学期 | 任～ 任期 ❹量 **一定の期間中に行う事柄を数える** ‖ 这个杂志已出版十～了 この雑誌はもう10号出ている ❺書 1周年. あるいは, まる1ヵ月 ‖ ～年 1周年 ❻待つ. 期待する. 切望する ‖ →～待 ➤ jī

*【期待】qīdài 動 期待する. 切望する ‖ ～亲人早日归来 家族の者が一日でも早く戻ってくることを待ち望む

【期房】qīfáng 名 建設中に売り出される分譲住宅 ↔〔现房〕

【期货】qīhuò 名〈経〉先物(さきもの)

【期价】qījià 名〈経〉先物価格

【期间】qījiān 名 **期間. 間 ‖ 节日～ 祝日期間

*【期刊】qīkān 名 定期刊行物 ‖ 订阅dìngyuè各种～ いろいろな定期刊行物を予約購読する

【期考】qīkǎo 名 期末試験. 〔期末考试〕の略

【期满】qīmǎn 動 満期を迎える ‖ 合同～ 契約期間が満了する

【期末考试】qīmò kǎoshì 名 期末試験. 期末テスト

【期盼】qīpàn 動 待ち望む. 待望する

【期票】qīpiào 名〈経〉約束手形 ‖ 把～兑duì成现款 手形を現金化する

【期期艾艾】qī qī ài ài 成 口ごもるさま. どもるさま

【期求】qīqiú 動 願い求める. 希求する ‖ 别无～ ほかに欲しいものは何もない

【期市】qīshì 名〈経〉❶先物市場 ❷先物相場

*【期望】qīwàng 動 期待する. 望みをかける ‖ 父母～他早日学成归国 両親は彼が一日でも早く学業を修めて帰国することを待ち望んでいる | ～落空luòkōng了 望みが断たれた

【期望值】qīwàngzhí 名 期待度. 期待感

*【期限】qīxiàn 名 期限. 日限 ‖ ～放宽了 期限を緩める | 遵守zūnshǒu～ 期限を遵守する

【期许】qīxǔ 動 (若い世代に)嘱望(しょくぼう)する. 期待する

【期于】qīyú 動 …を期する. …を望む. …をめざす

【期中考试】qīzhōng kǎoshì 名 中間試験

12 **欺** qī ❶欺く. だます ‖ →～骗 | →～诈 ❷抑圧する. 侵犯する. 侮辱する ‖ →～负

*【欺负】qīfu 動 侮辱する. いじめる. ばかにする ‖ 把小妹妹～哭了 妹をいじめて泣かせた | 老实人受～ 正直者がばかを見る

【欺行霸市】qī háng bà shì 成 同業者をいじめ, 市場を独占する. 商売の仕方が横暴であるたとえ

【欺哄】qīhǒng 動 うそをついてだます

【欺凌】qīlíng 動 侮る. 侮辱する

【欺瞒】qīmán 動 欺く. だます

【欺骗】qīpiàn 動 **欺く. だます ‖ ～顾客 客をだます | 受～ だまされる

【欺人】qī//rén 動 ❶人を欺く ‖ 自欺～ 自分をも人をも欺く ❷人を侮る ‖ 仗势zhàngshì～ 他人の勢力を笠(かさ)に着て人を侮辱する

【欺人太甚】qīrén tài shèn 慣 人を侮辱するにも程がある

【欺人之谈】qīrén zhī tán 慣 人をだます話. 人をばかにした言い草. うそ. 偽り. でたらめ

【欺辱】qīrǔ 動 侮る. 侮辱する ‖ 受尽～ さんざん侮辱される

【欺软怕硬】qī ruǎn pà yìng 成 弱い者を泣かせ, 強い者にへつらう

【欺生】qīshēng 動 ❶新入りをいじめる ❷(ウマやロバなどが)慣れない人間の言うことをきかない

【欺世盗名】qī shì dào míng 成 世間を欺き, 名誉をかすめる

【欺侮】qīwǔ 動 いじめる. 侮る

【欺压】qīyā 動 侮辱し圧迫する. 抑圧する

【欺诈】qīzhà 動 詐欺(さぎ)をはたらく. だます

14 * **漆** qī ❶名 漆. ペンキやワニスなどの塗料類 ‖ 涂tú～ 塗料を塗る | 油～ ペンキ ❷名〈植〉ウルシ ❸動 (漆やペンキなどを)塗る

【漆包线】qībāoxiàn 名〈電〉エナメル線

【漆布】qībù 名 漆などを塗布した布, あるいはビニール加工の布

【漆雕】qīdiāo 名 堆朱(ついしゅ)の彫り物. 堆朱彫り

【漆工】qīgōng 名 ❶塗装 ❷塗装. ペンキ職人

*【漆黑】qīhēi 形 (漆のように)真っ黒である. 真っ暗である ‖ ～的头发 漆黒の髪 | ～的雨夜 真っ暗な雨の夜

【漆黑一团】qī hēi yī tuán 成 ❶真っ暗やみである. 希望がない ❷皆目見当がつかない. 少しも分からない

【漆画】qīhuà 名 漆絵

【漆匠】qījiang 名 ペンキ職人

【漆皮】qīpí (～儿) 名 塗装した表面

【漆器】qīqì 名 漆器. 塗り物

14 **嘁** qī 擬 (ひそひそ話をする声)ひそひそ ‖ ～～低语 ひそひそと小声で話す

【嘁哩喀喳】qīlikāchā 形 話し方や行動がきびきびしているさま. てきぱき. きびきび

【嘁嘁喳喳】qīqichāchā 擬 (小声で話すさま)ひそひそ. ぼそぼそ

15 **槭** qī ➤ qì

17 **蹊** qī ↴ ➤ xī

【蹊跷】qīqiāo 形 疑わしい. おかしい. うさんくさい

qí

4 **亓** qí 名 姓

6 **祁** qí ❶地名用字 ‖ ～县 山西省にある県の名 ❷安徽省祁門(きもん)県をさす ❸湖南省祁陽(きよう)県をさす

6 ** **齐**[1](齊) qí ❶形 (形や大きさなどが)**揃っている. 整然としている** ‖ 整～ 揃っている. 整然としている | 高低不～ 高さが揃っていない ❷動 **同じ高さに達する** ‖ 河水快～岸àn了 川の水がもうすぐ岸の高さになる ❸動 同じである. 一致している ‖ 心不～, 事难成 心が一つでなければ事はうまくいかない ❹一致させる. 合わせる. 揃える ‖ →～心 ❺副 一斉に. 同時に ‖ 双管～下 同時に二つの方法をとる. 同時に二つのことを進める ❻形 (必要なものが)**揃っている. 完備している** ‖ 人～了就开会 全員揃ったら会議を始める ❼合金 ❽動 (ある基準のものに)**揃える** ‖ ～根儿

砍kǎn下来 根元で切る

6 **齐**[2]（齊）qí ❶图 斉(せい). 周代の国名. 現在の山東省北部と河北省東南部にかけての地域にあった ❷图 ①南斉(南朝の一つ)をさす ②北斉(北朝の一つ)をさす ❸图 斉(せい). 唐朝末期, 黄巣の建てた国 ➤ jì

【齐备】qíbèi 形 すべて揃っている. 完備している

【齐步走】qíbù zǒu 組〈軍〉(号令で)前へ進め

【齐唱】qíchàng 動 斉唱する

【齐集】qíjí 動 集まり揃う

【齐名】qímíng 動 等しく名高い. 並び称される

*【齐全】qíquán 形 すべて揃っている. 完備している ‖ 商品的花色很～ 商品の種類がよく取り揃えてある

【齐声】qíshēng 副 声を揃えて. 一斉に声を発して ‖ ～回答 声を揃えて答える

【齐刷刷】qíshuāshuā (～的) 形 整っているさま. きれいに揃っているさま ‖ 学生们～地站成一排 学生は整然と一列に並んだ

【齐头并进】qí tóu bìng jìn 成 一斉に前進する. (いくつかの物事を)同時進行させる

【齐心】qíxīn 動 気持ちを揃える. 心を合わせる

【齐心协力】qí xīn xié lì 成 心を合わせ, 力を合わせる. 一致協力する ‖ ～把工作做好 一致協力して仕事をする

【齐整】qízhěng 形 整然としている. よく整っている. きちんと揃っている

7 **圻** qí 書 境. 境界線 ➤ yín

7 **岐** qí 地名用字 ‖ ～山 陕西省にある県の名

【岐黄】qíhuáng 图 書 喩 中国医学

8 ** **其** qí ❶代 その. あの. そのような. あのような ‖ 有～父必有～子zǐ この父にしてこの子あり ❷代 彼の. 彼女の. 彼らの. 彼女たちの. その. それらの ‖ 人尽jìn～才, 物尽～用 人はその才能を存分に出し, 物はその用途を十分に果たす ❸代 彼. 彼女. 彼ら. それ. それら ‖ 任rèn～自流 なるがままに任せる ❹語調を整えるのに用いる ‖ 夸夸kuākuā～谈 大言壮語する ❺接語 副詞の後につく ‖ 尤yóu～ とくに. とりわけ | 极～ きわめて ➤ jī

**【其次】qícì 代 ❶その次. 2番目 ‖ 先请他讲, ～就是你 まず彼に話してもらって, その次が君だ ❷二の次. 副次 ‖ 首先是内容, ～才是形式 まず内容が大切で, 形式はそれからのことである

【其后】qíhòu 图 その後. そのあと

*【其间】qíjiān 图 ❶(場所をさす)その中. そのあいだ ‖ 出没chūmò～ そこに出没する ❷その間(かん). そのあいだ

【其乐无穷】qí lè wú qióng 成 尽きせぬ楽しみがある. 楽しいことこの上ない

【其貌不扬】qí mào bù yáng 成 容貌が劣っている. 風采(ふうさい)が上がらない

*【其实】qíshí 副 その実. 実際には. 実のところ ‖ 这道题看上去很复杂, ～解起来并不难 この問題は複雑そうに見えるが, 解いてみれば, 実のところはそう難しくない

**【其他】qítā 代 その他. そのほか ‖ 只要他同意了, ～一切都好办 彼が同意しさえすればあとはなんとかなる

**【其它】qítā 代 ほかの. その他の. (事物に用いる)

**【其余】qíyú 代 その余り. 残りの部分 ‖ 这些归我, ～给你 これらは僕のものだ, あとは君にやる

**【其中】qízhōng 图 その中. そのうち ‖ 他这样做, ～必有缘故yuángù 彼がこうするからにはきっとそれなりの理由があるのだ

8 **奇** qí ❶特殊である. まれである ‖ 新～ 目新しい ❷思いがけない. 突飛である ‖ 出～制胜 意表をついて勝ちを制する ❸怪しむ. 不思議がる. 意外に思う ‖ 不足为～ 驚くには当たらない. 何も珍しがることはない ❹非常に. とても ‖ ～痒yǎng とてもかゆい ➤ jī

【奇案】qí'àn 图 怪事件

【奇拔】qíbá 形 (山が)そそり立つ. (才能が)ぬきんでている

【奇兵】qíbīng 图〈軍〉奇襲部隊. 奇兵

【奇才】qícái 图 奇才. 世にまれな才能

【奇彩】qícǎi 图 特異な輝き. 異彩

【奇耻大辱】qí chǐ dà rǔ 成 この上もない屈辱

【奇功】qígōng 图 世にもまれな功績

**【奇怪】qíguài 形 不思議である. 妙である. おかしい ‖ 真～, 为什么还没来电话呢? おかしいな, どうしてまだ電話がこないのだろう 動 不思議に思う ‖ 大家都～小王为什么要辞职cízhí 王さんがどうして会社を辞めるのかみんな不思議がっている

【奇观】qíguān 图 奇観. 優れた景色

【奇瑰】qíguī 形 非常に美しい. たいへんすばらしい

【奇诡】qíguǐ 形 奇異である. 不思議である

*【奇花异草】qí huā yì cǎo 成 珍しい草花

【奇幻】qíhuàn 形 奇想天外である. 幻想的である

【奇货可居】qí huò kě jū 成 自分の才能や業績などを売り込んで名利や地位を得ようとすること

【奇计】qíjì 图 奇策. 奇計

*【奇迹】qíjì 图 奇跡 ‖ 出现～ 奇跡が起きる | 他～般地活下来了 彼は奇跡的に生き残った

【奇景】qíjǐng 图 独特ですばらしい景色. 奇観

【奇绝】qíjué 形 書 非常にすばらしい. 絶えてまれである

【奇丽】qílì 形 すばらしく美しい

【奇美】qíměi 形 飛び抜けて美しい

*【奇妙】qímiào 形 興味深い. 珍しくて面白い ‖ ～的昆虫kūnchóng世界 興味深い昆虫の世界

【奇葩】qípā 图 珍しく美しい花 ‖ 艺苑yìyuàn～ (文学や芸術などの)すばらしい作品

【奇巧】qíqiǎo 形 非常に精巧である

【奇趣】qíqù 图 妙味. えも言われぬ趣

【奇缺】qíquē 形 非常に欠乏している ‖ ～的商品 非常に品薄の商品

【奇事】qíshì 图 奇怪な出来事. 怪事

【奇谈】qítán 图 珍談. おかしな話

【奇谈怪论】qí tán guài lùn 成 怪しげな理屈. でたらめな議論. つじつまの合わない論議

*【奇特】qítè 形 珍奇である. 奇異である. 奇妙である ‖ ～的景象 珍しい光景

【奇伟】qíwěi 形 非常に雄大である. 壮大でみごとである

【奇文共赏】qí wén gòng shǎng 成 でたらめな論の文章や誤りの多い文章を公表して大勢の人に批判させること

【奇闻】qíwén 图 奇聞. 珍聞

【奇袭】qíxí 動 奇襲する ‖ 发动～ 奇襲をかける

【奇想】qíxiǎng 图 奇妙な考え. 突飛な考え ‖ 突发～ 突然突飛な考えが浮かぶ

【奇效】qíxiào 图 すばらしい効果

【奇形怪状】qí xíng guài zhuàng 成 奇怪な形状をしている. 風変わりな格好をしている

【奇秀】qíxiù 形 きわだって秀麗な
【奇勋】qíxūn 名 書 優れた勲功
【奇异】qíyì 形 奇異である. 不思議である. 尋常でない ‖ 用～的眼光看着他们 不思議そうに彼らを見ている
【奇遇】qíyù 名 奇遇. 思いがけない出会い
【奇珍异宝】qí zhēn yì bǎo 成 世にもまれな宝物
【奇装异服】qí zhuāng yì fú 成 奇抜な服装. 風変わりな身なり

8 **祈** qí ❶(神仏に)祈る. 祈禱(きとう)する ‖ →～祷 ❷願う. 求める ‖ →～望
【祈祷】qídǎo 動 祈る. 祈禱する ‖ 向上帝～ 神に祈る
【祈盼】qípàn 動 心から待ち望む. 心から願う
【祈求】qíqiú 動 願い求める. 希求する
【祈使句】qíshǐjù 名〈語〉命令文. 願望文
【祈望】qíwàng 動 切望する
【祈愿】qíyuàn 動 祈る. 希望する

8 **歧** qí ❶(道などが)分かれている. 分岐している ‖ →～路 ❷相違する. あい異なる ‖ →～义
【歧出】qíchū 動 (文章や書物の中の用語が)前後であい異なる. (書いてあることが)食い違う
【歧见】qíjiàn 名 異なる見解 ‖ 产生～ 意見の相違が生じる
【歧路】qílù 名 分かれ道. わき道
【歧路亡羊】qí lù wáng yáng 成 分かれ道が多くて逃げた羊を見失う. 状況が複雑で進むべき方向を見失う. 多岐亡羊
*【歧视】qíshì 動 蔑視(べっし)する. 差別する ‖ 种族zhǒngzú～ 人種差別 | ～妇女 女性を差別する
【歧途】qítú 名 分かれ道. わき道. 喩 誤った道. 邪道 ‖ 误入～ 誤って道を踏みはずす
【歧义】qíyì 名 いくとおりにも解釈できる字義または語義. 文字や言葉の二つ以上の意義
【歧异】qíyì 形 異なる. 同じでない

9 **荠**(薺) qí ⇒〔荸荠bíqi〕 ➤ jì

10 **脐**(臍) qí ❶へそ. ほぞ ‖ 肚～ へそ ❷カニの腹部の甲羅 ‖ 团～ 雌ガニの腹部の丸みのある甲羅 | 尖～ 雄ガニの腹部のとがった甲羅
【脐带】qídài 名〈生理〉臍帯(さいたい). へその緒

10 **耆** qí 書 60歳以上の(人)
【耆老】qílǎo 名 書 老人. 年寄り
【耆宿】qísù 名 書 社会的に名声のある老人

10 **颀** qí 書 体が大きく背の高いさま
【颀长】qícháng 形 書 (背丈が)高い
【颀伟】qíwěi 形 書 (体が)大きくたくましいさま

11 **淇** qí 地名用字 ‖ ～河 河南省を流れる川の名

11 **埼** qí 古 曲がりくねった岸

11 **萁** qí 方 豆がら ‖ 豆～ 豆がら

11 **崎** qí 書 傾斜する. 傾いている
【崎岖】qíqū 形 山道が険しいさま ‖ 山路～ 山道が険しい | ～坎坷kǎnkě的一生 苦難に満ちた一生

11 **骐** qí 書 青黒い色のウマ
【骐骥】qíjì 名 書 駿馬(しゅんめ). 名馬

11 ★**骑** qí ❶動 (ウマや自転車などに)乗る. またがる. ‖ ～摩托mótuō车 バイクに乗る ❷乗用のウマ. 乗用の家畜. 乗り物 ‖ 坐～ 乗用のウマまたは家畜 ❸騎兵 ‖ 铁～ 勇猛な騎兵 ❹(両方に)かかる ‖ →～缝
【骑兵】qíbīng 名〈軍〉騎兵
【骑车】qí//chē 動 自転車に乗る ‖ ～去 自転車で行く | 不许～带人 自転車の二人乗りを禁ずる
【骑缝】qífèng 名 (契約書や伝票などの)切り離す部分. 切り取り線
【骑虎难下】qí hǔ nán xià 成 騎虎(きこ)の勢い. 行きがかり上引くに引けない
【骑警】qíjǐng 名 騎馬警官
【骑马找马】qí mǎ zhǎo mǎ 成 馬に乗っていながら別の馬を探す. 目の前にあるのに気づかず遠くを探す
【骑枪】qíqiāng 名 騎兵銃. 〔马枪〕ともいう
【骑墙】qíqiáng 動 喩 二股をかける. 日和見をする
【骑士】qíshì 名 騎士. ナイト
【骑手】qíshǒu 名 騎手
【骑术】qíshù 名 馬術

11 **畦** qí あぜで区切られた田畑 ‖ →～田 | 种zhòng了两～韭菜jiǔcài ニラを畑2枚に植えた
【畦田】qítián 名〈農〉あぜで区切られた田畑

12 **祺** qí 書 吉祥. 吉兆

12 **琪** qí 書 美しい玉(ぎょく)

12 **琦** qí 古 ❶美しい玉(ぎょく) ❷非凡である. すばらしい

12 ***棋**(^△^碁 棊) qí ❶名 囲碁. 将棋 ‖ 下～ 将棋をさす. 囲碁を打つ | 围～ 囲碁. 碁 | 象～ 中国将棋 ❷将棋の駒. 碁石
【棋逢对手】qí féng duì shǒu 成 好敵手に巡り合う. 〔棋逢敌手〕ともいう
【棋局】qíjú 名 (碁や将棋の盤上の)形勢. 局面
【棋路】qílù 名 (囲碁や将棋の)手筋
【棋迷】qímí 名 囲碁や将棋のファン
【棋盘】qípán 名 将棋盤. 碁盤
【棋谱】qípǔ 名 棋譜
【棋赛】qísài 名 囲碁や将棋の試合
【棋圣】qíshèng 名 囲碁や将棋の名人
【棋手】qíshǒu 名 囲碁や将棋に長じた人
【棋坛】qítán 名 棋界 ‖ ～高手 棋界の名手
【棋艺】qíyì 名 碁や将棋の腕前
【棋友】qíyǒu 名 碁がたき. 碁仲間. 将棋仲間
【棋苑】qíyuàn 名 棋界
【棋子】qízǐ (～儿) 名 将棋の駒(こま). 碁石

14 **綦** qí 書 きわめて. 切に

14 **旗**(^△^旂❶) qí ❶名 旗. のぼり ‖ 国～ 国旗 | 升～ 旗を上げる | 降jiàng半～ 半旗を掲げる ❷名 清代の満洲族の軍隊編制・戸口編制単位の名称. 八旗 ❸清代の八旗兵の駐屯地. 現在は地名として残っている ❹八旗に属するもの. 満洲族に属するもの ‖ →～人 ❺名 内モンゴル自治区の行政区画の単位
【旗杆】qígān (～儿) 名 旗竿
【旗鼓相当】qí gǔ xiāng dāng 成 軍旗や軍鼓の数が同じである. 双方の力が伯仲しているたとえ

*【旗号】qíhào 图 喩（多くは悪事をはたらく場合の）旗じるし．名義．看板‖打着残疾人基金会的～，到处招摇撞骗zhuàngpiàn 身体障害者基金の名をかたり，あちらこちらで人をだましている
【旗舰】qíjiàn 图〈軍〉旗艦
【旗舰店】qíjiàndiàn 图 フラッグシップショップ．旗艦店（きかんてん）
【旗开得胜】qí kāi dé shèng 成 緒戦に勝利を収める．着手するやいなや成功する‖中国队～ 中国チームは緒戦で勝利を収めた
*【旗袍】qípáo （～儿）图 チャイナドレス
【旗人】Qírén 图 旗人（きじん）．清代の八旗に属する人．また，とくに満洲族をさす
【旗手】qíshǒu 图 旗手．先頭に立って率いる人物
【旗下】qíxià 图 配下．傘下
【旗语】qíyǔ 图 手旗信号‖打～ 手旗信号を振る
*【旗帜】qízhì 图 ❶旗‖五颜六色的～迎风招展zhāozhǎn 色とりどりの旗が風にはためいている ❷手本．模範 ❸旗幟（き）．旗じるし
【旗帜鲜明】qízhì xiānmíng 慣 旗幟が鮮明である．態度や主張がはっきりしている
**【旗子】qízi 图 旗．のぼり

15 蕲[1]（蘄）qí 書 求める

15 蕲[2]（蘄）qí 地名用字‖～春 湖北省にある県の名

18 鳍 qí 图（魚の）ひれ‖背 bèi～ 背びれ｜尾～ 尾びれ｜胸～ 胸びれ｜腹 fù～ 腹びれ

19 麒 qí ↴
【麒麟】qílín 图（古代伝説中の動物）麒麟（きりん）

qǐ

3 乞 qǐ こいねがう．懇願する‖～求｜行 xíng～ 乞食（こじき）をする
【乞哀告怜】qǐ āi gào lián 成 人に哀れみを請う．同情を求める
【乞丐】qǐgài 图 乞食．ものもらい
【乞怜】qǐlián 動 哀れみを請う
【乞巧】qǐqiǎo 動 七夕の夜，女性が裁縫や刺繡の腕があがるように織女星に祈る
*【乞求】qǐqiú 動 請う．請い求める‖～施舍 shīshě 喜捨を求める｜～对方的谅解 相手の了解を求める
【乞食】qǐshí 動 書 物ごいをする
【乞讨】qǐtǎo 動 物ごいをする
【乞降】qǐxiáng 動 降伏を申し出る
【乞援】qǐyuán 動 援助を請う

6 企 qǐ ❶つま先で立つ．かかとを上げる ❷希望する．待ち望む‖～盼
【企鹅】qǐ'é 图〈鳥〉ペンギン
【企改】qǐgǎi 图 企業改革．〔企业改革〕の略
【企管】qǐguǎn 图 企業管理．〔企业管理〕の略
【企划】qǐhuà 動 企画する．計画する‖～书 企画書
【企及】qǐjí 動 努力して追いつく
【企慕】qǐmù 動 書 仰ぎ慕う．敬慕する
【企盼】qǐpàn 動 切望する．待ち望む
【企求】qǐqiú 動 希求する．強く求める‖他从不～个人的名誉míngyù、地位 彼はこれまで個人的な名誉や地位を求めたことがない
**【企图】qǐtú 動 企てる．たくらむ．企図する‖～逃避检查 検査を逃れようとする 图 企て．たくらみ．企図
【企望】qǐwàng 動 切望する．期待する
**【企业】qǐyè 图 企業．企業体‖国有～ 国有企業｜私人～ 民間企業｜～集团 企業グループ
【企业单位】qǐyè dānwèi 图 企業体
【企业法人】qǐyè fǎrén 图 法人企業
【企业化】qǐyèhuà 動 企業化する．独立採算化する
【企业化研究】qǐyèhuà yánjiū 图 企業化調査．フィージビリティー・スタディー
【企业家】qǐyèjiā 图 実業家
【企业形象】qǐyè xíngxiàng 图 企業イメージ
【企足而待】qǐ zú ér dài 成 つま先立って待つ．期して待つ．将来に実現できるたとえ

6 芑 qǐ 古 ❶穀物の一種 ❷野生植物の一種

6 岂（豈）qǐ 副 書（反語を表す）あに…ならんや．どうして…ことがあろうか
*【岂不】qǐbù 副（反語を表す）…ではなかろうか．…ではないか‖这样做～方便 こうしたら便利じゃないか
【岂但】qǐdàn 接 …のみならず．…だけでなく
【岂非】qǐfēi 副 書（反語を表す）…ではないか
【岂敢】qǐgǎn 動 ❶（反語を表す）どうして…できようか ❷挨拶 恐れ入ります．恐縮に存じます‖～～，还要请您多指教！ いえいえとんでもない，今後ともいっそうご指導のほどをお願い申し上げます
【岂可】qǐkě 動（反語を表す）どうして…してよいものか
【岂肯】qǐkěn 動（反語を表す）どうして甘んじられようか
【岂能】qǐnéng 動（反語を表す）どうして…できようか‖～见死不救！ どうして見殺しになどできるものか
*【岂有此理】qǐ yǒu cǐ lǐ 成 そんなばかなことはない．もってのほかである‖竟敢jìnggǎn动手打人，真是～ 人を殴りつけるとは，まったくもってのほかだ
【岂止】qǐzhǐ 副（反語を表す）どうして…だけであろうか‖他做过的好事～一件两件 彼がした善行は一つ二つではない

6 屺 qǐ 古 はげ山

7 启（啓*啟*唘）qǐ ❶開く．開ける‖王冠群先生～ 王冠群様親展．（封筒の表書き）❷導く．啓発する‖～迪 ❸始める．開始する‖～程 ❹申し述べる．報告する‖敬～者 拝啓．謹啓．（旧時の書簡文の冒頭の言葉）❺簡単な書状‖谢～ 礼状
*【启程】qǐchéng 動 旅立つ．旅行に出る‖明天下午～飞往上海 明日の午後に空路で上海に出立する
【启齿】qǐchǐ 動 口に出す．（話を）切りだす．（多くは人に何か依頼する場合に用いる）‖难于～ 口に出しにくい｜不便～ 口に出すのははばかられる
【启迪】qǐdí 動 書 啓発する．教え導く
【启动】qǐdòng 動（機械・計器・電気設備などが）始動する‖～器 始動器．スターター
**【启发】qǐfā 動 啓発する‖听了演讲，很受～ 講演を聴いて，大いに啓発された
【启封】qǐ//fēng 動 開封する．封印を切る
【启蒙】qǐméng 動 啓蒙する‖这位是我的～老师 この方は私を一から教育してくださった先生です
【启蒙运动】qǐméng yùndòng 图 啓蒙運動
【启明】qǐmíng 图 明けの明星
【启幕】qǐmù 動 開幕する

Q

*【启示】qǐshì 動 啓示する. 教え導く 图 啓示 ‖ 从中cóngzhōng得到很大～ そこから大いに啓示を受けた
*【启事】qǐshì 图 お知らせ ‖ 寻人xúnrén～ 尋ね人の広告
【启衅】qǐxìn 動 挑発する. 戦端を開く
【启用】qǐyòng 動 初めて使用する. 使い始める
【启运】qǐyùn 動 積み出す. 発送する
7 **杞** qǐ 图 杞(き). 周代の国名. 現在の河南省杞県にあった
【杞人忧天】Qǐ rén yōu tiān 成 杞人天を憂う. 取り越し苦労. 杞憂(きゆう)
【杞忧】qǐyōu 图 杞憂. 取り越し苦労
10★ **起** qǐ ❶動 **起き上がる. 起きる. 身を起こす. 立ち上がる** ‖ 一～床 ❷動 **上昇する. 上がる. 上げる** ‖ 大～大落 激しく変動する ❸(qi;qǐ) 動 動詞の後に置き, 動作が上に向かうことを表す ‖ 举～酒杯 杯をあげる | 抬tái～头 頭をあげる ❹動 動詞の後に〔不起〕〔得起〕の形でつき, あることをする能力のあるなしを表す ‖ 你担dān得～这个责任吗? 君はこの件について責任が負えますか ❺(qi;qǐ) 動 動詞の後に置き, ある人や事物に作用が及ぶことを表す ‖ 提～那件事我就后悔hòuhuǐ あのことを持ち出されるたびに私は後悔の念にかられる ❻(qi;qǐ) 動 動詞の後に置き, ある事態が出現・持続することを表す ‖ 下～了雨 雨が降り始めた ❼動 (皮膚に)**吹き出物やこぶができる** ‖ ～疙瘩gēda できものができる ❽動 **発生する. 起こる** ‖ ～了疑心 疑念が起きた ❾動 築く. 立ち上げる ‖ 白手～家 裸一貫で身代を築く. ❿動 建設する ⓫動 **制定する. 決める** ‖ ～外号 あだ名をつける. ⓬動 (〔从〕〔由〕などと呼応し, 名詞の後に置き, 起点を表す) (… から)始まる. 始める ‖ 明天～开始放假 明日から休みだ. ⓭(qi;qǐ) 動 動詞の後に置き, 動作の開始を表す. よく〔从〕〔由〕などと呼応する ‖ 从头学～ 最初から習い始める ⓮量 ①(発生した事柄を数える)件 ‖ 一～交通事故 1件の交通事故 ②(まとまった数の人や荷物を数える)組. グループ ‖ 货分三～运出 商品は三組に分けて運び出す. ⓯動 **取り出す. 取り除く** ‖ ～钉子dīngzi くぎを抜き取る. ⓰動 (証明書などを)受け取る. 受領する ‖ ～护照 旅券を発行してもらう
【起岸】qǐ'àn 動 陸揚げする. 荷揚げする
【起爆】qǐbào 動 起爆する ‖ ～装置 起爆装置
【起笔】qǐbǐ 動 書き始める 图 ❶漢字の1画目. 起筆 ❷(文書の)書き出し. 起筆
【起兵】qǐbīng 動 挙兵する. 出兵する
【起搏器】qǐbóqì 图〈医〉ペースメーカー
【起步】qǐbù 動 着手する. 始める ‖ 这项工作刚刚～, 就遇到困难 この仕事は着手したばかりのところで, すぐ壁にぶつかった
【起步价】qǐbùjià 图 ❶(タクシーの)初乗り料金 ❷(商品の)最低価格. スタート価格 ‖ 拍卖pāimài～ 最低入札価格
*【起草】qǐ//cǎo 動 起草する. 草稿を作る. 下書きを作る ‖ ～文件 文書の草稿を作る
【起承转合】qǐ chéng zhuǎn hé 成 起承転結
【起程】qǐchéng 動 旅立つ. 旅に出る
*【起初】qǐchū 图 初め. 最初
★【起床】qǐ//chuáng 動 **起床する. 起きる** ‖ 明天早点儿～ 明日の朝は早めに起きなさい
*【起点】qǐdiǎn 图 ❶起点. 出発点 ‖ ～站 始発駅 ❷〈体〉スタートライン
【起吊】qǐdiào 動 (クレーンなどで)つり上げる
【起碇】qǐ//dìng 動 いかりを上げる. 抜錨(ばつびょう)する
*【起飞】qǐfēi 動 ❶(飛行機が)離陸する ↔〔降落jiàngluò〕‖ 班机是下午三点整～的 飛行機は午後3時ちょうどに離陸した ❷(事業や経済などが)大きく発展し始める ‖ 经济～ 経済が大きく飛躍する
【起风】qǐfēng 動 風が出る. 風が起こる
*【起伏】qǐfú 動 起伏する. 上がったり下がったりする ‖ 连绵～的群山 延々と起伏する群山
【起稿】qǐ//gǎo 動 起草する. 草稿を作る
【起锅】qǐ//guō 動 (料理を鍋から)移す. 取り出す
【起旱】qǐhàn 動 旧 陸路を行く
【起航】qǐháng 動 出港する. 出帆する. 離陸する
*【起哄】qǐ//hòng 動 ❶(大勢で)騒ぐ. 野次る ‖ 不要在公共场所乱～ 公共の場で騒いではいけない ❷(大勢で一人か少数の者を)冷やかす. からかう
【起火】qǐ//huǒ 動 ❶火を起こす ❷火事が起きる. 火事を出す. 失火する ❸方 かっとなる. かんかんに怒る
【起货】qǐ//huò 動 品物を蔵出しする. 出庫する
【起获】qǐhuò 動 (盗んだ物や禁制品を)捜索し押収する
【起急】qǐ//jí 動 方 (気持ちがせいて)むきになる. いらだつ. あせる
【起家】qǐ//jiā 動 家業を起こす. 事業を始める ‖ 白手～ 裸一貫から身代を築く
【起价】qǐjià 動 …を最低価格とする 图 ❶(乗り物の)初乗り料金 ❷最低価格
【起驾】qǐjià 動 出発する. (もとは皇帝が出駕(しゅつが)する意で, 現在は冗談に使う)
【起见】qǐjiàn 助 (多く〔为 … 起见〕の形で用い) … の見地から. … の目的で. … のために ‖ 为wèi保险～, 还是订dìng个合同为wéi好 安全の見地から, やはり契約書を取り交わしておいたほうがいい
【起降】qǐjiàng 動 (飛行機が)離着陸する
*【起劲】qǐjìn (～儿) 形 力がこもっている. 張り切っている. 熱中している ‖ 越说越～ 話をすればするほど熱が入る
【起敬】qǐjìng 動 書 尊敬の念を起こす ‖ 令人肃然sùrán～ 粛然として尊敬の念に打たれる. 粛然として襟を正す
【起居】qǐjū 图 起居 ‖ ～有恒yǒuhéng 生活が規則正しい
【起居室】qǐjūshì 图 居間. リビングルーム
★【起来】qǐ//lai (lái) 動 ❶**体を起こす. 起き上がる. 立ち上がる** ‖ 你～, 给老奶奶让个座儿吧 君が立って, おばあさんを座らせてあげなさい ❷**起床する. 起きる** ‖ 每天早晨五点钟～ 毎朝5時に起きる ❸**奮起する. 立ち上がる** ‖ 工人们～了! 労働者は立ち上がった
【…起来】…//qi (qǐ) //lai (lái) 動 ❶(動詞の後に置き, 下から上への動作を表す) … **あげる. … あがる ‖ 把孩子抱～ 子供を抱き上げる | 挽wǎn起袖子来 袖をたくし上げる ❷(動詞・形容詞の後に置き, 動作や状態が開始したことを表す) … **し始める. … するようになる** ‖ 不由得bùyóude笑～ 思わず笑い出す | 下起雨来 雨が降り出す ❸(動詞の後に置き, 動作の完了または目的が達成したことを表す) … **した. … してしまう** ‖ 把不用的东西收～ 使わない物を片付ける ❹(動詞の後に置き, 印象や考え方を表す) … **してみると. … するならば** ‖ 看～要下大雪 どうも大雪になりそうだ
【起立】qǐlì 動 起立する. (多く号令に用いる) ‖ 全体～! 敬礼! 全員起立, 礼!

【起灵】qǐ//líng 動 出棺する
【起落】qǐluò 動 昇降する. 上下する ‖ 每天有上百架飞机在这个机场～ 毎日100機にのぼる飛行機がこの空港を離着陸する
*【起码】qǐmǎ 形 最低限の. 最小限の. (副詞的に用いることが多い) ‖ 连最～的常识chángshí都没有 最低限の常識さえ欠けている
【起毛】qǐ//máo 動 (布地が)けば立つ. けば立たせる
【起锚】qǐ//máo 動 (船が)いかりを上げる. 出港する
【起名儿】qǐ//míngr 動 名前をつける. 名づける. 〔起名字〕ともいう ‖ 给孩子起了个名儿 子供に名前をつけた
【起腻】qǐnì 動 口 ❶うんざりする. 嫌になる ❷しつこくする. うるさくつきまとう
【起拍】qǐpāi 動 競売を開始する. 競りを始める
【起跑】qǐpǎo 動 〈体〉スタートを切る
【起跑线】qǐpǎoxiàn 名 スタートライン
【起球】qǐ//qiú 動 (布地がけば立って)毛玉ができる
【起色】qǐsè 名 (仕事や病気が)好転すること. 勢いを盛りかえすこと ‖ 工作大有～ 仕事がだいぶ好転してきた
*【起身】qǐ//shēn 動 ❶旅に出る. 出立する. 出発する ‖ 明天～去北京 明日北京に出かける ❷起床する. 起きる ❸立ち上がる
【起始】qǐshǐ 動 …に始まる ‖ 京剧～于晚清 京劇は清末に起こった 名 口 始まり. 発端
【起事】qǐshì 動 武装蜂起する. 決起する
【起誓】qǐ//shì 動 誓いを立てる. 誓約する
【起首】qǐshǒu 名 最初. 初め
【起死回生】qǐ sǐ huí shēng 成 起死回生. 多く医術が優れているたとえ
*【起诉】qǐsù 動 〈法〉起訴する. 提訴する ‖ 向法院～ 裁判所に提訴する
【起诉书】qǐsùshū 名 〈法〉起訴状
【起跳】qǐtiào 動 〈体〉(高跳びや幅跳びなどで)踏み切る ‖ ～板 踏み切り板
【起头】qǐ//tóu (～儿) 動 始める. 音頭(おんど)をとる. 先鞭(せんべん)をつける 名 (qǐtóu) ❶初め. 最初 ❷最初のところ. あたまの部分. 初めから
【起网】qǐwǎng 動 (魚を採る)網を引く
【起舞】qǐwǔ 動 舞う. 踊る ‖ 翩翩piānpiān～ 軽やかに舞う
【起先】qǐxiān 名 最初. 初め ↔〔后来〕
【起小儿】qǐxiǎor 副 方 幼い時から. 子供のころから
【起行】qǐxíng 動 出発する ‖ 我们明天早晨七点钟就要～ 我々は明日の朝７時に出発します
【起兴】qǐxìng 動 興味がわく. 興趣をおぼえる
【起眼儿】qǐyǎnr 形 人目を引く. 見栄えがする. (多くは否定的に用いる) ‖ 别看这东西不～, 用起来还真方便 見てくれは悪いが, 使ってみるとなかなか便利だ｜长得不～ 風采(ふうさい)がぱっとしない
【起夜】qǐ//yè 動 夜中に小便に起きる
【起疑】qǐ//yí 動 疑いを抱く. 疑い始める
*【起义】qǐyì 動 武装蜂起する. 義兵を起こす ‖ 农民～ 農民一揆
【起意】qǐ//yì 動 心を動かす. 考えを起こす. (多く悪い意味に用いる) ‖ 见财～ 金を見て悪心を起こす
【起因】qǐyīn 名 事が起きた原因. 事の起こり. 起因 ‖ ～不明 どうして起きたのか原因が分からない｜调查事故的～ 事故の原因を調査する
【起用】qǐyòng 動 ❶(退職または免職した官吏を)再任命する. (いったん廃棄したものを)再び用いる ‖ 重新～ 再任命する ❷(新人を)抜擢(ばってき)し任用する. 起用する ‖ ～新秀 新進の優秀な人材を起用する
*【起源】qǐyuán 動 …に源を発する. …に始まる ‖ 黄梅戏～于湖北 黄梅戯は湖北省に源を発する 名 起源. 事の起こり ‖ 生命的～ 生命の起源
【起运】qǐyùn 動 (貨物を)積み出す. 発送する ‖ ～地 出荷地｜这批钢材gāngcái月底～ この鋼材は月末に積み出す
【起赃】qǐ//zāng 動 (盗品などを)押収する
【起早贪黑】qǐ zǎo tān hēi 慣 朝は早く起き, 夜は遅くまで寝ない. 朝早くから夜遅くまで働くたとえ. 〔起早搭dā黑〕〔起早摸mō黑〕ともいう ‖ ～地干 朝早くから夜遅くまで働く
【起重船】qǐzhòngchuán 名 クレーン船 ＝〔浮吊〕
【起重机】qǐzhòngjī 名 起重機. クレーン. 〔吊diào车〕ともいう
【起皱】qǐ//zhòu 動 しわができる. しわになる ‖ 衣服～了 服にしわが寄った
【起子】qǐzi 名 ❶栓抜き ❷方 ねじ回し. ドライバー
*【起作用】qǐ zuòyòng 組 ❶役に立つ ‖ 新买的机器可～了 新しく買った機械はなかなか役に立った ❷役割を果たす ‖ 干部要起带头作用 幹部たるものは率先的な役割を果たさねばならない

11 **绮** qǐ ❶あやものの絹織物. あやぎぬ ❷美しい. 麗しい
【绮丽】qǐlì 形 (主に風景が)美しい

qì

4 ** **气**(氣) qì ❶名 **気体の総称. ガス** ‖ 氧yǎng～ 酸素｜废～ 排気ガス ❷名 **空気** ‖ 打开窗户透透tòutou～ 窓を開けて空気を入れ換える ❸天気. 気候 ‖ 天～ 天気 ❹名 (～儿) 息. **呼吸** ‖ 上～不接下～ 息が切れる ❺動 **怒る. 腹を立てる** ‖ 一听就～炸zhà了 聞いたとたんかんかんになって怒った ❻動 **怒らせる** ‖ 他故意拿话～人家 彼はわざとあんなことを言って人を怒らせる ❼名 **怒り. 怒気** ‖ 出～ 鬱憤(うっぷん)を晴らす｜心里有～ 腹立たしい ❽におい. 香り ‖ 香～ よい香り ❾〈哲〉気. ❿精神状態. 気勢. 意気込み ‖ 泄xiè～ 気を落とす. がっかりする ⓫気質. 気風. 作風 ‖ 书生～ 読書人かたぎ. インテリ臭 ⓬名 〈中医〉①気 ‖ 元～ 生命力 ②症状をさす ‖ 湿～ 湿疹(しっしん)

> **逆引き単語帳** 〔打气〕dǎqì (ボールやタイヤに)空気を入れる 〔出气〕chūqì 鬱憤を晴らす 〔解气〕jiěqì 鬱憤を晴らす 〔受气〕shòuqì いじめられる 〔叹气〕tànqì ため息をつく 〔争气〕zhēngqì 頑張る. 意地を見せる 〔通气〕tōngqì (仲間うちで)知らせる. 気脈を通じる 〔撒气〕sāqì 当たり散らす 〔断气〕duànqì 息が絶える 〔发脾气〕fā píqi かんしゃくを起こす 〔丧气〕sàngqì 意気消沈する 〔泄气〕xièqì しょげる. がっかりする

【气昂昂】qì'áng'áng (～的) 形 意気揚々としている. 大いに意気が上がっている
【气泵】qìbèng 名 〈機〉エアポンプ. 空気ポンプ
【气不打一处来】qì bù dǎ yī chù lái 慣 腹が立ってむかむかする

【气不忿ル】qìbufènr 形 方（不公平なことに対し）義憤を感じる．憤懣（ふんまん）やるかたない．いまいましい
【气不过】qìbuguò 形 腹が立ってたまらない
【气层】qìcéng 名 天然ガス層
【气冲冲】qìchōngchōng（～的）形 かんかんに怒るさま．怒ってぷんぷんするさま‖他～地闯chuǎng进来 彼はかんかんになって飛び込んできた
【气冲牛斗】qì chōng niú dǒu 成 怒り天をつく．〔气冲斗牛〕ともいう
【气冲霄汉】qì chōng xiāo hàn 成 意気天をつく．気迫の激しいこと．〔气凌líng霄汉〕ともいう
*【气喘】qìchuǎn 動〈医〉息がきれる．喘息（ぜんそく）になる．〔哮xiào喘〕ともいう
【气喘吁吁】qìchuǎnxūxū 形 息を切らしてあえぐさま‖～地爬pá上了四楼 あえぎあえぎ4階まで上がった
【气窗】qìchuāng 名 天窓
【气锤】qìchuí 名〈機〉エアハンマー．〔空气锤〕ともいう
【气粗】qìcū 形 ❶怒りっぽい．気が荒い ❷意気ごみが激しい．鼻息が荒い‖财大～ 金があると鼻息も荒い
【气垫】qìdiàn 名（寝たきりの病人が使う）エアクッション
【气垫船】qìdiànchuán 名 ホーバークラフト
【气度】qìdù 名 人柄．気質．心意気‖～不凡 人柄が非凡である
【气短】qìduǎn 形 呼吸がせわしい．息切れするさま 動 意気消沈する．やる気が失せる
【气阀】qìfá 名〈機〉エアバルブ
*【气氛】qìfēn 名 雰囲気．気分‖街上洋溢yángyì着节日～ 町中お祭り気分でいっぱいだ
*【气愤】qìfèn 形 憤慨する．激怒する‖～地指责对方不讲信用 相手が信用を重んじないことに激怒して非難する
*【气概】qìgài 名 気概‖大无畏wúwèi的英雄～ 何ものも恐れぬ英雄的気概
*【气功】qìgōng 名〈中医〉気功‖～疗法liáofǎ 気功療法｜练～ 気功を練習する
【气鼓鼓】qìgǔgǔ（～的）形 かんかんに怒るさま
【气管】qìguǎn 名〈生理〉気管
【气管炎】qìguǎnyán 名 ❶〈医〉気管支炎 ❷俗 恐妻家．かかあ天下．〔妻管严〕にひっかけたしゃれ言葉
【气贯长虹】qì guàn cháng hóng 成 気勢の盛んなさま．すさまじい気迫
【气锅】qìguō 名 雲南地方独特のスープ料理を作るのに用いるふた付きの土鍋
【气哼哼】qìhēnghēng（～的）形 ぷんぷん怒るさま
**【气候】qìhòu 名 ❶気候．天候‖海洋性～ 海洋性気候 ❷情勢．動向‖政治～ 政治情勢 ❸成果‖就他们几个人成不了什么～ 彼ら数人では何もできっこないよ
【气呼呼】qìhūhū（～的）形 怒りで息が荒くなるさま．ぷんぷん怒るさま
【气化】qìhuà ＝〔汽化qìhuà〕
【气话】qìhuà 名 感情的な言葉．腹立ちまぎれの言葉
【气急】qìjí 動 息が切れる
【气急败坏】qì jí bài huài 成 周章狼狽する．慌てふためくさま．取り乱すさま．また，激怒するさま
【气节】qìjié 名 気節．気骨．気概
【气井】qìjǐng 名 天然ガス井戸
【气绝】qìjué 動 息が絶える．絶命する
【气孔】qìkǒng 名 ❶〈植〉気孔 ❷＝〔气门qìmén〕❸〈機〉（鋳物内部の）気泡．〔气眼〕ともいう ❹〈建〉通風孔．換気孔．〔气眼〕ともいう
【气浪】qìlàng 名 衝撃波．爆風
*【气力】qìlì 名 力．体力．気力‖用尽了～ ありったけの力を出し尽くした
【气量】qìliàng 名 度量‖～小 度量が小さい
*【气流】qìliú 名 ❶〈気〉気流‖上升～ 上昇気流 ❷〈語〉（呼吸や発声による）空気の流れ．息
【气门】qìmén 名 ❶〈虫〉気門．〔气孔〕ともいう ❷（タイヤなどの）空気弁．バルブ ❸〈機〉吸排気装置
【气门芯】qìménxīn 名 ❶空気バルブのむし ❷むしゴム ❸方 八つ当たりや鬱憤（うっぷん）晴らしの相手となる人
【气闷】qìmèn 形 ❶気がめいる．うっとうしい‖心里～ 気がめいる ❷（空気がよどんで）息苦しい
【气囊】qìnáng 名 ❶〈鳥〉気嚢（きのう） ❷（飛行船や熱気球などの）気嚢．気球
【气恼】qìnǎo 形 腹が立つ．しゃくにさわる
【气馁】qìněi 形 落胆する．がっかりする．気落ちする
【气逆】qìnì 動〈中医〉気の運行が逆行する
【气派】qìpài 名 気概．貫禄．気前‖很有～的宅院zháiyuàn 立派な邸宅 形 堂々としている．立派である．格式が高い
【气泡】qìpào 名 気泡‖冒～ 泡が出る
*【气魄】qìpò 名 ❶ファイト．気迫．意気込み ❷勢い．気勢．力．迫力‖这座建筑物很有～ この建物は雄壮そのものである
【气枪】qìqiāng 名 空気銃．エアライフル
*【气球】qìqiú 名 風船．気球．バルーン‖热～ 熱気球
【气人】qì//rén 動 人を怒らせる 形（qìrén）しゃくにさわる．腹立たしい‖这事ル真～ このことはほんとうにしゃくにさわる
【气色】qìsè 名 顔色．血色‖～不对 血色が悪い
【气盛】qìshèng 形 気が短い．怒りっぽい
*【气势】qìshì 名 気勢．意気．気迫‖～雄伟 意気が大いに盛んである
【气势磅礴】qì shì páng bó 成 気勢が盛んである
【气势汹汹】qìshì xiōngxiōng 慣 すさまじい剣幕である．居丈高である
【气数】qìshu 名 命運．運命．運
【气态】qìtài 名〈物〉気体の状態
*【气体】qìtǐ 名〈物〉気体‖有害～ 有毒ガス
【气田】qìtián 名 天然ガス田
【气筒】qìtǒng 名 空気入れ
【气头上】qìtóushang 名 怒っている最中．かんかんになっているところ‖他正在～，不要惹rě他 彼はいまかんかんに怒っているところだから，逆らうな
【气吞山河】qì tūn shān hé 成 山河を飲み込んでしまうほど，意気込みが盛んである
*【气味】qìwèi（～ル）名 ❶におい．香り．臭気‖有一股刺鼻cìbí的～ 鼻を突くいやなにおいがする ❷貶 性格や好み．気質‖～相投 互いにうまが合う
**【气温】qìwēn 名 気温‖～上升 気温が上がる｜～下降xiàjiàng 気温が下がる｜～表 温度計
*【气息】qìxī 名 ❶（呼吸するときの）息 ❷息吹．雰囲気．におい‖时代～ 時代の息吹
【气息奄奄】qì xī yǎn yǎn 成 気息奄々（きそくえんえん）．息も絶え絶えである
**【气象】qìxiàng 名 ❶気象‖～卫星 気象衛星 ❷気象学 ❸状況．様相‖这几年来首都北京出现了一片新～ ここ数年来，首都北京はすっかり様子が変

Q

わった ❹意気. 気概
【气象台】qìxiàngtái 图〈気〉気象台
【气象站】qìxiàngzhàn 图 気象観測所
【气性】qìxing 图 ❶気性. 性分 ❷怒りっぽいたち. かんしゃく持ち‖～大 怒りっぽい
【气咻咻】qìxiūxiū (～的) 形 はあはあと息を切らすさま. ぜいぜいと荒い息をするさま
【气吁吁】qìxūxū (～的) 形 はあはあと息を切らすさま. ぜいぜいと荒い息をするさま
【气虚】qìxū 形〈中医〉気虚である
*【气压】qìyā 图〈気〉気圧. 大気圧‖～槽cáo 気圧の谷｜高～ 高気圧
【气压表】qìyābiǎo 图〈気〉気圧計. バロメーター
【气眼】qìyǎn ＝〔气孔qìkǒng〕
【气焰】qìyàn 图 気焰(えん). 鼻息. 気勢
【气宇】qìyǔ 图 気宇. 気概. 気位. 心意気‖～轩昂xuān'áng 意気軒昂(いきけんこう)としている. 意気盛んである
【气韵】qìyùn 图 (文章や書画にこめられた)境地. 情趣. 趣‖～生动 (作品が)生き生きとしている
【气质】qìzhì 图 ❶気質. 性質. 性格 ❷風格. 気概‖他～很好 彼はとても品がいい
【气壮山河】qì zhuàng shān hé 成 意気盛んなさま

5 **讫** qì ❶停止する. 止める ❷終わる. 済む‖收～ 領収済み｜付～ 支払い済み

6 **迄** qì 書 ❶至る‖～至今日 今日に至る ❷始めから終わりまで. ずっと‖～无音信 ずっと音信がない

【迄今】qìjīn 動 いまに至るまで‖～为止wéizhǐ いままでのところ

7* **汽** qì 图 蒸気. 水蒸気

★【汽车】qìchē 图 自動車‖小～ 乗用車｜公共～ バス｜出租～ タクシー

> **外国の固有名詞** 車 【アウディ】…奥迪 【アルファ・ロメオ】…阿尔法・罗密欧 【キャデラック】…凯迪拉克 【GM】…通用汽车 【シトロエン】…雪铁龙 【ジャガー】…捷豹 【トヨタ自動車】…丰田汽车 【日産自動車】…日产汽车 【フィアット】…菲亚特 【フォルクスワーゲン】…大众汽车 【BMW】…宝马 【ポルシェ】…保时捷 【ボルボ】…沃尔沃 【ロールス・ロイス】…劳斯莱斯

【汽博会】qìbóhuì 图 モーターショー
【汽车站】qìchēzhàn 图 バス停‖长途～ 長距離バスの発着所
*【汽船】qìchuán 图 ❶発動機船 ❷モーターボート
【汽锤】qìchuí 图〈機〉蒸気ハンマー. スチームハンマー. 〔蒸汽锤〕ともいう
【汽灯】qìdēng 图 ガス灯
【汽笛】qìdí 图 汽笛. サイレン
【汽缸】qìgāng 图〈機〉シリンダー. 気筒
【汽锅】qìguō 图〈機〉ボイラー. 汽罐(きかん). 蒸気がま
【汽化】qìhuà 動 気化する. ガス化する
【汽化器】qìhuàqì 图〈機〉気化器. キャブレター
【汽酒】qìjiǔ 图 (シャンペンなどの)炭酸入りの酒
【汽轮】qìlún 图〈機〉蒸気タービン. スチームタービン
【汽轮机】qìlúnjī 图〈機〉蒸気タービン. スチームタービン. 略して〔汽机〕という
★【汽水】qìshuǐ (～儿) 图 炭酸飲料. サイダー‖冰镇bīngzhèn～ 冷やしたサイダー
【汽艇】qìtǐng 图 モーターボート. 〔快艇〕〔摩托艇〕ともいう
**【汽油】qìyóu 图 ガソリン. 揮発油‖～引擎yǐnqíng ガソリンエンジン
【汽油机】qìyóujī 图〈機〉ガソリンエンジン

7 **弃**(△棄) qì 捨てる. 見捨てる. 放棄する‖抛pāo～ 投げ捨てる｜背bèi～ 破棄する. 背く

【弃暗投明】qì àn tóu míng 成 暗黒を捨て光明に向かう. 反動勢力を離れ進歩勢力につくたとえ
【弃儿】qì'ér 图 捨て子
【弃妇】qìfù 图 書 離縁された妻
【弃耕】qìgēng 動 農業を放棄する. 農業をやめる
【弃甲曳兵】qì jiǎ yè bīng 成 よろいを捨て, 武器を引きずって敗走する. 慌てふためいて敗走するさま
【弃权】qì//quán 動 権利を放棄する. 棄権する
【弃世】qìshì 動 死亡する. 逝去する
【弃婴】qìyīng 動 嬰児を遺棄する 图 捨て子. 遺棄された嬰児
【弃置】qìzhì 動 捨て置く. 放置する

8 **亟** qì 副 書 何度も. しばしば ➤jí

8 **泣** qì ❶小声で泣く. 忍び泣きをする‖抽～ すすり泣く ❷涙‖饮～ 涙をのむ. ひどく悲しむさま

【泣不成声】qì bù chéng shēng 成 泣きすぎて声にならない. ひどく悲しむさま
【泣诉】qìsù 動 泣訴する. 涙ながらに話す

9 **契** qì ❶書 刻む. 彫る ❷書 甲骨に刻まれた文字 ❸(不動産や所有権などに関する)契約書. 証書‖地～ 土地売買契約書｜卖身～ 身売り証文 ❹ぴったりと合う. 投合する‖投～ 意気投合する ➤xiè

【契丹】Qìdān 图 (古代の民族名)契丹(きったん)
【契合】qìhé 動 符合する. ぴったり合う 形 気が合う. うまが合う
【契机】qìjī 图 契機. 転機
【契据】qìjù 图 契約書や証書の総称
【契税】qìshuì 图 契約税. 不動産の所有権の移転契約(売買・贈与・交換を含む)が成立したときに国に納める税
【契友】qìyǒu 图 意気投合した友. 親友
【契约】qìyuē 图 (売買や賃借などの)契約書‖订立dìnglì～ 契約を結ぶ

9* **砌** qì ❶階段. きざはし‖阶～ 階段 ❷動 (れんがや石などを)積み上げる. 築く‖～炉灶lúzào かまどをつくる

12 **葺** qì 動 ❶書 茅(かや)で屋根を葺(ふ)く ❷家屋を修理する‖修～ 修繕する. 補修する

13 **碛** qì ❶川原 ❷砂漠

15 **槭** qì 图〈植〉カエデ科の植物の総称. ふつうは〔槭树〕という

16 **器** qì ❶うつわ. 器具‖电～ 電気器具 ❷度量. 才能. うつわ‖大～晚成 大器晩成 ❸(人の才能を)重く見る. 尊重する‖→～重 ❹(体内の)器官‖→～官

逆引き単語帳 〔机器〕jīqì 機器 〔电器〕diànqì 電気器具 〔家用电器〕jiāyòng diànqì 家庭電気製品．家電製品 〔陶器〕táoqì 陶器 〔瓷器〕cíqì 磁器 〔乐器〕yuèqì 楽器 〔仪器〕yíqì 器械．器具 〔兵器〕bīngqì 〔武器〕wǔqì 兵器．武器 〔核武器〕héwǔqì 核兵器 〔离合器〕líhéqì クラッチ 〔灭火器〕mièhuǒqì 消火器 〔拉力器〕lālìqì 〔扩胸器〕kuòxiōngqì エキスパンダー 〔听诊器〕tīngzhěnqì 聴診器 〔助听器〕zhùtīngqì 補聴器 〔吸尘器〕xīchénqì 電気掃除機

*【器材】qìcái 图器材．器具や材料‖照相～ 写真用器材

*【器官】qìguān 图〈生理〉器官‖消化～ 消化器官

【器官移植】qìguān yízhí 圏臓器移植する

【器件】qìjiàn 图部品

*【器具】qìjù 图器具‖电气～ 電気器具

【器量】qìliàng 图度量．(人間の)うつわ‖～很大 度量が大きい

【器皿】qìmǐn 图うつわ．入れ物

【器物】qìwù 图器物．調度品

*【器械】qìxiè 图❶器械．器具‖体育～ 体操器具｜医疗yīliáo～ 医療器具 ❷武器

【器宇】qìyǔ =〔气宇qìyǔ〕

【器乐】qìyuè 图器楽

【器质】qìzhì 图❶〈医〉器質‖～性遗忘yíwàng症 器質性健忘症 ❷書資質．素質

【器重】qìzhòng 動(目下の者に対して)重視する．高く評価する．能力を買う‖上级很～他 上役は彼をたいへん高く評価している

16 **憩**(△憇) qì 書憩う．休息する‖休～ 休憩する｜小～ 一休みする．少し休む

【憩息】qìxi 動休む．休憩する

qiā

11 * **掐** qiā ❶(つぼのある部分などを)指先で強く押す ❷動(爪や指先で)摘む．摘み取る‖～豆荚dòujiá インゲンの筋を取る ❸指でひねる．つねる‖把烟头～了 タバコの先をもみ消した ❹動(両手で)絞める‖一～死 ❺量(～儿)方 2本の指先でつまめるくらいの量，または，両手の親指と人指し指を輪にしてつまめる量を表す ❻動方けんかする．言い争う．なぐり合う

【掐断】qiā//duàn 動摘み取る．切り取る

【掐尖儿】qiā//jiānr 動❶〈農〉摘芽する．よい花や実をとるために，果樹などの頂芽を摘み取る ❷喩(進歩的な人や出過ぎた人を)押さえつける．足を引っ張る

【掐诀】qiājué 動〈仏〉印を結ぶ

【掐死】qiāsǐ 動首を絞めて殺す．絞め殺す

【掐算】qiāsuàn 動親指でほかの指先を押さえながら数える．指を用いて計算する

【掐头去尾】qiā tóu qù wěi 成頭と尾とを捨て去る．不要な部分や重要でない部分を除くたとえ

12 **葜** qiā ➡〔菝葜báqiā〕

qiǎ

5 **卡** qiǎ ❶動挟まる．引っ掛かる‖鱼刺cì～嗓子sǎngzi了 魚の骨がのどに引っ掛かった ❷物を挟む道具．クリップ‖发fà～ ヘアピン ❸图関所．検問所‖关～ 検問所 ❹動阻止する．押さえる．遮る‖经费～得太紧 経費が著しく削減される ❺動(両手で)しめつける‖一～脖子 ➤kǎ

【卡脖子】qiǎ bózi 慣(両手で)首を絞める．喩急所を突いて窮地に追い込む

【卡具】qiǎjù 图〈機〉固定具．取り付け具 =〔夹jiā具〕

【卡壳】qiǎ//ké 動❶(弾倉に)薬莢(やっきょう)がつかえる ❷喩(一時的に)停滞する．行き詰まる

【卡口灯泡】qiǎkǒu dēngpào 图差し込み電球

【卡子】qiǎzi 图❶物を挟む道具．クリップ ❷関所．検問所

qià

9 **洽**[1] qià (範囲が)広い．多い‖博识～闻 見聞が広く博識である

9 **洽**[2] qià ❶調和している．和やかである‖融róng～ 打ち解けている ❷打ち合わせる．相談する．交渉する‖接～ 協議する｜面～ 面談する

【洽购】qiàgòu 動交渉して買い入れる

【洽商】qiàshāng 動折衝する．交渉する

*【洽谈】qiàtán 動交渉する．打ち合わせる‖～生意 取引の交渉をする

【洽谈会】qiàtánhuì 图商談会

9 **恰** qià ❶適切である．妥当である．ちょうどよい‖一～当 ❷ちょうど．折よく．まさに‖一～巧

*【恰当】qiàdàng 形適切である．ちょうどよい‖找个～的机会，跟他谈一谈 適当な機会をみて彼と話してみよう

*【恰到好处】qià dào hǎochu 慣(仕事や話が)適切である．当を得ている‖这番fān话说得～ この話はほんとうに言い得て妙だ

*【恰好】qiàhǎo 副ちょうど．折よく．具合よく‖明天～是我的生日 明日はちょうど私の誕生日だ

> **類義語** 恰好 qiàhǎo 恰巧 qiàqiǎo
> ◆〔恰好〕時間・広さ(大きさ)・数量などが人の要求と具合よく一致する‖这个教室恰好能坐下三十个人 この教室はちょうど30人座れる ◆〔恰巧〕時間・機会・条件などが偶然に一致する．よい場合にも悪い場合にも使われる．折よく．あいにく‖恰巧遇见了他 折よく彼に出会った．あいにく彼に出くわしてしまった．

*【恰恰】[1] qiàqià 副ちょうど．まさに‖你的想法和我～相反 君の考えは私とまったく逆だ

【恰恰】[2] qiàqià 图〈音〉チャチャチャ

*【恰巧】qiàqiǎo 副都合よく．折よく．あいにく．折あしく‖我去找他时，他～不在家 私が彼を訪ねて行ったとき，あいにく彼は家にいなかった

【恰如】qiàrú 動書あたかも…のようである．ちょうど…のようである

*【恰如其分】qià rú qí fèn 成程よい．適切である‖～的比喻bǐyù 適切な比喩

Q

【恰似】qiàsì 動 まるで…のようである

qiān

3 ★千[1] qiān ❶数 千. 1000 ❷喩 非常に多いことを表す‖成～上万 幾千幾万. 数が非常に多いさま

3 千[2]（韆）qiān ➡〔秋千qiūqiān〕

【千变万化】qiān biàn wàn huà 成 千変万化する. 目まぐるしく変化する

【千层底】qiāncéngdǐ（～儿）名 布を何枚も重ねて縫いつけた靴底. 布靴の底

【千差万别】qiān chā wàn bié 成 千差万別である. 種類が多く, 違いもさまざまであること

【千疮百孔】qiān chuāng bǎi kǒng 成 穴だらけ傷だらけ. 破壊の甚だしいさま. 事態が深刻なさま

【千锤百炼】qiān chuí bǎi liàn 成 ❶幾多の試練を経る. 鍛え抜く ❷（創作で）推敲（すいこう）を重ねる

【千儿八百】qiān'er bābǎi 慣 千ぐらい. 千そこそこ

*【千方百计】qiān fāng bǎi jì 成 百計をめぐらす. あらゆる手段を講じる‖～地筹措chóucuò资金 あらゆる手段を使って資金を調達する

【千分表】qiānfēnbiǎo 名 ダイヤルゲージ

【千分尺】qiānfēnchǐ 名 マイクロメーター

【千分点】qiānfēndiǎn 名 パーミル. 千分率

【千夫所指】qiān fū suǒ zhǐ 成 衆人の非難を受ける. 指弾の的となる

【千伏】qiānfú 量〈電〉キロボルト

【千古】qiāngǔ 名 千古. 長い年月‖～罪人 永久の罪人 動婉 永別する.（葬儀の花輪などのあて名に用いて哀悼の意を表す）‖某某先生～ 某先生永別

【千赫】qiānhè 量〈電〉キロヘルツ

【千娇百媚】qiān jiāo bǎi mèi 成 女性の容貌（ようぼう）や姿が美しいさま.〔千娇百态〕ともいう

【千斤】qiānjīn 名 千斤. 喩 重い責任‖～重担zhòngdàn 重荷. 重任

【千斤顶】qiānjīndǐng 名〈機〉ジャッキ. 略して〔千斤〕ともいう

【千金】qiānjīn 名 ❶多額の金銭. 大金‖一刻～ 一刻千金. 時は金なり ❷敬 令嬢. お嬢様‖～小姐 お嬢様

【千金一诺】qiān jīn yī nuò 成 一つの承諾に千金の重みがある. 信用がおけるたとえ. =〔一诺千金〕

【千金一掷】qiān jīn yī zhì 成 多くの金を一度に投じる. 金を湯水のごとく使う. =〔一掷千金〕

*【千军万马】qiān jūn wàn mǎ 成 千軍万馬. 兵馬が多いさま. 勢いの盛んなさま

【千钧一发】qiān jūn yī fà 成 一本の髪の毛で千鈞（きん）の重さの物を釣り上げる. きわめて危険であるたとえ.〔一发千钧〕ともいう

【千钧重负】qiān jūn zhòng fù 成 重荷. 重い負担. 重大な責任

【千卡】qiānkǎ 量 キロカロリー =〔大卡〕

*【千克】qiānkè 量 キログラム. ふつうは〔公斤〕という

【千里鹅毛】qiān lǐ é máo 成 千里の遠くから届いたガチョウの羽. 贈り物はささやかでも, 心がこもっていること

【千里马】qiānlǐmǎ 名 ❶駿馬（しゅんめ）. 速いことのたとえ ❷喩 優れた人材

【千里迢迢】qiān lǐ tiáo tiáo 成 千里はるばる. 道のりが遠いこと

【千里眼】qiānlǐyǎn 名 ❶旧 望遠鏡 ❷千里眼

【千里之堤, 溃于蚁穴】qiān lǐ zhī dī, kuì yú yǐ xué 成 千里の堤も蟻（あり）の穴から崩れる. わずかな油断がもとで大禍を招く. 油断大敵

【千里之行, 始于足下】qiān lǐ zhī xíng, shǐ yú zú xià 成 千里の道も一歩から. 大事を成し遂げるには一歩一歩積み重ねていかなければならない

【千虑一得】qiān lǜ yī dé 成 千慮の一得. 愚者の考えにも時にはよい考えがある

【千虑一失】qiān lǜ yī shī 成 千慮の一失. 賢者の考えにも時には誤りがある

*【千米】qiānmǐ 量 キロメートル. ふつうは〔公里〕という

【千篇一律】qiān piān yī lǜ 成 千篇一律. 文章や話に少しも創見がなく変化に乏しい

【千奇百怪】qiān qí bǎi guài 成 不思議である. 奇怪千万である

【千千万万】qiān qiān wàn wàn 成 数の非常に多いさま. 数限りない

【千秋】qiānqiū 名 ❶千秋. 千年. 長い年月‖一日～ 一日千秋 ❷旧敬 誕生日

【千日红】qiānrìhóng 名 ❶〈植〉センニチコウ. センニチソウ ❷〈中薬〉千日紅

【千山万水】qiān shān wàn shuǐ 成 多くの山と多くの川. 道のりが遠く険しいたとえ

【千丝万缕】qiān sī wàn lǚ 成 千万本の糸. 事柄が複雑で入り組んでいるさま

【千岁】qiānsuì 名 王公に対する尊称. 陛下. 殿下.（多く伝統劇の中で用いる）‖～爷 殿下

【千头万绪】qiān tóu wàn xù 成 事柄が複雑に入り組んでいるさま. 考えが入り乱れているさま

*【千瓦】qiānwǎ 量〈電〉キロワット

*【千万】qiānwàn 副 ぜひとも. 絶対に. 必ず‖～要严守yánshǒu机密jīmì 機密は必ず厳守しなければならない 数 千万. 数が多いこと

【千辛万苦】qiān xīn wàn kǔ 成 ありとあらゆる苦労. 艱難辛苦（かんなんしんく）

【千言万语】qiān yán wàn yǔ 成 千言万語. 非常にたくさんの言葉

【千依百顺】qiān yī bǎi shùn 成 何事も人の考えに従う. 人の言いなりになる.〔千随百顺〕ともいう

【千载难逢】qiān zǎi nán féng 成 めったに巡り合えない機会. 千載一遇

【千张】qiānzhang 名方〈料理〉薄い押し豆腐

【千兆】qiānzhào 数 10億. ギガ（記号は G）

【千真万确】qiān zhēn wàn què 成 絶対に間違いない. 確かである

5 仟 qiān 数〔千〕の大字（だいじ）➡〔大写 dàxiě〕

5 阡 qiān 書（田を南北方向に通る）あぜ道

【阡陌】qiānmò 名書（縦横に交差した）あぜ道

6 *迁（遷）qiān ❶動 移る. 移転する. 引っ越しする‖～居 ❷変わる. 移り変わる‖变～ 変遷する

【迁都】qiān∥dū 動 都を移す. 遷都する

【迁建】qiānjiàn 動 移築する. 別の所に移して建て替える

*【迁就】qiānjiù 動 折り合う. 妥協する. 譲る‖无原则地一味yíwèi～ 原則なしに譲歩ばかりする

【迁居】qiānjū 動 引っ越す. 転居する
【迁离】qiānlí 動 移る. 離れる
【迁怒】qiānnù 動 八つ当たりする. 他の人に当たり散らす ‖ ～于人 人に八つ当たりする
【迁徙】qiānxǐ 動 移る. 移転する ‖ 民族大～ 民族の大移動
【迁延】qiānyán 動 遅らせる. 引き延ばす
【迁移】qiānyí 動 移転する. 引っ越しする ‖ ～户口 戸籍を移す
【迁移性】qiānyíxìng 名〈生〉移行性
【迁葬】qiānzàng 動 改葬する. 墓を移す

6 扦 qiān ❶動 方 挿す ❷(～儿)針状のもの, または, 主要部分が針状になっている器物 ‖ 蜡là～儿 ろうそく立て ❸(穀物の品質検査に用いる)さし. 米さし
【扦子】qiānzi 名 ❶(金属や竹などで作られた)針状の器具 ‖ 竹～ 竹串(ぐし) | 铁～ 鉄の串 ❷(穀物の品質検査に用いる)さし. 米さし

7 佥(僉) qiān 書 すべて. みな. 全部

7 岍 qiān 地名用字 ‖ ～山 陝西省にある山の名

8 钎 qiān (鑿岩機(さくがんき)の)たがね ‖ ～子 同前 | 钢～ たがね

9 ** 牵(牽) qiān ❶動(人あるいは家畜を)引く. 引っ張る ‖ 手～手 手と手をつなぐ ❷かかわる. 波及する ‖ 一～扯 ❸気にかかる. 心配する ‖ 一～挂 ❹引きとめられる. 制約する ‖ 一～制
【牵缠】qiānchán 動 書 影響を及ぼす. 絡む
【牵肠挂肚】qiān cháng guà dù 成 心配で安心できない. たいそう気にかける
*【牵扯】qiānchě 動 波及する. 関連する. 巻き込む ‖ 不要把别人～进去 他人を巻き込んではいけない
【牵掣】qiānchè 動 ❶進展を妨げる. 足を引っ張る ❷牽制(けんせい)する ‖ ～敌人 敵を牽制する
【牵动】qiāndòng 動 影響を及ぼす. 波及する
【牵挂】qiānguà 動 心配する. 気にかける
【牵记】qiānjì 動 気にかける. 心配する
【牵就】qiānjiù 動 折り合う. 妥協する. 譲歩する
【牵累】qiānlěi 動 ❶妨げになる. 足手まといになる ❷巻き込まれる. 巻き添えになる
【牵连】qiānlián 動 ❶巻き添えにする. 巻き込む. 影響を及ぼす ❷かかわる. 関係する
【牵念】qiānniàn 動 心配する. 気にかける
【牵牛花】qiānniúhuā 名〈植〉アサガオ. ふつうは〔喇叭lǎba花〕という
【牵牛星】qiānniúxīng 名〈天〉牽牛星(けんぎゅうせい). 彦星. アルタイル. ふつうは〔牛郎星〕という
【牵强】qiānqiǎng 形 無理にこじつける. 無理がある
【牵强附会】qiān qiǎng fù huì 成 牽強付会(けんきょうふかい). 強引にこじつける
*【牵涉】qiānshè 動 かかわる. 影響を及ぼす. 波及する ‖ 这问题～的面很广 この問題が影響を及ぼす範囲はきわめて広い
【牵手】qiān//shǒu 動 ❶手をつなぐ ❷(qiānshǒu) 手を組む. 提携する. 相互に協力し合う
【牵头】qiān//tóu 動 臨時に采配(さい)を振る. 率先する. 先頭をきる
【牵线】qiān//xiàn 動 ❶(操り人形を)操る. 喩(影で人を)操る ❷間を取り持つ. 仲立ちをする ‖ 谁给他们牵的线？ 誰が彼らの仲を取り持ったんだ
【牵线搭桥】qiānxiàn dāqiáo 慣 仲を取り持つ. 〔搭桥牵线〕ともいう
【牵一发而动全身】qiān yī fà ér dòng quánshēn 慣 わずかな事が全局に影響を及ぼすこと
*【牵引】qiānyǐn 動 引っ張る. 牽引(けんいん)する ‖ 列车由机车～着前进 列車は機関車に引かれて進む
*【牵制】qiānzhì 動 牽制する. (多く軍事方面について用いる) ‖ 互相～ 互いに牽制し合う

10 悭(慳) qiān 書 ❶吝嗇(りんしょく)である ‖ ～吝lìn けちである. 吝嗇である ❷書 欠ける. 欠乏する

10 * 铅(△鈆) qiān ❶名〈化〉鉛(化学元素の一つ, 元素記号はPb) ❷鉛筆の芯(しん). 黒鉛 ➤ yán
【铅白】qiānbái 名〈化〉鉛白
【铅版】qiānbǎn 名〈印〉鉛版. ステロタイプ
★【铅笔】qiānbǐ 名 鉛筆 ‖ 削xiāo～ 鉛筆を削る | ～盒 筆箱. ペンケース | 自动～ シャープペンシル
【铅笔画】qiānbǐhuà 名〈美〉鉛筆画
【铅球】qiānqiú 名〈体〉❶砲丸投げ ‖ 推tuī～ 砲丸投げをする ❷砲丸
【铅丝】qiānsī 名 亜鉛びき針金. 鉛線
【铅印】qiānyìn 動〈印〉活字印刷する
【铅字】qiānzì 名〈印〉活字

12 谦 qiān 謙虚である. 控えめである ‖ 一～虚 | 您过～了 ご謙遜でしょう
【谦卑】qiānbēi 形 謙虚である. へりくだっている. (多くは目下の者の目上の者に対する態度をいう)
【谦称】qiānchēng 動 謙遜して言う. へりくだって言う 名 謙称
【谦辞】qiāncí 名〈語〉謙譲語. 謙遜語 動 遠慮して辞退する
【谦恭】qiāngōng 形 謙虚で丁重である
【谦和】qiānhé 形 謙虚で態度が穏やかである
【谦谦君子】qiān qiān jūn zǐ 成 謙虚で自己に厳しい人. 転じてわざと謙虚な態度をとるえせ人格者
【谦让】qiānràng 動 遠慮して譲る ‖ 客人互相～了一下, 便落luò了座 客は互いに席を譲り合ってから座った
【谦顺】qiānshùn 形 書 謙虚で従順である
*【谦虚】qiānxū 形 謙虚である. おごり高ぶらない ‖ 为人～ 人となりが控えめでつつましやかである 動 謙遜する. 遠慮する ‖ 他不过嘴上～几句, 其实心里很自负 彼は口では謙遜しているが, その実腹の中ではとても自信をもっている
*【谦逊】qiānxùn 形 へりくだっている. 謙虚である ‖ ～的态度 へりくだった態度

13 骞 qiān 書 高く掲げる

13 愆(△諐) qiān 書 ❶(期日を)間違える. 過ぎる ❷とが. 罪過. 過失

13 签[1](簽 籤) qiān ❶動 署名する. サインする ‖ 一～名 | 一～订 ❷(意見や要点を)簡潔に書く

13 签[2](簽 籤) qiān ❶名(～儿)(占いや賭博の)札. くじ ‖ 抽～ くじを引く ❷(～儿)(先をとがらせた木や竹の)細い棒 ‖ 牙～儿 つまようじ ❸古 役所で逮捕し処罰する証拠として

文字を記した竹片 ❹(～儿)目印にする小さな紙片 ‖ 书～儿 しおり ❺動 粗く縫いつける. 仮に縫いつける
【签单】qiān//dān 動 付けで払う
【签到】qiān//dào 動 (出勤簿や出席簿に)署名する
*【签订】qiāndìng 動 締結する. 調印する ‖ ～合同 契約を結ぶ | ～协议书 合意書に署名する
*【签发】qiānfā 動 (署名捺印した公文書などを正式に)発行する ‖ ～护照hùzhào パスポートを発行する
*【签名】qiān//míng 動 署名する. サインする ‖ ～盖章 署名捺印する | 请在这儿～ ここにサインしてください
【签批】qiānpī 動 サインをして許可を出す. 許可のサインをする
【签收】qiānshōu 動 受領のサイン, または受領印を押して受け取る
【签售】qiānshòu 動 サイン即売会を行う
*【签署】qiānshǔ 動 (重要書類に)署名する ‖ ～议定书yìdìngshū 議定書に署名する
【签条】qiāntiáo 名 ❶メモ. 覚え書き ❷(本の)しおり
【签筒】qiāntǒng 名 ❶占い用の筮竹(ぜいちく)や賭博用の札を入れる竹筒 ❷(穀物の検査に使う)さし. 米さし
【签约】qiān//yuē 動 (条約または契約書に)署名する. 調印する
*【签证】qiānzhèng 動 査証する. ビザを出す 名 査証. ビザ ‖ 过境～ トランジットビザ
【签注】qiānzhù 動 ❶(書籍や文書などに)付箋(ふせん)をつけて意見などを書きつける ❷証明書のとじ込みに意見や関係事項を加える
【签子】qiānzi 名 回 (先をとがらせた木や竹の)細い棒
*【签字】qiān//zì 動 署名する. サインする. 調印する ‖ 在协议xiéyì上～ 協議書に署名する
【签字笔】qiānzìbǐ 名 サインペン

Q

14 **搴** qiān ❶書 抜き取る. 引き抜く ❷〔褰qiān〕に同じ

16 **褰** qiān 書 (衣服やカーテンなどを)まくり上げる

qián

9 ★**前** qián ❶前に進む ‖ 停滞tíngzhì不～ 停滞して前に進まない ❷名 (空間的に)前. 前方. 正面 ↔〔后〕‖ 往～走 前の方に歩いていく ❸名 昔. 以前 ↔〔后〕‖ ～几天 数日前 | ～半生 前半生 ❹名 以前. 元 ‖ ～市长 前市長 ❺名 (ある事物が発生する)前段階 ‖ ～科学 科学以前 ❻名 未来. 将来 ‖ 凡事要向～看 何事も将来に目を向けて見なければならない ❼名 (順序が)上位. 先頭 ↔〔后〕‖ ～三名 優勝者から第3位まで
【前半晌】qiánbànshǎng (～儿) 名 方 午前中
【前半天】qiánbàntiān (～儿) 名 午前. 午前中
【前半夜】qiánbànyè 名 日没から夜半までの時間. 半夜. 〔上半夜〕ともいう
*【前辈】qiánbèi 名 年配の経歴を積んだ人. 先人. 先輩 ‖ 他是我们的老～ 彼は我々の大先輩だ
【前臂】qiánbì 名〈生理〉下膊(かはく). ひじから手首までの部分.
★【前边】qiánbian (～儿) 名 ❶(空間・位置的に)前. 前面 ‖ 车站～有个广场 駅前に広場がある ❷(文章や話などの)前. 先
【前朝】qiáncháo 名 一つ前の朝代. (広く)過去の朝代
【前车之鉴】qián chē zhī jiàn 成 前車の覆るは後車の戒め. 前人の失敗は後人にとって教訓となること
【前程】qiánchéng 名 ❶前途. 先行き. 将来 ‖ ～似sì锦jǐn 前途有望 ❷旧 知識人または官吏が希求する官職
【前仇】qiánchóu 名 過去の恨み
【前导】qiándǎo 名 動 先導する 名 先導者. 道案内をする者
【前敌】qiándí 名〈軍〉前線. 第一線
【前额】qián'é 名 額(ひたい)
*【前方】qiánfāng 名 ❶前方. 前 ‖ 注视～ 前をじっと見つめる ❷〈軍〉前線 ↔〔后方〕‖ 支援～ 前線を支援する
【前锋】qiánfēng 名 ❶〈軍〉先鋒部隊 ❷〈体〉(球技の)前衛. フォワード ↔〔后卫〕‖ 踢～ (サッカーの)フォワードをつとめる | 打～ (バスケットボールやバレーボールなどの)前衛をつとめる
【前夫】qiánfū 名 前夫
*【前赴后继】qián fù hòu jì 成 前の者が進み, 後ろの者が続く. 勇往邁進(ゆうおうまいしん)する
【前功尽弃】qián gōng jìn qì 成 これまでの成果がむだになる. 水泡に帰する
【前滚翻】qiángǔnfān 名〈体〉前方回転. 前転
*【前后】qiánhòu 名 ❶(ある時間の)前後. ころ ‖ 春节～ 旧正月のころ ❷(時間としての始めから終わりまでをさす)前後 ‖ 这次会议～开了两个星期 今回の会議は前後2週間にわたって開かれた ❸(あるものの)前と後ろ ‖ ～矛盾máodùn 前後が食い違っている
【前后脚儿】qiánhòujiǎor 慣 相前後して. ほぼ同時刻に ‖ 我们是～到的 私たちは相前後して到着した
【前脚】qiánjiǎo (～儿) 名 ❶(踏み出した前の)足 ❷〔后脚〕と連用して, 時間的に相前後していることを表す ‖ 你～刚走, 他后脚就到了 君が行ったすぐ後, 入れ違いに彼がやって来た
【前襟】qiánjīn 名 衣服の前身ごろ. 前身
*【前进】qiánjìn 動 前進する. 発展する ↔〔后退〕‖ 并肩bìngjiān～ 肩を並べて前進する
*【前景】[1] qiánjǐng 名 (絵画・舞台・映画などの)前景
*【前景】[2] qiánjǐng 名 見通し. 先行き. 将来の見込み ‖ 胜利的～ 勝つ見込み
【前科】qiánkē 名〈法〉前科 ‖ 犯有～ 前科がある
【前例】qiánlì 名 前例. 先例 ‖ 史无～ 歴史上例を見ない
*【前列】qiánliè 名 前列. 先頭 ‖ 走在时代的最～ 時代の最先端を行く
【前列腺】qiánlièxiàn 名〈生理〉前立腺(ぜんりつせん)
【前门】qiánmén 名 ❶表門. 正門 ❷喩 公明正大な道. 正当なやり方
*【前面】qiánmian ; qiánmiàn (～儿) 名 ❶(空間・位置的に)前. 前面. 前方 ‖ 注意, ～亮红灯了 気をつけて, 前方は赤信号だよ ❷(序列的に)前. 先. (文章や話などの)前. 先 ‖ ～已经讲过的, 这里就不再重复了 先に述べたことについては, ここでは繰り返しません
*【前年】qiánnián 名 一昨年. おととし
【前怕狼, 后怕虎】qián pà láng, hòu pà hǔ 慣 びくびくして一歩も進めない. 二の足を踏むたとえ
【前排】qiánpái 名 前列. (劇場などの)前方の座席
【前仆后继】qián pū hòu jì 成 前の者が倒れると後ろの者がすぐに続く. 犠牲を恐れず勇敢に戦うさま

【前妻】qiánqī 名 先妻. 前妻. 亡妻
*【前期】qiánqī 名 前期. 前の段階 ‖ ～工程 前期工程
【前驱】qiánqū 名 先駆. さきがけ
*【前人】qiánrén 名 前人. 先人. 古人 ‖ ～栽zāi树, 后人乘凉chéngliáng 先人が木を植えて, 後人が涼を取る. 前代の人たちのおかげで, 後世の人たちが幸せになるたとえ
【前任】qiánrèn 名 前任者. 先任者
【前日】qiánrì 名 おととい. 一昨日
【前晌】qiánshǎng 名 方 午前中
【前哨】qiánshào 名〈軍〉前哨(ぜんしょう)
【前哨战】qiánshàozhàn 名〈軍〉前哨戦
【前身】qiánshēn 名 ❶前身 ❷(～儿)衣服の前身ごろ
【前生】qiánshēng ＝〔前世qiánshì〕
【前世】qiánshì 名〈仏〉前世
【前事不忘, 后事之师】qiánshì bù wàng, hòushì zhī shī 諺 前事を忘れざるは後事の師なり. 過去の経験を忘れず, 将来の教訓とする
【前思后想】qián sī hòu xiǎng 慣 思案する. あれこれと考える
【前所未闻】qián suǒ wèi wén 成 これまでに聞いたことがない. 前代未聞
*【前所未有】qián suǒ wèi yǒu 成 いまだかつてない. 従来にない. 空前のこと ‖ 这样的发展速度是～的 このような発展の速度は未曾有(みぞう)のことである
【前台】qiántái 名 ❶舞台の前面 ❷舞台 ❸喩 貶 公開の場. 公然の場
*【前提】qiántí 名 ❶(論理の)前提 ❷前提 ‖ ～条件 前提条件
̣【前天】qiántiān 名 一昨日. おととい
*【前头】qiántou 名 ❶(位置的に)前. 前方 ❷(順序や文・話などの)前. 先 ‖ 要把困难想在～ 困難はあらかじめ予測しておかなければならない
̣【前途】qiántú 名 前途. 将来の見込み. 行く末 ‖ 有～ 将来性がある | ～渺茫miǎománg 将来の見通しが立たない
*【前往】qiánwǎng 動 行く. 赴く ‖ ～北京参加国际会议 北京に赴き国際会議に参加する
【前卫】qiánwèi 名 ❶〈軍〉前衛 ❷(芸術界などの)前衛 ❸〈体〉(サッカーやハンドボールなどの)ハーフ・バック
【前无古人】qián wú gǔ rén 成 これまで成し遂げた者がいない. 前人未到
【前夕】qiánxī 名 ❶前夜 ‖ 春节～ 春節の前夜 ❷喩 (ある大きな出来事の)直前
【前贤】qiánxián 名 書 先賢. 前賢
【前嫌】qiánxián 名 書 昔の恨み. 過去の憎しみ ‖ 不计～ 過去のしこりにこだわらない
*【前线】qiánxiàn 名〈軍〉前線. 第一線 ↔〔后方〕‖ 上～ 前線に立つ
【前言】qiányán 名 ❶序文. 序言. 前書き ❷書 先に述べた言葉. 前言 ‖ ～不搭dā后语 話のつじつまが合わない
【前沿】qiányán 名〈軍〉陣地の最前方
【前仰后合】qián yǎng hòu hé 慣 体が大きく前後に揺れるさま(多く大笑いするさまをいう)
【前夜】qiányè ＝〔前夕qiánxī〕
【前因】qiányīn 名 原因
【前因后果】qián yīn hòu guǒ 成 原因と結果. 事のてんまつ. 一部始終
【前缘】qiányuán 名〈仏〉前世の縁
【前瞻】qiánzhān 動 ❶前方を見る ❷予測する. 展望する
【前站】qiánzhàn 名 宿営予定地. 目的地
【前兆】qiánzhào 名 前兆. 兆し. 前触れ
【前者】qiánzhě 名 前者. 前のもの
【前肢】qiánzhī 名 (昆虫や獣の) 2 本の前肢. 前足
【前缀】qiánzhuì 名〈語〉接頭辞.〔词头〕ともいう.
【前奏】qiánzòu 名 ❶〈音〉前奏. 序奏 ❷喩 前触れ
【前奏曲】qiánzòuqǔ 名〈音〉前奏曲. プレリュード

9 **荨(蕁)** qián ↘ ➤ xún
【荨麻】qiánmá 名〈植〉イラクサ

9 **钤** qián 書 ❶印章. 判 ❷(判を)押す. 捺印(なついん)する ‖ ～印 判を押す
【钤记】qiánjì 名 旧 機関や団体などで用いた印章

10 ★**钱(錢)** qián ❶名 旧 (穴のあいた)銅銭 ‖ 一串chuàn～ 一さしの銅銭 ❷(～儿)銅銭に似た形のもの ‖ 纸～ 葬式のときに焼く紙のお金 ❸名 **貨幣** ‖ 两块～ 2元 ❹名 **財産** ‖ 他家很有～ 彼の家は金持ちだ ❺名 **費用. 代金** ‖ 房～ 家賃 ❻量 重さの単位.〔一两〕の10分の1(5グラム).〔市钱〕の略称

逆引き単語帳 〔零用钱〕língyòngqián 〔零花钱〕línghuāqián 小遣い銭 〔饭钱〕fànqián 食事代 〔车钱〕chēqián 交通費 〔现钱〕xiànqián 現金 〔本钱〕běnqian 元手 〔价钱〕jiàqian 値段 〔工钱〕gōngqian 賃金. 工賃 〔压岁钱〕yāsuìqián お年玉 〔零钱〕língqián 小銭 〔纸钱〕zhǐqián(死者にたむける)紙銭 〔赏钱〕shǎngqian 心付け. 祝儀 〔古钱〕gǔqián 昔の貨幣. 古銭 〔付钱〕fùqián 金を払う 〔收钱〕shōuqián 金を受け取る 〔找钱〕zhǎoqián 釣り銭を渡す 〔借钱〕jièqián 金を借りる. 金を貸す 〔垫钱〕diànqián 金を立て替える 〔攒钱〕zǎnqián 金をためる 〔存钱〕cúnqián 貯金する 〔赚钱〕zhuànqián 金を儲ける 〔赌钱〕dǔqián 金を賭(か)ける 〔挣钱〕zhèngqián 金を稼ぐ 〔花钱〕huāqián 金を使う 〔换钱〕huànqián 両替する 〔捐钱〕juānqián 金を寄付する 〔赔钱〕péiqián 損をする. 弁償する 〔省钱〕shěngqián 金を節約する 〔退钱〕tuìqián 金を払い戻す 〔值钱〕zhíqián 値打ちがある

【钱包】qiánbāo (～儿) 名 財布. 銭入れ
【钱币】qiánbì 名 貨幣. (多く硬貨をさす)
【钱财】qiáncái 名 お金. 金銭
【钱串子】qiánchuànzi 名 ❶銭差し. 銭の穴に通して束ねるひも ❷喩 守銭奴. 拝金主義者 ❸〈虫〉ゲジゲジ.〔钱龙〕ともいう
【钱柜】qiánguì 名 (商店などで使う)銭箱(ぜにばこ)
【钱款】qiánkuǎn 名 まとまったお金. 用途の決まっているお金 ‖ 慈善císhàn拍卖所得的～全部捐juān入慈善协会 チャリティーオークションの売上金はすべて慈善協会に寄付された
【钱权交易】qiánquán jiāoyì 慣 権力と金銭を取引すること. 手中の権力で私利を謀ること
【钱眼】qiányǎn (～儿) 名 銅銭の穴. 広く金銭をさす

【钱庄】qiánzhuāng 名 旧 銭荘(せんそう). 私営の金融機関

10 **钳** qián ❶名 ペンチ. ニッパー ‖ →～子 ❷挟む. 拘束する. 制限する ‖ →～制

【钳工】qiángōng 名〈機〉❶組み立てや仕上げの仕事 ❷組立工. 仕上工

【钳口结舌】qián kǒu jié shé 成 口をつぐんでしゃべらない

【钳制】qiánzhì 動 抑える. 制圧する

*【钳子】qiánzi 名 ペンチ. ニッパー

10 **虔** qián 敬虔(けいけん)である. 恭しい ‖ →～诚

【虔诚】qiánchéng 形 敬虔な ‖ ～的佛教fójiào徒 敬虔な仏教徒

【虔敬】qiánjìng 形 恭しい. 敬虔である

【虔心】qiánxīn 名 敬虔な心. 真心. 誠意 形 敬虔である. 慎み深い

11 **乾** qián ❶名 八卦(はっ)の一つ, 乾(けん). ☰で示し, 天を表す ➡〔八卦bāguà〕 ❷書 男性をさす ↔〔坤kūn〕

【乾坤】qiánkūn 名 乾坤(けんこん). 天地や陰陽など対比できるものをさす ‖ 扭转niǔzhuǎn～ 天下の形勢を一変させる

11 **掮** qián 動 方(荷物を)肩に担ぐ ‖ ～着行李 荷物を担いでいる

【掮客】qiánkè 名 仲買人. ブローカー

12 **犍** qián 地名用字 ‖ ～为 四川省にある県の名 ➤ jiān

15 **潜**(^△^潛) qián ❶動 水の中に潜る ‖ ～到水底 水底まで潜る ❷潜む. 隠れる ‖ →～伏 ❸ひそかに. こっそりと ‖ →～逃

【潜藏】qiáncáng 動 隠れている. 潜んでいる

*【潜伏】qiánfú 動 潜伏する. 隠れる ‖ ～着危机 危機が潜んでいる

【潜伏期】qiánfúqī 名〈医〉潜伏期

【潜航】qiánháng 動(潜水艦が)潜航する

【潜亏】qiánkuī 名〈経〉潜在損失

*【潜力】qiánlì 名 潜在力. 隠れた能力 ‖ 挖掘wājué～ 潜在力を掘り起こす

【潜流】qiánliú 名 ❶地下の水流 ❷喩 心中深く潜んでいる感情

【潜能】qiánnéng 名 ❶潜在能力 ‖ 发挥fāhuī～ 潜在能力を発揮する ❷潜在エネルギー

【潜匿】qiánnì 動 隠れる. 潜む

【潜入】qiánrù 動 ❶潜入する. 潜り込む ‖ ～敌后 敵の後方に潜入する ❷(水中に)潜る

【潜水】qiánshuǐ 動 ❶水に潜る. 潜水する ❷〈地質〉地下水

【潜水艇】qiánshuǐtǐng ＝〔潜艇qiántǐng〕

【潜水衣】qiánshuǐyī 名 潜水服. ウエットスーツ

【潜水员】qiánshuǐyuán 名 潜水夫. ダイバー

【潜台词】qiántáicí 名 ❶〈劇〉台詞(せりふ)の裏の意味 ❷喩 言外の意味

【潜逃】qiántáo 動(犯人が)こっそり逃げ出す. ひそかに逃亡する

【潜艇】qiántǐng 名〈軍〉潜水艦. 〔潜水艇〕ともいう ‖ 核hé～ 原子力潜水艦

【潜望镜】qiánwàngjìng 名〈軍〉潜望鏡. ペリスコープ

【潜心】qiánxīn 動 専念する. 打ち込む

【潜行】qiánxíng 動 ❶潜行する ❷ひそかに活動する. 人目を避けて行動する

【潜移默化】qián yí mò huà 成 知らず知らずのうちに感化される

【潜意识】qiányìshí 名 潜在意識

【潜泳】qiányǒng 動〈体〉潜水する

【潜在】qiánzài 形 潜在している. 潜んでいる ‖ ～力量 潜在的な力

【潜质】qiánzhì 名 潜在的な素質. 潜在的能力

【潜滋暗长】qián zī àn zhǎng 成 思わず知らずにはびこる. 知らない間に成長する

【潜踪】qiánzōng 動 貶 行方をくらます. 蒸発する

16 **黔**[1] qián 書 黒. 黒色

16 **黔**[2] qián 名 貴州省の別称

【黔驴之技】Qián lú zhī jì 成 見かけ倒しで能のないたとえ. 〔黔驴技穷〕ともいう

qiǎn

8 ★**浅**(淺) qiǎn ❶形 浅い ↔〔深〕‖ 河水很～ 川の水が浅い ❷形(見識・考えが)足りない ↔〔深〕‖ →～薄 ❸形(内容が)やさしい. 平易である ↔〔深〕‖ →～显 ❹形(色が)薄い. 淡い ↔〔深〕‖ ～红 淡紅色の ❺形 日が浅い ↔〔深〕‖ 相处xiāngchǔ的日子还～ 知り合ってまだ日が浅い ❻形 親しみがない ↔〔深〕‖ 交情很～ 付き合いが浅い ❼形 かすかである. わずかである ‖ 嘴角zuǐjiǎo挂guà着一丝～笑 口元にかすかな笑いを浮かべている ➤ jiān

【浅薄】qiǎnbó 形 浅薄である. 浅はかである

【浅淡】qiǎndàn 形(色が)浅い. 淡い. (感情などが)淡い

【浅见】qiǎnjiàn 名 浅見. 思慮の浅い考え

【浅近】qiǎnjìn 形(内容が)平易である. やさしい

【浅陋】qiǎnlòu 形(見識が)乏しい. 浅い

【浅露】qiǎnlù 形(言葉に)深みがない. 含蓄がない

【浅明】qiǎnmíng 形 平易である. 分かりやすい

【浅说】qiǎnshuō 動 分かりやすく説明する. 手ほどきする 名 手ほどき. 入門. (多く表題に用いる) ‖《逻辑luójí学～》『論理学入門』

【浅滩】qiǎntān 名 浅瀬

【浅显】qiǎnxiǎn 形(文章や内容が)平易で分かりやすい. 簡単で理解しやすい

【浅笑】qiǎnxiào 名 微笑. ほほえみ

【浅易】qiǎnyì 形 平明である. 分かりやすい

【浅子】qiǎnzi 名 円形の底の浅い入れ物.

8 **肷** qiǎn ❶胸の両脇(りょうわき)から腰までの部分. (多く獣類についていう) ❷(毛皮業で)キツネの胸から腹・わきの下にかけての毛皮 ‖ 狐hú～ 同前

13 **遣** qiǎn ❶遣わす. 派遣する ‖ 派～ 派遣する ❷(憂さを)晴らす. 気を紛らす ‖ 消～ 気晴らしをする

【遣词】qiǎncí 動(話や文章を書くとき)言葉を選ぶ

【遣返】qiǎnfǎn 動 送還する. 送り返す

【遣散】qiǎnsàn 動 ❶旧(機関や軍隊が再編または解散の際に人員を)解雇する. 退役させる ❷(機関の人員や敵軍の捕虜を)送還する. 送り返す

【遣送】qiǎnsòng 動 送り返す. 送還する

15 **谴 qiǎn** ❶しかる. 責める ‖ 一～责 ❷旧 官吏が左遷される

*【谴责】qiǎnzé 動 譴責(けんせき)する. 非難する ‖ 各国舆论yúlùn一致～这一侵略行径xíngjìng 各国の世論はいっせいにこの侵略行為を非難した

qiàn

4 *** **欠 qiàn** ❶あくびをする ‖ 哈hā～ あくび ❷動 不足する. 欠ける ‖ 计划～周密 計画が綿密さを欠く ❸動 借りがある. 負債がある ‖ 他～我一百元 彼は私に100元借りがある ❹動 上半身や足をやや上へ上げる ‖ 一～身 ❺形 方 出過ぎている. さしでがましい

【欠安】qiàn'ān 動 婉 体調をくずす

【欠火】qiàn//huǒ 動 (料理などの)煮方が足りない. 火の通りが不十分である

【欠佳】qiànjiā 動 あまりよくない. いまひとつである ‖ 成绩chéngjì～ 成績がいまひとつだ | 这几天我身体～ このところ私は体の具合がすぐれない

【欠款】qiàn//kuǎn 動 金銭を借りる. 借金する 名 (qiànkuǎn)借金. 負債

【欠情】qiàn//qíng (～儿) 動 義理を欠く. 不義理をする

【欠缺】qiànquē 動 不足する. 欠乏する 名 不十分な所. 欠点

【欠伸】qiànshēn 動 伸びをしつつあくびをする

【欠身】qiàn//shēn 動 腰を浮かせる(軽く会釈して敬意を表すことをいう)

【欠条】qiàntiáo (～儿) 名 借用書

【欠妥】qiàntuǒ 動 妥当を欠く. 適切でない ‖ 措词cuòcí～ 言葉遣いが適切でない

【欠债】qiàn//zhài 動 借金をする. 債務を負う ‖ 欠了一身债 背負いきれないほどの借金をする 名 (qiànzhài)負債. 借金

【欠账】qiàn//zhàng =〔欠债qiànzhài〕

【欠资】qiànzī 動 (郵便物の)料金が足りない

6 **纤(縴) qiàn** 船の引き綱 ‖ 拉～ 船を引く ➤ xiān

【纤夫】qiànfū 名 船を引く人. 船引き

【纤绳】qiànshéng 名 船を引く綱. 引き綱

7 **芡 qiàn** ❶名〈植〉オニバス. 〔鸡头〕〔老鸡头〕ともいう ❷名〈料理〉澱粉を水で溶いたもの ‖ 勾gōu～ あんかけにする

【芡粉】qiànfěn 名 オニバスの実から作った澱粉

9 **茜 qiàn** ❶名〈植〉アカネ =〔茜草〕 ❷書 暗赤色. 茜色(あかねいろ) ➤ xī

【茜草】qiàncǎo 名 ❶〈植〉アカネ ❷〈中薬〉茜草根(せんそうこん)

10 **倩[1] qiàn** 美しい. みめよい ‖ ～女 美しい女

10 **倩[2] qiàn** 書 (自分の代わりに)人に頼む ‖ ～人执笔 代筆を頼む

【倩影】qiànyǐng 名 (多く女性の)美しい姿

11 **堑 qiàn** 防御のための溝. 塹壕(ざんごう). 喩 挫折(ざせつ). 失敗 ‖ ～壕háo 塹壕

12 * **嵌 qiàn** 動 石などをはめ込む. 象眼する ‖ 镶xiāng～ 象眼する ➤ kàn

【嵌镶】qiànxiāng 動 象眼する. 象眼細工をする

12 **椠 qiàn** 古 ❶文字を書き記した木の板 ❷版本 ‖ 宋～ 宋代の版本 ❸書簡

13 **慊 qiàn** 書 遺憾である. 悔やむ ➤ qiè

14 **歉 qiàn** ❶不作である. 凶作である. 実りが悪い ‖ 一～收 ❷申し訳なく思う. すまないと思う ‖ 一～然 ❸申し訳ないという気持ち. 遺憾の念 ‖ 抱bào～ 申し訳なく思う

【歉疚】qiànjiù 形 後ろめたい. 良心がとがめるさま

【歉年】qiànnián 名 不作の年. 凶年 ↔〔丰年〕

【歉然】qiànrán 形 恐縮するさま. すまなく思うさま

【歉收】qiànshōu 動 不作になる. 凶作になる. 減収する ↔〔丰收〕‖ 连年～ 毎年不作続きである

*【歉意】qiànyì 名 申し訳ない気持ち. 遺憾の意 ‖ 深表～ 深く遺憾の意を表す

qiāng

7 **抢(搶) qiāng** ❶書 ぶつける. 撞(つ)く ‖ 呼天～地 (悲痛のあまり)天に向かって叫び, 地に頭を打ちつける ❷〔戗qiāng❶〕に同じ ➤ qiǎng

7 **呛(嗆) qiāng** 動 (食べ物や飲み物がのどに入って)むせかえる. せき込む ‖ 慢点儿喝, 别～着! ゆっくり飲みなさい, むせないように ➤ qiàng

7 **羌(△羗 羌) qiāng** ❶名 (古代の民族名)羌(きょう) ❷チャン族 ‖ 一～族

【羌族】Qiāngzú 名 チャン族(中国の少数民族の一つ, 主として四川省に居住)

8 *** **枪(槍 △鎗❶～❸) qiāng** ❶槍(やり) ‖ 标～ (槍投げ競技の)槍. ジャベリン ❷名 銃. 小銃. 鉄砲 ‖ 手～ ピストル. 拳銃(けんじゅう) | 开～ 発砲する ❸働きや形状が銃に似た器具 ‖ 焊hàn～ 溶接用トーチ ❹受験者の替え玉として試験を受ける ‖ 打～ 同前

【枪把子】qiāngbàzi 名 ❶口 銃把(じゅうは). 銃床 ❷転 生殺与奪の権 ‖ 握着～ 生殺与奪の権を握っている

【枪崩】qiāngbēng 動 口 銃殺する

*【枪毙】qiāngbì 動 ❶銃殺する. 銃殺刑に処する ‖ 贩毒fàndú分子被～了 麻薬密売人が銃殺刑に処せられた ❷喩 (仕事や作品が)没になる. 停止命令を受ける

【枪弹】qiāngdàn 名〈軍〉銃弾. 弾丸. ふつうは〔子弹〕という

【枪法】qiāngfǎ 名 ❶射撃術. 射法 ❷槍術(そうじゅつ)

【枪杆】qiānggǎn (～儿) 名 銃身. 銃. (広く)武器や武力. 〔枪杆子〕ともいう

【枪击】qiāngjī 動 銃撃する

【枪机】qiāngjī 名 (銃の)引き金

【枪决】qiāngjué 動 銃殺刑に処する

【枪口】qiāngkǒu (～儿) 名 銃口

【枪林弹雨】qiāng lín dàn yǔ 成 弾丸が雨あられと降りそそぐ

【枪炮】qiāngpào 名 銃砲

【枪杀】qiāngshā 動 銃殺する. 射殺する

【枪声】qiāngshēng 名 銃声

【枪手】qiāngshǒu 名 ❶槍を使う兵士 ❷射手. 射撃手 ‖ 神～ 射撃の名手

Q

【枪手】qiāngshou 名（受験生の）替え玉
【枪栓】qiāngshuān 名（銃の）遊底
【枪膛】qiāngtáng 名 銃身
【枪托】qiāngtuō 名 銃床．〔枪托子〕ともいう
【枪械】qiāngxiè 名 銃器
【枪眼】qiāngyǎn 名 ❶銃眼 ❷（～儿）弾痕（だんこん）
【枪战】qiāngzhàn 名 銃撃戦
【枪支】qiāngzhī 名 銃器の総称 ‖ ～弹药dànyào 銃器や弾薬（爆薬も含む）
【枪子儿】qiāngzǐr 名 回 鉄砲玉．銃弾 ‖ 吃～ 銃弾をくらう．死ぬ

8 **戗（戧）qiāng** ❶動 逆らう．立ち向かう ‖ 一～风 ❷動（話が）ぶつかる．衝突する ➤ qiàng
【戗风】qiāng//fēng 動 逆風を受ける

8 **戕 qiāng** 書 傷つける．害する．殺害する ‖ 自～ 自殺する
【戕害】qiānghài 動 損なう．害する

9 **将（將）qiāng** 書 願う．請う ➤ jiāng jiàng

12 **腔**[1] **qiāng** （～儿）動物の体内の中空になっている部分．腔（こう）．物体の中空部分 ‖ 口～ 口腔（こうこう）｜一～热血rèxuè 体にたぎる熱い血

12 * **腔**[2] **qiāng** ❶名（～儿）曲や歌唱の調子．節回し．節 ❷名（～儿）言葉のなまり．口調 ‖ 京～儿 北京なまり｜学生～儿 学生口調 ❸（～儿）話．言葉 ‖ 搭dā～ 話に答える．返事をする．口をきく
【腔肠动物】qiāngcháng dòngwù 名 腔腸（こうちょう）動物
【腔调】qiāngdiào 名 ❶中国伝統劇の節回し ❷話の抑揚．口調

14 **锵（鏘）qiāng** 擬（金属製の物や玉ぎょくがぶつかる音）カン．ガラン．ジャン

qiáng

12 ** **强（△彊 強）qiáng** ❶形（力が）強い．たくましい ↔〔弱ruò〕‖ 竞争力～ 競争力が強い ❷強める．頑強にする ‖ 一～身 ❸確固としている．剛毅である ‖ 一～硬 ❹横暴である ‖ 一～暴 ❺強いて．力ずくで ‖ 一～加 ❻形（レベル・程度が）高い ‖ 自尊心zìzūnxīn很～ 自尊心が強い ❼形 優れている ‖ 工作条件比过去～多了 仕事の条件は昔に比べるとずっとよくなった ❽形（数字や数量を表す語の後に置き，それより多いことを示す）…強 ↔〔弱〕 ➤ jiàng qiǎng
【强暴】qiángbào 形 強迫的である．暴力的である．凶暴である 名 暴力．強迫 動 強姦（ごうかん）する
**【强大】qiángdà 形 強大である．強力である ‖ 阵容～ メンバーが強力である
【强档】qiángdàng 形 強力な．有力な
*【强盗】qiángdào 名 強盗．略奪者
【强敌】qiángdí 名 強敵 ‖ 打败～ 強敵を打ち負かす
**【强调】qiángdiào 動 強調する ‖ 再三～要安全生产 繰り返し安全な生産活動の大切さを強調する
*【强度】qiángdù 名 ❶〈物〉強度．強さ ❷強さ．激しさ ‖ 劳动～ 労働消耗する度合い．労働の強度
【强风】qiángfēng 名 ❶強風 ❷〈気〉雄風（風力6の風）
【强攻】qiánggōng 動 強攻する ‖ ～篮lán下 バスケットの真下を激しく攻める
【强固】qiánggù 形 強固である．堅固である
【强国】qiángguó 名 強国 動 国を強くする
【强悍】qiánghàn 形 強くて勇ましい
【强横】qiánghèng 形 横暴である
*【强化】qiánghuà 動 強化する．強める ‖ ～训练 強化訓練
【强化食品】qiánghuà shípǐn 名 強化食品
【强记】qiángjì 形 記憶力に優れる ‖ 博闻～ 見聞が広く記憶力がよい
【强加】qiángjiā 動 押しつける ‖ ～于人 人に押しつける
【强奸】qiángjiān 動 ❶強姦する ❷踏みにじる
【强碱】qiángjiǎn 名〈化〉強アルカリ
【强健】qiángjiàn 形 頑健である．たくましい
【强将】qiángjiàng 名 強将．勇将
【强劲】qiángjìng 形 強力である．強い
【强力】qiánglì 名 ❶強制力．強い力 ❷強力 ‖ ～洗衣粉 強力洗剤
**【强烈】qiángliè 形 ❶強烈である．きわめて激しい ‖ 反应～ 反応が強烈である｜～反对 断固反対する ❷鮮やかである．きわだっている ‖ 具有～的感情色彩 感情が強く表されている
【强令】qiánglìng 動 強制的に命じる
【强弩之末】qiáng nǔ zhī mò 成 強弩（きょうど）の末．かつて強さを誇っていた者もすでに衰え，無力になっていること
【强强联合】qiángqiáng liánhé 慣 有力企業同士など，実力者同士が手を組むこと
【强取豪夺】qiáng qǔ háo duó 成 無理やりに奪い取る．強引に取り立てる
【强权】qiángquán 名 強権 ‖ ～政治 強権政治．力の政治
【强人】qiángrén 名 強者．実力者 ‖ 女～ 男まさりのやり手．キャリア・ウーマン
【强弱】qiángruò 形 強弱．強さの程度
【强身】qiángshēn 動（運動や薬などで）体を強くする
*【强盛】qiángshèng 形 強くて勢い盛んである ‖ 繁荣fánróng～的祖国 繁栄する強大な祖国
【强势】qiángshì 名 ❶強力な勢い ‖ 股价显xiǎn～ 株価は強含みである ❷強者 ‖ 社会～群体 社会的強者 ✻ ↔〔弱势〕
【强势群体】qiángshì qúntǐ 名 勝ち組．社会的強者
【强手】qiángshǒu 名 強い人．能力のある人
【强似】qiángsì 動 …に勝る．…より優れている．〔强如〕ともいう ‖ 一代～一代 一世代ごとに強くなる
【强项】[1] qiángxiàng 名 得意分野．（スポーツの）強い種目 ↔〔弱项〕
【强项】[2] qiángxiàng 形 書 剛直で人に屈服しないさま
【强行】qiángxíng 副 強硬に．無理やりに ‖ 议案被～通过 議案が強行可決された
【强行军】qiángxíngjūn 名〈軍〉強行軍
【强压】qiángyā 動 強い力で押さえつける．無理強いする ‖ ～心头的怒火nùhuǒ 心の中の怒りをこらえる
【强硬】qiángyìng 形 強硬である．手強い．堅い
【强有力】qiángyǒulì 形 力強い．強力である

【强占】qiángzhàn 動 ❶力ずくで占有する．強引に占有する ❷軍事力で占領する
【强直】qiángzhí 形〈医〉強直している．硬直している 形 書 強直である．真っ正直である
*【强制】qiángzhì 動 強制する ‖ 采用～手段 強制的手段をとる
【强壮】qiángzhuàng 形 強壮である．強健である
14 ★**墙**（墻 △牆）qiáng 名 壁．塀．囲い．仕切り ‖ 城～ 城壁 | 篱笆líba～ 垣根
【墙报】qiángbào 名 壁新聞 ‖ 出～ 壁新聞をつくる
*【墙壁】qiángbì 名 壁．塀．囲い
【墙倒众人推】qiáng dǎo zhòng rén tuī 慣 いったん落ち目になると世間から追い討ちをかけられること
【墙根】qiánggēn（～儿）名 壁や塀の根もと
【墙基】qiángjī 名 壁や塀の土台
【墙角】qiángjiǎo 名 壁や塀の角のところ
【墙脚】qiángjiǎo 名 ❶壁や塀の地面に近い部分 ❷（物事の）基礎．土台 ‖ 挖wā～ 足もとを掘り崩す．人の足を引っ張る
【墙裙】qiángqún 名〈建〉壁・塀の腰石や腰板．腰羽目（ばめ）．〔护壁hùbì〕ともいう
【墙头】qiángtóu 名 ❶（～儿）塀のてっぺん ❷背の低い塀や仕切り
【墙头草】qiángtóucǎo 名（塀の上に生えた草は風任せになびくことから）日和見主義者．風見鶏（かざみ）
【墙围子】qiángwéizi 名 腰板．腰羽目．室内壁面の下半分に張る壁紙
【墙垣】qiángyuán 名 書 塀．壁
【墙纸】qiángzhǐ 名 壁紙．〔壁纸〕ともいう
14 **蔷**（薔）qiáng ↴
【蔷薇】qiángwēi 名〈植〉バラ科の一種．〔野蔷薇〕ともいう
14 **嫱**（嬙）qiáng 古 宮廷の女官
15 **樯**（檣 △艢）qiáng 書 帆柱．マスト ‖ 桅wéi～ 帆柱

qiǎng

7 **抢**[1]（搶）qiǎng ❶動 奪う．横取りする ‖ ～劫 ❷動 先を争う．我がちに行う ‖ 大家～着发言 みんなが我がちに発言する ❸動 急いで行う ‖ ～救
7 **抢**[2]（搶）qiǎng 方 ❶動 削る．研（と）ぐ ❷動 すりむく ‖ 手背shǒubèi上～掉了一块皮 手の甲をすりむいた ➤ qiāng
【抢白】qiǎngbái 動 面と向かって非難したり，嫌みを言ったりする
【抢答】qiǎngdá 動 先を争って回答する
【抢点】[1] qiǎngdiǎn 動（交通機関が）定刻に間に合わせようとスピードを上げる
【抢点】[2] qiǎngdiǎn 動 ❶（サッカーなどで）選手が有利な位置を奪い合う ❷競って有利な位置を占めようとする ‖ ～中国市场 中国市場で有利な位置を占めるべく争う
【抢渡】qiǎngdù 動 急いで川を渡る
【抢断】qiǎngduàn 動（サッカー・バスケットボールで）ボールを奪う
【抢夺】qiǎngduó 動 奪い取る．引ったくる
【抢匪】qiǎngfěi 名 強盗 ‖ 银行～ 銀行強盗
【抢工】qiǎnggōng 動 突貫工事をする
【抢攻】qiǎnggōng 動 先を争って攻略する
【抢购】qiǎnggòu 動 先を争って買う
【抢婚】qiǎnghūn 名 略奪結婚
【抢建】qiǎngjiàn 動 突貫工事で建てる
*【抢劫】qiǎngjié 動 力ずくで奪い取る．強奪する．略奪する ‖ 拦lán路～ 追いはぎをやる
【抢镜头】qiǎng jìngtóu 組 ❶シャッターチャンスを捉える ❷注目を浴びようとする．脚光を浴びようとする
*【抢救】qiǎngjiù 動（緊急事態のとき）急いで救護する．緊急措置をとる ‖ ～危重病人 危篤の病人に応急手当てを施す
【抢掠】qiǎnglüè 動 略奪する．奪い取る
【抢拍】qiǎngpāi 動 シャッターチャンスを捉える
【抢亲】qiǎng//qīn 動 略奪結婚をする
【抢时间】qiǎng shíjiān 組 緊急にやる．大急ぎでする
【抢收】qiǎngshōu 動 大急ぎで収穫する
【抢手】qiǎngshǒu 形 引く手あまたである．人気が高い ‖ ～货 人気商品 | 开幕式的门票十分～ 開会式の入場券はとても人気が高い
【抢滩】qiǎngtān 動（沈没を回避するため船が）浅瀬に乗り上げる
【抢先】qiǎng//xiān（～儿）動 先を争う．先んじる ‖ ～一步 一歩先んじる
【抢险】qiǎngxiǎn 動 危険回避のため応急工事をする．緊急措置をとる
【抢修】qiǎngxiū 動 緊急に修理をする
【抢眼】qiǎngyǎn 形 目を引く．注目を集める
【抢运】qiǎngyùn 動 緊急輸送する
【抢占】qiǎngzhàn 動 ❶先を争って占拠する ❷不法占有する ‖ ～公物 公共物を不法に占有する
【抢种】qiǎngzhòng 動（時機を逃さず）急いで種まきをする
【抢嘴】qiǎngzuǐ 動 ❶先を争って発言する．横から口を出す ❷先を争って食べる
12 **强**（△彊 強）qiǎng ❶強いる．無理強いする ‖ ～迫 ❷無理やりである．強引である ‖ 牵qiān～ こじつける ➤ jiàng qiáng
【强逼】qiǎngbī 動 強いる．無理強いする
【强辩】qiǎngbiàn 動 強弁する．屁理屈（へりくつ）をこねる
【强词夺理】qiǎng cí duó lǐ 成 屁理屈をこねて言い訳する．強弁して言い逃れようとする
*【强迫】qiǎngpò 動 強いる．無理に従わせる．強制する ‖ 没人～，大家都自愿为灾区zāiqū捐款juānkuǎn 誰に強制されることなく，みんなは自主的に災害地区のため寄付金を出した
【强迫症】qiǎngpòzhèng 名〈医〉強迫神経症
【强求】qiǎngqiú 動 無理に要求する．強要する
【强人所难】qiǎng rén suǒ nán 成 人のいやがることを無理強いする
【强使】qiǎngshǐ 動 強制する．強要する
【强颜】qiǎngyán 動 書 無理に笑顔をつくる ‖ ～欢笑 無理に笑ってみせる
【强作】qiǎngzuò 動 無理に…する ‖ ～笑脸 無理に笑顔をつくる | ～镇静zhènjìng なんとか平静を装う

Q

17 **襁**（△繦）**qiǎng** 書 背負い帯. おぶいひも. 赤ん坊をおんぶするときの帯や袋状のもの

【襁褓】**qiǎngbǎo** 名 産衣(うぶぎ). おくるみ. 襁褓(むつき). 喩 幼児期

17 **镪** **qiǎng** 古 ひもを通してつないである穴あき銭. (広く)お金

qiàng

7 **呛**（嗆）**qiàng** 動 (煙やガスに)むせる. 煙たがる ‖ 浓烟～得人喘不过 chuǎnbuguò气来 ひどい煙にむせて息もできない ➤ qiāng

8 **炝**（熗）**qiàng** ❶動〈料理〉手早くゆでて酢やしょうゆなどの調味料であえる ❷動〈料理〉ショウガやネギなどをさっと炒めて香りを出す ‖ 用葱cōng姜jiāng～锅 ネギとショウガを炒めて鍋に香りを移す

8 **戗**（戧）**qiàng** 方 ❶動 支える ❷動 (試練や苦難などを)受ける. 堪える ➤ qiāng

【戗面】**qiàngmiàn** 動〈料理〉発酵してふくらんだ生地に小麦粉をさらに加えてこねる(堅くでき上がる) ‖ ～馒头 同前の方法でつくられた硬めのマントー

11 **跄**（蹌）**qiàng** ↴

【跄踉】**qiàngliàng** 形 よろよろして歩くさま ＝〔踉跄〕

qiāo

Q

10 **悄** **qiāo** ↴ ➤ qiǎo

*【悄悄】**qiāoqiāo** (～儿) 副 ❶声をひそめて. 音を立てずに. そっと ‖ 他～地推开门走进来 彼はそっとドアを開けて入ってきた ❷ひそかに. こっそりと

【悄悄话】**qiāoqiaohuà** 名 内緒話. ささやき

11 **雀** **qiāo** ↴ ➤ qiǎo què

【雀子】**qiāozi** 名 口 そばかす＝〔雀斑bān〕

13 **跷**（蹺△蹻）**qiāo** ❶動 (足を)上げる. (指を)立てる ‖ ～起大拇指dàmuzhǐ称赞 親指を立ててほめる ❷動 つま先立つ ‖ 一～脚儿就够着gòuzháo了 つま先で立ったら手が届いた ❸民間芸能の高足踊りに用いられる竹馬状の道具

【跷蹊】**qiāoqi** 形 怪しい. 疑わしい ＝〔蹊跷qīqiāo〕

【跷跷板】**qiāoqiāobǎn** 名 シーソー

14 **劁** **qiāo** 動 方 (家畜を)去勢する

14 **敲** **qiāo** ❶動 たたく. 打ち鳴らす ‖ ～鼓 太鼓を打ち鳴らす ❷動 口 ゆする. たかる

【敲边鼓】**qiāo biāngǔ** 慣 横について助勢する. 脇(わき)から口添えする. 〔打边鼓〕ともいう

【敲打】**qiāoda** ; **qiāodǎ** 動 ❶たたく. 打ち鳴らす ‖ 欢庆的人群敲敲打打从门前走过 お祝いの人々が賑やかに鳴り物を鳴らしながら門の前を過ぎていく ❷方 (言葉で)刺激する. 批判する. 皮肉を言う

【敲定】**qiāodìng** 動 (話を)詰める. (事柄を)決定する. 確定する

【敲骨吸髓】**qiāo gǔ xī suǐ** 成 骨の髄まで食い尽くす. 情け容赦なく徹底して搾取する

【敲击】**qiāojī** 動 打つ. たたく

【敲门砖】**qiāoménzhuān** 名 (出世のための)踏み台. 足がかり. 利用する道具

【敲山震虎】**qiāo shān zhèn hǔ** 成 山肌を打って虎(とら)を脅す. 威嚇行為のたとえ

【敲诈】**qiāozhà** 動 ゆする. 恐喝する ‖ ～勒索lèsuǒ 恐喝して金品を巻き上げる

【敲竹杠】**qiāo zhúgàng** 慣 (言いがかりをつけて)ゆする. たかる. 法外な値段をふっかける

14 **锹**（△鍫）**qiāo** 名 シャベル. スコップ ‖ 铁～ シャベル. スコップ

16 **缲**（幧）**qiāo** 動 くけ縫いをする. くける. まつる ‖ ～边儿 へりをまつる

16 **橇** **qiāo** ❶古 泥道を通るときに使った小さな船形の道具 ❷そり ‖ 雪～ 雪そり

qiáo

6 **乔**[1]（喬）**qiáo** 高い ‖ →～木

6 **乔**[2]（喬）**qiáo** 偽装する. まねる ‖ →～装

【乔木】**qiáomù** 名〈植〉喬木(きょうぼく). 高木

【乔其纱】**qiáoqíshā** 名〈紡〉ジョーゼット. クレープ・ジョーゼット

【乔迁】**qiáoqiān** 動 書 よい場所へ移転する. 栄転する ‖ ～新居 新居に移られた

*【乔装】**qiáozhuāng** 動 変装する. 化ける ‖ ～打扮dǎban 変装する

8 **侨**（僑）**qiáo** ❶他国に居留する ‖ →～居 ❷他国に居留する人 ‖ 华～ 華僑 ｜ 归～ 帰国華僑

【侨办】**qiáobàn** 名 略 華僑事務弁公室. 〔侨务办公室〕の略. 国務院に属す

*【侨胞】**qiáobāo** 名 外国に居留する自国民. 在外同胞 ‖ 爱国～ 愛国的な在外同胞

【侨汇】**qiáohuì** 名 海外華僑からの国内への送金

【侨居】**qiáojū** 動 外国に住む

【侨眷】**qiáojuàn** 名 在外華僑の国内に残る家族

【侨民】**qiáomín** 名 在外の自国民

【侨商】**qiáoshāng** 名 華僑の商人

【侨务】**qiáowù** 名 華僑に関する事務

【侨乡】**qiáoxiāng** 名 ❶帰国した華僑やその家族が集中して住む地域 ❷数多くの華僑を出した地域

【侨资】**qiáozī** 名 華僑資本

9 **荞**（蕎△荍）**qiáo** ↴

【荞麦】**qiáomài** 名〈植〉ソバ ‖ ～面 そば粉

9 **峤**（嶠）**qiáo** 古 (山が)険しく高い ➤ jiào

10 ★**桥**（橋）**qiáo** 名 橋. 橋梁(きょうりょう) ‖ →～梁 ｜ 架～ 橋を架ける

逆引き単語帳 〔独木桥〕dúmùqiáo 丸木橋 〔石桥〕shíqiáo 石橋 〔吊桥〕diàoqiáo つり橋 〔拱桥〕gǒngqiáo アーチ橋. 太鼓橋 〔浮桥〕fúqiáo 浮き橋 〔铁索桥〕tiěsuǒqiáo 鎖の吊り橋 〔舟桥〕zhōuqiáo 舟橋 〔七孔桥〕qīkǒngqiáo 七つのアーチを持つ石造り

の橋 〔立交桥〕lìjiāoqiáo 立体交差橋 〔天桥〕tiānqiáo 歩道橋 〔铁路桥〕tiělùqiáo 鉄橋 〔栈桥〕zhànqiáo さんばし

【桥洞】qiáodòng （～儿）图 アーチ橋の下のまるい空間
【桥墩】qiáodūn 图 橋柱. 橋脚台
【桥拱】qiáogǒng 图 橋のアーチ
【桥孔】qiáokǒng 图 アーチ橋の下のまるい空間
【桥栏】qiáolán 图 橋の欄干
**【桥梁】qiáoliáng 图 ❶橋梁. 橋 ❷橋渡し. 懸け橋 ‖ 友谊的～ 友好の懸け橋
【桥牌】qiáopái 图（トランプゲームの一つ）ブリッジ
【桥头】qiáotóu 图 橋のたもと
【桥头堡】qiáotóubǎo 图 ❶〈軍〉橋頭堡(きょうとうほ) ❷〈建〉橋塔 ❸喩 攻め込むための足がかり, 拠点
【桥桩】qiáozhuāng 图 橋脚

12 **翘**（翹）qiáo 書 ❶（頭を）もたげる ‖ 一～首 ❷傑出している. ぬきんでている ‖ 一～楚 ➤ qiào
【翘楚】qiáochǔ 图 書 ぬきんでて優れた者
【翘盼】qiáopàn 動 書 切望する
【翘企】qiáoqǐ 動 書 首を長くして待つ. 切に望む
【翘首】qiáoshǒu 動 書 頭をもたげる. 仰ぎ見る ‖ ～以待 首を長くして待つ. 鶴首する
【翘望】qiáowàng 動 書 ❶頭をもたげて遠くを見る ❷待ち望む. 切望する
【翘足引领】qiáo zú yǐn lǐng 成 つま先立ち, 首を長くして待つ. 待ち望むことのたとえ

14 **谯** qiáo 物見やぐら ‖ ～楼 同前

15 **憔**（△顦 癄）qiáo ↴
【憔悴】qiáocuì 形 やつれている. 憔悴(しょうすい)している. 喩 草花がしおれている ‖ 形容～ 顔がやつれている

15 **轿**（轎）qiáo 图 鞍(くら)の峰

16 **樵** qiáo ❶柴. たきぎ ❷書 木を切る. 柴刈りをする ‖ 一～夫 ❸柴を刈る人. きこり
【樵夫】qiáofū 图 きこり

17 ** **瞧** qiáo 口 ❶動 見る ‖ ～热闹 高みの見物をする ❷動 診察する.（医者に）診てもらう ‖ ～大夫dàifu お医者さんに診てもらう ❸動 会う. 訪ねる ‖ ～朋友 友人に会う ❹動 見て判断する. 思う ‖ 真～不出他已经是上四十的人了 彼が四十過ぎの人とはとても見えない ❺動 …しだいである. …いかんによる ‖ 这回就～你的了！ こんどはあなたが頼りだ ❻動（様子を）見る.（成り行きを）見る ‖ 您～着办吧 あなたのほうで適当に見計らってください

> **類義語** 瞧 qiáo 盯 dīng 望 wàng 看 kàn
> ◆ともに「見る」ことを表す ◆〔瞧〕口語で用いられ, 短時間の動作に用いることが多い ‖ 你瞧！ ほら, 見て ◆〔盯〕見つめる ◆〔望〕眺める. 離れた所を見る ◆〔看〕広く「見る」動作をさす ◆〔瞧〕〔望〕〔看〕は重ね型にすることができ, 後に〔一下〕〔一眼〕を伴ったり, 結果補語〔见〕を伴うことができる. 〔盯〕はいずれの形にもならない

【瞧病】qiáo//bìng 動 口（病気を）診る. 診てもらう
【瞧不起】qiáobuqǐ 動 口 見下げる. 見くびる. 軽蔑する. 無視する ‖ ～人 人をばかにする
【瞧得起】qiáodeqǐ 動 口 重視する. 尊敬する ‖ 你要～我, 咱们一起干 私でもよければ, 一緒にやりましょう
【瞧见】qiáo//jian(jiàn) 動 口 見る. 見える

qiǎo

5 ** **巧** qiǎo ❶技術. わざ ‖ 技～ 技巧. テクニック ❷形（技能や技術が）優れている ‖ 一～匠 ❸巧みである. 精妙である ‖ 一～妙 ❹うわべだけで中身がない ‖ 花言～语 巧言. 甘言 ❺形 ちょうどよい ‖ 真不～, 他刚走 あいにく, 彼はいま帰ったところだ
【巧辩】qiǎobiàn 動 言葉巧みに言い逃れる
【巧夺天工】qiǎo duó tiān gōng 成 天然の美をしのぐほど技が巧みである
【巧妇难为无米之炊】qiǎo fù nán wéi wú mǐ zhī chuī 諺 賢い嫁でも米がなくては御飯は炊けない. 最低限の条件すら揃わないのでは何もできない
【巧干】qiǎogàn 動 創意工夫する. 頭を働かせて仕事をする ‖ 苦干加～ 努力し創意工夫する
【巧合】qiǎohé 形 偶然の一致である.
【巧计】qiǎojì 图 巧みな策. 巧妙な計略
【巧匠】qiǎojiàng 图 名匠. 名工 ‖ 能工～ 名匠
【巧克力】qiǎokèlì 图 外 チョコレート
【巧立名目】qiǎo lì míng mù 成 巧みに名目を立てる. うまい口実を設ける
**【巧妙】qiǎomiào 形 巧妙である. 精巧である.（言葉が）巧みである ‖ 用话～地遮掩zhēyǎn过去 言葉巧みにごまかし通した
【巧取豪夺】qiǎo qǔ háo duó 成 詐欺や暴力で他人の財産や権利を取り上げること
【巧手】qiǎoshǒu 图 ❶確かな腕前. 手先が器用であること ❷腕達者. 熟練者. 名人
【巧思】qiǎosī 图 優れた発想
【巧言令色】qiǎo yán lìng sè 成 巧言令色
【巧遇】qiǎoyù 動 偶然に出会う

10 **悄** qiǎo 静かで音がしない. 声が小さい ‖ 低声～语 ひそひそ声 ➤ qiāo
【悄没声儿】qiǎomoshēngr （～的）形 方 ひっそりとしている. 音をさせない
【悄然】qiǎorán 形 ❶悄然(しょうぜん)としている ❷声なくひっそりしている ‖ ～无声 ひっそりとして静かである
【悄声】qiǎoshēng 形 音が小さい. 小声である. ひっそりしている

11 **雀** qiǎo ➡〔家雀儿jiāqiǎor〕 ➤ qiāo què

qiào

7 **壳**（殼）qiào 外皮. 殻(から) ‖ 地～ 地殻 ‖ 甲～（エビやカニなどの）殻. 甲羅 ➤ ké

9 **诮** qiào 書 ❶責める ❷皮肉る. あてこする ‖ 讥jī～ 皮肉る

9 **俏** qiào ❶形（容姿が）美しい. きれいである ‖ 打扮得很～ きれいにおしゃれしている ❷形（商品の）売れ行きがよい ‖ 紧～ 生産が間に合わないほどよく売れる ❸動 方〈料理〉（主となる材料に）他の材料を加える ‖ 炒肉片里～些韭菜jiǔcài 肉炒めには少しニラを入れる
【俏货】qiàohuò 图 よく売れる商品. 人気商品

【俏丽】qiàolì 形 美しい．あかぬけている
【俏卖】qiàomài 動 よく売れる．売れ行きがいい
【俏皮】qiàopi 形 ❶(容姿や装いが)美しい．スマートである ❷(言葉や話が)茶目っけがある．おどけている．ユーモラスである‖说话很～ 話がとてもおどけている
【俏皮话】qiàopihuà (～儿) 名 ❶しゃれ．皮肉．ジョーク‖说～ ジョークを飛ばす ❷しゃれ言葉．掛け言葉
【俏销】qiàoxiāo 動 よく売れる．好調に売れる

10 峭(陗) qiào ❶(山が)険しくそびえるさま‖陡dǒu～ (山が)切り立っている｜峻jùn～ (山が)高くそびえている ❷厳格である
【峭拔】qiàobá 形 ❶(山が)高く険しい ❷(筆致が)力強い‖笔锋～ 筆使いが雄渾(ゆうこん)である
【峭壁】qiàobì 名 絶壁‖悬崖xuányá～ 断崖絶壁(だんがいぜっぺき)
【峭立】qiàolì 動 書 そびえ立つ

10 窍(竅) qiào ❶穴．孔(あな) ❷人体の器官の穴‖七～ 七つの孔(目・耳・鼻・口をさす) ❸物事の勘どころ．かなめ．要訣(ようけつ)‖诀jué～ こつ．秘訣．奥の手
【窍门】qiàomén (～儿) 名 秘訣．こつ．勘どころ‖学外语也有～儿 外国語を学ぶにもこつがある

12 * 翘(翹) qiào 動 (物の片方が)上に反る．跳ね上がる‖留着两撇piě～胡子 ぴんと跳ねた2本のひげをたくわえている ➤qiáo
【翘辫子】qiào biànzi 慣 (皮肉で)死ぬ
【翘尾巴】qiào wěiba 慣 鼻高々になる．思い上がる．うぬぼれる

15 撬 qiào 動 (棒・小刀・きりなどで)こじ開ける‖～锁suǒ 錠前をこじ開ける
【撬棒】qiàobàng 名 てこ
【撬杠】qiàogàng 名 金てこ．〔撬棍〕ともいう

16 鞘 qiào ❶名 (刀剣の)さや‖刀出～ 刀を抜く ❷さや状のもの‖腱jiàn～ 腱鞘(けんしょう) ➤shāo

qiē

4 *** 切 qiē ❶動 (刃物で)切る．切断する‖把蛋糕～成六块儿 カステラを六つに切り分ける ❷断つ．遮断する‖一～断 ❸動〈数〉(円が)接する ➤qiè
【切不动】qiēbudòng 動 (物が固くて)よく切れない．(刃がなまっていて)切れない
【切除】qiēchú 動〈医〉(外科手術で)切除する
【切磋】qiēcuō 動 切磋琢磨(せっさたくま)する．磨く
【切磋琢磨】qiē cuō zhuó mó 成 切磋琢磨する
【切点】qiēdiǎn 名〈数〉接点．切点
【切断】qiēduàn 動 切断する．断つ
【切分】qiēfēn 動 切り分ける．分割する
【切糕】qiēgāo 名 もち米やキビの粉でつくった餅で，ナツメやアズキ餡(あん)などを入れた菓子
【切割】qiēgē 動〈機〉切断する．〔割切〕ともいう
【切花】qiēhuā 名 切り花．生花
【切换】qiēhuàn 動 (場面が)転換する．切りかわる‖～镜头 場面が変わる
【切汇】qiēhuì 動 やみの外貨取引で，買い主が売り主をだまして安く買う
【切口】qiēkǒu 名 ❶(書籍の)小口 ❷書籍の小口側の余白部分 ➤qièkǒu
【切面】[1] qiēmiàn 名 手打ちうどん．切り出し麺(めん)
【切面】[2] qiēmiàn 名 ❶切り口．切断面‖～图 断面図 ❷〈数〉接平面
【切片】qiē//piàn 動 薄く切る 名 (qiēpiàn)薄片
【切入】qiērù 動 (要点などに)切り込む
【切线】qiēxiàn 名〈数〉切線．接線

qié

7 伽 qié ➘ ➤gā jiā
【伽蓝】qiélán 名〈仏〉寺院．伽藍(がらん)

8 茄 qié 〈植〉ナス ➤jiā
*【茄子】qiézi 名〈植〉ナス

qiě

5 *** 且[1] qiě ❶副 しばらく．暫時．ひとまず‖得dé过～过 その場しのぎで過ごす ❷副 方 長らく．長い間

5 *** 且[2] qiě ❶接 かつ．また‖水流既jì深～急 水は深く流れも速い ❷接 そのうえ．しかも．加えて‖物美～廉lián 品物はよく，しかも安い ❸接 …かつ…．…しながら…する‖～喝～聊 飲みながらしゃべる ❹接 書 …さえ．…すら．…にしてなお‖君～畏wèi之，况kuàng我辈乎hū？ あなたでさえ恐れるというのに，私などとてもだめです ➤jū
【且看】qiěkàn 動 書 (章回小説で各回末に用いる)まずは(次回を)ご覧あれ‖～下回分解 まずは次回のお楽しみ
【且慢】qiěmàn 動 書 しばし待て．ひとまずお待ちなさい
【且说】qiěshuō 動 書 (章回小説で話を転じるときに用いる)さて．まずは．それはさておき

qiè

4 切 qiè ❶こすり合わせる‖咬yǎo牙～齿 歯ぎしりしてくやしがる ❷近づく．接近する‖密～ 密接である ❸切実である．差し迫っている‖迫pò～ 切実である ❹符合する．ぴったり合う‖不～实际 実際にそぐわない ❺副 決して．絶対に．必ず‖一～忌 ❻〈中医〉(脈を)診る．とる‖一～脉 ❼名〈語〉切．反切．(漢字の音を，別の漢字二つを用いて表す方法)＝〔反切〕 ➤qiē
【切齿】qièchǐ 動 (怒りや憎しみで)歯ぎしりする．切歯する‖咬yǎo牙～ 切歯扼腕(せっしやくわん)する
【切当】qièdàng 形 適切である
【切肤之痛】qiè fū zhī tòng 成 身にしみる痛み．身を切るような苦痛
【切骨之仇】qiè gǔ zhī chóu 成 恨み憎しみの深いこと
【切合】qièhé 動 一致する．合致する
【切记】qièjì 動 しっかり覚えておく．銘記する
【切忌】qièjì 動 絶対に避ける
【切近】qièjìn 形 身近である 動 近接する
【切口】qièkǒu 名 旧 隠語．符丁 ➤qiēkǒu
【切脉】qiè//mài 動〈中医〉脈を診る
【切莫】qièmò 副 書 決して…してはならない．くれぐれも…せぬよう‖～错过时机 決してチャンスを逃してはならな

い
【切盼】qièpàn 動 切望する. 心から願う
【切切】qièqiè 副 ❶(多く書簡に用いる)決して. ぜひとも. なにとぞ. くれぐれも ❷旧 条令文の結語に用いる‖～此布 右告示す 形 ❶切実である. 差し迫っている ❷=〔窃窃qièqiè〕
【切身】qièshēn 形 ❶直接的である. 密接である‖～利益 直接的な利益 ❷切実である‖～感受 身にしみて感じる
*【切实】qièshí 形 実際に適合する. 実情に即応する. 現実的である‖～可行的办法 実行可能な方法
【切题】qiètí 動 本題に適合する. 本旨に沿っていてむだな言葉がない
【切望】qièwàng =〔切盼qièpàn〕
【切要】qièyào 形 すぐにも必要である
【切中】qièzhòng 動 的に当たる. (急所を)つく‖～时弊shíbì 時代の弊害をはっきり指摘する
8 郄 qiè 名 姓
8 怯 qiè ❶形 気が小さい. 臆病である‖胆～ おどおどしている. 臆病である|羞xiū～ 恥ずかしい ❷形 方 野暮ったい. 品がない ❸形 方(言葉に)なまりがある
【怯场】qiè//chǎng 動 (人前で)上がる
【怯懦】qiènuò 形 怯懦(きょうだ)である. 臆病である
【怯弱】qièruò 形 気が弱い. 臆病である
【怯生】qièshēng 形 方 人見知りである
【怯生生】qièshēngshēng (～的) 形 おどおどするさま. おじけるさま
【怯声怯气】qiè shēng qiè qì 慣 おずおずするさま. 恐る恐るしているさま
【怯阵】qiè//zhèn 動 おじけづく. 上がる
8 妾 qiè ❶名 めかけ ❷古 謙(女性の自称)わらわ. わたくし
9 窃(竊) qiè ❶盗む‖盗dào～ 盗む ❷泥棒. 盗賊‖惯～ 窃盗の常習犯 ❸乗っ取る. 不正な方法で自分のものにする‖→～取 ❹盗作する. 剽窃(ひょうせつ)する‖剽piāo～ 剽窃する ❺書 自分だけで. ひそかに ❻こっそりと. 陰で‖→～笑
【窃案】qiè'àn 名 窃盗事件
【窃夺】qièduó 動 奪い取る. 乗っ取る
【窃据】qièjù 動 (不正な方法で)乗っ取る. 占拠する
【窃密】qiè//mì 動 機密を盗む
【窃窃】qièqiè 形 ひそひそと話をするさま. 〔切切〕とも書く‖～私语 ひそひそ話をする 副 ひそかに. こっそりと‖内心～自喜 内心ひそかにほくそ笑む
*【窃取】qièqǔ 動 盗み取る‖～企业机密 企業秘密を盗む|～他人成果 人の成果を盗み取る
*【窃听】qiètīng 動 盗聴する‖反～装置 盗聴防止装置
【窃听器】qiètīngqì 名 盗聴器
【窃喜】qièxǐ 動 心中ひそかに喜ぶ
【窃笑】qièxiào 動 こっそり笑う
【窃贼】qièzéi 名 書 泥棒. こそ泥
10 挈 qiè ❶掲げる. 取り上げる‖提纲～领 要点をつかむ ❷引き連れる‖扶fú老～幼 年寄りの手を引き, 子供を連れる
【挈带】qièdài 動 引き連れる. 伴う
11 惬(愜 △悘) qiè ❶満足する. 心を満たす ❷書 ちょうどよい
【惬意】qièyì 形 快い. 快適である. 満足である
12 趄 qiè 動 傾ける. 斜めにする‖～着身子 体を斜めにしている
13 慊 qiè 書 満足する ➤ qiàn
14 锲 qiè 書 刻む
【锲而不舍】qiè ér bù shě 成 休むことなく彫り続ける. 根気よく物事を行うたとえ
14 箧(篋) qiè 書 小さな箱‖倾箱倒dào～ つづらや長持ちを引っくり返して持っている物をすっかり出す

qīn

9 侵 qīn ❶少しずつ前進する. 徐々に進入する ❷侵す. 侵入する‖入～ 侵入する ❸近づく. 接近する‖～晨chén 夜明け前
【侵夺】qīnduó 動 略奪する
*【侵犯】qīnfàn 動 ❶(人の権利を)侵す. 侵害する‖～人权 人権を侵す ❷(他国の領土などを)侵す. 侵犯する
*【侵害】qīnhài 動 侵害する. 侵す‖～他人利益 他人の利益を侵す
**【侵略】qīnlüè 動 侵略する‖制止～战争 侵略戦争を阻止する
【侵权】qīnquán 動 人の権利を侵す‖～行为 人権を侵害する行為
【侵扰】qīnrǎo 動 侵入して攪乱(かくらん)する
*【侵入】qīnrù 動 侵入する‖病毒已～内脏 ウイルスはすでに内臓まで侵した
*【侵蚀】qīnshí 動 ❶侵食する. 浸食する‖病菌bìngjūn～人体 病原菌が人体をむしばむ ❷(こっそりと少しずつ)横領する. 着服する
【侵吞】qīntūn 動 ❶横領する. 着服する‖～公款 公金を着服する ❷併呑(へいどん)する. 併合する. 占領する
【侵袭】qīnxí 動 侵入し襲撃する. 襲う
*【侵占】qīnzhàn 動 ❶横領する. 着服する ❷(他国の領土を)侵略し占領する‖～领土 領土を侵略し占領する
9 * 亲(親) qīn ❶形 親しい. 親密である ↔〔疏shū〕‖她对我比亲人还要～ 彼女は私に対して身内よりも親しくしてくれる ❷親. 父. 母‖双～ 両親 ❸親類. 親戚‖→～戚 ❹婚姻‖定～ 婚約する ❺新婦. 花嫁‖迎～ 新郎側が新婦を迎えにいく ❻形 実の‖～弟弟 実の弟 ❼動 書 親しむ. 近づく‖不～酒色 酒色に近づかず ❽動 (頬や額に)口づけする‖～～孩子的小脸儿 子供の頬にキスする ❾自ら. 自分で‖→～手 ➤ qìng
**【亲爱】qīn'ài 形 親愛な‖～的老师 敬愛する先生|～的祖国 愛する祖国
*【亲笔】qīnbǐ 動 自ら筆を執る‖～信 自筆の手紙. 親書 名 直筆. 自筆
【亲代】qīndài 名〈生〉親の世代 ↔〔子代〕
【亲等】qīnděng 名 (親族関係の遠近を示す)親等
【亲睹】qīndǔ 動 自分の目で見る. 目撃する
【亲骨肉】qīngǔròu 名 最も近い血族. 肉親
【亲和】qīnhé 形 親しい. むつまじい
【亲和力】qīnhélì 名〈化〉親和力
【亲近】qīnjìn 形 親しい. 仲がよい 動 仲よくする‖他

那么傲气àoqì, 没人愿意～他 彼はあんなに傲慢(ごうまん)な男だから, 誰も彼と親しくしようと思わない

【亲眷】qīnjuàn 名❶親戚 ❷家族

【亲口】qīnkǒu 副自分の口で. 本人の口で‖这事是他～对我说的 これは彼が直接私に言ったことである

【亲历】qīnlì 動身をもって体験する

【亲邻】qīnlín 名親戚と隣人

【亲临】qīnlín 動自らその場に赴く

【亲聆】qīnlíng 動(教えなどを)直接聞く

*【亲密】qīnmì 形(関係が)親密である. 仲むつまじい ↔〔疏远shūyuǎn〕‖两人关系很～ 二人はとても親密な間柄である

【亲密无间】qīn mì wú jiàn 成隔てなく親密である

【亲昵】qīnnì 形たいへん親しい. 仲がよい

【亲朋】qīnpéng 名親戚と友人

★【亲戚】qīnqi 名**親戚. 親類**‖走～ 親戚付き合いをする｜他在美国有一门～ 彼はアメリカに親戚がいる

【亲启】qīnqǐ 動(封書を)自ら開封する. 〔亲阅〕ともいう‖张大来先生～ 張大来様親展

★【亲切】qīnqiè 形❶**親密である. 親しみがある**‖他待人很～ 彼は人にとても親切だ ❷**心がこもっている. 温かい**‖老师的～教导 先生の懇切丁寧な教え

> **類義語** 亲切 qīnqiè 热情 rèqíng 热心 rèxīn
>
> ◆〔亲切〕〔热情〕ともに表情・態度・話し方などに, 心がこもっていることを表す. 〔亲切〕は主に人の人に対する態度について用い, 特に上位の者が下位の者に対して, 関心があって懇切であることに重点がある. 〔热情〕は意欲あるいは情熱があって心がこもっていることに重点がある
>
> ◆〔热心〕あることに対し, 興味を持ち精力的に力を注ぐことを表す‖对工作很热心 仕事に対してとても熱心だ
>
> ◆〔热情〕には名詞の用法があるが, 〔亲切〕〔热心〕にはない

Q

【亲情】qīnqíng 名肉親の情

【亲热】qīnrè 形隔てなく親しい. 親密である ↔〔冷淡〕‖～的样子 親しげな様子 動親しくする

*【亲人】qīnrén 名❶肉親. 家族 ❷喩親しい人

【亲如手足】qīn rú shǒu zú 成兄弟のように仲がよい‖他们俩～ あの二人は実の兄弟のように仲がいい

【亲善】qīnshàn 形親しく友好的である. (多く国家間についていう)

*【亲身】qīnshēn 副身をもって. 自ら. 自分自身で‖我希望有机会～体验一下这种生活 私も機会があったらこうした生活を身をもって体験してみたい

*【亲生】qīnshēng 形実の. 生みの‖～儿子 実の息子｜～父母 生みの親.

【亲事】qīnshi 名縁談‖这门～ この縁談

*【亲手】qīnshǒu 副自分の手で. 自ら‖妈妈～做的衣服 お母さんの手作りの服

【亲疏】qīnshū 名親疎. 親しいことと疎遠なこと

【亲属】qīnshǔ 名親族. 親戚. 親類

【亲痛仇快】qīn tòng chóu kuài 成味方を苦しめ, 敵を喜ばす. 敵を利するだけで味方には不利なこと

【亲王】qīnwáng 名親王

【亲吻】qīnwěn 動(人や物に)口づけする. キスをする

【亲信】qīnxìn 動書親しみ信頼する 名貶信頼できる人‖局长的～ 局長の懐刀(ふところがたな)

*【亲眼】qīnyǎn 副自分の目で. じかに‖这可是我～所见 それは私がこの目でじかに見たことなんだ

*【亲友】qīnyǒu 名親戚と友人‖故乡的～ 郷里の親戚や友人

【亲子】qīnzǐ 名親と子. 親子‖～关系 親子関係

【亲子鉴定】qīnzǐ jiàndìng 名〈医〉親子鑑定

*【亲自】qīnzì 副**自ら. 自分で**‖事无大小他都要～过问 事の大小にかかわらず彼は口出ししようとする

【亲嘴】qīn//zuǐ (～儿)動口づけする. キスをする

9 **钦** qīn ❶敬う‖→～慕 ❷天子自ら(行う)‖→～定

【钦差】qīnchāi 名勅使

【钦差大臣】qīnchāi dàchén 名勅使. 転貶上級機関から派遣されてきた大きな権限をもつ人

【钦定】qīndìng 動天子が自ら裁定する. 欽定(きんてい)する. (多く著作物の題名に付けて用いる)

【钦敬】qīnjìng 動書敬服する. 尊敬する

【钦慕】qīnmù 動書敬慕する

*【钦佩】qīnpèi 動敬服する. 感服する. 感じ入る‖值得～ 敬服に値する｜令人～ 感服させられる

【钦羡】qīnxiàn 動敬い慕う. 羨望(せんぼう)し敬う

【钦仰】qīnyǎng 動書敬慕する

10 **衾** qīn ❶布団‖～枕zhěn 布団と枕. 夜具 ❷経帷子(きょうかたびら). 死者に着せる着物

qín

7 **芹** qín 名〈植〉キンサイ. ふつうは〔芹菜〕という‖水～ セリ

*【芹菜】qíncài 名〈植〉キンサイ. 中国セロリ

7 **芩** qín 古アシの一種

9 **矜** qín 古矛の柄 ➤guān jīn

10 **秦** qín ❶名秦(しん). 春秋時代の国名. 現在の陝西省中部から甘粛省東部付近にあった ❷名王朝名, 秦(紀元前221～前206年). 始皇帝が建てた王朝‖～始皇 秦の始皇帝 ❸陝西省の別称

【秦晋之好】Qín Jìn zhī hǎo 成通婚による友好

【秦腔】qínqiāng 名❶中国の西北地区(陝西・甘粛省など)一帯の地方劇. 〔陕西梆子〕ともいう ❷〔北方梆子〕(北方地区の地方劇)の総称

12 **禽** qín ❶書鳥獣の総称 ❷鳥類‖飞～ 鳥類｜家～ 家禽(かきん)

【禽流感】qínliúgǎn 名〈医〉鳥インフルエンザ

【禽兽】qínshòu 名鳥獣. 禽獣(きんじゅう). 喩卑劣な人

12* **琴**(△琹) qín ❶名(弦楽器の一つ)古琴. 七弦琴 ❷名ある種の楽器の総称‖风～ オルガン｜小提～ バイオリン｜钢～ ピアノ

【琴键】qínjiàn 名〈音〉鍵盤. キー

【琴瑟】qínsè 名琴瑟(きんしつ). 琴と大琴. 喩夫婦が仲むつまじいこと‖～相和 夫婦の心が一つで仲むつまじい

【琴弦】qínxián 名〈音〉琴の弦

12 **覃** qín 名姓 ➤tán

13* **勤** qín ❶苦労である. 骨が折れる ❷仕事‖内～ 内勤 ❸(定時の)勤務‖出～ 出勤 ❹形精が出る. 勤勉である ↔〔懒lǎn〕〔惰duò〕‖手～ 手まめである ❺形(回数が)多い. 頻繁である‖～查词典 まめに辞典を引く

*【勤奋】qínfèn 形勤勉である. 励むさま‖～地工作 勤勉に仕事をする

*【勤工俭学】qín gōng jiǎn xué 成 ❶働きながら勉強する ❷学生を一定期間生産労働に従事させ，それによって得た収入を学校運営の資金に当てる
*【勤俭】qínjiǎn 形 勤勉でつましい ‖ 她过日子十分～ 彼女はよく働き質素に暮らしている
*【勤恳】qínkěn 形 勤勉でまじめである ‖ 勤勤恳恳地劳动 まじめにこつこつと働く
【勤苦】qínkǔ 形 勤勉である．骨身を惜しまない
【勤快】qínkuai 形 勤勉である．まめである ‖ 手脚～ 手足をまめに動かす
*【勤劳】qínláo 形 勤勉であるさま．仕事に励むさま ‖ ～勇敢的人民 勤勉で勇敢な人民
【勤勉】qínmiǎn 形 励むさま．勤勉である
【勤务兵】qínwùbīng 图 旧〈軍〉従兵．従卒
【勤务员】qínwùyuán 图 雑用係．雑用兵
【勤杂】qínzá 图 ❶雑務．雑用 ‖ ～工 雑用係 ❷雑役夫．雑用係

13 溱 qín 地名用字 ‖ ～潼tóng 江蘇省にある鎮の名

14 廑 qín 古〔勤qín〕に同じ ➤ jǐn

15 擒 qín 捕らえる．捕まえる ‖ 生～ 生け捕りにする
【擒获】qínhuò 動 捕らえる．捕まえる
【擒拿】qínná 動 捕らえる．逮捕する ‖ ～罪犯 犯人を逮捕する 图（拳法で）つぼや関節を押さえて組みふせるわざ

15 噙 qín 動（口や目に）含む ‖ 眼里～着泪花 目に涙を浮かべている

16 蠄 qín 古 セミの一種

qǐn

12 锓 qǐn 書 彫刻する．彫る ‖ ～版 版を彫る

13 寝（寢 △寑）qǐn ❶寝る．眠る ‖ 废～忘食 寝食を忘れる．物事に熱中するたとえ ❷帝王の宮殿．（広く）寝室．寝間 ‖ 就～ 就寝 ❸帝王の墓．御陵 ‖ 陵líng～ 陵(みささぎ) ❹書 やむ．鎮まる
【寝车】qǐnchē 图 寝台車．〔卧车〕ともいう
【寝宫】qǐngōng 图 ❶帝王や妃の寝室．寝殿 ❷帝王の墓室
【寝具】qǐnjù 图 寝具．夜具
【寝食】qǐnshí 图 寝食．（広く）日常生活 ‖ ～不安 気がかりでじっと落ち着いていられないさま
【寝室】qǐnshì 图 寝室（多く宿舎などの寝室をさす）

qìn

7 沁 qìn ❶動（香りや液体などが）しみる．にじむ ‖ 额é上～出了汗 額に汗がにじんでいる ❷動 方 頭をたれる．うなだれる
【沁人肺腑】qìn rén fèi fǔ 成 深く心にしみいる．感銘深い
【沁人心脾】qìn rén xīn pí 成（芳香・涼気・酒などが）体のすみずみまでしみいる．詩歌や文章が人に深い感銘を与える

7 吣 qìn 方 ❶動（ネコやイヌが）吐く ❷動 罵る

12 揿（△搇）qìn 動 方 押す ‖ ～门铃 ベルを押す

qīng

8 *** 青 qīng ❶形 ①青い．藍色(あいいろ)の ‖ ～出于蓝 ②緑色の ‖ ～草 ③黒い ‖ ～布 黒い布 ❷青々としたもの．多く草地や農作物をさす ‖ 踏～（清明節のころ）青草を踏んで散策する．春のピクニック ❸年が若い ‖ 年～ 年若い
【青帮】Qīngbāng 图 旧 清代・民国期の秘密結社の一つ
*【青菜】qīngcài 图 ❶（野菜の一種）パクチョイ．〔小白菜〕ともいう ❷青物野菜の総称
【青草】qīngcǎo 图 青草
【青茶】qīngchá 图 青茶．半発酵茶の総称．代表的なものにはウーロン茶があげられる
【青出于蓝】qīng chū yú lán 成 青は藍より出(い)でて藍よりも青し．弟子が師よりも優れていること．〔青出于蓝而胜于蓝〕ともいう
*【青春】qīngchūn 图 青春 ‖ ～年华 青春 ｜ 身上充满了～的活力 体中に青春の活力がみなぎっている
【青春痘】qīngchūndòu 图 俗 にきび
【青瓷】qīngcí 图 青磁 ‖ ～茶具 青磁の茶器
【青葱】qīngcōng 形（草木が）青々としているさま．緑したたるさま
【青翠】qīngcuì 形 緑したたるさま
【青灯】qīngdēng 图 書 ともしび．明かり
【青豆】qīngdòu 图〈植〉アオマメ
【青梗菜】qīnggěngcài 图（野菜の一種）チンゲンサイ
【青工】qīnggōng 图 青年労働者．若い労働者
【青光眼】qīngguāngyǎn 图〈医〉緑内障．〔绿内障〕ともいう
【青果】qīngguǒ 图 方 オリーブの実
【青红皂白】qīng hóng zào bái 成（ことの）是非．理非曲直 ‖ 不分～地 問答無用とばかりに
【青黄不接】qīng huáng bù jiē 慣 古い穀物がなくなり，新しい穀物がまだ収穫されない．端境期．一時的な欠乏のたとえ
【青灰】qīnghuī 图〈鉱〉雑質を含んだ青黒い石墨（壁に塗ったり，顔料などとして使われる）
【青椒】qīngjiāo 图〈植〉ピーマン
【青筋】qīngjīn 图（静脈の）青筋
【青稞】qīngkē 图〈植〉オオムギ．ハダカムギ．〔青稞麦〕〔元麦〕〔裸麦〕ともいう
【青睐】qīnglài 動 書 気に入る．ひいきにする ‖ 博得bódé上司的～ 上司の引き立てを得る
【青莲色】qīngliánsè 图 薄紫色
【青龙】qīnglóng 图 ❶（想像上の動物）蒼竜(そうりゅう) ❷〈宗〉道教で信仰する東方の神
【青楼】qīnglóu 图 書 妓楼(ぎろう)
【青绿】qīnglǜ 形 青緑の．深緑の
【青梅】qīngméi 图 青いウメ
【青梅竹马】qīng méi zhú mǎ 成 幼い男女が仲よく遊ぶこと．転 男女が幼なじみである
【青霉素】qīngméisù 图〈薬〉ペニシリン
【青面獠牙】qīng miàn liáo yá 成 凶悪な形相のたとえ

【青苗】qīngmiáo 名 青田‖买～ 青田買いをする
★【青年】qīngnián 名(男女を問わず)青年. 若者‖～人 若者｜女～ 若い女性｜男～ 若い男性
【青年节】Qīngniánjié 名 五・四運動記念日(5月4日) =〔五四青年节〕
【青皮】[1] qīngpí 名 方 ごろつき. 無頼漢. よた者
【青皮】[2] qīngpí 名〈中薬〉熟していないミカンの皮と実
【青涩】qīngsè 形 未熟である. 青臭い
【青纱帐】qīngshāzhàng 名 喩 夏から秋にかけてコーリャンやトウモロコシなどの作物が高くびっしりと伸びた茂み
【青史】qīngshǐ 名 青史. 歴史書‖名垂chuí～ 歴史に名をとどめる
【青丝】[1] qīngsī 名 書 (女性の)黒髪
【青丝】[2] qīngsī 名(菓子のあんに加える)青梅の千切り
【青饲料】qīngsìliào 名〈農〉新鮮な野草・野菜・葉などの飼料. 青刈り飼料
【青蒜】qīngsuàn 名 ニンニクの若い茎と葉
【青苔】qīngtái 名〈植〉コケ
【青天】qīngtiān 名 ❶青い空 ❷喩 清廉な役人
【青天白日】qīngtiān báirì 慣 昼日中. 真っ昼間
【青天霹雳】qīng tiān pī lì =〔晴天霹雳qíng tiān pī lì〕
【青田石】qīngtiánshí 名 浙江省青田産の印章用石材
【青铜器】qīngtóngqì 名 青銅器
*【青蛙】qīngwā 名〈動〉トノサマガエル
【青眼】qīngyǎn 名 相手に親しみや好意を示す目つき ↔〔白眼〕
【青杨】qīngyáng 名〈植〉ポプラ科の木本植物
【青衣】qīngyī 名 ❶黒い着物 ❷古 下女 ❸〈劇〉京劇の女形(おやま)の一種. 貞淑な中年以下の女性の役
【青鱼】qīngyú 名〈魚〉アオウオ. 〔黑鲩huàn〕ともいう
【青云】qīngyún 名 喩 高位高官‖平步～ 一躍出世する
【青云直上】qīng yún zhí shàng 成 とんとん拍子で出世する

9★**轻**(輕) qīng ❶形(目方が)軽い ↔〔重〕‖行李很～ 荷物がとても軽い ❷手軽である. 軽便である‖→～便 ❸気楽である. 軽やかである‖→～音乐 ❹形 重要でない. 貴重ではない‖责任～ 責任が軽い｜礼物太～ 贈り物が粗末すぎる ❺軽んじる. 軽視する‖文人相～ 文人同士は互いに相手を軽んじ合うものだ｜重男～女 男尊女卑 ❻不まじめである. 軽薄である‖→～薄 ❼軽率である. いいかげんである‖→～率 ❽形(数が)少ない. (程度が)軽い‖年纪～ 年が若い｜他病得可不～ 彼の病気は決して軽くない ❾形(動作が)静かである. 力を入れていない‖～～地走了进来 そっと入ってきた
*【轻便】qīngbiàn 形 ❶軽便である. 簡便である‖这辆自行车很～ この自転車はとても軽便である ❷気軽である. 楽である‖～活儿 楽な仕事
【轻薄】qīngbó 形(多く女性について)軽薄である. 浮ついている
【轻车简从】qīng chē jiǎn cóng 成(身分の高い人が)少数の供を連れ, 簡素ないでたちで出かける
【轻车熟路】qīng chē shú lù 成 荷の軽い車を駆って慣れた道を行く. 習熟してたやすくできるたとえ. 朝めし前
【轻淡】qīngdàn 形 ❶淡い. 薄い‖那些记忆渐渐地变得～了 あのころの記憶がしだいに薄れていった ❷漫然としている. 気にもとめない
【轻敌】qīngdí 動 敵を軽く見る. 敵を見くびる
【轻而易举】qīng ér yì jǔ 成 容易にできる. 造作ない
【轻风】qīngfēng 名 ❶そよ風. 微風‖～拂fú面 そよ風が頬をなでる ❷〈気〉軽風(風力2の風)
【轻浮】qīngfú 形 軽薄である. 上っ調子である
【轻歌曼舞】qīng gē màn wǔ 成 軽やかで楽しい歌にしなやかで美しい踊り
*【轻工业】qīnggōngyè 名 軽工業
【轻骨头】qīnggǔtou 名 方 ❶軽薄なやつ ❷ろくでなし. げす
【轻轨铁路】qīngguǐ tiělù 名 軽軌鉄道. 都市鉄道. 略して〔轻轨〕ともいう
【轻忽】qīnghū 動 軽んじる. 軽く見る
【轻活儿】qīnghuór 名 軽作業. 軽労働. 楽な仕事
【轻贱】qīngjiàn 形 下賤(げせん)である. いやらしい. 下品である 動 軽蔑する. 軽んじる
【轻健】qīngjiàn 形 軽やかな. 敏捷(びんしょう)な
【轻捷】qīngjié 形 敏捷である. すばしこい
【轻金属】qīngjīnshǔ 名〈化〉軽金属
【轻举妄动】qīng jǔ wàng dòng 成 軽挙妄動する. 軽はずみなふるまいをする
【轻看】qīngkàn 動 軽視する. 見くびる
【轻口薄舌】qīng kǒu bó shé 成 言うことが酷薄である. 言葉が辛辣(しんらつ)である
*【轻快】qīngkuài 形 ❶(動作が)軽快である. 敏捷(びんしょう)である‖～的脚步 軽やかな足どり ❷気持ちが軽やかである. 気分がさわやかである
【轻狂】qīngkuáng 形 軽薄である. 上っ調子である
【轻量级】qīngliàngjí 名〈体〉(ボクシングや重量挙げなどの)ライト級
【轻慢】qīngmàn 動 見下す. 侮る. 軽んじる
【轻描淡写】qīng miáo dàn xiě 成 当たり障りのないことを言う. うわべだけを言ってすませる
【轻蔑】qīngmiè 動 軽蔑する. さげすむ‖～的目光 さげすんだまなざし
【轻诺寡信】qīng nuò guǎ xìn 成 安請け合いする. 軽々しく承諾するが当てにならない
【轻飘】qīngpiāo 形 軽やかなさま. ふわふわするさま
【轻飘飘】qīngpiāopiāo (～的) 形 軽快であるさま. 軽やかであるさま. ふわふわするさま
【轻骑】qīngqí 名 ❶軽騎兵‖～兵 軽騎兵 ❷軽オートバイ. ミニバイク
【轻巧】qīngqiao ; qīngqiǎo 形 ❶小さくて優れている. 軽くて精巧である ❷(動作が)機敏である. 身軽である ❸たやすい. 気楽である‖你说得倒dào～, 你自己去试试 気楽に言ってくれるね, 自分でやってみろよ
【轻取】qīngqǔ 動 楽勝する. 悠々と勝利する
【轻柔】qīngróu 形 軽く柔らかである
【轻软】qīngruǎn 形 ふわふわと軽い
【轻生】qīngshēng 動 命を粗末にする. (多く自殺をさす)‖产生了～的念头 自殺しようという考えが浮かんだ
【轻声】qīngshēng 名 ❶〈語〉軽声 ❷小声
【轻省】qīngsheng 形 方 ❶手軽である. 気軽である ❷(重量が)少ない. 軽い. 小さくまとまっている
*【轻视】qīngshì 動 軽視する. 見くびる‖我们太～对手了 我々はあまりに相手を見くびりすぎた
【轻手轻脚】qīng shǒu qīng jiǎo 慣 足音をひそめて. そっと. こっそりと

【轻率】qīngshuài 形 軽率である. 軽々しい ‖ 不可～地下结论 軽はずみに結論を下してはいけない
**【轻松】qīngsōng 形 気軽である. 気楽である ‖ 心里～多了 気持ちがだいぶ楽になった｜考完试咱们去～～ 試験が終わったら気晴らしに行こう
【轻佻】qīngtiāo 形 軽佻浮薄である. 軽薄である
*【轻微】qīngwēi 形 軽微である. 少しである ‖ ～的鼾hān声 かすかないびき
【轻武器】qīngwǔqì 名〈軍〉軽火器
【轻侮】qīngwǔ 動 軽侮する ‖ 受人～ 人に侮られる
【轻闲】qīngxián 形 (仕事が)楽である. 暇である
【轻信】qīngxìn 動 簡単に信じる ‖ ～谣言yáoyán デマを簡単に信じる
【轻型】qīngxíng 形 小型の. 軽量の
【轻扬】【轻飏】qīngyáng 動 軽やかに舞い上がる
*【轻易】qīngyi；qīngyì 形 容易である. たやすい ‖ 相互的信任不是～可得dé的 相互の信頼というものはたやすく得られるものではない 副 軽々しく. 安易に ‖ 老师～不发脾气 先生は軽々しくは怒らない
【轻音乐】qīngyīnyuè 名〈音〉軽音楽
【轻盈】qīngyíng 形 ❶しなやかである ‖ 体态～ 体つきがしなやかだ ❷軽やかである. 軽快である ‖ ～的脚步 軽やかなステップ
【轻悠悠】qīngyōuyōu (～的) 形 軽やかである. ふわふわとしたさま
【轻于鸿毛】qīng yú hóng máo 成 鴻毛(こうもう)よりも軽い. 犬死にするたとえ
【轻重】qīngzhòng 名 ❶重さ ❷程度. 程合い. 度合い ‖ 病情的～ 病状 ❸軽重. 重要性 ‖ 无足～ 取るに足りない
【轻重倒置】qīng zhòng dào zhì 成 本末転倒である
【轻重缓急】qīng zhòng huǎn jí 成 軽重と緩急. 重要度と緊急度
【轻舟】qīngzhōu 名 書 小舟
【轻装】qīngzhuāng 名 軽装. 身軽ないでたち
【轻装上阵】qīngzhuāng shàngzhèn 慣 身軽ないでたちで出陣する. 転 精神的なわだかまりを捨てて, 仕事に打ち込む

9 **氢**(氫) qīng 名〈化〉水素(化学元素の一つ, 元素記号はH). ふつう〔氢气〕という
【氢弹】qīngdàn 名 水素爆弾. 水爆
【氢气】qīngqì 名〈化〉水素
【氢氧化物】qīngyǎnghuàwù 名〈化〉水酸化物

10 **倾** qīng ❶形 傾いている. 斜めである ‖ →～斜 ❷偏る. 偏向する ‖ →～向 ❸動 倒れる. 崩れる ‖ →～覆 ❹書 圧倒する ❺(入れ物を)逆さにして中身をあける ‖ →～箱倒dào箧qiè ❻動 (力や感情を)出し尽くす. 全部吐き出す ‖ →～诉 ❼全部の. 全ての ‖ →～城～国
【倾侧】qīngcè 動 傾く. かしぐ. 斜めになる
【倾巢】qīngcháo 動 (敵や匪賊ひぞくが)全員総出でやる
【倾城倾国】qīng chéng qīng guó 成 国を滅ぼすほどの美貌(びぼう). 絶世の美人のたとえ
【倾倒】qīngdǎo 動 ❶傾き倒れる ❷感服する. 傾倒する ‖ 令人为wéi之～ 人々を感服させる ➤ qīngdào
【倾倒】qīngdào 動 ❶(入れ物を傾けて)中身をすべて出す ❷全部吐き出す ‖ 她把满肚子的话都～了出来 彼女は胸のうちを全部吐き出した ➤ qīngdǎo
【倾动】qīngdòng 動 感服させる. 感動させる
【倾覆】qīngfù 動 ❶倒れる. 覆る. 転覆する ❷覆す. 転覆させる
【倾家荡产】qīng jiā dàng chǎn 成 家財を傾け尽くす. 破産する
【倾角】qīngjiǎo 名〈数〉傾角. 〔倾斜角〕ともいう
【倾力】qīnglì 動 全力を傾ける
【倾慕】qīngmù 動 傾慕する. 慕う
【倾盆】qīngpén 動 雨が激しく降る. どしゃ降りになる ‖ ～大雨 盆を覆すような大雨
【倾情】qīngqíng 動 あらゆる感情を傾ける ‖ ～演出 渾身の演技をする
【倾洒】qīngsǎ 動 (雪・血・涙・汗などが大量に)ふりそそぐ. 流れる
【倾诉】qīngsù 動 心中を打ち明けて話す. 思いのたけをぶちまける ‖ 她心里有许多话要向他～ 彼女には彼に打ち明けたいことがたくさんある
【倾塌】qīngtā 動 倒れる. 崩れ落ちる
【倾谈】qīngtán 動 打ち解けて話し合う
*【倾听】qīngtīng 動 (多く地位の上の者が下の者の話に)耳を傾ける. 傾聴する ‖ 虚心xūxīn～大家的意见 みんなの意見に謙虚に耳を傾ける
【倾吐】qīngtǔ 動 包み隠さず打ち明ける. 吐露する
【倾箱倒箧】qīng xiāng dào qiè 成 箱をひっくり返して中の物を全部出す. 何もかも出し尽くすたとえ
*【倾向】qīngxiàng 動 (… の一方に)傾く. 賛成する ‖ 我们～于坐船去 我々は船で行くほうに考えが傾いている 名 傾向. 偏向. 趨勢(すうせい)
【倾向性】qīngxiàngxìng 名 傾向性. 偏向
【倾销】qīngxiāo 動〈経〉投げ売りする. ダンピングする ‖ 反～措施 反ダンピング措置
*【倾斜】qīngxié 動 傾斜する. 傾く ‖ 这座古塔有些～ この古塔はやや傾いている
【倾泻】qīngxiè 動 (水が高所から)勢いよく流れ落ちる
【倾卸】qīngxiè 動 (入れ物の一端を傾けて)中身をぶちまける
【倾心】qīngxīn 動 ❶心を傾ける. 真心をこめる ❷心を引かれる. 気に入る
【倾轧】qīngyà 動 軋轢(あつれき)を生じる. きしむ. 不和を起こす ‖ 各派互相～ 各派は互いにいがみ合っている
【倾注】qīngzhù 動 ❶流れ落ちる ❷傾注する. 打ち込む

10 **卿** qīng ❶古 高官の官職名の一つ ‖ 公～ 朝廷の高官. 公卿(こうけい) ❷古 (君主の大臣に対する親しみをこめた呼称)なんじ ❸古 (人に対する敬称)あなた ❹古 (夫婦間の愛称)あなた. きみ
【卿卿我我】qīng qīng wǒ wǒ 成 男女が仲のよいこと.

11 ** **清**[1] qīng ❶形 (液体や気体が)澄んでいる ‖ 湖水很～ 湖の水はたいへん澄んでいる ❷純潔である. 清らかである ‖ →～白 ❸混じり気のない. 単一の ‖ →～炖 ❹きれいにする. 清める ‖ →～除 ❺形 明白である. はっきりしている ‖ 看不～ はっきり見えない ❻動 点検する. 清算する ‖ ～一～货物 品物の数を調べてみる ❼清廉潔白である ‖ →～廉 ❽静かでもの寂しい ‖ 冷～ ひっそりしている

11 **清**[2] qīng 名 王朝名, 清(1616～1911年)
【清白】qīngbái 形 純潔である. 潔白である ‖ 历史～

経歴になんの汚点もない
【清仓】qīng//cāng 動 倉庫の商品を点検整理する. 在庫の棚卸しをする
【清册】qīngcè 名 台帳‖库存～ 在庫台帳
【清茶】qīngchá 名 ❶緑茶 ❷お茶うけなしのお茶. 空茶(からちゃ)
*【清查】qīngchá 動 徹底的に調査する. 全面的に検査する‖～户口 居住者の戸籍調査を行う
【清偿】qīngcháng 動 (債務を)全額返済する. 完済する‖～债务 zhàiwù 債務をすべてきれいに返す
【清场】qīng//chǎng 動 (講演や宴会などの)会場からすべての人を退出させる
【清唱】qīngchàng 〈劇〉動 (京劇などで)扮装(ふんそう)をつけずに歌う 名 同前の歌い方
【清炒】qīngchǎo 動〈料理〉(調理方法の一つ)単一の材料を油で炒める‖～菠菜 ホウレンソウ炒め
【清澈】【清彻】qīngchè 形 清らかで透きとおっている‖河水～见底 川の水が透きとおって底まで見える
*【清晨】qīngchén 名 明け方. 早朝‖每天～出去跑步 毎朝早朝ジョギングに出かける
*【清除】qīngchú 動 一掃する. 排除する‖～封建意识 封建的意識を一掃する
★【清楚】qīngchu 形 ❶明確である. はっきりしている‖说明书上写得很～ マニュアルにはっきりと書いてある ❷(意識や理解が)明晰(めいせき)である‖头脑～ 頭脳明晰である 動 了解している. 分かっている‖这机器的操作方法他最～ この機械の操作方法は彼がいちばん分かっている

類義語 清楚 qīngchu 明白 míngbai

◆〔清楚〕態度・状況・関係などが明らかである. はっきりしている. ある事象を深く理解している‖话说得很清楚 言うことがはっきりしている｜头脑清楚 頭脳明晰である ◆〔明白〕内容・理由・意味・言葉・行為などが難しくなく理解しやすい ◆〔明白〕には人を修飾する用法がある‖他是个明白人 彼は聡明な人だ

Q

【清醇】qīngchún 形 (香りや味に)混じり気がなく, さっぱりしている. さわやかである
【清脆】qīngcuì 形 (声や音が)澄んで耳に快い‖～的笑声 澄みきって快い笑い声
【清单】qīngdān 名 明細書‖装货～ 荷積明細書
【清淡】qīngdàn 形 ❶(色や香りが)淡い. 薄い‖～的花香 ほのかな花の香り ❷(味が)淡白である. あっさりしている‖我喜欢吃～点ㄦ的菜 私はあっさりした料理が好きだ ❸薄商いである. 取引に活気がない. 景気が悪い‖最近生意比较～ このところ, 商売があまりかんばしくない
【清党】qīng//dǎng 動 党内の不純分子を粛清する
【清道】qīngdào 動 ❶道路を清掃する ❷古 (貴人の)露払いをする
【清道夫】qīngdàofū 名 旧 道路清掃夫
【清点】qīngdiǎn 動 数を調べる. 点検する‖～人数 人数を調べる
【清炖】qīngdùn 動 (調理法の一つ)肉類を塩味だけで煮込む‖～鸡 ニワトリの煮込み
【清风】qīngfēng 名 すがすがしい風. 涼風
【清福】qīngfú 名 平穏な生活. 穏やかでのんびりとした暮らし‖孩子大了, 该享享 xiǎngxiang～了 子供も大きくなったし, もうのんびり暮らしてもいいだろう
【清高】qīnggāo 形 清らかで気高い. 孤高である‖自命～ 孤高を自任する
【清稿】qīnggǎo 名 清書した原稿
【清官】qīngguān 名 清廉潔白な官吏
【清规戒律】qīng guī jiè lǜ 成 ❶仏教の僧侶や道教の道士が守るべき規則や戒律 ❷規則. 戒律
【清寒】qīnghán 形 ❶清貧である. 貧しい‖家境～ 暮らしが貧しい ❷澄みきってさむざむとしている
【清还】qīnghuán 動 全額償還する. 完済する
【清火】qīng//huǒ 動〈中医〉体内の熱を排除する
【清寂】qīngjì 形 肌寒く静かな‖
【清剿】qīngjiǎo 動 (匪賊(ひぞく)や敵を)一掃する
【清教徒】Qīngjiàotú 名〈宗〉清教徒. ピューリタン
*【清洁】qīngjié 形 清潔である. きれいである‖保持～ 清潔に保つ
【清洁工】qīngjiégōng 名 清掃労働者. 清掃員
【清洁能源】qīngjié néngyuán 名 クリーンエネルギー
【清洁燃料】qīngjié ránliào 名 クリーン燃料
【清洁生产】qīngjié shēngchǎn 名 クリーン生産
【清净】qīngjìng 形 静かで安らかである‖没有孩子倒也～ 子供がいないのも煩わしくなくていい
【清静】qīngjìng 形 (環境が)静かである‖找个～的地方坐坐 どこか静かなところへ行って一休みしよう
【清君侧】qīngjūncè 慣 君主の側近の奸臣(かんしん)を追放する
【清口】qīngkǒu 形 さっぱりして口当たりがよい. 口にさわやかである
【清苦】qīngkǔ 形 (多く知識人の生活を形容し)貧しい. 清貧である‖生活～ 暮らしが貧しい
【清库】qīng//kù 動 棚卸しをする
【清朗】qīnglǎng 形 ❶澄みきってすがすがしい. 清朗である‖天气很～ 天気晴朗である ❷はっきりとよく響く
【清冷】qīnglěng 形 ❶うすら寒い ❷もの寂しい. うら寂しい
*【清理】qīnglǐ 動 徹底的に整理する. きちんと片付ける‖～账目 勘定を清算する
【清丽】qīnglì 形 清新で美しい. 清雅で美しい
【清廉】qīnglián 形 清廉である
【清凉】qīngliáng 形 冷たくてさわやかである
【清凉油】qīngliángyóu 名 ハッカ油・ショウノウ・ケイヒ油・ユーカリ油などにワセリンを加えて作った軟膏(なんこう)
【清亮】qīngliàng 形 (声が)澄んでよく響く
【清亮】qīngliang 形 澄みきっている. 透きとおっている
【清冽】qīngliè 形 清冽(せいれつ)である. 澄みきって冷たい
【清流】qīngliú 名 ❶清流 ❷書 名望があり悪事に組しない士大夫
【清明】[1] qīngmíng 形 ❶澄みきって明るい ❷(意識が)はっきりしている. 冷静である ❸(政治が)法律や条理にかなっている. 明朗である
【清明】[2] qīngmíng 名 清明節(二十四節気の一つ, 4月4日から6日ごろに当たる). 〔清明节〕ともいう.
【清盘】qīng//pán 動 ❶(債務返済などのため)資産整理をする‖强制性～ 強制的資産整理 ❷資産をすべて売り払う. 資産を整理する
【清贫】qīngpín 形 旧 清貧である(多く知識人の生活を形容した)‖家道～ 暮らしが貧しい
【清平】qīngpíng 形 書 太平である. 平穏である
【清漆】qīngqī 名 ワニス. ニス
【清讫】qīngqì 動 清算する
【清欠】qīngqiàn 動 清算する
【清秋】qīngqiū 名 秋. とくに, 晩秋をさす

【清癯】qīngqú 形 書 痩せている
【清泉】qīngquán 名 清らかな泉
【清热】qīng//rè 動〈中医〉熱を下げる. 解熱する
【清润】qīngrùn 形 ❶歯切れがよくて潤いがある ❷澄んで潤いがある ❸明るくつやがある
【清扫】qīngsǎo 動 清掃する. 掃き清める‖～员 清掃作業員
【清瘦】qīngshòu 形 婉 痩せている
【清爽】qīngshuǎng 形 ❶すがすがしくさわやかである‖雨后的空气十分～ 雨が降ったあとの空気はすがすがしく快い ❷(気持ちが)晴れ晴れしている. すっきりしている ❸方 清潔である. さっぱりしている ❹方 明瞭である. はっきりしている
【清水衙门】qīngshuǐ yámen 慣 旧 役得の少ない役所. 喩 手当やボーナスの少ない政府機関
【清算】qīngsuàn 動 ❶(勘定を)清算する. 決算する ❷(罪業を)償わせる
【清谈】qīngtán 動 現実離れした役に立たない議論をする
【清汤】qīngtāng 名 具の入っていないスープ
【清汤寡水】qīng tāng guǎ shuǐ (～儿) 慣 料理に油気が少ないさま. 水っぽくて味のないさま
【清通】qīngtōng 形 (文章が)すっきりとよく筋が通っている
【清退】qīngtuì 動 整理して返還する
【清玩】qīngwán 名 賞玩(しょうがん)に値する風雅なもの 動 賞玩する. めでる. 鑑賞する
【清污】qīngwū 動 汚物を取り除く
*【清晰】qīngxī 形 はっきりしている. 明晰である‖思路～ 思考が明晰である｜声音～ 発音がはっきりしている
【清晰度】qīngxīdù 名〈物〉鮮明度
【清洗】qīngxǐ 動 ❶きれいに洗う. 洗い清める ❷粛清する. 追放する
【清闲】qīngxián 形 静かでのんびりしている‖过～的日子 静かでのんびりした日を過ごす
【清香】qīngxiāng 名 さわやかな香り
【清心】qīngxīn 形 心が安らかである 動(qīng//xīn) 心を静める‖～寡欲 雑念を払い, 欲望をなくす
*【清新】qīngxīn 形 ❶すがすがしい. さわやかである‖空气～ 空気がすがすがしい ❷清新である. 新鮮である
【清馨】qīngxīn 形 書 香りがすがすがしい
*【清醒】qīngxǐng 動 意識がはっきりする. 意識を取り戻す‖病人已经～过来了 病人はすでに意識を取り戻した 形 頭脳が明晰である. 冷静である‖他的头脑很～ 彼は頭脳明晰である
【清秀】qīngxiù 形 美しく品がある. 秀麗である‖那小伙子长得很～ あの若者は顔立ちがとてもきりっとしている
【清雅】qīngyǎ 形 風雅である. 上品である. 高尚である‖风格～ 雰囲気が上品である
【清样】qīngyàng 名〈印〉❶校了ゲラ ❷清刷り
【清夜】qīngyè 名 静かな夜
【清一色】qīngyīsè 形 すべて同じの‖这个俱乐部jùlèbù的成员～都是男的 このクラブのメンバーは男性一色である
【清音】[1] qīngyīn 名 ❶四川省の民間芸能の一種. 琵琶(びわ)や胡弓(こきゅう)で伴奏する ❷旧 冠婚葬祭の吹奏楽
【清音】[2] qīngyīn 名〈語〉清音. 無声音
【清莹】qīngyíng 形 きらきらと光っている. きらめく
【清幽】qīngyōu 形 (風景が)美しく静かである. 幽邃(ゆうすい)である
【清油】qīngyóu 名 方 ❶菜種油 ❷ツバキ油 ❸食用の植物油
【清淤】qīngyū 動 (水底の)汚泥を取り除く
【清誉】qīngyù 名 清廉潔白な名声
【清越】qīngyuè 形 清らかに響きわたるさま
*【清早】qīngzǎo 名 朝. 早朝‖他一～就出去跑步去了 彼は朝早くからジョギングに出かけた
【清障】qīngzhàng 動 障害物を取り除く
【清账】qīng//zhàng 動 帳簿を締める. 決算する 名(qīngzhàng) 明細書. 決算書
【清真】qīngzhēn 形 ❶〈宗〉イスラム教の‖～食堂 イスラム教徒のための食堂 ❷純潔である. 質朴である
【清真教】Qīngzhēnjiào 名〈宗〉イスラム教 =〔伊斯兰教〕
*【清真寺】qīngzhēnsì 名〈宗〉イスラム寺院. モスク
【清蒸】qīngzhēng 動〈料理〉(調理法の一種)肉や魚をしょうゆを加えないで蒸す‖～鱼 魚を蒸した料理
【清正】qīngzhèng 形 公明正大である

11 **圊** qīng 書 厠(かわや). 便所‖～粪fèn 厠の糞尿｜～土 堆肥に使う厠の土

14 **蜻** qīng ↴
*【蜻蜓】qīngtíng 名〈虫〉トンボ
【蜻蜓点水】qīngtíng diǎn shuǐ 慣 表面的に接触するだけで深入りしないたとえ

16 **鲭** qīng 名〈魚〉タイセイヨウサバ ➤ zhēng

qíng

11 * **情** qíng ❶気持ち. 感情‖骨肉之～ 骨肉の情 ❷条理. 理屈‖→～理 ❸状況. 情勢‖灾～ 被災状況 ❹情欲. 性欲‖色～ 色情 ❺男女の愛情‖→～书 ❻私情. 義理‖求～ 泣きつく ❼情趣. 情緒‖→～趣

逆引き単語帳　〔神情〕shénqíng 表情. 顔つき〔病情〕bìngqíng 病状〔案情〕ànqíng 事件のいきさつ〔剧情〕jùqíng 劇のストーリー〔灾情〕zāiqíng 被災状況〔敌情〕díqíng 敵情. 敵の動静〔股情〕gǔqíng 株式市況〔行情〕hángqíng 市況. 相場〔内情〕nèiqíng 内情. 内部事情〔民情〕mínqíng 民情. 大衆の気持ちや生活状態〔心情〕xīnqíng 心情. 気持ち〔爱情〕àiqíng 愛情〔痴情〕chīqíng ひたむきな愛情〔感情〕gǎnqíng 愛着. 愛情. 友情. 感情〔交情〕jiāoqing 友情. 交情. よしみ〔热情〕rèqíng 熱情. 熱意. 心がこもっている. 親切だ〔盛情〕shèngqíng 厚意. 厚情〔求情〕qiúqíng 情に訴えて頼み込む. 人に許しを請う〔领情〕lǐngqíng 好意をありがたく受け取る〔说情〕shuōqíng 人のために許しを請う〔调情〕tiáoqíng (男女で)いちゃつく〔知情〕zhīqíng 内情に詳しい〔钟情〕zhōngqíng ほれ込む

【情爱】qíng'ài 名 情愛. いつくしみ
*【情报】qíngbào 名 ❶機密情報. 諜報(ちょうほう)‖搜集sōují～ 情報を収集する ❷情報‖经济～ 経済情報

Q

【情变】qíngbiàn 图 愛情の突然の変化. 多く男女関係の破局について用いる
【情不自禁】qíng bù zì jīn 成 思わず…する
【情操】qíngcāo 图 情操‖高尚的～ 高邁な心
【情场】qíngchǎng 图 男女の愛情関係‖～失意 恋人に振られる
【情敌】qíngdí 图 恋がたき. ライバル
【情调】qíngdiào 图 情調. ムード‖异国～ 異国情緒
【情窦初开】qíng dòu chū kāi 成 (少女が)性に目覚める
【情分】qíngfen；qíngfèn 图 情誼. よしみ. 義理
【情夫】qíngfū 图 情夫. 愛人(男性)
【情妇】qíngfù 图 情婦. 愛人(女性)
*【情感】qínggǎn 图 情感. 感情‖～细腻xìnì 心がこまやかだ
【情歌】qínggē 图 恋歌. ラブソング
【情海】qínghǎi 图 深い愛情‖坠入zhuìrù～ 恋に溺れる
【情话】qínghuà 图 愛のささやき. 男女が睦まじく語る言葉
【情怀】qínghuái 图 書 心情. 思い
【情急】qíngjí 動 気がせく. 焦る
*【情节】qíngjié 图 ❶いきさつ. 経緯. 情状‖～严重 情状酌量の余地なし ❷(小説や劇などの)筋. プロット‖故事～极为生动 ストーリーが実に生き生きとしている
【情结】qíngjié 图 ❶〈哲〉コンプレックス‖恋母～ エディプス・コンプレックス. マザー・コンプレックス ❷心のしこり. こだわり
**【情景】qíngjǐng 图 情景. 光景‖感人的～ 感動的シーン
【情景交融】qíng jǐng jiāo róng 成 (文学作品で)情景と感情の動きがうまく溶け合っていること
【情境】qíngjìng 图 ありさま. 事態. 境遇
★【情况】qíngkuàng 图 ❶状況. 様子‖～紧急 事態が切迫している｜去不去得看～ 行くかどうかは状況しだいだ ❷〈軍〉状況変化. 異状
【情郎】qíngláng 图 恋人(男性)
*【情理】qínglǐ 图 情理. 人情の常‖～上说不过去 情理からいって申し開きが立たない
【情侣】qínglǚ 图 一組の恋人. カップル
【情侣表】qínglǚbiǎo 图 ペアウォッチ
【情侣装】qínglǚzhuāng 图 ペアルック
【情面】qíngmian；qíngmiàn 图 (個人間の)情実. よしみ. メンツ‖一点儿也不留～ 少しも顔を立ててやらない｜打破～ 個人的な情実をはねのける
【情趣】qíngqù 图 ❶性格と興味‖～相投 意気投合する ❷風情. 趣向‖别有一番～ またひと味違った情趣がある
【情人】qíngrén 图 恋人. 愛人
【情人节】qíngrénjié 图 バレンタインデー
【情杀】qíngshā 動 愛情のもつれから相手を殺す
【情商】qíngshāng 图 感情指数. 心の知能指数. EQ
【情诗】qíngshī 图 (男女間の)愛情の詩
【情势】qíngshì 图 情勢. 状況
【情书】qíngshū 图 恋文. ラブレター
【情丝】qíngsī 图 綿々たる情. 切っても切れない恋情
【情思】qíngsī 图 心情. 思い
【情愫】【情素】qíngsù 图 書 ❶友情. よしみ ❷本心. 真意
【情随事迁】qíng suí shì qiān 成 状況が変化すれば, それに従って感情も変化する
【情态】qíngtài 图 表情と態度. 顔つき, そぶり
【情同手足】qíng tóng shǒu zú 成 仲がよくて兄弟のようだ‖他们俩～ あの二人は兄弟のように親密だ
【情投意合】qíng tóu yì hé 成 意気投合する
【情网】qíngwǎng 图 (どうにも抜け出せない)恋のわな‖坠入～ 恋にのめり込む. 恋のとりこになる
【情味】qíngwèi 图 情調. 情趣
【情文并茂】qíng wén bìng mào 慣 (文章の)内容と表現ともに優れている
**【情形】qíngxing 图 事情. 様子‖他向大家讲述了当时的～ 彼はみんなに当時の様子を話した
**【情绪】qíngxù 图 ❶気分. 機嫌‖～高涨 意気が上がる｜～低落 意気消沈する ❷不愉快な気持ち. 不機嫌‖他这两天又闹～了 彼はこのところまた不機嫌になっている
【情义】qíngyì 图 義理人情. 情義
【情谊】qíngyì 图 情誼(じょうぎ). よしみ. 友情
【情意】qíngyì 图 (相手に対する)情. 心づくし. 厚意. (男女の)情. 恋情‖你的～我心领了 お気持ちはいただきました
【情由】qíngyóu 图 事の内容と原因いきさつ
【情有可原】qíng yǒu kě yuán 成 許すべき事情がある
【情欲】qíngyù 图 情欲. 色情. 色欲
【情缘】qíngyuán 图 男女の縁
【情愿】qíngyuàn 動 心から願う. 甘んじて…する‖为了孩子, 我～多吃点儿苦 子供の幸せのためなら, 苦労はいとわない
【情韵】qíngyùn 图 情趣. 情緒. 興趣
【情债】qíngzhài 图 (感情の上での)借り. 負い目. 多く男女間の愛情について用いる
【情知】qíngzhī 動 よく承知している
【情致】qíngzhì 图 おもむき. おもしろ味. 風情
【情种】qíngzhǒng 图 (男女関係で)多情多感な人. ほれっぽい人
【情状】qíngzhuàng 图 事情. 状態. 様子

12 ★**晴** qíng 形 晴れている‖多云转zhuǎn～ 曇りのち晴れ｜天～了 天気がよくなった
【晴好】qínghǎo 形 晴朗である
【晴和】qínghé 形 晴れて暖かい. うららかである
【晴空】qíngkōng 图 晴れた空‖～万里 見渡すかぎり晴れわたっている
*【晴朗】qínglǎng 形 晴朗である. からりと晴れわたっている‖天气～ 天気晴朗である
【晴明】qíngmíng 形 晴れわたっている
*【晴天】qíngtiān 图 晴天. 晴れ
【晴天霹雳】qíng tiān pī lì 成 青天の霹靂(へきれき). 〔青天霹雳〕ともいう
【晴雨表】qíngyǔbiǎo 图 ❶晴雨計. 気圧計. バロメーター. 〔气压表〕の俗称 ❷喩 バロメーター
【晴雨伞】qíngyǔsǎn 图 晴雨兼用の傘

12 **氰** qíng 图〈化〉シアン
【氰基】qíngjī 图〈化〉シアン基

16 **檠** qíng ❶古 石弓のゆがみを直す器具 ❷書 燭台. ろうそく立て ❸転 灯火

16 **擎 qíng** 動 持ち上げる. 捧げ持つ
【擎天柱】qíngtiānzhù 名 喩 重任を担う人. 大黒柱
20 **黥 qíng** 古 ❶顔に入れ墨をする刑罰の一種 ❷入れ墨

qǐng

8 **苘 qǐng** ↴
【苘麻】qǐngmá 名〈植〉イチビ. 俗に〔青麻〕という
8 **顷[1] qǐng** 量 地積の単位. 1〔顷〕は100〔亩mǔ〕(ムー)‖一公～ 1ヘクタール
8 **顷[2] qǐng** ❶ごくわずかな時間. ちょっとの間‖少～ しばし ❷書 今しがた. たった今‖～闻噩耗èhào 先刻訃報(ふほう)を承ったところです
【顷刻】qǐngkè 名 ごくわずかな時間. たちまち. ほどなく
10 ★**请 qǐng** ❶動 **請う. 請い求める**‖～您明天来一趟 明日一度おいでください ❷動 **招く. 招請する. ごちそうする. おごる**‖～家庭教师 家庭教師を頼む｜～朋友吃饭 友だちにご馳走した ❸動 旧 (仏具や供物などを)買う ❹動 敬 **頼む. 要望する. どうぞ … してください**‖～提宝贵意见 どうぞ貴重なご意見をお聞かせください｜～不要在室内吸烟 室内での喫煙はご遠慮ください.
【请安】qǐng//ān 動 ❶ご機嫌を伺う. 安否を尋ねる. 挨拶をする‖向父母～ 両親に挨拶する ❷旧 方 挨拶の一種で, 目上の人に対し, 右足をやや後方に引き, 左ひざを曲げ, 右手を前にたらす
【请便】qǐngbiàn 動 相手の好きなようにしてもらう. どうぞご自由に
【请不动】qǐngbudòng 動 招待しても来てもらえない. 誘っても応じさせることができない
【请调】qǐngdiào 動 転職を申請する
【请功】qǐng//gōng 動 論功行賞を奏請する
★【请假】qǐng//jià 動 **(病気その他の理由で)仕事や学業を休む. 休みをとる**‖～条 休暇届｜请了一天假 1日休みをとった
*【请柬】qǐngjiǎn 名 招待状. 案内状‖发～ 招待状を出す
*【请教】qǐngjiào 動 謙 教えを請う‖我想～您一个问题 ひとつ教えてほしいのですが
【请君入瓮】qǐng jūn rù wèng 成 相手の考え出した方法でその相手を懲らしめること
⁑【请客】qǐng//kè 動 (宴会や観劇などに)**客を招く. おごる**‖今天我～ 今日は私がおごります
【请命】qǐngmìng 動 ❶命ごいをする. (人のために)嘆願する. 情けを請う‖为民～ 人民のために嘆願する ❷旧 (下の者が上司に)指示を請う
⁑【请求】qǐngqiú 動 **頼む. 求める**‖～原谅 許しを求める 名 **提出された要求. 願い. 届け**
【请赏】qǐng//shǎng 動 褒賞を求める
*【请示】qǐngshì 動 上司に伺いを立てる‖这件事需要向领导～ この件は上司に伺いを立てる必要がある
*【请帖】qǐngtiě 名 客を招く時に送る通知. 招待状‖发～ 招待状を出す｜接到～ 案内状を受け取る
【请托】qǐngtuō 動 (特別の配慮を)頼み込む
★【请问】qǐngwèn 動 挨拶 **(人に物をたずねるときの前置き)すみませんが …**‖～, 去中山公园怎么走？ お尋ねしますが, 中山公園へはどう行けばいいですか
【请勿】qǐng wù 組 … するべからず‖～吸烟 タバコはご遠慮ください｜～入内 立ち入るべからず
【请降】qǐng//xiáng 動 投降を申し入れる
*【请愿】qǐng//yuàn 動 (集団で政府や当局に)請願する‖～书 請願書
【请战】qǐng//zhàn 動 戦闘への参加を志願する
【请罪】qǐng//zuì 動 自分の誤りについて, 自分から処分を求める. 謝る. 謝罪する‖负荆fùjīng～ 平謝りに謝る

qìng

6 **庆(慶) qìng** ❶祝う. 慶賀する‖一～祝 ❷慶祝すべき年や日‖建国五十周年大～ 建国50周年の慶祝行事｜校～ 学校の創立記念日 ❸めでたい. 喜ばしい
【庆典】qìngdiǎn 名 祝賀会. おごそかな祝典
*【庆贺】qìnghè 動 祝いの言葉を述べる‖大家都向他～ みんなは彼に祝いの言葉を述べる
【庆幸】qìngxìng 動 (思いがけない幸運を)幸いとする. 喜びとする. 祝う
⁑【庆祝】qìngzhù 動 **祝う. 祝賀する**‖～新年 新年を祝う｜～胜利 勝利を祝う
9 **亲(親) qìng** ↴ ➤qīn
【亲家】qìngjia 名 ❶姻戚(いんせき)関係 ❷婚家の双方の親同士の呼称
【亲家公】qìngjiagōng 名 娘または息子の配偶者の父. しゅうと
【亲家母】qìngjiamǔ 名 娘または息子の配偶者の母. しゅうとめ
14 **箐 qìng** 名 方 タケの生い茂る山あい. (多く地名に用いる)‖梅子～ 雲南省にある地名
16 **磬 qìng** ❶名 古代の打楽器, 磬(けい) ❷名 仏教で用いる銅製の打楽器, 磬
17 **罄 qìng** 書 ❶(器が)空っぽである. (物が尽きて)何もない‖告～ 底を突く ❷使い尽くす. 全部出してしまう‖售shòu～ 売り切れる
【罄尽】qìngjìn 動 底を突く
【罄竹难书】qìng zhú nán shū 成 ありったけの竹を使っても書き尽くせないほど罪悪が多いたとえ

qióng

5 **邛 qióng** 地名用字‖～崃lái 四川省にある山の名
7 ⁑**穷(窮) qióng** ❶尽きている. きわまっている‖无～无尽 尽きることがない ❷きわめて. 非常に‖一～凶极恶 ❸徹底している. 執拗である‖一～追 ❹とことん追究する. 探究する ❺使い果たす‖一～兵黩武 ❻窮地にある. 追い詰められている‖一～则思变 ❼形 **貧しい. 貧乏である** ↔〔富〕‖一～人 ❽副 口 むやみに. やたらと‖～讲究 金もないくせに無理してぜいたくする ❾辺鄙(へんぴ)な‖一～乡僻壤
【穷兵黩武】qióng bīng dú wǔ 成 好戦的でみだりに武力を用いる. やたらに刀を振り回す
【穷愁】qióngchóu 形 貧乏で苦しい
【穷乏】qióngfá 形 貧しい. 窮乏している

Q

【穷光蛋】qióngguāngdàn 名口貶 素寒貧. 一文なし
【穷极无聊】qióng jí wú liáo 成 ❶ひどく退屈するさま ❷無意味である. 面白みがない
【穷家富路】qióng jiā fù lù 成 家では節約に努め, 外出するときは十分にお金を持って困らないようにする
【穷尽】qióngjìn 動 極まる. 限界に達する 名 終わり ‖ 人类对宇宙yǔzhòu的认识是没有～的 人類の宇宙に対する認識には際限がない
【穷寇】qióngkòu 名 追いつめられた賊. 敗残の敵
*【穷苦】qióngkǔ 形 貧しく苦しい ‖ 生活～ 生活が苦しい | ～人家 貧しい家庭
【穷匮】qióngkuì 形書 貧乏である
【穷困】qióngkùn 形 困窮している. 窮乏している
【穷忙】qióngmáng 動 ❶旧 生活のためにあくせくする ❷多忙をきわめる
【穷年累月】qióng nián lěi yuè 成 長い年月を経る. 歳月を重ねる. 〔成年累月〕ともいう
【穷期】qióngqī 名 終末期. 終わりの時
*【穷人】qióngrén 名 貧乏人
【穷日子】qióng rìzi 組 貧しい暮らし ‖ 过～ 貧乏暮らしをする
【穷山恶水】qióng shān è shuǐ 成 自然条件が悪くて物産に恵まれない土地. 不毛の地
【穷奢极侈】qióng shē jí chǐ 成 ぜいたくざんまいの生活をする. 〔穷奢极欲〕ともいう
【穷酸】qióngsuān 形 貧乏くさい ‖ 一副～相xiàng みすぼらしいさま
【穷途潦倒】qióng tú liáo dǎo 成 落ちぶれ果てているさま
【穷途末路】qióng tú mò lù 成 行き詰まる. 窮地に陥る
【穷乡僻壤】qióng xiāng pì rǎng 成 辺鄙で貧しい片田舎
【穷凶极恶】qióng xiōng jí è 成 凶悪極まる
【穷原竟委】qióng yuán jìng wěi 成 事の次第を徹底して究明する
【穷源溯流】qióng yuán sù liú 成 物事の根源を究める
【穷则思变】qióng zé sī biàn 成 せっぱ詰まれば考えが変わる
【穷追】qióngzhuī 動 ❶(敵などを)どこまでも追いつめる. 追撃する ‖ ～不舍shě とことん追いつめる ❷徹底的に追及する

8 **穹** qióng 書 ❶ドーム形の ‖ 一～庐 ❷天空 ‖ 苍cāng～ 青空 | 天～ 天空
【穹隆】qiónglóng 形 ドームの形を成している
【穹庐】qiónglú 名書 ドーム形の包(パオ)

8 **茕**(煢) qióng 書 孤独である
【茕茕孑立】qióng qióng jié lì 成 孤独で身寄りがない

11 **筇** qióng ❶古 竹の一種(杖(つえ)に用いた) ❷書 杖(つえ) ‖ 扶～ 杖をつく

12 **琼**(瓊) qióng ❶書 美しい玉(ぎょく) ❷精美な. すばらしい ❸海南省の別称
【琼浆】qióngjiāng 名 美酒
【琼瑶】qióngyáo 名 ❶美しい玉石 ❷人から贈られた詩文や書簡などの美称

12 **蛩** qióng 古 ❶コオロギ ❷イナゴ

14 **銎** qióng 古 おのやその他の農具に柄をつける穴

qiū

5 **丘**(△坵❶❷❹) qiū ❶丘陵. 土の山 ‖ 一～陵 ❷墳墓 ‖ ～墓 墓 ❸動 ひつぎを密閉し, 埋葬するまで仮に地面に置いておく ❹量 あぜ道で区切られた水田1枚を〔丘〕という ‖ 一～稻田 稲田1枚
*【丘陵】qiūlíng 名 丘陵 ‖ ～地带 丘陵地帯
【丘疹】qiūzhěn 名〈医〉丘疹(きゅうしん)

7 **邱** qiū 名 姓

7 **龟**(龜) qiū ➘ ➤ guī jūn
【龟兹】Qiūcí 名 古代西域にあった国, 亀茲(きじ)国

9 ★**秋**(△烁 龝) qiū ❶収穫の季節 ‖ 麦～ 麦の取り入れ時. 麦秋 ❷名 秋. 秋季 ‖ 一～天 ❸一年 ‖ 千～万代 千年万年 ❹(特定の)時. 時期 ‖ 多事之～ 多事多難の時 ❺秋に収穫する作物 ‖ 收～ 取り入れ
【秋波】qiūbō 名 流し目. 秋波 ‖ 暗送～ ひそかに秋波を送る
【秋播】qiūbō 名〈農〉秋まき
【秋分】qiūfēn 名 秋分(二十四節気の一つ, 9月22日から24日ごろに当たる)
【秋风】qiūfēng 名 秋風
【秋风扫落叶】qiūfēng sǎo luòyè 慣 強大な勢力が衰退した勢力を圧倒するたとえ
【秋高气爽】qiū gāo qì shuǎng 成 秋空が高く澄みわたりさわやかな気候である ‖ ～的季节 秋空高くさわやかな季節
【秋海棠】qiūhǎitáng 名〈植〉シュウカイドウ
【秋毫无犯】qiū háo wú fàn 成 鳥の毛ほども犯さない. ほんのわずかでも人民のものは犯さない. (軍紀がよく守られていることをいう)
【秋后算账】qiū hòu suàn zhàng 成 秋の取り入れ後に清算する. 事が一段落してから黒白をつける. 政治運動の収束後に機をみて仕返しをする
*【秋季】qiūjì 名 秋季. 秋 ‖ ～运动会 秋の運動会
【秋景】qiūjǐng 名 ❶秋景色 ❷秋の収穫状況
【秋老虎】qiūlǎohǔ 名 立秋後の厳しい残暑
【秋凉】qiūliáng 名 秋のすがすがしい天気
【秋粮】qiūliáng 名 秋に取り入れる穀物
【秋令】qiūlìng 名 ❶秋の季節 ❷秋の気候
【秋千】qiūqiān 名 ぶらんこ. 〔鞦韆〕とも書く ‖ 打～ ぶらんこに乗る | 荡dàng～ ぶらんこに乗る
【秋日】qiūrì 名 ❶秋 ❷秋の太陽
【秋色】qiūsè 名 秋の景色 ‖ ～宜人yírén 秋の景色は人を楽しくさせる
*【秋收】qiūshōu 動 秋の農作物を取り入れる. 収穫する ‖ ～大忙季节 秋の収穫で大忙しの季節 名 秋に取り入れる農作物
【秋收起义】Qiūshōu qǐyì 名〈史〉秋収蜂起. 1927年9月, 毛沢東が湖南省東部・江西省西部一帯で指導した武装蜂起
【秋水】qiūshuǐ 名 秋の澄みきった川の水. 喩(多く女

性の)目‖望穿～ 待ち焦がれるさま
★【秋天】qiūtiān 图 秋. 秋季‖金色的～ 黄金色の秋
【秋汛】qiūxùn 图 立秋から霜降(そう)までの時期に起きる河川の増水
【秋游】qiūyóu 動 秋, 野外へ遊びに出かける. (多く職場や学校で行く)秋の遠足をさす
【秋庄稼】qiūzhuāngjia 图 秋に取り入れる作物

11 **蚯** qiū ↴
【蚯蚓】qiūyǐn 图〈動〉ミミズ. 〔曲蟮〕ともいう

12 **湫** qiū 池. (主に地名に用いる) ➤ jiǎo

12 **萩** qiū 古 カワラヨモギやヤハズハハコなどのキク科植物

13 **楸** qiū 图〈植〉トウキササゲ. ふつうは〔楸树〕という

17 **鳅** qiū ➡〔泥鳅níqiu〕

qiú

4 **仇** qiú 图 姓 ➤ chóu

5 **囚** qiú ❶動 拘禁する. 監禁する‖→～犯 ❷囚人‖死～ 死刑囚 ❸動 方 (長く1ヵ所に)住む. いる
【囚车】qiúchē 图 囚人護送車
【囚犯】qiúfàn 图 拘禁中の犯罪人‖沦lún为～ 罪人に成り果てる
【囚禁】qiújìn 動 監禁する. 拘禁する
【囚笼】qiúlóng 图 古 罪人を護送あるいは拘禁した木製の檻(おり)
【囚首垢面】qiú shǒu gòu miàn 成 囚人のように, 乱れた髪とあかで汚れた顔
【囚徒】qiútú 图 囚人. 捕らわれの身にある者
【囚衣】qiúyī 图 囚人服

5 **犰** qiú ↴
【犰狳】qiúyú 图〈動〉アルマジロ

7 *** **求** qiú ❶動 追い求める. 追求する. 追究する‖～名利 名利を求める ❷動 請う. 請い求める‖～你点儿事 君にちょっと頼みごとがある｜～～你别生气了 お願いだから腹を立てないでください ❸動 要求する‖不～上进 向上を求めない ❹需要がある. 必要とする‖需～ 需要｜供gōng大于～ 供給過剰である
【求爱】qiú'ài 動 求愛する
【求大同, 存小异】qiú dà tóng, cún xiǎo yì 成 小異を残して大同につく
*【求得】qiúdé 動 追求する. 求める‖～谅解 理解を求める
【求告】qiúgào 動 同情を求める. 助けを頼み込む
【求购】qiúgòu 動 (珍奇なものや高価なものを)買い求める. 購求する‖高价～ 高値で買い求める
【求和】qiú∥hé 動 ❶和議を求める ❷(試合などで)なんとか引き分けに持ち込もうとする
【求婚】qiú∥hūn 動 求婚する. プロポーズする‖向她～ 彼女にプロポーズする
【求见】qiújiàn 動 面会を申し入れる
【求教】qiújiào 動 教えを請う‖虚心xūxīn～ 謙虚な気持ちで教えを請う｜登门～ 直接家に出向いて教えを請う
【求解】qiújiě 動〈数〉解を求める
【求借】qiújiè 動 (金や物の)借用を申し入れる
【求救】qiújiù 動 救いを求める
【求偶】qiú'ǒu 動 書 結婚相手を探す
【求聘】qiúpìn 動 ❶(人材を)募集する ❷雇用を求める. 職を求める
【求乞】qiúqǐ 動 施しを求める. 物乞(もの)いをする
【求签】qiú∥qiān 動 おみくじを引いて吉凶を占う
【求亲】qiú∥qīn 動 縁組みを申し入れる
【求情】qiú∥qíng 動 (人のために)口添えする. とりなす‖托人～ つてを頼って頼み込む
【求全】qiúquán 動 ❶貶 完全無欠を要求する ❷円満にまとめる. 丸く収める‖委曲wěiqū～ 妥協して事を収める
【求全责备】qiú quán zé bèi 成 完全無欠を求めて, 厳しく人を批判する. 一つの欠点も許さない
【求饶】qiú∥ráo 動 勘弁してもらう. 許しを請う
【求人】qiú∥rén 動 人の助けを頼む. 人の世話になる‖～不如求己 人をあてにするより自分でやったほうがいい
【求生】qiúshēng 動 生きていく道を探す. なんとかして生き抜く‖～的本能 生き続けようとする本能
【求实】qiúshí 動 実を求める. 実質を重んじる
【求索】qiúsuǒ 動 探求する
【求同存异】qiú tóng cún yì 成 観点の一致した事柄について共同歩調をとり, 不一致のものは保留する
【求学】qiú∥xué 動 ❶学校で勉強する ❷学問をする
【求爷爷告奶奶】qiú yéye gào nǎinai 慣 手当たりしだいに頼み込む. 八方手を尽くして頼み込む
【求医】qiúyī 動 医者に診てもらう
【求雨】qiú∥yǔ 動 雨乞(ご)いをする
【求援】qiúyuán 動 援助を頼む. 援軍を求める
【求战】qiúzhàn 動 ❶戦いを挑む ❷参戦を願い出る
【求诊】qiúzhěn 動 診察を請う. 医者にかかる
【求证】qiúzhèng 動 ❶〈数〉証明を求める ❷証拠を探す
【求之不得】qiú zhī bù dé 成 求めても得られない. 願ってもない. 願ったりかなったり
【求知】qiúzhī 動 知識を求める‖～欲 知識欲
【求职】qiúzhí 動 求職する
【求助】qiúzhù 動 書 助けを求める. 力を借りる‖～于现代医学 現代医学の助けを借りる

7 **虬**(△虯) qiú 書 縮れている. 縮こまっている
【虬髯】qiúrán 图 書 もみあげまで連なった縮れ毛のひげ

8 **泅** qiú 泳ぐ‖～水而过 泳いで渡る
【泅渡】qiúdù 動 (川・海などを)泳いで渡る

9 **酋** qiú ❶部族の首領. 酋長(しゅうちょう)‖→～长 ❷(強盗・悪人・侵略者の)頭目. ボス
【酋长】qiúzhǎng 图 酋長. 首長
【酋长国】qiúzhǎngguó 图 首長国

10 **逑** qiú 書 配偶者

11 ★ **球**(△毬❶❹❺) qiú ❶古 まり‖蹴cù～ けまり遊び ❷(～儿)球形のもの‖煤～ たどん. 豆炭｜气～ 風船 ❸地球‖全～ 全世界. グローバル ❹图 たま. ボール‖足～ サッカ

ーボール｜皮～ ゴムまり ❺名 球技 ‖ 一～队｜一～星 ❻名〈数〉球

逆引き単語帳 〔足球〕zúqiú サッカー 〔排球〕páiqiú バレーボール 〔篮球〕lánqiú バスケットボール 〔乒乓球〕pīngpāngqiú 卓球 〔网球〕wǎngqiú テニス 〔羽毛球〕yǔmáoqiú バドミントン 〔曲棍球〕qūgùnqiú ホッケー 〔冰球〕bīngqiú アイスホッケー 〔棒球〕bàngqiú 野球 〔垒球〕lěiqiú ソフトボール 〔手球〕shǒuqiú ハンドボール 〔水球〕shuǐqiú 水球 〔板球〕bǎnqiú クリケット 〔链球〕liànqiú ハンマー投げ 〔马球〕mǎqiú ポロ 〔高尔夫球〕gāo'ěrfūqiú ゴルフ 〔门球〕ménqiú ゲートボール 〔保龄球〕bǎolíngqiú ボーリング 〔台球〕táiqiú ビリヤード 〔橄榄球〕gǎnlǎnqiú ラグビー 〔美式橄榄球〕měishì gǎnlǎnqiú アメリカン・フットボール

【球操】qiúcāo 名〈体〉(新体操の)ボール演技
**【球场】qiúchǎng 名 球技場. 球技用グラウンド ‖ 足～ サッカー場｜网～ テニスコート
【球胆】qiúdǎn 名 ボールのゴム芯(しん). チューブ
*【球队】qiúduì 名〈体〉球技のチーム
【球风】qiúfēng 名〈体〉球技試合中の競技態度
【球技】qiújì 名〈体〉球技のテクニック
【球篮】qiúlán 名〈体〉バスケットボールのゴール
【球类】qiúlèi 名〈体〉球技類 ‖ ～运动 球技
【球龄】qiúlíng 名〈体〉球技を始めてからの年数. 球技歴
【球路】qiúlù 名〈体〉球の方向. 球すじ. 転 球技上の戦術や策
【球门】qiúmén 名〈体〉(サッカーやアイスホッケーなどの)ゴール ‖ ～区 ゴールエリア
*【球迷】qiúmí 名 (サッカーなどの)球技のファン ‖ 狂热的～ 熱狂的な球技ファン
【球面】qiúmiàn 名〈数〉球面 ‖ ～镜 球面鏡
【球拍】qiúpāi (～儿) 名 (テニスや卓球などの)ラケット
【球赛】qiúsài 名 球技の試合
【球台】qiútái 名 (ピンポンやビリヤードなどの)台
【球坛】qiútán 名 球技界
【球体】qiútǐ 名〈数〉球体
【球网】qiúwǎng 名 (テニスや卓球などの)ネット
【球鞋】qiúxié 名 運動靴. 球技用シューズ
【球心】qiúxīn 名〈数〉球心
【球星】qiúxīng 名 球技のスター ‖ 超级～ 球技の超大物スター選手
【球艺】qiúyì 名 球技の技術. テクニック
【球员】qiúyuán 名 球技の選手
【球状】qiúzhuàng 名 球状

11 **赇** qiú 書 ❶賄賂を送る. 賄賂を受ける ❷賄賂

12 **遒** qiú 書 剛健である. 力強い
【遒劲】qiújìng 形 書 雄々しく力強い ‖ 笔力～ 筆致が雄勁である

12 **巯**(巰) qiú 名〈化〉スルフヒドリル

13 **裘** qiú 書 毛皮製の衣類 ‖ 一～皮｜貂diāo～大衣 テンの毛皮のコート
【裘皮】qiúpí 名 毛皮 ‖ ～服装 毛皮で作った服

qiǔ

16 **糗** qiǔ ❶古 乾燥した携帯食糧 ❷形 方 御飯や麵(めん)が軟らかすぎてべたべたしている ‖ 面条煮～了 うどんを煮すぎてべちゃべちゃになった

qū

4 ** **区**(區) qū ❶区域. 地区 ‖ 居民～ 住宅地 ❷区別する. 分ける ‖ 一～分 ❸名 行政区 ‖ 市辖xiá～ 市の直轄区 ➤ ōu
**【区别】qūbié 動 区別する ‖ ～对待 区別して対応する｜正品和次品要～开来 規格品と二等品を区別しなければならない 名 区別. 相違
*【区分】qūfēn 動 区分けする. 区別する ‖ 难以～ 区別しにくい
【区划】qūhuà 名 区画 ‖ 行政～ 行政区画
【区间】qūjiān 名 区間(運行の全コース中の一部分) ‖ ～车 区間運転の列車またはバス
【区区】qūqū 形 わずかである. ささいである. 取るに足りない ‖ ～小事 ささいな事 名 旧 謙 私め(やや軽薄な言い方に用いる) ‖ ～之见 卑見
【区位码】qūwèimǎ 名〈計〉区点コード
*【区域】qūyù 名 区域. 地域 ‖ ～自治 地域的自治

6 **曲**[1] qū ❶形 曲がっている. 湾曲している ↔〔直〕‖ 弯～ 曲がりくねっている ❷動 曲げる ‖ ～身而卧wò 体を曲げて伏す ❸公正でない. 正しくない ‖ 歪～ 歪曲する ❹曲がった所. 辺ぴな地方 ‖ 乡～ 片いなか

6 **曲**[2](麯 △麴) qū 麹(こうじ) ‖ 酒～ 酒麹 ➤ qǔ
【曲笔】qūbǐ 名 ❶古 史官や歴史学者が事実を歪曲して書いた記載 ❷婉曲な文章の書き方
【曲别针】qūbiézhēn 名 ゼムクリップ.〔回形针〕ともいう ‖ 别上～ ゼムクリップで留める
【曲尺】qūchǐ 名 (大工用の)曲尺(かねじゃく). かね差し.〔矩jǔ尺〕〔角尺〕ともいう
【曲棍球】qūgùnqiú 名〈体〉❶ホッケー ❷ホッケーのボール
【曲解】qūjiě 動 曲解する
【曲尽其妙】qū jìn qí miào 成 (文章などの)表現力が優れているさま
【曲径】qūjìng 名 曲がりくねった小道
【曲里拐弯】qūliguǎiwān (～儿的) 形 口 曲がりくねっている. くねくねしている
【曲奇】qūqí 名 外 クッキー
【曲曲弯弯】qūqūwānwān (～的) 形 曲がりくねったさま. くねくねしている ‖ ～的林间小路 曲がりくねった林の中の小道｜小溪xī～地流过村前 小川は村の前を湾曲しながら流れている
*【曲线】qūxiàn 名〈数〉曲線 ‖ ～运动 曲線運動
【曲线美】qūxiànměi 名 曲線美
【曲意逢迎】qū yì féng yíng 成 意志を曲げて迎合する
*【曲折】qūzhé 形 ❶曲がりくねっている ❷(事情が)込み入っている. 複雑である ‖ 故事情节～动人 物語の筋が複雑で人をひきつける 名 曲折
【曲直】qūzhí 名 曲直. 是非

7 **诎** qū 書 弯曲. 屈服

7 **岖**（嶇）qū ➡〔崎岖qíqū〕

7 **驱**（驅 △駈 敺）qū ❶（動物を）追い立てる. 駆る ‖ 扬鞭biān～马 むちをあててウマを走らせる ❷疾走する. 疾駆する ‖ 长～直入 長い距離を駆け一気に攻め込む ❸追い出す ‖ →～逐 ❹無理にさせる. 強いる ‖ →～使 ❺（車を）運転する.（車に）乗る ‖ →～车

【驱策】qūcè 動 書 むちで追い立てる. こき使う

【驱车】qūchē 動 車を駆る ‖ ～前往医院 車を急がせて病院に行く

【驱虫剂】qūchóngjì 名〈薬〉虫下し. 駆虫剤

【驱除】qūchú 動 追い払う. 取り除く ‖ ～杂念 雑念を追い払う

【驱动】qūdòng 動〈機〉駆動する

【驱动器】qūdòngqì 名〈計〉ドライブ

【驱赶】qūgǎn 動 追う. 追いやる ‖ ～苍蝇cāngying ハエを追い払う

【驱寒】qū//hán 動 寒気を取り除く ‖ 喝碗姜jiāng汤驱驱寒 ショウガ湯を飲んで寒気を追い払おう

【驱迫】qūpò 動 こき使う. 強制する

【驱遣】qūqiǎn 動 ❶こき使う ❷書 追放する. 追い出す ❸（不快な気持ちなどを）振り払う

【驱散】qūsàn 動 ❶追い立てて散り散りにする ❷取り除く. 消し去る

【驱使】qūshǐ 動 ❶こき使う. 使役する ‖ 受人～ 人にこき使われる ❷駆り立てる. 仕向ける

【驱邪】qūxié 動 邪気を払う. 魔よけをする

*【驱逐】qūzhú 動 追い払う ‖ ～出境 国外に追放する

【驱逐舰】qūzhújiàn 名〈軍〉駆逐艦

8 **屈** qū ❶動 曲がる. 折れ曲がる ‖ 能～能伸 逆境にも順境にも適応できる ❷動 曲げる. 折れ曲げる ‖ 首～一指 ナンバー・ワン ❸屈する. 服従する. 服従させる ‖ 宁nìng死不～ 死すとも屈せず ❹不当な扱いを受ける. 屈辱を受ける. 不満である ‖ 受～ 屈辱を受ける ❺理屈が通らない ‖ 理～词穷 理屈が通らず, 言葉に窮する

【屈才】qū//cái 動 才能を埋もらせる. 才能を十分に発揮できない

【屈从】qūcóng 動 屈服する. 屈する

【屈打成招】qū dǎ chéng zhāo 成 拷問を受けてやむなく無実の罪をかぶる

*【屈服】【屈伏】qūfú 動 屈服する. 屈する ‖ ～投降tóuxiáng 屈服して投降する

【屈驾】qūjià 動 敬 ご来駕(らいが)くださる

【屈节】qūjié 動 節を曲げる. 節操を破る

【屈就】qūjiù 動 敬 曲げて職務をお引き受けいただく

【屈居】qūjū 動 書 その位置に甘んじる

【屈曲】qūqū 動（腕などが）曲がる

【屈辱】qūrǔ 名 屈辱. 侮辱 ‖ 蒙受méngshòu～ 屈辱を受ける

【屈死】qūsǐ 動 恨みをのんで死ぬ. 無念の死を遂げる ‖ ～鬼 無実の罪で死んだ人

【屈枉】qūwang 動 無実の罪を負わせる. ぬれぎぬを着せる

【屈膝】qūxī 動 ひざを屈する. 屈服する ‖ 卑bēi躬gōng～ 卑屈に迎合する

【屈心】qūxīn 動 口 良心に背く. 良心に恥じる

【屈指】qūzhǐ 動 指を折って数える ‖ ～一算, 分手已十年了 指折り数えてみると, 別れてからもう10年になる

【屈指可数】qū zhǐ kě shǔ 成 指折り数えるほどしかない. 数が少ないこと

【屈尊】qūzūn 動 敬 身分を落として … していただく. 曲げて … していただく

9 **祛** qū （よくないものを）除去する. 駆逐する ‖ ～邪xié 邪気を払う｜～痰tán たんを切る

【祛除】qūchú 動 書 とりはらう ‖ ～风寒 風邪を治す

【祛痰剂】qūtánjì 名〈薬〉去痰薬(きょたんやく)

11 **焌** qū 方 ❶動 小さな火を消す ❷動 小さな火がものを焼く ‖ 香头ル在扇子上～了个窟窿kūlóng 燃えさしの線香で扇子に穴があいた ❸動〈料理〉①（調理法の一つ）油を熱して調味料を加えた後, 野菜を入れてさっと炒める ‖ 用葱花～锅 ネギのみじん切りを鍋に入れて炒める ②（調理法の一つ）熱した油を料理の上にかける

11 **蛆** qū 名〈虫〉ウジ

【蛆虫】qūchóng 名 ❶〈虫〉ウジ. ウジムシ ❷喩 ウジムシのような卑劣な人間

11 **躯**（軀）qū 体. 体躯(たいく) ‖ 为国捐juān～ 国のために身命を投げうつ

【躯干】qūgàn 名 体の頭部と四肢を除いた部分. 胴体 ‖ ～像 トルソ

【躯壳】qūqiào 名（精神に対する）肉体

【躯体】qūtǐ 名 体躯 ‖ 健壮的～ 健康でたくましい体

12 **蛐** qū ↴

【蛐蛐ル】qūqur 名 方 コオロギ

12 **趋**（趨）qū ❶急いで行く. 早足で行く ‖ 亦yì步亦～ 人が歩けば自分も歩き, 人が走れば自分も走る. 人に追随するたとえ ❷追い求める. 追いかける ‖ →～之若鹜 ❸従う. おもねる ‖ →～奉 ❹ある方向に向かう ‖ 日～缓和 日ごとにやわらぐ

【趋避】qūbì 動 すばやく避ける. 回避する

【趋奉】qūfèng 動 取り入る. こびへつらう ‖ ～权势 権勢に迎合する

【趋附】qūfù 動（権力者に）取り入って付き従う ‖ ～权贵 権勢のある高官に取り入って付き従う

【趋光性】qūguāngxìng 名〈生〉趨光性(すうこうせい). 走光性.〔慕mù光性〕ともいう

【趋缓】qūhuǎn 動 緩慢化する. しだいに鈍る

【趋冷】qūlěng 動 しだいに冷める. しだいに寂れる ‖ 经济～ 景気が冷える｜热潮～ ブームが下火になる

【趋热】qūrè 動 しだいに盛んになる

【趋时】qūshí 動 書 流行を追う. 時勢に合わせる

*【趋势】qūshì 名 趨勢(すうせい). 動向 ‖ 必然～ 必然の成り行き｜经济发展～ 経済の発展動向

【趋同】qūtóng 動 同一化に向かう. 画一化に向かう

*【趋向】qūxiàng 動 …の方向に進む. … に傾く ‖ 病情～好转 病状は快方に向かっている 名 趨勢. 方向

【趋炎附势】qū yán fù shì 成 権力のある人に取り入る. 権勢におもねる

【趋于】qūyú 動 書 … の傾向にある

【趋之若鹜】qū zhī ruò wù 成 貶 アヒルのようにぞろぞろと群れをなして走っていく. 殺到する

15 **觑** qū 動 口 目を細めてじっと見る ➤ qù

15 **麹** qū 〔曲² qū〕に同じ

19 **黢** qū 黒い. 暗い ‖ 墙壁被烟熏xūn得黑～～的 壁は煙にいぶされて真っ黒だ

【黢黑】 qūhēi 形 真っ黒である. 真っ暗である

qú

9 **朐** qú 地名用字 ‖ 临～ 山東省にある県の名

11 ** **渠**¹ qú 名 用水路. 運河. 堀割 ‖ 水～ クリーク

11 **渠**² qú 代 方 第三人称を表す ＝〔他〕

*【渠道】 qúdào 名 ❶人工の用水路 ❷ルート. 方法. 道すじ ‖ 扩大商品流通～ 商品の流通ルートを広げる

【渠水】 qúshuǐ 名 水路の水

14 **蕖** qú ➡〔芙蕖fúqú〕

16 **磲** qú ➡〔砗磲chēqú〕

17 **璩** qú 書 耳飾り ‖ 耳～ 耳飾り

18 **瞿** qú 地名用字 ‖ ～塘峡tángxiá 瞿塘峡(くとうきょう). 長江の三峡の一つ. 重慶市にある

23 **癯** qú 書 痩せている ‖ 清～ 痩せている. やつれている

24 **衢** qú 書 交通の便のよい通り. 大道 ‖ 通～ 大通り

qǔ

6 **曲** qǔ ❶名 曲. 南宋代に興り元・明代に流行した韻文形式の文学 ❷名 (～儿) 歌 ‖ 电影插～ 映画の主題歌 ❸名 (～儿) 曲. メロディー. 節 ‖ 谱～ 歌詞に曲をつける ➤qū

【曲调】 qǔdiào 名 曲の調子. 節. メロディー

【曲高和寡】 qǔ gāo hè guǎ 成 曲の格調が高いと歌える者が少ない. 言論や作品が難しすぎて一般大衆に理解されないこと

【曲目】 qǔmù 名 楽曲の名. 曲目

【曲牌】 qǔpái 名〔曲〕の調子の名称

【曲谱】 qǔpǔ 名 ❶(元曲などの代表的な作品を集めて, 作曲の参考とした)曲譜集 ❷(伝統劇の)曲譜.

【曲艺】 qǔyì 名 (弾き語り・漫才・講談などの)大衆芸能.

*【曲子】 qǔzi 名 歌. 曲 ‖ 弹了两支～ 2曲演奏した

8 ** **取** qǔ ❶動 **取る. 引き出す. 受け出す** ‖ ～票 切符を受け取る｜到银行～了五百元钱 銀行へ行って500元引き出した ❷得る. 招く ‖ 吸～教训 教訓を学び取る ❸動 **選び取る** ‖ 录～ 採用する｜给孩子～个名儿 子供に名前をつける

【取保】 qǔ//bǎo 動 (司法上)保証人を立てる

【取材】 qǔcái 動 材料を選ぶ, 集める ‖ 就地jiùdì～ 現地で調達する

【取长补短】 qǔ cháng bǔ duǎn 成 長所を取り入れ, 短所を補う

*【取代】 qǔdài 動 ❶取って代わる. 入れ代わる ‖ 机械化～了手工作业 機械化は手作業に取って代わった ❷〈化〉置換する

【取道】 qǔdào 動 道を選ぶ. 経由する ‖ ～武汉前往重庆 武漢経由のルートで重慶に赴く

★【取得】 qǔdé 動 **取得する. 得る** ‖ ～谅解liàngjiě 了解を得る｜和对方～联系 相手と連絡をとる

【取缔】 qǔdì 動 取り締まる. 法規で禁止する ‖ ～无照商贩shāngfàn もぐりの商人を取り締まる

【取而代之】 qǔ ér dài zhī 成 取って代わる. 後任に収まる

【取法】 qǔfǎ 動 手本とする. まねをする

【取经】 qǔ//jīng 動 進んで経験を学び取る. 経験者から教えてもらう ‖ 去先进单位取取经 先進的な企業に行って経験を学ぼう

【取精用宏】【取精用弘】 qǔ jīng yòng hóng 成 多くの材料の中から精華を取り出し十分に応用する

【取景】 qǔ//jǐng 動 (写真や写生で)対象とする景色や物を選ぶ. 構図を決める ‖ ～器 (カメラの)ファインダー

【取决】 qǔjué 動 …いかんで決まる. …しだいである. …にかかっている. (多く〔于〕を伴う) ‖ 去不去～于你自己 行くかどうかは君しだいだ

【取款】 qǔ//kuǎn 動 金を引き出す. 金を受け取る

【取乐】 qǔlè (～儿) 動 (何かをして, それを)楽しみとする. 慰みにする ‖ 饮酒～ 酒を飲んで陽気に騒ぐ

【取闹】 qǔnào 動 ❶騒ぎ立てる ‖ 无理～ 言いがかりをつけてけんかを売る ❷からかう. 慰みものにする

【取暖】 qǔnuǎn 動 体を暖める. 暖まる ‖ 生火～ 火をおこして暖まる｜～设备 暖房設備

【取齐】 qǔqí 動 ❶(数や大きさなどを)合わせる. 揃える ❷集まる

【取巧】 qǔ//qiǎo 動 うまく立ち回って不当な利益を得る. ずるがしこいことをする

【取舍】 qǔshě 動 取捨する

【取胜】 qǔshèng 動 勝つ ‖ 以微弱优势～ 僅差(きんさ)で勝つ

【取向】 qǔxiàng 名 選択の方向. 選択した目標や基準 ‖ 价值～ 価値基準

** 【取消】【取销】 qǔxiāo 動 **取り消す. 取りやめる** ‖ ～代表资格 代表の資格を取り消す

【取笑】 qǔxiào 動 嘲笑する. 笑う. からかう ‖ 被人～ 人に笑われる

【取信】 qǔxìn 動 信用される. 信頼される ‖ ～于民 人民の信用を得る

【取样】 qǔyàng 動 標本を抽出する. 見本の抜き取りをする. 〔抽样〕ともいう

【取悦】 qǔyuè 動 機嫌を取る. へつらう ‖ ～领导 指導者に取り入る

【取证】 qǔzhèng 動 証拠を取る

【取之不尽, 用之不竭】 qǔ zhī bù jìn, yòng zhī bù jié 成 取っても尽きず, 使っても使いきれず. 無尽蔵であること

11 * **娶** qǔ 動 嫁をもらう ↔〔嫁〕‖ ～媳妇儿xífur 嫁をもらう

【娶亲】 qǔ//qīn 動 (男性が)結婚する. 妻をめとる

17 **龋** qǔ 虫歯になる

【龋齿】 qǔchǐ 名 虫歯. 齲歯(うし). 〔蛀zhù齿〕ともいい, ふつうは〔虫牙〕〔虫吃牙〕という

Q

qù

5 ★去[1] qù ❶動 去る. 離れる ‖ 一～不复返 行ったきり戻らない | 她年轻轻地就～了 彼女は若くして亡くなった ❷動 隔たる. 距離がある ‖ 相～甚shèn远 はるかに遠く隔たっている ❸失う ‖ 大势已～ 大勢はすでに失われた ❹動 取り除く. 除去する ‖ ～皮 皮をむく ❺去年 ‖ ～冬今春 去年の冬から今年の春まで ❻動 (話し手のいる所から離れて他の場所へ)行く ↔〔来〕‖ ～学校 学校へ行く | ～电话 電話をする ❼動 動詞句(または介詞句)と動詞(または動詞句)の間に置き, 前者が後者の方法・方向・態度を表し, 後者が前者の目的を表す. … でもって … する ‖ 打个电话～了解情况 電話をかけて状況を知る ❽動 ①(動詞または動詞句の後に置き, その動作をするために行くことを表す) … しに行く ‖ 他出差～了 彼は出張に行った ②(動詞の前に置き, その動作を行うことを表す)進んで … する ‖ 你来扫地, 我～擦窗户 君は床を掃いて, 僕は窓をふくから ❾(qu;qù) 動 動詞の後に置いて用いる ①人や物が動作とともに話し手のいる所から離れていくことを表す ‖ 向前跑～ 前方へ駆けていく ②人や物が元の場所から離れていく, または喪失の意味を表す ‖ 花～不少精力 多くのエネルギーを費やす | 占～很多休息时间 休みの時間の多くをつぶされる ③動作が継続することや空間が広がることを表す ‖ 别管他, 让他玩儿～ 彼にかまうな, 勝手に遊ばせておきなさい ④(〔看去〕〔听去〕の形で)ある方面に着目することや見積もりの意を表す ‖ 他看～不过二十出头的样子 彼は見たところ20歳を出たばかりのようだ. ❿動 方 形容詞の後に置き, 程度が甚だしいことを表す ‖ 他的朋友多了～了 彼には友人が非常に多い ⓫名〈語〉古代中国語の四つの声調の一つ, 去声(きょしょう) ‖ 平上～入 (声調の)平上去入

5 去[2] qù 動 (芝居の役柄を)務める. 扮(ふん)する

【去除】qùchú 動 取り除く ‖ ～杂念 雑念を払う

【去处】qùchù 名 ❶行く先. 行き場所 ❷場所 ‖ 那里山清水秀, 是个疗养liáoyǎng的好～ そこは景色がすばらしく, 療養には格好の場所だ

【去掉】qù//diào 動 取り去る. 除去する

【去火】qù//huǒ 動〈中医〉熱を下げる. のぼせを取る ‖ 清热～ 熱を下げのぼせを取る

【去留】qùliú 動 去就. 進退

【去路】qùlù 名 進路. 行く手 ‖ 挡住dǎngzhù～ 行く手を阻む

【去你的】qù nǐ de 慣 (主に女性が親しい間柄の相手に用い)あら, 嫌だ. よしてよ. 嫌あね

★【去年】qùnián 名 去年. 昨年 ‖ 他是～大学毕业的 彼は去年大学を卒業した

【去声】qùshēng 名〈語〉❶古代中国語の四つの声調の一つ, 去声(きょしょう) ❷現代中国語の四つの声調の一つ, 第4声 ＊⇒〔四声sìshēng〕

＊【去世】qùshì 動 死ぬ. 死去する. 亡くなる ‖ 因病不幸～ 病気のため残念なことに亡くなった

【去暑】qù//shǔ 動 暑気を払う

【去污】qùwū 動 汚れを落とす ‖ ～粉 みがき粉

【去向】qùxiàng 名 行方 ‖ 不知～ どこへ行ったのか知らない | ～不明 行方が分からない

【去职】qù//zhí 動 職務を離れる. 離職する.

12 闃 qù 書 静かなさま. ひっそりとして静寂なさま ‖ ～无一人 ひっそりとしていて人一人いない

15 覷 qù 書 見る ‖ 小～ 軽視する | 面面相～ 互いに顔を見合わせる ➤qū

15 趣 qù ❶意向. 志向 ‖ 志～ 志向. 趣味 ❷興味. 楽しみ. 風情. 趣 ‖ 有～ 面白い | 乐～ 楽しみ ❸面白い. 人の興味を引く ‖ →～闻

【趣话】qùhuà 名 興味を引く面白い話. (多くタイトルに用いる) ‖《艺苑yìyuàn～》『芸苑逸話』

【趣事】qùshì 名 面白いこと. エピソード

【趣谈】qùtán 名 面白い話

＊【趣味】qùwèi 名 趣味. 面白み ‖ 很有～ とても面白い | 低级～ 下劣な興味. 悪趣味

【趣闻】qùwén 名 書 面白い話. こぼれ話 ‖ 名人～ 有名人の逸話

quān

10 悛 quān 書 悔い改める. 改悛(かいしゅん)する

11 ＊＊圈 quān ❶名 (～儿)丸. 円. 円形のもの ‖ 画一个～儿 丸を一つ描く ❷名 枠. 範囲 ‖ ～内 範囲内 ❸動 丸印を付ける ‖ 把错字～出来 誤字に丸印を付ける ❹動 囲む. 囲んで範囲を定める ‖ ～地 土地の線引きをする ➤juān juàn

【圈操】quāncāo 名〈体〉(新体操の種目の一つ)輪を用いた体操

【圈点】quāndiǎn 動 圏点を付ける. 傍点を打つ

【圈定】quāndìng 動 (人選などを)丸印を付けて決める ‖ ～代表名单 代表者名簿に丸印を付けて決める

＊【圈套】quāntào 名 わな. 手管. 奸計(かんけい) ‖ 设下～ わなを仕掛ける | 落入～ わなにはまる

【圈椅】quānyǐ 名 半円形の椅子

【圈阅】quānyuè 動 (書類に目を通した印として)自分の名前の欄に丸を付ける

【圈占】quānzhàn 動 範囲を画定して占拠する(多く侵略者などによる領土の侵略をさす)

＊【圈子】quānzi 名 ❶輪. 円形のもの ‖ 有话直说, 不要绕rào～ 遠回しに言わないで, 話があるならはっきり言えよ ❷枠. 範囲 ‖ 他的生活～太狭窄xiázhǎi了 彼の生活範囲はあまりに狭い

quán

6 ★全 quán ❶形 もれなく揃っている. すべて整っている. 欠けたところがない ‖ 这套餐具cānjù不～ この食器セットは欠けている ❷完全な状態に保つ. 保全する ‖ 两～其美 両方に気を配り, 両方ともうまくいくように処理する ❸形 すべての. あらゆる. 全体の ‖ ～家 一家全員 | ～公司 全社 ❹副 ①(一つの範囲の中で例外がないことを表す)みんな. すべて ‖ 这～是真的 これはすべて本当だ ②(程度が100パーセントであることを表す)まったく. 完全に. まるで ‖ ～新的衬衫chènshān まったく新しいシャツ

【全般】quánbān 形 全般の. 全体的な

【全豹】quánbào 名 書 喩 全体の姿. 全貌(ぜんぼう). 〔管中窥kuī豹〕(竹の管から豹(ひょう)をのぞく)の成語から

【全本】quánběn 形 (～儿)〈劇〉全段通しの 名 (内容に削除のない)ノーカット版. 完本

★【全部】quánbù 名 全部. すべて ‖ 贡献～力量 ありっ

たけの力を捧げる｜问题已经～解决 問題はもうすべて解決した
【全才】quáncái 图 すべてに秀でた人. 万能な人
【全场】quánchǎng 图 満場‖～起立！ 全員起立｜～一致通过 満場一致で通過した
【全称】quánchēng 图 正式な名称
【全程】quánchéng 图 全行程
*【全都】quándōu 副 すべて. みんな. 全部‖该来的人～来了 来るべき人は全員来た
【全方位】quánfāngwèi 图 全方位. 各方面
【全份】quánfèn (～儿) 图 一揃い. 一組. 一式
【全副】quánfù 形 ありとあらゆる. 一揃いの‖～武装的战士 完全武装した戦士
【全国】quánguó 图 全国‖此规定在～范围内实行 この規定は全国的規模で実施する
*【全会】quánhuì 图 略 総会. 〔全体会议〕の略称
【全活】quánhuó 图 (～儿) (サービス業で) フルコースのサービス
*【全集】quánjí 图 (書籍の) 全集
【全家福】quánjiāfú 图 ❶家族全員で撮った写真 ❷〈料理〉肉類のあんかけ
【全价】quánjià 图 正価 形 あらゆる栄養価を備えた‖～饲料sìliào 完全栄養飼料
*【全局】quánjú 图 全局. 全体のなりゆき‖着眼zhuóyǎn～ 全局を考える｜事关～ 事は全体に関係する｜掌握～动态 全局の動きを把握する
【全开】quánkāi 形〈印〉全紙の. 全判の
【全科医生】quánkē yīshēng 图 全科を診察する医師
*【全力】quánlì 图 全力‖竭尽jiéjìn～ 全力を尽くす
*【全力以赴】quán lì yǐ fù 成 全力で対処する‖～准备考试 全力で試験準備に当たる
【全麻】quánmá 图 略〈医〉全身麻酔. 〔全身麻醉〕の略 ↔〔局麻〕
【全貌】quánmào 图 全貌. 全容
【全面】quánmiàn 图 全面. 全体. 全般‖抓～ 全体を把握する 形 **全面的な. 全面的である ↔〔片面〕‖他的看法不够～ 彼の考え方は全体をつかんでいない
*【全民】quánmín 图 全国人民. 国民すべて‖～企业 国営企業
【全民所有制】quánmín suǒyǒuzhì 图〈経〉全人民所有制. 生産にかかわるものすべてを人民の所有とする制度
【全能】quánnéng 形 万能である. 多芸多才である
【全能运动】quánnéng yùndòng 图〈体〉混成種目競技の総称
【全年】quánnián 图 年度. 年間
【全盘】quánpán 形 全面的である. 全般的である‖～否定 全面的に否定する
【全票】quánpiào 图 ❶大人料金の切符 ❷(選挙などの) 満票‖～当选 満票で当選する
【全勤】quánqín 動 皆勤する‖出～ 皆勤する
【全球】quánqiú 图 全世界‖名扬～ 全世界に名をとどろかす
【全球变暖】quánqiú biànnuǎn 組〈気〉地球温暖化現象
【全球定位系统】quánqiú dìngwèi xìtǒng 图 全地球測位システム. GPS
【全球化】quánqiúhuà 動 グローバル化する‖经济～ 経済のグローバル化
【全权】quánquán 图 全権‖～大使 全権大使
【全权代表】quánquán dàibiǎo 图 全権代表
【全然】quánrán 副 ぜんぜん. まったく‖他～不考虑个人得失 彼は個人の損得をいっさい考慮に入れない
【全身】quánshēn 图 全身‖用尽～力气 渾身(こんしん)の力を振り絞る
【全神贯注】quán shén guàn zhù 成 全精力を傾ける. 全神経を集中する
【全盛】quánshèng 形 全盛である. きわめて盛んである
【全食】quánshí 图 略〈天〉皆既食. 〔日全食〕〔月全食〕の略
【全始全终】quán shǐ quán zhōng 成 始めから終りまで立派にやり遂げること
【全数】quánshù 图 全部. すべて
【全速】quánsù 图 全速力. 最高速度
★【全体】quántǐ 图 **全体. 全員**‖～起立默哀mò'āi 全員起立して黙禱(もくとう)する
【全天候】quántiānhòu 形 全天候型の‖～跑道 全天候トラック
【全托】quántuō 動 子供を全日預かる. 月曜日から土曜日まで保育所が幼児を預かる制度 ↔〔日托〕
【全文】quánwén 图 全文‖～如下 全文は次のとおり
【全武行】quánwǔháng 图〈劇〉大立ち回り
【全息照相】quánxī zhàoxiàng 图〈物〉ホログラム
【全线】quánxiàn 图 ❶〈軍〉全線. 戦争の全部‖～崩溃bēngkuì 全線が崩壊する ❷(鉄道などの) 全線‖～通车 全線開通する
*【全心全意】quán xīn quán yì 成 誠心誠意. 専心する‖～为人民服务 誠心誠意人民に奉仕する
【全新】quánxīn 形 斬新(ざんしん)である. 新しい
【全休】quánxiū 動 (病気で) 一定期間全日休暇をとる ↔〔半休〕
【全音】quányīn 图〈音〉全音
【全优】quányōu 形 すべてに秀でている. あらゆる面で優秀な‖～工程 すべての面にわたり優秀な成績を上げたプロジェクト
【全员】quányuán 图 全労働者. 全従業員
【全知全能】quán zhī quán néng 成 全知全能
【全职】quánzhí 形 専業の. フルタイムの ↔〔兼职jiānzhí〕‖～太太 専業主婦
【全自动】quánzìdòng 形 全自動の‖～洗衣机 全自動洗濯機｜～洗碗机 全自動食器洗い機

6
*权 (權) quán ❶古 (はかりの) おもり ❷書 斟酌(しんしゃく)する. 比較判断する‖～其轻重 軽重を計る. 物事の重要度を判断する ❸利害損得を考えて対処する. 臨機応変に対処する‖通～达变 臨機応変の措置を取る ❹副 書 取りあえず. さしあたって‖～～当 ❺图 (政治または職務上の) 権力. 権限‖掌～ 権力を握る ❻图 権利‖我有～发言 私には発言する権利がある ❼権勢‖～～臣 ❽(相手より) 有利な情勢. 優位な条件‖制空～ 制空権
【权柄】quánbǐng 图 書 権力. 権限
【权臣】quánchén 图 書 権臣. 権力を持つ臣下
【权充】quánchōng 動 臨時に…に当てる
【权当】quándàng 動 仮に…と考える. …とみなす‖我说错了，～我什么都没说 私が言い間違えた, 何も言わなかったことにしておいてくれ
【权贵】quánguì 图 権勢があって身分の高い人
【权衡】quánhéng 動 はかる. 比較判断する‖～利

弊lìbì 利害をはかりにかける
【权奸】quánjiān 名書 権力を笠(かさ)に着る奸臣(かんしん)
*【权力】quánlì 名 権力 ‖ 行使～ 権力を行使する
*【权利】quánlì 名 権利 ↔〔义务〕‖ 公民有受教育的～ 公民は教育を受ける権利を持つ
【权门】quánmén 名 権門. 身分が高く権勢のある家柄 ‖ 依附yīfù～ 権門に付き従う
【权谋】quánmóu 名 権謀. その場に応じた計略
【权能】quánnéng 名 権利を主張し, 行使できる能力. 権限
【权且】quánqiě 副 しばし. ひとまず ‖ ～看看情况再说 ともかくちょっと様子を見てから考えよう
【权势】quánshì 名 権勢. 権力と威勢
【权属】quánshǔ 名 所有権の帰属 ‖ 专利～纠纷jiūfēn 特許の所有権の帰属に関する争い
【权术】quánshù 名貶 人を巧みに欺く計略. 権謀術数 ‖ 玩弄～ 権謀術数を弄(ろう)する
*【权威】quánwēi 名 ❶権威 ‖ 他的意见在学术界很有～ 彼の意見は学術界において権威を持っている ❷権威者. 重鎮
【权位】quánwèi 名 権力と地位
*【权限】quánxiàn 名 権限. 職権 ‖ 扩大～ 職権を拡大する
【权宜】quányí 形 時と場合に応じた. 便宜的な
【权宜之计】quán yí zhī jì 成 便宜的なやり方
*【权益】quányì 名 権益 ‖ 保护公民的合法～ 公民の合法的な権益を保護する
【权欲】quányù 名 権力欲
【权欲熏心】quán yù xūn xīn 成 権勢欲に目がくらむ
【权责】quánzé 名 権限と責任
【权杖】quánzhàng 名 国家元首などが持つ権力を象徴する杖

8 **诠** quán ❶書 解釈する. 説明する ❷事理. 事の道理
【诠释】quánshì 動 解釈する ‖ ～甲骨文jiǎgǔwén 甲骨文を解釈する
【诠注】quánzhù 動 注釈する. 注解する

9 **荃** quán 名古 香りの高い草

9 * **泉** quán ❶地下の涌き水. 泉 ‖ 温～ 温泉 ❷名 泉のわき出る場所. 源泉 ❸地下の死後の世界. あの世 ‖ 九～ あの世 ❹貨幣の古称
【泉流】quánliú 名 泉の流れ. 泉水の水流
【泉水】quánshuǐ 名 泉水 ‖ 清凉的～ 冷たい泉水
【泉眼】quányǎn 名 源泉
【泉涌】quányǒng 動 泉のようにわき出す
【泉源】quányuán 名 ❶水源 ❷喩 源. 根源

10 **辁** quán 書 輻(や)のない木制の車輪

10 **拳** quán ❶名 こぶし. げんこつ ‖ 挥huī～ こぶしを振り上げる ❷曲げる. 縮まる ‖ →～曲 ❸名 拳法(けんぽう). 素手で行う武術 ‖ 打～ 拳法をする
【拳棒】quánbàng 名 武術. 武芸
【拳打脚踢】quán dǎ jiǎo tī 成 こぶしや足で殴ったり蹴(け)ったりする
【拳击】quánjī 名〈体〉ボクシング ‖ ～运动员 ボクサー | ～手套 (ボクシング用の)グローブ
【拳脚】quánjiǎo 名 ❶こぶしと足 ❷拳法
【拳曲】quánqū 動 曲げる. 縮れる
【拳拳】quánquán 形書 真心のこもっているさま
【拳师】quánshī 名 拳術家. 拳法使い
【拳手】quánshǒu 名〈体〉ボクサー
【拳术】quánshù 名 拳法. 拳術
*【拳头】quántou ; quántóu 名 こぶし. げんこつ ‖ 举起～喊hǎn口号 こぶしを振り上げてスローガンを叫ぶ
【拳头产品】quántou chǎnpǐn 名〈経〉競争力のある製品
【拳王】quánwáng 名 (ボクシングの)チャンピオン

11 **痊** quán (病気が)治る. 健康が回復する
【痊愈】quányù 動 (病気が)治る. 平癒する ‖ 望您的病早日～ 一日も早いご快癒を願っております

11 **铨** quán 書 ❶重さを計る ❷(官吏を)選任する ‖ →～选
【铨选】quánxuǎn 動旧 (政府が)官吏を選任する

12 **筌** quán 書 (魚を捕る)竹製の筌(うけ)

14 **蜷** quán 動 体を丸くする. 縮こまる ‖ ～着身子睡 体を丸めて眠る
【蜷伏】quánfú 動 体を丸めて横になる
【蜷曲】quánqū 動 縮こまる. 曲がる. 曲げる ‖ 两腿～ 両足を曲げる
【蜷缩】quánsuō 動 丸く縮こまる ‖ 青虫～在菜叶上 青虫が野菜の葉の上で縮こまっている

16 **醛** quán 名〈化〉アルデヒド

18 **鬈** quán ❶髪がきれいなさま ❷(髪の毛が)丸まって縮れている ‖ ～发 縮れ毛

23 **颧** quán ↓
【颧骨】quángu ; quángǔ 名〈生理〉頬骨(きょうこつ)

quǎn

4 **犬** quǎn イヌ. ふつう〔狗〕という ‖ 牧～ 牧羊犬 | 猎liè～ 猟犬 | 警～ 警察犬
【犬齿】quǎnchǐ 名〈生理〉犬歯. 〔犬牙〕ともいう
【犬马】quǎnmǎ 名 犬馬(けんば). 臣下が君主に対してへりくだり, 自分を犬馬にたとえた
【犬马之劳】quǎn mǎ zhī láo 成 犬馬の労. 君主のために全力を尽くす ‖ 效～ 犬馬の労をとる
【犬儒】quǎnrú 名 ❶〈哲〉犬儒学派 ❷世間を見下すような不遜(ふそん)な態度をとる人
【犬牙】quǎnyá 名 ❶〈生理〉犬歯 ❷イヌの歯
【犬牙交错】quǎn yá jiāo cuò 成 かみ合わせた犬の歯のように国境が交錯して接しているさま. 情勢が複雑に絡み合っているたとえ

9 **甽** quǎn 書 田んぼの間の溝

quàn

4 ** **劝**(勸) quàn ❶励ます. 激励する ‖ →～勉 ❷動 **勧める. 言い聞かせる.** 忠告する ‖ 我～你再考虑一下 もう一度よく考えたほうがいいよ
【劝导】quàndǎo 動 忠告して導く. 励まし導く
*【劝告】quàngào 動 勧告する. 筋道をたてて人に忠告

する 图 忠告 ‖ 不接受别人的～ 他人の忠告を聞き入れない

【劝和】quànhé 動 和解を呼びかける. 仲をとりなす

【劝化】quànhuà 動〈仏〉❶教えを説く. 教化する ❷布施を募る. 勧化(かんげ)する

【劝驾】quàn//jià 動 招聘や招待に応じるよう勧める

【劝架】quàn//jià 動 (口論やけんかを)仲裁する

【劝谏】quànjiàn 動 旧 忠告する. いさめる

【劝教】quànjiào 動 忠告し教え示す. 戒め導く

【劝解】quànjiě 動 ❶慰める ❷仲裁する

【劝诫】【劝戒】quànjiè 動 忠告する. 戒める

【劝酒】quàn//jiǔ 動 (宴席で)酒を勧める

【劝勉】quànmiǎn 動 励ます. 勉励する

【劝募】quànmù 動 寄付を募る. カンパを勧める

*【劝说】quànshuō 動 説得する ‖ 经人一再～, 他才同意了 人に何度も説得されて, 彼はようやく同意した

【劝退】quàntuì 動 退学や退職を勧告する

【劝慰】quànwèi 動 慰める. いたわる

【劝降】quàn//xiáng 動 降服するように勧告する

【劝诱】quànyòu 動 書 忠告して教え導く

【劝止】quànzhǐ 動 忠告してやめさせる

*【劝阻】quànzǔ 動 説得してやめさせる. …しないように忠告する ‖ 不听别人～ 他人の制止を聞き入れない

8 **券**(△劵) quàn 券. チケット. 切符. 証書 ‖ 入场～ 入場券 ➤ xuàn

quē

8 **炔** quē 图〈化〉アセチレン系炭化水素. アルキン ➤ guì

【炔烃】quētīng 图〈化〉アルキン

10 ⁑**缺** quē ❶動 **欠ける. 破損する** ‖ 碗边儿～了个口 茶碗の縁が欠けている ❷動 **不足する. 足りない. 欠く** ‖ ～资金 資金が不足する ❸不完全である. 不備である. 足りない ‖ 一～点 ❹動 **休む. 欠席する** ‖ 一～席 ❺欠員 ‖ 补～ 欠員を補充する ❻形 方 愚鈍である. ぼんやりしている

【缺编】quēbiān 動 定員割れする

【缺德】quē//dé 形 (言動が)人徳に欠ける ‖ 那家伙尽干～事 あいつはまったくろくでもないことしかしない

⁑【缺点】quēdiǎn 图 **足りない点. 欠点. 短所** ↔〔优点〕‖ 改正～ 欠点を改める

> **類義語** 缺点 quēdiǎn 毛病 máobing
>
> ◆〔缺点〕人や物の足りない点, 不十分な点を表す. 欠点. ↔〔优点〕‖ 克服自己的缺点 自分の欠点を克服する ◆〔毛病〕人や物のよくない点を表す. 短所. また, 悪い習慣や癖の意味で用いる. 〔治〕〔治疗〕〔产生〕などの動詞と併せて用いることができる. この用法は〔缺点〕にはない ◆〔毛病〕は物に発生する故障や傷を表し, そこから比喩として仕事における失敗なども表す ‖ 机器没有毛病 機械に別条はなかった｜他工作上又出了毛病 彼はまた仕事で失敗をした

【缺额】quē'é 图 欠員

⁑【缺乏】quēfá 動 **欠乏する. 不足する** ‖ 专业人才～ 有能な専門家が不足する｜～信心 自信に欠ける

【缺憾】quēhàn 图 不十分な点. 欠点

【缺货】quē//huò 動 品切れになる. 品不足になる

【缺斤短两】quē jīn duǎn liǎng 成 (商品の)目方が足りない. 目方が不足する.〔缺斤少两〕ともいう

【缺考】quēkǎo 動 試験を欠席する

【缺课】quē//kè 動 (授業を)欠席する

*【缺口】quēkǒu (～儿) 图 ❶欠損部分. 裂け目 ‖ 围墙的～越来越大 塀の裂け目がますます大きくなった ❷喩 突破口

【缺漏】quēlòu 图 手抜かり. 落ち度

【缺略】quēlüè 動 書 欠乏する. 欠落する

【缺门】quēmén (～儿) 图 空白の部分

【缺欠】quēqiàn 图 欠点. 欠陥 ‖ 弥补 míbǔ～ 欠点を補う 動 不足する. 欠ける

【缺勤】quē//qín 動 欠勤する

⁑【缺少】quēshǎo 動 **不足する. 欠く** ‖ ～零件 部品が不足する｜不可～的人才 不可欠な人材

【缺失】quēshī 图 欠陥. 欠点 動 欠ける. 足りない

【缺损】quēsǔn 图 ❶欠損. 傷 ❷〈医〉欠損

【缺位】quēwèi 動 欠員が出る. ポストが空く 图 (職務の)欠員. 空位 ‖ 补～ 欠員を埋める

*【缺席】quē//xí 動 欠席する ‖ 没有缺过一次席 一度も欠席したことがない

*【缺陷】quēxiàn 图 欠陥. 欠点 ‖ 弥补 míbǔ～ 欠陥を補う｜生理～ 生理的欠陥

【缺陷产品】quēxiàn chǎnpǐn 图 欠陥製品 ‖ ～召回 zhàohuí 制度 欠陥製品のリコール制度

【缺心少肺】quē xīn shǎo fèi 慣 無神経である. 考えが足りない

【缺心眼儿】quē xīnyǎnr 俗 間が抜けている. 思慮分別に欠けている. ぼんやりしている

【缺页】quēyè 動 落丁する. ページが抜け落ちる

【缺员】quēyuán 動 人員不足である. 人手不足である. 多く定員が定められている国家機関などについて用いる

【缺阵】quē//zhèn 動 (運動選手が)試合に欠場する

【缺嘴】quēzuǐ 方 图 (～儿) 兎唇(としん) 動 食欲が満たされない. ろくに食べていない

13 **阙** quē 書 ❶〔缺 quē〕に同じ ❷過失. 欠点. 過ち ‖ ～失 過失 ➤ què

qué

16 *__瘸__ qué 動 足を引きずる ‖ ～着腿走路 足を引きずって歩く

【瘸子】quézi 图 貶 足の不自由な人

què

7 ⁑**却**(△卻 卻) què ❶後退する. 退く ‖ 退～ 退却する ❷後退させる. 退却させる ‖ ～敌 敵を退ける ❸断る. 辞退する ‖ 推～ 辞退する ❹(単音節の動詞または形容詞の後に置き, 結果を表す) …してしまう ‖ 忘～ 忘れてしまう ❺副 (〔虽〕〔虽然〕〔但是〕〔更〕〔还〕〔又〕などと呼応し, 軽い逆接を表す) …なのに. …だが. …けれども ‖ 这儿很安静, 但买东西～不太方便 ここは静かだが, 買い物にはちょっと不便だ ❻副 意外にも. なんと ‖ 真没想到一瓶酒～有这么贵 酒1本がこんなに高いとは思ってもみなかった

【却病】quèbìng 動 書 病気を追い払う

【却步】quèbù 動 後ずさりする. 後退する ‖ 望而～ 尻込みする

【却说】quèshuō 動 旧 さて. では. (小説の発語に用

いる)
【却之不恭】què zhī bù gōng 成(人の好意を)断るのは失礼である. 挨拶 ではお言葉に甘えてお受けいたします

11 悫(愨) què 書 誠実である

11 雀 què ❶スズメ. ふつう〔麻雀〕という ❷小さい ‖ →～鹰 ❸スズメ目の鳥の総称 ‖ 云～ ヒバリ ➤ qiāo qiǎo
【雀斑】quèbān 名 そばかす
【雀鹰】quèyīng 名〈鳥〉ハイタカ
【雀跃】quèyuè 動 小躍りして喜ぶ. 雀躍(じゃくやく)する ‖ 欢欣huānxīn～ 欣喜雀躍(きんきじゃくやく)
【雀噪】quèzào 動 貶 評判になる ‖ 声名～一时 名声は一時世論を賑わせた

12 阕 què ❶書 終わる. 終了する ❷量 ①歌曲や詞を数える ‖ 填tián一～词 詞を1首作る ②詞の前後の段落を数える ‖ 上～ 前の段落

12 确(確) què ❶堅固である. しっかりしている ‖ →～信 ❷事実と合っている. 確かである. 確実である ‖ 的dí～ 確かに
*【确保】quèbǎo 動 確保する. きちんと保証する ‖ ～安全 安全を保障する
【确当】quèdàng 形 適切である. 的確である
【确定】quèdìng 形 **確実な. はっきりした 動 **はっきりと定める. 確定する** ‖ ～集合的时间和地点 集合の時間と場所をはっきり決める
【确乎】quèhū 副 確かに. 実に
*【确立】quèlì 動 確立する ‖ ～地位 地位を確立する
*【确切】quèqiè 形 ❶適切である. 適当である. 妥当である ‖ ～的解释 適切な説明 ❷確かである. 確実である ‖ ～的数据shùjù 確実なデータ
*【确认】quèrèn 動 確認する ‖ ～到货日期 入荷期日を確認する
★【确实】quèshí 形 **確かである. 確実である** ‖ 这些资料～可信 この資料は非常に信頼できる 副 **確かに. 間違いなく** ‖ 他～没说过这话 彼は確かにそんなことは言っていない
【确守】quèshǒu 動 かたく守る. 厳守する
*【确信】quèxìn 動 確信する ‖ ～不疑 信じて疑わない 名(～儿)確かな情報. 確実な消息
*【确凿】quèzáo 形 たいへん確実である. 非常に確かである. (quèzuò と発音することもある) ‖ 证据～, 不容抵赖dǐlài 証拠がはっきりしていて, 言い逃れの余地はない
【确诊】quèzhěn 動 はっきりと診断する. 正確な診断を下す
【确证】quèzhèng 名 確証. 確かな証拠 ‖ 拿出～ 確かな証拠を突きつける 動 確実に証明する

13 阙 què 王宮の門前の両脇にある楼. 転 王宮. 宮殿 ‖ 宫～ 宮殿 ➤ quē

13 鹊 què カササギ ‖ 喜～ カササギ
【鹊巢鸠占】què cháo jiū zhàn 成 カササギの巣にハトが住む. 他人の住居を力ずくで占領するたとえ
【鹊起】quèqǐ 動 書 名声を博する. 評判になる ‖ 声誉shēngyù～ 名声が一気に高まる
【鹊桥】quèqiáo 名 カササギの橋(七夕の晩, 天の川にカササギが翼を並べて作ったという橋)

14 榷[1](△搉 榷) què 書 専売する ‖ ～茶 茶の専売をする

14 榷[2](△搉 榷) què 討議する. 協議する ‖ 商～ 検討する

qūn

10 逡 qūn 書 行ったり来たりする. 退いて譲る
【逡巡】qūnxún 動 書 逡巡(しゅんじゅん)する. ためらう

qún

12 裙(△帬 裠) qún ❶スカート ‖ →～子 ❷スカート状のもの ‖ 墙～ 壁の腰板

逆引き単語帳 〔超短裙〕chāoduǎnqún 〔迷你裙〕mínǐqún ミニスカート 〔百褶裙〕bǎizhěqún プリーツスカート 〔太阳裙〕tàiyángqún サンドレス 〔背带裙〕bèidàiqún 吊りスカート 〔西服裙〕xīfúqún(スーツの)タイトスカート 〔筒裙〕tǒngqún タイトスカート 〔喇叭裙〕lǎbaqún フレアースカート 〔长裙〕chángqún ロングスカート 〔短裙〕duǎnqún 膝までの長さのスカート 〔舞裙〕wǔqún ダンス用スカート 〔皮裙〕píqún 革スカート 〔呢裙〕níqún 厚手のウールのスカート 〔牛仔裙〕niúzǎiqún ジーンズのスカート 〔围裙〕wéiqún エプロン 〔连衣裙〕liányīqún ワンピース 〔衬裙〕chènqún スリップ. ペチコート

【裙钗】qúnchāi 名 旧 喩 女性. 婦人
【裙带】qúndài 形 閨閥(けいばつ)の. 妻や姉妹の縁で結ばれた. (風刺の意を含む) ‖ ～关系 姻戚関係. 閨閥 | ～风 閨閥が物を言う風潮
【裙带菜】qúndàicài 名〈植〉ワカメ
【裙房】qúnfáng 名 別館. アネックスビル
【裙裤】qúnkù 名 キュロットスカート
【裙子】qúnzi 名 **スカート ‖ 穿～ スカートをはく

13 ** 群(△羣) qún ❶群れ. 集まり ‖ 羊～ ヒツジの群れ | 三五成～ 三三五五群れをなす ❷群れをなしている. 群らがっている ‖ →～居 ❸大勢の人の群れをさす ‖ →～起 ❹量 **群れをなすものを数える. 群れ** ‖ 一～蜜蜂 一群のミツバチ

類義語 群 qún 伙 huǒ 帮 bāng 班 bān
◆〔群〕群れている人や動物を数える ‖ 一群牛 ウシの群れ | 一大群男女宾客 大勢の男女の客 | 一群孩子在院子里堆雪人 子供たちが庭で雪だるまを作っている ◆〔伙〕ある目的のために集団を形成している人間のグループをさす. マイナスイメージを持つものに使われることが多い ‖ 一伙强盗 強盗の一群 | 那伙年轻人爱闹 あの若者たちは騒ぐのが大好きだ ◆〔帮〕共通の目的や性格をもって集団を形成している人間のグループをさす ‖ 一大帮人 大勢の人 | 一帮流氓 一群れのごろつき | 前面儿来了一帮小朋友 前から子供たちがやってきた ◆〔班〕学業・仕事・共同体などで, なんらかに組織編成された集団をさす ‖ 两班学生 二クラスの学生 | 一班战士 一分隊の兵士

【群策群力】qún cè qún lì 成 大衆の知恵と力を結集する
【群唱】qúnchàng =〔群口qúnkǒu〕

*【群岛】qúndǎo 图 群島 ‖ 舟山～ 舟山群島
【群雕】qúndiāo 图〈美〉彫刻の群像
【群芳】qúnfāng 图 たくさんの美しい草花
【群婚】qúnhūn 图（原始社会の）群婚．集団婚
【群集】qúnjí 動 群れをなして集まる
【群居】qúnjū 動 群居する．群棲（ぐんせい）する
【群口】qúnkǒu 图 民間芸能の一つで，3人以上が掛け合いで話したり歌ったりするもの．〔群唱〕ともいう
【群龙无首】qún lóng wú shǒu 成 指導者を欠き，進むべき方向が定まらないたとえ．烏合（うごう）の衆
【群落】qúnluò 图〈生〉群落
【群魔乱舞】qún mó luàn wǔ 成 大勢の悪人が我が物顔にふるまう．百鬼夜行
【群殴】qún'ōu 動 集団で乱闘する
【群起】qúnqǐ 動 大勢がいっせいに挙兵する．蜂起する ‖ ～而攻gōng之 みながいっせいに非難・攻撃する
【群情】qúnqíng 图 民衆の感情．人心．世論
【群山】qúnshān 图 群山．連山 ‖ ～环绕huánrào 連山に囲まれている
*【群体】qúntǐ 图 ❶〈生〉群体 ❷喩 共通するものの集まり ‖ 企业～ 企業グループ
【群威群胆】qún wēi qún dǎn 成 大勢の力と勇気．大衆が一致団結して勇敢に戦うさまをいう
【群星】qúnxīng 图 ❶群星．多くの星 ❷多くのスター．多くの有名人
【群雄】qúnxióng 图 群雄．各傑出した人々
【群言堂】qúnyántáng 图 広く大衆の意見を聞いて事を行うやり方 ↔〔一言堂〕
【群英】qúnyīng 图 才能のある人々．群雄
【群英会】qúnyīnghuì 图 先進的な人々が一堂に会すること
**【群众】qúnzhòng 图 ❶大衆．民衆 ‖ 人民～ 一般大衆 ❷非共産党員．非党員．一般人 ↔〔党员〕 ❸〔干部〕（公務員）ではない人々．一般人 ↔〔干部〕
【群众关系】qúnzhòng guānxi 图 周りの人々との付き合い．交際関係
【群众路线】qúnzhòng lùxiàn 图 大衆路線
【群众运动】qúnzhòng yùndòng 图 大衆運動
【群众组织】qúnzhòng zǔzhī 图 民間団体．〔工会〕（労働組合）・〔妇女联合会〕（婦人連合会）などの組織をさす

16 **麇** qún 書 群れをなしている ➤ jūn

Q

R

rán

12 **然** rán ❶そうである. そのとおりである ‖ 不～ そうではない. そうでないとすれば ❷接尾 副詞や形容詞の後に置き, 状態を表す ‖ 忽～ 急に | 仍～ 相変わらず ❸接 書 しかし. けれども ‖ →～而 ❹正しい. 間違いない ‖ 不以为～ 正しいとは思わない

[然而] rán'ér 接 **しかしながら. しかし** ‖ 数量固然重要, ～质量更重要 量はもとより大事だが, 質はさらに重要である

★**[然后]** ránhòu 接 **それから. そして. その後** ‖ 先洗个澡, ～再吃饭 先に風呂に入ってから食事にする

[然诺] ránnuò 動 書 承諾する. 請け合う. 引き受ける

[然则] ránzé 接 書 そうであるなら. それならば

15 **髯**(△髥) rán ほおひげ. (広く)ひげ ‖ 美～ 手入れの行き届いたみごとなひげ

16 **燃** rán ❶燃える. 燃焼する ‖ →～料 ❷点火する. 火をつける ‖ ～起火炬huǒjù たいまつを燃やす

[燃点][1] rándiǎn 動 (火を)つける. ともす

[燃点][2] rándiǎn 名〈化〉発火点. 着火点

[燃放] ránfàng 動 書 火をつけて打ち上げる ‖ ～焰火yànhuǒ 花火を打ち上げる | ～鞭炮biānpào 爆竹を鳴らす

[燃料] ránliào 名 燃料 ‖ 充分供给gōngjǐ～ 十分に燃料を供給する

[燃眉之急] rán méi zhī jí 成 焦眉(しょうび)の急. 事態が逼迫(ひっぱく)しているたとえ

[燃气] ránqì 名 (都市ガスやプロパンガスなど)燃料用のガス

[燃烧] ránshāo 動 **燃焼する. 燃える** ‖ ～柴草 たき木や枯れ草を燃やす | 仇恨chóuhèn在～ 憎しみの炎を燃やす

[燃烧弹] ránshāodàn 名〈軍〉焼夷弾(しょういだん)

rǎn

5 **冉**(△冄) rǎn 名 姓

[冉冉] rǎnrǎn 副 書 ゆっくりと ‖ 旭日xùrì～上升 朝日がゆっくりと昇る 形 (枝などが)柔らかに垂れ下がるさま

8 **苒** rǎn ⇒〔荏苒rěnrǎn〕

9 **染** rǎn ❶動 **染める. 染色する** ‖ ～头发 髪を染める ❷動 **染まる. 感染する** ‖ ～上肝炎gānyán 肝炎にかかる

[染病] rǎn//bìng 動 書 病気にかかる. 病気になる

[染发] rǎn//fà 動 髪を染める ‖ ～剂 染髪剤

[染坊] rǎnfang 名 染物屋. 紺屋

[染缸] rǎngāng 名 ❶染め物用の大がめ ❷喩 人に悪い影響を及ぼす場所や環境

[染料] rǎnliào 名 染料 ‖ 矿物～ 鉱物性染料

[染色] rǎnsè 動 染色する

[染色体] rǎnsètǐ 名〈生〉染色体

[染指] rǎnzhǐ 動 (不法な利益を)手にする. (悪事に)手を染める ‖ ～毒品交易 麻薬取引に手を染める

rāng

20 **嚷** rāng ↴ ➤rǎng

[嚷嚷] rāngrang 動 口 ❶騒ぎたてる ‖ 瞎xiā～ むやみに騒ぎたてる ❷口外する. 言い触らす ‖ 这种事～出去, 没有什么好处 こういうことが世間に知れたら, 何一ついいことはない

ráng

21 **瀼** ráng 書 (災厄などを)払う ‖ ～解 厄払いをする

22 **穰** ráng ❶(～儿) 方 わら ‖ ～草 わら ❷書 (収穫が)豊作である ‖ ～岁 豊年 ❸〔瓤ráng ❶❸〕に同じ

22 **瓤** ráng ❶名 (～儿) 瓜(うり)のわた(種のある部分). なかご ‖ 红～儿西瓜 赤い身のスイカ ❷名 (～儿) (包まれた物の)中身 ❸形 方 柔らかい

[瓤子] rángzi 名 ❶(瓜類の)なかご ❷(包まれた物の)中身

rǎng

20 **壤** rǎng ❶(農耕に適した)土. 土壌 ‖ 沃wò～ 沃土(よくど) ❷大地 ‖ 天～之别 天と地ほどの違い. 雲泥の差 ❸地域. 地区 ‖ 接～ 地続き

[壤土] rǎngtǔ 名〈農〉ローム. 壌土

20 **攘** rǎng 書 ❶排斥する ‖ ～除 排除する ❷(袖を)まくる ‖ ～臂bì 腕まくりをする

[攘攘] rǎngrǎng 形 書 混乱するさま

20 **嚷** rǎng ❶動 **大声で叫ぶ. わめく. どなる** ‖ 你在乱～什么? 君は何をわめき散らしているのだ ❷動 **(大声で)けんかをする** ➤rāng

[嚷叫] rǎngjiào 動 叫ぶ. どなる ‖ 大声～ 大声でどなる

ràng

5 ★**让**(讓) ràng ❶動 **譲る. 譲歩する** ‖ 大哥哥应该～着小弟弟 兄さんなんだから弟に譲ってやりなさい ❷動 (物や権利などを)**譲る. 譲り渡す** ‖ 把车票～给了别人 乗車券を人に譲った ❸動 **勧める. 案内する** ‖ 把客人～进屋里 お客を部屋に案内する ❹動 **許す. …させる. …させておく** ‖ ～他等一下 彼を少し待たせる | 他总是～人不放心 彼はいつも人に心配をかける ❺動 (願望を表し, 呼びかけに用いる) …しよう. …しようではないか ‖ ～我们为美好的明天奋斗吧 我々はすばらしい明日のために頑張ろうではないか ❻介 …に(…される) ‖ 我放在这儿的雨伞～人给拿走了 私がここに置いておいた傘を誰かに持っていかれた

[让步] ràng//bù 動 譲歩する. 歩み寄る ‖ 双方都让

点儿步，问题就解决了 双方で多少とも歩み寄れば，問題は解決する
【让价】ràng//jià （～儿）動 値段をまける．値引きする
【让开】ràng//kāi 動（道や場所を）開ける．よける‖汽车来了，快～！ 車が来たよ，早くよけなさい
【让利】rànglì 動 利益を還元する
【让零】ràng//líng 動（商店で）値段の端数を切り捨てる．端数をおまけする
【让路】ràng//lù 動 道を譲る．（物事を）優先する
【让位】ràng//wèi 動 ❶地位を譲る．ポストを譲る‖～给年轻人 若者にポストを譲る ❷座席を譲る
【让贤】ràng//xián 動 地位を有能な人に譲る‖退位～ 辞任してポストを有能な者に譲る
【让座】ràng//zuò （～儿）動 ❶席を譲る‖应该给老年人～ お年寄りには席を譲るべきだ ❷座席を勧める．椅子を勧める

ráo

9 荛（蕘）ráo 書 柴(しば)．まき．たきぎ
9 饶[1]（饒）ráo ❶多い．豊かである‖～有情趣 情趣に富んでいる ❷動 方（無料で）余分に加える．おまけする
9* 饶[2]（饒）ráo ❶動 許す．勘弁する‖我这次可～不了他 こんどこそは彼を許すことができない｜～了我吧 勘弁してくださいよ ❷接 方 …にもかかわらず．たとえ…でも
【饶命】ráo//mìng 動 助命する．命ごいする
【饶人】ráorén 動 人を許す．容赦する‖她的嘴不～ 彼女のものの言い方は容赦がない
【饶舌】ráoshé 動 しゃべる．むだ話をする‖我可没时间跟你～ 君とおしゃべりする時間などないよ
【饶恕】ráoshù 動 許す．勘弁する‖犯了不可～的罪行 許されない罪を犯した
【饶头】ráotou 名 方 おまけ
9 娆（嬈）ráo ➡〔娇娆 jiāoráo〕〔妖娆 yāoráo〕 ➤ rǎo
10 桡（橈）ráo （舟の）かい．オール
【桡动脉】ráodòngmài 名〈生理〉橈骨(とうこつ)動脈
【桡骨】ráogǔ 名〈生理〉橈骨

rǎo

7 扰（擾）rǎo ❶書 乱れている‖纷～ 混乱する ❷かき乱す．妨げる．混乱させる‖→～乱 ❸動 挨拶 おじゃまする．ご馳走になる‖叨tāo～ ご招待にあずかる
*【扰乱】rǎoluàn 動 攪乱(かくらん)する．かき乱す．妨げる‖～社会治安 社会の治安を乱す
【扰民】rǎo//mín 動 市民に迷惑をかける‖迪吧díbā噪音zàoyīn～ ディスコバーの騒音は周りの迷惑だ
【扰扰】rǎorǎo 形 書 騒がしく混乱しているさま
9 娆（嬈）rǎo 書 悩ます．煩わす‖～恼 思い煩う ➤ ráo

rào

9** 绕（繞 △遶❷❸）rào ❶動 巻く．巻きつける．絡む‖把绳子～起来 縄を巻きつける ❷動 周りを回る．巡る‖～场一周 グラウンドを1周する ❸動 回り道をする‖公路太挤，还是从小路～过去吧 この道はずいぶんこんでいるから，裏道を迂回しよう ❹もつれる．からまる‖→～嘴 ❺動 口（問題や事柄が）混乱する．こんがらがる‖他的话一时把我给～住了 彼の話は一時私を混乱させた
【绕道】rào//dào （～儿）動 回り道する．遠回りする．迂回する
【绕口令】ràokǒulìng （～儿）名 早口言葉．〔拗ào口令〕ともいい，地方によっては〔急口令〕ともいう
【绕路】rào//lù 動 回り道をする．遠回りする．迂回する
【绕圈子】rào quānzi 組 ❶回り道をする‖绕了个大圈子 ぐるりと遠回りした ❷回りくどく言う．遠回しな言い方をする‖有话直说，别～ 話があるならはっきり言えよ，回りくどい言い方はしないで
【绕弯儿】rào//wānr 動 回りくどく言う．遠回しに言う‖对我有意见就直说，不要～了 私に文句があるなら率直に言ってよ，遠回しに言わないで．〔绕弯子〕ともいう
【绕行】ràoxíng 動 迂回する
【绕远儿】rào//yuǎnr 動 遠回りする 形 遠回りである
【绕嘴】ràozuǐ 形 言いにくい．すらすらと言えない‖这句话真～ この言葉はほんとうに舌をかみそうだ

rě

8 若 rě ➡〔般若bōrě〕 ➤ ruò
12** 惹 rě ❶動（問題を）引き起こす．（よくないことを）しでかす‖～麻烦 面倒を引き起こす ❷動（気分を）損ねる．怒らせる‖谁～你了，这么不高兴？ あなたがそんなに不機嫌なのは誰のせいなの
【惹不起】rěbuqǐ 動 手出しができない．手におえない．逆らえない‖他的后台硬，别人都～他 彼には強い後ろ盾があるから，誰も彼に手出しができない
【惹草拈花】rě cǎo niān huā 成 草を引き抜き，花を摘む．女性を弄(もてあそ)ぶことのたとえ＝〔拈花惹草〕
【惹火烧身】rě huǒ shāo shēn 成 自ら災いを招いて身を滅ぼす
【惹祸】rě//huò 動 災いを招く．問題を引き起こす．厄介事をしでかす‖惹了一场cháng大祸 たいへんな結果を招いてしまった
【惹乱子】rě luànzi 組 騒動を引き起こす．面倒を引き起こす
【惹恼】rěnǎo 動 相手を怒らせる．怒りを買う‖一句话把她～了 その一言が彼女を怒らせた
【惹事】rě//shì 動 面倒な事を引き起こす‖你不要再给我～啦！ もうこれ以上トラブルを起こしてくれるなよ
【惹是非】rě shìfēi 組 いざこざを引き起こす
【惹是生非】rě shì shēng fēi 成 いざこざを引き起こす．災いを招く
【惹眼】rěyǎn 形 方 人目を引く．目立つ

rè

10 ★**热**(熱) **rè** ❶形 熱い. 暑い ↔〔冷〕‖ 请趁chèn～吃 熱いうちに食べてください｜今天天气很～ 今日はとても暑い ❷動 温める. 熱くする ‖ 饭凉了，～～再吃吧 御飯が冷めたから, 温めてから食べよう ❸〈中医〉熱邪(ねつじゃ) ❹名(病気による)熱 ‖ 头疼脑～ 頭が痛いとか熱っぽいといった程度の軽い症状 ❺熱烈である. (心が)熱い ‖ 一～爱 ❻ひどくうらやましい. 欲しい ‖ 眼～ うらやむ. 欲しがる ❼形 人気がある. 評判のよい ‖ 一～门货 ❽ブーム ‖ 一～潮｜足球～ サッカー・ブーム ❾賑やかである. 盛んである ‖ 一～闹 ❿名〈物〉熱

⁑【热爱】rè'ài 動 **熱愛する. 心から愛する** ‖ ～自己的工作 自分の仕事を心から愛する
【热病】rèbìng 名〈中医〉熱病
【热播】rèbō 動(テレビ番組を)大々的に放映する. 華々しく放映する
【热补】rèbǔ 動 加熱処理で修繕する ‖ ～轮胎lúntāi タイヤを加熱修理する
【热肠】rècháng 名 書 人情が厚いこと. 世話好き
*【热潮】rècháo 名 盛り上がり. ブーム ‖ 掀xiān起民主运动的～ 民主化運動が高まりを見せる
【热炒】[1] rèchǎo 名〈料理〉温かい炒め料理
【热炒】[2] rèchǎo 動 大々的に宣伝する. 盛んに宣伝する ‖ 媒体～ マスコミで盛んに宣伝する
【热忱】rèchén 名 書 熱意. 真心. 情熱 ‖ 满腔～ あふれるばかりの熱意 形 熱意がある. 真心がこもっている
【热诚】rèchéng 形 熱意のあるさま. 真心のこもっているさま ‖ 他待人十分～ 彼は誠意をもって人と接する
【热处理】rèchǔlǐ 動〈機〉熱処理する
*【热带】rèdài 名 熱帯. 〔回归带〕ともいう ‖ ～气候 熱帯気候｜～植物 熱帯植物
【热带鱼】rèdàiyú 名 熱帯魚
【热岛效应】rèdǎo xiàoyìng 名〈気〉ヒートアイランド効果
【热点】rèdiǎn 名 ❶〈物〉過熱点 ❷人気スポット. 関心事. 争点. (政治的)係争地. 紛争地点 ‖ 旅游～ 観光の人気スポット｜～话题 注目される話題
【热电厂】rèdiànchǎng 名 火力発電所
【热度】rèdù 名 ❶熱度 ❷口(正常よりも高い)体温. 熱 ❸熱意. 意気込み
【热风】rèfēng 名 熱風
【热敷】rèfū 名〈医〉温湿布. 熱罨法(ねつあんぽう)
【热辐射】rèfúshè 名〈物〉熱輻射(ねつふくしゃ)
【热狗】règǒu 名 ホットドッグ
【热购】règòu 動(人気商品を)争って購入する. 〔热买〕ともいう
【热锅上的蚂蚁】règuōshang de mǎyǐ 慣 焼けた鍋の上の蟻(あり). 居ても立ってもいられないさま
【热核反应】rèhé fǎnyìng 動〈物〉熱核反応を起こす
【热核武器】rèhé wǔqì 名〈軍〉熱核兵器. 水素爆弾 ＝〔氢弹qīngdàn〕
【热烘烘】rèhōnghōng (～的) 形 とても暖かいさま. ぽっぽっとしている ‖ 屋里～的 部屋の中はぽかぽかだ
【热乎乎】【热呼呼】rèhūhū (～的) 形 ❶(食物が)ほかほかと温かい ‖ ～的烤白薯kǎobáishǔ ほかほかの焼きイモ ❷(感動して胸が)熱い
【热火】rèhuo 形 ❶賑やかである. 盛り上がっている ❷親密である
【热火朝天】rè huǒ cháo tiān 成 炎が天を衝(つ)く勢い. 意気が大いに上がるさま
【热货】rèhuò 名 人気商品. 売れ行きのよい商品
【热和】rèhuo 形 口 ❶(食物がほどよく)熱い. 温かい ‖ 稀饭还挺～，快喝吧！ お粥はまだ温かいよ, 早く食べなさい ❷仲がよい. 親密である
【热键】rèjiàn 名〈計〉ホットキー. 〔快捷kuàijié键〕(ショートカットキー)ともいう
【热劲】rèjìn (～儿) 名 ❶熱中する気持ち. 熱い情感 ❷暑さ. 熱気
【热辣辣】rèlālā (～的) 形 じりじりと熱い. ほてって熱い ‖ ～的太阳 ぎらぎらと照りつける太陽
【热浪】rèlàng 名 猛烈な暑さ. 熱波. 熱気
*【热泪盈眶】rèlèi yíngkuàng 慣 熱い涙が目にあふれる
【热力学】rèlìxué 名〈物〉熱力学
【热恋】rèliàn 動 熱烈な恋をする
*【热量】rèliàng 名〈物〉熱量. カロリー
⁑【热烈】rèliè 形 **熱烈である** ‖ ～欢迎新同学 新入生を熱烈に歓迎する｜会上大家发言很～ 会議でみんなは活発に発言した
【热流】rèliú 名 ❶熱い心. 興奮. ときめき ❷ブーム
【热买】rèmǎi ＝〔热购règòu〕
【热卖】rèmài 動 人気があり売れ行きがよい. 売れ行きが絶好調である ‖ 全国～中 全国絶賛発売中
【热门】rèmén (～儿) 名 注目されている分野. 人気のある分野 ↔〔冷门〕‖ 现在日语成了～ 現在日本語は非常に関心が持たれている
【热门货】rèménhuò 名 売れ行きのよい商品. 人気のある商品
⁑【热闹】rènao 形 **賑やかである** ‖ 南京路是上海最～的地方 南京路は上海でいちばん賑やかな所だ 動 **賑わう. 賑やかに過ごす** ‖ 大家一块儿～～ みんな一緒に賑やかにやろう 名(～儿)賑わい. 騒ぎ ‖ 站在旁边看～ そばに立って高見の見物をする
【热能】rènéng 名〈物〉熱エネルギー
【热气】rèqì 名 ❶熱気. 活気 ❷湯気 ‖ 包子刚出锅，还冒着～呢 パオズはふかしたてで, まだ湯気が出ている
【热气球】rèqìqiú 名 熱気球
【热切】rèqiè 形 熱がこもっている. 切実である ‖ ～希望 切に希望する
★【热情】rèqíng 名 **熱情. 熱意** ‖ 对工作缺乏～ 仕事に対して熱意が欠けている 形 **心やさしい. 情に厚い. 親切である** ‖ 她对人很～ 彼女は人に対してとても親切である
【热容量】rèróngliàng 名〈物〉熱容量
【热身】rè//shēn 動〈体〉ウォーミングアップする
【热身赛】rèshēnsài 名 エキジビションゲーム. 模範試合
【热水】rèshuǐ 名 湯 ‖ ～放好了，可以洗澡了 お湯が入ったから, お風呂に入れますよ
【热水袋】rèshuǐdài 名 ゴム製の湯たんぽ
⁑【热水瓶】rèshuǐpíng 名 **魔法瓶. ポット** ＝〔暖水瓶〕
【热水器】rèshuǐqì 名 湯沸かし器
【热腾腾】rètēngtēng (～的) 形 湯気が立ってあつあつである. ほかほか温かい ‖ ～的一碗面条 あつあつのう

R

どん
【热天】rètiān 名 炎天. 暑い日
【热土】rètǔ 名 書 (故郷など) 離れがたい土地
【热望】rèwàng 動 書 熱望する
【热污染】rèwūrǎn 名 熱汚染. 工業生産や都市人口の集中による気温や水温の上昇現象
【热舞】rèwǔ 名 熱気あふれるダンス ‖ 劲jìng歌～ 熱狂的な歌と踊り
【热线】rèxiàn 名 ❶直通電話. ホットライン ❷人気の高い旅行ルート ❸〔红外线〕(赤外線)を指す
【热线电话】rèxiàn diànhuà 名 ホットライン
【热销】rèxiāo 動 (商品が人気があり)よく売れる
*【热心】rèxīn 形 熱心である. 熱意がある. 親切心にあふれている ‖ ～助人 熱心に人助けをする 動 熱意を傾ける. 尽力する ‖ 他一生～公益事业 彼は生涯を通し公益事業に尽力した
【热心肠】rèxīncháng (～儿) 名 口 親切で世話好きな性分. 温かい心
【热学】rèxué 名〈物〉熱学
【热饮】rèyǐn 名 温かい飲物 ↔〔冷饮〕
【热映】rèyìng 動 (映画を)大々的に上映する. 華々しく上映する
【热源】rèyuán 名〈物〉熱源
【热战】rèzhàn 名 熱い戦争. 武力行使の戦争 ↔〔冷战〕
*【热衷】【热中】rèzhōng 動 ❶熱中する. 熱を上げる. 夢中になる ‖ ～于足球运动 サッカーに夢中になる ❷熱を入れる. 憂き身をやつす. 汲々(きゅうきゅう)とする ‖ ～名利 名利を求めて汲々とする

rén

2★人 rén ❶名 人. 人間 ❷(ある種の)人. …者 ‖ 介绍～ 紹介者 | 外国～ 外国人 ❸大人. 成人 ‖ 成～ 大人になる ❹名 他人. ほかの人 ‖ 叫～笑话 人に笑われる ❺名 各人. みんな ‖ ～见～爱 誰もがみんな好きになる ❻名 人手. 人材 ‖ 善于用～ 人材を用いることにたけている ❼名 人柄. 人物 ‖ 他～很好 彼は人柄がとてもよい ❽面目. 体面 ‖ 丢diū～ 面目をなくす ❾名 (人の)身体. 体 ‖ ～在心不在 心ここにあらず. うわの空である

逆引き単語帳 〔代理人〕dàilǐrén 代理人 〔发言人〕fāyánrén スポークスマン 〔买卖人〕mǎimairén 商売人. 商人 〔经纪人〕jīngjìrén 仲買人. ブローカー 〔主持人〕zhǔchírén 司会者. ニュースキャスター 〔候选人〕hòuxuǎnrén 候補者 〔继承人〕jìchéngrén (財産や地位の)相続人. 継承者 〔接班人〕jiēbānrén 仕事を引き継ぐ人. 後継者 〔当事人〕dāngshìrén 当事者 〔局外人〕júwàirén 部外者 〔过来人〕guòlairén 経験者 〔见证人〕jiànzhèngrén 証人 〔明眼人〕míngyǎnrén 見識のある人 〔明白人〕míngbairén 道理のわかった人. 業務に通じている人 〔意中人〕yìzhōngrén 意中の人 〔有心人〕yǒuxīnrén 志のある人 〔剧中人〕jùzhōngrén 登場人物

【人本主义】rénběn zhǔyì 名〈哲〉人本主義
【人不知鬼不觉】rén bù zhī guǐ bù jué 慣 誰にも気付かれずに. こっそり隠れて
*【人才】【人材】réncái 名 ❶(優れた)人材 ‖ ～银行 人材銀行 ❷器量. 顔立ち ‖ 一表～ 風貌(ふうぼう)が立派である
【人才市场】réncái shìchǎng 名 情報交換・紹介・招聘(しょうへい)などを行う人材交流の場
【人潮】rénchháo 名 人の波
【人称】rénchēng 名〈語〉人称 ‖ ～代词 人称代名詞
【人次】réncì 量 延べ人数 ‖ 每天的运营量达八十万～ 毎日の乗降客数は延べ80万人になる
【人大】réndà 名 略 人民代表大会. 〔人民代表大会〕の略
【人道】réndào 名 人道. (道徳として)人の守るべき道 形 人道的である ‖ 这样做太不～了 そんなことをしたらあまりにも人道に外れる
*【人道主义】réndào zhǔyì 名 人道主義. ヒューマニズム
【人地生疏】rén dì shēng shū 成 知り合いもなく土地にもなじみがない. 〔人地两生〕ともいう
【人丁】réndīng 名 ❶旧 成人 ❷人口. 人
【人定胜天】rén dìng shèng tiān 成 人の力は必ず自然を克服することができる
【人堆儿】rénduīr 名 口 人の群れ. 人込み
【人多势众】rén duō shì zhòng 成 人が多ければ勢いも大きい
【人多嘴杂】rén duō zuǐ zá 成 ❶人が多ければ意見もいろいろ出てくる ❷人が多いと秘密が漏れやすい
【人犯】rénfàn 名 旧 犯人. 被疑者
【人贩子】rénfànzi 名 人買い商人
【人防】rénfáng 名 略 人民を動員して行う空爆に対する備え. 〔人民防空〕の略 ‖ ～工程 人民防空施設. 防空地下壕
【人浮于事】rén fú yú shì 成 仕事が少なく人手が余る. 人員過剰である
*【人格】réngé 名 人格 ‖ 尊重～ 人格を尊重する
【人格化】réngéhuà 動 擬人化する. 人格化する
*【人工】réngōng 形 人工の ↔〔天然〕‖ ～岛 人工の島 名 人力 ‖ 靠～无法计算得这么快 人の力でこんなに速く計算することはできない 名 (建築作業などで)一人が1日にする仕事の量
【人工呼吸】réngōng hūxī 名 人工呼吸
【人工湖】réngōnghú 名 人造湖. 貯水池
【人工降雨】réngōng jiàngyǔ 組〈気〉人工的に雨を降らせる.
【人工流产】réngōng liúchǎn 名〈医〉人工流産. 人工妊娠中絶. 〔堕胎duòtāi〕ともいう
【人工器官】réngōng qìguān 名〈医〉人工臓器
【人工授精】réngōng shòujīng 名〈医〉人工授精 ‖ ～婴儿yīng'ér 人工授精児
【人工智能】réngōng zhìnéng 名 人工知能
【人公里】réngōnglǐ 量 (鉄道の旅客輸送量を計算する単位) 人(にん)キロ
【人海战术】rénhǎi zhànshù 名 人海戦術
【人和】rénhé 名 人の和. 人のつながり. 団結
【人话】rénhuà 名 人間らしい言葉. 人としての情理を尽くした言葉 ‖ 这叫～吗? それが人として言う言葉か
【人欢马叫】rén huān mǎ jiào 成 賑やかで活気にあふれる光景のたとえ. 多く農村の光景をいう
【人寰】rénhuán 名 書 人の世. この世 ‖ 惨cǎn绝～ 悲惨なることこの世のものとは思えない

【人祸】rénhuò 图 人災. 人為的な災害 ‖ 天灾～ 天災と人災
【人机界面】rénjī jièmiàn 图〈計〉マンマシン・インターフェース
【人际】rénjì 形 人と人との間の ‖ ～关系 人間関係
【人迹】rénjì 图 人跡 ‖ ～未至 人跡未踏
*【人家】rénjiā (～儿) 图 ❶人家 ‖ 我们村子里有好几百户～ 私たちの村には数百軒もの人家がある ❷家庭. 家柄 ‖ 那是个清白～ あれはちゃんとした家庭だ ❸旧 嫁入り先
*【人家】rénjia 代 ❶他人. よその人. 人様 ‖ ～怎么做, 我们就怎么做 人がやったように我々もやる ❷あの人. あの人たち ‖ 看～两口子多亲热 あの夫婦はなんて仲がいいんだろう ❸(親しい間柄で用いる)私 ‖ 你只管自己痛快, 一点儿也不管～ あなたは自分ばかり楽しんで, 人のことなんかちっとも構ってくれない
【人尖子】rénjiānzi 图 とくに優れた人. 一頭地を抜く人. 〔人尖儿〕ともいう
*【人间】rénjiān 图 現世. この世. 人間世界 ‖ 不食～烟火 俗世で煮炊きしたものは口にしない. 俗離れしていることのたとえ
【人杰】rénjié 图 書 人傑. 傑物. 優れた人
【人杰地灵】rén jié dì líng 成 著名人を出した土地が有名になること. 有名人ゆかりの地
【人尽其才】rén jìn qí cái 成 各人の才能を十分に発揮する
【人精】rénjīng 图 口 ❶世故にたけている人 ❷とりわけ利発な子供
【人居】rénjū 形 居住の. 住まいの ‖ 理想～环境 理想的な居住環境
*【人均】rénjūn 動 一人平均にする. 一人当たりにする ‖ ～国民生产总值 一人当たりの国民総生産
*【人口】rénkǒu 图 ❶人口 ‖ ～密度 人口密度 ❷家族の人数 ‖ 他家～多, 收入少 彼の家は家族が多く, 収入が少ない
【人口爆炸】rénkǒu bàozhà 图 人口爆発. 人口の爆発的な増加
【人口普查】rénkǒu pǔchá 图 人口調査. 国勢調査
【人困马乏】rén kùn mǎ fá 成 へとへとに疲れる. 疲労困憊(ぱい)する
【人来疯】rénláifēng 图 来客があって, 子供がはしゃいだり, だだをこねたりすること
*【人类】rénlèi 图 人類
【人类基因组】rénlèi jīyīnzǔ 图〈生〉ヒトゲノム
*【人力】rénlì 图 人力. 人の力. 労力 ‖ ～资源 人的資源
【人力车】rénlìchē 图 旧 人力車. 〔洋车〕ともいう
【人流】[1] rénliú 图 人の流れ
【人流】[2] rénliú 图 略 人工流産. 〔人工流产〕の略
【人伦】rénlún 图 人倫 ‖ 违背～ 人倫に背く
【人马】rénmǎ 图 ❶人馬. 軍隊 ❷(構成)人員. 顔ぶれ. 陣容 ‖ 原班～ もとのままのスタッフ
【人马座】rénmǎzuò 图 ❶人馬宮(じんばきゅう). 黄道十二宮の第9宮 ❷〈天〉射手座
【人脉】rénmài 图 人脈 ‖ ～网 人脈のネットワーク
★【人们】rénmen 图 人々. 人たち ‖ 当前～最关心的问题是什么呢? 目下のところ人々がいちばん関心を持っている問題はなんだろうか
【人面兽心】rén miàn shòu xīn 成 人面獣心. 獣のように残酷な心を持っている人
★【人民】rénmín 图 人民. 人々 ‖ 全国～ 全国人民 | 为～服务 人民に奉仕する
★【人民币】rénmínbì 图 人民幣. 人民元 ‖ ～兑换duìhuàn牌价páijià 人民元為替レート
【人民法院】rénmín fǎyuàn 图 人民法院. 中国の裁判所
【人民公社】rénmín gōngshè 图〈史〉人民公社. 1958年, 各種の生産合作社を合併して各町村を一つのまとまりとしてつくられた集団所有制の組織で, 経済と行政を一体化させた基層単位. 1982年に解体された
【人民检察院】rénmín jiǎncháyuàn 图 人民検察院. 中国の国家検察機関
【人民警察】rénmín jǐngchá 图 人民警察. 略して〔民警〕という
【人民民主专政】rénmín mínzhǔ zhuānzhèng 图 人民民主独裁
【人民战争】rénmín zhànzhēng 图 ❶人民を組織してできた軍隊を柱とし, 多くの大衆が参加する革命戦争 ❷喩 大規模な大衆運動
【人民政府】rénmín zhèngfǔ 图 人民政府. 中国の各級の行政機関
【人名】rénmíng (～儿) 图 人名
【人命】rénmìng 图 人命. 人の命 ‖ ～案子 殺人事件 | ～关天 人命はなにものにもかえがたい
【人莫予毒】rén mò yú dú 成 思い上がって何者も眼中に置かないこと
【人模狗样】rénmó gǒuyàng (～儿的) 慣 方 身なりばかり立派に見せている. または, 見違えるほど身なりがさまになっている
【人品】rénpǐn 图 ❶人品. 人柄 ‖ ～好 人柄がよい ❷口 見かけ. 器量. 容姿
【人气】rénqì 图 人気 ‖ ～歌手 人気歌手 | ～急升 人気急上昇
【人墙】rénqiáng 图〈体〉(サッカーの)ウォール
*【人情】rénqíng 图 ❶人としての思いやり. 情け ‖ ～淡薄dànbó 人情が薄い | ～味儿 人情味 ❷情実. 私情 ‖ 托～ 知人のよしみで頼む. コネを使う ❸好意. 親切. 恩 ‖ 卖个～ 恩を着せる ❹付き合い. 義理 ‖ ～债 欠かしている義理. 不義理. 借り ❺進物. 贈り物 ‖ 送～ 進物を贈る
【人情世故】rén qíng shì gù 成 世渡りの術 ‖ 懂～ 世渡りの術にたけている. 世慣れている
*【人权】rénquán 图 人権 ‖ 保障bǎozhàng～ 人権を保障する
*【人群】rénqún 图 人の群れ. 人込み ‖ ～散sàn了 人だかりが消えた
【人人】rénrén 图 すべての人. みんな. 誰もかれも ‖ ～有责 誰にも責任がある | ～夸奖kuājiǎng 誰もがほめる
【人瑞】rénruì 图 非常に高齢な老人 ‖ 百岁～ 100歳以上の高齢者
【人山人海】rén shān rén hǎi 成 黒山のような人だかり. たいへんな人の波
【人蛇】rénshé 图 密航者
*【人身】rénshēn 图 人身. 人格 ‖ ～攻击 人身攻撃 | ～买卖 人身売買
【人身自由】rénshēn zìyóu 图 人身の自由
*【人参】rénshēn 图 ❶〈植〉チョウセンニンジン. オタネニンジン ❷〈中薬〉人参(じん)
*【人生】rénshēng 图 人生 ‖ ～的意义 人生の意義

R

【人声】 rénshēng 名 人の声. 話し声 ‖ ～鼎沸dǐngfèi 人の声がわき立つ

*【人士】 rénshì 名 人士 ‖ 各界知名～ 各界の知名人

【人世】 rénshì 名 人の世. この世. 〔人世间〕ともいう

*【人事】 rénshì 名 ❶書 世間の物事. 世事 ❷(職務上の)人事 ‖ ～变动 人事異動 ❸義理人情 ‖ 不懂～ 義理人情をわきまえない ❹書 人がなし得ること. 人事 ‖ 尽～ 人事を尽くす ❺意識の対象となる事柄. 人事 ‖ 不省xǐng～ 人事不省となる

【人手】 rénshǒu 名 人手. 働き手 ‖ ～不够 人手が足りない

【人寿保险】 rénshòu bǎoxiǎn 名 生命保険. 略して〔寿险〕ともいう ‖ 投～ 生命保険に入る

【人寿年丰】 rén shòu nián fēng 成 人々は達者で, 作柄は上々である

【人所共知】 rén suǒ gòng zhī 慣 周知のことである. 人々に知れわたっている. 〔人所周知〕ともいう

【人梯】 réntī 名 ❶人ばしご ❷他人のために行う自己犠牲

*【人体】 réntǐ 名 人体 ‖ ～模型 人体模型. マネキン

【人体炸弹】 réntǐ zhàdàn 名 人間爆弾. 自爆テロの実行犯

【人头】 réntóu 名 ❶人間の頭 ❷人数 ‖ 按～分配 人数によって分ける

【人头税】 réntóushuì 名 人頭税

【人望】 rénwàng 名 人望 ‖ ～不高 人望が薄い

【人微言轻】 rén wēi yán qīng 成 地位が低い人の言論は軽視される

*【人为】 rénwéi 形 人為的である ‖ ～因素 人為的な要素 動書 人が為す. 人がする ‖ 事在～ 物事が成功するかどうかは人の努力にかかっている

【人味】 rénwèi (～儿) 名 人間味. 人間性

【人文】 rénwén 名 人文 ‖ ～地理 人文地理

【人文精神】 rénwén jīngshén 名 人間を第一とする精神. ヒューマニズムの精神

【人文科学】 rénwén kēxué 名 人文科学

【人文主义】 rénwén zhǔyì 名 人文主義. 人本主義. ヒューマニズム

**【人物】 rénwù 名 ❶人物 ‖ 领袖～ 指導的人物 ❷(物語の)登場人物 ‖ 反面～ 悪役 ❸人物を題材にした中国画

【人像】 rénxiàng 名 肖像. ポートレート. 人物像

*【人心】 rénxīn 名 ❶人心. 人々の心情 ‖ 不得dé～ 人心が離反する | ～惶惶huánghuáng 人心が動揺する ❷人の心. 人間らしい心 ‖ ～都是肉长zhǎng的 人は誰でも人間らしい感情を持っている

【人心果】 rénxīnguǒ 名〈植〉サポジラ. 樹液はチューインガムの原料

【人心所向】 rén xīn suǒ xiàng 成 人心の向かう所. 人心の動向

【人行道】 rénxíngdào 名 歩道 ↔〔车道〕

【人行横道】 rénxíng héngdào 名 横断歩道

*【人性】 rénxìng 名 人間性. 人間の本性. ヒューマニティー ‖ 灭绝～的暴行 人間性を失った暴挙

【人选】 rénxuǎn 名 人選(された者). 候補者 ‖ 物色适当～ 適当な候補者を探す

【人烟】 rényān 名 人煙. 人家

【人言可畏】 rén yán kě wèi 成 人のうわさは怖いものである. 人の口は恐ろしい

【人仰马翻】 rén yǎng mǎ fān 成 人が仰向けになり, 馬がひっくり返る. てんてこ舞いである. 上を下への大騒ぎ. さんざんな状態. 〔马仰人翻〕ともいう

【人样】 rényàng (～儿) 名 ❶(人間らしい)顔かたち. 人並みの姿 ❷一人前の男. いっぱしの大人 ‖ 不混hùn出个～来, 咱决不回家 一人前になるまでおれは家には戻らない

【人妖】 rényāo 名 性転換者

【人意】 rényì 名 人の願い. 人の意志 ‖ 事情不如～ 物事は人の思うようにはいかない

【人影儿】 rényǐngr 名 人影. 人の姿

【人鱼】 rényú 名 俗 人魚. ジュゴン

**【人员】 rényuán 名 人員. 要員. スタッフ. 関係者 ‖ 培养技术～ 技術要員を養成する

【人缘儿】 rényuánr 名 人受け. 人気 ‖ 他在单位里很有～ 彼は会社でなかなか人気がある

【人云亦云】 rén yún yì yún 成 人が言ったことをそのまま言う. 自分の定見がなく受け売りをすること

**【人造】 rénzào 形 人造の. 人工の ↔〔天然〕‖ ～奶油 人造バター. マーガリン | ～大理石 人工大理石

【人造革】 rénzàogé 名 人造革. 合成皮革

【人造毛】 rénzàomáo 名 人造羊毛

【人造棉】 rénzàomián 名 スフ. ステープル・ファイバー

【人造石油】 rénzào shíyóu 名 人造石油

【人造丝】 rénzàosī 名 レーヨン

【人造土】 rénzàotǔ 名 人工土壌

【人造卫星】 rénzào wèixīng 名 人工衛星

【人造纤维】 rénzào xiānwéi 名 人造繊維

【人渣】 rénzhā 名 罵 人間のくず

【人证】 rénzhèng 名〈法〉人証 ↔〔物证〕

【人之常情】 rén zhī cháng qíng 成 人情の常

【人治】 rénzhì 名 人治(じんち). 政治をつかさどる者がその個人の徳や権威で国を治めること ↔〔法治〕

*【人质】 rénzhì 名 人質 ‖ 扣押kòuyā～ 人質にとる

【人中】 rénzhōng 名〈中医〉(つぼの一つ)人中(じんちゅう)

【人种】 rénzhǒng 名 人種

4 仁[1] rén ❶思いやり. 慈しみ ‖ 一～慈 ❷仁. 慈愛 ‖ 一～至义尽 ❸敬 友人に対して用いる尊称 ‖ 一～兄

4 仁[2] rén ❶名(～儿)果実の核(さね). 果実の殻の中身 ‖ 核桃～儿 (殻から取り出した)クルミ ❷さねのようなもの. 殻を除いた中身 ‖ 虾xiā～儿 エビのむき身

【仁爱】 rén'ài 名 仁愛. 慈しみ

*【仁慈】 réncí 形 慈しみのある ‖ 假装～ 慈善を装う

【仁厚】 rénhòu 形 慈悲深く心が広い

【仁人君子】 rénrén jūnzǐ 名 情け深い人. 仁徳ある人. 人情に厚い人

【仁人志士】 rénrén zhìshì 名 思いやりが深く正義を通す人

【仁兄】 rénxiōng 名 敬 (多く書簡で)友人に対して用いる尊称

【仁义】 rényì 名 仁義. 仁愛と正義

【仁者见仁, 智者见智】 rén zhě jiàn rén, zhì zhě jiàn zhì 成 仁者は仁を見, 智者は智を見る. 同じ事物でも人によってそれぞれ見方が違うこと

【仁政】 rénzhèng 名 仁政 ‖ 施行～ 仁政を敷く

【仁至义尽】 rén zhì yì jìn 成 力を尽くして人を助ける. 善意の限りを尽くす

R

4 **壬** rén 图 壬(みずのえ)(十干の第9) ➡〔天干 tiāngān〕

6 **任** rén 地名用字‖～县 河北省にある県の名 ➤ rèn

rěn

7 ＊＊ **忍** rěn ❶動 **忍ぶ. 耐える. 我慢する. こらえる**‖一～不住|一～受 ❷心を鬼にする. 無慈悲なことを思い切ってする‖于yú心不～ 忍びない|惨cǎn不～睹dǔ 悲惨で見ていられない

＊【忍不住】rěnbuzhù 動 耐えられない. 我慢できない‖她～哭出声来 彼女はこらえきれずに泣き出した

【忍饥挨饿】rěn jī ái è 成 ひたすら飢えを忍ぶ

【忍俊不禁】rěn jùn bù jīn 成 笑いをこらえきれない

＊【忍耐】rěnnài 動 忍耐する. 辛抱する‖～着心头的怒火 心の怒りをこらえている 图 忍耐. 我慢‖他的～达到了极限 彼の忍耐は極限に達した

【忍气吞声】rěn qì tūn shēng 成 言いたいことが言えずにじっと我慢する

【忍让】rěnràng 動 耐え忍んで譲歩する. 忍従する‖一味yíwèi地～ どこまでも忍従する

【忍辱负重】rěn rǔ fù zhòng 成 屈辱を耐え重責を担う

＊【忍受】rěnshòu 動 我慢する. 辛抱する‖～痛苦 苦痛をこらえる

【忍痛】rěntòng 動 痛みをこらえる. 苦痛を忍ぶ‖～割爱gē'ài 残念ながら割愛せざるを得ない

【忍无可忍】rěn wú kě rěn 成 耐えるに耐えられない. これ以上我慢できない. 堪忍袋の緒が切れる

【忍心】rěn//xīn 動 心を鬼にする. 思い切ってやる‖怎么能～见死不救呢？ 人が困っているのを黙って見ているような非情なことをどうしてできようか

9 **荏**[1] rěn 图〈植〉エゴマ ＝〔白苏〕

9 **荏**[2] rěn 軟弱である. 臆病である‖色厉内～ 外見は強そうだが, 実際は臆病である

【荏苒】rěnrǎn 動 書(歳月が)過ぎ去ってゆく. のびのびになる‖光阴～ 月日のたつのは早いものである

13 **稔** rěn 書 ❶(農作物が)実る ❷年‖五～ 5年 ❸(多く人を)熟知している

【稔熟】rěnshú 動 書 よく知っている. 熟知する. 精通する

rèn

3 **刃** rèn ❶图(～儿)(刃物の)刃 ❷刀. 刃物‖利～ 鋭利な刃物 ❸書 刃にかける. 切り殺す‖手～奸贼jiānzéi 悪人を切り殺す

【刃具】rènjù 图〈機〉刃物. (研磨機の)バイト ＝〔刀具〕

【刃口】rènkǒu 图 刃

4 ＊＊ **认**(認) rèn ❶動 **見分ける. 識別する**‖他～的字不多 彼が読める字は少ない|你这一打扮, 我都～不出来了 あなたがおめかししているものだから, 誰だかちっとも分からなかった. ❷動 **認める. 肯定する**‖默～ 黙認する ❸動 **(関係を)結ぶ**‖我想～她做女儿 私は彼女を養女にしたい ❹動 我慢する. 仕方なく受け入れる. あきらめる‖再吃亏我也～了 どんなに損をしても, 私は文句を言わない ❺動 価値を認める. 重んじる‖～钱不～人 金銭を重んじ, 人物を軽んずる

＊【认不出来】rènbuchūlái 動 見分けられない. 〔认不出〕ともいう‖这孩子长得真快, 三年没见都快～了 この子はずいぶん大きくなったね, 3年会わなかったらすっかり見違えてしまった

【认不清】rènbuqīng 動 はっきりと見分けられない

【认错】rèn//cuò (～儿) 動 ❶過ちを認める. 謝る ❷(rèncuò) 見間違える. 見誤る

＊＊【认得】rènde 動 **見知っている. 分かる**‖去会场的路我～ 会場へ行く道なら私は知っている|你还～我吗？ あなたはまだ私のことを覚えていますか

＊【认定】rèndìng 動 ❶(正しいと)認める. 思い込む‖～了的事, 就要坚决去做 こうと決めたことは, 絶対やらねばならない ❷認定する. 確認する

【认罚】rèn//fá 動 処罰を受け入れる

【认负】rènfù 動 負けを認める‖迫使对手～ 相手に負けを認めさせる

【认购】rèngòu 動 (公債などを)引き受けて購入する‖～国库券guókùquàn 国債の割り当て分を購入する

【认股】rèngǔ 動〈経〉株を購入する. 株を所持する‖～权 新株予約権

【认捐】rèn//juān 動 献金または寄付を承諾する

＊【认可】rènkě 動 承諾する. 認可する. 許可する‖双方～了这个条件 双方この条件を承諾した

【认领】rènlǐng 動 確認して受領する. 引き取る

【认命】rèn//mìng 動 運命と思ってあきらめる

【认亲】rèn//qīn 動 親類として認める. 親戚付き合いをする

【认生】rènshēng 形 (子供が)人見知りする

★【认识】rènshi 動 ❶**知る. 見覚える. 見知る. 見て分かる**‖我不～他 私は彼を知らない|我介绍你俩～一下 私からあなた方お二人をご紹介しましょう|我不～路 私は道が分からない ❷**認識する**‖对问题的严重性～得不够 問題の重要性に対して認識が不足している 图 **認識. 考え**‖对毒品的危害缺乏～ 麻薬の危険性について認識が欠けている

> **類義語** 认识 rènshi 知道 zhīdao 了解 liǎojiě
>
> ◆〔认识〕対象(人や事物)を見知っている, 他のものと識別できる. 目的語は多く名詞か名詞句‖我认识那边站着的那个人 あそこに立っているあの人を知っている|不认识这种动物 この種の動物を知らない|认识这个字吗？ この字を知っていますか ◆〔知道〕対象についてなんらかの情報や知識をもっている, 経験として知っている. 目的語には名詞句・動詞句・主述句をとる‖他那么有名, 谁不知道他呀！ 彼ほど有名なら, 誰だって知っている|知道怎么用洗衣机 洗濯機の使い方を知っている|他不知道累 彼は疲れというものを知らない ◆〔了解〕対象を深くかつ広く知っている. 理解している. 目的語には多く名詞か名詞句をとる‖不了解他的底细 彼の素性が分からない|只了解一个大概 おおよそのことしか知らない

【认识论】rènshilùn 图〈哲〉認識論

【认输】rèn//shū 動 負けを認める. 降参する

【认死理】rèn sǐlǐ (～儿) 組 理屈に固執して融通が利かない. 杓子定規(しゃくしじょうぎ)である

【认同】rèntóng 動 ❶同じものとして認める. 同一と考える ❷賛成する. 賛同する‖他的观点得到很多学者

的～ 彼の観点は多くの学者の賛同を得た
★【认为】rènwéi 動 認める．…と思う．…と考える ‖ 大家一致～她是最合适的人选 みんなは彼女が最適の人選だと一致して認識している｜你～怎么样？ あなたはどう思いますか

類義語 认为 rènwéi 以为 yǐwéi

◆〔认为〕知識や分析のもとに判断を下す．主語は個人や組織で，考える対象は重大なことでも一般的なことでもよい ‖ 我认为应该采取第一个方案 私は 1 番目の案を採用すべきだと思います｜大家一致认为老赵的意见是对的 みんな一致して趙(ちょう)さんの意見が正しいと認めた ◆〔以为〕推測や想定など主観的認識をもとに一般的なことに判断を下す．主語は個人または複数の人．多く自分の判断を述べる．語気は〔认为〕より軽い ‖ 他们以为(认为)，只要进入半决赛，拿冠军就没问题了 彼らは準決勝に進みさえすれば，優勝は間違いなしと思っている ◆〔以为〕はほとんどの場合〔认为〕に言い換えられる．しかし，下した判断が現実と合わない場合は言い換えられない．実際にはこの用法が多い ‖ 我以为(×认为)他是日本人，原来不是 彼は日本人だと思っていたが実際は違った

【认养】rènyǎng 動 ❶養子にして育てる ‖ 从福利院～一个男孩儿 孤児院から男の子を 1 人養子にもらう ❷(ボランティア活動として)動植物の世話を引き受ける
【认贼作父】rèn zéi zuò fù 成 賊を父と見なす．敵を味方と取り違える
【认账】rèn//zhàng 動 喩 借金を認める．自分のしたことを認める．(多く否定に用いる) ‖ 明明是他错了，可他就是不～ 明らかに彼のミスだ，それなのに彼は認めない
【认真】[1] rèn//zhēn 動 本気にする．真に受ける ‖ 开个玩笑嘛ma，何必～！ 冗談だよ，なにも本気にすることはあるまい
★【认真】[2] rènzhēn 形 まじめである．真剣である ‖ 他对什么都很～ 彼は何事にも真剣に取り組む
【认证】rènzhèng 動〈法〉認証する
【认知】rènzhī 動 認知する
【认准】rèn//zhǔn 動 確かであると見なす．思い込む ‖ 她～他是个好人 彼女は彼のことをいい人だと思い込んでいる
【认罪】rèn//zuì 動 罪を認める．謝罪する ‖ 低头～ うなだれて罪を認める

5 **仞** rèn 古(長さの単位)仞(じん) ‖ 万～高山 万仞の高峰

6＊ **任**[1] rèn ❶担う．引き受ける ‖ 一～劳～怨 ❷責任．負担 ‖ 重～ 重任 ❸動(職務を)担当する．務める ‖ 兼～ 兼任する ❹職務．官職 ‖ 卸xiè～ 解任される ❺動 任ずる．任命する ‖ 一～命 ❻量 職務に就いた回数を数える ‖ 当过两～市长 市長を 2 期務めた

6＊ **任**[2] rèn ❶自由にさせる．そのままにする．ほうっておく ‖ 一～性 ❷動 人の言うままに任せる．一任する ‖ ～你挑选一个 どれでも一つご自由にお取りください ❸接 たとえ…であろうと．…を問わず ‖ ～你是谁也不行 たとえあなたが誰であろうとだめなのです ➤ rén

【任从】rèncóng 動 自由にさせる．好きにさせる
★【任何】rènhé 代 いかなる．どのような ‖ 不惜～代价，也要把他抢救qiǎngjiù过来 いかなる代償を払っても彼の命を救わなくてはならない
【任教】rèn//jiào 動 教職に就く ‖ 他在这个大学已～多年了 彼はこの大学でもう長年教職に就いている
【任课】rèn//kè 動 授業を担当する
【任劳任怨】rèn láo rèn yuàn 成 苦労をいとわず，他人からの非難にも耐える
【任免】rènmiǎn 動 任免する
＊【任命】rènmìng 動 任命する ‖ 他最近被～为驻联合国大使 彼はこのほど国連大使に任命された
【任凭】rènpíng 動 人の言うとおりにする．相手に任せる ‖ ～你挑选 自由にお選びください 接 …にせよ．たとえ…でも．…であろうと ‖ ～谁说，我也不答应 誰がなんと言おうと，私は承知しない
【任期】rènqī 名 任期
【任其自然】rèn qí zì rán 成 成り行きに任せる
【任人唯亲】rèn rén wéi qīn 成 能力を考慮することなく縁故のみによって任用する
【任人唯贤】rèn rén wéi xián 成 縁故に関係なく才能や能力のみを見て任用する
【任随】rènsuí 動 自由に任せる．意のままにさせる
＊＊【任务】rènwu 名 任務．仕事．役目 ‖ 按时完成～ 予定どおり任務を果たす
＊【任性】rènxìng 形 気ままである．わがままである
＊【任意】rènyì 副 勝手気ままに．自由に ‖ ～歪曲wāiqū历史 ほしいままに歴史をねじ曲げる 形 任意の
【任意球】rènyìqiú 名〈体〉(サッカーやラグビーの)フリーキック．(ハンドボールやバスケットボールの)フリースロー
【任用】rènyòng 動 任用する ‖ 大胆～年轻人 思い切って若手を採用する
【任由】rènyóu 動 自由にさせる
【任职】rèn//zhí 動 職務に就く．勤める
【任重道远】rèn zhòng dào yuǎn 成 任は重く道は遠い．任務が重大かつ長期にわたること

6 **纫** rèn ❶動 針に糸を通す ‖ 你帮我～～针 ちょっと針に糸を通してもらえませんか ❷縫う．縫いつける ‖ 缝～ 裁縫をする ❸書(多く書簡で)深く感謝する

7 **饪**(△餁) rèn 調理する．料理する ‖ 烹pēng～ 調理する

7 **妊**(△姙) rèn 身ごもる．妊娠する
【妊娠】rènshēn 動 書 妊娠する

7 **韧**(韌△靭靱韌) rèn しなやかで強い．強靱(きょうじん)である ↔〔脆cuì〕‖ 坚～ 強靱である｜柔～ 強くしなやかである
【韧带】rèndài 名〈生理〉靭帯(じんたい)
【韧性】rènxìng 名 ねばり強さ

7 **轫**(△軔) rèn 書(車輪の)止め木 ‖ 发～ 止め木をはずして発車させる．物事をスタートさせるたとえ

9 **衽**(△袵) rèn 書 ❶衽(おくみ) ❷褥(しとね)．敷物

12 **葚** rèn ⇒〔桑葚儿sāngrènr〕 ➤ shèn

rēng

5＊＊ **扔** rēng ❶動 投げる．ほうる ‖ 把球～给我 ボールをこっちに投げてくれ ❷動 捨てる．投

R

げ捨てる ‖ ～垃圾 ごみを捨てる
【扔弃】rēngqì 動 投げ捨てる. ほうり出す

réng

4 ⁂ **仍** réng ❶旧に従う. 踏襲する ❷書 頻繁である ❸副書 **依然として. やはり. 相変わらず** ‖ ～须xū努力 さらに努力しなければならない
*【仍旧】réngjiù 副 依然として. やはり. 相変わらず ‖ 多年不见, 她～那么年轻 何年ぶりかで会ったが, 彼女は相変わらず若い 動 これまでどおりにする. いつもどおりにする ‖ 人员安排～ 人員の配置はこれまでどおりとする
⁑【仍然】réngrán 副 **依然として. 相変わらず. やはり** ‖ 初春的天气, 早晚～有些寒意 春もまだ浅く, 朝晩はなおいくぶん冷え込む

rì

4 ★ **日**[1] rì ❶图 **太陽. 日** ‖ 风和hé～丽 風は穏やかで日はうららかである ❷昼. 日中 ↔〔夜〕‖ ～班 昼間の勤務. 日勤 ❸图 **一日. 日** ‖ 改～ 日を改めて. そのうちいずれ | 早～ 一日も早く ❹毎日. 日々. 一日一日 ‖ 一～新月异 ❺ある特定の日 ‖ 假～ 休日 | 生～ 誕生日 ❻ある一時期. そのころ ‖ 往～ かつて
4 **日**[2] rì 日本. 〔日本〕の略 ‖ 一～语 | 一～元
*【日报】rìbào 图 毎朝, 発行される新聞. 日刊紙. (多く紙名に用いる) ‖《人民～》人民日報
★【日本】Rìběn 图〈国名〉**日本**
【日薄西山】rì bó xī shān 成 余命いくばくもない
【日不暇给】rì bù xiá jǐ 成 多忙で暇がない
⁑【日常】rìcháng 形 **日常の. 常日ごろの. ふだんの** ‖ ～生活 ふだんの暮らし | ～工作 毎日の仕事
【日场】rìchǎng 图 (演劇や映画の)昼間の興行
⁑【日程】rìchéng 图 **日程** ‖ ～表 日程表. スケジュール | ～安排得很紧 スケジュールがぎっしり詰まっている
【日出】rìchū 图 日の出 ‖ 看～ 日の出を見る
【日戳】rìchuō 图 日付印. 日付入りスタンプ
【日耳曼人】Rì'ěrmànrén 图 ゲルマン人
【日工】rìgōng 图 ❶昼間の仕事 ❷日給労働者. 臨時雇い
*【日光】rìguāng 图 日光. 太陽の光線
【日光灯】rìguāngdēng 图 蛍光灯 =〔荧光灯〕
【日光浴】rìguāngyù 图 日光浴
【日晷】rìguǐ 图〈天〉日時計. 〔日规guī〕ともいう
【日后】rìhòu 图 後日. 将来
【日化】rìhuà 图 日用化学工業 ‖ ～用品 日用化学製品
【日环食】rìhuánshí 图〈天〉金環食 =〔环食〕
【日积月累】rì jī yuè lěi 成 月日を重ねる. 長期間少しずつ積み重ねること
⁑【日记】rìjì 图 **日記** ‖ 记～ 日記をつける | 写～ 日記を書く | ～本 日記帳
【日间】rìjiān 图 昼間. 日中
【日见】rìjiàn 副 (目に見えて)日一日と. 日ごとに ‖ ～消瘦 日に日に痩せ細ってゆく
【日渐】rìjiàn 副 日一日と. 日ましに. 日ごとに
【日界线】rìjièxiàn 图〈天〉日付変更線
【日久天长】rì jiǔ tiān cháng 成 長い年月がたつ. 月日がたつ
【日均】rìjūn 動 1日平均で計算する ‖ ～成交量 1日平均の成約高
【日刊】rìkān 图 日刊 ‖ ～报纸 日刊新聞
【日来】rìlái 图 ここ数日来. このところ
【日理万机】rì lǐ wàn jī 成 毎日多くの政務を処理する. 政務が多忙をきわめる
【日历】rìlì 图 日めくり暦
【日轮】rìlún 图 太陽. 日輪
【日落】rìluò 图 日の入り
【日冕】rìmiǎn 图〈天〉(皆既日食の)コロナ
【日暮途穷】rì mù tú qióng 成 日暮れて道窮まる. 万策尽きたさま. 八方行き詰まり
【日内】rìnèi 图 近日中. 近々
【日偏食】rìpiānshí 图〈天〉部分日食
⁑【日期】rìqī 图 **期日. 日取り. 日付** ‖ 出发的～还没定下来 出発の期日はまだ決まっていない
【日前】rìqián 图書 先日. 数日前
【日趋】rìqū 副 日一日と. 日ごとに. 日に日に ‖ 环境～恶化 環境が日に日に悪化してゆく
【日全食】rìquánshí 图〈天〉皆既日食
【日日】rìrì 图 毎日. 日々 ‖ ～夜夜 日ごと夜ごと
【日上三竿】rì shàng sān gān 成 太陽が竹竿3本の高さに昇る. 日がすっかり高く昇っている. 朝の時間の遅いことをいう
【日食】rìshí 图〈天〉日食
【日头】rìtou 图方 日. 太陽
【日托】rìtuō 動 託児所や保育園で子供を昼間だけ預かる ↔〔全托〕
★【日文】Rìwén 图 **日本語** ‖ ～报刊 日本語の新聞と雑誌
【日心说】rìxīnshuō 图〈天〉地動説
【日新月异】rì xīn yuè yì 成 日進月歩. 進歩・発展が速いこと
【日薪】rìxīn 图 日給
*【日夜】rìyè 图 日夜. 一日中. 昼も夜も ‖ ～操劳 日夜苦労する | ～兼程 昼夜兼行で先を急ぐ
*【日益】rìyì 副 日ましに. 日に日に ‖ 技术水平～提高 技術レベルが日ましに向上する
*【日用】rìyòng 形 日用の. ふだん使用している ‖ ～百货 日用雑貨 图 日常生活の費用
⁑【日用品】rìyòngpǐn 图 **日用品**
*【日语】Rìyǔ 图 日本語 ‖ 用～交谈 日本語で話し合う | ～专业 日本語専攻
⁑【日圆】【日元】rìyuán 图 **日本円**
【日月】rìyuè 图 ❶暮らし. 生活 ❷(ある)時期
【日月如梭】rì yuè rú suō 成 月日がたつのが早いたとえ
【日晕】rìyùn 图〈気〉日暈(にちうん). ひがさ
【日照】rìzhào 图 日照 ‖ ～短 日照時間が短い
【日臻】rìzhēn 副 日ごとに ‖ ～完善 日ごとに完全になってゆく
【日志】rìzhì 图 日誌 ‖ 工作～ 作業日誌
【日中】rìzhōng 图書 正午
【日妆】rìzhuāng 图 日中の化粧. 昼間の化粧
★【日子】rìzi 图 ❶**日. 期日. 日取り** ‖ 选一个好～ 吉日を選ぶ ❷**日数. 日にち** ‖ 有些～没见他了 しばらく彼に会っていない ❸**暮らし. 生活** ‖ 靠父亲一个人的工资过～ 父親の給料だけで生計を立てている

róng

6 **戎**[1] róng ❶書 武器‖兵～相见 一戦を交える ❷書 軍事．軍隊‖投笔从～ 筆を捨てて従軍する

6 **戎**[2] róng 古 西方の異民族．戎(じゅう)．えびす

【戎马】róngmǎ 图書 軍馬．転 部隊に従うこと．従軍‖～生涯shēngyá 従軍生活

【戎装】róngzhuāng 图書 軍装

9 **茸** róng ❶若草の細く柔らかいさま‖→～～ ❷毛髪の細く柔らかいさま‖→～毛 ❸〈中薬〉鹿茸(ろくじょう)‖鹿～ 同前

【茸毛】róngmáo 图(人または動物の)柔らかい毛．うぶ毛

【茸茸】róngróng 形(毛や草などが)短く密で柔らかいさま．ふんわりしている

9 **荣**(榮) róng ❶草木が生い茂るさま ❷高貴である‖→～华 ❸光栄である ↔〔辱rǔ〕‖→～耀 ❹栄える．繁栄する‖繁～ 繁栄する

【荣光】róngguāng 形 光栄である

【荣归】róngguī 動 功成って帰る．錦を飾る‖～故里 故郷に錦を飾る

【荣华】rónghuá 形 栄える．栄達している

【荣获】rónghuò 動 光栄にも授かる‖～勋章xūnzhāng 光栄にも勲章を授かる｜～第一名 第1位となる．1等賞を獲得する

【荣枯】róngkū 图 栄枯．盛衰

【荣任】róngrèn 動敬 就任する

【荣辱】róngrǔ 图 光栄と恥辱

【荣升】róngshēng 動敬 栄進する

【荣退】róngtuì 動敬 退職する．勇退する

*【荣幸】róngxìng 形 光栄である‖我今天能参加这样的盛会shènghuì，感到非常～ 本日はこのような盛会に参加することができ，まことに光栄に存じます

【荣耀】róngyào 形 光栄である．名誉である

【荣膺】róngyīng 動書 光栄にも担う

*【荣誉】róngyù 图 栄誉‖集体的～ 集団の栄誉

【荣誉军人】róngyù jūnrén 图(傷痍(しょうい)軍人に対する敬称)名誉軍人

9 * **绒**(△羢 毧) róng ❶图(人や動物の)細くて柔らかい短毛．うぶ毛‖鸭～ アヒルの綿毛．ダウン ❷表面をけばだてた厚みのある織物‖天鹅tiān'é～ ベルベット．ビロード｜灯心～ コーデュロイ．コールテン

【绒布】róngbù 图〈紡〉綿フランネル

【绒花】rónghuā (～儿)图 ビロードで作った造花や鳥などの髪飾り

【绒毛】róngmáo 图 ❶綿毛．うぶ毛 ❷けば

【绒线】róngxiàn 图 ❶太めの刺繍糸 ❷方 毛糸

10 * **容**[1] róng ❶動 入れる．収容する‖这个教室～不下五十个人 この教室には50人は入らない ❷動 容認する．受け入れる‖水火不相～ 水と火のように相容(あい)れない ❸動 許す‖不～我解释 釈明させてもらえない ❹書 あるいは．もしくは

10 **容**[2] róng ❶容貌(ようぼう)．顔つき‖仪～ 容姿．容貌 ❷顔の表情．顔色‖病～ やつれた顔 ❸様子．状況‖市～ 町の外観

【容不得】róngbude 動 ❶受け入れられない‖时间紧迫，～多考虑 時間が切迫して，これ以上考えていられない ❷許せない

【容错】róngcuò 動〈計〉フォールトトレラント

【容光】róngguāng 图書 顔色‖～焕发 元気はつらつとしている．気力が充実している

*【容积】róngjī 图 容積‖这个电冰箱的～很大 この冷蔵庫の容積はとても大きい

*【容量】róngliàng 图 容量‖通讯tōngxùn～ 通信回線の容量．

【容留】róngliú 動 収容する．受け入れる

【容貌】róngmào 图 容貌．顔つき

*【容纳】róngnà 動 ❶収容する‖这个运动场可～六万观众 このスタジアムは6万人の観衆を収容することができる ❷包容する．受け入れる

*【容器】róngqì 图 容器．入れ物

【容情】róngqíng 動 容赦する．大目に見る．(多く否定に用いる)‖决不～ 決して容赦しない

【容人】róng//rén 動 人を許容する．人を受け入れる

*【容忍】róngrěn 動 許す．我慢する．耐える‖他的态度令人难以～ 彼の態度はどうにも我慢できない

【容身】róng//shēn 動 身を落ち着ける．身を置く

*【容许】róngxǔ 動 許す．許可する‖这一工作不～出半点儿差错chācuò この仕事にはわずかな手違いもあってはならない 副 もしかすると…かもしれない

【容颜】róngyán 图書 容貌．顔つき

★【容易】róngyì 形 ❶容易である．簡単である．やさしい‖她一个人又要带孩子，又要上班，真不～ 彼女は一人で子育ても仕事もして，ほんとうに大変だ ❷(動詞の前に置いて)…しやすい．…しがちである‖冬天～感冒 冬は風邪をひきやすい｜～引起误会 誤解を招きやすい

【容姿】róngzī 图書 容姿．風采

12 **嵘**(嶸) róng ➡〔峥嵘zhēngróng〕

13 * **溶** róng 動 溶ける．溶解する‖～于酒精 アルコールに溶ける

【溶洞】róngdòng 图〈地質〉鍾乳洞

*【溶化】rónghuà 動 ❶〈物〉(固体が)溶解する ❷ =〔融化〕

【溶剂】róngjì 图〈化〉溶剤

*【溶解】róngjiě 動 溶ける．溶解する‖～于水 水に溶ける

【溶解度】róngjiědù 图〈化〉溶解度

【溶溶】róngróng 形書(水面などが)広々としているさま‖月色～ 月光が皓々(こうこう)とあたりを照らしている

【溶血】róngxuè 動〈医〉溶血する

*【溶液】róngyè 图〈化〉溶液

【溶质】róngzhì 图〈化〉溶質

13 **蓉** róng ❶ ➡〔芙蓉fúróng〕❷图 四川省成都市の別称 ❸植物の実や果肉を粉状にしたもの(月餅(げっぺい)などの餡(あん)に用いる)‖豆～ 豆類の粉｜椰～ ヤシの実の粉

14 * **熔**(△鎔) róng 動 溶かす．溶解する‖→～点｜→～炉

【熔点】róngdiǎn 图〈化〉融点．融解点

【熔合】rónghé 動 融合する．溶けて一つになる

【熔化】rónghuà 動〈化〉融解する．溶融する．〔熔解〕〔熔融〕ともいう

【熔炼】róngliàn 動〈冶〉溶錬する．製錬する．〔熔

冶yě〕ともいう‖～钢铁 鉄を製錬する
【熔炉】rónglú 图❶溶鉱炉 ❷喩 思想などを鍛える環境‖革命的～ 革命のるつぼ
【熔岩】róngyán 图〈地質〉溶岩
【熔铸】róngzhù 動 鋳造する
14 **榕** róng ❶图〈植〉ガジュマル. ふつう〔榕树〕という ❷图 福建省福州市の別称
15 **蝶**（蠑）róng ↓
【蝶螈】róngyuán 图〈動〉イモリ
16 **融**（△螎）róng ❶（氷や雪などが）溶ける. 溶解する‖→～化 ❷溶け合う. 調和する‖→～合 ❸流通する‖金～ 金融
【融合】rónghé 動 融合する
【融和】rónghé 形❶暖かい ❷打ち解けている. 和やかである‖感情～ 気持ちが打ち解けている ❸＝〔融合rónghé〕
*【融化】rónghuà 動（氷や雪が）解ける. 〔溶化〕とも書く‖积雪开始～了 積雪が解け始めた
【融会贯通】róng huì guàn tōng 成 多方面の知識や道理を融合して全面的な理解を得ること
【融解】róngjiě 動（氷や雪が）解ける. 溶解する
*【融洽】róngqià 形 和やかである. 打ち解けている‖关系～ 人間関係がうまくいく
【融融】róngróng 形 書 ❶和やかなさま ❷暖かいさま‖春光～ 春の日ざしがぽかぽかと暖かい
【融通】róngtōng 動❶（資金を）流通させる ❷あらゆる知識に通じる ❸打ち解ける
【融资】róng//zī 〈経〉動 融資する 图（róngzī）融資資金
【融资租赁】róngzī zūlìn 图〈経〉ファイナンスリース

rǒng

4 **冗**（△宂）rǒng ❶余分な. むだな‖→～长 ❷ごちゃごちゃしている. 煩瑣（はんさ）である‖→～杂 ❸書 多忙な事務‖务请拨bō～出席 ぜひ万障お繰り合わせのうえご出席願います
【冗笔】rǒngbǐ 图（文章や絵の）むだな筆遣い. 余分な語句
【冗长】rǒngcháng 形（文章や話が）冗長である
【冗词赘句】rǒng cí zhuì jù 成 冗句. 冗語. 余計な言葉
【冗员】rǒngyuán 图 冗員‖裁减～ 余計な人員を整理する
【冗杂】rǒngzá 形 煩わしい. 煩雑である
【冗赘】rǒngzhuì 形（文章や話が）むだである

róu

9 **柔** róu ❶柔らかい‖→～软 ❷柔らかくする‖～麻 アサを水につけて柔らかくする ❸温和である. 優しい ↔〔刚〕‖温～ 優しい. 柔和である ❹手なずける‖怀～ 懐柔する
【柔肠寸断】róu cháng cùn duàn 成 断腸の思い
【柔道】róudào 图〈体〉柔道
*【柔和】róuhé 形❶穏やかである. 温和である. 優しい‖～的目光 優しいまなざし ❷柔らかい‖手感～ 手触りが柔らかい
【柔滑】róuhuá 形 柔らかくてすべすべりがよい
【柔美】róuměi 形 優しく美しい. 優美である‖～的舞姿 優美な舞い姿｜～的歌声 優しく美しい歌声
【柔媚】róumèi 形❶穏やかで美しい ❷しとやかで美しい
【柔嫩】róunèn 形 柔らかくしなやかである. 柔らかくみずみずしい‖～的皮肤pífū みずみずしい肌
【柔情】róuqíng 图 いとおしむ情. 愛情. 恋慕の情‖～蜜意 恋慕の情. 恋ごころ
【柔韧】róurèn 形 柔らかで強い. しなやかで丈夫である
*【柔软】róuruǎn 形 柔軟である. 柔らかい‖～的丝绸 柔らかな絹｜～的柳liǔ枝 柔らかなヤナギの枝
【柔润】róurùn 形 柔らかで潤いのある. みずみずしい
【柔弱】róuruò 形 柔弱である. 弱々しい
【柔顺】róushùn 形 柔順である. おとなしい
【柔婉】róuwǎn 形❶柔らかく優しい‖唱腔qiāng～ 歌声が優しい ❷柔順である. おとなしい
【柔细】róuxì 形 柔らかく細い‖声音～ 声がか細い
12 * **揉** róu ❶動 もむ. こする‖用手～了～眼睛 手でちょっと目をこすった ❷動 こねる‖～面 小麦粉をこねる
【揉搓】róucuo 動❶もむ. こする ❷方 苦しめる. いじめる
15 **糅** róu 混じり合う. ごっちゃになる‖→～合
【糅合】róuhé 動 混じり合う. 混ぜ合わせる
16 **蹂** róu 踏みにじる‖→～躏
【蹂躏】róulìn 動 蹂躙（じゅうりん）する. 踏みにじる
18 **鞣** róu 動（皮を）なめす‖～皮子 皮をなめす
【鞣制】róuzhì 動（皮を）なめし加工する

ròu

6 ★ **肉** ròu ❶图 肉‖～类 肉類｜肌jī～ 筋肉 ❷图 果肉‖果～ 果肉 ❸形 方（果肉が）柔らかい. 歯触りが悪い‖～瓤ráng西瓜 熟れすぎたスイカ ❹形 方 ぐずぐずしている. はきはきしない

逆引き単語帳 〔猪肉〕zhūròu 豚肉 〔牛肉〕niúròu 牛肉 〔羊肉〕yángròu 羊肉 〔肥肉〕féiròu 脂身 〔瘦肉〕shòuròu 赤身の肉 〔五花肉〕wǔhuāròu ばら肉. 三枚肉 〔里脊肉〕lǐjiròu ヒレ肉 〔排骨肉〕páigǔròu スペアリブ 〔腊肉〕làròu ベーコン 〔午餐肉〕wǔcānròu ランチョンミート 〔叉烧肉〕chāshāoròu チャーシュー. 焼き豚 〔烤肉〕kǎoròu（じか火で焼いた）焼き肉 〔涮羊肉〕shuànyángròu マトンのしゃぶしゃぶ 〔红烧肉〕hóngshāoròu 豚肉のしょうゆ味煮込み

【肉搏】ròubó 動 白兵戦をする
【肉搏战】ròubózhàn 图 白兵戦 ＝〔白刃rèn战〕
【肉畜】ròuchù 图 食肉用の家畜
【肉丁】ròudīng 图 さいの目に切った豚肉‖宫保～ さいの目の豚肉のぴり辛炒め
【肉感】ròugǎn 形（女性が）肉感的である. セクシーである‖她很～ 彼女はとてもセクシーだ
【肉红】ròuhóng 形 薄いピンクの
【肉乎乎】【肉呼呼】ròuhūhū（～的）形 まるまると太っているさま

R

【肉鸡】ròujī ＝〔肉用鸡ròuyòngjī〕
【肉瘤】ròuliú 图〈医〉肉腫(にくしゅ)
【肉麻】ròumá 形(軽薄で)歯が浮くようにいやらしい. 胸くそが悪い ‖ 那些阿谀ēyú奉承fèngcheng的话令人～ あのおべっかには歯が浮きそうだ
【肉末】ròumò 图 ひき肉
【肉牛】ròuniú 图 肉用種のウシ. 肉牛
【肉排】ròupái 图(ビーフまたはポークの)ステーキ
【肉皮】ròupí 图 豚肉の皮
【肉皮儿】ròupír 图 方 皮膚. 肌
【肉票】ròupiào (～儿) 图 旧 人質
【肉禽】ròuqín 图 食肉用の家禽(かきん)
【肉色】ròusè 图 肌色. 肉色
【肉身】ròushēn 图〈仏〉肉身. 肉体
【肉食】ròushí 形 肉食の ‖ ～动物 肉食動物
【肉食】ròushi 图 肉. 肉料理
【肉丝】ròusī 图 細切りの肉 ‖ 青椒qīngjiāo～ ピーマンと豚肉の細切りいため
【肉松】ròusōng 图 肉のでんぶ
【肉体】ròutǐ 图 肉体 ‖ 出卖～ 体を売る
【肉头】ròutóu 形 方 ぐずぐずしている. 軟弱である. 煮えきらない
【肉头】ròutou 形 方 ❶肉づきがよくふっくらしている. ぽちゃぽちゃしている ❷(食物の口当たりが)柔らかい
【肉刑】ròuxíng 图 体刑
【肉眼】ròuyǎn 图 ❶肉眼 ❷喩 俗眼
【肉用鸡】ròuyòngjī 图 食肉用のニワトリ
【肉欲】ròuyù 图 貶 性欲
【肉质】ròuzhì 图(植物などで)厚みがあって肉の多い性質. 肉質
【肉中刺】ròuzhōngcì 慣 邪魔もの. 目の上のたんこぶ. (よく〔眼中钉dīng〕と連用する)

rú

6 **如[1] rú ❶一致する. …のとおりである ‖ 一～意 ❷動 …のようである. …と同じである ‖ ～上所述shù 上に述べたとおり ❸接 もし…ならば. 仮に…ならば ‖ ～有变更, 务请尽早jǐnzǎo通知 変更の際は, ぜひ早めにお知らせください ❹動 匹敵する. 及ぶ. (否定にのみ用いる) ‖ 学习方面我不～他 勉強では私は彼にかなわない ❺超える. 上回る ‖ 兄弟三人一个强～一个 兄弟3人いずれ劣らず優秀である ❻動 たとえば…である ‖ 比～ たとえば ❼動 書 行く

6 如[2] rú 古 形容詞の接尾辞として用い, 状態を表す ‖ 空空～也 空っぽである. むなしいさま
【如臂使指】rú bì shǐ zhǐ 成 腕が指を動かすように指図どおりに動く. 思いのままに人を指図したりするたとえ
【如出一辙】rú chū yī zhé 成(同じわだちをなぞったように)そっくり同じである
【如初】rúchū 動 以前と同じである
*【如此】rúcǐ 代 このように. そのように ‖ 但愿dànyuàn～ どうかそうあって欲しいものだ｜原来～ なんだそうだったのか
【如次】rúcì 動 次のとおりである
【如堕五里雾中】rú duò wǔ lǐ wù zhōng 成 五里霧中である
【如法炮制】rú fǎ páo zhì 成 処方どおりに薬を調合する. 型どおりにやること
【如故】rúgù 動 ❶元どおりである. 昔のままである ‖ 依然～ 依然としてこれまでと変わらない ❷古なじみのようである ‖ 一见～ 知り合ったばかりだが, まるで昔からの友人のようだ
**【如果】rúguǒ 接 もし…ならば ‖ ～有事不能来, 请事先给我打电话 用があって来られないときは, あらかじめ私にお電話ください
**【如何】rúhé 代 どのように. どんなふうに. どう ‖ 近况～？ このところいかがですか
【如虎添翼】rú hǔ tiān yì 成 虎(とら)に翼をつけるようなものである. ますます強力になることのたとえ. 鬼に金棒
【如花似锦】rú huā sì jǐn 成 花や錦のように美しい. 風景や未来がすばらしいことのたとえ
【如火如荼】rú huǒ rú tú 成 火のように赤く, チガヤの白い花穂のように白い. 勢い盛んなさま. 熱烈なさま
【如获至宝】rú huò zhì bǎo 成 またとない宝物を手に入れたかのようである. 大喜びするさま. 鬼の首を取ったよう
【如饥似渴】rú jī sì kě 成 飢え渇いているかのようである. むさぼるようである. 〔如饥如渴〕ともいう
【如胶似漆】rú jiāo sì qī 成 にかわや漆のようである. (多く男女の)情が深く離れがたいさま
**【如今】rújīn 图 今. 当節. 今時 ‖ 那套老规矩guīju～行不通了 そういう古いやり方は今時通用しない
【如旧】rújiù 動 元どおりである. 昔のままである ‖ 一切～ すべてが昔のままである
【如来】Rúlái 图〈仏〉如来
【如狼似虎】rú láng sì hǔ 成 狼や虎のように凶悪である
【如雷贯耳】rú léi guàn ěr 成 雷のように鳴りわたる. 名声が非常に高いことのたとえ ‖ 久仰大名, ～ ご高名はかねがね伺っております
【如临大敌】rú lín dà dí 成 まるで強大な敵を目の前にしているかのようである. 緊張してものものしいさま
【如履薄冰】rú lǚ bó bīng 成 薄氷を踏む思いである
【如芒在背】rú máng zài bèi 成 背中にとげが刺さっているかのようである. 不安で落ち着かないさま. 〔芒刺在背〕ともいう
【如梦初醒】rú mèng chū xǐng 成 夢から覚めたかのようである. 過ちに気付いてはっと我に返るさま
【如鸟兽散】rú niǎo shòu sàn 成(驚いた鳥や獣のように)散り散りになって逃げる
【如牛负重】rú niú fù zhòng 成 牛のように重い荷を負う. 負担が非常に重いたとえ
【如期】rúqī 副 期限どおり ‖ 这项工程已～完成 この工事はすでに期限どおり完成した
【如其】rúqí 接 もし…ならば
【如泣如诉】rú qì rú sù 成 泣いているようでもあり, また訴えているようでもある. 音がもの悲しいさま
【如日中天】rú rì zhōng tiān 成 太陽が中天に昇ったかのようである. 物事の勢いが真っ盛りであるたとえ
【如若】rúruò 接 もし…ならば
【如丧考妣】rú sàng kǎo bǐ 成(両親の死にあったように)悲しんだり取り乱したりするさま. 〔考〕は父, 〔妣〕は母をいう
【如上】rúshàng 動 以上のとおりである
【如实】rúshí 副 如実に. ありのままに ‖ ～地反映情况 ありのままに状況を報告する
【如释重负】rú shì zhòng fù 成 重荷を下ろしたようにほっとする. 胸をなでおろす
【如数家珍】rú shǔ jiā zhēn 成 家宝を数えるように

すらすらと並べたてる. 話そうとする事柄について十分熟知していることのたとえ
【如数】rúshù 副 数を揃えて. 一つ残らず ‖ ～归还 耳を揃えて返す
【如汤沃雪】rú tāng wò xuě 成 熱湯を雪に注ぐかのようである. たやすく解決するたとえ
*【如同】rútóng 動 まるで…と同じである. あたかも…のようである ‖ 两个人好得～亲兄弟 二人は仲がよくてまるで兄弟同然だ
*【如下】rúxià 動 次のとおりである. 以下のとおりである ‖ 情况～ 状況は以下のとおりである
【如许】rúxǔ 代 書 ❶かくのごとし ❷これらの
【如一】rúyī 動 同じである. 変化がない
【如蚁附膻】rú yǐ fù shān 成 蟻(あり)が生臭い肉にたかるかのようである. 悪人が群れて悪事をなすたとえ. また, 人が権勢や名利に群がるたとえ
*【如意】[1] rú//yì 動 意にかなう. 気に入る ‖ 称心chènxīn～ 願ったりかなったり
【如意】[2] rúyì 图〈仏〉如意(にょい)
【如意算盘】rúyì suànpan 慣 自分勝手な見積もり. 虫のいい思わく. とらぬ狸(たぬき)の皮算用
【如影随形】rú yǐng suí xíng 成 影の形に添うがごとし. 関係が密接で離れられないたとえ
【如鱼得水】rú yú dé shuǐ 成 水を得た魚のようである. 所を得て生き生きしているさま
【如愿】rú//yuàn 動 願いがかなう. 望みどおりになる ‖ 难以～ なかなか望みがかなわない
【如愿以偿】rú yuàn yǐ cháng 成 願いがかなう. 望みどおりになる
【如约】rúyuē 副 約束どおりに ‖ ～而至 約束どおりやって来る
*【如醉如痴】rú zuì rú chī 成 酔いしれたかのようである. 夢中になるさま
【如坐针毡】rú zuò zhēn zhān 成 針のむしろに座っているようである. 気が安まらないたとえ

9 **茹** rú 書 食う ‖ →～苦含辛 | →～毛饮血
【茹苦含辛】rú kǔ hán xīn 成 辛酸をなめる. 苦労を耐え忍ぶ =〔含辛茹苦〕
【茹毛饮血】rú máo yǐn xuè 成 (原始人のように)野獣の肉を血をしたたらせ, 生のまま食らう

11 **铷** rú 图〈化〉ルビジウム(化学元素の一つ, 元素記号は Rb)

16 **儒** rú ❶旧 読書人. 学者 ‖ 鸿hóng～ 大学者. 鴻儒(こうじゅ) ❷儒教 ‖ →～家
【儒艮】rúgèn 图〈動〉ジュゴン. 俗に〔人鱼〕ともいう
【儒家】Rújiā 图 儒家
【儒将】rújiàng 图 読書人の風格を備えた武将
【儒教】Rújiào 图 儒教
【儒商】rúshāng 图 教養人出身の, あるいはそのような気質をもつ商売人・企業家
【儒生】rúshēng 图 儒者. (広く)読書人
【儒术】rúshù 图 儒家の学術
【儒学】rúxué 图 儒学
【儒雅】rúyǎ 形 書 博学で品がある

17 **濡** rú 書 ぬらす. ぬれる ‖ 耳～目染 目や耳で触れて自然に身についてしまう
【濡染】rúrǎn 動 ❶(習慣に)染まる. なじむ ‖ ～恶习 悪習に染まる ❷浸潤する
【濡湿】rúshī 動 ぬれる. 湿る

17 **嚅** rú ↴
【嚅动】rúdòng 動 (話そうとして)唇をかすかに動かす
【嚅嗫】rúniè 形 ぶつぶつ言うさま =〔嗫嚅〕

17 **孺** rú 子供 ‖ →～子 | 妇～ 女性と子供
【孺子】rúzǐ 图 書 子供. わらべ
【孺子可教】rú zǐ kě jiào 成 若者に教えがいのあること. 若者に見込みがあること
【孺子牛】rúzǐniú 图 孺子(じゅ)の牛. わらべが戯れにひもで引っ張って歩く牛の役. 喩 人々のために喜んで働く人 ‖ 俯首fǔshǒu甘为～ こうべを垂れて甘んじて儒子の牛となる

19 **襦** rú 書 短い上着. 短いあわせの服

20 **蠕**(△蝡) rú (虫などが)うごめく. はい回る
【蠕虫】rúchóng 图 ❶蠕虫(ぜんちゅう) ❷〈計〉ワーム
【蠕动】rúdòng 動 うごめく
【蠕蠕】rúrú 形 ゆっくりうごめく様子
【蠕形动物】rúxíng dòngwù 图〈動〉蠕形(ぜんけい)動物

rǔ

6 **汝** rǔ 代 書 なんじ. お前 ‖ ～等 なんじら. お前たち

8 **乳** rǔ ❶書 授乳する ❷乳房 ‖ →～罩 ❸乳 ‖ →～牛 ❹乳状またはヨーグルト状のもの ‖ 豆～ 豆乳 ❺生まれたばかりの. 幼い ‖ →～燕 ❻生殖する. 生む
【乳白】rǔbái 形 乳白色の
【乳齿】rǔchǐ 图〈生理〉乳歯
【乳畜】rǔchù 图 乳をとる家畜
【乳儿】rǔ'ér 图 乳児. 赤ん坊
【乳房】rǔfáng 图 乳房
【乳化】rǔhuà 動〈化〉乳化する
【乳黄】rǔhuáng 形 淡黄色の. クリーム色の
【乳胶】rǔjiāo 图 ❶乳濁液. エマルジョン ❷酢酸ビニル樹脂を成分とする接着剤
【乳酪】rǔlào 图 乳酪. 家畜の乳を凝固させて造ったヨーグルト状の食品
【乳名】rǔmíng (～儿) 图 幼名 =〔小名〕
【乳母】rǔmǔ 图 乳母
【乳牛】rǔniú 图 乳牛.〔奶牛〕ともいう
【乳糖】rǔtáng 图〈化〉乳糖. ラクトース
【乳头】rǔtóu 图 ❶〈生理〉乳頭. 乳首.〔奶头〕ともいう ❷乳頭状の隆起物
【乳腺】rǔxiàn 图〈生理〉乳腺
【乳腺炎】rǔxiànyán 图〈医〉乳腺炎
【乳臭】rǔxiù 图 貶 乳臭さ. 未熟さ ‖ ～未干 青二才
【乳牙】rǔyá 图〈生理〉乳歯.〔乳齿〕〔奶牙〕ともいう
【乳燕】rǔyàn 图 ツバメのひな
【乳罩】rǔzhào 图 ブラジャー.〔胸罩〕〔奶罩〕〔文胸〕ともいう ‖ 戴～ ブラジャーを着ける
【乳汁】rǔzhī 图 乳. 乳汁
【乳脂】rǔzhī 图 乳脂
【乳制品】rǔzhìpǐn 图 乳製品.〔奶制品〕ともいう

10 **辱 rǔ** ❶恥である. 恥辱である ↔〔荣〕‖ 耻chǐ～ 恥辱 ❷侮辱する. 辱める ‖ 侮wǔ～ 侮辱する ❸名誉を汚す. 辱める ‖ →～没 ❹書 謙 かたじけなくも… する. …にあずかる ‖ ～承指教, 不胜荣幸 かたじけなくもご教示を賜り, 光栄の至りです

【辱骂】rǔmà 動 口汚く罵倒する

【辱命】rǔmìng 動 謙 命令や言いつけに背く

【辱没】rǔmò 動 辱める. 汚す ‖ ～家门 家門を汚す

rù

2 ** **入 rù** ❶動 入る ↔〔出〕‖ 禁止～内 立ち入り禁止 ❷入れる. 納める ‖ 纳～ 取り入れる ❸動 (ある組織に) 加わる. 加入する ‖ 孩子～了托儿所 子供を託児所に入れた ❹収入 ‖ →～不敷出 ❺適合する. かなう ‖ →～时 ❻名〈語〉古代中国語の四つの声調の一つ. 入声(にっしょう) ❼(ある程度や境地に) 達する ‖ →～迷

【入保】rù//bǎo 動 保険に加入する

【入不敷出】rù bù fū chū 成 収入で支出をまかないきれない. 赤字である

【入场】rù//chǎng 動 入場する ‖ ～券quàn 入場券

【入超】rùchāo 動 入超になる. 輸入超過になる ↔〔出超〕

【入党】rù//dǎng 動 入党する. ふつう中国共産党への入党をさす ‖ 申请～ 入党を申請する

【入定】rùdìng 動〈仏〉入定(にゅうじょう)する

【入耳】rù'ěr 形 (聞いて) 気に入る. 気持ちがよい ‖ 这话很～ この話はなかなか気に入った

【入伏】rù//fú 動〈気〉三伏(さんぷく)に入る. 夏の最も暑い時期になる

【入港】rùgǎng 動 入港する 形 旧 話が合う. 意気投合する

【入股】rù//gǔ (～儿) 動 (出資金の一部を) 出資する. 株主になる

【入骨】rùgǔ 動 骨の髄まで染み込む ‖ 恨之～ 恨みが骨髄に徹するほど深いこと

【入国问禁】rù guó wèn jìn 成 よその国に入ればまずその国の法律や決まりを理解する. 郷に入っては郷に従え

【入户】rùhù 動 ❶人の家を訪ねる ❷戸籍届けをする

【入画】rùhuà 動 (美しくて) 絵になる

【入伙】[1] rù//huǒ 動 仲間に入る

【入伙】[2] rù//huǒ 動 (食堂などの) 賄いに加入する

【入籍】rù//jí 動 (ある国の) 国籍に入る

*【入境】rù//jìng 動 入国する ‖ 办理～手续 入国手続きをする | ～签证 入国ビザ

【入境问俗】rù jìng wèn sú 成 よその国に入ればその国の風俗を問う. 郷に入っては郷に従え

*【入口】rùkǒu 名 入り口 ↔〔出口〕‖ 剧场～ 劇場の入り口 動 (rù//kǒu) ❶口に入れる ❷輸入する

【入库】rù//kù 動 入庫する. 倉庫に納める

【入殓】rù//liàn 動 入棺する

【入列】rùliè 動〈軍〉隊伍(たいご)に戻る. 隊列に加わる

【入流】rùliú 動 ❶古 (九品以下の役人が) 九品までの正規の官位に就く ❷数に入る. 一人前に認められる

【入梅】rù//méi 動 梅雨入りする

【入寐】rùmèi 動 寝つく

【入门】rù//mén (～儿) 動 入門する 名 (rùmén) (多く書名に用いて) 入門. 手引き

【入梦】rùmèng 動 ❶寝つく ❷他人が自分の夢に現れる

【入迷】rù//mí 動 夢中になる. 魅せられる ‖ 他对下围棋很～ 彼は囲碁に夢中である

【入眠】rùmián 動 ❶眠りに入る. 寝つく ❷(カイコが) 脱皮のための静止期間に入る

【入魔】rù//mó 動 夢中になる. 病みつきになる

【入木三分】rù mù sān fēn 成 三分も木にめり込む. 筆勢の鋭いたとえ. また, 分析が深く鋭いたとえ

*【入侵】rùqīn 動 国境を侵す. 侵入する

【入情入理】rù qíng rù lǐ 成 情理にかなう

【入神】rù//shén 動 夢中になる ‖ 他听得正～ 彼はまさに夢中になって聞き入っているところだ 形 (rùshén) 技能がきわめて優れている. 入神の域に達する

【入声】rùshēng 名〈語〉古代中国語の四つの声調の一つ. 入声(にっしょう) ➡〔四声sìshēng〕

【入时】rùshí 形 (多く服装が) 流行に合っている. 時流にかなっている ‖ 穿着chuānzhuó～ 身なりが今風である

【入世】rùshì 動 ❶実社会に出る ❷〔世界贸易组织〕(WTO) に加盟する

【入室】rùshì 動 書 (学問や技術について) 造詣(ぞうけい)を深める ‖ 登堂～ 母屋に上がり奥の部屋へ入る. 学問を深く究める

*【入手】rùshǒu 動 着手する. 手をつける. 始める ‖ 这工作太复杂, 从何～呢? この仕事は難しすぎて, どこから手をつけたらいいのだろうか

【入睡】rùshuì 動 寝つく

【入土】rù//tǔ 動 ❶埋葬する. 葬る ❷死ぬ. あの世に行く

【入托】rùtuō 動 (子供を) 託児所に入れる

【入网】rù//wǎng 動 ❶携帯電話の通信網に加入する ❷インターネットの接続サービスに加入する

【入微】rùwēi 形 細かいところまで行き届く ‖ 体贴tǐtiē～ 気配りが行き届いている

【入围】rù//wéi 動 選考に残る. 入選する

【入味】rùwèi (～儿) 形 味がよくしみ込む ‖ 多煮zhǔ一会儿, 才能～儿 もう少し煮ないと味がしみ込まない

【入伍】rù//wǔ 動 (軍隊に) 入隊する

【入席】rù//xí 動 (宴会などで) 席に着く. 着席する

【入戏】rù//xì 動 (俳優が) 役柄に入り込む. 役になりきる

【入乡随俗】rù xiāng suí sú 成 郷に入っては郷に従え. 〔入乡随乡〕〔随乡入乡〕ともいう

【入邪】rù//xié 動 邪道に入る

【入选】rùxuǎn 動 (人や作品が) 選抜される. 入選する

*【入学】rù//xué 動 ❶入学する ‖ ～考试 入学試験 ❷小学校に入学する. 就学する

【入眼】rùyǎn 形 気に入る ‖ 看不～ 気に入らない

【入药】rùyào 動 薬になる ‖ 橘子皮可以～ ミカンの皮は薬になる

【入夜】rùyè 動 夜になる

【入狱】rùyù 動 入獄する. 監獄に入れられる

【入院】rù//yuàn 動 入院する

【入账】rù//zhàng 動 記帳する. 帳簿に記入する

【入住】rùzhù 動 入居する ‖ 小区二月竣工, 七月～ 団地は2月に竣工, 7月には入居できる

【入赘】rùzhuì 動 婿入りする

【入座】【入坐】rù//zuò 動 席に着く. 着席する ‖ 对号～ 番号と照らし合わせて席に着く. 指定の席に座る

9 **洳** rù 書 じめじめしている

13 **蓐** rù 書 むしろ.（多く産褥(さんじょく)をさす）‖ 坐～ 産褥につく

13 **溽** rù 書 湿っぽい. じめじめしている

13 **缛** rù 形 書 煩わしい. 繁雑である ‖ 繁文～节 こまごまとして煩わしい規則や礼儀

15 **褥** rù 敷き布団 ‖ →～子 | 被～ 掛け布団と敷き布団. 寝具

【褥单】rùdān（～儿）名 敷布. シーツ

【褥套】rùtào 名 ❶両端が袋状になっている旅行用の物入れ（担いだり, ウマの背などに乗せたりする） ❷敷き布団用の綿

【褥子】rùzi 名 敷き布団 ↔〔被子〕

ruǎn

6 **阮** ruǎn 名〈音〉阮咸(げんかん).〔阮咸xián〕の略

8 ** **软**（△輭）ruǎn ❶形 柔らかい ↔〔硬〕‖ →～糖 | →～木 ❷形 穏やかである. 柔和である ‖ 语调很～ 口ぶりがもの柔らかだ ❸形（体に）力がない ‖ 两腿发～ 両足がたくたくだ ❹形（意志や気が）軟弱である. 弱い ‖ 心～ 情にもろい. 気が弱い | 耳朵～ 人の言うことを簡単に信じる ❺形 へりくだっている. 下手である ‖ 硬的不行, 他就来～的 強硬におしてもだめなので, 彼は下手に出た ❻形（能力が）足りない.（質が）劣っている ‖ 货色～ 品質が劣る

【软包装】ruǎnbāozhuāng 名 ソフトパッケージ

【软蛋】ruǎndàn 名 方 弱虫. 軟弱なやつ

【软刀子】ruǎndāozi 慣 徐々に人を痛めつける陰険なやり方 ‖ 用～杀人 真綿で人の首を絞める

【软钉子】ruǎndīngzi 慣 遠回しに断ること. 婉曲に拒絶すること ‖ 碰pèng了个～ やんわりと拒絶された

【软腭】ruǎn'è 名〈生理〉軟口蓋(なんこうがい)

【软耳朵】ruǎn'ěrduo 名 定見のない人

【软膏】ruǎngāo 名〈薬〉軟膏(なんこう)

【软骨】ruǎngǔ 名〈生理〉軟骨

【软骨病】ruǎngǔbìng 名〈医〉骨軟化症. くる病

【软骨头】ruǎngǔtou 名 意気地なし. 根性なし

【软罐头】ruǎnguàntou 名 レトルト食品

【软广告】ruǎnguǎnggào 名 間接広告. 製品や企業名などを直接明示しない広告手法

【软乎乎】ruǎnhūhū（～的）形 非常に柔らかいさま ‖ ～的小手 柔らかい小さな手

【软化】ruǎnhuà 動 ❶（物質が）軟化する ❷（態度が）軟化する. 柔軟になる ❸軟化させる. 柔らかくする

【软话】ruǎnhuà 名 下手に出た言葉. わびや譲歩などの言葉をいう.〔软和话儿〕ともいう

【软环境】ruǎnhuánjìng 名（投資先などの）ソフト面での環境. 政策・法律・管理・サービス・労働者の素質などをさす

【软和】ruǎnhuo 形 口 柔らかい

*【软件】ruǎnjiàn 名 ❶〈計〉ソフトウエア. ソフト ↔〔硬件〕‖ 免费～ フリー・ソフト ❷（広く）物事の運用に関するシステム. ソフトウエア

【软禁】ruǎnjìn 動 軟禁する

【软科学】ruǎnkēxué 名 ソフトサイエンス

【软绵绵】ruǎnmiānmiān（～的）形 ❶ふわふわして柔らかい ❷弱々しい. ぐったりしている ‖ 病是好了, 可身上还是～的 病気は治ったが, 体にまだ力が入らない

【软磨】ruǎnmó 動（やんわりと）執拗(しつよう)に頼み込む. しつこくせがむ ‖ ～硬泡pào なんのかのとしつこくせがむ

【软木】ruǎnmù 名 コルク ‖ ～塞儿sāir コルク栓

【软木画】ruǎnmùhuà 名（工芸品の一種）コルク彫刻品

*【软盘】ruǎnpán 名〈計〉フロッピー・ディスク

【软片】ruǎnpiàn 名 フィルム ＝〔胶jiāo片〕

【软驱】ruǎnqū 名〈計〉フロッピー・ディスク・ドライブ.〔软盘驱动器〕の略

*【软弱】ruǎnruò 形 軟弱である. 弱々しい ‖ ～可欺 軟弱でいじめやすい | ～无能 弱虫で無能である

【软设备】ruǎnshèbèi ＝〔软件〕

【软食】ruǎnshí 名 柔らかく消化のよい食べ物

【软水】ruǎnshuǐ 名〈化〉軟水 ↔〔硬水〕

【软糖】ruǎntáng 名 ❶麦芽糖 ❷ヌガー・ゼリーなど, 軟らかいあめ菓子類

【软梯】ruǎntī 名 縄ばしご

【软体动物】ruǎntǐ dòngwù 名〈生〉軟体動物

【软卧】ruǎnwò 名（列車の）一等寝台

【软席】ruǎnxí 名（列車の）一等席 ↔〔硬席〕

【软饮料】ruǎnyǐnliào 名 ソフトドリンク

【软硬兼施】ruǎn yìng jiān shī 成 貶 硬軟両様の手を使う

【软着陆】ruǎnzhuólù 動 軟着陸する

【软资源】ruǎnzīyuán 名 ソフト資源. 科学技術や情報などをさす

【软组织】ruǎnzǔzhī 名〈医〉（筋肉やじん帯などの）軟組織

【软座】ruǎnzuò（～儿）名（列車の）一等座席. グリーン車 ↔〔硬座〕

8 **朊** ruǎn 名〈化〉蛋白質.〔蛋白质〕の旧称

R

ruǐ

15 **蕊**（△蘂 橤 蘃）ruǐ 花のしべ ‖ 花～ 花のしべ | 雄～ 雄しべ

ruì

7 **芮** ruì 名 姓

8 **枘** ruì 書 ほぞ ‖ 方～圆凿záo 四角いほぞと丸いほぞ. 双方相容(あい)れないことのたとえ

10 **蚋** ruì 名〈虫〉ブヨ

12 **锐** ruì ❶鋭い ↔〔钝dùn〕‖ 尖～ 鋭い ❷鋭気 ‖ 养精蓄xù～ 精神を休め鋭気を蓄える（多く軍隊が休養をとること） ❸急速に. 急激に ‖ →～减

【锐不可当】ruì bù kě dāng 成 当たるべからざる勢い

【锐减】ruìjiǎn 動 激減する

【锐角】ruìjiǎo 名〈数〉鋭角

*【锐利】ruìlì 形 ❶（刃先が）鋭利である. 鋭い ‖ ～的刀锋 鋭い切っ先 ❷（観察眼や論調などが）鋭い ‖ 目光～ 眼光が鋭い

【锐敏】ruìmǐn 形（感覚や洞察力が）鋭敏である. 鋭

い‖眼光～ 観察が鋭い
【锐气】ruìqì 名 鋭気
【锐意】ruìyì 副書 鋭意‖～改革 鋭意改革に取り組む
【锐增】ruìzēng 動 急増する. 急激に増加する‖出口量～ 輸出量が急増する
13 瑞 ruì ❶めでたいしるし. 吉兆. 瑞祥(ずいしょう) ❷めでたい‖→～雪
【瑞典】Ruìdiǎn 名〈国名〉スウェーデン
【瑞士】Ruìshì 名〈国名〉スイス
*【瑞雪】ruìxuě 名 めでたいしるしとされる雪. 瑞雪(ずいせつ)‖～兆zhào丰年 瑞雪は豊年のしるしである
14 睿(△叡) ruì 書 賢い. 聡明である
【睿智】ruìzhì 名書 英知

rùn

7 闰 rùn 閏(うるう)
【闰年】rùnnián 名 閏年(うるうどし)
【闰日】rùnrì 名 閏日(うるうび). 2月29日のこと
【闰月】rùnyuè 名 閏月(うるうづき)
10 润 rùn ❶動 潤す. 湿らす‖喝口水～～嗓子sǎngzi 水を飲んでのどを潤す ❷湿り気がある. しっとりしている‖滋zī～ しっとりと潤っている ❸形 つやつやしている. 光沢がある‖脸色红～ 顔色が赤くつややかである ❹(文章に)手を加える‖→～色 ❺利益. 得‖利～ 儲け. 利潤
【润笔】rùnbǐ 名旧 揮毫(きごう)料. 画料
【润格】rùngé 名旧 揮毫料の相場
【润滑】rùnhuá 形 しっとりしている. 潤いがある 動〈機〉潤滑にする
【润滑油】rùnhuáyóu 名〈機〉潤滑油
【润色】rùnsè 動(文章に)手を加える
【润湿】rùnshī 形 湿っている 動 湿らす. ぬらす
【润饰】rùnshì 動(文章に)手を加える. 潤色する
【润丝】rùnsī 名外 リンス.〔护发素〕ともいう
【润泽】rùnzé 形 潤いがある. しっとりとしている 動 潤す. 湿らす

ruò

8 *若[1] ruò ❶動…のごとし‖大智～愚yú 大智は愚のごとし. 真に賢い者は利口ぶらないので一見愚者のようである ❷動(動詞の前に置き)…のようである‖旁～无人 傍若無人 ❸接 もし…ならば
8 若[2] ruò 代書 なんじ‖～辈 なんじら ➤ rě
【若非】ruòfēi 接 もし…でなければ‖～亲眼所见, 简直无法相信 自分の目で見たのでなければとても信じられない
*【若干】ruògān 代 いくつか. 若干. いくらか‖提出～问题 問題をいくつか提出する｜～年后 何年かのち
【若即若离】ruò jí ruò lí 成 不即不離. つかず離れず. どっちつかず
【若明若暗】ruò míng ruò àn 成 明るいような暗いような. 問題や状況に対する認識が十分でないたとえ. また, 態度がはっきりしないさま
【若是】ruòshì 接 もし…ならば
【若无其事】ruò wú qí shì 成 何事もなかったかのようである. 事もなげである
【若要人不知, 除非己莫为】ruò yào rén bù zhī, chúfēi jǐ mò wéi 諺 人に知られたくないようなことはやらないことだ. 悪いことは必ずばれるものだ
【若隐若现】ruò yǐn ruò xiàn 成 見えつ隠れつする. ぼんやりしているさま
【若有所失】ruò yǒu suǒ shī 成 何かを失ったように心がうつろであるさま
【若有所思】ruò yǒu suǒ sī 成 何かを考えているようである. 思案顔である
10 偌 ruò このように. そのように
【偌大】ruòdà 形 こんなに(そんなに)大きい. これほどの. それほどの‖～年纪 これほどの高齢
10 **弱 ruò ❶形(実力が)劣っている. 力がない ↔〔强〕‖技术上不～于他人 技術面ではかの者には負けない ❷形(体が)弱い. 体力がない ↔〔强〕‖体～多病 虚弱で病身である ❸(年齢が)若い‖老～ 老いも若きも ❹(気が)弱い. 軟弱である‖脆cuì～ 脆弱(ぜいじゃく)である ❺形(数量を表す語の後に置き, 不足を示す)弱 ↔〔强〕
【弱不禁风】ruò bù jīn fēng 成 風に耐えられないほどか弱い. 体の弱々しいさま
*【弱点】ruòdiǎn 名 弱点. 欠点‖被抓住了～ 弱点をつかまれる
【弱冠】ruòguàn 名 ❶古 20歳の冠礼を受けた男子 ❷書 20歳前後の若者
【弱化】ruòhuà 動 弱体化する. 弱まる. 弱める‖新版教科书～革命内容 新しい教科書は革命についての記述が弱められている
【弱碱】ruòjiǎn 名〈化〉弱アルカリ
【弱旅】ruòlǚ 名〈体〉弱小チーム ↔〔劲jìng旅〕
【弱能】ruònéng 形 体に障害のある‖～儿童 身体障害児
【弱肉强食】ruò ròu qiáng shí 成 弱肉強食
【弱视】ruòshì 形〈医〉弱視である
【弱势】ruòshì 名 ❶勢いが弱まること‖～股市 弱含みの株式市場 ❷弱者‖～群体 弱者層
【弱手】ruòshǒu 名 レベルや能力が劣っている人
【弱酸】ruòsuān 名〈化〉弱酸
【弱项】ruòxiàng 名(多くスポーツの)弱い種目. 苦手な種目 ↔〔强项〕
【弱小】ruòxiǎo 形 弱小である‖～民族 弱小民族
【弱者】ruòzhě 名 弱者
【弱智】ruòzhì 形 精神薄弱である
14 箬(△篛) ruò ↴
【箬竹】ruòzhú 名〈植〉長江流域に自生するササの一種.

S

sā

5 **仨** sā 数口三つ. 3個. 3人.(後に量詞はつかない)‖姐ㄦ～ 姉妹3人

11 **挲** sā ➡〔摩挲māsa〕 ➤ suō

15 **撒** sā ❶動 放つ. 放す. 広げる‖→～手 ❷動口 排泄する. 漏らす‖→～尿 ❸動貶(感情などを)発散する. ぶちまける‖一肚子气没处～ 怒りの持って行き場がない ➤ sǎ

【撒旦】sādàn 名外〈宗〉サタン
【撒刁】sā//diāo 動 ごねる. すねる. 無茶を言う
【撒欢ㄦ】sā//huānr 動方(多く動物が)興奮して跳んだりはねたりする. じゃれる
*【撒谎】sā//huǎng 動 うそを言う‖你别～! うそをつくな｜他对我撒了谎 彼は私にうそをついた
【撒娇】sā//jiāo(～ㄦ)動 甘える. だだをこねる
【撒酒疯】sā jiǔfēng(～ㄦ)組 酒に酔って狂態を演じる.〔发酒疯〕ともいう
【撒拉族】Sālāzú 名 サラ族(中国の少数民族の一つ, 主として青海省と甘粛省に居住)
【撒赖】sālài 動 ごねる. すねる. だだをこねる
【撒尿】sā//niào 動口 小便をする. おしっこをする
【撒泼】sāpō 動 子供が甘えて泣きわめく. だだをこねる
【撒气】sā//qì 動❶(ボールやタイヤの)空気が漏れる ❷当たり散らす‖拿孩子～ 子供に当たり散らす
【撒手】sā//shǒu 動 手を放す. 手を緩める‖～花钱 思う存分お金を使う｜这事你可不能～不管! 君はこの件から手を引くわけにはいかないよ
【撒手锏】sāshǒujiǎn 名 切り札. 奥の手.〔杀手锏〕ともいう
【撒腿】sā//tuǐ 動 ぱっと走り出す‖一看闯chuǎng了祸huò, ～就跑 まずいことになったと見るなり, ぱっと逃げ出した
【撒野】sā//yě 動 粗野な言動をとる. わめき散らす

sǎ

9 **洒**(灑) sǎ ❶動(水などを)まく. ふりまく‖～水 水をまく ❷動 こぼす. こぼれる‖汤～了 スープがこぼれた

【洒泪】sǎlèi 動 涙を流す‖～而别 涙を流して別れる
【洒落】sǎluò 動 散る. こぼれる 形(言葉や挙止などが)おうようである. おおらかである
【洒洒】sǎsǎ 形(文章の字数が)膨大なさま‖洋洋～几十万字 堂々数十万字(の文章)
【洒扫】sǎsǎo 動書 水をまいて掃き清める
【洒脱】sǎtuo 形(言葉や挙止などが)おうようである. 超然としてこせこせしないさま‖举止～ 挙止がおうようである

15 **撒** sǎ ❶動(粉状または粒状のものを)まく. まき散らす‖～种 種をまく｜～胡椒面 hújiāomiàn 胡椒(こしょう)を振りかける ❷動 こぼす. こぼれる‖把汤～了满地 スープをあたり一面にこぼした ➤ sā

【撒播】sǎbō 動〈農〉(種を)まく

sà

4 **卅** sà 数 三十. 30

9 **飒**(颯) sà ↓

【飒然】sàrán 形書 風が吹き渡るさま
【飒飒】sàsà 擬(風や雨の音)颯々(さつさつ). さわさわ
【飒爽】sàshuǎng 形書 さっそうとしている

10 **脎** sà 名〈化〉オサゾン

11 **萨**(薩) sà 名 姓

【萨尔瓦多】Sà'ěrwǎduō 名〈国名〉エルサルバドル
【萨克管】sàkèguǎn 名〈音〉サックス. サキソホン
【萨满教】Sàmǎnjiào 名〈宗〉シャーマニズム
【萨摩亚】Sàmóyà 名〈国名〉サモア

sāi

13 **塞** sāi ❶動 すきまに詰める. ふさぐ‖用棉花～耳朵 綿で耳の穴をふさぐ ❷動 詰め込む. 押し込む. 差し込む‖口袋里～满了东西 ポケットに物がいっぱい詰まっている ❸名(～ㄦ)栓‖瓶～ 瓶の栓 ➤ sài sè

【塞车】sāi//chē 動 車が渋滞する
【塞子】sāizi 名 栓‖瓶～ 瓶の栓

13 **腮**(顋) sāi 名 頬の下寄りの部分‖两～ 両頬｜手托着～ 頬杖をつく

【腮帮子】sāibāngzi 名口 ほっぺた.〔腮帮〕ともいう
【腮颊】sāijiá 名 頬

17 **鳃** sāi 名(魚の)えら

sài

13 **塞** sài とりで. 要塞‖要～ 要塞｜边～ 辺塞 ➤ sāi sè

【塞北】Sàiběi 名 万里の長城以北の地域. 塞外
【塞尔维亚】Sài'ěrwéiyà 名〈国名〉セルビア
【塞拉利昂】Sàilālì'áng 名〈国名〉シエラレオネ
【塞内加尔】Sàinèijiā'ěr 名〈国名〉セネガル
【塞浦路斯】Sàipǔlùsī 名〈国名〉キプロス
【塞舌尔】Sàishé'ěr 名〈国名〉セイシェル
【塞外】Sàiwài 名 塞外. 万里の長城以北の地域
【塞翁失马】sài wēng shī mǎ 成 人間万事塞翁(さいおう)が馬

14 **赛**[1] sài ❶動 競争する. 試合をする. 勝負する‖咱们～一～, 看谁跑得快 誰が早いか, 駆けっこをしよう ❷動 優れる. 勝る‖干起活ㄦ来一个～一个 仕事となると, 誰もいずれ劣らぬ働き手だ ❸試合. 競技‖比～ 試合

14 **赛**[2] sài 旧 供物を供えて神を祭る‖～神 同前｜祭～ 同前

逆引き単語帳 〔比赛〕bǐsài 試合 〔球赛〕qiúsài 球技の試合 〔足球赛〕zúqiúsài サッカーの試合 〔田径赛〕tiánjìngsài 陸上競技 〔田赛〕tiánsài フィールド競技 〔径赛〕jìngsài トラック競技 〔初赛〕chūsài 第1回戦 〔预赛〕yùsài 試合の予選 〔四分之一决赛〕sì fēn zhī yī juésài 準々決勝戦 〔半决赛〕bànjuésài 準決勝戦 〔决赛〕juésài 〔冠军赛〕guànjūnsài 決勝戦 〔淘汰赛〕táotàisài トーナメント 〔联赛〕liánsài 〔循环赛〕xúnhuánsài リーグ戦 〔对抗赛〕duìkàngsài 対抗試合 〔友谊赛〕yǒuyìsài 親善試合 〔邀请赛〕yāoqǐngsài 招待試合 〔锦标赛〕jǐnbiāosài 選手権大会

【赛场】sàichǎng 图 試合場
【赛车】sài//chē 〈体〉動 (自転車・オートバイ・自動車などの)レースをする 图 (sàichē) ❶競技用の自転車.〔跑车〕ともいう ❷広くレース用の車やオートバイ
【赛程】sàichéng 图〈体〉❶レースコースの距離 ❷試合のスケジュール. 試合の日程
【赛点】sàidiǎn 图〈体〉マッチポイント
【赛季】sàijì 图〈体〉競技シーズン
【赛绩】sàijì 图 試合成績
【赛况】sàikuàng 图 試合状況. 試合の模様
【赛马】sài//mǎ 動 競馬をする 图 競走馬
【赛跑】sàipǎo 動〈体〉競走をする ‖ 短距离～ 短距離競走 | 四百米～ 400メートル競走
【赛期】sàiqī 图 試合日程. 試合期間
【赛区】sàiqū 图〈体〉(試合のために区分した)地区
【赛艇】sàitǐng 〈体〉图 ❶競艇 ❷競艇用ボート
【赛项】sàixiàng 图 競技種目

sān

3★三 sān ❶数 3. 三つ ❷数 数の多いことを表す. 多数 ‖ 接二连～ 次から次へ

【三八妇女节】Sān Bā fùnǚjié 图 国際婦人デー(3月8日).〔国际妇女节〕ともいう
【三百六十行】sānbǎi liùshí háng 慣 種々さまざまな職業
【三班倒】sānbāndǎo 動 3交替制で勤務する
【三包】sānbāo 图 ❶工場の製品に対する三つの保証.〔包修, 包退, 包换〕(修理・返品・交換の保証)をさす ❷ ➡〔门前三包ménqián sānbāo〕
【三宝】sānbǎo 图〈仏〉三宝(仏・法・僧)
【三北】Sān Běi 图 中国の東北・西北・華北地方の総称
【三不管】sānbùguǎn (～儿) 图 どこにも管轄されない地域. 誰の所管でもない事務
【三不知】sānbùzhī 慣 一切合切なにも知らないこと
【三部曲】sānbùqǔ 图 三部作. 三部曲
【三餐】sāncān 图 3食. 3度の食事
【三叉神经】sānchā shénjīng 图〈生理〉三叉(さんさ)神経
【三岔路口】sānchà lùkǒu 图 三叉路
【三产】sānchǎn 图 第三次産業.〔第三产业〕の略
【三长两短】sān cháng liǎng duǎn 慣 意外な事故や災害. 万一のこと. もしものこと
【三重唱】sānchóngchàng 图〈音〉三重唱
【三从四德】sān cóng sì dé 成 封建社会で女性が守るべきとされた徳目. 三従(家にあっては父に, 嫁しては夫に, 夫の死後は子に従う)と四徳(貞節・言葉遣い・身だしなみ・家事)
【三寸不烂之舌】sān cùn bù làn zhī shé 成 弁舌巧みなさま. 能弁であるさま.〔三寸舌〕ともいう
【三大件】sāndàjiàn 图 三種の神器
【三代】sāndài 图 ❶書 古代の3王朝. 夏・商・周の総称 ❷祖父から孫にかけての3世代
【三点式】sāndiǎnshì =〔比基尼bǐjīní〕
【三段论】sānduànlùn 图〈哲〉三段論法.〔三段论式〕〔三段论法〕ともいう
*【三番五次】sān fān wǔ cì 成 何度も. 繰り返し. 再三再四 ‖ 他～写信来催促cuīcù这件事 彼は何度も手紙でこの件について催促してきている
【三废】sānfèi 图〔废渣zhā〕(固体廃棄物)・〔废水〕(廃水, 廃液)・〔废气〕(廃気ガス)の総称
【三伏】sānfú 图〈気〉❶三伏(さんぷく)(夏の最も暑い期間).〔初伏〕〔中伏〕〔末伏〕の総称 ❷末伏(まつぷく)
【三纲五常】sān gāng wǔ cháng 成 儒教で社会の根本となる三綱(父子・君臣・夫妻の道)と五常(仁・義・礼・智・信)
【三个臭皮匠, 赛过诸葛亮】sān ge chòu pí-jiang, sàiguo Zhūgě Liàng 諺 靴職人でも3人寄れば諸葛孔明に匹敵する. 3人寄れば文殊の知恵
【三个代表】sān ge dàibiǎo 图 三つの代表. 2000年に江沢民が打ち出した中国共産党の指導思想で, 中国共産党は「中国の先進的な生産力の発展の要求を代表し, 中国の先進的な文化の前進の方向を代表し, 中国の最も幅広い人民の根本的利益を代表するものでなくてはならない」とする考え方
【三更半夜】sāngēng bànyè 慣 真夜中. 深夜. =〔半夜三更〕
【三姑六婆】sāngū liùpó 慣 いかがわしい商売の女. 巧言で悪事をはたらく女
【三顾茅庐】sān gù máo lú 成 三顧の礼
【三国】Sānguó 图〈史〉三国時代(220～280年)
【三好学生】sānhǎo xuésheng 图 運動・学習・道徳ともに優れている学生
【三合板】sānhébǎn 图 3層になっているベニヤ板
【三合房】sānhéfáng 图 三合院. 中庭をコの字形に取り囲む形式の伝統的家屋.〔三合院儿〕ともいう
【三合土】sānhétǔ 图〈建〉石灰・粘土・砂に水を加えて練り合わせたもの
【三皇五帝】Sānhuáng Wǔdì 图 古代伝説上の帝王. 三皇はふつう〔伏羲〕〔燧人〕〔神农〕をさし, 五帝はふつう〔黄帝〕〔颛顼〕〔帝喾〕〔唐尧〕〔虞舜〕をさす
【三级跳远】sānjí tiàoyuǎn 图〈体〉三段跳び
【三缄其口】sān jiān qí kǒu 成 慎重で容易に口を開かないさま
【三焦】sānjiāo 图〈中医〉三焦(のどから胸腔きょうを経て腹腔ふくに至る臓腑ぞうをさす).
*【三角】sānjiǎo 图 ❶略〈数〉三角法.〔三角学〕の略 ❷形が三角形を呈している物
【三角板】sānjiǎobǎn 图 三角定規.〔三角尺〕ともいう
【三角恋爱】sānjiǎo liàn'ài 图 三角関係
【三角铁】sānjiǎotiě 图 ❶山形鋼. アングル鋼〔角钢〕の俗称 ❷〈音〉トライアングル
【三角形】sānjiǎoxíng 图〈数〉三角形
【三角学】sānjiǎoxué 图〈数〉三角法

【三角债】sānjiǎozhài 图〈経〉債権と債務の連鎖
【三角洲】sānjiǎozhōu 图〈地〉三角州. デルタ
【三脚架】sānjiǎojià 图（撮影用の）三脚
【三教九流】sān jiào jiǔ liú 成 ❶三教（儒教・道教・仏教）と九流（儒家・道家・陰陽家・法家・名家・墨家・縦横家・雑家・農家）. また, 広く宗教・学術上のもろもろの流派をさす.〔九流三教〕ともいう ❷喩 もろもろの職業. さまざまな人々
【三节】sānjié 图〔春节〕（春節）・〔端午节〕（端午節）・〔中秋节〕（中秋節）の総称
【三九】sānjiǔ 图〈気〉冬至以降9日ごとに一区切りとして, 三つ目の9日間（最も寒い期間）
【三军】sānjūn 图 ❶（陸・海・空）三軍 ‖ ～联合演习 三軍の合同演習 ❷軍隊の総称. 全軍
【三K党】Sān K dǎng 图（アメリカのテロ組織）クー・クラックス・クラン. KKK
【三棱镜】sānléngjìng 图〈物〉プリズム ＝〔棱镜〕
【三联单】sānliándān 图 3枚続きの伝票
【三令五申】sān lìng wǔ shēn 成 再三再四, 訓令を発する. 繰り返し何度も命令を出す
【三六九等】sān liù jiǔ děng 成 さまざまな等級. ピンからキリまで. 千差万別 ‖ 不应该把工作分为～ 仕事をさまざまな等級に分けるべきではない
【三轮车】sānlúnchē 图（荷台付きの）三輪自転車.〔三轮ㄦ〕ともいう
【三轮摩托车】sānlún mótuōchē 图 オート三輪
【三昧】sānmèi 图 ❶〈仏〉三昧（さんまい） ❷喩 奥義
【三民主义】sānmín zhǔyì 图〈史〉三民主義. 孫文の提唱した民族・民権・民生の三原則
【三明治】sānmíngzhì 图 外 サンドイッチ
【三农】sānnóng 图 三農. 農業・農村・農民のこと
【三陪小姐】sānpéi xiǎojiě 图 酒場で〔陪酒, 陪唱歌, 陪跳舞〕（酒・歌・ダンスの相手をすること）を職業とする若い女性. ホステス嬢
【三亲六故】sān qīn liù gù 成 親戚と親しい友人
【三亲六眷】sān qīn liù juàn 成 親戚縁者
【三秋】sānqiū 图 ❶〈農〉〔秋收〕（秋の収穫）・〔秋耕〕（秋耕）・〔秋播〕（秋の種まき）の総称 ❷書 秋の3ヵ月（初秋・仲秋・晩秋）, または旧暦の9月をさす ❸書 3年. 三秋 ‖ 一日不见, 如隔～ 1日会わないと, 3年も離れているような気がする
【三三两两】sānsānliǎngliǎng 慣 三々五々
【三色堇】sānsèjǐn 图〈植〉パンジー. サンシキスミレ
【三十六计, 走为上计】sānshíliù jì, zǒu wéi shàngjì 諺 三十六計, 逃げるにしかず
【三思而行】sān sī ér xíng 成 熟慮して実行に移す. よく考えて慎重に事を運ぶ
【三天打鱼, 两天晒网】sān tiān dǎ yú, liǎng tiān shài wǎng 慣 三日漁に出ると, 二日は網を干す. 長続きしないたとえ. 三日坊主
【三天两头ㄦ】sān tiān liǎng tóur 慣 口 三日にあげず. 毎日のように. たびたび
【三通】sāntōng 图 三通. 中国大陸と台湾の間の通信・通航・通商の自由化
【三头对案】sān tóu duì àn 慣（当事者双方と証人の）三者で対質し真相を明らかにする
【三头六臂】sān tóu liù bì 成 三面六臂（さんめんろっぴ）. 並外れた能力を持ったとえ
【三围】sānwéi 图 スリーサイズ. バスト・ウエスト・ヒップのサイズ
【三维动画】sānwéi dònghuà 图 3Dアニメーション
【三维空间】sānwéi kōngjiān 图 三次元空間.〔三度空间〕ともいう
【三位一体】sānwèi yītǐ 图〈宗〉三位一体（さんみいったい）
【三…五…】sān…wǔ… 組 ❶回数が多いことを表す ‖ 三番fān五次 何度も ❷それほど大きくない概数を表す ‖ 三年五载zǎi 3,4年. 4,5年
【三下五除二】sān xià wǔ chú èr 慣 てきぱきと片付けること
【三鲜】sānxiān 图 エビ・イカ・ナマコ・肉・玉子・タケノコなどさまざまな材料から, 数種類を組み合わせた料理
【三弦】sānxián（～ㄦ）图〈音〉中国の民族楽器の一つ. ばちや指の爪で弾く三弦の弦楽器
【三心二意】sān xīn èr yì 成 あれこれ迷って決断できない. 心が一つのことに集中しない
【三言两语】sān yán liǎng yǔ 成 二言三言. 簡単な言葉
【三一三十一】sān yī sān shí yī 慣 三等分にする
【三藏】Sānzàng 图〈仏〉三蔵
【三只手】sānzhīshǒu 图 方 すり
【三资企业】sānzī qǐyè 图〔合资〕（合弁）・〔合作〕（提携）・〔独资〕（完全外資）の3形態の外資系企業の総称
【三足鼎立】sān zú dǐng lì 成 三つの勢力が相対すること. 三方が対峙（たいじ）する

8 * **叁** sān 数〔三〕の大字（だいじ）. ➡〔大写dàxiě〕

sǎn

6 *** **伞**（傘 ^△^傘 繖）sǎn ❶图 傘 ‖ 打～ 傘をさす ❷傘の形をした物 ‖ 降落～ 落下傘
【伞兵】sǎnbīng 图〈軍〉落下傘兵. パラシュート部隊

12 * **散**（^△^散）sǎn ❶形 ばらばらである. 分散している ‖ 零零～～ ばらばらになっている ❷形 半端である. まとまりがない ‖ 一～装 ❸〈中薬〉粉薬. 散薬.（多く薬名に用いる）‖ 健胃～ 健胃散 ❹動 ほどける. 解散する ‖ 辫子biànzi～了 お下げがほどけた ➤ sàn

> **類義語** 散 sǎn 散 sàn
>
> ◆〔散 sǎn〕ばらばらである. ほどける. ゆるむ ‖ 包裹散了 包みがほどけてしまった ◆〔散 sàn〕集まっているものが分散する, または, 分散させることを表す. 散らばる. 散らす. まく ‖ 散传单 ビラをまく ｜ 快把窗户打开, 散散烟 早く窓を開けて煙を追い出しなさい

【散兵游勇】sǎn bīng yóu yǒng 成 散り散りばらばらの兵隊. 組織や集団に属さないで独自の行動をとる人
【散光】sǎnguāng 形 乱視の ‖ ～眼镜 乱視用眼鏡
【散户】sǎnhù 图 ❶個人客 ❷個人投資家
【散记】sǎnjì 图 雑記.（多く本のタイトルに用いる）
【散剂】sǎnjì 图〈薬〉散薬. 粉薬
【散架】sǎn//jià 動 解体する. ばらばらになる ‖ 今天累得我都要～了 今日は疲れてもう体がばらばらになりそうだ
【散件】sǎnjiàn 图（まだ組み立てていない）ばらの部品
【散居】sǎnjū 動 離れ離れに住む
【散客】sǎnkè 图（団体客に対して）個人の旅行客

【散乱】sǎnluàn 形 雑然としている. 散らばっている
【散漫】sǎnmàn 形 ❶だらしない. ぞんざいである ‖ 自由～ 気ままでルーズである ❷散漫である. まとまりがない ‖ 文章内容～ 文章の内容が散漫である
【散曲】sǎnqǔ 名 散曲. 元・明・清代に流行した民間歌曲で, 形式から〔小令〕と〔散套〕に分けられる
【散射】sǎnshè 動〈物〉❶散乱する ❷乱反射する
【散体】sǎntǐ 名 対句構成を用いない文体 ↔〔骈体〕
*【散文】sǎnwén 名 ❶押韻しない文 ↔〔韵文〕❷散文
【散文诗】sǎnwénshī 名 散文詩
【散装】sǎnzhuāng 形 ばら売りの. 量り売りの ‖ ～洗衣粉 量り売りの粉石けん
【散座】sǎnzuò (～儿) 名 ❶旧 (劇場などの)自由席 ❷旧 (人力車の)フリーの客 ❸(レストランの予約席以外の)一般席

14 **糁**(糝) sǎn 方 御飯粒 ➤ shēn

15 **馓** sǎn ↴
【馓子】sǎnzi 名 方 こねた小麦粉を数本一緒にねじり合わせて油で揚げた菓子

sàn

12 * **散**(△散) sàn ❶動 散る. 散らばる ‖ 雾～了 霧が晴れた | 会还没～ 会はまだお開きになっていない ❷動 まく. ばらまく ‖ ～传单 chuándān ビラをまく ❸取り除く. 発散する ‖ →～心 ➤ sǎn
【散播】sànbō 動 まき散らす. ばらまく ‖ ～种子 zhǒngzi 種をまく | ～谣言 デマをまき散らす
*【散布】sànbù 動 ❶散布する. まき散らす ‖ ～流言飞语 デマをまき散らす ❷散らばる. 散在する ‖ 羊群～在草原上 ヒツジの群れが草原に散らばっている
★【散步】sàn//bù 動 散歩する
【散场】sàn//chǎng 動 (芝居や映画が)はねる. 終わる
*【散发】sànfā 動 ❶発散する. 放散する ‖ 鲜花～着阵阵芳香 花がよい香りをしきりに漂わせている ❷ばらまく. 配布する ‖ ～传单 ビラをまく | ～文件 文書を配る
【散工】sàn//gōng 動 (農作業などの)仕事を終える
【散会】sàn//huì 動 散会する. 閉会する. お開きになる
【散伙】sàn//huǒ 動 口 解散する
【散开】sànkāi 動 分散する. 散る
【散落】sànluò 動 ❶散り落ちる ❷散らばる. 点在する ❸散り散りになる
【散闷】sàn//mèn 動 気晴らしをする. 憂さ晴らしをする
【散热器】sànrèqì 名〈機〉ラジエーター
【散失】sànshī 動 ❶散逸する. 散失する ❷(水分などが)蒸発してなくなる
【散摊子】sàn tānzi 組 口 店をたたむ. 解散する
【散席】sàn//xí 動 宴席がお開きになる. 散会する
【散戏】sàn//xì 動 芝居がはねる
【散心】sàn//xīn 動 気を紛らす. 憂さ晴らしをする ‖ 出去散散心 気晴らしに出かける
【散佚】【散轶】sànyì 動 散失する. 散逸する

sāng

8 **丧**(喪) sāng 喪(も). 人の死に関する事柄 ‖ 奔bēn～ 親族の葬儀のために故郷に帰る | 服～ 喪に服する ➤ sàng
【丧服】sāngfú 名 喪服
【丧假】sāngjià 名 忌引(きびき)
【丧礼】sānglǐ 名 葬儀に関する作法
【丧乱】sāngluàn 名 書 多数の死者を出した戦乱あるいは災害
【丧事】sāngshì 名 葬儀. 葬式
【丧葬】sāngzàng 名 葬礼. 葬儀
【丧钟】sāngzhōng 名 死者を弔う鐘 転 滅亡. 終焉(しゅうえん) ‖ 敲响了奴隶制的～ 奴隷制の終焉を告げた

10 **桑**(△桒) sāng 名〈植〉クワ. ふつうは〔桑树〕という
【桑巴】sāngbā 名〈音〉サンバ
【桑蚕】sāngcán 名〈虫〉カイコ. 〔家蚕〕ともいう
【桑拿天】sāngnátiān 名 高温多湿の天気. 気温が28度以上で, かつ湿度が78パーセント以上の蒸し風呂のような天候をさす
【桑拿浴】sāngnáyù 名 サウナ
【桑葚儿】sāngrènr 名 口 クワの実
【桑葚】sāngshèn 名〈植〉クワの実. 〔桑葚子〕ともいう
【桑树】sāngshù 名〈植〉クワ. クワの木
【桑榆暮景】sāng yú mù jǐng 成 人生の晩年
【桑梓】sāngzǐ 名 喩 故郷

sǎng

13 **搡** sǎng 動 方 力を入れて押す. 突き飛ばす ‖ ～了他一把 彼をひと押しする

13 **嗓** sǎng ❶のど ‖ →～子 ❷(～儿)声 ‖ 哑yǎ～儿 しゃがれ声 | 尖～ 甲高い声
【嗓门儿】sǎngménr 名 声 ‖ ～真大 声が大きい
【嗓音】sǎngyīn 名 声 ‖ ～尖细 声がかん高い
**【嗓子】sǎngzi 名 ❶のど ‖ ～疼 のどが痛い ❷声 ‖ 放开～唱 声を張り上げて歌う
【嗓子眼儿】sǎngziyǎnr 名 のど

15 **磉** sǎng 柱の下の礎石

16 **颡** sǎng 書 額(ひたい)

sàng

8 **丧**(喪) sàng ❶失う ‖ →～失 ❷命を落とす. 亡くす ‖ →～命 ❸気落ちする ‖ 沮jǔ～ がっかりする. しょんぼりする ➤ sāng
【丧胆】sàng//dǎn 動 肝をつぶす
【丧魂落魄】sàng hún luò pò 成 ひどく恐れおののくさま. 肝をつぶす. 〔丧魂失魄〕ともいう
【丧家之犬】sàng jiā zhī quǎn 成 貶 喪家の犬. 見る影もなく落ちぶれた人のたとえ. 〔丧家之狗〕ともいう
【丧命】sàng//mìng 動 (事故などで)命を落とす
【丧偶】sàng'ǒu 動 書 配偶者を亡くす
【丧气】sàng//qì 動 気が抜ける. 落胆する ‖ 灰心～ 失望落胆する | 垂头～ 意気消沈する
【丧气】sàngqi 形 運が悪い. 不吉である
【丧权辱国】sàng quán rǔ guó 成 主権を失い, 国家を辱める
【丧生】sàng//shēng =〔丧命sàngmìng〕
*【丧失】sàngshī 動 喪失する. 失う. なくす ‖ ～机会 機会を失う | ～勇气 勇気を失う | ～记忆 記憶を失う

【丧亡】sàngwáng 動 命を落とす. 滅亡する
【丧心病狂】sàng xīn bìng kuáng 成 貶 理性を失い, 狂人じみた言動をする

sāo

12 搔 sāo 動（手で）かく. ひっかく ‖ ～头皮 頭をかく ｜ 隔靴～痒yǎng 隔靴搔痒. もどかしい
【搔首弄姿】sāo shǒu nòng zī 成 しなを作る
【搔头】sāotóu 動 頭を抱える. 苦慮する ‖ 这件事让人～ この件は頭が痛い
12 骚[1] sāo 騒ぐ. かき乱す ‖ →～扰 ｜ →～乱
12 骚[2] sāo ❶屈原の『離騒』をさす ‖ →～体 ❷広く詩文をさす ‖ →～人 ❸浮ついている. 軽はずみである ‖ ～货 売女(ばいた) ❹〔臊sāo〕に同じ
【骚动】sāodòng 動 ❶騒動を起こす. 騒ぎ立てる ❷動揺する. 恐慌をきたす. 騒然となる
【骚客】sāokè 图 書 詩人
【骚乱】sāoluàn 動 ざわめく. ざわつく. 騒々しくなる
【骚扰】sāorǎo 動 かき乱す. 混乱させる
【骚扰电话】sāorǎo diànhuà 图 いたずら電話
【骚人】sāorén 图 書 詩人
【骚体】sāotǐ 图（詩体の1種）離騒体
16 缫（繅）sāo 動（まゆから）糸を繰(く)る ‖ ～丝 糸を繰る ‖ ～丝厂 製糸工場
17 臊 sāo 形 小便臭い. 獣臭い ‖ →～气 ｜ 狐～ わきが ➤sào
【臊气】sāoqì 图 小便臭いにおい. 鼻をつくにおい

sǎo

6 *** 扫（掃）sǎo ❶動 ほうきで掃く. 掃除する ‖ ～雪 雪かきをする ｜ ～院子 庭を掃く ❷動 一掃する. 取り除く ‖ →～盲 ❸書 すべての. ことごとくの ‖ ～数 全額. 全部 ❹動 左右に払う. さっとよぎる ‖ 探照灯～过夜空 サーチライトの光が夜空をよぎった ➤sào
*【扫除】sǎochú 動 ❶掃除する ❷一掃する. 取り除く ‖ ～文盲 文盲を一掃する ｜ ～障碍 障害を取り除く
【扫荡】sǎodàng 動 ❶掃討する. 平定する ❷徹底的に除去する. 一掃する
【扫地】sǎo∥dì 動 ❶掃く ❷（信用や名誉が）すっかりなくなる. 地をはらう ‖ 名誉～ 名誉が失墜する
【扫地出门】sǎodì chūmén 慣 すっからかんにして家から追い出す
【扫毒】sǎodú 動 麻薬を取り締まる
【扫黄】sǎo∥huáng 動 ポルノを取り締まる
【扫雷】sǎo∥léi 動〈軍〉地雷や水雷を取り除く
【扫盲】sǎo∥máng 動 文盲を一掃する
【扫描】sǎomiáo 動 ❶〈電子〉走査する ‖ 雷达～ レーダー走査 ❷喩 さっと見渡す
【扫描仪】sǎomiáoyí 图〈計〉スキャナー
【扫墓】sǎo∥mù 動 墓参する. 墓参りをする
【扫平】sǎopíng 動 掃討し平定する
【扫射】sǎoshè 動 掃射する
【扫视】sǎoshì 動 さっと（周囲を）見渡す ‖ 整个房间～了一下 さっと部屋全体に目を走らせた
【扫堂腿】sǎotángtuǐ 图（武術の技の一種）足払い.〔扫腿〕ともいう
【扫听】sǎoting 動 方 聞いて探り出す. 探りを入れる
【扫尾】sǎo∥wěi 動（仕事の）始末をする. けりをつける
【扫兴】sǎo∥xìng 形 興ざめである ‖ 旅行时遇上大雨, 真～ 旅行中大雨にあうとは, まったく興ざめだ
12 嫂 sǎo ❶图 兄嫁 ‖ 大～ 長兄の嫁 ｜ 二～ 次兄の嫁 ❷图（既婚の若い女性を呼ぶ時の）姉さん ‖ 王～ 王姉さん
【嫂夫人】sǎofūren 图（友人の妻に対する敬称）奥さま. 奥さん
【嫂嫂】sǎosao 图 方 兄嫁
**【嫂子】sǎozi 图 兄の妻. 兄嫁

sào

6 扫（掃）sào ↴ ➤sǎo
【扫把】sàobǎ 图 方 竹ぼうき
【扫帚】sàozhou 图 ほうき. 竹ぼうき
【扫帚星】sàozhouxing 图 ❶〈天〉彗星(すいせい). ほうき星 ❷罵 災難をもたらす人物. 疫病神
11 埽 sào ❶古 護岸補強に用いた蛇籠(じゃかご). 木の枝・コーリャンの殻・石などを縄で縛って円柱状にしたもの ❷古 同前を用いて築いた護岸
11 梢 sào ❶円錐(えんすい)状の形 ❷图〈機〉テーパー ➤shāo
14 瘙 sào 古 疥癬(かいせん)
【瘙痒】sàoyǎng 形 かゆい
17 臊 sào 動 恥ずかしがる. はにかむ ‖ ～得脸通红 恥ずかしくて顔が真っ赤になった ➤sāo

sè

6 ** 色 sè ❶表情. 顔つき ‖ 面不改～ 顔色を全く変えない ❷光景. 様子 ‖ 暮～ 夕やみ ❸種類 ‖ 各～各样 さまざまな ❹图 色. 色彩 ‖ 颜～ 色 ❺（女性の）容色. 色香 ‖ 姿～ 容色 ❻（多く金銀の）純度 ‖ 成～ 純度 ➤shǎi
*【色彩】sècǎi 图 ❶色. 色彩 ‖ ～鲜艳 色が鮮やかである ❷喩 味わい. 情調. ムード ‖ 宗教～ 宗教色
【色带】sèdài 图 インクリボン
【色调】sèdiào 图 ❶〈美〉色調. 色合い. トーン ❷喩（文芸作品の中の）感情の傾向. 色合い
【色光】sèguāng 图〈物〉単色光
【色鬼】sèguǐ 图 貶 色情狂
【色觉】sèjué 图 色彩から受ける感覚. 色感
【色拉】sèlā 图 外 サラダ.〔沙拉〕ともいう
【色狼】sèláng 图 色魔. 好色のやから
【色厉内荏】sè lì nèi rěn 成 外見は強そうに見えるが, 内実は臆病である. 見かけ倒し
【色盲】sèmáng 图〈医〉色盲
【色情】sèqíng 图 色情. 色欲 ‖ ～小说 ポルノ小説. 好色文学 ｜ ～片 ポルノ映画
【色弱】sèruò 图〈医〉色弱
【色散】sèsàn 图〈物〉（光の）分散
【色素】sèsù 图〈物〉色素
【色相】sèxiàng 图 ❶色合い. 色調 ❷〈仏〉色相 ❸女性の容貌(ようぼう)
【色欲】sèyù 图 情欲. 性欲

S

【色泽】sèzé 名 光沢. 色合い

10 涩(澀 △澁 濇) sè ❶形 滑らかでない. 表面が粗く滑りが悪い ‖ 车轴zhóu发～ シャフトの滑りが悪くなった ❷形 (味が)渋い ‖ 苦～ 苦くて渋い ❸(文の語句が)晦渋(かいじゅう)である. 難解である ‖ 晦huì～ (文章が)難解である

【涩滞】sèzhì 形 流暢(りゅうちょう)でない. 滑らかでない

11 啬(嗇) sè 吝嗇(りんしょく)である ‖ 吝lìn～ けちけちする

【啬刻】sèke 形 方 けちである

11 铯 sè 名〈化〉セシウム(化学元素の一つ, 元素記号は Cs)

13 塞 sè ふさぐ ‖ 堵dǔ～ ふさぐ ‖ 茅máo～顿开 はたと合点がゆく ➤ sāi sài

【塞擦音】sècāyīn 名〈語〉破擦音

【塞音】sèyīn 名〈語〉破裂音. 〔爆发音〕ともいう

【塞责】sèzé 動 書 (いいかげんに済ませて)責任を逃れる

13 瑟 sè 名 古 (琴に似た弦楽器)瑟(しつ)

【瑟瑟】sèsè 擬 (風などの)かすかな音 形 震えるさま

【瑟缩】sèsuō 動 書 (寒くて)縮みあがって震える

16 穑(穡) sè ➡〔稼穑jiàsè〕

sēn

12 森 sēn ❶樹木が繁茂しているさま ‖ →～林 ❷書 多くてすきまがないさま ‖ →～罗万象 ❸薄暗い. 陰気である ‖ 阴～ 薄暗くて不気味である

**【森林】sēnlín 名 森. 森林 ‖ 原始～ 原始林

【森林浴】sēnlínyù 名 森林浴

【森罗殿】sēnluódiàn 名 閻魔(えんま)大王が住む御殿

【森罗万象】sēn luó wàn xiàng 成 森羅万象

【森然】sēnrán 形 ❶びっしりと直立するさま ‖ 林木～ 樹木がこんもりと生い茂っている ❷厳粛で恐ろしいさま

【森森】sēnsēn 形 (樹木が)こんもりと茂るさま. 密生するさま 接尾 薄暗くてもの寂しいさまを表す

【森严】sēnyán 形 いかめしい. ものものしい ‖ 戒备～ 警備がものものしい | 壁垒～ 陣営の防備が厳重である

sēng

14 僧 sēng ❶僧侶(そうりょ). 和尚 ‖ →～侣 | 游方～ 行脚僧. 雲水

【僧多粥少】sēng duō zhōu shǎo 成 僧が多いのに粥が少ない. 物が少ないのに人が多くて分配しきれないこと. 娘一人に婿八人

【僧侣】sēnglǚ 名 僧侶. 僧徒

【僧尼】sēngní 名 僧侶と尼僧

【僧俗】sēngsú 名 僧侶と俗人

【僧徒】sēngtú 名 僧侶の総称

shā

6 **杀(殺) shā ❶動 殺す ‖ ～人 人を殺す ❷動 戦う. 戦闘する ‖ ～出一条血路xuèlù 血路を開く ❸動 除去する. そぐ. 消す ‖ ～暑气 暑気を払う | ～威风 気勢をそぐ ❹動 損なう. 傷つける ‖ →～风景 ❺動 動詞の後に置き, 程度が甚だしいことを表す ‖ 气～ たまらなく腹が立つ | 笑～人 おかしくてげらげら笑う ❻〔煞shā ❷〕に同じ ❼動 方 (薬などの刺激で)痛む. しみる ‖ 肥皂水～得眼睛睁不开 石けんが目にしみて開けられない

【杀虫药】shāchóngyào 名 殺虫剤

【杀跌】shādiē 動〈経〉損切りする. 株価などが値下がりしているときに売却すること

【杀毒】shā//dú 動 ❶消毒する ❷〈計〉コンピューターウイルスを駆除する ‖ ～软件 アンチウイルスソフト

【杀风景】shā fēngjǐng 組 ❶美しい景色が損われる ‖ 蛮mán好的风景区, 却盖了这么些高楼, 真～ すばらしい景勝地なのにこんな高いビルを建てるなんて, 景色が台なしだ ❷喩 興ざめする. しらける ‖ 你别尽说～的话！ 興ざめなことばかり言うなよ ✻〔煞风景〕とも書く

*【杀害】shāhài 動 殺す. 殺害する

【杀机】shājī 名 殺意 ‖ 心怀～ 殺意を抱く

【杀鸡取卵】shā jī qǔ luǎn 成 鶏を殺して卵を取る. 目先の利益にとらわれて, 将来の長期的利益を損なうたとえ. 〔杀鸡取蛋〕ともいう

【杀鸡吓猴】shā jī xià hóu 成 一人を罰し他の者の見せしめにするたとえ. 〔杀鸡给猴看〕ともいう

【杀价】shā//jià 動 (買主が商品を)値切る

【杀戒】shājiè 名〈仏〉殺生戒(せっしょうかい) ‖ 大开～ むやみやたらに人殺しをする

【杀菌】shā//jūn 動 殺菌する

【杀戮】shālù 動 殺戮(さつりく)する. (多く大量殺人をさす) ‖ ～无辜wúgū 罪のない人を殺害する

【杀灭】shāmiè 動 (病原菌・害虫などを)殺す. 駆除する

【杀气】[1] shāqì 名 殺気 ‖ ～腾腾téngténg 殺気がみなぎる

【杀气】[2] shāqì 動 鬱憤(うっぷん)を晴らす. 八つ当たりする

【杀青】shāqīng 動 ❶原稿を完成する. 著作を書き上げる ❷(製茶の工程の一つ)釜炒(かまい)りをする

【杀人不见血】shā rén bù jiàn xiě 慣 陰険な手段で証拠を残さずに人を陥れるたとえ

【杀人不眨眼】shā rén bù zhǎyǎn 慣 人を殺してもまばたきさえしない. 平気で残忍なことをするたとえ

【杀人越货】shā rén yuè huò 成 人を殺して金目のものを略奪する

【杀伤】shāshāng 動 殺傷する ‖ ～力 殺傷力

【杀身成仁】shā shēn chéng rén 成 身を殺して仁を成す. 正義や崇高な理想のために命を捧げる

【杀生】shāshēng 動 (家畜などの)生き物を殺す

【杀手】shāshǒu 名 ❶殺人犯. 殺し屋 ❷喩 人の生命を脅かすものや病気

【杀手锏】shāshǒujiǎn ＝〔撒手锏sāshǒujiǎn〕

【杀头】shā//tóu 動 斬首(ざんしゅ)する

【杀一儆百】【杀一警百】shā yī jǐng bǎi 成 一人を殺して他の見せしめにする

7 *沙[1] shā ❶名 砂 ❷砂のようなもの ‖ 豆～ こしあん ❸陶土で作った器 ‖ →～锅

7 沙[2] shā 形 (声が)しわがれている. かすれている ‖ 那人的嗓子有点儿～ あの人の声は少しかすれている ➤ shà

【沙包】shābāo 名 ❶砂山 ❷砂袋. 砂嚢(さのう)

【沙暴】shābào 名 砂嵐. 砂暴風

【沙场】shāchǎng 名 広大な砂地

【沙尘】shāchén 名 砂塵(さじん). 砂ぼこり

【沙尘暴】shāchénbào 名〈気〉砂嵐

【沙袋】shādài 名 砂袋. 砂嚢

【沙丁鱼】shādīngyú 图〈魚〉イワシ
【沙俄】Shā'é 图 帝政ロシア
*【沙发】shāfā 图 外 ソファー ‖ ～床 ソファーベッド
【沙锅】shāguō 图 土鍋
【沙害】shāhài 图 砂による被害
【沙化】shāhuà 動 砂地化する. 砂質化する
【沙荒】shāhuāng 图 砂地化による荒れ地
【沙皇】shāhuáng 图 ツァー. ロシア皇帝の称号
【沙浆】shājiāng ＝〔砂浆shājiāng〕
【沙金】shājīn 图〈鉱〉砂金
【沙拉】shālā 图 外 サラダ ＝〔色拉sèlā〕
【沙里淘金】shā lǐ táo jīn 成 砂の中から金を選び出す. 労多くして功少なし
【沙砾】shālì 图 砂と小石. 砂礫(されき)
【沙龙】shālóng 图 外 サロン
【沙门】shāmén 图〈仏〉沙門(しゃもん)
【沙弥】shāmí 图〈仏〉沙弥(しゃみ)
*【沙漠】shāmò 图 砂漠 ‖ ～气候 砂漠気候
【沙漠化】shāmòhuà 動 砂漠化する
【沙盘】shāpán 图 (砂土で作った)地形の模型
【沙丘】shāqiū 图 砂丘
【沙瓤】shāráng (～儿) 图 (スイカなどの)熟れて歯触りのよい果肉 ‖ ～西瓜 歯触りのいいスイカ
【沙壤土】shārǎngtǔ 图〈地質〉砂壌土
【沙沙】shāshā 擬 (砂などを踏みしめる音や草木が風に揺れる音)サクサク. サラサラ. カサカサ
【沙参】shāshēn 图 ❶〈植〉ツリガネニンジン ❷〈中薬〉沙参(しゃじん)
*【沙滩】shātān 图 砂浜. 砂州
【沙滩排球】shātān páiqiú 图〈体〉❶ビーチバレー ❷ビーチバレー用のボール
【沙特阿拉伯】Shātè'ālābó 图〈国名〉サウジアラビア. 略して〔沙特〕ともいう
*【沙土】shātǔ 图 砂地. 砂を多く含む土
【沙文主义】Shāwén zhǔyì 图 ショービニズム. 盲目的愛国心. 排外主義
【沙哑】shāyǎ 形 (声が)しわがれている. かすれている
【沙眼】shāyǎn 图〈医〉トラコーマ. トラホーム
【沙鱼】shāyú ＝〔鲨鱼shāyú〕
【沙灾】shāzāi 图 砂や土砂による災害
【沙洲】shāzhōu 图〈地〉砂州
*【沙子】shāzi 图 ❶砂 ❷砂状のもの ‖ 铁～ 砂鉄

*纱 shā ❶图 紗(しゃ) ‖ 一～布 ❷軽くて薄い織物の総称 ‖ 泡泡pàopao～ クレープ ❸图〈紡〉ワタやアサなどで紡いだ糸. 紡績糸 ‖ 纺～ 紡績 ❹網のようなもの ‖ 铁～ 金網
【纱布】shābù 图 ガーゼ
【纱橱】shāchú 图 蝿帳(はえちょう). 網の張ってある戸棚
【纱窗】shāchuāng 图 網戸
【纱灯】shādēng 图 紗(しゃ)を張った提灯
【纱锭】shādìng 图〈紡〉紡錘
【纱巾】shājīn 图 薄手のスカーフ
【纱笼】shālóng 图 外 サロン. 東南アジアの民族衣装で, 長い布を腰に巻いたもの
【纱帽】shāmào 图 古 文官の礼装用の帽子. 転 官職. 〔乌纱帽〕ともいう
【纱罩】shāzhào 图 ❶蝿帳(はえちょう) ❷ガス灯の覆い

杉 shā 〔杉shān〕に同じ ➤shān
【杉木】shāmù 图 スギ材

8 刹 shā 動 (車や機械などを)止める. 停止する ‖ 把车～住 車を止める | ～歪wāi风 悪い風潮に歯止めをかける ➤chà
*【刹车】shā//chē 動 ❶車を止める. 停車する ❷機械を止める. スイッチを切る ❸喩 止める. 制止する ‖ 公款吃喝应该立即～ 公費による飲み食いは直ちにやめるべきである 图 (shāchē)ブレーキ. 制動機 ‖ ～失灵 ブレーキがきかない ＊〔煞车〕とも書く

9 *砂 shā ❶砂 ‖ 一～纸 ❷砂状のもの ‖ 一～糖 | 矿～ 鉱砂
【砂布】shābù 图 研磨布
【砂浆】shājiāng 图〈建〉モルタル. 〔沙浆〕とも書き, 〔灰浆〕ともいう
【砂轮】shālún (～儿) 图〈機〉回転砥石(かいてんといし). 砥石車. グラインダー. 〔磨轮〕ともいう
【砂囊】shānáng 图 ❶(鳥類の)砂嚢(さのう). 砂ぎも ❷ミミズの胃
【砂糖】shātáng 图 砂糖. ざらめ糖
【砂型】shāxíng 图〈冶〉砂型. 砂鋳型
【砂样】shāyàng 图 岩石の見本
【砂纸】shāzhǐ 图 紙やすり. サンドペーパー

10 莎 shā 地名や人名に用いる ‖ ～车 新疆ウイグル自治区にある県の名

11 铩(鎩) shā ❶古 長い矛 ❷書 傷める ‖ ～羽 羽を傷める. 喩 失意. 失敗

12 痧 shā 图〈中医〉腸カタルや暑気あたりなどの急性病

13 煞 shā ❶動 終わる. 締めくくる. やめる ‖ 他一玩起电子游戏, 就～不住 彼はテレビゲームをやり出すとやめられない ❷動 きつく締める. しっかり締める ‖ ～一～腰带 ベルトをちょっと締める ❸損なう. だめにする ‖ 一～风景 ❹〔杀shā ❺〕に同じ ➤shà
【煞笔】shā//bǐ 動 (文章や手紙を)書き終える 图 (shābǐ) 結語. 文章の結びの言葉
【煞车】[1] shā//chē 動 (車の)積み荷をしっかりと縛る
【煞车】[2] shā//chē ＝〔刹车shāchē〕
【煞风景】shā fēngjǐng ＝〔杀风景shā fēngjǐng〕
【煞尾】shāwěi 動 終わりにする. けりをつける 图 ❶結末. 終幕 ❷〔北曲〕の最後の曲

13 裟 shā ➡〔袈裟jiāshā〕

15 鲨 shā ↴
【鲨鱼】shāyú 图〈魚〉サメ. フカ. 〔鲛jiāo〕ともいい, 〔沙鱼〕とも書く

shá

11 啥 shá 代 方 なに ‖ 你在这儿干～？ 君はそこでなにをしているの
【啥子】sházi 代 方 なに

shǎ

13 **傻 shǎ ❶形 **愚かである. 頭が悪い. 間抜けである** ‖ 这么好的机会让你放过, 你也太～了 こんないいチャンスを逃すなんて, 君もほんとうにばかだね | 他一摸钱包没了, 顿dùn时～了 彼はポケットを探って財布がないのに気づき, 茫然(ぼうぜん)とした ❷形 **愚直である. 融通が利かない** ‖ ～干 ただがむしゃらにやる

類義語 傻 shǎ 笨 bèn

◆〔傻〕人や動物の知力が劣っている. 愚かである‖说傻话 ばかなことを言う｜他不过是为人实在，这怎么能叫傻呢？ 彼はともかくまじめなやつなんだよ, それをどうしてばか呼ばわりするんだ ◆〔笨〕人や動物の四肢・諸器官の機能, あるいは道具類の機能が劣っている. のろい. 鈍い‖好久没弹钢琴，手指比以前笨多了 しばらくピアノを弾かなかったので, 指が前より動かなくなった｜我家的衣柜太笨了 うちの洋服だんすはばかでかい

【傻瓜】shǎguā 图罵ばか. 愚か者. 間抜け
【傻瓜相机】shǎguā xiàngjī 图俗コンパクトカメラ
【傻呵呵】shǎhēhē（～的）形ぼうっとしているさま. ぼんやりしているさま.〔傻乎乎〕ともいう
【傻乎乎】shǎhūhū ＝〔傻呵呵shǎhēhē〕
【傻劲儿】shǎjìnr 图❶ばかさかげん. 間抜けさ ❷ばか力‖使～ ばか力を出す
【傻帽儿】shǎmàor 方图間抜け. ばか 形間が抜けている. ぼうっとしている
【傻气】shǎqì 图ばかさかげん. 間抜けさ 形間抜けなさま. のろまで気が利かないさま
【傻头傻脑】shǎ tóu shǎ nǎo（～的）組間が抜けているさま. ぼんやりしているさま
【傻笑】shǎxiào 動ばか笑いをする. げらげら笑う
【傻眼】shǎ//yǎn 動口あっけにとられる. 茫然(ぼうぜん)とする. きょとんとする
*【傻子】shǎzi 图ばか. 間抜け. ものを知らない人

shà

7 **沙** shà 動方揺すって, くずをより分ける‖把米里的沙子～一～ 米の中の砂を揺すってより分ける ➤ shā

11 **啥** shà ➤ shá

12 **厦**（$^{\triangle}$廈）shà ❶大きな建物‖高楼大～ 高層ビル ❷方ひさし ➤ xià

13 **嗄** shà 形書声がかすれている. しわがれている

13 **煞** shà ❶悪鬼. 悪霊 ❷副とても. きわめて‖—～费苦心 ➤ shā
【煞白】shàbái 形（顔色が）真っ青である
【煞费苦心】shà fèi kǔ xīn 成苦心惨憺(くしんさんたん)する
【煞气】[1] shà//qì 動（穴から）空気が漏れる‖车带～了 タイヤがパンクした
【煞气】[2] shàqì 图❶凶悪な表情. 恐ろしい形相 ❷邪気
【煞有介事】shà yǒu jiè shì ＝〔像煞有介事xiàng shà yǒu jiè shì〕

13 **歃** shà 書（血を）すする
【歃血】shàxuè 動古盟約を結ぶときに家畜の血を口に塗って忠誠を表すこと

16 **霎** shà ごく短い時間. 瞬間. 刹那(せつな)‖—～时间｜—～ あっという間
【霎时】shàshí ＝〔霎时间shàshíjiān〕
【霎时间】shàshíjiān 图またたく間. 一瞬の間.〔霎时〕ともいう

shāi

12 * **筛**[1]（篩）shāi ❶图ふるい‖～网 ふるいの網 ❷動ふるう. ふるいにかける‖～米 米をふるいにかける｜他怕考试不过关给～下来 彼は試験に落ちることを心配している ❸動（酒や茶を）つぐ‖给客人～酒 客に酒の酌をする ❹動（酒を）温める. かんをする‖把酒～热了喝 酒を温めてから飲む

12 **筛**[2]（篩）shāi 動方（どらを）たたく‖锣luó已～了三遍 どらが3回鳴った
【筛糠】shāi//kāng 動口（驚きや寒さで）震える
【筛选】shāixuǎn 動ふるいにかける. ふるい分ける‖～优良品种 優れた品種をふるい分ける
*【筛子】shāizi 图ふるい

14 **酾** shāi ➤ shī

shǎi

6 **色** shǎi 图（～儿）口色‖这衣服不掉～儿 この服は色落ちしない ➤ sè
【色酒】shǎijiǔ 图（ワインなどの）果実酒
【色子】shǎizi 图さいころ. ダイス. 地方によっては〔骰子tóuzi〕ともいう‖掷zhì～ さいころを振る

shài

10 ** **晒**（曬）shài ❶動日が当たる. 日が照りつける‖～得直流汗 日が照りつけて暑くて汗が止まらない ❷動日に当てて乾かす. 日に当たる‖～被子 布団を干す
【晒干】shài//gān 動干して乾かす. 日に当てて乾かす
【晒黑】shài//hēi 動日焼けする
【晒台】shàitái 图物干し台
【晒太阳】shài tàiyáng 組日なたぼっこをする. 日光浴をする‖到户外～ 外で日なたぼっこをする
【晒图】shài//tú 動青焼きにする

shān

3 ★ **山** shān ❶图山‖雪～ 雪山 ❷山の形をしたもの‖冰～ 氷山 ❸（蚕具の）まぶし‖蚕cán～ 同前 ❹（音や声が）大きい‖—～响
【山坳】shān'ào 图山間の平地
【山包】shānbāo 图方小山
【山崩】shānbēng 動がけ崩れを起こす
【山茶】shānchá 图〈植〉ツバキ‖～花 ツバキの花
【山城】shānchéng 图山地にある都市
【山川】shānchuān 图山と川. 山河
【山村】shāncūn 图山地の村. 山村
*【山地】shāndì 图❶山地. 山岳地帯 ❷山を切り開いた耕地
【山地车】shāndìchē 图マウンテン・バイク
【山巅】shāndiān 图山頂
【山顶】shāndǐng（～儿）图山の頂上. 山頂
【山顶洞人】Shāndǐngdòngrén 图〈古生〉山頂洞人. 化石人類の一種（約1万8000年以前）
【山东梆子】shāndōng bāngzi 图〈劇〉〔梆子腔〕の一種で, 山東省一帯の地方劇

S

【山东快书】shāndōng kuàishū 名 山東省以北に広く伝わる語り芸の一種
*【山峰】shānfēng 名 山の峰
【山旮旯儿】shāngālár 名 方 山間の僻地(へきち)
*【山冈】shāngāng 名 小高い山. 丘
【山岗子】shāngǎngzi =〔山冈shāngāng〕
【山高皇帝远】shān gāo huángdì yuǎn 慣 山に隔てられて皇帝の威力が及ばない. 中央から離れているため法律や制度の束縛を受けないで済むこと.〔天高皇帝远〕ともいう
【山高水低】shān gāo shuǐ dī 慣 思いがけない不幸. 多く急死をさす
【山歌】shāngē 名 山村で歌われる民謡
【山根】shāngēn (～儿) 名 口 山のふもと. 山すそ
*【山沟】shāngōu 名 ❶谷川. 渓流 ❷谷間 ❸山あいの村. 辺鄙(へんぴ)な山村
*【山谷】shāngǔ 名 谷間
【山国】shānguó 名 山の多い国や地域. 山国
*【山河】shānhé 名 山河.(多く国土をさす)‖大好～ すばらしい山河｜锦绣jǐnxiù～ 美しい山河
【山核桃】shānhétao 名〈植〉クルミ科ペカン属の高木
【山洪】shānhóng 名 山津波. 鉄砲水
【山火】shānhuǒ 名 山火事
【山货】shānhuò 名 ❶山地の特産物(サンザシ・クルミ・クリなど) ❷荒物(竹ぼうき・箕み・麻縄・土鍋など)
【山鸡】shānjī 名 方 キジ
【山积】shānjī 動 書 山と積む
【山脊】shānjǐ 名 山の背. 尾根
【山涧】shānjiàn 名 山あいの渓流. 谷川
*【山脚】shānjiǎo 名 山すそ. ふもと
【山口】shānkǒu 名 尾根のくぼんでいる所. 鞍部(あんぶ).(多く道が通じている所をいう)
【山里红】shānlihóng 名〈植〉サンザシの栽培種. 地方によっては〔红果儿〕ともいう
【山梁】shānliáng 名 山の背. 尾根
【山林】shānlín 名 山林
*【山岭】shānlǐng 名 連峰‖连绵起伏的～ 連綿と連なる峰々
【山路】shānlù 名 山道
【山麓】shānlù 名 書 山のふもと. 山麓(さんろく)
【山峦】shānluán 名 連山
*【山脉】shānmài 名〈地〉山脈
【山猫】shānmāo 名〈動〉ヤマネコ =〔豹bào猫〕
【山门】shānmén 名 寺院の山門. 転 仏教. 仏門
【山盟海誓】shān méng hǎi shì 成 永遠の愛を誓う. 愛情がいつまでも変わらないこと =〔海誓山盟〕
【山明水秀】shān míng shuǐ xiù =〔山清水秀shān qīng shuǐ xiù〕
【山南海北】shān nán hǎi běi 成 ❶遠くかけ離れた地 ❷話がとりとめのないさま *〔天南海北〕ともいう
【山炮】shānpào 名〈軍〉山砲
【山坡】shānpō 名 山の斜面
【山墙】shānqiáng 名〈建〉切り妻壁.〔房山〕ともいう
【山清水秀】shān qīng shuǐ xiù 成 山紫水明. 風光明媚(ふうこうめいび).〔山明水秀〕ともいう
【山穷水尽】shān qióng shuǐ jìn 成 窮地に追い込まれる. せっぱ詰まる. 絶体絶命となる
*【山区】shānqū 名 山地. 山間地域
【山势】shānshì 名 山の姿. 山の地勢
*【山水】shānshuǐ 名 ❶山の水 ❷風景. 景色‖桂林～甲天下 桂林の風光は天下一である ❸山水画
【山体滑坡】shāntǐ huápō 組 地滑り. 山崩れ
【山桐子】shāntóngzǐ 名〈植〉イイギリ
*【山头】shāntóu 名 ❶山上. 山頂 ❷転 派閥. 分派‖～主义 セクト主義｜拉～ 派閥を作る
【山洼】shānwā 名 山あいのくぼ地. 谷間
【山窝】shānwō 名 辺鄙(へんぴ)な山間地域.〔山窝窝〕ともいう
【山坞】shānwù =〔山坳shān'ào〕
【山西梆子】shānxī bāngzi 名〈劇〉山西省の地方劇 =〔晋剧〕
【山系】shānxì 名〈地〉山系
【山峡】shānxiá 名 山峡. 谷間. 山あい
【山险】shānxiǎn 名 山の険しいところ
【山乡】shānxiāng 名 山間の村
【山响】shānxiǎng 形 音が大きいさま
【山崖】shānyá 名 がけ. 断崖(だんがい)
【山羊】shānyáng 名 ❶〈動〉ヤギ ❷〈体〉踏み切り板. ボールティング・バック
*【山腰】shānyāo 名 山の中腹. 山腹‖半～ 山腹
【山药】shānyao 名 ❶ヤマイモ.〔薯蓣〕の通称 ❷方 サツマイモ
【山药蛋】shānyaodàn 名 方 ジャガイモ
【山野】shānyě 名 ❶山野 ❷在野. 民間
【山雨欲来风满楼】shān yǔ yù lái fēng mǎn lóu 成 山雨来たらんと欲して風(かぜ)楼に満つ. 情勢が不穏で緊迫しているさま
【山芋】shānyù 名 方 サツマイモ
【山岳】shānyuè 名 山岳
【山楂】【山查】shānzhā 名〈植〉サンザシ
【山楂糕】shānzhāgāo 名 サンザシの実をつぶし砂糖を加えて作ったようかん
【山寨】shānzhài 名 ❶山中に築いたとりで. 山寨(さんさい) ❷(周りを囲った)山中の集落. 山村
【山珍海味】shān zhēn hǎi wèi 成 山海の珍味.〔山珍海错〕ともいう
【山庄】shānzhuāng 名 ❶山村 ❷山荘
【山嘴】shānzuǐ (～儿) 名 山すその細長く延びた稜線の先端

7 * **删**(△刪) shān 動 (字句を)削除する. 削る‖这一段应该～掉 この一段は削るべきだ
【删除】shānchú 動 削除する
【删繁就简】shān fán jiù jiǎn 成 (文章の)繁雑な部分を削って簡潔にする
【删改】shāngǎi 動 (文章を)削除・訂正する. 添削する. 手を加える‖～文稿 原稿を添削する
【删节】shānjié 動 省略する. 簡略にする. 切り詰める‖～本 ダイジェスト版
【删节号】shānjiéhào 名〈語〉省略記号,〔……〕〔省略号〕の旧称
【删略】shānlüè 動 (文章を)削って簡潔にする
【删汰】shāntài 動 手を入れて簡潔にする
【删削】shānxuē 動 書 (字句を)削る. 削除する

7 **芟** shān ❶草を取る. 除草する ❷取り除く. 削除する
【芟夷】【芟荑】shānyí 動 書 ❶除草する ❷(ある勢力を)除去する. 消滅させる

S

7 **杉** shān 名〈植〉スギ科などの裸子植物‖水～ メタセコイア ➤ shā

8 **苫** shān 名 とま. こも‖草～子 わらのこも ➤ shàn

8 **姗**(△姍) shān ↴

【姗姗】shānshān 形 ゆっくりと歩くさま

【姗姗来迟】shān shān lái chí 成 のんびりと遅れてやって来る. なかなかやって来ない

8 **衫** shān ❶名(～儿)ひとえの上着‖衬～ ワイシャツ ❷(広く)衣類‖衣～ 衣服

8 **钐** shān 名〈化〉サマリウム(化学元素の一つ, 元素記号は Sm) ➤ shàn

9 **埏** shān 書 泥をこねる

9 **珊**(△珊) shān ↴

【珊瑚】shānhú 名 サンゴ

【珊瑚虫】shānhúchóng 名〈動〉サンゴチュウ

【珊瑚岛】shānhúdǎo 名〈地〉さんご島

【珊瑚礁】shānhújiāo 名〈地〉さんご礁(しょう)

9 **舢** shān ↴

【舢板】【舢舨】shānbǎn 名 サンパン. かいで漕(こ)ぐ小型船.〔三板〕ともいう

10 **扇** shān ❶動(扇子やうちわなどで)あおぐ‖～扇子 扇子やうちわであおぐ ❷〔煽shān❷〕に同じ ❸動 殴る. びんたを張る.〔搧〕とも書く‖～耳光 びんたを張る ➤ shàn

【扇动】shāndòng 動 ❶(羽などを)ばたつかせる‖～翅膀 羽ばたきをする ❷＝〔煽动shāndòng〕

【扇风机】shānfēngjī 名〈機〉送風機. ファン

12 **跚** shān ➡〔蹒跚pánshān〕

14 **煽** shān ❶動(火を)あおる‖～炉子 ストーブの火をあおる ❷扇動する‖→～动

【煽动】shāndòng 動 扇動する. あおり立てる

【煽风点火】shān fēng diǎn huǒ 成 火をつけてあおり立てる. 扇動する. たきつける

【煽惑】shānhuò 動 扇動する

【煽情】shānqíng 動 感情をあおる‖营造氛围～ 雰囲気作りをして場を盛り上げる

15 **潸** shān 書 涙を流すさま

【潸然】shānrán 形 書 涙を流すさま

17 **膻**(△羶 羴) shān 形(羊肉などが)生臭い

shǎn

5 ** **闪** shǎn ❶動 さっと身をかわす. 素早くよける‖～开 身をかわす ❷動 突然現れる. (さっと)ひらめく‖脑子里～过一个可怕的念头 頭の中をふっと恐ろしい考えがよぎった ❸動 ぴかぴか光る. きらきら光る. きらめく‖眼睛里～着泪花 目に涙が光っている ❹稲妻‖→～电 ❺動(体が)ふいによろめく‖身子一～, 摔了个大跟头 ふらっとしたかと思うと, もんどり打って倒れた ❻動(体の)筋を違える. ねじる‖～了脚脖子bózi 足首を捻挫(ねんざ)した

【闪避】shǎnbì 動 身をかわす. さっとよける

【闪存】shǎncún 名〈計〉フラッシュメモリー

*【闪电】shǎndiàn 名 稲光. 稲妻

【闪电战】shǎndiànzhàn＝〔闪击战 shǎnjīzhàn〕

【闪躲】shǎnduǒ 動 身をかわす. よける. 避ける‖～不开 身をかわしきれない

【闪光】shǎnguāng 名 閃光(せんこう) 動(shǎn//guāng) 光を放つ. きらめく

【闪光灯】shǎnguāngdēng 名 フラッシュ. ストロボ

【闪光点】shǎnguāngdiǎn 名 輝き. 誇るに足る点や自慢できる点をさす‖做老师的, 必须细心发现学生的～ 教師たるものは学生の長所の発見に心して努めなければならない

【闪击】shǎnjī 動〈軍〉素早く集中攻撃をかける

【闪击战】shǎnjīzhàn 名〈軍〉電撃戦.〔闪电战〕ともいう

【闪念】shǎnniàn 名 ふとひらめいた考え

【闪盘】shǎnpán 名〈計〉USBフラッシュメモリーディスク.〔闪存盘〕〔优盘〕ともいう

【闪闪】shǎnshǎn 形 きらめいている. きらきら光っている

【闪射】shǎnshè 動(光を)放つ

【闪身】shǎn//shēn (～儿) 動 身をかわす. わきによける

【闪失】shǎnshī 名 手落ち. ミス. 事故‖万一有个～不好交代 万一手落ちでもあると言い訳ができない

*【闪烁】shǎnshuò 動 ❶きらめく. きらきらする. ちらつく‖星光～ 星がきらめいている ❷言葉を濁す. 口ごもる‖～其词 言葉を濁す

【闪现】shǎnxiàn 動 ぱっと現れる. ふと浮かぶ‖往事～在脑海里 昔の出来事がふと脳裏に浮かんだ

*【闪耀】shǎnyào 動 きらめく. 輝く‖繁星～ 満天の星がきらめいている

8 **陕**(陝) shǎn 陝西省をさす‖～北 陝西省北部

11 **掺**(摻) shǎn 書 持つ. 握る‖～手 握手する ➤ càn chān

shàn

5 **讪** shàn ❶あざ笑う. 皮肉る. あてこする‖讥～ 皮肉る ❷決まりが悪いさま‖→～～

【讪脸】shànliǎn 動 方(子供が大人に対して)ふざけてみせる. やんちゃをする

【讪讪】shànshàn 形 決まりが悪い. ばつが悪い

【讪笑】shànxiào 動 嘲笑(ちょうしょう)する. あざ笑う

6 **汕** shàn 地名用字‖～头 広東省にある市の名

8 **单**(單) shàn 地名用字‖～县 山東省にある県の名 ➤ chán dān

8 **苫** shàn 動(むしろや布などで)覆う. 覆いをかける ➤ shān

【苫背】shàn//bèi 動〈建〉わらやむしろの上に石灰や粘土を塗って, 屋根の下地にする

【苫布】shànbù 名(船や車の荷の上にかぶせる)大きな防水用の布

8 **疝** shàn ↴

【疝气】shànqì 名〈医〉ヘルニア. 脱腸

8 **钐** shàn ❶柄の長い鎌(かま) ❷動 方 柄の長い鎌を振るって刈る‖～草 柄の長い鎌を振るって草を刈る ➤ shān

10 **剡** shàn [古]地名用字. 現在の浙江省嵊(じょう)県に当たる県の名 ➤yǎn

10 **扇** shàn ❶[名](～儿)扇子. うちわ‖折～ 扇子 ❷(門や戸の)扉. (板状の)しきり‖隔～(部屋の)仕切り板 ❸[量](扉や窓などを数える)枚‖一～门 1枚の扉 ❹扇形の羽根が付いている器具‖电～ 扇風機 ➤shān

【扇贝】shànbèi [名]〈貝〉ホタテガイ

【扇骨】shàngǔ (～儿) [名]扇子の骨.〔扇骨子〕ともいう

【扇面儿】shànmiànr [名]扇子やうちわに張る紙または絹

【扇坠】shànzhuì (～儿) [名]扇の柄に下げる玉(ぎょく)などの飾り

*【扇子】shànzi [名]扇子. うちわ

11 **掸(撣)** shàn ❶[古](史書で)タイ族 ❷(ミャンマーの少数民族)シャン族 ➤dǎn

12* **善** shàn ❶優れている. よい‖～策 良策 ❷[形]善良である. 慈悲深い ↔〔恶〕‖→～良 ❸善行. 善 ↔〔恶〕‖行～ 善行を積む ❹仲がいい. 親しい‖友～ 仲がいい ❺きちんとやる. ちゃんと処理する‖→～后 ❻[動]長じる. 熟達する‖～交际 人付き合いが上手である ❼[動]容易に…する. …しやすい‖～疑 すぐ疑う|～变 変わり身が早い ❽十分に. よく‖～自珍重 くれぐれもご自愛ください

【善罢甘休】shàn bà gān xiū [成]そのまま事なく済ませる. ことを荒立てずに穏やかに納める. (多く否定で用いる)

【善报】shànbào [名]〈仏〉よい報い. 果報‖善有～ 善をなせばよい報いがある

【善本】shànběn [名]内容のよい版本. 善本

【善处】shànchǔ [動]善処する

【善待】shàndài [動]誠意をもって接する. 真心をもって接する‖～老人 お年寄りを大事にする

【善感】shàngǎn [形]多感である

【善后】shànhòu [動]事後の処理をきちんとする. 後始末をきちんとする‖～对策 善後策

【善举】shànjǔ [名][書]慈善行為

【善类】shànlèi [名][書](多く否定に用いて)善人

*【善良】shànliáng [形]善良である‖～的人 善良な人|心地～ 気立てがいい

【善男信女】shàn nán xìn nǚ [成]善男善女. 敬虔(けいけん)な信徒たち

【善始善终】shàn shǐ shàn zhōng [成]最初から最後まできちんとやり遂げる. 首尾を全うする

【善事】shànshì [名]善事. 情け深い行為

【善心】shànxīn [名]慈悲深い気持ち. 同情心

【善行】shànxíng [名]善行

【善意】shànyì [名]善意. 好意‖～劝告 善意の忠告|开了一个～的玩笑 悪気のない冗談を言う

【善意第三人】shànyì dìsān rén [名]〈法〉善意の第三者

**【善于】shànyú [動]…に長じる. …がうまい‖～应酬 交際上手である|～用人 人使いが上手である

【善战】shànzhàn [動]よく戦う. 戦いが巧みである

【善终】shànzhōng [動]❶天寿を全うする. 安らかに死ぬ ❷最後までやり遂げる. 有終の美を飾る

12 **禅(禪)** shàn 帝位を譲る. 禅譲する‖～位 譲位する ➤chán

【禅让】shànràng [動]禅譲する

13 **骟** shàn [動](家畜を)去勢する‖～马 ウマを去勢する

14 **鄯** shàn 地名用字‖～善 新疆ウイグル自治区にある県の名

15 **缮** shàn ❶修理する. 修繕する‖修～ 修繕する ❷[動]書き写す. 清書する‖→～写

【缮发】shànfā [動]清書して送る

【缮写】shànxiě [動]清書する

16 **擅** shàn ❶[書]一手に握る. 独占する‖→～权 ❷勝手に行う‖～离职守 勝手に持ち場を離れる ❸[動]長じる‖不～辞令 口べたである

*【擅长】shàncháng [動]たける. 得意とする‖～书法 書に堪能である

【擅场】shànchǎng [動][書]他を圧倒する. 群を抜く‖～之作 他を圧倒する作品

【擅权】shànquán [動]大権をほしいままにする

*【擅自】shànzì [副]勝手に. ほしいままに. 断りなく‖不要～动用公物 断りなく公共の物を使用してはならない

16 **嬗** shàn [書]移り変わる‖～变 変遷する

16 **膳(△饍)** shàn 食事‖晚～ 夕食|用～ 食事をとる

【膳费】shànfèi [名]食費

【膳食】shànshí [名]日常の食事

【膳宿】shànsù [名]食事と宿泊

17 **赡** shàn ❶[形][書]豊富である. 足りている‖气力不～ 気力が足りない ❷扶養する

【赡养】shànyǎng [動][書](両親を)扶養する‖～费 扶養費|～老人 年老いた親を扶養する

20 **鳝(△鱓)** shàn [名]〈魚〉タウナギ. ふつうは〔鳝鱼〕といい,〔黄鳝〕ともいう

shāng

6** **伤(傷)** shāng ❶[名]傷. 怪我(けが)‖手上的～还没完全好 手の傷はまだ完全に治っていない ❷[動]傷つける. 損なう‖～了自尊心 プライドを傷つけた|摔shuāi～了腿 転んで足を怪我した ❸悲しむ. 憂える‖悲～ 悲しむ ❹病気になる‖→～风 ❺[動]食べあきる. 食傷する‖吃～了 食べあきた ❻[動](〔有〕〔无〕の後に置き)差し支える. 妨げになる‖这点儿问题无～大局 この程度の問題は全体には差し支えない

【伤疤】shāngbā [名]傷跡‖留下～ 傷跡が残る

【伤兵】shāngbīng [名]〈軍〉負傷兵

【伤残】shāngcán [動]❶(事故などで)障害が残る‖～儿童 障害児 ❷(物が)きずつく‖这个花瓶有～ この花瓶にはきずがある

【伤悼】shāngdào [動][書]哀悼する. 死者を悲しみ悼む

【伤风】shāng//fēng [動]風邪を引く =〔感冒〕[名](shāng fēng)風邪

【伤风败俗】shāng fēng bài sú [成]社会の風紀を乱す

【伤感】shānggǎn [形]感傷的なさま‖令人～ 人を感傷的にさせる

【伤感情】shāng gǎnqíng [組]感情を害する. 気にさわる. 気持ちを傷つける

*【伤害】shānghài [動](肉体的または精神的に)傷つける. 害する. 損なう‖吸烟太多会～身体 タバコを吸いすぎると健康を損なう|～自尊心 自尊心を傷つける

【伤寒】shānghán 图 ❶〈医〉腸チフス. チフス ❷〈中医〉発熱を伴う諸病. とくに身体が冷えて起こる病気
【伤号】shānghào 图 負傷者. 負傷兵
【伤耗】shānghao 口 動 ❶損なう. 破壊する ❷失う 图 損害. ロス
【伤和气】shāng héqi 圃 仲たがいする. 気まずくなる
*【伤痕】shānghén 图 傷跡 ‖ 心灵上的～ 心の傷跡 | ～累累 傷跡が累々と残る
*【伤口】shāngkǒu 图 傷口 ‖ 包扎bāozā～ 傷口を縛る | ～愈合yùhé 傷口が癒着する
【伤面子】shāng miànzi 圃 顔をつぶす. メンツをつぶす ‖ 你这么当众说他, 多伤他的面子 こんな大勢の前で意見したら, 彼のメンツは丸つぶれだよ
*【伤脑筋】shāng nǎojīn 圃 頭を悩ます. 頭が痛い ‖ ～的问题 頭の痛い問題 | 这事ル太～ これはほんとに頭の痛いことだ
【伤热】shāng//rè 動 (野菜などが) 暑さのせいで傷む
【伤人】shāng//rén 動 人に傷を負わす. 人を傷つける ‖ 你不要出口～ 人を傷つけるような言い方はやめろ
【伤神】shāng//shén 動 神経をすり減らす. 気疲れする 形 悲しい. つらい
【伤生】shāng//shēng 動 書 生命を害する
【伤势】shāngshì 图 傷の程度 ‖ ～严重 重傷である
【伤逝】shāngshì 動 書 死者を悲しみ悼む
【伤天害理】shāng tiān hài lǐ 成 天理に背く. やり方が極めて残忍である
【伤痛】shāngtòng 图 傷の痛み 形 つらい. 悲しい
【伤亡】shāngwáng 動 死傷する ‖ 重大～事故 重大な死傷事故 图 死傷者
【伤心】shāng//xīn 形 **悲しい. つらい. 心を痛める ‖ 他的话伤了我的心 彼の話は私を悲しませた | 她哭得十分～ 彼女はひどく悲しそうに泣いている
【伤心惨目】shāng xīn cǎn mù 成 目を背けたくなるくらい悲惨である
*【伤员】shāngyuán 图 怪我人. 負傷兵

S

6 **汤(湯)** shāng ➘ ➤ tāng
【汤汤】shāngshāng 形 書 水の流れが盛んで勢いのあるさま ‖ 浩浩hàohaò～ 滔々(とうとう)と流れる

9 **殇(殤)** shāng 書 ❶夭折(ようせつ)する ❷戦死者 ‖ 国～ 殉国の士

11 **商**[1] shāng ❶图 王朝名, 商(前16世紀～前11世紀) ❷商人. ビジネスマン ‖ 外～ 外国のビジネスマン ❸商業. 商い ‖ 经～ 商売をする ❹图 (二十八宿の一つ)なかごぼし, 心宿(しんしゅく)

11 **商**[2] shāng 相談する. 協議する ‖ 会～ 協商する | 磋cuō～ じっくり相談する

11 **商**[3] shāng 图〈音〉中国の伝統音楽の階名の一つで, 西洋音楽のレに相当する. ➡〔五音wǔyīn〕

11 **商**[4] shāng ❶图〈数〉商 ‖ 六除以三的～是二 6を3で割った値は2である ❷動〈数〉(ある数が)商となる. (割って)…となる ‖ 六除以三～二 6割る3は2

*【商标】shāngbiāo 图 商標. トレードマーク. ブランド
【商场】shāngchǎng 图 ❶市場. マーケット** ‖ 自选～ スーパーマーケット | 百货～ デパート ❷**商業界**
【商船】shāngchuán 图 商船
【商德】shāngdé 图 商道徳. 商モラル
★【商店】shāngdiàn 图 **商店. 店** ‖ 副食～ 副食品店 | 五金～ 金物店 | 百货～ デパート
【商定】shāngdìng 動 協議して決める
【商法】shāngfǎ 图〈法〉商法
【商贩】shāngfàn 图 小商人(こあきんど). 行商人
【商港】shānggǎng 图 貿易港
【商贾】shānggǔ 图 書 商人の総称
【商海】shānghǎi 图 ビジネス界. 実業界. 商業界
【商行】shāngháng 图 (大規模な)商店
【商号】shānghào 图 旧 商店
【商户】shānghù 图 商家. 商人
【商会】shānghuì 图 商会. 商人の組合組織
【商机】shāngjī 图 ビジネスチャンス ‖ 关键在于能否把握～ ビジネスチャンスをものにできるかどうかが鍵だ
【商家】shāngjiā 图 商家. 商人
【商检】shāngjiǎn 图 商品検査
【商界】shāngjiè 图 商業界
【商量】shāngliang ; shāngliáng 動 **相談する. 協議する ‖ ～对策 対策を協議する | 我有些事要跟你～ 君にちょっと相談したいことがあるのですが

類義語 商量 shāngliang 商榷 shāngquè 讨论 tǎolùn
◆〔商量〕ある問題について意見を交換する. 話し言葉によく用いる. 相談する. 打ち合わせる. 協議する ‖ 这件事我要跟他商量一下 この事は彼と相談したい | 咱们商量商量怎么办呢 私たちはどうしたらいいか相談しよう ◆〔商榷〕他人の見解の誤りを指摘し, 正しい認識を得るために話し合う, 論じる. 学術問題に限られ, 書き言葉. 検討する. 討議する ‖ 我对他的一篇论文提出商榷意见 私は彼の論文に対して疑義を述べた ◆〔讨论〕ある問題について意見を交換する, 論じる. 比較的重要なテーマについて会議形式をとることが多い. 討論する. 討議する ‖ 安理会讨论难民问题 安全保障理事会は難民問題について討議する | 会上, 大家进行了热烈的讨论 会議では白熱した討論が繰り広げられた

【商旅】shānglǚ 图 行商人
【商贸】shāngmào 图 商業と貿易
【商品】shāngpǐn 图 **商品 ‖ 高档～ 高級品
【商品房】shāngpǐnfáng 图 分譲住宅
【商品经济】shāngpǐn jīngjì 图 商品経済
【商品粮】shāngpǐnliáng 图 商品として売られる穀物
【商品流通】shāngpǐn liútōng 图 貨幣を媒介とした商品流通
【商品生产】shāngpǐn shēngchǎn 图 商品生産
【商洽】shāngqià 動 相談する. 話し合う
【商情】shāngqíng 图 商況. 市況
【商圈】shāngquān 图 商業ビジネス地区. ビジネス街. オフィス街
*【商榷】shāngquè 動 検討する. 議論する ‖ 有待～ まだ検討を要する | 这种说法值得～ こうした考え方には議論の余地がある
*【商人】shāngrén 图 商人. ビジネスマン
【商厦】shāngshà 图 ショッピングモール. ショッピングセンター
【商社】shāngshè 图 商社
【商数】shāngshù 图〈数〉割り算の答え. 商
【商谈】shāngtán 動 打ち合わせる. 話し合う ‖ ～业务 業務の打ち合わせをする

*【商讨】shāngtǎo 動 討議する. 協議する ‖ ～对策 対策を協議する｜～国家大事 国政を討議する
【商亭】shāngtíng 名 売店
【商务】shāngwù 名 商務. ビジネス ‖ 进行～谈判 商談をする｜～参赞cānzàn 商務参事官
**【商业】shāngyè 名 商業
【商业街】shāngyèjiē 名 商業街. 商店街. 繁華街
【商业片】shāngyèpiàn 名 商業映画.
【商业银行】shāngyè yínháng 名 商業銀行
*【商议】shāngyì 動 相談する. 討論する ‖ 共同～解决办法 一緒に解決方法を相談する
【商战】shāngzhàn 名 商戦
【商酌】shāngzhuó 動 相談し検討する

12 **觞**（觴）shāng 名 古 さかずき

14 **墒** shāng 名〈農〉土壌の湿度 ‖ 保～ 土壌の水分を一定に保つ

15 **熵** shāng 名〈物〉エントロピー

shǎng

3 **上** shǎng ➘ ➤ shàng
【上声】shǎngshēng ➤ shàngshēng

9 **垧** shǎng 量 土地面積の単位. 1〔垧〕が東北地区では15〔亩〕(ムー), 西北地区では3〔亩〕または5〔亩〕に相当する

10 **晌** shǎng ❶方 正午 ‖ 一～午 ❷量(～儿)一日のうちのある一区切りの時間 ‖ 半～ しばらく. 少しの間｜前～ 午前｜后～ 午後
【晌饭】shǎngfàn 名 方 昼食.〔晌午饭〕ともいう
【晌觉】shǎngjiào 名 方 昼寝.〔晌午觉〕ともいう
*【晌午】shǎngwu 名 口 正午. 昼

12 * **赏** shǎng ❶動 ほうびを与える. 褒賞する ‖ 老板～给他一笔钱 社長は彼にほうびとして金一封を与えた ❷ほうび. 褒賞 ‖ 立功受～ 手柄を立ててほうびをもらう ❸ほめる. 高く評価する ‖ 赞～ 称賛する ❹動 めでる. 観賞する ‖ ～花 花見をする
【赏赐】shǎngcì 旧 動(身分の上の者が下の者に)金品を与える. 恩賞を与える 名 ほうび. 恩賞
【赏罚】shǎngfá 動 賞罰を与える ‖ ～分明 賞罰がはっきりしている. 公正である
【赏封】shǎngfēng 名 旧 祝儀
【赏格】shǎnggé 名 懸賞金の額
【赏光】shǎng//guāng 動 敬 おいでいただく ‖ 请您务必～ ぜひご出席くださいますようお願い申し上げます
【赏鉴】shǎngjiàn 動(芸術作品を)鑑賞する
【赏脸】shǎng//liǎn 動 敬 承諾してくださる. お受け取りいただく ‖ 请您～收下这份礼物 この粗品をご笑納ください｜赏我个脸 (私の顔を立てて)ご承知ください
【赏钱】shǎngqian；shǎngqián 名 心付け. 祝儀
【赏识】shǎngshí 動(人の才能を)認める. 評価する ‖ 经理非常～他 社長は彼を非常に高く評価している
【赏玩】shǎngwán 動 観賞する. 賞翫(しょうがん)する
【赏析】shǎngxī 動(詩文などを)鑑賞し分析する
【赏心悦目】shǎng xīn yuè mù 成(美しい風景などを見て)心や目を楽しませる. 美しいものに接して楽しむ
【赏阅】shǎngyuè 動 鑑賞閲読する

shàng

3 ★ **上**[1] shàng ❶名 上. 上部 ↔〔下〕‖ 从～到下 上から下まで ❷名(時間や順序が)前. 先. 以前 ‖ 一～次 ❸(等級や質が)高いもの. 上等のもの ‖ 一～品 ❹旧 皇帝. 君主 ‖ 一～谕 ❺目上の人や地位の高い人 ‖ 长～ 目上の人 ❻動(高い所へ)登る. 上がる ‖ ～楼 上の階に上がる ❼動 前に進む. 向かっていく ‖ 迎着困难～ 困難に立ち向かってゆく ❽動 行く ‖ 你～哪儿？ 君はどこへ行くの｜～厕所 トイレに行く ❾動(ある数や程度に)達する. …にのぼる ‖ 耗资hàozī～亿元 1億元にのぼる出費 ❿動(仕事や授業など)時間割りに従って行動する ‖ 第二节～物理 2時間目は物理の授業だ｜～早班 早出する ⓫動(上位の者に)差し上げる. 献呈する ‖ 一～书 ⓬(shang;shàng) 動 動詞の後に置き, 低い所から高い所に移動することを表す ‖ 登～山顶 山頂に登る ⓭(shang;shàng) 動 動詞の後に置き, 一定の数量に達することを表す ‖ 蒸～十分钟就熟了 10分間ふかせばでき上がりだ. ⓮(shang;shàng) 動 動詞の後に置き, 目標に達することを表す ‖ 穿～衣服 服を着る｜没赶～汽车 バスに間に合わなかった ⓯(shang;shàng) 動 動詞または形容詞の後に置き, 動作が始まり継続されることを表す ‖ 两个人又下～棋了 二人はまた将棋を始めた｜一开学就忙～了 学期が始まってまた忙しくなった ⓰名〈語〉古代中国語の四つの声調の一つ, 上声(じょうしょう). shǎng とも発音する. ⓱動 掲載される. 報道される ‖ ～电视 テレビに出る ⓲動 登場する. 出場する ‖ 主力还没～呢 主力選手はまだ登場していない. ⓳動 取り付ける. 装着する ‖ ～衣领 襟をつける. ⓴動(機械の)ねじを締める ‖ ～螺丝luósī ボルトを締める ㉑動 加える. 足す ‖ 一～油 ㉒動 塗る. 付ける ‖ ～颜色 色を塗る

3 ★ **上**[2] shang ❶名 名詞の後に置き, 物体の上や表面を表す ‖ 墙～挂着结婚照 壁に結婚の記念写真が掛けてある ❷名 名詞の後に置き, 一定の範囲を表す ‖ 会～发言不多 会議では発言が少なかった ❸名 名詞の後に置き, ある方面・分野を表す ‖ 他把精力都放在工作～了 彼はすべての精力を仕事に注いだ ❹名 年令を表す語句の後に置き, 「…のとき」の意を表す ‖ 他十岁～到了北京 彼は10歳のとき北京に来た

3 **上**[3] shàng 名〈音〉中国の伝統音楽の階名の一つで, 音符としても用いる. 西洋音楽のドに相当する. ➡〔工尺gōngchě〕

類義語 | 上 shàng 去 qù

◆〔上〕(…へ)行く. ただし, 後に場所を表す名詞が直接続くときのみ ‖ 上(去)北京 北京へ行く｜上(去)医院 病院へ行く｜上(去)学校 学校へ行く ◆〔去〕〔上〕のような構文上の制限がなく, 「(…へ)行く」意味を表す ‖ 我也去(×上) 私も行きます｜想去(×上)的地方不少 行きたいところは結構ある｜去(×上)买东西 買い物に行く ◆〔上班〕〔上学〕などは単語なので, 〔去〕による置き換えはできない

**【上班】shàng//bān (～儿) 動 出勤する. 出社する. 勤務する ↔〔下班〕‖ ～时间 勤務時間｜一个星期上五天班 1週間に5日出勤する

S

【上班族】shàngbānzú 图 サラリーマン. OL. 会社員
【上半场】shàngbànchǎng ＝〔上半时shàngbànshí〕
【上半年】shàngbànnián 图 1年の前半. 上半期
【上半晌】shàngbànshǎng （～儿）图 方 午前. 午前中
【上半时】shàngbànshí 图〈体〉試合の前半. 前半戦.〔上半场〕ともいう ↔〔下半时〕
【上半天】shàngbàntiān 图 午前. 午前中
【上半夜】shàngbànyè 图 夜の前半. 日没から夜中の12時まで
*【上报】shàng//bào 動 ❶新聞に載る‖这起事件已经上了报 この事件はもう新聞に載った ❷(shàngbào) 上級に報告する‖工作进程要及时～ 仕事の進行状況はただちに上に報告しなければならない
【上辈】shàngbèi （～儿）图 ❶親の代 ❷先祖
【上辈子】shàngbèizi 图 ❶先祖. 祖先 ❷前世
★【上边】shàngbian （～儿）图 ❶上. 上の方‖咱们去～看看 上に行って見てみよう ❷表面. 上‖电线杆子gānzi～贴着几张广告 電柱に数枚の広告が張ってある ❸(順序としての)前. 上‖这个问题～已经谈到 この問題については先に述べた ❹(組織や機構における)上層部. 上級
【上膘】shàng//biāo 動（家畜が）肥える. 肉がつく
【上宾】shàngbīn 图 大切なお客. 上客. 賓客
【上不来】shàngbulái 動 上がってこられない
【上不去】shàngbuqù 動 上がっていけない‖产量总～ 生産高はずっと低迷している
【上不着天, 下不着地】shàng bù zháo tiān, xià bù zháo dì 慣 上は天にも届かず, 下は地にもつかない. どっちつかずである. 中途半端である
【上部】shàngbù 图 上の部分. 上部
【上菜】shàng//cài 動 料理を食卓に出す
【上苍】shàngcāng 图 書 蒼天(そうてん)
【上操】shàng//cāo 動（兵士が）訓練に出る
【上策】shàngcè 图 上策. 最良の策 ↔〔下策〕
*【上层】shàngcéng 图（組織や機構の）上層部
【上层建筑】shàngcéng jiànzhù 图〈経〉(経済的基礎の上に成り立つ)上部構造
【上场】shàng//chǎng 動（役者や選手が）登場する. 出場する. 入場する‖名演员～ 名優が登場する
【上朝】shàng//cháo 動 旧 ❶臣下が宮中に参内して皇帝に上奏する ❷皇帝が朝廷で政務を執る
【上车】shàng//chē 動 車に乗る. 乗車する
【上乘】shàngchéng 图 ❶〈仏〉大乗 ❷最上. 上々‖～之计 最善の策 ✻↔〔下乘〕
【上传】shàngchuán 動〈計〉アップロードする ↔〔下载〕
【上船】shàng//chuán 動 船に乗る. 乗船する
【上床】shàng//chuáng 動 床に就く. 寝床に入る
【上次】shàngcì 图 前回
【上蹿下跳】shàng cuān xià tiào 慣 あちこち奔走する.（多く悪い意味に用いる）
【上代】shàngdài 图 先代. 祖先
**【上当】shàng//dàng 動 だまされる. わなにかかる. 計略に陥る‖～受骗 ペテンにひっかかる｜千万不要上他的当 彼にだまされないようにくれぐれも気をつけなさい
*【上等】shàngděng 形 上等である. 高級である. 優れている‖～货 高級品｜～人 立派な人物
【上等兵】shàngděngbīng 图〈軍〉上等兵. 兵士の階級の一つで,〔列兵〕(二等兵)の上
*【上帝】Shàngdì 图〈宗〉❶(中国古代の神である)天帝. 上帝 ❷(キリスト教の)神. ヤハウェ. エホバ
【上吊】shàng//diào 動 首をつる
【上调】shàngdiào 動 ❶栄転する ❷(物資などを)上部機関で徴用する ➤ shàngtiáo
【上冻】shàng//dòng 動 凍る. 凍りつく. 凍結する
【上端】shàngduān 图 上端. 先端
【上颚】shàng'è 图〈動〉❶(ある種の節足動物)の上顎(じょうがく) ❷(脊椎せきつい動物の)上あご
【上方宝剑】shàngfāng bǎojiàn 图 天子の宝剣. 転 上から与えられた特権.〔尚方宝剑〕とも書く
【上房】shàngfáng 图 母屋
【上访】shàngfǎng 動 上級の公的機関に直訴・陳情しに行く
【上肥】shàng//féi 動〈農〉施肥をする. 肥料をやる
【上坟】shàng//fén 動 回 墓参りをする
【上风】shàngfēng 图 ❶風上 ❷優位. 優勢
【上浮】shàngfú 動 ❶(潜水艦などが)浮上する ❷(給料や値段などが)上がる. 引き上げる ↔〔下浮〕
【上纲】shàng//gāng 動 原理原則問題として取り上げる‖～上线 原則的政治問題として追及する振り
【上岗】shànggǎng 動 勤務に就く. 持ち場に就く
【上告】shànggào 動 ❶上告する. 上級機関に訴える ❷(上に)報告する. 上申する
【上个月】shànggeyuè 图 先月. 前月
【上工】shàng//gōng 動 ❶(労働者や農民が) 1日の仕事に取りかかる ❷旧(使用人が雇い主の家で)初めて仕事をする
【上供】shàng//gòng 動 ❶神仏に供える ❷(便宜をはかってもらうために)贈り物をする. 賄賂を贈る
【上钩】shàng//gōu 動 ❶(魚が)針にかかる ❷喩(人が)わなにかかる
【上古】shànggǔ 图〈史〉比較的早期の古代. 上古. 中国では商・周・秦・漢の時代をさすことが多い
【上轨道】shàng guǐdào 組(物事が)軌道に乗る
【上好】shànghǎo 形(品質が)最上である. 最高である‖～的茶叶 極上の茶｜～的家具 高級家具
【上颌】shànghé 图〈生理〉上あご.〔上颚〕ともいう
【上呼吸道】shànghūxīdào 图〈生理〉上部呼吸器. 鼻腔(びこう)・のど・気管をさす
【上回】shànghuí 图 前回.〔上一回〕ともいう
【上火】shàng//huǒ （～儿）動 ❶〈中医〉のぼせる ❷方 怒る. かっとなる
【上货】shàng//huò 動 ❶商品を仕入れる ❷商品を棚に並べる. 商品を陳列する
**【上级】shàngjí 图 上級部門. 上層部. 上司 ↔〔下级〕‖请示～ 上級部門に指示を仰ぐ
【上佳】shàngjiā 形 上等である. 非常によい‖他常能推出～的营销yíngxiāo策划cèhuà 彼はいつも優れた営業プランを出す
【上家】shàngjiā （～儿）图(トランプやマージャンなどで自分の)上手(かみて)の人. 前の番の人.〔上手〕ともいう
【上浆】shàng//jiāng 動(布や衣服に)のり付けをする
【上将】shàngjiàng 图〈軍〉上将. 中国の軍隊の位で〔中将〕(中将)より上,〔大将〕(大将)より下
*【上交】shàngjiāo 動 政府機関に納める. 上級部門に引き渡す‖他们把这些文物～给了有关部门 彼らはこれらの文物を関係部門に引き渡した
【上缴】shàngjiǎo 動 上納する. 国家に納入する

S

【上接】shàngjiē 動 (新聞や雑誌などで)第… 面より続く. 第… ページより続く ↔〔下转〕
【上街】shàng//jiē 動 街に出る
【上界】shàngjiè 名 天界. 天上
*【上进】shàngjìn 動 向上する. 進歩する ‖ ～心 向上心 | 力求～ 上達するように努力する
【上劲】shàng//jìn (～儿) 形 気分がのってくる. 熱が入る. 調子づく ‖ 越唱越～ 歌うほどに調子が出てくる
【上镜】shàngjìng 動 映画やテレビに出る 形 (映画やテレビの)カメラ映りがいい
【上客】shàngkè 名 上得意. 上客
★【上课】shàng//kè 動 **授業をする. 授業を受ける. 授業に出る** ‖ 已经～了 もう授業が始まった | 上午只上两节课 午前中は二こましか授業がない
*【上空】shàngkōng 名 上空
【上口】shàngkǒu 形 ❶(詩文などが)口からすらすらと出るさま ❷(詩文などが)調子がいい. 語呂(ごろ)がいい
【上款】shàngkuǎn (～儿) 名 贈る書画や品物などの上に書く相手の名や称号
【上来】[1] shànglái 動 ❶始める ‖ ～就给他个下马威 最初に彼に手ごわいところを見せておく ❷書 以上を総括する ‖ ～所言, 全属shǔ事实 以上述べたことはすべて事実である
★【上来】[2] shàng//lai(lái) 動 ❶**(低い所から高い所へ)上がってくる. 登ってくる** ‖ 他还在楼下, 一会儿就～ 彼はまだ下の階にいますが, すぐに上がってきます ❷**(下級部門から上級部門へ)上がってくる** ‖ 王副市长是刚从县里～的 王副市長は県政府から栄転してきたばかりだ ❸(こちらに)**近づいてくる. 向かってくる** ‖ 一个外地人～打听路 よその土地の人がやって来て道を尋ねた ❹(田舎から町へ)やって来る
★【…上来】…//shang(shàng)//lai(lái) 動 ❶動詞の後に置き, **動作が低い所から高い所へ上がってくることを表す** ‖ 把行李搬～ 荷物を運び上げる ❷動詞の後に置き, 動作が下級部門から上級部門に向けて行われることを表す ‖ 及时把情况反映～ すみやかに状況を上層部に報告する ❸動詞の後に置き, **動作がこちらへ近づいてくることを表す** ‖ 追～ 追いかけてくる ❹動詞の後に置き, **行為が完成することを表す**. 多く可能補語の形をとる ‖ 说得～ 言うことができる | 背不～ 暗記できない ❺方 形容詞の後に置き, 程度の進んだことを表す ‖ 天色黑～了 空が暗くなってきた
【上联】shànglián (～儿) 名 対聯(ついれん)の上の句
【上脸】shàng//liǎn 動 ❶(酒を飲んで)顔に出る. 顔が赤くなる ❷(子供などが)図に乗る. 調子に乗る
【上梁不正下梁歪】shàngliáng bù zhèng xiàliáng wāi 諺 上に立つ者が不正を行えば, 下の者もそれにならって悪いことをする
【上列】shàngliè 形 上に列挙した. 上記した ‖ ～数据shùjù 上に挙げたデータ
【上流】shàngliú 名 ❶(河川の)上流 ❷(社会の)上層. 上流 ‖ ～社会 上流社会
【上路】shàng//lù 動 旅立つ. 出発する
【上马】shàng//mǎ 動 喩 (大きな仕事に)取りかかる. 着手する ‖ 工程即将～ 工事はまもなく始まる
【上门】shàng//mén (～儿) 動 ❶訪問する ‖ 送货～ 品物を家まで配達する ❷戸締まりをする. 錠をかける ‖ 上好门出去 しっかり戸締まりをして出かける ❸(営業時間が終了して)店じまいする. 閉店する ❹方 入り婿になる
【上面】shàngmian (～儿) 名 ❶上の方. 上部 ‖ 河～新架了座桥 川の上に新しく橋がかかった ❷(順序の)前. 先** ‖ ～所列的事实 以上に列挙した事実 ❸**(物の)表面. おもて** ‖ 窗户～贴着窗花 窓に切り紙細工が張ってある ❹**方面. 分野. 領域** ‖ 这～他很有经验 この方面では彼は経験が豊富だ ❺**上層部. 上司** ‖ ～的决定 上層部の決定 ❻前の代. 先代
【上年】shàngnián 名 昨年. 去年
【上年纪】shàng niánji 組 年を取る
【上皮组织】shàngpí zǔzhī 名〈生理〉上皮組織
【上品】shàngpǐn 名 高級品. 上等品
【上坡路】shàngpōlù 名 ❶上り坂 ❷物事がしだいに上り調子になっていくこと ‖ 开始走～ 上り坂に入る
【上气不接下气】shàngqì bù jiē xiàqì 慣 息がつけない. 息がきれる ‖ 跑得～ 息がきれるほど走った
【上前】shàngqián 動 前に進み出る
★【上去】shàng//qu(qù) 動 ❶**(低い所から高い所へ)上がっていく. 登っていく** ‖ 咱们乘缆车lǎnchē～吧! 僕らはケーブルカーで登ろう ❷(下級部門から上級部門へ)上がっていく ❸向かっていく ‖ 他看见一个警察, 便～打听路 彼は警官を見つけて, 道を聞きにいった
★【…上去】…//shang(shàng)//qu(qù) 動 ❶動詞の後に置き, **動作が低い所から高い所へ向かうことを表す** ‖ 把桌子抬上楼去 テーブルを上の階へ運び上げる ❷動詞の後に置き, **動作が下級部門から上級部門に向けて行われることを表す** ‖ 作业已经交～了 宿題はもう提出した ❸動詞の後に置き, **近くから遠くへ向かうことを表す** ‖ 送上门去 家まで送っていく ❹動詞の後に置き, 主たるものに従たるものをつけ加えることを表す ‖ 把螺丝luósī拧nǐng～ ねじを締める
【上圈套】shàng quāntào 慣 わなにかかる. はめられる
【上人】shàng//rén (～儿) 動 方 (顧客などが)続々と詰めかける
*【上任】shàng//rèn 動 赴任する. 就任する ‖ 走马～ 官吏が赴任する 名 (shàngrèn) 前任者
【上色】shàng//shǎi 動 色を塗る. 色をつける
【上山】shàng//shān 動 ❶山に登る ❷婉 死ぬ ❸方 カイコを蔟(まぶ)に移す. 上蔟(じょうぞく)する
【上上】shàngshàng 形 ❶最良の. 最上の ‖ ～策 最上の策 ❷前の前の. 先々 ‖ ～月 先々月
【上身】[1] shàng//shēn 動 新しい服を初めて着る
【上身】[2] shàngshēn 名 ❶(～儿)上着 ❷上半身
*【上升】shàngshēng 動 ❶(高い所へ)上昇する. 上がる ‖ 热气球慢慢～ 熱気球がゆっくりと上がる ❷(数量・程度・等級などが)上がる. 増加する ‖ 血压～ 血圧が上がる | 产量大幅度～ 生産量が大幅に増加した
【上声】shàngshēng ; shǎngsheng 名〈語〉❶古代中国語の四つの声調の一つ, 上声(じょうしょう) ❷現代中国語の四つの声調の一つ, 第3声 *➡〔四声sìshēng〕
【上士】shàngshì 名〈軍〉曹長.〔军士〕(下士官)の最高位
【上市】shàng//shì 動 ❶市場に出回る. 店頭に並ぶ ❷市場へ行く ❸(shàngshì)〈経〉上場する
【上市公司】shàngshì gōngsī 名 上場企業. 上場会社
【上市股票】shàngshì gǔpiào 名 上場株
【上手】[1] shàngshǒu 名 ❶上席. 上座.〔上首〕とも書く ❷(マージャンなどで自分の)上手(かみて)の人
【上手】[2] shàngshǒu 動 開始する. 始める. 手をつける
【上寿】shàngshòu 動 (年寄りの)誕生日を祝う

S

【上书】shàng//shū 動 上申する. 意見書を提出する
*【上述】shàngshù 形 上述の. 前述の ‖ ～情况属shǔ实 上述の状況は事実のとおりである
【上水】[1] shàng//shuǐ 動 (汽車や汽船などに)水を補給する. 給水する
【上水】[2] shàngshuǐ 動 流れをさかのぼる 名 上流
【上水道】shàngshuǐdào 名 上水道
【上税】shàng//shuì 動 税を納める. 課税される
【上司】shàngsi 名 上司. 上役
*【上诉】shàngsù 動〈法〉上訴する ‖ 向上一级法院提出～ 上級裁判所に上訴する
【上溯】shàngsù 動 ❶(流れを)さかのぼる ❷(年月を)さかのぼる
【上算】shàngsuàn 形 採算が合う. 安上がりである ‖ 买往返机票比单程机票～ 往復航空券は片道航空券より割安だ
【上岁数】shàng suìshu (～儿) 組 口 年を取る
【上锁】shàng//suǒ 動 鍵をかける. 施錠する
*【上台】shàng//tái 動 ❶舞台に上がる. 壇上に立つ ❷貶 官僚になる. 政権の座につく
【上台阶】shàng táijiē 組 レベルが上がる. レベルアップする ‖ 明年本市经济要上一个新台阶 来年我が市の経済はさらに発展するだろう
【上膛】[1] shàng//táng 動 銃弾や砲弾をこめる
【上膛】[2] shàngtáng 名 口蓋(こうがい). 〔腭〕の通称
【上套】shàng//tào (～儿) 動 わなにはまる. 陥れられる
【上体】shàngtǐ 名 書 上半身
【上天】shàng//tiān 動 ❶天に上がる ❷昇天する. 死亡する 名 (shàngtiān) 天. 神
【上调】shàngtiáo 動 (価格などを)引き上げる ‖ ～利率 利率を上げる ➤ shàngdiào
【上头】shàng//tóu 動 旧 (お下げ髪だった未婚の娘が嫁入りのとき)髪を結い上げる
*【上头】shàngtou 名 ❶上. 上部 ‖ 他把皮箱放在大衣橱chú的～ 彼はトランクを洋服ダンスの上に置いた ❷表面. おもて ❸(順序の)前. 先 ❹上層部. 上司 ‖ ～派人来调查这件事了 上層部がこの事件の調査のために人を派遣してきた ❺方面. 分野
【上网】shàng//wǎng 動〈計〉インターネットに接続する
【上网卡】shàngwǎngkǎ 名〈通信〉インターネットアクセスカード
【上尉】shàngwèi 名〈軍〉上尉. 中国の軍隊の位の一つで, 中尉より上, 大尉より下
【上文】shàngwén 名 前に記した文章. 前文 ‖ 如～所述 上述のごとく
★【上午】shàngwǔ 名 午前
【上西天】shàng xītiān 慣〈仏〉往生する. あの世に行く
*【上下】[1] shàngxià 名 ❶上と下. 上下 ‖ ～铺pù 二段ベッド ❷地位や年齢などによる上と下. 地方と中央 ‖ ～一条心 上も下も心を一つにする ❸上から下まで ‖ 他～打量了我好一阵才认出来 彼は上から下までしばらく眺めてから, やっと私だと分かった ❹(程度の)高低. (事物の)良し悪し ‖ 难分～ 優劣つけがたい ❺(数量詞の後に置き, 概数を表す)前後. ほど ‖ 六十公斤～ 60キロぐらい
【上下】[2] shàngxià 動 上がったり下がったりする ‖ 楼梯又窄zhǎi又陡dǒu, ～很不方便 階段は狭いうえ急なので, 上り下りにとても不便だ
【上下班】shàngxiàbān 動 出退勤する. 通勤する ‖ 每天骑自行车～ 毎日, 自転車に乗って通勤する
【上下其手】shàng xià qí shǒu 成 手管を弄(ろう)する. あの手この手を使って悪事をはたらく
【上下文】shàngxiàwén (～儿) 名 文章の前後のつながり. 文脈
【上弦】[1] shàngxián 名〈天〉上弦
【上弦】[2] shàng//xián 動 ねじを巻く
【上限】shàngxiàn 名 上限 ↔〔下限〕
【上相】shàngxiàng 形 写真うつりがよい
【上校】shàngxiào 名〈軍〉上佐. 中国の軍隊の位の一つで, 中佐より上, 大佐より下
【上心】shàngxīn 形 方 心に留める. 気を配る
【上星期】shàngxīngqī 名 先週
【上刑】shàng//xíng 動 拷問にかける
【上行】shàngxíng 動 ❶(列車が地方から都市へ)上る ‖ ～列车 上り列車 ❷(船が川を)さかのぼる ‖ ～船舶 遡行(そこう)する船 ❸(公文書を下から)上に送る
【上行下效】shàng xíng xià xiào 成 上の者がすることは下の者もまねをする. (多く悪い事柄に用いる)
★【上学】shàng//xué 動 ❶学校に行く. 登校する. 通学する ❷小学校に入学する ‖ 我家孩子今年该～了 うちの子は今年小学校に上がる
*【上旬】shàngxún 名 上旬 ‖ 下月～ 来月の上旬
【上眼药】shàng yǎnyào 組 ❶目薬をさす ❷喩 悪口を言う. 誹謗(ひぼう)する
【上演】shàngyǎn 動 上演する
【上扬】shàngyáng 動 (数値や価格が)上がる ‖ 收视率～ 視聴率が上がる | 租金～ 賃貸料が上がる
【上药】shàng//yào 動 薬をつける
**【上衣】shàngyī 名 上着
【上议院】shàngyìyuàn 名〈政〉(両院制の)上院. (アメリカの)上院. (イギリスの)貴族院. (日本の)参議院 ↔〔下议院〕
【上瘾】shàng//yǐn 動 癖になる. 中毒する. 熱中してとりこになる ‖ 玩电子游戏玩上了瘾 テレビゲームに熱中してやめられなくなった
【上映】shàngyìng 動 上映する
【上油】shàng//yóu 動 ❶油をさす ❷油を塗る
*【上游】shàngyóu 名 ❶河川の上流 ❷喩 さきがけ. 先進的地位 ‖ 力争～ 高い目標をめざして努力する
【上谕】shàngyù 名 勅命. 詔書
【上元节】Shàngyuánjié 名 元宵節(旧暦の1月15日) ＝〔元宵节〕
【上月】shàngyuè 名 先月. 前月
【上贼船】shàng zéichuán 慣 悪事にはまり込む. 悪い仲間に入る
*【上涨】shàngzhǎng 動 ❶(川の水が)増える. (潮が)満ちる ‖ 水位～ 水位が高くなる ❷(価格などが)上昇する ‖ 股票～ 株価が上がる | 物价～ 物価が上がる
【上账】shàng//zhàng 動 帳簿につける. 記帳する
【上阵】shàng//zhèn 動 ❶〈軍〉出陣する ❷喩 試合に出場する
【上肢】shàngzhī 名〈生理〉上肢
【上周】shàngzhōu 名 先週
【上装】[1] shàng//zhuāng 動〈劇〉(役者が)舞台化粧をする. 衣装をつける
【上装】[2] shàngzhuāng 名 方 上着
【上座】shàngzuò 名 上座. 上席
【上座儿】shàng//zuòr 動 (劇場や料理店などに客が)来る. 入る

S

8 **尚**[1] **shàng** ❶崇高である‖高～ 気高い ❷尊ぶ．重んずる‖→～武 ｜崇chóng～ 尊ぶ ❸気風．流行‖时～ 時流

8 ＊**尚**[2] **shàng** ❶副書なお．まだ‖为时～早 時期尚早である｜～有疑问 まだ疑問がある ❷副書…でさえ．…ですら

【尚方宝剑】**shàngfāng bǎojiàn** ＝〔上方宝剑 shàngfāng bǎojiàn〕

【尚且】**shàngqiě** 接（〔何况〕などと呼応して）…でさえ．…ですら

【尚未】**shàngwèi** 副書いまだ…するに至らない‖～解决 いまだ解決していない

【尚武】**shàngwǔ** 動 軍事または武術を重んじる

11 **绱** **shàng** 動 靴の両側面と底の部分を縫い合わせる

【绱鞋】**shàng//xié** 動 靴を縫い合わせる

shang

14 **裳** **shang** ➡〔衣裳yīshang〕 ➤cháng

shāo

10 ＊**捎** **shāo** 動 ついでに携える．ことづける‖王教授托人～给我一份ㄦ资料 王教授は人にことづけて私に資料を届けてくれた ➤shào

【捎带】**shāodài** 副 ついでに

【捎带脚ㄦ】**shāodàijiǎor** 副方 ついでに

【捎话】**shāo//huà**（～ㄦ）動 伝言する

【捎脚】**shāo//jiǎo**（～ㄦ）動（車が）ついでに人や荷物を乗せる

10 ＊**烧**（燒）**shāo** ❶動 燃やす．燃える‖把旧稿子都～了 古い原稿をみんな燃やした ❷動 炊く．沸かす．焼いて作る‖～开水 湯を沸かす ❸動（薬品で）焼く．焼ける‖裤子溅jiàn上了硫酸liúsuān，～了个大洞 ズボンに硫酸がかかって大きな穴が開いた ❹動（肥料のやりすぎなどで）枯らす．枯れる ❺動 ①（調理法の一つ）あぶり焼きにする‖叉～肉 調味料に浸した後，串(くし)にさして焼いた肉 ②（調理法の一つ）蒸したり油通しをした後，スープを加えて煮込んだり炒めたりする．または，先に煮込んだ後，油で揚げる‖红～ しょうゆ味の煮込み ❻動（病気で）熱が出る．ほてる‖发高烧一连～了三天 高熱が3日間続いた ❼名 熱‖～退了 熱が下がった ❽形口（儲かって）有頂天である．浮かれている‖他刚赚zhuàn了点钱，就～得不知道怎么好了 彼は少しばかりの金を儲けただけで，どうしたらよいか分からないほど大喜びしている

【烧杯】**shāobēi** 名〈化〉（実験用の）ビーカー

＊【烧饼】**shāobing** 名 シャオピン．小麦粉をこねて発酵させ，油や塩を練り込み，円形にして天火で焼いた食品

【烧高香】**shāo gāoxiāng** 慣 願ってもないことだ．感謝感激である

【烧化】**shāohuà** 動（死体や祭祀(さいし)用の品物などを）焼く．燃やす

【烧荒】**shāo//huāng** 動（荒地を開墾する前に）雑草を焼き払う．野焼きをする

＊【烧毁】**shāohuǐ** 動 焼き払う．焼き捨てる‖～机密文件 機密文書を焼却する｜房子～了 家が焼けた

【烧火】**shāo//huǒ** 動 火を起こす．燃やす

【烧碱】**shāojiǎn** 名〈化〉苛性(かせい)ソーダ．〔火碱〕ともいう

【烧酒】**shāojiǔ** 名 蒸留酒

【烧烤】**shāokǎo** 名 あぶり焼きした肉食品の総称

【烧卖】**shāomai** 名 シューマイ．俗に〔烧麦〕とも書く

【烧瓶】**shāopíng** 名〈化〉フラスコ

【烧伤】**shāoshāng** 動（火・薬品・放射線などが原因で）やけどを負う．やけどをする‖他在救火时被～ 彼は消火のときにやけどを負った 名（同前の原因による）やけど

【烧香】**shāo//xiāng** 動 線香をたく．焼香する

【烧心】**shāo//xīn** 動 ❶（shāoxīn）胸焼けがする ❷（～ㄦ）方（野菜の）芯(しん)が腐る

【烧纸】**shāo//zhǐ** 動（葬式や墓参のとき，死者に手向けるために）紙で作ったお金を焼く

【烧纸】**shāozhi；shāozhǐ** 名〔纸钱〕（死者に手向ける紙のお金）の一種

【烧灼】**shāozhuó** 動 やけどする．やけどをさせる

11 **梢** **shāo** ❶名（～ㄦ）こずえ．枝先‖树～ こずえ ❷名（細長い物の）先．端‖眉～ 眉(ま)じり｜头发～ 髪の毛の先 ➤sào

【梢公】**shāogōng** ＝〔艄公shāogōng〕

【梢头】**shāotóu** 名 枝の先端．こずえ

12 ＊＊**稍** **shāo** 副 少し．やや‖～逊xùn一筹chóu 少々劣る｜～有不同 少しばかり違う｜请～等一下 ちょっとお待ちください ➤shào

【稍稍】**shāoshāo** 副 やや．少し．ちょっと

＊＊【稍微】**shāowēi** 副 やや．少し．わずか‖你说话能不能～轻点ㄦ？ もう少し小さな声で話してくれませんか｜身体～有点ㄦ不舒服 体の調子があまりよくない

【稍为】**shāowéi** ＝〔稍微shāowēi〕

【稍许】**shāoxǔ** 副 少し．やや．わずか

【稍纵即逝】**shāo zòng jí shì** 成 少し放すとすぐに消え去る．機会や時間はたやすく失われるたとえ

13 **筲**（䈰）**shāo** ❶古 竹製のざる ❷名（竹や木で作った）水桶‖打一～水来 水を桶に1杯くんでくる

13 **艄** **shāo** ❶船のとも．船尾‖船～ 船のとも ❷船の舵(かじ)‖掌zhǎng～ 舵を取る

【艄公】**shāogōng** 名 船頭．〔梢工〕とも書く

16 **鞘** **shāo** 名 鞭(むち)の先についている細い皮のひも ➤qiào

sháo

3 **勺** **sháo** ❶名（～ㄦ）杓子(しゃくし)．玉じゃくし．ちりれんげ．さじ‖汤～ お玉．（スープ用の）ちりれんげ ❷半球形のもの‖后脑～ 後頭部 ❸量（容積の単位）勺．〔升〕の100分の1

＊＊【勺子】**sháozi** 名 杓子．（大きめの）スプーン

6 **芍** **sháo** ↓

【芍药】**sháoyao** 名〈植〉シャクヤク

8 **苕** **sháo** 名方 サツマイモ．〔红苕〕ともいう ➤tiáo

14 **韶** **sháo** 書 美しい．麗しい

【韶光】**sháoguāng** 名書 ❶うららかな春の景色 ❷麗しい青春時代

S

【韶华】sháohuá 图書 うららかな春の景色

shǎo

4 ★**少** shǎo ❶形 少ない. 少数である. 少量である ↔〔多〕‖ 人很～ 人が少ない｜～吃甜tián食 甘い物を控える ❷動 不足する. 足りない ↔〔多〕‖ 这套书还～一本 このセットの本は1冊欠けている ❸動 (金品の)借りがある ‖ ～人的款, 目前还没法还 借金はいまのところまだ返すあてがない ❹動 なくなる. 紛失する ‖ 到家一数, 行李～了一件 家に着いて数えてみたら, 荷物が一つなくなっていた ❺副 少し. ちょっと. しばらく ‖ ～候 しばらく待つ ➤ shào

【少安毋躁】shǎo ān wú zào 成 少し落ち着いて, あせらず待ちなさい

【少不得】shǎobudé 動 欠かせない. なくてはならない ‖ 居家过日子, 柴chái米油盐都～ 日々の生活に燃料・米・油・塩は欠かせない

【少不了】shǎobuliǎo 動 欠かすことができない. …なしではすまない ‖ 这件事要想办成, 无论如何也～你 この仕事を成し遂げるには, どうしても君が必要だ

【少管闲事】shǎo guǎn xián shì 慣 余計なことにかかわらない. 余計な口出しをしない

【少见】shǎojiàn 形 あまり見ない. 珍しい ‖ 这种病很～ この手の病気は珍しい 動 挨拶 お久しぶりですね

【少见多怪】shǎo jiàn duō guài 成 見聞が狭く, 何を見てもやたらに驚く

【少礼】shǎolǐ 動 挨拶 ❶堅苦しい儀礼は抜きにしましょう. どうぞご遠慮なく. どうぞお楽に ❷おかまいできず失礼いたしました

*【少量】shǎoliàng 形 少量の. 少しの ‖ 加上～的香油 ゴマ油を少々加える

【少陪】shǎopéi 動 挨拶 (中座するときに)失礼いたします ‖ 我还有事, ～了！ 私は用事がありますので, ここで失礼いたします

【少顷】shǎoqǐng 图書 しばらくの間. 少しの間

【少时】shǎoshí 图 しばし. しばらく. まもなく

**【少数】shǎoshù 图 少数 ‖ ～派 少数派｜极～人 ごく少数の人｜～服从多数 少数は多数に従う

*【少数民族】shǎoshù mínzú 图 少数民族

【少许】shǎoxǔ 形書 わずかな. 少量の

【少言寡语】shǎo yán guǎ yǔ 成 寡黙なさま

【少有】shǎoyǒu 形 めったにない. まれである

shào

4 **少** shào ❶若い. 年少である ↔〔老〕‖ 男女老～ 老若男女 ❷若旦那. 坊ちゃん ‖ 恶～ 道楽息子 ❸〈軍〉軍隊の中で低い階級の ‖ 一～将 ➤ shǎo

【少白头】shàobáitóu 動 若白髪になる 图 若白髪の人

【少不更事】shào bù gēng shì 成 若くて世間知らずである

【少东家】shàodōngjia 图旧 若旦那

【少儿】shào'ér 图 少年と児童

【少妇】shàofù 图 若妻. 若奥さん

【少管所】shàoguǎnsuǒ 图略 少年院. 少年犯の更正施設. 〔少年犯管理教育所〕の略

【少将】shàojiàng 图〈軍〉少将

【少林拳】shàolínquán 图 少林寺拳法

【少奶奶】shàonǎinai 图旧 ❶若奥様 ❷(他家の嫁に対する敬称)若奥さん

【少男】shàonán 图 少年

**【少年】shàonián 图 少年. 少年少女

【少年宫】shàoniángōng 图 少年宮. 小・中学生の課外での文化教育活動を行う施設

【少年老成】shào nián lǎo chéng 成 ❶若さに似ずしっかりしている ❷若いくせに年寄りじみている

【少年先锋队】shàonián xiānfēngduì 图 少年先鋒隊. 中国共産党青年団の指導する少年・少女の組織. 略して〔少先队〕という

*【少女】shàonǚ 图 少女

【少尉】shàowèi 图〈軍〉少尉

*【少先队】shàoxiānduì 图略 少年先鋒隊. 〔少年先锋队〕の略

【少相】shàoxiang 形 若く見える

【少校】shàoxiào 图〈軍〉少佐

【少爷】shàoye 图旧 若旦那. 坊ちゃん. ご子息

【少壮】shàozhuàng 形 少壮である

5 **召** shào 图 召(しょう). 春秋時代の国名. 現在の陝西省鳳翔(ほうしょう)県付近 ➤ zhào

7 **邵** shào 图 姓

7 **劭** shào 書 (才能や品徳が)高く優れている ‖ 年高德～ 齢(よわい)を重ね徳が高い

8 **绍** shào ❶書 受け継ぐ ❷推薦する ❸浙江省紹興をさす

【绍介】shàojiè 動 紹介する

【绍兴酒】shàoxīngjiǔ 图 紹興酒. 浙江省紹興に産する醸造酒. 〔绍酒〕ともいう

10 **捎** shào ❶動 (ウマなどが)後ずさりする. (車などを)後退させる ❷色があせる ➤ shāo

【捎色】shào//shǎi 動 色があせる. 色が落ちる

10 **哨**[1] shào ❶巡邏(じゅんら)する ❷歩哨所(ほしょうじょ). 歩哨兵 ‖ 放～ 歩哨をつとめる

10 *__哨__[2] shào ❶動 鳥が鳴く. さえずる ❷图 (～儿) 呼び子 ‖ 口～ 口笛

*【哨兵】shàobīng 图 哨兵(しょうへい). 歩哨

【哨卡】shàoqiǎ 图 国境や要路に設けた歩哨所

【哨所】shàosuǒ 图 歩哨所. 監視所

【哨位】shàowèi 图 哨兵の持ち場. 歩哨所

【哨子】shàozi 图 呼び子. ホイッスル

12 **稍** shào ➘ ➤ shāo

【稍息】shàoxī 動 (号令で)休め

15 **潲**[1] shào 方 とぎ汁・ぬか・野菜などを煮て作った飼料 ‖ 猪～ ブタの餌

15 **潲**[2] shào ❶動 (雨が)吹き込む ‖ 东西让雨～湿了 雨が吹き込んで物がぬれてしまった ❷動方 水をまく

【潲水】shàoshuǐ 图方 米のとぎ汁

shē

11 **奢** shē ❶ぜいたくである ‖ 一～侈 ❷度を越えている. 分不相応である ‖ 一～望

*【奢侈】shēchǐ 形 奢侈(しゃし)である. ぜいたくである

【奢华】shēhuá 形 豪奢(ごうしゃ)で華美である

【奢靡】【奢縻】shēmí 形 非常にぜいたくである

【奢念】shēniàn 图 高望み
【奢求】shēqiú 動 過分の要求をする 图 過分の要求
【奢望】shēwàng 動 高望みする 图 高望み
【奢想】shēxiǎng ＝〔奢望shēwàng〕

11 **赊** shē 動 掛けで売る. 掛けで買う ‖ 一～账｜～酒 つけで酒を買う
【赊购】shēgòu 動 掛けで買う. つけで買う
【赊欠】shēqiàn 動 掛けで売り買いする
【赊销】shēxiāo 動 掛け売りをする
【赊账】shē//zhàng 動 掛け売りをする

12 **畲** shē ↴
【畲族】Shēzú 图 ショー族(中国の少数民族の一つ, 主として福建省・浙江省・江西省・広東省に居住)

shé

6 **舌** shé ❶图 舌 ‖ 一～头 ❷舌状のもの ‖ 帽～ 帽子のひさし ❸鈴などの舌. おもり
【舌敝唇焦】shé bì chún jiāo 成 声を枯らして言う. 口をすっぱくして言う. 〔唇焦舌敝〕ともいう
【舌根音】shégēnyīn 图〈語〉舌根音(ぜっこんおん)
【舌尖音】shéjiānyīn 图〈語〉舌尖音(ぜっせんおん)
【舌剑唇枪】shé jiàn chún qiāng 成 弁舌鋭く論争するさま. 〔唇枪舌剑〕ともいう
【舌面后音】shémiànhòuyīn ＝〔舌根音shégēnyīn〕
【舌面前音】shémiànqiányīn 图〈語〉前舌面音
【舌苔】shétāi 图〈医〉舌苔(ぜったい)
**【舌头】shétou 图 ❶舌 ‖ 伸～ 舌を出す ❷敵情をさぐるために捕らえた捕虜
【舌战】shézhàn 動 舌戦を戦わす

7 **佘** shé 图 姓

7 **折** shé ❶動 (細長い物が)折れる. 切れる ‖ 腰都快累～了 疲れて腰が曲がりそうだ ❷損失をこうむる ‖ 一～本 ➤ zhē zhé
【折本】shé//běn (～儿) 動 方 元手を割る
【折秤】shé//chèng 動 (品物が)目減りする
【折耗】shéhào 動 目減りする. 損耗する

11 ** **蛇**(△虵) shé 图〈動〉ヘビ ‖ 虎头～尾 竜頭蛇尾 ➤ yí
【蛇胆】shédǎn 图〈中薬〉ヘビの胆嚢(たんのう)
【蛇毒】shédú 图 ヘビの毒. 蛇毒(じゃどく)
【蛇头】shétóu 图 蛇頭. スネークヘッド. 密航斡旋を主とする犯罪組織
【蛇蜕】shétuì 图〈中薬〉蛇蜕(だぜい)
【蛇蝎】shéxiē 图 ヘビとサソリ. 蛇蝎(だかつ). 恐れ嫌われる人間のたとえ
【蛇行】shéxíng 動 ❶腹ばいになって進む. 匍匐前進(ほふくぜんしん)する ❷蛇行(だこう)する
【蛇足】shézú 图 蛇足

12 **揲** shé 古 卦(け)の占いで筮竹(ぜいちく)を数えて, いくつかに分けること ➤ dié

shě

8 * **舍**(捨) shě ❶動 捨てる. 放り出す ‖ 难～难分 別れがたい ❷施す. 喜捨する ‖ 施～ 喜捨する ➤ shè

【舍本逐末】shě běn zhú mò 成 本末転倒
*【舍不得】shěbude 動 ❶離れがたい. 別れを惜しむ ‖ 她～离开自己的家 彼女は自分の家を離れるに忍びない ❷惜しがる. …したがらない ‖ 多花一分钱他都～ 彼は余分な金は一銭も出したがらない
*【舍得】shěde 動 惜しまない. 思い切れる ‖ 买这么贵的衣服, 你可真～ こんなに高い服を買うなんて, 君はなかなか思い切りがいい
【舍己为公】shě jǐ wèi gōng 成 自分の利益を捨てて公のために尽くす
【舍己为人】shě jǐ wèi rén 成 自分の利益を捨てて人のために尽くす. 身を投げ出して人を救う
【舍近求远】shě jìn qiú yuǎn 成 近きを捨てて遠きに就く. 回り道をする. まだるっこいことをする
【舍脸】shě//liǎn 動 なりふり構わずに頼む. 体面を捨てて求める ‖ 我只好舍着脸, 向他求情 私は恥を忍んで, 彼に泣きつくしかない
【舍命】shě//mìng 動 命を捨てる. 命をかける
【舍弃】shěqì 動 投げ捨てる. 放り出す
【舍身】shěshēn 動 身を捨てる. 身を投げ出す
【舍生取义】shě shēng qǔ yì 成 正義のために命を投げ出す
【舍死忘生】shě sǐ wàng shēng 成 生命の危険を顧みない

shè

6 * **设** shè ❶動 (設備を)置く. 据える ‖ 公共汽车上～了老弱病残专座 バスに高齢者や身体障害者の専用席を設けた ❷動 設立する. 開設する ‖ 新～一个售票点 切符売り場を一ヵ所新設する ❸動 計画する. 考える ‖ ～一条妙计 妙計を案じる ❹動 仮定する. 想定する ‖ 一～想 ❺接 書 もし…ならば. 仮に…であれば ‖ ～有不测, 则悔之晚矣yǐ 不測の事態が起きてから, 後悔しても間に合わない
【设备】shèbèi 動 設置する. 備える ‖ 新建的礼堂内部～得很完善 新しく建てた講堂の内部は設備が行き届いている 图 **設備 ‖ ～简陋lòu 設備が粗末である
*【设法】shèfǎ 動 方法を考える. 方策を講じる ‖ ～摆脱bǎituō困境 苦境を脱する方法を講じる
【设防】shèfáng 動 防衛措置を講じる
【设伏】shèfú 動 書 伏兵を配置する
【设计】shè//jì 動 ❶設計する. デザインする** ‖ 这座大桥是由他～的 この橋は彼が設計したものだ ❷計略をめぐらす ‖ ～陷害xiànhài 計略で人を陥れる 图 (shèjì)**設計. デザイン**
【设计师】shèjìshī 图 デザイナー. 設計者 ‖ 室内～ インテリアデザイナー
【设局】shè//jú 動 わなをしかける
*【设立】shèlì 動 設立する. 設置する ‖ 学校新近～了奖学基金 学校は最近奨学生基金を設立した
【设若】shèruò 接 書 もしも. 仮に
【设色】shèsè 動〈美〉色づけする. 着色する
【设身处地】shè shēn chǔ dì 成 他人の立場になってみる. 人の身になって考える
*【设施】shèshī 图 施設. 組織. 機構
【设使】shèshǐ 接 書 もしも. 仮に
*【设想】shèxiǎng 動 ❶想像する. 構想する. 想定する ‖ 不堪kān～ 想像するにたえない｜～了两个方案 二つの計画を構想した ❷考慮する. 考える ‖ 处处替别

S

人～ どんなときでも他人の身になって考える 名 構想 ‖ 切实可行的～ 適切で実行可能な構想
【设宴】shè∥yàn 動 宴を張る. 宴会を催す
*【设置】shèzhì 動 ❶設立する. 建てる ‖ ～网点 ネットワークを設立する ❷設置する. 装備する ‖ 在会场里～扩音机 会場にスピーカーを備えつける

6 **厍** shè 名 姓

7 **社** shè ❶古 土地神. のちに土地神を祭る場所・期日と祭りそのものをさす ❷団体や組合などの集団組織. 社. 結社 ‖ 合作～ 協同組合 | 结～ 結社 ❸機関. 会社 ‖ 报～ 新聞社
【社保】shèbǎo 名 社会保険.〔社会保险〕の略
★【社会】shèhuì 名 社会 ‖ ～风气 社会の風潮
【社会保险】shèhuì bǎoxiǎn 名 社会保険. 略して〔社保〕ともいう
【社会必要劳动】shèhuì bìyào láodòng 名 社会的必要労働.（製品の）生産に必要な平均労働時間
【社会存在】shèhuì cúnzài 名〈哲〉社会的存在
【社会福利】shèhuì fúlì 名 社会福祉
【社会工作】shèhuì gōngzuò 名 ボランティア活動
【社会关系】shèhuì guānxi 名 ❶社会的関係 ❷人間関係. 交友関係
【社会活动】shèhuì huódong 名 社会活動
【社会教育】shèhuì jiàoyù 名 社会教育
【社会科学】shèhuì kēxué 名 社会科学
【社会青年】shèhuì qīngnián 名 進学も就職もしていない若者. 浪人
【社会效益】shèhuì xiàoyì 名 社会的影響. 社会的効果
【社会形态】shèhuì xíngtài 名 社会形態. 社会
【社会学】shèhuìxué 名 社会学
【社会意识】shèhuì yìshi 名〈哲〉社会的意識
【社会制度】shèhuì zhìdù 名 社会制度
*【社会主义】shèhuì zhǔyì 名 社会主義
【社会主义革命】shèhuì zhǔyì gémìng 名 社会主義革命
【社会主义所有制】shèhuì zhǔyì suǒyǒuzhì 名 社会主義的所有制度
【社火】shèhuǒ 名 獅子舞（しし）いや蛇踊りなど, 祭りのときの出し物
【社稷】shèjì 名 書 社稷（しゃしょく）. 国家
【社交】shèjiāo 名 社交 ‖ 善于～ 社交上手だ
【社交恐惧症】shèjiāo kǒngjùzhèng 名〈医〉対人恐怖症
*【社论】shèlùn 名（新聞や雑誌などの）社説
【社评】shèpíng 名 旧 社説
【社情】shèqíng 名 社会情勢
【社区】shèqū 名 地域社会. 地縁社会. コミュニティ
【社群】shèqún 名 社会的グループ. 社会階層
【社团】shètuán 名 社会団体. 労働組合や青年・婦人・学生連合会などの民間団体
【社戏】shèxì 名 旧 土地神の祭りで行われた芝居
*【社员】shèyuán 名 出版社や合作社などの成員.（とくに）人民公社の社員

8 **舍** shè ❶家屋. 住居. 建物 ‖ 宿～ 宿舎 ❷古 距離の単位. 30〔里〕を1〔舍〕という ❸謙 自分の家. 拙宅 ‖ 寒～ 拙宅 ❹謙 自分より目下の親族の謙称 ‖ ～弟 愚弟 ❺（家畜や家禽（かきん）の）小屋 ‖ 猪～ 豚小屋 ➤ shě
【舍监】shèjiān 名 旧 学校の寄宿舎の管理人
【舍利】shèlì 名〈仏〉仏舎利.〔舍利子〕ともいう
【舍亲】shèqīn 名 謙 私の親戚. うちの者. 私の身内
【舍下】shèxià 謙 拙宅.〔舍间〕ともいう

9 **拾** shè 書 軽やかに登る ➤ shí
【拾级】shèjí 動 書 一歩一歩段を登る

10 **涉** shè ❶（川を）歩いて渡る.（広く）渡る ‖ 远～重洋 はるばる海を渡る ❷経る. 経験する ‖ 一～险 ❸かかわる. 関連する ‖ 干～ 干渉する
【涉案】shè'àn 動 事件に関係する
【涉笔】shèbǐ 動 書 筆を執る. 書く. 描く
*【涉及】shèjí 動 かかわる. 関連する. 及ぶ ‖ ～国家机密 国家機密にかかわる
【涉猎】shèliè 動 書 渉猟する. 読みあさる
【涉密】shèmì 動 機密に関連する
【涉世】shèshì 動 世事を経験する
*【涉外】shèwài 形 外事にかかわる. 外国とかかわる. 外交に及ぶ ‖ ～法规 外交関連の法律
【涉外婚姻】shèwài hūnyīn 名 国際結婚
【涉嫌】shèxián 動 疑われる. 嫌疑をかけられる
【涉险】shèxiǎn 動 危険を冒す
【涉足】shèzú 動 書 足を踏み入れる ‖ ～影坛 映画界に入る

10 ** **射**（△䠶）shè ❶動（矢を）射る.（弾丸を）撃つ.（ボールを）投げる. 蹴（け）る. シュートする ‖ 扫～ 掃射する | ～进一球 シュートして1点入れた ❷動（液体が）噴射する. 噴き出す ‖ 喷～ 噴射する | 注～ 注射する ❸（他人を）指弾する ‖ 隐～ 当てつける ❹動（光・熱・電波などを）放射する ‖ 从门缝ménfèng里～进一道光线 ドアのすきまから一筋の明かりが差し込む
【射程】shèchéng 名〈軍〉射程
【射电望远镜】shèdiàn wàngyuǎnjìng 名〈天〉電波望遠鏡
*【射击】shèjī 動 射撃する 名〈体〉射撃
【射箭】shè∥jiàn 動 矢を射る 名（shèjiàn）〈体〉アーチェリー. 弓術
【射界】shèjiè 名〈軍〉着弾範囲. 射界
【射精】shèjīng 動 射精する
【射猎】shèliè 動 狩りをする
【射流技术】shèliú jìshù 名〈物〉流体工学
【射门】shè∥mén 動〈体〉シュートする
【射频】shèpín 名〈電〉電波周波数
【射手】shèshǒu 名 ❶射手 ❷シュートのうまい選手
【射线】shèxiàn 名〈物〉放射線
【射影】shèyǐng 名〈数〉射影. 投影

11 **赦** shè 刑罰を軽減する. 赦免する ‖ 一～免 | ～罪 罪を許す | 大～ 大赦する
【赦免】shèmiǎn 動 赦免する. 放免する

13 **滠**（灄）shè 地名用字 ‖ ～口 湖北省にある地名

13 **慑**（懾 △慴）shè 書 恐れる. 恐れさせる ‖ 威～ wēi～ 武力で威嚇する
【慑服】shèfú 動 書 ❶恐れ従う. ひれ伏す ❷威嚇し屈服させる

13 **摄**[1]（攝）shè 代理する. 代行する ‖ 一～政

13 * **摄**[2]（攝）shè ❶摂取する. 取り入れる ‖ 一～取 ❷動 写真を撮る. 撮影する

13 **摄**[3]（攝）shè 摂生する. 保養する ‖ 调tiáo～ 養生する. 保養する
【摄录】shèlù 動 撮影録画する
【摄取】shèqǔ 動 ❶摂取する. 取り入れる ‖ ～营养 栄養をとる ❷撮影する
【摄生】shèshēng 動 摂生する. 養生する
【摄食】shèshí 動（多く動物が）食物を摂取する
*【摄氏度】shèshìdù 量 摂氏. 摂氏温度. ℃
【摄氏温标】shèshì wēnbiāo 名 摂氏温度目盛
【摄像】shèxiàng 動 ビデオで撮影する
【摄像机】shèxiàngjī 名 ビデオカメラ
*【摄影】shèyǐng 動 写真を撮る. 撮影する ‖ ～留念 記念写真を撮る
【摄影机】shèyǐngjī 名 写真機. 撮影機. カメラ
【摄影家】shèyǐngjiā 名 写真家. カメラマン
【摄影棚】shèyǐngpéng 名（映画撮影の）スタジオ
【摄政】shèzhèng 動 摂政を行う
【摄制】shèzhì 動（映画を）撮影制作する

16 **歙** shè 地名用字 ‖ ～县 安徽省にある県の名 ➤ xī

21 **麝** shè ❶名〈動〉ジャコウジカ.〔香獐子〕ともいう ❷〈中薬〉麝香(じゃこう).〔麝香〕の略称
【麝香】shèxiāng 名〈中薬〉麝香(じゃこう)

shéi

10 ★**谁** shéi ; shuí ❶代 誰 ‖ 你找～？ どなたをお訪ねですか｜～告诉你的？ 誰が君に言ったのですか ❷代（不特定の）誰か ‖ 有～问过你这件事吗？ この件について誰か君に尋ねたかい ❸代（多く〔不论〕〔无论〕〔不管〕の後に置き,〔也〕〔都〕と呼応して任意の人を示す）誰も. 誰でも ‖ 这件事, ～都知道 この件は誰でも知っている｜～先回家～做饭 先に帰宅した人が食事の支度をする｜争来争去, ～也不服～ いつまでも争い合い, 互いに譲らない ❹代 反語文に用い, 誰一人として例外がないことを示す ‖ 这么贵, ～买得起呀！ こんな高くて, 一体誰が買えるのか(誰も買えない)

類義語 谁 shéi 什么人 shénme rén

◆〔谁〕誰. 人名や人称代詞・呼称などで答えを求める ‖ "你找谁？" "我找铃木"「誰にご用ですか」「鈴木君に用です」｜"谁是你们的校长？" "他是我们的校长"「誰が君たちの校長先生ですか」「あの方が僕たちの校長先生です」◆〔什么人〕どのような人. 人の性質・職業・身分や関係などを尋ねる ‖ "你找什么人？" "我找领导"「あなたは誰(どういう人)をお探しですか」「責任者を探しています」｜"他是你什么人？" "他是我的学生"「彼はあなたのどういう(関係の)方ですか」「私の学生です」｜"她是这ㄦ的什么人？" "她是日语翻译"「彼女はここのどういう(職種の)人ですか」「彼女は日本語の通訳です」◆相手に直接〔你是什么人？〕と尋ねると,「お前は何者か」というニュアンスになり相手に失礼となる

【谁个】shéigè 代 方 誰
【谁跟谁】shéi gēn shéi 慣 方 間柄が密接である. 非常に親密である ‖ 甭béng跟我见外, 咱俩是～呀！ 水くさいこと言うなよ, 我々は身内同然じゃないか
【谁人】shéirén 代 書 誰
【谁谁】shéishéi 代 誰それ. 誰だれ ‖ 大家正在议论～买了汽车, ～买了房子 みんなは誰それが車を買ったとか, 誰それは家を買ったとかうわさ話に花を咲かせている

shēn

5 **申**[1] shēn ❶伸ばす ❷述べる ‖ 三令五～ 再三再四訓令する

5 **申**[2] shēn 名 上海の別称, 申(しん)

5 **申**[3] shēn 名 申(さる)（十二支の第9）. ➡〔地支dìzhī〕
【申办】shēnbàn 動 開催を申請する
*【申报】shēnbào 動（書面で）上申する. 申し述べる ‖ 向海关～免税物品 税関に免税品を申告する
【申辩】shēnbiàn 動 申し開きする. 弁解する
【申斥】shēnchì 動 叱責(しっせき)する. 叱る
【申购】shēngòu 動 購入を申し込む
【申领】shēnlǐng 動 受け取りを申請する
【申令】shēnlìng 動 命令を下す
【申明】shēnmíng 動 表明する. 明らかにする ‖ ～态度 態度を表明する｜～立场 立場をはっきり表明する
*【申请】shēnqǐng 動 申請する ‖ ～护照 パスポートを申請する 名 申請 ‖ 写～ 申請書を書く｜你的～已被批准 あなたの申請はすでに認可された
【申请书】shēnqǐngshū 名 申請書. 願書
*【申述】shēnshù 動 述べる. 説明する. 詳しく話す ‖ ～意见 意見を申し立てる｜～理由 理由を申し述べる
【申说】shēnshuō 動（理由を）話す. 詳しく説明する
【申诉】shēnsù 動 上訴する. 不服申し立てをする
【申讨】shēntǎo 動 糾弾する
【申谢】shēnxiè 動 お礼を申し述べる. 謝意を表す
【申雪】shēnxuě 動 冤罪(えんざい)をそそぐ.〔伸雪〕とも書く ‖ ～冤案yuān'àn 冤罪をそそぐ
【申冤】shēn//yuān 動 ❶冤罪を晴らす.〔伸冤〕とも書く ❷自分の冤罪を訴え出る

7 **伸** shēn ❶動 伸ばす. 延びる ‖ ～着脖子往里看 首を伸ばして中をのぞく｜小路～向远方 小道が遠くへ延びている ❷申し開く ‖ →～冤
【伸大拇指】shēn dàmuzhǐ 慣 親指を立てる(称賛を表す).〔竖起大拇指〕ともいう
【伸懒腰】shēn lǎnyāo 組 伸びをする
*【伸手】shēn//shǒu 動 ❶手を伸ばす ‖ ～接了过来 手を伸ばして物を受け取る ❷(人や組織に対して物品や名誉を)求める ❸貶 手を出す. 要らぬおせっかいをする
【伸手不见五指】shēnshǒu bùjiàn wǔzhǐ 慣 手を伸ばしても5本の指が見えない. 真っ暗であるさま
【伸缩】shēnsuō 動 ❶伸び縮みする. 伸ばしたり縮めたりする ❷融通を利かせる ‖ 有～性 柔軟性がある
【伸头探脑】shēn tóu tàn nǎo 慣 首を伸ばしたり頭を突き出したりして, 様子をうかがう
【伸腿】shēn//tuǐ 動 ❶貶 立ち入る. かかわる. 首を突っ込む ❸口 死ぬ. 息が絶える
【伸雪】shēnxuě ＝〔申雪shēnxuě〕
【伸延】shēnyán 動 延びる. 延ばす
【伸冤】shēn//yuān ＝〔申冤shēnyuān ❶〕
*【伸展】shēnzhǎn 動 伸びる. 広がる ‖ ～双臂bì 両腕を広げる｜沙漠向四周～ 砂漠が周囲に広がる
【伸张】shēnzhāng 動 伸ばす. 広める ‖ ～正义 正しい気風を広める

S

【伸直】shēn//zhí 動 伸ばしてまっすぐにする

7 ** 身 shēn ❶体‖起～ 立ち上がる ❷本体. ボディ‖机～ 機体 ❸自身. 自ら‖～为教师, 应当为学生做出表率 教師として学生の手本とならなければならない ❹生命‖献～ 献身する ❺一生. 生涯‖终～ 終身 ❻人格. 才能‖修～养性 人格を磨き修養を積む ❼(社会的)地位. 身分‖一～败名裂 ❽量(～儿)(身につける衣類を数える)着‖换了～衣裳 服を着替えた

【身败名裂】shēn bài míng liè 成 地位も名誉も失う

【身板】shēnbǎn (～儿) 图 方 体. 体格

**【身边】shēnbiān 图 ❶身の回り‖～需要人照顾 身の回りの世話をする人が必要である ❷手元‖他～常带着本词典 彼はいつも辞書を肌身離さず持ち歩いている

【身不由己】shēn bù yóu jǐ 成 無意識に. 思わず

*【身材】shēncái 图 体つき. プロポーション‖～高大 体が大きい｜～苗条 体つきがすらっとしている

【身长】shēncháng 图 ❶身のたけ. 身長 ❷(服の)身たけ. たけ

【身段】shēnduàn 图 ❶(女性の)体つき. スタイル ❷(役者の)しぐさ. 身ぶり

*【身份】【身分】shēnfen 图 ❶身分. 地位 ❷威厳. 品位‖有失～ 品位を損なう ❸(～儿) 方 (品物の)質‖这套家具～儿不坏 この家具はものがよい

【身份权】shēnfènquán 图 身分権

【身份证】shēnfenzhèng 图 略 身分証明書. 中国政府が発行する全国統一の証明書. 〔居民身份证〕の略

【身负重任】shēn fù zhòngrèn 組 重責を負う

【身高】shēngāo 图 身長

【身后】shēnhòu 图 死後‖～事 死後の事. 後事

【身家】shēnjiā 图 ❶本人とその家族 ❷旧 家柄

【身价】shēnjià 图 ❶身分. 社会的地位‖一时间～倍增 一時評価がぐっと上がる ❷身売りの代金

【身价百倍】shēn jià bǎi bèi 成 ❶名声や社会的地位が急激に高まる ❷物の価値や価格が非常に上がる

【身教】shēnjiào 動 身をもって教える. 自ら手本となる‖言传chuán～ 身をもって範を垂れる

【身经百战】shēn jīng bǎi zhàn 成 百戦練磨である

【身量】shēnliang (～儿) 图 口 体格. 身長. 背たけ

【身临其境】shēn lín qí jìng 成 その場に身を置く

【身强力壮】shēn qiáng lì zhuàng 成 身体強健で力が強い

【身躯】shēnqū 图 体軀(たい). 体つき

【身世】shēnshì 图 (多く不幸な)身の上. 境遇‖诉说自己的～ 我が身の不幸を訴える

【身手】shēnshǒu 图 腕前. 技量

【身受】shēnshòu 動 自ら受ける. 身をもって体験する

★【身体】shēntǐ 图 身体. 体‖锻炼～ 体を鍛える

【身体力行】shēn tǐ lì xíng 成 自ら体験し, 力を尽くして実行する. 身をもって行動に移す

【身条儿】shēntiáor 图 口 身体. 体つき. 体格

【身外之物】shēn wài zhī wù 成 体以外のもの(財産や功名などをさし, 取るに足りないという気持ちを表す)‖钱是～ 金などは取るに足りないものだ

【身亡】shēnwáng 動 死亡する. 命を落とす

【身先士卒】shēn xiān shì zú 成 将軍が自ら兵士の先に立つ. (仕事などで)部下の先頭に立つこと

【身心】shēnxīn 图 心身. 肉体と精神‖有益于～健康 心身の健康によい｜～疲惫 身も心も疲れ果てる

【身影】shēnyǐng 图 人の姿

【身孕】shēnyùn 图 妊娠

【身在福中不知福】shēn zài fúzhōng bù zhī fú 慣 幸福の中に身を置きながらそのことに気付かない

【身姿】shēnzī 图 体つき. 姿態. 姿

*【身子】shēnzi 图 ❶体‖～苗条 体がすらっとしている｜这几天～不大舒服 このところ体の調子があまりよくない ❷口 妊娠‖有了～了 妊娠している

【身子骨儿】shēnzigǔr 图 方 体. 体格

8 诜 shēn ↴

【诜诜】shēnshēn 形 古 数の多いさま

8 参[1](參) shēn 图(二十八宿の一つ)からすき. 参宿(しんしゅく)

8 参[2](參 △蓡❶ 蔘❶) shēn ❶〈中薬〉人参‖人～ 同前 ❷ナマコ‖海～ 同前 ➤cān cēn

8 呻 shēn ❶書 吟詠する ❷ ➡〔呻吟shēnyín〕

*【呻吟】shēnyín 動 うめく. 呻吟(しんぎん)する

8 绅 shēn ❶古 官吏が腰に巻いた幅の広い帯 ❷旧 郷紳. 地方の名士

*【绅士】shēnshì 图 ❶旧 地方の勢力家や名士. ふつう, 地主または退職した官僚をさす ❷紳士

【绅士协定】shēnshì xiédìng 图 紳士協定

10 莘 shēn 地名用字‖～县 山東省にある県の名 ➤xīn

10 娠 shēn ➡〔妊娠rènshēn〕

10 砷 shēn 图〈化〉砒素(ひそ)(化学元素の一つ, 元素記号はAs). かつては〔砒〕といった.

11 ★ 深(△㴱) shēn ❶形 深い ↔〔浅〕‖根扎得～ 根が深く張っている ❷图 深さを表す‖下了半尺～的雪 十数センチの雪が積もった ❸形 (道理や意味が)奥深い. 難解である ↔〔浅〕‖学问～ 非常に学問がある｜内容不～ 内容は難しくない ❹形 深刻である. 切実である ↔〔浅〕‖影响很～ 彼への影響がとても大きい｜感触～ 感慨が深い ❺形 (関係が)親密である. 親しい ↔〔浅〕‖交情～ とても親密である ❻形 (色が)濃い ↔〔浅〕‖颜色太～ 色が濃すぎる ❼形 時間がたっている. 更けている‖年～日久 月日がたっている ❽副 十分に. 深く‖～受感动 深く感動する｜～得人心 大いに人心を得る｜～表遗憾yíhàn 大いに遺憾である

*【深奥】shēn'ào 形 深遠である. 難しい‖文章过于～ 文章が難解すぎる｜道理～ 道理が深奥である

【深闭固拒】shēn bì gù jù 成 新しい事物や他人の意見などをかたくなに受け入れようとしない

【深不可测】shēn bù kě cè 成 深くて測り知れない. 状況が見えてこない

【深藏若虚】shēn cáng ruò xū 成 深く蔵して虚(きょ)しきがごとし. 自分の才能や学識をひけらかさないたとえ

【深层】shēncéng 图 深層 形 深い. 突っ込んだ‖～意义 深い意味

【深长】shēncháng 形 意味深い‖意味～ 意味が深く, 含みがある｜情意～ 情が細やかだ

*【深沉】shēnchén 形 ❶(程度が)深い. 深甚である‖

S

夜已～ 夜は更けた ❷(音声が)重々しい ‖ 语调～ 語調が重々しい ❸考えや感情を顔に出さない ‖ 感情～ 感情を外に出さない

【深仇大恨】shēn chóu dà hèn 成 深く大きな恨み

*【深处】shēnchù 名 深部. 奥底 ‖ 大海～ 大海の深部 | 内心～ 心の奥底

*【深度】shēndù 名 ❶深度. 深み ❷(認識などの)深さ. 深み ‖ 题材不错, 但缺乏quēfá～ テーマはなかなかよいが, 突っ込み方が足りない ❸事物の発展の深度 ‖ 研究已到了一定～ 研究はすでに一定の深度に達した 形 強度の ‖ ～近视 強度の近視

【深更半夜】shēngēng bànyè 名 真夜中. 夜更け

【深沟高垒】shēn gōu gāo lěi 成 深い堀と高いとりで. 堅固な防御施設

【深广】shēnguǎng 形 深くて広い

【深闺】shēnguī 名 書 深閨(しんけい)

【深海】shēnhǎi 名 深海 ‖ ～鱼 深海魚

**【深厚】shēnhòu 形 ❶(感情が)深い ‖ 感情～ 感情がこもっている ❷(基礎が)堅実である ‖ 功底～ 基礎がしっかりしている

【深呼吸】shēnhūxī 動〈生理〉深呼吸をする

*【深化】shēnhuà 動 深化する. 深まる. 深める ‖ 进一步～主题 テーマをさらに掘り下げる

【深加工】shēnjiāgōng 動 より多くの付加価値をつけるための加工を行う

【深交】shēnjiāo 動 親密に付き合う 名 親交. 深い付き合い ‖ 我们只是工作上的来往, 并无～ 我々は仕事上の付き合いだけで, 別に深い付き合いはない

【深究】shēnjiū 動 深く突き詰める. 追究する

【深居简出】shēn jū jiǎn chū 成 家にこもっていて, めったに外に出ない

**【深刻】shēnkè 形 深い ‖ ～地领会 深く理解する | 留下了～的印象 深い印象を残した

【深谋远虑】shēn móu yuǎn lǜ 成 深く考えをめぐらし, 遠い先のことをも考える. 深謀遠慮

*【深浅】shēnqiǎn 名 ❶深さ ‖ 试探河水的～ 川の深さを確かめる ❷程合い. 程度 ‖ 说话不知～ 口のきき方をわきまえない ❸(色の)濃さ. 濃淡

*【深切】shēnqiè 形 ❶気持ちがこもっている ‖ ～关怀 心からの思いやり ❷深い. 適切である ‖ ～领会上级的意图 上司の意向を的確に把握する

*【深情】shēnqíng 名 深い感情 ‖ ～厚谊 厚い情誼(じょうぎ) 形 情がこもっている ‖ 她～地看了他一眼 彼女は愛情のこもったまなざしで彼をちらっと見た

【深秋】shēnqiū 名 晩秋

**【深入】shēnrù 動 深く入り込む. 深く掘り下げる ‖ ～到群众中去 大衆の中に深く入り込む 形 深い. 突っ込んでいる. 深く掘り下げている ‖ ～研究 掘り下げて研究する

【深入浅出】shēn rù qiǎn chū 成 文章の内容は深奥でありながら, 表現は平明で分かりやすいこと

【深山】shēnshān 名 深山. 山奥

【深思】shēnsī 動 深く考える. 深思する

【深思熟虑】shēn sī shú lǜ 成 深思熟考する

【深邃】shēnsuì 形 ❶奥深い. 幽玄である ❷深い. 深遠である

【深谈】shēntán 動 深く突っ込んで話す

【深通】shēntōng 動 深く通じる. 精通する

【深透】shēntòu 形 透徹している. 徹底している

【深望】shēnwàng 動 切望する

【深为】shēnwéi 副 深く. 非常に ‖ ～不满 大いに不満である | ～感动 深く感動した

【深恶痛绝】shēn wù tòng jué 成 深く憎み, どこまでも嫌う. 蛇蝎(だかつ)のごとく忌み嫌う

*【深信】shēnxìn 動 深く信じる. 固く信じる ‖ ～不疑 信じきって疑わない

【深省】【深醒】shēnxǐng 動 深く悟る

*【深夜】shēnyè 名 深夜. 真夜中

【深意】shēnyì 名 深い意味. 深意. 含蓄

【深渊】shēnyuān 名 深い淵(ふち). 深淵

*【深远】shēnyuǎn 形 深遠である. 計り知れない ‖ 具有～的历史意义 深遠な歴史的意義をもつ | 立意～ 構想が深遠である | 影响～ 影響は計り知れない

【深造】shēnzào 動 深く究める. 造詣(ぞうけい)を深める

【深宅大院】shēn zhái dà yuàn 成 広大な邸宅

【深湛】shēnzhàn 形 書 深くて詳しい

【深知】shēnzhī 動 よく知っている. 熟知している

【深挚】shēnzhì 形 誠意がある. ひたむきである

*【深重】shēnzhòng 形 (災害や打撃などが)深刻である. 甚だしい ‖ ～的灾难 深刻な災難

14 **糁(糝)** shēn 名 (～儿)穀類をひき砕いたもの ‖ 玉米～儿粥zhōu トウモロコシのひき割りで作った粥 | 雪～儿 あられ ➤ sǎn

16 **鲹(鰺)** shēn 名〈魚〉アジ

shén

4 **什** shén ↓ ➤ shí

★【什么】shénme 代 ❶①(単独で用い, 疑問を表す)何 ‖ 你要～? 何がご入用ですか | ～叫四声? 四声とはなんですか ②(名詞の前に置き, 疑問を表す)どんな. どういう ‖ 找我有～事? 私に何かご用ですか | 明天～时候出发? 明日何時に出発しますか ③(不確定または任意の事物や人をさす)何か. 誰か ‖ 咱们去吃点儿～ 何か食べに行こう ④(〔也〕〔都〕の前に置き, 例外がないことを表す)何も. なんでも ‖ 没病比～都好 健康であることは何にも替えがたい ⑤(二つの〔什么〕を呼応させ, 前者が後者を決定することを表す)なんでも ‖ 简单点儿, 有～吃～ おかまいなく, あり合わせのもので結構です ❷(驚きや不満を表す)なんだって. どうしたんだ. なんという ‖ ～! 他住院了! なんだって, 彼が入院したって ❸(相手の言い分に異議があること, あるいは非難や詰問を表す)何. なぜ ‖ 小孩子懂～! 子供に何が分かるというんだ ❹いくつかの並列成分の前に置き, 列挙を表す ‖ ～书呀, 稿子呀, 摊tān了一桌子 本やら原稿やらが机の上いっぱいに積み重なっている

**【什么的】shénmede 助 (一つまたはいくつかの並列成分の後に置き) …など. …等々. …だの…だの ‖ 他对琴、棋qí、书、画～很感兴趣 彼は音楽・碁や将棋・書画などといったものならなんでも好きだ

【什么样】shénmeyàng 代 どんな. いかなる ‖ 你喜欢～的音乐? 君はどんな音楽が好きですか

9 ** **神** shén ❶名 神 ‖ 财～ 福の神 ❷形 驚異的である. すばらしい. すごい ‖ 他的医术真～了 彼の医術はほんとうにすばらしい ❸名 気力. 注意力. 思考力 ‖ 入～ 夢中になる ❹名 (～儿) 口 顔つき. 表情 ‖ 一看她那个～儿就知道事情成了 彼女の表情を一目見てうまくいっていたのがすぐ分かった

【神奥】shén'ào 形 神秘的である. 不思議である
【神不守舍】shén bù shǒu shè 成 気が気でない. ひどく落ち着かない
【神不知, 鬼不觉】shén bù zhī, guǐ bù jué 慣 誰にもさとられずに. こっそりと. ひそかに
【神采】shéncǎi 名 表情. 顔色
【神差鬼使】shén chāi guǐ shǐ 成 物の怪(け)にとりつかれたようである =〔鬼使神差〕
【神驰】shénchí 動 思いを馳(は)せる
【神出鬼没】shén chū guǐ mò 成 神出鬼没
【神道】[1] shéndào 名 ❶鬼神や禍福に関する説 ❷回 神. 神仙
【神道】[2] shéndào 名 墓に通じる道
【神道】shéndao 形 方 ❶精神がはつらつとしている. 元気である ❷(言行が)変わっている. 常軌を逸している
【神甫】shénfu 名 (カトリック教やギリシア正教の)神父. 〔司铎duó〕ともいい, かつては〔神父〕とも書いた
【神工鬼斧】shén gōng guǐ fǔ 成 神業. 入神の技(わざ) =〔鬼斧神工〕
【神怪】shénguài 名 神仙と妖怪(ようかい)
【神汉】shénhàn 名 男性のシャーマン. おかんなぎ
【神乎其神】shén hū qí shén 成 甚だ奇妙である. 摩訶不思議(まかふしぎ)である
【神化】shénhuà 動 神格化する
*【神话】shénhuà 名 ❶神話 ❷根拠のない話. 荒唐無稽なこと
【神魂】shénhún 名 精神. 心. 気. (多く異常な場合に用いる) ‖ ～不定 狼狽(ろうばい)する
【神机妙算】shén jī miào suàn 成 超人的な機知と巧妙な計略
【神交】shénjiāo 名 親友. 莫逆(ばくぎゃく)の友 動 互いに名を慕い合う
**【神经】shénjīng 名 ❶〈生理〉神経 ‖ ～紧张 緊張する ❷神経衰弱 ‖ 犯～ 神経衰弱になる
【神经病】shénjīngbìng 名 ❶〈医〉神経障害 ❷回 精神病. ノイローゼ
【神经错乱】shénjīng cuòluàn 名〈医〉精神錯乱
【神经过敏】shénjīng guòmǐn 名〈医〉神経過敏 形 神経質である ‖ 别太～了 そんなに神経質になるなよ
【神经衰弱】shénjīng shuāiruò 名〈医〉神経衰弱
【神经系统】shénjīng xìtǒng 名〈生理〉神経系統
【神经细胞】shénjīng xìbāo 〈生理〉神経細胞
【神经症】shénjīngzhèng 名〈医〉神経症
【神经质】shénjīngzhì 名 神経質
【神龛】shénkān 名 厨子(ずし)
【神侃】shénkǎn 動 おしゃべりをする. 雑談をする
【神来之笔】shén lái zhī bǐ 成 絶妙の詩句, または構想
【神聊】shénliáo 動 とりとめなく世間話をする. とめどなくおしゃべりをする
【神灵】shénlíng 名 神
*【神秘】shénmì 形 神秘的である
【神妙】shénmiào 形 きわめて巧妙である
【神明】shénmíng 名 書 神の総称. 神様
【神女】shénnǚ 名 ❶古 (伝説中の)女神 ❷旧 売春婦
【神品】shénpǐn 名 絶品. (多く書画に用いる)
【神婆】shénpó 名 方 巫子(みこ). 〔神婆子〕ともいう
*【神奇】shénqí 形 不思議である. 神秘的である ‖ ～的传说 神秘的な伝説 | 疗效～ 治療効果が著しい
【神祇】shénqí 名 神祇(じんぎ). 天の神と地の神
*【神气】shénqi ; shénqì 名 顔つき. 表情. 態度 ‖ 脸上露lù出不安的～ 不安そうな面持ちになった 形 ❶生き生きしている. はつらつとしている ‖ 剪jiǎn了短发使她显得更～了 ショート・カットにしたら彼女はいっそうはつらつとして見える ❷得意気である. 鼻高々である ‖ ～十足 鼻息が荒い | ～活现 いかにも得意そうである
【神枪手】shénqiāngshǒu 名 射撃の名手
*【神情】shénqíng 名 表情. 面持ち ‖ ～恍惚huǎnghū 表情がうつろである | 满意的～ 満足気な顔
【神权】shénquán 名 ❶神の権威 ❷神から授かった権力
【神人】shénrén 名 ❶(道教の)仙人 ❷堂々たる風采(ふうさい)の人
*【神色】shénsè 名 面持ち. 様子. 態度 ‖ ～坦tǎn然 平然とした表情をしている | ～不对 様子がおかしい
【神伤】shénshāng 形 書 落ち込む. 意気消沈する
【神神道道】【神神叨叨】shénshendāodāo 形 (言動が)神がかっている. 常軌を逸している
*【神圣】shénshèng 形 神聖である ‖ 教师是个很～的职业 教師というものは神聖な職業である
【神使鬼差】shén shǐ guǐ chāi =〔鬼使神差guǐ shǐ shén chāi〕
【神思】shénsī 名 気持ち. 精神状態
【神似】shénsì 形 書 生き写しである
【神速】shénsù 形 神速である. 信じられないほど速い
【神算】shénsuàn 名 ❶非常に確かな予測 ❷巧妙な計略
*【神态】shéntài 名 表情・態度. 様子 ‖ ～安详 物腰が落ち着いている | ～自若 泰然自若としている
【神通】shéntōng 名 何事でもなし得る霊妙な力. 優れた腕前 ‖ 大显～ 大いに腕を振るう
【神童】shéntóng 名 神童
【神往】shénwǎng 動 あこがれる. 思いを馳(は)せる
【神威】shénwēi 名 威力 ‖ 大显～ 威力を発揮する
【神位】shénwèi 名 旧 神名を書いた札. 位牌
【神武】shénwǔ 形 書 英明で武勇に優れている
*【神仙】shénxian ; shénxiān 名 ❶仙人 ❷喩 将来を見通す力のある人 ❸喩 浮き世離れした人
【神像】shénxiàng 名 ❶神仏の像 ❷旧 遺影
【神效】shénxiào 名 卓越した効力
【神学】shénxué 名〈宗〉神学
【神医】shényī 名 名高い医者
【神异】shényì 名 神仙と妖怪(ようかい) 形 不思議である. 神秘的である ‖ ～之处 特異な点
【神勇】shényǒng 形 非常に勇猛なさま
【神游】shényóu 動 書 (ある場所に)思いを馳せる
【神宇】shényǔ 名 書 表情と風体(ふうてい)
【神韵】shényùn 名 書 風格. 気品
【神职人员】shénzhí rényuán 名〈宗〉(カトリックやギリシア正教の)聖職者
【神志】shénzhì 名 人の知覚と意識 ‖ ～清醒 意識がはっきりしている | ～昏迷 意識不明である
【神智】shénzhì 名 精神状態. 優れた知恵
【神州】Shénzhōu 名 書 神州. 中国の美称
【神主】shénzhǔ 名 旧 位牌

S

shěn

7 沈（瀋）shěn ❶書 汁‖墨～未干 墨跡がまだ乾かない ❷〔沈阳〕（遼寧省瀋陽(しんよう)市）の略称

8 *审[1]（審）shěn ❶動 調べる．審査する‖这篇稿子还要请上面～一下 この原稿は上司に目を通してもらわねばならない ❷綿密である．細心である‖→～慎 ❸動 取り調べる．尋問する‖～案子 事件の取り調べをする

8 审[2]（審）shěn 書 確かに‖～如其言 確かにその言葉のとおりである

*【审查】shěnchá 動 審査する‖计划经上级～后批准 計画は上部機関で審査した後に批准される

【审察】shěnchá 動 ❶詳細に観察する‖～事故现场 事故現場を詳しく調べる ❷審査する．審議する

【审处】shěnchǔ 動 ❶（司法機関で）審理して処理する ❷審査して処分する

【审订】shěndìng 動 審査して修訂する

*【审定】shěndìng 動 審査して決める‖～计划 計画を審査決定する

【审读】shěndú 動 審査閲読する

【审改】shěngǎi 動 審査し手を入れる

【审核】shěnhé 動（書類や数字を）審査し照合する．チェックする‖～预算 予算をチェックする

【审计】shěnjì 動 会計検査をする．監査する‖～制度 会計検査制度

【审校】shěnjiào 動 チェックして校正する

【审结】shěnjié 動 審理を終了し，判決を出す

*【审理】shěnlǐ 動〈法〉審理する

*【审美】shěnměi 動 美醜(びしゅう)を識別する‖～观 美的観念．美意識

*【审判】shěnpàn 動 審理し判決する．裁判する‖～犯人 犯人を裁く｜公开～ 公開裁判

【审判员】shěnpànyuán 名 裁判官．判事

【审判长】shěnpànzhǎng 名 裁判長．判事長．首席裁判官

*【审批】shěnpī 動 審査し指示回答する‖计划已报请上级～ 計画は上に報告して指示を仰いである

【审慎】shěnshèn 形 書 周到かつ慎重である

【审时度势】shěn shí duó shì 成 時勢をよく観察し，状況の変化を推察する．時勢の動きをよく見る

【审视】shěnshì 動 書 細かく見る．つぶさに観察する

【审题】shěn//tí 動（問題の意味や作文のテーマなどを）正確に把握する

【审问】shěnwèn 動 尋問する．問いただす

*【审讯】shěnxùn 動 尋問する．取り調べる

【审验】shěnyàn 動 検査照合する．審査する．検査する‖安全～ 安全検査｜驾驶jiàshǐ证～ 運転免許証の更新

*【审议】shěnyì 動 審議する‖对提案进行了～ 提案を審議する

【审阅】shěnyuè 動 詳しく見る．詳しく読む

9 哂 shěn 書 ❶ほほえむ．微笑する‖→～纳 ❷あざ笑う

【哂纳】shěnnà 動 笑納する．〔哂收〕ともいう

【哂笑】shěnxiào 動 書 あざ笑う

9 矧 shěn 書 いわんや．なおさら

10 谂 shěn 書 知る．心得る

11 婶（嬸）shěn（～儿）❶名 おば（父親の弟の妻）‖三～儿 三番目のおば ❷母親と同世代で，やや年下の既婚女性に対する呼称

【婶母】shěnmǔ 名 おば（父親の弟の妻）

【婶娘】shěnniáng 名 方 おば（父親の弟の妻）

【婶婶】shěnshen 名 方 おば（父親の弟の妻）

*【婶子】shěnzi 名 口 おば（父親の弟の妻）

shèn

8 肾（腎）shèn ❶名〈生理〉腎臓(じんぞう)．ふつう〔肾脏〕といい，俗に〔腰子〕ともいう ❷名〈中医〉睾丸(こうがん)．〔外肾〕ともいう

【肾上腺】shènshàngxiàn 名〈医〉副腎(ふくじん)

【肾上腺素】shènshàngxiànsù 名〈生理〉アドレナリン

*【肾炎】shènyán 名〈医〉腎炎(じんえん)．腎臓炎

【肾脏】shènzàng 名〈生理〉腎臓

9 胂 shèn 名〈化〉アルシン

9 甚[1] shèn ❶書 大きい ❷形 甚だしい．ひどい‖欺人太～ ひどく人をばかにしている ❸副 甚だ．いたって‖效果～佳 効果が甚だすばらしい ❹書 勝る．超える‖日～一日 日増しに甚だしくなる

9 甚[2] shèn 代 方 何．どんな‖忙～？ 何を慌てているのか

【甚而】shèn'ér 副 …さえ．…すら 接 書 甚だしきに至っては

【甚或】shènhuò 書 副 …すら．…さえ 接 甚だしきに至っては

【甚为】shènwéi 副 甚だしく．きわめて

【甚嚣尘上】shèn xiāo chén shàng 成（主として反動的な言論が）広く世間で横行する

【甚于】shènyú 動 …よりも甚だしい

*【甚至】shènzhì 副 …すら．…でさえ‖忙得～连饭都顾不上吃 忙しくて食事をする暇さえない 接 さらには．ひいては‖工程还需要十年，～二十年才能完成 工事はあと10年どころか，20年はかかる ＊〔甚至于〕〔甚而至于〕ともいう

*【甚至于】shènzhìyú ＝〔甚至shènzhì〕

11 *渗（滲）shèn 動 しみ込む．にじみ出る‖天花板被雨水～湿了一片 天井板に雨漏りのしみができた｜脑门上～出细细的汗珠hànzhū 額に汗の粒が吹き出ている

【渗漏】shènlòu 動（液体や気体が）漏れ出る

【渗入】shènrù 動 ❶しみ込む‖雨水～土壤 雨水が地面にしみ込む ❷すきを見つけて潜入する

*【渗透】shèntòu 動 ❶〈物〉浸透する ❷（液体などが）しみ通る ❸喩（思想や生活習慣などが）浸透する‖字里行间hángjiān～着作者多年的心血 行間には作者の多年の心血がにじみ出ている

【渗析】shènxī 動〈医〉透析する．〔透析〕ともいう

12 葚 shèn ⇨〔桑葚sāngshèn〕 ➤ rèn

13 慎（△昚）shèn 慎む．気をつける‖谨jǐn～ 慎重である｜不～ うっかり｜～之又～ 用心の上にも用心をする

【慎独】shèndú 動 独りでいるときでもいいかげんにしない．

【慎密】shènmì 形 慎重できめ細かい
*【慎重】shènzhòng 形 慎重である. 注意深い ‖ ～考虑 慎重に考える｜持chí～态度 慎重な態度をとる

13 **椹** shèn 〔葚shèn〕に同じ ➤ zhēn

13 **蜃** shèn 古 オオハマグリ

【蜃景】shènjǐng 名 蜃気楼(しんきろう) =〔海市蜃楼〕

shēng

4 *** **升**[1] (△昇 陞) shēng ❶動(低い所から高い所へ)上がる. 昇る ↔〔降〕‖ 太阳～起来了 太陽が昇った ❷動(ランクが)上がる. 昇級する ↔〔降〕‖ 他刚～了科长 彼は課長になったばかりだ

4 **升**[2] shēng ❶名(穀物を量る)ます. 一升ます ❷量(容積の単位)升. 1〔斗〕の10分の1 ❸量(容積の単位)リットル

【升班】shēng∥bān 動 口(学生や生徒が)進級する
【升班马】shēngbānmǎ 名〈体〉(ランク別リーグ戦の)昇格チーム
【升档】shēngdàng 動 ランクが上がる. 等級が上がる. レベルアップする ‖ 消费水平～ 消費水準が上昇する
【升幅】shēngfú 名 上昇の幅. 上げ幅
【升高】shēnggāo 動 上がる. 上げる ↔〔降低〕
【升格】shēng∥gé 動 昇格する
【升官】shēng∥guān 動 官位が上がる. 昇進する
【升华】shēnghuá 動 ❶〈物〉昇華する ❷喩(物事を質的に)高める. 純化する. 昇華する
【升华热】shēnghuárè 名 昇華熱
【升级】shēng∥jí 動 ❶進級する. 昇級する. 昇格する ↔〔降级〕‖ ～考试 昇級試験 ❷拡大する. エスカレートする ‖ 边境冲突不断～ 国境紛争は絶えず拡大している ❸〈計〉バージョンアップする
【升级换代】shēngjí huàngdài 組 モデルチェンジする
【升降】shēngjiàng 動 昇降する
【升降舵】shēngjiàngduò 名 昇降舵(しょうこうだ).
【升降机】shēngjiàngjī 名 昇降機. エレベーター
【升力】shēnglì 名〈物〉揚力
【升平】shēngpíng 形 書 世の中が平和である
【升旗】shēng∥qí 動 旗を掲揚する ↔〔降旗〕
【升迁】shēngqiān 動 書 栄転する
【升任】shēngrèn 動 昇任する
【升势】shēngshì 名 上昇傾向 ‖ 出口仍保持～ 輸出は依然として上昇傾向にある
【升堂入室】shēng táng rù shì 成(学問や技芸などが)深奥に達する. 堂に入る. 〔登堂入室〕ともいう
【升腾】shēngténg 動 上がる. 立ち昇る
【升天】shēng∥tiān 動 ❶旧(人が)死ぬ ❷天に昇る. 大空に上がる ‖ 卫星～ 人工衛星が大空に上がる
【升位】shēng∥wèi 動(電話番号などの)桁数が増える ‖ 电话号码由七位～至八位 電話番号の桁数が7桁から8桁に増える
【升温】shēngwēn 動 ❶温度が上昇する ❷喩(程度が)高まる. 深まる. 強まる
*【升学】shēng∥xué 動 進学する. 上の学校に上がる ‖ ～率 進学率｜～考试 入学試験
【升涨】shēngzhǎng 動 上昇する. 高騰する
【升帐】shēngzhàng 動 元帥が将兵を集め会議をしたり, 命令を下したりする. (現在では多く比喩に用いる)
【升值】shēngzhí 動 ❶〈経〉平価を切り上げる ❷価値が上がる ‖ 日元～ 円高になる ✻↔〔贬值〕
【升职】shēngzhí 動 昇進する ‖ ～为科长 課長に昇進する

5 *** **生** shēng ❶動 生える. 育つ. 生長する ‖ 土豆～了芽 ジャガイモが芽を出した ❷動 産む ‖ ～孩子 子供を産む ❸動 生まれる. 誕生する ‖ 他～在北京 彼は北京で生まれた ❹旧 先生. 読書人 ‖ 书～ 書生 ❺学生. 学習者 ‖ 男～ 男子学生 ❻〈劇〉伝統劇の男役 ❼接尾 ある種の仕事に従事する人をさす. …師. …者 ‖ 医～ 医者 ❽動 発生する ‖ 头上～了个疖子jiēzi 頭にできものができた ❾動(火を)おこす ‖ ～炉子 ストーブの火をおこす. ❿生きる ‖ 贪～怕死 生をむさぼり死を恐れる. ⓫生命 ‖ 丧～ 命を落とす ⓬生きている ‖ →～物 ⓭一生 ‖ 一～ 一生 ⓮生計 ‖ 谋～ 生計を立てる ⓯形(食物に)十分火が通っていない. 生である. (果物が)熟していない ↔〔熟〕‖ 香蕉有点儿～, 得放一放 バナナはまだ熟れていないから, もう少し置いておきなさい｜肉片炒得有点儿～ 肉に火がよく通っていない. ⓰加工していない. 訓練していない ↔〔熟〕‖ →～铁 ⓱形 知らない ↔〔熟〕‖ 刚搬到这儿, 周围环境还挺～的 引っ越してきたばかりで, このあたりは不案内である. ⓲知らない人 ‖ 欺～ 新参者をいじめる. ⓳強引である ‖ →～搬硬套 ⓴副 方 無理に ‖ 好好的一对儿, ～给拆散chāisàn了 なかなかいいカップルなのに, 無理やりに別れさせた ㉑ひどく. 甚だ ‖ →～怕
【生搬硬套】shēng bān yìng tào 成 無理に適用する. 強引に当てはめる. 機械的に当てはめる
【生变】shēng∥biàn 動 異変が生じる
*【生病】shēng∥bìng 動 病気になる ‖ 小时候生过一场大病 子供のとき, 大病をしたことがある
【生不逢时】shēng bù féng shí 成 巡り合わせが悪い. 〔生不逢辰〕ともいう
【生财】shēngcái 動 金儲けをする. 財産を増やす
【生财有道】shēng cái yǒu dào 成 金儲けをするのがなかなかうまい
【生菜】shēngcài 名 レタス. サラダ菜
★【生产】shēngchǎn 動 ❶生産する ‖ 批量～ 大量生産する｜按计划～ 計画に従って生産する ❷出産する ‖ 她顺利地～了 彼女は無事に出産した
【生产方式】shēngchǎn fāngshì 名〈経〉生産様式
【生产工具】shēngchǎn gōngjù 名〈経〉生産用具
【生产关系】shēngchǎn guānxì 名〈経〉生産関係
【生产过剩】shēngchǎn guòshèng 名〈経〉生産過剰
*【生产力】shēngchǎnlì 名〈経〉生産力 ‖ 提高～ 生産力を高める｜～低下 生産力が低下する
*【生产率】shēngchǎnlǜ 名〈経〉❶労働生産性 =〔劳动生产率〕❷生産効率
【生产能力】shēngchǎn nénglì 名 生産能力
【生产线】shēngchǎnxiàn 名(工場の)生産ライン
【生产资料】shēngchǎn zīliào 名〈経〉生産手段
【生辰】shēngchén 名 誕生日
【生辰八字】shēngchén bāzì 名 出生の年月日と

時刻を表す干支(えと)を組み合わせた8字. 運勢を占う際に用いられる ‖ 测～ 運勢を占う
【生成】shēngchéng 動 ❶(自然現象として)形成する. (化学反応によって)生成する ❷生来そなわる
【生齿】shēngchǐ 名 書 家族数
★【生词】shēngcí 名 新出単語 ‖ 背～ 単語を暗記する | 听写～ 単語の書き取りをする
*【生存】shēngcún 動 生存する ↔〔死亡〕‖ 没有水，人和动植物都无法～ 水がなければ人も動植物も生存できない
【生存竞争】shēngcún jìngzhēng 名 生存競争
【生地】[1] shēngdì 名 ❶不案内な土地 ❷未開墾地
【生地】[2] shēngdì 名〈中薬〉生地黄(せいじおう). 〔生地黄〕ともいう
**【生动】shēngdòng 形 生き生きとしている ‖ ～活泼huópo 生き生きとして活気がある | 他的讲演很～ 彼の講演はたいへん生き生きとして面白い
【生发】shēngfā 動 発生する. 生じる
【生分】shēngfen 形 疎遠である. よそよそしい
【生俘】shēngfú 動 生け捕る
【生父】shēngfù 名 実の父親
【生根】shēng//gēn 動 根を下ろす. 社会に定着する
【生花之笔】shēng huā zhī bǐ 成 優れた文才. 才筆. 〔生花妙笔〕〔妙笔生花〕ともいう
【生还】shēnghuán 動 生還する
【生荒】shēnghuāng 名 まだ開墾されていない土地. 未開の土地. 〔生荒地〕ともいう
★【生活】shēnghuó 名 ❶生活. 暮らし. 生計 ‖ 日常～ 日常生活 | ～习惯 生活習慣 ❷方 仕事 ‖ 做～ 仕事をする 動 ❶生活する. 暮らす ‖ 和父母在一起～ 両親と一緒に生活する ❷生存する. 生きる ‖ 一个人脱离了社会就难以～下去 社会から離れ, 一人で生きていくのは困難である
【生活方式病】shēnghuó fāngshì bìng 名〈医〉生活習慣病. 〔生活习惯病〕ともいう
【生活费】shēnghuófèi 名 生活費
【生活资料】shēnghuó zīliào 名 (衣食住などの)生活手段. 〔消费资料〕ともいう
【生火】shēng//huǒ 動 火をおこす ‖ ～做饭 火をおこして飯を炊く | ～取暖 たき火をして暖を取る
*【生机】shēngjī 名 ❶生存の機会. 生への望み ‖ 一线～ 一縷(いちる)の生きる望み ❷生命力. 活力 ‖ 充满～ 活気にあふれる | ～勃勃bóbó 生気に満ちあふれる
【生计】shēngjì 名 生計 ‖ 家庭～ 家計
【生境】shēngjìng 名〈生〉生息環境
【生就】shēngjiù 動 生まれつきそなわる. 生来そなわる
【生角】shēngjué 名〈劇〉伝統劇の男役. ふつう〔老生〕(中高年の男役)をさす
【生客】shēngkè 名 見知らぬ客 ↔〔熟客〕
【生恐】shēngkǒng 動 ひどく恐れる. ひたすら恐れる
【生拉硬拽】shēng lā yìng zhuài 慣 ❶力ずくで言いなりにさせる ❷無理やりにこじつける ✻〔生拉硬扯〕ともいう
【生来】shēnglái 副 生来. 生まれつき
【生老病死】shēng lǎo bìng sǐ 成 子供の出産・老後の生活・病気の治療・死後の埋葬. 庶民の生活の関心事をさす. もとは仏教の生老病死(四苦)の意
【生冷】shēnglěng 名 (食べ物の)生ものと冷たいもの
【生离死别】shēng lí sǐ bié 成 生き別れと死に別れ. 永遠の別れ. 永訣(えいけつ)
*【生理】shēnglǐ 名 生理 ‖ ～特点 生理的特徴 | ～功能 生理機能
【生理学】shēnglǐxué 名 生理学
【生理盐水】shēnglǐ yánshuǐ 名 生理的食塩水
【生力军】shēnglìjūn 名 ❶新手の強力な軍隊 ❷強力な新勢力
【生料】shēngliào 名 未加工の原料. 原材料
【生灵】shēnglíng 名 ❶生き物 ❷書 人民
【生灵涂炭】shēng líng tú tàn 成 民衆が塗炭の苦しみをなめる
【生龙活虎】shēng lóng huó hǔ 成 生気はつらつとしている様子. 意気盛んなさま
【生路】shēnglù 名 生きていく道. 活路 ‖ 另谋～ 生活の道を求める
【生猛】shēngměng 形 方 (魚やエビなどが)ぴちぴちと跳ねるさま ‖ ～海鲜 活きのいい魚介類
【生米煮成熟饭】shēngmǐ zhǔchéng shúfàn 慣 米を炊いて飯になる. できてしまったことは変えようがない
**【生命】shēngmìng 名 生命. 命 ‖ ～垂危 危篤に陥る | 挽救wǎnjiù病人的～ 病人の命を救う

類義語 生命 shēngmìng / 性命 xìngmìng
◆〔生命〕あらゆる生物の命 ‖ 维持生命 生命を維持する | 保护环境，挽救珍奇动物的生命 環境を保護して, 貴重な動物の命を助ける ◆〔性命〕多く人間の命を表す ‖ 性命攸关 人命にかかわる | 如果不是抢救及时，他恐怕就性命难保了 もし応急手当てをしなかったら, 彼は恐らく命はなかっただろう ◆〔生命〕は比喩的にも用いられる ‖ 政治生命 政治生命

【生命保险】shēngmìng bǎoxiǎn 名 生命保険 =〔人寿保险〕
【生命科学】shēngmìng kēxué 名 生命科学. ライフサイエンス
*【生命力】shēngmìnglì 名 生命力 ‖ ～强 非常に生命力がある
【生命线】shēngmìngxiàn 名 生命線. 生死の境
【生母】shēngmǔ 名 生母. 実の母
*【生怕】shēngpà 動 ひどく恐れる ‖ 他轻轻地走进去，～吵醒她 彼は彼女を起こしてしまわないかと心配して, 足音を忍ばせて中に入った.
【生啤酒】shēngpíjiǔ 名 生ビール. 〔鲜啤酒〕ともいう
【生僻】shēngpì 形 めったに見かけない. よく知らない ‖ ～的字眼 めったに見ることのない字句
【生平】shēngpíng 名 生涯. 終生
【生漆】shēngqī 名 生漆(きうるし). 〔大漆〕ともいう
**【生气】[1] shēng//qì 動 怒る. 腹を立てる ‖ 爱～ 怒りっぽい | 为这么点儿小事～，不值得 こんなささいなことで腹を立てるなんてくだらない
【生气】[2] shēngqì 名 生気. 活力. 活気 ‖ ～勃勃 生気はつらつとしている | 缺乏～ 生気に欠ける
*【生前】shēngqián 名 生前. 生きていた時
【生擒】shēngqín 動 生け捕りにする
【生趣】shēngqù 名 生活の楽しみ
【生人】[1] shēng//rén 動 生まれる
*【生人】[2] shēngrén 名 見知らぬ人 ↔〔熟人〕‖ 这孩子怕见～ この子は人見知りする
★【生日】shēngri 名 誕生日 ‖ 过～ 誕生日祝いをする | ～礼物 バースデー・プレゼント
【生色】shēngsè 動 精彩を放つ. 輝きを添える

S

【生涩】shēngsè 形（言葉や文章が）滑らかでない. こなれていない ‖ 文笔～ 文章がごつごつしている
【生杀予夺】shēng shā yǔ duó 成 生殺与奪. どのようにでも思いのままにする
【生身】shēngshēn 形 生みの. 実の ‖ ～父亲 実の父親
【生生世世】shēng shēng shì shì 成 代々. 一代また一代
【生石膏】shēngshígāo 名 生石膏
【生石灰】shēngshíhuī 名 生石灰
【生事】shēng//shì 動 事を引き起こす. いざこざを起こす ‖ 造谣～ デマを飛ばして騒ぎを引き起こす
【生手】shēngshǒu（～儿）名（仕事の）未熟な者. 駆け出し. 新米 ↔〔熟手〕
*【生疏】shēngshū 形 ❶疎い. なじみがない ‖ 人地～ 知り合いもなく土地にも不案内である ❷（腕が）なまっている. 落ちている ‖ 好久不弹琴, 指法都～了 長い間ピアノを弾いていなかったので, すっかり腕がなまってしまった ❸親しみがない. 疎遠である ‖ 长年工作在外, 和孩子的感情都～了 長らく仕事で一緒に暮らしていなかったので, 子供と気持ちがしっくりいかない
【生水】shēngshuǐ 名 生水（なまみず）
【生丝】shēngsī 名 生糸
【生死】shēngsǐ 名 生死 ‖ ～不明 生死のほどが分からない ｜ ～与共 生死を共にする
【生死存亡】shēng sǐ cún wáng 成 生きるか死ぬか
【生死攸关】shēng sǐ yōu guān 成 生死にかかわる
*【生态】shēngtài 名 生態 ‖ ～分布 生態分布
【生态标志】shēngtài biāozhì 名 エコマーク ＝〔环境标志〕
【生态工程】shēngtài gōngchéng 名 生態工学
【生态环境】shēngtài huánjìng 名 生態環境
【生态建筑】shēngtài jiànzhù 名 エコロジカル建築. エコ建築
【生态科学】shēngtài kēxué 名 生態科学
【生态旅游】shēngtài lǚyóu 名 エコツアー
【生态农业】shēngtài nóngyè 名 エコロジー農業
【生态平衡】shēngtài pínghéng 名 生態系のバランス
【生态系统】shēngtài xìtǒng 名 生態系. エコシステム
【生态学】shēngtàixué 名 生態学. エコロジー
【生铁】shēngtiě 名 銑鉄. ずく鉄. ずく
【生吞活剥】shēng tūn huó bō 成（他人の理論・経験・方法を）うのみにする. 無批判に受け入れる
⁑【生物】shēngwù 名 生物
【生物安全】shēngwù ānquán 名 バイオセーフティー ‖ ～等级 バイオセーフティーレベル
【生物电】shēngwùdiàn 名 生体電流
【生物防治】shēngwù fángzhì 名〈農〉天敵を利用して害虫を防除すること
【生物工程】shēngwù gōngchéng 名 生物工学. バイオテクノロジー. バイオエンジニアリング
【生物技术】shēngwù jìshù 名 バイオテクノロジー. バイオ技術
【生物碱】shēngwùjiǎn 名〈化〉アルカロイド
【生物节律】shēngwù jiélǜ 名〈生理〉生体リズム. バイオリズム.〔生物钟〕ともいう
【生物圈】shēngwùquān 名 生物圏
【生物污染】shēngwù wūrǎn 名 バイオハザード. 生物汚染
【生物武器】shēngwù wǔqì 名 生物兵器. 細菌兵器 ＝〔细菌武器〕
【生物芯片】shēngwù xīnpiàn 名 バイオチップ
【生物学】shēngwùxué 名 生物学
【生物钟】shēngwùzhōng 名〈生〉生物時計
【生息】[1] shēng//xī 動 利息を生じる. 利子がつく
【生息】[2] shēngxī 動 ❶生活する. 生きる ❷書（人口を）増加させる ❸書 成長させる. 育てる
【生相】shēngxiàng 名 容貌（ようぼう）. 顔つき. 顔立ち
【生橡胶】shēngxiàngjiāo 名 生ゴム
【生肖】shēngxiào 名（十二支の）干支（えと）.〔属相〕ともいう ‖ 十二～ 十二支
*【生效】shēng//xiào 動 効力が生じる. 発効する ‖ 条约自签订qiāndìng之日起～ 条約は調印の日から効力が発生する
【生性】shēngxìng 名 生来の性質. 天性
【生锈】shēng//xiù 動 さびつく
【生涯】shēngyá 名（ある職業または活動に従事する）生活. 生涯 ‖ 舞台～ 舞台生活
【生养】shēngyǎng 動 口 子供を産み育てる
【生药】shēngyào 名〈薬〉生薬（しょうやく）. 漢方薬材
【生业】shēngyè 名 書 生業
【生疑】shēng//yí 動 疑念を抱く. 疑う
【生意】shēngyì 名 生気. 活気
⁑【生意】shēngyi 名 ❶商売. 商い ‖ 做～ 商売をする ｜ 谈～ 商談する ❷方 職業 ‖ 停～ 解雇する
【生意经】shēngyijīng 名 商売のこつ. 商売をするうえでの考え方や方法
【生硬】shēngyìng 形 ❶不自然である. ぎくしゃくしている ‖ 他的汉语说得有点儿～ 彼の中国語は少し不自然だ ❷生硬である. 粗雑である ‖ 态度～ 態度がぶっきらぼうである
【生油】[1] shēngyóu 名 火を通していない油
【生油】[2] shēngyóu 名 方 落花生油
【生鱼片】shēngyúpiàn（～儿）名 刺身
*【生育】shēngyù 動 出産する. 子供を産む ‖ 计划～ 計画出産 ｜ ～高峰 ベビーブーム ｜ ～年龄 出産適齢
【生员】shēngyuán 名 古 生員（せいいん）. 明・清代, 院試に合格し, 府・州・県学に入学を許された学生の呼称. 俗に〔秀才〕という
【生造】shēngzào 動（言葉や字を）勝手に作る
⁑【生长】shēngzhǎng 動 ❶成長する. 伸びる. 育つ ‖ 这种植物～在高寒地带 この植物は寒冷地帯に育つ ❷生まれ育つ ‖ 他～在海边, 水性很好 彼は海辺で生まれ育ったので, 泳ぎが上手だ
【生长点】shēngzhǎngdiǎn 名〈植〉生長点
*【生殖】shēngzhí 動 生殖する ‖ ～能力 生殖能力 ｜ 无性～ 無性生殖 ｜ 有性～ 有性生殖
【生殖器】shēngzhíqì 名〈生理〉生殖器
【生猪】shēngzhū 名（商品としての）生きているブタ
【生字】shēngzì 名 知らない字 ↔〔熟字〕
★[7]声（聲）shēng ❶名（～儿）声. 音 ‖ 屋子里一点儿～儿都没有 部屋の中はなんの物音もしない ❷声を出す. 宣言する ‖ 不～不响 声を立てない ❸音信. 消息 ‖ 销xiāo～匿nì迹 鳴りを潜め姿を隠す ❹名声. 声望 ‖ 名～ 評判. 名声 ❺〈語〉声母. 頭子音 ‖ 双～ 同じ声母をもつ2字以上からなる語 ❻〈語〉声調. 高低アクセント ‖ 四～

S

四声 ❼圖 音の回数を数える ‖ 我去叫他一～ 私はちょっと彼に声をかけてこよう

逆引き単語帳 〔歌声〕 gēshēng 歌声 〔铃声〕 língshēng ベルの音 〔掌声〕 zhǎngshēng 拍手の音 〔回声〕 huíshēng 反響音．こだま 〔风声〕 fēngshēng うわさ 〔雷声〕 léishēng 雷鳴 〔雨声〕 yǔshēng 雨の音 〔枪声〕 qiāngshēng 銃声 〔钟声〕 zhōngshēng 時計の音 〔人声〕 rénshēng 人の声．話し声 〔笑声〕 xiàoshēng 笑い声 〔哭声〕 kūshēng 泣き声 〔心跳声〕 xīntiàoshēng 心臓の鼓動 〔呼救声〕 hūjiùshēng 助けを求める声 〔脚步声〕 jiǎobùshēng 足音 〔鼾声〕 hānshēng いびき 〔锣鼓声〕 luógǔshēng どらや太鼓の音 〔敲门声〕 qiāoménshēng ドアをノックする音 〔呼声〕 hūshēng 呼び声．(大衆の)要求の声 〔立体声〕 lìtǐshēng 立体音響．ステレオ 〔相声〕 xiàngsheng 漫才

【声辩】 shēngbiàn 動 申し開きする．言い訳をする
【声波】 shēngbō 名〈物〉音波．〔音波〕ともいう
【声部】 shēngbù 名〈音〉声部
【声称】 shēngchēng 動 明言する．公言する
【声带】 shēngdài 名 ❶〈生理〉声帯 ❷(映画の)サウンド・トラック
★【声调】 shēngdiào 名 ❶声の調子．言葉の調子 ‖ 压低～ 声を押し殺す ❷〈語〉声調．四声
【声东击西】 shēng dōng jī xī 成 東でときの声をあげ，西を攻撃する．あちらと見せてこちらを討つ
【声卡】 shēngkǎ 名〈計〉サウンドボード
【声控】 shēngkòng 形〈電〉音声制御の
【声浪】 shēnglàng 名 ❶〈物〉音波．〔声波〕の旧称 ❷どよめき ‖ 欢呼的～ 歓呼のどよめき
【声泪俱下】 shēng lèi jù xià 成 声涙ともに下る．涙ながらに訴える
【声名】 shēngmíng 名 評判．名声
【声名狼藉】 shēng míng láng jí 成 これまでの評判がめちゃくちゃになること
*【声明】 shēngmíng 動 声明する．表明する ‖ 严正～自己的立场 自分の立場を厳然と表明する 名 声明 ‖ 发表联合～ 共同コミュニケを発表する
【声母】 shēngmǔ 名〈語〉声母
【声呐】 shēngnà 名 外 ソナー．水中音波探知器
【声旁】 shēngpáng 名〈語〉声符
【声频】 shēngpín 名〈物〉可聴周波数
【声谱】 shēngpǔ 名〈物〉音響スペクトル
【声气】 shēngqì 名 ❶便り．消息 ❷方 語気
【声腔】 shēngqiāng 名 (伝統劇の体系的な)節回し
【声情并茂】 shēng qíng bìng mào 成 (役者や歌手について)声もよく情感もこもっている
【声请】 shēngqǐng 動 書 申請する
【声色】[1] shēngsè 名 話すときの声と表情
【声色】[2] shēngsè 名 ❶(芸術上の)格調 ❷生気と活力
【声色】[3] shēngsè 名 書 歌舞音曲と女色
【声色俱厉】 shēng sè jù lì 成 厳しい口調といかめしい表情
*【声势】 shēngshì 名 気勢．勢い ‖ 虚张～ 虚勢を張る ｜ ～浩大的示威游行 壮大なデモ行進
【声嘶力竭】 shēng sī lì jié 成 声はかれ，力は尽きる．声を限りに叫ぶさま．〔力竭声嘶〕ともいう
【声速】 shēngsù 名〈物〉音速．〔音速〕ともいう
【声讨】 shēngtǎo 動 糾弾する
【声望】 shēngwàng 名 声望．名声
【声威】 shēngwēi 名 ❶名声と権威 ❷勢い．気勢
【声息】 shēngxī 名 ❶物音．(多く否定に用いる) ‖ 屋里没有一点儿～ 部屋の中は物音一つしない ❷便り．音信 ‖ 互通～ 互いに連絡をとる
【声响】 shēngxiǎng 名 音．物音．音響
【声像】 shēngxiàng 名 オーディオビジュアル．視聴覚 ‖ ～资料 視聴覚資料
【声学】 shēngxué 名 音響学
【声讯】 shēngxùn 名 テレホンインフォメーションサービス
【声言】 shēngyán 動 公言する．言明する
【声扬】 shēngyáng 動 言い広める．(外に)漏らす
★【声音】 shēngyīn 名 音．声．音声 ‖ 应该多听听群众的～ 人々の声にもっと耳を傾けるべきだ
*【声誉】 shēngyù 名 名声．評判
【声援】 shēngyuán 動 声援する
【声源】 shēngyuán 名〈物〉音源
【声乐】 shēngyuè 名〈音〉声楽
【声韵学】 shēngyùnxué =〔音韵学 yīnyùnxué〕
【声张】 shēngzhāng 動 (多く否定に用い)言い触らす
【声障】 shēngzhàng 名〈物〉音の壁

9 **牲** shēng ❶いけにえの動物 ‖ 献～ いけにえをささげる ❷家畜 ‖ →～畜
*【牲畜】 shēngchù 名 家畜 ‖ 饲sì养～ 家畜を飼う
*【牲口】 shēngkou 名 役畜の総称

9 **胜** shēng 名〈化〉ペプチド =〔肽tài〕 ➤ shèng

11 **笙** shēng 名〈音〉笙(しょう)．中国の民族楽器．

12 **甥** shēng 姉妹の子供 ‖ ～女 姉妹の娘．姪(めい) ｜ 外～ 姉妹の息子．甥(おい)

shéng

11 **渑(澠)** shéng 地名用字 ➤ miǎn

11 **绳(繩)** shéng ❶名 (～儿)縄．ひも ‖ 跳～儿 縄跳び ❷書 墨糸．墨縄 ‖ →～墨 ❸書 規準．規則 ‖ 准～ 規準 ❹書 正す．制裁する ‖ ～之以法 法に照らし制裁する
【绳锯木断】 shéng jù mù duàn 成 縄ののこぎりでも長い間には木を切ることができる．小さな力でも積み重ねれば大事を成すたとえ
【绳墨】 shéngmò 名 ❶墨糸．墨縄 ❷喩 基準．決まり ‖ 不中zhòng～ 規則に合わない
【绳索】 shéngsuǒ 名 ロープ．太い縄
【绳梯】 shéngtī 名 縄ばしご
**【绳子】 shéngzi 名 縄．ひも．綱 ‖ 解开～ ひもを解く ｜ 系jì～ ひもを結ぶ

shěng

9 *** **省**[1] shěng ❶動 減らす．省く．省略する ‖ ～了不少麻烦 手間がだいぶ省けた ❷動 節約する．むだを省く．切り詰める ↔〔费〕 ‖ 坐车去～时间 車で行ったほうが時間の節約になる ❸動 簡略にする．略す ‖ ～写 略して書く

S

9 ★**省**² shěng ❶名(行政区画の単位)省 ❷名 省の行政府所在地 ➤ xǐng

【省便】shěngbiàn 形 手間がかからない
【省城】shěngchéng =〔省会shěnghuì〕
*【省得】shěngde 接 … しないように. … しないですむように‖到了那儿就打个电话来，～家里担心 家の人に心配かけないように，向こうに着いたらすぐに電話をしなさい
【省份】shěngfèn 名 省‖黄河流经九个～ 黄河は九つの省を流れる
*【省会】shěnghuì 名 省都. 省の行政府所在地. 〔省城〕ともいう
【省力】shěng//lì 動 手間を省く
*【省略】shěnglüè 動 省略する. 省く
【省略号】shěnglüèhào 名〈語〉省略記号. リーダー. 〔……〕. 〔删节号〕ともいう
【省钱】shěng//qián 動 金銭を節約する‖自己做比在外面吃～ 自分で作ったほうが外食するより安上がりだ
【省却】shěngquè 動 ❶節約する ❷省く. 免除する
【省事】shěng//shì 動 手数を省く. 手間を省く 形(shěngshì)簡単である. 手間がかからない‖吃方便面～ インスタントラーメンにすれば，手っ取り早い
【省心】shěng//xīn 動 心配しないですむ. 気が楽になる‖等孩子结婚了，我也就～了 子供が結婚したら，私もひと安心できる
【省油灯】shěngyóudēng 慣 分に安んじていて，いざこざを起こさない人のたとえ. (多く否定に用いる)
*【省长】shěngzhǎng 名 省の長官. 省長
【省治】shěngzhì 名 旧 省都

10 **眚** shěng 書 ❶白そこひ ❷過失

shèng

5 **圣**(聖) shèng ❶品格・知恵ともに卓越している‖→～人 ❷聖人‖→～贤 ❸(学識や能力に)際立って優れている人. 達人. 名人‖诗～ 詩聖 ❹聖なる. 神聖な‖→～地 ❺皇帝に対する敬称‖→～旨 ❻崇拝する人やものに対する敬称‖→～经

【圣诞】shèngdàn 名 ❶イエス・キリストの誕生日 ❷旧 孔子の誕生日
*【圣诞节】Shèngdànjié 名〈宗〉クリスマス. 降誕祭
【圣诞卡】shèngdànkǎ 名 クリスマス・カード
【圣诞老人】Shèngdàn lǎorén 名 サンタクロース
【圣诞树】shèngdànshù 名 クリスマス・ツリー
【圣地】shèngdì 名 聖地
【圣多美和普林西比】Shèngduōměi hé Pǔlínxībǐ 名〈国名〉サントメ・プリンシペ
【圣火】shènghuǒ 名 聖火
【圣基茨和尼维斯】Shèngjīcí hé Níwéisī 名〈国名〉セントクリストファー・ネイビス
【圣洁】shèngjié 形 神聖で清らかである
【圣经】Shèngjīng 名 聖書. バイブル
【圣灵】shènglíng 名 聖霊
【圣卢西亚】Shènglúxīyà 名〈国名〉セントルシア
【圣马力诺】Shèngmǎlìnuò 名〈国名〉サンマリノ
【圣明】shèngmíng 形 書 聖明である
【圣母】shèngmǔ 名 ❶女神 ❷〈宗〉聖母マリア
【圣人】shèngrén 名 ❶聖人 ❷古 臣下の君主に対する尊称
【圣上】shèngshàng 名(皇帝に対する尊称)聖上
【圣手】shèngshǒu 名 名人. 達人
【圣水】shèngshuǐ 名〈宗〉聖水
【圣文森特和格林纳丁斯】Shèngwénsēntè hé Gélínnàdīngsī 名〈国名〉セントビンセント・グレナディーンズ
【圣贤】shèngxián 名 聖賢
【圣旨】shèngzhǐ 名 ❶古 聖旨. 皇帝の命令 ❷喩 至上命令

9 **胜**(勝) shèng ❶堪えられる‖→～任 ❷すべて. ことごとく‖不～枚举 méi jǔ 枚挙にいとまがない ❸動 勝つ ↔〔负〕〔败〕‖这场比赛他们～了 今回の試合で彼らは勝利を収めた ❹動 打ち負かす‖北京队～了上海队 北京チームは上海チームを敗った ❺動 勝る. 優れる‖一年～一年 一年一年よくなる ❻美しい. 優れた‖→～地 ❼美しい場所や境地‖引人入～ 人を夢中にさせる ➤ shēng

【胜出】shèngchū 動(試合や競争を)勝ち進む. 勝ち抜く‖在这次比赛中以三比一～ この試合を3対1で勝ち進んだ
【胜地】shèngdì 名 景勝地. 名勝
【胜负】shèngfù 名 勝敗‖决一～ 勝負を決する
【胜果】shèngguǒ 名 勝利の果実‖首尝～ 初勝利を味わった
【胜过】shèngguo ; shèngguò 動(… より)勝る. 優れる‖她待病人～亲人 彼女の看病ぶりは肉身にも勝る
【胜机】shèngjī 名 勝機. 勝つチャンス
【胜迹】shèngjì 名 名勝古跡
【胜绩】shèngjì 名 勝ち. 勝利
【胜景】shèngjǐng 名 美しい景色. 勝景
【胜境】shèngjìng 名 ❶景勝の地 ❷きわめてすばらしい境地
【胜局】shèngjú 名 勝勢. 勝ち味
★【胜利】shènglì 動 ❶勝利する ❷成功する‖～地完成了任务 成功裏に任務を完了した
【胜率】shènglǜ 名 ❶勝つ確率 ❷勝率
【胜券】shèngquàn 名 勝算. 勝利の確信
【胜任】shèngrèn 動 任に堪える‖你一定能～这项工作 君ならきっとこの仕事をこなせる
【胜似】shèngsì 動(… より)優れる. 勝る
【胜诉】shèngsù 動〈法〉勝訴する
【胜算】shèngsuàn 名 勝算‖操～ 勝算がある
【胜于】shèngyú 動(… に)勝る. (… より)優れる‖事实～雄辩 事実は雄弁に勝る. 論より証拠
【胜仗】shèngzhàng 名 戦勝. 勝ちいくさ

10 **乘** shèng ❶古 乘(じょう). 4頭だての兵車を数えた単位‖万～之国 万乘の兵車を有する国 ❷史書‖野～ 野史 ➤ chéng

10 **晟** shèng 書 明らかである

11 *** 盛** shèng ❶盛んである. 繁栄している‖→～世 ❷豊富である. 豊かである‖→～产 ❸大きい‖→～怒 ❹盛大である‖→～典 ❺形 広範である‖旅游之风很～ 旅行がとてもはやっている ❻大いに. 非常に‖→～赞 ❼深い. 厚い‖→～情 ❽形 旺盛(おうせい)である. 激しい‖火势越来越～ 火の勢いがますます激しくなっている ➤ chéng

*【盛产】shèngchǎn 動 大量に産出する‖这一带～大米 このあたりは米どころである
【盛传】shèngchuán 動 広く伝えられる. 広く知られる

*【盛大】shèngdà 形 盛大である ‖ ～的宴会 盛大な宴会 | 规模～ 規模が盛大である

【盛典】shèngdiǎn 名 盛大な式典．盛典

【盛服】shèngfú 名 書 盛装

【盛会】shènghuì 名 盛会．盛大な会

【盛极一时】shèng jí yī shí 成 一時盛んになる

【盛举】shèngjǔ 名 盛大な活動．盛挙

*【盛开】shèngkāi 動（花などが）満開である ‖ 百花～ 多くの花が咲き乱れている

【盛况】shèngkuàng 名 盛況

【盛名】shèngmíng 名 高い声望．盛名

【盛年】shèngnián 名 壮年

【盛怒】shèngnù 動 書 激怒する

【盛气凌人】shèng qì líng rén 成 威張りちらす

*【盛情】shèngqíng 名 厚意．厚情 ‖ ～难却 ご厚情を断るわけにもいきません | ～款待 心のこもったもてなしをする | 感谢你的一番～ ご厚情ありがとうございます

【盛世】shèngshì 名 繁栄の時代．盛世

【盛事】shèngshì 名 盛大な行事．盛大な催し．盛事

【盛暑】shèngshǔ 名 盛暑

【盛夏】shèngxià 名 盛夏．真夏

【盛销】shèngxiāo 動（商品が）よく売れる．売れ行きがよい

*【盛行】shèngxíng 動 流行する．はやる ‖ ～一时 一時期大流行する

【盛宴】shèngyàn 名 盛大な宴会

【盛意】shèngyì 名 厚意．厚情

【盛誉】shèngyù 名 声誉．高い評判

【盛赞】shèngzàn 動 盛んに称賛する．ほめたたえる

【盛馔】shèngzhuàn 名 書 ご馳走．盛饌(せいせん)

【盛装】shèngzhuāng 名 盛装．晴れ着

12 ★**剩**（△賸）shèng 動 余る．残る ‖ 离放假还～一个月 休みまであと１ヵ月を残すばかりだ | 开销大，～不了什么钱 出費が多くて，いくらも金が残らない

**【剩下】shèng//xia(xià) 動 残る．残す ‖ 还～两道题没做完 まだ２問やり終えていない

*【剩余】shèngyú 動 残る．余る ‖ 把～下来的钱存入银行 残った金は銀行に預金する

【剩余产品】shèngyú chǎnpǐn 名〈経〉剰余生産物 ↔〔必要产品〕

【剩余价值】shèngyú jiàzhí 名〈経〉剰余価値

【剩余劳动】shèngyú láodòng 名〈経〉剰余労働 ↔〔必要劳动〕

13 **嵊** shèng 地名用字 ‖ ～县 浙江省にある県の名

shī

3 **尸**（△屍❸）shī ❶古 祭祀(さいし)のとき，死者の代わりに祭りを受ける人 ❷書 いたずらに職位につく ‖ ～位素餐cān 仕事もせずむだ飯を食う ❸死体．なきがら ‖ 死～ 死体

【尸骨】shīgǔ 名 遺骨．白骨

【尸骸】shīhái 名 遺骨

【尸检】shījiǎn 動 検死する

【尸身】shīshēn 名 死体．なきがら

【尸首】shīshou 名（人の）死骸(しがい)．死体

*【尸体】shītǐ 名（人や動物の）死骸．死体

5 ****失** shī ❶動 失う．なくす ↔〔得〕‖ ～了信心 自信を失う ❷見失う．はぐれる ‖ 迷～方向 方向を見失う ❸思わず…する．うっかり…する ‖ →～言 ❹常態を失う．我を失う ‖ →～态 ❺（願望や目的が）果たせない ‖ →～意 ❻背く．反する ‖ →～信 ❼過ち．失敗 ‖ 过～ 過失

**【失败】shībài 動 ❶負ける ↔〔胜利〕 ❷失敗する ↔〔成功〕‖ 试验～了 実験は失敗した

【失策】shīcè 動 誤算をする

【失察】shīchá 動 監督が行き届かない

【失常】shīcháng 形 正常でない．常態でない ‖ 精神～ 精神に異常をきたす | 举止～ 挙動がおかしい

【失宠】shī//chǒng 動 寵愛(ちょうあい)を失う ↔〔得宠〕

【失传】shīchuán 動 途絶える

【失聪】shīcōng 動 聴覚を失う

【失措】shīcuò 動 どうしていいか分からなくなる．自失する ‖ 茫然mángrán～ 茫然自失(ぼうぜんじしつ)する

【失当】shīdàng 形 適当でない．妥当でない

【失盗】shī//dào 動 盗難に遭う

【失道寡助】shī dào guǎ zhù 成 道に背けば助けてくれる人もいない

【失地】shīdì 動 国土を失う 名 失った国土 ‖ 收复～ 占領された土地を奪回する

*【失掉】shīdiào 動 失う．なくす．逸する ‖ ～机会 チャンスを逃す | ～联系 連絡が途絶える

【失范】shīfàn 動 規範に背く．規範を逸脱する ‖ 学术～行为，极大地损害了学术的公信力 学術界の不正行為は学術に対する信頼をおおいに裏切るものだ

【失和】shīhé 動 仲たがいする．不和になる

【失衡】shīhéng 動 バランスが崩れる．均衡を失う ‖ 比例～ 比率がアンバランスになる | 心理～ 冷静さを失う

【失欢】shī//huān 動 寵愛を失う

【失悔】shīhuǐ 動 後悔する．悔いる

【失婚】shīhūn 動（離婚や死別で）配偶者を失う ‖ 从～的痛苦中挣脱 配偶者を失った痛手から抜け出す

【失魂落魄】shī hún luò pò 成 慌てふためく．肝をつぶす

【失火】shī//huǒ 動 失火する．火事になる

【失检】shījiǎn 動（言動に）慎重さを欠く ‖ 行为～ 行いに慎重さを欠く | 言谈～ 言葉が軽率である

【失脚】shī//jiǎo 動 足を踏みはずす．つまずく

【失节】shī//jié 動 ❶節操を失う ❷貞操を失う

【失禁】shījìn 動 失禁する

【失敬】shījìng 動 挨拶 失礼する．失敬する

【失控】shīkòng 動 制御できなくなる．コントロールできなくなる ‖ 物价～ 物価がコントロールできなくなる

【失口】shī//kǒu 動 口を滑らす．失言する

【失礼】shīlǐ 動 礼を失する．失礼である

【失利】shī//lì 動 負ける．敗北する ‖ 客队首战～ ビジターチームは第１戦を落とした

【失恋】shī//liàn 動 失恋する

【失灵】shīlíng 動 故障する．障害を起こす ‖ 车闸zhá～ ブレーキが利かなくなる | 嗅觉～ 鼻が利かなくなる

【失落】shīluò 動 失う．紛失する 形 拠り所を失ったように虚しいさま

【失落感】shīluògǎn 名 失望感．自己喪失感

*【失眠】shī//mián 動 眠れない．不眠になる

【失明】shī//míng 動 失明する

【失能武器】shīnéng wǔqì 名〈軍〉非殺傷兵器

【失陪】shīpéi 動 挨拶 お先に失礼します ‖ 我有点

S

事，～了 用事があるので，お先に失礼させていただきます
【失窃】shīqiè 動 盗まれる
**【失去】shīqù 動 失う．なくす‖～朋友 友人を失う｜～信心 自信をなくす｜～机会 機会を逃がす
【失却】shīquè 動 書 失う．なくす．喪失する
【失散】shīsàn 動 離散する．はぐれる
【失色】shīsè 動 ❶色があせる ❷(驚きや恐怖で)色を失う．青ざめる．顔面蒼白(そうはく)になる
【失闪】shīshan 名 思いがけない事故．万一のこと
【失身】shī∥shēn 動 貞操を失う
【失神】shīshén 動 ❶油断する．注意力を欠く ❷意気消沈する．茫然自失(ぼうぜんじしつ)する
【失慎】shīshèn 動 ❶慎重さを欠く．おろそかにする．うっかりする‖言语～ 言葉が軽率である ❷書 失火する
【失声】shīshēng 動 ❶(思わず)声を漏らす ❷(涙に)声を詰まらせる ❸(病気で)声が出なくなる
【失时】shī∥shí 動 時機を逃す
【失实】shīshí 動 事実と合致しない‖报道～ 報道が事実と違う｜～之说 根も葉もない言葉
*【失事】shī∥shì 動 思いがけない事故が起こる‖飞机～ 飛行機が事故を起こす｜轮船～ 船が沈没する
【失势】shī∥shì 動 権勢を失う ↔〔得势〕
【失手】shī∥shǒu 動 手を滑らす
【失守】shīshǒu 動 (敵に)占領される
【失算】shīsuàn 動 計算違いをする．見込み違いをする
【失态】shītài 動 失態を演じる．見苦しく取り乱す．常軌を逸する‖酒后～ 酒に酔って失態を演じる
【失调】shītiáo 動 ❶バランスを失う‖供求～ 供給と需要のバランスが崩れる ❷体調を崩す．体の調子が整わない‖产后～ 産後の肥立ちが悪い
**【失望】shīwàng 動 失望する．がっかりする．落胆する‖他这么不争气真叫我～ 彼がこんなにだらしないとは，まったくがっかりさせられる 形 気落ちしている‖她～地回去了 彼女は落胆して帰っていった
【失物】shīwù 名 落とし物．遺失物
*【失误】shīwù 動 間違える．誤る．ミスをする‖发球～ サーブ・ミスをする｜决策～ 方針決定を誤る
【失陷】shīxiàn 動 陥落する
*【失效】shī∥xiào 動 失効する．効力がなくなる‖药物～ 薬が効かなくなる｜合同～ 契約が失効する
【失笑】shīxiào 動 失笑する．思わず吹き出す
【失信】shī∥xìn 動 信用を失う．約束をたがえる
【失修】shīxiū 動 修理をしない．補修されないままになる
【失序】shīxù 動 無秩序になる．秩序が乱れる．混乱に陥る‖由～回归有序 混乱から正常に回復する
*【失学】shī∥xué 動 (貧困や病気などの理由で)学校教育を受けられない．中途退学する
【失血】shīxuè 動〈医〉失血する
【失言】shī∥yán 動 失言する．口を滑らす
**【失业】shī∥yè 動 失業する‖～率 失業率
【失业保险】shīyè bǎoxiǎn 名 失業保険
【失宜】shīyí 形 書 当を欠いている．適切でない
【失意】shī∥yì 形 志を得ない．不遇である
【失音】shīyīn 動〈医〉(病気で)声が出なくなる
【失迎】shīyíng 動 挨拶 お迎えもいたしませんで
【失语症】shīyǔzhèng 名〈医〉失語症
*【失约】shī∥yuē 動 (会う)約束を破る
【失着】shī∥zhāo 動 打つ手を誤る．誤算をする
【失真】shī∥zhēn 動 ❶(実際と)食い違う‖报道～ 報道が事実と食い違っている ❷〈電〉(電波や音声などが)ひずむ．〔畸jī变〕ともいう
【失之东隅，收之桑榆】shī zhī dōng yú, shōu zhī sāng yú 成 朝に失い，夕方に取り戻す．一時失敗しても別の折に取り返すこと
【失之毫厘，谬以千里】shī zhī háo lí, miù yǐ qiān lǐ 成 始めは小さな誤りでも，ついには大きい誤りとなる
【失之交臂】shī zhī jiāo bì 成 みすみす目の前の好機を逃がしてしまう
【失职】shī∥zhí 動 職責を果たさない
【失重】shī∥zhòng 動 無重力状態になる
【失主】shīzhǔ 名 ❶(遺失物の)落とし主 ❷(盗難事件の)被害者
【失准】shīzhǔn 形 ❶正確さを欠く．不正確である ❷(多くスポーツで)実力を発揮できない
*【失踪】shī∥zōng 動 失踪(しっそう)する．行方不明になる
【失足】shī∥zú 動 ❶足を滑らせる ❷重大な過ちを犯す．足を踏みはずす‖～青年 犯罪を犯した若者

6
*师(師) shī ❶名〈軍〉師団．➡〔中国人民解放军 Zhōngguó rénmín jiěfàngjūn〕❷軍隊．軍‖出～ 出兵する ❸師．先生‖教～ 教師 ❹書 学ぶ．見習う‖→～法 ❺模範．手本 ❻専門家．専門の知識や技術を身につけている人‖工程～ エンジニア ❼〈仏〉僧侶や道士に対する敬称‖法～ 法師 ❽師の家族や相弟子に対する呼称‖→～兄
【师表】shībiǎo 名 書 師表．手本．模範
【师承】shīchéng 書 動 (ある伝統を)受け継ぐ 名 師伝．師承
【师出无名】shī chū wú míng 成 正当な名目もなく出兵する．行いに正当な理由がないこと
【师德】shīdé 名 教師として具えるべきモラル
【师弟】shīdì 名 ❶弟弟子 ❷師の息子または父の弟子で，自分より年下の男性 ❸書 師弟．先生と生徒
【师法】shīfǎ 書 動 (ある流派に)ならう．まねる 名 師から伝えられた学問や技術
*【师范】shīfàn 名 ❶略 師範学校．〔师范学校〕の略 ❷書 模範
【师范学校】shīfàn xuéxiào 名 師範学校．主として小学校の教師を養成する．略して〔师范〕という
【师父】shīfu 名 ❶師匠．親方．先生 ❷〈宗〉僧・尼僧・道士に対する尊称
★【师傅】shīfu 名 ❶師匠．親方 ❷職人に対する尊称‖木匠～ 大工さん
【师姐】shījiě 名 ❶姉弟子 ❷師の娘または父の弟子で，自分より年長の女性
【师妹】shīmèi 名 ❶妹弟子 ❷師の娘または父の弟子で，自分より年下の女性
【师母】shīmǔ 名 先生や師匠の夫人に対する敬称
【师娘】shīniáng 名 口 先生や師匠の夫人に対する敬称
【师事】shīshì 動 書 師事する
【师心自用】shī xīn zì yòng 成 自己の見解に固執する
【师兄】shīxiōng 名 ❶兄弟子 ❷師の息子または父の弟子で，自分より年長の男性
*【师长】shīzhǎng 名 先生に対する尊称
【师资】shīzī 名 教師になる人材‖～不足 教員が不足している｜培养péiyǎng～ 教師を養成する

8 ** **诗** shī 图詩‖作一首～ 詩を1首作る｜吟yín～ 詩を吟じる｜七言律～ 七言律詩

*【诗歌】shīgē 图詩歌. 詩

【诗话】shīhuà 图❶詩や詩人について論じた本 ❷古小説の体裁で, 文中に詩を交えたもの

【诗集】shījí 图詩集

【诗境】shījìng 图詩境

【诗句】shījù 图詩句‖美好的～ 美しい詩句

【诗律】shīlǜ 图詩の韻律

【诗篇】shīpiān 图❶詩. 詩編 ❷喩意義のある文章や事跡‖光辉的～ 輝かしい物語

【诗情画意】shī qíng huà yì 成詩や絵のような趣. 詩情にあふれ, 絵のように美しい

*【诗人】shīrén 图詩人

【诗史】shīshǐ 图❶詩歌の歴史. 詩史 ❷時代を反映し, 歴史的意義をもつ詩作品

【诗坛】shītán 图詩壇

【诗兴】shīxìng 图詩興‖～大发 詩興をそそられる

【诗意】shīyì 图詩情

【诗韵】shīyùn 图❶詩の韻 ❷韻書

【诗章】shīzhāng 图詩編. 詩

【诗作】shīzuò 图詩の作品

8 **虱**(△蝨) shī 〈虫〉シラミ

【虱子】shīzi 图〈虫〉シラミ‖长～ シラミがわく

9 **狮**(獅) shī 图〈動〉獅子(しし). ライオン

**【狮子】shīzi 图〈動〉ライオン

【狮子搏兔】shīzi bó tù 成ライオンが兎(うさぎ)に飛びかかる. たやすいことでも軽視せず, 全力で取り組むたとえ

【狮子大开口】shīzi dà kāi kǒu 慣貪欲(どんよく)に物質的要求を出す. 高額の割り前や礼金を求める

【狮子狗】shīzigǒu 图〈動〉(イヌの一種)ペキニーズ

【狮子舞】shīziwǔ 图(中国の民間舞踊の一種)獅子舞い

【狮子座】shīzizuò 图❶獅子宮(ししきゅう). 黄道十二宮の第5宮 ❷〈天〉獅子座

9 * **施** shī ❶動与える‖～压力 圧力を加える ❷施しをする‖→～舍 ❸加える. 施す‖→～肥 ❹実行する. 施行する‖→～行

【施暴】shībào 動❶暴力を振るう ❷強姦(ごうかん)する

【施放】shīfàng 動放つ. 発する

*【施肥】shī//féi 動〈農〉施肥する. 肥料を施す

**【施工】shī//gōng 動施工する. 工事する‖～重地zhòngdì, 闲人免进 工事中につき, 関係者以外立ち入り禁止.

*【施加】shījiā 動(圧力や影響などを)与える. 加える‖～压力 圧力を加える｜～影响 影響力を与える

【施礼】shī//lǐ 動敬礼をする. おじぎをする

【施舍】shīshě 動喜捨する

【施事】shīshì 图〈語〉動作の主体 ↔〔受事〕

【施威】shīwēi 動威風を示す

*【施行】shīxíng 動❶(法令などを)実施する. 施行する‖新法自即日起～ 新しい法令は即日実施する ❷行う. 施す‖～电疗 電気療法を施す

【施压】shīyā 動圧力をかける. プレッシャーをかける

【施用】shīyòng 動使う. 用いる

【施与】shīyǔ 動与える. 恵む‖～财物 金や物を恵む

【施斋】shī//zhāi 動(僧に)食事をふるまう

*【施展】shīzhǎn 動発揮する. ふるう‖～本领 能力を発揮する｜～骗术piànshù ペテンにかける

【施诊】shī//zhěn 動(貧しい人を)無料で診療する

【施政】shīzhèng 動政治を行う

【施主】shīzhǔ 图〈宗〉(仏教や道教で)施主. 壇家

12 ** **湿**(濕 △溼) shī ❶形湿っている. ぬれている ↔〔干〕‖毛巾很～ タオルがひどく湿っている｜衣服让雨淋～了 服が雨でびしょぬれだ ❷图〈中医〉六淫(りくいん)の一つ, 湿(しつ)

【湿地】shīdì 图湿地. 湿地帯

*【湿度】shīdù 图湿度‖～大 湿度が高い

【湿乎乎】shīhūhū (～的) 形湿っているさま

【湿季】shījì 图雨季

【湿淋淋】shīlínlín (～的) 形水が垂れるほどぬれているさま

【湿漉漉】【湿渌渌】shīlūlū (～的) 形物がぬれているさま. じとじとしている

*【湿润】shīrùn 形(土壌や空気などが)湿り気がある. 湿潤である‖空气非常～ 空気がじめじめしている

【湿疹】shīzhěn 图〈医〉湿疹

13 **蓍** shī 图〈植〉ノコギリソウ. ふつうは〔蓍草〕といい, 〔蚰蜒yóuyan草〕〔锯齿jùchǐ草〕ともいう

14 **嘘** shī 感制止や家禽(かきん)を追い出てることを表す‖～！别出声！ しっ, 静かに ➤xū

14 **酾**(釃) shī；shāi ❶書(酒を)こす ❷方(酒を)つぐ

16 **鲺** shī 图〈虫〉チョウ. ウオジラミ

shí

2 ★ **十** shí ❶数十. 10‖～个人 10人｜～岁 10歳 ❷十分である. 完全である‖→～分

【十八般武艺】shíbā bān wǔyì 慣武芸十八般. 転各種の技能‖～样样精通 何事にも精通している

【十八层地狱】shíbā céng dìyù 图〈仏〉十八層の地獄の最下部. 地獄のどん底

【十八罗汉】shíbā luóhàn 图〈仏〉十八羅漢

【十冬腊月】shí dōng là yuè 慣旧暦の10月・11月・12月. 厳寒の季節

【十恶不赦】shí è bù shè 成罪がきわめて重大で許すことができない. 許すことのできない大きな罪を犯している

【十二分】shí'èrfēn 形十二分である‖我对您的想法表示～的赞成 あなたの考えに私は大賛成だ

【十二指肠】shí'èrzhǐcháng 图〈生理〉十二指腸

★【十分】shífēn 副とても. たいへん. 非常に‖～重视 非常に重視する｜招待～周到 もてなしが申し分ない

【十佳】shíjiā 图ベストテン

【十进制】shíjìnzhì 图〈数〉十進法

【十目所视, 十手所指】shí mù suǒ shì, shí shǒu suǒ zhǐ 成多数の監視の目が光っているたとえ

【十拿九稳】shí ná jiǔ wěn 成十分に見込みがある. 十分確実である. 自信がある. 〔十拿九准〕ともいう

【十年寒窗】shí nián hán chuāng 成長期間にわたって学問に刻苦勉励するたとえ

【十年浩劫】shí nián hàojié 图〈史〉10年間の動乱(文化大革命をさす). 〔十年动乱〕ともいう

【十年九不遇】shí nián jiǔ bù yù 慣10年に一度あるかないか. めったにない

【十年树木, 百年树人】shí nián shù mù, bǎi

nián shù rén [成] 木を育てるのは十年，人を育てるのは百年．人材の育成は百年の大計である．人材の養成は容易ではないたとえ

【十全】shíquán [形] 完全である．十全である‖～的方法 完璧(かんぺき)なやり方

*【十全十美】shí quán shí měi [成] 完全無欠である．申し分ない

【十三经】Shísānjīng [名] 十三経．〔易经〕〔书经〕〔诗经〕〔周礼〕〔仪礼〕〔礼记〕〔春秋左传zhuàn〕〔春秋公羊传〕〔春秋谷梁gǔliáng传〕〔论语〕〔孝经〕〔尔雅〕〔孟子〕の13種の儒家の経典をさす

【十室九空】shí shì jiǔ kōng [成] 10軒のうち9軒には人が住んでいない．天災や戦禍などで人々が逃げ出し荒れ果てたさま

【十四行诗】shísìhángshī [名] 十四行詩．ソネット．〔商籁lài体〕ともいう

【十万八千里】shíwàn bāqiān lǐ [慣] 距離がはるかに遠い．かけ離れているたとえ．雲泥の差がある

【十万火急】shí wàn huǒ jí [成] 事態がきわめて差し迫っていること．火急．至急

【十项全能】shíxiàng quánnéng [名]〈体〉(陸上の)十種競技．デカスロン

【十一】Shí Yī [名] 国慶節(10月1日)

【十有八九】shí yǒu bā jiǔ [慣] 十中八九．〔十之八九〕ともいう

【十月革命】Shíyuè gémìng [名]〈史〉(ロシアの)十月革命(1917年)

【十之八九】shí zhī bā jiǔ ＝〔十有八九shí yǒu bā jiǔ〕

【十指连心】shí zhǐ lián xīn [成] 10本の指のどの1本を痛めても心が痛むように，関係がきわめて密接であるたとえ．とくに親の子に対する情愛についていうことが多い

【十字架】shízìjià [名]〈宗〉十字架

【十字街头】shízì jiētóu [名] 賑やかな街路．街角

【十字军】Shízìjūn [名]〈史〉十字軍

【十字路口】shízì lùkǒu (～儿) [名] 十字路

*【十足】shízú [形] ❶十分である．満々たる‖官气～ 官僚臭がぷんぷんとする｜干劲～ やる気満々である ❷純粋な．純度100パーセントの

4 **什** shí ❶[数][書] 十．(多く分数や倍数に用いる)‖～七 10分の7 ❷さまざまな．雑多な‖→～锦 ❸雑多な物‖家～ 家財道具 ➤ shén

【什不闲儿】shíbùxiánr [名] 民間芸能の一つ．どら・太鼓・シンバルを鳴らしながら歌う．〔十不闲儿〕とも書く

【什锦】shíjǐn [形] さまざまな材料で作った．さまざまな用途の [名] 五目．ミックス．取り合わせ

【什物】shíwù [名] 日常使う衣類や器具

5 **辻** shí 国字

5 **石** shí ❶石．岩石 ❷石刻‖金～ 金石 ❸薬材になる鉱物‖药～罔效 薬石効なし ❹[古] 治療用の石製の鍼(はり) ➤ dàn

【石板】shíbǎn [名] ❶〈建〉石板．スレート．❷石盤

【石版】shíbǎn [名]〈印〉石版印刷の原版

【石笔】shíbǐ [名] 石筆

【石沉大海】shí chén dà hǎi [成] 石が海に沈む．音さたがないたとえ

【石雕】shídiāo [名] 石刻

【石方】shífāng [名] ❶石の採掘・運搬などに用いる計測単位．1立方メートルを1〔石方〕とする ❷[略] 石の採掘や運搬などの仕事．〔石方工程〕の略

【石舫】shífǎng [名](庭園の点景として置かれる)舟をかたどった石づくりの建造物

【石膏】shígāo [名] 石膏(せっこう)．〔生石膏〕ともいう

【石膏像】shígāoxiàng [名] 石膏像

【石工】shígōng [名] ❶石の採掘や石細工の仕事 ❷石工．〔石匠〕ともいう

【石鼓文】shígǔwén [名] 石鼓に刻まれた銘文，またはその書体

【石磙】shígǔn [名]〈農〉(脱穀場の地ならしや穀類をひくのに用いる)石づくりのローラー．〔碌碡〕ともいう

【石化】shíhuà [名][略] 石油化学．〔石油化学〕の略

*【石灰】shíhuī [名]〈化〉石灰．俗に〔白灰〕という

【石级】shíjí [名] 石段

【石匠】shíjiang ＝〔石工shígōng ❷〕

【石刻】shíkè [名] 石刻

【石窟】shíkū [名] 石窟(せっくつ)

【石蜡】shílà [名]〈化〉パラフィン．石蠟(せきろう)

【石料】shíliào [名] 石材

【石林】shílín [名] 石林

【石榴】shíliu [名]〈植〉ザクロ．〔安石榴〕ともいう

【石榴裙】shíliúqún [名] 赤いスカート．[転] 女性

【石棉】shímián [名] 石綿．アスベスト

【石墨】shímò [名]〈鉱〉石墨．グラファイト

【石女】shínǚ [名] 石女(うまずめ)

【石破天惊】shí pò tiān jīng [成](文章や議論が)奇抜である．意表をついている

【石器时代】shíqì shídài [名] 石器時代

【石蕊】shíruǐ [名] ❶〈植〉ハナゴケ ❷〈化〉リトマス‖～试纸 リトマス試験紙

【石笋】shísǔn [名]〈地質〉石筍(せきじゅん)

**【石头】shítou [名] 石

【石头子儿】shítouzǐr [名][口] 小石

【石印】shíyìn [動]〈印〉石版印刷をする

【石英】shíyīng [名]〈鉱〉石英

【石英钟】shíyīngzhōng [名] クオーツ時計．水晶時計

**【石油】shíyóu [名] 石油

【石油气】shíyóuqì [名] 天然ガス

【石钟乳】shízhōngrǔ [名]〈地質〉鍾乳石 ＝〔钟乳石〕

【石柱】shízhù [名] ❶〈建〉石柱 ❷〈地質〉(鍾乳洞の)石灰石柱

【石子儿】shízǐr [名][口] 小石．石ころ．〔石头子儿〕ともいう‖碎～ じゃり

7 * **识(識)** shí ❶知る‖→～羞 ❷[動] 分かる．見分ける‖→～字 ❸知識．見識‖学～ 学識 ➤ zhì

【识辨】shíbiàn [動] 識別する．弁別する

*【识别】shíbié [動] 見分ける．識別する‖～好坏 良し悪しを見分ける｜～真伪 真偽を識別する

【识大体】shí dàtǐ [組] 大勢をわきまえる‖～，顾大局 大勢をわきまえ，大局に立つ

【识货】shí∥huò [動] 目が利く

【识家】shíjiā [名] 商品の良し悪しが分かる人

【识见】shíjiàn [名][書] 見識

【识破】shí∥pò [動] 見破る．見抜く

【识趣】shíqù [形] 察しがよい．気が利く

【识时务者为俊杰】shí shíwù zhě wéi jùnjié [成] 時局の大事をわきまえている者こそ傑出した人物である

S

【识途老马】shí tú lǎo mǎ 成 道をよく知っている老馬．経験の豊かな人，ベテランのたとえ
【识文断字】shí wén duàn zì 成 文字を知っている．教養がある．知識がある
【识相】shíxiàng 形 機転が利く．察しがつく
【识羞】shíxiū 形 恥を知っている．(多く否定に用いる) ‖ 真不～ まったく恥知らずだ
【识字】shí//zì 動 字を覚える．字が読める
7＊ **时**(時 △旹) shí ❶季節 ‖ 应～蔬菜 季節の野菜 ❷時間．歳月 ‖ →～差 ❸時代．時期 ‖ 古～ 昔 ❹決まった時間．定刻 ‖ 按～ 時間どおり | 准～ 定刻に ❺名 旧 (時間の単位)刻(こく) ‖ 辰chén～ 辰(たつ)の刻 ❻量 (時間の単位)時 ‖ 下午七～ 午後7時 ❼当面の．現在の．目前の ‖ →～局 ❽一時期の．時勢にあった ‖ →～装 ❾時機．機会 ‖ 失～ 時機を失する ❿副 ①ときどき．しょっちゅう．いつも ‖ ～有发生 よく発生する ②(〔时…时…〕の形で)…したり…したりする ‖ 病情～好～坏 病状が一進一退する | ～阴～晴 曇ったり晴れたりする． ⓫名〈語〉時制．テンス
【时弊】shíbì 名 時代の悪習．時代の悪弊
【时不时】shíbùshí 副 方 しばしば．いつも
【时不我待】shí bù wǒ dài 成 歳月は人を待たず
【时不我与】shí bù wǒ yǔ 成 チャンスは再び巡ってこない．後悔しても遅い
【时差】shíchā 名 ❶〈天〉均時差 ❷時差
【时差反应】shíchā fǎnyìng 名 時差ぼけ ‖ 消除～ 時差ぼけを解消する
【时长】shícháng 名 時間の長さ ‖ 人均全天收视～逐渐zhújiàn缩短 1日当たりの平均視聴時間がしだいに短縮している
＊【时常】shícháng 副 しょっちゅう．よく ‖ 我～到他家去玩儿 私はよく彼の家に遊びにいく
【时辰】shíchen 名 ❶旧 (一昼夜を12分した時間)刻(こく) ❷時．時間 ‖ 都到什么～了，你才来 いまごろ来るなんて，何時だと思っているんだ
⁑【时代】shídài 名 ❶(歴史的な)時代．時期 ‖ 封建～ 封建時代 | 脱离～ 時代離れしている | 跟上～ 時代の波に乗る | ～不同了 時代は変わった ❷(人生の一時期としての)時代 ‖ 儿童～ 子供時代
【时点】shídiǎn 名 時点
【时段】shíduàn 名 ❶時間帯 ‖ 最佳～ ゴールデンタイム ❷ひと区切りの時期
＊【时而】shí'ér 副 ❶時折．時には ‖ 远处～传来悠扬的乐曲声 遠くから時としてのどかな音楽が聞こえてくる ❷(〔时而…时而…〕の形で)…したり…したりする ‖ ～奋笔疾书，～凝神níngshén沉思 一気に筆を走らせるかと思えば，またじっと考え込んだりする
【时分】shífèn 名 時分．ころ ‖ 日落～ 日が沈むころ
【时乖命蹇】shí guāi mìng jiǎn 成 運が悪い．ついていない．巡り合わせが悪い
＊【时光】shíguāng 名 ❶時．時間．月日 ‖ 珍惜～ 時間を大切にする ❷時期．時代 ‖ 永远忘不了那段美好的～ あのすばらしかった時代は永久に忘れられない ❸暮らし．生活 ‖ 全靠父亲挣zhèng的那点儿钱度～ 父の働いて得るわずかばかりの金で生計を立てる
【时过境迁】shí guò jìng qiān 成 時がたち状況が変わる
★【时候】shíhou 名 ❶(長さとしての)時間 ‖ 你翻译这篇文章用了多少～？ この文章を訳すのにどれくらい時間がかかりましたか ❷(ある特定の)時．時刻 ‖ 什么～出发？ いつ出発するのか | ～不早了 もうこんな時刻だ | 你来得不是～ 君はまずい時に来たね

類義語 | 时候 shíhou 时刻 shíkè 时间 shíjiān
◆〔时候〕時点と時間量を表すが，主に時点として用いる．修飾語を伴い，具体的な時点を示す ‖ 下午三点半的时候 午後3時半ごろ | 我们来的时候 私たちが来た時 ◆〔时刻〕時点を表し，時間量の意味はない．多く形容詞(句)に修飾され，限定した時点をいう ‖ 关键的时刻 肝心な時 | 考验的时刻 試練の時 ◆〔时间〕時点と時間量を表すほか，概念的な意味も表す ‖ 北京时间十点整 北京時間10時ちょうどです | 到时间了 時間ですよ | 这个工作需要一个星期的时间 この仕事は1週間という時間がかかる ◆〔时刻〕には副詞の用法があり，〔时时刻刻〕のような重ね型にできる ‖ 时时刻刻想念家里的人 どんな時でも家族のことを思っている

＊【时机】shíjī 名 時機．チャンス ‖ 大好～ すばらしいチャンス | 等待～ 時機を待つ | ～成熟 機が熟す | 抓住～ チャンスをつかむ | 错过～ チャンスを逃す
【时价】shíjià 名 時価
★【时间】shíjiān 名 ❶(概念としての)時間 ❷(長さとしての)時間 ‖ 从北京到东京坐飞机需要多长～？ 北京から東京まで飛行機で何時間かかりますか | 耽误dānwu～ 時間をむだにする | 抓紧～ 時間を切り詰める | 抽～ 時間をさく | ～太紧 時間がきつすぎる | 打发～ 時間をつぶす ❸(ある特定の)時．時刻 ‖ 开会的～到了 会議を始める時間になった
【时间差】shíjiānchā 名 ❶〈体〉(バレーボールの)時間差攻撃 ❷(季節などの)ずれ．時間差 ‖ 利用季节～获取利润 季節のずれを利用して利潤を上げる
【时间词】shíjiāncí 名〈語〉時間詞
【时间性】shíjiānxìng 名 適時であること．時宜を得ていること ‖ 新闻报道的～很强 ニュース報道は早さがものをいう
＊【时节】shíjié 名 ❶季節．時期 ❷ころ．…の時 ‖ 刚搬来那～，周围还是一片空地呢 引っ越してきたばかりのころは，このあたりはまだ一面の空き地だった
【时局】shíjú 名 時局 ‖ ～动荡dòngdàng 時局が激動する | ～不稳 時局が不安定である
⁑【时刻】shíkè 名 時刻．時間 ‖ 列车～表 列車時刻表 | 关键～ 肝心な時 副 いつも．絶えず ‖ ～不忘自己的责任 自分の責任を一刻たりとも忘れはしない
【时空】shíkōng 名 時間と空間．時空
【时来运转】shí lái yùn zhuǎn 成 運が向いてくる
【时令】shílìng 名 季節 ‖ 不合～ 季節はずれだ
【时令】shílìng 名 方〈中医〉季節性の流行病
＊【时髦】shímáo 形 流行している．はやっている．ファッショナブルである ‖ 赶～ 流行を追う | 她平时穿得可～了 彼女の服装はいつもファッショナブルだ
【时评】shípíng 名 時評
⁑【时期】shíqī 名 (ある特定の)時期 ‖ 有一段～，他很消沉 ある時期，彼はとても落ち込んでいた
【时区】shíqū 名 標準時区 =〔标准时区〕
【时日】shírì 名 ❶比較的長い時間 ‖ 需要～ 時間がかかる ❷日時 ‖ 确定～ 日時を確定する
【时尚】shíshàng 名 流行．はやり 形 ファッショナブルである．当世風である

*【时时】shíshí 副 しょっちゅう．しばしば．絶えず‖～想起童年的事儿来 しょっちゅう幼いころのことを思い出す
【时世】shíshì 名 時代．時世
*【时事】shíshì 名 時事‖～论坛 時事論壇
【时势】shíshì 名 時勢．時代の流れ
【时蔬】shíshū 名 旬の野菜．季節の野菜
【时俗】shísú 名 当世の風習．俗習
【时速】shísù 名 時速
【时态助词】shítài zhùcí 名〈語〉アスペクト助詞．動態助詞 ＝〔动态助词〕
【时务】shíwù 名 時代の趨勢(すうせい)．時勢
【时下】shíxià 名 目下．いま
【时鲜】shíxiān 名 初物．はしり
【时限】shíxiàn 名 (仕事の)期限
【时效】shíxiào 名 ❶有効期限‖过了～ 有効期限を過ぎる ❷〈法〉時効
【时新】shíxīn 形 (主にファッションで)最新の．はやりの‖～的款式 最新のデザイン
【时兴】shíxīng 動 流行する．はやる‖现在～这种发型 いまこういう髪型がはやっている
【时序】shíxù 名 季節の移り変わる順序
【时样】shíyàng 名 流行のデザイン．流行のスタイル
【时宜】shíyí 名 時宜‖不合～ 時宜に合わない
【时隐时现】shí yǐn shí xiàn 成 現れたり隠れたりする．見え隠れする
【时雨】shíyǔ 名 恵みの雨
【时运】shíyùn 名 時の運．巡り合わせ
【时针】shízhēn 名 ❶時計の針 ❷(時計の)短針
【时政】shízhèng 名 政局
【时值】shí zhí 組 書 ちょうど…のときに当たる．…の候．…の折‖～隆冬 厳寒の候
【时钟】shízhōng 名 (1時間ごとに鳴って)時を知らせる時計
*【时装】shízhuāng 名 ❶流行の服装．ファッション‖～模特 ファッションモデル｜～设计 ファッションデザイン ❷現代の服装 ↔〔古装〕‖～戏 現代劇

S

外国の固有名詞 ファッション 【エルメス】…爱玛仕 【グッチ】…古姿 【ジバンシー】…纪梵希 【シャネル】…香奈尔 【ジョルジオ・アルマーニ】…乔治・阿玛尼 【ティファニー】…蒂凡尼 【ニナ・リッチ】…莲娜・丽姿 【バーバリー】…巴宝莉 【ピエール・カルダン】…皮尔・卡丹 【フェラガモ】…菲拉格慕 【プラダ】…普拉达 【ラコステ】…鳄鱼 【ワコール】…华歌尔

【时装表演】shízhuāng biǎoyǎn 名 ファッションショー

8 *实(實 △寔) shí ❶形 充満している ↔〔虚〕‖一～心 ❷豊かである‖殷yīn～ 裕福である ❸具体的な．実際の‖一～惠 ❹形 真実である ↔〔虚〕‖不～之词 偽りの言葉 ❺実際．真実‖名存～亡 有名無実 ❻確かに．元来‖一～不相瞒 ❼充塡(じゅうてん)する‖荷枪～弹 銃を担ぎ弾をこめる ❽果実．種子‖果～ 果実
【实报实销】shí bào shí xiāo 慣 実費支給する
【实不相瞒】shí bù xiāngmán 慣 本当のことを言うと．真実をぶちまけると
【实测】shícè 動 実測する
【实诚】shícheng 形 口 誠実である．正直である
【实处】shíchù 名 実際に役に立つ所．ほんとうに必要とされる所‖干劲用在～ これぞというときに力を出す
【实词】shící 名〈語〉実詞 ↔〔虚词〕
【实打实】shí dǎ shí 慣 掛け値なしの．ありのままの‖～地干 手抜きせずにやる｜有话就～地说吧 言いたいことがあるなら，ありのまま言いなさい
【实弹】shídàn 動 実弾をこめる 名 実弾
【实底】shídǐ 名 実情．実際の状況‖摸～ 実情を探る
【实地】shídì 副 ❶現場で．実地に‖～调查 実地調査する ❷実際に‖～动手 実際にやってみる
【实感】shígǎn 名 実感．真実の感情
【实干】shígàn 動 着実に仕事をこなす
*【实话】shíhuà 名 本当の話‖说～ 本当のことを言う｜～实说 真実をありのままに話す
*【实惠】shíhuì 名 実益．実利‖得到～ 実益を得る 形 実際に役立つ．実用的である‖经济～ 安くて実用的である
**【实际】shíjì 名 実際‖不合～ 実際的でない｜脱离～ 実際からかけ離れる 形 ❶実際の．具体的な‖～行动 実際の行動｜不了解～情况 具体的な状況を把握していない ❷実際的である．現実的である‖不～的想法 非現実的な考え
【实际工资】shíjì gōngzī 名〈経〉実質賃金 ↔〔名义工资〕
【实际上】shíjìshang 副 実際には．実は
【实绩】shíjì 名 実績．成果
【实价】shíjià 名 正価．正札‖明码～ 正札価格
★【实践】shíjiàn 動 実行する．履行する‖～诺言 nuòyán 約束を履行する 名 実行．実践‖理论来自～ 理論は実践から生まれる
【实景】shíjǐng 名 (映画やテレビで)実景‖～拍摄 pāishè (映画やテレビの)野外撮影．ロケーション．ロケ
【实据】shíjù 名 確かな証拠‖真凭～ 確実な証拠
*【实况】shíkuàng 名 実際の状況．実況‖转播开幕式～ 開幕式を実況中継する
【实况录像】shíkuàng lùxiàng 名 実況録画
【实况转播】shíkuàng zhuǎnbō 組 実況中継する
*【实力】shílì 名 実力．実際に有する力‖经济～ 経済力｜保存～ 実力を温存する
【实例】shílì 名 実例．具体例
【实名制】shímíngzhì 名 (個人預金口座などの)実名制度
【实拍】shípāi 動 (映画撮影で)実際にカメラをまわす．実写する
【实情】shíqíng 名 ありのままの状況．実情‖应该把～告诉大家 本当のことをみんなに知らせるべきだ
【实权】shíquán 名 実権‖掌握～ 実権を掌握する
*【实施】shíshī 動 (法令や政策などを)実施する．施行する‖付诸～ 実施に移す
【实时】shíshí 副〈計〉リアルタイムで
【实事】shíshì 名 ❶具体的なこと．実際的なこと ❷事実‖取材于～ 事実に基づいている
**【实事求是】shí shì qiú shì 成 実事求是(じつじきゅうぜ)．事実に即して問題を処理する
【实数】shíshù 名 ❶〈数〉実数 ❷実際の数．実数
【实说】shíshuō 動 ありのままに話す．本当のことを言う
*【实体】shítǐ 名 ❶〈哲〉実体 ❷組織として完備した団体‖经济～ 企業体｜文化～ 文化団体
【实体法】shítǐfǎ 名〈法〉実体法 ↔〔程序法〕

*【实物】shíwù 图❶実用品 ❷実物‖～教学 実物教育｜～交换 現物交換

*【实习】shíxí 動実習する‖教学～ 教育実習

★【实现】shíxiàn 動**実現する.達成する**‖多年的愿望终于～了 長年の願いがついにかなった

【实像】shíxiàng 图〈物〉実像 ↔〔虚像〕

【实效】shíxiào 图実効‖讲求～ 実効を求める

【实心】shíxīn 形❶偽りのない.誠意ある‖～话 うそ偽りのない話 ❷(～儿)(物体の中身が)詰まっている‖这个球是～的 このボールは中が空洞ではない

【实心眼儿】shíxīnyǎnr 形きまじめである.正直である.人の話をすぐ真に受けやすい 图きまじめな人

【实行】shíxíng 動(綱領・計画・政策などを)実行する.実施する**‖～体制改革 体制改革を実施する

> **類義語**　实行 shíxíng 执行 zhíxíng 推行 tuīxíng
>
> ◆〔实行〕実行する.対象は広い‖实行农业机械化 農業の機械化を行う｜实行五天工作制 週休二日制を実施する ◆〔执行〕規定事項を実施する.執行する.対象は政策・命令・法律などに限られる‖执行党的方针政策 党の方針・政策を実施する｜执行命令 命令を遂行する ◆〔推行〕上から下へ,一定の方法を用いて推し広める.経験や方法などを普及させる‖推行汉语拼音方案 漢語表音規則を推し広める

【实学】shíxué 图実のある学問知識.役に立つ学問

【实言】shíyán 图正直な話.本音

【实验】shíyàn 動実験する**‖他们～了多次,终于获得了成功 彼らは何回も実験を行い,ついに成功した 图**実験**‖做～ 実験をする｜化学～ 化学実験

【实验式】shíyànshì 图〈化〉分子式.〔最简式〕ともいう

【实业】shíyè 图実業‖～家 実業家

【实益】shíyì 图実益

【实意】shíyì 图真心.誠意‖真心～ 誠心誠意

【实用】shíyòng 動実際に用いる 形実用的である**‖这种包又便宜又～ このかばんは安くて実用的である

【实用文】shíyòngwén 图旧実用文

【实用主义】shíyòng zhǔyì 图〈哲〉プラグマティズム

【实在】shízài 形掛け値がない.本当である.正直である**‖他为人很～ 彼は人柄がまじめである｜说～的 ありのままを言えば 副❶実に.ほんとうに‖今天～太冷了 今日は実に寒い｜～没有时间 どうにも時間がない ❷実は.実際は

【实在】shízai 形方(仕事)手堅い.いいかげんではない.着実である

【实在法】shízàifǎ 图〈法〉実定法 ↔〔自然法〕

【实则】shízé 副書その実.実は

【实战】shízhàn 图〈軍〉実戦‖～演习 実戦演習

【实证】shízhèng 图実証

【实职】shízhí 图実権のあるポスト ↔〔虚职〕

*【实质】shízhì 图本質.実質‖这～上是一种贿赂huìlù行为 これは実質的には賄賂に当たる

【实字】shízì 图〈語〉(古代中国語文法で)実字.具体的な意味を有する言葉 ↔〔虚字〕

【实足】shízú 形数が足りている.十分ある‖～年龄 満年齢｜重量～ 重さが十分にある

9 ***拾**[1] shí ❶動**拾う**‖在路上～了一个钱包 道で財布を拾った ❷整理する‖→～掇

9 * **拾**[2] shí 数〔十〕の大字(だいじ).➡〔大写dàxiě〕 ➤shè

【拾掇】shíduo 動❶片付ける.整理する‖～屋子 部屋を片付ける ❷修理する‖～手表 腕時計を修理する ❸口懲らしめる‖你要再不听话,小心我～你 これ以上言うことを聞かないなら,痛い目に遭うぞ

【拾荒】shíhuāng 動(生計のため)落ち穂拾いをしたりくず拾いをしたりする

【拾金不昧】shí jīn bù mèi 成金を拾っても着服しない.拾得物は届け出る

【拾零】shílíng 動こまごましたものを寄せ集める.類聚(るいじゅう).(多く書名に用いる)‖书海～ 群書類聚

【拾取】shíqǔ 動拾う‖～贝壳bèiké 貝殻を拾う

【拾趣】shíqù 動興味深い題材を集める.(多く書名に用いる)

【拾人牙慧】shí rén yá huì 成他人の言葉や文章をそのまままねる.他人のものまねをする

【拾物】shíwù 图拾い物.遺失物

【拾遗】shíyí 動❶他人の落とし物を自分のものとする.猫ばばする ❷漏れ落ちているものを拾い補う

9 * **食** shí ❶食品.食べ物‖主～ 主食 ❷图(～儿)飼料.餌(えさ)‖喂wèi～ 餌をやる ❸動食べる‖饮～ 飲食する ❹〈天〉食‖月～ 月食 ❺食事をする‖→～堂 ❻食用にする‖→～盐 ➤sì yì

【食补】shíbǔ 動食事により体に滋養分を補う

【食不甘味】shí bù gān wèi 成(体の不調や悩みなどにより)何を食べてもおいしくない

【食道】shídào =〔食管shíguǎn〕

【食古不化】shí gǔ bù huà 成昔のことを学んでもうまく消化できない.学習しても知識を生かすことができないこと

【食管】shíguǎn 图〈生理〉食道.〔食道〕ともいう

【食客】shíkè 图❶古食客 ❷(飲食店の)食事客

【食粮】shíliáng 图食糧‖精神～ 心の糧(かて)

【食量】shíliàng 图食事の量‖～很大 大食である

【食疗】shíliáo 動食事療法をする

【食品】shípǐn 图食品**

> **外国の固有名詞**　食品　【エスビー食品】…爱斯比食品　【カゴメ】…可果美　【キッコーマン】…万字　【キャンベル・スープ】…金宝汤　【キユーピー】…丘比　【江崎グリコ】…格力高　【ケロッグ】…凯乐格　【ダノン・グループ】…达能集团　【ハーゲンダッツ】…哈根达斯　【ハインツ】…亨氏　【マコーミック】…味好美

【食谱】shípǔ 图❶料理の本 ❷献立

【食亲财黑】shí qīn cái hēi 慣方私利私欲をむさぼり,うまい汁を吸う

★【食堂】shítáng 图**(学校や会社などの)食堂**

> **類義語**　食堂 shítáng 餐厅 cāntīng 饭馆 fànguǎn
>
> ◆〔食堂〕学校や会社・機関の中にある食堂‖我早饭午饭都在公司的食堂吃 私は朝も昼も会社の食堂で食べる ◆〔餐厅〕ホテルや施設内のレストラン.またはダイニングルームをさす‖这家大酒店的餐厅在最上层 このホテルのレストランは最上階にある｜全聚德内有大小餐厅十五间 全聚徳の中には食事をする部屋が大小15部屋ある ◆〔饭馆〕街にある簡便なレストラン‖这条街上大小饭馆有五十余家 この通りには大小のレストランが50軒余りある ◆同じ職場に〔食堂〕と〔餐厅〕があ

S

る場合，一般に〔食堂〕は社員向けで，〔餐厅〕は来客向けである

【食糖】shítáng 名 食用の砂糖
*【食物】shíwù 名 食物
【食物链】shíwùliàn 名〈生〉食物連鎖
【食物中毒】shíwù zhòngdú 名 食中毒．食あたり
【食性】shíxìng 名 ❶〈生〉食性 ❷（食べ物の）好み
【食言】shíyán 動 約束を破る．言ったことを翻す
【食言而肥】shí yán ér féi 成 約束を守らずに自分の利益ばかり求める
【食盐】shíyán 名 食塩．ふつうは〔盐〕という
*【食用】shíyòng 動 食用にする‖～色素 食用色素
【食油】shíyóu 名 食用油
*【食欲】shíyù 名 書 食欲‖有～ 食欲がある｜～不振 食欲不振｜～旺盛 食欲が旺盛(おうせい)だ
【食指】shízhǐ 名 食指．人差し指

9 蚀 shí ❶虫が食う‖蛀～ 虫が食う ❷損傷する．損なう‖→～本 ❸〔食〕に同じ．
【蚀本】shí∥běn 動 元手をする．欠損を出す
【蚀刻】shíkè 名 エッチング．腐食銅版法

10 埘（塒）shí 古（土壁に穴をあけて作る）ニワトリのねぐら．とや

15 鲥（鰣）shí 名〈魚〉ニシン目の海水魚．ふつう〔鲥鱼〕という

shǐ

5 史 shǐ ❶古（占い・記録などをつかさどる）官吏 ❷歴史‖古代～ 古代史 ❸歴史を記した文字．歴史学‖有～以来 有史以来
【史部】shǐbù 名 史部（古代中国の図書分類の一つ，史書の総称）
【史册】【史策】shǐcè 名 歴史の記録
【史馆】shǐguǎn 名 古 国史を編纂（へんさん）する役所
【史话】shǐhuà 名 史話．（多く書名に用いる）
【史籍】shǐjí 名 史書
【史迹】shǐjì 名 史跡
【史剧】shǐjù 名 歴史劇．史劇
*【史料】shǐliào 名 歴史資料．史料
【史论】shǐlùn 名 歴史に関する評論
【史评】shǐpíng 名 歴史評論
【史前】shǐqián 名 先史．有史以前
【史诗】shǐshī 名 叙事詩．史詩
【史实】shǐshí 名 史実
【史事】shǐshì 名 歴史上の事柄
【史书】shǐshū 名 史書．歴史書
【史坛】shǐtán 名 史学界
【史无前例】shǐ wú qián lì 成 歴史上前例がない．いまだかつてない
【史学】shǐxué 名 歴史学

5 矢[1] shǐ 矢‖弓～ 弓矢｜流～ 流れ矢｜有的dì放～ 目標を定めて行動・発言する

5 矢[2] shǐ 誓う．固く守る‖→～口｜→～志

5 矢[3] shǐ 〔屎shǐ〕に同じ‖遗～ 大便をする
【矢口】shǐkǒu 副 断固．頑として
【矢口否认】shǐ kǒu fǒu rèn 成 あくまで否認する．頑として口を割らない
【矢量】shǐliàng 名〈物〉ベクトル．〔向量〕ともいう
【矢志】shǐzhì 動 書 志す．志を抱く

7 豕 shǐ 書 ブタ‖～突狼奔 豚が突進し狼が駆ける．悪人がしたい放題荒らし回るさま

8 ** 使 shǐ ❶動 派遣する．使役する‖～人～惯了，自己什么也不想动手干 人にやらせることに慣れているので，自分では何もやろうとしない ❷動 …させる‖～顾客满意 客を満足させる ❸かりに…ならば‖假～ もし…ならば ❹動 使用する．用いる‖他还不会～筷子 彼はまだ箸が使えない ❺命を受けて他国へ行く‖出～ 使者として外国へ行く ❻使者．使節‖特～ 特使
【使绊儿】shǐ∥bànr 動 ❶足をかける ❷喩 陥れる‖背后～ こっそり人を陥れる ＊〔使绊子〕ともいう
【使不得】shǐbude 動 ❶使えない．使用に適さない．役に立たない‖时代变了，你那套老办法～了 時代が変わったんだ，君のやり方はもう通用しない ❷してはならない．してはいけない‖有理讲理，打人可～ 正しいならきちんと言うべきで，人を殴ってはならない
【使不上】shǐbushàng 動 実際に使えない．役に立たない‖想了那么多办法，一个也～ あんなにいろいろと対策を考えたが，どれ一つとして役に立たない
*【使得】[1] shǐde 動 ❶使える．使用できる‖这台电脑～使不得？ このコンピューターは使えますか ❷よい．さしつかえない‖这个办法倒还～ このやり方ならまあよい
【使得】[2] shǐde 動 …させる．…せしめる‖丈夫的话～她心里很不高兴 夫の言葉で彼女はすっかり不機嫌になった
【使馆】shǐguǎn 名 大使館．公使館
【使坏】shǐ∥huài 動 口 悪だくみをする．意地悪をする．悪さをする．いたずらする‖给别人～ 人に悪さをする
【使唤】shǐhuan 動 ❶人にやらせる．指図する ❷口（道具などを）使う‖手冻得不听～了 手がかじかんで思うように動かない
【使假】shǐ∥jiǎ 動 にせものを混ぜる．まがい品を使う
*【使节】shǐjié 名 使節
*【使劲】shǐ∥jìn（～儿）動 力を出す．力をこめる‖～拉 強く引っ張る
*【使命】shǐmìng 名 使命．命令‖神圣的～ 神聖なる使命｜负有一定的～ 一定の使命を負っている
【使女】shǐnǚ 名 旧 下女．召し使いの女
【使团】shǐtuán 名 使節団‖外交～ 外交使節団
【使性子】shǐ xìngzi 動 当たり散らす．かんしゃくを起こす．〔使性〕ともいう
【使眼色】shǐ yǎnsè 組 目で合図する．目くばせする
【使役】shǐyì 動（家畜などを）使役する．使う
★【使用】shǐyòng 動 使用する．用いる．使う‖～电子计算机 コンピューターを使う｜～年轻干部 若い幹部を起用する｜～不正当的手段 不当な手段を用いる
【使用价值】shǐyòng jiàzhí 名 使用価値
【使者】shǐzhě 名 使者．使節

8 * 始 shǐ ❶始まり．始め ↔〔终〕‖自～至终 最初から最後まで ❷始まる‖～于何时？ いつ始まったのか ❸副 書 初めて．ようやく‖阴雨连绵数日，今日～见晴天 連日の長雨が今日ようやく晴れた
【始创】shǐchuàng 動 創始する．始まる
【始发站】shǐfāzhàn 名 始発駅
【始料】shǐliào 動 書 当初に予測する．始めに予想する‖～所及 予想したとおりだ
【始末】shǐmò 名 始末．事の次第．一部始終

S

⁑【始终】shǐzhōng 副 最初から最後まで. 終始. 一貫して ‖ ～不渝yú 終始変わらない | 成绩～很好 成績は一貫してよい 名 終始 ‖ 过程的～ 全過程

【始祖】shǐzǔ 名 ❶最初の祖先. 始祖 ❷(学派などの)創始者. 元祖

【始作俑者】shǐ zuò yǒng zhě 成 悪い風習を作り出した人. 悪例を開いた人

8
* **驶** shǐ ❶動 (車やウマが)疾駆する. 疾走する ‖ 汽车向远处～去 自動車が遠くへ走り去る ❷(車や船を)操縦する. 運転する ‖ 驾～ 運転する

9
* **屎** shǐ ❶名 口 大便. 糞 ‖ 拉～ 大便をする ❷(目や耳の)分泌物 ‖ 耳～ 耳あか

【屎壳郎】shǐkelàng 名 方 フンコロガシ. タマオシコガネ. 〔蜣螂qiāngláng〕ともいう

shì

3
士 shì ❶古 未婚の青年男子 ❷古 (春秋戦国時代の)大夫と庶民の間の階層 ❸古 読書人の通称 ‖ →～人 ❹人に対する美称 ‖ 女～ 女史 ❺接尾 資格者. 何かの専門技術をもつ者 ‖ 护～ 看護士 ❻軍人 ‖ 兵～ 兵士 ❼〈軍〉軍人の階級の一つ(尉官以下). 下士官 ‖ 上～ 曹長

*【士兵】shìbīng 名 兵士. 兵卒と下士官

【士大夫】shìdàfū 名 書 士大夫. 官僚知識層

【士女】shìnǚ 名 ❶古 未婚の男女 ❷(広く)男女 ❸=〔仕女shìnǚ ❷〕

【士气】shìqì 名 士気 ‖ 影响～ 士気にかかわる

【士人】shìrén 名 (封建時代の)読書人. 知識人

【士卒】shìzú 名 兵卒. 兵士

4
氏 shì ❶氏. 姓 ‖ 王～姐妹 王家の姉妹 ❷旧 既婚女性の実家の姓に添える語 ‖ 张赵～ 張趙氏. 趙家から張家に嫁いだ女性 ❸古代伝説中の人物や国名の後につけて呼称とする ‖ 神农～ 神農氏 ❹氏名などに添えて敬意を表す語

【氏族】shìzú 名 氏族. 〔氏族公社〕ともいう

5
* **世** shì ❶名 代. 世代 ‖ →～代 ❷代々. 相伝 ‖ →～袭 ❸先代から交際のある間柄 ‖ →～兄 ❹一生. 生涯 ‖ 来～ 来世 ❺時代 ‖ 当～ 当世 ❻世の中 ‖ 尘～ 現世 ❼名〈地質〉年代区分の一つ(「紀」の下の区分)

【世弊】shìbì 名 時弊. その時代の弊害や悪習

【世变】shìbiàn 名 時代の変遷. 世の中の移り変わり

【世博会】shìbóhuì 名 万国博覧会. 〔世界博览会〕の略

【世仇】shìchóu 名 代々の仇(かたき). 代々の恨み

【世传】shìchuán 動 代々伝わる

*【世代】shìdài 名 ❶長年. 長い年月 ❷世々代々 ‖ ～从医 先祖代々医者をやっている

【世代交替】shìdài jiāotì 名〈生〉世代交替

【世道】shìdào 名 世情. 社会状況

【世风】shìfēng 名 書 世の中の風潮. 時流

【世故】shìgù 名 世渡り. 処世 ‖ 人情～ 義理人情 | 老于～ 世故に長(た)けている

【世故】shìgu 形 如才がない. 人あたりがよい

⁑【世纪】shìjì 名 世紀 ‖ 半个～ 半世紀

【世纪末】shìjìmò 名 世紀末

【世家】shìjiā 名 ❶名門の家柄 ❷〈史〉世家(せいか). 『史記』の編目で, 諸侯・王・名族の伝記 ❸家柄. ある技術を代々世襲する家柄

【世间】shìjiān 名 世間. 世の中

【世交】shìjiāo 名 ❶先代から交際のあった人, または家 ❷2代以上にわたる付き合い

★【世界】shìjiè 名 ❶人間社会のすべて. 万国 ‖ ～各地 世界各地 ❷〈仏〉宇宙. 世界 ‖ 大千～ 大千世界 ❸世間. 浮き世 ‖ 仅隔一条河, 这边却是另一个～ 川一つ隔てただけで, こちら側は別世界だ ❹特定の範囲や広がり ‖ 内心～ 内心の世界

【世界杯】shìjièbēi 名 ワールドカップ

*【世界观】shìjièguān 名〈哲〉世界観. 宇宙観. 〔宇宙观〕ともいう

【世界贸易组织】shìjiè màoyì zǔzhī 名 世界貿易機関. WTO

【世界时】shìjièshí 名〈地〉世界標準時. グリニッジ標準時

【世界市场】shìjiè shìchǎng 名 国際市場

【世界银行】Shìjiè yínháng 名 世界銀行. 国際復興開発銀行. 略して〔世行〕〔世银〕ともいう

【世界语】Shìjièyǔ 名 エスペラント語

【世局】shìjú 名 世界情勢

【世面】shìmiàn 名 世相. 世の中のありさま ‖ 见过大～ 広い世間を知っている

【世情】shìqíng 名 世情

【世人】shìrén 名 世の人

【世上】shìshàng 名 世の中. 社会 ‖ ～无难事, 只怕有心人 世の中には難しいことはない, 覚悟さえあれば

【世事】shìshì 名 世の中の事. 世事

【世俗】shìsú 名 世俗. 俗世間 ‖ ～之见 俗な考え

【世态】shìtài 名 世態 ‖ ～人情 世態人情

【世态炎凉】shì tài yán liáng 成 権勢があるときには取り入ろうとし, 権勢を失うと冷ややかになる. 人情の移ろいやすいたとえ

【世外桃源】shì wài Táoyuán 成 桃源郷. 理想郷

【世袭】shìxí 動 世襲する

【世系】shìxì 名 家系

【世兄】shìxiōng 名 代々付き合いのある家同士で自分と同年輩か自分より年下の男子に対する敬称

【世医】shìyī 名 代々の漢方医

【世族】shìzú 名 代々続いた名門の一族

5
仕 shì 仕官する. 官職に就く ‖ 出～ 官途につく

【仕女】shìnǚ 名 ❶官女 ❷(中国画のジャンルの一つ)美人画. 〔士女〕とも書く

【仕途】shìtú 名 役人になる道. 官職に就くルート

5
★ **市** shì ❶市場 ‖ 上～ 市場に出回る ❷書 売買をする ‖ 互～ 物々交換 ❸市価. 相場 ‖ 行～ 相場 ❹都市. 都会 ‖ 城～ 都市 ❺名 (行政区画の単位)市. 中央政府直轄の〔直辖市〕(直轄市)と, 〔省〕(省)・〔自治区〕(自治区)の下に位置する〔市〕(市)とがある ❻〔市制〕(通用の度量衡単位)の一つ ‖ →～斤

⁑【市场】shìchǎng 名 市場. マーケット ‖ 自由～ 自由市場 | 超级～ スーパーマーケット

【市场机制】shìchǎng jīzhì 名 市場メカニズム. 市場機構

【市场经济】shìchǎng jīngjì 名 市場経済. 商品経済

【市场调节】shìchǎng tiáojié 名 市場調整

【市尺】shìchǐ 量〔市制〕の長さの単位. 1〔市尺〕は

1メートルの3分の1

【市寸】shìcùn 圖〔市制〕の長さの単位．1〔市尺〕の10分の1

【市电】shìdiàn 图 住宅用電気

【市花】shìhuā 图 市のシンボルとしての花．市花

【市话】shìhuà 图 市内電話

【市徽】shìhuī 图 市のシンボルマーク

【市集】shìjí 图 ❶市(いち)．定期市 ❷比較的大きな町．小都市

【市价】shìjià 图 市価．市場価格

【市郊】shìjiāo 图 市に属する郊外地区

【市斤】shìjīn 圖〔市制〕の重さの単位．1〔市斤〕は500グラム

【市井】shìjǐng 图 書 市井．巷(ちまた)

【市侩】shìkuài 图 仲買い人 転 奸商(かんしょう)．(広く)私利をむさぼる人 ‖ ～小人 私利をむさぼる小人物

【市况】shìkuàng 图〈経〉市況．商況

【市里】shìlǐ 圖〔市制〕の長さの単位．1〔市里〕は500メートル

【市两】shìliǎng 圖〔市制〕の重さの単位．1〔市斤〕の10分の1

【市面】shìmiàn (～儿) 图 市況 ‖ ～萧条 市況は冷えこんでいる

*【市民】shìmín 图 市民 ‖ ～阶层 市民階層

【市亩】shìmǔ 圖〔市制〕の地積単位．1〔市亩〕は15分の1ヘクタール

【市钱】shìqián 圖〔市制〕の重さの単位．1〔市两〕の10分の1

【市区】shìqū 图 市区．市街区

【市容】shìróng 图 都市の外観 ‖ 美化～ 都市を美化する | ～整洁 都市のたたずまいが整然としている

【市声】shìshēng 图 街の喧噪(けんそう)

【市树】shìshù 图 市のシンボルとしての樹木

【市肆】shìsì 图 書 商店．市場の商店

*【市长】shìzhǎng 图 市長

【市镇】shìzhèn 图 小さな都市．比較的大きな町

【市政】shìzhèng 图 都市行政．市政

【市值】shìzhí 图〈経〉市価．市場価格

【市制】shìzhì 图 中国の慣用の度量衡単位

5 **示** shì 示す．表す ‖ 表～ 示す．表す | 指～ 指示する | 展～ 展示する

【示爱】shì'ài 動 愛情を表現する．気持ちを伝える ‖ 不同民族以不同方式～ 民族によって愛情表現が異なる

【示波器】shìbōqì 图 オシログラフ

*【示范】shìfàn 動 手本を示す

【示警】shìjǐng 動 動作や信号などで警告する

【示例】shìlì 動 例を示す 图 例

【示弱】shìruò 動 弱みを見せる

*【示威】shìwēi 動 ❶デモをする ‖ 游行～ デモ行進を行う ❷示威する．威力を示す

【示意】shìyì 動 (表情・動作などで)何らかの意志を伝える ‖ 他使了个眼色，～我快走 彼は私に早く行くように目くばせをした

*【示意图】shìyìtú 图 見取り図．説明図．案内図

【示众】shìzhòng 動 見せしめにする ‖ 游街～ 犯人を引き回して見せしめにする

【示踪元素】shìzōng yuánsù 图 追跡子．トレーサー ‖ 同位素～法 同位素トレーサー法

6 **似** shì ➤ sì

*【似的】shìde 助 (名詞・代名詞・動詞の後に置き，その事物や状況に似ていることを表す) …のようだ．…に似ている．…らしい．〔是的〕とも書く ‖ 他乐得就像个孩子～ 彼はまるで子供のように喜んだ

6 **式** shì ❶規格．標準 ‖ 格～ 書式 ❷様式．ものの外形 ‖ 洋～ 洋風 ❸儀式 ‖ 闭幕～ 閉幕式 ❹(自然科学の)式 ‖ 方程～ 方程式 ❺〈語〉法．ムード ‖ 命令～ 命令法

*【式样】shìyàng 图 デザイン．スタイル．タイプ ‖ 这件衣服的～美观大方 この服のデザインは上品で美しい

【式子】shìzi 图 ❶姿勢．構え．ポーズ ❷数式

8 ★**事** shì ❶图 (～儿)事．出来事．用件 ‖ 你找他有什么～吗？ 彼に何か用ですか ❷图 (～儿)仕事．職業 ‖ 我想在城里谋个～儿 私は市内で仕事を探したい ❸图 (～儿)異変．事故 ‖ 平安无～ 平安無事である ❹書 仕える．かしずく ‖ ～亲 親につかえる ❺従事する．する ‖ 不～生产 生産に従事しない ❻图 責任．かかわり ‖ 你别管，没有你的～ 構わないでくれ，君には関係がない

逆引き単語帳 〔同事〕tóngshì 同僚 〔董事〕dǒngshì 理事．取締役．重役 〔领事〕lǐngshì 領事 〔总领事〕zǒnglǐngshì 総領事 〔故事〕gùshi 物語．ストーリー 〔差事〕chāishi 走り使い．役目 〔本事〕běnshi 腕前．能力 〔怪事〕guàishì 奇妙な事 〔心事〕xīnshi 心配事 〔闲事〕xiánshì 余計な事 〔琐事〕suǒshì 瑣事(さじ)．こまごました事 〔启事〕qǐshì お知らせ．告示 〔往事〕wǎngshì 昔の事．過ぎ去った出来事 〔红白喜事〕hóngbái xǐshì 吉事と凶事．結婚と葬式 〔喜事〕xǐshì 祝い事．とくに結婚 〔婚事〕hūnshì 縁組み．婚姻 〔丧事〕sāngshì 〔后事〕hòushì 葬儀．葬礼 〔一回事〕yì huí shì 同じ事 〔两回事〕liǎng huí shì 別の事．関係ない事 〔出事〕chūshì 事故が起きる 〔惹事〕rěshì 面倒を引き起こす 〔多事〕duōshì 余計なことをする 〔闹事〕nàoshì 騒動を起こす 〔费事〕fèishì 手間がかかる．面倒である 〔省事〕shěngshì 手間が省ける．便利である 〔懂事〕dǒngshì 分別がある．物事をわきまえている 〔碍事〕àishì じゃまになる．差し支える

【事半功倍】shì bàn gōng bèi 成 わずかの努力で大きい効果をあげる

【事倍功半】shì bèi gōng bàn 成 労多くして功少なし

【事必躬亲】shì bì gōng qīn 成 何事も必ず自分でやる

*【事变】shìbiàn 图 事変 ‖ 西安～ 西安事変

【事不宜迟】shì bù yí chí 成 事を遅らせてはならない．事は急を要する

【事出有因】shì chū yǒu yīn 成 事が起こるのには原因がある．火のない所に煙はたたない

【事到临头】shì dào líntóu 慣 事に直面する．事がいよいよさしせまる

【事端】shìduān 图 もめごと．事件

【事功】shìgōng 图 事業と功績

*【事故】shìgù 图 事故 ‖ 发生～ 事故が起きた

【事过境迁】shì guò jìng qiān 成 事は過去のもの

となり，周囲の状況も変わった
【事后】shìhòu 名 事後 ‖ ～他才将真相告诉我 事が終わった後で彼は初めて真相を私に告げた
*【事迹】shìjì 名 事績．業績
【事假】shìjià 名 私事での休暇
⁂【事件】shìjiàn 名 **事件．出来事**
【事理】shìlǐ 名 書 事理．事の道理 ‖ 晓xiǎo大义，明～ 大義を知り，事の道理をわきまえる
*【事例】shìlì 名 書 事例 ‖ 收集～ 事例を集める｜大量的～ 大量の事例｜典型～ 典型的なケース
【事略】shìlüè 名 伝記文の一種．略伝．小伝
【事前】shìqián 名 事前．あらかじめ ‖ ～要向上级请示 事前に上級機関に指示を仰がなければならない
★【事情】shìqing 名 ❶**事．出来事** ‖ 我有点ル～要跟你商量 ちょっとあなたに相談したい事がある ❷**仕事．職業** ‖ 在公司里，每天都有许多～等着他处理 会社で彼は毎日たくさんの仕事を処理しなければならない ❸**事故．過ち** ‖ 出～了 事故が起きた
⁂【事实】shìshí 名 **事実** ‖ 不符合～ 事実に合致しない｜歪曲wāiqū～ 事実をねじ曲げる
【事实上】shìshíshang 副 事実上．実際には
*【事态】shìtài 名 事態 ‖ 关注～的发展变化 事態の成り行きを見守る｜～有所缓和huǎnhé 事態はやや緩和された
*【事务】shìwù 名 ❶やるべき事．ふだんの仕事 ‖ 忙于～ 仕事が忙しい ❷事務 ‖ 行政～ 管理の仕事
【事务主义】shìwù zhǔyì 名 杓子定規(しゃくしじょうぎ)で事務的なやり方
⁂【事物】shìwù 名 **事物** ‖ 新生～ 新しい事物
⁂【事先】shìxiān 名 **事前** ‖ 什么时候来，～给我挂个电话 いつ来るか，あらかじめ電話をください
*【事项】shìxiàng 名 事項．項目．箇条 ‖ 注意～ 注意事項
⁂【事业】shìyè 名 ❶**事業** ‖ 教育～ 教育事業 ❷営利を目的とせず，国家の経費で運営される事業
【事业单位】shìyè dānwèi 名 事業体(採算を要求されない学校・研究機関・病院など)
【事业心】shìyèxīn 名 仕事に対する熱意や使命感
【事宜】shìyí 名 事務．(多く公文書や法令に用いる) ‖ 商谈货运～ 貨物輸送の手はずについて打ち合わせる
【事由】shìyóu (～ル) 名 ❶事由．事情 ‖ 说明～ 訳を説明する ❷(公文書用語)文書の主な内容．概要 ❸口実．理由 ‖ 找～ 口実を設ける ❹方 働き口．職 ‖ 虽然挣钱不多，但好歹hǎodǎi是个～ル いい稼ぎにはならないが，ともあれ仕事は仕事だ
【事与愿违】shì yǔ yuàn wéi 成 事が希望どおりにいかない．事の成り行きが思惑に逆行する
【事在人为】shì zài rén wéi 成 事の成否はやる人の努力しだいである
【事主】shìzhǔ 名 ❶〈法〉刑事事件の被害者 ❷旧 婚礼あるいは葬儀を行う家

8
★**试** shì ❶動 **試みる** ‖ ～衣服 試着する｜这事我也没把握，～～看吧！ このことは私にも自信はないが，とにかくやってみよう ❷試験する ‖ 考～ 試験

逆引き単語帳 〔考试〕kǎoshì 試験．テスト 〔入学考试〕rùxué kǎoshì 入学試験 〔期中考试〕qīzhōng kǎoshì 中間試験 〔期末考试〕qīmò kǎoshì 期末試験 〔初试〕chūshì 一次試験 〔复试〕fùshì 二次試験 〔笔试〕bǐshì 筆記試験 〔面试〕miànshì 面接試験 〔口试〕kǒushì 口述試験．口頭試問 〔开卷考试〕kāijuàn kǎoshì 参考書など持ち込み可の試験 〔闭卷考试〕bìjuàn kǎoshì 持ち込み禁止の試験

【试笔】shìbǐ 動 (文章や字を)試みに書く
【试表】shì//biǎo 動 体温を測る．熱を測る
【试播】shìbō 動 試験放送をする
【试产】shìchǎn 動 試験生産をする．テスト生産をする
【试场】shìchǎng 名 試験場
【试车】shì//chē 動 (車や機械を)試運転する
【试点】shì//diǎn 動 試験的に行う 名 (shìdiǎn) (政策や制度の)試行地区．モデルケース
【试电笔】shìdiànbǐ 名〈電〉テスター．〔电笔〕ともいう
【试飞】shìfēi 動 テスト飛行をする
【试岗】shì//gǎng 動 試験採用する．正式採用の前に一定期間試用する
【试管】shìguǎn 名〈化〉試験管
【试管婴儿】shìguǎn yīng'ér 名 試験管ベビー
【试航】shìháng 動 (飛行機や船の)試験航行をする
【试机】shì//jī 動 機械を試運転する．機器を試験的に操作する
【试剂】shìjì 名〈化〉試薬．〔试药〕ともいう
【试金石】shìjīnshí 名 ❶〈鉱〉試金石 ❷喩 試金石．物事の価値や人の力量などを試すもの
【试镜】shì//jìng 動 (映画やテレビで)スクリーンテストをする．カメラテストを行う
⁂【试卷】shìjuàn 名 **答案．答案用紙**
【试看】shìkàn 動 見てみる．試しに見る
【试手】shì//shǒu 動 ❶試用する ❷試みにやる
【试水】shì//shuǐ 動 ❶(治水設備などで)試験的に水を流す ❷試しにやってみる．試験的に行う
【试探】shìtàn 動 試しに探索する．探索を試みる
【试探】shìtan 動 探る．打診する
【试题】shìtí 名 テストの問題
【试图】shìtú 動 たくらむ．もくろむ
【试问】shìwèn 動 試みに尋ねる．(詰問または反対の語気を表す) ‖ ～谁之过？ いったい誰のミスなのか
【试想】shìxiǎng 動 考えてもみなさい．(反語文に用い，詰問する口調を表す)
【试销】shìxiāo 動 (大量生産をする前に)新製品をテスト販売する ‖ ～新产品 新製品をテスト販売する
*【试行】shìxíng 動 試す．試みる．試験的に行う ‖ ～新方案 新しい計画を試験的に実施する
【试演】shìyǎn 動 試みに上演してみる．試演する
⁂【试验】shìyàn 動 **試験する．テストする．試みる** ‖ ～性能 性能をテストする
【试验田】shìyàntián 名 ❶〈農〉実験農場 ❷喩 試行地区．モデルケース．テストケース
【试映】shìyìng 動 (映画を)試写する
*【试用】shìyòng 動 試用する ‖ ～品 試用品．サンプル｜～人员 見習い｜～新药 新薬を試す
【试纸】shìzhǐ 名〈化〉試験紙
*【试制】shìzhì 動 試作する

8
侍 shì かしずく．仕える．伺候する ‖ 服～ 仕える．面倒をみる｜陪～ そばに仕える
【侍从】shìcóng 名 侍従 ‖ ～武官 侍従武官
【侍奉】shìfèng 動 仕える．かしずく

S

*【侍候】shìhòu [動] 仕える. 世話をする ‖ ～病人 病人の世話をする
【侍立】shìlì [動] (貴人の)そばに従って立つ. 侍立する
【侍弄】shìnòng [動][方] ❶世話をする. 面倒をみる ❷いじる. 修理する
【侍女】shìnǚ [名][旧] 侍女
【侍卫】shìwèi [名] 侍従武官 [動][書] 護衛する
【侍者】shìzhě [名][旧] (宿屋などの)給士. 下男

8 **势**(勢) shì ❶勢力 ‖ 失～ 権勢を失う ❷勢い ‖ 来～ 勢い ❸自然界の現象または勢い ‖ 山～ 山の地勢 ❹姿. ようす. かっこう ‖ 手～ 手まね ❺政治や軍事などの情勢・形勢 ‖ 趋～ 趨勢(すうせい) ❻雄の生殖器 ‖ 去～ 去勢する
*【势必】shìbì [副] いきおい. きっと. 必然的に ‖ 蛮干～把事情办坏 よく考えずにやると事をし損じる
【势不可当】shì bù kě dāng [成] 勢い当たるべからず. 勢いが強くて抑えることができない. 〔势不可挡〕ともいう
【势不两立】shì bù liǎng lì [成] 両雄並び立たず
【势均力敌】shì jūn lì dí [成] 双方の勢力が均衡しており, 甲乙つけがたい
*【势力】shìli [名] 勢力. 力 ‖ 军事～ 軍事力
【势利】shìli [形] 相手の地位や財産によって態度を変えるさま ‖ 那人很～ あの人は金力や権力になびく人だ
【势利眼】shìliyǎn [形] 人の財力・地位・権勢ばかりを重視し, おもねりこびへつらうさま [名] また, その人
【势能】shìnéng [名]〈物〉位置エネルギー. かつては〔位能〕ともいった
【势如破竹】shì rú pò zhú [成] 破竹の勢い
【势头】shìtou ; shìtóu [名] 傾向. 趨勢. 勢い ‖ ～不妙 形勢不利. 風向きが怪しい
【势在必行】shì zài bì xíng [成] 事の勢いからして, やるしかない. 成り行き上, なんとしてもやらざるを得ない

8 **饰** shì ❶飾る. 装飾する ‖ 装～ 装飾する ❷装飾に用いるもの ‖ 首～ 装身具 ❸覆い隠す. 取り繕う. 見せかける ‖ 掩yǎn～ 覆い隠す ❹[動] 役に扮(ふん)する. 扮装(ふんそう)する ‖ ～公主 王女に扮する ❺(文字・言葉を)修飾する. 潤色する
【饰品】shìpǐn [名] 装飾品. アクセサリー
【饰物】shìwù [名] ❶装身具. アクセサリー ❷(器物についている)装飾. 飾り
【饰演】shìyǎn [動] 役に扮する. 役を演じる

8 * **视**(^△眡 眎) shì ❶見る ‖ 注～ 注視する ❷観察する ‖ 检～ 点検する ❸見なす. 遇する ‖ 仇chóu～ 敵視する
【视察】shìchá [動] 視察する
【视点】shìdiǎn [名] 視点
【视而不见】shì ér bù jiàn [成] 見て見ぬふりをする
【视角】shìjiǎo [名] ❶視角 ❷(カメラの)画角 ❸視座. 視点
【视界】shìjiè [名] 視野. 視界
*【视觉】shìjué [名] 視覚 ‖ ～敏锐 視覚が鋭い
*【视力】shìlì [名] 視力 ‖ ～下降 視力が落ちる
【视力表】shìlìbiǎo [名]〈医〉視力検査表
【视盘】shìpán [名] (VCDやDVDなどの)デジタル映像ディスク. 〔视频光盘〕〔数字视频光盘〕の略
【视盘机】shìpánjī [名] VCDプレーヤー. DVDプレーヤー. 地方によっては〔碟机〕ともいう
【视频】shìpín [名]〈電〉ビデオ. 映像
【视频电话】shìpín diànhuà [名] テレビ電話
【视频光盘】shìpín guāngpán [名] (VCDやDVDなどの)デジタル映像ディスク. 略して〔视盘〕ともいう
【视屏】shìpíng [名] モニター ‖ 液晶～ 液晶モニター
【视若无睹】shì ruò wú dǔ [成] 見ていながら無視する. 看過する
【视神经】shìshénjīng [名]〈生理〉視神経
【视死如归】shì sǐ rú guī [成] 死を見ること帰するがごとし. 死を恐れず平然としているさま
【视听】shìtīng [名] 視聴. 見ることと聞くこと ‖ 混淆hùnxiáo～ 人の耳目を惑わす | ～设备 視聴覚設備
【视同儿戏】shì tóng ér xì [成] 児戯のごとく見なす. 取るに足らないものとして相手にしない
【视同路人】shì tóng lù rén [成] 行きずりの人のように見なす. 他人扱いにする
【视图】shìtú [名] 正投影図
【视网膜】shìwǎngmó [名]〈生理〉網膜
【视为】shìwéi [動][書] …と見なす. …と見る ‖ ～知己 知己と見なす
*【视线】shìxiàn [名] ❶視線 ‖ 避开对方的～ 相手の視線を避ける ❷[喩] 注意 ‖ 转移～ 注意をそらす
*【视野】shìyě [名] 視野 ‖ 开阔～ 視野を広げる

9 **恃** shì ❶恃(たの)む. 頼りにする ‖ 自～ 自負する ❷[書] 母親をさす
【恃才傲物】shì cái ào wù [成] 才能を恃んでおごりたかぶり, 人を見下げる

9 **室** shì ❶部屋 ‖ 教～ 教室 ❷[名] (二十八宿の一つ)はついぼし, 室宿(しつしゅく) ❸家. 一族 ‖ 王～ 王室 ❹[書] 妻. (世帯主以外の)家族 ‖ 侧～ 側室 ❺部屋状の器官 ‖ 心～ 心室 ❻事務を行う部門 ‖ 办公～ オフィス
【室内乐】shìnèiyuè [名]〈音〉室内楽
【室女座】shìnǚzuò [名] ❶処女宮(しょじょきゅう). 黄道十二宮の第6宮 ❷〈天〉乙女座

9 **适**[1](適) shì [書] ❶行く. 赴く ‖ 一～可而止 ❷嫁ぐ ‖ ～人 嫁ぐ

9 **适**[2](適) shì ❶合う. 合致する ‖ 合～ ぴったり合う ❷都合よく. ちょうど ‖ 一～中 ❸快適である. 心地よい ‖ 身体不～ 体の調子がよくない
【适才】shìcái [副] たったいま. いまさっき
**【适当】shìdàng [形] 適当である. ふさわしい ‖ 给她安排一个～的工作 彼女にふさわしい仕事を振り当てる
【适得其反】shì dé qí fǎn [成] まったく反対の結果が出る. 逆の結果になる
【适度】shìdù [形][書] 適度である
【适逢其会】shì féng qí huì [成] 折よくその機会に出くわす
**【适合】shìhé [動] 適合する. 当てはまる ‖ 她很～扮演这个角色juésè 彼女はこの役にぴったりだ
【适婚】shìhūn [形] 結婚適齢期である
【适可而止】shì kě ér zhǐ [成] 適当なところでやめる. ほどほどのところでやめる
【适口】shìkǒu [形] 口に合う
【适量】shìliàng [形] 適量である
【适龄】shìlíng [形] (入学や入隊に)該当する年齢の ‖ ～儿童 学齢児童
【适路】shìlù [形] 需要に適する
【适时】shìshí [形][書] 時宜を得ている. タイムリーである
【适销】shìxiāo [動] 商品が消費者のニーズに合ってよく売れる ‖ ～产品 売れ行きのいい製品
*【适宜】shìyí [形] 適している. 適当である ‖ 浓淡～ 濃

淡がちょうどよい
【适意】shìyì 形 心地よい．気分がいい
**【适应】shìyìng 動 適応する．慣れる‖～性 適応性｜～高山气候 高山の気候に適応する
**【适用】shìyòng 形 適している‖这本词典～于初学者 この辞典は初学者向きである
【适于】shìyú 動 書 …に適する．…に当てはまる‖这种植物～盆栽 この種の植物は鉢植えに適している
【适值】shìzhí 動 書 ちょうど巡り合う
【适中】shìzhōng 形 ❶程よい．程度がちょうどよい ❷(位置が)ちょうどよい．適当である

9 **拭** shì 動 書 拭(ぬぐ)う．ふく‖擦～ ふく｜～去脸上的汗珠 顔の汗をふき取る
【拭目以待】shì mù yǐ dài 成 目を拭って待つ．非常に期待していること

9 **峙** shì 地名用字‖繁～ 山西省にある地名 ➤zhì

9 **柿**(△柹) shì 名〈植〉カキ
【柿饼】shìbǐng 名 干し柿
【柿子】shìzi 名〈植〉カキの木．カキの実
【柿子椒】shìzijiāo 名〈植〉ピーマン

9 ★**是**(△昰) shì ❶書 ①これ．この．かく‖～可忍，孰shú不可忍 これが耐えられるのであれば，耐えられないものは何もない．絶対に耐えられない ②前置された目的語を再び指す‖唯命～从 ただ命(めい)にこれ従う ❷動〔是〕の前後の二つの事物を結びつける ①前後の事物が等しいことや，種類・帰属を表す‖他～我们的老师 彼は私たちの先生です ②説明や描写を表す‖他们俩～一见钟情 彼らは一目惚(ひとめぼ)れだ ③〔是…的〕の形で，強調を表す‖我～决不会干这种事的 私は決してそんなことはしない ④存在を表す‖浑身～汗 体中汗まみれだ ❸動〔是〕をはさんで同じ語句を繰り返す ①〔A是A，B是B〕の形で，前後二つの事柄を同列に論ずることはできないことを表す‖节约～节约，小气～小气，不要混为一谈 倹約は倹約，けちはけち，同列に論ずることはできない ②〔A就是A〕などの形で，事物の客観性を強調する．…すなわち…‖不懂就～不懂，不要装懂 分からないってことは分からないってことだ，分かったふりをしてはいけない ③〔A是A〕の形で，譲歩を表す．後半句は逆接接続となる．たしかに…ではあるが‖东西好～好，就是价钱太贵 品物はよいことはよいが，値段が高すぎる ④〔是〕の前後に同じ数量フレーズを繰り返し，それだけでよしとすることを表す‖过一天～一天 ともかく今日も一日過ぎた ❹動 名詞の前に用いて，ふさわしい，ちょうどよいという意を表す‖你来的真～时候 ちょうどよいところに来たね ❺動 名詞の前に用いて，…であるものはすべての意を表す‖～父母都爱自己的儿女 親なら誰でも自分の子供はかわいい ❻動 形容詞あるいは動詞性の述語の前に用いて，断固として肯定することを表す‖没错儿，他～辞职了 間違いない，彼はほんとうに辞職したのだ ❼動 文頭に用いて〔是〕の後の語句を強調する‖～你告诉我这个消息的 私にこのニュースを知らせてくれたのは君だ ❽動 ①選択疑問文を作る‖你～坐车去，还～走着去？ あなたは車に乗って行きますか，それとも歩いて行きますか ②諾否疑問文を作る‖他～不～病了？ 彼は病気ですか ③反語文を作る‖你昨天不～说来吗？ きのう君は来ると言ったではないか ❾形 正しい．理にかなっている ↔〔非〕‖你说得～ 君の言うとおりだ｜谁～谁非，要搞清楚 誰が正しく誰が間違っているのか，はっきりさせねばならない ❿名 正確な論断あるいは肯定的な結論をさす‖实事求～ 実事求是 ⓫書 正しいと思う．肯定する‖→～古非今 ⓬動 承知したことを表す．はい‖～，知道了 はい，分かりました

> **類義語**　是 shì　对 duì　好 hǎo
>
> ◆〔是〕相手に対して「確信を持った判断」や「意志の表明」を表す．また，かしこまって「仰せのとおりです」という意味にも用いる．やや堅苦しい感じ‖“你打算出国留学吗？”“是，我打算出国留学”「君は外国へ留学するつもりですか」「はいっ，留学するつもりです」◆〔对〕相手の主張・判断・推測が「正しい判断」であることを認める‖“他今天不来吗？”“对，他今天不来”「彼は今日来ないのですか」「ええ，来ませんよ」◆〔好〕相手の命令・要求・提案に対して，「同意あるいは承諾」を表す‖“我们明天再商量吧”“好，明天商量吧”「明日また相談しましょう」「結構です，明日相談いたしましょう」

*【是的】shì de 組 そうである．そのとおりである 助(shìde)＝〔似的shìde〕
*【是非】shìfēi 名 ❶是非．正非‖颠diān倒～ 是非を転倒する｜明辨～ 是非を明らかにする ❷言葉による行き違いや悶着(もんちゃく)‖惹rě出～ 悶着を起こす
【是非窝】shìfēiwō 名 もめごとの多い所
*【是否】shìfǒu 副 書 …であるか否か．…かどうか‖他～能去，要看身体状况再定 彼が行けるかどうかは体の調子しだいだ
【是个儿】shì//gèr 動 口 相手として力量が匹敵する
【是古非今】shì gǔ fēi jīn 成 昔のことはすべて正しく，いまのことはすべて間違いとする
【是味儿】shì//wèir 形 口 ❶味わいがある．うまい．おいしい ❷気持ちが晴れやかである
【是样儿】shì//yàngr 形 口 デザインがいい

9 **贳** shì 書 貸し出す．賃貸しをする‖～器店 冠婚葬祭用の器物や飾りつけを貸し出す店

10 **逝** shì ❶(水の流れ・時などが)消える．消え去る‖年华易～ 時は移ろいやすい ❷婉 死ぬ．逝去する‖病～ 病死する
*【逝世】shìshì 動 書 逝去する

10 **莳**(蒔) shì ❶書 植える．栽培する ❷方 移植する‖～秧 田植えをする

10 **轼** shì 古 車の前部にある横木

10 **铈** shì 名〈化〉セリウム(化学元素の一つ，元素記号は Ce)

10 **舐** shì 書 なめる
【舐犊之情】shì dú zhī qíng 成 舐犢(しとく)の愛．親牛が子牛をなめるように，親の子に対する愛情が深いこと

12 **谥**(△諡) shì おくり名．諡号(しごう)

12 **弑** shì 書 弑(しい)する‖～亲 親殺し｜～君之罪 主君殺しの罪

12 **释**[1](釋) shì ❶書 ほどく．ゆるめる‖～缚fù 縛りをほどく ❷釈放する‖保～ 保釈する ❸取り除く．消え去る‖→～疑 ❹解釈する．解明する‖解～ 解釈する ❺放す．おろす‖如～重负 肩の荷をおろしたようである

S

12 **释**[2]（釋） shì 〈仏〉釈迦牟尼(しゃか)をさす．また仏教のこと‖～门 仏門
*【释放】shìfàng 動 ❶釈放する．放免する ❷放出する‖～能量 エネルギーを放出する
【释怀】shìhuái 動 胸のつかえが下りる．釈然とする．（多く否定に用いる）
【释迦牟尼】Shìjiāmóuní 名 釈迦牟尼
【释然】shìrán 形 書 釈然としたさま．疑いや迷いが解けてさっぱりしたさま
【释文】shìwén 動 文字の音と意義を解釈する(多く書名に用いる)‖《经典～》『経典釈文』 名 語句を解釈した文章．語釈．説明
【释疑】shìyí 動 書 疑いを解く
【释义】shìyì 動 書（単語や文章の）意味を解釈する
13 **嗜** shì 特に好む‖→～好 ｜～酒成癖pǐ 酒びたりになる
【嗜好】shìhào 名 嗜好(しこう)．道楽
13 **筮** shì 書 蓍萩(めどはぎ)で吉凶を占う
14 **誓** shì ❶誓う‖→～死 ❷誓い．誓いのことば‖宣～ 宣誓｜发～ 誓いを立てる
【誓不罢休】shì bù bà xiū 成 絶対に後には引かないと誓う
【誓词】shìcí 名 誓言．誓いの言葉
【誓师】shìshī 動 出陣に当たって将兵が必勝の誓いを立てる． 転 任務完遂を誓う‖～大会 決起集会
【誓死】shìsǐ 副 命にかけて．どんなことがあっても
*【誓言】shìyán 名 誓言．誓いの言葉
【誓愿】shìyuàn 名 誓い．決意
【誓约】shìyuē 名 誓約
16 **噬** shì 書 かむ‖猛虎～人 猛虎(もうこ)が人をかむ｜吞～ 丸ごと飲み込む
【噬脐莫及】shì qí mò jí 成 後悔しても及ばない
17 **螫** shì 書（サソリやハチなど毒腺をもつ虫が）毒で人や家畜を刺す ➤ zhē

shi

11 **匙** shi ➡〔钥匙yàoshi〕 ➤ chí

shōu

6 ★**收** shōu ❶逮捕する．拘禁する‖→～监 ❷動 片付ける．しまう‖下雨了，快～衣服 雨ですよ，早く服を取り込みなさい ❸（利益を）得る‖→～入 ❹動 **収穫する．刈り入れる**‖～麦子 ムギを取り入れる ❺動 **取り立てる，取り返す**‖～门票 入場料を取る｜说出的话～不回来了 口に出したことは取り消せない ❻動 **受け入れる**‖～到一封信 手紙を1通受け取る ❼動 **抑制する**‖～住脚步 足を止める ❽動 **終わらせる．収拾する**‖见好就～ 適当なところでやめておく
【收报】shōu//bào 動 受信する
【收编】shōubiān 動（投降兵を）収容して再編制する
【收兵】shōubīng 動 軍隊を撤退させる．撤兵する
*【收藏】shōucáng 動 集めてしまっておく．収蔵する‖～古董 古美術品を集める｜～品 コレクション．収蔵品
【收藏家】shōucángjiā 名 収集家．コレクター
【收操】shōu//cāo 動 訓練を終える
【收场】shōu//chǎng 動（事態を）収拾する 名（shōuchǎng）結末．末路‖意想不到的～ 意外な結末
【收车】shōu//chē 動（運送の仕事が終わり）車を引き上げる．（所定の位置に）車を戻す．回送する
*【收成】shōucheng 名〈農〉作柄．作況
【收存】shōucún 動 収集保存する
*【收到】shōu//dào 動 ❶受け取る．手にする‖～一个邮包 小包を受け取る ❷収める‖～意想不到的效果 思いがけない効果を収める
【收发】shōufā 動 手紙や書類の受領や発送をする 名 手紙や書類の受領と発送を仕事とする人
【收方】shōufāng 名（簿記の）借方↔〔付方〕
*【收费】shōu//fèi 動 費用を徴収する．有料である‖～公路 有料道路｜～厕所 有料トイレ
【收服】【收伏】shōufú 動 相手を自分に従わせる
【收抚】shōufǔ 動 ❶収容し落ち着かせる ❷引き取って育てる
*【收复】shōufù 動（失った領土などを）奪回する．奪還する．取り返す‖～失地 失地を回復する
*【收割】shōugē 動 刈る．刈り取る
【收工】shōu//gōng 動（農地や工事現場などで働く人が）その日の仕事を終える↔〔出工〕
*【收购】shōugòu 動 買いつける．買い入れる‖～废品 廃品を買い上げる｜～价格 買い上げ価格
【收红】shōuhóng 動〈経〉高値で引ける．高値で取引を終える
*【收回】shōu//huí 動 ❶回収する‖～贷款 貸し金を回収する ❷（命令・決定などを）撤回する‖我把刚才说的话～ 私がいま言ったことは取り消します
【收活】shōu//huó（～儿） 動 ❶（修理や加工の）仕事を受け付ける ❷方 農作業や工事現場の作業を終える
【收获】shōuhuò 動 **収穫する‖～小麦 コムギを収穫する｜～量 収穫高 名 **収穫**． 転 **成果．有益な結果**‖很有～ たいへん得るところがある
*【收集】shōují 動 収集する．集める‖～证据 証拠を集める｜～邮票 切手を集める
【收监】shōu//jiān 動 収監する
【收件人】shōujiànrén 名（郵便物の）受取人↔〔寄件人〕
【收缴】shōujiǎo 動 ❶接収する．没収する‖～枪械 兵器を接収する ❷徴収する｜～税款 税金を徴収する
【收据】shōujù 名 領収証‖开～ 領収証を書く
【收看】shōukàn 動（テレビ番組を）見る
【收口】shōu//kǒu（～儿） 動 ❶（編み物の開き口を）とじつける．編みとめる ❷傷口がふさがる．癒合する
【收款】shōu//kuǎn 動 現金を受け取る‖～台 支払いカウンター
【收揽】shōulǎn 動 ❶収攬(しゅうらん)する．とらえる‖～人心 人心を収攬する ❷一人占めにする．一手に握る
【收礼】shōu//lǐ 動 贈り物を受け取る
【收敛】shōuliǎn 動 ❶弱くなる．消えうせる‖～了笑容 笑みが消えた ❷自制する．抑える‖～气焰yàn おとなしくなる ❸〈薬〉収斂(しゅうれん)する
【收殓】shōuliàn 動 納棺する
【收留】shōuliú 動 収容する．引き取る
【收拢】shōulǒng 動 ❶かき集める．一ヵ所にまとめる ❷丸め込む．籠絡(ろうらく)する
【收录】shōulù 動 ❶（人を）採用する ❷収録する
【收录机】shōulùjī 名 ラジカセ

【收绿】shōulù 動〈経〉安値で引ける．安値で取引を終える
【收罗】shōuluó 動（人や物資を）広く集める
*【收买】shōumǎi 動 ❶購入する‖～古书 古書を買い集める ❷人の歓心を買う‖～人心 人を買収する
【收纳】shōunà 動 収容する．受け入れる
【收盘】shōu//pán（～儿）動 ❶（取引を）収める．（売り買いを）やめる．引く．引ける‖～价格 引け値．引け相場 ❷旧（商店が）営業を停止する．店じまいする
【收讫】shōuqì 動 領収済みである．受領済みである
【收清】shōuqīng 動 すべて領収済みである
【收秋】shōu//qiū 動 秋に農作物を収穫する
【收取】shōuqǔ 動 受け取る．徴収する
【收容】shōuróng 動 収容する．受け入れる‖～难民 難民を収容する｜～站 収容センター｜～所 収容所
**【收入】shōurù 動 ❶収入が入る．入金する‖～现金一百元 現金100元が入金になる ❷収録する‖本书～散文十五篇 本書は散文を15編収録している 名 収入．所得 ↔〔支出〕‖财政～（国家の）歳入
【收审】shōushěn 動 拘留し取り調べる
【收尸】shōu//shī 動 死体を収容する
【收市】shōu//shì 動 営業を終了する．看板にする
【收视】shōushì 動（テレビを）視聴する
【收视率】shōushìlǜ 名 視聴率
★【收拾】shōushi 動 ❶始末する．片付ける．整理する‖～房间 部屋を片付ける｜～残局 事態の後始末をする｜我来～这几条鱼吧 私が魚をさばこう ❷修理する．直す‖～自行车 自転車を修理する ❸口 懲らしめる．痛めつける．痛い目にあわせる‖我来～他 僕が彼を懲らしめてやろう ❹殺す．始末する

類義語 收拾 shōushi 整理 zhěnglǐ 整顿 zhěngdùn

◆〔收拾〕散乱したものを元の状態に戻す．具体的なものにも抽象的なものにも用いる．片付ける．整える．収拾する‖收拾碗筷 食器を片付ける｜桌上太乱，收拾（整理）一下 机の上が散らかっているから，片付けなさい ◆〔整理〕秩序だてて整える．具体的なものにのみ用いる．整理する．整頓（せいとん）する‖整理（收拾）教室 教室を整頓する｜整理卡片 カードを順番に並べる｜整理笔记 ノートを整理する ◆〔整顿〕秩序ある状態にする．主に，組織・規律・思想など抽象的なものに用いる．整える．正す．引き締める‖整顿（整理）队列 隊列を整える｜整顿一下纪律 規律を正す

【收拾心情】shōushi xīnqíng 組 気持ちを整理する‖收拾好心情再出发 気持ちに整理をつけてやり直す
【收手】shōu//shǒu 動 方 手を引く．足を洗う．やめる
【收受】shōushòu 動 受け取る．受領する‖～贿赂 huìlù 袖の下を受け取る
【收束】shōushù 動 ❶終わらせる ❷引き締める‖把心思～一下 気持ちを引き締める ❸片付ける．整理する‖～行李 荷物を片付ける
【收税】shōu//shuì 動 税金を徴収する
*【收缩】shōusuō 動 ❶収縮する．縮む ❷縮小する．引き締める‖～开支 財政を引き締める
【收摊儿】shōu//tānr 動 露店をたたむ．店じまいをする．喩 やりかけの仕事を終わらせる
【收条】shōutiáo（～儿）名 受領証．領収書‖打～ 受取を書く
【收听】shōutīng 動（ラジオを）聴く
【收尾】shōuwěi 動 結末をつける．終わりになる 名 最後の部分．結末．エピローグ
【收文】shōuwén 名 受理した公文書
【收下】shōuxia；shōuxià 動 受け取る．納める
【收效】shōu//xiào 動 効果が現れる．効果を収める
【收心】shōu//xīn 動 気持ちを引き締める．心を入れ替える‖暑假快完了，该收收心了 そろそろ夏休みも終わりだから，気持ちを引き締めなければならない
【收押】shōuyā 動 拘留する．拘置する．留置する
【收阳】shōuyáng 動〈経〉陽線で引ける
【收养】shōuyǎng 動 引き取って養育する
*【收益】shōuyì 名 収益．利得‖分配～ 収益を分配する｜这次参观～不小 今回の見学はたいへんためになった
【收阴】shōuyīn 動〈経〉陰線で引ける
【收音】shōuyīn 動 ❶音響効果をよくする ❷（ラジオ放送などを）受信する
**【收音机】shōuyīnjī 名 ラジオ
【收银】shōuyín 動 方 代金を受け取る‖～台 レジ
【收摘】shōuzhāi 動 摘み取る．収穫する
【收账】shōu//zhàng 動 ❶借金を取り立てる ❷帳簿をつける
*【收支】shōuzhī 名 収支．収入と支出‖财政～ 財政収支｜～平衡 収支が釣り合っている
【收治】shōuzhì 動 収容し治療する

shóu

15 **熟** shóu 口 意味は〔熟shú〕に同じで，話し言葉に用いる‖饭～了 御飯が炊けた｜～人 顔見知り ➤shú

shǒu

4 ★**手** shǒu ❶名（～儿）手．（腕は含まない）‖握～ 握手する ❷手に持つ．手にする‖人～一册 誰もが手に1冊持つ ❸携帯に便利な．手軽な‖～机 ❹手書きの‖～稿 ❺自らの手で．自分で‖～抄 ❻名 腕前．技能．手段‖眼高～低 望みは高いが能力が追いつかない ❼接尾（～儿）ある技芸に優れた人‖高～ 名手 ❽接尾 広く何かをする人をさす‖扒～ すり ❾量（～儿）技術や腕前などを数える‖露lòu一～ 腕前を披露する ❿量 手を経た回数を数える‖二～货 中古品

逆引き単語帳 〔歌手〕gēshǒu 歌手 〔选手〕xuǎnshǒu スポーツ選手 〔打手〕dǎshou 用心棒．手下 〔帮手〕bāngshou 手伝い．助手 〔水手〕shuǐshǒu 水夫．船員 〔对手〕duìshǒu 〔敌手〕díshǒu 好敵手．ライバル 〔助手〕zhùshǒu 〔副手〕fùshǒu 助手 〔人手〕rénshǒu 働き手．人手 〔扒手〕páshǒu すり 〔凶手〕xiōngshǒu 凶悪犯．下手人 〔扶手〕fúshou 手すり．ひじかけ．欄干 〔握手〕wòshǒu 握手する 〔拍手〕pāishǒu 拍手する 〔解手〕jiěshǒu 大小便をする．用を足す 〔着手〕zhuóshǒu 着手する．始める 〔动手〕dòngshǒu 着手する．手で触れる．手を出す（殴る） 〔还手〕huánshǒu 殴り返す 〔插手〕chāshǒu 介入する．手を出す 〔举手〕jǔshǒu 手を上げる．挙手する

S

〔棘手〕jíshǒu 〔辣手〕làshǒu 手を焼く. 厄介である 〔下手〕xiàshǒu 手をつける. 手を下す 〔招手〕zhāoshǒu 手を振る. 手招きする 〔住手〕zhùshǒu 手を止める

【手把手】shǒu bǎ shǒu （～儿）副 手を取る. 手取り足取り‖～儿地教 手取り足取り教える
【手板】shǒubǎn 名方 手のひら
【手包】shǒubāo （～儿）名（手に持つ）バッグ. ハンドバッグ
【手背】shǒubèi 名 手の甲
【手笔】shǒubǐ 名 ❶（著名人の）自筆作品 ❷文章や書画の技術上の造詣(ぞうけい) ‖大～ 文章の大家 ❸気前. 度胸
【手臂】shǒubì 名 ❶腕 ❷転 助手
【手边】shǒubiān （～儿）名 手元. 手近‖～没有零钱 手元に小銭がありません
★【手表】shǒubiǎo 名 **腕時計**‖戴dài～ 腕時計をする｜摘zhāi～ 腕時計をはずす

外国の固有名詞 カメラ・時計 【オリンパス】…奥林巴斯 【キャノン】…佳能 【コダック】…柯达 【ニコン】…尼康 【ライカ】…莱卡 【オメガ】…欧米茄 【スウォッチ】…斯沃琪 【セイコー】…精工 【ロレックス】…劳力士 【ロンジン】…浪琴

【手柄】shǒubǐng 名 取っ手. ハンドル. 〔手把〕ともいう
【手不释卷】shǒu bù shì juàn 成 手から本を離さない. 勉学につとめるさま
【手册】shǒucè 名 ハンドブック. マニュアル. 便覧
【手抄】shǒuchāo 動 手で書き写す‖～本 写本
【手创】shǒuchuàng 動 自ら作る. 自ら創立する
【手戳】shǒuchuō （～儿）名 口（個人が用いる）判子. 印鑑‖盖～儿 判を押す
【手袋】shǒudài 名方（多く女性用の）ハンドバッグ
【手到病除】shǒu dào bìng chú 成 手を下せばたちどころに病気が治る. 医術がすばらしいことを形容する
【手到擒来】shǒu dào qín lái 成 手を下せばすぐに敵を捕らえてくる. たやすく目的を達することができるたとえ
【手底下】shǒudǐxia 名 ❶（ある人の）指揮下. 支配下‖～的人 部下 ❷手元‖～没钱 手元に金がない
*【手电筒】shǒudiàntǒng 名 懐中電灯. 〔手电〕ともいう
【手段】shǒuduàn 名 ❶手段. 方法**‖强制～ 強制的な手段｜～卑鄙bēibǐ 手口が下劣である ❷手並み. 腕 ❸手練手管‖耍～ 手練手管を弄(ろう)する
*【手法】shǒufǎ 名 ❶（文芸作品の）手法 ❷やり口. 方法. やり方‖～巧妙 やり口が巧みだ
【手风琴】shǒufēngqín 名〈音〉アコーディオン
【手感】shǒugǎn 名 手触り. 感触
【手稿】shǒugǎo 名 肉筆の原稿
【手工】shǒugōng 名 ❶手仕事. 手による加工. 手間**‖～劳动 手仕事｜～费 手間賃 ❷**手間賃**
【手工业】shǒugōngyè 名 手工業
【手工艺】shǒugōngyì 名 手工芸
【手黑】shǒu//hēi 形方 やり方がひどい. 手段が悪どい
【手机】shǒujī 名 **携帯電話
【手疾眼快】shǒu jí yǎn kuài 成 反応が早く, 機転が利くさま. 〔眼疾手快〕ともいう
【手记】shǒujì 動 自ら記録する 名 手記
【手迹】shǒujì 名 筆跡. 自筆の書画作品

【手脚】shǒujiǎo 名 ❶（手足の）動作‖～灵活 動作が敏捷(びんしょう)だ｜慌了～ あわてふためく ❷貶 手口. 術策‖做～ 小細工をする
*【手巾】shǒujin；shǒujīn 名 ❶タオル. 手ぬぐい‖两条～ 2本の手ぬぐい ❷方 ハンカチ
【手紧】shǒu//jǐn 形 ❶締まり屋である. けちである ❷懐が寒い. 〔手头儿紧〕ともいう
【手卷】shǒujuàn 名 巻き物になった書物や書画
【手绢】shǒujuàn （～儿）名 **ハンカチ. 〔手帕〕ともいう
【手铐】shǒukào 名 手錠‖戴上～ 手錠をかける
【手快】shǒu//kuài 形 手早い. 手ぎわよい
【手辣】shǒu//là 形（手口が）悪どい. 非情だ
【手链】shǒuliàn （～儿）名 ブレスレット
【手令】shǒulìng 名（上官の）手書きの命令書
*【手榴弹】shǒuliúdàn 名 ❶〈軍〉手榴弾(しゅりゅうだん) ❷〈体〉模擬手榴弾 ❸〈体〉手榴弾投擲(とうてき)競技
【手炉】shǒulú 名 手あぶり
【手慢】shǒu//màn 形 動作がのろい. 仕事ぶりが遅い
【手忙脚乱】shǒu máng jiǎo luàn 成 慌てふためく. きりきり舞いする
【手面】shǒumiàn 名方 金遣い
【手模】shǒumó 名 ❶（残った）指紋 ❷契約書や証文などに押す拇印(ぼいん)
【手帕】shǒupà ＝〔手绢shǒujuàn〕
【手气】shǒuqì 名旧（賭博などの）運. つきのあるなし
*【手枪】shǒuqiāng 名 拳銃(けんじゅう). ピストル
【手巧】shǒu//qiǎo 形 手先が器用である ↔〔手拙〕
【手勤】shǒu//qín 形 手まめである. まめまめしい
【手轻】shǒu//qīng 形 注意深くそっと扱うさま‖～点儿，别打碎了 そっと持って, 壊さないようにね
【手球】shǒuqiú 名〈体〉❶ハンドボール ❷ハンドボール用のボール
【手软】shǒu//ruǎn 形 手を下すに忍びない. 情に負けてためらう
【手生】shǒu//shēng 形 手慣れていない. 腕がなまっている
*【手势】shǒushì 名 手ぶり. 手まね. サイン‖他给我打了个～ 彼は私に手まねで合図した
【手书】shǒushū 書動 自書する. 自分の手で書く 名 親書. 親筆の手紙
【手术】shǒushù 名 **手術‖动～ 手術をする～做得很成功 手術は成功した 動 手術をする
【手松】shǒu//sōng 形 金離れがよい. 気前がいい
【手谈】shǒután 動書 碁を打つ
【手套】shǒutào （～儿）名 **手袋‖戴～ 手袋をする
【手提包】shǒutíbāo 名 手さげかばん. ハンドバッグ
【手提箱】shǒutíxiāng 名 トランク. スーツケース
【手头】shǒutóu （～儿）名 ❶手元. 身の回り‖不在～儿 手元にない ❷金回り. ふところ具合‖～宽裕yù ふところ具合がいい｜～很紧 手元不如意だ
【手推车】shǒutuīchē 名 手押し車
【手腕】shǒuwàn （～儿）名 ❶手首 ❷能力. 手並み. 腕 ❸手管. 計略‖耍shuǎ～ 手管を弄する
【手腕子】shǒuwànzi 名 手首
【手无寸铁】shǒu wú cùn tiě 成 身に寸鉄も帯びず. なんの武器も持っていない
【手无缚鸡之力】shǒu wú fù jī zhī lì 成 鶏を縛る力もない. 虚弱であること
【手舞足蹈】shǒu wǔ zú dǎo 成 嬉しくて小躍りするさま‖他高兴得～ 彼は嬉しくて踊り上がらんばかりだった

【手下】shǒuxià 图 ❶指導下．管轄の下‖我在他～干过 私は彼の下で働いたことがある ❷部下 ❸手元‖不在～ 手元にない ❹懐具合‖～紧 懐具合がよくない ❺手を下すとき‖～留情 お手柔らかに
【手相】shǒuxiàng 图 手相‖看～ 手相を見る
【手写】shǒuxiě 動 自分の手で書く
【手写体】shǒuxiětǐ 图〈印〉手書き体．スクリプト体 ↔〔印刷体〕
【手心】shǒuxīn 图 ❶手のひら．たなごころ ❷(～儿)支配下．手中
**【手续】shǒuxù 图 手続き‖办～ 手続きをする｜～费 手続き費．手数料｜入境～ 入国手続き
【手癣】shǒuxuǎn 图 手部白癬(はくせん)．手の水虫
【手眼通天】shǒu yǎn tōng tiān 成 たいへんに要領がいい
*【手艺】shǒuyì 图 (職人の)技量．(工芸品の)出来栄え‖～高超 みごとな腕前だ
【手淫】shǒuyín 動 手淫(しゅいん)をする
【手印】shǒuyìn (～儿) 图 ❶(残した)指紋 ❷(契約書などに押した)拇印‖按～ 拇印を押す
【手语】shǒuyǔ 图 手話‖打～ 手話で話す
【手谕】shǒuyù 图 書 手書きの指示
【手札】shǒuzhá 图 書 自筆の手紙
【手闸】shǒuzhá 图 ハンド・ブレーキ
【手掌】shǒuzhǎng 图 手のひら．たなごころ
【手杖】shǒuzhàng 图 杖．ステッキ
【手纸】shǒuzhǐ 图 ちり紙．トイレット・ペーパー
**【手指】shǒuzhǐ 图 手の指
【手指头】shǒuzhǐtou 图 口 手の指
【手指头肚儿】shǒuzhǐtoudùr 图 口 手の指の腹
【手重】shǒu//zhòng 形 手に力が入りすぎる．手荒い
【手拙】shǒu//zhuō 形 (手先が)不器用である ↔〔手巧〕
【手镯】shǒuzhuó 图 腕輪．ブレスレット
【手足】shǒuzú 图 書 ❶(手足の)動作 ❷転 兄弟‖亲如～ 兄弟のように親しい
【手足无措】shǒu zú wú cuò 成 処置に窮する．慌てふためく．途方に暮れる

6 * **守** shǒu ❶動 (元の状態を)保つ．維持する‖～秘密 秘密を守る ❷動 遵守する．従う‖～时间 時間を守る ❸動 守備する．守る ↔〔攻〕‖～阵地 陣地を守る ❹動 見守る．付き添う．看護する‖她在病床边上～了两天两夜 彼女はベッドの傍らで二日二晩看病した ❺動 口 (〔守着〕の形で)接近する．…のそばにある．そば近くにいる‖～着个大商场，买东西很方便 百貨店のそばに位置しているので買い物はとても便利だ

【守备】shǒubèi 動 守備する．防衛する
【守兵】shǒubīng 图 守備兵
【守财奴】shǒucáinú 图 守銭奴．けちな人
【守敌】shǒudí 图〈軍〉敵の守備兵
*【守法】shǒu//fǎ 動 法律を遵守する‖遵纪zūnjì～ 規律や法律を遵守する
【守寡】shǒu//guǎ 動 後家を通す
【守恒定律】shǒuhéng dìnglǜ 图〈物〉保存則
【守候】shǒuhòu 動 ❶待つ ❷付き添う．看護する‖儿媳在身边～ 嫁が付き添って看護する
【守护】shǒuhù 動 守る．守護する
【守活寡】shǒu huóguǎ 慣 夫が長期間不在のため，後家同様に暮らす．地方によっては〔守生寡〕ともいう
【守节】shǒu//jié 動 貞節を守る．後家を通す
【守旧】shǒujiù 形 古い考え方ややり方にこだわるさま‖思想～ 考えが保守的である
【守军】shǒujūn 图 守備軍
【守空房】shǒu kōngfáng 組 夫の留守を守る
【守口如瓶】shǒu kǒu rú píng 成 (瓶の口をぴったりふさいだように)固く口を閉じて何も言わない．口がかたい
【守灵】shǒu//líng 動 通夜を行う
【守门】shǒu//mén 動 ❶門番をする ❷〈体〉ゴールを守る
【守门员】shǒuményuán 图〈体〉ゴール・キーパー
【守丧】shǒu//sāng 動 喪に服す
【守时】shǒushí 動 時間を守る
【守势】shǒushì 图 守勢．守りの姿勢
【守岁】shǒu//suì 動 大みそかの夜，徹夜をして新年を迎える
【守土】shǒutǔ 動 領土を守る
【守望】shǒuwàng 動 見張る
【守望相助】shǒu wàng xiāng zhù 成 近隣の村同士が外敵の侵入を防ぐため，協同で見張りを立てるなどして助け合う
*【守卫】shǒuwèi 動 防衛する．防備する‖～边疆biānjiāng 辺境を防衛する
【守孝】shǒu//xiào 動 喪に服する
【守信】shǒu//xìn 動 約束を守る
【守业】shǒu//yè 動 書 創業者から引き継いだ事業を守る．暖簾(のれん)を守る
【守夜】shǒuyè 動 夜警に立つ．夜の見回りをする
【守约】shǒu//yuē 動 約束を守る
【守则】shǒuzé 图 規則．規定．ルール
【守职】shǒu//zhí 動 職場を守り，職務を果たす
【守制】shǒuzhì 動 旧 (親の)喪に服す
【守株待兔】shǒu zhū dài tù 成 木の切り株に兎(うさぎ)がぶつかって死ぬのをいまかいまかと待つ．労せずしてうまいことにありつこうとする

9 ** **首** shǒu ❶頭 ❷かしら．長‖元～ 元首 ❸最初‖岁～ 年頭 ❹まっ先に．最初に‖→～创 ❺第一‖→～次 ❻トップの．最高の‖→～相 ❼出頭し犯罪を告発する‖自～ 自首する ❽接尾 方位詞の後につく‖上～ 上のほう ❾量 (詩や歌を数える)首．曲‖一～诗 1首の詩

【首班车】shǒubānchē 图 ❶始発車．〔首车〕ともいう ❷最初のチャンス．ファーストチャンス
【首播】shǒubō 動 (番組の)初回放送をする．本放送をする
【首倡】shǒuchàng 動 最初に提唱する
【首车】shǒuchē 图 始発(の列車やバスなど) ↔〔末车〕‖～时间 始発時刻
*【首创】shǒuchuàng 動 創始する．初めて作る‖～精神 創始の精神
【首次】shǒucì 图 最初．第1回‖～访问中国 初めて中国を訪問する
【首当其冲】shǒu dāng qí chōng 成 真っ先に攻撃を受ける．真っ先に災難に遭う
★【首都】shǒudū 图 首都
【首恶】shǒu'è 图 書 犯罪集団のボス．首謀者
【首发】shǒufā 動 ❶(バスなどで)その日最初に発車する‖～时间 始発時間 ❷初回の発行をする‖～式 発売セレモニー ❸(球技の試合で)最初に出場する‖～阵容 スターティングメンバー

S

【首犯】shǒufàn 名 主犯
【首府】shǒufǔ 名 ❶旧 (中国の)省政府の所在地 ❷(中国の)自治区や自治州の政府の所在地. 区都. 州都 ❸属国や植民地の最高政府機関の所在地
【首富】shǒufù 名 ある地区の一番の金持ち
【首级】shǒují 名 首級. 討ち取った敵の首
【首季】shǒujì 名 第1四半期
【首届】shǒujiè 名 第1回. 第1期
【首肯】shǒukěn 動 書 首肯する. 同意する
【首例】shǒulì 名 初めての事例. 初めてのケース
*【首领】shǒulǐng 名 ❶書 頭と首 ❷首領. かしら
*【首脑】shǒunǎo 名 首脳 ‖ ～会议 首脳会議

類義語 首脑 shǒunǎo 首长 shǒuzhǎng 领袖 lǐngxiù 领导 lǐngdǎo
◆〔首脑〕政府と国家の指導者. 指導機関にも使える ‖ 两国首脑举行会谈 両国の首脳が会談を行う | 首脑机关 最高機関 ◆〔首长〕政府各部門や軍の指導幹部 ‖ 团首长 連隊の高級幹部 ◆〔领袖〕国家や政治団体や大衆組織などの指導者. 尊敬の気持ちを含む ‖ 革命领袖 革命指導者 | 领袖人物 指導者 ◆〔领导〕指導者. リーダー. 国のレベルから一般の小さな組織の責任者までさす ‖ 领导和群众相结合 指導者と大衆がともに手を携える ◆〔领导〕には動詞の用法がある ‖ 领导人民走向胜利 人民の先に立って勝利に導く

【首批】shǒupī 名 第1陣 ‖ ～受训人员 第1陣の訓練人員 | ～货物 第1回目の物資
【首屈一指】shǒu qū yī zhǐ 成 第一の ‖ 该公司的资产在全市～ 同社の資産は全市でナンバーワンだ
【首任】shǒurèn 形 初めて任ぜられた. 初代の
【首日封】shǒurìfēng 名 記念切手に発行当日のスタンプが捺(お)してある特製封筒. 初日カバー
【首饰】shǒushi 名 装身具. アクセサリー
【首鼠两端】shǒu shǔ liǎng duān 成 鼠が穴から首を出しきょろきょろとあたりを見回す. どちらとも決めかねるさま
【首途】shǒutú 動 出立する. 旅の途につく
【首尾】shǒuwěi 名 ❶始めの部分と終わりの部分. 首尾 ❷始めから終わりまで
【首位】shǒuwèi 名 首位. 第1位
【首乌】shǒuwū 名 ❶〈植〉ツルドクダミ ❷〈中薬〉何首烏(かしゅう) =〔何首乌〕
*【首席】shǒuxí 名 最高の席. 一番の上座. (主賓が座る席) 形 首席の. 主席の ‖ ～代表 首席代表
【首席执行官】shǒuxí zhíxíngguān 名 最高経営責任者. CEO
**【首先】shǒuxiān 副 ❶真っ先に. まず最初に ‖ ～要把身体养好 まずは体を養生しなければならない ❷(事柄を列挙するときに用いる)第一に…. まず…
*【首相】shǒuxiàng 名 首相
【首选】shǒuxuǎn 動 第1位で選ばれる. 最初に選ばれる
【首演】shǒuyǎn 動 初演する
*【首要】shǒuyào 形 一番重要な. 主な ‖ ～人物 主要人物 名 首脳 ‖ 政府～ 政府首脳
【首映】shǒuyìng 動 映画の封切上映をする
【首战】shǒuzhàn 動 初めて交戦する. 緒戦を戦う
*【首长】shǒuzhǎng 名 (政府の各部門または軍の)高級幹部

【首座】shǒuzuò 名 首座. 首席. 上座

15 **艏** shǒu 船首. へさき

shòu

7 **寿**(壽) shòu ❶長寿である. 長生きである ❷年齢. 生命 ‖ 长～ 長寿 ❸(高齢者の)誕生日 ‖ 祝～ 誕生祝いをする ❹婉 葬儀の折, 死者に供する品物 ‖ →～衣
【寿辰】shòuchén 名 (高齢者の)誕生日. 〔寿诞〕ともいう ‖ 七十～ 70歳の誕生日
【寿诞】shòudàn =〔寿辰shòuchén〕
【寿礼】shòulǐ 名 (高齢者の)誕生祝いの贈り物
【寿联】shòulián 名 (高齢者の)誕生日を祝う句を書いた対聯(ついれん)
【寿面】shòumiàn 名 (高齢者の)誕生日のお祝いに食べる麺(めん)
*【寿命】shòumìng 名 寿命 ‖ 平均～ 平均寿命
【寿数】shòushu 名 命数. 天命
【寿桃】shòutáo 名 (高齢者の)誕生祝いのモモ. モモの形をしたマントー
【寿险】shòuxiǎn 名 略 生命保険. 〔人寿保险〕の略
【寿星】shòuxing 名 ❶寿星(じゅせい). 寿老人. 〔寿星老ル〕ともいう ❷長寿の祝いを受ける人
【寿筵】shòuyán 名 書 誕生日を祝う宴会
【寿衣】shòuyī 名 死に装束. 寿衣. 経帷子(きょうかたびら)
【寿终正寝】shòu zhōng zhèng qǐn 成 ❶天寿を全うし自宅で安らかに死ぬこと ❷喩 だめになる

8 ** **受** shòu ❶動 受ける. 受け取る ‖ ～表扬 表彰される | ～贿赂huìlù 賄賂を受け取る ❷動 (損害を)被る. (不幸に)遭う ‖ ～批评 批判される | ～虐nüè待 虐待を受ける ❸動 我慢する. 耐え忍ぶ ‖ →～不了 | 真够～的 まったくやりきれない ❹方 …するに耐える. …に適する ‖ ～吃 口に合う
【受案】shòu'àn 動 事件を受理する
【受病】shòu//bìng 動 方 病気になる
*【受不了】shòubuliǎo 動 たまらない. 耐えられない ‖ 热得～ 暑くてたまらない | 我可～他那坏脾气 私は彼の怒りっぽい性格が我慢できない
【受不起】shòubuqǐ 動 ❶耐えられない. たまらない ❷挨拶 恐縮です. 恐れ入ります ‖ 如此重礼, 我实在～ こんなに丁重な贈り物をいただいて誠に恐縮です
【受不住】shòubuzhù 動 たまらない. 耐えきれない ‖ 一点ル委屈wěiqu都～ 少しばかりのつらさも耐えられない
【受潮】shòu//cháo 動 湿る. しける ‖ 被子～了 掛け布団が湿っぽくなった | 面粉～了 小麦粉がしけった
【受宠】shòu//chǒng 動 甘やかされる. かわいがられる
【受宠若惊】shòu chǒng ruò jīng 成 過分な寵(ちょう)を受けてとまどう
【受挫】shòucuò 動 挫折(ざせつ)する. くじける
【受到】shòu//dào 動 …を受ける ‖ ～热情招待 温かいもてなしを受ける | ～奖励 表彰された
【受得了】shòudeliǎo 動 我慢できる. 耐えられる ‖ 这种无理指责, 叫人怎么～? このようないわれのない非難に, どうして耐えられようか
【受敌】shòudí 動 敵の攻撃を受ける ‖ 腹背～ 腹背に敵を受ける
【受冻】shòu//dòng 動 ❶凍える ❷冷害を受ける

【受罚】shòu//fá 動 罰せられる. 罰を受ける
【受粉】shòu//fěn 動〈植〉受粉する
【受风】shòu//fēng 動（冷気にあたって体が）冷える. 風邪をひく
【受雇】shòugù 動 雇われる ‖ ～于人 人に雇われる
【受过】shòu//guò 動 過失責任を負わされる
【受害】shòu//hài 動 ❶被害を受ける. 損害を受ける ❷殺害される ‖ 无辜wúgū～ 罪なく殺される
【受寒】shòu//hán 動（寒さで体が）冷える. 風邪をひく
【受旱】shòu//hàn 動 干害を受ける. 干害に遭う
【受贿】shòu//huì 動 賄賂を受ける. 収賄する
【受检】shòujiǎn 動 検査を受ける
【受奖】shòu//jiǎng 動 受賞する
【受教】shòujiào 動 教えを受ける
【受戒】shòu//jiè 動〈仏〉受戒する
【受惊】shòu//jīng 動 驚かされる. びっくりする
【受精】shòu//jīng 動〈生〉受精する ‖ ～卵 受精卵
【受窘】shòu//jiǒng 動 苦境に陥る. 困る
【受看】shòukàn 形 口 見栄えがよい. 見飽きない. よく見える ‖ 她留短发～ 彼女はショートカットが似合う
【受苦】shòu//kǔ 動 苦しめられる. つらい目に遭う. 苦労する ‖ ～受难 苦難に遭う
【受累】shòu//lěi 動 巻き込まれる. 巻き添えを食う ➤ shòulèi
【受累】shòu//lèi 動 苦労する. 骨を折る. 疲れる ‖ 让你～了！ ご苦労さまでした ➤ shòulěi
【受冷】shòu//lěng 動 方（体が）冷える. 風邪をひく
【受礼】shòu//lǐ 動 ❶敬礼を受ける ❷贈り物を受ける
【受理】shòulǐ 動〈法〉受理する ‖ 法院～了这个案件 裁判所はこの訴訟を受理した｜不予～ 受理しない
【受凉】shòu//liáng 動（寒さで体が）冷える. 風邪をひく ‖ 睡觉受了凉, 感冒了 寝冷えして風邪をひいた
【受领】shòulǐng 動 受け取る. 受ける
【受命】shòumìng 動 書 指令を受ける. 任務を受ける
【受难】shòu//nàn 動 苦難に見舞われる ‖ 战争的～者 戦災者｜不幸～ 不幸にして罹災（りさい）した
【受盘】shòupán 動 企業を買収する.〔接盘〕ともいう
【受骗】shòu//piàn 動 だまされる. ペテンにかかる ‖ ～上当 だまされる
【受聘】shòu//pìn 動 ❶旧 嫁側が結納を受ける ❷招聘（しょうへい）を受ける
【受气】shòu//qì 動 いじめられる. 八つ当たりされる ‖ 受了他不少气 彼にさんざん八つ当たりされた
【受气包】shòuqìbāo（～儿）图 いつも人に怒りやいらだちをぶつけられる人. 気弱ないじめられ役
【受穷】shòu//qióng 動 貧困に見舞われる. 困窮する
【受屈】shòu//qū 動 無念な思いをさせられる. 嫌な思いをさせられる. 不愉快な思いをさせられる
【受权】shòuquán 動 権限を受ける ↔〔授权〕
【受让】shòuràng 動 譲り受ける
【受热】shòu//rè 動 ❶暑気あたりする ❷熱の影響を受ける. 熱せられる
【受辱】shòu//rǔ 動 恥をかかされる. 侮辱される ‖ 当众～ 大勢の前で恥をかかされる
*【受伤】shòu//shāng 動 ❶（体や感情などが）傷つく ‖ 他的腰部受过伤 彼は腰を負傷したことがある｜～的心灵 傷ついた心 ❷（物が）損傷する
【受赏】shòu//shǎng 動 受賞する. 褒賞を受ける
【受审】shòu//shěn 動 審問を受ける
【受事】shòushì 图〈語〉動作や行為の対象. 受け手 ↔〔施事〕
【受暑】shòu//shǔ 動 暑気あたりする
【受胎】shòu//tāi 動〈生〉受胎する.〔受孕〕ともいう
【受听】shòutīng 形 聞いて受け入れやすい. 聞いて快い. 聞きやすい
【受托】shòu//tuō 動 依頼を受ける
【受洗】shòuxǐ 動〈宗〉洗礼を受ける
【受降】shòu//xiáng 動 投降を受け入れる
【受刑】shòu//xíng 動 拷問を受ける
【受训】shòu//xùn 動 訓練を受ける
【受业】shòuyè 書 動 授業を受ける.（先生から）教えを受ける 图 先生に対する学生の自称
【受益】shòu//yì 動 利益を受ける. ためになる ‖ 这次旅行, ～非浅 今回の旅行は得るところが大であった
【受用】shòuyòng 動 享受する. 益を得る. 役立つ ‖ 先生的言传身教使我一生～不尽 あなたが身をもってお教えくださったことは, 私にとって一生の財産になります
【受用】shòuyong 形 心地よい. 気持ちがよい.（多く否定に用いる）‖ 胃里不大～ 胃の調子があまりよくない
【受孕】shòu//yùn ＝〔受胎shòutāi〕
【受灾】shòu//zāi 動 災害を被る. 罹災（りさい）する
【受之有愧】shòu zhī yǒu kuì 成 こんなにしていただいては恐縮です. 身に余る光栄です
【受制】shòu//zhì 動 ❶束縛される ‖ ～于人 人に束縛される ❷ひどい目に遭う
【受众】shòuzhòng 图（メディアの）受け手
【受阻】shòu//zǔ 動 妨害される. 阻まれる
【受罪】shòu//zuì 動 苦労する. つらい目に遭う. 苦しめられる ‖ 孩子生病, 大人也跟着～ 子供が病気になると親もつらい

9 **狩** shòu 書 ❶（冬の）猟をする ❷（帝王が）巡視に出掛ける ‖ 巡xún～ 視察して回る
【狩猎】shòuliè 動 猟をする

11 **兽（獸）** shòu ❶けもの ‖ 野～ 野獣 ❷野蛮なさま. 下品なさま ‖ →～性
【兽类】shòulèi 图 獣類. けだもの
【兽王】shòuwáng 图 百獣の王. ライオン
【兽心】shòuxīn 图 けだもののような残忍な心 ‖ 人面～ 人の皮をかぶったけだもの
【兽行】shòuxíng 图 獣行. 野蛮で残忍な行為
【兽性】shòuxìng 图 獣性. 野蛮で残忍な性質 ‖ ～大发 獣性が現れる
【兽药】shòuyào 图 動物に用いる薬品
【兽医】shòuyī 图 獣医 ‖ ～学 獣医学
【兽疫】shòuyì 图 家畜・家禽（かきん）などの伝染病
【兽欲】shòuyù 图 獣欲. 肉欲

11 * **授** shòu ❶動 授ける. 授与する. 与える ‖ ～他一枚méi奖章 彼に表彰メダルを授与する ❷（学問や技芸などを）教える ‖ →～课
【授粉】shòu//fěn 動〈植〉受粉する
【授奖】shòu//jiǎng 動 賞を授与する
【授课】shòukè 動 授業をする. 教える
【授命】[1] shòumìng 動 書 命を捧げる. 命を投げ出す
【授命】[2] shòumìng 動 命令を下す.（多く国家元首が政党の党首に対し組閣を命じる場合に用いる）
【授权】shòuquán 動 権限を与える ↔〔受权〕‖ ～他代理一切事务 彼にすべての業務を代行する権限を与える
【授让】shòuràng 動 譲渡する. 授ける
【授受】shòushòu 動 授受する ‖ 私相～ 個人的に

S

勝手に受け渡す｜～关系 授受の関係
【授衔】shòu//xián 動 軍位などの称号を授与する
【授信】shòuxìn 動 銀行が信用調査に基づいて貸し付けを行うこと. 授信. 与信‖～合同 与信契約
【授勋】shòu//xūn 動 勲章を授ける
【授意】shòuyì 動 暗にほのめかしてそそのかす. 吹きこむ. 教唆する
*【授予】shòuyǔ 動 (勲章や学位などを)授与する. 授ける‖～他文学奖 彼に文学賞を授与する

11
*售 shòu ❶動 売る. 販売する‖进货已全部～完 入荷した品物はもう全部売れてしまった ❷(悪事に能力を)発揮する. ふるう‖以～其奸jiān 奸計(かんけい)を弄(ろう)する. 悪事をはたらく
【售后服务】shòuhòu fúwù 名 アフターサービス. アフターケア
*【售货】shòu//huò 動 品物を売る‖～亭 売店
【售货机】shòuhuòjī 名 販売機. 自動販売機
*【售货员】shòuhuòyuán 名 売り子. 店員. 販売員
【售价】shòujià 名 売価. 売り値
【售卖】shòumài 動 販売する
【售票】shòu//piào 動 切符を売る
【售票处】shòupiàochù 名 切符売り場
*【售票员】shòupiàoyuán 名 切符の販売員. バスの車掌

11
绶 shòu 旧 綬(じゅ). 官印や勲章などを身につけるための組みひも‖印～ 印綬(いんじゅ)
【绶带】shòudài 名 綬. 官印や勲章などを身につけるための組みひも

14
**瘦 shòu ❶形 痩せている ↔〔胖〕〔肥〕‖你比以前～了点儿 あなたは前より少し痩せた ❷形 書 筆跡が細く力強い‖字体～硬 字体は細く力強い ❸形 (食肉の)脂肪が少ない. 赤身の ↔〔肥〕‖—～肉 ❹形 (服や靴などのサイズが)小さい. きつい ↔〔肥〕‖这衣服不肥不～正合适 この服はゆるくもなくきつくもなくちょうどいい｜这鞋太～, 挤jǐ脚 この靴は細すぎて足がきつい ❺形 (土地が)痩せている‖这块地太～ この土地はずいぶん痩せている
【瘦瘪】shòubiě 形 痩せさらばえたさま
【瘦长】shòucháng 形 痩せて細長いさま‖～个子 ひょろりと背の高い体つき(の人)｜～脸 面長
【瘦高挑儿】shòugāotiǎor 名 痩せて背が高い人
【瘦骨嶙峋】shòu gǔ lín xún 成 がりがりに痩せているさま. 痩せて骨と皮になっているさま
【瘦瘠】shòují 形 ❶痩せてひ弱である ❷(土地が)痩せている
【瘦溜】shòuliu 形 方 痩せて細いさま. ひょろりとしているさま‖身材～ 体つきがほっそりとしている
【瘦肉】shòuròu 名 赤身の肉 ↔〔肥肉〕
【瘦弱】shòuruò 形 痩せて弱々しい. 栄養不足で弱々しい‖身体～ 体が痩せ細っていて病気がちである
【瘦死的骆驼比马大】shòusǐ de luòtuo bǐ mǎ dà 諺 死んだ痩せラクダでもウマよりは大きい. 腐っても鯛
【瘦小】shòuxiǎo 形 痩せて小さい
【瘦削】shòuxuē 形 (顔や体が)痩せこけている. がりがりに痩せているさま‖～的面庞páng 痩せて骨ばった顔
【瘦子】shòuzi 名 痩せた人. 痩せっぽち

shū

4
★书(書) shū ❶字を書く‖～法 書道 ❷(漢字の)書体‖草～ 草書 ❸図書物. 本‖买了一本～ 本を1冊買った ❹文書. 書類‖说明～ 説明書 ❺手紙‖—～信
**【书包】shūbāo 名 (多く学生の)かばん
【书报】shūbào 名 書籍と新聞
【书背】shūbèi =〔书脊shūjǐ〕
*【书本】shūběn (～儿) 名 本. 書物
【书册】shūcè 名 書 書物. 本
【书场】shūchǎng 名 旧 寄席(よせ)
【书虫】shūchóng 名 口 本の虫
【书橱】shūchú 名 本箱. 本棚
【书呆子】shūdāizi 名 本の虫(本ばかり読みふけっていて世情にうとい人をさしていう)
**【书店】shūdiàn 名 書店. 本屋
*【书法】shūfǎ 名 書法. 書道‖～家 書道家｜练习～ 書道の練習をする
【书房】shūfáng 名 書斎
【书稿】shūgǎo 名 著作の原稿
【书归正传】shū guī zhèng zhuàn 成 話を本題に戻す
【书柜】shūguì 名 書棚. 本箱
【书函】shūhán 名 ❶書 書簡. 書状 ❷(糸綴じ本の)帙(ちつ)
【书号】shūhào (～儿) 名 図書番号. 図書コード‖国际标准～ 国際標準図書番号. ISBN
【书画】shūhuà 名 書画‖～展览 書画の展覧会
*【书籍】shūjí 名 書籍. 本の総称
【书脊】shūjǐ 名 書籍の背.〔书背〕ともいう
**【书记】shūji 名 ❶書記(党や青年団などの組織における責任者)‖总～ 書記長 ❷旧 書記
**【书架】shūjià 名 本棚. 書棚.〔书架子〕ともいう
【书简】【书柬】shūjiǎn 名 書 書簡. 書状
【书局】shūjú 名 旧 官庁の書庫または書籍刊行所. 現在では多く出版社や書店の名称に用いる
【书卷】shūjuàn 名 書籍. 書物
【书卷气】shūjuànqì 名 文章・話し振り・書画作品などに表現される読書人の風格や気質
*【书刊】shūkān 名 書籍と定期刊行物. 本と雑誌
【书库】shūkù 名 書庫
【书录】shūlù 名 書誌
【书眉】shūméi 名 (書籍の)ページの上の余白
【书迷】shūmí 名 ❶本の虫 ❷〔评书〕(講談)や〔评弹〕(語り物)などの熱狂的なファン
*【书面】shūmiàn 形 書面の. 文書の ↔〔口头〕‖～报告 文書による報告｜～通知 書面による通知
【书面语】shūmiànyǔ 名〈語〉書き言葉. 書面語 ↔〔口语〕
【书名】shūmíng 名 書名
【书名号】shūmínghào 名〈語〉書名を示す文章記号. 中国語ではふつう《 》や﹏﹏を用いる
【书目】shūmù 名 書目. 図書目録
【书皮】shūpí (～儿) 名 ❶(本の)表紙 ❷(本が傷まないようにかぶせる)ブックカバー‖包～儿 カバーをかける
【书评】shūpíng 名 書評
【书签】shūqiān (～儿) 名 ❶(本の)しおり ❷糸綴じ本の表紙に張る書名箋(しょめいせん). 題簽(だいせん)

S

【书社】shūshè 名❶旧 文人たちが作った読書会 ❷出版社の名称に用いる
【书生】shūshēng 名 読書人. 書生. インテリ
【书生气】shūshēngqì 名 学者気質. 学者肌
【书市】shūshì 名 臨時に開く書籍市
【书摊】shūtān (~儿) 名 本を売る露店
【书套】shūtào 名❶本の外箱 ❷(糸綴じ本の)帙
【书体】shūtǐ 名 書体
【书亭】shūtíng 名 ブックスタンド
【书童】shūtóng 名 旧 書斎の雑用をする童僕(どうぼく)
【书屋】shūwū 名 旧 書斎
【书香】shūxiāng 形 知識人の家柄の ‖ ~门第 学者の家柄
*【书写】shūxiě 動(字を)書く ‖ ~工具 筆記用具
*【书信】shūxìn 名 手紙 ‖ 代写~ 手紙を代筆する
【书页】shūyè 名(本の)ページ
【书院】shūyuàn 名 古 学校. 講学所. 書院
【书斋】shūzhāi 名 書斎
【书展】shūzhǎn 名 書物の展示即売会. ブックフェア
【书桌】shūzhuō (~儿) 名 文机. 勉強机

4 **殳** shū 古 竹槍(たけやり)

7 **抒** shū 発表する. 言い表す ‖ →~发 | 各~己见 各人が自分の意見を発表する
【抒发】shūfā 動 書 言い表す
【抒怀】shūhuái 動 書 感情を述べる
【抒情】shūqíng 動 感情を述べる
【抒情诗】shūqíngshī 名 叙情詩
【抒写】shūxiě 動 感情を書き述べる

7 **纾** shū 書❶豊かである ❷豊かにさせる. ゆったりさせる ❸(困難や災害などを)取り除く

8 **叔** shū ❶兄弟の序列の第3番目.〔伯〕〔仲〕〔叔〕〔季〕の順で表す ❷夫の弟 ❸名 おじ. 父親の弟 ❹親戚のうち父と同世代で父より若い男性に対する呼称 ❺父より若い男性に対する敬称
【叔伯】shūbai 形 同じ祖父(または曾祖父(そうそふ))を持つ ‖ ~兄弟 同じ祖父を持つ従兄弟
【叔父】shūfù 名 おじ. 父の弟
【叔公】shūgōng 名❶おじ. 夫の父の弟 ❷方 大おじ. 父の父の弟
【叔母】shūmǔ 名 おば. 父の弟の妻
【叔婆】shūpó 名❶おば. 夫の父の弟の妻 ❷方 大おば. 父の父の弟の妻
**【叔叔】shūshu 名❶おじ. 父の弟 ❷おじさん(父と同年輩の男性を呼ぶ敬称)

8 **枢**(樞) shū ❶とぼそ. 戸のくるる ‖ ~轴 同前 ❷かなめとなる部分. 中枢 ‖ 中~ 中枢 ❸旧 中央行政機関. 重要な職位
【枢机主教】shūjī zhǔjiào 名〈宗〉(ローマ法皇庁の)枢機卿(すうききょう).〔红衣主教〕ともいう
【枢纽】shūniǔ 名 枢軸. 中心

9 **姝** shū 書❶(女性が)美しい ‖ 容色~丽 容貌が美しい ❷美女

10 **倏**(△倐 儵) shū 副 書 たちまち ‖ ~已三年 あっと言う間に3年たった
【倏地】shūdì 副 あっと言う間に. たちまち
【倏忽】shūhū 副 たちまち. みるみる

10 **殊** shū ❶書 死ぬ. こと切れる ‖ →~死 ❷異なる. 違っている ‖ 悬xuán~ 非常にかけ離れている ❸特別である ‖ →~荣 ❹副 書 とても. とりわけ. ことに ‖ ~有隔世之感 実に隔世の感がある
【殊不知】shūbùzhī 動❶思いもよらない(自分の考えを正す) ‖ 我以为他还没来, ~他昨天就到了 彼はまだ来ていないだろうと思っていたが, なんと, きのうにはもう到着していた ❷知らない. 分かってない(他人の考えを正す) ‖ 有人认为不吃主食能减肥, ~这样长期下去会伤害身体 食事をとらなければ痩せると思っている人がいるが, 長いことこんなふうにしていると体を悪くすることを分かっていない
【殊荣】shūróng 名 特別の栄誉. このうえない光栄
【殊死】shūsǐ 形 命がけの ‖ ~战 命がけの戦い. 死力戦 名 古 斬首(ざんしゅ)の刑
【殊途同归】shū tú tóng guī 成 方法は異なっていても結果は同じであること

11 **淑** shū 善良である. 美しい ‖ →~女 | 贤~ やさしく賢い女性
【淑静】shūjìng 形 しとやかである
【淑女】shūnǚ 名 淑女

11 **菽** shū マメ類の総称 ‖ 不辨~麦 マメとムギの区別もできない. 実際の知識に乏しいたとえ

11 * **梳** shū ❶名(~儿)くし ‖ 木~ 木ぐし ❷動 くしでとかす ‖ ~一~头发 髪をとかす
【梳篦】shūbì 名 くしの総称
【梳辫子】shū biànzi 組❶おさげを結う ❷喩 紛糾している事項や問題などを整理する
【梳理】shūlǐ 動(髪などを)とかす. すく ‖ ~头发 髪をすく | ~思路 考えの筋道を整理する
【梳头】shū∥tóu 動 髪をすく. 髪を結う
【梳洗】shūxǐ 動 身じまいする. 身づくろいをする
【梳妆】shūzhuāng 動 化粧する
【梳妆台】shūzhuāngtái 名 化粧台. 鏡台
*【梳子】shūzi 名 くし ‖ 一把~ 1本のくし

12 **疏**[1](△疎❶) shū ❶(ふさがっているものを除去して)通りをよくする. 流れをよくする ‖ →~通 ❷疏(そ). 書物の注をさらに注釈したもの ‖ 注~ 注疏

12 **疏**[2](△疎❶~❻) shū ❶分散する. まばらにする ‖ →~散 ❷まばらである ↔〔密〕‖ →~密 ❸疎遠である. 親密でない ‖ →~远 ❹よく知らない. 不慣れである ‖ 人生地~ 知り合いもなくまた土地不案内でもある ❺浅薄である. からっぽである ‖ 才~学浅 才能が乏しく学が浅い ❻うかつである ‖ →~忽 ❼古(天子に対する)箇条書きの上奏文
【疏导】shūdǎo 動❶滞っている水路などをさらって水の流れをよくする ‖ ~河流 川をさらって流れをよくする ❷整理して流れをよくする ‖ ~交通 車の流れをよくする
*【疏忽】shūhu 動 なおざりにする. おろそかにする ‖ ~职守 職責をおろそかにする
【疏剪】shūjiǎn 動 剪定(せんてい)する
【疏解】shūjiě 動❶仲裁する. 取り持つ ❷ふさがっているものを通す ‖ ~阻塞的交通 交通渋滞を解消する
【疏浚】shūjùn 動 浚渫(しゅんせつ)する
【疏阔】shūkuò 書 形❶まばらである ❷疎遠である 動 久しく会わない
【疏懒】shūlǎn 形(生活などが)だらけている
【疏朗】shūlǎng 形❶まばらでくっきりしている ❷朗らかである
【疏离】shūlí 動 疎遠になる. 離れる ‖ 越来越~读书 読書離れが進んでいる
【疏漏】shūlòu 名 そそう. 手ぬかり. ミス

S

【疏略】shūlüè 書 動 おろそかにする. なおざりにする 形 おおざっぱである. ぞんざいである
【疏落】shūluò 形 まばらである. 点在している
【疏密】shūmì 名 疎密. 密度
【疏散】shūsàn 動 ばらばらにする. 分散させる ‖ ～人口 人口を分散させる 形 ばらばらである. まばらである
【疏失】shūshī 動 誤る. 間違える. ミスをする
【疏松】shūsōng 形 (土壌などが)ふっくらして軟らかい ‖ 土质～ 土がふっくらとして軟らかい 動 土を起こす
【疏通】shūtōng 動 ❶通りをよくする ❷取り持つ. 仲裁する ‖ ～关系 関係を取り持つ
【疏于】shūyú 動 …を怠る. …をおろそかにする ‖ ～管理 管理を怠る | ～检查 検査をおろそかにする
【疏远】shūyuǎn 形 疎遠である ↔〔亲密〕‖ 两人感情越来越～ 彼らはますます疎遠になっていった 動 遠ざかる. 疎遠になる ‖ ～小人 小人には近づかない

12 舒 shū ❶伸びる. 伸ばす. 緩める. 広げる ‖ ～眉展眼 愁眉(しゅうび)を開く ❷書 ゆったりとしている ‖ →～缓 ❸気楽である. 愉快である ‖ →～服
*【舒畅】shūchàng 形 のびのびと心地よい. 気持よくて愉快である ‖ 把话说了出来, 心里就～多了 言いたいことを言ってやったら, だいぶすっきりした
★【舒服】shūfu 形 **気持ちがよい. 心地よい. 快適である. 楽しい** ‖ 身体有点ル不～ 体の具合がちょっと悪い | 心里不～ 気分が悪い | 这沙发坐上去真～ このソファーはとても座り心地がよい
【舒缓】shūhuǎn 形 ゆったりしている. のびやかである
【舒卷】shūjuǎn 動 書 (多く雲や煙などが)広がったり巻いたりする ‖ 白云～ 白雲が広がったり巻いたりする
【舒散】shūsàn 動 ❶(体を)ほぐす ‖ ～～筋骨 体をほぐそう ❷気分をリフレッシュする
*【舒适】shūshì 形 **気持ちがよい. 快適である** ‖ ～的工作环境 快適な労働環境 | 这个房间住着很～ この部屋は住んでいてとても快適だ
【舒坦】shūtan 形 気持ちがよい. 快適である
【舒心】shūxīn 形 方 気持ちがよい. 快適である. 心がのびのびしている
*【舒展】shūzhan; shūzhǎn 動 広げる. 伸ばす ‖ 把旗子～开 旗を広げる 形 気持ちがのびのびしている ‖ 经大家一番安慰, 她心里稍微～了一些 みんなから慰められて, 彼女も少し気が軽くなった

13 摅(攄) shū 書 述べる. 発表する

13 ★输 shū ❶運送する. 運ぶ ‖ 运～ 輸送する ❷書 献納する. 寄付する ‖ ～财助学 教育のため献金する ❸動 **(勝負や賭け事に)負ける** ↔〔赢〕‖ 这盘棋我～了 この将棋は私の負けだ
*【输出】shūchū 動 ❶(内から外へ)送り出す ‖ 心脏～血液 心臓は血液を送り出す ❷輸出する ‖ ～劳动力 労働力を輸出する ❸〈計〉〈電〉出力する
【输电】shū//diàn 動 送電する ‖ ～线 送電線
【输家】shūjia; shūjiā 名 (賭け事などで)負けた人 ↔〔赢家〕
【输精管】shūjīngguǎn 名〈生理〉輸精管
【输理】shū//lǐ 動 理に欠ける. 理屈が立たない
【输卵管】shūluǎnguǎn 名〈生理〉輸卵管
【输尿管】shūniàoguǎn 名〈生理〉輸尿管
*【输入】shūrù 動 ❶(外から内に)送り込む ❷輸入する ❸〈計〉〈電〉入力する
*【输送】shūsòng 動 ❶輸送する. 運ぶ ‖ ～货物 貨物を輸送する ❷送り出す ‖ ～人材 人材を送り出す
【输血】shū//xuè 動 輸血する
【输氧】shū//yǎng 動〈医〉酸素吸入をする
【输液】shū//yè 動〈医〉(点滴などで)注入する
【输赢】shūyíng 名 勝敗. 勝ち負け
【输油管】shūyóuguǎn 名〈石油〉送油管

15 蔬 shū 野菜. 蔬菜(そさい)
*【蔬菜】shūcài 名 **野菜. 蔬菜**

shú

10 秫 shú 名〈植〉コーリャン. 多くは〔黏 nián 高粱〕(モチモロコシ)をさす

11 孰 shú 書 ❶代 誰. なに ‖ ～能知之 誰がそれを知り得ようか ❷代 どれ. どの ‖ ～取～舍 どれを取り, どれを捨てるか

12 赎(贖) shú ❶動 請け出す ‖ 把当 dàng 了的衣服～回来 質に入れた服を請け出す ❷あがなう ‖ →～罪
【赎当】shúdàng 動 質草を請け出す
【赎金】shújīn 名 請け戻し金. 身請け金
【赎买】shúmǎi 動〈経〉買い戻す. 買い取る. (国家が資本家から生産手段を買い戻すこと)
【赎身】shú//shēn 動 身請けする
【赎罪】shú//zuì 動 贖罪(しょくざい)する

14 塾 shú 塾 ‖ 私～ 私塾 | 义～ 義塾. 義捐金(ぎえんきん)によって設立された塾
【塾师】shúshī 名 旧 私塾の教師

15 ★熟 shú ❶形 **(食物が)煮えている. 火が通っている** ↔〔生〕‖ 肉还没有烤～ 肉がまだよく焼けていない ❷形 **(果実などが)熟している. 熟れている** ↔〔生〕‖ 葡萄～了 ブドウが熟した ❸形 加工した. 精製した ↔〔生〕‖ ～皮子 なめした革 ❹形 **熟知している. 詳しい** ↔〔生〕‖ 我跟他很～ 僕は彼と親しい ❺形 **熟練している. 慣れて巧みである** ↔〔生〕‖ 课文念得不～ 教科書の読み方がたどたどしい ❻形 **(程度が)深い. 十分である** ‖ 孩子睡得很～ 子供がぐっすり眠っている ➤ shóu
【熟谙】shú'ān 動 書 熟知する ‖ ～水性 泳ぎがうまい
【熟菜】shúcài 名 調理済みの総菜(多く店で売られている副食品をさす)
【熟道】shúdào (～ル) 名 よく知っている道
【熟记】shújì 動 しっかりと記憶する. きちんと覚える
【熟客】shúkè 名 なじみの客. 常連 ↔〔生客〕
*【熟练】shúliàn 形 (仕事などが)**経験があり慣れている. 熟練している** ‖ 技术～ 技術が熟練している | 她打字打得很～ 彼女はタイプがとても上手だ
【熟路】shúlù 名 よく通って知っている道
【熟虑】shúlǜ 動 熟慮する. よく考える
【熟能生巧】shú néng shēng qiǎo 成 熟練すればおのずとこつがつかめる. 習うより慣れよ
【熟人】shúrén (～ル) 名 知人. 知り合い. 顔なじみ ↔〔生人〕‖ 老～ 昔なじみ
【熟稔】shúrěn 動 書 熟知する
【熟石膏】shúshígāo 名 焼き石膏(せっこう)
【熟石灰】shúshíhuī 名〈化〉水酸化カルシウム. 消石灰. 〔消石灰〕ともいう
【熟食】shúshí 名 調理済みの食品
【熟识】shúshi 動 熟知する. よく知る ‖ 他～这里的

地理 彼はこの地方の事情に明るい
【熟视无睹】shú shì wú dǔ 成 よく見ていながら，関心がないので目に入らない．無関心なさま
【熟手】shúshǒu（～儿）图 熟練者．ベテラン ↔〔生手〕
【熟睡】shúshuì 動 ぐっすり眠る．熟睡する
【熟思】shúsī 動 よく考える．熟慮する
【熟铁】shútiě 图 錬鉄．鍛鉄．〔锻铁〕ともいう
【熟土】shútǔ 图〈農〉(耕作に適した)成熟土
【熟悉】shúxi 動 **よく知る．熟知する ‖ 我～他的性格 私は彼の性格をよく知っている｜他对国际关系史很～ 彼は国際関係史について非常に詳しい
【熟习】shúxí 動 習熟する．熟練する．精通する
【熟橡胶】shúxiàngjiāo 图 硫化ゴム
【熟语】shúyǔ 图〈語〉熟語．慣用句や成句など
【熟知】shúzhī 動 熟知する．はっきりと知る
【熟字】shúzì 图 習得した文字 ↔〔生字〕

shǔ

12 * 属（屬）shǔ ❶書 つながる．連ねる ❷動 従属する．隷属する ‖ 这事～外交部管 この件は外務省の管轄である ❸動 帰属する ‖ 恐龙～爬行páxíng动物 恐竜は爬虫類に属する ❹動 …である ‖ 这样做实～多余 このように行うのは実際むだである ❺動（十二支で生まれた年を表す）…年である ‖ 我是～鸡的 私はとり年生まれです ❻属．類別 ‖ 金～ 金属 ❼親族．身内 ‖ 家～ 家族 ❽图（生物の分類上の一段階）属 ➤ zhǔ
【属地】shǔdì 图 属領．植民地
【属国】shǔguó 图 従属国．従国
【属实】shǔshí 動 書 事実に属する．実際と一致する
【属相】shǔxiang 图 口 干支(えと)
【属性】shǔxìng 图 ❶属性 ❷〈計〉プロパティ
【属于】shǔyú 動 **…に属する．…のものである ‖ 这块地是～学校的 この土地は学校が所有している
【属员】shǔyuán 图 部下
12 暑 shǔ ❶暑い ↔〔寒〕‖ 一～气 ❷暑い季節．夏 ↔〔寒〕‖ 一～假 ❸图〈中医〉六淫(りくいん)の一つ，暑(しょ)
【暑伏】shǔfú 图 夏の一番暑い時期．三伏(さんぷく)
【暑假】shǔjià 图 **(学校の)夏休み ‖ 过～ 夏休みを過ごす｜放～ 夏休みになる｜～作业 夏休みの宿題
【暑期】shǔqī 图 夏休みの期間
【暑气】shǔqì 图 書 暑気．暑さ
【暑热】shǔrè 图 夏の厳しい暑さ．酷暑
【暑天】shǔtiān 图 暑い日．炎日
12 黍 shǔ ↴
【黍子】shǔzi 图〈植〉キビ．モチキビ
13 ★ 数（數）shǔ ❶動 **数える** ‖ ～钱 お金を数える ❷動 **(比較して) …に数えられる** ‖ 全家～他最高 家中で彼がいちばん背が高い ❸挙げる．列挙する ‖ 一～落 ➤ shù shuò
【数不过来】shǔbuguòlái 動 数えきれない．数えられない ‖ 多得～ 多くて数えきれない
【数不尽】shǔbujìn 動 数え尽くせない
【数不清】shǔbuqīng 動 はっきりと数えられない ‖ ～的牛羊 数えきれないほどのウシやヒツジ
【数不上】shǔbushàng ＝〔数不着shǔbuzháo〕
【数不胜数】shǔ bù shèng shǔ 成 数えきれない．数が非常に多い．枚挙にいとまがない
*【数不着】shǔbuzháo 動（比較して）レベルに達しない．…のうちに入らない．〔数不上〕ともいう ‖ 下棋可～他 将棋にかけては，彼なんかものの数ではない
【数叨】shǔdao 動 方 あげつらう．並べ立てて責める
【数得上】shǔdeshàng ＝〔数得着shǔdezháo〕
【数得着】shǔdezháo 動（比較して）際立つ．ずば抜ける．〔数得上〕ともいう ‖ 这个厂的规模在全国都是～的 この工場の規模は全国でも一，二を争う
【数典忘祖】shǔ diǎn wàng zǔ 成 物事の根源を忘れる．自国の歴史に無知なたとえ
【数伏】shǔ//fú 動 最も暑い時期に入る． ➡〔三伏sānfú〕
【数九】shǔ//jiǔ 動 冬至から9日間ごとに，〔一九〕から〔九九〕まで9回数えること． ➡〔九jiǔ❸〕
【数来宝】shǔláibǎo 图 民間芸能の一つで，竹板または鈴を付けた牛骨片を打ち鳴らして，調子を取りながら早口で即興の文句を唱える
【数落】shǔluo 動 口 ❶責める．とがめる．非難する ❷一つ一つ並べ立てる．次々と数え上げて言う
【数米而炊】shǔ mǐ ér chuī 成 米粒を一つ一つ数えてから御飯を炊く．骨折り損．また，生活が苦しいことやけちであるたとえ
【数秒】shǔmiǎo 動 秒読みをする ‖ 进入～阶段 秒読み段階に入る
【数说】shǔshuō 動 ❶列挙して述べる ❷人の欠点を一つ一つ非難する．責める
【数一数二】shǔ yī shǔ èr 成 一，二に数えられる．指折りである
13 署[1] shǔ ❶配置する ‖ 部～ 配置する ❷公務を執り行う場所．役所 ‖ 官～ 官署 ❸（臨時に職務を）代行する．代理を務める ‖ ～理 同前
13 署[2] shǔ 動 署名する ‖ 请在这儿～上您的名字 ここにあなたの名前をサインしてください
【署名】shǔ//míng 動 署名する．サインする
13 蜀 shǔ ❶图 蜀(しょく)．周代の国名，現在の四川省成都市付近にあった ❷图 王朝名，三国の一つ，蜀漢(221～263年) ❸图 四川省の別称
【蜀犬吠日】Shǔ quǎn fèi rì 成 蜀犬(しょっけん)日に吠(ほ)ゆ．見聞の狭い人がやたらに珍しがるたとえ
【蜀黍】shǔshǔ 图〈植〉コーリャン ＝〔高粱〕
13 鼠 shǔ 图〈動〉ネズミ．ふつうは〔老鼠〕といい，地方によっては〔耗子〕ともいう

逆引き単語帳 〔老鼠〕lǎoshu ネズミ 〔小家鼠〕xiǎojiāshǔ ハツカネズミ 〔田鼠〕tiánshǔ ノネズミ 〔沟鼠〕gōushǔ ドブネズミ 〔豚鼠〕túnshǔ モルモット 〔松鼠〕sōngshǔ リス 〔袋鼠〕dàishǔ カンガルー 〔鼹鼠〕yǎnshǔ モグラ 〔鼯鼠〕wúshǔ ムササビ 〔米老鼠〕Mǐlǎoshǔ ミッキー・マウス

【鼠辈】shǔbèi 图 罵 つまらないやから
【鼠标】shǔbiāo 图〈計〉マウス．〔鼠标器〕ともいう ‖ ～指针 マウスのポインター｜～垫 マウス・パッド
【鼠标手】shǔbiāoshǒu 图〈医〉マウス症候群
【鼠窜】shǔcuàn 動 喩（ネズミのように）慌てて逃げる
【鼠肚鸡肠】shǔ dù jī cháng 成 度量が狭く，細かいことに拘泥すること ＝〔小肚鸡肠〕
【鼠目寸光】shǔ mù cùn guāng 成 見識がきわめ

て狭いたとえ
【鼠窃狗盗】shǔ qiè gǒu dào 成 こそ泥をはたらく．〔鼠窃狗偷〕ともいう
【鼠疫】shǔyì 名〈医〉ペスト．〔黑死病〕ともいう
16 薯(△藷) shǔ イモ類の総称‖甘～ サツマイモ｜马铃～ ジャガイモ
17 曙 shǔ 書 夜明け
【曙光】shǔguāng 名 ❶曙光(しょこう) ❷喩 明るい兆し
【曙色】shǔsè 名 書 明け方の空の色．あけぼのの色

shù

5 术(術) shù ❶手段．方法‖战～ 戦術 ❷技芸．学術‖美～ 美術
【术士】shùshì 名 ❶儒者 ❷方士
【术语】shùyǔ 名 専門用語．テクニカル・ターム
6 戍 shù 書 (軍隊が)駐屯する‖卫～ 駐屯して警備する
【戍边】shùbiān 動 書 国境の警備をする
【戍守】shùshǒu 動 書 守備する．守る
7 *束 shù ❶動 縛る．くくる‖头发上～着一条红绸chóu带 髪に赤いリボンを結んでいる ❷束になったもの‖花～ 花束 ❸量 束になっているものを数える．束‖一～鲜花 一束の生花｜一～彩笔 一束の絵筆 ❹制御する．制約する‖约～ 拘束する
*【束缚】shùfù 動 束縛する．拘束する‖～手脚 自由な行動を束縛する
【束身】shùshēn 動 ❶自粛する．自重する‖～自修 自重して修養につとめる ❷自縛する．
【束手】shùshǒu 動 腕組みをする．喩 なすすべがない
【束手待毙】shù shǒu dài bì 成 手をつかねて死を待つ．何の対策も講じず，失敗するのをじっと待つたとえ
【束手就擒】shù shǒu jiù qín 成 なすすべなく捕らわれる．抵抗しない，あるいは力がなくて抵抗できないたとえ
【束手束脚】shù shǒu shù jiǎo 成 手足を縛られる．あれこれ考えて行動できないさま
【束手无策】shù shǒu wú cè 成 なすすべを知らない．手の施しようがない
【束之高阁】shù zhī gāo gé 成 物を縛って高い棚に放り上げておく．放置して顧みないたとえ
【束装】shùzhuāng 動 書 旅行の支度をする．旅の準備をする‖～待发 旅装を整えて出発を待つ
8 沭 shù 地名用字‖～河 山東省から江蘇省にかけて流れる川の名
8 述 shù 述べる．陳述する‖口～ 口述する｜复～ 復唱する｜论～ 論述する
【述而不作】shù ér bù zuò 成 先人の説を述べるだけで独創性に欠けること
【述怀】shùhuái 動 書 心中の思いを述べ表す．述懐する．(多く詩文の題名に用いる)
【述评】shùpíng 動 解説評論する 名 解説と評論‖时事～ 時評
【述说】shùshuō 動 述べる．説明する
【述职】shù∥zhí 動 書 業務の報告をする
9 ★树(樹) shù ❶書 植える．栽培する．育てる‖→～人 ❷動 書 打ち立てる．樹立する‖～威信 威信を確立する ❸名 樹木．木‖五棵～ 5本の木 ❹量 書 樹木を数える‖一～红梅 1本の紅梅
【树碑立传】shù bēi lì zhuàn 成 貶 石碑を建てたり伝記を書いたりして人をほめたたえる．威信や声望を高めようとあれこれ算段するたとえ
【树丛】shùcóng 名 密生した樹木
【树大根深】shù dà gēn shēn 成 勢力が強大で，基盤がしっかりしているたとえ
【树大招风】shù dà zhāo fēng 成 木が大きければ風を多く受ける．有名になると攻撃を受けやすい
【树倒猢狲散】shù dǎo húsūn sàn 成 貶 すみかとしていた木が倒れると，猿は散り散りに逃げる．頼みにしていた人物が勢力を失うと，周りにいた人はみな離れていくたとえ
【树敌】shùdí 動 敵をつくる
【树墩】shùdūn 名 木の切り株．〔树墩子〕ともいう
【树干】shùgàn 名 木の幹．樹幹
【树根】shùgēn 名 木の根
【树挂】shùguà 名〈気〉霧氷．樹氷．〔雾凇〕の通称
【树冠】shùguān 名 樹冠
【树胶】shùjiāo 名 樹脂
【树懒】shùlǎn 名〈動〉ナマケモノ
*【树立】shùlì 動 築く．打ち立てる‖他给大家～了一个好榜样bǎngyàng 彼はみんなによい手本を示した
*【树林】shùlín 名 林．〔树林子〕ともいう
【树龄】shùlíng 名 樹齢．年輪
【树苗】shùmiáo 名 苗木．樹木の苗
*【树木】shùmù 名 木の総称．樹木
【树皮】shùpí 名 樹皮．樹木の皮
【树人】shùrén 動 書 人材を育成する
【树梢】shùshāo (～儿) 名 梢
【树身】shùshēn 名 木の幹
【树阴】shùyīn (～儿) 名 木陰．木の陰
【树阴凉儿】shùyīnliángr 名 口 木陰
【树枝】shùzhī 名 木の枝．樹枝
【树脂】shùzhī 名 樹脂‖合成～ 合成樹脂
【树种】shùzhǒng 名 ❶木の種類‖阔kuò叶～ 広葉樹類 ❷木の種子
【树桩】shùzhuāng 名 木の切り株．〔树桩子〕ともいう
9 *竖(竪 △豎) shù ❶動 縦にする．まっすぐに立てる‖～天线 アンテナを立てる｜～大拇指 親指を立てる(ほめたたえる意の動作) ❷形 縦の ↔〔横〕‖→～琴 ❸形 上下の．前後方向の ↔〔横〕‖～着写 縦書きにする ❹名 (～儿) (漢字の筆画の一つ)縦棒
【竖立】shùlì 動 直立する．立てる
【竖琴】shùqín 名〈音〉竪琴(たてごと)．ハープ
【竖蜻蜓】shù qīngtíng 慣 逆立ちする
10 恕 shù ❶(相手を)思いやる ❷許す‖饶ráo～ 大目に見る ❸動 挨拶 許しを請う‖～我直言 遠慮なく言わせていただくことをお許しください｜～不远送 遠くまでお見送りできずに申し訳ございません
【恕罪】shù∥zuì 動 ❶(罪や過ちを)許す ❷挨拶 わびる．謝る‖我来晚了，～～ 遅れて失礼しました
11 庶(△庻) shù ❶多い．たくさんある‖→～务 ❷書 平民．人民‖→～民 ❸旧 妾腹(しょうふく) ↔〔嫡〕‖→～出 ❹副 書 どうにか…できる‖～免误会 どうにか誤解を招かずにすむ
【庶出】shùchū 動 旧 妾の子として生まれる．庶出 ↔〔嫡dí出〕
【庶几】shùjī 副 書 どうにか．初めて．〔庶几乎〕〔庶乎〕ともいう‖时时自省zìxǐng，～少犯错误 常に自

省していて初めて過ちを避けることができる
【庶民】shùmín 名書庶民
【庶母】shùmǔ 名旧父親の妾(ぴ)に対する呼称
【庶人】shùrén 名書庶民
【庶务】shùwù 名旧❶庶務 ❷庶務係
【庶子】shùzǐ 名庶子. 妾の子 ↔〔嫡子〕

13 ⁂数(數) shù ❶名(～ル)数‖不计其～ 数が非常に多い ❷数 いくつかの. 若干の‖～次 数回 ❸数口 数詞・量詞の後に置き, 概数を表す‖个～来月 数ヵ月 ❹運命. 天命‖寿～ 寿命 ❺名〈数〉数‖分～ 分数 ❻名〈語〉数. 文法上の単数や複数などをいう ➤ shǔ shuò

【数表】shùbiǎo 名〈数〉数表
【数词】shùcí 名〈語〉数詞.
*【数额】shù'é 名一定の数. 定数
*【数据】shùjù 名データ‖收集～ データを集める｜～处理 データ処理｜～管理系统 データ管理システム
【数据库】shùjùkù 名〈計〉データベース
【数据通信】shùjù tōngxìn 名データ通信
【数控】shùkòng 形略デジタル制御の
【数理逻辑】shùlǐ luóji ; shùlǐ luójí 名数理論理学.〔符号逻辑〕ともいう
⁂【数量】shùliàng 名数. 数量‖不能因追求～而忽视了质量 数を上げるために質を落としてはいけない
【数量词】shùliàngcí 名〈語〉数量詞
【数量级】shùliàngjí 名程度. レベル. スケール
【数列】shùliè 名〈数〉数列
【数论】shùlùn 名〈数〉整数論. 数論
【数码】shùmǎ (～ル) 名❶数字 ❷数. 額
【数码港】shùmǎgǎng 名方情報のプラットホーム. 情報ポータルサイト
【数码摄像机】shùmǎ shèxiàngjī 名デジタル・ビデオ・カメラ. DVカメラ
【数码相机】shùmǎ xiàngjī 名デジタル・カメラ
*【数目】shùmù 名数. 額‖存货盘点好后, 把～记下来 在庫を点検した後, 数を記しておく
【数目字】shùmùzì 名数字
★【数学】shùxué 名数学‖～分析 解析学
【数值】shùzhí 名〈数〉数値
【数珠】shùzhū (～ル) 名〈仏〉数珠(じゅ).〔念珠〕ともいう
⁂【数字】shùzì 名❶数. 数字‖阿拉伯～ アラビア数字 ❷数量 ＊〔数目字〕ともいう
【数字电话】shùzì diànhuà 名デジタル電話
【数字电视】shùzì diànshì 名デジタルテレビ
【数字鸿沟】shùzì hónggōu 名デジタル・デバイド. 情報格差
【数字化】shùzìhuà 動〈計〉デジタル化する
【数字控制】shùzì kòngzhì 名デジタル制御. 略して〔数控〕ともいう
【数字视频光盘】shùzì shìpín guāngpán 名(VCDやDVDなどの)デジタル映像ディスク. 略して〔视盘〕ともいう
【数字通信】shùzì tōngxìn 名デジタル通信
【数字信号】shùzì xìnhào 名デジタル信号
【数字音频光盘】shùzì yīnpín guāngpán 名コンパクトディスク. CD
【数罪并罚】shù zuì bìng fá 成同一の犯人による複数の犯罪について法廷がそれぞれの刑を個別に量刑し, すべてを合算して執行すること

13 腧 shù 〈中医〉❶灸のつぼ. 灸穴(きゅうけつ) ❷背中のつぼ. 四肢の五つの灸穴

14 漱(△潄) shù 動(口を)すすぐ. うがいする
【漱口】shù//kǒu 動口をすすぐ. うがいをする

14 墅 shù 別荘‖别～ 別荘

15 澍 shù 書慈雨. 恵みの雨

S

コラム 数字を使った表現

一号 yīhào「トイレ」の意味になることがある. 女性がよく使う. そのほか最近では“男一号”(主演男優), “女一号”(主演女優)という使い方もある.

二手货 èrshǒuhuò 中古品. “二手房”なら「中古住宅」である. “二”を使った表現には“二百五”という「まぬけ」を意味するおもしろい言い方もある. 「250」という数字を使わなくてはならないときは“二百五”と言わず“两百五”といった方が無難だ.

三明治 sānmíngzhì「サンドイッチ」の音訳語. 中国の外来語は一般に意訳, あるいは音訳と意訳を兼ね備えたものが多く, こうした完全な音訳語は少ない.

四脚蛇 sìjiǎoshé 四本足の蛇と書いて「トカゲ」.

五金 wǔjīn 金属.「金銀銅鉄錫」の5種類の金属のことだが, 広く金属一般を意味する.

六神无主 liù shén wú zhǔ 肝をつぶす. 四字成語. “六神”は道教で「心臓, 肺, 肝臓, 腎臓, 脾臓, 胆嚢」の六つの臓器をつかさどる神様のこと. その神様がいなくなってしまう, つまりびっくり仰天した様子のこと.

七窍生烟 qī qiào sheng yān 怒り狂う. こちらもユーモラスな四字成語. “七窍”は「七つの穴」という意味だが, これは人間の顔の「目鼻耳口」の計七つの穴をさす. ここから煙が噴き出すほど激怒している, ということ.

王八蛋 wángbādàn ばか野郎. 人を罵るときの言葉. 日本語の「ワンパターン」と音が似ているので, これを聞いて“王八蛋”と誤解する中国人もいる. “王八”は「スッポン」のことだが,「妻を寝取られた男」という意味もある. この罵り語の由来はここから来ている. “蛋”は「卵」という意味で, “浑蛋”(ばか, たわけ), “坏蛋”(悪党, ろくでなし)など, 人を罵るときにも使われる.

九九表 jiǔjiǔbiǎo 九九(くく). 二三が六(2×3＝6)は“二三得六”という. 日本語の「が」のように“得”を入れて語調を整える. 三四十二(3×4＝12)のように二けたになると, “三四一十二”という具合に“得”が抜ける.

百叶窗 bǎiyèchuāng ブラインド. “百叶”は「百葉」だから, 直訳すると百枚の葉でできている窓.

千金 qiānjīn 令嬢. “千金”は貴重であることを意味する.「春宵一刻値千金」という詩句もある.

shuā

8 ** **刷**[1] shuā ❶(〜儿)ブラシ．はけ‖牙〜 歯ブラシ ❷動(ブラシやはけで)塗る‖〜油漆 ペンキを塗る ❸(ブラシやはけで)洗う．磨く‖〜锅guō 鍋を洗う ❹動回 ふるい落とす．除く‖他初试就被〜下来了 彼は一次試験で落とされてしまった

8 **刷**[2] shuā 擬(物がさっとかすめたり，こすれ合う音)ザワザワ．サワサワ．サラサラ‖风吹竹叶〜〜响 竹の葉が風にカサカサと鳴る ➤shuà

【刷卡】shuā∥kǎ 動カードを通す．カードを使う．カードで支払う‖〜消费 カード消費
【刷拉】shuālā 擬さっと
【刷洗】shuāxǐ 動(ブラシやたわしなどで)洗う
【刷新】shuāxīn 動(記録や内容を)一新する．更新する‖〜了全国记录 全国記録を更新した
【刷牙】shuā∥yá 動歯を磨く
*【刷子】shuāzi 名ブラシ．はけ

shuǎ

9 * **耍** shuǎ ❶動方 遊ぶ．戯れる‖孩子到邻居家〜去了 子供はお隣に遊びに行った ❷動 弄(もてあそ)ぶ．からかう‖被人〜了 人にからかわれた ❸動 演じる．思うままに操る‖→〜猴儿 ❹動貶 発揮する．あらわにする．ひけらかす‖→〜笔杆

【耍把戏】shuǎ bǎxì 組 ❶曲芸や手品をする ❷転 インチキをはたらく．脆計(さんし)を弄(ろう)する
【耍笔杆】shuǎ bǐgǎn (〜儿) 組貶 文筆を弄ぶ
【耍横】shuǎ∥hèng 動 横暴な態度をとる
【耍猴儿】shuǎhóur 動 ❶猿回しをする ❷(人を)こけにする．ばかにする．からかう
【耍花腔】shuǎ huāqiāng 組 言葉巧みにペテンにかける．甘い言葉で人をだます
【耍花招】shuǎ huāzhāo (〜儿) 組 ❶小細工を弄する．こざかしくふるまう ❷インチキをする
【耍滑】shuǎhuá 動(責任逃れや利益を得るために)ずる
く立ち回る．うまくふるまう．〔耍滑头〕ともいう
【耍奸】shuǎjiān 動 悪賢いことをする．ずるいことをする
【耍赖】shuǎ∥lài 動 ❶ごねる．すごむ．だだをこねる ❷しらを切る．しらばくれる ＊〔耍无赖〕ともいう
【耍流氓】shuǎ liúmáng 組(女性をからかうなど)ごろつき行為をする
【耍闹】shuǎnào 動 ふざける．ふざけて騒ぐ
【耍弄】shuǎnòng 動 弄ぶ．翻弄(ほんろう)する．愚弄する
【耍排场】shuǎ páichang 組 派手にふるまう
【耍脾气】shuǎ píqi 組 かんしゃくを起こす
【耍贫嘴】shuǎ pínzuǐ 組 ぺらぺらしゃべる．減らず口をたたく
【耍钱】shuǎ∥qián 動方 かけごとをやる．ばくちをする
【耍人】shuǎ∥rén 動 からかう．なぶる
【耍手艺】shuǎ shǒuyì 組 手仕事で生計を立てる．職人仕事をする
【耍态度】shuǎ tàidu 組 怒る．当たりちらす
【耍威风】shuǎ wēifēng 組貶 威張る．偉そうにする
【耍无赖】shuǎ wúlài ＝〔耍赖shuǎlài〕
【耍笑】shuǎxiào 動 ❶気の向くままにおしゃべりする ❷(人を)笑いものにする．からかう
【耍心眼儿】shuǎ xīnyǎnr 組 こざかしくふるまう．抜け目なく立ち回る
【耍嘴皮子】shuǎ zuǐpízi 組貶 ❶弁が立つ．弁舌をふるう ❷口先でうまいことを言う．言うだけで実行しない

shuà

8 **刷** shuà ↴ ➤shuā
【刷白】shuàbái 形方 青白い．蒼白(そうはく)である

shuāi

10 **衰** shuāi 衰える．弱まる‖风势渐〜 風の勢いがしだいに弱くなる

【衰败】shuāibài 動 衰微する．衰える．振るわなくなる
【衰变】shuāibiàn 動〈物〉(放射性元素が)崩壊する．壊変する．〔蜕tuì变〕ともいう
【衰减】shuāijiǎn 動 衰える．衰弱する
【衰竭】shuāijié 動〈医〉(生理機能が)極度に衰弱する‖全身〜 全身衰弱
*【衰老】shuāilǎo 形 年老いている．老けている‖他显得〜了许多 彼はずいぶん老けてしまった
【衰落】shuāiluò 動 衰える．振るわなくなる‖由于经营不善，这家大企业日渐〜 経営不振で，この企業は日増しに落ち込んできている
【衰迈】shuāimài 形 年老いている
*【衰弱】shuāiruò 形 ❶(体が)衰弱している‖神经〜 ノイローゼ｜身体〜 体が衰弱している ❷(事物が)衰える．衰微する‖国势〜 国勢が衰える
【衰颓】shuāituí 形 衰えている．衰微している
*【衰退】shuāituì 動 衰える．減退する．衰退する‖记忆力〜 記憶力が衰える｜生产力大大〜 生産力が大幅に落ち込む
【衰亡】shuāiwáng 動 衰亡する
【衰微】shuāiwēi 形書(国家が)衰微する．衰える
【衰萎】shuāiwěi 動 衰え朽ちる
【衰朽】shuāixiǔ 形書 朽ち衰える

14 ** **摔** shuāi ❶動 投げつける．投げ捨てる．たたきつける‖〜东西 物を投げる ❷動 落ちる．落下する‖从马上〜了下来 ウマから落ちた ❸動 落として壊す‖那尊石膏像不小心让我给〜了 あの石膏像(せっこうぞう)は私の不注意で落として壊してしまった ❹動(つまずいたり，滑ったりして)転ぶ‖路太滑，小心别〜着 道が滑るから，転ばないよう気をつけなさい ❺動(くっついたものを)たたき落とす‖把鞋底上的泥〜〜 靴底についた泥をたたいて落とす

【摔打】shuāida 動 ❶振り落とす．たたき落とす‖〜麦穗màisuì 麦穂をたたきつけて脱穀する ❷転 試練を受ける．もまれる‖经不起〜 世間の荒波に耐えられない
*【摔倒】shuāi∥dǎo 動 ❶投げ倒す ❷転ぶ．転倒する‖跑着跑着〜了 走っているうちに転んでしまった
*【摔跟头】shuāi gēntou 組 ❶もんどり打って倒れる．転んで引っくり返る‖摔了一个大跟头 もんどり打って転んだ ❷〈劇〉とんぼを切る．とんぼ返りをする ❸転 失敗する．しくじる‖这么不听劝告是要〜的 そんなふうに忠告を無視すると失敗するぞ
【摔跤】shuāi∥jiāo 動 ❶転ぶ ❷つまずく．挫折(ざせつ)する 名(shuāijiāo)〈体〉レスリング．相撲
【摔耙子】shuāi pázi 組 仕事をほったらかす

S

shuǎi

5 ** **甩** shuǎi ❶動 振る．振り動かす‖～尾巴 wěiba しっぽを振る｜～胳膊 gēbo 腕を振る ❷動（腕を振って）投げる‖～石头子儿 石ころを投げる ❸動 振り捨てる．振り切る‖他被女朋友～了 彼はガールフレンドに振られた

【甩包袱】shuǎi bāofu 組 喩 重荷を振り捨てる

【甩货】shuǎi//huò 動 商品を投げ売りする‖清仓～ 在庫一掃セールをする

【甩客】shuǎi//kè 動（バスなどが）停車すべき停留所を故意に通過し，客を乗せない

【甩脸子】shuǎi liǎnzi 組 方 不機嫌な顔を見せつける‖干吗冲我～ 何をぷりぷりしてるんだ

【甩卖】shuǎimài 動 捨て売りする．投げ売りをする．たたき売りをする‖大～ 大バーゲン

【甩手】shuǎi//shǒu 動 ❶腕を前後に大きく振る ❷ほったらかす．ほっぽりだす‖我不能～不管 知らん顔でほったらかしにしておくわけにはいかない

【甩站】shuǎi//zhàn 動（バスや電車などが）停車すべき停留所を通過する

shuài

5 **帅**[1]（帥）shuài 帥(すい)．軍の最高指揮官‖元～ 元帥｜将～ 将帥

5 * **帅**[2]（帥）shuài 形 口 格好いい．あか抜けている‖你哥哥长得真～！ あなたのお兄さんってすごく格好いいわね

【帅才】shuàicái 名 ❶統率力 ❷統率力のある人

【帅气】shuàiqi 形 格好いい．しゃれている

11 **率**[1] shuài ❶動 率いる‖～医疗队赶赴灾区 医療チームを率いて被災地へ駆けつける ❷書 従う‖一～由旧章 ❸手本‖表～ 手本

11 **率**[2] shuài ❶軽々しい．軽率である‖轻～ 軽率である ❷率直である‖直～ 率直である ❸書 ほぼ．おおよそ‖大～如此 ほぼそのとおりである ➤ lǜ

【率尔】shuài'ěr 副 軽率に．軽々しく

**【率领】shuàilǐng 動 率いる．引率する‖～考察团出国考察 視察団を引率して外国へ視察に行く

【率然】shuàirán 副 軽率に．軽々しく

【率先】shuàixiān 副 率先して．先頭に立って

【率性】shuàixìng 副 いっそのこと．思いきって 形 気ままである．勝手である

【率由旧章】shuài yóu jiù zhāng 成 これまでの決まりに従って行う．すべて以前のしきたりどおりに執り行う

【率真】shuàizhēn 形 誠実で率直である

【率直】shuàizhí 形 率直である

17 **蟀** shuài ➡〔蟋蟀 xīshuài〕

shuān

4 **闩** shuān ❶名（戸や門の）かんぬき‖门～ かんぬき｜上～ かんぬきをかける ❷動 かんぬきをかける‖请把门～好 門にかんぬきをかけてください

9 * **拴** shuān 動（ひもなどで）つなぎ止める．くくりつける‖把小船～在岸边的树上 小舟を岸辺の木に繋留(けいりゅう)する

10 **栓** shuān ❶名 機械や器具の開閉部の部品．栓‖灭火～ 消火栓 ❷（形や働きが）栓に似ているもの‖瓶～ 瓶のふた｜血～ 血栓

【栓剂】shuānjì 名〈薬〉座薬．中医では〔坐药〕という

【栓皮】shuānpí 名 コルク．〔软木〕ともいう

【栓塞】shuānsè 名〈医〉血栓(けっせん)症．塞栓(そくせん)症

shuàn

11 **涮** shuàn ❶動 ゆすぐ．すすぐ‖～毛巾 タオルをゆすぐ ❷動（肉類を湯の沸きたった鍋に入れて）さっと湯がく‖一～羊肉 ❸動 方（人を）だます．ごまかす‖被人～了 だまされた

【涮锅子】shuànguōzi 名 しゃぶしゃぶ

【涮羊肉】shuànyángròu 名 羊肉のしゃぶしゃぶ

shuāng

4 ★ **双**（雙）shuāng ❶形 二つの．2種類の．一対の ↔〔单〕‖一～亲 ❷形 偶数の ↔〔単〕‖一～数 ❸形 2倍の‖一～料 ❹量（左右対称の身体部位や組になっている物を数える）組‖一～皮鞋 1足の革靴

> **類義語** 双 shuāng 对 duì 副 fù
>
> ◆〔双〕左右対称の身体部位，および見た目や働きが身体部位に準ずるものを数える‖一双手 両手｜一双眼睛 両目｜一双手套 手袋一組｜一双鞋 靴1足 ◆〔对〕個々に独立した二つが，ペアを組んで一対になったものを数える．①男女や雌雄一対のもの‖一对夫妇 一組の夫婦｜一对兄妹 一組の兄と妹｜一对情人 一組のカップル｜一对鸳鸯 つがいのオシドリ．②左右対称（または正反対）で対をなしているものや，身体部位を形象的にとらえた場合‖一对电池 電池一組｜一对耳环 一組のイヤリング｜一对矛盾 一つの矛盾｜一对大眼睛 二つの大きな目 ◆〔副〕独立性に欠ける，二つ（またはそれ以上）の部分が組み合わさってできている完全な物を数える‖一副眼镜 メガネ一つ｜一副对联 対句の掛け物一組｜一副手套 手袋一組｜一副耳环 一組のイヤリング｜一副扑克 トランプ1セット

【双胞胎】shuāngbāotāi 名 ふたご．双生児

【双边】shuāngbiān 形 二者間の．二国間の‖～协定 二国間協定｜～贸易 二国間貿易

【双边主义】shuāngbiān zhǔyì 名 バイラテラリズム．二国間主義

【双宾语】shuāngbīnyǔ 名〈語〉二重目的語

【双层】shuāngcéng 形 二重の．二層の‖～床 二段式ベッド｜～窗 二重のガラス窓

【双重】shuāngchóng 形 二重の．（多く抽象的な事物に用いる）‖受～打击 二重の打撃を受ける

【双重国籍】shuāngchóng guójí 名 二重国籍

【双重人格】shuāngchóng réngé 名 二重人格

【双唇音】shuāngchúnyīn 名〈語〉両唇音．中国語では b, p, m の子音がこれに当たる

【双打】shuāngdǎ 名〈体〉（球技の）ダブルス ↔〔单打〕‖女子～ 女子ダブルス

**【双方】shuāngfāng 名 双方．両方‖～互不相让

S

双方ともに譲らない｜交战～ 交戦国双方
【双份】shuāngfèn （～儿）图 二人分．二人前
【双峰驼】shuāngfēngtuó 图〈動〉フタコブラクダ
【双幅】shuāngfú 图（布地の）ダブル幅
【双杠】shuānggàng 图〈体〉平行棒
【双关】shuāngguān 動 同じ語に二つの意味を兼ね持たせる‖～语 かけことば
【双管齐下】shuāng guǎn qí xià 成 2本の絵筆を同時に使って描く．二つの事柄を同時に進めること
【双规】shuāngguī 動 決められた日時に，決められた場所に赴き，申し立てを行う
【双轨】shuāngguǐ 图 複線 ↔〔单轨〕
【双轨制】shuāngguǐzhì 图 2種の異なる方法・規定・政策を同時に実行する制度
【双号】shuānghào 图 偶数番号 ↔〔单号〕
【双簧管】shuānghuángguǎn 图〈音〉オーボエ
【双击】shuāngjī 動〈計〉ダブルクリックする ↔〔单击〕
【双肩挑】shuāng jiān tiāo 慣 業務と管理を兼任する
【双料】shuāngliào （～儿）形 ❶2倍の材料の．特製の ❷喩 倍加した‖～的坏蛋 ど悪党
【双抢】shuāngqiǎng 图 収穫と作付けをすばやくすること．
【双亲】shuāngqīn 图 両親．父母
【双全】shuāngquán 動 二つの方面を共に備える．兼ね備える‖文武～ 文武両道｜才貌～ 才色兼備
【双人床】shuāngrénchuáng 图 ダブルベッド
【双人舞】shuāngrénwǔ 图 二人ペアの踊り
【双生】shuāngshēng 形 ふたごの．双生児の．〔孪生〕の通称‖～姊妹 ふたごの姉妹
【双声】shuāngshēng 图〈語〉2字以上からなる語でその声母が同じもの．たとえば〔高贵〕〔唐突〕など
【双输】shuāngshū 動 双方ともに損失を被る．双方ともに得るものがない．ルーズルーズ
【双数】shuāngshù 图〈数〉正の偶数 ↔〔单数〕
【双双】shuāngshuāng 副 二人揃って．両方揃って
【双喜】shuāngxǐ 图 ❶二重のおめでた‖～临门 めでたいことが重なる
【双喜字】shuāngxǐzì 图〔喜〕の字を二つ横に並べ図案，「囍」
【双响】shuāngxiǎng （～儿）图 爆竹の一種．点火したときと空中に上がったときの二度爆発音がするもの．地方によっては〔二踢脚〕〔两响〕ともいう
【双向】shuāngxiàng 形 双方向の．二方向の‖～开关 ツーウェイスイッチ｜～通信 双方向通信方式
【双薪】shuāngxīn 图 倍の給料
【双星】shuāngxīng 图〈天〉❶二重星．連星 ❷牽牛(けんぎゅう)星と織女星
【双休日】shuāngxiūrì 图 週休二日制
【双学位】shuāngxuéwèi 图 同時に2種の学位を取ること
【双眼皮】shuāngyǎnpí （～儿）图 二重まぶた ↔〔单眼皮〕
【双氧水】shuāngyǎngshuǐ 图〈薬〉オキシドール
【双赢】shuāngyíng 動 双方ともに利益を得る．ウィンウィン
【双鱼座】shuāngyúzuò 图 ❶双魚宮(そうぎょきゅう)．黄道十二宮の第12宮 ❷〈天〉魚座
【双语】shuāngyǔ 图 2ヵ国語．バイリンガル
【双月刊】shuāngyuèkān 图 隔月刊
【双职工】shuāngzhígōng 图 共稼ぎの夫婦
【双子座】shuāngzǐzuò 图 ❶双子宮(そうしきゅう)．黄道十二宮の第3宮 ❷〈天〉双子座

8 **泷**（瀧）shuāng 地名用字‖～水 広東省にある地名 ➤ lóng

17 * **霜** shuāng ❶图 霜‖下～ 霜が降りる ❷白色の‖～鬓bìn 白い鬢(びん)の毛 ❸（～儿）霜状の白い粉や細かい粒子‖柿～ 干し柿の表面の白い粉
【霜冻】shuāngdòng 图〈気〉凍霜害
【霜害】shuānghài 图〈気〉霜害
【霜降】shuāngjiàng 图 霜降(そうこう)（二十四節気の一つ，10月23日または24日に当たる）
【霜期】shuāngqī 图 霜降期

20 **孀** shuāng ❶やもめ．寡婦．未亡人 ❷夫と死別した後，一人で暮らす‖→～居
【孀妇】shuāngfù 图 書 寡婦
【孀居】shuāngjū 動 書 やもめ暮らしをする

shuǎng

11 **爽**[1] shuǎng ❶さわやかである．すがすがしい‖天气凉～ 気候がさわやかである ❷（性格が）さっぱりしている．率直である‖直～ 率直だ ❸気分がよい．心地よい‖身体不～ 体調が悪い

11 **爽**[2] shuǎng 誤差を生じる．違う．たがえる‖毫厘háolí不～ 寸分も違わない
【爽脆】shuǎngcuì 形 ❶（声が）澄んで歯切れがよい ❷（性格が）さっぱりしている ❸（食物の）口当たりがよく，さっぱりしている
【爽口】shuǎngkǒu 形 さっぱりしておいしい
*【爽快】shuǎngkuai 形 ❶気分がよい．爽快(そうかい)である‖洗过澡，浑身～ 風呂に入って，さっぱりした ❷（性格などが）さっぱりしている．気取りがない．単刀直入である‖他～地答应下来 彼は二つ返事で承知した
【爽朗】shuǎnglǎng 形 ❶（気候が）さわやかである．すがすがしい ❷朗らかである．明るい
【爽利】shuǎnglì 形 てきぱきしている
【爽目】shuǎngmù 形（目に）さわやかだ．すがすがしい
【爽气】shuǎngqì 图 書 さわやかな空気 形 方 てきぱきしている．率直である．爽快である
【爽然】shuǎngrán 形 茫然(ぼうぜん)としたさま
【爽然若失】shuǎng rán ruò shī 成 茫然自失
【爽身粉】shuǎngshēnfěn 图 天花粉．シッカロール．ベビーパウダー
【爽声】shuǎngshēng 副 朗らかに．明るく
【爽心】shuǎngxīn 形 爽快である．楽しい
【爽性】shuǎngxìng 副 いっそのこと．あっさりと
【爽约】shuǎngyuē 動 違約する．約束をたがえる
【爽直】shuǎngzhí 形（性格が）さっぱりしている

shuí

10 **谁** shuí ➤ shéi

shuǐ

4 ★ **水** shuǐ ❶图 水‖喝～ 水を飲む ❷河川‖汉～ 漢水 ❸图（陸に対して）川・湖・海など水域‖依山傍bàng～ 山にも水辺にも近い ❹

洪水．水害 ‖ 发大～ 洪水になる ❺图（～儿）汁．液体 ‖ ～儿多的梨 水気の多いナシ ❻泳ぐ ‖ 会～ 泳げる ❼圖 洗濯の回数を数える ‖ 这衣服洗过几～，一点也不掉色diàoshǎi この服は何度洗濯しても少しも色落ちしない ❽付加料金．手数料．定額外の収入 ‖ 汇～（為替の）手数料

逆引き単語帳 〔温水〕wēnshuǐ ぬるま湯 〔热水〕rèshuǐ お湯 〔开水〕kāishuǐ 熱湯．沸騰した湯 〔白水〕báishuǐ 〔白开水〕báikāishuǐ 白湯(さゆ)．湯ざまし 〔井水〕jǐngshuǐ 井戸水 〔茶水〕cháshuǐ 茶湯(お茶または白湯) 〔汽水〕qìshuǐ 炭酸入り清涼飲料 〔矿泉水〕kuàngquánshuǐ ミネラル・ウォーター 〔自来水〕zìláishuǐ 水道 〔墨水〕mòshuǐ インク．墨汁 〔汗水〕hànshuǐ 汗 〔泪水〕lèishuǐ 涙 〔口水〕kǒushuǐ つば．よだれ 〔胶水〕jiāoshuǐ のり 〔药水〕yàoshuǐ 水薬 〔露水〕lùshui 露 〔红药水〕hóngyàoshuǐ マーキュロクロム．赤チン 〔香水〕xiāngshuǐ 香水 〔山水〕shānshuǐ 風景 〔风水〕fēngshui 風水．地相の吉凶 〔薪水〕xīnshui 給料

【水坝】shuǐbà 图 ダム
【水泵】shuǐbèng 图〈機〉吸水ポンプ．〔抽水机〕ともいう
【水笔】shuǐbǐ 图 ❶水彩画用の筆．楷書(かいしょ)用の毛筆 ❷方 万年筆
【水表】shuǐbiǎo 图（使用量を示す）水道メーター
【水滨】shuǐbīn 图 水辺．水際
【水兵】shuǐbīng 图 水兵
【水波】shuǐbō 图 さざ波．小波
【水玻璃】shuǐbōli；shuǐbōlí 图〈化〉水ガラス
【水彩】shuǐcǎi 图〈美〉水彩絵の具
【水彩画】shuǐcǎihuà 图〈美〉水彩画
【水草】shuǐcǎo 图 ❶水が得られ，草もある所 ❷水草
*【水产】shuǐchǎn 图 水産 ‖ ～资源 水産資源
【水车】shuǐchē 图 ❶水車．踏車(ふみぐるま) ❷水を運ぶ荷車
【水程】shuǐchéng 图 水路の行程
【水到渠成】shuǐ dào qú chéng 成 水到れば渠(きょ)成る．条件が整えば物事は自然にうまくいくたとえ
【水道】shuǐdào 图 ❶河流．川筋 ❷（陸路に対する）水路 ❸〈体〉（プールの）競泳コース
**【水稻】shuǐdào 图〈植〉水稲
【水滴石穿】shuǐ dī shí chuān 成 水滴りて石をうがつ．たゆまず努力すれば物事は必ず達成できるたとえ
【水地】shuǐdì 图 ❶灌漑(かんがい)された耕地．〔水浇地〕ともいう ❷水田
*【水电】shuǐdiàn 图 ❶水道と電気 ‖ ～费 水道料金と電気料金 ❷水力発電
【水电站】shuǐdiànzhàn 图 水力発電所
【水痘】shuǐdòu 图〈医〉水痘．水疱瘡(みずぼうそう)
【水发】shuǐfā 動 水で戻す
【水粉】shuǐfěn 图 水おしろい
【水粉画】shuǐfěnhuà 图〈美〉ガッシュ画
*【水分】shuǐfèn 图 ❶水分 ‖ 梨的～多 ナシは水分が多い ‖ 保持土壤～ 土壌の水分を保つ ❷水増し．誇張 ‖ 他的话里有不少～ 彼の話には誇張が多すぎる
【水缸】shuǐgāng 图 水がめ
【水垢】shuǐgòu 图 水あか．湯あか ‖ 清除～ 水あかをきれいに落とす
【水鸪鸪】shuǐgūgū 图〈鳥〉シラコバト．ジュズカケバト．〔鹁鸪〕の通称
【水管】shuǐguǎn 图 水道管．〔水管子〕ともいう
★【水果】shuǐguǒ 图 果物
【水害】shuǐhài 图 水害
【水合】shuǐhé 動〈化〉水和する
【水红】shuǐhóng 形（明るい）桃色の．ピンクの
【水壶】shuǐhú 图 ❶やかん ❷水筒
【水葫芦】shuǐhúlu 图〈植〉ホテイアオイ．〔凤眼莲〕の通称
【水花】shuǐhuā（～儿）图 ❶水しぶき．水の泡 ❷方 水疱瘡(みずぼうそう)
【水华】shuǐhuá 图〈植〉アオコ．〔藻花〕ともいう
【水患】shuǐhuàn 图 水害
【水荒】shuǐhuāng 图 水飢饉(みずききん)
【水火】shuǐhuǒ 图 ❶水と火．喩 相容(あい)れないこと ‖ ～不相容 水と火のように相容れない ❷略 非常な苦難．塗炭の苦しみ．〔水深火热〕の略 ‖ 拯zhěng民于～ 人々を塗炭の苦しみから救う
【水火无情】shuǐ huǒ wú qíng 成 水と火の災害はすさまじく情け容赦がない
【水货】shuǐhuò 图 ❶偽ブランド品 ❷密輸品
【水碱】shuǐjiǎn 图 水あか．湯あか．〔水垢〕〔水锈〕ともいう
【水浇地】shuǐjiāodì 图 灌漑地
【水饺】shuǐjiǎo（～儿）图 水ギョーザ
【水晶】shuǐjīng 图 水晶．クリスタル
【水晶宫】shuǐjīnggōng 图 竜王の宮殿．竜宮城
【水井】shuǐjǐng 图 井戸 ‖ 一口～ 井戸一つ
【水酒】shuǐjiǔ 图 謙（客をもてなすとき，用意した酒をへりくだっていう）水っぽい酒．粗酒
【水军】shuǐjūn 图 古 水軍
*【水库】shuǐkù 图 貯水池．ダム
【水雷】shuǐléi 图〈軍〉水雷
*【水力】shuǐlì 图 水力 ‖ ～资源 水力資源
【水力发电】shuǐlì fādiàn 图 水力発電
*【水利】shuǐlì 图 ❶水利．水力資源の利用と水害の防止 ❷水利工事 ‖ 兴修～ 水利施設を建設する
【水利工程】shuǐlì gōngchéng 图 水利工事
【水量】shuǐliàng 图 水量
【水淋淋】shuǐlīnlīn（～的）形 びしょびしょである．びしょぬれのさま
【水灵】shuǐling 形 方 ❶（果物などが）みずみずしい．新鮮で水気が多い ❷（形や容貌が）生き生きしている
【水流】shuǐliú 图 ❶河川の総称 ❷水流．流れている水
【水龙】[1] shuǐlóng 图〈植〉ミズキンバイ
【水龙】[2] shuǐlóng 图 消火用ポンプのホース
【水龙头】shuǐlóngtóu 图（水道の）蛇口
【水陆】shuǐlù 图 ❶水陸．海陸 ‖ ～两用坦克tǎnkè 水陸両用戦車 ❷山海の珍味
【水路】shuǐlù 图 水路．海路 ↔〔陆路〕〔旱hàn路〕
【水绿】shuǐlù 形 淡い緑色の
【水轮机】shuǐlúnjī 图〈機〉水力タービン
【水落石出】shuǐ luò shí chū 成 水落ちて石出づ．事の真相が明らかになるたとえ
【水煤气】shuǐméiqì 图〈化〉水性ガス

S

【水门】shuǐmén 图 ❶水道の元栓. バルブ ❷水門
【水米无交】shuǐ mǐ wú jiāo 成 互いに交渉がないたとえ.（とくに役人が一般の人と金銭のやりとりがなく, 清廉潔白なことをいう）
【水面】shuǐmiàn 图 ❶水面 ❷水域の面積
【水磨】shuǐmó 動 水磨きする ➤shuǐmò
【水磨工夫】shuǐmó gōngfu 慣 仕事が入念であること
【水墨画】shuǐmòhuà 图〈美〉水墨画
【水磨】shuǐmò 图 水力で動く臼(うす) ➤shuǐmó
【水母】shuǐmǔ 图〈動〉クラゲ
【水能】shuǐnéng 图 水のエネルギー
**【水泥】shuǐní 图 セメント. 俗に〔洋灰〕といい, 地方によっては〔水门汀〕ともいう
【水鸟】shuǐniǎo 图 水鳥
【水牛】shuǐniú 图〈動〉スイギュウ
【水暖】shuǐnuǎn 图 ❶スチーム暖房 ❷水道と暖房設備の総称
【水泡】shuǐpào 图 泡. あぶく
【水疱】shuǐpào（～儿）图 水疱. 水ぶくれ. まめ
【水瓢】shuǐpiáo 图（ヒョウタンで作った）ひしゃく
★【水平】shuǐpíng 形 ❶水平な ‖ ～飞行 水平飛行 图 ❶水準器 ❷水準. レベル ‖ 文化～ 教育程度 | 达到国际～ 国際的水準に達する
【水平面】shuǐpíngmiàn 图〈数〉水平面
【水平线】shuǐpíngxiàn 图〈数〉水平線
【水平仪】shuǐpíngyí 图 水準器. レベル
【水汽】shuǐqì 图 水蒸気 ‖ ～压力 蒸気圧
【水枪】shuǐqiāng 图 ❶〈機〉（炭坑などで使用する）水力採掘機 ❷（消防用具）水射ジェット
【水橇】shuǐqiāo 图 水上スキー用の板.〔滑水橇〕ともいう
【水禽】shuǐqín 图 水禽(すいきん). 水鳥
【水清无鱼】shuǐ qīng wú yú 成 水清ければ魚住まず. 人格が清廉すぎるとかえって人に親しまれないこと
【水情】shuǐqíng 图 水位や水量などの状況
【水球】shuǐqiú 图〈体〉❶水球 ❷水球のボール
【水曲柳】shuǐqūliǔ 图〈植〉ヤチダモ
【水渠】shuǐqú 图 用水路
【水乳交融】shuǐ rǔ jiāo róng 成 水と乳が溶け合う. 非常に打ちとけているさま, また結びつきが強いさま
【水杉】shuǐshān 图〈植〉アケボノスギ. メタセコイア
【水上芭蕾】shuǐshàng bālěi 图〈体〉シンクロナイズド・スイミング ＝〔花样游泳〕
【水上居民】shuǐshàng jūmín 图 水上生活者
【水上运动】shuǐshàng yùndòng 图〈体〉水上スポーツ
【水蛇】shuǐshé 图〈動〉❶ユウダ科のヘビの一種 ❷水辺に棲むヘビ類の総称
【水深火热】shuǐ shēn huǒ rè 成 水深く火熱し. 非常な苦難. 塗炭の苦しみ
【水生植物】shuǐshēng zhíwù 图 水生植物
【水师】shuǐshī 图 旧 水軍. 海軍
【水蚀】shuǐshí 图〈地質〉水による浸食. 水食
【水势】shuǐshì 图 水勢. 水流の勢い
【水手】shuǐshǒu 图 船員. 水夫. 船乗り
【水塔】shuǐtǎ 图 給水塔
【水獭】shuǐtǎ 图〈動〉ユーラシアカワウソ
【水体】shuǐtǐ 图 自然界における水の総称
【水体污染】shuǐtǐ wūrǎn 图 水質汚染
【水田】shuǐtián 图 水田 ↔〔旱hàn田〕
【水头】shuǐtóu 图 ❶河川の増水のピーク ❷水勢
*【水土】shuǐtǔ 图 ❶（地表の）水と土 ❷気候風土 ‖ ～不服 気候風土が合わない
【水土保持】shuǐtǔ bǎochí 图〈農〉土壌の保全. 水分保全や土砂流出防止などの措置
【水土流失】shuǐtǔ liúshī 图 土壌の浸食. 土壌の流出
【水汪汪】shuǐwāngwāng（～的）形 ❶（目が）きれいで生き生きしているさま ❷水がたまっているさま
【水网】shuǐwǎng 图 湖沼が多く, 河川や水路が縦横に交錯していること ‖ ～地区 水郷地帯
【水位】shuǐwèi 图 水位
【水温】shuǐwēn 图 水温
【水文】shuǐwén 图〈地〉水文(すいもん)
【水洗布】shuǐxǐbù 图〈紡〉ウォッシュド加工した布
【水系】shuǐxì 图〈地〉水系 ‖ 长江～ 長江水系
【水仙】shuǐxiān 图〈植〉スイセン
【水险】shuǐxiǎn 图 海上保険
【水线】shuǐxiàn 图 喫水線
【水乡】shuǐxiāng 图 水郷
【水箱】shuǐxiāng 图 貯水タンク
【水泄不通】shuǐ xiè bù tōng 成 水も漏らさない. 厳重に包囲しているさま. ぎっしり詰まっているさま
【水榭】shuǐxiè 图 書 水亭. 水際に建てられたあずまや
【水星】shuǐxīng 图〈天〉水星
【水性】shuǐxìng 图 ❶水泳の技能 ‖ ～不错 泳ぎの腕はなかなかのものだ ❷河川の水深や水流などの特徴
【水性杨花】shuǐ xìng yáng huā 成 女の浮気心. 女性の移り気なこと
【水袖】shuǐxiù 图〈劇〉（京劇などの舞台衣装で）袖口につけられた長い白色の薄絹
【水锈】shuǐxiù 图 ❶水あか. 湯あか ❷（器などに残る）水が入っていた跡
【水烟】shuǐyān 图 水ギセル用のタバコ. 水タバコ
【水烟袋】shuǐyāndài 图 水ギセル.〔水烟筒〕〔水烟斗〕ともいう
【水样】shuǐyàng 图 水質検査用の水のサンプル
【水舀子】shuǐyǎozi 图（水をくむための）ひしゃく
【水银】shuǐyín 图 水銀.〔汞gǒng〕の通称
【水银灯】shuǐyíndēng 图 水銀灯
【水印】[1] shuǐyìn 動 水印印刷をする. 中国伝統の木版画技法の一種. 顔料を溶くのに油を使わないで水のみを用いるもの.〔水印木刻〕ともいう
【水印】[2] shuǐyìn（～儿）图 ❶（紙幣などの）透かし. 透かし文字 ❷水の跡. 水のしみ
【水域】shuǐyù 图 水域 ‖ 国际～ 公海
*【水源】shuǐyuán 图 水源
【水运】shuǐyùn 图 水運. 海運
*【水灾】shuǐzāi 图 水害 ‖ 闹～ 水害が起きる
【水葬】shuǐzàng 動 水葬にする
【水蚤】shuǐzǎo 图〈動〉ミジンコ.〔鱼虫〕ともいう
【水藻】shuǐzǎo 图 藻(も)
【水闸】shuǐzhá 图 水門
【水涨船高】【水长船高】shuǐ zhǎng chuán gāo 成 水位が高くなれば船の高さも上がる. 拠り所になるものが向上すれば, それに伴って自分も向上するたとえ
*【水蒸气】shuǐzhēngqì 图 水蒸気
【水至清则无鱼】shuǐ zhì qīng zé wú yú ＝〔水清无鱼shuǐ qīng wú yú〕

【水质】shuǐzhì 名 水質‖～污染 水質汚染
【水蛭】shuǐzhì 名〈動〉❶チスイヒル ❷ヒル類の総称.〔蛭〕〔蚂蟥mǎhuáng〕ともいう. 俗に〔马鳖biē〕という
【水中捞月】shuǐ zhōng lāo yuè ＝〔海底捞月 hǎi dǐ lāo yuè〕
【水肿】shuǐzhǒng 動〈医〉むくむ. 俗に〔浮肿〕という
【水珠】shuǐzhū (～儿) 名 水玉. 露. 水滴
【水准】shuǐzhǔn 名 ❶〈地〉水平面. 水準 ❷水準. レベル‖艺术～ 芸術的水準
【水准仪】shuǐzhǔnyí 名 水準儀. レベル・ゲージ
【水族】[1] shuǐzú 名 水生動物‖～馆 水族館
【水族】[2] shuǐzú 名 スイ族(中国の少数民族の一つ, 主として貴州省に居住)
【水钻】shuǐzuàn 名 人工ダイヤモンド

shuì

9 **说** shuì (自分の主張に同意するように人を) 説得する‖游～ 遊説する ➤ shuō yuè

12 * **税** shuì 名 税. 税金‖上～ 税を納める | 关～ 関税 | 偷～ 脱税する

【税单】shuìdān 名 納税証明書
【税额】shuì'é 名 税額
【税法】shuìfǎ 名 税法
【税负】shuìfù 名 税負担. 租税負担
【税金】shuìjīn 名 税金‖交纳～ 税金を納める
【税款】shuìkuǎn 名 税. 租税
【税利】shuìlì 名 税金と利潤
【税率】shuìlǜ 名 税率‖提高～ 税率を引き上げる
【税目】shuìmù 名 課税項目
*【税收】shuìshōu 名 税収‖增加～ 税収を増やす
【税务】shuìwù 名 税務‖～局 税務署
【税源】shuìyuán 名 税源
【税则】shuìzé 名 徴税規則と実施条件
【税制】shuìzhì 名 国家の租税制度. 税制
【税种】shuìzhǒng 名 税種. 税の種類

13 ★ **睡** shuì ❶動 眠る‖入～ 眠りにつく ❷動 身体を横たえる. 横になる‖一个屋子～四个人 一部屋に4人寝る

*【睡不着】shuìbuzháo 動 寝つけない. 眠れない
【睡袋】shuìdài 名 寝袋. シュラフ
【睡过头】shuìguòtóu 動 寝すごす
★【睡觉】shuì∥jiào 動 眠る. 寝る‖每天只睡三四个小时的觉 毎日3,4時間の睡眠しかとっていない
【睡裤】shuìkù 名 パジャマのズボン
*【睡懒觉】shuìlǎnjiào 動 寝坊する
【睡莲】shuìlián 名〈植〉ヒツジグサ. スイレン
【睡梦】shuìmèng 名 (熟睡状態の)眠り. 夢路
*【睡眠】shuìmián 名 睡眠‖噪音zàoyīn太大, 影响～ 騒音がひどくて睡眠のじゃまになる
【睡魔】shuìmó 名 睡魔
【睡袍】shuìpáo 名 ネグリジェ
【睡熟】shuìshú 動 熟睡する
【睡乡】shuìxiāng 名 眠り‖进入～ 眠りに落ちる
【睡相】shuìxiàng 名 寝相
【睡眼】shuìyǎn 名 寝ぼけ眼(まなこ)
【睡衣】shuìyī 名 寝巻き. パジャマ
【睡意】shuìyì 名 眠気‖～袭来xílai 眠気に襲われる | 没有一丝～ 少しも眠くない

【睡着】shuì∥zháo 動 寝つく. 寝入る‖刚躺下就～了 横になったとたん眠ってしまった

shǔn

7 **吮** shǔn (唇をすぼめて)吸う‖～乳 乳を吸う

【吮吸】shǔnxī 動 吸う. 吸い取る. (多く比喩に用いる)‖～乳汁 乳を吸う | ～知识 知識を吸収する

shùn

9 ** **顺** shùn ❶動 (人の意見に)従う. 言うとおりにする. 服従する‖～着妈妈 母さんの言うとおりにする ❷方向が同じである ↔〔逆〕‖坐～水船 下流に向かう船に乗る ❸同じ方向に向かう ↔〔逆〕‖～风 ❹動 向きを揃える. 順序を整える‖～齐筷子 箸をきちんと揃える ❺形 筋が通っている. 流暢(りゅうちょう)である‖文从字～ 文章の運びが滑らかである ❻動 筋を通す. 秩序立たせる‖这段文字还得～一～ この部分の文章はまだちょっと構成を整えなければならない ❼形 順調である. 滞りがない‖事情办得很～ 用件はとても順調に片付いた ❽調和がとれている. 適当である‖风调雨～ 気候が順調である ❾動 ちょうど合う. かなう‖～她的意 彼女の気に入る. ❿介 …に沿って‖～大街往北走 大通りに沿って北のほうへ行く

**【顺便】shùnbiàn (～儿) 副 ついでに‖每天下班回来～买点菜 毎日勤めの帰り, ついでに買い物をする

> **類義語** 顺便 shùnbiàn / 顺手 shùnshǒu
>
> ◆〔顺便〕ついでに. 労力や時間をあまり使わずにもう一つのことをする‖下班的路上, 顺便买了点儿菜 仕事から帰る途中, ついでに少し野菜を買った ◆〔顺手〕ある動作と同時に, あるいはその後に, 別の簡単な手の動作をする‖往冰箱里放东西, 顺手拿了一个苹果 冷蔵庫に物を入れるついでに, リンゴを1個取った | 离开教室时, 请顺手把灯关上 教室を出るとき, ついでに電気を消してください

【顺差】shùnchā 名〈貿〉輸出超過. 出超 ↔〔逆差〕‖贸易～ 貿易黒字
【顺产】shùnchǎn 動〈医〉正常分娩(ぶんべん)する
【顺畅】shùnchàng 形 スムーズである. なめらかである
【顺次】shùncì 副 順次. 順番にしたがって
【顺从】shùncóng 動 おとなしく従う. 言うことを聞く
【顺带】shùndài 副 ついでに
【顺当】shùndang 形 口 順調である. 調子がよい
【顺道】shùndào ＝〔顺路shùnlù〕
【顺耳】shùn'ěr 形 (話の内容が)聞いて気持ちがよい. 耳に心地よい. 耳になじむ
【顺访】shùnfǎng 動 ついでに訪ねる
【顺风】shùn∥fēng 動 追い風に乗る. 風に乗る 名 (shùnfēng)順風. 追い風
【顺风吹火】shùn fēng chuī huǒ 成 骨を折らなくても事がうまくいく. 勢いに乗じて事が順調に進むたとえ
【顺风耳】shùnfēng'ěr 名 ❶早耳. 地獄耳 ❷旧 メガホン
【顺风转舵】shùn fēng zhuǎn duò 成 貶 風に従って舵(かじ)を変える. 風向きしだいでどちらへもなびく. 便乗主義. 日和見主義.〔随风转舵〕ともいう

【顺服】shùnfú 動 おとなしく従う. 言うことを聞く
【顺杆儿爬】shùn gānr pá 慣 人に迎合する. 人の尻馬に乗る
【顺和】shùnhe 形 (言動が)温順である
【顺价】shùnjià 名 販売価格が仕入れ価格を上回ること ↔〔逆价〕
【顺脚】shùnjiǎo (～儿) 副 ❶(車が行く)ついでに(乗せて運ぶ). 便乗で ❷＝〔顺路shùnlù〕
【顺境】shùnjìng 名 恵まれた境遇
【顺口】shùnkǒu 形 ❶口調がよい. すらすら読める ❷(～儿) 方 (食べ物が)口に合う 副 口から出まかせに. (ろくに考えもせず)いいかげんに
【顺口溜】shùnkǒuliū 名 民間で行われる口頭の韻文の一種で, 語呂がよく, 世相や政治を皮肉ったものが多い
【顺理成章】shùn lǐ chéng zhāng 成 筋道が立っていればおのずからよい文章となる. 物事が道理にかない自然であること. 理の当然であること
**【顺利】shùnlì 形 (障害がなく)順調である. スムーズである ‖ 一路上很～ 道中たいへん順調である｜～地完成了任务 順調に任務を果たした
【顺溜】shùnliu 形 方 ❶きちんと整っている ❷(物事が)順調である ❸おとなしく聞きわけがよい. 従順である ❹まっすぐである. 均整がとれている
【顺路】shùnlù (～儿) 副 通りがけに ‖ 下班后, ～来我家一趟 仕事が終わったら, 帰りがけに私の家に寄ってください 形 道筋がまっすぐである ‖ 不～ 遠回りになる ✻〔顺道〕〔顺脚〕ともいう
【顺民】shùnmín 名 貶 敵の支配や新しい王朝に従った人民
【顺时针】shùnshízhēn 形 時計回りの ‖ 按～方向按摩腹部 時計回りにおなかをマッサージする
【顺势】shùnshì 副 勢いに乗じて. はずみで
*【顺手】shùnshǒu (～儿) 形 ❶(手に持って)使いやすい ‖ 这支笔我用着～ このペンは私の手によくなじむ ❷順調である. 滞りがない ‖ 工作做得很～ 仕事はとても順調にいっている 副 ❶ついでに. その手で ‖ 走的时候～把门带上 出て行くときついでにドアを閉めていく ❷無造作に. 何気なく. 手当たりしだいに
【顺手牵羊】shùn shǒu qiān yáng 成 機に乗じて他人の羊を連れ去る. 事のついでに人の物を黙って持っていくことのたとえ
【顺水】shùn//shuǐ 動 流れに従う. 流れに沿う
【顺水人情】shùnshuǐ rénqíng 慣 安上がりの人情や義理. 事のついでに義理を尽くすこと. お安い御用
【顺水推舟】shùn shuǐ tuī zhōu 成 流れに沿って舟を進める. 成り行きまかせで事を進めること
【顺遂】shùnsuì 形 順調である
【顺藤摸瓜】shùn téng mō guā 成 蔓(つる)をたどって瓜(うり)を探り取る. 手掛かりに従って探り出す
【顺心】shùn//xīn 形 思いどおりである. 意にかなう. 気に入る ‖ 事事～ 万事思いどおりにいく
*【顺序】shùnxù 名 順序 ‖ 按～排队 順序に従って列を作る｜颠diān倒～ 順序を逆にする 副 順番に. 順に ‖ 请大家～进场 どうぞみなさん順にご入場下さい
【顺延】shùnyán 動 順延する
【顺眼】shùn//yǎn 形 (見て)気に入る
【顺应】shùnyìng 動 順応する
【顺着】shùnzhe 〔介〕…に沿って. …に従って ‖ ～这条线索查下去 この手掛かりに沿って調べていく

類義語 顺着 shùnzhe 沿着 yánzhe

◆〔顺着〕そのもの自体に沿って移り動く ‖ 眼泪顺着他的脸往下流 涙が彼の頬を伝って流れた ◆〔沿着〕物体のふちに沿って移動する. 抽象的な道, 路線やイデオロギーにも用いられる ‖ 沿着河边散步 川沿いに散歩する｜沿着先辈的足迹前进 先人の足跡に従って進む

【顺嘴】shùnzuǐ (～儿) 形 口調がよい. 語呂がよい 副 口から出まかせに. いいかげんに. 口をついて

12 **舜** shùn 名 舜(しゅん). 伝説上の帝王の名

17 **瞬** shùn ❶まばたく. まばたきをする ❷一瞬. ほんのわずかの間

【瞬间】shùnjiān 名 瞬間. またたく間
【瞬时】shùnshí 名 またたく間. 瞬時
【瞬息】shùnxī 名 またたく間. 一瞬
【瞬息万变】shùn xī wàn biàn 成 短時間に次から次へと変化すること. 時々刻々と変化する

shuō

9 ★ **说** shuō ❶動 言う. 話す ‖ ～汉语 中国語を話す｜～心里话 本音を語る｜请再～一遍 もう一度言ってください｜气象预报～明天晴天 気象予報によると明日は晴天だそうだ ❷動 説明する ‖ ～了半天他还是不懂 さんざん説明したが, 彼はやはり分からなかった ❸説. 論 ‖ 假jiǎ～ 仮説 ❹動 忠告する. 説教する ‖ 挨ái妈妈～了 お母さんに怒られた ❺動 口利きする. 紹介する ‖ ～媳妇 嫁を世話する ❻動 …について語る. …を意味する ‖ 他的意思是～你不该迟到 彼が言おうとしているのは, 君は遅刻してはいけなかったということだ ❼(話芸を)演じる ‖ ～相声 漫才をやる ➤ shuì yuè

類義語 说 shuō 告诉 gàosu

◆〔说〕(…を)言う. 話す. 介詞を伴う構造となる. 事柄だけを目的語にとることもできる ‖ 我跟他说那件事吧 私は彼にその事を話そう｜他说, 他明天去 彼は明日いくと言った ◆〔告诉〕(…に)告げる. 伝える. 二重目的語構造となる. 〔说〕とは異なり, 相手だけを目的語にとることがある ‖ 我告诉他了 私は彼に伝えた｜他告诉大家, 他明天回国 彼はみんなに明日帰国すると言った ◆〔说〕には「叱る」意味もあり, 次のような例では二つの意味にとれる ‖ 王老师说他了 王先生は{彼を叱った. 彼のことを話した}

【说白了】shuō bái le 慣 はっきり言えば. 要するに
【说不得】shuōbude 動 ❶言ってはいけない. 口にしてはいけない ❷どう言えばいいやら分からない. なんとも言いようがない ❸方 (こうなったら)何も言う余地がない. …するしかない
*【说不定】shuōbudìng 副 もしかしたら…かもしれない ‖ 天阴得很, ～要下雨 空がひどく曇っている, もしかしたら雨になるかもしれない 動 確かには言えない. 定かではない ‖ 他肯不肯接受, 还～呢 彼が引き受けてくれるかどうか, まだなんとも言えない
【说不过】shuōbuguò 動 言い負かせない
【说不过去】shuōbuguòqù 動 筋道が通らない. 申し開きができない ‖ 帮了你这么多忙, 连声谢也不说, 你

也太～了 あんなに手伝ってくれたのに礼の一言も言わないのでは，君もちょっと申し開きが立たないよ
*【说不好】shuōbuhǎo 動 ❶(ある言語が)うまく話せない‖上海话我听得懂，～ 上海語は聞いて分かるけれど，うまく話せない ❷はっきり言えない．断言できない．分からない‖这件事将来怎么发展，我也～ このことが将来どうなっていくのか，私にもはっきり言えない
【说不来】shuōbulái 動 ❶気が合わない．話が合わない‖我和他～ 私と彼は気が合わない ❷方(ある言語が)うまく話せない
*【说不清】shuōbuqīng 動 ❶はっきりと説明できない‖这件事，一句话可～ このことは一言ではとても言いきれない ❷筋の通った話ができない．話が通じない‖他那人不讲理，跟他～ 彼は理不尽だから，話ができない
【说不上】shuōbushàng 動 ❶(認識や理解が十分でなくて)はっきり言えない．断言できない‖他和她的关系我也～ 彼と彼女の関係は私にもはっきり分からない ❷言うに値しない．取り上げるほどのことはない．そうとまでは言えない‖只是见过几次面，我跟他～很熟 数回会っただけで，私は彼と親しいというほどではない
【说不上话】shuōbushàng huà 組(その人との関係で)話がしにくい．話を持っていきにくい
【说不着】shuōbuzháo 動 言えたものではない．言う必要はない．言う筋合いではない
【说不准】shuōbuzhǔn 動 確かに言えない．正確には言えない
【说曹操，曹操就到】shuō Cáo Cāo, Cáo Cāo jiù dào 諺 曹操のことを話していると曹操が現れる．うわさをすれば影がさす
【说长道短】shuō cháng dào duǎn 成 あれこれと難癖をつける．あれこれあげつらう
【说唱】shuōchàng 图 台詞(せりふ)と歌のある語り物芸．〔相声〕〔大鼓〕〔弹词〕などが含まれる
【说唱文学】shuōchàng wénxué 图 物語を歌い語る芸能形式の一つ．歌唱部分は韻文，語り部分は散文で，〔评弹〕〔大鼓〕などが含まれる．〔讲唱文学〕ともいう
【说出去】shuōchuqu 動 触れ回る．口外する
【说穿】shuōchuān 動 暴く．暴露する．はっきり言う
【说辞】shuōci；shuōcí 图 言い分．弁解．言い逃れ
【说到】shuōdào 動 ❶…について言う．語る ❷…まで言う．…まで話す‖刚才～哪儿了？ さっきどこまで話したっけ
【说到底】shuōdàodǐ 慣 結局のところ．とどのつまりは
【说到做到】shuōdào zuòdào 慣 言ったことは必ず実行する
【说道】shuōdào 動 言う．語る．話す
【说道】shuōdao 方 動 ❶話をする．ものを言う ❷相談する 图(～儿)言い分．訳．理由
【说…道…】shuō…dào… 組(それぞれに相対する，または類似する名詞・形容詞・数詞などを入れて)…と言ったり…と言ったりする‖说长道短 あれこれと難癖をつける｜说三道四 あれこれ取りざたする
【说的是】shuōdeshì 慣 まったくそのとおり．そうですとも
【说得来】shuōdelái 動 ❶話が合う．気が合う ❷方(ある言語が)うまく話せる．
【说得上话】shuōdeshàng huà 組(その人との関係によって)話ができる．声が掛けられる
【说得着】shuōdezháo 動 道理上言える．言うのが当然である．言うだけの資格がある
【说定】shuō//dìng 動 話を決める．取り決める‖这事儿就这样～了 この件はじゃあこうすることにしよう
【说东道西】shuō dōng dào xī 慣 あれこれとよもやま話をする
【说短论长】shuō duǎn lùn cháng ＝〔说长道短 shuō cháng dào duǎn〕
【说法】shuōfǎ 動〈仏〉説法する．説教をする
*【说法】shuōfa 图 ❶言い方．論法 ❷意見．見解‖这种～没道理 こういう意見は筋が通らない
*【说服】shuō//fú 動 説得する．説き伏せる‖～对方 相手を説得する｜～力 説得力｜老师耐心地～学生 先生は忍耐強く学生たちに言い聞かせる
【说好】shuōhǎo 動 話して決める．取り決める‖已经跟妈妈～了，明天去公园玩儿 明日公園へ遊びにいくと，もうお母さんと約束した
【说好说歹】shuō hǎo shuō dǎi 成 あれこれと説得したり頼み込んだりする
【说合】shuōhe 動 ❶中に立ってまとめる．仲介する．仲を取り持つ‖～亲事 結婚を取り持つ ❷相談する．話し合う ❸＝〔说和shuōhe〕
【说和】shuōhe 動 仲裁する．とりなす．仲直りさせる
*【说话】shuō//huà 動 ❶話す．ものを言う．しゃべる‖听课的时候，不要随便～ 授業中は私語を慎むように｜气得说不出话 怒りでものが言えない ❷(～儿)世間話をする．よもやま話をする‖闷得慌，找个伴儿说说话吧 退屈でたまらないから，誰か話し相手を探しておしゃべりでもしよう ❸責める．とがめる．文句を言う‖明知他这样做不对，却没有一个人站出来～ 彼のやり方は明らかに正しくないと分かっているのに，誰も名乗り出て指摘しようとしない 副(shuōhuà) 方 ほどなく．そのうち．すぐに‖他～就回来 彼はすぐに戻ってきます
*【说谎】shuō//huǎng 動 うそをつく‖那家伙说了一大堆duī的谎 あいつはさんざんうそをついた
【说教】shuōjiào 動 ❶〈宗〉説教する ❷説教がましい話をする
【说开】shuōkāi 動 ❶(意見などを)はっきり言う．釈明する．申し開きをする ❷言い広まる
【说客】shuōkè 图 ❶遊説(ゆうぜい)の士．転 説得のうまい人 ❷貶 仲裁役．とりなし役
【说了算】shuōle suàn 慣 ❶言ったらそれで決まる ❷言ったらそれに責任を持つ
【说理】shuō//lǐ 動 道理を説く．是非を論じる‖跟他～没用 彼に理屈を説いてもむだだ 形(shuōlǐ)道理をわきまえる‖不～ 横暴で道理をわきまえない
【说媒】shuō//méi 動 仲人をする．媒酌をする
【说梦话】shuō mènghuà 組 ❶寝言を言う ❷夢のような話をする
★【说明】shuōmíng 動 ❶説明する．説く‖～理由 理由を説明する ❷物語る．立証する．証明する‖试验结果～他的推论是正确的 実験の結果は彼の推論が正しいことを物語っている 图 解説．説明‖照片下面有～ 写真の下に解説がある
【说明书】shuōmíngshū 图 説明書．マニュアル．効能書き
【说明文】shuōmíngwén 图 解説文．説明文
【说破】shuōpò 動 暴く．すっぱ抜く．明かす
【说亲】shuō//qīn 動 仲人口をきく．媒酌する
*【说情】shuō//qíng (～儿) 動 とりなす．(人のために)詫(わ)びを入れる．(人のために)許しを請う‖托人～ 人に頼んでとりなしてもらう
【说三道四】shuō sān dào sì 成 あれこれ取りざたす

S

る. とやかく言う
【说书】shuō//shū 動 講談を語る ‖ ～的 講釈師
【说死说活】shuō sǐ shuō huó 慣 いくら言っても, いくら話しても ‖ 他们太顽固wángù, ～, 怎么也不答应 彼らは頑固すぎる, いくら言ってもどうしても承諾しない
【说头儿】shuōtour 名 ❶話すだけの値打ち ‖ 这事大家都知道了, 还有什么～? この件はもうみんなが知っているから, 話してもしようがない ❷言い分. 弁解. 言い逃れ ‖ 证据zhèngjù摆在这儿, 你再没有～了吧 証拠はここに揃っている, 君ももう弁解の余地がないだろう
【说闲话】shuō xiánhuà 組 ❶陰口を言う. 悪口を言う. うわさする ‖ 别老在背后说人家闲话 人の陰口をたたいてばかりいるものではない ❷(～儿)むだ話をする. むだ口をたたく ‖ 我正忙着呢, 没时间跟你～ 私はいま忙しいんだ, 君とむだ口たたいている暇はない
【说项】shuōxiàng 動 (人のために)許しを請う. とりなす
【说笑】shuōxiào 動 しゃべったり笑ったりする. 談笑する
【说笑话】shuō xiàohua (～儿) 組 ❶笑い話をする ❷冗談を言う
【说一不二】shuō yī bù èr 慣 ❶言ったことは守る ❷言い出したら聞かない
【说着玩儿】shuōzhe wánr 慣 冗談を言う. ふざけて言う ‖ 这可不是～的 これは冗談ごとではない
【说中】shuō//zhòng 動 言い当てる
【说走了嘴】shuōzǒule zuǐ 組 うっかり口を滑らせる. うっかり余計なことを言ってしまう
【说嘴】shuōzuǐ 動 ❶大きなことを言う. 調子のいいことを言う ❷方 言い争う

shuò

6 妁 shuò ➡〔媒妁méishuò〕
9 烁(爍) shuò きらめいている. 輝いている ‖ 繁星闪～ 無数の星が輝いている
10 朔 shuò ❶(月の満ち欠けの)朔(さく). 新月 ❷書 (陰暦の)ついたち. 月の第1日 ‖ ～日 (陰暦の)ついたち ❸北. 北方 ‖ →～风
【朔风】shuòfēng 名 北風. 朔風(さくふう)
10 铄(鑠) shuò 書 ❶金属を溶かす ❷すり減らす ❸〔烁shuò〕に同じ
【铄石流金】shuò shí liú jīn 成 石や金を溶かす. 非常に暑いことのたとえ ＝〔流金铄石〕
11 硕 shuò 大きな. 大きい
【硕大】shuòdà 形 非常に大きい. 巨大である
【硕大无朋】shuò dà wú péng 成 比べるものがないほど大きい. 大きくて比類がない
【硕果】shuòguǒ 名 大きな果実. 喩 すばらしい成果
【硕果仅存】shuò guǒ jǐn cún 成 人に採られたり落ちたりせずに残った大きい果実. 時の移り変わりを経てわずかに残っている貴重な人や物のたとえ
【硕士】shuòshì 名 修士. マスター
13 蒴 shuò ↴
【蒴果】shuòguǒ 名〈植〉蒴果(さくか)
13 搠 shuò 古 突き刺す. 刺す
13 数(數) shuò 書 しばしば. たびたび ‖ 频～ 頻繁である ➤ shǔ shù
【数见不鲜】shuò jiàn bù xiān 成 しばしば見るので珍しくない. 〔屡lǚ见不鲜〕ともいう
14 槊 shuò 古 柄の長い矛. 長矛

sī

2 厶 sī 古〔私sī〕に同じ
5 *** 丝(絲) sī ❶名 生糸. 絹糸 ‖ 蚕cán～ 生糸 ❷名 (～儿)糸状のもの ‖ 把肉切成～ 肉を細切りにする ❸量 ①(長さの単位)1〔寸〕(約3.3センチ)の1万分の1. 1〔毫〕の10分の1. 1〔忽〕の10倍 ②(重さの単位)1〔钱〕(5グラム)の1万分の1. 1〔毫〕の10分の1. 1〔忽〕の10倍 ❹ごくわずかな量を表す ‖ 一～不苟gǒu 少しもおろそかにしない ❺弦楽器をさす ‖ →～竹
【丝绸】sīchóu 名 絹織物. シルク ‖ ～之路 シルクロード | ～衬衫chènshān 絹のシャツ
【丝带】sīdài 名 絹ひも. 絹製のリボン
【丝瓜】sīguā 名 ❶〈植〉ヘチマ ❷〈中薬〉糸瓜(しか)
*【丝毫】sīháo 名 いささか. ごくわずか. (多く否定に用いる) ‖ ～不错 いささかも間違いない | 不能有～改变 ごくわずかな変更も許されない
【丝丝入扣】sī sī rù kòu 成 (文章表現が)きめ細やかであるさま. (演技が)緻密(ちみつ)でぴたりと決まっているさま
【丝袜】sīwà 名 ナイロンストッキング
【丝弦】sīxián 名 ❶絹糸をよった弦 ❷(～儿)〈劇〉河北省石家荘一帯の地方劇
【丝线】sīxiàn 名 絹糸
【丝织品】sīzhīpǐn 名 絹織物. 絹製品
【丝竹】sīzhú 名 弦楽器と管楽器の総称. 転 音楽. 管弦 ‖ 江南～ 江南の調べ
5 司 sī ❶つかさどる ‖ 各～其职 各々がその職務をつかさどる ❷名 (政府の行政機関の一つ)司. 〔部〕(省庁)の下, 〔处〕(処)の上に位置する
*【司法】sīfǎ 動 法をつかさどる ‖ ～人员 司法関係者 | ～部 司法部(法務省に当たる)
【司法机关】sīfǎ jīguān 名 司法機関
【司法鉴定】sīfǎ jiàndìng 名 司法鑑定
【司法解释】sīfǎ jiěshì 名 司法解釈
【司法拘留】sīfǎ jūliú 名〈法〉(裁判所による)監置
【司法权】sīfǎquán 名〈法〉司法権
【司号员】sīhàoyuán 名〈軍〉ラッパ手
**【司机】sījī 名 (列車や自動車などの)運転手 ‖ 出租车～ タクシーの運転手
【司空见惯】sī kōng jiàn guàn 成 見慣れて珍しくないこと. 日常茶飯事である
*【司令】sīlìng 名〈軍〉司令官
*【司令部】sīlìngbù 名 司令部
【司令员】sīlìngyuán 名〈軍〉司令官
【司炉】sīlú 名 ボイラー係. (機関車の)火手
【司马昭之心, 路人皆知】Sīmǎ Zhāo zhī xīn, lù rén jiē zhī 成 司馬昭の野心は通りすがりの者でも知っている. 野心や陰謀が誰の目にも明らかであるたとえ
【司南】sīnán 名 古代の羅針盤
【司药】sīyào 名 薬剤師
【司仪】sīyí 名 進行係. 司会者
【司职】sīzhí 動 職務や職責を担う ‖ 在比赛中～后卫 試合でフルバックを守った

7 **私** sī ❶私的な. 個人的な ↔〔公〕‖ →～事 ❷個人. 個人的な事柄 ↔〔公〕‖ 先公后～ 公のことを先にし, 個人のことは後にする ❸利己的である ‖ →～心 ❹私心. 私欲 ‖ 铁面无～ 公正無私 ❺秘密の. 非合法の ‖ →～话 ❻こっそりと. ひそかに ‖ →～访 ❼密輸品 ‖ 走～ 密輸をする

【私奔】sībēn 動 (女性が)駆け落ちする
【私弊】sībì 名 私腹を肥やす不正行為 ‖ 杜绝dùjué～ 不正行為を根絶する
【私藏】sīcáng 動 隠匿(いんとく)する
【私产】sīchǎn 名 私有財産
【私娼】sīchāng 名 私娼(しょう)
【私车】sīchē 名 自家用車. マイカー
【私仇】sīchóu 名 個人的な恨み. 私怨
【私党】sīdǎng 名 個人的利害や血縁によって結ばれた仲間. 私党
【私邸】sīdǐ 名 (身分の高い官吏の)私邸 ↔〔官邸〕
【私第】sīdì 名 私宅. 私邸
【私法】sīfǎ 名〈法〉私法 ↔〔公法〕
【私方】sīfāng 名〔公私合营企业〕(公私合営企業)の個人側 ↔〔公方〕
【私房】sīfáng 名 マイホーム
【私房】sīfang 形 ❶こっそり蓄えた ‖ ～钱 へそくり ❷内輪の. 内緒の ‖ ～话 (夫婦間などの)内緒話
【私访】sīfǎng 動 (役人が)お忍びで民情を調査する
【私愤】sīfèn 名 私憤. 個人的な恨み ‖ 泄xiè～ 私憤をはらす
【私股】sīgǔ 名〔公私合营企业〕(公私合営企業)の個人側の所有株
【私话】sīhuà 名 内緒話
【私活】sīhuó (～儿) 名 (本業のかたわらする)アルバイト
【私货】sīhuò 名 密輸品. 禁制品
【私家】sījiā 形 自家用の ‖ ～车 自家用車
【私见】sījiàn 名 ❶個人的な見解. 私見 ❷(個人の)先入観. 偏見
【私交】sījiāo 名 個人的な交友関係
【私立】sīlì 形 私立の ‖ ～学校 私立学校
【私利】sīlì 名 私利. 私益 ‖ 不谋～ 私利を求めない
【私了】sīliǎo 動 示談にする ↔〔公了〕
【私密】sīmì 形 プライベートな. 個人的な ‖ ～时间 プライベートな時間 名 私生活. プライバシー
【私囊】sīnáng 名 私腹. 懐 ‖ 中饱～ 私腹をこやす
【私念】sīniàn 名 私心. 利己心. 不純な考え
【私企】sīqǐ 名 略 私営企業. 〔私营企业〕の略
【私情】sīqíng 名 ❶私情. 情実 ‖ 不徇xùn～ 情実にとらわれない ❷男女の情交. 秘めた関係
【私人】sīrén 名 **個人. 私人 ↔〔公家〕 形 **個人的な. 民間の** ‖ ～资本 民間資本 | ～秘书 私設秘書
【私生活】sīshēnghuó 名 私生活 ‖ 干涉～ 私生活に干渉する
【私生子】sīshēngzǐ 名 私生児
【私事】sīshì 名 私事 ↔〔公事〕
【私塾】sīshú 名 旧 私塾
【私通】sītōng 動 ❶密通する. 私通する ❷(敵に)密通する ‖ 与敌人～ 敵に密通する
【私吞】sītūn 動 私腹をこやす. 着服する
【私下】sīxià 名 背後. 陰 ‖ ～议论 陰でいろいろうわさする 副 非公式に. 個人的に ‖ ～调解tiáojiě 非公式に調停する ＊〔私下里〕ともいう
【私心】sīxīn 名 私心. 利己心 ‖ 这个人～太重 この人は利己心が強い
【私刑】sīxíng 名 私刑. リンチ ‖ 动用～ リンチにかける
【私蓄】sīxù 名 個人の蓄え. へそくり
【私学】sīxué 名 私立学校. 私学
*【私营】sīyíng 形 私営の. 個人営業の ↔〔国营〕‖ ～商店 私営商店 | ～企业 私営企業
【私营经济】sīyíng jīngjì 名 私営経済. 私有制経済
【私营企业】sīyíng qǐyè 名 私有企業. 私営企業. 民間企業. 略して〔私企〕ともいう
*【私有】sīyǒu 動 私有する ↔〔国有〕‖ ～财产 私有財産 | ～权 私有権 | ～企业 私有企業
*【私有制】sīyǒuzhì 名 (生産手段の)私有制 ↔〔公有制〕
【私语】sīyǔ 動 私語を交わす. 内緒話をする ‖ 窃窃qièqiè～ 内緒話をする 名 ひそひそ話. 内緒話
【私欲】sīyù 名 私欲 ‖ 满足～ 私欲を満足させる
【私怨】sīyuàn 名 個人的な恨み. 私怨 ‖ 报～ 私怨をはらす
【私宅】sīzhái 名 マイホーム. 私宅. 持ち家
【私章】sīzhāng 名 私印 ↔〔公章〕
*【私自】sīzì 副 勝手に. 無断で. こっそり ‖ ～决定 勝手に決める | 不可～外出 無断で外出してはならない

8 **嘫(噝)** sī 擬 (導火線が燃える音や銃弾が風を切る音など)ピュー. ヒュー

9 **思** sī ❶考える. 思う ‖ →～考 ❷慕い思う. 懐かしむ ‖ →～念 ❸思い. 気持ち ‖ 哀～ 悲しい気持ち ❹(文章の)構想 ‖ ～如泉涌quányǒng 構想が泉のようにわく

【思辨】sībiàn 動〈哲〉思弁する ‖ ～哲学 思弁哲学
*【思潮】sīcháo 名 ❶思潮 ‖ 社会～ 社会思潮 ❷次から次へと浮かんでくる考えや思い ‖ ～起伏 いろいろな思いが次々に頭に浮かぶ
【思春】sīchūn 動 書 (少女が)春にめざめる
【思忖】sīcǔn 動 書 考える. 思いめぐらす
【思凡】sīfán 動 (仙人や僧などが)俗念がわく
【思古】sīgǔ 動 書 昔をしのぶ. 昔を懐かしむ
【思旧】sījiù 動 書 昔の友人や出来事を懐かしむ
*【思考】sīkǎo 動 思考する. 考える ‖ 默默地～ 黙考する | 他不加～地就同意了她的请求 彼はよく考えもせずに彼女の頼みに同意した
【思恋】sīliàn 動 慕う. 懐かしむ. 恋しく思う
【思量】sīliang 動 ❶考慮する. 思案する ❷方 気にかける. 心配する
【思路】sīlù 名 思考の筋道 ‖ ～豁然huòrán开朗 考えの筋道がぱっと開けたように明瞭になる
【思虑】sīlǜ 動 思慮する. 考え巡らす
【思谋】sīmóu 動 方 考え巡らす. 考える
【思慕】sīmù 動 敬慕する. 慕う. 思慕する
*【思念】sīniàn 動 懐かしむ. 心にかけて思う ‖ ～家乡 故郷を懐かしむ | ～老友 旧友を懐かしむ
*【思前想后】sī qián xiǎng hòu 成 過去を振り返り, 将来を思う. ことのいきさつと成り行きをよく考える
*【思索】sīsuǒ 動 思索する. 熟考する ‖ ～问题 問題を熟考する | 苦心～ あれこれと考える
*【思维】【思惟】sīwéi 名 思惟 動 書 考える. 思考する ‖ ～方式 考え方
【思乡】sīxiāng 動 故郷を懐かしむ
★【思想】sīxiǎng 名 ❶**思想. 観念. イデオロギー** ‖ 毛

泽东～ 毛沢東思想 ❷見解．考え‖他这篇文章没～ 彼のこの文章は内容がない｜必须有～准备 あらかじめ覚悟しておく必要がある 動 考える．思案する
【思想家】sīxiǎngjiā 名 思想家
【思想体系】sīxiǎng tǐxì 名 ❶思想体系 ❷イデオロギー
【思想性】sīxiǎngxìng 名 思想性
*【思绪】sīxù 名 書 ❶考え．考えの筋道‖～万千 思いが千々に乱れる｜～纷乱 考えが混乱している ❷気持ち．気分‖～不宁 気分が落ち着かない

10 **鸶**（鷥）sī ➡〔鹭鸶lùsī〕

12 **缌** sī 書（多く喪服を作るのに用いる）目の細かい麻布

12 **斯** sī 書 これ．この．ここ‖～人 この人｜～时 このとき｜生于～，长于～ この地で生まれ育った
【斯拉夫人】Sīlāfūrén 名 スラブ人
【斯里兰卡】Sīlǐlánkǎ 名〈国名〉スリランカ
【斯洛伐克】Sīluòfákè 名〈国名〉スロバキア
【斯洛文尼亚】Sīluòwénníyà 名〈国名〉スロベニア
【斯威士兰】Sīwēishìlán 名〈国名〉スワジランド
【斯文】sīwén 名 書 ❶文化 ❷文人
*【斯文】sīwen 形 上品である．優雅である
【斯文扫地】sī wén sǎo dì 成 ❶文化や文化人が尊重されない ❷知識人が堕落しきっている

12 **蛳**（螄）sī ➡〔螺蛳luósī〕

14 **厮**[1]（△廝）sī ❶古 下僕 ❷古（人を見下げる言い方）やつ．野郎

14 **厮**[2]（△廝）sī 互いに．相互に‖→～打
【厮打】sīdǎ 動 殴り合う
【厮混】sīhùn 動 ❶貶 一緒に過ごす‖他整天和一些不三不四的人～在一起 彼は朝から晩までろくでもない連中と一緒にいる ❷混じり合う．入り混じる
【厮杀】sīshā 動 殺し合う
【厮守】sīshǒu 動 寄り添い合う．頼り合う

14 **锶** sī 名〈化〉ストロンチウム（化学元素の一つ，元素記号はSr）

15 **澌** sī 書 尽き果てる
【澌灭】sīmiè 動 書 跡形もなく消える

15 ** **撕** sī 動 引きはがす．引きちぎる．引き裂く‖～日历 日めくりを1枚はがす｜把信～了 手紙を引き裂いた
【撕扯】sīchě 動 引き裂く．かきむしる
【撕毁】sīhuǐ 動 ❶引き裂く．破る ❷破棄する．反故(ほご)にする‖～条约 条約を破棄する
【撕票】sī//piào（～儿）動（誘拐犯が身の代金を取れない場合に）人質を殺す
【撕破脸】sīpò liǎn 慣 メンツを顧みない．真っ向から対立する．仲たがいする‖既然～了，说话也就不顾忌gùjì了 仲たがいしたからには，もう言うことに遠慮はしない

15 **嘶** sī ❶書（ウマが）いななく ❷（声が）しわがれる．かすれる‖声～力竭jié あらんかぎりの声を振り絞る ❸〔咝sī〕に同じ
【嘶鸣】sīmíng 動 いななく‖战马～ 戦馬がいななく
【嘶哑】sīyǎ 形（声が）かすれている

sǐ

6 ★**死** sǐ ❶動 ①死ぬ．死亡する ↔〔生〕〔活〕‖他父亲～了 彼の父親は亡くなった｜这棵树早～了 この木はとうに枯れている ②（願望や欲望が）消える．消す．あきらめる‖心还没～ まだあきらめきれない ❷命がけでする．必死にする‖～战 必死に戦う ❸形 かたくなである．あくまでも変えない‖～不认罪 あくまで罪を認めない ❹形 固定した．動かない‖这窗户是～的 この窓は固定されている｜集合时间要定～ 集合時間は絶対に動かせない ❺和解できない．不倶戴天(ふぐたいてん)の‖→～敌 ❻形 行き止まりの．流れない‖这胡同是～的 この路地は行き止まりだ ❼形 融通が利かない．頑固である‖你这人怎么这么～呀！ 君はなんでそう杓子定規(しゃくしじょうぎ)なんだ ❽形（動詞や形容詞の後に置き）程度が甚だしいことを表す‖吓～我了 ほんとにびっくりした｜我听到这个好消息，真是高兴～了 私はこのすばらしいニュースを聞いて，ほんとうに嬉しくてたまらなかった

類義語 | 死 sǐ 死亡 sǐwáng 去世 qùshì 逝世 shìshì 牺牲 xīshēng

◆〔死〕死をいう最も一般的で客観的な表現‖她两年前就死了 彼女は2年も前に死んだ ◆〔死亡〕一般に書き言葉で，〔死亡线〕（死線）のように，複合名詞の構成要素になる‖婴儿的死亡率 乳児の死亡率｜死亡证明书 死亡診断書 ◆〔去世〕一般の人や尊敬する人に用いる‖我父亲已经去世了 父はもう亡くなりました ◆〔逝世〕偉大な人物や尊敬する人に用いる‖主席已经逝世三十年了 主席が世を去られてもう30年になる ◆〔牺牲〕正義のために死ぬことで，多く戦死をいう‖他儿子在战场牺牲了 彼の息子は戦争で死んだ ◆〔死〕は動植物に，〔死亡〕は事物にも使われる．〔去世〕〔逝世〕〔牺牲〕は人の死に限る

【死板】sǐbǎn 形 ❶杓子定規である．弾力性がない ❷平板である．生き生きとしていない‖她唱得有点儿～ 彼女の歌はちょっと一本調子だ
【死不瞑目】sǐ bù míng mù 成 死んでも死にきれない‖这事不办好，我～ このことをきちんと片付けないと，私は死んでも死にきれない
【死产】sǐchǎn 動〈医〉死産する
【死沉】sǐchén 形 ❶ずっしりと重い‖这个包～～的 このかばんはずっしりと重い ❷ぐっすりと眠るさま
【死党】sǐdǎng 名 貶 徒党．一味．手下
【死得其所】sǐ dé qí suǒ 成 死に場所を得る
【死敌】sǐdí 名 不倶戴天の敵．和解できない敵
【死地】sǐdì 名 死地．絶体絶命の窮地‖把人置于～ 人を死地に追いやる
【死对头】sǐduìtou 名 和解できない相手．目の敵．宿敵‖他俩是～ 彼ら二人は犬猿の仲である
【死而后已】sǐ ér hòu yǐ 成 死してのちやむ．死ぬまで頑張る
【死鬼】sǐguǐ 名 ❶（冗談で相手を呼ぶ）ばか．死にぞこない ❷死者．死人．仏
【死胡同】sǐhútòng（～儿）名 袋小路．行き止まりの道．喩（解決策のない）行き詰まり
【死缓】sǐhuǎn 名 略〈法〉2年間の執行猶予付き死刑判決．〔判处死刑，缓期二年执行〕の略
【死灰】sǐhuī 名 火が消え冷たくなった灰．燃え殻‖心如～ 意気消沈するさま

【死灰复燃】sǐ huī fù rán 成（悪い勢力が）また勢いを盛り返す．再び息を吹き返す
【死活】sǐhuó 副口（否定に用いて）どうしても．なんとしても‖～不认账 頑として認めない 名死活．生死‖不顾～ 生死を顧みない
【死火山】sǐhuǒshān 名〈地〉死火山
【死机】sǐjī 動〈計〉ハングアップする．フリーズする
【死记硬背】sǐjì yìngbèi 慣丸暗記する
【死寂】sǐjì 形静まりかえっている．しんとしている
【死角】sǐjiǎo 名❶〈軍〉（射程の）死角 ❷喩盲点
【死校】sǐjiào 動（原稿の修正はせず）原稿のとおり校正を行う ↔〔活校〕
【死结】sǐjié 名小間結び．玉結び ↔〔活结〕
【死劲ル】sǐjìnr 名死に物狂いの力．あらん限りの力 副懸命に．必死に．一心不乱に‖那孩子～盯dīng着我 その子はじっと目を凝らして私を見ている
【死扣ル】sǐkòur 名口小間結び．玉結び
【死牢】sǐláo 名死刑囚の牢獄
【死老虎】sǐlǎohǔ 名喩貶勢力の失墜した人
【死里逃生】sǐ lǐ táo shēng 成死地を脱する．九死に一生を得る
【死力】sǐlì 名死力．必死の力‖下～ 死力を尽くす 副懸命に．必死に‖～抵抗dǐkàng 懸命に抵抗する
【死路】sǐlù 名袋小路．喩行き詰まり‖你那样做只能是～一条 君のあのやり方では行き詰まるだけだ
【死面】sǐmiàn（～ル）名（水を加えてこねただけで）発酵させていない小麦粉
【死灭】sǐmiè 動死滅する．滅亡する
【死命】sǐmìng 名死命．死ぬか生きるかの運命‖制敌人于～ 敵の死命を制する 副懸命に．必死に‖～挣扎zhá 必死にもがく｜～反抗 必死に反抗する
【死难】sǐnàn 動殉難する．災難に遭って死ぬ
【死脑筋】sǐnǎojīn 名石頭．頑固な考えの人 形頑固である．頭が固い
【死皮赖脸】sǐ pí lài liǎn 成面の皮が厚い．厚かましい
【死期】sǐqī 名死期‖～临近 死期が近い
【死棋】sǐqí 名負けの決まった将棋または碁．詰みになった駒または死んだ石．喩挽回しようのない局面
【死气白赖】【死乞白赖】sǐqibáilài（～的）形方執拗(しつよう)なさま．しつこくつきまとうさま
【死气沉沉】sǐ qì chén chén 成生気がなくよどんでいる．沈滞しきっているさま
【死契】sǐqì 名買い戻しを認めない不動産売買契約
【死钱】sǐqián（～ル）名口❶手もとにあって運用しない金 ❷月々の定まった額の収入
【死囚】sǐqiú 名死刑囚
【死去活来】sǐ qù huó lái 成息も絶え絶えになるほど殴られるさま．また，絶え入らんばかりに泣くさま
【死人】sǐrén 名死人
【死伤】sǐshāng 動死傷する
【死神】sǐshén 名死に神
【死尸】sǐshī 名死体．死骸(しがい)
【死守】sǐshǒu 動❶死守する ❷かたくなに守る．墨守する‖～陈规chénguī 古いしきたりを頑固に守る
【死水】sǐshuǐ 名よどんだ水．流れない水．喩沈滞しきった場所．変化から取り残された場所
【死胎】sǐtāi 名死産児
*【死亡】sǐwáng 動死亡する ↔〔生存〕
【死亡率】sǐwánglǜ 名死亡率
【死亡线】sǐwángxiàn 名死線‖贫困的人们在～上挣扎zhá 貧しい人々は食うや食わずの状態にある
【死心】sǐ//xīn 動あきらめる．断念する‖他屡次lǚcì失败，但仍不～ 彼は何度も失敗しながら，依然としてあきらめない
【死心塌地】sǐ xīn tā dì 成いったんこうと決めたら，いちずに思い込むさま
【死心眼ル】sǐxīnyǎnr 形杓子定規である．融通が利かない．頑固である 名杓子定規な人．融通の利かない人．頑固な人
【死信】[1] sǐxìn 名（～ル）訃報(ふほう)
【死信】[2] sǐxìn 名配達不能の郵便物
*【死刑】sǐxíng 名〈法〉死刑‖判～ 死刑を言い渡す
【死性】sǐxing 形機転が利かない．融通が利かない．杓子定規である
【死讯】sǐxùn 名訃報
【死因】sǐyīn 名死因．死亡の原因
【死硬】sǐyìng 形❶融通が利かない．杓子定規である ❷頑固である．かたくなである
【死有余辜】sǐ yǒu yú gū 成死んでもなお罪が償いきれない．罪がきわめて重い
【死于非命】sǐ yú fēi mìng 成非業の死を遂げる．横死する
【死战】sǐzhàn 動必死になって戦う 名死闘．必死の戦い‖决一～ 決死の戦いを挑む
【死罪】sǐzuì 名❶死罪 ❷挨拶（死に相当するほどの失礼をわびる意で）まことに申し訳ありません

sì

3 巳 sì 名巳(み)（十二支の第6）．➡〔地支dìzhī〕
★5 四[1] sì 数4．四つ‖～个人 4人｜～块钱 4元｜第～ 第4番目
5 四[2] sì 名〈音〉中国の伝統音楽の階名の一つで，音符としても用いる．西洋音楽のラに相当する．➡〔工尺gōngchě〕
【四…八…】sì…bā… 組意味の近い二つの語の前に置いて，各方面の意味を表す‖四面八方 四方八方｜四通八达 四通八達する｜四平八稳 穏当である．
【四边】sìbiān（～ル）名四方．周囲
【四边形】sìbiānxíng 名〈数〉四辺形
【四不像】sìbùxiàng 名❶〈動〉シフゾウ ＝〔麋鹿mílù〕❷へんてこなもの．得体の知れないもの
【四部】sìbù 名中国古代の図書分類法で，経・史・子・集の総称．〔四库〕ともいう
【四重奏】sìchóngzòu 名〈音〉四重奏．カルテット
【四出】sìchū 動あちこちに出かける．あちこちに出没する
*【四处】sìchù 名四方．どこもかしこも．あちこち‖～打听 あちこち尋ねまわる｜～奔走 あちこち奔走する
【四大皆空】sì dà jiē kōng 成四大（地・水・火・風の4元素）みな空なり．世の中はすべて空である
【四方】[1] sìfāng 名四方．各方面
【四方】[2] sìfāng 形真四角の．立方体の‖～的木头匣子xiázi 四角い木の箱｜～脸 四角い顔
【四方步】sìfāngbù（～ル）名ゆったりした歩調
【四分五裂】sì fēn wǔ liè 成四分五裂になる．散り散りばらばらになる
【四伏】sìfú 動至る所に潜んでいる
【四个现代化】sì ge xiàndàihuà 名（工業・農

S

業・国防・科学技術の)四つの現代化. 略して〔四化〕ともいう
【四顾】sìgù 動 あたりを見回す
【四海】sìhǎi 名 全国各地. 全世界. 天下 ‖ ～之内皆兄弟 四海の内はみな兄弟である
【四海为家】sì hǎi wéi jiā 成 四海を家とする. どこへ行ってもそこを家とする
【四合院】sìhéyuàn (～儿) 名 (中国北方の伝統様式の民家)四合院. 〔四合房〕ともいう
【四呼】sìhū 名〈語〉最初にくる韻母によって字音を4種類に分けたもの. 〔开口呼〕(韻母が i,u,ü 以外の母音で始まる字音)・〔齐齿呼〕(韻母が i で始まる字音)・〔合口呼〕(韻母が u で始まる字音)・〔撮口呼〕(韻母が ü で始まる字音)の総称
【四胡】sìhú 名〈音〉胡弓(こきゅう)の一種. 四弦の弦楽器
【四化】sìhuà 名 略 四つの現代化. 〔四个现代化〕の略
*【四季】sìjì 名 四季 ‖ ～如春 一年中春のようである
【四季豆】sìjìdòu 名〈植〉インゲンマメ =〔菜豆〕
【四郊】sìjiāo 名 都市の周辺. 近郊
【四脚朝天】sì jiǎo cháo tiān 慣 ❶仰向けに引っくり返る ‖ 摔了个～ 仰向けに転んだ ❷忙しいさまをたとえていう ‖ 这几天我忙得～ このところめちゃくちゃ忙しい
【四脚蛇】sìjiǎoshé 名 トカゲ. 〔蜥蜴〕の通称
【四近】sìjìn 名 周囲. あたり
【四联单】sìliándān 名 4枚つづりの伝票
【四邻】sìlín 名 隣近所
【四六体】sìliùtǐ 名 四六文. 四六駢儷体(しろくべんれいたい)
【四面】sìmiàn 名 四方. 周囲. 周り
*【四面八方】sì miàn bā fāng 慣 四方八方
【四面楚歌】sì miàn Chǔ gē 成 四面楚歌(しめんそか). 周りがみな敵で孤立しているさま
【四拇指】sìmuzhǐ 名 方 薬指
【四旁】sìpáng 名 前後左右. あたり. 近所

【四平八稳】sì píng bā wěn 成 ❶(話しぶり・仕事・文章などが)穏当である. しっかりしている ❷貶 当たり障りがなく独創性に欠ける. 凡庸である
【四起】sìqǐ 動 四方から起こる ‖ 掌声zhǎngshēng～ 拍手がわき起こる
【四散】sìsàn 動 四散する. 散り散りになる ‖ ～奔逃 散り散りに逃げる
【四舍五入】sì shě wǔ rù 名〈数〉四捨五入
【四声】sìshēng 名〈語〉❶古代中国語の〔平声〕(ひょうしょう)・〔上声〕(じょうしょう)・〔去声〕(きょしょう)・〔入声〕(にっしょう)をさす ❷現代中国語の四つの声調. 〔阴平〕(第1声)・〔阳平〕(第2声)・〔上声〕(第3声)・〔去声〕(第4声)をさす ❸広く声調をさす. 四声
【四时】sìshí 名 四季
【四书】Sìshū 名 四書. 『大学』『中庸』『論語』『孟子』の総称 ‖ ～五经 四書五経
【四体】[1] sìtǐ 名 書 手足. 四肢
【四体】[2] sìtǐ 名 楷書(かいしょ)・草書・隷書(れいしょ)・篆書(てんしょ)の四書体
【四通八达】sì tōng bā dá 成 四通八達する. 四方八方に通じている
【四外】sìwài 名 四方. あたり. (多くは何もない広々とした場所に用いる) ‖ ～无人 あたりに人がいない
【四围】sìwéi 名 周囲. 周り
【四维空间】sìwéi kōngjiān 名 四次元空間
【四下里】sìxiàli 名 周り. あたり. 〔四下〕ともいう
【四仙桌】sìxiānzhuō 名 (4人用の)小型の四角いテーブル
【四乡】sìxiāng 名 都市や町を取り囲む村落
【四小龙】sìxiǎolóng 名 喩 4匹の小竜. NIES(シンガポール・台湾・韓国・香港の四つのアジア新興工業国および地域)をさす
【四言诗】sìyánshī 名 四言詩
【四野】sìyě 名 周りに広がる原野
【四则】sìzé 名〈数〉四則. 加減乗除
*【四肢】sìzhī 名 四肢. 両手両足 ‖ ～瘫痪tānhuàn 四肢が麻痺(まひ)する
*【四周】sìzhōu 名 周囲. ぐるり. 周り
【四周围】sìzhōuwéi 名 口 周囲. ぐるり. 周り
6 * **似**(△佀) sì ❶動 似る ‖ 光阴～箭jiàn 光陰矢のごとし ❷副 …のようである. …らしい ‖ ～曾céng见过面 以前に会ったことがあるようだ ❸介 …より…である ‖ 病情一天好～一天 病状が日ごとによくなる ➤ shì
【似懂非懂】sì dǒng fēi dǒng 組 分かったようでもあり分からないようでもある
【似…非…】sì…fēi… 組 (同一の単音節の動詞・形容詞・名詞を入れて) …のようでもあり, …でないようでもある ‖ 似红非红 赤いような赤くないような
**【似乎】sìhu ; sìhū 副 …のようである. …らしい ‖ 他～知道这件事 彼はこの件を知っているようだ
*【似是而非】sì shì ér fēi 成 正しいようだが, 実は間違っている. 似て非なる
【似听非听】sì tīng fēi tīng 組 聞いているようで聞いていない. うわの空
*【似笑非笑】sì xiào fēi xiào 組 笑っているようないないような
6 **汜** sì 地名用字 ‖ ～水 河南省にある川の名
6 * **寺** sì ❶古 官署名 ‖ 太常～ 宗廟(そうびょう)をつかさどる官署 ❷名〈仏〉寺院 ‖ →～院 ❸〈宗〉イスラム教の礼拝所. モスク ‖ 清真～ モスク
【寺观】sìguàn 名 仏教の寺院と道教の道観
【寺庙】sìmiào 名 寺院. やしろ. 廟宇(びょうう)
【寺院】sìyuàn 名 (仏教の)寺院
7 **伺** sì ❶うかがう. 偵察する ‖ 窥kuī～ うかがう ❷ねらう. 待つ ‖ →～机 ➤ cì
【伺机】sìjī 動 書 機会をねらう
【伺隙】sìxì 動 書 すきをうかがう
7 **兕** sì 古 雌のサイ
7 **姒** sì 古 ❶姉 ❷夫の兄嫁
7 **祀**(△禩) sì 祭る ‖ 祭～ 祭祀(さいし)
8 **泗**[1] sì 書 鼻汁. 鼻水 ‖ 涕tì～ 涙と鼻水
8 **泗**[2] sì 地名用字 ‖ ～水 山東省南西部を流れる川の名
8 **饲**(△飤) sì 飼う. 飼養する ‖ →～养
*【饲料】sìliào 名 飼料 ‖ 猪～ ブタの飼料
*【饲养】sìyǎng 動 飼育する ‖ ～家畜 家畜を飼う
8 **驷** sì 書 ❶4頭立ての馬車を引くウマ ‖ →～马 ❷ウマ ‖ 良～ 良馬

【驷马】sìmǎ 图書 4頭立ての馬車を引くウマ ‖ 一言既出，～难追 言ってしまったことは引っ込めようがない

9 俟(△竢) sì 書 待つ

9 食 sì 書 食べさせる ➤shí yì

11 耜 sì 古 農具の一種

11 笥 sì 書 飯や衣類を入れる竹で編んだ方形のひつ

13 嗣 sì 書 ❶継承する．跡を継ぐ ‖ ～国 国を継承する ❷跡継ぎ．子孫 ‖ 后～ 跡継ぎ

【嗣后】sìhòu 图書 その後．以後

【嗣位】sìwèi 動 位を継ぐ

13 肆[1] sì 書 ほしいままにする．勝手放題にふるまう ‖ → ～无忌惮dàn ｜放～ 勝手気ままである

13 肆[2] sì 書 店舗 ‖ 酒～ 居酒屋 ｜书～ 書肆(しょし)．書店

13 * 肆[3] sì 数〔四〕の大字(だいじ)．➡〔大写dàxiě〕

【肆虐】sìnüè 動書 暴虐をほしいままにする

【肆扰】sìrǎo 動 ほしいままに攪乱(かくらん)する

【肆无忌惮】sì wú jì dàn 成 やりたい放題をする．ほしいままにふるまう

【肆行】sìxíng 動 ほしいままにふるまう．みだりに…する

【肆意】sìyì 副 ほしいままに．みだりに

si

8 厕(厠) si ➤cè

sōng

7 忪 sōng ➡〔惺忪xīngsōng〕

8 松[1] sōng 图〈植〉マツ ‖ → ～树

8 ** 松[2](鬆) sōng ❶形 ①緩い．しまりがない ↔〔紧〕‖ 鞋带～了 靴のひもが緩んだ ②緩やかである．厳しくない ‖ 纪律太～了 規律が緩やかすぎる ❷形 もろい．すかすかしている ‖ 又～又软 ふわっとして柔らかい ❸動 緩める ↔〔紧〕‖ 吃得太多，～一～腰带 食べすぎた，ちょっとベルトを緩めよう ❹動 放す．解く ‖ 不小心手一～，杯子就打碎了 うっかり手を放して，コップを割ってしまった ❺形(経済的に)余裕がある．ゆとりがある ↔〔紧〕‖ 等我们手头～一些就去旅行吧 経済的に余裕ができたら，旅行に行こう ❻(肉や魚などの)でんぶ ‖ 肉～ 肉のでんぶ

【松绑】sōng//bǎng 動 ❶縛ってあった縄を解く ❷喩 規制を緩める．規制を解く

【松弛】sōngchí 形 ❶緩い．弛緩(しかん)している．張りがない ❷(規律などが)緩んでいる ‖ 纪律～ 規律が緩んでいる 動 緩める．ほぐす ‖ ～肌肉 筋肉をほぐす

【松动】sōngdòng 形 ❶こんでいない．すいている ❷(経済的に)余裕がある．ゆとりがある 動 ❶緩む．ぐらつく ❷(措置・態度・関係などを)緩める．柔軟にする

【松花蛋】sōnghuādàn 图略 ピータン．〔皮蛋〕〔松花〕ともいう

【松缓】sōnghuǎn 動 和らぐ．緩む 形 ゆったりしている

【松节油】sōngjiéyóu 图〈化〉テレビン油

【松紧】sōngjǐn 图 緩み．きつさ ‖ 这条裤子～正合适，买这条吧 このズボンは緩さがちょうどいい，これを買おう

【松紧带】sōngjǐndài (～儿) 图 ゴムひも

【松劲】sōng//jìn (～儿) 動 力を抜く．力を緩める

【松开】sōngkāi 動 緩める．放す ‖ ～皮带 ベルトを緩める ｜～手 手を放す

【松口】sōng//kǒu 動 ❶口元を緩める．(くわえていたものを)口から放す ❷同意する．承諾する ‖ 我怎么央求，他也不～ 私がどんなに頼んでも，彼はうんと言わない

【松快】sōngkuai 形 ❶気分が軽やかである．気が楽である．気分がくつろぐ ❷窮屈でない．ゆったりしている

【松明】sōngmíng 图 たいまつ

【松气】sōng//qì 動 ほっと息をつく．気を抜く ‖ 越是困难的时候，越不能～ 大変なときであればあるほど，気を緩めるわけにはいかない

【松球】sōngqiú 图〈植〉松かさ．松ぼっくり．地方によっては〔松塔儿〕ともいう

【松仁】sōngrén (～儿) 图(食用の)松の実

【松软】sōngruǎn 形 ふんわりと柔らかい

【松散】sōngsǎn 形 緩んでいる．しまりがない．だらしない．散漫である ‖ 纪律～ 規律が緩んでいる

【松散】sōngsan 動 リラックスする．気を晴らす

【松手】sōng//shǒu 動 手を緩める．手を放す

【松鼠】sōngshǔ (～儿) 图〈動〉リス

*【松树】sōngshù 图〈植〉マツ．マツの木

【松松垮垮】sōngsongkuǎkuǎ (～的) 形 ❶緩んでいる ❷たるんでいる．締まりがない

【松涛】sōngtāo 图 松風の音．松濤(しょうとう)

【松香】sōngxiāng 图〈化〉ロジン

【松懈】sōngxiè 形 ❶だれている．だらけている．緩んでいる ‖ 纪律～ 規律が緩んでいる ❷(関係が)密でない

【松心】sōng//xīn 動 気を緩める．ほっとする

【松针】sōngzhēn 图 松葉

【松脂】sōngzhī 图 松やに

【松子】sōngzǐ (～儿) 图 ❶松の種 ❷方 松の実

【松嘴】sōng//zuǐ 動 ❶口を緩める．(くわえていたものを)口から放す ❷同意する．承諾する

11 淞 sōng 地名用字 ‖ ～江 江蘇省に発し，上海を経て〔黄浦江〕に流入する川の名

13 嵩 sōng 書 山が大きくて高い．高い

sóng

7 㞞(𡳳) sóng ❶精液 ❷形 口 軟弱である．無能である

sǒng

8 怂(慫) sǒng ➘

【怂恿】sǒngyǒng 動 そそのかす．けしかける．たきつける

10 悚 sǒng 書 恐れる．怖がる

【悚然】sǒngrán 形 ぞっとするさま．すくみ上がるさま

10 耸[1](聳) sǒng 書(人の注意を)引く．驚かす ‖ → ～人听闻

10 * 耸[2](聳) sǒng ❶書 そびえる．そそり立つ ‖ 群山高～ 山々が高くそびえ立

つ ❷動 そびやかす ‖ ～了～肩膀 肩をすくめる
【耸动】sǒngdòng 動 ❶(肩などを)そびやかす. すくめる ❷人を驚かす. びっくりさせる
【耸肩】sǒng//jiān 動 肩をすくめる. 肩をそびやかす
【耸立】sǒnglì 動 そびえ立つ
【耸人听闻】sǒng rén tīng wén 成 人の耳目をそばだたせる. 大げさなことを言って人の耳目を驚かせる
【耸峙】sǒngzhì 動 書 高くそびえ立つ. 屹立(きつりつ)する
12 **竦** sǒng ❶書 敬う ❷〔悚sǒng〕に同じ ❸〔耸sǒng〕に同じ

sòng

6 **讼** sòng ❶書 理非曲直を言い争う ‖ 争～ 是非を論争する | 聚jù～纷纭 議論百出する ❷訴える. 訴訟を起こす ‖ 诉～ 訴訟を起こす
7 **宋** sòng ❶图 宋(そう). 周代の国名. 現在の河南省商邱(しょうきゅう)県一帯にあった ❷图 王朝名 ①宋(420～479年). 南朝の一つ ②宋(960～1279年). 〔北宋〕と〔南宋〕とに分かれる
【宋体】sòngtǐ 图〈印〉明朝体. 〔老宋体〕ともいう
9 **诵** sòng ❶声を出して読む. 朗誦(ろうしょう)する ‖ 朗～ 朗誦する ❷説く. 述べる ❸そらんじる. 暗誦(あんしょう)する ‖ 记～ 暗誦する
【诵读】sòngdú 動 声を出して読む. 朗誦する
9 ★**送** sòng ❶動 送っていく ‖ ～孩子上幼儿园 子供を幼稚園まで送っていく ❷動 贈る. 与える ‖ 他～了一本书给我 彼は私に本を1冊くれた ❸動 届ける. 配達する ‖ ～报 新聞を配達する ❹むだに失う. 喪失する ‖ 一～命

類義語 | **送 sòng 寄 jì**
◆〔送〕物品を人に直接届ける. あるいは送り届ける
◆〔寄〕郵便局を通じて間接的に届ける. 郵送する ‖ 寄信 手紙を出す | 寄钱给他 彼にお金を為替で送る
◆〔送〕の目的語が「届ける物」と「相手」の二つある場合, 以下のような表現がある ‖ 我送你两瓶酒 あなたに酒を2本贈ります | 我送两瓶酒给你 あなたに酒を2本贈ります

【送别】sòng//bié 動 送別する. 見送る
【送殡】sòng//bìn 動 野辺の送りをする
【送给】sònggěi 動 …に贈る. …に与える ‖ 他～我一个打火机 彼は私にライターをくれた
【送还】sònghuán 動 送り返す. 返却する
【送货】sòng//huò 動 品物を届ける. 配達する
【送交】sòngjiāo 動 書 送付する. 送致する
【送客】sòngkè 動 客を送る
*【送礼】sòng//lǐ 動 贈り物をする ‖ 你们这儿结婚一般送什么礼? 君らのところでは結婚祝いにふつう何を贈るんだい
【送命】sòng//mìng 動 命を落とす. むだ死にする
【送气】sòngqì 動〈語〉息を顕著に出す. 〔吐气〕ともいう ‖ ～音 有気音
【送亲】sòng//qīn 動 (結婚の際に女性側の親族が)花嫁に付き添って嫁ぎ先まで送る
【送人情】sòng rénqíng 慣 ❶(人に便宜を図って)恩を売る ❷方 贈り物をする
【送丧】sòng//sāng 動 野辺の送りをする. 会葬する
【送审】sòngshěn 動 (上部機関や関係部門に指示や修訂を仰ぐために)送付する
【送死】sòngsǐ 動 口 命を捨てる. 犬死にする
【送信儿】sòng//xìnr 動 口 伝える. ことづける
⁑【送行】sòng//xíng 動 ❶見送る ‖ 村里人都来给他～ 村の人は総出で彼を見送った ❷送別の宴を開く. 壮行する ‖ 设宴为朋友～ 友人の送別会をする
【送葬】sòng//zàng 動 会葬する. 野辺の送りをする
【送站】sòngzhàn 動 駅まで送る
【送终】sòng//zhōng 動 最期をみとる. 死に水をとる
10 **颂** sòng 書 ❶周代, 祭祀(さいし)に用いた舞曲 ❷称揚する ‖ 歌～ ほめたたえる ❸ほめたたえる詩文 ‖ 祖国～ 祖国賛 ❹(多く書簡文で)…を祈る ‖ 敬～近安 ご安泰をお祈りします
【颂词】sòngcí 图 頌詞(しょうし). 祝辞
【颂歌】sònggē 图 頌歌(しょうか). 賛歌
【颂扬】sòngyáng 動 ほめたたえる. 称賛する

sōu

12 **溲** sōu 書 大小便を排泄(はいせつ)する. (とくに)小便をする
12 ***搜**(△蒐❷) sōu ❶動 捜査する. 捜索する. 調べる ‖ ～了半天什么也没～着zháo 長いこと捜索したが何も見つからなかった ❷捜す. 探し求める ‖ 一～集
【搜捕】sōubǔ 動 捜査し逮捕する
*【搜查】sōuchá 動 捜査する. 捜索し調べる ‖ ～犯罪现场 犯行現場を捜査する | ～证 捜査令状
【搜肠刮肚】sōu cháng guā dù 成 頭を絞って考える. 知恵を絞る. 頭をひねる
【搜刮】sōuguā 動 (財物を)搾り取る. 略奪する
【搜获】sōuhuò 動 捜査し押収する
*【搜集】sōují 動 (あちらこちらから)探し集める. 収集する ‖ ～情报 情報を集める | ～文物 文物を収集する
【搜剿】sōujiǎo 動 捜索し掃討する
【搜缴】sōujiǎo 動 捜査し押収する
【搜救】sōujiù 動 捜索し救助する
【搜括】sōukuò 動 (財物を)搾り取る. 収奪する
【搜罗】sōuluó 動 広く収集する ‖ ～人材 人材を広く集める | ～名著 あらゆる名著を収集する
【搜求】sōuqiú 動 探し求める. 探し回る
【搜身】sōu//shēn 動 (所持品取り調べのため)身体検査をする
*【搜索】sōusuǒ 動 捜索する. 捜す
【搜索枯肠】sōu suǒ kū cháng 成 (詩文などを作るために)苦心して考える. 頭をひねる. 知恵を絞る
【搜索引擎】sōusuǒ yǐnqíng 图〈計〉サーチエンジン
【搜寻】sōuxún 動 (人や物を)捜し尋ねる. 捜し回る
12 **嗖** sōu 擬 (素早くそばをかすめていく音)サッ. ピュー. ピュン
12 **馊** sōu ❶動 すえたにおいを発する ‖ 饭～了 御飯がすえた ❷形 口 (考えなどが)くだらない ‖ 一～主意
【馊主意】sōuzhǔyi 图 くだらない考え. つまらない方法 ‖ 他净出～ 彼はくだらないことしか考えつかない
13 **飕** sōu ❶擬 (風が吹く音)ピュー. ヒュー ❷動 方 風が吹く
【飕飗】sōuliú 擬 書 (風の音)ピューピュー
14 **锼** sōu 動 方 (木を)彫る

5* **艘** sōu 量（船を数える）艘(そう)．隻 ‖ 一～轮船 1艘の汽船
【艘次】sōucì 量 延べ隻数

sǒu

9 **叟** sǒu 翁(おきな)．老爺(ろうや) ‖ 老～ 同前
4 **嗾** sǒu ❶動 イヌをけしかけるときに発する声 ❷書（イヌを）けしかける ❸教唆する．そそのかす
4 **瞍** sǒu 書 ❶（瞳孔(どうこう)がなくて）目が見えない ❷盲人．目の不自由な人
6 **薮**（藪）sǒu 書 ❶アシなどの草が生い茂った湖 ❷物や人の集まる所
6 **擞**（擻）sǒu ➡〔抖擞dǒusǒu〕 ➤ sòu

sòu

4 **嗽**（△嗽）sòu 咳(せき)をする ‖ 咳～ 同前 | 干～ から咳をする
6 **擞**（擻）sòu 動 方 火かきで，ストーブなどの灰をゆすり落とす ➤ sǒu

sū

7 **苏**1（蘇 △穌）sū ❶ ➡〔紫苏zǐsū〕 ❷ ➡〔白苏báisū〕
7 **苏**2（蘇 △穌）sū 房状に垂れているもの ‖ 流～ カーテンの房
7 **苏**3（蘇 △穌 甦）sū 意識が戻る．よみがえる ‖ →～醒
7 **苏**4（蘇 △穌）sū ❶蘇州(そしゅう)をさす ❷江蘇(こう)省をさす
7 **苏**5（蘇 △穌）sū ❶ソビエトの略 ❷旧ソ連．〔苏联〕の略
7 **苏**6（囌）sū ➡〔噜苏lūsu〕
【苏菜】sūcài 名 江蘇料理
【苏打】sūdá 名〈化〉ソーダ．〔纯碱〕ともいう
【苏丹】Sūdān 名〈国名〉スーダン
【苏剧】sūjù 名〈劇〉江蘇省の地方劇
【苏里南】Sūlǐnán 名〈国名〉スリナム
【苏铁】sūtiě 名〈植〉ソテツ．ふつう〔铁树〕という
*【苏醒】sūxǐng 動 意識がよみがえる．気が付く
2 **酥** sū ❶古〔酥油〕（バター）をさす ❷小麦粉に油や砂糖を混ぜて焼いた菓子の総称 ❸形（食物が）さくさくして柔らかい．ぼろぼろしてもろい ❹形（体が）ぐったりして力がない
【酥脆】sūcuì 形 柔らかくてもろい．さくさくしている
【酥麻】sūmá 形（体が）しびれてぐったりしている
【酥软】sūruǎn 形（体が）ぐったりしている
【酥松】sūsōng 形 軟らかい．ふんわりしている
【酥油】sūyóu 名 ヒツジなどの乳を煮つめて作ったバター
【酥油茶】sūyóuchá 名 バター入りの茶
3 **稣** sū 〔苏3 sū〕に同じ

sú

9* **俗** sú ❶風俗．習慣．習わし ‖ 风～ 風俗 ❷形 俗っぽい．低級である．下品である ‖ 这人太～ この人は下品すぎる ❸大衆的な ‖ →～语 ❹俗世間．俗人 ‖ 还～ 還俗(げんぞく)する
【俗不可耐】sú bù kě nài 成 俗っぽくてやりきれない．下品で鼻持ちならない
【俗称】súchēng 動 俗に…という 名 俗称
*【俗话】súhuà（～儿）名 ことわざ．俚諺(りげん)
【俗家】sújiā 名 出家者の実家．俗家
【俗名】súmíng（～儿）名 ❶俗称．通称 ❷（僧や道士などの出家前の名前）俗名
【俗气】súqi 形 品がない．あかぬけていない
【俗曲】súqǔ 名 俗曲．〔俚曲〕ともいう
【俗人】súrén 名 ❶凡人．俗っぽい人間 ❷俗人 ↔〔出家人〕
【俗套】sútào 名 ❶世間の古くさいしきたり ❷常套(じょうとう)．ありきたり．月並み ＊〔俗套子〕ともいう
【俗体字】sútǐzì 名〈語〉俗字．〔俗字〕ともいう
【俗文学】súwénxué 名 俗文学．中国古代の通俗文学をさし，歌謡・話本・戯曲・語り物などを含む
【俗语】súyǔ 名 ことわざ．俚諺
【俗子】súzǐ 名 俗人．凡夫 ‖ 凡夫～ 凡夫俗人
【俗字】súzì ＝〔俗体字sútǐzì〕

sù

6 **夙** sù 書 ❶早朝 ‖ →～夜 | →～兴夜寐 ❷平素の．早くからの．かねてからの ‖ →～愿
【夙仇】sùchóu 名 書 ❶宿敵 ❷宿怨(しゅくえん)
【夙敌】sùdí 名 書 宿敵．〔宿敌〕とも書く
【夙兴夜寐】sù xīng yè mèi 成 朝早く起きて夜遅く寝る．勤勉に働くたとえ
【夙夜】sùyè 名 書 日夜．一日中．夙夜(しゅくや)
【夙怨】sùyuàn 名 書 宿怨．積年の恨み．〔宿怨〕とも書く ‖ 二十年前结下的～ 20年来の宿怨
【夙愿】sùyuàn 名 書 宿願．宿望．〔宿愿〕とも書く
7 **诉**（△愬❶）sù ❶話す．陳述する．述べる ‖ →～说 | 告～ 告げる ❷（裁判所に）訴える ‖ 上～ 上訴する
【诉苦】sù//kǔ 動 苦しみや苦労を訴える
【诉求】sùqiú 動 訴える．要求する 名 要求．願い
【诉权】sùquán 名〈法〉訴訟する権利．訴権
【诉述】sùshù 動（感情をこめて）訴える．述べる
【诉说】sùshuō 動（感情をこめて）訴える．話す
*【诉讼】sùsòng 動〈法〉訴訟を起こす
【诉讼法】sùsòngfǎ 名〈法〉訴訟法
【诉冤】sù//yuān 動 不当な取り扱いや無実を訴える
【诉状】sùzhuàng 名 旧 起訴状
8 **肃**（肅）sù ❶書 恭しい ‖ →～立 ❷厳粛である ‖ 严～ 厳粛である ❸正す ‖ 整～军纪 軍紀を粛正する ❹粛清する ‖ →～清
【肃静】sùjìng 形 静粛である．ひっそりと静かである ‖ 请保持～ 静かにしてください
【肃立】sùlì 動 書 恭しく立つ．かしこまって立つ
【肃穆】sùmù 形 書 厳かで恭しい．いかめしい
*【肃清】sùqīng 動 粛清する．一掃する ‖ ～封建意识 封建的意識を徹底的に取り除く

【肃然】sùrán 形 粛然としている
【肃杀】sùshā 形 書 寒々としてもの寂しいさま
【肃贪】sùtān 動 汚職を一掃する. 汚職を取り締まる

10 **涑** sù 地名用字 ‖ ～水 山西省を流れる川の名

10 **速**[1] sù ❶速い ‖ 飞～ 飛ぶように速い ❷速さ. 速度 ‖ 时～ 時速 | 风～ 風速

10 **速**[2] sù 書 招く. 招待する ‖ 不～之客 招かれざる客

*【速成】sùchéng 動 速成する ‖ ～班 速成クラス
【速递】sùdì 名 エクスプレス便. 特急便 ‖ 邮政～ エクスプレス便. EMS 動 特急便で配達する
【速冻】sùdòng 動 高速冷凍する
【速度】sùdù 名 **速度. スピード ‖ 加快～ スピードを上げる | 减慢～ スピードを落とす
【速度滑冰】sùdù huábīng 名〈体〉スピードスケート
【速记】sùjì 動 速記する 名 速記
【速决】sùjué 動 即決する ‖ 速战～ 速戦即決する
【速决战】sùjuézhàn 名 短時間で決着をつける戦闘
【速率】sùlǜ 名〈物〉スピード. 速度
【速溶】sùróng 形 速く溶ける ‖ ～咖啡 インスタント・コーヒー | ～奶粉 スキムミルク
【速食面】sùshímiàn 名 方 インスタントラーメン
【速算】sùsuàn 動 速算する
【速效】sùxiào 形 速効の. 即効の 名 即効
【速写】sùxiě 名 ❶〈美〉スケッチ ❷スケッチ風の文章

10 * **素** sù ❶もとの色の. 白の ‖ 一～服 ❷形 色の地味な ‖ 这块布颜色很～ この布地は色が地味だ ❸もともとの. 本来の ‖ 一～质 ❹素(もと) ‖ 元～ 元素 ❺平素の. ふだんの ‖ 平～ 平素 ❻副 かねてから. 以前から ‖ ～无交往 以前から行き来がない ❼名 精進料理 ↔〔荤hūn〕‖ 一～菜

> **逆引き単語帳** 〔元素〕yuánsù 元素 〔酵素〕jiàosù 酵素 〔色素〕sèsù 色素 〔黑色素〕hēisèsù メラニン色素 〔尿素〕niàosù 尿素 〔青霉素〕qīngméisù ペニシリン 〔抗菌素〕kàngjūnsù 抗生物質 〔激素〕jīsù ホルモン 〔维生素〕wéishēngsù ビタミン 〔血色素〕xuèsèsù ヘモグロビン 〔叶绿素〕yèlǜsù 葉緑素 〔胰岛素〕yídǎosù インシュリン

【素不相识】sù bù xiāng shí 成 まったく面識がない
【素材】sùcái 名 (文学や芸術の)素材. 材料
【素菜】sùcài 名 精進料理. 菜食
【素餐】sùcān 名 精進料理 動 ❶精進料理を食べる ❷書 徒食する
【素常】sùcháng 名 平生. 日ごろ
【素淡】sùdàn 形 ❶あっさりしている. 淡白である ❷地味である
【素服】sùfú 名 白い服. 無地の服. (広く)喪服
【素洁】sùjié 形 清楚で純白な
【素净】sùjing 形 (色彩や模様が)地味である
【素酒】sùjiǔ 名 ❶精進料理を食べるときに飲む酒 ❷方 精進料理の宴席
【素来】sùlái 副 平素. かねがね. これまで. かつて
【素昧平生】sù mèi píng shēng 成 面識がない
【素描】sùmiáo 名 ❶〈美〉デッサン. 素描 ❷(文学の)スケッチ風の描写
【素朴】sùpǔ 形 ❶素朴である. 質素である ❷萌芽(ほうが)状態にある. 未発展状態にある
【素日】sùrì 名 書 平素. 日ごろ
【素食】sùshí 名 菜食. 精進料理 動 菜食する
【素数】sùshù 名〈数〉素数 =〔质数〕
【素昔】sùxī 副 平素. ふだん
【素席】sùxí 名 精進料理の宴席
【素雅】sùyǎ 形 さっぱりしていて上品である
【素养】sùyǎng 名 素養
【素油】sùyóu 名 食用の植物油. 地方によっては〔清油〕ともいう
【素愿】sùyuàn 名 かねてからの願い. 宿願
【素志】sùzhì 名 書 平素の志. 宿願
*【素质】sùzhì 名 素質 ‖ 身体～ 体質や体格のレベル | 人口～ 国民のレベル | 提高～ 素質を向上させる
【素质教育】sùzhì jiàoyù 名 徳育, 智育, 体育, 美育を培い, 創造力と実践力を養うことを目的とした教育
【素装】sùzhuāng 名 ❶白装束 ❷地味な身なり

11 **宿**(△宿) sù ❶泊まる ❷書 かねてからの ‖ 一～愿 ❸書 老年の ‖ 耆qí～ 声望ある老人 ❹書 声望のある人 ➤ xiǔ xiù

【宿弊】sùbì 名 書 宿弊 ‖ ～不清 宿弊が改まらない
【宿仇】sùchóu 名 宿怨(しゅくえん). 宿恨
【宿敌】sùdí =〔夙敌sùdí〕
【宿根】sùgēn 名〈植〉宿根
【宿疾】sùjí 名 書 持病
【宿命论】sùmìnglùn 名〈哲〉宿命論
★【宿舍】sùshè 名 **宿舎. 寮**
【宿营】sùyíng 動〈軍〉宿営する. 露営する
【宿怨】sùyuàn =〔夙怨sùyuàn〕
【宿愿】sùyuàn =〔夙愿sùyuàn〕
【宿债】sùzhài 名 旧債. 古い借金
【宿志】sùzhì 名 書 早くから持っていた志. 宿志. 〔夙志〕とも書く
【宿主】sùzhǔ 名〈生〉宿主 =〔寄主〕

12 **粟** sù 名〈植〉アワ. または脱穀していないアワ =〔谷子gǔzi〕

【粟米】sùmǐ 名 方 トウモロコシ
【粟子】sùzi 名 方 ❶アワ ❷(脱穀していない)アワ

13 **溯**(△泝 遡) sù ❶書 流れにさからってのぼる ‖ ～江而上 川をさかのぼっていく ❷さかのぼる. 追及する ‖ 回～ 回想する

【溯源】sùyuán 動 源を追究する. 由来を追究する

13 **愫** sù 書 まこと. 本心. 本意 ‖ 情～ 同前

13 **塑** sù ❶動 塑像を作る ‖ ～一尊佛像 一体の仏像を作る ❷プラスチック ‖ 一～料

【塑封】sùfēng 動 ビニールコーティングを施す 名 (新刊書などにかけてある)ビニール包装
【塑料】sùliào 名 **プラスチック(ベークライトやビニールなどをさすこともある) ‖ ～袋儿 ポリ袋 | ～薄膜bómó ラップ
【塑像】sù//xiàng 動 塑像を作る 名 (sùxiàng)塑像
【塑性】sùxìng 名〈物〉塑性
*【塑造】sùzào 動 ❶塑像を作る ❷文字で人物を描写する

13 **嗉** sù 〈鳥〉嗉囊(そのう)

【嗉囊】sùnáng 名〈鳥〉嗉囊. 〔嗉子〕ともいう

14 **傈** sù ➡〔傈僳族Lìsùzú〕

S

14 **蔌** sù 書野菜‖野～ 山菜

14 **觫** sù ➡〔觳觫húsù〕

17 **簌** sù ↘

【簌簌】sùsù 擬(風に擦れ合う木の葉の音)サラサラ，ザワザワ 形 ❶涙が次々とこぼれ落ちるさま ❷(体が震えるさま)ぶるぶる，がたがた

suān

10 **狻** suān ↘

【狻猊】suānní 名古獅子(しし)の別名

★14 **酸** suān ❶形 **酸っぱい**‖这橘子júzi真～ このミカンはとても酸っぱい ❷つらい，悲しい，切ない‖悲～ 悲しく切ない ❸形(疲労や病気で体が)**だるい，だるくて痛い**‖两眼发～ 両目がしょぼしょぼする ❹形 **貧乏くさい，古くさい**‖他说话真～ 彼の物言いはひどく古くさい ❺名〈化〉酸

【酸败】suānbài 動(食物が)腐敗して酸っぱくなる

【酸不溜丢】suānbuliūdiū (～的) 形方 酸っぱい(嫌悪の語感を含む)

【酸菜】suāncài 名 白菜などを発酵させて酸っぱくした漬物

【酸楚】suānchǔ 形 辛い，悲しい，苦しい

【酸酐】suāngān 名〈化〉酸無水物，略して〔酐〕という

【酸碱度】suānjiǎndù 名〈化〉ペーハー(pH)

【酸懒】suānlǎn 形方 体がだるくおっくうなさま

【酸溜溜】suānliūliū (～的) 形 ❶酸っぱい ❷けだるい ❸ねたましいあるいは切ない気持ちが胸にこみ上げるさま ❹知識をひけらかして，もったいぶるさま

【酸梅】suānméi 名〔乌梅〕(漢方薬で梅の実を薫製にしたもの)の俗称

【酸梅汤】suānméitāng 名〔酸梅〕から作る甘酸っぱい清涼飲料水

【酸奶】suānnǎi 名 ヨーグルト

【酸牛奶】suānniúnǎi ＝〔酸奶suānnǎi〕

【酸软】suānruǎn 形(疲れて)だるい

【酸甜苦辣】suān tián kǔ là 成 酸っぱい，甘い，苦い，辛い，人生の苦楽や幸不幸のたとえ

【酸痛】suāntòng 形 だるくて痛い

【酸雾】suānwù 名 酸性霧

【酸性】suānxìng 名〈化〉酸性 ↔〔碱jiǎn性〕

【酸雨】suānyǔ 名 酸性雨

【酸枣】suānzǎo 名〈植〉サネブトナツメ，〔棘〕ともいう

suàn

13
* **蒜** suàn 名〈植〉ニンニク，〔大蒜〕ともいう

【蒜瓣儿】suànbànr 名 ニンニクの一かけら

【蒜毫】suànháo (～儿) 名(野菜の一種)ニンニクの茎

【蒜黄】suànhuáng (～儿) 名(野菜の一種)ニンニクの黄色い葉(遮光して育てたもの)

【蒜苗】suànmiáo 名方(野菜の一種)ニンニクの芽

【蒜泥】suànní 名 つきつぶしたニンニク，おろしニンニク

【蒜薹】suàntái 名(野菜の一種)ニンニクの茎

【蒜头】suàntóu (～儿) 名 ニンニクの球根状の部分

14
★ **算** suàn ❶動 **計算する，数える**‖～一～这个月的开支 今月の支出を計算してみる ❷計画する，もくろむ，企てる‖盘pán～ 胸算用する ❸動 **推測する，推し測る**‖我～着他今天该回来了 彼は今日は帰ってくると思う ❹動 **計算に加える，数に入れる**‖这笔钱～在杂费里 この金は雑費に入れる ❺動 **…とみなす，…とする**‖这次考试不～难 今回の試験は難しいとはいえない ❻(後に〔了〕を伴い)やめにする，それまでとする‖一～了 ❼動 **有効である，効力をもつ**‖说了不～ 言ったことを守らない ❽副 ようやく，なんとか‖这回～找着了 こんどはやっと探し当てた

【算不得】suànbude 動 …に数えられない，…のうちに入らない‖～好汉 男と言えない

【算不了】suànbuliǎo 動 …に数えることはできない，…というほどではない‖～什么 どうということはない

*【算不上】suànbushàng 動 …に数えることはできない，…というほどではない‖这几天还～太冷 この数日はまだひどく寒いとはいえない

【算草】suàncǎo (～儿) 名 算術の演算メモ

*【算得上】suàndeshàng 動 …に数えることができる，…だといえる‖他～是一个多面手 彼は多芸多才な人といってよい

【算卦】suàn//guà 動 八卦(はっ)を占う

【算话】suàn//huà 動 言ったことに責任を持つ

【算计】suànji 動 ❶計算する‖～开销kāixiao 費用を計算する ❷考慮する‖派谁合适，还得好好儿～～ 誰に行ってもらうのがふさわしいか，まだよく考えねばならない ❸人を陥れようとたくらむ，ひそかに謀る‖背地里～人 陰で人を陥れようとたくらむ ❹推測する，推し測る‖我～着他该到了 私は彼がそろそろ来るころだと思う

【算来】suànlai；suànlái 動 数えてみる，(多く文頭に置く)‖～我们来这儿已经五年了 数えてみると，私たちはここに来てもう5年になる

【算了】suàn le 組 **それまでとする，よしとする，やめにする‖不去就～ 行かないならそれでもいい

【算命】suàn//mìng 動 運勢を占う

*【算盘】suànpan；suànpán 名 そろばん‖打～ そろばんをはじく，計算する｜打错了～ あてが外れた｜如意～ 虫のいい計算，取らぬタヌキの皮算用

【算式】suànshì 名〈数〉算式，数式

*【算是】suànshì 副 どうやら，どうにか‖这回～弄明白了 こんどはどうやら分かったといえる

*【算术】suànshù 名 ❶算数 ❷算術

*【算数】suàn//shù 動 ❶(～儿)効力をもつ，有効である，数に入る‖说话～ 言ったことは守る ❷(そこまでやって)よしとする‖不到手不～ 手に入らないうちはまだそれを得たことにならない

【算学】suànxué 名 ❶数学 ❷算術

【算账】suàn//zhàng 動 ❶勘定する‖吃完了一起～ 食べ終わったらまとめて勘定する ❷口 決着をつける，けりをつける‖秋后～ 時が来たら恨みを晴らす

*【算做】suànzuò 動 …とみなす，…とする‖这几句话就～临别赠言zèngyán吧！ この言葉をもってお別れのご挨拶といたします

S

suī

7 **尿** suī 名口 小便．尿．意味は〔尿❶〕と同じで，話し言葉に用いる ➤niào

9 ＊ **虽**（雖）suī ❶接…であるが，…とはいえ‖人～少，工作效率却不低 人は少ないが，仕事の効率は高い ❷接 たとえ…でも，よしんば…でも‖～死犹yóu荣 たとえ死すとも名誉である

★【虽然】suīrán 接（前文で事実を肯定し）…ではあるが，…とはいえ．（多く後文に〔可是〕〔但是〕〔却〕などの語を置き呼応させる）‖这种工作～平凡，却很重要 このような仕事は平凡ではあるけれども重要である｜～事隔多年，当时的情景他还都记得 長年たってはいるが，当時の情景を彼はまだすべて覚えている

＊【虽说】suīshuō 接口…ではあるが，…とはいえ‖～房间不大，但收拾得很干净 部屋は大きくないが，とてもきれいに片付いている

10 **荽** suī ➡〔芫荽yánsui〕

11 **眭** suī 名姓

13 **睢** suī 地名用字‖～县 河南省にある県の名

16 **濉** suī 地名用字‖～河 安徽省から江蘇省にかけて流れる川の名

suí

10 **绥** suí 書 ❶慰撫（いぶ）する ❷無事である，安泰である

【绥靖】suíjìng 動書 平定する．鎮撫（ちんぶ）する

11 **隋** suí 名 王朝名，隋（ずい）（581～618年）

11 ＊＊ **随**（隨）suí ❶動 後につき従う，ついていく‖～着他走 彼についていく ❷介…に従って‖→～声附和 ❸ついでに‖→～手 ❹動 従う，素直に言うことを聞く‖这事我～你 このことはあなたの言うとおりにします ❺動 任せる，…のままにする‖我的意见说完了，听不听～你 私の意見は言い終わった，聞き入れるかどうかは君しだいだ ❻動方 似る‖她脾气～她爸 彼女の性格は父親似である

【随笔】suíbǐ 名 ❶随筆，エッセー ❷筆記，記録

【随便】[1] suí//biàn 動 都合のよいようにする，好きなようにする‖买不买，随你的便吧 買うか買わないか，あなたの好きなようにしなさい

＊＊【随便】[2] suíbiàn 形 ❶（制限がなく）自由である‖～挑 自由に選ぶ ❷気ままである，いいかげんである‖办不了就别～答应 できないのなら軽率に引き受けてはいけない 接…にかかわりなく．（多く後に疑問代詞を置く）‖～哪本都可以，只要是我没看过的 どの本でもかまわない，私がまだ読んでいないのでさえあれば

【随波逐流】suí bō zhú liú 成 流れに身を任せる．時流に従う

【随常】suícháng 形 常日ごろの，平生の，ふだんの

【随处】suíchù 副 至る所，どこでも

【随从】suícóng 動 随行する，つき従う 名 随行員

【随大溜】suí dàliù（～儿）慣 多数に従う，長いものに巻かれる．〔随大流〕ともいう

【随带】suídài 動 ❶一緒に持っていく，一緒に届ける ❷携帯する‖～行李不少 携帯する荷物がけっこうある

＊【随地】suídì 副 所かまわず，どこでもかまわず‖禁止～吐痰tǔtán みだりにたんを吐くことを禁ず

【随访】suífǎng 動 随伴して訪問する

【随份子】suí fènzi 慣（大勢で慶弔金などを贈る際）分担の分を出す，一口乗る

【随风倒】suífēngdǎo 慣 風向きのよいほうになびく，自分の意見を持たずに力のある方につく

【随风转舵】suí fēng zhuǎn duò ＝〔顺风转舵 shùn fēng zhuǎn duò〕

【随感】suígǎn 名 随感，随想‖～录 随想録

【随行就市】suí háng jiù shì 慣 市場価格が状況で上がり下がりすること

【随和】suíhe 形 気さくである，親しみやすい

＊【随后】suíhòu 副 すぐ後で，のちほどすぐ‖你们先走，我～就来 みんな先に行ってください，私は後からすぐ行きますから

【随机】suíjī 形 無作為の 副 情況に応じて

【随机抽样】suíjī chōuyàng 名 ランダム・サンプリング

【随机应变】suí jī yìng biàn 成 臨機応変，時と場合に応じて適当な処置を取ること

＊【随即】suíjí 副 すぐに，直ちに

【随军】suíjūn 動 軍隊につき従う，従軍する

【随口】suíkǒu 副 よく考えもせず，いいかげんに‖～答应 いいかげんに承知する

【随身】suíshēn 形 身の回りにある，身につけている‖～用品 身の回りで使う物｜～行李 手荷物

【随身听】suíshēntīng 名 携帯用ヘッドホンステレオ

【随声附和】suí shēng fù hè 成 付和雷同する

＊＊【随时】suíshí 副 ❶好きなときいつでも，随時‖有事可以～来找我 何かあれば，いつでも私のところにいらっしゃい ❷その時々に，随時に‖～供应 随時供給する

＊【随时随地】suíshí suídì 慣 いつでもどこでも

＊【随手】suíshǒu（～儿）副 ついでに，その手で‖～关灯 出入りのついでに電気を消す

【随顺】suíshùn 動 おとなしく従う

【随俗】suísú 動 世間の習慣に従う

【随…随…】suí…suí… 組…するそばから…する‖随学随忘 学ぶそばから忘れる

【随同】suítóng 動書 付き添う，供をする，随行する

【随喜】suíxǐ 動 ❶みんなに同調する，一口乗る ❷旧 寺に参詣する

【随乡入乡】suí xiāng rù xiāng 成 郷に入っては郷に従え．〔入乡随乡〕〔入乡随俗〕ともいう

【随想】suíxiǎng 名 随想．（多く書名に用いる）

【随心】suí//xīn 形 望みどおりである，満足である

【随心所欲】suí xīn suǒ yù 成 思うがままに振る舞う

＊【随意】suí//yì 形 思いのままである‖～拿吧 ご随意にお取りください｜随你的意办吧！ あなたの好きなようにしてください

【随意肌】suíyìjī 名〈生理〉随意筋

【随遇而安】suí yù ér ān 成 どんな環境にも適応して満足する，住めば都

【随员】suíyuán 名 ❶随員，随行員 ❷在外大使館に勤務する最下級の外交官，随員

【随葬】suízàng 動 副葬する‖～品 副葬品

＊【随着】suízhe 接…に従って，…につれて‖～收入增加，消费水准也在不断提高 収入の増加につれて，消費レベルも絶えまなく向上し続けている 介…に従って，…につれて‖语言～社会生活的发展变化而变化

言葉は社会生活の発展変化につれて変化する 圖 それとともに ‖ 主力队员一走，球队也～散了 主要な選手が去ると，チームもそれとともに解散した

12 **遂 suí** ➡〔半身不遂 bàn shēn bù suí〕 ➤suì

suǐ

21 **髓 suǐ** ❶〈生理〉骨髄 ❷体内の骨髄に似たもの ‖ 脊jǐ～ 脊髄(せきずい) ❸〈植〉植物の茎の髄 ❹(物の中心の)髄 ‖ 精～ 精髄．エッセンス

suì

6 ★ **岁(歳 △嵗) suì** ❶書 年 ‖ 一～月 ❷量 …歳 ‖ 孩子五～了 子供は5歳になった ❸作柄．収穫 ‖ 丰～ 豊年

【岁出】suìchū 图 歳出 ↔〔岁入〕
【岁初】suìchū 图 年初
【岁末】suìmò 图 書 年末
【岁暮】suìmù 图 書 年末．歳末
【岁入】suìrù 图 歳入 ↔〔岁出〕
【岁首】suìshǒu 图 書 年初．年頭
*【岁数】suìshu (～儿) 图 年齢．年 ‖ 您今年多大～了？ 今年でおいくつですか
*【岁月】suìyuè 图 年月．歳月 ‖ ～不待人 歳月人を待たず｜青春～ 青春時代

10 **谇 suì** 書 詰問する．責める

10 **祟 suì** たたり．まともでない行動 ‖ 作～ たたる｜鬼鬼～～ 陰でこそこそする｜祸huò～ たたり

12 **遂 suì** ❶やり遂げる．成功する ‖ 功成名～ 功成り名遂ぐ ❷思いのままになる．意にかなう ‖ 一～心 ❸副 書 ただちに．すぐ ‖ 一听此言，～转怒为喜 その言葉を聞くや，怒りは喜びに変わった ➤suí

【遂心】suì//xīn 形 思いどおりである．思いのままである
【遂意】suì//yì 形 思いどおりである
【遂愿】suì//yuàn 動 願いを遂げる．念願がかなう

13 ⁂ **碎 suì** ❶動 砕ける．壊れる．破断する ‖ 碗～了 茶碗が割れた ❷動 (完全なものをばらばらの形に)砕く．粉々にする ‖ 粉身～骨 粉骨砕身する ❸形 細かい．こなごなの．ばらばらの．はしたの ‖ ～纸片 紙切れ ❹形 (話が)くどい．くだくだしい ‖ 嘴～ 話がくだくだしい

【碎步儿】suìbùr 图 ちょこちょこ歩き．小走り
【碎花】suìhuā 图 細かい花模様
【碎纸机】suìzhǐjī 图 シュレッダー
【碎嘴子】suìzuǐzi 方 形 話がくどい 图 話がくどい人

14 **隧 suì** 地下道．トンネル

*【隧道】suìdào 图 トンネル ‖ 铁路～ 鉄道のトンネル
【隧洞】suìdòng ＝〔隧道suìdào〕

16 **燧 suì** ❶古代の火おこしの道具 ‖ ～石 火打ち石 ❷のろし ‖ 烽～ のろし

17 **邃 suì** ❶遠い．深い ‖ ～古 太古．大昔 ❷深遠である．奥深い ‖ 精～ 奥深い

17 **穗 suì** ❶图 (～儿) (穀物の)穂 ❷图 (～儿)房(ふさ) ‖ 一～子 ❸图 広州市の別称

【穗子】suìzi 图 房．房飾り

sūn

6 **孙(孫) sūn** ❶息子の子．孫 ‖ 一～子 ❷孫と同世代の親族 ‖ 外～ 外孫(娘の息子) ❸孫以降の各世代 ‖ 曾zēng～ ひまご ❹〈植〉ひこばえ ‖ 稻dào～ イネのひこばえ

【孙儿】sūn'ér 图 孫(息子の息子)
*【孙女】sūnnü；sūnnǚ (～儿) 图 孫娘(息子の娘)
【孙女婿】sūnnǚxu 图 孫娘(息子の娘)の夫
【孙媳妇】sūnxífu (～儿) 图 内孫の嫁
*【孙子】sūnzi 图 ❶孫(息子の息子) ❷貶 愚か者．腰抜け ‖ 少跟我装～！ とぼけるな

9 **荪(蓀) sūn** 古書にある香草の一種

9 **狲(猻) sūn** ➡〔猢狲húsūn〕

12 **飧(△飱) sūn** 書 夕食

sǔn

10 * **损 sǔn** ❶減少する．減る．失う ‖ 亏～ 欠損する ❷損なう．傷つける ‖ 有～形象 イメージが傷つけられる ❸副 方 皮肉を言う．けなす ‖ 拿话～了他几句 彼にちょっぴり皮肉を言った ❹形 方 辛辣(しんらつ)である．手厳しい．悪辣(あくらつ)である ‖ 这样做太～ こんなやり方はあまりにあくどい ❺壊れる．破損する ‖ 破～ 破損する

【损兵折将】sǔn bīng zhé jiàng 成 将兵を失う
【损公肥私】sǔn gōng féi sī 成 公共の利益を損ない，私腹を肥やす．〔损公肥己〕〔损公利己〕ともいう
*【损害】sǔnhài 動 損なう．害を及ぼす．傷つける ‖ 吸烟～身体健康 喫煙は健康を損なう
*【损耗】sǔnhào 動 むだに失う．ロスが出る 图 損失．ロス ‖ 减少能源的～ エネルギーのロスを減少させる
*【损坏】sǔnhuài 動 損なう．傷つける
【损毁】sǔnhuǐ 動 破損する．壊す
【损人】sǔn//rén 動 人をこきおろす．人をけなす
*【损人利己】sǔn rén lì jǐ 成 人を傷つけ己を利する
*【损伤】sǔnshāng 動 ❶損傷する．傷つける ‖ 自尊心受到了～ 自尊心が傷つけられた ❷失う
⁑【损失】sǔnshī 動 損をする．損失をこうむる 图 損失．損害 ‖ ～惨重 損害は重大である
【损益】sǔnyì 動 ❶増加することと減少すること ❷損失を出すことと利益を出すこと

10 **笋(△筍) sǔn** 图〈植〉タケノコ ‖ 竹～ タケノコ｜冬～ 冬に掘ったモウソウチク

【笋干】sǔngān 图〈植〉干しタケノコ
【笋尖】sǔnjiān 图 タケノコの先の部分

10 **隼 sǔn** 图〈鳥〉ハヤブサ．〔鹘〕ともいう

14 **榫 sǔn** 图 ほぞ ‖ 合～ ほぞにぴったり合う｜错～ ほぞに合わない

【榫头】sǔntou 图 ほぞ
【榫眼】sǔnyǎn 图 ほぞの穴
【榫子】sǔnzi 图 ほぞ

suō

10 **唆** suō そそのかす ‖ 调～ そそのかす | 教～ 教唆(きょう)する. そそのかす | 挑～ そそのかす

【唆使】suōshǐ 動 そそのかす. そそのかしてやらせる

10 **娑** suō ↴

【娑罗双树】suōluó shuāng shù 名〈仏〉沙羅双樹(さらそうじゅ)

11 **梭** suō 名(機織りの道具)梭(ひ) ‖ 日月如～ 歳月はめまぐるしく過ぎる

【梭巡】suōxún 動 書 行ったり来たりする

【梭子】[1] suōzi 名 梭(ひ)

【梭子】[2] suōzi 名 機関銃などの弾倉 量 弾倉につめた弾を数える ‖ 一～子弾 弾倉ひとこめの弾

【梭子蟹】suōzixiè 名〈動〉ワタリガニ. ガザミ.〔蝤蛑〕ともいう

11 **挲**(△抄) suō ➡〔摩挲mósuō〕 ➤ sā

12 **睃** suō 動 見る. 横目で見る ‖ ～了他一眼 横目で彼をちらっと見る

13 **蓑**(△簑) suō ❶名〈植〉ウンヌケ.〔龙须草〕ともいう ❷みの

【蓑衣】suōyī 名 みの ‖ 披pī～ みのをはおる

13 **嗍** suō 動 口をすぼめて吸い取る. 吸う ‖ ～奶 乳を吸う

13 **嗦** suō ➡〔哆嗦duōsuo〕〔啰嗦luōsuo〕

13 **羧** suō 〈化〉カルボキシル. カルボキシル基

14 ** **缩** suō ❶動 縮む. 収縮する ‖ 这裤子～了一截jié このズボンは一回り縮んだ ❷動 引っ込める. 縮める ‖ ～在墙角qiángjiǎo 壁の隅に縮こまる ❸動 後ずさりする. 後退する ‖ 退～ 尻込みする ❹節約する.(支出を)減らす ‖ 紧～ 緊縮する

【缩编】suōbiān 動 ❶(機構や人員などを)縮小再編する ❷(文章などを)短縮して編集する

【缩脖子】suō bózi 組 首を縮める. 尻込みする

*【缩短】suōduǎn 動 短縮する. 短くする. 縮める ‖ ～差距 差を縮める | 会期～了 会期が短くなった

【缩减】suōjiǎn 動 縮減する. 切り詰める

【缩略语】suōlüèyǔ 名〈語〉略語

【缩手】suō//shǒu 動 手を引っ込める. 途中でやめる

【缩手缩脚】suō shǒu suō jiǎo (～的) 慣 ❶(寒さで)手足が縮こまる ❷尻込みする. おじけづく

【缩水】suō//shuǐ 動 ❶(生地を)水につけて縮ませる ❷(suōshuǐ)(生地が)洗って縮む.〔抽水〕ともいう

【缩头缩脑】suō tóu suō nǎo (～的) 慣 首をすくめる. 尻込みする. おじけづく

【缩微】suōwēi 動 縮小する ‖ ～胶片 マイクロフィルム

*【缩小】suōxiǎo 動 縮小する. 小さくする ‖ ～城乡差别 都市と農村の格差を小さくする

【缩写】suōxiě 動 ❶アルファベットで略称する ‖ 联合国可以～为UN 国際連合はUNと略称することができる ❷(長編小説などを)短く書き改める. ダイジェストする ‖ ～本 ダイジェスト版 名 ローマ字略語

【缩衣节食】suō yī jié shí 成 衣食を節約する ＝〔节衣缩食jié yī suō shí〕

【缩印】suōyìn 動 縮刷する ‖ ～本 縮刷本

【缩影】suōyǐng 名 縮図. ひながた

suǒ

8 ** **所** suǒ ❶書 ところ. 場所 ‖ 住～ 住居 ❷助(動詞の前に置き, 名詞句を作る) … するところのもの ‖ 据我～知 私の知っているところによれば | ～耗费hàofèi的能源 消費したところのエネルギー ❸助(〔为 … 所 …〕の形で受け身を表す) … によって … される ‖ 为实践shíjiàn～证明 実践によって証明される ❹量 ①建物を数える ‖ 一～房子 一棟の建物 ②学校・病院などを数える ‖ 一～医院 一つの病院 ❺官庁や機関などの名称に用いる ‖ 研究～ 研究所 ❻古 明代の軍隊の駐屯地

*【所得】suǒdé 名 所得 ‖ 个人～ 個人所得

*【所得税】suǒdéshuì 名 所得税

【所见所闻】suǒ jiàn suǒ wén 組 見るもの聞くもの

【所罗门】Suǒluómén 名〈国名〉ソロモン諸島

【所剩无几】suǒ shèng wú jǐ 組 いくらも残っていない

*【所属】suǒshǔ 形 所属の ‖ ～部队 所属部隊

**【所谓】suǒwèi 形 いわゆる

【所向披靡】suǒ xiàng pī mǐ 成 向かうところ草木がなびく. 向かうところ敵なし

【所向无敌】suǒ xiàng wú dí 成 向かうところ敵なし.〔所向无前〕ともいう

★【所以】suǒyǐ 接 ❶(後の文に用いて結果を表す) だから. したがって. ゆえに ‖ 因为生病, ～没来上课 病気になったので, それで授業に出なかった ❷(多く〔(… 之)所以 …, 是因为 …〕の形で) … なのは … だからである ‖ 之～发生事故, 是由于忽视了安全生产 事故が起きた原因は, 安全操業を怠ったからである ❸(前文でまず原因・理由をあげ, 後文は〔是 … 所以 … 的原因(缘故)〕の形で) それがある結果をもたらしたことを説明する ‖ 他有绝对的把握, 这就是他～敢这样做的原因 彼には絶対の自信があり, それが彼があえてこのようにやる原因である ❹口(独立して用い) だからさ. だからだよ ‖ ～呀, 要不然我也不会告诉他 だからなのだ, でなければ私だって彼に言うはずがない 名 そのわけ. そのゆえん ‖ 不知～ そのわけを知らない

【所以然】suǒyǐrán 名 そうであるわけ ‖ 知其然而不知其～ そうであることは知っているが, そうなったわけは知らない

★【所有】suǒyǒu 形 すべての. 一切の. 全部の ‖ ～的人 すべての人 動 所有する ‖ 遗产全部归他～ 遺産はすべて彼の所有に帰した 名 所有しているもの. 持っているもの ‖ 一无～ 何も持っていない

類義語 所有 suǒyǒu 一切 yīqiè

◆〔所有〕ある範囲内のある事物の全体をさす. 形容詞で,〔所有〕+〔的〕の形で定語(連体修飾語)になることが多い. 例外なくすべての ‖ 他卖掉了所有的东西 彼は持っている物すべてを売り払った ◆〔一切〕ある範囲に限らず, ある事物の全部の種類をさす. 代詞で, 名詞を修飾するとき, ふつう〔的〕を必要としない. 定語に用いるほかに, 単独で主語・目的語になることもできる. あらゆる. いっさいの ‖ 一切困难都会解决 あらゆる困難は解決できる | 一切都准备好了 すべてが準備できた | 人民的利益高于一切 人民の利益はすべてに優先

する

*【所有权】suǒyǒuquán 图所有権

*【所有制】suǒyǒuzhì 图所有制

*【所在】suǒzài 图❶所在，ありか‖学校～地 学校の所在地 ❷場所，ところ

【所作所为】suǒ zuò suǒ wéi 圏することなすこと，すべての行い‖反省自己的～ 自分の行いを反省する

10 **唢** suǒ ↴

【唢呐】suǒna；suǒnà 图〈音〉嗩吶(さな)(チャルメラに似た管楽器)

10 **索**[1] suǒ ❶太いなわ，ロープ‖船～ 船のロープ｜绳～ 太いなわ｜铁～ ワイヤロープ

10 **索**[2] suǒ ❶捜す，捜し求める‖搜～ 捜索する ❷探求する‖探～ 探求する ❸請求する，求める‖→～取

10 **索**[3] suǒ ❶書 孤独である‖～居 独居する ❷さみしい，つまらない‖→～然

【索偿】suǒcháng 動 賠償請求する‖向保险公司～ 保険会社に賠償請求をする

【索酬】suǒchóu 動 報酬を要求する‖按劳～ 労働に応じて報酬を求める

【索道】suǒdào 图ケーブル，ロープウエー，ケーブルカー

【索贿】suǒ//huì 動 賄賂を要求する

【索价】suǒjià 動 売り値をつける

【索马里】Suǒmǎlǐ 图〈国名〉ソマリア

【索寞】suǒmò 形 書 ❶意気消沈している ❷索莫(さくばく)としている，荒涼としている

【索赔】suǒpéi 動〈貿〉損害賠償を求める，クレームをつける‖向卖方～ 売り手に賠償を求める

【索桥】suǒqiáo 图 吊り橋

【索取】suǒqǔ 動 求める，要求する‖～商品目录 商品カタログを請求する

【索然】suǒrán 形 書 索然たる，興ざめである

【索然寡味】suǒ rán guǎ wèi 成 文章が無味乾燥なこと

【索索】suǒsuǒ 擬 風や雨のかすかな音 形 震えるさま‖冻得～发抖fādǒu 寒くてぶるぶる震える

*【索性】suǒxìng 副 いっそ，思い切って‖一看时间来不及了，～今天不去了 時間に遅れてしまったのを見て，いっそ今日は行かないことにした

類義語 索性 suǒxìng 干脆 gāncuì

◆〔索性〕副詞で，「いっさい何も顧みず思い切って」の意味を表す‖既然误了一趟车，就索性在家里等两三天 乗り遅れてしまったのならしかたがないでしょう，いっそ家に戻って数日のんびりされたら ◆〔干脆〕副詞としては「潔く，きっぱりと，思い切って」の意味を表す‖我们干脆加个夜班干完它 いっそ夜勤をしてそれを片付けちまおう ◆形容詞の〔干脆〕は述語・補語・状語(連用修飾語)になり，否定形や重ね型を持つ．〔索性〕は副詞に限られる‖问题处理得很干脆 問題の処理が実にてきぱきしている｜干干脆脆地回答了 きっぱり答えた

【索要】suǒyào 動 求める，強く要求する

【索引】suǒyǐn 图 索引，インデックス

【索子】suǒzi 图 方 太い鎖，ロープ

11 **琐**(△瑣) suǒ ❶こまごました‖→～事 ❷卑しい，身分が低い‖猥～ 卑しい

【琐事】suǒshì 图こまごました雑事‖日常～ 日常の雑事｜～缠身chánshēn 雑用に追われる

【琐碎】suǒsuì 形 こまごましている，ささいでつまらない

【琐闻】suǒwén 图こまごましたニュース，つまらないうわさ

【琐细】suǒxì 形 こまごましている，雑多である

【琐屑】suǒxiè 形 書 こまごましている

12 * **锁**(△鎖) suǒ ❶鎖‖拉～ ファスナー ❷图 錠，錠前‖上～ 鍵をかける ❸图 錠前の形をしたもの‖长命～ 長命を祈る子供のお守り ❹動 施錠する，鍵をかける‖把保险柜～好 金庫に鍵をかける ❺封鎖する‖→～国 ❻動 糸でかがる‖～边 縁をかがる

【锁匙】suǒchí 图 方 鍵

【锁定】suǒdìng 動 ❶固定する‖～体育频道 スポーツチャンネルに固定する ❷最終的に確定する‖～胜局 勝利を確定的にする ❸定める‖～目标 目標を定める

【锁骨】suǒgǔ 图〈生理〉鎖骨

【锁国】suǒguó 動 鎖国する

【锁链】suǒliàn (～儿) 图 鎖，〔锁链子〕ともいう

【锁上】suǒ//shang(shàng) 動 錠をきちんとかける‖别忘了把门～ ドアをきちんとロックするのを忘れないように

【锁钥】suǒyuè 图 ❶鍵，キーポイント‖解开难题的～ 難題を解決する鍵 ❷要害の地

T

【T恤衫】T xùshān 图 Tシャツ. ポロシャツ
【T型台】T xíng tái 图（ファッションショーの）T 字型舞台. T 字型ステージ.〔T 台〕ともいう

tā

5 ★他 tā ❶書 ①ほかの. 別の‖并无～意 決して他意はない ②ほかのもの‖岂qǐ有～哉zāi！ほかにありようがない ❷代 彼.（広く）不特定の第三者‖～和妻子一起来了 彼は奥さんと一緒に来た ❸代〔你〕と呼応し, 大勢またはすべての人を表す‖你也请假, ～也请假, 大家都不来, 这会怎么开呢？ 誰も彼もが休みを取って, みんな来ないというのでは, この会は開けないじゃないか ❹代 動詞の後に置き, 口調を整える‖睡～一觉 一眠りする

類義語 他 tā 她 tā 它 tā

◆〔他〕〔她〕第三人称単数を表す. 男性には〔他〕, 女性には〔她〕と文字の上で書き分ける. 性別がはっきりしないとき, または分ける必要のないときは,〔他〕を使う‖"谁是你父亲（母亲）？""是他（她）"「どの人が君のお父さん（お母さん）ですか」「あの人です」◆複数形は〔他们（她们）〕. 同じく文字の上で書き分ける. 男女を含む場合は〔他们〕を用いる‖他子女都大了, 他们都参加工作了 彼の息子や娘はもう大きく, 彼らはみな仕事に就いている ◆〔它〕人間以外の生物や事物をさし, 文中ですでに示されているものに用いる‖我养只小狗, 它叫小黑 僕が飼っているイヌはクロという名前だ ◆複数形は〔它们〕. ただし, 書面でのみ用いられ,〔它〕で複数も表す

【他妈的】tāmāde 慣 罵 畜生. こん畜生. くそっ.（多く男性が使う言葉）〔妈的〕ともいう
★【他们】tāmen 代 ❶彼ら‖～都是我的同学 彼らはみな私の同級生だ ❷名前または身分を表す名詞の前か後に置き, その人と関係する人たちをさす‖小黄～在打乒乓球 黄さんたちはピンポンをしている
*【他人】tārén 图 他の人. 他人
【他日】tārì 图 書 後日. いつか
【他杀】tāshā 動 他人によって殺される ↔〔自杀〕
【他乡】tāxiāng 图 異郷. 他国. 他郷

5 ★它（△牠）tā ❶代 それ. あれ‖过去的事情就让～过去吧 過去のことは水に流そうではないか ❷代 動詞の後に置いて, 口調を整える‖干～一场 おおいにやろう
★【它们】tāmen 代 それら. あれら

6 ★她 tā ❶代 彼女. あの女性‖～是我姐姐 彼女は私の姉です ❷代 祖国・国旗・故郷などを擬人化してさすときに用い, 敬愛の意を表す
★【她们】tāmen 代 彼女たち. 彼女ら

10 铊 tā 图〈化〉タリウム（化学元素の一つ, 元素記号は Tl）

10 趿 tā ↴
【趿拉】tāla 動 靴のかかとをつぶして履(は)く
【趿拉板儿】tālabǎnr 图 方 木製のサンダル.〔呱哒板儿 guādabǎnr〕ともいう

13 溻 tā 動 口（服や布団などが）汗でぬれる

13 遢 tā ➡〔邋遢lāta〕

13 * 塌 tā ❶動 倒れる. 倒壊する‖土墙～了 土塀が倒れた ❷動 くぼむ. 落ちくぼむ‖瘦得两腮sāi都～下去了 痩せて両頰が落ちくぼんだ ❸動 しおれる‖一～秧 ❹動（気を）静める‖一～心
【塌方】tā//fāng 動（堤防やトンネルなどが）崩れる. 崩壊する.〔坍tān方〕ともいう
【塌架】tā//jià 動 ❶（家屋などが）倒壊する. 倒れる ❷喩 崩壊する. 失脚する
【塌棵菜】tākēcài 图（野菜の一種）タアサイ
【塌落】tāluò 動 崩れ落ちる. 崩れる
*【塌实】tāshi ＝〔踏实tāshi〕
【塌台】tā//tái 動 崩壊する. 瓦解(がかい)する. 失脚する
【塌陷】tāxiàn 動 沈下する. 陥没する
【塌心】tā//xīn 形 方（気持ちが）落ち着いている
【塌秧】tā//yāng（～儿）動 方 ❶（植物などが）しおれる. しなびる ❷元気がなくなる. しょげる

15 踏 tā ↴ ➤ tà
*【踏实】tāshi 形 ❶（仕事や学習態度が）堅実である. 着実である‖塌塌实实地学习 こつこつと勉強する ❷（気持ちが）落ち着いている. 安定している‖收到儿子的信, 心里才～下来 息子の手紙を受け取り, やっと気持ちが落ち着いた ＊〔塌实〕とも書く

tǎ

12 ** 塔（△墖）tǎ ❶图 寺院の塔. 仏塔. パゴダ ❷图 塔状の建造物 ➤ da
【塔吊】tǎdiào 图〈機〉タワー・クレーン
【塔吉克斯坦】Tǎjíkèsītǎn 图〈国名〉タジキスタン. 略して〔塔吉克〕という
【塔吉克族】Tǎjíkèzú 图 タジク族（中国の少数民族の一つ, 主として新疆ウイグル自治区に居住）
【塔楼】tǎlóu 图 タワー状の高層建築物
【塔塔尔族】Tǎtǎ'ěrzú 图 タタール族（中国の少数民族の一つ, 主として新疆ウイグル自治区に居住）
【塔台】tǎtái 图（空港の）管制塔. コントロール・タワー
【塔钟】tǎzhōng 图 時計台の大型時計

16 獭 tǎ ➡〔水獭shuǐtǎ〕〔旱獭hàntǎ〕

18 鳎 tǎ 图〈魚〉シタビラメ. ふつうは〔鳎目鱼〕という

tà

8 拓（△搨）tà 動 拓本をとる. 石ずりをとる‖～碑文 碑文の拓本をとる ➤ tuò
【拓本】tàběn 图 拓本帖
【拓片】tàpiàn 图 拓本. 石ずりの紙片

8 沓 tà 書 重複する. 重なり合う‖杂～ 乱雑である ➤ dá

9 **挞**（撻）**tà** 書（鞭^{むち}や棒で）人を打つ ‖ 鞭～ 非難する

9 **闼**（闥）**tà** 書 扉 ‖ 排～直入 扉を押して入る

12 **嗒** **tà** ↴ ➤dā

【嗒丧】tàsàng 形 方 がっかりするさま．気がふさぐさま

14 **漯** **tà** 地名用字 ‖ ～河 山東省にある川の名 ➤luò

14 **榻** **tà** 細長くて低い寝台．（広く）寝床 ‖ 卧～ 寝台 ｜ 下～ 宿泊する ｜ 病～ 病床

15 * **踏** **tà** ❶動 踏む．踏みつける ‖ ～上新的工作岗位 新しい職場に就く ❷実地に調査する ‖ 一～勘 ➤tā

【踏板】tàbǎn 名 ❶（船や車などの）渡り板 ❷〈体〉踏み切り板 ❸ペダル．踏み板

【踏步】tàbù 動 足踏みする 名 方 石段

【踏春】tàchūn 動（春に）郊外へ遊びにいく

【踏访】tàfǎng 動 実地調査をする．訪問調査をする

【踏勘】tàkān 動 ❶（鉄道やダムなどの建設前に）実地調査をする ❷現場検証を行う

【踏看】tàkàn 動 現場検証を行う

【踏青】tàqīng 動（清明節の前後に）郊外へ遊びに出かける．ピクニックに行く

【踏足】tàzú 動 足を踏み入れる ‖ ～社会 社会に出る

17 **蹋** **tà** ❶古〔踏tà〕に同じ ❷書 ける

tāi

5 **台** **tāi** 地名用字 ‖ 天～ 浙江省にある地名 ｜ ～州 浙江省にある地名 ➤tái

8 **苔** **tāi** ➡〔舌苔shétāi〕 ➤tái

9 **胎**[1] **tāi** ❶名（人および哺乳動物の）胎児 ‖ 胚pēi～ 胎児 ❷量 妊娠や出産の回数を数える ‖ 第一～ 最初の妊娠 ｜ 生了两～ 2回出産した ❸事物の根源 ‖ 祸huò～ 禍根 ❹名（～儿）もとになる型．物の芯^{しん} ‖ 棉花～ 布団綿 ❺子を宿した子宮．母胎 ‖ 娘～ 母の胎内

9 **胎**[2] **tāi** 名 外 タイヤ．〔带〕ともいう ‖ 车～ タイヤ ｜ 内～（タイヤの）チューブ ｜ 外～ タイヤ

【胎动】tāidòng 動〈生理〉胎動する

【胎儿】tāi'ér 名 胎児

【胎发】tāifà 名 新生児の頭髪

【胎记】tāijì 名〈医〉母斑^{ぼはん}

【胎教】tāijiào 名 胎教

【胎毛】tāimáo 名 新生児の頭髪，あるいは体毛

【胎膜】tāimó 名〈生理〉胎膜

【胎盘】tāipán 名〈生理〉胎盤

【胎生】tāishēng 形〈動〉胎生の

【胎位】tāiwèi 名（子宮内での）胎児の位置

【胎衣】tāiyī 名〈生理〉胞衣^{えな}．後産 ＝〔胞衣〕

tái

5 *** **台**[1]（臺 檯⑤）**tái** ❶名 台状の建築物．高楼 ‖ 观望～ 展望台 ❷台座．台脚 ‖ 蜡～ 燭台^{しょくだい} ❸名 演壇．舞台 ‖ 讲～ 演壇 ❹（～儿）台状の設備 ‖ 窗～ 窓のかまち ｜ 锅～ かまど ❺台状の家具や器具 ‖ 梳妆shūzhuāng～ 化粧台 ❻旧 敬 相手または相手に関係するものや動作を示す語に付けて敬意を表す ‖ 兄～ 貴兄 ❼量 芝居や出し物を数える ‖ 唱了一～戏 芝居を1回演じた ❽台湾．〔台湾〕の略 ‖ 一～胞

5 **台**[2]（颱）**tái** ➡〔台风táifēng〕

5 *** **台**[3]（臺）**tái** 量 機械を数える ‖ 一～电视机 テレビ1台 ➤tāi

逆引き単語帳 〔阳台〕yángtái バルコニー 〔柜台〕guìtái（商店などの）カウンター 〔服务台〕fúwùtái（ホテルなどの）フロント．カウンター 〔收款台〕shōukuǎntái（商店などの）代金支払い窓口．勘定台 〔讲台〕jiǎngtái 演壇．教壇 〔看台〕kàntái 観覧席．スタンド 〔舞台〕wǔtái 舞台 〔后台〕hòutái 楽屋．黒幕 〔砚台〕yàntai すずり 〔印台〕yìntái スタンプ台 〔站台〕zhàntái 〔月台〕yuètái プラットホーム 〔写字台〕xiězìtái 事務机．書き物机 〔电台〕diàntái ラジオ局．電信局 〔电视台〕diànshìtái テレビ局 〔气象台〕qìxiàngtái 気象台 〔观象台〕guānxiàngtái 気象台．観測所

【台胞】Táibāo 名 台湾の同胞．〔台湾同胞〕の略

【台币】táibì 名 ニュー台湾ドル．単位は〔圆〕

【台布】táibù 名 テーブル掛け．テーブルクロス．〔桌布〕ともいう

【台步】táibù（～儿）名（舞台上の役者の）歩き方

【台秤】táichèng 名 ❶台ばかり．〔磅bàng秤〕ともいう ❷方 竿式てんびんばかり

【台词】táicí 名〈劇〉台詞^{せりふ}

【台灯】táidēng 名 電気スタンド

***【台风】táifēng** 名〈気〉台風 ‖ ～警报 台風警報

【台海】Táihǎi 名 台湾海峡．〔台湾海峡〕の略

【台基】táijī 名〈建〉（建物の）土台．基礎

【台鉴】táijiàn 名 旧 翰 ご高覧．ご覧

***【台阶】táijiē**（～儿）名 ❶（家の前などの）石段．階段 ❷喩 逃げ道．引っ込みどころ ‖ 找个～下 引き時を見計らう ❸喩 段階

【台历】táilì 名 卓上カレンダー

【台面】táimiàn 名 方 ❶宴席．転 公の場 ‖ 上不了～ 公にできない ❷（卓上の）ばくちの賭^{か}け金

【台盘】táipán 名 方 宴会．酒席．転 公の場．人前

【台球】táiqiú 名 ❶玉突き．ビリヤード ❷ビリヤードの球 ❸方 卓球

【台扇】táishàn 名 卓上扇風機

【台柱子】táizhùzi 名〈劇〉立て役者．転（組織の）中心人物．リーダー

【台子】táizi 名 ❶（ビリヤードや卓球などの）台 ‖ 乒乓球～ 卓球台 ❷方 机 ❸回 台 ‖ 戏～ 舞台

7 **邰** **tái** 名 姓

8 **苔** **tái** 名〈植〉コケ ‖ 青～ コケ ➤tāi

8 ★ **抬** **tái** ❶動 持ち上げる．もたげる．起こす ‖ 把头～起来 頭を上げる ❷動（二人以上で物を）運ぶ．担ぐ ‖ ～担架dānjià 担架を担ぐ ❸動 回 言い争う．口げんかをする ‖ 一方忍让一点儿就～不起来 片方が少し我慢すれば口論にならない

【抬爱】tái'ài 動 引き立てる．目をかける

T

【抬秤】táichèng 名 大型の竿ばかり
【抬杠】[1] tái//gàng 動 口論する. 口げんかする. 地方によっては〔抬杠子〕ともいう
【抬杠】[2] tái//gàng 動 旧 担ぎ棒で棺を担ぐ
【抬高】táigāo 動 引き上げる ‖ ～物价 物価をつり上げる｜贬低biǎndī别人，～自己 他人をけなし自分をよくみせる
【抬价】tái//jià (～儿) 動 価格を上げる
【抬轿子】tái jiàozi 慣 喩 おだてて担ぎ上げる
【抬举】táiju 動 引き立てる. 目をかける ‖ 不识～ 好意を無にする. 図に乗る
【抬升】táishēng 動 ❶上げる. 引きあげる. 上昇する ❷(気流や地形などが)上昇する. 隆起する
【抬头】[1] tái//tóu 動 ❶頭をもたげる. 顔を上げる ‖ ～看 顔を上げて見る｜在人前抬不起头 世間に顔向けができない ❷喩 台頭する. 勢力を得る
【抬头】[2] táitóu 動 旧 台頭する. 書簡文や公文書で，敬意を表すために相手の名前を改行すること 名 領収書の受取人の名前を書く所
【抬头纹】táitóuwén 名 額のしわ
8 **骀** tái 書 駄馬. 下等なウマ ‖ 驽nú～ 駑馬(どば). 才能が劣っている人のたとえ ➤ dài
9 **炱** tái すす ‖ 煤～ 石炭のすす｜松～ マツのすす
11 **跆** tái 動 書 踏む. 踏みつける
【跆拳道】táiquándào 名〈体〉テコンドー
13 **鲐** tái 名〈魚〉サバ
17 **薹**[1] tái 名〈植〉カサスゲ
17 **薹**[2] tái 薹(とう). (アブラナやフキなどの)花茎 ‖ 蒜suàn～ ニンニクの茎

tǎi

7 **呔** tǎi 形 方 (言葉に)なまりがある. なまっている ‖ 老～ なまりのある人 ➤ dāi

tài

4 ★**太** tài ❶果てしなく大きい. きわめて高い ‖ ～空 ❷最高の身分の. 二世代上の ‖ ～后 ❸太古の. 悠久の ‖ ～古 ❹副 ①(多く感嘆に用いて)たいへん. きわめて ‖ 这办法～好了 この方法は実にすばらしい ②(多く好ましくない場合に用いて)あまりにも. ひどく ‖ 衣服～大 服が大きすぎる ③(〔不太 ……〕の形で)あまり(… でない). さほど(… ではない) ‖ 伤不～重 怪我はたいしたことはない
【太白星】tàibáixīng 名 口 金星 =〔金星〕
【太仓一粟】tài cāng yī sù 成 滄海(そうかい)の一粟(いちぞく). きわめて微少であるたとえ
【太阿倒持】Tài'ē dào chí 成 安易に人に権限を渡し，自分が苦境に陥るたとえ
【太古】tàigǔ 名 太古. 悠久の昔
【太后】tàihòu 名 皇太后
【太湖石】tàihúshí 名 太湖石. (江蘇省の太湖に産する石で，築山や庭石に用いられる)
【太极】tàijí 名〈哲〉太極. 宇宙の最も根源となるもの
【太极拳】tàijíquán 名 太極拳(たいきょくけん)
【太极图】tàijítú 名 太極図. 宇宙を形象化したもの
【太监】tàijiàn 名 旧 宦官(かんがん)
*【太空】tàikōng 名 宇宙 ‖ ～船 宇宙船
【太空船】tàikōngchuán 名 方 宇宙船. 〔宇宙飞船〕〔航天飞船〕ともいう
【太空服】tàikōngfú 名 宇宙服
【太空人】tàikōngrén 名 宇宙飛行士
【太空站】tàikōngzhàn 名 宇宙ステーション. 〔空间站〕ともいう
【太庙】tàimiào 名 皇帝の宗廟(そうびょう)
*【太平】tàipíng 形 太平である ‖ 天下～ 天下太平である｜这一带不大～ この地域はあまり安全ではない
【太平间】tàipíngjiān 名 霊安室. 遺体安置室
【太平门】tàipíngmén 名 非常口. 避難口
【太平梯】tàipíngtī 名 非常階段
【太上皇】tàishànghuáng 名 ❶皇帝の父. 上皇. 太上皇 ❷喩 陰で操る権力者. 陰の支配者
【太甚】tàishèn 形 むごい. あまりにもひどい ‖ 欺人～ あまりにも人をばかにしている
【太师椅】tàishīyǐ 名 旧式のひじ掛けの付いた大型の椅子.
【太岁】tàisuì 名 ❶〈天〉木星. 〔木星〕の別称 ❷(伝説の中の)神の名 ❸旧 土豪に対する蔑称
【太岁头上动土】tàisuì tóushang dòng tǔ 慣 権力者にたてつき大胆不敵な行為をするたとえ
★【太太】tàitai 名 ❶旧 役人の妻に対する尊称. 奥様 ❷旧 使用人の女主人に対する尊称 ❸(夫の姓の後に付けて)既婚女性に対する尊称. 奥さん ‖ 张～ 張さんの奥さん ❹(多く人称代名詞の後に置いて)他人または自分の妻に対する呼称 ‖ 他～跟我～是同乡 彼の奥さんと私の家内は同郷だ ❺方 曾祖母. 曾祖父
【太息】tàixī 動 書 ため息をつく
【太学】tàixué 名 古 太学(たいがく). 古代の最高学府
★【太阳】tàiyáng 名 ❶太陽 ❷陽光. 日差し ‖ 今天～很好 今日は天気がいい
【太阳地儿】tàiyángdìr 名 日なた
【太阳电池】tàiyáng diànchí 名 太陽電池
【太阳风暴】tàiyáng fēngbào 名〈天〉太陽表面の爆発. フレア
【太阳黑子】tàiyáng hēizǐ 名〈天〉太陽の黒点. 〔日斑〕ともいう
【太阳活动】tàiyáng huódòng 名〈天〉太陽活動
【太阳镜】tàiyángjìng 名 サングラス
【太阳历】tàiyánglì 名 太陽暦
【太阳帽】tàiyángmào 名 日よけ帽 ‖ 戴～ 日よけ帽をかぶる
*【太阳能】tàiyángnéng 名 太陽エネルギー
【太阳年】tàiyángnián 名〈天〉太陽年. 回帰年
【太阳日】tàiyángrì 名〈天〉太陽日
【太阳系】tàiyángxì 名〈天〉太陽系
【太阳穴】tàiyángxué 名〈中医〉こめかみ
【太爷】tàiyé 名 ❶曾祖父 ❷方 祖父
【太医】tàiyī 名 ❶皇室の侍医 ❷方 医師
【太阴历】tàiyīnlì 名 太陰暦. 陰暦 =〔阴历〕
【太阳灶】tàiyángzào 名 ソーラークッカー. パラボラ型調理器
【太子】tàizǐ 名 皇太子
7 **汰** tài 淘汰(とうた)する ‖ 淘táo～ 淘汰する｜裁cái～ 人員整理をする

8 **态(態) tài** ❶姿．ありさま‖状～ 状態 ❷名〈語〉態．アスペクト

★**【态度】tàidu** 名❶**身ぶり．物腰．態度**‖要～ かんしゃくを起こす．当たり散らす ❷**立場．態度**‖～鲜明 態度がはっきりしている｜表明～ 立場を明らかにする

> **類義語** | **态度 tàidu 表现 biǎoxiàn**
>
> ◆〔态度〕人の立ち居ふるまいなど，比較的短時間の言動や表情，また，物事に対する姿勢を表す‖你这是什么态度？ 君の態度はどういうことだ｜服务态度不好 接客態度が悪い｜表明自己的态度 自分の立場を言明する ◆〔表现〕一定期間を通じて見られる生活や仕事上の態度．また，物事の内在的意味を表す‖能不能进步，就看你的表现了 進歩できるかどうかは君の心がけしだいだ｜艺术表现形式 芸術の表現様式 ◆〔表现〕には「表現する．表す．ひけらかす」という動詞用法がある‖她爱表现自己 彼女は目立ちたがり屋だ

【态势】tàishì 名 態勢．形勢

8 **肽 tài** 名〈化〉ペプチド．かつては〔胜〕ともいった

9 **钛 tài** 名〈化〉チタン．チタニウム(化学元素の一つ，元素記号は Ti)

10 **泰¹ tài** 安泰である．平穏である‖→～然｜国～民安 国は太平で民は安楽である

10 **泰² tài** 書❶極の．果ての‖→～西 ❷きわめて．非常に‖富贵～盛 非常に豊かである

【泰斗】tàidǒu 名略 泰斗(たいと)．第一人者

【泰国】Tàiguó 名〈国名〉タイ

【泰然】tàirán 形 泰然としているさま．落ち着いているさま‖～处之 沈着に対処する

【泰然自若】tài rán zì ruò 成 泰然自若．落ち着いていて少しも動じないさま

【泰山】Tàishān 名喩 敬慕する人．価値のあるもの‖稳如～ 泰山のように揺るぎなくしっかりしている．安定して堅固なさま ❷(tàishān)岳父．〔岳父〕の別称

【泰山北斗】Tàishān běidǒu 成 泰山と北斗星．大家．権威のある人

【泰山压顶】Tàishān yā dǐng 成 泰山が頭の上にのしかかる．巨大な圧力がかかるたとえ‖～不弯腰 どんな圧力がかかっても決して腰を曲げない

【泰西】Tàixī 名旧 泰西．西洋をさす

酞 tài 名〈化〉フタレイン

tān

坍 tān 動(がけや建物が)崩れ倒れる‖房子～了 家が倒壊した

【坍方】tān∥fāng 動 崩れる．崩壊する ＝〔塌tā方〕

【坍塌】tāntā 動 崩れる．倒壊する．崩壊する

【坍台】tān∥tái 動方❶(事業などが)失敗する．だめになる．崩れる ❷顔がつぶれる．面目を失う

【坍陷】tānxiàn 動 陥没する

贪 tān ❶動 ねらう．もくろむ‖～他有钱 彼の金が目当てである ❷動 収賄する．汚職をする‖→～污 ❸動 欲張る．むさぼる‖→～玩

【贪杯】tānbēi 動書 酒におぼれる．酒にふける

【贪财】tān∥cái 動 財貨をむさぼる

【贪吃】tānchī 動 食い意地を張る

【贪得无厌】tān dé wú yàn 成 貪欲で飽くことを知らない

【贪多嚼不烂】tān duō jiáo bù làn 諺 あまり欲張って詰め込んでも消化できず，かえって中途半端になること

【贪官】tānguān 名 悪徳官吏．汚職役人

【贪婪】tānlán 形❶貪婪(どんらん)である．欲張りである‖～的商人 欲張りな商人 ❷満足しないさま．むさぼるさま‖～地读着 むさぼるように読んでいる

【贪恋】tānliàn 動 未練を持つ．執着する

【贪求】tānqiú 動 貪欲に求める．むさぼり求める

【贪色】tānsè 動 女色にふける

【贪生怕死】tān shēng pà sǐ 成 命を惜しみ死を恐れる

【贪睡】tānshuì 動 眠りをむさぼる‖因～而迟到 寝坊して遅刻する

【贪天之功】tān tiān zhī gōng 成 他人の功績を横取りする

【贪图】tāntú 動(利を)ひたすら求める‖～钱财 財貨をむさぼる‖～清静，搬到这儿来了 静かなところが気に入って，ここに引っ越してきた

【贪玩】tānwán (～儿) 動 遊びにふける

*__【贪污】tānwū__ 動 汚職をする．横領する‖～犯 横領罪の犯人｜～公款 公金を横領する

【贪小失大】tān xiǎo shī dà 成 小利をむさぼって大利を失う

【贪心】tānxīn 名 貪欲．強欲 形 欲張っている．欲深である

【贪欲】tānyù 名 貪欲

【贪赃】tānzāng 動 汚職をする．収賄する

【贪赃枉法】tānzāng wǎngfǎ 組(役人が)賄賂を取ったり，汚職をしたりする

【贪占】tānzhàn 動 横領する

【贪嘴】tānzuǐ 動 食い意地を張る．食をむさぼる

13 **滩(灘) tān** ❶(川の)浅瀬‖险～ 流れの急な浅瀬 ❷(川・湖・海の)砂浜‖海～ 海辺の砂浜｜河～ 河原｜沙～ 砂州

【滩地】tāndì 名(比較的平坦(へいたん)な)砂地．河原

【滩头】tāntóu 名 河・湖・海などの岸辺の開けた砂地

【滩涂】tāntú 名 砂州．砂浜

13 ***摊(攤) tān** ❶動 一面に並べる．広げる‖～凉席 ござを敷く ❷動(費用負担などを)割り当てる．分担する‖一个人～两块钱 一人につき2元を割り当てる ❸動(困ったことに)ぶつかる．出合う‖这种事～在谁身上也受不了 こういうことは誰の身に起きても耐えられないことだ ❹名(～儿)露店．屋台‖摆～儿 露店を出す ❺動 粉などを溶いて薄くのばして焼く‖～鸡蛋 薄焼き玉子を作る ❻量 広がっている液状のものを数える‖一～稀泥 ぬかるみ

【摊薄】tānbáo 動〈経〉(新株発行などにより)1株当たり利益が減少する

【摊场】tān∥cháng 動(収穫した作物を)干し場に広げて日に干す

【摊档】tāndàng 名方 露店．屋台

【摊点】tāndiǎn 名 露店の出店を許可された場所

【摊贩】tānfàn 名 露店商

【摊放】tānfàng 動 広げて置く

【摊开】tānkāi 動❶ならして広げる ❷すべて並べる．すっかり広げる‖有什么话咱们还是～了说吧 何か言いたいことがあるなら，お互いすっかり吐き出そうじゃないか

【摊牌】tān//pái 動 ❶（トランプのポーカーで）自分の持ち札を相互に示して勝負を決する ❷喩 勝負を決する．相手に対し自分の主張・要求・条件などを明らかにし，最終決着を迫る‖你到底要怎么样，咱们干脆gāncuì～吧 君は結局どうしたいのか，お互いの条件を出し合って片を付けようじゃないか
【摊派】tānpài 動 均等に割り当てる．分担させる
【摊群】tānqún 名 露店の集まり
【摊售】tānshòu 動 露店を出して物を売る
【摊位】tānwèi 名 露店を出す場所．（展覧会などの）ブース．（デパートなどの）売り場
【摊主】tānzhǔ 名 露店主
【摊子】tānzi 名 ❶露店‖摆～ 屋台を出す ❷喩（まとまった）仕事．問題．状況‖我走后，这一～就交给你了 私が去ったらすべては君に一任する

15 瘫（癱）tān ❶動 中風で体が麻痺（まひ）する．半身不随になる‖他～在床上好几年了 彼は寝たきりになってもう何年にもなる ❷動 へたり込む‖～在地上 地べたにへたり込む
*【瘫痪】tānhuàn 動 ❶中風になる．半身不随になる‖下肢xiàzhī～ 下半身不随になる ❷喩 麻痺（まひ）する．麻痺状態になる‖交通～ 交通が麻痺する
【瘫软】tānruǎn 形 体の力が抜けて動けないさま
【瘫子】tānzi 名 半身不随の人

tán

7 *坛[1]（壇）tán ❶古 祭祀（さいし）などの儀式を行うため築かれた高台．祭壇 ❷花壇‖花～ 花壇 ❸文化・スポーツの各界‖文～ 文壇｜体～ スポーツ界 ❹講壇．演壇‖讲～ 演壇 ❺旧 民間の講や結社
7 坛[2]（罈△罎壜）tán 名（～儿）かめ．つぼ．‖酒～ 酒つぼ
【坛坛罐罐】tántánguànguàn 慣 かめとつぼ．家財道具や日用品の一切合切
【坛子】tánzi 名（陶製の）つぼ．かめ
8 昙（曇）tán 書 重くたれこめた雲
【昙花】tánhuā 名〈植〉ゲッカビジン．ゲッカノビジョ
【昙花一现】tán huā yī xiàn 成 物事や人物が現れてすぐ消え去るたとえ．または，きわめてまれなことのたとえ
10 ★谈 tán ❶動 語る．話し合う‖～生意 商談をする｜会上没有～到这个问题 会議ではこの問題にまで触れなかった ❷話．談話．物語‖奇～ 奇談
【谈柄】tánbǐng 名 ❶もの笑いの種 ❷古（論談するときに持つ）払子（ほっす）
【谈不到】tánbudào 動 …と言うまでに至らない．そこまでいっていない‖他们还～结婚呢 彼らはまだ結婚の話まではいっていない
【谈不来】tánbulái 動 話が合わない．気が合わない．
【谈不拢】tánbulǒng 動 意見が合わない
【谈不上】tánbushàng 動 …と言うまでに至らない．問題にならない‖～很熟 よく知っているとまで言えない
【谈得到】tándedào 動 …とまで言える．話に取り上げられる．（多く反語に用いる）‖他的水平哪里～拿冠军呢？ 彼の力では優勝なんて問題外だ
*【谈得来】tándelái 動 話が合う．気が合う‖他们趣味相投，很～ 彼らは趣味が同じだから，とても話が合う
*【谈得上】tándeshàng 動 …と言うことができる．話題にのぼらせることができる‖有了钱才～买房子 金があって初めてマイホームのことが語れる
【谈锋】tánfēng 名 談論の勢い．舌鋒（ぜっぽう）‖～甚健 弁が立つ
【谈何容易】tán hé róng yì 成 口で言うのは簡単である．物事は口で言うほど簡単なものではない
【谈虎色变】tán hǔ sè biàn 成 ふだん恐れているものを話題にされるだけで，顔色が変わる
**【谈话】tán//huà 動 話す．話し合う‖我跟他只谈过一次话 彼とは一度話をしたことがあるだけだ 名（tánhuà）（政策・方針などの）談話‖发表重要～ 重要な談話を発表する

> **類義語** 谈话 tánhuà 说话 shuōhuà 讲话 jiǎnghuà
> ◆〔谈话〕自分の考えや意見などを，相手に分かってもらえるように話す．二人あるいはそれ以上の人と話をする場合で，相互に意見を述べ，会話を交わす‖老师正在和学生谈话 先生が学生たちと話し合っている ◆〔说话〕広く「話す」ことを表す．口を開いて何かを言う．相手の人数などは問わない‖开会时，不要随便说话 会議中，勝手にしゃべらないでください｜说了半天话儿 長いことおしゃべりした ◆〔讲话〕自分の考えや事の次第などを，大勢の人に伝えるために，一方的に話す‖下面请董事长讲话 では，理事長にスピーチをお願いします

【谈恋爱】tán liàn'ài 組 恋をする．恋愛する
*【谈论】tánlùn 動 語り論じる．議論する
**【谈判】tánpàn 動 談判する．交渉する‖双方正在～公司合并hébìng的问题 双方は会社の合併問題について折衝しているところだ
【谈情说爱】tán qíng shuō ài 成 愛を語り合う
*【谈天】tán//tiān （～儿）動 おしゃべりをする
【谈天说地】tán tiān shuō dì 成 おしゃべりに興じる．世間話をする
【谈吐】tántǔ 名 言葉遣いや態度．話しぶり
【谈笑】tánxiào 動 愉快に語り合う．談笑する
【谈笑风生】tán xiào fēng shēng 成 話がはずむさま．話に花が咲くさま
【谈笑自若】tán xiào zì ruò 成（緊迫した状況下でも）余裕たっぷりに談笑する．〔谈笑自如〕ともいう
【谈心】tán//xīn 動 心を打ち明ける．親しく語る‖促膝cùxī～ ひざを交えて話す
【谈兴】tánxìng 名 話の興‖～正浓 話が佳境に入る．話に熱中する
【谈助】tánzhù 名 書 話題．話の種
【谈资】tánzī 名 話の種．話題
10 郯 tán 地名用字‖～城 山東省にある県の名
11 **弹（彈）tán ❶動 跳ね返る．はずむ‖皮球～起来 ゴムボールがはずむ ❷動（指先で）はじく‖～去帽子上的土 帽子についたほこりをはじき落とす ❸動（ピアノや弦楽器を）弾く．‖～钢琴 ピアノを弾く ❹糾弾する．責任を追及する‖一～劾 ❺弾力がある‖一～力 ❻動（綿などを）柔らかくするために打つ‖～棉花 綿を打つ ➤dàn
【弹拨】tánbō 動（爪やばちで弦を）はじく．爪弾く‖～乐yuè 弦楽曲｜～乐器 弦楽器．弾奏楽器
【弹词】táncí 名 中国南方で行われている民間芸能

T

で，三弦などの伴奏で歌い語るもの
【弹冠相庆】tán guān xiāng qìng 成 贬 仲間のうちから任官したり昇官する者が出ると，自分たちにも任官や昇格の機会が訪れたとして祝い合うこと
【弹劾】tánhé 動 弾劾する．糾弾する
【弹簧】tánhuáng 名 ばね．スプリング．ぜんまい
【弹簧秤】tánhuángchèng 名 ばねばかり．ぜんまいばかり
【弹簧门】tánhuángmén 名 自在戸．ばね仕掛けで自動的に閉まるドア
【弹泪】tánlèi 動 涙をぬぐう
【弹力】tánlì 名 ❶弾力 ❷伸縮性．ストレッチ
【弹射】tánshè 動 ❶(圧力や弾性を利用して)発射する ❷書 非難する．批判する
【弹升】tánshēng 動〈経〉(下落した相場が)一転して上昇する．反発する．反騰する
【弹跳】tántiào 動 跳躍する‖～力 跳躍力
【弹性】tánxìng 名 ❶〈物〉弾性 ❷弾力性．柔軟性‖～工作制 フレックス・タイム制｜～外交 柔軟外交
【弹性就业】tánxìng jiùyè 名 柔軟な就業．時給のパートタイム・アルバイト・季節労働など，さまざまな就業形態
【弹压】tányā 動 弾圧する．武力弾圧する
【弹指】tánzhǐ 動 指をはじく(きわめて短い時間をたとえる)‖～之间 弾指(だんし)の間．一刹那(いっせつな)
【弹奏】tánzòu 動 弾く‖～名曲 名曲を弾く

12 **覃** tán 書 深い‖～思 深く考える ➤ qín

13 *****痰** tán 名 痰(たん) ‖吐～ 痰を吐く
【痰桶】tántǒng 名 痰つぼ
【痰盂】tányú (～儿) 名 痰つぼ

13 **锬** tán 古 長い矛

14 **谭** tán 〔谈tán〕に同じ

15 **潭** tán 淵(ふち)．よどみ‖清～ 水の澄んでいる淵

17 **檀** tán 名 姓
【檀香】tánxiāng 名 ❶〈植〉ビャクダン ❷ビャクダンの木材‖～扇 ビャクダンの扇子

17 **镡** tán 名 姓 ➤ chán xín

tǎn

7 **忐** tǎn ↴
【忐忑】tǎntè 形 気持ちが落ち着かない．びくびくする

8 **坦** tǎn ❶広々として平らである‖平～ 平坦である ❷心が広い．おおらかである‖舒～ 気分がよい ❸率直である．隠しだてがない‖→～率
*【坦白】tǎnbái 形 率直である．正直である‖话说得很～ 話がたいへん率直である 動 自白する．白状する‖～从宽，抗拒从严 正直に白状すれば寛大に扱い，あくまで反抗すれば厳罰に処す
【坦陈】tǎnchén 動 率直に述べる
【坦称】tǎnchēng 動 率直に言う
【坦诚】tǎnchéng 形 誠実で率直である
【坦承】tǎnchéng 動 素直に認める．率直に認める
【坦荡】tǎndàng 形 ❶平坦で広々としている ❷(心が)清らかでこだわりがない
【坦缓】tǎnhuǎn 形 地勢が平坦でなだらかである
*【坦克】tǎnkè 名 外〈軍〉タンク．戦車．〔坦克车〕ともいう‖～手 戦車兵｜重型～ 重戦車
【坦克兵】tǎnkèbīng 名〈軍〉戦車部隊．装甲部隊＝〔装甲兵〕
【坦克车】tǎnkèchē ＝〔坦克tǎnkè〕
【坦然】tǎnrán 形 平然としている．泰然としている‖～自若 泰然自若としている
【坦桑尼亚】Tǎnsāngníyà 名〈国名〉タンザニア．
【坦实】tǎnshí 形 誠実である
*【坦率】tǎnshuài 形 率直である．正直である‖～地谈出自己的看法 腹蔵なく自分の見解を語る
【坦途】tǎntú 名 平坦な道．(多く比喩に用いる)
【坦言】tǎnyán 動 率直に言う 名 率直な話

10 **袒**(△**襢**❶) tǎn ❶動 はだける．肌脱ぎになる‖～胸露lù臂bì 胸や腕をはだける ❷肩をもつ．かばう‖偏piān～ 肩を持つ
【袒护】tǎnhù 動 かばう．肩を持つ
【袒露】tǎnlù 動 はだける．肌脱ぎになる

10 **钽** tǎn 名〈化〉タンタル．タンタラム．(化学元素の一つ，元素記号は Ta)

12 **毯** tǎn 毛布．絨毯(じゅうたん)．タペストリー‖毛～ 毛布｜地～ 絨毯
**【毯子】tǎnzi 名 毛布や絨毯の類

tàn

5 *****叹**(**嘆**△**歎**) tàn ❶動 嘆息する．嘆く‖她轻轻地～了一声 彼女はふっとため息をついた ❷吟詠する‖咏～ 詠嘆する ❸感嘆する‖感～ 感嘆する
【叹词】tàncí 名〈語〉感動詞．感嘆詞．間投詞
【叹服】tànfú 動 感服する．感心する
【叹观止矣】tàn guān zhǐ yǐ ＝〔叹为观止 tàn wéi guān zhǐ〕
【叹号】tànhào 名〈語〉感嘆符，〔！〕．〔感叹号〕〔惊叹号〕ともいう
【叹绝】tànjué 動 絶賛する
*【叹气】tàn//qì 動 嘆息する．嘆く‖他深深地叹了一口气 彼は深々とため息をついた
【叹赏】tànshǎng 動 ほめそやす．ほめちぎる．称賛する
【叹惋】tànwǎn 動 嘆息して惜しむ
【叹为观止】tàn wéi guān zhǐ 成 この上ないすばらしいものを見たと賛嘆する．〔叹观止矣〕ともいう
【叹息】tànxī 動 書 嘆息する．嘆く‖她～自己的命运不好 彼女は自分の不運を嘆いている
【叹惜】tànxī 動 嘆き惜しむ．非常に惜しむ

9 *****炭** tàn ❶名 木炭‖烧～ 炭を焼く ❷災い・災難のたとえ‖生灵涂～ 人民が塗炭の苦しみをなめる ❸名 石炭‖煤～ 石炭 ❹炭化したもの‖侧柏～ 側柏．漢方薬の一種
【炭笔】tànbǐ 名〈美〉デッサン用の木炭
【炭黑】tànhēi 名〈化〉カーボン・ブラック
【炭化】tànhuà 動 炭化する．〔煤化〕ともいう
【炭画】tànhuà 名〈美〉木炭画．〔炭笔画〕ともいう
【炭精】tànjīng 名 カーボン．石墨
【炭疽】tànjū 名〈医〉炭疽病(たんそびょう)

【炭盆】tànpén 名 火鉢

11 ** 探 tàn ❶手で探る‖→～囊取物 ❷動 探り求める. 探り調べる‖用竹竿～～深浅 竹竿で深さを測る ❸動 探りを入れる. 聞き出す‖侦～ 探り調べる ❹探偵. 密偵. 刑事‖密～ スパイ ❺訪ねる. 見舞う‖→～亲 ❻動 体を乗り出す. 頭を突き出す‖请不要把头～出车外 車外に身を乗り出さないでください

【探案】tàn'àn 動 事件を探る‖～小说 探偵小説

【探本穷源】tàn běn qióng yuán 成 物事の根源を探究する.〔探本溯源〕ともいう

【探病】tàn//bìng 動 病人を見舞う

*【探测】tàncè 動 ❶(機器で)測る. 探測する‖～水深 水深を測定する❷推測する. 推し量る

【探查】tànchá 動 偵察する. 調査する

【探察】tànchá 動 偵察する. 調査する

【探访】tànfǎng 動 ❶訪ねる‖～亲朋好友 家族や友人を訪ねる ❷探訪する. 探し求める. 取材する

【探风】tàn//fēng 動 (動静を)観察する. 探る

【探戈】tàngē 名 外〈音〉タンゴ

【探家】tàn//jiā 動 親元を訪ねる. 帰省する

【探监】tàn//jiān 動 (受刑者に)面会する

【探井】tànjǐng 名〈鉱〉探鉱用の試錐(しすい)

【探究】tànjiū 動 探究する‖～原因 原因を探る

【探勘】tànkān 動 (地下資源を)探査する. 調査する

【探口气】tàn kǒuqi 組 探りを入れる. 腹のうちを探る

【探矿】tàn//kuàng 動〈鉱〉(鉱山の)試掘をする

【探骊得珠】tàn lí dé zhū 成 文章が主題をよくとらえ, むだなく要点をまとめているたとえ

【探路】tàn//lù 動 道を探す. 道路の状況を探る

【探秘】tànmì 動 秘密を探る. 神秘を探る

【探囊取物】tàn náng qǔ wù 成 袋の中にあるものを探って取り出す. きわめて容易であることのたとえ. 朝飯前

*【探亲】tàn//qīn 動 (長く離れている)両親や配偶者を訪ねる. 帰省する. 親族を訪ねる

【探求】tànqiú 動 探求する

【探身】tàn//shēn 動 身を乗り出す

【探视】tànshì 動 ❶見舞う ❷注意深く見る. うかがう

*【探索】tànsuǒ 動 探索する. 探り求める‖～大自然的奥秘 大自然の神秘を探る｜～精神 探求の精神

*【探讨】tàntǎo 動 研究討議する. よく検討する

【探听】tàntīng 動 ひそかに探る. 探りを入れる

【探头】tàn//tóu 動 頭を突き出す

*【探头探脑】tàn tóu tàn nǎo (～儿) 慣 そっと様子をうかがう. こっそりのぞく

*【探望】tànwàng 動 ❶(遠くをじっと)見る ❷訪ねる. 見舞いに行く‖每次回来, 她都要去～她从前的老师 彼女は帰ってくるたび, 昔の恩師を必ず訪ねる

【探问】tànwèn 動 ❶(消息や状況などを)尋ねる. 打診する ❷訪ねる. 見舞う‖～病人 病人を見舞う

【探析】tànxī 動 検討し分析する. (多く論文などのタイトルに用いる)

【探悉】tànxī 動 聞き出す

【探险】tàn//xiǎn 動 探検する‖～家 探検家

【探信】tàn//xìn (～儿) 動 口 消息を尋ねる. 消息を問い合わせる

【探寻】tànxún 動 探し求める. 尋ねる. 探る

【探询】tànxún 動 (消息などを)尋ねる. 聞き出す

【探幽】tànyōu 動 書 ❶深い道理を探る ❷景勝の地を探し求める

【探照灯】tànzhàodēng 名 探照灯. サーチライト

【探子】[1] tànzi 名 旧 偵察者. 密偵

【探子】[2] tànzi 名 物を取り出したりするのに使う棒状または管状の用具‖米～ 米刺し

14 碳 tàn 名〈化〉炭素(化学元素の一つ, 元素記号はC)

【碳氢化合物】tànqīng huàhéwù 名〈化〉炭化水素

【碳水化合物】tànshuǐ huàhéwù 名〈化〉炭水化物

【碳酸】tànsuān 名〈化〉炭酸

【碳酸气】tànsuānqì 名〈化〉炭酸ガス〔二氧yǎng化碳〕の旧称

【碳纤维】tànxiānwéi 名 炭素繊維. カーボンファイバー

tāng

6 ★ 汤(湯) tāng ❶湯‖赴～蹈dǎo火 水火も辞さず ❷名〈中薬〉煎(せん)じ薬‖柴胡～ 柴胡湯(さいことう) ❸名 スープ‖鸡蛋～ 玉子スープ ❹名 (～儿) 口 (食物が腐ったときに出る)汁‖桃子烂得都流～儿了 桃が腐って汁が出てきた ❺温泉. (多く地名に用いる) ➤ shāng

【汤池】tāngchí 名 ❶ ➡〔金城汤池jīn chéng tāng chí〕❷お湯の入った浴槽

【汤匙】tāngchí 名 スープ用スプーン. ちりれんげ

【汤锅】tāngguō 名 旧 ❶殺した家畜を煮え湯に漬けて毛を抜くために用いる大型の鍋 ❷転 屠畜場(とちくじょう)

【汤壶】tānghú 名 湯たんぽ.〔汤婆子〕ともいう

【汤剂】tāngjì 名〈中薬〉湯剤(とうざい)

【汤加】Tāngjiā 名〈国名〉トンガ

【汤料】tāngliào 名 スープの素

【汤面】tāngmiàn 名 スープ麺(めん)

【汤勺】tāngsháo (～儿) 名 (スープをつぎ分けるための)大きめのちりれんげ

【汤水】tāngshuǐ 名 ❶煮汁 ❷方 熱湯. 湯

【汤药】tāngyào 名〈中医〉煎じ薬

【汤圆】tāngyuán 名 もち米の粉で作る一種のだんご. ふつうはあんが入っていて, ゆでて煮汁と一緒に食する

14 嘡 tāng 擬 (鐘・どら・銃などの音, 金属製の器物がぶつかる音)ガンガン. カンカン. ガチャン. パンパン

【嘡啷】tānglāng 擬 (金属物が固い物に強くぶつかる音)ガチャン. ガチャガチャ

14 耥 tāng 動 馬ぐわで水田の土をかき上げて除草する‖～稻田 田を耕す

15 羰 tāng ➘

【羰基】tāngjī 名〈化〉カルボニル基

16 镗 tāng 〔嘡tāng〕に同じ ➤ táng

17 蹚(蹚) tāng ❶動 浅い水の中を歩く ❷動 すきなどで田畑の土をすき起こす

【蹚道】tāng//dào (～儿) 動 方 ❶道を探る ❷状況を探る. 相手の出方を探る ＊〔蹚路〕ともいう

【蹚浑水】tāng húnshuǐ (～儿) 慣 人とぐるになって悪事をはたらく

T

táng

6 **饧**（餳）**táng** 古〔糖táng〕に同じ ➤ xíng

10 **唐**[1] **táng** 大げさである. 誇張されている ‖ 荒～ 荒唐無稽(こうとうむけい)である

10 **唐**[2] **táng** 名 ①唐堯(とうぎょう). 堯(ぎょう)が建てたとされる中国伝説中の国の名 ②王朝名, 唐(618～907年) ③王朝名, 後唐(923～936年). 五代の一つ

【唐人街】tángrénjiē 名 中華街. チャイナタウン

【唐三彩】tángsāncǎi 名 (唐朝期の陶器)唐三彩

【唐突】tángtū 書 動 礼を欠く. 礼を失する 形 礼を失している. 無礼である ‖ 说话～ もの言いが無礼である

【唐装】tángzhuāng 名 中国服

11 **堂** **táng** ❶母屋中央の広間. (広く)家 ‖ 子孙满～ 子孫, 堂に満つ ❷旧 法廷 ‖ 过～ 審理する ❸ある種の活動専用の建物 ‖ 礼～ 講堂 ❹広間などの名称に用いる ❺父方の同姓の親族を表す ↔〔表〕‖ ～兄弟 父方の同姓の従兄弟 ❻量 ①家具の一式を数える ‖ 一～家具 1セットの家具 ②授業のこま数を数える ‖ 两～课 二こまの授業 ③旧 法廷の開廷数を数える ‖ 过了三～, 还没有结案 3回開廷されたが, まだ結審していない ❼商店の屋号に用いる ❽敬 母堂 ‖ 令～ ご母堂

【堂而皇之】táng ér huáng zhī 成 ❶堂々としている ❷おおっぴらに. 公然と

【堂鼓】tánggǔ 名 伝統劇の伴奏に用いる太鼓

【堂皇】tánghuáng 形 堂々として立派である

【堂会】tánghuì 名 旧 慶事の際, 家へ役者や芸人を招いて催す演芸会

【堂客】tángke ; tángkè 名 ❶女性の客 ❷方 (広く)女性をさす ❸方 妻

【堂上】tángshàng 名 ❶父母に対する敬称 ❷旧 被告の裁判官に対する呼称 ❸旧 裁判の行われた場所

【堂堂】tángtáng 形 ❶(容貌が)堂々としている. 立ち居振る舞いがおうようである ❷意気軒昂(けんこう)である. 意気盛んである ❸(陣容などが)壮大である. 堂々としている

【堂堂正正】tángtángzhèngzhèng 形 ❶正々堂々としている. 公明正大である ❷風貌(ふうぼう)が堂々としている. 体格が立派だ

【堂屋】tángwū 名 ❶母屋の中央の部屋 ❷母屋

12 **棠** **táng** 古 トウマメナシ.〔杜梨〕の古称

13 **溏** **táng** 半流動体状の

【溏心】tángxīn (～儿) 形 半熟の ‖ ～儿鸡蛋 半熟の卵

13 ****塘** **táng** ❶名 池 ‖ 鱼～ 養魚場 ❷堤. 堤防 ‖ 海～ 海岸の堤防 ❸くぼみのような形になっている場所 ‖ 洗澡～ 浴場

【塘坝】tángbà ＝〔塘堰tángyàn〕

【塘堰】tángyàn 名 小規模な貯水池.〔塘坝〕ともいう

13 **搪**[1] **táng** ❶動 防ぐ. 遮る ‖ ～风 風を防ぐ ❷一時しのぎをする. ごまかす. 間に合わせる ‖ →～塞

13 **搪**[2] **táng** 動 (保温のため)かまどの内側に泥を塗りつけたり, ほうろう容器の金属芯の表面に釉(うわぐすり)を塗ったりする ‖ →～瓷

【搪瓷】tángcí 名 エナメル. ほうろう ‖ ～锅 ほうろう鍋

【搪塞】tángsè 動 一時しのぎをする. 間に合わせる

14 **瑭** **táng** 古 玉(ぎょく)の一種

15 **樘** **táng** ❶(戸や窓の)枠. かまち ‖ 门～ 戸のかまち ‖ 窗～ 窓枠 ❷量 ドアや窓をその枠を含めて数える ‖ 一～铁门 鉄のドア1枚

15 **膛** **táng** ❶胸腔(きょうこう). 胸 ❷名 (～儿)物の中空になっている所 ‖ 炉～ ストーブの胴

【膛线】tángxiàn 名 (銃身や砲身内部の)旋条.〔来复线〕ともいう

16 **镗** **táng** 動 中ぐり盤で機械部品の穴を加工する ➤ tāng

【镗床】tángchuáng 名〈機〉中ぐり盤. ボーリングマシーン. ボール盤

16 ★**糖**（△餹❶❷）**táng** ❶名 砂糖 ‖ 白～ 白砂糖 ❷名 あめ. あめ菓子. キャンデー ‖ 嘴里含着一块儿～ あめをしゃぶっている ❸名〈化〉糖.〔碳水化合物〕ともいう

> **逆引き単語帳** 〔白糖〕báitáng 白砂糖 〔方糖〕fāngtáng 角砂糖 〔冰糖〕bīngtáng 氷砂糖 〔砂糖〕shātáng ざらめ糖 〔红糖〕hóngtáng 赤砂糖. 黒砂糖 〔饴糖〕yítáng 水あめ 〔喜糖〕xǐtáng 婚礼の席で配る祝いのあめ 〔棒糖〕bàngtáng 棒のついたキャンデー 〔软糖〕ruǎntáng ゼリー菓子 〔酥糖〕sūtáng タフィー 〔水果糖〕shuǐguǒtáng ドロップ 〔奶糖〕nǎitáng キャラメル 〔花生糖〕huāshēngtáng ピーナツキャンデー 〔麻糖〕mátáng ごまキャンデー 〔椰子糖〕yēzitáng ココナツキャンデー 〔咖啡糖〕kāfēitáng コーヒーキャンデー 〔皮糖〕pítáng 砂糖に澱粉を加え煮つめて作ったあめ 〔酒心糖〕jiǔxīntáng ウイスキーボンボン 〔口香糖〕kǒuxiāngtáng チューインガム 〔泡泡糖〕pàopaotáng 風船ガム

【糖弹】tángdàn ＝〔糖衣炮弹tángyī pàodàn〕

【糖瓜】tángguā (～儿) 名 麦芽糖で作った, 内部が空洞のウリの形をしたあめ. かまどの神への供え物とする.

***【糖果】tángguǒ** 名 あめ菓子・キャンデー・ドロップなどの砂糖菓子の総称

【糖葫芦】tánghúlu (～儿) 名 サンザシまたはカイドウの実を竹串(たけぐし)に刺し, 煮て溶かした砂糖をからめて固めた菓子.〔冰糖葫芦〕ともいう

【糖浆】tángjiāng 名 ❶〈薬〉シャリベツ ❷(濃度60パーセントの)砂糖の溶液. シロップ

【糖精】tángjīng 名〈化〉サッカリン

【糖萝卜】tángluóbo 名 ❶口 サトウダイコン. テンサイ ❷方 砂糖漬けにしたニンジン

【糖尿病】tángniàobìng 名〈医〉糖尿病

【糖人】tángrén (～儿) 名 あめ細工

【糖霜】tángshuāng 名 ❶食品の上にまぶした砂糖 ❷方 白砂糖

【糖稀】tángxī 名 液状の麦芽糖

【糖衣】tángyī 名 糖衣 ‖ ～丸 糖衣錠

【糖衣炮弹】tángyī pàodàn 慣 供応や賄賂といった相手を抱き込むための手段. 略して〔糖弹〕ともいう

T

【糖纸】tángzhǐ 名 あめ類の包み紙

16 **螗** táng 古 小型のセミの一種

17 **螳** táng カマキリ

【螳臂当车】táng bì dāng chē 成 蟷螂(とうろう)の斧(おの). 自分の力をわきまえず, 無益な抵抗をする

【螳螂】tángláng 名〈虫〉カマキリ. 地方によっては〔刀螂〕ともいう

【螳螂捕蝉, 黄雀在后】tángláng bǔ chán, huángquè zài hòu 成 目先の利益に目を奪われて身に危険が迫っているのに気付かないこと

tǎng

8 **帑** tǎng 書 国庫に収められた金. 公金 ‖ 公～ 公金 | 国～ 国庫金. 国財

10 **倘** tǎng 接 書 (仮定を表す)もしも. 仮に ➤ cháng

【倘或】tǎnghuò 接 もしも…ならば. 仮に…であれば

【倘来之物】tǎng lái zhī wù 成 思いがけず, または理由なく得た金や授かり物

*【倘若】tǎngruò 接 もしも. 仮に ‖ ～有什么问题, 我负全部责任 何か問題があれば私がすべての責任をとる

【倘使】tǎngshǐ 接 もしも…ならば. 仮に…ならば

11 **淌** tǎng 動 流れ落ちる ‖ 汗水直往下～ 汗がだらだらと流れ落ちる

11 **惝** tǎng ➤ chǎng

12 **傥**(儻) tǎng ❶〔倘 tǎng〕に同じ ❷ ➡〔倜傥 tìtǎng〕

15 ★**躺** tǎng ❶動(体を)横たえる. 寝転ぶ ‖ 累死了, 让我～一会ル くたくただよ, ちょっと横にならせてくれ ❷動(物が)倒れる ‖ 一辆汽车～在路边的水沟里 車が道路脇の水路に横転している

【躺柜】tǎngguì 名 長持ち. 長びつ

*【躺下】tǎngxia 動 ❶横になる. 横たわる ❷倒れる ‖ 你别太玩ル命干了, 你要～, 老婆孩子怎么办? そんなに必死で働くのはやめなさい, あなたが万一倒れたら, 奥さんや子供はどうするの

【躺椅】tǎngyǐ 名 寝椅子

tàng

10 **烫**(燙) tàng ❶動 やけどをする ‖ 手被开水～了 熱湯で手にやけどをした ❷動 熱を利用して状態を変える ①温める ‖ ～酒 酒のかんをする ②アイロンをかける ‖ ～衣服 服にアイロンをかける ③パーマをかける ‖ →～发 ❸形(過度に)熱い ‖ 洗澡水太～ 風呂のお湯が熱すぎる

【烫发】tàng//fà 動 パーマをかける

【烫金】tàng//jīn 動 金づけする. 金箔(きんぱく)押しをする

【烫面】tàngmiàn 名 熱湯でこねた小麦粉

【烫伤】tàngshāng 動(火以外の原因によって)やけどをする 名(火以外の原因による)やけど. やけどの跡

【烫手】tàngshǒu 形 手を焼かせる. 手に負えない ‖ ～的问题 厄介な問題

【烫头】tàng//tóu 動 パーマをかける

15 **趟**[1] tàng ❶名(～ル)行進中の行列や隊列 ‖ 跟不上～ル 行進の行列についていけない ❷量 方(列になっているものを数える)列. 行 ‖ 一～栏干 一並びの手すり

15 **趟**[2] tàng ❶量(行ったり来たりする動作の回数を数える)回. 度 ‖ 春节准备回～家 春節には帰省するつもりだ ❷量 武術の型の一連の動作を数える ‖ 打一～拳quán 拳術(けんじゅつ)の型を一通りやる ❸量(列車やバスの発着回数を数える)便 ‖ 一天有五～班车 定時バスは1日5本ある

tāo

5 **叨** tāo 謙(おかげを)こうむる ‖ →～光 | →～教 ➤ dāo dáo

【叨光】tāo//guāng 動 挨拶 おかげをこうむる

【叨教】tāojiào 動 挨拶 ご教示をいただく. ご助言をいただく

【叨扰】tāorǎo 動 挨拶 ご馳走さまでした. おもてなしいただき, ありがとうございました

10 **涛**(濤) tāo ❶大波 ‖ 波～ 大波 ❷大波のような音 ‖ 松～ 松濤(しょうとう)

10 **绦**(縧 ^△絛 縚) tāo 打ちひも. 組みひも. 縁飾り ‖ →～子

【绦虫】tāochóng 名 サナダムシ. ジョウチュウ

【绦带】tāodài 名 掛け物をつり下げるひも. 掛緒(かけお)

【绦子】tāozi 名 打ちひも. 組みひも. 縁飾り

11 **掏**(^△搯) tāo ❶動 穴を開ける. 掘る ‖ ～一口井 井戸を掘る ❷動 ほじくり出す. 探り出す ‖ 从口袋里～出钱包 ポケットから財布を取り出す | ～耳朵 耳掃除をする

【掏底】tāo//dǐ 動 詳細を探る. 内情を探る

【掏窟窿】tāo kūlong 組 方 喩 借金をする

【掏摸】tāomō 動 手でつかみ出す. 探り出す

【掏钱】tāo//qián 動 金を出す. 支払う

【掏心】tāo//xīn 動 本心をさらけ出す ‖ ～话 本音

【掏腰包】tāo yāobāo 組 ❶支払う. 自腹を切る ❷きんちゃく切りをする. (懐中から金品を)する

11 **焘**(燾) tāo 人名用字 ➤ dào

13 **滔** tāo 大量の水が流れ, あふれる ‖ →～天

【滔滔】tāotāo 形 ❶水が大量に流れるさま. 滔々(とうとう)たる ❷(話が)よどみない. 滔々としている

*【滔滔不绝】tāo tāo bù jué 成(弁舌が)よどみない. 滔々として尽きない

【滔天】tāotiān 形 ❶波が山のように高い ❷(罪悪や災いが)天まであふれるほど大きい ‖ ～罪行 大罪

14 **韬**(韜) tāo 書 ❶弓や剣を入れる袋 ❷包む. 隠す ❸兵法 ‖ →～略

【韬光养晦】tāo guāng yǎng huì 成 才能や謀略を隠して外に表さない. 韜晦する

【韬略】tāoluè 名 書『六韜(りくとう)』と『三略(さんりゃく)』(ともに古代の兵法書). 転 兵法. 軍略. 策略

22 **饕** tāo 書(食物を)むさぼる. (財物に)貪欲(どんよく)である ‖ 老～ 健啖家(けんたんか)

táo

9 **洮** táo 地名用字 ‖ ～河 甘粛省にある川の名

9 ** 逃 táo ❶動 逃げる. 逃走する‖～到国外 国外に逃亡する ❷動 逃避する. 逃れる‖～兵役bīngyì 兵役を逃れる
【逃奔】táobèn 動 出奔する. 高飛びする. 逐電する
*【逃避】táobì 動 逃避する. 避ける‖～风险 危険を避ける｜～现实 現実から逃避する
【逃兵】táobīng 图 ❶逃亡兵 ❷喩 仕事の困難やつらさから, 職場を離れていく者
【逃窜】táocuàn 動 逃走する. 逃げ回る
【逃遁】táodùn 動 逃げる. 逃亡する
【逃犯】táofàn 图 逃亡犯. 脱走犯
*【逃荒】táo//huāng 動 飢饉(ききん)を逃れてよその土地へ避難する
【逃汇】táohuì 動 外貨を不法に国外に持ち出す
【逃婚】táohūn 動 望まない結婚を嫌い, よその土地へ逃げる
【逃课】táo//kè 動 授業をサボる
【逃命】táo//mìng 動 生命の危険から逃れる
【逃难】táo//nàn 動 避難する
【逃匿】táonì 動 書 逃げ隠れる
*【逃跑】táopǎo 動 逃げる. 逃げ去る‖拼命～ 必死で逃げる｜越狱yuèyù～ 脱獄逃亡する
【逃票】táo//piào 動 無賃乗車をする. ただ乗りする
【逃散】táosàn 動 逃げ散る. ちりぢりに逃げる
【逃生】táoshēng 動 命からがら逃げる. 生きのびる‖死里～ 九死に一生を得る
【逃税】táo//shuì 動 脱税する
【逃脱】táo//tuō 動 ❶危険な場所から逃げる. 脱出する‖～险境 危険な状態を脱する ❷逃れる. 免れる‖～责任 責任を逃れる
【逃亡】táowáng 動 逃亡する. 逃げて外地をさまよう
【逃席】táoxí 動 宴席からこっそり抜け出す
【逃学】táo//xué 動 学校をサボる
【逃夜】táoyè 動 (未成年者が)夜遊びし家に帰らない
【逃债】táo//zhài 動 借金から逃げる. 債務を踏み倒す
【逃之夭夭】táo zhī yāo yāo 成 さっさと逃げ去る. 尻に帆かけて逃げ出す
*【逃走】táozǒu 動 逃走する. 逃げる‖一不当心, 就让他～了 ちょっと注意をそらしたら, 彼に逃げられた

10 陶[1] táo ❶陶器‖→～器｜彩～ 彩陶 ❷陶器を作る. ❸陶冶(とうや)する. 薫陶する

10 陶[2] táo 楽しく酔っている. 陶酔している‖乐lè～～ この上なく楽しいさま ➤ yáo
【陶吧】táobā 图 陶芸喫茶
*【陶瓷】táocí 图 陶磁器‖～厂 陶磁器工場
【陶器】táoqì 图 陶器
【陶然】táorán 形 書 陶然とするさま
【陶塑】táosù 图 陶製の像
【陶陶】táotáo 形 書 楽しいさま
【陶土】táotǔ 图 カオリン. 高嶺土(こうりょうど)
【陶冶】táoyě 動 ❶焼き物を焼く. 鋳物を鋳る ❷陶冶する. 人材を薫陶育成する‖～情操 情操を養う
【陶艺】táoyì 图 陶芸
【陶醉】táozuì 動 書 陶酔する. うっとりする‖自我～ 自己陶酔する

10 * 桃 táo ❶图 (～儿)〈植〉モモ‖～树 モモの木｜～儿 モモの実 ❷クルミ ❸(～儿)形がモモの実に似たもの‖棉～ ワタの実
【桃符】táofú 图 ❶古 モモの木の板で作った魔よけの護符 ❷〔春联〕(春聯(しゅんれん))の別称
【桃红】táohóng 形 桃色の. ピンク色の
*【桃花】táohuā (～儿) 图〈植〉モモの花
【桃花汛】táohuāxùn 图 モモの花が咲くころに発生する河川の増水＝〔春汛〕
【桃花运】táohuāyùn 图 女運‖走～ 女運がいい
【桃李】táolǐ 图 喩 門下生. 教え子‖～满天下 門下生が全国至る所にいる
【桃李不言, 下自成蹊】táo lǐ bù yán, xià zì chéng xī 成 桃李(とうり)もの言わざれども, 下おのずから蹊(こみち)をなす. 立派な人物のもとには人々が自然に慕い集まるたとえ
【桃仁】táorén (～儿) 图 ❶〈中薬〉桃仁(とうにん) ❷クルミのさね
【桃色】táosè 图 ピンク色 形 色事の. 桃色の‖～事件 桃色事件｜～纠纷jiūfēn 痴話げんか
【桃子】táozi 图 モモの実

11 淘[1] táo ❶動 (顆粒状のものを水ですすぎ)まざりものを洗い流す. 洗いすすぐ‖把米～干净 米をきれいにとぐ ❷書 押し流す

11 淘[2] táo 動 (深いところから汚水やどろを)さらう. くみ取る‖～水井 井戸をさらう

11 淘[3] táo ❶気を使う. 気骨が折れる‖→～神 ❷形 方 いたずらである. 腕白である. やんちゃである‖这孩子～得要命 この子はとてもやんちゃである
【淘换】táohuan 動 方 (あれこれ手を尽くして)探し求める. 苦労して手に入れる
【淘金】táo//jīn 動 砂金を採取する. 砂金をより分ける
【淘箩】táoluó 图 米をといだり, 物を入れたりするざる
*【淘气】táoqì 形 いたずらである. やんちゃである‖～包 いたずらっ子 動 (táo//qì) 方 つまらないことで腹を立てる
【淘神】táo//shén 動 口 気骨が折れる. 心配する
*【淘汰】táotài 動 淘汰(とうた)する. 合わないものやよくないものを除く‖～旧设备 古い設備を廃棄する｜校队在预赛中被～了 うちのチームは予選落ちした
【淘汰赛】táotàisài 图〈体〉トーナメント. 勝ち抜き戦

11 萄 táo ➡〔葡萄pútao〕

11 啕 táo ➡〔号啕háotáo〕

19 鼗 táo 古 振り鼓. でんでん太鼓

tǎo

5 讨[1] tǎo ❶兵を出し攻撃する‖征～ 討伐する ❷公に糾弾する‖声～ 糾弾する ❸研究する. 討議する‖商～ 協議する

5 * 讨[2] tǎo ❶動 要求する. 請求する. 催促する‖～房租 家賃を取り立てる ❷動 妻をもらう. めとる‖～老婆 女房をもらう ❸動 引き起こす. 招く. …される‖～人喜欢 人に好かれる
【讨底】tǎo//dǐ (～儿) 動 子細を尋ねる
【讨伐】tǎofá 動 討伐する. 征伐する
【讨饭】tǎo//fàn 動 乞食をする. 物乞いをする
【讨好】tǎo//hǎo (～儿) 動 ❶人の気にいるようにふるまう. 歓心を買う‖～上司 上司にごまをする ❷うまい具合に行く(多く否定に用いる)‖费力不～ 骨を折ったのによい結果を得ない. 骨折り損
*【讨还】tǎohuán 動 返却を求める. 返してもらう

T

【讨价】tǎo//jià 動（売り手が）値をつける
*【讨价还价】tǎo jià huán jià 慣 ❶値段の掛け引きをする ❷（交渉をする際などに）いろいろな条件をつける.注文をつける.掛け引きをする
【讨教】tǎo//jiào 動 教えていただく
★【讨论】tǎolùn 動 討論する.討議する.話し合う‖就人口问题展开～ 人口問題を討議する
【讨没趣】tǎo méiqù（～儿）慣（自ら求めて）ばつの悪い思いをする.気まずい思いをする
【讨便宜】tǎo piányi 慣 うまいことをやる.うまい汁を吸う.虫のいいことをする
【讨乞】tǎoqǐ 動 書 物乞いをする.乞食をする
【讨巧】tǎoqiǎo 動 要領よくやる.労せずして得をする
【讨俏】tǎo//qiào 動 好感を与える‖年轻的姑娘总是容易～ 若い娘は好感をもたれやすいものだ
【讨亲】tǎo//qīn 動 方 妻をめとる
【讨情】tǎo//qíng 動 方 許しを請う
【讨饶】tǎo//ráo 動 許しを請う
【讨扰】tǎorǎo 動 挨拶 ご馳走になりました.おじゃましました
【讨人嫌】tǎo rén xián ＝〔讨嫌tǎoxián〕
【讨生活】tǎo shēnghuó 組 口 生活の手立てを求める.暮らしを立てる
【讨嫌】tǎo//xián 形 嫌だ.煩わしい.〔讨人嫌〕ともいう
**【讨厌】tǎo//yàn 動 嫌う.嫌がる.こころよく思わない‖我最～不守时间的人 私は時間を守らない人がいちばん嫌いだ 形 ❶嫌だ.嫌らしい.いけすかない‖这种天气真～ こういうお天気はほんとうに嫌だ ❷厄介である.手数がかかる.うるさい.煩わしい‖要是买不到飞机票,可就～了 もし飛行機のキップが買えなかったら,それこそ厄介なことになるぞ｜真～,别来烦我 うるさいな,放っておいてくれ
【讨债】tǎo//zhài 動 貸し金の返済を請求する.借金を取り立てる
【讨账】tǎo//zhàng 動 ❶＝〔讨债tǎozhài〕❷方 つけを取り立てる

T

tào

10 套 ** tào ❶名（～儿）カバー.サック.さや‖枕～ 枕カバー｜手～ 手袋 ❷動（物の外側を）覆う.かぶせる.はめる‖把笔帽～上（万年筆などの）キャップをはめる｜～上一件罩衣zhàoyī 上っぱりをはおる ❸動 重なり合う.連動する‖→～色 ❹動 ねじ溝を切る‖～螺丝luósī ねじ溝を切る ❺名 方 防寒服や布団に詰める綿 ❻同類で組み合わさったもの‖上衣和裤子配不上～ 上着とズボンが合わない ❼従来からのしきたり.古くさい形式.紋切り型‖老一～ 常套手段 ❽動 模倣する.（昔からのやり方を）踏襲する‖～公式 公式をむりやり当てはめる ❾量 ①（組になっている物を数える）揃い.セット‖一～西服 1着の背広 ②組になっている事柄を数える‖一～规章制度 一連の規則制度 ❿名（～儿）縄などを結んで作った輪‖用绳子结个～ 縄で輪を結ぶ. ⓫名（～儿）（役畜につける）引き綱‖大车～ 荷馬車の引き綱 ⓬動 引き綱をつける.結ぶ.つかまえる‖～牲口 家畜をつなぐ. ⓭動 人を丸め込む.うまく取り入る.機嫌をとる‖→～近乎 ⓮動（本音などを）引き出す.かまをかける‖～他说出真话 かまをかけて彼に本当のことを言わせる ⓯名（人を陥れる）わな.落とし穴‖给我们下了个～儿 わしらを一杯食わせた ⓰不正な手段で購入する‖→～汇 ⓱河川などの湾曲部.（多く地名に用いる）
【套版】tào//bǎn〈印〉動 組付けをする.面付けをする 名（tàobǎn）組付け.面付け
【套裁】tàocái 動（2着以上の服を作るとき）生地にむだの出ないように工夫して裁断する
【套餐】tàocān 名 定食
【套车】tào//chē 動 車に牛馬をつける
【套房】tàofáng ❶＝〔套间tàojiān〕❷客間・寝室・浴室・台所などひと揃いある住居
【套服】tàofú 名 スーツ ＝〔套装〕
【套供】tàogòng 動 誘導尋問する
【套购】tàogòu 動 国の統制品を不法に購入する
【套红】tào//hóng 動 注意を喚起するために文字を赤色で印刷する‖～标题 赤字の見出し
【套话】tàohuà 名 決まり文句.常套語.外交辞礼
【套汇】tàohuì 動 ❶外貨をやみで取り引きする ❷為替相場で利ざやを稼ぐ
【套间】tàojiān（～儿）名 続いているいくつかの部屋の両端の部屋.または,続き部屋で,もう一方の部屋を通らないと外に出られない奥の間.〔套房〕ともいう
【套交情】tào jiāoqing 慣 取り入る.機嫌をとる.丸め込む
【套近乎】tào jìnhu 慣（交際のない人に）取り入ってなれなれしくする.機嫌をとる.〔拉近乎〕ともいう
【套牢】tàoláo 動〈経〉株価が値下がりし,含み損を抱えたまま売れなくなる.塩漬けになる
【套利】tàolì 動 利ざやを稼ぐ
【套路】tàolù 名〈体〉太極拳(たいきょくけん)などの武術でいくつかの動きを組み合わせた一連の動作
【套票】tàopiào 名 ❶回数券式の入場チケット ❷切手シート
【套曲】tàoqǔ 名〈音〉組曲
【套裙】tàoqún 名 上着とスカートを組み合わせたスーツ
【套色】tào//shǎi 動〈印〉多色刷りする
【套衫】tàoshān 名 プルオーバー.〔套头衫〕ともいう
【套书】tàoshū 名 セットになった書籍
【套数】tàoshù 名 ❶（戯曲や散曲で）同じ音調に属するいくつかの小曲を連結・構成した歌曲 ❷喩 系統的な技巧や手 ❸愛想.挨拶言葉.しきたり
【套套】tàotao 名 口 やり方.てだて
【套问】tàowèn 動 遠回しに問う.かまをかける
【套鞋】tàoxié 名 ❶オーバーシューズ ❷レインシューズ
【套袖】tàoxiù 名 袖カバー
【套印】tàoyìn 動〈印〉重ね刷りする
【套用】tàoyòng 動 踏襲する.当てはめる.そのまま引用する‖～过去的老办法 古いやり方を踏襲する
【套语】tàoyǔ 名 決まり文句.挨拶言葉
【套种】tàozhòng 動〈農〉間作する.〔套作〕ともいう
【套子】tàozi 名 ❶覆い.カバー.サック‖琵琶pípa～ 琵琶(びわ)のカバー ❷方 詰め綿 ❸外交辞令.愛想.決まりきったしきたり.古くさいやり方 ❹わな.策略
【套装】tàozhuāng 名 スーツ.〔套服〕ともいう
【套作】tàozuò ＝〔套种tàozhòng〕

tè

7 忑 tè ➡〔忐忑tǎntè〕

7 **忒** tè 書 間違い ‖ 差～ 間違い ➤ tēi tuī

10 **特** tè ❶特別の ‖ 一～权 ❷副 ①特別に. わざわざ. とくに ‖ ～做诗一首，以示庆贺 とくに詩を一首作り，祝賀の意とします ②とくに. とりわけ ‖ 她穿这件衣服～漂亮 彼女がこの服を着ると一段ときれいだ ❸スパイ ‖ 防～ スパイ防止 ❹書 … ばかり. … のみ ‖ 不～此也 これぱかりではない

★【特别】tèbié 形 特別な. 特別の. 変わっている. とっぴな ‖ ～的照顾 特別待遇 | 这件事情很～ このようなことはたいへん特殊である 副 ❶わざわざ. とくに ‖ 这件毛衣是妈妈～为我织的 このセーターはお母さんが私のためにわざわざ編んでくれたのです ❷ことのほか. 格別に. とりわけ ‖ 价钱～便宜 値段がことのほか安い

【特别快车】tèbié kuàichē 名 特急列車. 略して〔特快〕という

【特别行政区】tèbié xíngzhèngqū 名 特別行政区. 香港とマカオの 2 ヵ所

*【特产】tèchǎn 名 特産物. 名物

【特长】tècháng 名 とくに優れた技能. 能力

【特长生】tèchángshēng 名（芸術やスポーツで）一芸に秀でた学生. 特待生

【特出】tèchū 形 傑出している. . 際立っている ‖ 他在比赛中表现～ 彼は試合で際立った働きをした

⁂【特此】tècǐ 副 書 まずは … まで. 右 … .（公文書や書簡文に用いる）‖ ～奉告 まずはご報告まで | ～通知如下 次のとおりご通知いたします

【特大】tèdà 形 特大の ‖ ～号 キングサイズ

【特等】tèděng 形 特等の ‖ ～奖 特等賞

*【特地】tèdì 副 とくに. わざわざ

⁂【特点】tèdiǎn 名 独特なところ. 特色. 特徴

*【特定】tèdìng 形 ❶とくにそれと定められた ‖ ～的服装 定められた服装 ❷特定の. ある一定の ‖ 在～的条件下才有效 特定の条件のもとで有効である

【特工】tègōng 名 ❶スパイ工作 ❷スパイ

【特护】tèhù 動 集中治療室で治療する 名 集中治療室つきの看護婦

【特惠】tèhuì 形 特別優待の ‖ ～酬宾 chóubīn 優待感謝セール

【特级】tèjí 形 特級の

【特急】tèjí 形 とくに急ぎの. 緊急の

【特辑】tèjí 名（雑誌・テレビ番組・映画などの）特集

【特技】tèjì 名 ❶離れ技 ‖ ～表演 曲芸 ❷（映画の）特殊撮影技術 ‖ ～摄影 shèyǐng トリック撮影

【特技镜头】tèjì jìngtóu 名 特撮シーン

【特价】tèjià 名 特価. 特売価格

【特警】tèjǐng 名 特殊任務の警察組織

【特刊】tèkān 名（雑誌などの）特集号. 特別号

【特快】tèkuài 形 略 とくに速い. 特急の ‖ ～列车 特急列車 名 特急列車

【特快专递】tèkuài zhuāndì 名 エクスプレスメール. EMS. 略して〔快递〕〔速递〕ともいう

【特困】tèkùn 形 経済的に困窮している. また，居住条件が劣悪である ‖ ～生 とくに貧しい家庭の学生 | ～户 居住条件がとくに劣悪な世帯

【特立独行】tè lì dú xíng 成 独自の意見を持ち，時流に流されないこと. 独立独歩

【特立尼达和多巴哥】Tèlìnídá hé Duōbāgē 名〈国名〉トリニダード・トバゴ

【特例】tèlì 名 特例. 特殊な事例

【特卖】tèmài 動 大安売りする. 特売する

【特派】tèpài 動 特別に派遣する ‖ ～记者 特派員

【特派员】tèpàiyuán 名 特派員

【特勤】tèqín 名 ❶（警察・消防・軍隊などの）特別出動. 特殊任務 ‖ 出～ 特別出動に出る ❷特別出動隊員

*【特区】tèqū 名 略 経済特区.〔经济特区〕の略

*【特权】tèquán 名 特権 ‖ 享有～ 特権を持っている

*【特色】tèsè 名 特色 ‖ 很有～ たいへん特色がある

【特赦】tèshè 動 特赦する ‖ ～令 特赦令

【特使】tèshǐ 名 特使 ‖ 派～ 特使を派遣する

【特首】tèshǒu 名（香港・マカオの）特別行政区長官

⁂【特殊】tèshū 形 特殊である. 特別である ‖ ～待遇 特別待遇 | 问题很～ 問題は非常に特殊だ

【特殊教育】tèshū jiàoyù 名（障害者に対する）特殊教育

【特体】tètǐ 形 略 特殊な体型の

【特为】tèwèi 副 とくに. わざわざ

【特务】tèwù 名〈軍〉特殊任務 ‖ ～营 特務大隊

*【特务】tèwu 名 スパイ ‖ 搞～活动 スパイ活動をする

【特效】tèxiào 名 特効 ‖ ～药 特効薬

【特写】tèxiě 名 ❶ルポルタージュ ❷（映画の）クローズアップ ‖ ～镜头 クローズアップ・ショット

*【特性】tèxìng 名 特性 ‖ 鸟的～ 鳥の特性

【特许】tèxǔ 動 特別に許可する

【特许经营】tèxǔ jīngyíng 名 フランチャイズ経営

【特邀】tèyāo 動 特別に招待する. 特別に招請する

【特异】tèyì 形 ❶特異な. とくに好い ‖ 成绩～ 成績がとくにすばらしい ❷独特な ‖ ～风格 独特な風格

【特异功能】tèyì gōngnéng 名 超能力

*【特意】tèyì 副 とくに. わざわざ. さっそく

【特有】tèyǒu 形 特有の ‖ 日本～的蔬菜 日本特有の野菜

【特约】tèyuē 動 特別に取り決める. 特別に契約する ‖ ～记者 特約記者 | ～经销 特約販売する

*【特征】tèzhēng 名 特徴. 特別に目立つしるし

【特指】tèzhǐ 動 とくに … をさす. もっぱら … をさす

【特制】tèzhì 動 特別に製作する ‖ ～品 特製品

【特质】tèzhì 名 特質

【特种】tèzhǒng 形（同種のものの中で）特殊な

【特种兵】tèzhǒngbīng 名〈軍〉特殊任務の兵

【特种部队】tèzhǒng bùduì 名〈軍〉特殊部隊

【特种工艺】tèzhǒng gōngyì 名 特殊工芸品

【特种警察】tèzhǒng jǐngchá 名（武装警察の一種）特殊警察

【特种邮票】tèzhǒng yóupiào 名 記念切手

【特准】tèzhǔn 動 特別に許可を与える

12 **铽** tè 名〈化〉テルビウム（化学元素の一つ，元素記号は Tb）

14 **慝** tè 書 邪悪. 罪悪. 邪心

tēi

7 **忒** tēi ↴ ➤ tè tuī

【忒儿】tēir 擬 方 鳥のせわしく羽ばたく音. バタバタ

T

téng

10 ★**疼** téng ❶形 痛い‖肚子～ 腹が痛い ❷動 かわいがる. いとおしむ‖这孩子真招人～ この子はとても人に好かれる｜爷爷非常～孙女儿 おじいちゃんは孫娘をとてもかわいがる

類義語 | 疼 téng 痛 tòng

◆ともに病気や傷による肉体的な痛みを表す.〔疼〕は肉体的な痛みに限られるが,〔痛〕は悲しみなど精神的な痛みも表す.〔疼〕は多く話し言葉に,〔痛〕は書き言葉に多く用い,複合語や医学用語にもなる‖牙很疼(痛) 歯がひどく痛い｜他的话刺痛(×疼)了我的心 彼の言葉は私の心にいたく突き刺さった ◆〔疼〕は動詞として「かわいがる. いとおしむ」という意味を持ち,〔痛〕は副詞として「思いっきり. ひどく. 徹底的に」という意味を持つ

【疼爱】téng'ài 動 かわいがる

*【疼痛】téngtòng 形 痛い‖～难忍 痛くてたまらない

13 **誊**(謄) téng 動 書き写す. 清書する‖这稿子请你给我～一遍 この原稿をもう一度清書してくれ

【誊录】ténglù 動 清書する. 書き写す

【誊清】téngqīng 動 清書する

【誊写】téngxiě 動 書き写す

13 ***腾** téng ❶昇る. 高く上がる‖～飞 ❷跳ぶ. 跳び上がる. 疾走する‖欢～ 小躍りして喜ぶ ❸(上下左右に)動かす‖沸fèi～ 沸騰する ❹動 動詞の後に置き,その動作が反復することを表す.(多く軽声となる)‖折～ 寝返りを打つ｜倒～ 転売する ❺動 (場所や時間を)あける‖～地方 場所をあける｜～出时间 時間をあける

【腾达】téngdá 動 書 ❶昇る. 立ち昇る. 上昇する ❷栄達する. 出世する

【腾飞】téngfēi 動 ❶飛び上がる. 舞い上がる ❷急速に発展する‖经济～ 経済が急成長する

【腾空】téngkōng 動 天空に昇る. 舞い上がる

【腾挪】téngnuó 動 ❶(金を)動かす. 流用する ❷(物を)移動する. 動かす

【腾升】téngshēng 動 (価格などが)急上昇する

【腾腾】téngténg 形 ❶(気体などが)勢いよく立ち昇るさま‖热气～ 湯気がさかんに立ち昇る ❷気炎や気勢などの盛んなさま‖杀气～ 殺気がみなぎっている

【腾跃】téngyuè 動 ❶跳びはねる‖～奔驰bēnchí 飛ぶように走る ❷書 (物価や相場が)騰貴する

【腾越】téngyuè 動 飛び越す

【腾云驾雾】téng yún jià wù 成 ❶雲や霧に乗って自由に飛行する. ふわふわとして足もとが定まらない ❷いい気になる. 有頂天になる. のぼせる

15 **滕** téng 名 滕(とう). 周代の国名. 現在の山東省滕県一帯にあった

18 **藤**(^△籐) téng 名〈植〉(蔓性(まんせい)植物の)つる‖葡萄～ ブドウのつる

【藤编】téngbiān 名 籐細工. または,籐製品

【藤萝】téngluó 名〈植〉フジ.〔紫藤〕の通称

【藤椅】téngyǐ 名 籐椅子.〔藤椅子〕ともいう

【藤子】téngzi 名 口 (蔓性植物の)つる

T

tī

7 **体**(體) tī ➘ ➤ tǐ

【体己】tīji =〔梯己tīji〕

10 **剔** tī ❶動 (骨についた肉を)そぎ取る‖～肉 肉をそぎ取る ❷動 (すきまや穴の中から)ほじくり出す‖～指甲缝 爪の間に入った汚れをとる ❸動 (悪いものを)選び出す‖～出次品 粗悪品を取り除く

【剔除】tīchú 動 不適当なものを取り除く

【剔透】tītòu 形 透きとおっている. 澄みきっている

【剔牙】tī//yá 動 歯をほじる

11 **梯** tī ❶はしご. 階段‖楼～ 階段｜电～ エレベーター ❷階段状のもの‖→～田

【梯次】tīcì 副 順次. 順を追って‖～检查 順を追って検査する 名 等級.

【梯度】tīdù 名 ❶傾斜度. 勾配 ❷(気圧・温度・速度などの)変化度

【梯队】tīduì 名 ❶〈軍〉梯団(ていだん) ❷(後継者の)世代グループ

【梯恩梯】tī'ēntī 名〈化〉トリニトロトルエン. TNT

【梯级】tījí 名 ❶(階段の)段. ステップ ❷(水利工事の一種)川を堰堤で区切って階段状にしたもの

【梯己】tīji 形 ❶こっそり蓄えた‖～钱 へそくり ❷親しい. 近しい‖～话 内輪の話 ＊〔体己〕とも書く

【梯田】tītián 名〈農〉段々畑. 棚田

【梯形】tīxíng 名〈数〉台形. 梯形(ていけい)

【梯子】tīzi 名 はしご‖爬～ はしごを登る

12 **锑** tī 名〈化〉アンチモン(化学元素の一つ,元素記号はSb)

15 ★**踢** tī 動 ける. けとばす‖～球 ボールをける｜他～了我一脚 彼は私をけとばした

【踢蹬】tīdeng 動 ❶踏んだり,けったりする ❷金銭を浪費する ❸片付ける. 整理する

【踢脚板】tījiǎobǎn 名〈建〉幅木(はばき).〔踢脚线〕ともいう

【踢皮球】tī píqiú 慣 互いに責任逃れをする. 責任を押しつけあう. たらい回しにする

【踢踏舞】tītàwǔ 名 タップダンス

【踢腾】tīteng =〔踢蹬tīdeng〕

tí

9 **荑** tí 書 ❶若芽 ❷ヒエの一種 ➤ yí

10 **绨** tí 厚手の絹織物. つむぎ織り‖～袍páo つむぎ織りの中国式の長衣 ➤ tì

12 ★**提** tí ❶動 (手に)提げて持つ. ぶら提げる‖～着旅行包 手に旅行かばんを提げている ❷動 (下から上へ)引き上げる‖～鞋 靴のかかとのところを引っ張ってちゃんと履く ❸動 提起する. 指摘する‖～意见 意見を出す｜～问题 問題を指摘する ❹動 話を持ち出す. 言い出す. 触れる‖他来信经常～到你 彼は手紙の中でいつも君のことを話題にしている ❺油や酒などを量るひしゃく ❻動 繰り上げる. 早める‖开会的时间往前～了一个小时 会議の時間が1時間早くなった ❼名 (漢字筆画の一つ)右はね,〔㇀〕 ❽動 引き出す. 引き取る‖～一百台冰箱 冷蔵庫を100台引き取る ❾動 (拘留している場所から)犯人を連れ出す‖～犯

人 法廷に犯人を出廷させる ➤ dī

類義語 提 tí 端 duān 捧 pěng

◆〔提〕手や腕で，器物の持ち手やひも状のところを提げて持つ‖手里提着个皮箱 手にスーツケースを(提げて)持っている ◆〔端〕両手または片手で，横あるいは下から水平に保ちつつ，胸の前で持つ‖端来一盆水 洗面器で水を持ってくる｜端茶倒水 お茶の道具を出して茶を入れる ◆〔捧〕両手の手のひらを上に向け，すくうような形で持つ．恭しく両手で持つときにも使われる．位置は〔端〕よりやや胸元に近い‖捧着一把糖块ㄦ 両手いっぱいにキャンデーを持っている｜手捧奖杯 トロフィーを手に持つ

*【提案】tí'àn 图 提案‖～通过了 提案は採択された

*【提拔】tíba；tíbá 動 抜擢(ばってき)する．取り立てる‖他被～为科长了 彼は課長に抜擢された

*【提包】tíbāo 图 手提げかばん．ハンドバッグ

⁑【提倡】tíchàng 動 **ものごとの長所を示し，使用や実行を勧める．提唱する**‖～节约 節約を呼びかける

【提成】tí//chéng (～ㄦ) 動 一定の歩合を取る‖按百分之十～ 10パーセントの歩合を取る 图 歩合

*【提出】tí//chu(chū) 動 提出する．申し出る．提議する‖～方案 案を提出する｜～问题 問題点を出す

【提纯】tíchún 動 精製する．精錬する

【提词】tí//cí 動〈劇〉(役者が台詞(せりふ)を忘れたとき舞台の陰から)台詞をつける

【提调】tídiào 動 指示する．仕事を言いつける 图 指図をする人

【提干】tígàn 動 幹部に抜擢する

*【提纲】tígāng 图 (著作・研究・討論などの)要点．要綱．梗概(こうがい)‖发言～ 発言の要旨

【提纲挈领】tí gāng qiè lǐng 成 要点をつかむ．要領を得る‖他的总结～，简明扼要èyào 彼の総括は問題の要点をつかんでおり，簡潔にまとめられている

★【提高】tí//gāo 動 **向上させる．向上する．引き上げる．高める** ↔〔降低〕‖～水平 レベルを向上させる｜成绩～了 成績が上がった｜～质量 質を高める

⁑【提供】tígōng 動 **提供する．供する**‖～情报 情報を提供する｜～方便 便宜をはかる

【提供商】tígōngshāng 图 略〈計〉インターネットの接続業者．プロバイダ．ISP．〔服务提供商〕の略

【提行】tí//háng 動 行をかえる．改行する

【提盒】tíhé 图 手提げ式の重箱

【提花】tíhuā (～ㄦ) 图〈紡〉紋織り．ジャガード

【提货】tí//huò 動 品物を引き取る

【提货单】tíhuòdān 图〈貿〉船荷証券．B L

【提及】tíjí 動 言及する．話が…に触れる‖不愿～往事 昔のことに触れられたくない

【提价】tí//jià 動 値段・料金を上げる

*【提交】tíjiāo 動 (案件を処理してもらうために)関係機関や会議に提出する‖～论文 論文を提出する

【提款】tí//kuǎn 動 金を引き出す

【提篮】tílán (～ㄦ) 图 手提げかご．手かご

*【提炼】tíliàn 動 抽出する

【提梁】tíliáng (～ㄦ) 图 (バッグなどの)提げ手

【提留】tíliú 動 (全体から一部を)取っておく．残しておく

*【提名】tí//míng 動 候補者に挙げる．候補者に選ぶ

【提起】tíqǐ 動 ❶話に出す．(話に)取り上げる ❷(気持ちを)引き立てる．奮い起こす ❸提出する

⁑【提前】tíqián 動 **予定の時間を早める．繰り上げる**‖开会时间～了 会議の時間が早くなった｜生产指标～一个月完成 生産目標は1ヵ月早く達成された

【提亲】tí//qīn 動 縁談を取り持つ．媒酌する．〔提亲事〕ともいう

【提琴】tíqín 图 バイオリン・ビオラ・チェロ・コントラバスの総称‖小～ バイオリン｜中～ ビオラ｜大～ チェロ

【提请】tíqǐng 動 提出し，申請する

*【提取】tíqǔ 動 ❶引き出す．引き取る‖～现金 現金を引き出す｜～行李 荷物を引き取る ❷抽出する

【提神】tí//shén 動 元気をつける．神経を高ぶらせる‖喝浓咖啡可以～ 濃いコーヒーを飲むと目がさめる

【提审】tíshěn 動〈法〉❶(勾留(こうりゅう)中の犯人を)呼び出して尋問する．取り調べる ❷(上級裁判所が下級裁判所で審理中または審理済みの案件を)審理する

*【提升】tíshēng 動 ❶職位や等級を上げる．昇進させる‖破格～ 破格の昇進｜他被～为部长 彼は大臣に昇格した ❷(ウインチなどで)吊り上げる

*【提示】tíshì 動 (相手が考えつかないことを)指摘する．教える．注意を促す‖如果我忘了，请～一下 もし私が忘れたら注意してくださいね

【提速】tí//sù 動 速度をあげる‖铁路全面～ 鉄道を全面スピードアップする

【提味ㄦ】tí//wèir 動 味を引き立てる

*【提问】tíwèn 動 質問する．問題を出す‖老师向学生～ 先生が学生に質問する

【提现】tíxiàn 動 現金を引き出す

【提箱】tíxiāng 图 スーツケース．〔手提箱〕ともいう

【提携】tíxié 動 ❶子供を連れて歩く ❷後進を育成する．引き立てる ❸提携する．合作する

【提心吊胆】tí xīn diào dǎn 成 非常に恐れる．びくびくする．〔悬xuán心吊胆〕ともいう

*【提醒】tí//xǐng 動 注意を促す．指摘する‖我～他注意交通安全 私は彼に車に気を付けるように注意した

【提讯】tíxùn 動〈法〉(勾留中の犯人を)呼び出して尋問する．取り調べる

*【提要】tíyào 動 要約する．要点を抜き書きする 图 (本や文章などの)要点を抜き書きしたもの．要約．あらまし．書名にも用いられる‖内容～ 内容の要点

*【提议】tíyì 動 提議する．提案する．提言する 图 提議．提案．提言

*【提早】tízǎo 動 繰り上げる．時間を早める．期限を早める‖明天～一小时起床 明日は1時間早く起きる

【提职】tí//zhí 動 昇進させる

【提制】tízhì 動 抽出して作る

12 **啼**(△嗁) tí ❶ニワトリやサルなどが鳴く ❷書 (声を出して)泣く

【啼饥号寒】tí jī háo hán 成 飢えに泣き，寒さに叫ぶ．貧しく衣食にも事欠くさま

【啼哭】tíkū 動 声をあげて泣く

【啼笑皆非】tí xiào jiē fēi 成 泣くに泣けず，笑うに笑えず．どうしてよいか分からないさま．つらく，またおかしいさま

12 **缇** tí 書 だいだい色．オレンジ色

15 ⁑**题** tí ❶图 **題．題名．題目**‖文不对～ 文章の内容が題と合っていない ❷图 (**練習や試験の)問題**‖这道～我不会 この問題は私にはできない ❸動 書く．記す．署名する‖在画上～了一首诗 絵に詩を付した

*【题材】tícái 图 題材

T

【题词】tí//cí 動 題辞を記す．記念の言葉や励ましの言葉を記す‖为展览～ 展覧会のために題辞を記す 名(tící) ❶記念の言葉．励ましの言葉 ❷題辞．序
【题额】tí'é 動 扁額(へんがく)に字を書く
【题海】tíhǎi 名 膨大な量の宿題
【题花】tíhuā 名(新聞や書籍の)文章の標題部分の図案やカット
【题记】tíjì 名 題辞．題言．題詞
【题解】tíjiě 名 ❶書名・著作者・時代背景などの解説．解題 ❷(数学・物理・化学などの)問題解説集
【题库】tíkù 名 練習問題集．試験問題集．試験問題データベース
【题名】tí//míng 動(記念のために)姓名を書き記す．署名する 名(tímíng) ❶サイン．署名 ❷題名
**【题目】tímù 名 ❶題目．表題．テーマ‖文章的～ 文章のテーマ ❷(試験などの)題．問題｜这次考试的～真难 今回の試験問題はほんとうに難しい
【题写】tíxiě 動(タイトルや横額を)書く
【题字】tí//zì 動(記念のために)言葉を書き残す 名(tízì)(記念のために書いた)言葉

16 **醍** tí ↴
【醍醐】tíhú 名 書 ❶牛乳から作ったクリーム状の食品 ❷〈仏〉最高の法．最高の知恵．醍醐(だいご)

16* **蹄**(△蹏) tí 名(～儿)(動物の)ひづめ
【蹄筋】tíjīn (～儿) 名〈料理〉ブタ・ウシ・ヒツジなどのひづめの後ろの比較的太い筋(すじ)．靭帯(じんたい)
【蹄子】tízi 名 ❶口 ひづめ ❷方 豚のもも肉

17 **鳀** tí 名〈魚〉カタクチイワシ．ふつう〔鳀鱼〕という

tǐ

7 **体**(體) tǐ ❶(人や動物の)からだ‖→～型 ❷身体の一部分‖肢～ 四肢 ❸ものごとの全体‖→～积 ❹ものの形や状態‖液～ 液体 ❺名〈語〉相(そう)．アスペクト ❻ものごとの規格・形式・きまり‖→～例 ❼文字や文章の形式‖文～ 文体 ❽実践する．体験する．体得する‖→～会 ❾他人の立場になって考える‖→～谅 ➤tī
【体裁】tǐcái 名(文学作品の)表現形式．ジャンル
*【体操】tǐcāo 名〈体〉体操‖做～ 体操をする
【体察】tǐchá 動 体験し観察する
【体词】tǐcí 名〈語〉体詞．名詞・代名詞・数詞・量詞の総称
【体大思精】tǐ dà sī jīng 成(著作や計画などが)規模が大きく，考えが緻密(ちみつ)である
【体罚】tǐfá 動 体罰を加える．折檻(せっかん)する
【体改】tǐgǎi 動 体制改革する．機構改革する
【体格】tǐgé 名 ❶体格．体の発育状況と健康の状況‖～健壮 体つきがたくましい ❷(人や動物の)体形
**【体会】tǐhuì 動 体得する．感得する‖这次比赛使我深深地～到集体的力量 こんどの試合では集団の力を身にしみて感じさせられた 名 体得．感得
**【体积】tǐjī 名 体積
【体检】tǐjiǎn 名 略 体格検査．〔体格检查〕の略
*【体力】tǐlì 名 体力‖消耗hào～ 体力を消耗する
【体力劳动】tǐlì láodòng 名 肉体労働 ↔〔脑力劳动〕

【体例】tǐlì 名(著作や文章などの)形式．格式．体裁
*【体谅】tǐliang；tǐliàng 動 相手の気持ちを考える．他人の立場で考える．察する‖夫妻之间要互相～ 夫婦は互いに相手を思いやらなくてはならない
【体貌】tǐmào 名 書 姿かたち．容姿
*【体面】tǐmian；tǐmiàn 形 ❶体裁がいい．世間体がいい‖这样做很不～ こんなことをするなんてみっともない ❷(容貌ようなどが)きれいだ．美しい‖长得很～ なかなか器量がいい 名 体面．面目‖有失～ 体面を失する
【体能】tǐnéng 名 運動能力‖～测试cèshì 運動能力測定検査
【体念】tǐniàn 動 思いやる．相手の身になって考える
【体魄】tǐpò 名 書 体力と気力
【体腔】tǐqiāng 名〈生理〉体腔(たいこう)
【体式】tǐshì 名 ❶(文字の)字体．書体 ❷書 スタイル．様式．体裁
【体态】tǐtài 名 体つき．体形
【体坛】tǐtán 名 体育界．スポーツ界
*【体贴】tǐtiē 動 相手の身になって思いやる．いたわる‖～入微rùwēi 心遣いが至れり尽くせりである
【体统】tǐtǒng 名 体面．体裁．格式．規格‖不成～ まったくなっていない
【体味】tǐwèi 動 玩味(がんみ)する．味わう
*【体温】tǐwēn 名 体温‖量～ 体温をはかる｜试～ 同前｜～正常 平熱である
【体温计】tǐwēnjì 名 体温計．〔体温表〕ともいう
【体无完肤】tǐ wú wán fū 成 ❶全身傷だらけである ❷完膚(かんぷ)なきまでに…する
【体悟】tǐwù 動 体得する．悟る
【体惜】tǐxī 動 思いやる．同情する
**【体系】tǐxì 名 体系．体制‖语法～ 文法の体系
*【体现】tǐxiàn 動 体現する．具体的に表す‖这一援助yuánzhù充分～了国际主义精神 この援助は国際主義の精神を十分に体現している
【体形】tǐxíng 名 ❶(人や・動物などの)体形‖～真美 美しいプロポーションをしている ❷(機械などの)形
【体型】tǐxíng 名 体型
【体恤】tǐxù 動 人の身になって思いやる．いたわる
【体癣】tǐxuǎn 名〈医〉ぜにたむし
【体循环】tǐxúnhuán 名〈生理〉大循環．体循環．〔大循环〕ともいう
*【体验】tǐyàn 動 体験する‖～生活 生活を体験する
【体液】tǐyè 名〈生理〉体液
★【体育】tǐyù 名 体育．スポーツ

> **類義語** 体育 tǐyù 运动 yùndòng
>
> ◆〔体育〕運動によって体力をつけ，体質を強化する教育をさす．スポーツ活動をさすこともある．体育．スポーツ‖体育界 スポーツ界｜体育用品 スポーツ用品｜我体育没及格 私は体育の教科を落とした ◆〔运动〕各種スポーツの総称で，スポーツ活動それ自体もさす．登山や碁，あるいは娯楽性の強いものまで広範囲のものを含む．スポーツ．運動‖运动会 スポーツ大会．競技会｜运动员 スポーツ選手｜足球运动蓬勃开展 サッカーが盛んになった

**【体育场】tǐyùchǎng 名 運動場．グラウンド
**【体育馆】tǐyùguǎn 名 体育館
【体育舞蹈】tǐyù wǔdǎo 名〈体〉競技ダンス．〔国际标准交谊yì舞〕ともいう

【体育运动】tǐyù yùndòng 名 体育. スポーツ
【体征】tǐzhèng 名〈医〉徴候. 物理症状
*【体制】tǐzhì 名 ❶体制 ‖ 教育～ 教育体制 | 领导～ 指導体制 ❷(文章の)体裁. 様式
*【体质】tǐzhì 名 体質 ‖ ～弱 体質が弱い
*【体重】tǐzhòng 名 体重 ‖ ～计 体重計 | ～减轻 体重が減る | ～有六十公斤 体重は60キロある

tì

8 屉 tì ❶引き出し ❷せいろう ❸(シュロ・籐などで編んだ)マット. シート. 座面
【屉子】tìzi 名 ❶せいろう ❷(シュロ・籐などで編んだ)マット. 座面. シート ❸方 引き出し
9 *剃(△薙 鬀) tì 動(かみそりなどで)髪やひげなどをそる ‖ ～胡子 ひげをそる
【剃刀】tìdāo 名 かみそり ‖ 磨～ かみそりを研ぐ
【剃度】tìdù 動〈仏〉得度(とくど)する
【剃光头】tì guāngtóu 組 ❶丸坊主にする ❷喩(試験で)一人も受からない. (試合で)一点も入らない
【剃头】tì//tóu 動 頭をそる. (広く)理髪する
【剃头挑子一头热】tìtóu tiāozi yìtóu rè 歇 床屋の担ぎ荷は片方が熱い. 片思いをさす
10 倜 tì ➘
【倜傥】tìtǎng 形 書 洒脱(しゃだつ)でおうようである. 世俗にしばられない. 〔俶傥〕とも書く
10 涕 tì ❶書 涙 ‖ 痛哭流～ 涙を流して慟哭(どうこく)する ❷鼻汁. 鼻水 ‖ 鼻～ 鼻汁. 鼻水
【涕泪】tìlèi 名 書 ❶涙 ❷鼻水と涙
【涕零】tìlíng 動 書 涙を流す
10 悌 tì 書 兄を敬うこと. 年長者を敬愛すること ‖ 孝～ 親に孝行を尽くし, 兄によく仕える
10 逖 tì 古 遠い
10 绨 tì 名 厚手の絹織物の一種. 縦糸に絹糸, 横糸に綿糸を用いる ➤ tí
11 惕 tì 恐れ慎む. 用心する ‖ 警～ 警戒心
12 替[1] tì 書 衰える. さびれる ‖ 兴～ 盛衰 | 衰～ 衰微する
12 **替[2] tì ❶動 代わる. …に代わって…する ‖ 我～他值班 私が彼に代わって当直をする | ～我向他问好 どうか彼によろしく言ってください. ❷動 書 衰える. さびれる ‖ 兴～ 盛衰 ❸介(…の)ために ‖ ～孩子着想zhuóxiǎng 子供のためを思う
【替班】tì//bān (～儿) 動 臨時に人に代わって勤務する. 勤務を交替する ‖ 请人～ 勤務を代わってもらう
【替补】tìbǔ 動 代替する. 代わりをつとめる
*【替代】tìdài 動 代わる. 代える ‖ 他的作用是没有人可以～的 彼の役割は誰にもとって代われない
【替工】tì//gōng (～儿) 動 臨時に仕事を交替する 名(tìgōng)臨時に代わって仕事をする人
*【替换】tìhuan ; tìhuàn 動 代わる. 交替する. 入れ替える ‖ 两个人～着干 二人が交替で仕事をやる
【替考】tì//kǎo 動(人の代わりに)替え玉受験する
【替身】tìshēn (～儿) 名 身代わり
【替身演员】tìshēn yǎnyuán 名 スタント・マン
【替死鬼】tìsǐguǐ 名 俗(他人のために)罪をかぶった者. 犠牲となった者
【替罪羊】tìzuìyáng 名 贖罪(しょくざい)の羊. 人の代わりに犠牲となる者. 身代わり
13 裼 tì 古 赤ん坊をくるむもの. おくるみ ➤ xī
17 嚏 tì ➘
【嚏喷】tìpen 名 口 くしゃみ ‖ 打～ くしゃみをする

tiān

4 ★天 tiān ❶名 天空. 空 ‖ ～晴了 空が晴れた ❷神. 天. 天帝 ‖ 一～意 ❸天堂. 天国 ‖ 一～堂 ❹自然界 ‖ 一～灾 ❺生まれながらの. 天性の ‖ 一～资 ❻名(～儿)気候. 天候. 天気 ‖ ～暖和了 気候が暖かくなった ❼季節. 時節 ‖ 春～ 春 ❽名. 一昼夜. 一日 ‖ 住了三～两夜 2泊3日した ❾名(～儿)(一日のうちの)ある時間 ‖ ～不早了, 该回去了 遅いから, そろそろ帰らなくては ❿位置が上方にあるもの. 架設されたもの ‖ 一～桥
【天崩地裂】tiān bēng dì liè 成 天が崩れ, 地が裂ける. 天変地異. 〔天崩地坼chè〕ともいう
【天边】tiānbiān (～儿) 名 非常に遠い所
【天兵】tiānbīng 名 神兵. 喩 無敵の軍隊
【天不怕, 地不怕】tiān bù pà, dì bù pà 慣 天も地も恐れない. 怖いものなし
*【天才】tiāncái 名 ❶生まれつきの優れた才能. 天分 ‖ 这孩子很有艺术～ この子は芸術的天分に恵まれている ❷優れた才能の持ち主. 天才
【天差地远】tiān chā dì yuǎn 成 天と地ほどもある差. 雲泥の差. 〔天悬xuán地隔〕ともいう
*【天长地久】tiān cháng dì jiǔ 成 心はいつまでも変わらない. (多く愛情についていう)
【天长日久】tiān cháng rì jiǔ 成 長い年月がたつ
【天成】tiānchéng 動 自然に成る. 自然に形成される
【天秤座】tiānchèngzuò 名 ❶天秤宮(てんびんきゅう). 黄道十二宮の第7宮 ❷〈天〉天秤座
【天窗】tiānchuāng (～儿) 名 天窓
【天道】tiāndào 名 ❶天の道理. 天道 ❷方 天気
【天敌】tiāndí 名〈生〉天敵
【天底下】tiāndǐxia 名 口 この世. 世の中
*【天地】tiāndì 名 ❶天と地 ❷喩 天地. 世界 ‖ 开创新～ 新天地を切り開く
【天地头】tiāndìtóu 名(本の)ページの上下の空白部分. 天と地. 上部は〔天头〕, 下部は〔地头〕という
【天鹅】tiān'é 名〈鳥〉ハクチョウ. 〔鹄hú〕ともいう
【天鹅绒】tiān'éróng 名〈紡〉ビロード. ベルベット
【天翻地覆】tiān fān dì fù 成 天地が引っくり返る. 変化が大きいこと, または, 激しく騒ぎ立てること
【天方】Tiānfāng 名 アラビア国家の旧称 ‖《～夜谭yètán》『千夜一夜物語』
【天分】tiānfèn 名 天分. 天質. 天性
【天府之国】tiān fǔ zhī guó 成 肥沃(ひよく)で物産の豊かな土地. 四川省の美称
【天赋】tiānfù 名 ❶生まれつきのもの. 天賦 ❷生まれつき備わっている性質や才能. 天資
【天干】tiāngān 名 十干(じっかん). 〔十干〕ともいう
【天高地厚】tiān gāo dì hòu 成 恩愛の情が深く厚いこと, または, 物事が複雑で困難なこと
【天高皇帝远】tiān gāo huángdì yuǎn 慣 中央政府の権力は辺鄙(へんぴ)な地方には届かない

T

【天各一方】tiān gè yī fāng [成] それぞれが天の一方の端にいる. 互いに遠く離れていて会えないこと
【天公】tiāngōng [名] 天. 天帝
【天公地道】tiān gōng dì dào [成] 公平無比である
【天宫】tiāngōng [名] 天帝の宮殿. 天宮
【天光】tiānguāng [名] ❶空の色. [転] 時刻 ❷[方] 日光. 日差し
【天国】tiānguó [名] ❶〈宗〉天国 ❷[喩] 理想郷. ユートピア
【天寒地冻】tiān hán dì dòng [成] 寒さが厳しいさま
【天河】tiānhé [名][口] 天の川.〔银河〕の通称
【天候】tiānhòu [名] 天候
【天花】tiānhuā [名]〈医〉天然痘.〔痘dòu〕〔痘疮chuāng〕ともいい, 略して〔花〕という
【天花板】tiānhuābǎn [名]〈建〉天井板
【天花乱坠】tiān huā luàn zhuì [成] 口が達者なさま. 話はうまいが, 誇張に満ちているたとえ
【天荒地老】tiān huāng dì lǎo [成] 悠久な時間が経過するたとえ.〔地老天荒〕ともいう
【天皇】tiānhuáng [名] ❶天子 ❷(日本の)天皇
【天昏地暗】tiān hūn dì àn [成] ❶大風で砂塵(さじん)が舞い上がり, 天地が暗くなるさま ❷政治が腐敗している, または, 社会が混乱しているたとえ ❸程度が甚だしいさま. ひどい. 激しい ✻〔天昏地黑〕ともいう
【天火】tiānhuǒ [名](自然発生による)火災
【天机】tiānjī [名] ❶天の心. 天意 ❷天機. 重大な秘密 ‖ 泄露xièlòu～ 天機をもらす
【天际】tiānjì [名] 天際. はるかかなた
【天价】tiānjià [名] 非常な高額. 法外な値段. 青天井
【天经地义】tiān jīng dì yì [成] 正当で変えることのできない道理. 理にかない疑う余地がない道理
【天井】tiānjǐng [名]〈建〉❶中庭. 内庭 ❷天窓
*【天空】tiānkōng [名] 天空. 大空
【天籁】tiānlài [名][書] 天籟(てんらい). 自然界の音
【天蓝】tiānlán [形] 空色の. コバルト・ブルーの
【天老爷】tiānlǎoye [名] 天の神様. 天道様
【天理】tiānlǐ [名] ❶(宋学の)天理 ❷道理. 道義
【天良】tiānliáng [名](生来の)良心
【天亮】tiān//liàng [動] 夜が明ける
【天量】tiānliàng [名] 最大級の数量. 膨大な量
【天灵盖】tiānlínggài [名] 頭蓋骨(ずがいこつ)
【天伦】tiānlún [名][書] 親子や兄弟姉妹の間柄 ‖ ～之乐lè 一家団欒(だんらん)の喜び
【天罗地网】tiān luó dì wǎng [成] 天地四方にめぐらせた網. 厳重に包囲すること
【天麻】tiānmá [名] ❶〈植〉オニノヤガラ ❷〈中薬〉天麻(てんま)
【天马行空】tiān mǎ xíng kōng [成] 天馬空(くう)を行く. (詩文などが)自由奔走で豪放なこと
【天门】tiānmén [名] ❶[旧] 天宮の門 ❷宮殿の門 ❸額の中央. 眉間(みけん) ❹(道教の)心
【天明】tiān//míng [動] 夜が明ける
【天命】tiānmìng [名] 天命. 運命
【天幕】tiānmù [名] ❶[書] 大空. 蒼穹(そうきゅう) ❷(舞台の後方に掛ける)幕. ホリゾント
【天南地北】tiān nán dì běi [成] ❶互いに遠く離れていること, または, 地域が異なること ❷(話が)とりとめもないさま ✻〔天南海北〕ともいう
【天年】tiānnián [名] 天寿. 寿命
【天怒人怨】tiān nù rén yuàn [成] 天は憤怒し人は恨む. 極悪非道の所業は誰からも恨まれるたとえ
【天棚】tiānpéng [名] ❶〈建〉天井 ❷日よけ棚.〔凉棚〕ともいう
【天平】tiānpíng [名] 天びん. 皿ばかり
★【天气】tiānqì [名] 天気. 気候

> **類義語** 天气 tiānqì 气候 qìhòu 气象 qìxiàng
> ◆〔天气〕比較的短期間で具体的な気候変化をさす. 天気. 天候 ‖ 今天天气不错 今日の天気はすばらしい | 天气预报 天気予報 ◆〔气候〕比較的長期にわたる概括的な気候の変化をさす. 気候. 天候 ‖ 北方冬天的气候比较干燥 北方の冬の気候はわりに乾燥している ◆〔气象〕風向きや地震など天候以外の現象を含み, 科学用語に多く用いる. 気象 ‖ 气象卫星 qìxiàng wèixīng 気象衛星 | 气象台 qìxiàngtái 気象台

【天气图】tiānqìtú [名]〈気〉天気図
【天气预报】tiānqì yùbào [名]〈気〉天気予報
【天堑】tiānqiàn [名][書] 天険. (多く長江をさす)
【天桥】tiānqiáo [名] ❶陸橋. 歩道橋. 跨線橋(こせんきょう) ‖ 过街～ 歩道橋 ❷〈体〉(平均台の一種)天橋
【天穹】tiānqióng [名][書] 蒼穹(そうきゅう). 大空
【天球】tiānqiú [名]〈天〉天球
【天球仪】tiānqiúyí [名] 天球儀
【天趣】tiānqù [名] 天然自然の趣. 自然な風情
*【天然】tiānrán [形] 天然の. 自然の ↔〔人工〕〔人造〕‖ ～水 天然水 | ～渔港 天然の漁港
*【天然气】tiānránqì [名]〈化〉天然ガス.〔天然煤气〕ともいう
【天然丝】tiānránsī [名] 天然絹糸 ↔〔人造丝〕
【天壤】tiānrǎng [名][書] 天と地. 天地 ‖ ～之别 天と地の違い. 差が非常に大きいこと
【天日】tiānrì [名] 天と太陽. 天日 ‖ 不见～ 日の目を見ない | 暗无～ 暗黒の社会
*【天色】tiānsè [名] ❶空の色. 空模様 ❷時刻 ‖ ～不早了, 该动身了 もう遅いから, そろそろ出発しよう
*【天上】tiānshàng [名] 空. 天
【天神】tiānshén [名](伝説の)天上の神
*【天生】tiānshēng [形] 生まれつきの. 生来の ‖ 本领是练出来的, 不是～的 能力とは訓練のたまものであり, 生まれつきのものではない
【天时】tiānshí [名] ❶天候 ❷機会. 時機
【天使】tiānshǐ [名] 天使. エンゼル.〔安琪qí儿〕ともいう
【天书】tiānshū [名] ❶天の神が書いた文書. [喩] 難解な文字や文章 ❷[旧](君主の)詔勅
【天数】tiānshù [名] 天命. 運命
*【天堂】tiāntáng [名] ❶〈宗〉天国 ↔〔地狱〕 ❷[喩] パラダイス. 天国. 楽園 ‖ 人间～ この世の楽園
【天体】tiāntǐ [名]〈天〉天体 ‖ ～力学 天体力学
【天天】tiāntiān (～儿) [名] 毎日. 日々
【天庭】[1] tiāntíng [名] 眉間(みけん)
【天庭】[2] tiāntíng [名] ❶神殿 ❷宮殿
【天头】tiāntóu (～儿) [名](本の)ページ上部の空白部分. 天
【天外】tiānwài [名] ❶天の外 ❷はるか遠い場所
【天外有天】tiān wài yǒu tiān [成] 上には上がある

【天王】tiānwáng 名 ❶天子 ❷(伝説上の)天の神
【天王星】tiānwángxīng 名〈天〉天王星
【天网恢恢】tiān wǎng huī huī 成 天道は公平で悪事をはたらいた者には必ずその報いがあること.
*【天文】tiānwén 名〈天〉天文
【天文单位】tiānwén dānwèi 名 天文単位. 天文単位距離
【天文馆】tiānwénguǎn 名 天文館. プラネタリウム館
【天文数字】tiānwén shùzì 名 天文学的数字
【天文台】tiānwéntái 名 天文台
【天文望远镜】tiānwén wàngyuǎnjìng 名 天体望遠鏡
【天文学】tiānwénxué 名 天文学
【天文钟】tiānwénzhōng 名 クロノメーター
*【天下】tiānxià 名 ❶天下. この世 ‖ ～无难事, 只怕有心人 この世に困難なことはない, ただ本人の心掛けしだいである. なせば成る ❷政権 ‖ 打～ 天下を取る
【天仙】tiānxiān 名 天女. 喩 絶世の美人
【天险】tiānxiǎn 名 天険
*【天线】tiānxiàn 名〈電〉アンテナ
【天香国色】tiān xiāng guó sè 成 牡丹(ぼたん)の美しさを称えた言葉. 転 絶世の美人. 〔国色天香〕ともいう
【天象】tiānxiàng 名 天体の現象. 天象
【天晓得】tiān xiǎode 慣 神のみぞ知る ‖ ～他是怎么想的 彼がどのように考えているかなど, 誰が知るものか
【天蝎座】tiānxiēzuò 名 ❶天蝎宮(てんかつきゅう). 黄道十二宮の第 8 宮 ❷〈天〉蠍座(さそり)
【天幸】tiānxìng 名 得がたい幸運. 不幸中の幸い
【天悬地隔】tiān xuán dì gé ＝〔天差地远 tiān chā dì yuǎn〕
【天旋地转】tiān xuán dì zhuǎn 成 ❶天地が引っくり返る. 変化が激しいさま ❷めまいがする ❸大騒ぎする
【天涯】tiānyá 名 天涯. きわめて遠い所
【天涯海角】tiān yá hǎi jiǎo 成 天の果て. 地の果て. 遠く辺鄙(へんぴ)な場所
【天衣无缝】tiān yī wú fèng 成 技巧のあとが見えず, 自然で完璧(かんぺき)である. (多く詩文などについていう)
【天意】tiānyì 名 天意. 天の心
【天宇】tiānyǔ 名 ❶空. 大空 ❷書 天下
【天渊】tiānyuān 名 天淵(てんえん). 天と地. 喩 違いの甚だしいこと ‖ ～之别 天と地の差. 雲泥の差
【天灾】tiānzāi 名 天災. 自然災害
【天葬】tiānzàng 動 鳥葬にする. 〔鸟葬〕ともいう
【天造地设】tiān zào dì shè 成 造化の妙. 優れた自然条件
**【天真】tiānzhēn 形 ❶無邪気である. 純真である ‖ ～烂漫 天真爛漫(てんしんらんまん)である ❷(考え方が)無邪気である. 単純である
【天知道】tiān zhīdao 慣 天のみぞ知る. 理解しがたい. 説明のしようがない
【天职】tiānzhí 名 本来尽くすべき職責. 本分
【天诛地灭】tiān zhū dì miè 成 天地ともに許さない. 天罰を受ける
【天竺】Tiānzhú 名 天竺(てんじく). インドの古称
【天主】Tiānzhǔ 名〈宗〉(カトリック教の)神. 天主
*【天主教】Tiānzhǔjiào 名〈宗〉カトリック教. 天主教. 〔罗马公教〕ともいう ‖ ～徒 カトリック教徒
【天主堂】tiānzhǔtáng 名〈宗〉天主堂
【天姿国色】tiān zī guó sè 成 女性の容貌が美しいさま. 絶世の美人
【天资】tiānzī 名 天資. 生まれつきの資質
【天子】tiānzǐ 名 天子. 皇帝
【天字第一号】tiānzì dìyī hào 慣 第一の. いの一番の. 転 天下一. 最高のもの
【天尊】tiānzūn 名 ❶〈仏〉仏の尊称 ❷(道教の)神仙の尊称
【天作之合】tiān zuò zhī hé 成 天のなせる配合. 天与のカップル. (結婚を祝福するときの言葉)

11 **添 tiān ❶動 増やす. 加える. 足す ‖ ～人 人を増やす | 再～点儿钱, 买一个质量好一点儿的吧 もう少しお金を足して, 品質のよいものを買おう ❷動 方 (子供が)産まれる

類義語 添 tiān 加 jiā 对 duì

◆〔添〕すでにあるところに追加する ‖ 我们厂又添了两台机器 我々の工場はまた機械を 2 台増やした ◆〔加〕〔添〕と同様の意味のほか, ないところに新たに加える意味もある ‖ 菜里加点儿作料 料理に調味料を少し入れる ◆〔对〕液体を加える ‖ 咖啡里对牛奶 コーヒーに牛乳を入れる

【添补】tiānbu 動 補充する ‖ ～衣服 服を新調する
【添彩】tiāncǎi 動 光彩を添える
【添丁】tiān//dīng 動 旧 男の子が産まれる
【添加】tiānjiā 動 増やす. 添加する
【添加剂】tiānjiājì 名 添加剤
【添乱】tiān//luàn 動 じゃまをする. 面倒をかける
【添麻烦】tiān máfan 組 面倒をかける. 手数をかける
【添油加醋】tiān yóu jiā cù ＝〔添枝加叶 tiān zhī jiā yè〕
【添枝加叶】tiān zhī jiā yè 成 木に枝を添え葉を加える. 話に尾ひれをつける. 〔添油加醋〕ともいう
【添置】tiānzhì 動 買い足す. 新たに購入する
【添砖加瓦】tiān zhuān jiā wǎ 成 大事業のために自分の力の及ぶかぎりのことをする. 微力を尽くす

tián

5 ***田 tián ❶名 耕地. 水田. 畑 ‖ 他正在～里干活儿 彼はいま野良仕事をしている ❷地下資源が眠っている地帯 ‖ 油～ 油田
【田产】tiánchǎn 名 所有する田畑
*【田地】tiándì 名 ❶耕地. 農地 ❷段階. 程度. 状況. (多く悪い場合をいう) ‖ 想不到他会落到这步～ 彼がここまで落ちぶれようとは思いもよらなかった
【田赋】tiánfù 名 旧 土地の税. 地租
【田埂】tiángěng 名 あぜ
【田鸡】tiánjī 名 ❶〈鳥〉バン. クイナ ❷〈動〉トノサマガエル. 〔青蛙〕の通称
【田家】tiánjiā 名 書 農家. 農民
*【田间】tiánjiān 名 ❶田畑. 田地 ❷農村
*【田径】tiánjìng 名〈体〉フィールドとトラック
【田径赛】tiánjìngsài 名〈体〉陸上競技. 〔田赛〕(フィールド競技)と〔径赛〕(トラック競技)の併称
【田径运动】tiánjìng yùndòng 名〈体〉陸上競技
【田坎】tiánkǎn 名 あぜ
【田垄】tiánlǒng 名 ❶あぜ. あぜ道 ❷畝(うね)
【田螺】tiánluó 名〈貝〉タニシ
【田亩】tiánmǔ 名 田畑の総称

【田七】tiánqī 名〈植〉ウコギ科トチバニンジン属の草木植物.〔三七〕ともいう
【田契】tiánqì 名 田畑の売買契約書
【田赛】tiánsài 名〈体〉フィールド競技
【田舍】tiánshè 名 書 ❶田畑と家屋 ❷農家. 農村 ❸農民. 百姓
【田鼠】tiánshǔ 名〈動〉ノネズミ
*【田野】tiányě 名 **田畑と原野. 田野**
【田野工作】tiányě gōngzuò 名（科学・学術研究のための）野外調査. フィールド・ワーク =〔野外工作〕
【田园】tiányuán 名 田園. 農村
【田庄】tiánzhuāng 名 旧 ❶田畑と荘園 ❷村

7 **佃** tián 書 耕す. 耕作する ➤ diàn

9 **恬** tián 書 ❶安らかである ‖ →～静 ❷淡白である. 無欲である ‖ →～淡 ❸平然としている. 気にかけない ‖ ～不为意 少しも意に介さない
【恬不知耻】tián bù zhī chǐ 成 悪い事をしておきながら少しも気にかけない. 恥を知らない
【恬淡】tiándàn 形 恬淡(てんたん)としている. あっさりしている
【恬静】tiánjìng 形 心が穏やかで落ち着いている
【恬然】tiánrán 形 平然としているさま
【恬适】tiánshì 形 書 静かで心地よい

9 **畑** tián 国字

9 **畋** tián 書 狩りをする. 狩猟する

10 **畠** tián 国字

10 **钿** tián 名 方 硬貨. お金 ‖ 铜～ 銅貨 | 车～ 乗車料金 ➤ diàn

11 ** **甜** tián ❶形 **甘い** ‖ 这个红薯shǔ很～ このサツマイモは甘い ❷形 **心地よい. うっとりする** ‖ 笑得很～ 笑顔がとてもかわいい ❸形 **熟睡するさま** ‖ 睡得正～ ぐっすり眠っている
【甜菜】tiáncài 名〈植〉サトウダイコン. ビート
【甜橙】tiánchéng 名〈植〉オレンジ
【甜点】tiándiǎn 名 甘い菓子. 甘味の軽食
【甜瓜】tiánguā 名〈植〉マクワウリ.〔香瓜〕ともいう
【甜津津】tiánjīnjīn（～的）形 ❶甘みがあるさま ❷嬉しいさま. 幸せなさま
【甜美】tiánměi 形 ❶甘くておいしい ❷楽しい. 心地よい ‖ ～的记忆 楽しい思い出
【甜蜜】tiánmì 形 心地よい. 幸せである. 楽しい ‖ ～的初恋 甘い初恋 | ～的回忆 楽しい思い出
【甜面酱】tiánmiànjiàng 名 小麦粉を原料にした甘みのあるみそ. 地方によっては〔甜酱〕ともいう
【甜品】tiánpǐn 名 甘味の軽食
【甜润】tiánrùn 形 しっとりして心地よい
【甜食】tiánshí 名 甘い食品. 甘味
【甜水】tiánshuǐ 名 飲用に適した水. 軟水
【甜丝丝】tiánsīsī（～儿的）形 ❶甘みがあるさま ❷幸せに満ちたさま. 嬉しいさま
【甜头】tiántou（～儿）名 ❶かすかな甘み ❷利点
【甜言蜜语】tián yán mì yǔ 成 甘い言葉. 甘言

13 ** **填** tián ❶動（穴やくぼみなどを）**埋める. ふさぐ** ‖ ～坑kēng 穴を埋める ❷動（空席や欠損などを）補充する. 埋める ‖ →～补 ❸動（**空欄に**）**記入する. 書き込む** ‖ ～申请表 申請書に記入する
【填报】tiánbào 動 表に記入して報告する
【填表】tián//biǎo 動 表に必要事項を記入する
*【填补】tiánbǔ 動 補充する. 補填(ほてん)する. 埋める ‖ ～空白 空白部分を埋める | ～亏损 欠損を補填する
【填充】tiánchōng 動 ❶満たす. 充填(じゅうてん)する ❷（試験問題の）空欄を埋める. 穴埋め問題を解く
【填词】tián//cí 動 韻文の詞(し)を作る
【填房】tián//fáng 旧 動 後妻になる. 後添いに入る
【填空】tián//kòng 動 ❶（空いた地位や職務などを）補充する ‖ ～补缺bǔquē 欠員を補充する ❷（試験問題の）空欄を埋める. 穴埋め問題を解く
【填料】tiánliào 名 充填材. パッキング
【填权】tiánquán 動〈経〉配当落ち以後に株価が値上がりする
【填塞】tiánsè 動 埋める. ふさぐ
*【填写】tiánxiě 動（空欄に）書き込む. 記入する ‖ 请～一下海关申报单 税関申告書に記入してください
【填鸭】tiányā 動 口に飼料を詰め込んで短期間にアヒルを肥育する 名 同前の方法で肥育されたアヒル
【填鸭式】tiányāshì 名 詰め込み式. 詰め込み主義

13 **阗** tián 書 いっぱいになる. 充満する ‖ 喧～（混雑で）押し合いへし合いする

tiǎn

8 **忝** tiǎn 書 謙 おそれ多くも ‖ ～任顾问 おそれ多くも顧問に任ぜられる

9 **殄** tiǎn 尽きる. 絶滅する ‖ 暴～天物 天下の万物を損ない絶滅させる. 物を粗末にする

12 **觍** tiǎn ❶書 恥じ入る ❷動 口 面の皮を厚くする ‖ ～着脸 厚かましく… する

12 **腆**[1] tiǎn 豊富である. 豊かである

12 **腆**[2] tiǎn 動 方（胸や腹などを）突き出す ‖ ～胸脯xiōngpú 胸を張る

14 **舔** tiǎn 動 なめる ‖ ～嘴唇 唇をなめる | 小猫～着盘子 子ネコが皿をなめている

tiàn

11 **掭** tiàn 動（筆に墨をつけた後）筆先をすずりの陸(おか)で揃える

tiāo

8 **佻** tiāo 軽々しい. 軽薄である ‖ 轻～ 軽薄である

9 * **挑**[1] tiāo ❶動（天びん棒などで）担ぐ. 担う ‖ ～水 天びん棒で水を運ぶ | ～起了厂长这副担子 工場長という重責を担う ❷名（～儿）天びん棒とその両端の荷 ‖ 挑～儿 天びん棒で荷物を担ぐ ❸量（～儿）（天びん棒で担ぐ荷を数える）荷(か) ‖ 一～儿白菜 1荷のハクサイ

9 ** **挑**[2] tiāo ❶動 **選ぶ. 選択する** ‖ 喜欢哪个, 自己～ 好きなのを自分で選びなさい ❷動 **あらを捜す** ‖ ～毛病 あら捜しをする ➤ tiǎo

類義語 | **挑 tiāo 抬 tái 扛 káng**
◆〔挑〕天びん棒の両端に荷を吊して, 一人で担いで運ぶ‖挑着两桶水 水を二桶運んでいる ◆〔抬〕二人以上で物を運ぶ．担いで運ぶ‖两人抬着一张床 二人でベッドを運んでいる ◆〔扛〕物を直接肩の上に載せて持ち運ぶ‖扛着锄头下地 くわを担いで野良に出る

【挑刺儿】tiāo//cìr ［動］［方］あら捜しをする．けちをつける
【挑错】tiāo//cuò（～儿）［動］間違いを探す
【挑肥拣瘦】tiāo féi jiǎn shòu ［成］選り好みする
【挑夫】tiāofū ［名］［旧］荷物を運ぶ人夫
【挑拣】tiāojiǎn ［動］選ぶ．選び出す
【挑脚】tiāo//jiǎo ［動］［旧］（職業として）荷物を運搬する
【挑礼】tiāo//lǐ（～儿）［動］礼儀作法についてあげつらう
【挑三拣四】tiāo sān jiǎn sì ［慣］自分に有利なようにあれこれ選ぶこと．選り好みする
【挑食】tiāoshí ［動］偏食する
【挑剔】tiāoti；tiāotì ［動］うるさく言う．けちをつける‖我从不～饮食 食べることで文句を言ったことはない
*【挑选】tiāoxuǎn ［動］選ぶ．選択する‖自由～ 自由に選択する｜～开会地点 会議の場所を選ぶ
【挑眼】tiāo//yǎn ［動］［方］文句をつける．けちをつける
【挑字眼儿】tiāo zìyǎnr ［慣］言葉尻をとらえる．揚げ足を取る
【挑嘴】tiāozuǐ ［動］（食べ物に）好き嫌いをする

10 **祧** tiāo ［書］❶祖先を祭る廟（びょう） ❷住居内などで祭っていた数代前の祖先の位牌（いはい）を，代々の霊廟（れいびょう）に移す ❸跡を継ぐ‖承～ 同前

tiáo

7 ★**条**[1]（條）tiáo ❶（～儿）細長い枝‖柳～儿 ヤナギの枝 ❷（～儿）細長いもの‖面～儿 麵（めん） ❸細長い‖一～纹 ❹［量］①細長いものを数える‖一～河 1本の川｜一～毛巾 1本のタオル｜一～鱼 1尾の魚 ②一まとまりになった細長いものを数える‖一～烟 タバコ1カートン

7 ★**条**[2]（條）tiáo ❶筋道．条理‖井井有～ 理路整然としている ❷項目ごとに分けた‖→～款 ❸［量］項目に分かれるものを数える‖提了三～意见 意見を三つ出した

類義語｜**条 tiáo 道 dào**

◆〔条〕事物をその形態から細長いという点にのみ着目して数える量詞‖一条领带 ネクタイ一本｜一条蛇 蛇一匹｜一条(道)河 一本の川｜一条(道)皱纹 一本のしわ｜一条(道)裂缝 一本のひび割れ ◆〔道〕地面・表皮・天空などの表面に道のように走る細長いものを数える量詞．その存在する面からそれだけを分離して取り出すことはできず，その面に嵌め込まれたもののようにとらえ認識する場合に用いる‖一道闪电 一筋の稲妻｜一道栅栏 一続きのフェンス ◆川などが〔条〕〔道〕いずれの量詞でも言えるのは，対象を〔条〕の認識でとらえるか〔道〕の認識でとらえるかによる

【条案】tiáo'àn ［名］細長い机．〔条几〕ともいう
【条陈】tiáochén ［動］項目に分けて述べる ［名］［旧］箇条書きにした陳情書‖递dì上～ 陳情書を提出する
【条分缕析】tiáo fēn lǚ xī ［成］分析が筋道立っていて緻密（ちみつ）である
【条幅】tiáofú ［名］〈美〉縦に長い掛け軸．条幅．対になったものを〔屏条〕といい，一つだけの場合〔单条〕という
【条规】tiáoguī ［名］箇条書きの規則
【条几】tiáojī ［名］細長い机
★【条件】tiáojiàn ［名］❶条件．要因‖～还不成熟 条件がまだ整っていない ❷（条件として出された）要求．基準‖她找对象的～太高 彼女は結婚相手への要求が高すぎる ❸状況．環境．状態‖生活～优越 生活環境が優れている
【条件反射】tiáojiàn fǎnshè ［名］〈生理〉条件反射
*【条款】tiáokuǎn ［名］箇条．条項‖法律～ 法律の条項｜合同～ 契約条項
*【条理】tiáolǐ ［名］筋道．秩序‖说话没有～ 話の筋道が通っていない
*【条例】tiáolì ［名］条例．条令．規約‖制定～ 条例を制定する｜治安～ 治安条例
【条令】tiáolìng ［名］〈軍〉（軍隊の行動規定を書いた）条令
【条码】tiáomǎ ＝〔条形码tiáoxíngmǎ〕
【条目】tiáomù ［名］条目．項目
【条绒】tiáoróng ［名］〈紡〉コールテン．コーデュロイ ＝〔灯心绒〕
【条条框框】tiáotiao kuàngkuang ［慣］［貶］あれこれの規定や制限．枠‖打破～ 規定や制限を打破する
*【条文】tiáowén ［名］（法律や規則などの）条文‖法律～ 法律の条文｜政策～ 政策に関する条文
【条纹】tiáowén ［名］しま模様
【条形码】tiáoxíngmǎ ［名］バーコード．略して〔条码〕ともいう
⁑【条约】tiáoyuē ［名］条約‖签订～ 条約に調印する
*【条子】tiáozi ［名］❶細長いもの‖纸～ 紙切れ ❷書きつけ．メモ ❸［方］金の延べ棒

8 **迢** tiáo ↴
【迢迢】tiáotiáo ［形］［書］道がはるかに遠いさま‖千里～ 千里はるばる

8 **苕** tiáo ［古］ノウゼンカズラ ➤sháo

10 **调**[1] tiáo ❶ちょうどよい．調和がとれている‖营养失～ 栄養失調になる ❷［動］調整する．調節する‖～颜色 色を調節する ❸仲裁する．和解させる‖→～解

10 **调**[2] tiáo ❶からかう．冷やかす‖→～戏 ❷そそのかす．挑発する‖→～唆 ➤diào

【调处】tiáochǔ ［動］調停する．和解させる．とりなす
【调幅】tiáofú ［動］〈電〉振幅を変調する．電波の振幅を調節する
【调羹】tiáogēng ［名］れんげ．ちりれんげ．さじ
*【调和】tiáohe；tiáohé ［動］❶仲裁する．とりなす ❷（多く否定文に用いて）妥協する．譲歩する‖不可～的矛盾 妥協することのできない矛盾 ［形］調和がとれている．ちょうどよい‖窗帘chuānglián和家具的颜色很～ カーテンの色と家具の色がとてもマッチしている
【调护】tiáohù ［動］養生と看護をする
【调级】tiáo//jí ［動］職務のランクを調整する．（多くは昇格をさす）
*【调剂】tiáo//jì ［動］❶（薬を）調合する．調剤する ❷（tiáojì）調節する．調整する．整える‖～余缺yúquē 過不足を調整する
【调价】tiáo//jià ［動］（商品の）価格を調整する
【调教】tiáojiào ［動］❶（子供を）しつける ❷（動物を）調教する‖～牲畜shēngchù 家畜を調教する
*【调节】tiáojié ［動］調節する．調整する‖～音量 音

T

量を調節する｜～情绪 気分を変える
*【调解】tiáojiě 動 仲裁する. 間に入って説得する‖～纠纷jiūfēn もめごとを仲裁する
【调侃】tiáokǎn 動 からかう. あざ笑う
【调控】tiáokòng 動 調整する. コントロールする
【调理】tiáoli；tiáolǐ 動 ❶養生する. 摂生する‖～身体 養生する ❷管理する. やりくりする ❸しつける. 調教する ❹方 からかう
【调料】tiáoliào 名 調味料
【调弄】tiáonòng 動 ❶からかう. あざ笑う‖～人 人をからかう ❷けしかける. 挑発する. たきつける‖～是非 けしかけて悶着(もんちゃく)を引き起こす ❸調節する. 整える
【调配】tiáopèi 動 (薬剤や顔料などを)調合する. 配合する‖～颜料 顔料を調合する ➤ diàopèi
*【调皮】tiáopí 形 ❶腕白である. やんちゃである. はしっこい‖～鬼 腕白坊主 ❷言うことを聞かない. 手に負えない ❸ずる賢い
【调频】tiáopín 動〈電〉周波数変調をする‖～广播 ＦＭ放送
【调情】tiáoqíng 動 (男女が)いちゃいちゃする
【调色板】tiáosèbǎn 名〈美〉パレット
【调试】tiáoshì 動 ❶(機械やメーターなどを)テストし調整する ❷〈計〉デバッグする 名〈計〉デバッギング
【调唆】tiáosuo；tiáosuō 動 けしかける. たきつける. 挑発する‖～别人不和 けしかけて仲たがいさせる
【调停】tiáoting；tiáotíng 動 調停する. 和解させる. とりなす‖出面～ 調停役を買って出る
【调味】tiáo∥wèi 動 味を整える. 味をつける
【调戏】tiáoxi；tiáoxì 動 (女性を)からかう. なぶる
【调笑】tiáoxiào 動 からかう. あざける
【调协】tiáoxié 形 調和している
【调谐】tiáoxié 形 調和している 動〈電〉同調する‖～电路 同調回路｜～线圈 同調コイル
【调养】tiáoyǎng 動 養生する‖手术后身体虚弱，需要进一步～ 手術後は体が弱っているので，よりいっそう養生しなければならない
【调匀】tiáoyún 動 むらなく調合する 形 調和している. バランスがよい
**【调整】tiáozhěng 動 調整する‖～价格 価格を調整する｜～日程 スケジュールを調整する
【调治】tiáozhì 動 保養し, 治療する
【调制】[1] tiáozhì 動〈電〉変調する
【调制】[2] tiáozhì 動 調合して作る
【调制解调器】tiáozhì jiětiáoqì 名〈計〉モデム
【调资】tiáo∥zī 動 給料を調整する. (多く昇給させることをさす)

11 **笤** tiáo ↘
【笤帚】tiáozhou 名 (キビなどの穂で作った)ほうき

13 **龆** tiáo 書 幼児の歯が生え替わる

14 **蜩** tiáo 古 セミ

15 **髫** tiáo 古 子供の垂れ髪‖垂～ 垂れ髪(の子供)

tiǎo

9 * **挑** tiǎo ❶動 (細長いものやとがったもので)ほじくる‖～水泡 まめを針で突ついて破る ❷動 けしかける. 挑発する. たきつける‖～起争端 争いを引き起こす ❸動 (眉などを)あげる‖～起大拇指 親指を立てる ❹名〈語〉(漢字の筆画の一つ)はね,〔㇀〕 ❺動 (竿などで物を)高く掲げる. あげる‖～起帘子liánzi すだれをあげる ❻動 (刺繍の技法の一種)クロス・ステッチをする‖～花 同前 ➤ tiāo
*【挑拨】tiǎobō 動 けしかける. 挑発する‖～离间 離間するよう挑発する
【挑大梁】tiǎo dàliáng 組 ❶(演劇や芝居などで)大役を担う. 主演を演じる ❷重要な仕事を担う
【挑灯】tiǎo∥dēng 動 ❶(明るくするため)灯心をかき立てる ❷提灯(ちょうちん)を高く掲げる‖～夜战 徹夜で仕事や勉強をする. 夜なべする
【挑动】tiǎodòng 動 ❶かき立てる‖～好奇心 好奇心をかき立てる ❷扇動する. たきつける. あおる
【挑逗】tiǎodòu 動 からかう. 冷やかす
【挑明】tiǎomíng 動 はっきり言う. 暴く. 暴露する
【挑弄】tiǎonòng 動 ❶挑発する. けしかける‖～是非 挑発していざこざを起こさせる ❷からかう
【挑唆】tiǎosuo；tiǎosuō 動 そそのかす. 挑発する
【挑头】tiǎo∥tóu (～儿) 動 先頭に立つ. 先鞭(せんべん)をつける‖～闹事 先頭に立って騒ぎを起こす
*【挑衅】tiǎoxìn 動 貶 挑発する. 戦争をしかける‖～行为 挑発行為｜武装～ 武装挑発
*【挑战】tiǎo∥zhàn 動 ❶(敵に)挑戦する. 挑発する ❷競争をしかける. 挑戦する‖～书 挑戦状

11 **窕** tiǎo ➡〔窈窕yǎotiǎo〕

tiào

11 **眺**(^覜) tiào 遠くを見る. 眺める‖凭～ 高い所から遠くを望む
【眺望】tiàowàng 動 眺望する

11 **粜**(糶) tiào 動 (穀物を)売る ↔〔籴dí〕

13 ★ **跳** tiào ❶動 跳ぶ. 跳ねる‖～过水沟 溝を跳び越える｜他高兴得直～ 彼は小躍りして喜んだ ❷動 (物体が)弾む‖皮球在地上～了几下 ボールが地面で何度か弾んだ ❸動 ぴくぴく動く. 動悸(どうき)を打つ‖心～个不停 胸がどきどきして止まらない ❹動 飛ばす. 飛び越して先に進む‖从初级班～到高级班 初級クラスから高級クラスへ飛び級する
【跳班】tiào∥bān ＝〔跳级tiàojí〕
【跳板】tiàobǎn 名 ❶踏み板. 船の渡り板 ❷〈体〉飛び板. 飛び込み板. スプリング・ボード
【跳槽】tiàocáo 動 (家畜が)他の飼い葉桶に移動する. 転 職を変える. 会社を移る‖～到了另一家公司 他の会社に移る
*【跳动】tiàodòng 動 どきどきする. ぴくぴく動く. ゆらゆら動く‖脉搏màibó～ 脈打つ
【跳房子】tiào fángzi 組 石けり遊びをする.〔跳间〕ともいう
*【跳高】tiàogāo (～儿) 名〈体〉走り高跳び
【跳行】tiào∥háng 動 ❶(本を読むときや清書するときなどに)行を飛ばす ❷行を改める ❸職を変える
【跳级】tiào∥jí 動 飛び級する.〔跳班〕ともいう
【跳间】tiàojiān ＝〔跳房子tiào fángzi〕
【跳脚】tiào∥jiǎo (～儿) 動 地団駄を踏む
【跳梁】【跳踉】tiàoliáng 動 書 跳梁(ちょうりょう)する

【跳马】tiàomǎ 图〈体〉❶(体操種目の)跳馬 ❷(体操器具の)跳馬
【跳皮筋儿】tiào píjīnr 組 ゴム跳びをする
【跳棋】tiàoqí 图 ダイヤモンド・ゲーム
【跳伞】tiào//sǎn 動 パラシュートで降下する
【跳神】tiào//shén (～儿) 動 巫子(ふ)が神がかりになる
【跳绳】tiào//shéng (～儿) 動 縄跳びをする
【跳水】tiào//shuǐ 動 ❶〈体〉(水泳で)飛び込みをする ❷方 入水自殺する
【跳水池】tiàoshuǐchí 图〈体〉飛び込み用プール
【跳台】tiàotái 图〈体〉ジャンプ台. 飛び込み台
【跳台滑雪】tiàotái huáxuě 图〈体〉(スキー競技の)ジャンプ
★【跳舞】tiào//wǔ 動 踊る. ダンスをする
【跳箱】tiàoxiāng 图〈体〉❶(体操種目の)跳び箱 ❷(体操器具の)跳び箱
*【跳远】tiàoyuǎn (～儿) 動〈体〉走り幅跳びをする
*【跳跃】tiàoyuè 動 跳ぶ. ジャンプする
【跳蚤】tiàozao 图〈虫〉ノミ.〔虼蚤〕ともいう
【跳蚤市场】tiàozao shìchǎng 图 蚤(のみ)の市. 古物市. フリー・マーケット
【跳闸】tiào//zhá 動 ブレーカーが落ちる

tiē

8 帖 tiē ❶妥当である. 穏当である ❷おとなしく従う ➤tiě tiè

9 ** 贴[1] tiē ❶動(平たくて薄いものを)張る. くっつける ‖ ～邮票 郵便切手を張る ❷動 ぴたりとつく. 近づける ‖ ～着对方的耳根小声说 相手の耳元でささやく ❸動 補償する. 補助する ‖ 不够, 我再给你～点儿 (お金が)足りなければもう少し援助してあげよう ❹補助. 手当 ‖ 津～ 手当 ❺量(膏薬(こうやく)などを数える)枚 ‖ 一～膏药gāoyao 1枚の膏薬

9 貼[2] tiē 〔帖tiē〕に同じ

【贴边】[1] tiē//biān 形 関係している. 関連している
【贴边】[2] tiēbiān 图(中国服の裏につける)縁どりの布
【贴饼子】tiēbǐngzi 图 トウモロコシやアワの粉を水でこね, 鍋に張りつけて焼いた食品
【贴补】tiēbu ; tiēbǔ 動 ❶(身内や友人を)経済的に援助する ❷(不足分を)補う
【贴画】tiēhuà 图 ❶壁に張る年画やポスター ❷マッチ箱に張ってある絵
【贴换】tiēhuan ; tiēhuàn 動 旧 古い物に足し前をつけて新品と交換する. 下取り交換する
【贴己】tiējǐ 形 ❶うちうちの. 気のおけない. 親密である ‖ ～话 内緒話 | ～朋友 気のおけない友人 ❷口 家族内で個人が蓄えている(物品) ‖ ～钱 へそくり
【贴金】tiē//jīn 動 仏像などに金箔(きんぱく)を張る. 転 自慢する. 自画自賛する
【贴近】tiējìn 動 ぴったりとつく 形 親しい. 近しい
【贴谱】tiēpǔ 形(話や行為が)規則や実際に合致している. 実際的である. 規定どおりである
【贴切】tiēqiè 形(言葉遣いが)適切である. ぴったりしている ‖ 用词～ 言葉遣いが適切だ
【贴权】tiēquán 動〈経〉配当落ち以後に株価が値下がりする
【贴身】tiēshēn 形 ❶(～儿)肌にじかにつける ❷体にぴったり合う ❸身辺に付き添っている
【贴水】tiēshuǐ 動〈経〉打ち歩を払う. プレミアムを払う 图 打ち歩. プレミアム. 差額
【贴题】tiētí 形 テーマにぴったり合っている
【贴息】tiēxī〈経〉動 手形を割り引く. 割引 图 手形割引の利息
【贴现】tiēxiàn 動〈経〉手形を割り引く
【贴心】tiēxīn 形 最も親しい. 最も心が通じ合っている

11 萜 tiē 图〈化〉テルペン

tiě

8 帖 tiě ❶簡潔な文の書かれたもの. 書きつけ ‖ 请～ 招待状 ❷量 方(配合済みの煎(せん)じ薬を数える)服 ➤tiē tiè

【帖子】tiězi 图 ❶招待状 ❷旧 結婚や義兄弟の契りを結ぶときに取り交わす, 生年月日を書きつけた折り本形式の書状 ❸書きつけ. メモ

10 ** 铁(鐵) tiě ❶图 鉄(化学元素の一つ, 元素記号は Fe) ❷武器 ‖ 手无寸～ 身に寸鉄も帯びない ❸形 確固たる. 揺るぎない ‖ 朋友里跟他最～ 友人の中で彼といちばん仲がよい ❹(性質や意志が)硬い. 強固である ‖ →～汉 ❺強暴である. 非常である ‖ →～蹄

【铁案】tiě'àn 图 明白な証拠があり, 覆しようのない事件
【铁案如山】tiě àn rú shān 成 証拠が確実で覆すことができない
【铁板钉钉】tiěbǎn dìng dīng 慣 事がすでに決定していて変更できないこと
【铁板一块】tiěbǎn yī kuài 慣 一枚の鉄板のように堅く結ばれていること. 一枚岩
【铁笔】tiěbǐ 图 ❶鉄筆 ❷篆刻(てんこく)用小刀. 印刀
【铁壁铜墙】tiě bì tóng qiáng =〔铜墙铁壁 tóng qiáng tiě bì〕
【铁饼】tiěbǐng 图〈体〉❶円盤投げ ‖ 掷zhì～ 円盤投げをする ❷(円盤投げ用の)円盤
【铁杵磨成针】tiěchǔ móchéng zhēn 諺 努力すればどんなこともやり遂げることができるたとえ
【铁窗】tiěchuāng 图 鉄格子の窓. 転 監獄
【铁锤】tiěchuí 图 かなづち.〔铁锤子〕ともいう
【铁打】tiědǎ 形 堅固な ‖ ～的汉子 強健な男
*【铁道】tiědào 图 鉄道
【铁定】tiědìng 形 確固としている ‖ ～的事实 確固たる事実 | ～的法规 鉄の規則
*【铁饭碗】tiěfànwǎn 图 鉄の飯茶碗 喩 親方日の丸的な職業 ↔〔泥饭碗〕
【铁杆】tiěgǎn (～儿) 形 ❶十分に信用できる ‖ ～卫队 信用できる護衛隊 ❷頑固で変わることのない
【铁哥们儿】tiěgēmenr 图 口 親友
【铁工】tiěgōng 图 ❶鍛冶(かじ)の仕事 ❷鍛冶屋
【铁公鸡】tiěgōngjī 图 喩 けちん坊
【铁观音】tiěguānyīn 图 鉄観音. 福建省特産のウーロン茶の一種
【铁轨】tiěguǐ 图 鉄道のレール =〔钢轨〕
【铁汉】tiěhàn 图 鉄の男. 頑強な男. 不屈の男.〔铁汉子〕ともいう
【铁合金】tiěhéjīn 图〈冶〉鉄合金
【铁画】tiěhuà (～儿) 图 工芸品の一種. 鉄片や鉄線を用いて図案にしたもの

T

【铁灰】tiěhuī 形 にび色の．鉛色の
【铁甲】tiějiǎ 名 ❶鉄製のよろい ❷鉄で外側を覆ったもの．鉄張りのもの．装甲板
【铁甲车】tiějiǎchē 名〈軍〉装甲車 =〔装甲车〕
【铁甲舰】tiějiǎjiàn 名〈軍〉装甲艦
【铁将军】tiějiāngjūn 名 錠 ‖ ～把门 入り口に錠が掛かっている
【铁匠】tiějiang 名 鍛冶屋
【铁军】tiějūn 名 無敵の軍隊．常勝軍
*【铁路】tiělù 名 鉄道 ‖ 修建～ 鉄道を敷設する｜～桥 鉄橋｜～干线 鉄道幹線｜～网 鉄道網
【铁马】[1] tiěmǎ 名 鉄騎．勇猛な騎兵
【铁马】[2] tiěmǎ 名 風鐸(ふうたく)
【铁面无私】tiě miàn wú sī 成 公平無私である．公正で権勢を恐れず情実にとらわれない
【铁皮】tiěpí 名 ブリキ．トタン
【铁骑】tiěqí 名 書 鉄騎．勇猛な騎兵
【铁器时代】tiěqì shídài 名 鉄器時代
【铁锹】tiěqiāo 名（先がとがっている）シャベル．スコップ
【铁青】tiěqīng 形 青ざめている ‖ 气得脸色～ 怒りのあまり顔色が青ざめた
【铁拳】tiěquán 名 鉄拳(てっけん)．（悪への）痛撃
【铁人三项】tiěrén sānxiàng 名〈体〉トライアスロン
【铁纱】tiěshā 名 金網
【铁砂】tiěshā 名 ❶砂鉄 ❷散弾の弾
【铁石心肠】tiě shí xīn cháng 成 冷酷で感情に動かされない
【铁树】tiěshù 名 ❶〈植〉センネンソウ ❷〈植〉ソテツ．〔苏铁〕の通称
【铁树开花】tiě shù kāi huā 成 ソテツに花が咲く．めったに見られないこと．きわめてまれなこと
【铁水】tiěshuǐ 名〈鉱〉溶鉄
【铁丝】tiěsī 名 鉄線．針金 ‖ ～网 鉄条網
【铁算盘】tiěsuànpan；tiěsuànpán 名 ❶細かい計算 ❷計算高い人．計算に強い人
【铁索】tiěsuǒ 名 鋼索．ワイヤロープ
【铁索桥】tiěsuǒqiáo 名 ワイヤロープを使った吊り橋
【铁塔】tiětǎ 名 ❶鉄塔 ❷高圧線の鉄塔
【铁蹄】tiětí 名 喩 人民をふみにじる残虐行為
【铁腕】tiěwàn 名 ❶強力な手腕 ❷強力な統治
【铁锨】tiěxiān 名（先が長方形になっている）シャベル
【铁心】tiě//xīn 動 決心する ‖ 她铁了心一辈子从事教育工作 彼女は生涯を教育に捧げようと決心した 名（tiěxīn）〈電〉鉄心．コア
【铁锈】tiěxiù 名 鉄さび
【铁则】tiězé 名 厳しい規則．鉄則
【铁证】tiězhèng 名 確かな証拠

tiè

8 **帖** tiè 書画の手本 ‖ 字～ 習字の手本｜临～ 臨書する ➤ tiē tiě

18 **餮** tiè 書（食を）むさぼる ‖ 饕 tāo～ 饕餮(とうてつ)．貪欲な人間をたとえる

tīng

4 *厅（廳）tīng ❶旧 役所の執務する場所 ❷名 行政機関の部門 ‖ 人事～（省レベルの）人事庁 ❸名 広間．ホール ‖ 舞～ ダンスホール｜客～ 客間
【厅房】tīngfáng 名 方 広間．ホール
【厅堂】tīngtáng 名 広間．ホール

5 **汀** tīng 書 みぎわ．水際 ‖ 绿～ 緑のみぎわ｜荷花～ 蓮池(はすいけ)の岸辺

7 ★**听**[1]（聽）tīng ❶動 聞く．聴(き)く ‖ ～收音机 ラジオを聴く ❷動 言うことを聞く．服従する ‖ 怎么劝，他都不～ どんなに説得しても彼は聞き入れようとしない ❸任せる．思いのままにさせる ‖ ～凭 ❹裁く．判定する ‖ ～政

7 **听**[2]（聽）tīng 名 外 缶 ‖ ～装 缶入り｜两～烟 2缶のタバコ

> **類義語** 听 tīng 听见 tīngjian 听到 tīngdào
> ◆〔听〕耳で聞く ‖ 我爱听音乐 私は音楽を聴くのが好きだ ◆〔听见〕物音や声が聞こえる．〔听〕は聞こうとして聞く動作であるのに対し，〔听见〕は聞く意志の有無にかかわらず「聞こえる」状態を表す ‖ 我听了听，什么也没有听见 私は耳を傾けたが，何も聞こえなかった ◆〔听到〕無意識のうちに偶然耳に入る ‖ 他要走的消息，我是昨天才听到的 彼が行ってしまうという話は，きのう初めて耳にしたのです

【听便】tīng//biàn 動 好きなようにさせる．勝手にさせる ‖ 你去不去，～ 行くか行かないかは君に任せるよ
【听不出来】tīngbuchūlái 動 聞き取れない．聞き分けられない
*【听不懂】tīngbudǒng 動 聞いて分からない．聞いても理解できない
【听不惯】tīngbuguàn 動 聞き慣れない．耳障りである
*【听不见】tīngbujiàn 動 聞こえない ‖ ～他喊什么 彼が何をどなっているのか聞こえない
【听不进去】tīngbujìnqù 動 聞き入れない．耳に入らない ‖ ～父母的劝告 父母の忠告を聞き入れない
*【听不清楚】tīngbuqīngchu 動 はっきり聞こえない．聞き取れない ‖ 大声些说，～ 大きな声で言ってください，はっきり聞こえないから
【听不下去】tīngbuxiàqù 動 続けて聞いていられない．聞くに堪えない
【听差】tīngchāi 名 旧 使用人．奉公人．下僕
【听从】tīngcóng 動 聞き入れる．従う
【听得出来】tīngdechūlái 動 聞き取れる．聞き分けられる ‖ 你～我是谁吗？ 私が誰か，声で分かりますか
【听得懂】tīngdedǒng 動 聞いて分かる．聞いて理解できる
【听得见】tīngdejiàn 動 聞き分けられる．聞こえる ‖ 喂，喂，～吗？ もしもし，聞こえますか
【听懂】tīng//dǒng 動 聞き取れる．聞いて分かる ‖ 我没～你的意思 おっしゃる意味がよく分かりません
【听而不闻】tīng ér bù wén 成 身を入れて聞こうとしない．上の空で聞き流す
【听惯】tīng//guàn 動 聞き慣れる
【听候】tīnghòu 動 指示を待つ．命令を待つ
*【听话】tīng//huà 形（目上や上司の）言うことによく従う．言うことをよく聞く ‖ 这孩子真不～ この子はほんとに聞き分けがない
【听话儿】tīng//huàr 動 方 返事を待つ
【听会】tīng//huì 動（講演会などに）聴きに来る．参会する
★【听见】tīng//jian（jiàn）動 聞こえる．耳に入る ‖

不要让他～ 彼に聞かれないようにしなさい
【听见风就是雨】tīngjian fēng jiù shì yǔ 慣 うわさを聞いただけですぐ信じる. 〔听风是雨〕ともいう
**[听讲] tīng//jiǎng 動 講演を聴く. 講義を聴く
【听觉】tīngjué 图〈生理〉聴覚
【听课】tīng//kè 動 授業を受ける. 講義を受ける
【听力】tīnglì 图 ❶聴力 ‖ 恢复～ 聴力が回復する ❷聞き取り能力. ヒアリング能力 ‖ ～差 ヒアリングが弱い
【听命】tīngmìng 動 ❶命令に従う ❷天命に任せる. 成り行きに任せる
【听啤】tīngpí 图 缶ビール
【听凭】tīngpíng 動 任せる. いいようにさせる ‖ ～人摆布bǎibu 人の言いなりになる
【听其自然】tīng qí zì rán 成 自然に任せる. 成り行きに任せる
【听起来】tīngqilai 動 聞いたところは … のようだ. 聞くと … と思われる
*[听取] tīngqǔ 動(事情などを)聴き取る. 耳を傾ける ‖ ～大家的意见 みんなから意見を聞く
【听任】tīngrèn 動 書 任せる. いいようにさせる
【听神经】tīngshénjīng 图〈生理〉聴神経
【听审】tīngshěn 動 審理を受ける. 裁判を受ける
★[听说] tīng//shuō 動(話を)聞いている. 耳にしている. (聞くところによれば) … だそうだ. … という話だ ‖ 谁也没有～过这个人 誰もその人のことは聞いたことがない | ～他到法国去了 彼はフランスへ行ったそうだ
【听天由命】tīng tiān yóu mìng 成 天命にゆだねる. 運に任せる
【听筒】tīngtǒng 图 ❶(電話の)受話器. 〔受话器〕ともいう ❷〈医〉聴診器 ＝〔听诊器〕
【听头儿】tīngtour 图 口 聞きどころ ‖ 这相声有什么～? この漫才のどこが面白いんだ
【听闻】tīngwén 图 書 ❶人の耳. 耳目 ‖ 耸sǒng人～ 人の耳をそばだたせる ❷聞いた内容. 耳にしたこと
【听戏】tīng//xì 動(京劇などの)芝居を見る
★[听写] tīngxiě 動 耳で聴いて書き取る. ディクテーションをする ‖ ～生词 新出単語の書き取りをする
【听信】[1] tīng//xìn 動(～儿)知らせや返事を待つ
【听信】[2] tīngxìn 動 聞いて本気にする. 言葉どおりに受けとる. 信じ込む ‖ ～谣言 うわさを本気にする
【听障】tīngzhàng 图 聴覚障害
【听诊】tīngzhěn 動〈医〉聴診する
【听诊器】tīngzhěnqì 图〈医〉聴診器. 〔听筒〕ともいう
【听证】tīngzhèng 動(関係者から)事情を聞き取る. 証言を聞き取る
【听政】tīngzhèng 動 旧(君主が)まつりごとを執り行う. 政治をつかさどる ‖ 垂帘～ 垂簾(すいれん)のまつりごと
【听之任之】tīng zhī rèn zhī 成 すっかり任せる. 任せっきりにする
*[听众] tīngzhòng 图 聴衆. 聴取者
【听装】tīngzhuāng 形 缶入りの ‖ ～茶叶 缶入りの茶
【听子】tīngzi 图 方 缶 ‖ 香烟～ タバコの缶
烃(烴) tīng 图〈化〉炭化水素. 〔碳氢化合物〕ともいう

tíng

6 **廷** tíng ❶君主が接見や政務を行う場所 ‖ 宫～ 宮廷 ❷朝廷 ‖ 清～ 清の朝廷
【廷臣】tíngchén 图 旧 廷臣. 朝臣
9 **亭**[1] tíng ❶图 亭(ちん). あずまや ❷图 スタンドふうの売り場 ‖ 书报～ ブックスタンド
9 **亭**[2] tíng 書 程よい ‖ ～匀yún 均整がとれている. バランスがよい
【亭亭】tíngtíng 形 ❶まっすぐにそびえ立つさま. すっくと伸びているさま ❷＝〔婷婷tíngtíng〕
【亭亭玉立】tíng tíng yù lì 成(女性や花などが)すらりとして美しいさま
*[亭子] tíngzi 图 亭. あずまや
9 **庭** tíng ❶広間 ❷庭 ❸法廷 ‖ 开～ 開廷する ❹〈中医〉額の中央をさす
【庭审】tíngshěn 動〈法〉(法廷で)尋問する
【庭园】tíngyuán 图 庭. 庭園
【庭院】tíngyuàn 图 母屋の前の庭
9 **莛** tíng 图(～儿)ある種の草本植物の茎 ‖ 麦～儿 ムギの茎
11 ★**停**[1] tíng ❶動 止まる. 止める ‖ 雨～了 雨がやんだ ❷動 逗留(とうりゅう)する. 滞在する ‖ 在上海～两天 上海に2日滞在する ❸動(自転車が)駐輪する. (車が)駐車する. (船が)停泊する ‖ 车～在门口 車は入り口に止めてある ❹穏当である. 妥当である ‖ →～当
11 **停**[2] tíng 量(～儿) 口 全体をいくつかに分けたときの一つ. … 分の1 ‖ 十～儿有九～儿是好的 十のうち九はよい
【停摆】tíng//bǎi 動 時計の振り子が止まる. 転 ことが停頓(ていとん)する. 中断する
【停办】tíngbàn 動 経営をやめる. 休業する. 閉鎖する
*[停泊] tíngbó 動(船舶が)停泊する
【停产】tíng//chǎn 動 生産を停止する
【停车】tíng//chē 動 ❶車を止める. 停車する ‖ 列车将在本站～五分钟 列車は当駅にて5分間停車します ❷(自転車が)駐輪する. (車が)駐車する ‖ 违章wéizhāng～ 違法駐車する ❸機械を止める
【停车场】tíngchēchǎng 图 駐車場
【停当】tíngdang 形 整っている. 完成している ‖ 手续办理～ 手続きがすっかり終わった
【停电】tíng//diàn 動 停電する
*[停顿] tíngdùn 動 ❶停頓(ていとん)する. 中断する ‖ 每天下大雨, 工程不得不～下来 毎日大雨が続き, 工事を中止せざるを得ない ❷(話すとき)ちょっと間を置く ‖ 他～了一下, 又接着说下去 彼はちょっと間を置いてから, また話を続けた
【停放】tíngfàng 動 ❶(短時間)駐車する ❷(ひつぎや遺体を)安置する. 置いておく
【停工】tíng//gōng 動 作業を停止する. 操業を停止する ‖ 工厂～ 工場が操業を停止する
【停航】tíngháng 動(船や飛行機が)欠航する
【停火】tíng//huǒ 動 停戦する. 休戦する ‖ ～线 停戦ライン | ～令 停戦命令
【停机】tíngjī 動 ❶(映画などの)撮影を完了する. クランクアップする ❷(飛行機が)駐機する
【停机坪】tíngjīpíng 图(飛行場の)駐機場. スポット
【停刊】tíng//kān 動(新聞や雑誌が)停刊する

T

【停靠】tíngkào 動（船や車をある場所に沿って）横づけにする．停車する．停泊する
【停课】tíng//kè 動 授業をとりやめる．休講する
*【停留】tíngliú 動 とどまる．滞在する‖在广州～了一周 広州に1週間滞在した
【停牌】tíng//pái 動〈経〉ある銘柄を売買停止にする
【停驶】tíngshǐ 動 運転をとりやめる．運転を停止する
【停手】tíng//shǒu 動 手作業を止める．手を止める
【停水】tíng//shuǐ 動（水道が）断水する
【停妥】tíngtuǒ 形 きちんとできている．すっかりうまくいっている‖商议～ 話し合いがすっかりまとまる
【停息】tíngxī 動（動きや音などが）やむ．収まる‖内战终于～了 内戦がやっと収まった
【停歇】tíngxiē 動 ❶停止する．やむ ❷廃業する．店じまいをする ❸休憩する．休む
【停薪留职】tíngxīn liúzhí 組（留学などのため）無給で休職する
【停学】tíng//xué 動 ❶休学する．学校を中退する ❷停学処分にする
【停演】tíngyǎn 動 上映・上演を中止する
【停业】tíng//yè 動 ❶一時休業する．一時，営業を停止する ❷廃業する．店をやめる
【停战】tíng//zhàn 動 停戦する．休戦する
【停诊】tíngzhěn 動 休診する
【停职】tíng//zhí 動 停職処分にする
**【停止】tíngzhǐ 動 停止する．やめる．やむ‖这种药已经按规定～使用了 この薬はすでに規定により使用をとりやめている｜歌声～了 歌声がやんだ
*【停滞】tíngzhì 動 停滞する．もたつく．滞る‖生产～ 生産が滞っている｜不学习新东西，思想就会～ 新しいものを学びとらなければ，考え方が停滞してしまう
【停滞不前】tíngzhì bù qián 組 滞って前に進まない．足踏みする‖改革～ 改革は足踏み状態だ

12 婷 tíng ↴
【婷婷】tíngtíng 形 書（女性・花・木などの）姿が美しいさま．〔亭亭〕とも書く

12 蜓 tíng ➡〔蜻蜓qīngtíng〕

14 霆 tíng 書 激しい雷．霹靂（へきれき）‖雷～ 同前

tǐng

7 町 tǐng 書 田畑のあぜ ➤ dīng

9★ 挺 tǐng ❶まっすぐである．ぴんとしている‖笔～ ぴんとしている ❷動 ぴんとまっすぐに伸ばす．突き出す‖～着大肚子 大きなおなかを突き出している ❸動 こらえる．持ちこたえる．しのぐ‖现在是有点儿困难，但～一～也就过去了 いまは確かに大変だが，ちょっと持ちこたえれば切り抜けられる ❹量（機関銃を数える）丁（ちょう）‖一～机枪 機関銃1丁 ❺副 けっこう．なかなか．とても‖～好 なかなかよい
*【挺拔】tǐngbá 形 ❶まっすぐにそそり立っている．すっくと伸びている ❷力強い‖言辞～ 言葉が力強い
【挺不住】tǐngbuzhù 動 こらえきれない．持ちこたえられない‖累得实在～了 疲れてもう持ちこたえられない
【挺括】tǐnggua；tǐngguā 形 方（衣類や紙に適度な硬さがあって）ぴんとしている．ぱりっとしている
【挺过去】tǐng//guo(guò)//qu(qù) 動 頑張ってしのいでいく．持ちこたえていく
【挺进】tǐngjìn 動 挺進（ていしん）する．勇敢に進む
【挺举】tǐngjǔ 名〈体〉（重量挙げの種目の一つ）ジャーク．差し上げ
*【挺立】tǐnglì 動 まっすぐに立つ．直立する
【挺身】tǐng//shēn 動 すっくと立ち上がる‖～而出（困難や危険なことを）進んで引き受ける．買って出る
【挺尸】tǐng//shī 動 死体が硬直して横になっている．転（寝ていることをからかって）横になったまま起きない
【挺胸】tǐng xiōng 動 胸を張る
【挺秀】tǐngxiù 形（体つきが）すらりとして美しい．（樹木が）まっすぐ立っていて美しい
【挺直】tǐng//zhí 動 まっすぐに伸ばす‖～腰 腰をぴんと伸ばす 形 まっすぐである．ぴんとしている

10 梃 tǐng ❶書 棍棒（こんぼう） ❷窓や戸の左右の枠 ❸（～儿）方 花の茎．花柄（かへい） ➤ tìng

11 铤 tǐng 書 疾走するさま ➤ dìng
【铤而走险】tǐng ér zǒu xiǎn 成 破れかぶれで危険を冒す．一か八（ばち）かの危ない橋を渡る

12* 艇 tǐng 名 小舟．船‖快～ モーターボート｜救生～ 救命ボート｜潜水～ 潜水艦
【艇子】tǐngzi 名 方 小舟．ボート

tìng

10 梃 tìng ❶動（殺したブタの毛を取り除くため）足のほうから皮下に沿って鉄の棒を通し，そこから息を吹き込んで皮をつっぱらせる‖～猪 同前 ❷名 上記のために使う鉄の棒 ➤ tǐng

tōng

9 恫 tōng 書 苦しみ嘆く ➤ dòng
【恫瘝在抱】tōng guān zài bào 成 人民の苦しみを心にかける

10★ 通 tōng ❶動（道が）通じる．到達できる‖这条公路～北京 この道路は北京に通じる ❷形（障害がなく）通じている．通れる‖电话不～ 電話が通じない ❸動 理解する．精通する‖～英语 英語に通じている ❹（ある分野に）精通している人．通（つう）‖中国～ 中国通 ❺形（文章が）理路整然としている．筋が通っている‖逻辑luóji不～ 筋が通らない ❻普通の．共通している‖→～称 ❼全体の．全部の‖→～身 ❽量 書（文書・手紙などを数える）通‖一～电报 1通の電報 ❾動（詰まっているものを）通す．通じるようにする‖～排水管 排水管を通す ❿行き交う．つながる‖沟～ 交流する ⓫動 伝達する．知らせる‖互～姓名 互いに名乗る ➤ tòng
*【通报】tōngbào 動 ❶（上級機関から下級機関へ）通知する．通達する ❷取り次ぐ 名 ❶通達．通牒（つうちょう） ❷科学研究に関する刊行物の名称
【通病】tōngbìng 名 通弊．共通の欠点
【通才】tōngcái 名 多くの才能の持ち主．多才な人
*【通常】tōngcháng 形 通常の．一般的な‖这段路～只要走十五分钟，今天却走了半小时 この道はいつも15分で行けるのに，今日は30分もかかってしまった

【通畅】tōngchàng 形 ❶スムーズである. 滞りなく滑らかである. 円滑である ‖ 道路～ 道路がスムーズに流れる ❷流暢(りゅうちょう)である. 滑らかである
【通车】tōng//chē 動 ❶(鉄道や道路が)開通する ‖ 这条公路在年底前就能～ この道路は年末までに開通する ❷(鉄道や道路が)通じる. 通る ‖ 许多山区现在还不～ 多くの山間地では現在でも道が通っていない
【通彻】tōngchè 動 通暁する. 通じる
【通称】tōngchēng 動 ふつう…と呼ぶ 名 通称
【通达】tōngdá 動 (人情や物事の道理に)通じる. よく理解する ‖ ～人情 義理人情をよくわきまえる
*【通道】tōngdào 名 ❶主要な陸路. 街道 ❷通路 ‖ 地下～ 地下通路
【通敌】tōng//dí 動 敵と結託する. 敵に内通する
【通电】[1] tōng//diàn 動 電気が通じる
【通电】[2] tōngdiàn 動 (上級機関から下級機関へ)命令や決定などを電信方式で一斉に公表する 名 公表する発信文書
【通牒】tōngdié 名 (国際法上の)通牒(つうちょう)
【通读】[1] tōngdú 動 通読する
【通读】[2] tōngdú 動 読んで理解する
【通分】tōng//fēn 動〈数〉通分する
*【通风】tōng//fēng 動 ❶空気を通す. 換気する ❷情報を漏らす. 密告する 形 (tōngfēng) 風通しがよい ‖ 这房子很～ この部屋は風通しがよい
【通风报信】tōngfēng bàoxìn 組 内部の情報を外部に知らせる. 密告する
*【通告】tōnggào 動 一般に広く告知する. 通知する 名 布告. 通知 ‖ 发布～ 布告を発する
【通共】tōnggòng 副 全部で. 合計して
【通关】tōngguān 動〈貿〉税関検査を受ける. 通関する
【通观】tōngguān 動 通観する. 全体を一通り見渡す
★【通过】tōng//guò 動 ❶通り過ぎる. 通過する. 通り抜ける ‖ 从桥上～ 橋の上を通過する ❷(議案などが)成立する. 通過する. 可決する ‖ 全会～了四项决议 総会では四つの決議が採択された 介 (tōngguò) …を通じて. …によって ‖ 我～他结识了许多朋友 僕は彼を通じて多くの友人ができた
*【通航】tōngháng 動 ❶就航する. 航行を開始する ❷運航する. 通行する
【通好】tōnghǎo 動 書 友好関係を持つ. よしみを結ぶ. (多く国家間についていう)
*【通红】tōnghóng ; tònghóng 形 非常に赤い. 真っ赤である ‖ 她羞xiū得满脸～ 彼女は恥ずかしさのあまり顔が真っ赤になった
【通话】tōng//huà 動 ❶通話する ‖ ～时间 通話時間 ❷(tōnghuà) 互いに通じる言葉で話をする
【通婚】tōng//hūn 動 婚姻関係を持つ. 通婚する
【通货】tōnghuò 名〈経〉通貨
【通货紧缩】tōnghuò jǐnsuō 名〈経〉デフレーション. デフレ ‖ ～政策 デフレ政策
*【通货膨胀】tōnghuò péngzhàng 名〈経〉インフレーション. インフレ ‖ 控制～ インフレを抑制する
【通缉】tōngjī 動 指名手配する ‖ ～令 逮捕状
【通假】tōngjiǎ 動〈語〉仮借(かしゃ)する. 同じ発音の文字を借用する
【通奸】tōng//jiān 動 姦通(かんつう)する. 密通する
【通解】tōngjiě 動 書 通暁する. 深く理解する
【通栏】tōnglán 名 (書籍や新聞などの)全段通し ‖ ～标题 全段通しの大見出し
【通力】tōnglì 副 書 力を合わせ. 協力して ‖ ～合作 一致団結して協力し合う
【通例】tōnglì 名 ❶通例. 慣例 ❷書 一般の規則
【通连】tōnglián 動 つながっている. 続いている
【通亮】tōngliàng 形 非常に明るい
【通令】tōnglìng 動 同一の命令を各所に出す ‖ ～全国 全国に同一の命令を出す 名 各所に出された同一の命令
【通路】tōnglù 名 ❶通り道. 通路 ❷経路
【通论】tōnglùn 名 ❶筋の通った議論 ❷通論. 概論. (多く書名に用いる) ‖ 哲学～ 哲学概論
【通名】tōngmíng 動 名を告げる. 名乗る. (伝統劇や時代小説の中で交戦のときに多く用いる) 名 通称
【通明】tōngmíng 形 非常に明るい
【通年】tōngnián 名 一年中. 通年
【通盘】tōngpán 形 全般的である. 全体的である ‖ ～考虑 全面的に考える | ～筹划chóuhuà 全面的に計画する
【通票】tōngpiào 名 通し切符. 連絡乗車券
【通铺】tōngpù 名 (寄宿舎などの) 1 列に連なっている寝床
【通气】tōng//qì 動 ❶風通しをよくする. 換気をする ‖ 鼻子不～了 鼻が詰まってしまった ❷(仲間うちで)知らせる. 気脈を通じる ‖ 有什么事情, 你可要先给我通个气呀 何かあったら, 必ずまず私に連絡してくださいね
【通窍】tōng//qiào 動 道理が分かる. よく理解する
【通情达理】tōng qíng dá lǐ 成 (言動が)事理にかなっている
【通权达变】tōng quán dá biàn 成 臨機応変に対処する
【通融】tōngrong ; tōngróng 動 ❶融通を利かせる. 都合をつける ‖ 时间方面能不能～一下? なんとか時間の余裕をいただけませんか ❷(ちょっとの間)金を借す. 金を融通する
*【通商】tōng//shāng 動 (国家間や地域間で)通商する. 交易をする ‖ ～口岸 貿易港
【通身】tōngshēn 名 全身
【通史】tōngshǐ 名 通史 ↔〔断代史〕
【通式】tōngshì 名〈化〉通式
*【通顺】tōngshùn 形 (文章の)筋が通っている ‖ 文理～ 文章の筋が通っている
*【通俗】tōngsú 形 大衆的である. 通俗的である
【通俗歌曲】tōngsú gēqǔ 名 歌謡曲
【通缩】tōngsuō 名〈経〉デフレーション. デフレ. 〔通货紧缩〕の略
【通体】tōngtǐ 名 全体. 総体
【通天】tōngtiān 動 ❶最上層部とつながりを持つ. トップとコネがある ❷天に通じる. 最高であること. たいへん優れていること ‖ ～的本领 最高の腕前
【通条】tōngtiao ; tōngtiáo 名 火かき棒
【通通】tōngtōng 副 すべて. 全部
【通统】tōngtǒng 副 すべて. 全部
【通透】tōngtòu 形 透徹している. はっきりしている
【通途】tōngtú 名 書 大通り
【通宵】tōngxiāo 名 一晩中. 徹夜. 終夜 ‖ ～达旦 徹夜する | 守候病人～未眠 病人を徹夜で看病する
【通晓】tōngxiǎo 動 通暁する. 詳しく知る
【通心粉】tōngxīnfěn 名〈料理〉マカロニ
*【通信】tōng//xìn 動 ❶文通する ❷(tōngxìn)通

T

信する.（多く電信・電話などの情報伝達に用いる）‖ ～技术 通信技術

外国の固有名詞 情報・通信 【IBM】…国际商用机器公司 【アップルコンピュータ】…苹果电脑 【インテル】…英特尔 【エプソン】…爱普生 【サムスン電子】…三星电子 【ソフトバンク】…软件银行 【デル】…戴尔 【ノキア】…诺基亚 【ヒューレット・パッカード】…惠普 【マイクロソフト】…微软 【マッキントッシュ】…麦金塔 【モトローラ】…摩托罗拉 【ヤフー】…雅虎

【通信兵】tōngxìnbīng 图〈軍〉通信兵. 伝令

【通信鸽】tōngxìngē 图 伝書鳩(でんしょばと)

【通信卫星】tōngxìn wèixīng 图 通信衛星

【通信员】tōngxìnyuán 图（軍隊などの）連絡係

*【通行】tōngxíng 動 ❶通行する ‖ 单向～ 一方通行｜禁止～ 通行禁止 ❷通用する. 広く一般に用いられる ‖ 全国～的办法 全国で行われているやり方

【通行证】tōngxíngzhèng 图 通行許可証

【通讯】tōngxùn 動 **通信する ‖ ～地址 住所. あて先. 連絡先 图 **ニュースを報道する文章. 記事. 通信** ‖ 为报纸写一篇～ 新聞に記事を書く

*【通讯社】tōngxùnshè 图 通信社

【通讯网】tōngxùnwǎng 图 報道ネットワーク

【通讯员】tōngxùnyuán 图（新聞社・雑誌社・放送局などの）通信員

【通夜】tōngyè 图 夜通し. 徹夜. 一晩中

【通译】tōngyì 旧 動 通訳する 图 通訳

*【通用】tōngyòng 動 通用する. 広く用いられる ‖ 电话卡可以全国～ テレホンカードは全国で通用する

【通邮】tōngyóu 動 郵便が通じる

【通则】tōngzé 图 世間一般の決まり. 通則

【通胀】tōngzhàng 動〈経〉インフレーションになる. インフレになる.〔通货膨胀〕の略

★【通知】tōngzhī 動 **通知する. 知らせる** ‖ ～他来开会 会議に参加するよう彼に連絡する 图 **通知. 知らせ** ‖ 发～ 通知を出す｜接到～ 通知を受け取る

13 **嗵** tōng 擬 足音や胸の動悸(どうき)などを表す音

tóng

6 ** **同**（△仝）tóng ❶動 **同じくする** ‖ 两种情况不～ 二つの状況は異なる ❷動 **…と同じである** ‖ "叁"～"三"「参」は「三」と同じである ❸副 **共に. 一緒に** ‖ ～去北京 一緒に北京へ行く ❹介 ①（**動作の対象あるいは関係する対象を示す**）**…と. …に** ‖ 这件事～我无关 これは私と関係ない ②（**比較する対象を示す**）**…と** ‖ 我的想法～你一样 私の考えは君と同じだ ❺接（**並列関係を示す**）**…と…** ‖ 音乐～美术他都拿手 彼は音楽も美術も得意だ ➤ tòng

【同案犯】tóng'ànfàn 图 共犯者

【同班】tóng//bān 動 班を同じくする. 同じグループに属する ‖ ～同学 同級生 图（tóngbān）同級生

*【同伴】tóngbàn（～儿）图 仲間. 相棒. 同行者

*【同胞】tóngbāo 图 ❶両親が同じ兄弟姉妹 ❷同胞. 同じ国の人. 同じ民族の人

【同辈】tóngbèi 動 同輩である. 同世代である 图 同輩. 同世代

【同比】tóngbǐ 動 過去の同時期と比較する. 多く前年比 ‖ ～增长20.3％ 前年同期比20.3パーセント増となった

【同病相怜】tóng bìng xiāng lián 成 同病相憐(あわ)れむ

*【同步】tóngbù 動 ❶〈物〉同期する ❷同時に進める

【同步卫星】tóngbù wèixīng 图 静止衛星

【同仇敌忾】tóng chóu dí kài 成 共通の敵に一致団結して敵愾心(てきがいしん)を燃やす

【同窗】tóngchuāng 動 同じ学校に学ぶ ‖ 我曾和他在大学～四年 私はかつて彼と大学で4年間一緒だった 图 同じ学校の出身者. 同窓生

【同床异梦】tóng chuáng yì mèng 成 同床異夢. 行動を共にしながら, 心の中では別な考えを持っているたとえ

【同道】tóngdào 動 同行する 图 ❶志を同じくする人 ❷同一の職業の人. 同業者

*【同等】tóngděng 形 同等である ‖ ～学历 同等の学歴｜～重要 同等に重要である

【同调】tóngdiào 图 書 志向や主張が同じ人

【同恶相济】tóng è xiāng jì 成 悪人が結託して悪事をはたらく

【同房】tóng//fáng 動 ❶一つの部屋に泊まる ❷婉（夫婦が）ベッドを共にする 形（tóngfáng）同族の. 同じ一族の ‖ ～兄弟 同族の兄弟

【同甘共苦】tóng gān gòng kǔ 成 苦楽を共にする

【同感】tónggǎn 图 同感

【同庚】tónggēng 動 年齢を同じくする. 同い年である

【同工同酬】tóng gōng tóng chóu 成（性別や年齢などの区別なく）同じ労働に対して同じ賃金を与える

【同工异曲】tóng gōng yì qǔ ＝〔异曲同工 yì qǔ tóng gōng〕

【同归于尽】tóng guī yú jìn 成 共に滅びる. 共倒れになる. 相手と刺し違えて死ぬ

*【同行】tóngháng 形 同じ職業である. 同業である 图 同業者 ➤ tóngxíng

【同好】tónghào 图 趣味が同じ人. 同好者

【同化】tónghuà 動 ❶同化する ❷〈語〉同化する. 隣り合わせる音に影響されて音が変化すること

【同化政策】tónghuà zhèngcè 图（民族の）同化政策

【同化作用】tónghuà zuòyòng 图〈生〉同化作用

【同伙】tónghuǒ 貶 動 共謀する. ぐるになる ‖ ～抢劫 qiǎngjié 共謀して強奪する 图 仲間. 一味

【同居】tóngjū 動 ❶同居する ❷同棲(どうせい)する

*【同类】tónglèi 形 同類である. 種類を同じくする ‖ ～商品 同種の商品 图 同じ仲間. 同類 ‖ ～相求 同類の者は自然と寄り集まる

【同僚】tóngliáo 图 旧 同僚

【同龄】tónglíng 動 同齢である. 年齢をほぼ同じくする

【同流合污】tóng liú hé wū 成 悪人とぐるになって悪事をはたらく

【同路】tóng//lù 動 同行する. 同伴する

【同路人】tónglùrén 图 ❶同行者. 同伴者. 道連れ ❷共鳴者. シンパサイザー ‖ 革命的～ 革命のシンパ

【同门】tóngmén 書 動 同じ師について学ぶ 图 相弟子. 同門

*【同盟】tóngméng 動 同盟する 图 同盟 ‖ 两国结

成～ 両国が同盟を結ぶ | 军事～ 軍事同盟

【同盟国】tóngméngguó 名 同盟国

【同盟会】Tóngménghuì 名 略〈史〉中国同盟会.〔中国同盟会〕の略

【同盟军】tóngméngjūn 名 同盟軍

【同名】tóngmíng 動 同名である. 名前を同じくする

【同谋】tóngmóu 動 共謀する 名 共謀者

*【同年】tóngnián 名 ❶同年. 同じ年 ❷古 同じ年に科挙に合格した者 動 方 年齢を同じくする

*【同期】tóngqī 名 ❶同時期. 同期 ‖ 产量比去年～增长百分之十 生産高は昨年の同期に比べ10パーセント伸びた ❷(在学または卒業年度の)同期

**【同情】tóngqíng 動 ❶同情する ‖ 大家都很～他的不幸遭遇zāoyù みんなは彼の不幸な境遇にひどく同情している ❷同感する. 共感する ‖ 不少人～他这样做 多くの人々が彼のこのやり方に共感している 名 共感. 同情 ‖ 深表～ 心から共感の意を表す

【同人】【同仁】tóngrén 名 同僚. 同業者

【同上】tóngshàng 動 書 上と同じである

【同声翻译】tóngshēng fānyì 名 同時通訳

【同声相应，同气相求】tóng shēng xiāng yìng, tóng qì xiāng qiú 成 趣味や志向を同じくする人は自然と寄り集まる

★【同时】tóngshí 名 同時. 同じ時 ‖ 他们～听到了这个消息 彼らは同時にこのニュースを聞いた | ～到达终点 同時にゴールに入る 接 … と同時に. かつ. そのうえ ‖ 肯定了他的成绩，～也指出了不足 彼の成績を認め，そのうえ不十分な点についても指摘した

*【同事】tóng//shì 動 同じ職場で働く ‖ 他们已经～多年 彼らはすでに長年一緒に働いている 名 (tóngshì) 同僚 ‖ 我们俩是～ 私たち２人は同僚だ

【同室操戈】tóng shì cāo gē 成 身内でもめる. 内輪で争う. 仲間割れをする

【同素异形体】tóngsù yìxíngtǐ 名〈化〉同素体

【同岁】tóngsuì 動 同年齢である. 同い年である

【同位素】tóngwèisù 名〈化〉同位元素. アイソトープ

**【同屋】tóngwū 動 同じ部屋に住む 名 同室者. ルームメート

【同喜】tóngxǐ 動 挨拶 お互いにおめでとうございます，の意. 相手の〔恭喜，恭喜！〕(おめでとうございます)という祝いの言葉に対して返す言葉で，ふつう〔同喜，同喜！〕と繰り返す形で言う

【同乡】tóngxiāng 名 同郷人. 同じ出身地の人

【同心】tóngxīn 動 心を合わせる. 心を一つにする

【同心同德】tóng xīn tóng dé 成 一心同体. みんなが心を合わせる

【同心协力】tóng xīn xié lì 成 気持ちを一つにして協力する

【同行】tóngxíng 動 同行する ➤ tóngháng

【同性】tóngxìng 名 性別が同じもの. 同性 形 性質が同じである ‖ ～电相斥 同性の電気は互いに反発する

【同性恋】tóngxìngliàn 名 同性愛. ホモ. レズ

【同姓】tóngxìng 動 姓を同じくする ‖ 同名～ 同姓同名

★【同学】tóng//xué 動 同じ学校で勉強する ‖ 我和他同过三年学 私と彼は３年間同じ学校で学んだことがある 名 (tóngxué) ❶同窓生. 同級生. 学友 ‖ ～会 同窓会 ❷学生に対する呼称. 呼びかけにも用いる.

**【同样】tóngyàng 形 同じである. 同様である ‖ ～的条件 同じ条件 | ～对待 同様に取り扱う

【同业】tóngyè 名 ❶同じ職業. 同業 ❷同業者

*【同一】tóngyī 形 ❶同じである. 同一である ‖ 大家都为～目标而奋斗 みんなは同じ目標のために奮闘している ❷統一的である. 一致している. 共通している

【同一律】tóngyīlǜ 名〈哲〉同一律. 同一原理

【同义词】tóngyìcí 名〈語〉同義語. 同意語

★【同意】tóngyì 動 同意する. 承認する. 賛同する ‖ 我完全～这个方案 私はこの提案に全面的に賛成だ

> **類義語** 同意 tóngyì 赞成 zànchéng
>
> ◆〔同意〕主張や行為に対して，反対せずに受け入れる，または，同意見である ‖ 父母终于同意了他们的婚事 両親は二人の結婚をようやく承知した ◆〔赞成〕主張や行為に対して，積極的に支持する.〔同意〕より程度が強い ‖ 老师和父母都赞成我报考师范 先生も両親も私が師範学校を受けることに賛成だ

【同音词】tóngyīncí 名〈語〉同音異義語

★【同志】tóngzhì 名 ❶同志. 志を同じくする人.(とくに同じ政党員をさす) ❷「… さん」「… 君」に当たる呼称 ‖ 王～ 王さん | 男～ 男の人 ❸見知らぬ人に呼びかけるときに用いる呼称 ‖ ～，请问一下，去车站怎么走？ すみません，駅へはどう行けばいいですか

【同舟共济】tóng zhōu gòng jì 成 同じ船で共に川を渡る. 力を合わせて困難を克服するたとえ

【同桌】tóng//zhuō 動 机を並べる. 席を同じくする 名 (tóngzhuō) 同級生. クラスメート

【同宗】tóngzōng 動 同族である. 同じ家系に属する

7 **佟** tóng 名 姓

7 **彤** tóng 書 赤い ‖ 红～～ 真っ赤である

【彤云】tóngyún 名 ❶夕焼け. 朝焼け ❷雪雲

8 **侗** tóng 古 無知である. 幼稚である ➤ dòng

9 **垌** tóng 地名用字 ‖ ～冢zhǒng 湖北省にある地名 ➤ dòng

9 **峒**(△峝) tóng 地名用字 ‖ 崆Kōng～ 甘粛省にある山の名 ➤ dòng

10 **桐** tóng ❶ ➡〔泡桐pāotóng〕❷ ➡〔梧桐wútóng〕❸ ➡〔油桐yóutóng〕

【桐油】tóngyóu 名 アブラギリの種子からとった油

10 **砼** tóng 名〈建〉コンクリート

11 ** **铜** tóng 名 銅(化学元素の一つ，元素記号は Cu) ‖ 青～ 青銅 | 黄～ 黄銅

【铜板】tóngbǎn 名 ❶旧 銅貨 ❷語り物の調子をとるために用いる拍子木

【铜版】tóngbǎn 名〈印〉銅版

【铜版画】tóngbǎnhuà 名〈美〉銅版画

【铜币】tóngbì 名 銅貨

【铜鼓】tónggǔ 名 銅鼓

【铜匠】tóngjiang 名 銅製器具の製造・修理職人

【铜筋铁骨】tóng jīn tiě gǔ 成 銅のような筋肉と鉄のような骨. 身体が頑強であるたとえ

【铜绿】tónglǜ 名 緑青(ろくしょう)

【铜模】tóngmú 名〈印〉母型. 字母.〔字模〕ともいう

【铜牌】tóngpái 名〈体〉銅メダル. 第３位

【铜器时代】tóngqì shídài 名 青銅器時代.〔青铜器时代〕ともいう

T

【铜钱】tóngqián 图旧 銅銭
【铜墙铁壁】tóng qiáng tiě bì 成 金城鉄壁. 防備がきわめて堅固なたとえ.〔铁壁铜墙〕ともいう
【铜臭】tóngxiù 图貶 銅臭. 金銭欲の強いこと
【铜锈】tóngxiù 图 緑青. あおさび
【铜圆】【铜元】tóngyuán 图旧 清朝末期から抗日戦争前まで通用した銅貨
【铜子ル】tóngzǐr 图旧口 銅貨

12 **童** tóng ❶(～ル) 旧 年少の召し使い ‖ 家～ 下働きの男の子 ❷子供 ‖ 儿～ 児童 ❸未婚の ‖ →～男 ❹はげている ‖ →～山
【童车】tóngchē 图 ❶子供用の自転車 ❷乳母車. ベビーカー
【童工】tónggōng 图 未成年の労働者
【童话】tónghuà 图 童話
【童男】tóngnán 图書 ❶少年 ❷童貞
*【童年】tóngnián 图 幼年時代. 子供時代
【童女】tóngnǚ 图 ❶少女 ❷処女
【童山】tóngshān 图 禿山(はげやま)
【童声】tóngshēng 图 声変わりする前の子供の声
【童心】tóngxīn 图 童心. 幼い子供の心 ‖ ～未泯mǐn 子供のような純真な心がまだ残っている
【童颜鹤发】tóng yán hè fà 成 年老いてもなおかくしゃくとしているさま ＝〔鹤发童颜〕
【童养媳】tóngyǎngxí 图旧 息子の嫁にするために, 幼い時からもらって育てる女の子
【童谣】tóngyáo 图 童謡
【童贞】tóngzhēn 图 貞操 ‖ 保持～ 純潔を守る
【童真】tóngzhēn 图 無邪気. 天真爛漫(てんしんらんまん)
【童装】tóngzhuāng 图 子供服
【童子】tóngzǐ 图 男の子. 少年
【童子鸡】tóngzǐjī 图口 食肉用の若鶏
【童子军】tóngzǐjūn 图 ボーイスカウト

13 **酮** tóng 图〈化〉ケトン

15 **潼** tóng 地名用字 ‖ ～关 陝西省にある県の名

17 **瞳** tóng ひとみ
【瞳孔】tóngkǒng 图〈生理〉瞳孔(どうこう). ふつうは〔瞳人〕という
【瞳人】【瞳仁】tóngrén (～ル) 图〈生理〉ひとみ. 瞳孔

tǒng

9 **统**[1] tǒng ❶書 (まゆから)糸の先を引き出す ❷総括する ‖ →～率 ❸動 統轄する. 指揮する ‖ →～治 ❹系統. 系譜 ‖ 系～ 系統 ❺地質区分の単位. 地質時代の〔世〕に相当する

9 **统**[2] tǒng 〔筒tǒng❸〕に同じ
【统编】tǒngbiān 動 (教科書などを)統一編纂する ‖ 全国高校～教材 全国大学統一編纂教材
【统舱】tǒngcāng 图 大部屋の船室や船倉
【统称】tǒngchēng 動 総称する 图 総称
*【统筹】tǒngchóu 動 (国などによって)統一的に計画する ‖ ～安排 統一的に割り振りする
【统共】tǒnggòng 副 総計して. 合わせて
【统购】tǒnggòu 動 (国が民生用の重要物資を)統一的に買い上げる
【统观】tǒngguān 動 総括的に見る
【统管】tǒngguǎn 動 一手に取り仕切る
*【统计】tǒngjì 動 統計する ‖ 把人数～一下 人数を統計してみる
【统计学】tǒngjìxué 图 統計学
【统考】tǒngkǎo 動 統一試験を行う. 共通試験を行う
【统括】tǒngkuò 動 総括する. 一つにまとめる
【统揽】tǒnglǎn 動 独り占めにする
【统摄】tǒngshè 動書 統轄する
【统属】tǒngshǔ 動書 (上級と下級が)管轄・従属関係にある. 管轄・被管轄関係にある
【统帅】tǒngshuài 图 総帥. 最高司令官 ‖ 三军～ 陸・海・空三軍の総帥 動 ＝〔统率tǒngshuài〕
【统率】tǒngshuài 動 統率する. 指揮する
*【统统】tǒngtǒng 副 すべて. ことごとく. すっかり. 残らず
【统辖】tǒngxiá 動 統轄する. 指揮する
【统销】tǒngxiāo 動 (国が物資を)統一販売する
【统一】tǒngyī 動 **統一する. 一つにする ‖ ～祖国 祖国を統一する 形 **統一的な. 一つにまとまっている** ‖ 大家的意见不～ みなの考えがまとまっていない
【统一体】tǒngyītǐ 图〈哲〉統一体
【统一战线】tǒngyī zhànxiàn 图 統一戦線. 略して〔统战〕という
【统御】【统驭】tǒngyù 動書 統御する. 統べる
*【统战】tǒngzhàn 图略 統一戦線.〔统一战线〕の略. 主として中国共産党と各民主党派との提携協力政策, および台湾に対する統一政策をさす
【统招】tǒngzhāo 動 統一的に学生を募集する
【统治】tǒngzhì 動 **統治する. 支配する ‖ ～阶级 支配階級 | 封建～ 封建的な統治

10 *捅 tǒng ❶動 突く. 突き抜く. 突き刺す ‖ ～了一个窟窿kūlong 穴を一つあける ❷動 つつく ‖ 我悄悄qiāoqiāo地～了他一下, 让他别多嘴 私はこっそり彼をつついて, 余計なことを言わないように注意した ❸動 暴露する. すっぱ抜く ‖ 他把内情都～出来了 彼は内部事情を全部暴き出した
【捅咕】tǒnggu 動 ❶さわる. いじる. つつく ❷たきつける. 仕向ける. けしかける
【捅娄子】tǒng lóuzi 慣 問題を起こす. 騒動を引き起こす
【捅马蜂窝】tǒng mǎfēngwō 慣 蜂の巣をつつく. 喩 厄介な相手を怒らせる. まずい相手といざこざを起こす

11 **桶 tǒng 图 **桶. たる** ‖ 水～ 水桶. バケツ | 油漆～ ペンキの缶

12 *筒(△筩) tǒng ❶(太めの)竹の筒 ❷图 筒状の器物 ‖ 电～ 懐中電灯 ❸(～ル) (衣類や靴の)筒状の部分.〔统〕とも書く ‖ 长～袜 長靴下 ❹動方 (筒状の物の中に)入れる ‖ 把手～到袖子xiùzi里 手をそでの中に入れる
【筒裤】tǒngkù 图 ストレートズボン
【筒裙】tǒngqún 图 タイトスカート
【筒子】tǒngzi 图 筒 ‖ 竹～ 竹筒
【筒子楼】tǒngzilóu 图 (多く宿舎などで)各階中央の通路を挟んで両側に部屋が並んだ形の建物

T

tòng

6 **同** (△衕) **tòng** ➡〔胡同hútòng〕 ➤ tóng

9 **恸** (慟) **tòng** [書] ひどく悲しむ. 慟哭(どうこく)する ‖ ～哭 慟哭する

10 **通** **tòng** (～儿) [量] ①(ある種の楽器を)連続的に鳴り響かせる回数を表す ‖ 打了三～鼓 太鼓を3回打ち鳴らした ②(〔一通〕の形で)声を発する連続的な動作に用いる. ひとしきり. (悪い意味で用いることが多い) ‖ 挨ái了一～骂 ひとしきり罵られた | 哭了一～ ひとしきり泣いた ➤ tōng

12 ** **痛** **tòng** ❶[形] 痛い ‖ 腿～ 足が痛い ❷悼み悲しむ ‖ 悲～ 悲しみ悼む ❸[副] 思う存分. きっぱりと. 徹底的に ‖ ～下决心 かたく決意する.

【痛不欲生】 tòng bù yù shēng [成] 絶え入らんばかりに嘆き悲しむ. 身も世もなく嘆き悲しむ

【痛斥】 tòngchì [動] 痛斥する. 厳しく批判する

【痛楚】 tòngchǔ [形][書] 苦しい. つらい

【痛处】 tòngchù [名] 痛いところ. 弱み. 泣きどころ

【痛打】 tòngdǎ [動] 思い切り殴る. ぶん殴る

【痛悼】 tòngdào [動] 痛惜する. 心から哀悼を捧げる

【痛定思痛】 tòng dìng sī tòng [成] 苦い経験の後, その失敗を胸に刻み, 教訓とする

【痛改前非】 tòng gǎi qián fēi [成] 徹底的に前非を改める

【痛感】 tònggǎn [動] 痛感する. 心に強く感じる ‖ ～教育的重要性 教育の重要性を痛感する [名] 痛み

*【痛恨】 tònghèn [動] ひどく憤りを感じる. 心から憎む

【痛悔】 tònghuǐ [動] ひどく悔やむ. 後悔する

【痛击】 tòngjī [動] 痛撃する

【痛经】 tòngjīng [動]〈医〉生理痛がある. 〔经痛〕ともいう

【痛觉】 tòngjué [名]〈生理〉痛覚

【痛哭】 tòngkū [動] 激しく泣く. 声をあげて泣く

【痛苦】 tòngkǔ [形] **苦痛である. 苦しい ‖ 他心里非常～ 彼はとてもつらい気持ちだった | 病人～地呻吟shēnyín着 病人は苦しそうにうめいている

> **類義語** | 痛苦 tòngkǔ 难过 nánguò 难受 nánshòu
>
> ◆ともに精神的・肉体的につらく苦しいことを表す. その程度により使い分け, 〔痛苦〕〔难过〕〔难受〕の順に軽くなる ◆〔痛苦〕程度がいちばん重い ‖ 他失恋以后十分痛苦 彼は失恋してひどく苦しんでいる ◆〔难过〕精神的にやりきれない気持ちをいうことが多い ‖ 没考上大学, 他难过得哭了 彼は大学に落ちてつらくて泣いた ◆〔难受〕程度がいちばん軽く, 日常的で五感に訴えるとき, 時間的に短いときに用いる ‖ 热得难受 暑くてたまらない | 丢了钱包, 心里很难受 財布をなくして情けない

★【痛快】 tòngkuai ; tòngkuài [形] ❶**痛快である. 愉快である. 気分がよい** ‖ 比赛输shū了, 心里不～ 試合に負けて, 気分がくさくさする | 痛痛快快地玩儿 思い切り遊ぶ ❷**率直である. 明快である** ‖ 办事～ 仕事がてきぱきしている | 答应得很～ きっぱりと同意する

【痛快淋漓】 tòng kuài lín lí [成] 胸がすっとする. 痛快この上ない

【痛骂】 tòngmà [動] 激しく罵る. 口汚く罵る

【痛切】 tòngqiè [形][書] 痛切である. 切実である

【痛恶】 tòngwù [動] ひどく憎む. 心から憎む

【痛惜】 tòngxī [動][書] 痛惜する. 心から残念に思う

【痛心】 tòngxīn [形] 心が痛む. ひどく悲しい

【痛心疾首】 tòng xīn jí shǒu [成] 心を痛め頭を悩ます. 大いに残念に思う. 痛恨のきわみ

【痛痒】 tòngyǎng [名] ❶苦しみ. 困苦 ‖ 关心老百姓的～ 一般庶民の苦しみに心を配る ❷[喩] 肝心なこと ‖ 说几句不关～的话 当たり障りのないことを言う

【痛痒相关】 tòng yǎng xiāng guān [成] (親しい間柄で)相手に何かあれば自分も痛痒(つうよう)を感じる. 互いに密接な関係にあること

【痛饮】 tòngyǐn [動] 痛飲する. 思う存分酒を飲む

tōu

11 **偷**[1] (△媮) **tōu** 目先のみ見る. 一時しのぎをする ‖ ～安 | ～生

11 ** **偷**[2] **tōu** ❶[動] **盗む. 泥棒する** ‖ ～东西 物を盗む | 自行车被～走了 自転車が盗まれた ❷(～儿)盗人. 泥棒 ‖ 小～儿 こそ泥 ❸[副] (**人に知られないように)こっそりと** ‖ ～吃 つまみ食いする ❹時間をさく. 時間を都合する ‖ ～闲

【偷安】 tōu'ān [動][書] 目先の安逸をむさぼる. 一時しのぎをする ‖ ～一时 一時の安楽をむさぼる

【偷盗】 tōudào [動] 盗む. 窃盗を働く

【偷渡】 tōudù [動] ❶(敵に気付かれないように)こっそり川を渡る ❷(海や川を越えて)密出入国をはかる

【偷工减料】 tōu gōng jiǎn liào [慣] ひそかに手を抜き, 材料をごまかしていい加減な仕事をする

【偷换】 tōuhuàn [動] すり替える ‖ ～概念 概念をすり替える

【偷鸡摸狗】 tōu jī mō gǒu [成] ❶浮気する. 不倫をはたらく ❷こそこそと盗みをはたらく

【偷奸取巧】 tōu jiān qǔ qiǎo [慣] 自分は少しも力を出さずずるく立ち回って利益を得る

【偷看】 tōukàn [動] 盗み見る

【偷空】 tōu//kòng (～儿) [動] 時間をつくる. 暇を見つける. 暇をつくる ‖ 他无论怎么忙, 也要～看点书 彼はどんなに忙しくても, 何とか時間をつくって本を読んでいる

【偷懒】 tōu//lǎn [動] ずるける. 怠ける. 油を売る

【偷梁换柱】 tōu liáng huàn zhù [成] ひそかに策を弄して物事の性質や内容を替えてしまうこと

【偷猎】 tōuliè [動] 密猟する

【偷拍】 tōupāi [動] こっそり撮影する. 盗み撮りする

【偷巧】 tōu//qiǎo [動][方] ずるく立ち回る. ごまかしをする. 甘い汁を吸う

*【偷窃】 tōuqiè [動] 盗む. 窃盗を働く

【偷情】 tōu//qíng [動][旧] (男女が)密会する

【偷生】 tōushēng [動] 目的もなくその日その日を過ごす

*【偷税】 tōu//shuì [動] 脱税する ‖ ～漏税 脱税をする

【偷天换日】 tōu tiān huàn rì [成] 事の真相をすり替えて人をだますこと

【偷听】 tōutīng [動] 盗み聞きする. 立ち聞きする

【偷偷】 tōutōu (～儿) [副] **こっそりと ‖ 他～儿地溜出了会场 彼はこっそりと会場を抜け出した

【偷偷摸摸】 tōutōumōmō (～的) [形] 陰でこそこそするさま

【偷袭】 tōuxí [動] 奇襲をかける. 急襲する

【偷闲】 tōu//xián [動] ❶暇をつくる. 暇を見つける ‖ 忙里～ 忙中閑あり ❷[方] ずるける. 怠ける

【偷眼】tōuyǎn 副こっそりと(見る)‖～看了一下妻子的神色 こっそり妻の顔色をうかがった
【偷营】tōu//yíng 動敵の兵営を奇襲する
【偷运】tōuyùn 動ひそかに運搬する. こっそり運ぶ
【偷嘴】tōu//zuǐ 動つまみ食いする

tóu

5 ★**头**[1]（頭）**tóu** ❶名 頭. 頭部. ふつうは〔脑袋〕という ❷名 頭髪. 髪形‖梳～ 髪をとかす ❸名(～儿)首領. 頭目. かしら‖公司的～儿 会社のトップ ❹第一の. 1番目の‖～版～条 一面のトップ記事 ❺形(数量詞の前に置いて, 順序が前であることを示す)最初の. 初めの‖我今天～一个到教室 今日私は1番に教室に着いた ❻方(〔年〕または〔天〕の前に置き, ある時点より前であることを示す)前の‖～～天 ❼介方…の前に‖～六点就得起床 6時前に起きなければならない ❽名(～儿)物の先端, または末端‖桥的那一～ 橋の向こうのたもと ❾名(～儿)(事の)始まり, または終わり‖我提个～儿吧 私が話のきっかけをつくりましょう｜什么时候才能熬áo到～儿? (この状態から)いつになったら抜け出せるのか. ❿(～儿)(物を使って)残った部分‖香烟～儿 タバコの吸い殻 ⓫名(～儿)方面. 側‖两～不落好 双方から文句を言われる. ⓬量 ①ウシ・ロバ・ヒツジなどの家畜を数える‖一～牛 1頭のウシ ②頭に似た形のものを数える‖一～洋葱yángcōng タマネギ1個

5 **头**[2]（頭）**tou** ❶接尾(～儿)名詞の後につく‖石～ 石 ❷接尾 方位詞の後につく‖上～ 上. 上方 ❸接尾(～儿)動詞の後につき名詞化し, その動作をする価値のあることを示す‖没听～儿 聞く価値がない ❹接尾(～儿)形容詞の後につき名詞化する‖尝cháng到甜～儿 うまい汁を吸う

逆引き単語帳　〔光头〕guāngtóu 坊主頭. はげ頭 〔秃头〕tūtóu はげ頭 〔背头〕bēitóu オールバックの髪型 〔平头〕píngtóu 角刈り 〔鬼剃头〕guǐtìtóu 円形脱毛症 〔插头〕chātóu プラグ 〔船头〕chuántóu 船首. へさき 〔床头〕chuángtóu ベッドのわき. 枕元 〔词头〕cítóu 接頭辞 〔磁头〕cítóu 磁気ヘッド 〔葱头〕cōngtóu タマネギ 〔弹头〕dàntóu 弾丸. 弾頭 〔罐头〕guàntou 缶詰. 瓶詰 〔喉头〕hóutóu のど 〔箭头〕jiàntóu 矢じり. 矢印 〔街头〕jiētóu 街頭. 路頭 〔镜头〕jìngtóu レンズ. シーン 〔开头〕kāitóu 最初. 初め 〔口头〕kǒutóu 口頭 〔苦头〕kǔtou 苦しみ 〔老头儿〕lǎotóur 老人 〔馒头〕mántou マントー 〔木头〕mùtou 丸太. 木材 〔拳头〕quántou げんこつ. こぶし 〔山头〕shāntóu 山の頂上 〔舌头〕shétou 舌 〔石头〕shítou 石 〔手头〕shǒutóu 手元. 懐具合 〔水龙头〕shuǐlóngtóu 水道の蛇口 〔死对头〕sǐduìtou 宿敵 〔甜头〕tiántou 利益. 甘い汁 〔丫头〕yātou 小娘 〔烟头〕yāntóu タバコの吸い殻 〔芋头〕yùtou サトイモ 〔枕头〕zhěntou 枕 〔带头〕dàitóu 先頭に立つ 〔低头〕dītóu うつむく. 屈伏する 〔点头〕diǎntóu うなずく 〔磕头〕kētóu 〔叩头〕kòutóu 叩頭(こうとう)する. ぬかずく 〔碰头〕pèngtóu 顔を合わせる

【头班车】tóubānchē 名始発バス. 始発の電車
【头版】tóubǎn 名(新聞の)第一面
【头部】tóubù 名頭部. 頭
【头彩】tóucǎi 名(宝くじやくじなどの)1等賞
【头筹】tóuchóu 名喩第1位. 首位
【头等】tóuděng 形1等の. 1番の. 最高の‖～舱cāng 一等船室｜～重要的任务 何より重要な任務
【头顶】tóudǐng 名脳天. 頭のてっぺん
⁂【头发】tóufa 名頭髪. 髪‖染～ 髪を染める
【头盖骨】tóugàigǔ 名頭蓋骨(ずがいこつ)
【头功】tóugōng 名最初の殊勲. 一番の手柄
【头骨】tóugǔ 名頭骨. 頭蓋骨
【头号】tóuhào 形第一の. 最大の. 最高の‖～人物 最重要人物｜～新闻 トップ・ニュース
【头昏】tóuhūn 動頭がくらくらする. 頭がぼうっとする
【头昏脑胀】tóu hūn nǎo zhàng 慣頭がくらくらしてぼうっとする
【头昏眼花】tóu hūn yǎn huā 慣頭がくらくらして目がかすむ
【头婚】tóuhūn 動口初めて結婚する. 初婚である‖我是～, 他是二婚 私は初婚で, 彼は再婚です
【头角】tóujiǎo 名頭角‖崭露zhǎnlù～ 頭角を現す
【头角峥嵘】tóu jiǎo zhēng róng 成群を抜いて頭角を現す
【头巾】tóujīn 名❶(女性の頭を覆う)スカーフ ❷古(読書人がかぶった)ずきん
【头颈】tóujǐng 名方首
【头盔】tóukuī 名鉄かぶと. ヘルメット
【头里】tóuli 名❶(位置が)前. 前方. 先 ❷事前‖把话说在～, 出了问题别找我 前もって言っておくが, あとで問題が出ても私は知らない ❸方以前
【头脸】tóuliǎn 名❶頭と顔 ❷容貌(ようぼう). 顔立ち ❸(社会的な)顔. 体面‖有～的人 顔が利く人
【头领】tóulǐng 名首領. 頭目. かしら
【头颅】tóulú 名(人の)頭
【头路】tóulù 形最上の. 最高の‖～货 最上の品物
【头面】tóumian 名旧婦人の髪飾りの総称
【头面人物】tóumiàn rénwù 名貶社会的に大きな声望と勢力をもつ人. 大物. 顔役. 実力者
【头名】tóumíng 名第1番目. 首席
【头目】tóumù 名貶首領. 親分. 頭目
*【头脑】tóunǎo 名❶頭脳. 頭. 頭のはたらき‖～清醒 頭脳明晰(めいせき) ❷端緒. 手がかり. 見当‖摸不着～ さっぱり様子が分からない ❸口首領. かしら. ボス
【头年】tóunián 名❶方前の年. 去年 ❷最初の年. 1年目.
【头牌】tóupái 名旧〈劇〉(役者の名を書いて掲げた札の)第1番目の名札
【头皮】tóupí 名❶頭の皮膚 ❷ふけ
【头破血流】tóu pò xuè liú 成頭を割られて血が流れる. さんざんな目に遭う
【头前】tóuqián 名❶先頭. 前方. 先 ❷以前
【头球】tóuqiú 名〈体〉(サッカーの)ヘディング
【头人】tóurén 名(少数民族の)集落長. 族長
【头晌】tóushǎng 名方午前. 午前中
【头绳】tóushéng 名❶(～儿)髪を結うのに用いる細ひも. 元結い ❷方毛糸
【头虱】tóushī 名〈虫〉アタマジラミ. シラミ

【头饰】 tóushì 名 頭飾り
【头胎】 tóutāi 名 初めての妊娠. 初めての子供
【头套】 tóutào 名〈劇〉(演技用の)かつら
【头疼】 tóuténg 形 ❶頭が痛い ❷困る. 悩まされる ‖ 令人～的问题 頭の痛い問題
【头疼脑热】 tóu téng nǎo rè (～的) 慣 ほんの軽い病気
【头天】 tóutiān 名 ❶前の日 ‖ ～晚上 前日の夜 ❷1日目. 最初の日
【头条新闻】 tóutiáo xīnwén 名 トップニュース
【头痛】 tóutòng 形 ❶〈医〉頭が痛い ❷(難しいこと, 面倒なことなどで)悩まされる. 頭が痛い
【头痛医头, 脚痛医脚】 tóu tòng yī tóu, jiǎo tòng yī jiǎo 成 頭が痛めば頭を治療し, 足が痛めば足を治療する. 根本的な処置をしないで, 一時しのぎのやり方をすること
【头头儿】 tóutour 名 口 長. 責任者. リーダー. ボス

類義語 头头儿 tóutour 头目 tóumù 头子 tóuzi
◆〔头头儿〕組織や団体などの責任ある立場の人. 話し言葉として, 上司・幹部・総括者・責任者などを広くさす ◆〔头目〕集団の中心となる人. 多く悪い集団のボスをさす ◆〔头子〕悪い集団の首領. 〔头目〕は中心となる人をさし, 必ずしもトップをさすとは限らないが, 〔头子〕はトップのその人一人をさす

【头头是道】 tóu tóu shì dào 成 いちいちもっともである. いちいち道理がある. すべて筋道が通っている
【头尾】 tóuwěi 名 ❶一部始終. 全過程 ❷最初と最後. 始まりと終わり
【头衔】 tóuxián 名 (学位や官職などの)肩書き
【头像】 tóuxiàng 名 胸像
【头绪】 tóuxù 名 糸口. 手がかり. 端緒
【头雁】 tóuyàn 名 群れの先頭に立つガン
【头油】 tóuyóu 名 髪油
【头晕】 tóu//yūn 動 頭がくらくらする. 目まいがする
【头重脚轻】 tóu zhòng jiǎo qīng 成 頭が重く足元が軽い. 頭でっかちで不安定なこと. また, 酔いや目まいで頭がくらくらし, 足がふらつくさま
*【头子】 tóuzi 名 貶 親玉. 親分

7 ** 投[1] tóu ❶動 投げる. ほうる ‖ → ～掷 ❷身投げする. 飛び込み自殺する ‖ → ～水 ❸動 投入する. 入れる ‖ → ～资 ❹動 (気性などが)合う. 投合する. 迎合する ‖ ～脾气 気性が合う ❺動 (手紙などを)送る. 出す. 配達する ‖ → ～稿 ❻動 (光線などが)投射する. 射し込む. 投影する ‖ 此事在她心灵上～下了阴影 このことは彼女の心に暗い影を落とした ❼動 参加する. 身を投じる ‖ → ～身

7 投[2] tóu 動 水洗いする ‖ 先用清水～, 再打肥皂 まず水で洗ってから, 石けんをつける

類義語 投 tóu 扔 rēng 甩 shuǎi
◆〔投〕目標を定めて投げる. 「目標」に重点があるので, 投げた結果に言及したり, 広く目標物に入れることもいう ‖ 投篮 (バスケットボールで)シュートする | 投得很准 正確に投げ入れた | 投偏了 目標からずれた ◆〔扔〕手を振り動かして, 持っている物を手から離す. 使用範囲が最も広い. 「手から離す」ことに重点があり, 手離して顧みないこともいう ‖ 扔铁饼 (円盤投げの)円盤を思い切り投げる | 果皮不能随便乱扔 果物の皮を所構わず投げ捨ててはいけない ◆〔甩〕振って(または振り回して)物体を飛ばす ‖ 把雨伞上的水甩掉 傘のしずくを振り落とす

【投案】 tóu//àn 動 (犯人が)自ら出頭する. 自首する
【投保】 tóu//bǎo 動 保険に加入する
【投奔】 tóubèn 動 身を寄せる. 頼っていく. ころがり込む
【投笔从戎】 tóu bǐ cóng róng 成 筆を投げ捨て従軍する. 文人が国難に臨んで戦いに出る
【投鞭断流】 tóu biān duàn liú 成 軍馬の鞭(むち)を川に投げ入れただけで流れをせき止められる. 兵馬が多勢で軍備が強大なこと
*【投标】 tóu//biāo 動 入札する
*【投产】 tóu//chǎn 動 生産に入る. 操業を開始する. 〔投入生产〕の略
【投诚】 tóuchéng 動 進んで降伏する. 帰順する
【投弹】 tóu//dàn 動 ❶爆弾を投下する ❷手榴弾を投げつける
【投敌】 tóu//dí 動 敵に身を寄せる
【投递】 tóudì 動 (郵便物などを)配達する
【投递员】 tóudìyuán 名 郵便配達人. 〔邮递员〕ともいう
*【投放】 tóufàng 動 ❶(資金を)投入する. (人力や物力などを)注ぎ込む ‖ ～资金500亿元 500億元を投入する ❷(商品を)市場に提供する ‖ ～市场 市場に投入する ❸投げ入れる ‖ ～鱼饵 魚の餌を投げ入れる
【投稿】 tóu//gǎo 動 投稿する
【投工】 tóu//gōng 動 労働力を投入する. 労働人員が作業する
【投合】 tóuhé 形 気が合う ‖ 两人脾气很～ 二人はとても気が合う 動 迎合する. 無理に合わせる ‖ ～年轻人的喜好 若者の好みに合わせる
【投河】 tóu//hé 動 川に身投げする
*【投机】 tóujī 動 投機する. 思惑で行動をする. チャンスをねらって私利をはかる ‖ ～行为 投機行為 | ～钻营 zuānyíng 私利をはかるため権勢家に取り入る 形 (考え方などが)同じである. 合っている ‖ 两人～ 二人はうまが合う | 话不～ 話が合わない
*【投机倒把】 tóujī dǎobǎ 慣 投機売買をする
【投机取巧】 tóujī qǔqiǎo 慣 機に乗じてうまく立ち回る
【投寄】 tóujì 動 (手紙を)出す. 寄せる
【投井】 tóu//jǐng 動 井戸に身を投げる
【投井下石】 tóu jǐng xià shí 成 井戸に落ちた人に石をぶつける. 人の災難につけ込み, さらに追いうちをかけること. 〔落井下石〕ともいう
【投军】 tóujūn 動 旧 従軍する. 軍に身を投じる
【投考】 tóukǎo 動 入学試験を受ける. 受験する
【投靠】 tóukào 動 他人に身を寄せる. 人に頼る
【投篮】 tóu//lán 動〈体〉(バスケットボールで)シュートする
【投料】 tóuliào 動 原料や材料を投入する
【投拍】 tóupāi 動 撮影に入る. クランクインする
*【投票】 tóu//piào 動 投票する
【投其所好】 tóu qí suǒ hào 成 人の好みに迎合する. 人の気に入るようにする
【投契】 tóuqì 形 書 気心が合うさま. うまが合うさま
【投枪】 tóuqiāng 名 投げ槍(やり)
【投亲】 tóu//qīn 動 親戚に身を寄せる
**【投入】 tóurù 動 ある状態になる. ある環境に入る.

T

投入する‖～新的工作环境 新しい仕事環境の中に身を投じる｜～生产 操業を開始する 形 夢中である.(精神が)集中している‖每当弹琴时，他都十分～ ピアノをひくときはいつも彼はとても夢中になる 名(資金の)投入．投資‖增加～ 投資を増やす

【投射】tóushè 動 ❶投げる．投擲(とうてき)する ❷(光線などが)投射する．射し込む．投げかける

【投身】tóushēn 動 身を投じる‖～于民主运动 民主化運動に身を投じる

【投生】tóu//shēng ＝〔投胎tóutāi〕

【投师】tóu//shī 動 師事する．弟子入りする

【投石问路】tóu shí wèn lù 成 石を投げて様子をみる．試験的に実行して反応を探ることのたとえ

【投手】tóushǒu 名〈体〉(野球やソフトボールの)投手．ピッチャー

【投售】tóushòu 動(市場で)売りに出す．売り出す

【投鼠忌器】tóu shǔ jì qì 成 悪人に打撃を加えたいが，周りの影響を考えて思い切ったことができない

【投水】tóu//shuǐ 動 入水(じゅすい)する

【投送】tóusòng 動(手紙を)出す．送り届ける

【投诉】tóusù 動 訴え出る

【投宿】tóusù 動 書(旅人が)投宿する．宿をとる

【投胎】tóu//tāi 動(母胎に宿って)生まれ変わる．転生する．〔投生〕ともいう

【投桃报李】tóu táo bào lǐ 成 桃を贈られてお返しに李(すもも)を贈る．親しい付き合いのたとえ

*【投降】tóuxiáng 動 投降する．降伏する

【投向】tóuxiàng 名(資金などの)投入先．投入対象

【投效】tóuxiào 動 書 身を投じて尽力する

【投药】tóuyào 動 投薬する．薬を処方して与える

【投医】tóu//yī 動 医者にかかる

【投影】tóuyǐng 動 投影する 名 投影

【投影仪】tóuyǐngyí 名 プロジェクター

【投映】tóuyìng 動 投映する．姿を映す

【投邮】tóuyóu 動 郵便物として出す．郵送にする

【投缘】tóuyuán 形 気が合う．うまが合う

*【投掷】tóuzhì 動 投げる．ほうる‖～标枪 biāoqiāng 槍(やり)投げをする｜～铁饼 円盤投げをする

【投注】[1] tóuzhù 動 傾注する．注ぎ込む‖把全部精力～到学习中 全精力を勉強に注ぎ込む

【投注】[2] tóuzhù 動 ❶(宝くじや賭けなどに)金を投じる．金を賭ける ❷(資金などを)投入する．投資する

*【投资】tóu//zī 動 投資する‖向新企业～ 新企業に投資する 名(tóuzī)投資

【投资基金】tóuzī jījīn 名〈経〉投資ファンド

【投资银行】tóuzī yínháng 名〈経〉投資銀行

13 骰 tóu ↴

【骰子】tóuzi 名 方 さいころ

tǒu

9 钭 tǒu 名 姓

tòu

10 *** 透 tòu ❶動(光線や液体が)通り抜ける．つき抜ける．透き通る．しみ通る‖门缝 fèng 里～出一线光亮 ドアのすきまから一筋の光が漏れてくる ❷形 透徹している．はっきりしている‖看～ 見抜く｜摸～ 完全に把握する ❸形(程度が)甚だしい．徹底している‖苹果熟shú～了 リンゴがすっかり熟れた｜这个人坏～了 この人はほんとうに悪い ❹動 漏らす．こっそり伝える‖给他～了一点ル消息 彼に少しニュースを漏らした ❺動 表面に現れる．にじみ出る‖脸上～着欢喜 顔に嬉しさが現れている

*【透彻】tòuchè 形(状況分析などが)徹底している．一貫している．透徹している‖分析得很～ 分析が深く鋭い

【透底】tòudǐ 動 内情を漏らす．詳細を打ち明ける

【透雕】tòudiāo 名(象牙(ぞうげ)などの)すかし彫り

【透顶】tòudǐng 形 貶 きわみである．この上ない‖愚蠢～ 愚かなことこの上なし｜荒唐～ まったくばかばかしい

【透风】tòu//fēng 動 ❶風が通る．風を通す ❷外気にさらす．陰干しする ❸内情を漏らす

【透骨】tòugǔ 形(寒さなどが)骨身にしみる

【透光】tòu//guāng 動 光を通す

【透汗】tòuhàn 名 びっしょりとかいた汗‖出身～就会退烧的 全身びっしょり汗をかいたら，熱は下がるだろう

【透镜】tòujìng 名 レンズ‖凸～ 凸レンズ

【透亮】tòuliang；tòuliàng 形 ❶明るい．透き通っている ❷はっきりしている．明白である

【透亮ル】tòu//liàngr 動 光を通す．透明である

【透漏】tòulòu 動 秘密を漏らす．明かす

【透露】tòulù 動 ❶(秘密や情報などを)漏らす．漏れる．‖～消息 情報を漏らす｜据有关人士～ 消息筋によれば ❷(気持ちや意志などが)表に出る‖他的眼里～出一丝焦虑jiāolǜ 彼の目に焦りの色が浮かんでいる

*【透明】tòumíng 形 透き通っている．透明である

*【透明度】tòumíngdù 名 透明度

【透辟】tòupì 形 緻密(ちみつ)である．透徹している

【透气】tòu//qì (～ル) 動 ❶空気を通す‖把窗户开开透透气 窓を少し開けて空気を通そう ❷空気を吸う．息をつく‖紧张得透不过气来 緊張のあまり息もつけない ❸(非公式に情報を)伝える．流す‖这事ル先向大家透点ル气ル この件は前もってみんなに流しておこう

【透射】tòushè 動(光が)射(さ)し込む

【透视】tòushì 名 透視画法 動 ❶〈医〉(レントゲンによって)透視する ❷透視する．(事物の本質を)見通す

【透视图】tòushìtú 名 透視図

【透析】tòuxī 動〈医〉透析する ＝〔渗shèn析〕

【透心ル凉】tòuxīnrliáng 形 方 ❶(体が)しんから寒い ❷非常に失望する．落胆する

【透雨】tòuyǔ 名 十分なお湿り．耕地をたっぷり潤す雨

【透支】tòuzhī 動 ❶貸し越す‖～五百元 500元貸し越す ❷支出が収入を超過する

tū

5 凸 tū 形(周囲より)中高になっている．出っ張っている ↔〔凹〕‖～出 突き出ている｜凹～不平 でこぼこしている

【凸版】tūbǎn 名〈印〉凸版‖～印刷 凸版印刷

【凸轮】tūlún 名〈機〉カム

【凸面镜】tūmiànjìng 名〈物〉凸面鏡．〔凸镜〕〔发散镜〕ともいう

【凸透镜】tūtòujìng 名〈物〉凸レンズ．〔会聚透镜〕ともいい，ふつうは〔放大镜〕という

【凸显】【突显】tūxiǎn 動 とくに目立つ．顕著である

【凸现】tūxiàn 動 はっきりと表に現れる．顕在化する

7 * **秃** tū ❶形 毛がない．はげている‖刚四十多岁，头就～了 40歳を出たばかりで頭がはげている ❷形（山が）はげている．（木が）落葉している‖山上很～，没有一棵树 山ははげていて木が1本もない ❸形（物の先端が）すり減って丸くなっている．すり切れている‖毛笔～了 筆の先がすり切れている ❹形（文章などが）不十分である．完璧ではない‖小说的结尾有点～ 小説の結末が少しもの足りない

【秃笔】tūbǐ 名 禿筆（とくひつ）．穂先のすり切れた筆．下手な文字や文章のたとえ．自分の書いたものを謙遜していう

【秃顶】tū//dǐng 動 頭がはげる‖还不到五十，就～了 まだ五十前なのにもう頭がはげてしまった 名（tūdǐng）はげ頭

【秃鹫】tūjiù 名〈鳥〉クロハゲワシ．〔坐山雕〕ともいう

【秃噜】tūlu 動 方 ❶ほどける．緩む‖鞋带～了 靴ひもがほどけた ❷（羽毛などが）抜け落ちる ❸引きずる．垂れる‖裤子太长，都～到地了 ズボンが長すぎて引きずっている ❹口を滑らす．失言する

【秃瓢】tūpiáo（～儿）名 口 はげ頭‖剃～ 頭をそる

【秃山】tūshān 名 はげ山

【秃头】tū//tóu 動 帽子をかぶらない 名（tūtóu）❶毛髪のない頭．はげ頭 ❷頭のはげた人

【秃子】tūzi 名 ❶頭のはげた人 ❷方 黄癬

9 **突**[1] tū ❶古 犬が穴の中から突然逃げ出す ❷副 突然．にわかに‖～降大雨 にわかにどしゃ降りになる ❸突き進む．突破する‖→～破

9 **突**[2] tū ❶動 突出する．突き出る‖额头上～起来一个包 おでこにこぶができた ❷煙突‖灶zào～ かまどの煙突

9 **突**[3] tū 擬（心臓やモーターの音など）ある種のリズムを持った音

【突变】tūbiàn 名〈哲〉質の変化 動 突然変わる．急変する‖风云～ 状況が急変する

【突出】tū//chū 動 ❶突破する**‖～重围chóngwéi 幾重もの包囲を突破する ❷**強調する．目立たせる．際立たせる**‖～重点 重点を強調する｜～主要人物 主要な人物を際立たせる ❸**飛び出る．突き出す**‖礁石jiāoshí～水面 暗礁が水面から突き出ている 形（tūchū）**際立っている．突出している**‖～的贡献 ひときわすぐれた貢献｜学习成绩很～ 成績がずば抜けている

【突发】tūfā 動 突発する．突然起こる‖～事件 突発事件｜心脏病～ 急に心臓病が起きた

【突飞猛进】tū fēi měng jìn 成（事業や学問などの）進展が飛躍的なこと．めざましく躍進するさま

【突击】tūjī 動 ❶突撃する**‖～敌阵 敵陣に突撃する ❷**一気にやり遂げる．馬力をかける**‖考试前临时～ 試験前に一夜漬けの勉強をする

【突击队】tūjīduì 名 突撃隊‖青年～ 青年突撃隊

【突进】tūjìn 動 突き進む．突進する

【突尼斯】Tūnísī 名〈国名〉チュニジア

*【突破】tūpò 動 ❶突破する‖～封锁fēngsuǒ 封鎖を突破する ❷（困難や制約を）打ち破る．乗り越える‖会谈有了重大～ 会談は大きな進展をみた

【突破口】tūpòkǒu 名 突破口

【突起】tūqǐ 動 ❶突然起こる．突然現れる ❷そびえる 名〈医〉突起

★【突然】tūrán 形 **突然である．思いがけない．意外である**‖他这么做，大家并不觉得～ 彼がそんなことをしても，誰も意外に思わなかった

【突然间】tūránjiān 副 突然．いきなり．にわかに

【突如其来】tū rú qí lái 成 突然やって来る．不意に起きる

【突入】tūrù 動 突入する

【突审】tūshěn 動 集中尋問を行う

【突突】tūtū 擬 ❶（心臓の鼓動の音）どきどき‖紧张得心～地跳 緊張して胸がどきどきする ❷（モーターや蒸気の音）ダッダッ．シュッシュッ‖蒸汽机车～地吐着白烟 蒸気機関車がシュッシュッと白い煙を吐いている

【突围】tū//wéi 動 包囲を突破する

【突兀】tūwù 形 ❶高くそびえている ❷だしぬけである‖事情来得太～了 あまりに意外な出来事だった

【突袭】tūxí 動 奇襲する．急襲する

【突现】tūxiàn 動 突然現れる

tú

8 *** **图**（圖）tú ❶名 **絵．図．写真**‖插～ 挿絵 ❷書 描く‖绘影～形 人の姿形を描く ❸企てる．たくらむ．もくろむ‖试～ 企図する ❹意図．計画‖宏～ 遠大な計画 ❺動 手に入れようと図る．強く求める．むさぼる‖～方便 便利さを求める｜不～名利 名利を追わない｜～省事，吃食堂 手間を省くため食堂で食事する｜鞋的样式差点儿，只是～它便宜 靴のデザインはよくないが，安いのが気に入った

*【图案】tú'àn 名 図案．模様

【图板】túbǎn 名 製図板．画板

【图版】túbǎn 名〈印〉図版‖～印刷 図版印刷

【图标】túbiāo 名〈計〉アイコン

*【图表】túbiǎo 名 図表

【图钉】túdīng 名 画びょう．押しピン

*【图画】túhuà 名 図画．図．絵‖画～ 絵を描く

【图画文字】túhuà wénzì 名 絵文字

【图记】tújì 名 印鑑．判

【图鉴】tújiàn 名 図鑑．（多く書名に用いる）

【图解】tújiě 動 図解する．図で説明する 名 図解

【图景】tújǐng 名 絵に描かれた景観．喩 理想上の景観‖描绘出未来的～ 未来の青写真を描く

【图卷】tújuàn 名 絵巻‖历史～ 歴史絵巻

【图例】túlì 名 地図・図表などの記号を説明した凡例

【图谋】túmóu 貶 動 図る．たくらむ．もくろむ．画策する‖～私利 私利を図る 名 企て．たくらみ

*【图片】túpiàn 名 写真．絵．図版

【图谱】túpǔ 名 図譜．図鑑‖文物～ 文物の図譜

【图穷匕首见】tú qióng bǐ shǒu xiàn 成 ことの終わりに真相が暴露されるたとえ．〔图穷匕见〕ともいう

【图书】túshū 名 図書．書籍

【图书】túshu 名 判．印鑑

★【图书馆】túshūguǎn 名 **図書館**

【图说】túshuō 名 図説．（多く書名に用いる）

【图腾】túténg 名 外 トーテム

【图瓦卢】Túwǎlú 名〈国名〉ツバル

【图文并茂】tú wén bìng mào 慣（多く書籍や雑誌について）挿絵が豊富で文章も立派である

*【图像】túxiàng 名 画像．映像

*【图形】túxíng 名 ❶図形 ❷〈数〉幾何図形

【图样】túyàng 名 図面．設計図

【图章】túzhāng 名 判．印鑑‖盖gài～ 判を押す

*【图纸】túzhǐ 名 設計図．図面．青写真

10 ** 涂(塗) tú ❶書 泥‖→～炭 ❷動 塗る. 塗りつける‖～漆 ペンキを塗る｜～口红 口紅をつける｜～药 薬を塗る ❸動(塗りつぶして)文字を消す‖写错的地方～了 書き間違えたところを消した ❹動 でたらめに字や絵を書く. 落書きする‖不许在墙上乱～ 壁に落書きをしてはいけない ❺砂浜. 〔海涂〕の略‖海～ 海岸砂丘

【涂改】túgǎi 動(文字を)塗りつぶして書き改める
【涂画】túhuà 動 でたらめに描く. 描きなぐる
【涂料】túliào 名〈化〉塗料. ペイント
【涂抹】túmǒ 動 ❶塗る. 塗りつける ❷書きなぐる. 塗りたくる‖信笔～ 筆の赴くままに書く
【涂饰】túshì 動 ❶(ペンキや顔料などを)塗る ❷(しっくいを)塗る‖～墙壁 壁にしっくいを塗る
【涂炭】tútàn 名 書 塗炭. きわめて苦しく悲惨な境遇‖生灵～ 人民が塗炭の苦しみをなめる 動 苦しく悲惨な境遇に置く
【涂写】túxiě 動 でたらめに書く. 塗りたくる
【涂鸦】túyā 動 書 謙 悪筆で書く. かなくぎ流で書く
【涂脂抹粉】tú zhī mǒ fěn 成 紅やおしろいを塗りたくる. 立派に見せかける. うわべを飾る. 美化する

10 途 tú 道. 道路‖路～ 道. 道のり｜归～ 帰路. 帰途｜长～ 長距離｜前～ 前途

*【途径】tújìng 名 道. 手段. 方法. ルート. (多く比喩に用いる)‖解决问题的～ 問題を解決するてだて
【途中】túzhōng 名 途中‖～需要转zhuǎn车 途中乗り換えなければならない

10 荼 tú 古 ❶苦みのある野草の一種 ❷苦しませる‖→～毒 ❸茅花(ちがや). チガヤの花

【荼毒】túdú 動 書 毒する. 迫害する

10 徒 tú ❶歩く‖→～步 ❷ 弟子. 徒弟. 学生‖师～ 先生と生徒 ❸貶(ある種の)人. 仲間. やから‖叛～ 裏切り者 ❹信徒. 信者‖教～ 教徒 ❺何もない. 空(から)の‖→～手 ❻副 ①ただ. わずかに‖→～有虚名 ②むなしく. いたずらに‖～耗hào精力 いたずらに精力を費やす

【徒步】túbù 副 徒歩で. 歩いて
*【徒弟】túdi ; túdì 名 弟子. 見習い
【徒工】túgōng 名 見習工
【徒劳】túláo 動 むだ骨を折る‖～往返 むだ足を踏む｜任何狡辩jiǎobiàn都是～的 どんな言い訳もみなむだなことだ
【徒劳无功】tú láo wú gōng 成 労して功なし. 骨折り損. 徒労に帰す. 〔徒劳无益〕ともいう
【徒然】túrán 副 ❶いたずらに. むだに‖～耗费hàofèi人力和钱财 人力とお金をいたずらに浪費する ❷ただ. ひたすら‖～嗟叹jiētàn ただ嘆くだけである
【徒手】túshǒu 副 書 素手で. 徒手で‖～操 徒手体操｜～擒qín贼zéi 素手で賊を捕える
【徒孙】túsūn 名 孫弟子
【徒托空言】tú tuō kōng yán 成 口先ばかりで実行しない
【徒刑】túxíng 名〈法〉懲役. 徒刑
【徒有其表】tú yǒu qí biǎo 成 うわべだけで内容がないこと
【徒有虚名】tú yǒu xū míng 成 有名無実である. 〔徒有其名〕ともいう
【徒子徒孙】túzǐ túsūn 慣 ❶弟子と孫弟子 ❷貶 徒党. 仲間

11 屠 tú ❶家畜を殺す‖→～宰 ❷虐殺する. 惨殺する‖→～杀

【屠刀】túdāo 名 屠畜(とちく)用の刃物
【屠夫】túfū 名 ❶屠畜業者 ❷喩 虐殺者
【屠户】túhù 名 旧 屠畜業者
【屠戮】túlù 動 書 大量に虐殺する
*【屠杀】túshā 動 大量に虐殺する. 惨殺する
【屠宰】túzǎi 動 家畜を殺す‖～牲畜 家畜を殺す
【屠宰场】túzǎichǎng 名 屠畜場

tǔ

3 ** 土 tǔ ❶名 土. 泥. 土壌‖泥～ 泥 ❷土地. 国土‖领～ 領土 ❸故郷. 当地. その土地‖故～ 故郷 ❹形 当地の. 地方の. 土地の‖→～产 ❺形 野暮ったい. 古くさい. あかぬけない‖打扮得有点ル～ 身なりがちょっと田舎くさい ❻形 民間在来の. 従来の ↔〔洋〕‖～办法 昔からのやり方 ❼粗製のアヘン(外見が泥に似ている)

【土包子】tǔbāozi 名 貶 田舎者
【土崩瓦解】tǔ bēng wǎ jiě 成 瓦解(がかい)する. 徹底的に崩壊する
【土布】tǔbù 名(主に木綿の)手織りの布
【土产】tǔchǎn 形 その土地でとれた 名 特産物
**【土地】tǔdì 名 ❶土地. 畑. 耕地 ❷領土. 国土
【土地】tǔdi 名 土地神. 鎮守の神. 〔土地爷〕〔土地老〕ともいう
【土地改革】tǔdì gǎigé 名 土地改革. 略して〔土改〕ともいう
【土地庙】tǔdimiào 名 土地神の廟. 地方によっては〔土地堂〕ともいう
**【土豆】tǔdòu (～ル) 名 口 ジャガイモ
【土耳其】Tǔ'ěrqí 名〈国名〉トルコ
【土法】tǔfǎ 名 在来の方法. 民間に伝わる方法
【土方】[1] tǔfāng 名 土掘り・埋め立て・土の運搬など, 土木工事で用いられる土の体積単位. 1立方メートルを1〔土方〕とする 名 ❶土. 土砂 ❷略 土木工事. 〔土方工程〕の略
【土方】[2] tǔfāng (～ル) 名 民間療法
【土匪】tǔfěi 名 土匪(どひ). その土地に住みついている匪賊(ひぞく)
【土改】tǔgǎi 動 略 土地改革をする. 〔土地改革〕の略
【土埂】tǔgěng 名(田畑の)あぜ. 〔土埂子〕ともいう
【土豪】tǔháo 名 土豪. 土地の勢力家
【土话】tǔhuà 名 方言. 地方なまり. 〔土语〕ともいう
【土皇帝】tǔhuángdì 名 土地の支配者
【土黄】tǔhuáng 形 黄土色の. カーキ色の
【土货】tǔhuò 名 その土地の産物
【土家族】Tǔjiāzú 名 トウチャ族(中国の少数民族の一つ, 主として湖南省と湖北省に居住)
【土建】tǔjiàn 名 土木建築工事
【土炕】tǔkàng 名(土で築いた)オンドル
【土库曼斯坦】Tǔkùmànsītǎn 名〈国名〉トルクメニスタン. 略して〔土库曼〕という
【土块】tǔkuài 名 土の塊. 土くれ
【土牢】tǔláo 名 土牢(どろう). 地下牢
【土老帽ル】tǔlǎomàor 名 方 田舎者
【土里土气】tǔlitǔqì (～的) 形 野暮ったい. あかぬけない‖穿得～的 身なりが野暮ったい

【土名】tǔmíng 图 俗名
【土木】tǔmù 图 土木工事
【土木工程】tǔmù gōngchéng 图 土木工事
【土偶】tǔ'ǒu 图 泥人形. 土偶
【土坯】tǔpī 图 日干しれんが
【土气】tǔqi ; tǔqì 形 流行遅れである. 野暮ったい ‖ 衣服的式样很～ 服のデザインがとても野暮ったい 图 田舎くささ
*【土壤】tǔrǎng 图 土壌. 土 ‖ ～肥沃féiwò 土壌が肥沃(ひよく)である | 改良～ 土壌を改良する
【土壤污染】tǔrǎng wūrǎn 图 土壌汚染
【土人】tǔrén 图 土着の人. 原住民
【土色】tǔsè 图 土色. 土気色
【土生土长】tǔ shēng tǔ zhǎng 慣 その土地で生まれ育つ. 生え抜きの
【土俗】tǔsú 图 その土地の風俗. 土俗 形 俗っぽくて品がない
【土特产】tǔtèchǎn 图 その土地の産物と特産
【土头土脑】tǔ tóu tǔ nǎo (～的) 慣 野暮ったい. 流行遅れである
【土物】tǔwù 图 特産物
【土星】tǔxīng 图〈天〉土星 ‖ ～光环 土星の輪
【土腥气】tǔxīngqì ; tǔxīngqì 图 泥くさいにおい. 〔土腥味ル〕ともいう
【土洋结合】tǔ yáng jiéhé 慣 中国のものと外国のものを結合する. 伝統的なものと現代的なものを結合する
【土音】tǔyīn 图 地方なまり
【土语】tǔyǔ 图 方言 ‖ 方言～ 方言
【土葬】tǔzàng 動 土葬する
【土政策】tǔzhèngcè 图 一地方または一職場の独自の政策や規定
【土质】tǔzhì 图 土質. 土壌の性質
【土著】tǔzhù 图 土着民. 原住民
【土专家】tǔzhuānjiā 图 正規の学校教育にたよらず, 実践の中から専門的知識を得た人. 民間の専門家
【土族】Tǔzú 图 トゥ族(中国の少数民族の一つ, 主として青海省と甘粛省に居住)

6 ** **吐** tǔ ❶動 吐き出す. 吐く ‖ ～唾沫tuòmo つばを吐く | 他长长地～了一口气 彼は長い息をついた ❷動 話す ‖ 把心里话都～了出来 胸の内を包み隠さず話した ❸動 (穂などが)出る. ほころぶ ‖ 蚕cán～丝了 カイコが糸を吐いた ➤ tù

類義語 吐 tǔ 吐 tù

◆〔吐 tǔ〕口の中にあるものを自分の意志で出す. 吐く. 吐き出す ‖ 把西瓜子ル吐到盘子里 スイカの種を皿に吐き出す ◆〔吐 tù〕食道・気管・胃の中にあるものを抑えられずに出す. 吐く. もどす. 嘔吐(おうと)する ‖ 晕船了, 直吐 船酔いして何度も吐いた

【吐翠】tǔcuì 動 書 青緑色を呈す
【吐故纳新】tǔ gù nà xīn 成 古いものを捨て新しいものを取り入れる
【吐口】tǔ//kǒu 動 口を開く. 話す. (多く同意や真相を述べることをいう)
【吐露】tǔlù 動 (真相や本音を)打ち明ける. 吐露する
【吐气】tǔ//qì 動 ❶鬱憤(うっぷん)を晴らす. 気を晴らす ❷(tǔqì)〈語〉息を顕著に出す =〔送气〕
【吐弃】tǔqì 動 唾棄(だき)する
【吐绶鸡】tǔshòujī 图〈鳥〉シチメンチョウ
【吐属】tǔshǔ 图 書 言葉遣い. 話しぶり
【吐司】tǔsī 图 外 トースト
【吐穗】tǔ//suì (～ル) 動 穂が出る. 穂を出す
【吐痰】tǔ//tán 動 たんを吐く
【吐字】tǔzì 動 (歌詞や台詞(せりふ)などを)正確な発音または伝統的な発音で読む

8 **钍** tǔ 图〈化〉トリウム(化学元素の一つ, 元素記号は Th)

tù

6 ** **吐** tù ❶動 嘔吐(おうと)する. 吐く. もどす ‖ 喝醉后～了 酒に酔って吐いた ❷動 (不正に入手した財物をしかたなく)吐き出す. 返す ‖ 把赃款全部～了出来 不正な金を全部吐き出した ➤ tǔ
【吐沫】tùmo 图 つば ‖ 吐～ つばを吐く
【吐血】tù//xiě 動 血を吐く. 吐血する
【吐泻】tùxiè 動 嘔吐と下痢をする

8 **兔** (△兎 兎) tù 图 (～ル)〈動〉ウサギ. ふつうは〔兔子〕という
【兔唇】tùchún 图〈医〉兎唇(としん). 口唇裂
【兔毫】tùháo 图 ウサギの毛で作った筆
【兔ル爷】tùryé 图 中秋節に供える泥人形. 頭部がウサギで体が人間の形をしている
【兔死狗烹】tù sǐ gǒu pēng 成 ウサギが死ねば猟犬も煮て食われる. 利用価値がなくなれば見捨てられること.
【兔死狐悲】tù sǐ hú bēi 成 ウサギが死んでキツネが悲しむ. 同類相哀れむ. 明日は我が身
【兔崽子】tùzǎizi 图 罵 こん畜生
**【兔子】tùzi 图 口 ウサギ ‖ ～尾巴长不了 ウサギのしっぽは長くならない. 長く続かないこと

11 **堍** tù 橋のたもと ‖ 桥～ 橋のたもと

11 **菟** tù ↴
【菟丝子】tùsīzǐ 图〈植〉ハマネナシカズラ

tuān

12 **湍** tuān 書 ❶急流. 早瀬 ❷水の流れが速い. 急である
【湍急】tuānjí 形 流れが急である
【湍流】tuānliú 图 書 急流. 激流

tuán

6 ** **团** (團 糰⑨) tuán ❶丸い. 円い ‖ 一～扇 ❷動 丸める. 丸くする ‖ ～纸团ル 紙を丸める ❸一つに集まる ‖ 一～聚 ❹图〈軍〉(軍の編制単位の一つ)連隊. ➡〔中国人民解放军 Zhōngguó rénmín jiěfàngjūn〕❺集合体. 集まり ‖ 疑～ わだかまり ❻图 (仕事や活動をする)集団. 団体 ‖ 乐～ 楽団 ❼图 略 中国共産主義青年団. 〔中国共产主义青年团〕の略 ❽图 球状や円形のもの ‖ 毛线～ 毛糸の玉 ❾(～ル)团子 ‖ 汤～ もち米の粉で作る団子の一種 ❿量 一かたまりを数える ‖ 一～毛线 一玉の毛糸
【团拜】tuánbài 動 (機関や学校などで)元日や春節に集まり祝賀する
【团队】tuánduì 图 团体

T

【团队精神】tuánduì jīngshén 图 チームワーク. 団結心
【团粉】tuánfěn 图 料理用の澱粉. 片栗粉(かたくり)
【团伙】tuánhuǒ 图 不法活動をするグループ
★【团结】tuánjié 動 団結する. 団結させる ‖ ～一致一致団結する 形 (人間関係が)うまくいっている. 仲がよい ‖ 全班同学很～ クラス全員がとても仲がいい
*【团聚】tuánjù 動 ❶(多く離れて暮らす肉親が)久しぶりに集まる. 団欒(だん)する ‖ 一家～ 一家団欒する ❷結集する. 団結する
【团弄】tuánnong 動 方 ❶手のひらで物を丸める ❷人を思いのままにする. 丸め込む. 〔抟弄〕とも書く
【团扇】tuánshàn 图 うちわ
*【团体】tuántǐ 图 団体 ‖ 文艺～ 文化芸術団体

> **類義語** 团体 tuántǐ 集团 jítuán 集体 jítǐ
>
> ◆〔团体〕組織化され, 営利を目的としない集団. 共通の目的・志向の下にまとまり, 統率がとれていることに重点がある ‖ 团体活动 団体行動(↔自由活动 自由行動) | 团体赛 団体戦(↔个人赛 個人戦) ◆〔集团〕組織化され, 営利を目的とする集団. ともに行動する点に重点があり, 会社や組織の名前によく見られる ‖ 企业集团 企業グループ ◆〔集体〕組織化されていない集団. 〔团体〕と同じく〔个人〕に対応するが, 〔团体〕が統率とまとまりを重視するのに対し, 〔集体〕は単に多くの人の集合体をさす ‖ 集体宿舍 寮や社宅などの集合住宅 | 集体讨论 グループ討論

【团体操】tuántǐcāo 图〈体〉マスゲーム
【团头鲂】tuántóufáng 图〈魚〉ダントウホウ. 〔武昌鱼〕ともいう
【团团】tuántuán 形 ❶丸い ‖ ～脸儿 丸い顔 ❷ぐるっと取り囲むさま ‖ ～围住 ぐるっと取り囲む
【团团转】tuántuánzhuàn 形 ぐるぐる回るさま ‖ 忙得～ 忙しくててんてこ舞いをする
【团音】tuányīn 图〈語〉声母 j, q, x に i, ü または i, ü で始まる韻母とを綴り合わせた音
*【团员】tuányuán 图 ❶団員. 団体のメンバー ❷共産主義青年団団員
*【团圆】tuányuán 動 別れていた親子や夫婦が再び一緒になる ‖ 骨肉～ 肉身が再会する 形 丸い. 円形の
【团圆节】Tuányuánjié 图 中秋節
*【团长】tuánzhǎng 图 ❶〈軍〉連隊長 ❷団体の長
【团子】tuánzi 图 団子

7 抟(摶) tuán 〔团tuán❷〕に同じ

tuǎn

17 疃 tuǎn 村落. 村. (多く地名に用いる) ‖ 王～ 河北省にある地名

tuàn

9 彖 tuàn ↴
【彖辞】tuàncí 图『易経』にあるそれぞれの卦(け)の意味を述べた文. 〔卦辞〕ともいう

tuī

7 忒 tuī ; tēi 副 方 非常に. 法外に. めっぽう ‖ 这时节螃蟹pángxiè～贵 この時期のカニはとても高い ➤ tè tēi

11 ★推 tuī ❶動(前方または外側へ)押す ‖ ～门 ドアを押す ❷動(工具を押しあてて)刈る. 削る ‖ ～了个光头 丸刈りにした ❸動(臼などで)ひく ‖ ～了几斗麦子 小麦を数斗ひいた ❹動 推し進める. 普及させる ‖ 把节能运动～向高潮 省エネ運動を盛り上げる ❺動 延期する. 延ばす ‖ 出发日期～了半个月 出発の日を半月延ばした ❻動 推薦する. 推挙する ‖ 大家一致～小李当班长 全員一致で李君を級長に選んだ ❼高く評価する ‖ →～崇 ❽動 推測する. 類推する ‖ →～算 ❾動 辞退する ‖ 大家都选你, 你不要再～了 みんなが君を選んだのだから, もうこれ以上辞退するな. ❿動 口実を設けて断る ‖ →～病 ⓫動 (仕事や責任などを)転嫁する. 押しつける ‖ 把责任往别人身上～ 責任を人に押しつける
【推本溯源】tuī běn sù yuán 成 物事の根源を追究する
【推病】tuī//bìng 動 病気を口実にする. 仮病を使う
【推波助澜】tuī bō zhù lán 成 貶 波瀾(はらん)を起こす. あおり立てる
*【推测】tuīcè 動 推測する. 推量する
【推陈出新】tuī chén chū xīn 成 古いものの中から工夫して新しいものを打ち出す. 古い事物を取り去り, 新しいものに改める
【推诚相见】tuī chéng xiāng jiàn 成 誠意ある態度で相手に接する
*【推迟】tuīchí 動 (予定の時間や日を)ずらす. 延ばす. 遅らせる ‖ 日期～两天 日取りを2日遅らせる
【推崇】tuīchóng 動 推賞する. 高く評価する
【推出】tuī//chu(chū) 動 世に送り出す. 世に問う
*【推辞】tuīcí 動 辞退する. 断る ‖ 婉言 wǎnyán～ 婉曲に断る
【推戴】tuīdài 動 書 推戴(たい)する
【推导】tuīdǎo 動 (数学などで新しい結論を)導き出す
【推倒】tuī//dǎo 動 ❶押し倒す ❷引っくり返す. 覆す ‖ 这个方案只好～重来chónglái このプランはご破算にしてやり直すしかない
【推定】tuīdìng 動 ❶推定する ❷推挙し確定する
**【推动】tuī//dòng 動 推進する. 推し進める ‖ ～工业发展 工業の発展を推進する
【推断】tuīduàn 動 推断する
【推度】tuīduó 動 推測する. 推し量る
【推而广之】tuī ér guǎng zhī 成 推し広める
*【推翻】tuī//fān 動 ❶打倒する ‖ ～独裁政权 独裁政権を打ち倒す ❷(決定・計画などを)覆す. 引っくり返す. 否定する ‖ ～原定计划 もとの計画を引っくり返す
【推故】tuīgù 動 口実を設ける
**【推广】tuīguǎng 動 広める. 普及させる
【推及】tuījí 動 書 及ぼす. 類推が及ぶ
【推己及人】tuī jǐ jí rén 成 自分を顧みて他人のことを推し量る. 人の身になって考える
【推见】tuījiàn 動 推し量る. うかがう
*【推荐】tuījiàn 動 推薦する. すすめる ‖ ～他当代表 彼を代表に推薦する
【推介】tuījiè 動 推薦し紹介する

【推襟送抱】tuī jīn sòng bào [成] 誠意をもって相手に接する

*【推进】tuījìn [動] ❶推進する. 促す ‖ ～城市建设 都市建設を推進する ❷(軍隊が)前進する

【推究】tuījiū [動] (原因や道理などを)突き止める

【推举】tuījǔ [動] 推挙する

*【推理】tuīlǐ [動] 推理する

【推力】tuīlì [名]〈物〉推力. スラスト

*【推论】tuīlùn [動] 推論する [名] 推論

【推拿】tuīná [動]〈中医〉指圧する. 按摩(あんま)する. マッサージをする.〔按摩ànmó〕ともいう

【推敲】tuīqiāo [動] ❶推敲(すいこう)する ‖ ～词句 語句を推敲する ❷よく検討する. 子細に考える

【推求】tuīqiú [動] 探究する. 追究する

【推却】tuīquè [動] 断る. 辞退する

【推让】tuīràng [動] 辞退する. 譲る

【推三阻四】tuī sān zǔ sì [慣] いろいろ口実を設けて拒絶する.〔推三推四〕ともいう

【推搡】tuīsǎng [動] 力いっぱい押す

【推说】tuīshuō [動] 口実にする. かこつける

*【推算】tuīsuàn [動] 推算する. 計算する

【推搪】tuītáng [動] [口] 言い逃れをする. あれこれ言い訳する

【推头】tuī//tóu [動] バリカンで頭を刈る. 理髪する

【推土机】tuītǔjī [名] ブルドーザー

【推托】tuītuō [動] 理由にかこつけて断る. 口実を設けて断る

【推脱】tuītuō [動] 回避する. 逃れる

【推委】【推诿】tuīwěi [動] 押しつける. 転嫁する

【推问】tuīwèn [動] 追及する. 問いただす

【推想】tuīxiǎng [動] 推測する. 予測する

*【推销】tuīxiāo [動] 広く販売する. 販路を広める ‖ ～新产品 新製品を売りさばく | ～员 セールスマン

【推卸】tuīxiè [動] (責任を)回避する. 逃れる

【推谢】tuīxiè [動] 口実を設けて辞退する

【推心置腹】tuī xīn zhì fù [成] 誠心誠意人に接する ‖ ～地交谈 腹を割って話し合う

*【推行】tuīxíng [動] 広める. 行き渡らせる. 普及させる

【推许】tuīxǔ [動] 高く評価し称賛する

*【推选】tuīxuǎn [動] 選ぶ. 選出する ‖ 大家～他为代表 彼を代表に選ぶ

【推延】tuīyán [動] 延ばす. 延期する

【推演】tuīyǎn [動] [書] 推断し演繹(えんえき)する

【推移】tuīyí [動] 推移する. 移り変わる

【推展】tuīzhǎn [動] 推し広める. 推進する. 進展させる

【推知】tuīzhī [動] 推して知る. 推測する

【推重】tuīzhòng [動] 高く評価する. 称賛する

【推子】tuīzi [名] バリカン ‖ 电～ 電気バリカン

tuí

3 **颓**(△穨) tuí ❶崩れ落ちる. 倒れる ‖ →～垣断壁 ❷衰える. 衰退する ‖ →～败 ❸しょげる. 打ち沈む ‖ →～丧 | →～靡

【颓败】tuíbài [形] [書] 衰えている. 腐敗している

【颓废】tuífèi [形] 退廃的である. 退嬰(たいえい)的である

【颓风】tuífēng [名] 退廃的な気風

【颓靡】tuímǐ [形] 衰微する. しょげる. 沈み込む

【颓然】tuírán [形] [書] ぐったりするさま. 意気消沈するさま

【颓丧】tuísàng [形] しょげている. 元気がない

【颓市】tuíshì [名]〈経〉低迷相場. 冷えきった市場

【颓势】tuíshì [名] [書] 衰勢

【颓唐】tuítáng [形] [書] 意気消沈するさま

【颓萎】tuíwěi [形] ふさぎ込んでいる. 元気がない

【颓垣断壁】tuí yuán duàn bì [成] 壊れかかった垣根と壁. あばらやのたとえ

tuǐ

13 ★**腿**(△骽❶❸) tuǐ ❶[名] (人や動物の)足 ‖ ～有点疼 足がちょっと痛い ❷[名] (～儿) (器物の)脚 ‖ 椅子～儿 椅子の脚 ❸ハム ‖ 云～ 雲南特産のハム

【腿肚子】tuǐdùzi [名] [口] ふくらはぎ

【腿脚】tuǐjiǎo [名] 脚力 ‖ ～不灵便 足が衰えた

【腿弯子】tuǐwānzi [名] [方] ひざの裏のへこんだ部分

【腿子】tuǐzi [名] ❶[口] 手先. 回し者 ❷[方] 器物の脚

tuì

9 ★**退** tuì ❶[動] 後退する. 下がる ↔〔进〕‖ 向后～两步 後ろへ2歩下がる ❷[動] 退ける. 引き下がらせる ‖ ～敌 敵を退ける ❸[動] (会場や職場などを)離れる. 退く. (団体などを)脱退する ‖ 他刚刚从领导岗位上～下来 彼は指導的地位を退いたばかりだ ❹[動] 下がる. 衰える. 引く ‖ 洪水已经～了 洪水はもう引いた ❺[動] (一度受け取ったものや買ったものを)返す. 戻す ‖ 信被～回来了 手紙が返送されてきた ❻[動] 取り消す. 撤回する ‖ 由于女儿坚决不答应, 这桩zhuāng亲事只好～掉了 娘がどうしても承知しないので, この縁談はやむなく取り消すことにした

【退避】tuìbì [動] 避ける. よける

【退避三舍】tuì bì sān shè [成] 三舎を避く. 相手に一目置いて譲歩する. 相手を恐れて尻込みする

【退兵】tuì//bīng [動] ❶撤兵する ❷敵を撃退する

*【退步】tuì//bù [動] ❶退歩する. 後退する. 落伍(らくご)する ↔〔进步〕‖ 学习成绩～ 成績が下がる ❷譲歩する. 譲る ‖ 两人谁也不肯～ 双方ともに譲らない [名] (tuìbù)退路. 余地 ‖ 留个～ 退路を残す

【退场】tuì//chǎng [動] 退場する

【退潮】tuì//cháo [動] 引き潮になる. 潮が引く.〔落luò潮〕ともいう

*【退出】tuìchū [動] ❶退出する ❷(組織や集団から)脱退する. 抜ける. 退く ‖ ～组织 組織から抜ける

【退党】tuì//dǎng [動] 離党する. 党を脱退する

【退岗】tuìgǎng [動] 退職する ‖ 提前～ 早期退職する

【退耕】tuìgēng [動] (環境保護のために)開墾された土地を元の自然に戻す ‖ ～还林 田畑を元の林に戻す

【退股】tuì//gǔ [動] 共同出資の資本を引き揚げる

【退化】tuìhuà [動] ❶〈生〉退化する ❷衰える. 悪くなる ‖ 思想～ 思想が悪くなる

*【退还】tuìhuán [動] (買ったものや受け取ったものを)返す. 戻す ‖ ～押金 保証金を払い戻す

【退换】tuìhuàn [動] 取り替える. 交換する

【退回】tuì//huí [動] ❶返す. 戻す ❷引き返す. 戻る

【退婚】tuì//hūn [動] 婚約を解消する

【退火】tuì//huǒ [動]〈機〉焼きなます. 焼き戻す

【退伙】[1] tuì//huǒ [動] 集団から抜ける

【退伙】[2] tuì//huǒ [動] 共同炊事の賄いを解約する

T

【退货】tuì//huò 動 返品する
【退居】tuìjū 動 これまでのポストから退く
【退款】tuì//kuǎn 動 精算して金を払い戻す 名 (tuìkuǎn) 払戻金
【退路】tuìlù 名 ❶退路 ‖ 切断～ 退路を断つ ❷余地. 余裕 ‖ 别把话说绝, 给自己留条～ あまり断定的な言い方をせず, 話に余地を残しておきなさい
【退赔】tuìpéi 動 返還する. 賠償する
【退票】tuì//piào 動 (乗車券や入場券などの)払い戻しをする ‖ 等～ キャンセル待ちをする
【退聘】tuì//pìn 動 雇用契約を解除する. 雇用を打ち切る
【退坡】tuì//pō 動 (困難にぶつかって)退却する. 消極的になる
【退钱】tuì//qián 動 金を払い戻す
【退亲】tuì//qīn 動 婚約を解消する
【退勤】tuìqín 動 退勤する
【退却】tuìquè 動 ❶〈軍〉退却する ❷ひるむ. 萎縮(いしゅく)する ‖ 遇到挫折也不～ 挫折(ざせつ)してもひるまない
【退让】tuìràng 動 譲歩する. 譲る
【退热】tuì//rè =〔退烧tuìshāo〕
【退色】tuì//shǎi 動 退色する. 色があせる
【退烧】tuì//shāo 動 熱が下がる. 熱を下げる.〔退热〕ともいう
【退市】tuìshì 動〈経〉(上場資格を取り消された企業などが) 市場から退場する. 市場から撤退する
【退守】tuìshǒu 動 退いて守りに入る
【退税】tuìshuì 動 税を還付する
【退缩】tuìsuō 動 尻込みする. 萎縮する. たじたじとなる
【退庭】tuìtíng 動〈法〉退廷する
【退团】tuì//tuán 動 共産主義青年団を退団する
【退位】tuì//wèi 動 退位する
【退伍】tuì//wǔ 動〈軍〉退役する
【退席】tuì//xí 動 退席する. 退場する. 中座する
*【退休】tuìxiū 動 (国営企業や国家機関などを)定年退職する ‖ ～金 退職金
【退学】tuì//xué 動 退学する. 退学させる
【退一步】tuì yī bù 慣 一歩譲る ‖ ～说 一歩譲って言えば
【退役】tuì//yì 動 ❶〈軍〉除隊する. 退役する ❷古くなった武器などの使用を廃止する ❸(多くスポーツ選手が) 現役を退く
【退隐】tuìyǐn 動 書 (役人が)退職し隠居する
【退赃】tuì//zāng 動 賄賂などにより不正入手した金品を返す
【退职】tuì//zhí 動 退職する ‖ ～金 退職金
【退走】tuìzǒu 動 後ろへ退く. 退却する

13 **煺** tuì 動 (殺した食肉用家畜を)熱湯につけてから毛をむしり取る ‖ ～猪 ブタの毛を取り除く

13 **蜕** tuì ❶(ヘビやセミなどの)抜け殻 ❷動 (ヘビや虫などが)脱皮する ❸変化する. 変質する ‖ 一～变 ❹動 鳥の羽毛が抜け替わる
【蜕变】tuìbiàn 動 (物が)変質する. (人が)変節する ‖ 他由一个国家干部～成贪污tānwū犯 彼は国家幹部から収賄犯になりさがった 名〈物〉壊変
【蜕化】tuìhuà 動 ❶(虫などが)脱皮する ❷転 堕落する. 変節する ‖ ～变质 堕落変節する
【蜕皮】tuì//pí 動 (虫やヘビが)脱皮する

14 **褪** tuì ❶動 (衣服を)脱ぐ ❷動 色があせる ❸動 (羽毛などが)抜ける ➤ tùn
【褪色】tuì//shǎi 動 色がさめる. 色があせる

tūn

7 * **吞** tūn ❶動 まる飲みする. かまずに飲み込む ‖ 一口～下去 一口で飲み込む ❷取り込む. 横領する ‖ 独～ 独り占めにする
【吞并】tūnbìng 動 併呑(へいどん)する. 併合する
【吞吃】tūnchī 動 ❶まる飲みする ❷着服する
【吞服】tūnfú 動 (薬を)かまずにそのまま服用する
【吞灭】tūnmiè 動 書 併呑し滅ぼす
【吞没】tūnmò 動 ❶くすねる. 着服する ❷(洪水などが)飲み込む. 水中に沈める
【吞声】tūnshēng 動 書 声をのむ. 忍び泣きする ‖ 饮泣～ 声をひそめてすすり泣く | 忍气～ 泣き寝入りする
【吞食】tūnshí 動 まるのまま飲み込む
【吞噬】tūnshì 動 書 ❶まる飲みにする. 飲み込む ❷併呑する ❸横領する. 着服する
【吞吐】tūntǔ 動 飲み込んだり吐き出したりする. (人や貨物が) 大量に出入りする 形 (ものの言い方の)歯切れが悪い ‖ ～其词 口ごもる. 言葉を濁す
【吞吐量】tūntǔliàng 名〈貿〉吞吐(どんと)量
【吞咽】tūnyàn 動 飲み込む ‖ 话到了嘴边又～下去 口まで出かかった言葉をまた飲み込んだ
【吞云吐雾】tūn yún tǔ wù 成 (修行中の道士が)霞(かすみ)を食べ霧を吐く. タバコを盛んに吸うさまにたとえる
【吞占】tūnzhàn 動 横領する

16 **暾** tūn 書 昇ったばかりの太陽 ‖ 朝～ 朝日

tún

4 **屯** tún ❶集める. 蓄積する ❷駐屯する ❸名 (～儿)村. 村落. (多く地名に用いる)
【屯兵】túnbīng 動 軍隊を駐屯させる
【屯集】túnjí =〔屯聚túnjù〕
【屯聚】túnjù 動 (人やウマが)集まる. 集結する
【屯垦】túnkěn 動 (軍隊が)駐屯して開墾する
【屯落】túnluò 名 方 村. 集落
【屯守】túnshǒu 動 駐屯して守る
【屯田】túntián 動 兵士が有事には戦い, 平時には土着して農業に従事する
【屯扎】túnzhā 動 駐屯する
【屯驻】túnzhù 動 駐屯する
【屯子】túnzi 名 方 村落. 村

7 **囤** tún 動 蓄える. 貯蔵する ‖ 一～积 ➤ dùn
【囤积】túnjī 動 (商人が物資を)大量に貯蔵する. 買い占める. 買いだめする
【囤聚】túnjù 動 貯蔵する. 蓄える

7 **饨** tún ➡〔馄饨húntun〕

11 **豚** tún 子ブタ. (広く)ブタ

17 **臀** (△臋) tún 名〈生理〉臀部(でんぶ). 尻
【臀围】túnwéi 名 ヒップのサイズ

tǔn

6 **氽** tǔn 方 ❶動 (水に)浮く. 浮かぶ ❷動 油で揚げる

tùn

14 **褪** tùn 動 体を縮めたり動かしたりして, 身につけているものを外す ‖ ～下手镯shǒuzhuó ブレスレットを外す ➤ tuì

【褪套儿】tùn//tàor 動 ❶(縛りつけているものを体から)外す ❷責任逃れをする. すっぽかす

tuō

3 **乇** tuō 量 外 旧 (圧力の単位)トル. 現在は〔托〕と書く

6 ** **托**[1] tuō ❶動 (手のひらや器物の上に)載せる. 支える ‖ ～着盘子 手のひらに盆を載せる ❷名 (～儿)台. 下敷き ‖ 茶～ 茶托(ちゃたく) ❸引き立てる. 際立たせる ‖ 衬chèn～ 他のものとの対照によって, あるものを際立たせる

6 * **托**[2] (△託) tuō ❶託す ‖ 一～身 ❷迎ぐ. 頼る ‖ 一～福 ❸口実をにする. かこつける ‖ 一～病 ❹動 人に頼んでやってもらう. 依託する ‖ ～人捎shāo口信 人に伝言をことづける

【托庇】tuōbì 動 庇護(ひご)を受ける. おかげをこうむる

【托病】tuōbìng 動 病気にかこつける. 仮病を使う

【托词】【托辞】tuōcí 動 口実を設ける. かこつける ‖ ～谢绝 口実をつくって断る 名 口実. 言い訳

*【托儿所】tuō'érsuǒ 名 託児所

【托福】tuō//fú 動 挨拶 おかげさまで ‖ 托您的福, 一切都很顺利 おかげさまで, すべて順調です 名 (Tuōfú) 外 トーフル(TOEFL). 英語能力試験

【托付】tuōfù 動 依託する. 託する. ゆだねる

【托故】tuōgù 動 口実を設けるかこつけてる

【托管】tuōguǎn 動 管理代行を委託する

【托管地】tuōguǎndì 名 (国連の)信託統治地域

【托拉斯】tuōlāsī 名 外 〈経〉トラスト

【托门子】tuō ménzi 組 コネで頼み込む. つてを頼る

【托梦】tuō//mèng 動 夢枕に立つ. 夢で知らせる

【托名】tuōmíng 動 人の名義を借りる

【托盘】tuōpán 名 盆. トレイ

【托腔】tuōqiāng 動 〈劇〉(伝統劇で, 伴奏楽器が)台詞(せりふ)に合わせて伴奏をつける

【托情】tuōqíng 動 コネで頼み込む. 便宜をはかってもらう. つてを頼る

【托儿】tuōr 名 方 露店などのさくら

【托人情】tuō rénqíng 組 コネで周旋を依頼する. 便宜をはかってもらう. 〔托情〕ともいう

【托身】tuōshēn 動 書 身を託す. 身を置く

【托生】tuōshēng 動 (死後に)生まれ変わる. 転生する

【托运】tuōyùn 動 託送する. 別途輸送する

【托子】tuōzi 名 台. 下敷き. 受け皿 ‖ 枪～ 銃床

8 ** **拖** (△拕) tuō ❶動 引っ張る. 牽引(けんいん)する ‖ 把箱子从床下～出来 トランクをベッドの下から引っ張り出す ❷動 (後ろに)垂れ下がる. 引きずる ‖ ～着尾巴 しっぽを垂らしている ❸動 時間を引き延ばす ‖ 你的病不能再～了 あなたの病気はこれ以上放っておくわけにはゆかない ❹動 声を長く延ばす ❺動 足手まといになる ‖ 不是孩子～着她, 她早就改嫁了 子供がいなければ, 彼女はとっくに再婚していた

【拖把】tuōbǎ 名 モップ. 〔墩dūn布〕〔拖布〕ともいう

【拖布】tuōbù ＝〔拖把tuōbǎ〕

【拖车】tuōchē 名 トレーラー

【拖船】tuōchuán 名 ❶＝〔拖轮tuōlún〕❷方 引き船に引かれる木造船

【拖带】tuōdài 動 ❶牽引する ❷方 巻き添えにする. 累を及ぼす

【拖斗】tuōdǒu 名 小型トレーラー

【拖儿带女】tuō ér dài nǚ 成 足手まといになる子供を引き連れている. 子連れである

【拖后腿】tuō hòutuǐ 慣 後足を引っ張る. 足手まといになる. じゃまをする

【拖家带口】tuō jiā dài kǒu 成 所帯を持ち家族を背負い込む

【拖垮】tuōkuǎ 動 (物事が)だめになる. (人が)体を壊す ‖ 劳累过度, 身体被～了 過労のため体を壊した

【拖拉】tuōlā 形 だらだらしている. もたもたしている ‖ 办事总是拖拖拉拉的 何をやるにももたもたしている

*【拖拉机】tuōlājī 名 トラクター

【拖累】tuōlěi 動 足手まといになる. 厄介をかける ‖ 一家老小～了他 家族の者たちが彼の足かせとなっている

【拖轮】tuōlún 名 引き船. タグボート

【拖泥带水】tuō ní dài shuǐ 成 (話や文章が)だらだらしている. 煮えきらない. (動作が)てきぱきしていない

【拖欠】tuōqiàn 動 支払いを滞らせる. 返済を延ばす

【拖三落四】tuō sān là sì 慣 ぐずぐず後に延ばす

【拖沓】tuōtà 形 (仕事ぶりなどが)だらしない. もたもたしている. てきぱきしていない

【拖堂】tuō//táng 動 時間を延長して授業をする. 授業を延ばす

【拖网】tuōwǎng 名 〈漁〉底引き網. トロール

【拖鞋】tuōxié 名 スリッパ. 突っかけ. サンダル

*【拖延】tuōyán 動 (時間を)引き延ばす. 延び延びにする ‖ 期限快到了, 不能再～了 もうすぐ期限になる, これ以上延ばすわけにはゆかない

【拖曳】tuōyè 動 引きずる. 尾を引く

11 ★ **脱**[1] tuō ❶動 (毛髪などが)抜ける. (皮膚などが)むける ‖ ～头发 髪の毛が抜ける ❷動 (衣服や靴などを)脱ぐ ‖ ～衣服 服を脱ぐ ❸取り除く ‖ 一～色 ❹脱する ‖ 摆bǎi～ 抜け出す

11 * **脱**[2] tuō 動 (字句が)脱落する. 抜け落ちる ‖ 有一行字～掉了 1行脱け落ちている

【脱靶】tuō//bǎ 動 (射撃で)的を外す

【脱产】tuō//chǎn 動 (ほかの仕事や専門の学習に従事するため)一時職場を離れる. 一時休職する

【脱党】tuō//dǎng 動 党を離れる. 離党する

【脱档】tuōdàng 動 (商品が)品切れになる

【脱发】tuōfà 動 〈医〉脱毛症になる

【脱肛】tuō//gāng 動 〈医〉脱肛(だっこう)する

【脱岗】tuō//gǎng 動 持ち場を離れる

【脱稿】tuō//gǎo 動 脱稿する

【脱钩】tuō//gōu 動 喩 一貫しない. 食い違う

【脱轨】tuō//guǐ 動 (列車が)脱線する

【脱货】tuō//huò 動 (商品が)売り切れになる. 品切れになる

【脱胶】tuō//jiāo 動 ❶(ゴムなどの)接着がはがれる ❷〈紡〉植物繊維の膠(にかわ)質を除く. 除膠(じょこう)する

【脱节】tuō//jié 動 喩 一貫しない. 食い違う ‖ 理论与行动～ 理論と行動がちぐはぐである
【脱臼】tuō//jiù ＝〔脱位tuōwèi〕
【脱口而出】tuō kǒu ér chū 成 思わず口をついて出る. ふっと口に出す
【脱口秀】tuōkǒuxiù 名 外 トークショー
【脱困】tuōkùn 動（経済的な）窮状を脱する
**【脱离】tuōlí 動 離れる. 脱する. 断ち切る ‖ 和他～了关系 彼との関係は切れた｜～危险 危険を脱する
【脱离速度】tuōlí sùdù 名〈天〉脱出速度
【脱粒】tuō//lì 動〈農〉脱穀する
【脱漏】tuōlòu 動（字句が）脱落する. 抜け落ちる
*【脱落】tuōluò 動 脱落する. はげ落ちる. とれる ‖ 颜色～了 色がはげてしまった｜钮扣～了 ボタンがとれた
【脱盲】tuō//máng 動 文盲状態から脱する. 読み書きができるようになる
【脱毛】tuō//máo 動（鳥や獣の）羽や毛が抜ける
【脱帽】tuōmào 動（敬意を表して）帽子をとる
【脱敏】tuōmǐn 動〈医〉アレルギーを除去する. 脱感作(だつかんさ)の治療をする
【脱皮】tuō//pí 動 皮がむける
【脱贫】tuōpín 動 貧困から脱け出す
【脱贫致富】tuōpín zhìfù 慣 貧困を脱して豊かになる
【脱期】tuō//qī 動（定期刊行物の）発行が遅れる
【脱壳】tuōqiào 動（セミなどが）殻を脱ぐ. 脱皮する ‖ 金蝉chán～ 相手に気付かれないようにこっそり姿を消す
【脱色】tuō//sè 動 ❶脱色する ‖ ～剂 脱色剤 ❷色があせる. 色がさめる
【脱身】tuō//shēn（～儿）動 抜け出す. 解放される ‖ 他正忙着, 脱不开身 彼はいま忙しくて抜け出せない
【脱手】tuō//shǒu 動 ❶手から離れる. 手を滑らせる ❷（商品を）売り払う
【脱水】tuō//shuǐ 動 ❶〈医〉脱水症状を起こす ❷〈化〉脱水する ❸方（水田の）水がかれる. 干上がる
【脱俗】tuōsú 動 俗世間の気風を脱け出る. 凡俗を超越する ‖ 超凡～ 非凡で超然としている
【脱胎】tuō//tāi 動 生まれ変わる ‖ 封建社会～于奴隶núlì社会 封建社会は奴隷制社会の中から生まれた
【脱胎换骨】tuō tāi huàn gǔ 成 身も心もすっかり入れ替える. 新しく生まれ変わる. 換骨脱胎
【脱逃】tuōtáo 動 脱走する. 逃げ出す
【脱兔】tuōtù 名 逃げ出すウサギ. 脱兎(だっと). きわめて素早いことのたとえ ‖ 动如～ 速きこと脱兎のごとし
【脱位】tuō//wèi 動〈医〉脱臼(だっきゅう)する.〔脱臼jiù〕ともいう
【脱误】tuōwù 動 書き誤りや書き落としをする. 誤脱
【脱险】tuō//xiǎn 動 危険を脱する
【脱销】tuō//xiāo 動 品切れになる. 売り切れる
【脱卸】tuōxiè 動（責任を）逃れる. 免れる
【脱氧核糖核酸】tuōyǎng hétáng hésuān 名〈生〉デオキシリボ核酸. DNA
【脱衣舞】tuōyīwǔ 名 ストリップショー
【脱瘾】tuō//yǐn 動 麻薬中毒から脱する. 麻薬への依存を断つ
【脱颖而出】tuō yǐng ér chū 成 頭角を現す
【脱脂】tuō//zhī 動 脱脂する ‖ ～奶粉 脱脂粉乳
【脱脂棉】tuōzhīmián 名 脱脂綿

T

tuó

6 *驮（△馱）tuó 動（家畜や人が）背中に荷を積む. 荷を背負う ‖ 他～着我走过来的 彼が私をおぶってきてくれた ➤ duò
7 佗 tuó 古〔驮tuó〕に同じ
7 陀 tuó ↴
【陀螺】tuóluó 名（玩具の）こま
【陀螺仪】tuóluóyí 名〈機〉ジャイロスコープ
8 沱 tuó 方 船の停泊できる入り江.（多く地名に用いる）‖ 唐家～ 四川省にある地名
【沱茶】tuóchá 名 碗状に固めた茶. 雲南省や四川省に産す
8 坨¹ tuó 地名用字 ‖ 苏家～ 陝西省にある地名
8 坨² tuó ❶（～儿）塊 ‖ 碱jiǎn～ ソーダの塊 ❷動（ゆでためん類やギョーザが）くっついて塊になる ‖ 面条～了 うどんが塊になった
8 驼（△駞）tuó ❶ラクダ ❷形（背中が）曲がっている. 丸まっている ‖ 老爷爷的背都～了 おじいさんの背中はすっかり曲がってしまった
【驼背】tuó//bèi 動（背中が）曲がる. 猫背になる 名（tuóbèi）猫背の人
【驼峰】tuófēng 名 ❶ラクダのこぶ ❷（鉄道操車場の）ハンプ
【驼鹿】tuólù 名〈動〉オオジカ. ヘラジカ. 地方によっては〔犴hān〕〔堪达罕kāndáhǎn〕という
【驼绒】tuóróng 名 ❶ラクダの毛 ❷キャメル. ラクダの毛で織った高級洋服地 ＝〔骆驼绒〕
【驼色】tuósè 名 ラクダ色. キャメル
9 柁 tuó 名 木造屋根組みの柱の上に渡した横木. 梁(はり)
10 砣¹ tuó 引き臼(うす)の上のほうのローラー ‖ 碾niǎn～ 同前
10 砣² tuó 竿ばかりの分銅 ‖ 秤chèng～ 同前
10 鸵 tuó ダチョウ
【鸵鸟】tuóniǎo 名〈鳥〉ダチョウ
【鸵鸟政策】tuóniǎo zhèngcè 名 現実を正視しない間に合わせ的な政策
12 酡 tuó 書 酒を飲んで顔が赤くなるさま ‖ ～然 酒を飲んで赤くなるさま. また, 顔を赤らめるさま
12 跎 tuó ➡〔蹉跎cuōtuó〕
16 橐¹ tuó 書 袋
16 橐² tuó 擬 物がぶつかる音 ‖ ～～的木鱼声 ポクポクいう木魚(もくぎょ)の音
20 鼍（鼉）tuó 名〈動〉ヨウスコウワニ.〔鼍龙〕〔扬子鳄è〕ともいう

tuǒ

7 *妥 tuǒ ❶形 妥当である. 穏当である. 適切である ‖ 这么做～不～? このやり方でいいだろうか ❷形（動詞の後に置き）整っている. 完成している ‖ 条

件谈～了 条件について話がついた

*【妥当】tuǒdang 形 妥当である. 適切である. 穏当である ‖ 采取～的办法 妥当な方法をとる

類義語 | 妥当 tuǒdang 恰当 qiàdàng

◆〔妥当〕物事がうまくおさまっている. あれこれ考えてどこからも文句が出ないよう丸くおさめた状態をさす. 妥当である. 無難である. 穏当である ‖ 妥当的人事安排（周囲とのバランスを重視した）穏当な人事 | 这件事办得不妥当 この件はやり方がまずい ◆〔恰当〕物事が事実やルールなどと正しく符合して, 適確あるいは適切である. ぴったりである ‖ 恰当的人事安排（個人の能力を重視した）適材適所の人事 | 这个词用得不恰当 この言葉の使い方はまずい

*【妥善】tuǒshàn 形 適切である. 妥当である ‖ ～解决 適切に解決する | ～处理 適切に処理する

【妥实】tuǒshí 形 確実である. 着実である

【妥帖】tuǒtiē 形 適切である. きちんとしている

*【妥协】tuǒxié 動 妥協する ‖ 不～的斗争 妥協のない闘争 | 双方达成～ 双方は妥協に達した

11 **庹** tuǒ 量 尋(ひろ). 大人が両手を左右に伸ばした長さ(約５尺)

12 **椭**（橢）tuǒ 楕円(だえん). 長円形

*【椭圆】tuǒyuán 名〈数〉楕円

【椭圆形】tuǒyuánxíng 名〈数〉楕円形

tuò

8 **拓** tuò 動 開く. 切り開く ‖ ～路 道を開く ➤ tà

【拓荒】tuòhuāng 動 開墾する. 開拓する

【拓宽】tuòkuān 動 幅を広げる. 拡幅する

【拓展】tuòzhǎn 動 拡張する. 広げる

9 **柝** tuò 書 夜回りの時に用いる拍子木

11 **唾** tuò ❶つば ❷動 つばを吐く ‖ ～唾沫 つばを吐く ❸唾棄(だき)する ‖ → ～弃

【唾骂】tuòmà 動 手ひどく罵る. 痛罵(つうば)する

【唾面自干】tuò miàn zì gān 成 侮辱されても我慢して反抗しないこと

*【唾沫】tuòmo 名 つば. つばき ‖ 吐～ つばを吐く

【唾弃】tuòqì 動 書 唾棄する. 軽蔑する. さげすむ

【唾手可得】tuò shǒu kě dé 成 たやすく手に入れられること. 〔唾手可取〕ともいう

【唾液】tuòyè 名〈生理〉唾液. つば. ふつうは〔唾沫〕または〔口水〕という

【唾液腺】tuòyèxiàn 名〈生理〉唾液腺

14 **箨**（籜）tuò タケノコの皮

14 **魄** tuò ⇒〔落魄luòtuò〕 ➤ bó pò

T

W

wā

5 **凹** wā 方〔洼wā〕に同じ.（多く地名に用いる）‖核桃～ 山西省にある地名 ➤ āo

9 **洼（窪）** wā ❶形（周囲より）低い. くぼんでいる‖这里地势太～ ここは土地が低すぎる ❷（～儿）くぼみ‖水～儿 水たまり ❸動 地面がくぼむ‖地～下去一块 地面が陥没した

【洼地】 wādì 名 低地. くぼ地

【洼陷】 wāxiàn 動（地面などが）くぼむ. 陥没する

9 ** **挖** wā 動 掘る. 掘り起こす‖～土豆 ジャガイモを掘る｜～潜力 潜在力を掘り起こす

【挖补】 wābǔ 動 悪い部分を取り除き, 新しいものを補う

*【挖掘】 wājué 動 掘る. 掘り起こす. 発掘する‖～隧道suìdào トンネルを掘る｜～人才 人材を発掘する

【挖空心思】 wā kōng xīn sī 成 貶 あれこれと知恵をしぼる

【挖苦】 wāku 動 皮肉やいやみを言う. 当てこすりを言う

【挖潜】 wāqián 動 潜在力を掘り起こす

【挖墙脚】 wā qiángjiǎo 慣 足場を掘り崩す. 足を引っ張る. みそをつける

【挖肉补疮】 wā ròu bǔ chuāng ＝〔剜肉医疮wān ròu yī chuāng〕

9 **哇** wā ❶擬（泣き声）ワー. ワッ‖～地哭了 ワッと声を出して泣いた ❷擬（吐く音）ゲー‖～地一声吐tù了一地 ゲーッと地べた一面に吐き出した ➤ wa

【哇啦】【哇喇】 wālā 擬（人の騒ぐ声）ワイワイ. ガヤガヤ. ワーワー

【哇哇】 wāwā 擬 ❶（カラスの鳴き声）カアカア ❷（子供の泣き声）ワーワー

10 **娲（媧）** wā ➡〔女娲Nǚwā〕

12 **蛙（^鼃）** wā 名〈動〉カエル‖青～ トノサマガエル

【蛙泳】 wāyǒng 名〈体〉平泳ぎ

wá

9 **娃** wá ❶（～儿）子供‖女～ 女の子 ❷方（一部の）生まれたばかりの動物‖狗～ 子イヌ

*【娃娃】 wáwa 名 ❶口 子供‖大胖～ 丸々と太った赤ちゃん ❷人形‖洋～ 西洋人形｜泥～ 泥人形

【娃娃脸】 wáwaliǎn 名 童顔

【娃娃亲】 wáwaqīn 名 幼時に双方の親が取り決めた縁談‖订～ 子供同士の将来の婚姻の約束を交わす

【娃娃鱼】 wáwayú 名 口 オオサンショウウオ.〔大鲵ní〕の俗称

【娃子】[1] wázi 名 方 ❶子供 ❷（一部の）生まれたばかりの動物‖猪～ 子ブタ

【娃子】[2] wázi 名 旧（凉山りょうざんなど少数民族地区の）奴隷

wǎ

4 * **瓦**[1] wǎ ❶粘土を焼いて作った器物. 素焼きのもの‖～罐 ❷名 かわら‖筒～ 丸がわら

4 **瓦**[2] wǎ 量〈電〉ワット.〔瓦特〕の略称 ➤ wà

【瓦当】 wǎdāng 名〈考古〉瓦当(がとう)

【瓦房】 wǎfáng 名 かわらぶきの家

【瓦釜雷鸣】 wǎ fǔ léi míng 成 くだらない者が一時的に幅を利かせるたとえ

【瓦工】 wǎgōng 名 ❶左官の仕事 ❷左官

【瓦罐】 wǎguàn 名 素焼きのかめ

【瓦灰】 wǎhuī 形 濃い灰色の

【瓦匠】 wǎjiang 名 れんが積みやかわらふきの職人

*【瓦解】 wǎjiě 動 ❶瓦解(がかい)する. 崩壊する ❷瓦解させる. 切り崩す‖～敌军 敵軍を瓦解させる

【瓦蓝】 wǎlán 形 濃い藍色(あいいろ)の

【瓦楞】 wǎléng ＝〔瓦垄wǎlǒng〕

【瓦楞纸】 wǎléngzhǐ 名 ダンボール紙

【瓦砾】 wǎlì 名 瓦礫(がれき)

【瓦亮】 wǎliàng 形 ぴかぴか光るさま. 非常に明るいさま

【瓦垄】 wǎlǒng 名 屋根がわらの畝(うね)状の列

【瓦努阿图】 Wǎnǔ'ātú 名〈国名〉バヌアツ

【瓦圈】 wǎquān 名（タイヤの）リム.〔车圈〕ともいう

【瓦全】 wǎquán 動 いたずらに生き長らえる

【瓦斯】 wǎsī 名 外 ガス‖毒～ 毒ガス

【瓦特】 wǎtè 量 外〈電〉ワット. 略して〔瓦〕ともいう

6 **佤** wǎ ↴

【佤族】 Wǎzú 名 ワ族（中国の少数民族の一つ, 主として雲南省に居住）

wà

4 **瓦** wà 動 かわらをふく‖还没～上瓦wǎ まだかわらをふいていない ➤ wǎ

【瓦刀】 wàdāo 名 左官ごて

10 **袜（襪 ^韈 韤）** wà 靴下‖丝～（女性の）ナイロンストッキング

【袜底】 wàdǐ（～儿）名 靴下の底の部分

【袜套】 wàtào（～儿）名 靴下カバー

【袜筒】 wàtǒng（～儿）名 靴下の足首から上の部分

★【袜子】 wàzi 名 靴下‖穿～ 靴下をはく｜脱～ 靴下を脱ぐ｜一双～ 1足の靴下

wa

9 ** **哇** wa 助 語気助詞〔啊〕が直前の韻母 u, ao, ou の影響で〔ua〕と発音される場合, その音に当てる字‖这儿的风景多好～！ ここの景色はなんてすばらしいんだろう ➤ wā

wāi

9 ⁂**歪** wāi ❶形 曲がっている. 斜めになっている. 傾いている ↔〔正〕‖ 领带～了 ネクタイが曲がっている ❷形(言行や思想が)正しくない. よこしまである. ゆがんでいる ‖ 那家伙心眼ル～ あいつの心はねじくれている ❸動口 横になる ‖ ～在沙发上看电视 ソファーに横になってテレビを見る

【歪才】wāicái 名貶 妙な才能. おかしな才能

【歪缠】wāichán 動 言いがかりをつける. 難題を吹っかける

【歪打正着】wāi dǎ zhèng zháo (～ル) 慣 やり方が妥当でなかったのに好都合の結果になる. まぐれ当たり

【歪道】wāidào (～ル) 名 ❶邪道. 不正な道 ❷悪い考え. よこしまな考え. 〔歪道道ル〕ともいう

【歪风】wāifēng 名 不健全な気風. 悪しき風潮

【歪理】wāilǐ 名 屁理屈

【歪门邪道】wāi mén xiédào 慣 不正な手段. よこしまな考え ‖ 搞～ 不正な手段をとる

【歪七扭八】wāi qī niǔ bā 慣 いびつである. 曲がりくねっている

*【歪曲】wāiqū 動(事実や内容を)故意にねじ曲げる. 歪曲(わいきょく)する ‖ ～事实真相 事の真相を歪曲する

【歪歪扭扭】wāiwāiniǔniǔ (～的) 形 ゆがんでいる. いびつに曲がっている

【歪斜】wāixié 形 ゆがんでいる. 傾いている

wǎi

12 **崴** wǎi 山や川の湾曲した所. 多く地名に用いる ‖ 三道～子 吉林省にある地名

【崴泥】wǎi//ní 動 泥沼にはまり込む. 苦境に立たされる

16 **踒** wǎi 動 捻挫(ねんざ)する. くじく ‖ 下楼时不小心把脚给～了 階段を下りるとき, うっかりして足をくじいてしまった

wài

5 ★**外** wài ❶名 ①外. 外側. 表. 表側 ↔〔内〕〔里〕‖ 门往～开 ドアは外へ開く ②以外. ほか ‖ 除会员～禁止入场 会員以外の入場を禁止する ❷外国 ‖ →～币 ❸よその. ほかの ↔〔本〕‖ →～地 ❹さらに. そのうえ ‖ →～加 ❺正式でない. 正規でない ‖ →～史 ❻名〈劇〉(伝統劇の男性の)老け役. 老人役 ❼(関係が)疎遠である ‖ 见～ よそよそしくする ❽(親戚関係で)母方の. 姉妹や娘の嫁ぎ先の ‖ →～祖父

【外币】wàibì 名 外国貨幣. 外貨

★【外边】wàibian 名 ❶(～ル)外. 表 ‖ ～下雪了 外は雪だ ❷外側. 表面 ‖ 盒子hézi～再包层纸 箱の外側を紙でさらに包む ❸他郷. よその土地 ‖ 他孩子都在～工作 彼の子供はみんなよその土地で働いている

*【外表】wàibiǎo 名 外観. 外見. 見た目 ‖ 大楼的～很漂亮 ビルの外観はたいへん美しい

*【外宾】wàibīn 名 外国からの客

*【外部】wàibù 名 ❶外部 ‖ 来自～的影响 外部からの影響 ❷外面. 表面 ‖ 事物的～特征tèzhēng 事物の外面上の特徴

【外埠】wàibù 名(自分の居住地ではない)ほかの都市 ‖ ～邮件 他都市へ送る郵便物

【外财】wàicái 名 正規外の収入. 余得. 余禄(よろく)

【外层空间】wàicéng kōngjiān 名〈天〉宇宙空間. 大気圏外 =〔宇宙空间〕

【外场】wàicháng 名旧 つきあい上手. 世渡り上手. 如才のないこと ‖ ～人ル 如才ない人

【外钞】wàichāo 名 外国紙幣

*【外出】wàichū 動 外出する. 出かける ‖ ～采访 取材に出かける

【外出血】wàichūxuè 名〈医〉外出血

【外传】wàichuán 動 ❶外部に漏らす. 外部に広める ❷周囲でとりざたする ➤ wàizhuàn

【外存】wàicún 名〈計〉外部メモリー

【外存储器】wàicúnchǔqì 名〈計〉外部メモリー. 略して〔外存〕ともいう

【外带】[1] wàidài 名 タイヤ. 〔外胎〕の通称

【外带】[2] wàidài 動 そのうえ…を帯びる. さらに…を持つ ‖ 自高自大, ～不负责任 傲慢(ごうまん)なうえに責任感もない

【外道】wàidào 名〈仏〉外道(げどう)

【外道】wàidao 形 よそよそしい. 水臭い

【外敌】wàidí 名 外敵 ‖ ～入侵 外敵が侵入してくる

⁂【外地】wàidì 名 **よその土地. 他郷** ‖ 孩子在～工作 子供はよその土地で働いている

*【外电】wàidiàn 名 外電 ‖ 据～报道 外電によると

【外调】wàidiào 動 ❶(人を)転任させる. (物資を)移す. よそへ回す ❷(よそへ行って)調査する

【外耳】wài'ěr 名〈生理〉外耳

【外访】wàifǎng 動 外国を訪問する

【外分泌】wàifēnmì 動〈生理〉外分泌する

【外敷】wàifū 動〈医〉(薬を)外用する. 塗布する ↔〔内服〕

【外港】wàigǎng 名 外港

【外公】wàigōng 名方 母方の祖父. 外祖父

【外功】wàigōng (～ル) 名 筋肉・骨・皮膚を鍛錬する武術の一種 ↔〔内功〕

【外骨骼】wàigǔgé 名〈生理〉外骨格

*【外观】wàiguān 名 外観. 外見

★【外国】wàiguó 名 **外国** ‖ ～货 輸入品

【外国语】wàiguóyǔ 名 外国語

【外海】wàihǎi 名 外海. 外洋

*【外行】wàiháng 名 しろうと. 門外漢 形 しろうとである ‖ 我对电脑很～ 私はコンピューターにはまるでしろうとだ ✻↔〔内行〕

【外号】wàihào (～ル) 名 あだな. ニックネーム

【外踝】wàihuái 名〈生理〉外踝(がいか). 外側のくるぶし

【外患】wàihuàn 名 外患 ‖ 内忧～ 内憂外患

*【外汇】wàihuì 名〈経〉外国為替. 外貨 ‖ ～市场 外国為替市場 | ～牌价páijià 外国為替レート

【外活】wàihuó (～ル) 名(本職以外の)内職

【外货】wàihuò 名 外国の商品. 輸入品

【外祸】wàihuò 名 外患

【外籍】wàijí 名 外国籍. 他国籍

【外加】wàijiā 動 さらに…を加える ‖ 运费～手续费共四百元 輸送費のほか手数料で合計400元である

【外嫁】wàijià 動 よその土地, あるいは外国に嫁ぐ

【外间】wàijiān 名 ❶(～ル)続き部屋のうち, 直接外へ通じている部屋 ❷書 外. 外部 ‖ ～关于此事有不少议论 外部ではこのことについて何かとうわさがある

⁂【外交】wàijiāo 名 **外交** ‖ ～关系 外交関係 | ～

W

途径tújìng 外交ルート｜～谈判 外交交渉
【外交部】wàijiāobù 图 外交部(日本の外務省に相当する)
【外交辞令】wàijiāo cílìng 图 外交辞令
【外交特权】wàijiāo tèquán 图 外交特権
【外交团】wàijiāotuán 图 外交団
【外教】wàijiào 图 外国人教師. また, 外国人コーチ・監督
*【外界】wàijiè 图 外界. 外部 ‖ ～舆论yúlùn 外部の世論｜与～失去联系 外部との連絡が途絶える
【外景】wàijǐng 图 ❶〈劇〉屋外を表す舞台装置 ❷(映画の)ロケーションによるシーン ‖ 拍摄～ ロケをする
*【外科】wàikē 图〈医〉外科 ‖ ～医生 外科医
【外客】wàikè 图 親しい間柄でない客
【外寇】wàikòu 图 外寇(がいこう). 侵略者
【外快】wàikuài 图 正規外の収入. 臨時収入. 余得. 余禄(よろく). 〔外水〕ともいう
【外来】wàilái 形 よそから来た. 外来の ‖ ～势力的干涉 外来勢力の干渉｜～人口 他郷からの滞在者
【外来户】wàiláihù 图 よそ者
【外来妹】wàiláimèi 图 地方から都市へ出稼ぎに来た若い女子労働者
【外来语】wàiláiyǔ 图〈語〉外来語
*【外力】wàilì 图 ❶〈物〉外力 ❷外部の力
*【外流】wàiliú 動(人や資金が)流出する ‖ 人才～ 人材が流出する｜资金～ 資金が流出する
【外路】wàilù 形 よそから来た ‖ ～人 よそ者
【外露】wàilù 動 外に現れる. 露出する
【外轮】wàilún 图 外国籍の船
【外卖】wàimài 動 出前販売する. テークアウト販売する ‖ ～服务 出前サービス 图 出前の食品 ‖ 叫～ 出前を頼む
【外贸】wàimào 图 略 対外貿易. 外国貿易. 〔对外贸易〕の略 ↔〔内贸〕
【外貌】wàimào 图 顔かたち. 外見. 見かけ ‖ 不可以～取人 人を見かけで判断してはならない
【外面】wàimiàn (～儿) 图 見た目. 見かけ. 外見
【外面】wàimian (～儿) 图 **外. 外側. 表 ‖ 别看他在家很凶, 在～可老实呢 彼は家ではひどく荒っぽいが, 外ではおとなしいもんだよ
【外面儿光】wàimiànrguāng 慣 見てくれがよい. 見かけが立派である
【外派】wàipài 動 他社へ出向させる. また, 国外に駐在させる ‖ ～期间待遇不变 出向中も待遇は変わらない
【外聘】wàipìn 動 社外の人材を招く. 外部に人材を求める
*【外婆】wàipó 图 方 母方の祖母. 外祖母
【外戚】wàiqī 图 旧 皇帝の母または妻の親戚
【外企】wàiqǐ 图 略 外資系企業. 〔外资企业〕の略
【外强中干】wài qiáng zhōng gān 成 強そうに見えて, 中身はたいしたことがない. 見かけ倒し
【外侨】wàiqiáo 图 居留民
【外勤】wàiqín 图 ❶外勤. 外回り ‖ 跑～ 外勤を勤める｜～工作 外回りの仕事 ❷外勤を担当する人
【外人】wàirén 图 ❶何の縁もない人. 他人 ‖ 我又不是～, 跟我客气什么 他人ではあるまいし, 私に何を遠慮することがあるものか ❷部外者. 外部の人 ‖ 别让～知道 外部の人に知られないようにしなさい ❸外国人
【外伤】wàishāng 图〈医〉外傷
【外商】wàishāng 图 外国人ビジネスマン
【外设】wàishè 图〈計〉周辺機器. 〔外围设备〕の略
【外生殖器】wàishēngzhíqì 图〈生理〉外生殖器
【外甥】wàisheng 图 ❶姉妹の息子. おい ❷方 娘の生んだ男の子. 外孫
【外甥女】wàishengnǚ (～儿) 图 ❶姉妹の娘. めい ❷方 娘が生んだ女の子. 外孫
【外省】wàishěng 图 よその省
【外史】wàishǐ 图 外史. 野史
*【外事】wàishì 图 ❶外交事務 ‖ ～工作 外交事務 ❷家庭外のこと. 外のこと
【外水】wàishuǐ ＝〔外快wàikuài〕
【外孙】wàisūn 图 娘が生んだ男の子. 外孫
【外孙女】wàisūnnü ; wàisūnnǚ (～儿) 图 娘が生んだ女の子. 外孫
【外孙子】wàisūnzi 图 口 娘の生んだ男の子. 外孫
【外胎】wàitāi 图 タイヤ. ふつう〔外带〕という
【外逃】wàitáo 動 ほかの土地や外国へ逃れる
【外套】wàitào (～儿) 图 ❶外套(がいとう). オーバー ❷ジャケット
*【外头】wàitou 图 ❶外. 表 ‖ 屋子～很冷 部屋の外はたいへん寒い ❷外側. 表面｜～穿一件毛衣 セ

W

コラム 音訳される外国語

海の向こうからやってきた言葉を中国人はどのように受け入れているのか. 日本人にはカタカナという便利で心強い表記方法があり, 聞こえてくる音をそのまま再現できる. そういう作業を中国人は漢字で試みている. そして音訳するとき, 漢字の意味にこだわるのも中国人らしいところだ. 企業名や商品名となると, どの漢字を当てるかはブランドイメージにもつながるから, 非常に重要だ.

死盯客 sǐdīngkè ストーカー. "死" は「死ぬ」以外に「動かない」という意味も表す. "死机" は「動かない機械」, いわゆる「フリーズ」のこと. "盯" は「じっと見る」, "客" は「人」という意味. 合わせて「じっと見つめる人」.

迷你裙 mínǐqún ミニスカート. "迷你" は「あなたを惑わす」. "裙" は「スカート」. 合わせて「あなたを惑わすスカート」.

伊妹儿 yīmèir メール. "电子邮件" "电子函件" という意味による訳語もあるが, 絶対的市民権を得たのはこちらの音訳. 英語と違って名詞としてしか使わない. 「メールください」を言いたい場合は "给我发伊妹儿" となる. "伊" は「彼女」のこと, 合わせて「彼女の妹」. ちょっとかわいらしい訳語だ.

脱口秀 tuōkǒuxiù トークショー. 中国人は「ショー」に "秀" という漢字を当てた. "秀" には "优秀" "美好" というプラスイメージがあり, 「垢抜けている上品さ」を漂わせる漢字だ. "脱口" は「話がすぐ口をついて出てくる」意味. talk の音訳にもなっている. "脱口而出" という四字熟語は「口をついて出る, すらすら述べる」ことをさす.

幽浮 yōufú UFO. "幽" は「薄暗い」. UFO の「未確認, よく分からない」というニュアンスを出してい

ーターを上に着る ❸よそ．他郷 ‖ 他一直在～工作 彼はずっと他郷で働いている

【外围】wàiwéi 图 周り．周囲 形 外郭の．従属した

【外围设备】wàiwéi shèbèi 图〈計〉周辺機器．略して〔外设〕ともいう

★【外文】wàiwén 图 **外国語** ‖ 学～ 外国語を学ぶ

【外屋】wàiwū 图 続き部屋のうち，直接外へ通じている部屋

【外侮】wàiwǔ 图 外国の侵略と抑圧

【外务】wàiwù 图 ❶本来の職務以外の仕事 ❷外国との交渉事務

【外县】wàixiàn 图 他県

【外线】wàixiàn 图 ❶〈軍〉敵を包囲する形の戦線 ❷(電話の)外線 ‖ ～电话 外線

【外乡】wàixiāng 图 よその土地．他郷

【外向】wàixiàng 形 外向的である

*【外向型】wàixiàngxíng 形 ❶(性格が)外向的なタイプの ❷対外開放型の ‖ ～经济 開放型経済

【外销】wàixiāo 動 (商品を)国外，または他の土地へ売る ↔〔内销〕

【外泄】wàixiè 動 (気体・液体などが)漏れる(秘密などを)外部に漏らす ‖ 杜绝dùjué企业机密～ 企業秘密の漏洩を根絶する

【外心】wàixīn 图 ❶心変わり．浮気心 ❷〈数〉外心

【外星人】wàixīngrén 图 宇宙人

*【外形】wàixíng 图 (外側の)形状．形

【外姓】wàixìng 图 ❶一族以外の名字．異姓．他姓 ❷異姓の人．自分の一族ではない人

【外需】wàixū 图〈経〉外需．国外の需要 ↔〔内需〕

【外延】wàiyán 图〈哲〉外延

【外扬】wàiyáng 動 言い触らす．宣伝する ‖ 家丑jiāchǒu不可～ 家の恥を外にさらすべきではない

*【外衣】wàiyī 图 ❶上着．コート ❷喩 仮面．ベール ‖ 披着人道主义的～ 人道主義の仮面をかぶっている

【外溢】wàiyì 動 ❶あふれる．流れ出す ‖ 河水～ 川があふれる ❷(多く資金などが)流出する

【外因】wàiyīn 图〈哲〉外因 ↔〔内因〕

【外阴】wàiyīn 图〈生理〉外陰

★【外语】wàiyǔ 图 **外国語** ‖ ～考试 外国語の試験 ｜ 他学过三门～ 彼は3ヵ国語を学んだ

【外遇】wàiyù 图 浮気の相手．愛人

【外圆内方】wài yuán nèi fāng 成 表面は穏やかだが，しんはしっかりしていること

【外援】wàiyuán 图 ❶外部からの援助(特に外国からの援助をさす) ❷(スポーツの)外国人選手

【外在】wàizài 形 外在的な．外部の ↔〔内在〕‖ ～原因 外部の要因 ｜ ～条件 外在的条件

【外债】wàizhài 图 外部負債．対外債務

【外罩】wàizhào (～儿) 图 上っぱり

【外传】wàizhuàn 图 外伝　➤ wàichuán

*【外资】wàizī 图 外国資本．外資 ‖ ～企业 外資系企業 ｜ 引进～ 外資を導入する

【外族】wàizú 图 ❶一族以外の者．他家の者 ❷外国人 ❸他民族

*【外祖父】wàizǔfù 图 母方の祖父

*【外祖母】wàizǔmǔ 图 母方の祖母

wān

9 ** **弯**(彎) wān ❶形 湾曲している．曲がっている ‖ 一～曲 ❷動 **曲げる．折り曲げる** ‖ 把铁丝～过来 針金を曲げる ❸图(～儿)曲がり角．曲がった部分 ‖ 再拐guǎi一个～就到我家了 もう一つ角を曲がれば我が家に着く

【弯度】wāndù 图 物体のそり．湾曲の度合

【弯路】wānlù 图 曲がった道．喩 回り道．遠回り

*【弯曲】wānqū 形 曲がっている．曲がりくねっている ‖ 弯弯曲曲的山路 くねくねと曲がっている山道

【弯腰】wān//yāo 動 腰を曲げる．腰をかがめる

【弯子】wānzi 图 曲がった部分．曲がり角．〔弯儿〕ともいう ‖ 拐一个～ 角を一つ曲がる ｜ 绕～ 遠回しに言う

10 **剜** wān 動 (小刀などで)丸くえぐる．えぐり取る ‖ 用小刀～个眼儿 ナイフで穴をあける

【剜肉医疮】wān ròu yī chuāng 成 肉をえぐり取って傷口をふさぐ．その場しのぎで将来のことを顧みないたとえ．一時逃れ．〔挖肉补疮〕ともいう

12 * **湾**(灣) wān ❶图 川の流れが湾曲している所 ‖ 河～ 同前 ❷入り江．入り海．湾 ‖ 港～ 港湾 ❸動 船を停泊させる ‖ 把船～在岸边 船を岸に泊める

る．“浮”は「浮いている」．全体で「薄暗い中で浮いているもの」．

托福 Tuōfú TOEFL．正式には“作为外语的英语考试”．高い点数を取ることがアメリカ留学の前提となっている．“托福”は「おかげさまで」という意味．「この試験のおかげで留学できた」というニュアンスを中国人が与えたかったのだろう．

一级棒 yījíbàng 一番．ichiban の音訳で，このように日本語が音訳されるようになったのはごく最近のことだ．中国語にも“一番”yìfān という語がある．「一度」という意味だ．だから，日本語の「一番」の意味で“一番”を使うわけにはゆかない．そこで「一級レベルのすばらしさ」という“一级棒”が生まれたわけだ．“一见棒”ともいう．こちらはコマーシャルのキャッチコピーとして“哇哇乐的奶昔一见棒”(ちびっ子の大好きなシェイクは超おいしい)のように使われた．

保龄球 bǎolíngqiú ボウリング．「齢を保つボール」．これ以上年をとらないようにさせるボールだ．グループで楽しめるというところから“运动麻将”(スポーツ麻雀)とも呼ばれている．

熬点 áodiǎn おでん．上海のコンビニ“便利商店”ではこの名前がつけられた．“熬”は「長時間煮込む」の意味．“点”は「おやつ」の意味の“点心”をさす．あわせて「長時間かけて煮込んだおやつのような食べ物」．

可口可乐 kěkǒukělè コカ・コーラ．古典的名訳とされる．“可口”は「おいしい」，“可乐”は「楽しい」．全体で「おいしくて楽しい」．ちなみに「ペプシコーラ」は“百事可乐”．こちらは「万事順調」の意味で，やはりめでたい言葉だ．

奔驰 bēnchí ベンツ．もともと「車や馬が速く走る」の意味．これを車名にしたわけは，やはり速さだろう．

14 **蜿** wān ↴

【蜿蜒】wānyán 形 ❶ヘビなどがはうさま ❷(山・川・道路などが)うねうねと延びているさま

15 **豌** wān ↴

【豌豆】wāndòu 名〈植〉エンドウ

wán

3 * **丸** wán ❶(～儿)小さな球形のもの‖药～ 丸薬 ❷〈中医〉丸薬 ❸量(丸薬を数える)粒‖每次服两～ 毎回二粒服用する

【丸剂】wánjì 名〈中医〉丸薬．丸剤

【丸药】wányào 名〈中医〉丸薬

【丸子】wánzi 名 肉や魚をまるめてだんごにしたもの‖肉～ 肉だんご｜余cuān～ 肉だんごのスープ

6 **纨** wán 書 練り絹

【纨绔】【纨袴】wánkù 名 貴族の子弟が常用した練り絹製のズボン．転 金持ちの若者の華美な服装‖～子弟 上流階級のお坊っちゃん．金持ちのぼんぼん

7 ★ **完** wán ❶完全である‖一～全 ❷動 **完成する．仕上げる**‖～了事，我们好好儿休息吧 片付いたら，ゆっくり休もう ❸動 **終わる．…し終わる**‖作业已经写～了 宿題はとっくにやり終えた ❹動 だめになる．失敗する‖地里的庄稼zhuāngjia全～了 畑の作物は全部だめになった ❺動 **なくなる．…し尽くす**‖卖～了 売り切れた ❻納税する‖一～税

【完败】wánbài 動〈体〉完敗する‖以0比4～于对手 0対4で相手に完敗した

*【完备】wánbèi 形 完備している．すっかり揃っている‖手续不～ 手続きが不備である

*【完毕】wánbì 動 書 終わる．完了する‖会议～ 会議が終わる｜准备～ 準備が整う

【完璧归赵】wán bì guī Zhào 成 借りた物を損なわずに持ち主に返すたとえ

★【完成】wán//chéng 動 **完成する．やり終える．成し遂げる**‖任务已经～了 任務はすでにやり遂げた

*【完蛋】wán//dàn 動 口 だめになる．くたばる

【完稿】wán//gǎo 動 脱稿する．原稿を書き上げる

【完工】wán//gōng 動 (規模の大きな)工事が終わる‖按期～ 期限どおりに竣工(しゅんこう)する

【完好】wánhǎo 形 (破損や傷みがなく)完全である．整っている．揃っている‖～如新 新品同様である

【完婚】wán//hūn 動 嫁をもらう．(多く上の世代の者が下の世代の男子のために嫁をとることをいう)

【完结】wánjié 動 完結する．済む．終わる

【完竣】wánjùn 動 (工事が)完了する．完成する

【完了】wánliǎo 動 (事が)終わる．完了する

【完满】wánmǎn 形 欠点がなく調和がとれている．円満である‖事情～地解决了 事は円満に解決した

【完美】wánměi 形 完璧(かんぺき)である．すべて整っていて欠点がない‖～无缺 完全で非の打ちどころがない

★【完全】wánquán 副 **完全に．すべて．まったく**‖～不懂 ぜんぜん分からない｜～否定 全面的に否定する｜病已经～好了 病気はすっかりよくなった 形 **すべて揃っている．完全である**‖资料～ 資料がすべて揃っている

【完人】wánrén 名 欠点のない人．完璧な人

*【完善】wánshàn 形 揃っている．立派である‖设备～ 設備が整っている｜计划不够～ 計画が万全でない 動 完全にする．十全なものにする‖要逐步～管理体制 管理体制を逐次完全なものにしていかなければならない

【完胜】wánshèng 動〈体〉圧勝する‖我队～山东队 我々は山東チームに圧勝した

【完事】wán//shì 動 用事が終わる．仕事が完了する

【完税】wán//shuì 動 税金を納める

【完整】wánzhěng 形 **すべて揃っている．全部整っている‖～无缺 完全無欠｜保卫领土～ 領土を保全する｜一套～的改革方案 一連の包括的な改革案

8 ★ **玩**(△翫❶～❺) wán (～儿)❶手にとって弄ぶ‖把～ 手にとって鑑賞する ❷観賞用の品物‖古～ 骨董品(こっとうひん) ❸観賞する．めでる‖～月 月をめでる ❹味わう．かみしめる‖一～味 ❺弄(もてあそ)ぶ．ないがしろにする‖一～弄 ❻動 **(不正な手段を)弄(ろう)する．用いる**‖～儿花招儿 小細工を弄する ❼動 **遊ぶ**‖孩子在外面～儿呢 子供は外で遊んでいますよ｜说着～儿 冗談を言う ❽動 **(スポーツやゲームなどを)する．興じる**‖～儿扑克 トランプをする｜爸爸喜欢～儿摄影 父は写真を撮るのが好きだ

【玩忽】wánhū 動 軽視する．ないがしろにする

【玩忽职守】wánhū zhíshǒu 慣 職務を軽んじる．仕事をおろそかにする

【玩火】wánhuǒ 動 ❶火遊びする ❷喩 危険を冒す

【玩火自焚】wán huǒ zì fén 成 火遊びをして自ら焼け死ぬ．自業自得

【玩家】wánjiā 名 愛好家．ファン．マニア

*【玩具】wánjù 名 おもちゃ．玩具(がんぐ)

【玩乐】wánlè 動 遊ぶ‖尽情～ 思う存分遊ぶ

*【玩弄】wánnòng 動 ❶弄ぶ．なぶる．からかう‖～女性 女性を弄ぶ ❷いじくる．いじくり回す‖～词藻 言葉を弄ぶ ❸弄する．自由に操る‖～权术 術策を弄する

【玩偶】wán'ǒu 名 (玩具の)人形

【玩儿不转】wánrbuzhuàn 動 口 対応しきれない．どうにもならない．手に負えない

【玩儿得转】wánrdezhuàn 動 口 方法がある．どうにか対応できる

【玩儿命】wánrmìng 動 口 命がけでする．命知らずにむちゃなことをする‖～干 がむしゃらに働く｜休息一会儿吧，别太～了 ちょっと休もうよ，無理しないで

【玩儿票】wánr//piào 動 旧 しろうと芝居をやる

【玩儿完】wánrwán 動 方 失敗する．だめになる．おしまいになる

【玩赏】wánshǎng 動 観賞する．鑑賞する．めでる

【玩世不恭】wán shì bù gōng 成 世事を軽んじ，不まじめな態度をとる．世をすねる

【玩耍】wánshuǎ 動 遊ぶ．遊び戯れる

【玩味】wánwèi 動 (意味を)じっくりとかみしめる．しみじみと味わう

【玩物】wánwù 名 ❶愛玩物．観賞物 ❷玩弄物(がんろうぶつ)．慰みもの

【玩物丧志】wán wù sàng zhì 成 玩物喪志(がんぶつそうし)．無用の道楽に深入りして本来の志を失うこと

*【玩笑】wánxiào 動 冗談を言う 名 冗談．ふざけたこと‖别开～了 冗談はよせよ

【玩兴】wánxìng 名 遊びの興

*【玩意儿】【玩艺儿】wányìr 名 口 ❶おもちゃ．玩具 ❷(曲芸や漫才などの)大衆演芸 ❸もの．代物．(軽くけなす意を含む)‖这是什么破～，白送给我都不要

W

このがらくたはなんだ, ただでもいらないよ

10 **顽** wán ❶頑固である. かたくなである ‖ →～固 ❷愚かである. のろまで無知である ‖ 冥míng～不灵 ものの道理が分からない ❸(子供が)いたずらで言うことをきかない. やんちゃである ‖ →～皮 ❹堅固である. 強固である ‖ →～强

【顽敌】wándí 名 強敵

【顽钝】wándùn 形 書 ❶愚鈍である. 愚かである ❷気骨がない ❸切れ味が悪い. 鈍い

*【顽固】wángù 形 頑固である. かたくなである ‖ 头脑～ 頭が固い | ～不化 かたくなで無知なこと | 这种病～得很, 不好治 この種の病気は頑固でなかなか治らない

【顽疾】wánjí 名 治りにくい病気

【顽抗】wánkàng 動 (敵に)頑強に抵抗する

【顽劣】wánliè 形 書 頑固で無知である

【顽皮】wánpí 形 腕白である. やんちゃである

*【顽强】wánqiáng 形 頑強である. 粘り強くて手ごわい ‖ 他很～, 从来没向困难屈服qūfú过 彼はたいへん頑強で, いまだ困難に屈したことがない

【顽石点头】wán shí diǎn tóu 成 石もうなずく. 感化したり説得する力が非常に大きいことのたとえ

【顽童】wántóng 名 腕白小僧. やんちゃ坊主

【顽症】wánzhèng 名 治癒の困難な疾病. 難病

11 **烷** wán 名〈化〉パラフィン. アルカン. 〔烷烃〕ともいう

【烷烃】wántīng 名〈化〉パラフィン. アルカン. 〔石蜡烃〕ともいう

wǎn

8 **宛** wǎn ❶曲がっている ❷書 あたかも. さながら. まるで ‖ 音容～在 (生前の)姿や声がありありと浮かんでくる

【宛然】wǎnrán 副 あたかも. さながら. まるで ‖ ～在目 あたかも目に見えるようだ

【宛如】wǎnrú 動 あたかも…のようだ. まるで…のようだ

【宛若】wǎnruò 動 さながら…のようだ. まるで…のようだ

【宛似】wǎnsì 動 さながら…のようだ. まるで…のようだ

【宛转】wǎnzhuǎn 動 輾転(てん)とする. 寝返りをうつ 形 =〔婉转wǎnzhuǎn〕

10 **莞** wǎn ➘ ➤ guān guǎn

【莞尔】wǎn'ěr 形 書 ほほえむさま ‖ ～一笑 にっこりと笑う | 相顾～ 顔を見合わせて笑う

10 *__挽__[1] (△輓❷～❹) wǎn ❶動 引く. 引っ張る ‖ ～弓 弓を引く ❷動 (車などを)牽引(けんいん)する. 引く ‖ ～车 車を引く ❸名 挽歌(ばんか). 古代, ひつぎを引く人が死者を悼む歌 ❹哀悼する. 悲しみ悼む ‖ →～联 ❺動 (腕に)ぶら下げる ‖ 胳膊上～着个菜篮 腕に買い物カゴを下げている ❻引き戻す. 挽回(ばんかい)する ‖ →～救 ❼動 (衣服などを)まくる. たくし上げる ‖ ～袖子 袖をたくし上げる

10 **挽**[2] wǎn 〔绾wǎn〕に同じ

【挽词】【挽辞】wǎncí 名 弔文. 哀悼の言葉

【挽歌】wǎngē 名 挽歌

【挽回】wǎnhuí 動 ❶挽回する. 立て直す ‖ 带来不可～的损失 取り返しのつかない損失をもたらす | 败局已定, 难以～ 敗勢は決定的で, 巻き返しは難しい ❷(権益などを)取り戻す ‖ ～利权 権益を取り戻す

*【挽救】wǎnjiù 動 (危険から)救う. 助ける ‖ ～生命 命を救う | ～失足青年 非行少年を助ける

【挽联】wǎnlián 名 死者を哀悼する対聯(ついれん)

【挽留】wǎnliú 動 (去ろうとする者を)引き止める

11 **惋** wǎn 書 嘆き惜しむ. 哀惜する

*【惋惜】wǎnxī 形 惜しい. 残念である ‖ 他没能参加这次比赛, 大家都感到非常～ 彼がこんどの試合に参加できなかったことを, みんなはとても残念に思った

11 **婉** wǎn ❶書 温和である. 従順である ❷(話し方が)婉曲(えんきょく)である. 遠回しである

【婉辞】[1] wǎncí 名〈語〉婉曲表現の言葉. 〔婉词〕とも書く

【婉辞】[2] wǎncí 動 遠回しに辞退する. やんわりと断る

【婉和】wǎnhé 形 (言葉が)やさしい. 柔らかである

【婉丽】wǎnlì 形 書 ❶美しい. すばらしい ❷婉曲で優美である. (多く詩文についていう)

【婉商】wǎnshāng 動 それとなく相談をもちかける

【婉顺】wǎnshùn 形 書 穏和である. 温順である. (多く女性に用いる)

【婉谢】wǎnxiè 動 婉曲に辞退する. 遠回しに断る

【婉言】wǎnyán 名 遠回しに言う言葉. 婉曲な言葉

【婉约】wǎnyuē 形 書 もの柔らかで含蓄がある

【婉转】wǎnzhuǎn 形 ❶(話が)穏やかで婉曲である ‖ 措词cuòcí～ 言葉遣いが穏やかである ❷(歌声や鳴き声が)美しい. 耳に快い ＊〔宛转〕とも書く

11 **绾** wǎn 動 (細長いものを)輪のように丸めて結ぶ. わがねる ‖ 把头发～起来 髪をわがねる

11 ★**晚** wǎn ❶夕方. 日没の時 ‖ →～霞 ❷名 夜. 晩 ‖ 一天忙到～ 朝から晩まで忙しい ❸形 (時刻が)遅い. 遅れている. 過ぎている ‖ 早起～睡 朝早く起きて夜遅く寝る | ～了十分钟 10分遅れた ❹(時期的に)遅い. 末期の ‖ →～年 ❺晩年. 老後 ‖ →～节 ❻後からの. 後の世代の ‖ →～辈 ❼翰 謙 (目上の人に対する自称)私

【晚安】wǎn'ān 動 挨拶 お休みなさい

【晚班】wǎnbān (～儿) 名 三交替制勤務の遅番

*【晚报】wǎnbào 名 夕刊. 夕刊紙

【晚辈】wǎnbèi 名 下の世代. 目下

*【晚餐】wǎncān 名 夕御飯. 晩御飯

【晚场】wǎnchǎng 名 (芝居や映画などの)夜の部. 〔夜场〕ともいう

【晚车】wǎnchē 名 夜行列車

【晚春】wǎnchūn 名 晩春. 旧暦の2月をさす

【晚稻】wǎndào 名〈農〉晩稲(おくて). 遅く実る稲

【晚点】wǎn//diǎn 動 (列車・船・飛行機などの発着時間が)遅れる

★【晚饭】wǎnfàn 名 夕飯. 夕食 ‖ 做～ 夕飯を作る

★【晚会】wǎnhuì 名 夜会. 夕べの集い

【晚婚】wǎnhūn 動 遅く結婚する ↔〔早婚〕

【晚间】wǎnjiān 名 夕方. 晩方. 夜

【晚节】wǎnjié 名 ❶晩節 ❷晩年. 末期

【晚近】wǎnjìn 名 近年. ここ数年

【晚景】wǎnjǐng 名 ❶夕方の景色 ❷老境. 晩年の境遇 ‖ ～不佳 晩年が不遇である

【晚境】wǎnjìng 名 老後の暮らし向き

【晚恋】wǎnliàn 動 遅い恋愛をする

*【晚年】wǎnnián 名 老後. 晩年

【晚期】wǎnqī 名 末期. 後期. 末ごろ ↔〔早期〕

W

【晩秋】wǎnqiū 名 晩秋

★【晩上】wǎnshang 名 夕方. 夜. 晩 ‖ 每天～ 每晩 | ～八点十分到达 夜 8 時10分に到着する

> **類義語** 晚上 wǎnshang 夜里 yèli 深夜 shēnyè 夜晚 yèwǎn
>
> ◆〔晚上〕日没のころから12時ごろまで ◆〔夜里〕夜10時ごろから早朝 4 時ごろまで ◆〔深夜〕夜の12時前後から早朝 4 時ごろまで. 夜遅いことを強調する ◆〔夜晚〕おおまかに暗くなってから深夜まで ◆〔晚上〕〔夜里〕〔深夜〕は後に時間を表す語を置くことができるが,〔夜晚〕はできない ‖ 他昨天加班, 晚上(夜里, 深夜)十二点才回来 彼はきのう残業して, 夜12時にやっと帰ってきた ◆時刻を問題にするときは,〔晚上〕〔夜里〕を用いる.〔深夜〕を使うことはできない ‖ "你几点来?" "我晚上(夜里, ×深夜)十二点去" 「何時に来るの」「夜中の12時に行きます」

【晩生】wǎnshēng 名 旧 謙(上の世代の人に対する自称)私

【晩世】wǎnshì 名 書 近世

【晩熟】wǎnshú 形〈農〉(農作物の)成熟が遅い

【晩霜】wǎnshuāng 名〈農〉晩霜. 遅霜

【晩霞】wǎnxiá 名 夕焼け. 晩霞(ばんか)

【晩宴】wǎnyàn 名 夜の宴会. 晩餐会

【晩育】wǎnyù 動 遅い出産をする

【晩妆】wǎnzhuāng 名 夜の化粧

11 **脘** wǎn 名〈中医〉胃の内部. 胃腔(いこう)

12 **琬** wǎn 古 玉器の一種

12 **皖** wǎn 名 安徽省の別称

13 ★**碗**(△盌 椀 𥑮) wǎn ❶名 碗(わん). 茶碗 ‖ 茶～ 湯飲み茶碗 ❷碗のようなもの ‖ 轴zhóu～ル 機械の軸碗

> **類義語** 碗 wǎn 杯 bēi 盅 zhōng
>
> ◆〔碗〕は口が広く, 底の方が小さいもので, ご飯を入れる器として〔饭碗〕がある. また〔饭碗〕より小さく, お茶を飲むためのふたつきの〔茶碗〕もある ◆〔杯〕は液体を入れる容器で, とってのつくものもある.〔茶杯〕〔水杯〕〔酒杯〕〔玻璃杯〕など ◆〔盅〕小さく丈の低い「おちょこ」のような形のもので, とってはつかない. 多く酒を飲むときに使う.〔酒盅〕(酒の杯). 地方によってはお茶を飲むための小さい〔茶盅〕もある

【碗橱】wǎnchú 名 食器戸棚 =〔碗柜〕

【碗柜】wǎnguì 名 食器戸棚.〔碗橱〕ともいう

13 **畹** wǎn 量 古 土地面積の単位. 30〔亩〕を 1〔畹〕といった

wàn

3 ★**万**(萬) wàn ❶数 万 ‖ 五～人 5 万人 ❷非常に多いたとえ ‖ 一～事 ❸副(程度が非常に高いことを表す)きわめて ‖ ～没想到他会做出这种事来 彼がこのようなことをしでかすなんてまったく思ってもみなかった | ～不可掉diào以轻心 決してみくびって油断してはいけない

【万般】wànbān 名 あらゆること. すべて 副 きわめて. まったく ‖ ～无奈wúnài まったくどうしようもない

【万变不离其宗】wàn biàn bù lí qí zōng 成 形はいろいろに変化しても, 本質は変わることがない

【万不得已】wàn bù dé yǐ 成 万(ばん)やむを得ない

【万代】wàndài 名 万世. 万代

【万端】wànduān 形 多様である. さまざまである. いろいろである ‖ 变化～ 変化極まりない

【万恶】wàn'è 形 悪辣(あくらつ)である. 極悪非道である

【万ル八千】wàn'er bāqiān 慣 1 万そこそこ. 1 万足らず

【万方】wànfāng 名 全国各地. 世界各地 形(姿や形が)さまざまである ‖ 仪态～ 姿態がさまざまである

*【万分】wànfēn 副 非常に. きわめて. とても ‖ ～感谢 深く感謝する | 大家悲痛～ みんなはひどく悲しんだ

【万福】wànfú 名 旧 婦人の挨拶の礼式の一種. 両手を軽く握り, 胸のやや右下で上下に動かしながら頭を少し下げるもの ‖ 道～ (同上の)おじぎをする

【万古】wàngǔ 名 永遠. 永久 ‖ ～千秋 長い年月

*【万古长青】wàn gǔ cháng qīng 成 永久に栄える. 永遠に変わらない.〔万古长春〕ともいう

【万古流芳】wàn gǔ liú fāng 成 永久に名が伝わる. 名声がいつまでも伝えられる

【万贯】wànguàn 名 1 万さしの銅銭. 転 巨万の富

【万国】wànguó 名 万国. 世界各国

【万花筒】wànhuātǒng 名 万華鏡(まんげきょう)

【万家灯火】wàn jiā dēng huǒ 成 家々に明かりがともる. 大都会の夜景をさす

【万劫不复】wàn jié bù fù 成 永遠に元に戻らない

【万金油】wànjīnyóu 名 ❶旧〈薬〉ハッカ油を主原料とした万能軟膏(なんこう).〔清凉油〕の旧称 ❷喩 何事も一通りこなすが, 堪能でない人. なんでも屋

【万籁】wànlài 名 いろいろな音. 万籟(ばんらい) ‖ ～俱寂 万籟寂(せき)として声なし. 静まりかえって音のないさま

【万里长城】Wànlǐ chángchéng 名 万里の長城. 略して〔长城〕ともいう

【万马奔腾】wàn mǎ bēn téng 成 万馬がいっせいに駆けるような勢い. 活気に満ち気勢の盛んなさま

【万马齐喑】wàn mǎ qí yīn 成 万馬がいっせいに声をなくす. 抑圧のもとで人々がみな沈黙すること

【万民】wànmín 名 多くの人民. 万民

【万难】wànnán 副 どうしても… できない ‖ 事已至此, ～挽回wǎnhuí 事がここに至っては, もう取り返しがつかない 名 さまざまな困難. 万難 ‖ 排除～ 万難を排する.

【万能】wànnéng 形 ❶万能である ‖ 金钱不是～的 お金は万能ではない ❷万能の. 汎用(はんよう)の ‖ ～机床 万能工作機械 | ～胶jiāo 万能接着剤

【万年】wànnián 名 万年. 永久

【万年历】wànniánlì 名 万年暦. 永代暦

【万年青】wànniánqīng 名〈植〉オモト

【万念俱灰】wàn niàn jù huī 成 すべての望みが水泡に帰する. 失望落胆しきったさま

【万千】wànqiān 形 ❶数が多い ❷多種多様である

【万顷】wànqǐng 名 面積が広いこと

【万全】wànquán 形 絶対安全である. 万全である

【万人空巷】wàn rén kōng xiàng 成 町中の人がみな出てくる. 祝賀や歓迎の盛況なさま

【万世】wànshì 名 書 万世. 永遠 ‖ 千秋～ 永久

【万事】wànshì 名 万事. すべての事 ‖ ～如意 万事思いどおりになる | ～亨通hēngtōng 万事順調である

【万事俱备, 只欠东风】wàn shì jù bèi, zhǐ

qiàn dōng fēng 成 準備万端整ったが，大切なものが一つ欠けているたとえ
【万事通】wànshìtōng 名 貶 いろいろな事に通じている人．物知り．〔百事通〕ともいう
【万寿无疆】wàn shòu wú jiāng 成（長寿を祝う言葉）幾久しく長寿を保つ
*【万水千山】wàn shuǐ qiān shān 成 千山万水．多くの山河．道のりの遠くて険しいさま
【万死】wànsǐ 動 万死する．何度も死ぬ．生命の危険や厳しい罰を受けることをいう‖～不辞 万死をも辞せず
*【万岁】wànsuì 動 とこしえに生きる．万歳(ばんざい)（祝賀や歓呼の言葉） 名 古 皇帝に対する呼称
*【万万】wànwàn 数 1億． 転 数量のきわめて多いこと 副（否定文で）絶対に．決して．まったく‖～不可失信 決して約束を破ってはいけない｜～没有想到会在这儿碰到她 ここで彼女に会うとは夢にも思わなかった
【万维网】wànwéiwǎng 名〈計〉ワールド・ワイド・ウェッブ（WWW）
【万无一失】wàn wú yī shī 成 万に一つの失敗もない．十分に確かで，絶対に自信があること
【万物】wànwù 名 万物．宇宙にある一切のもの
【万象】wànxiàng 名 万象．あらゆる事物
【万幸】wànxìng 形 なによりの幸せである．たいへんな幸運である．（多く災難を免れたことをさす）
*【万一】wànyī 名 ❶1万分の1 転 きわめて小さな一部分‖难于表达我的心情之～ 私の気持ちの万分の一も表しがたい ❷意外な事態．万一の状況‖以防～ 万一に備える｜不怕一万，只怕～ 備えあれば憂いなし 接 万一．もしも‖～发生事故，后悔可就晚了 万一事故を起こしたら，後悔しても遅い
【万用表】wànyòngbiǎo 名〈電〉ユニバーサル・メーター．マルチメーター
【万有引力】wànyǒu yǐnlì 名〈物〉万有引力．略して〔引力〕ともいう
【万丈】wànzhàng 名 万丈． 転 非常に高いこと．とても深いこと‖～高楼平地起 万丈の高楼も地面から建つ．すべては基礎から始まる
【万众】wànzhòng 名 万民．大衆
【万众一心】wàn zhòng yī xīn 成 万民が心を一つにする．一致団結する
【万状】wànzhuàng 形 程度がはなはだしいさま‖痛苦～ たいへん苦しい｜惊恐～ ひどく驚き恐れる
【万紫千红】wàn zǐ qiān hóng 成 千紫万紅．花が咲き乱れ，色鮮やかなこと

12 **腕** wàn （～儿）❶手首．足首‖脚～ 足首 ❷（タコなどの動物の）足‖一～足
【腕力】wànlì 名 手首の力．腕力
【腕儿】wànr 名（芸能人の）売れっ子．スター
【腕饰】wànshì 名 ブレスレット．腕輪
【腕子】wànzi 名 手首‖扳bān～ 腕相撲をする
【腕足】wànzú 名〈動〉（イカやタコなどの）足

14 **蔓** wàn 名（～儿）口（植物の）つる．意味は〔蔓〕と同じで，話し言葉に用いる‖喇叭花爬～了 アサガオのつるが伸びてきた ➤ mán màn

wāng

7 **汪**[1] wāng ❶水が深くて広いさま ❷名 方 池．ため池‖村边有个小水～ 村はずれに小さなため池がある ❸動（液体が）たまる‖两眼～着泪水 目に涙をためている ❹量（～儿）液体のたまりを数える‖汤上漂着一～油 スープに油が浮いている

7 **汪**[2] wāng 擬 イヌの吠える声‖狗～～乱叫 イヌがワンワン吠えたてる
【汪汪】wāngwāng 形 ❶水や涙がいっぱいにたまっているさま ❷書 水面が広々としているさま
*【汪洋】wāngyáng 形（水が）広々と果てしないさま
【汪子】wāngzi 名 口 水たまり．池‖水～ 水たまり

wáng

3 **亡**（亾）wáng ❶逃げる‖逃～ 逃亡する ❷失う‖一～失 ❸滅びる．滅ぼす‖灭～ 滅亡する ❹死ぬ‖伤～ 死傷する
【亡故】wánggù 動 死去する．逝去する
【亡国】wáng∥guó 動 国が滅ぶ．国を滅ぼす 名（wángguó）亡国．滅びた国‖～之君 亡国の君主
【亡国奴】wángguónú 名 滅んだ国の民．亡国の民
【亡魂】wánghún 名 死後の霊魂．（多くは死んで間もないものをいう）
【亡魂丧胆】wánghún sàngdǎn 慣 非常に驚くさま
【亡灵】wánglíng 名 死後の霊魂
【亡命】wángmìng 動 ❶亡命する．流浪する ❷（冒険や悪事などのため）命の危険を顧みない
【亡失】wángshī 動 書 失う．なくなる
【亡羊补牢】wáng yáng bǔ láo 成 羊を失ってから檻(おり)を修理する．失敗しても，それを繰り返さないように欠陥を補うこと

4 * **王** wáng ❶名 国王．君主‖国～ 国王 ❷封建領主．王‖亲～ 親王 ❸名 首領．頭目‖擒qín贼先擒～ 賊を捕らえるときはまず頭目を捕らえよ ❹同類の中でトップのもの‖花中之～ 花の王 ❺古 祖父母の世代に対する敬称‖～父 祖父
【王八】wángba 名 ❶スッポンの俗称 ❷罵 妻を寝取られた男‖～蛋 ばか野郎
【王朝】wángcháo 名 王朝‖封建～ 封建王朝
【王储】wángchǔ 名 皇儲(こうちょ)．帝王の跡継ぎ
【王道】wángdào 名 王道．仁・義に基づく統治
【王法】wángfǎ 名 ❶旧 帝王の定めた法律 ❷転 決まり．法
【王妃】wángfēi 名 王妃
【王府】wángfǔ 名 旧 皇族の邸宅
【王公】wánggōng 名 旧 王と公爵．（広く）高貴な爵位‖～大臣 王公大臣
【王宫】wánggōng 名 王宮．帝王の住む宮殿
【王冠】wángguān 名 王冠．帝王のかぶる冠
*【王国】wángguó 名 ❶王国‖瑞典～ スウェーデン王国｜独立～ 独立王国 ❷喩 王国‖北京是自行车～ 北京は自転車王国である
【王侯】wánghóu 名 王と侯爵．（広く）高貴な爵位
【王后】wánghòu 名 王妃．皇后
【王浆】wángjiāng 名 ローヤルゼリー．〔蜂王浆〕ともいう
【王母娘娘】Wángmǔ niángniang 名 西王母．中国の伝説中の女神，〔西王母〕の通称
【王牌】wángpái 名 ❶（トランプの）キング ❷転 とっておきの手．切り札‖打出～ 切り札を出す
【王权】wángquán 名 君主の権力．王権
【王室】wángshì 名 ❶王室 ❷朝廷
【王水】wángshuǐ 名〈化〉王水

W

【王孙】wángsūn 名 旧 貴族の子孫
【王位】wángwèi 名 王位‖～继承人 王位継承者
【王爷】wángye 名 王爵を封じている者に対する敬称
【王子】wángzǐ 名 王の息子．王子
【王族】wángzú 名 王の一族．王族

6 **芒** wáng ➤ máng

wǎng

6 * **网**（網）wǎng ❶名（鳥や魚を捕る）網‖鱼～ 魚網 ❷網に似たもの‖蜘蛛zhīzhū～ クモの巣 ❸名 網の目のように張りめぐらせた組織．ネットワーク‖通讯tōngxùn～ 通信網 ❹動 網のようなものに覆われる‖由于睡眠不足，他眼里～着红丝 彼は睡眠不足で，目が充血している ❺動 網を使って捕る‖刚下去一网，就～到了许多鱼 網をひと打ちすると，すぐにたくさんの魚がかかった
【网吧】wǎngbā 名 インターネット・カフェ
【网点】wǎngdiǎn 名 ネットワーク
【网兜】wǎngdōu 名（買い物用の）網袋
【网管】wǎngguǎn 名〈通信〉❶ネットワークの管理 ❷ネットワークの管理者
【网海】wǎnghǎi 名〈通信〉インターネットの海．広々と果てしないネットの世界をたとえる
【网巾】wǎngjīn 名 ヘアネット
【网警】wǎngjǐng 名〈通信〉インターネット警察．〔网络警察〕の略
【网卡】wǎngkǎ 名〈通信〉ネットワークカード．LANカード
【网开一面】wǎng kāi yī miàn 成 四面に張り巡らせた網の一面だけ開けておく．寛大に処置するたとえ
【网篮】wǎnglán 名 網の覆いがついたかご
【网恋】wǎngliàn 名〈通信〉ネット恋愛
【网络】wǎngluò 名 ❶〈電〉回路網 ❷ネットワーク‖通讯tōngxùn～ 通信ネットワーク ❸インターネット
【网络版】wǎngluòbǎn 名〈通信〉❶新聞・雑誌のオンライン版 ❷ソフトウエアのネットワーク版
【网络电话】wǎngluò diànhuà 名〈通信〉インターネット電話
【网络犯罪】wǎngluò fànzuì 名 ネット犯罪
【网络计算机】wǎngluò jìsuànjī 名〈計〉ネットワークコンピューター
【网络教育】wǎngluò jiàoyù 名〈通信〉インターネットを使った遠隔教育．e ラーニング
【网络经济】wǎngluò jīngjì 名〈通信〉インターネット経済．ネット経済
【网络警察】wǎngluò jǐngchá 名〈通信〉インターネット警察．略して〔网警〕ともいう
【网络文学】wǎngluò wénxué 名 インターネット上で発表される文学作品．ネット文学
【网络学校】wǎngluò xuéxiào 名〈通信〉ネットスクール．オンラインスクール．略して〔网校〕ともいう
【网络银行】wǎngluò yínháng 名〈通信〉ネットバンク
【网络游戏】wǎngluò yóuxì 名〈通信〉オンラインゲーム
【网络语言】wǎngluò yǔyán 名〈通信〉ネット用語
【网迷】wǎngmí 名〈通信〉ネット愛好者．ネットフリーク
【网民】wǎngmín 名 ネットシチズン．ネチズン．インターネット・ユーザー
【网膜】wǎngmó 名〈生理〉❶大網．大網膜 ❷略 網膜．〔视网膜〕の略
**【网球】wǎngqiú 名〈体〉❶テニス‖打～ テニスをする｜～场 テニスコート ❷テニスのボール
【网上购物】wǎngshàng gòuwù 組 ネットショッピングをする．オンラインショッピングをする．〔网络购物〕ともいう
【网上银行】wǎngshàng yínháng 名〈通信〉ネットバンク．〔网络银行〕ともいう
【网箱】wǎngxiāng 名〈漁〉養殖用のケージ
【网校】wǎngxiào 名〈通信〉ネットスクール．オンラインスクール．〔网络学校〕の略
【网眼】wǎngyǎn（～儿）名 網の目．〔网目〕ともいう
【网页】wǎngyè 名〈計〉ウェッブ・ページ．ホームページ
【网友】wǎngyǒu 名〈通信〉ネット友達．ネット仲間
【网站】wǎngzhàn 名〈計〉ウェッブ・サイト．サイト．〔站点〕ともいう
【网址】wǎngzhǐ 名〈計〉インターネット上のアドレス．URL
【网子】wǎngzi 名 ❶網状のもの ❷ヘアネット

8 **罔**[1]（△囧）wǎng 書 欺く．ごまかす‖欺qī～ ごまかす

8 **罔**[2]（△囧）wǎng ❶ない‖置若～闻 聞こえないふりをする ❷（否定や禁止を表す）…しない

8 ★ **往**（△徃）wǎng ❶行く．至る‖来～ 行き来する ❷動 …へ向かう．…へ行く‖你～东，我～西 あなたは東へ行き，私は西へ行く ❸介（方向を示す）…へ．…に‖～上瞧qiáo 上方を見上げる｜要干完这些工作，～少里说也得三天 この仕事をするには少なく見積もっても 3 日はかかる｜这趟车开～北京 この列車は北京行きだ ❹昔の．過去の‖以～ 以前

> **類義語** 往 wǎng 向 xiàng 朝 cháo
>
> ◆ともに動作の方向を示す‖往（向，朝）右拐，再往（向，朝）左拐 右に曲がり，次に左に曲がる ◆〔往〕動作の方向を示すだけでなく，〔坐〕〔躺〕〔放〕などの動詞で表される動作の移動先までも示す‖往（×向，×朝）床上躺 ベッドに横になる ◆〔向〕〔朝〕移動や動きを伴わない，抽象的な方向や静的状態にも用いられる．この場合，〔往〕には言い換えられない‖向（朝）工业化的目标前进 工業化の目標へ向かって前進する｜大门朝（向）南开 正門は南向きだ ◆また，〔向〕〔朝〕は，動作の向けられる対象（多くは人）を示す．このとき，〔朝〕が身体の動きを表す動詞に限られるのに対し，〔向〕は抽象動詞でもよい‖他向（朝）我挥手 彼は私に手を振る｜向（×朝）他学习 彼に学ぶ｜孩子向（×朝）他要了零钱 子供が彼に小遣いをせびった

*【往常】wǎngcháng 名 日ごろ．ふだん‖今天街上比～热闹 今日町はいつもより賑やかだ
*【往返】wǎngfǎn 動 往復する‖频繁～于北京和东京之间 北京と東京の間を頻繁に往復する
【往返票】wǎngfǎnpiào 名 往復切符
【往复】wǎngfù 動 ❶繰り返す ❷書 交際する
*【往后】wǎnghòu 名 これより以後．今後‖～还请你多指教 これからもどうかよろしくご指導ください
*【往来】wǎnglái 動 ❶往来する‖车辆～不绝 車の往来が絶えない ❷交際する‖断绝～ 交際を絶つ

W

*【往年】wǎngnián 名 これまでの年．例年 ‖ 今年的降雨量比～少 今年の降雨量は例年に比べて少ない

*【往日】wǎngrì 名 これまで．以前 ‖ 态度跟～不大一样 態度が以前と少し違う

【往时】wǎngshí 名 昔．以前

*【往事】wǎngshì 名 昔の出来事 ‖ 回忆～ 往事を追想する｜～如烟 往事は煙のごとし

**【往往】wǎngwǎng 副 往々にして．ややもすれば ‖ 对困难估计gūjì不足，～就是失败的开始 困難に対して予測が足りないと，ともすれば失敗の始まりとなる

【往昔】wǎngxī 名 遠い昔．いにしえ

8 **枉** wǎng ❶ゆがんでいる．正しくない ‖ 矫jiǎo～过正 弊害を直そうとしてかえって行きすぎる．角を矯(た)めて牛を殺す ❷ゆがめる．歪曲(わいきょく)する ‖ →～法 ❸無念である．悔しい ‖ 冤yuān～（不当な扱いを受けて）悔しい ❹むだに．むざむざ ‖ →～费

【枉法】wǎngfǎ 動 法をゆがめる

【枉费】wǎngfèi 動 むだに費やす．徒労に終わる

【枉费心机】wǎng fèi xīn jī 成 思案がむだになる．徒労に帰す．むだ骨を折る

【枉顾】wǎnggù 動 敬 書 曲げてご来訪いただく

【枉驾】wǎngjià 動 敬 書 曲げてご来訪いただく

【枉然】wǎngrán 形 何も得るところがない．徒労である

【枉死】wǎngsǐ 動 恨みを抱いて死ぬ

【枉自】wǎngzì 副 いたずらに．なすところなく

11 **惘** wǎng 失意のさま ‖ 怅chàng～ 失意で茫然(ぼうぜん)とするさま｜迷～ 途方に暮れる

【惘然】wǎngrán 形 失意で茫然とするさま ‖ ～若失 茫然自失する

12 **辋** wǎng 名 車輪の周りの丸い枠の部分

17 **魍** wǎng ↓

【魍魉】wǎngliǎng 名 魍魎(もうりょう) ‖ 魑魅～ 魑魅魍魎(ちみもうりょう)．妖怪変化(ようかいへんげ)

wàng

6 **妄** wàng ❶でたらめである．乱れている ‖ →～说｜狂～ 狂気じみる ❷道理に合わない．節度がない ‖ →～图 ❸軽はずみである ‖ →～动

【妄称】wàngchēng 動 でたらめを言い触らす

【妄动】wàngdòng 動 軽率にふるまう．考えもなく行動する ‖ 轻举～ 軽はずみな行動をする

【妄断】wàngduàn 動 軽はずみに結論を下す

【妄念】wàngniàn 名 邪念．誤った考え

【妄求】wàngqiú 動 身分不相応な要求をする．無理に追求する

【妄取】wàngqǔ 動 勝手に使う．無断で使う

【妄人】wàngrén 名 書 無知ででたらめな人．たわけ者

【妄说】wàngshuō 動 でたらめを言う

*【妄图】wàngtú 動 身の程知らずにたくらむ．愚かにももくろむ ‖ ～逃跑 愚かにも逃走をもくろむ

【妄为】wàngwéi 動 やりたい放題悪事をはたらく ‖ 胆大～ 何はばかることなく悪事をはたらく

【妄下雌黄】wàng xià cí huáng 成 他人の詩文をでたらめに訂正する

*【妄想】wàngxiǎng 動 妄想する 名 妄想．できる見込みのない考え

【妄言】wàngyán ＝〔妄语wàngyǔ〕

【妄语】wàngyǔ 動 でたらめを言う．偽りを言う 名 うそ ＊〔妄言〕ともいう

【妄自菲薄】wàng zì fěi bó 成 むやみに自分をさげすむ．不必要に自卑する

【妄自尊大】wàng zì zūn dà 成 やたらに偉そうにふるまう

7 ★**忘** wàng ❶動 **思い出せない．覚えていない．忘れる** ‖ ～得一干二净 きれいさっぱり忘れる｜你的恩情我永远～不了 あなたのご恩は永久に忘れません ❷動 **（うっかりして）忘れる** ‖ 我～了带词典 私は辞典を持ってくるのを忘れた

【忘本】wàng//běn 動 以前の境遇を忘れる

【忘掉】wàng//diào 動 忘れてしまう ‖ ～那些不愉快的事吧 ああした不愉快なことは忘れてしまえよ

【忘恩负义】wàng ēn fù yì 成 恩に背く

【忘乎所以】wàng hū suǒ yǐ 成 得意のあまり前後を忘れる．のぼせあがる．有頂天になる

【忘怀】wànghuái 動 忘れる

【忘记】wàngjì 動 **忘れる ‖ 许多过去会唱的歌现在都～了 昔は歌えた歌もいまではすっかり忘れてしまった｜～带钱包了 財布を忘れた

【忘年交】wàngniánjiāo 名 年齢や長幼の順序にこだわらない親しい交わり

【忘情】wàngqíng 動 ❶（感情に流されず）忘れ去る．（多く否定に用いる）❷夢中になる．我を忘れる

*【忘却】wàngquè 動 忘れる．忘れ去る ‖ 那些往事是无法～的 当時のことは忘れようにも忘れられない

【忘我】wàngwǒ 動 我を忘れる．献身的である

【忘形】wàngxíng 動 書（得意のあまり）我を忘れる

【忘性】wàngxing 名 忘れっぽいこと

8 **往** wàng ➤ wǎng

8 **旺** wàng 形 盛んである ‖ 炉火正～ 暖炉の火が盛んに燃えている

【旺火】wànghuǒ 名 強火 ‖ 用～煮 強火で煮る

【旺季】wàngjì 名 最盛期．出盛り期．シーズン ↔〔淡季〕‖ 旅游～ 旅行シーズン

【旺铺】wàngpù 名 商売が繁盛している店

【旺盛】wàngshèng 形 旺盛である ‖ 庄稼生长～ 作物が勢いよく伸びている｜求知欲～ 知識欲が旺盛だ

【旺市】wàngshì 名〈経〉活気のある市場．取引が盛んな市場 ↔〔淡市〕

【旺势】wàngshì 名 盛んなさま．活気づくさま ‖ 消费保持～ 消費は力強さを保っている

【旺销】wàngxiāo 動 盛んに売れる ‖ ～商品 人気商品｜家用电脑出现～势头 パソコンがよく売れる

【旺月】wàngyuè 名（商売の）忙しい月 ↔〔淡月〕

11 **望**（△朢）wàng ❶動 **眺める．遠くを望む** ‖ 一眼～不到边的稻田 見渡すかぎり果てのない稲田 ❷観察する．注視する ‖ 观～ 様子を見る ❸名（旧暦十五夜の）満月．望月(もちづき) ❹〈天〉満月の日 ❺誉れ．信望 ‖ 声～ 声望 ❻名望のある ‖ →～族 ❼動 書 **待ち望む．期待する** ‖ ～速回电 至急返電を請う ❽望み．見込み ‖ 失～ 失望する ❾…に向かっている．面する ‖ 隔海相～ 海を隔てて向かい合っている．❿介 …に向かって ‖ ～前扔 前のほうへ投げる．⓫訪問する．見舞う ‖ 看～ 訪ねる．見舞う ⓬（居酒屋の）のぼり ‖ →～子

【望尘莫及】wàng chén mò jí 成 実力や才能が足元にも及ばない

【望穿秋水】wàng chuān qiū shuǐ 成 待ち焦がれるさま
【望而却步】wàng ér què bù 成 見ただけで尻込みする
【望而生畏】wàng ér shēng wèi 成 見ただけで恐れる. 怖(お)じ気づく. 尻ごみする
【望风】wàng//fēng 動 見張る
【望风捕影】wàng fēng bǔ yǐng 成 雲をつかむようである. 根も葉もないでたらめなこと. 〔望风扑影〕ともいう
【望风而逃】wàng fēng ér táo 成 形勢悪しと見て一目散に逃げる
【望风披靡】wàng fēng pī mǐ 成 (軍隊が)相手の勢いの盛んなのを見て, 戦意を失い壊滅すること
【望楼】wànglóu 名 望楼. 物見やぐら
【望梅止渴】wàng méi zhǐ kě 成 梅を見て渇きをいやす. ただ空想するだけで満足すること
【望其项背】wàng qí xiàng bèi 成 追いつく. (多く否定に用い)足下にも及ばないの意
【望日】wàngrì 名 旧暦の15日
【望文生义】wàng wén shēng yì 成 文字だけから憶測判断する
【望眼欲穿】wàng yǎn yù chuān 成 切実に待ち望む. 切望する
【望洋兴叹】wàng yáng xīng tàn 成 仰ぎ見て嘆息する. 自分の能力不足を嘆く
*【望远镜】wàngyuǎnjìng 名 望遠鏡
【望月】wàngyuè 名 旧暦の十五夜の満月. 望月(もちづき). 〔满月〕ともいう
【望子】wàngzi 名 旧 (多く居酒屋の)看板用ののぼり. 酒旗(しゅき)
【望子成龙】wàng zǐ chéng lóng 成 我が子が長じて出世し, 立派な人物になることを望む
【望族】wàngzú 名 書 名門. 名家

wēi

6 **危** wēi ❶書 高くそびえている ‖ ～樯qiáng 高い帆柱 ❷書 きちんとしている. かしこまっている ‖ →～坐 ❸危ない. 危険である ↔〔安〕‖ →～险 ❹危なくする. 損害を与える ‖ →～害 ❺危篤である. 瀕死(ひんし)の ‖ 病～ 危篤になる ❻恐れる ‖ →～惧 ❼名 (二十八宿の一つ)うみやめぼし, 危宿(きしゅく)
【危城】wēichéng 名 ❶書 城壁の非常に高い城 ❷包囲され陥落寸前の都市
【危地马拉】Wēidìmǎlā 名〈国名〉グアテマラ
【危笃】wēidǔ 形 書 危篤である
【危房】wēifáng 名 倒壊の危険のある家屋
**【危害】wēihài 動 危害を加える ‖ ～治安 治安をおびやかす｜吸烟～健康 喫煙は健康に害をもたらす
**【危机】wēijī 名 危機 ‖ ～四伏 あらゆる所に災いが潜んでいる｜金融～ 金融危機
【危及】wēijí 動 危害が及ぶ
*【危急】wēijí 形 危急である. 緊迫している ‖ 病情～ 病状が急を要する｜形势～ 情勢が緊迫している
【危局】wēijú 名 危険な局面
【危惧】wēijù 動 危惧(きぐ)する. 心配し恐れる
【危楼】wēilóu 名 書 高楼 ‖ ～百尺 百尺の高楼
【危难】wēinàn 名 危険と災難
【危如累卵】wēi rú lěi luǎn 成 危うきこと累卵(るいらん)のごとし. きわめて危険な状態
【危亡】wēiwáng 動 (国家・民族が)滅亡に瀕する
★【危险】wēixiǎn 形 危険である ‖ 差点ル让车撞着zhuàngzháo, 多～ もう少しで車にぶつかるところだった, ほんとうに危なかった｜冒着生命～ 命の危険を冒す
【危言耸听】wēi yán sǒng tīng 成 わざと過激なことを言って世間を驚かす
【危在旦夕】wēi zài dàn xī 成 危険が眼前に迫っている
【危重】wēizhòng 形 危篤である. 重体である
【危坐】wēizuò 動 正座する. 端座する

8 **委** wēi ↴ ➤ wěi
【委蛇】wēiyí 形 書 ❶＝〔逶迤wēiyí〕❷従順なさま. 同調するさま ‖ 虚与～ うわべばかり調子を合わせる

9 **威** wēi ❶威厳. 威力 ‖ 权～ 権威 ❷威嚇する ‖ →～吓
【威逼】wēibī 動 力で押さえつける. 脅す
*【威风】wēifēng 名 威風. 羽振り ‖ 耍shuǎ～ 威張る 形 さっそうとしている. 堂々としている
【威吓】wēihè 動 威嚇する. 脅す
*【威力】wēilì 名 威力 ‖ 巨大的～ 大きな威力｜发挥人民大众的～ 人民大衆の力を発揮させる
【威名】wēimíng 名 名声. 威名
【威迫】wēipò 動 力で押さえつける. 脅す
【威权】wēiquán 名 権勢 ‖ 炫耀xuànyào～ 権勢を誇示する
【威慑】wēishè 動 武力で威嚇する
【威士忌】wēishìjì 名 外 ウイスキー. 〔威士忌酒〕ともいう
【威势】wēishì 名 威力
*【威望】wēiwàng 名 威光と人望. 声望 ‖ 很有～的老科学家 声望の高い老科学者
【威武】wēiwǔ 名 書 威武. 権勢と武力 形 威厳があり力強い. 勇ましい ‖ ～强壮 勇ましく強健である
*【威胁】wēixié 動 脅迫する. 脅かす ‖ ～利诱 脅したりすかしたりする｜庄稼受到干旱gānhàn～ 農作物が干魃(かんばつ)におびやかされる｜军事～ 軍事的脅威
*【威信】wēixìn 名 威信. 信望 ‖ 树立～ 威信を確立する｜～扫地 威信地を払う
【威严】wēiyán 形 厳しく威厳がある. いかめしい ‖ ～的目光 威厳のあるまなざし 名 威厳
【威仪】wēiyí 名 威儀. 威厳のある容姿や振る舞い

11 **偎** wēi 動 ぴったりと寄り添う ‖ 孩子～在母亲身旁 子供は母親にぴったり寄り添っている
【偎抱】wēibào 動 抱擁する. 抱きしめる
【偎依】wēiyī 動 寄り添う. 接近する

11 **隈** wēi 書 山や川などの湾曲している場所 ‖ 河～ 川のくま

11 **逶** wēi ↴
【逶迤】wēiyí 形 書 (道・山・川などが)うねうねと続いているさま. 〔委蛇〕とも書く ‖ ～的山路 曲がりくねった山道

11 **萎** wēi ➤ wěi

13 **微** wēi ❶小さい. 少ない ‖ 轻～ 軽微である ❷(規模・力などが)衰える. 下落する ‖ 衰～ 衰微する ❸身分が低い ‖ →～贱 ❹微妙である. 奥深い ‖ →～妙 ❺かすかに ‖ ～红 やや赤い ❻古 微小な長さの単位. 1〔寸〕の100万分の1 ❼100万分の1 ‖ →～米

W

【微波】wēibō 名 ❶さざ波 ‖ ～荡漾dàngyàng さざ波が立つ ❷〈電子〉マイクロ波. マイクロウエーブ
【微波炉】wēibōlú 名 電子レンジ
【微薄】wēibó 形 きわめてわずかである ‖ ～的收入 雀の涙の収入 | 尽自己～的力量 微力を尽くす
*【微不足道】wēi bù zú dào 成 微小で全く問題にするに足りない. 小さなことで取り上げる価値がない
【微处理器】wēichǔlǐqì 名〈計〉マイクロプロセッサー. MPU
【微词】【微辞】wēicí 名 書（婉曲にほのめかすような）非難. 批判 ‖ 颇pō有～ 大いに不満がある
【微电脑】wēidiànnǎo 名〈電子〉マイクロコンピュータ ＝〔微型电脑〕
【微电子】wēidiànzǐ 名〈電子〉マイクロエレクトロニクス
【微分】wēifēn 名〈数〉微分
【微风】wēifēng 名 ❶そよかぜ ‖ ～轻拂fú そよ風がそよぐ ❷〈気〉風力階級3. 軟風
【微服】wēifú 動 書（身分のある人が）目立たない服装で外出する ‖ ～私访 お忍びで民情を視察する
*【微观】wēiguān 形 ミクロ的である ↔〔宏观〕
【微观经济】wēiguān jīngjì 名〈経〉ミクロ経済 ↔〔宏hóng观经济〕
【微观粒子】wēiguān lìzǐ 名〈物〉ミクロ粒子
【微观世界】wēiguān shìjiè 名〈物〉ミクロの世界
【微乎其微】wēi hū qí wēi 成 きわめて微細である. きわめてわずかである
【微火】wēihuǒ 名 とろ火 ＝〔文火〕
【微机】wēijī 名 略〈計〉パソコン.〔微型电子计算机〕の略
【微贱】wēijiàn 形（出身が）卑しい.（社会的地位が）低い. 卑賤（ひせん）である
【微利】wēilì 名 ごくわずかな利潤や利益
【微粒】wēilì 名 微粒
【微量】wēiliàng 形 微量である. わずかである
【微量元素】wēiliàng yuánsù 名〈化〉微量元素
【微米】wēimǐ 量 ミクロン
【微妙】wēimiào 形 微妙である ‖ 两人的关系很～ 二人の関係はなんとも微妙である
【微明】wēimíng 形 薄明るい. ほの明るい
【微末】wēimò 形 微小である. わずかである ‖ ～的贡献gòngxiàn わずかな貢献 | ～之力 微々たる力
【微弱】wēiruò 形 ❶微弱である. 弱くかすかである ‖ 脉搏màibó跳得很～ 脈が弱い | 声音～ 声がか細い ❷ひ弱である. 虚弱である ‖ ～的身躯 虚弱な体
【微生物】wēishēngwù 名 微生物
【微缩】wēisuō 動 縮小する
【微调】wēitiáo 動 ❶〈電〉（チューナーを）微調整する ❷微調整する ‖ 工资～ 小幅の賃上げをする
【微微】wēiwēi 副 かすかに. 少々. ほんの少し ‖ ～点头 かすかにうなずく 形 かすかである. 微小である
【微细】wēixì 形 微細である. 非常に細かい
*【微小】wēixiǎo 形 微小である. 非常に小さい ‖ ～的进步 わずかな進歩 | ～的变化 わずかな変化
**【微笑】wēixiào 名 ほほえみ. 微笑 ‖ 面带～ 顔にほほえみを浮かべる 動 ほほえむ. 微笑する ‖ ～着回答大家的问题 笑顔でみんなの質問に答える
【微笑服务】wēixiào fúwù 組（サービス業で）笑顔で応対する. スマイルサービス
【微型】wēixíng 形 超小型の. ミニタイプの
【微型小说】wēixíng xiǎoshuō 名 掌編小説. ショートショート.〔小小说〕ともいう
【微血管】wēixuèguǎn 名〈生理〉毛細血管
【微循环】wēixúnhuán 名〈生〉（生体内の）微循環
【微言大义】wēi yán dà yì 成 微妙な言葉遣いに含まれている深い道理

13 **煨** wēi ❶動 熱い灰の中で蒸し焼きにする ❷動（調理法の一つ）とろ火でよく煮込む

16 **薇** wēi ❶古 カラスノエンドウ ❷ ➡〔蔷薇qiángwēi〕

20 **巍** wēi 書 高大である ‖ →～然 | →～峨
【巍峨】wēi'é 形（山や建築物などが）高く雄大なさま
【巍然】wēirán 形 高く雄大なさま. 巍然（ぎぜん）たる
【巍巍】wēiwēi 形 険しい. 巍々（ぎぎ）たる

wéi

4 ★**为**[1]（爲）wéi ❶なす. 行う ‖ 尽力而～ 全力を尽くして行う ❷書（一部の動作・行為を表す）…をなす ‖ ～政 政治をつかさどる ❸動 …とする. …とみなす ‖ 选他～代表 彼を代表に選ぶ ❹動 …に変化する. …になる ‖ 转zhuǎn败～胜 敗勢を転じて勝利となす ❺動 …である. …だ ‖ 试用期～一年 試用期間は1年である

4 ★**为**[2]（爲）wéi 介（〔所〕と呼応し受身を示す）…に…される. …から…される ‖ ～广大人民所欢迎 多くの人々に喜ばれる | ～表面现象所迷惑míhuo うわべに惑わされる

4 **为**[3]（爲）wéi 接尾 単音節の形容詞または副詞の後に置き, 2音節の動詞・形容詞を修飾する ‖ 大～高兴 大いに喜ばしい | 深～感动 深く感動した | 极～重要 きわめて重要である ➤ wèi
【为非作歹】wéi fēi zuò dǎi 成 あれこれと悪事をはたらく
【为富不仁】wéi fù bù rén 成 金儲けのためなら他人のことは考えない. 金持ちは薄情なもの
【为害】wéihài 動 損害をもたらす
【为患】wéihuàn 動 災いとなる
【为力】wéilì 動 書 力になる. 援助する ‖ 无能～ 力になれない
*【为难】wéinán 形（立場上）困る. 困惑する ‖ 左右～ 板ばさみになる 動（人を）困らせる. てこずらせる ‖ 成心～他 わざと彼を困らせる
【为盼】wéipàn 動 喩 希望する ‖ 早日赐复cìfù～ 早急にご返事を賜ればありがたく存じます
*【为期】wéiqī 動 ❶…を期限とする ‖ ～一周的旅行 1週間の旅行 ❷期限から見る. 期日から見る ‖ ～不远 期日が近い
【为人】wéirén 名 人として世に処する態度. 人となり ‖ ～厚道 人柄が温厚である
【为生】wéishēng 動 生活する. 生業とする
【为时】wéishí 動 時期から見る. 時間から見る ‖ ～已晚 時期すでに遅し | ～过早 時期尚早である
*【为首】wéishǒu 動（〔以…为首〕の形で）（…を）先頭とする. 代表とする ‖ 以市长～的代表团 市長を団長とする代表団
【为数】wéishù 動 数から見る. 数量から見る ‖ ～可观 かなりの数である
【为所欲为】wéi suǒ yù wéi 成 ほしいままにふるまう.

したい放題にふるまう
【为伍】wéiwǔ 動 一緒になる. 仲間になる
【为限】wéixiàn 動 書 (…を)限度とする ‖ 年龄以四十以下～ 40歳以下とする
*【为止】wéizhǐ 動 …までとする. 終わりにする. (多く時間や進度などに用いる) ‖ 到此～ これまでとする
【为主】wéizhǔ 動 書 (〔以…为主〕の形で) (…を)主とする. 第一とする ‖ 以工作～ 仕事を第一とする
4 韦(韋) wéi 書 なめし皮 ❷書 とじひも ‖ →～编三绝
【韦编三绝】wéi biān sān jué 成 韋編三絶(いへんさんぜつ). 一生懸命勉強するたとえ
6 圩 wéi 名 水田や低地の周りの堤 ‖ ～子 同前 | 筑～ 堤を築く ➤xū
7 沩(溈) wéi 地名用字 ‖ ～水 湖南省にある川の名
7 违(違) wéi ❶別れる. 離れる ‖ 久～ ご無沙汰(ぶさた)しております ❷背く. たがえる ‖ 阳奉阴～ 面従腹背
【违拗】wéi'ào 動 わざと従わない
*【违背】wéibèi 動 背く. 違反する ‖ ～合同 契約に違反する | ～事实 事実に反する
*【违法】wéi∥fǎ 動 法に背く ‖ ～行为 違法行為
【违法乱纪】wéi fǎ luàn jì 成 法を守らず規律を乱す
**【违反】wéifǎn 動 (法則や規定などに)反する. 違反する ‖ ～政策 政策に反する | ～惯例 慣例に反する
*【违犯】wéifàn 動 (法律や規則などを)犯す. 違反する ‖ ～校规 校則を犯す | ～法令 法令に違反する
【违规】wéi∥guī 動 規則に違反する
【违和】wéihé 動 書 婉 病気になる
【违纪】wéi∥jì 動 規律に違反する ‖ ～行为 規律違反行為
【违禁】wéijìn 動 禁令を犯す
【违抗】wéikàng 動 反抗する. 逆らう
【违例】wéilì 動 ❶慣例に背く ❷〈体〉反則を犯す
【违令】wéi∥lìng 動 命令に反する
【违逆】wéinì 動 書 反抗する. 逆らう
【违误】wéiwù 動 書 (公文書用語)命令に違反し, 処理を手間取る
【违宪】wéixiàn 動 憲法に違反する
【违心】wéixīn 動 本心に背く. 心にもない
【违约】wéi∥yuē 動 (条約や契約などに)違反する
【违约金】wéiyuējīn 名 違約金
【违章】wéi∥zhāng 動 法規に違反する. 規則に違反する ‖ ～建筑 違法建築
7 闱(闈) wéi 古 ❶宮殿のわき門 ❷皇后や妃たちの居室. また, 女性の居室 ‖ 宫～ 宮廷 ❸科挙の試験場
7 **围(圍) wéi ❶動 包囲する. 取り巻く ‖ 记者们把他～在中间 記者たちは彼をぐるりと取り囲んでいる ❷周囲. 周り ‖ 四～ 周囲 ❸周囲の長さ ‖ 腰～ ウエスト ❹量 ①両腕で抱えた太さ ‖ 树大十～ 木の太さは十抱えもある ②両手の親指と人差し指で輪をつくった大きさ ‖ 腰粗十～ 腰回りが手の輪の10倍ほどもある
【围脖儿】wéibór 名 方 襟巻き. ネッカチーフ
【围捕】wéibǔ 動 取り囲んで捕らえる
【围场】wéichǎng 名 古 (皇帝や貴族の)狩り場
【围城】wéi∥chéng 動 都市を包囲する 名 (wéichéng) 敵に包囲された都市
【围堵】wéidǔ 動 封じ込める. 取り囲んで封鎖する
*【围攻】wéigōng 動 包囲して攻撃する
【围观】wéiguān 動 取り囲んで眺める
【围击】wéijī 動 包囲して攻撃する
【围歼】wéijiān 動 包囲して殲滅(せんめつ)する
【围剿】wéijiǎo 動 包囲して討伐する
【围巾】wéijīn 名 襟巻き. ネッカチーフ. スカーフ ‖ 真丝～ シルクのスカーフ | 围～ スカーフを巻く
【围聚】wéijù 動 集まって取り囲む
【围困】wéikùn 動 閉じ込める. 封じ込める. 包囲する
【围猎】wéiliè 動 巻き狩りをする. 包囲して猟をする
【围拢】wéilǒng 動 取り囲む. 取り巻く
【围屏】wéipíng 名 屏風(びょうぶ)
*【围棋】wéiqí 名 囲碁. 碁 ‖ 下～ 碁を打つ
【围墙】wéiqiáng 名 塀. 外囲い
【围裙】wéiqún 名 エプロン. 前掛け ‖ 系jì上～ エプロンをする
**【围绕】wéirào 動 ❶巡る. 取り巻く ‖ 地球～太阳转zhuàn 地球は太陽の周りを回る ❷(…を)巡る ‖ ～这个问题展开讨论 この問題を巡って討論をする
【围生期】wéishēngqī 名 妊娠後期から分娩後1週間までの期間. 〔围产期〕ともいう
【围魏救赵】wéi Wèi jiù Zhào 成 後方をついて敵の進攻を止める戦術をさす
【围子】wéizi 名 ❶村落の周囲の土の囲い. 土塁. 塀 ❷=〔帏子wéizi〕
【围嘴儿】wéizuǐr 名 乳幼児のよだれ掛け
【围坐】wéizuò 動 ぐるりと囲んで座る
7 帏(幃) wéi ❶古 匂い袋 ❷〔帷wéi〕に同じ
10 涠(潿) wéi 地名用字 ‖ ～洲 広西チワン族自治区にある島の名
10 桅 wéi 帆柱. マスト ‖ →～杆 | 船～ 船のマスト | 大～ メイン・マスト
【桅灯】wéidēng 名 ❶帆柱につける航行用灯火 ❷カンテラ
*【桅杆】wéigān 名 帆柱. マスト
【桅樯】wéiqiáng 名 帆柱. マスト
11 惟[1] wéi 考える ‖ 思～ 思惟(しい)する
11 惟[2] wéi ❶副 ただ…のみ ‖ ～他学过法语 彼だけがフランス語を勉強したことがある ❷接 ただし ‖ 雨已停, ～风未止 雨はすでにやんだが, 風はまだやんでいない
【惟独】wéidú =〔唯独wéidú〕
【惟恐】wéikǒng =〔唯恐wéikǒng〕
【惟利是图】wéi lì shì tú =〔唯利是图 wéi lì shì tú〕
【惟妙惟肖】wéi miào wéi xiào 成 そっくりそのままである. 真に迫っている
【惟命是听】wéi mìng shì tīng =〔唯命是听 wéi mìng shì tīng〕
【惟我独尊】wéi wǒ dú zūn =〔唯我独尊 wéi wǒ dú zūn〕
【惟一】wéiyī =〔唯一wéiyī〕
【惟有】wéiyǒu =〔唯有wéiyǒu〕
11 唯[1] wéi 書 応答の声

11 **唯**² wéi 〔惟² wéi〕に同じ

*【唯独】wéidú 副 …のみ．…だけ．〔惟独〕とも書く ‖ 大家都来了，～他没到 ほかの人はみな来たが，彼だけまだ来ていない

*【唯恐】wéikǒng 動 …だけを恐れる．…だけが心配である．〔惟恐〕とも書く ‖ ～迟到，早早地就出门了 遅れるといけないと思って，早々と出かけた

【唯利是图】wéi lì shì tú 成 もっぱら利益をはかる．がりがり亡者．儲け主義．〔惟利是图〕とも書く

【唯美主义】wéiměi zhǔyì 名 唯美主義

【唯命是听】wéi mìng shì tīng 成 言われたとおりにする．なんでも言いなりになる．唯々諾々(いいだくだく)と従う．〔唯命是从〕ともいう

【唯唯诺诺】wéi wéi nuò nuò 成 ひたすらはいはいと人の言いなりになるさま

【唯我独尊】wéi wǒ dú zūn 成 唯我独尊．自分に及ぶ者はないとうぬぼれる．〔惟我独尊〕とも書く

【唯物辩证法】wéiwù biànzhèngfǎ 名〈哲〉唯物弁証法

*【唯物论】wéiwùlùn 名〈哲〉唯物論

【唯物史观】wéiwù shǐguān 名〈哲〉唯物史観

*【唯物主义】wéiwù zhǔyì 名〈哲〉唯物主義．唯物論

*【唯心论】wéixīnlùn 名〈哲〉唯心論

【唯心史观】wéixīn shǐguān 名〈哲〉唯心史観

*【唯心主义】wéixīn zhǔyì 名〈哲〉唯心主義

*【唯一】wéiyī 形 唯一の．たった一つの．〔惟一〕とも書く ‖ ～可行的方案 唯一の実行可能な案

*【唯有】wéiyǒu 副 …のみ．…だけ．〔惟有〕とも書く ‖ ～他理解我 彼だけが私を分かってくれている 接 …してはじめて ‖ ～努力，才能取得好成绩 努力してはじめてよい成績が収められる

11 **帷** wéi 幔幕(まんまく)．引き幕 ‖ 罗luó～ 絽(ろ)や紗(しゃ)のとばり

【帷幔】wéimàn 名 幔幕．とばり

【帷幕】wéimù 名 幔幕．引き幕

【帷幄】wéiwò 名 書 軍中の張り幕．本陣

【帷子】wéizi 名（目隠しのために掛ける）幔幕

11 **维**¹ wéi ❶つなぎ止める．つなぐ ‖ → ～系 ❷保つ．守る ‖ → ～持 ❹名〈数〉次元

11 **维**² wéi 〔惟¹ wéi〕に同じ

*【维持】wéichí 動 維持する ‖ ～秩序zhìxù 秩序を保つ｜～生命 生命を維持する

【维和】wéihé 動 平和を維持する ‖ ～部队（国連）平和維持部隊．平和維持軍

【维护】wéihù 動 **守る．擁護する ‖ ～世界和平 世界の平和を守る｜～产品的声誉 製品の評判を保つ

【维纳斯】Wéinàsī 名 外 ビーナス

【维权】wéiquán 動 権益を守る ‖ 消费者～意识 消費者の権利意識

*【维生素】wéishēngsù 名〈薬〉ビタミン

【维他命】wéitāmìng 名 ビタミン．〔维生素〕の旧称

【维吾尔族】Wéiwú'ěrzú 名 ウイグル族（中国の少数民族の一つ，主として新疆ウイグル自治区に居住）．略して〔维族〕という

【维系】wéixì 動 維持する．つなぐ．引き止める

【维新】wéixīn 動 政治を改革する

*【维修】wéixiū 動 修理する．手入れをする．保守する ‖ ～机器 機械を補修する｜上门～ 出張修理する

【维也纳华尔兹】Wéiyěnà huá'ěrzī 名（ダンスの）ウインナワルツ．〔快三步〕ともいう

【维族】Wéizú 名 略 ウイグル族．〔维吾尔族〕の略

12 **喂** wéi 感 呼びかけるとき，あるいは相手の応答を求めるときに使う言葉 ‖ ～，你找哪位？ もしもし，誰にご用ですか ➤ wèi

12 **嵬** wéi 書 高くそびえ立つさま ‖ ～然 高々とそびえるさま｜～～ 同前

14 **潍** wéi 地名用字 ‖ ～河 山東省にある川の名

wěi

6 **伪**(僞) wěi ❶偽りの．にせの ↔〔真〕‖ → ～造｜→ ～装｜虚～ 虚偽 ❷非合法な．正統性のない ‖ → ～政府

【伪钞】wěichāo 名 偽造紙幣．にせ札

【伪君子】wěijūnzǐ 名 えせ君子

【伪科学】wěi kēxué 名 えせ科学．非科学的な邪説

【伪劣】wěiliè 形 にせもので質の悪い ‖ ～商品 にせの商品

【伪善】wěishàn 形 偽善的である．善人ぶっている

【伪书】wěishū 名 原本に似せて偽造した書物

【伪托】wěituō 動（多く著述などで）古人や他人の名前をかたる

*【伪造】wěizào 動 偽造する ‖ ～钞票chāopiào にせ札を造る｜～学历 学歴をかたる

【伪证】wěizhèng 名〈法〉偽証 ‖ 做～ 偽証する

【伪政府】wěizhèngfǔ 名 傀儡(かいらい)政府

【伪装】wěizhuāng 動 ❶装う．ふりをする ‖ ～积极 熱心なふりをする ❷〈軍〉偽装する．カモフラージュする 名 ❶〈軍〉偽装．カモフラージュ ❷にせの姿．仮面

【伪足】wěizú 名〈動〉仮足．擬足．虚足

【伪作】wěizuò 動 偽作する 名 偽作．贋作(がんさく)

6 **伟**(偉) wěi ❶高くて大きい ‖ → ～岸 ❷優れている ‖ → ～大

【伟岸】wěi'àn 形 書（体格が）たくましく立派である

★【伟大】wěidà 形 **偉大である** ‖ ～的音乐家 偉大な音楽家｜取得了～的成就 大きな業績をあげる

【伟绩】wěijì 名 書 偉大な功績．大きな手柄

【伟力】wěilì 名 偉大な力

【伟论】wěilùn 名 優れた言論

【伟人】wěirén 名 偉大な人物．偉人

【伟业】wěiyè 名 書 偉大な業績

7 **苇**(葦) wěi 名〈植〉アシ．ヨシ ‖ 芦lú～ アシ．ヨシ

【苇荡】wěidàng 名 アシが一面に生い茂っている浅い湖．〔芦lú荡〕ともいう

【苇塘】wěitáng 名 アシやヨシの生えている池や沼

【苇子】wěizi 名〈植〉アシ．ヨシ ＝〔芦lú苇〕

7 * **尾** wěi ❶動物のしっぽ ‖ → ～巴 ❷名（二十八宿の一つ）あしたれぼし．尾宿(びしゅく) ❸名 終わり．末尾 ‖ 从头到～ 始めから終わりまで ❹半端な部分．残りの部分 ‖ → ～数 ❺量（魚を数える）尾．匹 ‖ 一～黄花鱼 イシモチ1匹 ➤ yǐ

【尾巴】wěiba 名 ❶しっぽ** ‖ 夹jiā着～逃跑了 しっぽを巻いて逃げる ❷（物体の）**後部** ‖ 风筝～ 凧(たこ)の足 ❸物事の残留部分 ‖ 解决问题要彻底，不要留

～ 問題は徹底的に余すところなく解決しなければならない ❹人の考えに追随してばかりいる人‖～主义 追随主義 ❺尾行者‖甩shuǎi掉～ 尾行者をまく
【尾巴工程】wěiba gōngchéng 图 一部を残したままなかなか竣工しない工事
【尾大不掉】wěi dà bù diào 成 尾が大きすぎて振れない．上よりも下の勢力が大きくて統制がとれないこと
【尾灯】wěidēng 图（自動車・列車の）尾灯
【尾骨】wěigǔ 图〈生理〉尾骶骨(びていこつ)
【尾迹】wěijì 图 飛行機雲．航跡
【尾款】wěikuǎn 图 清算されずに残った端数の金額‖拖欠～数千元 数千元の未返済金が残っている
【尾盘】wěipán 图〈経〉（株式市場で）大引け．その日の終盤の取引
【尾气】wěiqì 图（機械や車の）排気ガス
【尾声】wěishēng 图 ❶南曲や北曲で，幕の最後に歌われる曲 ❷〈音〉結尾部．終結部 ❸（文学作品の）エピローグ．終章 ❹最終段階．大詰め
【尾数】wěishù 图 ❶〈数〉小数点以下の数 ❷計算上の末尾の数．端数 ❸末尾番号
【尾随】wěisuí 動 後に従う
【尾翼】wěiyì 图（飛行機の）尾翼
【尾音】wěiyīn 图〈語〉単語あるいは語句の最後の音
【尾追】wěizhuī 動 追跡する．後を追いかける
7 纬（緯）wěi ❶（織物の）横糸 ↔〔经〕 ❷古 緯書(いしょ)．吉凶禍福を予言した書物 ❸緯度 ↔〔经〕‖北～ 北緯
【纬度】wěidù 图〈地〉緯度 ↔〔经度〕
【纬纱】wěishā 图〈紡〉（木綿や麻の織物の）横糸
【纬线】wěixiàn 图 ❶〈紡〉（織物の）横糸 ❷〈地〉緯線 ＊↔〔经线〕
8 委[1] wěi ❶ゆだねる．委任する‖～以重任zhòngrèn 重要な任務を任せる ❷捨てる．捨て去る‖→～弃 ❸（罪や責任を人に）転嫁する‖→～罪 ❹委員または委員会の略‖编～ 編集委員
8 委[2] wěi ❶書 蓄積する．集積する‖～积 蓄積する ❷末尾．終わり‖原～ 一部始終
8 委[3] wěi 元気がない．意気があがらない‖→～靡｜→～顿
8 委[4] wěi 曲がりくねった．遠回しの‖→～婉｜→～曲
8 委[5] wěi 書 確かに．間違いなく‖→～实
➤ wēi
【委顿】wěidùn 形 書 疲れている．元気がない
【委过】wěiguò ＝〔诿过wěiguò〕
【委决不下】wěijuébuxià 動 はっきり決められない．決断しきれない‖一时～ すぐには決断しきれない
【委靡】wěimǐ 形 意気消沈している．しょげている．〔萎靡〕とも書く‖～不振 しょげかえっている．元気がない
【委内瑞拉】Wěinèiruìlā 图〈国名〉ベネズエラ
【委派】wěipài 動 委任する．派遣する
【委培】wěipéi 動 外部に委託して人材を育成する
【委弃】wěiqì 動 断念する．放り出す‖～不顾 捨てて顧みない
【委曲】wěiqū 形 ❶（道や川などが）くねくねと曲がっている ❷（歌の節回しなどが）曲折がある 图 書 一部始終．いきさつ．内情‖告知～ 内情を告げる
【委曲求全】wěi qū qiú quán 成 自分の気持ちを曲げてまるく収める．自分は我慢して折り合う
＊【委屈】wěiqu 形（不当な目に遭って）切ない．やりきれない．悔しい 動 人につらい思いをさせる．不当な目に遭わせる‖对不起，让你受～了 すみません，君につらい思いをさせてしまった
【委任】wěirèn 動 委任する．任命する
【委身】wěishēn 動 書（多く不本意な事柄について）身をゆだねる‖～事人 やむを得ず人に身を任せ仕える
【委实】wěishí 副 確かに．まったく
【委琐】wěisuǒ 形 書 ❶こまごまして煩わしい ❷＝〔猥琐wěisuǒ〕
＊【委托】wěituō 動 任せる．依頼する‖受人～ 人から依頼される｜这事就～给你了 この件は君に任せたぞ

コラム 婉曲表現

ストレートな物言いを好む言語というイメージが強い中国語だが，婉曲表現も豊富だ．死や生理現象，性に関することなど，直接的な表現がはばかられる事柄についてはもちろん，結婚のようなおめでたいことでも，状況によっては，“你的个人问题呢？”（「結婚は……？」）のような遠まわしな表現が用いられる．以下，よく使われる婉曲表現を状況別に列挙する．

死に関するもの

去世了 qùshì le
过去了 guòqu le
不在了 bú zài le

いずれも“死了”（死んだ）のかわりに用いられる代表的な婉曲表現．“老了”という言い方もある．より文学的な表現としては“他永远离开了我们”“他离开了人间”などがあげられる．

火葬場“火葬场”のことは，北京では“八宝山”，天津では“北仓”と，所在地の地名で表す．

日本ではおめでたい意味の「寿」の字は，中国では“寿材”（生前に用意しておく棺桶），“寿穴”（生前に用意しておく墓），“寿衣”（死者に着せる衣服）など，葬儀に関して用いられる．

生理現象，身体上のことに関するもの

解手 jié//shǒu
净手 jìng//shǒu
上〔去〕一号 shàng[qù] yīhào
方便方便〔方便一下〕 fāngbiàn fāngbiàn[fāngbiàn yíxià]

いずれも“上厕所”（トイレに行く）の意．古い表現では“更衣”という言い方もある．

来例假 lái lìjià
来客 láikè
倒霉了 dǎoméi le

“来月经”（生理になる）のこと．いずれもぼかした表現に言い換えられている．

有喜 yǒuxǐ
身子不方便 shēnzi bù fāngbiàn

“怀孕”（妊娠する）の言い換え．“要做妈妈了”“有了”という言い方もよく使われる．

身体障害者のことは“残疾人”といい，日本人の

【委婉】【委宛】wěiwǎn 形 婉曲(えんきょく)である．もの柔らかである‖措词cuòcí～ 言葉遣いが柔らかい

＊＊【委员】wěiyuán 名 ❶(委員会の)委員 ❷旧 特定の任務を委託された人

【委员会】wěiyuánhuì 名 委員会

【委罪】wěizuì ＝〔诿罪wěizuì〕

8 **炜**(煒) wěi 書 光り輝いている．輝かしい

8 **玮**(瑋) wěi 書 ❶玉(ぎょく)の一種 ❷貴重である‖明珠～宝 珍しい珠玉

9 **洧** wěi 地名用字‖～川 河南省にある地名

10 **诿** wěi ↴

【诿过】wěiguò 動 過ちを他人になすりつける．〔委过〕とも書く

【诿罪】wěizuì 動 罪を転嫁する．〔委罪〕とも書く

10 **娓** wěi ↴

【娓娓】wěiwěi 形 話して倦(う)まないさま．また，話し方が表情豊かで生き生きとしているさま

11 **隗** wěi 名 姓 ➤ kuí

11 **萎** wěi ❶(植物が)しおれる‖枯～ 枯れしぼむ ❷元気がない．衰弱している‖→～缩

【萎黄】wěihuáng 動 ❶(植物が)枯れる ❷顔色が悪くなる

【萎落】wěiluò 動 ❶枯れて散る ❷衰える

【萎靡】wěimǐ ＝〔委靡wěimǐ〕

【萎缩】wěisuō 動 ❶(草木が)干からびる．なえる ❷(経済が)沈滞する．衰退する‖经济～ 経済が衰退する ❸〈医〉萎縮(いしゅく)する．なえる

【萎谢】wěixiè 動 (草花が)枯れしぼむ

11 **唯** wěi ➤ wéi

12 **猥** wěi ❶雑多である‖～杂 雑多である ❷下品である‖→～琐

【猥辞】【猥词】wěicí 名 みだらな言葉．下品な言葉

【猥琐】wěisuǒ 形 (容貌(ようぼう)・挙動が)下品でこせこせしている．見苦しい．みすぼらしい．〔委琐〕とも書く

【猥亵】wěixiè 形 みだらである．野卑である‖～行为 猥褻(わいせつ)行為 動 猥褻行為をする

13 **韪**(韙) wěi ➡〔不韪bùwěi〕

13 **痿** wěi 〈中医〉体の一部の萎縮や機能の喪失‖下～ 下半身不随｜阳～ インポテンツ

13 **艉** wěi 船尾

14 **鲔** wěi ❶古 チョウザメ ❷名〈魚〉スマ．ヤイト

wèi

3 **卫**[1](衛) wèi ❶守る．防衛する‖守～ 守備する ❷防衛の任に当たる人‖门～ 門衛 ❸名 明代，要衝に設けられた軍営

3 **卫**[2](衛) wèi 名 衛(えい)．春秋時代の国名．現在の河北省南部から河南省北部にかけてあった

【卫兵】wèibīng 名 衛兵．衛卒．護衛兵

【卫道士】wèidàoshì 名 古臭い道徳の擁護者．体制派

【卫队】wèiduì 名 護衛隊．警備隊

【卫国】wèiguó 動 国を守る．国家を防衛する

【卫护】wèihù 動 守る．かばう

【卫冕】wèimiǎn 動〈体〉首位の座を守る

＊＊【卫生】wèishēng 形 衛生的である 名 衛生‖环境～ 環境衛生｜打扫～ 掃除をする

【卫生间】wèishēngjiān 名 バスルームやトイレをさす

【卫生巾】wèishēngjīn 名 生理用ナプキン

【卫生裤】wèishēngkù 名 方 メリヤスのズボン下

感覚からするとややきつい表現に感じられるが，身体上のことに関しては婉曲な言い方が望ましいとされており，たとえば耳が不自由な人のことは，“耳背”“重听”のようにいう．

体型については，親しい相手には“你胖了”のようにストレートに言うことも多いが，相手との関係によっては，“富态”“壮”“发福”などを使うのが望ましい．太鼓腹のことは，自分については“啤酒肚”，相手については“将军肚”などという．

性，恋愛に関するもの

作风问题 zuòfēng wèntí（男女間の問題）

第三者 dìsānzhě（不倫の相手）

同房 tóng fáng，同床 tóng chuáng，睡觉 shuì//jiào，上床 shàng chuáng

“性交”の言い換え．英語の make love からきたと思われる“做爱”という言い方もよく使われる．

成人电影 chéngrén diànyǐng，黄色电影 huángsè diànyǐng，黄片 huángpiàn（ポルノ映画）

その他

待业 dàiyè（失業）

城市美容师 chéngshì měiróngshī（清掃労働者）

大墙 dàqiáng（刑務所）

二进宫 èrjìngōng（再度刑務所に入る）

意思 yìsi（気持ちを表す，志）

贈り物をするときなどに“这是一点儿小意思”（ほんの気持ちです）のように使うほか，“这是不好办．我们先送点儿东西，给管事的意思意思吧”（この件の解決は厄介らしい．担当の人に先に何か送って，こちらの気持ちを示しておこう）のように，“收买”“行贿”（賄賂）を意味することもある．

那个 nàge（あれ）

幅広く使える便利な表現．“你这么做太那个了”（君のこういうやり方はあんまりじゃないか），“你不觉得他太那个了吗？”（彼はあんまりだと思わない？）と言えば，「無礼」「度が過ぎる」の意になる．人に対して使う場合は，批判の気持ちがこもる．

女性が“我那个来了”といったら「生理になった」という意味かもしれない．男女関係に関して“我跟他那个了”といったら“做爱”を意味する場合がある一方で，“分手了”“闹翻了”“吵架了”の意味の場合もある．

前後の文脈や会話の流れをよくみて意味を判断することが必要だ．

【卫生筷】wèishēngkuài 名 割り箸

【卫生球】wèishēngqiú (～儿) 名 防虫剤. ナフタリン. (球状の)樟脳(しょうのう)

【卫生设备】wèishēng shèbèi 名 バスルームやトイレなどの設備

【卫生衣】wèishēngyī 名 方 メリヤスのシャツ

【卫生员】wèishēngyuán 名 保健員. 衛生員

【卫生纸】wèishēngzhǐ 名 ❶トイレットペーパー ❷生理用ナプキン

【卫士】wèishì 名 衛兵. 護衛兵

【卫视】wèishì 名 衛星放送. 〔卫星电视〕の略

【卫戍】wèishù 動 (多く首都の)警備をする

**【卫星】wèixīng 名 ❶〈天〉衛星 ❷人工衛星 ‖ 气象～ 気象衛星 | ～转播 zhuǎnbō 衛星中継 形 中心となるものの周囲にある ‖ ～城市 衛星都市

【卫星城】wèixīngchéng 名 衛星都市

【卫星电视】wèixīng diànshì 名 衛星テレビ. 略して〔卫视〕という

【卫星通信】wèixīng tōngxìn 名 衛星通信

【卫浴】wèiyù 名 サニタリー. 〔卫生间〕(トイレ)と〔浴室〕を合わせた言い方

4 ★为(爲) wèi ❶書 助ける ❷介 ①(動作や行為の受益者を導く) … のために. … に ‖ ～孩子的前途着想 zhuóxiǎng 子供の将来のためを思う ②(目的を導く) … のために ‖ ～应付考试开夜车 テストのために一夜漬けで勉強する ③(原因を導く) … のため. … により ‖ ～缺少资金发愁 資金不足に頭を悩ませる ➤ wéi

【为此】wèicǐ 連 このために. そのために

【为的是】wèi de shì 組 … は … のためである ‖ 我来上海～寻找失散多年的亲人 私が上海に来たのは, 長い間離れ離れになっている肉親を探すためだ

*【为何】wèihé 副 なぜ. なんのために ‖ 你～不去? 君はなぜ行かないのか

【为虎傅翼】wèi hǔ fù yì 成 虎(とら)に翼を与える. 悪人の勢力を助長するたとえ. 〔为虎添翼〕ともいう

【为虎作伥】wèi hǔ zuò chāng 成 虎が人を食い殺すのを手助けする. 悪人を助けて悪事をはたらくたとえ

★【为了】wèile 介 (目的を導く) … のため. … するために ‖ ～方便顾客, 延长营业时间 お客様の便宜をはかるため, 営業時間を延長する

【为人作嫁】wèi rén zuò jià 成 他人のために花嫁衣装を作る. 人のために苦労するたとえ

★【为什么】wèi shénme 組 なぜ. どうして ‖ 他～不来? 彼はなぜ来ないんだ

類義語 为什么 wèi shénme / 怎么 zěnme

◆ともに「理由・原因」を問う. なぜ. どうして ◆〔为什么〕「なぜ?」と客観的に原因や目的を尋ねることに重点がある. 一般に相手に返答を求める. 〔怎么〕よりフォーマルである ‖ 你猜小李为什么不高兴? 李君はなぜ不機嫌なのか分かりますか | 人为什么总有一死? 人はなぜ死が避けられないのであろうか ◆〔怎么〕「いったいどうして?」といぶかる気持ちを表す. 予想外の事態に戸惑い, 困惑していぶかることに重点がある. また, あるべきではない事態に直面して「どうして?」と相手をなじる口調になることもある. 必ずしも相手に返答を求めない. よりくだけた話し言葉である ‖ 你怎么现在还在这儿? どうしてまだここにいるの | 你怎么这样不懂事? どうしてそう聞き分けが悪いの ◆〔为什么〕は話し手にとって自明なこと(旧情報)についても問うことができるが, 〔怎么〕はふつう新たな事態に接して, いぶかる問いである. したがって, 〔怎么〕は「新事態発生」を表す語気助詞〔了〕とよく結びつく ‖ 窗户怎么关上了? どうして窓がしまっちゃったのかな

【为渊驱鱼, 为丛驱雀】wèi yuān qū yú, wèi cóng qū què 成 味方にできる勢力を引き寄せられず, 敵方に追いやってしまうこと

【为着】wèizhe =〔为了 wèile〕

5 未[1] wèi 名 未(ひつじ) (十二支の第八) ➡〔地支 dìzhī〕

5 ***未[2] wèi ❶副 まだ. いまだに ↔〔已〕‖ ～经批准 pīzhǔn まだ許可を得ていない | 出发时间～定 出発時間はまだ決まっていない ❷副 … でない ‖ →～可厚非

*【未必】wèibì 副 必ずしも … ではない. … とは限らない ‖ ～如此 必ずしもそうではない | 这种话～可信 その話は必ずしも信用できない

【未便】wèibiàn 副 … するわけにはいかない. … するのは不都合である

【未卜】wèibǔ 動 書 予想できない. 予知できない

【未卜先知】wèi bǔ xiān zhī 成 占いもしないで先のことを知る. 予見するさま

【未曾】wèicéng 副 いまだかつて … したことがない. まだ … していない ‖ ～有过的壮举 いまだかつてない壮挙

【未尝】wèicháng 副 ❶ずっと … していない. … したことはない ‖ ～忘记 忘れたことがない ❷(否定詞の前に置き) … でないということはない. … でないわけではない ‖ ～不可 だめというわけではない

【未成年】wèichéngnián 名 未成年

【未成年人】wèichéngniánrén 名 未成年者. 中国では18歳未満をさす

【未婚夫】wèihūnfū 名 (男性の)婚約者. いいなずけ. フィアンセ

【未婚妈妈】wèihūn māma 名 未婚の母. シングルマザー

【未婚妻】wèihūnqī 名 (女性の)婚約者. いいなずけ. フィアンセ

【未及】wèijí 動 ❶ … する時間がない ❷まだ … に達していない. まだ … に至っていない

【未几】wèijǐ 書 副 ほどなく. いくばくもなく 形 いくらもない. わずかである

【未竟】wèijìng 動 まだ完成していない. まだ実現していない ‖ ～之志 いまだ果たせぬ志 | ～事业 未完の事業

【未决】wèijué 動 解決していない. 決定していない

【未可厚非】wèi kě hòu fēi 成 さほど非難するほどでもない. 欠点はあるが, とるべき点もある =〔无可厚非〕

**【未来】wèilái 名 未来. 将来 ‖ 走向～ 未来に向かって進む 形 近い将来の. 今後の. (多く気象予報で用いる) ‖ ～二十四小时内将有雷阵雨 léizhènyǔ いまから24時間以内に雷雨がある見込み

【未老先衰】wèi lǎo xiān shuāi 慣 老いずして衰える. まだ若いのに老け込む

【未了】wèiliǎo 動 まだ終わっていない. まだ完結していない ‖ 手续～ 手続きをまだ済ませていない

*【未免】wèimiǎn 副 ❶いささか … である. … と言わざるを得ない ‖ 你的态度～生硬了些 君の態度は少しぶっきらぼうだよ ❷ … を免れない ‖ 这样下去～要出问题

このままいけば問題が起きるのは免れない

【未能】wèi néng 組 まだ…できない ‖ 因故～出席 訳あって出席できなかった

【未能免俗】wèi néng miǎn sú 成 いまだ俗習から抜けきれない

【未然】wèirán 動 書 ことがまだ起きていない. 未然 ‖ 防患于～ 災いを未然に防ぐ

【未始】wèishǐ 副 書 …でないことはない. …でないわけではない ‖ ～不可 だめということもない

【未遂】wèisuì 動 書 目的を達していない. 未遂である ‖ ～犯 未遂犯 | 愿心～ 願いはまだかなえられない

【未亡人】wèiwángrén 名 書 未亡人

【未详】wèixiáng 動 はっきりとは分からない. つまびらかでない ‖ 死因～ 死因は明らかでない

【未雨绸缪】wèi yǔ chóu móu 成 雨が降る前に戸を修繕する. 転ばぬ先の杖

【未知】wèizhī 動 書 まだ知らない. まだ分からない ‖ ～诀窍juéqiào何在 まだこつがつかめない

【未知数】wèizhīshù 名 ❶〈数〉未知数 ❷喩 まだ分からないこと. 未知数

7 ★**位** wèi ❶位置. 占める場所 ‖ 方～ 方位 ❷職位. 地位. 位 ‖ 学～ 学位 ❸帝位 ‖ 即～ 即位する ❹量 **人を数える**. (敬意を込めた言い方) ‖ 四～客人 4人のお客様 ❺名 (数字の)位. けた ‖ 三～数shù 三けたの数 ❻量〈計〉ビット

【位次】wèicì 名 ❶旧 順位. 等級 ❷席次

【位居】wèijū 動 第…位に位置する. …番目である ‖ ～榜首bǎngshǒu トップである

【位能】wèinéng 名〈物〉位置エネルギー

【位移】wèiyí 名〈物〉変位

*【位于】wèiyú 動 書 …に位置する. …にある ‖ 纪念碑～广场中心 記念碑は広場の中央にある

【位置】wèizhi 名 ❶位置** ‖ 地理～ 地理的位置 ❷**地位** ‖ 占有重要的～ 重要な地位を占める ❸**職位. ポスト** ‖ 安排合适的～ 適当なポストを用意する

類義語 位置 wèizhi 地位 dìwèi 位子 wèizi
◆〔位置〕具体的な位置をさす ◆〔地位〕社会的関係から見た位置をさす. 多く"～(的)＋地位"の形で中心語となる ◆〔位子〕話し言葉で, 座席をさす. 時に職位にもたとえる ◆〔位置〕は「地位」と訳されることもある. このとき,〔位置〕は「占める位置」をさすのに対し,〔地位〕は「ランクから見た位置」をさす ‖ 那篇作品在文学史上占有重要的位置(地位) その作品は文学史上で重要な地位を占めている

【位子】wèizi 名 ❶席. 座席 ‖ 占～ 席をとる | 调换～diàohuàn 席を交換する ❷職位. ポスト

8 ***味** wèi ❶名 (～儿)味 ‖ 菜太淡, 没～儿 料理があっさりしすぎて味がない ❷味わう. 含味する ‖ 细～其言 その言葉をよく味わう ❸(ある種の)料理. 食品 ‖ 海～ 海の幸 ❹名 (～儿)におい. 香り ‖ 气～儿 におい ❺名 (～儿)趣. 味わい ‖ 这本书越读越有～儿 この本は読めば読むほど面白い ❻量 ①料理を数える ‖ 酒过三巡, 菜过五～ 酒は3回回り, 料理は5品出た ②〈中医〉薬の種類を数える ‖ 在方子里加了一～陈皮 処方に陳皮を加えた

逆引き単語帳 〔气味〕qìwèi におい 〔香味〕xiāngwèi よい香り 〔臭味〕chòuwèi 悪臭 〔酒味〕jiǔwèi 酒の香り. 酒の味 〔火药味〕huǒyàowèi 火薬のにおい. きな臭さ 〔鲜味〕xiānwèi よい味. うまみ 〔甜味〕tiánwèi 甘い味. 甘み 〔咸味〕xiánwèi 塩辛い味. 塩辛さ 〔苦味〕kǔwèi 苦い味. 苦み 〔酸味〕suānwèi 酸っぱい味. 酸味 〔涩味〕sèwèi 渋い味. 渋み 〔辣味〕làwèi 辛い味. 辛み 〔药味〕yàowèi 薬の味. 薬のにおい 〔海味〕hǎiwèi 海の幸 〔滋味〕zīwèi 味. 味わい 〔风味〕fēngwèi 地方的な味わい. 特色 〔口味〕kǒuwèi 味覚. 味に対する好み 〔回味〕huíwèi 後味

【味道】wèidao 名 ❶味. 味わい** ‖ ～好 味がいい ❷**気持ち. 感じ** ‖ 心里有一股说不出的～ 胸中に言い表しがたい思いがある ❸**興味. 面白み** ‖ 这本小说越读越有～ この小説は読めば読むほど面白くなってくる ❹方 におい ‖ 屋里有股难闻的～ 部屋の中に嫌なにおいが漂っている

【味精】wèijīng 名 化学調味料.〔味素〕ともいう

【味觉】wèijué 名〈生理〉味覚

【味蕾】wèilěi 名〈生理〉味蕾(みらい). 味覚芽

【味素】wèisù ＝〔味精wèijīng〕

【味同嚼蜡】wèi tóng jiáo là 成 蠟(ろう)をかむように味も素っ気もない. 文章や話に面白みのないたとえ

9 ***胃** wèi ❶名〈生理〉**胃. 胃袋** ❷名 (二十八宿の一つ)えきえぼし, 胃宿(じゅく)

【胃癌】wèi'ái 名〈医〉胃がん

【胃镜】wèijìng 名〈医〉胃カメラ

*【胃口】wèikǒu 名 ❶食欲 ‖ 没有～ 食欲がない | ～好 食欲がある ❷喩 興味. 嗜好(しこう). 好み ‖ 对～ 好みに合う | 不合～ 好みに合わない

【胃溃疡】wèikuìyáng 名〈医〉胃潰瘍(かいよう)

【胃酸】wèisuān 名〈生理〉胃酸

【胃炎】wèiyán 名〈医〉胃カタル. 胃炎

【胃液】wèiyè 名〈生理〉胃液

9 ***畏** wèi ❶動 恐れる ‖ →～惧 ❷敬服する. 畏敬の念を抱く ‖ →～友

【畏避】wèibì 動 恐れ避ける

【畏忌】wèijì 動 書 恐れ嫌う. 恐れ疑う

*【畏惧】wèijù 動 恐れる. 怖がる

【畏难】wèinán 動 困難にひるむ

【畏怯】wèiqiè 動 ひるむ. おじけづく. 尻込みする

【畏首畏尾】wèi shǒu wèi wěi 成 あれこれ心配して思い切りが悪いこと

【畏缩】wèisuō 動 畏縮(いしゅく)する. 尻込みする

【畏途】wèitú 名 書 成功する可能性の低い仕事. 難しくて誰もやりたがらない仕事

【畏友】wèiyǒu 名 書 畏友(いゆう). 畏敬する友

【畏罪】wèizuì 動 刑罰を恐れる

11 **谓** wèi ❶言う ‖ 所～ いわゆる ❷称する ‖ 何～幸福? 幸福とは何か ❸述語

【谓词】wèicí 名 ❶論理学における判断を示す語 ❷＝〔谓语wèiyǔ〕

【谓语】wèiyǔ 名〈語〉述語.〔谓词〕ともいう

11 **尉** wèi 古 官名 ‖ 太～ 太尉 ❷〈軍〉階級名 ‖ 少～ 少尉

【尉官】wèiguān 名〈軍〉尉官

12 **渭** wèi 地名用字 ‖ ～河 甘粛省から陝西省にかけて流れ, 黄河に注ぐ川の名

12 **遗** wèi 書 贈る ‖ ～以千金 千金を贈る ➤ yí

W

12 ** 喂[1]（^餵 餧）wèi ❶動（動物に）餌をやる. 飼育する ‖ ～牛 ウシに餌をやる ❷動 食べさせる. 飲ませる ‖ 用调羹 tiáogēng 一口一口地～ さじで一口ずつ食べさせる

12 ★ 喂[2] wèi 感 ①呼びかけの声. ちょっと. おい. ねえ. もしもし ②（wèi; wéi）電話の応答の言葉. もしもし ➤ wéi

【喂饭】wèi//fàn 動 御飯を食べさせる ‖ 给病人～ 病人に御飯を食べさせる

【喂奶】wèi//nǎi 動 乳を飲ませる. 授乳する

【喂食】wèi//shí 動 ❶餌を与える ❷（口元に持っていって）食べさせる

【喂养】wèiyǎng 動 ❶飼育する ❷養育する

12 猬（^蝟）wèi 名〈動〉ハリネズミ ‖ 刺～ ハリネズミ

14 蔚 wèi 書 ❶草木が茂る ❷広がる. 広げる ‖ ～成风气 盛んになって一つの風潮となる ❸霞が立ちこめている ➤ yù

【蔚蓝】wèilán 形 深い青色の. 真っ青な

【蔚然】wèirán 形（草木が）盛んに生い茂るさま.（物事が）盛んに起こるさま

【蔚然成风】wèi rán chéng fēng 成 盛んに広がって一つの風潮になる

【蔚为大观】wèi wéi dà guān 成（美術品などが）多種多様で壮観であること

15 慰 wèi ❶慰める. 心を落ち着かせる ‖ 安～ 慰める ❷心が安らかである. 安心である ‖ 欣～ 喜び安堵(あんど)する

【慰藉】wèijiè 動 書 慰める

【慰劳】wèiláo 動 慰問をする

【慰勉】wèimiǎn 動 慰め励ます

*【慰问】wèiwèn 動 慰問する. 見舞って慰める

17 魏 wèi ❶名 魏(ぎ). 西周時代の国名. 現在の山西省芮城(ぜいじょう)県の北にあった ❷名 魏. 春秋時代の国名. 現在の河南省から陝西省東部, 山西省西南部, 河北省南部にかけてあった ❸名 王朝名, 魏(220～265年). 三国時代の三国の一つ ❹名 王朝名, 北魏(386～534年). 南北朝時代の北朝に当たる

wēn

12 * 温 wēn ❶形 温かい. 暖かい ‖ 水还是～的 お湯はまださめていない ❷動 温める. 熱を加える ‖ ～牛奶 牛乳を温める ❸動 復習する ‖ →～习 ❹名〈中医〉急性熱病の総称 ❺温度 ‖ 气～ 気温 ❻温和である. 穏やかである ‖ →～柔

【温饱】wēnbǎo 名 衣食が足りること ‖ 解决～问题 衣食の問題を解決する

【温标】wēnbiāo 名〈物〉温度目盛り

【温差】wēnchā 名 温度差

【温床】wēnchuáng 名 ❶〈農〉温床. フレーム ❷喩（悪事や悪人の）温床 ‖ 犯罪的～ 犯罪の温床

【温存】wēncún 動（多く異性に対して）優しくする. いたわる 形 思いやりがある. 優しい ‖ ～话 思いやりのある言葉

*【温带】wēndài 名〈地〉温帯

**【温度】wēndù 名 温度 ‖ ～很低 温度がとても低い

*【温度计】wēndùjì 名 温度計. サーモメーター

【温故知新】wēn gù zhī xīn 成 古きをたずねて新しきを知る. 温故知新

*【温和】wēnhé 形 ❶（気候が）暖かい. 温和である ❷（性格や言行が）穏やかである. もの静かである ‖ ～的语调 穏やかな口調 ➤ wēnhuo

【温厚】wēnhòu 形 温厚である. 穏やかで篤実である

【温乎】wēnhu 形 口（物が）温かい

【温和】wēnhuo 形（物が）温かい ➤ wēnhé

【温开水】wēnkāishuǐ 名 湯冷まし. ぬるいさ湯

【温课】wēn//kè 動 学課を復習する

【温控】wēnkòng 形 温度センサーつきの ‖ 数字～冰箱 デジタル温度調節冷蔵庫

【温良】wēnliáng 形 温和で善良である. 優しく気立てがよい

**【温暖】wēnnuǎn 形 暖かい. 温かい ‖ 天气～ 陽気が暖かい | 家庭的～ 家庭のぬくもり 動（心に）温かみを感じさせる. ほのぼのとさせる ‖ 他的话～了我的心 彼の話は私の心をほのぼのとさせてくれた

【温情】wēnqíng 名 温情. 優しい心

【温情脉脉】wēn qíng mò mò 成 愛情のこもったまなざし. 優しさのあふれるさま

【温泉】wēnquán 名 温泉 ‖ ～浴 温泉浴

*【温柔】wēnróu 形 優しい. 穏やかでおとなしい.（多く女性に用いる）‖ 性格～ 気立てが優しい

【温润】wēnrùn 形 ❶優しい. 温和である ❷（気候が）温暖湿潤である ❸潤いがある. しっとり滑らかである

【温湿】wēnshī 形（気候が）暖かく湿気を帯びている

【温室】wēnshì 名 温室 ‖ ～植物 温室植物

【温室效应】wēnshì xiàoyìng 名〈気〉温室効果

【温顺】wēnshùn 形 従順でおとなしい

【温文尔雅】wēn wén ěr yǎ 成 立ち居ふるまいが穏やかで上品である

【温习】wēnxí 動 復習する ‖ ～功课 復習をする

【温馨】wēnxīn 形 暖かくかぐわしい. 心温まる. 温かい

【温血动物】wēnxuè dòngwù 名〈動〉恒温動物. 温血動物 =〔恒héng温动物〕

【温驯】wēnxùn 形 書（動物などが）従順である. おとなしい ‖ ～的老马 年を取ったおとなしいウマ

14 瘟 wēn ❶名〈中医〉（人や動物の）急性伝染病 ‖ 猪～ ブタの伝染病 ❷形 ぼうっとしている. 生気がない ‖ ～头～脑 頭がぼうっとしているさま ❸形（演技が）めりはりがなく, だれている

【瘟病】wēnbìng 名〈中医〉急性熱病の総称. 疫病

【瘟神】wēnshén 名 疫病神

*【瘟疫】wēnyì 名〈中医〉急性伝染病の総称

wén

4 * 文 wén ❶動 入れ墨をする ‖ →～身 ❷書 模様 ‖ ～车 古代, 模様を施した車 ❸儀礼. 礼節 ‖ 废除虚～ 虚礼を廃止する ❹学芸. 学問 ↔〔武〕‖ →～武 ❺おとなしい. みやびやかな ‖ →～雅 ❻自然界や人間社会の現象 ‖ 天～ 天文 ❼字.（文字としての）言語 ‖ 英～ 英語 ❽文章 ‖ 作～ 作文 ❾名 文科. 文科系 ‖ 学～还是学理？ 文科系を学ぶか理科系を学ぶか ❿名 公文書 ‖ 收～ 受け付けた公文書 ⓫名 文語 ‖ 半～半白 文語口語混じり. ⓬量 銅銭を数える. 文(もん) ‖ 一～钱 銭1文 ⓭隠蔽(いんぺい)する. ごまかす ‖ →～过饰非

【文本】wénběn 名（契約書や条約の）本文. 原文

【文笔】wénbǐ 名 文章の修辞や造句などのスタイル ‖

～流畅liúchàng 文章が流暢(りゅうちょう)である
【文不对题】wén bù duì tí 成 文章の内容が標題とずれている. 質問の答えになっていない
【文不加点】wén bù jiā diǎn 成 一点の修正もなく文章を書き上げる. 筆が立つたとえ
【文才】wéncái 名 文才. 文学的才能
【文采】wéncǎi 名 ❶文学や芸術方面での才能‖颇pō有～ たいへん文才がある ❷華麗な色彩
【文昌鱼】wénchāngyú 名〈魚〉ナメクジウオ.〔蛞蝓kuòyú鱼〕ともいう
【文辞】【文词】wéncí 名 ❶文章の言葉遣い. 字句‖～优美 言葉遣いが美しい ❷文章
【文从字顺】wén cóng zì shùn 慣 文章が分かりやすく用語も適切である
【文档】wéndàng 名〈計〉ドキュメント
【文牍】wéndú 名 ❶文書や書簡 ❷文書係. 書記
【文法】wénfǎ 名 ❶〈語〉文法 ❷古 成文化された法令
【文房四宝】wénfáng sìbǎo 名 書斎に常備する4種の品, 紙・墨・筆・硯(すずり)
【文风】wénfēng 名 文章の作風
【文稿】wéngǎo 名 文章や公文書の草稿
【文告】wéngào 名 文書による公告
【文革】Wéngé 名 略〈史〉文化大革命(1966～1976年).〔文化大革命〕の略
【文工团】wéngōngtuán 名 文化宣伝団. 軍隊・政府機関・企業などの付設の劇団や歌舞団などをいう
【文官】wénguān 名 文官 ↔〔武官〕
【文过饰非】wén guò shì fēi 成 過失や誤りを繕って隠す
【文豪】wénháo 名 文豪
★【文化】wénhuà 名 ❶**文化**‖传统～ 伝統文化｜～课 教養科目. 普通科目 ❷〈考古〉文化 ❸**知識. 教育. 教養**‖学～ 読み書きを学ぶ｜～程度高 教育レベルが高い. 学歴が高い
【文化层】wénhuàcéng 名〈考古〉古代遺跡を含む地層
【文化大革命】Wénhuà dàgémìng 名 略〈史〉プロレタリア階級文化大革命(1966～1976年).〔无产阶级文化大革命〕の略. さらに略して〔文革〕という
【文化宫】wénhuàgōng 名 文化宮. 映画館・劇場・図書館などを備えた総合文化娯楽施設
【文化馆】wénhuàguǎn 名 文化館.〔县〕(県)レベルの行政区に設けられた文化娯楽施設
【文化人】wénhuàrén 名 文化人. インテリ
【文化沙漠】wénhuà shāmò 名 文化の砂漠. 文化の空白地帯
【文化水平】wénhuà shuǐpíng 名 教育・教養レベル. 学歴. 知的水準‖提高～ 教育レベルを向上させる
【文火】wénhuǒ 名 とろ火. 弱火 ↔〔武火〕
【文集】wénjí 名 文集. 作品集. 著作集. (多く書名に用いる)
⁑【文件】wénjiàn 名 ❶**公文書. 文書. 書類**‖机要～ 機密文書 ❷(学習や討論の資料とする)**論文. 文献** ❸〈計〉ファイル‖文本～ テキスト・ファイル｜隐含yǐnhán～ 隠しファイル
【文件夹】wénjiànjiā 名〈計〉フォルダ
【文教】wénjiào 名 文教. 文化と教育
【文静】wénjìng 形 おとなしい. しとやかである
【文句】wénjù 名 文章の語句‖～通顺 文章が筋道だって分かりやすい
【文具】wénjù 名 文房具‖～商店 文房具店
【文科】wénkē 名 文科‖学～ 文科系を専攻する
【文库】wénkù 名(主にシリーズ出版の名称としての)文庫‖《万有～》『万有文庫』
【文莱】Wénlái 名〈国名〉ブルネイ
【文理】wénlǐ 名 ❶文の脈絡. 文脈‖～通顺 文脈が通っている ❷文科系と理科系
*【文盲】wénmáng 名 読み書きできない大人. 文盲
【文眉】wén//méi 動 眉毛に入れ墨をする. 美容整形の一種
【文秘】wénmì 名 秘書.〔文书〕(書記)と〔秘书〕(秘書)を合わせた名称
【文庙】wénmiào 名 孔子を祭る廟(びょう). 孔子廟
⁑【文明】wénmíng 名 **文明**‖物质～ 物質文明 形 ❶**文明を有する. 文化的な**‖～古国 歴史ある文化国家 ❷**礼儀正しい**‖说话要～ 言葉遣いは丁寧でなければならない ❸旧 モダンな. 現代的な
【文墨】wénmò 名 ❶文筆. 文章を書くこと‖粗通～ いくらか文章が書ける ❷頭脳労働をする仕事や人
【文痞】wénpǐ 名 文筆で事実を歪曲し, 人に害をなす者
*【文凭】wénpíng 名 ❶卒業証書‖大学～ 大学の卒業証書 ❷旧 官府発行の証書. お墨付き
【文气】wénqì 名 書 文勢. 文章の勢い
【文气】wénqi 形 おとなしい. 穏やかである
【文契】wénqì 名(売買や貸借の)証文
*【文人】wénrén 名 文人. 文士‖～墨客 文人墨客
【文如其人】wén rú qí rén 成 文は人なり
【文弱】wénruò 形 文弱である
【文山会海】wénshān huìhǎi 慣 書類や会議が多すぎることのたとえ
【文身】wén//shēn 動 書 体に入れ墨を彫る
【文史】wénshǐ 名 略 文学と歴史
【文饰】wénshì 名 文飾 動(自分の過ちを)ごまかす
【文书】wénshū 名 ❶公文書 ❷記録係. 書記
【文思】wénsī 名 文章の構想
【文坛】wéntán 名 文壇‖～泰斗 文壇の泰斗(たいと)
【文体】[1] wéntǐ 名 文体
【文体】[2] wéntǐ 名 略 文化的娯楽とスポーツ.〔文娱体育〕の略
【文武】wénwǔ 名 ❶文武‖～双全 文武両道に優れる ❷書 文治と武断 ❸書 文官と武将
⁑【文物】wénwù 名 **文物. 文化遺産. 文化財**‖出土～ 出土文物. 出土品
【文戏】wénxì 名〈劇〉立ち回りがなく歌や演技が中心の伝統劇 ↔〔武戏〕
*【文献】wénxiàn 名 文献‖历史～ 歴史文献
【文胸】wénxiōng 名 方 ブラジャー
【文选】wénxuǎn 名 選集. (多く書名に用いる)
★【文学】wénxué 名 **文学**‖～作品 文学作品
★【文学家】wénxuéjiā 名 **文学者. 作家**
【文学语言】wénxué yǔyán 名 ❶(主に書き言葉における)標準的な言葉 ❷文学で用いる言葉
*【文雅】wényǎ 形 上品である. 穏やかで礼儀正しい‖举止～ 物腰が穏やかである
*【文言】wényán 名〈語〉文語. 書き言葉 ↔〔白话〕
【文言文】wényánwén 名 文語文
★【文艺】wényì 名 **文学と芸術の総称**. とくに文学, または芸能分野をさすこともある‖～思潮 文芸思潮｜～

晚会 (夜間に催される)芸能公演
【文艺复兴】wényì fùxīng 图〈史〉文芸復興. ルネッサンス
【文艺批评】wényì pīpíng 图 文芸評論
【文艺学】wényìxué 图 文芸学(文学史・文芸理論・文芸評論などを含む)
【文娱】wényú 图 レクリエーション ‖ ～活动 レクリエーション活動 | ～节目 レクリエーションのプログラム
【文苑】wényuàn 图 文壇. 文学界
【文责】wénzé 图 文責 ‖ ～自负 文責は筆者にあり
【文摘】wénzhāi 图 ❶ダイジェスト. 要約 ❷抜き書き. 抜粋. (雑誌名としても用いる)
★【文章】wénzhāng 图 ❶**文章** ‖ 写～ 文を書く ❷広く著作をさす ❸**含み. いわく. 裏の意味** ‖ 他的话里大有～ 彼の話には裏がある ❹**方策. てだて. 工夫** ‖ 在品种改良上做～ 品種改良の面で工夫を凝らす
【文职】wénzhí 图 旧 文官の職 ↔〔武职〕
【文治】wénzhì 图 書 文治 ‖ ～武功 文治と武断
【文质彬彬】wén zhì bīn bīn 成 上品で礼儀正しく威厳のある様子
【文绉绉】wénzhōuzhōu (～的) 形 インテリ風である. おっとりして上品である. 優雅である
【文竹】wénzhú 图〈植〉観葉アスパラガス. プルモーサス. シノブボウキ
【文字】wénzì 图 ❶文字. 字** ‖ 表意～ 表意文字 ❷**書かれた言葉. 字句. 文章** ‖ ～上有毛病 言葉の用い方に問題がある | ～通顺 文脈が通っている
【文字学】wénzìxué 图 文字学
【文字狱】wénzìyù 图 文字の獄. 筆禍事件

7 纹 wén ❶(～儿)文様. 模様. 柄 ‖ 花～ 模様 ❷筋. しわ. ひび ‖ 指～ 指紋
【纹理】wénlǐ 图 木目. 筋状の文様. 肌目
【纹路】wénlu (～儿) 图 筋. 文様. 〔纹缕lu〕ともいう
【纹饰】wénshì 图 (器物の)装飾文様や図案
【纹丝不动】wén sī bù dòng 成 少しも動かない. びくともしない. 微動だにしない
【纹样】wényàng 图 (器物の)装飾文様
【纹银】wényín 图 旧 純度の高い上質の銀

9 ***闻 wén ❶聞く. 聞こえる ‖ 据～ 聞くところによると ❷ニュース. うわさ ‖ 新～ ニュース ❸知る. 分かる ‖ 一～一知十 ❹書 名声. 声望 ‖ 令～ 名声 ❺書 有名な. 名のある ‖ 一～人 ❻動(においを)かぐ ‖ ～到一股烟味 タバコのにおいがする
【闻不见】wénbujiàn 動 におわない. 鼻が利かない
【闻风而动】wén fēng ér dòng 成 気配を察知するやすぐに行動を起こす
【闻风丧胆】wén fēng sàng dǎn 成 うわさを聞くとびっくりして肝をつぶす. 非常に怖がるさま
【闻过则喜】wén guò zé xǐ 成 自分の過ちを注意されて喜ぶ. 謙虚に批判を受け入れる
【闻鸡起舞】wén jī qǐ wǔ 成 志のある者が時を移さず奮起すること
【闻见】wénjiàn 图 見聞 ‖ ～甚浅 見聞が甚だ浅い
【闻见】wén//jian(jiàn) 動 におう. においがする
*【闻名】wénmíng 動 ❶名声を聞く. 評判を聞く ❷名が知られる. 評判になる ‖ 举世～ 世間に名が知れる
【闻人】wénrén 图 有名人. 著名人
【闻所未闻】wén suǒ wèi wén 成 いままで聞いたこともない. 前代未聞
【闻讯】wénxùn 動 便りを聞く. 知らせを聞く
【闻一知十】wén yī zhī shí 成 一を聞いて十を知る

10 蚊(△螡 蝱) wén 图〈虫〉カ. ふつうは〔蚊子〕という
【蚊虫】wénchóng 图 方 カ
【蚊香】wénxiāng 图 蚊取り線香
【蚊帐】wénzhàng 图 蚊帳(かや) ‖ 挂～ 蚊帳を吊る
*【蚊子】wénzi 图〈虫〉カ ‖ 被～叮了 カに刺された

11 阌 wén 地名用字 ‖ ～乡 旧時, 河南省にあった県の名

12 雯 wén 書 美しい文様のある雲. 彩雲

wěn

6 刎 wěn (刀で)首をはねる ‖ 自～ 自ら首をはねる
【刎颈之交】wěn jǐng zhī jiāo 成 刎頸(ふんけい)の交わり. 〔刎颈交〕ともいう

7 *吻(△脗) wěn ❶唇 ‖ 接～ キスする ❷图〈生〉動物の口 ❸動 接吻(せっぷん)する. 口づけをする ‖ ～别 別れのキスをする
【吻别】wěnbié 動 口づけして別れる ‖ 在机场～她 空港で彼女と口づけして別れた
【吻合】wěnhé 形 符合している. ぴったり合っている ‖ 两人口径不相～ 二人の言っていることは合致しない 動〈医〉吻合(ふんごう)する
【吻兽】wěnshòu 图〈建〉屋根の棟の両端に用いる動物をかたどった飾り物

10 紊 wěn 乱れている. 乱雑である ‖ 有条不～ きちんとして乱れたところがない
【紊乱】wěnluàn 形 乱れている. 紊乱している ‖ 秩序～ 秩序が乱れている | 思绪～ 考えが混乱している

14 **稳(穩) wěn ❶形 **安定している. しっかりしている** ‖ 物价不～ 物価が不安定である ❷形 穏やかである. 落ち着いている ‖ 情绪不～ 気分が落ち着かない ❸動 安定させる. 落ち着かせる ‖ 你先把他～住, 我去叫人 人を呼んでくるから, ひとまずやつを落ち着かせておいてくれ ❹形 **間違いがない. 確実である** ‖ 办事很～ 仕事のやり方が着実だ ❺形 **沈着である. しっかりしている**
【稳便】wěnbiàn 形 安全で便利である
【稳步】wěnbù 副 しっかりと. 着実に ‖ ～前进 一歩ずつ着実に前進する
【稳操胜券】wěn cāo shèng quàn 成 十分な勝算がある. 〔稳操左券〕ともいう
【稳产】wěnchǎn 图 安定した生産高
*【稳当】wěndang 形 ❶確かである. 確実である ‖ 办事～ 物事の処理が確かである ❷しっかりしている. 安定している ‖ 把梯子tīzi扶～ はしごをしっかり支える
【稳定】wěndìng 形 **安定している. 落ち着いている. 変動していない ‖ 物价～ 物価が安定している | 情绪不～ 情緒不安定である 動 **安定させる. 落ち着かせる** ‖ ～人心 人心を落ち着かせる
【稳固】wěngù 形 しっかりしている. 堅固である 動 固める ‖ ～政权 政権を固める
【稳获】wěnhuò 動 確実に手に入れる
【稳健】wěnjiàn 形 ❶しっかりして力強い ❷穏健である. しっかりしている
【稳如泰山】wěn rú Tàishān 成 泰山のようにどっしりと揺るがない =〔安如泰山〕

【稳帖】【稳贴】wěntiē 形 穏当である．妥当である
*【稳妥】wěntuǒ 形 穏当である．妥当である．確実である‖～地处理纠纷jiūfēn もめごとを穏当に解決する
【稳扎稳打】wěn zhā wěn dǎ 成 着実に根を下ろし，着実に戦う．事を一歩一歩確実に進める
【稳重】wěnzhòng 形（言葉や立ち居ふるまいが）落ち着いている．しっかりしている

wèn

6 ★**问** wèn ❶動 問う．質問する‖我有几个问题想～你一下 あなたに二，三お尋ねしたいことがあります ❷見舞う．ご機嫌を伺う‖一～候 ❸動 取り調べる．尋問する‖～口供 尋問して供述させる ❹動 詰問する．追及する‖胁从xiécóng者不～ 脅かされて罪を犯した者は追及しない ❺動 構う．干渉する‖不～政治 政治に関与しない ❻介 …に対して‖～奶奶要零花钱 おばあさんにお小遣いをねだる

類義語 问 wèn 打听 dǎting
◆ともに知らないことや分からないことを人に尋ねる‖问(打听) 电话号码 電話番号を聞く ◆過去の事実や社会・自然現象など，客観的知識を尋ねる場合には〔问〕を用いる．このとき，〔打听〕は使わない‖我问了两个问题 私は二つ質問した ◆個人の消息や状況などを尋ねる場合には〔打听〕をよく用いる‖打听他的下落 彼の行方を尋ねる ◆〔问〕は二重目的語をとる．〔打听〕は二重目的語をとらず，介詞を用いて表現する‖{问医生／向医生打听}手术的情况 医者に手術の様子を聞く

【问安】wèn//ān 動 書 安否を伺う．ご機嫌を伺う
【问案】wèn//àn 動 事件を審問する
【问卜】wènbǔ 動 占う
【问长问短】wèn cháng wèn duǎn 成 あれこれと問う
*【问答】wèndá 名 質問と回答．問答‖～题 問答式の問題 動 問答をする．質疑応答をする
【问道于盲】wèn dào yú máng 成 貶 盲人に道を問う．何も知らない人にものを尋ねるたとえ
【问鼎】wèndǐng 動 書 政権をねらう．優勝をねらう
【问寒问暖】wèn hán wèn nuǎn 成 相手の暮らしぶりなどをこまやかに気遣い尋ねること
★【问好】wèn//hǎo 動 安否を問う．ご機嫌を伺う‖向您夫人～ 奥さんにどうぞよろしくお伝えください
【问号】wènhào 名 ❶〈語〉疑問符．〔？〕 ❷疑問‖能不能去还是个～ 行けるかどうかはまだ分からない
⁑【问候】wènhòu 動 安否を問う．ご機嫌を伺う‖转达zhuǎndá～ 挨拶を伝える
【问话】wèn//huà 動 尋ねる．質問する‖小李，科长找你～呢 李君，課長が君に聞きたいことがあるそうだよ
【问津】wènjīn 動 書 値段や状況を聞く．聞き出す．（多く否定に用いる）‖不敢～ 聞こうとしない
【问卷】wènjuàn 名 アンケート
【问难】wènnàn 動 疑問の点について討議する．難点をただす．（多く学術研究について用いる）
*【问世】wènshì 動（製品や出版物が）世に出る
【问事】wènshì 動 ❶尋ねる．問う ❷職務に関与する
【问事处】wènshìchù 名 案内所．インフォメーション
★【问题】wèntí 名 ❶問題．質問‖请回答下列～ 次の問題に答えてください ❷解決すべき問題‖～成堆chéngduī 問題が山積している ❸肝要な点．キーポイント‖～是他根本不想干 問題は彼にまるでやる気がないことだ ❹故障．出来事．トラブル‖电视机又出～了 テレビがまた故障した｜没～！ 大丈夫です
【问心无愧】wèn xīn wú kuì 成 良心に問うて恥じない
【问询】wènxún 動 問い合わせる
【问讯】wènxùn 動 ❶尋ねる．問う‖～处 案内所．インフォメーション ❷ご機嫌を伺う ❸僧が合掌して人に挨拶する．〔打问讯〕ともいう
【问责】wènzé 動 責任を追及する‖干部～制 公務員の責任追及制度
【问诊】wènzhěn 動〈医〉問診する
【问罪】wènzuì 動 罪を問う

7 **汶** wèn 地名用字‖～水 山東省を流れる川の名
20 **璺** wèn 名（陶磁器やガラス製品の）ひび‖杯子上有～了 コップにひびが入っている

wēng

10 **翁** wēng ❶老年の男．翁(おきな)‖渔～ 年取った漁師 ❷旧 父親．父上 ❸夫の父．妻の父‖～婿xù 岳父と娘婿
13 ***嗡** wēng 擬（虫の羽音や機械の振動音などの音）ブンブン．ガンガン‖苍蝇～～地飞 ハエがブンブン飛んでいる

wěng

13 **蓊** wěng 書 草木が盛んに茂るさま
【蓊郁】wěngyù 形 書 草木が生い茂るさま

wèng

8 **瓮**（△甕 罋）wèng 名 かめ‖水～ 水がめ｜酒～ 酒がめ
【瓮声瓮气】wèng shēng wèng qì 形 声が太くて低いさま
【瓮中之鳖】wèng zhōng zhī biē 成 かめの中のスッポン．獲物はすでに手中にあるたとえ．袋の中のネズミ
【瓮中捉鳖】wèng zhōng zhuō biē 成 かめの中のスッポンを捕まえる．手を下せばすぐ目標物が得られるたとえ
16 **蕹** wèng ↴
【蕹菜】wèngcài 名〈植〉ヨウサイ．エンサイ．〔空心菜〕ともいう

wō

9 **挝**（撾）wō ⇒〔老挝Lǎowō〕 ➤ zhuā
10 **倭** wō 名 倭(わ)．古代中国での日本に対する呼称
【倭瓜】wōguā 名 方 カボチャ
【倭寇】Wōkòu 名〈史〉倭寇(わこう)
10 **涡**（渦）wō ❶渦‖旋～ 渦巻き ❷渦状のもの‖酒～ えくぼ ➤ guō

【涡轮机】wōlúnjī 图〈機〉タービン.〔透平机〕ともいい, 略して〔轮机〕という‖蒸气～ 蒸気タービン

10 **莴**（萵）wō ↴

【莴苣】wōju；wōjù 图〈植〉レタス

【莴笋】wōsǔn 图〈植〉ステムレタス. クキジシャ

12 **喔**[1] wō 擬 おんどりの鳴き声. コッコッ‖～～ おんどりの鳴き声. コケコッコー

12 **喔**[2] wō 感 了解したことを表す‖～, 我知道了 ああ, 分かった

12 * **窝**（窩）wō ❶图（鳥獣や昆虫の）巣‖鸟～ 鳥の巣 ❷图（人が）身を寄せる所. 集まる所. 隠れる場所‖三十出头的人了, 也该有个～了 三十過ぎなのだから, そろそろ家庭を持つべきだ ❸图（～儿）方（人または物の占める）場所. 位置‖把水壶挪nuó个～ 儿, 别烫着tàngzháo人 人がやけどしないように, やかんを別の場所に移しなさい ❹巣のようなもの‖一～头 ❺（～儿）くぼみ. くぼんだ所‖眼～ 眼窩(がんか) ❻動 曲げる. 折り曲げる‖～腰 腰を曲げる ❼隠匿する‖一～赃 ❽動 縮こまる. じっとして動かない‖整天～在家里不出门 一日家に閉じこもって出かけない ❾動 気が晴れない. むしゃくしゃする‖一～火 ❿動 滞る. 停滞する‖库里～着大批产品, 卖不出去 倉庫の中には大量の製品が寝たままで売れずに残っている. ⓫量 家畜などのお産の回数やひなをかえす回数を数える‖孵fū了一～小鸡 ニワトリのひなをかえした

【窝憋】wōbie 形 方 ❶いらいらする. むしゃくしゃする. 気分がめいる ❷狭い 動 家に閉じこもる

【窝藏】wōcáng 動 隠匿する. 隠す

【窝点】wōdiǎn 图 巣窟. 根城

【窝工】wō//gōng 動（仕事の配分が適切でないために）手があく

【窝火】wō//huǒ（～儿）動 むしゃくしゃする. しゃくにさわる

【窝里斗】wōlidòu 图 内輪もめ.〔窝儿里斗〕ともいう

【窝里横】wōlihèng 慣 内弁慶.〔窝儿里横〕ともいう

*【窝囊】wōnang 形 ❶不満である. 悔しい‖因为看错题没考好, 心里感到很～ 試験問題の意味を取り違えて失敗するとはほんとうに悔しい ❷意気地がない. だらしない‖别人欺负qīfu他, 他也不敢说, 真～ いじめられて言い返せないなんて, 彼はほんとうにふがいない

【窝囊废】wōnangfèi 图 方 意気地なし

【窝囊气】wōnangqì 图 鬱憤(うっぷん)‖我可受不了这～ この鬱憤を晴らさずにはおられようか

【窝棚】wōpeng 图 掘っ立て小屋. バラック

【窝气】wō//qì 動 むしゃくしゃする. 悔しい. いまいましい‖窝了一肚子气 むしゃくしゃしてしかたがない

【窝头】wōtóu 图 トウモロコシやコーリャンなどの粉を水でこねて円錐形にし, 蒸した食物.〔窝窝头〕ともいう.

【窝心】wōxīn 形 方 むしゃくしゃする. いまいましい

【窝赃】wō//zāng 動（盗品や犯人を）隠匿する

【窝主】wōzhǔ 图 犯人をかくまったり, 禁制品や盗品を隠している人または家

13 **蜗**（蝸）wō カタツムリ

【蜗居】wōjū 图 書 狭苦しい住居. 陋屋(ろうおく)

【蜗牛】wōniú 图〈動〉カタツムリ

wǒ

7 ★ **我** wǒ ❶代 私. 僕‖～有很多爱好 私は趣味をたくさん持っています｜给～打电话 私に電話をください ❷代 我が. 当‖～方 我が方. 当方｜～国 我が国 ❸代〔我〕と〔你〕, または〔我〕〔你〕〔他〕を並列して用い, みんなが互いに…の意を表す‖你来～往 互いに行き来する. 交際する ❹自分自身. 自己‖自～介绍 自己紹介

【我的天】wǒ de tiān 感 おやおや. おやまあ. あれまあ

【我见】wǒjiàn 图 個人的見解. 私見

★【我们】wǒmen 代 ❶私たち. 我々. 我ら. 僕ら‖～班 私たちのクラス｜～都喜欢看电影 私たちはみな映画が好きだ ❷当方の. 我が方の. うちの‖～那位不抽烟, 也不喝酒 うちの人はタバコも酒もやらない ❸（演説などで）諸君. 君. 君たち‖我希望, ～在座的每一位同学, 都能成材 私は, ここに在席の諸君が有能な人材になられることを希望します

類義語 我们 wǒmen 咱们 zánmen

◆ともに第一人称複数を表す. 話し手と相手（聞き手）のグループがあるとき,〔我们〕は相手を含まず,〔咱们〕は相手をも含めた全員をいう‖你们是山西人, 我们是东北人, 咱们都是北方人 君たちは山西出身, 僕たちは東北出身だが, 我々はともに北方の人間だ ◆北京など北方では両者を使い分けることが多い. しかし, 厳密なものではなく,〔我们〕で全員を表すこともある. また,〔咱们〕はややくだけた話し言葉なので, 改まった場合には北方でも〔我们〕を使う傾向にある‖"我们要买东西, 你也去吗？" "我们(咱们)一块儿走吧"「私たち買い物に行くけれど, あなたも行く？」「みんなで一緒に行きましょう」｜（相手グループと別れて先に帰るとき）我们(×咱们)先走了 私たちは先に帰ります

【我行我素】wǒ xíng wǒ sù 成 我が道を行く. 自分のやり方を通す

wò

7 **沃** wò ❶灌漑(かんがい)する. 水をそそぐ‖～灌guàn 灌漑する ❷（土地が）肥えている. 肥沃(ひよく)である‖肥～ 肥沃である

【沃土】wòtǔ 图 沃土(よくど)

【沃野】wòyě 图 沃野(よくや). 地味の肥えた平地

7 **肟** wò 图 外〈化〉オキシム

8 * **卧** wò ❶動（体を）横たえる. 腹ばいになる‖小羊～在草地上 子ヤギが草地で寝そべっている ❷寝る‖一～室 ❸（列車の）寝台‖硬～ 二等寝台 ❹書 隠居する‖高～ 隠居 ❺動 方 割った玉子を熱湯やスープの中に落とす‖在汤面里～个鸡蛋 汁そばの中に玉子を割り落とす

【卧病】wò//bìng 動 書 病臥(びょうが)する. 病気でふせる

【卧车】wòchē 图 ❶（列車の）寝台車 ❷乗用車

【卧床不起】wò chuáng bù qǐ 成 病床に伏せったきりになる

【卧倒】wòdǎo 動 伏せる‖～！（号令）伏せ

【卧底】wòdǐ 動 方 潜入する. もぐり込む

【卧房】wòfáng 图 寝室. ベッドルーム

【卧轨】wòguǐ 動(列車の運行妨害や自殺のため)レールに身を横たえる‖～自杀 鉄道自殺
【卧具】wòjù 名 寝具. 夜具
【卧铺】wòpù 名(列車や汽船の)寝台
*【卧室】wòshì 名 寝室. ベッドルーム. 〔卧房〕ともいう
【卧榻】wòtà 名 書 ベッド. 寝台
【卧薪尝胆】wò xīn cháng dǎn 成 臥薪嘗胆(がしんしょうたん)

12 **渥** wò 書 ❶ぬれる. 湿る ❷厚い. 重い‖优～(待遇などが)手厚い

12 ** **握** wò ❶動 握る. つかむ. 持つ‖～笔 筆を執る ❷動 こぶしをつくる. 握りしめる‖→～拳 ❸掌中. 掌握またはコントロールできる範囲‖胜利在～ 勝利は掌中にある
【握别】wòbié 動 握手して別れる
【握力】wòlì 名 握力‖～器 握力計
【握拳】wò//quán 動 こぶしをつくる. 手を握りしめる
★【握手】wò//shǒu 動 握手する‖两个人握了握手 二人は握手を交わした
【握手言和】wò shǒu yán hé 組 握手して和解する. 仲直りする. (スポーツの試合で)引き分けになる

12 **幄** wò 書 幕‖帷wéi～ 帷幄(いあく)

12 **硪** wò 名 地盤を突き固めるのに使用する工具. 胴突き

14 **斡** wò 書 旋回する. 回転する‖→～旋
【斡旋】wòxuán 動 調停する. 仲裁する

17 **龌** wò ↴
【龌龊】wòchuò 形 ❶汚い. 汚れている ❷(人の品性が)下劣である

wū

4 **乌**[1](烏) wū ❶〈鳥〉カラス ❷黒い‖～发 黒髪

4 **乌**[2](烏) wū 書 どうして… であろうか. (多く反語に用いる)‖～有此事? どうしてこのようなことがあろうか
【乌飞兔走】wū fēi tù zǒu 成 月日のたつのが早いたとえ
【乌干达】Wūgāndá 名〈国名〉ウガンダ
【乌龟】wūguī 名 ❶〈動〉カメ. クサガメ. 〔金龟〕ともいい, 俗に〔王八〕という ❷罵 女房を寝とられた男
【乌合之众】wū hé zhī zhòng 成 烏合(うごう)の衆. 組織も規律もなく寄り集まった群衆
【乌黑】wūhēi 形 真っ黒である. 黒々としている
【乌克兰】Wūkèlán 名〈国名〉ウクライナ
【乌拉圭】Wūlāguī 名〈国名〉ウルグアイ
【乌亮】wūliàng 形 黒くてつやがある. 黒光りしている
【乌溜溜】wūliūliū (～的) 形(目が)黒くて生き生きとしているさま
【乌龙茶】wūlóngchá 名 ウーロン茶
【乌龙球】wūlóngqiú 名〈体〉(サッカーなどの)オウンゴール
【乌七八糟】wū qī bā zāo 成 めちゃくちゃである. でたらめである. 〔污七八糟〕とも書く
【乌青】wūqīng 形 黒ずんだ青色の‖膝盖xīgài磕kē得～ ひざをぶつけて青くなった
【乌纱帽】wūshāmào 名 旧 ❶役人がかぶる帽子 ❷喩 官職‖丢～ 官職を失う ✻〔乌纱〕ともいう
【乌托邦】wūtuōbāng 名 外 ユートピア. 理想郷
*【乌鸦】wūyā 名〈鳥〉カラス. 地方によっては〔老鸹gua〕〔老鸦〕ともいう
【乌烟瘴气】wū yān zhàng qì 成 黒い煙と毒気. 社会の秩序が乱れて暗黒状態にあるたとえ
【乌油油】wūyōuyōu (～的) 形 黒くて潤いがあるさま
【乌有】wūyǒu 名 書 存在しないこと. 何もないこと‖子虚～ まったくのでたらめ｜化为～ 烏有に帰す
*【乌云】wūyún 名 ❶黒雲. 暗雲 ❷喩 暗やみ. よくない状況 ❸喩 女性の黒髪
【乌贼】【乌鲗】wūzéi 名〈動〉イカ. 俗に〔墨鱼〕〔墨斗鱼〕ともいう
【乌孜别克族】Wūzībiékèzú 名 ウズベク族(中国の少数民族の一つ, 主として新疆ウイグル自治区に居住)
【乌兹别克斯坦】Wūzībiékèsītǎn 名〈国名〉ウズベキスタン. 略して〔乌兹别克〕という

6 **邬**(鄔) wū 地名用字‖寻～ 江西省にある地名. 現在は〔寻乌〕と書く

6 * **污**(△汙 汚) wū ❶汚いもの. 汚れたもの‖油～ 油の汚れ ❷汚い. 汚れている‖→～秽 ❸清廉でない. けがれた‖贪～ 汚職をする ❹汚す‖→～染 ❺辱める. けがす‖→～蔑
【污点】wūdiǎn 名 ❶(衣服の)汚れ. しみ ❷喩 不名誉な点. 汚点
【污垢】wūgòu 名 あか. 汚れ
【污痕】wūhén 名 しみ. 汚れ
【污秽】wūhuì 書 形 汚い. 不潔である 名 汚いもの
*【污蔑】wūmiè 動 ❶中傷する. そしる‖～漫骂 罵声(ばせい)を浴びせて中傷する ❷(権威などを)けがす
【污名】wūmíng 名 書 汚名‖洗刷～ 汚名をすすぐ
【污泥浊水】wū ní zhuó shuǐ 成 汚い泥と濁った水. 腐敗したものや反動的なもののたとえ
【污七八糟】wū qī bā zāo =〔乌七八糟 wū qī bā zāo〕
【无铅汽油】wúqiān qìyóu 名 無鉛ガソリン
**【污染】wūrǎn 動 汚染する‖～水源 水源を汚染する｜土壤tǔrǎng～ 土壌汚染｜空气～ 大気汚染
【污染源】wūrǎnyuán 名 汚染源
【污辱】wūrǔ 動 ❶侮辱する. 辱める‖～人格 人格を傷つける ❷けがす‖名誉受到～ 名誉がけがされる
【污水】wūshuǐ 名 汚水‖～处理 汚水処理
【污损】wūsǔn 動 汚損する. 汚したり傷めたりする
【污浊】wūzhuó 形(水や空気などが)汚い. 濁っている 名 汚いもの‖清除～ けがれを取り除く
【污渍】wūzì 名(油や泥などの)汚れ. しみ

6 **圬** wū 書 ❶(壁などを塗るための道具)こて ❷(こてで)塗る

7 **巫** wū 巫女(みこ). 祈禱師(きとうし)
*【巫婆】wūpó 名 巫女‖～神汉 巫女と男の祈禱師
【巫师】wūshī 名(多くは男の)祈禱師
【巫术】wūshù 名 巫術(ふじゅつ). 巫俗

7 **呜**(嗚) wū 擬 ①(人の泣き声)おいおい. えんえん‖～～地哭 おんおん泣く ②風のうなる音‖狂风～～地刮着 風がうなりを上げて吹き荒れている ③(汽笛などの音)ボーッ. ポーッ
【呜呼】wūhū 感 書(嘆息を表す)ああ. 〔乌呼〕〔於乎〕〔於戏〕とも書く 動 貶 死ぬ‖一命～ お陀仏(だぶつ)

になる

【呜呼哀哉】wū hū āi zāi 成 ❶旧 ああ悲しいかな.(死者を弔う文の中で常用された悲嘆の言葉) ❷貶 死ぬこと.一巻の終わり

【呜咽】wūyè 動 低い声で泣く.むせび泣く.すすり泣く

8 **於** wū 古〔乌〕と同じ ➤ yū

9 **诬** wū 無実の罪を着せる‖～良为盗 無実の人に盗みの罪を着せる

【诬告】wūgào 動 誣告(ぶこく)する.人を罪に陥れるために偽って告げる‖～罪 誣告罪

【诬害】wūhài 動 事実を捏造(ねつぞう)して人を陥れる.ぬれぎぬを着せて陥れる

【诬赖】wūlài 動 無実の罪を着せる.言いがかりをつける

*【诬蔑】wūmiè 動 中傷する.悪く言う.誹謗する‖造谣～ デマを飛ばして中傷する

【诬枉】wūwǎng 動 無実の罪を着せる

*【诬陷】wūxiàn 動 誣告して罪に陥れる.罪を着せる

9 ** **屋** wū ❶名 家屋.家‖一～顶 ❷名 部屋‖里～ 奥の部屋

【屋顶】wūdǐng 名 ❶屋根 ❷屋上

【屋顶花园】wūdǐng huāyuán 名 屋上庭園

【屋脊】wūjǐ 名 屋根の最も高い所.棟‖世界～ 世界の屋根(パミール高原及び青海チベット高原などをさす)

【屋面】wūmiàn 名 屋根

【屋上架屋】wū shàng jià wū 成 屋上屋を架す.むだなことをするたとえ.〔屋下架屋〕ともいう

【屋檐】wūyán 名 軒.ひさし

【屋宇】wūyǔ 名 書 家.家屋

★【屋子】wūzi 名 部屋‖一间～ 一間の部屋

類義語 屋子 wūzi 房间 fángjiān

◆ともに部屋をさす.南方では〔屋子〕より〔房间〕がよく使われる.一般に,ホテルやマンションの部屋には〔房间〕を用いる‖这个饭店一共有多少房间(×屋子)? このホテルは全部でいくつ部屋がありますか ◆〔屋子〕は場所を表すときは常に方位詞〔里〕が要る.〔房间〕は〔里〕があってもなくてもよい.ただし,存現文の文頭では〔里〕が必要‖在屋子里(房间)看电视 部屋でテレビを見る|屋子(房间)里有不少人 部屋には大勢の人がいる ◆量詞は〔屋子〕には〔间〕〔个〕を,〔房间〕には〔个〕を用いるのが普通 ◆〔房间〕はよく名詞と直接結びつき,複合名詞をつくる(多くはホテルに関するもの)‖房间电话 客室の電話.客室電話番号|房间号码 部屋番号.ルームナンバー

9 **钨**(鎢) wū 名〈化〉タングステン(化学元素の一つ,元素記号はW)

【钨钢】wūgāng 名〈冶〉タングステン鋼

【钨丝】wūsī 名 タングステン線

10 **恶**(惡) wū 書 ❶(反語を表す)どうして…であろうか ❷感(驚きを表す)おお.ああ ➤ ě è wù

wú

4 ** **无**(無) wú ❶動 ない ↔〔有〕‖我在这儿一～亲戚,二～熟人 私はここには親戚もいなければ知り合いもいない ❷…しない.…でない‖一～须 ❸…にもかかわらず.…であろうと.…を論ぜず‖事～巨细,都要亲自过问 事の大小にかかわらず,すべて自ら取り組む ➤ mó

*【无比】wúbǐ 動 比べられない.比類ない‖感到～高兴 この上なく嬉しい

【无边】wúbiān 動 果てがない.限りがない

【无病呻吟】wú bìng shēn yín 成 病気でもないのにうめき声をあげる.わざとおおげさに嘆いてみせる.不必要に悲嘆や煩悶(はんもん)などの感情を誇張すること

【无补】wúbǔ 動 役に立たない.益するところがない‖于事～ 実際の役には立たない

**【无不】wúbù 副 例外なくすべて‖听了他的话,在场的人～为之动容 彼の話を聞いて,その場にいた者は一人残らず感動の面持ちを浮かべた

*【无产阶级】wúchǎn jiējí 名 無産階級.プロレタリアート.↔〔资产阶级〕

【无产阶级文化大革命】Wúchǎn jiējí wénhuà dàgémìng 名〈史〉プロレタリア文化大革命(1966～1976年).略して〔文化大革命〕または〔文革〕という

【无产阶级专政】wúchǎn jiējí zhuānzhèng 名 プロレタリア独裁

【无产者】wúchǎnzhě 名 無産者.プロレタリア

【无常】[1] wúcháng 形 常でない.変化して定まらない‖反复～ 繰り返して定まらない 動 婉(人が)死ぬ

【无常】[2] wúcháng 名 人が死ぬとき魂を抜き取りに来る鬼の名.〔无常鬼〕ともいう

*【无偿】wúcháng 形 無償の.無料の‖～援助 無償援助|～劳动 無償奉仕|～转让 無償譲渡

【无成】wúchéng 動 成就しない.成し遂げられない

*【无耻】wúchǐ 形 恥知らずである.破廉恥である‖厚颜～ 厚顔で恥知らず|～之极 破廉恥の極み

【无出其右】wú chū qí yòu 成 その右に出る者はない.最も優れている者

*【无从】wúcóng 副 …する方法がない.…するすべがない.…しようがない‖～追究 追究するすべがない|问题成堆～下手 問題が山積みで,手のつけようがない

【无大无小】wú dà wú xiǎo 成 大小にかかわりなく.年齢の大小の別なく.〔无小无大〕ともいう

【无敌】wúdí 動 敵がいない‖所向～ 向かうところ敵なし

【无底洞】wúdǐdòng 名 底なしの穴.際限のない欲望や終りのないことにたとえる

【无地自容】wú dì zì róng 成(恥ずかしくて)身の置きどころがない.いたたまれない.穴があったら入りたい

【无的放矢】wú dì fàng shǐ 成 的なくして矢を放つ.明確な目的なしに事を行うこと.または,言動が実際と合わないこと

【无动于衷】【无动于中】wú dòng yú zhōng 成 少しも心を動かされない.無感動・無関心であること

【无独有偶】wú dú yǒu ǒu 成 単独ではなく必ず対(つい)になっている.ほかにも必ず同類がいる.(多く悪いことについていう)

【无度】wúdù 動 書 限度がない.節度がない

【无端】wúduān 副 理由なく.訳もなく‖～生事 訳もなく騒動を起こす|～受猜疑 いわれもなく疑われる

【无恶不作】wú è bù zuò 成 悪事の限りを尽くす.ありとあらゆる悪事をはたらく

*【无法】wúfǎ 動 …するすべがない.…しようがない‖～忍受 我慢できない|～推辞 断るすべがない

【无法无天】wú fǎ wú tiān 成 法も神もない.無法の限りを尽くす‖～的暴徒 無法の限りを尽くす暴徒

【无方】wúfāng 動書 当を得ない. なっていない ↔〔有方〕‖ 教子～ 子供の教育が無定見である
【无妨】wúfáng 動 差し支えない ‖ 试一试也～ 試しにやってみてはどうですか 副 構わない. …してみたらいい ‖ ～再试一次 もう一度やってみたらいい
*【无非】wúfēi 副 ただ…しかない. …にほかならない ‖ ～是两种选择：考大学, 或者找工作 大学を受験するか仕事を捜すか, どのみち二つに一つの選択しかない
【无风】wúfēng 名〈気〉無風
【无风不起浪】wúfēng bù qǐ làng 諺 風がなければ波は立たない. 事が起こるにはそれ相当の原因がある. 火のない所に煙は立たない
【无干】wúgān 動 関係がない. かかわり合いがない ‖ 这事与我～ そのことは私となんのかかわりもない
【无功受禄】wú gōng shòu lù 成 功なくして禄(ろく)を受く. 何の功労や働きもないのに報酬を得る
【无辜】wúgū 形 罪がない. 無辜(むこ)の 名 罪のない人. 無辜の人 ‖ 牵连～ 無辜の人を巻き添えにする
【无故】wúgù 形 いわれのない. 理由がない ‖ 无缘～ なんの理由もない｜～缺席 理由もなく欠席する
【无怪】wúguài 副 どうりで. なるほど. …なのも無理がない. 〔无怪乎〕ともいう ‖ ～他的英语发音那么好, 原来他是在美国长大zhǎngdà的 彼の英語の発音がいいのも当然だ, 彼はアメリカ育ちだもの
【无关】wúguān 動 かかわらない. 関係しない ‖ 这事与你～ この件は君とは関係ない
【无关宏旨】wú guān hóng zhǐ 成 大筋とは関係がない. 根本にかかわらない
【无关紧要】wú guān jǐn yào 成 たいしたことではない. あまり重要でない
【无关痛痒】wú guān tòng yǎng 成 痛くもかゆくもない. 痛痒(つうよう)を感じない
【无轨电车】wúguǐ diànchē 名 トロリーバス
【无害】wúhài 形 無害である
【无核】wúhé 形 ❶核を所有しない. 非核の ‖ ～区 非核武装地帯 ❷種のない ‖ ～葡萄 種なしブドウ
【无后坐力炮】wúhòuzuòlìpào 名〈軍〉無反動砲 =〔无坐力炮〕
【无花果】wúhuāguǒ 名〈植〉イチジク
【无华】wúhuá 動 華やかさがない. 飾り気がない
【无话不说】wú huà bù shuō 慣 なんでも話す
*【无话可说】wú huà kě shuō 慣 話す言葉がない. 返す言葉がない
【无机】wújī 形〈化〉無機の
【无机肥料】wújī féiliào 名〈農〉無機肥料
【无机化合物】wújī huàhéwù 名〈化〉無機化合物. 略して〔无机物〕という
【无机化学】wújī huàxué 名 無機化学
【无机物】wújīwù 名〈化〉無機物
【无稽】wújī 動書 根拠がない ‖ 荒唐～ 荒唐無稽(こうとうむけい)である｜～之谈 根拠のない話
【无及】wújí 動 間に合わない. 取り返しがつかない ‖ 悔之～ 後悔しても及ばない
【无几】wújǐ 動 いくらもない. 少ない ‖ 所剩～ いくらも残っていない. 残り少ない｜相差～ いくらも違わない
【无脊椎动物】wújǐzhuī dòngwù 名 無脊椎(むせきつい)動物
【无计可施】wú jì kě shī 慣 手の施しようがない. なすすべがない
【无记名投票】wújìmíng tóupiào 名 無記名投票
【无际】wújì 動書 果てしがない
【无济于事】wú jì yú shì 成 なんの役にも立たない. なんの足しにもならない
【无家可归】wú jiā kě guī 成 帰る家がない
【无价之宝】wú jià zhī bǎo 成 値のつけようもない宝物. 極めて貴重なもの
【无坚不摧】wú jiān bù cuī 成 どんな堅いものでも打ち砕くことができる. 力がきわめて強大であること
【无间】wújiàn 書動 ❶距離がない. すきまがない ‖ 亲密～ とても親密である ❷中断しない. 間をあけない ‖ 往来～ 行き来が途絶えない ❸見分けない. 区別しない ‖ ～是非 是非をわきまえない
【无疆】wújiāng 動書 極まるところがない ‖ 万寿～ 幾久しく長寿を保たれますように(長寿を祝う言葉)
【无尽】wújìn 動 限りがない. 際限がない ‖ 感激～ 感激極まりない｜～的宝藏 尽きることのない資源
【无尽无休】wú jìn wú xiū 成 尽きることがない. 終りがない. だらだらと続く
【无精打采】wú jīng dǎ cǎi 成 元気がない. うちしおれる. しょんぼりする. 意気消沈する =〔没精打采〕
【无拘无束】wú jū wú shù 成 なんのこだわりもない. 自由である
【无可比拟】wú kě bǐ nǐ 成 ほかに比べられるものがない. 比類ない. この上ない
【无可非议】wú kě fēi yì 成 非難すべきところがない
*【无可奉告】wú kě fèng gào 成 何も申し上げることはない. ノーコメント
【无可厚非】wú kě hòu fēi 成 非難するほどではない. 欠点はあるが, とるべき点もある =〔未可厚非〕
【无可讳言】wú kě huì yán 成 言うにはばかることは何もない. 率直に言えないことは何もない
【无可救药】wú kě jiù yào 成 治療のしようがない. 救いようがない. 手の施しようがない
*【无可奈何】wú kě nài hé 成 いかんともしがたい. どうにもしかたがない. どうすることもできない
【无可无不可】wú kě wú bù kě 成 どちらでもよいという主体性のない態度. なんでもいい. どちらでもよい
【无可争辩】wú kě zhēng biàn 成 議論の余地がない. 言い争う余地がない
【无可置疑】wú kě zhì yí 成 疑う余地がない. 疑いをさしはさむ余地がない
【无孔不入】wú kǒng bù rù 成 すきさえあれば乗じる. 利用できるものはなんでも利用する
【无愧】wúkuì 動 やましく思わない. 恥じない ‖ 当之～ それだけの値打ちがある. その名に恥じない
【无赖】wúlài 形 無頼である. 理不尽である ‖ 耍shuǎ～ やくざなふるまいをする. 言いがかりをつける 名 ごろつき. やくざ. ちんぴら. 〔无赖汉〕〔无赖子〕ともいう
【无礼】wúlǐ 動 礼を失する. 無礼である
*【无理】wúlǐ 動 道理がない. 無理である ‖ 提出～的要求yāoqiú 無理な要求を出す
【无理取闹】wú lǐ qǔ nào 成 わざと騒ぎを起こす. 理由もなく騒ぎたてる
【无理式】wúlǐshì 名〈数〉無理式
【无理数】wúlǐshù 名〈数〉無理数
【无力】wúlì 動 ❶能力がない. 力量がない ‖ ～挽回wǎnhuí败局 衰勢を挽回(ばんかい)する力がない ❷体に力が入らない. 気力がない ‖ 浑身～ 全身に力が入らない
【无量】wúliàng 動 制限や限界がない. 無限である ‖ 前途～ 前途洋々である

*【无聊】wúliáo 形 ❶退屈である. 所在ない. 暇を持てあましている ‖ 闲得～ 暇で退屈である ❷(言葉や行為が)つまらない. くだらない ‖ 看这种～的杂志只会浪费时间 こんなくだらない雑誌を読むのは時間のむだである
【无聊赖】wú liáolài 組 書 所在がない. 気が紛れない. やるせない ‖ 百～ 何もかもつまらない
**【无论】wúlùn 接 どんなに…でも. …にかかわりなく ‖ ～多忙, 他每天都坚持学习外语 どんなに忙しくても, 彼は毎日外国語の勉強を続けている
*【无论如何】wúlùn rúhé 組 どんなことがあっても. いずれにしても. どうしても ‖ ～得děi去一趟 ともかく一度行ってこなくてはならない
【无米之炊】wú mǐ zhī chuī 成 米なしで飯を炊く. 必要な条件が備わっていなければ, どんな有能な人でも事を成し遂げることはできない
【无冕之王】wú miǎn zhī wáng 成 無冠の帝王. (多く新聞記者をいう)
【无名】wúmíng 形 ❶名前のない. 名無しの ❷無名である ❸なぜそうなのか説明できない. 言葉で言い表せない ‖ ～的悲哀 言いようのない悲しみ
【无名氏】wúmíngshì 名 無名氏. 匿名の人
【无名小卒】wúmíng xiǎozú 名 地位も名もない人間. あまり重要ではない人物
【无名英雄】wúmíng yīngxióng 名 世に知られざる英雄
【无名指】wúmíngzhǐ 名 薬指
【无明火】【无名火】wúmínghuǒ 名 怒りの炎. 激怒 ‖ ～起 怒りが込み上げる
【无奈】wúnài 形 どうしようもない. やむを得ない ‖ 万般～ いかんともしがたい 接 いかんせん. 残念なことに
【无奈何】wúnài//hé 動 どうすることもできない. 手に負えない ‖ 父母也无奈他何 両親も彼に手を焼いている 形 やむを得ない. しかたがない ‖ ～, 只好硬着头皮试一试 しかたがない, 思い切ってやってみるほかない
【无能】wúnéng 形 能なしである ‖ ～之辈 能なし
*【无能为力】wú néng wéi lì 成 どうすることもできない. 無力である. 事を成し遂げたり, 問題を解決したりする力がない
【无期徒刑】wúqī túxíng 名〈法〉無期懲役
【无奇不有】wú qí bù yǒu 成 珍奇なものばかりある. 不思議なことだらけである
【无牵无挂】wú qiān wú guà 慣 足手まといになるものがない. 気にかかるものがない
【无前】wúqián 動 ❶敵がいない. 比べるものがない ❷かつてない ‖ 盛况～ 空前の盛況
【无亲无故】wú qīn wú gù 慣 親類も友人もいない
*【无情】wúqíng 形 情がない. 薄情である ‖ 冷酷～ 冷酷非情である 動 情け容赦ない. 残酷である ‖ 岁月～ 歳月は非情だ
*【无情无义】wúqíng wúyì 慣 義理も人情もない
*【无穷】wúqióng 動 限りがない. 尽きるところがない. きりがない ‖ 回味～ 味わいが尽きない
【无穷大】wúqióngdà 名〈数〉無限大
【无穷无尽】wú qióng wú jìn 成 尽きることがない
【无穷小】wúqióngxiǎo 名〈数〉無限小
【无权】wúquán 動 権利がない
【无缺】wúquē 動 足りないところがない. 完全無欠である
【无人问津】wú rén wèn jīn 成 尋ねる人もいない. 取り合う人もいない
【无日】wúrì 副 書 (〔无日不…〕の形で用い) …しない日は一日もない ‖ ～不在想念远方的亲人 遠方の家族を思わない日は一日もない
【无伤大雅】wú shāng dà yǎ 成 全体には差し障りない. 全体には影響がない
【无上】wúshàng 形 書 無上の. この上ない. 最上の
【无神论】wúshénlùn 名〈哲〉無神論
【无声】wúshēng 動 声や音がしない ‖ ～的抗议kàngyì 無言の抗議 | ～手枪 消音ピストル
【无声片】wúshēngpiàn (～儿) 名 口 サイレント映画. 無声映画. 〔默片〕ともいう
【无声无息】wú shēng wú xī 成 物音を立てない. ひっそりしている
【无声无臭】wú shēng wú xiù 成 音もしなければにおいもしない. 名が知られていない. 何の影響もない
【无绳电话】wúshéng diànhuà 名 コードレスホン
【无时无刻】wú shí wú kè 成 いつでも. 絶え間なく. (多く〔不〕を伴う) ‖ ～不在关注着祖国的发展 いつも祖国の発展に関心を寄せている
【无视】wúshì 動 無視する. 軽視する
【无事不登三宝殿】wú shì bù dēng sānbǎodiàn 成 願いごとがなければ三宝殿にお参りには来ない. 用があればこそ訪ねて来る
【无事生非】wú shì shēng fēi 成 (何の問題もないところに)わざと波風を立てる. わざとごたごたを起こす
**【无数】wúshù 形 数えきれない. 無数である ‖ 死伤～ 死傷者は数えきれない 動 内情をよく知らない. 確信がない. 成算がない ‖ 心中～ 胸に成算がない
【无双】wúshuāng 形 二つとない. 並ぶものがない ‖ 盖世gàishì～ 世に並ぶものがない
【无霜期】wúshuāngqī 名〈気〉(春から秋までの)霜が降りない時期. 〔生长期〕ともいう
【无私】wúsī 形 私心がない. 無私である ‖ 大公～ 公平無私である | ～的精神 無私の精神
【无私有弊】wú sī yǒu bì 慣 不正行為をしていないのに疑われる. 痛くもない腹を探られる
【无损】wúsǔn 動 書 ❶損なわない ❷破損していない
【无所不包】wú suǒ bù bāo 成 すべてを包括している
【无所不能】wú suǒ bù néng 成 できないことはなにもない. 万能である
【无所不为】wú suǒ bù wéi 成 貶 やらないことはない. どんなことでもする
【无所不用其极】wú suǒ bù yòng qí jí 成 (多く悪事について)あらゆる悪どい手を使う
【无所不有】wú suǒ bù yǒu 成 ないものはない. どんなものでもある
【无所不在】wú suǒ bù zài 成 存在しない所はない. 至る所にある
【无所不知】wú suǒ bù zhī 成 知らないことはない. なんでも知っている
【无所不至】wú suǒ bù zhì 成 ❶至る所に及ぶ. あらゆる範囲に及ぶ ❷なんでもやる. どんな悪いことでもする
【无所措手足】wú suǒ cuò shǒu zú 成 どうしたらよいか分からない. 手も足も出ない
【无所事事】wú suǒ shì shì 成 ぶらぶらしてなにもしない. 無為に過ごす
【无所适从】wú suǒ shì cóng 成 誰に従っていいのか分からない. どのやり方でやればいいのか分からない
【无所畏惧】wú suǒ wèi jù 成 何ものも恐れない
*【无所谓】wúsuǒwèi 動 ❶…とは言えない. うんぬん

するほどのものではない ‖ ～经验，只是谈一点ㄦ个人体会 経験というほどのものではなく，単に一個人として感じたことを述べているにすぎません ❷どうでもかまわない．どちらでもよい ‖ 中餐、西餐都可以，我是～的 中国料理でも西洋料理でも，僕はどちらでもかまわない
【无所用心】wú suǒ yòng xīn 成 ちっとも頭を働かさない．何事にも興味を持たない
*【无所作为】wú suǒ zuò wéi 成 何も成果を上げない．無為に日を送る
【无题】wútí 图（詩文などの）無題
【无条件】wútiáojiàn 動 何の条件もつけない ‖ ～投降 無条件降伏 | ～服从 無条件に服従する
【无条件反射】wútiáojiàn fǎnshè 图〈生理〉無条件反射
【无头案】wútóu'àn 图 手掛かりのない事件
【无往不利】wú wǎng bù lì 成 何もかもうまくいく
【无往不胜】wú wǎng bù shèng 成 どこへ行っても勝利をおさめる．向かう所敵なし
【无妄之灾】wú wàng zhī zāi 成 思いがけない災難．なんのかかわりあいもなく受けた災難
【无望】wúwàng 動 望みがない．絶望的である ‖ 前途～ 前途に望みがない
*【无微不至】wú wēi bù zhì 成（心遣いなどが）非常に細やかで行き届いている
【无为】wúwéi 動 何もしない．（道教の）無為である
【无味】wúwèi 動 味がない 形 味わいがない．面白みがない ‖ 枯燥kūzào～ 無味乾燥である
【无畏】wúwèi 形 書 恐れるものがない
【无谓】wúwèi 形 つまらない．意味のない ‖ 不作～的牺牲xīshēng むだな犠牲は払わない
【无…无…】wú…wú… 組 前後に意味の同じまたは似かよった語を置き，「ない」ことを強調する．どこにもない．何もない ‖ 无忧无虑 心配事は何もない | 无着无落 落ち着く先はどこにもない | 无凭无据 何の根拠もない
【无物】wúwù 動 何もない．中身がない ‖ 言之～ 話の内容が空っぽである
【无误】wúwù 形 間違いない．確かである
【无隙可乘】wú xì kě chéng 成 乗じるすきがない．つけ込むすきがない
【无瑕】wúxiá 動 書 きずがない．欠点がない
【无暇】wúxiá 動 書 暇がない．いとまがない
**【无限】wúxiàn 形 無限である．際限がない ‖ 前途～美好 前途洋々である | ～感慨 感慨無量である
【无限期】wúxiànqī 副 無期限に ‖ 会谈～推延 会談は無期延期になった
【无限责任公司】wúxiàn zérèn gōngsī 图〈経〉無限責任会社．〔无限公司〕ともいう
*【无线电】wúxiàndiàn 图 ❶無線電話 ❷ラジオ．〔无线电收音机〕の通称
【无线电波】wúxiàn diànbō 图〈電〉無線電波
【无线电传真】wúxiàndiàn chuánzhēn 图 電送写真
【无线电话】wúxiàn diànhuà 图 無線電話．コードレスホン
【无线电台】wúxiàn diàntái 图 ラジオ放送局．ふつうは〔电台〕という
【无线通信】wúxiàn tōngxìn 图 無線通信
*【无效】wúxiào 動 効力のない．効果がない ↔〔有效〕‖ 过期～ 期限が過ぎると無効になる | ～证件 無効の証書 | 医治～ 治療の効果がない
【无懈可击】wú xiè kě jī 成 非常に厳密で，少しも手落ちや弱点がない．非の打ちどころがない
【无心】wúxīn 動 ❶なんの考えもない．なんの気もない ‖ 言者～，听者有意 話すほうはなんの気なしに話していても，聞くほうは気になるものだ ❷…する気がない ‖ 这两天，他什么也～去做 この2,3日彼は何もやる気がしない 副 何気なく．無意識で
【无形】wúxíng 形 無形の．目に見えない ‖ ～价值 無形の価値 | ～的压力 周囲のうわさ話が彼に目に見えない圧力を与えた 副 知らず知らずのうちに．ひとりでに ‖ 父母的言行总是有形～地影响着孩子 親の言動は知らず知らずのうちに子供に影響を及ぼしている
【无形中】wúxíngzhōng 副 いつのまにか．自然に．〔无形之中〕ともいう ‖ 他～成了大家的主心骨 彼はいつのまにか皆の中心的存在になった
【无形资产】wúxíng zīchǎn 图〈経〉（商標・特許・著作権などの）無形資産 ↔〔有形资产〕
【无性生殖】wúxìng shēngzhí 图〈生〉無性生殖
【无性杂交】wúxìng zájiāo 图〈生〉無性交配．接木雑種
【无休止】wúxiūzhǐ 形 やむことがない．絶え間ない ‖ ～的争吵 いつまでもやまない口論
【无须】【无需】wúxū 副 …する必要はない．…するまでもない．〔无须乎〕ともいう ‖ ～为这点ㄦ小事烦恼 こんなつまらないことで悩む必要はない
【无涯】wúyá 形 書 果てしない
【无烟煤】wúyānméi 图 無煙炭．地域によっては〔硬煤〕〔红煤〕〔白煤〕ともいう
【无言以对】wú yán yǐ duì 成 二の句が継げない．返す言葉がない
【无恙】wúyàng 動 書 つつがない ‖ 别来～？ その後お変わりありませんか | 安然～ 無事つつがない
【无氧运动】wúyǎng yùndòng 图〈体〉無酸素運動
【无业】wúyè 動 ❶仕事がない．無職である ❷財産がない
【无依无靠】wú yī wú kào 成 寄る辺がない．頼るところがない
【无遗】wúyí 動 余すところがない．残すところがない
*【无疑】wúyí 動 疑いがない．相違ない ‖ 不切实际的计划～是要失败的 実情に合わない計画は必ずや失敗する
【无以复加】wú yǐ fù jiā 成 これ以上加えるものがない．すでに極点に達している
【无异】wúyì 動 …に等しい．…にほかならない ‖ 吸毒与自杀～ 麻薬を吸うことは自殺するに等しい
【无益】wúyì 動 役に立たない．無益である．むだである ‖ 对身体～ 体によくない | ～之举 無益な行為
*【无意】wúyì 動 …する気がない ‖ 我～干预你的私事 私は君の個人的なことに干渉する気はない 副 無意識で．偶然に ‖ 昨天整理书架的时候，～中发现了那张照片 きのう本棚を整理していたとき，たまたまあの写真を見つけた
【无意识】wúyìshi 副 無意識で
【无垠】wúyín 動 書 限りない．果てしない
【无影灯】wúyǐngdēng 图〈医〉（手術用の）無影灯
【无影无踪】wú yǐng wú zōng 成 影も形もない．跡形もない．まったく行方が知れない
【无用】wúyòng 形 役に立たない
【无用功】wúyònggōng 图〈物〉無効仕事．機械が

W

作動するとき, 摩擦などの抵抗をなくすための仕事

【无忧无虑】 wú yōu wú lǜ 成 なんの心配もない. 何も思い煩うことがない

【无余】 wúyú 動 余すところがない ‖ 一览～ 余すところなく見渡せる | 揭露jiēlù～ すべて暴き出す

【无与伦比】 wú yǔ lún bǐ 成 比べるものがない. 比類がない ‖ ～的壮举 比類なき壮挙

【无援】 wúyuán 動 援助がない. 無援である

【无缘】 wúyuán 動 ❶縁がない ‖ 这样的高级住宅与你我～ こういう高級住宅は僕らには無縁だね ❷方法がない. すべがない ‖ ～分辩 見分けるすべがない

【无缘无故】 wú yuán wú gù 成 なんの理由も原因もない ‖ ～地发火儿 理由もなく怒り出す

【无源之水，无本之木】 wú yuán zhī shuǐ, wú běn zhī mù 成 源のない水, 根のない木. 土台のない物事のたとえ

【无政府主义】 wúzhèngfǔ zhǔyì 名 無政府主義. アナーキズム ‖ ～者 無政府主義者. アナーキスト

*【无知】 wúzhī 形 書 無知である ‖ 年幼～ 年端もゆかず無知である

【无止境】 wú zhǐjìng 組 とどまるところがない ‖ 学～ 学問にはこれで終わりということがない

【无中生有】 wú zhōng shēng yǒu 成 根も葉もないことを言う. 事実を捏造(ねつぞう)する

【无着】 wúzhuó 動 当てがない. めどが立たない ‖ 衣食～ 生活のめどが立たない

【无足轻重】 wú zú qīng zhòng 成 重視するに足りない. 取るに足りない. どうでもよい. 〔无足重轻〕ともいう

【无阻】 wúzǔ 動 支障がない. 阻むものがない ‖ 风雨～ 風雨にかかわらず実施する

【无罪】 wúzuì 形〈法〉罪がない. 無罪である

【无罪推定】 wúzuì tuīdìng 名〈法〉無罪推定

【无坐力炮】 wúzuòlìpào 名〈軍〉無反動砲. 〔无后坐力炮〕ともいう

4 **毋** wú ❶副 書 …するなかれ. …してはいけない ‖ ～忘此恩 この恩を忘れてはいけない

【毋宁】 wúnìng 副 むしろ…のほうがよい. 〔无宁〕とも書く ‖ 不成功, ～死 成功しないなら, 死んだほうがましだ

【毋庸】 wúyōng 副 …するに及ばない. …する必要がない. 〔无庸〕とも書く ‖ ～置疑 疑うべくもない

7 **芜(蕪)** wú 書 ❶雑草が生い茂る ❷雑草が生い茂っている所 ❸乱雑である. (多く文章や言葉についていう) ‖ ～词 そんざいな言葉

【芜菁】 wújīng 名〈植〉カブ

【芜杂】 wúzá 形 書 雑然として整っていない

7 **吾** wú 代 書 私. 私たち. 我ら ‖ ～等 我ら. 我々 | ～身 我が身 | ～国 我が国

【吾辈】 wúbèi 代 書 我ら. 私たち

7 **吴** wú ❶名 呉(ご). 春秋時代の国名. 現在の江蘇省南部から浙江省北部にあった ❷名 王朝名, 呉(222～280年). 三国時代の三国の一つで, 孫権が建国した ❸江蘇省南部から浙江省北部にかけての一帯をさす

【吴牛喘月】 Wú niú chuǎn yuè 成 呉地方の水牛は太陽の暑さを恐れるあまり, 月を見てもあえいでしまう. 取り越し苦労をすること. 疑心暗鬼になること

【吴语】 Wúyǔ 名 呉方言. 上海市・江蘇省東南部・浙江省の大部分の地区で使われる

10 **浯** wú 地名用字 ‖ ～河 山東省にある川の名

11 **梧** wú ↴

*【梧桐】 wútóng 名〈植〉アオギリ. ゴトウ

13 **蜈** wú ↴

【蜈蚣】 wúgong ; wúgōng 名〈虫〉ムカデ

20 **鼯** wú ↴

【鼯鼠】 wúshǔ 名〈動〉ムササビ

wǔ

4 ★**五**[1] wǔ 数 5. 五つ ‖ ～年 5年間 | ～个苹果 五つのリンゴ

4 **五**[2] wǔ 名〈音〉中国の伝統音楽の階名の一つで, 音符としても用いる. 西洋音楽のラに相当する. ➡〔工尺gōngchě〕

【五爱】 wǔ'ài 名 五つの愛. 祖国・人民・労働・科学・公共財産の五つを愛すること

【五彩】 wǔcǎi 名 (青・黄・赤・白・黒の) 5色. 色とりどり ‖ ～缤纷 さまざまな色が入り交じり, きらびやかである

【五大三粗】 wǔ dà sān cū 慣 体格が立派で堂々としているさま

【五代】 Wǔdài 名 五代(907～960年). 唐朝の滅亡後, 中原に相次いで興亡した後梁(こうりょう)・後唐・後晋(こうしん)・後漢・後周の5王朝

【五帝】 Wǔdì 名 五帝. 伝説上の黄帝, 顓頊(せんぎょく)・帝嚳(ていこく)・堯(ぎょう)・舜(しゅん)の5人の帝王をさす

【五毒】 wǔdú 名 (サソリ・ヘビ・ムカデ・ヤモリ・ヒキガエルの) 五つの毒

【五短身材】 wǔduǎn shēncái 慣 小柄な人

【五方】 wǔfāng 名 東・西・南・北と中央. (広く) 各地. あらゆるところ

【五方杂处】 wǔ fāng zá chǔ 成 各地から人が集まり雑居する. 大都会に地方の人が移り住むこと

【五分制】 wǔfēnzhì 名 (学校の成績評価の採点法の一つ) 五段階評価

【五更】 wǔgēng 名 ❶五更(ごこう). 日没から夜明けまでの一夜を五等分した時刻の名称. 等分したものは初更(一更)・二更・三更・四更・五更という ❷第五更(午前4時から6時まで)

【五谷】 wǔgǔ 名 五穀. (コメ・ムギ・アワなどの) 穀類の総称 ‖ ～丰登 五穀豊穣(ほうじょう)

【五官】 wǔguān 名 (目・耳・鼻・口・舌の) 五つの感覚器官. 広く顔形もいう ‖ ～端正 顔立ちが整っている

【五光十色】 wǔ guāng shí sè 成 色とりどりで美しいさま ‖ ～的宝石 色とりどりに輝く宝石

【五合板】 wǔhébǎn 名 5枚の板を張り合わせた合板

【五湖四海】 wǔ hú sì hǎi 成 全国津々浦々

【五花八门】 wǔ huā bā mén 成 多種多様. 種々雑多

【五花大绑】 wǔ huā dà bǎng 慣 首に縄をかけ後ろ手に縛る. がんじがらめに縛り上げる

【五花肉】 wǔhuāròu 名 (ブタの) ばら肉. 三枚肉. 地方によっては〔五花儿〕ともいう

【五环旗】 wǔhuánqí 名 オリンピックの旗. 五輪旗

【五荤】 wǔhūn 名〈仏〉五葷(ごくん). 〔大蒜〕(ニンニク)・〔葱〕(ネギ)・〔韭菜〕(ニラ)・〔薤〕(ラッキョウ)・〔阿魏〕(アギ)の5種のにおいの強い野菜

【五加】 wǔjiā 名〈植〉ウコギ

【五讲四美】wǔ jiǎng sì měi 图 五つの尊重と四つの美点(中国社会主義の行為規範をいう).〔五讲〕は,〔文明〕(教養)・〔礼貌〕(礼儀)・〔卫生〕(衛生)・〔秩序〕(秩序)・〔道德〕(道徳)を重んじること,〔四美〕は〔心灵〕(心)・〔语言〕(言葉)・〔行为〕(行動)・〔环境〕(環境)の美しさをさす
【五角大楼】Wǔjiǎo dàlóu 图 アメリカ国防総省の通称. ペンタゴン
【五金】wǔjīn 图 5種の金属(金・銀・銅・鉄・すず). (広く)金属‖～商店 金物屋
【五经】Wǔjīng 图 五経. 儒教の五つの経典, 易経(えききょう)・書経・詩経・礼記(らいき)・春秋をさす
【五绝】wǔjué 图 略 五言絶句.〔五言绝句〕の略
【五雷轰顶】wǔ léi hōng dǐng 慣 非常に大きな打撃を受けるたとえ
【五里雾】wǔlǐwù 图 喩 方向を見失ってしまうこと. (物事の)真相が分からなくなること‖如堕duò～中 五里霧中に迷い込んだように, 訳が分からない
【五粮液】wǔliángyè 图 四川省産の蒸留酒
【五律】wǔlǜ 图 略 五言律詩.〔五言律诗〕の略
【五伦】wǔlún 图 五倫. (儒教の)君臣・父子・夫婦・長幼・朋友の五つの倫理関係
【五马分尸】wǔ mǎ fēn shī 成 (古代の刑罰の一つ)八つ裂きの刑 転 まとまっているものをばらばらに分散するたとえ.〔五牛分尸〕ともいう
【五色】wǔsè 图 (青・黄・赤・白・黒の) 5種の色. 多彩な色どり‖～缤纷bīnfēn 彩り鮮やかなさま
【五十步笑百步】wǔshí bù xiào bǎi bù 成 五十歩百歩. 目くそ鼻くそを笑う大差がないこと
【五四青年节】Wǔ Sì qīngniánjié 图 青年節. 五・四運動を記念する祝日.〔青年节〕ともいう
【五四运动】Wǔ Sì yùndòng 图〈史〉五・四運動. 1919年1月のパリ講和会議において調印された21ヵ条の取り消しを求めて, 同年5月4日に北京の学生を中心にして起こった反帝国・反封建主義の大衆運動
【五体投地】wǔ tǐ tóu dì 成 五体投地(ごたいとうち). 全身を地に投げ出して礼拝すること. 心から敬服するたとえ
【五味】wǔwèi 图 五味. 甘い・酸っぱい・苦い・からい・塩からいの五つの味. (広く)いろいろな味
【五线谱】wǔxiànpǔ 图〈音〉五線譜
【五香】wǔxiāng 图 5種類の香辛料(サンショウ・八角ウイキョウ・ニッケイ・チョウジのつぼみ・ウイキョウ)
【五项全能运动】wǔxiàng quánnéng yùndòng 图〈体〉五種競技
【五星红旗】wǔxīng hóngqí 图 五星紅旗. 中華人民共和国の国旗
【五行】wǔxíng 图 五行(ごぎょう). 古来, 万物を組成すると信じられた五つの元素, 木・火・土・金・水をさす
【五言诗】wǔyánshī 图 五言詩
【五颜六色】wǔ yán liù sè 成 色とりどり. 多彩な色
【五一】Wǔ Yī 图 略 メーデー.〔五一劳动节〕の略
【五一劳动节】Wǔ Yī láodòngjié 图 メーデー(5月1日).〔国际劳动节〕ともいい, 略して〔五一〕という
【五音】wǔyīn 图 ❶〈音〉中国伝統音楽の5段階の音階. 五音(ごいん) ❷(音韻学の)五音
【五月节】Wǔyuèjié 图 端午の節句(旧暦の5月5日).〔端午〕ともいう
【五岳】Wǔyuè 图 五岳. 東岳泰山・西岳華山・南岳衡山・北岳恒山・中岳嵩山(すうざん)をさす
【五脏】wǔzàng 图〈中医〉五臓. 心臓・肺臓・脾臓(ひぞう)・肝臓・腎臓(じんぞう)をさす
【五指】wǔzhǐ 图 (手の) 5本の指. 五指‖伸手不见～ 手を伸ばしても手の指が見えない. 真っ暗闇のさま
【五洲】wǔzhōu 图 五大州. 世界各地
【五子棋】wǔzǐqí 图 五目並べ

4 **午** wǔ ❶图 午(うま) (十二支の第7). ➡〔地支dìzhī〕❷昼. 特に正午(12時)をさすこともある‖一～睡 ❸〈気〉昼. 11時から14時をさす
【午餐】wǔcān 图 午餐(ごさん). 昼食
★【午饭】wǔfàn 图 **昼食. 昼御飯**
【午后】wǔhòu 图 午後‖～两点 午後2時
【午间】wǔjiān 图 正午. 昼ごろ
【午觉】wǔjiào 图 昼寝‖睡～ 昼寝をする.
【午前】wǔqián 图 午前
【午睡】wǔshuì 图 午睡. 昼寝 動 昼寝をする
【午休】wǔxiū 動 昼休みになる. 昼の休憩をする
【午宴】wǔyàn 图 昼の宴会. 午餐会
【午夜】wǔyè 图 真夜中. 夜中の12時前後

6 *__伍__ wǔ ❶古 軍隊の最小編制単位(5人を1〔伍〕とした). 転 軍隊 ❷仲間‖为～ 仲間になる ❸圏〔五〕の大字. ➡〔大写dàxiě〕

6 **仵** wǔ 图 姓

7 **怃(憮)** wǔ 書 ❶慈しむさま ❷失意のさま‖～然 憮然(ぶぜん)としている

7 **忤(^啎)** wǔ 逆らう. 反抗する‖与人无～ 人に逆らわない
【忤逆】wǔnì 動 親不孝をする

7 **庑(廡)** wǔ 書 ❶母屋の向かい側と両側にある棟 ❷(周囲の)廊下

7 **迕** wǔ 書 ❶出会う‖相～ 出会う ❷背く. 従わない‖违～ 反抗して従わない

7 **妩(嫵)** wǔ ↴
【妩媚】wǔmèi 形 書 (女性や花などが)美しい. あでやかである

8 **武**[1] wǔ ❶書 足取り. 歩み ❷古 長さの単位, 1〔步〕の半分

8 **武**[2] wǔ ❶軍事. 武力 ↔〔文〕 ❷勇猛である‖勇～ 強く勇敢である ❸武術. 武芸
【武备】wǔbèi 图 旧 武備. 軍備‖～学堂 兵学校
【武打】wǔdǎ 動〈劇〉立ち回りをする
【武旦】wǔdàn 图〈劇〉(伝統劇で)立ち回りを主とする女役
【武断】wǔduàn 形 主観的である. 独断的である 動 書 ❶武力によって事を行う ❷主観のみで判断を下す
【武夫】wǔfū 图 ❶武人. 勇士 ❷軍人
【武功】wǔgōng 图 書 軍事上の功績
【武官】wǔguān 图 ❶武官 ↔〔文官〕❷在外公館の成員の一つ. 武官
【武火】wǔhuǒ 图 火力の強い火. 強火 ↔〔文火〕
【武将】wǔjiàng 图 旧 将校
【武警】wǔjǐng 图 略 武装警察.〔武装警察〕の略
【武库】wǔkù 图 兵器庫
*【武力】wǔlì 图 ❶武力‖使用～ 武力を行使する ❷暴力‖用～压服别人 力ずくで人を服従させる
【武林】wǔlín 图 武術界‖～高手 武術界の名手
【武器】wǔqì 图 ❶武器. 兵器. 凶器**‖核～ 核兵器 ❷**闘争の手段. 武器**‖法律～ 法律という武器
【武人】wǔrén 图 軍人

W

【武生】 wǔshēng 图〈劇〉(伝統劇で)立ち回りを主とする男役
【武师】 wǔshī 图 武術に長じた人の尊称
【武士】 wǔshì 图 ❶古 宮廷を警護する兵士 ❷勇士. 武士
【武术】 wǔshù 图 武術‖练～ 武術を習う
【武戏】 wǔxì 图〈劇〉立ち回りを主とする伝統劇.〔武剧〕ともいう ↔〔文戏〕
【武侠】 wǔxiá 图 侠客(きょうかく) ‖～小说 侠客小説
【武艺】 wǔyì 图 武術‖～高强 武芸に秀でている
【武职】 wǔzhí 图 旧 武官の職 ↔〔文职〕
*【武装】 wǔzhuāng 動 武装する. 武装させる‖用科学技术～农民 科学技術で農民を武装させる 图 武装. 軍事装備‖解除～ 武装解除
【武装警察】 wǔzhuāng jǐngchá 图 武装警察. 略して〔武警〕という
【武装力量】 wǔzhuāng lìliang 图 ❶正規の軍隊およびその他の武装組織の総称 ❷軍事力

9 **侮** wǔ 侮る. 軽視する‖欺qī～ 侮る｜外～ 外国からの圧迫
【侮慢】 wǔmàn 動 書 侮蔑(ぶべつ)する
【侮蔑】 wǔmiè 動 軽蔑する. 侮蔑する
*【侮辱】 wǔrǔ 動 侮辱する. 辱める‖受到～ 侮辱を受ける｜不许～人 人を侮辱してはいけない

10 **捂** wǔ 動 しっかりと押さえる. ぴったりと覆う. ふさぐ‖～着鼻子 鼻を手で押さえる｜～紧盖子gàizi しっかりふたをする
【捂盖子】 wǔ gàizi 組 喩 (問題や不法行為などを)ひた隠しにする. ふたをする
【捂捂盖盖】 wǔwǔgàigài 動 ひた隠しにする. 懸命に隠す

11 **牾** wǔ 書 背く. 従順でない‖抵dǐ～ 抵触する

13 **鹉** wǔ ➡〔鹦鹉yīngwǔ〕

14 *舞 wǔ ❶舞う. 踊る‖载zài歌载～ 歌ったり踊ったりする ❷图 舞踊. 踊り. ダンス‖跳～ ダンスを踊る ❸動 物を手にして踊る‖～剑 剣舞を舞う ❹動 振り動かす. ゆれ動く. (風に)翻る‖手～鲜花 花束を振る ❺ほしいままにする. 弄(ろう)する‖→～弊
【舞伴】 wǔbàn (～儿) 图 ダンスの相手. パートナー
【舞弊】 wǔbì 動 不正をはたらく‖营私～ 私腹を肥やすために不正をはたらく
【舞步】 wǔbù 图 ダンスのステップ
【舞场】 wǔchǎng 图 ダンスホール
【舞池】 wǔchí 图 (ダンスホールの)踊り場
*【舞蹈】 wǔdǎo 图 踊り. 舞踏. 舞踊. ダンス‖民族～ 民族舞踊｜～艺术 舞踏芸術 動 踊る. ダンスをする‖擅长shàncháng～ ダンスが得意である
【舞动】 wǔdòng 動 ❶振り動かす. 振り回す ❷揺れ動く‖柳枝随风～ ヤナギの枝が風に揺れている
*【舞会】 wǔhuì 图 ダンスパーティー
【舞剧】 wǔjù 图 (バレエなどの)舞踊劇
【舞美】 wǔměi 图 舞台芸術
【舞迷】 wǔmí 图 ダンス愛好者. ダンス・ファン
【舞弄】 wǔnòng 動 (手に持っている物を)振り回す. 弄(もてあそ)ぶ ❷方 する. やる
【舞女】 wǔnǚ 图 踊り子. ダンサー
【舞曲】 wǔqǔ 图 舞曲. ダンス音楽
*【舞台】 wǔtái 图 ❶舞台. ステージ‖～装置 舞台装置｜～监督jiāndū 舞台監督 ❷活躍する場. 技量を発揮する場‖登上政治～ 政治の舞台に立つ
【舞台美术】 wǔtái měishù 图 舞台美術. 略して〔舞美〕ともいう
*【舞厅】 wǔtīng 图 ❶ダンスをする娯楽場. ダンスホール ❷ダンスを踊る広い部屋
【舞文弄墨】 wǔ wén nòng mò 成 ❶法律の条文を悪用して不正をはたらく ❷文章の技巧を弄ぶ
【舞姿】 wǔzī 图 舞い姿

wù

3 **兀** wù 書 ❶高くそびえ立つさま‖突～ (山などが)そびえ立つ ❷はげている‖～鹫 ハゲワシ
【兀立】 wùlì 動 まっすぐに立つ. 直立する
【兀自】 wùzì 副 方 依然として. 相変わらず

4 *勿 wù 副 書 …するなかれ. …するべからず‖请～倒置 天地無用｜请～吸烟 禁煙です
【勿谓言之不预】 wù wèi yán zhī bù yù 慣 あらかじめ断ってなかったと言うなかれ. 前もって言っておく

5 **务(務)** wù ❶務める. 従事する‖→～农 ❷追求する. 求める‖好高～远 高望みをする ❸勤め. 仕事‖任～ 任務 ❹旧 税金を取り立てる関所. 現在は地名として用いる‖曹家～ 河北省にある地名 ❺副 書 必ず. 絶対に‖新生～于九月一日之前来校报到 新入生は必ず9月1日前までに来校して入学手続きをすまさなければならない
*【务必】 wùbì 副 書 ぜひとも. 必ず‖请你～出席会议 会議にはぜひ出席してください
【务工】 wùgōng 動 ❶工業関係の仕事に従事する ❷時間と労力を費やす
【务农】 wùnóng 動 農業に従事する. 営農する
【务期】 wùqī 動 書 期する. 期待する
【务求】 wùqiú 動 ぜひ…するように要求する. ぜひとも…を望む‖～早日完成 ぜひ一日も早い完成を望む
【务实】 wù//shí 動 実務に励む. 具体的な方法を検討する‖～精神 実務を重んじる精神｜少空谈, 多～ 空論をやめ, 実際の業務に励もう
【务须】 wùxū 副 必ず. ぜひ. きっと
【务虚】 wù//xū 動 理論面で検討する

5 **戊** wù 图 戊(つちのえ) (十干の第5). ➡〔天干tiāngān〕

7 **坞**[1](塢△隖) wù 書 小規模な要塞. 砦(とりで)

7 **坞**[2](塢△隖) wù ❶くぼみ ❷船渠(せんきょ). ドック‖船～ ドック

7 **芴** wù ❶图〈植〉カブラ ❷图〈化〉フルーレン

7 **杌** wù (背もたれのない)小さな腰掛け
【杌凳】 wùdèng (～儿) 图 小さな腰掛け
【杌子】 wùzi 图 方 小さな腰掛け

8 **物** wù ❶もの. 物品. 物質‖货～ 商品 ❷世間. 世の中. 社会‖→～外 ❸(話や文章の)内容‖空洞无～ 空っぽで内容がない
【物产】 wùchǎn 图 物産
【物归原主】 wù guī yuán zhǔ 成 物が元の持ち主に返る
【物耗】 wùhào 图〈経〉(生産過程における)原材料の使用量

【物候】wùhòu 名 生物季節. 動物や植物が示す季節現象
【物化劳动】wùhuà láodòng 名〈経〉生産過程で物質化された労働.〔死劳动〕ともいう ↔〔活劳动〕
【物换星移】wù huàn xīng yí 成 事物が変化し,星の位置が移動する. 季節や世の中が移り変わること.〔星移物换〕ともいう
【物极必反】wù jí bì fǎn 成 物きわまれば必ず反す. 物事は極点に達すると必ず逆の方向へ向かう
*【物价】wùjià 名 物価 ‖ ～上涨 物価が上昇する | 降低～ 物価を引き下げる | ～稳定 物価が安定している | ～昂贵 物価が高い | ～水平 物価水準
【物价指数】wùjià zhǐshù 名〈経〉物価指数
【物件】wùjiàn 名 物. 品物 ‖ 稀罕～ 珍しい品
【物尽其用】wù jìn qí yòng 成 それぞれの物の役割を十分に発揮させる
【物镜】wùjìng 名〈物〉対物レンズ.〔接物镜〕ともいう
★【物理】wùlǐ 名 ❶物の道理 ‖ 人情～ 人としての道理 ❷物理. 物理学 ‖ ～现象 物理現象
【物理变化】wùlǐ biànhuà 名 物理的変化
【物理量】wùlǐliàng 名 物理的な量
【物理疗法】wùlǐ liáofǎ 名〈医〉物理療法. 略して〔理疗〕という
【物理性质】wùlǐ xìngzhì 名 物理的性質
【物理学】wùlǐxué 名 物理学 ‖ ～家 物理学者
【物理诊断】wùlǐ zhěnduàn 名〈医〉理学的診断
*【物力】wùlì 名 物資
【物流】wùliú 名〈経〉物流
【物美价廉】wù měi jià lián 成 品質がよくて値段が安い
*【物品】wùpǐn 名 物品. 品物 ‖ 贵重～ 貴重品 | 随身携带xiédài～ 手荷物や身の回りの品
【物色】wùsè 動 物色する ‖ ～房子 家を物色する
【物伤其类】wù shāng qí lèi 成 同類の不幸を悲しむ
【物态】wùtài 名〈物〉物質の三態. 集合状態
*【物体】wùtǐ 名 物体 ‖ 发光～ 発光体
【物外】wùwài 名 書 世間の外 ‖ 超然～ 俗世間を離れる. 圏外に身を置く
【物象】wùxiàng 名 ❶物の形. 像 ❷動物や物などが異なる環境の中で現す現象. 民間で天候の予測の参考にする
【物像】wùxiàng 名〈物〉像
【物业】wùyè 名 不動産 ‖ ～公司 不動産会社
【物业管理】wùyè guǎnlǐ 名 分譲住宅地区の保守・管理
【物以类聚】wù yǐ lèi jù 成 類は友を呼ぶ. 似た者同士は自然と寄り集まる
【物欲】wùyù 名 書 物欲. 金品を得たいという欲望
【物证】wùzhèng 名〈法〉物証. 物的証拠
*【物质】wùzhì 名 ❶物質 ❷金銭や物品 ‖ ～生活 物質生活 | 贪图～享受 物質的な享楽にふける
【物质损耗】wùzhì sǔnhào 名〈経〉物量的減価 =〔有形损耗〕
【物质文明】wùzhì wénmíng 名 物質文明
【物种】wùzhǒng 名(生物分類の基本単位)種(しゅ). 略して〔种〕という
【物主】wùzhǔ 名(物の)持ち主. 所有者
*【物资】wùzī 名 物資 ‖ 救灾～ 災害救援物資

9 * **误** wù ❶間違った. 誤った ‖ 一～解 ❷間違い. 誤り ‖ 笔～ 書き違い ❸動 遅れる. 手間どって事を誤る. 好機を逃がす ‖ ～了开会的时间 会議の時間に遅れた | 工作学习两不～ 仕事と勉強を両立させる ❹(人を)誤らせる. 害する ‖ 一～人子弟 ❺形 うっかりしている. 不注意である ‖ 他～拿了别人的雨伞 彼はうっかり人の傘を持ってきてしまった
【误班】wùbān 動 ❶欠勤する ❷(バスや飛行機に)乗り遅れる ❸(バスや飛行機の)到着が遅れる
*【误差】wùchā 名 誤差 ‖ 这块表的～一个月不超过五秒 この時計の誤差は1ヵ月に5秒以内である
【误场】wù//chǎng 動(役者が)出番に遅れる. 舞台に出遅れる
【误车】wù//chē 動 ❶(渋滞などで)車が遅れる ❷(列車やバスに)乗り遅れる
【误传】wùchuán 動 誤ったことを伝える
【误导】wùdǎo 動 誤って人を導く
【误点】wù//diǎn 動(列車・船・飛行機などが)定刻に遅れる. 延着する ‖ 火车～了 汽車は延着した
【误工】wù//gōng 動 ❶会社に遅刻する. 欠勤する ❷仕事を遅らせる. 仕事に支障をきたす
【误国】wùguó 動 国を誤る. 国に損害をもたらす
*【误会】wùhuì 動 **誤解する. 勘違いする** ‖ 请您别～我的意思 どうか私の言うことを誤解しないでください 名 **誤解. 勘違い** ‖ 消除～ 誤解を解く
*【误解】wùjiě 動 誤解する. 間違えて理解する ‖ ～了词的意思 言葉の意味を取り違えた 名 誤解 ‖ 这完全是一种～ それはまったく誤解である
【误判】wùpàn 動 ❶誤った判断を下す. 判断ミスをする ❷(裁判や試合で)誤審する. ミスジャッジする
【误期】wù//qī 動 期限に遅れる
【误区】wùqū 名 誤っている点. 問題のある方面
【误人子弟】wù rén zǐ dì 成 人の子弟を誤らせる(不適任な教師をさしていう)
【误入歧途】wù rù qí tú 成 誤って横道に入る. 誤って悪の道に入る
【误杀】wùshā 動〈法〉誤殺する
【误伤】wùshāng 動 誤って人を傷つける
【误时】wù//shí 動 時間に遅れる
【误事】wù//shì 動 事をしくじる. 支障をきたす
【误听】wùtīng 動 誤って聞き入れる
【误信】wùxìn 動 うっかり信じる. 誤って信じる
【误用】wùyòng 動 誤用する
【误诊】wùzhěn 動 ❶診断を誤る. 誤診する ❷(病気が)手遅れになる

10 * **悟** wù 動 悟る. 分かる ‖ 领～ 悟る | 恍然huǎngrán大～ 急に疑問が解ける. はっと悟る
【悟性】wùxing 名 悟性. 理解力

10 **恶(惡)** wù 憎む. 嫌う ‖ 憎～ 憎悪する | 厌～ 嫌悪する ➤ ě è wū

11 **焐** wù 動(熱い物を当てて)暖める ‖ 用热水袋～～被窝儿 湯たんぽで布団を暖める

11 **晤** wù 書 会う. 面会する ‖ 会～ 会見する | 有暇请来一～ お暇のときはお越しください
【晤面】wùmiàn 動 書 面会する. 会う
【晤谈】wùtán 動 書 会って話をする

12 **痦** wù ↴
【痦子】wùzi 名 ほくろ

W

12 **婺 wù** ❶地名用字 ‖ ～江 江西省にある川の名 ❷古 婺州(ぶしゅう)．現在の浙江省金華一帯にあった州の名

12 **骛 wù** ❶(ウマが)縦横に走る．猛烈に駆ける ‖ 驰～ 疾走する ❷〔务❷〕に同じ．

13 ＊＊ **雾(霧) wù** ❶名 霧 ❷霧のようなもの ‖ 喷～器 噴霧器

【雾沉沉】wùchénchén (～的) 形 霧が深いさま

【雾化】wùhuà 動 霧状になる

【雾里看花】wù lǐ kàn huā 成 霧の中で花を見る．年老いてはっきり見えないさま．また，要領を得ないたとえ

【雾茫茫】wùmāngmāng (～的) 形 霧ではっきり見えないさま．〔雾蒙蒙〕ともいう

【雾气】wùqì 名 霧

【雾腾腾】wùtēngtēng (～的) 形 霧が立ちこめるさま

14 **寤 wù** 書 目が覚める ‖ ～寐mèi难忘 片時も忘れられない

14 **鹜 wù** 書 アヒル ‖ 趋qū之若～ よくないことに人々が追随するさま

15 **鋈 wù** 書 ❶白銅 ❷めっきをする ‖ ～器 めっきを施した器物．

W

X

【X射线】X shèxiàn 图〈物〉X線．レントゲン線 ＝〔爱克斯射线〕

xī

3 **夕** xī ❶夕方 ↔〔朝zhāo〕‖ 一～阳｜朝令～改 朝令暮改 ❷夜．晩‖前～ 前夜

【夕阳】xīyáng 图 夕日‖～西下 夕日が沈む

【夕阳婚】xīyánghūn 图 熟年婚．シニア婚．シルバー婚

【夕照】xīzhào 图 書 夕方の入り日の光．夕日の光

4 **兮** xī 助 古 文末・文中に用いて感嘆の語気を表す．現代語の〔啊〕に相当する‖大风起～云飞扬 大風起こりて雲飛揚す

6 **汐** xī 夕潮‖潮～ 潮汐(ちょうせき)

6 ** **吸** xī ❶動（気体や液体を）吸う‖～一口气 深く1回息を吸い込んだ ❷動 **吸収する**‖用棉花把水～干 綿で水を吸い取る ❸動 **吸いつける．引き寄せる**‖磁石císhí～铁 磁石は鉄を吸いつける

【吸尘器】xīchénqì 图 電気掃除機

【吸储】xīchǔ 動（金融機関が）預金を集める

【吸顶灯】xīdǐngdēng 图 天井灯．シーリングライト

*【吸毒】xī//dú 動 麻薬を吸う．麻薬を打つ

【吸附】xīfù 動〈化〉吸着する‖～剂 吸着剤

【吸管】xīguǎn（～儿）图 ストロー

【吸力】xīlì 图 吸引力

【吸墨纸】xīmòzhǐ 图 吸い取り紙

【吸纳】xīnà 動 ❶吸い込む‖～新鲜空气 新鮮な空気を吸い込む ❷受け入れる．採用する‖～移民 移民を受け入れる

【吸盘】xīpán 图〈生〉吸盤

*【吸取】xīqǔ 動 ❶受け入れる．取り入れる‖～教训 教訓をくみ取る ❷（水分や養分を）吸収する‖～养分 養分を吸い取る

【吸声材料】xīshēng cáiliào 图〈建〉吸音材

【吸食】xīshí 動（食物や毒などを）吸う

【吸收】xīshōu 動 ❶吸収する**‖棉花能够～水分 綿は水を吸い込む ❷**（生物が水分や栄養などを）吸収する**‖植物通过根～土中的营养 植物は根から土中の栄養を吸収する ❸**（震動や音を）吸収する**‖这种材料可以～声音 この材料は音を吸収する効果がある ❹**取り入れる．取り込む**‖～一切对自己有用的东西 自分に有用なものはすべて取り入れる ❺（組織・団体・党派などに）**加入させる**‖～会员 メンバーに加える

【吸吮】xīshǔn 動 吸い取る．吸う．すする

【吸铁石】xītiěshí 图 磁石．マグネット ＝〔磁cí铁〕

【吸血鬼】xīxuèguǐ 图 吸血鬼．情け容赦なく人を苦しめる人間

【吸烟】xī//yān 動 **タバコを吸う．〔抽烟〕ともいう

【吸引】xīyǐn 動（人の注意力などを**）**引きつける．吸い寄せる**‖她一打开书就被～住了 彼女は本を読み始めるやたちまち夢中になった

6 ★ **西** xī ❶图 **西**‖这窗户朝～ この窓は西に向いている ❷極楽浄土‖一～天 ❸西洋‖一～装 ❹（〔东…西…〕の形で）いたるところ…．あちらでもこちらでも…‖东游～逛guàng あちこちで遊ぶ

【西班牙】Xībānyá 图〈国名〉スペイン

【西半球】xībànqiú 图〈地〉西半球

【西北】xīběi 图 ❶西北．北西** ❷中国の西北地区（陝西・甘粛・青海各省と寧夏回族自治区・新疆ウイグル自治区・内モンゴル自治区西部などを含む）

★【西边】xībian（～儿）图 **西の方．西側**

【西部】xībù 图 ❶西部** ❷中国の西部地区（陝西・甘粛・青海・四川・貴州・雲南・広西の各省と寧夏・新疆・チベットの各自治区および重慶市などを含む）

【西餐】xīcān 图 **西洋料理

【西点】xīdiǎn 图 洋菓子．ケーキ

【西方】xīfāng 图 ❶西の方．西方** ❷**西洋．西欧．欧米諸国**．広義には西側資本主義国をさす ❸〈仏〉西方浄土(さいほうじょうど)．極楽浄土

【西非】Xī Fēi 图 西アフリカ

【西风】xīfēng 图 ❶秋風 ❷転 没落勢力

*【西服】xīfú 图 洋服（多く背広をさす）

【西瓜】xīguā 图 **スイカ‖～子儿 スイカの種

【西红柿】xīhóngshì 图〈植〉トマト** ＝〔番茄fānqié〕‖～酱jiàng トマト・ケチャップ｜～汁zhī トマト・ジュース

【西葫芦】xīhúlu 图〈植〉ソウメンカボチャ．ペポカボチャ

【西化】xīhuà 動 西洋風になる．欧米化する

【西经】xījīng 图〈地〉西経

【西蓝花】xīlánhuā 图〈植〉ブロッコリー．俗に〔绿菜花〕ともいう

【西历】xīlì 图 旧 西暦．太陽暦

【西面】xīmiàn 图 **西の方．西側

【西南】xīnán 图 ❶西南．南西** ❷中国の西南地区（四川・貴州・雲南各省とチベット自治区を含む）

【西欧】Xī Ōu 图 西欧．西ヨーロッパ．広義にはヨーロッパのうち西側資本主義国をさす

【西萨摩亚】Xīsàmóyà 图〈国名〉西サモア

【西晒】xīshài 動 西日がさす

【西式】xīshì 形 欧米風の．洋式の‖～建筑 西洋風の建物｜～家具 洋式の家具

【西天】xītiān 图〈仏〉❶西天．インドのこと ❷極楽浄土 ＝〔极乐jílè世界〕

【西文】xīwén 图 旧 欧米各国の文字

【西学】xīxué 图 旧 清朝末期，西洋の自然科学や社会・政治学説などに対する称．洋学

【西洋】Xīyáng 图 西洋‖～史 西洋史

【西洋画】xīyánghuà 图 西洋画．洋画．略して〔西画〕という

【西洋景】xīyángjǐng 图 ❶のぞきからくり．からくり眼鏡 ❷喩 からくり‖他的～被拆穿chāichuān了 彼のからくりは暴かれた ＊〔西洋镜〕ともいう

【西洋参】xīyángshēn 图〈植〉セイヨウニンジン

【西药】xīyào 图 西洋医学で用いる薬剤

*【西医】xīyī 图 ❶西洋医学 ❷西洋医

【西语】Xīyǔ 图 ❶欧米各国の言語 ❷スペイン語

【西域】Xīyù 图 西域(せいいき)

【西装】xīzhuāng 图 洋服．洋装‖～料 洋服地

7 **希**[1] xī まれである．少ない‖一～奇｜物以～为贵 物はまれなるをもって貴しとなす

7 **希**[2] **xī** 動書 願う. 望む ‖ ～遵守zūnshǒu时间 時間を厳守されたし
【希罕】 xīhan ＝〔稀罕xīhan〕
【希冀】 xījì 動書 心から願う. 切望する
【希腊】 Xīlà 名〈国名〉ギリシア
【希腊字母】 Xīlà zìmǔ 名 ギリシア文字
【希奇】 xīqí ＝〔稀奇xīqí〕
【希求】 xīqiú 動 切望する. 心から望む 名 希望と要求
【希少】 xīshǎo ＝〔稀少xīshǎo〕
【希世】 xīshì ＝〔稀世xīshì〕
【希图】 xītú 動 企てる. もくろむ. (多くは悪いことに用いる) ‖ ～不劳而获 労せずして利益を得ようともくろむ
★**【希望】** xīwàng 動 希望する. 望む ‖ ～将来当教师 将来教師になりたいと思う 名 ❶望み. 希望. 願い. 願望 ‖ 这件事已经没～了 この件はもう望みがなくなった ❷(希望を託す対象)ホープ. 希望 ‖ 青年是国家的～ 若者は国の希望である
【希望工程】 Xīwàng gōngchéng 名 貧困地区の青少年に対する教育助成のための募金活動
【希有】 xīyǒu ＝〔稀有xīyǒu〕
8 **析** **xī** ❶ばらばらになる ‖ 分崩离～ 四分五裂する ❷分析する ‖ 剖pōu～ 解剖分析する
【析产】 xīchǎn 動 財産分けをする
【析出】 xīchū 動 ❶分析して導き出す ❷〈化〉析出する ‖ ～结晶 結晶を析出する
【析疑】 xīyí 動書 疑惑を解く. 疑問点を解く
8 **昔** **xī** 昔 ‖ 往～ 昔. 以前 | 今非～比 いまは昔の比ではない
【昔年】 xīnián 名書 昔年. 昔. かつて
【昔日】 xīrì 名書 昔日. 昔. かつて
【昔时】 xīshí 名 昔. かつて
8 **矽** **xī** 名旧 珪素(けいそ). 〔硅guī〕の旧称
9 **郗** **xī** 名 姓
9 **茜** **xī** 人名用字. (多く外国人女性の名前の音訳に用いる) ‖ 南～ ナンシー ➤ qiàn
10 **浠** **xī** 地名用字 ‖ ～水 湖北省にある県の名
10 **奚** **xī** 古 なぜ. どうして ‖ 子～哭之悲也？ あなたはなぜ泣き悲しんでいるのか
【奚落】 xīluò 動 皮肉る. からかう. 冷やかす
10 **唏** **xī** 書 ❶笑い声を表す ❷嘆き悲しむ
10 **息** **xī** ❶息 ‖ 喘chuǎn～ 苦しそうに息を切らす ❷休む. 休息する ‖ 歇xiē～ 休息する ❸やむ. やめる ‖ 川流不～ 川は流れてやむことがない. 人や車がひっきりなしに往来するさま ❹増える. 繁殖する ‖ 生～ 繁殖する ❺書 息子 ‖ 子～ 跡取り息子 ❻利息. 利子 ‖ 利～ 利息 ❼消息. 便り ‖ 信～ 情報
【息怒】 xīnù 動 怒りを鎮める
【息肉】 xīròu 名〈医〉ポリープ. 〔瘜肉〕とも書く
【息事宁人】 xī shì níng rén 成 ❶いざこざの仲裁をし, 円満に事を解決する ❷自ら譲歩して事を穏便に解決する. 事なきを得るために折れる
【息讼】 xīsòng 動 訴訟を取り下げる
【息诉】 xīsù 動 訴訟を取りさげる
【息息相关】 xī xī xiāng guān 成 息が通い合っている. 切っても切れない関係にあること. 〔息息相通〕ともいう
10 **牺**(犧) **xī** 古 いけにえ ‖ ～牛 いけにえのウシ
【牺牲】 xīshēng 名 いけにえ 動 ❶(正義のために)命を捧げる ‖ 为国～ 国のために命を捧げる ❷犠牲にする. 犠牲になる ‖ 自我～ 自己犠牲
【牺牲品】 xīshēngpǐn 名 犠牲. 犠牲者
11 **淅** **xī** 書 米をとぐ
【淅沥】 xīlì 擬 (風雨・あられ・落ち葉などの音)しとしと. そよそよ. さらさら. パラパラ
【淅淅】 xīxī 擬 ❶(風や雨の)音 ❷物のこすれる音
11 **惜** **xī** ❶哀惜する. 残念に思う ‖ 惋～ 惜しむ ❷大事にする. 大切にする ‖ 爱～ 大事にする ❸惜しむ. 物惜しみする ‖ 吝lìn～ 物惜しみをする
【惜败】 xībài 動 惜敗する. 惜しくも敗れる
【惜别】 xībié 動 別れを惜しむ. 名残を惜しむ
【惜贷】 xīdài 動 (銀行が)貸し渋る
【惜购】 xīgòu 動 買い渋る ‖ 随着不景气, 消费者出现～心理 景気低迷により, 消費者心理に買い渋る傾向が見えてきた
【惜老怜贫】 xī lǎo lián pín 成 老人をいたわり, 貧しい者をいとおしむ. 〔怜贫惜老〕ともいう
【惜力】 xīlì 動 労苦をいやがる. 骨惜しみする
【惜墨如金】 xī mò rú jīn 成 墨を惜しむこと金のごとし. 軽々しく筆を下ろさない
【惜阴】 xīyīn 動 時間を大切にする
【惜玉怜香】 xī yù lián xiāng 成 女性をいたわり大切にする. 〔怜香惜玉〕ともいう
11 **烯** **xī** 名〈化〉アルケン ‖ 乙～ エチレン
11 **悉** **xī** ❶詳しく知る ‖ 熟～ 熟知している ❷すべての ‖ →～心 ❸書 すべて. ことごとく ‖ ～力 全力で
【悉数】 xīshǔ 動書 ことごとく列挙する
【悉数】 xīshù 副書 ことごとく ‖ ～归还 全額返す
【悉心】 xīxīn 副書 心を尽くして. 全力で ‖ ～研究 研究に専念する | ～照料 誠心誠意世話をする
11 **硒** **xī** 名〈化〉セレン(化学元素の一つ, 元素記号は Se)
12 **晰**(△晳 晳) **xī** 明らかである. はっきりしている ‖ 明～ 非常にはっきりしている
12 **犀** **xī** 名〈動〉サイ. ふつうは〔犀牛〕という
【犀角】 xījiǎo 名 ❶サイの角 ❷〈中薬〉犀角(さいかく)
【犀利】 xīlì 形書 文章や才知などが鋭い様子 ‖ 文笔～ 筆鋒(ひっぽう)が鋭い | ～的目光 鋭い眼光
【犀牛】 xīniú 名〈動〉サイ
12 **腊** **xī** 古 干し肉 ➤ là
12 *** 稀** **xī** ❶形 (事物の間隔が空間的, 時間的に)まばらである ↔〔密〕‖ 枪声由密而～ 銃声がだんだん遠のいていった ❷形 (数量や回数が)少ない. まれである ‖ 今年雨水～ 今年は雨が少ない ❸形 (液状のものの濃度が)薄い. 希薄である ↔〔稠〕‖ 这粥zhōu太～了 この粥は薄すぎる ❹水分の多いもの ‖ 糖～ 水あめ ❺一部の形容詞の前において, 程度がひどいことを表す ‖ →～烂
【稀巴烂】 xībalàn ＝〔稀烂xīlàn ❷〕
【稀薄】 xībó 形 (空気や霧などが)薄い. 希薄である
【稀饭】 xīfàn 名 粥 ‖ 熬áo～ 粥をつくる

【稀罕】xīhan 形 まれである. 珍しい ‖ 今天你怎么来得这么早, 真～ 君がこんなに早く来るとは珍しいものだ 動 欲しがる. 珍重する. (多く否定や反語に用いる) ‖ 谁～你那玩意儿 そんなもの誰が欲しがるものですか 名 (～儿) 珍しいもの ‖ 看～ 珍しそうに見る ＊〔希罕〕とも書く
【稀客】xīkè 名 珍客
【稀拉】xīla 形 ❶まばらである. 途切れ途切れだ ❷方 だらけている. だらしがない
【稀烂】xīlàn 形 ❶とけて粘液状になっている様子 ❷徹底的に破壊されているさま. 〔稀巴烂〕ともいう
【稀里糊涂】xīlihútú 形 ❶ぼんやりしている. 曖昧(あいまい)である ❷いいかげんである. ぞんざいである
【稀里哗啦】xīlihuālā 擬 ❶(茶碗などがぶつかり合ったり物が崩れ落ちたりする音) ガチャガチャ. ガラガラ ❷(雨が激しく降る音) ザアザア 形 散り散りばらばらなさま. 徹底的に打ちのめされるさま
【稀里马虎】xīlimǎhu 形 いいかげんである. でたらめだ
【稀料】xīliào 名 希釈剤. 薄め液
【稀溜溜】xīliūliū (～儿的) 形 (粥などが) とろとろである ‖ ～的粥zhōu とろとろに煮込んだ粥
【稀落】xīluo ; xīluò 形 まばらである
【稀奇】xīqí 形 珍しい. 珍奇である. 〔希奇〕とも書く
【稀缺】xīquē 形 非常に欠乏している. きわめて少ない
*【稀少】xīshǎo 形 まれである. 少ない. 〔希少〕とも書く ‖ 人烟～ 人煙まれである
【稀世】xīshì 形 世にもまれである. たいへん珍しい. 〔希世〕とも書く ‖ ～珍宝 世にもまれな宝
【稀释】xīshì 動 <化> 希釈する. 濃度を薄める
【稀疏】xīshū 形 間隔があいている. まばらである ↔〔稠密chóumì〕‖ ～的头发 薄い髪の毛
【稀松】xīsōng 形 ❶だらけている ❷劣っている. 悪い. ひどい ❸重要ではない. くだらない
【稀土元素】xītǔ yuánsù 名 <化> 希土類元素
【稀稀拉拉】xīxilālā (～的) 形 ものとものとの間隔があいている. まばらである. 〔稀稀落落〕ともいう
*【稀有】xīyǒu 形 非常に珍しい. めったにない. まれである. 〔希有〕とも書く
【稀有金属】xīyǒu jīnshǔ 名 <化> 希少金属
【稀有气体】xīyǒu qìtǐ 名 <化> 希ガス
【稀有元素】xīyǒu yuánsù 名 <化> 希元素

12 **栖** xī ❶古 砕け米 ❷方 もみがら. もみぬか

12 **翕** xī 書 ❶合わせる. 閉じる. 収める ❷従順である
【翕动】xīdòng 動 書 (唇などが) 開いたり閉じたりする. 〔噏动〕とも書く
【翕然】xīrán 形 書 言行が一致するさま
【翕张】xīzhāng 動 書 開いたり閉じたりする

13 **溪** (△谿) xī 谷川. 渓流 ‖ 清～ 清流 | ～谷 渓谷
【溪涧】xījiàn 名 谷川. 渓流
【溪流】xīliú 名 渓流. 谷川の流れ

13 **裼** xī 書 肌脱ぎになる. 上着を脱ぎ, 体の一部を出す ‖ 袒tǎn～ もろ肌を脱ぐ ➤ tì

13 * **锡** xī 名 <化> 錫(すず) (化学元素の一つ, 元素記号は Sn)
【锡伯族】Xībózú 名 シボ族 (中国の少数民族の一つ, 主として新疆ウイグル自治区や遼寧省などに居住)
【锡箔】xībó 名 銀紙. かつて多く紙銭を作るのに用いた
【锡匠】xījiang 名 錫細工の職人
【锡纸】xīzhǐ 名 銀紙. 錫箔(すずはく)

14 **僖** xī 書 楽しい

14 **熙** (△熈 熙) xī 書 光明に満ちている
【熙和】xīhé 形 書 ❶楽しい. 和やかである ❷暖かい
【熙来攘往】xī lái rǎng wǎng 成 人の往来が激しくて賑やかなこと. 〔熙熙攘攘〕ともいう
【熙攘】xīrǎng 形 賑やかなさま
【熙熙攘攘】xī xī rǎng rǎng ＝〔熙来攘往xī lái rǎng wǎng〕

14 * **熄** xī 動 (火や明かりが) 消える. (火や明かりを) 消す ‖ 把电灯～了 電灯を消した
【熄灯】xī//dēng 動 明かりを消す. 消灯する
【熄火】xī//huǒ 動 ❶火が消える. 機能を停止する ‖ 汽车～了 車がエンストした ❷火を消す
*【熄灭】xīmiè 動 (火や明かりが) 消える. (火や明かりを) 消す ‖ 大火～了 大火が鎮火した

14 **蜥** xī ↴
【蜥蜴】xīyì 名 <動> トカゲ. ふつうは〔四脚蛇〕という

15 **嘻** (△譆) xī ❶感 書 (賛美や驚嘆を表す) ああ ❷擬 (笑い声) ウフフ. イヒヒ
【嘻皮笑脸】xī pí xiào liǎn ＝〔嬉皮笑脸xī pí xiào liǎn〕
【嘻嘻哈哈】xīxīhāhā (～的) 形 ❶笑い興じるさま. 楽しげに笑うさま ❷ふまじめなさま

15 **嬉** xī 書 遊ぶ. 戯れる
【嬉闹】xīnào 動 楽しそうに遊ぶ. ふざける
【嬉皮士】xīpíshì 名 ヒッピー
【嬉皮笑脸】xī pí xiào liǎn 成 にやにやする. にたにた笑うさま. 〔嘻皮笑脸〕とも書く
【嬉戏】xīxì 動 書 遊ぶ. 戯れる
【嬉笑】xīxiào 動 快活に笑う

15 **膝** (△厀) xī 名 <生理> ひざ. ひざ頭. ふつうは〔膝盖〕という
*【膝盖】xīgài 名 <生理> ひざ. ひざ頭
【膝关节】xīguānjié 名 <生理> ひざ関節
【膝下】xīxià 名 書 ❶膝下(しっか). (父母のあて名の脇付(わきづけ)に用いる) ‖ 父母大人～ ご両親様 ❷子供がいるかいないかを言うときに用いる ‖ ～犹虚 まだ子供がいない

16 **熹** xī 書 光明に満ちた. 明るい

16 **樨** xī ➡〔木樨mùxi〕

16 **歙** xī 書 息を吸う ➤ shè

16 **羲** xī 名 人名に用いる ‖ 伏～ 伏羲(ふっき). 古代伝説中の帝王

17 **蟋** xī ↴
【蟋蟀】xīshuài 名 <虫> コオロギ. 北方では〔蛐蛐儿qūqur〕ともいう

17 **蹊** xī 書 小道 ➤ qī
【蹊径】xījìng 名 書 道. 方法. やり方

19 **醯** xī 書 ❶酢 ❷酸っぱい

X

20 **曦** xī 書(多く明け方の)日光‖晨chén～ 朝日｜春～ 春の陽光

xí

3 **习**(習) xí ❶習う. 練習する‖复～ 復習する ❷慣れる‖→～惯 ❸常に‖→～见 ❹習慣‖陋lòu～ 悪い習慣

【习得】xídé 動習得する. 身につける

【习非成是】xí fēi chéng shì 成間違ったことでも習慣となると, それが正しいと思うようになる

★【习惯】xíguàn 動慣れる. 習慣となる‖你已经～这里的生活了吧 ここの生活もすっかり慣れたでしょう｜他不～吃辣là 彼は辛いものは苦手だ 名習慣‖养成良好的～ よい習慣を身につける

【习惯法】xíguànfǎ 名〈法〉慣習法

【习好】xíhào 名長い間にでき上がった好み

【习见】xíjiàn 動見慣れる

【习气】xíqì 名貶(悪い)癖. 風習. 気風

【习染】xírǎn 書動(悪習に)染まる 名悪習

【习尚】xíshàng 名気風. 風習

*【习俗】xísú 名習俗. 風習. しきたり‖民族不同, ～也不相同 民族が違えば習俗も同じではない

*【习题】xítí 名練習問題. ドリル

【习习】xíxí 形そよ風が吹くさま

【习性】xíxìng 名習性. 癖

【习焉不察】xí yān bù chá 成慣れてしまうと, そこに問題があっても気付かなくなる. 慣れっこになる

【习以为常】xí yǐ wéi cháng 成慣れて当たりまえになる. 特別のことでなくなる

【习艺】xíyì 動(技能を)習う. 修業する

【习用】xíyòng 動常に用いる. 慣用する

【习与性成】xí yǔ xìng chéng 成習い性(せい)となる

【习字】xízì 動習字をする‖～帖tiè 習字手本

【习作】xízuò 動習作をする 名習作

10 * **席**(△蓆❶) xí ❶名むしろ・ござなどの敷物‖凉～ 寝ござ ❷座席. 席‖退～ 退席する ❸量議会の議席を数える. 議員数を意味することもある‖在议会中只占六～ 議会で6議席を占めるのみだ ❹名宴席. 宴席の酒や料理‖摆bǎi了五十桌～ 50卓の酒宴を設けた ❺量宴席や談話などを数える‖一～酒 一席の酒宴

【席不暇暖】xí bù xiá nuǎn 成席の暖まるいとまもない. きわめて多忙なことのたとえ

【席次】xícì 名席次. 席順

【席地】xídì 副地面にじかに‖～而坐 地面にじかに腰を下ろす

【席间】xíjiān 名席上. 集まりの場

【席卷】xíjuǎn 動席巻する. ものすごい勢いで巻き込む‖一场暴风雪～了欧洲北部 猛吹雪がヨーロッパ北部を吹き荒れた｜～而逃 洗いざらい持ち逃げする

【席梦思】xímèngsi 名外スプリングベッド

【席面】xímiàn 名宴席. 宴席の酒や料理

【席篾】xímiè 名アシ・タケ・コーリャンの茎などを薄く裂いたもの(むしろやかごなどを編む)

*【席位】xíwèi 名議席‖这次选举减少了十五个～ 今回の選挙で15議席を失った

【席子】xízi 名方むしろ. ござ

11 **觋** xí 古男の祈禱師(きとう)

11 **袭**[1](襲) xí ❶踏襲する‖沿～ 踏襲する ❷受け継ぐ‖世～ 世襲する

11 **袭**[2](襲) xí 襲撃する. 襲う‖奇～ 奇襲する｜寒气～人 寒さが身にしみる

*【袭击】xíjī 動襲撃する. 不意打ちをかける. 急襲する‖～敌军 敵軍を襲撃する｜台风～了沿海村庄 台風は海沿いの村に襲いかかった

【袭取】[1] xíqǔ 動急襲して陥れる

【袭取】[2] xíqǔ 動受け継ぐ. 踏襲する

【袭扰】xírǎo 動襲って悩ませる

【袭用】xíyòng 動踏襲して用いる

【袭占】xízhàn 動襲撃して占領する

13 **媳** xí ❶息子の妻. 嫁‖婆pó～关系 嫁姑(よめしゅうとめ)の関係 ❷弟または目下の親族の妻

*【媳妇】xífù 名❶息子の妻. 嫁. 〔儿媳妇儿〕ともいう ❷目下の親族の妻‖孙～ 孫の嫁｜弟～ 弟嫁

【媳妇儿】xífur 名方❶妻‖娶qǔ～ 嫁をもらう ❷既婚の若い女性‖小～ 若妻

16 **隰** xí 書低湿な土地. 湿地

17 **檄** xí 書❶檄文(げきぶん)‖羽～ 羽檄(うげき). 急を要する檄文 ❷檄(げき)を飛ばす. 触れを出す

【檄文】xíwén 名古檄文. 召文. 触れ書き

xǐ

9 ★ **洗** xǐ ❶動洗う‖～衣服 洗濯する｜～碗 食器を洗う｜把手～干净 手をきれいに洗う ❷古浅い洗面用器. (広く)ものを洗うための器‖笔～ 筆洗(ひっせん) ❸動取り除く‖把那段录音～掉 録音部分を消す ❹皆殺しにする. 洗いざらい奪う‖→～劫 ❺動(フィルムを)現像する. (現像済みのフィルムを)焼き付けする. プリントする‖～胶卷jiāojuǎn フィルムを現像する｜～照片 写真の焼き付けをする ❻〈宗〉洗礼 ❼動(マージャンのパイを)かき混ぜる. (トランプなどのカードを)切る‖→～牌 ➤xiǎn

【洗车】xǐ//chē 動洗車する

【洗尘】xǐchén 動遠来の客を迎える宴を催す‖今天设宴为您～ 本日, あなたの歓迎の宴を催します

*【洗涤】xǐdí 動❶洗う. 洗浄する ❷洗い清める. 洗い流す. (抽象的なことに用いる)‖～心灵 魂を清める

【洗涤剂】xǐdíjì 名食器洗いの洗剤. 台所洗剤

【洗耳恭听】xǐ ěr gōng tīng 成耳を洗ってうやうやしく聞く. 耳を傾けて謹んで聞く

【洗发】xǐ//fà 動髪を洗う‖～液 シャンプー

【洗劫】xǐjié 動残らず略奪する. 奪い尽くす

【洗礼】xǐlǐ 名❶〈宗〉洗礼 ❷喩試練. 苦難‖经受了战争的～ 戦争の苦しみを経験する

【洗脸】xǐ//liǎn 動顔を洗う‖～盆 洗面器

【洗练】【洗炼】xǐliàn 形(文章表現や演技が)洗練されている

【洗煤】xǐméi 動〈鉱〉洗炭する

【洗脑】xǐ//nǎo 動洗脳する

【洗牌】xǐ//pái 動(マージャンの)パイをかき混ぜる. (トランプなどの)カードを切る

【洗钱】xǐqián 動マネーロンダリングする. 資金を洗浄する

【洗染店】xǐrǎndiàn 名クリーニング店

【洗手】xǐ//shǒu 動❶手を洗う. トイレに行く ❷悪事から足を洗う ❸喩仕事から手を引く

[洗手间] xǐshǒujiān 名 トイレ．お手洗い．洗面所
[洗漱] xǐshù 動 (顔を)洗い(口を)すすぐ．洗面する
[洗刷] xǐshuā 動 ❶(ブラシなどで)洗い落とす ‖ 把碗筷～干净 お碗や箸をきれいに洗う ❷(汚名や過ちを)そそぐ．拭い去る ‖ ～罪名 罪を晴らす
[洗涮] xǐshuàn 動 ゆすぎ洗いする．ゆすぐ
[洗碗机] xǐwǎnjī 名 食器洗い機
[洗心革面] xǐ xīn gé miàn 成 心から反省する．心を入れ替える．〔革面洗心〕ともいう
[洗雪] xǐxuě 動 (恥辱や汚名を)すすぐ．(冤罪を)晴らす ‖ ～沉冤chényuān 積年の冤罪を晴らす
[洗衣板] xǐyībǎn 名 洗濯板
[洗衣店] xǐyīdiàn 名 クリーニング店
[洗衣粉] xǐyīfěn 名 洗濯用洗剤．粉石けん
[洗衣机] xǐyījī 名 **電気洗濯機**
[洗印] xǐyìn 動 (フィルムを)現像し焼き付ける
★**[洗澡]** xǐ//zǎo 動 **入浴する．風呂に入る** ‖ ～间 バスルーム．風呂場 ｜ 夏天每天早晚各洗一次澡 夏は毎日朝夕1回ずつ風呂に入る
[洗濯] xǐzhuó 動 書 洗濯する

10 **玺**(璽) xǐ 名 古 帝王の印章．璽(じ) ‖ 玉～ 玉璽(ぎょくじ)

11 **徙** xǐ 移る．移転する ‖ 迁qiān～ 移転する ｜ ～居 転居する

11 **铣** xǐ 動 (フライス旋盤で)切削する ‖ 用铣床～ フライス盤で切削する
[铣床] xǐchuáng 名〈機〉フライス盤．ミーリング・マシン
[铣工] xǐgōng 名 ❶フライス盤にかける作業 ❷フライス工
[铣削] xǐxiāo 動 フライス盤で削る

12 **葸** xǐ 書 恐れる．おじけづく ‖ 畏wèi～不前 恐ろしくて前へ進めない

12 * **喜** xǐ ❶動 喜ぶ ‖ 又惊又～ 驚いたり喜んだりする ❷喜ばしい．めでたい ‖ →～讯 ❸めでたい事．慶事 ‖ 道～ お祝いを述べる ❹おめでた．妊娠 ‖ 她有～了 彼女はおめでただ ❺動 好む．好きである ‖ 好大～功 はでな手柄を立てたがる ❻動 (生物がある環境を)好む．選択する ‖ 玉簪花yùzānhuā～阴不～阳 マルバタマカンザシは日なたより日陰を好む
*[喜爱] xǐ'ài 動 好む．愛好する．好く ‖ 我～体育运动 私はスポーツが好きだ
[喜报] xǐbào 名 朗報．吉報．よい知らせ
[喜冲冲] xǐchōngchōng (～的) 形 嬉しさいっぱいである．浮き浮きしたさま
[喜出望外] xǐ chū wàng wài 成 望外の喜び．思いがけない喜び
[喜从天降] xǐ cóng tiān jiàng 成 喜びが天から降ってくる．思いがけない喜び
[喜封] xǐfēng (～儿) 名 大入り袋．祝儀袋
[喜好] xǐhào 動 好む．愛好する ‖ 父亲最～京剧 父は京劇がなにより好きだ
★**[喜欢]** xǐhuan 動 **好む．愛する** ‖ 我～秋天的红叶 私は秋の紅葉が好きだ ｜ 讨人～ 人に好かれる 形 嬉しい．愉快である ‖ 听了这话，她心里十分～ その話を聞いて，彼女はとても嬉しく思った
[喜酒] xǐjiǔ 名 結婚式の祝い酒．または，結婚の祝宴 ‖ 喝～去 結婚祝いに行く
*[喜剧] xǐjù 名 喜劇．コメディー ‖ ～片 喜劇映画
[喜乐] xǐlè 形 喜ばしい．楽しい
[喜联] xǐlián 名 結婚を祝う言葉を書いた対聯(ついれん)
[喜眉笑眼] xǐ méi xiào yǎn 慣 にこにこした顔つき．嬉しそうな顔つき
[喜怒哀乐] xǐ nù āi lè 成 喜怒哀楽
[喜怒无常] xǐ nù wú cháng 成 機嫌がよくなったり悪くなったりする．気まぐれで怒りっぽい
[喜气] xǐqì (～的) 名 めでたい雰囲気．喜ばしい気分 ‖ 满脸～ 喜色満面．顔中に喜びをたたえている
[喜气洋洋] xǐ qì yáng yáng 成 めでたい雰囲気に満ちている．喜ばしい気分にあふれている
[喜钱] xǐqian 名 祝儀
[喜庆] xǐqìng 形 めでたい．喜ばしい ‖ ～事 慶事 ｜ ～的日子 めでたい日 名 慶事．祝い事
*[喜鹊] xǐque 名〈鳥〉カササギ．〔鹊〕ともいう
[喜人] xǐrén 形 喜ばしい ‖ 气象～ 情況は喜ばしい
[喜丧] xǐsāng 名 高齢で亡くなった人の葬儀
[喜色] xǐsè 名 喜色．嬉しそうな様子
*[喜事] xǐshì 名 ❶めでたい事．慶事 ‖ ～临门 喜び事が訪れる ❷結婚 ‖ 办～ 結婚式を挙げる
[喜糖] xǐtáng 名 婚礼の席で配るあめ．祝いあめ ‖ 什么时候吃你的～啊？ いつ結婚するの
[喜帖] xǐtiě 名 結婚式の招待状．〔喜帖子〕ともいう
*[喜闻乐见] xǐ wén lè jiàn 成 喜んで見たり聞いたりする．歓迎する
[喜笑颜开] xǐ xiào yán kāi 成 嬉しくて顔から笑みがこぼれる．顔をほころばせる
*[喜新厌旧] xǐ xīn yàn jiù 成 (多く男女の愛情について)移り気である．浮気っぽい
[喜信] xǐxìn (～儿) 名 吉報．喜ばしい知らせ
[喜形于色] xǐ xíng yú sè 成 喜びが思わず顔に出る
[喜兴] xǐxìng 形 方 嬉しい．楽しい
*[喜讯] xǐxùn 名 吉報．喜ばしい知らせ ‖ 成功的～ 成功の吉報 ｜ 传来～ 喜ばしいニュースが伝わってくる
[喜筵] xǐyán 名 祝宴．結婚披露宴
[喜宴] xǐyàn 名 (婚礼や誕生祝などの)祝宴．祝いの宴
[喜洋洋] xǐyángyáng 形 楽しくて心がはずむ様子．浮き浮きしたさま
[喜盈盈] xǐyíngyíng 形 喜びにあふれているさま
[喜雨] xǐyǔ 名 恵みの雨．慈雨
*[喜悦] xǐyuè 形 喜ばしい．嬉しい ‖ 分享fēnxiǎng一份丰收的～ 豊作の喜びを分かち合う
[喜滋滋] xǐzīzī (～的) 形 内心嬉しくてたまらないさま

14 **葰** xǐ 書 5倍 ‖ 倍～ 数倍になる

14 **屣** xǐ 書 靴．履物 ‖ 敝bì～ 破れ靴

16 **禧** xǐ 福．おめでたいこと ‖ 福～ 幸福．

xì

6 ** **戏**(戲△戯) xì ❶動 遊ぶ．戯れる ‖ 鸭子～水 アヒルが水に遊ぶ ❷からかう．弄(もてあそ)ぶ ‖ →～弄 ❸名 **芝居．演劇** ‖ 看～ 伝統劇を観る
[戏班] xìbān (～儿) 名〈劇〉一座．〔戏班子〕ともいう
[戏本] xìběn (～儿) 名 (伝統劇の)脚本．台本．〔戏本子〕ともいう

【戏称】xìchēng 動 ふざけて…と呼ぶ 名 あだ名. ニックネーム
【戏单】xìdān (〜儿) 名 芝居のプログラム・番付
【戏法】xìfǎ (〜儿) 名 手品. マジック =〔魔术〕
*【戏剧】xìjù 名 ❶芝居. 演劇 ❷台本
【戏剧性】xìjùxìng 名 劇的な要素や性質. ドラマ性 ‖ 他的这次旅行经历极富有〜 彼のこんどの旅行の体験は実にドラマチックだ
【戏路】xìlù 名 役柄のレパートリー. 〔戏路子〕ともいう
【戏迷】xìmí 名 伝統劇のファン. 芝居好き
【戏弄】xìnòng 動 からかう. なぶる. じゃらす
【戏曲】xìqǔ 名 ❶伝統劇の総称. 京劇をはじめとする地方劇を含む ❷戯曲(宋・元代の雑劇などの脚本)
【戏曲片】xìqǔpiàn 名 芝居の舞台を撮った映画
【戏耍】xìshuǎ 動 からかう. ばかにする
【戏说】xìshuō 動 冗談まじりに言う. 面白おかしく語る ‖ 人们〜这是"舞蹈外交" 人々は冗談まじりにこれは「ダンス外交だ」と言っている
【戏台】xìtái 名 舞台
【戏侮】xìwǔ 動 からかって侮辱する
【戏谑】xìxuè 動 冗談口をたたく
【戏言】xìyán 名 冗談. たわむれごと 動 冗談めかして話す. たわむれに言う
【戏衣】xìyī 名 舞台衣装
【戏园子】xìyuánzi 名 旧 芝居小屋. 劇場
【戏院】xìyuàn 名 劇場
【戏照】xìzhào 名 俳優の舞台写真
【戏装】xìzhuāng 名 舞台用の衣装や小物の総称
【戏子】xìzi 名 貶 役者

7 **饩**(餼) xì 書 ❶穀物や飼料の総称 ❷贈る ❸生きた家畜

7 ★**系**(繫❶❼〜❾ 係❷❻) xì ❶動 つなぐ. 縛る. くくる ‖ 〜马 ウマをつなぐ ❷書 つながる. かかわる ‖ →〜于 ❸系統. 系列. 系 ‖ 派〜 派閥 ❹名(大学の)学部 ‖ 经济〜 経済学部 ❺名〈地質〉系 ❻動 書 (…は)…である. 判断を示す〔是〕に相当する ❼書 拘禁する ‖ 拘〜 拘禁する ❽心にかける ‖ 情〜祖国 祖国に思いを寄せる ❾動 (ひもや縄でくくって)吊す ‖ 把筐kuāng从井底〜上来 井戸の底からかごを引き上げる ➤ jì
【系词】xìcí 名〈語〉繫辞(けいじ). コプラ. 現代中国語では〔是〕などがこれに当たる
【系缚】xìfù 動 書 束縛する
*【系列】xìliè 名 一揃いのセットになったもの. シリーズ ‖ 〜产品 シリーズ商品 | 化妆品〜 セットになった化粧品
【系列化】xìlièhuà 動 系列化する. シリーズ化する
【系列剧】xìlièjù 名 (テレビの)連続ドラマ
【系列片】xìlièpiàn 名 (テレビの)シリーズもの. 連続番組 ‖ 电视〜 テレビの連続番組
【系念】xìniàn 動 書 気にかける. 心配する
【系谱】xìpǔ 名 系譜. 系統図
【系数】xìshù 名〈数〉〈物〉係数
**【系统】xìtǒng 名 系統. システム. 関連部門 ‖ 神经〜 神経系統 | 灌溉guàngài〜 灌漑(かんがい)システム 形 系統的である ‖ 〜地读书 系統的に本を読む
【系统工程】xìtǒng gōngchéng 名〈計〉システム・エンジニアリング
【系统论】xìtǒnglùn 名 系統学. 体系学
【系于】xìyú 動 書 …にかかわる ‖ 全军安危〜一身 全軍の安危が一身にかかっている

X

8 ★**细** xì ❶形 (太さが)細い ↔〔粗〕‖ 〜铁丝 細い針金 ❷形 微細である. ささいである ‖ 管得太〜 こまごまと指図しすぎる ❸形 (幅が)細い ↔〔粗〕‖ 小路〜又长 小道が狭くて長い ❹形 弱々しい. かすかである ‖ →〜雨 ❺形 (声が)優しく細い. かすかである ↔〔粗〕‖ 嗓音sǎngyīn〜 声が優しく細い ❻形 (粒が)細かい ↔〔粗〕‖ 〜沙 細かい砂 ❼形 (細工などが)精巧である ↔〔粗〕‖ 这活做得真〜 この細工は実に手がこんでいる ❽形 綿密である. 周到である. 細やかである ↔〔粗〕‖ 他的心很〜 彼はとても細やかだ ❾スパイ ‖ 奸jiān〜 スパイ
*【细胞】xìbāo 名〈生〉細胞
【细胞壁】xìbāobì 名〈生〉細胞壁
【细胞核】xìbāohé 名〈生〉細胞核
【细胞膜】xìbāomó 名〈生〉細胞膜. 原形質膜
【细胞质】xìbāozhì 名〈生〉細胞質
【细布】xìbù 名 目の細かい木綿地
【细部】xìbù 名 細部. ディテール
【细菜】xìcài 名 (温室栽培などで季節はずれに供給される)高級野菜
【细长】xìcháng 形 細長い
【细大不捐】xì dà bù juān 成 細大漏らさず. 大小にかかわらず捨てない. どんな細かい点もおろそかにしない
【细点】xìdiǎn 名 高級菓子. 手のこんだ上等の菓子
【细发】xìfa 形 方 ❶綿密である. 手がこんでいる ❷きめが細かい
【细高挑儿】xìgāotiǎor 名 方 のっぽ
【细工】xìgōng 名 精巧な手仕事. 精密な細工
【细故】xìgù 名 ささいなこと. 取るに足りないこと
【细活】xìhuó (〜儿) 名 手のこんだ仕事. 手先を使う仕事 ‖ 慢工出〜 じっくりやってこそ立派な仕事ができる
【细火】xìhuǒ 名 とろ火. 弱火
【细嚼慢咽】xì jiáo màn yàn 成 よくかみしめゆっくり飲み込む. ものごとをじっくり吟味すること
*【细节】xìjié 名 細部. 細かい点. ディテール ‖ 小说的〜描写很生动 小説の細部の描写は生き生きしている
【细究】xìjiū 動 書 詳しく調べる
**【细菌】xìjūn 名 細菌. バクテリア
【细菌肥料】xìjūn féiliào 名〈農〉細菌肥料
【细菌武器】xìjūn wǔqì 名〈軍〉細菌兵器. 〔生物武器〕の旧称
【细菌战】xìjūnzhàn 名〈軍〉細菌戦
【细粮】xìliáng 名 白米と小麦粉 ↔〔粗粮〕
【细溜溜】xìliūliū 形 細長い. ほっそりしている
【细毛】xìmáo 名 (カワウソ・テンなどの)高級毛皮
【细密】xìmì 形 ❶目がつんでいる. 細かい ❷綿密である. 詳しい ‖ 经过〜的调查 綿密な調査を経る
【细目】xìmù 名 細目. 細かい項目
【细嫩】xìnèn 形 (肌が)きめ細かい. みずみずしくて柔らかい ‖ 皮肤〜 肌のきめが細かい
【细腻】xìnì 形 ❶(感情・描写・演技が)細やかである. 丁寧である ❷滑らかでつやつやしている
【细皮嫩肉】xìpí nènròu 慣 色白で柔肌である. 〔细皮白肉〕ともいう
【细巧】xìqiǎo 形 精巧である. 手がこんでいる
【细情】xìqíng 名 細かい事情. 詳しい状況
【细柔】xìróu 形 きめ細かく柔らかい. か細く優しい
【细软】xìruǎn 名 貴金属や金目のもの
【细润】xìrùn 形 きめ細かくてつやつやしている
【细弱】xìruò 形 か細い. たおやかである. 弱々しい

【细纱】xìshā 图〈紡〉細糸(ほそいと). 精紡
【细水长流】xì shuǐ cháng liú 成 ❶細い川は流れが長い. 倹約し長持ちさせること ❷こつこつ地道にやる
【细说】xìshuō 動 詳しく話す
【细碎】xìsuì 形 小刻みな. こまごました
【细挑】【细条】xìtiao 形 (体が)ほっそりしている. すらりとしている. スリムである
【细微】xìwēi 形 わずかな. かすかな
*【细小】xìxiǎo 形 小さい. 細かい. ささいである ‖ ～的皱纹zhòuwén 細かなしわ｜～的事情 ささいな事柄
**【细心】xìxīn 形 注意深い. 細心である ↔〔粗心〕‖ ～观察 注意深く観察する｜～照料 なにくれと世話をやく｜工作要～ 仕事は周到でなければならない
【细雨】xìyǔ 图 小雨. こぬか雨. 霧雨
【细则】xìzé 图 細則. 細かい規則 ‖ 工作～ 就業細則｜车间管理～ 工場管理細則
【细账】xìzhàng 图 細かい勘定 ‖ 算～ そろばん高い
【细针密缕】xì zhēn mì lǚ 成 縫い目が密である. 仕事がち密である
【细枝末节】xì zhī mò jié 成 枝葉末節
*【细致】xìzhì 形 きめ細かい. 細心である. 丹念である. 念入りである ‖ 粗心人干不了这种～活 おおざっぱな人にはこのような丹念な仕事はできない｜工作认真～ 仕事ぶりがまじめで細心である

11 **阋**(鬩) xì 書 争う. 言い争う ‖ 兄弟～于墙 兄弟が内輪もめする

12 **隙** xì ❶すきま ‖ 门～ ドアのすきま ❷合間. 暇. 空き ‖ 间～ 合間 ❸すき. つけいる機会 ‖ 伺sì～ すきを伺う｜无～可乘 乗ずるすきがない ❹不仲. 不和 ‖ 仇chóu～ 恨み｜有～ 不仲である
【隙地】xìdì 图 空き地
【隙缝】xìfèng 图 割れ目. すきま

12 **舄** xì 古 ❶靴. 履物 ❷〔潟xì〕に同じ

13 **禊** xì 古 みそぎ

15 **潟** xì ❶書 アルカリ質の土壌 ❷地名用字 ‖ 新～ 日本の新潟

xiā

8 **呷** xiā 動 方 すする. 口をすぼめて少し飲む ‖ ～了一口酒 お酒を一口すすった ➤ gā

9 * **虾**(蝦) xiā 图〈動〉エビ ‖ 龙～ イセエビ｜对～ タイショウエビ ➤ há
【虾兵蟹将】xiā bīng xiè jiàng 成 能なしで役に立たない軍隊や手下
【虾酱】xiājiàng 图 エビみそ. アミ類をすりつぶし塩を加えて発酵させて作るみその一種
【虾米】xiāmi 图 ❶むき身の干しエビ ❷方 小エビ・アミ類
【虾皮】xiāpí 图 干したオキアミ.〔虾米皮〕ともいう
【虾仁】xiārén (～儿) 图 エビのむき身
【虾子】xiāzi 图 方 エビ

15 * **瞎** xiā ❶動 失明する. 目が見えなくなる ‖ 眼～了 失明した ❷副 やたらに. むやみに ‖ ～操心 余計な心配をする ❸動 方 失敗する. だめになる ‖ 庄稼zhuāngjia～了 作物はだめになった
【瞎掰】xiābāi 動 方 ❶むだなことをする. むだ骨を折る ❷でたらめを言う
【瞎编】xiābiān 動 作り話をする. 話をでっち上げる
【瞎猜】xiācāi 動 当て推量する. 当てずっぽうを言う
【瞎扯】xiāchě 動 でたらめを言う. いいかげんな話をする. とりとめのないおしゃべりをする
【瞎吹】xiāchuī 動 ほらを吹く
【瞎话】xiāhuà 图 うそ. ほら. でたらめ
【瞎火】xiāhuǒ 图 不発弾 動 (弾丸が)不発になる. 炸裂(さくれつ)しない
【瞎聊】xiāliáo 動 雑談する. 世間話をする
【瞎忙】xiāmáng 動 やたらに忙しくする. 目的もなくむやみに動き回る
【瞎闹】xiānào 動 ばか騒ぎをする. ふざける. むちゃなことをする ‖ 哥哥在做功课, 你别去～ 兄さんはいま勉強しているから, あっちへ行って騒いじゃいけない
【瞎弄】xiānòng 動 やたらにやる. いじくり回す
【瞎炮】xiāpào 图〈鉱〉不発の発破.〔哑炮〕ともいう
【瞎说】xiāshuō 動 でたらめを言う. 出まかせを言う. いいかげんなことを言う
【瞎眼】xiā//yǎn 動 失明する. 目が見えなくなる. 喩 (真実を)見抜けない. 見誤る
【瞎诌】xiāzhōu 動 方 でたらめを言う
【瞎抓】xiāzhuā 動 やみくもにやる. でたらめにやる
【瞎子】xiāzi 图 ❶貶 盲人 ❷方〈農〉殻ばかりで実の入っていない籾(もみ). しいな

xiá

7 **匣** xiá 图 (～儿)箱. 小箱. (多くはふた付きで小ぶりのもの) ‖ 梳头shūtóu～儿 化粧箱
【匣子】xiázi 图 ❶(ふた付きで小ぶりの)箱 ‖ 药～ 薬箱 ❷方 モーゼル拳銃(けんじゅう)

8 **侠**(俠) xiá ❶男気のある. 義侠心(ぎきょうしん)のある ❷男だて. 侠客(きょうかく)
【侠肝义胆】xiá gān yì dǎn 成 威勢がよく男気に富む. 勇み肌である
【侠客】xiákè 图 旧 侠客. 男だて
【侠气】xiáqì 图 侠気(きょうき)
【侠义】xiáyì 形 義侠心がある. 男気に富む

8 **狎** xiá なれなれしくする. 弄(もてあそ)ぶ

9 **峡**(峽) xiá 谷間. 峡谷. (多く地名に用いる) ‖ 长江三～ 長江の三峡
*【峡谷】xiágǔ 图〈地〉峡谷

9 **狭**(狹 △陿) xiá 形 狭い ↔〔广〕‖ ～窄｜～隘
*【狭隘】xiá'ài 形 ❶(幅が)狭い ‖ ～的山道 狭い山道 ❷(心・見識・度量などが)狭い. 偏狭である ‖ 眼光～ 視野が狭い｜心胸～ 心が狭い
【狭长】xiácháng 形 狭くて長い
【狭路相逢】xiá lù xiāng féng 成 すれ違うことができない狭い道で鉢合わせする. 仇(かたき)同士が出会って抜き差しならない状態になること
*【狭小】xiáxiǎo 形 狭くて小さい ‖ ～的房间 狭苦しい部屋｜气量～ 了見が狭い
【狭义】xiáyì 图 狭義. 狭い意味 ↔〔广义〕
*【狭窄】xiázhǎi 形 ❶(幅が)狭い ‖ ～的小巷xiǎoxiàng 狭い路地 ❷(心・度量・見識などが)狭い ‖ 心胸～ 心が狭い｜知识面～ 知識が狭い

9 **柙** xiá 野獣を入れる木のおり. 旧時, 罪人を拘禁するのにも用いた

11 **硖**（硤）**xiá** 地名用字 ‖ ～石 浙江省にある地名

12 **遐** **xiá** [書] ❶遠い．はるかである ‖ 一～迩 | 一～想 ❷長い．久しい ‖ ～年 長年

【遐迩】xiá'ěr [名][書] 遠近(おちこち)．四方

【遐思】xiásī [動] 思いをはせる

【遐想】xiáxiǎng [動] 思いをはせる．思いに浸る

13 **瑕** **xiá** 玉の表面の斑点(はんてん)．欠点のたとえ ‖ 一～疵 | 纯洁无～ 純潔で汚れがない

【瑕不掩瑜】xiá bù yǎn yú [成] 玉のきずは玉を覆えない．長所が多く欠点を補って余りあるたとえ

【瑕疵】xiácī [名][書] 瑕疵(かし)．わずかな欠点

【瑕玷】xiádiàn [名][書] 汚点．欠点

【瑕瑜互见】xiá yú hù jiàn [成] 欠点もあれば長所もある

13 **暇** **xiá** 暇．いとま ‖ 无～兼顾 双方に配慮する余裕がない | 应接不～ 応対に追われる

【暇日】xiárì [名][書] 暇な日

14 **辖** **xiá** ❶車輪を車軸にとめるくさび ❷管轄する．統轄する ‖ 直～市 直轄市

【辖区】xiáqū [名] 管轄区域．所轄の地区

【辖制】xiázhì [動] 拘束する．取り締まる

17 * **霞** **xiá** [名] 朝焼けや夕焼け ‖ 朝zhāo～ 朝焼け | 晚～ 夕焼け

【霞光】xiáguāng [名] 雲間から射(さ)す光

18 **黠** **xiá** [書] ❶賢くて機敏である ❷悪賢い．狡猾(こうかつ)である ‖ 狡jiǎo～ 狡猾である

xià

3 ★ **下** **xià** ❶[名] 下．下の方 ‖ 楼～ 階下 | 往～走 下の方へ行く | 躺在遮阳伞zhēyángsǎn～ パラソルの下で寝ころぶ ❷下の方にある．下に位置する ‖ 一～层 ❸[名] 次．後．以後 ‖ ～～个星期 再来週 | ～个世纪 来世紀 | ～趟车 次の列車 ❹(品質やランクが)劣るもの．下級のもの ‖ 一～等 ❺[動] …より少ない．下回る．(多く〔不下〕の形で用い，数量の多いことを示す) ‖ 观众不～十万人 観衆は10万人を下らない ❻[動] 降りる．下る ‖ ～山 山を下る | ～车 車から降りる ❼[動] (ある所へ)行く．入っていく ‖ 一～馆子 | 领导～基层 指導者が現場に入る ❽[動] (下位部門へ)通達する．送る．発布する ‖ ～命令 命令を下す ❾[動] 退出する．離れる ‖ 青年队二号～，七号上 青年チームは背番号2番が退場し，7番が出る ❿[動] (勤めが)引ける．(授業が)終わる ‖ 上节课～晚了 前の授業が延びた ⓫[動] (雪や雨などが)降る ‖ 大雪～了两天两夜 大雪が二日二晩降った． ⓬(xia; xià) [動] 動詞の後に置き，動作が下方向であることを表す ‖ 坐～ 座る | 流～了眼泪 涙をこぼした ⓭(xia; xià) [動] 動詞の後に置き，動作が完成すること，または，動作をした結果が出ることを表す ‖ 订～合同 契約を結ぶ | 记～电话号码 電話番号を書きとめる | 买～了这套房子 この家を買った． ⓮(xia;xià) [動] 動詞の後に置き，動作をするだけの余地があることを表す ‖ 车里坐不～那么多人 車にはあんなにたくさん乗れない ⓯[動] 使い始める．用いる ‖ ～筷子 箸をつける ⓰[動] 投入する．放り込む ‖ ～饺子 ギョーザを鍋に入れて煮る． ⓱[量][方] 器物の容量を数える．〔下子〕ともいう ‖ 用盆装了满满两～ 洗面器でたっぷり2杯入れた． ⓲[動] (碁やチェスなどを)する ‖ ～象棋 将棋を指す ⓳[量] (～儿) 〔两〕〔几〕の後に置き，腕前や技能を表す．〔下子〕ともいう ‖ 他确实有两～ 彼は確かにたいしたものだ ⓴[動] 取りはずす．取る ‖ 把纱窗shāchuāng～下来 網戸を取りはずす ㉑[動] (動物が子を)産む ‖ 一窝wō～了十只小猪崽儿zǎir 一度に10匹の子ブタが産まれた ㉒[量] (～儿) (動作の回数を数える)度．回．〔下子〕ともいう ‖ 敲了两～门 ドアを2回ノックした ㉓[名] …のもと ‖ 在他的领导～ 彼の指導のもと | 在紧急情况～ 緊急の状況のもと ㉔特定の数字の後に用い，方位や方面を表す ‖ 四～ 四方．周り ㉕ある特定の時間や時節に当たることを表す ‖ 时～ 目下 | 节～ 節句のころ ㉖[動] (結論・決定・判断などを)下す ‖ ～结论 結論を下す | ～不了决心 決心がつかない

【下巴】xiàba [名] あご．下あご

【下巴颏儿】xiàbakēr [名] 下あご

【下摆】xiàbǎi [名] (衣服の)すそ

【下班】xià//bān (～儿) [動] **勤めが引ける．仕事が終わる．退勤する** ↔〔上班〕‖ 我们六点～ 私たちは6時に退勤する

【下半场】xiàbànchǎng [名]〈体〉試合の後半．後半戦．〔下半时〕ともいう ↔〔上半时〕

【下半年】xiàbànnián [名] 年の後半．下半期

【下半旗】xià bànqí [組] 半旗を掲げる．〔降半旗〕ともいう ‖ ～致哀 半旗を掲げ，哀悼の意を表す

【下半晌】xiàbànshǎng [名][口] 午後

【下半时】xiàbànshí ＝〔下半场xiàbànchǎng〕

【下半天】xiàbàntiān (～儿) [名] 午後

【下半夜】xiàbànyè [名] 夜中過ぎ

【下半月】xiàbànyuè [名] 月の後半

【下辈】xiàbèi (～儿) [名] ❶子孫 ❷(家族の中の)次の世代

【下辈子】xiàbèizi [名] 来世

【下本儿】xià//běnr [動] 元手をかける．資本を投入する ‖ 舍得～ 惜しまず元手をかける

【下笔】xià//bǐ [動] 筆をふるう．書き始める．描き出す

【下笔成章】xià bǐ chéng zhāng [成] 筆を下ろせば文章ができる．文才のあるさま

★**【下边】xiàbian** (～儿) [名] ❶**下．下の方** ‖ 不怕压的行李放～儿 押しつぶされても大丈夫な荷物は下の方へ置く ❷次．以下 ‖ ～儿我来说几句 次に私から一言お話しいたします ❸下の者 ‖ ～儿对这事意见挺大 下の人たちはこのことに大いに不満である

【下不来】xiàbulái [動] ❶降りられない ❷引っこみがつかない．メンツが立たない ❸やれない．できない

【下不来台】xiàbulái tái [慣] 引っ込みがつかない．メンツが立たない．〔下不了台〕ともいう

【下不为例】xià bù wéi lì [成] 今後はこれを例としない．(今回に限り)特例として認める

【下操】xià//cāo [動] ❶(運動場に出て)体操をする．教練をする ❷体操が終わる．教練が終わる

【下策】xiàcè [名] 下策．賢明でない方策 ↔〔上策〕

【下层】xiàcéng [名] (機構・組織・階層などの)下層．末端 ‖ 深入～ 大衆の中に深く入り込む

【下场】xià//chǎng [動] ❶(舞台や競技場などから)退場する ❷[旧] 試験場に入る

*【下场】xiàchang；xiàchǎng** [名] 成れの果て．末路 ‖ 决没有好～ 決してろくな末路はない

【下车伊始】xià chē yī shǐ [成] (官吏が)着任早々．(広く)職場に着任して間もなく

【下沉】xiàchén [動] 沈下する．沈む

【下乗】xiàchéng 名 ❶〈仏〉小乗 ❷転（主に文学作品が）低級．下等 ‖ ～之作 くだらぬ作品．凡作
【下处】xiàchu 名 宿．宿泊先
【下船】xià//chuán 動 ❶下船する．上陸する ❷方 船に乗る
【下垂】xiàchuí 動 垂れ下がる．下垂する
【下次】xiàcì 名 次回．この次
【下挫】xiàcuò 動（価格などが）下降する．下落する
*【下达】xiàdá 動（命令を）下部へ伝達する．下達する
【下单】xià//dān 動 注文する．発注する．〔下单子〕ともいう ‖ 24小时接收电话～ 24時間体制で電話での注文を受け付けます
【下蛋】xià//dàn 動（鳥類などが）卵を産む．産卵する
【下等】xiàděng 形 下等である．低級である
【下地】xià//dì 動 ❶野良仕事に出る ❷（病人が）ベッドから下りる．床上げする
【下跌】xiàdiē 動（水位や相場などが）下がる．下落する ‖ 股票～ 株価が下落する
【下定】xià//dìng 動 ❶旧 婿側から嫁側へ結納金を持っていく ❷手付け金を払う
【下毒手】xià dúshǒu 組 魔の手にかける．毒牙(どくが)にかける
【下端】xiàduān 名 下端
【下腭】xià'è 名 ❶（脊椎(せきつい)動物の）下あご．下顎(かがく)．❷（節足動物の）下顎
【下凡】xià//fán 動（神仙が）下界に下りる．天下る
【下饭】xià//fàn 動（何かをおかずにしながら）御飯を食べる 形（xiàfàn）おかずに適している．食が進む 名（xiàfàn）方 副食品．総菜
【下方】xiàfāng 名 ❶下方 ❷下界．俗世
【下房】xiàfáng（～儿）名 旧 使用人の部屋
*【下放】xiàfàng 動 ❶（権限を下級機関に）移譲する．移管する ‖ 权力～ 権限を下級機関にゆだねる ❷下放(かほう)する．1957年より始められた政策で，再教育という名目の下，幹部を下級機関に転属させたり，農村・工場・鉱山などに送ったりして鍛錬させたこと
【下风】xiàfēng 名 ❶風下 ❷劣勢．不利な立場 ‖ 甘拜gānbài～ 甘んじて後塵を拝する
【下浮】xiàfú 動（給料や値段などが）下がる．引き下げられる ↔〔上浮〕
【下岗】xià//gǎng 動 ❶警備などの勤務を終える ❷レイオフされる．失業する
【下个月】xiàgeyuè 名 来月
【下工】xià//gōng 動 ❶（工場などの）勤務時間が終わる．仕事が引ける ❷旧 解雇する．首にする
【下工夫】xià gōngfu 組 時間と労力をかける．努力する．打ち込む ‖ 在外语学习上多～ 外国語の勉強にもっと時間と労力をかける
【下馆子】xià guǎnzi 組 レストランで食事をする
【下跪】xià//guì 動 ひざまずく
【下锅】xià//guō 動（材料などを）鍋に入れる
【下海】xià//hǎi 動 ❶海に入る ❷漁に出る ❸旧 プロの俳優になる ❹旧 娼妓(しょうぎ)や芸者などの職業に就く **❺元の職場をやめて商売を始める**
【下颌】xiàhé 名 下あご．下顎(かがく)．〔下颚è〕ともいい，俗に〔下巴〕という
【下滑】xiàhuá 動（価格・相場などが）落ちる．下がる．下降する
【下怀】xiàhuái 名 自分の気持ち．自分の考え
【下回】xiàhuí 名 この次．次回
*【下级】xiàjí 名 下級．下部．部下 ↔〔上级〕‖ ～组织 下部組織｜他是我的～ 彼は私の部下です
【下家】xiàjiā 名 ❶（～儿）（マージャンやトランプで）次に行う人．次の番 ❷謙 拙宅
【下贱】xiàjiàn 形 ❶下賤(げせん)である ❷罵 げすだ．下劣だ
*【下降】xiàjiàng 動 降下する．下がる ‖ 成绩～ 成績が下がる｜气温～ 気温が下がる
【下脚】[1] xià//jiǎo（～儿）動 足を踏み入れる
【下脚】[2] xiàjiǎo 名 材料の切れ端．加工くず．〔下脚料〕ともいう
【下脚货】xiàjiǎohuò 名 方 売れ残りの不良品
【下界】xià//jiè 動（神仙が）下界に下りる．天下る 名（xiàjiè）下界．人間界
【下劲】xià//jìn（～儿）動 力を入れる．精を出す
【下九流】xiàjiǔliú 名 旧 貶 社会的地位の低い人を卑しめていう言葉．河原者．やくざ者
【下酒】xià//jiǔ 動 さかなをつまみながら酒を飲む 形（xiàjiǔ）さかなになる ‖ ～菜 酒のさかな
★【下课】xià//kè 動 **授業が終わる** ‖ 下了课去打球 放課後に球技をしにいく
【下款】xiàkuǎn（～儿）名 書画や手紙の署名
★【下来】xià//lai(lái) 動 **❶（高所から低所へ）下りてくる．下りる** ‖ 叫他下楼来吃饭 下りてきて食事をするように彼を呼ぶ ❷（上級部門から下級部門へ）下る．下りる ‖ 明年的指标已经～了 来年の目標値はもう指示されている ❸（舞台や前線などから）戻る．下がる ‖ 通信员从前线～了 通信員が前線から戻って来た **❹（農作物が）出回る．（作物を）収穫する** ‖ 再过几天，大白菜就～了 あと数日たてばハクサイが出回る ❺（一定の時間が）過ぎる．たつ ‖ 几个月～，工作基本上熟悉shúxī了 数ヵ月たって，仕事はだいたい慣れてきた
★【…下来】…//xia(xià)//lai(lái) 動 ❶動詞の後に置き，**動作が高所から低所へ下りてくることを表す** ‖ 从书架上取下一本书来 本棚から本を1冊取る ❷動詞の後に置き，動作が上級部門から下級部門へ向かってなされることを表す ‖ 申请批～了 申請が許可された ❸動詞の後に置き，離脱する動作であることを表す ‖ 把螺丝luósī拧níng～ ねじをはずす ❹動詞の後に置き，**動作の完成，または結果を表す** ‖ 只念了两遍就背～了 2回読んだだけで暗記した ❺動詞の後に置き，**動作が現在に至るまで継続すること，または，動作が最初から最後まで持続することを表す** ‖ 老辈儿上传～的做法 代々伝わるやり方 ❻形容詞の後に置き，**状態が動から静，明から暗，強から弱のように消極的意味合いに推移することを表す** ‖ 车速慢了～ 車のスピードが遅くなってきた｜开始冷静～ 落ち着いてきた
【下里巴人】xià lǐ bā rén 成 通俗的な文学
【下力】xià//lì 動 力を出す．骨を折る．精を出す
【下联】xiàlián（～儿）名 対聯(ついれん)の下の句
*【下列】xiàliè 形 以下に列挙してある ‖ 参观时应注意～几点 見学の際には以下の諸事項に注意されたい
*【下令】xià//lìng 動 命令を下す．命じる
【下流】xiàliú 名 ❶下流．川下 ❷喩 下流．下賤(げせん) 形 下品である．卑しい．下劣だ
*【下落】xiàluò 名 行方．ありか ‖ 打听他的～ 彼の行方を尋ねる｜～不明 行方不明 動 降下する．落下する ‖ 热气球缓缓～ 熱気球がゆっくりと降下する
【下马】xià//mǎ 動 ❶下馬する ❷（仕事や計画などを）途中で断念する．中止する

X

【下马看花】xià mǎ kàn huā 成 馬から下りて花を見る. 時間をかけて詳しく調査すること
【下马威】xiàmǎwēi 慣 着任した官吏がまず部下に対して威厳を示すこと. 転 初めに厳しい態度に出てにらみをきかせること
**【下面】xiàmian (～儿) 名 ❶下. 下方 ‖ 猫躲duǒ在椅子～ ネコは椅子の下に隠れている ❷次. 以下 ‖ ～请厂长做报告 次は工場長に報告してもらいます ❸下級. 下部. 部下
【下奶】xià//nǎi 動 (薬や食品で)乳の出をよくする
【下品】xiàpǐn 名 低級. 下等. 最低ランク
【下聘】xià//pìn 動 結納を取り交わす
【下坡路】xiàpōlù 名 ❶下り坂 ❷落ち目. 衰退. 下降線 ‖ 学习成绩走～ 学校の成績は下り坂だ
【下铺】xiàpù 名 (鉄道や船などの)寝台席の下段
【下棋】xià//qí 動 将棋を指す. 碁を打つ
【下情】xiàqíng 名 ❶下情. 大衆の状況や気持ち ❷旧 謙 自分の私的事情. 個人的心情
★【下去】xià//qu(qù) 動 ❶(高所から低所へ)下りていく ‖ 楼下有人喊你, 你快～吧 下で誰か呼んでいるよ, はやく下りていきなさいよ ❷(上級部門から下級部門へ)下がっていく. 下りていく ‖ 领导干部定期～ 幹部指導者は定期的に現場まで出向く ❸(舞台や前線などから)下がっていく. 引っ込んでいく ‖ 受了伤也不肯～ 傷を負っても退こうとしない ❹状態が持続することを示す ‖ 这样～对你没好处 こんなふうにしていると君にとって損だ ❺(腫はれが)引く. 消化する. (怒りや興奮が)収まる ‖ 中午吃得太多, 到现在还没～ 昼に食べすぎて, まだ消化されていない | 听了这些话, 她的气也就～了 その言葉を聞いて, 彼女の怒りも収まってきた
★【…下去】…//xia(xià)//qu(qù) 動 ❶動詞の後に置き, **動作が高所から低所へ下がることを表す** ‖ 太阳落下山去了 太陽が山に沈んだ ❷動詞の後に置き, **動作が上級部門から下級部門へ向かってなされることを表す** ‖ 文件还没发～ 書類はまだ配られていない ❸動詞の後に置き, 主体から分離させることを表す ‖ 把身上的土掸～ 体についた土を払い落とす ❹動詞の後に置き, **動作が継続していくことを表す** ‖ 接着干～ 続けてやっていく | 别打岔, 听他讲～ まぜ返さないで, 彼の話を聞きましょう ❺形容詞の後に置き, **状態が好ましくない方向に推移していくことを表す** ‖ 意志消沉～ 気持ちが落ち込んでいく | 一天天衰老～ 日一日と老いていく
【下人】xiàrén 名 旧 召し使い. 〔底下人〕ともいう
【下三烂】【下三滥】xiàsānlàn 形 卑しい. 汚い. 下品である 名 貶 卑しいやつ. げすやろう
【下山】xià//shān 動 ❶山から下りる. 下山する ❷太陽が沈む. 日が落ちる
【下梢】xiàshāo 名 ❶末端. 末尾 ❷結果. 結末
【下身】xiàshēn 名 ❶下半身. 陰部 ❷(～儿) ズボン
【下剩】xiàshèng 動 残る. 余る
【下士】xiàshì 名〈軍〉(下士官の最下位)伍長(ごちょう). 三曹
【下市】xià//shì 動 ❶(季節のものが)出回る ❷その日の商売が終わる. 店じまいする
【下手】[1] xià//shǒu 動 手を下す. 着手する ‖ 先～为强 先手必勝 | 下不了手 手が下せない
【下手】[2] xiàshǒu (～儿) 名 ❶下座. 〔下首〕とも書く ❷(マージャンやトランプなどで)次に行う人. 次の番
【下手】[3] xiàshǒu (～儿) 名 助手
【下首】xiàshǒu ＝〔下手[2] xiàshǒu ❶〕
【下属】xiàshǔ 名 部下. 下級. 下部
【下述】xiàshù 動 後述する. 以下に述べる
【下水】[1] xià//shuǐ 動 ❶水に入る ❷(布を縮ませるために)水につける. 水に浸す ❸一緒に悪事をはたらく ‖ 别想拉我～ 私を悪の道に誘わないでくれ
【下水】[2] xiàshuǐ 動 下流に向かう ‖ ～船 下りの船
【下水】xiàshui 名 方 (食用家畜の)臓物. 内臓. はらわた
【下水道】xiàshuǐdào 名 下水道
【下榻】xiàtà 動 書 宿泊する. 宿をとる
*【下台】xià//tái 動 ❶舞台から降りる. 壇上から降りる ❷失脚する. 政権の座を明け渡す ‖ 任期没到就～了 任期を前に失脚した ❸つらい立場を逃れる. (多く否定で用いる) ‖ 他说话前后矛盾, 弄得自己没法～ 彼の話はつじつまが合わず, 引っ込みがつかなくなった
【下台阶】xià táijiē 組 苦境を逃れる. 窮地を逃れる
【下体】xiàtǐ 名 書 下半身. 陰部
【下调】xiàtiáo 動 (価格の)下方修正をする
【下同】xiàtóng 動 以下に同じ. 以下同様. (多く注に用いる)
【下头】xiàtou 名 ❶下. 下の方 ❷下部. 部下
【下网】xià//wǎng 動 インターネットの接続を切断する ↔〔上网〕
【下文】xiàwén 名 ❶下記の文. 以下の文. 後文 ❷結果. その後の話
【下问】xiàwèn 動 書 下問する. 下の者に聞く ‖ 不耻chǐ～ 目下の者に教えを請うことを恥としない
★【下午】xiàwǔ 名 午後. (正午から日没までの時間をさす) ‖ 今天～没课 今日の午後は授業がない
【下下】xiàxià 形 ❶最も劣っている. 最下等の ❷次の次 ‖ ～星期 再来週
【下限】xiàxiàn 名 下限 ↔〔上限〕
【下线】xià//xiàn 動 ラインオフする. 製品が完成する. 製品の組み立てが終わる
【下陷】xiàxiàn 動 へこむ. くぼむ. 落ちくぼむ
*【下乡】xià//xiāng 動 農村に出かける. 農村に入植する ‖ ～支农 農村に行って農作業を支援する
【下泻】xiàxiè 動 ❶下流に向かって流れる ❷下痢する. 腹を下す ‖ 上吐～ 吐いたり下したりする
【下泄】xiàxiè 動 下流に向かって流れる. 排水する
【下星期】xiàxīngqī 名 来週
【下行】xiàxíng 動 ❶(列車が)下り方面へ向かう ❷(船が)下る ❸(上級機関から下級機関へ公文書を)回す. 下達する
【下学】xià//xué 動 下校する
【下雪】xià//xuě 動 雪が降る
*【下旬】xiàxún 名 下旬 ‖ 三月～ 3月下旬
【下咽】xiàyàn 動 飲み下す ‖ 难以～ 飲み込みにくい
【下药】xià//yào 動 ❶投薬する ‖ 对症～ 病状に合わせて投薬する ❷毒薬を用いる. 毒を盛る
【下野】xià//yě 動 書 (政権から)追い落とされる. 下野する ‖ 辞职～ 辞職して野に下る
【下一步】xiàyībù 名 次. 次の段階
【下一代】xiàyīdài 名 次の世代
【下议院】xiàyìyuàn 名〈政〉下院. 衆議院. 〔下院〕ともいう ↔〔上议院〕
【下意识】xiàyìshi 名 無意識. 潜在意識 副 無意識で. 思わず
*【下游】xiàyóu 名 ❶下流. 川下 ‖ 长江～地区 長江の下流域地区 ❷人に後れをとっている状態 ‖ 不肯

X

甘居～ 人に後れをとることに甘んじない
【下雨】xià//yǔ 動 雨が降る
【下狱】xià//yù 動 獄に下る. 牢獄に入る
【下月】xiàyuè 名 来月
【下载】xiàzài 動〈計〉ダウンロードする ↔〔上传〕
【下葬】xià//zàng 動 埋葬する
【下账】xià//zhàng 動 記帳する
【下肢】xiàzhī 名〈生理〉下肢
【下种】xià//zhǒng 動 種をまく
【下周】xiàzhōu 名 来週
【下箸】xià//zhù 動 箸をつける. 箸を使う
【下装】xià//zhuāng 動（役者が）扮装(ふんそう)を解き, メーキャップを落とす
【下坠】xiàzhuì 動 ❶(物体が)落下する ❷〈医〉(分娩(ぶんべん)の近い妊産婦や赤痢・腸カタルなどの患者が)腹部に便意をもよおすような不快感があること
【下子】xiàzǐ（～儿）動 ❶種をまく ❷産卵する
【下作】xiàzuo 形 ❶卑しい. 下品である ❷方 がつがつしている. 意地汚い 名 方 助手. 助っ人

6 ⁂ **吓**（嚇）xià ❶動 怖がる. 恐れる. びっくりする ‖ ～了一跳 びっくり仰天する｜～得要死 死ぬほど驚いた ❷動 驚かす. 脅かす ‖ 别～着孩子 子供を脅かさないで ➤hè
【吓倒】xià//dǎo 動 脅す. 脅しつける ‖ 任何困难也吓不倒我们 どんな困難にも我々はしりごみしはしない
【吓唬】xiàhu 動 驚かす. 脅かす. 怖がらせる ‖ 别想用拳头quántou～人 暴力で人を脅そうとしても無駄だ
【吓人】xià//rén 形 恐ろしい. 怖い ‖ 他发起脾气来, 可～了 彼は怒るとすごく怖い

10 ★ **夏**[1] xià 名 夏 ‖ 盛～ 盛夏. 真夏｜立～ 立夏｜春末～初 初夏

10 **夏**[2] xià ❶名 夏(か). 禹(う)が建てたとされる中国最古の王朝名 ❷中国の別称 ‖ 华～ 華夏(中国)
【夏布】xiàbù 名〈紡〉苧麻(ちょま)布. からむし織
*【夏季】xiàjì 名 夏季. 夏 ‖ ～服装 夏服
【夏历】xiàlì 名 陰暦. 旧暦
【夏粮】xiàliáng 名〈農〉夏季に収穫する作物
【夏令】xiàlìng 名 ❶夏季. 夏 ❷夏の気候
【夏令时】xiàlìngshí 名 サマータイム.〔夏时制〕ともいう ‖ 实行～ サマータイム制を実施する
【夏令营】xiàlìngyíng 名（青少年の）サマーキャンプ
【夏日】xiàrì 名 ❶夏季. 夏 ❷夏の太陽
【夏时制】xiàshízhì ＝〔夏令时xiàlìngshí〕
★【夏天】xiàtiān 名 夏. 夏季 ‖ 炎热的～ 猛暑の夏
【夏娃】Xiàwá 名（聖書の）イブ
【夏衣】xiàyī 名 夏服
【夏至】xiàzhì 名 夏至(二十四節気の一つ, 6月22日ごろに当たる)
【夏至点】xiàzhìdiǎn 名 夏至点
【夏装】xiàzhuāng 名 夏の服装

11 **唬** xià〔吓xià〕に同じ ➤hǔ

12 **厦**（△廈）xià 地名用字 ‖ ～门 福建省にある市の名 ➤shà

17 **罅** xià 書 ❶裂け目. すきま ‖ 窗～ 窓のすきま ❷手落ち. 手抜かり ‖ ～漏 遺漏
【罅隙】xiàxì 名 書 裂け目. すきま

xiān

5 **仙**（△僊）xiān ❶仙人. 神仙 ‖ 神～ 神仙 ❷非凡な人 ‖ 诗～ 詩仙. とくに李白(りはく)をさす ❸婉 死者 ‖ → ～逝
【仙丹】xiāndān 名 仙丹. 仙薬. 妙薬
【仙风道骨】xiān fēng dào gǔ 成 風貌(ふうぼう)や風格が非凡であるたとえ
【仙姑】xiāngū 名 ❶仙女 ❷女の道士.〔道姑〕ともいう
【仙鹤】xiānhè 名 ❶〈鳥〉タンチョウ ❷(伝説上の)仙人が飼っているツル
【仙境】xiānjìng 名 仙境. 仙界. 別天地
*【仙女】xiānnǚ 名 仙女
【仙人】xiānrén 名 仙人
【仙人掌】xiānrénzhǎng 名 ❶〈植〉ウチワサボテン科ウチワサボテン属のサボテン ❷〈中薬〉仙人掌(せんにんしょう)
【仙山琼阁】xiān shān qióng gé 成 仙山にある玉(ぎょく)で造られた楼閣. 幻のような境地のたとえ. 夢幻境
【仙逝】xiānshì 動 婉 逝去する. 死去する
【仙子】xiānzǐ 名 ❶仙女 ❷仙人

6 ★ **先** xiān ❶前に進む. 前進する ‖ 争～ 先を争う ❷前方. 前面 ‖ → ～锋 ❸(時間的に)先. 前 ‖ 事～ 事前 ❹副 まず. 先に. あらかじめ ‖ 你～去, 我马上就来 先に行ってください, 私もすぐ行きますから ❺先祖. 祖先 ‖ → ～人 ❻故人に対する尊称 ‖ → ～父 ❼名 口 以前. 最初 ‖ 你～怎么不说? どうして前に言わなかったんだ
【先辈】xiānbèi 名 ❶世代が上の人 ❷(模範とすべき)先人 ‖ 继承～的遗志 先人の遺志を継ぐ
【先导】xiāndǎo 動 導く. 案内する 名 案内人. ガイド. 先導者
【先睹为快】xiān dǔ wéi kuài 成（多く詩や文章について）人より先に読むことを喜びとする
【先端】xiānduān 名〈植〉(葉・花・果実などの)頂部. 先端部 形 先端的な ‖ ～技术 先端技術
【先发制人】xiān fā zhì rén 成 先んずれば人を制す. 先手必勝
*【先锋】xiānfēng 名 先鋒(せんぽう). 前衛 ‖ 开路～ 道を切り開く先鋒｜～作用 前衛的な役割
【先峰派艺术】xiānfēngpài yìshù 名 アヴァンギャルド芸術. 前衛芸術
【先父】xiānfù 名 書 亡父. 亡き父
【先河】xiānhé 名 書 最初に提唱された事物. 先駆け ‖ 开～ 先駆けとなる
⁂【先后】xiānhòu 名 前後. 後先の順序 ‖ 事情虽多, 总要分个～ やるべきことは多いが, 後先の順を決めなければならない 副 相次いで. 前後して. 次から次へ ‖ 去年我～三次去黄山写生 去年, 私は前後3回黄山へ写生に行った
【先机】xiānjī 名 他に先んじるチャンス. 機先 ‖ 占领市场～ 他に先んじて市場のチャンスをつかむ
【先见之明】xiān jiàn zhī míng 成 先見の明
⁂【先进】xiānjìn 形 進んでいる. 先進的である. 進歩的である ‖ ～工作者 模範的な労働者 名 先進的な人, またはもの ‖ 学～, 赶～ 先進的なものに学び, 先進的な水準に追いつく
【先决】xiānjué 形 先決の. 先に解決すべき ‖ ～条件 先決条件

【先觉】xiānjué 图 先覚者 ‖ 先知～ 先覚者
【先来后到】xiān lái hòu dào（～儿）惯 先着順．到着順
【先礼后兵】xiān lǐ hòu bīng 成 まず礼を尽くし，うまくいかない場合は武力に訴える
*【先例】xiānlì 图 先例．前例 ‖ 开～ 先例をつくる｜史无～ 歴史上先例がない
【先烈】xiānliè 图 烈士の尊称．革命に殉じた人
【先期】xiānqī 图 ❶期日以前 ❷前期
*【先前】xiānqián 图 以前 ‖ 这条街比～繁华多了 この通りは以前に比べずっと賑やかになった
【先遣】xiānqiǎn 形 先に派遣する．先遣の
【先秦】Xiān Qín 图 秦以前の時代．ふつうは春秋戦国時代をさす
【先驱】xiānqū 動 先導する 图 先駆者．先導者
【先人】xiānrén 图 ❶祖先 ❷亡父
【先人后己】xiān rén hòu jǐ 成 人のことを先に考え，自分のことは後回しにする
【先入为主】xiān rù wéi zhǔ 成 先入観にとらわれる
【先入之见】xiān rù zhī jiàn 成 先入観．既成観念．偏見 ‖ 抱有～ 先入観を持っている
★【先生】xiānsheng 图 ❶(学校の)先生．教師 ❷(男性に対する敬称)…先生．…さん ‖ 王～ 王さん｜女士们，～们 紳士淑女諸君 ❸(他人の夫または自分の夫に対する呼称)ご主人．主人 ‖ 我～是北京人 主人は北京生まれです ❹方 医者 ❺旧 会計係 ❻旧 講談師や易者などに対する呼称
【先声】xiānshēng 图 先触れ．前兆
【先声夺人】xiān shēng duó rén 成 最初に気勢をあげて敵を圧倒する．先手を打って主導権を握る
【先是】xiānshì 圏 もとは．初めは．以前は
【先手】xiānshǒu 图 (碁や将棋の)先手 ↔〔后手〕
*【先天】xiāntiān 图 ❶〈医〉先天．生まれつき ↔〔后天〕‖ ～性心脏病 先天性心臓疾患 ❷〈哲〉先験．アプリオリ ‖ 知识不是～的 知識は先験的なものではない
【先天不足】xiāntiān bùzú 組 生まれつき体質が虚弱なこと．また，物事の基礎がしっかりしていないたとえ
【先头】xiāntóu 形 先頭の．前衛の．(多く軍隊に用いる) 图 ❶(～儿)(時間的に)以前．前 ‖ 你们～走，我随后就去 君たちは先に行ってくれ，私はすぐあとから追いかけるから ❷前方．前面 ‖ 队伍的～ 隊伍(たいご)の先頭
【先下手为强】xiān xiàshǒu wéi qiáng 惯 先手必勝
【先贤】xiānxián 图 先賢．先哲
*【先行】xiānxíng 動 ❶先行する ‖ 兵马未动，粮草liángcǎo～ 軍隊が出る前に糧秣(りょうまつ)を先に移動する．本格的に行動する前に事前に準備を行うたとえ ❷先にやる．前もって行う ‖ ～通知 前もって通知する
【先行者】xiānxíngzhě 图 先達．先駆者
【先验论】xiānyànlùn 图〈哲〉先験論．先験哲学
【先意承志】xiān yì chéng zhì 成 親が口に出して言う前に気持ちをくみ取って意にかなうようにすること．転 人の意向を察して極力迎合すること
【先斩后奏】xiān zhǎn hòu zòu 成 刑を先に執行し後から奏上する．事後承諾をとること
【先兆】xiānzhào 图 前兆．兆し
【先哲】xiānzhé 图 先哲．先賢
【先知】xiānzhī 图 ❶先覚者．先覚 ‖ ～先觉 先覚者 ❷(ユダヤ教やキリスト教の)予言者
【先祖】xiānzǔ 图 書 ❶祖先 ❷亡き祖父

6 **纤(纖) xiān** ❶細かい．微細である ‖ 一～尘 ❷繊維 ➤ qiàn
【纤长】xiāncháng 形 細く長い
【纤尘】xiānchén 图 書 細かいちり ‖ ～不染 わずかなほこりもついていない．悪い思想や習慣に染まっていないたとえ
【纤毫】xiānháo 图 喩 きわめて微細な物事．毛筋．みじん ‖ 不差～ 寸分も違わない
【纤毛】xiānmáo 图〈生〉繊毛
【纤巧】xiānqiǎo 形 精巧である．精緻(せいち)である
【纤柔】xiānróu 形 細くて柔らかい
【纤弱】xiānruò 形 繊細で弱々しい．繊弱である
【纤瘦】xiānshòu 形 痩せて弱々しい．繊弱である
**【纤维】xiānwéi 图 繊維 ‖ 光导～ 光ファイバー｜植物～ 植物繊維
【纤维板】xiānwéibǎn 图〈建〉繊維板．ファイバーボード
【纤维素】xiānwéisù 图〈化〉繊維素．セルロース
【纤维植物】xiānwéi zhíwù 图 繊維植物
【纤悉无遗】xiān xī wú yí 成 詳細で少しの遺漏もない．〔纤悉不遗〕〔纤屑xiè无遗〕ともいう
【纤细】xiānxì 形 繊細である．ほっそりしている
【纤纤】xiānxiān 形 書 ほっそりとしたさま．しなやかなさま
【纤小】xiānxiǎo 形 きわめて小さい

7 **氙 xiān** 图〈化〉キセノン(化学元素の一つ，元素記号は Xe)

9 **籼(△秈) xiān** ↴
【籼稻】xiāndào 图 うるち米の一種で，淮河(わいが)以南の地域で栽培される
【籼米】xiānmǐ 图〔籼稻〕を脱穀したもの

11 ** **掀 xiān** ❶動 逆巻く．引っくり返す ‖ 白浪～天 白波が天をつくように逆巻く ❷動(ふたや覆いなどを)開ける．取る．(カーテンやベールなどを)めくる．上げる ‖ ～锅盖 鍋のふたを取る｜把门帘～起来 入り口のカーテンをまくり上げる
【掀动】xiāndòng 動 ❶たきつける．あおる ❷沸き返る．揺れ動く
【掀风鼓浪】xiān fēng gǔ làng 成 波風を立てる．騒動を起こす
【掀开】xiānkāi 動 めくる．開ける
*【掀起】xiānqǐ 動 ❶取る．開ける．上げる ‖ ～锅盖儿 鍋のふたを取る ❷逆巻く ‖ 海面～了巨浪 海に大波が逆巻いている ❸(ブームや運動などを)起こす ‖ ～兴修水利的高潮 水利建設が盛んに行われる

13 **锨 xiān** スコップ．シャベル ‖ 铁～ 鉄のシャベル

13 **酰 xiān** ↴
【酰基】xiānjī 图〈化〉アシル基

14 ** **鲜(△鱻) xiān** ❶水産物．魚介類 ‖ 海～ 海産物 ❷とれたての魚・肉・野菜など ‖ 时～ 旬のもの ❸形 新しい．新鮮である ‖ ～鱼 鮮魚 ❹形 味がよい．おいしい ‖ 味道～ 味がよい ❺みずみずしい ‖ 一～花 ❻鮮明である．鮮やかである ‖ 一～红 ➤ xiǎn
【鲜果】xiānguǒ 图 新鮮な果物
*【鲜红】xiānhóng 形 鮮紅色である．鮮やかな赤色の
**【鲜花】xiānhuā 图 生花 ‖ 一束～ 一束の花

【鲜活】xiānhuó [形] 鲜やかで生き生きとしている
【鲜活】xiānhuo [形][方] ❶(魚介類・肉類・花などが)新鮮である. 生きがいい ❷(色が)鮮やかで美しい
【鲜货】xiānhuò [名] 生鮮食品
【鲜丽】xiānlì [形] 鮮やかで美しい
【鲜亮】xiānliang [形][方] ❶鮮やかである. 明るい ❷美しい ‖ 打扮得很～ 美しく着飾っている
【鲜灵】xiānling ; xiānlíng [形][方] 新鮮である. みずみずしい ‖ 这些蔬菜多～ この野菜はとても新鮮だ
【鲜绿】xiānlù [形] みずみずしい緑色の
【鲜美】xiānměi [形] ❶味がよい. おいしい ‖ ～可口 実においしい ❷[書] (草花が)みずみずしく美しい
*【鲜明】xiānmíng [形] ❶はっきりしている. きわだっている ‖ 立场～ 立場が鮮明である | 形成～的对比 きわだった対比をなす ❷(色が)鮮やかである. 鮮明である ‖ 这张照片色彩～ この写真は色が鮮やかだ
【鲜嫩】xiānnèn [形] 新鮮で柔らかい. みずみずしい
【鲜啤】xiānpí [名] 生ビール. ドラフトビール
【鲜润】xiānrùn [形] 鮮やかでみずみずしい
*【鲜血】xiānxuè [名] 鮮血
*【鲜艳】xiānyàn [形] 鮮やかで美しい. あでやかである ‖ ～夺目 目を奪う鮮やかさ | 服饰～ 服装があでやかだ

xián

7 **闲**(△閒) xián ❶[形] 暇である. 手があいている ↔〔忙〕‖ 一年到头没有～着的时候 年がら年中暇な時がない ❷[形] (家屋や器物などが)空いている. 遊んでいる. 利用していない ‖ 房间～出来了 空室ができた ❸関係のない. 余計な ‖ 一～事 ❹暇 ‖ 忙里偷～ 忙中閑を盗む
【闲不住】xiánbuzhù [動] じっとしていられない ‖ 他这人整天～ 彼は一日中忙しくしている
【闲扯】xiánchě [動] むだ話をする. 世間話をする. 雑談をする. おしゃべりする
【闲荡】xiándàng [動] ぶらぶら歩く. 散歩する
【闲工夫】xiángōngfu (～儿) [名] 暇 ‖ 谁有～跟你耍shuǎ贫嘴pínzuǐ 君とおしゃべりしている暇などあるものか
【闲逛】xiánguàng [動] ぶらつく. 散歩する
*【闲话】xiánhuà [名] ❶(～儿)むだ話. 雑談. 余談 ‖ ～休提 閑話休題. 余談はさておき ❷うわさ話. 陰口 ‖ 自己多注意, 免得别人说～ 人からあれこれ言われないように気をつけなさい [動][書] 雑談をする
【闲静】xiánjìng [形] 閑静である. ひっそりとしている
【闲居】xiánjū [動] 仕事もしないで家でごろごろする. 閑居する
【闲空】xiánkòng (～儿) [名] 暇 ‖ 只要有～, 他就去钓鱼 彼は暇さえあれば釣りにいく
*【闲聊】xiánliáo [動] むだ話をする. 世間話をする ‖ 工作时间不要～ 仕事中はおしゃべりしないように
【闲篇】xiánpiān (～儿) [名][方] むだ話. おしゃべり
【闲气】xiánqì (～儿) [名] つまらないことが原因の怒り ‖ 你放心, 我才不生这种～ 安心してください, 私はこんなつまらないことで腹を立てたりしません
【闲弃】xiánqì [動] 使わずにおく. 放置する
【闲钱】xiánqián [名] 遊んでいる金. 余分な金
【闲情逸致】xián qíng yì zhì [成] のんびりと暇を楽しむこと
【闲趣】xiánqù [名] のんびりと落ち着いた趣. 閑雅な趣
【闲人】xiánrén [名] ❶関係のない人 ‖ ～免进 関係者以外立ち入り禁止 ❷閑人. 暇を持て余している人
【闲散】xiánsǎn [形] ❶暇でのんびりしている. 自由気ままである ❷(人員や物資が)遊んでいる ‖ ～人员 遊んでいる人員 | ～资金 遊休資本
【闲事】xiánshì [名] 余計なこと. つまらないこと ‖ 多管～ 余計な世話をやく | 少管～吧 おせっかいはやめてくれ
【闲适】xiánshì [形][書] のんびりしている. ゆったりとしている
【闲书】xiánshū [名] 肩のこらない本. 気軽に読める本
【闲谈】xiántán [動] 雑談をする. おしゃべりをする
【闲暇】xiánxiá [名] 暇 ‖ 没有～ 暇がない
【闲心】xiánxīn [名] ❶ゆったりした気分. のんびりした気持ち ‖ 这么忙, 哪有～去看电影 こんなに忙しくてはとても映画など見にいく気分にはなれない ❷余計な心配
【闲雅】xiányǎ ＝〔娴雅xiányǎ〕
【闲言碎语】xián yán suì yǔ [成] ❶うわさ話. 悪口 ❷むだ話
【闲逸】xiányì [形][書] 落ち着いている. のんびりとしている
【闲员】xiányuán [名] 仕事がなく余っている人員
【闲云野鹤】xián yún yě hè [成] 漂う雲と野の鶴(つる). 悠々自適の人のたとえ
【闲杂】xiánzá [形] 決まった職務のない. 無関係の. 無用の ‖ ～人员 決まった職務のない人. 無関係の人
【闲章】xiánzhāng (～儿) [名] 遊印
【闲职】xiánzhí [名] 閑職
【闲置】xiánzhì [動] (物を)遊ばせておく. 使わずに放置する

8 * **弦**(△絃❶❷) xián ❶[名] (弓の)つる ❷[名] (～儿) (楽器の)弦. 糸 ‖ ～断了 弦が切れた ❸[名]〈数〉① [古] 直角三角形の斜辺 ②弦 ❹[名]〈天〉弦月. 半月 ❺[名][方] ぜんまい. ばね ‖ 上～ ぜんまいを巻く
【弦外之音】xián wài zhī yīn [成] 言外の意味
【弦乐器】xiányuèqì [名]〈音〉弦楽器

8 **贤**(賢) xián ❶徳のある. 才能のある ‖ 一～明 ❷徳や才能のある人. 才知にたけた人 ‖ 圣～ 聖賢 ❸善良な ‖ 一～惠 ❹同輩や年下の者に対して用いる敬称 ‖ 一～弟
【贤达】xiándá [名] 才知にあふれた名望のある人
【贤德】xiándé [名] 立派な行い [形] (女性が)気立てが優しくて賢い
【贤弟】xiándì [名][書] 年下の男性に対する敬称
*【贤惠】【贤慧】xiánhuì [形] (女性が)気立てが優しくて賢い
【贤劳】xiánláo [動][書] (公のために)骨身を惜しまず働く. 勤勉に働く
【贤良】xiánliáng [書][形] 才徳兼備である ‖ ～之士 才徳兼備の人 [名] 才徳のある人物
【贤明】xiánmíng [形] 賢明である. 才知に長けている
【贤内助】xiánnèizhù [名] 賢妻. (他人の妻に対する敬称)賢夫人
【贤能】xiánnéng [名] 徳があって有能な人 [形] 才徳兼備である
【贤妻良母】xiánqī liángmǔ [名] 良妻賢母
【贤人】xiánrén [名] 才徳兼備の人. 賢人
【贤士】xiánshì [名][書] 賢人
【贤淑】xiánshū [形][書] (女性が)気立てが優しくて賢い
【贤哲】xiánzhé [形][書] 徳をそなえ, 才知にすぐれている [名] 賢哲

X

9 **涎**(△次) xián よだれ. 唾液(だえき) ‖ 垂～ よだれを流す. 垂涎(すいぜん)
【涎皮赖脸】xián pí lài liǎn 成 ずうずうしく人につきまとう
【涎水】xiánshui 名 方 よだれ
【涎着脸】xiánzhe liǎn (～儿) 組 方 厚かましくするさま. ずうずうしくするさま
9 **咸**[1] xián 副 書 みんな. 全部. すべて ‖ 老少～宜yí 老人から子供までどんな年齢層にも適している
9 * **咸**[2](鹹) xián 形 塩辛い. しょっぱい ‖ 这菜太～了 この料理はひどく塩辛い
【咸菜】xiáncài 名 (野菜の)塩漬けの漬物. 地方によってはみそ漬けやしょうゆ漬けもさす
【咸淡】xiándàn 名 塩加減
【咸蛋】xiándàn 名 塩漬けにしたアヒルやニワトリの卵. 塩漬け卵
【咸津津】xiánjīnjīn (～儿的) 形 やや塩辛い. ちょっと塩気のある
【咸肉】xiánròu 名 塩漬けの肉. ベーコン
【咸水湖】xiánshuǐhú 名 鹹湖(かんこ)
【咸盐】xiányán 名 方 食塩
10 **娴**(△嫻) xián 書 ❶しとやかな. みやびやかな ❷熟練している. 慣れている
【娴静】xiánjìng 形 上品である. しとやかである
【娴熟】xiánshú 形 熟練している
【娴雅】xiányǎ 形 (多く女性が)上品でみやびやかである. 〔闲雅〕とも書く ‖ 举止～ 立ち居ふるまいがしとやかだ
11 * **衔**(△銜 啣❶～❹) xián ❶動 くわえる ‖ 他～着烟斗 彼はパイプをくわえている ❷心に抱く ‖ 一～恨 ❸書 (命令などを)受ける. 奉ずる ‖ ～命 命を奉ずる ❹書 つながる ‖ 一～接 ❺肩書. 官職名. 学位 ‖ 官～ 官職名 ‖ 头～ 肩書
【衔恨】xiánhèn 動 ❶恨みを抱く ‖ ～而亡 恨みを抱いて死ぬ ❷悔恨の思いを抱く. 悔やむ
*【衔接】xiánjiē 動 つなぐ. つながる ‖ 前后不～ 前後がつながらない
【衔头】xiántóu 名 肩書
【衔冤】xiányuān 動 (無実の罪を負って)心中無念である. 恨みを抱く

X

11 **舷** xián 名 舷(げん). 船べり ‖ 左～ 左舷(さげん) ‖ 右～ 右舷(うげん)
【舷窗】xiánchuāng 名 舷窓(げんそう). (船の)舷側窓
【舷梯】xiántī 名 (船や飛行機の)タラップ
12 **痫**(癇) xián 〈医〉てんかん
13 * **嫌**[1] xián ❶恨み. 遺恨 ‖ 前～ 遺恨 ❷動 嫌う. 嫌悪する. 不満である ‖ ～贵, 没买 値段が高いから, 買わなかった ‖ 她乐于lèyú助人, 从不～麻烦 彼女は喜んで人助けをする人だ, いままで面倒がったことはない
13 **嫌**[2] xián ❶疑う. 怪しむ ‖ 猜～ 疑ぐる ❷嫌疑. 疑い ‖ 避～ 嫌疑を避ける
【嫌烦】xián//fán 動 煩わしく思う. 面倒がる
【嫌犯】xiánfàn 名 容疑者
*【嫌弃】xiánqì 動 嫌悪して近づかない. 毛嫌いする ‖ 这件大衣我穿着短, 你要不～, 就拿去穿吧 このオーバーは私には短いので, もしお嫌でなければ着てください
【嫌恶】xiánwù 動 嫌う. 嫌がる
【嫌隙】xiánxì 名 (不満や疑いが原因の)悪感情. 不快感. 不和. ひび
*【嫌疑】xiányí 名 嫌疑. 疑い ‖ 避～ 嫌疑を避ける
【嫌疑犯】xiányífàn 名 容疑者
【嫌怨】xiányuàn 名 (人に対する)不満. 恨み
【嫌憎】xiánzēng 動 忌み嫌う

xiǎn

8 **冼** xiǎn 名 姓
9 * **险**(險) xiǎn ❶形 (地勢が)険しい ‖ 山势很～ 山の地勢がとても険しい ❷(地勢が)険しい所. 要害 ‖ 天～ 天険 ❸残忍である. 陰険である ‖ 阴～ 陰険である ❹形 危険である. 危ない ‖ 走夜路太～了 夜道を歩くのはとても危険だ ❺危険. 危地 ‖ 遇～ 危険な目に遭う ❻危うく. もう少しで ‖ 一～些
【险隘】xiǎn'ài 名 険要の関所. 要害の地
【险地】xiǎndì 名 ❶険要の地. 要害 ❷危地. 危険な状況
【险毒】xiǎndú 形 陰険である. 悪辣(あくらつ)である
【险恶】xiǎn'è 形 ❶危うい. 険しい. 厳しい ‖ 局势～ 情勢が険悪である ❷陰険である. 悪辣である
【险峰】xiǎnfēng 名 険しい峰
【险固】xiǎngù 形 書 (地勢が)要害堅固である
【险关】xiǎnguān 名 険要な関所. 難関
【险境】xiǎnjìng 名 危険な状況. 危地 ‖ 脱离～ 危険な状況を脱する
【险峻】xiǎnjùn 形 書 ❶(山が)高く険しい. 峻険(しゅんけん)である ❷危険で厳しい
*【险情】xiǎnqíng 名 危険な状況. 緊急事態 ‖ ～缓解huǎnjiě 危険な状況が緩和された
【险胜】xiǎnshèng 動 辛勝する. 僅差(きんさ)で勝つ
【险滩】xiǎntān 名 航行に危険な早瀬. 浅くて岩石が多く, 流れが急な所
【险象】xiǎnxiàng 名 危険な現象
【险些】xiǎnxiē (～儿) 副 危うく. もう少しで. すんでのことで ‖ ～被汽车撞了 もう少しで車にひかれるところだった
*【险要】xiǎnyào 形 (地勢が)険要である ‖ 在山的～位置设立关口 山の険要な場所に関所を設ける
【险遭】xiǎnzāo 動 危うく…の目に遭う. すんでに…される ‖ ～暗算 危うく陥れられるところだった
【险诈】xiǎnzhà 形 陰険で悪賢い
【险兆】xiǎnzhào 名 危険な兆候
【险症】xiǎnzhèng 名 危険な症状
【险种】xiǎnzhǒng 名 保険の種類
【险阻】xiǎnzǔ 形 (道が)険しい. 険阻である
9 **洗** xiǎn 名 姓 ➤ xǐ
9 * **显**(顯) xiǎn ❶明らかである. 目立つ ‖ 明～ 明らかである ❷動 現す. 示す ‖ 纸太薄báo, 反面的字都～出来了 紙が薄くて裏の字が透けて見える ❸権勢のある ‖ 一～达
【显摆】【显白】xiǎnbai 動 方 見せびらかす. 自慢する ‖ 喜欢～自己 自分のことを自慢したがる
【显达】xiǎndá 形 (官界で)地位が高く, 名望がある
**【显得】xiǎnde 動 …に見える. …の様子だ ‖ 孩子到夏令营去了, 家里～很清静 子供がサマー・キャンプ

に行ったので, 家の中がめっきり静かになった
*【显而易见】xiǎn ér yì jiàn 成 一見して分かる. 火を見るより明らかである
【显贵】xiǎnguì 書 形 高貴である. 身分が高い 名 高官 ‖ 高官～ 高位高官
【显赫】xiǎnhè 形 ❶(権勢や名声などが)盛んである ❷著しい. 顕著である ‖ ～的成就 輝かしい業績
【显豁】xiǎnhuò 形 はっきりしている. 明らかである
【显见】xiǎnjiàn 動 はっきりと見てとれる. 明らかである ‖ ～他是在说谎 明らかに彼はうそをついている
【显卡】xiǎnkǎ =〔显示卡xiǎnshìkǎ〕
【显灵】xiǎn//líng 動 霊験を現す
【显露】xiǎnlù 動 現す. 現れる ‖ 脸上～出不高兴的样子 顔に不機嫌な表情が浮かんだ
【显明】xiǎnmíng 形 はっきりしている. 明白である
【显目】xiǎnmù 形 目立つ. 人目を引く
【显能】xiǎn//néng 動 (能力を)ひけらかす ‖ 在别人面前～ 人前で自分の能力をひけらかす
【显然】xiǎnrán 形 **はっきりしている. 明らかである ‖ 他这样做的目的是很～的 彼がこのようにやったねらいは, はっきりしている | 江南景色～跟北方不一样 江南の風景は明らかに北方とは違っている
【显身手】xiǎn shēnshǒu 慣 本領を発揮する. 腕前を見せる ‖ 大～ 大いに腕前を披露する
【显圣】xiǎn//shèng 動 (聖人が死後に)霊験を現す
*【显示】xiǎnshì 動 はっきり示す. 顕示する. 明らかにする ‖ 通过比赛, ～了他们的雄厚实力 試合を通じて彼らはけた違いの実力を見せつけた
【显示卡】xiǎnshìkǎ 名〈計〉ビデオカード. グラフィックスカード. 略して〔显卡〕ともいう
【显示器】xiǎnshìqì 名〈計〉ディスプレー ‖ 液晶yèjīng～ 液晶ディスプレー
*【显微镜】xiǎnwēijìng 名 顕微鏡
【显现】xiǎnxiàn 動 現れる. 姿を現す
【显像管】xiǎnxiàngguǎn 名 ブラウン管
【显效】xiǎnxiào 動 効果が現れる 名 卓効. はっきりした効果
【显形】xiǎn//xíng (～儿) 動 正体を現す. 馬脚を現す
【显性】xiǎnxìng 形〈生〉優性の ↔〔隐性〕‖ ～遗传 優性遺伝
【显学】xiǎnxué 名 書 著名な学説. 有名な学派
【显眼】xiǎnyǎn 形 目につく. 目立つ ‖ 衣服上沾了块油污, 但幸好还不太～ 服に油染みができたが, 幸い目立つほどではない
【显扬】xiǎnyáng 動 書 ❶表彰する ❷名声が高い. 声望を得る ‖ ～于天下 天下に名高い
【显要】xiǎnyào 形 地位が高く権勢が大きい ‖ 地位～ 地位が高い 名 高官. 要人
【显耀】xiǎnyào 形 (名声や権勢が)盛大である ‖ 他早年涉足shèzú政坛, 曾～一时 彼はかつて政界に身を置き, 名をあげた時期がある 動 見せびらかす. ひけらかす. 誇示する ‖ ～自己的本领 自分の腕をひけらかす
【显影】xiǎn//yǐng 動 現像する
【显影剂】xiǎnyǐngjì 名 現像剤
【显证】xiǎnzhèng 名 書 はっきりした証拠
【显著】xiǎnzhù 形 **はっきりしている. 著しい. 顕著である ‖ 疗效～ 治療の効果が著しい | 他的学习成绩有了～的提高 彼の勉強の成績は著しく上がった

10 **蚬** xiǎn 〈貝〉シジミ

13 **跣** xiǎn 書 はだし. 素足 ‖ ～足 素足

14 **鲜**(△尟 尠) xiǎn 少ない ‖ ～见 あまり見ない | ～有 まれにしかない | ～为人知 ほとんど知られていない ➤ xiān

17 **藓** xiǎn 名〈植〉(コケ植物の)蘚(せん)類

18 **燹** xiǎn 書 野火. 戦火 ‖ 兵～ 戦禍

xiàn

7 ** **县**(縣) xiàn 名(行政単位の一つ)県. 〔省〕(省)・〔自治区〕(自治区)・〔直辖zhíxiá市〕(直轄市)の下に位置する
*【县城】xiànchéng 名 県城. 県の行政府の所在地
【县界】xiànjiè 名 県境
*【县长】xiànzhǎng 名 県長. 県人民政府の長
【县志】xiànzhì 名 県誌(県の歴史・地理・風俗・物産などについて記した書)
【县治】xiànzhì 名 旧 県政府の所在地

7 **苋** xiàn 名〈植〉ヒユ. 普通〔苋菜〕という

7 **岘** xiàn 地名用字 ‖ ～山 湖北省にある山の名

8 * **限** xiàn ❶限界. 限度 ‖ 期～ 期限 ❷動 限定する. 制限する ‖ 每人每次～借三本书 一人1回3冊まで借りられる ❸書 敷居 ‖ 门～ 敷居
【限产】xiànchǎn 動 生産量を制限する
【限定】xiàndìng 動 (数や範囲を)限定する ‖ ～时间 期限をきる | ～人数 人数を限定する
*【限度】xiàndù 名 限度 ‖ 把犯罪率控制在最低～ 犯罪発生率を最低限度に抑える | 我们的忍让是有～的 我々の我慢にも限度がある
【限额】xiàn'é 名 限度額. 定額
【限购】xiàngòu 動 購入を制限する
【限价】xiàn//jià 動 価格を抑制する 名 (xiànjià)〈経〉〈貿〉(政府の定める)限界価格. 抑制価格
【限界】xiànjiè 名 限界 ‖ 耐压～ 耐圧限度
【限量】xiànliàng 動 量を限定する 名 限度
【限令】xiànlìng 動 期日を限って実行するよう命ずる 名 制限執行命令
*【限期】xiànqī 動 期限を決める ‖ ～离境 期限までに出国する 名 期限. 期日 ‖ 离～只有三天了 期限まで3日しかなくなった
【限时】xiànshí 動 時間を限定する
*【限于】xiànyú 動 …に限る. …に限られる ‖ ～时间关系, 每人发言不超过三分钟 時間の都合で各人の発言は3分以内とする
【限制】xiànzhì 動 **制限する. 規制する ‖ ～人身自由 人身の自由を制約する 名 **制限. 限定. 制約** ‖ 参赛资格上有一定～ 出場資格には一定の制限がある

8 ** **线**(綫 △線) xiàn ❶名 (～儿)**綿・毛・絹・麻などの糸** ‖ 一根～ 1本の糸 | 拆chāi～ 抜糸する ❷糸のように細長いもの ‖ 铜～ 銅線 ❸名 **経路. ルート** ‖ 路～ ルート | 运输～ 輸送ライン ❹名 手がかり. 手引き者 ‖ 沿着这条

X

～追查 この手がかりに沿って追跡調査する ❺名 線 ‖ 画一条～ 線を1本引く ❻境界線．境 ‖ 界～ 境界線 ❼ぎりぎりの限界．分かれ目 ‖ 录取分数～ 合格ライン ❽(職場で)現役(第一線)，または非現役 ‖ 退居二～ 現役をしりぞく ❾量(抽象的な事物に用い，ごくわずかであることを表す)一筋．一縷(いちる)．数詞は〔一〕のみ ‖ 一～希望 一縷の望み

逆引き単語帳 〔虚线〕xūxiàn 点線 〔抛物线〕pāowùxiàn 放物線 〔毛线〕máoxiàn 毛糸 〔经线〕jīngxiàn 経線．縦糸 〔纬线〕wěixiàn 緯線．横糸 〔地线〕dìxiàn アース 〔天线〕tiānxiàn アンテナ 〔眼线〕yǎnxiàn アイライン 〔裤线〕kùxiàn ズボンの折り目 〔电线〕diànxiàn 電線 〔光线〕guāngxiàn 光線 〔战线〕zhànxiàn 戦線 〔防线〕fángxiàn 防衛線 〔前线〕qiánxiàn 前線 〔界线〕jièxiàn 境界線 〔单行线〕dānxíngxiàn(車の)一方通行路 〔路线〕lùxiàn 路線 〔热线〕rèxiàn(電話の)ホットライン 〔外线〕wàixiàn(電話の)外線 〔针线〕zhēnxian 針仕事 〔视线〕shìxiàn 視線 〔航线〕hángxiàn 航路 〔运输线〕yùnshūxiàn 輸送ライン 〔放射线〕fàngshèxiàn 放射線 〔红外线〕hóngwàixiàn 赤外線 〔紫外线〕zǐwàixiàn 紫外線 〔X射线〕X shèxiàn レントゲン．X線 〔同位线〕tóngwèixiàn(がんの治療などに用いる)ガンマ線

【线报】xiànbào 名 方 内部情報．たれこみ
【线材】xiàncái 名〈機〉線材
【线春】xiànchūn 名 絹織物の一種．幾何学模様を織り込んだもので，多くは春物．〔春绸〕ともいう
【线段】xiànduàn 名〈数〉線分
【线脚】xiànjiǎo 名 方 縫い目
*【线路】xiànlù 名 ❶回路．回線 ‖ 电话～ 電話回線 ❷(鉄道やバスの)路線 ‖ 地铁～ 地下鉄の路線
【线麻】xiànmá 名〈植〉アサ ＝〔大麻〕
【线呢】xiànní 名〈紡〉厚手の綿ギャバジン
【线圈】xiànquān 名〈電〉コイル．巻き線
【线人】xiànrén 名 方 情報提供者．たれこみ屋
【线绳】xiànshéng 名 綿のひも．ロープ
*【线索】xiànsuǒ 名 手がかり．糸口 ‖ 提供～ 手がかりを提供する｜找不到～ 手がかりが見つからない
【线毯】xiàntǎn 名 綿織りの毛布
【线条】xiàntiáo 名 ❶〈美〉線．アウトライン ❷(人の)体の線．(工芸品などの)輪郭の線
【线头】xiàntóu (～儿) 名 ❶糸の端 ❷糸くず．〔线头子〕ともいう
【线香】xiànxiāng 名 線香
【线衣】xiànyī 名 メリヤスのシャツ
【线轴儿】xiànzhóur 名 リール．糸巻き．ボビン
【线装】xiànzhuāng 形〈印〉糸とじの．線装の

8 *现 xiàn ❶動 現れる．現す ‖ ～原形 正体を現す．❷名 現在．いま ‖ ～已查明 すでに判明した ❸副 そのときに．その場で．臨時に ‖ ～做～卖 作ったその場で売る ❹ ‖ 一～款 ❺現金 ‖ 兑duì～ 現金に換える

*【现场】xiànchǎng 名 現場．現地 ‖ ～直播zhíbō 生中継する｜犯罪～ 犯行現場
【现钞】xiànchāo 名 現金
*【现成】xiànchéng (～儿) 形 既製の．あり合わせの ‖ 你不用去买了，我这儿有～的 わざわざ買いにいくことはない，うちにあり合わせがあるから
【现成饭】xiànchéngfàn 慣 ❶すでにでき上がっている御飯 ❷喩 労せず手に入る利益
【现成话】xiànchénghuà 慣 思いつきの言葉．無責任な言葉
【现丑】xiàn//chǒu 動 恥をさらす．面目をつぶす
【现出】xiànchu；xiànchū 動 現れる．現す ‖ ～原形 正体を現す．化けの皮がはがれる
【现存】xiàncún 動 現在残っている
【现大洋】xiàndàyáng ＝〔现洋xiànyáng〕
★【现代】xiàndài 名 **現代**．(一般に1919年の五四運動以降から現在までをさす) ‖ ～汉语 現代中国語 形 現代的である．現代風である ‖ 他家装修得非常～ 彼の家はインテリアがとてもモダンだ
【现代化】xiàndàihuà 動 **近代化する．**現代化する** ‖ 四个～ (農業・工業・国防・科学技術の)四つの現代化
【现代五项】xiàndài wǔxiàng 名〈体〉近代五種競技
【现代舞】xiàndàiwǔ 名 現代舞踊．モダンダンス
【现代主义】xiàndài zhǔyì 名 モダニズム
【现房】xiànfáng 名 竣工済みマンションの未入居物件 ↔〔期房〕
【现汇】xiànhuì 名〈経〉現物為替．直物為替
【现货】xiànhuò 名 現物．現品．ストック
【现价】xiànjià 名 現在の価格．現価．時価
【现今】xiànjīn 名 いまどき．現今．当節
*【现金】xiànjīn 名 ❶現金(小切手などを含むこともある) ‖ ～支付 現金払い｜去银行提取～ 銀行に行って現金をおろす ❷銀行の手持ちの現金
【现局】xiànjú 名 現在の局面
【现款】xiànkuǎn 名 現金 ‖ ～支付 現金で支払う
【现年】xiànnián 名 書 現在の年齢
*【现钱】xiànqián 名 口 現金 ‖ 这家商店只收～ この店は現金払いしか扱っていない
【现任】xiànrèn 動 (ある職務に)現在ついている 形 現職の ‖ ～局长 現職の局長
【现如今】xiànrújīn 名 方 現在．いまどき
【现身说法】xiàn shēn shuō fǎ 成 仏がさまざまな人間の姿となって教え諭す．転 自らの体験を例にとって道理を説く
【现时】xiànshí 名 現在．目下
【现实】xiànshí 名 **現実 ‖ 逃避táobì～ 現実から逃避する｜我的理想就要成为～了 私の夢はもうすぐ現実になる 形 現実的である．実際的である ‖ 他的想法很～ 彼の考え方はたいへん現実的だ
*【现实主义】xiànshí zhǔyì 名 現実主義．リアリズム
【现世】[1] xiànshì 名 現世 ‖ ～报 現世で受ける報い
【现世】[2] xiànshì 動 恥をさらす．醜態を演じる
【现势】xiànshì 名 当面の情勢
【现下】xiànxià 名 現在．当面
【现…现…】xiàn…xiàn… 組 単音節の動詞を前後に置き，その場ですぐに目的を実現することを表す．〔旋…旋…〕ともいう ‖ 中药得现吃现熬áo 漢方薬は毎回服用する分だけ煎(せん)じなければならない
【现象】xiànxiàng 名 **現象 ‖ 社会～ 社会現象｜自然～ 自然現象
*【现行】xiànxíng 形 現行の．現在行われている ‖ ～法规 現行法｜～政策 現行の政策

【现行犯】xiànxíngfàn 名 現行犯
【现形】xiàn//xíng 動 正体を現す
【现眼】xiàn//yǎn 動 方 恥をかく. 物笑いになる
【现洋】xiànyáng 名 旧 1元銀貨.〔现大洋〕ともいう
【现役】xiànyì 名〈軍〉現役 形 現役の ‖ ～军人 現役の軍人
【现有】xiànyǒu 動 現有する. 現在ある
★【现在】xiànzài 名 現在. いま ↔〔过去〕〔将来〕‖ ～几点？ いま何時ですか | ～休息十分钟 これから10分休憩します
【现职】xiànzhí 名 現職
*【现状】xiànzhuàng 名 現状 ‖ 维持～ 現状を維持する | 满足于～ 現状に満足する
9 宪(憲) xiàn ❶書 法令 ‖ ～令 法令 ❷憲法 ‖ 立～ 立憲 | 违～ 違憲
【宪兵】xiànbīng 名 憲兵 ‖ ～队 憲兵隊
*【宪法】xiànfǎ 名 憲法 ‖ 制定～ 憲法を制定する
【宪警】xiànjǐng 名 旧 憲兵と警官
【宪章】xiànzhāng 動 書 見習う. まねる 名 ❶書 典章制度 ❷憲章
【宪政】xiànzhèng 名 憲政. 立憲政治
10 * 陷 xiàn ❶動 (泥や沼に)陥る. はまる ‖ 一脚～进了泥塘 足がずぶっと泥んこにはまった ❷陥落する. 攻め落とされる ‖ →～落 ❸攻め落とす ‖ 冲锋～阵 突撃し敵を攻め落とす ❹落とし穴 ‖ →～阱 ❺(人を)陥れる ‖ 诬wū～ 人を陥れる | ～害 ❻動 くぼむ. 落ちくぼむ ‖ 地震过后，有的地段地面～下去一大块 地震の後, ある場所では地面が大きく陥没してしまった ❼欠点. 不完全な部分 ‖ 缺～ 欠陥
*【陷害】xiànhài 動 計略にかける. はめる ‖ 为了自己的利益而～别人 自分の利益のために人を陥れる
【陷阱】xiànjǐng 名 落とし穴. 喩 わな
【陷坑】xiànkēng 名 落とし穴
【陷落】xiànluò 動 ❶陥没する. くぼむ ❷落ちる. 陥る. はまる ❸陥落する
【陷没】xiànmò 動 ❶落ち込む. はまる. 沈む ❷占領される. 陥落する
*【陷入】xiànrù 動 ❶(不利な状況に)陥る ‖ 谈判～了僵局jiāngjú 折衝は膠着(こうちゃく)状態に陥った ❷ふける. 没入する ‖ ～沉思 もの思いにふける
【陷身】xiànshēn 動 …に身を落とす ‖ ～囹圄língyǔ 捕らわれの身となる
【陷于】xiànyú 動 …に陥る ‖ ～困境 苦境に陥る
【陷阵】xiànzhèn 動 敵陣を落とす
11 馅 xiàn (～儿) ❶名 (食品の)あん. 中身 ‖ →～儿 ❷喩 内情 ‖ →～儿
*【馅儿】xiànr 名 ❶(食品の)あん. 中身 ‖ 肉～ 肉あん ❷喩 隠しごと. 内情 ‖ 露～ ぼろを出す
【馅儿饼】xiànrbǐng 名 ひき肉や野菜のあんを小麦粉の皮に包み, 円盤状にして鉄板で焼いたもの
12 羡(羨) xiàn ❶うらやむ. 羨望(せんぼう)する ‖ →～慕 ❷書 余っている ‖ ～财 余っている財産
**【羡慕】xiànmù 動 うらやむ. 羨望(せんぼう)する ‖ 我很～他有这么好的学习条件 私は彼がこんなに恵まれた条件で学べるなんてうらやましい
【羡余】xiànyú 形 余計な. 無駄な ‖ ～信息 冗長情報

13 ** 献(獻) xiàn ❶動 捧げる. 献上する ‖ ～上一束鲜花 花束を贈呈する ❷動 披露する. やって見せる ‖ →～媚
【献宝】xiàn//bǎo 動 ❶貴重な物品を献上する ❷喩 貴重な経験や意見を紹介する ❸見せびらかす
【献策】xiàn//cè 動 献策する. よい案や計画を提出する ‖ 献计～ 提案を出す
【献丑】xiàn//chǒu 動 謙 (自分の技芸や文章を披露する際に謙遜(けんそん)して言う)つたない芸をお目にかける. お粗末ながら披露する
【献词】xiàncí 名 祝辞 ‖ 新年～ 新年の祝辞
【献花】xiàn//huā 動 花束を贈る. 花輪を捧げる
【献计】xiàn//jì 動 献策する. よい案や計画を提出する
【献技】xiànjì 動 技芸を披露する
【献礼】xiàn//lǐ 動 祝いの贈り物をする
【献媚】xiànmèi 動 こびへつらう
【献身】xiàn//shēn 動 身を捧げる ‖ ～于祖国的建设事业 祖国の建設事業に身を捧げる
【献血】xiàn//xuè 動 献血をする
【献演】xiànyǎn 動 観衆に演技を披露する ‖ 京剧团赴日～ 京劇団が日本公演に赴く
【献疑】xiànyí 動 書 疑問を出す ‖ 就这个问题向他～ この問題について彼に疑問を呈した
【献艺】xiànyì 動 芸を披露する. 演じて見せる
【献殷勤】xiàn yīnqín 慣 機嫌を取る. ごまをする. こびへつらう ‖ 给领导～ 上役に取り入る
【献映】xiànyìng 動 映画を公開する. 映画を上映する
13 腺 xiàn 名〈生理〉腺(せん) ‖ 淋巴～ リンパ腺 | 汗～ 汗腺 | 蜜～ (花の)蜜腺
20 霰 xiàn 名〈気〉あられ. 地方によっては〔雪子〕〔雪糁〕ともいう

xiāng

3 ** 乡(鄉) xiāng ❶名 (行政単位の一つ)郷.〔县xiàn〕(県)の下に位置する ❷都市以外の地区を指す. 農村 ↔〔城〕‖ 城～ 都市と農村 ❸故郷. 郷里 ‖ 故～ 故郷
【乡巴佬儿】xiāngbalǎor 名 貶 田舎者
【乡愁】xiāngchóu 名 郷愁. ノスタルジア
*【乡村】xiāngcūn 名 田舎. 農村
【乡规民约】xiāngguī mínyuē 慣 村民が定めたその村の規則
【乡间】xiāngjiān 名 田舎. 村
【乡里】xiānglǐ 名 郷里. 故郷. (地方の小都市や農村をさす)
【乡邻】xiānglín 名 同郷の人
【乡僻】xiāngpì 形 片田舎の. 辺鄙(へんぴ)な
【乡企】xiāngqǐ 名 郷鎮企業.〔乡镇企业〕の略
*【乡亲】xiāngqīn 名 ❶同郷の人 ❷農村で土地の人に対する呼称 ‖ ～们 みなさん
【乡情】xiāngqíng 名 故郷への思い. 里心
【乡人】xiāngrén 名 ❶村人 ❷同郷の人
【乡试】xiāngshì 名 古 郷試(きょうし). 明・清代に3年ごとに各省で行われた科挙の地方試験
【乡思】xiāngsī 名 郷愁. 望郷の念. 懐郷の情
【乡土】xiāngtǔ 名 郷土 ‖ ～观念 郷土意識
【乡土风味】xiāngtǔ fēngwèi 組 故郷の味. 田舎の味 ‖ ～的小吃 田舎風味の軽食

[乡下] xiāngxia 名 口 **田舎. 農村** ‖ ～人 田舎者
[乡谊] xiāngyì 名 書 同郷のよしみ
[乡音] xiāngyīn 名 お国なまり. お国言葉
[乡镇] xiāngzhèn 名 ❶行政単位としての〔乡〕と〔镇〕. 県または自治県の下の行政単位 ❷田舎町. 町
[乡镇企业] xiāngzhèn qǐyè 名 郷鎮企業. 中国農村部で, 〔乡〕や〔镇〕または個人が経営する企業

6 **芗(薌) xiāng** ❶書 香りがよい ‖ 芬fēn～ かぐわしい ❷古 調味料に用いる香草

9 **相[1] xiāng** ❶副 **互いに. 複数のものが相互にかかわることを表す** ‖ 两地有公路～连接 二つの地方は道路で互いに結ばれている ❷一方が他方に働きかける動作を表す ‖ →～待

9 **相[2] xiāng** 動 見て判定する. 品定めする ‖ 这些家具她都～不上 これらの家具はどれも彼女のめがねにかなわない ➤ xiàng

[相爱] xiāng'ài 動 愛し合う
[相安] xiāng'ān 動 仲よく付き合う ‖ ～无事 互いになんのもめ事もなく付き合っている
[相伴] xiāngbàn 動 相手をする
[相悖] xiāngbèi 動 相矛盾する. 相反する
[相帮] xiāngbāng 動 方 助ける. 手伝う
*[相比] xiāngbǐ 動 比べる ‖ 他很会做菜, ～之下, 我就差多了 彼は料理を作るのがとてもうまい, それに引きかえ, 私などずっと腕が落ちる
*[相差] xiāngchà 動 差がある. 相違する ‖ 这里白天与夜间的温度～很大 ここは昼と夜の温度差が大きい
[相称] xiāngchèn 形 釣り合いが取れている. 似合っている. ふさわしい
[相成] xiāngchéng 動 補い合う
[相承] xiāngchéng 動 引き継ぐ. 継承する
[相持] xiāngchí 動 相対立する. 相拮抗(きっこう)する ‖ 双方意见～不下 両者の意見が対立して互いに譲らない | ～阶段 勝敗の見えない段階
[相处] xiāngchǔ 動 付き合う. 共に過ごす ‖ ～多年 長年の付き合いである | 难以～ 付き合いにくい
[相传] xiāngchuán 動 ❶…と伝わる ❷伝授する. 次から次へと伝える
[相待] xiāngdài 動 書 遇する. 接する
[相当] xiāngdāng 動 ❶**(能力などが)同じくらいである. 伯仲する** ‖ 年纪～ 年齢に大差がない | 实力～ 実力が伯仲する ❷相当する ‖ 那件大衣的价钱～于我两个月的工资 あのコートの値段は私の2ヵ月分の給料に相当する 形 **適切である. ふさわしい** ‖ 还没找到～的人来演这个角色juésè この役を演じるのにふさわしい人がまだ見つからない 副 相当. かなり ‖ 他打网球打得～好 彼のテニスの腕は相当なものだ
[相得益彰] xiāng dé yì zhāng 成 双方相まってますますよい効果を収める. 互いに補い合い, よい結果となる
*[相等] xiāngděng 動 同じである. 等しい ‖ 距离～ 距離が等しい
[相抵] xiāngdǐ 動 ❶相殺する ‖ 功过～ 功罪相半ばする ❷互いに抵触する. 互いに差し障る
*[相对] xiāngduì 動 向かい合う ‖ ～而坐 対座する 形 ❶〈哲〉相対的である ↔〔绝对〕‖ 美与丑chǒu是～的, 不是绝对的 美醜は相対的なもので, 絶対的なものではない ❷相対的である ‖ 随着收入的增加, 生活水平也～提高了 収入の増加につれて, 生活レベルも相対的に向上した
[相对高度] xiāngduì gāodù 名 相対高度
[相对论] xiāngduìlùn 名〈物〉相対性理論
[相对湿度] xiāngduì shīdù 名〈気〉相対湿度
[相对真理] xiāngduì zhēnlǐ 名〈哲〉相対的真理
[相烦] xiāngfán 動 挨拶 煩わす. お願いする ‖ 有事～ お願いしたいことがあります
[相反] xiāngfǎn 形 **相反している. 反対である** ‖ 意见～ 意見が反対である | ～的方向 反対の方向 接 これに反して. 逆に ‖ 失败没有吓住他, ～更坚定了他的信心 彼は失敗に打ちひしがれなかったばかりか, 逆に自信をいっそう強めた
[相反相成] xiāng fǎn xiāng chéng 成 互いに対立しつつ, 互いに成り立たせ合う. 相互に対立する事物が同時に依存し, 補完し合う関係にあること
[相仿] xiāngfǎng 形 似ている. 似通っている
[相逢] xiāngféng 動 巡り合う
*[相符] xiāngfú 形 一致している. 符合している ‖ 名实～ 名実相伴う | 与事实～ 事実と一致する
[相辅而行] xiāng fǔ ér xíng 成 互いに協力して進める. 併せ用いる
[相辅相成] xiāng fǔ xiāng chéng 成 互いに補い助け合う. 相互に補完する
[相干] xiānggān 動 関係する. かかわる. (多く否定に用いる) ‖ 这件事与你不～ この件は君には関係ない
[相隔] xiānggé 動 (時間や距離が)隔たる. 離れる
[相顾] xiānggù 動 向かい合う. 顔を見合わせる
*[相关] xiāngguān 動 関連する ‖ 饮食习惯与身体健康密切～ 飲食の習慣と健康は密接に関係している
[相好] xiānghǎo 形 親密である. 仲がよい 動 (多く男女が)親しくする. 愛し合う 名 恋人
[相合] xiānghé 動 一致する. 符合する
[相互] xiānghù 形 **相互の** ‖ ～作用 相互作用 副 相互に ‖ ～信赖 互いに信頼する
[相会] xiānghuì 動 会う
*[相继] xiāngjì 副 相継いで ‖ 兄弟俩～考上了大学 兄弟は相継いで大学に合格した
[相见] xiāngjiàn 動 会う. 対面する. 顔を合わせる ‖ ～恨晚 早く出会わなかったことが悔やまれる
[相间] xiāngjiàn 動 入れ違う. 互い違いになる
*[相交] xiāngjiāo 動 ❶交わる. 交差する ‖ 两条铁路在这里～ 2本の鉄道がここで交差している ❷交際する. 付き合う ‖ ～多年, 彼此十分了解 長年の付き合いなので互いによく知っている
[相接] xiāngjiē 動 つながる. 連なる
[相近] xiāngjìn 形 差が小さい. よく似ている
[相敬如宾] xiāng jìng rú bīn 成 客に対するように相手を尊ぶ. 夫婦が互いに敬い合うこと
[相距] xiāngjù 動 離れる. 隔たる ‖ 宿舍与食堂～五十多米 宿舎は食堂から50メートルほど離れている
[相看] xiāngkan ; xiāngkàn 動 ❶じっと見る. 観察する ❷遇する. 接する ‖ 另眼～ 特別視する. 改めて見直す | 刮guā目～ 刮目(かつもく)する. 新しい目で見る
[相连] xiānglián 動 連なる. つながる
[相邻] xiānglín 動 隣り合う
[相瞒] xiāngmán 動 書 隠す. だます. 欺く ‖ 实不～ 正直に言うと. 実を言うと
[相配] xiāngpèi 形 釣り合っている. 似合っている ‖ 他俩很～ あの二人はお似合いだ
[相扑] xiāngpū 名 古 格闘技の一種で, 南北朝から

X

宋・元代にかけて行われた
【相亲】xiāng//qīn 動 見合いをする
【相亲相爱】xiāngqīn xiāng'ài 慣 愛し合う. 仲むつまじい ‖ 小两口～ 若夫婦は仲むつまじい
【相去】xiāngqù 動 互いに隔たる. 相違する
【相劝】xiāngquàn 動 勧告する. とりなす. 忠告する
【相让】xiāngràng 動 ❶譲る. 我慢して譲歩する ‖ 互不～ 互いに譲らない ❷道を譲り合う
【相扰】xiāngrǎo 動 ❶じゃまし合う ‖ 各不～ 互いにじゃましない ❷挨拶 おじゃまする
【相忍为国】xiāng rěn wèi guó 成 国や民族のために耐えて譲歩する
【相容】xiāngróng 動 互いに相手を受け入れる. (多く否定に用いる) ‖ 水火不～ 水と火のように相容(あい)れない
【相濡以沫】xiāng rú yǐ mò 成 困っているとき, ささやかな力で互いに助け合うこと
【相商】xiāngshāng 動 相談する. 協議する ‖ 有要事与你～ 相談したい用件がある
【相生相克】xiāng shēng xiāng kè 成 中国古代哲学でいう五行(木・火・土・金・水)の間に生じる相互作用. 相生相剋(そうせいそうこく)
*【相识】xiāngshí 動 知り合う ‖ 我们～多年了 私たちは知り合ってから何年にもなる | 素不～ 一面識もない 名 知り合い ‖ 旧～ 旧知 | 老～ 昔なじみ
【相视】xiāngshì 動 互いに見る. 見合わせる
【相思】xiāngsī 動 互いに恋しく思う. 互いに恋い慕う ‖ ～病 恋の病 | 两地～ 離れていて互いに恋い慕う
**【相似】xiāngsì 形 似ている ‖ 她俩长zhǎng得有几分～ 彼女らはいくぶん似たところがある
【相似形】xiāngsìxíng 名〈数〉相似形
【相送】xiāngsòng 動 ❶見送る ❷贈る
【相随】xiāngsuí 動 ぴったりつき従う
【相提并论】xiāng tí bìng lùn 成 (性質の異なるものを) 同列に論じる. 同一視する. (多く否定に用いる)
*【相通】xiāngtōng 動 通じ合う. 相通じる ‖ 我们的心是～的 私たちの気持ちは通じ合っている
**【相同】xiāngtóng 形 同じである. 共通している ‖ 两人的看法基本上是～的 二人の見方は基本的に同じである
【相投】xiāngtóu 形 気が合う. 意気投合する ‖ 意气～ 意気投合する | 臭味～ (悪党同士が) 気が合う
【相托】xiāngtuō 動 託す. 依頼する
【相违】xiāngwéi 動 書 相違する. 食い違う
【相向】xiāngxiàng 動 ❶向き合う. 向かい合う ❷対する. 向かう. 対抗する
【相像】xiāngxiàng 形 似ている. 似通う
★【相信】xiāngxìn 動 信じる ‖ 轻意～ 軽々しく信じる | 请～我 私を信じてください | 他简直不敢～自己的眼睛 彼はまるで自分の目が信じられなかった
【相形】xiāngxíng 動 比べる. 比較する
【相形见绌】xiāng xíng jiàn chù 成 比べると見劣りがする
【相形失色】xiāng xíng shī sè 成 比べると精彩を欠く. 見劣りがする
【相沿】xiāngyán 動 受け継ぐ. 踏襲する ‖ ～成俗 受け継がれるうちに習わしとなる
【相邀】xiāngyāo 動 書 招待する. 招く
【相依】xiāngyī 動 互いに頼る
【相依为命】xiāng yī wéi mìng 成 互いに頼り合って生きる. 互いに寄り添って暮らす
【相宜】xiāngyí 形 適している. 適切である. ふさわしい
【相应】xiāngyīng 動 旧 当然…すべきである. (公文書に用いた) ‖ ～函达 書簡にてお知らせする次第です
*【相应】xiāngyìng 動 呼応する. 互いに応じる ‖ 工作多了, 人手也得～地增加 仕事が増えたので, 人手もそれに応じて増やさなければならない
【相映】xiāngyìng 動 互いに引き立て合う
【相与】xiāngyǔ 動 付き合う. 交際する 副 互いに ‖ ～议论 互いに議論する 名 旧 親友. 親しい友人
【相遇】xiāngyù 動 出会う ‖ 偶然～ 偶然出会う
【相约】xiāngyuē 動 約束を交わす
【相悦】xiāngyuè 動 愛し合う
【相知】xiāngzhī 動 親しく付き合う. 交際する 名 知己. 知り合い. 親友
【相中】xiāng//zhòng 動 気に入る
【相助】xiāngzhù 動 助け合う. 協力する ‖ 彼此～ 互いに助け合う
【相左】xiāngzuǒ 動 書 行き違いになる 形 食い違う. 相違する ‖ 意见～ 意見が食い違う

9 ★**香** xiāng ❶形 **香りがよい** ↔〔臭〕‖ 这花好～啊！ この花はほんとにいい匂いだ ❷形 **味がよい. おいしい** ‖ 菜做得真～ 料理がとてもおいしくできている ❸形 **食欲が旺盛である** ‖ 身体不舒服, 吃饭也不～ 体の具合が悪く, 食事もおいしくない ❹形 **眠りが深い** ‖ 睡得很～ ぐっすり眠った ❺形 **人気がある. 評判がよい** ‖ 这种货在年轻人中很～ この商品は若者の間で評判がいい ❻名 香料. 香 ‖ 麝shè～ 麝香(じゃこう) ❼名 線香 ‖ 蚊～ 蚊取り線香 ❽寺廟への参詣(さんけい)に関連する事柄 ‖ →～客 ❾旧 女性に関連するもの. 女性 ‖ 怜～惜玉 女性を思いやり慈しむ
【香案】xiāng'àn 名 香炉を置く横長の机. 祭壇
【香槟酒】xiāngbīnjiǔ 名 シャンパン
*【香波】xiāngbō 名 外 シャンプー. 〔洗发液〕ともいう
【香饽饽】xiāngbōbo 名 人気のある人または物
*【香菜】xiāngcài 名 (野菜の一種) コウサイ. コリアンダー. 〔芫荽yánsui〕の通称
【香肠】xiāngcháng (～儿) 名 **腸詰め. ソーセージ
【香椿】xiāngchūn 名〈植〉チャンチン. 〔椿〕ともいう
【香醇】【香纯】xiāngchún 形 芳醇(ほうじゅん)である
【香粉】xiāngfěn 名 おしろい. 粉おしろい
【香干】xiānggān (～儿) 名 豆腐を薫製にした食品
【香菇】【香菰】xiānggū 名〈植〉シイタケ
【香瓜】xiāngguā (～儿) 名〈植〉マクワウリ =〔甜瓜〕
【香花】xiānghuā 名 香り高い花. 喩 人民に有益な言論や文学作品のたとえ
【香火】xiānghuǒ 名 ❶祖先や神仏を祭るためにたく線香やろうそくの灯 ❷旧 廟(びょう)でろうそくや線香を管理する人 ❸=〔香烟xiāngyān〕
★【香蕉】xiāngjiāo 名〈植〉**バナナ**. 〔甘蕉〕ともいう
【香蕉水】xiāngjiāoshuǐ 名 シンナー
【香精】xiāngjīng 名〈化〉香料のエッセンス. 香油
【香客】xiāngkè 名 参詣客. 参拝客
【香料】xiāngliào 名 香料
【香炉】xiānglú 名 香炉
【香囊】xiāngnáng 名 香袋
【香喷喷】xiāngpēnpēn (～的) 形 香りがぷんと匂うさま. よい匂いがするさま ‖ ～的米饭 おいしそうな御飯
【香片】xiāngpiàn 名 ジャスミンやキンモクセイなどの花の香りをつけた茶

【香气】xiāngqì 名 よい匂い. 香気
【香水】xiāngshuǐ (～儿) 名 香水
【香甜】xiāngtián 形 ❶味がよい. (甘くて)おいしい ❷(眠りが)深い ‖ 看他睡得～, 没惊动他 彼が気持ちよさそうに眠っていたから, じゃましなかった
*【香味】xiāngwèi (～儿) 名 香り. よい匂い ↔〔臭chòu味〕
【香烟】[1] xiāngyān 名 ❶線香の煙 ❷旧 子孫が祖先を祭ることをさす. 〔香火〕ともいう
*【香烟】[2] xiāngyān 名 紙巻きタバコ. 〔烟〕〔纸烟〕〔烟卷儿〕ともいう ‖ 一枝～ 1本のタバコ

> 外国の固有名詞 | たばこ 【キャビンマイルド】…柔和佳宾 【キャメル】…骆驼 【ケント】…健牌 【セーラム】…沙龙 【セブンスター】…七星 【マイルドセブン】…柔和七星 【マールボロ】…万宝路 【ラーク】…云雀

【香艳】xiāngyàn 形 つやっぽい. 官能的である
*【香油】xiāngyóu 名〈料理〉ゴマ油 =〔芝麻油〕
**【香皂】xiāngzào 名 化粧石けん
【香泽】xiāngzé 名 書 ❶髪油 ❷香り. 香気
【香烛】xiāngzhú 名 線香とろうそく

11 **厢**(△廂) xiāng ❶〔正房〕(母屋)の両側にある棟 ‖ 一～房 ❷古 あたり. 附近 ❸(～儿)仕切られた場所 ‖ 车～ 車両 ❹町を囲む城壁に近い地区 ‖ 城～ 町と町の周辺
【厢房】xiāngfáng 名〔四合院〕(中国北方の伝統様式の民家)で, 母屋の両側にある棟

12 **湘** xiāng ❶地名用字 ‖ ～江 広西チワン族自治区から湖南省にかけて流れる川の名 ❷名 湖南省の別称 ‖ 一～剧
【湘菜】xiāngcài 名 湖南料理
【湘妃竹】xiāngfēizhú 名〈植〉(マダケの変種)ハンチク. 〔斑竹〕ともいう
【湘剧】xiāngjù 名〈劇〉湖南省の伝統的地方劇の総称
【湘语】xiāngyǔ 名〈語〉湖南方言
【湘竹】xiāngzhú =〔湘妃竹xiāngfēizhú〕

12 **缃** xiāng 古 淡黄色

15 **箱** xiāng ❶名 箱. ケース. (多くは比較的大きいもの) ‖ 皮～ トランク ❷箱状のもの ‖ 烤kǎo～ オーブン

> 類義語 | 箱 xiāng 盒 hé 匣 xiá
> ◆〔箱〕比較的大型の箱あるいは方形の入れ物 ‖ 手提箱 トランク | 冰箱 冷蔵庫 | 烤箱 オーブン | 信箱 郵便受け ◆〔盒〕比較的小型の箱あるいは入れ物. 方形とは限らない. ふたがあることが多く, 引き出し式のものもある ‖ 铅笔盒 筆箱 | 火柴盒 マッチ箱 | 饭盒 弁当箱 | 香皂盒 石けん箱 ◆〔匣〕比較的小型で方形の箱. 現在はあまり使われない ‖ 镜匣 鏡のついた化粧箱 | 风匣 ふいご ◆いずれも箱に入ったものを数える量詞として用いる ‖ 一箱苹果 リンゴ一箱 | 一盒烟 タバコ一箱 | 两匣点心 菓子二折り ◆いずれも単用することはなく, 単語として使うときは〔箱子〕〔盒子〕〔匣子〕のように接尾辞〔子〕を付けて用いる

【箱包】xiāngbāo 名 かばん類の総称
【箱底】xiāngdǐ (～儿) 名 ❶箱の底 ❷蓄え. 蓄えた財産 ‖ ～厚 蓄えが豊かである
【箱笼】xiānglǒng 名 行李(こうり)やトランクの類
**【箱子】xiāngzi 名 箱. トランク. 長持

17 **襄** xiāng 書 助ける ‖ ～办 協力して処理する

20 **骧** xiāng 書 ❶ウマが疾走する ❷(頭を)もたげる. あげる ‖ ～首 頭をもたげる

22 *__镶__ xiāng 動 はめ込む. 象眼する. 縁取りをする ‖ 金戒指jièzhǐ上～着一颗kē钻石zuànshí 金の指輪にダイヤが一粒はめてある
【镶嵌】xiāngqiàn 動 はめ込む. 象眼する
【镶牙】xiāng//yá 動 義歯を入れる

xiáng

8 **详** xiáng ❶詳しい. 詳細である ↔〔略lüè〕‖ ～见下文 詳しくは後文を見られたい ❷詳しく説明する ‖ 面～ 委細面談 ❸詳しく知る. (多く否定形で用いられる) ‖ 住址不～ 住所不詳
【详备】xiángbèi 形 詳細かつ周到である
【详解】xiángjiě 動 詳解を施す
【详尽】xiángjìn 形 詳細で遺漏がない
【详略】xiánglüè 名 書 詳しさの程度. 詳しさ
【详密】xiángmì 形 詳細で行き届いている
【详明】xiángmíng 形 詳しくて分かりやすい
【详情】xiángqíng 名 詳しい状況 ‖ ～另叙xù 詳しいことは別に述べる | ～不明 詳しい状況ははっきりしない
【详实】xiángshí =〔翔实xiángshí〕
【详谈】xiángtán 動 詳しく話す
【详悉】xiángxī 動 詳しく知っている 形 全面的で詳しい ‖ 记事～ 事柄の記述は全面的でかつ詳しい
**【详细】xiángxì 形 詳しい ‖ ～研究 詳細に研究する | 调查得很～ 調査はこと細かく行われた | 请说一下事情的～经过 事の詳しいいきさつを話してください

> 類義語 | 详细 xiángxì 仔细 zǐxì
> ◆〔详细〕事の内容や状況について, 詳しく周到である. ↔〔简略〕‖ 一份详细的报告 1通の詳細なレポート | 详细地介绍了这里的情况 ここの状況を詳しく紹介した ◆〔仔细〕事に当たる態度が, 細心で綿密である. ↔〔马虎〕‖ 这个人很仔细 あの人は細かいことに気がつく | 仔细听着 注意深く聞く. よく聞きなさい

8 **降** xiáng ❶投降する. 降伏する ‖ 投～ 投降する ❷動 打ち負かす. 屈伏させる ‖ ～得住 屈伏させることができる ➤ jiàng
【降伏】xiáng//fú 動 屈服させる. 手なずける. 飼い慣らす ‖ ～烈马 じゃじゃ馬を飼い慣らす
【降服】xiángfú 動 降伏する. 降参する
【降龙伏虎】xiáng lóng fú hǔ 成 強大な勢力を屈服させるたとえ
【降顺】xiángshùn 動 降参し帰順する

9 **庠** xiáng 古 学校 ‖ ～序 学校

10 **祥** xiáng めでたい. 縁起がよい ‖ 吉～ めでたい | 不～之兆zhào 不吉な兆し
【祥和】xiánghé 形 ❶和やかである. 穏やかである ❷優しい. 慈しみ深い
【祥瑞】xiángruì 名 瑞祥(ずいしょう). めでたい前兆
【祥云】xiángyún 名 書 吉兆の雲. 瑞雲(ずいうん)

X

12 **翔** xiáng ❶(鳥が)旋回して飛ぶ. 飛翔(ひしょう)する‖飞～ 飛翔する ❷詳しい

【翔实】xiángshí 形 詳しく正確である. 精確である. 〔详实〕とも書く‖～的材料 詳細で正確な資料

xiǎng

8 **享**(△亯) xiǎng ❶享受する. 楽しむ‖坐～其成 労せずして他人の成果を自分のものにする ❷所有する. 取得する‖一～年

*【享福】xiǎng//fú 動 幸せな生活を送る‖没享过一天福 一日として幸せな生活に恵まれなかった

*【享乐】xiǎnglè 動 貶 享楽にふける‖只知～, 不肯吃苦 享楽にふけるばかりで, 苦労しようとはしない

【享年】xiǎngnián 名 享年

**【享受】xiǎngshòu 動 享受する. 受ける‖～特殊待遇 特別待遇を受ける｜～合法权利 法律上の権利を享受する｜～生活 生活を楽しむ

【享用】xiǎngyòng 動 楽しむ. エンジョイする

*【享有】xiǎngyǒu 動 (権利や名誉を)有している. 享有している. 得ている‖公民～选举权和被选举权 公民は選挙権と被選挙権とを有している

【享誉】xiǎngyù 動 名声を博する

9 ★**响**(響) xiǎng ❶反響‖反～ 反響 ❷名 (～儿)音‖听见～儿了 物音がした ❸動 鳴る. 音がする‖电话铃～了 電話のベルが鳴った ❹動 鳴らす‖～铃了 ベルを鳴らした ❺形 (音や声が)大きくてよく響く‖说话的声音很～ 話し声が大きい

【响板】xiǎngbǎn 名〈音〉カスタネット

【响鼻】xiǎngbí (～儿) 名 (ウマやロバの)鼻息

【响彻云霄】xiǎng chè yún xiāo 成 大空にとどろく. 大空に響きわたる

【响当当】xiǎngdāngdāng (～的) 形 ❶(物をたたく音が)よく響く ❷ぬきんでている. 有名である. 実力がある‖～的品牌 有名ブランド

【响动】xiǎngdong (～儿) 名 物音

【响度】xiǎngdù 名〈医〉〈物〉音量

【响遏行云】xiǎng è xíng yún 成 歌声の高らかに響くさま

【响箭】xiǎngjiàn 名 かぶら矢. 鳴りかぶら

【响雷】xiǎngléi 名 雷鳴‖打了个～ 雷が鳴った

*【响亮】xiǎngliàng 形 (声や音が)高くてはっきりしている. 大きくてよく響くさま‖～的歌声 よく響く歌声

【响晴】xiǎngqíng 形 からりと晴れている. 晴れわたっている‖～的天 からりと晴れわたった空

*【响声】xiǎngsheng ; xiǎngshēng (～儿) 名 音. 物音. 響き‖～震耳 音が耳を聾(ろう)するばかりにとどろく

【响尾蛇】xiǎngwěishé 名〈動〉ガラガラヘビ

【响音】xiǎngyīn 名〈語〉共鳴音. レゾナント

**【响应】xiǎngyìng 動 応じる. 共鳴する. 賛同する‖他的倡议chàngyì得到了大家的～ 彼の提案はみなの賛同を得た

【响指】xiǎngzhǐ 名 指を鳴らしたときの音

9 **饷**(△饟) xiǎng 名 旧 軍隊や警察, 役所の職員の給料‖粮～ 給与

【饷银】xiǎngyín 名 旧 (軍隊や警察の)給与. 給費

12 **飨**(饗) xiǎng ❶書 酒食で人をもてなす‖～客 客をもてなす ❷動 (広く)人を満足させる. 要望にこたえる‖将此书再版以～读者 この本を再版して読者の要望にこたえる

13 ★**想** xiǎng ❶動 考える. 思案する. 考え出す. 思い出す‖～办法 方法を考える｜敢～, 敢说, 敢做 大胆に考え, 大胆に発言し, 大胆にやる ❷動 推し量る. …と思う‖雨这么大, 我～他不会来了 こんなにひどい降りでは, 彼は来るはずがないよ ❸助動 …したい. …したいと思う. …しようと考える‖我～当一名教师 私は教師になりたいと思う ❹動 気にかける. 恋しく思う. 懐かしく思う‖孩子～妈妈 子供がお母さんを恋しがる

【想必】xiǎngbì 副 きっと(…に違いない)‖北京～很冷吧 北京はきっと寒いでしょうね

【想不出】xiǎngbuchū 動 思いつかない‖～合适的话来安慰她 彼女を慰める適当な言葉が思いつかない

*【想不到】xiǎngbudào 動 思いもよらない. 予想もしない‖真～他竟会这样无耻chǐ 彼がこんなに恥知らずだなんてまったく思いもよらなかった

【想不开】xiǎngbukāi 動 あきらめられない. くよくよと思い悩む

*【想不起来】xiǎngbuqǐlái 動 思い出せない‖怎么想也～他的名字了 どうしても彼の名前を思い出せない

【想不通】xiǎngbutōng 動 納得できない

【想当然】xiǎngdāngrán 慣 当て推量をする. こうであるに違いないと思い込む‖他说话没根据, 全凭píng～ 彼の話は根拠がなく, すべて当て推量だ

【想到】xiǎng//dào 動 ❶考えつく‖忽然～ 突然思いつく ❷予想する‖我没～今天会下雨 今日雨が降るとは思いもよらなかった

【想得到】xiǎngdedào 動 予想できる. (多く反問に用いる)‖谁～他会突然变卦biànguà呢 彼が突然気を変えるとは誰が予想しただろうか

【想得开】xiǎngdekāi 動 気にしない. くよくよしない

【想法】xiǎng//fǎ (～儿) 動 方法を考える‖得～找到他 なんとかして彼を探し出さねばならない

**【想法】xiǎngfa 名 考え. 思いつき. 意見‖快说说你的～吧 はやく君の考えを言いたまえ｜改变～ 考え方を変える

*【想方设法】xiǎng fāng shè fǎ 慣 あれこれ方法を考える. いろいろと手立てを考える

【想家】xiǎng//jiā 動 家を恋しがる. ホームシックになる

【想见】xiǎngjiàn 動 …だということが分かる. 推察する‖其难度之大, 不难～ その困難の度合いは容易に推察することができる

【想开】xiǎng//kāi 動 あきらめる. 断念する. 思い切る‖经大家一劝, 她也就～了 みなに忠告されて彼女もあきらめがついた

【想来】xiǎnglái 動 推測する. 考えてみる‖这事～是可以办得到的 このことはおそらくやれるでしょう

**【想念】xiǎngniàn 動 懐かしく思う. 恋しがる‖～家乡 故郷を懐かしむ

【想入非非】xiǎng rù fēi fēi 成 妄想をたくましくする. とりとめのないことを考える

【想通】xiǎng//tōng 動 考えて納得する. 合点がいく

【想头】xiǎngtou 名 ❶考え. 考え方 ❷望み. 見込み‖那件事没～了 あの件はもう見込みがない

【想望】xiǎngwàng 動 ❶希望する. 望む ❷書 敬い慕う. 思い慕う

**【想象】【想像】xiǎngxiàng 名 想像 動 想像する‖看你现在的样子, 我～不出你小时候是那么顽皮wánpí いまの君を見ていると, 子供のころそんなに腕白

だったとはとても想像できない

【想象力】【想像力】xiǎngxiànglì 名 想像力

14 **鲞**（鯗）**xiǎng** （魚の）開き ‖ 鳗～ ウナギの開き ｜ 白～ イシモチの開き

xiàng

6 ★**向**[1]（嚮❶❹）**xiàng** ❶動 向かう．向ける ‖ 葵花kuíhuā～太阳 ヒマワリは太陽のほうへ向く ❷方向．向き ‖ 风～ 風向き ❸意志の向かうところ．将来の計画 ‖ 志～ 志向 ❹書 近づく．接近する ‖ 向～晚 ❺動 えこひいきする．味方する．肩を持つ ‖ 妈妈总是～着妹妹 お母さんはいつも妹に味方する ❻介 …のほうに向かって．…に向いて．…に対して．…へ．…に ‖ ～他学习 彼に学ぶ ｜ ～他借本小说 彼から小説を借りる

6 **向**[2]（嚮 △曏）**xiàng** ❶書 以前．昔 ‖ ～日 昔 ❷副 いままで．かつて．従来 ‖ 对这种事，他～不过问 そうしたことには，彼はかつて口出ししたことがない

【向背】xiàngbèi 名 向背 ‖ 人心～ 人心の向背

【向壁虚构】xiàng bì xū gòu 成 壁に向かって勝手な想像をする．捏造(ねつぞう)する．でっち上げる．〔向壁虚造〕ともいう

*【向导】xiàngdǎo 動 道案内する 名 案内役 ‖ 观光～ 観光ガイド ｜ 我当～ 私が案内役を務めましょう

【向光性】xiàngguāngxìng 名〈植〉屈光性

【向好】xiànghǎo 動（情況が）よい方向に向かう ‖ 股市持续～ 株式市場は好調を維持している ｜ 病情开始～的方向发展 病状は快方に向かっている

【向火】xiàng//huǒ 動 方 火に当たる

*【向来】xiànglái 副 これまで．ずっと．従来から．一貫して ‖ 他～不喝酒 彼はもともと酒は飲まない

【向例】xiànglì 名 いつものやり方．慣例．通例

【向量】xiàngliàng 名〈物〉ベクトル ＝〔矢shǐ量〕

【向慕】xiàngmù 動 書 うらやむ

【向前看】xiàng qián kàn 慣 将来に目を向ける

【向钱看】xiàng qián kàn 慣 拝金主義

【向日葵】xiàngrìkuí 名〈植〉ヒマワリ．〔朝阳花〕〔葵kuí花〕ともいい，地方によっては〔转日莲〕ともいう

【向上】xiàngshàng 動 向上する ‖ 好好学习，天天～ よく学び，日々向上しよう

【向晚】xiàngwǎn 名 書 夕方．暮れ方

*【向往】xiàngwǎng 動 あこがれる．思いこがれる ‖ 他终于到了～已久的北京 彼は長いことあこがれていた北京にとうとうやって来た

【向午】xiàngwǔ 名 書 昼ごろ．昼時

【向心力】xiàngxīnlì 名〈物〉求心力 ↔〔离心力〕

【向学】xiàngxué 動 学問に志す

【向阳】xiàngyáng 動 南に向く ‖ 这间屋子～ この部屋は南向きである

【向着】xiàngzhe 動 ❶口 えこひいきする．肩を持つ ❷向かう．向く

9 *****巷** **xiàng** 名 狭い道．路地．横町 ‖ 一条小～ 1本の細い路地 ➤ hàng

【巷口】xiàngkǒu 名 路地の入り口

【巷战】xiàngzhàn 名〈軍〉市街戦

【巷子】xiàngzi 名 方 横町．路地

9 **相**[1] **xiàng** ❶動 詳しく見る ‖ 人不可貌mào～ 人は顔かたちで判断してはいけない ❷顔つき．顔かたち．容貌(ようぼう) ‖ 长～ 容貌．顔かたち ❸物の外観 ‖ 月～ 月相 ❹姿勢 ‖ 睡～ 寝相 ❺名 ①〈物〉位相 ②〈電〉（交流電流の）位相

9 **相**[2] **xiàng** ❶補佐する．助ける ‖ 吉人自有天～ 善人には自ずと天の助けがある ❷宰相 ‖ 宰zǎi～ 宰相 ❸（一部の国家で）大臣 ‖ 外～ 外相 ❹主人を助け，客を接待する人 ‖ 傧bīn～ 新郎新婦の付き添い役をする人 ➤ xiāng

> **類義語** 相 xiàng 像 xiàng 象 xiàng
>
> ◆〔相〕人の容貌，特に顔の具体的な様子や表情をさす ‖ 相貌 外見 ｜ 长相 顔つき ｜ 他露出了凶相 彼は恐ろしい形相をした ◆〔像〕〔相〕から写しとったものをさす ‖ 画像 肖像画 ｜ 塑像 塑像 ◆〔象〕いろいろな事物の外観や様子をいう ‖ 现象 現像 ｜ 印象 印象

【相册】xiàngcè 名（写真の）アルバム

【相公】xiànggong 名 旧 ❶妻の夫に対する敬称 ❷年若い知識人に対する敬称

*【相机】[1] xiàngjī 名 カメラ ‖ 傻瓜～ コンパクトカメラ

【相机】[2] xiàngjī 動 機会を見る

*【相貌】xiàngmào 名 顔かたち．顔つき．容貌 ‖ ～堂堂 容貌が堂々としている

【相面】xiàng//miàn 動 人相を見る

★【相片ㄦ】xiàngpiānr 名 口 写真

*【相片】xiàngpiàn 名（多く人物を写した）写真

*【相声】xiàngsheng 名 漫才 ‖ 说～ 漫才をやる

【相书】[1] xiàngshū 名 方 物まね．声帯模写

【相书】[2] xiàngshū 名 観相術の本

【相术】xiàngshù 名 観相術

【相态】xiàngtài 名〈物〉〈化〉状態．位相

【相位】xiàngwèi 名〈数〉位相 ‖ ～差 位相差

9 **项**[1] **xiàng** うなじ．首の後ろ側．（広く）首 ‖ 强～ 人に頭を下げない．不屈である

9 ****项**[2] **xiàng** ❶種類．項目 ‖ 事～ 事項 ❷金(かね)．金額．金高 ‖ 进～ 収入 ❸量 項目や種類に分けたものを数える ‖ 四～原则 四つの原則 ｜ 一～重要任务 一つの重要な任務 ❹名〈数〉項

【项背】xiàngbèi 名（人の）後ろ姿 ‖ ～相望 次から次へと人が絶え間ない．往来の頻繁なさま

*【项链】xiàngliàn（～ㄦ）名 首飾り．ネックレス

**【项目】xiàngmù 名 項目．プロジェクト．（スポーツの）種目 ‖ 技术～ 技術プロジェクト

【项圈】xiàngquān 名（多く金や銀でできた）子供や少数民族の女性がつける首飾り

【项庄舞剑，意在沛公】Xiàng Zhuāng wǔ jiàn, yì zài Pèi Gōng 成 項荘が剣舞をしたのは，沛公(はいこう)を殺すねらいがあったからだ．表面上ほかに名目を設け，実際には相手を攻撃しようとする意図を秘めていること．敵は本能寺にあり

11 ****象**[1] **xiàng** 名〈動〉ゾウ ‖ 一～牙 ｜ 一头～ 1頭のゾウ

11 **象**[2] **xiàng** ❶外観．形状．様子 ‖ 现～ 現象 ❷似せる．まねる ‖ 一～形

【象鼻虫】xiàngbíchóng 名〈虫〉ゾウムシ

*【象棋】xiàngqí 名 中国将棋 ‖ 下～ 将棋をさす

【象声词】xiàngshēngcí 名〈語〉擬音語．擬声語

【象限】xiàngxiàn 名〈数〉象限

【象形】xiàngxíng 名〈語〉（六書(りくしょ)の一つ）象形

X

【象形文字】xiàngxíng wénzì 名〈語〉象形文字
【象牙】xiàngyá 名 象牙(ぞうげ) ‖ ～筷子 象牙の箸
【象牙之塔】xiàng yá zhī tǎ 成 象牙の塔.〔象牙宝塔〕ともいう
【象眼儿】xiàngyǎnr 名 方 菱形(ひしがた)
*【象征】xiàngzhēng 動 象徴する 名 シンボル. 象徴
【象征主义】xiàngzhēng zhǔyì 名 象徴主義. シンボリズム

13 ★**像** xiàng ❶動 似る. …みたいである ‖ 女儿长zhǎng得～爸爸 娘は父親似だ | 听口音他不～南方人 発音からすると彼は南の人のようではない ❷名 像. 肖像 ‖ 给她画一张～ 彼女に肖像画を1枚描いてあげる ❸動 たとえば…のようである ‖ ～刷碗shuāwǎn、扫地什么的, 他都干过 彼は皿洗いとか清掃の仕事とかなんでもやったことがある ❹副 どうも(…らしい) ‖ 天～要下雨 いまにも雨になりそうだ
【像话】xiàng//huà 形 筋が通っている. 道理に合う ‖ 这孩子越来越不～了 この子はますます悪くなった
【像煞有介事】xiàng shà yǒu jiè shì 慣 いかにももっともらしい.〔煞有介事〕ともいう
【像素】xiàngsù 名〈計〉画素. ピクセル
*【像样】xiàng//yàng (～儿) 形 一定のレベルに達している. 格好がついている. さまになっている ‖ 这字写得挺～ この字はとても上手に書けている
【像章】xiàngzhāng 名 (人物像を入れた)バッジ

15 **橡** xiàng 〈植〉❶名 クヌギ ＝〔栎lì〕❷名 ゴムノキ. ふつう〔橡胶树〕という
*【橡胶】xiàngjiāo 名 ゴム
【橡胶树】xiàngjiāoshù 名 ゴムの木
*【橡皮】xiàngpí 名 ❶加硫ゴム.〔硫liú化橡胶〕の通称 ‖ ～管 ゴム管 | ～胶带 ゴムバンド ❷消しゴム
【橡皮膏】xiàngpígāo 名 絆創膏(ばんそうこう).〔胶布〕ともいう
【橡皮筋】xiàngpíjīn (～儿) 名 輪ゴム. ゴムひも
【橡皮泥】xiàngpíní 名 ゴム粘土
【橡皮圈】xiàngpíquān 名 ❶(～儿)輪ゴム. ゴムバンド ❷(水泳用の)ゴムの浮き輪
【橡皮艇】xiàngpítǐng 名 ゴムボート
【橡皮图章】xiàngpí túzhāng 慣 名義だけで実権のない人物または機構のたとえ
【橡实】xiàngshí 名〈植〉ドングリ.〔橡子〕ともいい, 地方によっては〔橡碗子〕ともいう
【橡子】xiàngzi ＝〔橡实xiàngshí〕

xiāo

8 **枭**[1](梟) xiāo ❶〈鳥〉フクロウ ❷書 (切り落とした首を)さらしものにする
8 **枭**[2](梟) xiāo ❶書 残忍で勇猛である ‖ →～将 ❷(悪党の)首領 ‖ 毒～ 麻薬組織のボス ❸旧 塩の密売人 ‖ 私～ 同前
【枭将】xiāojiàng 名 書 勇将
【枭首】xiāoshǒu 動 旧 さらし首にする
【枭雄】xiāoxióng 名 書 梟雄(きょうゆう)

9 ***削** xiāo ❶動 (ナイフで)削る. むく ‖ ～铅笔 鉛筆を削る | ～水果 果物の皮をむく ❷動 (卓球で)カットする ‖ ～球 ボールをカットする ➤xuē
【削面】xiāomiàn ＝〔刀削面dāoxiāomiàn〕

9 **骁**(驍) xiāo 勇ましい. 勇猛である ‖ →～将
【骁将】xiāojiàng 名 勇将. 驍将(ぎょうしょう)
【骁勇】xiāoyǒng 形 書 勇猛である. 勇敢である

9 **枵** xiāo ❶書 空虚である ❷布の薄いさま
【枵腹从公】xiāo fù cóng gōng 成 お腹をすかして公務に従事する. 公のために懸命に尽くすこと

10 ***消** xiāo ❶動 消える. 消失する ‖ 炎症已～ 炎症が消えた | 她的气还没有～ 彼女の怒りはまだ治まらない ❷動 取り除く. なくす ‖ →～灾 ❸(時を)過ごす. 気を紛らす ‖ →～闲 ❹費やす. 使う ‖ →～费 ❺動 必要とする ‖ 不～说 言うに及ばない | 只～三天就回来 3日もあれば帰ってくる
【消沉】xiāochén 形 意気消沈している. 元気がない
【消愁】xiāochóu 動 憂いを解く. 憂さを晴らす
*【消除】xiāochú 動 取り除く. 消える. 解消する ‖ ～隔阂géhé わだかまりを除く | ～障碍zhàng'ài 障害を除去する | ～误会 誤解が解ける
【消磁】xiāo//cí 動〈物〉消磁する
*【消毒】xiāo//dú 動 ❶消毒する ‖ 给餐具～ 食器を消毒する | ～剂 消毒剤 ❷喩 (害毒を)取り除く
【消遁】xiāodùn 動 消える. 消失する ‖ 法律的权威～于无 法律の権威が失われる
【消防】xiāofáng 動 消火する ‖ ～车 消防車
**【消费】xiāofèi 動 消費する ‖ ～石油 石油を消費する | ～水平 消費レベル | 高～ 高度消費
【消费品】xiāofèipǐn 名 消費財. 消費物資
【消费税】xiāofèishuì 名 消費税
【消费信贷】xiāofèi xìndài 組 消費ローン ‖ 汽车～ 自動車ローン
【消费者】xiāofèizhě 名 消費者
【消费资料】xiāofèi zīliào 名 (衣食住などの)生活手段 ＝〔生活资料〕
*【消耗】[1] xiāohào 動 ❶消耗する. すり減らす ‖ 精力～ 精力が消耗する ❷消耗させる ‖ ～体力 体力を消耗させる
【消耗】[2] xiāohào 名 古 消息. 音信 ‖ 杳yǎo无～ なんの音沙汰(おとさた)もない
**【消化】xiāohuà 動 ❶消化する ‖ ～不良 消化不良 | 容易～ 消化がよい ❷(知識を)消化する. 理解する ‖ 讲授的内容太多, 学生无法～ 講義の内容が多すぎて, 学生は消化しきれない
【消化酶】xiāohuàméi 名〈生理〉消化酵素
【消化系统】xiāohuà xìtǒng 名〈生理〉消化器系
【消魂】xiāohún ＝〔销魂xiāohún〕
【消火栓】xiāohuǒshuān 名 消火栓
*【消极】xiāojí 形 消極的である. 否定的である. マイナスの ↔〔积极〕‖ 态度～ 態度が消極的である | ～情绪 消極的な気持ち | ～影响 悪い影響
【消减】xiāojiǎn 動 減退する. 減少する
【消解】xiāojiě 動 (疑い・恨み・苦しみなどが)消える. 解消する ‖ ～疑虑 懸念を解消する
【消渴】xiāokě 名〈中医〉消渇(しょうかつ). 水を多く飲み, 尿が多い症状. 糖尿病の症状の一つ
【消弭】xiāomǐ 動 書 (悪いことを)取り除く
**【消灭】xiāomiè 動 ❶滅びる. 滅亡する ‖ 旧的阶级～了 古い階級は滅びた ❷消滅させる. 撲滅する. 絶やす ‖ 彻底～贫困 貧困を根絶する
【消磨】xiāomó 動 ❶(意志や精力などを)すり減らす. 衰えさせる ‖ 精力～掉了 精力が衰えた ❷(時間を)つぶす. 過ごす ‖ ～时间 時間をつぶす

【消纳】xiāonà 動(ごみや廃棄物などを)収容し処理する.〔销纳〕とも書く
【消匿】xiāonì 動 消える. 姿を消す‖这种现象不会一下～ こうした現象はすぐになくなるものではない
【消气】xiāo//qì 動 怒りを治める
【消遣】xiāoqiǎn 動 退屈しのぎをする. 暇をつぶす
【消融】【消溶】xiāoróng 動(氷や雪が)溶ける
【消散】xiāosàn 動 消える. 散る
【消声器】xiāoshēngqì 名 消音器. マフラー. サイレンサー.〔消音器〕ともいう
**【消失】xiāoshī 動 消える. 消失する‖笑容从她脸上～了 彼女の顔から笑みが消えた｜雾气～了 霧が晴れた｜从记忆中～ 記憶の中から消え去った
【消石灰】xiāoshíhuī ＝〔熟石灰shúshíhuī〕
【消食】xiāo//shí (～儿) 動 消化をよくする
【消逝】xiāoshì 動 消え去る. 消えうせる‖青春年华很快地～了 青春時代はあっという間に過ぎ去った
【消释】xiāoshì 動(疑い・恨み・苦しみなどが)消える. 解消する‖误会～了 誤解が解けた
【消受】xiāoshòu 動 ❶享受する(多く否定に用いる) ❷我慢する. 堪え忍ぶ‖难以～ 堪えがたい
【消瘦】xiāoshòu 形 痩せ衰えている. やつれている
【消暑】xiāo//shǔ 動 ❶暑気あたりを治す. 暑気払いをする ❷暑さをしのぐ. 避暑をする
【消损】xiāosǔn 動 ❶(物が)すり減る ❷消耗する
【消停】xiāoting 方 形 静かな. 平穏な. ゆったりした 動 停止する. 休む
【消退】xiāotuì 動 衰える. 消えていく‖他的热情渐渐～了 彼の熱意もしだいにさめてしまった
【消亡】xiāowáng 動 消滅する. 消える
★【消息】xiāoxi 名 ❶ニュース. 情報 ❷知らせ. 便り. 音信‖好～ よい知らせ｜没有～ 音沙汰(おとさた)がない
【消夏】xiāoxià 動 避暑をする. 暑気払いをする
【消闲】xiāoxián 動 暇つぶしをする. 気晴らしをする‖～解闷jiěmèn 気晴らしをする 形 のんびりしている
【消协】xiāoxié 名 略 消費者協会.〔消费者协会〕の略称
【消炎】xiāoyán 動 炎症を止める
【消夜】xiāoyè 名 夜食 動 夜食をとる
【消灾】xiāo//zāi 動 厄払いをする
【消长】xiāozhǎng 動 消長する. 盛衰する
【消肿】xiāo//zhǒng 動 腫(は)れが引く. 腫れをとる

10 **宵** xiāo 夜. 宵(よ)‖通～ 夜通し. 一晩中｜良～ すばらしい夜｜春～ 春の宵
【宵禁】xiāojìn 動 夜間の通行を禁止する
【宵小】xiāoxiǎo 名 書 小人. 悪人
【宵衣旰食】xiāo yī gàn shí 成 暗いうちに起きて衣服を着け, 日が暮れてやっと食事をとる. 政務に励むさま

10 **逍** xiāo ↴
【逍遥】xiāoyáo 形 何にも縛られない. 自由気ままである
【逍遥法外】xiāo yáo fǎ wài 成 法の制裁を逃れてのうのうとしている

10 **绡** xiāo 書 薄い絹織物

11 **萧**(蕭) xiāo もの寂しい. 活気がない‖→～然｜→～索
【萧规曹随】Xiāo guī Cáo suí 成 前任者の方針をそのまま踏襲する
【萧墙】xiāoqiáng 名 書 門の外に設けられた目隠しの塀. 転 内部‖祸huò起～ 災いは内部から起こる
【萧然】xiāorán 形 書 ❶ひっそりしている ❷何もない. 空っぽである‖囊橐nángtuó～ 嚢中(のうちゅう)無一物である
【萧洒】xiāosǎ ＝〔潇洒xiāosǎ〕
【萧飒】xiāosà 形 書 ひっそりとしている
【萧瑟】xiāosè 擬 木を吹きわたる風の音‖秋风～ 秋風が蕭々(しょうしょう)と吹きわたる 形(景色が)もの寂しい. 蕭条としている
【萧森】xiāosēn 形 書 ❶(草木が)枯れしおれている ❷薄暗く陰鬱(いんうつ)である
【萧索】xiāosuǒ 形 活気がない. もの寂しい
【萧条】xiāotiáo 形 ❶もの寂しい. 蕭条としている ❷(経済が)不景気である. 不振である. 不況である‖经济～ 不景気である｜市场～ 市場に活気がない
【萧萧】xiāoxiāo 書 擬 ウマのいななきや風雨などの音‖马鸣～ ウマが蕭々といななく 形 頭髪が白くまばらなさま

12 **硝** xiāo ❶名〈鉱〉硝石 ❷動(皮を)なめす‖～一块皮子 皮を1枚なめす
【硝化甘油】xiāohuà gānyóu 名〈化〉ニトログリセリン
【硝石】xiāoshí 名〈鉱〉硝石. ふつうは〔火硝〕という
【硝酸】xiāosuān 名〈化〉硝酸. 俗に〔硝镪水〕という
【硝烟】xiāoyān 名 硝煙‖～弥漫 硝煙がみなぎる

12 ***销**[1] xiāo ❶金属を溶かす‖～金熔铁 金属類を溶かす ❷動 取り消す. 取り下げる. 棒引きする‖注～ 取り消す ❸消費する‖开～ 支払う. 支出 ❹動 売る. 売り出す‖目前这种产品很难～ 現在この手の製品はなかなか売れない

12 **销**[2] xiāo ❶(機械や器具の)差し込み. ピン‖插～ プラグ ❷動(プラグなどを)差し込む‖把门～上 戸の差し込み金具を差し込む
【销案】xiāo//àn 動 訴訟を撤回する. 訴訟を取り下げる
【销钉】xiāodīng ＝〔销子xiāozi〕
【销号】xiāo//hào 動 登録番号を取り消す. 登録を抹消する‖手机～要付十元手续费 携帯電話番号の解約には10元の手数料がかかる
【销户】xiāo//hù 動(銀行などの)口座を解約する
*【销毁】xiāohuǐ 動 焼却する. 廃棄する‖～文件 文書を焼却する｜～证据 証拠を隠滅する
【销魂】xiāohún 動(極度の悲しみや喜びなどで)気が遠くなる. うっとりする. 魂が抜ける.〔消魂〕とも書く
【销货】xiāohuò 動 商品を売りさばく
【销价】xiāojià 名 販売価格‖降低～ 売り値を下げる
【销假】xiāo//jià 動 休暇が終わって出勤し始める. 休暇を切り上げる
【销量】xiāoliàng 名 販売量
*【销路】xiāolù 名 販路‖打开～ 販路を切り開く｜～好 売れ行きがよい
【销声匿迹】xiāo shēng nì jì 成 声をひそめて姿を隠す. 姿をくらます. 表に出ない.〔消声灭迹〕ともいう
【销蚀】xiāoshí 動 腐食する‖～剂 腐食剤
【销势】xiāoshì 名 売れ行き. 売れ具合
*【销售】xiāoshòu 動 売る. 販売する‖～网 販売網｜～额 売上高
【销行】xiāoxíng 動 売る. 売りさばく
【销赃】xiāo//zāng 動 ❶盗品を売る ❷証拠を隠滅する‖～灭迹 同前

【销账】xiāo//zhàng 動(貸し借りを)帳消しにする
【销子】xiāozi 名 差し込み形の金具類の総称.〔销钉〕ともいう
14 **潇**(瀟) xiāo 書 水が澄んで深いさま
【潇洒】xiāosǎ 形 瀟洒(しょうしゃ)である. あか抜けている. スマートで都会的である.〔萧洒〕とも書く
【潇潇】xiāoxiāo 形 ❶風が吹き, 雨が降るさま ❷小雨が降るさま ‖ ～细雨 雨がしとしと降る
14 **箫**(簫) xiāo 名〈音〉簫(しょう)(たて笛の一種). 簫の笛
15 **霄** xiāo ❶雲 ❷天空. 空 ‖ 九～云外 はるかかなた
【霄汉】xiāohàn 名 書 大空と銀河. 天をさす ‖ 气冲～ 意気天を衝(つ)く
【霄壤】xiāorǎng 名 書 天と地. 遠く相隔たっていることのたとえ ‖ ～之别 雲泥の差
18 **嚣** xiāo ❶騒々しい. やかましい ‖ 叫～ わめき散らす ❷ほしいままである ‖ ～张
【嚣张】xiāozhāng 形 はびこっている. のさばっている

xiáo

11 **淆**(^殽) xiáo 入り混じる. 混乱する ‖ ～杂 | 混～ 入り混じる. 混乱する
【淆乱】xiáoluàn 形 乱れている 動 攪乱(かくらん)する. かき乱す ‖ ～黑白 是非善悪をかき乱す
【淆杂】xiáozá 動 入り混じる. 雑然と混じり合う
11 **崤** xiáo 地名用字 ‖ ～山 河南省にある山の名

xiǎo

3 ★**小** xiǎo ❶形 小さい. 狭い. 弱い ↔〔大〕‖ 她比我～两岁 彼女は私より二つ年下だ | 声音～ 声が小さい ❷時間が短いことを表す ‖ 一～睡 ❸形 いちばん下の. 末の ‖ ～儿子 末の息子 ❹子供 ‖ 从～ 子供のころから ❺旧 妾(めかけ) ‖ 纳～ 妾を持つ ❻謙 **自分または身内の人や事柄について用いる** ‖ 一～弟 ❼接頭(**自分より目下の人や同年輩の人の姓や名前の前に付けて)親近感を表す** ‖ ～张 張君 ❽副 ちょっと ‖ ～有名气 少しは名前が売れている ❾副 数字の前に用い, その数より若干少ないことを表す ‖ 这袋面有～五十公斤 この小麦粉の袋は50キロ弱ある
【小巴】xiǎobā 名 小型路線バス
【小白菜】xiǎobáicài (～儿) 名 (野菜の一種)チンゲンサイ. パクチョイ 地方によっては〔青菜〕ともいう
【小白脸儿】xiǎobáiliǎnr 名 色男. やさ男.(からかいの意を含む)
【小百货】xiǎobǎihuò 名 日用雑貨
【小班】xiǎobān 名 (幼稚園の)年少組
【小半】xiǎobàn (～儿) 名 半分より少ない数量. 半分弱
【小宝宝】xiǎobǎobao 名 赤ちゃん. おちびちゃん
【小报】xiǎobào 名 タブロイド判の新聞
【小报告】xiǎobàogào 名 告げ口. 密告
【小辈】xiǎobèi (～儿) 名 下の世代. 後輩. 若輩
【小本经营】xiǎoběn jīngyíng 組 小商い
*【小便】xiǎobiàn 動 小便をする. 排尿する 名 ❶小便 ‖ ～斗 小便用便器 ❷男性の性器
【小辫儿】xiǎobiànr 名 短いお下げ
【小辫子】xiǎobiànzi 名 ❶お下げ ❷喩 弱点. 弱み ‖ 让人抓住了～ 弱点をつかまれる
【小别】xiǎobié 名 書 暫時の別れ
【小不点儿】xiǎobudiǎnr 方 形 ちっちゃい. とても小さい 名 (小さい子供をさして)ちび. ちびちゃん
【小菜】xiǎocài 名 ❶(～儿)小皿に盛った酒のさかな(多くは野菜の漬物) ❷口(～儿)簡単なこと. 朝飯前のこと ❸方 総菜. おかず
【小册子】xiǎocèzi 名 小冊子. パンフレット
【小差】xiǎochāi ➡〔开小差 kāi xiǎochāi〕
【小产】xiǎochǎn 動 流産する.〔流产〕の通称
【小肠】xiǎocháng 名〈生理〉小腸
【小抄儿】xiǎochāor 名 口 カンニングペーパー
【小炒】xiǎochǎo (～儿) 名 一品料理
【小车】xiǎochē (～儿) 名 ❶手押し車 ❷小型乗用車
【小乘】xiǎochéng 名〈仏〉小乗
【小吃】xiǎochī 名 ❶軽食. 簡単な料理 ❷〔年糕〕(もち),〔粽子〕(ちまき),〔元宵〕(元宵だんご)など, おやつにする食品の総称 ❸西洋料理の前菜. オードブル
【小丑】[1] xiǎochǒu 名 ❶(～儿)(芝居や雑技の)道化役 ❷おどけ者. ひょうきん者
【小丑】[2] xiǎochǒu 名 小人物. 小悪党
【小葱】xiǎocōng (～儿) 名 ❶(野菜の一つ)ワケギ ❷移植や食用にする若いネギ
【小聪明】xiǎocōngming 名 貶 小ざかしいこと. 小利口. 小才 ‖ 耍shuǎ～ 小ざかしくふるまう
【小打小闹】xiǎo dǎ xiǎo nào 組 方 小規模に事業をやる. 細々と仕事をしている
【小大人儿】xiǎodàrenr 名 ませた子供. 大人っぽい子供
【小旦】xiǎodàn 名〈劇〉(伝統劇の)娘役
【小刀】xiǎodāo (～儿) 名 ナイフ. 小刀
【小道儿消息】xiǎodàor xiāoxi 名 うわさ
【小弟】xiǎodì 名 ❶末の弟 ❷旧 謙 小生. 私.(同輩同士で用いる)
【小调】xiǎodiào 名 ❶〈音〉短調 ‖ C～ ハ短調 ❷(～儿)小唄(うた). 俗謡 ‖ 扬州～ 揚州小唄
【小动作】xiǎodòngzuò 名 ごまかし. インチキ. 小細工 ‖ 在背地里搞～ 陰で小細工を弄(ろう)する
【小豆】xiǎodòu 名〈植〉アズキ =〔赤小豆〕
【小肚鸡肠】xiǎo dù jī cháng 成 度量が狭く, 細かいことに拘泥すること.〔鼠肚鸡肠〕ともいう
【小肚子】xiǎodùzi 名 口 下腹. 下腹部
【小队】xiǎoduì 名 小隊
【小额】xiǎo'é 形 小額の. 額が小さい ‖ 对～活期账户zhànghu收取账户管理费 小額の普通口座については口座維持費を徴収する
【小恩小惠】xiǎo'ēn xiǎohuì 組 (人を釣るための)わずかな恩恵. 多少の利益 ‖ 施shī～ 鼻薬をかがせる
【小儿】xiǎo'ér 名 ❶子供. 小児. 児童 ❷謙 せがれ. 愚息 ➤ xiǎor
【小儿科】xiǎo'érkē 名〈医〉小児科
【小儿麻痹症】xiǎo'ér mábìzhèng 名〈医〉小児麻痺(しょうにまひ). 略して〔儿麻〕という
【小而全】xiǎo ér quán 慣 小規模だがすべて完備している. こぢんまりとまとまっている
【小饭桌】xiǎofànzhuō 名 家が遠い, あるいは両親の仕事が忙しいなどの理由で, 帰宅して昼食をとることができ

ない小中学生のために開いた個人経営の食堂
【小贩】xiǎofàn 名 行商人. 商品を担いで売り歩く人
【小费】xiǎofèi 名 チップ. 心付け ‖ 付～ チップを出す
【小腹】xiǎofù 名 下腹. 下腹部. 俗に〔小肚子〕という
【小钢炮】xiǎogāngpào 名 ❶小型火器. 〔小型火炮〕の俗称 ❷喩 ずばずばものを言う人
【小个子】xiǎogèzi 名 小柄な人. 背の低い人
【小工】xiǎogōng (～儿) 名 下働きの肉体労働者
【小公共】xiǎogōnggòng 名 乗り合いのマイクロバス
【小姑娘】xiǎogūniang 名 娘. 娘さん. お嬢さん
【小姑子】xiǎogūzi 名 夫の妹. 小じゅうと. 〔小姑儿〕ともいう
【小褂】xiǎoguà (～儿) 名 中国式のひとえの短い肌着
【小广播】xiǎoguǎngbō 動 こっそりうわさを広める 名 口の軽い人. 放送局
【小广告】xiǎoguǎnggào 名 貼り紙広告. ビラ. ちらし ‖ 清除～ 貼り紙広告を取り除く
*【小鬼】xiǎoguǐ 名 ❶(子供に対する親しみを込めた呼称)ちび. 小僧. 坊主 ❷地獄の獄卒 ❸(トランプの)色刷りでないほうのジョーカー ↔〔大鬼〕
★【小孩儿】xiǎoháir 名 口 ❶児童. 子供. 〔小孩子〕ともいう ❷(多く未成年の)子女. 息子と娘
【小号】[1] xiǎohào 形 (～儿) (同じ商品で)小さなサイズの
【小号】[2] xiǎohào 名 旧 謙 弊店
【小号】[3] xiǎohào 名〈音〉トランペット
【小户】xiǎohù 名 ❶旧 金も力もない家. 貧乏な家 ❷家族の少ない家
【小花脸】xiǎohuāliǎn 名〈劇〉(伝統劇の)道化役. 三枚目
【小环境】xiǎohuánjìng 名 一部地区の政治または経済的状況, 社会的気風 ↔〔大环境〕
【小皇帝】xiǎohuángdì 名 小さな皇帝. (甘やかされて育った一人っ子をさす)
【小黄鱼】xiǎohuángyú 名〈魚〉キグチ. キングチ
【小惠】xiǎohuì 名 わずかな恩恵. 小さな利益
【小伙儿】xiǎohuǒr 名 若者. 青年. 多く親しみや賛美をこめた呼び方
**【小伙子】xiǎohuǒzi 名 口 若者. 青年
【小家碧玉】xiǎo jiā bì yù 成 貧しい家の若くて美しい娘
【小家伙】xiǎojiāhuo (～儿) 名 口 (子供に対する愛称)ちび
【小家鼠】xiǎojiāshǔ 名〈動〉ハツカネズミ. 〔鼷鼠〕ともいう
【小家庭】xiǎojiātíng 名 核家族. 若い夫婦だけの家庭 ‖ 建立了幸福的～ 幸せなマイホームを築いた
【小家子气】xiǎojiāziqì 形 こせこせしている. しみったれている. 貧乏ったらしい. 〔小家子相〕ともいう
【小将】xiǎojiàng 名 ❶古 若い将軍 ❷喩 有能な若者
【小脚】xiǎojiǎo (～儿) 名 旧 纏足(てんそく)
【小轿车】xiǎojiàochē 名 乗用車
【小节】[1] xiǎojié 名 小さなこと. ささいなこと. 枝葉末節. 瑣末(さまつ)なこと ‖ 不拘～ 枝葉末節にとらわれない
【小节】[2] xiǎojié 名〈音〉小節
【小结】xiǎojié 名 中間の締めくくり. 小計 ‖ 期中～ 中間のまとめ 動 中間で一時締める

★【小姐】xiǎojie ; xiǎojiě 名 ❶旧 (主人の娘に対して使用人が用いる呼称)お嬢様 ❷(未婚女性に対する呼称)お嬢さん. おねえさん. …さん ‖ 李～ 李さん
【小解】xiǎojiě 動 排尿する
【小金库】xiǎojīnkù 名 ❶裏金 ❷へそくり
【小九九】xiǎojiǔjiǔ (～儿) 名 ❶掛け算の九九. 〔九九歌〕ともいう ❷方 もくろみ. 心づもり
【小舅子】xiǎojiùzi 名 妻の弟. 義弟
【小开】xiǎokāi 名 方 旧 店の若主人. 店主の息子
【小楷】xiǎokǎi 名 ❶小字の楷書(かいしょ) ❷ローマ字の小文字の印刷書体
【小看】xiǎokàn 動 見くびる. 軽視する
【小康】xiǎokāng 形 (生活が)まあまあである. 中流程度である ‖ ～生活 まずまずの暮らし
【小考】xiǎokǎo 名 小テスト. 小試験 ↔〔大考〕
【小可】xiǎokě 形 ささいな. 小さな 名 旧 謙 小生
【小老婆】xiǎolǎopo 名 妾(めかけ). 地方によっては〔小婆〕ともいう
【小礼拜】xiǎolǐbài 名 隔週5日制で土曜日が休みではない週. または, 土曜日が休みではない週の日曜日
【小里小气】xiǎolixiǎoqì (～的) 形 こせこせしている. けちけちしている
【小两口】xiǎoliǎngkǒu (～儿) 名 口 若夫婦
【小量】xiǎoliàng 形 少量の
【小龙】xiǎolóng 名 方 (十二支の)巳(み)
【小炉儿匠】xiǎolúrjiàng 名 鋳掛け屋. 金物や瀬戸物の修理を生業とする職人. 〔小炉匠儿〕ともいう
【小萝卜】xiǎoluóbo 名〈植〉ハツカダイコン. ラディッシュ
【小锣】xiǎoluó (～儿) 名 小型のどら(伝統劇の伴奏に用いる). 〔手锣〕ともいう
**【小麦】xiǎomài 名〈植〉コムギ
【小卖部】xiǎomàibù 名 売店
【小满】xiǎomǎn 名 小満(二十四節気の一つ, 5月20日から22日ごろに当たる)
【小猫熊】xiǎomāoxióng 名〈動〉レッサー・パンダ. 〔小熊猫〕ともいう
【小帽】xiǎomào (～儿) 名 中国式のお碗形の帽子
*【小米】xiǎomǐ (～儿) 名 (脱穀した)アワ
【小名】xiǎomíng (～儿) 名 幼名. (親がつける)子供の愛称. 〔乳名〕〔奶名〕ともいう ↔〔学名〕
【小拇哥儿】xiǎomugēr 名 方 小指
【小拇指】xiǎomuzhǐ 名 口 小指
【小脑】xiǎonǎo 名〈生理〉小脳
【小年】xiǎonián 名 ❶旧暦で12月が小の月である年 ❷旧暦の12月23日または24日で, かまど神を祭る節句 ❸果樹などが不作の年
【小年夜】xiǎoniányè 名 ❶旧暦の大みそかの前夜 ❷旧 旧暦の12月23日または24日
【小妞儿】xiǎoniūr 名 女の子. 〔小妞子〕ともいう
【小农】xiǎonóng 名 小農. 小規模農家
【小农经济】xiǎonóng jīngjì 名〈経〉小農経済
【小女】xiǎonǚ 名 謙 自分の娘
【小跑】xiǎopǎo (～儿) 動 足早に歩く
**【小朋友】xiǎopéngyǒu 名 ❶子供. 児童 ❷(子供に対する呼称)坊や. お嬢ちゃん
【小便宜】xiǎopiányi 名 小利. 目先の利
【小票】xiǎopiào (～儿) 名 小額の紙幣
【小品】xiǎopǐn 名 (文学・音楽・演劇などの)小品
【小品文】xiǎopǐnwén 名 小品文. 随筆

X

*【小气】xiǎoqi 形 ❶けちくさい．けちけちしている‖～鬼 けちん坊 ❷方 度量が小さい‖才说你一句，你就生气了，真～ ほんの一言言われただけで怒るなんて，君は度量が小さいね

【小气候】xiǎoqìhòu 名 ❶〈気〉微気候．小気候 ❷喩 (職場や地域などの一定範囲内における)社会環境 ＊↔〔大气候〕

【小汽车】xiǎoqìchē 名 小型乗用車

【小憩】xiǎoqì 動 一休みする．少し休む

【小钱】xiǎoqián (～儿) 名 ❶旧 清末鋳造の銅銭または小額硬貨 ❷小銭 ❸袖の下．鼻薬

【小前提】xiǎoqiántí 名〈哲〉(三段論法の)小前提

【小瞧】xiǎoqiáo 動 方 見くびる．あなどる

【小巧】xiǎoqiǎo 形 小さくて精巧である

【小巧玲珑】xiǎo qiǎo líng lóng 成 小さくて精巧である

【小青年】xiǎoqīngnián (～儿) 名 若者．若い人

【小球】xiǎoqiú 名 口〈体〉(卓球やバドミントンなど)小さな球やシャトルコックなどを用いる球技 ↔〔大球〕

【小区】xiǎoqū 名 (商店や学校などが揃っている)集合住宅地区

【小曲儿】xiǎoqǔr 名 小唄．俗謡

【小圈子】xiǎoquānzi 名 ❶(家庭などの)狭い生活範囲 ❷(個人的利益を共有する)小グループ．小派閥

【小儿】xiǎor 名 方 ❶幼い時．幼時．子供のころ‖从～ 子供のころから ❷男の赤ちゃん ➤ xiǎo'ér

【小人】xiǎorén 名 ❶謙 小生．私め ❷小人(しょうじん)． ↔〔君子〕‖～得志 小人が志を得る ❸子供

【小人儿】xiǎorénr 名 方 子供に対する愛称

【小人儿书】xiǎorénrshū 名 口 子供向けの本．小型の物語絵本．連環画．漫画本

【小人物】xiǎorénwù 名 ふつうの人．小人物

【小日子】xiǎorìzi 名 家庭生活．暮らし．(多く若夫婦の所帯についていう)

【小商品】xiǎoshāngpǐn 名 雑貨．日用品

【小商品经济】xiǎo shāngpǐn jīngjì 名〈経〉小商品経済

【小商品生产】xiǎo shāngpǐn shēngchǎn 名〈経〉小商品生産 ＝〔简单商品生产〕

【小舌】xiǎoshé (～儿) 名 口 のどびこ．のどちんこ．〔悬雍垂xuányōngchuí〕の通称

【小生产】xiǎoshēngchǎn 名 小規模生産

【小生产者】xiǎoshēngchǎnzhě 名 小規模生産者

【小生意】xiǎoshēngyi 名 小商売．小商い

★【小时】xiǎoshí 名 (時の単位)時間‖半～ 30分間｜我每天只睡六个～ 私は毎日6時間しか眠らない

【小时工】xiǎoshígōng 名 時間給のアルバイト．パートタイマー．〔钟点工〕ともいう

【小时候】xiǎo shíhou (～儿) 名 口 幼いころ．子供のころ‖他～可调皮了 彼は小さいころ腕白だった

【小市民】xiǎoshìmín 名 小市民．小商人．俗物

【小视】xiǎoshì 動 軽視する．ばかにする

【小试锋芒】xiǎo shì fēng máng 成 ちょっと腕前を見せる

【小事】xiǎoshì 名 つまらないこと．小さなこと

【小手工业者】xiǎoshǒugōngyèzhě 名 小規模手工業者．零細手工業に従事する人

【小手小脚】xiǎo shǒu xiǎo jiǎo 慣 ❶けちくさい．しみったれている ❷こせこせして思い切ったことができない

【小叔子】xiǎoshūzi 名 夫の弟．義弟

【小暑】xiǎoshǔ 名 小暑(二十四節気の一つ，7月6日から8日ごろに当たる)

【小数】xiǎoshù 名〈数〉小数

*【小数点】xiǎoshùdiǎn 名〈数〉小数点

【小睡】xiǎoshuì 動 一眠りする．一寝入りする

**【小说】xiǎoshuō (～儿) 名 小説‖短篇～ 短編小説｜～家 小説家

> **外国の固有名詞** 文学作品名 【アンナ・カレーニナ】…安娜・卡列尼娜 【イソップ寓話集】…伊索寓言 【カラマーゾフの兄弟】…卡拉玛卓夫兄弟 【ジェーン・エア】…简・爱 【ジャン・クリストフ】…约翰・克里斯朵夫 【ドン・キホーテ】…堂・吉哥德 【ノートルダム・ド・パリ】…巴黎圣母院 【ハムレット】…哈姆雷特 【ボバリー夫人】…包法利夫人 【モンテ・クリスト伯】…基督山伯爵 【ロミオとジュリエット】…罗密欧与朱丽叶 【若きウェルテルの悩み】…少年维特的烦恼 【嵐が丘】…呼啸山庄 【風とともに去りぬ】…飘 【レベッカ】…胡蝶梦

【小苏打】xiǎosūdá 名〈化〉重曹．重炭酸ソーダ

【小算盘】xiǎosuànpan (～儿) 名 (個人または部分的利益のための)打算．損得勘定

【小摊儿】xiǎotānr 名 露店．出店

【小淘气】xiǎotáoqì 名 いたずらっ子．やんちゃ坊主

*【小提琴】xiǎotíqín 名〈音〉バイオリン

【小题大做】xiǎo tí dà zuò 成 小さな問題を大げさに論じる．ささいなことを大げさにする

【小天地】xiǎotiāndì 名 個人の小さな生活空間

【小偷】xiǎotōu (～儿) 名 こそ泥．泥棒

【小偷小摸】xiǎotōu xiǎomō 組 こそ泥をはたらく

【小腿】xiǎotuǐ 名 すね．ひざから足首までの部分．〔胫jìng〕ともいう

【小我】xiǎowǒ 名 書 個人．自己 ↔〔大我〕

【小巫见大巫】xiǎo wū jiàn dà wū 慣 未熟な巫女(みこ)が老練な巫女に出会う．未熟な小物が大物の前に出ると明らかに見劣りするたとえ

【小五金】xiǎowǔjīn 名 (くぎ・ねじ・ばねなど)小型の金属材料の総称 ↔〔大五金〕

【小溪】xiǎoxī 名 小川．細流

【小媳妇】xiǎoxífù (～儿) 名 若妻．若い嫁

【小小不言】xiǎoxiǎo bù yán 慣 口 ささいな．たいしたことのない．つまらないこと

【小小说】xiǎoxiǎoshuō 名 掌編小説．ショート・ショート

【小小子】xiǎoxiǎozi (～儿) 名 小さな男の子

【小鞋】xiǎoxié ➡〔穿小鞋chuān xiǎoxié〕

【小写】xiǎoxiě 名 ❶一，二，三など，漢数字の一般的な書き方 ❷ローマ字の小文字 ＊↔〔大写〕

**【小心】xiǎoxin；xiǎoxīn 動 注意する．気をつける．留意する‖～有电！ 感電に注意｜～轻放 取り扱い注意 形 注意深い．細心である‖他开车没我～ 彼の運転は私より荒っぽい

> **類義語** 小心 xiǎoxin 当心 dāngxīn 注意 zhùyì
> ◆〔小心〕注意を呼びかける掲示や話し言葉に広く用いる．目的語が名詞の場合，災いと分かるもの，またはその要因となる具体的なものがくる．動詞(句)の場合，禁止

X

を表す〔别〕を入れても意味は変わらない‖小心小偷 こそ泥に注意(する) |小心油漆 ペンキに注意(する) |小心(别)着凉 風邪(を引かないよう)に気をつける ◆〔当心〕やや命令の語感があり，相手に強く注意を喚起したり，警告を発する場合に用いる‖当心！路上有水 気をつけろ！水たまりだ |当心你的小命 命には気をつけるんだな ◆〔注意〕精神を集中させる．注意する．目的語は災いとなるものとは限らず，また，具体・抽象を問わない．動詞(句)の場合，〔别〕が必要‖注意声调 声調に注意する|注意礼节 マナーに気をつける|注意别着凉 風邪を引かないように注意する

【小心谨慎】xiǎo xīn jǐn shèn 成 言動が非常に慎重であるさま

【小心眼ル】xiǎoxīnyǎnr 形 心が狭い．度量が小さい．けちな根性である

*【小心翼翼】xiǎo xīn yì yì 成 小心翼々．注意深いさま．慎重であること．細心であること

【小行星】xiǎoxíngxīng 名〈天〉小惑星．微惑星

*【小型】xiǎoxíng 形 小型の．小規模の ↔〔大型〕

【小型张】xiǎoxíngzhāng 名 切手の小型シート

【小性ル】xiǎoxìngr 名 方 かんしゃく

【小兄弟】xiǎoxiōngdi 名 ❶若者に対する親しみを込めた呼称 ❷仲間の中の若い者．弟分

【小熊猫】xiǎoxióngmāo ＝〔小猫熊 xiǎomāoxióng〕

【小熊座】xiǎoxióngzuò 名〈天〉小熊座

【小修】xiǎoxiū 動 小規模な検査修理をする

**【小学】xiǎoxué 名 ❶小学校 ❷小学．文字・訓詁(くん)・音韻を研究する学問

*【小学生】xiǎoxuéshēng 名 小学生

【小雪】xiǎoxuě 名 ❶小雪(二十四節気の一つ，11月22日または23日) ❷〈気〉1日の降雪量が2.5ミリ以下の雪 ❸小雪

【小循环】xiǎoxúnhuán 名〈生理〉小循環．肺循環

【小丫头】xiǎoyātou 名 口 女の子

【小阳春】xiǎoyángchūn 名 小春．小春日和．旧暦の10月の別称

【小样】xiǎoyàng 名〈印〉(新聞の各記事や各章別に抜き刷りした)ゲラ．棒ゲラ．校正刷り．ゲラ刷り

【小叶】xiǎoyè 名〈植〉小葉

【小夜曲】xiǎoyèqǔ 名〈音〉セレナーデ．小夜曲

【小姨】xiǎoyí 名 母のいちばん下の妹

【小姨子】xiǎoyízi 名 口 妻の妹．義妹

【小意思】xiǎoyìsi 名 ❶寸志．志‖别客气，一点ル～而已 遠慮しないで，ほんの気持ちですから ❷口 容易であること．なんでもないこと

【小引】xiǎoyǐn 名 (詩や文の)前書き．小序

【小影】xiǎoyǐng 名 自分が写っている小さな写真

【小雨】xiǎoyǔ 名 ❶〈気〉1日の雨量が10ミリ以下または1時間の雨量が2.5ミリ以下の雨 ❷小雨

【小月】xiǎoyuè 名 小の月(新暦で30日，旧暦で29日の月)

【小灶】xiǎozào (～ル) 名 (共同の賄いで3段階あるうちの)最上級の食事形式(好みの料理を注文できる)．転 特別な配慮．特別扱い‖开～ 特別扱いをする

【小站】xiǎozhàn 名 (鉄道やバスなどで)各駅停車しかとまらない駅

【小照】xiǎozhào 名 自分が写っている小さな写真

【小指】xiǎozhǐ 名 (手や足の)小指

【小住】xiǎozhù 動 短期滞在する．しばらく泊まる

【小注】xiǎozhù (～ル) 名 割り注．割り書きで本文の間に入れた注釈

【小传】xiǎozhuàn 名 小伝．短い伝記

【小篆】xiǎozhuàn 名 (漢字の書体の一つ)小篆(しょうてん)．〔秦篆〕ともいう

【小酌】xiǎozhuó 動 軽く飲む．ちょっと一杯やる

【小资产阶级】xiǎo zīchǎn jiējí 名 プチブル．小市民

【小子】xiǎozǐ 名 書 ❶年下の者．後輩 ❷旧 目下の者に対する呼称，または，目上の者に対する自称

*【小子】xiǎozi 名 口 ❶男の子 ❷貶 こいつ．あいつ

【小字辈】xiǎozìbèi (～ル) 名 経験の浅い若者．若輩

【小卒】xiǎozú 名 兵卒．(多くは比喩に用いる)

*【小组】xiǎozǔ 名 小さな集団．班．グループ‖学习～ 学習班|～讨论 グループごとに討論する

【小坐】xiǎozuò 動 書 ちょっと座る

10 **晓**(曉) xiǎo ❶暁．夜明け‖拂fú～ 払暁 ❷理解する．分かる．知る‖通～ 通暁する ❸知らせる．分からせる‖～以大义 大義をもって分からせる

【晓畅】xiǎochàng 動 精通する．通暁する 形 (文章が)流暢(りゅうちょう)である‖文笔～ 文章が流暢である

**【晓得】xiǎode 動 知る．分かる‖他结婚的事你～吗？ 彼が結婚したことを君は知っているかい

【晓谕】xiǎoyù 動 書 教え諭す．言い聞かせる

13 **筱** xiǎo ❶書 細い竹 ❷形 小さい．(多く人名に用いる)

xiào

7 **孝** xiào ❶両親を尊敬し孝養を尽くす．孝行をする‖→～顺 ❷喪に服すること．服喪‖吊diào～ お悔やみに行く ❸喪服．服喪期間中に着る綿もしくは麻の白い服‖穿～ 喪服を着る

【孝道】xiàodào 名 孝養の道

【孝服】xiàofú 名 ❶喪服 ❷喪中．服喪の期間

【孝敬】xiàojìng 動 ❶孝行をする‖～父母 親孝行をする ❷(目上の人に)贈り物をする

【孝女】xiàonǚ 名 孝行娘

*【孝顺】xiàoshùn 動 孝行をする‖～父母 親孝行をする 形 親孝行である‖他很～ 彼はとても親孝行だ

【孝心】xiàoxīn 名 孝心

【孝衣】xiàoyī 名 喪服

【孝子】xiàozǐ 名 ❶孝子．親孝行な子 ❷親の喪に服している人

【孝子贤孙】xiào zǐ xián sūn 成 孝行息子と徳行のある孫．(広く)孝行な子孫

7 **肖** xiào 似る．似ている‖酷kù～ 酷似する|惟妙惟～ そっくりである．真に迫っている

【肖像】xiàoxiàng 名 肖像‖一幅～ 1枚の肖像

【肖像画】xiàoxiànghuà 名 肖像画

10 **哮** xiào ↴

【哮喘】xiàochuǎn 動〈医〉喘息(ぜんそく)を起こす

10 **校**[1] xiào 学校‖夜～ 夜間学校|全～ 全校|母～ 母校

X

10 **校**[2] **xiào** 〈軍〉佐官 ‖ 上～ 大佐 | 中～ 中佐 | 少～ 少佐 ➤ jiào
【校方】xiàofāng 名 学校側. 学校当局
【校风】xiàofēng 名 校風
【校服】xiàofú 名 学校の制服
【校歌】xiàogē 名 校歌
【校规】xiàoguī 名 校則 ‖ 遵守～ 校則を守る
【校花】xiàohuā 名 校内一の美人の女子学生
*【校徽】xiàohuī 名 校章 ‖ 戴～ 校章を付ける
【校刊】xiàokān 名 学校の刊行物
【校历】xiàolì 名 学校行事の年間スケジュール表
【校旗】xiàoqí 名 校旗 ‖ 升～ 校旗を掲げる
【校庆】xiàoqìng 名 学校の創立記念日
【校舍】xiàoshè 名 校舎
【校训】xiàoxùn 名 校訓
【校医】xiàoyī 名 学校医. 校医
【校友】xiàoyǒu 名 校友(職員だった人を含む場合もある). 卒業生 ‖ ～会 校友会
*【校园】xiàoyuán 名 キャンパス. 学校の構内 ‖ ～生活 学園生活 | 美化～ キャンパスを美化する
⁑【校长】xiàozhǎng 名 校長. 学長 ‖ 大学～ 学長

10 **效**[1] (^傚) **xiào** ❶まねする. 模倣する ‖ 仿～ 模倣する

10 **效**[2] (^効) **xiào** 献身する. 尽力する ‖ ～犬quǎn马之劳 犬馬の労をとる

10 **效**[3] **xiào** 効果. 効用 ‖ 一～果 | 见～ 効果が現れる | 失～ 効き目がなくなる
【效法】xiàofǎ 動 (人の長所を)まねる. 見習う. 学ぶ
【效仿】xiàofǎng 動 まねる. 見習う
⁑【效果】xiàoguǒ 名 ❶効果. 効き目. よい結果 ‖ ～显著 効き目が著しい | ～不大 効果があまりない | 实验没有收到预期的～ 実験は予想していた結果が得られなかった ❷〈劇〉擬音. 効果音
【效绩】xiàojì 名 成果と業績 ‖ 中国机械jīxiè工业～百强 中国優良機械工業トップ100
【效劳】xiào//láo 動 尽力する. 骨を折る
*【效力】xiào//lì 動 尽力する. 骨を折る 名 (xiàolì) 効き目. 効果 ‖ 我的话对他没有产生一点～ 私の話は彼にとってなんの効き目もなかった
⁑【效率】xiàolǜ 名 ❶〈機〉効率 ❷能率. 効率 ‖ 工作～比以前提高了 仕事の能率が上がった
【效命】xiàomìng 動 死力を尽くす. 命を捧げる
【效能】xiàonéng 名 効能. 効果. 効力
【效死】xiàosǐ 動 死力を尽くす. 命を捧げる
【效验】xiàoyàn 名 効果. 効き目
*【效益】xiàoyì 名 効果と利益 ‖ 社会～ 社会的利益 | 提高经济～ 経済的効果を引き上げる
【效应】xiàoyìng 名〈物〉〈化〉効果. 反応
【效用】xiàoyòng 名 働き. 効用
【效尤】xiàoyóu 動 書 悪事をまねる
【效忠】xiàozhōng 動 忠誠を尽くす

10 ★**笑** (^咲) **xiào** ❶動 笑う ‖ 放声大～ 大きな声で笑う | ～疼了肚子 おなかが痛くなるほど笑った ❷動 あざ笑う. 嘲笑する ‖ 大家都～他无知 彼の無知をみんながあざ笑った ❸書 敬 相手に贈り物を受け取るようにたのむ際用いる ‖ 一～纳 ❹人を笑わせる ‖ 一～话
【笑柄】xiàobǐng 名 笑いぐさ ‖ 传为～ 笑いぐさとなっている
【笑哈哈】xiàohāhā 形 声を出して楽しそうに笑うさま
【笑呵呵】xiàohēhē (～的) 形 にこにこするさま
⁑【笑话】xiàohua 動 あざける. 笑いものにする ‖ 这么大了还哭, 也不怕别人～ こんなに大きいくせにべそなんかかいて, 人に笑われるじゃないの 名 (～儿) 笑い話. 冗談. 滑稽(こっけい)な話 ‖ 说～ 冗談を言う | 闹nào～ 失態を演じる
【笑剧】xiàojù 名 どたばた喜劇. 笑劇. ファルス ＝〔闹剧〕
【笑口常开】xiào kǒu cháng kāi 慣 いつもにこにこしている
【笑里藏刀】xiào lǐ cáng dāo 成 うわべはやさしそうにふるまっているが, 心の中は陰険である. 真綿に針を包む
【笑脸】xiàoliǎn (～儿) 名 笑顔. 笑い顔
【笑料】xiàoliào 名 笑いぐさ. もの笑いの種
【笑咧咧】xiàoliēliē (～的) 形 にこにこと笑うさま
【笑骂】xiàomà 動 ❶(多く権力者を)笑いものにして溜飲(りゅういん)を下げる. 風刺する ❷からかう. 冷やかす
【笑貌】xiàomào 名 笑顔. 笑い顔
【笑眯眯】xiàomīmī (～的) 形 目を細めて笑うさま
【笑面虎】xiàomiànhǔ 名 表面は優しそうに見えて実は恐ろしい人
【笑纳】xiàonà 動 挨拶 笑納する
*【笑容】xiàoróng 名 笑み. 笑顔 ‖ ～满面 顔いっぱいに笑みをたたえる | 脸上露出了～ 顔に笑みを浮かべた
【笑容可掬】xiào róng kě jū 成 満面に笑みを浮かべるさま
【笑声】xiàoshēng 名 笑い声
【笑谈】xiàotán 名 ❶笑いぐさ ❷笑い話. 冗談
【笑纹】xiàowén 名 笑いじわ
【笑窝】【笑涡】xiàowō (～儿) 名 えくぼ
【笑嘻嘻】xiàoxīxī (～的) 形 にこにこ笑うさま
【笑星】xiàoxīng 名 喜劇スター
【笑颜】xiàoyán 名 笑い顔. 笑顔
【笑靥】xiàoyè 名 書 ❶えくぼ ❷笑顔
【笑意】xiàoyì 名 笑み. 微笑
【笑吟吟】xiàoyínyín (～的) 形 にこにこするさま. 微笑するさま
【笑盈盈】xiàoyíngyíng (～的) 形 満面笑みを浮かべるさま
【笑影】xiàoyǐng 名 笑っている顔つき. 笑顔
【笑语】xiàoyǔ 名 笑い声と話し声. 談笑する声
【笑逐颜开】xiào zhú yán kāi 成 非常に嬉しそうなさま. 相好を崩す. 満面に笑みがこぼれる

11 **啸** (嘯) **xiào** (人間・動物・自然現象などで)長く尾を引く鋭い音を発する. ‖ 虎～猿啼yuán tí トラが吠え, サルが鳴く
【啸鸣】xiàomíng 動 長く鋭い音を立てる ‖ 烈风～ 烈風がピューピューと音を立てて吹きすさぶ 名 長く鋭い音

xiē

8 ★**些** **xiē** ❶量 (名詞の前に置き, 不確定の数量を表す) いくつか. 少し ‖ 有～问题还没解决 いくつかの問題はまだ未解決だ | 你说的这～人我都不认识 君が言った人たちはみな私の知らない人だ | 前～日子 このあいだ. 先日 ❷量 (形容詞または一部の動詞の後に置き, 少ないことを表す) 少し. ちょっと ‖ 身体有～不舒服 どうも体の具合が悪い | 这样做有～失礼 こんなふうにやるのはちょっと失礼だ
【些个】xiēge 量 口 少し. いくらか. 若干 ‖ 这～ これ

らの｜买～吃的 食べる物をちょっと買う

【些微】xiēwēi 形 少しの．ちょっとの．わずかばかりの‖感到～的凉意 少し肌寒さを感じる 副 少し．やや

【些小】xiēxiǎo 形 ささいな．わずかな．ちょっとした

【些许】xiēxǔ 形 少しばかりの．わずかな

【些子】xiēzi 副 方 少し．若干

13 **楔** xiē 名（～儿）くさび‖→～子

【楔形文字】xiēxíng wénzì 名 楔形（けっ・くさび）文字

【楔子】xiēzi 名 ❶くさび ❷木くぎ．竹くぎ ❸〈劇〉〔杂剧〕（雑劇）で，序幕の前または幕間に挿入する寸劇 ❹旧（白話小説で）本文の前に付すまくら．前置きの段

13 ** **歇** xiē ❶動 休憩する．休む‖～一会儿吧 ちょっと休もう ❷やめる．中止する‖→～工 ❸名 方 ちょっとの時間‖等一～再说 また後でのことにしよう ❹動 方 眠る‖您还没～着？ まだお休みになっていないのですか

【歇班】xiē//bān（～儿）動 非番に当たる

【歇乏】xiē//fá 動 休んで疲れをとる．一休みする

【歇工】xiē//gōng 動 ❶仕事を休む．休憩する‖歇一天工 一日仕事を休む ❷（工場などが）休業する

【歇后语】xiēhòuyǔ 名〈語〉前後の句からなるしゃれ言葉．前句でなぞをかけ，後句でなぞ解きをする（ふつうは前句のみを言う）

【歇脚】xiē//jiǎo 動 足を休める．一休みする．〔歇腿〕ともいう

【歇凉】xiē//liáng 動 方 涼む．夕涼みをする

【歇气】xiē//qì 動 ひと息入れる．一休みする

【歇手】xiē//shǒu 動 していたことを中断する．手を休める‖～抽口烟吧 ちょっと手を休めて一服なさい

【歇斯底里】xiēsīdǐlǐ 名 外 ヒステリー ＝〔癔yì病〕形 ヒステリックである

【歇宿】xiēsù 動 宿をとる．泊まる

【歇腿】xiē//tuǐ（～儿）＝〔歇脚xiējiǎo〕

【歇息】xiēxi 動 ❶休む．休憩する‖不舒服就～一天吧 具合が悪いのなら一日休みなさい ❷泊まる．寝る

【歇心】xiē//xīn 動 ❶心を安める．気が安まる ❷断念する．あきらめる

【歇业】xiē//yè 動 廃業する．店じまいする

15 **蝎**（△蠍）xiē 名〈虫〉サソリ．ふつう〔蝎子〕という

【蝎子】xiēzi 名〈虫〉サソリ

xié

5 **叶** xié 古 合わせる．合う‖～韵 古代の詩文の字音を韻律に合うように読み替えること ➤ yè

6 **协**（協）xié ❶共同する．協力する‖→～力 ❷調和がとれている‖→～调 ❸助ける．助力する‖→～助

【协办】xiébàn 動 協力して事を行う．タイアップする

【协查】xiéchá 動 調査に協力する．捜査に協力する‖收到紧急～的通知 捜査協力要請の緊急通知を受け取った

*【协定】xiédìng 名 協定‖贸易～ 貿易協定 動 話し合って取り決める‖～关税 関税を取り決める

【协管】xiéguǎn 動 協力して管理する．管理に協力する‖交通～员 交通安全管理協力員

【协和】xiéhé 動 協調させる．和合させる

*【协会】xiéhuì 名 協会‖美术家～ 美術家協会

【协力】xiélì 動 協力する．助け合う

*【协商】xiéshāng 動 協議する．話し合う‖有问题可以～解决 問題が起きれば協議して解決すればよい

*【协调】xiétiáo 動 釣り合いをとる．調和させる‖～产销chǎnxiāo关系 生産と販売の間の釣り合いをとる 形 釣り合いがとれている．調和している‖颜色搭配dāpèi很～ 配色の調和がとれている

【协同】xiétóng 動 協力する．協同する

*【协议】xiéyì 動 協議する．話し合う‖经过双方～，问题已经解决 双方の協議を経て，問題はすでに解決済みである 名 合意．取り決め‖达成～ 合意に達する

【协约】xiéyuē 動 条約を取り決める 名 協約

【协约国】xiéyuēguó 名〈史〉（第一次世界大戦における）連合国

*【协助】xiézhù 動 協力する．助力する‖你～老李处理此事 君は李さんを助けてこの件をうまく処理しなさい

【协奏曲】xiézòuqǔ 名〈音〉協奏曲．コンチェルト

*【协作】xiézuò 動 協力する．提携する‖两个厂有～关系 二つの工場は提携関係にある

6 **邪**（△衺）xié ❶正しくない．よこしまである‖→～念 ❷たたり．災難‖避～ 厄よけをする ❸〈中医〉病気を引き起こす要因 ❹形 口 まともでない‖他一抽签chōuqiān准中，真～了 彼はくじを引くたびに当たる，ほんとにどうかしてるよ ➤ yé

【邪财】xiécái 名 方 不正に得た財産や金銭．悪銭

【邪道】xiédào（～儿）名 邪道．悪の道．誤った道

【邪恶】xié'è 形 邪悪である．よこしまである‖～势力 邪悪な勢力｜正义战胜了～ 正義が悪に打ち勝った

【邪乎】xiéhu 形 口 ❶（程度が）甚だしい．まともでない‖今天冷得～ 今日は異常に寒い ❷奇妙きてれつである．突飛である．大げさである

【邪教】xiéjiào 名 邪教

【邪路】xiélù 名 邪道．悪の道

【邪门儿】xiéménr 形 方 まともでない．変てこだ．おかしい‖这儿的天气真～，一会儿冷一会儿热 ここの天気ときたら寒かったり暑かったりでほんとうに変だ

【邪门歪道】xié mén wāi dào 成 邪道．正当でないやり方

【邪魔】xiémó 名 悪魔．妖怪変化（ようかいへんげ）

【邪念】xiéniàn 名 邪念．よこしまな考え

【邪气】xiéqì 名 よこしまな気風

【邪说】xiéshuō 名 邪説‖异端～ 異端の説

【邪心】xiéxīn 名 邪心．邪念

【邪行】xiéxíng 名 よこしまな行い

【邪行】xiéxing 形 方（程度が）ひどい．まともでない

8 **胁**（脅 △脇）xié ❶（人の体の）わき‖两～ 両わき ❷無理強いする．脅す‖威～ 脅す｜诱～ 利で釣ったり脅したりする

【胁持】xiéchí 動 脅迫する

【胁从】xiécóng 動 脅されて犯罪に加担する

【胁肩谄笑】xié jiān chǎn xiào 成 肩をすくめて追従笑いをする．人におもねり迎合するさま

【胁迫】xiépò 動 脅迫する．脅かす

9 **挟**（挾）xié ❶書 わきに挟む ❷（恨みなどを）心に抱く‖→～嫌 ❸脅迫する．脅す‖要～ 弱みにつけ込んで脅す

【挟持】xiéchí 動 ❶両側から挟むようにして腕を捕らえる．（多く悪人がとる行為） ❷脅迫する．強制する

【挟带】xiédài 動 ❶隠し持つ．隠して携帯する ❷

（強い力で）巻き込む
【挟嫌】xiéxián 動 書 恨みを抱く
【挟制】xiézhì 動（勢力を笠に着たり，人の弱みにつけ込んだりして）脅す．強制する

11 **谐** xié ❶調和している‖和～ 調和している ❷書（物事が）まとまる‖事～ 話がまとまる ❸滑稽(こっけい)である．おどけている‖诙huī～ おどけている
【谐和】xiéhé 形 よく調和している
【谐趣】xiéqù 名 滑稽味．ユーモラスな趣‖～横生 ユーモラスな味わいに満ちている 形 調和がとれ，趣深い
【谐声】xiéshēng 名〈語〉形声(けいせい) ＝〔形声〕
【谐调】xiétiáo 形 調和がとれている
【谐谑】xiéxuè 動 ひやかす．からかう．冗談を言う
【谐音】xiéyīn 動 字音が互いに一致する，あるいは似た音である．音をかける
【谐振】xiézhèn 動〈物〉共振する‖～器 共振器

11 **偕** xié 書 ともに‖相～出游 相携えて旅に出た｜～夫人抵沪 夫人を伴い上海に到着した
【偕老】xiélǎo 動 書（夫婦が）ともに老いるまで連れ添う‖白头～ 共白髪になるまで添い遂げる
【偕同】xiétóng 動 連れ立つ．うち連れる

11 ** **斜** xié ❶形 **斜めである**‖线划～了 線のかき方が曲がってしまった ❷動 傾く．傾ける．斜めにする‖太阳已经西～ 太陽はもう西に傾いている
【斜边】xiébiān 名〈数〉斜辺
【斜刺里】xiécìli 名 口 斜め横
【斜度】xiédù 名 傾斜度．勾配(こうばい)．スロープ
【斜对面】xiéduìmiàn 名 筋向かい．はす向かい．斜め向かい
【斜街】xiéjiē 名 斜めに通っている街路
【斜楞】xiéleng 動 斜めにする．傾く
【斜路】xiélù 名 喩 邪道．誤った道．不当な手段
【斜面】xiémiàn 名〈物〉斜面
【斜睨】xiénì 動 横目で見る
【斜坡】xiépō 名 斜面．坂．スロープ
【斜射】xiéshè 動（光線が）斜めに差す
【斜视】xiéshì 動 横目で見る‖目不～ わき目もふらない 名〈医〉斜視．〔斜眼〕ともいう
【斜体字】xiétǐzì 名〈印〉イタリック
【斜纹】xiéwén 名〈紡〉❶あや織り ❷（～儿）あや織物
【斜线】xiéxiàn 名〈数〉斜線
【斜眼】xiéyǎn 名 ❶〈医〉斜視 ＝〔斜视〕❷（～儿）斜視の目 ❸（～儿）斜視の人
【斜阳】xiéyáng 名 書 斜陽．夕日

12 **颉** xié 名 姓 ➤ jié

13 **携**（△擕 攜 撨 擕）xié ❶携える．連れる‖～款潜逃 qiántáo 現金を持ち逃げする ❷（手を）つなぐ‖→～手
*【携带】xiédài 動 書 携帯する．伴う‖～家眷jiājuàn 家族を引き連れる｜随身～ 身につけて携帯する
【携手】xié//shǒu 動 手をつなぐ．手を携える．転 助け合う．提携する‖～合作 提携協力する

14 **鲑** xié 古 魚料理の総称 ➤ guī

15 **勰** xié 古 調和している

15 **撷** xié 書 摘み取る．取る‖采～ 摘み取る
【撷取】xiéqǔ 動 書 取る．採用する．選ぶ
【撷英】xiéyīng 動 書 精華を取り入れる

15 **缬** xié 書 模様のある絹織物

15 ★ **鞋**（△鞵）xié 名 靴‖一双～ 靴1足｜脱～ 靴を脱ぐ｜穿～ 靴を履く

> **類義語** 鞋 xié 靴 xuē
>
> ◆〔鞋〕一般的に靴をさすほか，足首までの丈の短い靴をさす‖凉鞋 サンダル｜皮鞋 革靴｜鞋带儿 靴ひも ◆〔靴〕くるぶしの上まで来る，丈の長いブーツや長靴をさす‖雨靴 雨靴．ゴム長靴｜高筒靴 ロングブーツ｜靴子 ブーツ

> **逆引き単語帳** 〔布鞋〕bùxié 布靴 〔皮鞋〕píxié 革靴 〔凉鞋〕liángxié サンダル 〔拖鞋〕tuōxié スリッパ．つっかけサンダル 〔高跟儿鞋〕gāogēnrxié ハイヒール 〔高腰鞋〕gāoyāoxié 足首までの短いブーツ 〔绣花鞋〕xiùhuāxié 刺繍した布靴 〔懒汉鞋〕lǎnhànxié 甲の両側にゴムの入った布靴 〔棉鞋〕miánxié 綿入れの靴 〔便鞋〕biànxié 普段ばきの靴 〔老虎鞋〕lǎohǔxié 〔虎头鞋〕hǔtóuxié（幼児用で魔よけの）トラの頭をデザインした布靴 〔草鞋〕cǎoxié わらじ 〔旅游鞋〕lǚyóuxié スニーカー 〔运动鞋〕yùndòngxié 〔球鞋〕qiúxié 運動靴 〔冰鞋〕bīngxié スケート靴 〔旱冰鞋〕hànbīngxié ローラースケート靴 〔跑鞋〕pǎoxié 〔钉鞋〕dīngxié スパイクシューズ

【鞋拔子】xiébázi 名 靴べら
【鞋帮】xiébāng（～儿）名 靴の底以外の部分
【鞋带】xiédài（～儿）名 靴ひも
【鞋底】xiédǐ（～儿）名 靴底．〔鞋底子〕ともいう
【鞋垫】xiédiàn（～儿）名 靴の中敷き
【鞋跟】xiégēn（～儿）名 靴のかかと．ヒール
【鞋匠】xiéjiang 名 靴職人．靴屋
【鞋面】xiémiàn（～儿）名 靴の表側の部分
【鞋刷】xiéshuā（～儿）名 靴ブラシ
【鞋油】xiéyóu 名 靴クリーム．靴墨
【鞋子】xiézi 名 方 靴

xiě

5 ★ **写**（寫）xiě ❶模写する‖→～生 ❷書き写す‖抄～ 書き写す ❸動（**文字を**）**書く**‖信～完了 手紙を書き終えた ❹動（**文章や作品を**）**書く．創作する**‖～诗 詩を作る ❺描写する‖→～实

> **類義語** 写 xiě 记 jì 填 tián 画 huà
>
> ◆〔写〕文字を書く．文章を作る‖写汉字 漢字を書く ◆〔记〕話や出来事などを記録する．書き留める｜记日记 日記をつける ◆〔填〕書類などの空欄に事項を書き込む．記入する‖填姓名 姓名を記入する ◆〔画〕絵を描く．線や記号などを書く‖画油画 油絵をかく

【写本】xiěběn 名 写本
【写法】xiěfǎ 名（文字や作品などの）書き方
【写景】xiějǐng 動 景色や情景を描写する

【写生】xiěshēng 動〈美〉写生する. スケッチする
【写实】xiěshí 動 写実する ‖ ～派 写実派
【写实主义】xiěshí zhǔyì 名 旧 写実主義. リアリズム. 〔现实主义〕の旧称
【写意】xiěyì 名〈美〉中国画の画法の一つ, 写意(しゃい). 細かい描写をせず, 作者の趣向を主体として表現するもの ↔〔工笔〕
【写照】xiězhào 動 (人物像を)描写する 名 (真髄をとらえた)描写
【写真】xiězhēn 動 肖像画を描く 名 ❶肖像画 ❷写実. 写生 ❸写真. (日本語からの借用語)
【写字间】xiězìjiān 名 事務室. オフィス
【写字楼】xiězìlóu 名 オフィスビル
【写字台】xiězìtái 名 事務机
*【写作】xiězuò 動 文章を書く. 創作する ‖ ～小说 小説を書く | ～技巧jìqiǎo 創作のテクニック
6 ** 血 xiě 名 口 血. 意味は〔血xuè ❶〕に同じで, 話し言葉に用いる ‖ 流了好多～ 血をたくさん流した | 吐tù～ 血を吐く ➤ xuè
【血糊糊】xiěhūhū (～的) 形 血まみれである. 血みどろである
【血淋淋】xiělīnlīn (～的) 形 ❶血がしたたるさま. 血がとめどなく流れるさま ❷痛ましい. 残酷である ‖ ～的事实 痛ましい事実
【血丝】xiěsī (～儿) 名 糸のような血の筋 ‖ 眼里布满～ 目がひどく充血している

xiè

8 * 泄(△洩) xiè ❶動 (液体や気体が)漏れる ‖ 车胎的气直往外～ タイヤの空気が抜けてしまった ❷動 (感情や欲望などを)発散する ‖ ～私愤 私憤を晴らす ❸動 (秘密や情報などを)漏らす. 漏洩(ろうえい)する ‖ 天机不可～ 天機を漏らすなかれ ❹(自信などを)失う ‖ 一～气
【泄底】xiè//dǐ 動 方 内情を漏らす
【泄愤】xiè//fèn 動 鬱憤を晴らす. 恨みを晴らす
【泄恨】xiè//hèn 動 溜飲を下げる. 気が晴れる
【泄洪】xièhóng 動 (増水のとき)ダムや堤防の水門を開けて放水する
【泄劲】xiè//jìn (～儿) 動 がっかりする. 気がゆるむ. 気落ちする ‖ 加油干, 别～ 気をゆるめずに頑張ってやれよ
【泄漏】xièlòu 動 ❶(液体や気体が)漏れる. 漏れ出る ❷＝〔泄露xièlòu〕
*【泄露】xièlòu 動 (秘密や情報などを)漏らす. 漏洩する. 〔泄漏〕とも書く ‖ ～秘密 秘密を漏らす
*【泄密】xiè//mì 動 機密や秘密を漏らす
*【泄气】xiè//qì 動 気が抜ける. しょげる ‖ 失败了还可以重来chónglái, 千万不要～ 失敗したらまたやり直せばいいから, 決してがっかりしてはいけない 形 (xièqì) 貶 だらしない. 意気地がない. 情けない
【泄题】xiè//tí 動 試験問題を漏らす ‖ ～事件 試験問題漏洩事件
8 * 泻(瀉) xiè ❶動 激しい勢いで流れる. 一気に流れる ‖ 瀑布pùbù从山崖上直～下来 滝が崖の上からまっすぐに流れ落ちる ❷動 腹をくだす. 下痢をする ‖ ～肚子 腹をくだす
【泻肚】xiè//dù 動 腹をくだす. 下痢をする. 〔腹泻〕の通称
【泻药】xièyào 名 下剤 ‖ 吃～ 下剤を飲む

8 绁(△紲) xiè 古 ❶縄 ‖ 缧léi～ 犯人を縛る縄 ❷縛る
9 * 卸 xiè ❶動 (役畜から)農具や馬具を外す ‖ ～牲口 役畜の農具や鞍(くら)を外す ❷動 (積み荷を)下ろす. (部品を)取り外す. (化粧や装身具を)取る. 外す ‖ 把车上的东西～下来 車から荷を下ろす | ～螺丝luósī ねじを外す ❸動 (責任や職務を)解除する. 回避する ‖ ～下重任 重任を解く
【卸包袱】xiè bāofu 慣 責任や負担がなくなる. 肩の荷が下りる
【卸车】xiè//chē 動 車の荷を下ろす
【卸货】xiè//huò 動 積み荷を下ろす. 荷揚げをする
【卸肩】xièjiān (～儿) 動 肩の荷が下りる. 転 責任や負担がなくなる
【卸磨杀驴】xiè mò shā lǘ 成 粉をひき終えるとロバを殺す. 用済みになると見捨てるたとえ
【卸任】xiè//rèn 動 (官吏が)職務を解かれる. 任期が満了になる ‖ 原科长已～了 前任の課長はもうやめました
【卸载】xiè//zài 動 ❶荷下ろしをする. 荷揚げをする ❷(xièzài)〈計〉アンインストールする ↔〔安装〕
【卸责】xièzé 動 責任逃れをする. 責任を回避する
【卸职】xièzhí ＝〔卸任xièrèn〕
【卸妆】xiè//zhuāng 動 ❶化粧を落とす ❷身につけている装飾品を外す
【卸装】xiè//zhuāng 動 (俳優が)扮装(ふんそう)を解く. メーキャップを落として衣装を脱ぐ
9 契 xiè 名 契(せつ). 殷王朝の祖で, 舜(しゅん)の臣とされる伝説上の人物 ➤ qì
10 屑 xiè ❶くず. かす ‖ 煤～ 石炭くず ❷ささいである. こまごましている ‖ ～～小事 小さなこと. つまらないこと ❸ ➡〔不屑bùxiè〕
11 械 xiè ❶書 手かせ・足かせ・首かせなどの刑具 ❷機械. 器具 ❸武器 ‖ 枪～ 銃器
【械斗】xièdòu 動 (集団で)武闘する
12 谢[1] xiè ❶書 官職を辞す ‖ ～职 辞職する ❷断る. 辞退する ‖ 一～客 ❸別れを告げる ‖ 一～世 ❹動 (花や葉が)しおれて散る. 枯れて落ちる ‖ 牡丹花～了 ボタンの花が散った ❺詫(わ)びる. 過ちを認める ‖ ～过 過失を詫びる
12 谢[2] xiè 動 感謝する. 礼を言う ‖ 道～ 礼を述べる | 不用～ 礼には及びません
【谢忱】xièchén 名 書 感謝の気持ち. 謝意
【谢词】【谢辞】xiècí 名 感謝の言葉. 謝辞
【谢顶】xiè//dǐng 動 頭頂部がはげる. 髪が薄くなる
【谢恩】xiè//ēn 動 恩に感謝する
*【谢绝】xièjué 動 婉 断る ‖ ～参观 見学お断り | 婉言wǎnyán～ 遠回しに断る
【谢客】xièkè 動 ❶面会を謝絶する ‖ 闭门～ 門を閉じて面会を謝絶する ❷客に礼を述べる
【谢礼】xièlǐ 名 お礼の金品. 謝礼. 〔谢仪〕ともいう
【谢幕】xiè//mù 動 カーテンコールに応(こた)える
【谢世】xièshì 動 書 世を去る. 逝去する
【谢天谢地】xiè tiān xiè dì 慣 感謝の至り. ありがたさの極み. (感激や喜びを表す言葉)
★【谢谢】xièxie 動 挨拶 ありがとうございます. 感謝します ‖ 太～了 ほんとうにありがとうございます | ～大家 みなさんありがとう | ～您的好意 ご好意を感謝いたします

類義語 谢谢 xièxie 感谢 gǎnxiè

◆〔谢谢〕どうもありがとう．…に感謝する．日常的な挨拶言葉として用いる ◆〔感谢〕感謝する．あらたまった場で用いることが多い．アスペクト助詞や補語をとることができ，名詞的にも用いられる‖感谢了（×谢谢了）大家的帮助 みんなの援助に感謝した｜向各位来宾表示衷心的感谢（×谢谢） ご来賓の皆様に心から感謝の意を表します

【谢意】xièyì 图 感謝の意．謝意

【谢罪】xiè//zuì 動 謝罪する．お詫びする

12 **渫** xiè 書 気体あるいは液体を出す．漏らす

12 **亵**（褻）xiè ❶書 なれなれしくする ❷侮る．軽んじる‖→～渎 ❸みだらである

【亵渎】xièdú 動 軽んじる．冒瀆（ぼうとく）する

13 **解** xiè 地名用字‖～池 山西省にある湖の名 ➤ jiě jiè

14 **榭** xiè 高い台の上に築いた建物．高殿‖水～ 水上に建てたあずまや

16 **澥** xiè ❶動 口（のり状のものの濃度が）薄くなる‖粥zhōu～了 お粥が薄くなった ❷動 方（水を加えてのり状のものを）薄くする‖把糨糊jiànghu加点ㄦ水～一～ のりに少し水を加えて薄くしよう

16 **懈** xiè 形 たるんでいる．だらけている‖松～ だらける｜不～地努力 たゆまず励む

【懈怠】xièdài 形 だらけている．いい加減である

【懈气】xiè//qì 動 気を抜く．気を緩める

16 **廨** xiè 古 役所‖公～ 役所

16 **邂** xiè ↴

【邂逅】xièhòu 動 書（久しく別れていた親類や友人に）偶然に出会う．邂逅（かいこう）する

16 **薤** xiè 图〈植〉ラッキョウ．〔藠头jiàotou〕ともいう

17 **燮**（△爕）xiè 書 調和をとる‖～理 案配して処理する

19 **瀣** xiè ➡〔沆瀣一气hàng xiè yī qì〕

19 **蟹**（△蠏）xiè 图〈動〉カニ‖螃páng～ カニ

【蟹黄】xièhuáng（～ㄦ）图 カニみそ．カニのわた

【蟹青】xièqīng 形 青みがかった灰色の

xīn

4 ★**心** xīn ❶图 心臓‖～脏 心臓｜～形首饰 ハート形のアクセサリー ❷脳の別称‖→～明眼亮 ❸图 感情．気持ち‖爱国之～ 国を愛する心 ❹图 思慮．企て‖→～计 ❺图 内心．心‖→～声 ❻图 ものの中心．内部‖湖～ 湖の中央 ❼〈哲〉人の主観的意識 ↔〔物〕‖唯～主义 唯心主義 ❽图（二十八宿の一つ）なかごぼし．心宿（しんしゅく）

逆引き単語帳 〔变心〕biànxīn 心変わりする 〔操心〕cāoxīn 心配する．気を遣う 〔称心〕chènxīn 気に入る 〔担心〕dānxīn 心配する 〔多心〕duōxīn 疑う．気を回す 〔放心〕fàngxīn 安心する 〔费心〕fèixīn 心をくだく．気を遣う 〔分心〕fēnxīn 気が散る 〔负心〕fùxīn 心変わりする 〔甘心〕gānxīn 甘んじる．満足する 〔关心〕guānxīn 気を配る 〔寒心〕hánxīn 失望する．がっかりする 〔狠心〕hěnxīn 思い切ってやる．心を決める 〔灰心〕huīxīn がっかりする．気落ちする 〔留心〕liúxīn 注意する 〔忍心〕rěnxīn 心を鬼にする 〔伤心〕shāngxīn 悲しむ 〔省心〕shěngxīn 気にかけなくてよい 〔死心〕sǐxīn あきらめる 〔小心〕xiǎoxin 気をつける．注意する 〔粗心〕cūxīn そそっかしい．うかつである 〔细心〕xìxīn 細心である 〔偏心〕piānxīn えこひいきである 〔恶心〕ěxin いやらしい 〔亏心〕kuīxīn 後ろめたい 〔耐心〕nàixīn 辛抱強い 〔热心〕rèxīn 熱心である．親切である 〔虚心〕xūxīn 謙虚である 〔专心〕zhuānxīn 注意を集中している．余念がない 〔好心〕hǎoxīn 好意．善意

*【心爱】xīn'ài 動 心から愛している．お気に入りである．大切である‖～的人 心から愛する人｜～的礼物 お気に入りのプレゼント｜～的藏书 大切な蔵書

【心安理得】xīn ān lǐ dé 成 することが理にかなっているので心が安らかである．後ろめたいことがなく心安らかである

【心病】xīnbìng 图 ❶気がかり．悩みの種‖女儿的婚事成了母亲的一块～ 娘の結婚問題は，母親の心配の種になっている ❷人に言えない内緒事．知られたくない弱み．痛いところ‖这句话触到了他的～ その言葉は彼の痛いところをついた

【心不在焉】xīn bù zài yān 成 心ここにあらず．うわの空‖他～地答应着 彼はうわの空で返事をしている

【心裁】xīncái 图 書（詩文・絵画・建築などの）意匠．趣向‖别出～ 新機軸を出す．新しい工夫をこらす

【心肠】xīncháng 图 ❶心根．気立て‖～好 心根が優しい｜～软 情にもろい ❷方 気分．感興

【心潮】xīncháo 图（揺れ動く）心．感情

【心驰神往】xīn chí shén wǎng 成 心を奪われる．うっとりとなる‖令人～ うっとりさせられる

【心慈手软】xīn cí shǒu ruǎn 成 心優しく情け深い．手心を加える

【心胆俱裂】xīn dǎn jù liè 成 驚いて肝をつぶす

【心荡神驰】xīn dàng shén chí 成 心が揺れ動いて気が落ち着かない．気もそぞろである

【心到神知】xīn dào shén zhī 慣 信仰心があれば神に通じる．真心を尽くせば人はきっと分かってくれる

＊＊【心得】xīndé 图（仕事や学習などを通じて）感得したり会得したりしたもの‖读书～ 読後の感想

【心底】xīndǐ 图 ❶衷心．心の底‖从～里佩服pèifu 心から感服する ❷（～ㄦ）方 心根．気立て

【心地】xīndì 图 ❶心根．気立て．気性‖～善良 気立てがよい ❷気分．気持ち‖～愉快 気分がよい

【心电图】xīndiàntú 图〈医〉心電図

【心动】xīndòng ❶鼓動する ❷心が動く．気持ちをそそられる

【心毒】xīn//dú 形 残忍である．あくどい

【心烦】xīnfán 形 いらいらする．むしゃくしゃする

【心房】xīnfáng 图 ❶〈生理〉心房 ❷心の内

【心扉】xīnfēi 图 心の扉‖敞chǎng开～ 心を開く

【心服】xīn//fú 動 心服する‖～口服 心から敬服する｜口服心不服 口では承服するが，内心不服だ

【心浮】xīn//fú 形 気持ちが浮ついている．落ち着きがな

い‖～气躁 気持ちが浮ついている
【心腹】xīnfù 名❶腹心の者‖视为～ 腹心と見なす ❷内心．心の内‖～话 打ち明け話．本音｜～事 胸にしまい込んだ事柄
【心腹之患】xīn fù zhī huàn 成 内部に隠れた禍根．獅子(し)身中の虫
【心甘】xīn//gān 動 心から望む．甘んじる
【心甘情愿】xīn gān qíng yuàn 成 心から願う．甘んじて受ける
【心肝】xīngān 名❶心臓と肝臓 ❷良心．真心．人間らしさ‖没～的人 良心のない人間 ❸(～儿)いとし子．最愛の人．(多く幼い子供に対して用いる)‖孩子是父母的～ 子供は両親のいちばん大切な宝だ
【心广体胖】xīn guǎng tǐ pán 成 心がのびのびすれば体つきも丈夫でふくよかになる．〔心宽体胖〕ともいう
【心寒】xīn//hán 形(信頼を裏切られて)落胆し胸が痛む．がっかりさせられる
【心黑】xīn//hēi 形 腹黒い．邪心がある
【心狠】xīn//hěn 形 冷酷である
【心狠手辣】xīn hěn shǒu là 成 冷酷で，やり口があくどい
【心花怒放】xīn huā nù fàng 成 心の中に花が咲いたようになる．嬉しくてたまらないさま
【心怀】[1] xīnhuái 動 心に抱く．思う
【心怀】[2] xīnhuái 名❶心情．気持ち‖抒发shūfā～ 心情を述べる ❷胸の内．心底
【心怀鬼胎】xīn huái guǐ tāi 成 下心がある．悪だくみを抱いている
【心怀叵测】xīn huái pǒ cè 成 心中がはかり知れない．胸に一物ある
【心慌】xīn//huāng 形❶そわそわしている．落ち着かない‖考试前有点～ 試験前はどうも落ち着かない 動 方 動悸(どうき)がする
【心慌意乱】xīn huāng yì luàn 成 気が動転する
【心灰意懒】xīn huī yì lǎn 成 がっかりして何もする気になれない．意気消沈する．〔心灰意冷〕ともいう
【心机】xīnjī 名 頭の働き．考え．策略‖费尽～ あれこれ知恵をしぼる｜枉费wǎngfèi～ むだ骨を折る
【心肌】xīnjī 名〈生理〉心筋‖～炎 心筋炎
【心急】xīn//jí 形 気がせく．焦っている‖～如焚fén 火のついたように気がせく
【心急火燎】xīn jí huǒ liǎo 慣 気が焦りじりじりする
【心计】xīnjì 名 腹づもり．企て‖他很有～ 彼はなかなか抜け目ない｜工于～ 計略にたけている
【心迹】xīnjì 名 本心．心底．胸の内‖表明～ 本心を明かす｜袒露tǎnlù～ 胸の内を明かす
【心悸】xīnjì 動❶動悸(どうき)がする ❷心中恐れる
【心尖】xīnjiān 名❶〈生理〉心臓の先端 ❷胸の内 ❸(～儿) 方 最愛の人．(多く子供をさす)
【心间】xīnjiān 名 心の中．胸の中
【心焦】xīnjiāo 形 気がせく．いらいらする
【心绞痛】xīnjiǎotòng 名〈医〉狭心症
【心结】xīnjié 名 わだかまり．しこり．不満‖难解～ わだかまりが消えない
【心劲】xīnjìn (～儿) 名❶考え．思い．気持ち‖正对～ ぴったり心にかなう ❷思慮．判断力‖办事有～ 処置の仕方が思慮深い ❸やる気．意気込み‖～十足 意気込み十分である
【心惊胆战】xīn jīng dǎn zhàn 成 恐れおののく．びくびくする
【心惊肉跳】xīn jīng ròu tiào 成 恐ろしくて胸がどきどきする．戦々恐々とする
【心境】xīnjìng 名 心境．気持ち
【心静】xīn//jìng 形 心が平静である
【心坎】xīnkǎn (～儿) 名❶みぞおち ❷心の奥底
【心口】xīnkǒu 名 みぞおち
【心口如一】xīn kǒu rú yī 成 言うことと心の中が一致している．裏表がない
【心宽】xīn//kuān 形 心が広い．おおらかである
【心宽体胖】xīn kuān tǐ pán ＝〔心广体胖xīn guǎng tǐ pán〕
【心旷神怡】xīn kuàng shén yí 成 心がのびのびとして，すがすがしい
【心劳计绌】xīn láo jì chù 成 いくら知恵をしぼっても，よい考えが浮かばない
【心劳日拙】xīn láo rì zhuō 成 あれこれ策をめぐらすが，日に日に窮していく
*【心里】xīnli 名❶胸．胸部‖～发疼 胸が痛む ❷心の中．胸中‖记在～ 心に刻む｜～话 本当の話．本音｜～难过 心中つらい
【心里美】xīnlǐměi 名〈植〉コウシンダイコン
*【心理】xīnlǐ 名 心理．気持ち‖～作用 気のせい｜利用人们想发财的～搞诈骗zhàpiàn 金儲けをしたいという人々の気持ちを利用して詐欺をはたらく
【心理学】xīnlǐxué 名 心理学
【心力】xīnlì 名 気苦労と骨折り‖费尽～ さんざん心を砕き，骨を折る
【心力交瘁】xīn lì jiāo cuì 成 心身ともに疲れ果てる
【心力衰竭】xīnlì shuāijié 名〈医〉心不全
【心连心】xīn lián xīn 慣 心を一つにする．心が通い合う
【心灵】[1] xīn//líng 形 利口である．機転が利く．頭の回転が早い‖～手巧 頭の回転が早く手も器用である
*【心灵】[2] xīnlíng 名 心‖～的创伤 心の傷
【心领】xīnlǐng 動 挨拶 (贈り物を謝絶するとき)お気持ちはありがたくいただきます
【心领神会】xīn lǐng shén huì 成 心の中で理解する．感じ取る．会得する
【心路】xīnlù (～儿) 名❶才覚．機知 ❷度量．気前 ❸心がけ．了見．思惑 ❹気持ち．考え
【心律】xīnlǜ 名〈医〉心搏‖～不齐 不整脈
【心率】xīnlǜ 名〈医〉心搏数
【心满意足】xīn mǎn yì zú 成 すっかり満足する．満ち足りる
【心明眼亮】xīn míng yǎn liàng 成 心も目もはっきりしている．洞察力が優れている
*【心目】xīnmù 名❶(心の中の)印象．感じ‖犹在～ なお印象が鮮やかである ❷胸中．心中．念頭‖～中的偶像 心の中の偶像．あこがれの人
【心平气和】xīn píng qì hé 成 心が平静で態度も穏やかである
【心魄】xīnpò 名 心．魂‖动人～ 人の心を揺さぶる
【心气】xīnqì (～儿) 名❶考え．気持ち ❷志．意気込み ❸気分．機嫌 ❹度量
【心窍】xīnqiào 名 心の働き．心眼‖鬼迷～ 魔がさす｜财迷～ 金に目がくらむ｜开～ すっかり納得がいく
【心切】xīn//qiè 形(求める気持ちが)切実である．痛切である‖归国～ 帰国したくて矢も楯(たて)もたまらない
**【心情】xīnqíng 名 心．気分．心情‖～舒畅 気持

ちがのびのびする｜～不好 気分がよくない. 不愉快である
【心曲】xīnqū 名 書 心の中. 胸中
【心如刀割】xīn rú dāo gē 成 胸がえぐられる思いである. 悲痛きわまりない.〔心如刀绞〕ともいう
【心软】xīn∥ruǎn 形 気が優しい. 情にもろい
【心善】xīnshàn 形 善良である. 心が優しい
【心上】xīnshang 名 心. 心の中
【心上人】xīnshàngrén 名 意中の人. 愛する人
【心神】xīnshén 名 ❶頭の働き. 知恵 ‖ 空耗hào～ むだに知恵をしぼる ❷気持ち. 精神状態
【心声】xīnshēng 名 心の声. 胸の内
【心盛】xīn∥shèng 形 意欲的である. 張り切っている
*【心事】xīnshi；xīnshì 名 心配事. 考え事 ‖ ～重重chóngchóng 心配事だらけである｜总算了却了一桩zhuāng～ やっと心配事の一つが片付いた
【心室】xīnshì 名〈生理〉心室
【心术】xīnshù 名 ❶心がけ. 了見.（多く悪い場合をいう） ❷はかりごと. 計略 ‖ 善用～ 計略にたけている
【心数】xīnshù 名 計略. 心づもり. 要領
*【心思】xīnsi 名 ❶考え. 心づもり ‖ 坏～ 悪い考え ❷頭の働き. 知恵 ‖ 挖wā空～ 知恵をふりしぼる ❸（あることをやりたい）気分. 興味. やる気 ‖ 没～读书 勉強する気がしない
【心酸】xīn∥suān 形 悲しい. 切ない. 胸がしめつけられる ‖ ～落泪 切なくて涙がこぼれる
【心算】xīnsuàn 動 暗算をする
【心碎】xīnsuì 形 胸が張り裂けそうである. 痛ましい
【心态】xīntài 名 心理状態. 意識 ‖ 当代青年的～ 現代の若者の心のありよう
*【心疼】xīnténg 動 ❶（心にかけて）かわいがる. いとおしむ ‖ ～孩子 子供をかわいがる ❷惜しがる. もったいながる ‖ ～钱 金を出し惜しむ
【心田】xīntián 名 ❶書 心 ❷方 心根. 了見
【心跳】xīn∥tiào 動 胸がどきどきする. 動悸(どうき)がする
*【心头】xīntóu 名 胸中. 心の中 ‖ 压住～怒火 腹立たしさをぐっとこらえる
【心头肉】xīntóuròu 名 喩 最愛の人
【心窝儿】xīnwōr 名 口 ❶心臓のある部位 ❷心の奥底. 内心 ‖ 他的话句句说到了我的～里 彼の話の一言一言が私の心にしみた
【心无二用】xīn wú èr yòng 成 二つのことに同時に心を用いることはできない. 物事をやるには専心しなければならない
【心细】xīn∥xì 形 細心である. 注意深い
【心弦】xīnxián 名 心の琴線 ‖ 扣kòu人～ 心の琴線に触れる
【心想】xīnxiǎng 動 ❶心の中で考える. 心で思う ❷願う. …するつもりだ ‖ ～事成 心の願いがかなえられる
【心心念念】xīnxīn niànniàn 慣 じっと心に念じ続ける
【心心相印】xīn xīn xiāng yìn 成 心と心が通じ合う. お互いに深く理解し合う
【心性】xīnxìng 名 性情. 気性
【心胸】xīnxiōng 名 ❶度量 ❷志. 抱負
【心虚】xīn∥xū 形 ❶（やましいことがあり）びくびくしている ❷自信がない. 心もとない
【心绪】xīnxù 名 気持ち. 心 ‖ ～不宁níng 気持ちが落ち着かない｜～乱如麻 心が千々に乱れる
*【心血】xīnxuè 名 心血 ‖ 费尽～ 心血を注ぎ尽くす｜他把自己一生的～都倾注qīngzhù到了城市建设事业上 彼は生涯の心血を都市建設の事業に注いだ
【心血来潮】xīn xuè lái cháo 成 ぱっとある考えを思いつく. 気まぐれを起こす
*【心眼儿】xīnyǎnr 名 ❶心の底. 内心 ‖ 打～里喜欢 心の底から好きである ❷心根. 気立て ‖ 没安好～ ろくなことを考えていない ❸才覚. 知恵 ‖ 有～ 才覚がある. 賢い ❹気遣い. 考えすぎ. いらぬ心配 ‖ ～太多 気を回しすぎる ❺度量 ‖ ～小 気が小さい
【心仪】xīnyí 動 書 敬慕する
*【心意】xīnyì 名 ❶（他人に対する）真心. 厚意 ‖ 这是我的一点～，千万请收下 これは私のほんの気持ちです，ぜひともお収めください ❷意思. 考え
【心音】xīnyīn 名〈生理〉心音 ‖ ～图 心音図
【心硬】xīn∥yìng 形 情が薄い. 冷たい. 冷酷である
【心有灵犀一点通】xīn yǒu língxī yī diǎn tōng 成 暗黙のうちに心が通じ合う. 以心伝心
【心有余悸】xīn yǒu yú jì 成（恐怖がさめやらず）まだ胸がどきどきする. いまだにびくびくしている
【心余力绌】xīn yú lì chù 成 やる気は十分だが，力が足りない
【心语】xīnyǔ 名 本心. 本音 ‖ 他用一封信表达了自己的～ 彼は手紙で本心を明かした
【心猿意马】xīn yuán yì mǎ 成 気持ちが落ち着かず物事に専念できない. 気もそぞろなさま
*【心愿】xīnyuàn 名 念願. 願望 ‖ 多年的～终于实现了 長年の念願がついにかなった
【心悦诚服】xīn yuè chéng fú 成 心から承服する. 心から納得する
**【心脏】xīnzàng 名 ❶〈生理〉心臓 ‖ ～病 心臓病 ❷心臓部. 中心
【心脏死亡】xīnzàng sǐwáng 名 心臓停止による死亡 ↔〔脑死亡〕
【心窄】xīn∥zhǎi 形 度量が小さい. くよくよと気になる
【心照】xīnzhào 動 口に出さずとも理解する ‖ ～不宣 互いに口に出さないが，心の中で分かっている
【心直口快】xīn zhí kǒu kuài 成 性格が率直で，思ったことをずばり言う
【心志】xīnzhì 名 意志. 志 ‖ ～不移 志を変えない
【心智】xīnzhì 名 精神力と知恵
*【心中】xīnzhōng 名 心中. 心の中 ‖ 他～只有工作 彼の頭には仕事のことしかない
【心中无数】xīn zhōng wú shù 成 胸に成算がない. 確信が持てない. 見込みがつかない ＝〔胸中无数〕
【心中有数】xīn zhōng yǒu shù 成 胸に成算がある. 自信がある ＝〔胸中有数〕
【心重】xīnzhòng 形 神経質で考え込みやすい. あれこれと気にしてくよくよしやすい
【心子】xīnzi 名 ❶中心. 芯(しん) ‖ 蜡～ ろうそくの芯 ❷方 食用とする動物の心臓
【心醉】xīn∥zuì 動 心酔する. うっとりする

7 忻 xīn 〔欣xīn〕に同じ

7 芯 xīn ❶名 イグサの茎の髄 ❷名（～儿）芯(しん) ‖ 铅笔～ 鉛筆の芯 ➤ xìn
【芯片】xīnpiàn 名〈計〉チップ ‖ ～组 チップセット

7 辛[1] xīn ❶辛い ‖ →～辣 ❷苦しい ‖ →～苦｜艰～ つらい ❸悲しい ‖ →～酸

7 辛[2] xīn 名 辛(かのと)（十干の第8）. ➡〔天干tiāngān〕

X

【辛迪加】xīndíjiā 名 外 〈経〉シンジケート
【辛亥革命】Xīnhài gémìng 名〈史〉辛亥革命(しんがいかくめい). 1911年10月10日の武昌蜂起(ほうき)を発端とする孫文らが指導するブルジョア民主主義革命
★【辛苦】xīnkǔ 形 苦労である. 骨が折れる ‖ 又要学习, 又要打工, 你也够～的 勉強にアルバイトに, 君もずいぶん大変ですね 動 挨拶 ご苦労さま. ご苦労をおかけします ‖ ～了 ご苦労さま | 这事还得～你一趟tàng このことについてはもう一度ご足労願わねばなりません
【辛苦费】xīnkǔfèi 名 口 手数料. コミッション. リベート
【辛辣】xīnlà 形 ❶(味が)辛い. (食べ物の)刺激が強い ❷(言葉や文章が)辛辣(しんらつ)である
【辛劳】xīnláo 形 苦労である. 骨が折れる
*【辛勤】xīnqín 形 勤勉である. 精を出す. せっせと励む ‖ ～劳动 仕事に精を出す
【辛酸】xīnsuān 形 つらく悲しい

8 **昕** xīn 古 日の出前. 夜明け方 ‖ 自～至夕 朝から晩まで

8 **欣** xīn 嬉しい. 喜ばしい ‖ ～逢佳节 よき日を喜び迎える | 欢～鼓舞 喜びに沸き立つ
【欣慕】xīnmù 動 書 うらやむ. あやかりたいと思う
【欣然】xīnrán 形 欣然(きんぜん)とするさま. 喜ぶさま ‖ ～允诺yǔnnuò 喜んで承諾する | ～前往 喜んで赴く
*【欣赏】xīnshǎng 動 ❶鑑賞する ‖ ～音乐 音楽を鑑賞する ❷気に入る. 高く評価する ‖ 我很～这位作家的作品 私はこの作家の作品をとても買っている.
【欣慰】xīnwèi 形 喜ばしい. 満足である
【欣喜】xīnxǐ 形 喜ばしい. 嬉しい ‖ ～若狂 狂喜する
【欣羡】xīnxiàn 動 書 うらやましがる. あやかりたいと思う
*【欣欣向荣】xīn xīn xiàng róng 成 草木が勢いよく伸びるさま. 事業などが繁栄し発展するさま
【欣幸】xīnxìng 動 喜ばしく思う. 嬉しく思う
【欣悦】xīnyuè 形 嬉しい. 喜ばしい

10 **莘** xīn 地名用字 ‖ ～庄 上海市にある地名 ➤ shēn

12 **锌** xīn 名〈化〉亜鉛(化学元素の一つ, 元素記号は Zn)
【锌版】xīnbǎn 名〈印〉亜鉛版
【锌板】xīnbǎn 名 トタン板

13 ★**新** xīn ❶形 (いままでになく)新しい. 初めての ↔〔旧〕〔老〕‖ ～品种 新しい品種 | 式样很～ デザインが新しい ❷新たにする ‖ 改过自～ 過ちを改めて心を入れ替える ❸形 未使用の. 新しい ↔〔旧〕‖ 八成～ 8割方新品である ❹新婚の ‖ ～～娘 ❺新しい人や事物 ‖ 尝cháng～ はしりの食べ物を賞味する ❻副 …したばかり(である) ‖ ～上任的厂长 新任の工場長
【新编】xīnbiān 動 新しく編纂(へんさん)する. (多く書名に用いる) ‖ 《～汉语词典》『新編中国語辞典』
【新兵】xīnbīng 名 新兵
【新潮】xīncháo 名 新しい潮流 ‖ 艺术～ 芸術の新しい流れ 形 流行の最先端をゆく. 最新流行の ‖ 她的发式很～ 彼女のヘアスタイルは最新の流行だ
*【新陈代谢】xīn chén dàixiè 名 ❶〈生〉新陳代謝. 略して〔代谢〕ともいう ❷喩 新しい事物が発展し, 古い事物に取って替わること
【新宠】xīnchǒng 名 最近人気があるもの ‖ 数码相机成为年轻人的～ デジカメは最近若者に人気がある
【新仇旧恨】xīn chóu jiù hèn 慣 古い恨みに新しい憎しみ. 積もる恨み
【新春】xīnchūn 名 初春(旧暦の元日から20日ごろまでをさす) ‖ 迎～ 新年を迎える
【新词】xīncí 名〈語〉新語. 新しい言葉
【新大陆】Xīndàlù 名 新大陸. 〔美洲〕(アメリカ大陸)の別称
【新低】xīndī 名 最低記録. ワースト記録 ↔〔新高〕‖ 创下10年来～ 10年ぶりにワースト記録を塗りかえた
*【新房】xīnfáng 名 ❶新しく建てた家屋 ❷新婚夫婦の寝室 ‖ 闹～ 結婚の夜, 新婚夫婦の部屋に押しかけて騒ぐ風習
【新风】xīnfēng 名 新風. 新しい気風
【新妇】xīnfù 名 新婦. 花嫁
【新高】xīngāo 名 最高記録. 新記録 ↔〔新低〕‖ 纽约Niǔyuē股市创下历史～ ニューヨーク株式市場は過去最高となる高値を記録した
【新寡】xīnguǎ 名 夫を亡くして間もない婦人
【新官上任三把火】xīnguān shàngrèn sān bǎ huǒ 諺 新しい役人が着任してしばらくは万事やかましい. 新任者は改革に熱心だ
【新贵】xīnguì 名 新たに権勢を得た勢力. 最近羽振りのよい人々
【新欢】xīnhuān 名 新しい愛人. (多く女性をさす)
【新婚】xīnhūn 動 結婚したばかりである ‖ ～旅行 新婚旅行 | ～夫妇 新婚夫婦
【新纪元】xīn jìyuán 組 新紀元. 新時代
【新加坡】Xīnjiāpō 名〈国名〉シンガポール
【新交】xīnjiāo 名 新しい友人 動 新たに交際する
【新教】xīnjiào 名〈宗〉(キリスト教の)新教. プロテスタント
*【新近】xīnjìn 名 最近. このごろ ‖ ～投放市场的录音机 最近売り出したテープレコーダー
【新居】xīnjū 名 新居 ‖ 搬进～ 新居に引っ越す
【新款】xīnkuǎn 名 新デザイン. ニューモデル
【新来乍到】xīn lái zhà dào 慣 来たばかりである. 到着したばかりである
*【新郎】xīnláng 名 新郎. 花婿
【新历】xīnlì 名 新暦. 〔阳历〕の俗称
【新绿】xīnlǜ 名 (初春のころの)芽吹いた草木の緑
【新苗】xīnmiáo 名 若い苗 喩 前途有望の若者 ‖ 培育péiyù～ 新人を養成する
【新民主主义革命】xīn mínzhǔ zhǔyì gémìng 名〈史〉新民主主義革命. ブルジョア民主主義革命. 中国では1919年の五四運動から1949年までの動きをさす
【新名词】xīn míngcí (～儿) 組 新語 ‖ 满口～ 新しい言葉ばかり使う
★【新年】xīnnián 名 新年. 正月 ‖ ～献词 年頭の言葉 | ～好! 新年おめでとう
*【新娘】xīnniáng 名 花嫁. 〔新娘子〕ともいう
【新派】xīnpài (～儿) 名 新しい一派. 革新派
【新篇章】xīn piānzhāng 組 喩 新たな章. 新しいページ ‖ 揭开jiēkāi两国关系史的～ 両国関係史に新しい一ページを開く
【新品】xīnpǐn 名 新製品
【新奇】xīnqí 形 新奇である. 目新しい
【新巧】xīnqiǎo 形 新味があり, 精巧である
【新区】xīnqū 名 ❶新しい地区 ❷〈史〉新解放区. とくに, 中国の第二次国共内戦(1946～1949年)開始後に解放された地区をさす
*【新人】xīnrén 名 ❶新しいタイプの人間. 新時代の人物 ‖ ～新事 新しいタイプの人物と事物 ❷新しい才

能．新人‖文艺～ 文壇または芸能界の新人 ❸新採用者．新人‖调diào来了几个～ 数名の新人が配置されてきた ❹心を入れ替えた人．更生した人‖把罪犯改造成～ 犯罪者を更正して生まれ変わらせる ❺新郎新婦．(とくに)新婦‖一对～ 新郎と新婦
【新任】xīnrèn 形 新任の‖～厂长 新任工場長 名 新たに任じられた職務．赴任先
【新锐】xīnruì 名 新鋭．新進気鋭
*【新生】[1] xīnshēng 形 新しく生まれ出た．生まれ出たばかりの‖～事物 新しく生まれた現象 名 新しい人生．生まれ変わった命‖犯人经过教育获得了～ 犯人は更生して，第二の人生を歩み始めた
【新生】[2] xīnshēng 名 新入生
【新生代】Xīnshēngdài 名〈地質〉新生代
【新生儿】xīnshēng'ér 名 新生児
【新诗】xīnshī 名（五四運動以後の）口語詩．新体詩
【新石器时代】Xīnshíqì shídài 名 新石器時代
*【新式】xīnshì 形 新型の．新式の‖～武器 新型兵器｜～家具 新式の家具
【新手】xīnshǒu （～儿）名 新参者．新米
【新书】xīnshū 名 ❶新しい本 ❷新刊書
【新诉】xīnsù 名〈法〉新訴 ↔〔原诉〕
【新文化运动】xīn wénhuà yùndòng 名〈史〉新文化運動(1917～1921年)．五四運動前後の文化・思想改革運動をさす
★【新闻】xīnwén 名 ❶ニュース．報道‖～工作者 新聞報道関係者｜～发言人 スポークスマン ❷(社会における)新しい話題‖～人物 時の人．話題の人物

類義語 新闻 xīnwén 消息 xiāoxi
◆〔新闻〕新聞・放送・インターネットなどにより報道された情報やニュース．また広く社会での新しい出来事をもいう ◆〔消息〕公式なもののほか，日常的な個人からの情報・音信をもいう‖总理出院的消息(新闻) 総理が退院したというニュース｜妈妈病危的消息 母が危篤だという知らせ

【新闻发布会】xīnwén fābùhuì 名 プレス・ブリーフィング
【新闻公报】xīnwén gōngbào 名 プレス・コミュニケ
【新闻纸】xīnwénzhǐ 名 ❶〈印〉新聞用紙 ❷旧 新聞紙．〔报纸〕の旧称
【新西兰】Xīnxīlán 名〈国名〉ニュージーランド
【新媳妇儿】xīnxífur 名 口 花嫁
【新禧】xīnxǐ 形 書 年が新たまり喜ばしい‖恭贺～ 謹賀新年．明けましておめでとうございます
**【新鲜】xīnxian；xīnxiān 形 ❶新しい．新鮮である‖～的牛肉 新鮮な牛肉｜这条鱼不太～ この魚はあまり生きがよくない ❷珍しい．目新しい‖～事儿 目新しいこと｜刚到纽约，他对什么都觉得～ ニューヨークに来たばかりで，彼には見聞きするすべてが新鮮に感じられた
*【新兴】xīnxīng 形 新興の‖～产业 新興産業｜～力量 新興勢力
【新星】xīnxīng 名 ❶〈天〉新星 ❷新しいスター
*【新型】xīnxíng 形 新型の‖引进最～的设备 最新型の設備を導入する
【新秀】xīnxiù 名 新鋭．優れた新人‖学术界的～ 学界の新鋭｜体操～ 体操のホープ
【新药】xīnyào 名 ❶新薬 ❷西洋医学の薬
【新义】xīnyì 名 単語に新しく生じた意味
【新异】xīnyì 形 新奇である．珍しい
*【新颖】xīnyǐng 形 目新しい．清新である‖题材～ 題材が斬新である｜式样～ デザインが新しい
【新雨】xīnyǔ 名 ❶初春の雨．降ったばかりの雨 ❷書 新しい友人‖旧知～ 古い友と新しい友
【新约】Xīnyuē 名〈宗〉新約(聖書)
【新月】xīnyuè 名 ❶(旧暦で)月の初めの細い月．三日月‖～形 三日月形 ❷〈天〉新月．〔朔月〕ともいう
【新张】xīnzhāng 動 新しく開店する．新規に店を開く
【新知】xīnzhī 名 書 新しい友人
【新址】xīnzhǐ 名（機関や団体の）新しい住所
【新著】xīnzhù 名 新著．新しい著作
【新装】xīnzhuāng 名 新しい服．新しい装い
【新作】xīnzuò 名 新作．新しい作品

13 **歆** xīn 書 ❶鬼神が供え物を受ける ❷うらやむ

16 **薪** xīn ❶まき．たきぎ‖卧～尝胆 臥薪嘗胆(がしんしょうたん) ❷俸給．給料‖月～ 月給
【薪酬】xīnchóu 名 給与．給料．報酬
【薪俸】xīnfèng 名 書 俸給．給料
*【薪金】xīnjīn 名 俸給．給料
【薪尽火传】xīn jìn huǒ chuán 成 まきが燃え尽きても，火はほかのまきに燃え移っていく．学問や技術が師から弟子へ代々伝承されていくたとえ
*【薪水】xīnshui 名 俸給．給料‖长～ 給料を上げる

20 **馨** xīn 書（遠くまで漂い広がる）芳香
【馨香】xīnxiāng 形 書 かぐわしい．よい香りがする 名 香をたく匂い

24 **鑫** xīn 書 裕福である．富んでいる．(多く商店の名や人名に用いる)

xín

6 **寻**（尋）xín ➤ xún

17 **镡** xín 古 ❶剣のつかがしら ❷武器の一種．やや小ぶりの剣 ➤ chán tán

xìn

6 **囟** xìn （乳児の頭骨がまだ接合していない部分）ひよめき．おどりこ

7 **芯** xìn ↴ ➤ xīn
【芯子】xìnzi 名 ❶(物の)芯(しん)．ろうそくの芯や爆竹の導火線など ❷ヘビやサソリなどの舌

9 ★**信**[1] xìn ❶真実である．確実である‖～史 ❷誠実である．心がこもっている‖～用 ❸証明できるもの．証拠‖～物 ❹名 書 使者．使命を帯びた人 ❺名（～儿）消息．便り．知らせ‖你等我的～儿吧！ 知らせてあげるから待っていなさい ❻名 手紙．書信．書状‖写～ 手紙を書く ❼動 信じる．信用する‖你说的我全～ 君の言うことは全部信じる ❽動 (宗教を)信仰する‖～佛 仏教を信じる ❾…に任せる．随意に…する‖～步

9 **信**[2] xìn 〈鉱〉砒石(ひせき)

9 **信**[3] **xìn** 〔芯xìn〕に同じ

【信笔】 xìnbǐ 副 筆に任せる. 筆の走るに任せる

【信笔涂鸦】 xìn bǐ tú yā 成 筆に任せて墨を塗る. 字を書きなぐるさま

【信不过】 xìnbuguò 動 信用できない. 信じられない

【信步】 xìnbù (～儿) 動 ぶらぶら歩く. ぶらつく

【信差】 xìnchāi 名 旧 ❶公文書を送り届ける使いの者 ❷郵便配達人

【信从】 xìncóng 動 信じて従う. 信服する

*【信贷】 xìndài 名〈経〉(銀行の)貸し付け. (広く)預金や貸し金などの総称 ‖ ～资金 貸付資金

【信得过】 xìndeguò 動 信用できる. 信じられる

【信而有征】 xìn ér yǒu zhēng 成 確実であるうえに証拠もある

【信访】 xìnfǎng 動 投書や陳情をする

【信风】 xìnfēng 名〈気〉貿易風. 恒信風. 〔贸易风〕ともいう ‖ ～带 貿易風地帯

★【信封】 xìnfēng (～儿) 名 封筒 ‖ 拆开 chāikāi ～ 封筒の封を切る｜封上～ 封筒に封をする

【信奉】 xìnfèng 動 ❶信仰しあがめる ❷信じて実行する. 信奉する ‖ ～进化论 進化論を信奉する

【信服】 xìnfú 動 信服する

【信鸽】 xìngē 名 伝書バト

【信管】 xìnguǎn 名 (砲弾などの)信管. 導火線

【信函】 xìnhán 名 書 信書. 書簡

*【信号】 xìnhào 名 ❶信号. 合図 ‖ 打～ 合図をする｜发～ 合図を送る ❷信号電波

【信号弹】 xìnhàodàn 名 信号弾

【信号灯】 xìnhàodēng 名 信号灯. 信号機

【信号枪】 xìnhàoqiāng 名 信号弾発射機

【信汇】 xìnhuì 動 為替を組む 名 郵便為替. 送金手形

【信笺】 xìnjiān 名 書 便箋(びんせん)

*【信件】 xìnjiàn 名 書簡. 郵便物

【信教】 xìn//jiào 動 宗教を信仰する

【信据】 xìnjù 名 確実な証拠

【信口】 xìnkǒu 副 口から出任せに

【信口雌黄】 xìn kǒu cí huáng 成 口から出任せを言う. でたらめを言う

【信口开河】【信口开合】 xìn kǒu kāi hé 成 口から出任せをしゃべりまくる. べらべらといいかげんなことを言う

*【信赖】 xìnlài 動 信頼する ‖ 可以～的朋友 信頼できる友｜得到了大家的～ みんなの信頼を得た

【信马由缰】 xìn mǎ yóu jiāng 成 手綱を緩め, あとは馬の自由に任せる. 足の向くままに歩き回る. 行き当たりばったりである

*【信念】 xìnniàn 名 信念 ‖ 不可动摇的～ 揺るぎない信念｜抱有坚定的～ 堅い信念を抱いている

【信皮儿】 xìnpír 名 口 封筒

【信瓤儿】 xìnrángr 名 口 (封筒に対して)その中に入っている手紙

*【信任】 xìnrèn 動 信任する. 信頼する ‖ 大家都很～他 みんな彼をたいへん信頼している

【信任投票】 xìnrèn tóupiào 名 信任投票

【信赏必罚】 xìn shǎng bì fá 成 信賞必罰. 賞罰をはっきりさせる

【信实】 xìnshí 形 信用がある. 誠実である

【信史】 xìnshǐ 名 信用できる史実

【信使】 xìnshǐ 名 手紙や公文書の使者

【信誓旦旦】 xìn shì dàn dàn 成 心から誠実に誓う. 固く誓う

【信手】 xìnshǒu (～儿) 副 手任せに. 気ままに. 無造作に ‖ ～画了一幅草图 無造作に下絵をかいた

【信手拈来】 xìn shǒu niān lái 成 手当たりしだいに取り出す. 文章を書くのに, 豊富な語彙(ごい)や素材を自由に使いこなすたとえ

【信守】 xìnshǒu 動 誠実に守る

【信天翁】 xìntiānwēng 名〈鳥〉アホウドリ

【信条】 xìntiáo 名 信条. 信念

【信筒】 xìntǒng 名 郵便ポスト. 〔邮筒〕ともいう

【信徒】 xìntú 名 信者. 信徒

【信托】 xìntuō 動 信託する. 委託する 形 信託業の

【信望】 xìnwàng 名 威信と声望. 信望

【信物】 xìnwù 名 証(あかし)となる物 ‖ 定情的～ 変わらぬ愛のしるし

*【信息】 xìnxī 名 ❶音信. 便り ‖ 没有丝毫～ なんの音信もない ❷情報 ‖ 传递～ 情報を伝達する｜～处理 情報処理｜～量 情報量｜～产业 情報産業

【信息安全】 xìnxī ānquán 名 情報セキュリティ. インフォメーションセキュリティー

【信息港】 xìnxīgǎng 名 情報のプラットホーム. 情報ポータルサイト. 〔数码港〕ともいう

【信息高速公路】 xìnxī gāosù gōnglù 名 情報スーパーハイウエー

【信息技术】 xìnxī jìshù 名 情報技術. IT

【信息科学】 xìnxī kēxué 名 情報科学

【信息库】 xìnxīkù 名 データベース

【信息论】 xìnxīlùn 名 情報理論. サイバネティックス

【信息社会】 xìnxī shèhuì 名 情報社会. 情報化社会. 〔信息化社会〕ともいう

【信息时代】 xìnxī shídài 名 情報化時代

【信箱】 xìnxiāng 名 ❶郵便ポスト ❷私書箱 ❸郵便受け

⁂【信心】 xìnxīn 名 自信. 信念. 確信 ‖ ～十足 自信満々である｜丧失～ 自信を失う

*【信仰】 xìnyǎng 動 信仰する ‖ ～佛教 仏教を信仰する｜～马克思主义 マルクス主義を信じる

【信以为真】 xìn yǐ wéi zhēn 慣 本当だと信じ込む. 真に受ける

【信义】 xìnyì 名 信用と道義. 信義 ‖ 讲～ 信義を重んじる｜不守～的人 信義にもとる者

*【信用】 xìnyòng 名 ❶信用 ‖ 讲～ 信用を重んじる｜不守～ 約束を守らない ❷〈経〉信用取引 ‖ ～贷款 信用貸付. クレジット 動 書 信じて任用する

【信用合作社】 xìnyòng hézuòshè 名 信用組合. 農村に多い小規模金融機関

【信用卡】 xìnyòngkǎ 名 クレジットカード

*【信誉】 xìnyù 名 信用と名声. 評判 ‖ 赢得yíngdé～ 信用を勝ち取る｜维护公司的～ 会社の信用を守る

【信札】 xìnzhá 名 書 手紙. 書簡

【信纸】 xìnzhǐ 名 便箋(びんせん)

【信众】 xìnzhòng 名 信徒 ‖ 佛教～ 仏教徒

11 **衅**(釁) **xìn** わだかまり. 争い ‖ 挑～ 挑発する｜寻～ 言いがかりをつける

【衅隙】 xìnxì 名 仲たがい. 不和

xīng

6 * **兴**(興) **xīng** ❶起きる．起き上がる‖夙sù～夜寐mèi 朝は早く起き，夜は遅くなってから眠る ❷発動する．動員する‖一～兵 ❸始める．創始する‖一～办 ❹動 流行する．盛んになる‖这种款式现在不～了 このデザインはいまではもうはやらない ❺盛んである．旺盛(おうせい)である‖一～旺 ❻動 方 許す．許可する．(多く否定に用いる)‖不～骂人 人を罵倒(ばとう)してはいけない ➤ xìng

*【兴办】xīngbàn 動(事業を)始める．興す‖～企业 企業を興す｜～夜校 夜間学校を開設する

【兴兵】xīngbīng 動 挙兵する．兵を挙げる

⁑【兴奋】xīngfèn 形 **興奮している．感激している**‖他～得夜里睡不着觉 彼は興奮して夜眠れなかった 名 興奮 動 興奮させる

【兴奋剂】xīngfènjì 名〈薬〉興奮剤

【兴风作浪】xīng fēng zuò làng 成 波風を巻き起こす．騒動を引き起こす

【兴工】xīnggōng 動 起工する．工事を始める

【兴国】xīngguó 動 国を振興する

*【兴建】xīngjiàn 動(多く比較的規模の大きいものを)建てる．建設する‖～发电站 発電所を建設する

【兴利除弊】xīng lì chú bì 成 有益な事業を興して，弊害を除く

【兴隆】xīnglóng 形 盛んである．繁盛している

*【兴起】xīngqǐ 動 ❶盛んに興る．勃興(ぼっこう)する．出現する‖～了旅游热 旅行ブームが沸き起こった ❷書 奮起する．奮い立つ

【兴盛】xīngshèng 形 盛んである．栄えている．繁栄している‖国家～ 国家が繁栄している

【兴师】xīngshī 動 書 挙兵する．兵を挙げる

【兴师动众】xīng shī dòng zhòng 成 多くの人を動員して行う

【兴师问罪】xīng shī wèn zuì 成 兵を出して，相手の罪を問う．群衆を動員し，大々的に非難を加える

【兴衰】xīngshuāi 動 盛衰する．興亡する

【兴叹】xīngtàn 動 嘆声を漏らす．ため息をつく

【兴替】xīngtì 動 書 興亡する．盛衰する

【兴亡】xīngwáng 動 盛衰する．興隆と滅亡

*【兴旺】xīngwàng 形 盛んである．繁栄している‖～发达 隆盛をきわめる｜繁荣～ 繁栄をきわめる

【兴修】xīngxiū 動(比較的規模の大きいものを)建設する．建造する‖～高速公路 高速道路を建設する

【兴许】xīngxǔ 副 あるいは．もしかすると‖今天他～不来了 今日彼は来ないかもしれない

【兴学】xīngxué 動 学校を創設する

【兴妖作怪】xīng yāo zuò guài 成(悪人が)騒ぎを起こす．攪乱(かくらん)する

9 * **星** **xīng** ❶名 星‖一～星 ❷名(～儿)形が星に似ているもの．細かくてばらばらのもの．きらきら光るもの‖火～儿 火花 ❸名 竿ばかりの目盛り ❹スター．花形‖影～ 映画スター ❺名(二十八宿の一つ)ほとおりぼし．星宿(せいしゅく)

【星辰】xīngchén 名 星辰(せいしん)．星

【星斗】xīngdǒu 名 星‖满天～ 満天の星

【星光】xīngguāng 名 星の光

【星汉】xīnghàn 名 書 天の川．銀河

【星号】xīnghào 名〈印〉アステリスク，〔*〕

【星河】xīnghé 名 書 天の川．銀河

【星火】[1] xīnghuǒ 名 わずかな火

【星火】[2] xīnghuǒ 名 流星の光．物事の切迫するたとえ‖急如～ 急を要する

【星火燎原】xīng huǒ liáo yuán ＝〔星星之火，可以燎原xīngxīng zhī huǒ, kěyǐ liáo yuán〕

【星级】xīngjí 名 星マークを用いて表す評価法．一般に数が多いほど評価が高く，五つ星が最高評価であることが多い‖五～宾馆 五つ星ホテル 形 高級な．一流の．スタークラスの‖～服务 一流のサービス

【星际】xīngjì 形 宇宙空間の．星と星の間の‖～旅行 宇宙旅行｜～航行 宇宙飛行

【星空】xīngkōng 名 星空

【星罗棋布】xīng luó qí bù 成 空の星や碁盤上の石のように至る所に分布している．一面に散らばっている

★【星期】xīngqī 名 ❶**週．週間**‖一个～ 1週間｜这个～ 今週 ❷(〔一〕から〔六〕までの数字を付けて月曜から土曜までを表す)**曜日**‖你～几去？ 何曜日に行きますか ❸略 日曜日．〔星期日〕の略

★【星期日】xīngqīrì 名 **日曜日**．〔星期天〕ともいい，略して〔星期〕という

★【星期天】xīngqītiān ＝〔星期日xīngqīrì〕

【星球】xīngqiú 名〈天〉天体．星

【星术】xīngshù 名 星占い

【星探】xīngtàn 名(芸能界やスポーツ界の)スカウト

【星体】xīngtǐ 名〈天〉天体．星

【星图】xīngtú 名〈天〉星図

【星团】xīngtuán 名〈天〉星団．星雲団．クラスター

【星系】xīngxì 名 略〈天〉恒星系．〔恒星系〕の略

【星相】xīngxiàng 名 占星術‖～家 星占い師

【星象】xīngxiàng 名 個々の天体の明暗・位置・運行などの現象

【星星】xīngxīng 名 ごく小さな点

⁑【星星】xīngxing 名 星

【星星点点】xīngxīngdiǎndiǎn (～的) 形 まばらであるさま．ちらほらと散在するさま

【星星之火，可以燎原】xīngxīng zhī huǒ, kěyǐ liáo yuán 成 小さな火花も広野を焼き尽くす．最初は弱小であってもやがては強大なものに発展する可能性があるたとえ．〔星火燎原〕ともいう

【星宿】xīngxiù 名〈天〉星宿(せいしゅく)

【星夜】xīngyè 名 夜間．夜

【星移斗转】xīng yí dǒu zhuǎn 成 星が移る．季節が変わる．時が推移する

【星移物换】xīng yí wù huàn ＝〔物换星移wù huàn xīng yí〕

【星云】xīngyún 名〈天〉星雲

【星子】xīngzi 名 細かく散り散りになったもの．ごくわずかなもの‖衣服上溅jiàn了一些油～ 服に油がはねた

【星座】xīngzuò 名〈天〉星座

12 **惺** **xīng** 書 聡明である．悟る

【惺忪】【惺松】xīngsōng 形 起きたばかりで目がはっきりしない．寝ぼけまなこである‖睡眼～ 寝ぼけまなこである

【惺惺】xīngxīng 形 ❶書 頭がはっきりしている ❷利口である ❸いかにもわざとらしい 名 利口な人

【惺惺惜惺惺】xīngxīng xī xīngxīng 成 賢者は賢者を重んじる．性格・才能・境遇などが相似る人間は互いに相手を尊重する．(多く不遇な者同士についていう)

【惺惺作态】xīng xīng zuò tài 成 聡明なふりをす

る. わざとらしく体裁をつくろう

12 **猩** xīng ↴

【猩红】xīnghóng 形 深紅色の. 緋色(ひいろ)の
【猩红热】xīnghóngrè 名〈医〉猩紅熱(しょうこうねつ)
【猩猩】xīngxing 名〈動〉オランウータン

13 * **腥** xīng ❶肉類や魚類などの食物をさす‖荤腥hūn～ 生臭もの ❷名 生臭いにおい ❸形 生臭い‖这鱼有点儿～ この魚はちょっと生臭い
【腥臭】xīngchòu 形 生臭い
【腥风血雨】xīng fēng xuè yǔ 成 血生臭い風と雨. 残虐な殺戮(さつりく)のたとえ.〔血雨腥风〕ともいう
【腥气】xīngqi 形 生臭い 名 生臭いにおい.
【腥臊】xīngsāo 形 生臭いにおいがする
【腥膻】xīngshān 名 (獣の)生臭いにおい. 悪臭
【腥味】xīngwèi (～儿) 名 生臭いにおい. 生臭さ

xíng

6 * **刑** xíng ❶名 刑. 刑罰‖死～ 死刑 ❷拷問. 仕置き‖动～ 拷問する
*【刑场】xíngchǎng 名 刑場‖赴～ 刑場に赴く
【刑罚】xíngfá 名〈法〉刑罰
*【刑法】xíngfǎ 名〈法〉刑法
【刑法】xíngfa 名 拷問. 仕置き‖动～ 拷問する
【刑警】xíngjǐng 名 略 刑事.〔刑事警察〕の略
【刑拘】xíngjū 動 刑事事件の容疑者を拘留する.〔刑事拘留〕の略
【刑具】xíngjù 名 刑具
【刑律】xínglǜ 名 刑法‖触犯～ 刑法に触れる
【刑满】xíngmǎn 動 刑期が終わる
【刑期】xíngqī 名〈法〉刑期
*【刑事】xíngshì 形 刑事の. 刑法の適用を受ける
【刑事案件】xíngshì ànjiàn 名 刑事事件
【刑事法庭】xíngshì fǎtíng 名〈法〉刑事法廷
【刑事犯】xíngshìfàn 名〈法〉刑事犯
【刑事犯罪】xíngshì fànzuì 名 刑事犯罪
【刑事警察】xíngshì jǐngchá 名 刑事. 略して〔刑警〕という
【刑事拘留】xíngshì jūliú 名〈法〉刑事勾留(こうりゅう)
【刑事判决】xíngshì pànjué 名〈法〉刑事判決
【刑事诉讼】xíngshì sùsòng 名〈法〉刑事訴訟
【刑事责任】xíngshì zérèn 名〈法〉刑事責任
【形事侦查】xíngshì zhēnchá 名 刑事捜査
【刑庭】xíngtíng 名 略 刑事法廷.〔刑事法庭〕の略
【刑侦】xíngzhēn 動 刑事事件の取り調べをする

6 **邢** xíng 地名用字‖～台 河北省にある地名

6 **饧(餳)** xíng ❶書 水あめ ❷動 (あめや小麦粉をこねたものなどが)柔らかくなる ❸形 目が半開きでとろんとしている ➤ táng

6 ★ **行** xíng ❶行く. 進む‖一～走 進めない. にっちもさっちもいかない ❷旅. 旅行‖欧洲之～ ヨーロッパの旅 ❸旅行と関係のあるもの‖一～程 ❹流動する. 流通する. 推し進める‖流～ 流行する ❺行書(ぎょうしょ)‖一～书 ❻流動的な. 臨時の‖一～商 ❼動 実行する. 従事する‖施～ 施行する ❽行為. 行動‖品～ 品行 ❾動 よいと思う. よろしい‖您看这样～吗? これでいいですか|这么做绝对不～! こんなやり方は絶対だめだ. ❿形 有能である. できる. たいしたものである‖记忆力不～了 記憶力がだめになった. ⓫(多く2音節動詞の前に置き, その行為を)行う. 進める‖另～规定 別に規定する. ⓬書 まもなく… しようとする‖一～将 ➤ háng héng
【行百里者半九十】xíng bǎi lǐ zhě bàn jiǔshí 諺 百里を行く者は, 九十里をもって半ばとする. 物事は成功に近づくほどに難しくなるので, 最後まで気を緩めずにやらなければならないたとえ
【行不通】xíngbutōng 動 通用しない. 通らない
【行藏】xíngcáng 名 書 ❶(官職に対する)出処進退に対する態度. 身の処し方 ❷形跡. 動静
【行草】xíngcǎo 名 行書と草書の間の書体
【行车】xíngchē 動 車を運転する. 車を走らせる‖～速度 車の運転の速度
【行成于思】xíng chéng yú sī 成 事の成功はよく考えることにある. よく考えて行動して初めて成功すること
*【行程】xíngchéng 名 ❶道のり. 行程‖旅行的全部～要一个月 旅行の全行程は1ヵ月かかる ❷進行過程. プロセス‖历史发展的～ 歴史の発展過程 ❸〈機〉ストローク
【行船】xíngchuán 動 船舶が航行する
【行刺】xíngcì 動 暗殺する
【行道树】xíngdàoshù 名 街路樹. 並木
【行得通】xíngdetōng 動 通用する. 実行できる
**【行动】xíngdòng 動 ❶歩く. 動く‖他刚做了手术, 还不能～ 彼は手術をしたばかりで, まだ動けない ❷行動する. 活動する‖大家已经～起来了 みんなはすでに行動を起こした 名 行動. ふるまい. 挙動‖他的～有点儿反常 彼の挙動は少しおかしい
【行方便】xíng fāngbiàn 組 便宜をはかる
【行宫】xínggōng 名 旧 行宮(あんぐう). 行在所(あんざいしょ)
【行好】xíng//hǎo 動 施しをする. 恵む. 情をかける
*【行贿】xíng//huì 動 賄賂を贈る. 袖の下を使う
【行迹】xíngjì 名 行動. ふるまい
【行将】xíngjiāng 副 書 まもなく… しようとする. もうすぐ… する‖～赴任 もうすぐ赴任する
【行将就木】xíng jiāng jiù mù 成 棺桶に片足を突っ込んでいる. 年老いて余命が少ないこと
【行脚】xíngjiǎo 動 行脚(あんぎゃ)する‖～僧 行脚僧
【行劫】xíngjié 動 書 強盗する. 追いはぎをする
【行进】xíngjìn 動 行進する
*【行径】xíngjìng 名 (多く悪い)行為. 行動. ふるまい
*【行军】xíng//jūn 動〈軍〉行軍する
【行军床】xíngjūnchuáng 名 キャンバス地の折りたたみ式ベッド
【行楷】xíngkǎi 名 行書と楷書(かいしょ)の間の書体
【行礼】xíng//lǐ 動 ❶敬礼をする. おじぎをする‖向老师行了个礼 先生におじぎをした ❷方 贈り物をする
**【行李】xíngli 名 (旅行の)荷物. 手荷物‖～房 手荷物取扱所|托运～ 手荷物を託送する
【行李车】xínglichē 名 ❶(旅客列車の編成で)手荷物運搬車両 ❷手押し車. カート
【行令】xíng//lìng 動 (酒席で)拳(けん)やなぞ解きなどをして遊ぶ.〔行酒令〕ともいう‖猜拳～ 同前
【行囊】xíngnáng 名 書 旅行用の袋やかばん
【行骗】xíng//piàn 動 詐欺をはたらく. ペテンに掛ける
【行期】xíngqī 名 出発の期日
【行乞】xíngqǐ 動 物乞(ものご)いをする. こじきをする

X

【行窃】xíng//qiè 動 書 盗みをはたらく
*【行人】xíngrén 名 通行人. 道行く人
【行若无事】xíng ruò wú shì 成 ❶こともなげである. 平然としている. 動じない ❷見て見ぬふりをする
【行色】xíngsè 名 書 出発の様子. 旅立ちの情景
【行色匆匆】xíngsè cōngcōng 組 旅立ちぎわの慌ただしいさま
【行善】xíng//shàn 動 善行をする. 施しをする
【行商】xíngshāng 名 行商人 ↔〔坐商〕
【行尸走肉】xíng shī zǒu ròu 成 生ける屍(しかばね)
*【行使】xíngshǐ 動 (職権などを)行使する ‖ ～公民权 公民権を行使する｜～否决权 拒否権を行使する
*【行驶】xíngshǐ 動 (乗り物が)走る. 進む. 通行する
【行事】xíngshì 動 事を処理する. 事を進める ‖ 按规矩～ 決まりに従って事を処理する 名 行為. 行い
【行书】xíngshū 名 行書(ぎょう). 行書体
【行署】xíngshǔ ＝〔行政公署 xíngzhèng gōngshǔ〕
【行头】xíngtou 名 ❶〈劇〉舞台衣装. コスチューム ❷喩 服装. (ややふざけた調子で用いる)
*【行为】xíngwéi 名 行為 ‖ 错误～ 間違った行為
【行为能力】xíngwéi nénglì 名〈法〉行為能力
【行为艺术】xíngwéi yìshù 名 パフォーマンス芸術
【行文】xíngwén 動 ❶文章を書く ❷(ある部門や機関に)公文書を送付する
【行销】xíngxiāo 動 (商品を)売りさばく. 販売する
*【行星】xíngxīng 名〈天〉惑星
【行刑】xíng//xíng 動〈法〉刑を執行する. (多く死刑の場合をいう)
【行凶】xíng//xiōng 動 凶行に及ぶ. 人殺しをする. 暴力をふるう ‖ ～杀人 人殺しをはたらく
【行医】xíng//yī 動 医者をやる. 医を業とする
【行辕】xíngyuán 名 野戦司令部. 〔行营〕ともいう
【行云流水】xíng yún liú shuǐ 成 空行く雲や流れる水のごとく滞りない. (多く詩文の展開が)自然そのものでのびのびしていること
*【行政】xíngzhèng 動 ❶行政を行う 名 (役所・企業・団体などの内部の)事務. 管理
【行政处罚】xíngzhèng chǔfá 名 行政罰
【行政处分】xíngzhèng chǔfèn 名 行政処分
【行政公署】xíngzhèng gōngshǔ 名 ❶旧 (新中国成立前から成立初期にかけて)革命根拠地や一部の地区に設けられた地方行政機構 ❷省や自治区の派出機関 ✻略して〔行署〕という
【行政区】xíngzhèngqū 名 (国の各級の)行政区域
【行政诉讼】xíngzhèng sùsòng 名 行政訴訟
【行之有效】xíng zhī yǒu xiào 成 効果がある. 実効がある ‖ ～的方法 実効のある方法
【行止】xíngzhǐ 名 書 ❶行き先. 行方 ❷品行
【行装】xíngzhuāng 名 旅支度
【行状】xíngzhuàng 名 旧 訃報とともに親戚友人に配る死者の生前の言行を述べた文章. 〔行述〕ともいう
【行踪】xíngzōng 名 行方. 行き先. 行動
【行走】xíngzǒu 動 歩く. 歩行する

7 **陉**(陘) xíng 書 谷. 峠 ‖ 井～ 河北省にある県の名

7 * **形** xíng ❶名 形体. 実体 ‖ 有～ 有形 ❷名 形. 形状 ‖ 地～ 地形 ❸現れる. 表に出る ‖ 喜～于色 喜びが顔に出る ❹対照する. 比較する ‖ 相～见绌chù 比べてみると一方が見劣りする

【形变】xíngbiàn 名〈物〉変形. ひずみ
⁑【形成】xíngchéng 動 **形成する. …を作り上げる** ‖ 每天早起, 已经～习惯了 早起きがもう習慣になった
【形成层】xíngchéngcéng 名〈植〉形成層
【形单影只】xíng dān yǐng zhī 成 身も一つ, 影も一つ. 独りぼっちのさま
*【形而上学】xíng'érshàngxué 名〈哲〉形而上学. 〔玄xuán学〕ともいう
【形格势禁】xíng gé shì jìn 成 環境や情勢の制約を受ける
【形骸】xínghái 名 書 形骸(けいがい). (人の)肉体
【形迹】xíngjì 名 ❶挙動と顔つき. 様子 ‖ ～可疑 様子がおかしい ❷痕跡(こんせき). 跡 ❸礼儀. 礼式
【形旁】xíngpáng 名〈語〉義符. 意符
⁑【形容】xíngróng 動 **形容する. 表現する** ‖ 无法～ 形容のしようがない 名 顔立ち. 容貌
【形容词】xíngróngcí 名〈語〉形容詞
【形声】xíngshēng 名〈語〉(六書(りくしょ)の一つ)形声(けいせい). 〔谐xié声〕ともいう
【形胜】xíngshèng 形 風景や地勢が優れている
⁑【形式】xíngshì 名 **形式. 形態** ‖ 不拘jū～ 形式にこだわらない｜流于～ 形式に流される
【形式逻辑】xíngshì luójí 名〈哲〉形式論理
【形式主义】xíngshì zhǔyì 名 形式主義
⁑【形势】xíngshì 名 ❶(軍事上の)**地勢** ‖ ～险要 地勢が険要である ❷**情勢. 状況. 形勢** ‖ 世界的经济～不断变化 世界の経済情勢は絶えず変化している
【形似】xíngsì 動 形式や外観が似ている
*【形态】xíngtài 名 ❶(事物の)形態. 形状 ‖ 意识～ イデオロギー ❷(生物の)形態 ❸〈語〉語形. 形態
【形态学】xíngtàixué 名 ❶〈生〉形態学 ❷〈語〉語形論. 形態論
【形体】xíngtǐ 名 ❶(人の)体 ❷形体. 形状と構造
⁑【形象】xíngxiàng 名 ❶(具体的な事物の)**形象. 形状. イメージ** ‖ 公司的～ 会社のイメージ ❷(文学や芸術作品の中の)**人物像. 人間像** ‖ 当代青年的～ 現代の若者像 形 イメージ豊かである ‖ 生动、～的语言 生き生きとして, イメージ豊かな言葉
【形象大使】xíngxiàng dàshǐ ＝〔形象代言人 xíngxiàng dàiyánrén〕
【形象代言人】xíngxiàng dàiyánrén 名 イメージキャラクター. 〔形象大使〕ともいう
【形销骨立】xíng xiāo gǔ lì 成 体が痩せて骨と皮ばかりのさま

【形形色色】xíngxíngsèsè 形 いろいろな. さまざまな
【形影不离】xíng yǐng bù lí 成 形影相伴う. いつも一緒で離れない
【形影相吊】xíng yǐng xiāng diào 成 形影相弔う. 形と影が互いに慰め合う. 孤独なさま
【形制】xíngzhì 名 (器物や建築物の)形状. 形態. 構造
⁑【形状】xíngzhuàng 名 **形状. 形**
【形状记忆合金】xíngzhuàng jìyì héjīn 名 形状記憶合金

9 * **型** xíng ❶鋳型(いがた) ‖ 模～ 鋳型 ❷規格. 種類 ‖ 类～ 類型 ❸名 特定の形状や様式 ‖ 句～ 文型 ❹模範. 手本 ‖ 典～ 典型
【型钢】xínggāng 名〈機〉形鋼
*【型号】xínghào 名 (機械などの)規格・性能・サイズ

9 **荥**(滎) **xíng** 地名用字 ‖ ～阳 河南省にある県の名 ➤ yíng

11 **硎** **xíng** 書 ❶砥石(といし) ❷研ぐ. 研磨する

xǐng

9 **省** **xǐng** ❶書 よく見る. 視察する ‖ 一～视 ❷(自分を)省みる. 反省する ‖ 反～ 反省する ❸訪ねる. (目上の人の)機嫌を伺う ‖ 一～亲 ❹分かる. 悟る ‖ 猛～ はっと気がつく ➤ shěng

【省察】**xǐngchá** 動 (我が身を)省みる. 反省する

【省亲】**xǐngqīn** 動 書 帰省する

【省视】**xǐngshì** 動 訪ねる. 見舞う

【省思】**xǐngsī** 動 反省する. 省みる

【省悟】**xǐngwù** 動 悟る. 気づく

16 ** **醒** **xǐng** ❶動 **(酒の酔い・麻酔・意識不明の状態から)さめる. さます** ‖ 病人～过来了 病人の意識が戻った ❷動 **眠りから覚める. 目を覚ます** ‖ 他还没～呢 彼はまだ起きていない ❸動 **まだ眠っていない. 起きている** ‖ 我～着呢 私はまだ眠っていないよ ❹動 **悟る. 目覚める. はっきり認識する** ‖ 提～ 注意を呼び起こす ❺はっきりしている. 明らかである ‖ 一～目

【醒盹ル】**xǐng//dǔnr** 動 方 うたた寝から覚める

【醒酒】**xǐng//jiǔ** 動 酔いがさめる. 酔いをさます

【醒目】**xǐngmù** 形 人目につく. 目立っている

【醒悟】**xǐngwù** 動 悟る. 目が覚める

17 **擤** **xǐng** 動 鼻をかむ ‖ ～鼻涕bítì 鼻をかむ

xìng

6 **兴**(興) **xìng** 興. 興味. 関心 ‖ 一～趣 | 扫～ 興がさめる ➤ xīng

【兴冲冲】**xìngchōngchōng** 形 (喜んで)胸をはずませるさま. 心が浮き浮きするさま

*【兴高采烈】**xìng gāo cǎi liè** 成 非常に興に乗ったさま ‖ ～地做游戏 夢中になってゲームをする

【兴会】**xìnghuì** 名 感興. 興に乗ること

【兴趣】xìngqù** 名 **興味. 関心. 面白み** ‖ ～广泛guǎngfàn 興味が広い | 没有～ 興味がない

【兴头】**xìngtou** 名 感興. 気乗り 形 方 愉快である. 機嫌がよい. 得意である

【兴头ル上】**xìngtóurshang** 名 興に乗っている最中. 熱中しているところ

【兴味】**xìngwèi** 名 興味. 面白み

【兴致】**xìngzhì** 名 興味. 面白み

【兴致勃勃】**xìng zhì bó bó** 成 興味津々. 興味が盛んにわいてくる

7 * **杏** **xìng** 名〈植〉アンズ ‖ ～树 アンズの木 | ～ル アンズの実

【杏干】**xìnggān** (～ル) 名 干しアンズ

【杏红】**xìnghóng** 形 赤みの強いオレンジ色の

【杏黄】**xìnghuáng** 形 やや赤みを帯びた黄色の

【杏仁】**xìngrén** (～ル) 名 杏仁(きょうにん). アンズのさね

【杏眼】**xìngyǎn** 名 書 (女性の)つぶらで美しい目の形容. 〔杏子眼〕ともいう

【杏子】**xìngzi** 名 方 アンズの実

8 ** **性** **xìng** ❶(人間の)本性 ‖ 人～ 人間性 ❷名 **(人の)性格. 性情** ‖ 他的～很急 彼はとてもせっかちだ ❸(事物の)性質. 特徴 ‖ 惯～ 慣性 ❹接尾 事物の性質・性能・範囲・方式などを表す ‖ 弹～ 弾力性 ❺性別 ‖ 男～ 男性 ❻名 **生殖・性欲に関するもの. 性** ‖ ～生活 性生活 ❼名〈語〉(一部の外国語文法における)性

【性爱】**xìng'ài** 名 性愛

【性别】**xìngbié** 名 性別

【性病】**xìngbìng** 名 性病

【性感】**xìnggǎn** 形 セクシーである. 肉感的である

【性格】xìnggé** 名 **(人の)性格. 気性** ‖ ～内向 性格が内向的である | 豪放的～ 豪放な性格

【性格演员】**xìnggé yǎnyuán** 名 性格俳優

【性贿赂】**xìnghuìlù** 名 性的饗応を手段とした賄賂

【性激素】**xìngjīsù** 名〈生理〉性ホルモン

【性急】**xìng//jí** 形 せっかちである. 性急である

【性价比】**xìngjiàbǐ** 名〈計〉価格性能比. コストパフォーマンス

【性交】**xìngjiāo** 動 性交をする

【性教育】**xìngjiàoyù** 名 性教育

*【性命】**xìngmìng** 名 生命. 命 ‖ ～难保 命を保証できない | 丢了～ 命を落とす | 保住了～ 命をとりとめる

【性命交关】**xìng mìng jiāo guān** 成 生死存亡にかかわる. 問題が非常に重要であるさま

*【性能】**xìngnéng** 名 性能

【性器官】**xìngqìguān** 名〈生理〉生殖器官. 性器

【性侵犯】**xìngqīnfàn** 名 性暴力

*【性情】**xìngqíng ; xìngqing** 名 性格. 性情. 気性 ‖ ～温和 気性がおとなしい | 两人～不合 二人は性格が合わない | 陶冶táoyě～ 性情を陶冶(とうや)する

【性骚扰】**xìngsāorǎo** 動 セクシャルハラスメントをする. セクハラをする ‖ 受到～ セクハラをされる

【性生活】**xìngshēnghuó** 名 性生活

【性心理】**xìngxīnlǐ** 名 性心理

【性行为】**xìngxíngwéi** 名 性行為

【性欲】**xìngyù** 名 性欲

【性质】xìngzhì** 名 **(事物の)性質** ‖ 问题的～极其严重 問題は性質上きわめて重大である

【性状】**xìngzhuàng** 名 性状

【性子】**xìngzi** 名 ❶性格. 性質. 気立て ‖ 急～ 気短. 短気 | 使～ 腹を立てる. ごねる ❷(薬や酒の)強さ

8 **幸**(△倖❶❺) **xìng** ❶形 意外である. 幸いである ‖ ～未造成事故 幸いにして事故にならなかった ❷幸運である. 幸福である ‖ 荣～ 光栄である ❸書 幸いにも. 願わくば ‖ ～勿推辞 どうかご辞退なさいませんように ❹喜ぶ. うれしい ‖ 庆～ 喜ぶ ❺書 寵愛(ちょうあい)する ‖ 宠chǒng～ 寵愛する ❻旧 (帝王が)行幸する ‖ 巡～ 巡幸する. 行幸する

【幸存】**xìngcún** 動 幸運にも生き残る. 生存する ‖ ～者 生き残った者. 生存者

【幸而】**xìng'ér** 副 幸い. 運よく

★【幸福】**xìngfú** 名 **幸福** 形 **幸せである. 幸福である** ‖ 祝您～ ご多幸をお祈りいたします | 他们生活得很～ 彼らはとても幸せに暮らしている

*【幸好】**xìnghǎo** 副 幸い. 運よく. 都合よく ‖ ～带了毛衣, 不然准得děi冻感冒 セーターを持ってきてよかった, さもなければ寒くて風邪をひいていたにちがいない

【幸会】**xìnghuì** 動 挨拶 お目にかかれて幸いです

*【幸亏】**xìngkuī** 副 幸い. 運よく. 都合よく ‖ ～抢救qiǎngjiù及时, 他才保住了性命 幸い応急手当てが早かったので, 彼は命拾いした

類義語 幸亏 xìngkuī 多亏 duōkuī 幸好 xìnghǎo 好在 hǎozài
◆〔幸亏〕悪い結果が予想されたが，幸いよい条件があり，不幸を免れたときに使われる‖幸亏天气好，飞机准时起飞，否则又要晚点了 幸い天気がよかったので，飛行機は時間通りに飛んだが，そうでなければまた遅れてしまっただろう ◆〔多亏〕人の助けにより不幸が避けられたとき，感謝の気持ちを表す‖多亏你提醒我，要不我就忘了 幸いあなたが教えてくれたけど，そうじゃないと忘れるところだった ◆〔幸好〕おりよくよい状況になったことを表す‖幸好这辆车不挤，人人都有坐 幸いこのバスはすいているのでみんな座れる ◆〔好在〕ある有利な条件や状況を表す‖我有空再来，好在离这ル不远 時間があったらまた来ます，幸いここから遠くないですから

【幸免】xìngmiǎn 動 書 幸い免れる．運よく免れる
【幸事】xìngshì 名 慶事．喜び事
【幸喜】xìngxǐ 副 幸いにも．運よく
*【幸运】xìngyùn 形 幸運である．運がいい‖他～地中zhòng了头奖 彼は幸運にも1等賞を当てた 名 幸運‖有这样一位好妻子是他的～ こんなすばらしい奥さんに恵まれるとは彼はほんとうに運がいい
【幸运儿】xìngyùn'ér 名 幸運児
【幸灾乐祸】xìng zāi lè huò 成 人の災難を見て喜ぶ．人の不幸を喜ぶ

8
★**姓** xìng ❶名 **姓．名字**‖您贵～？ 名字はなんとおっしゃいますか ❷動 **名字は…である．…の姓を名乗る**‖你～什么？ 名字はなんといいますか
【姓名】xìngmíng 名 **姓名．名字と名前
【姓氏】xìngshì 名 姓．名字

11
悻 xìng 腹立たしいさま
【悻然】xìngrán 形 腹立たしいさま．憤然とするさま
【悻悻】xìngxìng 形 腹を立てるさま．憤慨するさま

xiōng

4
*凶（△兇❸～❻）xiōng ❶不吉である．不幸である ↔〔吉〕‖→～兆 ❷不作の．凶作の‖→～年 ❸形 凶暴である．凶悪である‖对人很～ 人に対する態度が悪い ❹極悪非道な人．悪人‖元～ 元凶．悪者のかしら ❺残忍な行為．凶行‖→～手 ❻形 甚だしい．ひどい‖这病来势很～ この病状はかなり重い
【凶案】xiōng'àn 名 殺人事件
【凶巴巴】xiōngbābā（～的）形 方 恐ろしげである．残忍である
【凶暴】xiōngbào 形 凶暴である
【凶残】xiōngcán 形 凶悪である．残忍である‖手段～ やり方が残忍である 名 書 凶悪で残虐な人
【凶多吉少】xiōng duō jí shǎo 成 凶が多く吉が少ない．見通しが暗い
*【凶恶】xiōng'è 形（性格・行為・容貌などが）凶悪である．怖い．恐ろしい
【凶犯】xiōngfàn 名 凶悪犯．殺人犯
【凶悍】xiōnghàn 形 凶猛である．荒々しく凶悪である
*【凶狠】xiōnghěn 形 ❶（性質や行為が）残忍である．悪辣である ❷猛烈である．激しい‖～的目光 鋭い目つき｜扣杀kòushā十分～ スマッシュが強烈だ
【凶横】xiōnghèng 形 凶悪で横暴である
【凶狂】xiōngkuáng 形 凶暴である
*【凶猛】xiōngměng 形（力や勢いが）荒々しくたけだけしい．獰猛(どうもう)である‖暴风雨来势～ 暴風雨がものすごい勢いでやって来る
【凶年】xiōngnián 名 不作の年．凶年
【凶虐】xiōngnüè 形 凶暴で残虐である．悪虐である
【凶气】xiōngqì 名 凶暴な様子．凶悪な顔つき
【凶器】xiōngqì 名 凶器
【凶杀】xiōngshā 動 人を殺す．殺害する
【凶煞】xiōngshà ＝〔凶神xiōngshén〕
【凶神】xiōngshén 名 凶神．喩 凶悪な人
【凶手】xiōngshǒu 名 凶悪犯．殺人犯
【凶险】xiōngxiǎn 形 ❶（状況などが）非常に危険である．恐ろしく悪い ❷凶悪で陰険である
【凶相】xiōngxiàng 名 凶悪な人相．恐ろしい顔つき
【凶相毕露】xiōng xiàng bì lù 成 凶悪な本性がすっかり暴露される
【凶信】xiōngxìn（～ル）名 不幸の知らせ．訃報(ふほう)
【凶焰】xiōngyàn 名 凶暴な気勢
【凶宅】xiōngzhái 名 自殺や殺人などがあった不吉な家．お化け屋敷
【凶兆】xiōngzhào 名 凶兆．不吉な前兆

5
*兄 xiōng ❶名 兄‖～妹 兄と妹 ❷親戚の中で自分と同世代で自分より年上の男子‖内～ 妻の兄 ❸敬 男性の友人同士の尊称‖老～ 貴兄
【兄弟】xiōngdì 名 **兄弟‖亲～ 実の兄弟
【兄弟】xiōngdi 名 口 ❶弟‖～媳妇ル 弟の嫁 ❷自分より年下の男子に対する親しみを込めた呼称 ❸謙（男性が同輩または大勢の前で話をするときの自称）私
【兄弟阋墙】xiōng dì xì qiáng 成 兄弟が垣根の中で争う．内輪もめをする

6
匈 xiōng ↴
【匈奴】Xiōngnú 名（古代の民族名）匈奴(きょうど)
【匈牙利】Xiōngyálì 名<国名>ハンガリー

7
汹（△洶）xiōng 水が猛烈に沸き上がる‖→～涌
【汹汹】xiōngxiōng 形 書 ❶波が逆巻くさま ❷貶 勢いが猛烈なさま‖气势～ 猛烈な剣幕である ❸激しく論争するさま．やかましく騒ぐさま．〔讻讻〕とも書く
*【汹涌】xiōngyǒng 動（水や波などが）沸き上がる．逆巻く

10
胸（△胷）xiōng ❶名 **胸．胸部‖挺tǐng起～来 胸を張る ❷内心．胸中．心の底‖心～ 度量｜成竹在～ 胸に成算あり
【胸部】xiōngbù 名 胸部
【胸骨】xiōnggǔ 名<生理>胸骨
【胸花】xiōnghuā 名 胸元に付ける花飾り．ブローチ
*【胸怀】[1] xiōnghuái 動 胸に抱く．心に留める．思う‖～大志 大志を抱く
*【胸怀】[2] xiōnghuái 名 胸の内．心．度量‖～坦白tǎnbái 率直である｜～狭窄xiázhǎi 度量が小さい
【胸襟】xiōngjīn 名 胸襟．心の中．志．度量
【胸卡】xiōngkǎ 名 胸につける名札．ネームプレート‖员工上班必须佩戴pèidài～ 従業員は勤務の際に必ず名札をつけなくてはならない
【胸口】xiōngkǒu 名 みぞおち
【胸膜】xiōngmó 名<生理>胸膜．肋膜(ろくまく)．かつて

は〔肋lèi膜〕といった
【胸脯】xiōngpú（～儿）图 胸.〔胸脯子〕ともいう
【胸腔】xiōngqiāng 图〈生理〉胸腔(きょう)
*【胸膛】xiōngtáng 图 胸‖挺tǐng起～ 胸を張る
【胸围】xiōngwéi 图 胸回り.胸囲.バスト
【胸无点墨】xiōng wú diǎn mò 成 胸の中に一滴の墨もない.無学である
【胸像】xiōngxiàng 图〈美〉胸像
【胸臆】xiōngyì 图 胸の内.心中
【胸有成竹】xiōng yǒu chéng zhú 成 胸に成竹あり.成算がある.見通しがある.〔成竹在胸〕ともいう
【胸章】xiōngzhāng 图 記章.バッジ.名札
【胸罩】xiōngzhào 图 ブラジャー
【胸中无数】xiōng zhōng wú shù 成 状況や事情をよく把握していない.確信が持てない.見込みがつかない.〔心中无数〕ともいう
【胸中有数】xiōng zhōng yǒu shù 成 状況や事情をきちんと把握している.成算がある.自信がある.〔心中有数〕ともいう
【胸椎】xiōngzhuī 图〈生理〉胸椎(きょうつい)

xióng

12 ** 雄 xióng ❶形 雄の ↔〔雌〕 ❷力強く勇ましい人.強大な集団や国‖英～ 英雄 ❸強力である.雄々しい‖→～兵
【雄辩】xióngbiàn 形 説得力がある.雄弁である 图 雄弁‖事实胜于～ 事実は雄弁にまさる
【雄兵】xióngbīng 图 強力な軍隊.精鋭部隊
【雄才大略】xióng cái dà lüè 成 優れた才能と遠大な計略.非凡な才略
【雄大】xióngdà 形 雄大である.雄壮で大きい
【雄风】xióngfēng 图 ❶快い風 ❷威風.堂々たる風格
【雄蜂】xióngfēng 图〈虫〉雄バチ
【雄关】xióngguān 图 険しく堅固な関所
*【雄厚】xiónghòu 形（物資や人員などが）豊富である.充足している‖资金～ 資金が豊富である｜实力～ 実力が強大である｜～的技术力量 十分な技術力
【雄花】xiónghuā 图〈植〉雄花.雄性花
【雄浑】xiónghún 形 雄渾(ゆうこん)である.力強い
【雄健】xióngjiàn 形 雄々しくたくましい.雄壮である
【雄杰】xióngjié 形 傑出している.才知がぬきんでている 图 才知の優れた人.英傑‖一代～ 当代の英傑
【雄劲】xióngjìng 形 雄々しくて力強い
【雄赳赳】xióngjiūjiū（～的）形 雄々しく勇ましい.雄々しく意気高らかである
【雄起】xióngqǐ 動 方 奮起する.元気を出す‖潜心qiánxīn谋划再度～ 再起を期してがんばる
【雄蕊】xióngruǐ 图〈植〉雄しべ.雄蕊(ゆうずい)
【雄师】xióngshī 图 強力な軍隊.精兵
【雄图】xióngtú 图 雄図.雄大な計画
【雄威】xióngwēi 形 威風堂々としている 图 堂々たる威風
【雄伟】xióngwěi 形 **雄壮で偉大なさま.雄偉である‖～的万里长城 雄壮な万里の長城
【雄心】xióngxīn 图 壮大な志.遠大な理想
【雄性】xióngxìng 图 雄.雄性
【雄主】xióngzhǔ 图 英明な君主
*【雄壮】xióngzhuàng 形 雄壮である.勇ましく力強い
【雄姿】xióngzī 图 雄姿.英姿
14 * 熊 xióng ❶图〈動〉クマ ❷形 方 無能である.臆病である‖你真～ 君はまったく臆病だね ❸動 方 責める.叱る‖被老师～了一顿 先生にひどく叱られた
【熊包】xióngbāo 图 喩 役立たず.ろくでなし.〔熊蛋包〕ともいう
【熊猫】xióngmāo 图〈動〉パンダ.ジャイアントパンダ** =〔大猫熊〕
【熊市】xióngshì 图〈経〉ベアマーケット.下げ相場 ↔〔牛市〕
【熊瞎子】xióngxiāzi 图 方 クマ
【熊熊】xióngxióng 形 火勢が強いさま

xiū

6 休 xiū ❶動 休む.休息する‖～病假 病欠する ❷やめる.終わる‖→～学 ❸副（禁止または制止することを表す）…するな‖～得无礼 無礼なことをするな ❹動 旧（夫が妻を）離縁する‖～妻 妻を離縁する ❺書 喜ばしいこと‖→～戚相关
【休兵】xiūbīng 書 動 停戦する.休戦する
【休会】xiū//huì 動（会議などを）一時休む.休会する
【休假】xiū//jià 動 休暇を取る.休みになる‖太忙了,休不了假 忙しすぎて休暇が取れない
【休刊】xiū//kān 動（新聞や雑誌などが）休刊する
【休克】xiūkè 外〈医〉图 ショック 動 ショックを起こす.気を失う‖病人～了 病人がショックを起こした
【休眠】xiūmián 動〈生〉休眠する.冬眠する
【休眠火山】xiūmián huǒshān 图〈地質〉休火山.〔休火山〕ともいう
【休戚相关】xiū qī xiāng guān 成 苦楽を共にする.関係が密接で互いの利害が一致する.〔休戚与共〕ともいう
【休戚与共】xiū qī yǔ gòng =〔休戚相关xiū qī xiāng guān〕
【休憩】xiūqì 動 休む.休憩する
【休市】xiūshì 图（祝祭日などで）株式市場の取引を休止する
★【休息】xiūxi 動 ❶**休む.休憩する**‖我们～一会儿再走吧 少し休んでから行こう ❷**寝る.眠る**‖时间不早了,～吧 もう遅いから寝よう
【休闲】xiūxián 動 ❶のんびり過ごす.休む‖～装 カジュアルウエア ❷〈農〉（耕地を）遊ばせておく
【休闲装】xiūxiánzhuāng 图 カジュアルウエア.レジャーウエア.〔休闲服〕ともいう
【休想】xiūxiǎng 動 …などと考えるな.…などあり得ない‖～得逞déchéng 思いどおりになると思うな
【休学】xiū//xué 動 休学する
*【休养】xiūyǎng 動 ❶休養する.静養する.療養する ❷（人民や国家の経済力を）取り戻し,発展させる
【休养生息】xiū yǎng shēng xī 成（戦乱などの後）国家が人民の負担を軽くし,生活を安定させて民力を養うこと
【休业】xiū//yè 動 休業する.営業を取りやめる
【休战】xiū//zhàn 動 休戦する.停戦する
【休整】xiūzhěng 動 調整する.休んで調子を整える
【休止】xiūzhǐ 動 休止する.止める.やめる
【休止符】xiūzhǐfú 图〈音〉休止符

9 ＊＊修[1]（△脩）xiū ❶美しく整える．飾る．装飾する‖装～ 内装工事をする ❷動 修理する．補修する‖～电视机 テレビを修理する ❸動 建てる．建設する．敷設する‖～地铁 地下鉄工事をする ❹動 編纂(へんさん)する．文章を書く‖→～史 ❺動（心身両面から）修業する．品格や学識などを向上させる‖～了两门课 2科目履修した ❻動 修行する．教理を学び，実践する‖→～炼 ❼動（削ったり切ったりして）手入れをする．整える‖～花木 花や木を手入れする

9 修[2]（△脩）xiū 書 長い‖→～长

【修补】xiūbǔ 動 修繕する．修理する‖～房屋 家を修繕する｜～鱼网 魚網を繕う

【修长】xiūcháng 形 細長い．ほっそりした．すらりとした

【修辞】xiūcí 名〈語〉修辞．レトリック

【修辞格】xiūcígé 名〈語〉修辞法

【修辞学】xiūcíxué 名〈語〉修辞学．レトリック

【修道】xiū//dào 動〈宗〉修行する

【修道院】xiūdàoyuàn 名 修道院

＊【修订】xiūdìng 動 修訂する．改訂する‖～本 改訂版｜～交通法规 交通法規を改訂する

＊【修复】xiūfù 動 修復する‖～河堤hédī 堤防を修復する｜～两国关系 両国の関係を修復する

＊＊【修改】xiūgǎi 動（文章や計画などを）改める．直す．修正する‖～文章 文章を直す

> **類義語** 修改 xiūgǎi 修正 xiūzhèng 纠正 jiūzhèng
>
> ◆〔修改〕法律，政策，計画，作品，文章などを直す‖修改法律 法律を改正する ◆〔修正〕誤りを直して正しくする‖修正错误 誤りを正す ◆〔纠正〕欠点や誤りを直して正しくする‖纠正发音 発音を矯正する

【修盖】xiūgài 動（家を）建て直す．改築する

【修好】xiū//hǎo 動 ❶書 修好する‖两国～ 両国が親交を結ぶ ❷方 功徳を積む．善行をする

【修剪】xiūjiǎn 動（木の枝や爪などを）切りそろえる

＊【修建】xiūjiàn 動 施工する．建設する．敷設する‖～水库 ダムを建設する｜～铁桥 鉄橋を建造する

【修脚】xiū//jiǎo 動 足の手入れをする

【修旧利废】xiū jiù lì fèi 慣 古い物や廃品を修理して再利用する

【修浚】xiūjùn 動 浚渫(しゅんせつ)する

＊＊【修理】xiūlǐ 動 ❶修理する．修繕する‖～钟表 時計を修理する ❷剪定する ❸口 懲らしめる．やっつける

【修炼】xiūliàn 動〈宗〉（道教の）修行をする

【修路】xiū//lù 動 道路を補修する

【修面】xiū//miàn 動 方 顔をそる．ひげをそる

【修女】xiūnǚ 名〈宗〉修道女．シスター

【修配】xiūpèi 動（機械を）整備する

【修葺】xiūqì 動（家屋などを）修繕する．補修する

【修缮】xiūshàn 動（建築物を）修繕する．補修する

【修身】xiūshēn 動 身を修める．わが身を正しくする

【修史】xiūshǐ 動 書 歴史を編纂する

【修士】xiūshì 名〈宗〉修道士

【修饰】xiūshì 動 ❶飾る．装飾する．美しくする ❷おしゃれをする ❸（言葉や文章を）手直しする．潤色する ❹〈語〉修飾する

【修宪】xiūxiàn 動 憲法を改正する

【修行】xiūxing；xiūxíng 動〈宗〉修行する

＊【修养】xiūyǎng 名 ❶素養．教養．たしなみ‖文学～ 文学的教養 ❷修養‖很有～ 修養を積んでいる

【修业】xiūyè 動 学生が学校で学ぶ

【修造】xiūzào 動 ❶修理し，かつ製造する ❷建てる．造る‖～厂房 工場を建てる

【修整】xiūzhěng 動 きれいに直す．手入れをする

＊【修正】xiūzhèng 動 修正する．訂正する‖对计划草案做了一些～ 計画草案に修正を加えた

【修正主义】xiūzhèng zhǔyì 名 修正主義．修正社会主義

＊【修筑】xiūzhù 動（道路や工事などを）施工する．建設する．造る‖～公路 道路を造る

9 庥 xiū 書 庇護(ひご)する．保護する

9 咻 xiū 書 大声で騒ぐ．やたらにしゃべる

【咻咻】xiūxiū 擬 ❶（息をする音）はあはあ．ふうふう‖～地喘气chuǎnqì はあはあ息をする ❷小動物の鳴き声

10 羞[1] xiū ❶面目が立たない．体裁が悪い‖→～辱 ❷恥じる．恥じ入る‖→～与为伍 ❸動 恥ずかしがる．はにかむ‖～得满脸通红 恥ずかしくて顔が真っ赤になった ❹動 恥ずかしい思いをさせる．恥をかかせる‖你别～我了 私に恥をかかせないでくれ

10 羞[2] xiū 書〔馐xiū〕に同じ

【羞惭】xiūcán 形 恥ずかしい．慙愧(ざんき)に堪えない

＊【羞耻】xiūchǐ 形 恥ずかしい．面目ない‖不知～ 恥を知らない｜感到～ 恥ずかしい

【羞答答】xiūdādā（～的）形 恥ずかしがるさま．はにかむさま．〔羞羞答答〕ともいう

【羞愤】xiūfèn 形 恥ずかしく腹立たしい

【羞口】xiūkǒu 形 恥ずかしくて言い出しにくい

【羞愧】xiūkuì 形 恥ずかしい．恥じ入る

【羞怯】xiūqiè 形 気恥ずかしい．照れくさい

【羞人】xiū//rén 形 恥ずかしい．決まりが悪い‖羞死人了 ひどく恥ずかしい．赤面の至り

【羞人答答】xiūréndādā（～的）形 決まり悪いさま．恥ずかしいさま

【羞辱】xiūrǔ 名 恥辱．辱め 動 辱める．恥をかかせる

【羞臊】xiūsào 形 恥ずかしい．決まりが悪い‖～难当 恥ずかしくてたまらない 動 辱める．恥ずかしい思いをさせる

【羞涩】xiūsè 形 恥ずかしくて態度がぎこちない．決まり悪さにもじもじする‖～的神情 決まり悪そうな顔つき

【羞与为伍】xiū yǔ wéi wǔ 成 仲間になることを潔しとしない

13 馐 xiū 書 味のよい食物‖珍～ 珍味

16 髹 xiū 動 書 漆を塗る

xiǔ

6 朽 xiǔ ❶動 朽ちる．腐る‖桥桩zhuāng已经～了 橋脚が腐った ❷動 消滅する‖不～的业绩 不朽の業績 ❸衰えている‖衰～ 衰微する

【朽败】xiǔbài 動 腐って壊れる

【朽坏】xiǔhuài 動 朽ちて崩れる．腐って壊れる

【朽烂】xiǔlàn 動 腐り果てる．朽ちてぼろぼろになる

【朽迈】xiǔmài 形 書 老いぼれている．もうろくしている

【朽木】xiǔmù 名 朽ちはてた木. 喩 役に立たない人
11 宿 xiǔ 量(夜間を数える)晩. 夜. 泊 ‖ 住了一～ 一晩泊まった ➤ sù xiù

xiù

7 秀 xiù ❶(主に作物の)穂が出て花が咲く ‖ ～穗 suì 穂が出る ❷書 高く突き出ている ❸優れている. 秀でている ‖ 优～ 優秀である ❹優れた人物 ❺優雅で美しい. 秀麗である ‖ →～丽
【秀才】xiùcai 名 ❶古 明・清代の科挙制度で, 院試に合格し, 府・州・県学に入学を許された学生. 〔生员〕の通称 ❷読書人. インテリ
【秀而不实】xiù ér bù shí 成 花は咲くが実がならない. 才能があっても成果があがらない
【秀发】xiùfà 名(若い女性の)美しい髪
【秀俊】xiùjùn 形 優れている. 秀でている
*【秀丽】xiùlì 形 秀麗である. 美しい. 麗しい ‖ 容貌～ 容貌が美しい | ～的景色 美しい風景
【秀美】xiùměi 形 きわだって美しい. 秀麗である
【秀媚】xiùmèi 形 あでやかである. 美しく華やかである
【秀气】xiùqi 形 ❶すっきりして整っている. 端正である ❷(話し方や動作が)上品である. 洗練されている ❸(道具などが)しゃれていて使いやすい
【秀色】xiùsè 名 美しい景色または容貌
【秀色可餐】xiù sè kě cān 成(風景や女性の)美しさは人に飢えを忘れさせる. とても美しいさま
【秀外慧中】xiù wài huì zhōng 成(女性の)姿が美しくそして聡明である
【秀雅】xiùyǎ 形 美しく上品である
【秀逸】xiùyì 形 あかぬけている. 人並み優れている
8 岫 xiù 書 ❶岩穴. 山の洞穴 ❷山 ‖ 远～ 遠い山
10 *绣(△繡) xiù ❶動 刺繡する. 縫い取りをする ‖ 在手帕上～上自己的名字 ハンカチに自分の名前を刺繡した ❷刺繡した製品
【绣房】xiùfáng 名 旧 若い女性の部屋
【绣花】xiù//huā (～儿) 動 刺繡する
【绣花枕头】xiùhuā zhěntou 名 美しい刺繡のカバーを掛けた枕 喩 外見はよいが中身がない人. 見掛け倒し
【绣球】xiùqiú 名 薄絹で作った刺繡入りの手まり
【绣鞋】xiùxié 名 刺繡入りの婦人用布靴
10 袖 xiù ❶名 袖(そで) ‖ 长～ 長袖 ❷動 袖の中に入れる ‖ →～手旁观
【袖标】xiùbiāo 名 腕章. 腕に付ける記章
【袖管】xiùguǎn 名 方 袖. 袖口
【袖口】xiùkǒu (～儿) 名 袖口
【袖手旁观】xiù shǒu páng guān 成 手をこまねいて見ている. 何もせずにただ傍観する. 袖手傍観(しゅうしゅぼうかん)
【袖筒】xiùtǒng (～儿) 名 袖
【袖章】xiùzhāng 名 腕章 ‖ 戴～ 腕章を付ける
【袖珍】xiùzhēn 形 ポケットサイズの. ポータブルの ‖ ～本 袖珍本(しゅうちんぼん) | ～词典 ポケットサイズの辞典
*【袖子】xiùzi 名 袖 ‖ 挽wǎn～ 袖をまくり上げる
10 臭 xiù ❶におい ‖ 无色无～ 無色無臭 ❷〔嗅xiù〕に同じ ➤ chòu
11 宿 xiù 名 星宿. 星座 ‖ 星～ 星座 | 二十八～ 二十八宿 ➤ sù xiǔ
12 *锈(△鏽) xiù ❶名 さび ‖ 生～ さびがつく ❷動 さびる. さびが出る ‖ 这把锁～了 この錠はさびてしまった ❸器物の表面に付着するさびのような物質 ‖ 水～ 水あか ❹(植物の)さび病
【锈病】xiùbìng 名〈植〉さび病
【锈蚀】xiùshí 動 腐食する
13 溴 xiù 名〈化〉臭素(化学元素の一つ, 元素記号は Br)
13 *嗅 xiù 動(においを)かぐ ‖ →～觉 | ～到阵阵花香 ひとしきり花の香りをかぐ
【嗅觉】xiùjué 名 嗅覚(きゅうかく)
【嗅神经】xiùshénjīng 名〈生理〉嗅覚神経

xū

6 圩 xū 方(中国南方でいう)市(いち) ‖ 赶～ 市に行く ➤ wéi
6 吁 xū ❶古(驚きを表す感動詞)ああ ❷書 嘆息する ➤ yū yù
【吁吁】xūxū 擬(息をする音)はあはあ. ふうふう
6 戌 xū 名 戌(いぬ)(十二支の第11) ➡〔地支dìzhī〕
8 盱 xū 書 ❶目を見開く ‖ ～目而环伺 目を見開いてあたりを見回す ❷仰ぎ見る
9 胥[1] xū 旧 役所で文書を取り扱う小役人 ‖ ～吏lì 同前
9 胥[2] xū 書 すべて. いっさい ‖ 民～效之 民衆はみなこれにならう
9 砉 xū 古 皮が骨から離れる音 ➤ huā
9 *须[1] xū ❶書 待つ ❷助動 …する必要がある. …しなければならない ‖ 考生～提前十分钟进入考场 受験生は10分前までに試験場に入らなければならない
9 须[2](鬚) xū ❶あごひげ. ひげ ‖ 胡～ ひげ ❷(動植物の)ひげ. ひげ状のもの ‖ 触～ 触角 | 虾～ エビの触角 | 花～ 花のしべ
【须发】xūfà 名 ひげや頭髪
【须根】xūgēn 名〈植〉ひげ根. 鬚根(しゅこん)
【须眉】xūméi 名 書 ひげと眉毛(まゆ). 転 男子
【须要】xūyào 助動 …すべきである ‖ 待人～诚恳chéngkěn 人に接するには心がこもっていなければならない
【须臾】xūyú 名 書 少しの間. しばらく. 須臾(しゅゆ)
【须知】xūzhī 動 わかっていなければならない. 知っていなければならない 名 心得. 注意事項 ‖ 游览～ 遊覧者心得 | 读者～ 図書館利用者の注意事項
【须子】xūzi 名(動植物の)ひげ. ひげ状のもの
10 顼 xū ➡〔颛顼zhuānxū〕
11 *虚 xū ❶からっぽの. 空いている ↔〔实〕‖ 座无～席 空席がない ❷虚心である. おごらない ‖ 谦qiān～ 謙虚である ❸すき. 弱点 ‖ 乘～而入 虚に乗じる ❹形(体質が)虚弱である. ひ弱である ‖ 病刚好, 身体还很～ 病気が治ったばかりで, 体はまだ弱々しい ❺形 うその. 偽りの ↔〔实〕‖ →～伪 ❻(場所を)空ける. 空(そら)にする ‖ →～位以待 ❼いたずらに. むなしく. むだに ‖ →～度 ❽方 柔らかい. ふんわりしている ❾形(やましさから, また, 自信や勇気のなさから)びくびくしている ‖ 因为撒sā了谎huǎng, 所以心里有点儿～ うそをついたので内心いくらか不安である. ❿(実務に対して)思想. 理論 ‖ 以～带实 理論によって実践を推し進める. ⓫名(二十八宿の一つ)とみてぼし. 虚宿(きょしゅく)

【虚报】xūbào 動 偽って報告する
【虚词】xūcí 名 ❶〈語〉虚詞(きょし) ↔〔实词〕 ❷＝〔虚辞xūcí〕
【虚辞】xūcí 名 書 虚言．そらごと．〔虚词〕とも書く
【虚度】xūdù 動 むだに日を送る．なすところなく過ごす
【虚浮】xūfú 形 着実でない．地に足がついていない
【虚高】xūgāo 形（価格や数値などが）理不尽に高い．不当に高い ‖ 药价～ 薬の値段が不当に高い
【虚构】xūgòu 動 想像で作り上げる
【虚汗】xūhàn 名〈中医〉虚汗(きょかん)
【虚耗】xūhào 動 空費する．むだに消耗する
【虚怀若谷】xū huái ruò gǔ 成 虚心坦懐(きょしんたんかい)である．包容力があって，よく人の意見を聞き入れる
【虚幻】xūhuàn 形 非現実的である．幻影の
【虚火】xūhuǒ 名〈中医〉虚火(きょか)．多く熱病の後期などにみられる症状
*【虚假】xūjiǎ 形 うそ偽りである．作り事である ‖ 内容～ 中身はうそ偽りである｜～的证词 うその証言
【虚惊】xūjīng 動（ありもしないことに）むだに驚く．から驚きする
【虚空】xūkōng 形 空虚である
【虚夸】xūkuā 動 誇張して言いふらす．むやみやたらに大げさに言う
【虚礼】xūlǐ 名 虚礼 ‖ 废除fèichú～ 虚礼を廃する
【虚名】xūmíng 名 虚名．実情に合わない名声
【虚拟】xūnǐ 動 ❶仮定する．仮設する ❷想像で作り上げる 形〈計〉仮想の．バーチャルな ‖ ～现实 バーチャル・リアリティ｜～社区 バーチャル・コミュニティ
【虚胖】xūpàng 形 水太りである
【虚飘飘】xūpiāopiāo（～的）形 ふらふらするさま
【虚情假意】xū qíng jiǎ yì 成 うわべだけの親切．口先だけの好意
【虚荣】xūróng 名 虚栄．見栄 ‖ ～心 虚栄心｜追求～ 見栄を張りたがる 形 見栄っ張りである
*【虚弱】xūruò 形 ❶（体が）弱い．虚弱である ‖ 他从小就很～ 彼は子供のころから体が弱い ❷（国力などが）弱小である．弱体である ‖ 实力～ 実力がない
【虚设】xūshè 動（機構や職位など）名目上のみ存在する ‖ ～职位 名目ばかりのポストを設ける
【虚实】xūshí 名 ❶虚実 ❷内情
【虚数】xūshù 名 ❶〈数〉虚数 ❷実際とは異なる数．水増ししたうその数字
【虚岁】xūsuì 名 数え年
【虚套子】xūtàozi 名 紋切り型の礼儀作法．虚礼
【虚脱】xūtuō〈医〉動 虚脱状態になる 名 虚脱状態
【虚妄】xūwàng 形 書 虚妄の．うその．偽りの
*【虚伪】xūwěi 形 偽りである．不誠実である．虚偽の．見せかけの ‖ 这个人很～ この人はとても不誠実である
【虚位以待】xū wèi yǐ dài 成（しかるべき）ポストを空けて待つ．〔虚席以待〕ともいう
【虚文】xūwén 名 ❶形式のみで内容のない規則や制度．空文 ❷虚礼 ‖ ～浮礼 繁文縟礼(じょく)
【虚无】xūwú 形 空虚である．何もない
【虚无缥缈】xū wú piāo miǎo 成 空虚でつかみどころがない．茫漠(ぼう)としている
【虚无主义】xūwú zhǔyì 名 虚無主義．ニヒリズム
【虚线】xūxiàn 名 ❶点線〔……〕．破線〔----〕 ❷〈数〉虚根を持つ方程式のグラフ
【虚像】xūxiàng 名〈物〉虚像

【虚心】xūxīn 形 **虚心である．謙虚である ‖ ～求教 謙虚に人に教えを求める
【虚言】xūyán 名 うそ．つくりごと
【虚掩】xūyǎn 動 戸を鍵をかけずに閉めるだけにしておく
【虚应故事】xū yìng gù shì 成 旧例にならって申し訳程度に物事をする．習慣的に決まったことだけをやる
【虚有其表】xū yǒu qí biǎo 成 見かけだけで内容が伴わない．見かけ倒しである
【虚与委蛇】xū yǔ wēi yí 成 うわべだけ調子を合わせる．適当にあしらう
【虚造】xūzào 動 でっち上げる．捏造(ねつぞう)する
【虚张声势】xū zhāng shēng shì 成 虚勢を張る．空威張りする
【虚职】xūzhí 名 名目だけのポスト ↔〔实职〕
【虚掷】xūzhì 動 むだにする．空費する
【虚字】xūzì 名〈語〉（古代中国語文法で）虚字．実際的意義を持たない言葉 ↔〔实字〕

14 **墟** xū ❶荒れはてたところ ‖ 废fèi～ 廃墟(はいきょ) ❷書 村．村落 ❸〔圩xū〕に同じ

14 **嘘** xū ❶動 口からゆっくりと息を吐く ❷動 ため息をつく．嘆息する ❸擬（息を吐く音）フッ．シッ．フー ❹動（シッ，またはシーッなどと言って）制止する．追い払う ❺動 蒸気や熱気に当てる ➤ shī
【嘘寒问暖】xū hán wèn nuǎn 成 他人の生活に関心を寄せること

14* **需** xū ❶動 必要とする ‖ ～办理手续 手続きをする必要がある｜全部完工，还～一年 すべて完成するにはまだ1年必要である ❷必要な品物 ‖ 军～ 軍需品
*【需求】xūqiú 名 需要．ニーズ ‖ 满足市场～ 市場の需要を満たす
【需索】xūsuǒ 動（金銭や物などを）ねだる．求める
★【需要】xūyào 動 **必要とする** ‖ 这件事～你跑一趟tàng この件はひとつ君に奔走してもらわねばならない 名 **必要．要求．ニーズ** ‖ 满足～ 需要を満たす
【需用】xūyòng 動 必要とする ‖ ～经费 必要経費

xú

10 **徐** xú ゆっくりと．徐々に．そろそろと ‖ ～步 ゆっくりと歩く
【徐缓】xúhuǎn 形 ゆっくりである．遅い
【徐娘半老】Xú niáng bàn lǎo 成 うばざくら
*【徐徐】xúxú 副 書 おもむろに．ゆっくりと ‖ 五星红旗～升起 五星紅旗がゆっくりと上がってゆく

xǔ

6** **许**[1] xǔ ❶動 **許す．許可する．認める** ‖ 每人只～拿一个 一人につき1個のみ取ってよい ❷動 **前もって与えることを約束する．捧げる** ‖ 以身～国 国に身をささげる ❸動 **娘の結婚を承諾する** ‖ 刘家的姑娘早～给人家了 劉(りゅう)さんの家の娘さんはとっくに婚約している ❹称賛する．ほめたたえる ‖ 称～ 称賛する ❺副 口 もしかすると．あるいは ‖ 你去问他，他～知道 彼に聞いてごらん，知ってるかもしれないから

6 **许**[2] xǔ このように ‖ 一～多｜一～久

6 **许**[3] xǔ 書 …ほど．…ばかり ‖ 少～ 少しばかり｜年三十～ 年は三十前後

X

★【许多】xǔduō 数 多くの. たくさんの ‖ ～人 多くの人 | ～年 長い年月 | ～东西 たくさんの品物 | 比以前胖pàng了～ 以前に比べてかなり太った

類義語 许多 xǔduō 很多 hěn duō

◆ともに数量の多いことを表し, 名詞を直接修飾することができる. 〔许多〕は数詞で, 〔很多〕は程度副詞＋形容詞のフレーズである ◆〔许多〕は述語にならないが, 〔很多〕は述語になる ‖ 公园里的人很多(×许多) 公園は人がいっぱいだ ◆〔许多〕は指示詞〔这(么)〕〔那(么)〕の修飾を受ける ‖ 现在还考虑不了那许多(×很多) いまはまだそんなに多くのことを考えられない

【许国】xǔguó 動 書 国に捧げる
【许婚】xǔhūn 動 (女性の側が)結婚を承諾する. 婚約する
【许久】xǔjiǔ 形 久しい. 時間が長い ‖ 等了～, 他才来 長い間待たされて, やっと彼は来た
*【许可】xǔkě 動 許す. 許可する ‖ 未经～, 不得入内 許可なしに立ち入るべからず
【许可证】xǔkězhèng 名 許可証. 免許証. 認可証
【许诺】xǔ//nuò 動 承認する. 承諾する
【许配】xǔpèi 動 娘の結婚を承諾する
【许亲】xǔ//qīn 動 婚約する. いいなずけになる
【许愿】xǔ//yuàn 動 ❶願をかける. 願いごとをする ❷(前もって与えることを)約束する ‖ 妈妈～一上中学就给我买块手表 お母さんは, 僕が中学へ上がったら腕時計を買ってくれると約束した

8 **诩** xǔ 書 誇る. 大言壮語する ‖ 自～ 自慢する

9 **浒** xǔ 地名用字 ‖ ～墅shù关 江蘇省にある地名 ➤ hǔ

10 **栩** xǔ ↴

【栩栩如生】xǔ xǔ rú shēng 成 まるで生きているかのように真に迫っている

15 **糈** xǔ 古 ❶祭神用の米 ❷食糧. 兵士に与える給与

16 **醑** xǔ ❶書 美酒 ❷略 アルコール溶液剤. チンキ. 〔醑剂〕の略 ‖ 樟脑～ カンフル・チンキ

xù

6 **旭** xù 書 朝日の出るさま

【旭日】xùrì 名 書 朝日. 朝の太陽

7 **序**[1] xù 古 ❶母屋の東西両側にある棟 ❷古代の学校

7 **序**[2] xù ❶順序. 次第. 秩序 ❷順番や順位を決める ‖ ～齿 年齢によって順序を決める

7 **序**[3] xù ❶图 序. 序文. 前書き ❷糸口. まくら. 正式に始まる前のもの ‖ 一～幕

【序跋】xùbá 名 序文と跋文(ばつぶん)
【序号】xùhào 名 通し番号. 一連番号. 続き番号. シリアルナンバー
【序列】xùliè 名 序列
【序论】xùlùn 名 序論
【序幕】xùmù 名 ❶〈劇〉序幕 ❷喩 重大な事件や歴史的事象の始まり
【序曲】xùqǔ 名 ❶〈音〉序曲. 前奏曲 ❷喩 序曲
【序数】xùshù 名 序数
【序文】xùwén 名 序文. 前書き. 〔叙文〕とも書く
*【序言】xùyán 名 序文. 前書き. 〔叙言〕とも書く

9 **叙**(△敘 敍) xù ❶書 順序. 序列 ❷授ける. 叙する ‖ ～奖 褒賞を授ける ❸動 話す. 述べる. 語らう ‖ 有空到我家来～一～ 暇な折には私の家に話をしにいらっしゃい ❹(事の経過を)順を追って話す, または書く ‖ 一～事

【叙别】xùbié 動 (別れる前に)名残を惜しんで語らう
【叙旧】xù//jiù 動 (親しい友人と)昔話をする
【叙利亚】Xùlìyà 名〈国名〉シリア
【叙事】xùshì 動 事柄を述べる ‖ ～诗 叙事詩
*【叙述】xùshù 動 叙述する. 事の経過を書き出す, または話す ‖ 详细～事情的经过 詳しく事の次第を述べる
【叙说】xùshuō 動 事の次第を話す
*【叙谈】xùtán 動 雑談する. おしゃべりする ‖ 今晚咱俩好好儿～～ 今晩はゆっくり語り合おうじゃないか
【叙文】xùwén ＝〔序文xùwén〕
【叙言】xùyán ＝〔序言xùyán〕

9 **洫** xù 書 田畑の間に掘られた用水路 ‖ 沟gōu～ 用水路や溝

9 **恤**(△邺 賉 卹) xù ❶哀れに思う. 同情する ‖ 怜lián～ 哀れむ ❷救済する. 物質的な援助をする ‖ 一～金

【恤金】xùjīn 名 (政府から支給される)見舞金. 弔慰金. 生活扶助. 〔抚恤金〕ともいう
【恤衫】xùshān 名 方 ワイシャツ. カッターシャツ

10 **畜** xù (家畜を)飼う. 飼育する ‖ 一～牧 ➤ chù

*【畜产品】xùchǎnpǐn 名 畜産物
*【畜牧】xùmù 名 牧畜 ‖ ～业 牧畜業
【畜养】xùyǎng 動 (家畜や家禽(きん)を)飼う. 飼育する

11 **勖**(△勗) xù 書 励ます. 激励する

【勖勉】xùmiǎn 動 書 励ます. 激励する

11 **绪** xù ❶書 糸の先端 ❷緒. 糸口. 発端 ‖ 头～ 糸口 ❸書 残り. 余り ‖ ～余 残余. 剰余 | ～风 遺風 ❹書 (先人が成しとげなかった)事業 ‖ 续未竟之～ 未完の事業を継続する ❺気持ち. 感情. 思想 ‖ 心～ 気持ち

【绪论】xùlùn 名 緒論. 序論
【绪言】xùyán 名 緒論. 序論

11 *** 续**(續) xù ❶続ける. 続く ‖ 持～ 持続する ❷動 継ぎ足す ‖ 绳子不够长, 又～了一截jié 縄の長さが足りないのでまた少しつないだ ❸動 添える. 加える ‖ 给客人～茶 客に茶をつぎ足す

【续编】xùbiān 名 続編
【续貂】xùdiāo 動 書 粗悪なものを立派なものにつなげる (他人の著作の続きを書く場合などの謙遜語)
【续航】xùháng 動 航続する. 航行を続ける
【续航力】xùhánglì 名 航続力
【续集】xùjí 名 続集. 続編
【续假】xù//jià 動 休暇をさらに延ばす
【续借】xùjiè 動 (図書館の本を)続けて借りる. 貸し出し期間を延ばす
【续篇】xùpiān 名 続編
【续聘】xùpìn 動 引き続き招聘(しょうへい)する. 継続して任命する
【续弦】xù//xián 動 後妻を迎える
【续约】xù//yuē 動 契約を更新する. 再契約を交わす

图(xùyuē)再契約

11 **酗** xù 酒におぼれる. 酒に酔って言行が乱れる

*【酗酒】xùjiǔ 動 大酒を飲む. 酒を飲んで暴れる

12 **溆** xù 地名用字‖～水 湖南に発し, 沅江に注ぐ川の名

12 **婿**(△壻) xù ❶夫‖夫～ 夫 ❷婿. 娘の夫‖女～ 同前｜翁～ しゅうとと婿

12 **絮** xù ❶真綿 ❷綿状のもの‖柳～ 柳絮(りゅうじょ) ❸(種を取り除き, 柔らかくした)綿‖棉～ 木綿綿 ❹動(衣服や布団に)綿を詰める‖～棉被 掛け布団に綿を詰める ❺(言葉が)くどい‖→～叨

*【絮叨】xùdao ; xùdāo 動 くどくど話す‖为一点ㄦ小事～半天 つまらぬことでいつまでもくどくど話す 形 話がくどい‖你可真～ 君はほんとうに話がくどい

【絮烦】xùfan 形 煩わしい. くどくて飽きる

【絮聒】xùguō 動 ❶くどくどしゃべる ❷面倒をかける. 煩わす‖老来～你, 真不好意思 いつも君に面倒をかけて, ほんとに申し訳ない

【絮棉】xùmián 图(衣服や布団用の)入れ綿

【絮絮】xùxù 形(話が)くどいさま

【絮语】xùyǔ 動 くどくど言う 图 くどくどしい話

13 * **蓄** xù ❶動 ためる. 蓄える‖水库～满了水 ダムには水が十分ある ❷心に抱く. 秘める‖→～意 ❸(ひげや髪を)伸ばす. 蓄える‖→～发

【蓄电池】xùdiànchí 图 蓄電池. バッテリー

【蓄发】xù∥fà 動 髪を伸ばす

【蓄洪】xùhóng 動 洪水を防ぐため, 河川からあふれた水を一定の地区にためておく‖～区 遊水区

【蓄积】xùjī 動 蓄える. ためる‖～雨水 雨水を蓄える

【蓄谋】xùmóu 動(陰謀などを)前々からたくらむ

【蓄念】xùniàn 書 動 前々から考えている. 久しく心中に温めている 图 かねてからの考え

【蓄水】xù∥shuǐ 動 水をためる. 貯水する

【蓄须】xù∥xū 動 ひげを蓄える

【蓄养】xùyǎng 動 蓄え育てる. 蓄え養う

【蓄意】xùyì 動 前から悪いことをしようとする意図を抱く. 下心を抱く‖～寻衅xúnxìn わざと挑発的行為をする

13 **煦** xù 書 暖かい‖～日 暖かい日｜～暖 暖かい｜和～ 暖かい

【煦煦】xùxù 形 ❶暖かいさま ❷書 仲むつまじい様子

xu

14 **蓿** xu ➡〔苜蓿mùxu〕

xuān

7 **轩** xuān ❶古 身分の高い人が乗った垂れ幕のついた馬車 ❷書 高い‖→～昂｜→～敞｜→～然大波 ❸窓のある長い廊下または小部屋.(多く書斎や茶店・料理屋などの名前に用いた)

【轩昂】xuān'áng 形 意気軒昂(いきけんこう)としている. 元気で意気盛んな様子

【轩敞】xuānchǎng 形(建物が)高くて広いさま

【轩然大波】xuān rán dà bō 成 大きな風波. 転 大きなもめごと

【轩轾】xuānzhì 图 書 喩 優劣‖不分～ 優劣をつけられない. 甲乙つけがたい

9 **宣**[1] xuān ❶発表する. 広く伝える‖→～布 ❷流れや水はけをよくする‖→～泄

9 **宣**[2] xuān 宣紙(せんし). 安徽省宣城特産の画仙紙‖玉版～ 白く硬質の宣紙の一種

⁑【宣布】xuānbù 動 **公布する. 宣言する**‖正式～了这项决定 正式にこの決定を公布した

*【宣称】xuānchēng 動 公に述べる. 公言する‖对方～有把握取胜 相手は勝つ自信があると公言した

⁑【宣传】xuānchuán 動 **宣伝する**‖～交通规则 交通規則を広める

【宣传画】xuānchuánhuà 图(政策や方針などを宣伝する)ポスター. 宣伝ビラ.〔招贴画〕ともいう

【宣传品】xuānchuánpǐn 图 宣伝を目的とした印刷物.(ビラ・ポスター・パンフレットなど)

*【宣读】xuāndú 動(布告や文書などを)読み上げる‖～大会决议 大会の決議を読み上げる

*【宣告】xuāngào 動 宣告する. 宣言する. 布告する‖～独立 独立を宣言する｜～结束 終わりを告げる

【宣讲】xuānjiǎng 動 宣伝と説明を行う

【宣教】xuānjiào 图 略 宣伝と教育

【宣判】xuānpàn 動〈法〉判決を言い渡す

【宣示】xuānshì 動 公示する. 公表する

*【宣誓】xuān∥shì 動 宣誓する. 誓う‖举手～ 手を挙げて宣誓する｜～就职 就任の宣誓をする

【宣泄】xuānxiè 動 ❶(雨水やたまった水を)排水する ❷(心中のわだかまりや怒りを)吐き出す

*【宣言】xuānyán 動 宣言する. 声明する 图 宣言. 声明‖联合～ 共同宣言｜发表～ 声明を発表する

*【宣扬】xuānyáng 動 広く宣伝する. 宣揚する‖～金钱至上思想 金銭至上主義の思想をまき散らす

【宣战】xuān∥zhàn 動 ❶宣戦布告する‖～书 宣戦布告書 ❷喩(困難な仕事などに)立ち向かう

【宣纸】xuānzhǐ 图 安徽省宣城県特産の画仙紙. 宣紙

11 **谖** xuān 古 ❶だます. たぶらかす ❷忘れる

12 **萱**(△萲 蕿 藼 蘐) xuān ❶图〈植〉ワスレグサ. ヤブカンゾウ ❷書 ご母堂

12 **揎** xuān 動 袖をまくる. 袖をたくし上げる‖袖子～到肘zhǒu上 袖をひじまでまくり上げる

12 **喧**(△諠) xuān ❶(大勢の人が)大声で話す. わめく. 騒ぐ‖→～嚷｜→～扰 ❷やかましい. 騒がしい‖→～哗｜→～闹

【喧宾夺主】xuān bīn duó zhǔ 成 客の声が主人の声よりも大きい. 主客転倒のたとえ

【喧哗】xuānhuá 形 大声で話す. 騒々しい 動 騒ぐ‖场内请勿～ 場内は静粛に願います

【喧闹】xuānnào 動 騒ぐ‖请不要在这里～ ここで騒がないでください 形 やかましい. 騒がしい

【喧嚷】xuānrǎng 動 大声で話す. 騒ぎ立てる

【喧扰】xuānrǎo 動 騒いでかき乱す

【喧腾】xuānténg 動 書 沸き返る. 熱狂して騒ぎ立てる‖欢乐的人群～起来 喜びの人々で沸きかえった

【喧嚣】xuānxiāo 動 わめき立てる. 大声で騒ぎ立てる‖～一时 一時世間を騒がす 形 やかましい. 騒々しい

【喧笑】xuānxiào 動 大声で談笑する

13 **煊** xuān ↴

【煊赫】xuānhè 形 名声が高く勢いがあるさま

13 **暄**[1] **xuān** 書（日差しが）暖かい ‖ 寒～ 時候の挨拶をする

13 **暄**[2] **xuān** 形方 ふっくらして柔らかい ‖ ～土 柔らかい土

【暄腾】 xuānteng 形方 ふっくらしている．柔らかい

15 **儇** **xuān** 書 軽薄でこざかしい ‖ ～薄bó 軽薄である

xuán

5 **玄** **xuán** ❶黒い ❷はるかな．遠い ❸奥深く難解である．玄妙である ‖ →～妙 ❹口 信用できない．でたらめである ‖ 这话太～了，不可信 この話はまったくまゆつば物だから信用できない

【玄奥】 xuán'ào 形 奥深い．難解である

【玄关】 xuánguān 名 玄関

【玄乎】 xuánhu 形 とらえどころがない．当てにならない

【玄机】 xuánjī 名（道教の）奥深い教え

【玄妙】 xuánmiào 形書 奥深く微妙でとらえがたい

【玄青】 xuánqīng 形 濃黒色の

【玄孙】 xuánsūn 名 玄孫．やしゃご．孫の孫

【玄武】 xuánwǔ 名 ❶古 カメをさす ❷玄武（げんぶ）．二十八宿のうちの北方七宿の総称 ❸（道教の）北の方角をつかさどる神

【玄想】 xuánxiǎng 動 空想する

【玄虚】 xuánxū 名 ごまかし．インチキ ‖ 故弄～ わざと人を惑わす 形 とらえどころがない

【玄学】 xuánxué 名 ❶玄学 ❷〈哲〉形而上学

【玄之又玄】 xuán zhī yòu xuán 成 非常に奥深くて理解しがたいさま

10 **痃** **xuán** 名〈中医〉婦人のへその両わきの筋肉が，弓のつるのように突起する病気

11 **旋** **xuán** ❶回る．回転する．旋回する ‖ →～绕 ❷帰る．戻る ‖ 凯kǎi～ 凱旋（がいせん）する ❸副書 すぐに．ただちに ‖ →～即 ❹名（～儿）輪．渦 ‖ →～涡 ❺名（～儿）つむじ ➤ xuàn

【旋即】 xuánjí 副書 すぐに．ただちに．まもなく

*【旋律】** xuánlǜ 名〈音〉旋律．メロディー

【旋钮】 xuánniǔ 名（回転式の）つまみ

【旋绕】 xuánrào 動 巻き上がる．曲がりくねる．取り巻く

【旋梯】 xuántī 名〈体〉❶回旋ばしご ❷回旋ばしごの運動

【旋涡】 xuánwō 名 ❶（～儿）渦．渦巻き ❷（事件や紛糾の）渦．渦中 *〔漩涡〕とも書く

【旋舞】 xuánwǔ 動 旋回して舞う

【旋翼】 xuányì 名 ヘリコプターの回転翼．ローター

*【旋转】** xuánzhuǎn 動 回転する．旋回する ‖ 地球围绕wéirào太阳～ 地球は太陽の周りを回っている

【旋转乾坤】 xuán zhuǎn qián kūn 成 天地を引っくり返す．情勢が大きく変化するたとえ

【旋子】 xuánzi 名 丸い形．輪．円 ➤ xuànzi

11 * **悬**（懸）**xuán** ❶動 掛ける．吊す ❷掲示する．公布する ❸かけ離れている．隔たっている ‖ 天～地隔 天と地の差 ❹動 未解決である．宙に浮く ‖ 这个问题还～在那儿 この問題はまだ未解決である ❺気にかける．心配する．心にとめる ‖ →～念 ❻空想する．考えをめぐらす ‖ ～拟nǐ 空想する ❼動（空中に）浮く．浮かせる．浮き上がる ‖ 热气球～在半空中 熱気球が空に浮かんでいる ❽形 危険である ‖ 好～，差点儿让车撞zhuàng着 危ない，もう少しで車にぶつかるところだった

【悬案】 xuán'àn 名 ❶未解決の事件 ❷懸案．解決していない問題

【悬揣】 xuánchuǎi 動 推測する．推し量る

【悬垂】 xuánchuí 動 ぶら下がる

【悬吊】 xuándiào 動 吊す．ぶら下がる

【悬而未决】 xuán ér wèi jué 成 懸案となっている．未解決である

【悬浮】 xuánfú 動 ❶（ほこりなどが）宙に浮く ❷〈物〉懸濁（けんだく）する ‖ ～物 セストン．懸濁物質

*【悬挂】** xuánguà 動 掛ける．掲げる．ぶら下げる ‖ ～国旗 国旗を掲げる

【悬河】 xuánhé 名 ❶〈地〉天井川 ❷書 滝 ❸（弁舌や文章が）よどみないこと ‖ 口若～ 立て板に水

【悬红】 xuánhóng 動 懸賞金をかける ‖ 公安部～5万元奖励jiǎnglì举报 警察は5万元の懸賞金をかけ情報の提供を募っている

【悬乎】 xuánhu 形口 危ない．信頼できない

【悬空】 xuánkōng 動 ❶（何かにつかまって）ぶら下がる．宙に浮く ❷現実とかけ離れる．見込みがつかず宙に浮く

【悬梁】 xuánliáng 動 首を吊る．首をくくる

【悬铃木】 xuánlíngmù 名〈植〉プラタナス．スズカケノキ．〔法国梧桐〕ともいう

*【悬念】** xuánniàn 動 心配する．気にかける．案じる 名（小説や映画などの）スリル．サスペンス

【悬赏】 xuán//shǎng 動 懸賞を付ける

【悬殊】 xuánshū 形 大きくかけ離れている．隔たりが大きい ‖ 贫富～ 貧富の差が著しい

【悬索桥】 xuánsuǒqiáo 名 吊り橋

【悬梯】 xuántī 名 縄ばしご

【悬腕】 xuán//wàn 動（書道の運筆法の一つ）懸腕（けんわん）．腕を上げ，ひじを脇から離して書く

【悬望】 xuánwàng 動書 心配して待つ

【悬心】 xuán//xīn 動 心配する．不安に思う

*【悬崖】** xuányá 名 断崖（だんがい）．懸崖（けんがい）

【悬崖勒马】 xuán yá lè mǎ 成 険しい崖のふちで馬の手綱を引く．危険の一歩手前で踏みとどまるたとえ

【悬疑】 xuányí 名 ❶疑点．疑惑 ❷スリル．サスペンス ‖ 充满～的情节 サスペンスあふれる筋書き

14 **漩** **xuán** （～儿）渦．渦巻き

【漩涡】 xuánwō ＝〔旋涡xuánwō〕

15 **璇**（△璿）**xuán** 書 美しい玉（ぎょく）

xuǎn

9 ** **选**（選）**xuǎn** ❶動 選ぶ．選び出す．より分ける ‖ 喜欢哪个，自己～ どれでも自分で好きなものを選びなさい ❷選ばれた人または物 ‖ 入～ 入選する ❸選集．選 ‖ 短篇小说～ 短編小説選集 ❹動 選挙する．選出する ‖ ～出了三名代表 3人の代表者を選出した

*【选拔】** xuǎnbá 動（ある基準に達した人材を）選び出す．選抜する ‖ ～人材 人材を選ぶ

【选拔赛】 xuǎnbásài 名〈体〉トーナメント．勝ち抜き戦

【选本】 xuǎnběn 名 選集

【选编】 xuǎnbiān 動（詩や文章などを）選び出して編集する 名 選集 ‖ 古文～ 古文選集

【选材】 xuǎn//cái 動 ❶人材を選出する ❷（材料な

X

どを)選び出す
【选单】xuǎndān 图〈計〉メニュー.〔菜单〕ともいう
【选登】xuǎndēng 動 選んで掲載する
【选调】xuǎndiào 動 選抜して移す ‖ 从全国～运动员组成国家队 全国から選手を選抜してナショナルチームを結成する
*【选定】xuǎndìng 動 選定する. 選んで決める ‖ ～日期 期日を決める
【选读】xuǎndú 動 抜き読みする 图 選集. アンソロジー
【选段】xuǎnduàn 图 (劇や楽曲などの)一部分を選び取ったもの. 抜粋
【选购】xuǎngòu 動 選択して購入する
*【选集】xuǎnjí 图 選集
【选辑】xuǎnjí 動 選択して収録する 图 選集
**【选举】xuǎnjǔ 動 (投票などで)選出する. 選挙する ‖ ～人民代表 人民代表を選出する
【选举权】xuǎnjǔquán 图 選挙権
【选刊】xuǎnkān 動 選んで掲載する 图 選集. (多く書名に用いる)
【选矿】xuǎnkuàng 動〈鉱〉選鉱する
【选录】xuǎnlù 動 文章を選んで収録する
【选美】xuǎnměi 動 美人コンテストをする
*【选民】xuǎnmín 图 選挙権を持つ人. 有権者
【选派】xuǎnpài 動 選び出して派遣する
【选票】xuǎnpiào 图 (選挙の)投票用紙. 票. 得票 ‖ 拉～ 票を集める
【选聘】xuǎnpìn 動 人選して任用する
【选区】xuǎnqū 图 選挙区
*【选取】xuǎnqǔ 動 選び取る. 選び出して使う
【选任】xuǎnrèn 動 選抜して任用する. 選任する
*【选手】xuǎnshǒu 图 選手 ‖ 主力～ 主力選手
【选送】xuǎnsòng 動 選出して送る
【选题】xuǎn//tí 動 テーマを選ぶ 图 (xuǎntí) 選定したテーマ
【选项】xuǎn//xiàng 動 プロジェクトを選定する 图 (xuǎnxiàng) (選択式問題の)選択肢
*【选修】xuǎnxiū 動 選択科目を選んで履修する ‖ ～课 選択科目 | ～逻辑luójí学 論理学を履修する
【选样】xuǎn//yàng 動 見本を抜き取る. サンプルを抽出する 图 (xuǎnyàng)抽出したサンプル
*【选用】xuǎnyòng 動 選択して使う. 選んで用いる ‖ 合理～人材 合理的に人材を選んで登用する
【选育】xuǎnyù 動 (優良な品種を)選んで育てる
**【选择】xuǎnzé 動 選択する. 選ぶ ‖ ～适当的机会 適当な機会を選ぶ 图 選択
【选址】xuǎn//zhǐ 動 場所を選ぶ ‖ 开店成功的关键在于～ 店を成功させるかどうかは場所選びにかかっている 图 (xuǎnzhǐ)選択した場所
【选种】xuǎn//zhǒng 動 優良品種を選ぶ

19 **癣** xuǎn 图〈医〉たむしなどの伝染性皮膚病の総称. 白癬(はくせん) ‖ 脚～ 水虫

xuàn

8 **券** xuàn 图〈建〉門・窓・橋などのアーチ形になっている部分. 迫持(せりもち) =〔拱gǒng券〕‖ 打～ アーチを築く ➤ quàn

8 **泫** xuàn 書 水滴がしたたる ‖ ～然泪下 はらはらと涙をこぼす

9 **绚** xuàn 色彩が鮮やかである
【绚烂】xuànlàn 形 きらびやかである
【绚丽】xuànlì 形 きらびやかで美しい

9 **炫** xuàn 書 ❶(強い光線が)まばゆく照らす ‖ →～目 ❷ひけらかす. 自慢する ‖ 自～其能 自分の能力をひけらかす
【炫目】xuànmù 形 まばゆい. まぶしい
【炫弄】xuànnòng 動 見せびらかす. ひけらかす
【炫示】xuànshì 動 誇示する. ひけらかす
【炫耀】xuànyào 動 ❶まばゆく照らす ❷誇示する. ひけらかす ‖ ～本领 腕前をひけらかす

10 **眩** xuàn ❶目がかすんでいる. 目まいがする ‖ →～晕 | 头晕目～ 頭がくらくらして目まいがする ❷書 目がくらむ ‖ ～于名利 名利に目がくらむ
【眩光】xuànguāng 图 強烈な光. 眩しい光 ‖ 防～涂层 アンチグレアコーティング
【眩晕】xuànyùn 動〈医〉めまいがする

10 **铉** xuàn 图 古 鼎(かなえ)の両耳に通して持ち上げる銅製鉤(かぎ)状の器具

11 **旋**(鏇❸) xuàn ❶渦を巻いている. ぐるぐる回っている ❷副〈方〉すぐに. その場で ‖ ～用～买 使う時に買う ❸動 (旋盤やナイフで)回しながら削る ‖ ～床 旋盤 ➤ xuán
【旋风】xuànfēng 图 つむじ風. 旋風
【旋子】[1] xuànzi 图 ❶〔粉皮〕(はるさめ)を作る器具 ❷酒のかんをする道具 ➤ xuánzi
【旋子】[2] xuànzi 图〈劇〉(伝統劇で)頭を大きく振り, その勢いで全身を横飛びに旋回させる動作 ➤ xuánzi

12 **渲** xuàn ↴
【渲染】xuànrǎn 動 ❶(中国画の技法の一つ)ぼかす ❷喩 大げさに言う ‖ 大肆dàsì～ やたらに誇張する

13 **楦**(△楥) xuàn ❶鞋や帽子を作るときの型 ❷動 (靴や帽子を)型で押し広げる ❸動 (空洞の部分に)詰め物をする
【楦子】xuànzi 图 (靴や帽子の)型.〔楦头〕ともいう

14 **碹** xuàn ❶图〈建〉橋や建築物などのアーチ形になっている部分 ❷動 アーチを築く

xuē

9 **削** xuē ❶削る. 意味は〔削xiāo〕に同じで, 多く複合語に用いる ‖ →～足适履 ❷減らす. 削減する ‖ →～价 ❸取り除く ‖ ～职 免職する ❹収奪する ‖ 剥bō～ 搾取する ➤ xiāo
【削壁】xuēbì 图 絶壁. 切り立った崖
【削发】xuēfà 動〈仏〉髪をそり落とす. 剃髪(ていはつ)する
【削价】xuējià 動 価格を引き下げる
*【削减】xuējiǎn 動 削減する. 削る ‖ ～经费 経費を削減する | 职工～了一半 従業員を半分に減らした
【削平】xuēpíng 動 書 (乱を)平定する
*【削弱】xuēruò 動 (力や勢力が)弱まる. 衰えさせる
【削瘦】xuēshòu 形 痩せ細っている. 痩せこけている
【削足适履】xuē zú shì lǚ 成 足を削って靴の大きさに合わせる. 無理やり人のやり方を当てはめる, または, 無理やり既成の条件に合わせるたとえ

13 **靴**(△鞾) xuē 图 長靴. ブーツ ‖ 皮～ 革のブーツ | 雨～ 雨靴
*【靴子】xuēzi 图 長靴. ブーツ

16 **薛** xuē 名 姓

xué

5 **穴** xué ❶穴. ほら穴‖洞～ 洞穴 ❷墓穴‖墓～ 墓穴 ❸動物の巣‖蚁yǐ～ アリの巣 ❹悪人の巣窟‖匪fěi～ 匪賊の巣窟 ❺名〈中医〉つぼ.〔穴位〕〔穴道〕ともいう

【穴道】xuédào 名〈中医〉鍼灸(しんきゅう)のつぼ

【穴居野处】xué jū yě chǔ 成 洞穴に住み,原野で暮らす.原始社会における人々の生活をいう

【穴头】xuétóu 名 興行師.プロモーター

【穴位】xuéwèi 名 ❶〈中医〉鍼灸のつぼ.経穴 ❷墓穴の位置

8 ★**学(學)** xué ❶動 学ぶ.習う.勉強する‖～过两年汉语 中国語を2年間学んだことがある|活到老,～到老 生涯学び続ける ❷動 まねをする.まねる‖～鸟叫 鳥の鳴きまねをする ❸学校‖上～ 登校する.小学校に入学する ❹学識.知識‖博～ 博学である ❺学術.学説‖科～ 科学 ❻接尾 学科.教科‖文～ 文学

【学报】xuébào 名 学報(大学や研究機関の学術的定期刊行物)‖《北京大学～》『北京大学学報』

【学步】xuébù 動 (幼児が)歩き始める

【学部】xuébù 名 中国科学院の各学科の指導機構

【学潮】xuécháo 名 学生運動.学園紛争

【学而不厌】xué ér bù yàn 成 飽くことなく学ぶ

【学阀】xuéfá 名 学閥

⁑【学费】xuéfèi 名 ❶学費.授業料‖交～ 授業料を納める ❷喩 代価.代償

【学分】xuéfēn 名 (学課の)履修単位.単位

【学风】xuéfēng 名 学風‖良好的～ 立派な学風

【学府】xuéfǔ 名 学府‖最高～ 最高学府

【学富五车】xué fù wǔ chē 成 5台の車に積んだ書物ほど学識が豊かである.多くの書物を読み博学である

【学好】xué//hǎo 動 よいことを見習う.よい手本をまねる

【学坏】xué//huài 動 悪いことを見習う.悪いことをまねる

*【学会】xué//huì 動 学んで身につける.習って覚える‖～了滑雪 スキーができるようになった 名(xuéhuì)学会

【学籍】xuéjí 名 学籍‖保留～ 学籍を保留する|开除～ 除籍する.退学させる

【学界】xuéjiè 名 学界

【学究】xuéjiū 名 貶 学究.世間知らずの学者

*【学科】xuékē 名 ❶学科.学問分野‖跨kuà～研究 学際研究 ❷(学校の)教科.課目

【学理】xuélǐ 名 学理.学問上の原理・理論

【学力】xuélì 名 ❶学識 ❷学力

*【学历】xuélì 名 学歴‖注重～ 学歴を重んじる|最后～ 最終学歴|～社会 学歴社会

【学龄】xuélíng 名 就学年齢

【学名】xuémíng 名 ❶(動植物の分類学上の)学名 ❷小学校入学時に使用する正式の名前 ↔〔小名〕

*【学年】xuénián 名 学年

*【学派】xuépài 名 学派.学問上の流派

⁑【学期】xuéqī 名 学期‖新～ 新学期.

【学前班】xuéqiánbān 名 (就学前の幼児を対象にした)私塾.幼児教室

【学前教育】xuéqián jiàoyù 名 就学前教育.幼児教育‖重视～ 幼児教育を重視する

【学前期】xuéqiánqī 名 就学前の時期.幼児期.(3歳から小学校入学までをさす)

【学区】xuéqū 名 学区

【学舌】xué//shé 動 貶 ❶人の話を受け売りする ❷口 口が軽く,聞いたことをすぐ人にしゃべる

★【学生】xuésheng;xuéshēng 名 ❶(小・中・高・大学の)生徒.学生 ❷教え子.弟子 ❸方 男の子

【学生会】xuéshēnghuì 名 学生会(日本の生徒会や学生自治会に当たる)

【学生腔】xuéshēngqiāng 名 学生口調

【学生手册】xuésheng shǒucè 名 (小・中・高の)通知表.通信簿

【学识】xuéshí 名 学識‖～渊博 学識が豊かである

*【学时】xuéshí 名 授業時間.時限

【学士】xuéshì 名 ❶古 読書人.知識人 ❷(大学の卒業者に与える称号)学士‖～学位 学士の学位

⁑【学术】xuéshù 名 学術‖～争论 学術論争

*【学说】xuéshuō 名 学説‖唯物主义～ 唯物論

【学堂】xuétáng 名 旧 学校

【学童】xuétóng 名 学童.小学校で学ぶ児童

【学徒】xué//tú 動 見習い工になる.徒弟になる 名(xuétú)見習い中の工員.弟子

【学徒工】xuétúgōng 名 見習い中の工員.〔徒工〕ともいう

*【学位】xuéwèi 名 学位‖博士～ 博士の学位

⁑【学问】xuéwen 名 ❶学問‖做～ 学問をする ❷知識.学識.知恵‖炒菜做饭里头也大有～呢 料理には料理のコツがあるんだよ

★【学习】xuéxí 動 学ぶ.勉強する‖刻苦～ 一生懸命勉強する|～开车 車の運転を習う

【学系】xuéxì 名 大学の学部

★【学校】xuéxiào 名 学校‖护士～ 看護学校

【学养】xuéyǎng 名 書 学識と教養

【学业】xuéyè 名 ❶(学校の)勉強.授業 ❷学業‖荒废～ 学業をおろそかにする

【学以致用】xué yǐ zhì yòng 成 学んだことを実際に役立てる

【学友】xuéyǒu 名 学友.同窓

*【学员】xuéyuán 名 (正規の教育機関以外の各種学校や養成所などの)学生

★【学院】xuéyuàn 名 ❶単科大学‖商～ 商科大学 ❷総合大学の学部‖物理～ 物理学部

【学杂费】xuézáfèi 名 学費と雑費

【学长】xuézhǎng 名 ❶敬 学兄.先輩 ❷旧 大学の学部長

*【学者】xuézhě 名 学者

*【学制】xuézhì 名 学制.学校教育に関する制度

【学子】xuézǐ 名 書 学生.学徒

14 **踅** xué ❶動 行ったり来たりする.ぐるぐる回る ❷動 引き返す.向きを変える

【踅摸】xuémo 動 方 探す.物色する

16 **噱** xué 動 方 笑う ➤ jué

【噱头】xuétóu 方 名 ❶人を笑わせる話やしぐさ.ギャグ ❷手練.手管 ❸能力.腕前 形 おかしい

xuě

11 ★**雪**[1] xuě ❶名 雪‖下了一场～ 雪が降った ❷白さが雪のようであること‖→～白

11 **雪**[2] **xuě** (恥や汚名を)そそぐ. すすぐ. (恨みを)晴らす ‖ 昭～ 冤罪(えんざい)を晴らす

*【雪白】xuěbái 形 雪のように白い. 真っ白である ‖ ～的牙齿 真っ白な歯 | 墙壁qiángbì粉刷fěnshuā得～ 壁を白く塗り直した
【雪豹】xuěbào 名〈動〉ユキヒョウ
【雪暴】xuěbào 名 大雪. 吹雪
【雪崩】xuěbēng 動 雪が崩れ落ちる. なだれが起きる
【雪藏】xuěcáng 動 ❶ 方 冷蔵する. 冷凍する. ❷故意に隠す. 故意に温存する ‖ ～主力选手 主力選手を温存する ❸お蔵入りする. 放置して用いない ‖ ～多年的电视剧 長年お蔵入りしていたテレビドラマ
【雪耻】xuě//chǐ 動 雪辱する
【雪糕】xuěgāo 名 アイスクリーム. アイスキャンデー
【雪恨】xuěhèn 動 恨みを晴らす
*【雪花】xuěhuā 名 空から舞い降りる雪片 ‖ 漫天～ 空一面に雪が舞う
【雪花膏】xuěhuāgāo 名 化粧用クリーム
【雪茄】xuějiā 名 外 葉巻. シガー
【雪景】xuějǐng 名 雪景色
【雪里红】【雪里蕻】xuělǐhóng 名 (野菜)セリホン. 〔雪菜〕ともいい, 地方によっては〔春不老〕ともいう
【雪莲】xuělián 名 ❶〈植〉キク科の草本植物 ❷〈中薬〉雪蓮花(せつれんか)
【雪亮】xuěliàng 形 ❶雪のように明るい. まぶしく輝いている ❷(ものを見る目が)明るい. よく知っている
【雪盲】xuěmáng 名〈医〉雪盲(せつもう). 雪目
【雪泥鸿爪】xuě ní hóng zhǎo 成 雪解けの泥の上に残った雁(がん)の足跡. 昔に残した痕跡(こんせき)のたとえ
【雪片】xuěpiàn 名 雪の一ひら. (多くたとえに用いる) ‖ 订单如～般飞来 注文書が次々と届いた
【雪橇】xuěqiāo 名 雪ぞり. 〔雪车〕ともいう
【雪青】xuěqīng 形 薄紫色の
【雪人】xuěrén (～儿) 名 雪だるま
【雪山】xuěshān 名 雪山. 万年雪を頂く山
【雪上加霜】xuě shàng jiā shuāng 成 雪の上に霜が降りる. 災難に災難が重なること. 弱り目にたたり目
【雪松】xuěsōng 名〈植〉ヒマラヤスギ
【雪条】xuětiáo 名 方 アイスキャンデー
【雪线】xuěxiàn 名〈地〉雪線
【雪野】xuěyě 名 雪原
【雪冤】xuěyuān 動 冤罪(えんざい)を晴らす
【雪原】xuěyuán 名 雪原
【雪灾】xuězāi 名 雪害. 雪による災害
【雪中送炭】xuě zhōng sòng tàn 成 雪中に炭を送る. 人が困っているときに救いの手を差し伸べる. 急場を救う. 〔雪里送炭〕ともいう

19 **鳕** **xuě** 名〈魚〉タラ. ふつうは〔鳕鱼〕といい, 俗に〔大头鱼〕ともいう

xuè

6 **血** **xuè** ❶血. 血液 ‖ —～液 ❷血のつながり. 血縁 ‖ —～缘 ❸血気. 活力 ‖ —～气 ❹〈医〉月経 ➤ xiě

【血癌】xuè'ái 名〈医〉白血病. 〔白血病〕の俗称
【血案】xuè'àn 名 殺人事件
【血本】xuèběn 名 (苦労して投入した)元手. 資本
【血崩】xuèbēng 名〈中医〉子宮の異常出血
【血仇】xuèchóu 名 肉親を殺された恨み
*【血管】xuèguǎn 名〈生理〉血管 ‖ 动脉～ 動脈
【血光之灾】xuè guāng zhī zāi 成 (多く戦禍で)生命を危険にさらされること
【血海深仇】xuè hǎi shēn chóu 成 肉親を殺された恨み. 深い恨み
*【血汗】xuèhàn 名 血と汗. 労力 ‖ ～钱 汗水流して稼いだ金
【血红】xuèhóng 形 真紅である. 真っ赤である
【血红蛋白】xuèhóng dànbái 名〈生理〉血色素. ヘモグロビン. 〔血红素〕〔血色素〕ともいう
【血迹】xuèjì 名 血の跡
【血痂】xuèjiā 名〈生理〉かさぶた. 痂皮(かひ)
【血检】xuèjiǎn 動〈医〉血液検査をする
【血浆】xuèjiāng 名〈生理〉血漿(けっしょう)
【血口喷人】xuè kǒu pēn rén 成 口汚く人を中傷する
【血库】xuèkù 名 血液銀行. 血液センター
【血亏】xuèkuī 動〈中医〉貧血を起こす
【血泪】xuèlèi 名 血の涙. 悲惨な境遇のたとえ
【血流漂杵】xuè liú piāo chǔ 成 血の流れで重いきねさえ浮かぶ. 大量の殺戮(さつりく)が行われたさま
【血路】xuèlù 名 血路 ‖ 杀开一条～ 血路を開く
【血脉】xuèmài 名 ❶〈中医〉血管. 血液循環 ❷血脈. 血統 ‖ ～相通 血がつながっている
【血尿】xuèniào 名〈医〉血尿
【血气】xuèqì 名 ❶血気 ❷気骨. 気概
【血亲】xuèqīn 名 血族 ‖ 直系～ 直系親族
【血清】xuèqīng 名〈生理〉血清
【血球】xuèqiú 名〈生理〉血球. 〔血细胞〕ともいう ‖ 白～ 白血球 | 红～ 赤血球
【血肉】xuèròu 名 ❶血と肉 ‖ ～横飞 血や肉が飛び散る. むごたらしい惨状のさま ❷ 喩 きわめて親密な関係
【血肉相连】xuè ròu xiāng lián 成 血肉が連なる. 密接な関係であるたとえ
【血色】xuèsè 名 血色. 顔の色つや
【血色素】xuèsèsù ＝〔血红蛋白xuèhóng dànbái〕
【血书】xuèshū 名 血書 ‖ 写～ 血書を書く
【血栓】xuèshuān 名〈医〉血栓 ‖ 脑～ 脳血栓
【血水】xuèshuǐ 名 血. 血液
【血糖】xuètáng 名〈医〉血糖
【血统】xuètǒng 名 血統. 血筋 ‖ 中国～的马来西亚人 中国系のマレーシア人
【血污】xuèwū 名 血の汚れ
【血吸虫】xuèxīchóng 名 住血吸虫
【血洗】xuèxǐ 動 血で血を洗う. 殺戮(さつりく)する
【血细胞】xuèxìbāo ＝〔血球xuèqiú〕
【血小板】xuèxiǎobǎn 名〈生理〉血小板
【血腥】xuèxīng 形 血なまぐさい
【血型】xuèxíng 名 血液型 ‖ 验～ 血液型を調べる
【血性】xuèxìng 名 不屈の気性
【血循环】xuèxúnhuán 名〈生理〉血液循環
*【血压】xuèyā 名〈生理〉血圧 ‖ 量～ 血圧を計る
【血压计】xuèyājì 名 血圧計
【血样】xuèyàng (～儿) 名 検査用の血液サンプル
**【血液】xuèyè 名 ❶〈生理〉血液 ❷ 喩 重要な要素や力 ‖ 我们的教师队伍里又增添了新鲜～ 我々の教師陣に新しい若い仲間が加わった
【血衣】xuèyī 名 血染めの衣服
【血印】xuèyìn (～儿) 名 血の跡
【血友病】xuèyǒubìng 名〈医〉血友病

【血雨腥风】xuè yǔ xīng fēng ＝〔腥风血雨 xīng fēng xuè yǔ〕

【血缘】xuèyuán 名 血縁‖～关系 血縁関係

【血债】xuèzhài 名（殺戮などの）罪．血債

【血战】xuèzhàn 動 血みどろの戦いをする 名 血みどろの戦い

【血肿】xuèzhǒng 名〈医〉血腫(けっしゅ)

【血渍】xuèzì 名 血の跡

11 **谑** xuè 書 ふざける．からかう‖戏～ 冗談口をたたく｜谐xié～（言葉が）おどけている

【谑而不虐】xuè ér bù nüè 成 人をからかっても傷つけるようなことはしない

xūn

9 **勋**（△勳）xūn ❶勲功．いさお‖功～ 勲功 ❷立派な手柄をたてた人‖元～ 元勲

【勋爵】xūnjué 名 ❶封建時代，朝廷が功臣に与えた爵位 ❷（英国貴族の称号の一種）卿(きょう)

【勋劳】xūnláo 名 功労

【勋业】xūnyè 名 書 功業．優れた功績

【勋章】xūnzhāng 名 勲章

10 **埙**（△壎）xūn 名〈音〉オカリナに似た土笛．壎(けん)．埙(けん)

14 **熏**（△燻❶❷）xūn ❶動 薫製にする‖～鱼 薫製の魚 ❷動 いぶす‖～蚊子 蚊をいぶす ❸影響を受ける．染まる‖一～陶 ➤xùn

【熏染】xūnrǎn 動（悪い影響を）受ける‖受到不良风气的～ 悪い気風に染まる

【熏陶】xūntáo 動 薫陶する‖艺术～ 芸術の薫陶

【熏制】xūnzhì 動 薫製にする‖～品 薫製食品

14 **窨** xūn 動（加工中の茶の葉にジャスミンの花などを入れて）香りをつける ➤yìn

17 **薰** xūn 書 香草の一種．また，広く草花の香りをさす

18 **曛** xūn 書 ❶たそがれ．夕方 ❷残照 ❸暗い

21 **醺** xūn 酒の酔いが回ったさま‖微～ ほろ酔い｜～然大醉 泥酔する

xún

6 **旬** xún ❶名（1ヵ月を10日ごとに区切った）旬‖上～ 上旬 ❷名 10年を1単位として年齢を示す‖年过六～ 六十を過ぎている

【旬刊】xúnkān 名 旬刊

【旬日】xúnrì 名 10日間

6 **巡**（△廵）xún ❶巡る．巡視する‖一～逻 ❷量（酒席で全員に酒が行きわたる回数を数える）遍．巡‖酒过三～ 酒は3巡した

【巡查】xúnchá 動 見回る．パトロールする

【巡察】xúnchá 動 巡察する

【巡访】xúnfǎng 動 巡回訪問する．歴訪する‖～服务 巡回訪問サービス｜～欧洲 ヨーロッパを歴訪する

【巡航】xúnháng 動 巡航する

【巡航导弹】xúnháng dǎodàn 名〈軍〉巡航ミサイル

【巡回】xúnhuí 動 巡回する‖～演出 巡回公演

【巡警】xúnjǐng 名 ❶巡査 ❷旧 警察

【巡礼】xúnlǐ 動 ❶聖地に参詣(さんけい)する ❷喩（名所旧跡を）あちこち巡り歩く．見物して回る

*【巡逻】xúnluó 動 見回りをする．パトロールする‖～队 パトロール隊｜～艇tǐng 哨戒艇(しょうかいてい)

【巡哨】xúnshào 動〈軍〉巡回偵察をする

【巡视】xúnshì 動 ❶巡回視察する．視察して回る‖～工地 工事現場を視察して回る ❷見回す

【巡行】xúnxíng 動 巡る．巡回する

【巡演】xúnyǎn 動 巡回公演を行う．巡業する

【巡洋舰】xúnyángjiàn 名〈軍〉巡洋艦

【巡夜】xúnyè 動 夜回りをする．夜の見回りをする

【巡游】xúnyóu 動 ❶歩き回る．ぶらつく ❷巡り歩く．巡回する

【巡阅】xúnyuè 動 各地を視察する

【巡展】xúnzhǎn 動 巡回展覧する

【巡诊】xúnzhěn 動 巡回診療する

6 * **寻**（尋 △尋）xún ❶量 古代の長さの単位，尋(ひろ) ❷動 尋ねる．探求する‖他在～他的钥匙 彼は鍵を探しているところだ

【寻查】xúnchá 動 探す．尋ねる

【寻常】xúncháng 形 尋常である．ありふれている‖电脑进入一般家庭已成为～事 コンピューターの一般家庭への普及はすでにごく当たりまえのことになっている 副 ふだん‖～见不到 ふだん見かけない

【寻短见】xún duǎnjiàn 慣 自殺する．（話し言葉では xín duǎnjiàn と発音することが多い）

【寻访】xúnfǎng 動（取材などのため）探し訪ねる

【寻根】xúngēn 動 ❶根源をつきとめる ❷ルーツを尋ねる．アイデンティティーを探求する

【寻根究底】xún gēn jiū dǐ 成 根掘り葉掘り問いつめる．〔寻根问底〕ともいう

【寻呼机】xúnhūjī 名 ポケットベル．ポケベル．ページャー．略して〔呼机〕ともいう

【寻呼台】xúnhūtái 名 ポケットベルの伝言ステーション．略して〔呼台〕ともいう

【寻花问柳】xún huā wèn liǔ 成 遊郭に遊ぶ．〔问柳寻花〕ともいう

【寻欢作乐】xún huān zuò lè 成 楽しみを求める．遊興にふける

【寻机】xúnjī 動 書 機会をうかがう．機会を探す

【寻究】xúnjiū 動 書 追究する．探求する

【寻开心】xún kāixīn 慣 方 人をからかって楽しむ．（話し言葉では xín kāixīn と発音することが多い）

【寻觅】xúnmì 動 探し求める

【寻摸】xúnmo 動 口 探す

*【寻求】xúnqiú 動 探し求める．探求する‖～解决的办法 解決策を探し求める｜～真理 真理を追究する

【寻事】xúnshì 動 言いがかりをつける．難癖をつける

【寻死】xún//sǐ 動 死のうとする．自殺しようとする．（話し言葉では xínsǐ と発音することが多い）

【寻死觅活】xún sǐ mì huó 成 死ぬの生きるのと大騒ぎをする．（話し言葉では xín sǐ mì huó と発音することが多い）

【寻思】xúnsi 動 考える．…と思う．（話し言葉では xínsi と発音することが多い）

【寻索】xúnsuǒ 動 探す．探し求める

【寻味】xúnwèi 動 味わう．玩味(がんみ)する‖耐人～ 玩味に耐える．味わい深い．意味深長である

【寻问】xúnwèn 動 尋ねる‖～情况 様子を尋ねる

【寻隙】xúnxì 動 書 言いがかりをつける．因縁をつける

X

【寻衅】xúnxìn 動 言いがかりをつける. 挑発する
【寻章摘句】xún zhāng zhāi jù 成 出来合いの語句や表現を借りて文章を作る. 文章がありきたりの美辞麗句ばかりで独創性に欠けること
*【寻找】xúnzhǎo 動 探し求める ‖ ～答案 解答を探し求める｜～机会 機会を探る｜～借口 口実を設ける
【寻租】xúnzū 動 個人または機関が行政手段を用いて公共財産や公金を横領する行為をさす. レントシーキング

6 **驯** xún ➤ xùn

8 **询** xún 意見を求める. 問い合わせる ‖ 咨zī～ 諮問する｜质zhì～ 問いただす
*【询问】xúnwèn 動 尋ねる ‖ 大夫详细地～了他的病情 医者は彼の病状を詳しく尋ねた

8 **郇** xún 图 姓 ➤ huán

9 **洵** xún ❶書 まことに ‖ ～属shǔ可贵 まことに得がたいことだ ❷地名用字

9 **浔**（潯）xún ❶地名用字 ❷图 江西省九江の別称

9 **恂** xún ↴
【恂恂】xúnxún 古 ❶誠実なさま. 恭しい ❷恐れる. おじける

9 **荀** xún 图 姓

9 **荨**（蕁）xún ↴ ➤ qián
【荨麻疹】xúnmázhěn 图〈医〉じんましん

9 **峋** xún ➡〔嶙峋línxún〕

12 **循** xún 踏襲する. 遵守する ‖ 遵zūn～ 遵守する｜因～ 古いしきたりに従う
【循规蹈矩】xún guī dǎo jǔ 成 規律を遵守し, 分を越えない. 杓子定規(しゃくしじょうぎ)で, 融通が利かないたとえ
*【循环】xúnhuán 動 循環する ‖ 血液～ 血液循環｜恶性～ 悪循環
【循环经济】xúnhuán jīngjì 图〈経〉循環経済
【循环论证】xúnhuán lùnzhèng 图〈論〉循環論法. 循環論証
【循环赛】xúnhuánsài 图〈体〉リーグ戦
【循环系统】xúnhuán xìtǒng 图〈生理〉循環系
【循例】xúnlì 動 書 慣例に従う. これまでどおりにする
【循名责实】xún míng zé shí 成 名実相伴うことを要求する
*【循序渐进】xún xù jiàn jìn 成 順を追って進める
【循循善诱】xún xún shàn yòu 成 順序立てて上手に教え導く

14 **鲟**（鱘）xún 图〈魚〉チョウザメ. カラチョウザメ. ふつうは〔鲟鱼〕という

xùn

5* **训** xùn ❶動 教え諭す. 戒める ‖ 老师～了他一顿 先生は彼を叱りつけた ❷教え. 戒め ‖ 家～ 家訓 ❸準則. 典範 ‖ 不足为～ 典範とするに足りない ❹語義を解釈する ‖ ～诂gǔ 訓詁(くんこ) ❺訓練する ‖ 军～ 軍事訓練
【训斥】xùnchì 動 叱りつける
【训词】xùncí 图 訓辞
【训导】xùndǎo 動 教え諭す. 訓導する
【训话】xùn//huà 動 訓示する
【训诫】【训戒】xùnjiè 動 ❶訓戒する ‖ ～下属 部下を訓戒する ❷〈法〉訓戒処分にする(刑罰の一種)
**【训练】xùnliàn 動 訓練する ‖ ～导盲犬dǎomángquǎn 盲導犬を訓練する｜～飞行员 飛行士を訓練する
【训令】xùnlìng 图 訓令 ‖ 颁布bānbù～ 訓令を出す
【训示】xùnshì 動 訓示する 图 訓示
【训责】xùnzé 動 訓戒し叱責する

5 **讯** xùn ❶問う. 尋ねる ‖ 问～ 尋ねる ❷尋問する. 問いただす ‖ 审～ 取り調べる ❸消息. 音信 ‖ 音～ 音信｜新华社～ 新華社電
【讯号】xùnhào 图 ❶〈電〉電磁波信号 ❷信号
【讯问】xùnwèn 動 ❶問いただす ‖ ～案情 事件のいきさつを尋問する ❷尋ねる ‖ ～近况 近況を問う

6 **汛** xùn ❶河川の定期的な増水 ‖ 伏～ 夏期の増水｜防～ 洪水を防ぐ ❷(季節的な)魚群の到来 ‖ 鱼～ 漁期
【汛期】xùnqī 图 河川の定期的な増水期
【汛情】xùnqíng 图 増水期の水位の状況

6 **迅** xùn 迅速である ‖ →～速
【迅即】xùnjí 副 書 すぐに. 速やかに. ただちに
【迅急】xùnjí 形 急である. 速い
【迅疾】xùnjí 形 迅速である ‖ 动作～ 動作が素早い
【迅捷】xùnjié 形 書 すばしこい. 敏捷(びんしょう)である
【迅雷不及掩耳】xùn léi bù jí yǎn ěr 成 瞬時のことで対処する暇もないこと
【迅猛】xùnměng 形 (勢いが)迅速で猛烈である. すさまじい ‖ 洪水来势～ 洪水の水勢が猛烈である
**【迅速】xùnsù 形 迅速である. 素早い. 速やかである ‖ 动作～ 動作が素早い｜～赶往灾区 迅速に被災地へ駆けつける

6 **驯** xùn ❶(動物などが)従順である. よくなれている ❷動 飼いならす ‖ ～马 ウマをならす
【驯服】xùnfú 動 飼いならす 形 従順である
【驯化】xùnhuà 動 馴化(じゅんか)する. 飼いならす
【驯良】xùnliáng 形 おとなしい. 従順である
【驯熟】xùnshú 形 ❶手なれている. 熟練している ‖ 技术～ 技術が熟練している ❷おとなしい. 従順である
【驯顺】xùnshùn 形 従順である. おとなしい
【驯养】xùnyǎng 動 (野生の動物を)飼いならす

9 **逊**（遜）xùn ❶(帝位を)譲る ‖ →～位 ❷謙遜(けんそん)である. へりくだっている ‖ 谦～ 謙遜である ❸書 劣る. 及ばない ‖ →～色
【逊色】xùnsè 形 見劣りがする ‖ 电影比起小说原作来～多了 映画は小説の原作と比較してかなり見劣りがする 图 遜色. 見劣り ‖ 毫无～ 少しも遜色がない
【逊位】xùn//wèi 動 帝位を譲る. 譲位する

9 **徇**（△狥）xùn 無原則に従う. 服従する ‖ →～私
【徇情】xùnqíng 動 書 私情にとらわれて不正をはたらく
【徇情枉法】xùn qíng wǎng fǎ 成 私情にとらわれて法をまげる
【徇私】xùnsī 動 私情にとらわれて不正をはたらく
【徇私舞弊】xùn sī wǔ bì 成 私情にとらわれて不正をはたらく

X

10 **浚**（^△^濬）**xùn** 地名用字‖～县 河南省にある県の名 ➤jùn

10 **殉** **xùn** ❶古 死者とともに人や財物などを墓に埋める‖→～葬 ❷(あることのために)命を投げ出す．殉じる‖→～难｜→～职

【殉国】 **xùn//guó** 動 国に殉じる．国のために身を捧げる

【殉节】 **xùn//jié** 動 ❶(敵に降服することをいさぎよしとせず)節に殉じる ❷旧(女性が)操を守って自殺する ❸旧(妻が)夫の死後，後を追って命を絶つ

【殉难】 **xùn//nàn** 動 殉難する．犠牲となる

【殉情】 **xùnqíng** 動 愛情のために自殺する

【殉葬】 **xùnzàng** 動古 死者とともに人や財宝や器物を埋葬する

【殉职】 **xùn//zhí** 動 殉職する．職務に殉じる

12 **巽** **xùn** 名 八卦(はっ)の一つ，巽(そん)．☴で示し，風を表す． ➡〔八卦bāguà〕

14 **熏** **xùn** 動方(ガスで)中毒し窒息する‖被煤气～着了 ガス中毒になった ➤xūn

15 **蕈** **xùn** キノコ‖松～ マツタケ｜香～ シイタケ｜毒～ 毒キノコ．

X

Y

yā

3 丫(△枒❶ 椏❶) yā ❶樹木の枝分かれしている部分．木のまた ❷(ものの上部や前部の)二つに分かれている所．また‖脚～子 足 ❸方 女の子‖小～ 小娘

【丫鬟】【丫环】yāhuan 图旧 下女

【丫头】yātou 图❶女の子．小娘 ❷旧 下女

6 ** 压(壓) yā ❶動(多くは上から下へ)押さえつける．押さえる‖紧张的工作～得他喘chuǎn不过气来 仕事に追われて彼は息つく暇もない ❷動(武力などで)抑えつける．制圧する‖以势～人 力ずくで人を抑えつける ❸動(極力)抑える．押しとどめる．鎮める‖～不住心中的怒火 胸中の激しい怒りを抑えられない ❹勝る．超える‖技～群芳 わざは群を抜く ❺動 肉薄する．接近する‖→～境 ❻動 放置する．寝かせておく‖那个案子被～了三个月 その事件は3ヵ月も放置された ❼動(賭博で)金品やチップを張る‖→～宝 ❽圧力‖加～ 加圧する ❾(特に)電圧．気圧．血圧‖变～器 変圧器 ➤ yà

【压案】yā//àn 動 事件をもみ消す

【压宝】yā//bǎo 動(賭博で)金を張る．金を賭ける．〔押宝〕とも書く

【压产】yāchǎn 動 生産量を抑える．減産する

【压场】yā//chǎng 動❶場内を圧倒する．その場を抑える ❷人気のある演目を最後の見せ場として出す

【压车】yā//chē 動 列車や車が足止めを食う

【压秤】yāchèng 形(体積のわりに)重い．目方がある 動(物品の)目方を抑える

【压倒】yā//dǎo 動 圧倒する‖～多数 圧倒的多数

【压低】yā//dī 動 低くする．低く抑える‖～粮价 食糧の値段を低く抑える｜～声音 声をひそめる

【压顶】yādǐng 動 頭上にのしかかる．(多く比喩として用いる)‖乌云～ 暗雲がたれこめる

【压锭】yā//dìng 動(紡績工場で)紡錘の数を減らす．減産する

【压队】yā//duì 動 隊列の後ろについて，保護・監督する．〔押队〕とも書く

【压服】【压伏】yā//fú 動 威圧し屈服させる

【压港】yā//gǎng 動(港湾で)船や積み荷が足止めを食う

【压货】yā//huò 動❶在庫がたまる ❷貨物が駅や港で滞留する

【压价】yā//jià 動 価格を抑える

【压惊】yā//jīng 動(危険な目に遭った人を)見舞う．ご馳走などをして慰める

【压境】yājìng 動(敵が)国境に迫る

【压卷】yājuàn 图 圧巻‖～之作 最も優れた作品

【压客】yā//kè 動(交通の乱れで)旅客が駅や港で足止めを食う

*【压力】yālì 图❶〈物〉圧力 ❷(精神的・社会的な)圧力．プレッシャー‖施加～ 圧力をかける

【压力表】yālìbiǎo 图〈機〉圧力計

【压力锅】yālìguō 图 圧力鍋 ＝〔高压锅〕

【压力计】yālìjì ＝〔压力表yālìbiǎo〕

【压路机】yālùjī 图 ロード・ローラー．道路ローラー

**【压迫】yāpò 動❶(権力などで)抑えつける．抑圧する‖～人民 人民を抑圧する ❷圧迫する‖胸口有～感 胸に圧迫感がある

【压气】yā//qì (～儿) 動 怒りを静める

【压强】yāqiáng 图〈物〉単位面積当たりの圧力

【压岁钱】yāsuìqián 图 お年玉

*【压缩】yāsuō 動❶圧縮する‖～空气 圧搾空気 ❷縮小する．縮める．減らす‖～开支 支出を切り詰める｜～人员编制 定員を減らす

【压缩机】yāsuōjī 图〈機〉圧縮機．コンプレッサー

【压台】yā//tái 動 人気のある演目を最後の見せ場として演じる

【压台戏】yātáixì 图 最後の出し物．最後の演目

【压条】yātiáo 動〈植〉圧条する．〔压枝〕ともいう

*【压抑】yāyì 動 抑圧する．抑えつける‖～住满腔mǎnqiāng怒火 こみ上げてくる激しい怒りを抑える 形 重苦しい‖心情～ 気がふさぐ

【压韵】yā//yùn ＝〔押韵yāyùn〕

【压榨】yāzhà 動❶圧搾する ❷搾取する．搾り取る

【压阵】yā//zhèn 動❶隊列のしんがりを務める ❷その場を取り仕切る

*【压制】[1] yāzhì 動 抑えつける．制限する．制止する‖～批评 批判を抑えつける｜～民主 民主を抑圧する

【压制】[2] yāzhì 動 プレス加工する

【压轴戏】yāzhòuxì 图(芝居などの)最後から2番目の出し物．喩 みもの．いちばん要(かなめ)の部分

6 厌 yā 古〔压yā〕に同じ ➤ yàn

7 ★ 呀 yā ❶感(軽い驚きを示す)あれっ．おや‖～，车坏了 しまった，自転車が壊れた ❷擬(ドアや門がこすれる音)ギーッ ➤ ya

8 * 押[1] yā ❶書 書き判をする．署名する ❷書き判．署名‖画～ 書き判をする ❸動 抵当にする．担保にする‖我把金戒指jièzhi～在当铺了 私は金の指輪を質に入れた ❹動 拘留する‖把犯人～起来 犯人を拘留した ❺動 護送する．付き添って輸送する‖～了一船货 積み荷とともに乗船して運んだ

8 押[2] yā ❶押韻する ❷〔压yā ❼〕に同じ

【押宝】yā//bǎo ＝〔压宝yābǎo〕

【押车】yā//chē 動(積み荷を)護送する．(輸送車に)上乗りする

【押队】yā//duì ＝〔压队yāduì〕

【押解】yājiè 動(囚人や捕虜を)護送する

【押金】yājīn 图 敷金．保証金．手付金

【押禁】yājìn 動 収監する．監獄に入れる．拘禁する

【押款】yā//kuǎn 動 担保付きで借り入れをする 图(yākuǎn)❶担保を入れて借りた金 ❷手付金

【押送】yāsòng 動❶護送する ❷輸送する

【押题】yā//tí 動 試験問題を予測する．出題の山を掛ける．〔压题〕とも書く

【押运】yāyùn 動(現金や物資などを)護送する．上乗り人員をつけて輸送する‖～木材 木材を輸送する

*【押韵】yā//yùn 動 韻を踏む．押韻する．〔压韵〕とも書く

【押账】yāzhàng 動 物品を抵当にする

9 **垭**（埡）yā 方 山間の狭い土地．（多く地名に用いる）

9 **哑**（啞）yā ↴ ➤ yǎ

【哑哑】yāyā 擬 ❶（カラスの鳴き声）カアカア ❷（幼児のまだ言葉にならない声）アーアー

9 **鸦**（˄鵶）yā 图〈鳥〉カラス．ふつうは〔乌鸦〕という

【鸦片】yāpiàn 图 アヘン．〔阿芙蓉〕ともいい，ふつうは〔大烟〕という．〔雅片〕とも書く

【鸦片战争】Yāpiàn zhànzhēng 图〈史〉アヘン戦争（1840～1842年）

【鸦雀无声】yā què wú shēng 成 しんと静まりかえるさま．水を打ったように静まりかえること．〔鸦默雀静〕ともいう

10 **鸭** yā 图〈鳥〉アヒル．ふつうは〔鸭子〕という ‖ 家～ アヒル｜野～ カモ｜～雏ル アヒルのひな

【鸭蛋】yādàn 图 ❶アヒルの卵 ❷俗 零点

【鸭蛋青】yādànqīng 形 淡い青色の

【鸭ル梨】yārlí 图〈植〉ナシの一種で，果実はアヒルの卵の形をしていて水気が多い

【鸭绒】yāróng 图 ダウン ‖ ～背心 ダウンベスト

【鸭舌帽】yāshémào 图 鳥打ち帽．ハンチング

*【鸭子】yāzi 图〈鳥〉アヒル

【鸭子ル】yāzǐr 图 方 アヒルの卵

yá

4 ** **牙**[1] yá ❶图 歯 ‖ 刷～ 歯を磨く ❷象牙（ぞうげ）❸歯に似た形のもの ‖ 轮～ 歯車の歯

4 **牙**[2] yá 旧 仲買人 ‖ ～行 仲買業者

逆引き単語帳 〔虫牙〕chóngyá 虫歯 〔门牙〕ményá 〔板牙〕bǎnyá 門歯 〔槽牙〕cáoyá 臼歯（きゅうし）．奥歯 〔奶牙〕nǎiyá 乳歯 〔虎牙〕hǔyá 犬歯．八重歯 〔智牙〕zhìyá 親知らず 〔假牙〕jiǎyá 入れ歯 〔爪牙〕zhǎoyá 爪ときば．悪人の手先 〔象牙〕xiàngyá 象牙 〔月牙〕yuèyá 三日月

【牙碜】yáchen 形 ❶（食べ物に砂が混じって）口の中がじゃりじゃりして不快なさま ❷喩 言葉が下品で聞くに堪えない

*【牙齿】yáchǐ 图 歯．〔齿〕の通称

【牙床】[1] yáchuáng 图 歯ぐき．〔齿龈yín〕の通称

【牙床】[2] yáchuáng 图 象牙などの精巧な彫刻が施されたベッド

【牙雕】yádiāo 图 象牙の彫刻．象牙細工

【牙缝】yáfèng（～儿）图 歯と歯のすきま

【牙膏】yágāo 图 練り歯磨き

【牙根】yágēn 图 歯根．歯の根の部分

【牙垢】yágòu 图 歯垢（しこう）

【牙关】yáguān 图 あごの関節

【牙具】yájù 图 歯磨き道具一式

【牙科】yákē 图 歯科 ‖ ～医生 歯医者

【牙口】yákou 图 ❶家畜の年齢 ❷（～儿）（老人の）物をかむ力

【牙买加】Yámǎijiā 图〈国名〉ジャマイカ

【牙签】yáqiān（～儿）图 つまようじ

【牙色】yásè 图 象牙色．アイボリー

**【牙刷】yáshuā（～儿）图 歯ブラシ

【牙线】yáxiàn 图 糸ようじ．デンタルフロス

【牙牙】yáyá 擬 書（幼児の喃語なん）ヤーヤー．アーアー

【牙医】yáyī 图 歯科医

【牙龈】yáyín 图〈生理〉歯ぐき ＝〔齿龈chǐyín〕

【牙印】yáyìn（～儿）图 歯形

【牙质】yázhì 形 象牙製の ‖ ～的图章 象牙の印

【牙周病】yázhōubìng 图〈医〉歯周病

【牙子】[1] yázi 图 口 物の周囲に施した彫刻の装飾，または突起した部分

【牙子】[2] yázi 图 旧 仲買人

6 **伢** yá 图 方 子供

7 * **芽** yá （～儿）❶图（木や草の）芽 ‖ 发～ 発芽する ❷芽に似た形状や性質のもの

7 **岈** yá 地名用字 ‖ 嵖Chá～ 河南省にある山の名

8 **玡** yá 地名用字 ‖ 琅Láng～ 山東省にある山の名

10 **蚜** yá アブラムシ．アリマキ

11 **涯** yá ❶水辺．水際 ‖ 水～ 水辺 ❷へり．果て．際 ‖ 天～海角jiǎo 天地の果て

【涯际】yájì 图 果て．限り ‖ 茫无～ 果てしない

11 **崖** yá；ái ❶崖．絶壁 ‖ 山～ 山の崖 ❷書 輪郭 ‖ ～略 概略．あらまし

【崖壁画】yábìhuà ＝〔岩画yánhuà〕

【崖画】yáhuà 图 岩や断崖に描かれた絵

【崖刻】yákè 图 山の岩肌に刻まれた文字

13 **睚** yá 書 目のふち．まぶち

【睚眦必报】yá zì bì bào 成 小さな恨みでも必ず報復する．度量が狭いたとえ

13 **衙** yá 旧 役所 ‖ 官～ 役所

【衙门】yámen 图 旧 役所．官衙（かんが）

yǎ

5 **疋** yǎ 〔雅yǎ〕に同じ

9 * **哑**（啞）yǎ ❶形 口が利けない ‖ 聋lóng～ 聾啞（ろうあ） ❷無声の．無言の ‖ ～谜 ❸（砲弾などが）不発である ‖ ～炮 ❹形 声がかれている ‖ 沙～ 声がしわがれる ➤ yā

【哑巴】yǎba 图 貶 口の利けない人

【哑巴亏】yǎbakuī 图 訴える所のない損失．口に出して言えない損 ‖ 有理无处说，只好吃～ 道理があっても訴える所がなく，泣き寝入りするしかない

【哑场】yǎ//chǎng 動（会議などで）誰も発言しない

【哑剧】yǎjù 图 パントマイム．無言劇

【哑口无言】yǎ kǒu wú yán 成 黙ったまま何も言わない．うんともすんとも言わない．言葉に窮するさま

【哑铃】yǎlíng 图〈体〉亜鈴．ダンベル

【哑谜】yǎmí 图 ❶なぞ言葉 ❷意味の分かりにくい言葉．難解な事柄

【哑炮】yǎpào 图 不発弾．不発の発破 ＝〔瞎炮〕

【哑然】[1] yǎrán 形 書 ❶水を打ったように静かなさま ❷驚きのあまり声が出ないさま

【哑然】[2] yǎrán 形 笑い声の形容 ‖ ～失笑 思わず吹き出す

【哑语】 yǎyǔ 图 手話(しゅわ) ‖ 打～ 手話で話す

11 **痖**(瘂) yǎ 〔哑yǎ〕に同じ

12 **雅**[1] yǎ ❶書 正統である. 標準に合っている ‖ 一～正 ❷『詩経』中の一類 ‖ 小～ 小雅 ❸高尚である. 上品である ‖ 文～ 上品である ❹優美である ‖ 一～观 ❺書(程度が高いことを表す)きわめて ‖ ～非所愿 決して願うところではない ❻敬(相手の言動を示す語につく)御… ‖ ～鉴jiàn ご高覧

12 **雅**[2] yǎ 書 ❶(平素の)交わり. 交際 ‖ 无一日之～ 一面識もない ❷平素 ‖ ～素 平素

【雅观】 yǎguān 形 見た目がよい. 体裁がよい. (多く否定に用いる)

【雅号】 yǎhào 图 雅号. 雅名

【雅间】 yǎjiān =〔雅座yǎzuò〕

【雅静】 yǎjìng 形 ❶静かで趣のある ❷しとやかである

【雅量】 yǎliàng 图 ❶雅量. 度量 ❷酒量が多いこと

【雅皮士】 yǎpíshì 图 外 ヤッピー. 都会に住み, 知的職業についている, 高収入の青年. 〔雅皮〕は英語yuppieの音訳

【雅趣】 yǎqù 图 風雅な趣. 雅致. 興趣

【雅士】 yǎshì 图 書 風流な人. (多くは)読書人

【雅俗共赏】 yǎ sú gòng shǎng 成 教養のある人もない人も鑑賞して楽しめる

【雅兴】 yǎxìng 图 高尚な趣味

【雅言】 yǎyán 图 正しい言葉. 正確な話

【雅意】 yǎyì 图 ❶高雅な心 ❷敬 ご高情. お心

【雅正】 yǎzhèng 形 ❶書 模範的である. 基準にかなっている ❷書 正直である 動 翰 ご叱正(しっせい)を請う. 斧正(ふせい)を請う. (自分の詩文や書画を贈るとき用いる)

【雅致】 yǎzhi 形 雅致がある. 美しく品がある

【雅座】 yǎzuò (～儿) 图 (レストランなどの)個室

yà

5 ****轧**[1] yà ❶動 (ローラー状のものを)転がして平らにする. 轢(ひ)く ‖ 被汽车～死了 車にひかれて死んだ ❷押しのける ‖ 倾qīng～ 排斥する

5 **轧**[2] yà 擬 (機械が作動する音)ガタガタ. ブンブン. ギーギー ➤ gá zhá

【轧道车】 yàdàochē 图 鉄道の補修・点検用の動力車

【轧道机】 yàdàojī 图 方 ロード・ローラー

【轧马路】 yà mǎlù 組 方 街をぶらつく. (恋人と)街をぶらぶらする

6 **亚**[1](亞) yà 次の. 2番目の ‖ 一～军 | 一～热带 | 不～于 …に劣らない

6 **亚**[2](亞) yà アジア. 〔亚洲〕の略 ‖ ～非拉 アジア・アフリカ・ラテンアメリカ

【亚当】 Yàdāng 图 (聖書の)アダム

【亚健康】 yàjiànkāng 图 半健康状態. 現代的ストレスからくる体調不良をいう. 〔第三状态〕ともいう

***【亚军】** yàjūn 图 準優勝者. 第2位

【亚麻】 yàmá 图〈植〉アマ

【亚美尼亚】 Yàměiníyà 图〈国名〉アルメニア

【亚热带】 yàrèdài 图 亜熱帯. 〔副热带〕ともいう

【亚太经合】 Yàtàijīnghé 图 アジア太平洋経済協力会議. APEC. 〔亚太经济合作组织〕の略

【亚运会】 Yàyùnhuì 图 アジア競技大会. 〔亚洲运动会〕の略

【亚种】 yàzhǒng 图〈生〉亜種

【亚洲】 Yàzhōu 图 アジア. アジア州

6 **讶** yà 書 いぶかる. 怪しむ ‖ 惊～ 驚き怪しむ

【讶然】 yàrán 形 驚きいぶかるさま

6 **压**(壓) yà ↴ ➤ yā

【压板】 yàbǎn 图 方 (子供の遊戯用具)シーソー

【压根儿】 yàgēnr 副 口 まったく. ぜんぜん. (多く否定に用いる) ‖ 我～就没说过这话 僕はいっさいそういう話をしたことはない

7 **迓** yà 書 迎える ‖ 迎～ 出迎える

9 **砑** yà 動 (皮革・布地・紙などの表面を)石でこすって光沢を出す

10 **氩**(氬) yà 图〈化〉アルゴン(化学元素の一つ, 元素記号はAr)

12 **揠** yà 書 抜く. 抜き出す. 引き抜く

【揠苗助长】 yà miáo zhù zhǎng 成 はやく生長させようとして苗を引っ張る. 事を急ぐあまりかえって失敗すること. 〔拔苗助长〕ともいう

ya

7 ★**呀** ya 助 **語気助詞〔啊〕が直前の韻母 a, e, i, o, u の影響で ia と発音される場合, その音に当てる字** ‖ 谁～? どなたですか | 原来是你～! なんだ君だったのか ➤ yā

yān

9 **恹**(懨) yān ↴

【恹恹】 yānyān 形 書 病み疲れたさま. けだるげなさま

9 **咽** yān 图〈生理〉のど. 咽頭(いんとう) ‖ 一～头 | 一～喉 ➤ yàn yè

【咽喉】 yānhóu 图 ❶〈生理〉咽喉(いんこう). のど ❷喻 (交通の)要路. 要衝 ‖ ～要道 かなめとなる要衝

【咽头】 yāntóu 图 咽頭. のど

【咽炎】 yānyán 图〈医〉咽頭炎

10 ***烟**(^煙 菸❺) yān ❶图 煙 ‖ 冒～ 煙が出る. 煙を出す ❷煙やもやのようなもの ‖ 一～雾 ❸すす ❹動 煙が目にしみる. 煙がる ‖ ～了眼睛 煙が目にしみた ❺图〈植〉タバコ ❻图 タバコ ‖ 戒jiè～ 禁煙する ❼图 旧 アヘン ‖ 大～ アヘン

【烟波】 yānbō 图 書 水上にたなびくもや

【烟草】 yāncǎo 图 ❶〈植〉タバコ ❷タバコの葉

【烟尘】 yānchén 图 ❶煙とちり. 煙塵(えんじん) ❷旧 戦火. 戦乱 ❸書 人家の密集した場所

***【烟囱】** yāncōng 图 煙突

【烟袋】 yāndài 图 キセル ‖ 水～ 水ギセル

【烟蒂】 yāndì 图 タバコの吸い殻

【烟斗】 yāndǒu 图 パイプ

【烟斗丝】 yāndǒusī 图 パイプタバコ. 刻みタバコ. 〔斗烟丝〕ともいう

【烟鬼】 yānguǐ 图 ❶アヘン常用者 ❷ヘビー・スモーカー

【烟海】 yānhǎi 图 果てしなくかすむ大海原 ‖ 浩hào如

～ 文献などが数えきれないほど多いこと
【烟盒】yānhé （～儿）名 シガレットケース
【烟花】[1] yānhuā 名 ❶書 うららかな春景色 ❷旧 花柳．遊郭
【烟花】[2] yānhuā 名 花火 ‖ ～爆竹 花火や爆竹
【烟灰】yānhuī 名 タバコの灰
【烟灰缸】yānhuīgāng （～儿）名（深めの）灰皿
【烟火】yānhuǒ 名 ❶煙と火 ‖ 严禁yánjìn～ 火気厳禁 ❷煮炊きした食べ物．俗界の食べ物をさす ‖ 不食人间～ 俗離れしている ❸祖先を祭る線香やろうそく．転 子孫．後継ぎ
【烟火】yānhuo 名 花火 ‖ 放～ 花火を打ち上げる
【烟碱】yānjiǎn 名〈化〉ニコチン．〔尼古丁〕ともいう
【烟具】yānjù 名 喫煙用具
*【烟卷儿】yānjuǎnr 名 紙巻きタバコ
【烟煤】yānméi 名 ❶〈鉱〉瀝青炭(れきせいたん) ❷すす
【烟民】yānmín 名 愛煙家．喫煙者
【烟幕】yānmù 名 ❶〈軍〉煙幕 ❷〈農〉霜害防止のための燻煙(くんえん) ❸喩 真相または真意を隠すための言動．煙幕 ‖ 放～ 煙幕を張る
【烟幕弹】yānmùdàn 名 ❶〈軍〉煙幕弾 ❷喩 真相または真意を隠すための言動
【烟农】yānnóng 名 タバコ栽培農家
【烟丝】yānsī 名 刻みタバコ．パイプタバコ
【烟筒】yāntong 名 煙突
【烟头】yāntóu （～儿）名 タバコの吸い殻
【烟土】yāntǔ 名 精製していないアヘン．生アヘン
*【烟雾】yānwù 名 煙霧．かすみ．もや．スモッグ
【烟霞】yānxiá 名 霞(かすみ)．もや
【烟消云散】yān xiāo yún sàn 成 雲散霧消する．跡形もなく消える．〔云消雾散〕ともいう
【烟叶】yānyè 名 タバコの葉
【烟瘾】yānyǐn 名 ❶アヘン中毒 ❷ニコチン中毒
【烟雨】yānyǔ 名 煙雨．霧雨
【烟云】yānyún 名 煙や霞(かすみ)
【烟柱】yānzhù 名（もくもくと立ちのぼる）煙の柱
【烟嘴儿】yānzuǐr 名 紙巻きタバコの吸い口

10 **胭**（△臙）yān ↴
【胭红】yānhóng 形 紅色(べにいろ)の
【胭脂】yānzhi 名 頬紅(ほおべに)や口紅．また，顔料としても用いる

10 **殷** yān 書 黒みがかった赤 ➤ yīn yǐn
【殷红】yānhóng 形 書 黒みがかった赤色の

11 * **淹** yān ❶動 水に浸る．水につかる ❷動 水中に沈める ‖ 洪水～了村庄 洪水が村を飲みこんだ ❸動（汗や涙で皮膚が）べたつく ‖ 胳肢窝gāzhiwō～得难受 わきの下がべたべたして気持ち悪い ❹書 久しい．長い ‖ ～留 長く逗留(とうりゅう)する
【淹埋】yānmái 動（泥や土砂などで）埋まる
*【淹没】yānmò 動 ❶水浸しになる．水につかる ‖ 庄稼zhuāngjia被洪水～ 農作物が洪水で水浸しになった ❷埋もれる．埋没する ‖ 他的讲话被一片欢呼声～了 彼の話は歓声にかき消されてしまった
【淹死】yānsǐ 動 溺死(できし)する．おぼれて死ぬ

11 **阉** yān ❶動 去勢する ‖ ～猪 ブタを去勢する ❷書 宦官(かんがん) ‖ ～党 宦官
【阉割】yāngē 動 ❶去勢する ❷喩 骨抜きにする

Y

11 **焉** yān 書 ❶ここ(これ)に．そこ(それ)に ‖ 心不在～ 心ここにあらず ❷代 どこに．どうして ‖ 不入虎穴hǔxué，～得虎子 虎穴(こけつ)に入らずんば虎児(こじ)を得ず ❸助 文末に置き，語気を強める ‖ 有厚望～ 大いに期待するものである

12 **湮** yān 書 ❶埋もれる．埋没する ‖ →～没 ❷（泥や砂などによって）ふさがる．詰まる
【湮灭】yānmiè 動 隠滅する
【湮没】yānmò 動 埋没する．世に埋もれる
【湮没无闻】yān mò wú wén 成 埋もれて名も知られない

12 **腌**（醃）yān 動 漬ける．漬物にする ‖ ～咸菜xiáncài 漬物をつくる ➤ ā
【腌制】yānzhì 動 漬ける．漬物にする
【腌渍】yānzì 動 漬ける．漬物にする

13 **鄢** yān 地名用字 ‖ ～陵líng 河南省にある地名

14 **嫣** yān 書 ❶（女子の）容貌(ようぼう)が美しいさま ❷色鮮やかである
【嫣红】yānhóng 形 書 鮮やかな赤の
【嫣然一笑】yān rán yī xiào 成 嫣然(えんぜん)とほほえむ

16 **燕** yān ❶名 燕(えん)，戦国時代の国名．現在の河北省北部から遼寧省南部にかけてあった ❷旧 河北省の別称 ‖ ～京 北京の別称 ➤ yàn

yán

6 **延** yán ❶延ばす．延びる ‖ →～长 ❷書 招く．招聘(しょうへい)する ‖ →～请 ❸動（時期を）遅らせる．延期する ‖ 期限不能再～了 期限はこれ以上もう延ばせない
**【延长】yáncháng 動 延長する．延ばす．延びる ‖ ～时间 時間を延長する｜会期～了 会期が延びた
【延迟】yánchí 動 延期する．遅らせる
【延搁】yángē 動 延び延びにする．遅らせる．ひまどる
【延后】yánhòu 動 延期する．遅らせる．後に延ばす ‖ 比赛日期～一周 試合日程は一週間先送りになった
*【延缓】yánhuǎn 動 延ばす．延期する ‖ ～执行zhíxíng 実施を延期する｜～衰老 老化を遅らせる
【延颈企踵】yán jǐng qǐ zhǒng 成 首を伸ばし，つま先立つ．非常に切望すること．〔延颈举踵〕ともいう
【延绵】yánmián 動 延々と続く
【延年益寿】yán nián yì shòu 成 寿命を延ばす．長生きする
*【延期】yán//qī 動 延期する ‖ ～审理（裁判の）審理を延期する｜讨论会～举行 討論会は延期して行う
【延请】yánqǐng 動 招聘(しょうへい)する
【延烧】yánshāo 動 延焼する
*【延伸】yánshēn 動 伸びる．伸展する ‖ 铁路一直向西北方向～ 鉄道は北西方向にずっと伸びている
【延寿】yánshòu 動 寿命を延ばす
【延髓】yánsuǐ 名〈生理〉延髄(えんずい)
【延误】yánwù 動 延び延びにして時機を失する．手遅れになる ‖ ～婚期 婚期を逸する
*【延续】yánxù 動 引き続く ‖ 会议一直～到深夜 会議は深夜まで続いた
【延展】yánzhǎn 動 延びる

7 * **严**（嚴）yán ❶（容貌などが）厳かである．厳粛である．（態度などが）まじめである

‖一～肃 ❷［形］厳格である．厳しい‖管得～ 厳しく管理する ❸程度が甚だしい‖一～冬 ❹父親をさす‖家～（自分の）父 ❺［形］ぴったりしている．すきまがない．緊密である‖把门关～ ドアをぴったり閉める

【严办】yánbàn ［動］厳しく処罰する．厳罰に処す

【严查】yánchá ［動］厳重に取り調べる

【严惩】yánchéng ［動］厳しく処罰する．厳しく懲らしめる

【严词】yáncí ［名］厳しい言葉

【严打】yándǎ ［動］犯罪を厳しく取り締まる

【严冬】yándōng ［名］厳寒の冬．厳冬

【严防】yánfáng ［動］厳重に防止する‖～火灾 火災を厳重に予防する

【严父】yánfù ［名］（自分の）父．厳父

【严格】yángé ［形］厳格である．厳しい**‖～遵守 zūnshǒu 厳格に遵守する ［動］**厳しくする．厳格にする**‖～考试制度 試験の制度を厳格にする

*【严寒】yánhán ［形］寒さが厳しい．厳寒の‖～的冬季 厳寒の冬

【严加管束】yánjiā guǎnshù ［組］厳しく取り締まる．厳しく監督する

【严教】yánjiào ［動］厳格に教育する‖～孩子 子供を厳しくしつける

【严紧】yánjin；yánjǐn ［形］❶厳格である．厳しい ❷ぴったりしている．すきまがない

【严谨】yánjǐn ［形］❶慎重である．周到である‖办事～ 仕事のやり方が周到である ❷厳密である．緻密(ちみつ)である‖治学～ 研究態度が厳格である

*【严禁】yánjìn ［動］かたく禁じる．厳禁する‖～烟火 火気厳禁｜～无照驾驶 無免許運転をかたく禁じる

*【严峻】yánjùn ［形］❶峻厳(しゅんげん)である．厳しい‖神色～ 表情が厳しい｜经受了～的考验 厳しい試練を経た ❷緊迫している‖形势～ 形勢は厳しい

【严控】yánkòng ［動］厳しくコントロールする‖～汽车尾气 wěiqì 排放 自動車の排ガスを厳しく規制する

【严酷】yánkù ［形］❶厳しい．厳格である‖～的教训 厳しい教訓 ❷残酷である．冷酷である

*【严厉】yánlì ［形］厳格である‖措辞 cuòcí～ 言葉遣いがきつい｜～制裁 zhìcái 厳しく制裁する

【严令】yánlìng ［動］厳しく命令する

*【严密】yánmì ［形］❶すきまがなく，ぴったりしている‖瓶口封得很～ びんの口はぴったり封がしてある ❷厳密である‖～注视 厳しく見守る ［動］厳密にする．厳しくする‖～规章制度 規則と制度を厳密にする

【严明】yánmíng ［形］（多く法規が）厳正である‖赏罚 shǎngfá～ 賞罰が厳正である ［動］厳正にする

【严命】yánmìng ［書］［動］厳命する ［名］父親の命令

【严声】yánshēng ［名］厳しい声

【严师】yánshī ［名］厳格な先生

【严实】yánshi ［形］［方］❶ぴったりしていて，すきまがない‖把门关～ ドアをぴったり閉める ❷厳重に隠されている．すっぽり覆われている

【严守】yánshǒu ［動］厳格に守る．きちんと守る‖～纪律 規律を厳守する｜～诺 nuò 言 約束をきちんと守る

【严丝合缝】yán sī hé fèng ［慣］ぴったりくっついてすきまのないさま

【严肃】yánsù ［形］❶（表情や雰囲気などが）重々しい．厳粛である‖～的神情 重々しい表情 ❷**（態度などが）まじめである**‖～处理 きちんと処理する ［動］**厳格にする．ただす**‖～法纪 法規をただす

【严刑】yánxíng ［名］酷刑‖～拷 kǎo 打 拷問にかける

【严刑峻法】yán xíng jùn fǎ ［成］厳しい刑罰と法律

【严阵以待】yán zhèn yǐ dài ［成］陣容を整えて敵を待つ

【严整】yánzhěng ［形］❶厳粛で整然としている ❷厳密である．緻密(ちみつ)である

【严正】yánzhèng ［形］厳正である‖～的立场 厳正な立場｜～声明 厳正な声明

【严重】yánzhòng ［形］重大である．厳しい‖～后果 由々しき結果｜问题～ 問題が深刻である｜病情～ 病状が重い｜灾情～ 災害の被害は甚大である

7
*言 yán ❶言う．話す‖不～而喻 yù 言わなくとも分かる ❷言葉．話‖发～ 発言する ❸漢字の１字，または１語をいう‖一～难尽 一言では言い尽くせない

【言必有中】yán bì yǒu zhòng ［成］言うことが的を射ている

【言不及义】yán bù jí yì ［成］話がまともなことに及ばない

【言不由衷】yán bù yóu zhōng ［成］心から出た言葉ではない．心にもないことを言う

【言出法随】yán chū fǎ suí ［成］（布告文に用いた表現）公布後は法として厳格に執行する

【言传】yánchuán ［動］言葉で伝える

【言传身教】yán chuán shēn jiào ［成］言葉で教え，行いで示す．身をもって手本を示す

【言辞】【言词】yáncí ［名］言葉

【言多语失】yán duō yǔ shī ［成］言葉が多いと失言を免れない．多言は失言のもと．〔言多必失〕ともいう

【言归于好】yán guī yú hǎo ［成］仲直りする

【言归正传】yán guī zhèng zhuàn ［成］（旧小説や講談で話を本筋に戻すときの言い方）余談はさておき．話を本題に戻す

【言过其实】yán guò qí shí ［成］話が誇大で実際と合わない．大げさな話をする

【言和】yánhé ［動］仲直りする

【言欢】yánhuān ［動］談笑する

【言简意赅】yán jiǎn yì gāi ［成］言葉は簡潔だが内容は意を尽くしている．簡にして要を得ている

【言教】yánjiào ［動］言葉で教える‖身教重于 zhòngyú～ 言葉よりも身をもって教えることが大切である

【言近旨远】yán jìn zhǐ yuǎn ［成］言葉は平易だが，内容は深い

【言路】yánlù ［名］政府に批判や提言をする道

*【言论】yánlùn ［名］言論‖～自由 言論の自由

【言情】yánqíng ［形］男女の愛情を描いている‖～小说 恋愛小説

【言人人殊】yán rén rén shū ［成］言うことが人によってみな異なる．それぞれ意見が違うこと

【言声儿】yán//shēngr ［動］［方］言う．話す．ものを言う

【言说】yánshuō ［動］話す．言う

*【言谈】yántán ［動］話す．語りあう ［名］話の内容と言い方．話しぶり‖～举止 話しぶりや立ち居ふるまい

【言听计从】yán tīng jì cóng ［成］相手の信任が厚いこと

【言外之意】yán wài zhī yì ［成］言外の意味

【言为心声】yán wéi xīn shēng ［成］言葉は心を表すものである．言語は思想の表出である

【言笑】yánxiào ［動］談笑する

*【言行】yánxíng 图 言葉と行動. 言行 ‖ ～一致 言行一致 | ～不一 言葉と行動が一致しない
【言犹在耳】yán yóu zài ěr 成 人の言った言葉がまだ耳に残っている
*【言语】yányǔ 图 言葉. 言語 ‖ ～不通 言葉が通じない
【言语】yányu 動 方 声を出す. しゃべる
【言者无罪, 闻者足戒】yánzhě wú zuì, wénzhě zú jiè 成 批判が不当でもとがめてはならず, 聞く者はその中から自分に対する戒めをくみ取るべきである
【言之成理】yán zhī chéng lǐ 成 言うことが道理にかなっている. 〔言之有理〕ともいう
【言之无物】yán zhī wú wù 成 言葉の中身が空っぽである. 無内容である
【言重】yánzhòng 動 ❶過分にほめる ❷強い言葉で言う. 言いすぎる
【言状】yánzhuàng 動 名状する. 言葉で形容する

7 阽 yán ➤ diàn

7 芫 yán ↴ ➤ yuán
【芫荽】yánsui ; yánsuī 图〈植〉コウサイ. コリアンダー. コエンドロ. ふつう〔香菜〕という

7 妍 yán 書 美しい. あでやかである ↔〔媸chī〕‖ 百花争～ 百花咲き競う
【妍丽】yánlì 形 書 美しい ‖ 姿容～ 容姿が美しい

8 ** 沿[1] yán ❶書 流れに沿って下る ❷受け継ぐ ‖ →～用 ❸介 …に沿って ‖ ～河边走 川に沿って歩く

8 沿[2] yán ❶图 (～儿) へり. 縁 ‖ 帽～ 帽子のつば ❷動 縁どりする. へりをつける ‖ ～鞋口xiékǒu 布靴の口にへりをつける
*【沿岸】yán'àn 图 沿岸 ‖ 长江～ 長江沿岸
【沿波讨源】yán bō tǎo yuán 成 流れに沿って源を探る. 事物の本源を探るたとえ
【沿革】yángé 图 沿革 ‖ 制度的～ 制度の沿革
*【沿海】yánhǎi 图 沿海 ‖ ～地区 沿海地区
【沿江】yánjiāng 图 川(多く長江)の沿岸
【沿街】yánjiē 副 通り沿いに 图 沿道
【沿例】yánlì 動 慣例を踏襲する. しきたりにならう
【沿路】yánlù 副 道に沿って 图 沿道. 道中
*【沿途】yántú 副 道に沿って 图 沿道. 途中
【沿袭】yánxí 動 踏襲する. 受け継ぐ
【沿线】yánxiàn 图 沿線. 沿道
【沿用】yányòng 動 踏襲する. 引き続き用いる
【沿着】yánzhe 介 …に沿って ‖ ～铁路走 線路に沿って歩く | ～湖边散步 湖畔を散歩する

8 岩 (△巖 巗 嵒) yán ❶岩が突出してできた峰 ❷岩
【岩层】yáncéng 图〈地質〉岩石層
【岩洞】yándòng 图 岩窟(がんくつ). 岩穴
【岩画】yánhuà 图 岩石や崖などに描かれた絵. 〔崖壁yábì画〕〔崖画〕ともいう
【岩浆】yánjiāng 图〈地質〉マグマ. 岩漿(がんしょう)
*【岩石】yánshí 图 岩石 ‖ ～锥zhuī ハーケン
【岩盐】yányán 图 岩塩. 〔矿盐〕〔石盐〕ともいう

8 炎 yán ❶炎が上がる. 立ち昇る ❷非常に暑い ‖ →～热 ❸炎帝 ‖ →～帝 ❹炎症 ‖ 发～ 炎症を起こす
【炎帝】Yándì 图 (伝説上の帝王) 炎帝
【炎黄】Yán Huáng 图 炎帝と黄帝. 中華民族の祖といわれる伝説上の二人の帝王 ‖ ～子孙 中国人をさす
【炎凉】yánliáng 图 暑さと涼しさ. 喩 相手の地位が高いときは取り入ろうとし, 落ちぶれれば冷淡になる
*【炎热】yánrè 形 非常に暑い ‖ ～的夏天 酷暑の夏
【炎日】yánrì 图 烈日
【炎暑】yánshǔ 图 ❶真夏の最も暑い時期 ❷燃えるような暑さ. 炎暑
【炎夏】yánxià 图 真夏. 盛夏
【炎炎】yányán 形 ❶夏の日差しの強いさま ‖ 烈日～ 太陽がぎらぎらと照りつける ❷火が燃えさかるさま
【炎症】yánzhèng 图〈医〉炎症

9 研 yán ❶動 細かく砕く. する. すりつぶす ‖ ～墨 墨をする ❷究める. 探求する ➤ yàn
【研读】yándú 動 精読する. 研究する
【研发】yánfā 動 研究開発する ‖ ～新产品 新製品を研究開発する
★【研究】yánjiū 動 ❶研究する ❷検討する ‖ ～解决的办法 解決手段を考える
*【研究生】yánjiūshēng 图 大学院生
**【研究所】yánjiūsuǒ 图 研究所
【研究员】yánjiūyuán 图 研究員(研究機関の職階名の一つで, 最高位のもの)
【研磨】yánmó 動 ❶研磨する. 磨く ‖ ～粉 磨き粉 ❷細かく砕く. すりつぶす
【研讨】yántǎo 動 研究討論する. 検討する
【研习】yánxí 動 学ぶ. 習う ‖ ～书法 書道を学ぶ
【研修】yánxiū 動 研修する
*【研制】yánzhì 動 研究開発する ‖ ～新产品 新製品を開発する

10 ** 盐 (鹽) yán ❶图 食塩. 塩. 〔食盐〕の通称 ‖ 搁gē点儿～ 塩を少々入れる ❷图〈化〉塩 ‖ 碱式jiǎnshì～ 塩基性塩
【盐巴】yánbā 图 方 食塩
【盐场】yánchǎng 图 製塩場
【盐池】yánchí 图 塩湖
【盐分】yánfèn 图 塩分
【盐花】yánhuā 图 ❶(～儿) ごく少量の塩 ❷方 乾燥して表面に吹き出た塩
【盐碱地】yánjiǎndì 图 塩分を多く含むアルカリ性土壌の土地
【盐井】yánjǐng 图 塩井(えんせい)
【盐卤】yánlǔ 图 苦汁(にがり). 〔卤水〕ともいい, 略して〔卤〕という
【盐酸】yánsuān 图〈化〉塩酸. 〔氢氯酸〕ともいう
【盐滩】yántān 图 塩田のある砂浜
【盐田】yántián 图 塩田
【盐土】yántǔ 图 塩分を多量に含んだ土壌

10 铅 yán 地名用字 ‖ ～山 江西省にある県の名 ➤ qiān

11 阎 yán 書 路地の木戸. 路地
【阎罗】Yánluó 图〈仏〉閻魔(えんま). 〔阎罗王〕ともいう
【阎王】Yánwang 图 ❶閻魔. 〔阎王爷〕ともいう ❷喩 きわめて厳しい人, または凶悪な人のたとえ
【阎王账】yánwangzhàng 图 回 高利の借金. 〔阎王债〕ともいう

12 筵 yán ❶竹製の敷物 ❷宴席. 酒席 ‖ 寿～ 誕生祝いの宴 | 婚～ 婚礼の披露宴
【筵席】yánxí 图 宴席. 酒席

Y

15 **颜** yán ❶顔 ‖ 容～ 容貌(ようぼう) ❷表情 ‖ 和～悦色 にこやかなさま ❸色. 色彩 ‖ 一～料 ❹体面. メンツ ‖ 无～相见 会わせる顔がない
【颜料】yánliào 图顔料 ‖ 油画～ 油絵の具
【颜面】yánmiàn 图❶顔. 顔面 ❷体面. メンツ
【颜容】yánróng 图顔つき. 面立ち
★【颜色】yánsè 图❶色. 色彩 ‖ 浅～ 薄い色 | ～很协调xiétiáo 色の調和がとてもいい ❷書 顔色. 血色 ‖ ～憔悴qiáocuì 面やつれしている ❸表情 ‖ 脸上现出惭愧cánkuì的～ 顔に恥じ入った表情が浮かぶ ❹ひどい目. 痛い目 ‖ 给他们点～看看 やつらに目に物見せてやる
【颜色】yánshai 图口 顔料. 染料
【颜体】yántǐ 图顔真卿(がんしんけい)の書体
17 **檐**(△簷) yán (～儿)❶图 軒. ひさし ‖ 房～ 家の軒 ❷图 ひさし. つば ‖ 帽～儿 帽子のつば
【檐沟】yángōu 图雨どい. とい
【檐子】yánzi 图軒. ひさし

yǎn

8 **兖** yǎn 地名用字 ‖ ～州 山東省にある県の名
8 **奄** yǎn 書❶覆う ❷突然. 急に ‖ ～忽 忽然(こつぜん)と
【奄奄】yǎnyǎn 形息絶え絶えである. 奄々(えんえん)
【奄奄一息】yǎn yǎn yī xī 成 気息奄々としている. 息絶え絶えである
9 **俨**(儼) yǎn 書❶厳かである. いかめしい ❷あたかも. さながら
【俨然】yǎnrán 形書❶厳かなさま. 壮厳なさま ❷整然としたさま ❸あたかも…のようである. さながら…のようである ‖ 听他的口气, ～是个行家hángjia 彼の口ぶりときたら, くろうとさながらだ
【俨如】yǎnrú 動さながら…のようである
9 **衍** yǎn 書❶水が溢れる ❷繁殖する ‖ 繁～ 繁殖する ❸余分な(字句) ‖ ～文 衍文(えんぶん) ❹展開する. 広げる ‖ 敷fū～ 敷衍(ふえん)する
【衍变】yǎnbiàn 動発展変化する
【衍化】yǎnhuà 動発展変化する
【衍生】yǎnshēng 動〈化〉比較的単純な化合物が置換反応によって複雑な化合物に変化する
【衍生物】yǎnshēngwù 图〈化〉誘導体
10 **剡** yǎn 書❶削ってとがらせる ❷鋭い. 鋭利である ➤ shàn
11 **厣**(厴) yǎn ❶カニの腹部の薄い殻 ❷巻き貝類の殻のふた
11 **偃** yǎn 書❶あおむけに倒れる ‖ ～卧 仰臥(ぎょうが)する ❷倒す ❸停止する
【偃旗息鼓】yǎn qí xī gǔ 成 旗を倒し, 太鼓を打つのをやめる. 敵に察知されないように隠密裏に行軍すること. また, 戦いを停止すること
【偃武修文】yǎn wǔ xiū wén 成 武をやめ文を修める. 武力を用いるのをやめ, 文治に力をつくす
【偃息】yǎnxī 動書❶休息する ❷停止する
11 **郾** yǎn 地名用字 ‖ ～城 河南省にある県の名
11 * **掩** yǎn ❶動隠す. 覆う ‖ ～口而笑 口を覆って笑う ❷動閉じる. 閉ざす ‖ ～上门 ドアを閉じる ❸動方(手や物が間に)挟まる ‖ 关窗户时把手～了 窓を閉めるときに手が挟まった ❹すきをつく
【掩鼻】yǎnbí 動(嫌悪感から)鼻を押さえる
【掩蔽】yǎnbì 動遮蔽(しゃへい)する 图遮蔽物
【掩藏】yǎncáng 動隠す
【掩耳盗铃】yǎn ěr dào líng 成 耳を覆って鈴を盗む. 自分で自分を欺く
*【掩盖】yǎngài 動❶隠す ‖ ～真相 真相を覆い隠す ❷覆う ‖ 积雪～了大地 雪が大地を覆った
*【掩护】yǎnhù 動❶援護する ❷かくまう. かばう 图遮蔽物 ‖ 利用夜色做～ 夜陰に乗じて敵の目を欺く
【掩埋】yǎnmái 動埋葬する
【掩泣】yǎnqì 動書 顔を覆って泣く
【掩人耳目】yǎn rén ěr mù 成 人の耳目を覆う. 世間を欺く
*【掩饰】yǎnshì 動(不正や欠点などを)覆い隠す. ごまかす ‖ ～自己的错误 自分の過ちを覆い隠す
【掩体】yǎntǐ 图〈軍〉掩体(えんたい)
【掩映】yǎnyìng 動互いに照り映える. 引き立てあう
11 ** **眼** yǎn ❶图目. ふつうは〔眼睛〕という ‖ 不放在～里 眼中に置かない | 瞧了他一～ 彼の方をちらっと見た ❷图(～儿)小さな穴 ‖ 钻zuàn个～儿 穴をあける ❸图(囲碁の)目 ❹量 井戸や洞穴を数える ‖ 一～井 一つの井戸 ❺識別力. 見識 ‖ ～浅 見識が浅い ❻(～儿)肝要な点. かなめ ‖ 节骨～儿 肝心なところ ❼图(伝統劇の)拍子 ‖ 板～ 拍子

逆引き単語帳 〔近视眼〕jìnshìyǎn 近眼 〔远视眼〕yuǎnshìyǎn 遠視 〔花眼〕huāyǎn 〔老花眼〕lǎohuāyǎn 老眼 〔红眼〕hóngyǎn 急性結膜炎 〔针眼〕zhēnyan ものもらい 〔青光眼〕qīngguāngyǎn 緑内障 〔假眼〕jiǎyǎn 義眼 〔枪眼〕qiāngyǎn 銃眼. 弾痕(だんこん) 〔炮眼〕pàoyǎn 砲眼. 発破用の穴 〔泉眼〕quányǎn 泉のわき出す穴 〔嗓子眼儿〕sǎngziyǎnr のど 〔耳朵眼儿〕ěrduoyǎnr 耳の穴 〔鼻子眼儿〕bíziyǎnr 鼻の穴 〔鸡眼〕jīyǎn うおのめ 〔势利眼〕shìliyǎn 権勢にこびる態度.

【眼巴巴】yǎnbābā (～的)形❶しきりに待ち望むさま ❷なすすべもなく見ているさま. むざむざ. みすみす
【眼白】yǎnbái 图方白目
【眼波】yǎnbō 图(多く女性の)まなざし. 視線
【眼不见, 心不烦】yǎn bù jiàn, xīn bù fán 諺 見なければ心を煩わせることもない
【眼岔】yǎnchà 動見間違う
【眼馋】yǎnchán 形見て欲しがる. うらやましがる
【眼底】yǎndǐ 图❶〈医〉眼底 ❷目の前. 眼前
【眼底下】yǎn dǐxia 图❶目の前 ❷目下. 現在
【眼福】yǎnfú 图目の保養 ‖ 大饱～ 大いに目の保養をする | ～不浅 なかなか目の保養になる
【眼高】yǎngāo 形目が高い. 高望みである
【眼高手低】yǎn gāo shǒu dī 慣 望みは高いが実力が伴わない. 眼高手低(がんこうしゅてい)
*【眼光】yǎnguāng 图❶視線. まなざし ‖ 人们的～都盯dīng向他 人々の目が彼にじっと注がれている ❷眼識 ‖ 有～ 目が高い ❸観点. 見方 ‖ 老～ 古い見方 ❹要求基準 ‖ 他～高, 一般的都看不上 彼はなかなか要求が高く, 当たり前の物では気に入らない
【眼红】yǎnhóng 形❶ねたんだり, うらやんだりするさま ❷怒りや憎しみがこみ上げるさま

【眼花】yǎn//huā 形 目がかすんでいる
【眼花缭乱】yǎn huā liáo luàn 成（色とりどりで）目がくらむ．目がちらちらする
【眼疾手快】yǎn jí shǒu kuài 成 目ざとくて手早い．動作が機敏なさま ＝〔手疾眼快〕
【眼尖】yǎn//jiān 形 目ざとい．目が鋭い
【眼睑】yǎnjiǎn 名〈生理〉まぶた．〔眼皮〕ともいう
【眼见】yǎnjiàn 副 すぐに．みるまに
【眼见得】yǎnjiànde 副 方 目に見えて．はっきりと．（多く望ましくない事柄に用いる）
【眼见为实，耳听为虚】yǎn jiàn wéi shí, ěr tīng wéi xū 諺 この目で見たものは確かであるが，耳で聞いたことは当てにならない
【眼角】yǎnjiǎo（～儿）名 目尻．目頭
【眼界】yǎnjiè 名 見識の広さ．視野
**【眼镜】yǎnjìng（～儿）名 眼鏡‖戴～ 眼鏡をかける｜摘zhāi～ 眼鏡をはずす｜配～ 眼鏡をつくる
【眼镜蛇】yǎnjìngshé 名〈動〉メガネヘビ．インドコブラ
★【眼睛】yǎnjing 名 目‖睁大～ 目を見開く｜闭上～ 目を閉じる｜警惕jǐngtì的～ 警戒の目つき
*【眼看】yǎnkàn 副 すぐに．もうすぐ‖～就要到秋天了 もうすぐ秋だ 動 なすすべもなく見ている．みすみす…するままにする‖～着他的病一天比一天重了 彼の病が日に日に重くなるのをなすすべもなく見ている
【眼库】yǎnkù 名 アイバンク
【眼眶】yǎnkuàng 名 目の縁．まぶち
**【眼泪】yǎnlèi 名 涙‖流～ 涙を流す
*【眼力】yǎnlì 名 ❶視力‖最近～差多了 最近ずいぶん視力が衰えた ❷眼識．眼力‖有～ 目が利く
【眼力见儿】yǎnlìjiànr 名 方 よく気が利くこと．目先が利くこと‖有～ よく気が利く
【眼帘】yǎnlián 名 まぶた．目の内
【眼眉】yǎnméi 名 方 眉(まゆ)
【眼面前】yǎnmiànqián（～儿）方 名 目の前．眼前 形 ふつうの．ありふれた
【眼明手快】yǎn míng shǒu kuài 成 目ざとくて動作が素早い．機敏であるさま
【眼目】yǎnmù 名 ❶目 ❷密偵
【眼泡】yǎnpāo（～儿）名 上まぶた
【眼皮】yǎnpí（～儿）名 まぶた‖单～儿 一重まぶた
【眼皮底下】yǎnpí dǐxia 名 口 ❶目の前 ❷目下
【眼皮子】yǎnpízi 名 ❶まぶた ❷見識．考え
**【眼前】yǎnqián 名 ❶目の前．眼前‖往事又浮现在～ 昔のことがまたもまぶたに浮かんだ ❷目下．当面‖不能只顾～利益 目先の利益ばかり考えてはならない
【眼前亏】yǎnqiánkuī 名 みすみすこうむる損‖好汉不吃～ 賢明な人間はみすみす分かりきった損をしない
【眼球】yǎnqiú 名〈生理〉眼球．俗に〔眼珠子〕という
【眼圈】yǎnquān（～儿）名 目の縁．まぶち
【眼热】yǎnrè 形 欲しい．うらやましい
*【眼色】yǎnsè 名 目くばせ‖使～ 目くばせする
【眼梢】yǎnshāo（～儿）名 目尻
*【眼神】yǎnshén 名 ❶目つき．目遣い‖不安的～ 不安な目つき ❷（～儿）方 視力
【眼神】yǎnshen（～儿）名 方 目くばせ
【眼生】yǎnshēng 形 見覚えがない
【眼屎】yǎnshǐ 名 方 目やに．目くそ
【眼熟】yǎnshú 形 見覚えがある．見知っている
【眼跳】yǎntiào 動 まぶたが痙攣(けいれん)する
【眼窝】yǎnwō（～儿）名 眼窩(がん)．目のくぼみ
*【眼下】yǎnxià 名 目下．当面‖这种货～很抢手qiǎngshǒu この商品はいまとても人気がある
【眼线】[1] yǎnxiàn 名 アイライン‖描～ アイラインを描く
【眼线】[2] yǎnxiàn 名 密偵．スパイ．手引き
【眼压】yǎnyā 名〈医〉眼圧．眼内圧
【眼影】yǎnyǐng 名 アイシャドー
【眼晕】yǎnyùn 動 目まいがする
【眼罩儿】yǎnzhàor 名 ❶（家畜の目につける）遮眼帯 ❷眼帯 ❸旧 ゴーグル ❹手を額に当て陽光を遮ること‖打～ 小手をかざす
【眼睁睁】yǎnzhēngzhēng（～的）形 なすすべもないさま
【眼中钉】yǎnzhōngdīng 名 じゃまもの．目の上のこぶ．目の敵‖被视为～ 目の敵にされる
【眼珠子】yǎnzhūzi 名 口 ❶目玉．眼球．〔眼珠儿〕ともいう ❷喩 最愛の人または物
【眼拙】yǎnzhuō 形 挨拶 相手に会ったことがあるかどうかよく覚えていないことを表す．お見それする

12 **琰** yǎn 書 玉(ぎょく)の一種

13 **罨** yǎn 書 ❶（鳥や魚を捕らえる）網 ❷かぶせる

Y

コラム　ことわざ

ことわざ“谚语”yànyǔ は昔から人々の間で言いならわされてきた教訓的な意味合いを含んだ表現である．ここでは日常よくお目にかかることわざのうち代表的なものを取り上げて説明する．日本語のことわざと比べて驚くほど似ているものもあれば，いかにも中国の文化を感じさせるものもある．

一口吃不成个胖子
一口食べただけではデブにならない⇒ローマは一日にして成らず．何事もあせらずに，じっくりと

十个指头不一般齐
10本の指はみんな長さが違う⇒十人十色(じゅうにんといろ)

人不可貌相，海水不可斗量
人は見かけによらない，海の水はますでは量れない

三个臭皮匠，赛过诸葛亮
靴職人でも三人寄れば諸葛孔明に匹敵する⇒三人寄れば文殊(もんじゅ)の知恵

大树底下好乘凉
大樹の下だと涼しい⇒寄らば大樹の陰

上梁不正下梁歪
上の梁(はり)がまっすぐでないと下の梁も曲がる⇒上に立つ者が不正を行えば，下の者もそれにならって悪いことをする

不到黄河不死心
黄河に行き着く（行くところまで行く）までは気持ちが収まらない⇒とことんまでやらないとあきらめきれない

无事不登三宝殿
願い事がなければ三宝殿にお参りには来ない⇒用があるからこそ（あなたを）訪ねて来たのだ

王婆卖瓜，自卖自夸
自分の売っているスイカ（ウリ）を自分でほめる⇒自画自

14 **演** ＊＊ yǎn ❶発展変化する‖一～进 ❷押し広げる. 展開する‖一～讲 ❸動 演じる. 上演する‖她～过很多角色juésè 彼女はこれまでに多くの役柄を演じた ❹(一定の法式によって)練習する. 計算する‖一～算

＊【演变】yǎnbiàn 動 発展変化する
【演播】yǎnbō 動 (スタジオで)収録放映する
＊【演唱】yǎnchàng 動 (舞台などで)歌を歌う. 伝統劇を演じる‖～民歌 民謡を歌う
★【演出】yǎnchū 動 演じる. 上演する. 公演する‖去各地巡回xúnhuí～ 各地を巡回公演する 名 公演. 上演‖～很成功 公演は大成功だった
【演化】yǎnhuà 動 発展変化する. 進化する
【演技】yǎnjì 名 演技‖精湛的～ 完璧(かんぺき)な演技
＊【演讲】yǎnjiǎng 動 講演する. 演説する
【演进】yǎnjìn 動 進化する. 変遷する
【演练】yǎnliàn 動 訓練する. トレーニングする
【演示】yǎnshì 動 実演をする. デモンストレーションをする
＊【演说】yǎnshuō 動 演説する 名 演説
【演算】yǎnsuàn 動 演算する. 計算する
＊【演习】yǎnxí 動 演習をする. 訓練をする 名 演習‖实弹shídàn～ 実弾演習｜消防～ 消防訓練
【演戏】yǎn//xì 動 ❶芝居をする. 劇を上演する ❷喩 お芝居をする
【演义】yǎnyì 名 演義. 史実に伝説などを織り混ぜて通俗的な表現で叙述した章回小説‖《三国～》『三国志演義』 動 書 道理や事実を分かりやすく説明する
【演艺】yǎnyì 名 演芸
【演绎】yǎnyì 名〈哲〉演繹(えんえき) ↔〔归纳〕 動 ❶演繹する. 押し広げる ❷表現する. 展開する
＊＊【演员】yǎnyuán 名 (映画や演劇の)俳優. (踊りや曲芸などの)演技者‖当～ 俳優になる｜电影～ 映画俳優｜歌剧～ オペラ歌手｜配音～ 声優
＊【演奏】yǎnzòu 動 演奏する‖～小提琴 バイオリンを演奏する｜钢琴～家 ピアノ演奏家

15 **魇**(魘) yǎn 動 (夢に)うなされる‖梦～ 同前｜～住了 (夢に)うなされた

23 **鼹**(△鼴) yǎn 名〈動〉モグラ. ふつうは〔鼹鼠〕という

yàn

6 **厌**(厭) yàn ❶満ち足りる. 満足する‖贪得无～ ことを知らない ❷動 飽きる‖百读不～ 何回読んでも飽きない ❸嫌悪する. 嫌がる‖讨～ 嫌がる ➤ yā

【厌烦】yànfán 動 嫌気がさす. うんざりする
【厌恨】yànhèn 動 忌み嫌う
【厌倦】yànjuàn 動 飽きて疲れる. うんざりする
【厌弃】yànqì 動 愛想を尽かす. つくづく嫌になる
【厌食】yànshí 動 食欲不振である. 食欲が減退する
【厌世】yànshì 動 世を厭(いと)う
＊【厌恶】yànwù 動 憎む. 嫌悪する
【厌学】yànxué 動 学校へ行くのを嫌がる. 学校をサボる
【厌战】yànzhàn 動 戦争を嫌う

8 **沿** yàn ➤ yán

9 **咽**(△嚥) ＊＊ yàn 動 飲む. 飲み込む‖～唾沫 つばを飲み込む ➤ yān yè

【咽不下去】yànbuxiàqù 動 ❶飲み込めない‖实在难吃, ～ まずくてのどを通らない ❷(怒りなどを)抑えられない. 我慢できない‖～这口气 腹にすえかねる
【咽回去】yàn//huiqu(huíqù) 動 言いかけてやめる
【咽气】yàn//qì 動 息を引き取る. 事切れる

9 **彦** yàn 古 才徳を兼ね備えた人‖～士 賢人

9 **研**(硏) yàn 〔砚yàn〕に同じ ➤ yán

9 **砚** yàn 名 すずり‖一～台｜端duān～ 広東省端渓(たんけい)産のすずり

【砚池】yànchí 名 すずり
【砚台】yàntai 名 すずり

10 **宴**(△醼❶❷) yàn ❶酒や食事で客をもてなす ❷名 酒席. 宴会‖赴～ 宴会に出かける｜设～招待 酒席を設けてもてなす ❸安んじる. 楽しむ‖～安 安逸をむさぼる

★【宴会】yànhuì 名 宴会. パーティー‖答谢～ お返しの宴会. 答礼宴｜出席～ 宴会に出席する
＊【宴请】yànqǐng 動 宴に招く. 宴席を設けて招く

賛する

无风不起浪
風がなければ波は立たない⇒火のない所に煙は立たない

情人眼里出西施
恋人の目には西施(春秋時代の越の美女)に見える⇒ほれた目にはあばたもえくぼ

打肿脸充胖子
自分の顔をたたいてはれ上がらせ, 太っているように見せかける⇒虚勢を張る. 見栄を張る

有眼不识泰山
目があっても泰山を知らず⇒人を見る目がなく, 地位の高い人や才能のある人を見分けられないこと. お見それしました

英雄无用武之地
英雄も腕をふるう場がない⇒優れた才能や腕前を持ちながらそれを発揮する機会がない. 宝の持ちぐされ

远水救不了近火
遠くの水では近くの火事を消せない. 悠長なことをやっていたのでは緊急事態に間に合わない⇒二階から目薬

姜是老的辣
ショウガは古いものほど辛い⇒亀の甲より年の功

说曹操, 曹操就到
曹操のことを話していると曹操が現れる⇒うわさをすれば影がさす

有钱能使鬼推磨
金があれば幽霊に臼(うす)を引かせることもできる⇒地獄の沙汰(さた)も金しだい

好了伤疤忘了痛
傷が治ると痛さを忘れる⇒のどもと過ぎれば熱さを忘れる

不入虎穴, 焉得虎子
虎穴(こけつ)に入(い)らずんば虎児を得ず

*【宴席】yànxí 名 宴席．宴会．パーティー‖丰盛的～ 盛大な宴席｜大摆bǎi～ 大盤ぶるまいをする

10 唁 yàn 弔問する‖吊diào～ お悔やみを述べる．弔問する｜慰wèi～ 同前

【唁电】yàndiàn 名 弔電‖发～ 弔電を打つ

【唁函】yànhán 名 哀悼の手紙．悔やみ状

10* 验(驗 △騐) yàn ❶試して証明する．検証する‖一～证 ❷動 調べる．検査する‖考～ 試す ❸効き目がある．効果がある．的中する‖应～ (予言や予想が)的中する ❹効き目．効果‖效～ 効き目

【验查】yànchá 動 検査する．調べる

【验钞机】yànchāojī 名 にせ札鑑定機

【验车】yàn//chē ＝〔车检chējiǎn〕

【验方】yànfāng 名 効き目の確かな処方

【验关】yàn//guān 動 税関で検査する

【验光】yàn//guāng 動 検眼する

【验核】yànhé 動 調べて照合する

【验货】yàn//huò 動 品物を検査する

【验看】yànkàn 動 調べる．検査する

【验明】yànmíng 動 調べて確かめる

【验尸】yàn//shī 動〈法〉検死する

*【验收】yànshōu 動 検査して受け取る

【验算】yànsuàn 動 験算する

【验血】yàn//xuè 動 血液検査をする

*【验证】yànzhèng 動 検証する‖这几个数据shùjù还要再～一下 これらのデータはまだ検証が必要だ

【验资】yànzī 動〈経〉資金や資産を調査する‖～报告 資産調査レポート

10 晏 yàn ❶遅い‖～起 遅く起きる ❷平静である．静かである

10 艳(艷 △豔 豓) yàn ❶形 (色が)鮮やかである．あでやかである‖这衣服太～了 この服は派手すぎる ❷色恋の．官能の‖一～情 ❸書 うらやむ‖一～羡

【艳福】yànfú 名 艶福(えんぷく)．女性にもてること

【艳红】yànhóng 形 真紅の

【艳丽】yànlì 形 鮮やかで美しい

【艳情】yànqíng 名 恋愛．愛情

【艳诗】yànshī 名 愛を歌った詩

【艳史】yànshǐ 名 恋愛物語．ロマンス

【艳羡】yànxiàn 動 書 羨望(せんぼう)する．うらやむ

【艳阳】yànyáng 名 ❶明るく輝く太陽 ❷うららかな風光．(多く春をさす)‖～天 うららかな春の日和

【艳冶】yànyě 形 書 妖艶(ようえん)である．なまめかしい

11 谚 yàn ことわざ‖一～语｜农～ 農業に関することわざ｜民～ 民間のことわざ

【谚语】yànyǔ 名 ことわざ

12 雁(△鴈) yàn 名〈鳥〉ガン．カリ‖鸿hóng～ サカツラガン｜大～ サカツラガン

【雁过拔毛】yàn guò bá máo 成 飛び行く雁(かり)の羽を抜く．どんな機会も逃さず私利をはかるたとえ

【雁行】yànháng 名 喩 兄弟

【雁阵】yànzhèn 名 空高く飛ぶガンの列

12 堰 yàn 名 堰(せき)‖打～ せきとめる｜塘～ 貯水池

12 焱 yàn 書 炎．火花

12 焰(△燄) yàn ❶炎‖火～ 炎 ❷喩 威風．気勢‖气～ 気炎．気勢

【焰火】yànhuǒ 名 花火

14 酽(釅) yàn 形 (お茶や酒などが)濃い‖～茶 濃くいれたお茶

15 谳(讞) yàn 書 判決を下す‖定～ 判決する

15 餍(饜) yàn 書 ❶腹がいっぱいになる ❷満ち足りる．満足する

16 燕(△鷰) yàn ❶ 名〈鳥〉ツバメ ❷〔宴yàn❶〕に同じ ➤ yān

【燕麦】yànmài 名〈植〉エンバク．カラスムギ

【燕雀】yànquè 名〈鳥〉アトリ

【燕尾服】yànwěifú 名 燕尾服(えんびふく)

【燕窝】yànwō 名〈料理〉ツバメの巣．燕窩(えんか)

*【燕子】yànzi 名〈鳥〉ツバメ．〔家燕〕の通称

16 赝(贋 △贗) yàn 書 偽りの．偽造の‖一～品｜～币 偽造貨幣．

【赝本】yànběn 名 書画の贋作(がんさく)

【赝品】yànpǐn 名 文物の贋作

19 嬿 yàn 書 美しい．すばらしい

yāng

5 央[1] yāng 中央．真ん中．中心‖中～ 中央

5 央[2] yāng 書 尽きる．終わる‖夜未～ 夜はまだ明けない

5 央[3] yāng 願う．頼む‖一～求｜一～告

【央告】yānggao 動 お願いする．懇願する

【央行】yāngháng 名 中央銀行．中国では〔中国人民銀行〕をさす

【央求】yāngqiú 動 懇願する．すがる

【央托】yāngtuō 動 懇願依頼する．懇請する

8 泱 yāng ↓

【泱泱】yāngyāng 形 書 ❶水面が広大なさま‖湖水～ 湖面が広々としている ❷気宇宏大である

9 殃 yāng ❶災禍．災い‖祸～ 災難｜遭～ 災いに遭う ❷災いする．損なう．害する

【殃及】yāngjí 動 災いが…にまで及ぶ．巻き添えを食う‖～无辜wúgū 罪のない者に災いが及ぶ

10 秧 yāng ❶名 イネの苗．(広く)植物の苗‖插～ 田植えをする ❷名 (特定の植物の)つる‖瓜～ ウリのつる ❸名 (特定の飼育動物の)生まれたばかりの子‖鱼～ 稚魚

【秧歌】yāngge 名 田植え歌などの労働歌を起源とする民間舞踊の一種

【秧苗】yāngmiáo 名 農作物の苗．とくにイネの苗

【秧子】yāngzi 名 ❶植物の苗 ❷(特定の植物の)つる ❸(特定の飼育動物の)生まれたばかりの子

10 鸯 yāng ➡〔鸳鸯yuānyang〕

14 鞅 yāng 古 胸繋(むながい)

yáng

6* 阳(陽) yáng ❶太陽．日光 ↔〔阴〕‖向～ 南向き ❷名 古 日が差す

Y

ところ ↔〔阴〕❸山の南側. 川の北岸. (多く地名に用いる) ↔〔阴〕‖ 洛～ 河南省洛河(らくが)の北側にある市の名 ❹露出した. 表面の ↔〔阴〕‖ 一～沟 ❺突起している. 凸の ↔〔阴〕‖ 一～文 ❻名 (易学でいう)陽 ↔〔阴〕‖ 阴～五行 陰陽五行 ❼この世. 現世 ↔〔阴〕‖ 一～世 ❽プラスの. 陽電気を帯びた ↔〔阴〕‖ 一～极 ❾男性の生殖器 ‖ 一～痿

【阳春】yángchūn 名 春. 春日
【阳春白雪】yáng chūn bái xuě 成 戦国時代の楚国の高尚な歌曲の名. 高尚な文学や芸術作品. 多く〔下里巴人〕(通俗的な作品)と対照的に用いる
【阳电子】yángdiànzǐ 名〈物〉陽電子 =〔正电子〕
【阳奉阴违】yáng fèng yīn wéi 成 表向きは服従するように見せかけ, 裏では反対する. 面従腹背
【阳刚】yánggāng 形 男らしい. 強くたくましい
【阳沟】yánggōu 名 開渠(かいきょ). ふたのない溝
【阳关道】yángguāndào 名 広々とした大道. 前途洋々たる道をたとえる. 〔阳关大道〕ともいう ‖ 你走你的～, 我走我的独木桥 君は君の大道を行け, 私は私で丸木橋を歩く. お互い自分が正しいと思う道を行く
**【阳光】yángguāng 名 日光. 陽光 ‖ ～充足 日当たりがよい 形 ❶明るい. 快活な ❷(事物や現象が)透明である. オープンである
【阳光浴】yángguāngyù 名 日光浴. 〔日光浴〕ともいう
【阳极】yángjí 名〈物〉❶(電池やバッテリーなどの)陽極. 〔正极〕ともいう ❷(真空管などの)陽極
【阳间】yángjiān 名 この世. 現世 ↔〔阴间〕
【阳离子】yánglízǐ 名〈物〉陽イオン
【阳历】yánglì 名 ❶太陽暦. 陽暦. 〔太阳历〕ともいう ❷新暦 ‖ ～年 新暦の正月
【阳面】yángmiàn 名 建物などの日の当たるところ
【阳平】yángpíng 名〈語〉現代中国語の四つの声調の一つ, 第2声 ➡〔四声sìshēng〕
【阳伞】yángsǎn 名 日傘. 地方により〔旱伞〕ともいう
【阳伞效应】yángsǎn xiàoyìng 名〈気〉日傘効果
【阳世】yángshì 名 この世. 現世
【阳寿】yángshòu 名 寿命
【阳台】yángtái 名 バルコニー. ベランダ. テラス
【阳痿】yángwěi 名〈医〉陰萎(いんい). インポテンツ
【阳文】yángwén 名 (印章などで文字や文様を浮き彫りにした)陽文. 陽刻 ↔〔阴文〕
【阳线】yángxiàn 名〈経〉(株式チャートの)陽線 ↔〔阴线〕
【阳性】yángxìng 名 ❶〈医〉陽性 ‖ 尿常规检查呈～ 尿検査が陽性だった ❷〈語〉男性 ＊↔〔阴性〕

6
＊**扬**[1] (揚 △敭❶～❹ 颺❶～❹) yáng
❶動 上にあげる. あがる. 舞い上がる ‖ ～起头 頭をあげる ❷動 上の方へまき散らす ‖ 晒干shàigān～净 日に干し, 上へ放り上げて風選する ❸広く人々に知らせる ‖ 一～言 ❹称賛する. 表彰する ‖ 表～ 表彰する

6
扬[2] (揚) yáng 江蘇省揚州市をさす ‖ 淮～风味 揚州料理

【扬长】yángcháng 副 大手を振って. おうようなさまで
【扬长避短】yáng cháng bì duǎn 成 長所を伸ばして, 短所を避ける
【扬尘】yángchén 動 ほこりを巻き上げる 名 巻き上がるほこり. 粉塵
【扬帆】yáng//fān 動 書 帆を揚げる. 出帆する
【扬幡招魂】yáng fān zhāo hún 成 幡(のぼり)を掲げ死者の霊を呼び戻す. 旧時の悪弊を復活させるたとえ
【扬眉吐气】yáng méi tǔ qì 成 (抑圧や苦しみを脱し)大いに溜飲(りゅういん)を下げる. 晴れ晴れしたさま
【扬名】yáng//míng 動 名をあげる. 名を馳(は)せる
【扬弃】yángqì 動 ❶〈哲〉止揚する. 揚棄する ❷打ち捨てる. 捨て去る ‖ ～糟粕zāopò 悪いものを捨て去る
【扬琴】yángqín 名〈音〉洋琴. 〔洋琴〕とも書く
【扬清激浊】yáng qīng jī zhuó 成 汚水を押し流し澄んだ水を入れる. 悪人や悪事を批判し, 善人やよい事柄を称揚する =〔激浊扬清〕
【扬升】yángshēng 動〈経〉(価格などが)上昇する
【扬声器】yángshēngqì 名 拡声器. ラウドスピーカー
【扬水】yángshuǐ 動 ポンプで水をくむ
【扬汤止沸】yáng tāng zhǐ fèi 成 沸いた湯をくんではまた戻し, 沸騰しないようにする. その場かぎりの対策. やり方が徹底せず問題を根本的に解決できないこと
【扬威】yángwēi 動 威名を広める
【扬言】yángyán 動 公然と言い放つ. 揚言する
【扬扬】yángyáng 形 得意なさま. 誇らしげなさま. 〔洋洋〕とも書く ‖ ～得意 大いに得意である

6
★**羊** yáng 名 ヒツジ ‖ ～群 ヒツジの群れ｜山～ ヤギ｜绵～ メンヨウ｜羚～ カモシカ

【羊肠小道】yángcháng xiǎodào 組 狭くてくねくねした道. (多く山道をいう)
【羊羔】yánggāo 名 子ヒツジ
【羊羹】yánggēng 名 羊羹(ようかん)
【羊毫】yángháo 名 羊毛製の筆
【羊角风】yángjiǎofēng 名 てんかん. 〔癫痫diānxián〕の通称
【羊毛】yángmáo 名〈紡〉羊毛. ウール
【羊毛出在羊身上】yángmáo chūzai yáng shēnshang 諺 羊の毛は羊の体からとれたもの. 他人からもらったと思ったものが, もとをたどれば自分のふところから出たものである
【羊皮】yángpí 名 ❶ヒツジの毛皮 ‖ 披pī着～的狼 羊の皮をかぶった狼(おおかみ) ❷ヒツジの皮
【羊皮纸】yángpízhǐ 名 ❶羊皮紙 ❷硫酸紙
【羊绒】yángróng 名 カシミヤ ‖ ～衫 カシミヤのセーター
**【羊肉】yángròu 名 ヒツジの肉. マトン ‖ 涮shuàn～ 羊肉のしゃぶしゃぶ｜烤kǎo～串chuàn 羊肉のくし焼き. シシカバブ
【羊桃】yángtáo 名〈植〉❶ゴレンシ. ヨウトウ ❷方 キウイ・フルーツ ＊〔杨桃〕とも書く
【羊痫风】yángxiánfēng 名 てんかん. 〔癫diān痫〕の通称

7
炀 (煬) yáng 金属を溶かす

7
杨 (楊) yáng 名〈植〉ヤナギ科ヤマナラシ属の木本植物

【杨柳】yángliǔ 名 ❶ヤナギ科の木本植物の総称 ❷(広く)ヤナギ ‖ ～青青 ヤナギが青々としている
【杨梅】yángméi 名 ❶〈植〉ヤマモモ ❷方〈植〉イチゴ ❸方 梅毒
＊【杨树】yángshù 名 ヤナギ科ヤマナラシ属の木本植物. セイヨウハコヤナギ・ヤマナラシ・ハクヨウなど
【杨桃】yángtáo =〔羊桃yángtáo〕

8 **佯 yáng** 偽る. 見せかける ‖ ～死 死んだふりをする | 装～ もったいぶる. 見栄を張る

【佯攻】yánggōng 動〈軍〉陽動作戦をする

【佯言】yángyán 動 書 うそをつく. 偽る

【佯装】yángzhuāng 動 … のふりをする. … を装う

8 **疡（瘍）yáng** 動〈医〉化膿（かのう）する. ただれる ‖ 溃kuì～ 潰瘍（かいよう）

9 * **洋 yáng** ❶豊かである. 広大である ‖ →～溢 ❷名 海洋. 大洋 ‖ 海～ 海洋 ❸名 外国 ‖ →～人 ❹旧 銀貨 ‖ 大～ 1元銀貨

【洋白菜】yángbáicài 名 口 キャベツ.〔结球甘蓝〕の通称

【洋财】yángcái 名 貶 外国と商売をして得た財貨. 転 ぼろ儲け ‖ 发～ ぼろ儲けをする

【洋车】yángchē 名 方 人力車

【洋瓷】yángcí 名 エナメル. ほうろう.〔搪瓷〕の通称

【洋葱】yángcōng 名〈植〉タマネギ.〔葱头〕ともいう

【洋房】yángfáng 名 ❶洋室 ❷洋館

【洋镐】yánggǎo 名 つるはし.〔鹤嘴镐〕の通称

【洋鬼子】yángguǐzi 名 旧 罵 毛唐. 西洋人に対する蔑称

【洋红】yánghóng 名 桃色の顔料 形 淡紅色の. ピンク色の

【洋化】yánghuà 動 西洋化する. 欧米化する

【洋槐】yánghuái 名〈植〉ニセアカシア. アカシア.〔刺槐〕の通称

【洋灰】yánghuī 名 旧 セメント

【洋火】yánghuǒ 名 旧 口 マッチ

【洋货】yánghuò 名 方 舶来品. 輸入物

【洋流】yángliú 名〈地〉海流.〔海流〕ともいう

【洋奴】yángnú 名 貶 外国人や外国を崇拝する者

【洋气】yángqi ; yángqì 名 貶 バタ臭さ. 西洋風 形 バタ臭い. 洋風の ‖ 洋里～ バタ臭い. 西洋風である

【洋人】yángrén 名 外国人.（多く西洋人をさす）

【洋娃娃】yángwáwa 名 西洋人形

【洋为中用】yáng wéi zhōng yòng 成 外国のものを中国に役立てる

【洋文】yángwén 名 外国語.（多く欧米の言葉）

【洋相】yángxiàng 名 醜態. 滑稽（こっけい）な様子

【洋洋】yángyáng 形 ❶数の多いさま. 豊富なさま ‖ ～万言 長い文章 ❷＝〔扬扬yángyáng〕

【洋洋大观】yáng yáng dà guān 成 事物が立派で豊かなさま. 多くの見るべきものがある形容

【洋洋洒洒】yángyángsǎsǎ 形 ❶（話が）流暢（りゅうちょう）なさま.（文章に）よどみのないさま ❷（規模が）広大であるさま.（勢いに）あふれるさま

【洋溢】yángyì 動 満ちあふれる. 充満する

【洋装】[1] yángzhuāng 名 洋服. スーツ

【洋装】[2] yángzhuāng 形 洋綴（とう）じの. 洋装の

9 **徉 yáng** ➡〔徜徉chángyáng〕

10 **烊 yáng** 動 方 溶かす. 溶ける ‖ ～铜 銅を溶かす | 糖～了 あめが溶けた

12 **蛘 yáng** 名（～儿）方 コクゾウムシ. 地方によっては〔蛘子〕という

yǎng

6 ** **仰 yǎng** ❶動 仰ぐ. 仰向く. 上を向く ↔〔俯〕‖ 孩子～着脸看着妈妈 子供は顔を上げてお母さんを見ている ❷敬慕する. 感服する ‖ 信～ 信仰する ❸公文書用語で,〔请〕〔祈〕〔恳kěn〕などの字の前につけ, 下から上に対しては敬意を, 上から下に対しては命令を示す ‖ ～即遵照zūnzhào 直ちに指示どおり行われたし ❹依存する. 頼る ‖ →～仗

【仰八叉】yǎngbachā 名 方 仰向けの姿勢で倒れること.〔仰八脚儿〕ともいう

【仰角】yǎngjiǎo 名〈数〉仰角（ぎょうかく）

【仰赖】yǎnglài 動 仰ぐ. 依頼する

【仰面】yǎngmiàn 動 仰向く ‖ ～朝天 顔を仰向ける

【仰慕】yǎngmù 動 敬慕する

【仰人鼻息】yǎng rén bí xī 成 人の鼻息をうかがう

【仰视】yǎngshì 動 仰ぎ見る

【仰首】yǎngshǒu 動 書 首をもたげる. 頭をあげる

【仰天】yǎngtiān 動 天を仰ぐ

【仰望】yǎngwàng 動 ❶仰ぎ見る ‖ ～蓝天 青空を仰ぐ ❷書 謹んで … されんことを願う

【仰卧】yǎngwò 動 仰向けに寝る

【仰泳】yǎngyǒng 名〈体〉背泳. 背泳ぎ

【仰仗】yǎngzhàng 動 仰ぐ. 頼みとする

9 ** **养（養）yǎng** ❶動（動物を）飼う ‖ ～了一只猫 ネコを1匹飼った ❷動 養う. 扶育する ‖ 这孩子是奶奶～大的 この子はおばあさんが育てた ❸動 出産する. 子供を産む ‖ 她～了三个女儿 彼女は3人の女の子を生んだ ❹動 保養する. 養生する ‖ 病刚好, 要好好儿～～身体 病気が治ったばかりだから, よく養生しなければならない ❺涵養（かんよう）する. 修養する ‖ 教～ たしなみ ❻育成する. 身につける ‖ 培～ 育成する ❼義理の. 育ての ‖ →～女 ❽（農作物や草花を）栽培する ‖ ～花 花を栽培する ❾動 助成する. 盛り立てる ‖ ～牧 畜産業を育成する ❿動（髪を）伸ばす.（ひげを）蓄える

【养兵千日, 用兵一时】yǎng bīng qiānrì, yòng bīng yīshí 諺 千日兵を養い, 一時に兵を用いる. いざというときのために常に準備していること

【养病】yǎng//bìng 動 療養する. 静養する

*【养成】yǎngchéng 動 身につける ‖ 从小～好习惯 小さい時からいい習慣を身につける

【养地】yǎng//dì 動〈農〉施肥や休耕などの手段により土地の養分を高める

*【养分】yǎngfèn 名 養分. 栄養分

【养父】yǎngfù 名 養父. 義父

【养虎遗患】yǎng hǔ yí huàn 成 虎（とら）を飼って災いを残す. 悪人を処分せずにおいて災いを招くこと

【养护】yǎnghù 動（建物や機械などを）修理保全する. 手入れをする ‖ ～公路 自動車道を補修する

*【养活】yǎnghuo 動 口 ❶扶養する. 養う ❷（動物を）飼育する ❸方 育てる. 生み育てる

【养家】yǎng//jiā 動 家族を養う

【养精蓄锐】yǎng jīng xù ruì 成 精力を養い力を蓄える

【养老】yǎng//lǎo 動 ❶老人に仕える. 老人の面倒をみる ❷隠居する

【养老金】yǎnglǎojīn 名 年金

【养老院】yǎnglǎoyuàn 名 養老院.〔敬老院〕ともいう

*【养料】yǎngliào 名 養分

【养路】yǎng//lù 動 道路および鉄道の補修や保線をする

【养母】yǎngmǔ 名 養母

【养女】yǎngnǚ 图 養女
【养气】yǎng//qì 動 書 ❶品徳を養う ❷(道家で)気を養う
【养人】yǎngrén 形 (環境や気候などが)人体によい
【养伤】yǎng//shāng 動 負傷して休養する. 傷を治療する ‖ 在医院～ 病院で傷を治療する
【养神】yǎng//shén 動 心を平静にして体をくつろがせる
【养生】yǎngshēng 動 養生する. 保養する
【养息】yǎngxī 動 休養する
【养性】yǎngxìng 動 人格を養い育てる修養する
【养眼】yǎngyǎn 形 見た目が美しい. 目を楽しませる ‖ 养胃又～ 消化がよく見た目も美しい
【养痈成患】yǎng yōng chéng huàn 成 できものを治療しないでおくと, ひどいことになる. 悪事や悪人を大目に見ていると災いのもとになること. 〔养痈遗患〕ともいう
*【养育】yǎngyù 動 養育する. 育てる
*【养殖】yǎngzhí 動 養殖する
【养子】yǎngzǐ 图 養子
【养尊处优】yǎng zūn chǔ yōu 成 高い地位にあって恵まれた豊かな生活をする

10 * **氧** yǎng 图〈化〉酸素(化学元素の一つ, 元素記号はO). ふつうは〔氧气〕という
【氧吧】yǎngbā 图 酸素バー
*【氧化】yǎnghuà 動〈化〉酸化する ‖ ～铁 酸化鉄
【氧化剂】yǎnghuàjì 图〈化〉酸化剤
【氧化物】yǎnghuàwù 图〈化〉酸化物
*【氧气】yǎngqì 图 酸素. 〔氧〕の通称

11 * **痒**(癢) yǎng ❶形 かゆい ‖ 发～ かゆい | 搔sāo～ かゆいところをかく ❷形 (何かをやりたくて)むずむずする. うずうずする ‖ 心里发～ やりたくてむずむずする
【痒痒】yǎngyang 形 口 ❶かゆい ‖ 挠náo～ かゆいところをかく ❷(何かをやりたくて)むずむずする. うずうずする ‖ 心里直～ やってみたい気持ちでいっぱいだ

yàng

8 **怏** yàng 不満である. 不快である
【怏怏】yàngyàng 形 書 不満不快に思うさま ‖ ～不乐 怏々(おうおう)として楽しまず. 心が晴れ晴れしないさま

10 **恙** yàng 書 病気 ‖ 贵～ ご病気 | 别来无～? 一別以来お元気でしたか

10 ** **样**(様) yàng (～儿) ❶图 (物の)形状. 格好 ‖ 花～ 模様 ❷图 (人の)様子. 見た目 ‖ 他的～一点儿也没变 彼の外見はぜんぜん変わっていない ❸图 手本. 見本. サンプル ‖ →～本 ❹图 (事態が展開する)様子. 状況 ‖ 看～要下雨 どうやら雨が降りそうだ ❺量 事物の種類を数える ‖ 两～货色 2種類の商品 | ～～儿在行zàiháng どの分野にも通じている
【样板】yàngbǎn 图 ❶〈機〉型板 ❷模範. 手本 ‖ ～田 模範田 ❸板状のサンプル
【样报】yàngbào 图 新聞の見本. 見本紙
【样本】yàngběn 图 ❶(商品などの)カタログ. 見本 ❷出版物の見本刷り
【样带】yàngdài 图 (録音・録画の)デモテープ
【样稿】yànggǎo 图 (出版審査に付するための)原稿
【样机】yàngjī 图 見本機. 試作機
【样刊】yàngkān 图 雑誌の見本. 見本誌
【样片】yàngpiàn (～儿) 图 試写フィルム
*【样品】yàngpǐn 图 サンプル. 見本 ‖ 陈列～, 恕shù不出售 展示の見本は勝手ながら販売いたしません
【样式】yàngshì 图 様式. 形. タイプ
【样书】yàngshū 图 出版物の見本刷り
★【样子】yàngzi 图 ❶表情. 様子 ‖ 熊猫的～真可爱 パンダの表情はほんとうにかわいい ❷形状. 格好 ‖ 新皮鞋的做工、～都很好 新しい革靴は細工もデザインもよい ❸見本. 手本. モデル ‖ 做个～给大家看 みんなに手本を見せる ❹形勢. 情勢. 成り行き ‖ 看～他今天不会来了 この分では彼は来そうにもない
【样子货】yàngzihuò 图 見本品. 多く, 見掛け倒しですぐだめになるものをたとえる

14 **漾** yàng ❶動 水面がかすかに揺れる ‖ 湖面上～起层层波纹 湖面にはさざ波が幾重にも立っている ❷動 液体があふれ出る ‖ 啤酒从杯子里～出来了 ビールがコップからあふれ出た

yāo

一 yāo 数 口 数字の1を表す. (〔一〕と〔七〕との混同を避けるために用いる) ➤ yī

3 **幺** yāo ❶方 (長幼の順で)最年少の. 末の ‖ ～叔 末の叔父 ❷旧 (さいころやマージャン牌で) 1を表す

4 **夭**[1] (△殀) yāo 夭折(ようせつ)する. 若くして死ぬ

4 **夭**[2] yāo 書 草木が茂るさま
【夭亡】yāowáng 動 夭折(ようせつ)する. 若くして死ぬ
【夭折】yāozhé 動 ❶夭折する. 若くして死ぬ. 〔夭殇shāng〕〔夭逝〕ともいう ❷喩 中途で失敗する

6 **吆** yāo 大声で叫ぶ
【吆喝】yāohe 動 声を張りあげる(物売りの声や家畜を追いたてる声などをさす)
【吆五喝六】yāo wǔ hè liù 慣 ❶(賭け事の)サイコロを振るときの掛け声. 賭博場の騒々しい声 ❷威張って人を叱りつける. 偉ぶる ✻〔吆三喝四〕ともいう

6 **约** yāo 動 口 (はかりで重さを)量る ‖ ～体重 体重を量る ➤ yuē

7 **妖**[1] yāo ❶妖怪(ようかい). 化け物 ‖ →～精 ❷でたらめな. 人を惑わすような ‖ →～术

7 **妖**[2] yāo ❶あでやかで美しい ‖ →～娆 ❷(多く女性が)なまめかしい ‖ →～艳
【妖风】yāofēng 图 転 よくない風潮
【妖怪】yāoguai ; yāoguài 图 妖怪. 化け物
【妖精】yāojing 图 ❶妖怪 ❷喩 男を惑わす女
【妖里妖气】yāoliyāoqì (～的) 形 女性の服装がけばけばしくなまめかしいさま
【妖媚】yāomèi 形 なまめかしい. 色っぽい
【妖魔】yāomó 图 妖怪. 悪魔
【妖魔鬼怪】yāo mó guǐ guài 成 妖怪や悪魔. 極悪非道な人のたとえ
【妖魔化】yāomóhuà 動 徹底的に悪者扱いする. 相手を恐るべき悪魔であるかのように言いふらす
【妖孽】yāoniè 图 書 ❶妖しく不吉なもの ❷妖怪や悪魔 ❸喩 悪事をはたらく人. 悪人
【妖娆】yāoráo 形 書 なまめかしい. あでやかである
【妖术】yāoshù 图 妖術. 魔術

【妖物】yāowù 名 妖怪のたぐい. 化け物

【妖言】yāoyán 名 妖言. 人を惑わす言葉

【妖艳】yāoyàn 形 妖艶(ようえん)である

【妖冶】yāoyě 形 なまめかしい. 色っぽい

9 **要** yāo ❶要求する. 求める ‖ →～求 ❷強迫する. おびやかす. 脅す ‖ →～挟 ➤ yào

★【要求】yāoqiú 動 要求する ‖ 老师～大家按时交作业 先生はみんなに宿題を期限どおりに提出するよう求めた 名 要求. 希望. 条件 ‖ 满足～ 要求を満たす | ～太高 要求が高すぎる

【要挟】yāoxié 動 要求をのませる. 強要する. 強制する

13 ** **腰** yāo ❶名 腰 ‖ 弯～ 腰を曲げる. かがむ | ～疼 腰が痛い ❷名 口 (食用の)腎臓 ‖ 猪～ ブタの腎臓 ❸名 ウエスト. 胴回り ‖ 这条裙子～肥了点儿 このスカートはウエストが少しゆるい ❹ふところ. ポケット ‖ ～里没钱了 ふところがすっからかんになった ❺(事物の)中間部分. 真ん中 ‖ 山～ 山の中腹

【腰板儿】yāobǎnr 名 ❶(人の)腰と背. 姿勢 ‖ 挺着～ 背筋をぴんと伸ばしている ❷体格 ‖ 八十岁了, ～还挺硬朗 80歳になっても, なおかくしゃくとしている

【腰包】yāobāo 名 財布. ウエストポーチ

【腰部】yāobù 名 腰部. 腰

【腰缠万贯】yāo chán wàn guàn 成 腰に万貫の金をまとう. 金持ちであること

【腰带】yāodài 名 ベルト. 帯. 〔腰带子〕ともいう

【腰杆子】yāogǎnzi 名 ❶腰 ❷喩 後ろ盾 ‖ ～硬 しっかりした後ろ盾がある ✻〔腰杆儿〕ともいう

【腰果】yāoguǒ 名〈植〉カシューナッツ

【腰花】yāohuā (～儿) 名〈料理〉ブタやヒツジの腎臓(じんぞう)に細かく切り目を入れたもの

【腰身】yāoshen ; yāoshēn 名 ❶胴回り. ウエスト ❷スタイル ‖ ～好 スタイルがいい

【腰腿】yāotuǐ (～儿) 名 足腰. 体力 ‖ ～不利索 足腰が弱っている | ～挺灵便 足腰がしっかりしている

【腰围】yāowéi 名 ❶胴回り. ウエストサイズ. 〔腰肥〕ともいう ❷腰に付ける幅広の帯

【腰眼】yāoyǎn (～儿) 名 ❶〈中医〉(体のつぼの一つ)腰眼(ようがん) ❷喩 鍵. キーポイント

【腰斩】yāozhǎn 動 ❶古 (刑罰の一つ)体を腰部で切断する ❷喩 断ち切る. 中途で打ち切る

【腰椎】yāozhuī 名〈生理〉腰椎(ようつい)

【腰子】yāozi 名 口 腎臓

16 * **邀** yāo ❶書 出迎える ❷書 求める. 望む ‖ ～官 官職を求める ❸動 (客を)招く. 招待する ‖ →～请 ❹遮る ‖ ～击 邀撃(ようげき)する

【邀宠】yāochǒng 動 迎合する. 取り入る

【邀功】yāogōng 動 人の功績を横取りする. 〔要功〕とも書く ‖ ～请赏 人の手柄を横取りして恩賞を願い出る

【邀集】yāojí 動 (大勢の人を)招く. 招き集める

【邀客】yāokè 動 客を招待する

【邀买】yāomǎi 動 味方につける. 買収する. 〔要买〕とも書く ‖ ～人心 人心を味方につける

**【邀请】yāoqǐng 動 招請する. 招く. 招待する ‖ ～信 招待状 | 发出～ 招待状を出す

【邀请赛】yāoqǐngsài 名〈体〉招待試合

【邀约】yāoyuē 動 招く. 招聘(しょうへい)する

yáo

4 **爻** yáo 名 易(えき)の卦(け)を組み立てる横画. 爻(こう)

6 **尧**(堯) yáo 名 堯(ぎょう). (伝説上の)帝王の名

【尧舜】Yáo Shùn 名 堯(ぎょう)と舜(しゅん) (伝説上の帝王) 転 聖人

【尧天舜日】Yáo tiān Shùn rì 成 太平の世

8 **侥**(僥) yáo ➡〔僬侥jiāoyáo〕 ➤ jiǎo

8 **肴**(△餚) yáo 魚や肉などの料理. 生臭物 ‖ 菜～ (一般に)生臭料理

【肴馔】yáozhuàn 名 書 酒肴(しゅこう). ご馳走

9 **姚** yáo 名 姓

10 **陶** yáo 人名用字 ‖ 皋Gāo～ 古代の伝説上の人物 ➤ táo

10 **珧** yáo ❶名〈貝〉タイラギ. タイラガイ ❷古 (刀や弓などの装飾に用いた)貝殻

11 * **窑**(△窰 窯) yáo ❶名 (れんが・かわら・陶器などを焼く)窯 ❷特に昔の有名な窯で焼いた陶磁器をさす ‖ 宣～ 明代宣徳年間に景徳鎮で焼かれた磁器 ❸名 (旧式の)炭坑 ❹横穴式住居 ‖ →～洞 ❺方 妓楼(ぎろう)

【窑洞】yáodòng 名 (山西省・陕西省・甘粛省などの黄土高原地域の)横穴式住居

【窑姐儿】yáojiěr 名 方 妓女(ぎじょ). 娼妓(しょうぎ)

【窑子】yáozi 名 方 妓楼

11 **铫** yáo 古 大きな鋤(すき) ‖ ～耨nòu 大小の鋤. 農具 ➤ diào

12 **谣** yáo ❶民間に伝承している歌謡 ‖ 民～ 民謡 ❷デマ ‖ 造～ デマを飛ばす

*【谣传】yáochuán 動 デマが飛ぶ ‖ ～他们俩要离婚 彼ら二人が離婚するといううわさが流れた 名 デマ. 根も葉もないうわさ ‖ 听信～ デマを信じる

*【谣言】yáoyán 名 根拠のないうわさ. 風説. デマ ‖ 散布～ デマをまき散らす | 揭穿jiēchuān～ デマを暴く

13 **遥** yáo ❶(距離が)遠い. はるかな ‖ →～远 ❷(時間が)はてしなく長い ‖ →～～

【遥测】yáocè 動 遠隔測定する

【遥感】yáogǎn 動 リモート・センシングで測定する

*【遥控】yáokòng 動 遠隔操作する. リモコン操作する

【遥望】yáowàng 動 遠くを眺める

【遥相呼应】yáo xiāng hūyìng 慣 遠い所にいながら互いに力を合わせる

【遥想】yáoxiǎng 動 見通す. 回想する

【遥遥】yáoyáo 形 ❶(距離が)遠いさま ‖ ～领先 遠く引き離す. 断然リードする ❷(時間が)長いさま ‖ 计划的实现还～无期 計画の実現はまだまだ先の話だ

*【遥远】yáoyuǎn 形 はるかに遠い ‖ 路途～ 道のりははるかに遠い | ～的异国 遠い異国

13 ** **摇** yáo 動 揺れる. 揺れ動く. 揺する ‖ ～扇子 扇子であおぐ | 他～了～手里的帽子 彼は手に持った帽子を振った

*【摇摆】yáobǎi 動 揺れる. 揺れ動く ‖ 柳丝随风～ ヤナギの枝が風に揺れる | 在这个问题上他一直～不定 この問題で彼はずっと気持ちが揺らいでいる

【摇船】yáo//chuán 動 舟をこぐ

【摇唇鼓舌】yáo chún gǔ shé 成 貶 ぺらぺらしゃべるさま．まくしたてるさま
【摇荡】yáodàng 動 ゆらゆらと揺れ動く
【摇动】yáo//dòng 動 ❶揺する．揺らす ❷(yáodòng)揺れる‖这颗kē牙有些～ この歯は少しぐらぐらする ❸揺らぐ．動揺する‖人心～ 人心が動揺する
【摇滚乐】yáogǔnyuè 名〈音〉ロックンロール．ロック
【摇撼】yáohan；yáohàn 動（木や建物などを）揺り動かす．激しく揺する．揺さぶる
*【摇晃】yáohuang；yáohuàng 動 揺れる．ぐらぐらする．振り動かす‖桌子腿ル～了 テーブルの脚がぐらつく
【摇篮】yáolán 名 ❶揺りかご ❷喩 揺籃(ようらん)．ものを育む時期や場所‖～期 揺籃期
【摇篮曲】yáolánqǔ 名 子守歌
【摇粒绒】yáolìróng 名〈紡〉フリース．〔抓绒〕ともいう
【摇旗呐喊】yáo qí nà hǎn 成 旗を振り鬨(とき)の声をあげて応援する．人の提灯(ちょうちん)持ちをするたとえ
【摇钱树】yáoqiánshù 名 金のなる木．労せずして金を得るための人や物にたとえる
【摇身一变】yáo shēn yī biàn 成 貶（態度などが）がらりと変わること．豹変(ひょうへん)する
【摇手】yáo//shǒu 動（左右に）手を振る．（禁止や否定を示す）名（yáoshǒu）（手で回す）ハンドル
【摇头】yáo//tóu 動 頭を左右に振る．首を振る．（否定・拒否・禁止などを示す）
【摇头摆尾】yáo tóu bǎi wěi 成 有頂天なさま．得意げなさま
【摇头晃脑】yáo tóu huàng nǎo 成 自己満足するさま．悦に入るさま
【摇头丸】yáotóuwán 名（麻薬の一種）エクスタシー．MDMA
【摇尾乞怜】yáo wěi qǐ lián 成 媚(こ)びへつらって人に取り入る
【摇摇欲坠】yáo yáo yù zhuì 成 ぐらぐらしていまにも倒れそうなさま．崩壊寸前である
【摇曳】yáoyè 動 ゆらゆら揺れる
【摇椅】yáoyǐ 名 揺り椅子．ロッキング・チェア

13 **徭** yáo 夫役．賦役(ふえき)
【徭役】yáoyì 名 旧 徭役(ようえき)

14 **瑶** yáo ❶書 美しい玉(ぎょく)‖琼qióng～ 美玉 ❷美しい．すばらしい‖～浆 美酒
【瑶池】Yáochí 名（神話で）西王母が住む所
【瑶族】Yáozú 名 ヤオ族（中国の少数民族の一つ，主として広西チワン族自治区に居住）

17 **繇** yáo 書 ❶〔徭yáo〕に同じ ❷〔谣yáo〕に同じ ➤ yóu zhòu

18 **鳐** yáo 名〈魚〉ガンギエイ

yǎo

8 **杳** yǎo 書（影も形も見えないほど）はるかに遠いさま‖～无音信 杳(よう)として音沙汰なし
【杳渺】【杳眇】yǎomiǎo 形 書 はるかに遠い．奥深い
【杳然】yǎorán 形 書 ひっそりとしているさま．影も形も見えないさま．消息がないさま
【杳如黄鹤】yǎo rú huáng hè 成 杳として行方が知れない．（人や物が）行方不明である

9 *** **咬**（△齩）yǎo ❶動 かむ．かじる‖太硬，～不动 とても固くてかみきれない ❷動（ペンチなどで）挟む．（歯車やボルトなどが）かみ合う‖用钳子qiánzi～住 ペンチで挟む ❸動（無関係な，あるいは罪のない人を）巻き添えにする‖被恶人～了一口 悪いやつに罪をなすりつけられた ❹動 言い張る．言い切る‖一～定 ❺動（字音を）正しく発音する‖这个字我～不准 私はこの字を正しく発音できない ❻動（文章の字句に）こだわる‖一～文嚼字 ❼動（イヌが）吠える‖狗～得厉害 イヌがしきりに吠える

> **類義語** 咬 yǎo 啃 kěn
> ◆〔咬〕力を入れてかむ．かみ切る．「パクッと」「ガブリと」勢いよくかむ‖我的苹果被弟弟咬去一大口 僕のリンゴを弟にガブリと一口かじられてしまった ◆〔啃〕少しずつかじる．「ガリガリ」「カリカリ」かじる‖他啃着玉米 彼はトウモロコシをかじっている

【咬定】yǎodìng 動 言い切る．言い張る‖一口～ きっぱりと言い切る
【咬耳朵】yǎo ěrduo 慣 ひそひそ話をする．内緒話をする
【咬合】yǎohé 動 かみ合う．かみ合わせる
【咬紧牙关】yǎojǐn yáguān 慣 歯を食いしばる
【咬舌ル】yǎoshér 動 舌がよく回らない．舌足らずである 名 舌足らずの人．〔咬舌子〕ともいう
【咬文嚼字】yǎo wén jiáo zì 成 文章の字句にばかりこだわる
【咬牙】yǎo//yá 動 ❶（怒りに）歯ぎしりする．（苦痛に）歯を食いしばって耐える ❷（睡眠中に）歯ぎしりする
【咬牙切齿】yǎo yá qiè chǐ 成 歯ぎしりする．憤慨したり残念がったりすること
【咬字ル】yǎo//zìr 動（言葉を一字一字）発音する．発声する‖～不准 発音が正しくない
【咬字眼ル】yǎo zìyǎnr 慣（他人の文章の）字句をあげつらう．あら探しをする
【咬嘴】yǎo//zuǐ 動 舌がもつれる．言いにくい

10 **窈** yǎo ↴
【窈窕】yǎotiǎo 形 書 ❶（容姿などが）上品で美しい．もの静かで麗しい ❷奥深くひっそりとしたさま

10 **舀** yǎo 動（ひしゃくなどで）くむ．すくう‖～了一勺sháo汤 スープをひとさじすくった
【舀子】yǎozi 名 ひしゃく．〔舀ル〕ともいう

yào

9 ★ **药**（藥）yào ❶名 薬‖吃～ 薬を飲む ❷書 薬で治す‖不可救～ 救いようがない ❸動 薬剤で殺す‖～虫子（殺虫剤で）虫を退治する ❹化学作用のある物質‖炸～ 爆薬
【药补】yàobǔ 動 栄養剤で体に栄養をつける
*【药材】yàocái 名 漢方薬の原材料．生薬(しょうやく)
【药草】yàocǎo 名 薬草
【药叉】yàochā ＝〔夜叉yèchā〕
【药典】yàodiǎn 名 薬局方（薬品の名称・性質・形状・成分などを法律によって記した政府刊行物）
【药店】yàodiàn 名 薬屋．薬店．薬局
*【药方】yàofāng（～ル）名 ❶処方 ❷処方箋
【药房】yàofáng 名 ❶薬屋．薬店．薬局 ❷（病院

Y

内の)薬局. 調剤室
【药膏】yàogāo 图 膏薬. 塗り薬
【药罐子】yàoguànzi 图 ❶薬を煎(せん)じる土鍋 ❷ 喩 貶 薬ばかり飲んでいる人. 病気の問屋のような人
【药剂】yàojì 图 薬剤
【药检】yàojiǎn 動 ❶薬品検査をする ❷ドーピング・テストをする. 薬物検査をする
【药劲儿】yàojìnr 图 薬の効き目. 薬の効能. 薬効
【药酒】yàojiǔ 图 薬用酒
【药具】yàojù 图 薬品と医療器具. とくに避妊薬・避妊具をさす
【药理】yàolǐ 图 薬理 ‖ ～学 薬理学
【药力】yàolì 图 薬の効き目. 薬効
【药棉】yàomián 图 脱脂綿
【药捻儿】yàoniǎnr 图 導火線
【药片】yàopiàn (～儿) 图 錠剤
*【药品】yàopǐn 图 薬品 ‖ ～仓库 薬品倉庫
【药铺】yàopù 图 (主に漢方薬を扱う)薬屋. 薬局
【药膳】yàoshàn 图 薬膳(やくぜん)
【药石】yàoshí 图 薬と石鍼(いしばり) ‖ ～罔 wǎng 效 薬石効なし ‖ ～之言 過ちを改めるよう忠告する言葉
*【药水】yàoshuǐ (～儿) 图 水薬
【药丸】yàowán (～儿) 图 丸薬. 〔药丸子〕ともいう
【药味】yàowèi 图 ❶〈中薬〉薬材 ❷(～儿)薬の味やにおい
*【药物】yàowù 图 薬物 ‖ ～过敏 薬物アレルギー
【药性】yàoxìng 图 薬の性質
【药引子】yàoyǐnzi 图〈中薬〉主薬の薬効を増強する薬. 引子(いんし). 薬引(やくいん)
【药皂】yàozào 图 薬用石けん
【药枕】yàozhěn 图 薬草枕. 漢方草薬を詰めた枕

9 **钥(鑰) yào** ↴ ➤ yuè

*【钥匙】yàoshi 图 鍵. キー ‖ 配～ 合い鍵を作る

9 **要**[1] **yào** ❶主要な内容. 要点 ‖ 纲～ 概要 ❷重要である. 重大である ‖ 一～职

9 ★**要**[2] **yào** ❶動 欲しい. 保有したい ‖ 她想～一件红裙子 彼女は赤いスカートを欲しがっている ❷動 (ものを)求める. もらう ‖ 他跟妈妈～了十块钱 彼はお母さんに10元もらった ❸動 (人に…する よう)求める. 頼む ‖ 他～我帮忙 彼は私に手伝いを頼んだ ❹動 (時間や費用などが)かかる. 必要とする ‖ 骑车去～一个小时 自転車で1時間かかる ❺助動 (意志を表す)…したい. …するつもりだ ‖ 我一定～去 私は必ず行くつもりだ ❻助動 (可能性を表す)…しそうだ. …するだろう ‖ 穿这么少～着凉 zháoliáng的 そんなに薄着だと風邪を引きますよ ❼助動 (多く文末に〔了〕を付けて)もうすぐ…する. …しそうだ ‖ 快～下雪了 雪が降りそうだ ❽助動 (必要を表す)…しなければならない. …すべきである ‖ 饭前～洗手 食事の前には手を洗わなければならない ❾助動 (必然的な趨勢(すうせい)を表す)必ず…する ‖ 人总是～死的 人はいずれ死ぬものだ ❿助動 (推量を表す) (比較して)…だろう. …のよう ‖ 他学的时间比我～长得多 彼の習った期間は私よりずっと長いはずだ ⓫助動 (習慣や傾向を表す)よく…する. いつも…する ‖ 睡觉前他～做一会儿气功 就寝前に彼はいつも気功をする

9 *要[3] **yào** ❶接 (仮定を表す)もし…なら ‖ 你脾气真好, ～我早火儿了 君はほんとうにやさしいね, 私だったらとっくに怒り出してるよ ❷接 (〔要就…〕の形で重ねて用い選択を表す) …するか, または…する. …でなければ…である ‖ ～就你去, ～就我去, 反正得有人去一趟 あなたが行くか, 私が行くか, いずれにせよ, 誰かが行かなければならない ➤ yāo

> **類義語** 要 yào … 了 le 快 kuài … 了 / 快要 kuàiyào … 了 / 就要 jiù yào … 了
>
> ◆〔要…了〕もうすぐ…する. 〔…〕の部分には, 動詞(句)・形容詞(句)が入る ‖ 要下雨了 雨が降りそうだ ◆〔快…了〕〔快要…了〕時間がより切迫している感じを表す. 〔…〕には動詞(句)・形容詞(句)が入る. 〔快…了〕ではほかに数量詞, 時や季節を表すような名詞も入る ‖ 快(×快要)春节了 もうすぐ春節だ ◆〔就要…了〕さらに時間が切迫していることを強調する. 〔…〕には, 動詞(句)・形容詞(句)が入る. また時間詞, あるいは時間を表す副詞とともに用いることができる. 〔快要…了〕は〔已经〕〔都〕に限られ, 具体的な時間を表す語とは用いられない ‖ 七月底就要(×快要)放暑假了 7月末には夏休みになる

【要隘】yào'ài 图 要害. 要所
【要案】yào'àn 图 重要な訴訟事件. 重大事件
*【要不】yàobù 接 ❶でなければ. さもなければ ‖ 得赶快走, ～就晚了 急いで行こう, でないと遅れてしまう ❷なんなら. よかったら. いっそ ‖ 你一个人恐怕拿不了, ～我跟你一起去吧 君一人ではおそらく持ちきれないだろう, なんなら私が一緒に行ってやろうか ❸(〔要不…, 要不…〕の形で用いて) …するか, または…する ‖ 你定时间吧, ～今天, ～明天 今日にするか, 明日にするか, 君が決めてくれ ＊〔要不然〕ともいう
*【要不得】yàobude 動 我慢できない. なってない
*【要不然】yàoburán ＝〔要不yàobù〕
*【要不是】yàobushì 接 もし…でなかったら ‖ ～抢救 qiǎngjiù及时, 病人就没命了 すぐに応急手当てをしなかったら, 患者の命はなかっただろう
【要冲】yàochōng 图 要衝 ‖ 海上～ 海上の要衝
*【要道】yàodào 图 ❶要路 ❷重要な道理や方法
【要得】yàodé 形 方 (同意・肯定を表す)結構だ. よい
【要地】yàodì 图 (軍事上の)要地
*【要点】yàodiǎn 图 ❶(言葉や文章などの)要点. かぎ. 勘所 ‖ 抓住～ 要点をつかむ ❷要所. 要衝
【要犯】yàofàn 图 重要な犯罪者. 重要犯
【要饭】yào//fàn 動 物乞いをする
*【要害】yàohài 图 ❶(人体や事物の)急所 ‖ ～部位 急所 ❷(軍事上の)要害. 要所
*【要好】yàohǎo 形 ❶仲がよい ‖ 他俩很～ あの二人はとても仲がいい ❷向上心に富んでいる
【要好看】yào hǎokàn (～儿) 慣 恥をかかせる. 醜態を演じさせる. 顔をつぶさせる
【要谎】yào//huǎng 動 方 (客に)値段をふっかける
【要价】yào//jià 動 ❶(～儿) (売り手が)代金を請求する. 支払いを求める ❷喩 折衝する. 条件を出す
【要价还价】yào jià huán jià 慣 ❶値段の掛け引きをする ❷(仕事や交渉のうえで)いろいろな条件をつける. 注文をつける. 掛け引きをする ＊＝〔讨价还价〕
【要件】yàojiàn 图 ❶重要書類 ❷重要な条件
【要津】yàojīn 图 ❶重要な渡し場. 水陸交通の要所 ❷喩 顕要な地位 ‖ 位居～ 要職に就いている
**【要紧】yàojǐn 形 ❶重要である. 大事である. 肝要である ‖ 治病～ 病気を治すことが肝要だ ❷厳しい.

切実だ ‖ 不～ 大丈夫だ 圖方 急いで
【要诀】yàojué 图 秘訣. こつ
【要脸】yào//liǎn 動(多く否定や反語に用いて)メンツを保つ. 面目を重んじる ‖ 真不～ 恥知らずめ
*【要领】yàolǐng 图(話や文章, または技能習得などの)要領. 要点. こつ ‖ 不得～ 要領を得ない
【要略】yàolüè 图 要略. 大要. (多く書名に用いる)
*【要么】【要末】yàome 接 ❶さもなければ. でなければ ‖ 最好能托人带来, ～我去取一趟 できれば人に頼んで持ってこさせてください, さもなければ私が取りに行きます ❷(〔要么…, 要么…〕の形で) … か, または … か. … でなければ … である ‖ ～你来, ～我去 あなたが来るか, 私が行くか
【要面子】yào miànzi 慣 メンツを重んじる. 体面を気にする
*【要命】yào//mìng 動 ❶命を奪う ❷(程度が)ひどくなる ‖ 困得～ 眠くてたまらない ❸閉口する. 困る ‖ 真～, 钥匙又找不到了 困った, 鍵がまた見当たらない
【要目】yàomù 图 重要な項目. 要目
【要强】yàoqiáng 形 負けん気が強い. 向こう意気が強い
【要人】yàorén 图 要人. 重要人物
【要塞】yàosài 图 要塞
【要事】yàoshì 图 重要な事柄. 要件
★【要是】yàoshi 接(仮定を表す)もしも. もし … なら ‖ ～有事不能去的话, 一定事先告诉你 もしも都合が悪くて行けない場合には, 必ず事前にご連絡します
【要死】yàosǐ 動(程度が)ひどい. ひどく … である ‖ 累得～ 疲れてくたくただ ｜ 菜咸得～ 料理がひどく塩辛い
【要死不活】yào sǐ bù huó 慣 いまにも死にそうである
【要死要活】yào sǐ yào huó 慣 死ぬの生きるのと騒ぐ ‖ 哭得～的 死ぬの生きるのと泣き騒ぐ
*【要素】yàosù 图 要素. 要因
*【要闻】yàowén 图 重大ニュース
【要务】yàowù 图 重要な任務
【要言不烦】yào yán bù fán 成 言葉が要を得ていること. (話や文章などが)まとまっていて要を得ていること
【要义】yàoyì 图 重要な内容や道理
【要员】yàoyuán 图 要人 ‖ 政府～ 政府の要人
【要职】yàozhí 图 要職 ‖ 身居～ 要職に就いている
【要旨】yàozhǐ 图 主要な意味. 要旨. 主意

15 **鹞** yào 图〈鳥〉ハイタカ ＝〔雀鹰quèyīng〕

18 **曜** yào 書 ❶日光. 日差し ❷照り輝く ❸太陽と月と星をさす

20 **耀**(△燿) yào ❶輝く. 光る ‖ 照～ 照り輝く ❷ひけらかす. 顕示する ‖ 夸～ 自慢する ❸光栄である. 栄誉である ‖ 荣～ 光栄である ❹光. きらめき ‖ 光～夺目 目を奪うほどの輝き
【耀武扬威】yào wǔ yáng wēi 成 武力を誇示して威勢を見せつける
*【耀眼】yàoyǎn 形 まぶしい

yē

8 **耶** yē ↴ ➤ yé
【耶和华】Yēhéhuá 图 外〈宗〉エホバ. ヤーウェ
【耶稣】Yēsū 图 外〈宗〉イエス
【耶稣教】Yēsūjiào 图〈宗〉新教. プロテスタント

11 **掖** yē ❶動(ポケットやすきまなどに)突っ込む. 挟み込む ‖ 把笔记本～在口袋里 手帳をポケットに押し込む ❷動 隠す ‖ 我没～着没藏着, 知道的都告诉你们了 私は隠しだてなどしていない, 知っていることはみんな君たちに話した ➤ yè

12 **椰** yē 图〈植〉ヤシ. ココヤシ. ふつうは〔椰子〕という
【椰蓉】yēróng 图 ココナッツの果肉を粉末状にしたもの. 菓子の餡(あん)に用いる
【椰汁】yēzhī 图 ココナッツ・ミルク
【椰子】yēzi 图〈植〉ヤシ. ココヤシ

15 **噎** yē ❶動(食べ物が)のどに詰まる ‖ 慢点儿吃, 别～着 のどにつかえないように, ゆっくり食べなさい ❷動(心理的要因や吹きつける風で)息ができない ❸動 方(言葉で逆らって)相手の口をふさぐ. 黙らせる ‖ 他这话太～人 彼のその言い方はきつすぎる

yé

6 **邪** yé 助 書 文末に用い, 疑問や反語の語気を表す ‖ 是～, 非～ 是か非か ➤ xié

6 **爷**(爺) yé ❶書 父親 ❷祖父. 祖父と同世代の男性の呼称 ‖ 一～～ ❸父と同世代または年長の男性に対する敬称 ‖ 大～ おじさん ❹旧 役人や地主などに対する呼称 ‖ 老～ だんな様 ❺神仏に対する呼称 ‖ 阎Yán王～ 閻魔(えんま)様
【爷们】yémen 图 方 ❶男性. (単数にも用いる) ‖ 老～ 男の人 ❷夫
【爷们儿】yémenr 图 方 ❶年長の男性と年少の男性を合わせて言う呼称 ❷(親しみを込めた)男性同士の呼称
【爷儿】yér 图 口 年長の男性と下の世代の者を合わせて言う呼称 ‖ ～俩 父子二人
【爷儿们】yérmen 图 口 年長の男性と年少の男性を合わせて言う呼称
**【爷爷】yéye 图 ❶(父方の)おじいさん. 祖父 ❷祖父と同じ世代または同じくらいの年齢の人に対する呼称 ‖ 李～ 李おじいさん ｜ 老～ おじいさん

8 **耶** yé ❶助 書 文末に用い, 疑問や反語の語気を表す ❷古〔爷yé ❶〕に同じ ➤ yē

11 **揶** yé ↴
【揶揄】yéyú 動 書 揶揄(やゆ)する. からかう

yě

3 **也**[1] yě ❶助 古 ①(文末に用い, 判断または説明の語気を表す) … である. … だ ②(文末に用い, 疑問・反問・感嘆・命令の語気を表す) … か ❷助 古 文中の区切りを表す

3 ★**也**[2] yě ❶副(複文に用い, 二つまたはそれ以上の事柄が並列・対峙(たいじ)していることを表す) … もあり, … もある ‖ 他～会唱歌, ～会跳舞 彼は歌も歌えるし, ダンスも踊れる ❷副(単文に用い, 暗に事柄が同じであることを表す) … も. … もまた ‖ 那件事我～听说了 あのことなら私も聞いている ❸副 ①(前提や仮定にかかわらず, 結果は同じであることを表す) … であっても ‖ 再忙～得抽时间学习 どんなに忙しくても時間を割いて勉強しなければならない ②(並列する複文に用い, 結果は同じであることを表す) … であろうと …, … で

Y

あろうと … ‖ 说～不好, 不说～不好 話すのも具合が悪いが, 話さないわけにもいかない ❹副(否定文に用い, 強調を表す) … さえも ‖ 一次～没去过 一度も行ったことがない ❺副 婉曲の語気を表す ‖ 这事～不能怪他 これは彼のせいとはいえないだろう

【也罢】[1] yěbà 助(容認やあきらめの意を表す)まあいいだろう. いたしかたない ‖ 不去～, 在家好好ㄦ休息一下 行かなくてもよかろう, 家でゆっくり休みなさい

【也罢】[2] yěbà 助(〔… 也罢 … 也罢〕の形で) … であれ, … であれ. … であろうと, … であろうと ‖ 中餐～, 西餐～, 能填饱tiánbǎo肚子就行 中華であれ洋食であれ, 要するに腹いっぱいになりさえすればいい

【也好】yěhǎo 助(〔… 也好 … 也好〕の形で) … にしろ … にしろ. … であれ, … であれ ‖ 去～, 不去～, 快给人家一个答复 行くにしろ行かないにしろ, 早く先方に返事をしておきなさい

【也就是说】yě jiùshì shuō 組 つまり … である

【也门】Yěmén 图〈国名〉イエメン

★【也许】yěxǔ 副 もしかしたら … だろう. … かもしれない ‖ 仓库里～还有存货 倉庫にまだ在庫があるかもしれない

類義語 也许 yěxǔ 恐怕 kǒngpà

◆〔也许〕はっきり肯定はできないが「… かもしれない」ということを表す. よいことにも悪いことにも使う ‖ 他也许不来了 彼は来ないかもしれない ◆〔恐怕〕よくないことやマイナス面の予想や, その心配・不安を表す. おそらくは …, たぶん … ‖ 三天, 恐怕来不及 3日では, おそらく間に合うまい ◆〔也许〕は繰り返し用いることができるが, 〔恐怕〕はできない ‖ 也许明天去, 也许后天去 明日行くかもしれないし, あさって行くかもしれない

7 冶[1] yě (金属を)製錬する ‖ 一～金

7 冶[2] yě 書 形(女性の装いが)なまめかしい ‖ 妖～ なまめかしくあでやかである

*【冶金】yějīn 動 製錬する ‖ ～学 冶金(やきん)学

*【冶炼】yěliàn 動(金属を)製錬する

11 * 野(△埜 壄) yě ❶町から離れた所. 郊外. 野原 ‖ 原～ 原野 ❷在野. 民間にいること ‖ 下～ 下野する ❸形 粗野である. 横暴である ‖ 粗～ 粗野である ❹形 勝手気ままである. 束縛されない ‖ 这孩子心玩ㄦ～了 この子はすっかり遊び癖がついてしまった ❺形 野生の ‖ ～花 野生の花 ❻正式でない. 非合法の ‖ 一～种 ❼飼い主のいない(家畜). 野良の ‖ ～狗 野良犬 ❽限界. 範囲 ‖ 视～ 視野

【野菜】yěcài 图 食用にできる野草. 山菜

【野餐】yěcān 動 野外で食事をする. ピクニックをする 图 野外でとる食事

【野炊】yěchuī 動 野外で煮炊きする

【野地】yědì 图 野. 野原

【野调无腔】yě diào wú qiāng 成(ものの言い方や態度が)粗野で礼儀をわきまえない

【野火】yěhuǒ 图 野火

【野鸡】yějī 图 ❶〈鳥〉キジ. 〔雉zhì〕の通称 ❷旧 街娼(がいしょう) 形 もぐりの. 非正規の

【野马】yěmǎ 图〈動〉モウコノウマ

*【野蛮】yěmán 形 ❶野蛮である ‖ ～人 未開人 ❷粗野である. 荒々しい ‖ ～行为 粗暴な行為

【野猫】yěmāo 图〈動〉❶野良ネコ ❷方 ノウサギ

【野牛】yěniú 图〈動〉ガウア

【野禽】yěqín 图 野鳥. 野禽(やきん)

【野趣】yěqù 图 野趣. 技巧的でない粗削りな趣

【野人】yěrén 图 ❶古 農夫 ❷野人(やじん). 粗野な人 ❸未開人

*【野生】yěshēng 形 野生の ‖ ～动物 野生動物

【野食ㄦ】yěshír 图 ❶(鳥獣が)自然界で捕る餌 ❷喩 本職以外で入手した所得. 不当な副収入

【野史】yěshǐ 图 野史. 民間で書かれた歴史書

*【野兽】yěshòu 图 野獣. けもの

【野兔】yětù 图〈動〉ノウサギ. 地方によっては〔野猫〕ともいう

*【野外】yěwài 图 野外. 郊外 ‖ ～作业 野外作業

【野外工作】yěwài gōngzuò 图 フィールド・ワーク

【野味】yěwèi 图(食用にする)猟の獲物の肉

【野物】yěwù 图 野生動物. 野獣と野禽

*【野心】yěxīn 图 野心. 野望 ‖ ～家 野心家 | ～勃勃bóbó 野望がむらむらと起こるさま

【野性】yěxìng 图 野性. 野放図な性格

【野鸭】yěyā 图〈鳥〉マガモ. 〔凫〕〔绿头鸭〕ともいう

【野营】yěyíng 動 野営する. キャンプをする

【野游】yěyóu 動 野外へ遊びにいく

【野战】yězhàn 動〈軍〉野戦をする

【野战军】yězhànjūn 图〈軍〉野戦軍

【野种】yězhǒng 图 罵 私生児. ててなし子

【野猪】yězhū 图〈動〉イノシシ

yè

5 叶(葉) yè ❶图(～ㄦ)葉. ふつうは〔叶子〕という ‖ 树～ 木の葉 ❷葉(よう). 時期. ころ ‖ 十五世纪末～ 15世紀末葉 ❸形状が葉に似ているもの ‖ 肺～ 肺葉 ❹ページ ‖ 册～ 画帖(がじょう) ➤ xié

【叶柄】yèbǐng 图〈植〉葉柄

【叶公好龙】Yè Gōng hào lóng 成 葉公(しょうこう)竜を好む. うわべだけで真に好んでいるわけではないこと

【叶绿素】yèlǜsù 图〈生化〉葉緑素. クロロフィル

【叶绿体】yèlǜtǐ 图〈生化〉葉緑体

【叶落归根】yè luò guī gēn 成 葉落ちて根に帰る. 他郷に暮らす人もいずれは故郷に帰るたとえ

【叶脉】yèmài 图〈植〉葉脈

【叶片】yèpiàn 图 ❶〈植〉葉身 ❷〈機〉(タービンなどの)翼板. 羽根

**【叶子】yèzi 图 ❶口 葉 ❷方(遊戯用の)カルタ ❸方 茶の葉

5 业[1](業) yè ❶学業. 学習の内容と課程 ‖ 课～ 学業 | 毕～ 卒業する

5 业[2](業) yè ❶職業. (個人が生計を立てるための)仕事 ‖ 就～ 就職する ❷職業の種類. 業種 ‖ 商～ 商業 ❸(ある種の職業を)仕事とする. 従事する ‖ ～农 農業に従事する ❹事業 ‖ 一～绩 ❺財産 ‖ 家～ 家財

5 业[3](業) yè すでに ‖ 一～已

5 业[4](業) yè 〈仏〉業(ごう). 罪業(ざいごう) ‖ ～缘 因縁

【业大】yèdà 图 業余大学. 〔业余大学〕の略

【业户】yèhù 图 商工業の経営者. 業者

【业绩】yèjì 图 業績. 功績. 手柄
【业界】yèjiè 图 方 業界
【业精于勤】yè jīng yú qín 成 学業は一生懸命励むことによって進歩する
【业内】yènèi 图 ある業界や業務の範囲内 ‖ ～人士 業界内の人
【业态】yètài 图 業務や経営の形態. 業態
【业外】yèwài 图 ある業界や業務の範囲外
【业务】yèwù 图 **業務. (専門の)仕事 ‖ 精通～ 業務に精通している | ～范围 業務の範囲
【业已】yèyǐ 副 書 (主に公文書で)すでに
【业余】yèyú 形 ❶勤務時間外の. 余暇の** ‖ ～时间 余暇 ❷**専門外の. 素人の** ‖ ～作家 本業の余暇に文学創作をする作家. 業余作家
【业余大学】yèyú dàxué 图 業余大学. 社会人を対象とする大学の一種. 略して〔业大〕ともいう
【业余教育】yèyú jiàoyù 图 (勤務時間外の)余暇を利用して行われる教育
【业者】yèzhě 图 業者
【业主】yèzhǔ 图 事業主. 経営者

6 **曳** yè 引く. 引っ張る ‖ 拖～ 牽引(けんいん)する
【曳光弾】yèguāngdàn 图〈軍〉曳光弾(えいこうだん)

6 ★**页**(頁) yè ❶(本・絵・紙などの)一面. ページ ‖ 活～ ルーズ・リーフ ❷量 **ページ** ‖ 请翻到第二～ 2ページ目を開いてください
【页码】yèmǎ (～儿) 图 ページ数を示す数字. ノンブル
【页面】yèmiàn 图 ❶雑誌や本の各ページ ❷〈通信〉ウェブサイトの各ページ
【页心】yèxīn 图〈印〉❶版面 ❷(線装本の)紙の折り目の部分

7 **邺**(鄴) yè 古代の地名. 現在の河南省安陽の北部一帯にあった

8 ★**夜**(△亱) yè 图 **夜** ↔〔日〕〔昼〕‖ 半～ 夜中 | 熬áo～ 徹夜する
*【夜班】yèbān 图 夜勤. 夜間勤務
【夜半】yèbàn 图 夜の12時前後. 夜中
【夜不闭户】yè bù bì hù 成 夜間に戸締まりをしないで眠れる. 社会の治安がよいたとえ
【夜餐】yècān 图 夜食
【夜叉】yècha ; yèchā 图〈仏〉夜叉(やしゃ). 転 容貌(ようぼう)が醜く凶悪な人. 〔药叉〕ともいう
【夜长梦多】yè cháng mèng duō 成 夜が長ければ見る夢も多い. 時間が長引くと, 状況も変化して面倒なことが起こりやすいこと
*【夜车】yèchē 图 ❶夜行バス. 夜行列車 ❷徹夜で仕事をしたり勉強をしたりすること ‖ 开～ 徹夜する
【夜大学】yèdàxué 图 夜間大学. 大学の夜間部. 略して〔夜大〕ともいう ‖ 上海外国语大学～ 上海外国語大学夜間部
【夜光表】yèguāngbiǎo 图 夜光時計
【夜壶】yèhú 图 (旧式の陶器製の)しびん
*【夜间】yèjian ; yèjiān 图 夜. 夜間
【夜景】yèjǐng 图 夜景
【夜空】yèkōng 图 夜空
【夜来】yèlái 图 書 ❶昨日 ❷夜間
【夜来香】yèláixiāng 图〈植〉ガガイモ科のつる性植物. イエライシャン
【夜郎自大】Yèláng zì dà 成 夜郎自大. 身の程をわきまえないで尊大ぶること. 鳥なき里のこうもり
【夜里】yèli 图 **夜中. 夜
【夜盲】yèmáng 图〈医〉鳥目. 夜盲症. 地方によっては〔雀qiǎo盲眼〕ともいう
【夜猫子】yèmāozi 图 方 ❶〈鳥〉フクロウ. ミミズク ❷喩 夜更かしが好きな人. 宵っ張り
【夜明珠】yèmíngzhū 图 (伝説上の)夜光の珠. 夜または暗やみの中でも光を放つという真珠
【夜幕】yèmù 图 夜のとばり
【夜曲】yèqǔ 图〈音〉夜想曲. ノクターン
【夜色】yèsè 图 夜景. 夜の気配
【夜生活】yèshēnghuó 图 (都会の)夜の生活
【夜市】yèshì 图 夜の市. 夜店
【夜晚】yèwǎn 图 **夜. 晩 ‖ 宁静的～ 静かな晩
【夜袭】yèxí 图〈軍〉夜襲
*【夜宵】【夜消】yèxiāo (～儿) 图 夜食
*【夜校】yèxiào 图 夜学. 夜間学校. 〔夜学〕ともいう
【夜以继日】yè yǐ jì rì 成 夜を日に継いで. 昼夜の別なく(働く). 〔日以继夜〕ともいう
【夜莺】yèyīng 图〈鳥〉コマドリ属の俗称
【夜游神】yèyóushén 图 喩 夜遊びの好きな人
【夜战】yèzhàn 動 夜間に戦闘を行う. 転 夜業をする. 徹夜する
【夜总会】yèzǒnghuì 图 ナイトクラブ

9 **咽** yè (悲しみのあまり)声が詰まる. むせぶ ‖ 悲～ 悲しみにむせぶ ➤ yān yàn

10 **烨**(燁 △爗) yè 古 明るい. 光り輝いている

10 **晔**(曄) yè 古 盛んである. 生気に満ちている

11 **谒** yè 書 目上の人に会う. 謁見する ‖ 拜～ 拝謁する | 进～ 参上してまみえる
【谒见】yèjiàn 動 謁見する

11 **液** yè 液. 液体 ‖ 唾tuò～ だ液 | 溶～ 溶液 | 汁zhī～ 液汁
【液化】yèhuà 動 ❶〈物〉液化する ‖ ～石油气 液化石油ガス. LPG. ❷〈医〉液化する
【液化气】yèhuàqì 图 液化石油ガス. LPガス
【液晶】yèjīng 图〈物〉液晶
【液态】yètài 图〈物〉液態. 液体 ‖ ～气体 液体ガス
*【液体】yètǐ 图 液体 ‖ ～燃料 液体燃料
【液压机】yèyājī 图 (油圧機など)液圧式の機械

11 **掖** yè 手を添えて助ける. 引き立てる. 激励する ‖ 奖～ 励まし抜擢(ばってき)する ➤ yē

12 **腋** yè ❶〈生理〉わきの下. ふつうは〔夹肢窝gāzhiwō〕という ❷キツネのわきの下の毛皮 ❸生物体でわきの下のような部分 ‖ ～芽 わき芽
【腋臭】yèchòu 图〈医〉腋臭(えきしゅう). わきが
【腋毛】yèmáo 图 わき毛
【腋窝】yèwō 图〈生理〉わきの下

15 **靥**(靨) yè えくぼ. ふつうは〔酒窝儿jiǔwōr〕という ‖ 笑～ えくぼ. 笑顔

yi

1 ★**一** [1] yī ❶数 1. 一つ ‖ ～张纸 1枚の紙 ❷形 同じである ‖ 这不是～回事 これは同じことではない ❸形 **すべての. 全部の. 全体の** ‖ ～头汗 顔中汗まみれ ❹専一である. 混じり気がない ‖ 一～心～意 ❺代 (全体の中の)各々. それぞれ ‖ ～年一次

年に1回 ❻代(特定できない人や事物をさす)ある… ‖有～年 ある年 ❼代ほかの．別の‖土豆～名马铃薯shǔ “土豆”(ジャガイモ)は一名を“马铃薯”という ❽副 いきなり．突然‖右手～挥 右手をさっと振る ❾副(ある動作や状況が発生した後，すぐに別の動作や状況が現れることを表す) …するとすぐ…．…するやいなや…．(〔就〕〔便〕などと呼応する)‖～看就明白 ちょっと見ただけで分かる ❿数(重ねた単音節動詞の間，または，動詞と動量詞の間に置き，その動作を1回または短時間行う，あるいは試みに行うことを表す)ちょっと…する．少し…してみる‖让我看～看 私にちょっと見せて ✻第4声の前では第2声に変調し，第1声・第2声・第3声の前では第4声に変調する．また，単独で読むとき，文末にくるとき，序数のときは変調しない

一[2] yī 名〈音〉中国の伝統音楽の階名の一つで，音符としても用いる．西洋音楽のシに相当する ⇒〔工尺gōngchě〕 ➤ yāo

【一把好手】yī bǎ hǎoshǒu 名 有能な人．腕のいい人．ベテラン．やり手．〔一把手〕ともいう

*【一把手】yī bǎ shǒu 名 ❶一員．メンバー ❷有能な人．できる人．やり手．〔一把好手〕ともいう ❸ナンバーワン．第一人者 =〔第一把手〕

【一把抓】yī bǎ zhuā 組 ❶一手に握る．なんでも一人でやりたがる ❷物事の重要性や緊急性を考慮に入れず，一度に処理する

【一败涂地】yī bài tú dì 成 一敗地にまみれる

★【一般】yībān 形 ❶普通である．一般的である‖学习成绩～ 学業成績は普通である｜我～在家吃晚饭 私はふつう家で夕飯を食べます ❷同じである．同様である‖她跟我儿子～大 彼女は私の息子と同じ年だ ❸一種の‖别有～风味 一種異なった味わいがある 助…のように．…のような‖汽车飞～地驶过shǐguò 車が飛ぶように通り過ぎる

【一般见识】yībān jiànshi 組 程度の低い人と大人気なく争う

【一斑】yībān 名 一斑(いっぱん)．(全体のうちの)一部分

【一板一眼】yī bǎn yī yǎn 成(言動が)きちんとしている

*【一半】yībàn (～儿) 数 半分‖活儿才干了～ 仕事がようやく半分片付いた

【一…半…】yī…bàn… 組 前後に同義語または類義語を入れ，「少し」の意味を表す‖一年半载zǎi 1年足らず｜一知半解 一知半解．生かじり

【一半天】yī bàn tiān 名 一両日

*【一辈子】yībèizi 名 一生．生涯‖～也忘不了您的恩情 あなたのご恩は生涯忘れません

【一本万利】yī běn wàn lì 成 わずかな元手で大きな利益を得る．ぼろ儲けする

【一本正经】yī běn zhèng jīng 成 きまじめである．くそまじめである

【一鼻孔出气】yī bíkǒng chū qì 慣 貶 気脈を通じている．口裏を合わせている．ぐるになっている

【一笔带过】yī bǐ dài guò 慣 ごくあっさりと触れる

【一笔勾销】yī bǐ gōu xiāo 成 帳消しにする．棒引きにする．ないことにする

【一笔抹杀】【一笔抹煞】yī bǐ mǒ shā 成 あっさりと全面的に否定する．簡単に否定しさる

【一臂之力】yī bì zhī lì 成 一臂(いっぴ)の力．わずかな助力‖助你～ 君にひと肌脱ごう

*【一边】yībiān (～儿) 名 ❶一方．片側‖～是图书馆，另～是博物馆 一方は図書館，もう一方は博物館です ❷そば．傍ら．わき‖～待着去 わきにどいてろ 副(多く〔一边…一边…〕の形で) …しながら…する‖～吃饭～看报 食事をしながら新聞を読む

> **類義語** 一边 yībiān …一边…
> 一面 yīmiàn …一面…
> 又 yòu …又…
>
> ◆〔一边…一边…〕〔一面…一面…〕同時に，二つ以上の動作や行為をする．〔…〕には動詞(句)が入る．主に〔一边…一边…〕は話し言葉に，〔一面…一面…〕は書き言葉に用いる‖一边(一面)听，一边(一面)作笔记 聞きながらメモをとる ◆〔又…又…〕二つ以上の動作・行為や性質が同時に，あるいは前後して存在する．〔…〕には動詞(句)だけでなく，形容詞(句)も入る．並列される動作や性質は同類の範囲内に限られる‖又哭又闹(×又哭又跑) 泣いたりわめいたり｜又雄伟又庄严 雄大でしかも荘厳だ ◆時間的に前後する動作・行為は〔又…又…〕を用い，〔一边…一边…〕は使えない‖又(×一边)参观工厂，又(×一边)参观农村 工場を見学したり農村を見学したりする

【一边倒】yībiāndǎo 慣 一方に偏る．偏向する．一方的になる．一辺倒になる

【一…便…】yī…biàn… 組 …するとすぐ…．…するや…‖他一不顺心便拿别人出气 彼は気に入らないことがあるとすぐに八つ当たりする

【一表人才】yī biǎo rén cái 成 容姿端麗で態度も優れている

【一并】yībìng 副 まとめて．ひっくるめて

【一波三折】yī bō sān zhé 成 文章が起状に満ち変化があること．事の進行に紆余曲折(うよきょくせつ)があること

【一波未平，一波又起】yī bō wèi píng, yī bō yòu qǐ 成 一つの波が消えないうちに次の波が起こる．一難去ってまた一難．事件や問題が次々に発生するたとえ

【一…不…】yī…bù… 組 ❶一度…するともはや…しない‖一去不返 行ったきりで帰らない ❷一つとして…せず‖一言不发 一言も発しない

【一不做，二不休】yī bù zuò, èr bù xiū 成 やるならとことんやる．毒を食らわば皿まで．乗りかかった船

【一步到位】yī bù dào wèi 組 一足飛びに目標に達する．一気に成功する

【一步登天】yī bù dēng tiān 成 一足飛びに成功する．一気に登りつめる

【一步一个脚印儿】yī bù yī ge jiǎoyìnr 慣(物事を行うにあたって)一つ一つ手がたく行う

【一差二错】yī chā èr cuò 慣 不慮の事故．思わぬ手違い

【一刹那】yīchànà 名 一瞬．刹那(せつな)

【一场空】yī cháng kōng 慣 水泡に帰する．むだになる

【一倡百和】【一唱百和】yī chàng bǎi hè 成 一人が提唱すると多くの人がそれに同調する．付和雷同する者が多いさま

【一唱一和】yī chàng yī hè 成 一方が歌えば他方がそれに唱和する．なれ合って調子を合わせる．二人で示し合わせる

【一朝天子一朝臣】yī cháo tiānzǐ yī cháo chén 慣 一朝の天子と一朝の臣．権力者が交替すれば，下の者も全部入れ替わる

【一尘不染】yī chén bù rǎn 成 ❶少しも悪習に染まらない. 清廉潔白である ❷清潔で, ちり一つない
【一成不变】yī chéng bù biàn 成 いったんできてしまったものは絶対に変わらない
【一程子】yīchéngzi 名 方 一定期間. しばらくの間
【一筹】yī chóu 名 喩 一段 ‖ 略逊～ やや劣っている
【一筹莫展】yī chóu mò zhǎn 成 なんの方策もとれない. 手の施しようがない
【一触即发】yī chù jí fā 成 一触即発
【一触即溃】yī chù jí kuì 成 触るとすぐ壊れる. 崩壊寸前の状態
【一锤定音】【一槌定音】yī chuí dìng yīn 慣 ある一言で最終決定がなされること. 鶴(つる)の一声
【一锤子买卖】yī chuízi mǎimai 慣 1回限りの取引. その場限りのこと
【一次能源】yī cì néngyuán 名 一次エネルギー
【一次性】yīcìxìng 形 1回だけの ‖ 这筷子是～的 この箸は使い捨てです
【一蹴而就】yī cù ér jiù 成 容易に成し遂げることができる. たやすく成功を収める
【一搭两用儿】yī dā liǎng yòngr 組 一つのもので両用できる. 兼用が利く
【一大早儿】yīdàzǎor 名 早朝. 夜明け
【一代】yīdài 名 一つの時代. (話題となっている)その時代. 当代 ‖ 下～ 次の世代 | 年轻～ 若い世代
*【一带】yīdài 名 一帯. あたり. 周辺 ‖ 这～很安静 このあたりはとても静かだ
*【一旦】yīdàn 名 一朝. 一日の内. わずかな時間 ‖ 多年的心血毁于～ 長年の努力が一朝にして水泡に帰する 副 いったん. ひとたび ‖ ～发生问题, 后果将不堪kān设想 いったんトラブルが生じたら, 大変なことになるぞ
【一刀两断】yī dāo liǎng duàn 成 きっぱりと関係を断つ
【一刀切】yīdāoqiē 動 一律に処理する. 無差別に処理する. 〔一刀齐〕ともいう
⁑【一道】yīdào (～儿) 副 **一緒に**
【一得之功】yī dé zhī gōng 成 わずかな成功
【一得之愚】yī dé zhī yú 成 謙 愚見
★【一点儿】yīdiǎnr 名 **少し** ‖ 这么～钱, 恐怕不够用吧 これっぱかりのお金じゃ, おそらく足りないと思うよ | 我的表快了～ 私の腕時計はちょっと進んでいる
【一丁点儿】yīdīngdiǎnr 名 方 ごくわずか. ちょっぴり
★【一定】yīdìng 形 ❶**一定の. ある決められた** ‖ ～的百分比 一定のパーセンテージ ❷**一定の. あるレベルの. それ相当の** ‖ 取得了～的成绩 かなりの成績を収めた ❸**特定の** ‖ ～的社会产生～的文化 特定の社会には特定の文化が生まれる 副 **必ず. きっと. どうあろうとも** ‖ 我～来 私は必ず行きます | 他不～有时间 彼に時間があるとはかぎらない
【一定之规】yī dìng zhī guī 成 ❶一定の規則. 一定の法則 ❷決まった考え
【一动】yīdòng (～儿) 副 ともすれば. 何かというとすぐ
【一动不动】yī dòng bù dòng 組 少しも動かない. 微動だにしない
*【一度】yīdù 副 一時的に. かつて ‖ 他曾céng～失去信心 彼はかつて自信を失ったことがある
【一端】yīduān 名 ❶一端. かたはし ❷(物事の)一点. 一面
【一多半】yīduōbàn (～儿) 数 大半. 過半. 大方
【一…而…】yī…ér… 組 (二つの単音節動詞をつなぎ, 前の動詞の動作がすぐに結果を生じることを表す)いったん… するとすぐ… ‖ 一挥而就 いったん筆をふるえばたちまち書き上がる | 一跃而下 ぱっと飛び下りた
【一而再, 再而三】yī ér zài, zài ér sān 成 二度も三度も. 再三再四
【一二】yī'èr 数 一つ二つ. ほんの少し. 若干 ‖ 略知～ いくらか知っている
【一…二…】yī…èr… 組 2音節の形容詞を前後に1字ずつ入れ, その意味を強調する ‖ 一清二楚 非常にはっきりしている | 一清二白 潔白である
【一发】yīfā 副 ❶ますます. さらに. なおいっそう ❷一緒に. 同時に
【一发千钧】yī fà qiān jūn 成 一髪千鈞(いっぱつせんきん). きわめて危険なたとえ. 〔千钧一发〕ともいう
*【一帆风顺】yī fān fēng shùn 成 順風満帆. 物事が非常に順調に進むたとえ
【一反常态】yī fǎn cháng tài 成 態度が一変する. 手のひらを返す
⁑【一方面】yīfāngmiàn 名 (多く〔一方面…, 一方面…〕の形で) **一方. …の一方** ‖ ～要加快进度, 另～也要注意质量 進度を速める一方で, 質にも注意を払わねばならない
【一分为二】yī fēn wéi èr 成 一つのものが分かれて二つのものになる. どんな物事にも二面性がある
*【一概】yīgài 副 一切. すべて ‖ ～不知 何も知らない | ～不管 一切かかわらない
*【一概而论】yī gài ér lùn 成 一概に論じる. 一律に論じる
【一干】yīgān 形 (事件に)関係あるすべての(人)
*【一干二净】yī gān èr jìng 組 きれいさっぱり. すっかり ‖ 吃得～ きれいさっぱり平らげる
【一竿子到底】yī gānzi dàodǐ 慣 やり始めたら最後までやりとおす. 事がらを末端まで徹底させる. 〔一竿子插到底〕ともいう
【一个巴掌拍不响】yī ge bāzhang pāibuxiǎng 慣 片手だけでは拍手ができない. けんかも片方だけではできない. けんかをするのは双方に問題ありとするたとえ
*【一个劲儿】yīgejìnr 副 やむことなく. 切れ目なく. いつまでも ‖ 他～地向我道歉qiàn 彼はひたすら私に謝った
【一个萝卜一个坑儿】yī ge luóbo yī ge kēngr 慣 1本のダイコンには穴一つ. それぞれ受け持ちの仕事が決まっているたとえ
【一个心眼儿】yī ge xīnyǎnr 慣 ❶頑固である. 柔軟性がない ❷いちずに
【一根筋】yīgēnjīn 形 頑固一徹である
★【一共】yīgòng 副 **合わせて. 全部で. まとめて** ‖ ～多少钱? 全部でいくらですか
【一股劲儿】yīgǔjìnr 副 一気に. 続けざまに
【一股脑儿】【一古脑儿】yīgǔnǎor 副 方 全部ひっくるめて. 一切合切
【一鼓作气】yī gǔ zuò qì 成 意気込みの盛んなうちに一気呵成(いっきかせい)に成し遂げる
*【一贯】yīguàn 形 (考え方・行い・政策などが)一貫している ‖ ～的主张 一貫した主張
【一棍子打死】yī gùnzi dǎsǐ 慣 一撃でたたきのめす. 転 全面的に否定する
【一锅端】yī guō duān 慣 洗いざらいなくす. 根こそぎ持っていく. すっかり消滅させる
【一锅粥】yīguōzhōu 名 無秩序または混乱した状態 ‖ 乱成～ 大混乱になる

Y

【一锅煮】yī guō zhǔ 慣 あらゆることを同じ方法で処理してしまう. 一緒くたにする. 〔一锅烩〕〔一勺烩〕ともいう
【一国两制】yīguó liǎngzhì 名〈政〉一国二制度. 社会主義と資本主義の二制度を維持すること.
【一哄而起】yī hòng ér qǐ 成 いっせいに立ち上がる. 大騒ぎになる
*【一哄而散】yī hòng ér sàn 成 わっと声をあげて散り散りになる. 蜘蛛(くも)の子を散らすように逃げる
【一呼百应】yī hū bǎi yìng 成 一声かけると百人が応(こた)える. 相応じる者が多いたとえ
【一晃】yīhuǎng (～儿) 動 一瞬現れる
【一晃】yīhuàng 副 あっという間に. またたく間に
★【一会儿】yīhuìr 名(時間的に)少し. 少しの間 ‖ 休息～吧 ちょっと休みましょう 副 ❶(時間的に)少ししたら ‖ ～见 ではのちほど ❷(〔一会儿 … 一会儿 …〕の形で) … したり … したり ‖ ～说去, ～又说不去, 你到底去不去？ 行くと言ったり, 行かないと言ったり, 一体全体どっちなんだ
【一伙儿】yīhuǒr 名 ❶一団. 一群 ❷一味. 仲間
【一己】yījǐ 名 自分. 一個人
*【一技之长】yī jì zhī cháng 成 一芸に秀でる
【一家之言】yī jiā zhī yán 成 一家言(いっかげん)
【一家子】yījiāzi 名 ❶一家. 家族 ❷一家全員
【一见倾心】yī jiàn qīng xīn 成 一目でほれ込む. 一目で心をひかれる
【一见如故】yī jiàn rú gù 成 初対面だが, 年来の友人のように意気投合する
【一见钟情】yī jiàn zhōng qíng 成 一目ぼれする
【一箭双雕】yī jiàn shuāng diāo 成 一石二鳥. 一挙両得
【一经】yījīng 副 一度 … すれば
【一径】yījìng 副 ❶まっすぐ. 直接 ❷方 ずっと
★【一…就…】yī…jiù… 組 … するとすぐ … する ‖ 一回到家, 就打开电视 家に帰るとすぐテレビをつける
*【一举】yījǔ 副 一挙に 名 行為. 行動 ‖ 成敗在此～ 成否はこの行動にかかっている
【一举成名】yī jǔ chéng míng 成 一挙に名をあげる
【一举两得】yī jǔ liǎng dé 成 一挙両得
【一决雌雄】yī jué cí xióng 成 雌雄を決する
【一蹶不振】yī jué bù zhèn 成 一度のつまずきで立ち直れなくなる
【一刻】yīkè 名 ❶短い時間. つかの間 ‖ ～也不得休息 一刻も休む間がない ❷15分 ‖ 三点～ 3時15分
【一刻千金】yī kè qiān jīn 成 一刻千金
【一空】yīkōng 形 少しも残っていない. からっぽである
【一孔之见】yī kǒng zhī jiàn 成 謙 狭い見識. 管見
【一口】yīkǒu 名 生粋. (話し方や言葉つきをさす) 副 きっぱりと. 言下に ‖ ～答应 二つ返事で承諾する
*【一口气】yīkǒuqì (～儿) 副 休まず一息で. 一気に ‖ ～写完 一気に書き上げる
★【一块儿】yīkuàir 名 同じ場所 ‖ 话谈不到～去 話が合わない 副 一緒に ‖ ～去看戏 一緒に劇を観にいく
【一来】yīlái 接 一つには …. (〔一来 …, 二来 …〕と続けて理由や目的を列挙する) ‖ 那里～房子宽敞, 二来交通方便, 所以还是决定搬过去 あそこは家は広いし, 交通も便利だから, やはり引っ越しすることにした
【一来二去】yī lái èr qù 慣 往き来しているうちに. つきあっているうちに
【一览】yīlǎn 動 一望する 名 一覧. ハンドブック. 手引. (多く書名に用いる)
【一览表】yīlǎnbiǎo 名 一覧表
【一揽子】yīlǎnzi 形 ひとまとめの. 一括の. 包括的な
【一劳永逸】yī láo yǒng yì 成 いっときの苦労をしておけば後は楽になる
【一力】yīlì 副 全力で ‖ ～承担 全力で担当する
【一例】yīlì 副 一様に. 一律に ‖ ～看待 一律に扱う
*【一连】yīlián 副 立て続けに. ぶっ続けで ‖ ～打了三个喷嚏pēntì 続けざまに3回くしゃみをした
【一连串】yīliánchuàn 形 次から次へと連続している. 一連の. 立て続けの
【一连气儿】yīliánqìr 副 方 立て続けに
【一了百了】yī liǎo bǎi liǎo 成 主要なことを解決すれば後はすべてうまくいく
【一鳞半爪】yī lín bàn zhǎo 成 断片. ほんの一部分. 一端. 〔东鳞西爪〕ともいう
【一流】yīliú 名 同じたぐい. 同じグループ ‖ 人家现在可是明星～的人物了 あの人はいまではスターの仲間入りをした 形 (レベルが)一流の ‖ ～水平 一流レベル
【一溜风】yīliùfēng 副 一陣の風のように
【一溜儿】yīliùr 副 ひとしきり 名 ❶一並び. ずらり1列 ❷方 あたり. 一帯
【一溜歪斜】yīliù wāixié 慣 ふらふら. よろよろ
【一溜烟】yīliùyān (～儿) 副 脱兎(だっと)のごとく
【一路】yīlù 名 ❶全部の行程. 道中. 道々 ❷同じたぐい. 同じタイプ ‖ ～货 同じ穴の貉(むじな) 副 ❶一緒に ❷方 ずっと. ひたすら
*【一路平安】yīlù píng'ān 慣 道中ご無事で. 〔一路顺风〕ともいう
*【一路顺风】yīlù shùnfēng ＝〔一路平安 yīlù píng'ān〕
*【一律】yīlǜ 形 一律である. 同様である ‖ 千篇～ 千篇一律(せんぺんいちりつ)である 副 一律に. 例外なく ‖ ～平等 すべて平等である
【一落千丈】yī luò qiān zhàng 成 急速に転落するさま. がた落ちになる
【一马当先】yī mǎ dāng xiān 成 自ら先頭に立って物事を行う
【一马平川】yī mǎ píng chuān 成 見渡すかぎりの大平原
【一脉相传】yī mài xiāng chuán 成 何代にもわたり受け継ぐ. 流れをくむ. 〔一脉相承〕ともいう
*【一毛不拔】yī máo bù bá 成 1本の毛を抜くのも惜しむ. 極端にけちであるたとえ
【一门心思】yī mén xīnsi 慣 一心不乱に. 一意専心に ‖ ～搞研究 一意専心研究に励む
【一米线】yīmǐxiàn 名 (銀行・郵便局・空港などの窓口で)カウンターの手前1メートルに引かれた線
*【一面】yīmiàn 名 ❶(物体の)一側面. 一面 ❷(物事の)一方面. 一部門 ‖ 独当～ 一人である部門の仕事をする 副 (多く〔一面 … 一面 …〕の形で) … しながら … する ‖ ～走～说 歩きながら話す
【一面儿理】yīmiànrlǐ 名 一面の理. 一方のみの理由. 片方だけの言い分
【一面之词】yī miàn zhī cí 成 片方だけの言い分. 一方だけの主張
【一面之交】yī miàn zhī jiāo 成 一面識. 以前に

Y

一度顔を合わせた程度の付き合い.〔一面之雅〕ともいう
【一鸣惊人】yī míng jīng rén 成 ひとたび鳴けば人を驚かす. ふだんは目立たないが, ひとたび事に当たると人を驚かすような卓抜な成績をあげること
【一命呜呼】yī mìng wū hū 成 お陀仏(だぶつ)になる. 一巻の終わりになる
【一模一样】yī mú yī yàng 成 そっくりである. 瓜(うり)二つである ‖ 姊妹俩长得～ この姉妹は瓜二つだ
【一木难支】yī mù nán zhī 成 1本の木では支えきれない. 大きな仕事を一人の力で成し遂げるのは難しい
【一目了然】yī mù liǎo rán 成 一目瞭然(いちもくりょうぜん)
【一目十行】yī mù shí háng 成 一目で10行読み取る. 読み方が早いたとえ
【一年半载】yī nián bàn zǎi 慣 半年か1年ぐらいの間. せいぜい1年ほど
【一年到头】yī nián dào tóu 慣 一年中. 年がら年中
【一年生】yīniánshēng 图〈植〉一年生
【一年之计在于春】yī nián zhī jì zàiyú chūn 成 一年の計は元旦にあり
【一念之差】yī niàn zhī chā 成(後で重大な結果をもたらすことになる)ちょっとした考え違い. 道理に反した考え
【一诺千金】yī nuò qiān jīn 成 一諾千金(いちだくせんきん). 承諾がきわめて信用できるたとえ
【一拍即合】yī pāi jí hé 成 貶 手を打てば曲のリズムにぴったり合う. たちまち意気投合する. すぐに同調する
【一盘棋】yī pán qí 慣 全体. 全体の局面
【一盘散沙】yī pán sǎn shā 成 盆いっぱいのばらばらの砂. ばらばらでまとまりを欠くたとえ
*【一旁】yīpáng 图 傍ら. そば
【一炮打响】yī pào dǎ xiǎng 成 最初の行動で大きな成功を勝ち取ること
【一片冰心】yī piàn bīng xīn 成 心が清らかで, 栄耀栄華(えいようえいが)をうらやまないこと
【一瞥】yīpiē 動 一瞥(いちべつ)する. ちらりと見る 图 概況. 概観.(多く文章のタイトルに用いる)
【一贫如洗】yī pín rú xǐ 成 赤貧洗うがごとし
【一品锅】yīpǐnguō 图 寄せ鍋料理, または, それ専用の鍋
【一品红】yīpǐnhóng 图〈植〉ポインセチア
【一暴十寒】yī pù shí hán 成(勉強や仕事に)根気がなく長続きしない. 三日坊主
**【一齐】yīqí 副 いっせいに. 一緒に. 同時に
★【一起】yīqǐ 图 同じ場所 ‖ 跟父母住在～ 両親と一緒に住んでいる 副 ❶一緒に.(場所や空間を同じくすることに用いる) ‖ ～去 一緒に行く ❷方 合計で

類義語 一起 yīqǐ　一块儿 yīkuàir　一齐 yīqí
◆ともに「一緒に」行動することを表す.〔一块儿〕は話し言葉でよく使われ,〔一起〕は書き言葉にも使われる
◆〔一齐〕は「同時に, いっせいに」行動することを表すので, ある期間内のことを述べる場合は使えない. 逆に「同時に」行動することを述べる時は,〔一齐〕に限られる ‖ 我们一起(一块儿, ×一齐)实习过半年 私たちは半年一緒に実習したことがある | 各个考场一齐开考 各試験場で同時にテストを開始した

【一气】yīqì 副(～儿)一気に 图 気脈 ‖ 串通chuàntōng～ 気脈を通じる
【一气呵成】yī qì hē chéng 成 ❶文章が最後まで首尾一貫している ❷一気呵成(いっきかせい)
【一钱不值】yī qián bù zhí 成 一銭の価値もない. 何の値打ちもない. 二束三文
【一窍不通】yī qiào bù tōng 成 少しも分からない. ちんぷんかんぷんである
★【一切】yīqiè 代 ❶一切の. 全部の. すべての ‖ 想尽～办法 あらゆる方法を考え尽くす ❷すべて. 一切 ‖ 她熟悉shúxī这里的～ 彼女はここの一切を熟知している
【一清二楚】yī qīng èr chǔ 慣 明確である. 非常にはっきりしている ‖ 记得～ はっきりと覚えている
【一清早】yīqīngzǎo(～儿)图 早朝. 朝方
【一穷二白】yī qióng èr bái 成 経済的に貧しく, 文化的に立ち後れている
【一丘之貉】yī qiū zhī hé 成 同じ穴の貉(むじな)
【一人得道, 鸡犬升天】yī rén dé dào, jī quǎn shēng tiān 成 一人が道を得れば, 鶏犬も昇天す. 一人が出世すると親類縁者や知人もその恩恵を受ける
【一任】yīrèn 動 書 なすがままにする. 任せる
【一仍旧贯】yī réng jiù guàn 成 いっさい旧例どおりに行う. 旧態依然である
【一日千里】yī rì qiān lǐ 成 一日に千里を駆けぬける. 進歩・発展がめざましいたとえ
【一日三秋】yī rì sān qiū 成 一日千秋
【一日之雅】yī rì zhī yǎ 成 わずか1日の交わり. 交際の浅いこと. 付き合いの短いこと
【一如】yīrú 動(ある状況と)すべて同じである. …のとおりである ‖ ～所闻 すべて聞いたとおりである
【一如既往】yī rú jì wǎng 成 まったく以前と変わらない. すべていままでどおりである
【一扫而光】yī sǎo ér guāng 成 きれいに掃き清める. 一掃する. きれいさっぱりなくなる
【一色】yīsè 形 ❶同じ色である. 一色である ❷すべて同じ種類である
【一霎】yīshà 图 ほんのちょっとの間. 一瞬の間
【一勺烩】yī sháo huì =〔一锅煮yī guō zhǔ〕
*【一身】yīshēn 图 ❶体中. 全身 ‖ 出了～汗 全身汗びっしょりになる ❷一人 ‖ 独自～ 自分一人
【一身两役】yī shēn liǎng yì 成 一人で二つの仕事を同時にする. 一人二役
【一身是胆】yī shēn shì dǎn 成 大胆不敵である
【一神教】yīshénjiào 图〈宗〉一神教
【一审】yīshěn 图〈法〉一審
**【一生】yīshēng 图 一生涯. 一生 ‖ 操劳cāoláo了～ 一生苦労をしてきた
【一失足成千古恨】yī shīzú chéng qiāngǔ hèn 慣 一度過ちを犯すと一生悔いることになる
**【一时】yīshí 图 ❶ある一時期 ‖ 此～彼～ いまはいま, あの時はあの時 | 红极～ 一時期きわめてもてはやされる ❷少しの間. しばらくの間 ‖ ～难以解决 しばらくは解決するのが難しい ❸一瞬. とっさ ‖ ～不知如何是好 とっさにどうしたらよいのか分からなかった ❹(〔一时…一时…〕の形で)時には. 時として ‖ 病情～好, ～坏 病情はよかったり悪かったりする
【一时半会儿】yīshí bànhuìr 慣 しばらくの間. 短い期間 ‖ 这种病～好不了 この病気はすぐには治らない
【一时一刻】yīshí yīkè 慣 片時も. 一分一秒も
【一世】yīshì 图 ❶一生. 生涯 ❷一世. 当代
【一事】yīshì 图 方 同系列
【一事无成】yī shì wú chéng 成 何事も成し遂げなかった

【一视同仁】 yī shì tóng rén 成 一視同仁
【一是一, 二是二】 yī shì yī, èr shì èr 慣 事実どおりに言い, ごまかさない
*【一手】** yīshǒu 名 ❶(～儿)技能. 腕前 ‖ 露lòu～ 腕のあるところをみせる ❷(～儿)手管. 術策. はかりごと ‖ 他这～真毒 あいつのこのやり方はまったく悪辣(あくらつ)だ 副 一手に. 一人で ‖ ～经办 一手に取り扱う
【一手包办】 yī shǒu bāo bàn 成 一手に請け負う. 一手に引き受ける
【一手遮天】 yī shǒu zhē tiān 成 片手で天を遮る. 権力を笠(かさ)に着て手段を弄(ろう)し, 衆人をだます
【一水儿】 yīshuǐr 形 方 一色である. 同じである
【一顺儿】 yīshùnr 形 同じ向きである
【一瞬】 yīshùn 名 一瞬のうち. あっという間
【一丝】 yīsī 名 わずか. ほんの少し
【一丝不苟】 yī sī bù gǒu 成 いささかもゆるがせにしない ‖ 办事～ 少しも仕事の手を抜かない
【一丝不挂】 yī sī bù guà 成 一糸もまとわない. すっ裸である
【一丝一毫】 yī sī yī háo 成 ごくわずか. ほんの少し
【一塌糊涂】 yī tā hú tú 成 めちゃめちゃで始末がつかない ‖ 事情办得～ 事がめちゃくちゃになってしまった
【一潭死水】 yī tán sǐ shuǐ 成 はけ口のないたまり水. 長年滞り変化のない状態
【一体】 yītǐ 名 ❶一体. 同体 ❷全体. 全員
【一体化】 yītǐhuà 動 一体化する ‖ 全球经济～ 世界経済の一体化
【一天】 yī tiān 組 ❶1日 ❷朝から日暮れまでの間 ‖ ～一夜 一昼夜 ❸(不特定の)ある一日 ‖ ～早上 ある朝 ❹同じ日 ‖ 两人是～到的北京 二人は同じ日に北京へ着いた ❺方 一日中. 終日
【一天到晚】 yī tiān dào wǎn 組 朝から晩まで. 一日中 ‖ ～捧pěng着书 一日中本を読んでいる
【一条龙】 yītiáolóng 名 ❶長蛇の列. 長い行列 ‖ 顾客排成了～ 客が長蛇の列をなしている ❷(生産工程や作業ラインの各部が)緊密に結びつき一貫していること ‖ 供、产、销～ 供給・生産・販売が一貫している
【一条心】 yītiáoxīn 名 気持ちを一つにすること
【一通百通】 yī tōng bǎi tōng 成 一事に通暁すれば万事に通じる
【一同】 yītóng 副 一緒に. ともに
【一统】 yītǒng 動 (国家を)統一する
【一通】 yī tòng (～儿) 組 しばらくの間. ひとしきり

Y

*【一头】** yītóu 副 ❶…しながら(…する). …する一方 ‖ ～吃, ～看 食べながら読む ❷さっと ❸突然. ばったりと ❹頭から ‖ ～扎入zhārù水中 頭から水中に飛び込む 名 ❶(～儿)一方の先. 端. 片方 ‖ 铅笔的～儿 鉛筆の先 ❷頭一つ分ほどの高さ ‖ 比他高出～ 彼より頭一つ分背が高い ❸(～儿) 方 仲間. 一味
【一头儿沉】 yītóurchén 方 名 片袖机 動 一方の肩を持つ. 一方をひいきする
【一头雾水】 yī tóu wù shuǐ 組 方 何がなんだか分からない. ちんぷんかんぷんである
【一吐为快】 yī tǔ wéi kuài 慣 思っていることを言ってしまってすっきりする
【一团和气】 yī tuán hé qì 成 和気藹々(わきあいあい). 原則を無視し, なれ合っている状態
【一团漆黑】 yī tuán qī hēi 成 ❶真っ暗やみである ❷希望がない. 見込みがない ❸何も知らない. 無知である ＊＝〔漆黑一团〕
【一团糟】 yītuánzāo 形 めちゃくちゃである. 混乱して収拾がつかない
【一退六二五】 yī tuì liù èr wǔ 慣 責任を逃れる. 〔一推六二五〕ともいう
【一碗水端平】 yī wǎn shuǐ duānpíng 慣 水の入ったお碗を平らに持つ. えこひいきをせずに平等に扱うたとえ
【一网打尽】 yī wǎng dǎ jìn 成 一網打尽にする
【一往情深】 yī wǎng qíng shēn 成 (人や物に)心を奪われる. 夢中になる. ひたすら思い焦がれる
【一往无前】 yī wǎng wú qián 成 困難を恐れず勇敢に前進する. 勇往邁進(ゆうおうまいしん)する
【一望无际】 yī wàng wú jì 成 一望千里. 見渡すかぎり果てしない
【一味】 yīwèi 副 (そのことだけ)一筋に. ひたすら
【一文不名】 yī wén bù míng 成 一文なし. 素寒貧
【一窝蜂】 yīwōfēng 副 群れをなして
【一无是处】 yī wú shì chù 成 正しいところが一つもない. よいところが一つもない
【一无所长】 yī wú suǒ cháng 成 長所が一つもない. なんの取り柄もない
【一无所得】 yī wú suǒ dé 成 何も収穫がない. 一つも得られない
【一无所获】 yī wú suǒ huò 成 何も収穫がない
【一无所有】 yī wú suǒ yǒu 成 何一つない. 何も持っていない. すっからかんである
【一无所知】 yī wú suǒ zhī 成 何も知らない. 何一つ分からない
【一五一十】 yī wǔ yī shí 成 一部始終
【一物降一物】 yī wù xiáng yī wù 成 物にはそれを負かす別の物が必ずある. 上には上がある
【一息尚存】 yī xī shàng cún 成 息のあるかぎり. 生命のあるかぎり
【一席话】 yī xí huà 組 (まとまった内容のある)一区切りの話. 一通りの話 ‖ 听君～, 胜shèng读十年书 貴君の話は10年の読書にもまさります
【一席之地】 yī xí zhī dì 成 わずかな場所
*【一系列】** yīxìliè 形 一連の. ひとつながりの ‖ 采取了～措施cuòshī 一連の措置をとった
★【一下】** yīxià (～儿) 名 ごくわずかな時間. ちょっと. ‖ 请等～ 少々お待ちください 副 たちまち. いきなり

> **類義語** 動詞＋一下 yīxià
> 動詞の重ね型
>
> ◆ともに「ちょっと～する」こと, ごく短時間の動作を表す ‖ 他默默地 {点了一下头／点点头} 彼は黙ったままちょっとうなずいた ◆動詞の重ね型は, 一般にコントロール可能な動作にしか用いられないが, 〔一下〕にはこのような制限はない ‖ 她的心扑通跳了一下 彼女の心臓がドキッとした ◆方向動詞の〔来〕〔去〕〔回〕など, およびこれらが方向補語としてついたものは, 重ね型にならないが, 〔一下〕は付加することができる ‖ 小王, 你来一下 王君, ちょっとおいで

＊＊【一下子】** yīxiàzi 副 いきなり. たちまち. 〔一下儿〕ともいう ‖ 天气～转zhuǎn冷了 天気が急に寒くなった
【一线】 yīxiàn 名 ❶(戦争の)最前線 ❷第一線
【一相情愿】【一厢情愿】 yī xiāng qíng yuàn 成 自分だけの思い込み. 一方的な考えや望み
*【一向】** yīxiàng 名 (過去から現在までのある期間を表す)ひところ. …のころ ‖ 这～工作很顺利 このところ仕

事はスムーズにいっている 副❶以前から．これまでずっと‖老高～为人热情 高さんは前から人に親切だ ❷その後‖您～可好哇？ その後お元気ですか

【一小撮】yīxiǎocuō 形一にぎりの．ほんの一つまみの

【一小儿】yīxiǎor 副方子供の時から

【一笑置之】yī xiào zhì zhī 成一笑に付す

★【一些】yīxiē 名❶(不定の数量を表す)いくつか．いくらか‖有～事要商量 いくつか相談したいことがある ❷(～儿)(数量が)少し‖钱就剩这～了 お金はこれしか残っていない ❸(形容詞・動詞および動詞句の後に置き)若干．少し‖请安静～ 少し静かにしてください

【一泻千里】yī xiè qiān lǐ 成一瀉千里(いっしゃせんり)．(流れの早い河のように)文筆がよどみなく奔放であるたとえ

【一蟹不如一蟹】yī xiè bùrú yī xiè 成前のものに比べ後のものがしだいに劣ってくること

*【一心】yīxīn 副一心不乱に．一意専心に‖～扑在工作上 一心不乱に仕事に打ち込む 形気持ちが一つにまとまっている

【一心一德】yī xīn yī dé 成みんなが心を一つにする

【一心一意】yī xīn yī yì 成一心に．ひたすら．一意専心‖他～爱着你 彼はあなたをひたむきに愛している

【一新】yīxīn 動一新する

【一星半点儿】yīxīngbàndiǎnr 名ほんの少し

【一星儿】yīxīngr 名ほんのちょっと．ほんのわずか

*【一行】yīxíng 名一行‖代表团～ 代表団一行

【一言不发】yī yán bù fā 慣一言も発しない

【一言既出，驷马难追】yī yán jì chū, sì mǎ nán zhuī 成ひとたび口にしたら，4頭だての馬車でも追いつけない．一度口にした言葉は取り消すことができない

【一言难尽】yī yán nán jìn 成一言で語り尽くすのは難しい．一口には言い表せない

【一言堂】yīyántáng 名❶旧(商店が店先に掲げる扁額(へんがく)に書いた文句)掛け値なしの店 ❷人々の意見を無視し自分の考えだけで決めるやり方 ↔〔群言堂〕

【一言为定】yī yán wéi dìng 成決めたら変えない．約束したら破ることはできない

【一言以蔽之】yī yán yǐ bì zhī 成一言で言えば．要するに

【一氧化碳】yīyǎnghuàtàn 名〈化〉一酸化炭素

★【一样】yīyàng 形❶同じである‖他跟我～大 彼は私と同じ年だ ❷(多く〔像…一样〕〔好像…一样〕の形で)まるで…のようだ．…みたいだ‖这些绢花看起来像真的～ この絹の造花はまるで本物みたいだ

⁂【一…也…】yī…yě… 組(〔也〕の後には否定形が続き)少しも…しない．ひとつとして…しない‖一个人也没来 一人も来なかった

【一叶蔽目】yī yè bì mù 成一葉目を覆う．ささいな現象に目を奪われて本質が分からなくなること．〔一叶障目〕ともいう

【一叶知秋】yī yè zhī qiū 成葉一枚落ちて天下の秋を知る．ささいな現象から，全体の発展する方向を予測する

*【一一】yīyī 副一つ一つ‖向朋友们～告别 友人たち一人一人に別れを告げる

【一…一…】yī…yī… 組❶二つの類義の名詞を入れ，全体を表す‖一心一意 一意専心 ❷二つの類義の名詞を入れ，ごくわずかであることを表す‖一丝一毫 ごくわずか ❸二つの意味の異なる名詞を入れ，対照を表す‖一龙一猪 月とスッポン ❹二つの意味の異なる名詞を入れ，関係を表す‖一本一利 元金と利子が同じ ❺二つの類義の動詞を入れ，二つの動作が連続することを表す‖一蹦bèng一跳 とんだりはねたりする ❻二つの対義の動詞を入れ，二つの動作が対応して行われることを表す‖一问一答 一問一答 ❼相反する方位詞や形容詞を入れ，相反する方向や状況を表す‖一喜一忧 一喜一憂

【一衣带水】yī yī dài shuǐ 成一衣帯水

【一意孤行】yī yì gū xíng 成人の意見を聞かず，あくまで自分の考えで物事を推し進める．我意を張る

【一应】yīyīng 代すべての．全部の‖～俱全 なにもかも全部揃っている

【一隅】yīyú 名片隅．一隅 形偏っている

【一隅三反】yī yú sān fǎn 成一つの事柄から類推し，多くの事柄を知る

【一语道破】yī yǔ dào pò 成一言で言い当てる．一言で見ぬいてしまう．一言で喝破する

【一语破的】yī yǔ pò dì 成一言で要点を突く

【一语双关】yī yǔ shuāng guān 成一つの言葉に表と裏の二つの意味を含む

【一元化】yīyuánhuà 動一元化する

【一元论】yīyuánlùn 名〈哲〉一元論 ↔〔多元论〕

*【一再】yīzài 副再三．たびたび．重ねて‖～要求 再三要求する｜～表示感谢 重ねて感謝の意を表す

【一…再…】yī…zài… 組前後に同じ動詞を入れ，その動作が何度も繰り返されることを表す‖一拖tuō再拖 ずるずると引きのばす

【一早】yīzǎo (～儿) 名口早朝

【一眨眼】yīzhǎyǎn 副一瞬のうちに．またたく間

【一站式】yīzhànshì 名オールインワン．一括解決方式‖～解决方案 オールインワンのソリューション

【一张一弛】yī zhāng yī chí 成緊張したりくつろいだり．緩急よろしきを得る

【一朝】yīzhāo 副一朝．わずかな時間

【一朝一夕】yī zhāo yī xī 成一朝一夕

【一针见血】yī zhēn jiàn xiě 成簡潔な言葉で急所をずばり突くこと

【一枕黄粱】yī zhěn huáng liáng 成黄粱一炊(こうりょういっすい)の夢．一場の夢まぼろし =〔黄粱梦〕

*【一阵】yīzhèn (～儿) 名ひとしきり．しばらくの間‖响xiǎng起～掌声 しばらく拍手が続いた｜前～ 先ごろ

【一阵风】yīzhènfēng 副素早く 動長続きしない

【一知半解】yī zhī bàn jiě 成少ししか知らず，深く理解していないこと．生半可な知識

★【一直】yīzhí 副❶(方向を変えずに)まっすぐに‖～往前走，到第三个路口往右拐guǎi まっすぐ行って，三つ目の角を右へ曲がる ❷〔到〕の前に置き，指し示した範囲を強調する．よく〔都〕〔全〕と呼応する‖桌子上、椅子上，～到地上都堆duī着书 机の上，椅子の上から床に至るまで，どこもかしこも本がうず高く積まれている ❸(動作や状態が一定期間続いて)ずっと‖我～在等你的电话 私はずっと君の電話を待っていた

【一纸空文】yī zhǐ kōng wén 成空文．空手形

⁂【一致】yīzhì 形一致している‖言行～ 言行一致 副一致して，揃って‖～反对 揃って反対する

【一掷千金】yī zhì qiān jīn 成惜しげもなく大金を使う

【一转眼】yīzhuǎnyǎn 副またたく間に

【一准】yīzhǔn 副間違いなく．きっと

【一字长蛇阵】yī zì chángshézhèn 組(人や物が)長い列をなしているさま

【一字千金】yī zì qiān jīn 成 一字千金. 詩文がすばらしいたとえ
【一字一板】yī zì yī bǎn 成 話し方がはっきりしている. 歯切れのよい話し方
【一总】yīzǒng（～儿）副 全部まとめて

6 **伊**¹ yī 書 主語あるいは述語の前に用い, 文の語気や感情的色彩を強める ‖ →～始

6 **伊**² yī ❶代 書（名詞の前に用い, 指示を表す）これ, それ ‖ →～人 ❷代 旧 彼. 彼女

【伊甸园】yīdiànyuán 名 エデンの園
【伊拉克】Yīlākè 名〈国名〉イラク
【伊朗】Yīlǎng 名〈国名〉イラン
【伊妹儿】yīmèir 名 外〈計〉電子メール. eメール =〔电子邮件〕
【伊人】yīrén 代 書 その人（多く女性をさす）
【伊始】yīshǐ 名 早々 ‖ 新年～ 新年早々
*【伊斯兰教】Yīsīlánjiào 名〈宗〉イスラム教.〔清真教〕〔回教〕ともいう

6 **衣** yī ❶衣服. 着物 ‖ 外～ 上着 ❷物の外側をくるむもの. コーティング ‖ 糖～（錠剤の）糖衣 ❸胞衣(え) ➤ yì

逆引き単語帳 〔毛衣〕máoyī 毛糸のセーター類 〔大衣〕dàyī オーバーコート 〔风衣〕fēngyī ダスターコート 〔雨衣〕yǔyī レインコート 〔羽绒衣〕yǔróngyī ダウンジャケット 〔皮大衣〕pídàyī 毛皮のコート 〔棉大衣〕miándàyī 綿入れのコート 〔睡衣〕shuìyī パジャマ 〔晨衣〕chényī ガウン 〔白罩衣〕báizhàoyī 〔白衣〕báiyī 白衣 〔上衣〕shàngyī 〔外衣〕wàiyī 上着 〔内衣〕nèiyī 下着. 肌着 〔衬衣〕chènyī シャツ. 下着 〔皮衣〕píyī 皮製の服 〔孝衣〕xiàoyī 喪服 〔寿衣〕shòuyī 死者に着せる服 〔救生衣〕jiùshēngyī 救命胴衣. ライフ・ジャケット

【衣摆】yībǎi 名 衣服のすそ
【衣钵】yībō 名 衣鉢(いはつ) ‖ 继承～ 衣鉢を継ぐ
【衣不蔽体】yī bù bì tǐ 成 衣がぼろぼろで, 体を覆うことができない. 生活が苦しいさま.〔衣不布体〕ともいう
【衣不解带】yī bù jiě dài 成 一日中忙しく休む間もないたとえ
【衣袋】yīdài 名（服の）ポケット
【衣兜】yīdōu（～儿）名 ポケット.〔衣袋〕ともいう
★【衣服】yīfu 名 衣服 ‖ 穿～ 服を着る
【衣冠楚楚】yī guān chǔ chǔ 成 身なりがきちんとしている
【衣冠禽兽】yī guān qín shòu 成 人の皮をかぶった獣. 人でなし
【衣柜】yīguì 名 洋服だんす. クローゼット. ロッカー
【衣架】yījià（～儿）名 洋服掛け. ハンガー
【衣襟】yījīn 名 前おくみ. 上前おくみ. 前身ごろ
【衣锦还乡】yī jǐn huán xiāng 成 故郷に錦を飾る.〔衣锦荣归〕ともいう
【衣料】yīliào（～儿）名 布地. 生地
【衣领】yīlǐng 名 襟
【衣帽间】yīmàojiān 名 クロークルーム. クローク
【衣衫】yīshān 名 ❶ひとえの上着 ❷衣服
*【衣裳】yīshang 名 衣服. 服
【衣食】yīshí 名 衣服と食物. 生活に欠かせぬもの
【衣食住行】yī shí zhù xíng 組 衣食住と交通
【衣饰】yīshì 名 衣服と装身具. 装い
【衣物】yīwù 名 衣服と身の回り品
【衣箱】yīxiāng 名 衣装箱
【衣原体】yīyuántǐ 名〈医〉クラミジア
【衣着】yīzhuó 名 服装 ‖ ～朴素 服装が質素だ

7 * **医**（醫）yī ❶医師. 医者 ❷動 治療する ‖ ～好了我的病 私の病気を治してくれた ❸医学. 医療 ‖ 中～ 漢方医学

【医道】yīdào 名 医術.（多く漢方医についていう）
【医德】yīdé 名 医者としての徳性
【医风】yīfēng 名 医療従事者の職業規律. 医療モラル
【医护】yīhù 動 治療し看護する
【医科】yīkē 名 医科 ‖ ～大学 医科大学.
【医理】yīlǐ 名 医学理論. 医学知識
*【医疗】yīliáo 動 医療を行う ‖ ～费 医療費 | 公费～ 公費による治療 | ～事故 医療ミス
★【医生】yīshēng 名 医者. 医師 ‖ 主治～ 主治医

類義語 医生 yīshēng 大夫 dàifu
◆〔医生〕（職業の正式呼称として用いる場合の）医者. 医師 ‖ 他在职业栏里填的是“医生” 彼は職業欄に「医師」と書き入れた ◆〔大夫〕（正式呼称以外で使う場合の）医者. 先生 ◆正式呼称以外では〔大夫〕と〔医生〕はいずれも使えるが直接の呼びかけには〔大夫〕を用いることが多い ‖ 王大夫（医生）, 您好 王先生, こんにちは

【医师】yīshī 名 医師（職階名の一つ, 高等医学教育を受けたか, 同等の学力を有すると国が認めた者）
【医士】yīshì 名 医士（職階名の一つ, 中等医学教育を受けたか, 同等の学力を有すると国が認めた者）
【医书】yīshū 名（主に漢方の）医学書
【医术】yīshù 名 医療技術
*【医务】yīwù 名 医療関係の仕事
*【医务室】yīwùshì 名 医務室. 保健室
*【医学】yīxué 名 医学 ‖ 临床～ 臨床医学
*【医药】yīyào 名 医療と薬剤 ‖ ～费 医療費
【医药分开】yīyào fēnkāi 組 医薬分業.〔医药分家〕〔医药分工〕ともいう
★【医院】yīyuàn 名 病院

類義語 医院 yīyuàn 病院 bìngyuàn
◆〔医院〕総合病院, 専門病院など一般的に病院をさす ‖ 综合医院 総合病院 | 妇产医院 産婦人科医院 | 儿童医院 小児病院 | 送进医院 病院に送っていく ◆〔病院〕特定の病気を専門に治療する病院をさす ‖ 精神病院 精神病院 | 传染病院 伝染病病院

*【医治】yīzhì 動 治療する ‖ ～疾病 病気を治療する
【医嘱】yīzhǔ 名 医者による治療上の指示

8 * **依** yī ❶もたれる. 寄りかかる ‖ →～偎 ❷頼る. 頼みとする ‖ →～靠 ❸動 従う. 言うことを聞く ‖ 不能什么事儿都～着孩子 なんでも子供の言いなりになるわけにはいかない ❹介 …に基づいて. …によれば ‖ ～我看, 这么办不妥tuǒ 私の考えでは, こんなふうにやるのは妥当ではない

【依傍】yībàng 動 ❶頼みとする ❷（多く芸術や学問を）まねる. 模する ‖ ～前人 先人をまねる
*【依次】yīcì 副 順に従って. 順次. 順々に ‖ ～入座 順々に着席する | ～办理 順次処理する

【依从】yīcóng 動 言うことを聞く. 聞き従う

【依存】yīcún 動 依存する

【依法】yīfǎ 副 ❶方法どおりに ‖ ～炮制páozhì (漢方で)製薬法どおりに薬をつくる. 人のまねをする ❷法に照らして. 法律に従って

【依附】yīfù 動 頼る. 依存する. 従属する

*【依旧】yījiù 副 依然として. 相変わらず 動 昔と変わらない

*【依据】yījù 介 …に基づいて. …に依拠して ‖ 仅～这些材料, 还很难得出结论 これだけの材料では結論を出すのは難しい 图 根拠 動 根拠とする

**【依靠】yīkào 動 頼る. 頼みとする. 当てにする ‖ ～父母 両親に頼る 图 よりどころ. 頼れるもの ‖ 生活上没有～ 生活の保証がない

*【依赖】yīlài 動 頼る. 依存する ‖ 这种原料主要～进口 この原料は主に輸入に頼っている

【依恋】yīliàn 動 名残を惜しむ. 未練を持つ. 慕う

【依凭】yīpíng 動 頼る. よりどころとする

*【依然】yīrán 副 依然として. 相変らず ‖ 问题～没解决 問題は依然未解決のままだ 動 昔と変わってない

【依顺】yīshùn 動 言うことを聞く. おとなしく従う

【依随】yīsuí 動 従う. 言いなりになる. 意のままになる

【依托】yītuō 動 ❶頼みとする. 頼る ❷名義を使う

【依偎】yīwēi 動 寄り添う. ぴったりと体を寄せる

【依稀】yīxī 形 ぼんやりとしている. かすかである

【依循】yīxún 動 従う. よりどころとする

【依样葫芦】yī yàng hú lú 成 手本をまねてひょうたんを描く. 創造性がなく型どおりにまねるたとえ. 〔依样画葫芦〕ともいう

【依依】yīyī 形 ❶書 細い枝が風に揺れるさま ❷名残を惜しむさま. 離れがたく慕わしいさま

【依允】yīyǔn 動 応ずる. 許す. 言うことを聞く

【依仗】yīzhàng 動 笠(かさ)に着る

*【依照】yīzhào 動 従う. よりどころにする ‖ ～前例 前例に従う 介 …に基づいて. …によって ‖ ～有关规定办理 関係規定に基づいて処理する

9 咿(△吚) yī ↴

【咿呀】yīyā 擬 ❶幼児が言葉を覚え始めたときの舌足らずな話し声 ❷(櫓(ろ)をこぐ音)ギーギー

11 猗 yī 書 ❶助 文末に用いて感嘆の語気を表す ❷感 賛美を表す

11 铱 yī 图〈化〉イリジウム(化学元素の一つ, 元素記号は Ir)

12 *壹 yī 数〔一〕の大字(だいじ) ➡〔大写dàxiě〕

12 揖 yī 書 拱手(きょうしゅ)の礼(両手を胸の前で組んで一礼する作法)をする

【揖让】yīràng 動 書 拱手の礼を交わしてへりくだる

12 椅 yī 古 イイギリ =〔山桐子 shāntóngzǐ〕 ➤ yǐ

12 欹 yī 書〔猗yī❷〕に同じ

14 漪 yī 書 波紋. さざ波 ‖ ～澜 大波小波

【漪涟】yīlián 图 書 さざ波

16 噫 yī 感 古 悲しみまたは嘆息を表す. ああ

18 黟 yī 地名用字 ‖ ～县 安徽省にある県の名

yí

1 一 yí ➤ yī

5 仪(儀) yí ❶行動の規範 ❷儀式. 礼儀 ‖ 礼～ 儀礼 ❸贈り物 ‖ 谢～ 祝儀 ❹容貌(ようぼう) ‖ 一～表 ❺器械. 器具

*【仪表】[1] yíbiǎo 图 風貌. 風采(ふうさい) ‖ ～非凡 風貌がとても立派である | ～堂堂 風采が堂々としている

*【仪表】[2] yíbiǎo 图 計器. メーター

**【仪器】yíqì 图 器具. 器械 ‖ 精密～ 精密機械

【仪容】yíróng 图 容貌. 容姿

*【仪式】yíshì 图 儀式. 式典 ‖ 升旗～ 国旗掲揚式

【仪态】yítài 图 書 風采. 姿

【仪仗队】yízhàngduì 图 儀仗隊

6 圯 yí 書 橋

6 夷[1] yí ❶古 中国の東部に住む民族の一つ. (広く)東方の異民族 ❷古 中原以外の地域に住む異民族に対する蔑称 ❸旧 外国人または外国に対する蔑称 ‖ ～情 外国事情

6 夷[2] yí ❶書 平安である. 平穏無事である ❷書 (建物などを破壊して)平坦(へいたん)にする ❸書 滅ぼす. 排除する

7 诒 yí 書 後世に伝える. 贈る

7 沂 yí 地名用字 ‖ ～河 山東省に発し江蘇省に注ぐ川の名

8 怡 yí 書 楽しい. 愉快である ‖ 心旷kuàng神～ 心がのびのびして楽しい

【怡然】yírán 形 喜ぶさま ‖ ～自得 心和らぎ満ち足りる | ～一笑 (嬉しそうに)にっこりする

【怡悦】yíyuè 形 喜ぶさま. 楽しむさま

8 宜 yí ❶適当である. ふさわしい ‖ 适～ 適当である ❷動 …に適する ‖ 这间屋子最～读书写字 この部屋は勉強するのに最も適している ❸助動 …べきである. (多く否定形に用いる) ‖ 事不～迟 遅らせるわけにはいかない ❹副 書 当然. もちろん

【宜人】yírén 形 気持ちにぴったりする. 心地よい

【宜于】yíyú 動 …に適している ‖ 此地的泥土～制作陶器 ここの土は陶器を造るのに適している

8 迤 yí ➡〔逶迤wēiyí〕 ➤ yǐ

8 饴 yí 图 水あめ ‖ 一～糖 | 高粱～ コーリャンあめ

【饴糖】yítáng 图 水あめ

9 荑 yí 書 (田畑の)雑草を取る ➤ tí

9 咦 yí 感 (驚きやいぶかしさを表す)えっ. あれ. まあ. おや ‖ ～, 怎么回事? ええっ, どうなってるんだ

9 *姨 yí ❶妻の姉妹 ❷图 母の姉妹. おば ‖ 二～ 母方の2番目のおばさん ❸自分の母親と同年代の女性に対する呼称 ‖ 张～ 張おばさん

【姨表】yíbiǎo 形 母親同士が姉妹関係の ↔〔姑表〕‖ ～兄弟 (母方の)従兄弟(いとこ)

*【姨夫】【姨父】yífu 图 母の姉妹の夫. おじ

【姨姥姥】yílǎolao 图 (母方の)祖母の姉妹

*【姨妈】yímā 图 母の姉妹. おば. (既婚者をいう)

【姨母】yímǔ 图 母の姉妹. おば

【姨奶奶】yínǎinai 图❶(父方の)祖母の姉妹 ❷旧妾(めかけ)
【姨娘】yíniang ; yíniáng 图❶旧父の妾に対する呼称 ❷方母の姉妹. おば
【姨儿】yír 图口母の姉妹. おばさん
【姨太太】yítàitai 图旧妾
【姨丈】yízhàng 图母の姉妹の夫. おじ
9 **贻** yí 書❶贈る‖馈kuì～ 贈る ❷残す. とどめる‖→～害|～患 災いを残す
【贻害】yíhài 動災いを残す. 害をもたらす
【贻人口实】yí rén kǒu shí 成(言動に慎重さを欠いて)人に口実を与える. 人の物笑いの種になる
【贻误】yíwù 動誤らせる. 誤る
【贻笑大方】yí xiào dà fāng 成識者に笑われる. みんなの笑いものになる
10 **胰** yí 图〈生理〉膵臓(すいぞう). 〔胰腺〕ともいう
【胰岛素】yídǎosù 图〈生理〉インシュリン
【胰腺】yíxiàn 图〈生理〉膵臓 =〔胰〕
【胰液】yíyè 图〈生理〉膵液(すいえき)
【胰子】yízi 图❶口ブタなどの膵臓 ❷方石けん
10 **眙** yí 地名用字‖盱Xū～ 江蘇省にある県の名
11 **痍** yí 書傷‖疮chuāng～ 創痍(そうい)
11 ** **移**(△迻) yí ❶動移す. 移る. 移動する‖ ❷動改める. 変更する. 変わる‖坚定不～ 確固として変わらない
**【移动】yídòng 動移動する. 移動させる. 動かす‖台风正在向北～ 台風は北に移動中である
【移动电话】yídòng diànhuà 图携帯電話. 〔手机〕ともいう
【移动通信】yídòng tōngxìn 图〈通信〉移動通信. モバイル通信
【移风易俗】yí fēng yì sú 成古い風俗や習慣を改める
【移花接木】yí huā jiē mù 成物や人をこっそりすり換えるたとえ
【移交】yíjiāo 動❶引き渡す. 移譲する ❷(職務の)引き継ぎをする
【移居】yíjū 動転居する. 移住する
*【移民】yí//mín 動移民する. 移住する‖～政策 移民政策 图(yímín)移民
【移山倒海】yí shān dǎo hǎi 成山を移し海を覆す
【移送】yísòng 動(多く犯罪の容疑者や事件書類などを)関連部門に引き渡す. 移送する
【移用】yíyòng 動流用する
【移栽】yízāi 動移植する‖～树木 樹木を移植する
【移植】yízhí 動❶〈農〉移植する ❷〈医〉移植する‖～心脏 心臓を移植する ❸(技術や経験などを)取り入れる. 吸収する‖把经济发达地区的先进经验～到本地来 経済の発達した地域の先進的経験を当地にも取り入れる
【移樽就教】yí zūn jiù jiào 成酒席で人の席まで行って杯を交わし, 教えを請う. 自分から積極的に人の教えを請うこと
11 **蛇** yí ➡〔委蛇wēiyí〕 ➤shé
12 **遗** yí ❶なくす. 失う‖→～失 ❷漏らす. 抜け落ちる‖→～忘 ❸落とし物. 遺失物 ❹残す. とどめる‖→～憾 ❺死者が残す‖→～嘱 ❻大小便や精液を漏らす ➤wèi
【遗案】yí'àn 图未解決の事件. また, 評価が定まっていない歴史的な出来事
*【遗产】yíchǎn 图❶遺産‖继承～ 遺産を継ぐ ❷(文化的な)遺産‖文化～ 文化遺産
【遗臭万年】yí chòu wàn nián 成悪名を長く後世に残す
*【遗传】yíchuán 動遺伝する‖他的性格得自他父亲的～ 彼の性格は父親ゆずりだ
【遗传工程】yíchuán gōngchéng 图〈生〉遺伝子工学. 〔基因工程〕ともいう
【遗传学】yíchuánxué 图〈生〉遺伝学
【遗存】yícún 動残る. 残存する 图遺物
【遗毒】yídú 图有害な遺風
【遗风】yífēng 图遺風‖古代～ 古代の遺風
【遗腹子】yífùzǐ 图父の死後に生まれた子供
【遗稿】yígǎo 图遺稿
【遗孤】yígū 图遺児
【遗骨】yígǔ 图遺骨
【遗骸】yíhái 图遺体. 遺骸(いがい)
*【遗憾】yíhàn 形残念である. 遺憾である‖你不能来, 太～了 君が来られないとは, ほんとうに残念だ 图悔恨. 悔い. 心残り‖终生的～ 一生の心残り
【遗恨】yíhèn 图悔い. 悔恨
【遗患】yíhuàn 動災いを残す
【遗祸】yíhuò 動災いを残す. 害を残す
【遗迹】yíjì 图遺跡. 旧跡‖古城～ 城跡
【遗教】yíjiào 图遺訓. 遺戒
【遗精】yí//jīng 動〈医〉遺精する. 夢精する
【遗老】yílǎo 图❶遺老. 遺臣‖前朝～ 前王朝の遺臣 ❷書世の移り変わりを経験してきた老人
*【遗留】yíliú 動残る. 残存する‖解决历史上～下来的问题 歴史上持ち越されてきた問題を解決する
【遗漏】yílòu 動漏らす. 落とす. 取り残す‖～了两个字 2文字抜けている 图遺漏. 漏れ. 脱落
【遗落】yíluò 動❶紛失する. なくす. 失う‖～了一本书 本を1冊紛失した ❷書漏らす. 落とす
【遗民】yímín 图❶遺民. 前王朝に忠節を尽くす人 ❷動乱で生き残った人
【遗墨】yímò 图遺墨. 故人が書き残した書画や書簡
【遗尿】yí//niào 動〈医〉遺尿する
【遗篇】yípiān 图書遺文
【遗弃】yíqì 動❶遺棄する ❷(扶養すべき親族を)遺棄する‖～老人 老人を見捨てる
【遗缺】yíquē 图(死亡や退職による)欠員
【遗容】yíróng 图❶死に顔 ❷遺影
【遗撒】yísǎ 動こぼれ落ちて散らばる. 散乱する‖防止垃圾清运中的～ ごみの運搬中の散乱を防ぐ
*【遗失】yíshī 動紛失する. なくす‖不慎shèn～了资料 うっかりして資料を紛失した
【遗书】yíshū 图❶死後出版された書物. 遺著. (多く書名に用いる) ❷遺書 ❸書散逸した本
【遗属】yíshǔ 图遺族
【遗孀】yíshuāng 图未亡人
*【遗体】yítǐ 图❶遺体. なきがら‖～告别仪式 遺体との告別式 ❷動物の死骸(しがい). 枯れた植物
【遗忘】yíwàng 動忘れる. 忘れ去る
【遗闻】yíwén 图遺聞. 言い伝えられる語り草
【遗物】yíwù 图遺物. 遺品. 形見

【遗像】yíxiàng 图 遺影
【遗训】yíxùn 图 遺訓
【遗言】yíyán 图 遺言 ‖ 临终～ 臨終の遺言
【遗业】yíyè 图 遺業
【遗愿】yíyuàn 图 生前の願望．遺志
【遗赠】yízèng 動 遺贈する
【遗诏】yízhào 图 遺詔．皇帝が残した詔書
【遗照】yízhào 图 遺影
*【遗址】yízhǐ 图 遺跡．古跡．旧跡
【遗志】yízhì 图 遺志
【遗嘱】yízhǔ 图 遺言．遺書
【遗嘱继承】yízhǔ jìchéng 图〈法〉遺言に基づいて遺産を相続する．遺言相続する
【遗著】yízhù 图 遺著．遺作
【遗族】yízú 图 遺族
【遗作】yízuò 图 遺作

13 **颐** yí 書 ❶保養する ‖ ～神 心を休める．くつろぐ ❷頬(ほお) ‖ 解～ 笑顔になる
【颐养】yíyǎng 動 書 養生する
【颐指气使】yí zhǐ qì shǐ 成 あごで人を使う

14 **疑** yí ❶確定できない ‖ →～惑 ❷疑う ‖ 猜～ 疑う ❸疑わしい ‖ →～案 ❹難問．疑い ‖ 释shì～ 疑いを解く ❺惑わせる ‖ ～兵 敵を欺くために配置する見せかけの兵
【疑案】yí'àn 图 ❶証拠不十分で結論の出ない訴訟事件 ❷判断が難しく断定のできない事柄
【疑点】yídiǎn 图 はっきりしない点．疑問点
【疑窦】yídòu 图 書 疑わしい点．疑点
【疑犯】yífàn 图 容疑者．被疑者．〔嫌疑犯〕〔犯罪嫌疑人〕ともいう ‖ 缉拿jīná～ 容疑者を逮捕する
*【疑惑】yíhuò 動 いぶかしく思う．疑わしく思う．腑(ふ)に落ちない．合点がいかない ‖ ～不解 どうにも腑に落ちない
【疑忌】yíjì 動 疑いそねむ．猜疑心(さいぎしん)をもつ
【疑惧】yíjù 動 疑い恐れる
【疑虑】yílǜ 動 心配する．懸念する
*【疑难】yínán 形 難解である．判断が難しい ‖ ～问题 難問｜～病症 難病．難症
【疑神疑鬼】yí shén yí guǐ 成 疑い深い
【疑似】yísì 形 はっきりしない．いずれともつかない
【疑团】yítuán 图（積もり積もった）疑い．疑念 ‖ 满腹～ 胸にさまざまな疑念がわだかまる｜解开～ 疑念を解く
⁑【疑问】yíwèn 图 疑問．疑い ‖ 产生～ 疑問が生じる｜毫无～ なんの疑いもない
【疑问句】yíwènjù 图〈語〉疑問文
*【疑心】yíxīn 動 疑う ‖ ～他是小偷 彼が泥棒ではないかと疑う 图 疑心．疑念 ‖ 起～ 疑心が生じる
【疑心病】yíxīnbìng 图 疑い深い性質
【疑凶】yíxiōng 图 殺人容疑者．凶悪事件の被疑者
【疑义】yíyì 图 疑義．疑わしい点
【疑云】yíyún 图 疑雲 ‖ 驱散qūsàn～ 疑念を晴らす

17 **嶷** yí 地名用字 ‖ 九～ 湖南省にある山の名

18 **彝** yí ❶古代の青銅製の祭器 ❷書 のり．決まり．法則
【彝族】Yízú 图 イ族（中国の少数民族の一つ，主として四川省・雲南省・貴州省・広西チワン族自治区などに居住）

yǐ

1 * **乙**[1] yǐ 图 乙(きのと)（十干の第２）➡〔天干tiāngān〕

1 **乙**[2] yǐ 图〈音〉中国の伝統音楽の階名の一つで，音符としても用いる．西洋音楽のシに相当する ➡〔工尺gōngchě〕

1 **乙**[3] yǐ 旧 文章の読みさしの箇所や，脱字・入れ替え字の挿入箇所に用いるかぎ形の印
【乙醇】yǐchún 图〈化〉エチルアルコール．〔酒精〕ともいい，地方によっては〔火酒〕ともいう
【乙醚】yǐmí 图〈化〉エーテル
【乙脑】yǐnǎo 图 略〈医〉Ｂ型脳炎．〔流行性乙型脑炎〕の略
【乙炔】yǐquē 图〈化〉アセチレン．〔电石气〕ともいう
【乙酸】yǐsuān 图〈化〉酢酸 ＝〔醋酸cùsuān〕
【乙烯】yǐxī 图〈化〉エチレン

3 ⁑ **已** yǐ ❶停止する．終わる ‖ 感叹不～ 感嘆してやまない ❷副 すでに．もう．もはや ↔〔未〕‖ 那～是过去的事了 それはすでに過去のことだ
【已故】yǐgù 形 すでに亡くなっている．いまは亡き
【已婚】yǐhūn 形 既婚の
★【已经】yǐjing 副 すでに．もう ‖ ～吃过饭了 食事はもうすませた｜他～五十岁了 彼はもう50歳だ
【已然】yǐrán 動 すでに事実となる 副 すでに
【已往】yǐwǎng 图 かつて．以前
【已知数】yǐzhīshù 图〈数〉既知数

4 ⁑ **以**[1]（^△^吅 目）yǐ ❶介 …を用いて．…をもって ‖ ～血还huán血 血で血の仇(あだ)を返す ❷介 …で．…を ‖ 报～热烈的掌声 熱烈な拍手でこたえる ❸介 …によって．…に従って ‖ ～每人两个计算 一人２個で計算する ❹介 …の理由で．…のゆえに ‖ 这一带～盛产大米著名 この一帯は米どころとして有名である ❺接 …するために．…できるように ‖ ～防万一 万一に備える

4 **以**[2] yǐ 方向詞の前に置いて，時間・数量・方向・位置などの境目を表す ‖ →～前｜→～上
【以暴易暴】yǐ bào yì bào 成 暴をもって暴にかう．支配者が替わってもその暴虐さは変わらない
*【以便】yǐbiàn 接 …するために．…できるように ‖ 你留个电话号码，～今后联系 今後の連絡のため，電話番号を書いておいてください

【以德报怨】yǐ dé bào yuàn 成 徳をもって恨みに報いる
【以毒攻毒】yǐ dú gōng dú 成 毒をもって毒を制す
【以讹传讹】yǐ é chuán é 成 間違った言葉がそのまま伝わる．誤りが広まってますます事実から遠ざかる
【以攻为守】yǐ gōng wéi shǒu 成 攻撃をもって防御に代える
★【以后】yǐhòu 图 今後．その後．…以後 ‖ 从今～ 今後は｜这事～再说吧 この件はまたこの次にしよう
⁑【以及】yǐjí 接 および．ならびに．また ‖ 去不去，～哪天去，全由你自己决定 行くか行かないか，また何日に行くかは，すべてあなた自身が決めることだ
【以己度人】yǐ jǐ duó rén 成 自分の考えで他人を推し量る
【以近】yǐjìn 图（鉄道やバス路線で）…の手前．…より近く
【以儆效尤】yǐ jǐng xiào yóu 成 悪人や悪事を厳

しく罰して，ほかの者への戒めとする

⁑【以来】yǐlái 名 …以来．…このかた ‖ 长期～ 長い間．長年 | 有生～ 生まれてこのかた

【以邻为壑】yǐ lín wéi hè 成 自己の利益のみを考えて他人の迷惑を顧みない．手前勝手である

【以卵投石】yǐ luǎn tóu shí 成 卵で石を打つ．身の程知らずなことをする．〔以卵击石〕ともいう

【以貌取人】yǐ mào qǔ rén 成 外見だけで人を判断する

*【以免】yǐmiǎn 接 …しないですむように．…しないように ‖ 你到北京后赶紧来信，～家里人挂念 家族が心配しないように，北京に着いたらすぐ手紙をよこしなさい

⁑【以内】yǐnèi 名 以内．…の内側 ‖ 一个月～有效 1ヵ月以内は有効である | 长城～ 万里の長城の内側

【以期】yǐqī 接（後句の冒頭に置いて）もって…を期す．…を期して

★【以前】yǐqián 名 以前．…以前 ‖ ～我不了解他 以前，私は彼のことをあまりよく知らなかった | 请在八点～给我打电话 8時までに私に電話をください

【以强凌弱】yǐ qiáng líng ruò 成 力をたのんで弱者をいじめる．弱い者いじめをする

【以权谋私】yǐ quán móu sī 慣 権勢をたのんで私利をはかる

【以人废言】yǐ rén fèi yán 成 人をもって言を廃す．言葉の中身ではなく，人品や地位などの理由によってその意見を取り入れないこと

【以人为本】yǐ rén wéi běn 組 人を基本とする．人間性を重んじる

【以色列】Yǐsèliè 名〈国名〉イスラエル

⁑【以上】yǐshàng 名 ❶以上．上にあげた事柄 ‖ ～所述皆属实shǔshí 以上に述べたことはすべて事実である ❷…以上 ‖ 半数～的人 半分以上の人

【以身试法】yǐ shēn shì fǎ 成 自分の身をもって法の力を試す．公然と法律を犯す

【以身殉职】yǐ shēn xùn zhí 成 職責を果たすために命を投げ出す

*【以身作则】yǐ shēn zuò zé 成 身をもって範を垂れる．自ら手本を示す

【以汤沃雪】yǐ tāng wò xuě 成 湯をかけて雪を溶かす．きわめて容易にやれることのたとえ

⁑【以外】yǐwài 名 以外．…の外側 ‖ 距此地两三公里～有个滑雪场 ここから2,3キロ先にスキー場がある | 除此～ このほかに

*【以往】yǐwǎng 名 かつて．以前 ‖ 数量比～有所增加 数量は以前よりいくぶん増えている

★【以为】yǐwéi 動 …と思う．…と考える ‖ 不～耻chǐ，反～荣 恥とは思わず，逆に光栄だと思っている | 我～她不在家 私は彼女は家にいないと思っていた

【以…为…】yǐ…wéi… 組 …を…とする ‖ 以小学生为对象的刊物 小学生を対象とする刊行物

⁑【以下】yǐxià 名 ❶…以下 ‖ 六岁～儿童谢绝入场 6歳以下の子供の入場お断り ❷以下．次 ‖ 具体措施cuòshī归纳为～六点 具体的な措置は以下の6点にまとめられる

【以眼还眼，以牙还牙】yǐ yǎn huán yǎn, yǐ yá huán yá 成 目には目を，歯には歯を

【以一当十】yǐ yī dāng shí 成 一をもって十に当たる．軍隊が勇敢に戦うさま

【以逸待劳】yǐ yì dài láo 成 十分に休息し力を蓄え，敵の疲労を待って攻勢に出る

【以远】yǐyuǎn 名（鉄道やバス路線で）…以遠

【以怨报德】yǐ yuàn bào dé 成 恨みをもって徳に報いる．恩を仇(あだ)で返す

*【以至】yǐzhì 接 ❶…になるまで．さらに…まで ‖ 一个生词读一遍记不住，就读两遍、三遍，～更多遍 新しい単語を1度で覚えられなければ，2度，3度，さらには覚えるまで何度でも読む ❷…という結果になる．〔以至于〕ともいう ‖ 家乡变化很大，～他都认不出了 故郷の様子が一変していて，彼は我が目を疑うばかりだった

*【以致】yǐzhì 接 そのために…の結果をもたらす ‖ 操作时不注意安全，～酿niàng成了大祸huò 操作の際に安全確認を怠ったため，大災害を引き起こしてしまった

【以子之矛，攻子之盾】yǐ zǐ zhī máo, gōng zǐ zhī dùn 成 なんじの矛をもってなんじの盾を突く．相手の観点・方法・言葉を用いて相手に反駁(はんばく)すること

6 **钇** yǐ 名 イットリウム（化学元素の一つ，元素記号はY）

7 **苡** yǐ ハトムギ ‖ ～仁 ハトムギの実

7 **尾** yǐ 〔尾wěi ❶〕に同じ ‖ 马～儿 ウマのしっぽの毛 | 三～儿 雌のコオロギ ➤ wěi

7 **矣** yǐ 古 ❶助 文末に用いて完了あるいは過去を表す ❷助 感嘆の語気を表す

8 **迤** yǐ 書 ❶地勢が斜めに伸びる ❷…のほうへ．…に向けて ➤ yí

【迤逦】yǐlǐ 形 書 くねくね折れ曲がって続くさま

9 **蚁（蟻）** yǐ 名〈虫〉アリ ‖ 蚂mǎ～ アリ | 蝼lóu～ ケラとアリ．喩 虫けら

【蚁醛】yǐquán 名〈化〉ホルムアルデヒド ＝〔甲醛〕

9 **舣（艤）** yǐ 古 船を岸につける

10 * **倚** yǐ ❶動 もたれる．寄り掛かる ‖ ～着墙 壁にもたれている ❷笠(かさ)に着る．頼る ‖ 一～势 ❸書 偏っている ‖ 不偏不～ 一方に偏らない

【倚靠】yǐkào 動 ❶頼りにする ‖ 她从不～父母 彼女は親に頼ったことは一度もない ❷もたれる．寄り掛かる ‖ ～在栏杆上 欄干に身をもたれている

【倚赖】yǐlài 動 頼りにする．依存する

【倚老卖老】yǐ lǎo mài lǎo 成 年寄りぶって威張る．年寄り風を吹かす

【倚马可待】yǐ mǎ kě dài ＝〔倚马千言 yǐ mǎ qiān yán〕

【倚马千言】yǐ mǎ qiān yán 成 筆が立ち，たちまち長文を書き上げてしまうこと．〔倚马可待〕ともいう

【倚势】yǐshì 動 権勢を頼む．権勢を笠に着る

【倚仗】yǐzhàng 動（権勢を）頼む．当てにする ‖ ～人多势众 多勢を頼む | ～权势 権勢を笠に着る

【倚重】yǐzhòng 動 重んじる．信頼する

10 **酏** yǐ 名〈化〉エリキシル（剤）

12 **椅** yǐ 名（背もたれのある）椅子 ‖ 一～子 | 桌～ 机と椅子 ➤ yī

★【椅子】yǐzi 名（背もたれのある）椅子

13 **蛾** yǐ 古〔蚁yǐ〕に同じ ➤ é

14 **旖** yǐ ↴

【旖旎】yǐnǐ 形 書 しなやかである．柔和である

yì

1 **一** yì ➤yī

3 **义**[1]（義）yì ❶正義. 正しい道義‖→～不容辞 ❷義理. 人情. よしみ‖情～ 情義 ❸正義にかなった. 公益のための‖→～举 ❹義理の‖→～母 ❺人工の‖～齿 義歯

3 **义**[2]（義）yì 意義. 意味‖定～ 定義｜含～ 含まれている意味

【义不容辞】yì bù róng cí 成 道義上, 辞退できない. 当然引き受けるべきである

【义愤】yìfèn 名 義憤‖激起～ 義憤をかきたてる

【义愤填膺】yì fèn tián yīng 成 義憤が胸に満ちる

【义父】yìfù 名 義父. 義理の父

【义工】yìgōng 名 ❶ボランティア活動. 奉仕活動 ❷ボランティア

【义举】yìjǔ 名 正義のために起こす行為. 義挙

【义捐】yìjuān 動 義援を行う

【义军】yìjūn 名 義挙の軍隊. 義軍

【义理】yìlǐ 名（言論や文章の）内容と道理

【义卖】yìmài 動 義援金を募るためにバザーを開く. チャリティー・バザーを催す‖举行～ チャリティー・バザーを催す

【义母】yìmǔ 名 義母. 義理の母

【义拍】yìpāi 名 チャリティー・オークション

【义气】yìqi 名 義侠心(ぎきょうしん). 義理人情義理人情に厚い 形 義侠心に富む. 義理人情に厚い

【义赛】yìsài 名〈体〉チャリティー・ゲーム

【义士】yìshì 名 旧 義士

【义无反顾】yì wú fǎn gù 成 道義上, 後へ引けない

*【义务】yìwù 名 ❶（法律上の）義務 ↔〔权利〕‖履行lǚxíng～ 義務を履行する ❷（道義上の）責任. 務め‖尽赡养shànyǎng父母的～ 両親を扶養する務めを果たす 形 無報酬の. 無償の‖～演出 慈善公演

【义务兵】yìwùbīng 名（徴兵制で）徴集された兵

【义务兵役制】yìwù bīngyìzhì 名 徴兵制

【义务教育】yìwù jiàoyù 名 義務教育

【义务劳动】yìwù láodòng 名 勤労奉仕

【义项】yìxiàng 名〈語〉語釈の項目. 語義区分

【义形于色】yì xíng yú sè 成 正義の心が顔色に現れている

【义演】yìyǎn 動 慈善公演をする

【义勇】yìyǒng 形 義勇の

【义勇军】yìyǒngjūn 名 義勇軍

【义战】yìzhàn 名 正義の戦争

【义诊】yìzhěn 動 無料診療を行う

【义正辞严】yì zhèng cí yán 成 道理を踏まえ容赦なく述べたてること

3 ★**亿**（億）yì ❶数 億‖十～人口 10億の人口 ❷古 10万

*【亿万】yìwàn 数 億万. きわめて大きい数‖～民众 おびただしい数の民衆

【亿万斯年】yì wàn sī nián 成 無限の年月. 非常に長い時間

3 **弋** yì 書 いぐるみ（矢に糸をつけ, 当たると鳥に絡みつく仕掛け）

4 **刈** yì （草や穀物を）刈る‖～麦 ムギを刈る

4 ***忆**（憶）yì ❶動 書 回想する. 懐かしく思う‖～当年 当時を思い起こす｜～故人 故人をしのぶ ❷覚える. 記憶する‖记～ 記憶する

【忆苦思甜】yì kǔ sī tián 慣 昔の苦しみを思い, 今日の幸せを考える

【忆述】yìshù 動 回想して叙述する

【忆想】yìxiǎng 動 回想する

4 **艺**（藝）yì ❶技術. 技能‖手～ 技術 ❷芸術‖文～ 文芸 ❸動 芸を演じる‖→～人

【艺林】yìlín 名 書 芸術界

【艺龄】yìlíng 名 芸歴

【艺名】yìmíng 名 芸名

【艺人】yìrén 名 ❶芸人 ❷手工芸の職人

★【艺术】yìshù 名 ❶芸術‖舞蹈wǔdǎo～ 舞踊芸術 ❷技術. テクニック. 手法‖交际～ 付き合いのテクニック 形 芸術的である‖这盆景pénjǐng做得真～ この盆栽はとても芸術的である

【艺术家】yìshùjiā 名 芸術家

【艺术品】yìshùpǐn 名 芸術品

【艺术体操】yìshù tǐcāo 名〈体〉新体操.〔韵律yùnlǜ体操〕ともいう

【艺术性】yìshùxìng 名 芸術性

【艺员】yìyuán 名 俳優. タレント

【艺苑】yìyuàn 名 芸苑(げいえん). 芸林. 芸術界

5 **议**（議）yì ❶動 議論する. 討議する‖这个问题大家还可以再～一～ この問題はみんなでさらに論議する余地がある ❷批評する. 取りざたする‖物～ 物議 ❸意見. 議論. 主張‖建～ 建議する ❹議会‖→～席

*【议案】yì'àn 名 議案

*【议程】yìchéng 名 議事日程

【议定】yìdìng 動 合議して決定する

*【议定书】yìdìngshū 名 議定書

【议购】yìgòu 動 商談する. 取り引きをする

【议和】yìhé 動 和平交渉をする. 講和談判をする

*【议会】yìhuì 名 議会. 国会.〔国会〕ともいう

【议会制】yìhuìzhì 名 議会制. 代議制.〔代议制〕ともいう

【议价】yì//jià 動 取引の当事者間の話し合いで価格を決定する 名（yìjià）自由協議価格

【议决】yìjué 動 議決する

**【议论】yìlùn 動 議論する. 論じ合う‖～纷纷 諸説紛々｜背后～别人 陰で他人のことをとやかく言う 名 議論. 意見‖大发～ 長広舌をふるう

【议事】yìshì 動 公事を討議する‖～日程 議事日程

【议题】yìtí 名 議題‖中心～ 中心的議題

【议席】yìxí 名 議席

【议销】yìxiāo 動 商談する. 取り引きする

*【议员】yìyuán 名 議員

【议院】yìyuàn 名 議院‖上～ 上院｜下～ 下院

【议政】yìzhèng 動 政策や政府の活動について意見を述べる

5 **艾** yì 書 ❶治める‖自怨自～ 自分の誤ちを悔いる ❷安定している ➤ài

6 **异**（△異）yì ❶別々になる ❷異なる. 同じではない‖日新月～ 日進月歩 ❸ほ

かの. 別の ‖ 一～地 ❹特別の. 珍しい ‖ 一～香 ❺不思議に思う. 怪しく思う ‖ 诧chà～ いぶかる
【异邦】yìbāng 图 異邦 ‖ 流落～ 異邦をさすらう
【异彩】yìcǎi 图 異彩. 際立った輝き
【异常】yìcháng 形 **異常である. 普通でない ‖ 气候～ 天候が不順である 副 とくに. ひどく ‖ ～繁忙 ひどく忙しい
【异词】yìcí 图 異論. 異議
【异地】yìdì 图 異郷. よその地
【异读】yìdú 图〈語〉一つの漢字に対する二つ以上の異なる読み方.〔谁〕が shéi とも shuí とも読まれるなど
【异端】yìduān 图 異端 ‖ ～邪说 異端邪説
【异国】yìguó 图 異国 ‖ ～他乡 異国の地
【异乎寻常】yì hū xún cháng 成 尋常でない
【异化】yìhuà 動 ❶異化する ❷〈哲〉疎外する
【异化作用】yìhuà zuòyòng 图〈生〉異化作用
【异己】yìjǐ 图 敵対する人. 異分子
【异军突起】yì jūn tū qǐ 成 新しい勢力が突然現れること
【异口同声】yì kǒu tóng shēng 成 異口同音
【异类】yìlèi 图 ❶旧 異民族 ❷異類
【异曲同工】yì qǔ tóng gōng 成 同工異曲. やり方は違っても, 効果は同じである.〔同工异曲〕ともいう
【异趣】yìqù 图 ❶他とは異なる趣 ❷優れた趣
【异体】yìtǐ 图 ❶異なる字体 ❷同一でない個体
【异体字】yìtǐzì 图〈語〉異体字
【异同】yìtóng 图 ❶異同 ❷書 異議
【异味】yìwèi 图 ❶珍味 ❷変なにおい
【异物】yìwù 图 ❶〈医〉異物 ❷書 死骸(しがい) ‖ 化为～ むくろとなる. 死ぬ ❸珍しい物品
【异乡】yìxiāng 图 異郷. よその地
【异香】yìxiāng 图 非常によい香り
【异想天开】yì xiǎng tiān kāi 成 奇想天外
【异心】yìxīn 图 異心. 二心 ‖ 怀有～ 二心を抱く
【异型】yìxíng 形 (多く材料の断面について)特殊な形状の ‖ ～钢 特殊形状鋼
【异性】yìxìng 图 異性 形 性質の異なる
【异姓】yìxìng 图 異なる姓
【异言】yìyán 图 異議. 異存
【异样】yìyàng 形 ❶異様である. 特別である ‖ ～的目光 異様なまなざし ❷違っている. 異なっている
【异议】yìyì 图 異議. 異なる意見
【异域】yìyù 图 異国. 異域 ‖ ～风景 異域の風景
【异族】yìzú 图 ❶血族以外の人. 異族 ❷異民族 ❸外国人

6 **屹** yì 書 山がそびえ立つさま ‖ 一～立 ➤ gē
【屹立】yìlì 動 ❶そそり立つ. そびえる ❷喩 確固として揺るがない
【屹然】yìrán 形 毅然(きぜん)としたさま

6 * **亦** yì 副 書 …もまた. 同様に ‖ 反之～然 逆もまた然(しか)り
【亦步亦趋】yì bù yì qū 成 師が歩けば弟子も歩き, 師が走れば弟子も走る. 定見のないこと, あるいは, なんでも人に同調すること
【亦庄亦谐】yì zhuāng yì xié 成 重厚な中にも軽妙な味わいがある

6 **衣** yì 古 (服を)着る. 着せる ‖ ～布衣 質素な服を着る ➤ yī

7 ** **译(譯)** yì ❶動 **訳す. 翻訳する** ‖ 汉～日 中国語を日本語に訳す ❷動 暗号などを解読する
【译本】yìběn 图 訳本. 翻訳書
【译笔】yìbǐ 图 訳文
【译稿】yìgǎo 图 翻訳した原稿
【译名】yìmíng 图 訳名
【译文】yìwén 图 訳文. 訳した文章 ↔〔本文〕
【译音】yìyīn 動 音訳する 图 音訳した音
*【译员】yìyuán 图 通訳
【译者】yìzhě 图 訳者. 翻訳者
【译制】yìzhì 動 (映画などを)翻訳製作する
【译制片】yìzhìpiàn 图 吹き替え映画
【译注】yìzhù 動 翻訳し, 注釈を加える
【译著】yìzhù 图 翻訳書 動 翻訳著述する
【译作】yìzuò 图 翻訳した作品

7 **佚** yì ❶書 隠棲(いんせい)する ❷散逸する ‖ ～书 逸書 ❸勝手気ままである

7 **邑** yì ❶都市. 都会 ‖ 城～ 都市. 町 | 通都大～ 大都会 ❷県

7 **抑**[1] yì 抑える. 抑圧する ‖ 一～制 | 压～ 抑圧する. 押さえる

7 **抑**[2] yì 書 ❶接 あるいは. それとも ❷接 しかるに. しかしながら
【抑或】yìhuò 接 書 あるいは. それとも
【抑扬】yìyáng 動 抑揚がある ‖ ～起伏 起伏に富む
【抑扬顿挫】yì yáng dùn cuò 成 声の抑揚や間合いに変化をつける. めりはりをきかせる
【抑郁】yìyù 形 憂鬱(ゆううつ)である
【抑止】yìzhǐ 動 抑制する. 抑えつける
*【抑制】yìzhì 動 抑える. 抑制する ‖ ～不住内心的悲痛 悲しみをこらえることができない 图〈生理〉抑制

7 **呓(囈)** yì 寝言 ‖ 一～语 | 梦～ 寝言
【呓语】yìyǔ 图 寝言 =〔梦话〕

7 **役** yì ❶使役する ❷兵役 ❸強制的に課す無償の労働 ‖ 劳～ 強制労働 ❹旧 使用人 ❺書 事柄. 事件 ❻戦争
【役畜】yìchù 图 役畜 =〔力畜〕
【役龄】yìlíng 图 ❶兵役年齢 ❷兵役年数
【役使】yìshǐ 動 ❶(家畜を)使役する ❷(人を)強制的に働かせる

8 **诣** yì 書 ❶参る. 参上する ❷学問や技術を究めた程度 ‖ 造～ 造詣(ぞうけい)

8 **佾** yì 古 楽舞の列

8 **怿(懌)** yì 書 喜ぶ. 愉快である

8 **峄(嶧)** yì 地名用字 ‖ ～山 山東省にある山の名

8 **驿(驛)** yì (昔の)宿駅. (現在では多く地名に用いる) ‖ 一～站
【驿道】yìdào 图 古 公文書を逓送するときに使った道
【驿站】yìzhàn 图 古 宿駅. 宿場

8 **绎(繹)** yì ❶書 繭(まゆ)から糸を繰る ❷糸口を引き出す ‖ 抽～ 端緒を開く ❸絶え間なく続く ‖ 络luò～不绝 往来が絶え間なく続くさま

8 **易**[1] yì ❶改める. 変える ‖ ～地疗养 転地療養する ❷交換する ‖ 交～ 取り引きする

Y

8 **易**[2] **yì** ❶簡単である. たやすい ↔〔难〕‖ 不～解决 容易に解決できない ❷(性格や態度が)穏やかである. 温和である

【易拉罐】**yìlāguàn** 图 プルトップ式の缶

【易如反掌】**yì rú fǎn zhǎng** 成 手のひらを返すようにたやすい

【易手】**yìshǒu** 動 持ち主が変わる. 人手に渡る

【易于】**yìyú** 副 容易に… できる. … しやすい ‖ 双方都～接受的方案 双方ともに受け入れやすい案

【易帜】**yìzhì** 動 書 (国や軍隊が)旗印を変える. 宗旨変えする. 敵に投降する

9 **奕** **yì** 图 姓

【奕奕】**yìyì** 形 書 生き生きしたさま

9 **弈** **yì** 書 ❶囲碁 ❷碁を打つ ‖ 对～ 対局する

9 **食** **yì** 人名用字 ➤ shí sì

9 **轶** **yì** ❶書 前の車を追い越す ❷書 超える ‖ ～群 群を抜く ❸散逸する ‖ ～事 逸事

9 **疫** **yì** 伝染病. 疫病 ‖ 防～ 防疫 | 瘟wēn～ 疫病 | 鼠shǔ～ ペスト

【疫病】**yìbìng** 图 疫病

【疫苗】**yìmiáo** 图〈医〉ワクチン

【疫情】**yìqíng** 图 伝染病の発生状況

9 **羿** **yì** 图 羿(げい). (伝説上の)弓の名人

10 **谊** **yì** 交情 ‖ 友～ 友誼(ゆうぎ) | 联～会 親睦会(しんぼくかい) | 深情厚～ 深い友情

10 **悒** **yì** 書 気がふさいでいる. 不安である ‖ 忧～ 憂鬱(ゆううつ)である | ～闷 ふさぎ込んでいる

【悒悒不乐】**yì yì bù lè** 成 鬱々(うつうつ)として楽しまず

10 **挹** **yì** 書 汲(く)む ‖ ～彼注兹zī あちらの水を汲んでこちらにつぐ. 余りを取って不足を補う

10 **益**[1] **yì** ❶増す. 増える ‖ 增～ 増加する | 延年～寿 長生きする ❷さらに ‖ →～发

10 **益**[2] **yì** ❶益. 利益 ↔〔害〕‖ 受～ 利益を受ける ❷有益な ↔〔害〕‖ →～虫

【益虫】**yìchóng** 图 益虫

【益处】**yìchu** 图 ためになるところ. 利点

【益发】**yìfā** 副 ますます. いっそう

【益鸟】**yìniǎo** 图 益鳥

【益友】**yìyǒu** 图 有益な友人. 良き友

【益智】**yìzhì** 動 知能を発達させる. 頭によい ‖ ～类游戏 頭脳類ゲーム

11 **逸** **yì** ❶逃げる. 逃走する ‖ 逃～ 逃避する ❷隠棲(いんせい)する ‖ 隐～ 隠棲する ❸のんびりしている. 安楽である ‖ 安～ 安楽 ❹〔佚yì ❷〕に同じ ❺傑出する. ぬきんでる ‖ ～品 逸品

【逸趣】**yìqù** 图 興. 興趣

【逸事】**yìshì** 图 逸事. エピソード

【逸闻】**yìwén** 图 逸聞. 逸話

11 **埸** **yì** 書 ❶あぜ ❷辺境 ‖ 疆jiāng～ 国境

11 **翊** **yì** 書 ❶羽. 翼 ❷補助する. 助ける ‖ ～戴dài 補佐し推戴(すいたい)する

11 **翌** **yì** 書 翌. 明くる ‖ →～日 | ～年 翌年

【翌日】**yìrì** 图 書 翌日

13 **溢** **yì** ❶動 (液体が)あふれる ‖ 水～出来了 水があふれ出た ❷流れ出る. 表に現れる ‖ 热情洋～ 熱意にあふれる ❸度が過ぎる ‖ ～美之词 過分のほめ言葉

【溢洪道】**yìhóngdào** 图 (ダムの)余水路. 余水吐き

【溢价】**yìjià** 图〈経〉プレミアム ‖ 股票～发行 株券のプレミアム発行

【溢美】**yìměi** 動 書 過分にほめる

【溢于言表】**yì yú yán biǎo** 慣 (気持ちが)言葉や表情ににじみ出る

13 **嗌** **yì** 古 のど ➤ ài

13 **缢** **yì** 書 首をつって死ぬ ‖ 自～ 首つり自殺する

13 **意** **yì** ❶心. 気持ち ‖ 好～ 好意 ❷考え. 意図 ‖ 同～ 同意する ❸推測する. 予測する ‖ →～外

【意表】**yìbiǎo** 图 意表. 意外 ‖ 出人～ 意表に出る

【意大利】**Yìdàlì** 图〈国名〉イタリア

【意会】**yìhuì** 動 心で理解する

★【意见】**yìjian ; yìjiàn** 图 ❶**意見** ‖ 交换～ 意見を交換する | 提出～ 意見を出す | 征求～ 意見を求める ❷**不平. 不満** ‖ 对他～挺大 彼に対して非常に不満がある | 闹nào～ 対立する. もめる

【意匠】**yìjiàng** 图 (詩文や絵画などの)構想

【意境】**yìjìng** 图 (芸術作品に表現された)境地. 情趣 ‖ 这首诗很有～ この詩は非常に雰囲気がある

*【意料】**yìliào** 動 予想する. 予測する ‖ 出乎～ 予想外である | ～不到的问题 思いも寄らない問題

【意念】**yìniàn** 图 考え. 心づもり. 思い

【意气】**yìqì** 图 ❶一時的な感情. 意地 ‖ 闹～ 意地を張る | 凭píng～办事 一時的な感情で物事を処理する ❷気概. 気合. 意気 ‖ ～高昂 意気軒昂(いきけんこう) ❸気持ち. 心ばえ. 意気 ‖ ～相投 意気投合する

【意气风发】**yì qì fēng fā** 成 意気盛んである

【意气用事】**yì qì yòng shì** 成 感情で事を運ぶ

【意趣】**yìqù** 图 興趣. 趣

*【意识】**yìshi ; yìshí** 图〈哲〉意識 動 (多く〔意识到〕の形で)意識する. 感じる. 知る ‖ 话刚出口就马上～到不该说 言葉を口にしたとたん, これは言ってはならないことだと気付いた

【意识流】**yìshiliú** 图〈哲〉意識の流れ

【意识形态】**yìshi xíngtài** 图〈哲〉イデオロギー

★【意思】**yìsi** 图 ❶**(言葉の)意味** ‖ 我不明白你说的～ 私には君の言っている意味が分からない ❷**考え. 意図. 意見** ‖ 双方早有合作的～ 双方には以前から提携の意向がある ❸**興趣. 面白み** ‖ 这部电影没～ この映画はつまらない ❹志. 心ばせ ‖ 这是一点小～ これはほんの気持ちです ❺(男女の)ひかれる気持ち. 気 ‖ 你对她有没有～? 君は彼女に気があるのか ❻兆し. 予兆. 気配 ‖ 天有点儿要下雨的～ 空は少々雨もよいだ ❼情義 ‖ 这人不够～ こいつは友だちがいのないやつだ 動 口 ほんの気持ちを表す. 微意を示す ‖ 他帮了你, 你还不买点东西～一下 彼に世話になったのに, 何か買ってお礼をしなくていいのかい

類義語 | **意思 yìsi 意义 yìyì**

◆〔意思〕言語や文字の意味を表すほか, 思想や意見を表す ‖ 这个词的意思(意义) この言葉の意味 |

Y

我不明白他的意思(×意义) 彼の考えていることがわからない ◆〔意义〕言語や文字の意味を表すほか, 価値や意義を表す ‖ 具有重大历史意义(×意思)的事件 大きな歴史的意義のある事件

*【意图】yìtú 图 意図. 意向 ‖ ～明显 意図が明らかである | 领会上级的～ 上司の意向をくみ取る
**【意外】yìwài 形 意外である. 予想外である. 思いもよらない ‖ 感到～ 意外に思う 图 不慮の出来事. 突発的な事故 ‖ 发生～ 事故が起きる
【意味】yìwèi 图 ❶意味 ‖ ～深长 意味深長である ❷味わい. 風情 | ～无穷qióng 味わいが尽きない
*【意味着】yìwèizhe 動 意味する. 表す ‖ 气候异常～生存环境已经受到威胁wēixié 異常気象は, 生存環境がすでに脅威にさらされていることを意味している
【意下】yìxià 图 考え. 意見
【意想】yìxiǎng 動 予想する. 予測する
*【意向】yìxiàng 图 意図. 意向. 目的 ‖ ～不明 意図が不明である | 共同的～ 共通の目的
【意向书】yìxiàngshū 图〈貿〉意向書
【意象】yìxiàng 图 (芸術作品に表現された)情趣
【意兴】yìxìng 图 興味. 興. 面白さ
★【意义】yìyì 图 ❶意義 ‖ 这是一件很有～的事 これはたいへん意義のあることだ ❷意味 ‖ 这个词有几个～ この言葉にはいくつかの意味がある
【意译】yìyì 動 ❶(翻訳で)意訳する ↔〔直译〕❷(外来語で)意味を移す形で訳す ↔〔音译〕
【意愿】yìyuàn 图 願望. 望み
【意蕴】yìyùn 图 包含する意味. 含蓄
【意在言外】yì zài yán wài 成 意は言外にあり
【意旨】yìzhǐ 图 意向. 意図
**【意志】yìzhì 图 意志 ‖ ～坚定 意志が堅固である | ～薄弱 意志が薄弱である | 磨炼～ 意志を鍛える
【意中人】yìzhōngrén 图 意中の人

13 **裔** yì 書 ❶衣服の端 ❷後裔(こうえい) ‖ 后～ 後裔 ❸辺境. 辺地 ‖ 四～ 四方の辺境

13 **肄** yì 学習する. 勉強する
【肄业】yìyè 動 (正式な卒業ではなく)修了する. 中途退学する ‖ 大学～ 大学中退 | ～生 修了生

14 **瘗**(瘞) yì 書 埋葬する

14 **蜴** yì ➡〔蜥蜴xīyì〕

15 **熠** yì 書 輝かしい. 明るい
【熠熠】yìyì 形 書 きらきら輝くさま ‖ ～生辉 まぶしく輝く

15 **毅** yì 断固としている. きっぱりとしている ‖ 坚～ 毅然(きぜん)としている | 刚～ 剛毅(ごうき)である
*【毅力】yìlì 图 強い意志. 気力 ‖ 有～ 気力がある
*【毅然】yìrán 形 断固としたさま. 毅然としたさま
【毅然决然】yìrán juérán 慣 断固としてためらわず

15 **镒** yì 古 重量単位. 20〔两〕, または, 24〔两〕に相当する

16 **劓** yì 古 (刑罰の一つ)鼻そぎ

16 **薏** yì ↴
【薏米】yìmǐ 图 ハトムギの実. 〔薏仁米〕〔苡仁yǐrén〕〔苡米〕ともいう
【薏苡】yìyǐ 图〈植〉ハトムギ

16 **殪** yì 古 死ぬ. 殺す

17 **臆** yì ❶胸 ‖ 胸～ 胸中 ❷主観的な ‖ ～造 | ～见
【臆测】yìcè 動 憶測する. 当て推量する
【臆断】yìduàn 動 憶断する
【臆度】yìduó 動 書 憶測する
【臆见】yìjiàn 图 主観的な考え
【臆说】yìshuō 图 憶説
【臆想】yìxiǎng 動 憶測する. 想像する
【臆造】yìzào 動 憶測ででっち上げる

17 **翳**(△瞖) yì ❶書 遮る. 覆い隠す ❷图〈医〉角膜翳(かくまくえい) ❸書 遮るもの

17 **翼** yì ❶(鳥や昆虫の)翼. 羽. ふつうは〔翅膀chìbǎng〕という ❷作戦陣形の両側. 政治の一派閥 ‖ 左～ 左翼 ❸書 助ける. 補佐する ‖ ～助 補佐する ❹图 (二十八宿の一つ)たすきぼし. 翼宿(よくしゅ) ❺翼のようなもの. 両側の部分 ‖ 鼻～ 小鼻
【翼翼】yìyì 形 書 ❶慎重であるさま ‖ 小心～ 小心翼々 ❷厳然と秩序立っているさま ❸盛んなさま

18 **癔** yì ↴
【癔症】yìzhèng 图〈医〉ヒステリー. 〔歇斯底里xiēsīdǐlǐ〕ともいう

18 **镱** yì 图〈化〉イッテルビウム(化学元素の一つ, 元素記号は Yb)

22 **懿** yì 書 (行いが)立派である ‖ ～德 美徳 | ～行 立派な行い
【懿旨】yìzhǐ 图 書 皇太后または皇后の命令

yīn

6 ★**阴**(陰 △隂) yīn ❶形 曇っている. 雲に覆われている ‖ 天～起来了 曇ってきた ❷(～儿)日陰 ‖ 树～ 木陰 ❸山の北側. 川の南岸 ↔〔阳〕‖ 淮Huái水之～ 淮河(わいが)の南側 ❹露出しない. 隠れている ↔〔阳〕‖ ～沟 ❺形 陰険である ‖ 那人很～ あの人はとても陰険だ ❻生殖器. とくに女性の生殖器 ‖ ～道 ❼へこんでいる. 凹の ↔〔阳〕‖ ～文 ❽图 (易学でいう)陰 ↔〔阳〕❾月 ↔〔阳〕‖ ～历 ❿あの世. 冥土(めいど) ↔〔阳〕‖ ～间 ⓫(電極の)マイナス ↔〔阳〕‖ ～电
*【阴暗】yīn'àn 形 暗い. 陰気である ‖ 天色～ 空が暗い | ～潮湿的房间 陰気で湿っぽい部屋
【阴暗面】yīn'ànmiàn 图 暗黒面
【阴部】yīnbù 图〈生理〉陰部. 外陰部
【阴曹】yīncáo ＝〔阴间yīnjiān〕
【阴沉】yīnchén 形 どんよりしている. 暗い. 不機嫌でとげとげしい ‖ 脸色～ 顔つきが不機嫌である
【阴错阳差】yīn cuò yáng chā 成 あれやこれやの偶然が重なり, 行き違いが生じる. 〔阴差阳错〕ともいう
【阴道】yīndào 图〈生理〉膣(ちつ)
【阴德】yīndé 图 陰徳. 見えないところでの善行
【阴电】yīndiàn 图〈電〉陰電気. 負電気 ＝〔负电〕
【阴毒】yīndú 形 陰険であくどい
【阴风】yīnfēng 图 ❶寒風. 冷たい風 ❷暗やみから吹いてくる風. 薄気味悪い風
【阴干】yīngān 動 陰干しする

【阴功】yīngōng 图陰徳
【阴沟】yīngōu 图暗渠(あんきょ). 地下の排水溝
【阴晦】yīnhuì 形薄暗い. どんよりしている
【阴魂】yīnhún 图亡霊. 幽霊. 亡者
【阴极】yīnjí 图〈電〉❶陰極. 負極 ❷カソード
【阴极射线】yīnjí shèxiàn 图〈電〉陰極線
【阴间】yīnjiān 图あの世. 冥土(めいど). 冥界(めいかい). 〔阴曹〕〔阴司〕ともいう ↔〔阳间〕
【阴茎】yīnjīng 图〈生理〉陰茎
【阴冷】yīnlěng 形❶暗く寒々としている ❷(顔つきが)陰気で冷ややかである
【阴离子】yīnlízǐ 图〈物〉陰イオン
【阴历】yīnlì 图❶陰暦. 〔太阴历〕ともいう ❷旧暦. 〔农历〕の通称
【阴凉】yīnliáng 形ひんやりと冷たい. 涼しい ‖ 这儿很～ ここはとてもひんやりする 图(～儿)日陰の涼しい場所
【阴霾】yīnmái 图(土ぼこりによって)もやっている天気
【阴毛】yīnmáo 图〈生理〉陰毛
【阴面】yīnmiàn (～儿)图(建物の)背面. 裏側
*【阴谋】yīnmóu 動悪事を企てる. たくらむ ‖ ～政变 クーデターをたくらむ 图陰謀 ‖ 搞～ 陰謀をたくらむ
【阴囊】yīnnáng 图〈生理〉陰嚢(いんのう)
【阴平】yīnpíng 图〈語〉現代中国語の四つの声調の一つ, 第1声. ➡〔四声sìshēng〕
【阴森】yīnsēn 形(場所・雰囲気・顔つきなどが)陰鬱(いんうつ)である. 暗く不気味である
【阴山背后】yīnshān bèihòu 慣さびれた僻地. 忘れられた地
【阴寿】yīnshòu 图❶旧死者のための誕生日の祝い ❷死者の冥土における年齢
【阴司】yīnsī ＝〔阴间yīnjiān〕
【阴私】yīnsī 图他人に言えない秘密. 後ろめたいこと
【阴损】yīnsǔn 形陰険で酷薄である 動蔭で人をおとしめる
*【阴天】yīntiān 图曇り. 曇天
【阴文】yīnwén 图(印章などで文字や文様をくぼませて刻んだ)陰文. 陰刻 ↔〔阳文〕
【阴险】yīnxiǎn 形陰険である
【阴线】yīnxiàn 图〈経〉(株式チャートの)陰線 ↔〔阳线〕
【阴性】yīnxìng 图❶〈医〉陰性 ❷〈語〉女性 ✻ ↔〔阳性〕
【阴阳】yīnyáng 图陰と陽. 陰陽
【阴阳怪气】yīn yáng guài qì (～的)慣(性格や言行が)つむじ曲がりである. ひねくれている. 偏屈である
【阴阳历】yīnyánglì 图陰陽暦. 太陰太陽暦
【阴阳人】yīnyángrén 图両性具有の人. ふたなり
【阴影】yīnyǐng (～儿)图陰影. 暗い影
【阴雨】yīnyǔ 動うっとうしい雨が降る. 長雨になる
【阴郁】yīnyù 形❶(天気が)どんよりしている. (雰囲気が)暗い ❷気分が晴れない. 憂鬱(ゆううつ)である
【阴云】yīnyún 图暗雲. 黒雲
【阴韵】yīnyùn 图〈語〉陰韻(古代中国語の入声と陽韻以外の韻)
【阴宅】yīnzhái 图墓地. 墓場

6 **因**(△囙) yīn ❶書頼る. 依存する ❷踏襲する. 受け継ぐ ‖ 一～袭 ❸…に基づいて. …に応じて ‖ 一～地制宜 ❹原因 ↔〔果〕 ‖ 原～ 原因 ❺介書…が原因で. …のせいで ‖ ～病休学一年 病気で1年休学する ❻接(原因を表す) … なので. … のために ‖ ～故不能出席 用事で出席できない
【因材施教】yīn cái shī jiào 成人に応じて適した教育をする. 人を見て法を説く
⁑【因此】yīncǐ 接それゆえ. そのため. だから ‖ 他有伤, ～没能参加比赛 彼は怪我で試合に出られなかった
【因地制宜】yīn dì zhì yí 成土地の事情に合わせて適当な方法をとる
⁑【因而】yīn'ér 接したがって. それゆえ ‖ 由于掌握zhǎngwò了学习方法, ～成绩提高很快 学習法を把握したので, ぐんと成績が上がった
【因果】yīnguǒ 图❶原因と結果 ‖ ～关系 因果関係 ❷〈仏〉因果 ‖ ～报应bàoying 因果応報
【因陋就简】yīn lòu jiù jiǎn 成不十分なものでもなんとか間に合わせる. ありあわせのものを利用する
【因纽特人】Yīnniǔtèrén 图イヌイット. かつては〔爱斯基摩人〕(エスキモー)といった
【因人成事】yīn rén chéng shì 成自分では努力せず, 人の力に頼って事を成し遂げる
【因人而异】yīn rén ér yì 成相手によって違う方法を用いる. 人によってそれぞれ差異がある
【因式】yīnshì 图〈数〉因数. 〔因子〕ともいう
【因式分解】yīnshì fēnjiě 图〈数〉因数分解
【因势利导】yīn shì lì dǎo 成情勢に応じて有利に事を運ぶ
【因数】yīnshù 图〈数〉約数. 〔因子〕ともいう
⁑【因素】yīnsù 图要素. 要因 ‖ 精神～ 精神的要素 | 积极～ プラスの要素 | 有利～ 有利な要素
【因特网】yīntèwǎng 图〈計〉インターネット. 〔互联网〕ともいう
★【因为】yīnwei ; yīnwèi 接(原因を表す) … なので. … だから ‖ ～不用功, 所以留级了 まじめに勉強しなかったために留年になった 介(原因を表す) … のために. … ゆえに. … によって. … で ‖ ～时间的关系, 今天就讲到这里 時間の関係で, 今日の講義はここまでとします
【因袭】yīnxí 動(従来の方法や制度などに)従う. 踏襲する. 援用する ‖ ～前人 前人のやり方をまねる
【因小见大】yīn xiǎo jiàn dà 成小事によって大事を見る. 小さなことの中から大きな問題を見てとる
【因小失大】yīn xiǎo shī dà 成小さな利益にこだわって大きな損失を招く
【因循】yīnxún 動❶(古いしきたりを)踏襲する. 受け継ぐ ❷消極的でぐずぐずする. 煮えきらない
【因循守旧】yīn xún shǒu jiù 成旧習を墨守する. 因襲にとらわれる
【因噎废食】yīn yē fèi shí 成のどにつかえたのに懲りて食を絶つ. 失敗を恐れて肝要のことまでやめてしまう
【因应】yīnyìng 動❶(変動に)適応する. 順応する ‖ ～客户的需要 顧客のニーズに応える ❷対処する. 適切な処置をとる
【因由】yīnyóu (～儿)图原因. 理由. 訳
【因缘】yīnyuán 图❶〈仏〉因縁(いんねん) ❷縁. ゆかり
【因子】yīnzǐ 图〈数〉❶約数 ❷因数

9 **洇** yīn 動にじむ. しみる ‖ 这种纸一沾墨水就～ この紙はインクがつくとすぐににじんでしまう

9 **荫**(蔭) yīn 图木陰 ➤ yìn
【荫蔽】yīnbì 動❶(樹木が)覆う. 遮る ❷隠れる. 隠す

【荫翳】yīnyì 動(樹木が)覆う．遮る 形(樹木が)こんもり茂っている ＊〔阴翳〕とも書く

9 茵 yīn 古 車の中の敷物．転 敷物．しとね ‖ 绿草如～ 若草が緑のしとねのようだ

9 姻(△婣) yīn ❶婚姻．結婚 ‖ →～缘｜婚～ 婚姻 ❷姻戚(いんせき) ‖ ～伯 兄弟の妻の父や姉妹の夫の父への称

【姻亲】yīnqīn 名 姻戚関係．縁戚(えんせき)．縁家

【姻缘】yīnyuán 名 婚姻の縁 ‖ 美满～ 幸せな結婚

9* 音 yīn ❶名 音．音声 ‖ 配～ 吹き替えをする ❷名 言語の音．音節 ‖ 口～ 話し声．なまり ❸消息．音信 ‖ 回～ 返信

【音标】yīnbiāo 名〈語〉音声記号

【音波】yīnbō 名 音波 ＝〔声波〕

【音叉】yīnchā 名 音叉(おんさ)

【音程】yīnchéng 名〈音〉音程

【音带】yīndài 名 録音用カセットテープ

【音调】yīndiào 名 音調．曲調．(話し方の)調子

【音符】yīnfú 名〈音〉音符 ‖ 四分～ 四分音符

【音高】yīngāo 名〈音〉音の高さ．音高(おんこう)．ピッチ

【音阶】yīnjiē 名〈音〉音階

【音节】yīnjié 名〈語〉音節．シラブル．〔音缀〕ともいう

【音节文字】yīnjié wénzì 名〈語〉音節文字

【音量】yīnliàng 名 音量．ボリューム

【音律】yīnlǜ 名〈音〉(中国古代音楽の)音律．楽律．〔乐yuè律〕ともいう

【音名】yīnmíng 名 ❶(中国古代音楽の十二律の)音名 ❷(西洋音階の)音名

【音频】yīnpín 名〈物〉可聴周波数．音響周波数

【音强】yīnqiáng 名〈物〉音の強さ．〔音势〕ともいう

【音区】yīnqū 名 音域．声域

【音儿】yīnr 名 方 ❶(話す)声 ❷言葉の含み．本音 ‖ 听话听～ 話を聞いて裏の意味をかぎ取る

【音容】yīnróng 名 書 音容．声と顔

【音色】yīnsè 名 音色．〔音质〕ともいう

【音速】yīnsù 名〈物〉音速 ＝〔声速〕

【音素】yīnsù 名〈語〉音素

【音素文字】yīnsù wénzì 名〈語〉音素文字

【音位】yīnwèi 名〈語〉音位

*【音响】yīnxiǎng 名 ❶音響．サウンド ‖ ～效果 音響効果 ❷音響機器 ‖ 组合～ オーディオ・コンポ

【音像】yīnxiàng 名 オーディオ・ビジュアル(AV)

【音信】yīnxìn 名 音信．消息 ‖ 杳yǎo无～ 杳(よう)として音信がない｜～全无 便りがまったくない

【音序】yīnxù 名 アルファベット順．発音順

【音讯】yīnxùn 名 便り．音信

【音义】yīnyì 名 ❶(文字の)発音と意味 ❷文字の発音と意味を説明した注解．(主に書名に用いる)

【音译】yīnyì 名 音訳 動 音訳する ↔〔意译〕

【音域】yīnyù 名〈音〉音域．声域

★【音乐】yīnyuè 名 音楽 ‖ 古典～ クラシック音楽

【音韵】yīnyùn 名 ❶(詩などの)韻律．ハーモニー ‖ ～铿锵 韻律がリズミカルである ❷(漢字字音の)音韻

【音韵学】yīnyùnxué 名〈語〉音韻学．〔声韵学〕ともいう

【音值】yīnzhí 名〈語〉音価

【音质】yīnzhì 名 ❶＝〔音色yīnsè〕❷音質

【音准】yīnzhǔn 名〈音〉音の高低の正確さ

10 氤 yīn ↴

【氤氲】yīnyūn 形 書 煙や霞などがもうもうと立ちこめるさま．〔细缊〕〔烟煴〕とも書く

10 殷¹(△慇❸❹) yīn ❶書 盛んである．盛大である ❷豊かである．裕福である ‖ →～实 ❸書(心情が)豊かである．深い ‖ →～切 ❹書 手厚い．心がこもっている ‖ →～勤

10 殷² yīn 名 王朝名．殷(いん)(前14世紀～前11世紀) ➤ yān yǐn

【殷富】yīnfù 形 裕福である．豊かである

【殷切】yīnqiè 形 書(願いや希望が)深く切である

【殷勤】yīnqín 形 手厚い．礼儀正しく愛想がよい．〔慇懃〕とも書く ‖ ～款待 手厚くもてなす

【殷实】yīnshí 形 裕福である．豊かである

【殷殷】yīnyīn 形 書 心がこもっているさま．切実なさま

11 铟 yīn 名〈化〉インジウム(化学元素の一つ，元素記号はIn)

12 堙(△陻) yīn 書 ❶ふさぐ ❷埋める．うずめる

12 喑(△瘖) yīn 書 ❶口をつぐんで語らない ❷のどがかれて声が出ない

【喑哑】yīnyǎ 形 のどがかれて声が出ないさま．音や声が小さくてはっきりしないさま

yín

7 圻 yín 古〔垠yín〕に同じ ➤ qí

7 吟(△唫) yín ❶吟ずる．吟詠する ❷(古典詩歌の形式の一種)吟

【吟哦】yín'é 動 書 吟詠する．吟ずる

【吟风弄月】yín fēng nòng yuè 成 花鳥風月を詠む．〔吟风咏月〕ともいう

【吟诵】yínsòng 動 吟唱する．吟ずる

【吟味】yínwèi 動 詩を吟じ味わう

【吟咏】yínyǒng 動 吟詠する．詠ずる．吟ずる

9 垠 yín 書 果て．際限 ‖ 一望无～的草原 見渡すかぎりの草原

11 淫(△滛婬❸) yín ❶過度の．甚だしい ‖ →～雨 ❷放縦である．度が過ぎている ‖ 乐而不～ 楽しんでも度は過ごさず ❸(男女の関係が)みだらである ‖ →～荡

【淫荡】yíndàng 形 みだらである．不品行である

【淫妇】yínfù 名 淫婦．みだらな女

【淫棍】yíngùn 名 女たらし

*【淫秽】yínhuì 形 猥褻である．みだらである ‖ ～录像 ポルノビデオ｜～书刊 エロ本やエロ雑誌

【淫乱】yínluàn 動 淫乱(いんらん)になる．みだらにする

【淫书】yínshū 名 猥褻書．エロ本

【淫威】yínwēi 名 暴威．猛威

【淫猥】yínwěi 形 淫猥(いんわい)である

【淫亵】yínxiè 形 猥褻である

【淫雨】yínyǔ 名 長雨．〔霪雨〕とも書く

【淫欲】yínyù 名 淫欲(いんよく)．情欲

11 寅 yín 名 寅(とら)(十二支の第3) ➡〔地支dìzhī〕

【寅吃卯粮】yín chī mǎo liáng 成 寅年に翌年の卯年(うどし)の食糧を食べてしまう．収入が追いつかず前借りで食いつなぐことのたとえ

11** 银 yín ❶名〈化〉銀(化学元素の一つ，元素記号はAg) ❷貨幣にかかわるもの ‖ →～

行 ❸銀色の．銀白色の．白色の‖→～耳
【银白】yínbái 形 銀白色の
【银杯】yínbēi 名（優勝カップなどの）銀杯
【银本位】yínběnwèi 名〈経〉銀本位制
【银币】yínbì 名 銀貨
【银弹】yíndàn 名 目的を達するために使う金．賄賂や裏金など‖～外交 札束外交．経済的な利益を与えてその見返りに要求を通す外交
【银锭】yíndìng 名 ❶（～儿）（明・清代に通貨として用いた）元宝銀．馬蹄銀(ばてい) ❷（死者を供養するために焼く）錫箔紙(すずはく)で作った馬蹄銀
【银耳】yín'ěr 名〈植〉シロキクラゲ．〔白木耳〕ともいう
【银发】yínfà 名 白髪‖满头～ 総白髪である
【银粉】yínfěn 名 ❶銀粉 ❷アルミニウムの粉の俗称
【银根】yíngēn 名〈経〉金融．資金の流通
★【银行】yínháng 名 銀行‖～账号 銀行口座番号
【银行卡】yínhángkǎ 名 銀行カード．キャッシュカードやクレジットカード
【银号】yínhào 名 旧 規模が大きい私営の両替商
【银河】yínhé 名〈天〉天の川．銀河
【银河系】yínhéxì 名〈天〉銀河系
【银灰】yínhuī 形 銀ねずみ色の．シルバーグレーの
【银婚】yínhūn 名 結婚25周年の祝い．銀婚
【银匠】yínjiàng 名 金銀細工師
【银矿】yínkuàng 名 ❶銀の鉱石 ❷銀鉱
【银两】yínliǎng 名 旧 貨幣の総称．お金
【银楼】yínlóu 名 旧 金銀細工店．貴金属店
*【银幕】yínmù 名 銀幕．スクリーン
【银牌】yínpái 名 銀メダル
【银屏】yínpíng 名 テレビのスクリーン． 喩 テレビ番組
【银钱】yínqián 名 金銭
【银团贷款】yíntuán dàikuǎn 名〈経〉協調融資．シンジケートローン
【银杏】yínxìng 名 ❶〈植〉イチョウ．〔公孙树〕ともいう ❷イチョウの実．ギンナン．〔白果〕ともいう
【银样镴枪头】yín yàng là qiāng tóu 成 銀に見せかけた錫(すず)の槍先(やりさき)．見かけ倒し．こけおどし
【银圆】【银元】yínyuán 名 旧 1元銀貨
【银子】yínzi 名 銀

13 **鄞** yín 地名用字‖～县 浙江省にある地名

14 **夤** yín 書 ❶（夜が）更ける‖→～夜 ❷取り入る‖～缘（上の）人に取り入る
【夤夜】yínyè 名 書 深夜

14 **龈** yín 歯ぐき‖牙～ 同前

yǐn

4 **尹** yǐn 名 旧 官職名‖令～ 県知事｜府～ 府の長官

4
* **引** yǐn ❶弓を引く‖～弓 弓を引く ❷長く伸ばす‖→～颈 ❸量 古 長さの単位．1〔引〕は10〔丈〕，15〔引〕は1〔里〕 ❹引く．引っ張る‖牵qiān～ 牽引(けんいん)する ❺動 率いる．引き連れる‖我～你去见总编 君を編集長に引き合わせてあげよう ❻動 招く．もたらす‖～来不少人围观 大勢の野次馬に取り囲まれた ❼推薦する‖→～荐 ❽動 引用する‖→～用 ❾退く．離れる‖→～退
【引爆】yǐnbào 動 起爆する
*【引导】yǐndǎo 動 ❶導く．手引きをする‖～学生独立思考问题 学生が自分の頭で物事を考えるよう導く ❷案内する．率いる‖园长～我们参观了整个幼儿园 私たちは園長に案内されて幼稚園全体を見て回った
【引动】yǐndòng 動（心に）触れる．引き起こす
【引逗】yǐndòu 動 からかう．誘惑する．仕向ける
【引渡】yǐndù 動〈法〉（国家間で犯罪者を）引き渡す‖～犯人 犯人を引き渡す
【引而不发】yǐn ér bù fā 成 弓を引き絞ったまま矢はまだ放たない．満を持す．準備万端整えて機会を待つこと．また，人の啓発や自己制御がうまいこと
【引发】yǐnfā 動 引き起こす．誘発する．触発する
【引吭高歌】yǐn háng gāo gē 成 声を張り上げ高らかに歌う
【引航】yǐnháng 動 水先案内をする．〔引水〕ともいう
【引号】yǐnhào 名〈語〉引用符．クォーテーション・マーク
【引火】yǐn//huǒ 動（火種に）火をつける．火をおこす
【引火烧身】yǐn huǒ shāo shēn 成 ❶自ら災いを招き身を滅ぼす〔惹rě火烧身〕ともいう ❷自ら自分の問題点を明らかにし，他人の批判を受ける
【引见】yǐnjiàn 動 人を引き合わせる
【引荐】yǐnjiàn 動（人を）推薦する
【引介】yǐnjiè 動 外部から導入し紹介する
*【引进】yǐnjìn 動 ❶推薦する ❷先に立って導き入れる ❸取り入れる．導入する‖～技术 技術を導入する
【引经据典】yǐn jīng jù diǎn 成 経書や典故を引用する．論証に経典を引用すること
【引颈】yǐnjǐng 動 首を長くする．首を伸ばす． 喩 待ち望むさま‖～企待 首を長くして待ち望む
【引咎】yǐnjiù 動 書 引責する．責任をとる
【引狼入室】yǐn láng rù shì 成 狼(おおかみ)を部屋に引き入れる．悪人や敵を仲間に入れ，災いを招くこと
【引力】yǐnlì 名〈物〉引力．万有引力
【引例】yǐn//lì 動 引例する．例を引く 名（yǐnlì）引例
【引领】yǐnlǐng 動 ❶率いる．引率する ❷書 首を長くする．首を伸ばす． 喩 待ち望むさま
【引流】yǐnliú 動〈医〉排液する．排膿(はいのう)する
【引路】yǐn//lù 動 手引きする．道案内する
*
*【引起】yǐnqǐ 動 **引き起こす．誘発する．もたらす**‖～关注 関心を引く｜～一场大病 大病を引き起こす
【引桥】yǐnqiáo 名〈建〉橋の両端のアプローチ部分
【引擎】yǐnqíng 名 外 ❶〈機〉エンジン ❷〈計〉エンジン‖搜索sōusuǒ～ 検索エンジン．サーチエンジン
【引人入胜】yǐn rén rù shèng 成（風景や文章などが）人をうっとりさせる．人を夢中にさせる
*【引人注目】yǐn rén zhù mù 成 人の注目を集める．人目を引く
*【引入】yǐnrù 動 引き入れる．導き入れる‖～歧途qítú 誤った道に引き入れる
【引蛇出洞】yǐn shé chū dòng 成 蛇を穴から誘い出す．隠れた悪人をおびき出すたとえ
【引申】yǐnshēn 動〈語〉原義から派生義が生じる．
【引述】yǐnshù 動（他人の話を）引用して述べる
【引退】yǐntuì 動 引退する．退く
【引文】yǐnwén 名 引用文．〔引语〕ともいう
【引线】yǐnxiàn 名 ❶ひも状の信管 ❷手づる．つて．仲介人‖当～ 仲介者になる ❸方 縫い針
【引信】yǐnxìn 名 信管．〔信管〕ともいう
【引言】yǐnyán 名（短めの）序言．序文．緒言
*【引用】yǐnyòng 動 ❶引用する‖～古诗 古詩を引

用する｜～例证 例証を挙げる ❷任用する. 起用する

*【引诱】yǐnyòu 動 誘惑する. 誘い込む‖不受金钱的～ 金の誘惑に乗らない

【引语】yǐnyǔ ＝〔引文yǐnwén〕

【引玉之砖】yǐn yù zhī zhuān 成 謙 (自分の)未熟な意見を述べて他の卓見を引き出すこと

【引证】yǐnzhèng 動 引証する. 例証する

【引致】yǐnzhì 動 導く. 招く. 引き起こす

【引种】yǐnzhǒng 動 (動植物の)優良品種を導入する

【引种】yǐnzhòng 動 (植物の優良品種を)移植する

【引资】yǐnzī 動 資金を導入する‖招商～ 企業を誘致し資金を導入する

【引子】yǐnzi 名 ❶〈劇〉役者が初めて登場するときの独白の台詞(せりふ) ❷〈音〉楽曲の前奏部分. プロローグ ❸(話の)まくら. 前置き ❹〈中薬〉主薬の薬効を増強する薬. 引子(いんし). 薬引(やくいん) ＝〔药引子〕

7 **饮**(△歙) yǐn ❶飲む‖一～而尽 一気に飲み干す ❷(酒を)飲む‖畅～ 痛飲する ❸心に抱く. 心中に隠す‖～恨 ❹飲料‖冷～ 清涼飲料 ❺名〈中薬〉冷服する水薬‖～子 同前 ➤ yìn

【饮弹】yǐndàn 動 書 体に弾丸が当たる

【饮恨】yǐnhèn 動 書 恨みをのむ

【饮酒】yǐn//jiǔ 動 酒を飲む

*【饮料】yǐnliào 名 飲み物. 飲料. ドリンク‖软～ ソフトドリンク｜清凉～ 清涼飲料水

> **外国の固有名詞** 飲料 【アサヒビール】…朝日啤酒 【エビアン】…依云 【キリンビール】…麒麟啤酒 【コカコーラ】…可口可乐 【サッポロビール】…三宝乐啤酒 【サンキスト】…新奇士 【シーバスリーガル】…芝华士 【スプライト】…雪碧 【ネスカフェ】…雀巢咖啡 【ハイネケン】…喜力啤酒 【バドワイザー】…百威啤酒 【マクスウェル・コーヒー】…麦斯威尔咖啡

【饮泣】yǐnqì 動 書 涙をのんで泣く. すすり泣く

*【饮食】yǐnshí 名 飲食‖注意～卫生 飲食の衛生に注意する 動 飲んだり食べたりする. 飲み食いする‖改变～习惯 飲食の習慣を改める｜～起居 日常生活

【饮食业】yǐnshíyè 名 飲食業

*【饮水思源】yǐn shuǐ sī yuán 成 水を飲むときは水源を思う. 現在の幸せの根源を忘れないこと

【饮用】yǐnyòng 動 飲用する. 飲む

【饮用水】yǐnyòngshuǐ 名 飲用水‖瓶装～ ボトル入り飲用水

【饮誉】yǐnyù 動 書 好評を博する. 称賛を浴びる

【饮鸩止渴】yǐn zhèn zhǐ kě 成 鴆毒(ちんどく)(毒酒)を飲んで渇きを止める. 目先の急場をしのぐあまり, 将来の大禍を考えない

10 **殷** yǐn 擬 書 雷鳴の形容‖雷声～～ 雷鳴が響き渡る ➤ yān yīn

10 **蚓** yǐn ➡〔蚯蚓qiūyǐn〕

11 **隐**(隱) yǐn ❶隠れる. 隠す‖时～时现 見え隠れする ❷(真相を)隠す‖一～瞒 ❸隠れた. 表面に出ない‖一～患 ❹はっきりしない. 明らかではない‖一～晦 ❺隠されているもの. 内実‖难言之～ 人に言えない胸の内

*【隐蔽】yǐnbì 動 (物陰に)隠れる 形 隠されている. 隠蔽(いんぺい)されている‖地形～ 地形が発見されにくい

【隐避】yǐnbì 動 隠れて避ける

*【隐藏】yǐncáng 動 隠す. 隠れる‖把赃款～起来 盗んだ金を隠す｜～在人群中 人込みの中に隠れる

【隐恶扬善】yǐn è yáng shàn 成 人の悪い点は言わず, よい点を大いにほめる

【隐伏】yǐnfú 動 隠れる. 潜伏する

【隐含】yǐnhán 動 暗に含む. それとなく含む

【隐患】yǐnhuàn 名 隠れた弊害. 潜んでいる災いのもと

【隐讳】yǐnhuì 動 (都合の悪いことを)避けて隠す

【隐晦】yǐnhuì 形 晦渋(かいじゅう)である. 難解である

【隐居】yǐnjū 動 隠棲(いんせい)する. 隠居する

*【隐瞒】yǐnmán 動 隠し立てする. 隠してごまかす‖～事实真相 事の真相を隠し立てする

【隐秘】yǐnmì 動 秘密にする. 隠す 形 隠されている. 秘密である 名 秘密‖刺探cìtàn～ 秘密を探る

【隐没】yǐnmò 動 (視界から)隠れる. 見えなくなる

【隐匿】yǐnnì 動 書 ❶隠匿する. 隠す‖～罪证 罪証を隠匿する ❷身を隠す. 隠れる

【隐僻】yǐnpì 形 ❶辺鄙(へんぴ)である ❷(言葉や典故などが)人に知られていない. 意味がよく分からない

【隐情】yǐnqíng 名 秘めた事情. 内緒事

【隐忍】yǐnrěn 動 心に秘めて耐え忍ぶ

【隐射】yǐnshè 動 暗にさす. ほのめかす

【隐身】yǐn//shēn 動 姿を隠す

【隐身技术】yǐnshēn jìshù ＝〔隐形技术yǐnxíng jìshù〕

【隐士】yǐnshì 名 隠者. 世捨て人

【隐私】yǐnsī 名 プライバシー. 私生活の秘密

【隐痛】yǐntòng 名 ❶人に言えない苦しみ. 人知れぬ悩み ❷かすかにうずく痛み

【隐现】yǐnxiàn 動 隠れたり現れたりする. 見え隠れする

【隐形飞机】yǐnxíng fēijī 名〈軍〉レーダーや赤外線探知装置でも発見しにくい飛行機

【隐形技术】yǐnxíng jìshù 名〈軍〉ステルス技術. 〔隐身技术〕ともいう

【隐形眼镜】yǐnxíng yǎnjìng 名 コンタクトレンズ

【隐性】yǐnxìng 形〈生〉劣性の ↔〔显xiǎn性〕

【隐姓埋名】yǐn xìng mái míng 成 姓名を隠して人に知られないようにする

【隐隐】yǐnyǐn 形 ぼんやりとした. かすかである‖肚子～作痛 おなかがしくしく痛む

【隐隐约约】yǐnyǐnyuēyuē 形 ぼんやりとしている. かすかである

【隐忧】yǐnyōu 名 秘めた憂い

【隐语】yǐnyǔ 名 ❶隠語. スラング ❷古 なぞ言葉

【隐喻】yǐnyù 名〈語〉隠喩(いんゆ). メタファー

*【隐约】yǐnyuē 形 はっきりしない. ぼんやりとした. かすかな‖～可见 かすかに見える

【隐衷】yǐnzhōng 名 人には言えない苦衷

16 **瘾**(癮) yǐn 名 中毒. 悪癖. 病みつき. くせ‖酒～ アルコール中毒｜上～ 病みつきになる

【瘾君子】yǐnjūnzǐ 名 旧 アヘン中毒者

【瘾头】yǐntóu (～儿) 名 中毒ぶり. 病みつきぶり. 熱中ぶり‖正在～上 すっかり病みつきになっている

Y

yìn

5 ⁑**印** yìn ❶图 印章．印鑑．判 ‖ 盖～ 判を押す ❷合う．合致する ‖ 一～证 ❸動 跡を残す ‖ 脸上～着手印 顔に指の跡が残っている ❹图(～儿)跡．痕跡(こんせき) ‖ 脚～儿 足跡 ❺動 **印刷する．焼き付ける** ‖ ～了一万册 1万冊刷った

【印把子】yìnbàzi 图 印鑑のつまみ．喩 権力
【印本】yìnběn 图 印刷した書物．刊行本
【印次】yìncì 图〈印〉印刷回数．刷(さ・す)り
【印第安人】Yìndì'ānrén 图 インディアン．インディオ
【印度】Yìndù 图〈国名〉インド
【印度教】Yìndùjiào 图〈宗〉ヒンズー教
【印度尼西亚】Yìndùníxīyà 图〈国名〉インドネシア．略して〔印尼〕という
【印发】yìnfā 動 印刷し配布する
【印痕】yìnhén 图 痕跡．跡
【印花】[1] yìn//huā (～儿) 動 模様をプリントする．捺染(なつ)する
【印花】[2] yìnhuā 图 略 収入印紙．〔印花税票〕の略
【印记】yìnjì 图 ❶旧 機関や団体の用いる判 ＝〔钤qiánì记〕 ❷しるし．痕跡 動 はっきりと跡をとどめる
【印迹】yìnjì 图 跡．痕跡
【印鉴】yìnjiàn 图 印章の印影
【印尼】Yìnní ＝〔印度尼西亚Yìndùníxīyà〕
【印泥】yìnní 图 印肉．朱肉
【印钮】【印纽】yìnniǔ 图 印章のつまみ
【印谱】yìnpǔ 图 印譜．古印や名家の刻した印影を集めた書物
*【印染】yìnrǎn 動 捺染する．プリントする
【印色】yìnse 图 印肉．朱肉
⁑【印刷】yìnshuā 動 **印刷する** ‖ 一共～了三千册 全部で3000冊印刷した｜～厂 印刷所
【印刷品】yìnshuāpǐn 图 印刷物．プリント
【印刷体】yìnshuātǐ 图〈印〉活字体 ↔〔手写体〕
【印台】yìntái 图 スタンプ台．〔打印台〕ともいう
【印堂】yìntáng 图 眉間(みけん)．印堂．
【印玺】yìnxǐ 图 印章．帝王の印章
⁑【印象】yìnxiàng 图 **印象** ‖ 留下了深刻的～ 強い印象を残した｜这个人我一点儿～都没有 その人のことは，私はまったく覚えていない
【印信】yìnxìn 图 官庁公署の印．公印
【印行】yìnxíng 動 印刷発行する
【印油】yìnyóu 图 スタンプインク
【印张】yìnzhāng 图〈印〉1冊の書籍をつくる際に用いる紙の量
【印章】yìnzhāng 图 印章
【印证】yìnzhèng 動 実証する．裏づける 图 実証．裏づけ ‖ 得到～ 裏づけを得た
【印子】yìnzi 图 跡．痕跡

7 **饮**(△飲) yìn 動(家畜に)水を飲ませる ‖ ～马 ウマに水を飲ませる ➤ yǐn

8 **茚** yìn 图〈化〉インデン

9 **荫**(蔭 △廕❶❷) yìn ❶書 樹木が光線を遮る．転 庇護(ひご)する ‖ 一～庇 ❷古 父祖の功労で子孫に残された任官などの特権 ❸形 口 日当たりが悪く，冷えてじめじめしている ➤ yīn

【荫庇】yìnbì 動 目上の者が目下の者をかばい守る．あるいは，祖先が子孫を加護する
【荫凉】yìnliáng 形 日陰でひんやりしている．涼しい

9 **胤** yìn 書 子孫．後裔(こうえい)

14 **窨** yìn 地下室．穴蔵 ‖ 地～子 同前 ➤ xūn

yīng

7 ⁑**应**[1](應) yīng ❶助動 **当然…すべきである．…しなければならない** ‖ ～尽的义务 果たすべき義務

7 **应**[2](應) yīng 動 承諾する．引き受ける ‖ 那件事我已经～下来了 あの件はすでに承諾した ➤ yìng

⁑【应当】yīngdāng 助動 **当然…すべきである** ‖ 遇事～冷静 ことが起きたときには冷静にならなければならない
【应分】yīngfèn 形 当然である．当たりまえである
★【应该】yīnggāi 助動 ❶ **…すべきである．…であるべきだ** ‖ 自己的事～自己做 自分のことは自分ですべきだ ❷ **…のはずだ** ‖ 信是上星期发的，他～收到了 手紙は先週出したのだから，彼はもう受け取ったはずだ

> **類義語** 应该 yīnggāi　应当 yīngdāng　应 yīng
> ◆どれも，「責任上や道理から言って当然…すべきだ」という意味をあらわす ◆〔应该〕〔应当〕両者は実際上区別なく使われる．話し言葉にも書き言葉にも使われる ‖ 这个会你应该(应当，应)参加 この会には君は出席すべきだ ◆〔应〕は書き言葉に限られる．四字句には〔应〕が使われる ‖ 应有尽有 あるべきものは全部揃っている ◆問いに対して「当然だ」と答える時には〔应该(应当)〕と言えるが〔应〕は使われない

【应届】yīngjiè 形 今期の．(卒業生だけに用いる)
【应名儿】yīng//míngr 動 ある人の名義を使う 副(yīngmíngr)単なる名義上．名ばかり
【应声】yīng//shēng (～儿) 動 口 返事する ‖ 你怎么不～呀 どうして返事をしないんだ ➤ yìngshēng
【应税】yīngshuì 形 課税対象となる ‖ ～所得 課税所得
【应许】yīngxǔ 動 ❶許可する．許す ❷承諾する．引き受ける
【应有尽有】yīng yǒu jìn yǒu 成 あるべきものは漏れなくある．すべて取り揃っている
【应允】yīngyǔn 動 ❶許可する ❷承諾する

8 **英**[1] yīng ❶書 花 ❷才能がぬきんでている ❸才能のぬきんでた人

8 **英**[2] yīng イギリス．〔英国〕の略 ‖ 一～镑｜一～尺

*【英镑】yīngbàng 图 イギリスの通貨．ポンド
【英才】yīngcái 图 英才．秀才
【英尺】yīngchǐ 量 フィート
【英寸】yīngcùn 量 インチ
【英国】Yīngguó 图〈国名〉イギリス
【英豪】yīngháo 图 英傑．英雄豪傑．ヒーロー
【英魂】yīnghún ＝〔英灵yīnglíng〕
【英杰】yīngjié 图 英傑．英雄豪傑
*【英俊】yīngjùn 形 ❶才能がぬきんでている．英俊である ❷顔立ちが整っている

【英里】yīnglǐ [量] マイル
【英两】【英唡】yīngliǎng [量][旧] オンス．現在は〔盎斯àngsī〕を用いる
【英烈】yīngliè [形] 勇敢で気骨がある [名] 烈士
【英灵】yīnglíng [名] ❶英霊．〔英魂〕ともいう ❷[書] 才能のぬきんでた人
【英名】yīngmíng [名] 英名．名声
*【英明】yīngmíng [形] 賢明である．英明である
【英模】yīngmó [名] 英雄と模範的人物
【英亩】yīngmǔ [量]（面積の単位）エーカー
【英年】yīngnián [名] 青壮年期
【英气】yīngqì [名] 英雄的気概
★【英文】Yīngwén [名] 英語．英文
【英武】yīngwǔ [形][書] 雄々しい．勇ましい
**【英雄】yīngxióng [名] ❶英雄 ❷人民のために功績のあった人 ‖ 民族～ 民族的英雄 [形] 英雄的である ‖ ～气概 英雄的気概
【英雄无用武之地】yīngxióng wú yòngwǔ zhī dì [成] 英雄も腕を振るう場がない．優れた才能や腕前を持ちながらそれを発揮する機会がない
【英寻】yīngxún [量]（水深をはかる単位）尋(ひろ)
**【英勇】yīngyǒng [形] 勇敢である．勇ましい．雄々しい ‖ ～无敌 勇敢で敵なしである
★【英语】Yīngyǔ [名] 英語
【英制】yīngzhì [名] ヤードポンド法
【英姿】yīngzī [名] 勇姿．英姿

10 **莺**（鶯 △鸎）yīng ❶[名]〈鳥〉コウライウグイス．ふつう〔黄莺〕という ❷[名]〈鳥〉ウグイス亜科の鳥の通称
【莺歌燕舞】yīng gē yàn wǔ [成] 鶯(うぐいす)がさえずり燕(つばめ)が飛び交う．すばらしい春景色のたとえ

11 **婴**[1] yīng 赤子．赤ん坊 ‖ 一～儿｜女～ 女の赤ちゃん｜妇～ 婦人と嬰児(えいじ)

11 **婴**[2] yīng [書] こうむる．まといつく ‖ ～疾 病気にかかる
*【婴儿】yīng'ér [名] 赤ん坊 ‖ ～装 ベビー服

12 **瑛** yīng [古] 玉(ぎょく)に似た美しい石

14 **撄** yīng [書] 間近に迫る．犯す

14 **嘤** yīng ↴
【嘤嘤】yīngyīng [擬] ❶鳥の鳴き声 ❷しくしく泣く声

14 **缨** yīng ❶[古] 冠のひも ❷ひも．帯 ❸(～儿) 房状の飾り ❹(～儿) 房状のもの
【缨子】yīngzi [名] ❶房状の飾り ❷房状のもの

14 **罂**（△甖❶）yīng ❶[書] 口が狭く胴の膨れた瓶(かめ) ❷ ➡〔罂粟yīngsù〕
【罂粟】yīngsù [名] ❶〈植〉ケシ ❷〈中薬〉罌粟(おうぞく)

15 **璎** yīng 玉(ぎょく)に似た石
【璎珞】yīngluò [名] 瓔珞(ようらく)．古代の玉(ぎょく)をつらねた首飾り

15 **樱** yīng ↴
*【樱花】yīnghuā [名]〈植〉サクラ．サクラの花
【樱桃】yīngtao；yīngtáo [名]〈植〉❶シロバナカラミザクラ．セイヨウミザクラ ❷桜桃(おうとう)．サクランボ

16 **鹦** yīng ↴
【鹦鹉】yīngwǔ [名]〈鳥〉オウム科の鳥類の総称
【鹦鹉学舌】yīng wǔ xué shé [成] おうむ返しに繰り返す．人の言ったことの受け売りをする

17 **膺** yīng [書] ❶胸 ‖ 义愤填tián～ 胸が義憤でいっぱいになる ❷授かる．受ける

18 * **鹰** yīng ❶[名]〈鳥〉タカ科の鳥の通称 ❷[喩] 軍用機．戦闘機 ‖ 战～ 同前
【鹰鼻鹞眼】yīng bí yào yǎn [成] 凶悪で狡猾(こうかつ)な容貌(ようぼう)の形容
【鹰派】yīngpài [名] タカ派 ↔〔鸽gē派〕
【鹰犬】yīngquǎn [名][喩] 手先．手下．走狗(そうく)
【鹰隼】yīngsǔn [名][喩] 凶暴な人．勇猛な人

yíng

7 * **迎** yíng ❶[動] 迎える．出迎える ‖ ～新年 新年を迎える ❷[動] 向かう．対する ‖ ～着困难上 困難に向かって突き進む
【迎春花】yíngchūnhuā [名]〈植〉オウバイ
【迎风】yíng//fēng [動] ❶向かい風を受ける．風に逆らう ❷風を受ける ‖ ～飘扬piāoyáng 風に翻る
【迎合】yínghé [動]（他人の意向に）合わせる．迎合する ‖ ～领导 上司に追従する
【迎候】yínghòu [動]（ある場所で）出迎える
【迎击】yíngjī [動] 迎え撃つ．迎撃する
**【迎接】yíngjiē [動] ❶出迎える ‖ ～代表团 代表団を出迎える ❷迎える ‖ ～国庆节 国慶節を迎える
*【迎面】yíngmiàn（～儿）[副] 正面から．向こうから ‖ 春风～吹来 春風が真正面から吹いてくる
【迎亲】yíng//qīn [動][旧]（婚礼の際，新郎側が嫁入りの輿(こし)と楽隊を新婦側に派遣し）花嫁を迎える
【迎娶】yíngqǔ [動] 妻を迎える．めとる
【迎刃而解】yíng rèn ér jiě [成] 竹に刃が入ればあとは自然に割れる．主要な問題が解決すればほかの問題は簡単に解決できるたとえ
【迎头】yíngtóu（～儿）[副] 真正面から．出合い頭に
【迎头赶上】yíngtóu gǎnshang [慣] 懸命に頑張って先頭に追いつく
【迎新】yíngxīn [動] ❶新人を歓迎する ❷新年を迎える ‖ 送旧～ 旧年を送り新年を迎える
【迎战】yíngzhàn [動] 迎え撃つ

8 **茔**（塋）yíng [書] 墓地．墓

9 **荧**（熒）yíng [書] ❶光のかすかなさま．弱いさま ❷目がくらむ．惑わす
【荧光】yíngguāng [名]〈物〉蛍光
【荧光灯】yíngguāngdēng [名] 蛍光灯．〔日光灯〕ともいう
【荧光屏】yíngguāngpíng [名] 蛍光板．レーダーやテレビのスクリーン
【荧惑】yínghuò [動] 迷わす．惑わす [名][古] 火星
【荧屏】yíngpíng [名] ❶（テレビやレーダーなどの）スクリーン ❷テレビ
【荧荧】yíngyíng [形]（星の光や明かりが）明滅するさま．かすかに光るさま ‖ 明星～ 明星がまたたく

9 **荣**（榮）yíng 地名用字 ‖ ～经 四川省にある県の名 ➤ xíng

9 **盈** yíng ❶満ちあふれる‖充～ 充満する ❷余分が出る. 余る‖→～余 ❸豊満である‖体态丰～ 体つきがふくよかである

【盈亏】yíngkuī 图 ❶月の満ち欠け ❷損失と収益. 損益‖自负～ 自ら損益の責任を負う

*【盈利】yínglì =〔赢利yínglì〕

【盈盈】yíngyíng 形 ❶水が澄みきっているさま ❷姿態の美しいさま ❸情緒や雰囲気があふれているさま ❹動作がしなやかなさま

【盈余】yíngyú 動 余りになる. 黒字になる 图 余り. 黒字. 利益 ＊〔赢余〕とも書く

10 **莹**(瑩) yíng 書 ❶つやがあり透明である ❷玉(ぎょく)に似た美しい石

【莹莹】yíngyíng 形 書 透きとおってきらきら光るさま

11 **萤**(螢) yíng 图〈虫〉ホタル. ふつう〔萤火虫〕という

【萤火虫】yínghuǒchóng 图〈虫〉ホタル

11 * **营**(營) yíng ❶軍隊の駐屯地‖野～ 野営 ❷图〈軍〉(軍隊の編制単位)大隊 ➡〔中国人民解放军Zhōngguó rénmín jiěfàngjūn〕❸建てる‖→～造 ❹経営する. 管理する‖→～业 ❺追求する‖→～利

【营办】yíngbàn 動 請け負う. 引き受ける

【营地】yíngdì 图〈軍〉野営地. キャンプ地

【营房】yíngfáng 图 兵舎. 兵営

【营火】yínghuǒ 图 キャンプファイアー

【营建】yíngjiàn 動 建築する

【营救】yíngjiù 動 手立てを講じて救助する. 救う‖～遇难的渔船 遭難した漁船を救助する

【营垒】yínglěi 图 ❶兵営とその周囲の塀 ❷陣営

【营利】yínglì 動 利潤を求める. 利益をはかる

【营盘】yíngpán 图 旧 軍営. 兵営

【营区】yíngqū 图 駐屯地

【营生】yíngshēng 動 暮らしを立てる

【营生】yíngsheng (～儿) 图 方 暮らしを立てるための手だて. 生計. 仕事

【营私】yíngsī 動 私利をはかる

【营私舞弊】yíng sī wǔ bì 成 私利をはかり, 不正をはたらく

【营销】yíngxiāo 動 営業販売する‖～部 営業部｜～策略cèlüè マーケティング戦略

**【营养】yíngyǎng 图 栄養. 栄養分‖吸收～ 栄養をとる｜～不良 栄養不良

【营养素】yíngyǎngsù 图〈生〉栄養素

**【营业】yíngyè 動 営業する‖～时间 営業時間｜照常～ 平常どおり営業いたします

【营业税】yíngyèshuì 图 営業税

【营业员】yíngyèyuán 图 店員. 販売員

【营运】yíngyùn 動 ❶(船や車両の)営業運転をする ❷旧 商売をする. 営む

【营造】yíngzào 動 ❶造営する ❷造林する

【营寨】yíngzhài 图 旧 軍営. 兵営

【营帐】yíngzhàng 图 テント

11 **萦**(縈) yíng 書 まつわる. 絡みつく‖琐事suǒshì～身 雑用に追われる

【萦怀】yínghuái 動 心にかかる. 気になる

【萦回】yínghuí 動 ぐるぐる巡る. まつわりつく

【萦绕】yíngrào 動 ぐるぐる巡る. まつわりつく

【萦系】yíngxì 動 気にかかる

13 **蓥**(鎣) yíng 地名用字‖华～山 四川省にある山の名

13 **楹** yíng 母屋の正面の柱. (広く)柱‖→～联

【楹联】yínglián 图 母屋の正面の柱にかける対聯(ついれん). (広く)対聯

14 **蝇**(蠅) yíng 图〈虫〉ハエ. ふつう〔苍蝇〕という

【蝇头】yíngtóu 形 (ハエの頭のように)きわめて小さい‖～微利 ごくわずかな利潤

【蝇营狗苟】yíng yíng gǒu gǒu 成 蝿(はえ)のように飛び回り, 犬のようにあさり歩く. 名利を求めて, 手段を選ばず恥知らずなことをするたとえ.〔狗苟蝇营〕ともいう

【蝇子】yíngzi 图 ハエ

16 **嬴** yíng 图 姓

17 ★ **赢** yíng ❶利益を得る‖→～余 ❷動 (賭けや試合に)勝ったあと(ものを)得る ↔〔输〕‖～钱 勝って金を受け取る ❸動 勝つ ↔〔输〕‖我们～了那场比赛 私たちはその試合に勝った ❹手に入れる. 勝ち取る‖→～得

*【赢得】yíngdé 動 勝ち取る. 得る‖～尊敬 尊敬を得る｜～了她的爱情 彼女の愛を勝ち取る

【赢家】yíngjia ; yíngjiā 图 (賭博などの)勝者

*【赢利】yínglì 图 利潤 動 利潤を得る‖～上百万元 100万元以上の利益を上げた ＊〔盈利〕とも書く

【赢面】yíngmiàn 图 (試合や競争に)勝つ確率. 勝つ可能性

【赢余】yíngyú =〔盈余yíngyú〕

19 **瀛** yíng 書 大海‖～海 大海

yǐng

9 **郢** yǐng 图 郢(えい). 春秋時代の楚の国の都の名, 現在の湖北省江陵県の北にあった

12 **颍** yǐng 地名用字‖～河 河南省登封県に発し, 安徽省で淮河(わいが)に注ぐ川の名

13 **颖**(△穎) yǐng ❶イネやムギなどの穂先 ❷書 (錐(きり)や筆などの)先端 ❸書 賢い. 才能が優れている ❹書 他と異なる‖新～ 斬新だ

【颖慧】yǐnghuì 形 書 (多く少年をさして)利発である

【颖悟】yǐngwù 形 書 (多く少年をさして)聡明である

15 **影** yǐng ❶图 (～儿)影‖人～ 人の影｜背～ 後ろ姿 ❷图 (～儿) (鏡や水面に映った)姿. 影‖倒～ 倒影 ❸图 (～儿)鮮明でない形・印象‖那事早忘得连～儿都没了 あのことはもうすっかり忘れてしまった ❹画像. 写真‖摄shè～ 撮影する ❺書画を模写する. 薄い紙を上にのせてもとの字をなぞって書く ❻影印する. 写真製版で印刷する ❼影絵芝居 ❽映画‖→～星 ❾動 方 隠れる. 隠す‖～在树后张望 木の陰に隠れて様子をうかがう

【影壁】yǐngbì 图 ❶表門を入った所にある目隠しの塀 ❷表門の外にある目隠しの塀 ❸装飾を施した塀

【影帝】yǐngdì 图 映画の帝王. 映画賞の最高位を占めた男優をいう‖奥斯卡～ オスカー受賞男優

【影碟】yǐngdié 图 ビデオディスク. 主にＶＣＤ, またはＤＶＤをさす‖～机 ＶＣＤ(またはＤＶＤ)プレーヤー

【影后】yǐnghòu 图 映画の女王. 映画賞の最高位を

占めた女優をいう
【影集】yǐngjí 图 写真帳. アルバム
【影剧院】yǐngjùyuàn 图（映画や演劇の）劇場
【影迷】yǐngmí 图 映画ファン. 映画狂
【影片儿】yǐngpiānr 图 回 映画
*【影片】yǐngpiàn 图 ❶映画のフィルム ❷映画 ‖ 故事～ 劇映画 | 记录～ 記録映画 | 动画～ アニメ
【影评】yǐngpíng 图 映画評論
【影射】yǐngshè 動 暗にさす. それとなく示唆する. ほのめかす. 当てこする
【影视】yǐngshì 图 映画とテレビ ‖ ～文化 映像文化
【影坛】yǐngtán 图 映画界
★【影响】yǐngxiǎng 動 **影響を与える** ‖ ～健康 健康に響く | 不要～别人休息 人の休息をじゃまするな 图 **影響** ‖ 受哥哥的～, 他也喜欢下棋 兄の影響で彼も将棋が好きだ
【影像】yǐngxiàng 图 ❶肖像. 影像 ❷姿. イメージ ❸映像
【影星】yǐngxīng 图 映画スター
【影印】yǐngyìn 動〈印〉写真製版印刷をする
【影印本】yǐngyìnběn 图 影印本(えいいんぼん)
【影影绰绰】yǐngyǐngchuòchuò （～的） 形 ぼんやりとしているさま
【影院】yǐngyuàn 图 映画館
【影展】yǐngzhǎn 图 ❶写真展覧会 ❷映画祭
【影子】yǐngzi 图 ❶影** ❷**（鏡や水面などに映った）姿. 影** ❸**ぼんやりとした形・印象** ‖ 早就答应了, 至今连个～都没有 早くから承諾しておきながら, いまだに何もしていない

16 **瘿** yǐng ❶图〈中医〉首にできるこぶ ❷图〈植〉虫瘿(ちゅうえい). 虫こぶ.〔虫瘿〕ともいう

yìng

7 * **应**（應）yìng ❶動 答える. 応答する. 返事をする ‖ 他～了一声 彼は一言返事をした ❷動 要望に応じる ‖ ～邀请yāoqǐng 招きに応じる ❸適応する. 順応する ‖ 适～ 適応する ❹対処する. 対応する ‖ 一～急 ❺動（予言などが）適中する. 当たる ‖ →～验 ➤ yīng
【应变】[1] yìngbiàn 動 突発的な状況に対応する
【应变】[2] yìngbiàn 图〈物〉ひずみ
【应标】yìngbiāo 動 入札募集に応じる. 応札する
【应承】yìngchéng 動 引き受ける. 承諾する
*【应酬】yìngchou 動 人と応対する. 人付き合いをする ‖ ～客人 客の応対をする | ～话 社交辞令 图 接待や付き合いの宴席 ‖ ～多 付き合いが多い
【应从】yìngcóng 動 承諾して従う
【应答】yìngdá 動 答える ‖ ～如流 すらすらと答える
【应敌】yìngdí 動 応戦する
【应对】yìngduì 動 応対する. 受け答えをする
*【应付】yìngfu ; yìngfù 動 ❶対応する. 対策をたてて処理する ‖ ～局面 情勢に対処する ❷いいかげんにごまかす ‖ ～差事chāishi 仕事をいいかげんにやる ❸間に合わせる ‖ 这个旧电视还能～一阵儿 この古いテレビでもしばらくはまだ見られる
【应和】yìnghè 動 互いに和する. 呼応する
【应激】yìngjī 動〈医〉刺激に対して防衛反応が生じる ‖ ～反应 ストレス反応 | 心理～ 心理的ストレス
【应急】yìng∥jí 動 急場に間に合わせる. 急な求めに応じる ‖ 采取～措施cuòshī 応急処置をとる
【应季】yìngjì 形 その季節の. そのシーズンの ‖ ～蔬菜 旬の野菜
【应接不暇】yìng jiē bù xiá 成 応接に暇(いとま)ない
【应景】yìng∥jǐng （～儿）動 ❶調子を合わせる ❷時節に合う. 時節にかなう
【应考】yìngkǎo 動 受験する ‖ ～生 受験生
【应力】yìnglì 图〈物〉応力
【应募】yìngmù 動 応募する
【应诺】yìngnuò 動 承諾する. 承知する
【应拍】yìng∥pāi 動 オークションの提示価格に応じる. オークションに参加する
【应聘】yìngpìn 動 招聘(しょうへい)に応じる
【应声】yìngshēng 動 声や音に応じる ➤ yīngshēng
【应声虫】yìngshēngchóng 图 イエスマン. 追従者
【应时】yìngshí 形 季節に合う. 時期にかなう ‖ ～小吃 季節の料理 副 すぐに. 直ちに
【应市】yìngshì 動 市場に出す. 売り出す. 発売する
【应试】yìngshì 動 試験を受ける
【应试教育】yìngshì jiàoyù 图 受験のための教育. 受験教育
【应诉】yìngsù 動〈法〉応訴する
【应验】yìngyàn 動（予言や予感が）当たる
*【应邀】yìngyāo 動 招きに応じる ‖ ～访问 招待に応えて訪問する | ～赴宴 招きに応じて宴会に出席する
【应用】yìngyòng 動 **用いる. 使う ‖ 这一新技术已得到广泛～ この新しい技術はすでに広く使われている 形 **応用の. 実用に供する** ‖ ～题 応用問題
【应用科学】yìngyòng kēxué 图 応用科学
【应用卫星】yìngyòng wèixīng 图 実用衛星
【应用文】yìngyòngwén 图 実用文
【应运】yìngyùn 動 時運に乗る. 機運に乗じる
【应战】yìng∥zhàn 動 ❶応戦する ❷挑戦に応じる
【应招】yìngzhāo 動 応募する
【应诊】yìngzhěn 動 診療する
【应征】yìngzhēng 動 ❶応召する ❷（各種の募集に）応募する ‖ ～稿件 応募原稿

9 ** **映**（△暎）yìng ❶動 照らす ‖ 一～照 ❷動（影が）映る. 浮かび上がる ‖ 窗上～出两个人影儿 窓に二つの人影が映った ❸動（映画を）放映する. 映写する ‖ 放～ 上映する
【映衬】yìngchèn 動 引き立つ. 照り映える ‖ 红墙绿树, 互相～ 赤い壁と緑の木々が互いに引き立て合っている
【映期】yìngqī 图 映画の上映期間
【映山红】yìngshānhóng 图〈植〉ツツジ ＝〔杜鹃〕
【映射】yìngshè 動 照らす. 照らし出す
【映现】yìngxiàn 動 映し出される. 浮かび上がる
【映照】yìngzhào 動 照らす. 照らし出す

12 ** **硬** yìng ❶形（物の性質が）**固い. 堅い** ↔〔软〕‖ 太～, 咬yǎo不动 固すぎてかめない | 好久不练琴, 手指都～了 長い間ピアノの練習をしていなかったので指がすっかりかたくなってしまった ❷形（意志・考えが）**頑強である. 堅固である** ‖ 说话的口气很～ 話し振りが強硬である ❸副 **無理に. どうしても** ‖ 明知自己错了, 还～不承认 明らかに自分の誤りと知りながら, どうしても認めようとしない ❹形 能力が高い. 質がよい ‖ 商品的牌子～ 商品の名が通っている ❺形 こわばっている. 滑らかでない ‖ 舌头～, 发音不准 舌が言う

Y

ことを聞かず，発音が正しくない ❻変えられない．融通の利かない ‖ →～指标

【硬邦邦】【硬梆梆】yìngbāngbāng （～的）形 かちかちに硬いさま．石のように硬いさま

【硬棒】yìngbang 形 方 硬い．丈夫である

【硬笔】yìngbǐ 名 硬筆

【硬币】yìngbì 名 硬貨．コイン

【硬撑】yìngchēng 動 無理に頑張る．無理をする

【硬顶】yìngdǐng 動 ❶かたくなに逆らう．むやみに反発する ❷無理をする

【硬度】yìngdù 名（物体の）硬度．硬さ

【硬腭】yìng'è 名〈生理〉硬口蓋(こうこうがい)

【硬功夫】yìnggōngfu 名 熟練した腕前・技術・わざ

【硬骨头】yìnggǔtou 名 硬骨漢．気骨のある人

【硬广告】yìngguǎnggào 名 商品やサービスをメディアで直接説明する通常の広告 ↔〔软广告〕

【硬汉】yìnghàn 名 硬骨漢．不屈の意志をもった人．〔硬汉子〕ともいう

【硬化】yìnghuà 動 ❶（物体が）硬くなる．硬化する ❷固定化する ‖ 思想～ 考えを硬化させる

【硬话】yìnghuà 名 強硬な言葉 ‖ 说～ 強がりを言う

【硬环境】yìnghuánjìng 名（交通・通信・水道・電気などの）産業基盤．インフラストラクチャー

*【硬件】yìngjiàn 名 ❶〈計〉ハードウエア ↔〔软件〕 ❷施設・設備などの物質的条件

【硬朗】yìnglang 形（老人が）壮健である．丈夫である ‖ 老汉身体还～ じいさんは体がまだしゃんとしている

【硬盘】yìngpán 名〈計〉ハード・ディスク ↔〔软盘〕

【硬碰硬】yìng pèng yìng 慣 力をもって力に対抗する．強硬な態度に強硬な態度で当たる

【硬气】yìngqi 形 方 ❶（正当な理由があるので）引け目を感じない．恥じない ❷気概がある

【硬驱】yìngqū 名〈計〉ハードディスクドライブ．〔硬盘驱动器〕の略

【硬任务】yìngrènwu 名 変更のきかない任務．絶対的な任務

【硬伤】yìngshāng 名 ❶深い傷．重傷 ❷重大な欠陥．致命的な誤り

【硬实】yìngshi 形 方（体が）丈夫である

【硬是】yìngshì 副 方 ❶どうしても ‖ 叫他休息，他～不肯 休むように言っても彼は取り合おうとしない ❷どうにかこうにか．無理やり ‖ 两夜没睡，～把那篇文章译yì完了 二晩徹夜して，なんとかあの文章を訳し終えた

【硬手】yìngshǒu （～儿）名 その道の専門家．腕利き

【硬水】yìngshuǐ 名〈化〉硬水 ↔〔软水〕

【硬挺】yìngtǐng 動 無理をする

【硬通货】yìngtōnghuò 名〈経〉国際的に価格の安定している通貨

【硬卧】yìngwò 名 普通寝台車 ↔〔软卧〕

【硬武器】yìngwǔqì 名〈軍〉大量破壊兵器

【硬席】yìngxí 名（列車の）普通座席，または普通寝台 ↔〔软席〕

【硬性】yìngxìng 形 動かせない．変えられない

【硬仗】yìngzhàng 名 激しい戦い

【硬着头皮】yìngzhe tóupí 慣 思い切って．無理やり

【硬指标】yìngzhǐbiāo 名 絶対的な目標．変更の許されない目標

【硬着陆】yìngzhuólù 動 硬着陸する

【硬座】yìngzuò （～儿）名（列車の）普通座席 ↔〔软座〕

13 **媵** yìng 古 ❶嫁入り先に小間使いを付き添わせる ❷嫁入り先に連れてゆく小間使い

yō

8 **育** yō ➡〔杭育hángyō〕 ➤ yù

9 **哟** yō 感 軽い驚きの気持ちを表す ‖ ～，好漂亮 やあ，とてもきれいだね ➤ yo

11 **唷** yō ➡〔哼唷hēngyō〕

yo

9 * **哟** yo ❶助 文末に置き，命令の語気を表す ❷助 歌詞を曲に合わせるのに用いる ➤ yō

yōng

7 **佣**（傭）yōng ❶人に雇われる ❷召し使い ‖ 女～ 女中 ➤ yòng

【佣工】yōnggōng 名 書 雇い人

【佣人】yōngrén 名 使用人．雇い人

8 **拥**（擁）yōng ❶抱く．抱きかかえる ‖ →～抱 ❷動 取り囲む．取り巻く ‖ 同学们～着老师走出教室 クラスメートは先生を取り囲んで教室から出てきた ❸動 一ヵ所に集中する．押し合う ‖ 人们～向前去 人々は前方へ殺到した ❹もり立てる．支持する ‖ →～戴

【拥抱】yōngbào 動 **抱擁する．抱き合う

【拥簇】yōngcù 動 群がる．取り巻く

【拥戴】yōngdài 動 推戴(すいたい)する

【拥护】yōnghù 動 **擁護する．支持する ‖ 新政策受到了群众的～ 新しい政策は民衆から支持されている

*【拥挤】yōngjǐ 動 一ヵ所に集まる．押し合う ‖ 请不要～ 押し合わないでください 形 ひしめいている．込み合っている ‖ 地铁～不堪kān 地下鉄はひどく込んでいる

【拥军优属】yōng jūn yōu shǔ 組 軍を支持し，軍人の家族を優遇する

【拥塞】yōngsè 動 道をふさぐ．渋滞する

*【拥有】yōngyǒu 動 所有する．保有する ‖ 该杂志～大量读者 本雑誌は多くの読者をもっている

【拥政爱民】yōng zhèng ài mín 組 軍は政府を支持し，人民を愛する

10 **邕** yōng 地名用字 ‖ ～江 広西チワン族自治区を流れる川の名

10 **痈**（癰）yōng 名〈医〉悪性の腫(は)れ物．癰(よう)

11 **庸**[1] yōng 書 ❶必要がある．（多く否定に用いる） ❷（反語を表す）どうして…であろうか

11 **庸**[2] yōng 凡庸である．ありきたりである ‖ 平～ 凡庸である．ありきたりである

【庸才】yōngcái 名 書 凡才．能力のない人物

【庸夫】yōngfū 名 なすところのない人．凡夫

【庸碌】yōnglù 形 凡庸で，なすところがない

【庸人自扰】yōng rén zì rǎo 成 凡人はなんでもないのに騒ぎたてる．凡人は自ら面倒を引き起こす

*【庸俗】yōngsú 形 低俗である．品がない．下品である

【庸医】yōngyī 名 腕のよくない医者

【庸中佼佼】yōng zhōng jiǎo jiǎo 成 凡人の中

でずば抜けて優れている. 鸡群の一鹤(いっかく)

13 **雍**(△雝) **yōng** 書 和やかである. 穏やかである

【雍容】yōngróng 形 おうようである. おおらかである

14 **慵** **yōng** 書 けだるい. だらけている

14 **墉** **yōng** 書 高い塀. とくに城壁をさす

16 **壅** **yōng** ❶ふさがる. ふさぐ ‖ →～塞 ❷積む. 積み上げる ‖ ～积 積み上げる ❸動 土や肥料を植物の根元にかける

【壅塞】yōngsè 動 ふさがる. 詰まる

16 **镛** **yōng** (古代の楽器の一種)大鐘

17 **臃** **yōng** ↴

【臃肿】yōngzhǒng 形 ❶ぶくぶくと太っている ❷(機構などが)膨れ上がっている

19 **鳙** **yōng** 图〈魚〉コクレン. ふつう〔鳙鱼〕という

22 **饔** **yōng** 書 ❶煮炊きした食べ物 ❷朝食

【饔飧不继】yōng sūn bù jì 成 食うに事欠く. 非常に貧しいさま

yóng

12 **喁** **yóng** 書 魚が口を水面に出す ➤ yú

yǒng

5 **永** **yǒng** 時間が長い. 久しい ‖ →～久 ｜ ～不变心 いつまでも心変わりしない

【永别】yǒngbié 動 永遠に別れる. 永別する. (多く死別をさす) ‖ ～人世 この世に永別する

*【永垂不朽】yǒng chuí bù xiǔ 成 (輝かしい功績などが)永遠に不滅である

【永存】yǒngcún 動 永遠に残る. 後の世にまで残る

【永恒】yǒnghéng 形 永久不変である. 永遠に続く

*【永久】yǒngjiǔ 形 永久である ‖ 这种局面不可能～地维持下去 こんな状況が永久に続くことはあり得ない

【永诀】yǒngjué 動 書 永訣(えいけつ)する. 永遠に別れる

【永眠】yǒngmián 動 婉 永眠する. 死去する

【永生】yǒngshēng 動 永久に不滅である 图 永遠 ‖ ～难忘 永遠に忘れない ｜ ～的纪念 永遠の記念

【永生永世】yǒngshēng yǒngshì 副 永遠に. 未来永劫(みらいえいごう)に

【永世】yǒngshì 副 永遠に

【永逝】yǒngshì 動 書 ❶永遠に消え去る ❷永眠する. 逝去する

【永续】yǒngxù 副 書 永続的に

★【永远】yǒngyuǎn 副 **永遠に. ずっといつまでも** ‖ 我们～是朋友 私たちは永遠に友達だ

【永志不忘】yǒng zhì bù wàng 成 終生忘れない

7 **甬**[1] **yǒng** ❶地名用字 ‖ ～江 浙江省を流れる川 ❷图 浙江省寧波(ニンポー)の別称

7 **甬**[2] **yǒng** 石畳の道 ‖ →～道

【甬道】yǒngdào 图 中庭や墓地などで, 主な建物をつなぐ石畳の道

8 **泳** **yǒng** 泳ぐ ‖ 游～ 泳ぐ ｜ 蝶dié～ バタフライ ｜ 自由～ 自由形 ｜ 仰～ 背泳ぎ

【泳程】yǒngchéng 图 水泳の距離

【泳池】yǒngchí 图 プール ＝〔游泳池〕‖ 室内～ 室内プール

【泳道】yǒngdào 图〈体〉(競泳の)コース

【泳镜】yǒngjìng 图 水泳のゴーグル

【泳坛】yǒngtán 图 水泳界

【泳衣】yǒngyī 图 (女性の)水着. 〔泳装〕ともいう

【泳装】yǒngzhuāng 图 (女性の)水着. 〔泳衣〕ともいう ‖ ～秀 水着ショー ｜ 体育～ スポーツ水着

8 **咏**(△詠) **yǒng** ❶詠じる. 吟唱する ❷詩歌を作る. 詠む

【咏怀】yǒnghuái 動 心情を詩に詠む

【咏叹】yǒngtàn 動 歌う. 吟唱する. 口ずさむ

【咏叹调】yǒngtàndiào 图〈音〉アリア. 詠唱

9 **俑** **yǒng** 俑(よう). 副葬品の土偶 ‖ 陶～ 陶製の俑 ｜ 兵马～ 兵馬俑

9 **勇** **yǒng** ❶勇気がある. 大胆である ❷古 清代, 戦時に臨時徴募した傭兵(ようへい)

*【勇敢】yǒnggǎn 形 **勇敢である. 勇ましい** ‖ 作战～ 勇敢に戦う

【勇悍】yǒnghàn 形 勇猛である. 勇敢でたくましい

【勇决】yǒngjué 形 書 勇ましく果敢である

【勇猛】yǒngměng 形 勇敢で力強い

*【勇气】yǒngqì 图 **勇気** ‖ 缺乏quēfá～ 勇気に欠ける ｜ ～倍增 勇気倍増する ｜ 他没有～把真相告诉她 彼は真相を彼女に告げる勇気がなかった

*【勇士】yǒngshì 图 勇士

【勇往直前】yǒng wǎng zhí qián 成 勇敢に突き進む ‖ ～, 决不退缩 勇往邁進し, 決して尻込みしない

【勇武】yǒngwǔ 形 勇敢で威風堂々としている

*【勇于】yǒngyú 動 勇敢に…する. 勇んで…する. 奮い立って…する ‖ ～改正错误 いさぎよく誤りを正す

10 **涌**(△湧) **yǒng** ❶動 (水や雲が)わき出る ‖ 眼里～出泪水 目から涙があふれ出る ❷動 (水がわき出るように)あふれ出す. わいて出る. 浮かんでくる ‖ 人们潮水般～来 人々がうしおのように押し寄せてきた ➤ chōng

【涌潮】yǒngcháo 图 海嘯(かいしょう). 潮津波

【涌动】yǒngdòng 動 逆巻く. うねる

【涌流】yǒngliú 動 勢いよく流れる

*【涌现】yǒngxiàn 動 (人や事物が)大量に現れる

11 **恿**(△慂 悀) **yǒng** ➡〔怂恿sǒngyǒng〕

13 **蛹** **yǒng** 图〈虫〉さなぎ

14 **踊**(踴) **yǒng** 跳ぶ. 跳躍する

*【踊跃】yǒngyuè 動 飛び上がる. 躍り上がる ‖ ～欢呼 躍り上がって歓呼の声をあげる 形 意気込んでいる. 張り切っている ‖ ～参加 意気込んで参加する

yòng

5 ★**用** **yòng** ❶動 **使う. 用いる** ‖ ～一下你的辞典可以吗? ちょっと辞書を借りていいですか ｜ 把部分赢利yínglì～作福利 利益の一部を福利に充てる ❷用途. 使いみち ‖ 没～ 役に立たない ｜

有～ 役に立つ ❸費用. 出費 ‖ 杂～ 雑費 ❹動(…することを)必要とする. (多く否定に用いる) ‖ 不～害怕 怖がることはない ‖ 坐车得～两个小时 車でも２時間はかかる ❺動敬 召し上がる ‖ 请～茶 お茶をどうぞ ❻介(手段を表す) …で. …を用いて ‖ 两人正在～英语交谈 二人は英語で話をしている ❼接 よって. ゆえに ‖ ～特函hán达 よってとくに書面で通知する

【用兵】yòng//bīng 動 兵を用いる. 軍隊を指揮する

*【用不了】yòngbuliǎo 動 ❶(多くて)使い切れない ❷(分量が)いくらもいらない. (時間が)いくらもかからない ‖ 走着去～十分钟 歩いても10分とかからない

**【用不着】yòngbuzháo 動 入用でない. 必要ではない ‖ ～担心, 来得及 気をもむことはない, 間に合うから

【用材林】yòngcáilín 名 材木をとるための森林

【用餐】yòng//cān 動敬 食事をする

【用场】yòngchǎng 名 用途. 使い道 ‖ 大有～ 大いに使い道がある｜派上了～ 使い道ができた

**【用处】yòngchu 名 用途. 使い道 ‖ 有～ 使い道がある｜哭有什么～ 泣いてもなんにもならない

類義語 | 用处 yòngchu 用途 yòngtú

◆〔用处〕物や人の用途や使い道. 多く話し言葉に使われる ◆〔用途〕物の場合に限られ, 多く書き言葉に用いる ‖ 塑料的用途(用处)很广 プラスチックの用途は広い｜这么点儿事都干不好, 你可真没用处(×用途) こんなこともできないなんて, 君ってまったく役に立たないね

【用度】yòngdù 名 支出. 経費

*【用法】yòngfǎ 名 使い方. 使用法 ‖ 洗衣机的～ 洗濯機の使用法｜～简单 使い方は簡単である

【用饭】yòng//fàn 動敬 食事をする

【用工】yònggōng 動(労働者を)募集する. 使う

**【用功】yòng//gōng 動 勉学に励む ‖ 成绩不理想, 还要多用用功 成績がよくなかったので, もっと一生懸命勉強しなければならない 形 勉強家である. 勤勉である ‖ 这孩子学习不～ この子は勉強を怠けてばかりいる

*【用户】yònghù 名 利用者. 使用者. ユーザー

【用户界面】yònghù jièmiàn 名〈計〉ユーザー・インターフェース. 〔人机界面〕〔界面〕ともいう

【用尽】yòngjìn 動 使い切る. 使い果たす

【用劲】yòng//jìn (～儿) 動 力を入れる. 力をこめる

*【用具】yòngjù 名 用具. 器具 ‖ 登山～ 登山用具

**【用力】yòng//lì 動 力を入れる. 力をこめる ‖ ～喊叫 大声で叫ぶ｜～推门 力をこめてドアを押し開ける

*【用品】yòngpǐn 名 用品 ‖ 办公～ オフィス用品

【用人】yòng//rén 動 ❶人手を必要とする ❷人を使う ‖ 善于～ 人を使うのが上手だ

*【用人】yòngren 名 使用人. 雇い人

【用事】yòngshì 動 ❶書 権力を手中に収める ❷(一時の感情や意地に任せて)事を行う ‖ 感情～ 感情的になる｜意气～ 意地になる ❸書 典故を引用する

*【用途】yòngtú 名 用途. 使い道 ‖ ～很广 用途はとても広い

【用武】yòngwǔ 動 武力を使う. 能力を発揮する

【用项】yòngxiàng 名 経費. 支出

*【用心】yòng//xīn 形 心を用いている. 気を配っている ‖ ～观察 注意深く観察する｜学习上不～ 勉強に身を入れない 名(yòngxīn)下心. 魂胆 ‖ 别有～ 下心がある｜～良苦 心配りが並々ならない

【用刑】yòng//xíng 動 刑具を用いる. 拷問にかける

*【用意】yòngyì 名 目的. 意図 ‖ 他这样做～何在？ 彼がそうするねらいはなんなのか

【用印】yòng//yìn 動 印鑑を押す. 捺印(なついん)する. (公式の場合にいう)

【用语】yòngyǔ 名 用語 ‖ 外交～ 外交用語 動 言葉を選ぶ ‖ ～不当 用語が不適切である

7 **佣** yòng 取引の仲介者に支払う報酬 ➤ yōng

【佣金】yòngjīn 名 手数料. コミッション

【佣钱】yòngqian 名口 手数料. コミッション

yōu

6 **优**[1](優) yōu ❶書 十分である. 豊かである ‖ 一～裕 ❷優遇する ‖ 拥军～属 軍を支持し, その家族を優遇する ❸優れている ↔〔劣〕‖ 一～越｜择zé～录取 成績順に採用する

6 **优**[2](優) yōu 旧 役者 ‖ 名～ 名優

【优待】yōudài 動 優遇する. 優待する ‖ ～残疾人 身障者を優遇する 名 優遇. 優待

【优等】yōuděng 形 優秀である. 優等である

**【优点】yōudiǎn 名 優れている点. 長所 ↔〔缺点〕‖ 发扬～, 改正缺点 長所を伸ばし, 欠点を改める

【优抚】yōufǔ 動(戦没者遺族・傷痍(しょうい)軍人・軍人家族などに対して)優遇・補償する

【优厚】yōuhòu 形(待遇などが)手厚い. 優遇されている ‖ 工作条件～ 仕事の条件がよい

【优化】yōuhuà 動 合理化する. 向上させる

【优化组合】yōuhuà zǔhé 組 合理化する

*【优惠】yōuhuì 形 特恵の. 優遇の ‖ ～政策 優遇政策｜～条件 優遇条件｜～价格 優待価格

【优惠待遇】yōuhuì dàiyù 名〈貿〉特恵待遇

【优价】yōujià 名 優待価格. 特価

**【优良】yōuliáng 形 優れている. (品種・品質・成績・生活態度などについて) ‖ ～传统 優れた伝統

【优劣】yōuliè 名 優劣 ‖ ～不辨 優劣をわきまえない

【优伶】yōulíng 名旧 俳優. 役者

**【优美】yōuměi 形 優美である. 美しい ‖ 风景～ 風景が美しい｜～的旋律xuánlǜ 美しい旋律

【优盘】yōupán 名 USBフラッシュメモリー

【优柔】yōuróu 形 ❶優柔不断である. 煮えきらない. ❷書 悠然としている ❸書 穏やかである. 柔和である

【优柔寡断】yōu róu guǎ duàn 成 優柔不断である. 煮えきらない

【优生】yōushēng 動 優れた遺伝素質を持つ子供を生み育てる

*【优胜】yōushèng 形 優勝の ‖ ～红旗 優勝旗

*【优势】yōushì 名 優勢. 優位 ‖ 有～ 優勢である｜占～ 優位を占める｜发挥～ 優位を発揮する

【优渥】yōuwò 形書 優渥(ゆうあく)な. (処遇が)手厚い

*【优先】yōuxiān 動 優先する ‖ 老人和儿童～ 老人と子供を優先する

【优先权】yōuxiānquán 名 優先権

**【优秀】yōuxiù 形 優秀である. 優れている ‖ 成绩～ 成績が優秀である｜～人材 優秀な人材

【优选】yōuxuǎn 動 最良のものを選ぶ

【优选法】yōuxuǎnfǎ 名 最善のプログラムを選ぶ方法

【优雅】yōuyǎ 形 優雅である. 上品である

*【优异】yōuyì [形] 際立っている. ひときわ優れている ‖ 性能～ 性能が格段によい | ～的成绩 ずば抜けた成績
【优育】yōuyù [動] 良い条件の下で子供を育てる
【优遇】yōuyù [動] 優遇する
【优裕】yōuyù [形] 裕福である. 満ち足りている
*【优越】yōuyuè [形] 立ち勝る. 他より優れている ‖ 他的家庭环境比别人～ 彼の家庭環境は他の人よりよい
【优越感】yōuyuègǎn [名] 優越感
【优越性】yōuyuèxìng [名] 優位性. 優れた面
*【优质】yōuzhì [形] 品質の良い. 高品質の ‖ ～产品 高品質の製品 | ～服务 質の高いサービス

7 **攸** yōu [書]… するところ. (動詞の前に置いて名詞性フレーズをつくる) ‖ 生死～关 生死にかかわる | 利害～关 密接な利害関係がある

7 **忧**(憂) yōu ❶憂える. 憂慮する ‖ 担～ 心配する ❷心配. 悩み ‖ 内～外患 内憂外患 ❸[書] 父母の喪に服すること
【忧愁】yōuchóu [形] 心配である. 憂鬱(ゆううつ)である
【忧烦】yōufán [形] 心配でいらだたしい
【忧愤】yōufèn [形] 心配で腹立たしい
【忧患】yōuhuàn [名] 苦労. 艱難辛苦(かんなんしんく)
【忧惧】yōujù [動] 心配し恐れる
*【忧虑】yōulǜ [動] 憂慮する. 心配する ‖ 为孩子的前途～ 子供の前途を憂慮する
【忧闷】yōumèn [形] 心配で憂鬱である. 心配で気がめいっている
【忧戚】yōuqī [形] [書] 憂い悲しんでいる
【忧伤】yōushāng [形] 憂い悲しんでいる
【忧心】yōuxīn [動] 心配する. 憂慮する [名] 憂う気持ち
【忧心忡忡】yōu xīn chōng chōng [成] くよくよと思い煩う. 心配でたまらないさま
【忧心如焚】yōu xīn rú fén [成] 心配で居ても立ってもいられない
*【忧郁】yōuyù [形] 憂鬱である. 気がふさいでいる

8 **呦** yōu [感] (驚きの声) おや. まあ. あら ‖ ～, 你也来了 おや, 君も来たのか

9 **幽** yōu ❶薄暗い ‖ →～暗 ❷深い. 深遠である ‖ →～深 ❸隠れた. 秘密の ‖ →～会 ❹幽閉する. 監禁する ‖ →～禁 ❺心の奥底の ‖ →～思 ❻静謐(せいひつ)である. ひっそりしている ‖ →～静 ❼あの世 ‖ →～灵 ❽古代の州の名. 現在の河北省北部と遼寧省南部を含む一帯
【幽暗】yōu'àn [形] ほの暗い. 薄暗い
【幽闭】yōubì [動] ❶幽閉する. 軟禁する ❷幽居する. 引きこもって暮らす
【幽愤】yōufèn [名] 心にわだかまる憤り. 鬱憤(うっぷん)
【幽谷】yōugǔ [名] 幽谷. 奥深い谷間
【幽会】yōuhuì [動] (男女が) 密会する
【幽魂】yōuhún [名] 幽霊. 死者の魂
【幽寂】yōujì [形] しんと静まりかえっている
【幽禁】yōujìn [動] 幽閉する. 軟禁する
*【幽静】yōujìng [形] 静かである. 閑静である. 静寂である ‖ ～的环境 閑静な環境 | ～的夜晚 静かな夜
【幽灵】yōulíng [名] 幽霊. 亡霊
【幽美】yōuměi [形] 静かで趣がある
【幽冥】yōumíng [形] 薄暗い [名] 冥界(めいかい)
*【幽默】yōumò [形] ユーモアがある. ユーモラスである ‖ 他很～ 彼はとてもユーモアがある
【幽情】yōuqíng [名] 心に深く秘めた情
【幽囚】yōuqiú [動] 幽閉する. 監禁する
【幽趣】yōuqù [名] 奥ゆかしい趣
【幽深】yōushēn [形] 奥深く静かである. 奥深い
【幽思】yōusī [動] 物思いにふける. 熟考する [名] 心に鬱積(うっせき)した思い. 深く心に隠した思い
【幽婉】【幽宛】yōuwǎn [形] (文学作品・音・口調などが) 味わい深い. 深奥である
【幽微】yōuwēi [形] かすかである. ほのかである
【幽娴】yōuxián [形] (女性が) しとやかである
【幽香】yōuxiāng [名] ほのかな香り. 微香
【幽雅】yōuyǎ [形] 静かで趣のある
【幽咽】yōuyè [形] [書] ❶泣き声のかすかなさま ‖ ～的哭泣声 すすり泣く声 ❷流れる水音のかすかなさま
【幽幽】yōuyōu [形] ❶(音や光などが) 微弱である. かすかである. 弱々しい ❷[書] 奥深い
【幽远】yōuyuǎn [形] 人里離れて閑寂としている
【幽怨】yōuyuàn [名] (多く女性の愛情に関する) 内に秘めた恨み

11 **悠**[1] yōu ❶久しい. はるかに遠い ‖ →～久 ❷ゆったりしている. 気ままである ‖ →～闲

11 **悠**[2] yōu [動] [口] 空中でぶらぶらと揺れる. 揺れ動く
【悠长】yōucháng [形] 長い. 久しい
【悠荡】yōudàng [動] ぶらぶら揺り動かす
【悠久】yōujiǔ [形] **はるか昔である. 果てしなく長い ‖ ～的历史 はるかに長い歴史 | ～的传统 悠久の伝統
【悠然】yōurán [形] のんびりしたさま. ゆったりしたさま
【悠闲】yōuxián [形] のんびりしている. 悠々としている
【悠扬】yōuyáng [形] (音に) 抑揚のある
【悠悠】yōuyōu [形] ❶果てしなく長いさま ‖ ～岁月 長い年月 ❷[書] 際限がないさま ❸悠揚迫らぬさま ‖ ～自得 悠揚迫らぬさま ❹[書] 荒唐無稽である
【悠游】yōuyóu [動] 悠然と漂う. ゆっくりと移動する [形] のんびりしている. ゆったりしている
【悠远】yōuyuǎn [形] ❶(時間的に) 遠く久しい ❷(距離的に) 遠い. はるかである
【悠着点儿】yōuzhe diǎnr [組] [方] 力を抑える. 手かげんする

yóu

4 **尤** yóu ❶特異である. 際立っている ‖ 择zé～ 優れたものを選ぶ ❷[副] とりわけ. なおいっそう ‖ 他画国画儿, ～以山水画见长jiàncháng 彼は中国画を描くが, なかでもとくに山水画に秀でている ❸過ち. 罪 ‖ 效～ 悪事をまねる ❹とがめる. 責める ‖ 怨yuàn天～人 天を恨み人をとがめる
★【尤其】yóuqí [副] **なかでも. とくに** ‖ 这一段写得～精彩 このくだりの描写はとりわけすばらしい
【尤为】yóuwéi [副] なかでも. とくに
【尤物】yóuwù [名] [書] 優れた人物 (多く絶世の美女をさす). 立派な品物

5 *** **由** yóu ❶通る. 経由する ‖ 经～ 経由する ❷[介] (動作が経る路線や場所を表す) **… から. … より** ‖ ～东门入场 東門より入場する ❸[介] (起点を表す) **… から. … より** ‖ ～东京飞往巴黎 東京からパリへ飛ぶ ❹[介] (動作の主体を表す) **… により (… される). … が (… する)** ‖ 会议～他主持召开 会議は彼が議長を務める ❺[介] (根拠・出所を表す) **… により. … に基づき** ‖ ～此可知他是什么人了 このことから彼がどんな人間なのか分かる ❻原因. 理由. 由

来‖原～ 原因 ❼(原因を表す) … なので. … を通して‖咎jiù～自取 身から出たさび ❽[書]守る‖率～旧章 すべて古い決まりに従う ❾[動]従う. 任せる‖信不信～你 信じるかどうかは君の勝手だ

【由不得】yóubude [副]思わず [動]勝手にならない. 思いのままにならない

*【由此可见】yóu cǐ kějiàn [組]このことから分かる. これによって分かる

【由打】yóudǎ [介][方]❶(起点を表す) … から ❷(通過点を表す) … を経て. … を通って

【由得】yóude [動]思いのままになる. 勝手にできる

【由来】yóulái [名]原因. いわれ

【由来已久】yóulái yǐ jiǔ [慣]長く続いている. 積年の. 長年の. 古くからの

【由头】yóutou (～儿) [名]口実. 理由

【由于】yóuyú [介](原因や理由を表す) … **なので. … **のために**‖～天气恶劣, 飞机晚点了 悪天候のため, 飛行機が遅れた [接](原因を表す) … なので. (多く〔所以〕〔因此〕〔因而〕などと呼応する)

【由衷】yóuzhōng [動]心から発する. 本心から発する‖向您表示～的感谢 あなたに心からの謝意を表す

7 **邮**(郵) **yóu** ❶[動]郵送する. 郵便で送る‖那个包裹bāoguǒ我已经～出去了 あの小包はすでに郵送しました ❷郵便業務‖→～局 ❸郵便切手‖集～ 切手収集

*【邮包】yóubāo (～儿) [名]郵便小包

【邮编】yóubiān [名][略]郵便番号. 〔邮政编码〕の略

【邮车】yóuchē [名]郵便車

【邮船】yóuchuán [名]大型定期客船

【邮戳】yóuchuō (～儿) [名]郵便の消印

【邮袋】yóudài [名]郵袋

【邮递】yóudì [動]郵送する

【邮递员】yóudìyuán [名]郵便配達員

*【邮电】yóudiàn [名]郵便と電信‖～业 郵便・電信事業|～部 (中国の中央省庁の一つ)郵電省

【邮电局】yóudiànjú [名]郵便・電信局

【邮费】yóufèi [名][口]郵便料金

*【邮购】yóugòu [動](定期刊行物などを)郵便で購入する. 通信販売で購入する

【邮汇】yóuhuì [動]郵便為替で送金する

【邮集】yóují [名]スタンプアルバム. 切手アルバム

*【邮寄】yóujì [動]郵送する‖～包裹 小包を郵送する

【邮件】yóujiàn [名]郵便物‖航空～ 航空郵便物

★【邮局】yóujú [名]**郵便局**

【邮轮】yóulún [名]大型定期客船

【邮迷】yóumí [名]切手収集マニア

★【邮票】yóupiào [名]**郵便切手**‖贴～ 切手を張る

【邮品】yóupǐn [名](主にコレクション用の)記念切手・切手シート・はがきなどの総称

【邮市】yóushì [名]郵便コレクション市場. 切手市場

【邮亭】yóutíng [名]簡易郵便局. 郵便局の出張所

【邮筒】yóutǒng [名]郵便ポスト =〔信筒〕

【邮箱】yóuxiāng [名]郵便局内などに設置されているポスト. 郵便箱 =〔信箱〕

*【邮政】yóuzhèng [名]郵便行政

【邮政编码】yóuzhèng biānmǎ [名]郵便番号

【邮政储蓄】yóuzhèng chǔxù [名]郵便貯金

【邮政局】yóuzhèngjú [名]郵便局

【邮资】yóuzī [名]郵便料金. 郵送料

7 **犹**(猶) **yóu** [書]❶まるで … のようだ‖过～不及 過ぎたるは及ばざるがごとし ❷なおも. いまだに‖记忆～新 記憶はなおも生々しい

【犹大】Yóudà [名][外]〈宗〉ユダ. [喩]裏切者

【犹然】yóurán [副]依然として. なおも. いまだに

*【犹如】yóurú [動]まるで … のようである. あたかも … のようである‖灯火通明, ～白昼báizhòu 明かりが皓々(こうこう)と輝いて, まるで白昼のようである

【犹太教】Yóutàijiào [名]〈宗〉ユダヤ教

【犹太人】Yóutàirén [名]ユダヤ人

【犹疑】yóuyí [形]ためらっている. 迷っている

*【犹豫】yóuyù [形]ためらっている. 迷っている. 躊躇(ちゅうちょ)している‖毫háo不～ 少しもためらわない

【犹豫不决】yóu yù bù jué [成]あれこれ迷って心が決まらない. ぐずぐずして決心がつかない

【犹自】yóuzì [副]なお. まだ. 依然として

8 ** **油** **yóu** ❶[名]油‖香～ ゴマ油 ❷[動](桐油(とうゆ)やペンキなどを)塗る‖地板刚～过 床板は油を塗ったばかりだ ❸[動]油で汚くなる‖衣服～了 服が油で汚れた ❹[形]世故にたけている. ずる賢い. すれている‖这个人太～了 こいつはほんとにこすっからい

【油泵】yóubèng [名]オイルポンプ

【油饼】[1] yóubǐng [名]油をとった搾りかすを円盤状に固めたもの. 〔枯饼〕〔油枯〕ともいう

【油饼】[2] yóubǐng [名](～儿)こねた小麦粉を発酵させ, 円形にのばし油で揚げたもの

【油布】yóubù [名]桐油を塗った防水布. オイル・クロス

【油彩】yóucǎi [名]ドーラン

*【油菜】yóucài [名]❶〈植〉アブラナ. 〔芸薹yúntái〕ともいう ❷(野菜の一種)チンゲンサイ

【油层】yóucéng [名]〈地質〉油層. 石油地層

【油茶】[1] yóuchá [名]〈植〉アブラツバキ

【油茶】[2] yóuchá [名]〔油茶面儿〕に熱湯を入れてのり状に練った食品

【油茶面儿】yóuchámiànr [名]小麦粉に牛の骨髄や牛脂を混ぜていったものに, 砂糖やゴマなどを加えた食品. 熱湯で練り, 〔油茶〕にして食べる

【油船】yóuchuán [名]タンカー =〔油轮〕

【油灯】yóudēng [名]植物油を用いたランプ

【油底子】yóudǐzi [名]容器の底に沈澱した粘り気のある油. 地方によっては〔油脚〕ともいう

【油坊】yóufáng [名]植物油を搾る作業場

【油橄榄】yóugǎnlǎn [名]〈植〉オリーブ. 〔齐墩果qídūnguǒ〕ともいい, ふつう〔橄榄〕〔洋橄榄〕という

【油垢】yóugòu [名](こびりついた)油汚れ. 油あか

【油光】yóuguāng [形]つやつやしている

【油耗】yóuhào [名]燃料消費率. 燃費

【油黑】yóuhēi [形]黒光りしている. 黒々としている

【油乎乎】yóuhūhū (～的) [形]脂っこい. 油でべとべとした. 油でてかてかした

【油花】yóuhuā (～儿) [名]スープなどの表面に浮いている油

【油滑】yóuhuá [形]ずる賢い. すれている

*【油画】yóuhuà [名]油絵

【油灰】yóuhuī [名]パテ

【油煎火燎】yóu jiān huǒ liǎo [慣]ひどくやきもきするさま. 居ても立ってもいられないさま

【油井】yóujǐng [名]石油採掘井戸. 油井

【油矿】yóukuàng [名]❶石油鉱床 ❷石油採掘場. 油田

【油亮】yóuliàng 形 つやつやしている
*【油料】yóuliào 名 植物油の原料
【油料作物】yóuliào zuòwù 名（菜種やダイズなど）油脂を多量に含む作物
【油绿】yóulǜ 形 つやのある深緑色の，青々としている
【油轮】yóulún 名 タンカー，油槽船．〔油船〕ともいう
【油门】yóumén （～儿）名 ❶（車の）アクセル，アクセル・ペダル ‖ 踩cǎi～ アクセルを踏む ❷〈機〉スロットル
【油墨】yóumò 名 印刷用インク
【油泥】yóuní 名 油混じりの汚れ，油ぼこり
【油腻】yóunì 形 脂っこい，脂ぎっている ‖ 不喜欢吃～的东西 脂っこいものが好きではない 名 脂っこい食品
【油品】yóupǐn 名（ガソリン・灯油・重油などの）石油製品
*【油漆】yóuqī 名 ペンキ，塗料 ‖ ～未干gān ペンキ塗りたて 動 ペンキを塗る ‖ ～门窗 ドアと窓にペンキを塗る
【油气田】yóuqìtián 名 石油と天然ガスを同時に産出する油田
【油腔滑调】yóu qiāng huá diào 成 口先ばかり調子がよい，浮ついて誠意のない話しぶり
【油然】yóurán 形 ❶考えや感情がわき起こるさま ❷雲などがわき起こるさま
【油饰】yóushì 動 ペンキを塗り，きれいにする
【油水】yóushui （～儿）名 ❶（料理に含まれる）脂肪分 ❷うまみ，甘い汁，不当な利益 ‖ 捞～ 甘い汁を吸う
【油酥】yóusū 形 さくさくしたパイ状の（菓子）
*【油田】yóutián 名 油田
【油条】yóutiáo 名 練って発酵させた小麦粉を棒状にのばし，油で揚げた食品
【油桐】yóutóng 名〈植〉シナアブラギリ
【油头粉面】yóu tóu fěn miàn 成 貶 けばけばしく装う
【油头滑脑】yóu tóu huá nǎo 成 貶 要領がよくずる賢い，すれっからし
【油汪汪】yóuwāngwāng （～的）形 ❶油がたっぷりしているさま ❷つやつやしている，てかてかと光っている
【油污】yóuwū 名 油汚れ，油じみ
【油箱】yóuxiāng 名 オイルタンク，燃料タンク
【油型气】yóuxíngqì 名 石油随伴ガス，石油とともに噴出する天然ガス，かつては〔油田气〕〔油田伴生气〕といった
【油性】yóuxìng 名 油性
【油烟】yóuyān 名 油煙．〔油烟子〕ともいう
【油印】yóuyìn 動〈印〉謄写版で刷る
【油炸鬼】yóuzháguǐ 名 小麦粉を練ってさまざまな形にのばし，油で揚げた食品
【油毡】yóuzhān 名〈建〉アスファルト・フェルト．〔油毛毡〕ともいう
【油脂】yóuzhī 名 油脂，油と脂肪
【油纸】yóuzhǐ 名 油紙，桐油紙
【油子】yóuzi 名 ❶粘りがあって黒っぽいもの ❷方 世故にたけた人，すれっからし
【油渍】yóuzì 名 油のしみや汚れ
【油嘴】[1] yóuzuǐ 形 口がうまい，口先ばかりで実がない 名 口ばかりうまくて実のない人
【油嘴】[2] yóuzuǐ 名 ノズル，噴き口
【油嘴滑舌】yóu zuǐ huá shé 成 口ばかりうまくて実がない，口が達者である

9 **柚** yóu ↴ ► yòu

【柚木】yóumù 名〈植〉チーク

9 **疣** yóu 名〈医〉いぼ．〔肉赘zhuì〕ともいい，ふつう〔瘊子hóuzi〕という

10 **莸（蕕）** yóu ❶古 悪臭のある草の一種． 喩 悪人 ❷名〈植〉ダンギク

10 **莜** yóu ↴

【莜麦】yóumài 名〈植〉エンバクの一種．〔油麦〕とも書く

10 * **铀** yóu 名〈化〉ウラン（化学元素の一つ，元素記号はU）

12 * **游**（△遊❶～❹） yóu ❶（固定せず）動く，流動する ‖ 一～击 ❷ゆっくり歩く，ぶらつく ‖ 郊jiāo～ ピクニック ❸遊ぶ ‖ 一～玩❹書 交遊する，交際する ‖ 交～ 交際する ❺動 泳ぐ ‖ 你能～多远？ 君はどのくらい泳げますか ❻河川，河川の一部分 ‖ 上～ 上流
【游伴】yóubàn 名 旅の道連れ
【游程】yóuchéng 名 ❶泳ぐ距離 ❷道のり，行程 ❸旅程，旅行のスケジュール
【游船】yóuchuán 名 遊覧船 ‖ 乘～ 遊覧船に乗る
【游荡】yóudàng 動 ❶ぶらぶらする，遊びほうける ❷ぶらぶら歩く，歩き回る ❸（水に）ゆらゆらと漂う
【游舫】yóufǎng 名 遊覧船
【游逛】yóuguàng 動 見物して回る，ぶらつく
*【游击】yóujī 動 ゲリラ戦をやる
【游击队】yóujīduì 名 ゲリラ部隊，遊撃隊
【游击战】yóujīzhàn 名 ゲリラ戦
【游记】yóujì 名 旅行記
【游街】yóu//jiē 動 ❶罪人を街中引き回す ❷英雄や功労者などを取り巻いて練り歩く
*【游客】yóukè 名 観光客
**【游览】yóulǎn 動 見物する，観光する
【游廊】yóuláng 名〈建〉渡り廊下，回廊
【游乐】yóulè 動 遊び楽しむ ‖ ～场 遊園地
【游离】yóulí 動 ❶〈化〉遊離する ❷孤立する
【游离基】yóulíjī 名〈生〉遊離基，ラジカル
【游历】yóulì 動 遍歴する，巡り歩く
【游轮】yóulún 名 遊覧船，観光客船
【游民】yóumín 名 正業のない人，遊んで暮らす人
【游牧】yóumù 動 遊牧する
【游禽】yóuqín 名〈鳥〉游禽（ゆうきん）
*【游人】yóurén 名 遊覧客，見物客
【游刃有余】yóu rèn yǒu yú 成 包丁さばきに余裕がある，なんの苦もなくやってのけられる
【游山玩水】yóu shān wán shuǐ 成 山河を遊覧する，景勝の地を見て回る
【游手好闲】yóu shǒu hào xián 成 ぶらぶら遊んでいて働かない
【游水】yóu//shuǐ 動 泳ぐ
【游说】yóushuì 動 遊説する
【游艇】yóutǐng 名 遊覧船
【游玩】yóuwán 動 ❶遊ぶ ❷見物する
*【游戏】yóuxì 動 遊ぶ，ゲームをする 名 ❶ゲーム，遊び ‖ 文字～ 言葉遊び ❷略〈計〉ゲーム．〔电子游戏〕の略

外国の固有名詞 | スポーツ用品・ゲーム機
【アシックス】…爱世克斯 【アディダス】…阿迪达

斯 【ミズノ】…美津浓 【リーボック】…锐步 【ゲームキューブ】…游戏方糖 【ゲームボーイ】…手掌机 【セガ】…世嘉 【ナムコ】…拿姆科 【プレイステーション】…游戏站

【游戏规则】yóuxì guīzé 图 ゲームの規則. 参加者の間のルール ‖ 市场～不透明 市場ルールが不透明である

【游戏机】yóuxìjī 图 ゲーム機

【游侠】yóuxiá 图 侠客(きょうかく). 遊侠(ゆうきょう)の士

*【游行】yóuxíng 動 ❶漫遊する ❷デモ行進する

【游兴】yóuxìng 图 行楽気分

【游学】yóuxué 動 書 遊学する. 留学する

【游医】yóuyī 图 医師の資格をもたず, もぐりで診療する者 ‖ 江湖～ もぐりの医者

【游移】yóuyí 動 ❶ゆっくりと移動する ❷迷う. 意を決しかねる. ためらう ‖ 态度～不定 態度が煮え切らない

【游弋】yóuyì 動 (艦艇が)海上を巡邏(じゅんら)する

【游艺】yóuyì 图 娯楽. 演芸

【游艺会】yóuyìhuì 图 演芸会. レクリエーション

★【游泳】yóu//yǒng 動 泳ぐ. 水泳する ‖ 去海水浴场～ 海水浴場に泳ぎにいく 图〈体〉水泳

**【游泳池】yóuyǒngchí 图 プール

【游泳裤】yóuyǒngkù 图 水泳パンツ

【游泳衣】yóuyǒngyī 图 (女性用の)水着

【游园会】yóuyuánhuì 图 園遊会

【游资】yóuzī 图〈経〉遊資. 遊休資本. ホットマネー. アイドルマネー ‖ 吸收～ 遊休資本を吸収する

12 **鱿** yóu ↴

【鱿鱼】yóuyú 图〈動〉スルメイカ. 〔枪乌贼〕の通称

13 **猷** yóu 書 謀略. 企み. もくろみ ‖ 鸿hóng～ 大計画

15 **蝣** yóu ➡〔蜉蝣fúyóu〕

17 **繇** yóu 書 …によって. …から ➤ yáo zhòu

yǒu

4 **友** yǒu ❶友. 友人 ‖ 朋～ 友人 ❷親しい ‖ →～好 ❸友好関係にある ‖ →～邦

*【友爱】yǒu'ài 形 仲がよい

【友邦】yǒubāng 图 友好国. 友邦

★【友好】yǒuhǎo 图 友人. 知人 ‖ 生前～ 生前の友人 形 友好的である ‖ ～的气氛 友好的な雰囲気

> **類義語** 友好 yǒuhǎo 友谊 yǒuyì
>
> ◆〔友好〕友好的である. 形容詞 ‖ 他们的态度很不友好 彼らの態度はどうも友好的ではない | 友好地接待了客人 友好的にお客をもてなした ◆〔友谊〕友情. 名詞 ‖ 增长了友谊 友情が深まった

【友军】yǒujūn 图 友軍

【友邻】yǒulín 图 友好関係にある近隣 形 友好的な. 近隣の

*【友情】yǒuqíng 图 友情. 友誼(ゆうぎ)

*【友人】yǒurén 图 友人. 友達

【友善】yǒushàn 形 書 仲がいい. 親しい

★【友谊】yǒuyì 图 友誼. 友情 ‖ 结下了深厚的～ 深い友情を結んだ | 增进～ 友情を深める

【友谊赛】yǒuyìsài 图 親善試合

6 ★**有**[1] yǒu ❶動 存在する. ある. いる ↔〔没〕〔无〕‖ 屋里～人 部屋に人がいる ❷動 所有する. 持つ ↔〔没〕〔无〕‖ ～孩子 子供がいる | ～信心 自信がある ❸動 数量や性質が一定程度に達することを表す ‖ 从这儿到城里～八公里 ここから町まで8キロある | 他回国～一个星期了 彼が帰国して1週間になる ❹動 多く抽象名詞を目的語にとり, 多いこと, 豊富なことを表す. (前に程度を表す〔很〕を付けることができる) ‖ 很～学问 たいへん学識がある ❺動 発生や出現を表す ‖ 姥姥～病了 おばあさんが病気になった | 今晚～雨 今夜, 雨が降る ❻動 (応答する言葉で, そこにいることを表す)はい ‖ "赵明!" "～!" 「張明くん」「はい」 ❼動 不確定なことを表す ‖ ～一天 ある日 ❽動〔人〕〔时候〕〔地方〕の前に置き, 一部分であることを表す ‖ ～时候他来, ～时候我去 彼が来ることもあれば, 私が行くこともある ❾助 一部の動詞の前に置き, 謙譲を表す ‖ →～劳

6 **有**[2] yǒu 接頭 書 一部の王朝名または民族名の前に置く ‖ ～夏 夏王朝 ➤ yòu

【有碍】yǒu'ài 動 差し障りがある. 障害になる. 妨げになる ‖ ～交通 交通の妨げになる

【有板有眼】yǒu bǎn yǒu yǎn 成 ❶(歌が)拍子に合っている ❷言動にそつがなく筋が通っている

【有备无患】yǒu bèi wú huàn 成 備えあれば憂いなし

【有鼻子有眼儿】yǒu bízi yǒu yǎnr 慣 うそがまことしやかである. 本当らしく思える

【有偿】yǒucháng 形 有償の. 有料の

【有偿新闻】yǒucháng xīnwén 图 有料ニュース

【有成】yǒuchéng 動 書 成功する

*【有待】yǒudài 動 待たなければならない ‖ 这一问题还～研究 この問題は研究を待たねばならない

【有得】yǒudé 動 得るものがある

★【有的】yǒude 代 (事物や人の一部を表す)あるもの. ある… ‖ 这些玩具～是自己买的, ～是朋友送的 おもちゃは自分で買ったものもあるし, 友だちがくれたものもある

**【有的是】yǒudeshì 動 たくさんある. たっぷりある ‖ 别着急, 时间～ 慌てるな, 時間ならたっぷりある

【有底】yǒu//dǐ 動 自信がある. 心づもりがある

【有的放矢】yǒu dì fàng shǐ 成 的に狙いを定めて矢を放つ. 目標を定めてから事を行う

**【有点】yǒudiǎn (～儿) 副 少し. ちょっと. いくぶん. (多く望ましくないことに用いる). 〔有一点儿〕ともいう ‖ ～贵 ちょっと高い | 孩子～发烧 子供は少し熱がある

> **類義語** 有点(儿) yǒudiǎn(r) 一点儿 yīdiǎnr
>
> ◆〔有点(儿)〕副詞. 形容詞などの前に置く. 話し手の考える基準から少しずれがあることを表す. 多く話し手にとって不如意なことに用いる ‖ 这件衣服我穿有点儿大 この服は私には少し大きい | 他有点儿不听话 彼はあまり言うことをきかない ◆〔有点(儿)〕+形容詞+語気助詞〔了〕で, 主に状態変化を表す. また, 予想とのずれを表すこともある ‖ 枫叶已经有点儿红了 カエデも少し色づいた | 今天来得有点儿早了 今日は少し早く来てしまった ◆〔一点儿〕名詞. 形容詞などの後に置く. 「少し～」であることを表す. 〔一〕はよく省略される ‖ 这个比那个好一点儿 これはそれよりも少しよい ◆〔一点儿〕が前にくる場合は, 〔也不…〕が後に続く場合に限

られる‖我一点儿也不感兴趣 私は少しも興味を覚えない ◆名詞の前にある〔有点(儿)〕は，本動詞〔有〕＋数詞〔一〕＋量詞〔点儿〕の〔一〕が省略されたもので，〔有(一)本书〕と構造上は同じである

【有方】yǒufāng 動 方法が当を得る．適切である ↔〔无方〕‖教子～ 子供のしつけが適切である

【有功】yǒu∥gōng 動 功績がある．功労がある

⁑【有关】yǒuguān 動 関係がある．関連する ‖ ～资料 関連資料

【有轨电车】yǒuguǐ diànchē 名(レール上を走る)電車．〔无轨电车〕(トロリーバス)に対していう

【有过之无不及】yǒu guò zhī wú bù jí 成 勝るとも劣らず．それ以上であってもそれ以下ではない．(多く悪い事柄について用いる)〔有过之而无不及〕ともいう

*【有害】yǒuhài 形 有害である．害がある ‖ 抽烟对身体～ 喫煙は体に悪い｜～物质 有害物質

【有恒】yǒuhéng 動 根気強くやり通す

【有会子】yǒuhuìzi 動 口 時間が経過する．時間がたつ．〔有会儿〕ともいう

*【有机】yǒujī 形 ❶〈化〉有機の ❷有機的な

【有机玻璃】yǒujī bōli 名〈化〉有機ガラス

【有机肥料】yǒujī féiliào 名〈農〉有機肥料

【有机化合物】yǒujī huàhéwù 名〈化〉有機化合物．略して〔有机物〕という

【有机可乘】yǒu jī kě chéng 成 乗ずるチャンスがある．つけいるすきがある

【有机农业】yǒujī nóngyè 名〈農〉有機農業

【有机食品】yǒujī shípǐn 名 有機食品

【有机体】yǒujītǐ 名〈生〉有機体 ＝〔机体〕

【有机物】yǒujīwù 名 略〈化〉有機化合物．〔有机化合物〕の略

【有机质】yǒujīzhì 名〈化〉有機物

【有价证券】yǒujià zhèngquàn 名 有価証券

【有教无类】yǒu jiào wú lèi 成 どのような身分の人でも同じように教育を施す

【有劲】yǒu∥jìn (～儿) 動 元気がある．力がある 形 楽しい．面白い

【有救】yǒu∥jiù 動 助かる見込みがある．助かる

【有口皆碑】yǒu kǒu jiē bēi 成 人々が口々にほめそやす．どこへ行っても称賛を受ける

【有口难分】yǒu kǒu nán fēn 成 申し開きが立たない．弁解のしようがない．〔有口难辩biàn〕ともいう

【有口难言】yǒu kǒu nán yán 成 口に出して言いにくい．言いたくても口にできない

*【有口无心】yǒu kǒu wú xīn 成 口は悪いが，悪意はない

【有愧】yǒukuì 動 恥じるところがある．やましさがある

【有赖】yǒulài 動 …にかかっている ‖ 此举能否成功，还～于各位协助xiézhù これが成功するか否かは，ひとえに皆様の協力にかかっています

【有劳】yǒuláo 動 苦労をかける．手数をかける ‖ ～你替我走一趟tàng ご苦労ですが，私の代わりにひとっ走り行ってきてください

【有理】yǒulǐ 形 筋が通っている．理にかなっている

【有理数】yǒulǐshù 名〈数〉有理数

⁑【有力】yǒulì 形 力強い．有力である ‖ 采取～措施cuòshī 有力な措置をとる

⁑【有利】yǒulì 形 有利である．利がある ‖ ～条件 有利な条件｜～于经济发展 経済発展に有利である

【有利可图】yǒu lì kě tú 成 大儲けできる．荒稼ぎできる

*【有两下子】yǒu liǎngxiàzi 慣 口 腕がある．なかなかやる．たいしたものだ

【有零】yǒulíng (～儿) 動 数字の後に用いて端数を表す ‖ 五百～ 五百有余

【有门儿】yǒu∥ménr 動 口 ❶希望がある．見込みがある ❷秘訣を得る．こつをつかむ

★【有名】yǒu∥míng 形 有名である．名が通っている ‖ 这个演员很～ この俳優はとても有名だ

【有名无实】yǒu míng wú shí 成 有名無実である

【有目共睹】yǒu mù gòng dǔ 成 多くの人が目にする．非常に明らかなさま．衆目が一致する

【有目共赏】yǒu mù gòng shǎng 成 誰もが称賛する

【有奶便是娘】yǒu nǎi biàn shì niáng 諺 利益さえ得られるなら，誰かれ構わずしっぽを振ってついていく

【有盼儿】yǒu∥pànr 動 方 望みがある．見込みがある

【有谱儿】yǒu∥pǔr 動 方 成算がある．確信がある

【有期徒刑】yǒuqī túxíng 名 有期刑．有期懲役

【有气】yǒu∥qì 動 怒る．腹が立つ

【有气无力】yǒu qì wú lì 成 元気のない様子．ぐったりとしたさま ‖ 说话～的 話しぶりに元気がない

【有钱】yǒu∥qián 動 金がある．財産がある

【有钱能使鬼推磨】yǒuqián néng shǐ guǐ tuīmò 諺 地獄の沙汰(さ)も金しだい

【有情】yǒu∥qíng 動 恋する．愛情がある

【有请】yǒuqǐng 動 おいでを請う．お呼びする

【有求必应】yǒu qiú bì yìng 成 頼まれれば必ず応じる

⁑【有趣】yǒuqù (～儿) 形 面白い．興味深い ‖ 他说话真～ 彼の話はほんとうに面白い

【有染】yǒurǎn 動 (多く悪い事柄に)関係がある

【有人家儿】yǒu rénjiār 組 喩 娘の婚約者が決まる

【有日子】yǒu rìzi 組 ❶長い間 ❷日が決まる

【有如】yǒurú 動 …のようである

【有色金属】yǒusè jīnshǔ 名 非鉄金属 ↔〔黑色金属〕

【有色人种】yǒusè rénzhǒng 名 有色人種

【有色眼镜】yǒusè yǎnjìng 名 喩 色眼鏡．偏見．先入観

【有身子】yǒu shēnzi 慣 妊娠する

【有神】yǒushén 形 生気がみなぎる．生き生きとしている ‖ 目光炯炯jiǒngjiǒng～ 目がきらきらと輝いている

【有神论】yǒushénlùn 名〈哲〉有神論

【有生力量】yǒushēng lìliang 名〈軍〉❶(兵員や軍馬などの)生きている戦力 ❷軍隊

【有生以来】yǒu shēng yǐlái 組 生まれてから今まで

【有生之年】yǒu shēng zhī nián 成 生きている時

【有声片儿】yǒushēngpiānr 名 口 トーキー

【有声片】yǒushēngpiàn 名 トーキー

*【有声有色】yǒu shēng yǒu sè 成 (話や文章が)生き生きしている．精彩がある

【有识】yǒushí 動 書 見識がある

【有识之士】yǒu shí zhī shì 名 学問があり，見識の高い人．有識者

⁑【有时】yǒushí 副 ときには ‖ 假期中我～去游泳，～去看电影 休暇中は泳ぎにいったり，映画を観にいったりする｜他～睡得很晩 彼はときに夜遅く寝ることもある

★【有时候】yǒushíhou (～儿) 副 ときには

【有史以来】yǒushǐ yǐlái 組 有史以来
【有始无终】yǒu shǐ wú zhōng 成 始めがあって終わりがない．尻切れとんぼである．最後までやり遂げない
【有始有终】yǒu shǐ yǒu zhōng 成 始めから終わりまでやりとおす．首尾一貫している
*【有事】yǒu shì 組 ❶用がある‖我丈夫～出门了 主人は用事があって出かけました ❷就職口がある．仕事がある ❸心配事がある．内緒事がある‖心里～，睡不着觉jiào 心配事があって眠れない ❹事が起きる
【有恃无恐】yǒu shì wú kǒng 成 後ろ盾があるので怖いものがない
【有数】[1] yǒu//shù（～儿）動 知っている．分かっている．了解している‖他是什么人，大家都心里～ 彼がどんな人間であるか，みんな分かっている
【有数】[2] yǒushù 形 数が知れている．わずかである
【有素】yǒusù 動 ふだんから行われる‖训练～ ふだんからよく訓練がなされている
【有损】yǒusǔn 動 害を与える．傷つける‖～健康 健康に害がある
【有所】yǒusuǒ 動 多少…した．いくらか…した‖～了解 多少知っている｜～提高 ある程度進歩した
【有蹄类】yǒutílèi 名〈動〉有蹄（ゆうてい）類
【有条不紊】yǒu tiáo bù wěn 成 整然としている．秩序立っている
【有头无尾】yǒu tóu wú wěi 成 頭あって尾なし．首尾一貫していない．尻切れとんぼである
【有头有脸】yǒu tóu yǒu liǎn（～儿）慣 地位がある．顔が利く‖当地～的人物 地元に顔が利く人物
【有头有尾】yǒu tóu yǒu wěi 成 始めもあり，終わりもある．首尾一貫している．物事を最後まで貫く
【有望】yǒuwàng 動 希望が持てる．望みがある
【有为】yǒuwéi 動 有為である．有望である
【有味儿】yǒuwèir 形 ❶おいしい ❷味がある．面白みがある 動 においを発する．臭う‖这肉～了 この肉は腐っている
【有…无…】yǒu…wú… 組 ❶あるのは前者だけで後者はないことを表す‖有名无实 有名無実である ❷前者の条件があれば後者はなくなることを表す‖有备无患 備えあれば憂いなし ❸〔有〕〔无〕の後に同じ語を置き，あるようでもないようでもあることを表す‖有意无意 なんとなく
【有喜】yǒu//xǐ 動 おめでたになる．身ごもる
【有戏】yǒu//xì 動 口 望みがある．期待できる
【有隙可乘】yǒu xì kě chéng 成 乗ずるすきがある
【有线电视】yǒuxiàn diànshì 名 ケーブル・テレビ
【有线广播】yǒuxiàn guǎngbō 名 有線放送
【有线通信】yǒuxiàn tōngxìn 名 有線通信
*【有限】yǒuxiàn 形 限りがある．多くない‖名额～ 人数に制限がある｜能力～ 能力に限りがある
【有限责任公司】yǒuxiàn zérèn gōngsī 名 有限責任会社．〔有限公司〕ともいう
⁑【有效】yǒuxiào 動 有効である ↔〔无效〕‖采取～措施 有効な措置をとる｜～地利用 有効に利用する
【有效期】yǒuxiàoqī 名 有効期間．有効期限
【有效射程】yǒuxiào shèchéng 名 有効射程距離
★【有些】yǒuxiē 代 一部．ある‖～书是借来的 本の一部は借りたものです 副 若干．少し．〔有一些〕ともいう‖～担心 いくぶん心配している
【有心】yǒuxīn 動 …しようと思う．…する気がある 副 故意に．わざと‖～气气他 わざと彼を怒らせる
【有心人】yǒuxīnrén 名 志を持ち努力する人‖世上无难事，只怕～ この世に難しいことはない，ただ努力しだいだ
【有形】yǒuxíng 形 形のある．有形の
【有形损耗】yǒuxíng sǔnhào 名〈経〉物量的減価
【有形资产】yǒuxíng zīchǎn 名〈経〉有形資産 ↔〔无形资产〕
【有幸】yǒuxìng 形 幸いである
【有性生殖】yǒuxìng shēngzhí 名〈生〉有性生殖．〔两性生殖〕ともいう
【有血有肉】yǒu xuè yǒu ròu 成（文章などの表現が）真に迫っている
【有言在先】yǒu yán zài xiān 成 先に言明する．前もって言っておく
【有眼不识泰山】yǒu yǎn bù shí Tàishān 成 目があっても泰山を知らず．人を見る目がなく，地位の高い人や才能のある人を見分けられないこと．お見それしました
【有眼无珠】yǒu yǎn wú zhū 成 眼識がない．人を見る目がない
【有氧运动】yǒuyǎng yùndòng 名〈体〉有酸素運動．エアロビクス
【有一搭没一搭】yǒu yīdā méi yīdā 慣 ❶無理して話題を探しながらぎこちなく語るさま‖说话～的 話しぶりがぎこちない ❷あってもなくてもいい．どうでもいい
【有一手】yǒu yī shǒu 慣 能力がある．腕前がある
*【有益】yǒuyì 形 有益である
*【有意】yǒuyì 動 ❶…しようと思う．…する気がある‖他～买下这幢房子 彼はこの家を購入するつもりだ ❷（男女間で）気がある‖小张对小李～ 張君は李（り）さんに気がある 副 故意に．わざと‖这话是～说给他听的 この言葉はわざと彼に聞かせるために言ったのだ
【有意识】yǒu yìshi 組 意識的な．計画的な
★【有意思】yǒu yìsi 組 ❶面白い．意義がある‖这本书很～ この本はとても面白い ❷気がある．ほれている‖他对她有点儿意思 彼は彼女に気がある
⁑【有用】yǒu//yòng 動 役に立つ．使える‖这本导游手册很～ このガイドブックは役に立つ
【有…有…】yǒu…yǒu… 組 ❶（二つの〔有〕の後にそれぞれ意味の相反する名詞または動詞を置き）…もあれば…もある‖有利有弊bì 益もあれば害もある ❷二つの〔有〕の後にそれぞれ意味が同じか近い名詞または動詞を置き，強調する‖有凭有据 確たる証拠がある
【有余】yǒuyú 動 ❶ゆとりがある．余裕がある‖绰chuò绰～ 余裕綽々（しゃくしゃく）である ❷余りがある．端数がある
【有缘】yǒuyuán 動 縁がある
【有增无减】yǒu zēng wú jiǎn 成 増える一方である‖交通事故～ 交通事故は増える一方だ
【有朝一日】yǒu zhāo yī rì 成 いつの日か．いつか
【有着】yǒuzhe 動 持っている．ある‖～悠久的历史 長い歴史がある
【有枝添叶儿】yǒu zhī tiān yèr 成 話に尾ひれがつく ＝〔添枝加叶〕
【有志者事竟成】yǒu zhì zhě shì jìng chéng 成 意志さえあればいつかきっと成し遂げられる
【有致】yǒuzhì 動 趣に富む
【有种】yǒuzhǒng 動 度胸がある．骨がある
【有助于】yǒuzhù yú 組 …の助けになる‖～消化 消化を助ける

7 **卣** yǒu 古 卣(ゆう). 酒つぼ
7 **酉** yǒu 图 酉(とり)（十二支の第10）➡〔地支dìzhī〕
10 **莠** yǒu ❶图〈植〉エノコログサ ＝〔狗尾草gǒuwěicǎo〕❷書 悪い
11 **铕** yǒu 图〈化〉ユーロピウム（化学元素の一つ，元素記号は Eu）
15 **牖** yǒu 書 窓
17 **黝** yǒu 淡い黒色の．黒色の
【黝黯】【黝暗】 yǒu'àn 形 真っ暗である．暗い
【黝黑】 yǒuhēi 形 黒い．真っ黒である．真っ暗である
【黝黝】 yǒuyǒu 形 黒々としている．真っ暗である

yòu

2 ★**又** yòu ❶副（同じ動作や状態が繰り返されることを表す）**また** ‖ ～下雨了 また雨だ ❷副（二つの動作が前後して行われることを表す）**また．こんどは** ‖ 他刚从日本回来，～去了美国 彼は日本から戻ったばかりなのに，またアメリカへ行った ❸副（異なる状態や性質が同時に存在することを表す）**また．かつ** ‖ 这家馆子的菜～便宜～好吃 このレストランの料理は安くておいしい ❹副（付加を表す）**さらに．そのうえ** ‖ 今天太晚了，～下着雨，干脆gāncuì明天去吧 今日は時間が遅いし，そのうえ雨も降っているから，いっそ明日行くことにしよう ❺副（ある範囲外に付け加えることを表す）**さらに．また** ‖ 这个月除了工资之外，他～得了奖金 彼は今月は給料のほかにボーナスをもらった ❻副 端数のあることを表す ‖ 四小时～二十分钟 4時間と20分 ❼副（逆接を表す）… **であるのに．ところが** ‖ 心里不愿意，可～不好拒绝 嫌だけれども断りにくい ❽副（否定や反語に用い，語気を強める）**何も．とりたてて** ‖ 这跟你～有什么关系？别操cāo那么多心了 これは君となんの関係もないのだから，そんなに心配することはない

> **類義語** 又 yòu 再 zài
> ◆ともに同じ動作や状態の重複あるいは継続を表す ◆〔又〕すでに実現したことに用いる ‖ 失败了以后，又试了一次 失敗した後，またやってみた｜又过了几天，他们还没回来 さらに数日たったが，彼らはまだ戻ってこない ◆〔再〕これから実現することに用いる ‖ 失败了没关系，再试一次 失敗しても構わずに，またやってみる ◆すでに実現したことでも，従文（従属節）に現れる場合には，〔又〕より〔再〕が多く使われる ‖ 后来再去时，他已经不在了 あとでまた行ったら，彼はもういなかった ◆未実現のことでも，その実現が確実であれば〔又〕が使われる ‖ 春天到了，学校又该去春游了 春になった，学校はまた春の遠足をやるだろう

【又及】 yòují 動 翰 追って書く．追伸．二伸
5 ★**右** yòu ❶图 **右** ↔〔左〕‖ 过路口往～拐 交差点を右に曲がる ❷西 ↔〔左〕‖ 山～ 山西省をさす ❸高い位置や階級 ‖ 无出其～ 右に出る者がいない． ❹形 保守的である．反動的である ↔〔左〕‖ 他的观点比较～ 彼の考えはかなり右寄りだ
****【右边】** yòubian（～儿）图 **右側．右の方**
【右面】 yòumiàn 图 右側．右の方
【右派】 yòupài 图 右派
【右倾】 yòuqīng 形 右傾化している．右寄りの
【右手】 yòushǒu 图 ❶右手 ❷＝〔右首yòushǒu〕
【右首】 yòushǒu 图 右側．右手．（多く座席についていう）〔右手〕とも書く
【右翼】 yòuyì 图 ❶〈軍〉右翼 ❷右翼．保守派
5 **幼** yòu ❶幼い ‖ 年～ 年が幼い ❷生まれて間もない．まだ成長していない ‖ →～苗 ❸子供．幼児 ‖ 男女老～ 老若男女
【幼虫】 yòuchóng 图〈虫〉幼虫
【幼儿】 yòu'ér 图 幼児
【幼儿教育】 yòu'ér jiàoyù 图 幼児教育．略して〔幼教〕という
***【幼儿园】** yòu'éryuán 图 幼稚園
【幼教】 yòujiào 图 略 幼児教育．〔幼儿教育〕の略
【幼林】 yòulín 图〈林〉若木の林
【幼苗】 yòumiáo 图 苗．若木
【幼年】 yòunián 图 幼年 ‖ ～时代 幼年時代
【幼小】 yòuxiǎo 形 幼い．幼小の ‖ ～的心灵 幼心
***【幼稚】** yòuzhì 形 ❶幼い ❷幼稚である．子供っぽい
【幼稚园】 yòuzhìyuán 图 旧 幼稚園
【幼子】 yòuzǐ 图 末っ子
6 **有** yòu 副 書 さらに．加えて ‖ 五十～三年 50と3年 ➤ yǒu
7 **佑** yòu 護(まも)る．加護する ‖ 保～（神が）加護する
8 **侑** yòu 書（宴席で）飲食を勧める ‖ ～食 食事を勧める｜～觞shāng 酒を勧める
9 ***诱** yòu ❶導く．教え導く ‖ →～导 ❷動（手段を用いて）誘う．引き寄せる ‖ 把他～入圈套quāntào 彼をわなにおびき寄せる ❸（ある結果を）招く．誘発する ‖ →～致
【诱逼】 yòubī 動 おびき寄せて脅す
【诱变】 yòubiàn 動〈生〉遺伝子操作を行う．遺伝子の突然変異を誘発する
【诱捕】 yòubǔ 動 おびき寄せて捕獲する
【诱导】 yòudǎo 動 ❶導く．教え導く ‖ ～孩子 子供を教え導く ❷〈物〉誘導する ❸〈生理〉誘導する
【诱敌】 yòudí 動 敵を誘う
【诱饵】 yòu'ěr 图 餌
【诱发】 yòufā 動 ❶導く．啓発する ❷（多く病気を）誘発する ‖ 感冒～了肺炎 風邪から肺炎を誘発した
【诱供】 yòugòng 動 誘導尋問する
【诱拐】 yòuguǎi 動 誘拐する
***【诱惑】** yòuhuò 動 ❶誘惑する．誘い込む ‖ 金钱的～使他走上犯罪的道路 彼は金に目がくらみ，犯罪の道に足を踏み入れた ❷ひきつける．魅了する
【诱奸】 yòujiān 動 異性をだまして関係する
【诱骗】 yòupiàn 動 甘い言葉でだます．惑わしてだます
【诱人】 yòurén 動 人を魅了する
【诱杀】 yòushā 動 おびき寄せて殺害する
【诱降】 yòuxiáng 動（敵の）投降を促す
【诱因】 yòuyīn 图 誘因
【诱致】 yòuzhì 動（悪い結果を）招く．もたらす
9 **宥** yòu 書 許す ‖ 宽～ 寛大に処して許す｜～罪 罪を許す
9 **囿** yòu 書 ❶動物を飼育するための囲い．園 ‖ 园～ 園囿(えんゆう) ❷とらわれる．こだわる
【囿于成见】 yòu yú chéng jiàn 成 先入観にとらわれる

9 **柚** yòu 图〈植〉ザボン．ブンタン ➤yóu
【柚子】yòuzi 图〈植〉ザボン．ブンタン
11 **蚴** yòu (サナダムシや吸血虫などの)幼生．幼虫 ‖ 毛～ 繊毛幼虫 | 尾～ ケルカリア
12 **釉** yòu 图 うわぐすり．釉薬(ゆうやく)
【釉质】yòuzhì 图〈生理〉(歯の)琺瑯質(ほうろうしつ)
【釉子】yòuzi 图 うわぐすり．釉薬
18 **鼬** yòu 图〈動〉イタチ科の一部の動物の通称

yū

6 **迂** yū ❶遠回りする．迂回(うかい)する ‖ ～回 ❷形 陳腐である．古臭い ‖ ～腐
【迂夫子】yūfūzǐ 图 世間知らずな読書人
【迂腐】yūfǔ 形 時代後れである．古臭い観念にとらわれ，融通が利かない ‖ ～的论调 時代後れの論調
【迂缓】yūhuǎn 形 (行動が)緩慢である．てきぱきしない
【迂回】yūhuí 動〈軍〉迂回する 形 迂回している．遠回りしている ‖ ～曲折的山路 曲がりくねった山道
【迂曲】yūqū 形 曲がりくねっている
6 **吁** yū 感 (ウマなどの家畜を扱うときの掛け声)どうどう ➤xū yù
6 **纡** yū 弯曲している ‖ 萦yíng～ まつわる．絡みつく
8 **於** yū 图 姓 ➤wū
11 **淤** yū ❶堆積した泥 ❷動 (泥などが)堆積する．沈殿する ❸〔瘀yū〕に同じ
【淤积】yūjī 動 ❶(泥などが)堆積する ❷喩 わだかまる．鬱積(うっせき)する ‖ 烦闷～在心上 悩みが鬱積する
【淤泥】yūní 图 (川・湖沼・ダムなどに沖積した)土砂
【淤浅】yūqiǎn 動 (川底が)土砂の沖積で浅くなる
【淤塞】yūsè 動 (川や水路などが土砂で)ふさがる
【淤血】yū//xiě 動〈医〉鬱血する
【淤滞】yūzhì 動 (川や水路が土砂で)ふさがる．滞る
13 **瘀** yū 〈医〉❶血嚢腫(けつのうしゅ) ❷鬱血(うっけつ)する ‖ ～血
【瘀血】yūxuè 動 ❶〈医〉鬱血する ❷〈中医〉瘀血(おけつ)する

yú

3 **与(與)** yú 〔欤yú〕に同じ ➤yǔ yù
3 ** **于** yú ❶介 (動作のなされる時間・場所を導く)…に．…で ‖ 本书出版～两年前 本書は2年前に出版された ❷介 (動作の対象を導く)…に．…に対して ‖ 满足～现状 現状に満足する ❸介 (動作の起点を導く)…から．…より ‖ 佛教起源～印度 仏教はインドに起源をもつ ❹介 (受動を表す)…される ‖ 见笑～人 人に笑われる ❺介 (形容詞または動詞の後に置き，方面・原因・目的を導く)…に ‖ 便～记忆 覚えやすい ❻介 (動作の向かう方向・目標を導く)…に ‖ 工程接近～完成 工事は完成間近である ❼介 (比較を表す)…より ‖ 今年的气温低～往年 今年の気温は例年より低い
【于今】yújīn 副 いままで 图 いま．現在
** 【于是】yúshì 接 そこで．そうして．〔于是乎〕ともいう ‖ 误解消除了，～两人又和好如初 誤解が解けて，二人は元どおり仲よくなった
4 **予** yú 書 我．余 ➤yǔ
【予取予求】yú qǔ yú qiú 成 ほしいままに求める．欲しい物はなんでも手に入れる
7 **余**[1] yú 代 書 我．余
7 * **余**[2](餘) yú ❶動 余る．残る ‖ 收支相抵尚～一千元 収支を差し引いてなお1000元余る ❷…の後．…以外 ‖ 兴奋之～ 興奮のあまり ❸图 余分．余り ‖ 年年有～ 毎年暮らしにゆとりがある ❹数 …余り ‖ 二百～人 二百余人
【余波】yúbō 图 (事件などの)余波．余勢
【余存】yúcún 動 残る．余る
【余党】yúdǎng 图 書 残党
【余地】yúdì 图 余地 ‖ 没有商量的～ 相談する余地がない
【余毒】yúdú 图 余毒
【余额】yú'é 图 ❶欠員 ❷残高．残額
【余晖】【余辉】yúhuī 图 残光．残照
【余悸】yújì 图 事後まだ残る恐怖 ‖ 心有～ 恐怖心が残る | 犹yóu有～ いまだに恐怖が残る
【余角】yújiǎo 图〈数〉余角
【余烬】yújìn 图 余燼(よじん)．燃えかす
【余力】yúlì 图 余力 ‖ 不遗yí～ 余力を残さない
【余粮】yúliáng 图 (納付用と自家消費用以外の)余った食糧
【余年】yúnián 图 晩年
【余缺】yúquē 图 余剰と不足
【余热】yúrè 图 ❶余熱 ‖ 利用～发电 余熱で発電する ❷喩 定年退職者の能力 ‖ 退休工人到乡镇企业发挥～ 退職後の労働者が郷鎮企業で活躍する
【余色】yúsè 图 補色 ＝〔补色〕
【余生】yúshēng 图 ❶危うく助かった命 ‖ 虎口～ 九死に一生を得る ❷余生 ‖ 有限的～ 限りある余生
【余剩】yúshèng 動 余る．残る
【余数】yúshù 图〈数〉(割り算の)余り
【余外】yúwài 接 方 このほか．それ以外
【余威】yúwēi 图 余勢．余った勢い
【余味】yúwèi 图 後味．余韻
【余暇】yúxiá 图 余暇 ‖ 利用～ 余暇を利用する
【余下】yúxià 動 残る．余る
【余闲】yúxián 图 暇
【余兴】yúxìng 图 ❶尽きない興趣 ❷余興
【余音】yúyīn 图 余韻 ‖ ～袅袅niǎoniǎo 余韻嫋嫋(じょうじょう)
【余音绕梁】yú yīn rào liáng 成 歌声がやんでもなおその余韻がいつまでも漂う．歌や演奏がすばらしいたとえ
【余勇可贾】yú yǒng kě gǔ 成 まだ力に余裕がある．余力がある
【余裕】yúyù 形 裕福である．豊かである．ゆとりがある
【余韵】yúyùn 图 余韻
【余震】yúzhèn 图〈気〉余震
7 **妤** yú ➡〔婕妤jiéyú〕
7 **欤(歟)** yú 古 疑問を示す助詞

8 **盂** yú (～儿)液体を入れる広口の器‖痰～ 痰(たん)つぼ｜漱口shùkǒu～ うがいに使う器

【盂兰盆会】 yúlánpénhuì 图〈仏〉盂蘭盆会(うらぼんえ)

8 **臾** yú ➡〔须臾xūyú〕

8 ★**鱼**(魚) yú ❶图魚‖钓～ 魚を釣る ❷魚に似た水生動物‖鳄～ ワニ

逆引き単語帳｜〔带鱼〕dàiyú タチウオ 〔沙丁鱼〕shādīngyú イワシ 〔比目鱼〕bǐmùyú ヒラメ・カレイ類 〔大麻哈鱼〕dàmáhǎyú サケ 〔金枪鱼〕jīnqiāngyú マグロ 〔飞鱼〕fēiyú トビウオ 〔青花鱼〕qīnghuāyú サバ 〔银鱼〕yínyú シラウオ 〔香鱼〕xiāngyú アユ 〔鲤鱼〕lǐyú コイ 〔草鱼〕cǎoyú ソウギョ 〔鲢鱼〕liányú レンギョ 〔武昌鱼〕wǔchāngyú トガリヒラウオ 〔鳗鱼〕mányú ウナギ 〔鳝鱼〕shànyú タウナギ 〔沙鱼〕shāyú サメ 〔鲇鱼〕niányú ナマズ 〔金鱼〕jīnyú 金魚 〔鲍鱼〕bàoyú アワビ 〔墨鱼〕mòyú 〔墨斗鱼〕mòdǒuyú イカ 〔鱿鱼〕yóuyú スルメイカ 〔章鱼〕zhāngyú タコ 〔甲鱼〕jiǎyú 〔元鱼〕yuányú 〔团鱼〕tuányú スッポン 〔娃娃鱼〕wáwayú オオサンショウウオ 〔鲸鱼〕jīngyú クジラ

【鱼鳔】 yúbiào 图魚の浮き袋

【鱼翅】 yúchì 图〈料理〉フカひれ.〔翅〕〔翅子〕ともいう

【鱼虫】 yúchóng (～儿) 图〈動〉ミジンコ =〔水蚤〕

【鱼刺】 yúcì 图魚の小骨‖挑～ 魚の小骨を取り除く

【鱼肚白】 yúdùbái 图青みがかった白(多く明け方の空をさす)

【鱼饵】 yú'ěr 图釣り餌(え)

【鱼粉】 yúfěn 图魚を原料にした粉末飼料

【鱼肝油】 yúgānyóu 图〈薬〉肝油

【鱼竿】 yúgān 图釣り竿

【鱼缸】 yúgāng 图(陶製やガラス製の)金魚鉢

【鱼钩】 yúgōu (～儿) 图釣り針.〔渔钩〕とも書く

【鱼贯】 yúguàn 副 1列に連なって

【鱼具】 yújù =〔渔具yújù〕

【鱼雷】 yúléi 图〈軍〉魚雷. 水雷

【鱼雷艇】 yúléitǐng 图〈軍〉魚雷艇.〔鱼雷快艇〕ともいう

【鱼鳞】 yúlín 图魚鱗(ぎょりん). 魚のうろこ

【鱼龙混杂】 yú lóng hùn zá 成善人と悪人, または, 無能な人と有能な人が入り混じっていること

【鱼米之乡】 yú mǐ zhī xiāng 图水産物や米などが豊富にとれる土地.(多く江南地方をさす)

【鱼苗】 yúmiáo 图(養殖用の)稚魚.〔鱼花〕ともいう

【鱼目混珠】 yú mù hùn zhū 成真珠の中に魚の目を混ぜる. 偽物を本物に混ぜてごまかすこと

【鱼漂】 yúpiāo (～儿) 图(釣りに用いる)浮き

【鱼肉】 yúròu 動喩食いものにする

【鱼水】 yúshuǐ 图魚と水. 関係がきわめて親密なたとえ

【鱼水情】 yúshuǐqíng 图魚と水のように関係がきわめて親密であること‖～深 魚と水のように関係が親密である

【鱼死网破】 yú sǐ wǎng pò 慣魚が死んで網が破れる. 闘って共倒れになること

【鱼网】 yúwǎng =〔渔网yúwǎng〕

【鱼尾纹】 yúwěiwén 图目尻のしわ

【鱼鲜】 yúxiān 图(食品としての)魚介類. 海産物

【鱼汛】 yúxùn 图漁期.〔渔汛〕とも書く

【鱼鹰】 yúyīng 图〈鳥〉❶ウ.〔鸬鹚lúcí〕の通称 ❷ミサゴ.〔鹗è〕の通称

【鱼游釜中】 yú yóu fǔ zhōng 成魚が鍋の中で泳ぐ. 死の危機に瀕(ひん)しているたとえ

【鱼子】 yúzǐ 图魚の卵

9 **俞** yú 图姓

9 **舁** yú ❶動方協力して担ぐ ❷積載する

9 **竽** yú 古笙(しょう)に似た楽器

10 **谀** yú 書へつらう. こびる‖阿ē～ おもねる

【谀辞】【谀词】 yúcí 图お世辞

10 **狳** yú ➡〔犰狳qiúyú〕

10 **馀** yú 〔余²yú〕に同じ

10 **娱** yú ❶楽しい‖欢～ 喜ばしい ❷楽しませる‖聊liáo以自～ いささか自ら楽しむ

*【娱乐】 yúlè 動楽しむ. 遊ぶ 图娯楽. 楽しみ

【娱乐圈】 yúlèquān 图芸能界

11 **隅** yú ❶隅. 角(かど)‖城～ 町はずれ ❷ふち. 傍ら‖海～ 海のそば

11 **渔** yú ❶魚を捕る. 漁をする‖～业 ❷(不当な利益を)あさる. 求める‖～利

【渔霸】 yúbà 图漁師や魚商のボス. 網元

【渔产】 yúchǎn 图水産物. 海産物

【渔场】 yúchǎng 图漁場

【渔船】 yúchuán 图漁船

【渔村】 yúcūn 图漁村

【渔夫】 yúfū 图漁夫. 漁師

【渔港】 yúgǎng 图漁港

【渔火】 yúhuǒ 图漁火(いさりび)

【渔具】 yújù 图漁具. 釣り具.〔鱼具〕とも書く

【渔捞】 yúlāo 图漁労

【渔利】 yúlì 動不当な利益をあさる 图漁夫の利. 不当な利益‖坐收～ 居ながらにして漁夫の利を得る

【渔猎】 yúliè 動漁や狩りをする‖～时代 狩猟時代

【渔轮】 yúlún 图漁船

*【渔民】 yúmín 图漁民

【渔人之利】 yú rén zhī lì 成漁夫の利

【渔网】 yúwǎng 图魚網.〔鱼网〕とも書く

【渔汛】 yúxùn =〔鱼汛yúxùn〕

*【渔业】 yúyè 图漁業‖～生产 漁業生産

11 **萸** yú ➡〔茱萸zhūyú〕

11 **雩** yú 古雨乞(あまご)いの祭り

12 **渝**[1] yú (感情や態度などが)変わる‖始终不～ 終始変わらない

12 **渝**[2] yú 图重慶市の別称

12 **愉** yú 楽しい. 嬉しい‖～悦｜面有不～之色 顔に不快そうな表情が浮かんでいる

★【愉快】 yúkuài 形愉快である. 楽しい‖心情～ 愉快である｜暑假过得很～ 夏休みを楽しく過ごした

【愉乐】 yúlè 形楽しい. 愉快である

【愉悦】 yúyuè 形楽しい. 喜ばしい. 嬉しい

Y

12 **逾**(^踰❶) **yú** ❶越える. 超える ‖ →～越 ❷さらに. より
【逾常】**yúcháng** 動 通常を越える
【逾分】**yúfèn** 形 過分である
【逾期】**yú//qī** 動 期限を過ぎる
【逾越】**yúyuè** 動 越える. 超越する
12 **揄** **yú** 書 引き上げる. 引き出す
【揄扬】**yúyáng** 動 書 ほめる. 称賛する
12 **喁** **yú** ↴ ➤ yóng
【喁喁】**yúyú** 書 動 付和雷同する 擬 小声で話す声
12 **嵛** **yú** 地名用字 ‖ 昆～ 山東省にある山の名
12 **腴** **yú** ❶(人が)太っている ‖ 丰～ 太っている ❷肥沃(ひよく)である ‖ 膏gāo～ 肥沃である
13 **愚** **yú** ❶愚かである. ばかである ‖ →～蠢 ❷ばかにする. 愚弄(ぐろう)する ‖ →～弄 ❸謙 自分についていう ‖ →～见
【愚笨】**yúbèn** 形 頭が鈍い. 血のめぐりが悪い
【愚不可及】**yú bù kě jí** 成 愚の骨頂である
【愚痴】**yúchī** 形 愚かである
*【愚蠢】**yúchǔn** 形 愚かである. ばかである
【愚钝】**yúdùn** 形 愚鈍である. 愚かである
【愚公移山】**Yúgōng yí shān** 成 愚公山を移す. いかなる困難も努力すれば必ず成し遂げられるたとえ
【愚见】**yújiàn** 图 謙 愚見. 〔愚意〕ともいう
【愚陋】**yúlòu** 形 愚昧である. 無知蒙昧(むちもうまい)である
【愚鲁】**yúlǔ** 形 愚鈍である. 頭が鈍い
*【愚昧】**yúmèi** 形 愚昧である. 無知である ‖ ～无知 無知蒙昧である
【愚蒙】**yúméng** 形 愚昧である
【愚民政策】**yúmín zhèngcè** 图 愚民政策
【愚弄】**yúnòng** 動 愚弄する. 嘲弄(ちょうろう)する
【愚懦】**yúnuò** 形 愚かで臆病である
【愚人节】**yúrénjié** 图 エイプリルフール
【愚顽】**yúwán** 形 頑愚である
【愚妄】**yúwàng** 形 愚鈍で高慢である
【愚拙】**yúzhuō** 形 愚鈍である. ばかである. のろまである
13 **瑜** **yú** 書 玉の光. 長所や美点のたとえ ‖ 瑕xiá不掩yǎn～ 欠点を覆うに足る長所がある
【瑜伽】【瑜珈】**yújiā** 图 外 ヨガ
13 **榆** **yú** 图〈植〉ニレ. ふつうは〔榆树〕という
【榆钱】**yúqián** (～儿) 图 口 ニレの実
13 **虞**[1] **yú** ❶图 舜(しゅん)によって建てられたとされる伝説の王朝の名 ❷图 虞(ぐ). 春秋時代の国名. 現在の山西省平陸県の東北にあった
13 **虞**[2] **yú** ❶予想する. 推測する ‖ 不～ 予期しない ❷憂慮する. 心配する ‖ 衣食无～ 衣食の心配がない ❸だます ‖ 尔ěr～我诈 互いにだまし合う
14 **舆**[1] **yú** ❶書 車 ‖ 舍～登舟zhōu 車を降りて舟に乗る ❷書 土地 ‖ ～图 地図 ❷地 ‖ ～地 大地 ❸書 輿(こし) ‖ 彩～ 花嫁を乗せる輿
14 **舆**[2] **yú** 多人数の ‖ →～论
*【舆论】**yúlùn** 图 輿論(よろん). 世論 ‖ 造～ 世論をつくる | 国际～ 国際世論 | ～工具 マスメディア
【舆论监督】**yúlùn jiāndū** 图 新聞やテレビなどのメディアを通じて不正を暴くこと. 〔传媒监督〕ともいう
14 **窬** **yú** 書 越える. 塀を乗り越える ‖ 穿～ 壁に穴をあけ, 塀を乗り越える. 盗賊のこと

yǔ

3 **与**[1](與) **yǔ** 動 与える. あげる ‖ 赠～ 贈る. 贈与する | 授～ 授ける
3 ** **与**[2](與) **yǔ** ❶交際する. 行き来する ‖ ～国 同盟国 ❷介(動作の対象を示す) …と. …に ‖ ～他无关 彼とは関係がない ❸接(並列・選択を表す) …と…. …または… ‖ 中国～日本 中国と日本 ➤ yú yù
*【与此同时】**yǔ cǐ tóngshí** 組 これと同時に
【与否】**yǔfǒu** 助 …か否か. …や否や. …かどうか
【与共】**yǔgòng** 動 共にする
【与虎谋皮】**yǔ hǔ móu pí** 成 虎(とら)に向かってその皮をよこせともちかける. できない相談をするたとえ
*【与其】**yǔqí** 接 …より(むしろ)…. (多く〔毋宁〕〔不如〕などと呼応し, 選択を示す) ‖ ～听他胡说, 不如回家看书 彼のくだらない話を聞いているよりは, 家に帰って本でも読んでいるほうがましだ
【与人为善】**yǔ rén wéi shàn** 成 人が善をなすのを助ける. あるいは, 人とともに善をなす
【与日俱增】**yǔ rì jù zēng** 成 日一日と増える. 日増しに高まる
【与世长辞】**yǔ shì cháng cí** 成 この世と永の別れをする. 逝去する
【与世无争】**yǔ shì wú zhēng** 成 世俗的なことで争わず, 超然としている
【与众不同】**yǔ zhòng bù tóng** 成 ほかの人々とは異なる. 際立っている
4 **予** **yǔ** 与える ‖ 不～理睬lǐcǎi 取り合おうとしない | 生杀～夺 生殺与奪 ➤ yú
【予人口实】**yǔ rén kǒu shí** 成 人に責められる口実を与える
*【予以】**yǔyǐ** 動 …を与える. …を加える ‖ ～照顾 配慮する | ～表扬 表彰する | ～批评 批評を加える
6 **伛**(傴) **yǔ** 書 腰が曲がっている
【伛偻】**yǔlǚ** 動 書 背や腰が曲がる
6 **宇** **yǔ** ❶のき. ひさし ❷家. 建物 ‖ 屋～ 家屋 ❸すべての空間. 世界 ‖ →～宙 ❹風格. 気質 ‖ 眉～ 眉宇(びう) ❺〈地層〉地層単位の第一層目
【宇航】**yǔháng** 图 略 宇宙飛行. 〔宇宙航行〕の略
【宇航技术】**yǔháng jìshù** ＝〔空间技术kōngjiān jìshù〕
*【宇宙】**yǔzhòu** 图 ❶宇宙 ❷〈哲〉宇宙. 世界
【宇宙尘】**yǔzhòuchén** 图〈天〉宇宙塵(うちゅうじん)
【宇宙飞船】**yǔzhòu fēichuán** 图 宇宙船
【宇宙观】**yǔzhòuguān** 图〈哲〉宇宙観. 世界観 ＝〔世界观〕
【宇宙火箭】**yǔzhòu huǒjiàn** 图 宇宙ロケット
【宇宙空间】**yǔzhòu kōngjiān** 图 宇宙空間. 〔外层空间〕ともいう
【宇宙射线】**yǔzhòu shèxiàn** 图〈天〉宇宙線
【宇宙速度】**yǔzhòu sùdù** 图〈物〉宇宙速度
6 **屿**(嶼) **yǔ** 小さい島 ‖ 岛～ 島嶼(とうしょ)

6 **羽**[1] yǔ ❶(鳥の)羽毛‖一～毛 ❷(鳥や昆虫の)翼．羽‖振～ 羽ばたく．羽を動かす

6 **羽**[2] yǔ 图〈音〉中国伝統音楽の階名の一つ，西洋音楽のラに相当する．➡〔五音wǔyīn〕

【羽冠】yǔguān 图(鳥の)冠毛

*【羽毛】yǔmáo 图❶(鳥の)羽毛．羽 ❷喩 名誉

⁑【羽毛球】yǔmáoqiú 图〈体〉❶バドミントン ❷バドミントンの羽根

【羽毛未丰】yǔ máo wèi fēng 成 羽がまだ生え揃っていない．まだ一人前ではないたとえ

【羽绒】yǔróng 图 アヒルの羽毛．ダウン

【羽扇】yǔshàn 图 鳥の羽で作った扇子

【羽坛】yǔtán 图 バドミントン界

【羽翼】yǔyì 图 羽翼．補佐

8 ★**雨** yǔ 图 雨‖下～ 雨が降る｜～停了 雨がやんだ｜避bì～ 雨宿りする ➤ yù

逆引き単語帳｜〔大雨〕dàyǔ 大雨 〔倾盆大雨〕qīngpén dàyǔ どしゃぶりの雨 〔暴雨〕bàoyǔ 豪雨 〔雷雨〕léiyǔ 雷雨 〔阵雨〕zhènyǔ にわか雨．夕立 〔雷阵雨〕léizhènyǔ 雷を伴うにわか雨 〔春雨〕chūnyǔ 春雨 〔梅雨〕méiyǔ 梅雨．つゆ 〔骤雨〕zhòuyǔ にわか雨．スコール 〔小雨〕xiǎoyǔ 小雨 〔细雨〕xìyǔ 〔毛毛雨〕máomaoyǔ 〔烟雨〕yānyǔ 霧雨．煙雨．こぬか雨 〔淫雨〕yínyǔ 長雨 〔暴风雨〕bàofēngyǔ 暴風雨．嵐 〔及时雨〕jíshíyǔ 恵みの雨 〔酸雨〕suānyǔ 酸性雨

【雨布】yǔbù 图 防水布

【雨点】yǔdiǎn (～儿) 图 雨粒

【雨刮器】yǔguāqì 图 ワイパー．〔雨刷shuā〕ともいう

【雨过天晴】yǔ guò tiān qíng 成 雨が上がってからりと晴れる．状況が好転するたとえ

【雨后春笋】yǔ hòu chūn sǔn 成 雨後の筍(たけのこ)

【雨后送伞】yǔ hòu sòng sǎn 成 雨があがってから傘を届ける．人を助けるのに誠意のないこと

【雨花石】yǔhuāshí 图 雨花石．南京市雨花台特産の石

【雨季】yǔjì 图〈気〉雨期 ↔〔旱hàn季〕

【雨具】yǔjù 图 雨具

【雨量】yǔliàng 图〈気〉雨量．降水量

【雨林】yǔlín 图 雨林‖热带～ 熱帯雨林

【雨露】yǔlù 图 雨と露．恩恵のたとえ

【雨幕】yǔmù 图 雨のとばり

【雨披】yǔpī 图 雨合羽(あまがっぱ)

【雨情】yǔqíng 图 降雨状況

⁑【雨伞】yǔsǎn 图 雨傘‖打～ 傘をさす

【雨刷】yǔshuā ＝〔雨刮器yǔguāqì〕

*【雨水】[1] yǔshuǐ 图 雨水．雨‖～勤qín 雨が多い

【雨水】[2] yǔshuǐ 图 雨水(二十四節気の一つ，2月18日から20日ごろに当たる)

【雨丝】yǔsī 图 糸のように細く降る雨

【雨雾】yǔwù 图 霧雨

⁑【雨鞋】yǔxié 图 雨靴．レインシューズ

【雨靴】yǔxuē 图 防水靴．長靴

⁑【雨衣】yǔyī 图 レインコート

9 **语** yǔ ❶言う．話す．語る‖笑～ 談笑する ❷話‖话～ 話 ❸言語‖汉～ 中国語 ❹言葉に代えて意思を伝達する動作や手段‖手～ 手話 ❺ことわざや成語‖～云"无风不起浪" ことわざに曰(い)わく「風なくば波立たず」 ❻言葉．字句‖一～病 ❼(鳥や虫などが)鳴く ➤ yù

【语病】yǔbìng 图 言葉遣い上の欠点．語弊

【语词】yǔcí 图 語．語句

⁑【语调】yǔdiào 图〈語〉語調．イントネーション

★【语法】yǔfǎ 图〈語〉❶文法．文章のきまり ❷文法論．文法学

【语法学】yǔfǎxué 图〈語〉文法学

*【语感】yǔgǎn 图 ニュアンス．語感

【语汇】yǔhuì 图 語彙(ごい)

*【语句】yǔjù 图 語句．文

【语录】yǔlù 图 語録．偉人の言葉を集めたもの

⁑【语气】yǔqì 图 ❶話し方．口ぶり．語気．語勢‖加重了～ 語気を強めた ❷〈語〉語気．疑問・命令・感嘆などの感情や意志の表現

【语气词】yǔqìcí 图〈語〉語気助詞

【语塞】yǔsè 動 絶句する．言葉に詰まる

【语素】yǔsù 图〈語〉語素

【语体】yǔtǐ 图〈語〉文体

【语体文】yǔtǐwén 图〈語〉口語文．口語体

*【语文】yǔwén 图 ❶言語と文字．国語‖～课 国語の授業 ❷言語と文学

【语无伦次】yǔ wú lún cì 成 言っていることに筋道がない．話が支離滅裂である

【语系】yǔxì 图〈語〉語族

【语序】yǔxù 图〈語〉語順 ＝〔词序〕

【语焉不详】yǔ yān bù xiáng 成 詳しく述べられていない．言及が通り一遍で意味が不鮮明である

★【语言】yǔyán 图 言語．言葉‖～不通 言葉が通じない｜没有共同～ 共通する話題がない

【语言学】yǔyánxué 图〈語〉言語学

【语义】yǔyì 图 語義．語意

*【语意】yǔyì 图 言葉の含意

⁑【语音】yǔyīn 图〈語〉音声．発声

*【语种】yǔzhǒng 图 言語の種類

【语重心长】yǔ zhòng xīn cháng 成 言葉に深い思いやりがある．言葉に真心がこもっている

【语族】yǔzú 图〈語〉語族

9 **禹** yǔ 图 禹(う)．伝説上の帝王の名．夏王朝の始祖とされる

10 **圄** yǔ ➡〔囹圄língyǔ〕

11 **庾** yǔ 書 露天の穀物置き場．穀物倉庫

11 **圉** yǔ 書 ❶馬を飼う‖～人 馬飼い ❷馬を飼う場所

15 **窳** yǔ 書 ❶悪い．劣っている‖良～ 優劣 ❷傷がついている．腐敗している‖～败 傷つける

15 **龉** yǔ ➡〔龃龉jǔyǔ〕

yù

3 **与(與)** yù 与(あず)る．参与する．参加する‖参～ 参与する ➤ yú yǔ

*【与会】yùhuì 動 会合に参加する．参会する．〔预会〕とも書く‖～者 参会者｜～代表 会議に出た代表

【与闻】yùwén 動 与り知る．関知する．〔预闻〕とも書く

5 **驭** yù ❶馭(ぎょ)する. 車馬を操る‖～马 馬を操る ❷書 支配する. 統(す)べる. おさえる

5* **玉** yù ❶名 玉(ぎょく) ❷玉のように白く輝いて美しい‖～容 美しい容貌 ❸敬 相手に関するものへの尊称‖→～照

【玉帛】yùbó 名書 玉器と絹織物. 玉帛(ぎょくはく)‖化干戈gāngē为～ 戦争を回避し, 友好親善の道を開く

【玉成】yùchéng 動書敬 助成する. 助ける

【玉雕】yùdiāo 名 玉石を彫刻した工芸品

【玉皇大帝】Yùhuáng dàdì 名〈宗〉道教の最高神. 〔玉帝〕ともいう

【玉洁冰清】yù jié bīng qīng 成 高尚で純潔であるたとえ. 〔冰清玉洁〕ともいう

【玉兰】yùlán 名〈植〉ハクモクレン

【玉兰片】yùlánpiàn 名〈料理〉干したタケノコ

【玉米】yùmǐ 名〈植〉トウモロコシ**. 〔玉蜀黍shǔlǐ〕ともいう. 地方によっては〔玉茭〕〔包谷〕〔棒子〕ともいう

【玉米花儿】yùmǐhuār 名 ポップコーン

【玉米面】yùmǐmiàn 名 トウモロコシの粉. コーンフラワー

【玉器】yùqì 名 玉製の工芸品. 玉細工

【玉色】yùshai 名方 薄い青色. 淡い水色

【玉石】yùshi ; yùshí 名口 玉. 玉石

【玉石俱焚】yù shí jù fén 成 玉石俱(とも)に焚(た)く. よいものも悪いものもともに滅びるたとえ

【玉碎】yùsuì 動 節を曲げずに潔く死ぬ. 玉砕する

【玉体】yùtǐ 名 ❶(女性の)玉のように美しい体 ❷敬 相手の体をさす. お体‖保重～ どうか御自愛ください

【玉兔】yùtù 名書 月のたとえ

【玉玺】yùxǐ 名 玉璽(ぎょくじ)

【玉簪】yùzān 名 ❶玉製のかんざし. 〔玉搔sāo头〕ともいう ❷〈植〉タマノカンザシ. マルバタマノカンザシ

【玉照】yùzhào 名敬 人の写真をさす. お写真

6 **芋** yù ❶名〈植〉サトイモ. ふつうは〔芋头〕という ❷イモ類をさす‖洋～ ジャガイモ

【芋头】yùtou 名〈植〉❶サトイモ ❷方 サツマイモ

6 **吁**(籲) yù (要求や願いを)叫ぶ. 声をあげる‖呼～ 呼びかける ➤xū yū

【吁请】yùqǐng 動 嘆願する. 請願する

【吁求】yùqiú 動 嘆願する. 懇願する

6 **聿** yù 古(文頭または述語の前に用いる発語の助詞)これ. ここに. さて

7 **饫** yù 書 食べ物に飽きている. 満腹している

7 **妪**(嫗) yù 書 嫗(おうな). 老女‖老～ 老婆. 老女｜翁～ 翁(おきな)と嫗

8 **郁**(鬱❶❸ △鬰❶❸ 欝❶❸) yù ❶(草木が)生い茂るさま‖苍cāng～ 鬱蒼(うっそう)としている ❷香気が濃厚である. 芳しい‖浓～ 香りが濃厚である ❸気がめいる. 気がふさぐ‖抑～ 憂鬱

【郁愤】yùfèn 形 心配で腹立たしい

【郁积】yùjī 動 気がふさぐ. 心に鬱積(うっせき)する

【郁结】yùjié 動 気がふさぐ. 心に鬱積する

【郁金香】yùjīnxiāng 名〈植〉チューリップ

【郁闷】yùmèn 形 憂鬱である. 気が重い

【郁热】yùrè 形 蒸し暑い‖～的天气 蒸し暑い天気

【郁郁】[1] yùyù 形書 ❶文才が際立っているさま‖文采～ 文才が際立っている ❷香気馥郁(ふくいく)たるさま

【郁郁】[2] yùyù 形書 ❶草木が生い茂っているさま ❷憂鬱なさま. 苦悶するさま‖～不乐 鬱々として楽しまない

【郁郁葱葱】yùyùcōngcōng 形 草木の生い茂っているさま. 〔郁郁苍苍cāngcāng〕ともいう

8 **育** yù ❶子供を生む. 出産する ❷育てる. 育成する ❸教育する. (人材を)育てる ❹教育活動‖体～ 体育 ➤yō

【育才】yùcái 動 人材を育てる

【育雏】yùchú 動 ひなを育てる

【育肥】yùféi 動 肥育する ＝〔肥育〕

【育林】yùlín 動 植林する

【育龄】yùlíng 名 出産適齢

【育苗】yù//miáo 動〈農〉育苗する. 苗を栽培する

【育秧】yù//yāng 動〈農〉育苗する. 苗を栽培する

【育种】yù//zhǒng 動〈農〉育種する

8 **雨** yù 書(雨や雪などが)降る‖～雪 雪が降る ➤yǔ

9 **语** yù 書 告げる. 話す‖不以～人 人に告げず ➤yǔ

9 **狱**(獄) yù ❶刑事事件. 訴訟事件‖文字～ 筆禍事件 ❷牢獄(ろうごく)

【狱霸】yùbà 名 刑務所内の囚人のボス. 牢名主

【狱警】yùjǐng 名 看守

9 **昱** yù 書 ❶明るい. 輝いている ❷照り輝く. 明るく照らす

10 **浴** yù (水や湯などを)浴びる. 入浴する‖入～ 入浴する｜沐mù～ 沐浴(もくよく)する

【浴场】yùchǎng 名 屋外の遊泳場所

【浴池】yùchí 名 ❶浴槽 ❷銭湯

【浴缸】yùgāng 名 洋式の浴槽. バスタブ

【浴巾】yùjīn 名 バスタオル

【浴盆】yùpén 名 入浴用の桶. 風呂桶. 湯船

*【浴室】yùshì 名 浴室. 風呂場. バスルーム

【浴血】yùxuè 動 血を浴びる. 血みどろになる

【浴液】yùyè 名 ボディーソープ. ボディーシャンプー

【浴衣】yùyī 名 バスローブ. ゆかた

10 **峪** yù 谷. 谷間. (多く地名に用いる)‖嘉Jiā～关 甘粛省にある地名

10 **钰** yù 書 珍しい宝物

10 **预** yù ❶事前の‖→～兆 ❷あらかじめ. 前もって‖→～备 ❸参与する

*【预报】yùbào 動 予報する‖～日食 日食を予報する 名 予報‖天气～ 天気予報｜气象～ 気象予報

【预备】yùbèi 動 **準備する. 用意する‖明天的功课都～好了吗？ 明日の授業の予習はできていますか

【预备役】yùbèiyì 名〈軍〉予備役

【预卜】yùbǔ 動 予断を下す. 前もって判断する

*【预测】yùcè 動 予測する. 予想する

【预产期】yùchǎnqī 名 出産予定日

*【预订】yùdìng 動 予約注文する‖～客房 ホテルの部屋を予約する｜～机票 飛行機のチケットを予約する

*【预定】yùdìng 動 予定する. あらかじめ定める‖大桥～于明年动工 大橋は来年着工する予定だ

【预断】yùduàn 動 予断を下す. 前もって判断する

*【预防】yùfáng 動 予防する‖～感冒 風邪を予防する｜～针 予防注射｜～措施cuòshī 予防措置

【预付】yùfù 動 前払いする. 前納する

【预付款】yùfùkuǎn 名 予約金. 手付け金. 〔订金〕ともいう

【预感】yùgǎn 動 予感する 名 予感

*【预告】yùgào 動 予告する‖～下周电视节目 来

週のテレビ番組をお知らせします 图 予告
【预购】yùgòu 動 予約購入する. 予約注文する
*【预计】yùjì 動 見通しをつける. 見込みをつける ‖ ~下半夜将有暴雨 夜半過ぎには大雨になる見込みである
【预检】yùjiǎn 動 事前に検査をする. 前もって点検する
*【预见】yùjiàn 動 予見する ‖ 他很早就~到人口问题的严重性 彼は早くから人口問題の重要性を予見していた 图 予見 ‖ 科学的~ 科学的予見
【预警】yùjǐng 動 あらかじめ警戒する
【预警机】yùjǐngjī 图〈軍〉早期警戒機
【预考】yùkǎo 图 予備試験
【预科】yùkē 图 (高等教育機関の) 予科
*【预料】yùliào 動 予想する. 予測する. 見込む ‖ 我早就~到这事ル不会成 私は初めからこの件はうまくいかないと思っていた 图 予想. 予測. 見込み ‖ 一切都在~之中 すべては予想どおりだ
【预谋】yùmóu 動 (犯罪を) 計画する. 謀る
*【预期】yùqī 動 予期する. 期待する ‖ 取得了~的好成绩 期待したとおりのよい成績が得られた
【预热】yùrè 動 ❶事前に暖める ‖ 复印机的~时间 コピー機の予熱時間 ❷喩 事前に準備活動をする. ウオーミングアップする
*【预赛】yùsài 動 (試合の) 予選をする
【预审】yùshěn 動〈法〉予審をする
【预示】yùshì 動 前もって示す
【预收】yùshōu 動 (お金を) 前もって受け取る
【预售】yùshòu 動 前売りする
*【预算】yùsuàn 图 予算 ‖ 超过~ 予算をオーバーする 動 予算を立てる. 予算を組む
【预算赤字】yùsuàn chìzì 图 赤字予算. 多く, 国の財政赤字をいう
★【预习】yùxí 動 予習する
*【预先】yùxiān 副 あらかじめ. 前もって. 事前に ‖ ~通知 前もって知らせる | ~准备 あらかじめ用意する
【预想】yùxiǎng 動 予想する
【预选】yùxuǎn 動 予備選挙を行う
【预选赛】yùxuǎnsài 图〈体〉予選 ‖ 世界杯亚洲~ ワールドカップ・アジア地区予選
*【预言】yùyán 動 予言する 图 予言
【预演】yùyǎn 動 リハーサルをする
*【预约】yùyuē 動 予約する. 事前に約束を取りつける ‖ 有没有事先~? お約束はいただいているでしょうか
【预展】yùzhǎn 图 内見. 内覧. 特別公開.
【预兆】yùzhào 图 兆し. 兆候 ‖ 地震的~ 地震の兆し | 好~ よい兆し 動 兆しを示す ‖ 瑞雪ruìxuě~着丰收 瑞雪(ずいせつ)は豊作を告げている
【预支】yùzhī 動 ❶前借りする ❷前払いする
【预知】yùzhī 動 事前に知る. 予知する
【预制构件】yùzhì gòujiàn 图〈建〉プレハブ
*【预祝】yùzhù 動 事前に祝う. …になるよう祈る ‖ ~你考上大学 大学に受かるよう祈ります

11 **谕** yù ❶(上から下へ)告げる. 諭す ‖ 劝~ 遠回しに諭す ❷旧 (上から下への) 文書による告知や指示 ‖ 面~ 直接指示する

11 **域** yù 一定の境界内の場所. 境域. 範囲 ‖ 海~ 海域 | 地~ 地域 | 领~ 領域
【域名】yùmíng 图〈計〉ドメイン・ネーム

11 **菀** yù 古 生い茂るさま

11 **阈** yù 書 ❶敷居 ‖ 门~ 敷居 ❷〈生理〉閾(いき) ‖ 视~ 視覚閾(しかく いき)

11 *
欲(△慾❷) yù ❶願う. 望む. 欲する ‖ 随心所~ ほしいままにふるまう ❷欲. 欲求. 欲望 ‖ 食~ 食欲 ❸必要とする ‖ 心~小, 志~大 注意深く, かつ志は大きくなければならない ❹副 やがて…になる. …しそうである ‖ 昏昏hūnhūn~睡 うとうとと眠けを催す
【欲罢不能】yù bà bù néng 成 やめたくてもやめられない. (諸事の都合で) 手を引こうにも引けない
【欲盖弥彰】yù gài mí zhāng 成 (悪事は) 隠そうとすればするほど露呈する
【欲壑难填】yù hè nán tián 成 欲望の谷間は埋めがたい. 欲望にはきりがないさま
【欲火】yùhuǒ 图 色欲. 情欲. 愛欲
【欲加之罪, 何患无辞】yù jiā zhī zuì, hé huàn wú cí 成 罪を着せようと思えば, 口実に困ることはない
【欲念】yùniàn 图 欲望. 欲念. 欲心
【欲擒故纵】yù qín gù zòng 成 しっかり捕らえるには, まず手を放せ. 自分の思いどおりにするには, まず手綱を緩めて安心させること
【欲速则不达】yù sù zé bù dá 成 あまり性急すぎるとかえって目的を遂げられない. せいては事を仕損じる
*【欲望】yùwàng 图 欲望. 欲. 欲求

12 **寓**(△庽) yù ❶住む. 居住する. 仮住まいする ‖ →~居 ❷住まい. 住居 ‖ 公~ アパート ❸託する. 込める. 寓(ぐう)する ‖ →~意
【寓邸】yùdǐ 图 高官の住居
【寓居】yùjū 動 (多く他郷に) 居住する. 寓居(ぐうきょ)する
【寓所】yùsuǒ 图 住居. 寓居. 仮住まい
*【寓言】yùyán 图 ❶寓言(ぐうげん) ❷寓話(ぐうわ)
【寓意】yùyì 图 寓意(ぐうい)
【寓于】yùyú 動 …に宿る. …に含まれている ‖ 伟大~平凡之中 偉大なるものは平凡の中に宿っている

12 **
遇 yù ❶動 偶然会う. 出会う. 巡り合う ‖ ~上一场大雪 大雪に見舞われる ❷もてなす. 遇する ‖ 厚~ 厚遇する ❸機会 ‖ 机~ 機会
【遇刺】yùcì 動 暗殺される
*【遇到】yù//dào 動 出会う. 出くわす ‖ ~麻烦 面倒に出くわす | ~困难 困難にぶつかる
【遇害】yù//hài 動 殺害される
【遇合】yùhé 動 ❶会って互いに意気投合する ❷出会う. 出くわす
**【遇见】yù//jian(jiàn) 動 会う. 出会う. 出くわす ‖ 在路上~了老朋友 道で昔の友だちにばったり会った
【遇救】yù//jiù 動 救助される. 難を逃れる
【遇难】yù//nàn 動 ❶遭難する ❷(事故で) 死亡する. 殺害される
【遇事】yù//shì 動 事が起きる. 問題にぶつかる
【遇事生风】yù shì shēng fēng 成 何かというと問題を引き起こす
【遇险】yù//xiǎn 動 遭難する. 危険な状況に陥る

12 **喻** yù ❶諭す. 納得させる ‖ ~之以理 理屈で納得させる ❷分かる. 悟る ‖ 不言而~ 言わなくても分かる ❸たとえる ‖ 比~ 比喩

12 **御**[1] yù ❶車馬を御する ‖ 驾jià~ 御する ❷(封建社会で) 治める. 統治する ❸古 帝王に関すること ‖ ~赐cì 下賜

Y

12 **御**2（禦）yù 防ぐ．防ぎ止める．抵抗する‖→～寒｜抵dǐ～ 防ぎ止める
【御寒】yùhán 動 防寒する
【御侮】yùwǔ 動 外国の侵攻や圧迫に抵抗する
【御用】yùyòng 形 ❶皇帝が用いる(もの)．皇帝専用の ❷御用の．支配者の手先の‖～文人 御用文人
12 **裕** yù ❶豊かである．富んでいる．十分である‖富～ 豊かである ❷書 豊かにする．富ませる‖～民富国 人民を豊かにし国を富ませる
【裕固族】Yùgùzú 名 ユーグ族(中国の少数民族の一つ，主として甘粛省に居住)
【裕如】yùrú 形 落ち着いてゆとりのあるさま
13 **誉**（譽）yù ❶ほめる‖称～ ほめたたえる ❷誉れ．名声‖名～ 名誉
13 * **愈**（△瘉❸ 癒❸）yù ❶勝る．優れる‖孰shú～ どれが勝るか ❷副 ますます．いよいよ‖→～…～ ❸(病気が)よくなる．治る‖大病初～ 大病が治ったばかりである
【愈合】yùhé 動〈医〉癒合する
【愈加】yùjiā 副 ますます．いっそう
【愈演愈烈】yù yǎn yù liè 組 (状況などが)ますます厳しくなる．ますますひどくなってくる
*【愈…愈…】yù…yù… 組 …すればするほど．ますます‖愈战愈强 戦えば戦うほど強くなる
14 **蔚** yù 地名用字‖～县 河北省にある県の名 ➤wèi
14 **毓** yù 書 生み育てる．養育する‖钟zhōng灵～秀 恵まれた環境は優秀な人物を育てる
14 **蜮** yù 水中で人に危害を加える伝説上の妖怪(ようかい)‖鬼～ 同前
15 **熨** yù ↴ ➤yùn
【熨帖】yùtiē 形 ❶(言葉の使い方が)適切である．妥当である ❷(心が)落ち着いている．平静である ❸気分がよい．心地よい ❹方 (物事が)きちんと片付いている
15 **豫**1 yù 書 ❶安逸である．安楽である ❷喜ぶ．嬉しい．楽しい‖不～之色 不快な表情
15 **豫**2 yù 名 河南省の別称
15 **豫**3 yù 古〔预yù ❶❷〕に同じ
16 **燠** yù 書 暑い．暖かい‖～热 蒸し暑い
17 **鹬** yù 名〈鳥〉シギ
【鹬蚌相争，渔人得利】yù bàng xiāng zhēng, yú rén dé lì 成 鷸蚌(いつぼう)の争い．漁夫の利
22 **鬻** yù 書 鬻(ひさ)ぐ．売る‖～画为生 絵を描いて生計を立てる｜～技 技で生計を立てる

yuān

8 **鸢** yuān 名〈鳥〉トビ．ふつうは〔老鹰〕という
10 * **冤**（△寃 寃）yuān ❶無実の罪を着せる．ぬれぎぬを着せる‖→～案 ❷名 無実の罪．冤罪(えんざい)‖这件事他有～ この件は彼は無実だ ❸仇(あだ)．敵．恨み．恨みつらみ‖→～家 ❹形 引き合わない．割りに合わない‖这钱花得真～ こりゃほんとにぼったくりだ ❺動 方 だます．欺く‖这是真货，不～你 これは本物の品です，請け合います
【冤案】yuān'àn 名 冤罪事件
【冤仇】yuānchóu 名 (冤罪の)恨み．怨恨
【冤大头】yuāndàtóu 名 貶 だまされてむだ金を使う人．おめでたい人間．かも
【冤魂】yuānhún 名 冤罪で死んだ人の魂
【冤家】yuānjia；yuānjiā 名 ❶敵(かたき) ❷(愛するゆえの)憎い人．泣かされる人
【冤家路窄】yuān jiā lù zhǎi 成 敵(かたき)同士はよく出くわすものだ．会いたくない人に限ってよく出会うものだ
【冤孽】yuānniè 名 罪業．因業
【冤情】yuānqíng 名 無実の罪を着せられた状況
【冤屈】yuānqū 形 不当に扱われている．ぬれぎぬである 動 不当に扱う．ぬれぎぬを着せる 名 ぬれぎぬ．不当な扱い‖受～ 不当な扱いを受ける
*【冤枉】yuānwang 動 無実の罪を着せる．ぬれぎぬを着せる‖差点儿～了他 あやうく彼にぬれぎぬを着せるところだった 形 ❶(不当な扱いを受けて)無念である．悔しい．腹立たしい‖我～，是他们陷害xiànhài我 私はぬれぎぬだ，彼らが私を陥れたのだ ❷損である．引き合わない‖花～钱 むだ金を使う
【冤枉路】yuānwanglù 名 回り道．遠回りの道
【冤狱】yuānyù 名 冤罪の訴訟事件
10 **眢** yuān 書 ❶目が落ちくぼみ失明する ❷枯れている‖～井 枯れ井戸
10 **鸳** yuān ❶オシドリ ❷(オシドリのように)一対になった人や物
【鸳鸯】yuānyang；yuānyāng 名〈鳥〉オシドリ
11 **渊**（淵）yuān ❶淵(ふち)‖深～ 深淵(しんえん) ❷深い‖→～博
【渊博】yuānbó 形 (学識や知識が)深くて広い
【渊深】yuānshēn 形 深遠である．奥深い
【渊源】yuānyuán 名 淵源(えんげん)．源

yuán

4 **元**1 yuán ❶書 人の頭 ❷頭(かしら)の．首位の‖→～首 ❸始めの．最初の‖→～旦 ❹主要な．基本的な‖→～素 ❺要素‖多～化 多元化 ❻全体を構成する一部分‖→～件
4 **元**2 yuán 名 王朝名．元(1279～1368年)
4 ★ **元**3 yuán ❶まるい形の貨幣 =〔圆〕‖银～ 銀貨 ❷量 元(げん)．中国の本位貨幣の単位 =〔圆〕

【元宝】yuánbǎo 名 旧 元宝．金銀を馬蹄形(ばてい)に鋳造した通貨
*【元旦】Yuándàn 名 元旦．元日
*【元件】yuánjiàn 名〈機〉素子．部品．パーツ．コンポーネント．エレメント‖半导体～ トランジスターラジオの部品
【元老】yuánlǎo 名 元老．(政界の)長老
【元年】yuánnián 名 ❶元年．帝王や諸侯が即位した最初の年．または，改元した最初の年 ❷紀元の最初の年 ❸政治体制や政権組織に大きな変革のあった最初の年
【元配】yuánpèi 名 最初の妻．先妻．〔原配〕とも書く
【元气】yuánqì 名 ❶(人・国・組織などの)生命力．活力‖大伤～ すっかり元気をなくす ❷〈中医〉生命活動の原動力としての気．元気
【元日】yuánrì =〔元旦Yuándàn〕

*【元首】yuánshǒu 名 元首 ‖ 国家～ 国家元首
【元帅】yuánshuài 名 ❶〈軍〉元帥 ❷古 総大将
*【元素】yuánsù 名 ❶要素. 因子. エレメント ❷〈数〉元. 要素 ❸化学元素 ‖ ～周期表 元素の周期表
【元素符号】yuánsù fúhào 名〈化〉化学元素記号
*【元宵】yuánxiāo 名 ❶旧暦 1 月15日の夜. 上元の夜 ❷〔元宵节〕(元宵節)に食べるあん入りのだんご
【元宵节】Yuánxiāojié 名 元宵節. 小正月. (旧暦の 1 月15日)〔上元节〕〔灯节〕ともいう
【元凶】yuánxiōng 名 元凶. 首魁(しゅかい)
【元勋】yuánxūn 名 元勲 ‖ 开国～ 開国の元勲
【元音】yuányīn 名〈語〉母音.〔母音〕ともいう
【元鱼】yuányú 名 口〈動〉スッポン.〔鼋鱼〕とも書く
【元月】yuányuè 名 書 正月. 1 月.

7 **沅** yuán 地名用字 ‖ ～江 貴州省から湖南省にかけて流れる川の名

7 **芫** yuán ➘ ➤ yán
【芫花】yuánhuā 名〈植〉フジモドキ

7 ** **员** yuán ❶人員. 要員 ‖ 裁 cái～ 人員整理をする ❷接尾 **ある職業・職務に就いている人** ‖ 演～ 俳優 ❸団体や組織の構成メンバー. 成員. 一員 ‖ 会～ 会員 ❹量 武将を数える ‖ 一～大将 一人の大将 ➤ yún yùn
【员工】yuángōng 名 従業員. スタッフ

7 **园(園)** yuán ❶(～儿)園. 野菜・果物・草花・樹木などを栽培する場所 ‖ 果～ 果樹園 ❷遊覧する場所 ‖ 公～ 公園
【园地】yuándì 名 ❶菜園・花園・果樹園などの総称 ❷喩 勉強や活動の場
【园丁】yuándīng 名 ❶庭師. 園芸職人 ❷喩 教師(多く小学校の教師をさす)
*【园林】yuánlín 名 (観賞・遊覧用の)庭園. 園林
【园艺】yuányì 名 園芸 ‖ ～技术 園芸技術
【园子】yuánzi 名 ❶園. 畑 ❷芝居小屋. 劇場

9 **垣** yuán ❶垣. 塀 ‖ 城～ 城壁 ❷都市. 都会 ‖ 省～ 省城. 省都

9 **爰** yuán 書 そこで ‖ ～书其事以告 このことを記して告げるしだいである

10 * **原**[1] yuán ❶根本. はじまり. きっかけ ‖ 一～委 ❷書 (物事の根源を)追究する. 探究する ❸はじめの. 最初の ‖ 一～始 ❹元のままの. 加工されていない ‖ 一～料 ❺形 元からの. 以前と変わらない ‖ ～市长 元市長 ❻本来の姿. 元の様子. 原状 ‖ 复～ 復元する ❼副 もともと. 本来. 当初 ‖ ～有两辆车 元は車が 2 台あった

10 **原**[2] yuán 寛容になる. 寛大になる. 了承する ‖ 一～谅 | 情有可～ 許すべき情がある

10 **原**[3] yuán 広く平らな場所. 原. 平原 ‖ 一～野 | 平～ 平原 | 草～ 草原
【原版】yuánbǎn 名 ❶(書籍の)原版. 初版. (翻訳の)原版. 原書 ❷オリジナルテープ
【原本】[1] yuánběn 名 ❶(書籍などの)原本. 底本 ❷初版本 ❸原書. 原著
【原本】[2] yuánběn 副 もともと. 以前は
*【原材料】yuáncáiliào 名 原料. 原材料
【原初】yuánchū 名 以前. 初め. 最初
【原处】yuánchù 名 元の場所
【原创性】yuánchuàngxìng 名 独創性. オリジナリティー
【原地】yuándì 名 元の位置. その場 ‖ ～不动 その場を動かない
【原定】yuándìng 動 最初に決定する. もともと予定する ‖ ～计划 最初に決めた計画
【原动机】yuándòngjī 名 原動機
【原动力】yuándònglì 名 原動力
【原封】yuánfēng (～儿) 形 元のままである. 手を加えないままである. 開封していない ‖ ～原样 元のままの状態
【原稿】yuángǎo 名 原稿
*【原告】yuángào 名〈法〉原告 ↔〔被告〕
【原故】yuángù ＝〔缘故yuángù〕
【原鸡】yuánjī 名〈鳥〉セキショクヤケイ
【原籍】yuánjí 名 原籍. 本籍. 先祖の籍 ↔〔客籍〕
【原价】yuánjià 名 元の値段. 定価
【原件】yuánjiàn 名 本物. 元の物. オリジナル
【原矿】yuánkuàng 名〈鉱〉原鉱. 原石
★【原来】yuánlái 形 **元の. いままでどおりの** ‖ 他还在～的单位工作 彼はまだ元の職場で働いている 副 ❶**もともと. 当初は. 以前は** ‖ 这一带～经常闹 nào 水灾 このあたりは以前は始終水害に悩まされていた ❷**(思いがけず何かに気付いて)なんと(… だったのか). なんだ(… だったのか). 道理で** ‖ ～如此 なんだそうだったのか
*【原理】yuánlǐ 名 原理 ‖ 基本～ 基本原理
【原粮】yuánliáng 名 収穫時のまま未加工の穀物
★【原谅】yuánliàng 動 **許す. 大目に見る** ‖ 彼此～ 互いに許し合う | 请多～ なにとぞお許しください
【原料】yuánliào 名 **原料
【原毛】yuánmáo 名〈紡〉原毛.〔油毛〕ともいう
【原貌】yuánmào 名 本来の姿. 元の様子
【原棉】yuánmián 名〈紡〉原綿
【原木】yuánmù 名 原木
【原配】yuánpèi ＝〔元配yuánpèi〕
【原色】yuánsè 名 原色.〔基色〕ともいう
【原审】yuánshěn 名〈法〉原審. 第一審
【原生矿物】yuánshēng kuàngwù 名 原生鉱物
【原生林】yuánshēnglín 名 原生林.〔原始林〕ともいう
【原生质】yuánshēngzhì 名〈生〉原形質
【原声带】yuánshēngdài 名 マザーテープ
*【原始】yuánshǐ 形 ❶原始的である. 未開である ❷最初の. オリジナルの ‖ ～材料 オリジナルの材料
【原始公社】yuánshǐ gōngshè 名 原始共同体
【原始积累】yuánshǐ jīlěi 名〈経〉本源的蓄積. 原始的蓄積
【原始群】yuánshǐqún 名 (人類の)原始的集団
【原始社会】yuánshǐ shèhuì 名 原始社会
【原诉】yuánsù 名〈法〉原告の訴状
【原委】yuánwěi 名 いきさつ. 顛末(てんまつ)
【原文】yuánwén 名 (翻訳や引用の)原文
【原物】yuánwù 名 原物
*【原先】yuánxiān 名 元. 初め. 当初. 以前 ‖ ～的打算 当初の心づもり
【原形】yuánxíng 名 原形. 正体. 元の形
【原形毕露】yuán xíng bì lù 成 正体をはっきり現す. 化けの皮がはがれる
【原型】yuánxíng 名 ❶〈機〉原型. プロトタイプ ❷(文芸作品などの)モデル
【原盐】yuányán 名 原塩
【原样】yuányàng (～儿) 名 ❶元の型やデザイン ❷元の状態・様子 ‖ 恢复～ 元の状態に回復した

Y

【原野】yuányě 名 原野. 平原. 荒野
【原意】yuányì 名 元の意味. 本来の意図
⁑【原因】yuányīn 名 原因 ‖ 找～ 原因を究明する
【原由】yuányóu ＝〔缘由yuányóu〕
*【原油】yuányóu 名 原油
【原宥】yuányòu 動 書 諒(りょう)とする. 許す
【原原本本】yuányuánběnběn 副 一部始終. 最初から終わりまで.〔元元本本〕〔源源本本〕とも書く
⁑【原则】yuánzé 名 原則 ‖ 坚持～ 原則を守り抜く
【原则性】yuánzéxìng 名 原則性
【原汁原味】yuánzhī yuánwèi 組 なんら手を加えていない. もとのままである. オリジナルである
【原职】yuánzhí 名 元の職業や職務. 前職
【原址】yuánzhǐ 名 前の住所. 元の住所
【原纸】yuánzhǐ 名 原紙. 加工紙の原料とする紙
【原种】yuánzhǒng 名 原種
【原主】yuánzhǔ (～儿) 名 本来の所有者. 元の持ち主 ‖ 物归～ 物を元の持ち主に返す
【原著】yuánzhù 名 原著. 原著書. 原典
【原装】yuánzhuāng 形〈貿〉原包装の. 出庫時の梱包(こんぽう)のままの
【原状】yuánzhuàng 名 元来の状態や状況. 原状 ‖ 保持～ 元の状態を保つ | 恢复～ 原状を回復する
*【原子】yuánzǐ 名〈物〉原子
*【原子弹】yuánzǐdàn 名 原子爆弾. 原爆
【原子核】yuánzǐhé 名〈物〉原子核
【原子核反应堆】yuánzǐhé fǎnyìngduī 名 原子炉.〔核反应堆〕〔反应堆〕ともいう
【原子量】yuánzǐliàng 名〈物〉原子量
*【原子能】yuánzǐnéng 名 原子力.〔核能〕ともいう
【原子团】yuánzǐtuán 名〈物〉原子団
【原子武器】yuánzǐ wǔqì 名〈物〉核兵器
【原子序数】yuánzǐ xùshù 名〈物〉原子番号
【原子质量单位】yuánzǐ zhìliàng dānwèi 名〈化〉原子質量単位
【原子钟】yuánzǐzhōng 名 原子時計
【原罪】yuánzuì 名〈宗〉原罪
【原作】yuánzuò 名 原作. 原著. 原書

10 **袁** yuán 名 姓

10 ★**圆** yuán ❶名 円. 丸 ‖ 画一个～ 円を一つ描く ❷形 (平面で)まるい. 円形である ‖ →～桌 ❸形 完全である. 周到である. そつがない ‖ 这话说得不～ この話には矛盾がある ❹まるく収める. 取り繕う ‖ →～场 ❺形 球形である. まるい ‖ 溜～ 真んまるい ❻(歌声が)美しい. 感情豊かで抑揚がある ‖ →～润 ❼円形の硬貨.〔元〕とも書く ❽量 中国の本位貨幣の単位, 元.（紙幣や硬貨には〔圆〕と印刷してあるが, 一般には〔元〕と書く）

【圆白菜】yuánbáicài 名〈植〉キャベツ.〔洋白菜〕ともいう
【圆场】yuán//chǎng 動 その場をまるく収める. 仲裁する. 場を取り繕う ‖ 打～ とりなす. その場を収める
【圆顶】yuándǐng 名 天蓋(てんがい). ドーム
【圆钢】yuángāng 名〈建〉丸鋼
【圆鼓鼓】yuángǔgǔ (～的) 形 まるく膨らんでいるさま
【圆规】yuánguī 名 コンパス
【圆滚滚】yuángǔngǔn (～的) 形 真んまるいさま. ころころとまるいさま
【圆号】yuánhào 名〈音〉ホルン
【圆滑】yuánhuá 形 そつなくふるまうさま. 八方美人なさま ‖ 他为人很～ 彼という人は八方美人で抜け目がない
【圆谎】yuán//huǎng 動 つじつまを合わせる. うそから出たぼろを取り繕う
【圆浑】yuánhún 形 ❶(声が)滑らかでめりはりがある. よどみなく力強い ❷(詩文が)洗練されていて味わい深い
【圆寂】yuánjì 動〈仏〉僧侶が死ぬ. 円寂する
*【圆满】yuánmǎn 形 (不足なく)円満である. 申し分ない. 首尾がよい ‖ ～地完成了任务 首尾よく任務を完了した | 问题解决得很～ 問題は円満に解決した | 解释jiěshì得不够～ 説明が十分でない
【圆梦】yuán//mèng 動 夢判断をする. 夢占いをする
【圆圈】yuánquān (～儿) 名 輪. 輪っか. 丸
【圆全】yuánquan 形 方 円満である. 申し分ない
【圆润】yuánrùn 形 ❶滑らかである. つややかである. まろやかである ❷(書や絵の技法が)熟達している
【圆实】yuánshi 形 まるまるしている
【圆熟】yuánshú 形 ❶円熟している. 熟達している ‖ ～的演技 円熟した演技 ❷融通が利く
【圆台】yuántái 名〈数〉円錐台(えんすいだい)
【圆通】yuántōng 形 (考え方が)柔軟である.（やることに)融通性がある
【圆舞曲】yuánwǔqǔ 名〈音〉円舞曲. ワルツ
【圆心】yuánxīn 名〈数〉円心
【圆心角】yuánxīnjiǎo 名〈数〉円心角
【圆凿方枘】yuán záo fāng ruì 成 四角いほぞにまるいほぞ穴. 物事のしっくりしないたとえ ＝〔方枘圆凿〕
【圆周】yuánzhōu 名〈数〉円周. 円
【圆周角】yuánzhōujiǎo 名〈数〉円周角
【圆周率】yuánzhōulǜ 名〈数〉円周率
⁑【圆珠笔】yuánzhūbǐ 名 ボールペン
【圆柱】yuánzhù 名〈数〉円柱
【圆锥】yuánzhuī 名〈数〉円錐(えんすい)
【圆桌】yuánzhuō 名 円テーブル. 円卓
【圆桌会议】yuánzhuō huìyì 名 円卓会議
【圆子】yuánzi 名 だんご

12 **援** yuán ❶手で引っ張る. 引く. つかむ ‖ 攀pān～ よじ登る ❷引用する ‖ →～引 ❸援助する. 救助する. 応援する ‖ 支～ 支援する

【援兵】yuánbīng 名 援軍
【援救】yuánjiù 動 救援する. 援護する
【援军】yuánjūn 名 援軍 ‖ 派遣～ 援軍を派遣する
【援款】yuánkuǎn 名 援助金
【援例】yuán//lì 動 前例を援用する. 例を引く
【援手】yuánshǒu 動 書 援助の手を差し延べる
【援外】yuánwài 動 対外援助をする
【援引】yuányǐn 動 ❶引用する ❷推薦する. 起用する ‖ ～贤能xiánnéng 有能の士を推薦する
【援用】yuányòng 動 引用する. 援用する
*【援助】yuánzhù 動 援助する. 支援する. 救援する ‖ 经济～ 経済援助をする | ～灾区 被災地を救援する

12 **媛** yuán ➡〔婵媛chányuán〕 ➤ yuàn

12 **缘** yuán ❶介 …に沿って. …によって ‖ ～江而行 川に沿って行く ❷介 …ゆえに. …のために ‖ 只～一念之差chā, 便犯下了大错 ほんの小さな思い違いのために, 大きな過ちを犯してしまった ❸原因. 理由. わけ ‖ 无～无故 なんの理由もない ❹名 縁. ゆかり. つながり ‖ 姻yīn～ 結婚の縁 ❺名〈仏〉因縁(いんねん) ❻へり. 縁. 辺 ‖ 周～ 縁. 周り

【缘分】yuánfèn 图 縁. ゆかり. えにし
*【缘故】yuángù 图 原因. 理由. わけ. 〔原故〕とも書く ‖ 不知什么～, 他没来 どういうわけか彼は来なかった

類義語 缘故 yuángù 原因 yuányīn

◆〔缘故〕多く〔… 是 … 的缘故〕の形をとり, 〔缘故〕の前にその原因・理由を述べる ‖ 他瘦了许多, 是因为工作太忙的缘故 彼がひどく痩せたのは, 仕事が忙しすぎるのが原因だ | 由于粗心的缘故, 答错了题 不注意がもとで, 答えを間違えた ◆〔原因〕多く〔…(的)原因是 …〕の形をとり, 〔原因〕の後にその原因・理由を述べる ‖ 他不想去的真正原因是没有钱 彼の行きたくない本当の理由は, お金がないからだ ◆〔原因〕は〔主要原因〕〔根本原因〕〔原因之一〕〔第一个原因〕〔找原因〕などの表現ができるが, 〔缘故〕はできない

【缘何】yuánhé 副 書 なぜ. 何ゆえに
【缘木求鱼】yuán mù qiú yú 成 木に登って魚を探す. 方向や方法を誤ると目的が達成できないこと
【缘起】yuánqǐ 图 ❶起こり. 起因. 原因 ❷趣意書
【缘由】yuányóu 图 原因. わけ. 理由. 〔原由〕とも書く ‖ 没有～ 理由がない | 问清～ 原因を問いただす

13 **源** yuán ❶水源. 源 ‖ 水～ 水源 ❷(物事の)起源. 来源. 根源 ‖ 财～ 財源
【源流】yuánliú 图 源流. (ものの)起源と発展
*【源泉】yuánquán 图 源泉. 源 ‖ 力量的～ 力の源 | 知识的～ 知識の源泉
【源头】yuántóu 图 水源. 源
【源源】yuányuán 副 続々と. 次々と
【源源本本】yuányuánběnběn =〔原原本本yuányuánběnběn〕
【源远流长】yuán yuǎn liú cháng 成 源は遠く, 流れは長い. 歴史の長いことのたとえ

13 **塬** yuán 图 中国黄土高原特有の地形で, 川の浸食でできた周囲の切り立っている台地

13 **猿**(△猨 蝯) yuán 图〈動〉類人猿. サル ‖ 长臂bì～ テナガザル
【猿猴】yuánhóu 图〈動〉類人猿. サル
*【猿人】yuánrén 图 原人. 猿人

14 **辕** yuán ❶轅(ながえ) ‖ 车～ 車の轅 ❷古 軍政高官の役所

16 **圜** yuán 〔圆yuán〕に同じ ➤ huán

16 **橼** yuán ➡〔枸橼jǔyuán〕

16 **螈** yuán ➡〔蝾螈róngyuán〕

yuǎn

7 ★**远**(遠) yuǎn ❶形 距離・時間に隔たりがある. 遠い ↔〔近〕‖ 学校离家不～ 学校は家から遠くない | 为期不～ その期日は遠くない ❷形 関係が密接ではない. 遠い ‖ 疏～ 疎遠である ❸遠ざける. 近づかない ‖ 敬而～之 敬して遠ざける. 敬遠する ❹形 (差や違いが)大きい ‖ 我的中文水平～不如她 私の中国語のレベルは彼女に遠く及ばない ❺書 奥が深い. 深遠である ‖ 言近旨zhǐ～ ことばは平易だが意味は深い
【远程】yuǎnchéng 形 遠距離の. 長距離の
【远程教育】yuǎnchéng jiàoyù 图〈通信〉遠隔教育. e ラーニング
【远处】yuǎnchù 图 遠い所. 遠方
*【远大】yuǎndà 形 遠大である ‖ ～的理想 遠大な理

コラム 語源

言葉の語源はよく分からないものや, はっきりと確定できないものが多い. なぜ「大通り」のことを“马路”というのか. 「税関」はどうして“海关”というのか. ここでは伝えられているいくつかの語源を紹介する.

背心 bèixīn [名] ……ランニングシャツ. そでやえりのないシャツ. 【語源】“背”(せなか)と“心口”(みぞおち)のあたりだけを覆うということから.

倒爷 dǎoyé [名] ……悪徳ブローカー. 商品を転売して稼ぐ投機商. 【語源】“倒”は, “倒买倒卖”(安く仕入れた商品を高値で転売し利ざやを得ること). “爷”は“爷们”, つまり「男」の意.

下海 xiàhǎi [動] ……アマチュアの役者“票友”がプロの役者に転じること. 最近では, 職業をかえて商売を始める意にも用いられる. 【語源】旧時の演劇界では, 観客の座席を“池子”, 舞台を“海”と呼び, 役者が舞台に上がって演じるのを“下海”と称した. また, プロの演劇そのものをも“海”と呼ぶようになり, アマチュア役者がプロの役者に転じることも“下海”と呼ぶようになったという.

海报 hǎibào [名] ……演劇・映画やスポーツの試合などの宣伝をするポスター. 【語源】旧時, 職業的な演劇のことを“海”と呼んだことから, 芝居の宣伝をするために貼る広告のことを“海报”と呼ぶようになった.

麻婆豆腐 mápó dòufu [名] ……マーボー豆腐. 【語源】四川省成都にある豆腐料理屋の女主人と娘がこの料理を考案したといわれる. 彼女の姓が“麻”であったことから. マーボー豆腐は代表的な四川料理の一つ.

小时 xiǎoshí [名] ……時間の単位. 1時間. 【語源】昔の中国では, 時間を量るのには日時計や水時計を使って一日を十二等分し, “时辰”(＝刻)という単位を用いて表していた. 明代になって西洋から時計が流入するようになり, 西洋式の一日を24時間とする時量単位を用いるようになった. そこで従来の時量単位を“大时”と呼び, 西洋式の時量単位はその半分なので“小时”と呼び双方を区別した.

胡说 húshuō [動] ……ほらを吹く. でたらめを言う. 【語源】西晋期, 漢人は儒家の学説による「礼」を重んじ, 言行の規範とした. 中原を占領した「胡」の国の人々はそれを無視したうえに, 話し言葉も標準からはずれたものであったため, 漢人は彼らの中国語を“胡说”といったことから.

拍马屁 pāimǎpì [慣] ……おべっかを言う. こびへつらう. 【語源】かつて中国西北部の草原地域では, 馬の飼育が重要な仕事であり, よい馬がいる家では, 馬の尻をたたいたりさすっては, 「よい馬だ」とほめたたえるのが常であった. やがて馬の尻をたたくのが, 時候

想｜~的志向 大きな志｜前途~ 前途洋々である
【远道】yuǎndào 图 遠路
【远地点】yuǎndìdiǎn 图〈天〉遠地点
【远东】Yuǎndōng 图 極東
*【远方】yuǎnfāng 图 遠方. 遠い所
【远房】yuǎnfáng 形 遠縁の‖~亲戚 遠い親戚
【远古】yuǎngǔ 图 はるかな昔. 大昔. 太古
【远航】yuǎnháng 動 遠くへ航行する
【远见】yuǎnjiàn 图 先々への見通し. 先見
【远交近攻】yuǎn jiāo jìn gōng 成 遠交近攻. 遠い国と手を結び, 近隣の国々を攻める
【远郊】yuǎnjiāo 图 遠郊
【远近】yuǎnjìn (~儿) 图 遠近. 距離. 遠さ
*【远景】yuǎnjǐng 图 ❶遠景 ❷ロング・ショット ❸将来の展望. 未来図‖~规划 将来の計画
【远客】yuǎnkè 图 遠来の客
【远虑】yuǎnlǜ 图 遠慮. 周到な考え. 先々の見通し
【远门】yuǎnmén 图 遠出. 遠くへ行くこと 形 遠縁の
【远谋】yuǎnmóu 图 遠謀. 遠い先の計画
【远亲】yuǎnqīn 图 ❶遠い親戚. 遠縁 ❷遠方に住む親戚‖~不如近邻jìnlín 遠い親戚より近くの他人
【远日点】yuǎnrìdiǎn 图〈天〉遠日点
【远视】yuǎnshì 形 ❶遠視である‖~眼 遠視 ❷(ものの見方が)広い. 将来まで見通している
【远水解不了近渴】yuǎn shuǐ jiěbuliǎo jìn kě 諺 遠くにある水で近くの渇きはいやせない. 時間のかかる方法では急場の用に役立たないたとえ
【远水救不了近火】yuǎn shuǐ jiùbuliǎo jìn huǒ 諺 遠くの水では近くの火事を消せない. 悠長なことをやっていたのでは緊急事態に間に合わないたとえ
【远行】yuǎnxíng 動 遠くへ出かける. 遠出する
【远扬】yuǎnyáng 動 (名声などが)広く知れわたる. 遠くまで広まる‖臭名chòumíng~ 悪名高い
【远洋】yuǎnyáng 图 遠洋
【远因】yuǎnyīn 图 遠因. 間接的原因
【远征】yuǎnzhēng 動 遠征する
【远志】[1] yuǎnzhì 图 遠大な志. 大志
【远志】[2] yuǎnzhì 图 ❶〈植〉イトヒメハギ ❷〈中薬〉遠志(おんじ)
【远走高飞】yuǎn zǒu gāo fēi 成 ❶遠くへ逃れる. 高飛びする ❷遠くへ去る
【远足】yuǎnzú 图 遠足
【远祖】yuǎnzǔ 图 遠い先祖

yuàn

8 **苑** yuàn ❶書 鳥獣を飼育したり, 樹木や草花を植えたりする庭園. 多くは帝王や貴族の庭園をいう‖禁~ 帝王の庭園 ❷書 (学者や文学者・芸術家の)集まる所‖文~ 文学界

9 ** **院** yuàn ❶图 (~儿) **家屋及びその周囲の塀などで囲まれた場所. 敷地**‖独门独~ 一戸建ての家 ❷图 (~儿) **家屋前後の塀などで囲まれた空き地. 中庭. 庭**‖庭~ 母屋の前の庭 ❸政府機関や公共施設の名称に用いる‖国务~ 国務院｜医~ 病院 ❹图 単科大学・高等専門学校や病院を指す‖学~ 単科大学｜住~ 入院する
【院落】yuànluò 图 塀で囲まれた敷地. 中庭
【院士】yuànshì 图 ❶中国科学院および中国工程院の会員 ❷(外国の)アカデミー会員
【院长】yuànzhǎng 图 **(病院の)院長. (単科大学の)学長. 学院長. その他〔… 院〕の称を有する公的機関の最高責任者
【院子】yuànzi 图 **塀で囲まれた敷地. 中庭

の挨拶代わりになったことから.
毛病 máobìng [名] ……欠点. 問題.【語源】馬の体に生えている毛のつむじの位置がよくないことを"毛病"といったことから.
麻雀 máquè [名] ……スズメ.【語源】"麻"とはまだらや斑点があること. 羽に小さな斑点のような模様があるので.
马路 mǎlù [名] ……大通り. 道路の総称.【語源】イギリス産業革命のとき, イングランド人 J. L. マカダム("约翰·马卡丹")が新しい道路の作り方「砕石道工法」を開発した. これは砕いた石を道路に敷き, 両側には排水路を設置するというもの. これを記念するため, 開発者の名をとり, "马卡丹路"と命名した. "马路"はその略称.
熊猫 xióngmāo [名] ……パンダ.【語源】本来は"猫熊"である. 1950年代初期, 重慶の北碚博物館で初めてパンダを展示した. 名札には横書きで"猫熊"と書かれたが, 見物者は右から左への旧習で"熊猫"と読み, 以後それが習慣となってしまった.
续弦 xùxián [動] ……(旧)後妻をめとる.【語源】古代, 琴瑟(きんしつ)は夫婦のたとえであり, 妻を亡くすことを"断弦"(弦が切れる)といい, 後妻をめとることを"续弦"(弦をつなぐ)という.
压岁钱 yāsuìqián [名] ……お年玉.【語源】本来は"压祟钱"である. "祟"は伝説の中の怪獣で, 除夜になると村に下りて家畜や子供を襲うという. "祟"の加害から子供を守るため, 親が子供の枕元に"祟"を鎮圧できるお金を置くという故事から.
食指 shízhǐ [名] ……人差し指.【語源】よくこの指を食べ物につけて味見をすることから.
月台 yuètái [名] ……プラットホーム.【語源】"月台"とは古代の月を愛でるための露天の平台. 駅のホームは路面より高いことからこのようにいう.
海关 hǎiguān [名] ……税関.【語源】人々は昔, 中国は周りを海に囲まれていると考えていた. そのため国内を"海内"と称し, 国外を"海外"と呼んだ. そして, 国の内外を往来する物品を管理する機構, 税関のことを"海关"と呼ぶ.
鸡眼 jīyǎn [名] ……魚の目.【語源】"趼"の音を jī と yǎn に分音したもの. 逆に jī と yǎn を連続して発音すれば jiǎn になる. "趼"とは手足にできる「魚の目」のこと. これがあたかも鶏の目のようだからというのは通俗語源説.
几何 jǐhé [名] ……幾何.【語源】geometry の音訳. 頭の geo を"几何"と訳した.
企鹅 qǐ'é [名] ……ペンギン.【語源】"企"とは"踮起脚跟"(つま先立ちする)ことであり, "企"は"企望"(期待する)や"企盼"(待ち望む)につながる. つまり, ペンギンの何かを見ようと待ち望んでいるような姿を描写して"企鹅"としたものである.

9 * **怨 yuàn** ❶恨む．不平・不満を抱く ‖ 一～恨 ❷動 責める．とがめる ‖ 事情没办好，不能～他 事がうまく運ばなかったからといって，彼を責めるわけにはいかない

【怨不得】yuànbude 副 …なのはもっともだ ‖ ～他没来上课，原来是生病了 道理で授業に来ていないわけだ，彼は病気だったのだ 動 責めるわけにはいかない ‖ 这事～他 このことで彼を責めるわけにはいかない

【怨敌】yuàndí 名 仇敵(きゅうてき)．あだ

【怨愤】yuànfèn 名 恨みと憤り 形 恨んでいる．憤っている

【怨恨】yuànhèn 名 恨み．憎しみ 動 恨む．憎む

【怨偶】yuàn'ǒu 名 書 仲の悪い夫婦

【怨气】yuànqì 名 恨み憎む気持ち

【怨声载道】yuàn shēng zài dào 成 恨みの声が道に満ちる．人々の不満がつのっていること

【怨天尤人】yuàn tiān yóu rén 成 天を恨み人を責める．思いどおりにならないと，すべて人や周囲の状況のせいにすること

【怨言】yuànyán 名 恨みつらみ．不平不満

10 **垸 yuàn** 方 湖南省・湖北省などの湖沼地帯で，浸水予防のために田畑や家屋などの周囲に築く土手 ‖ 堤dī～ 同前

12 **掾 yuàn** 古 配下．部下

12 **媛 yuàn** 書 美しい女性．美人 ➤ yuán

13 **瑗 yuàn** 古 穴の大きい環状の玉器

14 **愿¹ yuàn** 書 慎み深い．誠実である ‖ 谨jǐn～ 慎み深い | 诚～ 誠実である

14 * **愿²（願）yuàn** ❶願い．希望 ‖ 心～ 心からの願い ❷助動 喜んでする ‖ 你不～去就别勉强 行きたくなければ無理するなよ ❸動 願う．望む ‖ ～您早日康复 一日も早くお元気になられるようお祈りします ❹名（神仏への）願(がん)

【愿景】yuànjǐng 名 将来の展望．ビジョン

** **【愿望】yuànwàng** 名 願い．望み ‖ 他实现了上大学的～ 彼は大学進学の望みを実現した

【愿心】yuànxīn 名 ❶神仏に願をかけ，満願成就の場合に奉納する礼物 ❷望み．願い．夢

★**【愿意】yuànyi；yuànyì** 動 承知する．同意する．喜んで…する ‖ 他很～去中国工作 彼は中国へ行って仕事することをとても望んでいる | 你～我去机场送你吗？ 空港まであなたを見送りに行ってもいいですか

Y

> **類義語 | 愿意 yuànyi 想 xiǎng**
>
> ◆〔愿意〕強い希望や要求を表す．動詞・形容詞・主述句を目的語にとれる．進んで…する．…することを望む ‖ 我们愿意你留在这里 私たちは君にここに残ってもらいたいと思っている | 我愿意冷一点儿 わたしは寒いくらいの方がいい ◆〔想〕「…したい」「…するつもりだ」という希望を表す．〔愿意〕より程度が弱い．必ず動詞性目的語をとる ‖ 他想当个飞机设计师 彼は飛行機の設計技師になりたがっている ◆〔想〕はほかに「考慮する」「…と思う」「懐かしむ」などの意味も表す

yuē

4 * **曰 yuē** 書 ❶いわく．言う ❷称する．呼ぶ ‖ 名之～讲习所 名づけて講習所という

6 ** **约 yuē** ❶束縛する．制約する ‖ 制～ 制約する ❷動 約束する ‖ ～好时间和地点 あらかじめ時間と場所を決めておく ❸約束．取り決め ‖ 条～ 条約 ❹動 誘う．招く ‖ ～女朋友去看电影 彼女を映画に誘う ❺簡略である．簡潔である ‖ 简～ 簡約する ❻少ない．倹約である ‖ 节～ 節約する ❼副 約．ほぼ．だいたい ‖ 两地相距～十公里 二つの場所はおよそ10キロ離れている ❽動〈数〉約分する ‖ 四分之二可以～成二分之一 4分の2は約分すると2分の1になる ➤ yāo

【约旦】Yuēdàn 名〈国名〉ヨルダン

【约定】yuēdìng 動 約束する．あらかじめ取り決める

【约定俗成】yuē dìng sú chéng 成（名称や習慣が）普及し定着する．一般化する

【约法三章】yuē fǎ sān zhāng 成 ごく簡単な約束事を定める

【约访】yuēfǎng 動 訪問の予約をする．アポイントメントをとる

【约分】yuē//fēn 動〈数〉約分する

【约稿】yuē//gǎo 動 原稿を依頼する

** **【约会】yuēhui；yuēhuì** 動 待ち合わせをする．デートする ‖ 在公园～ 公園で待ち合わせる 名（～儿）会う約束．デート ‖ 今天我有～ 今日私は約束がある

【约集】yuējí 動 招き集める

【约计】yuējì 動 ざっと計算する．概算する

【约见】yuējiàn 動 時間を約して会見する．（多く外交の場において用いる）‖ ～大使 大使と会見する

【约据】yuējù 名（契約書などの）証拠となる文書

【约略】yuēlüè 副 ❶おおよそ．だいたい ❷ぼんやりと．かすかに

【约莫】【约摸】yuēmo 副 だいたい．ほぼ．ざっと 動 推測する．見積る

【约期】yuēqī 動 期日を取り決める 名 ❶約束の日 ❷契約の期限 ‖ ～未满 まだ期限がきていない

【约请】yuēqǐng 動 招請する．招待する

* **【约束】yuēshù** 動 束縛する．制限する ‖ 受法律的～ 法律の制約を受ける

【约数】yuēshù 名 ❶（～儿）概数 ❷〈数〉約数

【约同】yuētóng 動 一緒に行くよう誘う

【约言】yuēyán 名 約束の言葉．約束

yuě

9 **哕（噦）yuě** 動 口 吐く．もどす ‖ ～了好几回了 何度ももどした ➤ huì

yuè

4 ★ **月 yuè** ❶名 月 ‖ 满～ 満月 ❷名（時間の単位）月 ‖ 每～ 毎月 ❸毎月の．月ごとの ‖ 一～刊 ❹月のように丸いもの ‖ 一～饼

【月白】yuèbái 形 白に近い淡いブルーの

【月半】yuèbàn 名 月の半ば．月の15日目

【月报】yuèbào 名 ❶月刊刊行物．（多く雑誌名に用いる）‖《小说～》『小説月報』❷月例報告

【月饼】yuèbing 图 月餅(げっぺい). 旧暦 8 月15日の中秋節の食べ物 ‖ 枣泥～ ナツメあん入りの月餅
【月初】yuèchū 图 月初め
【月底】yuèdǐ 图 月末
【月度】yuèdù 图 月次. 月間 ‖ ～计划 月間計画
*【月份】yuèfèn (～儿) 图 (ある月の 1 ヵ月間全体をさしていう)…月 ‖ 二～的产量 2 月の生産量
【月份牌】yuèfènpái (～儿) 图 ❶ 旧 旧式の絵入りカレンダー ❷(1 日が 1 枚になっている)こよみ
【月供】yuègōng 图 (銀行ローンの)毎月の返済額
【月宫】yuègōng 图 (伝説上の)月の宮殿. 月宮. 転 月の世界
*【月光】yuèguāng 图 ❶月の光 ❷ 方 月
【月华】yuèhuá 图 ❶月の光 ❷月のかさ. 月光冠
【月季】yuèjì 图〈植〉コウシンバラ. 〔月月红〕ともいう
【月经】yuèjīng 图〈生理〉月経. 生理
【月均】yuèjūn 動 月ごとに平均する ‖ ～收入 平均月収
【月刊】yuèkān 图 月刊誌
【月老】yuèlǎo =〔月下老人yuèxià lǎorén〕
【月历】yuèlì 图 月めくりカレンダー
【月利】yuèlì 图 1 ヵ月の利息. 月利
【月例】yuèlì 图 ❶ 旧 月々の小遣い銭 ❷ 婉〈生理〉月経
★【月亮】yuèliang 图 月. 〔月球〕の通称
【月亮门儿】yuèliangménr 图〈建〉(庭園建築で)まるくくり抜いた門
【月令】yuèlìng 图 (旧暦で)ある月の気候と生物の周期的現象
【月末】yuèmò 图 月末. 月の終わり
【月偏食】yuèpiānshí 图〈天〉部分月食
【月票】yuèpiào 图 定期券
【月琴】yuèqín 图〈音〉(伝統楽器の一つ)月琴
★【月球】yuèqiú 图〈天〉月. ふつうは〔月亮〕という
【月球车】yuèqiúchē 图 月面車. 月面探査車
【月球站】yuèqiúzhàn 图 月面基地
【月全食】yuèquánshí 图〈天〉皆既月食
【月嫂】yuèsǎo 图 産婦と新生児の世話をみるお手伝いさん
【月色】yuèsè 图 月の光. 月光
【月食】yuèshí 图〈天〉月食
【月台】yuètái 图 ❶ 旧 月見用の台 ❷〈建〉宮殿の正殿の前に張り出した台 ❸プラットホーム =〔站台〕
【月息】yuèxī 图 月利
【月下老人】yuèxià lǎorén 图 縁結びの神. 転 媒酌人. 仲人. 〔月下老儿〕〔月老〕ともいう
【月相】yuèxiàng 图〈天〉月の位相
【月薪】yuèxīn 图 月給. 給料
【月牙】【月芽】yuèyá (～儿) 图 口 三日月
【月夜】yuèyè 图 月夜. 月の照る夜
【月中】yuèzhōng 图 月の中ごろ. 月の半ば
【月终】yuèzhōng 图 月の終わり. 月末
【月子】yuèzi 图 ❶出産後の 1 ヵ月. 産褥(さんじょく)期 ❷出産の時期. 出産予定日
【月子病】yuèzibìng 图〈医〉産褥熱. 〔产褥热〕の通称

5 **乐**(樂) yuè 音楽 ‖ 一～曲 | 奏～ 音楽を演奏する. 楽を奏でる ➤ lè
【乐池】yuèchí 图〈音〉オーケストラ・ボックス
*【乐队】yuèduì 图 楽団. バンド ‖ 交响～ 交響楽団
【乐歌】yuègē 图 ❶音楽と歌曲 ❷伴奏つきの歌
【乐理】yuèlǐ 图〈音〉音楽の一般基礎理論
【乐律】yuèlǜ =〔音律yīnlǜ〕
【乐谱】yuèpǔ 图 楽譜. 音譜
*【乐器】yuèqì 图 楽器 ‖ 铜管～ 金管楽器
*【乐曲】yuèqǔ 图〈音〉楽曲. 曲
【乐坛】yuètán 图 音楽界 ‖ ～新秀 音楽界のホープ
【乐团】yuètuán 图 楽団 ‖ 管弦～ 管弦楽団
【乐舞】yuèwǔ 图 伴奏つきの舞踊
【乐音】yuèyīn 图〈物〉楽音 ↔〔噪zào音〕
【乐章】yuèzhāng 图〈音〉楽章. ムーブメント

6 **刖** yuè 古 (刑罰の一つ)足首から先, または足指を切り落とす刑

8 **岳**(△嶽❶❷) yuè ❶ 古 中国の五大名山(泰山・華山・衡山・恒山・嵩山)のこと ❷高い山 ‖ 山～ 山岳 ❸妻の父母または妻方の伯父や叔父に対する呼称 ‖ 一～父
【岳父】yuèfù 图 岳父(がくふ). 妻の父. 〔岳丈〕ともいう
【岳家】yuèjiā 图 妻の実家
【岳母】yuèmǔ 图 岳母(がくぼ). 妻の母
【岳丈】yuèzhàng =〔岳父yuèfù〕

9 **说** yuè 〔悦yuè〕に同じ ➤ shuì shuō

9 **栎**(櫟) yuè 地名用字 ‖ ～阳 陕西省にある地名 ➤ lì

9 **钥**(鑰) yuè 書 ❶錠 ❷鍵 ‖ 锁～ 鍵. 重要な場所. キーポイント ➤ yào

10 **悦** yuè ❶喜ぶ. 嬉しい. 楽しい ‖ 喜～ 喜ぶ ❷喜ばせる. 楽しませる ‖ 一～耳
【悦耳】yuè'ěr 形 耳に心地よい. 聞いて美しい
【悦服】yuèfú 動 心から敬服する
【悦目】yuèmù 形 見て美しい

10 * **阅** yuè ❶検閲する ‖ 一～兵 ❷ 動 書 読む ‖ 一～读 ❸ 動 書 経過する ‖ 一～历
【阅兵】yuè//bīng 動 閲兵する ‖ ～典礼 閲兵式
**【阅读】yuèdú 動 読む ‖ ～小说 小説を読む
【阅卷】yuè//juàn 動 (試験の)答案を採点する
【阅览】yuèlǎn 動 読む
**【阅览室】yuèlǎnshì 图 (図書館などの)閲覧室
【阅历】yuèlì 動 経験する. 見聞する 图 経験. 見聞. 閲歴 ‖ ～浅 経験が乏しい
【阅批】yuèpī 動 書類に目を通し, 指示を出す
【阅世】yuèshì 動 書 世の中のさまざまなことを経験する

10 **钺** yuè 古 おのに似た武器の一種. まさかり

11 * **跃**(躍) yuè 動 跳ぶ. 跳ねる ‖ 成绩～了一大步 成績は飛躍的に向上した
【跃层】yuècéng 图〈建〉メゾネット ‖ ～住宅 メゾネット式住戸
*【跃进】yuèjìn 動 ❶跳び越えて前進する ❷めざましい勢いで進歩する. 躍進する
【跃居】yuèjū 動 一躍…となる
【跃迁】yuèqiān 動〈物〉遷移(せんい)する
【跃然】yuèrán 形 書 躍如たるさま. 生き生きとしたさま
【跃然纸上】yuè rán zhǐ shàng 成 (文章や絵の)描写が生き生きとしているさま
【跃升】yuèshēng 動 上位に躍り出る. 一気に上昇する
【跃跃欲试】yuè yuè yù shì 成 腕前を試したくてむずむずする. 腕が鳴る

Y

【跃增】yuèzēng 動 大幅に増える. 急速に増える

12 **粤** yuè ❶広東省と広西チワン族自治区をさす ❷图 広東省の別称 ‖ 一～菜

【粤菜】yuècài 图 広東料理

【粤语】yuèyǔ 图〈語〉広東語. 広東方言

12 ***越**[1] yuè ❶上からまたぎ越す. 越える ‖ 一～过 ❷経る. 経過する ‖ 一～冬 ❸(通常の順序や範囲を)越える. 飛び越す ‖ 一～级 ❹(他のものをはるかに)超えている. 優れている ‖ 卓zhuó～ ずばぬけた ❺副 (多く〔越…越…〕の形で用い)ますます. さらに ‖ 这样做, 情况会～糟zāo そんなことをすると状況はますます悪くなる ❻(感情や声が)高ぶる. 高揚する ‖ 激～ (感情が)激しく高ぶる ❼書 強奪する

12 **越**[2] yuè ❶图 越(えつ). 春秋戦国時代の国名. 現在の浙江省東部から江蘇省・山東省にかけてあった ❷浙江省の東部

*【越冬】yuèdōng 動 越冬する. 冬を越す

【越发】yuèfā 副 ますます. さらに

【越轨】yuè//guǐ 動 常軌を逸する

*【越过】yuè//guò 動 越える. 越す

【越级】yuè//jí 動 順番を越えて上へ進む. ランクを飛び越える ‖ ～上告 上級部門に直訴する

【越加】yuèjiā 副 さらに. ますます

【越界】yuèjiè 動 境界を越える

【越境】yuè//jìng 動 不法に越境する. (多く国境を越えることをさす) ‖ 非法～ 不法に越境する

★【越来越…】yuè lái yuè… 組 だんだん…になる. ますます…になる ‖ 天～冷了 だんだん寒くなってきた

【越礼】yuèlǐ 動 礼を失する. 礼儀をわきまえない

【越南】Yuènán 图〈国名〉ベトナム

【越权】yuè//quán 動 (行為が)権限を越える

【越位】yuèwèi 動 ❶越権行為をする ❷〈体〉(サッカーやラグビーなどの反則の一つ)オフサイドする

【越野】yuèyě 動 山野を進む

【越野车】yuèyěchē 图 ジープ. 〔吉普车〕ともいう

【越野赛】yuèyěsài 图〈体〉(自転車・自動車・オートバイによる)クロスカントリー. ラリー. モトクロス

【越野赛跑】yuèyě sàipǎo 图〈体〉クロスカントリー

【越狱】yuè//yù 動 脱獄する

**【越…越…】yuè… yuè… 組 …すればするほど…になる ‖ 雨越下越大 雨がますます激しくなった

【越职】yuèzhí 動 職権の範囲を超える

【越俎代庖】yuè zǔ dài páo 成 自分の職務の範囲を越えて人の仕事をする. 余計なおせっかいを焼くたとえ

Y

16 **樾** yuè 古 木陰

17 **龠**[1] yuè 〔箫〕(たて笛の一種)に似た竹製の古代の管楽器

17 **龠**[2] yuè 古 容量の単位, 1200粒の黍(きび)が1〔龠〕で, 2〔龠〕が1〔合〕

20 **瀹** yuè 書 ❶煮る ‖ ～茗 茶を煎(せん)じる ❷(川の)流れをよくする. さらう

yūn

10 ***晕** yūn ❶形 頭がぼうっとしている ‖ 头～ めまいがする ❷動 気絶する. 失神する ‖ 吓得～过去了 驚いて気を失った ➤ yùn

【晕乎】yūnhu 動 (頭が)ぼうっとなる. ぼんやりする

【晕厥】yūnjué 動〈医〉昏倒(こんとう)する ＝〔昏厥〕

【晕头转向】yūn tóu zhuàn xiàng 成 頭がぼうっとして方向が分からなくなる ‖ 忙得～ 忙しくて目が回りそうだ

【晕眩】yūnxuàn 動 めまいがする

13 **氲** yūn ➡〔氤氲yīnyūn〕

yún

4 **云**[1] yún ❶書 言う ‖ 人～亦yì～ 人の見解に従う. 定見がない

4 ★**云**[2](雲) yún ❶图 雲 ‖ 一～彩 | 白～ 白い雲 ❷雲南省. 〔云南〕の略

【云鬓】yúnbìn 图 書 女性の美しい黒髪

*【云彩】yúncai 图 雲

【云层】yúncéng 图 重なった雲. 雲の層

【云豆】yúndòu ＝〔芸豆yúndòu〕

【云端】yúnduān 图 雲の中. 雲間

【云朵】yúnduǒ 图 薄い雲

【云海】yúnhǎi 图 雲海. 海のように一面に広がる雲

【云集】yúnjí 動 雲集する. 多くの人が集まる

【云谲波诡】yún jué bō guǐ 成 事の変化が推測できないこと. 〔波谲云诡〕ともいう

【云量】yúnliàng 图〈気〉雲の量

【云锣】yúnluó 图〈音〉打楽器の一種, 雲鑼(うんら). 木枠の内側に10個またはそれ以上の小さなどらを吊し, 木づちで打つもの

【云母】yúnmǔ 图〈鉱〉雲母. きらら

【云泥之别】yún ní zhī bié 成 雲泥の差

【云气】yúnqì 图 薄くたなびく雲. 霞

【云雀】yúnquè 图〈鳥〉ヒバリ

【云散】yúnsàn 動 雲散する. (一緒にいた人々が)ばらばらになる. (事物が)跡形もなく消える

【云山雾罩】yún shān wù zhào 成 ❶雲霧が立ちこめるさま ❷(話が)まとまりがない. とりとめがない

【云天】yúntiān 图 きわめて高い空. 高空

【云雾】yúnwù 图 雲と霧. 喩 目の前を遮るもの

【云霞】yúnxiá 图 彩雲. 日に映えて美しく見える雲

【云消雾散】yún xiāo wù sàn 成 雲散霧消する. 不愉快な気分や雰囲気が消え去ること ＝〔烟消云散〕

【云霄】yúnxiāo 图 果てしなく高い空. 空の果て

【云烟】yúnyān 图 雲と煙

【云游】yúnyóu 動 各地を放浪, 行脚(あんぎゃ)する. (多く僧や道士についていう)

【云雨】yúnyǔ 動 旧 男女があいびきする. 情交する

【云云】yúnyún 動 書 うんぬん. (引用の終わりや省略の意味を表す)

【云蒸霞蔚】yún zhēng xiá wèi 成 雲がわき, 霞がたなびく. 景色が美しいさま. 〔云兴霞蔚〕ともいう

4 ***匀** yún ❶形 むらがない. 均一である ‖ 油漆涂得不～ ペンキの塗り方にむらがある ❷動 均等にする. ならす ‖ 他把花生～成三份 彼はピーナッツを3等分に分けた ❸動 一部分を分けてやる ‖ 我饭盛多了, ～给你一点儿吧 私の御飯は多すぎるから, 君に少しあげるよ

【匀称】yúnchen ; yúnchèn 形 均整がとれている. バランスがいい ‖ 身材～ プロポーションがよい

【匀兑】yúndui 動 一部分を分けてやる. 都合をつける

【匀和】yúnhuo 形 口 (混ぜ合わせ方が)むらがなく均一である 動 均等にならす ＊〔匀乎〕ともいう

【匀净】yúnjing 形 (太さや濃淡が)むらがなく美しい

【匀溜】yúnliu 形 口 (太さや濃さなどが) ゆきすぎずほどよい. (大きさが) 粒が揃っている
【匀实】yúnshi 形 揃っている. むらがない
【匀速运动】yúnsù yùndòng 名〈物〉等速運動. 〔等速运动〕ともいう
【匀停】yúnting 形 方 分量がちょうどいい
【匀整】yúnzheng ; yúnzhěng 形 つりあいがとれている. バランスよく整っている

7 **芸** yún 名 姓
【芸豆】yúndòu 名〈植〉インゲンマメ. 〔菜豆〕の通称. 〔云豆〕とも書く
【芸香】yúnxiāng 名 ❶〈植〉ヘンルーダ ❷〈中薬〉芸香(うんこう)
【芸芸】yúnyún 形 書 多いさま
【芸芸众生】yún yún zhòng shēng 成 全ての命ある者. 衆生(しゅじょう). 多くの凡人

7 **员** yún 人名用字 ➤ yuán yùn

7 **纭** yún ↴
【纭纭】yúnyún 形 雑多で乱れているさま

8 **昀** yún 古 太陽の光. 日光

9 **郧** yún 地名用字 ‖ ～县 湖北省にある県の名

10 **耘** yún 田畑の草を取る
【耘田】yún//tián 動〈農〉田畑の草取りをする

13 **筠** yún 書 ❶竹の皮 ❷竹 ➤ jūn

yǔn

4 **允**[1] yǔn 許可する. 許す ‖ ～许 | 应～ 許す

4 **允**[2] yǔn 公平である. 妥当である ‖ 公～ 公平である | 平～ 公平かつ適切である
【允当】yǔndàng 形 妥当である
【允诺】yǔnnuò 動 承諾する
＊【允许】yǔnxǔ 動 **許可する. 許す. 承諾する** ‖ 未经～, 不得入内 許可のない者は立ち入るべからず
【允准】yǔnzhǔn 動 許可する. 承認する

9 **陨** yǔn 高い所から落ちる. 墜落する ‖ ～石
【陨落】yǔnluò 動 (流星などが) 落下する
【陨灭】yǔnmiè 動 ❶ (流星などが) 落下して燃え尽き消滅する ❷命を失う. 〔殒灭〕とも書く
【陨石】yǔnshí 名〈天〉隕石(いんせき)
【陨铁】yǔntiě 名〈天〉隕鉄(いんてつ). 鉄隕石
【陨星】yǔnxīng 名〈天〉隕石

11 **殒** yǔn 書 没する. 死ぬ ‖ ～命
【殒灭】yǔnmiè ＝〔陨灭yǔnmiè〕
【殒命】yǔnmìng 動 書 命を落とす. 亡くなる

yùn

5 **孕** yùn ❶妊娠する ❷胎児 ‖ 怀～ 妊娠する ❸包む. 包含する ‖ 包～ 包含する
【孕妇】yùnfù 名 妊婦
【孕期】yùnqī 名 妊娠期間
＊【孕育】yùnyù 動 ❶妊娠して子供を産む ❷喩 はぐくむ. はらむ. 包蔵する

7 ＊＊**运**(運) yùn ❶動く. 動かす ‖ →～行 ❷動 **運ぶ. 運搬する** ‖ ～粮食 食糧を運ぶ ❸用いる. 使う ‖ →～笔 ❹名 運. 運勢 ‖ 走～ 運がいい
【运笔】yùnbǐ 動 (文字や絵を) 筆を使って書く
【运筹】yùnchóu 動 策を練る. 計画を立てる
【运筹帷幄】yùn chóu wéi wò 成 陣営にあって作戦を練る. 戦線の後方にあって戦略を決め指揮をとる
【运筹学】yùnchóuxué 名 オペレーションズ・リサーチ
【运单】yùndān 名 (貨物の) 発送伝票. 送り状
【运道】yùndao 名 方 運. 運命. 運勢
★【运动】yùndòng 動 ❶**運動する. スポーツをする** ‖ 每天早上他都要到附近的公园～～ 彼は毎朝いつも近くの公園で運動している ❷〈物〉**運動する** 名 ❶**スポーツ. 運動** ‖ 球类～ 球技 ❷〈物〉運動 ❸**大衆的宣伝活動. キャンペーン** ‖ 五四～ 五・四運動
【运动】yùndong 動 (多くは個人的な目的のために) 積極的に働きかける. 奔走する

> **類義語** 运动 yùndòng / 活动 huódong
> ◆〔运动〕組織された大規模な大衆行動. 政治・生産・文化などの方面で用いる ‖ 政治运动 政治運動 | 文艺运动 文芸運動 ◆〔活动〕組織性, 規模の大小に関わらずある目的を達成するためにとる行動や活動 ‖ 社会活动 社会活動 | 上午是集体活动, 下午是自由活动 午前中は団体行動で, 午後は自由行動だ

【运动场】yùndòngchǎng 名 グラウンド
【运动负荷】yùndòng fùhè ＝〔运动量yùndòngliàng〕
＊＊【运动会】yùndònghuì 名 **運動会. 競技会. スポーツ大会** ‖ 举办～ スポーツ大会を開く
【运动健将】yùndòng jiànjiàng 名 (中国で) スポーツ選手に与えられる最高の称号
【运动量】yùndòngliàng 名〈体〉(人体の) 運動量. 〔运动负荷〕ともいう
【运动神经】yùndòng shénjīng 名〈生理〉運動神経 ＝〔传出chuánchū神经〕
＊＊【运动员】yùndòngyuán 名 **スポーツ選手**
【运动战】yùndòngzhàn 名〈軍〉流動戦
【运费】yùnfèi 名 運送費. 輸送費
【运河】yùnhé 名 運河
【运斤成风】yùn jīn chéng fēng 成 おのを振り回して風を起こす. 熟練しているたとえ
【运力】yùnlì 名 輸送能力
【运量】yùnliàng 名 略 輸送量
【运能】yùnnéng 名 輸送能力
【运气】yùn//qì 動 ❶ (気功や武術で) 体中の気をめぐらせて1ヵ所に集中させる ❷方 腹を立てる
＊【运气】yùnqi 名 運勢. 運 ‖ ～好 運がいい | 碰碰～ 運を試す 形 幸運である ‖ 算你～ 君は幸運だよ
＊＊【运输】yùnshū 動 **輸送する. 運送する**
【运输机】yùnshūjī 名 輸送機
【运输舰】yùnshūjiàn 名〈軍〉輸送艦
＊【运送】yùnsòng 動 運送する. 輸送する

Y

*【运算】yùnsuàn 動〈数〉運算する. 演算する
【运算器】yùnsuànqì 名〈計〉演算装置
【运销】yùnxiāo 動 商品を他の土地へ運んで販売する ‖ ～全国 全国に売りさばく
*【运行】yùnxíng 動 運行する ‖ 列车正常～ 列車は正常に運行している
【运营】yùnyíng 動 ❶(車や船などが)運行し営業する ❷(工場や機関などが)運営する. 操業する
**【运用】yùnyòng 動 運用する. 用いる ‖ ～自如 思うがままに操る
【运载】yùnzài 動 (貨物を)積んで運ぶ
【运载火箭】yùnzài huǒjiàn 名 打ち上げ用ロケット
*【运转】yùnzhuǎn 動 ❶(軌道を)巡る. 運行する ❷(機械が)動く ❸(組織などが)仕事を進行する
【运作】yùnzuò 動 (組織や機関などが)仕事を進行する. 活動する. 運営する

7 **员** yùn 名 姓 ➤ yuán yún

8 **郓** yùn 地名用字 ‖ ～城 山東省にある県の名

9 **恽** yùn 名 姓

10 **晕** yùn ❶名〈気〉太陽や月の暈(かさ). ハロー ❷光により物の周りにできるくま. ぼんやりした部分 ❸動 (身体的な原因からではなく, 外的な要因で)めまいがする. 酔う ‖ ➝～船 ➤ yūn
【晕场】yùn//chǎng 動 (試験場や舞台で)あがる. 緊張して落ち着きを失う
*【晕车】yùn//chē 動 乗り物に酔う. 車酔いする
【晕船】yùn//chuán 動 船に酔う. 船酔いする
【晕高儿】yùn//gāor 動 方 高い所に上がって頭がくらくらする
【晕机】yùnjī 動 飛行機に酔う

11 **酝**(醞) yùn 書 ❶(酒を)醸造する ❷酒
*【酝酿】yùnniàng 動 ❶(酒を)醸造する. 喩(ある状況を)醸し出す. はらむ ❷下相談をする. 根回しする

12 **愠** yùn 書 怒る. 立腹する
【愠色】yùnsè 名 書 怒った表情. 怒りの色

13 **韫**(韞) yùn 古 含む. 蔵する

13 **韵**(^△^韻) yùn ❶書 美しい音色 ❷名 韻母. また, 特に押韻の韻をさす ‖ ➝～母 ❸趣. 情趣 ‖ ➝～味
【韵调】yùndiào 名 音調. 調子
【韵脚】yùnjiǎo 名 韻脚. 韻文の句末の韻
【韵律】yùnlǜ 名 韻律
【韵律体操】yùnlǜ tǐcāo 名〈体〉新体操 =〔艺术体操〕
【韵母】yùnmǔ 名〈語〉韻母. 中国語の音韻学で, 1音節中の〔声母〕(頭子音)を除いた残りの部分
【韵事】yùnshì 名 風流で上品な事柄
【韵味】yùnwèi 名 味わい. 情趣
【韵文】yùnwén 名 韻文 ↔〔散文〕
【韵语】yùnyǔ 名 韻語. 韻を踏んだ言葉

15 **蕴** yùn 書 ❶含む. 包含する. 埋蔵する ‖ ➝～藏 ❷物事の奥深いところ
*【蕴藏】yùncáng 動 埋蔵する. うずもれる. 潜む ‖ ～着丰富的矿物资源 豊富な鉱物資源が眠っている
【蕴含】yùnhán =〔蕴涵yùnhán〕
【蕴涵】yùnhán 動 ❶含む. 包含する. 〔蕴含〕とも書く ❷(論理学で)前後二つの命題が条件関係をなす
【蕴蓄】yùnxù 動 書 蓄積する. 内在する

15 **熨** yùn 動 火のしやアイロンをかける ‖ ～衣服 服にアイロンをかける ➤ yù
【熨斗】yùndǒu 名 火のし. アイロン

Z

zā

4 **扎**（△紥 紮）**zā** 動 縛る．結ぶ．束ねる‖～腰带 帯を締める．ベルトを締める｜把头发～起来 髪を束ねる ➤ zhā zhá

【扎彩】 zā//cǎi 動（会場などを）五色の布や花飾りで飾り立てる

【扎染】 zārǎn 名（中国南方の少数民族・白（ぺ）族などに伝わる）絞り染め

【扎伊尔】 Zāyī'ěr 名〈国名〉ザイール．〔刚果民主共和国〕（コンゴ民主共和国）の旧称

5 **匝**（△帀）**zā** 書 ❶量（物の周りを巡る回数を数える）周り．周‖用铁丝将木桶箍gū了三～ 針金で桶のぐるりを三重に縛った ❷満ちている．くまなくある‖～地 あたり一面．至る所

【匝道】 zādào 名 ジャンクション．ランプウエー．高速道路や高架道路の出入り口の立体交差部分

8 **咂** **zā** ❶動 吸う．すする‖～奶 乳を吸う ❷動 味わう．吟味する‖～滋味zīwèi じっくりと味わう ❸動 舌打ちする‖一～嘴

【咂摸】 zāmo 動 方（味や意味などを）よく味わう．よく考える

【咂嘴】 zā//zuǐ（～儿）動 舌打ちをする．（羨望㊁・称賛・驚きなどを表す）

9 **拶** **zā** 書 強いる．強制する ➤ zǎn

zá

6
＊
＊
杂（雜 △襍）**zá** ❶形 入り交じっている．多種多様である‖内容很～ 内容は雑多である ❷動 混ぜる．混じる．混合する‖夹～ 混じる ❸主要でない．その他の‖一～牌

【杂拌儿】 zábànr 名 ❶果物の砂糖漬けや干した果物などを混ぜ合わせたもの ❷寄せ集め

【杂草】 zácǎo 名 雑草

【杂处】 záchǔ 動 雑居する

【杂费】 záfèi 名 雑費．諸雑費

【杂感】 zágǎn 名 ❶雑感 ❷（文体の一つ）雑感をつづった文章．随想．随筆

【杂工】 zágōng 名 雑役

【杂烩】 záhuì 名 ❶ごった煮 ❷喩 寄せ集め‖几种理论的大～ 数種の理論の寄せ集め

【杂活儿】 záhuór 名 雑用．こまごまとした力仕事

【杂货】 záhuò 名 雑貨‖～铺儿 雑貨店

【杂和菜】 záhuocài 名 残り料理の寄せ集め

【杂和面儿】 záhuomiànr 名 トウモロコシに少量のダイズなどの豆類を混ぜてひいた粉

【杂记】 zájì 名 ❶（文体の一つ）風景・瑣事（さ）・感想などを記した文章．雑記‖旅欧～ 訪欧印象記 ❷雑録．雑記

＊
＊**【杂技】** zájì 名 曲芸．曲技．雑技‖演～ 曲芸を演じる｜～团 雑技団．曲芸団

【杂家】 zájiā 名 ❶（古代中国の学派の一つ）雑家 ❷広く各分野に一定の専門知識を有する人．雑学者

＊**【杂交】** zájiāo 動〈生〉交雑する．交配する‖通过～来提高产量 交雑によって生産量を高める

【杂交水稻】 zájiāo shuǐdào 名〈農〉ハイブリッド米

【杂居】 zájū 動（異なる民族が）同じ地域に住む．雑居する

＊**【杂乱】** záluàn 形 乱雑である．乱れている‖～的脚步声 乱れた足音

【杂乱无章】 zá luàn wú zhāng 成 乱れていて秩序がない．雑然としている

【杂面】 zámiàn（～儿）名 リョクトウやアズキなどの粉．または同前で作った麺（めん）

【杂念】 zániàn 名 雑念．利己的な考え‖屏除bǐngchú～ 雑念を追い払う

【杂牌】 zápái（～儿）形 正規でない．正統でない．無名の‖～货 名前の知られていないメーカーの商品｜～军 直系でない部隊．雑軍

【杂品】 zápǐn 名 雑貨．小間物‖～店 小間物屋

【杂七杂八】 zá qī zá bā 慣 非常に乱雑なさま

【杂食】 záshí 動 雑食する

【杂食动物】 záshí dòngwù 名 雑食動物

【杂事】 záshì 名 雑用

【杂书】 záshū 名 ❶科挙の試験に直接関係のない書物 ❷自分の専門に直接関係のない書物

【杂耍】 záshuǎ（～儿）名 講談・漫才・雑技などの民間芸能の総称

【杂税】 záshuì 名 雑多な税金

【杂说】 záshuō 名 ❶さまざまな説 ❷書 雑文

【杂碎】 zásui 名〈料理〉ウシやヒツジなどの内臓を細く切ったもの．もつ‖牛～ ウシのもつ

【杂沓】【杂遝】 zátà 形 乱雑である．騒々しい

＊**【杂文】** záwén 名 随筆．エッセー

【杂务】 záwù 名 雑務

【杂物】 záwù 名 こまごまとした物

【杂院儿】 záyuànr 名〔院子〕（塀に囲まれた伝統的な一軒家）の中庭に建て増しをして多くの世帯が雑居する住宅．〔大杂院儿〕ともいう

＊**【杂志】** zázhì 名 ❶雑誌‖订阅dìngyuè～ 雑誌を予約購読する ❷雑記．ノート．（多く書名に用いる）

＊**【杂质】** zázhì 名 不純物．混じり物‖含有～ 不純物を含んでいる

【杂种】 zázhǒng 名 ❶〈生〉雑種 ❷罵 人でなし

10
＊**砸** **zá** ❶動（重い物を他の物体に）ぶつける．落とす‖外面传来一阵急促的～门声 外から慌ただしく戸をたたく音が聞こえる ❷動 壊す．壊れる‖杯子～了 コップが割れた ❸動 方 失敗する．しくじる‖考～了 試験にしくじった

【砸饭碗】 zá fànwǎn 慣 職を失う．失業する

【砸锅】 zá//guō 動 方 失敗する．やり損なう

【砸锅卖铁】 zá guō mài tiě 慣 ありったけの財産を投げ出す

【砸烂】 zálàn 動 跡形なくたたき壊す．徹底的にたたき壊す

【砸牌子】 zá páizi 慣 ブランドに傷がつく．（商標の）信用を失う

【砸碎】 zásuì 動 粉々に打ち砕く

zǎ

8 **咋** zǎ 代 方 なぜ. どうして. どのような ‖ ～办？ どうしようか ➤ zé zhā

【咋个】zǎge 代 方 ❶なぜ. どうして ❷どのように

【咋样】zǎyàng 代 方 どんな

zāi

7 ** **灾**（△災 烖 菑）zāi ❶图 災害 ‖ 救～ 被災者を救援する｜抗～ 災害とたたかう ❷图 (個人の)災い. 災難 ‖ 没病没～ 無病息災である

【灾变】zāibiàn 图 異変. 天変地異

**【灾害】zāihài 图 災害 ‖ 自然～ 自然災害. 天災

【灾患】zāihuàn 图 災禍. 災い

*【灾荒】zāihuāng 图 天災. (多く飢饉をさす) ‖ 闹～ 飢饉に見舞われる

【灾祸】zāihuò 图 災禍. 災難

*【灾民】zāimín 图 罹災者(りさいしゃ). 被災者

*【灾难】zāinàn 图 災難. 災禍 ‖ ～性的损失 莫大な損失

【灾难片】zāinànpiàn 图 パニック映画

【灾年】zāinián 图 災害に見舞われた年

*【灾情】zāiqíng 图 被災状況. 被害の程度 ‖ ～严重 被災状況が深刻である

*【灾区】zāiqū 图 被災区域. 罹災(りさい)地区

【灾星】zāixīng 图 災いの星. 疫病神

【灾异】zāiyì 图 書 天変地異

8 **甾** zāi 图〈化〉ステロイド. 〔类固醇lèigùchún〕ともいう

9 **哉** zāi 助 書 (感嘆を表す) … かな ‖ 呜wū呼哀～！ ああ悲しきかな

10 * **栽** zāi ❶動 植える ‖ ～了一棵树 木を1本植えた ❷苗. 幼苗 ‖ 一～子 ❸動 差し込む. 植えつける ‖ ～刷子 ブラシの毛を植えつける ❹動 (罪などを)無理に着せる ‖ 把罪名～在他的头上 彼に罪を着せる ❺動 転ぶ ‖ 从楼梯上～了下去 階段から転げ落ちた ❻動 俗 失敗する. 顔をつぶす. 大恥をかく ‖ 这下子可～了 こんどはだめだ

> **類義語** 栽 zāi 种 zhòng 植 zhí
>
> ◆〔栽〕苗や木を植える. 移植する. 植えることに重点がある ‖ 栽白菜秧儿 ハクサイの苗を植える｜栽深点儿 少し深く植える ◆〔种〕苗を植えて育てる. 種をまいて育てる. 栽培する. 〔栽〕よりも広い意味で用いる ‖ 种(栽)花 草花を育てる｜种玉米 トウモロコシを作る ◆〔植〕木を植える. 独立した動詞としての機能はほとんどなく, 複合語として書き言葉に用いる ‖ 植树 植樹する｜种植果树 果樹を植える

【栽插】zāichā 動 (苗などを)植える

【栽倒】zāidǎo 動 つまずき倒れる. 転ぶ

【栽跟头】zāi gēntou 慣 ❶転ぶ. 転倒する ❷失敗する. 恥をさらす. 名折れになる

*【栽培】zāipéi 動 ❶栽培する ❷(人材を)養成する ‖ 感谢老师的悉心xīxīn～ 先生の熱意あふれるご指導に感謝する ❸推輓(すいばん)する. 抜擢(ばってき)する

【栽培植物】zāipéi zhíwù 图 栽培植物

【栽赃】zāi//zāng 動 盗品や禁制品をこっそり他人の所に置いておき罪を着せる ‖ ～陷害xiànhài ぬれぎぬを着せて人を陥れる

【栽植】zāizhí 動 苗を植える ‖ ～桃树 モモの木を植える

【栽种】zāizhòng 動 植える. 栽培する

【栽子】zāizi 图 苗. 幼苗 ‖ 树～ 苗木

zǎi

5 **仔** zǎi ❶〔崽zǎi〕に同じ ❷若い男性. 若者. 若い衆 ‖ 打工～ 出稼ぎの若者 ➤ zī

10 **宰**[1] zǎi ❶古 官. 官吏 ❷つかさどる. 主管する ‖ 主～ 主宰する

10 * **宰**[2] zǎi ❶動 (家畜などを)殺す. 屠畜(とちく)する ❷動 喩 法外な料金を取る ‖ 一～人

【宰割】zǎigē 動 侵略する. 抑圧する. 搾取する

【宰人】zǎi//rén 動 (人から)法外な料金を取る. ぼる

【宰杀】zǎishā 動 屠畜する

【宰相】zǎixiàng 图 古 宰相

10 **载**[1] zǎi 图 年 ‖ 一年半～ 半年から1年の間

10 **载**[2] zǎi 動 記録する. 掲載する ‖ 登～ 掲載する｜连～ 連載する ➤ zài

12 **崽** zǎi 方 ❶息子 ❷图 (～儿) 動物の子 ‖ 狗～ 子イヌ｜下～儿 (動物が)子を産む

【崽子】zǎizi 图 ❶動物の子 ‖ 兔～ 子ウサギ ❷罵 畜生. やつ. 野郎

zài

6 ★ **再**（△再 再）zài ❶数 2回. 2回目 ‖ 一而～, ～而三 1度が2度, 2度が3度と回数を重ねる ❷繰り返す. 再度出現する ‖ 青春不～ 青春は一度きりである ❸副 (同じ動作や行為の繰り返しまたは継続を表す)再び. さらに. もっと ‖ 请您～说一遍 もう一度おっしゃっていただけますか｜～喝, 我可就要醉zuì了 これ以上飲んだら, 僕はほんとうに酔っぱらってしまうよ ❹副 (ある時間を経て動作が再び行われることを表す)今度. また ‖ 今天来不及了, 明天～去吧 今日は間に合わないから, 明日行きましょう ❺副 (ある動作の後に行われることを表す) … してから. … したうえで. それから ‖ 先吃了饭～说吧 まずは飯を食べてからにしよう ❻副 (形容詞の前に置いて, 程度が増すことを表す)いっそう. さらに ‖ ～远也得去 どんなに遠くても行かなければならない ❼副 (補充を表す)ほかに. あとは ‖ 星期天读读书, 看看电视, ～就是去打打网球 日曜日は本を読んだり, テレビを見たり, あとはテニスをしに行ったりする

【再版】zàibǎn 動 重版する ‖ 那本书要～了 あの本は重版される

【再保险】zàibǎoxiǎn 動 (保険会社が)再保険をかける. 〔分保〕ともいう

【再不然】zàiburán 接 そうでなかったら. それとも

【再次】zàicì 副 再び. 再度 ‖ ～表示感谢 重ねて感謝の意を表します

【再度】zàidù 副 再度. いま一度

【再犯】zàifàn〈法〉動 再び罪を犯す 图 再犯

【再会】zàihuì 動 挨拶 さようなら. また会いましょう

【再婚】zàihūn 動 再婚する

【再加上】zàijiāshang 接 そのうえ. さらに. おまけに

【再嫁】zàijià 動 (女性が)再婚する

★【再见】zàijiàn 動 挨拶 さようなら. また会いましょう ‖ 下星期～ また来週

【再接再厉】zài jiē zài lì 成 引き続き努力する. ますます努力する

【再就业】zàijiùyè 動 再就職する

*【再三】zàisān 副 再三. 何度も ‖ ～再四 再三再四 | ～要求 再三にわたって要求する

【再审】zàishěn 動〈法〉再審する

*【再生】zàishēng 動 ❶生き返る. よみがえる ❷〈生〉再生する ❸(古物や廃物を)リサイクルする. リフォームする ‖ ～纸 再生紙

【再生水】zàishēngshuǐ ＝〔中水zhōngshuǐ〕

【再生资源】zàishēng zīyuán 名 再生資源. リサイクル資源

*【再生产】zàishēngchǎn 動〈経〉再生産する ‖ 扩大～ 拡大再生産

【再生父母】zài shēng fù mǔ 成 命の親. (命を救ってくれた恩人に対して, 感謝の気持ちを表すときに用いる)〔重chóng生父母〕ともいう

【再世】zàishì 名 来世 動 書 生き返る. 復活する

*【再说】zàishuō 動 それからのことにする. 後で考慮する ‖ 这事搁gē两天～ このことは2,3日たってからにしよう 接 そのうえ. それに. 加えて ‖ 那部电影没什么意思, ～又下着雨, 还是别去了 あの映画は面白くないし, おまけに雨も降っていることだし, やはり観にいくのはやめにしよう

*【再现】zàixiàn 動 再現する ‖ 作品生动地～了这位伟人的一生 作品はこの偉人の一生を生き生きと再現している

【再也】zài yě 組 もう二度と. これ以上. (否定に用いる) ‖ 我～不想见他了 二度と彼に会いたくない

【再造】zàizào 動 書 再び新しい命を与える. (多くは大恩に対する感謝の言葉に用いる)

【再则】zàizé 接 そのうえ. さらに

【再者】zàizhě 接 書 そのうえ. 加えて 名 喩 付言. 追伸

6
★**在** zài ❶動 **存在する. 生存する** ‖ 祖母已经不～了 祖母はすでに亡くなりました ❷動 (ある場所に)いる. ある ‖ 你家～哪儿? あなたの家はどこですか ❸動 …にある. …に属する ‖ 一～职 ❹動 **…によって決まる. …いかんにかかる** ‖ 贵～坚持 堅持することが大切だ | 事～人为 事の成敗は人のやり方いかんによって決まる ❺副 (動作が進行中であることを表す) **…している. …しつつある** ‖ 请稍shāo等一下, 他～打电话呢 少々お待ちください, 彼は電話中ですので ❻介 (事柄の時間・場所・範囲・条件などを表す) …に. …で. …において ‖ 她生～上海, 长zhǎng～北京 彼女は上海生まれの北京育ちです | 我们～同样的条件下展开竞赛 我々は同じ条件のもとで競争している

【在案】zài'àn 動 (公文書用語で)書類に記録されている

【在编】zàibiān 動 機構の定員の構成の中に入っている ‖ ～人员 正規の人員

【在册】zàicè 動 名簿にある. 名簿に載っている

【在场】zàichǎng 動 現場にいる. その場に居合わせる ‖ 事件发生时, 老李～ 事件が起こったとき李さんはその場に居合わせた

【在党】zài∥dǎng 動 口 入党している

【在读】zàidú 動 在学する ‖ ～研究生 在学中の院生

【在岗】zàigǎng 動 在職している. 勤務している ‖ ～教师 現職の教師

【在行】zàiháng 形 詳しい. くろうとである ‖ 计算机他很～ コンピューターに関して彼はとても詳しい

*【在乎】zàihu 動 ❶ …いかんである. …にかかっている ‖ 成功～不懈búxiè的努力 成功するかどうかはたゆまず努力するかどうかにかかっている ❷意に介する. 気にする. (多く否定に用いる) ‖ 满不～ 平気である

【在即】zàijí 動 書 まもなく…になる. …を間近に控える. (多く2音節の語の後に用いる) ‖ 毕业～ 卒業を間近に控える

【在家】zàijiā 動〈宗〉在家である

【在教】zàijiào 動 口 ❶(ある宗教を)信仰する ❷イスラム教を信仰する

【在劫难逃】zài jié nán táo 成 宿命的な災禍から逃れることはできない

【在理】zàilǐ 形 道理にかなっている. 理屈に合っている

【在内】zàinèi 動 その中にある. その中に含まれる ‖ 房费、饭费都包括～ 部屋代も食事代もみなその中に含まれている

【在世】zàishì 動 この世に生存する ‖ 奶奶～的时候 おばあさんが生きていたころ

【在所不辞】zài suǒ bù cí 成 決して辞退しない. 万が一にも辞退しない

【在所不计】zài suǒ bù jì 成 勘定に入れない. 考慮に入れない

【在所不惜】zài suǒ bù xī 成 惜しくもなんともない ‖ 就是倾qīng家荡dàng产也～ たとえ破産しても少しも惜しくない

【在所难免】zài suǒ nán miǎn 成 免れがたい. 避けがたい

【在逃】zàitáo 動 (犯人が)逃走中である

【在天之灵】zài tiān zhī líng 名 死者の霊に対する敬称

【在外】zài∥wài 動 ❶範囲外にある. その中に含まれていない ❷他郷にいる

【在望】zàiwàng 動 ❶視界の範囲内にある. 眺める ❷(待ち望んでいたことが)目前である ‖ 胜利～ 勝利は目前である

【在位】zàiwèi 動 在位する. 権力のある地位にある

【在握】zàiwò 動 掌中にある. 握っている

【在下】zàixià 名 古 謙 私め. 拙者

【在先】zàixiān 名 以前. かつて 副 あらかじめ. 事前に 動 それがまず先にある

【在线】zàixiàn 動〈通信〉インターネットにつながっている. オンラインである

【在心】zài∥xīn 動 気にとめる. 心にかける

【在学】zàixué 動 在学中である ‖ ～期间 在学期間

【在押】zàiyā 動 書 (犯人を)拘留中である

【在野】zàiyě 動 在野である. 民間の立場である

【在野党】zàiyědǎng 名 野党 ↔〔执政党〕

【在业】zàiyè 動 就業する. 在職する ‖ ～人口 就業人口

*【在意】zài∥yì 動 意に介する. 気にする. (多く否定に用いる) ‖ 我是说着玩儿的, 你别～ 冗談で言ったのだから, そう気にするなよ

*【在于】zàiyú 動 ❶ …にある. …による. ほかでもなく…だ ‖ 一年之计～春 一年の計は元旦にあり ❷ …によって決まる. …しだいである ‖ 中zhòng不中奖jiǎng全

Z

～运气 くじに当たるかどうかはすべて運しだいだ
【在职】zàizhí 動 在職する. その職にある
*【在座】zàizuò 動 同席している. その場に居合わせる ‖ ～的都是科长以上的干部 出席しているのはすべて課長以上の幹部である
10 *载[1] zài ❶動（車などに）乗せる. 積む ‖ 一～客 ❷あふれる. 充満する ‖ 怨yuàn声～道 恨みの声が巷(ちまた)にあふれる
10 载[2] zài …しながら ‖ 一～歌～舞 ➤ zǎi
【载波】zàibō 動〈通信〉搬送波に載せてデータを伝送する
【载歌载舞】zài gē zài wǔ 成 歌い踊る. 歌ったり踊ったりする
【载荷】zàihè 名〈物〉負荷. 荷重 =〔负荷〕
【载客】zàikè 動 旅客を運ぶ
【载人】zài//rén 動 人を乗せる ‖ ～宇宙yǔzhòu飞船 有人宇宙船
【载体】zàitǐ 名〈化〉担体. キャリヤー
【载誉】zàiyù 動 栄誉を担う
【载运】zàiyùn 動 運送する. 輸送する
*【载重】zàizhòng 動 荷物を積む ‖ ～汽车 トラック

zān

15 糌 zān ↓
【糌粑】zānba 名 チベット族の主食で, いったハダカムギを粉にひいたもの. バター入りの茶などに混ぜ, こねて食べる
18 簪（△簮）zān ❶名（～儿）かんざし. こうがい ‖ 玉～ 玉(ぎょく)のかんざし ❷動 髪にさす
【簪子】zānzi 名 かんざし. こうがい

zán

9 ★咱（△喒 嗒 偺 偺）zán ❶代（相手方を含めて）我々. 私たち =〔咱们〕‖ ～中国人 我々中国人 ❷代 方 おれ. わし. 私
★【咱们】zánmen 代 ❶私たち. 我々.（話し手と聞き手の両方を含む）‖ ～是老乡 我々は同郷だ ❷おれ ‖ ～是个大老粗, 不会说话 おれは無骨者だから, 口のきき方を知らない ❸（多く子供に対して）お前 ‖ 乖乖guāiguāi, ～听话 いい子だから, 言うことを聞きなさい

zǎn

9 拶 zǎn 古 ❶（刑罰の一つ）手の指の間に棒をはさんで締めつける ❷手の指をはさむ刑具 ➤ zā
【拶指】zǎnzhǐ 動 旧 刑罰の一つ, 〔拶子〕を使って行われる刑罰
【拶子】zǎnzi 名 旧 手の指をはさむ刑具
9 昝 zǎn 名 姓
19 *攒 zǎn 動 ためる. 蓄える. 集める ‖ ～钱 金を蓄える | ～邮票 切手を集める ➤ cuán
23 趱 zǎn 動 旧 急ぐ. 早足で歩く ‖ ～路 道を急ぐ | ～行 駆けつける

zàn

12 *暂（△蹔）zàn ❶短い. しばし ↔〔久〕‖ 短～ ほんの少しの間. しばし ❷副 一時. ひとまず. 暫時 ‖ ～不处理 ひとまず処分を保留する
【暂缓】zànhuǎn 動 しばし延期する. 一時見合わせる
*【暂且】zànqiě 副 暫時. ひとまず. いったん ‖ 这个问题～搁gē一搁 この問題はひとまずおいておこう
⁑【暂时】zànshí 名 一時. 暫時. 差し当たり ‖ ～不要告诉他 差し当たり彼には知らせるな
【暂停】zàntíng 動 ❶暫時止まる. 一時停止する. しばらくやめる ❷〈体〉タイム・アウトをとる ‖ 要求～ タイム・アウトを要求する
【暂行】zànxíng 形（法令や規定などで）暫定の. 暫定的な ‖ ～条例 暫定条例
【暂住人口】zànzhù rénkǒu 名 臨時居住人口
【暂住证】zànzhùzhèng 名 臨時居住証
16 赞（△賛 讃❸❹）zàn ❶助ける. 支持する ‖ 一～助 ❷古 冠婚葬祭の行事を執り行うときに, 式次第を読み上げる ❸称賛する. たたえる ‖ 一～许 | 一～赏 ❹名 古（文体の一種）賛(さん)
【赞比亚】Zànbǐyà 名〈国名〉ザンビア
【赞不绝口】zàn bù jué kǒu 成 口をきわめてほめる. 絶賛する
⁑【赞成】zànchéng 動 賛成する. 同意する ‖ 我举jǔ双手～ 私はもろ手を挙げて賛成する
【赞歌】zàngē 名 賛歌
*【赞美】zànměi 動 賛美する. 称賛する ‖ 凡fán到过桂林的人, 无不～那里的秀丽景色 桂林(けいりん)を訪れたことのある人で, その美しい風景を賛美しないものはない
【赞美诗】zànměishī 名〈宗〉賛美歌
【赞佩】zànpèi 動 称賛し敬服する
*【赞赏】zànshǎng 動 称賛する. ほめる. 高く評価する ‖ 她的演奏受到了专家们的～ 彼女の演奏は専門家たちの称賛を博した
【赞颂】zànsòng 動 ほめたたえる. 称賛する
*【赞叹】zàntàn 動 賛嘆する. 感心してほめる ‖ ～不已bùyǐ 賛嘆してやまない
*【赞同】zàntóng 動 賛同する. 賛成する. 同意する ‖ 倡议chàngyì得到全厂职工的～ 提案は工場の全従業員の同意を得た
【赞许】zànxǔ 動 賛同し称賛する
*【赞扬】zànyáng 動 称賛する. 称揚する ‖ 人们～他人小志大 みんなは彼のことを若いながらも志が大きいといって称賛する
【赞语】zànyǔ 名 賛辞
【赞誉】zànyù 動 書 称賛する
*【赞助】zànzhù 動 賛助する ‖ ～单位 賛助団体 | 本节目由A公司～播出bōchu（テレビなどで）この番組はA社の提供でお送りします
【赞助商】zànzhùshāng 名 スポンサー
16 錾 zàn ❶名 たがね ❷動（金石に）彫りつける ‖ ～花 模様を彫る | ～字 字を彫る
【錾刀】zàndāo 名 金銀彫刻用の小刀
【錾子】zànzi 名 金石彫刻用のたがね
20 瓒 zàn 古 祭祀(さいし)のときに酒をくむのに用いた玉製のひしゃく

zāng

10 **赃**(贜) **zāng** ❶不法に手に入れた財物．贓物(ぞう)．盗品‖贪tān～ 収賄する｜分～ 盗品を分ける ❷収賄した．盗んだ‖→～款

【赃车】zāngchē 名 盗難車．盗んだ車・バイク・自転車

【赃官】zāngguān 名 汚職官吏

【赃款】zāngkuǎn 名 盗んだ金．不正な金

【赃物】zāngwù 名 贓物．盗品

【赃证】zāngzhèng 名 証拠としての贓物

10 ★**脏**(髒) **zāng** 形 不潔である．汚い‖毛巾～了 タオルが汚れた｜～衣服 汚れた服 ➤ zàng

【脏话】zānghuà 名 汚い言葉．下品な言葉

【脏土】zāngtǔ 名 ❶ごみ ❷汚い土

【脏字】zāngzì (～儿) 名 汚い言葉．下品な言葉

14 **臧** **zāng** ❶書 よい ❷書 ほめる．称賛する‖～否人物 人の善し悪しをあげつらう

zǎng

8 **驵** **zǎng** 書 良馬．駿馬(しゅんめ)

zàng

10 **奘** **zàng** ❶書 壮大である ❷形 方 荒々しい．ぶっきらぼうである ➤ zhuǎng

10 **脏**(臟) **zàng** ❶<中医>心臓・肝臓・脾臓(ひぞう)・肺臓・腎臓(じんぞう)をさす ❷内臓‖内～ 内臓｜心～ 心臓 ➤ zāng

【脏腑】zàngfǔ 名<中医>臓腑(ぞうふ)

【脏器】zàngqì 名<生理>臓器

12 ＊**葬**(△塟 䓘) **zàng** ❶動 葬る．埋葬する‖埋mái～ 埋葬する ❷風俗習慣に従って死体を葬る‖火～ 火葬

＊【葬礼】zànglǐ 名 葬儀‖举行～ 葬式を執り行う

【葬身】zàngshēn 動 なきがらを葬る．埋葬する‖死无～之地 死んでも葬る所がない．ろくな死に方をしない

【葬送】zàngsòng 動 葬る．だめにする‖把自己的前程～了 自分の前途を台無しにしてしまった

【葬仪】zàngyí 名 葬式．葬儀

17 **藏**[1] **zàng** ❶物を貯蔵・保管する場所．倉庫‖宝～ 宝庫 ❷仏教や道教の経典の総称‖道～ 道蔵｜大～经 大蔵経

17 **藏**[2] **zàng** ❶チベット‖→～香 ❷チベット族 ➤ cáng

【藏传佛教】Zàngchuán fójiào 名<仏>チベット仏教

【藏蓝】zànglán 形 赤みがかった藍色(あいいろ)の

【藏历】Zànglì 名 チベット暦

【藏羚】zànglíng 名<動>チベットアンテロープ．チルー．ふつう〔藏羚羊〕という

【藏青】zàngqīng 形 黒みがかった藍色の

【藏文】Zàngwén 名 ❶チベット語 ❷チベット文字

【藏香】zàngxiāng 名 チベット産の線香

【藏医】zàngyī 名 チベット族の伝統医学，またその医者

【藏语】Zàngyǔ 名 チベット語

【藏族】Zàngzú 名 チベット族(中国の少数民族の一つ，主としてチベット自治区・青海省・四川省に居住)

zāo

14 ＊**遭**[1] **zāo** 動 (災難や不幸なことに)遭う．見舞われる‖→～到

14 **遭**[2] **zāo** ❶書 …の周りを歩く ❷量 (～儿)周．周り‖用绳子绕rào两～ ひもで2回くくる ❸量 (～儿)回．度‖去国外旅行，我还是第一～ 海外旅行に行くのは私は初めてだ

類義語 遭 zāo 受 shòu

◆ともに「(…を)受ける．(…に)あう．…される」意味を表すが，目的語が異なる ◆〔遭〕の目的語は突発的な出来事や被害・不利益など，マイナス評価の名詞(句)に限られる‖遭天灾 天災をこうむる｜遭火灾 火災に遭う｜遭不幸 不幸に見舞われる ◆〔受〕の目的語は被害や不利益のほかに，プラス評価の動詞(句)もとることができる‖他受到老师的批评 彼は先生に叱られた｜他受过表扬 彼は表彰されたことがある ◆〔受〕は主述句を目的語にとることができる‖这本书很受大家欢迎 この本は人々にたいへん人気がある

＊＊【遭到】zāodào 動 (不幸や好ましくないことに)**出合う．こうむる．見舞われる**‖～反对 反対に遭う｜～了严重的打击 深刻な打撃をこうむった

【遭逢】zāoféng 動 出くわす．巡り合う

【遭劫】zāo//jié 動 災難に遭う

【遭难】zāo//nàn 動 事故死する．危険な目に遭う

＊＊【遭受】zāoshòu 動 (不幸や災害などに)**遭う．受ける．こうむる**‖～自然灾害 自然災害に見舞われる

＊【遭殃】zāo//yāng 動 災難をこうむる．ひどい目に遭う

＊【遭遇】zāoyù 動 (不幸や好ましくないことに)出合う．出くわす‖工作中～了不少困难 仕事の上で多くの困難にぶつかった 名 (不幸な)境遇．(不運な)巡り合わせ

【遭遇战】zāoyùzhàn 名<軍>遭遇戦

【遭灾】zāo//zāi 動 災難に見舞われる

【遭罪】zāo//zuì 動 苦しめられる．苦労する

17 ＊**糟**(△蹧❺) **zāo** ❶酒かす‖酒～ 酒かす ❷動 酒または酒かすに漬ける ❸形 腐ってぼろぼろである．朽ちている‖木头～了 丸太が腐ってぼろぼろになった ❹形 (状況や状態が)ひどい．悪い‖～了，钥匙落là在家里了 しまった，鍵を家に置き忘れた｜事情弄得一团～ 事態はひどく悪化してしまった ❺損う．だめにする‖→～践｜→～踏

＊＊【糟糕】zāogāo 形 (状況や状態が)**だめである．まずい．ひどい**‖真～，钱包忘带了 しまった，財布を持ってくるのを忘れた｜这个食堂的伙食huǒshi很～ この食堂の料理はとてもまずい

【糟践】zāojian 動 方 ❶むだにする‖不要～粮食 食糧をむだにしてはいけない ❷(人を)けなす

【糟糠】zāokāng 名 粗末な食べ物．糟糠(そうこう)‖～之妻 糟糠の妻

【糟粕】zāopò 名 糟粕(そうはく)．かす

＊【糟蹋】【糟踏】zāota；zāotà 動 ❶むだにする．損なう．浪費する‖～粮食 食糧を粗末にする ❷侮辱する．なぶりものにする

【糟心】zāoxīn 形 気がふさぐ．憂鬱(ゆううつ)である．むしゃ

くしゃする
【糟鱼】zāoyú 图 かす漬けの魚

záo

12 *凿¹(鑿) záo ❶のみ. たがね ❷動 うがつ. 穴をあける‖～个眼儿 穴をあける ❸動 掘る‖～一口井 井戸を掘る ❹ほぞ穴.(zuò と発音することもある)

12 凿²(鑿) záo 書 確かである. 真実である.(zuò と発音することもある)‖确～ 確実である

【凿岩机】záoyánjī 图 鑿岩機(さくがん).〔风钻〕ともいう
【凿凿】záozáo 形 書 明確である. 確かである.(zuòzuò と発音することもある)‖言之～ 言うことに間違いがない
【凿子】záozi 图 のみ. たがね

zǎo

6 ★早 zǎo ❶(～儿)朝‖一～上|清～ 早朝 ❷形(一定の時間よりも)前である. 早めである‖去～了, 店还没开门 行くのが早すぎて, 店はまだ開いてなかった|要是～知道这样, 我就不来了 もしあらかじめ知っていたら私は来なかった ❸副 ずっと前に. とっくに‖我的病～好了 私の病気はとっくによくなった ❹形(時刻や時期が)早い‖～睡～起 早寝早起きする|明天～点儿来 明日は少し早めに来てください ❺挨拶 おはよう‖你～! おはよう. おはようございます

【早安】zǎo'ān 動 挨拶 おはよう. おはようございます
【早班】zǎobān (～儿) 图 早番
【早餐】zǎocān 图 朝食. 朝御飯
【早操】zǎocāo 图 朝の体操. 朝の演習
【早产】zǎochǎn 動〈医〉早産する
【早场】zǎochǎng 图(芝居や映画などの)午前の部
★【早晨】zǎochen 图 朝. 午前中
【早春】zǎochūn 图 早春. 初春
【早稻】zǎodào 图〈農〉早稲(わせ)
*【早点】zǎodiǎn 图 朝にとる軽食. 朝食
★【早饭】zǎofàn 图 朝食. 朝御飯
【早婚】zǎohūn 動 若くして結婚する. 早婚する ↔〔晚婚〕
【早就】zǎojiù 副 ずっと前に. とっくに‖～发现了 とっくに気がついていた
【早恋】zǎoliàn 動 早すぎる恋愛をする
【早年】zǎonián 图 昔. 若いころ
*【早期】zǎoqī 图 早期. 早い時期 ↔〔晚期〕‖～著作 早期の著作
【早秋】zǎoqiū 图 早秋. 初秋
*【早日】zǎorì 副 一日も早く. 早めに‖祝你～出院 一日も早く退院できるように祈っています 图 かつて. 以前
★【早上】zǎoshang 图 朝

> **類義語** 早上 zǎoshang 早晨 zǎochen 上午 shàngwǔ
> ◆〔早上〕〔早晨〕夜明けの5,6時から8,9時ぐらいまでをさす. 一般に,〔早上〕は話し言葉に,〔早晨〕は話し言葉と書き言葉に用いる ◆〔上午〕公式時間では午前0時から正午までの12時間をさすが, 日常生活の中では午前8,9時から正午までをさす ◆ともに後に時間を表す語を置くことができる

【早市】zǎoshì 图 朝市
【早熟】zǎoshú 形 ❶早熟である. ませている ❷〈農〉作物の生長が早い
【早衰】zǎoshuāi 形 若くして老け込んでいる
【早霜】zǎoshuāng 图 早霜
【早退】zǎotuì 動 早引きする. 早退する
*【早晚】zǎowǎn (～儿) 副 ❶遅かれ早かれ. いずれ‖这种人～得děi吃亏chīkuī この手のやからはいずれ痛い目をみる ❷方 いつか. 随時 图 ❶朝と夜. 朝晩 ❷(～儿) 方 時‖这～ いま時分
【早先】zǎoxiān 图 以前. 前
*【早已】zǎoyǐ 副 ずいぶん前から. とっくに‖信～收到 手紙はすでに受け取っております 图 方 以前
【早早儿】zǎozǎor 副 早々と. 早く

8 *枣(棗) zǎo 图〈植〉ナツメ. ふつう〔枣树〕という‖～儿 ナツメの実

【枣茶】zǎochá 图 ナツメジュース
【枣红】zǎohóng 形 赤紫色の. えんじ色の
【枣核儿】zǎohúr 图 ナツメの果核
【枣泥】zǎoní (～儿) 图 ナツメのあん
【枣子】zǎozi 图 ナツメの実

9 蚤 zǎo ノミ. ふつう〔跳蚤〕という

16 澡 zǎo 体を洗う. 入浴する‖洗～ 入浴する. 風呂に入る|搓cuō～ 垢(あか)すりをする

【澡盆】zǎopén 图 風呂桶. バスタブ
【澡堂】zǎotáng 图 銭湯. 風呂屋.〔澡塘〕とも書き, また,〔澡堂子〕ともいう
【澡塘】zǎotáng 图 ❶湯船. 湯槽 ❷=〔澡堂〕

19 藻 zǎo ❶图〈植〉藻類‖小球～ クロレラ ❷美しく華やかな色彩‖一～井 ❸(詩文の)巧みな言い回し. 修辞的表現‖华丽的辞～ 美辞麗句

【藻井】zǎojǐng 图〈建〉装飾を施した板をはめ込んだ折り上げ天井. 宮殿や寺院建築に多く見られる
【藻丽】zǎolì 形 書(文章が)美しい. 華麗である
【藻饰】zǎoshì 動 書(多く文章を)飾る

zào

7 *灶(竈) zào ❶图 かまど. へっつい‖炉lú～ かまど|煤气～ ガスこんろ ❷台所 ❸かまどの神‖祭jì～(年中行事の一つで, 旧暦12月23日または24日に)かまどの神を祭る

【灶火】zàohuo 图 方 ❶台所 ❷かまど. へっつい
【灶间】zàojiān 图 台所
【灶具】zàojù 图 方 炊事用具
【灶神】Zàoshén 图 かまどの神. 一家の禍福をつかさどるとされている.〔灶王爷〕〔灶君〕ともいう
【灶台】zàotái 图 かまど. へっつい
【灶膛】zàotáng 图 かまどの火を燃やす部分
【灶头】zàotou 图 方 かまど. へっつい
【灶王爷】Zàowangyé =〔灶神Zàoshén〕
【灶屋】zàowū 图 方 台所

7 皂¹(△皁) zào ❶黒色の. 黒い‖一～白 ❷古 使い走り. 下働き‖～隶lì 役所の下級役人

Z

7 **皂**[2] **zào** ❶〈植〉トウサイカチ ‖ →～荚 ❷石けん ‖ 香～ 化粧石けん

【皂白】**zàobái** 名 黒と白. 善と悪. 是と非 ‖ 不分青红～地把我骂了一顿 有無も言わさず私を罵った

【皂荚】**zàojiá** 名〈植〉トウサイカチ.〔皂角〕ともいう

10 **造**[1] **zào** ❶行く. 訪れる ‖ →～访 ❷(学問や技芸などがある域に)達する ‖ →～诣 ❸育てる. はぐくむ ‖ →～就

10 ** **造**[2] **zào** ❶動 **作る. 造る. 製作する** ‖ ～轮船lúnchuán 汽船を建造する ❷動 **話をでっち上げる** ‖ →～谣

10 **造**[3] **zào** (訴訟の)当事者 ‖ 两～ 訴訟の当事者双方

10 **造**[4] **zào** ❶(農作物の)作柄. 作況 ‖ 早～稻 早稲(わせ) ❷量 方 農作物の収穫の回数 ‖ 一年两～ 年二期作

【造成】**zàochéng** 動 (好ましくない事態を)生む. 引き起こす. 招く. もたらす ‖ ～巨大损失sǔnshī 莫大な損失をもたらす

【造次】**zàocì** 形 書 ❶慌ただしい ❷軽率である

*【造反】**zào//fǎn** 動 造反する. 謀反を起こす. 逆らう

【造访】**zàofǎng** 動 書 訪れる. 訪問する ‖ 登门～ お宅を訪問する

【造福】**zàofú** 動 幸福をもたらす ‖ 为全人类～ 全人類に幸せをもたらす

【造化】**zàohuà** 書 名 造化. 造化の神. 自然 動 創造し育てる

【造化】**zàohua** 名 幸運. 幸い. 果報 ‖ 他真有～ 彼はなかなかの果報者だ

【造假】**zàojiǎ** 動 偽物を作る.〔制假〕ともいう

*【造价】**zàojià** 名 建設費. 建築費. 建造費 ‖ ～昂贵ángguì 建設費が高い

【造就】**zàojiù** 動 育て上げる. 養成する ‖ ～人才 人材を養成する 名 造詣. 成果 ‖ 很有～ 非常に造詣が深い

【造句】zào//jù** 動 **文を作る** ‖ 用这个词～ この語を使って文を作る

【造林】**zào//lín** 動 造林する

【造孽】**zào//niè** 動〈仏〉罪つくりなことをする.〔作孽〕ともいう

【造市】**zàoshì** 動〈経〉人為的に市場を盛り上げる. 市場を操作する

【造势】**zàoshì** 動 盛り上げる. 雰囲気作りをする ‖ 打广告～ 広告を打って盛り上げる

【造物】**zàowù** 名 造物

【造物主】**zàowùzhǔ** 名〈宗〉造物主. 創造主

【造像】**zàoxiàng** 名 彫像. 塑像. 彫塑

*【造型】[1] **zàoxíng** 動 造形する 名 造形

【造型】[2] **zàoxíng** 動 砂鋳型を造る

【造型艺术】**zàoxíng yìshù** 名 造形芸術

【造血】**zàoxuè** 動 喩 (企業や組織が)潜在力を掘り起こし, 組織を活性化させる

【造谣】**zào//yáo** 動 デマをとばす. でまかせを言う ‖ ～惑huò众 デマを飛ばして大衆を惑わす | ～中伤zhòngshāng デマを飛ばして人を中傷する

【造诣】**zàoyì** 名 造詣. 深い知識 ‖ 在史学方面～很深 歴史学に造詣が深い

【造影】**zàoyǐng** 動〈医〉エックス線写真を撮る ‖ ～剂 造影剤

【造作】**zàozuo** 形 わざとらしい. 思わせぶりである ‖ 矫揉jiǎoróu～ いかにも思わせぶりだ

16 **噪**(△**譟**❷) **zào** ❶(鳥や虫が)鳴く ‖ 蝉chán～ セミが鳴く ❷(大勢が)大声で騒ぐ. 騒々しくする ‖ 声名大～ 大いに評判となる ❸形 騒がしい. やかましい ‖ →～声

【噪声】**zàoshēng** 名 騒音. ノイズ.〔噪音〕ともいう

【噪声污染】**zàoshēng wūrǎn** 名 騒音公害

*【噪音】**zàoyīn** 名 騒音. ノイズ ＝〔噪声〕

17 **燥** **zào** ❶乾いている. 乾燥して暑い ‖ 干～ 乾燥している ❷名〈中医〉六淫(ろくいん)の一つ, 燥(そう)

【燥热】**zàorè** 形 乾燥して暑い

20 **躁** **zào** 形 短気である. せっかちである ‖ 烦～ いらいらしている | 脾气～ 性格がせっかちである

【躁动】**zàodòng** 動 いらいらして動き回る. 絶え間なく動く

【躁急】**zàojí** 形 いらいらしている

zé

6 **则**[1] **zé** ❶規則. 規定 ‖ 规～ 規則 ❷規範. 模範. 手本 ‖ 以身作～ 自ら手本を示す ❸書 のっとる. 従う. 手本とする ❹量 (文章を数える)条. 題 ‖ 笑话三～ 笑い話三つ

6 ** **则**[2] **zé** ❶接 書 (二つの事柄の時間的な前後関係を表す) … **すると** … ‖ 狂kuáng风一起, ～黄沙漫天 強風が吹くと空一面黄砂に覆われる ❷接 書 (因果関係を表す) … **すれば** … ‖ 欲yù速～不达 急がば回れ ❸接 **対比関係を表す** ‖ 他写文章是一气呵hē成, 我～要改好几遍 彼は文章を書くとき一気に書き上げるが, 私のほうは何度も書き直す ❹接 (同じ語の間に置いて譲歩を表す)確かに … ではあるが, … なことは … だが ‖ 好～好, 只是不实用 よいにはよいが, 実用的ではない ❺副 書 (判断を表す) … は … である. すなわち … である ❻助 (〔一〕〔二〕〔再〕〔三〕などの後につけ, 原因や理由を列挙する) (一つ)には …, (二つ)には …

【则声】**zéshēng** 動 旧 声を出す

8 **泽**(**澤**) **zé** ❶水のたまっている低地. 水草の生い茂っている所 ‖ 沼zhǎo～ 沼沢 ❷潤いがある ‖ 润rùn～ 潤す ❸恵み. 恩恵 ‖ 恩ēn～ 恩沢 ❹(物の表面の)つや. 光沢 ‖ 光～ 光沢

【泽国】**zéguó** 名 書 ❶水郷 ❷水害で水につかった地区. 浸水地域

【泽润】**zérùn** 形 潤いがある. つややかである

8 **迮** **zé** 古 狭い. 小さい

8 **择**(**擇**) **zé** 選ぶ. 選択する ‖ 选～ 選ぶ | 不～手段 手段を選ばない ➤ zhái

【择吉】**zéjí** 動 旧 よい日を選ぶ

【择交】**zéjiāo** 動 友人を選ぶ

【择偶】**zé'ǒu** 動 配偶者を選ぶ

【择期】**zéqī** 動 期日を選ぶ

【择善而从】**zé shàn ér cóng** 成 優れたところを選んで従う. 人の長所を見てそれを学ぶ

【择校】**zéxiào** 動 (決められた学区や募集条件を越えて)学校を選ぶ. 好きな学校を志望する

【择业】**zéyè** 動 職業を選択する

【择优】**zéyōu** 動 質のよいものや優秀な人を選ぶ

8 **咋** zé 書 かむ. かみつく ➤zǎ zhā

【咋舌】zéshé 動 書 舌を巻く. 固唾(かたず)を飲む. (驚いたり恐れたりして声の出ないさまをいう)

8 **责** zé ❶求める. 要求する ‖ →～成 ❷責める. とがめる. 非難する ‖ 谴qiǎn～ 譴責(けんせき)する ❸詰問する ‖ →～问 ❹旧(懲罰で)たたく ❺責任. 責務 ‖ 负～ 責任を負う

*【责备】zébèi 動 責める. 叱る. 非難する ‖ 受到～ 非難される

【责编】zébiān 名 略 編集担当者. 〔责任编辑〕の略

【责成】zéchéng 動 (責任者などに) … するよう命じる. … させる ‖ 上级～他们迅速xùnsù查清事故原因 上司は彼らに事故原因を速やかに調べるよう命じた

【责罚】zéfá 動 処罰する

*【责怪】zéguài 動 責める. とがめる ‖ 她用～的目光看了我一眼 彼女はとがめるような目でちらりと私を見た

【责令】zélìng 動 … するよう命じる

【责骂】zémà 動 厳しく叱る. 責め罵る

【责难】zénàn 動 非難する. なじる. とがめる

【责任】zérèn 名 **責任. 責務 ‖ 负～ 責任を負う | 追究～ 責任を追及する | 推卸tuīxiè～ 責任を回避する

【责任编辑】zérèn biānjí 名 編集の責任者. 略して〔责编〕という

【责任感】zérèngǎn 名 責任感 ‖ 有～ 責任感がある | ～不强 責任感があまりない

【责任事故】zérèn shìgù 名 業務上の過失によって起きる事故

【责任心】zérènxīn 名 責任感

*【责任制】zérènzhì 名 (職場の管理制度の一つ) 責任制 ‖ 生产～ 生産責任制

【责问】zéwèn 動 詰問する

【责无旁贷】zé wú páng dài 成 自分の担うべき責務であり, 他人に肩代わりしてもらうわけにはいかない

【责有攸归】zé yǒu yōu guī 成 責任は必ず誰かが負わなければならない

11 **啧** zé ❶大勢の人が話す, または言い争うさま ❷舌打ちする音

【啧啧】zézé 擬 ❶(称賛あるいは不平不満などのため) 舌打ちする音 ‖ ～称羡chēngxiàn 舌を打ち鳴らしてしきりにほめそやす ❷書 鳥の鳴くさま

11 **帻** zé 古 頭巾(ずきん)の一種

11 **笮** zé 名 姓 ➤zuó

14 **箦** zé 書 ❶ベッドに敷くござ ❷タケやアシで編んだむしろ

15 **赜** zé 書 奥深い. 玄妙である ‖ 探～索隐 奥深いものを探求し, 隠れているものを探る

zè

4 **仄**[1] zè ❶書 傾いている ❷〈語〉仄声(そくせい) ‖ 平～ 平仄(ひょうそく)

4 **仄**[2] zè ❶狭い. 狭苦しい ‖ 逼～ 同前 ❷不安である ‖ 歉qiàn～ 後ろめたい

【仄声】zèshēng 名〈語〉仄声. 古代中国語の四声のうち, 〔上声〕(上声じょうしょう)・〔去声〕(去声きょしょう)・〔入声〕(入声にっしょう)をさす ↔〔平声〕

8 **昃** zè 書 太陽が西に傾く

zéi

10* **贼** zéi ❶書 損なう. 傷つける ‖ 戕qiāng～ 損なう ❷人民や国に危害を加える人 ‖ 卖国～ 売国奴 ❸名 盗賊. 泥棒 ‖ 捉zhuō～ 泥棒を捕まえる ❹邪悪な. よこしまな ‖ →～心 ❺副 方 とても. ひどく. いやに. (多く不満や否定的な気持ちを表す) ‖ 他的头发总是抹mǒ得～亮 彼は髪をいつもてかてかに光らせている ❻形 ずる賢い ‖ 老鼠可～了 ネズミは実にずる賢い

【贼喊捉贼】zéi hǎn zhuō zéi 成 泥棒が泥棒を捕まえろと叫ぶ. 悪人が世間の注意をそらして罰を逃れようとすること

【贼寇】zéikòu 名 ❶強盗 ❷侵入してきた敵

【贼溜溜】zéiliūliū (～的) 形 目をきょろきょろさせるさま

【贼眉鼠眼】zéi méi shǔ yǎn 成 きょろきょろして落ち着きのないさま

【贼人】zéirén 名 盗人. 悪人

【贼头贼脑】zéi tóu zéi nǎo 成 挙動が不審なさま. こそこそしているさま

【贼心】zéixīn 名 邪心 ‖ ～不死 邪心を捨てていない

【贼眼】zéiyǎn 名 いやらしい目つき

zěn

9* **怎** zěn 代 口 どうして. なぜ ‖ 你～不说话？ どうして黙っているのだ | 你～能这样说呢？ よくもそんな口がきけるな

★【怎么】zěnme 代 ❶(方法を尋ねる) **どのように. どうやって** ‖ 这个字～念？ この字はどう読みますか | 这个水果～个吃法？ この果物はどうやって食べるのですか ❷(原因・理由を尋ねる) **なぜ. どうして** ‖ 你～到现在才来？ 君はどうしていまごろになってようやく来たんだ ❸(性質を尋ねる) **どのような. どういう** ‖ 这是～回事？ これはいったいどういうことだ ❹(不特定の方法・原因・理由・性質などをさす) **どうして. どのような** ‖ 不知～, 最近我总睡不好shuìbuliǎo觉jiào どういうわけか最近よく眠れない ❺(〔怎么 … 怎么 …〕の形で, 順接条件を表す) **… のとおり … する** ‖ 你～想的就～说, 不要有顾虑gùlǜ 遠慮しないで思ったとおりに言いなさい ❻(逆接条件を表す) **いかに … しても. どう … しても** ‖ 那本书～找也找不着 あの本はどんなに探しても見つからない ❼(〔不怎么〕の形で) **たいして … でない. さほど … でない. あまり … でない** ‖ 心里不～痛快 あまり愉快な気持ちではない ❽(単独で文頭に用い, 驚きを表す) **なんだって. なにっ** ‖ ～, 车又出毛病了？ なんだって, 車がまた故障したって ❾(状況を尋ねる) **どうか. どうかしたのか** ‖ 那儿～了？围wéi了那么多人 あそこで何があったんだろう, あんなに人だかりがして. 〔怎样〕

【怎么得了】zěnme déliǎo 組 大変なことだ. ほんとうに困ったことだ

★【怎么样】zěnmeyàng 代 ❶(方法を尋ねる) **どのように. どんなふうに** ‖ ～办理申请手续？ 申請の手続きはどうやるのか ❷(性質を尋ねる) **どんな. どういう** ‖ 他是～一个人你还不知道吗？ 彼がどんな人間か, 君だって分かってるじゃないか ❸(不特定の方法・状況・性質な

Z

どをさす）どのように．どう ‖ 老说北京烤鸭kǎoyā～～好吃，真想亲口尝尝 北京ダックがどんなにうまいかという話をよく聞くが，実際に自分でも味わってみたいものだ ❹（〔怎么样…怎么样…〕の形で，順接条件を表す）…のとおり…する ‖ 他要～就～，谁的话也不听 彼はやりたいようにやり，人の意見など聞こうとしない ❺（逆接条件を表す）いかに…しても．どう…しても ‖ 无论我～解释jiěshì，他都不信 私がどう説明しても彼は信じようとしない ❻（状況を尋ねる）どうですか．いかがですか ‖ 最近～？ 近ごろいかがですか ❼（〔不怎么样〕の形で）たいしたことはない．さほどではない ‖ 这种照相机，性能不～ このカメラは性能はたいしたことはない ❽どうこうする ‖ 我就不听你的，看你能把我～ お前の言うことなんか聞くものか，お前が私をどうこうできるものならやってみろ

*【怎么着】zěnmezhe 代 ❶（状況を尋ねる）どうですか ‖ 别人都报考大学了，你打算～？ ほかの人はみな大学受験に応募したが，君はどうする気だ｜到现在了他还没来，是忘了还是～？ いまになっても来ないなんて，彼は忘れてしまったのか，それともどうかしたのだろうか ❷（文頭に用いて）どうしたのか ‖ ～了，你又不想去了？ どうしたっていうんだ，行きたくなくなったというのか ❸（前後呼応して）…のとおり…する ‖ 他想～就～，太任性rènxìng了 彼はなんでもやりたい放題で，ほんとにわがままだ

【怎奈】zěnnài 接 旧 なにぶんにも．なにしろ ‖ 欲往相见，～体弱难行 お訪ね申し上げたいのですが，なにぶん体が弱く伺えません

★【怎样】zěnyàng 代 ❶（方法を尋ねる）どのように．どんなふうに ‖ 老师是～说的？ 先生はどう言ってましたか ❷（性質を尋ねる）どんな．どのような ‖ 有了～的变化？ どのような変化があったのか ❸（不特定の方法・状況・性質などをさす）どのように．どう ‖ 他总说杭州～～美 彼は杭州（こうしゅう）がどんなに美しいかをいつも話している ❹（〔怎样…怎样…〕の形で，順接条件を表す）…のとおり…する ‖ 老师～告诉我，我就～告诉你 僕は先生が言ったとおりに君に言っているんだ ❺（逆接条件を表す）どんなに…しても．どう…しても ‖ 无论～劝quàn，他都不听 どんなに忠告しても，彼は聞き入れようとしない ❻（状況を尋ねる）どうですか．いかがですか ‖ 试验做得～了？ 実験の結果はどうでしたか ❼（〔不怎样〕の形で）たいしたことはない．さほどではない ‖ 这人不～ こいつはたいしたやつじゃない ❽どうこうする ‖ 他能把我～呢？ 彼が私をどうこうできるものか

類義語　怎样 zěnyàng　怎么样 zěnmeyàng　怎么 zěnme

◆ともに疑問文・平叙文の中で，方法・状況・性質を表す．〔怎样〕は話し言葉と書き言葉に，〔怎么样〕〔怎么〕は多く話し言葉に用いる ◆〔怎么〕はほかに原因・理由を表す．この時語気助詞〔了〕〔啦〕をとる．〔怎样〕〔怎么样〕にこの用法はない．〔怎么〕が方法を表す場合は，すぐ後に動作動詞が必要 ‖ 他怎么走了？ 彼はなぜ行っちゃったの？｜你怎么走？ 君，どうやって行くの？ ◆〔怎么〕は述語・連用修飾語・連体修飾語に限られるが，〔怎样〕〔怎么样〕はさらに目的語や補語にもなる ‖ 这个问题怎么（怎样，怎么样）解决？ この件はどう処理しますか｜你们打算怎样（怎么样，×怎么）？ 君たちはどうするつもりですか｜他英语说得怎样（怎么样，×怎么）？ 彼の英語はどうですか ◆〔怎样〕〔怎么样〕は〔不〕で否定され，「どうということはない」「たいしたことはない」という意味を表す ◆〔不怎么〕は連用修飾語として程度が低いことを表す

zèn

14 **譖** zèn 書 ぬれぎぬを着せる ‖ ～言 中傷

zēng

12 **曾** zēng （親族関係で）2世代離れた ‖ →～祖｜→～孙 ➤ céng

【曾孙】zēngsūn 名 曾孫（そうそん）．ひ孫

【曾孙女】zēngsūnnü；zēngsūnnǚ（～儿）名 ひ孫娘

【曾祖】zēngzǔ 名 曾祖父（そうそふ）．〔曾祖父〕ともいう

【曾祖母】zēngzǔmǔ 名 曾祖母（そうそぼ）

15 **憎** zēng 憎む．嫌う ‖ 爱～分明 愛と憎しみがはっきりしている．愛憎の念が深い

【憎称】zēngchēng 名 憎悪を表す呼称

【憎恨】zēnghèn 動 憎む．憎悪する ‖ ～战争 戦争を憎む

【憎恶】zēngwù 動 憎む．憎悪する ‖ 我最～拍马逢迎féngyíng 私は人にこびへつらうことを最も憎む

15 * **増** zēng 動 増す．増える．増加する ‖ 销售量猛měng～ 売り上げが急激に伸びる

【增补】zēngbǔ 動（書物の内容を）増補する．（人員などを）補う ‖ ～本 増補版

【增仓】zēng//cāng 動〈経〉持ち株を増やす．株を買い増す

*【增产】zēng//chǎn 動 生産を増やす．増産する

【增大】zēngdà 動 増大する ‖ 体积～ 体積が増える

【增订】zēngdìng 動（書物の内容を）増補改訂する

【增多】zēngduō 動（数量が）増える

【增防】zēngfáng 動 防衛力を強化する

【增幅】zēngfú 名 増加幅

【增高】zēnggāo 動 高くなる ‖ 血压xuèyā～ 血圧が上がる

【增光】zēng//guāng 動 栄光を添える．名誉をもたらす．面目を施す ‖ 为国～ 国に栄誉をもたらす

【增广】zēngguǎng 動 より広める．拡大する

【增辉】zēnghuī 動 面目を施す

★【增加】zēngjiā 動 **増える．増加する** ‖ 体重～了两公斤 体重が2キロ増えた｜不要再给他～负担fùdān了 これ以上彼の負担を増やしてはいけない

【增减】zēngjiǎn 動 増減する

*【增进】zēngjìn 動 増進する．深める ‖ ～友谊 友誼（ゆうぎ）を深める｜～相互的理解 相互理解を深める

【增刊】zēngkān 名（新聞や雑誌の）増刊号

【增量】zēngliàng 名〈数〉増分

*【增强】zēngqiáng 動 強める．強化する ‖ ～体质 体格を向上させる

【增容】zēngróng 動 容量を増やす．キャパシティーを拡大する ‖ 电力～ 電力の増量｜首都机场～工程 首都空港の拡張工事

【增色】zēngsè 動（彩りや趣などを）添える．加える

【增删】zēngshān 動 増補と削除を行う

*【增设】zēngshè 動 増設する ‖ ～课程 カリキュラムを増やす

【增生】zēngshēng 動〈生理〉増殖する

【增收】zēngshōu 動 収入が増える
【增速】zēngsù 動 加速する. スピードアップする
*【增添】zēngtiān 動 付け加える. 増やす ‖ ～烦恼 fánnǎo 心配事が増える
【增修】zēngxiū 動 増訂する
【增益】zēngyì 動 付け加える. 増やす. 増える
【增印】zēngyìn 動 増し刷りする. 増刷する
【增盈】zēngyíng 動〈経〉利潤を増やす ‖ 扭亏 niǔkuī～ 赤字から転換し, 利潤を増やす
*【增援】zēngyuán 動 増援する ‖ ～部队 増援部隊
【增长】zēngzhǎng 動 **増加する. 高まる. 高める ‖ 经济～ 経済成長 | 去年该市人口首次出现负 fù～ 去年, 当市の人口は初めてマイナスに転じた
【增值】zēngzhí 動 価値が上昇する
【增值税】zēngzhíshuì 图 付加価値税
【增殖】zēngzhí 動 ❶＝〔增生 zēngshēng〕❷繁殖させる. 繁殖する ‖ ～乳牛 rǔniú 乳牛を繁殖させる

15 **缯** zēng 古 絹織物の総称 ➤ zèng

17 **罾** zēng 图 竹竿や棒を支柱にした四角い魚網

zèng

11 **综** zèng 綜絖(そう). (はた織り機にある装置の一つで, 経糸(たて)を上下に交叉させて開き, 杼(ひ)の通り口を作る) ➤ zōng

12 **锃** zèng 方 (器具などが磨かれて)ぴかぴかしている. てかてかしている
【锃光瓦亮】zèng guāng wǎ liàng 慣 ぴかぴか光っている
【锃亮】zèngliàng 形 ぴかぴか光っている ‖ 把皮鞋擦得～ 革靴をぴかぴかに磨く

15 **缯** zèng 動 方 縛る. くくる ➤ zēng

16 **甑** zèng ❶古 こしき. 食物を蒸すために底に多くの通気穴のある土器 ❷せいろう

16 **赠** zèng 動 ❶(物を)贈る ‖ 互～礼品 お互いにプレゼントを贈る ❷(称号を)与える ‖ 追～ 死後に称号を贈る. 追贈する
【赠别】zèngbié 動 書 品物や詩などを贈って送別する. はなむけを贈る
【赠礼】zènglǐ 图 贈り物. プレゼント
【赠票】zèng//piào 動 入場チケットをプレゼントする 图 (zèngpiào) 招待券. 無料チケット
【赠品】zèngpǐn 图 贈り物
*【赠送】zèngsòng 動 (品物を)贈る. 贈呈する ‖ ～礼品 プレゼントを贈る
【赠言】zèngyán 图 贈る言葉. はなむけの言葉
【赠予】【赠与】zèngyǔ 動 贈与する
【赠阅】zèngyuè 動 (編集者や出版社が自己の出版物を)贈呈する

zhā

4 ** **扎**[1] zhā ❶動 刺す ‖ 车带被～了 タイヤがパンクした ❷動 方 飛び込む. 潜り込む ‖ 往人群里～ 人込みの中に潜り込む

4 **扎**[2] (△紮 紥) zhā 動 駐屯する ‖ 一～营 ➤ zā zhá

【扎堆】zhā//duī (～儿) 動 人が寄り集まる ‖ ～儿聊天儿 liáotiānr 寄り集まってむだ話をする
【扎耳朵】zhā ěrduo 慣 聞いて不愉快になる. 耳障りである
【扎根】zhā//gēn 動 ❶(植物が)深く根を下ろす. 根を張る ❷喩 確かな位置を占める. 根を下ろす
【扎啤】zhāpí 图 (ジョッキで飲む)生ビール
*【扎实】zhāshi 形 ❶丈夫である. しっかりしている ‖ 行李捆 kǔn 得很～ 荷物がしっかりと縛ってある ❷(仕事ぶりや学び方が)着実である. 堅実である ‖ 他的英文基础很～ 彼の英語は基礎がしっかりしている
【扎手】zhāshǒu 形 喩 手を焼く. てこずる. やっかいである ‖ 这事儿还挺～的呢 この件はけっこうてこずるよ
【扎眼】zhāyǎn 形 ❶けばけばしい. どぎつい ❷貶 人目を引く. 目立つ
【扎营】zhā//yíng 動〈軍〉駐屯する
【扎针】zhā//zhēn 動〈中医〉鍼(はり)治療する. 鍼を打つ

6 **吒** zhā 〔哪 Né 吒〕〔金吒〕〔木吒〕など, 神話の中で人名に用いられる

8 **咋** zhā ↴ ➤ zǎ zé
【咋呼】【咋唬】zhāhu 動 方 ❶どなる. わめく ‖ 别瞎 xiā～! 騒ぎたてるな ❷ひけらかす. 空威張りする

9 **查**(查) zhā 图 姓 ➤ chá

10 **哳** zhā ➡〔啁哳 zhāozhā〕

12 * **渣** zhā (～儿) ❶图 かす. 絞りかす ‖ 油～儿 油かす | 豆腐～ おから ❷图 くず. 粉末 ‖ 点心～儿 菓子のくず
【渣子】zhāzi 图 かす. くず ‖ 煤～ 石炭くず.
【渣滓】zhāzi；zhāzǐ 图 ❶かす. 残滓(ざんし) ❷喩 人間のくず. 悪党 ‖ 社会～ 社会のくず

12 **揸** zhā 方 ❶動 指先でつまむ. つかみ取る ❷動 手の指を広げる

12 **喳** zhā ❶感 旧 (召し使いが主人に対して応答する言葉) はい ❷擬 鳥の鳴き声 ➤ chā

13 **楂** zhā ➡〔山楂 shānzhā〕 ➤ chá

25 **齄** zhā 鼻の頭の赤いぶつぶつ. このような赤い鼻を〔酒糟 jiǔzāo 鼻子〕という

zhá

4 **扎** zhá ➡〔挣扎 zhēngzhá〕 ➤ zā zhā

5 **札**(△劄❸❹ 劄❸❹) zhá ❶古 文字を書き記すのに用いた木の札. 木簡 ❷手紙. 書簡 ‖ 手～ 貴翰(きかん) | 信～ 手紙 ❸旧 公文書の一種 ❹筆記
【札记】zhájì 图 劄記(さっき). 読書ノート

5 **轧** zhá 動 (金属類を)圧延する ‖ 一～钢 ➤ gá yà
【轧钢】zhá//gāng 動 (鉄鋼を)圧延する

8 * **闸**(△牐) zhá ❶图 水門. せき ‖ 水～ 水門 ❷動 (水を)せき止める ❸图 口 ブレーキ. 制動機 ‖ 车～ (自転車の)ブレーキ
【闸盒】zháhé (～儿) 图 箱形のブレーカー
【闸口】zhákǒu 图 水門の取り入れ口

【闸门】zhámén [名] 水門の扉 ‖ 关闭～ 水門を閉じる

9 * **炸** zhá ❶[動]〈料理〉油で揚げる ‖ ～鸡 トリの唐揚げ. フライドチキン ❷[動][方]〈料理〉湯がく. 湯通しする ➤ zhà

【炸糕】zhágāo [名] あん入りの餅を揚げたもの. 揚げ餅

【炸酱面】zhájiàngmiàn [名] ジャージャンメン(油で炒めたみそをかけた麺(めん))

11 **铡** zhá ❶[名](まぐさ・わらなどを切る道具)押し切り ❷[動] 押し切りで切る

【铡刀】zhádāo [名] 押し切り. 飼い葉切り

zhǎ

9 * **眨** zhǎ [動] まばたきをする ‖ 一～眼

【眨巴】zhǎba [動][方] まばたきをする

【眨眼】zhǎ//yǎn [動] まばたきをする [副](zhǎyǎn)あっという間に. 一瞬のうちに ‖ ～就不见了 あっという間に見えなくなった

10 **砟** zhǎ (～儿)(石や石炭など)砂利状のもの ‖ 煤～ 石炭殻

zhà

5 **乍** zhà ❶[副] 急に. 突然 ‖ ～冷～热 寒いかと思うと急に暑くなる. 寒かったり暑かったりする ❷[副] 今しがた…したばかり. ちょっと…すると ‖ 初来～到 来たばかりである ❸[動](毛や髪が)立つ ‖ 吓得寒毛都～起来了 驚きのあまり総毛立った

【乍得】Zhàdé [名]〈国名〉チャド

7 **诈** zhà ❶だます. 欺く. ペテンにかける ‖ 一～骗 ❷…を装う. …のふりをする ‖ ～死 死んだふりをする ❸[動] うそをついて, 巧みに相手から聞き出す. 探りを入れる. かまをかける

【诈唬】zhàhu [動] かまをかける

*【诈骗】zhàpiàn [動] だます. 詐欺をはたらく ‖ ～案 詐欺事件 | ～钱财 金銭をだまし取る

【诈尸】zhà//shī [動] ❶(棺に安置されている)死体がむっくり起き上がる ❷[方][罵] 急に頓狂(とんきょう)な声を出す. または発狂したかのようにふるまう

【诈降】zhàxiáng [動] 投降をしたように見せかける

9 **咤**(△吒) zhà ➡〔叱咤chìzhà〕

9 * **炸** zhà ❶[動](突然)破裂する. 割れる ‖ 爆～ 爆発する | 暖瓶～了 魔法瓶が割れた ❷[動](爆薬や爆弾などで)爆破する ‖ 把敌人的弹药库dànyàokù～了 敵の弾薬庫を爆破した ❸[動][口] 激怒する. 怒りを爆発させる ‖ 他的一句话把我气～了 彼の一言は私を激怒させた ❹[方] 驚き慌てて逃げ散る ‖ 一～窝 ➤ zhá

*【炸弹】zhàdàn [名] 爆弾 ‖ 定时～ 時限爆弾

【炸锅】zhà//guō [動][方](怒りや興奮などで)大騒ぎする. ハチの巣をつついたようになる

【炸雷】zhàléi [名][方] 大音響の雷鳴

【炸窝】zhà//wō [動][方] ❶(鳥やハチの群れが)驚いて巣からわっと飛び立つ ❷人々が驚いて大騒ぎする

*【炸药】zhàyào [名] 爆薬

9 **柞** zhà 地名用字 ‖ ～水 陝西省にある県の名 ➤ zuò

9 **栅**(△柵) zhà (竹・木・鉄条などの)柵(さく). 囲い ‖ 铁～ 鉄柵

【栅栏】zhàlan (～儿)[名] 柵. 囲い. フェンス

10 **痄** zhà ↴

【痄腮】zhàsai [名] おたふく風邪. 〔流行性腮腺炎sāixiànyán〕の通称

11 **蚱** zhà ↴

【蚱蜢】zhàměng [名]〈虫〉ショウリョウバッタ

14 **榨**(△搾❷) zhà ❶(液を)搾る器具 ‖ 油～ 油を搾る搾(しぼ)め木 ❷[動] 搾る. 圧搾する ‖ ～油 油を搾る ❸[喩](財物を)搾り取る. 搾取する ‖ 一～取 | 压～ 搾取する

【榨菜】zhàcài [名] ❶〈植〉カラシナの一種 ❷(漬物の一種)ザーサイ

【榨取】zhàqǔ [動] ❶搾り取る ❷[喩] 搾取する ‖ ～工人的血汗xuèhàn 労働者の血と汗を搾取する

【榨汁机】zhàzhījī [名] ジュース搾り器. ジューサー

14 **蜡** zhà [古] 年末に神々に感謝するために行う祭祀(さいし) ➤ là

zhāi

8 **侧** zhāi [方] 斜めにする. 傾斜する ➤ cè

【侧棱】zhāileng [動][方] 片側に傾ける

【侧歪】zhāiwai [動][方] 傾ける. 斜めにする

10 **斋**(齋 △亝) zhāi ❶斎戒する. 潔斎する ‖ 一～戒 ❷部屋. (多く書斎・商店・学校の寮などの名に用いる) ‖ 书～ 書斎 ❸[名] 精進料理 ‖ 吃～ 精進料理を食べる ❹僧侶に斎(とき)を施す ‖ ～僧sēng 僧に食事を施す ❺(イスラム教徒の)断食 ‖ 一～月

【斋饭】zhāifàn [名] ❶托鉢(たくはつ)で得た食べ物 ❷寺の食事

【斋戒】zhāijiè [動]〈宗〉❶心身を清める. 斎戒する ❷(イスラム教でラマダーンに)斎戒断食する

【斋坛】zhāitán [名] ❶帝王が天地を祭る壇 ❷道士が祈禱などを行う祭壇

【斋月】zhāiyuè [名]〈宗〉ラマダーン. イスラム教徒の断食月

14 ** **摘**[1] zhāi ❶[動](花・実・葉などを)摘む. もぐ. (身につけたものを)とる. はずす ‖ ～葡萄 ブドウをもぐ | ～下眼镜 眼鏡をはずす ❷[動] 選び取る. 抜粋する ‖ 报刊文～ 新聞・雑誌ダイジェスト ❸叱責する. 責める ‖ 指～ 指摘して批判する

14 **摘**[2] zhāi [動][方](急用で臨時に)金を借りる

類義語 | 摘 zhāi 采 cǎi

◆〔摘〕摘む. 身に付けたものを取る ‖ 摘苹果 リンゴをもぐ | 摘下帽子 帽子をとる ◆〔采〕目的物を探し求め選び出して取る. 技術や熟練を必要とする ‖ 采药草 薬草をとる | 采珍珠 真珠をとる

【摘编】zhāibiān [動] 文章を抜粋して編纂(へんさん)する [名] ダイジェスト版

【摘抄】zhāichāo [動] 摘録する. 抄録する. 抜き書きする [名] 摘録. 抄録

【摘除】zhāichú 動 取り除く. 摘出する ‖ ～肿瘤 zhǒngliú 腫瘍(しゅよう)を切除する
【摘登】zhāidēng 動 抜粋して掲載する
【摘发】zhāifā 動 ❶(新聞や雑誌などに)要約を発表する ❷書 (罪や過ちを)摘発する ❸書 明示する
【摘桂】zhāiguì 動 優勝する. チャンピオンになる
【摘记】zhāijì 動 要点を書きとめる. メモをとる 图 摘録. メモ
【摘录】zhāilù 動 抜粋して書き写す. 抜き書きする 图 抜き書き. 抜粋
【摘帽子】zhāi màozi 慣 (不名誉な)レッテルをはがす. 汚名をすすぐ
【摘牌】zhāi//pái 動 ❶(会社が)登録を抹消される. 営業停止処分を受ける ❷〈経〉上場資格を抹消する. 上場を廃止する ❸〈体〉公開移籍選手を獲得する
【摘取】zhāiqǔ 動 ❶摘み取る. もぎ取る ❷選び取る. 抜粋する
*【摘要】zhāiyào 動 要点を抜き書きする. 要約する ‖ ～发表 要約して発表する 图 摘要. 要点. 要旨. ダイジェスト ‖ 内容～ 内容の要約. 要旨
【摘译】zhāiyì 動 一部分を抜き出して翻訳する. 抄訳する 图 抄訳
【摘引】zhāiyǐn 動 一部分を抜き出して引用する

zhái

6 **宅** zhái 住んでいる場所. 住宅 ‖ 住～ 住宅 | 深～大院 立派な屋敷
【宅第】zháidì 图 書 比較的大きな住宅. 屋敷
【宅基地】zháijīdì 图 住宅用地. 宅地. 所有権は国や地方自治体にあり, 個人は居住使用権を有する
【宅门】zháimén 图 ❶屋敷の表門 ❷(～儿)屋敷
【宅舍】zháishè 图 居宅. 住宅
【宅院】zháiyuàn 图 中庭のある邸宅. 屋敷
【宅子】zháizi 图 口 屋敷. 家屋 ‖ 老～ 古い屋敷
8 **择**(擇) zhái 動 口 選ぶ. 選び取る. 意味は〔择zé〕と同じで, 話し言葉に用いる ‖ 把好的～出来, 剩下的扔了 いいものを選んで残りは捨てた ➤ zé
【择菜】zhái//cài 動 野菜の傷んだ部分や食べられない部分を取り除く. (調理のために)野菜の下処理をする
【择席】zháixí 動 枕が変わると寝つけない. 場所が変わるとよく眠れない
14 **翟** zhái 图 姓 ➤ dí

zhǎi

10 ** **窄** zhǎi ❶形 幅が狭い ↔〔宽〕‖ 狭 xiá～ 狭い | 胡同～, 车开不进去 路地が狭くて, 車が入れない ❷形 度量が狭い. こせこせしている ‖ 心眼儿～ 度量が狭い. 気が小さい ❸形 (生活に)ゆとりがない. 貧しい ‖ 手头儿～ 懐具合が悪い
【窄带】zhǎidài 图〈通信〉ナローバンド ↔〔宽带〕
【窄小】zhǎixiǎo 形 小さくて狭い. 狭苦しい

zhài

10 * **债** zhài ❶图 負債. 借金 ‖ 借～ 借金をする | 还～ 借金を返す | 讨～ 貸し金を催促する ❷喩 負債. 借り ‖ 血～ 血ぬられた負債
【债户】zhàihù 图 借り主. 債務者
【债款】zhàikuǎn 图 借金
【债权】zhàiquán 图〈法〉債権
【债权人】zhàiquánrén 图〈法〉債権者
【债券】zhàiquàn 图〈経〉債券
【债市】zhàishì 图〈経〉❶国債や社債などの債券市場 ❷債券市場の相場
【债台高筑】zhài tái gāo zhù 成 負債が山ほどあるたとえ
*【债务】zhàiwù 图〈法〉債務 ‖ 偿还chánghuán～ 債務を返済する
【债务人】zhàiwùrén 图〈法〉債務者
【债主】zhàizhǔ 图 貸し主. 債権者
14 **寨**(△砦) zhài ❶古 (防御用の)柵(さく) ‖ 鹿lù～ 鹿砦(ろくさい). さかもぎ ❷旧 軍の駐屯地. 軍営 ‖ 安营扎zhā～ 兵営を設け陣地を築く ❸山寨(さんさい). 山賊のすみか ‖ ～主 山賊の頭目 ❹图 四方を柵などで囲まれた村
【寨子】zhàizi 图 ❶四方にめぐらした柵や塀 ❷四方を柵や塀で囲まれた村
16 **瘵** zhài 古 病気. (多く結核をさす)

zhān

5 **占** zhān 動 占う ‖ ～了一卦guà 占いをした ➤ zhàn
【占卜】zhānbǔ 動 占う ‖ ～吉凶jíxiōng 吉凶を占う
【占卦】zhān//guà 動 八卦(はっけ)で見る
【占卦先生】zhānguà xiānsheng 图 旧 八卦見. 易者. 占い者
【占梦】zhān//mèng 動 夢占いをする
【占星】zhān//xīng 動 星占いをする ‖ ～术 占星術
8 * **沾**(△霑) zhān ❶動 湿る. ぬれる ❷動 (恩恵などを)受ける. あやかる ‖ 一～光 ❸動 付着する. つく ‖ 两手～满了泥 両手が泥だらけになった ❹動 少し触れる ‖ 滴dī酒不～ 酒は一滴も口にしない
【沾边】zhān//biān (～儿) 動 ❶かかわり合いを持つ. 手を染める ‖ 这事我可没～儿 この件は私といっさいかかわりがない ❷要領を得る. 的を射る
*【沾光】zhān//guāng 動 恩恵を受ける. あやかる ‖ 沾别人的光 人の恩恵にあずかる
【沾亲带故】zhān qīn dài gù 成 親戚や友人関係にある
【沾染】zhānrǎn 動 ❶汚れる ❷悪い影響を受ける. 悪いものに染まる ‖ ～恶习 悪習に染まる
【沾手】zhān//shǒu 動 ❶手で触る ❷関係する. 手を染める. 首を突っ込む
【沾沾自喜】zhān zhān zì xǐ 成 得意になるさま. 有頂天になるさま
9 **毡**(氈 △氊) zhān 图〈紡〉毛氈(もうせん). フェルト ‖ 毛～ 毛氈
【毡包】zhānbāo =〔毡房zhānfáng〕
【毡房】zhānfáng 图 遊牧民が住むテント型の移動式家屋. パオ
【毡帽】zhānmào 图 フェルト帽
【毡鞋】zhānxié 图 フェルト靴
【毡帐】zhānzhàng 图 フェルト製のテント

Z

【毡子】zhānzi 名 毛氈．フェルト

10 **旃** zhān 書 ❶助〔之焉〕の合音 ❷〔毡zhān〕に同じ

11 ＊＊**粘** zhān ❶動（粘着性のあるものが）つく．くっつく．粘りつく‖饺子都～在一块儿了 ギョーザがみなくっついてしまった ❷動（のりなどで）張りつける．くっつける‖～邮票 切手を張る ➤nián

【粘连】zhānlián 動〈医〉癒着する‖肠～ 腸癒着

【粘贴】zhāntiē 動 ❶張る．張りつける‖～广告 広告を張る ❷〈計〉貼り付け．ペースト

【粘住】zhānzhù 動 粘着する．粘りつく

13 **詹** zhān 名 姓

15 **谵** zhān 書 うわごとを言う‖～语 同前

18 **瞻** zhān （上方あるいは前方を）眺める．仰ぎ見る‖→～仰

【瞻前顾后】zhān qián gù hòu 成 ❶前後をよく見る．よく考えて慎重に行動する ❷あれこれ気にかけてためらう．優柔不断である

【瞻望】zhānwàng 動 はるか遠くを眺める．将来を見通す‖～未来 未来を見通す

＊【瞻仰】zhānyǎng 動 仰ぎ見る．恭しく拝する‖～遗容yíróng 遺影を仰ぎ見る

zhǎn

8 ＊**斩** zhǎn 動（勢いよく）切る．断ち切る‖快刀～乱麻 快刀乱麻を断つ．もつれていた物事を手際よく解決するたとえ

【斩仓】zhǎncāng 動〈経〉（株券などを）購入価格より安く売却する

＊【斩草除根】zhǎn cǎo chú gēn 成 草を根っこから取り除く．禍根を徹底的に取り除く

【斩除】zhǎnchú 動 取り除く．消滅させる

＊【斩钉截铁】zhǎn dīng jié tiě 成（言動が）はっきりしている．果断である

【斩获】zhǎnhuò 名〈体〉（メダルや好成績などを）勝ち取る．獲得する

【斩首】zhǎnshǒu 動 斬首する

10 **展** zhǎn ❶広げる．伸ばす‖开～ 展開する ❷拡大する‖扩～ 広める．拡大する ❸（期限を）延ばす．延期する‖→～期 ❹展示する．展覧する‖→～览 ❺展示．展覧‖画～ 絵画展 ❻（力を）ふるう．発揮する‖一筹chóu莫mò～ なんの手立てもない．にっちもさっちもいかない

【展播】zhǎnbō 動（地方局製作の優れたテレビ・ラジオ番組を）全国局から広く放送する

【展翅】zhǎnchì 動 翼を広げる．羽を広げる

＊＊【展出】zhǎnchū 動 展示する．出展する‖展览会上～了书法作品三百余件 展覧会では300点余りの書道作品が展示された

【展馆】zhǎnguǎn 名 ❶（大規模な展示会などでの）展示館．パビリオン‖主～ メインパビリオン ❷展覧館．〔展览馆〕の略

【展会】zhǎnhuì 名 展示会．展示即売会．〔展览会〕〔展销会〕の略

＊＊【展开】zhǎn//kāi 動 ❶広げる．開く‖～双臂bì 両腕を広げる ❷繰り広げる．大規模に行う‖～一场chǎng激烈的冠军guànjūn争夺战 激しい首位攻防戦を繰り広げる

【展宽】zhǎnkuān 動（道路や河川の）幅を広げる

★【展览】zhǎnlǎn 動 展覧する．展示する‖大厅里～着精美的工艺品 ホールには精巧で美しい工芸品が展示されている 名 展覧．展示‖看书法～ 書道展を見る

【展览馆】zhǎnlǎnguǎn 名 展覧館

＊＊【展览会】zhǎnlǎnhuì 名 展覧会．見本市．フェア．エキシビション‖纺织fǎngzhī机械～ 紡織機械の見本市

【展露】zhǎnlù 動 現れる．現す‖脸上～出笑容 顔に笑みを浮かべる

【展品】zhǎnpǐn 名 展示品

【展评】zhǎnpíng 動 展示し品評する

【展期】[1] zhǎnqī 動（予定の）期日を延ばす

【展期】[2] zhǎnqī 名 展示期間．会期

【展区】zhǎnqū 名 展示エリア．展示ゾーン

【展商】zhǎnshāng 名 展示企業．展示会・展示即売会の参加企業

＊【展示】zhǎnshì 動 並べて見せる．はっきりと示す‖～出美好的前景 すばらしい未来を描き出す

【展事】zhǎnshì 名 展示イベント

【展室】zhǎnshì 名 展示室．展示ホール

【展台】zhǎntái 名 展示カウンター．展示ブース

【展厅】zhǎntīng 名 展示ホール．展示室

＊【展望】zhǎnwàng 動 遠くを見渡す．展望する‖～未来，充满信心 未来を展望し，自信に満ちあふれる

【展位】zhǎnwèi 名 展示ブース

＊【展现】zhǎnxiàn 動 繰り広げる．展開する‖一望无际的麦浪màilàng～在眼前 見渡すかぎり一面のムギの穂波が目の前に広がる

＊【展销】zhǎnxiāo 動 展示即売する‖～会 展示即売会

【展性】zhǎnxìng 名〈物〉（金属の）展性

【展业】zhǎnyè 動 業務を展開する．とくに，保険の営業をすることをさす

【展映】zhǎnyìng 動 特別上映する．特別試写をする

10 ＊**盏**（盞 △琖❶ 醆❶❸）zhǎn ❶小さな杯‖酒～ ちょこ．杯 ❷杯のような形状の器‖灯～ ほやのない灯油ランプ ❸量 灯火を数える‖一～电灯 一つの電灯

11 **崭**（△嶄）zhǎn ❶書 そびえ立つ．ぬきんでる‖→～露头角 ❷形 方 すばらしい ❸とくに．とても‖→～新

【崭露头角】zhǎn lù tóu jiǎo 成 才能や腕前がぬきんでる．頭角を現す．（多く青少年についていう）

＊【崭新】zhǎnxīn 形 斬新(ざんしん)な．真新しい．〔斩新〕とも書く‖～的家具 真新しい家具

13 **搌** zhǎn 動（柔らかいもので）そっとふく．軽く押さえて水分をとる

【搌布】zhǎnbu；zhǎnbù 名 ❶ふきん ❷雑巾(ぞうきん)

14 **辗** zhǎn ↴

【辗转】zhǎnzhuǎn 動 ❶寝返りを打つ ❷多くの曲折を経る．転々とする‖～流传 人から人へと広く世に伝わる ＊〔展转〕とも書く

【辗转反侧】zhǎn zhuǎn fǎn cè 成 輾転反側する．あれこれ考えて寝つけずに，寝返りばかり打つこと

zhàn

5 ★**占**(△佔) **zhàn** ❶動 **占領する. 占拠する**‖霸bà～ 占領する ❷動 占有する. 占用する‖他总～着电脑不让别人用 彼はいつもコンピューターを一人占めして人に触らせない ❸動(**地位や状況を**)**占める**‖→～上风 ➤ zhān

【占地】zhàn//dì 動 土地を占有する. 面積を占める

【占居】zhànjū 動 (ある地位を)占める. …に立つ

*【占据】zhànjù 動 占める. 占拠する‖～了一大块地盘 広い縄張りを占めた

【占理】zhàn//lǐ 動 道理がある. 理にかなう

*【占领】zhànlǐng 動 占領する. 占有する‖～市场 市場を占める

【占便宜】zhàn piányi 組 ❶(不正な手段で)得をする. うまい汁を吸う ❷有利である. 得をする

【占上风】zhàn shàngfēng 組 優勢を占める. 優位に立つ‖赞成的意见占了上风 賛成意見が大勢を占めた

【占先】zhàn//xiān 動 先を越す. 優位に立つ

【占线】zhàn//xiàn 動 (電話が)話し中である. 回線がふさがっている

【占压】zhànyā 動 (運用せずに)占有し寝かせておく

【占用】zhànyòng 動 占有し使用する

*【占有】zhànyǒu 動 ❶占有する ❷(ある地位を)占める‖～重要地位 重要な地位を占める ❸持つ. 保有する

【占有权】zhànyǒuquán 名〈法〉占有権

9 **栈**(棧) **zhàn** ❶(家畜を飼うための竹や木で作った)柵(さく). 囲い‖牛～ ウシを飼う囲い ❷桟道‖→～道 ❸貨物の貯蔵用または旅客の宿泊用建物‖货～ 倉庫｜客～ 宿屋. 旅館

【栈道】zhàndào 名 桟道. 崖などに張り出して設けた橋のような道

【栈桥】zhànqiáo 名 (駅・鉱山・工場などの)貨物の運搬橋. (港湾の)桟橋

9 *****战**[1](戰) **zhàn** ❶動 戦う. 戦争する‖→～胜 ❷戦い. 戦闘. 戦争‖→～场 ❸動 勝負をする. 優劣を争う‖论～ 論戦する

9 **战**[2](戰) **zhàn** 震える. わななく‖冻dòng得直打～ 寒くてぶるぶる震える

【战败】zhànbài 動 ❶戦いに敗れる ❷(敵を)打ち負かす‖～对手 相手を打ち負かした

【战报】zhànbào 名 戦況ニュース

【战备】zhànbèi 名 戦備. 軍備

【战表】zhànbiǎo 名 旧 宣戦布告書

*【战场】zhànchǎng 名 戦場‖上～ 戦場に赴く

【战船】zhànchuán 名 古 戦闘用の船. 戦艦

【战刀】zhàndāo 名 騎兵用の軍刀 =〔马刀〕

【战地】zhàndì 名 戦地

【战抖】zhàndǒu 動 ぶるぶる震える. 身震いする

【战斗】zhàndòu 動 **戦う. 闘う‖～在生产第一线 生産の第一線で活躍する 名 **戦い. 闘い. 戦闘**‖～打响了 戦闘が始まった

【战斗力】zhàndòulì 名 戦闘能力

【战斗员】zhàndòuyuán 名 戦闘員

【战犯】zhànfàn 名 戦犯

【战俘】zhànfú 名 捕虜‖遣返qiǎnfǎn～ 捕虜を送還する

【战歌】zhàngē 名 軍歌

【战功】zhàngōng 名 軍功. 戦功‖立下赫赫hèhè～ 赫々(かくかく)たる戦功を立てた

【战鼓】zhàngǔ 名 古 戦いの士気を高めるための太鼓. 喩 戦いの始まり

【战果】zhànguǒ 名 戦果‖～辉煌huīhuáng 戦果が輝かしい

【战壕】zhànháo 名 塹壕(ざんごう)‖挖～ 塹壕を掘る

【战后】zhànhòu 名 戦後. 戦争が終って以後

【战火】zhànhuǒ 名 戦火. 戦争

【战祸】zhànhuò 名 戦禍. 戦争による被害

【战机】[1] zhànjī 名 戦機. 戦いに適した時期

【战机】[2] zhànjī 名 戦闘機. 軍用機

【战绩】zhànjì 名 戦果. 戦績

【战舰】zhànjiàn 名 戦艦

【战局】zhànjú 名 戦局. 戦いの形勢

【战况】zhànkuàng 名 戦況

【战利品】zhànlìpǐn 名 戦利品

【战例】zhànlì 名 戦争や戦闘の実例

【战栗】zhànlì 動 戦慄(せんりつ)する. 恐れおののく. 〔颤栗〕とも書く

【战乱】zhànluàn 名 戦乱

*【战略】zhànlüè 名 戦略‖～决策 戦略的な決定

【战略导弹】zhànlüè dǎodàn 名〈軍〉戦略ミサイル

【战略物资】zhànlüè wùzī 名 戦略物資

【战马】zhànmǎ 名 軍馬

【战前】zhànqián 名 戦前. 戦争が始まる以前

【战区】zhànqū 名 作戦区

【战胜】zhànshèng 動 **打ち勝つ‖～敌人 敵に打ち勝つ｜～困难 困難に打ち勝つ

【战时】zhànshí 名 戦時. 戦争をしている時期

【战士】zhànshì 名 **兵士. 戦士‖边防～ 国境警備の兵士

【战事】zhànshì 名 戦事. 戦争

【战书】zhànshū 名 旧 宣戦布告書‖下～ 宣戦を布告する

*【战术】zhànshù 名 戦術‖人海～ 人海戦術

【战术导弹】zhànshù dǎodàn 名〈軍〉戦術ミサイル

【战无不胜】zhàn wú bù shèng 成 戦って負けることがない. 百戦百勝である

*【战线】zhànxiàn 名 戦線‖民族统一～ 民族統一戦線

【战役】zhànyì 名 戦役

【战鹰】zhànyīng 名 喩 戦闘機

*【战友】zhànyǒu 名 戦友‖老～ 古くからの戦友

【战云】zhànyún 名 喩 戦争の起こりそうな気配

【战战兢兢】zhànzhànjīngjīng 形 ❶怖がって震えているさま. びくびくするさま. 戦々恐々 ❷注意深く慎重なさま

【战争】zhànzhēng 名 **戦争‖～爆发了 戦争が勃発(ぼっぱつ)した

【战争贩子】zhànzhēng fànzi 名 戦争を挑発するやから. 死の商人. 主戦論者

10 ★**站**[1] **zhàn** ❶動 **立つ**‖～在门口 入り口に立つ｜女儿～在妈妈一边 娘はお母さんの味方をする ❷動 立ち止まる‖不怕慢, 就怕～ 遅れることを恐れず, 途中で立ち止まることを恐れる. 継続していれば必ず進展があること

10 ★**站**[2] **zhàn** ❶名 駅. 停留所 ‖ 火车～ 鉄道の駅 | 公共汽车～ バスの停留所 | 车到～了 バスは停留所に着いた ❷拠点となる施設. ステーション ‖ 发电～ 発電所

【站不住脚】zhànbuzhù jiǎo 慣 (理由や道理などが)成り立たない. 成立しない ‖ 你这种假设jiǎshè根本～ 君のその仮説はまるっきり成り立たない

【站点】zhàndiǎn 名〈計〉サイト.〔网站〕ともいう

【站队】zhàn//duì 動 列を作る

*【站岗】zhàn//gǎng 動 見張りに立つ

【站柜台】zhàn guìtái 慣 (店員が商品カウンターに立ち)客に応対する

【站立】zhànlì 動 立つ

【站牌】zhànpái 名 停留所や駅名の標示板

【站票】zhànpiào 名 (劇場や乗り物などの)立ち席の切符

【站台】zhàntái 名 (駅の)プラットホーム.〔月台〕ともいう

【站台票】zhàntáipiào 名 (駅の)入場券.〔月台票〕ともいう

【站稳】zhànwěn 動 しっかりと立つ. (多く比喩的に用いる) ‖ 在这个问题上你一定要～立场 この問題について君は立場をはっきりさせなくてはならない

【站住】zhàn//zhu(zhù) 動 立ち止まる. 止まる ‖ 你给我～! おい, 止まれ

【站住脚】zhàn//zhu jiǎo 慣 (理由などが)成り立つ ‖ 你这种说法能～吗? 君のそんな意見が通ると思っているのかい

11 **绽** **zhàn** ❶動 ほころびる. 破れる ‖ 皮鞋开～了 革靴が破れてしまった ❷名 喩 抜け. 手落ち ‖ 破～ しっぽ. ぼろ

【绽放】zhànfàng 動 (花が)咲く. ほころびる

【绽裂】zhànliè 動 ほころび裂ける

【绽露】zhànlù 動 現す. 現れる ‖ 脸上～出一丝sī笑容 顔にかすかな笑みが浮かぶ

12 **湛** **zhàn** ❶(学識が)深い. (技術が)熟練している ‖ 精～ 深く透徹している ❷透きとおっている. 澄んでいる ‖ 清～ 透きとおっている

【湛蓝】zhànlán 形 紺色の. 紺碧(こんぺき)の

【湛清】zhànqīng 形 書 澄みきっている

19 **颤** **zhàn** (体が)震える ➤ chàn

【颤栗】zhànlì =〔战栗zhànlì〕

22 **蘸** **zhàn** 動 (液体・粉末・のり状のものに)ちょっと浸して取り出す. さっとつける ‖ ～酱油 しょうゆをつける | ～着芝麻盐吃 ゴマ塩をつけて食べる

zhāng

7 ★**张**(張) **zhāng** ❶弓を引く ‖ ～弓射箭shèjiàn 弓を引き矢を射る ❷緊迫している. 張りつめている ‖ 紧～ 緊張している ❸動 (閉じていたものを)開く. 広げる. ぴんと張る ‖ 一～开 ❹大げさに言う. 広める ‖ 夸kuā～ 誇張する ❺身勝手である. わがままである ‖ 乖guāi～ ひねくれていて自分勝手である ❻設ける. 飾りつける ‖ 一～挂 ❼営業する. 開店する ‖ 开～ 開店する ❽量 ①弓を数える ‖ 一～弓 一張りの弓 ②口を数える ‖ 一～嘴 一つの口 ③平面を持つものを数える ‖ 一～床 1台のベッド ❾名 (二十八宿の一つ)ちりこぼし, 張宿(ちょうしゅく) ❿見回す. 眺める ‖ 一～望

【张榜】zhāng//bǎng 動 掲示する. 公表する

【张灯结彩】zhāng dēng jié cǎi 成 提灯(ちょうちん)を掲げ綾布(あやぬの)を飾る. 祝賀の盛大な様子

【张挂】zhāngguà 動 (掛け軸や幕などを)広げ掲げる. 掛ける ‖ ～蚊帐wénzhàng 蚊帳(かや)をつる

【张冠李戴】Zhāng guān Lǐ dài 成 張の帽子を李(り)にかぶせる. 相手や対象を誤る. ちぐはぐなことをする

【张皇失措】zhāng huáng shī cuò 成 慌てふためいてどうしてよいか分からないさま

【张开】zhāng//kāi 動 いっぱいに開く. 開ける. 広げる ‖ ～大嘴 大きな口を開く | ～双手 両手を広げる

【张口结舌】zhāng kǒu jié shé 成 (言葉に詰まったり驚いたりして)口を開けたきり言葉が出ないさま

【张狂】zhāngkuáng 形 つけ上がっている. 野放図である. 勝手放題である

【张力】zhānglì 名〈物〉張力.〔拉力〕ともいう

【张罗】zhāngluo 動 ❶調える. 切り盛りする ‖ ～父亲的后事 父の葬儀を取り仕切る ❷工面する ❸接待する. 応待する ‖ 菜够了, 别再～了 料理はもう十分です, どうかおかまいなく

【张目】zhāngmù 動 ❶目を大きく開ける ‖ ～怒视nùshì 怒ってにらみつける ❷お先棒を担ぐ. 助長する

【张三李四】Zhāng Sān Lǐ Sì 成 張さん李さん. 不特定の人をさす ‖ 不管～, 谁来说情都没用 どこの誰がとりなしてもだめなものはだめだ

【张贴】zhāngtiē 動 (張り紙を)張る. 張りつける

*【张望】zhāngwàng 動 (小さな穴やすきまなどから外を)見る. (周囲や遠くを)見渡す ‖ 四处～ 周りを見回す

【张牙舞爪】zhāng yá wǔ zhǎo 成 牙(きば)をむき出し, 爪をふるう. 狂暴で凶悪なさま

【张扬】zhāngyáng 動 触れ回る. 言い触らす ‖ 此事不宜bùyí～ この件は口外してはいけない

【张嘴】zhāng//zuǐ 動 ❶口を開く. ものを言う ‖ ～骂人 口を開けば人を罵る ❷(頼みごとなどを)口にする. 口に出して言う ‖ 不好意思～ 決まり悪くて言い出しにくい

11 ＊＊**章**[1] **zhāng** ❶法規. 規則 ‖ 党～ 党規約 ❷項目. 条項 ‖ 约法三～ 3ヵ条の取り決めを定める. あらかじめルールを定めておくこと ❸名 (楽曲や詩文の)段落. 章 ‖ 一～节 ❹条理. 筋道 ‖ 杂乱无～ 雑然として筋が通らない

11 **章**[2] **zhāng** ❶記章. バッジ ‖ 徽huī～ 記章. バッジ | 臂bì～ 腕章 ❷名 印章. 印鑑 ‖ 图～ 印章 ❸上奏文 ‖ 奏～ 上奏文

【章草】zhāngcǎo 名 (草書体の一つ)章草

*【章程】zhāngchéng 名 (組織や事務上の)規約. 規則 ‖ 公司～ 会社の定款

【章法】zhāngfǎ 名 ❶(文章や絵の)構成. つくり ‖ ～严谨yánjǐn 構成が厳密である ❷(物事の)手順. 段取り. 作法 ‖ 乱了～ 段取りが狂ってしまった

【章回小说】zhānghuí xiǎoshuō 名 (長編小説の形式)章回小説. 全編を多くの回に分け, 各回に内容概略風のタイトルを付すもの

【章节】zhāngjié 名 章や節の区切り. 章節

【章鱼】zhāngyú 名〈動〉タコ.〔八带鱼〕ともいう

13 **鄣** **zhāng** 名 鄣(しょう). 周代の国名. 現在の山東省東平の東にあった

14 **漳** **zhāng** 地名用字 ‖ ～河 山西省に発し, 河北省の衛河に注ぐ川の名 | ～州 福建省にある市の名

Z

14 **彰** zhāng ❶非常に明らかである．顕著である‖昭zhāo～　明白である ❷表彰する‖表～　表彰する
【彰明较著】zhāng míng jiào zhù 成 極めて明白である．顕著である

14 **獐**（麞）zhāng 图〈動〉キバノロ．ふつうは〔獐子〕という
【獐头鼠目】zhāng tóu shǔ mù 成 キバノロのとがった頭にネズミの小さな目．醜くずる賢い悪人の形容

14 **嫜** zhāng 書 夫の父．しゅうと‖姑～　しゅうとめとしゅうと

15 **璋** zhāng 图古 儀式に用いる玉器の一種

15 **樟** zhāng 图〈植〉クス．クスノキ．ふつうは〔樟树〕といい，〔香樟〕ともいう
【樟脑】zhāngnǎo 图 樟脳(しょうのう)．〔潮脑〕ともいう
【樟脑丸】zhāngnǎowán 图方 ナフタリン

17 **蟑** zhāng ↴
【蟑螂】zhāngláng 图〈虫〉ゴキブリ

zhǎng

4 **仉** zhǎng 图 姓

4 ★**长**（長）zhǎng ❶動 成長する‖～个ル gèr　背が伸びる｜他～得像他妈妈　彼はお母さん似だ ❷年齢や世代が上の．(兄弟姉妹の中で)一番上の‖→～子 ❸年長の人．世代が上の人．先輩‖学～　学兄 ❹接尾 責任者．指導者．長‖厂～　工場長 ❺動 生える．生じる‖～出新芽　新しい芽が出てきた｜～锈xiù　さびがつく ❻動 (知識や力などが)増える．増加する‖～力气　力が大きくなる｜～学问　知識が増す ➤ cháng
【长辈】zhǎngbèi 图 年長者
【长膘】zhǎng//biāo 動 (家畜が)肥える
【长大】zhǎngdà 動 育つ．成長する．大きくなる‖～了做什么？　大きくなったら何になるの
【长官】zhǎngguān 图旧 (行政府や軍隊の)長官
【长进】zhǎngjìn 動 上達する．進歩する‖他游泳近来～不小　彼はこのごろ水泳がかなり上達した
【长老】zhǎnglǎo 图 ❶書 老人．長老 ❷老僧や高僧に対する尊称
【长脸】zhǎng//liǎn 動 面目を施す．世間の評判を高める
【长毛】zhǎng//máo 動 ❶毛が生える ❷口 かびが生える‖这馒头mántou都～了　このマントーはすっかりかびてしまった
【长势】zhǎngshì 图 (農作物の)生育状況．作柄
【长孙】zhǎngsūn 图 ❶長子の長男 ❷いちばん上の(男の)孫
【长相】zhǎngxiàng (～ル) 图 容貌(ようぼう)．顔立ち
【长者】zhǎngzhě 图 ❶年齢も世代も上の人 ❷有徳の長老
【长子】zhǎngzǐ 图 長男

10 ＊＊**涨**（漲）zhǎng 動 (水位や物価が)上昇する‖物价天天在～　物価が日に日に上がる｜行市hángshì看～　相場は先高の見込みである ➤ zhàng
【涨潮】zhǎng//cháo 動 満潮になる．上げ潮になる
【涨跌】zhǎngdiē 動 (物価が)上がり下がりする
【涨幅】zhǎngfú 图 (物価などの)上昇幅
＊【涨价】zhǎng//jià 動 値段が上がる‖这几天连着下暴雨，蔬菜又要～了　この2,3日降り続いた豪雨で，野菜がまた値上がりしそうだ
【涨落】zhǎngluò 動 ❶(物価や相場が)上がり下がりする‖物价～　物価が変動する ❷(潮が)満ちひきする
【涨钱】zhǎng//qián 動 ❶物価が上がる ❷給料が上がる
【涨势】zhǎngshì 图 値上がりの勢い．上昇の勢い
【涨水】zhǎng//shuǐ 動 水かさが増す
【涨停板】zhǎngtíngbǎn 图〈経〉(値幅制限による)ストップ高 ↔〔跌diē停板〕

12 ＊**掌** zhǎng ❶图 手のひら‖手～　手のひら ❷動 平手で打つ‖～脸　びんたを食らわす ❸手で持つ‖→～灯 ❹動 (主導権を)握る．掌握する‖→～管 ❺图 (人や動物の)足の裏‖脚～　足の裏 ❻图 (～ル) (つま先やかかと部分にあてる)靴底 ❼图 蹄鉄(ていてつ)‖马～　蹄鉄
【掌厨】zhǎng//chú 動 調理を受け持つ
【掌灯】zhǎng//dēng 動 ❶手に灯を掲げる ❷灯火をともす‖～时分　火ともしごろ．夕暮れ時
【掌舵】zhǎng//duò 動 (船や集団の)かじ取りをする 图 (zhǎngduò) (船や集団の)かじ取り
【掌故】zhǎnggù 图 故事来歴
＊【掌管】zhǎngguǎn 動 管理する．主管する‖～总务　総務を主管する
【掌柜】zhǎngguì 图旧 店主，または店の支配人や番頭．〔掌柜的〕ともいう
【掌控】zhǎngkòng 動 掌握しコントロールする‖～自己的时间　自分で自分の時間をコントロールする
【掌门人】zhǎngménrén 图喩 最高責任者．トップリーダー‖民企最年轻的～　民間企業で最も若いトップ
【掌权】zhǎng//quán 動 権力を握る
【掌上电脑】zhǎngshàng diànnǎo 图 携帯情報端末．PDA．〔个人数字助理〕の俗称
【掌上明珠】zhǎng shàng míng zhū 成 掌中の珠(たま)．親が目に入れても痛くないほどにかわいがっている娘
【掌勺ル】zhǎng//sháor 動 調理を受け持つ
＊【掌声】zhǎngshēng 图 拍手の音‖报以热烈的～　万雷の拍手を送る
★【掌握】zhǎngwò 動 ❶把握する．マスターする．自分のものにする‖～知识　知識を身につける｜～技术　技術をマスターする ❷掌握する．取り仕切る．つかさどる‖命运～在自己手里　運命は自らの手中に握られている
【掌心】zhǎngxīn 图 ❶手のひら ❷喩 手の内．支配範囲
【掌印】zhǎng//yìn 動 公印を管理する．喩 仕事や政権を掌握する
【掌灶】zhǎng//zào 動 かまどを預かる．喩 調理を取り仕切る‖～的　コック長
【掌嘴】zhǎng//zuǐ 動 びんたを食らわす

zhàng

3 ＊＊**丈** zhàng ❶量 長さの単位．〔尺〕の10倍．約3.3メートル ❷動 (土地を)測量する‖→～量 ❸夫‖姑～　父の姉妹の夫 ❹古 目上の，あるいは老年男子に対する尊称‖老～　ご老人

Z

**【丈夫】zhàngfu 图 夫 ‖ 这是我～ これは私の夫です | 你～也是上海人吗？ ご主人も上海の方ですか
【丈量】zhàngliáng 動 測量する
【丈母娘】zhàngmuniáng 图 妻の母
【丈人】zhàngren 图 妻の父
5 仗 zhàng ❶武器 ‖ 仪yí～ 儀仗(ぎじょう) ❷(武器を)手に持つ ❸動 頼りにする. あてにする ‖ 他～着自己年轻拼命工作 彼は自分の若さに任せて懸命に働いた ❹图 戦争. 戦闘 ‖ 胜～ 勝ち戦
【仗势】zhàng//shì 動 勢いに頼る. 笠に着る ‖ ～欺qī人 勢力を笠に着て人を侮る
【仗恃】zhàngshì 動 頼む. 頼りにする. 笠に着る
【仗义】zhàngyì 動 書 正義に立脚する. 正義にのっとる 形 男気がある. 義侠心がある
【仗义疏财】zhàng yì shū cái 成 正義のためには財を惜しまない. 金を惜しまず人助けをする
【仗义执言】zhàng yì zhí yán 成 義を重んじ正論を述べる
7 帐(帳) zhàng ❶幕. とばり ‖ 蚊～ 蚊帳 ❷〔账zhàng〕に同じ
【帐幕】zhàngmù 图 (大きめの)テント. 天幕
【帐篷】zhàngpeng 图 テント. 天幕 ‖ 支～ テントを張る
【帐子】zhàngzi 图 蚊帳
7 杖 zhàng ❶杖 ‖ 拐guǎi～ 杖 ❷棒. 棍棒(こんぼう) ‖ 擀面gǎnmiàn～ 麺棒(めんぼう)
8 * 账(賬) zhàng ❶图 (金銭や物品の)出納の記載. 貸借勘定 ‖ 记～ 帳簿をつける | 结～ 勘定をする. 清算する ❷图 帳簿 ‖ 两本～ 2冊の帳簿 ❸图 債務. 借り
【账本】zhàngběn ＝〔账簿zhàngbù〕
【账簿】zhàngbù 图 帳簿. 会計簿 ‖ 清查～ 帳簿を詳しく調べる
【账册】zhàngcè ＝〔账簿zhàngbù〕
【账单】zhàngdān 图 勘定書. 書きつけ. 伝票
【账房】zhàngfáng (～儿) 图 旧 ❶帳場 ❷会計係. 帳場の番頭
【账号】zhànghào 图 (銀行などの)口座番号
【账户】zhànghù 图 口座 ‖ 开～ 口座を開く
【账款】zhàngkuǎn 图 帳簿上の金額
【账面】zhàngmiàn 图 帳簿上の数字. 勘定項目
【账目】zhàngmù 图 勘定項目. 勘定
8 * 胀(脹) zhàng ❶動 膨張する ‖ 膨péng～ 膨張する ❷動 (腹などが)張る ‖ 肚子～ 腹が張る ❸動 はれる. むくむ ‖ 肿zhǒng～ はれる
【胀肚】zhàngdù 動 腹が張る
10 涨(漲) zhàng ❶動 (水分を吸収して)ふくれる. ふやける ‖ 泡～ ふやける ❷動 のぼせる ‖ 头昏hūn脑～ 頭がくらくらしてめまいがする ❸動 超える. 超過する ‖ 这个月的办公费花～了 今月の事務費を使いすぎてしまった ➤ zhǎng
13 障 zhàng ❶遮る. 妨げる. 隔てる ‖ →～碍 ❷遮るもの ‖ 屏píng～ ついたて
*【障碍】zhàng'ài 動 妨げる. 妨害する 图 妨げ. 障害 ‖ 克服语言上的～ 言葉の壁を克服する
【障碍赛跑】zhàng'ài sàipǎo 图〈体〉障害物競走
【障碍物】zhàng'àiwù 图 バリケード. 障害物 ‖ 设置～ バリケードを築く
【障蔽】zhàngbì 動 覆う. 遮る ‖ ～视线 視線を遮る
【障眼法】zhàngyǎnfǎ 图 人の目をくらます手法
14 幛 zhàng 慶弔の際に贈る横長の掛け物 ‖ 寿shòu～ 誕生祝いの掛け物 | 挽wǎn～ 哀悼の掛け物
【幛子】zhàngzi 图 慶弔の際に贈る横長の掛け物
14 嶂 zhàng 屏風(びょうぶ)のように切り立った山 ‖ 层峦céngluán叠～ 険しい山々が重なりあったさま
16 瘴 zhàng 瘴気(しょうき). 熱病を起こさせる山川の毒気
【瘴气】zhàngqì 图 瘴気 ‖ 乌烟wūyān～ 部屋にタバコの煙などが充満し, 空気が濁っているさま. また, 社会に悪徳がはびこるさま

zhāo

7 钊 zhāo 古 激励する
8 * 招[1] zhāo ❶動 手招きする ‖ →～手 ❷動 (多く好ましくない結果を)もたらす. 招く ‖ ～人生气 人を怒らせる ❸動 募集する. 募る ‖ →～生 ❹動 (言葉や行動で人の感情を)引き起こす. 刺激する ‖ 他正在气头上, 别去～他 彼はいまかっかしているところだから, かまわないほうがいい ❺旧 店の客引き用ののぼりや旗
8 * 招[2] zhāo 動 白状する. 自白する ‖ 不打自～ 語るに落ちる
8 招[3] zhāo ❶图 武術の動作 ❷图 手段. 計略 ‖ 耍shuǎ花～ インチキをする
【招安】zhāo'ān 動 古 (朝廷が反乱軍や匪賊(ひぞく)に対し)投降帰順を勧める
【招标】zhāo//biāo 動 入札を募る
【招兵买马】zhāo bīng mǎi mǎ 成 兵を募り, 馬を買う. 兵力を増強すること
**【招待】zhāodài 動 もてなす. 接待する ‖ 热情～ 心からもてなす | ～不周 もてなしが行き届かない
**【招待会】zhāodàihuì 图 歓迎会. レセプション ‖ 举行～ レセプションを開く | 记者～ 記者会見
【招待所】zhāodàisuǒ 图 (企業や団体の)宿泊所
【招风耳】zhāofēng'ěr 图 横に大きく張り出した耳
【招抚】zhāofǔ ＝〔招安zhāo'ān〕
【招工】zhāo//gōng 動 従業員を募集する
【招供】zhāo//gòng 動 自供する. 白状する
【招股】zhāo//gǔ 動 出資を募る
**【招呼】zhāohu 動 ❶呼ぶ ‖ ～他过来 彼を呼んでこちらに来させる ❷挨拶する. 会釈する ‖ 他没打～就走了 彼は挨拶もしないで行ってしまった ❸声をかける. 知らせる ‖ 你走时, 请～我一声 あなたが帰るときには, ちょっと知らせてください ❹世話する. 面倒をみる ‖ 你～着点儿孩子 ちょっと子供を見ていてください ❺方 気をつける. 注意する

類義語 | 招呼 zhāohu 叫 jiào

◆〔招呼〕声や身振り・手振りなどによって呼ぶ ‖ 你招呼她一声 彼女に声をかけてください | 他打着手势, 招呼大家快来 彼は手招きして, 早く来るようみんなを呼ん

だ ◆〔叫〕直接，音や肉声で呼ぶ‖有事叫我！ 何かあったら呼んでください(方法は問わない) ｜以后怎么叫你？ 今後どう(名前を)お呼びしたらいいでしょうか ◆〔叫〕は人だけでなく，物を目的語にとることができる‖我叫了一辆出租车 タクシーを呼んだ

【招集】zhāojí 動 呼び集める．招集する

【招架】zhāojià 動 受けて立つ．対処する．(多く否定に用いる)‖这么多客人，一个人实在～不过来 こんなにお客さんが多くては，一人ではとても応対しきれない

【招考】zhāokǎo 動 受験生を募集する‖～新生 新入生を募集する｜～公关人员 広報スタッフを募る

【招徕】zhāolái 動 書 招き寄せる．呼び寄せる

【招揽】zhāolǎn 動 招き寄せる．呼び寄せる‖～顾客 客寄せをする｜～生意 得意先を広げる

【招领】zhāolǐng 動 拾い物を公示する‖失物～处 遺失物預かり所

【招募】zhāomù 動 募集する

【招纳】zhāonà 動 書 (人を)招く．集める

【招女婿】zhāo nǚxu 組 婿をとる

【招牌】zhāopai 名 ❶看板 ❷喩 大義名分．名目‖打着行医xíngyī的～到处骗钱害人 医療を表看板に掲げ，あちこちで金をだまし取る

*【招聘】zhāopìn 動 (公募で)招聘(しょうへい)する‖～讲师 講師を募集する｜公开～ 公開募集する

【招亲】zhāo//qīn 動 婿をとる

【招惹】zhāore；zhāorě 動 ❶(いざこざやもめ事を)引き起こす‖～是非 もめ事を引き起こす ❷(人の感情を)引き起こす．刺激する

【招认】zhāorèn 動 白状する．罪を認める

【招商】zhāoshāng 動 企業を誘致する

*【招生】zhāo//shēng 動 学生募集をする‖～简章 学生募集要項｜～名额 学生募集定員

【招式】zhāoshì 名 (武術や伝統劇における)動作の型．見得(みえ)．ポーズ

【招事】zhāo//shì 動 厄介なことやもめ事を引き起こす

*【招收】zhāoshōu 動 募集し採用する‖共～五名临时工 アルバイトを計5名募集する

*【招手】zhāo//shǒu 動 手招きする．手を振る‖向观众～示意 観客に手を振ってこたえる

【招数】zhāoshù ＝〔着数zhāoshù〕

【招贴】zhāotiē 名 張り紙．びら．ポスター

【招贴画】zhāotiēhuà 名 宣伝ポスター

【招贤】zhāoxián 動 人材を募る

【招降】zhāo//xiáng 動 投降を促す

【招降纳叛】zhāo xiáng nà pàn 成 投降者や裏切り者を受け入れる

【招眼】zhāoyǎn 形 人目を引く．注意を引く．目立つ

【招摇】zhāoyáo 動 仰々しく人目を引く．これ見よがしにする

【招摇过市】zhāo yáo guò shì 成 ふんぞり返って町中を練り歩く．仰々しく人に見せびらかす

【招摇撞骗】zhāo yáo zhuàng piàn 成 公然とほらを吹き詐欺をはたらく

【招引】zhāoyǐn 動 (動き・音・色・におい・味などで)引きつける．引き寄せる．誘う

【招灾惹祸】zhāo zāi rě huò 成 災禍を招く．厄介なことを引き起こす

【招展】zhāozhǎn 動 (風を受けて)ゆったりとはためく‖红旗迎风～ 赤旗が風を受けてはためいている

【招致】zhāozhì 動 ❶(人材を)招く．集める‖～人才 人材を招く ❷(悪い結果を)招く．引き起こす．(支障を)きたす

【招赘】zhāozhuì 動 娘婿を迎える

【招租】zhāozū 動 旧 (貸家の)借り手を求める．(貸家札の文句で)貸家・貸間あり

9 **昭** zhāo ❶明らかである．はっきりしている‖→～彰 ❷書 明らかにする‖→～雪

【昭然】zhāorán 形 非常に明らかなさま

【昭然若揭】zhāo rán ruò jiē 成 高々と掲げたかのように誰の目から見ても明らかである．真相がすっかり露呈していること

【昭示】zhāoshì 動 公示する．明示する．明らかにする

【昭雪】zhāoxuě 動 冤罪(えんざい)をすすぐ．無実を晴らす‖平反～ 冤罪が晴れ，名誉が回復した

【昭彰】zhāozhāng 形 明らかに現われている．明白である‖罪恶～ 罪業が明らかである

【昭著】zhāozhù 形 顕著である．著しい‖成就～ 成果が顕著である｜臭名chòumíng～ 悪名が高い

11 **啁** zhāo ↓

【啁哳】zhāozhā 形 書 がやがやとやかましい

11 **着** zhāo (～儿)❶動 方 入れる ❷名 (囲碁や将棋の)手．わざ‖高～儿 うまい手 ❸名 策．策略．手段‖他使出的这一～儿真厉害 彼のこの一手はなかなか手ごわい ❹形 口 同意や賛同を示す‖～！就照你说的办 よし，君の言うとおりにしよう ➤ zháo zhe zhuó

【着数】zhāoshù 名 ❶(囲碁や将棋の)手 ❷(武術の)わざ ❸手段．計略．策 ＊〔招数〕とも書く

12 **朝** zhāo ❶朝‖→～阳 ❷日‖一～有事 ひとたび事あらば ➤ cháo

【朝不保夕】zhāo bù bǎo xī 成 朝に夕べの無事を保証できない．明日をも知れない．〔朝不虑夕〕ともいう

【朝发夕至】zhāo fā xī zhì 成 朝に出発して夕方に着く．交通が便利である．道のりが遠くない

【朝晖】zhāohuī 名 朝日．朝の光

【朝令夕改】zhāo lìng xī gǎi 成 朝令暮改．命令や方針がくるくる変わりあてにならないこと

【朝露】zhāolù 名 書 朝露．すぐに消えてなくなるもののたとえ

*【朝气】zhāoqì 名 若々しい活気．はつらつとした精神 ↔〔暮气mùqì〕‖富有～ 活気に満ち満ちている

*【朝气蓬勃】zhāoqì péngbó 組 若々しくはつらつとしている

【朝秦暮楚】zhāo Qín mù Chǔ 成 しっかりした考えがなくふらふらしているさま

*【朝三暮四】zhāo sān mù sì 成 朝三暮四．考えや態度がくるくる変わること

【朝思暮想】zhāo sī mù xiǎng 成 朝も思い夜も思う．思い焦がれる．いちずに恋しく思う

【朝夕】zhāoxī 名 ❶毎日．日々．四六時中‖～相处chǔ 四六時中一緒にいる ❷わずかな時間‖搞改革要争～ 改革を行うには一刻を争わなくてはいけない

【朝霞】zhāoxiá 名 朝焼け．朝がすみ

【朝阳】zhāoyáng 名 朝の太陽 ➤ cháoyáng

zháo

11 ＊＊ **着** zháo ❶書 付着する ❷動 触れる．さわる ‖ 两手～地 両手が地面につく ❸影響を受ける ‖ →～迷 ❹動 動詞の後に置き，動作の目的や結果に行きつくことを表す ‖ 手套找～了 手袋が見つかった｜心里有事，躺下了也睡不～ 考え事があって，横になっても寝つけない ❺動 方 眠りにつく．寝つく ‖ 一躺下就～了 横になるとすぐ寝ついた ❻動（火が）燃えつく．燃える．（明かりが）ともる ‖ →～火 ➤ zhāo zhe zhuó

【着边】zháo//biān（～儿）動 要点をとらえている．的を射ている ‖ 净说些不～的话 的はずれな話ばかりする

【着慌】zháo//huāng 形 焦っている．慌てふためく

【着火】zháo//huǒ 動 火事になる ‖ 心里急得像着了火一样 気がもめて尻に火がついたようだ

★【着急】zháo//jí 形 焦っている．気がせく．いら立つ ‖ 着什么急 何を慌てているんだ｜～有什么用？快想办法吧！ やきもきしたって何にもならないだろう，早く手だてを考えよう

＊【着凉】zháo//liáng 動 冷気に当たる．風邪を引く ‖ 穿上毛衣，小心～ セーターを着なさい，風邪を引かないように

【着忙】zháo//máng 動 慌てる．急ぐ

【着迷】zháo//mí 動（面白さや魅力に）とりつかれる．夢中になる．とりこになる

【着魔】zháo//mó 動（ものに）つかれる．異常に夢中になる

zhǎo

4 **爪** zhǎo 名（爪のある鳥や動物の）脚 ‖ 鹰yīng～ タカの脚｜猫～ ネコの脚 ➤ zhuǎ

【爪牙】zhǎoyá 名（猛獣の）爪と牙（きば）．喩（悪人の）手先．手下

7 ★ **找**[1] zhǎo 動 ①探す ‖ ～了半天还没～着zháo さんざん探したが，まだ見つからない｜～不到合适的工作 適当な仕事が見つからない ②（人に会おうとして）探す．訪ねる ‖ 小张，门口有人～你 張さん，入り口に誰かが会いに来てますよ｜～我干吗？ 私に何か用？

7 ＊ **找**[2] zhǎo ❶動 釣り銭を返す ‖ 收您十块钱，～您三块 10元いただいて，3元のお釣りです ❷動 不足な部分を補う．つけ足す ‖ →～补

【找别扭】zhǎo bièniu 慣 難癖をつける．いいがかりをつける．嫌がらせをする

【找病】zhǎo//bìng 動 病気になるようなことをする

【找补】zhǎobu 動 方 補う．埋め合わせをする

【找不自在】zhǎo bù zìzai 慣 自ら面倒を起こす．わざわざ苦労の種をまく

【找茬儿】【找碴儿】zhǎo//chár 動 難癖をつける．言いがかりをつける．あら探しをする ‖ 存心～ わざと言いがかりをつける

【找刺儿】zhǎo//cìr 動 難癖をつける．言いがかりをつける．あら探しをする

【找借口】zhǎo jièkǒu 組 口実を設ける

【找乐子】zhǎo lèzi 慣 ❶楽しみを見つける ❷からかう

【找麻烦】zhǎo máfan 慣 面倒を引き起こす．厄介事を起こす

【找平】zhǎo//píng 動（壁や材木の）でこぼこを平らにする

【找齐】zhǎo//qí 動 ❶（長短を）揃える ❷（足りない分を）補う

【找钱】zhǎo//qián 動 お釣りを渡す ‖ 还没给我～呢 まだお釣りをもらってませんけど

【找窍门】zhǎo qiàomén 組 勘どころを押さえる．こつを見いだす

【找事】zhǎo//shì 動 ❶やる事を探す．職を求める．就職口を探す ❷言いがかりをつける．もめ事を起こす ‖ 没事～ わざと波風を立てる

【找死】zhǎosǐ 動 自ら死を求める．罵 死にたいのか．殺してやる ‖ 车开这么快，你想～啊！ 車のスピードをこんなに出して，死ぬ気か

【找台阶儿下】zhǎo táijiēr xia 慣 気まずい状況から逃れるきっかけを探す．助け舟を求める

【找头】zhǎotou 名 釣り銭

【找寻】zhǎoxún 動 探し求める．尋ねる

8 **沼** zhǎo 沼 ‖ 水～地 沼地｜泥～ 泥沼

【沼气】zhǎoqì 名 メタンガス

【沼泽地】zhǎozédì 名 沼沢地．沼地

zhào

5 **召**[1] zhào 呼びかける．呼び寄せる ‖ →～集

5 **召**[2] zhào 寺．（モンゴル語の音訳で，多く内モンゴル自治区の地名に用いる） ➤ shào

【召唤】zhàohuàn 動 呼びかける．呼ぶ．（改まった場合に用いる） ‖ 祖国在～ 祖国は呼びかけている

【召回】zhào//huí(huí) 動 召還する．呼び戻す

＊【召集】zhàojí 動 呼び集める．召集する ‖ 临时～各班主任开会 臨時に各クラス担任を集めて会議を開く

【召见】zhàojiàn 動 ❶召見する．引見する ❷（外務省が外国の駐在大使を）呼び寄せる

＊＊【召开】zhàokāi 動 招集して会を開く ‖ ～大会 大会を開催する

6 **兆**[1] zhào ❶兆し．兆候 ‖ 吉～ よい兆し｜预～ 前兆 ❷先触れをする．前もって告げ知らせる ‖ 瑞雪ruìxuě～丰年 瑞雪（ずいせつ）は豊作のしるしである

6 ＊ **兆**[2] zhào 数 100万．メガ．記号はM．（古代では1兆，あるいは数の多いことをさした）

【兆赫】zhàohè 量 <電>メガヘルツ

【兆头】zhàotou 名 兆し．前兆 ‖ 好～ よい兆し

【兆字节】zhàozìjié 量 <計>メガバイト

7 **诏** zhào 書 ❶告げる．戒める ❷詔書．みことのり ‖ →～书

【诏令】zhàolìng 名 詔令．みことのり

【诏书】zhàoshū 名 詔書．みことのり ‖ 下～ 詔書を下す

9 **赵（趙）** zhào 名 趙（ちょう）．戦国時代の国名．現在の山西省北部から中部，河北省の西部から南部にあった

【赵公元帅】Zhào Gōng yuánshuài 名 福の神（民間伝説で，趙公明という名の財をつかさどる神）

【赵体】Zhàotǐ 名 元代の趙孟頫（ちょうもうふ）の書体

10 **笊** zhào ↴

【笊篱】zhàoli ; zhàolí 名 網じゃくし. 揚げざる

12 **棹**（△櫂）zhào ❶書 舟のかい ❷書 舟 ❸動 方 舟をこぐ

13 ** **照**（△炤）zhào ❶動 照る. 照らす ‖ 太阳～着大地 太陽が大地を照らしている ❷日光. 陽光 ‖ 夕～ 夕日 ❸理解する. 分かる ‖ 彼此心～不宣 互いに語らずとも通じている ❹告げる. 通告する ‖ 关～ 声を掛けて知らせる ❺動 (鏡などに)映し出す. 反射する ‖ ～镜子 鏡に映す. 鏡を見る ❻突き合わせる. 照らし合わせる ‖ 对～ 照らし合わせる. 対照する ❼介 …に照らして. …に従って ‖ ～规章办事 規則どおりに事を運ぶ ❽副 同様に. そのとおり ‖ 一～办 ❾介 …に向かって. …をめがけて ‖ ～他脸上扔rēng过去 彼の顔めがけて投げつける. ❿世話をする. 気を配る ‖ 一～顾 ⓫動 (写真や映像を)撮る. 撮影する ‖ 这张相片 xiàngpiàn～得不错 この写真はとてもよく撮れている. ⓬人物写真. ポートレート ‖ 近～ 最近の写真. ⓭名 証明書. 許可証. 免許証 ‖ 牌～ (車の)ナンバープレート | 驾驶jiàshǐ执～ 運転免許証

【照搬】zhàobān 動 そっくりまねる. 踏襲する. 引き写しにする ‖ ～别人的经验 他人の経験をそっくりまねる

【照办】zhào//bàn 動 そのとおりにやる. 言われたとおりにする

【照本宣科】zhào běn xuān kē 成 書いたものをそのまま読み上げる. 応用がきかず, 型どおりにしかできないこと

【照壁】zhàobì 名 門の外側に設けた目隠し用の塀. 〔照墙〕〔影壁〕ともいう

**【照常】zhàocháng 動 平常どおりである. いつもどおりである ‖ 一切～ すべていつもどおりである 副 いつもどおりに. 平常どおり ‖ ～工作 ふだんと変わらず仕事をする

【照抄】zhàochāo 動 ❶そのまま書き写す ❷引き写す. そっくりまねる

【照登】zhàodēng 動 原文のまま掲載する

【照发】zhàofā 動 ❶(公文書などの扱いを指示する言葉)配布せよ. 配布のこと ❷元どおりに支給する

【照付】zhàofù 動 そのとおり支払う

★【照顾】zhàogu ; zhàogù 動 ❶考慮する. 配慮する. 気を配る ‖ ～全局 全体を考慮する ❷面倒をみる. 世話をする. とくに優遇する. 優先的に与える ‖ 父亲年纪大了, 身边需要有人～ 父も年を取ったので, そばで面倒をみる者が必要だ ❸ひいきにする. 引き立てる ‖ 日后还请多多～小店 今後とも当店をよろしくお願いいたします

> **類義語** 照顾 zhàogu / 关照 guānzhào
>
> ◆〔照顾〕関心や注意を払い, 世話をする. 面倒をみる. 優遇する. 考慮する ‖ 照顾你们一台计算机 君たちのところに特別にコンピューターを与えよう | 列车员对老人、小孩ㄦ都照顾得很周到 列車の乗務員は老人や子供に対して, とても行き届いた対応をしている ◆〔关照〕〔照顾〕と同じく「世話をする」「面倒をみる」意味をもつが, 〔关照〕のほうが程度が軽い. 優遇する意味はない ‖ 我不在时, 工作上的事, 还请你多关照 留守中, 仕事のことはよろしくお願いします ◆〔照顾〕は二重目的語や程度副詞をとることができるが, 〔关照〕はできない.

【照管】zhàoguǎn 動 世話や管理をする ‖ 房子托人～一下 家を人に管理してもらう

【照葫芦画瓢】zhào húlu huà piáo 慣 ヒョウタンを見ながらフクベを描く. 人のやるとおり, 見よう見まねでやる

【照护】zhàohù 動 看護する

*【照会】zhàohuì 動 口上書を渡す. 覚え書きを渡す 名 口上書 ‖ 递交dìjiāo了一份～ 覚え書きを手渡した

*【照旧】zhàojiù 動 これまでどおりである. 元のままいつもどおりである ‖ 碰头地点～ 落ち合う場所はいつものとおり 副 相変わらず. いつものとおり

【照看】zhàokàn 動 見守る. 番をする. 面倒を見る ‖ ～孩子 子供の面倒をみる

【照理】zhàolǐ 副 道理からいって. 理屈上

*【照例】zhàolì 副 いつものとおり. これまでどおり ‖ 星期日～不营业 日曜はいつものとおり休業する

*【照料】zhàoliào 動 面倒をみる. 世話をする ‖ 家里的一切有奶奶～, 你放心走吧 家のほうは全部おばあちゃんが面倒をみてくれるから, 安心して出かけなさい

【照临】zhàolín 動 (太陽・月・星の光が)照らす

【照猫画虎】zhào māo huà hǔ 成 猫を見て虎(とら)を描く. 形だけ模倣する. ものまねする

【照面ㄦ】zhào//miànr 動 顔を出す. 顔を見せる 名 (zhàomiànr)偶然に出会うこと. ばったり顔を合わせること ‖ 在街上跟小曹打了个～ 街で曹さんとばったり会った

*【照明】zhàomíng 動 明るく照らす. 照らし出す ‖ 舞台～ 舞台照明

【照明弹】zhàomíngdàn 名〈軍〉照明弾

【照排】zhàopái 動 略 電算写植で組み版する. 〔照相排版〕の略

【照片ㄦ】zhàopiānr 名 口 写真

【照片子】zhào piānzi 組 口 レントゲン撮影をする

**【照片】zhàopiàn 名 写真 ‖ 拍～ 写真を撮る | 加印三张～ 写真を3枚焼き増しする

*【照射】zhàoshè 動 照射する. 照らす ‖ 用紫外线～消毒 紫外線を照射して消毒する

【照实】zhàoshí 副 正直に. ありのままに

【照说】zhàoshuō 副 理屈から言うと. 本来なら. 〔照理说〕ともいう ‖ ～这些道理她应该懂 そもそもこんな道理は彼女にだって分かるはずだ

★【照相】zhào//xiàng 動 写真を撮る ‖ 我们一起照张相好吗? 私たち一緒に写真を1枚撮りませんか | ～馆 写真館. 写真屋

*【照相机】zhàoxiàngjī 名 カメラ. 〔相机〕ともいう ‖ 数码～ デジタル・カメラ | 一次性～ 使い捨てカメラ

【照相纸】zhàoxiàngzhǐ 名 印画紙

*【照样】zhào//yàng (～ㄦ) 動 手本どおりにまねる. そのとおりに写す 副 (zhàoyàng)いつものように. 相変わらず. 依然として ‖ 衣服虽然旧点, 但～可以穿 服はちょっと古いが, 変わりなく着られる

【照妖镜】zhàoyāojìng 名 妖怪(ようかい)の正体を映し出す鏡. 照魔鏡

*【照耀】zhàoyào 動 (太陽が)照り輝く. 明るく照らす ‖ 阳光～着大地 太陽が大地を照らす

【照应】zhàoyìng 動 協力する. 呼応する. 呼吸を合わせる ‖ 前后～ 前後相呼応する

*【照应】zhàoying 動 面倒をみる. 配慮する ‖ 一块ㄦ去也好, 彼此有个～ 一緒に行くのもいいだろう, お互いに助け合えるし

【照章】zhàozhāng 副 規定どおり

【照直】zhàozhí 副 ❶まっすぐに ＝〔一直〕 ❷率直に. 正直に. ありのままに

13 *罩 zhào ❶图 ニワトリなどを入れて伏せておく竹かご．ふせご．魚を捕る竹かご ‖ 鸡～ ふせご ❷图（～儿）覆い．カバー ‖ 灯～ 電気スタンドの笠(かさ) | 口～ マスク ❸图（衣服が汚れないよう）上にはおって着るもの．上っ張り ‖ 外～ 上っ張り ❹動 竹かごで（魚を）かぶせて捕る ❺動 覆う．かぶせる ‖ ～件大衣 コートを羽織る

【罩褂儿】zhàoguàr 图口（中国服の）上っ張り

【罩袖】zhàoxiù 图方 そでカバー

【罩衣】zhàoyī 图（中国服の）上っ張り（綿入れや長衣の上から羽織る）

【罩子】zhàozi 图 覆い．カバー ‖ 钢琴～ ピアノカバー

14 肇 zhào ❶始める ‖ ～端 発端 ❷引き起こす．招く ‖ →～事

【肇祸】zhàohuò 動 災いを招く．事故を起こす

【肇事】zhàoshì 動 事件を起こす．騒動を起こす ‖ 追查～者 騒動の張本人を追及する

zhē

7 折 zhē 口 ❶動 引っくり返す．引っくり返る ‖ ～跟头 とんぼ返りを打つ ❷動（湯を冷ますため別の容器に）あける．移し替える ➤ shé zhé

【折箩】zhēluó 图方 酒席の残り料理を集めたもの

*【折腾】zhēteng 動口 ❶寝返りを打つ ‖ 在床上来回～，怎么也睡不着shuìbuzháo ベッドの上で寝返りを打つばかりで，どうしても眠れない ❷（同じことを）繰り返す ‖ 这篇稿子他改来改去，～了好几天 その原稿を彼は書いては直し書いては直しして，何日も同じことを繰り返した ❸苦しめる．さいなむ ‖ 这病把他～得只剩下一把骨头了 この病気に苦しめられて彼は骨と皮ばかりになっている

13 蜇 zhē ❶動（虫などが）刺す ‖ 让蜜蜂mìfēng～了 ミツバチに刺された ❷動（刺激性のものが）刺激する．しみる ‖ 酒精～得伤口生疼téng アルコールが傷口にしみてひりひりする ➤ zhé

14 *遮 zhē ❶遮る．じゃまする．止める ‖ 横～竖shù拦lán あれこれとじゃま立てする ❷動 遮る．覆い隠す ‖ →～住 ❸動（不正や欠点などを）覆い隠す．ごまかす ‖ ～人耳目 衆人の耳目をふさぐ

【遮蔽】zhēbì 動 遮る．覆い隠す

【遮藏】zhēcáng 動 隠蔽(いんぺい)する．包み隠す

【遮丑】zhē//chǒu 動 過ちを隠す．恥を隠す．醜態を隠す

【遮挡】zhēdǎng 動 遮る．防ぐ．ふさぐ ‖ ～风雨 雨風を遮る 图 遮るもの

【遮盖】zhēgài 動 ❶上から覆う．覆い隠す ❷包み隠す．隠蔽する

【遮光】zhē//guāng 動 光を遮る

【遮护】zhēhù 動 遮り守る．覆って守る

【遮拦】zhēlán 動 阻止する

【遮天盖地】zhē tiān gài dì 成 天を遮り地を覆う．覆う範囲が非常に広いことのたとえ

【遮羞】zhē//xiū 動 ❶体の恥部を隠す ❷恥ずかしいことをごまかす．照れ隠しをする

【遮羞布】zhēxiūbù 图 体の恥部を覆う布．喩 照れ隠しにするもの．ぼろ隠し

【遮掩】zhēyǎn 動 ❶覆い隠す．遮る ❷隠蔽する．隠し立てする

【遮眼法】zhēyǎnfǎ 图 目くらまし．人の目をごまかす方法 ＝〔障zhàng眼法〕

【遮阳】zhēyáng 動 日光を遮る 图 ひさし．日覆い．日よけ ‖ ～帽 ひさしのついた帽子

【遮阳镜】zhēyángjìng ＝〔太阳镜tàiyángjìng〕

【遮阳篷】zhēyángpéng 图 日よけ．テント

【遮阳伞】zhēyángsǎn 图 日傘．パラソル

【遮阴】zhēyīn 動 日差しをよける．日光を遮る．日陰をつくる

【遮住】zhē//zhù 動 遮る ‖ 云彩～了太阳 雲が太陽を遮った

17 螫 zhē 動口（虫などが）刺す．意味は〔螫shì〕に同じで，話し言葉に用いる ➤ shì

zhé

7 **折（摺⓫⓬）zhé ❶動 **折れる．折る** ‖ ～了一根树枝 木の枝を1本折った ❷（多く若くして）死ぬ ‖ 夭yāo～ 夭折(ようせつ)する ❸挫折(ざせつ)する ‖ 挫cuò～ 同前 ❹動 **失う．損なう** ‖ 损sǔn兵～将jiàng 兵を損ない将を失う ❺割り引く．値引きをする ‖ 不～不扣kòu 値引きをしない．掛け値なし ❻图 **割り引き（率）．値引き（率）** ‖ 打七～ 3割引き（7掛け）| 八五～ 15パーセント引き（8.5掛け）❼曲がっている．くねくねしている ‖ 曲qū～ 曲がりくねっている ❽感服する ‖ →～服 ❾動 **（来たほうへ）引き返す．折り返す** ‖ →～回 ❿图（漢字の筆画の一つ）折れ，〔→〕〔㇆〕〔㇄〕など ⓫動 **畳む．折り畳む** ‖ 把信～好 手紙をきちんと折り畳む．⓬图（～儿）折り本．帳面．通帳 ‖ 存～ 預金通帳．⓭量〈劇〉（元曲で）一幕．一段．ふつう四幕で一つの戯曲が構成される．⓮取り替える ‖ 将jiāng功～罪 手柄を立てて罪を償う．⓯動 **換算する** ‖ →～合 ➤ shé zhē

【折半】zhébàn 動 半値にする．半額にする

【折变】zhébiàn 動方 売って金に換える

【折尺】zhéchǐ 图 折り尺

【折叠】zhédié 動 畳む．折り畳む ‖ 内有相片xiàngpiàn，请勿wù～（封書の上書きに）写真在中，折らないでください | ～床 折り畳みベッド | ～伞 折り畳み傘

【折断】zhéduàn 動 折れる．折る

【折返】zhéfǎn 動 引き返す

【折服】zhéfú 動 ❶屈服させる．服従させる ❷心服する．感服する ‖ 他精辟jīngpì的分析令人～ 彼の鋭い分析には感服させられる

【折福】zhé//fú 動（罰が当たって）福を減らす

【折光】zhéguāng 動〈物〉光が屈折する 图 屈折した光線．喩 間接的な反映

【折桂】zhéguì 動古 科挙の試験に合格する

*【折合】zhéhé 動 換算する．相当する ‖ 一美元～多少人民币？ 1ドルは人民元で何元になるか

【折回】zhéhuí 動 元の所に戻る．引き返す

【折价】zhé//jià 動（品物を）金銭に換算する

【折旧】zhéjiù 動〈経〉減価償却する ‖ ～费 減価償却費

【折扣】zhékou；zhékòu 图 割り引き．割引価格 ‖ 说话打～ 話を割り引く

*【折磨】zhémo；zhémó 動 苦しめる．いじめる．さいなむ ‖ 受尽～ 苦難をなめ尽くす

【折扇】zhéshàn（～儿）图 扇子

【折射】zhéshè 動〈物〉（光や音波が）屈折する

【折寿】zhé//shòu 動（罰が当たって）寿命を縮める．

Z

長生きできない
【折算】zhésuàn 動 換算する
【折线】zhéxiàn 名〈数〉折れ線
【折腰】zhéyāo 動 書 腰を曲げる. 屈従する
【折账】zhé//zhàng 動 借金を品物で返済する
【折纸】zhézhǐ 名 折り紙
【折中】【折衷】zhézhōng 動 折衷する ‖ 把双方意见～一下 双方の意見を折衷する
【折子】zhézi 名 折り本. 折り本式の帳面
【折子戏】zhézixì 名〈劇〉(伝統劇で)〔本戏〕(全段)の中から選んで演じられる一段. 一幕もの

10 **哲**(△喆) zhé ❶賢明である. 賢い ‖ 明～保身 賢く自分の身を守る ❷哲人. 賢人 ‖ 先～ 先哲
【哲理】zhélǐ 名 哲理
【哲人】zhérén 名 哲人. 見識の高い人
**【哲学】zhéxué 名 哲学 ‖ ～家 哲学者

11 **辄**(△輒) zhé ❶(…して)すぐに ‖ 浅尝qiǎnchánɡ～止 わずかに試みてはやめる ❷書 そのたびごとに. いつも ‖ 动～ 何かというと

12 **蛰**(蟄) zhé ❶(生き物が)冬ごもりする. 冬眠する. 引きこもる ‖ 惊～ 啓蟄(けいちつ) ❷蟄居(ちっきょ)する. 引きこもる ‖ 一～居
【蛰伏】zhéfú 動 (生き物が)冬ごもりをする
【蛰居】zhéjū 動 書 引きこもる. 隠棲(いんせい)する

13 **谪**(△謫) zhé 書 ❶とがめる. 責める ❷(罪を犯した官吏を)左遷したり, 遠いところへ流刑にしたりする ‖ 贬biǎn～ 左遷追放される

13 **蜇** zhé ➡〔海蜇hǎizhé〕 ➤ zhē

14 **摺** zhé 〔折zhé ❶❷〕に同じ

15 **磔** zhé ❶古 八つ裂きの刑 ❷書 開く. 広げる ❸名 (漢字の筆画の一つ)右払い,〔㇏〕. ふつう〔捺nà〕という

16 **辙** zhé (～儿) ❶わだち ‖ 重chóng蹈dǎo覆～ 前の過ちを繰り返す ❷(車の進む)コース. 路線. ルート ‖ 上下～ 上り線と下り線 ❸名 方 方法. てだて ‖ 谁也拿他没～ 誰も彼にはお手上げだ ❹名 (伝統劇・伝統演芸・はやり歌などの)歌詞の韻 ‖ 合～ 韻を踏む

zhě

8* **者** zhě ❶助 (動詞・動詞フレーズ, 形容詞・形容詞フレーズの後に置き)ある行為をする, またはある特徴や性質をもつ人や事物を表す ‖ 有志～ 志望者 | 长zhǎnɡ～ 年輩者 ❷助 ある仕事に従事する人. ある思想や主義を信奉する人 ‖ 共产主义～ 共産主義者 | 新闻工作～ ジャーナリスト ❸助 (数詞や方位詞の後に置き)直前に述べた事物をさす ‖ 两～ 二者 | 前～ 前者

13 **锗** zhě 名〈化〉ゲルマニウム(化学元素の一つ, 元素記号は Ge)

15 **赭** zhě 赤褐色
【赭石】zhěshí 名〈鉱〉赭石(しゃせき). 代赭石(たいしゃせき)

16 **褶** zhě (～儿) ❶名 (衣服などの)ひだ. しわ. 折り目 ‖ 百～裙 プリーツスカート ❷名 (顔の)しわ
【褶皱】zhězhòu 名 ❶〈地質〉褶曲(しゅうきょく) ❷(皮膚の)しわ
【褶子】zhězi 名 ❶(衣類の)ひだ. プリーツ ❷(布や紙の)しわ. 折り目 ❸(顔の)しわ

zhè

7★ **这**(這) zhè ❶代 比較的距離の近い人あるいは事物をさす ①(名詞または数量詞の前に置く)この. その ‖ ～时候 このとき | ～孩子 この子 | ～间房子 この部屋 ②口 (動詞・形容詞の前に置き, 誇張する) …ときたら ‖ 屋里～热啊, 坐着不动都流汗 部屋の中の暑さときたら, 座っているだけでも汗が流れる ❷代 (比較的距離の近い人あるいは事物をさし, 単独で文成分となる)これ. それ ‖ ～叫什么？ これはなんと言いますか | ～不用你操心 それは君が心配することではない ❸代 このとき. いま ‖ 等一下, 我～就来 ちょっと待ってて, いますぐ行くから ＊話し言葉ではしばしば zhèi と発音する
【这般】zhèbān 代 このように. こんなに ‖ ～消瘦 こんなに痩せ細っている
**【这边】zhèbiān (～儿) 代 こっち. こちら ‖ 到～来 こっちへ来なさい
★【这个】zhège 代 ❶(比較的近くの人や物, または前出の物事をさし示す)この. その ‖ ～人 この人 | 我就出生在～地方 私はここで生まれた ❷(比較的近くの人や物, または前出の物事を表す)これ. それ ‖ 为了～, 他快把腿跑断了 このために, 彼は足が棒になるほど駆けずり回った | ～要吃奶, 那个要撒尿sāniào的, 真够她忙的 この子にはミルクをやり, あの子にはおしっこをさせてと, 彼女は体の休まる暇がない ❸口 (動詞・形容詞の前に置き, 誇張する) …ときたら ‖ 大家～笑啊, 肚子都笑疼了 みんなの笑いようときたら, もうおなかの皮がよじれてしまったよ
*【这会儿】zhèhuìr 代 口 いまごろ. いま時分. 〔这会子〕ともいう ‖ 你怎么～才来？ なんでいまごろになって来たんだ
★【这里】zhèli ; zhèlǐ 代 ❶ここ ‖ ～是学生食堂 ここは学生食堂です ❷…のところ ‖ 我们～四季如春 私たちのところは一年中春のようである
★【这么】zhème 代 ❶(形容詞や動詞の前に置き, 程度を表す)このように. こんなに. そんなに ‖ ～多啊！ こんなに多いのか | 这孩子怎么～不懂事！ この子ったらどうしてこう分からず屋なの ❷(〔有(像)… 这么〕の形で比較を表す. 否定には〔没有(没)を用いる〕) …くらい…である. …ほど…である ‖ 那间屋子有教室～大 あの部屋は教室と同じくらい大きい ❸(数量詞や動詞の前に置き, 語気を強める)こうやって. こんなふうに ‖ 你～一说, 我就明白了 あなたのその話ですっかり分かりました ❹こんなに ‖ 就改了～一笔, 文章顿时dùnshí生动起来了 ほんの一筆手を入れただけで, 文章がみるみる生き生きしてきた ❺(ある種の動作や状況の代わりに用いる)こういうふうにする. このようにする =〔这么着〕‖ ～可不行 そうやってはだめだ
【这么点儿】zhèmediǎnr 代 ❶(少ないことを表す)これっぽっち. こればかり. こんな少し ‖ ～钱哪够买电视的呀？ こればかりの金でテレビなど買えるもんか ❷(小さいことを表す)こんなにちっぽけな. こんな小さな ‖ 别看他～的个儿, 劲jìn可不小 彼は背こそ小さいが, 力ときたら強いんだ

Z

【这么些】zhèmexiē 代（数量の多い少ないを強調するが，主に多い場合に用いる）こんなに多くの．こんなにたくさん‖我吃不了～ こんなにたくさんは食べきれない
【这么样】zhèmeyàng ＝〔这样zhèyàng〕
【这么一来】zhème yī lái 組 こうなると
*【这么着】zhèmezhe 代 ❶このように．こういうふうに‖书架～放好看 本棚はこういうふうに置くと見栄えがする ❷（動作や状態の代わりに用いる）そのようにする．そのようである‖就～吧，别再讨论了 ではそうすることにして，これ以上議論するのはやめよう
★【这ル】zhèr 代口 ❶ここ‖～写错了一个字 ここは1字書き間違えている ❷…のところ‖你的词典在我～ あなたの辞書は私のところにある ❸（〔打〕〔从〕〔由〕の後に置き，時を表す）このとき．そのとき‖打～起，他就再也不抽烟了 このとき以来，彼は二度とタバコを吸わなくなった
【这山望着那山高】zhè shān wàngzhe nà shān gāo 慣 こっちの山から見れば，あっちの山が高く見える．境遇や仕事の面で，自分より条件のいい人をうらやましく思う
【这下】zhèxià 代 こうなると．これで．〔这下子〕ともいう‖～可糟zāo了 これはまずいことになった
★【这些】zhèxiē 代 ❶これらの．それらの‖～人 これらの人 ❷これら．それら‖你说～干什么？ そんなことを言ってどういうつもりだ．＊〔这些个〕ともいう
★【这样】zhèyàng（～ル）代 ❶このような．こんな．こういう‖我还是第一次遇到～的事 私はまったく初めてこんなことに出くわした ❷（動詞の前に置き）このように．そのように‖～做是有道理的 こうするのにはちゃんと訳がある ❸（動作や状態の代わりに用いる）そのようにする．そのようである‖千万别～ そんなことは絶対にいけない．＊〔这么样〕ともいう
*【这样一来】zhèyàng yī lái 組 こうなると‖～，事情就不好办了 こうなると，事は厄介になるぞ
【这阵ル】zhèzhènr 代 このところ．最近

9 **柘** zhè 名〈植〉ハリグワ

10 **浙**（△淛）zhè ❶古 銭塘江の古称 ❷浙江省をさす

14 **蔗** zhè サトウキビ．カンショ．ふつうは〔甘gān蔗〕という
【蔗农】zhènóng 名 サトウキビを栽培する農家
【蔗糖】zhètáng 名 ❶〈化〉蔗糖（しょとう）．スクロース ❷サトウキビからつくった砂糖．甘蔗糖（かんしょとう）
【蔗田】zhètián 名 サトウキビ畑

14 **嗻** zhè 感 旧（主人や客に対する召し使いの応答）はい．かしこまりました

16 **鹧** zhè ↴
【鹧鸪】zhègū 名〈鳥〉コモンシャコ

zhe

11 **著** zhe 〔着zhe〕に同じ ➤ zhù zhuó

11 ★**着** zhe ❶助（動詞・形容詞の後に置き，動作や状態が持続していることを表す）…している‖窗户开～呢 窓が開いている｜她戴～眼镜 彼女は眼鏡を掛けている ❷助（一部の動詞の後におき，ある状態で存在していることを表す）…してある‖墙上挂～照片 壁に写真が掛かっている ❸助 二つの動詞の間に用いる①（二つの動作が同時に行われていること，あるいは動作の方式・状況などを表す）…して（…する）．…しながら（…する）‖走～去 歩いて行く｜躺～看书 横になって本を読む ②（第一の動作をしているうちに次の動作がいつの間にか実現することを表す）…しているうちに（…する）‖说～说～哭了起来 話しているうちに泣き出した ❹助（動作の後に置き，動作がいま持続していることを表す）…している‖大家都等～你呢 みんな君を待っているよ｜雨还下～呢 雨はまだ降っているよ ❺助 一部の動詞の後に置き，介詞をつくる‖顺～ …に沿って｜照～ …のとおりに ❻助（動詞や形容詞の後に置き，命令や注意の語調を強める）…しなさい‖以后注意～点ル 今後注意するように ➤ zhāo zháo zhuó
【着呢】zhene 助 形容詞の後に置き，程度を強調する語気を表す‖脾气píqi好～ 気立てが実にいい｜这种事ル多～ こういったことはいくらもある

zhèi

7 **这**（這）zhèi ➤ zhè

zhēn

6 **贞**[1] zhēn 古 占う

6 **贞**[2] zhēn ❶忠節である．節操が堅い‖坚jiān～ 節操が堅い ❷操（みさお）．貞操‖～女 貞女
【贞操】zhēncāo 名 貞操．貞節
【贞节】zhēnjié 名 ❶忠節 ❷貞節
【贞洁】zhēnjié 形 節操がある．純潔である
【贞烈】zhēnliè 形（女性が）貞操を守るため死をも辞さぬさま

7 ＊＊**针**（△鍼）zhēn ❶名（～ル）針‖一根～ 1本の針 ❷名〈中医〉鍼（はり）‖一～灸 ❸名 細長くて針のような形をしたもの‖松～ 松葉 ❹注射器‖一～头 ❺名 注射用の薬液‖防疫fángyì～ 予防注射｜打～ 注射する
【针鼻ル】zhēnbír 名 針のめど
【针砭】zhēnbiān 動 書 人の誤りを指摘し批判を加える．〔砭〕は古代，病気の治療に用いた石針‖～时弊shíbì 時代の弊害を戒める
【针刺麻醉】zhēncì mázuì 動〈中医〉鍼麻酔をする．略して〔针麻〕という
＊＊【针对】zhēnduì 動 ぴったり対応する．的を合わせる．焦点を定める‖这篇文章是有～性的 この文章はねらいがはっきりしている
【针锋相对】zhēn fēng xiāng duì 成 針の先端と針の先端が向かい合う．真っ向から鋭く対立すること
【针管】zhēnguǎn 名〈医〉注射器の管
【针剂】zhēnjì 名〈薬〉注射薬
【针尖ル对麦芒ル】zhēnjiānr duì màimángr 慣 針の先とムギの芒（のぎ）が向かい合う．真っ向から鋭く対立すること
【针脚】zhēnjiao 名 縫い目．針目‖～密 針目が細かい
*【针灸】zhēnjiǔ 名〈中医〉鍼（はり）と灸（きゅう）．鍼灸（しんきゅう）．

【针头】zhēntóu 名〈医〉注射針
【针头线脑】zhēn tóu xiàn nǎo (～儿) 慣 小さい針や短い糸. 喩 こまごました事物
【针线】zhēnxian 名 針仕事. 裁縫や刺繡などの仕事 ‖ ～活儿 針仕事. 縫い物
【针眼】zhēnyǎn 名 ❶針のめど ❷(～儿)針で突いた穴. 注射の跡
【针眼】zhēnyan 名 物もらい.〔麦粒肿zhǒng〕の通称 ‖ 长zhǎng～ 物もらいができる
【针叶树】zhēnyèshù 名〈植〉針葉樹 ↔〔阔kuò叶树〕
【针织品】zhēnzhīpǐn 名 メリヤス製品. ニット製品

8 **侦**(△遉) zhēn ひそかに調べる. 探る
【侦办】zhēnbàn 動 事件を捜査し処理する
【侦查】zhēnchá 動 捜査する
*【侦察】zhēnchá 動 偵察する ‖ ～敌情 敵情を偵察する | ～贩毒fàndú集团的活动情况 麻薬密売グループの動きを探る
【侦察机】zhēnchájī 名〈軍〉偵察機
【侦缉】zhēnjī 動 捜査し逮捕する ‖ ～队 捜査チーム
【侦破】zhēnpò 動 事件を捜査し, 犯人を検挙する. 事件を解決する
*【侦探】zhēntàn 名 探偵 ‖ 私人～ 私立探偵 動 探る. 探り調べる
【侦探小说】zhēntàn xiǎoshuō 名 探偵小説

9 **浈** zhēn 地名用字 ‖ ～水 広東省にある川の名

9 **帧** zhēn ❶書画 ‖ 装～ 装幀(そうてい)する ❷量 (書画を数える)枚. 幅

9 **珍**(△珎) zhēn ❶貴重なもの ‖ 奇～异宝 世にまれな宝物 ❷貴重な. 珍しい ‖ →～贵 ❸珍しい食べ物 ‖ 山～海味 山海の珍味 ❹珍重する. 大切にする ‖ →～视
【珍爱】zhēn'ài 動 大切にする. 大事にする
【珍宝】zhēnbǎo 名 宝. 珍しい宝物
【珍本】zhēnběn 名 珍本. 稀覯本(きこうぼん)
【珍藏】zhēncáng 動 大切に保存する ‖ 他一直～着那张照片 彼はあの写真をずっと大切に保存している 名 秘蔵品
*【珍贵】zhēnguì 形 珍しくて貴重である. 大切である ‖ ～的历史资料 貴重な歴史的資料
【珍品】zhēnpǐn 名 貴重な品. 逸品
【珍奇】zhēnqí 形 珍しく奇異である
【珍禽】zhēnqín 名 珍しい禽類(きんるい) ‖ ～异兽 珍しい鳥や変わった動物
*【珍视】zhēnshì 動 珍重する. 重んじる. 大切にする ‖ ～两国人民的友谊 両国民の友誼(ゆうぎ)を大切にする
【珍玩】zhēnwán 名 貴重な愛玩物
【珍闻】zhēnwén 名 珍しいニュース. 珍しい話
*【珍惜】zhēnxī 動 大切にする ‖ 不～东西 物を粗末にする | ～青春 青春をいとおしむ
【珍稀】zhēnxī 形 珍しく貴重である
【珍异】zhēnyì 形 珍奇である. 珍しく奇異である
【珍重】zhēnzhòng 動 ❶珍重する. 大事にする ‖ ～人材 人材を珍重する. 人材を重視する ❷挨拶 自重する. 自愛する
*【珍珠】zhēnzhū 名 真珠.〔真珠〕とも書く
【珍珠霜】zhēnzhūshuāng 名 真珠の粉末入り化粧クリーム

9 **胗** zhēn 名 (～儿)鳥類の胃 ‖ 鸡～ ニワトリの胃 | 鸭～ アヒルの胃

10 **祯** zhēn 書 吉祥のしるし. めでたいしるし

10 **桢** zhēn 古 土塀を築くときに立てた木柱

10 **砧**(△碪) zhēn 名 物を切ったりたたいたりするときに下に敷くもの. きぬた・まな板・金床など ‖ 铁～ 金床
【砧板】zhēnbǎn 名 まな板

10 ★**真** zhēn ❶形 真実である. 本当である ↔〔假〕〔伪wěi〕‖ ～话 本当の話 | 我～的不知道 私はほんとうに知らないんだ ❷形 明らかである. はっきりしている ‖ 声音太小, 听不～ 声が小さすぎて, はっきり聞こえない ❸副 実に. まったく. ほんとうに ‖ ～想好好儿睡一觉 ほんとうにゆっくりと眠りたい ❹本来の姿. 元の様子 ‖ 报道失～ 報道が事実と違っている ❺楷書(かいしょ)の別称. 真書 ‖ ～草隶lì篆zhuàn 楷書・草書・隷書・篆書(てんしょ)

類義語 | **真 zhēn 特 tè**

◆ともに程度が甚だしいことを強調する ◆〔真〕実に. 本当に. 自分が直接知っていることについてのみ用いる ‖ 这个菜真(特)好吃 この料理はほんとうにおいしい | 我头真(特)疼 私はひどく頭が痛い ◆〔特〕とくに. とりわけ. 自分が知らない事柄も, 間接的表現または確認する表現であれば使える ‖ 据说从月亮上看地球特(×真)好看 聞くところによると, 月から見た地球はことのほか美しいそうです | 你头特(×真)疼, 真的吗? 君はひどく頭が痛いそうだが, そうなのかね

【真才实学】zhēn cái shí xué 成 真の才能と学識
*【真诚】zhēnchéng 形 誠実である. 心がこもっている ‖ ～相爱 心から愛し合う
【真传】zhēnchuán 名 極意. 秘伝. 奥義
【真谛】zhēndì 名〈仏〉真諦(しんたい). 真理 ‖ 生活的～ 生活の真理
【真格的】zhēngéde 形 方 本当である. 掛け値なしである. 本気である ‖ 吓唬xiàhu吓唬他就算了, 可别动～ 彼をちょっと脅してやるだけでいい, 本気でやっつけてはいけない
【真迹】zhēnjì 名 (書画の)真跡. 真筆
【真假】zhēnjiǎ 名 真偽. 本当と嘘 ‖ ～难辨biàn 真偽が区別しがたい
【真金不怕火炼】zhēnjīn bù pà huǒ liàn 諺 本物の黄金は火に遭っても変質しない. 実力のある者や正しい者は試練を恐れない
【真菌】zhēnjūn 名〈生〉真菌
【真空】zhēnkōng 名 真空
**【真理】zhēnlǐ 名 真理 ‖ 捍卫hànwèi～ 真理を守る
【真面目】zhēnmiànmù 名 本来の姿. ありのままの姿
【真品】zhēnpǐn 名 (模造品ではない)本物. 実物
【真凭实据】zhēn píng shí jù 成 確かな証拠. 動かせない証拠
【真切】zhēnqiè 形 ❶はっきりしている. 明瞭(めいりょう)である. 確かである ‖ 看得～ はっきりと見ている ❷真心がこもっている. 懇ろである
*【真情】zhēnqíng 名 ❶真情. 真心 ‖ 他的一片～感动了她 彼の真心は彼女を感動させた ❷本当の事.

実情 ‖ 我不了解～ 私は実情を知らない

【真确】zhēnquè 形 ❶ほんとうである. 確かである ‖ ～的消息 確かな知らせ ❷はっきりしている. 明瞭である

【真人】zhēnrén 名〈宗〉(道教で)正しい道を悟った人. 多く称号として用いる

【真人真事】zhēnrén zhēnshì 組 実在する人物および出来事. ノンフィクション

**【真实】zhēnshí 形 真実である. 本当である ‖ ～性 真実性 | 内容很～ 内容は事実そのものである

*【真是】zhēnshi 動 口 まったくひどい. なんたることだ. (不満を示す) ‖ ～的, 宴会yànhuì都开始了, 他怎么还不来 まったくもう, パーティーはとっくに始まったというのに, 彼はなぜまだ来ないんだ

【真丝】zhēnsī 名 絹. シルク ‖ ～围巾 絹のスカーフ

【真伪】zhēnwěi 名 本物とにせもの. 真偽

*【真相】zhēnxiàng 名 真相. 真実の姿 ‖ 揭露jiēlù～ 真相を暴く | 掩盖yǎngài事实的～ 事実の真相を覆い隠す

*【真心】zhēnxīn 名 本当の気持ち. 本心 ‖ ～话 心からの言葉

【真心实意】zhēnxīn shíyì 組 誠心誠意

【真性】zhēnxìng 形〈医〉真性の

★【真正】zhēnzhèng 形 真の. 本当の ‖ ～的朋友 真の友人 副 ほんとうに. 真に ‖ 他还没有～认识自己的错误 彼はまだほんとうに自分の誤りを認識していない

【真知】zhēnzhī 名 真の知識. 正しい認識

【真知灼见】zhēn zhī zhuó jiàn 成 正しい知識と明快な判断. 優れた見解

【真挚】zhēnzhì 形 真摯(しんし)である. まじめでひたむきである ‖ ～的感情 うそ偽りのない感情

【真主】Zhēnzhǔ 名〈宗〉(イスラム教の)神. アラー

13 斟 zhēn ❶動 (酒や茶を)つぐ. 注ぐ ‖ 自～自饮 手酌で飲む ❷(あれこれと)考える. 考慮する ‖ → ～酌

【斟酌】zhēnzhuó 動 斟酌(しんしゃく)する. あれこれと照らし合わせて考える ‖ 个别词句还需要再～一下 個々の語句についてはさらに検討する必要がある

13 椹 zhēn 古〔砧zhēn〕に同じ ➤shèn

13 甄 zhēn 考察する. 弁別する ‖ → ～别

【甄别】zhēnbié 動 ❶(優劣や真偽を)見分ける. 弁別する ‖ ～真伪wěi 真偽を見分ける ❷選別する

【甄选】zhēnxuǎn 動 審査して選別する

14 榛 zhēn 名〈植〉ハシバミ. ふつうは〔榛树〕という ‖ ～子 ハシバミの実

15 箴 zhēn ❶書 針 ❷戒める. 忠告する ‖ → ～言 ❸古 教訓を主とする文体の一種

【箴言】zhēnyán 名 戒めの言葉. 箴言(しんげん). 格言

16 臻 zhēn 書 (すばらしい状態に)到達する ‖ 日～完善 日増しに完備する

zhěn

7 诊 zhěn (病気を)診る. 診察する ‖ 门～ 外来を診察する | 急～ 救急診療

【诊察】zhěnchá 動 診察する ‖ 请医生～ 医者に診察してもらう

*【诊断】zhěnduàn 動 診断する ‖ ～结果 診断結果 | ～不出是什么病 なんの病気か診断がつかない

【诊断书】zhěnduànshū 名 診断書

【诊疗】zhěnliáo 動 診療する ‖ ～室 診療室

【诊脉】zhěn∥mài 動 脈を診る. 脈をとる. 〔按脉〕〔号脉〕ともいう ‖ 给病人～ 病人の脈をとる

【诊视】zhěnshì 動 診察する

【诊室】zhěnshì 名 診察室

【诊所】zhěnsuǒ 名 診療所

【诊治】zhěnzhì 動 診療する

8 枕 zhěn ❶枕 ‖ → ～头 ❷動 枕として当てる ‖ 孩子～在妈妈的胳膊gēbo上睡着了 子供は母の腕を枕にして眠ってしまった ❸動 下に敷く ‖ → ～木

【枕边风】zhěnbiānfēng 名 寝物語. 多く妻が夫によからぬことを吹き込むたとえ. 〔枕头风〕ともいう

【枕戈待旦】zhěn gē dài dàn 成 武器を枕にして朝を待つ. 敵を迎え討つのに少しの油断もしないことのたとえ

【枕巾】zhěnjīn 名 枕覆い用のタオル

【枕木】zhěnmù 名 枕木. 〔道木〕ともいう

【枕套】zhěntào 名 枕カバー. ピローケース

*【枕头】zhěntou 名 枕 ‖ 枕～ 枕をする

【枕席】zhěnxí 名 ❶イグサなどで作った枕掛け. 〔枕头席ル〕ともいう ❷書 幅の狭い寝台

9 轸 zhěn ❶書 車の後ろの横木. (広く)車 ❷名 (二十八宿の一つ)みつかけぼし. 軫宿(しんしゅく) ❸書 悲痛である ‖ ～念 痛ましく思う

10 疹 zhěn 発疹(はっしん) ‖ 麻～ 麻疹(ましん). はしか | 疱pào～ 疱疹(ほうしん). ヘルペス

【疹子】zhěnzi 名 はしか. 〔麻疹〕の通称

10 畛 zhěn ❶書 田のあぜ ❷境界 ‖ ～域 境界

13 缜 zhěn ↓

【缜密】zhěnmì 形 書 緻密(ちみつ)である. 周到である

zhèn

6 ** 阵[1] zhèn ❶名 陣立て. 陣構え ‖ 严～以待 厳重な陣構えで敵を待つ ❷陣地. 戦地 ‖ 临～脱逃 戦いに臨んで逃げ出す. 敵前逃亡する

6 ** 阵[2] zhèn ❶量 (～ル)ある短い期間を表す ‖ 别捣乱dǎoluàn, 我这～ル正忙呢 じゃましないでくれ, いまちょうど忙しいところなんだよ ❷量 (～ル)事物や動作の一経過を表す ‖ 台下响起了一～热烈的掌声 客席からひとしきり熱烈な拍手が起きた | 下了一～雨 しばらく雨が降った

*【阵地】zhèndì 名 ❶陣地 ❷喩 活動の場

【阵脚】zhènjiǎo 名 陣頭. 軍陣の先頭. 喩 態勢. 足並み ‖ 压住～ 足並みの乱れを抑える

*【阵容】zhènróng 名 ❶軍隊の隊伍. 陣立て ❷喩 組織の人員配置. 陣容 ‖ ～强大 陣容は強力だ

【阵势】zhènshi ; zhènshì 名 ❶軍隊の戦闘配置 ❷方 形勢. 様子

【阵痛】zhèntòng 名〈医〉陣痛 ‖ 临产前的～ 分娩(ぶんべん)前の陣痛. 産みの苦しみ

【阵亡】zhènwáng 動 戦死する

*【阵线】zhènxiàn 名 戦線

*【阵营】zhènyíng 名 陣営 ‖ 和平～ 平和陣営

【阵雨】zhènyǔ 名 にわか雨. 驟雨(しゅうう)

【阵子】zhènzi 量 方 ある短い期間を表す ‖ 这～很忙 このところとても忙しい

6 **圳** zhèn 方 田地の用水路.（多く地名用字に用いる）‖ 深～ 広東省にある市の名

9 **鸩**（^酖❷）zhèn ❶伝説上の毒のある鳥. 鴆(ちん) ❷毒酒 ‖ 饮～止渴 毒酒を飲んで渇きをいやす. 結果を考えずに急場しのぎをする

【鸩毒】zhèndú 名 鴆の羽を酒に浸した毒

10 **振** zhèn ❶振る. 振るう ‖ ～笔疾jí书 筆を振るってすらすらと書く ❷勇み立つ. 奮起する ‖ 委靡wěimǐ不～ 意気消沈する ❸振動する ‖ ～幅 振幅

【振臂】zhènbì 動（奮い立って）腕を振り上げる

【振荡】zhèndàng 動 振動する ＝〔振动〕名〈電〉電流の周期的変化

*【振动】zhèndòng 動 振動する.〔振荡〕ともいう

*【振奋】zhènfèn 形 奮い立っている. 勇み立っている ‖ 精神～ 元気はつらつとしている 動 奮起させる. 奮い立たせる ‖ ～人心的消息 人の心を奮い立たせるニュース

【振聋发聩】zhèn lóng fā kuì 成 声が大きくて, 耳の聞こえない人にさえ聞こえる. 注意を喚起する. ぼんやりしている人の目を覚まさせる.〔发聋振聩〕ともいう

*【振兴】zhènxīng 動 振興する. 栄えさせる ‖ ～农业 農業を盛んにする

【振振有词】zhèn zhèn yǒu cí 成 いかにももっともらしくまくし立てる. 盛んに雄弁をふるう

【振作】zhènzuò 形 元気がよい. 奮い立っている ‖ ～起来 奮起する 動 気持ちを奮い起こす. 元気を出す ‖ ～精神 気持ちを奮い立たせる

10 **朕**[1] zhèn 古 ❶私. 私の ❷（皇帝の自称）朕(ちん)

10 **朕**[2] zhèn 書 前兆

【朕兆】zhènzhào 名 書 前兆. 兆し

11 **赈** zhèn 救済する

【赈济】zhènjì 動 救済する ‖ ～灾区 被災地区を救済する

【赈灾】zhènzāi 動 被災者を救済する

15 * **镇** zhèn ❶重しをする ‖ 一～纸 ❷平穏である. 落ち着いている ‖ 一～静 ❸動 抑える. 制する ‖ 他太年轻, ～不住学生 彼は若すぎて学生を抑えきれない ❹動 方 みんなを感嘆させる. 敬服させる. うならせる ‖ ～了全场 満場を感嘆させる ❺強い力で抑えつける. 制裁する ‖ 一～压 ❻軍隊が駐屯する ‖ 坐～ 駐屯する ❼軍の駐屯地 ‖ 军事重～ 軍事上の要衝 ❽名（行政単位の一つ）鎮(ちん).〔县〕(県)の下に位置する ‖ 小～ 田舎町 ❾動（氷や冷水で）冷やす ‖ 冰～汽水 氷で冷やしたサイダー

【镇尺】zhènchǐ 名 細長い文鎮

*【镇定】zhèndìng 形 冷静である. 落ち着きはらっている ‖ 故作～ 冷静を装う 動 落ち着かせる

*【镇静】zhènjìng 形 落ち着いている. 冷静である ‖ 保持～ 冷静さを保つ｜失去～ 冷静さを失う 動 落ち着かせる

【镇静剂】zhènjìngjì 名〈薬〉鎮静剤. 精神安定剤

【镇慑】zhènshè 動（威力によって）畏怖(いふ)させる. ひれ伏させる ‖ ～人心 人心を従わせる

【镇守】zhènshǒu 動 軍隊が駐屯して守る

【镇痛】zhèntòng 動〈医〉痛みを鎮める

*【镇压】zhènyā 動 ❶鎮圧する. 弾圧する ‖ ～暴动 暴動を鎮圧する ❷〈農〉播種後, うねの土を押さえつける

【镇纸】zhènzhǐ 名 文鎮

【镇子】zhènzi 名 口（農村の）町. 田舎町

15 * **震** zhèn ❶書 雷 ❷動 震える. 震わせる ‖ 玻璃～得哗哗huāhuā响 ガラスが振動でガタガタと鳴る ❸地震 ‖ 抗～ 地震に強い ❹（驚きや怒りなどで）感情が激しく揺れ動く ‖ 一～怒 ❺名 八卦(はっけ)の一つ, 震(しん). ☳で示し, 雷を表す ➡〔八卦bāguà〕

【震颤】zhènchàn 動 震動する. 震わせる

*【震荡】zhèndàng 動 震え動く. 揺れ動く. 揺るがす ‖ 一声春雷～了大地 春雷のとどろきが大地を揺るがした

*【震动】zhèndòng 動 ❶震え動く. 揺れる ‖ 车身猛烈地～了一下 車体が激しく揺れた ❷（重大な事件やニュースなどが）衝撃を与える. ショックを与える

【震耳欲聋】zhèn ěr yù lóng 成 音が大きくて耳を聾(ろう)するばかりである

【震感】zhèngǎn 名 地震時に体で感じる振動

【震古烁今】zhèn gǔ shuò jīn 成 古人を驚かせ, 今の世に光り輝く.（事業や功績が）偉大である

【震撼】zhènhàn 動 震憾(しんかん)させる. 揺るがす. 驚かす ‖ ～全球 世界を揺るがす｜～人心 人心を驚かす

【震级】zhènjí 名〈地質〉（地震の）マグニチュード

*【震惊】zhènjīng 動 驚かせる. ショックを与える ‖ 这一事件～了世界 その事件は世界を揺るがした 形 驚かされる. ショッキングである ‖ 感到十分～ ひどく驚愕する

【震怒】zhènnù 動 非常に怒る. 激怒する

【震情】zhènqíng 名 地震の被災状況

【震慑】zhènshè 動 書 おびえさせる

【震源】zhènyuán 名〈地質〉震源. 震源地

【震灾】zhènzāi 名 地震による災害

zhēng

5 **正** zhēng 正月 ‖ 新～（旧暦の）1月. 正月 ➤ zhèng

*【正月】zhēngyuè 名（旧暦の）1月. 正月

6 *** **争** zhēng ❶動 奪う. 奪い合う. 競う ‖ 大家～着要去 みんな競って行こうとする ❷争う. 勝負する ‖ 斗～ 争う ❸動 言い争う. 口論する ‖ 一～吵

【争辩】zhēngbiàn 動 口論する. 論駁(ろんばく)する

*【争吵】zhēngchǎo 動 言い争う. 口げんかする ‖ ～不休 いつまでも言い争っている

【争持】zhēngchí 動 口論して互いに譲らない. 互いに張り合う ‖ 双方～不下 双方言い争って後へ引かない

【争宠】zhēngchǒng 動 手段を講じて寵愛(ちょうあい)を得ようと争う

【争斗】zhēngdòu 動 ❶殴り合いのけんかをする ❷争う. 競う

*【争端】zhēngduān 名 争いの発端. 紛争 ‖ 国际～ 国際紛争｜边界～ 国境紛争

*【争夺】zhēngduó 動 争う. 競う. 奪い取る ‖ ～冠军guànjūn 優勝を競う｜～地盘 縄張りを争う

【争分夺秒】zhēng fēn duó miǎo 成 一分一秒を争う. 分秒を惜しむ

【争风吃醋】zhēng fēng chī cù 成 恋のさや当てをする

【争购】zhēnggòu 動 争って購入する

【争冠】zhēngguàn 動 優勝を争う

【争光】zhēng//guāng 動 栄誉を勝ち取る. 誉れを競う ‖ 为母校争了光 母校に栄誉をもたらした
**【争论】zhēnglùn 動 口論する. 論争する. 議論する ‖ ～不休 どこまでも言い争う｜无谓wúwèi的～ 無意味な論争
【争名夺利】zhēng míng duó lì 成 名声と利益を奪い取る
【争鸣】zhēngmíng 動 (鳥などが)競って鳴く. 学術上の論争をするたとえ ‖ 百家～ 百家争鳴. 多くの人が自由に論議をたたかわすこと
【争奇斗艳】zhēng qí dòu yàn 成 巧みさや美しさを競う
*【争气】zhēng//qì 動 負けん気を出す. 頑張る. 張り合う ‖ 为咱球队争口气 自分のチームのために頑張る
【争抢】zhēngqiǎng 動 争って奪い合う
**【争取】zhēngqǔ 動 ❶(努力して)獲得する. 勝ち取る ‖ ～时间 時間をかせぐ ❷実現に向けて努力する. 実現をめざす ‖ ～早日完成计划 一日も早く計画が完成するよう努力する
【争权夺利】zhēng quán duó lì 成 権勢や利益を奪い合う
【争先】zhēngxiān 動 先を争う ‖ ～报名 先を争って志願する
*【争先恐后】zhēng xiān kǒng hòu 成 遅れまいと先を争う. われがちに先を争う ‖ ～地发言 われがちに発言する｜～地选购 われがちに買い求める
【争相】zhēngxiāng 副 争って. われがちに
*【争议】zhēngyì 動 論争する. 口論する ‖ 有～的人物 物議をかもす人物
【争战】zhēngzhàn 動 相争う. 戦う
【争执】zhēngzhí 動 言い争う. 張り合う ‖ ～不下 言い争って譲らない
【争嘴】zhēng//zuǐ 動 方 ❶食べ物を取り合う ❷言い合いをする. 口論をする

8 **征**[1] zhēng ❶遠くへ出かける ‖ 长～ 長征する. 遠征する ❷討伐する ‖ 南～北战 南を征し北に戦う. 方々に転戦する

8 * **征**[2] (徵) zhēng ❶召集する. 徴用する ‖ 应yìng～ 徴募に応じる ❷動 取り立てる ‖ →～收 ❸探し求める. 募る ‖ →～文

8 **征**[3] (徵) zhēng ❶証明. 証拠 ❷現れ. 兆し. 現象 ‖ 特～ 特徴

【征兵】zhēng//bīng 動 徴兵する
【征程】zhēngchéng 名 長旅の道程
【征调】zhēngdiào 動 徴用する. 徴発する. 調達する
【征订】zhēngdìng 動 注文を募る
【征伐】zhēngfá 動 征伐する. 討伐する
*【征服】zhēngfú 動 征服する ‖ ～自然 自然を征服する｜姑娘的心被～了 娘の心は奪われた
【征稿】zhēnggǎo 動 原稿を募る ‖ ～启事qǐshì 原稿募集のお知らせ
【征购】zhēnggòu 動 (政府が土地や農産物などを)買い上げる
【征候】zhēnghòu 名 兆候. 兆し
【征婚】zhēng//hūn 動 結婚相手を募る
【征集】zhēngjí 動 ❶(一般に向けて)募集する. (呼びかけて)集める ‖ ～资料 資料を募る ❷徴集する
【征募】zhēngmù 動 徴集する
【征聘】zhēngpìn 動 招聘(しょうへい)する. 招く
**【征求】zhēngqiú 動 広く求める. 募る ‖ ～意见 広く意見を求める｜～订户dìnghù 予約購読者を募る
*【征收】zhēngshōu 動 (税を)取り立てる. 徴収する
【征税】zhēngshuì 動 徴税する
【征讨】zhēngtǎo 動 征伐する
【征途】zhēngtú 名 書 征途. 旅路. 行程
【征文】zhēngwén 動 (新聞や雑誌などで)原稿を募る 名 応募原稿
【征象】zhēngxiàng 名 兆候. 現象
【征询】zhēngxún 動 諮問する
【征引】zhēngyǐn 動 引用する. 例を引く
【征用】zhēngyòng 動 収用する. 徴用する
【征战】zhēngzhàn 動 出征する
【征召】zhēngzhào 動 ❶(兵員を)徴集する ❷書 官職に取り立てる
【征兆】zhēngzhào 名 兆候. しるし. 兆し ‖ 不祥的～ 不吉な兆し

9 **挣** zhēng ↴ ➤zhèng

*【挣扎】zhēngzhá 動 あがく. 必死になる. 頑張る ‖ ～着爬pá起来 懸命にはい上がる｜垂死～ 最期のあがき

9 **峥** zhēng ↴

【峥嵘】zhēngróng 形 書 ❶高くそびえているさま ❷喩 才能や品格などが突出しているさま. 非凡であるさま
【峥嵘岁月】zhēng róng suì yuè 成 非凡な時代. 波瀾(はらん)に富んだ年月

9 **狰** zhēng ↴

【狰狞】zhēngníng 形 (顔つきが)恐ろしい. 凶悪である ‖ 面目～ 顔つきが凶悪である

10 **症** (癥) zhēng ↴ ➤zhèng

【症结】zhēngjié 名〈中医〉腹の中にできもののできる病気. 喩 問題点. 難点. 根本的原因

10 **钲** zhēng 古 鉦(しょう). (多く行軍の際に用いた銅製の打楽器)

11 * **睁** zhēng 動 目を開ける. 見開く ‖ ～开双眼 目を見張る｜困得眼都～不开 眠くて目を開けていられない

【睁眼瞎子】zhēngyǎn xiāzi 名 貶 文盲. 〔睁眼瞎〕ともいう
【睁一只眼,闭一只眼】zhēng yī zhī yǎn, bì yī zhī yǎn 慣 片目を開け, 片目を閉じる. 見て見ぬふりをする. 目こぼしをする

11 **铮** zhēng ↴ ➤zhèng

【铮铮】zhēngzhēng 擬 ❶金属が触れ合うときに出る音 ❷喩 人物が突出しているさま

12 **筝** zhēng 名〈音〉(伝統的な弦楽器の一種) 箏(そう). 箏の琴 =〔古筝〕

13 * **蒸** zhēng ❶蒸発する ‖ →～发 ❷動 蒸す. ふかす ‖ ～馒头 マントーを蒸す

【蒸饼】zhēngbǐng 名 小麦粉の食品の一つ. 練って発酵させた小麦粉を丸く平らに伸ばし, 油やごまペーストなどを塗って数枚重ねて蒸し上げたもの
*【蒸发】zhēngfā 動 蒸発する
【蒸锅】zhēngguō 名 蒸し器
【蒸饺】zhēngjiǎo (～儿) 名 蒸しギョーザ
【蒸馏水】zhēngliúshuǐ 名 蒸留水
【蒸笼】zhēnglóng 名 蒸籠(せいろう)

【蒸气】zhēngqì 图〈物〉蒸気. 昇華してできた気体
*【蒸汽】zhēngqì 图 水蒸気. 蒸気 ‖ ～浴 サウナ
【蒸汽机】zhēngqìjī 图〈機〉蒸気機関
【蒸腾】zhēngténg 動（熱気が）立ち上る.（蒸気が）上がる ‖ 热气～ 熱気が立ち上る
【蒸蒸日上】zhēng zhēng rì shàng 成 日の出の勢いで発展する. 日に日に発展する
16 鲭 zhēng 古 魚と肉を合わせて作った料理 ➤ qīng

zhěng

9 拯 zhěng 救う. 救助する ‖ 一～救
【拯救】zhěngjiù 動 救う ‖ ～灵魂 魂を救う
16 *整 zhěng ❶整っている. きちんとしている ‖ 一～齐 ❷動 整える. 正す ‖ ～～领带 ネクタイを直す ❸動 修理する. 直す ‖ 你帮我～～自行车 自転車を修理するのを手伝ってくれ ❹動 方 する. 行う ‖ 这个菜好～ この料理はとても作りやすい ❺動 ひどい目に遭わせる. こっぴどくやっつける ‖ 挨ái～ 痛めつけられる ❻全部の. 欠けのない. すべて揃っている ‖ 一～套 ❼形 ぴったりの. 端数のない. ちょうど ↔〔零〕‖ 一年～ まる1年 | 五点～ 5時かっきり ❽图（～儿）口 整数
【整备】zhěngbèi 動（軍隊を）配備する
【整编】zhěngbiān 動（軍隊や組織などを）編制替えする. 編制し直す
【整饬】zhěngchì 書 動 整える. 粛正する. 正す ‖ ～纪律 規律を正す 形 整っている. ちゃんとしている
【整地】zhěngdì 動 田畑を耕す. 土地をならす
【整队】zhěng//duì 動 整列する
*【整顿】zhěngdùn 動（秩序・態勢などを）正す. 粛正する ‖ ～交通秩序 交通安全のキャンペーンをする
*【整风】zhěng//fēng 動（思想・生活態度・仕事のやり方などの）気風を粛正する
【整改】zhěnggǎi 動 整理して改める
**【整个】zhěnggè（～儿）形 全部の. 全体の. すべての ‖ ～下午 午後いっぱい | ～过程 全プロセス
【整机】zhěngjī 图 完成品の機械.〔散件sǎnjiàn〕（組み立て部品）に対していう
【整纪】zhěngjì 動 規律を正す
*【整洁】zhěngjié 形 きれいに片付いている. 整っていて清潔である ‖ 保持～ 清潔を保つ
**【整理】zhěnglǐ 動 整理する. 整頓する ‖ ～房间 部屋を整理する | ～思路 考えを整理する
【整料】zhěngliào 图 まとまった材料. ある製品を作るのに十分な未加工の材料
【整年】zhěngnián 图 一年中. まる一年
★【整齐】zhěngqí 形 きちんとしている. 整っている. 揃っている ‖ 书摆bǎi得很～ 本が整然と並んでいる 動 揃える ‖ ～步伐bùfá 足並みを揃える
【整人】zhěng//rén 動 人を懲らしめる. 人をやっつける
【整日】zhěngrì 图 一日中. 朝から晩まで
【整容】zhěng//róng 動 ❶容貌(ぼう)を整える ❷美容整形をする ‖ ～手术 美容整形手術
*【整数】zhěngshù 图 ❶〈数〉整数 ❷端数のないまとまった数や額
【整肃】zhěngsù 書 形 厳粛である. おごそかである 動 粛正する. 整える ‖ ～军纪 軍紀を粛正する
【整套】zhěngtào 形 一揃いの. セットの. 一式の ‖ ～设备 プラント施設
*【整体】zhěngtǐ 图 全体. 総体 ‖ ～规划 全体の計画 | 从～上看 総合的に見る
*【整天】zhěngtiān 图 一日中. まる一日
【整形】zhěng//xíng 動〈医〉整形する. 形成する ‖ ～外科 整形外科
【整修】zhěngxiū 動 補修する. 修理する.（多く土木工事についていう）‖ ～堤坝dībà 堤防を補修する
*【整整】zhěngzhěng 副 まるまる. ちょうど. きっかり ‖ ～一天没吃上饭 まる一日食事にありつけなかった
【整枝】zhěngzhī 動 剪定(せん)する. 枝下ろしをする
【整治】zhěngzhì 動 ❶整理する. 補修する ❷懲らしめる. 懲罰を加える ‖ ～奸jiān商 悪徳商人を懲らしめる
【整装待发】zhěng zhuāng dài fā 成 身支度を整え, 出発を待つ

zhèng

5 ★正 zhèng ❶形（方向や位置が）まっすぐである.（位置が）真ん中である ‖ ～北 真北 | 摆～位置 位置をきちんとする ❷規範に合った. 標準に合った ‖ 一～楷 ❸形 正直である. 正当である ‖ 一～派 ❹形（色や味が）純粋である. 他のものが混じっていない ‖ ～红 真紅 ❺動（位置を）正しく直す ‖ ～一～帽子 帽子をまっすぐにかぶり直す ❻動（思想や行為を）正す ‖ 以～校风 もって校風を正す ❼（誤りを）正す ‖ 一～误 ❽形 主要な. 主体的な ↔〔副〕‖ ～副局长 局長と局次長 ❾副 ①ちょうど(… している ところである). … している最中に ‖ 我～忙着呢 私はいま忙しいんです | 他～找你呢 彼はいまあなたを探しているよ ②ちょうど. まさに. まさしく ‖ 来得～是时候 ちょうどいいときに来た | 这鞋穿着～合脚 この靴は足にちょうどぴったり合う ❿图 表面. 表 ‖ 光面为～ 光沢のある面が表だ ⓫形 ①〈数〉プラスの. 正数の ↔〔负〕‖ 一～数 ② 形〈電〉プラスの. 陽極の ↔〔负〕‖ 一～电 ⓬ちょうどその時間である ‖ ～午 正午 ⓭形〈数〉等辺の. 等角の | 一～方形 ➤ zhēng

類義語 正 zhèng 在 zài 正在 zhèngzài
◆〔正〕「ちょうど, いま」という時間に重点が置かれる. 必ず動詞の後にアスペクト助詞, または文末に語気助詞をつける ‖ 他正走着, 听到有人叫他 彼が歩いていると, 誰かが呼ぶのを耳にした | 他正打电话呢 彼は電話をしているところです ◆〔在〕「… している」という状態に重点が置かれる. そのため〔一直〕〔经常〕などの時間を表す語がつくことが多い ‖ 李老师一直在等他 李先生はずっと彼を待っている | 他一上午都在打电话 彼は午前中ずっと電話をしていた ◆〔正在〕時間と状態のどちらをも表す ‖ 他正在做饭 彼はちょうど食事の支度をしている | 她正在休病假 彼女はちょうど病気で休んでいる ◆〔在〕は動作の重複や, 長期にわたる継続を表すこともできるが,〔正在〕〔正〕にこの用法はない ‖ 他经常在考虑如何改进教学方法 彼はよく教え方をどのように変えたらよいか考えている

【正版】zhèngbǎn 图 正規版 ↔〔盗版〕
【正本】zhèngběn 图 原本. 原版. 正本 ↔〔副本〕‖ 合同的～ 契約書の正本
*【正比】zhèngbǐ 图〈数〉正比. 正比例 ‖ 成～ 正比例する

【正比例】zhèngbǐlì 名〈数〉正比例. 略して〔正比〕という
【正步】zhèngbù 名〈軍〉(観閲式などの儀式で)行進の歩調を合わせた歩き方
【正餐】zhèngcān 名(レストランで, 朝食や夜食の軽食メニューに対して)昼食または夕食
*【正常】zhèngcháng 形 正常である. 平常である. 通常である ‖ 天气不～ 天候が不順である | 体温～ 平熱である
【正大光明】zhèng dà guāng míng 成 公明正大である ‖ 为人～ 人として公明正大である
*【正当】zhèngdāng 動 ちょうど … のときに当たる ‖ ～晌午shǎngwu ちょうど正午だ ➤ zhèngdàng
【正当防卫】zhèngdàng fángwèi 名〈法〉正当防衛
【正当年】zhèngdāngnián 動 盛りの年齢に当たる. 働き盛りである ‖ 四十岁～ 40歳は働き盛りだ
【正当时】zhèngdāngshí 動 ちょうどいい時節に当たる
【正当中】zhèngdāngzhōng 名 真ん中. 中央
【正当】zhèngdàng 形 ❶正当である. 道理にかなっている ‖ ～的权益 正当な権益 ❷まともである ➤ zhèngdāng
【正当防卫】zhèngdàng fángwèi 名〈法〉正当防衛
【正道】zhèngdào 名 ❶正道 ❷正しい道理
【正点】zhèngdiǎn 動(交通の運行時間の)定時に合わせる. 定刻どおりとする ‖ ～起飞 定時に離陸する
【正电】zhèngdiàn 名〈物〉正電気. 陽電気. 〔阳电〕ともいう
【正殿】zhèngdiàn 名(宮殿や寺院などの)正殿. 本殿
【正儿八经】zhèng'erbājīng 形 まじめである. 本気である ‖ 装出一副～的样子 いかにもまじめくさった様子をする
【正法】zhèngfǎ 動 死刑を執行する. 処刑する ‖ 就地jiùdì～ その場で処刑する
【正方】[1] zhèngfāng 形 正方形の. 正立方体の
【正方】[2] zhèngfāng 名(ある意見に対する)賛成側. 支持側
【正方体】zhèngfāngtǐ 名〈数〉立方体. 正立方体
【正方形】zhèngfāngxíng 名〈数〉正方形
【正房】zhèngfáng 名 ❶母家. 〔四合院〕(中国北方の伝統様式の民家)で, 中庭の北に位置する中心的な棟. 〔上房〕ともいう ❷旧 本妻
【正告】zhènggào 動 厳かに告げる
*【正规】zhèngguī 形 正規である. 正式である ‖ ～学校 正規の学校 | ～训练 正規の訓練
【正规军】zhèngguījūn 名〈軍〉正規軍
【正轨】zhèngguǐ 名 正常な軌道 ‖ 走上～ 正しい軌道に乗る
*【正好】zhènghǎo 形 ちょうどよい. ぴったりである ‖ 咸淡～ 塩かげんはちょうどいい | 你来得～ ちょうどいいときに来た 副 折よく. まさに. ちょうど ‖ ～在路上碰见他 折よく道で彼に会った
【正号】zhènghào (～儿) 名〈数〉プラス記号 ↔〔负号〕
【正极】zhèngjí 名〈物〉陽極 ＝〔阳极〕
【正教】Zhèngjiào 名〈宗〉ギリシア正教. 〔东正教〕ともいう
【正襟危坐】zhèng jīn wēi zuò 成 居ずまいを正して端座する. 恭しくかしこまったさま
*【正经】zhèngjing 形 ❶品行が正しい. まじめである. まっとうである ‖ 那家伙不大～ あいつはろくな人間ではない | ～事 まともなこと ❷正式である. 正規である ‖ ～货 正規の品物 ❸真剣である. 本気である. まじめである ‖ 别开玩笑, 我说～话呢 ふざけないでよ, 人がまじめに話しているのに
【正楷】zhèngkǎi 名 楷書(かいしょ)
【正离子】zhènglízǐ 名〈物〉陽イオン
【正理】zhènglǐ 名 正しい道理. まっとうな筋道
【正路】zhènglù 名 人としての正しい道
【正门】zhèngmén 名 正門. 表門
*【正面】zhèngmiàn 名 ❶正面 ↔〔侧面〕‖ 大厅的～ ホールの正面 ❷表面. 表 ↔〔背面〕〔反面〕‖ 这种纸的～光滑, 背面粗糙 この手の紙は表面が滑らかで, 裏面はざらざらである ❸(物事の)表面. (問題の)一面 ↔〔反面〕 形 ❶よい. プラスの. 肯定的な ↔〔反面〕‖ ～角色juésè 善玉の役柄 ❷直接の. 正面からの. ‖ 有意见就～提出来 意見があるなら正面切って言いなさい
【正面人物】zhèngmiàn rénwù 名(文学作品の中の)肯定的人物. 理想的人物 ↔〔反面人物〕
【正牌】zhèngpái (～儿) 形 正規の. ブランドの ‖ ～货 本物のブランド品 | ～大学 有名大学
【正派】zhèngpài 形 品行方正である. まじめである ‖ 作风～ 生活態度がまじめである
【正片】zhèngpiàn 名 ❶ポジ. ポジティブ ❷(映画の)プリント. コピー ❸(予告編や同時上映の短編に対し)本編
【正品】zhèngpǐn 名 合格品. 規格品
*【正气】zhèngqì 名 公明正大な態度. 正しい気風 ‖ ～凛然lǐnrán 公明正大で厳格である
【正桥】zhèngqiáo 名〈建〉主橋梁. 橋梁の全構造のうち河川上にある部分
*【正巧】zhèngqiǎo 形(時機が)ぴったりである. ちょうどよい ‖ 来得～ ちょうどよいところへ来た 副 ちょうど. 折よく. あいにく ‖ ～他来了, 咱们一起去吧 ちょうど彼が来たから, みんなで一緒に行こう
★【正确】zhèngquè 形 正しい ‖ ～的意见 正しい意見 | 答案完全～ 答えは完全に正しい
【正人君子】zhèng rén jūn zǐ 成 聖人君子. 行いの正しい人. (多く風刺として使われる)
【正如】zhèngrú 動 まさに … のようである ‖ 结果～预料的那样 結果は予期していたとおりである
【正色】[1] zhèngsè 名 書 正色. 混じり気のない色
【正色】[2] zhèngsè 副 厳しい顔つきで
【正身】zhèngshēn 名 本人 ‖ 验明yànmíng～ 本人であることを確認する
【正史】zhèngshǐ 名 正史. 正統な史書
*【正式】zhèngshì 形 正式の. 公式の ‖ ～文件 正式な書類 | ～结婚 正式に結婚する
【正事】zhèngshì (～儿) 名 まともな事柄. まじめな事柄 ‖ 成天不干～儿 一日中ぶらぶらしている
【正视】zhèngshì 動 正視する. 直視する
【正数】zhèngshù 名〈数〉正数 ↔〔负数〕
【正题】zhèngtí 名 本題. 主題 ‖ 跟～无关 本題とは関係がない | 转入～ 話を本題に戻す
【正体】zhèngtǐ 名 ❶規範とされる漢字の字体. 正字 ❷中国語表音ローマ字の印刷書体
【正统】zhèngtǒng 名 ❶(封建王朝の)王統. 皇統

❷(党派や学派などの)正統 ‖ ～派 正統派 形 正統である. オーソドックスである

【正文】zhèngwén 名 本文

【正误】zhèngwù 動 誤りを正す ‖ ～表 正誤表

【正凶】zhèngxiōng 名 (殺人事件の)主犯

【正颜厉色】zhèng yán lì sè 成 厳しい顔つきをする

【正眼】zhèngyǎn 副 まっすぐな視線で(見る). 直視して ‖ 她不敢～看我 彼女は私をまともに見ようとしない

【正业】zhèngyè 名 正業. まともな仕事

*【正义】[1] zhèngyì 名 正義 ‖ 主持～ 正義を守る 形 正義の. 正しい ‖ ～战争 正義の戦争

【正义】[2] zhèngyì 動 正しく解釈する 名 (言葉の)正しい解釈. (文字の)正しい意味. (多く書名に用いる)

【正义感】zhèngyìgǎn 名 正義感. 正義心

【正音】zhèng//yīn 動 言葉の発音を正しく直す 名 (zhèngyīn) 〈語〉正しい発音. 標準音

★【正在】zhèngzài 副 ちょうど. いま ‖ 教室里～上课 教室ではちょうど授業中だ

【正直】zhèngzhí 形 正直である. まっすぐである. 実直である ‖ 为人～ 人柄がまっすぐである

【正职】zhèngzhí 名 (副の職位に対して)正の職位. 正ポスト ↔〔副职〕

【正中】zhèngzhōng 名 真ん中. 中央. 〔正当中〕ともいう ‖ 屋子的～ 部屋の真ん中

【正中下怀】zhèng zhòng xià huái 成 まさに望んでいたとおりになる. 願ったりかなったりである

【正传】zhèngzhuàn 名 話の本筋. 本題 ‖ 闲话 xiánhuà少说, 言归～ (講釈の口上で)余談はここまでとして, 本題に戻りましょう

【正字】zhèng//zì 動 文字を正しく直す 名 (zhèngzì) ❶楷書 ❷〈語〉正字

【正字法】zhèngzìfǎ 名〈語〉正書法. 正字法

【正宗】zhèngzōng 名 正統. 本家本元 形 正統の. 本場の ‖ ～川菜 本場の四川料理

【正座】zhèngzuò (～儿) 名 (劇場で)舞台正面の席. 一等席

7
* **证**(證) zhèng ❶証明する ‖ 一～明 ❷名 (～儿)証明. 証拠 ‖ 学生～ 学生証

> **逆引き単語帳** 〔身份证〕shēnfenzhèng 身分証明書 〔结婚证〕jiéhūnzhèng 結婚証明書 〔借书证〕jièshūzhèng 図書貸出証 〔出生证〕chūshēngzhèng 出生証明書 〔工作证〕gōngzuòzhèng 職場の身分証明書. 従業員証 〔出入证〕chūrùzhèng 出入許可証 〔独生子女证〕dúshēngzǐnǚzhèng 一人っ子証明書 〔签证〕qiānzhèng ビザ 〔党证〕dǎngzhèng 党員証

【证词】【证辞】zhèngcí 名 証言

【证婚人】zhènghūnrén 名 結婚の立会人

*【证件】zhèngjiàn 名 証明書. 証書 ‖ 出示～ 証明書を提示する

*【证据】zhèngjù 名 証拠 ‖ ～确凿 証拠が確実である | 销毁～ 証拠を隠滅する

【证明】zhèngmíng 動 **証明する ‖ 事实～他的判断是正确的 彼の判断が正しかったことは事実が証明している 名 **証明書** ‖ 开～ 証明書を書く

【证券】zhèngquàn 名 有価証券. 証券

【证券交易所】zhèngquàn jiāoyìsuǒ 名 証券取引所

【证人】zhèngren 名 ❶〈法〉証人 ❷〈広く〉証人

*【证实】zhèngshí 動 実証する. 証拠だてる. 裏づける. 証明する ‖ 推论得到了～ 推論が実証された

*【证书】zhèngshū 名 証書. 証明書 ‖ 毕业～ 卒業証書 | 结婚～ 結婚証明書

【证物】zhèngwù 名〈法〉証拠物件. 物的証拠

【证言】zhèngyán 名 証言

【证章】zhèngzhāng 名 (機関や学校などが発行する身分を証明する)記章. バッジ

【证照】zhèngzhào 名 証明書や許可証

8
诤 zhèng 書 いさめる. 忠告する ‖ 一～友

【诤言】zhèngyán 名 書 直言. 諫言(かん げん)

【诤友】zhèngyǒu 名 書 忠告してくれる友人

8
郑(鄭) zhèng 名 鄭(てい). 春秋時代の国名. 現在の河南省新鄭県付近にあった

*【郑重】zhèngzhòng 形 厳粛である. 厳かである ‖ ～声明 厳かに声明する

【郑重其事】zhèng zhòng qí shì 成 厳粛に物事に対処する. 恭しい態度をとる

8
怔 zhèng 動 方 呆然とする. あっけにとられる ‖ 发～ 呆然とする

【怔怔】zhèngzhèng 形 方 呆然とするさま

9
* **挣** zhèng ❶動 (振りほどこうとして, あるいは抜け出そうとして)もがく. あがく ‖ ～开 振り切る ❷動 働いて得る. 稼ぐ ‖ ～钱 働いて金を稼ぐ | ～外快wàikuài 副収入を稼ぐ ➤ zhēng

【挣命】zhèngmìng 動 必死になってあがく

【挣脱】zhèngtuō 動 抜け出す. 振り切る ‖ ～枷锁jiāsuǒ 束縛の鎖を断ち切る

9
帧 zhèng ➤ zhēn

9
政 zhèng ❶政治 ‖ 专～ 独裁政治 ❷政権 ‖ 执～ 政権を握る ❸政府機関の業務. 政務 ‖ 民～ 民政 ❹家庭や団体の事務 ‖ 校～ 校務

*【政变】zhèngbiàn 名 政変. クーデター ‖ 发动武装～ 軍事クーデターを起こす | 搞～ クーデターを起こす

【政策】zhèngcè 名 **政策 ‖ 落实luòshí～ 政策を浸透させる

*【政党】zhèngdǎng 名 政党

【政敌】zhèngdí 名 政敵

【政法】zhèngfǎ 名 政治と法律

★【政府】zhèngfǔ 名 **政府** ‖ 中央～ 中央政府 | 地方～ 地方行政機関

【政府采购】zhèngfǔ cǎigòu 組 政府買い付けを行う

【政工】zhènggōng 名 政治工作. 政治活動

【政纪】zhèngjì 名 行政機関内における規律

【政绩】zhèngjì 名 (官吏の)政治上の業績

【政见】zhèngjiàn 名 政見. 政治的見解 ‖ 持不同～者 異なる政治的見解を持つ者

【政界】zhèngjiè 名 政界

【政局】zhèngjú 名 政局 ‖ 稳定wěndìng～ 政局を安定させる

【政客】zhèngkè 名 貶 政客. 政治屋

*【政权】zhèngquán 名 政権 ‖ 掌握～ 政権を掌握する | ～巩固gǒnggù 政権が強固である

Z

【政审】zhèngshěn 動 政治的な審査を行う
【政事】zhèngshì 图 政事. 政治に関する事 ‖ 不问～ 政治にはかかわらない
【政体】zhèngtǐ 图 政体. 国家政権の形態
【政委】zhèngwěi 图〈軍〉略 政治委員.〔政治委员〕の略. 人民解放軍の連隊級以上の各部隊で政治工作を担当する責任者
【政务】zhèngwù 图 政務. 行政事務
*【政协】zhèngxié 图 略 政治協商会議.〔政治协商会议〕の略
【政要】zhèngyào 图 政界の要人
★【政治】zhèngzhì 图 政治 ‖ ～运动 政治運動
【政治避难】zhèngzhì bìnàn 图 政治亡命
【政治犯】zhèngzhìfàn 图 政治犯
【政治家】zhèngzhìjiā 图 政治家
【政治课】zhèngzhìkè 图 学校の教科の一つで, 政治に関する授業. 政治科
【政治面目】zhèngzhì miànmù 图 (個人の)政治的身分.〔党员〕(中国共産党員)・〔群众〕(非党員大衆)などの区別がある
【政治权利】zhèngzhì quánlì 图 政治上の権利
【政治协商会议】zhèngzhì xiéshāng huìyì 图 政治協商会議. 中国共産党およびその他の民主党派, 無党派人士によって構成される中国人民民主統一戦線の全国的組織. 略して〔政协〕という

10 **症** zhèng 症状. 病状 ‖ 病～ 症状 | 后遗～ 後遺症 ➤ zhēng
【症候】zhènghou ; zhènghòu 图 ❶病気. 疾病 ❷徴候. 症候
*【症状】zhèngzhuàng 图 症候. 病状 ‖ 感冒的～ 風邪の症状

11 **铮** zhèng 方 (物の表面が)ぴかぴか光っているさま ‖ ～亮 同前 ➤ zhēng

zhī

3 **之**[1] zhī 書 行く. 赴く

3 * **之**[2] zhī ❶代 この. その ‖ ～子于归 その子は嫁に行く ❷代 これ. それ. あれ ‖ 取而代～ それに取って代わる ❸助 ①(所属や修飾関係を表す) …の ‖ 二分～一 2分の1 ②主語と述語の間に置き, 修飾構造に変える ‖ 速度～快, 令人吃惊 スピードの速さには驚かされる ❹助 形式的に用い, 具体的な事物をささない ‖ 久而久～ 長く続けると. だんだんに
⁑【之后】zhīhòu 图 …の後. …してから.(多く時間をさし, 場所をさすことは少ない) ‖ 毕业～ 卒業後 图 (zhīhòu) その後. それから.(単独で文頭に置く) ‖ ～, 他比过去更努力了 その後, 彼は以前にも増して努力するようになった
【之乎者也】zhī hū zhě yě 成 なり, けり, べけんや. 文語調でもったいぶった表現をすること
★【之间】zhījiān 图 ❶(両者の間を表す) …の間 ‖ 我下午三点到三点半～有个会 私は午後3時から3時半まで会合がある ❷(短い時間をさす) …のうちに ‖ 说话～, 饭就做好了 おしゃべりしているうちに, 食事の用意ができた
*【之类】zhī lèi 組 …のたぐい. …のようなもの ‖ 散文 sǎnwén, 随笔～ 散文や随筆のたぐい
【之流】zhī liú 組 貶 …のごとき人物. …のやから. (多く個人名の後につけ, 軽蔑の意味を含む)
*【之内】zhī nèi 組 …のうち. …以内 ‖ 争取在一周～交货 1週間以内に納品できるよう努力する
⁑【之前】zhīqián 图 …の前.(多く時間をさし, 場所をさすことは少ない) ‖ 下班～我给你打电话 退勤前にあなたに電話を入れます
⁑【之上】zhī shàng 組 …の上 ‖ 论能力, 他在你我～ 能力について言えば, 彼は君や僕より上である
【之所以】zhī suǒyǐ 組 …のゆえんは. なぜ…かといえば.(〔是因为〕と呼応して用いる) ‖ ～让他去, 是因为他技术好 彼に任せたのは, 彼の技術が優れているからだ
*【之外】zhī wài 組 …以外に. …のほか.(多く〔除(了)〕と呼応して用いる)
⁑【之下】zhī xià 組 …の下. …のもと ‖ 财务处～设三个科 財務部の下に三つの課を設ける
⁂【之一】zhī yī 組 …の一つ ‖ 理由～ 理由の一つ
⁑【之中】zhī zhōng 組 …の中 ‖ 谈判正在进行～ 話し合いは現在進行中である

4 * **支**[1] zhī ❶動 支える ‖ 用手～着下巴 xiàba 頰づえを突いている ❷動 持ちこたえる. 耐える. こらえる ‖ 体力不～ 体力が持たない ❸支援する. 応援する ‖ ～农 農業を支援する ❹動 (上向きまたは外側へ)ぴんと伸ばす. 突き立てる ‖ ～起耳朵听 耳をそばだてて聞く

4 ★ **支**[2] zhī ❶大本から分かれ出た系統 ‖ 一～部 ❷ばらける. 分散する ‖ 一～离破碎 ❸動 外へ使いにやる. 仕事を言いつける. 立ち去らせる ‖ 一～使 ❹動 (金銭を)支出する. 受領する ‖ 预～ 前払いする ❺十二支 ‖ 干～ 十干十二支 ❻量 ①(筆など)細長いものを数える ＝〔枝〕②部隊などを数える ‖ 一～游击队 一つの遊撃部隊 ③歌や楽曲を数える ‖ 一～歌 1曲の歌 ④(糸の太さの単位)番手 ‖ 六十～纱 shā 60番手の糸 ⑤(電灯の光度の単位)燭(しょく)

> **類義語** 支 zhī 枝 zhī 只 zhī
> ◆〔支〕細長いものを数える. 使用範囲は広い ‖ 一支笔 1本の筆 | 一支队伍 一つの隊列 | 一支曲子 1曲の歌 ◆〔枝〕細長いものを数える. 棒状の形をしたものに限られ, 一般に樹木の細い枝などを数える ‖ 一枝笛子 1本の笛 | 一枝香烟 1本のタバコ | 三枝柳条 3本のヤナギの枝 ◆〔只〕鳥や獣を数える. また, 対をなす器官や器具の片方, 小型の船などに用いる ‖ 一只鸟 1羽の鳥 | 一只耳朵 片方の耳

【支边】zhī//biān 動 略 チベット・新疆ウイグル・内モンゴル各自治区などの辺境地区の開発を支援する.〔支援边疆〕の略
*【支部】zhībù 图 党や団体の末端組織. 支部.(とくに中国共産党の末端組織をさす) ‖ 党～ 党支部
*【支撑】zhīcheng ; zhīchēng 動 ❶支える ‖ 父亲去世后, 家里全靠母亲～着 父親が亡くなった後, 一家の生活はすべて母親によって支えられている ❷持ちこたえる. こらえる ‖ 她感冒很厉害, 但还是～着上学去了 彼女は風邪がひどかったが, それでも無理して学校へ行った
⁑【支持】zhīchí 動 ❶持ちこたえる. 維持する ‖ 累得～不住了 疲れてこらえきれなくなった ❷支持する. 支援する ‖ 家里不～他去留学 家族は彼の留学に賛成ではない ❸〈計〉サポートする

Z

*【支出】zhīchū 動 支出する. 支払う ‖ 这笔款从办公费中～ このお金は事務費から出ている 名 支出 ↔〔收入〕‖ 日常～ 日常の支出
【支点】zhīdiǎn 名 ❶〈物〉支点 ❷拠点
【支队】zhīduì 名〈軍〉❶連隊・師団に相当する組織 ❷(戦時中に編制される)臨時部隊
*【支付】zhīfù 動 支払う. 支出する ‖ ～利息 利息を支払う
【支架】zhījià 名 物を据えたり立てたりする台 動 支える. 架け渡す. 据え付ける
【支棱】zhīleng 動 方 立てる. ぴんと立つ ‖ ～着耳朵听 耳をそばだてて聞く
【支离】zhīlí 動 ばらばらになる. 揃わない 形(話や文章が)くどくてまとまりがない
【支离破碎】zhī lí pò suì 成 ばらばらでまとまりがないさま. 支離滅裂
【支流】zhīliú 名 ❶支流. 傍流 ❷(物事の)二次的なもの. 傍流
【支脉】zhīmài 名(山の)支脈
【支派】zhīpài 名 分派
【支派】zhīpai；zhīpài 動(人に)仕事を言いつける. 指図する
*【支配】zhīpèi 動 ❶割り当てる. 割り振る ‖ ～时间 時間を割り振る ❷支配する. 左右する
*【支票】zhīpiào 名 小切手 ‖ 空头～ 不渡り小切手. 空手形 | 旅行～ トラベラーズ・チェック
【支气管】zhīqìguǎn 名〈生理〉気管支 ‖ ～炎yán 気管支炎
【支前】zhīqián 動 略 前線を支援する.〔支援前线〕の略
【支渠】zhīqú 名 幹線水路から支流の用水路へ引き入れる分水路
【支取】zhīqǔ 動(金銭を)受け取る. 領収する
【支使】zhīshi 動(人に)仕事を命じる. 指図する ‖ 背后bèihòu有人～ 背後で誰かが指図している
【支书】zhīshū 名 略 中国共産党または共産主義青年団の支部の書記.〔支部书记〕の略
【支吾】zhīwu；zhīwú 動 話を曖昧(あいまい)にしてごまかす. 言葉を濁す. 口ごもる
【支吾其词】zhī wú qí cí 成 言を左右にする. 話を曖昧にしてごまかす
【支线】zhīxiàn 名(道路や鉄道などの)支線 ↔〔干gàn线〕
【支应】zhīyìng 動 ❶応対する. 対処する ❷詰める. 待機する
**【支援】zhīyuán 動 支援する. 援助する ‖ ～灾区 災害地区を援助する
【支着儿】【支招儿】zhī//zhāor 動(多く囲碁や将棋を見ていて)横から口を出す. 助言する
*【支柱】zhīzhù 名 ❶支柱. 柱 ❷喩 支え ‖ 家庭的～ 一家の大黒柱 | 精神～ 心の支え
【支柱产业】zhīzhù chǎnyè 名〈経〉基幹産業. 主要産業
【支子】zhīzi 名 ❶物を支えるもの. 固定用の脚 ‖ 自行车～ 自転車のスタンド ❷肉を焼くのに用いる鉄製の器具. 脚つきのロースター
【支嘴儿】zhī//zuǐr 動 方 横から口を出す. くちばしを挟む

5 **卮**(°巵) zhī 古 杯 ‖ ～酒 杯の酒

5* **汁** zhī 名(～儿)汁. 液 ‖ 果～ フルーツジュース | 墨～ 墨汁
【汁水】zhīshui 名 方 汁. 水気
【汁液】zhīyè 名 汁. 汁液

5★ **只**(隻) zhī ❶単独の. たった一つの. わずかな ‖ 一～身 ❷量 ①動物を数える ‖ 两～猫 2匹のネコ ②対になっているものの一方を数える ‖ 两～眼 両目 | 一～鞋 靴の片方 ③船を数える ‖ 一～小船 小舟1艘(そう) ④器具を数える ‖ 一～手表 腕時計1個. ➤ zhǐ
【只身】zhīshēn 名 単身. 独り ‖ ～前往 独りで赴く
【只言片语】zhī yán piàn yǔ 成 一言半句. 片言隻語(へんげんせきご). ごく短い言葉
【只字不提】zhī zì bù tí 成 一言も触れない

6 **芝** zhī 古 香草の一種. ビャクシ
【芝麻】zhīma 名 ❶〈植〉ゴマ ❷喩 小さいこと. わずかなもの
【芝麻官】zhīmaguān 名 貶 下級役人. 木っ端役人
【芝麻酱】zhīmajiàng 名 ゴマみそ. ゴマのペースト.〔麻酱〕ともいう
【芝麻油】zhīmayóu 名 ゴマ油.〔香油〕ともいう

7 **吱** zhī 擬(物がきしむ音)ギー. ギシギシ.(鳥や虫の鳴き声)チーチー ‖ 门～地一声开了 ドアがギーと開いた | 老鼠～～地叫着 ネズミがチューチュー鳴いている ➤ zī

8* **知** zhī ❶知識 ‖ 无～ 無知である ❷動 知る ‖ 只～其一, 不～其二 物事の理解が生半可である ❸知らせる ‖ 告～ 知らせる ❹書 知己 ‖ ～友 よく理解し合っている友人. 知友 ❺旧 主管する. つかさどる ‖ ～县 県知事
★【知道】zhīdao；zhīdào 動 知る. 分かる. 承知する. 心得る ‖ 我～他的手机号码 私は彼の携帯の番号を知っている
【知底】zhī//dǐ (～儿) 動 くわしい事情を知る. 内情を知る
【知法犯法】zhī fǎ fàn fǎ 成 故意に法律を犯す
【知根知底】zhī gēn zhī dǐ 慣(人の)素性をよく知っている. 内部の事情をよく知っている
【知会】zhīhui 動 口 口頭で知らせる
【知己】zhījǐ 形 互いによく理解していて親しい. 親密である 名 知己. 自分をよく理解してくれる人
【知己知彼】zhī jǐ zhī bǐ 成 自分の状況も相手の状況も完全に理解している
【知交】zhījiāo 名 知己. 親友 ‖ 多年的～ 長年の親友
*【知觉】zhījué 名 ❶〈哲〉知覚 ❷感覚. 意識 ‖ 失去～ 意識を失う
【知冷知热】zhī lěng zhī rè 慣 思いやりがあるさま
【知了】zhīliǎo 名〈虫〉セミの一種.〔蚱蝉zhàchán〕の俗称
【知名】zhīmíng 形 著名である. 高名である ‖ ～人士 有名人
【知名度】zhīmíngdù 名 知名度 ‖ ～高 知名度が高い
【知命】zhīmìng 書 動 天命を悟る 名 50歳
【知难而退】zhī nán ér tuì 成 困難であることを知って尻込みする
【知情】zhī//qíng 動 ❶(人の好意などに)感謝する

❷内情に詳しい．経緯を知っている．(多く犯罪事件についていう) ‖ ～人 内情に詳しい人 | ～不报 事実を知っていて知らせない
【知情权】zhīqíngquán 名 知る権利 ‖ 患者huànzhě应该有病情～ 患者には自分の病状について知る権利がある
【知趣】zhīqù 形 気が利いている．気配りができる
【知人之明】zhī rén zhī míng 成 人を見る明．人の性質や才能を見きわめる目
★【知识】zhīshi 名 **知識．教養** ‖ 掌握～ 知識をものにする | ～丰富 知識が豊富である
【知识产权】zhīshi chǎnquán 名〈法〉知的所有権 ‖ 侵犯～ 知的所有権を侵す
【知识产业】zhīshi chǎnyè 名 (教育・科学研究・情報サービスなどの)知識産業．〔智力产业〕ともいう
*【知识分子】zhīshi fènzǐ 名 知識人．インテリ
【知识经济】zhīshi jīngjì 名 知識経済．情報社会における知識・情報を中心とした経済
【知悉】zhīxī 動 書 承知する．知る
【知晓】zhīxiǎo 動 書 分かる．知る
【知心】zhīxīn 形 理解し合っていて親しい．気心を知っている ‖ ～朋友 親友 | ～话 打ち明け話
【知音】zhīyīn 名 知音(ちいん)．親友．知己．自分の才能を理解する友人
【知遇】zhīyù 動 (才能などを)認められて手厚くもてなされる．知遇を得る ‖ ～之恩 知遇の恩
【知足】zhīzú 形 足るを知る．満足することを知る

8 *** **织(織) zhī** ❶動 **織る** ‖ ～布 布を織る ❷動 **編む** ‖ ～毛衣 セーターを編む ❸入り交じる．錯綜する ‖ 交～ 入り交じる
【织补】zhībǔ 動 (服のほつれや破れを)繕う．はぐ
【织锦】zhījǐn 名 ❶錦織り ❷(杭州特産の)図案や人物像などを刺繍のように織り込んだ絹織物
【织女】zhīnǚ 名 ❶旧 機を織る女性 ❷＝〔织女星〕
【织女星】zhīnǚxīng 名〈天〉織女星．織り姫星
【织品】zhīpǐn 名 織物製品．布製品
【织物】zhīwù 名 織物

8 * **枝 zhī** ❶名(～儿)枝 ‖ 树～ 木の枝 | 柳liǔ～儿 ヤナギの枝 ❷量 ①枝のついた花を数える ‖ 一～桃花 一枝のモモの花 ②棒状のものを数える ‖ 一～铅笔 鉛筆1本
【枝杈】zhīchà 名 枝分かれしている枝．小枝
【枝干】zhīgàn 名 枝と幹
【枝节】zhījié 名 ❶二次的なもの．余計なこと．末節 ↔〔根本〕 ❷厄介な事．煩わしいこと ‖ 横生～ 意外な面倒が起こる
【枝蔓】zhīmàn 名 枝とつる 形 書 (表現が)煩瑣(はんさ)である．すっきりしない
【枝条】zhītiáo 名 枝 ‖ ～下垂 枝が垂れ下がる
【枝头】zhītóu 名 枝の先．こずえ
【枝丫】【枝桠】zhīyā 名 枝分かれしている枝．小枝
【枝叶】zhīyè 名 枝と葉．転 こまごまと煩わしい事柄
【枝子】zhīzi 名 枝

8 **肢 zhī** ❶(人・鳥獣の)手足．四肢 ‖ 一～体 | 上～ 上肢 ❷(人の)腰部 ‖ 腰～ 腰
【肢体】zhītǐ 名 四肢．肢体

9 **指 zhī** ➤ zhǐ

9 **祇 zhī** 書 敬う

9 **栀(△梔) zhī** ↴
【栀子】zhīzi 名 ❶〈植〉クチナシ．地方によっては〔水横枝〕ともいう ❷〈中薬〉梔子(し)

9 **胝 zhī** ➡〔胼胝piánzhī〕

10 **脂 zhī** ❶脂．油脂 ‖ 一～肪 | 松～ 松やに ❷(化粧に使う)紅(べに) ‖ 一～粉
*【脂肪】zhīfáng 名 脂肪 ‖ 植物～ 植物性脂肪
【脂肪肝】zhīfánggān 名〈医〉脂肪肝
【脂肪酸】zhīfángsuān 名〈化〉脂肪酸
【脂粉】zhīfěn 名 ❶紅とおしろい ❷女性をさす

14 **蜘 zhī** ↴
*【蜘蛛】zhīzhū 名〈虫〉クモ．俗に〔蛛蛛〕という ‖ ～网 クモの巣 | ～丝 クモの糸

zhí

6 **执(執) zhí** ❶動 書 手に取る．持つ ‖ 一～笔 ❷担当する．掌握する ‖ 一～政 ❸実行する．取り行う ‖ 一～教 ❹(自説を)固持する．押し通す ‖ 各～一词 それぞれが自分の意見を主張して譲らない ❺証明書．控え ‖ 一～照 ❻書 親友 ‖ 父～ 父の親友
【执笔】zhíbǐ 動 筆を執る．執筆する
【执鞭】zhíbiān 動 書 ❶(人のために)喜んで仕える ❷(学習や仕事を)教える．教練する
【执导】zhídǎo 動 (映画などを)監督する．演出する
*【执法】zhífǎ 動 法律を執行する ‖ ～如山 断固として法を執行する
【执教】zhíjiào 動 指導して教える．教職を務める ‖ 在这所中学～多年 この中学で長年教鞭をとっている
【执迷不悟】zhí mí bù wù 成 誤った自説を固持して譲らない．頑迷で非を認めない
【执牛耳】zhí niú'ěr 慣 盟主になる．リーダーシップをとる．影響力を持つ
【执拗】zhíniù 形 かたくなである．いこじである
*【执勤】zhí//qín 動 (主に警察や軍隊で)職務を遂行する ‖ 在马路上～ 街中で職務に当たる
【执行】zhíxíng 動 **執行する．実施する．施行する ‖ ～任务 任務を遂行する | 严格～ 厳格に執行する
【执意】zhíyì 副 頑固に自分の意見を通す．意地を張る ‖ ～不肯kěn 頑として譲らない
【执掌】zhízhǎng 動 (権力を)つかさどる．掌握する
*【执照】zhízhào 名 許可証．免許証 ‖ 营业～ 営業許可証 | 吊销diàoxiāo～ 許可証を取り消す
*【执政】zhí//zhèng 動 政権を握る
【执政党】zhízhèngdǎng 名 政権党．与党 ↔〔在野党〕
【执著】【执着】zhízhuó 形 執拗である．粘り強い

8 **侄(△姪 妷) zhí** 名(～儿)兄弟の息子．おい．(広く)同世代の男性親族や友人の息子 ‖ 内～ 妻のおい | 贤xián～ 友人などの息子に対する敬称
【侄女】zhínü；zhínǚ (～儿) 名 ❶兄弟または世代を同じくする男性親属の娘．めい ❷友人の娘
*【侄子】zhízi 名 ❶兄弟または世代を同じくする男性親

Z

属の息子．おい ❷友人の息子

8 **直** zhí ❶形 まっすぐである ↔〔曲qū〕‖ 笔～ まっすぐである｜路又宽又～ 道は広くてまっすぐに伸びている ❷動 まっすぐにする．まっすぐに伸ばす ‖ ～起身子 体をまっすぐに伸ばす．背筋を伸ばす ❸副 直接に．じかに ‖ ～奔bèn 直行する ❹副 しきりに．絶え間なく ‖ 冻得～发抖fādǒu 凍えて震えが止まらない ❺副 まるで．まるっきり．まったく ‖ 天真得～像个孩子 まるで子供のように無邪気だ ❻形 縦の ↔〔横〕‖ 一～升机 ❼正しい．理の通った ‖ 正～ 公正で率直である ❽形 (性格が)まっすぐである．一本気である ‖ 这人说话太～ この人は思ったことをずばずば言う ❾名 (漢字の字画の一つ)縦棒．ふつうは〔竖shù〕という

【直拨】zhíbō 動 (電話が)直接つながる．直接ダイヤルする ‖ ～电话 ダイヤル直通電話

【直播】[1] zhíbō 動〈農〉直播(じかま)きをする

*【直播】[2] zhíbō 動 生放送をする ‖ 现场～ 生中継をする

【直肠】zhícháng 名〈生理〉直腸

【直肠子】zhíchángzi 名 口 率直で裏表のない人．一本気な人

【直尺】zhíchǐ 名 直定規．物差し

*【直达】zhídá 動 直通する．直行する ‖ ～北京的特快列车 北京直通の特急列車

【直达快车】zhídá kuàichē 名 直通急行列車．略して〔直快〕という

【直待】zhídài 動 (時がたって)…になる．…を待って(やっと) ‖ ～医生赶到，大家才松了一口气 医者が到着して，やっとみんなは安心した

**【直到】zhídào 動 (時がたって)…になる．…になってから(やっと) ‖ 那事～今天还记得清清楚楚 あの件はいまでもはっきりと覚えている

【直瞪瞪】zhídēngdēng (～的) 形 目を大きくあけて見つめるさま．放心したように一点をみつめるさま

【直感】zhígǎn 名 直感

【直供】zhígōng 動 (生産物を中継を経ずに)直接供給する

【直贡呢】zhígòngní 名〈紡〉ベネシャン

【直勾勾】zhígōugōu (～的) 形 じっと見つめるさま

【直观】zhíguān 形 直感の．直接知覚する

【直航】zhíháng 動 (飛行機や船が)直航する

【直话】zhíhuà 名 正直な言葉．直言 ‖ ～直说 率直に言う

【直击】zhíjī 動 (テレビなどのマスメディアが)現場から報道する．直撃する

【直角】zhíjiǎo 名〈数〉直角

**【直接】zhíjiē 形 直接の ↔〔间jiàn接〕‖ ～从产地进货 産地から直接仕入れる

【直接选举】zhíjiē xuǎnjǔ 名 直接選挙

【直截了当】zhí jié liǎo dàng 成 (言動などが)きっぱりしている．まわりくどくない．単刀直入である

*【直径】zhíjìng 名〈数〉直径

【直觉】zhíjué 名〈哲〉直覚

【直快】zhíkuài 名 略 直通急行列車．〔直达快车〕の略

【直来直去】zhí lái zhí qù 慣 ❶途中どこにも寄らずに目的地を往復する ❷直情径行である．率直にものを言う ‖ 他这人说话办事～ 彼は言動に裏表がない

【直愣愣】zhílènglèng (～的) 形 ぼんやりと見ているさま．ぼうっとしているさま

【直立】zhílì 動 直立する．まっすぐに立つ

【直溜】zhíliu (～儿) 形 まっすぐなさま

【直溜溜】zhíliūliū (～的) 形 直線のように伸びているさま ‖ ～的大马路 まっすぐな大通り

【直流电】zhíliúdiàn 名〈電〉直流電流

【直眉瞪眼】zhí méi dèng yǎn 慣 ❶眉(まゆ)をつり上げ，目をむいて怒るさま ❷ぽかんとして目を丸くするさま．茫然(ぼうぜん)とするさま

【直升机】zhíshēngjī 名 ヘリコプター

【直视】zhíshì 動 直視する．まっすぐ見つめる

【直抒己见】zhí shū jǐ jiàn 成 自分の考えを率直に述べる

【直属】zhíshǔ 形 直属の ‖ ～机构 直属機関 動 直属する．直轄下にある ‖ 各部委～国务院领导 各部および各委員会は国務院の直轄下にある

【直率】zhíshuài 形 率直である

【直爽】zhíshuǎng 形 率直である．あけっぴろげである

【直说】zhíshuō 動 思ったままを言う．遠慮なく言う ‖ 你也不是外人，我就～了吧 君は仲間なんだから，はっきり言わせてもらうよ

【直挺挺】zhítǐngtǐng (～的) 形 ぴんとまっすぐになっているさま

【直通通】zhítōngtōng (～的) 形 (話が)率直である．はっきりしている

【直筒子】zhítǒngzi 名 率直な人．単純な人．あけっぴろげな人 ‖ 这人是～，心里搁不住gēbuzhù事儿 この人はあけっぴろげな性格で，隠し事ができない

【直系亲属】zhíxì qīnshǔ 名 直系親族

【直辖】zhíxiá 動 直轄する

*【直辖市】zhíxiáshì 名 中央政府が直接統轄する市．直轄市

*【直线】zhíxiàn 名〈数〉直線 形 直接の．直線の ‖ ～电话 直通電話｜消费量xiāofèiliàng～上升 消費量が急増する

【直销】zhíxiāo 動 直接販売する．直売する ‖ 产地～ 産地直売をする

【直心眼儿】zhíxīnyǎnr 口 形 きまじめである 名 実直な人．きまじめな人

【直性子】zhíxìngzi 形 率直である 名 率直な人．飾り気のない人

【直选】zhíxuǎn 動 直接選挙をする．〔直接选举〕の略

【直言】zhíyán 動 思ったままを言う．遠慮なく言う ‖ 恕shù我～ 遠慮なく述べることをお許しください

【直言不讳】zhí yán bù huì 成 直言してはばからない．遠慮なくはっきり言う

*【直至】zhízhì 動 …になる ‖ 加班加点，～深夜 深夜までずっと残業した

9 **指** zhí ➤ zhǐ

10 * **值** zhí ❶動 書 (ある状況に)巡り合う．…に当たる ‖ 正～樱花yīnghuā盛开shèngkāi时节 ちょうどサクラが満開のときに当たる ❷当直がまわってくる ‖ 一～班 ❸介 ちょうど…に際して．…に当たって ‖ 时～春节，合家团聚 旧正月に当たり，一家団欒(だんらん)の時を過ごす ❹動 (商品の価値が…に)相当する．値する ‖ 这件大衣～一千块钱 このコートは1000元する ❺価値．価格 ‖ 总产～ 総生産高 ❻動 価値がある．…する値打ちがある ‖ 这一趟来得很～ やって来たのがほんとうにむだではなかった ❼名〈数〉値

Z

*【值班】zhí//bān 動 当番をする ‖ 值了一夜班 夜勤を1回した | 明天轮到lúndào我～ 明日は私が当番だ

【值当】zhídàng 動 方 値打ちがある. 割に合う

**【值得】zhí//de(dé) 動 ❶値段が妥当である. 引き合う ❷価値がある. 意義がある. …に値する ‖ ～一看 一見の価値がある | 很～研究 大いに研究する価値がある

【值钱】zhíqián 形 値打ちがある. 高価である ‖ 不～的东西 値打ちのない物

【值勤】zhí//qín 動 (軍隊, あるいは治安・警備・交通などにかかわる部署で)当番で勤務につく. 当直する ‖ ～人员 当直の職員

【值日】zhírì 動 日直をする. 当番をする ‖ ～生 日直当番の生徒

【值夜】zhí//yè 動 宿直する

11 **埴** zhí 書 粘土

11 **职**(職) zhí ❶職務. つとめ ‖ →～称 ❷(生活の糧としての)職 ‖ →～业 ❸職階. ポスト ‖ 降jiàng～处分chǔfèn 降格処分 ❹名 旧 謙 下級官吏(かんり)の自称 ‖ 卑bēi～ 小職 ❺職責 ‖ 失～ 職務上の怠慢や過失

【职别】zhíbié 名 職種

【职场】zhíchǎng 名 職場 ‖ ～劲jìng敌 職場のライバル

コラム 会社の種類，ポスト，肩書き，資格

企業，会社の種類

中国は社会主義体制をとっているため，直接国が運営する“国营企业”(国営企業)，市や県が運営する“公营企业”(公営企業)と，個人が運営する“私营企业”(私営企業)とが共存している．

諸外国からの中国への投資熱が高まるにつれ，“外资企业”(外資企業)や“合资企业”(合弁企業)が増えた．外資企業については，たとえば日本企業であれば“日资企业”のようにいう．日中合資は“中日合资企业”．多国籍企業のことは，“跨国公司”という．

中国の“公司法”(会社法)に定められている会社の種類は，“有限责任公司”(有限会社)と“股份有限公司”(株式会社)の2種類．

部署

“岗位”(部署)の単位は大まかに“局”(局)，“部”(部)，“科”(課)，“室”(室)と分けられる．

日本では見られないが中国の国営企業，公営企業には必ず設置されている部署に，共産党の組織としての“党委”，党の予備軍組織としての“团委”(共産主義青年団委員会．中国共産主義青年団は，中国共産党が指導する14歳から28歳までの青年組織)，日本の労働組合のような組織“工会”がある．

役職

役職は大まかに“管理人员”(管理職)と“普通官职”(一般職)に分けられる．日本でいう社長は“总经理”，取締役は“董事”，社員，従業員は“公司职员”“工作人员”などという．

中国の国営企業，公営企業には，共産党の組織“党委”があり，最高リーダー“党委书记”，その支部のリーダー“党支部书记”，平の党員“党员”がいる．また，党の予備組織“团委”には，その最高リーダー“团委书记”，その支部リーダー“团支部书记”，平の団員“团员”がいる．日本の労働組合のような組織“工会”の最高リーダーは“工会主席”と呼ばれる．

肩書き・資格

職場での肩書きは“职称”と呼ばれ，“党政机关干部职称”(党政府機関幹部職称)と“专业技术干部职称”(専門技術幹部職称)の二大系統に分けられる．

前者は事務・管理職の肩書きで，だいたいの順位は“科员”→“科长”→“处长”→“局长”→“厅长”→“部长”の順にアップしていく．“党政机关”の管理職の人と接するときは，その人の名前をそのまま呼ぶより“张局长”“李处长”のように肩書きをつけて呼ぶのが一般的である．なお，“张副局长”“李副处长”のように“副”がつく場合“张局长”“李处长”と呼ぶのが礼儀であり，自分に対する好感度をアップするためのコツとしてもしばしば利用されている．

後者は専門・技術職の肩書きで，各専門分野ごとにおおむね4段階にランクづけされている．このような“职称”は単なる職場内の肩書きではなく，公認の国家資格ともいえるものである．(下表参照)

専門・技術職の肩書き(例)

大学教師	小中高教師	研究所員	俳優・芸術家
教授	高级教师	研究员	一级
副教授	一级教师	副研究员	二级
讲师	二级教师	助理研究员	三级
助教	三级教师	实习研究员	四级
技師	**農業技師**	**会計士**	**統計士**
高级工程师	高级农艺师	高级会计师	高级统计师
工程师	农艺师	会计师	统计师
助理工程师	助理农艺师	助理会计师	助理统计师
技术员	技术员	会计员	统计员
医師	**看護師**	**アナウンサー**	**弁護士**
主任医师	主任护师	播音指导	一级律师
副主任医师	副主任护师	主任播音员	二级律师
主治医师	主管护师	一级播音员	三级律师
医师	护师	二级播音员	四级律师
医士	护士	三级播音员	律师助理
新聞記者	**翻訳通訳者**	**出版編集者**	**スポーツコーチ**
高级记者	译审	编审	国家级教练
主任记者	副译审	副编审	高级教练
记者	翻译	编辑	一级教练
助理记者	助理翻译	助理编辑	二级教练

＊本表では各分野の横方向のレベルの比較はしていない．たとえば，小学校の“高级教师”は大学の“讲师”レベルに相当する．

＊俳優・芸術家は“一级演员”“一级画家”“一级书法家”などのようにいう．

Z

*【职称】zhíchēng 图 職階. 肩書き ‖ 评～ 職階昇進の評定を行う｜副教授的～ 准教授の肩書き
【职高】zhígāo 图 職業高校.〔职业高中〕の略
⁑【职工】zhígōng 图 ❶職員と労働者. 従業員 ‖ 全厂～ 工場全体の従業員 ❷旧 肉体労働者
【职级】zhíjí 图 職階. 職務上の階級
【职介】zhíjiè 動 職業を紹介する ‖ ～中心 職業紹介センター
*【职能】zhínéng 图 職能. 機能. 働き ‖ 货币的～ 貨幣の機能
*【职权】zhíquán 图 職権 ‖ 滥用lànyòng～ 職権を濫用する
【职守】zhíshǒu 图 職責. 職務 ‖ 擅shàn离～ 無断で持ち場を離れる
【职位】zhíwèi 图 職務上の地位. 職位
*【职务】zhíwù 图 職務 ‖ 担任校长～ 校長の職務を務める
【职务发明】zhíwù fāmíng 組 職務上の発明
【职务犯罪】zhíwù fànzuì 图 職務犯罪
⁑【职业】zhíyè 图 職業. 職. 仕事 形 専業の. プロの ‖ ～运动员 プロのスポーツ選手
【职业病】zhíyèbìng 图〈医〉職業病 ‖ 患huàn～ 職業病にかかる
【职业道德】zhíyè dàodé 图 職業道徳
【职业高中】zhíyè gāozhōng 图 職業高校. 略して〔职高〕ともいう ‖ 旅游～ 観光専門学校｜烹饪pēngrèn～ 料理専門学校
*【职员】zhíyuán 图 職員. (企業・官公庁・学校などの事務職の人員をいう) ‖ 银行～ 銀行員
【职责】zhízé 图 職責 ‖ 应尽的～ 果たすべき職責

12 * **植** zhí ❶動 植える ‖ ～树 木を植える ❷(人材などを)育てる. 育成する ‖ 培～ 育成する ❸(生体の組織や器官を)移植する ‖ →～皮 ❹植物 ‖ →～被
【植被】zhíbèi 图〈植〉植被. 植生
【植根】zhígēn 動 根を下ろす. (多く比喩に用いる)
【植苗】zhímiáo 動 苗木を植える
【植皮】zhí∥pí 動〈医〉皮膚移植をする
【植树节】Zhíshùjié 图 植樹デー(3月12日)
⁑【植物】zhíwù 图 植物 ‖ 热带～ 熱帯植物
【植物人】zhíwùrén 图〈医〉植物人間
【植物纤维】zhíwù xiānwéi 图 植物繊維
【植物性神经】zhíwùxìng shénjīng 图〈生理〉植物性神経. 自律神経.〔自主神经〕ともいう.
【植物园】zhíwùyuán 图 植物園

12 **殖** zhí 生息する. 繁殖する ‖ 繁～ 繁殖する｜增～ 増殖する
【殖民】zhímín 動 植民する ‖ ～政策 植民政策
*【殖民地】zhímíndì 图 植民地
*【殖民主义】zhímín zhǔyì 图 植民地主義

14 **摭** zhí 書 拾う. 取る

15 **踯(躑)** zhí ↴
【踯躅】zhízhú 動 書 さまよう. うろうろする

zhǐ

4 ⁂ **止** zhǐ ❶動 止まる ‖ 戛然jiárán而～ (音が)ぱったりとやむ ❷動 止める ‖ →～痛 ❸動 期限を切る. …までとする ‖ 读到第十课为～ 第10課まで読んで終わりとする ❹副 ただ. だけ ‖ 何～ …のみにとどまろうか. …だけではない
【止步】zhǐ∥bù 動 足を止める. 立ち止まる ‖ 游人～ これより先参観者立ち入るべからず
【止不住】zhǐbuzhù 動 止められない. 止めどない
【止跌】zhǐdiē 動 (株価などが)下げ止まりする
【止境】zhǐjìng 图 果て. 終わり. 限り ‖ 学无～ 学問には終わりがない
【止咳】zhǐké 動 咳(せき)を止める
【止渴】zhǐ∥kě 動 のどの渇きをいやす
【止痛】zhǐ∥tòng 動 痛みを止める.〔止疼〕ともいう ‖ ～片 (錠剤の)痛み止め. 鎮痛剤.
【止息】zhǐxī 動 停止する. 止まる
【止泻】zhǐxiè 動 下痢(げり)を止める ‖ ～药 下痢止め

5 ★ **只(衹 △祇 秖)** zhǐ ❶副 (動詞の前に置き, 制限を示す)ただ. わずか. だけ ‖ 我～要一个 私は一つしかいらない ❷副 (名詞の前に置き, 制限を示す)ただ. だけ ‖ 白天家里～我一个人 昼間, うちには私一人だけだ ➤ zhī
【只不过】zhǐ bùguò 組 ただ…だけである. (多く文末に〔罢了bàle〕〔而已éryǐ〕などを置く) ‖ 我～随便问问 私はただちょっと聞いてみただけだ
【只当】zhǐdàng 動 ❶てっきり…と思い込む. …とばかり思い込む ‖ 我～你早来了 私はてっきり君は先に来たものと思っていた ❷…にする. …とする
*【只得】zhǐdé 副 …するしかない. しかたなく…せざるを得ない ‖ 别人不干, ～自己干 ほかの人がやらないから, 自分でやるほかない
*【只顾】zhǐgù 副 一心不乱に. ひたすら ‖ 他～看书, 不觉bùjué坐过了站 彼は本を読むのに夢中で, つい乗り越してしまった
*【只管】zhǐguǎn 副 ❶かまわずに. 遠慮なく. いくらでも ‖ 有话～说 言いたいことがあったら, 遠慮なく言いなさい ❷ただ…するだけである. ひたすら ‖ 成天～下棋, 别的什么都不干 彼は一日中将棋に熱中して, ほかのことは何一つしない
★【只好】zhǐhǎo 副 …するしかない. やむなく…せざるを得ない ‖ 由于生病, 这次旅行～取消了 病気になったので, こんどの旅行はやむなく取りやめた｜我们都有事, ～你去了 我々はみんな用事があるから, 君が行くしかない
【只可意会, 不可言传】zhǐ kě yì huì, bù kě yán chuán 成 ただ心で会得するのみで, 言葉では表せない
*【只能】zhǐ néng 組 …するほかない ‖ 这事暂时zànshí～这样处理了 この件は当面こう処理するほかない
【只怕】zhǐpà 副 たぶん. おそらく ‖ ～来不及了 たぶん間に合わないだろう
⁑【只是】zhǐshì 副 ❶ただ…だけである. ただ…にすぎない ‖ 他～说说, 不会真干的 彼は口で言うだけで, 本当にやりはしない ❷…するばかりである. ひたすら…する ＝〔就是〕‖ 任rèn你怎么劝, 他～不听 君がどんなに忠告しても彼は全然聞き入れない 接 ただ. しかし ＝〔不过〕‖ 我很想去旅行, ～没钱 私は旅行に行きたいのだが, お金がない
【只限】zhǐxiàn 動 …に限る ‖ 借书证～本人使用 図書貸出証の使用は本人に限る
【只消】zhǐxiāo 動 …のみを要する. …さえあれば十分である ‖ 做这点事～一天就足够了 これしきの仕事は1日あれば十分だ

【只许州官放火，不许百姓点灯】zhǐ xǔ zhōuguān fànghuǒ, bùxǔ bǎixìng diǎn dēng 成 役人は放火をしても許されるが，民は明かりをつけることさえ許されない．役人の不公正と横暴なさまをいう

⁂【只要】zhǐyào 圏（ある条件さえ備えれば十分であることを示す）… でさえあれば．… しさえすれば．（多く〔就〕と呼応する）‖ ～不下雨，我们就去 雨さえ降らなければ，我々は行く｜～你开口，他是不会拒绝的 君が頼みさえすれば，彼は断りはしない｜衣服～能穿就行 服は着られさえすればいい

⁂【只有】zhǐyǒu 圏（ある条件以外は無効であることを示す）ただ … だけが … ．… してはじめて … ．（多く〔才〕と呼応する）‖ ～在紧急情况下，才能按这个电钮diànniǔ 緊急の場合以外このボタンを押してはいけない｜～傻子才会相信这种话 ばかでなければこんな話を信じはしない

類義語｜只有 zhǐyǒu 只要 zhǐyào

◆〔只有〕唯一欠くべからざる絶対条件を表す．副詞〔才〕と呼応し，多く〔只有 … 才 …〕の形をとる ‖ 只有这样做，才能彻底解决问题 こうしてこそはじめて，問題の徹底的解決ができる｜这种话只有他才说得出口 この手の話は彼だからこそ口にできるのだ ◆〔只要〕必要条件を表す．副詞〔就〕〔便〕などと呼応し，多く〔只要 … 就 …〕の形をとる ‖ 只要不下雨，运动会就能开 雨さえ降らなければ競技会は開ける｜只要你需要，便可以送给你 君が欲しいのであれば，あげましょう

【只争朝夕】zhǐ zhēng zhāo xī 成 一朝一夕を争う．寸刻を惜しんで努力するたとえ

6 **旨**[1] zhǐ うまい．美味である ‖ ～酒 美酒｜甘～ ご馳走

6 **旨**[2] zhǐ ❶旨．趣意．趣旨 ‖ 宗zōng～ 趣旨 ❷帝王の命令．勅旨 ‖ 圣～ 勅旨

【旨趣】zhǐqù 图 書 趣旨．趣意

【旨意】zhǐyì 图 意向．意図．目的

【旨在】zhǐzài 動 … を旨とする．… をめざす ‖ 一部～普及环保意识的电影 環境保護意識の普及を旨とした映画

7 **址**（△阯）zhǐ （建物の）所在地 ‖ 地～ 住所｜住～ 住所｜校～ 学校の所在地｜厂～ 工場の所在地

7 **芷** zhǐ ➡〔白芷báizhǐ〕

7 ★**纸**（△帋）zhǐ ❶图 紙 ‖ 宣～（書画に用いる）画仙紙．宣紙｜牛皮～ クラフト紙 ❷量 手紙や文書の枚数を数える ‖ 一～公文 1通の公文書 ❸（紙銭などの）民間信仰に関する品 ‖ 烧shāo～（死者が死後の世界で使う）紙銭を焼く

逆引き単語帳 〔手纸〕shǒuzhǐ ちり紙．トイレットペーパー 〔信纸〕xìnzhǐ 便箋(びんせん) 〔稿纸〕gǎozhǐ 原稿用紙 〔复印纸〕fùyìnzhǐ コピー用紙 〔复写纸〕fùxiězhǐ カーボン紙 〔餐巾纸〕cānjīnzhǐ 紙ナプキン 〔锡纸〕xīzhǐ 銀紙．錫箔(すず) 〔滤纸〕lǜzhǐ 〔过滤纸〕guòlǜzhǐ 濾紙(ろ)．フィルター 〔卫生纸〕wèishēngzhǐ トイレットペーパー 〔砂纸〕shāzhǐ 紙やすり．サンドペーパー 〔墙纸〕qiángzhǐ 壁紙 〔包装纸〕bāozhuāngzhǐ 包装紙 〔废纸〕fèizhǐ 紙くず 〔草纸〕cǎozhǐ わら紙．ざら紙 〔报纸〕bàozhǐ 新聞．新聞紙 〔牛皮纸〕niúpízhǐ クラフト紙 〔蜡纸〕làzhǐ パラフィン紙．謄写原紙 〔绘图纸〕huìtúzhǐ ケント紙 〔美术纸〕měishùzhǐ アート紙 〔图纸〕túzhǐ 設計図．青写真 〔剪纸〕jiǎnzhǐ 切り紙細工 〔折纸〕zhézhǐ 折り紙 〔镇纸〕zhènzhǐ 文鎮

【纸板】zhǐbǎn 图 厚紙 ‖ ～箱 ダンボール箱

【纸包不住火】zhǐ bāobuzhù huǒ 諺 燃えている火を紙で包むことはできない．悪いことは隠しとおせないたとえ

【纸币】zhǐbì 图 紙幣

【纸浆】zhǐjiāng 图 製紙用パルプ

【纸巾】zhǐjīn 图 紙ナプキン

【纸老虎】zhǐlǎohǔ 图 喩 張り子の虎．見かけ倒し

【纸媒】zhǐméi 图 紙メディア．紙媒体．印刷メディア

【纸尿布】zhǐniàobù 图 紙おむつ

【纸牌】zhǐpái 图 カルタ．トランプ．花札

【纸片】zhǐpiàn （～儿）图 紙片．紙切れ

【纸钱】zhǐqián （～儿）图（死者が死後の世界で使う）紙銭 ‖ 烧shāo～ 紙銭を燃やす

【纸上谈兵】zhǐ shàng tán bīng 成 紙の上で兵を談じる．机上の空論

【纸烟】zhǐyān 图 紙巻きタバコ

*【纸张】zhǐzhāng 图 紙の総称 ‖ 笔墨～ 筆墨と紙．文房具

【纸醉金迷】zhǐ zuì jīn mí 成 豪華で豪奢(ごうしゃ)な生活の形容

8 **祉** zhǐ 書 幸福．幸せ

9 ★**指** zhǐ ❶图 指 ‖ 手～ 手の指｜大拇mǔ～ 親指｜食～ 人差し指｜中～ 中指｜无名～ 薬指｜小拇～ 小指 ❷動 指さす．指す ‖ 用手～了～前方 手で前方を指し示した ❸動 意味する ‖ 他的发言～的是你 彼の発言は君のことを言っているんだよ ❹動 指摘する ‖ 把不足之处～出来 不十分なところを指摘する ❺批判する．叱責(しっせき)する ‖ 一～责 ❻（髪の毛が）逆立つ ‖ 令人发fà～ 人を激怒させる ❼量 指1本の幅 ‖ 三～宽的带子 指3本分の幅のベルト ❽動 口 頼る ‖ 大家都忙，谁也～不上谁 みんな忙しいから，お互いに当てにはできない

*【指标】zhǐbiāo 图 指標．目標値 ‖ ～订得太高了 目標値を高く設定しすぎた

【指不胜屈】zhǐ bù shèng qū 成 数が多すぎていちいち数えきれない

【指斥】zhǐchì 動 責める．叱責(しっせき)する

⁂【指出】zhǐchu；zhǐchū 動 指摘する．指し示す ‖ 一一～ 一つ一つ指摘する

⁂【指导】zhǐdǎo 動 指導する ‖ 老师～学生做实验 先生は学生の実験を指導する

*【指点】zhǐdiǎn 動 ❶指し示す．指摘する．教え示す ‖ 不懂的地方还请您多多～ 分からないところは今後ともいろいろとご教示ください ❷非難する．陰口をきく ‖ 有话当面说，别老在背后指指点点的 言いたいことがあるなら面と向かって言いなさい，陰でぶつぶつ文句を言っていないで

*【指定】zhǐdìng 動 指定する．決める ‖ 请准时在～的地点集合 時間どおりに指定の場所に集合してください

【指法】zhǐfǎ 图（楽器演奏の）指使い．（舞踊や伝統劇の）手の動き

【指腹为婚】zhǐ fù wéi hūn 成 子供を身ごもって生

まれる前に双方の親が婚約を決めること
【指骨】zhǐgǔ 图〈生理〉指骨
【指画】[1] zhǐhuà 動 指さす
【指画】[2] zhǐhuà 图（中国画の技法の一つで）指・手の甲・手のひらなどに墨や顔料をつけて描いた絵
【指环】zhǐhuán 图 指輪
**【指挥】zhǐhuī 動 指揮する．指図する‖～交通 交通整理をする｜～乐队 楽隊を指揮する 图 指揮者
【指挥棒】zhǐhuībàng 图 ❶〈音〉指揮棒 ❷喩 貶 人を操る指揮棒
【指挥刀】zhǐhuīdāo 图 指揮刀
【指挥员】zhǐhuīyuán 图 ❶（人民解放軍の）指揮官．指導幹部 ❷（広く）リーダー．指導者
【指鸡骂狗】zhǐ jī mà gǒu 成 鶏を指して犬を罵る．遠回しに非難する =〔指桑sāng骂槐huái〕
*【指甲】zhǐjia 图（手足の）爪．（話し言葉では zhījia と発音することが多い）‖剪～ 指の爪を切る
【指甲盖ル】zhǐjiagàir 图 爪．（話し言葉では zhījiagàir と発音することが多い）
【指甲油】zhǐjiayóu 图 マニキュア液．ネイルエナメル．（話し言葉では zhījiayóu と発音することが多い）
【指教】zhǐjiào 動 教示する‖承蒙chéngméng～ ご教示を賜る｜今后还望多多～ 今後ともよろしくご指導ください
【指靠】zhǐkào 動 頼る．依存する
【指控】zhǐkòng 動 告発する．訴える‖提出～ 告発する
*【指令】zhǐlìng 動 命じる．命令する 图 ❶命令．指令‖上级～ 上級機関の命令 ❷旧（公文書の一種）上級から下級への指令 ❸〈計〉コマンド
【指鹿为马】zhǐ lù wéi mǎ 成 鹿を指して馬となす．是非を転倒し白黒を混同させるたとえ
【指名】zhǐ//míng （～ル）動 指名する．名指しする
【指名道姓】zhǐ míng dào xìng 成 相手の姓と名を直接いう．相手に尊敬を払わないこと
*【指明】zhǐmíng 動 はっきり指し示す．明示する‖～方向 方向を明示する
【指南】zhǐnán 图 指針．案内．手引き‖旅游～ 旅行案内
*【指南针】zhǐnánzhēn 图 磁石．コンパス．羅針盤
【指派】zhǐpài 動（人を名指しして仕事を）担当させる．当たらせる‖～他负责会务工作 彼に会議の事務方を担当させる
【指认】zhǐrèn 動 それと指摘する．確かめる
【指日可待】zhǐ rì kě dài 成（物事が）まもなく実現すること
【指桑骂槐】zhǐ sāng mà huái 成 桑の木を指してエンジュの木を罵る．遠回しに非難する
【指使】zhǐshǐ 動 そそのかす．指図してやらせる‖～别人干坏事 ほかの者をそそのかして悪事をはたらかせる｜受人～ 人にそそのかされる
**【指示】zhǐshì 動 ❶指し示す ❷指示する‖上级～下级 上級機関が下級機関に指示する 图 指示
【指示灯】zhǐshìdēng 图 パイロット・ランプ
【指事】zhǐshì 图〈語〉（六書(りくしょ)の一つ）指事
*【指手画脚】【指手划脚】zhǐ shǒu huà jiǎo 成 ❶身振り手振りを交えて話す ❷あれこれ人の欠点をあげつらう
【指数】zhǐshù 图 ❶〈数〉指数 ❷指数‖物价～ 物価指数

*【指头】zhǐtou 图 指．（話し言葉では zhítou と発音することが多い）‖脚～ 足の指
【指头肚ル】zhǐtoudùr 图 指の腹．（話し言葉では zhítoudùr と発音することが多い）
*【指望】zhǐwang 動 期待する．切望する‖～孩子能成才 子供が立派な人間になることを期待する 图（～ル）望み．見込み‖～不大 見込みは薄い｜～落空luòkōng了 当てがはずれた
【指纹】zhǐwén 图 指紋‖取～ 指紋をとる
*【指引】zhǐyǐn 動 導く．先導する‖～方向 方向を指し示す
【指印】zhǐyìn （～ル）图 ❶指紋 ❷拇印(ぼいん)‖按àn～ 拇印を押す
【指责】zhǐzé 動 非難する．指摘して責める‖～对方不守信用 相手が信用を守らないことを非難する
【指摘】zhǐzhāi 動 誤りを指摘して批判する
【指战员】zhǐzhànyuán 图〈軍〉〔指挥员〕（指揮官）と〔战斗员〕（戦闘員）の総称
*【指针】zhǐzhēn 图 ❶（時計や計器類の）針 ❷喩 指針．案内．手引き‖前进的～ 前進するための指針
【指正】zhǐzhèng 動 誤りを指摘し訂正する．（多く自分の作品や意見を人に評してもらうときなどに用いる）‖张先生～ 張先生へ，ご叱正(しっせい)を請う（著作を贈るときの言葉）
【指证】zhǐzhèng 動〈法〉犯人を指さして証言する

9 **咫** zhǐ 古 周尺で8〔寸〕をさす
【咫尺】zhǐchǐ 图 書 咫尺(しせき)．距離の近いたとえ‖近在～ すぐ近くにある
【咫尺天涯】zhǐ chǐ tiān yá 成 すぐ近くにいながら，まるで空の果てにいるように隔たっている．近くにいてもなかなか会えないさま

9 **枳** zhǐ 图〈植〉カラタチ．〔枸橘gōujú〕ともいう

9 **轵** zhǐ 書 車軸の先端

11 **趾** zhǐ ❶足‖→～高气扬 ❷足の指‖脚～ 足の指
【趾高气扬】zhǐ gāo qì yáng 成 足を高くあげて歩く．おごり高ぶって我を忘れたさま．鼻息が荒いさま
【趾甲】zhǐjiǎ 图 足の指の爪

12 **黹** zhǐ 書 裁縫をする．刺繍(ししゅう)をする‖针～ 針仕事

13 **酯** zhǐ 图〈化〉エステル

15 **徵** zhǐ 图〈音〉中国伝統音楽の階名の一つ，西洋音楽のソに相当する ➡〔五音wǔyīn〕

zhì

6 ** **至** zhì ❶動 …に至る‖七月五日～十日 7月5日から10日まで ❷最もよい‖→～交 ❸極点‖冬～ 冬至｜夏～ 夏至 ❹副 きわめて．甚だ‖→～少｜感激之～ 感激の至り
【至宝】zhìbǎo 图 至宝．非常に貴重な宝物‖如获huò～ またとない宝を手に入れたような．鬼の首でも取ったよう
【至诚】zhìchéng 形 誠意がある．真心がある
【至迟】zhìchí 副 遅くとも
【至此】zhìcǐ 動 ❶ここに至る．これをもって．これで‖工

程～告一段落 工事はこれで一段落した ❷こうした事態になる‖事已～，还有什么可说的呢 事ここに至っては，いまさら何を言うことがあろうか

*【至多】zhìduō 副 多くとも．せいぜい‖他看上去～也就三十岁 見たところ彼はせいぜい三十だ

【至高无上】zhì gāo wú shàng 成 この上もない．最高の‖～的权力 最高の権力

【至极】zhìjí 動 極に達する．…の限りである

【至交】zhìjiāo 名 最も親しい友人．親友

**【至今】zhìjīn 副 いまに至るも．いまだに．いまでも‖小时候读的书，～未忘 子供のころに読んだ本はいまでも忘れていない

【至理名言】zhì lǐ míng yán 成 しごくもっともな道理と優れた言葉

【至亲】zhìqīn 名 最も近い親戚．近親者‖～好友 近親者と親しい友人

【至上】zhìshàng 形 至上である‖爱情～ 愛情第一

**【至少】zhìshǎo 副 少なくとも‖报名的～一百人 申し込み者は少なくとも100人はいる|人没见过，～听说过吧？ 会ったことはなくても，少なくとも聞いたことはあるだろう

【至友】zhìyǒu 名 心からの親友

*【至于】zhìyú 動 …ほどの状態になる．…のようなことになる‖当初如果听我的，哪～现在后悔？ あのとき私の言うことを聞いていれば，いまになって後悔するようなことはなかったのに|不～吧 それほどまでにはならないだろう．そうはならないだろう 介 …に至っては．…については‖你安心疗养liáoyǎng，～工作，就不要操心了 安心して療養しなさい，仕事のことなら心配しなくていいから

【至尊】zhìzūn 形 この上もなく尊い 名 古 皇帝

7 识（識）zhì 書 ❶記憶する．覚える‖博闻强～ 博覧強記 ❷名 しるし．記号‖款～ 青銅器に彫りつけた文字 ❸書 記述する‖附～ 付記する ➤shí

7 忮 zhì 書 嫉妬する

7 * 志[1] zhì 名 志‖～在四方 遠大な志を抱く|心怀huái大～ 大志を抱く

7 志[2]（△誌）zhì ❶覚える．記憶する‖永～不忘 長く覚えておいて忘れない ❷記す．記載する‖杂～ 雑記 ❸（記録した）文字‖日～ 日誌 ❹記号．しるし‖标～ 目印．標識

【志哀】zhì'āi 動 哀悼の意を表す‖人们肃立sùlì～ 人々は恭しく起立して哀悼の意を表した

【志大才疏】zhì dà cái shū 成 志は大きいが，能力が足りない

【志得意满】zhì dé yì mǎn 成 志を遂げて満足なさま

【志怪】zhìguài 動 怪異を記す‖～小说 怪異小説

*【志气】zhìqì；zhìqi 名 気概．意気込み‖长zhǎng～ 意気込みを高める

【志趣】zhìqù 名 志向と趣味‖～相投 気が合う

【志士】zhìshì 名 志士‖～仁人rénrén 志士仁人．高い志を持つ人と仁を重んじる人

【志书】zhìshū 名 地方の歴史・地理・人物・物産・風俗・言語などを記した書籍

【志同道合】zhì tóng dào hé 成 志や理想を同じくする

【志向】zhìxiàng 名 志．抱負

*【志愿】zhìyuàn 名 志．抱負．願望‖立下～ 志を立てる 動 志願する

【志愿兵】zhìyuànbīng 名 義勇兵．志願兵

【志愿军】zhìyuànjūn 名 義勇軍

【志愿书】zhìyuànshū 名 志願書‖入党～ 入党志願書

【志愿者】zhìyuànzhě 名 ボランティア‖奥运～ オリンピックのボランティア

7 豸 zhì 書 脚のない虫‖虫～ 虫の総称

8 * 制（製❶❷）zhì ❶（服地を）裁断する‖裁～ 裁断する ❷動 造る．製造する‖→～造 ❸制定する．規定する‖→～定 ❹制度．規定‖学～ 学制 ❺拘束する．限定する‖限～ 制限する

【制版】zhì∥bǎn 動〈印〉製版する

*【制裁】zhìcái 動 制裁する．制裁を加える‖受到法律的～ 法律の制裁を受ける

【制导】zhìdǎo 動（ミサイルなどを）制御誘導する

**【制订】zhìdìng 動 制定する．定める

**【制定】zhìdìng 動（法律・規則・計画などを）制定する．定める．作成する‖～计划 計画を作成する

【制动】zhìdòng 動 ブレーキをかける．制動する‖紧急～ 急ブレーキをかける

**【制度】zhìdù 名 制度‖规章～ 規則と制度

【制伏】【制服】zhì∥fú 動 屈服させる．征服する

*【制服】zhìfú 名 制服

【制高点】zhìgāodiǎn 名〈軍〉見晴らしのきく高地または建築物

【制海权】zhìhǎiquán 名 制海権

【制衡】zhìhéng 動 互いに牽制し合い均衡をとる‖权利～ 権力のチェックアンドバランス

【制黄】zhìhuáng 動 ポルノ雑誌やポルノビデオを制作する

【制剂】zhìjì 名〈薬〉製剤

【制假】zhìjiǎ 動 にせブランド品を製造する

【制件】zhìjiàn 名〈機〉加工部品．〔作件〕ともいう

【制空权】zhìkōngquán 名 制空権

【制冷】zhìlěng 動 冷凍する．冷却する

【制片人】zhìpiànrén 名（映画やテレビの）制作者．プロデューサー

*【制品】zhìpǐn 名 製品‖乳rǔ～ 乳製品

【制胜】zhìshèng 動 勝つ．勝利を得る‖出奇～ 人の意表をついて勝つ

【制式】zhìshì 名 方式．様式．型‖全～的录像机 全方式対応のビデオデッキ

【制售】zhìshòu 動 製造販売する

【制图】zhì∥tú 動 製図する

【制宪】zhìxiàn 動 憲法を制定する

*【制约】zhìyuē 動 制約する‖各派势力相互～ 各派の勢力は互いに制約し合う

**【制造】zhìzào 動 ❶造る．製造する‖这个照相机是中国～的 このカメラは中国製である ❷貶（わざと）つくり出す．でっち上げる‖～紧张空气 故意に緊張した空気をつくり出す

【制造商】zhìzàoshāng 名 製造業者．メーカー

*【制止】zhìzhǐ 動 制止する．押しとどめる‖～械斗xièdòu 集団の決闘を押しとどめる

*【制作】zhìzuò 動 制作する．作る‖这是手工～的 これは手製の品だ

8 **郅** zhì [書]きわめて. 最も

8 ＊＊ **治** zhì ❶[動]治める. 管理する ‖ 法～ 法治 ❷太平である. 治まっている ‖ 天下大～ 世の中がよく治まっている ❸[動]処罰する. 懲らしめる ‖ →～罪 ❹[動]治療する ‖ 病～好了 病気は治った ❺[動](害虫を)駆除する ‖ ～蝗huáng イナゴを駆除する ❻[動]研究する ‖ →～学 ❼[旧]地方政府の所在地 ‖ 县～ 県庁所在地 | 郡jùn～ 郡の所在地

＊【治安】zhì'ān [图]治安 ‖ 扰乱rǎoluàn～ 治安を乱す | ～良好 治安がよい

【治本】zhìběn [動]根本的な解決をはかる ↔〔治标〕

【治标】zhìbiāo [動]ただ表面的な解決をはかる. 一時しのぎをする ↔〔治本〕

【治病救人】zhì bìng jiù rén [成]病気を治し人を救う. 人の欠点や誤りを指摘して改めさせるたとえ

【治家】zhì//jiā [動]家を切り盛りする

【治假】zhìjiǎ [動]にせブランド品や粗悪品の製造販売を取り締まる

＊【治理】zhìlǐ [動]❶統治する. 治める ‖ ～国家 国を統治する ❷(山や川を)治める ‖ ～黄河 黄河の治水をする

＊【治疗】zhìliáo [動]治療する ‖ 药物～ 薬物治療 | 放射～ 放射線治療

【治穷】zhìqióng [動]貧困をなくす ‖ ～致富 貧困をなくし豊かになる

【治丧】zhìsāng [動]葬儀をする

【治世】zhìshì [書][图]太平の世 [動]国を治める

【治水】zhì//shuǐ [動]治水する ‖ ～工程 治水工事

【治外法权】zhìwài fǎquán [图]治外法権

【治污】zhìwū [動]環境汚染をなくす. 公害をなくす

【治学】zhìxué [動][書]学問を治める. 学問を研究する

【治印】zhì//yìn [動]印章を彫る. 篆刻(てんこく)をする

【治装】zhìzhuāng [動]旅支度を整える

【治罪】zhì//zuì [動]処罰する. 刑罰に処す ‖ 依法～ 法に照らして刑罰に処す

8 **帜**(幟) zhì [書]旗. 幟(のぼり) ‖ 旗～ 旗

8 **帙**(△袟 袠) zhì [書]❶帙(ちつ) ❷[量]帙に入った線装本を数える

8 **炙** zhì ❶あぶる ❷[書]火であぶった肉 ❸〈中薬〉漢方薬の製法の一種. 炙(しゃ)

【炙烤】zhìkǎo [動]焼く. あぶる

【炙热】zhìrè [形]きわめて暑いさま. 焼けつくようである

【炙手可热】zhì shǒu kě rè [成]手をかざせばやけどしそうである. 権勢が大きく気炎が盛んで近づきがたいこと. 飛ぶ鳥をも落とす勢いである

8 **质**[1](質) zhì ❶質に入れる. 抵当に入れる ‖ 典～ 質に入れる ❷質草. 抵当物件 ‖ 人～ 人質

8 ＊ **质**[2](質) zhì ❶物質 ‖ 铝lǚ～器皿qìmǐn アルミ製の容器 | 流～食品 流動食 ❷[图]性質. 本質. 質 ‖ 问题发生了～的变化 問題に質的な変化が生じた ❸品質 ‖ →～量 ❹素朴な. 純朴な ‖ →～朴

8 **质**[3](質) zhì 問いただす. 詰問する ‖ →～问

＊【质变】zhìbiàn [图]〈哲〉質的変化

【质地】zhìdì [图](材料の)質. 性質 ‖ ～结实jiēshi 物が丈夫だ

【质感】zhìgǎn [图](絵画作品などの)質感

【质管】zhìguǎn [图]品質管理

【质检】zhìjiǎn [图]品質検査 ‖ ～合格 品質検査をパスする | ～部门 品質検査部門

＊＊【质量】zhìliàng [图]❶〈物〉質量 ❷質. 品質 ‖ 产品～ 製品の質 | 提高服务～ サービスの質を向上させる

【质料】zhìliào [图]製品の材料

【质朴】zhìpǔ [形]質朴である. 飾り気がない. 素朴である ‖ 语言～ 言葉が素朴である

【质数】zhìshù [图]〈数〉素数. 〔素数〕ともいう

【质问】zhìwèn [動]詰問する ‖ ～对方 相手を詰問する

【质询】zhìxún [動](議員などが政府に対して)質疑する. 問いただす

【质疑】zhìyí [動]質問する

【质疑问难】zhì yí wèn nàn [成]疑問を出して説明を求める

【质证】zhìzhèng [動]〈法〉(裁判で)供述の食い違いをただすため尋問する

【质子】zhìzǐ [图]〈物〉陽子. プロトン

9 **陟** zhì [書]❶高所に登る ❷昇進する

9 **峙** zhì [書]そびえ立つ. 屹立(きつりつ)する ‖ 对～ 対峙(たいじ)する ➤shì

【峙立】zhìlì [動]そびえ立つ

9 **栉**(櫛) zhì [書]❶くし ❷(髪を)すく. くしけずる ‖ ～发 髪をくしけずる

【栉风沐雨】zhì fēng mù yǔ [成]風に髪をくしけずり, 雨に頭を洗う. 苦労してあちこち奔走するさま

10 **桎** zhì [書]足かせ

【桎梏】zhìgù [图][書]足かせと手かせ. 桎梏(しっこく). 束縛 ‖ 精神～ 精神の足かせ

10 **轾** zhì ➡〔轩轾xuānzhì〕

10 **贽**(贄) zhì [書]目上の人を初めて訪問するときに持参する贈り物

【贽见】zhìjiàn [動]手土産を持参して接見を求める

10 **挚**(摯) zhì [書]真心がこもっている. 懇ろである ‖ →～诚 | 真～ 真摯(しんし)である

【挚爱】zhì'ài [動]真摯に愛する. ひたむきに愛する

【挚诚】zhìchéng [形]真心がこもっている. 真摯である

【挚友】zhìyǒu [图]親友

10 **秩**[1] zhì [書]順序 ‖ →～序

10 **秩**[2] zhì [書]10年 ‖ 八～寿辰shòuchén 80歳の誕生日

＊＊【秩序】zhìxù [图]秩序 ‖ 维持～ 秩序を保つ | 打乱～ 秩序をかき乱す | 课堂～很好 授業中, 整然としている

【秩序册】zhìxùcè [图](試合や競技などの)プログラム

10 ＊ **致**(緻❻) zhì ❶[動]送る. 与える ‖ →～函 ❷[動](気持ちなどを)表す. 表現する ‖ ～开幕词 開幕の言葉を述べる | 向大家～以亲切的问候 みなさんに心からのご挨拶を申し上げます ❸招く. 到達する ‖ →～富 ❹(精力を)注ぐ. 集中する ‖ →～力 ❺趣. 興味 ‖ 别～ 趣向を凝らしている. ユニークである. しゃれている ❻精密である. 緻密(ちみつ)である ‖ 细～ 緻密である

【致哀】zhì'āi 動 死者の霊に哀悼の意を表す ‖ 向烈士～ 烈士に哀悼を捧げる
【致癌物】zhì'áiwù 名〈医〉発がん物質
【致病菌】zhìbìngjūn 名〈医〉病原菌 =〔病菌〕
【致残】zhìcán 動（身体に）障害が残る ‖ 因工～ 労災が原因で障害者となる
*【致词】【致辞】zhì∥cí 動 挨拶を述べる. 式辞を述べる ‖ 请大会主席～ 大会の議長に挨拶をしていただく
*【致电】zhìdiàn 動 電報を打つ
*【致富】zhìfù 動 富を生み出す. 金持ちになる ‖ 勤劳qínláo～ 勤勉に働いて金持ちになる
【致函】zhìhán 動 手紙を出す
【致贺】zhìhè 動 祝意を表する. 祝いの言葉を述べる
*【致敬】zhìjìng 動 敬意を表する ‖ 向英雄～！ 英雄に敬礼！
【致力】zhìlì 動 尽力する. 力を尽くす ‖ 她毕生～于教育事业 彼女は一生教育の仕事に力を尽くした
【致密】zhìmì 形 緻密である. きめ細かい
【致命】zhìmìng 動 命とりになる ‖ ～的弱点 致命的な弱点 | ～的打击 致命的な打撃
【致歉】zhìqiàn 動 遺憾の意を表する
*【致使】zhìshǐ 動 …の結果をもたらす ‖ 台风刮倒了电线杆diànxiàngān, ～部分家庭断了电 台風で電柱が吹き倒され, そのため一部の家庭では停電になった
【致死】zhìsǐ 動 死を招く. 死ぬ
【致谢】zhìxiè 動 謝意を述べる ‖ 登门～ 直接訪問してお礼を言う
【致意】zhìyì 動 挨拶する ‖ 点头～ うなずいて挨拶する

11 **掷**（擲）zhì 動 投げる ‖ 投～ 投擲(とうてき)する. 投げる | ～铁饼 円盤投げをする
【掷地有声】zhì dì yǒu shēng 成（楽器を）地面に投げると美しい音を立てる. 言葉に深みと強さのあるたとえ

11 **窒** zhì 書 ふさぐ. ふさがる ‖ ～息
【窒碍】zhì'ài 動 書 妨げる. ふさぐ
【窒闷】zhìmèn 形 息が詰まるようである. うっとうしい
【窒息】zhìxī 動 ❶窒息する ‖ 令人～ 息が詰まる思いがする ❷喩 窒息させる. 息の根を止める. 抹殺する

11 **痔** zhì 名〈医〉痔(じ). 痔疾(じっ). ふつう〔痔疮〕という
【痔疮】zhìchuāng 名 痔. 痔疾

11 **鸷**（鷙）zhì 書 ❶猛禽(もうきん) ❷獰猛(どうもう)である
【鸷鸟】zhìniǎo 名 猛禽

12 **滞**（滯）zhì ❶滞る. 停滞する ‖ 停～ 停滞する ❷流通しない ‖ ～销 ❸鈍い ‖ 呆～ 鈍い. 生気がない
【滞后】zhìhòu 動（事物が）発展から取り残される. 遅れをとる
【滞留】zhìliú 動 滞留する. しばらくとどまる ‖ 因故在北京～了三天 都合で北京に3日間とどまった
【滞纳金】zhìnàjīn 名 滞納金
【滞销】zhìxiāo 動 売れ行きが悪い ↔〔畅chàng销〕‖ 产品～ 製品の売れ行きが悪い
【滞压】zhìyā 動（商品の）在庫が増える.（資金などが）停滞する
【滞胀】zhìzhàng 動〈経〉スタグフレーションになる

12 **彘** zhì 書 ブタ

12 **骘** zhì 書 定める. 決める ‖ 评～ 評定する. 鑑定する | 阴～ 陰徳

12 **智** zhì ❶知恵. 才知 ‖ 才～ 才知 | 急中生～ とっさによい知恵が浮かぶ ❷賢い. 聡明である ‖ 明～ 賢明である. 賢い
【智残】zhìcán 名 知的障害
【智多星】zhìduōxīng 名 喩 知謀にたけた人
*【智慧】zhìhuì 名 知恵 ‖ 发挥每个人的～ 一人一人の知恵を発揮する
【智库】zhìkù 名 シンクタンク. 頭脳集団
*【智力】zhìlì 名 知力. 知能 ‖ ～发育正常 知能の発育は正常である | ～外流 頭脳の流出
【智力测验】zhìlì cèyàn 名 知能検査
【智力竞赛】zhìlì jìngsài 名 クイズゲーム
【智利】Zhìlì 名〈国名〉チリ
【智龄】zhìlíng 名 知能年齢. 精神年齢
【智谋】zhìmóu 名 知謀 ‖ ～过人 知謀が人並み以上に優れている
【智囊】zhìnáng 名 頭脳. ブレーン ‖ ～团 シンクタンク
*【智能】zhìnéng 名 知恵と能力. 知能 ‖ 人工～ 人工知能 形 知能的な ‖ ～机器人 知能ロボット
【智能材料】zhìnéng cáiliào 名 インテリジェントマテリアル. スマートマテリアル
【智能犯罪】zhìnéng fànzuì 名 知能犯罪
【智商】zhìshāng 名 知能指数. IQ
【智牙】zhìyá 名〈生理〉知恵歯. 親知らず
【智勇双全】zhì yǒng shuāng quán 成 知勇兼備. 知恵も勇気も備わっている
【智育】zhìyù 名 知育 ‖ 德育、～、体育全面发展 徳育・知育・体育を全面的に発展させる
【智障】zhìzhàng 名 知的障害 ‖ ～儿童 知的障害児 | ～人 知的障害者

12 **痣** zhì 名 あざ. ほくろ ‖ 黑～ ほくろ

12 **蛭** zhì 名〈動〉ヒル.〔水蛭〕〔蚂蟥mǎhuáng〕ともいう. また, 俗に〔马鳖mǎbiē〕ともいう

13 *__置__（△寘❸）zhì ❶設ける. 備えつける ‖ 设～ 設置する ❷動 購入する. 調達する ‖ 购～ 購入する | ～衣服 衣服を買い入れる ❸置く. 放置する ‖ 搁gē～ 放置する. 放っておく
*【置办】zhìbàn 動 購入する ‖ ～嫁妆jiàzhuāng 嫁入り道具を購入する | ～年货 正月用品を買いととのえる
【置备】zhìbèi 動 購入する. 買い揃える
【置辩】zhìbiàn 動 書 弁解する. 弁明する.（否定に用いる）‖ 不容～ 弁明の余地がない
【置放】zhìfàng 動 置く. 置いておく
【置换】[1] zhìhuàn 動〈化〉置換する
【置换】[2] zhìhuàn 動 置き換える. 入れ替える
【置评】zhìpíng 動 論評する.（多く否定に用いる）‖ 不予yǔ～ 論評しない. ノーコメント
【置若罔闻】zhì ruò wǎng wén 成 聞こえないふりをする. 取り合わない
【置身】zhìshēn 動 身を置く ‖ ～于大自然 大自然に身を置く
【置信】zhìxìn 動 信じる. 信用する.（多く否定に用いる）‖ 他的话让人难以～ 彼の話はとても信じられない
【置业】zhìyè 動 不動産を購入する
【置疑】zhìyí 動 疑いを抱く.（多く否定に用いる）‖ 不容～ 疑いをさしはさむ余地がない

【置之不理】zhì zhī bù lǐ 成 ほったらかしにしておく. 取り合わない. 無視する

【置之度外】zhì zhī dù wài 成 度外視する. 眼中に置かない ‖ 把生死～ 生死を眼中に置かない

【置之脑后】zhì zhī nǎo hòu 慣 気にかけない. 放っておく. 忘れ去る

13 稚（△穉 稺）zhì ❶幼い ‖ 一～弱 ❷子供. 児童 ‖ 童～ 幼児

【稚嫩】zhìnèn 形 ❶幼くか弱い. あどけない ‖ ～的嗓音sǎngyīn あどけない声 ❷幼稚である. 未熟である ‖ ～的笔法 まだ未熟な筆使い

【稚气】zhìqì 名 稚気. 幼さ. あどけなさ ‖ ～未消 まだ幼さが抜けきらない

【稚弱】zhìruò 形 幼く弱々しい

【稚子】zhìzǐ 名 書 幼児

13 雉[1] zhì 名〈鳥〉キジ. 俗に〔野鸡〕といい, 地方によっては〔山鸡〕ともいう

13 雉[2] zhì 量 古 城壁の面積を表す. 長さ3〔丈〕, 高さ1〔丈〕の大きさを1〔雉〕といった

15 膣 zhì 名 旧〈生理〉膣(ちつ). 〔阴道〕の旧称

15 踬（躓）zhì 書 ❶つまずく ‖ 颠～ つまずいて転ぶ ❷喩 挫折する. 頓挫(とんざ)する

15 觯（觶）zhì 古 杯

zhōng

4 ★中 zhōng ❶真ん中. 中心 ‖ 一～指 | 月～ 月の中ごろ ❷名 (ある範囲の)内. 内部 ‖ 家～ 家の中 | 假期～ 休みの間 ❸名 (ある状態が継続していることを表す) (… の)最中 ‖ 这个问题还在讨论～ この問題はまだ検討中である ❹(性質や等級が)中間. 中位 ‖ 一～等 ❺内心. 心の中 ‖ 外强～干gān みかけは立派だが中身はたいしたことがない ❻中国. 〔中国〕の略 ‖ 古今～外 古今東西 | ～西合璧hébì 中国と西洋の折衷 ❼仲介者. 仲裁人 ‖ 作～ 仲介者になる ❽偏らない. 中ぐらいである ‖ 折～ 折衷する ❾適する. 合う ‖ 一～用 | 一～看 ❿形 方 よい. よろしい ‖ 你看～不～？ 君はいいと思うかい ➤ zhòng

類義語 | 中 zhōng 内 nèi

◆ともに名詞の後に置き, 場所・時間・範囲などが一定の範囲内であることをさす ◆〔中〕介詞〔在〕〔从〕などと組み合わせ, 状況や状態の持続をさすこともできる ‖ 从沉思中惊醒过来 瞑想(めいそう)からさめた ◆〔内〕独立しない形態素とも結合し, 書き言葉や決まった表現に用いる ‖ 校内 校内 | 非有关人员, 请勿入内 関係者以外, 立ち入り禁止

【中班】zhōngbān 名 ❶三交替制勤務のうち, 昼過ぎから夜にかけての勤務 ❷(幼稚園の)年中組

【中饱】zhōngbǎo 動 (金銭を)着服する. 横領する ‖ ～私囊sīnáng 横領して私腹を肥やす

【中波】zhōngbō 名〈電〉中波

【中不溜ㄦ】zhōngbuliūr 形 口 中ぐらいである. 普通である. 並である. 〔中溜ㄦ〕ともいう

*【中部】zhōngbù 名 中部. 中央部

**【中餐】zhōngcān 名 中国料理

【中草药】zhōngcǎoyào 名〈中医〉生薬

【中层】zhōngcéng 名 中間層. 中級 ‖ ～管理人员 中間管理職

【中产阶级】zhōngchǎn jiējí 名 中産階級

【中程导弹】zhōngchéng dǎodàn 名〈軍〉中距離ミサイル

【中档】zhōngdàng 形 (品質や値段などが)中級の. 中等の ‖ ～商品 中級品

【中道】zhōngdào 名 ❶途中 ❷書 中庸の道

*【中等】zhōngděng 形 ❶中等の ❷中ぐらいである ‖ ～身材 中肉中背

【中等教育】zhōngděng jiàoyù 名 中等教育

【中东】Zhōngdōng 名 中東

*【中断】zhōngduàn 動 中断する. 中途で停止, または断ち切る ‖ ～学业 学業を中断する

【中队】zhōngduì 名 ❶(警察や消防などの)中隊 ❷〈軍〉中隊

【中耳炎】zhōng'ěryán 名〈医〉中耳炎

【中饭】zhōngfàn 名 昼飯. 昼食

【中非】Zhōngfēi 名〈国名〉中央アフリカ

【中锋】zhōngfēng 名 ❶〈体〉(球技の)センターフォワード. センター ❷(書道で)直筆(ちょくひつ) ↔〔偏锋〕

【中缝】zhōngfèng 名 ❶新聞の左右両版の折り目に当たる余白の部分 ❷袋綴じ本の折り目に当たる部分 ❸(衣服の)背の中心の縫い目

【中共中央】Zhōnggòng zhōngyāng 名 略 中国共産党中央委員会. 〔中国共产党中央委员会〕の略

【中古】zhōnggǔ 名 ❶中古. 魏・晋・南北朝・隋・唐の時期をさす ❷広く, 封建時代

★【中国】Zhōngguó 名〈国名〉中国. 〔中华人民共和国〕の略

【中国共产党】Zhōngguó gòngchǎndǎng 名 中国共産党

【中国话】Zhōngguóhuà 名 中国語

【中国画】zhōngguóhuà 名 中国画

【中国人民解放军】Zhōngguó rénmín jiěfàngjūn 名 中国人民解放軍

【中和】zhōnghé 動〈化〉〈物〉中和する. 中和させる

【中华民族】Zhōnghuá mínzú 名 中華民族

【中级】zhōngjí 形 中級の. 中等の ‖ ～班 中級クラス

【中继线】zhōngjìxiàn 名 (電話の)中継線

【中继站】zhōngjìzhàn 名 ❶(ラジオの)中継局 ❷(輸送の)中継所

【中坚】zhōngjiān 名 中堅. 中核

★【中间】zhōngjiān 名 ❶真ん中. 中心 ‖ 马路～ 大通りの真ん中 ❷中. 内 ‖ 你可以从这些玩具～挑tiāo一个 これらのおもちゃの中から一つを選んでいいですよ ❸間. 途中 ‖ 在电视节目～插播chābō广告 テレビ番組の途中にコマーシャルを放送する

【中间派】zhōngjiānpài 名 中間派. 中道派

【中间人】zhōngjiānrén 名 仲介者. 仲裁人. 立会い人

【中将】zhōngjiàng 名〈軍〉中将

【中介】zhōngjiè 名 仲介 ‖ ～人 仲介人

【中看】zhōngkàn 形 見かけがよい. 見た目がよい ‖ ～不中用 見かけはよいが, 役に立たない

*【中立】zhōnglì 動 中立する ‖ 保持～ 中立を守る

【中立国】zhōnglìguó 名 中立国

【中流】zhōngliú 名 ❶水流の真ん中 ❷(河川の)中流 ❸中ぐらいの程度. 中流
【中流砥柱】zhōng liú Dǐzhù 成 中流の砥柱(しちゅう). 意志が堅固で, 指導的役割を果たすことのできる個人または集団のたとえ. 大黒柱. 中核
【中落】zhōngluò 動 落ちぶれる. 左前になる ‖ 家道～ 暮らし向きが左前になる
*【中年】zhōngnián 名 中年 ‖ ～妇女 中年女性
【中农】zhōngnóng 名 (富農と貧農の間の)中農
【中盘】zhōngpán 名 (囲碁や将棋などで)布石が終わり, 本格的な勝負に入る段階. 中盤
【中篇小说】zhōngpiān xiǎoshuō 名 中編小説
【中频】zhōngpín 名〈電〉中間周波数
【中期】zhōngqī 名 中期. 中ごろ
*【中秋节】Zhōngqiūjié 名 中秋節(旧暦 8 月 15 日)
【中山狼】zhōngshānláng 名 喩 恩を仇(あだ)で返す人
【中山装】zhōngshānzhuāng 名 人民服. 中山服
【中士】zhōngshì 名〈軍〉軍曹
【中世纪】zhōngshìjì 名 (西洋史の)中世. 中世紀
【中枢】zhōngshū 名 中枢. 中心. 中核 ‖ 交通～ 交通の中枢
【中枢神经】zhōngshū shénjīng 名〈生理〉中枢神経
【中水】zhōngshuǐ 名 中水. 再生水. 〔再生水〕ともいう
【中堂】zhōngtang 名 古 宰相の別称. また, 明・清時代の〔内阁大学士〕の別称
【中提琴】zhōngtíqín 名〈音〉ビオラ
【中天】zhōngtiān 名 中天. 中空
【中听】zhōngtīng 形 耳に心地よい. 聞いて楽しい
*【中途】zhōngtú 名 途中 ‖ 这是直达快车, ～不停 これは直通列車なので途中駅には止まらない
【中外】zhōngwài 名 中国と外国
【中外合资】zhōngwài hézī 名 中国と外国資本の合弁 ‖ ～企业 中外合弁企業
【中微子】zhōngwēizǐ 名〈物〉中性微子. ニュートリノ
【中卫】zhōngwèi 名〈体〉(サッカーやハンドボールなどの)中衛. ハーフ. ハーフバック
【中尉】zhōngwèi 名〈軍〉中尉
★【中文】Zhōngwén 名 中国語
★【中午】zhōngwǔ 名 昼ごろ. 正午前後
【中西】zhōngxī 名 中国と西洋 ‖ 学贯～ 中国と西洋の学問に通じる
【中线】zhōngxiàn 名 ❶〈数〉中線 ❷〈体〉センターライン. ハーフライン
【中校】zhōngxiào 名〈軍〉中佐
⁑【中心】zhōngxīn 名 ❶中央. 真ん中 ‖ 我住在市～ 私は市の中心地に住んでいる ❷(物事の)主要な部分. 中心 ‖ ～人物 中心人物 ❸センター(大型のビルや団体の名に用いる) ‖ 购物～ ショッピングセンター
【中心思想】zhōngxīn sīxiǎng 名 (文章や発言の)中心となる思想
【中兴】zhōngxīng 動 (多く国家について)中興する
【中性】zhōngxìng 名 ❶〈化〉中性 ❷〈語〉中性
★【中学】zhōngxué 名 中等学校. 日本の中学に相当する〔初中〕と高校に相当する〔高中〕を合わせていう
【中学生】zhōngxuéshēng 名〔中学〕の生徒. 中高生

*【中旬】zhōngxún 名 中旬 ‖ 二月～ 2月中旬
⁑【中央】zhōngyāng 名 ❶中央. 真ん中 ❷(国家や政治団体の最高指導部)中央 ↔〔地方〕‖ 党～ 党中央 | ～政府 中央政府
【中央处理器】zhōngyāng chǔlǐqì 名〈計〉CPU
【中央商务区】zhōngyāng shāngwùqū 名 オフィス街. ビジネス街. CBD
【中央税】zhōngyāngshuì 名 中央税. 国税
【中央银行】zhōngyāng yínháng 名 中央銀行. 略して〔央行〕ともいう
⁑【中药】zhōngyào 名 漢方薬 ‖ ～店 漢方薬店
【中叶】zhōngyè 名 中葉. 中ごろ. 中期 ‖ 二十世纪～ 20世紀中葉
*【中医】zhōngyī 名 ❶中国医学. 漢方医学 ❷漢方医
【中庸】zhōngyōng 名 中庸 ‖ ～之道 中庸の道 形 書 凡庸である
【中用】zhōngyòng 形 有用である. (多く否定形に用いる) ‖ 这个人真不～ こいつはほんとに役立たずだ
*【中游】zhōngyóu 名 ❶(河川の)中流 ‖ 长江～ 長江の中流 ❷中ぐらいであること. 並であること
【中雨】zhōngyǔ 名〈気〉24時間以内の降雨量が10～25ミリの雨
*【中原】Zhōngyuán 名 中原. 黄河の中流・下流の地域 ‖ ～逐鹿 zhúlù 中原に鹿(しか)を逐(お)う. 政権を争うこと
【中允】zhōngyǔn 形 書 公正である
【中正】zhōngzhèng 形 書 公正である. 公平である
【中止】zhōngzhǐ 動 中止する. 中断する
【中指】zhōngzhǐ 名 中指
【中专】zhōngzhuān 名 略 中等専門学校. 〔中等专业学校〕の略称
【中转】zhōngzhuǎn 動 (途中で)乗り換える ‖ ～站 乗り換え駅 ❷(商品を)転売する. 卸し売りする
【中装】zhōngzhuāng 名 伝統的な中国式の服装
【中资】Zhōngzī 名 中国資本
【中子】zhōngzǐ 名〈物〉中性子. ニュートロン
【中子弹】zhōngzǐdàn 名〈軍〉中性子爆弾

8
*終 zhōng ❶終わり. 最後 ↔〔始〕‖ 一～点 | 期～ 期末 ❷終わる ‖ 告～ 終わりを告げる. 終わる ❸(人の)死 ‖ 送～ 死を看取る ❹始めから終りまでの ‖ 一～生 ❺副 結局. ついに ‖ 假话可以瞒 mán 过一时, 但～不会长久 うそはその場を取り繕うことはできても, しょせん長続きはしない
【终场】zhōngchǎng 動 ❶(試合・演劇などが)終了する. 終わる
*【终点】zhōngdiǎn 名 ❶終点 ‖ ～站 終点. 終着駅 ❷〈体〉決勝点. ゴール
*【终端】zhōngduān 名〈計〉端末. ターミナル
【终归】zhōngguī 副 ❶最後には. いずれ ❷しょせん. 結局 ‖ 孩子～是孩子, 贪 tān 玩儿是难免的 子供はしょせん子供だから, 遊びたがるのはしかたがない
【终极】zhōngjí 名 終極. 終点
【终结】zhōngjié 動 終わる. 終結する
*【终究】zhōngjiū 副 ❶最後には. いずれ ‖ 罪犯～是逃不出法网的 犯人は結局法の網をくぐり抜けることはできない ❷しょせん. 結局 ‖ 他～是新手, 还有许多地方不懂 彼はしょせん新人だから, 分からないことがたくさんある
【终久】zhōngjiǔ 副 必ず. きっと
【终局】zhōngjú 名 結末. 終局

【终老】zhōnglǎo 動書 晚年を送る
【终了】zhōngliǎo 動 (期間が)終わる. 終了する
【终南捷径】Zhōngnán jié jìng 成 成功への近道. 出世への早道
*【终年】zhōngnián 名 ❶一年中 ‖ 山顶～积雪 山頂は一年中雪を頂いている ❷(人の)生存していた年数. 享年(きょう) ‖ ～八十五岁 享年八十五
【终盘】zhōngpán 動〈経〉(証券取引所で)その日の取引を終える. 大引け 名 (囲碁の対局などで)終盤
【终日】zhōngrì 名 一日中. 終日
*【终身】zhōngshēn 名 一生. 生涯 ‖ ～大事 一生の大事(主に結婚をいう)
【终身教育】zhōngshēn jiàoyù 名 生涯教育
【终身制】zhōngshēnzhì 名 終身制度
【终审】zhōngshěn 名〈法〉最終審・最上級審を行う
【终生】zhōngshēng 名 終生. 一生. 生涯 ‖ ～的愿望yuànwàng 終生の願い
【终席】zhōngxí 名 (宴会や会合などの)お開き. 閉会
【终宵】zhōngxiāo 副 夜通し. 一晩中
**【终于】zhōngyú 副 ついに. とうとう ‖ 盼望pànwàng的日子～来到了 待ちに待った日がとうとうやって来た
*【终止】zhōngzhǐ 動書 停止する. やめる. 終わる ‖ 他的运动生涯shēngyá因这次事故而～了 彼のスポーツ人生は事故をきっかけに終わりを告げた

8 **忠** zhōng ❶忠実である. 誠実で私心がない ‖ →～实 | 尽～ 忠義を尽くす
【忠臣】zhōngchén 名 忠臣
*【忠诚】zhōngchéng 形 忠実である. 真心をもって仕える ‖ ～可靠 忠実で信頼できる
【忠告】zhōnggào 動 忠告する 名 忠告 ‖ 听从～ 忠告に従う
【忠厚】zhōnghòu 形 まじめで温厚である ‖ 为人～ 人柄が誠実で温厚である
【忠良】zhōngliáng 形 忠義心が厚く善良である 名 忠臣 ‖ 陷害xiànhài～ 忠臣を陥れる
【忠烈】zhōngliè 形 国家のために忠誠を尽くし犠牲になるさま 名 忠義を尽くして死んだ人
*【忠实】zhōngshí 形 ❶忠実である ‖ ～的朋友 忠実な友 ❷真実そのままである. 忠実である ‖ 译文要～于原著 訳文は原著に忠実でなくてはならない
【忠顺】zhōngshùn 形 貶 忠順な. 従順な
【忠心】zhōngxīn 名 忠誠心
【忠心耿耿】zhōng xīn gěng gěng 成 忠誠心に燃えるさま
【忠言逆耳】zhōng yán nì ěr 成 忠言は耳に逆らう. 誠意のこもった忠告は聞き入れにくい ‖ ～利于行xíng 忠言は耳障りだが, 行いを改めるのに役立つ
【忠义】zhōngyì 形 義理堅い 名 旧 忠義の士
【忠勇】zhōngyǒng 形 忠実で勇気がある
*【忠于】zhōngyú 動 …に忠実である. …に忠誠を尽くす ‖ ～职守 職務に忠実である
【忠贞】zhōngzhēn 形 忠節である ‖ ～不贰èr 忠節を尽くして背かない
【忠直】zhōngzhí 形 忠義で正直なさま

9 **盅** zhōng 名 (～儿)杯. (持ち手のない)湯飲み ‖ 酒～儿 酒杯
【盅子】zhōngzi 名 口 杯. 湯飲み茶碗

9 ★**钟**[1] (鐘) zhōng ❶古 打楽器の一種 ❷名 鐘. 釣り鐘 ‖ 敲～ 鐘をつく ❸名 時計 ‖ 挂～ 掛け時計 | 闹～ 目覚まし時計 ❹名 時間. 時刻 ‖ 五分～ 5分間

9 **钟**[2] (鍾) zhōng ❶古 (胴がふくらみ, 口が小さい)酒器の一種 ❷(感情などを)傾ける. 注ぐ ‖ →～爱 ❸〔盅zhōng〕に同じ
【钟爱】zhōng'ài 動 (子供や目下の者に)愛情を注ぐ. 目をかける
*【钟表】zhōngbiǎo 名 時計の総称 ‖ ～店 時計店
*【钟点】zhōngdiǎn (～儿) 名 口 ❶(定まった)時間. 時刻 ‖ 快到～了, 进站吧 もう時間だから, プラットホームに入ろう ❷(時を数える単位)時間 ‖ 已经过了两个～了, 他怎么还没到？ もう2時間たったのに, 彼はどうしてまだ来ないのだろう
【钟点工】zhōngdiǎngōng 名 パートタイムのお手伝いさん. 通いのお手伝いさん. 〔小时工〕ともいう
【钟鼎文】zhōngdǐngwén 名 金文. 青銅器に刻まれた銘文 ＝〔金文〕
【钟馗】Zhōngkuí 名 魔よけの神. 鍾馗(しょうき)
【钟灵毓秀】zhōng líng yù xiù 成 恵まれた自然環境は優秀な人材をはぐくむ
【钟楼】zhōnglóu 名 ❶鐘楼. 鐘つき堂 ❷時計台. 時計塔
【钟鸣鼎食】zhōng míng dǐng shí 成 楽器の演奏を聞きながら, 鼎(かなえ)を並べて食事をする. 生活がぜいたくなさま
【钟情】zhōngqíng 動 ほれる. 愛する ‖ 一见～ 一目ぼれする
【钟乳石】zhōngrǔshí 名〈地質〉鍾乳石(しょうにゅうせき)
★【钟头】zhōngtóu 名 口 (時を数える単位)時間 ‖ 每天工作八个～ 毎日8時間働く

10 **衷** zhōng ❶真ん中である. 偏らない ‖ 折～ 折衷する ❷内心. 心 ‖ 苦～ 苦衷
【衷肠】zhōngcháng 名書 胸のうち. 胸中. 意中
【衷情】zhōngqíng 名書 内心. 心中
*【衷心】zhōngxīn 形 心からの. 真心をこめた. 衷心よりの ‖ ～祝愿zhùyuàn您早日康复 一日も早く回復されることを心から願っております | 向您表示～的感谢 あなたに心から感謝の意を表します

17 **螽** zhōng ↴
【螽斯】zhōngsī 名〈虫〉キリギリス

zhǒng

8 * **肿** (腫) zhǒng 動 はれる ‖ 牙床～了 歯ぐきがはれた
*【肿瘤】zhǒngliú 名〈医〉腫瘍(しゅよう). 〔瘤子〕ともいう ‖ 恶性～ 悪性腫瘍. がん
【肿胀】zhǒngzhàng 動 はれてふくれる. はれ上がる

9 ★**种** (種) zhǒng ❶名 (～儿) (植物の)種子 ‖ →～子 | 播bō～ 種まきする ❷名〈生〉(繁殖させるための)種(しゅ) ‖ 配～ 交配する ❸人種 ‖ →～族 | 黄～ 黄色人種 | 白～ 白色人種 ❹事物が存続するもと ‖ 火～ 火種 ❺名 度胸. 肝っ玉 ‖ 有～的跟我来！ 度胸のあるやつはおれについてこい ❻(事物の)種類. 種別 ‖ 品～ 製品の種類 ❼名〈生〉種(しゅ) ❽量 (人や事物を数える)種類 ‖ 两～方案 二つのプラン | 各～情况 いろいろな状

况 ➤ chóng zhòng
*【种类】zhǒnglèi 名 種類 ‖ ～繁多fánduō 種類がとても多い
【种姓】zhǒngxìng 名 カースト ‖ ～制度 カースト制度
*【种种】zhǒngzhǒng 形 種々の. さまざまの ‖ 我们遇到了～困难 我々は種々の困難にぶつかった
**【种子】zhǒngzi 名 ❶〈植〉種. 種子 ❷〈体〉シード ‖ ～选手 シード選手
*【种族】zhǒngzú 名 人種 ‖ ～隔离 アパルトヘイト
【种族歧视】zhǒngzú qíshì 名 人種差別
【种族主义】zhǒngzú zhǔyì 名 人種差別主義
10 冢(△塚) zhǒng 高く盛り上げた墓. 塚 ‖ 古～ 古墳
16 踵 zhǒng 書 ❶かかと. きびす ‖ 摩mó肩接～ 肩が触れ合い, きびすが接する. 人が多く, 込み合っているさま ❷追随する. 引き継ぐ ‖ ～事增华 先人の事業を引き継いでさらに発展させること ❸自ら赴く ‖ ～门 自ら訪ねる

zhòng

4 *中 zhòng ❶動 ①当たる. 命中する ‖ ～了头奖tóujiǎng 1等賞に当たった ②動詞の後に置き, 目的に達したことを表す ‖ 看～了这套衣服 この服が気に入った ❷動 (不幸なことに)遭遇する. ぶつかる ‖ →～暑 | ～了圈套quāntào わなにはまった ➤ zhōng
【中标】zhòng//biāo 動 落札する
【中弹】zhòng//dàn 動 弾丸に当たる ‖ ～身亡wáng 弾に当たって死ぬ
【中的】zhòngdì 動 的に当たる. 命中する ‖ 一语～ 一言で図星をさす
【中毒】zhòng//dú 動〈医〉中毒する ‖ 煤气～ ガス中毒 | 食物～ 食中毒
【中风】zhòng//fēng〈医〉動 卒中になる. 脳卒中になる 名 (zhòngfēng) 卒中. 脳卒中 ✻〔卒中cùzhòng〕ともいう
【中计】zhòng//jì 動 わなにかかる
【中奖】zhòng//jiǎng 動 くじに当たる
【中肯】zhòngkěn 形 (言論が)要点を突いている. 的を射ている ‖ 他的意见很～ 彼の意見はとても的を射ている
【中伤】zhòngshāng 動 中傷する
【中暑】zhòng//shǔ 動 日射病にかかる. 暑さに当たる. 地方によっては〔发痧fāshā〕ともいう 名 (zhòngshǔ)〈医〉日射病. 熱射病. 〔日射病〕ともいう
【中邪】zhòng//xié 動 憑(つ)かれる. 取り憑かれる
【中选】zhòng//xuǎn 動 当選する. 選に入る
*【中意】zhòng//yì 動 気に入る. 満足する ‖ 衣服的样子不中她的意 服のデザインが彼女は気に入らない
6 众(衆△眾) zhòng ❶衆人. 人々 ‖ 观～ 観衆 ❷多い. たくさんの ↔〔寡guǎ〕‖ →～多
*【众多】zhòngduō 形 (人が)多い ‖ 人口～ 人口が多い
【众寡悬殊】zhòng guǎ xuán shū 成 双方の人数がかけ離れていること
【众口难调】zhòng kǒu nán tiáo 成 すべての人の口に合う料理を作るのは難しい. すべての人々の希望にはなかなか添えないたとえ
【众口铄金】zhòng kǒu shuò jīn 成 ❶世論の力の大きいたとえ ❷人々が口々に勝手なことを言って, 是非を混同させてしまうこと
【众口一词】zhòng kǒu yī cí 成 みんなの言うことが一致する. 異口同音
【众目睽睽】zhòng mù kuí kuí 成 万人の注目を集めること. 衆人環視. 〔万目睽睽〕ともいう
【众目昭彰】zhòng mù zhāo zhāng 成 大衆の目はなんでもはっきり見通している. 誰の目にも明らかである
【众怒】zhòngnù 名 大衆の怒り ‖ ～难犯 大衆の怒りを買うわけにはいかない
【众叛亲离】zhòng pàn qīn lí 成 人々に背かれ, 親しい人に見放される. 孤立無援になる
【众擎易举】zhòng qíng yì jǔ 成 みんなで力を合わせればどんなことでも容易に成し遂げることができる
*【众人】zhòngrén 名 多くの人 ‖ 他的建议得到～的拥护yōnghù 彼の意見はみんなの支持を得た
【众生】zhòngshēng 名 衆生(しゅじょう). 生き物 ‖ 芸芸yúnyún～ 生きとし生けるもの
【众生相】zhòngshēngxiàng 名 多くの人々のそれぞれ異なった表情や態度
【众矢之的】zhòng shǐ zhī dì 成 みなの非難の的
【众说】zhòngshuō 名 諸説. さまざまな意見 ‖ ～纷纭fēnyún 諸説紛々. 意見がまちまちである
*【众所周知】zhòng suǒ zhōu zhī 成 広く知られている. 周知である ‖ ～的事实 周知の事実
【众望】zhòngwàng 名 衆望. 多くの人の期待 ‖ 不负～ みんなの期待にこたえる
【众望所归】zhòng wàng suǒ guī 成 衆望の帰するところ. 多くの人の期待するところ
【众星捧月】zhòng xīng pěng yuè 成 多くの星が月を取り巻くように, 多くの人が尊敬する人をあがめること
*【众议院】zhòngyìyuàn 名〈政〉衆議院. 下院
【众志成城】zhòng zhì chéng chéng 成 一致団結すれば大勢力となり, どんな困難でも克服できるたとえ
6 仲 zhòng ❶兄弟の序列の第2番目. 〔伯〕〔仲〕〔叔〕〔季〕の順で表す ❷旧暦で, 各季節の第2番目の月. 一季節(3ヵ月)を〔孟〕〔仲〕〔季〕の順で表す ‖ ～春 旧暦2月 | ～夏 旧暦5月 | ～秋 旧暦8月 | ～冬 旧暦11月 ❸中間に立っている ‖ →～裁
【仲裁】zhòngcái 動 仲裁する
9 **种(種) zhòng 動 苗を植える. 種をまく. 栽培する ‖ ～菜 野菜を植える ➤ chóng zhǒng
*【种地】zhòng//dì 動 農作業をする. 植え付けをする
【种痘】zhòng//dòu 動〈医〉種痘をする
【种瓜得瓜, 种豆得豆】zhòng guā dé guā, zhòng dòu dé dòu 成 瓜(うり)を植えれば瓜がとれ, 豆を植えれば豆がとれる. 因果応報
【种田】zhòng//tián 動 田畑を耕す
*【种植】zhòngzhí 動 種をまく. 植える. 栽培する ‖ ～果树 果樹を栽培する
9 ★重 zhòng ❶形 重い ↔〔轻〕‖ 箱子太～, 拿不动 箱が重すぎて持ち上げられない | 礼轻情意～ 贈り物はわずかだけれど心がこもっている ❷形 重さを表す ‖ 这个西瓜有十多斤～ このスイカは10斤ちょっとある ❸重要である ‖ →～地 ❹動 重視する. 重んじる ‖ ～学历 学歴を重視する | ～男轻女 男

尊女卑 ❺形(程度が)深い ‖ 口音很～ なまりが強い ❻重々しい. 慎重である ‖ 稳wěn～ (言動が)落ち着いている ➤ chóng
【重办】zhòngbàn 動 厳しく罰する
【重兵】zhòngbīng 名 強力な軍隊
【重彩】zhòngcǎi 名〈美〉濃い色彩
【重臣】zhòngchén 名 書 重臣
【重创】zhòngchuāng 動 重傷を負わせる
【重挫】zhòngcuò 動 深刻な打撃を受ける ‖ 市场信心受到～ 市場への信頼が深く傷つけられた
**【重大】zhòngdà 形 重大である ‖ ～决策 重大な決定 | 责任～ 責任が重大である
【重担】zhòngdàn 名 重荷. 重責 ‖ 肩负jiānfù～ 重責を担う
【重地】zhòngdì 名 要地. 重要な場所 ‖ 施工shīgōng～ 工事現場
**【重点】zhòngdiǎn 形 主な. 重要な. 主要な ‖ ～项目 重点プロジェクト | ～学校 重点校 副 重点的に ‖ ～复习语法部分 語法の部分を重点的に復習する 名 ❶重点. 重要な点. 要点 ‖ 突出～ 重点を強調する ❷〈物〉重点. 作用点. 〔阻力点〕の旧称
【重读】zhòngdú 動〈語〉強く発音する
【重犯】zhòngfàn 名 重罪人. 極悪人
【重负】zhòngfù 名 重荷 ‖ 如释shì～ 重荷を下ろしたかのようである
*【重工业】zhònggōngyè 名 重工業
【重荷】zhònghè 名 重い負担. 重荷
【重活儿】zhònghuór 名 力仕事. 肉体労働 ‖ 干～ 力仕事をする
【重奖】zhòngjiǎng 名 巨額の賞金. 高価な賞品 動 巨額の賞金または高価な賞品を与える
【重金】zhòngjīn 名 大金. 巨額な金銭
【重金属】zhòngjīnshǔ 名〈化〉重金属
【重力】zhònglì 名〈物〉重力 =〔地心引力〕
**【重量】zhòngliàng 名 ❶〈物〉重量 ❷重さ. 目方 ‖ 称chēng～ 目方を量る
【重任】zhòngrèn 名 重大な責任. 重要な任務 ‖ 身负～ 重責を負う | 委wěi以～ 重任を任せる
【重伤】zhòngshāng 名 重傷 ‖ 身负～ 重傷を負う
**【重视】zhòngshì 動 重視する. 重んじる ‖ 对这个问题～得不够 この問題にもっと重きを置くべきだ
【重水】zhòngshuǐ 名〈化〉重水
【重头】zhòngtóu 名 主要な部分. 重点 ‖ 中国经济的～在沿海 中国経済の重点は沿海にある 形 主要な. 重要な ‖ ～项目 主要なプロジェクト
【重头戏】zhòngtóuxì 名 歌やしぐさに技量を要求される, 役者にとって難しい芝居
【重托】zhòngtuō 名 書 重大な依頼. 重い使命
【重武器】zhòngwǔqì 名〈軍〉重火器
【重孝】zhòngxiào 名 父母の死など最も重い喪に服するさいの装束
*【重心】zhòngxīn 名 ❶〈物〉重心 ❷〈数〉(三角形の)重心 ❸重点. ポイント
*【重型】zhòngxíng 形 大型の ‖ ～汽车 大型トラック
★【重要】zhòngyào 形 重要である. 大事である ‖ 这次会议很～ 今回の会議はたいへん重要だ
【重音】zhòngyīn 名〈語〉〈音〉アクセント
【重用】zhòngyòng 動 (人を)取り立てる. 重用する ‖ ～年轻人 若い人を重用する.
【重油】zhòngyóu 名 重油

【重责】zhòngzé 名 重い責任. 重責 動 厳しく責める. 厳しく罰する
【重镇】zhòngzhèn 名 重要な地位にある都市

zhōu

6 ** 州 zhōu ❶古 (行政区画の一つ)州 ❷名 自治州
6 舟 zhōu 書 舟 ‖ 扁piān～ 小舟 | 泛fàn～ 舟を浮かべる
【舟车】zhōuchē 名 舟と車. 喻 旅. 旅行
【舟楫】zhōují 名 書 舟と櫂(かい). (広く)舟
【舟桥】zhōuqiáo 名 小舟を横に並べ, その上に板を渡してつくる浮き橋. 船橋(ふなはし). 浮き橋
7 诌(謅) zhōu 動 でたらめを言う. 出まかせを言う ‖ 胡～ でたらめを言う
8 ★ 周[1](△週) zhōu ❶一回りする. 循環する ‖ 一～而复始 ❷全面的である. 普遍的である ‖ 一～身 ❸完全である. 周到である ‖ 招待不～ もてなしが行き届かない ❹周囲 ‖ 圆yuán～ 円周 ❺量 周. まわり ‖ 绕rào场一～ グラウンドを1周する ❻名 週. 週間 ‖ 一～刊 | ～三 水曜日 ❼略〈電〉周波. サイクル. 〔周波〕の略
8 周[2] zhōu 救済する. 援助する ‖ 一～济
8 周[3] zhōu 名 ①王朝名, 周(前11世紀～前256年). 〔西周〕と〔东周〕(春秋戦国時代)に分かれる ②王朝名, 北周(557～581年). 南北朝の一つ ③王朝名, 周 (690～705年). 則天武后による ④王朝名, 後周(951～960年). 五代の一つ
【周报】zhōubào 名 週報. (週刊の雑誌名として用いる) ‖《理财～》『マネー・ウィークリー』
【周边】zhōubiān 名 ❶周囲. 周辺 ‖ ～国家 周辺国家 ❷〈数〉多角形の辺の総和
【周长】zhōucháng 名 周囲の長さ. 1周の距離
**【周到】zhōudào 形 周到である. 行き届いている ‖ 考虑得很～ 配慮がとても行き届いている
【周而复始】zhōu ér fù shǐ 成 一巡りしてまた始まる. 繰り返し循環する
【周济】zhōujì 動 救済する. 援助をする
【周角】zhōujiǎo 名〈数〉周角
【周刊】zhōukān 名 週刊. 週刊誌. ウィークリー
*【周密】zhōumì 形 綿密である. 細かなところまでよく行き届いている ‖ 计划～ 計画が綿密である
*【周末】zhōumò 名 週末 ‖ 度～ 週末を過ごす
*【周年】zhōunián 名 周年. 満1年 ‖ 建厂十～ 工場創立10周年
*【周期】zhōuqī 名 周期. サイクル ‖ 地震dìzhèn～ 地震の周期
【周期表】zhōuqībiǎo 名〈化〉周期表. 周期律表 ‖ 元素～ 元素周期表
【周期律】zhōuqīlǜ 名〈化〉周期律
【周期性】zhōuqīxìng 名 周期性
【周全】zhōuquán 形 周到である. 行き届いている ‖ 考虑问题很～ 問題に対する考え方が周到である 動 (ある目的を達成できるように)助力する. 世話をやく
【周身】zhōushēn 名 体中. 全身
【周岁】zhōusuì 名 ❶満1歳 ‖ 孩子刚满～ 子供は満1歳を迎えたばかりだ ❷満年齢 ‖ 三十五～ 満

35歳
★【周围】zhōuwéi 图 周囲．周り ‖ ～环境很安静 周りの環境はとても静かだ
【周详】zhōuxiáng 形 周到で細かい．細かく行き届いている
【周薪】zhōuxīn 图 週給
【周旋】zhōuxuán 動 ❶旋回する ❷応対する．とりもつ．もてなす ‖ 女主人～于宾客之中 女主人は客の応対に追われている ❸渡り合う．やり合う ‖ 在谈判桌上巧妙地与对手～ 折衝の場で上手に相手と渡り合う
【周游】zhōuyóu 動 周遊する．遍歴する
【周缘】zhōuyuán 图 周り．縁
【周遭】zhōuzāo 图 周囲．周り
*【周折】zhōuzhé 图 紆余曲折(うよきょくせつ)．手間．手数 ‖ 费了一番fān～ いろいろと手数がかかった
【周知】zhōuzhī 動 周知する．広く知らせる ‖ 众所～的事实 周知の事実
*【周转】zhōuzhuǎn 動 (資金などを)回転させる．運転する．やりくりする ‖ 资金～不开 資金繰りがつかない

9 * **洲** zhōu ❶中州 ‖ 三角～ デルタ地帯 | 沙～ 砂州 ❷图 大陸 ‖ 亚～ アジア

> **逆引き単語帳** 〔亚洲〕Yàzhōu アジア 〔非洲〕Fēizhōu アフリカ 〔欧洲〕Ōuzhōu 欧州．ヨーロッパ 〔澳洲〕Àozhōu オーストラリア．豪州 〔大洋洲〕Dàyángzhōu オセアニア．大洋州 〔美洲〕Měizhōu(南北)アメリカ 〔北美洲〕Běi Měizhōu 北アメリカ 〔南美洲〕Nán Měizhōu 南アメリカ 〔拉丁美洲〕Lādīng Měizhōu ラテンアメリカ 〔南极洲〕Nánjízhōu 南極大陸 〔五洲〕wǔzhōu 五大州 〔沙洲〕shāzhōu 砂州 〔绿洲〕lùzhōu オアシス 〔三角洲〕sānjiǎozhōu デルタ地帯

【洲际导弹】zhōujì dǎodàn 图〈軍〉大陸間弾道弾．大陸間弾道ミサイル．ICBM

12 * **粥** zhōu 图 粥 ‖ 熬áo～ 粥を煮る | 喝～ 粥を食べる
【粥少僧多】zhōu shǎo sēng duō 慣 粥は少なし僧は多し．人数に見合うだけの物がないこと．〔僧多粥少〕ともいう

zhóu

8 **妯** zhóu ↴
【妯娌】zhóuli；zhóulǐ 图 兄嫁と弟の嫁．相嫁

9 **轴** zhóu ❶图 車軸．車の心棒 ❷图〈機〉回転軸．シャフト ❸图(～儿)(巻きつけるための)心棒．軸 ‖ 线～儿 糸巻きの軸 | 画～ 掛け軸 ❹量(糸巻きや掛け軸など)軸のある物を数える ‖ 两～山水画 2本の山水画の掛け物 ❺图〈数〉対称軸 ‖ 中～线 中軸線
【轴承】zhóuchéng 图〈機〉軸受け．ベアリング ‖ 滚珠gǔnzhū～ ボール・ベアリング
【轴线】zhóuxiàn 图 糸巻きに巻いた糸．カタン糸
【轴心】zhóuxīn❶〈機〉車軸．軸心 ❷枢軸 ‖ ～国 枢軸国

zhǒu

7 **肘** zhǒu (～儿)❶图 ひじ ‖ 胳膊gēbo～儿 ひじ ❷图 (骨つきの)ブタのもも肉
【肘窝】zhǒuwō 图 ひじ関節の内側のくぼみ
【肘腋】zhǒuyè 图 書 ひじとわきの下．ごく近いところのたとえ．(多く災難の発生に関して用いる)
【肘腋之患】zhǒu yè zhī huàn 成 身近に起きた災い
【肘子】zhǒuzi 图 ❶(骨つきの)ブタのもも肉 ‖ 水晶～ ブタもも肉の水煮 ❷ひじ ‖ 胳膊gēbo～ ひじ

8 **帚**(△箒) zhǒu ほうき ‖ 扫～ ほうき

zhòu

6 **纣**[1] zhòu 書 尻繋(しりがい)

6 **纣**[2] zhòu 图 紂(ちゅう)．殷(いん)王朝の最後の君主の名

8 **宙** zhòu ❶無限の時間 ‖ 宇～ 宇宙 ❷〈地質〉宙(ちゅう)

8 **咒**(△呪) zhòu ❶古 祈る ❷動 呪(のろ)う ‖ 诅zǔ～ 呪詛(じゅそ)する．呪う ❸图 まじない．呪文(じゅもん) ‖ 念～ 呪文を唱える
【咒骂】zhòumà 動 罵る．口汚なく罵る

8 **绉**(縐) zhòu 縮み織り．ちりめん．クレープ
【绉纱】zhòushā 图〈紡〉クレープ．クレープデシン

9 **昼**(晝) zhòu 昼．日中 ↔〔夜〕‖ 白～ 白昼．昼間
*【昼夜】zhòuyè 图 昼夜 ‖ ～不停地运转yùnzhuǎn 昼夜休まず稼働する

9 **胄**[1] zhòu 古 帝王や貴族の子孫 ‖ 贵～ 貴族の子孫

9 **胄**[2] zhòu 古 かぶと ‖ 甲～ 甲冑(かっちゅう)．よろいかぶと

10 * **皱**(皺) zhòu ❶图 (皮膚の)しわ ‖ →～纹 ❷图 (物の表面にできた)しわ ‖ 裤子上起了～ ズボンにしわが寄った ❸動 しわが寄る．しわを寄せる ‖ ～眉头 眉(まゆ)をひそめる
【皱巴巴】zhòubābā (～的) 形 しわくちゃである．しわしわである
【皱痕】zhòuhén 图 しわの跡．しわの筋
*【皱纹】zhòuwén (～儿) 图 しわ ‖ 脸上布满～ 顔中しわだらけである

10 **酎** zhòu 書 濃い酒

17 **骤** zhòu ❶(ウマが)速く走る ❷突然．にわかに ‖ →～雨
【骤然】zhòurán 副 にわかに．たちまち ‖ ～想起 急に思い出す
【骤雨】zhòuyǔ 图 にわか雨．スコール

17 **繇** zhòu 古 占いの呪文 ➤ yáo yóu

19 **籀** zhòu 書 ❶(書体の一種)籀文(ちゅうぶん)．大篆(だいてん) ❷本を読む．朗誦する

zhū

6 **朱**(硃❷) **zhū** ❶朱の．朱色の ‖ —～红 ❷辰砂(しんしゃ)．丹朱(たんしゅ)．丹砂(たんしゃ) ‖ —～砂

[朱古力] zhūgǔlì 名 外 方 チョコレート．ふつうは〔巧克力〕という

[朱红] zhūhóng 形 朱色の．明るい赤色の

[朱鹮] zhūhuán 名〈鳥〉トキ

[朱门] zhūmén 名 旧 朱塗りの門．金持ちの家をさす

[朱批] zhūpī 名 朱で書き入れた意見・批評・感想

[朱漆] zhūqī 名 朱うるし．朱塗り

[朱雀] zhūquè 名 ❶朱雀(すざく)．二十八宿のうちの南方 7 宿の総称．〔朱鸟〕ともいう ❷〈宗〉(道教で)南の方角をつかさどる神

[朱砂] zhūshā 名〈鉱〉辰砂(しんしゃ)．丹砂(たんしゃ)．〔辰chén砂〕〔丹dān砂〕ともいう．

[朱文] zhūwén 名(印章の)陽文(ようぶん)．陽刻 ↔〔白文〕

8 **诛** **zhū** 書 ❶責める．懲らしめる ‖ 口～笔伐fá 言論によって罪状を暴き批判する ❷(罪のある者を)殺す．誅(ちゅう)する．討伐する ‖ 天～地灭miè 天誅(てんちゅう)が下る

[诛戮] zhūlù 動 書(罪のある者を)殺す．誅殺(ちゅうさつ)する

[诛杀] zhūshā 動 誅殺する

8 **侏** **zhū** ↴

[侏罗纪] Zhūluójì 名〈地質〉ジュラ紀

[侏儒] zhūrú 名 侏儒(しゅじゅ)．体が特別小さい人

8 **邾** **zhū** 名 姓

9 **洙** **zhū** 地名用字 ‖ ～水 山東省にある川の名

9 **茱** **zhū** ↴

[茱萸] zhūyú 名〈中薬〉茱萸(しゅゆ)

10 **诸**[1] **zhū** もろもろの．多くの ‖ —～位 | ～君 諸君．みなさん

10 **诸**[2] **zhū** 書〔之于〕または〔之乎〕の合音

[诸多] zhūduō 形 書 多くの．いろいろな ‖ ～不便 さまざまな不便

[诸侯] zhūhóu 名 古 諸侯

[诸如] zhūrú 接 たとえば…や…など．(複数の例を挙げるのに用いる)

[诸如此类] zhū rú cǐ lèi 成(前にあげたことをさして)これに類したいろいろな事柄．それと同様の事柄 ‖ ～的事情时有发生 これに類したことはときどき起こっている

*__[诸位]__ zhūwèi 代 みなさま．諸君 ‖ ～女士、～先生 紳士・淑女のみなさま | 欢迎～光临 みなさまのご来訪を歓迎いたします

[诸子百家] zhūzǐ bǎijiā 名 古 諸子百家．春秋戦国時代の思想家，またはその各学派

10 **珠** **zhū** ❶真珠．玉．美しい宝 ‖ 珍～ 真珠 ❷(～儿)真珠のような丸いもの ‖ 眼～子 目玉 | 水～儿 水滴．水玉

[珠蚌] zhūbàng 名 真珠が採れる貝．真珠貝

[珠宝] zhūbǎo 名 宝石類．宝飾品 ‖ ～商 宝石商

[珠翠] zhūcuì 名 真珠とひすい．(広く)宝飾品

[珠光宝气] zhū guāng bǎo qì 成 真珠や宝石がきらめく．装いの豪華なさま

[珠玑] zhūjī 名 書 珠玉．優れた詩文のたとえ ‖ 满腹mǎnfù～ 詩文の才能に恵まれていること

[珠联璧合] zhū lián bì hé 成 真珠や玉(ぎょく)が一つに連なる．優れた人材や貴重なもの，美しいものが一ヵ所に集まるたとえ．名コンビや似合いのカップルについていう

[珠算] zhūsuàn 名 珠算

[珠圆玉润] zhū yuán yù rùn 成 珠(たま)のように丸く，玉(ぎょく)のように潤いがある．歌声や詩・文章が優美なことのたとえ

*__[珠子]__ zhūzi 名 ❶真珠 ❷粒．玉 ‖ 汗～ 汗の粒

10 *** **株** **zhū** ❶切り株．根上がり ❷草木の株 ❸量(樹木や草を数える)本．株 ‖ 一～月季yuèjì 一株のバラ

[株连] zhūlián 動 連座する ‖ ～九族 一族が連座する

11 ★**猪**(△豬) **zhū** 名〈動〉ブタ ‖ 公～ 雄ブタ | 母～ 雌ブタ | ～油 ラード

[猪草] zhūcǎo 名 ブタの飼料にする草類

[猪倌] zhūguān (～儿) 名 ブタ飼い

[猪圈] zhūjuàn 名 ブタ小屋．ブタを放す柵(さく)

[猪猡] zhūluó 名 方 ブタ

[猪排] zhūpái 名 豚肉の厚切り ‖ 炸zhá～ とんカツ．ポークカツレツ

*__[猪肉]__ zhūròu 名 豚肉．ポーク

[猪瘟] zhūwēn 名〈医〉ブタコレラ

[猪鬃] zhūzōng 名(ブラシにする)ブタ毛

11 **铢** **zhū** 古(重さの単位)銖(しゅ)．1〔两〕の 24 分の 1

[铢积寸累] zhū jī cùn lěi 成 銖積寸累(しゅせきすんるい)．少しずつ蓄積する．少しずつ努力を積み重ねる

12 **蛛** **zhū** クモ ‖ 蜘zhī～ クモ

[蛛丝马迹] zhū sī mǎ jì 成 クモの糸とウマのひずめの跡．かすかな痕跡(こんせき)．かすかな手がかり

[蛛网] zhūwǎng 名 クモの巣

14 **槠** **zhū** 名〈植〉カシ

zhú

6 **竹** **zhú** ❶名〈植〉タケ ‖ ～林 竹林 | 毛～ モウソウチク | 翠cuì～ 青竹 ❷(簫(しょう)や笛などの)竹製の管楽器

[竹板] zhúbǎn 名 ❶竹の板 ❷〈音〉打楽器の一種で，2 枚または 4 枚の竹の板を片手で打ち鳴らすもの

[竹编] zhúbiān 名 竹を編んで作った工芸品．竹細工

[竹帛] zhúbó 名 竹簡と絹布(古代，文字を記したもの)．竹帛(ちくはく)．転 史書

[竹雕] zhúdiāo 名 竹に彫刻を施した工芸品

[竹筏] zhúfá 名 竹のいかだ ‖ 扎zā～ いかだを組む

[竹竿] zhúgān (～儿) 名 竹竿

[竹简] zhújiǎn 名 古 竹簡(文字を記した竹片)

[竹刻] zhúkè ＝〔竹雕zhúdiāo〕

[竹篮打水一场空] zhúlán dǎ shuǐ yī cháng kōng 歇 ざるで水をくむ．労力が水の泡になるたとえ

[竹楼] zhúlóu 名 竹を組んだ高床式の建物．雲南

省のタイ族居住地区に多く見られる伝統的住居
【竹马】zhúmǎ（～儿）图❶竹馬．子供がまたがって遊ぶ竹竿‖青梅～（男女の）幼な友達のたとえ ❷（民間の歌舞に用いる）張り子の馬
【竹排】zhúpái 图竹のいかだ‖放～ いかだを流す
【竹器】zhúqì 图竹製品の器具類
【竹笋】zhúsǔn 图タケノコ
【竹叶青】[1] zhúyèqīng 图〈動〉毒ヘビの一種
【竹叶青】[2] zhúyèqīng 图 酒の名．〔汾酒 fénjiǔ〕（蒸留酒の一種）をベースに数種の漢方薬材を加えたもの
**【竹子】zhúzi 图〈植〉タケ

8 **竺** zhú 图姓

10 **逐** zhú ❶書 追う．追いかける‖追～ 追う ❷追い出す．追い払う‖→～客令 ❸順次を追う‖→～年
**【逐步】zhúbù 副 しだいに．徐々に‖～推广 徐々に推し広める｜～改善 徐々に改善する
【逐次】zhúcì 副逐次．順次
【逐个】zhúgè 副一つ一つ．一人一人‖～征求zhēngqiú意见 一人一人に意見を求める
**【逐渐】zhújiàn 副 しだいに．だんだんと‖～减少 しだいに減少する｜天气～热了 だんだん暑くなってきた
【逐客令】zhúkèlìng 图客に帰ってくれとほのめかす言葉‖下～ 客を追い返す
【逐鹿】zhúlù 動書天下の支配権を争う
*【逐年】zhúnián 副年々．年ごとに‖造林面积～扩大 植林面積が年々拡大する
【逐日】zhúrì 副日増しに．日に日に
【逐条】zhútiáo 副項目ごとに．一つ一つ‖～说明 項目ごとに説明する
【逐一】zhúyī 副逐一．一つ一つ
【逐字逐句】zhú zì zhú jù 組一字一句

10 **烛（燭）** zhú ❶ろうそく‖蜡là～ ろうそく ❷書 明るく照らす‖火光～天 炎が天を照らす．火炎のすさまじいさま ❸量 ワット．〔瓦特wǎtè〕の俗称
【烛光】zhúguāng 量（光度の単位）燭（しょく）．燭光
【烛泪】zhúlèi 图火のともったろうそくの溶けて垂れたろう．燭涙（しょくるい）
【烛台】zhútái 图ろうそく立て．燭台（しょくだい）
【烛芯】zhúxìn 图ろうそくの芯（しん）

12 **筑** zhú ➤ zhù

13 **瘃** zhú 書凍傷．霜焼け

20 **躅** zhú ➡〔踯躅zhízhú〕

zhǔ

5 * **主** zhǔ ❶图（財物や権力の）所有者．持ち主．主（ある）じ‖房～ 家主｜物～ 持ち主 ❷雇い主．主人 ↔〔仆pú〕〔奴nú〕‖～仆 主人と従者 ❸（接待する側の）主人．ホスト ↔〔客〕〔宾〕‖东道～ 主催者 ❹主宰する．主たる責任を負う‖→～持 ❺主張する．決定する‖～战 戦争を主張する ❻图定見．確たる考え‖→～见 ❼動（前触れを）示す．現す‖早霞xiá～雨，晚霞～晴 朝焼けは雨のしるし，夕焼けは晴れのしるし ❽自分の．自分からの‖→～动 ❾当事者．本人‖失～ 落とし主 ❿图〈宗〉（キリスト教やイスラム教での神の呼称）主（しゅ）⓫形 主要な．主な‖→～力
【主板】zhǔbǎn 图〈計〉マザーボード
*【主办】zhǔbàn 動 主催する‖～单位 主催団体．主催者
【主笔】zhǔbǐ 图（新聞や雑誌の）主筆．編集長
【主币】zhǔbì 图〈経〉本位貨幣
*【主编】zhǔbiān 動 編集の主要な責任を負う 图 編集長‖担任～ 編集長を務める
【主场】zhǔchǎng 图〈体〉ホーム・グラウンド
*【主持】zhǔchí 動❶つかさどる．主管する．主宰する‖～工作 仕事を主管する ❷主張する．守る‖～公道 公平を主張する
【主持人】zhǔchírén 图 司会者．キャスター‖电视节目～人 テレビ番組の司会者
【主厨】zhǔchú 動調理を担当する 图コック長
【主创】zhǔchuàng 動（テレビ番組・映画・演劇などで）中心となって作品の制作に携わる‖～人员 主な制作スタッフ
【主次】zhǔcì 图 主要なものと副次的なもの．（物事の）軽重．本末‖～分明 事の軽重がはっきりしている
【主从】zhǔcóng 图 主要なものと従属的なもの．主従
【主打】zhǔdǎ 形 主役となる．看板となる．メインである‖～产品 目玉製品｜这张专辑zhuānjí的～歌 このアルバムでメインの曲
【主刀】zhǔdāo 動（手術で）執刀する
*【主导】zhǔdǎo 形 主導的な‖～思想 主導的思想 图 主導的な役割を果たす
【主调】zhǔdiào 图❶〈音〉（多声部のうちの）主旋律 ❷主要な論調．基調
**【主动】zhǔdòng 形❶自発的である．積極的である‖～帮助同学 進んでクラスメートを助ける ❷主導的である‖～权 主導権．イニシアチブ ✻↔〔被动〕
【主动脉】zhǔdòngmài 图〈生理〉大動脈．〔大动脉〕ともいう
【主队】zhǔduì 图〈体〉地元チーム．ホーム・チーム ↔〔客队〕
【主犯】zhǔfàn 图〈法〉主犯 ↔〔从犯〕
【主妇】zhǔfù 图 主婦‖家庭～ 家庭の主婦
【主干】zhǔgàn 图❶〈植〉幹．中心の茎 ❷中心となる力．主力
【主攻】zhǔgōng 图 主力攻撃 ↔〔助攻〕‖～部队 主力部隊．主力チーム 動 専攻する．専門とする
【主顾】zhǔgù 图（店の）お客．顧客‖老～ なじみのお客．お得意様
**【主观】zhǔguān 形 主観的な‖～愿望 主観的な願望 形 主観的である‖他这人很～ 彼はひとりよがりな人だ ✻↔〔客观〕
*【主管】zhǔguǎn 動 主管する‖向～部门汇报huìbào 主管部門に報告する 图 主管者．担当者
【主婚】zhǔhūn 動 婚礼を取り仕切る
【主机】zhǔjī 图❶〈計〉ホスト ❷〈機〉メイン・エンジン ❸〈軍〉（編隊の）隊長機．〔长zhǎng机〕ともいう
【主机板】zhǔjībǎn 图〈計〉メインボード．マザーボード．略して〔主板〕ともいう
【主见】zhǔjiàn 图 自分の考え．見解‖他年岁不大，却挺有～ 彼は年は若いが，考えが実にしっかりしている
【主讲】zhǔjiǎng 動 講義・講演を担当する
【主将】zhǔjiàng 图 主将．総帥．リーダー

【主教】zhǔjiào 名〈宗〉(カトリックの)司教
【主教练】zhǔjiàoliàn 名〈体〉監督
【主角】zhǔjué (～儿) 名 ❶〈劇〉主役 ‖ 男～ 男性の主役 | 扮演bànyǎn～ 主役に扮(ふん)する ❷喩(物事の)主役. 中心人物 ✻↔〔配角〕
【主考】zhǔkǎo 動 試験を主管する 名 主任試験官
【主课】zhǔkè 名 必修科目. 主要な科目
*【主力】zhǔlì 名 主力 ‖ ～队员 主力メンバー
【主力舰】zhǔlìjiàn 名〈軍〉主力艦
【主力军】zhǔlìjūn 名〈軍〉主力部隊
【主粮】zhǔliáng 名 主要な食糧
*【主流】zhǔliú 名 ❶(河川の)主流 ❷主流. 主要な発展的動向 ‖ 时代的～ 時代の主流
【主楼】zhǔlóu 名〈建〉本館
【主谋】zhǔmóu〈法〉動 主謀する 名 首謀者
【主脑】zhǔnǎo 名 ❶主要部分 ❷指導者. 首脳
【主渠道】zhǔqúdào 名 主要なルート. 主なチャンネル
*【主权】zhǔquán 名 主権 ‖ ～国家 主権国家
【主儿】zhǔr 名 方 ❶主. 持ち主 ❷(ある種の)人 ‖ 他是个讲义气的～ 彼は義理堅い人間だ ❸婚家. 嫁ぎ先 ‖ 有了～了 嫁入り先が決まった
**【主人】zhǔren ; zhǔrén 名 ❶(もてなす側の)主人. ホスト ↔〔客人〕❷雇い主 ❸(財物や権力の)所有者. 主 ‖ 人民当家做了～ 人民が国家の主人となる
【主人公】zhǔréngōng 名(物語の)主人公
*【主人翁】zhǔrénwēng 名 ❶(組織や国を支える)主人 ❷(物語の)主人公
**【主任】zhǔrèn 名 主任 ‖ 教导～ 教務主任 | ～医师 主任医師
*【主食】zhǔshí 名 主食 ↔〔副食〕
【主使】zhǔshǐ 動 そそのかす. 教唆(きょう)する
【主事】zhǔ//shì (～儿) 動 主管する. 取り仕切る
【主帅】zhǔshuài 名 主将. 総帥
【主诉】zhǔsù 動〈医〉患者が自分の体の主な症状を訴える. 主訴
*【主题】zhǔtí 名 主題. テーマ ‖ ～思想 (文章などの)テーマ
【主题词】zhǔtící 名(本や書類などの)表題. タイトル
【主题歌】zhǔtígē 名 主題歌. テーマソング
*【主体】zhǔtǐ 名 ❶〈哲〉主体 ↔〔客体〕❷中心的で主要なもの ‖ 国民经济的～ 国民経済の主体
**【主席】zhǔxí 名 ❶議長 ‖ 会议～ 会議の議長 ❷主席. 国家や党などの団体の最高職位の称号 ‖ 国家～ 国家主席
【主席台】zhǔxítái 名 大会で会場正面のひな壇. 演壇. 議長団席
【主席团】zhǔxítuán 名 議長団
【主线】zhǔxiàn 名(物語の)主要な筋. 全体の脈絡
【主心骨】zhǔxīngǔ (～儿) 名 ❶頼りになる人や事物. 大黒柱 ❷しっかりした考え. 定見
【主刑】zhǔxíng 名〈法〉主刑 ↔〔附加刑〕
【主旋律】zhǔxuánlǜ 名〈音〉主旋律
【主演】zhǔyǎn 動 主演する 名 主演俳優
★【主要】zhǔyào 形 主要な. 主な ‖ ～原因 主な原因 | 成绩是～的 成果が主要である
【主页】zhǔyè 名〈計〉(インターネットの)ホームページ
*【主义】zhǔyì 名 主義 ‖ 个人～ 個人主義
★【主意】zhǔyi 名 ❶定見. しっかりした考え ‖ 打定～ 考えを持つ. 腹を決める ❷考え. アイディア ‖ 好～ いい考え | 馊sōu～ つまらない思いつき

【主因】zhǔyīn 名 主因. 主な原因
【主语】zhǔyǔ 名〈語〉主語
【主宰】zhǔzǎi 動 支配する. 決定する ‖ 金钱～着一切 お金がすべてを支配している 名 支配するもの. 支配者 ‖ 自己是自己命运的～ 自分自身こそ自己の運命の支配者である
**【主张】zhǔzhāng 動 主張する. 意見を言う 名 主張. 意見 ‖ 自作～ 自分一人の考えで決める
【主旨】zhǔzhǐ 名 主旨 ‖ ～明确 主旨が明確である
【主子】zhǔzi 名 旧 主人. 旦那

8 *拄 zhǔ 動(杖を)つく ‖ ～着拐棍儿 guǎigùnr 杖をついている

11 渚 zhǔ 書 小さな州. 中州

12 属(屬) zhǔ 書 ❶つなぐ. 連ねる ‖ 前后相～ 前後がつながる ❷(言葉を)つなぎ合わせる. (文章を)つづる ‖ ～草 原稿を起草する ❸(気持ちが)集中する ‖ ～望 期待を寄せる ➤ shǔ

12 **煮(△煑) zhǔ 動 煮る. ゆでる ‖ ～面条 麺(めん)をゆでる | 饺子～熟shú了 ギョーザがゆで上がった
【煮豆燃萁】zhǔ dòu rán qí 成 豆を煮るのに萁(まめがら)を燃やす. 兄弟が互いに傷つけ合うたとえ
【煮鹤焚琴】zhǔ hè fén qín 成 鶴(つる)を煮て食い, 琴を薪代わりにする. 興ざめなことをするたとえ

13 褚 zhǔ 古 ❶服に真綿を詰める ❷綿入れ. 真綿を詰めた衣服 ➤ chǔ

15 嘱(囑) zhǔ ❶言いつける. 戒める ‖ 叮dīng～ よく言い聞かせる ❷頼む ‖ →～托 ❸言いつけ. 戒め ‖ 医～ 医者の言いつけ
*【嘱咐】zhǔfu ; zhǔfù 動 言い聞かせる. よく教えさとす ‖ 千叮宁, 万～ 繰り返し言い聞かせる | ～孩子要听老师的话 先生の言うことを聞くようにと子供に言い聞かせる
*【嘱托】zhǔtuō 動 頼む. 委託する ‖ 再三～ 何度も頼む | ～后事 後事を託す

16 麈 zhǔ 古 ❶シカの一種 ❷同前の尾

17 瞩(矚) zhǔ 遠くを望む ‖ 高瞻zhān远～ 高い所から遠くを見渡す. 見識が高いこと
【瞩目】zhǔmù 動 書 注目する. 嘱目する

zhù

6 伫(△竚 佇) zhù 書 たたずむ. じっと立つ ‖ ～候hòu たたずんで待つ
【伫立】zhùlì 動 書 たたずむ. じっと立っている

7 ★住 zhù ❶書(人が)立ちどまる. とどまる ❷動 泊まる. 住む ‖ 你～在哪儿? あなたのお住まいはどちらですか | ～得很宽敞kuānchang 住まいが広々している | 在旅馆～了两夜 ホテルに2泊した ❸動 停止する. 止まる. やむ ‖ 雨～了 雨がやんだ ❹動 ①動詞の後に置き, 動作が停止することを表す ‖ 被问～了 返答に窮した | 快叫～他 早く彼を呼び止めてくれ ②動詞の後に置き, 動作が安定することを表す ‖ 把～方向盘 ハンドルをしっかり握る | 老师讲的, 我都记～了 (授業で)先生の話したことはすべて覚えた ③〔…得住〕〔…不住〕の形で, 可能または不可能を表す ‖ 靠得～ 頼りになる. 信頼できる | 身体支持不～ 体がも

たない
【住持】zhùchí 〈仏〉動 その寺をつかさどる 名（仏教または道教の）住持．住職
【住处】zhùchu；zhùchù 名 ❶住んでいる所．住まい ❷宿．宿泊所
【住地】zhùdì 名 住んでいる所．居住地
【住读】zhùdú 動（学生が）寄宿する．寮生活をする‖～生 寮生
*【住房】zhùfáng 名 住居．住宅‖～紧张 住宅が不足している
【住户】zhùhù 名 居住者．世帯‖胡同hútòng里多是老～ 横町に住むのはほとんどが昔からの住民だ
【住家】zhùjiā 動 口 住む．居住する 名（～儿）世帯
【住口】zhù//kǒu 動 話をやめる．黙る‖你给我～！黙れ！
【住手】zhù//shǒu 動 手を止める．手を引っこめる‖～！不许打人 やめろ，殴るな
【住宿】zhùsù 動 泊まる．宿泊する
*【住所】zhùsuǒ 名 住んでいる所．住まい
【住校】zhù//xiào 動 学校の寮で生活する
【住院】zhù//yuàn 動 **入院する‖住了一个月的院 1ヵ月入院した
*【住宅】zhùzhái 名 住宅‖～区 住宅区
【住址】zhùzhǐ 名 住所．アドレス‖填tián上姓名和～ 氏名と住所を書き込む

> **類義語** | 住址 zhùzhǐ 地址 dìzhǐ
>
> ◆〔住址〕個人の住所‖请告诉我你的住址（地址）ご住所を教えてください ◆〔地址〕個人の住所，および会社・学校など団体や組織の所在地あるいは連絡先‖单位地址 職場の所在地

【住嘴】zhù//zuǐ 動 話をやめる．黙る
7
*助 zhù 動 助ける．援助する‖～一臂bì之力 一臂（いっぴ）の力を貸す｜～人为wéi乐 人助けを喜びとする
【助残】zhùcán 動 障害者を支援する‖全国～日 全国障害者の日（5月の第3日曜）
【助产士】zhùchǎnshì 名〈医〉助産士．助産婦
【助词】zhùcí 名〈語〉助詞
【助动词】zhùdòngcí 名〈語〉助動詞
【助教】zhùjiào 名 助教（大学教員で〔讲师〕に次ぐもの）
【助桀为虐】zhù Jié wéi nüè 成 悪人の手助けをして悪事をはたらく．〔助纣Zhòu为虐〕ともいう
【助老】zhùlǎo 動 高齢者を助け労る
*【助理】zhùlǐ 形 補佐役の．補助的な．（多く職階名に用いる）‖～研究员 補助研究員 名 助手．補佐役‖总经理～ 社長補佐
【助力车】zhùlìchē 名 原つきバイク
【助跑】zhùpǎo 動〈体〉助走する
*【助手】zhùshǒu 名 助手．アシスタント
【助听器】zhùtīngqì 名 補聴器
【助威】zhù//wēi 動 応援する．声援を送る．景気づける‖呐喊nàhǎn～ 声をあげて応援する
【助兴】zhù//xìng 動 興を添える．座を盛り上げる
【助学金】zhùxuéjīn 名 奨学金‖领～ 奨学金を受ける
【助战】zhù//zhàn 動 ❶戦闘に協力する ❷応援する
*【助长】zhùzhǎng 動 助長する‖不能～歪wāi风邪xié气 不健全な風潮を助長してはならない
【助阵】zhùzhèn 動 応援する．声援する
【助纣为虐】zhù Zhòu wéi nüè ＝〔助桀为虐 zhù Jié wéi nüè〕
8
注[1] zhù ❶動 注ぐ．流し込む‖大雨如～ 盆を覆すような大雨が降る ❷（心や視線などを）注ぐ．集中する‖关～ 関心を持つ ❸名 ばくちのかけ金‖赌dǔ～ かけ金 ❹量 かけ金・金銭・取引などを数える‖五十元为一～ 50元を1口とする
8
注[2]（△註）zhù ❶動 注をつける‖批～ コメントを書き添える ❷名 注．注釈‖脚～ 脚注 ❸登記する．記録する‖→～册
*【注册】zhùcè 動 登録する‖～商标 商標を登録する
【注定】zhùdìng 動（法則や運命によって）決められる‖命中～ 運命づけられている
【注脚】zhùjiǎo 名 注釈．注
*【注解】zhùjiě 動 注釈する．注釈をつける 名 注釈‖古诗的～ 古典詩の注釈
【注明】zhùmíng 動 はっきり注記する‖～出处 出典を明記する
*【注目】zhùmù 動 注目する‖引人～ 人目を引く
【注目礼】zhùmùlǐ 名〈軍〉直立したまま上官を注視する礼
【注入】zhùrù 動 注ぎ込む．集中する
*【注射】zhùshè 動〈医〉注射する‖静脉jìngmài～ 静脈注射
【注射剂】zhùshèjì 名〈医〉注射剤
【注射器】zhùshèqì 名〈医〉注射器
*【注视】zhùshì 動 注視する．注目する．注意してじっと見る‖密切～事态的发展 事態の動向をじっと見守る
*【注释】zhùshì 動 注釈する‖～文章 文章を注釈する 名 注釈．注
【注塑】zhùsù 動 プラスチックを鋳型に流し込んで成型する
【注文】zhùwén 名 注釈の文
【注销】zhùxiāo 動（記載事項を）取り消す．抹消する‖～户口 戸籍を抹消する
★【注意】zhù//yì 動 **注意する．気を配る**‖～安全 安全を心がける｜引起～ 注意を引く
【注音】zhù//yīn 動 読み方を注記する‖生字下面都注了音 新しく習う字の下にはみな読みをつけた
【注音字母】zhùyīn zìmǔ 名〈語〉注音字母．〔汉语拼音pīnyīn〕（ローマ字発音表記）の施行以前に使われた漢字音表記記号．ㄚ（a），ㄓ（zh），ㄎ（k）など
*【注重】zhùzhòng 動 重視する．重んじる‖～仪表yíbiǎo 外面を重んじる
【注资】zhù//zī 動 資金を投入する
8
*驻 zhù ❶止める．とどめる‖→～足 ❷動（軍隊や機関が）駐留する．駐在する‖～京办事处 北京駐在事務所｜本报～纽约记者 本紙ニューヨーク駐在員
【驻地】zhùdì 名 ❶駐屯地．駐在地 ❷（地方行政機関の）所在地
【驻防】zhùfáng 動 守備のために駐屯する‖边境～部队 国境駐屯軍
【驻军】zhùjūn 名 駐留軍．駐屯軍 動 駐留する．駐屯する
【驻守】zhùshǒu 動 防衛のために駐屯する

【驻在国】zhùzàiguó 名（外交官の）駐在国
*【驻扎】zhùzhā 動 駐屯する‖部队～在城外 部隊は市外に駐留している
【驻足】zhùzú 動 足をとどめる

8 **杼** zhù 古（織機の）梭(ひ)

8 **贮**（貯）zhù 動 蓄える. 貯蔵する‖一～藏
【贮备】zhùbèi 動 備える. 蓄える‖～饲料siliào 飼料を蓄える
【贮藏】zhùcáng 動 貯蔵する. 蓄える
【贮存】zhùcún 動 貯蔵する. 蓄える‖～大白菜 ハクサイを貯蔵する
【贮运】zhùyùn 名 貯蔵と輸送

9 **炷** zhù ❶書 灯火の灯心 ❷書 点火する ❸量 火のついた線香（1本あるいは束のもの）を数える‖一～香 1本（または一束）の火のついた線香

9 ★**祝** zhù ❶神仏に祈る‖一～祷 ❷動（人によきことを）祈る. 心から願う‖～你们幸福 あなた方のお幸せをお祈りいたします｜～你早日恢复健康 一日も早く元気になられますようお祈りしています｜～大家一路平安 皆様の旅のご無事をお祈り申し上げます

類義語 祝 zhù 祝贺 zhùhè 庆祝 qìngzhù
◆〔祝〕相手がよい結果を得られるように願う‖祝你成功 成功を祈ります｜祝你考上大学 大学合格を祝ります ◆〔祝贺〕相手がよい結果を得られたことを祝う‖祝贺你成功 成功おめでとう｜祝贺你考上了大学 大学合格おめでとう ◆〔庆祝〕デモや集会など公的活動によって, 各人に共通する喜びをみんなで祝う‖庆祝春节 旧正月を祝う

【祝词】【祝辞】zhùcí 名 ❶祝詞(のりと) ❷祝辞
【祝祷】zhùdǎo 動 祈る. 祈願する
*【祝福】zhùfú 動 ❶祝福する. 幸福を祈る‖默默地～ 心の中で幸福を祈る ❷一部地域の伝統的儀式で, 旧暦の大みそかの晩に, 天地の神に幸福を祈る
【祝告】zhùgào 動 祈る. 祈願する
**【祝贺】zhùhè 動 祝賀する. 祝う‖～春节 春節を祝う｜～大会圆满成功 大会の無事成功を祝う
【祝捷】zhùjié 動 勝利を祝う‖～大会 勝利祝賀会
【祝酒】zhù//jiǔ 動 祝杯をあげる. 乾杯する‖～辞 乾杯の辞｜举杯～ 祝いの杯をあげる
【祝寿】zhùshòu 動（老人の）誕生日を祝う
【祝颂】zhùsòng 動 祝福する
*【祝愿】zhùyuàn 動 祈る. 願う. 祝福する‖衷心zhōngxīn～ 心から祈る｜～你们白头到老 お二人が末長くお幸せでありますようお祈りいたします

9 **柱** zhù ❶名 柱‖顶梁dǐngliáng～ 大黒柱 ❷柱状のもの‖水～ 水柱
【柱石】zhùshí 名 柱石. 柱と礎石. 礎(いしずえ)
【柱头】zhùtóu 名 ❶〈建〉柱の頭部. 柱頭. キャピタル ❷方 柱 ❸〈植〉(雌しべの)柱頭
*【柱子】zhùzi 名 柱‖大理石的～ 大理石の柱

11 ***著**[1] zhù ❶明白である. 顕著である. 著しい‖显～ 顕著である. めざましい｜昭zhāo～ 明らかである ❷現す. 示す‖一～名 ❸動 文章を著す‖一～作 ❹著作. 著述‖拙zhuō～ 拙著｜专～ 専門書

11 **著**[2] zhù 土着の民‖土～ 土着民. 原住民 ➤ zhe zhuó
【著称】zhùchēng 動 名が世間に知られる. 名高い
【著录】zhùlù 動 記載する. 記録する
**【著名】zhùmíng 形 著名である. 有名である. よく知られている‖～音乐家 著名な音楽家

類義語 著名 zhùmíng 有名 yǒumíng
◆〔著名〕名前がとくによく知られて, 良い意味で人々に深い印象を与えている. 多く書き言葉に用いる‖他是一个著名作家 彼は著名な作家である ◆〔有名〕多く話し言葉で用いられ, 良い意味にも悪い意味にも用いられる‖他在我们公司是有名的小气鬼 彼はうちの会社でケチで有名だ

【著书立说】zhù shū lì shuō 成 書物を著して説を立てる. 文筆によって自分の考えや学説を公にする
【著述】zhùshù 動 著述する. 著作する 名 著述
**【著作】zhùzuò 動 著作する. 著す 名 著作‖～等身 著書が身の丈ほどもある. 著作が非常に多いさま
【著作权】zhùzuòquán 名 著作権
【著作人】zhùzuòrén 名（書物を）編纂(へんさん)する人. 著者

11 **蛀** zhù ❶木・衣類・本・穀物などを食う虫 ❷動 虫が食う‖毛毯máotǎn上～了个洞dòng じゅうたんに虫食いの穴が開いた
【蛀齿】zhùchǐ 名 虫歯 ＝〔龋qǔ齿〕
【蛀虫】zhùchóng 名 ❶木・衣類・本・穀物などにつく虫の総称 ❷喩 組織の内部にあって全体を害する人
【蛀蚀】zhùshí 動 虫が食い荒らす. 喩（精神を）むしばむ‖被金钱～了灵魂 金に魂をむしばまれた
【蛀牙】zhùyá 名 虫歯

12 ***铸**（鑄）zhù 動 鋳造する. 鋳る‖一～造｜浇jiāo～ 鋳造する
【铸币】zhùbì 名 硬貨
【铸工】zhùgōng 名〈冶〉❶鋳造. ふつうは〔翻砂〕という ❷鋳造工. 鋳物師
【铸件】zhùjiàn 名〈冶〉鋳造品. 鋳物
【铸铁】zhùtiě 名 鋳鉄. 銑鉄. ずく.〔生铁〕〔铣xiǎn铁〕ともいう
【铸造】zhùzào 動 鋳る. 鋳造する‖～车间 鋳物工場. 鋳造場

12 **筑**[1] zhù ❶名 筑(ちく). 古代の弦楽器で, 琴に似た形で13本の弦があり, 竹のばちでたたいて演奏する ❷名 貴州省貴陽市の別称

12 ***筑**[2]（築）zhù 動 築く. 建造する. つくる‖～路 道路をつくる｜～墙 壁を築く

14 **箸**（^筯）zhù 方 箸

14 **翥** zhù 書（鳥が）飛翔(ひしょう)する‖龙翔xiáng凤～ 竜が天かけ, 鳳凰(ほうおう)が舞う（吉祥を表す）

zhuā

7 ***抓** zhuā ❶動 つかむ. 握る‖～着他的胳膊gēbo 彼の腕をつかまえている ❷動 かく. ひっかく‖～痒痒yǎngyang かゆいところをかく ❸動 把握する‖一～住 ❹動 力を入れる. 強化する. 指導する‖狠hěn～质量管理 品質管理を徹底強化

する ❺(人の注意を)引きつける ❻動 捕まえる. 逮捕する ‖ ～小偷 泥棒を捕まえる

類義語 | 抓 zhuā 捉 zhuō
◆ともに人や動物を捕らえることを表す. 〔抓〕は捕らえる動作の過程に重点があり, 〔捉〕は自分の支配下に置くという, 動作の結果に重点がある ◆〔捉〕には〔捉拿〕〔捕捉〕など造語性があるが, 〔抓〕にはない ‖ 活捉敌人 敵を生け捕りにする ◆〔抓〕は「手や指でつかむ. 握る」さらに派生義としていろいろな意味をもつが, 〔捉〕は書き言葉として「握る」意味をもつだけである ‖ 抓大意 大意をつかむ | 捉笔赋诗 筆を執り詩を作る

【抓辫子】zhuā biànzi 圃 弱みを握る. 弱みにつけ込む. 〔揪jiū辫子〕ともいう
【抓膘】zhuā//biāo 動 (家畜を)肥育する
【抓捕】zhuābǔ 動 捕らえる. 逮捕する ‖ ～逃犯 逃亡犯を捕らえる
【抓差】zhuā//chāi 動 ❶旧 人を徴発する. 捕らえて使役に当てる. 〔抓官差〕ともいう ❷(担当の仕事以外の)仕事を臨時にやらせる
【抓赌】zhuādǔ 動 賭博場に踏み込む. 賭博犯を捕らえる
【抓耳挠腮】zhuā ěr náo sāi 成 ❶やたらに耳をかいたり頬をなでたりする. ひどく焦るさま. やきもきするさま ❷嬉しくてたまらないさま
【抓工夫】zhuā gōngfu 圃 時間を作る. 暇を作る
【抓获】zhuāhuò 動 捕まえる
**【抓紧】zhuā//jǐn 動 ぎゅっとつかむ. しっかり押さえる. おろそかにしない ‖ ～时间 時間をむだにしない | 这件事要～办 この件は急いで処理しなければならない
【抓阄儿】zhuā//jiūr 動 くじを引く. 〔拈niān阄儿〕ともいう
【抓举】zhuājǔ 名〈体〉(重量挙げの)スナッチ
【抓空子】zhuā kòngzi 圃 暇を見つける. 時間を作る. 〔抓空儿〕ともいう
【抓拍】zhuāpāi 動 スナップ写真を撮る
【抓破脸】zhuāpò liǎn (～儿) 圃 (双方が遠慮をかなぐり捨てて)公然とけんかする. 〔撕sī破脸〕ともいう
【抓绒】zhuāróng 名 フリース. 〔摇粒yáolì绒〕ともいう
【抓瞎】zhuā//xiā 動 慌てる. 泡を食う
【抓药】zhuā//yào 動 (漢方薬店や医院の薬局で, 処方箋に従って)薬を調合する. 薬を調合してもらう
*【抓住】zhuā//zhù 動 ❶しっかりつかむ. つかみとる ‖ ～时机 チャンスをつかむ ❷つかむ. しっかり押さえる ‖ 不要～别人的缺点不放 人の弱みにつけ込んではならない ❸捕まえる. 逮捕する ‖ 逃犯被～了 逃走中の犯人は捕まった ❹(観衆や視聴者などの)心を引きつける. 心をつかむ ‖ ～顾客的心理 顧客の心理をつかむ
【抓总儿】zhuāzǒngr 動 仕事の全責任を負う

9 **挝**(撾) zhuā 打つ. たたく ‖ ～鼓 太鼓をたたく ➤ wō

zhuǎ

4 **爪** zhuǎ (～儿) ❶名 (鳥獣の)足 ‖ 鸡～儿 ニワトリの足 ❷名 器物の脚 ➤ zhǎo
【爪子】zhuǎzi 名 爪のある小動物の足 ‖ 鸡～ ニワトリの足 | 猫～ ネコの足

zhuāi

9 **拽** zhuāi 動方 ほうる. 投げる ‖ ～石头 石を投げる ➤ zhuài

zhuǎi

8 **转**(轉) zhuǎi 動 (学のあることをひけらかすために)わざと難解な語句を用いる ➤ zhuǎn zhuàn
【转文】zhuǎi//wén ➤ zhuǎnwén

zhuài

9 **拽** zhuài 動 ぐいと引く. 引っ張る ‖ 生拉硬～ 強引に引っ張る. 無理に従わせる ➤ zhuāi

zhuān

4 * **专**(專 △耑) zhuān ❶形 専一である. 単一である ‖ 他在外语学习上非常～ 彼はひたすら外国語の勉強に打ち込んでいる ❷独占する. もっぱらにする ‖ →～利 ❸特別の. 専用の. 専門的な ‖ →～车
【专案】zhuān'àn 名 特別案件. 特捜事件
【专才】zhuāncái 名 専門の人材
【专差】zhuānchāi 動 特別な任務のために派遣する 名 特別な任務で派遣された人
*【专长】zhuāncháng 名 特技. 専門技術. 専門知識 ‖ 发挥每个人的～ それぞれが特技を発揮する
【专场】zhuānchǎng 名 (貸し切りの)特別上演. 特別上映. 特別興業
【专车】zhuānchē 名 専用車. 特別車
【专诚】zhuānchéng 形 専一で誠実である 副 書 とくに. わざわざ
*【专程】zhuānchéng 副 わざわざ. とくに ‖ ～到机场迎接 わざわざ飛行場まで迎えにいく
【专电】zhuāndiàn 名 (現地特派員などの)特電
【专断】zhuānduàn 動 独断する 形 独断的である
【专访】zhuānfǎng 動 特定のテーマ, または特定の人物について取材する 名 同前の取材による記事
【专攻】zhuāngōng 動 専攻する
【专柜】zhuānguì 名 ある商品を専門に扱う売り場
【专号】zhuānhào 名 (定期刊行物の)特集号
【专横】zhuānhèng 形 専横である ‖ ～跋扈 báhù 専横にふるまう
【专机】zhuānjī 名 専用機. 特別機
【专集】zhuānjí 名 ❶個人の作品集 ❷特定のテーマにそって編集した書籍
【专家】zhuānjiā 名 **専門家. エキスパート
【专刊】zhuānkān 名 ❶(定期刊行物の)特集. 特集号. 特別号 ❷ある研究テーマに関する著作
*【专科】zhuānkē 名 ❶専門科目 ❷高等専門学校
【专科学校】zhuānkē xuéxiào 名 高等専門学校. 修業年限が2～3年の単科大学
【专款】zhuānkuǎn 名 特定項目にのみ使える資金. 特別支出金 ‖ 救灾～ 災害救済特別支出金
【专栏】zhuānlán 名 コラム. 囲み記事

*【专利】zhuānlì 图 特許. パテント ‖ ～权 特許権
【专列】zhuānliè 图 専用列車. 特別列車
【专卖】zhuānmài 動 専売する ‖ ～品 専売品
【专卖店】zhuānmàidiàn 图 専門店. フランチャイズ店
**【专门】zhuānmén 形 専門の ‖ ～技术 専門技術 副 ❶わざわざ. とくに ‖ 他是～来拜访你的 彼はわざわざあなたを訪ねてきたのです ❷方 もっぱら. よく ‖ ～喜欢议论yìlùn人 うわさ話をするのが好きである
【专名】zhuānmíng 图〈語〉固有名詞
【专名号】zhuānmínghào 图〈語〉固有名詞符号(縦組みでは右側に傍線, 横組みではアンダーライン)
【专权】zhuānquán 動 大権を一手に握る
*【专人】zhuānrén 图 専任者. 担当者 ‖ 这件事有～负责 この件は専任者が責任を負う | 派～前去调查 人を派遣して調査する
【专任】zhuānrèn 動 専任する
【专使】zhuānshǐ 图 特使
*【专题】zhuāntí 图 特定のテーマ. 特定の問題 ‖ ～报告 特定の問題を扱った報告
【专线】zhuānxiàn 图 ❶(通信)専用線 ❷(鉄道の)引き込み線
【专项】zhuānxiàng 图 特定の項目
**【专心】zhuānxīn 形 一心不乱である. 精力を傾けている. 専念している ‖ ～听讲 一心不乱に講義を聞く
【专心致志】zhuān xīn zhì zhì 成 わき目もふらずやる. ひたすら
【专修】zhuānxiū 動 専修する ‖ ～科 専修科
**【专业】zhuānyè 图 ❶(大学などの)専攻学科 ‖ 工作和～不对口 仕事と専攻が合わない ❷専門業種. 専門業務 形 専門職の. プロの ‖ ～剧团 プロの劇団
*【专业户】zhuānyèhù 图 特定の業種を専門に行う個人経営者 ‖ 养鸡～ 養鶏専門の個人経営者
【专业课】zhuānyèkè 图(大学の)専門課程
【专一】zhuānyī 形 専一である ‖ 爱情～ 愛情がひたむきである
*【专用】zhuānyòng 動 専用する ‖ 专款～ 特別支出金は特定の用途にのみ使う
【专有】zhuānyǒu 形 固有の ‖ ～名词 固有名詞
【专责】zhuānzé 图 個別の仕事に伴う責任 ‖ 分工明确, 各有～ 分業がはっきりしており, それぞれ責任がある
*【专政】zhuānzhèng 图 独裁政治 ‖ 无产阶级～ プロレタリア独裁
【专职】zhuānzhí 图 専任. 専従 ‖ ～干部 専従の幹部
*【专制】zhuānzhì 動 専制する ‖ ～主义 専制主義 形 専制的である. 独断的である
【专注】zhuānzhù 形 集中している
【专著】zhuānzhù 图 専門書
【专座】zhuānzuò 图 専用席 ‖ 老弱ruò病残孕yùn～ 老人・虚弱者・病人・障害者・妊婦優先席. シルバーシート

9 *砖(磚 △甎 塼) zhuān ❶图 れんが ‖ 砌qì～ れんがを積む | 瓷cí～ タイル ❷れんが状のもの ‖ 茶～ 磚茶(たんちゃ)
【砖茶】zhuānchá 图 磚茶. れんが状に固めた茶
【砖雕】zhuāndiāo 图 れんがに花や人物などの図案を彫刻した芸術. また, そのような彫刻を施したれんが
【砖头】zhuāntóu 图 ❶れんが ❷れんがのかけら
【砖窑】zhuānyáo 图 れんがを焼く窯(かま)

15 颛 zhuān ↴
【颛顼】Zhuānxū 图(伝説中の)古代の帝王の名

zhuǎn

8 **转(轉) zhuǎn ❶動(方向や状況などが)変わる. 変える ‖ 好～ 好転する. 快方に向かう | 晴qíng～多云 晴れのち曇り ❷動(物品や意見などを間に立って)渡す. 伝える ‖ 请把这些资料～给他 これらの資料を彼に渡してください ➤ zhuǎi zhuàn
【转包】zhuǎnbāo 動 孫受けに出す
**【转变】zhuǎnbiàn 動 変わる. 変える. 転化する. 変化する ‖ ～态度 態度を変える
*【转播】zhuǎnbō 動 中継放送する. 他局の番組を放送する ‖ 卫星～ 衛星中継 | 实况～ 生中継
【转产】zhuǎn//chǎn 動 ほかの製品を生産する
【转车】zhuǎn//chē 動(列車やバスなどを)乗り換える ‖ 中途要转一次车 途中１回乗り換えなければならない
*【转达】zhuǎndá 動 取り次ぐ. 伝える. 伝達する ‖ 请向他～我们的谢意 彼に私どもの感謝の気持ちをお伝えください
【转道】zhuǎndào 動 迂回(うかい)する. 遠回りする
【转递】zhuǎndì 動 取り次いで渡す. 間に立って手渡す
【转调】zhuǎndiào 動 ❶〈音〉転調する ❷(人を)ある任務から別の任務に変える
*【转动】zhuǎndòng 動(体や物の一部分を)動かす ‖ 车上很挤jǐ, 连身子都没法～一下 車内がとてもこみ合っていて身動きさえままならない ➤ zhuàndòng
【转发】zhuǎnfā 動 ❶書類を下部機構に伝達する ❷転載する ❸(通信電波などを)転送する. 中継する
【转岗】zhuǎn//gǎng 動 転職する. 職場を変える
**【转告】zhuǎngào 動 伝言する. 伝える ‖ 请～他下午的会不开了 午後の会議はとりやめになったと彼に伝えてください
【转关系】zhuǎn guānxi 組 党や団体のメンバーが所属する支部の変更の手続きをする
【转轨】zhuǎn//guǐ 動 ❶軌道を変える ❷喩 もとの体制などを変える. 方向転換する
*【转化】zhuǎnhuà 動 ❶〈哲〉転化する ❷(質が)変わる. 転化する ‖ 形势正向有利的方面～ 情勢は有利な方向に転化しつつある
【转圜】zhuǎnhuán 動 ❶取り返す. もとに戻す ❷間に入って仲裁する
*【转换】zhuǎnhuàn 動 転換する. 変える ‖ ～话题 話題を変える | ～方向 方向を変える
【转会】zhuǎn//huì 動〈体〉(スポーツ選手が)移籍する
【转机】zhuǎnjī 图 転機. 好転する兆し ‖ 母亲的病有了～ 母の病気は好転した 動 飛行機を乗り継ぐ
【转基因】zhuǎn jīyīn 組〈生〉遺伝子を組み換える ‖ ～食品 遺伝子組み換え食品
【转嫁】zhuǎnjià 動 転嫁する. なすりつける ‖ ～于人 他人に罪をなすりつける
*【转交】zhuǎnjiāo 動 取り次いで渡す. 人を介して渡す ‖ 请把这张假条jiàtiáo～给王老师 この欠席届を王先生に渡してください
【转角】zhuǎnjiǎo (～儿) 图 曲がり角

Z

【转借】zhuǎnjiè 動 ❶又貸しする ❷(証明書の類を他人に)貸す
【转口】zhuǎnkǒu 動〈貿〉(貨物の)積み替えをする. 中継ぎをする‖～贸易 中継貿易
【转脸】zhuǎn//liǎn 動 ❶顔の向きを変える. 顔をそむける ❷(zhuǎnliǎn)(～儿)きわめて短い時間をたとえる‖～就不见了 あっという間に姿が見えなくなった
【转录】zhuǎnlù 動(テープなどを)ダビングする
【转卖】zhuǎnmài 動 転売する
【转年】zhuǎn//nián 動 年が変わる. 翌年になる
【转念】zhuǎnniàn 動 もう一度考える. 考え直す
*【转让】zhuǎnràng 動(権利などを)譲り渡す. 譲渡する‖～专利 特許権を譲渡する
*【转入】zhuǎnrù 動 入る. 移る. 変わる‖～高级班 上級クラスに変わる
【转身】zhuǎn//shēn 動 ❶体の向きを変える‖她转过身去不理他 彼女はそっぽを向いて, 彼に取り合おうとしない ❷〈体〉(水泳で)ターンする ❸(zhuǎnshēn)(～儿)きわめて短い時間をたとえる‖一～就忘了 あっという間に忘れてしまった
【转生】zhuǎnshēng =〔转世zhuǎnshì〕
【转世】zhuǎnshì 動〈仏〉転生する. 生まれ変わる
【转手】zhuǎn//shǒu 動 ❶間に立って手渡す ❷転売する|～倒卖dǎomài 転売する
【转述】zhuǎnshù 動 人に代わって述べる. 人の話を伝える
【转瞬】zhuǎnshùn 動 書 きわめて短い時間をたとえる‖～间假期就过去了 またたく間に休暇が過ぎてしまった
【转送】zhuǎnsòng 動 ❶取り次いで送る ❷(贈られた物を)人にあげる
【转托】zhuǎntuō 動 人から頼まれたことを別の人に頼む
*【转弯】zhuǎn//wān (～儿) 動 ❶角を曲がる‖向左一～就是邮局 左に曲がればそこが郵便局です ❷(認識や考えを)変える
【转弯抹角】zhuǎn wān mò jiǎo (～儿) 成 曲がりくねった道を行くさま. (話などが)回りくどいさま
【转弯子】zhuǎn wānzi 慣 考えや立場を変える ➤zhuàn wānzi
【转危为安】zhuǎn wēi wéi ān 成(情勢や病情などが)危険な状態から脱すること
【转文】zhuǎn//wén ; zhuǎi//wén 動(学のあることをひけらかすために)難しい文語を用いる
*【转向】zhuǎnxiàng 動 ❶方向を変える ❷(政治的立場を)変える. 転向する ➤zhuànxiàng
【转型】zhuǎnxíng 動 ❶(社会構造・価値観・生活様式などが)転換する. 変化する ❷(製品を)モデルチェンジする
【转学】zhuǎn//xué 動 転校する
【转眼】zhuǎnyǎn 動 きわめて短い時間をたとえる‖～间参加工作已经一年了 あっという間に, 社会に出てから1年が過ぎた
【转业】zhuǎn//yè 動 転業する. (主として中国人民解放軍の幹部が退役して軍務以外の仕事に就くことをいう)
*【转移】zhuǎnyí 動 ❶移動する. 移す. 移る‖～注意力(人の)注意力をそらす ❷変える‖历史的发展是不以人的意志为wéi～的 歴史の流れは人の意志では変えられない
【转义】zhuǎnyì 名〈語〉転義. 派生義
【转译】zhuǎnyì 動 重訳する
【转引】zhuǎnyǐn 動 再引用する. 孫引きする
【转院】zhuǎn//yuàn 動(患者が)別の病院へ移る
【转运】[1] zhuǎn//yùn 動 運がよくなる
【转运】[2] zhuǎnyùn 動 中継輸送する
【转载】zhuǎnzǎi 動 転載する
【转载】zhuǎnzài 動 貨物の積み替えをする
【转赠】zhuǎnzèng 動 もらった贈り物を人にあげる
【转战】zhuǎnzhàn 動 転戦する
【转账】zhuǎn//zhàng 動〈経〉(勘定を)振り替える
*【转折】zhuǎnzhé 動 ❶(方向や情勢などが)転換する‖形势发生了～ 情勢が変わった ❷(文章が)逆の方向に転じる
【转折点】zhuǎnzhédiǎn 名 転換点. 曲がり角. ターニングポイント. 〔转捩liè点〕ともいう‖人生的～ 人生の転換点
【转正】zhuǎn//zhèng 動 正規の従業員になる‖他原来是临时工, 现在已经～了 もともと彼は臨時工だったが, いまではもう正規の労働者になっている
【转制】zhuǎnzhì 動 体制を転換する‖公有医院～民营医院 公立病院を民営化する
【转注】zhuǎnzhù 名(六書(りくしょ)の一つ)転注
【转租】zhuǎnzū 動 転貸しする. 又貸しする

zhuàn

6 *传(傳) zhuàn ❶経書の解釈書‖经～ 経伝 ❷伝記‖别～ 別伝 ❸人物を描いた文学作品. (多く書名に用いる)‖《水浒Shuǐhǔ～》『水滸伝(すいこでん)』 ➤chuán
*【传记】zhuànjì 名 伝記‖～文学 伝記文学
【传略】zhuànlüè 名 略伝
7 沌 zhuàn 地名用字‖～口 湖北省にある地名 ➤dùn
8 ***转(轉) zhuàn ❶動 回る. 回転する‖地球绕rào着太阳～ 地球は太陽の周りを回っている ❷動 ぶらつく. 歩き回る‖上街～一～ 町をぶらつく ❸量(～儿) 方 回転数を数える ➤zhuǎi zhuǎn
【转笔刀】zhuànbǐdāo 名 鉛筆削り器
*【转动】zhuàndòng 動 回転する. 回る. 回す‖～门把儿ménbàr ノブを回す ➤zhuǎndòng
【转筋】zhuàn//jīn 動〈中医〉筋肉が痙攣(けいれん)する
【转炉】zhuànlú 名〈冶〉転炉
【转门】zhuànmén 名 回転ドア
【转盘】zhuànpán 名 ❶(操車場などに設置されている)転車台 ❷(レコード・プレーヤーなどの)回転盤 ❸(交差点の)ロータリー
【转圈】zhuàn//quān (～儿) 動 ❶輪を描いて回る ❷方 直截(ちょくせつ)に言わない. 遠回しに言う
【转台】zhuàntái 名 ❶〈劇〉回り舞台 ❷(中華料理店などで用いる)ターンテーブル
【转弯子】zhuàn wānzi 組 遠回しに言う. (話が)直截(ちょくせつ)でない ➤zhuǎn wānzi
【转向】zhuàn//xiàng 動 方向を見失う. ぼうっとなる ➤zhuǎnxiàng
【转椅】zhuànyǐ 名 回転椅子
【转悠】【转游】zhuànyou 動 口 ❶ぐるぐる回る. 回転する ❷ぶらぶらする. 歩き回る
【转轴】zhuànzhóu 名 回転軸
【转子】zhuànzǐ 名〈機〉回転子

Z

11 **啭**（囀）**zhuàn** ［書］（鳥が）さえずる

14 *****赚** **zhuàn** ❶［動］儲ける．儲かる ↔〔赔〕‖～钱 金を儲ける．金が儲かる ❷［名］（～儿）［口］儲け．利潤‖这样做生意，还能有～儿？ こんな商売をして儲けがあるのかい ❸［動］［方］稼ぐ‖他这个月～了五千块钱 彼は今月5000元稼いだ ➤ zuàn

【赚头】zhuàntou ［名］［口］儲け．利ざや

15 **撰**（△譔）**zhuàn** ［動］文章を書く‖～文 文章を書く｜～稿 原稿を書く

【撰述】zhuànshù ［動］著述する．著作する ［名］著述

【撰写】zhuànxiě ［動］文章を書く

【撰著】zhuànzhù ［動］文章を書く．著述する

15 **馔**（△饌）**zhuàn** ［書］食事‖肴yáo～ 魚や肉を用いた宴会の料理．ご馳走

15 **篆** **zhuàn** ❶（漢字の書体の一種）篆書（てんしょ）‖～字 篆書体の字｜大～ 大篆（だいてん）｜小～ 小篆（しょうてん） ❷篆書で書く ❸印章または名前

【篆刻】zhuànkè ［動］篆刻する

【篆书】zhuànshū ［名］篆書

zhuāng

6 *****庄**[1]（莊）**zhuāng** 厳粛である．重々しい‖→～严

6 *****庄**[2]（莊）**zhuāng** ❶［名］（～儿）村．村落‖村～ 村 ❷荘園．領地‖→～园 ❸［旧］規模の大きい商店や問屋‖茶～ 茶問屋 ❹［名］（カードやマージャンなどの）親．胴元‖轮流坐～ 順番に親になる

【庄户】zhuānghù ［名］農家‖～人 農夫

【庄家】zhuāngjia ［名］（カードやマージャンなどの）親．胴元

**【庄稼】zhuāngjia ［名］農作物．作物‖收～ 作物を収穫する｜～熟了 作物が熟した

【庄稼地】zhuāngjiadì ［名］［口］田畑．耕地

【庄稼汉】zhuāngjiahàn ［名］［口］農民．農夫

【庄稼活儿】zhuāngjiahuór ［名］［口］農作業．畑仕事

【庄稼人】zhuāngjiarén ［名］［口］農民

【庄头】zhuāngtóu ［名］❶［旧］地主の代理で農地を管理する者．地頭 ❷村のはずれ

**【庄严】zhuāngyán ［形］厳粛である‖～宣布 厳かに宣言する

【庄园】zhuāngyuán ［名］［旧］荘園．領地

*【庄重】zhuāngzhòng ［形］重々しい．厳粛である．荘重である‖举止～ 挙止が重々しい

【庄子】zhuāngzi ［名］［口］村

6 **妆**（妝△粧）**zhuāng** ❶化粧する‖化～ 化粧する ❷（女性の）装い．（役者の）舞台衣装とメーキャップ‖红～ 女性の美しい装い ❸嫁入り道具‖嫁jià～ 嫁入り道具

【妆奁】zhuānglián ［名］嫁入り道具

【妆饰】zhuāngshì ［動］装う‖精心～了一番 念入りに身ごしらえする ［名］装い

10 *****桩**（樁）**zhuāng** ❶［名］（～儿）杭（くい）．柱‖木～ 木の杭 ❷［量］（事柄を数える）件‖几～生意 数件の取引｜一～心事 一つの心配事

【桩子】zhuāngzi ［名］杭‖桥～ 橋脚

12 ★**装**（裝）**zhuāng** ❶包み．旅行用の袋‖整～待发 旅装を整えて出発を待つ ❷衣服‖冬～ 冬服｜中山～ 人民服 ❸（俳優が）扮装する．装う．（広く）飾りつける．装飾する‖→～饰 ❹装丁する‖精～ 上製本｜平～ 並製本 ❺［動］変装する．扮（ふん）する‖她在戏里～一个老太婆 彼女はドラマの中で老女に扮する ❻［動］ふりをする．装う‖～睡 寝たふりをする｜～不知道 知らないふりをする ❼舞台衣装やメーキャップ‖上～ メーキャップし，舞台衣装をつける｜卸xiè～ 舞台衣装を脱ぎ，メーキャップを落とす ❽［動］（入れ物に）詰め込む．（車に）積み込む‖箱子太小～不下 トランクが小さすぎて詰め切れない｜～车 車に積む ❾［動］取りつける．据えつける‖～上天线 アンテナを据えつける．❿（商品を）包装する．箱や瓶に詰める‖散sǎn～ ばら売り｜听tīng～饼干 缶入りビスケット

【装扮】zhuāngbàn ［動］❶飾る．装う ❷仮装する．変装する‖～成女人 女に変装する ❸ふりをする．装う

*【装备】zhuāngbèi ［動］装備する．取りつける ［名］（器材や武器などの）装備‖～精良的部队 装備の優れた部隊

【装裱】zhuāngbiǎo ［動］表装する‖～字画 書画を表装する

【装病】zhuāngbìng ［動］仮病を使う

【装点】zhuāngdiǎn ［動］飾りつける

【装订】zhuāngdìng ［動］装丁する

【装疯卖傻】zhuāng fēng mài shǎ ［成］しらを切る．そらとぼける

【装裹】zhuāngguo ［動］死者に死に装束を着せる ［名］死に装束

【装糊涂】zhuāng hútu ［組］しらを切る．そらとぼける

【装潢】【装璜】zhuānghuáng ［動］装飾する．飾りつける ［名］装飾

【装货】zhuāng//huò ［動］貨物を積む．積み荷する

【装甲兵】zhuāngjiǎbīng ［名］〈軍〉装甲部隊．〔坦克tǎnkè兵〕ともいう

【装甲车】zhuāngjiǎchē ［名］〈軍〉装甲車．〔铁甲车〕ともいう

【装假】zhuāng//jiǎ ［動］見せかける．装う．ふりをする

【装聋作哑】zhuāng lóng zuò yǎ ［成］知らないふりをする．そらとぼける

【装门面】zhuāng ménmian ［慣］うわべを飾る．格好をつける．体裁を繕う

【装模作样】zhuāng mú zuò yàng ［成］わざとらしくふるまう．もったいぶる．格好をつける

*【装配】zhuāngpèi ［動］組み立てる‖～汽车 自動車を組み立てる

【装腔作势】zhuāng qiāng zuò shì ［成］人の注意を引くために，わざとらしく声をあげたり大げさにふるまう

【装傻】zhuāng//shǎ ［動］知らないふりをする．しらばっくれる．とぼける

【装设】zhuāngshè ［動］設置する．取りつける

【装神弄鬼】zhuāng shén nòng guǐ ［成］わざと訳の分からないことを言う．わざと人を惑わす

*【装饰】zhuāngshì ［動］飾る．飾りつける‖～橱窗 chúchuāng ショーウインドーを飾りつける ［名］装飾．飾りつけ

【装饰品】zhuāngshìpǐn ［名］装飾品

【装束】zhuāngshù ［名］装い．いでたち

【装蒜】zhuāng//suàn 動 知らないふりをする. とぼける
【装相】zhuāng//xiàng (～儿) 動 わざとらしくふるまう. 格好をつける. 気取る
*【装卸】zhuāngxiè 動 ❶積み下ろしをする‖～工 荷物の積み下ろしをする労働者 ❷分解や組み立てをする
【装修】zhuāngxiū 動 家の内装や外装を施す. 改修する‖内部～, 暂zàn停营业 店内改装のため, 営業を休みます
【装样子】zhuāng yàngzi 組 格好をつける. 見せかける. ふりをする
【装运】zhuāngyùn 動 (物を)運送する. 輸送する
【装载】zhuāngzài 動 (人や物を)積載する. 積む‖～货物 貨物を積載する
【装帧】zhuāngzhēn 名 装丁‖～设计 装丁デザイン
*【装置】zhuāngzhì 名 装置‖排水～ 排水装置 動 備えつける. 据えつける
【装作】zhuāngzuò 動 ふりを装う. ふりをする

zhuǎng

10 **奘** zhuǎng 形 方 太く大きい. たくましい‖大殿里的柱子特～ 本殿の柱は実にどっしりと大きい ➤ zàng

zhuàng

6* **壮**(壯) zhuàng ❶形 強健である. たくましい‖健～ 強健である｜庄稼zhuāngjia长得很～ 作物が元気よく育っている ❷壮大である. 意気盛んである‖雄～ 雄壮である ❸動 強める. 力をこめる‖～起胆子 勇気を奮う ❹量 旧〈中医〉灸(きゅう)でもぐさを焼く回数
*【壮大】zhuàngdà 形 壮大である. 盛んである 動 盛んにする. 強大にする. 発展させる‖～科技队伍 科学技術を盛んにする
【壮胆】zhuàng//dǎn 動 度胸をつける. 勇気を奮う
【壮丁】zhuàngdīng 名 旧 荘丁. 壮年の男子
*【壮观】zhuàngguān 形 壮観である. 眺めが壮大である 名 壮観‖大自然的～ 大自然の壮大な景色
【壮健】zhuàngjiàn 形 強健である. 壮健である
【壮举】zhuàngjǔ 名 壮挙. 壮烈な行為‖
【壮阔】zhuàngkuò 形 雄大である. 壮大である
*【壮丽】zhuànglì 形 壮麗である. 雄大で美しい‖～的山河 雄大で美しい山河
*【壮烈】zhuàngliè 形 壮烈である. 勇ましく気骨がある‖～牺牲 壮烈な死を遂げる
【壮美】zhuàngměi 形 力強く美しい
【壮门面】zhuàng ménmian 組 見かけを立派にする. 景気をつける. 体裁を飾る
【壮年】zhuàngnián 名 壮年. 働き盛り‖他正值～ 彼はちょうど働き盛りだ
【壮士】zhuàngshì 名 壮士. 勇猛果敢な人物
【壮心】zhuàngxīn 名 壮志. 大志
*【壮志】zhuàngzhì 名 壮志. 雄大な志‖雄心～ 壮大な志
【壮族】Zhuàngzú 名 チワン族(中国の少数民族の一つ, 主として広西チワン族自治区に居住). かつては〔僮族〕と書いた

7 **状**(狀) zhuàng ❶形. 外観‖形～ 形状 ❷状況‖现～ 現状 ❸形容する. (様子を)説明する‖摹mó～ 描写する ❹事件・事跡を記述した文章‖行～ 死者の生涯について記した文章 ❺告訴状‖→～子 ❻表彰や委任をしたことの証書‖委任～ 委任状
**【状况】zhuàngkuàng 名 状況. 状態. ありさま‖家庭收入～ 家庭の収入状況
【状貌】zhuàngmào 名 外観. 様子. 容貌
**【状态】zhuàngtài 名 状態‖处在昏迷hūnmí～中 意識不明である
【状语】zhuàngyǔ 名〈語〉状語. 連用修飾語
【状元】zhuàngyuan 名 ❶古 状元. 科挙の最終試験である殿試を1位で合格した者の称号 ❷喩 その業種で最も優れた人物‖行行hángháng出～ どの職業にも優れた人がいる
【状子】zhuàngzi 名 上訴状. 訴状

14 **僮** zhuàng ↴
【僮族】Zhuàngzú ＝〔壮族Zhuàngzú〕

15** **撞** zhuàng ❶動 ぶつかる. 衝突する. 強く打つ‖小心别让车～着 車にはねられないように気をつけなさい ❷動 突っ込む. 飛び込む‖横冲chōng直～ しゃにむに突進する ❸動 偶然出会う. 遭遇する‖冤家yuānjiā路窄, 又～上他了 嫌なやつにはよく出会う, また彼と鉢合わせしてしまった ❹動 試してみる. やってみる‖行不行, 先去～～看 うまくいくかどうか, まずは試してみよう
【撞车】zhuàng//chē 動 ❶車が衝突する ❷喩 互いに衝突する. 互いに重複する‖两个会的时间～了 二つの会の時間がかち合っている
【撞击】zhuàngjī 動 勢いよくぶつかる. 強く打ちつける
【撞见】zhuàngjiàn 動 ばったり出会う. 出くわす
【撞墙】zhuàng//qiáng 動 方 障害にぶつかる. 壁に突き当たる. うまくいかない
【撞锁】zhuàng//suǒ 動 方 (人を訪問して)留守にぶつかる 名 (zhuàngsuǒ)ばね錠. 自動錠
【撞针】zhuàngzhēn 名 (銃の)撃鉄. 撃針

15* **幢** zhuàng 量 (建物を数える)棟. 軒‖一～楼 一棟の建物 ➤ chuáng

25 **戇** zhuàng 書 木訥(ぼく)でおもねらない ➤ gàng
【戇直】zhuàngzhí 形 書 木訥で一本気である

zhuī

8 **隹** zhuī 古 尾の短い鳥

9** **追** zhuī ❶動 追いかける‖～上来了 追いついた ❷回想する. 回顧する‖→～忆 ❸後から補う. 後で…する‖～肥 ❹追求する‖→～求 ❺動 (交際を求めて)異性を追いかける. 言い寄る‖他～我, 可我没这意思 彼は私につきまとうが, 私にその気はない ❻動 追及する. 調べただす‖上边正在～这件事 この問題はいま上のほうで取り調べ中です
【追奔逐北】zhuī bēn zhú běi 成 逃げる敵を追撃する. 〔追亡wáng逐北〕ともいう
【追本穷源】zhuī běn qióng yuán 成 (物事の)根源を追究する. 大本を探る
【追逼】zhuībī 動 ❶追い詰める ❷取り立てる. 強要

Z

する‖～债款zhàikuǎn 借金を取り立てる
【追补】zhuībǔ 動 ❶追加する ❷埋め合わせる. 償う
【追捕】zhuībǔ 動（犯人を）追跡し逮捕する‖～逃犯 手配中の犯人を追跡する
*【追查】zhuīchá 動 追跡調査する. 追及する‖～肇事zhàoshì者 事件の張本人を追及する
【追偿】zhuīcháng 動 ❶あとで弁償する ❷返済を迫る‖要求～定金 手付け金の返還を要求する
*【追悼】zhuīdào 動 追悼する‖开～会 追悼会を開く|～英灵 死者の霊を追悼する
【追堵】zhuīdǔ 動（犯人などを）追いつめる. 逃げ道を塞ぐ
【追访】zhuīfǎng 動 追跡取材する. 追跡インタビューする
【追肥】zhuī//féi〈農〉動 追肥する 名（zhuīféi）追肥
*【追赶】zhuīgǎn 動 追いかける. 追う‖后面的选手～了上来 後方の選手が追いついた
【追根究底】zhuī gēn jiū dǐ（～儿）成 事の真相を追究する
【追光】zhuīguāng 名〈劇〉スポット・ライト
【追怀】zhuīhuái 動 書 回想する. 追想する
【追悔】zhuīhuǐ 動 後悔する. 悔やむ‖～莫mò及 後悔しても間に合わない
【追击】zhuījī 動 追撃する
【追记】zhuījì 動 ❶（死後に個人の功労などを）追加認定する‖～特等功gōng（死後に）最高の勲功を追加認定する ❷追記する 名 回顧. 追想.（多く文章の見出しに用いる）
【追加】zhuījiā 動 追加する‖～投资 追加投資する
【追缴】zhuījiǎo 動（不法に得た金銭を）追徴する
*【追究】zhuījiū 動（事の真相や原因・責任を）追及する. 問いただす. つきとめる‖～犯罪动机 犯罪の動機を追及する
【追念】zhuīniàn 動 回想する. 追想する
【追捧】zhuīpěng 動 崇拝する. 持ち上げる. 高く評価する
*【追求】zhuīqiú 動 ❶追求する. 探し求める‖～名利 名利を求める ❷異性を追いかける. 言い寄る‖不少人～过她 少なからぬ人が彼女に言い寄った
【追认】zhuīrèn 動 ❶（死後に）追認する ❷（法令や決議などを事後に）追認する. 事後承認する
【追述】zhuīshù 動 過去の事を述べる
【追思】zhuīsī 動 追想する. 回想する
【追诉】zhuīsù 動〈法〉追訴する
【追溯】zhuīsù 動 書 さかのぼる‖可以～到战国时代 戦国時代にまでさかのぼることができる
【追随】zhuīsuí 動 追随する. 付き従う‖～者 追随者
【追索】zhuīsuǒ 動 ❶探求する. 探る ❷取り立てる
【追尾】zhuī//wěi 動 追突する‖～事故 追突事故
*【追问】zhuīwèn 動 厳しく尋ねる. 問いただす. 追及する‖有关个人私事, 不便～ プライベートなことについては, 突っ込んで聞くのも具合が悪い
【追想】zhuīxiǎng 動 追想する. 昔を懐かしむ
【追星族】zhuīxīngzú 名 熱狂的なファン. 追っかけ
【追叙】zhuīxù 動 過去の事を述べる. 述懐する 名（現在から過去への）倒叙
【追寻】zhuīxún 動 追跡する. 詮索(せんさく)する
【追忆】zhuīyì 動 追憶する. 過ぎ去った昔を思い出す
【追赃】zhuī//zāng 動 不法に手に入れた財物を取り立てる
【追赠】zhuīzèng 動（死後に称号を）追贈する
【追逐】zhuīzhú 動 ❶追いかける. 追いたてる‖孩子们互相～着 子供たちが追いかけっこをしている ❷追い求める. 追求する
【追踪】zhuīzōng 動 追跡する

11 **骓** zhuī 書（白と黒の毛が混じり合っている）葦毛(あしげ)のウマ

12 **椎** zhuī 椎骨(ついこつ)‖腰～ 腰椎(ようつい)|脊jǐ～ 脊椎(せきつい) ➤chuí
【椎骨】zhuīgǔ 名〈生理〉椎骨. ふつう〔脊椎骨〕という
【椎间盘】zhuījiānpán 名〈生理〉椎間板(ついかんばん)

13 **锥** zhuī ❶名 錐(きり)‖→～子 ❷錐状のもの‖冰～ つらら|改～ ドライバー. ねじ回し ❸動（錐状のもので）穴をあける‖用锥子～了个眼儿 錐で穴をあける
【锥处囊中】zhuī chǔ náng zhōng 成（錐が袋の中にあれば, 先端がすぐ突き出てしまうように）才能のある人は必ず頭角を現す
【锥子】zhuīzi 名 錐

zhuì

7 **坠（墜）** zhuì ❶動 落ちる. 落下する‖→～毁 ❷動 垂れ下がる. 吊り下がる‖果实～弯了枝头 果実が枝にたわわに実っている ❸名（～儿）垂れ下がったもの‖耳～儿 イヤリング
【坠地】zhuìdì 動 書（子供が）生まれ落ちる‖呱呱gūgū～ 呱々(ここ)の声をあげる
【坠毁】zhuìhuǐ 動 墜落し壊れる‖飞机～了 飛行機が墜落し大破した
【坠落】zhuìluò 動 墜落する
【坠子】[1] zhuìzi 名 耳飾り. イヤリング
【坠子】[2] zhuìzi 名 ❶〔河南坠子〕の伴奏に用いる胡弓の一種. 〔坠琴〕ともいう ❷河南省の民間芸能の一種. ふつう〔河南坠子〕という

11 **缀** zhuì ❶動 つづり合わせる. 縫い合わせる‖把开线的地方～几针 ほころびを縫う ❷つなげる. つなぎ合わせる‖～玉联珠 詩や文章が優れていること ❸飾る‖点～ 飾りつける
【缀文】zhuìwén 動 作文する. 文章をつづる

12 **惴** zhuì 書 憂慮する. 恐れる‖→～～不安
【惴惴不安】zhuì zhuì bù ān 成 不安でびくびくする. 不安でおずおずする

12 **缒** zhuì 動 つるして下ろす. 吊り下ろす

14 **赘** zhuì ❶むだな. 余計な‖→～言 ❷婿に入る‖入～ 婿入りする
【赘述】zhuìshù 動 余計なことを言う‖无须～ 余計なことを言うまでもない
【赘言】zhuìyán 動 贅言する. 余計なことを言う‖毋庸wúyōng～ 贅言するまでもない. あえて言うまでもない 名 余計な言葉. 贅言
【赘疣】zhuìyóu 名 ❶いぼ ❷喩 余計なもの. むだなもの

Z

zhūn

8 **肫** zhūn [名]鳥類の砂嚢(さのう) ‖ 鸡～ ニワトリの砂ぎも | 鸭～ アヒルの砂ぎも

10 **谆** zhūn ↴

【谆谆】zhūnzhūn [形]諄々(じゅんじゅん)たる. ねんごろである ‖ ～教导 諄々と教え導く | ～告诫jiè 諄々と戒める

zhǔn

10 ** **准**(準❶～❼) zhǔn ❶基準 ‖ 以此为～ これを基準とする. これに準拠する ❷[介]…によって. …に準じて ‖ ～前例办理 前例に準じて処理する ❸[形]準じた. 準… ‖ 他可以算是个～中国人了 彼はもう中国人同然といえよう ❹[形]正確である ‖ 表走得很～ 時計は正確に動いている | 发音很～ 発音が正確である ❺[形]確定している. 決まっている ‖ 心里没有～主意 心中決まった考えがない ❻[名](～儿)(多く〔有〕〔没有〕の後に置き)定見. 確信 ‖ 成不成还没～儿呢 うまくいくかどうかはまだ分からない ❼[副]きっと. 必ず ‖ 五点前, 工作～能完成 5時前に仕事は間違いなく終わります ❽[動]許す. 許可する ‖ 获～出境 出国を許可される | 不～随地吐tǔ痰tán 所かまわずたんを吐くべからず

【准保】zhǔnbǎo [副]きっと. 必ず ‖ 今天他～会来 今日彼はきっと来るだろう

★【准备】zhǔnbèi [動]❶準備する. 支度する ‖ 他正在～明天的考试 彼はいま, 明日の試験の準備をしているところだ ❷…するつもりである. …する予定である ‖ 高中毕业后～考大学 高校卒業後は大学を受けるつもりです [名]準備. 用意. 支度 ‖ 有思想～ 心の準備ができている

【准点】zhǔndiǎn [形]定刻どおりである. 時間が正確である

【准定】zhǔndìng [副]きっと. 必ずや

【准话】zhǔnhuà (～儿)[名][口]確実な話 ‖ 定好日子以后, 请给我个～ 決定したい, 正確な日時をお知らせください

【准将】zhǔnjiàng [名]〈軍〉准将

【准考证】zhǔnkǎozhèng [名]受験票

【准谱儿】zhǔnpǔr [名]はっきりした考え. しっかりした心づもり

**【准确】zhǔnquè [形]正確である ‖ 情报～无误 情報は確かだ

【准绳】zhǔnshéng [名][書]準則. 原則

**【准时】zhǔnshí [形]時間が正確である. 定刻どおりである ‖ ～开演 時間どおりに開演する

【准数】zhǔnshù (～儿)[名]正確な数字 ‖ 到底输了多少钱, 我也没个～ いったいいくら負けたのか, 正確な額は自分でも分からない

【准头】zhǔntou [名][口]正確さ. (人の言葉の信憑性しんぴょうせいや射撃の精度についていう) ‖ 这人说话没～ この人の話は当てにならない

【准信】zhǔnxìn (～儿)[名]確実な消息. 確かな便り. 信用できる知らせ

【准星】zhǔnxīng [名]❶竿ばかりの零の目盛り ❷[喩]定見 ❸(銃の)照星

*【准许】zhǔnxǔ [動]許可する. 同意する ‖ 得到～ 許可を得る

【准予】zhǔnyǔ [動][書]…を許す. …を認可する

*【准则】zhǔnzé [名]準則. 原則 ‖ 违背wéibèi国际关系～ 国際関係の原則に違反する

zhuō

8 **卓** zhuō ➤zhuó

8 **拙** zhuō ❶下手である. 拙劣である. まずい ‖ 一～笨 | 眼～ お見それする ❷[謙]自分の. 私の ‖ 一～见

【拙笨】zhuōbèn [形]不器用である. 下手である. つたない ‖ 口齿～ 口下手だ

【拙笔】zhuōbǐ [名][謙]自作の書画や文章. 拙筆. 拙作

【拙见】zhuōjiàn [名][謙]愚見. 管見

【拙劣】zhuōliè [形]拙劣である. 下手で劣っている ‖ ～的表演 下手な演技

【拙涩】zhuōsè [形](文章が)拙劣で分かりにくい

【拙著】zhuōzhù [名][謙]拙著

【拙嘴笨舌】zhuō zuǐ bèn shé [成]話下手である

【拙作】zhuōzuò [名][謙]拙作

10 **倬** zhuō [書]顕著である. はっきりしている

10 ** **捉** zhuō ❶[書]握る. 手にする ‖ 一～刀 ❷[動]捕らえる. 捕まえる ‖ ～住了小偷儿 こそ泥を捕まえる

【捉刀】zhuōdāo [動][書]代筆する. 代作する

【捉奸】zhuō//jiān [動]姦通(かんつう)の現場を押さえる

【捉襟见肘】zhuō jīn jiàn zhǒu [成]衣服の襟を合わせるとひじが袖から出てしまう. 衣服がひどく粗末なこと. [転]困難が山積してにっちもさっちもいかない状態

【捉迷藏】zhuō mícáng [組]❶鬼ごっこをする ❷[喩]なぞめかした言い方や行動をする

【捉摸】zhuōmō [動]意味を捕捉(ほそく)する. 推し量る ‖ 我～不透他的心思 私には彼の気持ちが分からない

【捉拿】zhuōná [動](犯人を)捕まえる ‖ ～凶手xiōngshǒu 凶悪犯を捕らえる

【捉弄】zhuōnòng [動]からかう. なぶる

10 **桌**(△棹) zhuō ❶[名](～儿)机. テーブル ‖ 饭～ 食卓 | 办公～ 事務机. オフィスの机 ❷[量](テーブルを単位に, 料理の量や宴会の規模などを数える)卓. テーブル ‖ 一～酒席 1卓分の宴席

【桌布】zhuōbù [名]テーブル掛け. テーブルクロス

【桌灯】zhuōdēng [名]卓上スタンド. 電気スタンド

【桌面】zhuōmiàn [名]❶(～儿)(机やテーブルの)天板 ❷〈計〉デスクトップ

【桌面儿上】zhuōmiànrshang [慣]公の場. 公式の席 ‖ 有意见摆bǎi到～来 不満があれば会議の席で言いなさい

【桌椅板凳】zhuō yǐ bǎndèng [慣]家具一般をさす

★【桌子】zhuōzi [名]机. テーブル

11 **涿** zhuō 地名用字 ‖ ～鹿 河北省にある地名

12 **焯** zhuō [書]明白である ➤chāo

Z

zhuó

7 **灼** zhuó [書] ❶焼く. あぶる ‖ 烧～ やけどをする ❷明るい. 輝いている ‖ →～～ ❸理解が深い. 透徹している ‖ 真知～见 正しく透徹した見方

【灼见】zhuójiàn [名][書] 卓見 ‖ 真知～ 真の知識と優れた見解

【灼热】zhuórè [形] 焼けつくように熱い. 灼熱(しゃくねつ)の ‖ ～的阳光 灼熱の日ざし

【灼伤】zhuóshāng [動] やけどをする

【灼灼】zhuózhuó [形][書] 明るく輝くさま ‖ 目光～ 目がきらきら輝いている

8 **卓** zhuó ❶高くまっすぐである ‖ ～立 直立する. まっすぐに立つ ❷ぬきんでている. 秀でている ‖ →～越

【卓尔不群】zhuó ěr bù qún [成] 他に比類のない. 卓絶している. 衆にぬきんでている

【卓见】zhuójiàn [名] 卓見. 優れた見識

【卓绝】zhuójué [形] 卓絶している. ひときわ際立っている

【卓然】zhuórán [形] 飛び抜けている. 抜群である

【卓识】zhuóshí [名] 卓識. 卓見

【卓有成效】zhuó yǒu chéng xiào [成] 成果が著しい

*【卓越】zhuóyuè [形] 卓越している. ぬきんでている ‖ ～的贡献 卓越した貢献

【卓著】zhuózhù [形] ひときわ顕著である. 際立っている

8 **茁** zhuó (動植物の生長が)盛んである. 旺盛(おうせい)である ‖ →～长

【茁长】zhuózhǎng [動] (動植物が)すくすく育つ. 盛んに伸びる ‖ 麦苗miáo～ ムギの苗がすくすく育つ

【茁壮】zhuózhuàng [形] 勢いが盛んで力強い. たくましい ‖ 年轻的一代正在～成长 若い世代がめきめき力をつけてきた

9 **浊**（濁）zhuó ❶(液体が)濁っている ↔〔清〕‖ 混hùn～ 濁っている ❷(社会が)混乱している. 汚れている ‖ →～世 ❸だみ声である ‖ 嗓音sǎngyīn粗～ 声が太くがらがらしている

【浊流】zhuóliú [名] ❶濁流 ❷[書] 品性が下劣な者 ❸腐りきった社会風潮

【浊世】zhuóshì [名] ❶[書] 乱世 ❷〈仏〉濁世(じょくせ)

【浊音】zhuóyīn [名]〈語〉濁音

9 **斫**（△斲 斵 斮）zhuó [書] 切る. 削る

10 **诼** zhuó [書] 誹謗(ひぼう)する ‖ 谣～ 誹謗する

10 **浞** zhuó [動][口] ぬれる. ぬらす ‖ 衣服让雨～湿了 服が雨でぬれてしまった

10 **酌** zhuó ❶[書] (酒を)つぐ. 酌をする ‖ 自～自饮 自分で酒をついで自分で飲む. 独酌する ❷[書] (酒を)飲む ‖ 二人对～ 二人さし向かいで飲む ❸[書] 酒と食事. 酒食 ‖ 小～ 簡単な酒食. 略式のもてなし ❹酌量する. 考慮する ‖ 斟zhēn～ 斟酌(しんしゃく)する

【酌办】zhuóbàn [動] (事情を)酌(く)んで処理する

【酌定】zhuódìng [動] 事情を斟酌して決める

【酌量】zhuóliang ; zhuóliáng [動] 酌量する. 斟酌する ‖ ～着办 事情を考慮して処理する

【酌情】zhuóqíng [動] (事情や条件などを)斟酌する. 考慮する ‖ ～安排 事情を斟酌して処理する

11 **著** zhuó 〔着zhuó〕に同じ ➤ zhe zhù

11 **啄** zhuó [動] (鳥類が)つつく. ついばむ ‖ ～食 餌をついばむ

【啄木鸟】zhuómùniǎo [名]〈鳥〉キツツキ

11 **着**[1] zhuó ❶接触する. 付く ‖ 附～ 付着する ❷付ける ‖ →～手 ❸当て. 手掛かり ‖ →～落 ❹[動] (服を)着る. 身につける ‖ 身～警服 警察官の制服を着用する

11 **着**[2] zhuó ❶[動] 派遣する ❷[書] (旧時の公文書用語)命ずる ‖ ～即办理 直ちに処理されたい ➤ zhāo zháo zhe

【着笔】zhuóbǐ [動] 筆をおろす. 書き始める

【着力】zhuólì [動] 力を入れる. 力を注ぐ ‖ ～开发新产品 新製品の開発に力を入れる

【着陆】zhuó//lù [動] 着陸する ‖ 软～ 軟着陸する

【着落】zhuóluò [名] ❶もののありか ‖ 丢失的钱包有～了 なくなった財布の行方が分かった ❷見込み. 見通し ‖ 工作还没有～ 仕事の当てがまだない

【着墨】zhuómò [動] 執筆する. 描写する

【着色】zhuó//sè [動] 着色する

【着实】zhuóshí [副] ❶全く. ほんとうに ‖ ～让人担心 ほんとうに心配だ ❷うんと. きびしく. 手荒く

*【着手】zhuóshǒu [動] 着手する. 始める ‖ 大处着眼, 小处～ 大きいところに着眼し, 小さいところから手をつける

*【着想】zhuóxiǎng [動] …のために考える. …のためを思う ‖ 处处为他人～ すべてにわたってまず人のためを思う

【着眼】zhuóyǎn [動] 注意を向ける. 着眼する

【着意】zhuóyì [副] ていねいに. 丹念に. 入念に ‖ ～打扮 念入りに身づくろいをする [動] 気にとめる. 留意する

*【着重】zhuózhòng [動] 重きを置く. 力を入れる ‖ ～口语训练 会話のトレーニングに力を入れる

【着重号】zhuózhònghào [名]〈語〉強調符号. 強調したい字句の下に黒点を付ける

【着装】zhuózhuāng [動] 着用する. 装着する [名] 着衣. 服装. 身なり ‖ ～整齐 服装がきちんとしている

12 **琢** zhuó [書] 玉(ぎょく)を彫ったり磨いたりする. 彫琢(ちょうたく)する ‖ 玉不～, 不成器 玉磨かざれば器をなさず ➤ zuó

【琢磨】zhuómó [動] ❶(玉を)彫ったり磨いたりする. 彫琢する ❷(文章に)手を加えてよりよいものにする ❸(品性や精神を)磨く. 鍛える ➤ zuómo

14 **禚** zhuó [名] 姓

16 **缴** zhuó [古] 矰繳(いぐるみ)(矢に糸をつけて発射し鳥をからめ落とす狩猟具)に用いる糸 ➤ jiǎo

17 **濯** zhuó [書] 洗う ‖ ～洗 洗濯する

17 **擢** zhuó [書] ❶抜く. 抜き出す ❷抜擢(ばってき)する. 選抜する ‖ →～升

【擢升】zhuóshēng [動][書] 抜擢する

【擢用】zhuóyòng [動][書] 抜擢して任用する

18 **镯** zhuó 腕輪 ‖ 手～ 腕輪. ブレスレット | 玉～ 玉(ぎょく)の腕輪

【镯子】zhuózi [名] 腕輪. 足輪

Z

zī

7 **吱** zī ❶擬 ネズミなどの鳴き声 ‖ 老鼠～～地叫 ネズミがチューチューと鳴く ❷動方 声を発する ‖ →～声 ➤ zhī

【吱声】zī//shēng 動方 声を発する. ものを言う

7 **孜** zī ↴

【孜孜】zīzī 副書 ひたすら勤勉に励むさま. せっせと ‖ ～不倦juàn 孜々(しし)として励む. ひたすら励む

9 **兹** zī 書 ❶代 これ. この. ここ ‖ ～日 この日 ❷代 この時. いま ‖ ～定于六月五日召开zhàokāi家长会jiāzhǎnghuì 今般, 来たる6月5日にPTAの会合を開くことにいたしました ❸年 ‖ 今～ 今年 ➤ cí

9 **咨** zī ❶相談する. 協議する ‖ →～询 ❷旧 対等の役所・団体間の公文書 ‖ →～文

【咨文】zīwén 名 ❶旧 対等の役所・団体間の公文書 ❷(アメリカの)教書 ‖ 国情～ 一般教書

*【咨询】zīxún 動 諮問する. 相談する ‖ 法律～ 法律相談

9 **姿** zī ❶姿かたち. 様子 ‖ 舞～ 舞い姿 ❷容貌(ぼう). 顔つき ‖ →～容

【姿容】zīróng 名 容貌 ‖ ～秀美 眉目秀麗

【姿色】zīsè 名 (女性の)容色. 器量 ‖ 长得颇pō有几分～ なかなかの器量である

*【姿势】zīshì 名 姿勢 ‖ 摆好～ ポーズをとる

*【姿态】zītài 名 ❶姿態. 姿 ‖ 优美的～ 美しい姿態 ❷態度. 様子 ‖ 高～ 度量のある態度

10 **资**(△赀❶❷) zī ❶財物. 財貨 ‖ →～产 ❷費用. 資本 ‖ 合～ 合資 | 邮～ 郵便料金 ❸(物質面で)援助する ‖ →～助 ❹動書 資する. 供する ‖ 以～参考 参考に供する ❺素質. 天賦の性 ‖ 天～ 天分 ❻資格 ‖ 论～排辈 資格を論じ序列を重んじる ❼材料 ‖ →～料

*【资本】zīběn 名 ❶〈経〉資本 ‖ 垄断lǒngduàn～ 独占資本 ❷〈経〉資本金. 元金 ❸喩 (自分の利益をはかるための)元手. 資本 ‖ 捞lāo取政治～ 政治的な得点を稼ぐ

*【资本家】zīběnjiā 名 資本家

*【资本主义】zīběn zhǔyì 名 資本主義

【资不抵债】zī bù dǐ zhài 組 全財産をもってしても負債を返済しきれない

【资材】zīcái 名 資材. 物資と器材

【资财】zīcái 名 資産. 資金と物資

*【资产】zīchǎn 名 ❶資産. 財産 ‖ 固定～ 固定資産 ❷企業資産 ❸(貸借対照表の)貸し方

*【资产阶级】zīchǎn jiējí 名 資産階級. ブルジョアジー ↔〔无产阶级〕

【资费】zīfèi 名 (電話や郵便の)費用 ‖ 电话～ 電話料金

*【资格】zīgé 名 ❶資格 ‖ 没有～参赛 試合出場の資格がない ❷(仕事や活動の)年功. 経験. 経歴 ‖ 研究室里他的～最老 研究室で彼がいちばんの古株だ

*【资金】zījīn 名〈経〉資金 ‖ 筹集chóují～ 資金を集める

【资力】zīlì 名 ❶財力 ‖ ～雄厚 財力が十二分にある ❷資質と能力

【资历】zīlì 名 資格と経歴. キャリア ‖ ～浅 キャリアが浅い

*【资料】zīliào 名 ❶必需品 ‖ 生产～ 生産手段 ❷資料 ‖ 第一手～ 第一級資料

【资深】zīshēn 形 キャリアがある. 古株である ‖ ～记者 ベテラン記者. 古参記者

【资望】zīwàng 名 経歴と名望

【资讯】zīxùn 名 情報. データ

*【资源】zīyuán 名 資源 ‖ ～丰富 資源が豊富だ | 人力～ 人的資源 | 旅游～ 観光資源利用する

【资质】zīzhì 名 (知的な)素質. 資質

*【资助】zīzhù 動 物質的に援助する ‖ ～穷孩子上学 貧しい家庭の子供に援助をして学校に行かせる

10 **赀** zī ❶計算する ❷〔资zī ❶〕に同じ

11 **谘** zī 〔咨zī ❶〕に同じ

11 **淄** zī 地名用字 ‖ ～河 山東省にある川の名

11 **缁** zī 書 黒色 ‖ ～衣 墨染め. 僧衣

12 **滋**[1] zī ❶増える. 繁殖する ‖ →～生 ❷(もめごとを)引き起こす ‖ →～事 ❸美味. (広く)味 ‖ →～味

12 **滋**[2] zī 動方 噴射する. 噴き出す ‖ 水管裂了, 直～ 水道管が裂けて水が噴き出した

【滋补】zībǔ 動 滋養をつける ‖ ～品 栄養剤. 強壮剤

【滋扰】zīrǎo 動書 騒ぎを起こす

【滋润】zīrùn 形 ❶しっとりしている. 湿り気がある ❷方 快適である. 気持ちがいい ‖ 日子过得挺～的 快適に暮らしている 動 潤す. 湿らせる ‖ 雨水～着大地 雨が大地を潤している

【滋生】zīshēng 動 ❶繁殖する. 〔孳生〕とも書く ❷引き起こす ‖ ～事端shìduān ごたごたを引き起こす

【滋事】zīshì 動 もめごとを引き起こす

*【滋味】zīwèi (～儿) 名 ❶味. うまみ ‖ 有～ 味がある. おいしい ❷喩 (人生の)味. 味わい ‖ 尝到了失恋的～ 失恋の憂き目を見る

【滋养】zīyǎng 動 栄養を補給する ‖ ～大脑 大脳に栄養を与える 名 栄養. 養分

【滋育】zīyù 動 育てる. 育成する

*【滋长】zīzhǎng 動 生じる. はびこる. (抽象的なものについて)成長させる

【滋殖】zīzhí 動 繁殖する

12 **嗞** zī ❶擬 (水が噴き出したり, 弾けたりする音)シュー. ジュー ❷〔吱zī〕に同じ

12 **孳** zī 書 繁殖する. 増やす

【孳生】zīshēng ＝〔滋生zīshēng〕

12 **辎** zī 古 ❶幌のある大型の車 ❷軍需物資を積むための車 ‖ ～重 (軍隊の)輜重(しちょう)

12 **粢** zī 古 供物とする穀物 ➤ cí

13 **訾** zī 書 はかる. 計算する ➤ zǐ

13 **锱** zī 古 重量の単位. 1〔两〕の4分の1

【锱铢必较】zī zhū bì jiào 成 細かいことまで勘定高く計算する

13 **觜** zī 名〈天〉(二十八宿の一つ)とろきぼし, 觜宿(しゅく) ➤ zuǐ

14 **龇** zī 動口 歯をむき出す ‖ →~牙咧嘴

【龇牙咧嘴】 zī yá liě zuǐ 成 ❶非常に凶暴な形相のたとえ ❷痛みに顔をゆがめるさま

16 **鲻** zī 名〈魚〉ボラ. ふつうは〔鲻鱼〕という

16 **髭** zī 書 ❶口ひげ ‖ 短~ ちょびひげ ❷口 毛がぴんと立つ

zǐ

3 * **子**[1] zǐ ❶子供. 息子 ‖ 长zhǎng~ 長子. 長男 | 独生~ ひとりっ子 ❷人をさす ‖ 学~ 学生. 学徒 | 才~ 才子. 文才のある人 ❸古 男性の美称 ‖ 孔Kǒng夫~ 孔子 | 孟Mèng~ 孟子(もうし) ❹古 五等爵〔公〕〔侯hóu〕〔伯〕〔子〕〔男〕の第4位 ‖ ~爵 子爵 ❺代 古 なんじ ❻古 図書分類法〔经〕〔史〕〔子〕〔集〕の第3類. 諸子百家の著作をさす ‖ →~部 ❼名 動物の子や卵 ❽若い. 幼い. 未熟な ‖ →~鸡 ❾名(~儿)種子 ‖ 这种葡萄没~儿 この種のブドウには種がない. ❿名(~儿)堅くて粒状のもの ‖ 枪~儿 銃弾 ⓫派生した. 従属している ‖ ~公司 子会社. ⓬名(~儿)銅貨 ‖ 兜dōu里没有一个~儿 一文なしである

3 **子**[2] zǐ 名 子(ね) (十二支の第1) ➡〔地支dìzhī〕

【子部】 zǐbù 名 子部(古代中国の図書分類の一つ, 諸子百家の書の総称)
【子畜】 zǐchù 名 幼い家畜
【子代】 zǐdài 名〈生〉子の世代 ↔〔亲代〕
*【子弹】 zǐdàn 名 銃弾. 弾丸
*【子弟】 zǐdì 名 子弟. 若い後輩 ‖ 高干~ 高級幹部の子弟 | 误人~ 人の子弟を誤らせる. 若者をだめにする
【子弟兵】 zǐdìbīng 名 人民解放軍に対する愛称
【子公司】 zǐgōngsī 名 子会社
【子宫】 zǐgōng 名〈生理〉子宮
【子鸡】 zǐjī 名 ひな. ひよこ. 〔仔鸡〕とも書く
【子粒】 zǐlì 名 穀物や豆類の種. 〔籽粒〕とも書く
【子棉】 zǐmián 名 種棉. 〔籽棉〕とも書く
【子母弹】 zǐmǔdàn 名〈軍〉榴散弾(りゅうさんだん)
【子母扣儿】 zǐmǔkòur 名 スナップ. ホック. 〔摁èn扣儿〕ともいう
【子目】 zǐmù 名 細目
【子女】 zǐnǚ 名 子女 ‖ 独生~ ひとりっ子.
【子兽】 zǐshòu 名 生まれたての獣. 〔仔兽〕とも書く
【子嗣】 zǐsì 名 書 嗣子(しし). 跡取り息子
*【子孙】 zǐsūn 名 子孫 ‖ 炎Yán黄~ 炎帝と黄帝の子孫. 中国人をさす
【子午线】 zǐwǔxiàn 名〈地〉子午線
【子叶】 zǐyè 名〈植〉子葉
【子夜】 zǐyè 名 真夜中
【子音】 zǐyīn 名〈語〉子音 =〔辅音fǔyīn〕

5 **仔** zǐ (~儿) ❶(家畜や家禽が)幼い ‖ →~猪 ❷小さい. 細かい ‖ →~细 ➤ zǎi

【仔畜】 zǐchù 名 家畜の子
【仔鸡】 zǐjī =〔子鸡zǐjī〕
【仔兽】 zǐshòu =〔子兽zǐshòu〕
**【仔细】 zǐxì 形 ❶細心である. 注意がゆきとどく. きめ細かい. 周到である ‖ 做事~ やることが細心である | ❷注意する. 気をつける ‖ ~, 别烫tàng着手 気をつけて, やけどをしないように ❸方(暮らしが)質素である ＊〔子细〕とも書く
【仔猪】 zǐzhū 名 子ブタ. 〔子猪〕とも書く

7 **姊**(△姉) zǐ 姉 ‖ →~妹

【姊妹】 zǐmèi 名 姉妹 ‖ ~城 姉妹都市

9 **茈** zǐ ↴

【茈草】 zǐcǎo 名〈植〉ヒレハリソウ. 〔紫草〕ともいう

9 **秭** zǐ ❶古(数の単位)十億・千億・兆・万兆など諸説がある ❷地名用字 ‖ ~归 湖北省にある県の名

9 **籽** zǐ (~儿)植物の種 ‖ 菜~儿 野菜の種 | 棉~儿 ワタの種

【籽粒】 zǐlì =〔子粒zǐlì〕
【籽棉】 zǐmián =〔子棉zǐmián〕

9 **耔** zǐ 書 苗の根元に土を盛る. 土寄せをする

10 **笫** zǐ 書 竹製のござ ‖ 床~ 寝台用の竹製のござ

11 **梓** zǐ ❶名〈植〉キササゲ. ふつうは〔梓树〕という ❷書 故郷 ‖ 乡~ 故郷 ❸書 版木 ‖ 付~ 上梓(じょうし)する

12 ** **紫** zǐ ❶形 紫色の ‖ ~色 紫色

【紫菜】 zǐcài 名〈植〉アマノリ. 〔甘紫菜〕の通称
【紫红】 zǐhóng 形 紫がかった深紅色の
【紫荆花】 zǐjīnghuā 名 ハナスオウの花. 香港特別行政区の区花
【紫罗兰】 zǐluólán 名〈植〉アラセイトウ. ストック
【紫砂】 zǐshā 名 江蘇省宜興特産の陶土 ‖ ~茶壶 宜興の急須
【紫苏】 zǐsū 名〈植〉シソ
【紫檀】 zǐtán 名〈植〉シタン
【紫外线】 zǐwàixiàn 名〈物〉紫外線
【紫薇】 zǐwēi 名〈植〉サルスベリ. 〔满堂红〕ともいう
【紫云英】 zǐyúnyīng 名〈植〉レンゲ

13 **訾** zǐ 書 中傷する. 非難する ‖ ~毁huǐ 他人の悪口を言う ➤ zī

13 **滓** zǐ 残滓(ざんし). かす ‖ 渣zhā~ おり. かす

zì

6 ★ **字** zì ❶名 文字 ‖ 生~ 読み方を知らない字 | 认~ 字を覚える ❷名 字(あざな) ‖ 名孙文, ~逸仙Yìxiān 名は孫文, 字(あざな)は逸仙 ❸書 娘が婚約する ‖ 待~闺guī中 娘はまだ婚約していない ❹名 書体 ‖ 草~ 草書体 ❺名 書の作品 ‖ →~画 ❻名 語. 言葉 ‖ "将来"这个~ 「将来」という言葉 ❼(~儿)証文. 契約書 ‖ 立~为凭píng 証文を書いて証拠とする ❽名(~儿)文字の発音. 字音 ‖ 咬yǎo~很准 発音が正確である

*【字典】 zìdiǎn 名 字典. 字引き. 字書 ‖ 查~ 字典を引く | ~纸 インディアンペーパー
【字符】 zìfú 名〈計〉キャラクター
【字号】 zìhao 名 商号. 屋号 ‖ 老~ 老舗(しにせ)
【字画】 zìhuà 名 書と絵. 書画

Z

【字汇】zìhuì [名]単語集. 語彙集
【字迹】zìjì [名]筆跡. 字の筆画と形体 ‖ ～潦草liáocǎo 字の書き方が乱暴だ
【字节】zìjié [名]〈計〉バイト ‖ 兆zhào～ メガバイト | 吉jí～ ギガバイト
【字句】zìjù [名]文章中の文字と語句 ‖ ～通顺 文章がこなれている
【字据】zìjù [名]書面の証文. 契約書
【字库】zìkù [名]〈計〉フォントセット
【字里行间】zì lǐ háng jiān [成](文章の)行間
【字谜】zìmí [名]文字を当てるなぞなぞ
【字面】zìmiàn (～儿) [名]字づら
*【字母】zìmǔ [名]〈語〉❶アルファベット. ローマ字 ‖ 拉丁～ ローマ字 ❷中国の伝統的音韻学で〔声母〕(音節の初めにくる子音)を代表する漢字
【字幕】zìmù [名]字幕. スーパーインポーズ
【字体】zìtǐ [名]❶書体 ❷書道の流派 ❸字の形. 字形 ‖ ～工整 字が整っている
【字条】zìtiáo (～儿) [名]メモ ‖ 留了张～ メモを残す. 書き置きをする
【字帖儿】zìtiěr [名](注意書きやお知らせなどの)短い張り紙・掲示文. または, 書きつけ・メモ類
【字帖】zìtiè [名]法帖(ほうじょう). 墨帖(ぼくじょう)
【字形】zìxíng [名]字体
【字眼】zìyǎn (～儿) [名]文中に用いられている字句. 言葉遣い ‖ 找不出恰当qiàdàng的～来形容 適当な形容が見つからない
【字样】zìyàng [名]❶昔の文字手本. 漢字の字形の規範とされる資料類 ❷文字
【字义】zìyì [名]字義. 語義
【字音】zìyīn [名](字の)読み
【字斟句酌】zì zhēn jù zhuó [成]一字一句言葉を選ぶ. 一字一句推敲(すいこう)する
【字纸】zìzhǐ [名]書き損じの紙. 紙くず
【字纸篓儿】zìzhǐlǒur [名]紙くずかご. くずかご

6 **自**[1] zì ❶自分. 自ら ‖ →～给～足 ❷[副]おのずと. 当然 ‖ 是非～有公论 是か非か, おのずと天下の公論がある

6 ** **自**[2] zì [介]…から. …より ‖ ～五月一日起 5月1日より | 来～远方的客人 遠方から来た客

【自爱】zì'ài [動]自分の人格・名誉・尊厳などを重んじる. 行動を慎む. 自重する ‖ 应当～ 自重すべきだ
【自傲】zì'ào [形]おごり高ぶっている. 傲慢(ごうまん)である ‖
【自拔】zìbá [動](苦悩や罪悪の中から)自分で抜け出す. (多く否定に用いる) ‖ 难以～ なかなか抜け出せない
【自白】zìbái [動]自ら自分の考えを述べる. 自己表明する
【自暴自弃】zì bào zì qì [成]自暴自棄になる. すてばちになる
*【自卑】zìbēi [形]卑屈である ‖ ～感 劣等感
【自备】zìbèi [動]自ら準備する
【自便】zìbiàn [動]自分の思うままにする. 好きなようにする ‖ 别客气, 请～ ご遠慮なく, お楽に
【自不待言】zì bù dài yán [成]言(げん)をまたない
【自不量力】zì bù liàng lì [成]自分の力をわきまえない. 自分の能力を過信する
【自裁】zìcái [動][書]自害する. 自決する
【自残】zìcán [動]自分で自分を傷つける. 仲間内で傷つけ合う
【自惭形秽】zì cán xíng huì [成]相手にかなわないことを恥じる. 引け目を感じる
【自沉】zìchén [動](水中に)身投げする
【自称】zìchēng [動]❶自ら…と名乗る. …と自称する ❷吹聴する. 公言する ‖ ～是名门之后 名門の出だと自称する
【自成一家】zì chéng yī jiā [成]学問・技芸などで独自の見解・風格をもつ. 自ら一家をなす
【自乘】zìchéng [動]〈数〉自乗する
【自持】zìchí [動]自制する ‖ 激动得难以～ 興奮して自分を抑えきれない
【自筹】zìchóu [動](資金などを)自力で工面する
【自吹自擂】zì chuī zì léi [成]自らラッパを鳴らし太鼓をたたく. 自画自賛する
**【自从】zìcóng [介]…以来. …から. …より ‖ ～毕业以后, 我就再也没见到过她 卒業以来, 彼女には会ってない
【自打】zìdǎ [介][方]…から. …より
【自大】zìdà [形]横柄である. 偉ぶっている ‖ 骄傲～ 傲慢不遜(ごうまんふそん)である
【自得】zìdé [形]得意である. 満足している ‖ 洋洋～ 得意満面である
【自得其乐】zì dé qí lè [成](ある物事に)面白みを感じる. (ある境地を)楽しむ
**【自动】zìdòng [副]❶自発的に. 主体的に ‖ 他～为老人让出了座位 彼は自分から老人に席を譲った ❷おのずから. 自動的に ‖ 合同期满后则zé～延期 契約は期間満了後自動的に延長される [形](機械など)自動の. オートマチックの ‖ ～报警器 自動警報装置
【自动步枪】zìdòng bùqiāng [名]〈軍〉自動小銃
【自动扶梯】zìdòng fútī [名]エスカレーター
【自动柜员机】zìdòng guìyuánjī [名]現金自動預け入れ払い機. ATM. 〔ATM机〕〔自动取款机〕ともいう
【自动化】zìdònghuà [動]自動化する. オートメーション
【自动控制】zìdòng kòngzhì [組]自動制御する
【自动铅笔】zìdòng qiānbǐ [名]シャープペンシル
【自动取款机】zìdòng qǔkuǎnjī =〔自动柜员机zìdòng guìyuánjī〕
*【自发】zìfā [形]自発的である ‖ ～的行动 自発的な行動 | ～捐款juānkuǎn 自発的に寄付をする
**【自费】zìfèi [動]費用を自己負担する ‖ 伙食huǒshi～ 食事は自己負担とする
【自焚】zìfén [動]焼身自殺する
【自封】[1] zìfēng [動][貶]自任する
【自封】[2] zìfēng [動]自分の殻に閉じこもる
【自负】[1] zìfù [動]自ら責任を負う
【自负】[2] zìfù [形]自信をもっている. うぬぼれている
*【自负盈亏】zìfù yíngkuī [組]企業が経営上の損益を自分で負担する
【自高自大】zì gāo zì dà [成]うぬぼれる. おごり高ぶる
【自告奋勇】zì gào fèn yǒng [成]進んで困難な仕事や危険な任務に当たる
【自个儿】【自各儿】zìgěr [代][方]自分. 自身
【自供】zìgòng [動]自白する. 自供する
【自供状】zìgòngzhuàng [名]自供書. 供述書
*【自古】zìgǔ [副]昔から. かつて ‖ 当地～就有这种风俗 当地には昔からこうした風習がある
【自顾不暇】zì gù bù xiá [成]自らを顧みるいとまさえない. 自分のことで手がいっぱいで, 他に心をやるひまがない

*【自豪】zìháo 形 書 誇らしい ‖ 父亲为儿子～ 父親は息子を誇らしく思った
★【自己】zìjǐ 代 ❶自分. 自身 ‖ ～的房间～打扫 自分の部屋は自分でそうじする ❷身内の. 内輪の. 仲間の ‖ 都是～弟兄, 别争了 仲間同士じゃないか, 争うなよ
【自己人】zìjǐrén 名 身内. 仲間. 味方 ‖ 都是～, 不要客气 みんな身内じゃありませんか, ご遠慮なく
【自给自足】zì jǐ zì zú 成 自給自足する ‖ 粮食基本～ 食糧は基本的に自給自足している
【自家人】zìjiārén 名 身内. 仲間
【自荐】zìjiàn 動 自薦する. 自ら名乗りを上げる
【自矜】zìjīn 動 書 自慢する
【自尽】zìjìn 動 自殺する ‖ 悬梁xuánliáng～ 首をくくり自殺する
【自咎】zìjiù 動 書 自分を責める
【自居】zìjū 動 書 貶 …をもって自ら任じる. …を自任する ‖ 以领导～ 指導者を自任する
【自决】zìjué 動 自ら決定する. 自決する ‖ 民族～权 民族自決権
⁑【自觉】zìjué 動 自分で感じ取る. 自覚する ‖ ～体力不如从前 体力が衰えたのを自覚する 形 自覚的である. 主体的である. 積極的である ‖ 学习要～ 勉強は自ら進んでやらねばならない
【自觉自愿】zìjué zìyuàn 組 自ら進んで希望する
【自夸】zìkuā 動 自慢する
【自来】zìlái 副 本来. 以前から
*【自来水】zìláishuǐ 名 ❶水道 ❷水道の水
【自来水笔】zìláishuǐbǐ 名 万年筆
【自理】zìlǐ 動 ❶(費用を)自己負担する. 自弁する ‖ 食宿费～ 食費と宿泊費は自己負担である ❷自分で処理する ‖ 生活不能～ 自分で身の回りのことができない
*【自力更生】zì lì gēng shēng 成 人に頼らず自分の力で事を行う. 自力更生
【自立】zìlì 動 自立する
【自量】zìliàng 動 自分の能力をはかる ‖ 这人也太不～了 この人ときたらまるで身のほどをわきまえない
【自留地】zìliúdì 名 (集団農業政策の実施期における)個人所有を認められた畑
【自留山】zìliúshān 名 (集団農業政策の実施期における)個人所有を認められた山地
【自律】zìlǜ 動 書 自らを律する. 自制する
【自卖自夸】zì mài zì kuā 慣 自分で売りながら自分で商品をほめる. 自己宣伝する. 手前みそ
*【自满】zìmǎn 形 自己満足している. うぬぼれている ‖ 有了成绩不能～ 成績を上げたからといってうぬぼれてはいけない
【自鸣得意】zì míng dé yì 成 いい気になる. うぬぼれる. 得意がる
【自鸣钟】zìmíngzhōng 名 定時に音を出して時刻を知らせる時計. 時報時計
【自命】zìmìng 動 自負する. 自任する
【自命不凡】zì mìng bù fán 成 非凡であると自任する. 自分は大物だとうぬぼれる
【自馁】zìněi 動 自信を失いがっくりする. 落胆する ‖ 面对挫折毫不～ 挫折(ざっ)しても少しも落胆しない
【自欺欺人】zì qī qī rén 成 自らを欺き人をも欺く. 自他ともにだます
【自谦】zìqiān 形 へりくだっている. 謙虚である ‖ ～之词 謙遜した言葉
【自强不息】zì qiáng bù xī 成 自ら努力してやまない. たゆまず励む
【自轻自贱】zì qīng zì jiàn 成 自らを卑しめる. 自分を卑下する
【自取灭亡】zì qǔ miè wáng 成 自ら滅亡の道を選ぶ. 自滅する
⁑【自然】zìrán 名 自然 ‖ 开发～资源 天然資源を開発する 形 自然である. おのずからである ‖ 这些道理等你长大了～就懂了 こうした道理は大人になれば自然と分かる 副 当然である. 当たりまえである ‖ 你不说, 大家～不知道 あなたが言わなければ, 当然みんなも分からない 接 当然. もちろん
【自然】zìran 形 自然である. わざとらしさがない ‖ 表演得很～ とても自然に演じている
【自然而然】zì rán ér rán 成 自然に. ひとりでに ‖ 两人相处xiāngchǔ时间一长, ～地产生了感情 長く交際しているうちに, 二人の間にはいつしか愛情が芽生えた
【自然规律】zìrán guīlǜ 名 自然法則
【自然经济】zìrán jīngjì 名〈経〉自然経済
【自然科学】zìrán kēxué 名 自然科学
【自然力】zìránlì 名 (風力や水力など)人力に代わる自然界のエネルギー
【自然人】zìránrén 名〈法〉自然人
【自然数】zìránshù 名〈数〉自然数
【自然灾害】zìrán zāihài 名 自然災害
【自然主义】zìrán zhǔyì 名 自然主義
【自认】zìrèn 動 自ら認める ‖ ～倒霉dǎoméi 運が悪かったとあきらめる
【自如】zìrú 形 自在である. 思いのままである ‖ 应付yìngfu～ 自在に対応する
【自若】zìruò 形 泰然としている. 落ち着いて動じない ‖ 泰然～ 泰然自若としている
*【自杀】zìshā 動 自殺する ↔〔他杀〕‖ ～未遂wèisuì 自殺未遂
【自伤】zìshāng 動 ❶心を痛める. 悲しむ. 悲嘆にくれる ❷〈法〉自傷する
*【自身】zìshēn 名 書 自身. 自分自身 ‖ ～利益 自分自身の利益
【自生自灭】zì shēng zì miè 成 自然に生じ自然に滅ぶ ‖ 听其～ 自然の生成消滅に任せる
【自食其果】zì shí qí guǒ 成 自分でまいた種を自分で刈る. 身から出たさび. 自業自得
【自食其力】zì shí qí lì 成 自分で働いて生活する. 自活する
【自食其言】zì shí qí yán 成 食言する. 約束を破る. 前言を翻す
*【自始至终】zì shǐ zhì zhōng 成 始めから終わりまで. 終始 ‖ 整场比赛中, 我队的得分défēn～保持领先 試合中, 我がチームの得点は終始先行していた
【自视】zìshì 動 自分を…と見なす. 自分を…と考える ‖ ～甚shèn高 自分を高く見なす. おごりたかぶる
【自恃】zìshì 書 形 自信過剰である 動 頼む. 当てにする ‖ ～人多势众 衆を頼む
【自首】zìshǒu 動 自首する ‖ 投案～ 自首する
【自述】zìshù 動 書 自ら語る
*【自私】zìsī 形 自分本位である. 自分勝手である ‖ 这个人很～ この人はとても勝手だ
*【自私自利】zì sī zì lì 成 ひたすら自分のみの利益をはかる. 自分本位である

【自诉】zìsù 動〈法〉(被害者が)自訴する ↔〔公诉〕
【自诉人】zìsùrén 名〈法〉私訴原告人
【自讨苦吃】zì tǎo kǔ chī 組 自ら苦労を招く. 自ら求めて苦しむ
【自讨没趣】zì tǎo méi qù (～儿) 組 自ら求めて嫌な思いをする. わざわざ恥をかく
【自投罗网】zì tóu luó wǎng 成 自らわなにかかる. 自分から火の中に飛び込む
*【自卫】zìwèi 動 自ら守る. 自衛する ‖ ～反击 自衛のための反撃
【自慰】zìwèi 動 我と我が身を慰める ‖ 聊liáo以～ ひとまず自らを慰める
【自刎】zìwěn 動 書 自刎(じふん)する. 自分の首をはねて死ぬ
【自问】zìwèn 動 ❶自分で自分の心にたずねる. 自問する ‖ 扪mēn心～ 胸に手を当てて自問する ❷自ら判断する
**【自我】zìwǒ 代 ❶自分. 自ら ‖ ～欣赏xīnshǎng 自己陶酔する ❷自我 ‖ ～意识 自我意識
【自我吹嘘】zìwǒ chuīxū 組 自慢話をする. 自己宣伝する
【自我批评】zìwǒ pīpíng 組 自己批判する
【自习】zìxí 動 自習する
【自相残杀】zì xiāng cán shā 成 仲間内で殺し合う
*【自相矛盾】zì xiāng máo dùn 成 自己矛盾する. 自分の言葉や行為が前後でくいちがうこと
【自销】zìxiāo 動 (メーカー・生産者などが)直接販売する ‖ 自产～蔬菜 野菜を産地直送販売する
【自小】zìxiǎo (～儿) 副 小さいときから. 子供のときから
【自新】zìxīn 動 生まれ変わる. 更生する ‖ 改过～ 過ちを悔い改めて真人間に生まれ変わる
*【自信】zìxìn 動 自信を持つ. 自負する ‖ ～能做好 ちゃんとやることができると自信を持っている
*【自行】zìxíng 副 ❶自分で. 自ら ‖ ～办理 自分で手続きする ❷自然に. おのずから ‖ ～消亡xiāowáng 自然に消滅する
★【自行车】zìxíngchē 名 **自転車** ‖ 骑～ 自転車に乗る | 山地～ マウンテンバイク
【自行其是】zì xíng qí shì 成 他人の意見を聞かず自分の思うままに行動する. 自分勝手に行動する
【自修】zìxiū 動 ❶独習する. 独学する ‖ ～英语 英語を独習する ❷自習する
【自许】zìxǔ 動 ❶自賛する ❷自称する
【自诩】zìxǔ 動 書 自ら誇る. 自慢する
【自序】【自叙】zìxù 名 ❶自序 ❷自叙伝
【自选动作】zìxuǎn dòngzuò 名〈体〉自由演技
【自学】zìxué 動 **独習する. 独学する ‖ 他的英语是～的 彼の英語は独学だ
*【自言自语】zì yán zì yǔ 成 独り言を言う
【自已】zìyǐ 動 感情を抑える. (多く否定に用いる)
【自以为是】zì yǐ wéi shì 成 自分だけが正しいと思う. 独善的である. 高慢である
【自营】zìyíng 動 自ら取り扱う ‖ ～出口 (メーカーなどが貿易会社を通さず)自ら輸出する
【自由】zìyóu 名 **自由 ‖ 通信的～ 文通の自由 形 **自由である** ‖ 我一个人住, 很～ 私は一人暮らしでとても気ままだ
【自由港】zìyóugǎng 名 自由港. 自由貿易港
【自由基】zìyóujī 名〈生理〉フリーラジカル. 遊離基
【自由竞争】zìyóu jìngzhēng 名〈経〉自由競争
【自由民】zìyóumín 名 (古代社会における)自由民. 自由市民
*【自由市场】zìyóu shìchǎng 名 自由市場. 〔农贸市场〕の通称
【自由体操】zìyóu tǐcāo 名〈体〉床運動
【自由王国】zìyóu wángguó 名〈哲〉自由の王国
【自由泳】zìyóuyǒng 名〈体〉(競泳の)自由形
【自由职业】zìyóu zhíyè 名 自由業
【自由主义】zìyóu zhǔyì 名 自由主義. リベラリズム
【自由自在】zì yóu zì zài (～的) 成 自由自在である
【自幼】zìyòu 副 子供のときから
【自娱】zìyú 動 書 自分で楽しむ. 暇つぶしをする. 気晴らしをする ‖ 作画～ 絵を描いて楽しむ
【自圆其说】zì yuán qí shuō 成 (矛盾を)言い繕う. 話のつじつまを合わせる. こじつける
【自怨自艾】zì yuàn zì yì 成 自分の非を悔いる
*【自愿】zìyuàn 動 自発的に…する. 自ら望んで…する ‖ ～献血xiànxuè 進んで献血する
【自在】zìzài 形 自由である ‖ 逍遥xiāoyáo～ 勝手気ままにふるまう
【自在】zìzai 形 気楽である. ゆったりしている ‖ 日子过得很～ 暮らしが快適である
【自责】zìzé 動 書 自責する
【自找】zìzhǎo 動 自分から求める ‖ ～没趣 自分から不興を買う | ～麻烦 自分から面倒を引き起こす
【自知之明】zì zhī zhī míng 成 自分の限界を認識できるだけの聡明さ. 身の程をわきまえていること
【自制】[1] zìzhì 動 自分で作る
【自制】[2] zìzhì 動 自制する. 感情を抑える ‖ 她激动得不能～ 彼女は興奮のあまり自分を抑えきれなくなった
*【自治】zìzhì 動 自治を行う
*【自治区】zìzhìqū 名 民族自治区(中国の地方行政単位の一つで, 省に相当する一級行政区)
【自治县】zìzhìxiàn 名 自治県(中国の地方行政単位の一つで, 県に相当する二級行政区)
【自治州】zìzhìzhōu 名 自治州(中国の地方行政単位の一つで, 自治区と自治県の中間に位置する)
【自重】[1] zìzhòng 動 自重する. 言行を慎む
【自重】[2] zìzhòng 名 (機械・建築・車体などの)それ自身の重さ. 自重(じじゅう)
*【自主】zìzhǔ 動 自分の意志で行う ‖ 独立～ 独立自主 | 婚姻～ 結婚は本人同士の意志による
【自助餐】zìzhùcān 名 セルフサービス形式の食事. バイキング
【自传】zìzhuàn 名 自叙伝. 自伝
【自转】zìzhuàn 動〈天〉自転する
【自尊】zìzūn 動 自らを尊重する
【自尊心】zìzūnxīn 名 自尊心. 誇り ‖ ～很强 自尊心が強い | 伤了他的～ 彼の自尊心を傷つけた
【自作聪明】zì zuò cōng míng 成 思い上がる. 独りよがりになる
【自作多情】zì zuò duō qíng 成 相手にその気がないのに好かれていると勝手に思い込むこと
【自作主张】zì zuò zhǔ zhāng 成 自分の一存で決める
【自作自受】zì zuò zì shòu 成 自業自得

10 **恣** zì 放縦である. 思いのままである ‖ 一～意

Z

【恣情】zìqíng 副 ❶心ゆくまで. 思う存分 ‖ ～享乐 xiǎnglè 心ゆくまで楽しむ ❷勝手に. 気ままに
【恣肆】zìsì 形 書 ❶勝手気ままである. 放縦である ❷(文章が)豪放でこせこせしていない
【恣意】zìyì 副 書 思うままに. 勝手に

11 **渍** zì ❶動 浸す. つける ‖ 浸jìn～ 液体につける ❷動 (汚れが)こびりつく ‖ 机器～上了油泥 機械に油汚れがついた ❸方 (油などの)こびりついたもの. しみ ‖ 血xuè～ 血痕(けっこん) | 污～ 汚れ ❹水たまり ‖ 防洪排～ 洪水を防ぎたまった水を排出する

11 **眦**(△眥) zì まなじり. 目尻. ふつう〔眼角〕という ‖ 内～ 目頭 | 外～ 目尻

zōng

8 **宗**[1] zōng ❶祖先 ‖ 祖～ 祖先 ❷一族. 宗族 ‖ 一～亲 ❸宗派. 流派. 分派 ‖ 禅chán～ 禅宗 ❹主旨. 根本. 本質 ‖ 万变不离其～ 形式はあれこれ変わってもその本質は不変である ❺動 (学問や芸術の上で)手本とする. 尊びあがめる ‖ 他书法～王羲之Xīzhī 彼の書は王羲之(おうぎし)を範としている ❻あがめたり, 手本とする人 ‖ 文～ 大文章家 ❼量 ①事物を数える ‖ 一～心事 一つの心配事 ②財産や商品を数える ‖ 大～货物 大口の商品

8 **宗**[2] zōng 名 (チベット語の音訳)チベットの旧行政区画で, 県に相当する
【宗祠】zōngcí 名 祖廟(そびょう). 霊廟(れいびょう) ‖ 刘氏～ 劉(りゅう)家の祖廟
【宗法】zōngfǎ 名 宗法(そうほう). 家父長制 動 手本とする. 見習う
【宗匠】zōngjiàng 名 宗匠. 巨匠 ‖ 一代～ 一代の巨匠
*【宗教】zōngjiào 名 宗教
【宗庙】zōngmiào 名 宗廟. 天子や諸侯の祖廟
*【宗派】zōngpài 名 ❶貶 (宗教・学術などの)分派. 党派. セクト ‖ ～斗争 セクト闘争 ❷書 宗族(そうぞく)内部の分岐した各家系
【宗派主义】zōngpài zhǔyì 名 セクト主義
【宗亲】zōngqīn 名 同一祖先の親族
【宗师】zōngshī 名 (思想・学術方面の)師匠. 名人. 泰斗(たいと)
【宗室】zōngshì 名 宗室. 王族. 皇族
*【宗旨】zōngzhǐ 名 趣旨. 主旨 ‖ 本会以促进学术交流为～ 本会は学術交流の促進を趣旨としている
【宗主国】zōngzhǔguó 名 宗主国
【宗主权】zōngzhǔquán 名 宗主権
【宗族】zōngzú 名 宗族(そうぞく)

8 **枞**(樅) zōng 地名用字 ‖ ～阳 安徽省にある県の名 ➤ cōng

11 **综** zōng 総合する. 集める ‖ ～上所述shù これまでに述べたことをまとめると ➤ zèng
【综观】zōngguān 動 総合的に観察する ‖ ～国际形势 国際情勢を総合的に観察する
**【综合】zōnghé 動 総合する ↔〔分析〕‖ ～各方面的意见 各方面の意見を総合する
【综合大学】zōnghé dàxué 名 総合大学
【综合国力】zōnghé guólì 名 総合国力
【综合利用】zōnghé lìyòng 名 (資源の)総合利用
【综合征】zōnghézhēng 名〈医〉症候群. シンドローム ‖ 代谢～ メタボリック・シンドローム
【综括】zōngkuò 動 総括する. 概括する
【综述】zōngshù 動 総括的に述べる. まとめて述べる 名 要約. 概要 ‖ 时事～ 時事概要
【综艺】zōngyì 名 バラエティー. 〔综合文艺〕の略 ‖ 大型～节目 大型バラエティー番組

12 **棕**(△椶) zōng ❶名〈植〉シュロ ❷シュロの繊維
【棕绷】zōngbēng 名 寝台用のシュロ縄製のスプリングネット. 〔棕绷子〕ともいう
【棕编】zōngbiān 名 シュロの繊維で作った工芸品
【棕黑】zōnghēi 形 濃い褐色の
【棕榈】zōnglǘ 名〈植〉シュロ. ふつうは〔棕树〕という
【棕毛】zōngmáo 名 シュロの繊維
【棕绳】zōngshéng 名 シュロ縄
【棕树】zōngshù 名〈植〉シュロ. 〔棕榈〕の通称
【棕熊】zōngxióng 名〈動〉ヒグマ

12 **腙** zōng 名〈化〉ヒドラゾン

15 **踪**(△蹤) zōng 足跡. 跡 ‖ 行～ 行方 | 失～ 行方不明になる
【踪迹】zōngjì 名 痕跡(こんせき). 跡形
【踪影】zōngyǐng 名 跡形. 姿 ‖ 一个月未见他的～ 1ヵ月も彼の姿を見ていない

18 **鬃**(△騣 騌 鬉) zōng ウマやブタの頸部(けいぶ)の長い毛 ‖ 马～ ウマのたてがみ | 猪～ ブラシにするブタ毛

zǒng

9 ★**总**(總) zǒng ❶動 集める. まとめる ‖ 一～的来说 ❷形 全部の. 全面的な ‖ ～的形势 全般的な情勢 ❸統括した ‖ 一～纲 ❹全般を指導している. 指導的な ‖ ～指挥 総監督. 総指揮者 ❺副 ずっと. いつも. 常に ‖ 一～是 ❻副 結局. 最後には ‖ 瞧qiáo着吧, ～有一天我会成功的! いまにみてろ, いつかきっと成功してみせるぞ ❼副 (見積もりや推測を表す)どうみても(… だろう). 少なくみても(… だろう) ‖ 一～得

> **類義語** 总 zǒng 老 lǎo
>
> ◆〔总〕状態や状況が不変である, あるいは, いつも同じで例外がきわめて少ないことを表す ‖ 昆明的天气总是这样温暖如春 昆明の気候はいつもこんな春のような暖かさだ ◆〔老〕動作や行為が, 一定時間絶え間なく繰り返されることを表す. 不満の気持ちを表すにはよく〔老〕を用いる ‖ 你怎么老迟到? あなたはどうしていつも遅刻するの

【总编辑】zǒngbiānjí 名 (新聞や雑誌の)編集長. 〔总编〕ともいう
【总部】zǒngbù 名 本部
【总裁】zǒngcái 名 ❶清代における中央編纂機構の責任者. 官吏登用試験の主管大臣 ❷総裁. 政党や企業などの団体の代表者
【总产值】zǒngchǎnzhí 名〈経〉総生産額
【总称】zǒngchēng 動 総称する
【总的来说】zǒng de lái shuō 組 総じて言えば. 要するに. 〔总的说来〕ともいう
【总得】zǒngděi 副 どうしても … しなければならない ‖ ～想个办法 ともかく方法を考えねばならない

【总动员】zǒngdòngyuán 動 総動員する ‖ 全体～ 全体総動員
*【总督】zǒngdū 名 ❶清朝の地方最高長官. 総督 ❷(植民地の)総督
*【总额】zǒng'é 名 総額 ‖ 存款～ 預金総額
*【总而言之】zǒng ér yán zhī 成 要するに. つまり
【总分】zǒngfēn 名〈体〉総得点
【总纲】zǒnggāng 名 総綱. 大綱
【总公司】zǒnggōngsī 名 総公司. 傘下に若干の〔分公司〕を従える大型企業をさす
【总攻】zǒnggōng 動〈軍〉総攻撃する
*【总共】zǒnggòng 副 全部で. 合計して ‖ 我～才去过三次 私は合計しても３度しか行ったことがない
【总管】zǒngguǎn 動 全体的に管理する 名 ❶総轄者. 総監 ❷旧 執事
【总归】zǒngguī 副 結局. つまるところ. どうしても
【总合】zǒnghé 動 まとめる. 総合する
*【总和】zǒnghé 名 総和. 総額. 総計 ‖ 六个月产量的～ 6ヵ月の生産量の総額
【总汇】zǒnghuì 動 (多くの流れが)集まる. すべてが集まる 名 集まるところ. 集めたもの
【总机】zǒngjī 名 代表電話. 電話交換台
【总集】zǒngjí 名 総集. 多くの人の作品をまとめた詩文集 ↔〔别集〕
*【总计】zǒngjì 動 合計する. 総計する ‖ ～有两万人参加了罢工bàgōng ストには総計２万人が参加した
【总角】zǒngjiǎo 名 書 揚巻(あげまき). 古代の子供の髪形. 転 幼児 ‖ ～之交 幼なじみ. 竹馬の友
**【总结】zǒngjié 動 総括する. 締めくくる ‖ ～经验 経験を総括する 名 総括. まとめ ‖ 写～ 総括を書く
【总经理】zǒngjīnglǐ 名 総支配人. 社長
【总括】zǒngkuò 動 概括する. 総括する
【总揽】zǒnglǎn 動 書 総攬(そうらん)する. 一手に掌握する ‖ ～大权 大権を総攬する
**【总理】zǒnglǐ 名 ❶総理. 中国国務院の最高指導者 ❷(一部の国家の)内閣総理大臣. 首相 ❸旧 (一部の政党の)党首 ❹旧 (一部の公共機関や企業の)最高責任者 動 書 全体を統轄する
【总领事】zǒnglǐngshì 名 総領事
【总路线】zǒnglùxiàn 名 総路線. 党あるいは国家の一定期間における全般的な方針・方向
【总目】zǒngmù 名 総目次. 総目録 ‖ 藏书cángshū～ 蔵書総目録
★【总是】zǒngshì 副 いつも. しょっちゅう. どうしても ‖ 他～迟到 彼はいつも遅れてくる
*【总数】zǒngshù 名 総数. 総額
*【总司令】zǒngsīlìng 名 総司令官
*【总算】zǒngsuàn 副 ❶どうやら. どうにか. やっと ‖ ～熬áo过了最困难的时期 どうにかいちばん大変な時期を乗り切った ❷まずまず. まあなんとか ‖ 平均八十分, ～不错了 平均80点だから, まずまず立派というとこだね
【总体】zǒngtǐ 名 総体. 全体
**【总统】zǒngtǒng 名 大統領. 総統
【总务】zǒngwù 名 ❶総務 ❷総務担当者
【总线】zǒngxiàn 名〈計〉バス
【总悬浮颗粒物】zǒngxuánfú kēlìwù 名 総浮遊粒子状物質. TSP
【总则】zǒngzé 名 総則
【总账】zǒngzhàng 名 ❶原簿. 元帳 ❷総決算
*【总之】zǒngzhī 接 要するに. つまり. とにかく ‖ 这话是谁说的我记不清了, ～不是他说的 このことは誰が言ったのか私ははっきり覚えていないが, とにかく彼が言ったのではないことは確かだ
【总装】zǒngzhuāng 動 部品を製品に組み立てる

11 偬(^△傯) zǒng ➡〔倥偬kǒngzǒng〕

zòng

7 纵[1](縱) zòng ❶形 縦(たて)の. 南北方向の ↔〔横〕‖ 一～贯 ❷前から後までの. 横と十文字に交わるところの ‖ 一～深 ❸昔から今までの ‖ 一～观 ❹名 旧〈軍〉編制単位の一つ ‖ 一～队 ❺物体の長い辺と平行な ‖ 一～剖面

7 纵[2](縱) zòng ❶釈放する. 放す ‖ 欲擒qín故～ 捕まえるためにわざとしばらく自由にさせておく. しばらく泳がせておく ❷放任する. 拘束しない ‖ 一～情 ❸接 書 たとえ. かりに ‖ 一～然 ❹身を躍らせる. 飛びかかる ‖ 一～身

【纵波】zòngbō 名〈物〉縦波
【纵步】zòngbù 動 大またに歩く 名 飛躍. 跳躍
【纵队】zòngduì 名 ❶縦隊 ‖ 排成四路～ 4列縦隊に並ぶ ❷〈軍〉解放戦争時期における中国人民解放軍の編制単位. 現在の〔军〕に相当する
【纵观】zòngguān 動 (全体を)見渡す ‖ ～中国历史 中国の歴史全体を見渡す
【纵贯】zòngguàn 動 縦貫する. 縦に貫く ‖ ～南北 縦に南北に貫く
【纵横】zònghéng 形 ❶縦横の ‖ 老泪～ はらはらと老いの涙を流す ❷自由奔放である. 思う存分にする ‖ 文思～ 文章が自由奔放である 動 自由に疾駆する. 駆け回る
【纵横捭阖】zòng héng bǎi hé 成 権謀術数を用いて政治的, 外交的に国家間の連合や分裂を促す
【纵横驰骋】zòng héng chí chěng 成 縦横無尽に駆け巡る. 勇敢に戦い, 向かうところ敵なしのさま
【纵虎归山】zòng hǔ guī shān 成 虎を放ち山中に帰す. 悪人を野放しにしておくこと. 〔放虎归山〕ともいう
【纵火】zònghuǒ 動 放火する ‖ ～犯 放火犯
【纵酒】zòngjiǔ 動 酒におぼれる
【纵览】zònglǎn 動 自由に見る. 思いのままに見渡す
【纵令】zònglìng 接 書 たとえ… であろうと. かりに… としても
【纵论】zònglùn 動 放談する. 気ままに語る
【纵目】zòngmù 動 書 目の及ぶ限り遠くを眺める
【纵剖面】zòngpōumiàn 名 縦断面. 〔纵断面〕ともいう
【纵情】zòngqíng 副 心ゆくまで. 思う存分 ‖ ～欢笑 心ゆくまで笑う
【纵然】zòngrán 接 たとえ… であろうと ‖ 孩子～有错, 也不该打他 たとえ子供が誤りを犯したとしても, 手をあげてはいけない
【纵容】zòngróng 動 放任する. 勝手にさせる
【纵身】zòngshēn (～儿) 動 身を躍らせる ‖ ～上马 身を躍らせてウマにまたがる
【纵深】zòngshēn 名〈軍〉作戦地域の縦方向の深さ
【纵使】zòngshǐ 接 たとえ… でも
【纵谈】zòngtán 動 書 気ままに語る. 自由に語る
【纵向】zòngxiàng 形 ❶縦の. 上下の ❷南北の

14 **粽**（△糉）**zòng** ちまき
【粽子】zòngzi 图 ちまき ‖ 肉～ 肉入りのちまき

zōu

7 **邹**（鄒）**zōu** 图 鄒(すう). 周代の国名. 現在の山東省鄒県付近にあった
8 **驺**（騶）**zōu** 古（貴族に仕えた）車馬をつかさどる役
10 **诹** **zōu** 書 相談する. 協議する ‖ ～访 諮問する
10 **陬** **zōu** 書 山麓(さんろく). 片隅
16 **鄹** **zōu** ❶春秋時代の魯国の地名. 現在の山東省曲阜(きょくふ)の東南にあった. 孔子の故郷 ❷〔邹zōu〕に同じ
16 **鲰** **zōu** 書 ❶ざこ. 小魚 ❷小さいさま. 人間がちっぽけで浅はかなさま

zǒu

7 ★**走** **zǒu** ❶走る ‖ 奔bēn～相告 駆け回って知らせる. 急ぎ知らせる ❷動 **歩く. 前に進む** ‖ ～着去 歩いて行く ❸動 **離れる. 出発する** ‖ 客人～了 客は帰っていった｜几点～？ いつでかけますか ❹動 婉（人が）この世を去る ❺動 **（物が）移動する. 動く.（物を）移動する. 動かす** ‖ 表～得很准 時計は正確に動いている ❻動 **漏れる. 漏らす** ‖ ～了消息 情報が漏れた ❼動 **元の形や状態から離れる. 変化する** ‖ 一～味儿 ❽動 通過する. 経由する ‖ ～这条路 この道を通る ❾動 **（親戚友人と）付き合う. 行き来する** ‖ 相互～～ 互いに行き来する

> **類義語** 走 zǒu 去 qù
>
> ◆〔走〕ある場所から離れていくことを表す. 後ろに場所を表す語や目的を表す動詞フレーズは置けない. 行く ‖ 时间不早了, 我们该走了 遅くなったので, おいとましなければ ◆〔去〕ある場所へ向かうことを表す. 目的地を表す場所目的語を置くことができる ‖ 去图书馆 図書館へ行く

【走板】zǒu//bǎn 動 ❶〈劇〉（伝統劇で）歌が伴奏からはずれる. 拍子が乱れる ❷（～儿）（話が）本題から離れる. 脱線する ‖ 他说话老～ 彼の話はいつも脱線する
【走笔】zǒubǐ 動 書 筆を走らせる. 速く書く
【走避】zǒubì 動 避ける. 逃避する
【走不动】zǒubudòng 動（体が弱って）歩けない ‖ 累得～了 疲れて歩けない
【走道】zǒudào 图 歩道. 通路
【走道儿】zǒu//dàor 動 口 歩く ‖ 他的腿有病, ～儿很困难 彼は足が悪いので歩くのが大変だ
【走低】zǒudī 動〈経〉（価格などが）下落する. 下がる
【走调儿】zǒu//diàor 動 調子がはずれる
【走动】zǒudòng 動 ❶歩く. 歩き回る. 体を動かす ‖ 为了身体健康, 每天到外面～～ 健康のため毎日外を歩き回る ❷行き来する. 交際する
【走读】zǒudú 動（自宅から）通学する ‖ ～生 通学生 ↔〔住读〕
*【走访】zǒufǎng** 動 訪問する. 訪れる ‖ 老师～了全班学生的家 先生はクラスの全生徒を家庭訪問した
【走风】zǒu//fēng 動 情報が漏れる
【走钢丝】zǒu gāngsī 組 ❶（雑技の一種）綱渡りをする ❷喩 危険なことをする. 綱渡りをする
【走高】zǒugāo 動〈経〉（価格などが）上昇する. 上がる
*【走狗】zǒugǒu** 图 手先. いぬ
【走过场】zǒu guòchǎng 組 お茶を濁す. 表面だけを取り繕って, その場を切り抜ける
【走红】zǒu//hóng 動 ❶幸運にめぐり合う. 運が向く. 〔走红运〕ともいう ❷人気が出る ‖ 这个歌星正～ この歌手はいま人気沸騰中である
*【走后门】zǒu hòumén**（～儿）組 コネで事を運ぶ. 裏工作をする ‖ 他～儿进了这家公司 彼はコネでこの会社に入った
【走火】zǒu//huǒ 動 ❶暴発する ❷漏電で発火する ❸失火する. 火事になる ❹喩 言葉が過ぎる. 度を越して言う ‖ 说着说着就～了 話をしているうちについ言い過ぎてしまった
【走火入魔】zǒu huǒ rù mó 組 我を忘れて熱中する. 何かにとりつかれたように夢中になる
【走江湖】zǒu jiānghu 組 旧 大道芸などをしながら各地を渡り歩く
*【走廊】zǒuláng** 图 ❶建物の間を結ぶ屋根付きの渡り廊下や建物のまわりを取り巻いている回廊 ❷〈地理〉回廊. 回廊地帯 ‖ 河西～ 河西回廊
*【走漏】zǒulòu** 動 ❶漏らす ‖ ～风声 情報を漏らす ❷（密輸などで）脱税をはかる ❸ごまかされる. 盗まれる
【走路】zǒu//lù 動 ❶歩く. 道を歩く ‖ 刚一岁, ～还不稳bùwěn 1歳になったばかりで, 足取りがまだおぼつかない ❷去る. 立ち去る
【走马灯】zǒumǎdēng 图 走馬灯. 回り灯籠(どうろう)
【走马看花】zǒu mǎ kàn huā 成 馬を走らせて花を見る. 大ざっぱに物事の表面のみを見るたとえ. 〔走马观花〕ともいう
【走马上任】zǒu mǎ shàng rèn 成 官吏が任地へ赴くこと
【走南闯北】zǒu nán chuǎng běi 成 あちこち歩き回る. 各地を遍歴する
【走强】zǒuqiáng 動 ❶〈経〉（価格などが）上がり気味である. 強含みである ❷勢いが伸びている ‖ 需求量～ 需要が伸びている
【走俏】zǒuqiào 形 好評で売れ行きがよい
【走亲戚】zǒu qīnqi 組 ❶親戚回りをする ❷親戚付き合いをする
【走禽】zǒuqín 图〈鳥〉走禽(そうきん)類
【走热】zǒurè 動 人気がある. 売れ行きがよい
【走人】zǒurén 動 口 去る. 立ち去る ‖ 他不愿意干, 就请他～ 彼にやる気がないのなら, やめてもらうしかない
【走软】zǒuruǎn ＝〔走弱zǒuruò〕
【走弱】zǒuruò 動 ❶〈経〉（価格などが）下がり気味である. 弱含みである ❷勢いが弱まってくる. 衰えつつある ‖ 出口势头～ 輸出の勢いが衰えてきている
【走色】zǒu//shǎi 動 色があせる
【走神儿】zǒu//shénr 動 注意力がなくなる. ぼんやりする. うっかりする
【走失】zǒushī 動 ❶迷子になる ‖ ❷もとの形や状態を失う. 変わる. 変質する ‖ 一经翻译, 便～了原作的韵yùn味儿 翻訳されて, 原作のもつ趣が失われてしまった
【走时】zǒushí 動（時計の）針が動く ‖ 手表～准确

Z

腕時計は正確に動いている
【走势】zǒushì 图 ❶成り行き. 趨勢(すうせい). 形勢 ❷〈地質〉走向
【走兽】zǒushòu 图 獣. けだもの ‖ 飞禽qín～ 鳥獣
【走水】zǒushui 图 幕やカーテンなどの上部についている装飾用のフリル
*【走私】zǒu//sī 動 密輸する ‖ ～文物 文化財を密輸する | ～货 密輸品
【走台】zǒu//tái 動 ❶(俳優が)舞台リハーサルを行う ❷(モデルが)ファッションショーのステージを演じる
【走题】zǒu//tí 動 (話が)本題からはずれる. 脱線する
【走投无路】zǒu tóu wú lù 成 行き詰まる. 八方ふさがりになる
*【走弯路】zǒu wānlù 慣 (勉強や仕事などで, やり方が不適切なため)回り道をする. むだに時間をかける
【走味儿】zǒu//wèir 動 味や香りが抜ける
*【走向】zǒuxiàng 動 …に向かう. …に向かって進む ‖ ～未来 未来に向かう 图〈地質〉走向
【走形】zǒu//xíng (～儿) 動 変形する. 型がくずれる
【走形式】zǒu xíngshì 組 うわべを取り繕う. 格好をつける
【走穴】zǒuxué 動 俳優が所属の劇団に無断で他の舞台に立つ
【走眼】zǒu//yǎn 動 見誤る. 見間違える ‖ 看～了 見誤った
【走样】zǒu//yàng (～儿) 動 もとの形を失う. 変わる. 変形する
【走运】zǒu//yùn 動 運が向く. 幸運に恵まれる ‖ 真～, 一下子就中zhòng了头奖tóujiǎng なんてついてるんだ, 一遍で1等賞に当たるなんて
【走账】zǒu//zhàng 動 帳簿につける. 記帳する
【走着瞧】zǒuzheqiáo 慣 覚えてろ. いまに見てろ ‖ 咱们～! 覚えていろよ
【走卒】zǒuzú 图 書 使い走り. 手先
【走嘴】zǒu//zuǐ 動 口を滑らせる ‖ 说走了嘴 口を滑らした

zòu

9 *奏 zòu ❶動 旧 上奏する. 臣下が君主に進言する ‖ 先斩zhǎn后～ 処刑してから上奏する. 事後に承諾を得る ❷功を奏する. 成し遂げる. やり遂げる ‖ 大～奇功 大いに功を現す ❸動 (楽器を)演奏する ‖ ～哀乐āiyuè 葬送曲を演奏する
【奏捷】zòujié 動 勝ちを得る. 勝利をかちとる
【奏凯】zòukǎi 動 凱歌を奏する. 優勝する
【奏鸣曲】zòumíngqǔ 图〈音〉奏鳴曲. ソナタ
【奏效】zòu//xiào 動 効き目が現れる
【奏乐】zòu//yuè 動 演奏する
12 *揍 zòu ❶動 口 (人を)殴る ‖ 爸爸～了他一顿 父親は彼をこっぴどく殴った | 挨ái～ 殴られる ❷動 方 割る. 壊す

zū

10 *租 zū ❶图 旧 地租. 年貢 ❷图 賃貸料. 借用料 ‖ 房～ 家賃 ❸動 代金を払って借りる. 賃借する ‖ ～了两间房子 二間借りた ❹動 代金をとって貸す. 賃貸する ‖ 房子已～出去了 家は人に貸してしまった
【租户】zūhù 图 借り主. 賃借人. 借家人
【租价】zūjià 图 賃貸料. 借用料
【租界】zūjiè 图 旧 租界
【租借】zūjiè 動 ❶借りる. 賃借する ❷賃貸する
【租借地】zūjièdì 图 旧 租借地
*【租金】zūjīn 图 賃借料. 賃貸料 ‖ ～昂贵ángguì 賃借料が高い
【租赁】zūlìn 動 ❶賃貸する ❷賃借する
【租用】zūyòng 動 賃借する. 代金を払って借りる
【租约】zūyuē 图 賃貸借契約
11 菹 zū 古 ❶ハクサイを発酵させて酸味を出した漬物の一種 ❷(肉や野菜を)みじん切りにする

zú

7 足[1] zú ❶(人の)足 ‖ 赤～ はだし ❷(器物の)足 ‖ 鼎dǐng～ かなえの足 ❸サッカー ‖ 一～球
7 *足[2] zú ❶形 十分である. 豊かである. 満ち足りている ‖ 分量fènliang不～ 量が足りない ❷充分な条件が備わる. …するに足る. (多く否定に用いる) ‖ 不～为凭píng 証拠とするに足りない ❸副 たっぷり. 十分に ‖ 这大西瓜～有二十斤 このスイカは優に10キロはある | 为了这件事, 我～～跑了两天 この件で私はまるまる2日駆けずり回った
【足本】zúběn 图 完全版の本. 削除や欠落のないテキスト
【足赤】zúchì 图 純金
【足够】zúgòu 動 足りる. 十分である ‖ 别着急, 时间～ 慌てるな, 時間は十分ある
【足迹】zújì 图 足跡
【足见】zújiàn 動 十分に分かる. 明らかである
【足金】zújīn 图 純金
★【足球】zúqiú 图〈体〉❶サッカー ❷サッカーのボール

> **外国の固有名詞** セリエAのチーム名 【インテル】…国际米兰队 【ウディネーゼ】…乌迪内斯队 【カターニャ】…卡塔尼亚队 【カリアリ】…卡利亚里队 【キエーヴォ】…切沃队 【サンプドリア】…桑普多利亚队 【ジェノア】…热那亚队 【チェゼーナ】…切塞纳队 【ナポリ】…那不勒斯队 【バーリ】…巴里队 【パルマ】…帕尔马队 【パレルモ】…巴勒莫队 【フィオレンティーナ】…佛罗伦萨队 【ブレシア】…布雷西亚队 【ボローニャ】…博洛尼亚队 【ミラン】…AC米兰队 【ユベントス】…尤文图斯队 【ラツィオ】…拉齐奥队 【ローマ】…罗马队

【足色】zúsè 形 (金あるいは銀の)純度が100パーセントである
【足岁】zúsuì 图 満年齢
【足坛】zútán 图 サッカー界 ‖ ～劲旅jìnglǚ サッカー界の強豪チーム
【足下】zúxià 图 翰 足下. 貴下
*【足以】zúyǐ 動 (…するに)足る ‖ 这些材料～证明我们的判断是正确的 これらの材料は私たちの判断が正しいことを十分に証明している
【足月】zúyuè 動 臨月になる ‖ 未～就生了 月足らずで生まれた

Z

8 **卒**[1] (△卒) zú ❶卒. 士兵 ‖ 无名小～ 無名の兵卒 ❷旧 下級の役人.(役所の)使い走り ‖ 走～ 使い走り

8 **卒**[2] (△卒) zú ❶終わる. 終える ‖ ～业 卒業する ❷死ぬ. 没する ‖ 生～年月 生没年月 ❸ついに. とうとう ➤ cù

【卒子】zúzi 名 (中国将棋の駒の一つ)卒(そつ)

11 * **族** zú ❶書 群がり集まる. 集合する ❷家族. 一族 ‖ 家～ 家族 ❸古 (刑罰の一つ)一族皆殺しの刑 ❹種族. 民族 ‖ 汉～ 漢民族 ❺(共通性による)事物や人の分類. 族 ‖ 工薪～ サラリーマン

【族谱】zúpǔ 名 一族の系譜. 家系図

【族权】zúquán 名 族長の権力. 家父長の権力

【族人】zúrén 名 一族の人. 一門の人

【族长】zúzhǎng 名 族長

16 **镞** zú 書 矢じり ‖ 箭jiàn～ 矢じり

zǔ

7 **诅** zǔ 書 のろう. 呪詛(じゅそ)する

【诅咒】zǔzhòu 動 書 のろう. 呪詛する. 罵る

7 **阻** zǔ 阻む. 妨げる. 遮る ‖ 劝～ 説得してやめさせる ｜ 风雨无～ 風雨でも決行する

*【阻碍】zǔ'ài 動 妨げる. 阻害する ‖ 自行车乱放～了交通 自転車を放置すると交通の妨げになる 名 障害. 妨げ. じゃまもの ‖ 遇到～ 障害にぶつかる

*【阻挡】zǔdǎng 動 阻止する. 妨げる. 阻む ‖ 历史的车轮不可～ 歴史の流れは押しとどめられない

【阻隔】zǔgé 動 隔てられる. 阻隔する

【阻击】zǔjī 動〈軍〉(敵の増援・攻撃などを)阻止する

【阻截】zǔjié 動 遮る. 阻止する. 妨げる

【阻绝】zǔjué 動 (障害や妨害のために)通過できない. 動けない

【阻抗】zǔkàng 名〈電〉インピーダンス

*【阻拦】zǔlán 動 押しとどめる. 阻止する. 止める ‖ 让他去, 不要～ 彼に行かせればいい, 止めるな

*【阻力】zǔlì 名 ❶〈物〉抵抗 ‖ 空气～ 空気抵抗 ❷抵抗. 障害 ‖ 克服～ 障害を克服する

*【阻挠】zǔnáo 動 阻む. 妨害する ‖ 百般～ ありとあらゆる手段で妨害する

【阻燃】zǔrán 動 燃えるのを防ぐ ‖ ～布 不燃布

【阻塞】zǔsè 動 ふさがる. ふさぎとめる

*【阻止】zǔzhǐ 動 阻止する. 食い止める. 止める ‖ ～他们蛮干mángàn 彼らの向こう見ずなやり方を阻む

8 *** **组** zǔ ❶動 (人や事物を)組織する. 組み合わせる ‖ 改～ 改組する ❷名 グループ ‖ 全班分成三个～ クラス全体を三つのグループに分ける ❸量 組やセットになったものを数える ‖ 一～电池 電池一組 ❹(関連性のある)一組の作品 ‖ 一～画

【组胺】zǔ'àn 名〈化〉ヒスタミン.〔组织胺〕ともいう

【组办】zǔbàn 動 組織し実行する

*【组成】zǔchéng 動 (いくつかの部分から)構成する ‖ 十五个人～一个班 15人で一つのグループを作る

【组队】zǔ//duì 名 チームを結成する. チームを組む ‖ ～参加比赛 チームを結成し試合に参加する

【组稿】zǔ//gǎo 動 原稿を依頼する

【组阁】zǔ//gé 動 組閣する

*【组合】zǔhé 動 組み合わせる. 構成する ‖ 这台文艺演出是由独唱、舞蹈、小品、相声xiàngshēng等节目～起来的 今回の演芸公演は, 独唱・舞踊・寸劇・漫才などの出し物によって構成されている 名 ❶組み合わせ. 構成 ❷〈数〉組み合わせ

【组合家具】zǔhé jiāju 名 ユニット家具

【组合音响】zǔhé yīnxiǎng 名 コンポーネントステレオ

【组画】zǔhuà 名 (同一のテーマで描かれた)一組の絵

【组建】zǔjiàn 動 (団体やチームを)組織し設立する

【组曲】zǔqǔ 名〈音〉組曲

【组团】zǔtuán 動 劇団や代表団を組織する

★【组织】zǔzhī 動 組織する. 結成する. まとめる ‖ ～大家去春游 みんなの参加を募って春のピクニックに行く 名 ❶組み立て. 構成 ‖ ～严密 構成がしっかりしている ❷織り ‖ 平纹～ 平織り ｜ 斜纹～ あや織り ❸〈生理〉(生物体の)組織 ‖ 肌肉jīròu～ 筋肉組織 ❹組織. 団体 ‖ 党～ (中国の)共産党組織 ｜ 恐怖kǒngbù～ テロ組織

【组织胺】zǔzhī'àn ＝〔组胺zǔ'àn〕

【组织生活】zǔzhī shēnghuó 名 (党や団体のメンバーによる)組織活動

【组装】zǔzhuāng 動 組み立てる ‖ ～车间 組み立て作業場

9 **俎** zǔ ❶古 祭祀(さいし)あるいは宴席で, 供物や食べ物をのせた台 ❷古 まないた

【俎上肉】zǔshàngròu 名 喩 まないたの上の肉. 運命を相手に握られた状態のたとえ. まないたの上の鯉

9 **祖** zǔ ❶祖先 ‖ 一～籍 ❷祖父母 ‖ 一～父 ｜ 外～父 (母方の)祖父. 外祖父 ❸事業や宗派の創始者. 始祖. 開祖 ‖ 鼻～ 鼻祖. 創始者

【祖辈】zǔbèi 名 祖先. 先祖

【祖产】zǔchǎn 名 先祖伝来の財産

【祖传】zǔchuán 動 先祖から伝わる ‖ ～秘方 先祖伝来の秘方

【祖坟】zǔfén 名 先祖代々の墓

*【祖父】zǔfù 名 (父方の)祖父

★【祖国】zǔguó 名 祖国 ‖ 热爱～ 祖国を熱愛する

【祖籍】zǔjí 名 原籍. 本籍

【祖居】zǔjū 名 先祖が居住した地あるいは建物 動 代々居住する ‖ ～北京 代々北京に住む

*【祖母】zǔmǔ 名 (父方の)祖母

【祖母绿】zǔmǔlǜ 名〈鉱〉エメラルド

【祖上】zǔshàng 名 祖先. 先祖

【祖师】zǔshī 名 ❶学派や流派の創始者. 開祖. 祖師 ❷〈仏〉宗派の創始者. 祖師 ❸旧 (手工業でその業種の)創立者. 創始者 ＊〔祖师爷〕ともいう

【祖孙】zǔsūn 名 祖父母と孫

*【祖先】zǔxiān 名 祖先. 先祖 ‖ 祭祀jìsì～ 祖先を祭る

【祖业】zǔyè 名 ❶祖先伝来の財産 ❷祖先が始めた事業

【祖宗】zǔzong 名 (一族の)祖先. 先祖. (広く)民族の祖先

【祖祖辈辈】zǔzǔbèibèi 名 先祖代々

zuān

10 *** **钻** (鑽 △鑚) zuān ❶動 (先のとがった物で)穴をあける ‖ ～孔 きりで穴をあける ❷動 突っ込んで研究する. 研鑽(けんさん)する ‖ ～学问 学問にいそしむ ❸動 突き抜ける. 入りこ

む‖～进被窝bèiwō 寝床に潜り込む ❹動 人に取り入る‖他很会～ 彼は人に取り入るのがうまい ➤ zuàn
【钻劲】zuānjìn （～儿）名 気構え. 心構え
【钻空子】zuān kòngzi 慣 すきに乗じて私利をはかる. 弱味につけ込む‖趁机chènjī～ 機に乗じて, うまい汁を吸う
【钻牛角尖】zuān niújiǎojiān （～儿）慣 つまらぬことに首を突っ込む. 〔钻牛角〕〔钻牛犄jī角〕ともいう
【钻探】zuāntàn 動〈鉱〉ボーリングをする
【钻心】zuānxīn 動（痛みなどが）鋭く感じられる. 骨身にこたえる‖伤口疼得～ 傷口がずきずき痛む
**【钻研】zuānyán 動 研鑽(けんさん)する‖刻苦～ 刻苦研鑽する
【钻营】zuānyíng 動 有力者に取り入って私利をはかる. うまく立ち回って得をしようとする
23 **蹿** zuān 自在に動き回る‖上～下～ あちこちに動き回る

zuǎn

19 **缵** zuǎn 古 跡を継ぐ. 継承する
20 **纂**（△篹❶）zuǎn ❶編纂(へんさん)する. 編集する‖编～ 編纂する ❷名（～儿）方（女性の）まげ
【纂修】zuǎnxiū 動 書 編纂する

zuàn

10 **钻**（鑽 △鑚）zuàn ❶名 きり. ドリル‖电 電気ドリル ❷名 ダイヤモンド. 金剛石‖一～石‖➤ zuān
【钻床】zuànchuáng 名〈機〉ボール盤
【钻机】zuànjī 名〈機〉ボーリング・マシーン ＝〔钻探机〕
【钻戒】zuànjiè 名 ダイヤモンドの指輪
【钻井】zuàn//jǐng 動（油井を）掘る
*【钻石】zuànshí 名 ❶（研磨した）ダイヤモンド‖～戒指 ダイヤの指輪 ❷工業用ダイヤモンド
【钻石婚】zuànshíhūn 名 ダイヤモンド婚. 〔金刚石婚〕ともいう
【钻塔】zuàntǎ 名〈鉱〉やぐら. ボーリング・タワー
【钻头】zuàntóu 名 ドリルビット
14 **赚** zuàn 動 方 だます ➤ zhuàn
23 **攥** zuàn 動 口 握る. 握りしめる‖～拳头quántou こぶしを握る

zuǐ

8 **咀** zuǐ 〔嘴〕の俗字 ➤ jǔ
13 **觜** zuǐ 〔嘴zuǐ〕に同じ ➤ zī
16 ★**嘴** zuǐ ❶名 口‖张～ 口を開ける｜亲～ キスをする ❷名（～儿）口のようなもの‖茶壶～儿 急須の注ぎ口｜奶～ 哺乳瓶(ほにゅうびん)の乳首 ❸（～儿）食べ物‖零～ おやつ ❹名 言葉. 話‖回～ 口答えをする｜贫～ 口数が多い
*【嘴巴】zuǐba 名 ❶横っ面. 頬. 〔嘴巴子〕ともいう‖给他个～ あいつにびんたを食わせる ❷口‖张开～ 口を開ける
【嘴笨】zuǐ//bèn 形 口下手である
【嘴边】zuǐbiān （～儿）名 口の端. 口元. 口先‖话到～又咽yàn回去了 言葉が口まで出かかったが, のみ込んでしまった
【嘴馋】zuǐ//chán 形 口が卑しい. （おいしいものに対し）意地汚ない. 食いしんぼうである
*【嘴唇】zuǐchún 名 唇‖上～ 上唇｜下～ 下唇
【嘴刁】zuǐ//diāo 形 ❶（食べ物に）好き嫌いがある ❷方 口がうまい. 口が達者である
【嘴乖】zuǐ//guāi 形 口（多く子供について）口が上手である. 口がおしゃまである
【嘴尖】zuǐ//jiān 形 ❶言葉がきつい. 口が悪い ❷（食べ物に）好き嫌いがある ❸味覚が鋭い
【嘴角】zuǐjiǎo 名 口元
【嘴紧】zuǐ//jǐn 形 口が堅い
【嘴快】zuǐ//kuài 形 口が軽い
【嘴脸】zuǐliǎn 名 貶 面(つら). 面構え. ご面相
【嘴皮子】zuǐpízi 名 口 貶 唇‖耍shuǎ～ 減らず口をたたく｜磨mó～ くどくどと言う
【嘴贫】【嘴频】zuǐ//pín 形 口数が多い. 話がくどい
【嘴软】zuǐ//ruǎn 形 強いことが言えない. 逆らえない‖吃了别人的东西～ 人にご馳走になったりすると, 強いことが言えなくなる
【嘴松】zuǐ//sōng 形 口が軽い
【嘴碎】zuǐ//suì 形 話がくどい. 口数が多い
【嘴损】zuǐ//sǔn 形 方 言葉がきつい. ひどいことを言う
【嘴甜】zuǐ//tián 形 口がうまい
【嘴头】zuǐtóu （～儿）名 方 口. 口先. 弁舌. 〔嘴头子〕ともいう
【嘴稳】zuǐ//wěn 形 もの言いが慎重である. 口が堅い
【嘴严】zuǐ//yán 形 口が堅い
【嘴硬】zuǐ//yìng 形 強情である‖他可真～, 明摆着míngbǎizhe输了, 还不承认 彼はほんとに強情だ, 負けはもう明らかなのに, まだ認めようとしない
【嘴直】zuǐ//zhí 形（話が）率直である. （話に）遠慮が「ない」

zuì

12 ★**最**（△冣 冣）zuì 副 最も. いちばん‖～受欢迎的歌星 最も人気のある歌手｜他～像他爸爸 彼がいちばんお父さん似だ

類義語 最 zuì 顶 dǐng

◆〔最〕一番である‖我们班里他最高 クラスの中で彼が最も背が高い ◆〔顶〕常識や通念と比較し, 程度がきわめて高い. 反駁(はんばく)や意外性のニュアンスをもつ‖（「果物は嫌いでしょう」と言われて）没有, 我顶喜欢吃水果了 いいえ, 果物はけっこう好きですよ ◆最大限度を表す場合, 言い換えられる‖最(顶)多再过两天就能结束 2日もあれば終えることができるでしょう

【最爱】zuì'ài 名 最愛の人や物. いちばんのお気に入り
★【最初】zuìchū 名 最初. 一番初め‖她～登上舞台是在上高中的时候 彼女が初めて舞台に立ったのは高校生の時だった
**【最好】zuìhǎo 副 いちばんいいのは…だ. できるだけ…したほうがよい‖～你亲自去一下 君が自分で行くのがいちばんいい

Z

★【最后】zuìhòu 名 最後．最終 ‖ 坚持到～ 最後まで頑張る
【最后通牒】zuìhòu tōngdié 名 最後通牒(つうちょう)．〔哀的美敦书〕ともいう ‖ 发出～ 最後通牒を出す
【最惠国待遇】zuìhuìguó dàiyù 名 最恵国待遇 ‖ 给以～ 最恵国待遇を与える
【最佳】zuìjiā 形 最もよい ‖ ～方案 最良のプラン
【最简式】zuìjiǎnshì 名〈化〉分子式 ＝〔实验式〕
★【最近】zuìjìn 名 ❶最近．近ごろ ‖ ～很忙 最近とても忙しい ❷近いうち．そのうち ‖ ～要出差 近いうちに出張しなければならない
【最为】zuìwéi 副 非常に．飛び抜けて
【最终】zuìzhōng 名 最後．結局
【最终产品】zuìzhōng chǎnpǐn 名〈経〉最終生産物．最終財

13
* 罪（△辠）zuì ❶名 罪．犯罪行為 ‖ 杀人～ 殺人罪 ❷刑．刑罰 ‖ 判～ (判決して)刑を言い渡す ❸名 苦しみ．苦難 ‖ 受～ ひどい目に遭う ❹過失．過ち ‖ 赔péi～ 過ちをわびる
【罪案】zuì'àn 名 犯罪事件の内容．罪状
【罪不容诛】zuì bù róng zhū 成 死刑でも償えないほど犯した罪が極悪非道である
【罪大恶极】zuì dà è jí 成 極悪非道である
*【罪恶】zuì'è 名 罪悪．悪業 ‖ ～昭彰zhāozhāng 罪状が明白である｜～滔天tāotiān 悪業を極める
*【罪犯】zuìfàn 名 犯人．罪人．犯罪人
【罪该万死】zuì gāi wàn sǐ 成 罪は万死に値する
【罪过】zuìguo 名 ❶罪．罪過．過ち ❷挨拶 すみません．恐れ入ります
【罪魁祸首】zuìkuí huòshǒu 名 悪事の張本人．悪の根源
*【罪名】zuìmíng 名 罪名 ‖ 罗织luózhī～ 罪名をでっち上げる
【罪孽】zuìniè 名 罪業 ‖ ～深重 罪業が深い
【罪人】zuìrén 名 罪人．犯罪者
*【罪行】zuìxíng 名 犯罪行為．犯行 ‖ 坦白tǎnbái～ 犯行を自白する
【罪业】zuìyè 名〈仏〉罪業(ざいごう)
【罪有应得】zuì yǒu yīng dé 成 当然の報いである
【罪责】zuìzé 名 ❶罪を犯した責任 ‖ ～难逃 罪の責任は逃れられない ❷書 処罰
【罪证】zuìzhèng 名 犯罪の証拠
【罪状】zuìzhuàng 名 罪状 ‖ 列举了他的～ 彼の罪状を列挙した

15
** 醉 zuì ❶動 酔う ‖ 他～了 彼は酒に酔った ❷酔いしれる．夢中になる．うっとりする ‖ 沉～ ひたる．おぼれる ❸酒をしみ込ませた(食品) ‖ ～枣zǎo 瓶に入れたナツメに〔白酒〕を吹きつけ，密閉し酒の香りをしみ込ませたもの
【醉鬼】zuìguǐ 名 貶 酔っぱらい．飲んだくれ．酔いどれ
【醉汉】zuìhàn 名 酔っぱらい．酒に酔った男
【醉话】zuìhuà 名 酒の上の言葉
【醉人】zuìrén 動 (酒が)人を酔わせる．酔いが回る 動 陶酔させる．うっとりさせる
【醉生梦死】zuì shēng mèng sǐ 成 酔生夢死(すいせいむし)．ぼんやりとなすところもなく一生を終えること
【醉翁之意不在酒】zuì wēng zhī yì bù zài jiǔ 成 酔翁の意は酒にあらず．真意は別のところにある
【醉乡】zuìxiāng 名 酔郷．酔いの境地 ‖ 沉入～ 酔って陶然としている
【醉心】zuìxīn 動 夢中になる．没頭する
【醉醺醺】zuìxūnxūn (～的) 形 酔っぱらっているさま
【醉眼】zuìyǎn 名 書 酔眼 ‖ ～蒙眬ménglóng 酔眼朦朧
【醉意】zuìyì 名 酔い．酔いの気分 ‖ 有了几分fēn～ 少し酔った

zūn

12
* 尊 zūn ❶古 酒つぼ．酒器の一種 ❷(地位や長幼の順が)高い．尊い ‖ 养～处chǔ优 高い地位と豊かな生活に身をおく ❸動 尊ぶ．尊敬する ‖ ～老爱幼 老人を尊敬し，子供をかわいがる ❹敬 相手に関係のある人または物につける ‖ ～夫人 ご令室｜～姓大名 ご尊名 ❺量 ①(仏像を数える)体 ‖ 一～佛像fóxiàng 仏像１体 ②(大砲を数える)門 ‖ 一～大炮dàpào 大砲１門
*【尊称】zūnchēng 動 敬意を込めて…と呼ぶ ‖ ～他为先生 敬意を込めて彼を先生と呼ぶ 名 尊称．敬称
【尊贵】zūnguì 形 尊敬に値する．高貴である ‖ ～的客人 尊敬すべき客
**【尊敬】zūnjìng 動 尊敬する．敬う ‖ 大家对他都很～ 誰もが彼に対してたいへん丁重である｜受～ 尊敬を受ける
【尊容】zūnróng 名 尊顔．お顔 (嫌悪やからかいの気持ちを込めて)顔つき
*【尊严】zūnyán 形 荘厳である ‖ ～的法庭 荘厳な法廷 名 尊厳 ‖ 民族的～ 民族の尊厳
【尊长】zūnzhǎng 名 目上の人 ‖ 目无～ 目上の人を眼中に置かない．不遜(ふそん)である
*【尊重】zūnzhòng 動 尊重する．重視する ‖ ～大家的意见 みんなの意見を尊重する 形 慎み深い ‖ 放～些 自重しなさい．(言動を)慎みなさい

15
遵 zūn 従う．…による ‖ ～纪守法 法規を遵守する
【遵从】zūncóng 動 従う ‖ ～上级指示 上司の指示に従う
【遵奉】zūnfèng 動 書 遵奉する．従い守る ‖ ～教诲jiàohuì 教戒を遵奉する
【遵命】zūnmìng 動 謙 命令どおりにいたします．かしこまりました
**【遵守】zūnshǒu 動 遵守する．守る ‖ ～纪律 規律を守る
【遵行】zūnxíng 動 遵奉する．従い守る
*【遵循】zūnxún 動 守り従う ‖ ～平等互惠的原则 平等互恵の原則に従う
*【遵照】zūnzhào 動 守り従う ‖ ～有关规定办理 関係の規則どおりに処理する

16
樽（△罇）zūn 古 酒器の一種．酒つぼ

20
鳟 zūn 名〈魚〉マス．ふつうは〔鳟鱼〕という

zǔn

15
撙 zǔn 動 書 節約する．倹約する ‖ ～节 節約する

Z

zuō

7 **作** zuō 作業場．小規模な手工業の工場 ‖ 石～ 石工の作業場 ➤ zuò

【作坊】zuōfang 图（手工業の）工場．仕事場

15 **嘬** zuō 動（唇をすぼめて）吸う ‖ ～奶 乳を吸う｜～手指头 指をしゃぶる ➤ chuài

zuó

7 **作** zuó ➤ zuō zuò

9 **昨** zuó ❶きのう ‖ ～夜 昨夜 ❷書 過去．以前

【昨儿】zuór 图口 きのう．〔昨儿个〕ともいう

【昨日】zuórì 图 昨日

★**【昨天】zuótiān** 图 **きのう．昨日**

11 **筰** zuó 竹の細いひごをよりあげた縄．竹縄 ➤ zé

12 **琢** zuó ↴ ➤ zhuó

*【琢磨】zuómo** 動 思案する．考慮する．よく考える ‖ 这事儿我～了好几天 この件について私は何日間も思案した ➤ zhuómó

zuǒ

5 ★**左** zuǒ ❶图 左 ↔〔右〕‖ →～手 ❷東 ↔〔右〕‖ 山～ 山の東側｜江～ 長江の東部．主として江蘇省をさす ❸書 低い方の地位 ‖ ～迁qiān 左遷する ❹形 よこしまである．まともでない ‖ 旁门～道 異端．邪道 ❺形 間違っている ‖ 想～了 思い違いをした ❻相反する．逆である ‖ 意见相～ 意見が正反対である ❼付近．そば ‖ →～邻右舍 ❽形（政治・思想・学術上で）進歩的である．革命的である．左翼の ↔〔右〕‖ →～派

【左膀右臂】zuǒbǎng yòubì 慣 有能な部下．最も頼みとする部下

⁂**【左边】zuǒbian**（～儿）图 **左側．左の方**

【左道旁门】zuǒ dào páng mén 成 邪道．異端

【左顾右盼】zuǒ gù yòu pàn 成 ❶左右を見回す．あたりをきょろきょろ見回す ❷右顧左眄（うこさべん）する．周囲を気にして迷う

【左近】zuǒjìn 图 付近．近く

【左邻右舍】zuǒ lín yòu shè 成 隣近所

【左轮】zuǒlún 图〈軍〉リボルバー．回転式拳銃

【左面】zuǒmiàn 图 左側．左の方

【左派】zuǒpài 图 左派

【左撇子】zuǒpiězi 图 左ききの人 ‖ 他是个～ 彼は左ききだ

【左倾】zuǒqīng 形 左傾している ‖ 思想～ 思想が左傾している

【左手】zuǒshǒu 图 ❶左手 ❷＝〔左首zuǒshǒu〕

【左首】zuǒshǒu（～儿）图（座席の）左側．〔左手〕とも書く

【左舷】zuǒxián 图（船の）左舷（さげん）．（飛行機の）左側

【左翼】zuǒyì 图 ❶〈軍〉左翼．左陣 ❷（政治・思想上の）左翼

⁂**【左右】zuǒyòu** 图 ❶左右 ❷身辺．身のまわり ‖ 保镖bǎobiāo紧随其～ 用心棒が左右に付き従う ❸そば近く仕える者．側近 ‖ 吩咐fēnfu～上菜 側近に言いつけて料理を運ばせる ❸**くらい．ほど** ‖ 二十岁～ 20歳ぐらい｜五点～ 5時ごろ 動 左右する．支配する ‖ 市场的供求gōngqiú～着物价 市場での需給関係が物価を左右している

> **類義語** 左右 zuǒyòu 上下 shàngxià
>
> ◆ともに大体の数量を表す．数量表現の後ろに用いる ◆〔上下〕は〔左右〕に比べ，使用範囲が狭く，時間にはまったく使えない ‖ 晚上九点左右（× 上下） 夜9時ぐらい ◆距離の場合，水平方向の距離には〔上下〕は使えないが，垂直方向の距離，つまり高さや深さには〔上下〕も使える．〔左右〕にはこうした制限はない ‖ 从这儿到那儿有1百米左右（× 上下） ここからあそこまで100メートルぐらいある｜这儿海拔1百米左右（上下） ここは海拔100メートルぐらいだ

【左右逢源】zuǒ yòu féng yuán 成 万事順調に運ぶ

【左右开弓】zuǒ yòu kāi gōng 成 両方の手を交互に使う．同時に二つの仕事を行う

【左右手】zuǒyòushǒu 图 片腕．信頼できる補佐役

【左右为难】zuǒ yòu wéi nán 成 板挟みになる．進退窮まる

【左证】zuǒzhèng ＝〔佐证zuǒzhèng〕

【左支右绌】zuǒ zhī yòu chù 成 こちらに力を入れると，向こうが手薄になる．対処しきれないたとえ

7 **佐** zuǒ ❶補佐する．助ける ‖ 辅～ 補佐する ❷補佐役 ‖ 官～ 将校

【佐餐】zuǒcān 動 おかずになる 图 おかず

【佐证】zuǒzhèng 图 証左．証拠．証し．〔左证〕とも書く

15 **撮** zuǒ 量（～儿）（毛髪を数える）一つまみ ‖ 一～儿头发 一つまみの頭髪 ➤ cuō

zuò

7 ★**作** zuò ❶製造する．労働する ‖ 深耕gēng细～ 深く耕し，丹精して作る ❷出現する．興る ‖ 振～ 奮い起こす｜风雨大～ 風雨が吹き荒れる ❸動（ある種の活動を）**行う** ‖ ～报告 報告をする｜～斗争 闘う ❹動 …**と見なす** ‖ 认贼～父 敵を味方と取り違える ❺動 **創作する．著作する** ‖ ～诗shī 詩を作る｜～画 絵を描く ❻作品 ‖ 大～ 大著．貴著 ❼わざとある表情や様子をして見せる ‖ 装聋lóng～哑yǎ 言わざる聞かざるを決め込む．知らぬふりをする ➤ zuō

*【作案】zuò//àn** 動 犯罪を犯す ‖ 小偷在～时被当场抓住zhuāzhù了 こそ泥が現行犯で逮捕された

【作罢】zuòbà 動 やめる．取りやめる

【作保】zuò//bǎo 動 保証人になる ‖ 请他～ 彼に保証人になってもらう

【作弊】zuò//bì 動 インチキをする．不正をはたらく ‖ 考试～ カンニングをする

【作壁上观】zuò bì shàng guān 成 高見の見物をする

【作别】zuòbié 動書 別れを告げる．離別する

【作答】zuòdá 動 答える．返事をする

【作对】zuò//duì 動 ❶対立する．敵対する ‖ 他总跟

我～ 彼はいつも私に敵対する ❷配偶者になる

【作恶】zuò∥è 動 悪事をはたらく ‖ ～多端duōduān 多くの悪事を重ねる

*【作法】[1] zuò∥fǎ 動 旧 (道士が)術を施す

*【作法】[2] zuòfǎ 名 ❶文章の作り方 ‖ 文章～ 文章作法 ❷やり方．方法 ‖ 错误的～ 誤った方法

【作法自毙】zuò fǎ zì bì 成 自分が決めたことで自分が害を受ける．自業自得

*【作废】zuò∥fèi 動 無効にする ‖ 过期～ 期限が過ぎたら無効になる

*【作风】zuòfēng 名 作風．仕事のやり方や生活の仕方 ‖ 生活～ 生活態度(多く男女関係など風紀の乱れについていう) | 官僚主义～ 官僚主義的なやり方

【作风问题】zuòfēng wèntí 名 男女間の問題．男女関係

【作梗】zuògěng 動 妨げる．妨害する ‖ 从中～ 間に入ってじゃま立てする

【作古】zuò∥gǔ 動 書 婉 亡くなる

【作怪】zuòguài 動 災いする．邪魔をする

【作家】zuòjiā 名 作家 ‖ 著名～ 著名な作家

【作假】zuò∥jiǎ 動 ❶似せる．偽る．ごまかす ‖ 弄虚～ インチキをして人をだます ❷猫をかぶる．体裁をつくろう．かしこまる

【作价】zuò∥jià 動 値段をつける．値踏みする

【作奸犯科】zuò jiān fàn kē 成 法に触れる悪事をする

【作茧自缚】zuò jiǎn zì fù 成 蚕が自分で糸を吐いて作った繭(まゆ)の中にこもる．自縄自縛に陥る

【作践】zuòjian 動 口 損なう．壊す．大切にしない

【作客】zuò∥kè 動 書 招かれて訪問する．他郷に一時寄留する ‖ 到朋友家作客 友人の家に招かれる

【作乐】zuòlè 動 楽しむ．楽しみごとをする

【作料】zuòliao 名 調味料．薬味

【作乱】zuòluàn 動 謀反を起こす

【作美】zuòměi 動 人の願いに手を借す．願いをかなえる ‖ 天公不～ あいにく天気がよくない

【作难】zuònán 動 当惑する．困る．困らせる

【作孽】zuò∥niè 動 罰当たりなことをする．罪作りなことをする

【作弄】zuònòng 動 からかう．ふざける

【作呕】zuò'ǒu 動 吐き気を催す．胸がむかつく ‖ 令人～ 吐き気を催させる

【作陪】zuòpéi 動 陪席する．お付き合いする

【作品】zuòpǐn 名 作品 ‖ 文艺～ 文芸作品

【作色】zuòsè 動 色をなす．(怒りに)顔色を変える

【作数】zuò∥shù 動 数のうちに入れる．有効とする

【作死】zuòsǐ 動 方 自分から死を求める

【作祟】zuòsuì 動 災いする．害をなす

【作态】zuòtài 動 わざと…する．しなをつくる ‖ 扭捏niǔnie～ わざともじもじする

【作痛】zuòtòng 動 痛む ‖ 伤口隐隐yǐnyǐn～ 傷口がしくしく痛む

【作威作福】zuò wēi zuò fú 成 尊大ぶって権力を濫用する

【作为】[1] zuòwéi 名 ❶行為．仕業 ❷成績．業績 ‖ 他是个很有～的年轻人 彼は非常に優秀な若者だ

【作为】[2] zuòwéi 動 ❶…とする．…と見なす ‖ 我把每天骑车上班～一种锻炼 私はトレーニングのつもりで毎日自転車で出勤している ❷…として．…の身として ‖ ～好朋友，我要劝你几句 親友として，君に忠告しておく

【作伪】zuòwěi 動 (美術品や著作を)贋作(がんさく)する

【作文】zuò∥wén 動 作文する．文章を書く 名 (zuòwén)作文 ‖ 一篇～ 1編の作文

*【作物】zuòwù 名 作物 ‖ 经济～ 経済作物

【作息】zuòxī 動 仕事をしたり休憩したりする ‖ 按时～ 定刻に休憩し，時間どおりに労働する

【作秀】zuò∥xiù 動 ❶(演劇・音楽・ショーなどを)上演する．演じる ❷(販売・選挙などの)宣伝活動を行う ❸わざとやって見せる．演じて見せる ＊〔秀〕は英語showの音訳．〔做秀〕とも書く

★【作业】zuòyè 名 ❶宿題 ‖ 留～ 宿題を出す | 做～ 宿題をする ❷活動．作業 ‖ 高空～ 高所作業 動〈軍〉演習をする．作業をする

【作揖】zuò∥yī 動 一方の手のこぶしをもう一方の手で包むようにして肘(ひじ)をあげ，上半身を少し曲げて挨拶する

【作俑】zuòyǒng 動 悪事を率先して行う．悪例を作る

【作用】zuòyòng 動 影響を及ぼす．作用する ‖ 这种药可以直接～于中枢zhōngshū神经 この薬は直接中枢神経に作用する 名 ❶作用 ‖ 光合～ 光合成 ❷効果．働き ‖ 充分发挥了～ 十分効力を発揮した ❸方 意図．動機

*【作战】zuòzhàn 動 戦闘をする ‖ 顽强wánqiáng地～ 頑強に戦う

【作者】zuòzhě 名 作者．筆者．著者 ‖ ～自序zìxù 作者自序．著者前書き

【作证】zuò∥zhèng 動 ❶証拠とする ❷証言する．証人になる ‖ 出庭～ 法廷で証言する

*【作主】zuò∥zhǔ 動 自分の一存で決める．責任をもって処置する ‖ 这事我作不了主 この件は私の一存では決定しかねる

[7] **阼 zuò** 古 広間の前の東のきざはし．主人が客を迎える所

[7] ★**坐 zuò** ❶動 座る．腰をおろす ‖ 他～在第一排 彼は第1列に座っている | 有时间到我家～～ 暇があったら，うちへ遊びにきてください ❷書 罪を得る ‖ ～死罪 死刑になる ❸書 …によって．…のために ‖ ～此失彼 これによりあれを失う ❹つかさどる．主宰する ‖ 一～庄 ❺動 (乗り物に)乗る ‖ ～火车 列車に乗る | ～飞机 飛行機に乗る ❻動 (建物がある方向を)背にする ‖ 这座楼～北朝南 この建物は南向きに建っている ❼動 (鍋などを)火にかける ‖ ～壶水吧 やかんを火にかけてちょうだい ❽動 方 (病気などに)なる ❾動 方 (ウリや果物が)なる．実る ❿動 (建物の基礎が悪く)沈下する．後退する

類義語 坐 zuò 蹲 dūn

◆〔坐〕尻を密着させて座る ‖ 坐在椅子上 椅子に腰かける ◆〔蹲〕尻を浮かせたまま，腰を下ろす ‖ 在路边儿蹲着下棋 道ばたでしゃがんで将棋を指している

【坐班】zuò∥bān 動 毎日，職場に出て勤務する ‖ ～制 内勤制度

【坐标】zuòbiāo 名〈数〉座標 ‖ 天球～ 天球座標

【坐不住】zuòbuzhù 動 じっとしていられない ‖ 这孩子太好hào动，一分钟也～ この子は動き回るのが大好きで，1分間といえどもじっとしていられない

【坐禅】zuòchán 動〈仏〉座禅を組む

【坐车】zuò∥chē 動 (バスやタクシーなどの)車に乗る

Z

類義語 坐车 zuòchē　乘车 chéngchē　搭车 dāchē　骑车 qíchē　上车 shàngchē

◆〔坐车〕車に乗る‖我每天坐车上班　私は毎日バスで通勤している　◆〔乘车〕広く乗り物に乗る．よく書き言葉に用いる‖乘车难是个老大难问题　足の確保は非常に厄介な問題だ　◆〔搭车〕〔坐车〕〔乘车〕の意味をもつほか，団体や個人所有の車に同乗する意味によく用いる‖我搭您的车行吗？　あなたの車に乗せていただいてもよろしいですか　◆〔骑车〕自転車やバイクなど，またがって乗るものに乗る　◆〔上车〕車内に乗り込む動作をさす．乗車する‖他上车后才发现坐错车了　彼は乗ってから，乗り間違えたことに気付いた

【坐吃山空】 zuò chī shān kōng [成] 座して食らわば山も空(むな)し．怠けていればどんなに財産があってもなくなってしまう
【坐次】 zuòcì ＝〔座次zuòcì〕
【坐待】 zuòdài [動] 何もしないでただ待っている．手をこまぬいて待つ
【坐等】 zuòděng ＝〔坐待zuòdài〕
【坐地分赃】 zuò dì fēn zāng [成] (盗賊の首領が)手下に盗ませた物の上前をはねる．[転] 上前をはねる
【坐垫】 zuòdiàn (～儿) [名] 座席に敷くもの．座布団
【坐骨神经】 zuògǔ shénjīng [名]〈生理〉座骨神経
【坐观成败】 zuò guān chéng bài [成] 他人の成功・失敗を傍で見ている
【坐化】 zuòhuà [動]〈仏〉(僧が)座禅を組んだまま死ぬ
【坐江山】 zuò jiāngshān [組] 政権の座に就く．天下をとる
【坐井观天】 zuò jǐng guān tiān [成] 井戸の底に座って天を見る．井の中の蛙
【坐蜡】 zuò∥là [動][方] ほとほと困る．にっちもさっちも行かない
【坐牢】 zuò∥láo [動] 刑務所に入る‖他因贪污坐了十年牢　彼は汚職の罪で10年間，刑務所に入っていた
【坐冷板凳】 zuò lěngbǎndèng [慣] 冷や飯を食わされる．仕事を干される
【坐立不安】 zuò lì bù ān [成] いたたまれない．不安でそわそわする
【坐落】 zuòluò [動] (建物がある場所に)位置する
【坐骑】 zuòqí [名] 乗馬用のウマ．(広く)騎乗用の家畜
【坐山观虎斗】 zuò shān guān hǔ dòu [成] 山の上に座って虎が闘うのを見る．横で静観しておいて，利益を横取りする
【坐视】 zuòshì [動] 座視する．傍観する‖～不救　そばで見ていながら助けようとしない
【坐收渔利】 zuò shōu yú lì [成] 居ながらにして漁夫の利を収める．他人の争っているすきに利益を横取りすること
【坐堂】 zuò∥táng [動] ❶[旧] 事件を審理する ❷〈仏〉座禅を組む ❸店員が店に立つ．漢方薬店の医者が患者を診る
【坐位】 zuòwei；zuòwèi ＝〔座位zuòwei〕
【坐卧不安】 zuò wò bù ān [成] 居ても立ってもいられない．そわそわして落ち着かない
【坐席】 zuòxí [動] 宴席に着く．宴会に出る [名] 座席
【坐享其成】 zuò xiǎng qí chéng [成] 自分は何もせず他人の成果でうまい汁を吸う
【坐像】 zuòxiàng [名] 座像
【坐以待毙】 zuò yǐ dài bì [成] 何もしないでただ死を待つ
【坐月子】 zuò yuèzi [組][口] 産褥(さんじょく)期を過ごす．産後の休養をとる
【坐镇】 zuòzhèn [動] (指導者が)現場や第一線に出向いて陣頭指揮をとる‖～指挥　陣頭で指揮をとる
【坐庄】 zuòzhuāng [動] ❶原地に駐在して買い付けをする ❷(マージャンで)連続して親になる

8 **怍 zuò** [書] 恥じる‖惭cán～　慚愧(ざんき)する．恥じ入る｜愧kuì～　恥じ入る

9 **祚 zuò** [書] ❶福．福運 ❷皇帝の位．帝位‖践jiàn～ (皇太子が)帝位を受け継ぐ．践祚(せんそ)する

9 **柞 zuò** ❶サクボク．クスドイゲ．ふつうは〔柞木〕という ❷クヌギ．ふつうは〔柞树〕といい，〔栎树〕の通称 ➤ zhà

9 **胙 zuò** [古] 祭祀(さいし)のときに供えた肉

10 ★**座 zuò** ❶[名] (～儿) 座席‖让～　席を譲る ❷星座‖小熊～　小熊座 ❸[名] (～儿) 台座．器具を載せる台‖花盆～　花台 ❹[量] どっしりと大きく動かないものを数える‖一～山　一つの山｜两～大楼　2棟のビル ❺[旧] 高級官吏や司令官に対する敬称‖军～　軍司令官｜局～　局長

類義語 座 zuò　所 suǒ

◆〔座〕比較的大型で，固定したものを数える‖两座高楼　二つのビル｜三座铜像　三つの銅像　◆〔所〕家屋を数える．また，関連ある施設を一まとまりとして学校や病院などを数える‖两所房子　2軒の家｜一所大学　一つの大学

【座舱】 zuòcāng [名] (飛行機の)客席
【座次】 zuòcì [名] 席順．席次．〔坐次〕とも書く‖安排～　席順を決める
【座号】 zuòhào [名] 座席番号．シートナンバー
【座机】 zuòjī [名] 自家用飛行機
【座上客】 zuòshàngkè [名] 正面席に座る客．貴賓．(広く)招待客
***【座谈】** zuòtán [動] 座談する‖～会　座談会
***【座位】** zuòwei；zuòwèi [名] ❶席．座席‖我们俩的～紧挨着āizhe　私たち二人の席は隣り合わせである ❷(～儿) 座るもの．椅子．腰掛け ＊〔坐位〕とも書く
【座无虚席】 zuò wú xū xí [成] 空いた席が全くない．満席である
*【座右铭】** zuòyòumíng [名] 座右の銘
【座钟】 zuòzhōng [名] 置き時計
【座子】 zuòzi [名] ❶台座 ❷(自転車やオートバイの)サドル

10 **唑 zuò** 音訳字‖咔kǎ～　カルバゾール｜噻sāi～　チアゾール

11 ★**做 zuò** ❶[動] (仕事や活動を)する．携わる‖你～什么工作？　あなたはどんな仕事をしているのですか ❷[動] 作る．造る‖饭～好了　食事ができ上がった｜这是用塑料～的　これはプラスチック製である ❸[動] 文章を書く‖～文章　文章を書く ❹[動] 催す．挙行する‖～生日 ❺[動] …を務める．…になる‖～翻译　通訳になる｜～保证人　保証人になる ❻[動] ある関係を結ぶ‖～夫妻　夫婦になる｜～对头　敵同士となる ❼[動] …とする．…に用いる‖这篇小说可以～教材　この小説は教材として使うことができる ❽…

Z

のふりをする．…を装う‖～样子 ふりをする．それらしい様子をしてみせる

類義語 做 zuò 干 gàn 搞 gǎo 办 bàn
◆ともに何かを行う意味を表す ◆〔做〕一般的に「…をする」意味に用いる‖做(搞)买卖 商売をする｜做(干, 搞)工作 仕事をする ◆〔干〕積極的に，あるいは勢いよく行う．よく話し言葉に用いる‖干(做)活儿 仕事をする｜埋头苦干 わき目もふらず夢中で打ち込む ◆〔搞〕もともとは，〔做〕とほぼ同じ意味で使われた西南地方の方言．積極的な語感があり，いろいろな動詞の代わりに用いて，熟語化したものも多い．よく話し言葉に用いる‖搞卫生 清潔にする｜搞对象 結婚相手を探す ◆〔办〕(必要なことを)処理する‖办手续 手続きをする｜办喜事儿 結婚式をする

【做爱】zuò'ài 動 セックスをする
【做伴】zuò//bàn (～儿) 動 お供をする．付き添う‖寂寞jìmò的时候，她常来跟我～ 私が寂しいとき，彼女はいつもやって来て私の相手をしてくれる
【做操】zuò//cāo 動 体操をする
【做东】zuò//dōng 動 主人役になる．おごる‖今天我～ 今日は私がおごろう
＊＊【做法】zuòfa；zuòfǎ 名 **作り方．やり方．方法**
＊【做工】zuò//gōng 動 (工場などで)働く．肉体労働に従事することをいう‖～养家 働いて家族を養う 名 (zuògōng) (～儿)仕立て．縫製‖～细 仕立てが丁寧である
【做官】zuòguān 動 役人になる．管理職になる
【做鬼】zuò//guǐ (～儿) 動 悪巧みをする．インチキをする
【做鬼脸】zuò guǐliǎn (～儿) 組 舌を出したりしかめっ面をしたりなど，人をばかにした表情をする
【做活儿】zuò//huór 動 仕事をする．働く．多く肉体労働をさす
＊＊【做客】zuò//kè 動 **客として人の家を訪れる．客となる**‖去朋友家～ 友人の家を訪れる
【做礼拜】zuò lǐbài 組〈宗〉礼拝を行う．礼拝する
【做买卖】zuò mǎimai 組 商売をする
【做满月】zuò mǎnyuè 組 生後ひと月の祝いをする
【做媒】zuò//méi 動 旧 媒酌をする
＊＊【做梦】zuò//mèng 動 ❶**夢をみる**‖一夜老～，没睡好 一晩中夢ばかりみてよく眠れなかった｜做噩梦èmèng 怖い夢をみる ❷**幻想にふける**‖别～了！ 夢みたいなことばかり考えるな
【做圈套】zuò quāntào 慣 人を陥れる．わなをかける
【做人】zuò//rén 動 ❶人と協調してやっていく．世に処して行く‖她很会～ 彼女はとても人付き合いがうまい ❷ちゃんとした人間になる‖重新～ 真人間に生まれ変わる
【做生日】zuò shēngri 組 誕生日を祝う‖家里人为他～ 家族で彼の誕生祝いをする
【做生意】zuò shēngyi 組 商売をする．商いをする
【做声】zuò//shēng (～儿) 動 (話したりせきをしたりして)音を立てる．声を立てる‖别～ 声を立てるな
【做事】zuò//shì 動 ❶ある事をする．ある事を処理する．仕事をする‖他～认真 彼はまじめに事に当たる ❷(一定の場所で)働く．勤務する‖在哪儿～都不容易 どこに勤めようとそんなに仕事は楽じゃない
【做手脚】zuò shǒujiǎo 慣 策を施してひそかに不正行為をはたらく
【做寿】zuò//shòu 動 (多くは老人のために)誕生日のお祝いをする‖给父亲～ 父の誕生祝いをする
【做文章】zuò wénzhāng 慣 (ある事柄や事件をとらえて)ことさらに取りざたする．あげつらう
【做戏】zuò//xì 動 芝居をする．演技をする
【做秀】zuòxiù ＝〔作秀zuòxiù〕
【做学问】zuò xuéwen 組 学問研究に従事する
【做贼心虚】zuò zéi xīn xū 成 悪事をはたらけば，心はいつも不安である
【做针线】zuò zhēnxian 組 針仕事をする
【做主】zuò//zhǔ 動 一存で決める．責任をもって決める
【做作】zuòzuo 形 わざとらしい．作為的である‖那个演员表演太～ あの俳優の演技はあまりにわざとらしい

12 **凿**(鑿) zuò ➤ záo

12 **酢** zuò ➡〔酬酢chóuzuò〕 ➤ cù

日中辞典

KODANSHA PAX **RI-ZHONG CIDIAN**

あ

あ

ああ【嗚呼】❶〔感動・驚きなど〕啊ā；哦ò；哎呀āiyā；哎哟āiyō‖～,わかった 哦,我明白了！｜～忙しい 哎呀,忙死了！｜～びっくりした 哎哟,吓死我了！ ❷〔同意〕啊à；对duì

ああ 那么nàme；那样nàyàng‖～忙しくては休む暇もないはずだ 那么忙,哪有时间休息呢｜～言えばこう言う 你说东他说西；㊜强词夺理

アーケード 拱廊gǒngláng ✤一街:拱廊街

アース 地线dìxiàn

アーチェリー 射箭shèjiàn

アーモンド〔粒,个〕杏仁xìngrén

アール（単位）公亩gōngmǔ

あい【愛】爱ài；爱情àiqíng

あい【藍】（色）深蓝色shēnlánsè.（染料）蓝靛lándiàn‖青は～より出でて～より青し ㊜青出于蓝(而胜于蓝)

あいいれな・い【相容れない】互不相容hù bù xiāngróng‖時勢と～い 与时代潮流格格不入

アイ エム エフ【IMF】国际货币基金组织Guójì Huòbì Jījīn Zǔzhī

アイ エル オー【ILO】国际劳工组织Guójì Láogōng Zǔzhī

アイ オー シー【IOC】国际奥林匹克委员会Guójì Àolínpǐkè Wěiyuánhuì

あいかぎ【合い鍵】❶〔複製〕备用钥匙bèiyòng yàoshi‖～をつくる 配钥匙 ❷〔マスターキー〕万能钥匙wànnéng yàoshi

あいかわらず【相変わらず】照旧zhàojiù；仍旧réngjiù‖彼は～だ 他还是老样子

あいがん【哀願】（～する）哀求āiqiú

あいがん【愛玩】（～する）观赏guānshǎng；玩赏wánshǎng ✤一動物:宠物

あいきょう【愛嬌】魅力mèilì；可爱之处kě'ài zhī chù‖～がある〔ない〕 招人〔不招人〕喜欢；很〔不〕可爱

あいこ【愛顧】（～する）光顾guānggù；惠顾huìgù‖長年のご～に感謝します 感谢多年来的惠顾

あいご【愛護】（～する）爱护àihù ✤動物一協会:动物保护协会

あいこくしん【愛国心】爱国心àiguóxīn

あいことば【合い言葉】❶〔合図〕口令kǒulìng ❷〔スローガン〕口号kǒuhào；标语biāoyǔ

アイコン 图标túbiāo

あいさい【愛妻】爱妻àiqī ✤一家:模范丈夫

あいさつ【挨拶】（～する）❶〔応対の言葉や動作〕寒暄hánxuān；招呼zhāohu；问候wènhòu‖初対面の～を交わす 互相做自我介绍｜～をする 打招呼；问候 ❷〔公の席で話す〕致词zhìcí‖一言ご～申しあげます 我来讲几句吧 ✤一状:致敬信｜一回り:四处拜访

アイ シー【IC】集成电路jíchéng diànlù ✤一カード:IC卡

アイシーユー【ICU】重症监护病房zhòngzhèng jiānhù bìngfáng

アイシャドー 眼影yǎnyǐng‖～をつける 涂眼影

あいしゅう【哀愁】忧愁yōuchóu；哀愁āichóu

あいしょう【相性】‖彼とは～がいい〔悪い〕 跟他合得来〔合不来〕

あいじょう【愛情】爱ài；爱情àiqíng‖～を抱く 心怀恋慕之情｜～を注ぐ 倾注爱心

あいじん【愛人】情人qíngrén；第三者dìsānzhě；二奶èrnǎi

あいず【合図】（～する）(打)信号(dǎ) xìnhào；(打)手势(dǎ) shǒushì；暗示ànshì‖ひそかに～を送る 暗中示意｜目で～する 用眼神暗示

アイスキャンデー 冰棍儿bīnggùnr

アイス クリーム 冰激凌bīngjilíng；冰淇淋bīngqílín

アイス コーヒー 冰咖啡bīng kāfēi

アイススケート 滑冰huábīng

アイス ティー 冰红茶bīng hóngchá

アイスノン 冰枕bīngzhěn

アイス ホッケー 冰球bīngqiú

アイスランド 冰岛Bīngdǎo

あい・する【愛する】❶〔人間を〕爱ài；喜欢xǐhuan；爱慕àimù‖わが子を～する 爱自己的孩子｜～しあう 相爱 ❷〔事物を〕爱ài；爱好àihào‖国を～する 爱国

あいせき【哀惜】（～する）惋惜wǎnxī；哀痛āitòng‖～の念に堪えない 不胜悲痛

あいせき【相席】（～する）拼桌pīn zhuō‖ご～でお願いします 请拼桌就餐

あいそう【愛想】❶〔親切・温かみ〕热情rèqíng；亲切qīnqiè‖～よくもてなす 热情接待 ❷〔好意〕好心hǎoxīn；好意hǎoyì‖～が尽きる 烦透｜～を尽かす 讨厌 ❸〔お世辞〕客套话kètàohuà；恭维话gōngweihuà‖～を言う 说客套话 ✤一笑い:陪笑

あいだ【間】❶〔時間〕之间zhī jiān；…的时候… de shíhou‖1時から2時の～ 1点到2点之间｜留守の～にだれか来たようだ 我不在家的时候,好像有人来过 ❷〔空間〕中间zhōngjiān；之间zhī jiān‖～にはさむ 夹在中间｜～があく 中间空开｜名古屋は東京と大阪の～にある 名古屋在东京和大阪之间 ❸〔人と人の〕之间zhī jiān；关系guānxi‖2人の～はうまくいってないようだ 他们俩的关系好像不太融洽

あいたい・する【相対する】❶〔向かい合う〕相对xiāngduì；对峙duìzhì ❷〔対立する〕对立duìlì‖～する意見 相互对立的意见

あいだがら【間柄】关系guānxi‖お二人はどういう～ですか 你们俩是什么关系？

あいちゃく【愛着】特殊的感情tèshū de gǎnqíng‖特別の～がある 抱有一份特殊的感情

あいちょう【愛鳥】✤一週間:爱鸟周

あいついで【相次いで】相继xiāngjì；陆续lùxù‖大事故が～起こる 大事故相继发生

あいづち【相槌】‖～を打つ 顺口应对

あいて【相手】❶〔働きかけの対象〕对方duìfāng；对象duìxiàng‖客の～をする 陪客人｜～にしない 不予理睬 ❷〔競争相手〕对手duìshǒu‖手ごわい～ 难对付的对手

アイディア 主意zhǔyi; 想法xiǎngfa; 点子diǎnzi ‖ ～を出す 出主意 | ～が浮かぶ 想出主意 ❖ 一マン:点子多的人; 智囊

アイティー【IT】信息技术xìnxī jìshù ❖ 一産業:IT〔信息技术〕产业

アイディーカード【IDカード】〔张〕ID卡ID kǎ; 身份证shēnfenzhèng

アイデンティティー 认同感rèntónggǎn; 同一性tóngyīxìng ‖ ～の危機 认同危机

あいとう【哀悼】(～する)哀悼āidào ‖ 被害者に対し～の意を表する 对遇难者表示哀悼

あいどく【愛読】(～する)爱读ài dú; 喜欢读xǐhuan dú ❖ 一書:最爱读的书

アイドリング (～する)空转kōngzhuàn; 低速运转dīsù yùnzhuǎn

アイドル 偶像ǒuxiàng ❖ 一歌手:偶像歌手

あいにく【生憎】不巧bù qiǎo; 不凑巧bú còuqiǎo; 偏巧piānqiǎo ‖ ～ですがほかに約束があります 很不巧, 我有别的约会

アイヌ 阿伊努族Āyīnǔzú

アイバンク 眼库yǎnkù

あいべや【相部屋】(与他人)合住一个房间(yǔ tārén) hézhù yí ge fángjiān

あいぼう【相棒】伙伴huǒbàn; 搭档dādàng

アイボリー 象牙色xiàngyásè

あいま【合間】空闲kòngxián; 空儿kòngr ‖ 忙しい～を縫って読書する 忙里偷闲地看书

あいまい【曖昧】暧昧àimèi; 含糊hánhu ‖ ～な返事 暧昧的回答 | 責任を～にする 不明确责任 ❖ 一模糊(もこ):含糊不清

あいよう【愛用】(～する)喜欢用xǐhuan yòng; 爱用ài yòng ‖ ～のカメラ 爱用的相机

アイライン 眼线yǎnxiàn ‖ ～を引く 画眼线

あいらし・い【愛らしい】可爱kě'ài

アイルランド 爱尔兰Ài'ěrlán

アイロン 电熨斗diànyùndǒu ‖ ズボンに～をかける 熨裤子 ❖ 一台:熨衣板

あ・う【会う・逢う・遭う】❶〔面会する〕见jiàn; 见面jiànmiàn ‖ 5時に渋谷で～おう 5点在涩谷见 ❷〔偶然出会う〕碰见pèngjian; 遇见yùjian ‖ 駅でばったり先生に～った 我碰巧在车站碰见老师了 ❸〔雨·事件·災難などに遭う〕遇上yùshang; 遇到yùdào; 遭到zāodào ‖ にわか雨に～う 遇上阵雨 | 交通事故に～う 遭遇车祸

あ・う【合う】❶〔適合する〕合适héshì; 适合shìhé ‖ 服が体に～う 合身 | 現状に～う 适合现状 | 体質に～わない 不适合体质 | 口に～う 适合口味 | 性に～う 适合性格 ❷〔正確である〕准zhǔn; 对duì ‖ あなたの時計は～ってますか 你的表准吗? | 眼鏡の度が～わない 眼镜的度数不准 | 収支が～わない 收支账目不对 ❸〔矛盾がない〕符合fúhé; 一致yízhì ‖ 事実と～わない 与事实不符 | つじつまが～わない 前后矛盾 | 意見が～わない 意见不一致 ❹〔調和する〕协调xiétiáo; 相配xiāngpèi ‖ 色が～わない 颜色不协调 | この料理には白ワインが～う 吃这个菜, 最好喝白葡萄酒 ❺〔引き合う〕合算hésuàn ‖ 割に～わない事 不合算 ❻〔…あう〕互相hùxiāng ‖ 愛し～う 相爱 | 慰め～う 互相安慰

アウト ❶〔野球〕出局chūjú ❷〔卓球など〕出界chūjiè

アウトドア 户外hùwài; 野外yěwài ❖ 一スポーツ:户外运动 | 一ライフ:户外生活

アウトプット (～する)输出shūchū

アウトライン 梗概gěnggài; 大纲dàgāng

アウトレット 处理品chǔlǐpǐn

あえ・ぐ【喘ぐ】❶〔息を切らす〕喘气chuǎnqì; 喘息chuǎnxī ❷〔比ゆ的表現〕苦于kǔyú; 挣扎zhēngzhá ‖ 不況に～ぐ 苦于不景气

あえて【敢えて】❶〔強いて〕敢于gǎnyú; 硬要yìng yào ❷〔打ち消しの語を伴い〕并bìng ‖ ～反対しない 并不反对

あえもの【和え物】凉拌菜liángbàncài

あ・える【和える】拌bàn

あえん【亜鉛】锌xīn ‖ ～めっきをする 镀锌

あお【青】❶〔色〕蓝色lánsè ❷〔信号〕绿灯lǜdēng ‖ 信号が～になった 亮绿灯了

あおあお【青青】青翠qīngcuì; 碧绿bìlǜ

あお・い【青い】❶〔色〕蓝lán ‖ 顔色が～い 脸色苍白〔发青〕 ❷〔未熟〕不成熟bù chéngshú; 幼稚yòuzhì

あおい【葵】锦葵jǐnkuí

あおいきといき【青息吐息】㊄ 唉声叹气āi shēng tàn qì; ㊄ 长吁短叹cháng xū duǎn tàn

あおかび【青黴】绿霉lǜméi; 青霉qīngméi

あお・ぐ【仰ぐ】❶〔見あげる〕仰望yǎngwàng; 瞻仰zhānyǎng ‖ 天を～ぐ 仰天 ❷〔敬う〕敬仰jìngyǎng; 景仰jǐngyǎng ‖ 師と～ぐ 尊奉为师 ❸〔求める〕请求qǐngqiú; 请示qǐngshì; 请教qǐngjiào ‖ 指示を～ぐ 请示 | 援助を～ぐ 请求援助 ❹〔頼みとする〕仰仗yǎngzhàng; 依靠yīkào

あお・ぐ【扇ぐ】扇shān ‖ 扇子で～ぐ 扇扇子

あおくさ・い【青臭い】生菜味儿shēngcàiwèir. (未熟な)幼稚yòuzhì; 不成熟bù chéngshú

あおざ・める【青ざめる】‖ 顔が～める 脸色变得苍白

あおじゃしん【青写真】蓝图lántú ‖ 新事業の～ 新事业的计划

あおじろ・い【青白い】青白qīngbái; 苍白cāngbái ‖ 顔が～い 脸色苍白

あおしんごう【青信号】绿灯lǜdēng

あおすじ【青筋】〔根, 条〕青筋qīngjīn; 静脉jìngmài ‖ ～を立てて怒る 气得青筋暴突

あおぞら【青空】〔片, 块〕蓝天lántiān ❖ 一市場:露天市场 | 一駐車:露天停车

あおな【青菜】青菜qīngcài ‖ ～に塩 无精打采

あおにさい【青二才】毛孩子máoháizi; 黄口孺子huángkǒu rúzǐ

あおば【青葉】绿叶lǜyè; 嫩叶nènyè

あおみ【青味】蓝色lánsè; 绿色lǜsè ‖ ～がかる 发蓝 | ～を帯びる 带点蓝色

あおむけ【仰向け】仰yǎng; 仰着yǎngzhe ‖ ～に寝る 仰面躺下

あおむし【青虫】青虫(子) qīngchóng(zi)

あお・る【煽る】❶〔風が〕吹动chuīdòng ❷〔そそのかす〕煽动shāndòng; 蛊惑gǔhuò; 激发jīfā ‖ 不安を～る 煽动不安情绪

あか【赤】❶〔色〕红色hóngsè; 红hóng ❷〔信号〕红灯hóngdēng ❸〔共産主義者〕赤色分子chìsè fènzǐ ❹〔まったくの〕‖ ～の他人 毫不相

あ

干的人

あか【垢】污垢wūgòu；油泥yóuní；泥儿nír ‖ ～まみれの顔 满脸污垢｜～を流す 洗澡

あかあか【明明】亮堂堂liàngtāngtāng；明晃晃mínghuānghuāng ‖ 照明が～と灯る 灯火辉煌

あか・い【赤い】红hóng；红色hóngsè ‖ 恥ずかしさのあまり顔が～くなった 羞得脸都红了

あかぎれ 裂口儿lièkǒur；皲裂jūnliè

あが・く【足掻く】挣扎zhēngzhá ‖ いまさら～いてもむだだ 事到如今，再挣扎也没用

あかぐろ・い【赤黒い】黑红色hēihóngsè

あかげ【赤毛】红头发hóng tóufa；红发hóngfà

あかご【赤子】婴儿yīng'ér ‖ ～の手をひねる 定轻而易举；定不费吹灰之力

あかさび【赤錆】红锈hóngxiù ‖ ～が浮く 生锈

あかし【証】证据zhèngjù；凭证píngzhèng ‖ 身の～を立てる 证明自己的清白

あかじ【赤字】❶〔欠損〕亏损kuīsǔn；赤字chìzì ‖ ～に転落する 出现赤字｜～から黒字へ転換する 定转亏为盈 ❷〔校正の文字〕‖ ～を入れる 校稿 ❖ 一経営：负债经营｜一国債：赤字国债｜一財政：赤字财政

アカシア 金合欢jīnhéhuān

あかしお【赤潮】赤潮chìcháo

あかしんごう【赤信号】❶〔交通信号〕红灯hóngdēng ❷〔危険の合図〕危险信号wēixiǎn xìnhào

あか・す【明かす】❶〔夜を〕过夜guòyè；通宵tōngxiāo ‖ 一晩泣き～した 哭了一夜 ❷〔秘密などを〕表明biǎomíng；揭开jiēkāi ‖ 身元を～す 表明身份｜本心を～す 表白真心

あかつき【暁】❶〔夜明け〕拂晓fúxiǎo；黎明límíng ❷〔成就した際〕…之时〔之际〕… zhī shí〔zhī jì〕‖ 成功の～には 在成功之际

あがったり【上がったり】完蛋了wándàn le；不行了bùxíng le ‖ こう不景気では商売～だ 这么不景气的话，生意就完蛋了

あかつち【赤土】红黏土hóngniántǔ

アカデミー 科学院kēxuéyuàn；学士院xuéshìyuàn ❖ 一賞：奥斯卡金像奖

アカデミック 学术性xuéshùxìng

あかてん【赤点】不及格bù jígé ‖ 数学の試験で～をとる 数学考试不及格

あかとんぼ【赤蜻蛉】红蜻蜓hóngqīngtíng

あかぬ・ける【垢抜ける】洋气yángqì ‖ ～けたデザイン 款式大方｜～けない格好 土里土气的样子

あかはじ【赤恥】(出)丑(chū)chǒu；(出)洋相(chū) yángxiàng ‖ 人前で～をかかされた 我在大家面前出了丑〔出了洋相；丢了脸〕

あかはた【赤旗】红旗hóngqí

あかみ【赤み】(发)红(fā)hóng ‖ 顔に～が差してきた 脸上泛出了红晕

あかみ【赤身】❶〔肉の〕瘦肉shòuròu ‖ 牛(ぎゅう)の～ 瘦牛肉 ❷〔魚の〕红色鱼肉hóngsè yúròu ‖ ～の魚 肉红的鱼

あが・める【崇める】崇拜chóngbài

あからさま 定直截了当zhí jié liǎo dàng；露骨lùgǔ ‖ ～に言う 直截了当地说｜～にいやな顔をする 露出一脸的不高兴

あから・む【赤らむ】发红fāhóng；带红dàihóng

あかり【明かり】❶〔灯火〕灯dēng；灯光dēngguāng ‖ ～をつける〔消す〕 开〔关〕灯｜～をともす 点灯 ❷〔光線〕光亮guāngliàng ‖ 月～ 月光

あがり【上がり】❶〔あがること〕上升shàngshēng；上涨shàngzhǎng ‖ 物価の～方がひどい 物价上涨得很厉害 ❷〔収入〕收入shōurù ‖ 家賃の～ 房租收入 ❸〔できあがること〕做好zuòhǎo；做完zuòwán ‖ 一丁～ 做好一个 ❹〔終わり〕结束jiéshù ‖ あと30分で～だ 再过30分钟就结束了 ❺〔元…〕出身chūshēn ‖ 記者～ 记者出身 ❻〔…したて〕刚…完gāng …wán ‖ 湯～ 刚洗完澡｜病み～ 病刚好 ❖ 一降(お)り：上下；升降 ‖ 階段の～ 上下楼梯｜一口：(玄関の)房门口；(階段の)楼梯口

あが・る【上がる・挙がる・揚がる】❶〔登る〕上shàng；登dēng ‖ 階段を～る 上楼梯 ❷〔上昇する〕上升shàngshēng ‖ 幕が～る 开幕 ❸〔体の一部が〕举jǔ；抬tái ‖ 腕が～らない 胳膊举不起来 ❹〔水から〕出来chūlai ‖ ふろから～る 洗完澡 ❺〔家に〕进来〔进去〕jìnlai〔jìnqu〕‖ どうぞお～りください 请进来 ❻〔進学〕升学shēngxué.〔進級〕升级shēngjí ‖ 小学校に～る 上小学 ❼〔値段・温度が〕涨zhǎng；上升shàngshēng ‖ 値段が～る 涨价｜気温が～る 气温升高 ❽〔評価・地位が〕提高tígāo；晋升jìnshēng ‖ 成績が～った 成绩提高了｜だいぶ腕が～った 水平大有长进 ❾〔発生する〕发生fāshēng；发出fāchū ‖ 火の手が～る 起火｜歓声が～る 响起一片欢呼声｜反対の声が～る 发出反对的呼声 ❿〔取りざたされる〕举出来jǔchulai；列出来lièchulai ‖ 候補に～る 提名为候补 ⓫〔利益やよい結果が〕获得huòdé ‖ 利益が～る 获得利润｜効果が～る 提高效果 ⓬〔意気・風采(ふうさい)などが〕发扬fāyáng；高昂gāo'áng ‖ 風采が～らない 其貌不扬｜意気が～る 情绪高涨 ⓭〔緊張する〕紧张jǐnzhāng；怯场qièchǎng ‖ 初舞台で～ってしまった 初次登台表演，很紧张 ⓮〔食べる〕吃chī；喝hē ‖ あたたかいうちにお～りください 请趁热吃吧 ⓯〔犯人・証拠が〕抓到zhuādào；拿到nádào ‖ 犯人はまだ～らない 犯人还没抓到｜証拠が～る 拿到证据

あかる・い【明るい】❶〔光が〕亮liàng；明亮míngliàng ‖ 照明を～くしてください 把灯光打亮一点儿｜～いうちに帰宅しなさい 趁着天还没黑回家吧 ❷〔色彩が〕鲜亮xiānliang ‖ ～い色 鲜亮的颜色 ❸〔朗らかな〕开朗kāilǎng；明朗mínglǎng；爽朗shuǎnglǎng ‖ 性格が～い 性格开朗 ❹〔公正な〕定光明正大guāng míng zhèng dà；公正gōngzhèng ❺〔見通しが〕明朗mínglǎng；有希望yǒu xīwàng ‖ 見通しは～い 前景明朗 ❻〔精通している〕精通jīngtōng；熟悉shúxī；了解liǎojiě ‖ 土地に～い 熟悉当地地理情况｜海外の事情に～い 很了解国外的情况

あかんたい【亜寒帯】亚寒带yàhándài

あかんべえ 鬼脸guǐliǎn ‖ ～をする 做鬼脸

あかんぼう【赤ん坊】婴儿yīng'ér；小宝宝xiǎobǎobao；小娃娃xiǎowáwa

あき【明き・空き】❶〔余地〕空隙kòngxì；空白kòngbái ❷〔欠員〕空缺kòngquē；缺额quē'é ‖ ポストに～が出た 有一个空缺的职位 ❸〔暇〕空闲kòngxián；闲暇xiánxiá ❹〔使っていないこと〕

空着kòngzhe; 空闲kòngxián ‖ 部屋に〜がない 没有空房 ✤一時間:空闲时间
あき【秋】秋天qiūtiān ‖ 〜になる 入秋 | 〜が深まる 秋色愈浓 | 〜たけなわ 秋意盎然
あきあき【飽き飽き】‖ 〜する 感觉到厌烦
あきかぜ【秋風】秋风qiūfēng
あきかん【空き缶】空罐儿kōngguànr
あきぐち【秋口】初秋chūqiū
あきさめ【秋雨】秋雨qiūyǔ ✤一前線:秋雨锋
あきす【空き巣】撬门贼qiàoménzéi; 盗贼dàozéi ‖ 昨日〜に入られた 昨天家里被盗了
あきたりない【飽き足りない】不够满意búgòu mǎnyì ‖ この結果に〜 对这个结果不够满意
あきち【空き地】〔片,块〕空地kòngdì
あきな・う【商う】做生意zuò shēngyi; 做买卖zuò mǎimai ‖ 野菜を〜う 做蔬菜生意
あきびん【空き瓶】空瓶儿kōngpíngr
あきや【空き家】空房kòng fáng; 闲房xiánfáng
あきらか【明らか】清楚qīngchu; 明显míngxiǎn ‖ 火を見るより〜 洞若观火 | 〜に当方のミスです 明显是我们的失误 | 詳細はまだ〜にできない 详情还不能公开 | 真相が〜になる 真相大白
あきらめ【諦め】死心sǐxīn; 达观dáguān ‖ 〜がいい〔悪い〕 想得开〔想不开〕
あきら・める【諦める】死心sǐxīn; 打消念头dǎxiāo niàntou; 想开xiǎngkāi ‖ 最後まで〜めない 一直到最后都决不死心 | 留学を〜める 打消留学的念头 | 運命と〜める 认命
あ・きる【飽きる】厌烦yànfán; 腻nì ‖ サラリーマンの生活にすっかり〜きた 我已经彻底厌烦了过上班族的生活 | インスタントラーメンはもう食べ〜きた 方便面已经吃腻了
あきれかえ・る【呆れ返る】愣lèng; 定 目瞪口呆mù dèng kǒu dāi ‖ 〜ってものも言えない 惊得目瞪口呆,说不出话来
アキレスけん【アキレス腱】❶〔生理〕跟腱gēnjiàn ❷〔弱点〕致命的弱点zhìmìng de ruòdiǎn
あき・れる【呆れる】惊讶jīngyà ‖ 忘れっぽいのにはわれながら〜れる 这么健忘,连自己都感到惊讶 | 〜れた値段 吓人的价格
あく【灰汁】❶〔野菜などの〕涩味sèwèi ‖ 〜を抜く 把涩味去掉 ❷〔個性〕个性gèxìng ‖ 〜の強い人 个性很强的人
あ・く【空く】❶〔からになる〕空了kōng le ‖ ボトルが〜いた 瓶子空了 ❷〔欠員が出る〕出缺chūquē ‖ 秘書のポストが1つ〜いている 秘书职位有一个空缺 ❸〔ひまがある〕有空儿yǒu kòngr; 闲着xiánzhe ‖ 午後は〜いています 下午有空儿 ❹〔使わなくなる〕用完yòngwán; 空了kòng le ‖ この席は〜いていますか 这个座位有人吗? ❺〔空間ができる〕出现空隙chūxiàn kòngxì ‖ 靴下に穴が〜いた 袜子破了个洞
あく【悪】坏huài; 邪恶xié'è ‖ 〜の道に走る 走上邪路 | 〜に染まる 沾染恶习
あ・く【開く】❶〔閉じているものが〕开kāi; 打开dǎkāi ‖ 瓶のふたが〜かない 瓶盖儿打不开 ❷〔始まる〕开始kāishǐ ‖ 博物館は何時に〜きますか 博物馆几点开门?
アクアマリン〔块〕海蓝宝石hǎilán bǎoshí
あくい【悪意】❶〔悪気〕恶意èyì ‖ 〜を抱く 抱有恶意 ❷〔悪い意味〕故意gùyì; 成心chéngxīn ‖ 〜にとる 朝坏的方面理解
あくうん【悪運】❶〔悪い運命〕厄运èyùn ❷〔強い運〕贼运zéiyùn ‖ 〜が強い 贼运亨通
あくえいきょう【悪影響】不良影响bùliáng yǐngxiǎng ‖ 〜を与える 带来不良影响
あくじ【悪事】坏事huàishì; 恶行èxíng ‖ 〜をはたらく 做坏事 | 〜に加担する 参与干坏事 | 〜を暴く 揭露坏事 | 〜を重ねる 恶行不断 | 〜千里を走る 定 好事不出门,坏事传千里
あくしつ【悪質】性质恶劣xìngzhì èliè ‖ 〜ないたずら 性质恶劣的恶作剧 | 〜な業者 奸商
アクシデント 突发〔意外〕事件tūfā〔yìwài〕shìjiàn; 事故shìgù
あくしゅ【握手】(〜する)握手wòshǒu.
あくしゅう【悪臭】〔股〕恶臭èchòu; 臭气chòuqì ‖ 〜が漂う 恶臭弥漫 | 〜が鼻をつく 臭气刺鼻 | 〜を放つ 发出极难闻的气味
あくしゅう【悪習】坏习惯huài xíguàn; 恶习èxí; 陋习lòuxí ‖ 〜に染まる 染上坏习惯
あくじゅんかん【悪循環】恶性循环èxìng xúnhuán ‖ 〜をたち切る 制止恶性循环
あくじょうけん【悪条件】不利条件búlì tiáojiàn; 恶劣环境èliè huánjìng
アクション 动作dòngzuò; 武打wǔdǎ ✤一映画:动作片 | 一スター:动作影星
あくせい【悪政】苛政kēzhèng
あくせい【悪性】恶性èxìng ‖ 〜のかぜ 恶性感冒 ✤一腫瘍(しゅよう):恶性肿瘤
あくせく(〜する)辛辛苦苦xīnxīnkǔkǔ; 忙忙碌碌mángmánglùlù; 操劳cāoláo ‖ 〜働く 忙忙碌碌地工作 | 金もうけに〜する 忙于赚钱
アクセサリー 装饰品zhuāngshìpǐn. (車・カメラなどの)附件fùjiàn; 附属品fùshǔpǐn
アクセス(〜する)❶〔コンピューター・通信〕(記憶装置に)存取cúnqǔ; 读写dúxiě. (サイトに)访问fǎngwèn. (ネットに)上网shàng wǎng ❷〔交通の便〕交通jiāotōng ‖ 新宿への〜至便 到新宿的交通极其方便 ✤一権:知情权;(通信)访问权;存取权 | 一タイム:存取时间;上网时间
アクセル 油门yóumén; 加速器jiāsùqì ‖ 〜を踏む 踩油门 ✤一ペダル:油门〔加速〕踏板
あくせんくとう【悪戦苦闘】(〜する)苦战kǔzhàn
アクセント ❶〔言語〕重音zhòngyīn ❷〔強調部分〕重点zhòngdiǎn ‖ 〜をつける 强调 ❸〔話す調子〕语调yǔdiào; 音调yīndiào
あくたい【悪態】‖ 〜をつく 臭骂一顿
あくだま【悪玉】坏人huàirén; 坏蛋huàidàn ✤一コレステロール:坏胆固醇
あくど・い ❶〔悪辣な〕恶毒èdú; 阴险yīnxiǎn ‖ 〜いやり方 恶毒手段 ❷〔どぎつい〕过分鲜艳guòfèn xiānyàn; 刺眼cìyǎn
あくとう【悪党】无赖wúlài; 坏蛋huàidàn
あくとく【悪徳】缺德quēdé; 不道德bú dàodé ✤一業者:奸商
あくにん【悪人】坏人huàirén; 坏蛋huàidàn
-あぐ・ねる ‖ 考え〜ねる 想来想去都想烦了 | さがし〜ねる 找来找去也没有找到 | 攻め〜ねる

あ

進攻不下去了

あくび 哈欠hāqian；呵欠hēqian ‖ ～をする 打哈欠｜～をかみ殺す 忍住没有打哈欠

あくひょう【悪評】坏名声huài míngshēng ‖ ～がたつ 臭名远扬｜～を浴びる 遭批评

あくへい【悪弊】恶习èxí；坏习惯huài xíguàn ‖ 積年の～を打破する 破除多年的恶习

あくへき【悪癖】坏毛病huài máobing；坏习惯huài xíguàn；恶习èxí

あくま【悪魔】恶魔èmó；魔鬼móguǐ

あくまでも 坚决jiānjué；㊂无论如何wúlùn rúhé；始终shǐzhōng ‖ ～反対だ 坚决反对

あくむ【悪夢】〔场〕恶梦èmèng；噩梦èmèng ‖ ～にうなされる 做恶梦

-あぐ·む ⇨－あぐねる

あくめい【悪名】坏名声huài míngshēng；臭名chòumíng ‖ ～高い 臭名远扬

あくやく【悪役】反派角色fǎnpài juésè

あくゆう【悪友】㊂狐朋狗友hú péng gǒu yǒu

あくよう【悪用】（～する）滥用lànyòng

あぐら【胡座】‖ ～をかく 盘腿而坐｜特権の上に～をかく 心安理得地享受特权

あくりょく【握力】握力wòlì ‖ ～が強い 握力很大 ✤ 一計：握力计

アクリル 丙烯bǐngxī ✤ 一樹脂：丙烯酸树脂｜一繊維：丙烯酸纤维

あくる【明くる】第二dì èr；下xià ‖ ～朝 第二天早晨｜事故の～日 出事的第二天

あくれい【悪例】不好的例子bù hǎo de lìzi

アクロバット 杂技zájì

あけ【明け】❶〔夜明け〕黎明límíng；拂晓fúxiǎo ‖ ～の明星 晨星；金星 ❷〔期間が終わる〕结束jiéshù ‖ 休み～ 休假后｜梅雨～ 出梅

あげあし【揚げ足】‖ 人の～をとる找茬儿；挑字眼儿；揭短处；挑毛病

あけがた【明け方】黎明límíng；拂晓fúxiǎo

あげく【揚げ句】…之后… zhī hòu；结果jiéguǒ ‖ 迷った～に 犹豫了一阵之后

あけく·れる【明け暮れる】埋头于… máitóu yú … ‖ 家庭の雑用に～れる 埋头于家庭琐事

あけすけ 不客气bú kèqi；露骨lùgǔ ‖ ～に言う 不客气地说

あけてもくれても【明けても暮れても】总是zǒngshì；从早到晚cóng zǎo dào wǎn

あげはちょう【揚げ羽蝶】〔只〕凤蝶fèngdié

あけぼの【曙】拂晓fúxiǎo；黎明límíng

あげもの【揚げ物】油炸食品yóuzhá shípǐn

あ·ける【明ける】❶〔夜が〕亮liàng ‖ 夜が～けた 天亮了 ❷〔年が〕过年guònián ‖ 年が～けた 新年到了 ❸〔満期になる〕结束jiéshù；满期mǎnqī ‖ 梅雨が～ける 出梅了

あ·ける【空ける】❶〔からにする〕倒出dàochu ‖ 洗面器の水を～ける 把脸盆里的水倒出去 ❷〔場所を〕腾出téngchu；空出kòngchu ‖ 月末までに部屋を～けてください 请在月末前把房间腾出来｜道を～けてください 请让一下路 ❸〔穴を〕打眼dǎyǎn；挖洞wā dòng ‖ 穴を～ける 打眼｜帳簿に大穴を～けた 使账面出现了很大的亏空 ❹〔家を〕不在家búzài jiā ‖ 日曜日はよく家を～ける 星期天经常不在家 ❺〔時間を〕空出kòngchu；腾出téngchu ‖ 土曜の午後は～けておいてください 星期六下午你把时间空出来

あ·ける【開ける】❶〔開く〕开kāi；打开dǎkāi ‖ ドアを～ける 打开门｜小包を～ける 打开包裹｜瓶の栓を～ける 把瓶塞启下来｜32ページを～けなさい 把书翻到第32页｜口を大きく～けて 张大嘴！ ❷〔始める〕开始kāishǐ ‖ 店は10時に～けます 商店10点开始营业

あ·げる【上げる·挙げる·揚げる】❶〔物を上に〕举jǔ；抬tái；升shēng ‖ 手を～げる 举手｜顔を～げる 抬头｜国旗を～げる 升国旗｜寝床を～げる 把被褥叠好收起来｜上司は重い腰を～げて，計画に同意した 上司很不情愿地终于同意了这个计划 ❷〔家に〕进jìn ‖ うちにお～げしなさい 请他进来 ❸〔学校に〕‖ 子どもを大学に～げる 供孩子上大学 ❹〔給料·地位などを〕提高tígāo；抬高táigāo ‖ 会社が給料を～げてくれた 公司给我加薪了｜料金を～げる 提价 ❺〔名声を〕扬名yángmíng ‖ 一躍名を～げる 一举成名 ❻〔温度·速度·能率を〕提高tígāo ‖ スピードを～げる 加快速度｜能率を～げる 提高效率｜設定温度を1度～げる 把空调的设定温度调高一度 ❼〔声を〕‖ 大声を～げる 大声叫起来｜戦争反対の声を～げる 高呼反战 ❽〔ある費用で済ませる〕‖ 安く～げる 省钱 ❾〔完了する〕完成wánchéng ‖ この仕事は今月中に～げる予定だ 这项工作计划在本月完成 ❿〔例·理由などを〕‖ 例を～げる 举例｜理由を～げなさい 请说出理由来 ⓫〔出し尽くす〕竭尽jiéjìn；全力投入quánlì tóurù ‖ 全力を～げる 全力投入｜国を～げて応援する 举国上下一致声援 ⓬〔成果·利益などを〕取得qǔdé；获得huòdé ‖ 成果を～げる 取得成就｜利益を～げる 获得利润 ⓭〔犯人を〕逮捕dàibǔ ⓮〔贈る〕给gěi；送给sònggěi ‖ これを記念に～げましょう 这个送给你做个纪念吧 ⓯〔式を〕举行jǔxíng ‖ 結婚式を～げる 举行婚礼 ⓰〔吐く〕吐tù ⓱〔料理〕炸zhá ‖ テンプラを～げる 炸天麸罗 ⓲〔…してあげる〕给… gěi … ‖ 持ってきて～げよう 我给你拿来 ⓳〔…し終える〕…完…wán ‖ 論文を書き～げる 写完论文

あけわた·す【明け渡す】让出ràngchu；腾出téngchu ‖ 月末に家を～す 月底把房子腾出来

あご【顎】颌hé；腭è.（下あご）下巴xiàba；下颌xiàhé ‖ ～をはずす（大笑いする） 解颐大笑｜～で使う ㊂颐指气使｜～を出す 累得浑身瘫软

アコーディオン〔架〕手风琴shǒufēngqín ‖ ～をひく 拉手风琴 ✤ 一カーテン：折叠门

あこが·れる【憧れる】向往xiàngwǎng；崇拜chóngbài ‖ 自由に～れる 渴望得到自由｜華やかな都会生活に～れる 向往繁华的都市生活

あさ【麻】麻má；麻布mábù ✤ 一糸：麻纱

あさ【朝】早上zǎoshang；早晨zǎochen ‖ 明日の～ 明天早上｜～早く 一大早

あざ【痣】〔块〕（生来の）痣zhì.（打撲の）（青、红、紫）斑（qīng、hóng、zǐ）bān ‖ 打たれて腕に～ができた 胳膊被打青了

あさ·い【浅い】❶〔水が〕浅qiǎn ❷〔容器が〕浅qiǎn ❸〔傷が〕轻微qīngwēi；浅qiǎn ‖ 傷は～かった 伤不重 ❹〔眠りが〕不香bù xiāng；不熟bù shú ‖ 眠りが～い 睡得不熟 ❺〔色が〕浅

qiǎn；淡dàn ❻〔日が〕(刚…)不久(gāng…) bùjiǔ‖知りあって日が～い 刚认识不久 ❼〔関係が〕不深bù shēn‖2人は～からぬ仲だ 他们俩的关系不一般 ❽〔思慮・知識が〕肤浅fūqiǎn；浅薄qiǎnbó‖思慮が～い 考虑得很不周全

あさいち【朝市】早市zǎoshì

あさがお【朝顔】牵牛花qiānniúhuā；喇叭花lǎbahuā

あさぐろ・い【浅黒い】褐色hèsè

あざけ・る【嘲る】嘲笑cháoxiào；讥嘲jīcháo

あさせ【浅瀬】浅滩qiǎntān

あさって【明後日】后天hòutiān

あさつゆ【朝露】朝露zhāolù；晨露chénlù

あさねぼう【朝寝坊】(～する)睡懒觉(的人)shuì lǎnjiào (de rén)；起得晚(的人)qǐde wǎn (de rén)

あさはか【浅はか】肤浅fūqiǎn；浅薄qiǎnbó

あさばん【朝晩】❶〔朝と晩〕早晨和晚上zǎochen hé wǎnshang；早晚zǎowǎn‖～はかなり涼しくなった 早晚凉多了 ❷〔いつも〕从早到晚cóng zǎo dào wǎn；经常jīngcháng

あさひ【朝日】朝阳zhāoyáng；旭日xùrì

あさまし・い【浅ましい】❶〔卑しい〕卑鄙bēibǐ；下流xiàliú；粗俗cūsú‖～い行為 卑鄙的行为 ❷〔みじめな〕可怜kělián；悲惨bēicǎn

あざみ【薊】蓟jì

あざむ・く【欺く】欺骗qīpiàn；骗piàn

あさめし【朝飯】早饭zǎofàn；早点zǎodiǎn ✤一前：㊂不费吹灰之力；㊂易如反掌‖そんなことは～さ 这样的事,不费吹灰之力就能办到

あざやか【鮮やか】❶〔鮮明〕鲜明xiānmíng；清晰qīngxī‖あの日の印象はいまなお～だ 那天的事至今还印象鲜明 ❷〔みごと〕精彩jīngcǎi‖スマッシュが～に決まった 扣了一个漂亮的好球

あさやけ【朝焼け】〔片〕朝霞zhāoxiá

あざらし【海豹】海豹hǎibào

あさり【浅蜊】蛤仔gézǐ

あさ・る【漁る】寻找xúnzhǎo；寻觅xúnmì

あざわら・う【嘲笑う】嘲笑cháoxiào

あし【足・脚】❶〔人・動物・テーブルなどの〕(つけ根から足首)腿tuǐ．(足首から先)脚jiǎo‖イヌの～ 狗的腿｜テーブルの～ 桌子腿儿｜～の甲 脚背；脚面｜～の裏 脚掌；脚底｜～がしびれた 腿麻了｜～をくじく 扭脚｜～を踏まれた 脚被踩了｜～に合う靴がなかった 没有合我脚的鞋｜～の向くままに市内を散歩した 随便在市区内走了走❷〔歩行〕步行bùxíng；脚步jiǎobù‖～が達者だ 很能走(路)｜～が速い 走〔跑〕得很快｜～を速める 加快步伐〔脚步〕｜最近～が弱くなってきた 最近腿脚不好使｜ここまで来たからには四国まで～をのばそう 既然已经到这儿了,就顺便去一趟四国吧｜きみの～じゃそこにつくまでに日が暮れる 你这速度呀,天黑了也走不到 ❸〔訪問・往来〕出门chūmén；前赴qiánfù ❹〔交通手段〕交通工具jiāotōng gōngjù‖鉄道ストで100万人の～が奪われた 铁路工人的罢工使100万人失去了交通工具 ❺〔慣用表現〕‖～を棒にして職をさがす 为找工作而四处奔走｜～を洗う 洗手不干｜～がつく 露出马脚｜～を引っ張る 扯后腿｜～が出る 超过预算｜あの人には～を向けて寝られない 我可做不了对不起他的事｜～が早い 烂得快

あし【葦】苇wěi；芦草lúcǎo；芦苇lúwěi

あじ【味】❶〔味覚〕味儿wèir；味道wèidao‖～がいい〔悪い〕 味道好〔不好〕｜～はいかがですか 味道怎么样？｜～をみる 尝尝味道｜～が濃すぎる 味道太重｜～をととのえる 调味 ❷〔おもしろみ〕(有)意思(yǒu) yìsi；风趣fēngqù｜～もそっけもない 味同嚼蜡｜～をしめる 尝到甜头 ❸〔経験して得た感じ〕滋味儿zīwèir‖貧乏の～ 贫穷的滋味儿

あじ【鰺】竹荚鱼zhújiāyú

アジア 亚洲Yàzhōu；亚细亚Yàxìyà ✤一開発銀行：亚洲开发银行｜一競技大会：亚运会

アジアたいへいよう【アジア太平洋】亚洲和太平洋Yàzhōu hé Tàipíngyáng

あしあと【足跡】脚印jiǎoyìn；足迹zújì

あしおと【足音】脚步声jiǎobùshēng‖あわただしい～ 急促的脚步声｜～が遠ざかる 脚步声渐渐远去｜～をしのばせる ㊂蹑手蹑脚

あしか【海驢】海驴hǎilǘ

あしがかり【足掛かり】❶〔よりどころ〕立脚点lìjiǎodiǎn；立足之地lìzú zhī dì‖中国進出の～ 在中国展开业务的立脚点 ❷〔足場〕脚手架jiǎoshǒujià

あしかけ【足掛け】前后(加起来) qiánhòu (jiāqilai)；大约dàyuē‖ここへ来て～3年になる 来这儿已经有三年了

あしかせ【足枷】❶〔刑具〕脚镣jiǎoliào‖❷〔制約〕障碍zhàng'ài；累赘léizhui；绊脚石bànjiǎoshí‖不良債権が景気回復の～になっている 不良债权成了经济复苏的累赘

あしからず【悪しからず】‖～ご了承ください 请原谅；请多包涵

あしくび【足首】脚脖子jiǎobózi；脚腕子jiǎowànzi

あじけな・い【味気ない】枯燥kūzào；乏味fáwèi；无聊wúliáo‖～い仕事 乏味的工作

あしこし【足腰】腰和腿脚yāo hé tuǐjiǎo‖～を鍛える 锻炼腰腿｜～が立たない 腿脚不听使唤了

あじさい【紫陽花】绣球花xiùqiúhuā

あしざま【悪し様】恶语èyǔ；恶言èyán‖～に言う 恶语中伤

あししげく【足繁く】频繁地pínfán de；常常chángcháng‖～図書館に通う 常常去图书馆

アシスタント 助手zhùshǒu；助理zhùlǐ

あした【明日】明天míngtiān

あしだい【足代】交通费jiāotōngfèi；车费chēfèi

あじつけ【味付け】(～する)调味tiáowèi；加作料jiā zuòliao‖～がへただ 不会调味

あしでまとい【足手まとい】累赘léizhui；绊脚石bànjiǎoshí‖～になる 碍手碍脚

アジト 黑窝hēiwō；藏身处cángshēnchù

あしどめ【足止め】(～する)禁止外出〔通行〕jìnzhǐ wàichū〔tōngxíng〕‖豪雪のため半日空港に～された 被大雪困在机场,整整待了半天

あしどり【足取り】❶〔足つき〕脚步jiǎobù；步伐bùfá‖重い～で帰社した 拖着沉重的脚步回到公司❷〔ゆくえ〕行踪xíngzōng‖～を追う 追踪

あしなみ【足並み】步调bùdiào‖～をそろえる 统一步调｜～が乱れる 步调不一致

あ

あしならし【足慣らし】(〜する)练腿脚liàn tuǐjiǎo
あしば【足場】❶〔踏む場所〕脚踩的地方jiǎo cǎi de dìfang; 脚底下jiǎo dǐxia‖〜が悪い 脚底下不稳 ❷〔高所作業の〕脚手架jiǎoshǒujià‖〜を組む 搭脚手架
あしばや【足早・足速】快步kuàibù; 疾步jíbù
あしぶみ【足踏み】(〜する)❶〔足をあげさげする〕踏步tàbù ❷〔停滞する〕停滞不前tíngzhì bù qián‖景気は〜している 经济处于停滞状态
あしまかせ【足任せ】信步而行xìnbù ér xíng‖〜に街を歩きまわる 在街上随便转转
あじみ【味見】(〜する)尝味道cháng wèidao; 品尝pǐncháng‖〜してみよう 尝尝味道如何
あしもと【足下・足元】❶〔足の下あたり〕脚下jiǎoxià; 脚底下jiǎo dǐxia‖〜に気をつけなさい 当心脚底下｜〜の明るいうちに帰ろう 趁天还没黑回家吧 ❷〔足の動き〕脚步jiǎobù; 步伐bùfá‖〜がふらつく 走路不稳 ❸〔立脚点〕身边shēnbiān; 立脚点lìjiǎodiǎn‖〜を固める 站稳脚跟 ❹〔慣用表現〕‖〜を見る 抓住弱点; 定乘人之危｜〜にも及ばない 定望尘莫及; 远远赶不上｜〜に火がつく 定危在旦夕
あしら・う ❶〔応対する〕对待duìdài; 应付yìngfu‖鼻で〜う 冷淡对待; 爱答不理｜いいかげんに〜う 随便应付 ❷〔添える〕配上pèishang
あじわい【味わい】❶〔食べ物の〕味道wèidao; 风味fēngwèi ❷〔事物の〕趣味qùwèi; 味道wèidao; 滋味zīwèi‖〜の深い言葉 意味深长的话
あじわ・う【味わう】❶〔味を〕品尝pǐncháng; 品味pǐnwèi‖〜って食べる 品味菜肴 ❷〔興趣〕玩味wánwèi; 品味pǐnwèi; 欣赏xīnshǎng‖俳句を〜う 欣赏俳句 ❸〔体験する〕体验tǐyàn; 经历jīnglì‖地獄の苦しみを〜った 经历了地狱般的痛苦
あす【明日】❶〔あくる日〕明天míngtiān❷〔これから先〕不久的将来bùjiǔ de jiānglái‖〜を担う 肩负未来｜〜はわが身 人有旦夕祸福
あずか・る【与る】❶〔関与する〕参与cānyù‖それは私の〜り知らぬことだ 此事与我无关 ❷〔恩恵を受ける〕承蒙chéngméng‖お招きに〜りありがとうございます 承蒙邀请, 不胜感激
あずか・る【預かる】❶〔保管する〕保管bǎoguǎn; 寄存jìcún‖荷物を〜る 保管行李｜子を〜る 照看孩子 ❷〔責任をもつ〕负责fùzé; 掌管zhǎngguǎn‖家計を〜る 掌管家庭经济｜留守を〜る 给人看家｜乗客の命を〜る 肩负乘客的生命安全 ❸〔保留する〕保留bǎoliú‖きみの辞表はひとまず〜っておく 你的辞呈先搁着
あずき【小豆】红豆hóngdòu
あず・ける【預ける】❶〔保管してもらう〕存cún; 存放cúnfàng; 委托保管wěituō bǎoguǎn‖かばんを〜ける 存包｜貴重品をフロントに〜ける 贵重物品交给服务台保管｜銀行に金を〜ける 把钱存进银行｜子どもを保育園に〜ける 把孩子送进托儿所 ❷〔処理を任せる〕托付tuōfù; 委托wěituō‖最終決定は議長に〜ける 委托主席最后做决定 ❸〔もたせかける〕靠kào
アステリスク 星号xīnghào
アスパラガス 芦笋lúsǔn; 龙须菜lóngxūcài; 石刁柏shídiāobǎi‖〜の缶詰 芦笋罐头
アスピリン 阿司匹林āsīpǐlín
アスファルト 柏油bǎiyóu; 沥青lìqīng‖〜道路 柏油马路
アスベスト 石棉shímián
あずまや【東屋・四阿】亭子tíngzi
アスリート 运动员yùndòngyuán; 运动选手yùndòng xuǎnshǒu
アスレチック 体育tǐyù; 运动yùndòng ❖ —クラブ: 健身房
あせ【汗】❶〔体の〕汗hàn; 汗水hànshuǐ‖〜をかく 出汗｜〜をふく 擦汗｜手に〜を握る 捏一把汗 ❷〔水滴〕水珠shuǐzhū‖ビール瓶が〜をかいている 啤酒瓶上挂着水珠
あぜ【畔・畦】田埂tiángěng; 地埂dìgěng
アセアン【ＡＳＥＡＮ】东南亚国家联盟Dōngnán Yà Guójiā Liánméng; 东盟Dōngméng
あせだく【汗だく】浑身是汗húnshēn shì hàn; 大汗淋漓dà hàn lín lí; 定汗流浃背hàn liú jiā bèi
アセチレン 乙炔yǐquē
アセテート 醋酯纤维cùzhǐ xiānwéi
あせば・む【汗ばむ】冒汗mào hàn; 微微出汗wēiwēi chū hàn
あせみず【汗水】汗水hànshuǐ‖〜流して働く 不辞劳苦地工作
あぜみち【畦道】田间小道tiánjiān xiǎodào
あせも【汗疹】〔片〕痱子fèizi‖〜ができる 起痱子
あせ・る【焦る】急躁jízào; 着急zháojí; 焦急jiāojí‖成功を〜る 急于求成｜気が〜る 心急如火
あ・せる【褪せる】褪色tuìshǎi; 掉色diàoshǎi‖日に当たって色が〜せる 被太阳晒褪色
アゼルバイジャン 阿塞拜疆Āsàibàijiāng
あぜん【唖然】哑然yǎrán; 定目瞪口呆mù dèng kǒu dāi
あそこ 那儿nàr; 那里nàli; 那边nàbiān
あそび【遊び】❶〔遊ぶこと〕玩儿wánr‖〜ざかり 贪玩儿的时候｜〜に夢中になる 玩儿得入迷｜〜半分 半心半意 ❷〔ゆとり〕游隙yóuxì‖このハンドルは〜が少ない 这个方向盘的游隙小
あそ・ぶ【遊ぶ】❶〔楽しむ〕玩儿wánr; 消遣xiāoqiǎn‖おひまなとき, 家に〜びに来てください 有空儿来我家玩儿吧 ❷〔無為である〕闲着xiánzhe; 没事干méi shì gàn‖会社が倒産して弟はいま〜んでいる 由于公司倒闭, 我弟弟现在没有工作 ❸〔活用していない〕闲着xiánzhe; 没有用处méi-you yòngchu‖不景気で設備の半分が〜んでいる 由于不景气, 一半设备都闲置未用
あだ【仇】❶〔恨み〕恨hèn; 仇恨chóuhèn‖恩を〜で返す 定恩将仇报 ❷〔悪い結果〕祸害huòhai; 灾难zāinàn‖親切が〜になる 好心反而招来祸害
あだ【徒】‖〜やおろそかにする 小看; 轻视
あたい【価・値】❶〔値打ち〕价值jiàzhí ❷〔数学〕值zhí‖xの〜を求めよ 求出x的值
あたい・する【値する】值得zhíde‖一読に〜する 值得一读｜賞賛に〜する 值得称赞
あた・える【与える】❶〔利益を〕给gěi; 给以

gěiyǐ; 给予jǐyǔ ‖ えさを〜える 喂食 ❷〔提供する〕给gěi; 提供tígōng ‖ 注意を〜える 给以提醒 | 警告を〜える 予以警告 ❸〔不利益を〕给gěi; 予以yǔyǐ; 导致dǎozhì; 带来dàilai ‖ ダメージを〜える 予以打击 | 損害を〜える 带来损失 ❹〔心理状態を〕给gěi; 留下liúxia ‖ 好印象を〜える 留下好印象

あたかも【恰も】好像hǎoxiàng; 就像jiù xiàng; 宛如wǎnrú

あたたか・い【暖かい・温かい】❶〔物・気温が〕暖和nuǎnhuo; 温暖wēnnuǎn; 热乎乎rèhūhū ‖ 〜いご飯 热乎乎的米饭 | 〜い部屋 温暖的房间 | 〜くなる 变暖 ❷〔気持ちが〕温暖wēnnuǎn; 热情rèqíng ‖ 〜い家庭 温暖的家庭 | 〜いもてなし 热情的招待 ❸〔金銭的に〕宽裕kuānyù; 富裕fùyù ‖ ふところが〜い 手头宽裕

あたたま・る【暖まる・温まる】取暖qǔnuǎn; 温暖wēnnuǎn ‖ ふろで〜った 洗了澡，身体暖和了 | 席の〜るひまもない 定席不暇暖

あたた・める【暖める・温める】❶〔加熱する〕温wēn; 热rè; 烫tàng ‖ スープを〜める 热一热汤 ❷〔大切に保つ〕保存bǎocún; 保留bǎoliú; 酝酿yùnniàng ‖ 新作の構想を〜める 酝酿新作品的构思 | 旧交を〜める 重温旧好

アタック (〜する)进攻jìngōng; 攻克gōngkè; 挑战tiǎozhàn ‖ 頂上に〜する 挑战顶峰 | 難関に〜する 要攻克难关

アタッシュ ケース 手提公文包shǒutí gōngwénbāo

あだな【綽名・渾名】外号wàihào; 绰号chuòhào; 诨名hùnmíng ‖ 〜をつける 起外号

あたふた (〜する)慌慌张张huānghuāngzhāngzhāng; 慌手慌脚huāng shǒu huāng jiǎo

アダプター 适配器shìpèiqì

あたま【頭】❶〔頭部〕头tóu; 脑袋nǎodai ‖ 深々と〜を下げて陳謝した 深深地鞠躬以示歉意 ❷〔頭髪〕头发tóufa ‖ 〜がかなり薄くなってきた 头发越来越稀了 ❸〔頭脳〕头脑tóunǎo; 脑子nǎozi; 智力zhìlì ‖ 〜が古い 老脑筋 | 〜の回転が早い 脑筋灵活 | 〜が切れる 头脑敏锐 | 〜を使う 动脑筋 | 〜をしぼる 绞尽脑汁 | 〜の中は試験のことでいっぱいだ 满脑子都想着考试的事 ❹〔はじめ〕前面qiánmian; 开头kāitóu ‖ 〜から読みなおす 从头再读 | 〜から信じない 根本不相信 ❺〔人数〕人数rénshù ‖ 1人〜2000円の会費を徴収する 每人收2000日元的会费 ❻〔慣用表現〕‖ 〜を突っ込む 干预 | 〜にくる 令人气愤 | 〜隠してしり隠さず 藏头露尾 | 〜があがらない 抬不起头来 | この問題はほんとうに〜が痛い 这个问题真让人头疼 | 〜をかかえる 发愁 | 〜を冷やす 冷静下来

あたまうち【頭打ち】达到顶点dádào dǐngdiǎn; 走到尽头zǒudào jìntóu ‖ 給料が〜になってしまった 工资已经涨到头儿了

あたまかず【頭数】人数rénshù ‖ 〜を数える 数人数 | 〜をそろえる 凑齐人数

あたまきん【頭金】首付shǒufù ‖ 〜を払う 交首付 | 〜なし 零首付

あたまごなし【頭ごなし】不问情由bú wèn qíngyóu; 定不分青红皂白bù fēn qīng hóng zào bái ‖ 〜にしかられた 不分青红皂白地被骂了一顿

あたまわり【頭割り】均摊jūntān; 分摊fēntān

あたらし・い【新しい】❶〔初めての〕新xīn ‖ 〜い友人 新的朋友 ❷〔新鮮〕新鲜xīnxian ‖ いまだ記憶に〜い 至今记忆犹新

あたり【辺り】❶〔場所〕附近fùjìn; 一带yídài; 周围zhōuwéi ‖ この〜はよく知らない 这附近我不熟悉 | 〜をはばかる 顾忌周围 ❷〔だいたい〕大约dàyuē; 大致dàzhì ‖ 今度の日曜日〜に彼が来そうだ 这个星期日前后他可能会来

あたり【当たり】❶〔命中〕中zhòng; 打中dǎ zhòng ❷〔成功〕成功chénggōng ‖ 芝居は大〜だった 这个戏剧获得了很大的成功 ❸〔見当〕头绪tóuxù ‖ 〜をつける 推测 ❹〔野球〕击球jīqiú; 打球dǎ qiú ‖ すばらしい〜 打得很漂亮 ❺〔釣り〕上钩shànggōu ‖ 〜がきた 鱼上钩了

あたりさわり【当たり障り】‖ 〜のないことばかり言う 净说不得罪人的话 | 〜のない返事をする 做出模棱两可的答复

あたりちら・す【当たり散らす】发脾气fā píqi; 拿人撒气ná rén sāqì

あたりどし【当たり年】丰年fēngnián; 好运年hǎoyùnnián ‖ リンゴの〜 苹果丰收年

あたりまえ【当たり前】❶〔当然だ〕当然dāngrán; 不用说búyòng shuō ‖ 約束をすっぽかされたら怒るのが〜だ 不守约，当然要生气了 ❷〔普通である〕普通pǔtōng; 一般yìbān ‖ ごく〜のデザイン 极普通的款式 | 〜の生活 正常的生活

あた・る【当たる】❶〔ぶつかる〕命中mìngzhòng; 撞上zhuàngshang ❷〔的中する〕猜中cāizhòng ‖ 推理が〜る 猜对 | 〜らずといえども遠からず 定八九不离十 ❸〔該当する〕相当xiāngdāng; 时值shízhí ‖ この人は私の叔父に〜る人です 他是我叔叔 ❹〔担当する〕担任dānrèn; 负责fùzé ‖ 交渉に〜る 负责交涉 ❺〔調べる〕核对héduì; 查看chákàn ‖ 現場に〜る 查看现场 | 本人にじかに〜ってみなさい 直接问一下他本人吧 ❻〔いらいらをぶつける〕发脾气fā píqi; 迁怒qiānnù ‖ ぼくに〜るなよ 别冲我发脾气呀 ❼〔日光・雨などに〕‖ 日に〜る 晒太阳 | 火に〜る 烤火 ❽〔中毒する・やられる〕中毒zhòngdú ‖ 魚に〜った 吃鱼吃坏了肚子 | 暑さに〜る 中暑 ❾〔…に際して〕正值…zhèng zhí …; 正当…zhèngdāng … ‖ 会を始めるに〜って一言申しあげます 在开会之前，请允许我说几句话 ❿〔立ち向かう〕对抗duìkàng; 抵抗dǐkàng ‖ 一致団結して強敵に〜る 团结一致对付强敌

アダルト 成人chéngrén ✤ 一ビデオ:成人小电影

あちこち 到处dàochù; 各处gè chù

あちら 那边nàbiān; 那儿nàr. (あの方)那位nà wèi ‖ 〜はお知り合いですか 那位是您熟人吗？ | 〜立てればこちらが立たず 定顾此失彼

あっ 啊！ā!; 呀！yā!; 哎呀！āiyā! ‖ 〜，財布を忘れた 哎呀！我忘带钱包了 | 世間を〜と言わせる 举世震惊 | 〜という間 一眨眼的工夫

あつ・い【厚い】❶〔物質が〕厚hòu ❷〔思いが〕深厚shēnhòu; 热情rèqíng ‖ 〜い友情 深厚的友谊

あつ・い【暑い】热rè ‖ 〜いのは苦手だ 我怕热

あつ・い【熱い】❶〔温度が〕热rè ❷〔心が〕

热衷rèzhōng ‖ 胸が～くなる 深受感动
あっか【悪化】(～する)恶化èhuà ‖ 病状が～する 病情恶化｜～の一途をたどる 一直趋于恶化
あっか【悪貨】劣币lièbì ‖ ～は良貨を駆逐する 劣币驱逐良币
あつか・う【扱う】❶〔使う〕使用shǐyòng; 操作cāozuò ‖ ～いにくい 不好用 ❷〔取り扱う〕处理chǔlǐ; 管guǎn ‖ 小包を～っていますか 可以寄包裹吗？｜その品は当店では～っておりません 本店不经营那种商品 ❸〔待遇する〕接待jiēdài; 对待duìdài ‖ 客を丁重に～う 殷勤接待客人
あつかまし・い【厚かましい】㊣厚颜无耻hòu yán wú chǐ; 不要脸bú yào liǎn
あつがみ【厚紙】〔张〕厚纸hòuzhǐ; 纸板zhǐbǎn
あっかん【圧巻】最精彩zuì jīngcǎi
あっかん【悪漢】坏蛋huàidàn
あつぎ【厚着】穿得多chuānde duō ‖ 風邪をひかぬよう～をしなさい 多穿点儿,小心感冒
あつくるし・い【暑苦しい】闷热mēnrè
あっけ【呆気】‖ ～にとられる 惊讶；㊣目瞪口呆
あっけな・い【呆気ない】简单jiǎndān; 不尽兴bú jìnxìng; 不过瘾bú guòyǐn ‖ 夏休みは～く終わった 暑假很快就过去了
あっこうぞうごん【悪口雑言】辱骂rǔmà ‖ ～の限りを尽くす ㊣破口大骂
あつさ【厚さ】厚度hòudù ‖ ～5センチ 五公分厚
あつさ【暑さ】热rè; 暑热的程度shǔrè de chéngdù ‖ この～では外に出ることもできない 这么热的天根本出不去｜～寒さも彼岸まで 冷到春分,热到秋分
あっさり ❶〔さっぱり〕爽快shuǎngkuai; 清淡qīngdàn ‖ ～した性格 性格爽快｜～した料理 清淡的菜 ❷〔簡単〕简单jiǎndān; 轻易qīngyi ‖ ～断られる 被干脆地拒绝｜～負ける 轻易地输给对方
あつじ【厚地】厚布料hòu bùliào
あっし【圧死】(～する)被压死bèi yāsǐ
あっしゅく【圧縮】(～する)压缩yāsuō ‖ ファイルを～する 压缩文件
あっしょう【圧勝】(～する)大胜dàshèng ‖ 市長選では現職が～した 在市长选举中现任市长以绝对优势取胜
あっせい【圧政】暴政bàozhèng; 专制zhuānzhì
あっせん【斡旋】(～する)介绍jièshào; 斡旋wòxuán ‖ 仕事を～する 介绍工作
あっち 那里nàli; 那边nàbiān
あつで【厚手】厚的hòu de ‖ ～の板 厚板｜～のセーター 厚毛衣
あっとう【圧倒】(～する)压倒yādǎo; 胜过shèngguo ‖ ～的な強さ 绝对的优势｜～的多数 绝对多数｜相手を～する 压倒对方
アット ホーム (像在自己家里一样)舒适(xiàng zài zìjǐ jiāli yíyàng) shūshì; ㊣无拘无束wú jū wú shù ‖ ～な雰囲気 家庭气氛
あっぱく【圧迫】(～する)压迫yāpò; 压制yāzhì ‖ 食費が家計を～する 伙食上的花销给家里带来很大的负担 ✤一感:压迫感
アップ ❶(～する)〔上がる〕提高tígāo; 上涨shàngzhǎng ‖ 給与が～した 涨工资了 ❷〔髪型〕盘头pántóu ‖ 髪を～にする 把头发盘起来
アップグレード (～する)升级shēngjí
アップ ダウン 起伏qǐfú ‖ ～の多いコース 起伏不断的路线
アップリケ 贴花tiēhuā; 嵌花qiànhuā; 镶饰xiāngshì ‖ ～のついた手さげ 镶着贴花的手提包
あつぼったい【厚ぼったい】厚实hòushi
あつまり【集まり】❶〔集会〕集会jíhuì; 聚会jùhuì ‖ 市民の～に出る 参加市民的集会 ❷〔集まりぐあい〕参加〔募集〕的情况cānjiā〔mùjí〕de qíngkuàng ‖ 寄付金の～がよくない 捐款的募集情况不好
あつま・る【集まる】❶〔人が〕聚集jùjí; 集合jíhé ‖ 上野駅に午前7時までに～ってください 请早上7点之前在上野车站集合 ❷〔ものが〕集中jízhōng; 汇集huìjí ‖ 視線が～る 视线集中
あつ・める【集める】收集shōují; 聚集jùjí; 招集zhāojí ‖ 資料を～める 收集资料｜部下を～める 招集部下｜注目を～める 引人注目
あつら・える【誂える】订做dìngzuò ‖ チャイナドレスを～える 订做旗袍
あつりょく【圧力】压力yālì ‖ ～がかかる 承受压力｜～をかける 施加压力 ✤一計:压力计；压强计｜一なべ:高压〔压力〕锅
あつれき【軋轢】冲突chōngtū; 摩擦mócā; 纠纷jiūfēn ‖ ～が生じる 产生摩擦
あて【当て】❶〔目的〕目标mùbiāo; 目的mùdì ‖ ～もなく 没目的地 ❷〔見込み・期待〕指望zhǐwang; 希望xīwàng ‖ ～が外れる 失望；落空｜～にする 指望 ❸〔頼り〕可靠kěkào; 依靠yīkào ‖ ～にならない 靠不住
あて【宛て】寄给jìgěi; 发给fāgěi; 写给xiěgěi ‖ 私～にお送りください 请寄到我这里来
あてが・う【宛てがう】❶〔くっつける〕紧靠jǐnkào; 贴上tiēshang ‖ 傷口に布を～った 在伤口上贴上纱布 ❷〔与える〕分配fēnpèi; 给gěi
あてこす・る【当て擦る】讥讽jīfěng; 讽刺fěngcì ‖ 人の失敗を～る 讥讽别人的失败
あてこ・む【当て込む】指望zhǐwang; 期望qīwàng ‖ ボーナスを～む 指望奖金
あてさき【宛て先】收件人姓名地址shōujiànrén xìngmíng dìzhǐ ‖ ～不明 收件人地址不详
あてじ【当て字】借用字jièyòngzì; 假借字jiǎjièzì
あてずっぽう【当てずっぽう】瞎猜xiācāi; 胡猜húcāi ‖ ～を言う 胡说｜～で答える 乱回答
あてつ・ける【当て付ける】❶〔あてこする〕影射yǐngshè; 挖苦wāku; ㊣指桑骂槐zhǐ sāng mà huái ‖ ～けがましいことを言う 拐弯抹角地说风凉话 ❷〔仲の良さを見せつける〕‖ 新婚夫婦に～けられる 新婚夫妇的亲热样儿,让我很不好意思
あてど【当て所】‖ ～なくさすらう 毫无目的地流浪
あてな【宛て名】收件人的名字shōujiànrén de míngzi
あてにげ【当て逃げ】(～する)肇事后逃走
あてはま・る【当てはまる】适合shìhé; 符合fúhé ‖ 要求に～る 符合要求
あては・める【当てはめる】适用shìyòng; 应用

yìngyòng; 对照duìzhào ‖ わが身に～めて考える 对照自己地想

あでやか【艶やか】艳丽yànlì; 娇艳jiāoyàn

あ·てる【充てる】充当chōngdāng; 用于yòngyú; 用来(做…) yòng lái (zuò…) ‖ 体育館を避難所に～てる 把体育馆当作避难所 | 夜は勉強に～てている 晚上时间用于〔用来〕学习

あ·てる【当てる】❶〔ぶつける〕撞zhuàng; 打dǎ ❷〔あてがう〕放fàng; 垫diàn ‖ 額に手を～てて熱をみる 把手放在额头上量体温 | どうぞ座布団をお～てください 请垫上垫子坐吧 ❸〔的中させる〕正中zhèng zhòng; 猜中cāizhòng ‖ 試験の山を～てた 考试题押中了 | 株で～てる 炒股赚钱 ❹〔指名する〕指名zhǐmíng ‖ 授業中先生に～てられた 课上老师指名让我回答 ❺〔光·雨などにさらす〕晒shài; 淋lín ‖ ふとんを日に～てる 晒被子 ❻〔担当させる〕委派wěipài; 指派zhǐpài ‖ 役を～てる 指派角色 ❼〔慣用表現〕 ‖ 目も～てられない 定 目不忍睹 | 胸に手を～てて考える 扪心自问

あ·てる【宛てる】(寄)给(jì)gěi ‖ 家族に～てて絵葉書を送る 把美术明信片寄给家里人

あてレコ【当てレコ】配音pèiyīn

あと【後】❶〔時間〕以后yǐhòu; 之后zhī hòu ‖ ～で後悔するぞ 以后你会后悔的 | ～から参ります 我一会儿就去 | あなたが帰った～すぐに彼が来た 你刚走他就来了❷〔後方〕后面hòumian; 后边儿hòubianr | ～についていく 跟着去 | それは～に回しましょう 那个推到〔放到〕后面吧 | 家を～にする 离开家 ❸〔残余〕其余qíyú; 剩下shèngxia ‖ ～はわけなくできる 剩下的, 轻而易举就可以完成 ❹〔後事〕以后的事yǐhòu de shì ‖ (留守中)～を頼む 我走后的事就拜托你了 ❺〔死後〕死后sǐhòu; 身后shēnhòu ‖ ～に残された家族 死者的家人 ❻〔子孫〕子孙zǐsūn; 后代hòudài ‖ ～が絶えた 断子绝孙 ❼〔さらに〕再zài; 还有háiyǒu ‖ ～7日でお正月だ 再过七天就是新年了 | ～は何を買うの 还要买什么? | 列車が出るまで～3分しかない 离发车只有三分钟 ❽〔慣用表現〕 ‖ ～がない 定 无路可退 | ～に引けない 不能后退 | ～は野となれ山となれ 定 管它三七二十一

あと【跡】❶〔通った跡〕脚印jiǎoyìn; 痕迹hénjì ❷〔ゆくえ〕去向qùxiàng; 踪迹zōngjì ‖ ～をくらます 隐藏踪迹 | ～をつける 跟踪 ❸〔歴史的な場所〕遗址yízhǐ; 遗迹yíjì ‖ 古戦場の～ 古战场的遗址 ❹〔慣用表現〕 ‖ 立つ鳥～を濁さず 定 善始善终 | ～をたたない 接连不断

あとあじ【後味】回味huíwèi; 余味yúwèi ‖ ～が悪い 过后让人别扭

あとあと【後後】将来jiānlái; 日后rìhòu ‖ ～のことを考える 考虑到将来

あとおし【後押し】(～する)后援hòuyuán ‖ 政府が～する開発 政府所援助的开发项目

あとがき【後書き】〔篇〕后记hòujì; 跋bá

あとかた【跡形】形迹xíngjì; 踪迹zōngjì; 痕迹hénjì ‖ ～もない 一点儿痕迹都没有

あとかたづけ【後片付け】(～する)收拾shōushi; 整理zhěnglǐ ‖ 食事の～をする (食卓)收拾餐桌; (皿洗い)洗餐具

あとくされ【後腐れ】事后留下麻烦shìhòu liúxia máfan; 留下坏影响liúxia huài yǐngxiǎng ‖ ～のないように始末してくれ 妥善处理好, 不要事后留下麻烦

あどけな·い 天真烂漫tiānzhēn lànmàn; 稚气zhìqì ‖ 子どもの～い寝顔 孩子天真可爱的睡相

あとさき【後先】❶〔前後〕前后qiánhòu; 先后xiānhòu ‖ ～を考えずに家を飛び出した 没有好好儿考虑就从家里跑出来了 ❷〔順序〕顺序shùnxù; 先后xiānhòu ‖ ～になる 顺序颠倒

あとしまつ【後始末】(～する)清理后事qīnglǐ hòushì; 善后shànhòu ‖ ～をつける 处理善后 | 借金の～をする 处理债务

あとずさり【後退り】(～する)后退hòutuì; 倒退dàotuì

あとつぎ【跡継ぎ】继承人jìchéngrén; 后继人hòujìrén

あととり【跡取り】继承人jìchéngrén

あとのまつり【後の祭り】来不及láibují; 马后炮mǎhòupào ‖ いまさら後悔しても～だ 事到如今后悔也来不及了

アドバイス (～する)劝告quàngào; 建议jiànyì

あとばらい【後払い】后付款hòufùkuǎn; 赊购shēgòu ‖ ～で買う 赊购

アドバルーン 广告气球guǎnggào qìqiú

アトピー 特异反应性tèyì fǎnyìngxìng; 特应性tèyìngxìng ❖一性皮膚炎:特应性皮炎

あとまわし【後回し】推迟tuīchí; 留待liúdài ‖ ～にする 推到后面

アトム 原子yuánzǐ

あともどり【後戻り】(～する)❶〔戻る·引き返す〕倒退dàotuì; 返回fǎnhuí ❷〔退歩する〕落后luòhòu; 后退hòutuì ‖ 景気が～する 景气回落

アトリエ 〔间〕画室huàshì; 工作室gōngzuòshì

アドリブ 即兴演奏〔表演〕jíxìng yǎnzòu〔biǎoyǎn〕 ‖ ～のせりふ 即兴创作的台词

アドレナリン 肾上腺素shènshàngxiànsù

あな【穴】❶〔穴〕坑kēng; 洞dòng; 眼儿yǎnr ‖ ～に落ちる 掉到坑里 | ～を掘る 挖坑〔洞〕 | ～をあける 打眼儿 | ～のあくほど見詰める 死死地盯着 | ～があったら入りたい 要是有条地缝儿, 真想钻进去 ❷〔不備·不足〕漏洞lòudòng. (欠損)亏空kuīkong ‖ 家計に～をあける 给家庭的经济造成赤字 ❸〔番狂わせ〕冷门lěngmén ‖ ～を狙う 希望爆冷门

あなうめ【穴埋め】(～する)填空tiánkòng; 填补tiánbǔ ‖ 欠損を～する 填补亏损

アナウンサー 播音员bōyīnyuán; 广播员guǎngbōyuán

アナウンス (～する)广播guǎngbō; 播放bōfàng ‖ 駅の～ 车站广播 | 機内～ 机上广播

あながち 未必wèibì; 不见得bú jiànde ‖ ～まちがってはいない 不见得错

あなた【貴方·貴女】你nǐ; 您nín

あなど·る【侮る】轻视qīngshì; 忽视hūshì; 小看xiǎokàn ‖ ～れない問題 不容忽视的问题 | あいつの実力を～るな 不要小看他的实力

アナログ 模拟mónǐ ❖一時計:指针式钟表

あに【兄】哥哥gēge; 哥gē ‖ いちばん上の～ 大哥 | 2番目の～ 二哥 | 義理の～ (姉の夫)姐夫; (夫の兄)大伯子; (妻の兄)大舅子 ❖一弟子:

あ

师兄；师哥 | 一嫁:嫂子
アニメーション 动画片dònghuàpiàn
あね【姉】姐姐jiějie；姐jiě ‖ いちばん上の～ 大姐 | 2番目の～ 二姐 | 義理の～ (兄嫁)嫂子；(夫の姉)大姑子；(妻の姉)大姨子
あねったい【亜熱帯】亚热带yàrèdài
アネモネ 银莲花yínliánhuā
あの 那nà ‖ ～人 那个人 | ～ころ 那些日子；那时候
あのてこのて【あの手この手】各种办法gè zhǒng bànfǎ ‖ ～を使う 使尽各种办法
あのよ【あの世】来世láishì；黄泉huángquán
アパート〔幢,所〕公寓gōngyù
あば・く【暴く】❶〔暴露する〕暴露bàolù；揭露jiēlù；揭发jiēfā ‖ 陰謀を～く 揭露阴谋 | 秘密を～く 暴露秘密 | 正体を～く 揭露本来面目 ❷〔掘る〕挖wā；掘jué ‖ 墓を～く 掘墓
あばた【痘痕】麻子mázi ‖ ～もえくぼ 定情人眼里出西施
あばらぼね【肋骨】〔条,根〕肋骨lèigǔ
あばらや【あばら屋】破房子pò fángzi
アパルトヘイト 种族隔离zhǒngzú gélí
あば・れる【暴れる】闹nào；乱闹luàn nào
アパレル 服装fúzhuāng ❖ 一業界:服装行业
アピール（～する）(訴える)呼吁hūyù．(売り込む)宣传xuānchuán ‖ 自己～ 自我宣传；自我表现
あび・せる【浴びせる】泼pō；浇jiāo ‖ 水を～せる 泼水 | 質問を～せる 不断地提出问题
あひる【家鴨】〔只〕鸭子yāzi
あ・びる【浴びる】浇jiāo；淋浴línyù；沐浴mùyù．(光を)晒shài．(こうむる)遭受zāoshòu ‖ ひと風呂～びる 洗个澡 | 電磁波を～びる 受电磁波的辐射 | 非難を～びる 受到批判 | ～びるように飲む 暴饮
あぶ【虻】〔只〕牛虻niúméng ‖ ～蜂取らず 鸡飞蛋打；两头落空
アフガニスタン 阿富汗Āfùhàn
アフターケア ❶〔医療〕病后的疗养bìnghòu de liáoyǎng ❷ ⇨アフターサービス
アフターサービス 售后服务shòuhòu fúwù
あぶな・い【危ない】❶〔危険〕危险wēixiǎn ‖ ～い目に遭う 遭遇险境 | ～い橋を渡る 冒险 ❷〔先行きが暗い〕‖ 昇進どころか首さえ～い 别提晋升了,可能连工作都难保 ❸〔信用できない〕不可靠bù kěkào；难以预料nányǐ yùliào ‖ 彼が来るかどうか～い 他来不来很难说 | 口約束だけでは～い 单单口头承诺是靠不住的 ❹〔きわどい〕差一点儿chà yìdiǎnr；险些xiǎn xiē ‖ 今回の試験は～かった 这回考试,差点儿没及格 | ～いところで命拾いした 定死里逃生
あぶなげ【危なげ】‖ ～ない演技 沉着冷静的表演
あぶなっかし・い【危なっかしい】显得危险xiǎnde wēixiǎn；令人担心lìng rén dānxīn ‖ ～い運転 令人担心的驾驶 | ～い足取り 脚步不稳
あぶら【油】❶〔油脂〕油yóu ‖ ～であげる 油炸 | ～がはねる 油星溅起 | ～を差す 上油 ❷〔慣用表現〕‖ ～を売る 闲聊；偷懒；磨洋工 | ～を絞る 训斥 | 火に～を注ぐ 火上浇油
あぶら【脂】脂肪zhīfáng；肥féi ‖ この魚は～が乗っている 这条鱼很肥 | 彼は今いちばん～が乗っているときだ 他正是干劲十足的时候 ❖ 一汗:冷汗 | 一身:肥肉
あぶらえ【油絵】油画yóuhuà
あぶらっこ・い【脂っこい】油腻yóunì ‖ ～い料理 油腻的菜
あぶらむし【油虫】❶〔アリマキ〕〔只,个〕蚜虫yáchóng ❷〔ゴキブリ〕〔只,个〕蟑螂zhānglang
アフリカ 非洲Fēizhōu
アプリコット 杏儿xìngr
あぶ・る【炙る・焙る】烤kǎo
あふ・れる【溢れる】(あふれ出る)溢出yìchu．(いっぱいになる)充满chōngmǎn ‖ 川が～れた 河水泛滥 | 涙が～れる 定热泪盈眶 | 元気に～る 精力充沛
あべこべ 倒dǎo；颠倒diāndǎo；反fǎn ‖ 絵を上下～にかけた 把画挂反了
アベック 一对男女yí duì nánnǚ；情侣qínglǚ
アベ マリア 圣母颂shèngmǔ sòng
アベレージ 平均píngjūn
あへん【阿片】鸦片yāpiàn ‖ ～を吸う 吸鸦片
アポイントメント 预约yùyuē；约会yuēhuì
あほうどり【信天翁】〔只〕信天翁xìntiānwēng
アボカド 鳄梨èlí；油梨yóulí
アポロ 阿波罗Ābōluó ❖ 一計画:阿波罗计划
あま【尼】尼姑nígū
あま【海女】渔女yúnǚ；女潜水员nǚ qiánshuǐyuán
アマ ⇨アマチュア
あまあし【雨脚・雨足】雨脚yǔjiǎo；雨势yǔshì ‖ ～が激しくなった 雨下得大起来了
あま・い【甘い】❶〔味が〕甜tián ‖ 味つけが～すぎる 味道太甜 ❷〔声などが〕甜美tiánměi；好听hǎo tīng ‖ ～いささやき 定甜言蜜语 ❸〔厳しくない〕不严格bù yángé；不严厉bù yánlì ‖ 点が～い 判分判得很松 | 父は姉に～い 父亲很宠姐姐 | 考えが～い 想法太简单 | 見通しが～い 预想太乐观 | 詰めが～かった 最后关头掉以轻心了 | 相手を～く見る 小看对手 ❹〔ゆるい〕松sōng ‖ ねじが～い 螺丝松了 | ピントが～い 聚焦不准 ❺〔慣用表現〕‖ ～い汁を吸う 不劳而获；占便宜
あま・える【甘える】❶〔子どもなどが〕撒娇sājiāo ‖ 親に～える 依靠父母 ❷〔好意に〕承蒙(厚意) chéngméng (hòuyì) ‖ 好意に～える 承蒙好意 | 言葉に～える 恭敬不如从命
あまがえる【雨蛙】〔只〕雨蛙yǔwā；绿蛙lǜwā
あまがさ【雨傘】〔把〕雨伞yǔsǎn
あまがっぱ【雨合羽】雨衣yǔyī
あまぐ【雨具】雨具yǔjù
あまくち【甘口】带甜味dài tiánwèi
あまぐつ【雨靴】雨靴yǔxuē
あまぐも【雨雲】乌云wūyún.雨云yǔyún
あまごい【雨乞い】(～する)求雨qiú yǔ
あまざらし【雨曝し】日晒雨淋rì shài yǔ lín；任凭雨淋rènpíng yǔ lín
あま・す【余す】剩下shèngxia；留下liúxia ‖ 金を～さず使う 把钱花得分文不剩 | 今年も～すところ1週間となった 今年也只剩下一周了
あまずっぱ・い【甘酸っぱい】酸甜suāntián；

甜酸tiánsuān
あまだれ【雨垂れ】雨滴yǔdī ‖ ～石をうがつ 定 滴水穿石
アマチュア 业余爱好者yèyú àihàozhě
あまったる･い【甘ったるい】❶〔味が〕太甜tài tián ❷〔声･態度が〕嗲声嗲气diǎshēng diǎqì; 娇滴滴jiāodīdī; 娇媚jiāomèi
あまったれ･る【甘ったれる】⇨あまえる(甘える)
あまでら【尼寺】尼姑庵nígū'ān.〔カトリック〕女修道院nǚ xiūdàoyuàn
あまど【雨戸】〔扇〕木板套窗mùbǎn tàochuāng; 防雨板fángyǔbǎn
あまどい【雨樋】水溜子shuǐliùzi
あまのがわ【天の川】天河tiānhé; 银河yínhé
あまみず【雨水】雨水yǔshuǐ
あまもり【雨漏り】(～する)漏雨lòu yǔ ‖ ～を修理する 修补漏雨的地方
あまやか･す【甘やかす】娇惯jiāoguàn; 定 娇生惯养jiāo shēng guàn yǎng ‖ ～すと子どもはだめになる 娇惯孩子对他没有好处
あまやどり【雨宿り】(～する)避雨bì yǔ ‖ 雨がやむまで木の下で～した 在树下避雨直到雨停
あまり【余り】❶〔余分〕剩余shèngyú; 剩下shèngxia ❷〔数学〕余数yúshù ❸〔…のあまり〕过于guòyú; …之余… zhī yú ‖ 緊張の～顔面蒼白になった 过于紧张,脸色变得苍白 ❹〔少し多い〕多duō ‖ 1時間～も待った 等了一个多小时 ❺〔さほど〕不太bútài; 不怎么bù zěnme ‖ 体が～丈夫でない 身体不太好 | ～興味がない 没有多大兴趣 ❻〔度が過ぎる〕太tài; 过于guòyú ‖ ～遅くならないうちに帰りなさい 不要回来得太晚 | ～飲みすぎないようにね 不要喝过头了
あまりある【余りある】❶〔余裕がある〕有余yǒuyú ‖ 業績は失敗を補って～ 业绩远远超过过失 ❷〔…しきれない〕超过chāoguò; 无法wúfǎ ‖ 想像するに～ 超出想像
あま･る【余る】❶〔残る〕剩shèng; 剩下shèngxia; 富余fùyu ‖ 予算が～った 预算没有用完 | 人手が～っている 人手有富余 ❷〔慣用表現〕‖ 目に～る 看不下去 | 手に～る 承担不了 | 身に～る光栄です 感到不胜荣幸
アマルガム 汞齐gǒngqí; 汞合金gǒnghéjīn
あまん･じる【甘んじる】甘于gānyú; 情愿qíngyuàn ‖ 清貧に～じる 甘于清贫 | 世間の非難を～じて受ける 情愿忍受世人的谴责
あみ【網】网wǎng ‖ ～を打つ 撒网 | 捜査の～を張る 布下法网 | 捜査の～にかかる 落入法网 ✤ 一タイツ:网眼袜
アミーバ ⇨アメーバ
あみだ【阿弥陀】阿弥陀佛Ēmítuófó
あみだ･す【編み出す】想出xiǎngchu; 创作出chuàngzuòchu; 研究出yánjiūchu
あみだな【網棚】行李架xínglijià
あみど【網戸】〔扇〕纱门shāmén; 纱窗shāchuāng
アミノさん【アミノ酸】氨基酸ānjīsuān
あみめ【編み目】针脚zhēnjiao
あみもの【編み物】编织biānzhī; 做毛线活儿zuò máoxiànhuór
あ･む【編む】❶〔糸などで〕编biān; 织zhī ‖ お下げに～む 编辫子 | マフラーを～む 织围巾 ❷〔編集する〕编纂biānzuǎn
あめ【雨】〔场〕雨yǔ ‖ ～になった 下雨了 | ひどい～だ 雨下得很大 | ～が降りそうだ 要下雨了 | ～が降りだした 下起雨来了 | ～が小降りになった 雨小了 | この～はやみそうにない 这场雨一时半会儿停不了 | ～が降ったりやんだりしている 雨一会儿下一会儿停 | ～がいっこうにやまない 雨一直下个不停 | ～の中を出発した 冒雨出发了 | 今年は～が少ない 今年雨水很少 | ～が降ろうが槍(やり)が降ろうが 定 风雨无阻 | ～降って地かたまる 定 不打不成交; 定 不打不相识
あめ【飴】糖táng; 糖果tángguǒ ‖ ～をなめる 吃糖 | ～をしゃぶらせる 给个甜头儿尝尝 | ～とむち 胡萝卜加大棒; 定 软硬兼施
あめあがり【雨上がり】雨后yǔhòu; 雨刚停yǔ gāng tíng
あめあられ【雨霰】如雨倾盆而下rú yǔ qīng-pén ér xià ‖ 銃弾が～と降り注ぐ 定 枪林弹雨 | 感謝感激～ 感恩不尽
アメーバ 阿米巴āmǐbā; 变形虫biànxíngchóng
アメジスト 紫晶zǐjīng; 紫水晶zǐshuǐjīng
あめつゆ【雨露】雨露yǔlù ‖ ～をしのぐ場所もない 连遮蔽雨露的地方都没有
アメリカ 美国Měiguó ✤ 北一:北美洲 | 中央一:中美洲 | 南一:南美洲
アメリカナイズ 美国化Měiguóhuà
アメリカン 美式Měishì ✤ 一コーヒー:美式咖啡 | 一フットボール:美式足球
あめんぼ【水黽】水黾shuǐmǐn; 黾蝽mǐnchūn
あやうく【危うく】差(一)点儿(没) chà (yì) diǎnr (méi); 险些xiǎnxiē; 几乎jīhū ‖ ～だまされるところだった 差一点儿上了当 | ～車にひかれるところだった 险些被车撞着
あやか･る 沾光zhānguāng; 效仿xiàofǎng ‖ あなたの幸運に～りたい 但愿跟你一样好运气
あやし･い【怪しい】❶〔うさんくさい〕可疑kěyí;奇怪qíguài ‖ どうもあいつが～い 他的确很可疑 | あの2人の仲は～い 他俩关系有点儿暧昧 ❷〔疑わしい〕不可靠bù kěkào; 值得怀疑zhíde huáiyí ‖ 本当かどうか～いものだ 是不是真的值得怀疑 ❸〔神秘的だ〕神秘shénmì; 神奇shénqí
あやし･む【怪しむ】怀疑huáiyí; 诧异chàyì ‖ 挙動不審で警官に～まれる 因举止可疑,引起警察的怀疑 | 信用して～まない 深信不疑
あや･す 哄hǒng; 逗dòu ‖ 子どもを～す 逗小孩子
あやつりにんぎょう【操り人形】木偶mù'ǒu; 傀儡kuǐlěi
あやつ･る【操る】❶〔物を動かす〕操作cāozuò ‖ クレーンを～る 操作起重机 ❷〔使いこなす〕运用自如yùnyòng zìrú ‖ 3か国語を自由に～る 自如运用三种外语 ❸〔人を動かす〕操纵cāozòng; 控制kòngzhì ‖ 陰で～る 暗中操纵
あやとり【綾取り】翻绳儿fān shéngr
あやぶ･む【危ぶむ】担心dānxīn; 担忧dānyōu ‖ 成功を～む 担心能否成功
あやふや 含糊hánhu;暧昧àimèi ‖ ～なことを言う 说得含糊其辞 | ～に答える 回答得含含糊糊 | ～な態度をとる 采取模棱两可的态度

あ

あやまち【過ち】错误cuòwù；过失guòshī ‖ ～を犯す 犯错误 | ～を認める 承认错误

あやまり【誤り】错误cuòwù ‖ ～を正す 纠正错误 | 弘法も筆の～ 智者千虑，必有一失

あやま·る【誤る】错cuò；搞错gǎocuò ‖ 判断を～った 判断错了 | 職業の選択を～る 选错职业 | 一生を～る 贻误一生

あやま·る【謝る】道歉dàoqiàn；赔礼péilǐ ‖ 平謝りに～る 一个劲儿地道歉 | ～ればすむことじゃない 可不是赔个礼就完得了的事

あゆ【阿諛】(～する)阿谀ēyú ✣ 一追従(ついしょう)：阿谀逢迎

あゆ【鮎】香鱼xiāngyú

あゆみ【歩み】❶（人の）步伐bùfá；脚步jiǎobù ‖ ～を速める[緩める] 加快[放慢]步伐 | ～をとめる 停下脚步 | ～がのろい 走得慢 ❷（物事の）发展情况fāzhǎn qíngkuàng；发展历程fāzhǎn lìchéng ‖ わが国の～ 我国发展情况

あゆみよ·る【歩み寄る】❶（近づく）走近zǒujìn ❷（譲歩する）让步ràngbù ‖ 双方が～れば問題は解決する 双方都让点儿步，问题就解决了

あゆ·む【歩む】❶（歩く）走zǒu；步行bùxíng ❷（進む）走zǒu；走上zǒushang ‖ これまで～んできた道を振り返る 回顾走过的历程

あら【粗】缺点quēdiǎn；毛病máobing ‖ ～が目立つ 缺点突出

アラー 真主Zhēnzhǔ；安拉Ānlā

アラーム ❶（目覚まし時計）闹钟nàozhōng ‖ ～をセットする 调闹钟 ❷（警報）警报jǐngbào.（装置）报警装置bàojǐng zhuāngzhì

あらあらし·い【荒荒しい】粗野cūyě；粗暴cūbào ‖ ～い気性 秉性粗暴 | ～く席を立った 粗鲁地站起来

あら·い【荒い】❶（激しい）激烈jīliè；厉害lìhai ‖ 息遣いが～い 喘得很厉害 | 鼻息が～い 趾高气扬 ❷（乱暴である）粗暴cūbào；凶xiōng ‖ 人使いが～い 用人用得狠 | 金遣いが～い 花钱大手大脚

あら·い【粗い】❶（細かくない）粗cū；大dà ❷（ざらざらしている）粗糙cūcāo ‖ きめの～い肌 粗糙的皮肤 ❸（大ざっぱだ）粗略cūlüè；粗糙cūcāo；草率cǎoshuài

あらいざらい【洗い浚い】所有suǒyǒu；统统tǒngtǒng ‖ ～打ちあける 统统都说出来 | ～自供する 全盘招供

あらいざらし【洗い晒し】洗褪了色xǐtuì le shǎi ‖ ～のジーパン 洗褪了色的牛仔裤

あらいもの【洗い物】要洗的东西yào xǐ de dōngxi ‖ ～をする 洗东西

あら·う【洗う】❶（汚れをおとす）洗xǐ；洗刷xǐshuā；冲洗chōngxǐ ‖ 体を～う 洗澡 | 茶わんを～う 洗[刷]碗 | 髪を～う 洗头发 | 車を～う 冲洗汽车 | 心が～われる 令人心旷神怡 ❷（調べる）查明chámíng；彻底调查chèdǐ diàochá ‖ 問題点を～いだす 查明问题的所在 | 容疑者の素性を～う 调查嫌疑人的底细

あらかじめ【予め】事先shìxiān；预先yùxiān ‖ ～知らせる 事先通知 | ～許可をとっておく 预先取得同意

あらかせぎ【荒稼ぎ】(～する)发横财fā hèngcái；发大财fā dàcái

アラカルト 单点dāndiǎn；散餐sǎncān

あらけずり【粗削り】❶（材木の）粗加工cūjiāgōng；粗刨cūbào ❷（物事の）不成熟bù chéngshú；粗犷cūguǎng ‖ ～な作風 粗犷的风格

あらさがし【粗捜し】(～する)挑剔tiāoti；挑毛病tiāo máobing；㊀鸡蛋里挑骨头jīdàn li tiāo gǔtou ‖ 人の～ばかりする 爱挑别人的缺点

あらし【嵐】暴风雨bàofēngyǔ；风暴fēngbào ‖ ～に遭う 遇到暴风雨 | ～がしずまる 风暴平息下来 | ～のような拍手 暴风雨般的掌声

あら·す【荒らす】糟蹋zāota；侵扰qīnrǎo；损害sǔnhài ‖ 作物を～す 糟蹋庄稼 | 室内はひどく～されていた 房间被翻得乱七八糟

あらすじ【粗筋·荒筋】梗概gěnggài；概要gàiyào ‖ 前回までの～ 这集以前的故事梗概

あらそい【争い】纠纷jiūfēn；争议zhēngyì ‖ ～が起きる 发生纠纷 | ～の種をまく 埋下不和的种子 ✣ 優勝一：争夺冠军

あらそ·う【争う】❶（競争する）争zhēng；争夺zhēngduó ‖ 7人が1議席を～う 七个人竞争一个议席 | 一刻を～う 分秒必争 | 先を～う 争先恐后 ❷（言い争う）争吵zhēngchǎo；争论zhēnglùn

あらそえない【争えない】不容争辩bùróng zhēngbiàn；无可争议wú kě zhēngyì ‖ ～事実 不容争辩的事实 | 年は～ 岁月不饶人

あらた【新た】❶（新しく）新xīn ‖ ～に店を出す 新开一家店 | ～に建ったマンション 新建的公寓 ❷（改めて）重新chóngxīn；从新cóngxīn ‖ 気持ちを～に勉強に励む 振作精神，好好学习

あらだ·てる【荒立てる】(把事情)闹大(bǎ shìqing) nàodà；(使事态)恶化(shǐ shìtài) èhuà ‖ 事を～てる 把事情闹大

あらたま·る【改まる】❶（新しくなる）更新gēngxīn ‖ 年が～った 又是新的一年了 ❷（改善される）改正gǎizhèng ‖ 素行が～る 改邪归正 ❸（威儀を正す）庄重zhuāngzhòng；㊀一本正经yì běn zhèng jīng ‖ ～った服装 正式的服装

あらためて【改めて】另lìng；再zài ‖ 日を～伺います 改日拜访 | ～お電話します 回头我再打

あらた·める【改める】❶（変える）更改gēnggǎi；改变gǎibiàn ‖ 計画を～める 更改计划 ❷（正す）端正duānzhèng；改正gǎizhèng ‖ 行いを～める 端正品行 | 誤りを～める 改正错误 ❸（検査する）验yàn；点diǎn

あらっぽ·い【荒っぽい·粗っぽい】粗糙cūcāo；粗暴cūbào ‖ ～い仕事 潦草的工作 | ～い態度 粗暴的态度 | 運転が～い 车开得很野

あらて【新手】❶（方法）新手段xīn shǒuduàn ‖ ～の詐欺にご用心 小心新的诈骗手段 ❷（軍勢·選手）生力军shēnglìjūn；新手xīnshǒu

あらなみ【荒波】㊀惊涛骇浪jīng tāo hài làng ‖ 人生の～にもまれる 饱经人生的艰辛

あらぬ 不合情理的bùhé qínglǐ de；不该有的bù gāi yǒu de ‖ ～疑い 莫须有的嫌疑 | ～ことを口走る 走嘴说出不该说的话

アラビア 阿拉伯Ālābó ✣ 一数字：阿拉伯数字

アラブしゅちょうこくれんぽう【アラブ首長国連邦】阿联酋Āliánqiú

あらまし ❶〔概略〕梗概gěnggài; 大概dàgài ‖ ～を述べる 说个梗概 ❷〔ほぼ〕大致dàzhì; 大体上dàtǐ shang ‖ 仕事は～終わった 工作大致结束了

あらゆる 所有suǒyǒu; 一切yíqiè ‖ ～機会を利用する 利用一切机会 | ～手段 所有的手段

あらりえき【粗利益】毛利máolì

あらりょうじ【荒療治】(～する)果断的手段guǒduàn de shǒuduàn; 坚决措施jiānjué cuòshī ‖ 政界の腐敗を正すには～が必要だ 彻底清除政坛的腐败需要采取果断手段

あられ【霰】霰xiàn ‖ ～が降る 下霰

あらわ【露】显出xiǎnchu; 表露biǎolù ‖ 怒りも～に声を震わせた 他愤怒得声音都颤抖了

あらわ·す【表す·現す】❶〔目に見えるようにする〕表现biǎoxiàn; 外露wàilù ‖ 姿を～す 露面 | 怒りを顔に～す 怒形于色 | 正体を～す 露出原形 | 頭角を～す 崭露头角 ❷〔表現する〕表达biǎodá; 表示biǎoshì ‖ 言葉では～せない 无法用语言表达 | 誠意を態度で～す 用态度表示诚意 ❸〔象徴する〕象征xiàngzhēng; 代表dàibiǎo ‖ 白は純潔を～す 白色代表着纯洁

あらわ·す【著す】著zhù ; 写xiě

あらわ·れる【表れる·現れる】❶〔人や物の姿が〕出现chūxiàn; 露面lòumiàn ‖ 約束の時間を過ぎても彼は～れなかった 过了约定的时间,他还没有来 ❷〔内部のものが外部に〕流露liúlù; 露出lùchu ‖ 表情に～れる 表情上流露出来 | 態度に～れる 表现在态度上 ❸〔際立つようになる〕显示出xiǎnshìchu; 呈现出chéngxiànchu ‖ 真価が～れる 显示出真正价值

あらんかぎり【有らん限り】尽力jìnlì; 尽量jǐnliàng; 全部quánbù ‖ ～の力を出す 使出全部的力量 | ～の声を張りあげる 竭力高喊

あり【蟻】蚂蚁mǎyǐ ‖ ～のはい出るすきもない 戒备森严,连一只蚂蚁都爬不出去 | ～の穴から堤も崩れる 定 千里之堤,溃于蚁穴

アリア 咏叹调yǒngtàndiào

ありあま·る【有り余る】有余yǒuyú; 过多guòduō ‖ 人手は～っている 人手过剩

ありありと 明显地míngxiǎn de ‖ 困惑が～と相手の顔に浮かんだ 对方的脸上显然一脸困惑 | ～と目に浮かぶ 历历在目

ありあわせ【有り合わせ】现有(的) xiànyǒu (de); 现成(的) xiànchéng(de) ‖ ～の材料でチャーハンをつくる 用家里现有的材料做炒饭

アリーナ 竞技场jìngjìchǎng; 赛场sàichǎng

あり·うる【有り得る】可能(有) kěnéng (yǒu) ‖ そんなことは～えない 不可能有那样的事

ありか【在り処】所在suǒzài; 下落xiàluò

ありがた·い【有り難い】❶〔感謝する〕感谢gǎnxiè ‖ ～くちょうだいします 谢谢,我领受了 ❷〔喜ばしい〕难得nándé; 庆幸qìngxìng ‖ ～いことにだれにも気づかれなかった 值得庆幸的是没被人发现 ❸〔尊い〕宝贵bǎoguì ‖ ～い教え 宝贵的教诲

ありがたみ【有り難み】可贵kěguì; 价值jiàzhí ‖ 病気になってはじめて,健康の～を感じた 病了才知道健康的重要〔可贵〕

ありがち【有り勝ち】常见chángjiàn; 常有cháng yǒu ‖ だれにでも～な過ち 谁都可能犯的错误

ありがとう【有り難う】谢谢xièxie

ありがね【有り金】手头的钱shǒutóu de qián ‖ ～をはたいてカメラを買った 用手头所有的钱买了一架照相机

ありきたり【在り来り】常有cháng yǒu; 老一套lǎoyítào; 陈腐chénfǔ ‖ ～の方法 很一般的方法 | ～のお世辞 老一套的恭维话

ありさま【有り様】情况qíngkuàng; 样子yàngzi; 情景qíngjǐng ‖ 惨(さん)たる～ 凄惨的情景

ありったけ 所有suǒyǒu; 全部quánbù; 一切yíqiè ‖ ～の力を出す 使出全部力量 | ～の声で叫ぶ 使出最大的声音高喊

ありとあらゆる 一切yíqiè; 所有suǒyǒu ‖ ～方法を試みた 试了所有的办法

ありのまま【有りの儘】如实rúshí; 据实jù shí ‖ ～に述べる 如实讲述

アリバイ 不在现场的证据bú zài xiànchǎng de zhèngjù ‖ ～を証明する 证明自己不在现场

ありふれた【有り触れた】常见chángjiàn; 常有cháng yǒu; 定 司空见惯sī kōng jiàn guàn ‖ ～名前 常见的名字 | ～光景 司空见惯的情景

ありゅうさん【亜硫酸】亚硫酸yàliúsuān ✤ 一ガス:亚硫酸气 ; 二氧化硫

あ·る【有る·在る】❶〔存在する〕有yǒu; 在zài; 存在cúnzài ‖ 事務所は市の中心に～る 事务所在市中心 | 非はむしろきみのほうに～る 不对的反倒是你 ❷〔所有·所持する〕有yǒu ‖ 暇が～れば旅行したい 要是有时间的话,想去旅行 | 経営の腕が～る 很有经营的手腕 | 私にも言い分が～る 我也有我的理由 | きみには借りが～る 我欠你钱; 我欠你情 ❸〔発生する〕发生fāshēng ‖ 早朝地震が～った 清早发生了地震 | よく～るミス 常见的错误 ❹〔行われる〕举行jǔxíng ‖ 英語の試験が～る 有英语考试 | 3時から打ち合わせが～る 3点开会 ❺〔数量が…ある〕有yǒu ‖ 駅まで1キロ～る 离车站有1公里 | まだたっぷり時間が～る 还有足够的时间 ❻〔…てある〕…着…zhe ‖ 壁にカレンダーがかけて～る 墙上挂着挂历

ある【或る】(有)一个(yǒu) yí ge; 某mǒu ‖ ～とき 有一次 | ～朝 有一天早上 | ～人 某个人 | ～意味で 在某种意义上来说

あるいは【或いは】❶〔もしかして〕也许yěxǔ; 或许huòxǔ ‖ ～来られないかもしれない 也许来不了 ❷〔または〕或者huòzhě; 或huò ‖ 明日か～あさって 明天或者后天 ❸〔あるいは…あるいは…〕或…或…huò … huò …; 有的…有的…yǒude … yǒude … ‖ ～遠く～近く 或远或近

アルカリ 碱jiǎn ✤ 一乾電池:碱性干电池

ある·く【歩く】❶〔歩行する〕走zǒu; 步行bùxíng ‖ ～いて10分かかる 走着去要10分钟 | すたすた～く 飞快地走 | のろのろ～く 慢腾腾地走 | ～いて帰る 走回去 | ～き疲れた 走累了 ❷〔あちこちを〕到处…dàochù … ‖ 飲み～く 到处喝酒 | 町中見物して～く 街上四处游览

アルコール 酒精jiǔjīng. (酒)酒jiǔ ‖ ～が入る 喝酒 ✤ 一依存症:酒精依赖症 | 一中毒:酒精中毒 | 一度:酒精含量

あるじ【主】主人zhǔren ‖ 一家の～ 一家之主

あ

アルジェリア 阿尔及利亚Ā'ěrjílìyà
アルゼンチン 阿根廷Āgēntíng ✣—タンゴ:阿根廷探戈
アルツハイマーびょう【アルツハイマー病】阿耳茨海默氏病ā'ěrcíhǎimòshìbìng
アルト 女低音nǚdīyīn ✣—歌手:女低音歌手
アルバイト 临时工作línshí gōngzuò. (兼職) 兼职jiānzhí ‖ ～をする 打工；做兼职
アルバニア 阿尔巴尼亚Ā'ěrbāníyà
アルバム ❶〔写真集〕相册xiàngcè; 影集yǐngjí ❷〔音楽〕专辑zhuānjí
アルファベット 拉丁字母Lādīng zìmǔ
あるべき【有るべき·在るべき】应有yīng yǒu ‖ 民主主義国家の～姿 民主国家所应有的形象
アルペンスキー 高山滑雪gāoshān huáxuě
あるまじき【有るまじき】不应有bù yīng yǒu; 不相称bù xiāngchèn ‖ 教師として～行い 作为教师不应该有的行为
アルミ 铝lǚ ✣—缶:铝罐 | —サッシ:铝制的窗框 | —ホイル:铝箔
アルミニウム 铝lǚ
アルメニア 亚美尼亚Yàměiníyà
あれ 那nà; 那个nàge ‖ ～をください 请给我那个 | ～からもう3年たった 从那以后已经有三年了
あれくる·う【荒れ狂う】疯狂fēngkuáng; 汹涌xiōngyǒng ‖ ～う波 汹涌的波涛
アレグロ 快板kuàibǎn
あれこれ 这个那个zhège nàge; 种种zhǒngzhǒng ‖ ～文句ばかり言う 老是满口牢骚 | ～考える 想来想去
あれしょう【荒れ性】(皮肤)易干裂(pífū) yì gānliè ‖ ～の肌 容易干裂的皮肤
あれち【荒れ地】荒地huāngdì
あれほど【あれ程】那么nàme; 那样nàyàng; 如此rúcǐ ‖ ～注意したのに… 我那么提醒他，也…
あれもよう【荒れ模様】❶〔天候〕风暴天气fēngbào tiānqì ‖ 山の天候は～だ 山里眼看就要变天了 ❷〔試合などが〕情况要乱套qíngkuàng yào luàntào ‖ きょうのレースは～だ 今天的比赛难料输赢
あ·れる【荒れる】❶〔天候が〕变天biàntiān; 天气不好tiānqì bù hǎo ‖ 海が～れている 海上风大浪急 ❷〔荒廃する〕荒芜huāngwú ‖ 田畑が～れる 农田荒芜 ❸〔肌が〕粗糙cūcāo ‖ 手が～れる 手变得很粗糙 ❹〔生活などが〕放荡fàngdàng
アレルギー 过敏guòmǐn ✣—性鼻炎:过敏性鼻炎 | —体質:过敏体质 | —反応:过敏反应
アレンジ (～する)整理zhěnglǐ; 布置bùzhì. (音楽)改编gǎibiān
アロエ 芦荟lúhuì; 油葱yóucōng
アロハシャツ 夏威夷衫xiàwēiyíshān
アロマテラピー 芳香疗法fāngxiāng liáofǎ
あわ【泡】❶〔液体の〕泡pào; 泡沫pàomò ‖ ビールの～ 啤酒沫儿 ❷〔慣用表現〕‖ 努力が水の～となる 努力化为泡影 | ～をくう 定 惊慌失措 | 口角～を飛ばして議論した 进行了激烈争论
あわ【粟】谷子gǔzi; 粟sù. 〔粒〕小米xiǎomǐ
あわ·い【淡い】(色)浅qiǎn. (味)淡dàn. (わずかな)稀薄xībó; 微弱wēiruò ‖ ～い恋 一丝恋情 | ～い望みをいだく 抱着一线希望
あわ·せる【合わせる】❶〔結合させる〕合在一起hézai yìqǐ ‖ 両手を～せる 双手合十 ❷〔合計する〕一共yígòng; 总共zǒnggòng ‖ 全部～せていくらですか 一共是多少钱？ ❸〔一致させる〕对duì ‖ 時間を～せる 对表 | 口裏を～せる 统一口径 ❹〔照合する〕对duì; 核对héduì ‖ 答えを～せる 核对答案 ❺〔適合させる〕按àn; 按照ànzhào ‖ 寸法に～せて布地を裁断する 按尺寸剪裁布料 ❻〔調子を〕随着suízhe; 跟着gēnzhe ‖ 音楽に～せて踊る 随着音乐跳舞 ❼〔顔を〕‖ ～せる顔がない 没脸见人
あわただし·い【慌ただしい】匆忙cōngmáng ‖ 都会の～い生活 城市紧张的生活
あわ·てる【慌てる】慌huāng; 慌张huāngzhang ‖ そんなに～てるな 用不着那么慌张 | ～てて車を降りる 急匆匆地下车
あわび【鮑】〔只〕鲍鱼bàoyú
あわや 差点儿chàdiǎnr; 险些xiǎnxiē ‖ ～というところで… 差点儿就…
あわゆき【淡雪·泡雪】小雪xiǎoxuě
あわよくば 走运的话zǒuyùn dehuà; 运气好的话yùnqi hǎo dehuà ‖ ～優勝できるかもしれない 如果走运的话，说不定能得冠军
あわれ【哀れ】可怜kělián; 可悲kěbēi; 悲惨bēicǎn ‖ ～をもよおす 令人伤感
あわれみ【哀れみ·憐れみ】怜悯liánmǐn; 同情tóngqíng ‖ ～を請う 乞求同情
あわれ·む【哀れむ·憐れむ】同情tóngqíng; 可怜kělián ‖ 同病相～む 定 同病相怜
あん【案】方案fāng'àn; 计划jìhuà. (アイデア)主意zhǔyi; 办法bànfǎ ‖ ～を練る 研究方案 | ～がまとまる 计划订出来了 | ～に相違する 出乎意料
あん【餡】❶〔中につめるもの〕馅儿xiànr ‖ ギョーザの～ 饺子馅儿 ❷〔アズキあん〕豆沙dòushā ❸〔とろみのある汁〕芡qiàn; 卤lǔ
あんい【安易】❶〔いいかげん〕随便suíbiàn; 马虎mǎhu ‖ ～な発想 想得太简单 ❷〔たやすい〕简单jiǎndān; 容易róngyì
アンインストール (～する)卸载xièzài
あんうん【暗雲】阴云yīnyún. (形勢)险恶xiǎn'è; 不明朗bù mínglǎng ‖ 景気の先行きに～が垂れこめている 经济前景很不明朗
あんか【安価】廉价liánjià; 便宜piányi
アンカー 最后一棒zuìhòu yí bàng ‖ ～を務める 跑最后一棒 ✣—マン:王牌主持人
あんがい【案外】定 出乎意料chū hū yì liào ‖ 問題は～やさしかった 没想到题这么简单
あんかん【安閑】安闲ānxián; 悠闲yōuxián ‖ ～としてはいられない 不能贪图安逸
あんき【暗記】(～する)背bèi; 记jì ‖ 単語を～する 背单词 | ～力が強い 记忆力很好
あんきょ【暗渠】阴沟yīngōu; 暗沟àngōu
アンクタッド【UNCTAD】联合国贸易开发和发展会议Liánhéguó Màoyì Kāifā hé Fāzhǎn Huìyì
アングラ 地下dìxià ✣—演劇:实验剧；先锋剧
アングロサクソン 盎格鲁撒克逊人Ànggélǔ Sākèxùnrén
アンケート 问卷wènjuàn ‖ ～をとる 进行问卷

調査 ✤—用紙:问卷；调查表

あんけん【案件】议案yì'àn；案件ànjiàn

あんごう【暗号】密码mìmǎ；暗号ànhào

アンコール（〜する）再演一次zài yǎn yí cì

あんこく【暗黒】黒暗hēi'àn；阴暗yīn'àn ‖ 社会の〜面 社会的阴暗面 ✤—街:黑街｜—時代:黑暗时代｜—星雲:暗星云；散光星云

アンゴラ 安哥拉Āngēlā

あんさつ【暗殺】（〜する）暗杀ànshā；行刺xíngcì ✤—者:刺客；杀手

あんざん【安産】顺产shùnchǎn；安产ānchǎn

あんざん【暗算】（〜する）心算xīnsuàn

アンサンブル ❶〔服飾〕套装tàozhuāng ❷〔音楽〕合奏hézòu；合唱héchàng.（楽団）合奏〔合唱〕乐队hézòu〔héchàng〕yuèduì

あんじ【暗示】（〜する）暗示ànshì ‖ 〜にかける 给以暗示 ✤—療法:暗示治疗法

あんしつ【暗室】〔间〕暗室ànshì；暗房ànfáng

あんじゅう【安住】（〜する）安适地生活ānshì de shēnghuó；安于…ānyú … ‖ 現状生活に〜してはいられない 不能安于现状

あんしょう【暗誦】（〜する）背bèi；背诵bèisòng

あんしょう【暗礁】暗礁ànjiāo ‖ 交渉は〜に乗りあげた 谈判陷入僵局

あんしょうばんごう【暗証番号】密码mìmǎ

あんしん【安心】（〜する）放心fàngxīn；安心ānxīn ‖ 知らせを聞いて〜した 听了这个消息我就放心了

あんず【杏】〔棵〕杏树xìngshù.（実）杏xìng

あん・ずる【案ずる】❶（心配する）担心dānxīn ‖ 〜ずるより産むがやすし 车到山前必有路 ❷（工夫する）想xiǎng；想出xiǎngchu ‖ 一計を〜ずる 想妙计

あんせい【安静】静养jìngyǎng；卧床休息wòchuáng xiūxi ‖ 絶対〜 绝对卧床休息

あんぜん【安全】安全ānquán ‖ 〜第一 安全第一｜身の〜をはかる 保护自身安全 ✤—運転:安全驾驶｜—かみそり:安全剃刀｜—ピン 别针｜—弁:安全阀｜—保障条約:安全保障条约

あんだ【安打】安打āndǎ

アンダーウエア 内衣裤nèiyīkù

アンダーライン 横线héngxiàn；着重线zhuózhòngxiàn ‖ 〜を引く 划横线

あんたい【安泰】安定āndìng；稳定wěndìng

あんたん【暗澹】暗淡àndàn；黯然ànrán ‖ 前途は〜たるものだった 前途黯淡

アンダンテ 行板xíngbǎn

あんち【安置】（〜する）安放ānfàng；安置ānzhì ‖ 遺体を〜する 安放遗体

アンチ- 反fǎn；反对fǎnduì ✤—エイジング:抗衰老｜—テーゼ:反命题

あんちゅうもさく【暗中模索】（〜する）摸索mōsuo；寻找xúnzhǎo ‖ 研究はまだ〜の状態だ 研究工作现在还处于摸索阶段

あんちょく【安直】不费事bú fèishì；简便jiǎnbiàn；轻易qīngyi ‖ 〜な回答 敷衍的回答

アンチョビー 鳀鱼tíyú

あんてい【安定】（〜する）稳定wěndìng；安定āndìng；平稳píngwěn ‖ 〜を保つ〔失う〕 保持〔失去〕稳定｜情緒が〜を欠く 情绪不稳定｜物価の〜をはかる 力图保持物价稳定 ✤—感:安定感；稳定感｜—性:稳定性｜—多数:稳定多数

アンティーク 古董gǔdǒng；仿古董品fǎng gǔdǒngpǐn ‖ 〜の店 古董店

アンティグア バーブーダ 安提瓜和巴布达Āntíguā hé Bābùdá

アンテナ〔条〕天线tiānxiàn ✤—ショップ:试销店｜室内—:室内天线

あんど【安堵】（〜する）放心fàngxīn；安心ānxīn ‖ 〜の胸をなでおろす 松口气放心了

アンドラ 安道尔Āndào'ěr

アンドロメダ 安德洛墨达Āndéluòmòdá ✤—座:仙女座｜—星雲:仙女座星云

あんない【案内】❶（〜する）（導く）引路yǐnlù；带路dàilù；陪…游览péi … yóulǎn ‖ 故宮を〜してもらえませんか 你能带我去游览故宫吗？ ❷（通知）通知tōngzhī.（招待状）请帖qǐngtiě ‖ 結婚式の〜 婚礼的请帖 ❸（取り次ぎ）通报（来客）tōngbào（láikè） ✤—係:接待员；（劇場などの）引座员｜—所:问讯处｜—状:请帖｜—図:示意图

あんに【暗に】暗中ànzhōng；背地里bèidìli；暗暗地àn'àn de ‖ 〜ほのめかす 暗示

あんのじょう【案の定】果然guǒrán；定不出所料bù chū suǒ liào ‖ 〜午後から雨になった 下午果然下起雨来了｜〜遅刻してきた 果然来晚了

あんば【鞍馬】鞍马ānmǎ

あんばい【案配】（〜する）安排ānpái；布置bùzhì；配备pèibèi ‖ 仕事を〜する 安排工作

あんばい【塩梅】状况zhuàngkuàng；情形qíngxing ‖ いい〜に晴れあがった 恰好天晴了｜体の〜はどうかね 身体怎么样？

アンパイア 裁判（员）cáipàn（yuán）

アンバランス 不平衡bù pínghéng；不均衡bù jūnhéng ‖ 栄養の〜 营养不均衡

あんパン【餡パン】豆沙面包dòushā miànbāo

あんぴ【安否】安危ānwēi；是否平安shìfǒu píng'ān ‖ 〜を尋ねる 打听是否平安

あんぷ【暗譜】（〜する）背乐谱bèi yuèpǔ

アンプ 放大器fàngdàqì；增音器zēngyīnqì

アンペア 安培ānpéi；安ān

あんま【按摩】⇨マッサージ

あんまく【暗幕】遮光窗帘zhēguāng chuānglián；黑窗帘hēi chuānglián

あんまん【餡饅】豆沙包子dòushā bāozi

あんみん【安眠】（〜する）熟睡shúshuì；安睡ānshuì；安眠ānmián ‖ 風の音で一晩中〜できなかった 风声使我一夜没睡好 ✤—妨害:影响睡眠

あんもく【暗黙】默然mòrán ‖ 〜の了解 默契

アンモナイト 菊石júshí

アンモニア 氨ān；氨气ānqì；阿摩尼亚āmóníyà ✤—水:氨水；氨的水溶液

あんやく【暗躍】（〜する）暗中〔幕后〕活动ànzhōng〔mùhòu〕huódong

あんらく【安楽】舒适shūshì；舒服shūfu ‖ 〜に暮らす 过得很舒服 ✤—いす:安乐椅｜—死:安乐死

アンラッキー 不走运bù zǒuyùn；不幸búxìng；倒霉dǎoméi

い

い【井】〔口〕井jǐng ‖ ～の中の蛙(かわず)大海を知らず 定 井底之蛙(不知东海)

い【亥】(十二支の１つ)亥hài ‖ ～の刻 亥时 ❖ 一年:猪年；亥年

い【胃】胃wèi ‖ ～が弱い〔丈夫だ〕 胃不太好〔很健康〕 | ～がむかむかする 胃不舒服 ❖ 一液:胃液 | 一炎:胃炎 | 一潰瘍(かいよう):胃溃疡 | 一カメラ:胃镜 | 一がん:胃癌 | 一酸:胃酸 | 一洗浄:洗胃 | 一壁:胃壁

い【異】异yì; 不同bù tóng

い【意】❶〔考え〕想法xiǎngfa; 主意zhǔyi; 意图yìtú. (気持ち)心情xīnqíng; 感情gǎnqíng ‖ ～を決する 下定决心 | ～のままに振る舞う 定 随心所欲 | ～にかなう 称心如意 | ～を強くする 增强信心 | ～に介さない 不在意 ❷〔意味〕意思yìsi; 意义yìyì

-い【位】位wèi; 名míng ‖ 上～３チーム 前三名的队 | 4～ 第四位〔名〕

いあつ【威圧】(～する)威胁wēixié; 欺压qīyā ‖ ～的な態度 骄横的态度

いあわ・せる【居合わせる】在场zàichǎng

い・い【良い・善い・好い】❶〔優れている・好ましい〕好hǎo; ‖ ～い友達 好朋友 | 気立てが～い 脾气很好 | ～い天気 好天气 | 頭が～い 聪明 | 成績が～い 成绩好 | 聞きわけが～い 听话 | 器量が～い 长得很美 | ～いご身分だね 您可真有福啊！ | 病気はもうすっかり～いのですか 病已经彻底好了吗？ | 運が～い 运气好 ❷〔適切・好適〕好hǎo; 合适héshì; 行xíng ‖ いったいどうすれば～いんだ 怎么办才好呢？ | 何か～い知恵はないかね 有没有什么好主意？ | ちょうど～いところに来てくれた 你来得正好 | 都合の～いときに来てください 你方便的时候请来一下 | 早起きは健康に～い 早起有益于健康 ❸〔勧告〕好hǎo; 最好…zuì hǎo … ‖ すぐ医者に行ったほうが～い 你最好马上去医院看看 | そんなことはよしたほうが～い 那种事儿最好别干 ❹〔許可〕可以kěyǐ; 行xíng ‖ ここでタバコを吸っても～いですか 可以在这儿抽烟吗？ | …といって～い 可以说是… | いつ来ても～いよ 什么时候来都行 ❺〔…できればいいのだが〕要是…就好了yàoshi … jiù hǎo le ‖ もっと金があれば～いのに 要是再有点儿钱就好了 | お役に立てると～いのですが 希望能够有所帮助

いいあ・う【言い合う】❶〔口々に言う〕互相说 hùxiāng shuō; 异口同声说 yì kǒu tóng shēng shuō ‖ 冗談を～う 相互开着玩笑 | 陰で悪口を～う 在背后互相说对方的坏话 ❷〔口論する〕争吵zhēngchǎo; 吵架chǎojià

いいあらそ・う【言い争う】争论zhēnglùn; 争吵zhēngchǎo ‖ ささいなことで～う 因为一点儿小事争吵起来了

いいあらわ・す【言い表す】表达biǎodá; 说明shuōmíng; 阐述chǎnshù ‖ 言葉では～せないほど美しい 美得简直无法用语言表达

いいえ 不bù; 没有méiyou

いいえてみょう【言い得て妙】说得好shuōde hǎo; 说到了妙处shuōdàole miàochù

イー エム エス【EMS】国际特快专递guójì tèkuài zhuāndì

いいかえ・す【言い返す】还口huánkǒu; 还嘴huánzuǐ

いいか・える【言い替える】换句话说huàn jù huà shuō; 换言之huàn yán zhī

いいがかり【言い掛かり】找茬儿zhǎochár; 故意挑毛病gùyì tiāo máobing ‖ ～をつける 找茬儿

いいかげん【好い加減】❶〔おおまか〕马虎mǎhu; 不负责bú fùzé; 不认真bú rènzhēn ‖ ～なことを言う 信口开河 ❷〔適度〕适当shìdàng; 恰当qiàdàng ‖ 冗談も～にしてくれ 少开玩笑！

いいがた・い【言い難い】无法形容〔描述〕wúfǎ xíngróng〔miáoshù〕; 难以言表nányǐ yán biǎo; 不好说bù hǎo shuō ‖ いわく～い 无法形容

いいか・ねる【言い兼ねる】难说nánshuō; 说不出口shuōbuchū kǒu ‖ なんとも～ねる 实在是不好说

いいき【いい気】定 沾沾自喜zhān zhān zì xǐ; 定 洋洋得意yáng yáng dé yì; 定 自以为是zì yǐ wéi shì ‖ ～になっちゃって 有什么好得意的

いいきか・せる【言い聞かせる】劝说quànshuō; 劝告quàngào; 教导jiàodǎo

いいきみ【いい気味】活该huógāi; 痛快tòngkuai ‖ ～だ 活该！

いいくる・める【言いくるめる】花言巧语欺骗huā yán qiǎo yǔ qīpiàn

いいこ【いい子】乖孩子guāi háizi ‖ 自分だけ～になる 装好人

いいこと【いい事】❶〔よい事柄〕好事hǎoshì ❷〔よい機会〕好机会hǎo jīhui; 良机liángjī ‖ 上司がいないのを～にさっさと仕事を切りあげて帰った 趁领导不在，赶快把活儿干完就回去了

イー シー【EC】欧共体Ōugòngtǐ; 欧洲共同体Ōuzhōu Gòngtóngtǐ

イージー オーダー 用半成品订做yòng bànchéngpǐn dìngzuò ‖ ～の洋服 半成品西服

イージー リスニング 轻音乐qīngyīnyuè

イージスかん【イージス艦】宙斯盾舰Zhòusīdùnjiàn

いいす・ぎる【言い過ぎる】说得过分〔过火〕shuōde guòfèn〔guòhuǒ〕; 说过头儿了shuōguòtóur le

イースター 复活节Fùhuójié

イースト 酵母jiàomǔ; 麦曲màiqū; 酵母菌jiàomǔjūn

いいだくだく【唯唯諾諾】定 唯唯诺诺wéi wéi nuò nuò ‖ ～として従う 唯命是从

いいだしっぺ【言い出しっ屁】提议者tíyìzhě

いいつくろ・う【言い繕う】巧言掩饰qiǎoyán yǎnshì; 粉饰fěnshì ‖ 失敗を～う 巧言掩饰过错；文过饰非

いいつけ【言い付け】吩咐fēnfu; 命令mìnglìng; 指示zhǐshì ‖ ～を守る 听从吩咐

いいつ・ける【言い付ける】❶〔命じる〕吩咐

fēnfu；命令mìnglìng‖お母さんから弟のお守りを～けられた 妈妈吩咐我照看弟弟 ❷〔告げ口をする〕告状gàozhuàng‖お母さんに～けてやる！ 我告诉妈妈去 ❸〔言い慣れる〕说惯shuōguàn；常说cháng shuō

いいつたえ【言い伝え】传说chuánshuō；口传kǒuchuán；口碑kǒubēi

いいとし【いい年】一大把年纪yí dà bǎ niánjì‖生きていればもう～だ 他要是还活着的话，也有一大把年纪了｜～をして何をやっているんだ 都这把年纪了，怎么还会这样

いいにく・い【言いにくい】❶〔ためらわれて〕不好说bù hǎo shuō；难以启齿〔开口〕nányǐ qǐchǐ〔kāikǒu〕 ❷〔発音しにくくて〕拗口àokǒu

いいぬ・ける【言い抜ける】搪塞tángsè；支吾zhīwu‖うまくその場を～ける 巧妙地搪塞了过去

いいね【言い値】要价yàojià；卖价màijià‖～で買う 按要价买

いいのが・れる【言い逃れる】搪塞tángsè；支吾zhīwu‖言を左右にして～れる 闪烁其词；支吾搪塞

いいのこ・す【言い残す】❶〔言いおく〕留话liúhuà‖父が私に～した言葉 父亲最后留给我的话 ❷〔言い漏らす〕漏说lòu shuō；话没有说完huà méiyou shuōwán

いいは・る【言い張る】硬说yìng shuō；坚持说jiānchí shuō‖娘は1人で上海へ行くと～っている 我女儿坚持要一个人去上海

いいふく・める【言い含める】说清楚shuōqīngchu；详细交代xiángxì jiāodài；叮嘱dīngzhǔ

いいふら・す【言い触らす】传播chuánbō；散布sànbù；宣扬xuānyáng；声张shēngzhāng

いいぶん【言い分】主张zhǔzhāng；意见yìjian；说法shuōfa‖双方の～を聞いて判断する 听取双方的意见来作出判断

いいまか・す【言い負かす】驳倒bódǎo；说服shuōfú

いいまちがい【言い間違い】口误kǒuwù；说错shuōcuò‖その手の～はよくあることだ 这种口误是常有的事

イー メール【Eメール】电子邮件diànzǐ yóujiàn；伊妹儿yīmèir

いいよう【言い様】说法shuōfa；形容xíngróng‖残念としか～がない 只能说非常遗憾｜ものも～で角が立つ 说话不得体会得罪人

いいよ・る【言い寄る】追求（异性） zhuīqiú（yìxìng）；求爱qiúài

いいわけ【言い訳】（～する）辩解biànjiě；借口jièkǒu；声辩shēngbiàn‖苦しい～ 强词夺理｜～がましい 找借口

いいわす・れる【言い忘れる】忘说wàng shuō‖～れたことがある 有事忘了说

いいわた・す【言い渡す】命令mìnglìng；宣判xuānpàn‖死刑を～す 宣判死刑

いいん【医院】医院yīyuàn；个人诊所gèrén zhěnsuǒ

いいん【委員】委员wěiyuán ✤ 一会：委员会｜一長：委员长

い・う【言う】❶〔述べる・告げる〕说shuō；讲jiǎng；告诉gàosu；讲述jiǎngshù‖～うに～われぬ事情 不能说出来的理由｜～うことをきく 听话｜そう～えばそうだ 那倒是｜～うまでもない 不用说；㊂不在话下｜何か～いましたか 你说什么了？｜だから～わないことじゃない 我又不是没说过？｜国内は～うに及ばず世界中に知られている 不用说在国内，就是海外也都知晓｜野球と～えば佐藤くんのことを思い出す 一说到棒球，我就想起佐藤来｜～われてみればもっともだ 这样说来的确有道理｜～うだけ野暮(やぼ)だ 说这话不知趣｜～うは易(やす)く行うは難(かた)し 说起来容易，做起来难 ❷〔表現する・描写する〕表达biǎodá；描述miáoshù；形容xíngróng‖～い知れぬ恐怖 无法形容的恐怖｜なんとも～えないいい香り 一股妙不可言的香味 ❸〔音を立てる〕响xiǎng‖障子ががたがた～う 拉门喀哒喀哒响 ❹〔…だそうだ〕据说jùshuō；听说tīngshuō ❺〔称する〕叫作jiàozuò；称为chēngwéi‖田中さんと～う人 叫田中的人｜香港は東洋の真珠と～われる 香港被称为东方明珠 ❻〔強調〕‖1億円と～う大金 上亿日元的巨款｜人間と～うものは不思議なものだ 人这种东西太不可思议了｜今日と～う今日は許さない 今天我可饶不了你！‖窓と～う窓 所有的窗户

いえ【家】❶〔家屋〕〔栋，所，幢〕房子fángzi；房屋fángwū‖～を建てる 盖房子 ❷〔自宅〕家jiā‖～をあける 出门不在家｜～に帰る 回家 ❸〔家庭・家族〕家jiā‖～をつぶす 败家｜～を構える 成家｜私は20歳のとき～を飛びだした 我20岁时离开了家｜～の者はみな元気でおります 家里人都很好 ❹〔家系〕家世jiāshì；血统xuètǒng｜～を継ぐ 继承家业

いえい【遺影】〔张〕遗像yíxiàng

いえがら【家柄】家世jiāshì；门第méndì；出身chūshēn‖～を鼻にかける 炫耀家世

いえじ【家路】归途guītú；回家的路huí jiā de lù‖～を急ぐ 赶着回家｜～につく 踏上回家的路

イエス 是shì‖答えは～かノーかだ 只要回答"是"或"不是"

イエス キリスト 耶稣Yēsū；耶稣基督Yēsū Jīdū

イエズスかい【イエズス会】耶稣会Yēsūhuì

イエス マン 应声虫yìngshēngchóng

いえで【家出】（～する）离家出走lí jiā chūzǒu

いえども【雖も】虽然suīrán；即使…也jíshǐ … yě‖老いたりと～ 虽然上了年纪｜当たらずと～遠からず 也八九不离十

イエメン 也门Yěmén

いえやしき【家屋敷】房屋和宅地fángwū hé zháidì；房产fángchǎn

い・える【癒える】❶〔病気や傷が〕痊愈quányù‖傷が～えた 伤口痊愈了 ❷〔心の痛みが〕消失xiāoshī‖失恋の痛手が～えない 摆脱不了失恋的痛苦

イエロー 黄色huángsè ✤ 一カード：黄牌；（予防接種証明書）黄皮书；国际预防接种证书｜一ページ：黄页

いおう【硫黄】硫liú；硫磺liúhuáng

いおと・す【射落とす】射落shèluò

イオン 离子lízǐ ✤ 一結合：离子键｜陰一：负离子；阴离子｜陽一：正离子；阳离子

いか【以下】以下yǐxià‖小数点～を四捨五入する

小数点以下四舍五入｜～同文 下同｜～10ページに続く 下接第十页｜～省略 以下省略｜応募手続きは～のとおり 报名手续如下所述

いか【医科】医科yīkē ❖一歯科大学:医科牙科大学｜一大学:医科大学

いか【烏賊】〔条〕乌贼wūzéi; 墨鱼mòyú

いがい【以外】以外yǐwài; 之外zhī wài; 除了chúle ‖ 規則に定められた～のことはするな 规定以外的事不许干｜日曜日～ 除了星期天以外｜これ～に手の打ちようがない 除此之外毫无办法

いがい【意外】意外yìwài; 意想不到yìxiǎngbudào ‖ その知らせはまったく～だ 这个消息非常意外｜～な結果 出乎意料的结果｜あの人が約束を破るとは～だ 没想到他会失约

いがい【遺骸】〔具〕遗骸yíhái; 遗体yítǐ

いかが【如何】怎么zěnme; 怎么样zěnmeyàng; 如何rúhé ‖ その後～お過ごしですか 自那以后你过得怎么样？

いかがわし・い ❶〔疑わしい〕可疑kěyí; 不可靠bù kěkào; 不可信bù kěxìn ‖ ～い人物 可疑的人 ❷〔みだらな〕下流xiàliú; 不正派bú zhèngpài ‖ ～い場所 低级下流的场所

いかく【威嚇】(～する)威吓wēihè; 恐吓kǒnghè; 威胁wēixié ❖一射撃:鸣枪示警

いがく【医学】医学yīxué ❖一博士:医学博士｜一部:医学系

いかさま 欺骗qīpiàn; 骗术piànshù; 把戏bǎxì ‖ ～をやる 定弄虚作假；耍把戏 ❖一師:骗子

いか・す【生かす】❶〔活用する〕有效地利用yǒuxiào de lìyòng; 应用yìngyòng ‖ 知識を実践に～す 将知识应用到实践中去 ❷〔力を発揮させる〕发挥fāhuī; 施展shīzhǎn ‖ 各人の持ち味を～す 发挥每个人的特长

いかだ【筏】筏子fázi; 排筏páifá

いかなる【如何なる】任何rènhé; 什么样(的)shénmeyàng (de) ‖ ～質問にもお答えできません 拒绝回答任何问题｜いつ～ときも 无论何时何地

いかに【如何に】❶〔どのように〕如何rúhé; 怎样zěnyàng ‖ ～解決すべきか 该如何解决 ❷〔どんなに〕多么duōme; 怎么zěnme; 怎样zěnyàng ‖ ～努力しても 不论怎样努力

いかにも【如何にも】极为jíwéi; 显然xiǎnrán ‖ ～母が言いそうなことだ 我妈极有可能那么说｜～うそくさい 一听就知道那显然是骗人的

いがみあ・う【いがみ合う】冲突chōngtū; 不和bùhé; 闹矛盾nào máodùn

いかめし・い【厳しい】庄严zhuāngyán; 严肃yánsù; 森严sēnyán ‖ ～い顔つき 严肃的表情

いがらっぽ・い 呛qiàng ‖ のどが～い 嗓子很呛

いかり【怒り】怒火nùhuǒ; 怒气nùqì ‖ ～を覚える 感到愤怒｜～が込みあげる 怒上心头｜～をしずめる 消气｜上司の～に触れる 惹恼上司｜～に燃える 怒气冲天｜～を抑える 抑制愤怒

いかり【錨・碇】锚máo; 碇dìng ‖ ～をおろす〔あげる〕 抛〔起〕锚

いか・る【怒る】⇨おこる(怒る)

いかん【如何】如何rúhé; 怎么样zěnmeyàng ‖ この問題は～ともしがたい 这个问题无法解决｜結果の～ 结果如何

いかん【移管】(～する)移交yíjiāo

いかん【遺憾】遗憾yíhàn. (申しわけない)抱歉bàoqiàn ‖ ～の意を表する 深表歉意｜～ながら 很遗憾｜実力を～なく発揮する 充分发挥实力

いがん【依願】❖一退職:自愿辞职

いき【生き】新鲜程度xīnxian chéngdù ‖ ～のいい魚 很新鲜的鱼

いき【行き】⇨ゆき(行き)

いき【息】❶〔呼吸〕〔口〕气qì; 呼吸hūxī ‖ ～を吸う〔吐く〕 吸〔呼〕气｜～が詰まる 透不过气来｜～が切れる 上气不接下气｜肩で～をする 大口喘气｜～をとめる 憋住气｜～を継ぐ 换气｜～が絶える 咽气｜かすかに～がある 还有微弱的呼吸｜～を吹き返す 缓过气来〔醒过来〕 ❷〔慣用表現〕‖ ～が合う 合拍｜～をのむ 倒吸冷气｜～をひそめる 屏住气｜～もつかずにビールを飲み干した 一口气就把啤酒喝光了｜忙しくて～つく暇もない 忙得连喘气儿的工夫也没有｜～をつく 松口气｜彼には社長の～がかかっている 他有总经理做后盾

いき【粋】潇洒xiāosǎ; 洒脱sǎtuo; 有风度yǒu fēngdù ‖ ～なはからい 贴心的安排

いき【域】程度chéngdù; 水平shuǐpíng; 阶段jiēduàn ‖ 試行の～を脱していない 尚未脱离试验阶段｜プロの～に達する 达到了专业水平

いき【意気】意气yìqì; 气概qìgài; 气势qìshì; 精神jīngshen ‖ ～が揚がる 士气高涨｜～盛ん 意气风发 ❖一軒昂(けんこう):气宇轩昂｜一消沈:意志消沉；定垂头丧气；定心灰意懒｜一投合:秉性〔意气〕相投｜一揚々:神采飞扬；得意洋洋

いき【遺棄】(～する)遗弃yíqì; 丢弃diūqì

いぎ【異議】异议yìyì; 不同的意见bù tóng de yìjian ‖ ～あり 反对！;不同意！｜～なし 赞成！ ❖一申し立て:提出异议

いぎ【意義】意义yìyì; 价值jiàzhí ‖ ～のある仕事 有意义的工作｜人生の～ 人生的意义

いきあたりばったり【行き当たりばったり】⇨ゆきあたりばったり(行き当たりばったり)

いきいき【生き生き】生动shēngdòng; 生气勃勃shēngqì bóbó; 朝气蓬勃zhāoqì péngbó ‖ ～とした表情 表情很生动｜～と描き出す 生动地描写出

いきうつし【生き写し】定一模一样yì mú yí yàng; 酷似kùsì; 活像huóxiàng

いきうま【生き馬】‖ ～の目を抜く 定雁过拔毛

いきおい【勢い】❶〔物理的な力〕〔股〕势力shìli; 劲头jìntóu; 势头shìtou ‖ 水が～よくほとばしり出た 水一下子喷出来｜風の～ 风势｜火が～よく燃えている 火势熊熊｜～余ってすてんと転んだ 用力过猛,扑通摔倒了 ❷〔威勢〕劲儿jìnr; 气势qìshì; 威力wēilì ‖ ばかに～がいいね 你的劲头儿也太足了｜～をくじく 削弱气势｜日の出の～ 势如旭日东升 ❸〔弾み・調子・なりゆき〕势头shìtou; 趋势qūshì; 劲头jìntóu ‖ 酔った～ 借着酒劲儿｜～に乗じる 乘势

いきおいこ・む【勢い込む】兴冲冲xìngchōngchōng; 干劲十足gànjìn shízú

いきおいづ・く【勢い付く】振作起来zhènzuò qilai; 精神抖擞jīngshen dǒusǒu

いきがい【生き甲斐】人生的价值rénshēng de jiàzhí; 生活的意义shēnghuó de yìyì ‖ 仕事が私の～だ 工作就是我的人生价值｜～を失う 失去

生活目标
いきか·う【行き交う】⇨ゆきかう(行き交う)
いきかえ·る【生き返る】复活fùhuó; 复苏fùsū; 苏醒sūxǐng ‖ いい空気を吸ったら～った思いがした 呼吸了新鲜空气,顿觉精神焕发
いきき【行き来】⇨ゆきき(行き来)
いきぎれ【息切れ】(～する)气短qìduǎn; 气喘qìchuǎn; 接不上气jiēbushàng qì
いきぐるし·い【息苦しい】憋气biēqì; 喘不上气chuǎnbushàng qì; 窒息zhìxī. (雰囲気が)沉闷chénmèn; 紧张jǐnzhāng ‖ ～い沈黙が続いた 令人窒息的沉默持续着
いきごみ【意気込み】〔股〕干劲gànjìn; 劲头jìntóu; 热情rèqíng ‖ その～なら大丈夫だ 有这股劲头就没有问题
いきご·む【意気込む】起劲qǐjìn; 鼓起干劲gǔqi gànjìn; 振奋zhènfèn
いきさき【行き先】⇨ゆきさき(行き先)
いきさつ【経緯】原委yuánwěi; (事情的)经过(shìqing de) jīngguò ‖ どういう～かは知らない 不了解事情的来龙去脉
いきじごく【生き地獄】活地狱huódìyù; 人间地狱rénjiān dìyù
いきじびき【生き字引】活字典huózìdiǎn; 万事通wànshìtōng
いきすぎ【行き過ぎ】⇨ゆきすぎ(行き過ぎ)
いきせきき·る【息せき切る】气喘吁吁qìchuǎn xūxū ‖ ～って駆けつけた 气喘吁吁地跑过来
いきちがい【行き違い】⇨ゆきちがい(行き違い)
いきづかい【息遣い】呼吸hūxī; 气息qìxī ‖ 荒い～ 呼吸急促
いきつぎ【息継ぎ】换气huàn qì
いきづま·る【息詰まる】令人窒息lìng rén zhìxī; 极为紧张jíwéi jǐnzhāng ‖ ～るような接戦 极为紧张的拉锯战
いきどおり【憤り】气愤qìfèn; 愤怒fènnù; 愤恨fènhèn ‖ 激しい～を感じる 深感愤怒
いきどお·る【憤る】气愤qìfèn; 愤怒fènnù; 愤恨fènhèn; 愤慨fènkǎi
いきぬき【息抜き】(～する)休息xiūxi; 放松fàngsōng; 歇口气xiē kǒu qì; 缓口气huǎn kǒu qì ‖ ちょっと～する 休息一下 | ～に散歩する 去散散步放松一下
いきのこ·る【生き残る】幸存xìngcún; 生存下来〔去〕shēngcúnxialai〔qu〕
いきはじ【生き恥】‖ ～をさらす 忍辱偷生
いきぼとけ【生き仏】活佛huófó; 活菩萨huópúsa
いき·む【息む】(憋足气)使劲(biēzú qì) shǐjìn; 用力yònglì
いきもの【生き物】❶〔生物〕〔种,类〕生物shēngwù ❷〔変化する事物〕活着的事物huózhe de shìwù ‖ 言葉は～だ 语言是活的
いきょ【依拠】(～する)依据yījù; 根据gēnjù; 依靠yīkào
いきょう【異郷·異境】异乡yìxiāng; 他乡tāxiāng; 异国yìguó
いぎょう【偉業】伟大的事业wěidà de shìyè ‖ ～を成し遂げる 建立丰功伟绩
いぎょう【遺業】遗业yíyè ‖ 父の～を継ぐ 继承父业〔亡父的事业〕
イギリス 英国Yīngguó
いきりた·つ【いきり立つ】愤怒fènnù; 发火fāhuǒ; 怒气冲冲nùqì chōngchōng
い·きる【生きる】❶〔生存する〕活huó; 生存shēngcún ‖ ～きた魚 活鱼 | ～ける屍(しかばね) 定 行尸走肉 | 私の曽祖母は100歳まで～きた 我的曾祖母活到了100岁 | ～きるか死ぬかの問題 生死攸关的问题 | ～きた化石 活化石 ❷〔生活する〕生活shēnghuó ‖ ～きるための手段 谋生的手段 | ペン1本で～きる 靠一支笔吃饭 ❸〔有効である〕有用yǒuyòng; 有效yǒuxiào ‖ こんな法律がまだ～きているとは思わなかった 我没想到这样的法律依然存在 ❹〔生き生きする〕变得生动biànde shēngdòng
い·く【行く】❶〔どこかへ〕(到…)去(dào …) qù ‖ 来週出張で上海へ～く 下个星期到上海出差 | 地下鉄で～く 坐地铁去 | ～こう,遅れるよ 走吧,来不及了 ❷〔通勤·通学〕上shàng | 学校へ～く 上学 | 会社に～く 到公司上班 ❸〔歩く·通る〕走zǒu ‖ 天安門へはどう～けばいいですか 去天安门怎么走? | 道～く人 行人 ❹〔通じる〕通往tōngwǎng ‖ 駅へ～く道 通往车站的路 ❺〔死ぬ〕死sǐ; 去世qùshì ‖ ぽっくり～く 突然死去 ❻〔…ていく〕(持続する)…下去…xiaqu. (進行する)渐渐地jiànjiàn de; 越来越…yuè lái yuè… ‖ 生きて～く 活下去 | 病気はだんだんよくなって～った 病渐渐地好了
いくじ【育児】育儿yù'ér; 育婴yùyīng; 抚养孩子fǔyǎng háizi ✤ 一休暇:育儿假 | 一書:育儿书籍 | 一手当:育儿补助 | 一ノイローゼ:因育儿造成的忧郁症
いくじなし【意気地なし】窝囊wōnang; 没出息méi chūxi. (人)窝囊废wōnangfèi
いくせい【育成】(～する)培养péiyǎng; 培育péiyù ‖ 後継者を～する 培养继承人
いくつ【幾つ】❶〔数量〕几个jǐ ge; 多少duōshao ❷〔年齢〕几岁jǐ suì; 多大(岁数) duō dà (suìshu) ‖ お子さんは～ですか 孩子几岁了? | お父さんはお～ですか 你父亲多大岁数了?
いくどうおん【異口同音】定 异口同声yì kǒu tóng shēng ‖ ～に 异口同声地
いくら【幾ら】❶〔金額〕多少钱duōshao qián ‖ これは1つ～ですか 这个多少钱一个? | このパソコンは～で買ったのですか 这台电脑是花多少钱买的? ❷〔数量〕多少duōshao ‖ この小包の目方は～ありますか 这个包裹的重量是多少? ❸〔距離·時間〕多少duōshao; 多远duō yuǎn; 多长时间duō cháng shíjiān ‖ ここから駅までは～もない 从这儿到车站没多远 ❹〔どんなに…でも〕不管〔无论〕怎么…也bùguǎn〔wúlùn〕zěnme … yě; 再…也zài … yě ‖ ～考えてもいい知恵が浮かばない 不管怎么想也想不出好主意 | ～なんでも 不管怎么样
イクラ〔粒〕咸鲑鱼子xián guīyúzǐ
いくらか【幾らか】稍微shāowēi; 一些yìxiē; 一点儿yìdiǎnr ‖ ～寒気が和らいだ 寒气多少缓和了一些 | ～気分がよくなった 我觉得好一点儿了
いけ【池】池子chízi; 池塘chítáng ‖ ～にはまる

掉进池子里
いけい【畏敬】(～する)敬畏jìngwèi‖～の念で接する 怀着敬畏的心情相处
いけがき【生け垣】〔排,圈〕绿篱lǜlí；矮树篱笆ǎishù líba
いけどり【生け捕り】生擒shēngqín；活捉huózhuō‖野ウサギを～にする 活捉野兔
いけない ❶〔禁止・必要〕不要búyào；不许bùxǔ；不准bù zhǔn；不得bù dé‖ここでタバコを吸っては～ 这儿禁止吸烟｜この部屋に入っては～ 不许进入这间房间 ❷〔悪い・間違っている〕不好bù hǎo；坏huài；错cuò；不对bú duì‖この計画のどこが～のだ 这项计划哪儿不对？
いけにえ【生け贄】牺牲品xīshēngpǐn
いけばな【生け花】插花chāhuā
い・ける【行ける】❶〔こなす〕会huì；行xíng；能搞néng gǎo‖スポーツならなんでも～ける 不管什么体育运动都行 ❷〔味が〕好吃hǎochī；好喝hǎo hē；可口kěkǒu；不错búcuò‖この店の料理は～ける 这家饭馆的菜很可口 ❸〔酒が〕能喝néng hē；海量hǎiliàng；酒量大jiǔliàng dà
いけん【意見】❶〔考え〕意见yìjian；想法xiǎngfa；看法kànfa‖1人1人に～を聞く 征求每一个人的意见｜～を交換する 交换意见｜なかなか～がまとまらない 意见怎么也统一不了｜～がまとまる 意见一致 ❷(～する)〔忠告・小言〕劝quàn；规劝guīquàn；劝告quàngào｜友だちに～する 规劝朋友 ✤一広告:意见广告
いけん【違憲】违宪wéixiàn；违反宪法wéifǎn xiànfǎ
いげん【威厳】威严wēiyán‖～がある 有威严
いご【以後】今后jīnhòu；以后yǐhòu；从今往后cóng jīn wǎng hòu
いご【囲碁】(下)围棋(xià) wéiqí
いこう【以降】以后yǐhòu；之后zhī hòu
いこう【威光】威势wēishì；权势quánshì；威风wēifēng‖親の～をかさに着る 依仗着父母的权势
いこう【移行】(～する)转移zhuǎnyí；过渡guòdù‖新体制へ～する 过渡到新体制 ✤一期間:过渡期间｜一措置:过渡措施
いこう【意向】意向yìxiàng；意图yìtú；想法xiǎngfa‖合併の～を表明する 表明合并的意向
いこう【遺稿】遗稿yígǎo
いこ・う【憩う】休息xiūxi；歇息xiēxi‖水辺に～う鳥たち 在河边歇息的水鸟
イコール ❶〔数学〕等号děnghào ❷〔等しいこと〕等于děngyú‖5プラス4～9 5加4等于9
いこく【異国】异国yìguó；外国wàiguó‖～の土となる 客死国外 ✤一情緒:异国情调
いごこち【居心地】‖このホテルは～がいい 这家酒店感觉很舒适
いこじ【依怙地】执拗zhíniù；固执gùzhi；偏执piānzhí‖そう～になるな 别这么固执
いこつ【遺骨】遗骨yígǔ；骨灰gǔhuī
いこん【遺恨】遗恨yíhèn；旧仇jiùchóu‖～を晴らす 报旧仇
いざ‖～となれば実力が出るものだ 一旦到了紧要关头，会拿出实力的｜～というとき 关键时刻
いさい【委細】详细xiángxì；详情xiángqíng；端详duānxiáng‖～構わず 不管情况如何 ✤一面談:详情面谈
いさい【異彩】异彩yìcǎi；定与众不同yǔ zhòng bù tóng；定别具一格bié jù yì gé‖～を放つ 独放异彩
いさい【偉才】伟才wěicái；奇才qícái
いさかい【諍い】争论zhēnglùn；争吵zhēngchǎo；吵架chǎojià‖～が絶えない 时常吵架
いざかや【居酒屋】(小)酒馆(xiǎo)jiǔguǎn
いさぎよ・い【潔い】果断guǒduàn；痛快tòngkuai；毅然决然yìrán juérán；爽快shuǎngkuai‖～く負けを認める 痛快地认输
いさぎよしとしない【潔しとしない】不肯bù kěn；不愿bú yuàn‖他人の世話になることを～ 他不肯接受别人照顾
いさく【遺作】〔篇〕遗著yízhù；遗作yízuò
いざこざ 纠纷jiūfēn；纠葛jiūgé‖～の種 纠纷的根源｜～が絶えない 隔三差五闹纠纷
いさまし・い【勇ましい】❶〔勇敢だ〕勇敢yǒnggǎn；勇猛yǒngměng；英勇yīngyǒng ❷〔元気がいい〕大胆dàdǎn；活泼huópo；泼辣pōla‖発言は～いが，実行できるのか 发言很大胆，但能否实行呢？ ❸〔勇壮だ〕雄壮xióngzhuàng；豪壮háozhuàng；威武wēiwǔ
いさ・める【諫める】劝告quàngào；规劝guīquàn；谏诤jiànzhèng
いさん【遺産】〔笔〕遗产yíchǎn‖～を残す 留下遗产｜～を相続する 继承遗产
いし【石】❶〔鉱物質の塊〕〔块,个〕石头shítou；石子儿shízǐr‖ライターの～ 火石｜時計の～ 钻｜囲碁の～ 棋子儿 ❷〔結石〕〔个,块〕结石jiéshí ❸〔じゃんけんの〕石头shítou ❹〔慣用表現〕‖～にかじりついても 不论怎样艰苦｜～のように黙り込む 如顽石般沉默不语｜～の上にも三年 定只要功夫深，铁杵磨成针
いし【医師】〔位,个,名〕医生yīshēng；大夫dàifu
いし【意志】意志yìzhì‖鉄の～ 钢铁意志｜～が強い〔弱い〕 意志坚强〔薄弱〕｜自分の～を通す 坚持自己的意见 ✤一薄弱:意志薄弱
いし【意思】意思yìsi；想法xiǎngfa；思想sīxiǎng‖～の疎通をはかる 沟通思想 ✤一決定:(制定)决策｜一表示:表示意见
いし【遺志】遗志yízhì‖～を継ぐ 继承遗志
いじ【意地】❶〔気性〕心肠xīncháng；心眼儿xīnyǎnr‖～が悪い 心肠坏 ❷〔強い気持ち〕志气zhìqi；骨气gǔqì；毅力yìlì‖～を通す 坚持到底｜～になる 赌气｜～を張る 过分固执
いじ【維持】(～する)维持wéichí；保持bǎochí‖現状を～する 维持现状的政策｜健康～ 保持身体健康
いじ【遺児】遗孤yígū；遗子yízǐ；孤儿gū'ér‖交通～ 交通孤儿
いしあたま【石頭】死脑筋sǐnǎojīn；死心眼儿sǐxīnyǎnr
いしがき【石垣】石墙shíqiáng；石头墙shítouqiáng
いしき【意識】❶(～する)〔気持ちを向ける〕意识到yìshidào；考虑到kǎolǜdào；注意到zhùyìdào‖～的に 有意识地｜結婚を～する 考虑结婚 ❷〔心の働き〕知觉zhījué；神志shénzhì‖～を取り戻す 恢复知觉｜～がある〔ない〕 神志清醒

〔昏迷〕 | ～が薄れる 神志不清 | ～を失う 昏迷不省 ❸〔認識·観念〕意识yìshi；观念guānniàn ‖ 罪の～がない 没有犯罪的意识 ✣一調査:意向调查 | 一不明:昏迷

いじきたな·い【意地汚い】❶〔飲食物に〕贪吃tānchī；贪嘴tānzuǐ；嘴馋zuǐ chán ❷〔金品に〕贪婪tānlán；贪得无厌tānde wú yàn

いしころ【石ころ】〔个,块〕小石头xiǎo shítou；小石子儿xiǎo shízǐr ✣一道:石子路

いしずえ【礎】础石chǔshí；基石jīshí.（物事の）基础jīchǔ ‖ ～を築く 奠定基础

いしだたみ【石畳】石板铺的地shíbǎn pū de dì ‖ ～の小道 石板小路

いしだん【石段】〔磴〕石级shíjí；石阶shíjiē

いしつ【異質】异质yìzhì

いしつぶつ【遺失物】失物shīwù ✣一取扱所:失物招领处

いしばし【石橋】〔座〕石桥shíqiáo ‖ ～をたたいて渡る 定瞻前顾后

いじまし·い 器量小qìliàng xiǎo；吝啬lìnsè；小气xiǎoqi

いじめ【苛め】欺负qīfu；折磨zhémo；虐待nüèdài ‖ 弱い者～ 欺负弱者

いじ·める【苛める】欺负qīfu；折磨zhémo；虐待nüèdài

いしゃ【医者】医生yīshēng；大夫dàifu ‖ かかりつけの～ 主治〔家庭〕医生 | ～にかかる 看医生 | ～の不養生 只会嘴上说,不付诸于行动

いしゃりょう【慰謝料】精神损失赔偿费jīnshén sǔnshī péichángfèi ‖ ～を請求する 索取赔偿费

いしゅ【異種】异种yìzhǒng；不同种类bù tóng zhǒnglèi

いしゅ【意趣】✣一返し:报仇

いしゅう【異臭】〔股〕异臭yìxiù；怪味guàiwèi；恶臭èchòu ‖ ～を放つ 发出异臭 | ～が漂う 飘出怪味

いじゅう【移住】（～する）迁居qiānjū；移居yíjū；移民yímín

いしゅく【畏縮】（～する）畏缩wèisuō；发憷fāchù；退缩tuìsuō

いしゅく【萎縮】（～する）萎缩wěisuō ‖ 脳が～する 脑萎缩 | 気持ちが～する 颓丧

いしょ【遺書】遗书yíshū

いしょう【衣装】服装fúzhuāng；衣服yīfu；穿戴chuāndài ‖ 馬子にも～ 定人是衣裳,马是鞍 ✣一合わせ:试装 | 一係:服装师

いしょう【意匠】心裁xīncái；匠心jiàngxīn.（デザイン）设计shèjì ‖ ～を凝らした作品 别具匠心的作品 ✣一権:设计版权 | 一登録:设计注册

いじょう【以上】❶〔…よりも上〕以上yǐshàng；超过chāoguò ‖ 15歳～ 15岁以上 | 予想～ 出人意料 | これ～のことはできない 我只能做到这儿了 ❷〔上述·上記〕上述shàngshù；前面所述qiánmian suǒ shù；上列shàngliè ‖ ～の理由により 因为上述理由 | ～をもって報告を終わります 报告到此结束 ❸〔…からには〕既然jìrán ‖ やると言った～やる 言出必行

いじょう【委譲】（～する）移交yíjiāo；转让zhuǎnràng；出让chūràng

いじょう【異状】异常状态yìcháng zhuàngtài；不正常bú zhèngcháng

いじょう【異常】异常yìcháng；不寻常bù xúncháng；不正常bú zhèngcháng；特别tèbié ‖ ～をきたす 失常 | ～なし 正常 | 弟はパソコンの組み立てに～な熱意を示した 弟弟对电脑组装表现出非常浓厚的兴趣 ✣一気象:异常气象

いしょく【衣食】衣食yīshí；吃穿chīchuān ‖ ～足りて礼節を知る 衣食足则知礼节

いしょく【異色】定与众不同yǔ zhòng bù tóng；有特色yǒu tèsè；独特dútè ‖ ～の番組 非常有特色的节目

いしょく【移植】（～する）❶〔植物を〕移植yízhí；移栽yízāi ❷〔医学〕移植yízhí ✣一手術:移植手术

いしょくじゅう【衣食住】衣食住yī shí zhù.

いじらし·い 惹人怜惜〔怜爱〕rě rén liánxī〔lián'ài〕

いじ·る【弄る】❶〔手で触る〕摆弄bǎinòng；鼓捣gǔdao ❷〔趣味で扱う〕玩儿wánr；摆弄bǎinòng ‖ 盆栽を～る 摆弄盆景 ❸〔物事に手を加える〕盲目改动mángmù gǎidòng ‖ 現在の教育制度は～らないほうがよい 现在的教育制度最好不要盲目改动

いしわた【石綿】石棉shímián

いじわる【意地悪】使坏shǐhuài；捉弄zhuōnòng

いしん【威信】威信wēixìn ‖ ～が地に落ちる 威信扫地

いじん【偉人】伟人wěirén；英雄(人物) yīngxióng (rénwù) ✣一伝:伟人传

いしんでんしん【以心伝心】心灵相通xīnlíng xiāngtōng；定心心相印xīn xīn xiāng yìn

いす【椅子】椅子yǐzi.（地位）交椅jiāoyǐ；地位dìwèi ‖ 大臣の～に座る 坐上大臣的交椅

いずまい【居住まい】‖ ～を正す 坐正姿势

いずみ【泉】泉水quánshuǐ

イスラエル 以色列Yǐsèliè.

イスラム 伊斯兰教Yīsīlánjiào；清真教Qīngzhēnjiào ✣一教典:伊斯兰教经典；古兰经 | 一教徒:伊斯兰教徒；回教徒；穆斯林 | 一原理主義:伊斯兰原教旨主义 | 一暦:伊斯兰教历；回历

いずれ ❶〔そのうち〕不久bùjiǔ；改日gǎirì；早晚zǎowǎn ‖ ～日を改めてお会いしたいと思います 我想改日再见您一次 | ～は知れてしまうよ 迟早要被发觉的 ❷〔いずれにせよ〕反正fǎnzheng；总之zǒngzhī；不管怎样bùguǎn zěnyàng ‖ ～にしても無理だ 无论如何都不行 ❸〔どれも〕都dōu ‖ 双方～も 双方都

いすわ·る【居座る】久坐不去jiǔ zuò bú qù；赖着不走làizhe bù zǒu ‖ 社長の座に～る 留任继续当社长

いせい【威勢】精神jīngshen；朝气zhāoqì；干劲gànjìn ‖ ～のいいことを言う 说大话 | ～がいい 精神饱满

いせい【異性】异性yìxìng ‖ ～を意識する 对异性产生兴趣

いせえび【伊勢海老】日本龙虾rìběn lóngxiā

いせき【移籍】（～する）❶〔戸籍を〕迁户口qiān hùkǒu ❷〔チームを〕转队zhuǎn duì

いせき【遺跡】遗迹yíjì；遗址yízhǐ；故址gùzhǐ
いせん【緯線】〔条〕纬线wěixiàn
いぜん【以前】以前yǐqián；从前cóngqián；过去guòqù ‖ お名前は～からお聞きしていました 久仰，久仰！｜～からダイビングをやりたいと思っていた 很早以前就想尝试潜水
いぜん【依然】还是háishi；仍然réngrán；仍旧réngjiù
イソ【ＩＳＯ】国际标准化组织Guójì Biāozhǔnhuà Zǔzhī
いそいそ 兴冲冲地xìngchōngchōng de；乐颠颠儿地lèdiāndiānr de；欢欣雀跃地huānxīn quèyuè de ‖ ～と出かけた 兴高采烈地出门了
いそう【移送】（～する）转移zhuǎnyí；转送zhuǎnsòng
いぞう【遺贈】（～する）遗赠yízèng；遗嘱赠予yízhǔ zèngyǔ
いそうろう【居候】（～する）（在他人家里）白吃白住（zài tārén jiā li）bái chī bái zhù；寄居jìjū
いそがし・い【忙しい】忙máng ‖ 毎日仕事で～い 每天工作都很忙｜～くて寝る暇もない 忙得连睡觉时间都没有｜～く働く 忙忙碌碌地工作
いそが・す【急がす】催cuī；催促cuīcù
いそぎ【急ぎ】急jí；急忙jímáng；急迫jípò；紧迫jǐnpò ‖ ～の用 急事｜～足で歩く 快步走
いそ・ぐ【急ぐ】赶gǎn；急着jízhe；加紧jiājǐn ‖ 道を～ぐ 赶路｜その件は～ぎません 那个不急｜～がば回れ 定 欲速则不达
いぞく【遺族】遗族yízú；遗属yíshǔ ❖ 一年金:遗族养老金｜一補償:遗族赔偿
いそし・む【勤しむ】勤奋qínfèn；努力nǔlì ‖ 仕事に～む 勤勤恳恳地工作
いそん【依存】（～する）依存yīcún；依靠yīkào；依赖yīlài
いぞん【依存】⇨いそん（依存）
いぞん【異存】异议yìyì；不同意见bù tóng yìjian ‖ ～はない 没有异议
いた【板】〔块〕板bǎn．（木の）木板mùbǎn ‖ ～につく 像样儿｜仕事ぶりがまだ～についていない 看他工作的样子还不太娴熟 ❖ 一壁:木板墙｜一ガラス:平板玻璃｜一チョコ:排块巧克力
いたい【異体】❖ 一字:异体字
いた・い【痛い】❶〔肉体的に〕疼téng；痛tòng；酸suān ‖ おなかが～い 肚子疼❷〔慣用表現〕‖ ～くもかゆくもない 不痛不痒｜～くもない腹を探られる 平白无故受到猜疑｜～い目をみる 尝到苦头
いたい【遺体】〔个，具〕遗体yítǐ
いだい【偉大】伟大wěidà ‖ ～な人物 伟人
いたいたし・い【痛痛しい】令人心痛lìng rén xīn tòng ‖ 見るのも～い光景 让人心痛的场面
いたく【委託】（～する）委托wěituō；托付tuōfù ❖ 一加工貿易:来料加工（贸易）｜一販売:寄售
いだ・く【抱く】❶〔懐に〕抱bào；搂lǒu ‖ 幼子を胸に～く 把小孩儿抱在怀里 ❷〔心に〕心怀xīn huái；怀抱huáibào ‖ 恨みを～く 怀恨在心｜不信を～く 抱有怀疑
いたけだか【居丈高】定 盛气凌人shèng qì líng rén；定 气势汹汹qìshì xiōngxiōng

いたしかた【致し方】‖ ～がない 毫无办法；不得已
いたしかゆし【痛し痒し】定 左右为难zuǒ yòu wéi nán；
いたずら【徒ら】白白地báibái de；徒然túrán ‖ ～に時を過ごす 虚度时光
いたずら【悪戯】（～する）恶作剧èzuòjù；淘气táoqì．（みだらな行為）猥亵行为wěixiè xíngwéi ‖ ～する 做恶作剧｜～盛り 淘气的年龄 ❖ 一書き:乱写；乱画｜一っ子:淘气包〔鬼〕｜一電話:骚扰电话；（無言電話）无声电话｜一半分:半开玩笑
いただき【頂】顶dǐng；上部shàngbù ‖ 山の～ 山顶
いただ・く【頂く】❶〔もらう〕领受lǐngshòu；拜领bàilǐng ‖ 記念にこの写真を～けませんか 这张照片能给我做个纪念吗？ ❷〔…していただく〕请您…qǐng nín…；希望…xīwàng… ‖ いろいろ教えて～きたいことがあります 我有很多事情想请教您 ❸〔飲食する〕吃chī；喝hē；用餐yòngcān ‖ さあ～きましょうか 来，咱们吃吧 ❹〔楽に手に入れる〕‖ この勝負～いた 这场比赛我赢定了
いただけない【頂けない】不能赞同bù néng zàntóng；要不得yàobude；不好bù hǎo
いたたまれな・い 待不下去dāibuxiàqù；难以忍受nányǐ rěnshòu．（恥ずかしくて）定 无地自容wú dì zì róng ‖ 恥ずかしくて～かった 羞得无地自容
いたち【鼬】〔条，只〕黄鼠狼huángshǔláng；鼬鼠yòushǔ ‖ ～の最後っ屁（ぺ） 撒手锏
いたちごっこ【鼬ごっこ】没完没了méi wán méi liǎo
いたで【痛手】❶〔重い傷〕重伤zhòngshāng ❷〔ひどい打撃〕沉重的打击chénzhòng de dǎjī
いたとびこみ【板飛び込み】跳板跳水tiàobǎn tiàoshuǐ
いたばさみ【板挟み】受夹板气shòu jiābǎnqì；两头受气liǎngtóu shòuqì ‖ 嫁と姑（しゅうと）の～になっている 夹在婆媳之间两头受气
いたまし・い【痛ましい・傷ましい】凄惨qīcǎn；定 目不忍睹mù bù rěn dǔ
いたみ【痛み・傷み】疼痛téngtòng．（精神的）悲痛bēitòng；难过nánguò ‖ 激しい～ 剧痛｜かすかな～ 隐痛｜薬で～をしずめた 用药止了痛｜～が和らぐ 疼痛和缓下来 ❖ 一止め:止痛药；镇痛药
いた・む【悼む】哀悼āidào ‖ 死を～む 表示哀悼｜恩師の死を～む 悼念恩师
いた・む【痛む・傷む】❶〔肉体的に〕疼痛téngtòng；受伤shòushāng ‖ 歯がずきずき～む 牙齿一跳一跳地疼 ❷〔心が〕悲痛bēitòng；难过nánguò ‖ 胸が～む 内心很悲痛 ❸〔物品が損傷する〕损坏sǔnhuài；腐烂fǔlàn ‖ 生鮮食品は夏場は～みやすい 新鲜食品在夏天容易变质
いた・める【炒める】炒chǎo ‖ 玉ねぎを～める 炒洋葱
いた・める【痛める・傷める】使…疼痛shǐ…téngtòng；使…受伤shǐ…shòushāng ‖ スキーで足を～めた 我滑雪伤了脚｜心を～める 痛心
いたらぬ【至らぬ】不周到bù zhōudao；不充分bù chōngfèn ‖ ～ことばかりで申しわけありません 照

顾不周很抱歉
イタリア 意大利Yìdàlì
イタリック 欧文斜字体ōuwén xiézìtǐ
いた・る【至る】❶〔ある地点・時に達する〕到dào；至zhì‖今日に〜るまで 至今 ❷〔及ぶ〕及jí；到dào‖小学生から高校生に〜るまで 从小学生到高中生 ❸〔ある状態になる〕至zhì‖事ここに〜っては手の施しようがない 事已至此，无计可施了 ❹〔やって来る〕到来dàolái；来临láilín‖好機〜る 良机来临
いたるところ【至る所】到处dàochù
いたれりつくせり【至れり尽くせり】定 应有尽有yīng yǒu jìn yǒu；定 无微不至wú wēi bú zhì；定 尽善尽美jìn shàn jìn měi
いたわ・る【労る】(思いやる)体贴tǐtiē；照顾zhàogu‖老人を〜る 体贴老人
いたん【異端】异端yìduān；非正统fēi zhèngtǒng
いち【一】一yī．(大字)壹yī‖私は〜教師にすぎない 我只是一名教师｜〜か八か 碰运气｜〜から十まで言って聞かせる 一五一十地讲｜〜も二もなく賛成する 二话没说立刻同意｜〜を聞いて十を知る 定 闻一知十｜〜二を争う 定 数一数二
いち【市】集市jíshì；市场shìchǎng‖門前〜をなす 定 门庭若市
いち【位置】位置wèizhi；场所chǎngsuǒ‖〜について，用意，どん 各就各位，预备—跑！｜…に〜する 位于…
いちい【一位】第一dì yī；首位shǒu wèi‖〜になる 得第一；占首位
いちいち【一一】一一yīyī；逐一zhúyī；一个个yí gègè‖〜難癖をつけるな 不要一一挑剔｜〜説明する必要はない 无需逐一说明
いちいん【一因】原因之一yuányīn zhī yī；一个原因yí ge yuányīn
いちいん【一員】一员yì yuán
いちおう【一応】先xiān；大体dàtǐ；姑且gūqiě‖報告書には〜目を通した 报告我大体看了一遍
いちがい【一概】一概yígài；一律yílǜ‖〜に否定できない 不能一概否定
いちがつ【一月】一月yīyuè
いちがん【一丸】一团yì tuán；一个整体yí ge zhěngtǐ‖チーム〜となって優勝をめざす 全队团结一致力争第一
いちがんレフ【一眼レフ】单镜头反光式照相机dānjìngtóu fǎnguāngshì zhàoxiàngjī
いちく【移築】(〜する)移建yíjiàn
いちげい【一芸】一技yí jì；一着儿yì zhāor‖〜に秀でた人 有一技之长的人
いちげん【一元】一元yìyuán‖〜化する 一元化 ✣一一次方程式:一元一次方程｜一論:一元论
いちご 草莓cǎoméi ✣一ジャム:草莓果酱
いちごん【一言】一句话yí jù huà‖父はその申し出を〜のもとに断った 我爸一言驳回了对方的要求 ✣一一句:一字一句
いちざ【一座】❶〔同席者〕在场〔在座〕的所有人zàichǎng〔zàizuò〕de suǒyǒu rén‖〜を見渡す 环视在座所有的人 ❷〔劇団〕剧团jùtuán
いちじ【一次】❶〔第1回目〕初次chū cì；第一次dì yī cì ❷〔もともとの〕第一手dìyīshǒu；原始yuánshǐ ❸〔数学〕一次yī cì；线性xiànxìng ✣一関数:一次函数｜一産業:第一产业｜一試験:初试｜一資料:第一手资料；原始资料
いちじ【一事】一件事yí jiàn shì‖兄は〜が万事そんな調子だ 我哥哥做什么事都是这个样子 ✣一不再理:一案不再审；既定案件不再审理
いちじ【一時】❶〔かつて〕以前yǐqián；曾经céngjīng；有一段时间yǒu yí duàn shíjiān ❷〔しばらくの間〕暂时zànshí；一时yìshí‖〜的な現象 暂时的现象｜〜の気の迷い 一时的心血来潮｜晴れ〜曇り 晴间多云 ❸〔時刻〕1点(钟) yī diǎn(zhōng)‖午後〜 下午1点(钟) ✣一預かり所:(临时)寄存处｜一帰休:临时解雇；下岗｜一金:(一次性的)补助(费)；慰劳金｜一しのぎ:应付一时；敷衍一时｜一停止:暂时停止
いちじいっく【一字一句】一字一句yí zì yí jù
いちじく【無花果】无花果wúhuāguǒ
いちじつ【一日】一天yì tiān；一日yí rì‖十年〜のごとく 十年如一日地 ✣一千秋：定 一日三秋；定 度日如年
いちじょ【一助】‖〜となる 有助于
いちじるし・い【著しい】明显míngxiǎn；显著xiǎnzhù；非常fēicháng‖〜い進歩がみられる 有明显的进步
いちず【一途】专心zhuānxīn；一个心眼儿yí ge xīnyǎnr；一味yíwèi‖〜な愛 专一的爱情
いちぞく【一族】一个家族yí ge jiāzú；一族yì zú ✣一郎党:满门族人
いちぞん【一存】个人意见gèrén yìjian‖私の〜では決められない 凭我个人的意见很难决定
いちだい【一代】❶〔一生〕一生yìshēng；一辈子yíbèizi‖人は〜，名は末代 人生一世，名垂千古 ❷〔世代〕世代shìdài‖〜で富を築く 仅在一代积累财富 ✣一記:传记
いちたいいち【一対一】❶〔対応する〕一对一yī duì yī ❷〔得点〕一比一yī bǐ yī‖〜で引き分けとなる 以一比一打成平局
いちだいじ【一大事】一件大事yí jiàn dàshì‖父の身にもしものことがあったら〜だ 爸爸要是有个三长两短，那可不得了
いちだんらく【一段落】(〜する)(告)一个段落(gào) yí ge duànluò‖これでこの仕事も〜だ 到此工作告了一个段落
いちづ・ける【位置付ける】给予评价jǐyǔ píngjià；定位dìngwèi‖その詩は中国文学史ではどう〜けられているのですか 那首诗在中国文学史上处于什么地位？
いちど【一度】❶〔1回・ちょっと〕一次yí cì；一回yì huí；一遍yí biàn‖もう〜おっしゃってください 请你再说一遍｜〜も行ったことがない 一次也没去过｜〜ならず行ったことがある 不止去过一次 ❷〔いったん〕一旦yídàn ❸〔同時に〕‖〜に 一下子；一次；同时
いちどう【一同】全体quántǐ；大家dàjiā‖社員〜 公司全体职员｜〜を代表して 代表大家
いちどう【一堂】‖〜に会する 会聚一堂
いちなん【一難】‖〜去ってまた〜 过了一关又是一关；定 一波未平，一波又起
いちに【一二】❶〔わずか〕一两个yì liǎng ge；个别gèbié；少数shǎoshù‖〜の人の意見にすぎない

只不过是个别人的意见 ❷〔1位か2位〕‖～を争う 定 数一数二

いちにち【一日】❶〔時間の長さ〕一天yì tiān; 一日yí rì‖～休む 休息一天｜～おきに電話する 每隔一天打一次电话｜～に3回歯を磨く 一天刷三次牙 ❷〔朝から晩まで〕一天yì tiān; 整天zhěngtiān; 终日zhōngrì‖～の仕事 一天的工作｜日曜は～家でごろごろしている 星期天我整天在家闲着 ❸〔某日〕有一天yǒu yì tiān; 某一天mǒu yì tiān‖さわやかな秋の～ 秋高气爽的某一天

いちにん【一任】(～する)(全面；全部)委托(quánmiàn;quánbù) wěituō; 托付tuōfù

いちにんしょう【一人称】第一人称dì yī rénchēng

いちにんまえ【一人前】❶〔食べ物の〕一份儿yí fènr ❷〔成人〕成年人chéngniánrén; 大人dàren‖～になる 长大成人｜～の口をきく 谈得头头是道 ❸〔技能が〕称职chènzhí; 胜任shèngrèn; 够格gòugé‖～の教師 一个够格的教师

いちねん【一年】❶〔年月の〕一年yì nián‖～おきに行く 每隔一年去一次｜～中 一年到头；整年 ❷〔学校の〕一年级yī niánjí ❖一生:一年级学生；新生；(初心者)新手

いちねん【一念】决心juéxīn; 一心yìxīn; 诚心chéngxīn‖～発起して禁煙した 我下决心戒烟了

いちば【市場】市场shìchǎng

いちはやく【逸早く】抢先qiǎngxiān; 及时(地) jíshí (de); 迅速xùnsù

いちばん【一番】❶〔番号〕一号yī hào‖～街 一号街 ❷〔順位〕第一dì yī; 第一名dì yī míng‖クラス～の人気者 班里最受欢迎的人 ❸〔何よりも〕最zuì‖～良い 最好 ❹〔勝負〕一局yì jú; 一盘yì pán; 一场yì chǎng; 一战yí zhàn‖ここ～というとき 紧要关头 ❖一線:一号线｜一鶏(どり):头遍鸡叫

いちぶ【一分】❶〔10分の1〕一成yì chéng; 十分之一shí fēn zhī yī ❷〔1割の10分の1〕百分之一bǎi fēn zhī yī ❸〔わずか〕一点儿yìdiǎnr‖～の狂いもない 一点儿差错也没有｜～のすきもない 无懈可击

いちぶ【一部】一部分yí bùfen; 部分bùfen‖～の人々 一部分人

いちぶしじゅう【一部始終】定 一五一十yī wǔ yī shí‖事件の～ 事件的全部经过

いちぶぶん【一部分】一部分yí bùfen

いちべつ【一瞥】(～する)一瞥yìpiē; 看一眼kàn yì yǎn

いちぼう【一望】(～する)一望yí wàng; 眺望tiàowàng‖～に収める 尽收眼底

いちまい【一枚】‖役者が～上 技高一筹 ❖一岩:喩 团结得坚如磐石｜一看板:(中心人物)台柱子；骨干；(セールスポイント)招牌

いちみ【一味】团伙tuánhuǒ; 同伙tónghuǒ

いちめん【一面】❶〔ある場所全体〕一片yí piàn; 满mǎn‖家は～火の海と化した 房子化为一片火海 ❷〔1つの側面〕一面yímiàn; 另一面lìng yímiàn‖社会の暗い〔明るい〕～ 社会黑暗〔光明〕的一面｜きみのものの見方は～的だ 你看事情很片面 ❸〔新聞の〕第一版dì yī bǎn; 头版tóubǎn‖～のトップを飾る 登在头版头条

いちめんしき【一面識】‖～もない 素未谋面

いちもうだじん【一網打尽】定 一网打尽yì wǎng dǎ jìn

いちもく【一目】‖～置く 甘拜下风 ❖一瞭然(りょうぜん):一目了然

いちもくさん【一目散】一溜烟地yíliùyān de‖～に逃げ去る 一溜烟地逃掉

いちや【一夜】❶〔ひと晩〕一夜yí yè; 一晚yì wǎn‖不安な～を過ごす 度过不安的一夜｜～にして有名になる 一夜成名 ❷〔ある夜〕有一个夜晚yǒu yí ge yèwǎn; 某夜mǒu yè‖秋の～ 有一个秋天的夜晚 ❖一漬け:临阵磨枪

いちやく【一躍】(～する)一跃yí yuè; 一举yìjǔ‖～有名になる 一举成名

いちゃつ・く 调情tiáoqíng

いちゃもん ‖～をつける 找碴儿

いちゅう【意中】意中yìzhōng‖～の人 意中人；心上人｜～をあかす 说出心事｜～を察する 体察心意｜～を探る 揣摩心事

いちょう【胃腸】肠胃chángwèi‖～が丈夫だ〔弱い〕 肠胃功能很好〔弱〕❖一薬:肠胃药

いちょう【銀杏】〔棵〕银杏树yínxìngshù; 白果树báiguǒshù ❖一並木:银杏树林阴道

いちよく【一翼】‖～を担う 承担部分工作

いちらん【一覧】(～する)〔目を通す〕过目guòmù; 看kàn ❖一表:一览表

いちらんせいそうせいじ【一卵性双生児】同卵双胞胎tóng luǎn shuāngbāotāi

いちり【一理】一番道理yì fān dàoli; 一定的道理yídìng de dàoli‖先方の言い分にも～ある 对方说的也有一定的道理

いちりつ【一律】一律yílǜ; 一概yígài; 同样(地) tóngyàng (de)

いちりゅう【一流】❶〔第一級の〕(第)一流(dì)yīliú ❷〔独特の〕自成一套的zì chéng yí tào de; 特有的tèyǒu de‖彼～の皮肉 他特有的嘲讽

いちりょうじつ【一両日】一两天yì liǎng tiān; 今明天jīn míng tiān‖～中に 在一两天内

いちる【一縷】‖～の望み 一丝〔一线〕希望

いちるい【一塁】一垒yī lěi ❖一側スタンド:靠近一垒的看台｜一手:一垒手

いちれん【一連】一连串yìliánchuàn; 一系列yíxìliè‖～の汚職事件 一连串的贪污事件

いちれんたくしょう【一蓮托生】同生共死tóng shēng gòng sǐ

いつ 什么时候shénme shíhou; 几时jǐshí; 何时hé shí‖～でもかまわない 什么时候都行｜誕生日は～ですか 你的生日是几月几号？｜～から～まで 从什么时候到什么时候｜～～までもお幸せに 祝您永远幸福！

いつか ❶〔かつて〕曾经céngjīng; 以前yǐqián‖～お目にかかりましたね 我们好像曾经见过一面 ❷〔いずれ〕早晚zǎowǎn; 迟早chízǎo‖～後悔するぞ 你迟早会后悔的｜人は～は死ぬ 人总有一天会死的

いっか【一家】❶〔家庭・家族〕一家yì jiā; 全家quánjiā‖～を背負う 拖家带口｜～を構える 成家｜～そろって 全家一起｜～のあるじ 一家之

主 ❷〔独自の流派〕一家yì jiā; 一派yí pài ‖ ～を成す 自成一派 ✣ 一心中:全家自杀 | 一団らん:阖家团圆
いっか【一過】‖ 台風～の青空 台风过后晴空万里 | ～性のブーム 一时的流行
いっかい【一介】一介yí jiè; 一个yí ge ‖ 私は～のサラリーマンにすぎない 我只不过是个小职员
いっかい【一回】❶〔1度〕一次yí cì; 一回yì huí ‖ 週に～ジムに行く 每周去一次健身房 | もう～やる 再来一次 ❷〔野球〕第一局dì yī jú ‖ ～の表〔裏〕 第一局的前半局〔后半局〕✣ 一戦:第一场〔局〕;〔トーナメントの〕第一轮
いっかい【一階】一层yī céng; 一楼yī lóu
いっかく【一角】❶〔かたすみ〕一个角落yí ge jiǎoluò; 一角yì jiǎo; 一隅yì yú ❷〔一部分〕一部分yí bùfen ‖ 氷山の～ 冰山的一角
いっかくせんきん【一獲千金】定 一攫千金yì jué qiān jīn
いっかげん【一家言】独到见解dúdào jiànjiě ‖ ～もっている 有独到的见解
いっかつ【一括】(～する)统一tǒngyī; 总括zǒngkuò; 汇总huìzǒng ✣ 一契約:一揽子合同 | 一購入:统购 | 一審議:汇总审议 | 一払い:一次付清
いっかん【一巻】(巻いたもの)一卷yì juǎn.(書籍)一卷yí juàn ‖ ～の終わり 全完蛋
いっかん【一貫】(～する)贯彻guànchè; 始终不变shǐzhōng bú biàn ‖ 終始～して 始终如一地; 定 自始至终 ✣ 一性:一贯性 ‖ あの人の話には～がない 他的话前言不对后语 | 一生産:一条龙生产
いっかん【一環】一环yì huán; 一个环节yí ge huánjié; 一部分yí bùfen ‖ ボランティア活動の～として 作为志愿者活动的一部分
いっき【一気】一口气yì kǒu qì; 一下子yíxiàzi ‖ ～に読み終える 一口气读完 | ～にトップに立つ 一下子处于领先地位
いっきいちゆう【一喜一憂】(～する)定 一喜一忧yì xǐ yì yōu
いっきゅう【一級】❶〔最高級〕头等tóuděng; 一等yī děng ❷〔等級〕一级yī jí ✣ 一品:头等品; 一级品
いっきょ【一挙】‖ ～に 一下子; 一举 ✣ 一動: 定 一举一动 | 一両得: 定 一举两得
いっきょしゅいっとうそく【一挙手一投足】❶〔一挙一動〕定 一举一动yì jǔ yí dòng ‖ 観客はマジシャンの～を見守った 观众们注视着魔术师的一举一动 ❷〔わずかな手間〕定 举手之劳jǔ shǒu zhī láo
いつくし・む【慈しむ】疼爱téng'ài; 爱怜àilián; 怜爱lián'ài
いっけい【一計】‖ ～を案じる 想出一条计谋
いっけん【一件】一件事yí jiàn shì.(例のこと)那件事nà jiàn shì ‖ これにて～落着だ 这样, 一件事就解决了; 总算了了一件事
いっけん【一見】(～する)❶〔1度見る〕一看yí kàn; 一见yí jiàn ‖ ～の価値がある 值得一看 | 百聞は～にしかず 定 百闻不如一见 ❷〔ちらっと見る〕一看yí kàn; 看一眼kàn yì yǎn ‖ ～してわかる 我一看就知道 ❸〔見たところ〕看起来kànqilai; 看上去kànshangqu ‖ ～簡単そうだが, やってみると難しい 看起来容易, 做起来难
いっこう【一行】一行yìxíng ‖ 首相とその～ 首相及其一行
いっこう【一考】(～する)考虑(一下) kǎolǜ (yíxià) ‖ なお～の余地がある 还有进一步考虑的余地
いっこう【一向】‖ ～に 一点儿也…; 根本 | ～構わない 毫不在乎
いっこく【一刻】一刻yíkè; 片刻piànkè ‖ ～を争う 分秒必争 | ～の猶予もならない 定 刻不容缓 | ～も早く 尽快 ✣ 一千金: 定 一刻千金
いつざい【逸材】优秀的人才yōuxiù de réncái
いっさい【一切】❶〔すべて〕一切yíqiè; 全部quánbù ‖ ～が明らかになった 一切都清楚了 ❷〔まったく〕完全wánquán; 全然quánrán ‖ 具体的な内容については～知らない 具体内容我什么都不知道 ✣ 一合切:所有一切
いっさく-【一昨】✣ 一日:前天 | 一年:前年 | 一夜:前天晚上
いっさんかたんそ【一酸化炭素】一氧化碳yìyǎnghuàtàn ✣ 一中毒:一氧化碳中毒
いっしき【一式】一套yí tào; 全套quántào ‖ 家具～ 一套家具 | キャンプ用具～ 全套野营用具
いっしゅ【一種】一种yì zhǒng ‖ ～異様な雰囲気 一种异样的气氛 ✣ 第一自動車免許:第一类汽车驾驶执照 | 第一郵便物:第一类邮件
いっしゅう【一周】(～する)绕一周〔圈〕rào yì zhōu〔quān〕✣ 一年:一周年
いっしゅう【一蹴】(～する)❶〔はねつける〕生硬地拒绝shēngyìng de jùjué; 一脚踢开yì jiǎo tīkāi ❷〔打ち負かす〕轻而易举地打败qīng ér yì jǔ de dǎbài
いっしゅうかん【一週間】一个星期yí ge xīngqī ‖ ～以内に 一个星期之内
いっしゅん【一瞬】一瞬yíshùn; 一刹那yíchànà ‖ ～の出来事 一刹那间发生的事情 | ～のすきを突かれる 被人抓住空子
いっしょ【一緒】❶〔ともにする〕一起yìqǐ; 一块儿yíkuàir ‖ ～に行く 一起去 ❷〔同じ〕一样yíyàng ‖ あんなやつと～にされちゃたまらない 不要把我和那个家伙混为一谈 ❸(～する)〔同行する〕同行tóngxíng; 一起去yìqǐ qù.
いっしょう【一生】一生yìshēng; 终生zhōngshēng ‖ ～に1度のチャンス 一生只有一次的机会 | ご恩は～忘れません 我一辈子也不会忘记您的恩情的 | ～を棒に振る 断送前途 | 九死に～を得る 定 九死一生
いっしょう【一笑】‖ ～に付す 付之一笑 ✣ 破顔一:破颜一笑
いっしょうがい【一生涯】一生yìshēng; 毕生bìshēng; 一辈子yíbèizi
いっしょうけんめい【一生懸命】拼命pīnmìng; 努力nǔlì; 刻苦kèkǔ ‖ ～働く 拼命地工作
いっしょく【一色】❶〔1つの色〕一种颜色yì zhǒng yánsè; 单色dānsè ❷〔傾向などが〕全quán; 满mǎn ‖ 町中が歓迎ムード～だ 全城都沉浸在一片欢迎的气氛之中
いっしょくそくはつ【一触即発】定 一触即发yí chù jí fā
いっしん【一心】专心zhuānxīn; 定 一心一意yì

xīn yí yì ‖ ～に講義を聞く 专心听讲 ✤一同体:一条心；定同心同德｜一不乱:定专心致志

いっしん【一身】自己zìjǐ；自身zìshēn ‖ ～上の都合で辞職した 我出于个人的原因辞职了

いっしん【一新】(～する)一新yìxīn；刷新shuāxīn ‖ 面目を～する 定面目一新

いっしんいったい【一進一退】一进一退 yí jìn yí tuì；时好时坏shí hǎo shí huài

いっすい【一睡】(～する)睡一觉shuì yí jiào ‖ 昨夜は興奮して～もしなかった 昨天晚上我兴奋得一夜没睡〔没合眼〕

いっ・する【逸する】❶〔のがす〕错过cuòguò；失去shīqù ‖ 絶好のチャンスを～する 错过最好的机会 ❷〔はずれる〕越出yuèchu；脱离tuōlí ‖ 常軌を～した行動 越轨〔出格〕的行为

いっすん【一寸】一寸yí cùn ‖ ～先は闇 前途莫测｜～の虫にも五分の魂 定匹夫不可夺其志；弱小者不可侮

いっせい【一世】❶〔ある時代〕一时yìshí；一世yíshì ‖ ～を風びする 风靡一时 ❷〔即位した初代〕一世yī shì ❸〔移民などの初代〕第一代dì yī dài

いっせい【一斉】一齐yìqí；同时tóngshí ✤一検挙:大检举｜一検査:大检查｜一射撃:一齐射击｜一取り締まり:同时取缔

いっせき【一席】❶〔会合や演説の1回〕一次yí cì；一番yì fān ‖ ～設ける 设宴｜～ぶつ 演讲一番 ❷〔第1位〕首席shǒuxí；首位shǒuwèi

いっせきにちょう【一石二鳥】定一箭双雕yí jiàn shuāng diāo；定一举两得yì jǔ liǎng dé

いっせん【一線】❶〔1本の線〕一条线yì tiáo xiàn ‖ 実力は～上に並んでいる 实力不相上下 ❷〔けじめ〕界限jièxiàn ‖ ～を画す 划清界线

いっそう【一掃】(～する)扫除sǎochú；清除qīngchú

いっそう【一層】更gèng；越发yuèfā

いったい【一体】到底dàodǐ；究竟jiūjìng ‖ ～何が言いたいんだ 你到底〔究竟〕想说什么？ ✤一全体:到底；究竟

いったい【一帯】一带yídài ‖ 九州～ 九州一带

いつだつ【逸脱】(～する)超出chāochū；脱离tuōlí ‖ 常識を～している 超出常规

いったん【一旦】一旦yídàn ‖ ～口にした以上責任をもつ 一旦说出口,就得负责任｜～うちに帰る 先回一趟家

いったん【一端】一端yì duān；一面yímiàn；一部分yí bùfen ‖ 彼の性格の～が表れている 表现出他性格的一面

いっち【一致】(～する)一致yízhì；符合fúhé ‖ 言うこととやることが～していない 言行不一 ✤一団結:团结一致

いっちょう【一朝】一朝yìzhāo；一旦yídàn ‖ ～事あるときは 一旦有事 ✤一一夕:定一朝一夕

いっちょういったん【一長一短】有长有短yǒu cháng yǒu duǎn；有利有弊yǒu lì yǒu bì ‖ どのプランも～だ 哪个方案都各有长短

いっちょくせん【一直線】一直yìzhí；笔直bǐzhí ‖ ～にのびた道路 笔直的路

いって【一手】❶〔自分だけで〕一手yìshǒu.〔1社で〕独家dújiā ‖ ～に引き受ける 定一手包办 ❷〔方法〕办法bànfǎ；一手儿yìshǒur ‖ 逃げの～を打つ 采取逃避的办法｜次の～ 下一步 ✤一販売:独家销售

いってい【一定】❶(～する)〔定まった〕一定yídìng；固定gùdìng ‖ ～の収入がある 有固定的收入 ❷〔ある程度〕一定yídìng ‖ ～のレベル 一定的水平

いつでも 什么时候都…shénme shíhou dōu…；随时suíshí；总是zǒngshì

いってん【一点】❶〔1か所〕一点yì diǎn ‖ ～を見つめる 盯着一个地方 ❷〔わずか〕一点儿yìdiǎnr；一丝yìsī ‖ ～の疑いもない 毫无疑问｜～の非もない 没有任何过错

いってん【一転】(～する)一变yí biàn；骤变zhòu biàn ‖ 情勢が～する 形势骤变

いってんばり【一点張り】只知道…zhǐ zhīdao…；一味yíwèi ‖ 仕事～ 只知道工作｜知らぬ存ぜぬの～ 一口咬定说不知道

いっと【一途】一路yílù；一直yìzhí ‖ 病状は悪化の～をたどった 病情一直恶化下去

いっとう【一等】一等yī děng；头等tóuděng；第一dì yī ✤一賞 头等奖｜一船室:头等舱｜一地:最好的地段

いっとうりょうだん【一刀両断】定一刀两断yì dāo liǎng duàn

いっとき【一時】❶〔少しの間〕片刻piànkè；一会儿yíhuìr ❷〔一時期〕前一阵子qián yízhènzi

いつなんどき【いつ何時】不定什么时候búdìng shénme shíhou；随时suíshí ‖ ～事故に遭うかもわからない 不定什么时候就会遇到事故

いつにな・い 跟往常不一样gēn wǎngcháng bù yíyàng ‖ ～く元気がない 无精打采的,跟往常完全不一样

いつのまにか 定不知不觉bù zhī bù jué；不知什么时候bù zhī shénme shíhou ‖ ～10年が過ぎた 不知不觉地十年过去了

いっぱい【一杯】❶〔分量〕(コップ・湯飲みの)一杯yì bēi.(おわんの)一碗yì wǎn ❷〔酒を飲む〕(喝)一杯酒(hē) yì bēi jiǔ ‖ ～やろう 喝一杯吧 ❸〔多数・多量〕满mǎn；很多hěn duō ‖ テーブル～の料理 一桌子菜 ❹〔全部〕整个zhěnggè；全部quánbù ‖ 今週～ 整个这星期｜時間～ 到最后一刻 ❺〔慣用表現〕‖ ～食わす 欺骗；蒙骗 ✤一機嫌:半醉；微醉

いっぱい【一敗】(～する)一败yí bài；一负yí fù ‖ 4勝～ 四胜一负｜～地にまみれる 一败涂地

いっぱく【一泊】(～する)住一夜〔一宿〕zhù yí yè〔yì xiǔ〕‖ ～2日 两天一夜｜～2食つき 住一夜外带两顿饭

いっぱん【一般】一般yìbān；普通pǔtōng ‖ ～の人 普通(的)人｜世間～の常識 社会的一般常识 ✤一会計:一般会计｜一教養:一般文化知识；(大学の)基础教育

いっぴき【一匹】一只yì zhī；一条yì tiáo ‖ ゴキブリ～ 一只蟑螂｜～の魚 一条鱼 ✤一狼(おおかみ):单枪匹马〔独立独行〕的人

いっぴん【逸品】精品jīngpǐn；绝品juépǐn ‖ この展示会は～ぞろいです 这个展览会的展品件件都是绝品

いっぷく【一服】❶(～する)〔休憩する〕休息xiūxi；歇xiē‖ちょっと～しましょう 休息一会儿吧 ❷(～する)〔茶・タバコを〕(喝)一杯茶(hē) yì bēi chá；(抽)一支烟(chōu) yì zhī yān ❸〔粉薬の〕一包yì bāo‖～盛る 下毒药

いっぺん【一変】(～する)完全改变wánquán gǎibiàn‖態度が～する 态度骤变

いっぺんとう【一辺倒】一边倒yì biān dǎo‖アメリカ～の政策 对美国一边倒的政策

いっぽ【一歩】一步yí bù‖～進む〔退く〕 前进〔后退〕一步｜～誤ればそれでおしまいだ 走错一步就全完了｜～先んじる 领先一步｜～も譲らない 寸步不让｜一時は離婚の～手前まで行った 曾经走到离婚的边缘

いっぽう【一方】❶〔1つの方面・片方〕一方yì fāng；一面yí miàn‖道の～はがけ，～は川だ 路的一面是悬崖，一面是河｜～的な言い分 片面之词 ❷〔もっぱら…する〕只zhǐ；一味yíwèi‖まじめ～ 向来认真 ❸〔他方〕另一方面lìng yī fāngmiàn；而ér ✤一通行：(道路が) 单行线；(働きかけなどが) 定 一厢情愿

いっぽう【一報】❶(～する)〔簡単に知らせる〕通知一下tōngzhī yíxià ❷〔最初の知らせ〕最早通知zuì zǎo tōngzhī‖地震の第～ 得到地震的最早通知

いっぽん【一本】✤一化：统一；综合｜一気：刚直｜一勝負：一局决胜负｜一立ち：自立；独立｜一調子：单调｜一道：直路｜一槍(やり)：执著；专一

いつまで 到什么时候dào shénme shíhou‖この寒さは～続くだろうか 这要冷到什么时候？

いつも ❶〔つねに〕总是zǒngshì；老是lǎoshì；经常jīngcháng；时常shícháng‖～ぶすっとしている 老是板着脸 ❷〔ふだん〕平时píngshí；平素píngsù；平常píngcháng；往常wǎngcháng‖～のとおり 像平时一样｜～より30分早い 比平常早30分钟｜～のところで会おう 在老地方见吧

いつわり【偽り】假jiǎ；虚假xūjiǎ

いつわ・る【偽る】❶〔つくりごとをする〕假充jiǎchōng；作假zuòjiǎ；假装jiǎzhuāng‖事実を～る 歪曲事实 ❷〔あざむく〕欺骗qīpiàn

イディオム 习语xíyǔ；成语chéngyǔ；熟语shúyǔ；惯用语guànyòngyǔ

イデオロギー 思想意识sīxiǎng yìshi；政治〔社会〕思想zhèngzhì〔shèhuì〕sīxiǎng

いてざ【射手座】人马座rénmǎzuò

いでたち【出で立ち】打扮dǎban；装扮zhuāngbàn

いてつ・く【凍てつく】上冻shàngdòng；冰冻bīngdòng‖～くような寒さ 冰冷

いてん【移転】(～する)搬(家) bān(jiā)；迁移qiānyí‖このたび下記へ～しました 我们新近搬到了下面这个地址 ✤一先：新地址｜一通知：迁移通知｜一登記：迁移登记

いでん【遺伝】(～する)遗传yíchuán ✤一学：遗传学｜一情報：遗传信息｜一病：遗传病

いでんし【遺伝子】基因jīyīn；遗传因子yíchuán yīnzǐ ✤一組みかえ：基因重组；转基因｜一工学：基因工程｜一操作：基因操作

いと【糸】❶〔織物・縫い物などの〕线xiàn；纱线shāxiàn‖～をつむぐ 纺线｜～を通す (穿针)引线｜～がもつれる 线纠缠成一团 ❷〔糸状のもの〕丝sī；线状物xiànzhuàngwù‖クモの～ 蜘蛛丝 ❸〔比ゆ的な〕‖記憶の～をたぐる 追忆｜運命の赤い～ 命运的红线

いと【意図】(～する)打算dǎsuan；计划jìhuà．(考え)意图yìtú；意向yìxiàng；用心yòngxīn‖記録を～的に削除する 故意删除记录

いど【井戸】井jǐng ✤一水：井水

いど【緯度】纬度wěidù ✤一線：纬线

いとう【以東】以东yǐ dōng

いと・う【厭う】❶〔いやがる〕嫌xián；讨厌tǎoyàn‖苦労を～わない 不辞劳苦 ❷〔大事にする〕保重bǎozhòng；珍重zhēnzhòng‖お体をお～いください 请保重身体

いどう【異動】(～する)调动diàodòng；变动biàndòng‖人事部へ～になる 调到人事处 ✤人事一：人事变动

いどう【移動】(～する)移动yídòng；转移zhuǎnyí；迁徙qiānxǐ ✤一診療所：流动诊所｜一性高気圧：移动性高气压｜一図書館：流动图书馆

いとおし・い ❶〔かわいい〕可爱kě'ài ❷〔かわいそう〕可怜kělián；怜悯liánmǐn

いときりば【糸切り歯】犬齿quǎnchǐ；虎牙hǔyá

いとぐち【糸口】线索xiànsuǒ；头绪tóuxù．‖事件解明の～ 解决事件的线索

いとけな・い【幼けない・稚い】年幼niányòu；幼稚yòuzhì

いとこ【従兄弟・従姉妹】(同姓)堂兄弟〔姐妹〕tángxiōngdì〔jiěmèi〕．(異姓)表兄弟〔姐妹〕biǎoxiōngdì〔jiěmèi〕‖～のお姉さん 堂〔表〕姐

いどころ【居所】所在的地方suǒzài de dìfang．(ゆくえ)去向qùxiàng．(住所)住处zhùchu‖～を突き止める 查明住处｜虫の～が悪い 情绪不好

いとし・い【愛しい】❶〔かわいい〕可爱kě'ài；疼爱téng'ài ❷〔かわいそうな〕可怜kělián

いとな・む【営む】❶〔生活などを〕进行jìnxíng‖社会生活を～む 过社会生活 ❷〔事業などを〕经营jīngyíng；开kāi ❸〔仏事・神事を〕做zuò；举行jǔxíng‖法要を～む 做法事

いど・む【挑む】挑衅tiǎoxìn；挑战tiǎozhàn‖たたかいを～む 挑战｜論争を～む 挑起争论｜エベレストに～む 向珠穆朗玛峰挑战

いと・める【射止める】❶〔命中させる〕射中shèzhòng；射死shèsǐ ❷〔獲得する〕获得huòdé；赢得yíngdé；博得bódé‖賞金を～める 获得奖金

いな【否】不bù‖～とは言わせない 不许说不｜事実か～か 是否是事实

いない【以内】以内yǐnèi；之内zhī nèi

いなお・る【居直る】翻脸fānliǎn；变脸biànliǎn

いなか【田舎】❶〔ひな〕乡下xiāngxia；农村nóngcūn‖～くさい 土气 ❷〔ふるさと〕故乡gùxiāng；老家lǎojiā‖～へ帰る 回老家 ✤一町：乡镇；乡村小镇｜一者：乡下人；乡巴佬儿；(やぼな人)土包子

いなご【蝗】稻虫dàochóng；蝗虫huángchóng

いなさく【稲作】种稻zhòng dào

いな・す 应付yìngfu；敷衍fūyan‖軽く～す 轻描

い

淡写地敷衍过去

いなずま【稲妻】〔道,下〕闪电shǎndiàn ‖ ～が走る 闪电

いなびかり【稲光】闪电(光) shǎndiàn(guāng)

いなほ【稲穂】稲穗dàosuì

いなや【否や】❶〔…とすぐに〕一…就…yī … jiù … ‖ ニュースを聞くや～出発した 一听到那个消息,我马上就出发了 ❷〔異議〕异议yìyì ‖ ～はない 没有异议

いなん【以南】以南yǐ nán

イニシアチブ 主导zhǔdǎo; 主动zhǔdòng; 首创shǒuchuàng ‖ ～をとる 取得主导权

イニシャル 首字母shǒuzìmǔ

いにん【委任】(～する)委托wěituō; 委任wěirèn; 托付tuōfù ✤一状:委任状 | 一統治:托管; 委任统治

いぬ【犬】❶〔動物の〕〔条,只〕狗gǒu ‖ ～を散歩させる 遛狗 | ～も歩けば棒に当たる (災いに遭う)上的山多终遇虎; (幸運に出会う)瞎猫也会撞上死耗子 ❷〔回し者〕走狗zǒugǒu; 狗腿子gǒutuǐzi ‖ 警察の～ 警察的走狗 ✤一小屋:狗窝 | 一ぞり:狗爬犁 | 一猫病院:宠物医院

いぬ【戌】(十二支の1つ)戌xū ‖ ～の刻 戌时 ✤一年:狗年; 戌年

イヌイット 因纽特人Yīnniǔtèrén

いぬかき【犬掻き】狗刨gǒupáo; 狗爬式gǒupáshì ‖ ～で泳ぐ 游狗刨

いぬじに【犬死に】(～する)送命sòngmìng; 白死bái sǐ; 白送死bái sòngsǐ

いね【稲】稻dào; 稻子dàozi ✤一刈り:割稻子

いねむり【居眠り】(～する)打盹儿dǎdǔnr; 打瞌睡dǎ kēshuì ✤一運転:开车时打盹儿

いのいちばん【いの一番】首先shǒuxiān; 第一dì yī

いのこ・る【居残る】留下liúxia. (残業する)加班jiābān

いのしし【猪】〔头〕野猪yězhū

いのち【命】❶〔生命〕〔条〕命mìng; 〔次〕生命shēngmìng ‖ ～の綱 命脉 | 仕事に～をかける 拼命工作 | ～に別状はない 没有生命危险 | ～からがら逃げる 定 死里逃生 | ～を投げ出す 定 奋不顾身 | 交通事故で～を落とす 因交通事故丧命 | ～の恩人 救命恩人 | ～にかえてもわが子を守る 豁出命来保护自己的孩子 | ～あってのものだね 活着才有希望 ❷〔寿命〕寿命shòumìng. (一生)一生yìshēng; 一辈子yíbèizi ‖ ～を長らえる 继续活下去 | ～を縮める 缩短寿命 ❸〔いちばん大事なもの〕命根子mìnggēnzi; 命脉mìngmài ‖ ミュージシャンにとって楽器は～だ 对音乐家来说乐器就是命根子

いのちがけ【命がけ】拼命pīnmìng; 舍命shěmìng ‖ ～でたたかう 拼命战斗

いのちごい【命乞い】(～する)请求饶命qǐngqiú ráomìng; 乞求活命qǐqiú huómìng

いのちしらず【命知らず】不要命bú yàomìng

いのちづな【命綱】❶〔ロープ〕救生索jiùshēngsuǒ ❷〔生きるよすが〕生命线shēngmìngxiàn; 命根子mìnggēnzi; 命脉mìngmài

いのちとり【命取り】❶〔死因になるもの〕致命的因素zhìmìng de yīnsù ‖ ～の病気 致命的疾病 ❷〔大失敗の原因〕致命伤zhìmìngshāng

いのちびろい【命拾い】(～する)捡条命jiǎn tiáo mìng; 幸免于难xìngmiǎn yú nàn

イノベーション 创新chuàngxīn; 革新géxīn; 改革gǎigé. (技術革新)技术革新jìshù géxīn

いの・る【祈る】❶〔神仏に〕祈祷qídǎo; 祷告dǎogào; 祈求qíqiú ‖ ～るような気持ちで 怀着祈祷的心情 ❷〔望む〕祝zhù; 祝愿zhùyuàn; 预祝yùzhù ‖ 成功を～る 预祝成功 | ご幸運をお～りしております 祝您好运

いばしょ【居場所】⇨いどころ(居所)

いば・る【威張る】摆架子bǎi jiàzi; 耍威风shuǎ wēifēng ‖ ～り散らす 耍态度

いはん【違反】(～する)违反wéifǎn; 违犯wéifàn ✤一行為:违反行为 | 規則一:犯规

いびき【鼾】呼噜hūlu ‖ ～をかく 打呼噜; 打鼾

いびつ【歪】歪斜wāixié; 定 歪七扭八wāi qī niǔ bā; 扭曲niǔqū

いひょう【意表】意表yìbiǎo; 意料之外yìliào zhī wài ‖ ～をつく 出其不意

いび・る 折磨zhémo; 欺负qīfu; 折腾zhēteng

いひん【遺品】遗物yíwù

いふ【畏怖】(～する)畏惧wèijù; 恐惧kǒngjù ‖ ～の念を抱く 产生畏惧之心

いふ【異父】(同母)异父(tóngmǔ) yìfù ✤一兄弟:异父兄弟 | 一姉妹:异父姐妹

イブ ❶〔前夜〕前夜qiányè; 前夕qiánxī ❷〔聖書の〕夏娃Xiàwá ‖ アダムと～ 亚当和夏娃

いふう【威風】威风wēifēng ✤一堂々:威风凛凛

いぶかし・い【訝しい】可疑kěyí; 疑惑yíhuò; 诧异chàyì ‖ ～げな顔 疑惑的神色 | ～い点がある 有可疑之处

いぶか・る【訝る】怀疑huáiyí; 纳闷儿nàmènr; 疑惑yíhuò

いぶき【息吹き】气息qìxī; 气氛qìfēn ‖ 春の～ 春天的气息

いふく【衣服】衣服yīfu; 服装fúzhuāng

いぶくろ【胃袋】胃wèi. (動物の)胃囊wèináng

いぶ・す【燻す】熏xūn; 熏黑xūnhēi

いぶつ【異物】异物yìwù

いぶつ【遺物】遗物yíwù ‖ この型式のパソコンは過去の～だ 这种样式的电脑已经过时了

イブニング ドレス〔件,套〕晚礼服wǎnlǐfú

いぶんか【異文化】不同的文化bù tóng de wénhuà

いへん【異変】异变yìbiàn; 异常现象yìcháng xiànxiàng; 不寻常的事bù xúncháng de shì

イベント 文娱〔体育〕活动wényú〔tǐyù〕 huódong ✤一情報: (大型)活动信息

いぼ【疣】瘊子hóuzi; 疣yóu; 疙瘩gēda ‖ ～ができる 长瘊子 ✤一痔(じ):痔核

いぼ【異母】同父异母tóng fù yì mǔ ✤一兄弟〔姉妹〕:同父异母兄弟〔姐妹〕

いほう【違法】违法wéifǎ; 违章wéizhāng ✤一行為:违法行为 | 一駐車:违章停车

いほうじん【異邦人】外国人wàiguórén

いほく【以北】以北yǐ běi

いま【今】❶〔現在〕现在xiànzài; 目前mùqián ‖ やるなら～だ 要干,现在正是时候 | ～からでも

遅くない 现在开始也不迟｜～でも忘れられない 至今难忘｜～のうちに問い合わせておく 现在先打听一下｜～に始まったことではない 不是现在才开始的｜～のところ 目前 ❷〔当世・現代〕如今rújīn；当今dāngjīn｜～はやりのデザイン 当今的流行款式｜～の若い人 如今的年轻人｜～を時めく 如今最走红的 ❸〔たったいま〕刚才gāngcái；刚刚gānggang‖課長は～出ていった 科长刚刚出去 ❹〔いますぐに〕马上mǎshàng；这就zhè jiù；立刻lìkè‖～行きます 我马上就来｜～か～かと待つ 急切等待着

いま【居間】〔个，间〕起居室qǐjūshì；客厅kètīng

いまいまし・い【忌ま忌ましい】可恶kěwù；可气kěqì；可恨kěhèn‖ああ，～い 唉，真气人！

いまごろ【今頃】这个时候zhège shíhou；这会儿zhèhuìr‖毎年～は雨が多い 每年的这个时候雨水很多

いまさら【今更】事到如今shì dào rújīn；到了这个地步dàole zhège dìbù‖～どうしようもない 事到如今已经没有办法了

イマジネーション 想像(力) xiǎngxiàng(lì)

いまじぶん【今時分】⇨いまごろ(今頃)

いましめ【戒め】教诲jiàohuì；教训jiàoxun‖このたびのケースはわれわれにはよい～だ 这次的事对我们来说是一个很好的教训

いましめ【縛め】捆绑的绳索kǔnbǎng de shéngsuǒ‖～を解く 解开绳索；松绑

いまし・める【戒める】劝戒quànjiè；禁止jìnzhǐ

いまどき【今時】现在xiànzài；现今xiànjīn；如今rújīn‖～珍しい 现在很少见

いまに【今に】早晚zǎowǎn；不久bùjiǔ；快要kuàiyào‖～にわかるよ 早晚会明白的｜～みていろ 等着瞧吧｜～なってみれば 现在看来

いまにも【今にも】眼看yǎnkàn；马上mǎshàng‖～降りそうだ 马上就要下雨了

いまひとつ【今一つ】还有一个hái yǒu yí ge；还有不足之处hái yǒu bùzú zhī chù‖～ぴんとこない 还有点儿不明白｜この店の味は～だね 这店的味道还差一点儿

いまふう【今風】时兴shíxīng；时髦shímáo

いままで【今まで】到现在为止dào xiànzài wéizhǐ；以前yǐqián；从前cóngqián‖～のやり方では通用しない 以前的做法是行不通的

いまや【今や】现在xiànzài；此时cǐshí

いまわし・い【忌まわしい】可恶kěwù；令人厌恶lìng rén yànwù；不愉快bù yúkuài

いみ【意味】❶(～する)〔示す〕意味着yìwèizhe；表示biǎoshì‖何も言わなければ賛成を～する 什么也不说就意味着赞成 ❷〔言葉の意味〕意思yìsi；意义yìyì‖それはどういう～ですか 这是什么意思？｜ある～で 在某种意义上 ❸〔価値・意義〕意义yìyì‖そんなことをやっても～がない 那样做也没什么意义 ✤ー深長：意味深长

いみあい【意味合い】含义hányì

いみきら・う【忌み嫌う】(さける)忌讳jìhuì.(嫌う)厌恶yànwù；讨厌tǎoyàn

イミテーション 模仿品mófǎngpǐn；仿造品fǎngzàopǐn‖～の真珠 假珍珠

いみょう【異名】外号wàihào；绰号chuòhào；称号chēnghào‖あの店のシェフは「カリスマ料理人」の～をとっている 那个店的厨师长获得了"超凡厨师"的称号

いみん【移民】(～する)移民yímín；移居yíjū.(人)移民yímín；侨民qiáomín‖ブラジルに～する 移民到巴西

いむしつ【医務室】医务室yīwùshì

イメージ 形象xíngxiàng；印象yìnxiàng‖企業の～ 企业的形象 ✤ーアップ：提高声誉；改善印象｜ーダウン：败坏形象｜ーチェンジ：改变形象

いも【芋】(ジャガイモ)马铃薯mǎlíngshǔ；土豆tǔdòu.(サツマイモ)白薯báishǔ；地瓜dìguā.(ヤマノイモ)山药shānyao.(サトイモ)芋头yùtou‖～を掘る 挖〔刨〕白薯｜～を焼く 烤白薯

いもうと【妹】❶〔血縁の〕妹妹mèimei‖上の～ 大妹 ❷〔義理の〕(夫の)小姑子xiǎogūzi.(妻の)小姨子xiǎoyízi.(弟の妻)弟妹dìmèi

いもの【鋳物】铸器zhùqì；铸件zhùjiàn ✤ー工場：铸造工厂

いもむし【芋虫】青虫qīngchóng；芋虫yùchóng

いもり【井守】蝾螈róngyuán

いもん【慰問】(～する)慰问wèiwèn

いや【否】不bù；不是bú shì；不对bú duì

いや【嫌】不喜欢bù xǐhuan；讨厌tǎoyàn；厌烦yànfán‖こういうずるいやり方は～だ 我不喜欢这种狡猾的作法｜～な顔をする 露出不高兴的神色｜結婚するのが～になった 我不想结婚了｜～でも出席してもらわないと困る 你不愿意也得出席｜～というほど食べた 吃得都腻了

いやいや【嫌嫌】❶〔いやいやながら〕勉勉强强miǎnmiǎnqiǎngqiǎng；硬着头皮yìngzhe tóupí‖～同意した 勉强同意了 ❷〔幼児の動作〕‖～をする 摇头

いやおう【否応】‖～なしに 不容分说

いやがらせ【嫌がらせ】‖～をする 找茬儿；刁难

いやが・る【嫌がる】不喜欢bù xǐhuan；不愿意bú yuànyi；讨厌tǎoyàn‖薬をのむのを～る 讨厌吃药

いやく【医薬】✤ー品：药品｜ー分業：医药分离

いやく【意訳】(～する)意译yìyì

いやく【違約】(～する)失约shīyuē；违约wéiyuē ✤ー金：违约金

いやけ【嫌気】讨厌tǎoyàn；腻烦nìfan；厌烦yànfán‖～がさす 开始厌烦

いやし・い【卑しい】❶〔身分が〕卑贱bēijiàn；低贱dījiàn ❷〔下品だ〕卑劣bēiliè；下流xiàliú‖品性が～い 品质卑劣 ❸〔意地汚い〕贪婪tānlán‖食べ物に～い 嘴馋

いやし・める【卑しめる】轻视qīngshì；鄙视bǐshì；看不起kànbuqǐ

いや・す【癒やす】解除(痛苦) jiěchú (tòngkǔ)；治(创伤) zhì (chuāngshāng)‖時はすべての悲しみを～す 时间可以消除一切悲伤

イヤホン 耳机ěrjī

いやみ【嫌み】(言葉)挖苦的话wāku de huà；讽刺的话fěngcì de huà.(態度が)定装模作样zhuāng mú zuò yàng‖～を言う 挖苦人

いやらし・い【嫌らしい】❶〔感じが悪い〕讨厌tǎoyàn ❷〔みだらだ〕下流xiàliú；好色hàosè

イヤリング〔只,副,对〕耳环ěrhuán

いよいよ ❶〔ついに・とうとう〕终于zhōngyú; 到底dàodǐ ❷〔ますます〕越发yuèfā; 越来越…yuè lái yuè … ❸〔最後の段階〕‖～というとき 紧要关头

いよう【異様】异样yìyàng; 不同寻常bù tóng xúncháng‖一種～な雰囲気 一种异样的气氛

いよく【意欲】积极性jījíxìng; 热情rèqíng‖～を燃やす 热情高涨｜～十分である 干劲十足｜～を失う 失去干劲｜～的に仕事にとり組む 积极地投入工作

いらい【以来】以来yǐlái; 以后yǐhòu‖それ～ 从那以后｜先週の月曜～ 从上星期一以来

いらい【依頼】(～する)❶〔委託する〕请qǐng; 托tuō; 委托wěituō‖～を受ける 接受委托 ❷〔頼る〕依赖yīlài; 依靠yīkào ✤一者:委托人｜一状:委托书｜一心:依赖心

いらいら(～する)焦急jiāojí; 着急zháojí; 急躁jízào‖～しながらバスを待つ 焦急地等待公共汽车

イラク 伊拉克Yīlākè

イラスト〔幅〕插图chātú ✤一マップ:图解地图

イラストレーター 插图画家chātú huàjiā

いらだたし・い【苛立たしい】焦躁jiāozào; 烦躁fánzào; 急躁jízào

いらだ・つ【苛立つ】焦急jiāojí; 焦躁jiāozào; 烦躁fánzào; 急躁jízào

いらっしゃい 欢迎(你)! huānyíng (nǐ)!‖やあ～,よく来たね 你来了!欢迎欢迎!｜～ませ 欢迎光临!

イラン 伊朗Yīlǎng

いりうみ【入り海】内海nèihǎi; 海湾hǎiwān

いりえ【入り江】海湾hǎiwān

いりぐち【入り口】❶〔入るところ〕门口ménkǒu; 入口rùkǒu ❷〔物事のはじめ〕开端kāiduān; 开头kāitóu

いりく・む【入り組む】交错jiāocuò; 定 错综复杂cuò zōng fù zá‖道が～んでいる 马路纵横交错｜～んだ事件 错综复杂的事件

いりひ【入り日】夕阳xīyáng; 落日luòrì

いりびた・る【入り浸る】泡pào; 待dāi‖ネットカフェに～る 泡在网吧里

いりまじ・る【入り交じる】混杂hùnzá; 搀杂chānzá‖大小が～っている 大小混杂在一起

いりみだ・れる【入り乱れる】搀杂chānzá; 错杂cuòzá‖情報が～れる 信息纷繁

いりょう【衣料】服装fúzhuāng; 衣服yīfu

いりょう【医療】医疗yīliáo ✤一器械:医疗器材｜一機関:医疗机构｜一施設:医疗设施｜一費控除:扣除医疗费｜一扶助:医疗补助｜一法人:医疗法人｜一保険:医疗保险

いりょく【威力】威力wēilì‖～を発揮する 发挥威力

いる【居る】❶〔存在する〕有yǒu; 存在cúnzài‖きみがいなくてもそのくらいのことはできる 即使没有你,那点儿事我能干 ❷〔住む・滞在する〕在zài‖家に～ 在家｜あと3,4日ここに～ 我在这儿再待三四天 ❸〔とどまる〕在zài‖その場に～ 在场｜いまどこに～んですか 你现在在哪儿?｜鬼のいぬまに洗濯 猫儿不在,老鼠翻天 ❹〔所有する〕有yǒu‖私には娘が2人～ 我有两个女儿 ❺〔…ている〕(継続・状態)着zhe; 正在zhèngzài; 呢ne‖イヌを飼って～ 养着一条狗｜何をして～の 你在干什么呢? ❻〔…ていられない〕不能bù néng; 不堪bùkān‖もう黙ってはいられない 不能再沉默了｜いても立ってもいられない 定 坐立不安

い・る【要る】要yào; 需要xūyào‖もう～らない 不要了｜家を建てるにはたいへんな金が～る 盖房子要花很多钱｜返事は～りません 不需要回信｜おつりは～りません 不用找零钱了

いる【射る】射shè; 击中jīzhòng; 打中dǎzhòng‖矢を～ 射箭｜～ような目 锐利的目光

い・る【煎る・炒る】炒chǎo; 煎jiān

いるい【衣類】衣服yīfu

いるか【海豚】〔只,个〕海豚hǎitún

いるす【居留守】‖～を使う 假称不在家

イルミネーション 彩灯cǎidēng; 灯饰dēngshì

いれい【異例】破格pògé; 破例pòlì; 没有先例méiyou xiānlì‖～の昇進 破格提升

いれい【慰霊】慰灵wèilíng; 祭奠jìdiàn ✤一祭:祭奠仪式｜一塔:纪念碑

いれか・える【入れ替える】换huàn; 改换gǎihuàn; 更换gēnghuàn‖お茶を～えましょう 给您换杯茶吧｜心を～える 洗心革面

いれかわり【入れ替わり】交替jiāotì; 轮换lúnhuàn‖～立ちかわり 络绎不绝

いれかわ・る【入れ替わる】换huàn; 调换diàohuàn; 更替gēngtì‖配役が～った 更换角色

イレギュラー 不规则(的) bù guīzé (de) ✤一バウンド:不规则弹跳

いれぢえ【入れ知恵】(～する)授策shòu cè; 出点子chū diǎnzi; 出主意chū zhǔyi‖だれかが～したにちがいない 一定是谁给出的主意

いれちがい【入れ違い】前脚走,后脚来qiánjiǎo zǒu, hòujiǎo lái‖親方と～におかみさんがやってきた 师父前脚走,师娘后脚就来了

いれば【入れ歯】〔颗,口〕镶(的)牙 xiāng (de) yá; 假牙jiǎyá‖～をする 镶(假)牙

いれもの【入れ物】容器róngqì; 器皿qìmǐn

い・れる【入れる・容れる】❶〔中に物を入れる〕装入zhuāngrù; 放进fàngjin‖かごにリンゴを～れる 往篮子里装苹果｜ポケットに手を～れる 把手插进兜儿里｜窓をあけて新鮮な空気を～れる 打开窗户换换新鲜空气 ❷〔人を通す〕请入qǐng rù; 让进ràng jìn‖関係者以外はだれも～れるな 除有关人员以外,不许让任何人进来〔进去〕 ❸〔加える〕加jiā; 放fàng‖塩を小さじ1杯～れる 加一小勺盐 ❹〔加入させる・送り込む〕加入jiārù; 送进sòngjin‖仲間に～れて 让我加入你们的行列 ❺〔記す〕写上xiěshang; 画上huàshang‖写真に日付を～れる 给照片加上日期 ❻〔含める〕包括bāokuò; 连…在内lián … zàinèi ❼〔入金する〕交jiāo; 缴纳jiǎonà; 缴付jiǎofù‖少なくとも食事代ぐらいは～れてくれ 至少饭钱得给我 ❽〔収容する〕容纳róngnà‖そんな大きな家具はこの部屋には～れられない 那么大的家具这个屋子放不下 ❾〔修正を加える〕修改xiūgǎi; 修正xiūzhèng‖論文に手を～れる 修改论文｜金権政治にメスを～れる 整治金权政治 ❿〔割り込ませる〕安排进去ānpáijinqu; 插入chārù‖間に休憩を～れる 中间安排休息 ⓫〔スイッチを〕开kāi; 打开dǎkāi‖

冷房を～れる 开空调 ⓬〔飲み物を〕泡pào；沏qī；冲chōng ‖ コーヒーを～れる 冲咖啡

いろ【色】❶〔色彩〕颜色yánsè；色彩sècǎi ‖ ～がつく 带颜色｜～がにじむ 颜色洇开｜～があせる 退色｜～とりどり 五颜六色｜～が白い 皮肤白｜いい～に焼けましたね 肤色晒得很好啊｜～の白いは七難隠す (妇女的皮肤)一白遮百丑 ❷〔顔色〕脸色liǎnsè；面色miànsè；神色shénsè ‖ 動揺の～を隠せない 掩饰不住不安的神色｜苦悩の～がにじみ出る 脸上流露出苦恼的神情｜～を失う 惊慌失色｜憤然として～をなす 勃然变色 ❸〔趣・様相〕情趣qíngqù；景象jǐngxiàng；迹象jìxiàng ‖ 秋の～が濃くなってきた 秋意渐浓 ❹〔情事〕色情sèqíng 情欲qíngyù.（情夫）情夫qíngfū.（情婦）情妇qíngfù ‖ ～におぼれる 迷恋女色｜英雄～を好む 英雄好色

いろあい【色合い】❶〔色調〕色调sèdiào；色泽sèzé ❷〔様相〕倾向qīngxiàng；性格xìnggé；色彩sècǎi ‖ 政局は混迷の～を深めている 政局趋于混乱

いろいろ【色色】各种各样gè zhǒng gè yàng；各式各样gè shì gè yàng ‖ ～な調理器具 各式各样的烹饪工具｜～ありがとうございました 多谢各方关照

いろう【慰労】(～する)慰劳wèiláo；犒劳kàolao

いろえんぴつ【色鉛筆】彩色铅笔cǎisè qiānbǐ

いろけ【色気】❶〔性的な〕魅力mèilì；性感xìnggǎn ‖ ～がない 没有女性魅力｜～がある 很性感｜～より食い気 美女不如美食；图好看不如图实惠 ❷〔おもしろみ・愛想〕情趣qíngqù；趣味qùwèi；风趣fēngqù ❸〔意欲〕野心yěxīn；欲望yùwàng.（興味）兴趣xìngqù

いろこい【色恋】恋爱liàn'ài；艳事yànshì ✤一ざた:风流韵事；桃色事件；艳闻

いろじかけ【色仕掛け】美人计měirénjì；以色情勾引yǐ sèqíng gōuyǐn

いろづ・く【色付く】变红biànhóng；变黄biànhuáng

いろづけ【色付け】(～する)上色shàngshǎi；涂上颜色túshang yánsè ‖ 皿に～する 给盘子上色

いろっぽ・い【色っぽい】性感xìnggǎn；妩媚wǔmèi；妖媚yāomèi

いろつや【色艶】(顔色)气色qìsè；脸色liǎnsè.（光沢）光泽guāngzé；色泽sèzé ‖ 顔の～がいい〔悪い〕 脸上很有〔没有〕光泽；气色很好〔不好〕

いろどり【彩り】❶〔配色〕颜色的搭配yánsè de dāpèi ❷〔趣〕色彩sècǎi；情趣qíngqù ‖ ～をそえる 增添色彩

いろど・る【彩る】装饰zhuāngshì；点缀diǎnzhui；增色zēngsè

いろめ【色目】秋波qiūbō；媚眼mèiyǎn；眉目传情méimù chuánqíng ‖ ～を使う 抛媚眼

いろめがね【色眼鏡】❶〔サングラス〕有色眼镜yǒusè yǎnjìng；墨镜mòjìng ❷〔偏見〕成见chéngjiàn；老眼光lǎo yǎnguāng ‖ 人を～で見てはいけない 不要对人抱有成见

いろもの【色物】有颜色的衣服〔衣料〕yǒu yánsè de yīfu〔yīliào〕

いろん【異論】异议yìyì；不同意见bù tóng yìjian ‖ いろいろ～がある 有很多不同意见

いわ【岩】〔块〕岩石yánshí

いわい【祝い】庆祝qìngzhù；祝贺zhùhè.（品物）贺礼hèlǐ.（言葉）贺词hècí；祝词zhùcí ‖ お～に乾杯しよう 我们干杯祝贺吧！ ✤一返し:回礼｜一事:喜事；红事｜一酒:喜庆酒

いわ・う【祝う】祝贺zhùhè；庆祝qìngzhù；欢庆huānqìng ‖ 友達の誕生日を～う 给朋友过生日

いわかん【違和感】别扭bièniu；不协调bù xiétiáo；不舒服bù shūfu ‖ ～を覚える 感到别扭

いわく【曰く】❶〔言う〕说shuō；曰yuē；云yún ❷〔わけ〕缘由yuányóu；说道shuōdao；原因yuányīn ‖ どうも～がありそうだ 好像别有隐情｜～つきの男 有过问题的男人

いわし【鰯】沙丁鱼shādīngyú ‖ ～の頭も信心から 信则有，不信则无 ✤一雲:卷积云

いわぬがはな【言わぬが花】不如不说bùrú bù shuō；少说为妙shǎo shuō wéi miào

いわば【言わば】可以说kěyǐ shuō ‖ これは～賭(か)けのようなものだ 这可以说是一场赌博

いわば【岩場】岩石嶙峋的山坡〔海岸〕yánshí línxún de shānpō〔hǎi'àn〕

いわやま【岩山】石山shíshān；多岩石的山duō yánshí de shān

いわゆる【所謂】所谓suǒwèi；人们所说的rénmen suǒ shuō de ‖ これが～一石二鳥だ 这就是所谓的一举两得

いわれ【謂われ】❶〔理由〕缘故yuángù；理由lǐyóu ‖ ～のない非難 无缘无故的责备 ❷〔由来〕来历láilì；由来yóulái

いん【印】印章yìnzhāng；图章túzhāng ‖ ～を押す 盖图章

いん【陰】❶〔陽に対して〕阴yīn ❷〔隠れたところ〕背阴处bèiyīnchù；暗处ànchù ‖ ～に陽に助ける 明里暗里帮忙

いん【韻】韵yùn；音韵yīnyùn ‖ ～を踏む 押韵

いんうつ【陰鬱】阴沉yīnchén；阴郁yīnyù；忧郁yōuyù；郁闷yùmèn ‖ ～な天気 阴沉的天气｜～な顔つき 忧郁的面容

いんか【引火】(～する)引火yǐnhuǒ；着火zháohuǒ ‖ 火花がガソリンに～した 火星引着了汽油

いんが【因果】(原因と結果)因果yīnguǒ.（不運・不幸）报应bàoying；厄运èyùn；苦命kǔmìng ‖ ～は巡る 因果循环｜何の～か 不知什么报应｜これも～とあきらめた 就当这是命中注定，我死心了｜～を含める 使人断念 ✤一応報:因果报应｜一関係:因果关系

いんがし【印画紙】印相纸yìnxiàngzhǐ；照相纸zhàoxiàngzhǐ；感光纸gǎnguāngzhǐ

いんかん【印鑑】印章yìnzhāng；图章túzhāng；戳儿chuōr ✤一証明:印鉴证明

いんき【陰気】忧郁yōuyù；阴郁yīnyù；阴森森yīnsēnsēn

いんきょ【隠居】(～する)退隐tuìyǐn；退休tuìxiū；养老yǎnglǎo.（人）退休老人tuìxiū lǎoren

いんきょく【陰極】阴极yīnjí；负极fùjí ✤一線:阴极射线

いんぎん【慇懃】恭敬gōngjìng；有礼貌yǒu lǐmào；恭谨gōngjǐn ✤一無礼:表面上恭恭敬敬，实际上骄傲自大

インク 墨水mòshuǐ.（印刷インキ）印刷油墨yìn-

shuā yóumò ✤—カートリッジ：（プリンターの）墨盒；（万年筆の）卡式墨水管｜—ジェットプリンター：喷墨打印机｜—リボン：墨带
イングランド ❶〔地名〕英格兰Yīnggélán ❷〔英国〕英国Yīngguó
いんけん【陰険】阴险yīnxiǎn；黑心肠hēi xīncháng‖～な目つき 目光阴险
いんこ【鸚哥】〔只〕鹦哥yīnggē；鹦鹉yīngwǔ
いんご【隠語】隐语yǐnyǔ；暗语ànyǔ.（業界の）行话hánghuà.（ギャングなどの）黑话hēihuà
インサイダー 局内人júnèirén；知情人zhīqíngrén ✤—取引：内幕〔内部〕交易
いんさつ【印刷】（～する）印刷yìnshuā ✤—機：印刷机｜—工：印刷工人｜—術：印刷技术｜—所：印刷厂｜—物：印刷品
いんさん【陰惨】残酷cánkù；悲惨bēicǎn；凄惨qīcǎn
いんじ【印字】（～する）打字dǎzì；印字yìn zì
いんしつ【陰湿】❶〔じめじめしているさま〕阴湿yīnshī；潮湿cháoshī ❷〔陰気〕阴险卑鄙yīnxiǎn bēibǐ
いんしゅ【飲酒】（～する）喝酒hē jiǔ；饮酒yǐnjiǔ ✤—運転：酒后驾车
いんしゅう【因習·因襲】旧习jiùxí；陋习lòuxí
インシュリン 胰岛素yídǎosù
いんしょう【印章】图章túzhāng；印章yìnzhāng
いんしょう【印象】印象yìnxiàng‖～的な光景 印象很深的场面｜～が薄い 印象淡漠｜いい～を与える 给人留下好印象｜～深い思い出 难忘的回忆｜～に残る 令人难忘 ✤—派：印象派
いんしょく【飲食】（～する）饮食yǐnshí；吃喝chīhē ✤—店：饭馆；饮食店｜—物：饮食品
インスタント 速成sùchéng；即席jíxí ✤—カメラ：一次成像相机｜—コーヒー：速溶咖啡｜—食品：方便食品｜—ラーメン：方便面
インストール（～する）安装ānzhuāng
インストラクター 指导员zhǐdǎoyuán；教练jiàoliàn；辅导员fǔdǎoyuán
インスピレーション 灵感línggǎn；启示qǐshì‖～がわく 突然有了灵感
いんせい【院生】研究生yánjiūshēng
いんせい【陰性】❶〔医学〕阴性yīnxìng ❷〔性格〕忧郁yōuyù；不开朗bù kāilǎng
いんせい【隠棲·隠栖】（～する）隐居yǐnjū
いんぜい【印税】版税bǎnshuì
いんせき【引責】（～する）引咎yǐnjiù ✤—辞職：引咎辞职
いんせき【姻戚】亲戚qīnqi；姻亲yīnqīn ✤—関係：亲戚关系
いんせき【隕石】〔块〕陨石yǔnshí
いんそつ【引率】（～する）带领dàilǐng；率领shuàilǐng ✤—者：带领者；领队
インターチェンジ ❶〔立体交差〕立交桥lìjiāoqiáo ❷〔高速道路の入り口〕高速公路出入口gāosù gōnglù chūrùkǒu
インターナショナル 国际guójì
インターネット（国际）互联网（guójì）hùliánwǎng；因特网yīntèwǎng ✤—カフェ：网吧
インターハイ 全国高中生运动会Quánguó Gāozhōngshēng Yùndònghuì
インターフェース 界面jièmiàn；接口jiēkǒu
インターホン 对讲机duìjiǎngjī
インターン 实习生shíxíshēng
いんたい【引退】（～する）退职tuìzhí；引退yǐntuì‖第一線から～する 从第一线引退下来
インタビュー（～する）采访cǎifǎng‖～に応じる 接受采访｜スター選手に～する 采访明星选手
インチ 英寸yīngcùn
いんちき 欺骗qīpiàn；作假zuòjiǎ；作弊zuòbì‖取引で～をする 在交易中作弊
いんちょう【院長】院长yuànzhǎng
インデックス ❶〔見出し〕索引suǒyǐn ❷〔指数〕指数zhǐshù
インテリ 知识分子zhīshi fènzǐ
インテリア 室内装饰shìnèi zhuāngshì.（調度品）室内陈设shìnèi chénshè ✤—デザイナー：室内设计师
インド【印度】印度Yìndù
インドア 室内shìnèi；屋内wūnèi ✤—スポーツ：室内运动
いんとう【咽頭】咽头yāntóu
いんどう【引導】‖～を渡す 下最后通牒
いんとく【隠匿】（～する）隐匿yǐnnì；隐藏yǐncáng
イントネーション 语调yǔdiào；声调shēngdiào
インドネシア 印度尼西亚Yìndùníxīyà；印尼Yìnní
イントロダクション 前奏qiánzòu
いんとん【隠遁】（～する）隐退yǐntuì；遁世dùnshì；隐居yǐnjū ✤—生活：遁世〔隐居〕生活
いんねん【因縁】因缘yīnyuán；缘分yuánfèn；关系guānxi‖～をつける 找茬儿；挑毛病
インフォームド コンセント 知情同意zhīqíng tóngyì
インプット（～する）输入shūrù；输入资料（数据）shūrù zīliào（shùjù）
インフルエンザ 流行性感冒liúxíngxìng gǎnmào；流感liúgǎn
インフレーション 通货膨胀tōnghuò péngzhàng；通胀tōngzhàng
いんぺい【隠蔽·陰蔽】（～する）隐瞒yǐnmán；掩盖yǎngài；掩饰yǎnshì
いんぼう【陰謀·隠謀】阴谋yīnmóu；密谋mìmóu‖～を巡らす 策划阴谋
いんゆ【隠喩】隐喻yǐnyù；借喻jièyù；暗喻ànyù
いんよう【引用】（～する）引用yǐnyòng；援引yuányǐn ✤—符：引号｜—文：引文
いんよう【飲用】（～する）饮用yǐnyòng；喝hē‖この水は～に適する 这水可以喝 ✤—水：饮用水
いんりょう【飲料】饮料yǐnliào ✤—水：饮用水
いんりょく【引力】引力yǐnlì‖～がはたらく 引力发生作用
いんれき【陰暦】阴历yīnlì；农历nónglì

う

う【卯】（十二支の1つ）卯mǎo ‖ ～の刻 卯时 ✤ 一年：兔年；卯年

う【鵜】〔只〕鹈鹕tíhú ‖ ～の目鷹の目でさがす 目光敏锐地寻找

ウイーク ✤ 一エンド：周末（假日）｜一デー：平日

ウイーク ポイント 弱点ruòdiǎn

ういういし・い【初初しい】（新婦など）娇羞jiāoxiū；（新入生など）朝气蓬勃zhāoqì péngbó

ういき【雨域】雨区yǔqū

ウイスキー〔杯，瓶〕威士忌wēishìjì

ウイット 机智jīzhì；急智jízhì ‖ ～に富んだジョーク 富于机智的俏皮话

ういまご【初孫】（男の子）长孙zhǎngsūn．（女の子）长孙女zhǎngsūnnǚ

ウイルス 病毒bìngdú ✤ 一性疾患：病毒性疾病

ウインカー 转向指示灯zhuǎnxiàng zhǐshìdēng ✤ 一レバー：转向指示杆

ウインク（～する）眨眼zhǎ yǎn；抛媚眼pāo mèiyǎn；飞眼fēiyǎn

ウインター ✤ 一スポーツ：冬季运动

ウインチ 卷扬机juǎnyángjī；绞车jiǎochē

ウインドー（コンピューター）窗口chuāngkǒu ✤ 一ショッピング：逛商店｜一ディスプレー：橱窗设计

ウインド サーフィン 帆板fānbǎn；风帆冲浪fēngfān chōnglàng

ウインド ブレーカー 风衣fēngyī

ウインナ ✤ 一コーヒー：维也纳咖啡｜一ソーセージ：维也纳香肠｜一ワルツ：维也纳华尔兹

ウール 羊毛yángmáo．（織物）毛织品máozhīpǐn；毛料máoliào ✤ 一マーク：国际纯羊毛标志

ウーロンちゃ【烏竜茶】乌龙茶wūlóngchá

ううん ❶〔言葉につまったとき〕嗯ńg ❷〔苦しいとき〕嗐hài；哼hēng ‖ ～，降参だ 嗐，我认输了！ ❸〔否定〕不bù；没有méiyou

うえ【上】❶〔高いところ・表面〕上shàng；上面shàngmian；上边shàngbian ‖ 山の～ 山上｜～を見る 向上看｜～を下への大騒動 闹得天翻地覆 ❷〔地位・能力などが〕高gāo；强qiáng；好hǎo ‖ パソコンに関しては弟のほうが～だ 在电脑方面，弟弟比我强｜～からの命令 上级下达的命令｜～には～がある 定 人外有人，天外有天；定 强中自有强中手 ❸〔年齢が〕大dà；年长nián zhǎng ‖ 夫は私より3つ～だ 我丈夫比我大三岁｜いちばん～の兄 大哥 ❹〔…に加えて〕而且érqiě；并且bìngqiě；又yòu ‖ 暑い～に湿気が多い 不但很热，而且湿度很高 ❺〔…の面で〕在…上zài … shang ‖ 気持ちの～では納得できない 感情上不能接受 ❻〔…した結果〕之后zhī hòu ‖ じっくり検討した～で結論を出す 经过仔细研究后作出结论

うえ【飢え】饥饿jī'è；饿è ‖ 水を飲んで～をしのぐ 靠喝水充饥

ウエーター 男服务员nán fúwùyuán

ウエート ✤ 一トレーニング：重量〔举重〕训练｜一リフティング：举重

ウエートレス 女服务员nǚ fúwùyuán

ウエーブ ❶（～する）〔髪が〕卷juǎn；卷曲juǎnqū ❷〔観客席の〕人浪rénlàng ‖ スタンドで～が起こった 看台上掀起了人浪 ✤ マイクロ一：微波

うえか・える【植え替える】移栽yízāi．（野菜の苗などを）移植yízhí

うえき【植木】❶〔庭木〕园木yuánmù ❷〔鉢植え〕盆栽pénzāi ✤ 一鉢：花盆｜一屋：园丁

うえじに【飢え死に】饿死èsǐ ‖ 腹が減って～しそうだ 快饿死了

ウエスト 腰yāo；腰围yāowéi ‖ 細くくびれた～ 柳腰 ✤ 一ポーチ：腰包｜一ライン：腰围线

うえつ・ける【植え付ける】❶〔植物を〕种植zhòngzhí；移栽yízāi ❷〔考えを〕灌输guànshū；铭刻míngkè ‖ 国民に愛国心を～ける 向国民灌输爱国意识｜偏見が深く～けられている 偏见被深深地记在心里

ウエット ✤ 一スーツ：潜水衣｜一ティッシュ：湿纸巾

ウエディング 婚礼hūnlǐ；结婚jiéhūn ✤ 一ケーキ：结婚蛋糕｜一ドレス：婚纱

ウエブ 万维网wànwéiwǎng；环球网huánqiúwǎng ✤ 一サービス：网络服务｜一サイト：网站｜一ページ：网页｜一マスター：站长；网管员

う・える【飢える】❶〔空腹〕饿è；饥饿jī'è ❷〔強く求める〕渴望kěwàng；渴求kěqiú ‖ 親の愛情に～えている 渴望父母的爱

う・える【植える】种zhòng；种植zhòngzhí

ウエルダン 烧得熟shāode shú；全熟quánshú

うお【魚】〔条〕鱼yú ‖ ～と水 鱼水情｜～心あれば水心あり 你要有心，我也有意

うおいちば【魚市場】鱼市yúshì

うおうさおう【右往左往】（～する）东奔西窜dōng bēn xī cuàn；到处乱跑dàochù luàn pǎo

ウオーキング 步行bùxíng；散步sànbù ✤ 一シューズ：步行鞋

ウオーミングアップ（～する）热身rèshēn；（做）准备运动（zuò）zhǔnbèi yùndòng

うおざ【魚座】双鱼座shuāngyúzuò

ウオツカ 伏特加（酒）fútèjiā（jiǔ）

ウオッチャー ❶〔観測者〕观察员guāncháyuán ❷〔研究者〕问题专家wèntí zhuānjiā ✤ 中国一：中国问题专家｜バード一：观鸟爱好者

うおのめ【魚の目】鸡眼jīyǎn

うか【羽化】（～する）羽化yǔhuà ‖ トンボが～する 蜻蜓羽化成虫

うかい【迂回】（～する）迂回yūhuí；绕道ràodào ✤ 一路：迂回路

うがい（～する）漱口shù kǒu；含漱hánshù ✤ 一薬：漱液；漱口药水

うかうか（～する）❶〔不注意〕不留神bù liúshén；定 漫不经心màn bù jīng xīn ❷〔ぼんやりと〕发呆fādāi；闲呆xiándāi

うかがい【伺い】‖ ～をたてる 请示

うかが・う【伺う】❶〔訪問する〕拜访bàifǎng ❷〔たずねる〕问wèn；打听dǎting

うかが・う【窺う】❶〔のぞく〕窥视kuīshì；窥探kuītàn ‖ 室内を～う 窥视室内 ❷〔察する〕

う

观察guānchá；察看chákàn‖情勢を～ 观察形势｜他人の顔色を～う 看别人脸色行事 ❸〔時機を待つ〕‖機会を～う 等待机会的到来

うか・す【浮かす】❶〔浮かばせる〕使浮起shǐ fúqi‖腰を～せる 抬起屁股 ❷〔捻出する〕省出shěngchu‖出張費を～す 从出差费里省出钱

うかつ【迂闊】疏忽shūhu；粗心cūxīn‖～にもパスポートをタクシーに忘れた 我太疏忽了，把护照忘在了出租车里

うかぬかお【浮かぬ顔】愁容chóuróng

うかびあが・る【浮かび上がる】❶〔浮上する〕浮上(来) fúshang(lai)；浮起fúqi ❷〔あらわになる〕显露xiǎnlù；显现xiǎnxiàn；㊂引人注目yǐn rén zhù mù‖問題の核心が～った 问题的要害显露出来了｜ライトを浴びて夜空に～る古城 灯光照射下浮现在夜空里的古城 ❸〔苦しい状況から〕翻身fānshēn；出头chūtóu

うか・ぶ【浮かぶ】❶〔水や空に〕漂浮piāofú；浮fú‖湖に何か～んでいる 湖面上好像浮着什么东西 ❷〔表面に出る〕露出lùchu；浮现fúxiàn‖涙が～ぶ 泛起泪花｜顔に不快の色が～ぶ 脸上露出了不高兴的表情 ❸〔思いつく〕想出xiǎngchu；想到xiǎngdào‖いい方法が～ばない 想不出好办法

うか・る【受かる】考上kǎoshang；及格jígé‖志望校に～る 考上第一志愿的学校

うか・れる【浮かれる】高兴gāoxìng；快活kuàihuo；飘飘然(的) piāopiāorán(de)

うがん【右岸】右岸yòu'àn

ウガンダ 乌干达Wūgāndá

うき【雨季・雨期】雨季yǔjì‖～に入る 进入雨季

うきあしだ・つ【浮き足立つ】动摇dòngyáo；要逃走yào táozǒu

うきうき【浮き浮き】(～する)㊂兴高采烈xìng gāo cǎi liè；乐滋滋lèzīzī‖ずいぶん～しているじゃない？ 什么事这么乐滋滋的？

うきしずみ【浮き沈み】(～する)❶〔浮いたり沈んだりすること〕一沉一浮yì chén yì fú ❷〔比ゆ的表現〕沉浮chénfú；荣辱兴衰róngrǔ xīngshuāi‖人生の～ 人生的沉浮｜気持ちの～が激しい 心情起伏得很厉害

うき・でる【浮き出る】❶〔表面に現れる〕浮出fúchu；露出lùchu ❷〔はっきり見える〕浮现fúxiàn；显眼xiǎnyǎn‖くっきりと木目が～出た高級家具 木纹清晰浮现的高级家具 ❸〔やや高くなる〕鼓起gǔqi；凸出tūchū‖血管の～出た腕 青筋鼓起的胳膊

うきぶくろ【浮き袋】❶〔水泳・救命用の〕救生圈jiùshēngquān ❷〔魚の〕鱼鳔yúbiào

うきぼり【浮き彫り】❶〔彫刻〕浮雕fúdiāo‖❷〔はっきりさせること〕刻画kèhuà；突出tūchū‖戦争の残酷さを～にした映画 刻画战争的残酷性的影片

うきめ【憂き目】艰辛jiānxīn；不幸búxìng；痛苦tòngkǔ‖落選の～を見る 饱尝落选的痛苦

うきよ【浮き世】尘世chénshì；俗世súshì；人世rénshì‖～の義理 ㊂人情世故｜～の情け 人情的温暖｜～離れしている 不食人间烟火

うきわ【浮き輪】⇨うきぶくろ(浮き袋)

う・く【浮く】❶〔物体が浮かぶ〕飘piāo；浮fú；泛fàn ❷〔表面に現れる〕冒出màochu；渗出shènchu‖額に脂汗が～く 额头上冒出冷汗 ❸〔固定しない状態〕摇晃yáohuang；浮动fúdòng ❹〔軽はずみである〕轻佻qīngtiāo；轻浮qīngfú‖～いたうわさ 绯闻 ❺〔時間・経費などに余りが出る〕有剩余yǒu shèngyú‖月に1万円～く 一个月有1万日元的节余 ❻〔遊離する〕脱离tuōlí‖周囲から～いている 显得有点儿离群

うぐいす【鶯】〔只〕莺yīng；黄莺huángyīng

ウクライナ 乌克兰Wūkèlán

うけ【受け】❶〔世間の評判〕评价píngjià；声望shēngwàng‖～がいい 评价好｜あの人は会社の先輩たちに～がいい 公司的老职员们对他的印象很好 ❷〔防御〕招架zhāojià；抵挡dǐdǎng

うけあ・う【請け合う】承担chéngdān；担保dānbǎo；保证bǎozhèng‖品質は～います 保证质量

うけい・れる【受け入れる】❶〔意見や要求などを〕同意tóngyì；赞成zànchéng ❷〔迎え入れる〕接受jiēshòu；容纳róngnà；接纳jiēnà‖外国人学生を～れる 接受外国学生

うけうり【受け売り】(～する)现学现卖xiàn xué xiàn mài；照搬zhàobān‖有名な学者の意見を～する 照搬有名学者的意见

うけおい【請負】承包chéngbāo；包工bāogōng ✣一価格：包件价格｜一業者：包工商；承包商｜一仕事：包工活儿｜一人：承包人；包工头

うけお・う【請け負う】承包chéngbāo；承办chéngbàn

うけざら【受け皿】❶〔皿〕托盘tuōpán‖コーヒーカップの～ 咖啡杯的托盘 ❷〔受け入れ態勢〕接受环境jiēshòu huánjìng‖雇用の～ 雇用单位

うけつ・ぐ【受け継ぐ】继承jìchéng；接替jiētì‖父の事業を～いだ 我继承了父亲的事业

うけつけ【受け付け・受付】(～する)❶〔受けとること〕受理shòulǐ‖申請の～は8時から5時までです 受理申请的时间为上午8点到下午5点 ❷〔とりつぐ所〕传达室chuándáshì；接待处jiēdàichù

うけつ・ける【受け付ける】❶〔人の意見を〕听取tīngqǔ；接受jiēshòu ❷〔申し込みなどに応じる〕受理shòulǐ；接受jiēshòu‖申し込みは3月2日から～ける 申请〔报名〕从3月2日开始受理

うけと・める【受け止める】❶〔向かってくる物を〕接住jiēzhu‖ボールを～める 接住球 ❷〔自分の中にとり込む〕理解lǐjiě‖自分自身の問題として～める 当作自己的问题

うけとり【受け取り】(領収書)收据shōujù；发票fāpiào ✣一手形：应收票据｜一人：接收人；领取人；(物品・金銭の)收件人；收款人；(小切手などの)持票人；(保険の)受益人；(郵便の)收信人

うけと・る【受け取る】❶〔品物などを〕接jiē；收shōu‖品物を～りしだい代金を支払う 收到货后即付款 ❷〔理解する〕理解lǐjiě；想xiǎng‖話を額面どおりに～る 不折不扣地理解别人的话

うけみ【受け身】❶〔消極的な態度〕消极xiāojí；被动bèidòng‖～になる 陷于被动｜～の態度 消极的态度 ❷〔言語〕被动态bèidòngtài

うけも・つ【受け持つ】负责fùzé；担任dānrèn

う・ける【受ける】❶〔受け止める〕接(住) jiē

(zhu)‖ボールを～ける 接(住)球 ❷〔応じる·引き受ける〕接jiē; 接受jiēshòu‖電話を～ける 接电话|相談を～ける 接受咨询|知らせを～ける 接到通知|手術を～ける 做[接受]手术|この手の仕事はお～けできません 这种业务我不能接受|相手がそう言うのなら私も～けて立とう 既然对方这样说,那我就应战吧 ❸〔享受する·授かる〕享受xiǎngshòu; 接受jiēshòu‖教育を～ける 接受教育|恩を～ける 蒙受恩惠|大きな影響を～けた 给我的影响很大|援助を～ける 接受援助|この世に生を～ける 生到这个世界上|ご厚意をありがたくお～けいたします 承蒙您的厚意 ❹〔あとを継ぐ〕继承jìchéng ❺〔身に受ける〕遭受zāoshòu‖多くの批判を～けた 遭到了众多批评|ショックを～ける 受到打击 ❻〔好評を得る〕受欢迎shòu huānyíng‖芝居は大いに～けた 那部戏非常受欢迎

うけわたし【受け渡し】交接jiāojiē; 收付shōufù; 交割jiāogē

うご【雨後】‖～の竹の子のように 如雨后春笋般

うごうのしゅう【烏合の衆】定 乌合之众wū hé zhī zhòng

うごか·す【動かす】❶〔移動させる〕移动yídòng; 挪动nuódong‖机を～す 挪动桌子 ❷〔体を動かす〕动dòng; 运动yùndòng‖少し体を～したほうが健康にいい 少量的运动对健康有益 ❸〔機械を作動させる〕开动kāidòng; 转动zhuǎndòng‖モーターを～す 启动发动机 ❹〔影響を与える〕操纵cāozòng; 推动tuīdòng‖そんなわずかな金で私を～そうとしてもだめだ 我是不会为那么一点儿钱所动的 ❺〔感動させる〕打动dǎdòng; 使感动shǐ gǎndòng‖人の心を～す 打动人心 ❻〔変化させる〕改变gǎibiàn‖決意は～しがたい 很难改变决心|～しがたい証拠 确凿的证据

うごき【動き】❶〔動くこと〕行动xíngdòng; 动作dòngzuò‖～が鈍い 动作迟缓|どうするかは相手の～しだいだ 怎么办要看对方动向了|～がとれない 动弹不得 ❷〔情勢の変化〕变化biànhuà; 动态dòngtài‖世界の～ 世界的动态

うご·く【動く】❶〔移動する〕动dòng; 移动yídòng‖～くな 不许动! ❷〔機械などが〕开动kāidòng; 运转yùnzhuǎn ❸〔目的をもって行動する〕行动xíngdòng; 活动huódong ❹〔心に変化が生じる〕动心dòngxīn; 变心biànxīn‖あいつは強情でてこでも～かない 他很顽固,一味坚持己见 ❺〔状態が変化する〕变化biànhuà; 变动biàndòng‖世界情勢はいつも～いている 世界形势总是在不断地变化

うさ【憂さ】✤一晴らし:消愁;解闷

うさぎ【兎】❶〔動物〕[只]兔tù; 兔子tùzi ❷〔十二支の1つ〕卯mǎo ✤一跳び:蹲跳

うさんくさ·い【胡散臭い】形迹可疑xíngjì kěyí; 蹊跷qīqiāo‖マンションの管理人は～そうに私をながめた 公寓的管理员用疑惑的眼神打量了我

うし【丑】(十二支の1つ)丑chǒu‖～の刻 丑时 ✤一年:牛年;丑年

うし【牛】[头,条]牛niú‖～を飼う 养牛|仕事の進みぐあいは～の歩みのようだ 工作进展缓慢,如同老牛拉车一般 ✤一小屋:牛棚|雄一:公牛|子一:牛犊|雌一:母牛

うじ【氏】❶〔家名〕姓氏xìngshì ❷〔家柄〕门第méndì‖～より育ち 门第高不如教养好

うじ【蛆】蛆qū‖～がわく 生蛆

うじすじょう【氏素性】门第méndì

うしな·う【失う】❶〔もっているものを〕失去shīqù; 丢失diūshī‖全財産を～う 失去全部财产|領土を～う 失去领土|興味を～う 失去兴趣|職を～う 失去工作 ❷〔死に別れる〕丧失sàngshī; 失去shīqù ❸〔常態をなくす〕失常shīcháng‖度を～う 失去镇定 ❹〔のがす〕错过cuòguò ❺〔方法·手段がわからなくなる〕迷失míshī‖方角を～う 迷失方向|なすすべを～う 一筹莫展

うしろ【後ろ】后面hòumian; 后方hòufāng; 背后bèihòu‖もう少し～にさがってください 请再往后退一退|教室の～のほうに座った 坐在教室的后面|～から押すな 不要在后面推

うしろあし【後ろ足】后腿hòutuǐ; 后肢hòuzhī‖～で砂をかける 定 恩将仇报; 定 以怨报德

うしろがみ【後ろ髪】‖～を引かれる 恋恋不舍

うしろぐら·い【後ろ暗い】亏心kuīxīn; 问心有愧wènxīn yǒu kuì; 内疚nèijiù‖私には～いことは何1つない 我没有什么亏心事儿

うしろすがた【後ろ姿】背影bèiyǐng

うしろだて【後ろ盾】后盾hòudùn; 背景bèijǐng‖強力な～がある 有很硬的后台

うしろむき【後ろ向き】❶〔背を向ける〕背对着bèiduìzhe; 背着身bèizhe shēn ❷〔消極的〕消极xiāojí‖～の意見 消极保守的意见

うしろめた·い【後ろめたい】内疚nèijiù; 心虚xīn xū; 亏心kuīxīn

うしろゆび【後ろ指】‖～を指される 让人戳脊梁骨

うず【渦】漩儿xuánr; 旋涡xuánwō‖混乱の～に巻きこまれる 被卷入混乱的旋涡之中

うす·い【薄い】❶〔厚みが〕薄báo‖チーズを～く切る 把奶酪切成薄片 ❷〔密度や濃度が〕淡dàn; 稀xī‖味が～い 味道淡|髪が～くなってきた 头发渐渐变稀了 ❸〔十分でない〕淡薄dànbó; 稀少xīshǎo‖利幅が～い 利润薄|望みが～い 希望不大|関心が～い 关心淡薄

うすうす【薄薄】略微lüèwēi; 隐隐约约yǐnyǐnyuēyuē‖～感づく 略微觉察到

うずうず (～する)憋不住biēbuzhù; 心里直发痒xīnli zhí fā yǎng

うすがた【薄型】薄型báoxíng

うすがみ【薄紙】[张]薄纸báozhǐ‖病気が～をはがすようによくなる 病一天比一天见好

うすぎ【薄着】(～する)衣服穿得少yīfu chuānde shǎo‖だての～ 只顾打扮不顾身体

うすぎり【薄切り】切片(儿) qiē piàn(r).(切ったもの)薄片báopiàn

うず·く【疼く】❶〔ずきずき痛む〕隐隐作痛yǐnyǐn zuòtòng; 一跳一跳地疼yí tiào yí tiào de téng ❷〔心が痛む〕内疚nèijiù

うすくち【薄口】(味が)清淡qīngdàn.(色が)浅qiǎn ✤一しょうゆ:白酱油

うずくま·る【蹲る】蹲下dūnxia; 蹲伏dūnfú

うすぐもり【薄曇り】半阴半晴bàn yīn bàn

qíng
うすぐら・い【薄暗い】昏暗hūn'àn；暗淡àndàn ‖ 朝まだ〜いうち 早晨天刚蒙蒙亮的时候
うすげしょう【薄化粧】（〜する）淡妆dànzhuāng；略施脂粉lüè shī zhīfěn ‖ 山々が初雪で〜している 初雪使群山淡妆素裹
うずしお【渦潮】涡流wōliú；涡旋wōxuán
うすずみ【薄墨】淡墨（色）dànmò(sè)
ウスター ソース 英国辣酱油Yīngguó làjiàngyóu；伍斯特辣酱油Wǔsītè làjiàngyóu
うずたか・い【堆い】堆得高高的duīde gāogāo de ‖ 部長の机の上には書類が〜く積んである 处长桌子上的文件堆积如山
うすっぺら【薄っぺら】❶〔物の厚み〕薄薄báobáo ❷〔知識が〕浅薄qiǎnbó
うすで【薄手】薄báo ‖ 〜の生地 薄布料
うすび【薄日】‖ 〜が差してきた 微弱的阳光射下来
ウズベキスタン 乌兹别克斯坦Wūzībiékèsītǎn.
うずまき【渦巻き】旋涡儿xuánwōr；旋儿xuánr ✤ 一形：旋涡状；螺旋形｜一模様：螺旋形图案
うずま・く【渦巻く】打旋儿dǎxuánr；卷起旋涡juǎnqi xuánwō
うずま・る【埋まる】❶〔物で覆われて〕被埋着bèi máizhe；埋没máimò ‖ 雪に〜る 被埋在雪里 ❷〔人や物で〕占满zhànmǎn；挤满jǐmǎn
うすめ【薄目】‖ 〜をあけて見る 眯缝着眼睛看
うす・める【薄める】稀释xīshì；调淡tiáodàn ‖ 湯ざましで2倍に〜める 用白开水稀释成两倍
うず・める【埋める】❶〔中に入れて覆う〕埋mái；埋没máimò ‖ ソファに身を〜める 陷进沙发里 ❷〔場所を満たす〕占满zhànmǎn；挤满jǐmǎn ‖ 人波が広場を〜めた 广场上挤满了人
うずも・れる【埋もれる】❶〔覆われる〕埋没máimò；掩埋yǎnmái ❷〔場所がいっぱいになる〕占满zhànmǎn；被覆盖bèi fùgài ❸〔人に知られない〕埋没máimò；掩埋yǎnmái ‖ 有能な人材が民間に〜れている 有才干的人被埋没在民间
うすやき【薄焼き】烘烤hōngkǎo ✤ 一せんべい：薄脆饼干｜一卵：摊鸡蛋
うずら【鶉】〔只〕鹌鹑ānchun
うすら・ぐ【薄らぐ】减轻jiǎnqīng；减少jiǎnshǎo；淡漠dànmò ‖ 痛みが〜いだ 疼痛减轻了｜説明を聞いてだいぶ不安が〜いだ 听了说明，我不那么担心了｜愛が〜ぐ 感情淡薄了
うす・れる【薄れる】变淡biàndàn；减弱jiǎnruò；淡薄dànbó ‖ 記憶が〜れる 记忆淡薄了
うすわらい【薄笑い】冷笑lěngxiào；爱笑不笑ài xiào bú xiào；讪笑shànxiào
うせつ【右折】（〜する）往右拐wǎng yòu guǎi；向右转弯xiàng yòu zhuǎnwān ✤ 一禁止：禁止右转弯
う・せる【失せる】❶〔なくなる・消える〕消失xiāoshī；丢失diūshī ‖ 読む気が〜せた 没心思看了｜気力が〜せる 失去干劲儿 ❷〔行く・去る〕去qù；走开zǒukāi ‖ とっとと〜せろ 滚出去！
うそ【嘘】假话jiǎhuà；谎言huǎngyán ‖ 〜をつく 说谎；撒谎｜〜八百を並べたてる 满口谎言｜真っ赤な〜 定弥天大谎｜見えすいた〜 一眼就能看穿的谎言｜〜から出たまこと 定弄假成真｜〜も方便だ 说谎有时也是一种权宜之计｜〜をつけ 瞎说！；定胡说八道！
うそぶ・く【嘯く】❶〔とぼける〕假装不知道jiǎzhuāng bù zhīdào ❷〔大言する〕说大话shuō dàhuà；吹牛chuīniú
うた【歌・詩】〔支，首，个〕歌曲gēqǔ；歌gē ‖ 〜を歌う 唱歌儿
うた・う【歌う】唱chàng ‖ ギターに合わせて〜う 合着吉他的演奏唱歌｜小鳥が〜う 小鸟鸣唱
うた・う【謳う】强调qiángdiào；明文规定míngwén guīdìng ‖ 憲法第9条は戦争の放棄を〜っている 宪法第九条规定永远放弃战争
うたがい【疑い】怀疑huáiyí；嫌疑xiányí ‖ 〜をもつ 怀疑｜〜を受ける 受到怀疑｜〜を晴らす 消除嫌疑｜〜を招く 招致怀疑
うたがいぶか・い【疑い深い】多疑duōyí；定疑神疑鬼yí shén yí guǐ
うたが・う【疑う】❶〔嫌疑をかける〕怀疑huáiyí；猜疑cāiyí ❷〔不信をいだく〕不敢相信bù gǎn xiāngxìn；疑惑yíhuò ‖ 自分の耳を〜う 不敢相信自己的耳朵｜〜う余地がない 毫无疑义
うたがわし・い【疑わしい】靠不住kàobuzhù；可疑kěyí ‖ 〜きは罰せず 不能确信则不予惩罚
うたげ【宴】宴会yànhuì；酒宴jiǔyàn
うたごえ【歌声】歌声gēshēng ‖ 〜が響く 歌声响起
うたごころ【歌心】‖ 〜がある 有诗情
うたたね【うたた寝】（〜する）打盹儿dǎdǔnr；打瞌睡dǎ kēshuì
うだつ【梲】‖ 〜があがらない 出不了头
うたひめ【歌姫】女歌手nǚ gēshǒu
うだ・る【茹だる】热得发软rède fāruǎn ‖ 〜るような暑さ 热得浑身无力
うち【内】❶〔空間〕里面lǐmiàn；里头lǐtou ❷〔範囲〕当中dāngzhōng；里面lǐmiàn ‖ これしきのことは苦労の〜に入らない 这点儿苦根本算不上是什么苦 ❸〔時間〕趁…chèn …；…以内… yǐnèi ‖ いずれその〜に伺います 改天我去看你｜熱い〜に召し上がってください 请趁热吃 ❹〔状態〕…中…zhōng ‖ 会談はなごやかな雰囲気の〜に行われた 会议在和睦的气氛中进行 ❺〔自分の属するところ〕我们wǒmen ‖ 〜の学校 我们学校 ❻〔心の中〕内心nèixīn
うち【家】❶〔家屋〕房子fángzi ❷〔自分の家庭〕我们家wǒmen jiā；家里jiāli ‖ 〜の子ども 我们家孩子｜〜の人 我们家那位｜〜のことは妻に任せてある 家里的事都交给我妻子了
うちあげ【打ち上げ】❶〔打って高くあげる〕发射fāshè ❷〔終える〕结束jiéshù ‖ 仕事の〜に1杯飲もう 工作结束了，咱们去喝一杯吧 ✤ 一花火：烟火
うちあけばなし【打ち明け話】心腹话xīnfùhuà；知心话zhīxīnhua ‖ 親しい友人に〜をする 和好朋友谈心腹话
うちあ・ける【打ち明ける】说实话shuō shíhuà；倾吐胸臆qīngtǔ xiōngyì ‖ なぜもっと早く〜けてくれなかったんだ 为什么不早点儿告诉我实话
うちあ・げる【打ち上げる】❶〔空高く〕发射fāshè ‖ 花火を〜げる 放烟火 ❷〔波が物を〕冲

上chōngshang
うちあわせ【打ち合わせ】事先碰头shìxiān pèngtóu; 事先商量shìxiān shāngliang.（会合）碰头会pèngtóuhuì; 会议huìyì
うちうち【内内】内部nèibù; 私下sīxià ‖ 葬式を~に済ませた 葬礼只有家里人参加
うちうみ【内海】内海nèihǎi; 海湾hǎiwān
うちかえ・す【打ち返す】❶〔打って相手に返す〕打回去dǎhuiqu; 还击huánjī ❷〔引いた波が寄せる〕冲上chōngshang
うちか・つ【打ち勝つ】‖ 困難に~つ 克服困难 | 誘惑に~つ 战胜诱惑
うちがわ【内側】内侧nèicè; 里面lǐmiàn ‖ 危険ですから白線の~にお下がりください 候车时请注意安全, 不要跨越白线
うちき【内気】内向nèixiàng; 羞怯xiūqiè
うちきず【打ち傷】打伤dǎshāng; 碰伤pèngshāng
うちきり【打ち切り】中止zhōngzhǐ; 停止tíngzhǐ ‖ そのプロジェクトは資金繰りがつかず~になった 那个项目由于筹款困难被迫中止了
うちき・る【打ち切る】停止tíngzhǐ; 结束jiéshù ‖ 補助金を~る 停止发放补助金
うちきん【内金】预付款yùfùkuǎn; 订金dìngjīn ‖ 車の~を入れる 先付买车的订金
うちくだ・く【打ち砕く】砸碎zásuì; 打碎dǎsuì
うちけし【打ち消し】否定fǒudìng
うちけ・す【打ち消す】否定fǒudìng; 否认fǒurèn ‖ うわさを~す 辟谣
うちこ・む【打ち込む】❶〔たたいて中に入れる〕钉dìng; 打dǎ ❷〔熱中する〕热衷rèzhōng; 投入tóurù ‖ 研究に~む 埋头于研究 | 仕事に全力で~む 把全部精力都投入到工作中去 ❸〔入力する〕输入shūrù ‖ コンピューターにデータを~む 往电脑里输入数据
うちこわ・す【打ち壊す】❶〔物を〕破坏pòhuài ❷〔既存の思想などを〕‖ 既成概念を~す 打破旧观念
うちじゅう【家中】❶〔家族〕全家quánjiā ❷〔家の中〕家中jiāzhōng; 家里jiāli ‖ ~さがし回る 把家里都翻遍
うちぜい【内税】含消费税hán xiāofèishuì
うちだ・す【打ち出す】❶〔主義主張などを示す〕提出tíchu; 拿出náchu ‖ 新しい政策を~す 提出新政策 ❷〔印刷する〕打出来dǎchulai; 打印dǎyìn
うちた・てる【打ち立てる】建立jiànlì; 树立shùlì ‖ 新しい学説を~てる 建立新的学说 | 平和で民主的な国家を~てる 建立和平民主的国家
うちつ・ける【打ち付ける】❶〔くぎなどで打つ〕钉上dìngshang ‖ 板を塀に~ける 把板子钉到墙上 ❷〔強くぶつける〕撞上zhuàngshang; 碰pèng
うちつづ・く【打ち続く】定 接二连三jiē èr lián sān; 连续不断liánxù búduàn ‖ ~く不幸 接连不断的不幸
うちと・ける【打ち解ける】亲密qīnmì; 融洽róngqià ‖ あの子は内向的で, なかなか人に~けない 那个孩子很内向, 和人相处比较拘谨
うちどころ【打ち所】‖ ~が悪くて足を骨折した 不巧给摔骨折了
うちのめ・す【打ちのめす】❶〔ひどく殴る〕打躺下dǎtǎngxia; 打倒在地dǎdǎozai dì ❷〔精神的に〕给以打击gěiyǐ dǎjī; 打垮dǎkuǎ ‖ 事業の失敗は彼を~した 事业的失败把他打垮了
うちひしが・れる【打ちひしがれる】难过nánguò; 摧毁cuīhuǐ ‖ 悲しみに~れる 伤心欲绝
うちべんけい【内弁慶】定(耗子扛枪,)窝里横(hàozi káng qiāng,) wōlihèng
うちポケット【内ポケット】内兜nèidōu
うちまか・す【打ち負かす】打败dǎbài
うちまく【内幕】内幕nèimù; 内情nèiqíng ‖ 政界の~を暴く 揭露政界的内幕
うちみ【打ち身】碰伤pèngshāng; 打伤dǎshāng
うちみず【打ち水】洒水sǎshuǐ; 泼水pōshuǐ ‖ 玄関に~をする 往门口泼点儿水
うちゅう【宇宙】宇宙yǔzhòu; 太空tàikōng ✤ ─開発:宇宙空间探索 | ─開発計画:宇宙开发计划 | ─科学:宇宙科学 | ─空間:宇宙空间 | ─工学:航天工程学 | ─食:航天食品 | ─ステーション:宇航站 | ─船:宇宙飞船 | ─探査機:宇宙探测飞船 | ─飛行士:宇航员 | ─遊泳:太空行走 | ─旅行:太空旅行 | ─ロケット:宇宙火箭
うちょうてん【有頂天】(大得意)得意洋洋déyì yángyáng.（上機嫌）定 兴高采烈xìng gāo cǎi liè; 定 欣喜若狂xīn xǐ ruò kuáng
うちよ・せる【打ち寄せる】❶〔押し寄せる〕拍打pāidǎ; 冲击chōngjī ❷〔波が〕冲上chōngshang; 冲来chōnglai
うちわ【内輪】自己人zìjǐrén.（家庭）家里jiāli.（うちうち）内部nèibù ‖ 結婚式は~だけでいたします 婚礼只打算请双方亲属 | これは~の話だ 此话不能外传 ✤ ─もめ:内讧; 窝里斗
うちわ【団扇】〔把〕团扇tuánshàn ‖ ~であおぐ 用团扇扇风
うちわけ【内訳】细目xìmù; 明细项目míngxì xiàngmù ‖ 支出の~はどうなっていますか 支出的详细内容是什么? ✤ ─書:明细单 | ─表:明细表
う・つ【打つ・討つ・撃つ】❶〔たたく〕打dǎ; 击jī; 敲qiāo; 拍pāi ‖ 合図の太鼓を~った 击〔敲〕鼓发出信号 | ~てば響くような答えが返ってくる 回答得干脆利落〔极爽快〕 ❷〔ぶつかる〕碰撞pèngzhuàng.（激しく）撞击zhuàngjī ‖ 全身を強く~って死亡する 全身受到强烈撞击而身亡 ❸〔力を加えて入れる〕扎入zhārù; 插入chārù.（たたき入れる）打dǎ.（注射する）打针dǎzhēn; 注射zhùshè ‖ ここにくぎを1本~ってください 请在这儿钉根钉子 ❹〔感動・刺激を与える〕(感動)打动dǎdòng; 感动gǎndòng; 动人dòngrén.（刺激）刺激cìjī ‖ 母の言葉に胸を~たれた 我被母亲的话感动了 ❺〔たたいて作る〕制造zhìzào.（鍛える）锤炼chuíliàn; 锻造duànzào ‖ そばを~つ 擀荞麦面条 ❻〔たたくような動作で何かをする〕打dǎ ‖ 電報を~つ 拍〔打〕电报 | キーボードを~つ 打字 ❼〔勝負事をする〕(囲碁)下(棋) xià (qí).（賭博）赌博dǔbó.（マージャン）打(麻将) dǎ (májiàng) ‖ 大ばくちを~つ 定 孤注一掷 ❽〔手段を講ずる〕设法shèfǎ; 采取(措施) cǎiqǔ (cuòshī) ‖ これよりほかに~つ手がない 除此之外, 别无他法 ❾〔り

う

ズミカルに動く）敲qiāo.（脈を）（脉搏）跳动（mài-bó）tiàodòng ‖ 時計は６時を～った 时钟敲６点了 ❿〔攻撃する〕打dǎ；打击dǎjī；攻击gōngjī.（征伐する）讨伐tǎofá ‖ 不意を～たれてあわてた 遭到突然袭击，慌了手脚 ⓫〔発射する〕发射fā-shè；射击shèjī.（銃で）开枪kāiqiāng

うつ【鬱】抑郁yìyù ✥一状態：抑郁状态

うつうつ【鬱鬱】闷闷（不乐） mèn mèn（bú lè）；忧郁yōuyù

うっかり（～する）马虎mǎhu；不留神bù liú-shén；不注意bú zhùyì

うつくし·い【美しい】❶〔視覚的·聴覚的に〕美丽měilì；漂亮piàoliang；好看hǎokàn.（聞いて）好听hǎotīng ‖ ～いアルプスの山々 美丽的阿尔卑斯群山 ❷〔心を打つ〕崇高chónggāo；美好měihǎo ‖ ～い友情 美好的友谊

うっくつ【鬱屈】（～する）郁闷yùmèn

うっけつ【鬱血】（～する）淤血yūxuè；郁血yù-xuè

うつし【写し】抄件chāojiàn；抄本chāoběn.（コピー）复印件fùyìnjiàn；拷贝kǎobèi.（控え）副本fùběn；底子dǐzi ‖ 証書の～ 证书副本

うつしだ·す【映し出す】❶〔スクリーンなどに〕映出yìngchu；显现出xiǎnxiànchu ❷〔絵·文章などに〕反映fǎnyìng

うつ·す【写す·映す】❶〔書き写す〕抄写chāo-xiě；誊写téngxiě.（模写する）临摹línmó；摹写móxiě ‖ あなたのノートを～させてください 把你的笔记借我抄一抄 ❷〔写真·映像をとる〕拍pāi；照（相） zhào(xiàng)；摄影shèyǐng ‖ 写真を～す 照相 ❸〔反映する〕反映fǎnyìng ‖ 世相を～した広告 反映社会情况的广告 ❹〔投影する〕映（在） yìng(zai).（鏡に）照（镜子） zhào (jìng-zi).（映写する）放fàng；放映fàngyìng

うつ·す【移す】❶〔位置を〕挪nuó；搬bān；转zhuǎn；移动yídòng ‖ 事務所を５階に～す 把办公室迁到五层 ❷〔地位などを〕调动diàodòng ‖ 数名の社員が子会社へ～された 有几个员工被调到分公司了 ❸〔関心·話題を〕转移zhuǎnyí；改变gǎibiàn ‖ 話題を次の総選挙に～そう 把话题转移到下届大选上吧 ❹〔伝染させる〕传chuán；传染chuánrǎn ‖ 家族に風邪を～された 家里人把感冒传给我了

うっすら【薄ら】薄薄（地） báobáo (de).（ぼんやり）隐约（地） yǐnyuē (de) ‖ 地面に雪が～と積もっている 地上薄薄地积了一层雪｜そのことは～覚えている 那件事我隐隐约约记得一些

うっせき【鬱積】（～する）郁积yùjī；郁结yùjié

うっそう【鬱蒼】郁郁葱葱yùyùcōngcōng；葱茏茂密cōnglóng màomì ‖ ～とした森 郁郁葱葱的森林

うったえ【訴え】❶〔訴訟〕控告kònggào；诉讼sùsòng；告诉gàosù ❷〔吐露〕诉说sùshuō.（苦しみの）诉苦sùkǔ.（願いの）请愿qǐngyuàn

うった·える【訴える】❶〔告訴する〕起诉qǐsù；告发gàofā ‖ 契約不履行で～えられる 因违约而被起诉 ❷〔手段に頼る〕诉诸sùzhū；使用shǐyòng ‖ 武力に～える 诉诸〔使用〕武力｜法的手段に～える 诉诸法律 ❸〔感覚に働きかける〕呼吁hūyù；求助于…qiúzhù yú … ‖ 大気汚染の惨害を世論に～えよう 呼吁舆论关注大气污染的严重危害 ❹〔告げる〕说shuō；诉说sùshuō ‖ 従業員らは苦情を直接社長に～えた 员工们直接向总经理诉说了他们的不满

うっちゃ·る【打っ遣る】（放っておく）扔开rēng-kāi；抛开pāokāi ‖ あいつが何をしようと～っておけ 他爱怎么做都不要管他

うつつ【現】现实xiànshí ‖ 夢か～か幻か 是梦幻还是现实？｜～をぬかす 着迷

うってかわ·る【打って変わる】完全改变wán-quán gǎibiàn ‖ 先方は前回と～って友好的な態度になった 对方的态度与上次截然不同，非常友好

うってつけ【打って付け】正合适zhèng hé-shì；理想lǐxiǎng；最适合zuì shìhé

うっとうし·い【鬱陶しい】❶〔晴れ晴れしない〕郁闷yùmèn；阴郁yīnyù；阴沉yīnchén ❷〔うるさい〕令人厌烦lìng rén yànfán

うっとり（～する）出神chūshén；入神rùshén

うつびょう【鬱病】‖ ～にかかる 患〔得〕抑郁症

うつぶせ【俯せ】俯卧fǔwò；趴着pāzhe ‖ ～になる 趴着；趴下｜～に倒れる 脸朝下摔倒

うっぷん【鬱憤】积愤jīfèn；郁愤yùfèn ‖ ～を晴らす 出气

うつむ·く【俯く】低头dītóu；垂头chuítóu

うつらうつら 半梦〔睡〕半醒 bàn mèng[shuì] bàn xǐng；似睡非睡sì shuì fēi shuì

うつり【映り·写り】映yìng；照zhào ‖ なんて～の悪いテレビだ 这电视图像真差劲｜この写真は～がよい 这张照片照得不错

うつりかわり【移り変わり】变迁biànqiān；变化biànhuà ‖ 季節の～ 季节的变化｜最近世の中の～がたいへん激しい 最近社会上变化很剧烈

うつりぎ【移り気】㊀见异思迁jiàn yì sī qiān；㊀朝三暮四zhāo sān mù sì

うつ·る【映る·写る】照 zhào；映（照） yìng (zhào) ‖ カーテンに人影が～った 窗帘上映出一个人影儿｜この色はあなたの白い肌によく～ります 这颜色很配你的白皮肤｜ニュースできみの姿がテレビに～っていたよ 我在电视的新闻节目里看见你的镜头了

うつ·る【移る】❶〔位置が〕转zhuǎn；移动yí-dòng.（引っ越す）搬bān；搬迁bānqiān ❷〔人事〕调动diàodòng.（人手に渡る）移交yíjiāo ‖ 営業部に～る 调到营业部门去 ❸〔関心·話題が〕转zhuǎn；转移zhuǎnyí ‖ 情が～る 移情 ❹〔時がたつ〕经过jīngguò；变化biànhuà ‖ 時代が～るにつれ 随着时代的变迁 ❺〔悪いことが他に及ぶ〕蔓延mànyán.（病気が）传染chuánrǎn ‖ 風邪が～る 传上感冒❻〔色·においが〕染rǎn；沾zhān

うつろ【空·虚】❶〔ぼんやりしている〕发呆fādāi ‖ ～なまなざし 发呆的眼神；两眼发呆 ❷〔むなしい〕空虚kōngxū ‖ 慰めの言葉が～に響く 安慰的话听上去十分无力

うつわ【器】❶〔容器〕容器róngqì；器具qìjù ❷〔器量〕才干cáigàn；人才réncái ‖ あの人は経営者の～ではない 那个人不是当老板的料

うで【腕】❶〔生理〕胳膊gēbo ‖ ２人は～を組んで町を歩いた 他俩挽〔挎〕着胳膊在街上走｜先生は～を組んで考えこんだ 老师把双臂交叉在胸前陷入了沉思 ❷〔技量〕本事běnshi；技术jìshù.

(手先の)手艺shǒuyì ‖ 彼の～は確かだ 他确有本事 | ～のいい大工 手艺好的木工 | ～を磨く 磨练技能 | 料理の～をふるう 施展作菜的才能 | ～があがる 技术提高了 | ～が落ちる 技艺生疏 | あの医者は～が立つ 那位大夫医术高明 | ～によりをかける 拿出所有的本领 | ～の見せどころ 大显身手的好机会 | ～に覚えがある 有一手儿 ❖ 二の一:上臂

うできき【腕利き】干将gànjiàng; 能手néngshǒu; 有本事的yǒu běnshi de

うでぐみ【腕組み】(～する)抱着胳膊bàozhe gēbo; 交臂jiāobì

うでくらべ【腕比べ】(～する)比试bǐshi; 比(赛)本领bǐ(sài) běnlǐng

うでずく【腕ずく】诉诸暴力sùzhū bàolì; 凭力量píng lìliang; 动武dòngwǔ ‖ ～でも連れて行く 拖也要把你拖去

うでずもう【腕相撲】扳手腕bān shǒuwàn; 掰腕子bāi wànzi

うでたてふせ【腕立て伏せ】俯卧撑fǔwòchēng ‖ ～をする 做俯卧撑

うでだめし【腕試し】试试身手〔本事〕shìshi shēnshǒu〔běnshi〕

うでどけい【腕時計】手表shǒubiǎo ‖ ～をはめる〔はずす〕 带上〔摘下〕手表

うでまくり【腕捲り】(～する)卷袖子juǎn xiùzi ‖ ～して仕事に取りかかる 卷起袖子,大干一场

うてん【雨天】雨天yǔtiān ❖ 一決行:㊟风雨无阻 | 一順延:遇雨顺延

うど【独活】‖ ～の大木 傻大个儿;大草包

うと・い【疎い】生疏shēngshū; 不熟悉bù shúxī ‖ 世事に～い 不懂人情世故 | 法律に～い 不谙〔不熟悉〕法律

うとうと (～する)似睡非睡sì shuì fēi shuì ‖ 仕事中つい～した 上班时忍不住打起盹儿来

うとまし・い【疎ましい】讨厌tǎoyàn; 厌恶yànwù; 不愉快bù yúkuài

うどん〔碗,份(儿)〕乌冬面wūdōngmiàn

うとん・じる【疎んじる】疏远shūyuǎn; 冷淡lěngdàn; 冷落lěngluò ‖ ぼくは社長に～じられているようだ 总经理好像讨厌我

うとん・ずる【疎んずる】⇨うとんじる(疎んじる)

うなが・す【促す】❶〔促進する〕促进cùjìn; 促使cùshǐ ‖ 新陳代謝を～す 促进新陈代谢 | 注意を～す 提醒 ❷〔催促する〕催cuī; 催促cuīcù ‖ 先方に早期の返済を～す 催促对方早日还债

うなぎ【鰻】〔条〕鳗鲡mánlí; 鳗鱼mányú; 白鳝báishàn ❖ 一登り:直线上升

うなさ・れる【魘される】魇yǎn; (做噩梦)惊叫(zuò èmèng) jīngjiào

うなじ【項】脖颈儿bógěngr; 颈项jǐngxiàng

うなず・く【頷く・首肯く】首肯shǒukěn; 点头diǎntóu ‖ しぶしぶ～いた 勉强同意了

うなだ・れる【項垂れる】垂头chuítóu; 低头dītóu; 耷拉脑袋dāla nǎodai

うなり【唸り】(人の)呻吟shēnyín. (動物の)吼叫hǒujiào ‖ ～声をあげる 发出呻吟〔吼叫〕

うな・る【唸る】❶〔うめく〕呻吟shēnyín; 哼哼hēngheng ❷〔機械などが〕轰鸣hōngmíng ‖ 風が～る 寒风呼啸

うぬぼ・れる【自惚れる・己惚れる】自负zìfù; 骄傲jiāo'ào; 自命不凡zì mìng bù fán

うねり ❶〔起伏〕起伏qǐfú; 起落qǐluò; 翻腾fānteng ‖ 感情の～ 心潮起伏 ❷〔大きな波〕大波浪dà bōlàng; 巨浪jùlàng

うのう【右脳】右脑yòunǎo

うのみ【鵜呑み】整个吞下zhěnggè tūnxia ‖ 人の言葉を～にする 对他人的话囫囵吞枣

うは【右派】右派yòupài

うば【乳母】〔个,位〕奶妈nǎimā

うばいあ・う【奪い合う】相互争抢xiānghù zhēngqiǎng ‖ 席を～うようにして座る 抢座

うばいかえ・す【奪い返す】夺回duóhui; 夺还duóhuán; 抢回qiǎnghui

うば・う【奪う】❶〔力ずくで取る〕抢qiǎng; 夺duó; 夺取duóqǔ ❷〔心などを〕吸引住xīyǐnzhu; 迷人mírén ‖ 景色の美しさに心を～われた 我被优美的风景迷住了 | 目を～う 夺目

うばぐるま【乳母車】婴儿车yīng'érchē

うぶ【初】(純情)纯真chúnzhēn. (世慣れていない)未经世故wèi jīng shìgù. (性に目覚めていない)㊟情窦未开qíngdòu wèi kāi

うぶぎ【産着】襁褓qiǎngbǎo

うぶげ【産毛】〔根〕汗毛hànmáo

うま【午】(十二支の1つ)午wǔ ‖ ～の刻 午时 ❖ 一年:马年;午年

うま【馬】❶〔匹〕马mǎ ‖ ～に乗る 骑马 | ～から降りる 下马 | ～から落ちる 落马;从马上掉下来 ❷〔慣用表現〕‖ そいつはどこの～の骨だかわからない 这小子不知他是从哪儿来的 | ～の耳に念仏 ㊟对牛弹琴;耳旁风 | ～が合う 合得来

うま・い【旨い・甘い・上手い・巧い】❶〔味がよい〕香xiāng; 好吃hǎochī. (飲み物が)好喝hǎo hē ‖ ～くて安い 又好吃又便宜 ❷〔上手である〕好hǎo; 很会hěn huì ‖ 教え方が～い 教得很好 | 演説が～い 讲话很有水平 | 口が～い 嘴甜 ❸〔都合がよい〕方便fāngbiàn; 有好处yǒu hǎochu ‖ それは～い考えだ 这是个好主意 | ～い汁を吸う 不劳而获;占便宜 | ～い話 花言巧语 | いつも～いことばかり言う 总是说得好听 | すべてが～い具合に進んだ 一切进展顺利

うまづら【馬面】〔张,副〕长脸chángliǎn; 驴脸lǘliǎn; 马脸mǎliǎn ‖ 父は～だ 我爸爸的脸很长

うまとび【馬跳び】跳背游戏tiàobèi yóuxì

うまのり【馬乗り】骑跨qíkuà

うまみ【旨味】❶〔味のよさ〕美味měiwèi ‖ 昆布だしの～ 海带汤汁的鲜味 ❷〔利益〕油水yóushui; 赚头zhuàntou ‖ ～のある〔ない〕仕事 有〔无〕利可图的工作

うまや【厩・廐・馬屋】马厩mǎjiù; 马棚mǎpéng

うま・る【埋まる】(被)埋(bèi)mái ‖ 土石流で車が～った 汽车被泥石流埋住了 | 席が全部見物人で～った 所有的座位都坐满了观众

うまれ【生まれ】出生chūshēng ‖ 東京～ 出生在东京 | 明治～ 出生于明治时代 | ～がいい 出身好 ❖ 一変わり:转世;再世 | 一故郷:出生地

うまれかわ・る【生まれ変わる】转世zhuǎnshì ‖ ～ったように 好像完全变了个人似的 | ～ってもやはり医者になりたい 我下辈子还想当医生

うまれつき【生まれつき】天生tiānshēng; 生就

shēngjiù ‖ ～体が弱い 生来体弱多病
うまれながら【生まれながら】天生tiānshēng; 生来shēnglái ‖ ～の画家 天生的画家
うま・れる【生まれる・産まれる】❶〔人が〕生shēng; 出生chūshēng ‖ 私は1981年長野で～れた 我1981年出生在长野 | 子どもが～れる 生孩子 ❷〔事物が〕产生chǎnshēng; 出现chūxiàn ‖ まったく新しい都市が～れる 出现一个全新的城市
うみ【生み・産み】‖ ～の苦しみ 临产前的疼痛; 创作的艰难 | ～の親より育ての親 养育之恩大于生育之恩
うみ【海】❶〔海洋〕〔个,片〕海hǎi; 海洋hǎiyáng ‖ ～の家 海水浴场服务部 | ～の幸 海味 ❷〔慣用表現〕‖ 火の～ 火海 | ～のものとも山のものともつかない 八字还没一撇儿 ❖一鳥:海鸟
うみ【膿】〔包儿〕脓nóng ‖ ～を出す 把脓挤出来 | 政界の～を出す 清除政界的积弊
うみかぜ【海風】海风hǎifēng
うみがめ【海亀】海龟hǎiguī
うみせんやません【海千山千】㊖老奸巨猾lǎo jiān jù huá; 老狐狸lǎohúli
うみびらき【海開き】(～する)开放海滨浴场kāifàng hǎibīnyùchǎng
うみべ【海辺】海边hǎibiān; 海滨hǎibīn
うむ【有無】❶〔ありなし〕有无yǒuwú; 有或没有yǒu huò méiyou ‖ 欠員の～を知らせてほしい 请告诉我有无空缺 ❷〔否か応か〕可否kěfǒu ‖ ～を言わさず 不容分说
う・む【産む・生む】❶〔出産する〕生shēng ‖ 兄嫁が男の子を～んだ 嫂子生下一个男孩儿 | 案ずるより～むが易し 事情并不都像想像的那么难 ❷〔生じる〕引起yǐnqǐ; 产生chǎnshēng ‖ 疑惑を～む 引起怀疑 | 時代が～んだヒーロー 时代造就的英雄 | よい結果を～む 带来好结果
う・む【膿む】化脓huànóng ‖ にきびが～んで痛い 粉刺化脓了,很痛
うめ【梅】〔棵,株〕梅méi; 梅树méishù. (実)梅子méizi. (花)梅花méihuā
うめあわ・せる【埋め合わせる】弥补míbǔ; 补偿bǔcháng ‖ 損失を～せる 弥补损失
うめ・く【呻く】呻吟shēnyín; 哼哼hēngheng ‖ 病人は苦しそうに～いている 病人痛苦地呻吟着
うめしゅ【梅酒】〔杯,瓶〕梅子酒méizijiǔ
うめたて【埋め立て】❖一地:填海地
うめた・てる【埋め立てる】填海〔湖;河〕tián hǎi〔hú;hé〕; 填海造地tián hǎi zào dì
うめぼし【梅干し】〔个,粒,坛子〕咸梅干xiánméigān; 腌的梅子yān de méizi
う・める【埋める】❶〔うずめる・ふさぐ〕埋mái; 掩埋yǎnmái; 填埋tiánmái ‖ 死んだ金魚を庭に～めた 把死了的金鱼埋在了院子里 ❷〔いっぱいにする〕填满tiánmǎn; …满… mǎn ‖ 客席を～めた大観衆 全场爆满的观众 ❸〔不足を補う〕填补tiánbǔ; 弥补míbǔ ‖ 赤字を～める 弥补赤字 | 欠員を～める 填补空缺 ❹〔混ぜて調節する〕兑(凉水) duì (liángshuǐ)
うもう【羽毛】羽绒yǔróng ‖ ～布団 羽绒被
うも・れる【埋もれる】(物が)被覆盖bèi fùgài; 被掩埋bèi yǎnmái. (価値が)被埋没bèi máimò; 不为世人所知bù wéi shìrén suǒ zhī

うやうやし・い【恭しい】恭敬gōngjìng; ㊖毕恭毕敬bì gōng bì jìng
うやま・う【敬う】尊敬zūnjìng; 尊重zūnzhòng ‖ 父母を～う 尊敬父母 | 神仏を～う 敬仰神佛
うやむや 稀里糊涂xīlihútú; 含含糊糊hánhánhūhū ‖ ～にしてごまかす 含含糊糊地敷衍了事
うよきょくせつ【紆余曲折】(～する)周折zhōuzhé; 波折bōzhé ‖ ～のすえ解決した 几经周折,终于得到了解决
うよく【右翼】右翼yòuyì; 右倾yòuqīng. (人)右倾分子yòuqīng fènzǐ; 右派yòupài
うら【裏】❶〔裏面〕背面bèimiàn; 反面fǎnmiàn ‖ 足の～ 脚〔足〕底 | ～に続く 见背面 ❷〔裏布地〕里子lǐzi; 衬里chènlǐ ❸〔家などの背後〕后面hòumian; 后边hòubian ❹〔表に出ない事情〕内部nèibù; 内幕nèimù ‖ ～を見抜く 识破内幕 | あいつの話には～がある 他话里有话 ❺〔野球〕‖ 9回の～ 第九局的下半场 ❻〔慣用表現〕‖ 言葉の～を読む 领会言外之意 | ～から手を回す 背地里使手段 | ～をかく 钻空子
うらおもて【裏表】❶〔裏と表〕表里biǎolǐ; 正面和背面zhèngmiàn hé bèimiàn ‖ 紙の～ 纸的正反两面 | ～のある人 表里不一的人 ❷〔裏返し〕表里相反biǎolǐ xiāngfǎn ‖ 寝巻きが～だよ 你的睡衣穿反了
うらがえ・す【裏返す】翻〔反〕过来fān〔fǎn〕guolai ‖ オーバーを～す 把外套的里子翻出来
うらがき【裏書き】(～する)❶〔証明する〕证明zhèngmíng; 证实zhèngshí ❷〔小切手などに〕背书bèishū; 背签bèiqiān
うらかた【裏方】后台工作人员hòutái gōngzuò rényuán; 幕后人员mùhòu rényuán ‖ 大会の～をつとめる 从事大会的准备工作
うらがね【裏金】好处费hǎochufèi; 小金库(钱) xiǎojīnkù (qián); 贿赂huìlù
うらがわ【裏側】背面bèimiàn; 后面hòumian ‖ 事件の～に隠された真実 事件背后所隐藏的真实
うらぎり【裏切り】背叛bèipàn; 变节biànjié; 违背wéibèi ‖ 労働者への～行為 背叛工人的行为 ❖一者:叛徒; 变节者
うらぎ・る【裏切る】出卖chūmài; 叛变pànbiàn ‖ 親友を～る 出卖好友 | 両親の期待を～る 辜负父母的期待
うらぐち【裏口】〔个,道〕后门hòumén ❖一営業:非法营业 | 一入学:走后门入学; 靠关系入学
うらこうさく【裏工作】(～する)走后门zǒu hòumén; 暗地里策划àndìli cèhuà
うらごえ【裏声】假声jiǎshēng; 假嗓子jiǎsǎngzi
うらづけ【裏付け】证据zhèngjù; 根据gēnjù ‖ 事実の～がない 缺乏事实根据
うらづ・ける【裏付ける】证实zhèngshí; 证明zhèngmíng; 查证cházhèng
うらとりひき【裏取引】(～する)走后门zǒu hòumén; 在背后做交易zài bèihòu zuò jiāoyì
うらない【占い】算命suànmìng; 占卦zhānguà ‖ ～をする 占卦 | ～が当たる 算命算中 ❖一師:算命先生 ‖ ～にみてもらう 请算命先生给算命
うらな・う【占う】算命suànmìng; 占卜zhānbǔ; 占卦zhānguà
うらにわ【裏庭】后院hòuyuàn

うらばなし【裏話】内情nèiqíng; 内部消息nèibù xiāoxi; 秘闻mìwén

うらびょうし【裏表紙】封底fēngdǐ; 封四fēngsì

うらみ【恨み·怨み】恨hèn; 怨yuàn ‖ ～を買う 得罪人 | ～を晴らす 报仇 | 私は彼に～がある 我对他怀恨在心 | ～骨髄に徹する 恨之入骨

うらみがまし·い【恨みがましい·怨みがましい】怨恨yuànhèn ‖ ～い目つき 怨恨的眼神

うらみごと【恨み言】〔肚子,口〕怨言yuànyán; 埋怨mányuan

うらみっこ【恨みっこ】‖ ～なし 谁也不怨谁

うらみつらみ【恨みつらみ】种种怨恨zhǒngzhǒng yuànhèn; 一肚子委屈yí dùzi wěiqu

うら·む【恨む·怨む】❶〔憎む〕恨hèn; 怨yuàn; 抱怨bàoyuan ❷〔残念である〕遗憾yíhàn; 可惜kěxī ‖ 親友の若死にが～まれる 我的好友年纪轻轻的就死了,非常可惜

うらめ【裏目】‖ することなすことすべて～に出た 我所做的一切都产生了适得其反的结果

うらめし·い【恨めしい·怨めしい】可恨kěhèn; 有怨气yǒu yuànqì; 可惜kěxī

うらもん【裏門】后门hòumén

うらやま【裏山】后山hòushān

うらやまし·い【羨ましい】羡慕xiànmù ‖ 子どもは友達のおもちゃを～そうに見た 孩子羡慕地看着小朋友手里的玩具

うらや·む【羨む】羡慕xiànmù ‖ 人も～む仲 令人艳慕的关系

ウラン 铀yóu ❖ 一鉱:铀矿 | 濃縮一:浓缩铀

うり【瓜】瓜guā ‖ ～ふたつ 一模一样 | ～のつるに茄子(なす)はならぬ 定 有其父必有其子

うり【売り】(セールスポイント)卖点màidiǎn; 特点tèdiǎn ‖ ～に出す 出售

うりあげ【売り上げ·売上】销售额xiāoshòu'é; 营业额yíngyè'é ‖ ～が落ちる 销售额下降 | ～をのばす 销售额上升

うりいえ【売り家】〔个,栋,座〕待售的房子dài shòu de fángzi

うりかけ【売り掛け】赊销shēxiāo ❖ 一金:赊(销)款

うりき·れる【売り切れる】卖完màiwán; 脱销tuōxiāo; 售罄shòuqìng

うりこ【売り子】售货员shòuhuòyuán

うりことば【売り言葉】‖ ～に買い言葉 你说一句我顶一句

うりこ·む【売り込む】推销tuīxiāo; 推荐tuījiàn ‖ 顧客に新しいサービスを～む 向顾客推销新服务 | 自分を～む 自我宣传

うりざねがお【瓜実顔】〔张,副〕瓜子脸guāzǐliǎn

うりだし【売り出し】❶〔販売開始〕开始销售kāishǐ xiāoshòu; 上市shàngshì ❷〔安売り〕拍卖pāimài; 甩卖shuǎimài ‖ 年末大～ 年终大甩卖 ❸〔新人など〕大力宣传dàlì xuānchuán

うりだ·す【売り出す】❶〔販売する〕出售chūshòu; 上市shàngshì ‖ この新型車は近く～される予定だ 这种新型车将于近期开始销售 ❷〔名を売る〕大力宣传dàlì xuānchuán

うりつ·ける【売りつける】强行推销qiángxíng tuīxiāo

うりて【売り手】卖方màifāng; 卖主màizhǔ ❖ 一市場:卖方市场

うりとば·す【売り飛ばす】卖掉màidiào ‖ 二束三文で～す 贱价卖掉

うりば【売り場】柜台guìtái; 售货处shòuhuòchù ❖ 一主任:柜台主任 | 一面積:营业面积

うりもの【売り物】❶〔品物〕商品shāngpǐn; 销售品xiāoshòupǐn ‖ こんな不良品は～にならない 这种次品卖不出去 ❷〔セールスポイント〕招牌zhāopai; 卖点màidiǎn ‖ 豊富な品ぞろえを～にする 以品种齐全为招牌 ❸〔得意芸〕拿手戏náshǒuxì; 特长tècháng

うりょう【雨量】雨量yǔliàng ❖ 一計:雨量计

う·る【売る】❶〔代金と引きかえに〕卖mài; 销售xiāoshòu ‖ 1000円で～れば100円もうかる 卖1000日元能赚100日元 | 身を～る 卖身 ❷〔世に広める〕扬名yángmíng ‖ 名を～る 扬名 ❸〔背く〕出卖chūmài ‖ 友を～る 出卖朋友 | 国を～る 出卖国家 ❹〔仕かける·押しつける〕‖ 恩を～る 卖人情 | ケンカを～る 找茬儿打架

うる【得る】⇨える(得る)

うるう【閏】闰rùn ❖ 一年:闰年

うるおい【潤い】❶〔しめり〕湿气shīqì; 湿润shīrùn ❷〔心のゆとり〕人情味rénqíngwèi; 温情wēnqíng ‖ ～のない生活 单调无味的日子 | ゆとりと～のある生活 富裕而又有情调的生活

うるお·う【潤う】❶〔しめる〕湿润shīrùn; 滋润zīrùn ❷〔豊かになる〕受益shòuyì ‖ 懐が～う 手头宽裕了 | 心が～う 心里感到温暖

うるお·す【潤す】❶〔湿り気を与える〕(使)滋润(shǐ) zīrùn; (使)湿润(shǐ) shīrùn ‖ のどを～す 润嗓子 ❷〔豊かにする〕(使)受益(shǐ) shòuyì ❸〔心をあたためる〕温暖wēnnuǎn

ウルグアイ 乌拉圭Wūlāguī

うるさ·い【煩い】❶〔騒がしい〕吵闹chǎonào ‖ ～い! 别吵了! ❷〔煩わしい〕烦恼fánnǎo ‖ ～い,くどくど言うな 烦死了,别啰嗦了! ❸〔好みにこだわる〕挑剔tiāoti; 讲究jiǎngjiu

うるし【漆】漆树qīshù.（塗料）漆qī ‖ ～塗りのおわん 上了漆的木碗 | ～にかぶれる 漆过敏

うるち【粳】粳米jīngmǐ; 籼米xiānmǐ

ウルドゥーご【ウルドゥー語】乌尔都语Wū'ěrdūyǔ

ウルトラー ❖ 一C:（体育项目）超高难动作

うるわし·い【麗しい】❶〔美しい〕优美yōuměi; 美丽měilì ❷〔気分がいい〕‖ 社長は今日はご機嫌～い 总经理今天心情很好 ❸〔心暖まる〕感人gǎnrén; 动人dòngrén

うれい【憂い】忧心yōuxīn; 担忧dānyōu; 忧虑yōulǜ.（表情など）忧愁yōuchóu; 忧郁yōuyù ‖ ～に沈む 深陷忧虑 | ～を帯びる 面带愁容 | ～を帯びたまなざし 忧郁的目光

うれ·える【憂える】担忧dānyōu; 忧虑yōulǜ.（嘆く）忧思yōusī ‖ 国の将来を～える 对国家的未来担忧

うれし·い【嬉しい】高兴gāoxìng; 开心kāixīn ‖ お会いできて～いです 认识您我很高兴

うれしなき【嬉し泣き】(～する)高兴得哭起来gāoxìngde kūqilai

う

ウレタン（合成樹脂の一種）聚氨酯橡胶jùyǎngzhǐ xiàngjiāo ✤ 一フォーム:聚氨酯泡沫（塑料）
うれっこ【売れっ子】红人hóngrén；受欢迎的人shòu huānyíng de rén ‖ ～作家 当红作家
うれのこ･る【売れ残る】卖剩下màishèngxia；滞销zhìxiāo
うれゆき【売れ行き】销路xiāolù ‖ ～好調〔低調〕 销路很好〔不好〕
う･れる【売れる】❶（買われる）销路好xiāolù hǎo；畅销chàngxiāo ‖ よく～れている 十分畅销｜飛ぶように～れる 卖疯了 ❷（広く知られる）有名yǒumíng；出名chūmíng
う･れる【熟れる】成熟chéngshú
うろこ【鱗】〔片〕鳞lín；鱼鳞yúlín ✤ 一雲:鱼鳞云｜一模様:鱼鳞纹
うろた･える【狼狽える】惊慌失措jīnghuāng shīcuò；慌张huāngzhang
うろつ･く【彷徨く】转来转去zhuàn lái zhuàn qù；徘徊páihuái；彷徨pánghuáng
うわあご【上顎】上颚shàng'è
うわがき【上書き】（～する）（コンピューター）覆盖fùgài ✤ 一保存:保存
うわき【浮気】（～する）❶（異性に対して）偷情tōuqíng；（搞）婚外恋（gǎo） hūnwàiliàn ❷（興味･関心など）心思不专xīnsi bù zhuān；定 见异思迁jiàn yì sī qiān ✤ 一者（男性）:拈花惹草的人；花花公子；（女性）水性杨花的人
うわぎ【上着】〔件〕上衣shàngyī
うわぐすり【釉･上薬】釉yòu ‖ ～をかける 上釉
うわくちびる【上唇】上唇shàngchún；上嘴唇shàngzuǐchún
うわさ【噂】（～する）❶（世間の評判）传闻chuánwén；传说chuánshuō；听说tīngshuō ‖ お～はかねがね伺っております 定 久仰大名｜～のレストラン 大家谈论的饭馆 ❷（ゴシップ）流言liúyán；谣言yáoyán ‖ ～が立つ 风言风语｜～が広がる 消息传开｜根も葉もない～ 毫无根据的谣言｜～をすれば影 定 说曹操，曹操就到｜人の～も七十五日 谣言来得快去得也快
うわて【上手】❶（すぐれる）高一筹gāo yì chóu；高手gāoshǒu；强手qiángshǒu ❷（高飛車）‖ ～に出る 居高临下
うわのせ【上乗せ】（～する）追加zhuījiā ‖ 定価に消費税分を～する 定价之外还要加消费税
うわのそら【上の空】定 心不在焉xīn bú zài yān；心神不定xīnshén bú dìng
うわべ【上辺】表面biǎomiàn；外表wàibiǎo ‖ ～を飾る 装饰门面
うわまえ【上前】❶（金銭）抽头chōutóu ‖ 10パーセントの～をはねる 抽成百分之十 ❷（和服）〔块〕前襟qiánjīn；上襟shàngjīn
うわまわ･る【上回る】超过chāoguò；大〔高〕于dà〔gāo〕yú ‖ 予想を～る 超过预计
うわむき【上向き】❶（上昇ぎみ）提高tígāo；好转hǎozhuǎn ‖ 景気が～になってきた 景气开始好转了 ❷（経済）看涨kànzhǎng；上涨shàngzhǎng ‖ 相場は～だ 行情看涨 ❸（上方を向くこと）向上xiàng shàng；朝上cháo shàng
うわめづかい【上目遣い】翻眼珠fān yǎnzhū ‖ ～に見る 翻眼珠看
うわやく【上役】上级shàngjí；上司shàngsi
うん【運】运气yùnqi ‖ ～をためす 碰运气｜～が開ける 定 时来运转｜～がいい 走运｜～を天に任せる 听天由命｜けが1つしないで～がよかった 竟然毫发无伤真是命大｜～が尽きた 运气到头了
うん ❶（承知する）嗯ǹg；好hǎo；行xíng ‖ ～と言う 答应｜父に～と言わせる 让爸爸点头同意｜～ともすんとも言わない 缄默无言 ❷（思い出す）哦ò；噢ō
うんえい【運営】（～する）办理bànlǐ；经营jīngyíng ✤ 一機構:经营机构｜一規則:管理规则｜一資金:运作资金｜一費:管理费
うんが【運河】运河yùnhé
うんきゅう【運休】（～する）停运tíngyùn；停驶tíngshǐ
うんこう【運行】（～する）❶（交通機関）运行yùnxíng；行驶xíngshǐ ❷（天文）运行yùnxíng ‖ 天体の～ 天体的运行
うんこう【運航】（～する）航行hángxíng
うんざり（～する）厌烦yànfán；腻nì ‖ 考えるだけで～だ 一想起来就心烦；想都不愿意想
うんざん【運算】（～する）运算yùnsuàn
うんさんむしょう【雲散霧消】（～する）定 云消雾散yún xiāo wù sàn
うんせい【運勢】命（运） mìng(yùn)；运气yùnqi ‖ ～を占う 算命
うんそう【運送】（～する）运输yùnshū；搬运bānyùn ✤ 一業:运输业｜一業者:搬运〔运输〕公司｜一費〔料〕:运费；搬运费
うんだめし【運試し】（～する）碰运气pèng yùnqi
うんちく【蘊蓄】学识xuéshí；内涵nèihán ‖ ～を傾ける 显示自己的学识
うんちん【運賃】运费yùnfèi.（旅客）客运费kèyùnfèi ✤ 一先払い〔後払い〕:预付〔后付〕运费｜一表:运价表
うんでい【雲泥】‖ ～の差がある 有天壤之别
うんてん【運転】（～する）❶（操縦）（車･電車）开动kāidòng；驾驶jiàshǐ.（機械）操纵cāozòng ‖ 車を～する 开车 ❷（資金などの運用）运用yùnyòng；周转zhōuzhuǎn ✤ 一系統:（バスなど）行车路线｜一士:（機械）操作员；（電車）司机｜一資金:周转资金｜一室:驾驶室｜一手:司机｜一席:（自動車）驾驶座；（電車）驾驶台
うんどう【運動】（～する）❶（スポーツなど）运动yùndòng ‖ 日ごろどんな～をしていますか 你平时都做些什么运动？｜最近～不足だ 最近缺乏运动 ❷（社会的）活动huódong；运动yùndòng ‖ 交通安全～ 交通安全活动｜マンション建設反対～ 反对建造公寓的运动 ❸（物理）运动yùndòng ‖ ～の法則 物体运动定律 ✤ 一員:工作〔活动〕人员｜一エネルギー:动能｜一会:运动会｜一靴:运动鞋｜一資金:活动经费｜一場:操场；体育场｜一神経:运动神经｜一選手:选手；运动员
うんぱん【運搬】（～する）搬运bānyùn
うんめい【運命】〔种〕命运mìngyùn ‖ ～をともにする 命运与共 ✤ 一線:（手相の）命运线｜一論:宿命论
うんゆ【運輸】运输yùnshū ✤ 一会社:运输公司｜一機関:运输工具

うんよう【運用】(〜する)运用yùnyòng．(適用)适用shìyòng．(投資)操作cāozuò ‖ 資金はどう〜するつもりですか 你准备怎么操作这笔资金？

え

え【柄】柄bǐng；把bà ‖ 金づちの〜 锤柄｜ナイフの〜 刀把儿｜〜の長いひしゃく 长把勺

え【絵】〔幅，张〕画huà；绘画huìhuà ‖ 〜をかく 画画儿｜〜にかいた餅(もち) 画饼

エアコン〔台，个〕空调kōngtiáo

エアメール〔件〕航空邮件hángkōng yóujiàn

エアロビクス 健美操jiànměicāo

えいい【鋭意】‖ 〜努力する 全力拼搏

えいえい【営営】孜孜不倦zīzī bú juàn

えいえん【永遠】永远yǒngyuǎn．(不滅)永存yǒngcún ‖ 〜の愛を誓う 定 海誓山盟

えいが【映画】〔部，个，场〕电影diànyǐng ‖ 〜を見る 看电影｜〜をとる 拍电影｜〜を上映する 放电影 ✤ 一音楽：电影音乐｜一館：电影院

えいが【栄華】‖ 〜を極める 极尽荣华富贵

えいかん【栄冠】‖ 〜を勝ち得る 夺得桂冠

えいき【英気】英气yīngqì ‖ 〜を養う 定 养精蓄锐

えいき【鋭気】锐气ruìqì；朝气zhāoqì

えいきゅう【永久】永久yǒngjiǔ；永远yǒngyuǎn ‖ 〜に戦争を放棄する 永远放弃战争 ✤ 一歯：永久齿

えいきょう【影響】(〜する)影响yǐngxiǎng ‖ 〜をあたえる 造成影响｜〜を受ける 受影响 ✤ 一力：影响力

えいぎょう【営業】(〜する)营业yíngyè ✤ 一案内：营业项目介绍｜一許可：营业执照｜一時間：营业时间｜一所：营业所

えいこ【栄枯】荣枯róngkū ‖ 〜盛衰は世の習い 荣枯盛衰乃世之常情

えいご【英語】英语Yīngyǔ ‖ 〜を話す 说英语｜〜で話す 用英语说｜この花は〜で何といいますか 这(种)花英语叫什么？

えいこう【栄光】光荣guāngróng；荣耀róngyào ‖ 勝利の〜に輝く 取得辉煌胜利

えいこく【英国】英国Yīngguó ✤ 一国教会：英国国教｜一放送協会(BBC)：英国广播公司

えいさい【英才】✤ 一教育：精英教育

えいじ【英字】✤ 一新聞：英文报纸

えいじ【嬰児】婴儿yīng'ér

えいしゃ【映写】(〜する)放映fàngyìng ✤ 一機：放映机｜一技師：放映员｜一室：放映室

えいじゅう【永住】(〜する)定居dìngjū；永住yǒngzhù ✤ 一権：永住权｜一地：定居地

エイズ 艾滋病àizībìng；爱滋病àizībìng ✤ 一ウイルス：艾滋病〔爱滋病〕病毒

えいせい【衛生】卫生wèishēng ✤ 一学：卫生学

えいせい【衛星】卫星wèixīng ✤ 一中継：卫星直播｜一放送：卫星广播

えいせいちゅうりつこく【永世中立国】永久中立国yǒngjiǔ zhōnglìguó

えいぞう【映像】❶〔物理〕影像yǐngxiàng；映像yìngxiàng ❷〔テレビや映画の〕画面huàmiàn；映像yìngxiàng；图像túxiàng

えいだん【英断】(決断)决断juéduàn．(すぐれた判断)英明决断yīngmíng juéduàn ‖ 〜を下す 下决断｜社長の〜を待つ 等待社长的英明决断

えいち【英知・叡知】睿智ruìzhì ‖ 〜を傾ける 发挥聪明才智

えいてん【栄転】(〜する)荣升róngshēng；晋升jìnshēng ‖ 支店長から本社の総務部長に〜した 从分店长荣升为总公司的总务处长

えいねん【永年】长年chángnián ✤ 一勤続者：长年工作的老员工

えいびん【鋭敏】敏锐mǐnruì；灵敏língmǐn ‖ 〜な頭脳の持ち主 头脑敏锐的人

えいぶん【英文】英文Yīngwén

えいぶんがく【英文学】英国文学Yīngguó wénxué

えいへい【衛兵】警卫jǐngwèi；卫兵wèibīng ✤ 一所：警卫处

えいべつ【永別】(〜する)永诀yǒngjué；永别yǒngbié

えいみん【永眠】(〜する)长眠chángmián

えいやく【英訳】(〜する)英译Yīngyì ‖ 次の和文を〜せよ 将下列日语译成英语

えいゆう【英雄】英雄yīngxióng

えいよ【栄誉】荣誉róngyù

えいよう【栄養】〔份，种〕营养yíngyǎng ‖ 〜をとる 摄取营养｜〜が偏る 营养失衡 ✤ 一価：营养价值｜一学：营养学｜一剤：营养液；营养剂｜一士：营养师｜一失調：营养失调｜一素：营养素｜一バランス：营养平衡｜一分：营养成分｜一補給：补充营养

えいよう【栄耀】荣耀róngyào ‖ 〜栄華を極める 极尽荣华富贵

えいり【営利】营利yínglì ‖ 〜目的 以营利为目的 ✤ 一事業：营利事业｜一誘拐：绑票

えいり【鋭利】锋利fēnglì；锐利ruìlì ‖ 〜なかみそり 锋利的剃刀｜〜な頭脳 敏锐的头脑

エイリアン 外星人wàixīngrén

えいりん【営林】经营林业jīngyíng línyè ✤ 一事業：林业管理

えいれい【英霊】〔个，位〕英灵yīnglíng

えいれんぽう【英連邦】英联邦Yīngliánbāng

ええ ❶〔肯定〕欸èi；对duì ‖ 〜，そのとおりです 对，是这样的 ❷〔驚き〕欸éi；咦yí ‖ 〜，ほんと？ 欸，真的吗？｜〜，まさか 咦，不会吧？

エー【A】✤ 一型：(血液の)A型(血)｜一型肝炎：甲型肝炎｜一級戦犯：甲级战犯｜一クラス：最高级；一流

エーエムほうそう【AM放送】调幅广播tiáofú guǎngbō

エージェント 代理商dàilǐshāng；代理人dàilǐrén

エー ティー エム【ATM】〔台〕自动柜员机

zìdòng guìyuán jī
エーテル 乙醚yǐmí
ええと 这个… zhège…; 那个… nàge…
エーブイ【AV】❶〔視聴覚〕音视频yīnshìpín ❷〔アダルトビデオ〕成人小电影chéngrén xiǎodiànyǐng; 黄带huángdài ✣ 一機器:音像器材
エープリル フール 愚人节Yúrénjié
エーペック【APEC】亚太经济合作组织Yà-Tài Jīngjì Hézuò Zǔzhī
エール 呐喊nàhǎn; 助威zhùwēi ‖ ～を交換する 相互呐喊助威 | ～を送る 呐喊助威
えがお【笑顔】〔张, 个〕笑脸xiàoliǎn ‖ 無理に～を作る 强作笑颜 | ～で迎える 笑脸相迎
えが·く【描く】❶〔絵や図に〕画huà ‖ 水彩画を～く 画水彩画 | クレヨンでネコを～く 用蜡笔画猫 ❷〔記述する〕描述miáoshù
えがた·い【得難い】难得nándé ‖ ～いチャンスを逸する 错过难得的机会
えがら【絵柄】图案tú'àn; 模样múyàng
えき【易】易yì ‖ ～で占う 算卦 ✣ 一学:易学
えき【益】❶(～する)〔役立つ〕有益yǒuyì; 受益shòuyì.(ためになる点)好处hǎochu; 用处yòngchu ‖ なんの～もない 什么好处也没有 ❷〔利潤〕收益shōuyì; 利润lìrùn
えき【駅】火车站huǒchēzhàn ‖ 東京～ 东京站
えきいん【駅員】站员zhànyuán
えきか【液化】(～する)液化yèhuà ✣ 一石油ガス:液化石油气 | 一天然ガス:液化天然气
えきがく【疫学】流行病学liúxíngbìngxué
エキサイティング 令人激动lìng rén jīdòng; 令人兴奋lìng rén xīngfèn
エキジビション 展览会zhǎnlǎnhuì ✣ 一ゲーム:表演赛
えきしゃ【易者】算命〔算卦〕先生suànmìng〔suànguà〕xiānsheng
えきしょう【液晶】液晶yèjīng ✣ 一ディスプレー:液晶显示器 | 一テレビ:液晶电视
えきじょう【液状】液状yèzhuàng ‖ ～の物質 液状物 ✣ 一化現象:液化现象
エキス 精华jīnghuá ‖ 牛肉の～ 牛肉精
エキストラ 临时演员línshí yǎnyuán
エキスパート 专家zhuānjiā; 行家hángjia ‖ その道の～ 那一行的专家
エキゾチック 充满异国情调chōngmǎn yìguó qíngdiào ‖ ～な港町 充满异国情调的港口城市
えきたい【液体】液体yètǐ ✣ 一酸素:液态氧 | 一チッ素:液态氮 | 一燃料:液体燃料
えきちょう【益鳥】益鸟yìniǎo
えきちょう【駅長】站长zhànzhǎng
えきでん【駅伝】公路接力赛gōnglù jiēlìsài
えきびょう【疫病】传染病chuánrǎnbìng; 瘟疫wēnyì ‖ ～がまん延する 瘟疫蔓延
えきビル【駅ビル】车站大楼chēzhàn dàlóu; 车站商场chēzhàn shāngchǎng
エクアドル 厄瓜多尔Èguāduō'ěr
えくぼ【靨·笑窪】〔个, 对〕酒窝jiǔwō
えぐみ〔股, 种〕涩味sèwèi; 苦涩味kǔsèwèi
えぐ·る【抉る】❶〔ほりぬく〕挖出wāchu ‖ 胸を～られる思い 痛心 ❷〔あばく〕揭露jiēlù
エクレア 巧克力泡芙qiǎokèlì pàofú
エゴ 自我zìwǒ; 自己zìjǐ.(利己主義)㊟自私自利zì sī zì lì; 利己lìjǐ ‖ ～が強い 自私
エゴイスト 利己主义者lìjǐ zhǔyìzhě; 自私自利的人zì sī zì lì de rén
エコー〔缕, 片〕回声huíshēng; 回音huíyīn ‖ ～をきかせる 使用反响效果
えごころ【絵心】‖ ～が動く 萌发对画画儿的兴趣 | ～がある 懂绘画
えこじ【依怙地】⇨いこじ(依怙地)
エコノミー クラス 经济舱jīngjìcāng ✣ 一症候群:经济舱综合症
えこひいき【依怙贔屓】(～する)偏心piānxīn; 偏袒piāntǎn; 偏护piānhù
エコロジー 生态学shēngtàixué; 环保huánbǎo
えさ【餌】❶〔動物の〕饲料sìliào.(魚の)鱼饵yú'ěr ‖ ～をやる 喂食 ❷〔人を誘いこむための〕〔个, 种〕诱饵yòu'ěr ‖ 人を～で釣る 引人上钩 | 就職あっせんを～にする 以介绍工作为诱饵
えし【壊死】(～する)坏死huàisǐ
えじき【餌食】‖ ～になる 成猎物〔牺牲品〕
エジプト 埃及Āijí
えしゃく【会釈】(～する)点头致意diǎntóu zhìyì
エシャロット 青葱qīngcōng
エス エフ【SF】科幻小说kēhuàn xiǎoshuō
エス エフ エックス【SFX】特殊视听效果tèshū shìtīng xiàoguǒ
エス エル【SL】蒸汽机车zhēngqì jīchē
エス オー エス【SOS】呼救信号hūjiù xìnhào; 遇难信号yùnàn xìnhào
エスカレーター 自动扶梯zìdòng fútī ‖ ～で5階まで行く 坐自动扶梯上五楼 | ～式に進学できる 能自动升学
エスカレート (～する)(逐步)升级(zhúbù) shēngjí; (逐步)激化(zhúbù) jīhuà ‖ 地域紛争が～する 地区纷争越来越激化
エスキモー ⇨イヌイット
エスケープ (～する)(授業を)逃学táoxué; 旷课kuàngkè ✣ 一キー:退出键
エスコート (～する)陪同péitóng; 护送hùsòng
エスサイズ【Sサイズ】小号xiǎohào
エステティシャン 美容师měiróngshī
エステティック 美容术měiróngshù; 美容学měiróngxué ✣ 一サロン:美容室；美容院
エストニア 爱沙尼亚Àishāníyà
エスニック 具有民族色彩的jùyǒu mínzú sècǎi de ✣ 一料理:民族特色菜
エス ピー【SP】保镖bǎobiāo
エスプリ 才气cáiqì; 机智jīzhì
エスプレッソ 浓咖啡nóngkāfēi
エスペラント 世界语Shìjièyǔ
えせ-【似非】假jiǎ; 伪wěi; 冒牌màopái ✣ 一学者:冒牌学者 | 一紳士:伪君子；假绅士
えそ【壊疽】坏疽huàijū
えそらごと【絵空事】幻想huànxiǎng; 虚构xūgòu
えだ【枝】〔根〕树枝shùzhī
えたい【得体】‖ ～の知れない男 来历不明的男人

えだげ【枝毛】头发分叉tóufa fēnchà
エタノール 乙醇yǐchún；酒精jiǔjīng
えだは【枝葉】❶〔枝と葉〕枝叶zhīyè ❷〔枝葉末節〕枝节zhījié
えだまめ【枝豆】毛豆máodòu；青豆qīngdòu
エチオピア 埃塞俄比亚Āisài'ébǐyà
エチケット 礼节lǐjié ‖ ～に反する 不礼貌
エチュード〔首，支〕练习曲liànxíqǔ
エチル 乙基yǐjī ✤ 一アルコール：乙醇；酒精
えつ【悦】‖ ～に入(い)る 心里充满喜悦
えっ（驚き）啊？á?；什么？shénme? ‖ ～，ほんとですか 啊？是真的吗？
えっきょう【越境】（～する）越境yuèjìng；越过界线yuèguò jièxiàn ✤ 一入学：跨区上学
エックスせん【X線】X射线X shèxiàn ✤ 一技師：放射线技师｜一検査：X光检查
えづけ【餌付け】（～する）投食驯化tóu shí xùnhuà
えっけん【越権】越权yuèquán；超越权限chāoyuè quánxiàn ✤ 一行為：越权行为；侵权行为
エッセイ 随笔suíbǐ；小品文xiǎopǐnwén
エッセンス ❶〔精髄〕本质běnzhì；精髓jīngsuǐ ❷〔抽出したもの〕香精xiāngjīng；精jīng
エッチ【H】下流xiàliú；好色hàosè ‖ まぁ～ね 你真好色！｜～なことしないでよ 别那么色
エッチ アイ ブイ【HIV】爱滋〔艾滋〕病毒àizī〔àizī〕bìngdú ✤ 一感染者：艾滋病感染者
エッチティーエムエル【HTML】超文本标记语言chāowénběn biāojì yǔyán
エッチング 蚀刻shíkè.（作品）〔幅〕蚀刻铜板画shíkè tóngbǎnhuà
えっとう【越冬】（～する）越冬yuèdōng；过冬guòdōng ✤ 一隊：冬季考察队
えつどく【閲読】（～する）阅读yuèdú
えつらん【閲覧】（～する）读dú；阅览yuèlǎn ✤ 一室：阅览室
えて【得手】拿手náshǒu；擅长shàncháng ✤ 一不得手：擅长的和不擅长的
えてして 往往wǎngwǎng；常常chángcháng
エデン 伊甸Yīdiàn ‖ ～の園 伊甸园
えと【干支】（十干十二支）天干地支tiāngān dìzhī.（十二支）十二生肖shí'èr shēngxiào；属相shǔxiang ‖ 私の～はひつじです 我属羊
えとく【会得】（～する）掌握zhǎngwò；领会lǐnghuì；搞懂gǎodǒng ‖ こつを～する 掌握窍门
エナメル ❶〔ほうろう〕珐琅fàláng ❷〔塗料の一種〕瓷漆cíqī ✤ 一革：漆皮
エヌジー【NG】（胶片）作废（jiāopiàn）zuòfèi；出错chūcuò ‖ ～を出す 出差错
エヌ ジー オー【NGO】非政府组织fēizhèngfǔ zǔzhī；国际民间组织guójì mínjiān zǔzhī
エヌピーオー【NPO】非营利组织〔机构〕fēiyínglì zǔzhī〔jīgòu〕
エヌピーティー【NPT】核不扩散条约Hé Bú Kuòsàn tiáoyuē
エネルギー ❶〔物理〕能量néngliàng ❷〔人の〕精力jīnglì ‖ ～を使い果たす 耗尽所有的精力｜～を蓄える 定 养精蓄锐 ✤ 一危機：能源危机｜一問題：能源问题
エネルギッシュ 精力充沛jīnglì chōngpèi

えのきたけ【榎茸】金针菇jīnzhēngū
えのぐ【絵の具】颜料yánliào
えはがき【絵葉書】〔张，套〕美术明信片měishù míngxìnpiàn
えび【蝦・海老】虾xiā ‖ ～で鯛を釣る 一本万利
エピソード 逸事yìshì；逸闻yìwén
エピローグ 结尾jiéwěi；尾声wěishēng
エフ エムほうそう【FM放送】调频广播tiáopín guǎngbō
えふだ【絵札】（トランプの）花牌huāpái.（カルタの）带画的纸牌dài huà de zhǐpái
えふで【絵筆】画笔huàbǐ ‖ ～をとる 画画儿
エフ ビー アイ【FBI】（美国）联邦调查局（Měiguó）Liánbāng Diàochájú
エプロン ❶〔服飾〕围裙wéiqún ‖ ～をする 系围裙 ❷〔航空〕停机坪tíngjīpíng
エホバ 耶和华Yēhéhuá
エボラしゅっけつねつ【エボラ出血熱】伊波拉出血热yībōlā chūxuèrè
えほん【絵本】〔本，套〕（儿童）图画书（értóng）túhuàshū
えみ【笑み】〔个，丝〕微笑wēixiào ‖ ～を浮かべる 微笑｜～をたたえる 满面笑容
エム アール アイ【MRI】磁共振成像cígòngzhèn chéngxiàng
エム アンド エー【M&A】并购bìnggòu
エムオー【MO】磁光盘cíguāngpán
エムサイズ【Mサイズ】中号zhōnghào
エム ディー【MD】MD光盘MD guāngpán
エメラルド 绿刚石lǜgāngshí；绿宝石lǜbǎoshí ‖ ～の指輪 绿宝石戒指 ✤ 一グリーン：翡翠绿
えもいわれぬ【えも言われぬ】难以形容nányǐ xíngróng；难以言传nányǐ yánchuán
えもじ【絵文字】图画文字túhuà wénzì
えもの【獲物】猎物lièwù；收获shōuhuò ‖ 逃がした～は大きい 得不到的总是（最）好的
えら【鰓】（魚の）鳃sāi ‖ ～が張っている 四方下巴 ✤ 一呼吸：鳃呼吸
エラー 失误shīwù；出错chūcuò ✤ 一メッセージ：错误消息
えら・い【偉い】❶〔偉大な〕伟大wěidà；了不起liǎobuqǐ ‖ ～そうなことを言う 说大话 ❷〔地位が高い〕高gāo ‖ ～い役人 高官 ❸〔たいへんな〕‖ ～い目にあった 吃了苦头｜～い仕事を引き受けてしまった 接了一件棘手的工作
えら・ぶ【選ぶ】挑选tiāoxuǎn；选择xuǎnzé ‖ 慎重に言葉を～ぶ 慎重地挑选词汇｜委員に～ばれる 被选为委员｜みんなは彼を代表に～んだ 大家推选他为代表｜目的のためには手段を～ばない 为达到目的不择手段
えらぶ・る【偉ぶる】摆架子bǎi jiàzi
えり【襟】领子lǐngzi ‖ ～を正す 正襟危坐
エリート 精英jīngyīng ✤ 一コース：阳关道｜一社員：高级职员；公司骨干
えりぐり【襟刳り】领口lǐngkǒu ‖ ～があきすぎている 领口开得太低了
えりごのみ【選り好み】（～する）挑拣tiāojiǎn；定 挑肥拣瘦tiāo féi jiǎn shòu
えりしょう【襟章】〔副，枚〕领章lǐngzhāng
エリトリア 厄立特里亚Èlìtèlǐyà

えりまき【襟巻き】围巾wéijīn；围脖儿wéibór
えりわ・ける【選り分ける】分开fēnkāi；挑出来tiāochulai；区分qūfēn
エリンギ 杏鲍菇xìngbàogū
える【得る】❶〔獲得する〕获得huòdé；得到dédào．〔好意を〕赢得yíngdé．〔見つける〕找到zhǎodào‖職を～ 找到工作｜富と地位を～ 获得财富和地位｜講演者の話からおおいに～ところがあった 从演讲人的话中，学到了很多东西｜信頼を～ 赢得信赖 ❷〔理解する〕理解lǐjiě‖要領を得ない 不得要领 ❸〔ありえる〕可能kěnéng‖起こり得ない事故 不可能发生的事故
エル エル【ＬＬ】〔サイズ〕特大号tèdàhào
エルエルきょうしつ【ＬＬ教室】语音室yǔyīnshì
エルサイズ【Ｌサイズ】大号dàhào
エルサルバドル 萨尔瓦多Sà'ěrwǎduō
エル ディー ケー【ＬＤＫ】‖3～のマンションに住む 住三室一厅的公寓
エルニーニョ 厄尔尼诺现象 è'ěrnínuò xiànxiàng
エルピーガス【ＬＰガス】液化石油气 yèhuà shíyóuqì
エレガント 高雅gāoyǎ；雅致yǎzhi
エレキ ギター〔把〕电吉他diànjítā
エレクトーン ⇨でんし〔電子〕「―オルガン」
エレクトロニクス〔门〕电子学diànzǐxué
エレジー〔首，曲〕悲歌bēigē；挽歌wǎngē
エレベーター〔台，架〕电梯diàntī．〔貨物用の〕升降机shēngjiàngjī‖～に乗る 乘电梯
エロ 黄色huángsè；色情sèqíng ✤―本：黄色书籍
エロチシズム 色情sèqíng；情欲qíngyù
えん【円】❶〔輪〕圆〔周〕 yuán〔zhōu〕；圆圈yuánquān‖円を描く 画圈儿；画个圆 ❷〔貨幣単位〕日元rìyuán‖～が値あがり〔値下がり〕した 日元升值〔贬值〕了 ✤―運動：圆周运动｜―切りあげ：日元升值｜―切り下げ：日元贬值｜―グラフ：圆形图表｜―借款：日元贷〔借〕款｜―相場：日元行情｜―高〔安〕：日元升值〔贬值〕｜―建て：用日元结算
えん【宴】宴会yànhuì；酒宴jiǔyàn‖～たけなわ 宴会正进行到高潮
えん【縁】缘分yuánfèn；关系guānxi‖～を切る 断绝关系｜～がある 有缘｜～がない 无缘｜～もゆかりもない 非亲非故，毫无瓜葛〔关系〕｜～は異なもの味なもの 千里姻缘一线牵
えんいん【遠因】远因yuǎnyīn
えんえい【遠泳】〔～する〕长距离游泳chángjùlí yóuyǒng；耐力游泳nàilì yóuyǒng
えんえき【演繹】〔～する〕演绎yǎnyì ✤―法：演绎法
えんえん【延延】❶〔時間が長い〕没完没了méi wán méi liǎo ❷〔うねうねと長く続く〕绵绵不断miánmián búduàn；蜿蜒wānyán
えんか【塩化】氯化lǜhuà ✤―ナトリウム：氯化钠｜―ビニール：氯乙烯｜―物：氯化物
えんかい【沿海】沿海yánhǎi ✤―都市：沿海城市
えんかい【宴会】宴会yànhuì；酒宴jiǔyàn ✤―場：宴会厅
えんかい【遠海】远海yuǎnhǎi；远洋yuǎnyáng
えんがい【円蓋】圆顶yuándǐng
えんがい【煙害】烟害yānhài
えんがい【塩害】盐害yánhài
えんかく【沿革】沿革yángé；历史lìshǐ
えんかく【遠隔】遥远 yáoyuǎn ✤―制御〔操作〕：遥控
えんかつ【円滑】顺利shùnlì；圆满yuánmǎn‖すべて～に運んでいる 一切进展顺利
えんがわ【縁側】套廊tàoláng；檐廊yánláng
えんがん【沿岸】沿岸yán'àn；沿海yánhǎi；海岸hǎi'àn ✤―漁業：沿海渔业；近海渔业｜―警備隊：海岸警卫队
えんき【延期】〔～する〕延期yánqī；推迟tuīchí‖出発を土曜日まで～する 把出发时间推迟到星期六｜雨で１日～する 因雨延期一天
えんぎ【演技】〔～する〕❶〔演じる〕表演biǎoyǎn ❷〔見せかけ〕装作zhuāngzuò
えんぎ【縁起】❶〔きざし〕兆头zhàotou‖～がいい 吉利；好兆头｜～でもない 不吉利｜～をかつぐ 讲究吉利不吉利 ❷〔起源や由来〕由来yóulái ✤―物：吉祥之物
えんきょく【婉曲】委婉wěiwǎn；婉转wǎnzhuǎn ✤―語法：委婉语法；委婉表达〔法〕
えんきょり【遠距離】远距离yuǎnjùlí‖～通勤 远距离通勤｜～列車 长途列车
えんきん【遠近】远近yuǎnjìn ✤―感：立体感｜―法：透视法｜―両用眼鏡：双焦眼镜
えんぐみ【縁組み】〔～する〕〔結婚〕结婚jiéhūn；结亲jiéqīn．〔養子の〕收养shōuyǎng；过继guòjì
えんぐん【援軍】援军yuánjūn‖人手が足りないので～を頼む 人手不够，请人来帮忙
えんけい【円形】圆形yuánxíng ✤―劇場：圆形剧场｜―脱毛症：斑秃
えんけい【遠景】远景yuǎnjǐng
えんげい【園芸】园艺yuányì；园艺技术yuányì jìshù ✤―家：园艺家｜―用具：园艺工具
えんげい【演芸】文艺表演 wényì biǎoyǎn ✤―場：表演大厅；戏园
えんげき【演劇】戏剧xìjù ✤―界：戏剧界
エンゲルけいすう【エンゲル係数】恩格尔系数Ēngé'ěr xìshù
えんこ【縁故】〔血縁関係〕亲属qīnshǔ；亲戚qīnqi．〔人のつながり〕关系guānxi‖～を頼って就職する 靠关系找工作
えんこ〔～する〕抛锚pāomáo
えんご【掩護】〔～する〕掩护yǎnhù；保护bǎohù ✤―射撃：掩护射击
えんご【援護】〔～する〕支援zhīyuán；援助yuánzhù‖～の手をさしのべる 伸出援助之手
エンコード 编码biānmǎ
えんこん【怨恨】怨恨yuànhèn
えんさ【怨嗟】〔～する〕抱怨bàoyuan；埋怨mányuàn‖～の声 怨言
えんざい【冤罪】冤罪yuānzuì‖～を被る 蒙冤｜～を晴らす 申冤
えんさん【塩酸】盐酸yánsuān
えんざん【演算】⇨うんざん〔運算〕
えんし【遠視】远视〔眼〕 yuǎnshì〔yǎn〕

えんじ【園児】(幼稚園の)幼儿园的小朋友yòu'éryuán de xiǎo péngyou.(保育園の)托儿所的孩子tuō'érsuǒ de háizi

エンジニア 工程师gōngchéngshī; 建筑师jiànzhùshī; 技师jìshī

えんじゃ【演者】❶〔演技者〕演员yǎnyuán ❷〔講演者〕演讲者yǎnjiǎngzhě

えんじゃ【縁者】亲戚qīnqi; 亲属qīnshǔ

えんしゅう【円周】圆周yuánzhōu ✤一率:圆周率

えんしゅう【演習】(～する)演习yǎnxí; 练习liànxí; 实践shíjiàn

えんじゅく【円熟】(～する)成熟chéngshú; 纯熟chúnshú ‖ ～の域に達する 达到纯熟的境地

えんしゅつ【演出】(～する)❶〔映画·演劇などを〕导演dǎoyǎn; 制作zhìzuò ❷〔仕組む〕组织zǔzhī; 指挥zhǐhuī ✤一家:舞台监督；导演；(映画)制片人

えんじょ【援助】(～する)援助yuánzhù; 帮助bāngzhù; 支持zhīchí ‖ ～を仰ぐ 请求支援 | ～の手を差しのべる 伸出援助之手

えんしょう【延焼】(～する)蔓延mànyán; 延烧yánshāo ‖ ～を防ぐ 防止火势蔓延

えんしょう【炎症】炎症yánzhèng ‖ ～を起こす 发炎 | ～を止める 消炎

えんじょう【炎上】(～する)烧起来shāoqilai; 燃烧ránshāo; 烧毁shāohuǐ

えん·じる【演じる】演yǎn; 扮演bànyǎn.(ある役柄になる)饰演shìyǎn.(しでかす)作出zuòchu ‖ 主役を～じる 演〔扮演〕主角 | 問題の解決に重要な役割を～じる 为解决问题发挥重要作用 | 人前で醜態を～じた 在众人面前出了丑

えんしん【遠心】✤一分離機:离心机；离心分离机 | 一力:离心力

えんじん【円陣】‖ ～を組む 围成一个圆圈

エンジン 引擎yǐnqíng; 发动机fādòngjī ‖ ～をかける〔切る〕 开〔关〕发动机 | このプロジェクトはやっと～がかかった 这个项目终于启动起来了 ✤一オイル:发动机润滑油 | 一キー:点火开关；打火钥匙 | 一ブレーキ:发动机制动 | 一ルーム:发动机室

えんすい【円錐】圆锥yuánzhuī

えんすい【塩水】盐水yánshuǐ ✤一湖:咸水湖；盐水湖

えんずい【延髄】延髓yánsuǐ

エンスト (～する)引擎熄火yǐnqíng xīhuǒ

えん·ずる【演ずる】⇨えんじる(演じる)

えんせい【遠征】(～する)远征yuǎnzhēng; 远行yuǎnxíng ✤一軍:远征军；(スポーツ)远征队 | 一試合:到远处参加的比赛

えんせい【厭世】厌世yànshì; 悲观bēiguān ✤一家:悲观主义者；厌世者 | 一観:厌世的人生观

えんせき【宴席】宴席yànxí; 酒席jiǔxí

えんせき【遠戚】远亲yuǎnqīn

えんぜつ【演説】(～する)演讲yǎnjiǎng

えんせん【沿線】〔条,段〕沿线yánxiàn ‖ 中央線～ 中央线沿线地区

えんそ【塩素】氯lǜ; 氯气lǜqì

えんそう【演奏】(～する)演奏yǎnzòu ✤一会:音乐演奏会；(個人の)独奏会

えんそく【遠足】郊游jiāoyóu; 远足yuǎnzú

エンターテイナー 艺人yìrén

エンターテインメント 娱乐(活动) yúlè (huódong).(演芸)曲艺qǔyì; 玩意儿wányìr

えんたい【延滞】(～する)拖欠tuōqiàn; 拖延支付tuōyán zhīfù ✤一金:滞交〔缴〕金

えんだい【遠大】远大yuǎndà ‖ ～な計画 远大的计划 | ～な志 远大的志向；雄心壮志

えんだい【演台】讲台jiǎngtái; 讲桌jiǎngzhuō

えんだい【演題】演讲题目yǎnjiǎng tímù

えんたく【円卓】圆桌yuánzhuō

えんだん【演壇】讲台jiǎngtái; 讲坛jiǎngtán

えんだん【縁談】婚事hūnshì; 亲事qīnshi ‖ ～がまとまる 婚事谈妥了 | ～が壊れる 亲事吹了 | ～がととのう 亲事说成

えんちゃく【延着】(～する)误点wùdiǎn; 晚点wǎndiǎn ‖ 郵便物の～ 邮件迟到

えんちゅう【円柱】圆柱yuánzhù

えんちょう【延長】(～する)延长yáncháng ‖ 期間が3日間～された 期限延长了三天 ✤一線:延长线 | 一戦:加时赛

えんちょう【園長】园长yuánzhǎng

えんつづき【縁続き】亲戚qīnqi; 沾亲zhānqīn

えんてい【園丁】园丁yuándīng

エンディング 结束jiéshù; 结尾jiéwěi

えんてん【炎天】‖ ～下で働く 在烈日下工作

えんとう【円筒】圆筒yuántǒng; 圆柱yuánzhù

えんどう【沿道】沿途yántú; 沿线yánxiàn

えんどう【豌豆】豌豆wāndòu

えんとつ【煙突】烟筒yāntong; 烟囱yāncōng ‖ ～のすすを払う 打扫烟筒

エントリー (～する)报名参赛bàomíng cānsài

えんにち【縁日】庙会miàohuì

えんねつ【炎熱】✤一地獄:炎热地狱

えんのう【延納】(～する)延迟缴纳yánchí jiǎonà; 缓期缴纳huǎnqī jiǎonà

えんのした【縁の下】‖ ～の力持ち 无名英雄

えんばん【円盤】圆盘yuánpán.(競技用の)铁饼tiěbǐng ‖ 空飛ぶ～ 飞碟

えんばんなげ【円盤投げ】铁饼tiěbǐng

えんビ【塩ビ】氯乙烯lǜyǐxī

えんぴつ【鉛筆】〔支,打〕铅笔qiānbǐ ‖ ～を削る 削铅笔 ✤一削り:削笔器 | 色一:彩色铅笔

えんびふく【燕尾服】〔件,套〕燕尾服yànwěifú

えんぶきょく【円舞曲】〔首,支〕圆舞曲yuánwǔqǔ; 华尔兹舞曲huá'ěrzī wǔqǔ

エンブレム 〔个,枚〕徽章huīzhāng

えんぶん【塩分】盐分yánfèn ‖ 食事の～を控える 控制饮食盐分

えんぼう【遠望】(～する)眺望tiàowàng

えんぽう【遠方】远方yuǎnfāng

えんま【閻魔】阎王Yánwang

えんまく【煙幕】烟幕yānmù ‖ ～を張る 放烟幕

えんまん【円満】圆满yuánmǎn; 美满měimǎn ‖ ～な家庭 美满的家庭 | 夫婦～ 夫妻恩爱

えんむすび【縁結び】结亲jiéqīn; 结婚jiéhūn; 联姻liányīn ‖ ～の神 月下老人；月老

えんめい【延命】延长寿命〔生命〕yáncháng shòumìng〔shēngmìng〕 ✤一策:延长寿命的方案 | 一治療:维持生命的治疗(法)

えんもく【演目】节目jiémù; 剧目jùmù; 曲目

え

qǔmù
えんゆうかい【園遊会】游园会yóuyuánhuì
えんよう【遠洋】❖一漁業:远洋渔业
えんりょ【遠慮】(～する)❶〔控えめにする〕客气kèqi‖どうぞご～なく 请随便;请不要客气|では～なく頂きます (食事のとき)那就不客气了;(贈り物などのとき)那就多谢了 ❷〔婉曲な禁止〕请勿… qǐng wù…;请不要… qǐng búyào…‖駐車ご～ください 请勿停车 ❸〔辞退する〕‖せっかくですが今回はご～させていただきます 感谢你的好意,但是这次实在抱歉,我去不了
えんろ【遠路】远道yuǎndào;远路yuǎnlù‖～はるばるご苦労さまでした 千里迢迢,辛苦了!

お

お【尾】〔条,根〕尾巴wěiba‖～を振る 摆尾巴|～を引く 影响长远
おあいそ【お愛想】❶〔お世辞〕奉承话fèngchenghuà;恭维话gōngweihuà‖～を言う 说恭维话 ❷〔勘定〕结账jiézhàng;算账suànzhàng
オアシス 绿洲lǜzhōu. 喻休息的地方xiūxi de dìfang‖都会の～ 都市的绿洲
おあずけ【お預け】❶〔延期〕暂时不zànshí bù ❷〔イヌに〕等着!děngzhe!;别吃!bié chī!
おい【老い】❶〔年をとった〕衰老shuāilǎo;上年纪shàng niánjì‖～と向き合う 面对衰老 ❷〔老人〕老年人lǎoniánrén;老人lǎoren‖～も若きも 老老少少
おい【甥】(兄弟の息子)侄子zhízi;侄儿zhír.(姉妹の息子)外甥wàisheng.(妻の)内侄nèizhí
おい 喂wèi;欸ēi;嘿hēi
おいあ・げる【追い上げる】赶上gǎnshang;追上zhuīshang
おいうち【追い打ち】‖～をかける 追击|これ以上あの人に～をかけるのはよせ 不要再为难人家了
おいおい【追い追い】逐渐zhújiàn;渐渐jiànjiàn;慢慢儿mànmānr
おいかえ・す【追い返す】赶回去gǎnhuiqu;打发dǎfa;赶走gǎnzǒu
おいか・ける【追いかける】追赶zhuīgǎn;追上zhuīshang‖ネコがネズミを～ける 猫追老鼠|世界制覇の夢を～ける 追求着征服世界的梦想
おいかぜ【追い風】顺风shùnfēng
おいこし【追い越し】❖一禁止:禁止超车|一車線:超车道;快车道
おいこ・す【追い越す】超过chāoguò;胜过shèngguo‖母の背丈を～す 个头超过妈妈了
おいこみ【追い込み】最后冲刺zuìhòu chōngcì;最后阶段zuìhòu jiēduàn;最后努力zuìhòu nǔlì‖最後の～をかける 作最后的冲刺
おいこ・む【追い込む】赶进gǎnjin;逼bī‖ニワトリを小屋へ～む 把鸡赶进窝里|窮地に～む 逼入困境
おいさき【老い先】晚年wǎnnián;余生yúshēng‖～短い 定风烛残年
おいし・い【美味しい】❶〔味が〕好吃hǎochī;香xiāng;味道好wèidao hǎo.(飲み物が)好喝hǎohē ❷〔利益のある〕有利益yǒu lìyì;有利润yǒu lìrùn;有甜头yǒu tiántou‖～い話には裏がある 甜言蜜语的背后有文章
オイスター ❖一ソース:蚝油
おいだ・す【追い出す】❶〔その場所から〕赶走gǎnzǒu;撵出niǎnchu;轰出hōngchu ❷〔団体・組織から〕清除qīngchú;开除kāichú
おいたち【生い立ち】成长史chéngzhǎngshǐ;成长过程chéngzhǎng guòchéng;经历jīnglì
おいた・てる【追い立てる】赶走gǎnzǒu;撵走niǎnzǒu
おいつ・く【追い付く】追上zhuīshang;赶上gǎnshang‖生産が～かない 来不及生产
おいつ・める【追い詰める】逼bī;追逼zhuībī
おいてきぼり【置いてきぼり】‖～を食う 被抛下不管
おいぬ・く【追い抜く】超过chāoguò;超越chāoyuè
おいはら・う【追い払う】撵开niǎnkāi;轰走hōngzǒu;赶走gǎnzǒu
おいぼれ【老い耄れ】老东西lǎo dōngxi;老糊涂lǎo hútu.(自分の謙称)老朽lǎoxiǔ‖～扱いするな 你别以为我老糊涂了
おいまわ・す【追い回す】纠缠jiūchán;缠着chánzhe;缠绕chánrào‖家事に～される 被家务缠得脱不开身
おいめ【負い目】负疚fùjiù;内疚nèijiù;歉疚qiànjiù‖～がある 心存内疚
おいもと・める【追い求める】追求zhuīqiú‖理想を～める 追求理想
おいや・る【追いやる】赶走gǎnzǒu;撵走niǎnzǒu;逼到bīdào‖死に～る 逼上绝路
お・いる【老いる】老lǎo;上年纪shàng niánjì
オイル 油yóu;石油shíyóu ❖一サーディン:油浸沙丁鱼|一ショック:石油冲击|一タンカー:油轮;油船|一タンク:油箱;油罐;油库;油池
おう【王】❶〔国王〕国王guówáng;帝王dìwáng ❷〔第一人者〕巨头jùtóu;巨子jùzǐ;一把手yī bǎ shǒu
お・う【負う】❶〔背負う〕背bēi;背负bēifù ❷〔引き受ける〕负责fùzé;担负dānfù;承担chéngdān‖責任を～う 负责任 ❸〔傷つく〕受伤shòushāng;负伤fùshāng‖重傷を～う 身负重伤 ❹〔おかげをこうむる〕多亏duōkuī;有赖yǒulài‖戦後の目覚ましい復興は国民の勤勉に～うところが多い 战后惊人的复兴是多亏了国民的勤劳
お・う【追う】❶〔追いかける〕追zhuī;追赶zhuīgǎn‖～いつ～われつ 你追我赶|流行を～う 赶时髦 ❷〔追い払う〕驱逐qūzhú;赶走gǎnzǒu‖職を～われる 被开除;被撤职|郷里を～われる 被赶出家乡 ❸〔急がされる〕迫pò;急迫jípò;忙于mángyú‖時間に～われる 时间所迫|仕事に～われる 工作缠身|雑用に～われる 忙于杂务 ❹

〔追求する〕追求zhuīqiú；寻找xúnzhǎo‖目先の利益ばかり～っている 光追求眼前的利益 ❺〔家畜を追う〕赶gǎn ❻〔順に進む〕按序àn xù；随着suízhe‖順を～って話す 按顺序说｜日を～って 逐日

おうい【王位】王位wángwèi‖～を譲る 让出王位｜～につく 继承王位 ✤一継承権：王位继承权

おういん【押印】(～する)盖章gài zhāng；盖印gài yìn

おうえん【応援】(～する)❶〔支える〕援助yuánzhù；声援shēngyuán；支持zhīchí；帮助bāngzhù ❷〔声をかけて励ます〕助威zhùwēi；加油jiāyóu ✤一演説：声援演说｜一歌：声援歌曲｜一席：声援席位｜一団：拉拉队

おうおう【往往】‖～にして 常常；往往

おうか【謳歌】(～する)享受xiǎngshòu

おうかくまく【横隔膜】横膈膜hénggémó

おうかん【王冠】王冠wángguān；皇冠huángguān.(瓶の)瓶盖儿pínggàir

おうぎ【扇】〔把〕扇子shànzi

おうぎ【奥義】❶〔本質〕精华jīnghuá；核心héxīn ❷〔秘けつ〕秘诀mìjué；奥秘àomì

おうきゅう【応急】✤一処置〔措置〕：应急措施｜一手当：急救措施‖～をする 进行急救

おうこう【横行】(～する)横行héngxíng；霸道bàdào‖悪徳商法が～する 缺德的经商手段到处泛滥

おうこく【王国】王国wángguó

おうごん【黄金】❶〔金・こがね〕黄金huángjīn ❷〔貴重な〕宝贵的bǎoguì de；绝好的jué hǎo de；无价的wú jià de‖～の80年代 繁荣昌荣的80年代 ✤一時代：黄金时代｜一分割：黄金分割

おうざ【王座】❶〔王位〕王位wángwèi；宝座bǎozuò‖～につく 登上王位 ❷〔第一人者の地位〕冠军guànjūn；首位shǒuwèi‖～を争う 争夺冠军｜～を奪回する 夺回冠军

おうし【雄牛】公牛gōngniú

おうじ【往時】往昔wǎngxī；过去guòqù‖～をしのぶ 回忆过去

おうしざ【牡牛座】金牛座jīnniúzuò

おうじゃ【王者】帝王dìwáng.(第一人者)一把手yī bǎ shǒu；冠军guànjūn

おうしゅう【応酬】(～する)交换jiāohuàn；反驳fǎnbó；还击huánjī‖やじの～ 互相嘲讽

おうしゅう【押収】(～する)扣押kòuyā；没收mòshōu‖銃を～する 没收枪支

おうしゅう【欧州】欧洲Ōuzhōu ✤一連合：欧洲联盟；欧盟

おうじょう【往生】(～する)❶〔死ぬ〕死sǐ；撒手人世sāshǒu rénshì ❷〔あきらめる〕死心sǐxīn ❸〔困る〕为难wéinán；没有办法méiyou bànfǎ ✤一ぎわ：(死に際)临终；(あきらめ)断念时‖～が悪い 不干脆；不爽快

おうしょく【黄色】✤一人種：黄种人

おう・じる【応じる】❶〔こたえる〕接受jiēshòu；答应dāying；响应xiǎngyìng‖要求に～じる 答应要求｜募集に～じる 应募｜招きに～じる 应邀｜相談に～じる 提供咨询 ❷〔見合う〕符合fúhé；按照ànzhào‖必要に～じて支給する 按需支付

おうしん【往診】(～する)出诊chūzhěn

おうせい【旺盛】旺盛wàngshèng‖知識欲が～だ 求知欲很强

おうせつ【応接】✤一係：接待员｜一室：(会社などの)接待室｜一間：(家庭の)客厅

おうせん【応戦】(～する)应战yìngzhàn；迎战yíngzhàn

おうだ【殴打】(～する)打dǎ；殴打ōudǎ；揍zòu

おうたい【応対】(～する)(人に)应酬yìngchou；接待jiēdài.(物事に)应付yìngfu；应对yìngduì‖電話の～がうまい 接电话应对自如｜そつのない～ 周到的接待

おうだん【黄疸】黄疸huángdǎn

おうだん【横断】(～する)横过héngguò；横渡héngdù；横穿héngchuān ✤一歩道：人行横道｜一幕：巨幅横标；横幅

おうちゃく【横着】(～する)偷懒tōulǎn；懒散lǎnsǎn；懒惰lǎnduò ✤一者：懒汉

おうちょう【王朝】王朝wángcháo

おうて【王手】将军jiāngjūn；将(…的)军jiāng(… de) jūn‖～！ 将你一军！｜優勝に～をかける 差一步就能得冠了

おうてん【横転】(～する)翻(车) fān(chē)；翻(船) fān(chuán)

おうと【嘔吐】(～する)呕吐ǒutù；吐tù

おうどいろ【黄土色】土黄色tǔhuángsè

おうとう【応答】(～する)回答huídá；答应dāying；应答yìngdá‖～がない 没有应答

おうとう【黄桃】黄桃huángtáo

おうどう【王道】王道wángdào.(近道)捷径jiéjìng‖学問に～なし 学无捷径；学问无近路

おうとつ【凹凸】凹凸āotū

おうなつ【押捺】(～する)(印鑑を)盖(章) gài (zhāng).(指紋を)按(手印) àn (shǒuyìn)

おうねん【往年】往年wǎngnián；早年zǎonián；往日wǎngrì‖～の大女優 当年的著名女影星

おうひ【王妃】王妃wángfēi；王后wánghòu

おうふう【欧風】欧洲风格Ōuzhōu fēnggé

おうふく【往復】(～する)往返wǎngfǎn；来回láihuí ✤一運賃：往返票价｜一切符：往返票｜一はがき：往复明信片

おうぶん【欧文】西文Xīwén；欧文Ōuwén

おうへい【横柄】傲慢àomàn；高傲gāo'ào；㊎盛气凌人shèng qì líng rén‖～な口をきく 说话口气傲慢

おうべい【欧米】欧美Ōu-Měi ✤一諸国：欧美诸国〔各国〕｜一人：欧美人

おうぼ【応募】(～する)应征yìngzhēng；应募yìngmù；应招yìngzhāo；报名bàomíng ✤一者：报名者；申请者；应征者

おうぼう【横暴】专横zhuānhèng；蛮横mánhèng

おうむ【鸚鵡】〔只，个〕鹦鹉yīngwǔ ✤一返し：鹦鹉学舌‖～に言う 鹦鹉学舌似的说

おうよう【応用】(～する)应用yìngyòng‖この理論は広く～がきく 这个理论应用面很广

おうよう【鷹揚】大方dàfang；㊎落落大方luò luò dà fāng；从容不迫cóngróng bú pò

おうらい【往来】❶(～する)〔通行する〕来往

láiwǎng；通行tōngxíng‖車の～が少ない 车辆来往不多｜人の～が多い 来往行人很多 ❷〔通り〕大街dàjiē；马路mǎlù

おうりょう【横領】（～する）贪污tānwū‖公金を～する 贪污公款

おうレンズ【凹レンズ】〔面〕凹透镜āotòujìng

おうろ【往路】往程wǎngchéng；去时的路qù shí de lù

おえつ【嗚咽】（～する）呜咽wūyè

お・える【終える】结束jiéshù；完成wánchéng‖読み～える 看完

おお ❶〔驚きや感動〕哎呀āiyā；哟yō ❷〔合点や納得〕噢ō；哦ò

おおあじ【大味】❶〔食べ物が〕缺乏风味quēfá fēngwèi；味道一般wèidao yìbān ❷〔物事が〕缺乏趣味quēfá qùwèi；乏味fáwèi

おおあたり【大当たり】❶〔宝くじなどが〕中(彩) zhòng (cǎi)；中(奖) zhòng(jiǎng) ❷〔興行などが〕大获成功dà huò chénggōng

おおあな【大穴】❶〔穴〕大洞dàdòng；大窟窿dà kūlong ❷〔損失〕严重损失yánzhòng sǔnshī；大亏损dà kuīsǔn‖～をあける 造成很大亏损 ❸〔番狂わせ〕冷门儿lěngménr‖～を当てる 压中冷门儿

おおあめ【大雨】大雨dàyǔ ❖―注意報〔警報〕:大雨警报

おおあれ【大荒れ】❶〔嵐(あらし)〕定暴风骤雨bào fēng zhòu yǔ‖海は～だ 海上波涛汹涌 ❷〔混乱〕大乱特乱dà luàn tè luàn；起风波qǐ fēngbō

おお・い【多い】多duō‖人が～い 人很多｜気が～い 不专一｜雨が～い 经常下雨

おおい【覆い】罩子zhàozi；套子tàozi‖～をかける 罩上罩子｜～をとり外す 把外罩拿下来

おおい（呼び声）喂！wèi!；哎！āi!

オー イー シー ディー【OECD】经济合作与发展组织Jīngjì Hézuò yǔ Fāzhǎn Zǔzhī

おおいかく・す【覆い隠す】❶〔見えないようにする〕遮住zhēzhu；遮盖zhēgài；遮掩zhēyǎn ❷〔秘密にする〕掩盖yǎngài；隐瞒yǐnmán‖真実を～す 掩盖事实真相

おおいかぶさ・る【覆い被さる】遮zhē；盖gài

おおいかぶ・せる【覆い被せる】盖上gàishang

オーいちごうなな【O－157】大肠杆菌O－157 dàcháng gǎnjūn O－yīwǔqī

おおいに【大いに】非常fēicháng‖～喜ぶ 非常高兴｜～上達する 进步很大｜～飲む 大喝一场

おおいばり【大威張り】定大摇大摆dà yáo dà bǎi；得意洋洋déyì yángyáng

おおいり【大入り】满座mǎnzuò ❖―袋:红包；奖励金｜―満員:满座；客满

おお・う【覆う】覆盖fùgài‖山の頂は雪に～われている 山顶上覆盖着白雪｜空は黒雲に～われている 天空笼罩着乌云

おおうなばら【大海原】大海dàhǎi；大洋dàyáng

おおうりだし【大売り出し】廉价抛售liánjià pāoshòu；大甩卖dà shuǎimài

オーエーきき【OA機器】办公自动化设备bàngōng zìdònghuà shèbèi

オー エッチ ピー【OHP】投影机tóuyǐngjī

オー エル【OL】白领女士báilǐng nǚshì；(公司)女职员(gōngsī) nǚ zhíyuán

おおおじ【大伯父・大叔父】（父方の）伯祖bózǔ；叔祖shūzǔ.（母方の）外祖父的兄弟wàizǔfù de xiōngdì

おおおば【大伯母・大叔母】（父方の）伯祖母bózǔmǔ；叔祖母shūzǔmǔ.（母方の）外祖父的姐妹wàizǔfù de jiěmèi

おおがかり【大掛かり】大规模dà guīmó

おおかた【大方】❶〔世間一般〕一般人yìbānrén；大家dàjiā‖～の予想にたがわず〔反して〕不出〔出乎〕人们所料 ❷〔ほとんど〕基本上jīběn shang；大体上dàtǐ shang；大部分dà bùfen ❸〔たぶん〕大概dàgài

おおがた【大形・大型】大型dàxíng ❖―新人:有名的新秀｜―台風:强台风｜―バス:大型客车｜―冷蔵庫:大型电冰箱

オーがた【O型】（血液型）O型 O xíng‖～の血液 O型血

オーガニック 有机栽培(农产品) yǒujī zāipéi (nóngchǎnpǐn) ❖―食品:有机食品

おおかみ【狼】狼láng

おおがら【大柄】❶〔体格〕身材高大shēncái gāodà；个儿大gèr dà ❷〔模様・柄〕大花纹dà huāwén；大格纹dà géwén

おおかれすくなかれ【多かれ少なかれ】或多或少huò duō huò shǎo；多少duōshǎo

おおき・い【大きい】大dà‖サイズが～すぎる 尺寸太大｜問題が～くなる 问题闹大了｜人間が～い 大度｜～な顔をする 摆架子｜～なお世話 多管闲事

おおきさ【大きさ】大小dàxiǎo；尺寸chǐcun‖手ごろな～ 大小正好

オーきゃく【O脚】O型腿 O xíng tuǐ

おおく【多く】多数duōshù；大部分dà bùfen；大多dàduō‖～を語らない 没多说什么

おおぐい【大食い】很能吃(的人) hěn néng chī (de rén)；饭桶fàntǒng‖痩(や)せの～ 干吃不胖

オークション 拍卖pāimài‖ネットの～に出す 在网上拍卖会

おおぐち【大口】❶〔口〕〔张〕大嘴dàzuǐ‖～をあけて笑う 张着大嘴笑 ❷〔強がり〕〔口,堆〕大话dàhuà‖～をたたく 说大话 ❸〔取引〕大笔dàbǐ‖～の寄付をする 捐一大笔钱｜～の注文をとる 拿到大批订货｜～の販路 大宗销路

オー ケー【OK】❶〔だいじょうぶ〕没问题méi wèntí ❷（～する）〔同意・許可〕同意tóngyì；承诺chéngnuò

おおげさ【大袈裟】夸张kuāzhāng‖～に話す 添枝加叶地说｜～に書きたてる 写得言过其实

オーケストラ（管弦楽）管弦乐guǎnxiányuè.（管弦楽団）管弦乐队guǎnxiányuèduì

おおごえ【大声】大声dàshēng‖～で叫ぶ 大声喊｜～でわめく 叫唤

おおごしょ【大御所】泰斗tàidǒu

おおごと【大事】严重的问题yánzhòng de wèntí；大事dàshì‖このままいくと～になる 这样下去会惹出大事

おおざけ【大酒】‖～を飲む 豪饮 ✤ 一飲み:酒中豪杰；酒鬼
おおさじ【大匙】(計量スプーンの)大匙dàchí‖砂糖を～3杯加える 加三大匙砂糖
おおざっぱ【大雑把】大致dàzhì；大体dàtǐ；大概dàgài‖～な性格 性格太毛糙
おおさわぎ【大騒ぎ】(～する)闹得沸沸扬扬nàode fèifèiyángyáng；闹得满城风雨nàode mǎn chéng fēng yǔ
オー シー アール【OCR】OCR(光学字符阅读器) OCR (guāngxué zìfú yuèdúqì)
おおしお【大潮】大潮dàcháo
おおすじ【大筋】梗概gěnggài‖～で認める 大体上承认
オーストラリア 澳大利亚Àodàlìyà；澳洲Àozhōu
オーストリア 奥地利Àodìlì
おおぜい【大勢】很多(人) hěn duō (rén)；众多(的人) zhòngduō (de rén)‖～の前で話す 在大庭广众面前讲话
おおそうじ【大掃除】(～する)大扫除dà sǎochú‖年に2度～する 每年进行两次大扫除
オーソドックス 正统zhèngtǒng；传统chuántǒng.(定石どおりの)常规chángguī
おおぞら【大空】〔个,片〕天空tiānkōng
オーソリティー 权威quánwēi；大家dàjiā
オーダー ❶(～する)〔注文〕订货dìnghuò；订购dìnggòu.(飲食物の)点(菜) diǎn (cài) ❷〔順序〕顺序shùnxù；次序cìxù ✤ 一メード:订做；订制
おおだい【大台】大关dàguān‖株価は800円の～に乗った 股票价格涨到800日元大关｜50歳の～に乗った 步入了50岁大关
おおだてもの【大立て者】巨头jùtóu；巨子jùzǐ；大人物dàrénwù；台柱táizhù
おおちがい【大違い】相差甚远xiāngchà shèn yuǎn；㊜大相径庭dà xiāng jìng tíng；㊜天壤之别tiān rǎng zhī bié‖見ると聞くとは～だった 耳闻与目睹相差甚远
おおっぴら【大っぴら】❶〔あからさま〕公然gōngrán；公开gōngkāi；明白míngbai.(隠すことなく)不隐瞒bù yǐnmán‖～には言えない 不敢公开说 ❷〔知られる〕‖真相が～になる 真相大白
おおつぶ【大粒】大颗dàkē；大滴dàdī；大粒dàlì‖～の涙をこぼす 眼泪大颗大颗地往下流
おおづめ【大詰め】尾声wěishēng；结尾jiéwěi；最后阶段zuìhòu jiēduàn‖～を迎える 接近〔临近〕尾声｜～に入る 进入尾期〔最后阶段〕
おおて【大手】〔个,家〕大公司dà gōngsī；大企业dà qǐyè‖業界最～ 同行业中最大｜～メーカー 大厂商
おおで【大手】‖～を振って 大摇大摆地｜～を広げて立ちはだかる 张开双臂挡路
オー ディー エー【ODA】政府开发援助zhèngfǔ kāifā yuánzhù
オーディオ ❶〔音響装置〕〔套〕音响装置〔器材；机器〕yīnxiǎng zhuāngzhì〔qìcái;jīqì〕❷〔テレビ・ラジオなどの〕声音〔音响〕部分shēngyīn〔yīnxiǎng〕bùfen ✤ 一マニア:音响爱好者〔发烧友〕
オーディション ❶〔実技テスト〕试镜shìjìng.(歌手の)试唱shìchàng.(俳優の)试演shìyǎn；试戏shìxì‖～を受ける 参加试镜 ❷〔試作番組の〕试听shìtīng；试看shìkàn
オーデコロン〔瓶,滴〕花露水huālùshuǐ；科隆香水kēlóng xiāngshuǐ
オート ❶〔自動の〕自动zìdòng；机动jīdòng ❷〔自動車〕汽车qìchē；机动车jīdòngchē ✤ 一キャンプ:汽车露营｜一フォーカス:自动对焦；(カメラ)傻瓜(照)相机；自动对焦(照)相机｜一レース:赛车｜一ロック:自动锁‖～式ドア 自锁门
おおどうぐ【大道具】大道具dà dàojù.(セット)布景bùjǐng.(係)(舞台)布景员(wǔtái) bùjǐngyuán
おおどおり【大通り】马路mǎlù；大路dàlù.(繁華街)大街dàjiē
オート クチュール 高级时装店gāojí shízhuāngdiàn
オートバイ〔辆〕摩托车mótuōchē
オードブル 拼盘pīnpán；冷盘lěngpán；凉菜liángcài；小吃xiǎochī
オートマチック ❶〔車〕自动变速装置zìdòng biànsù zhuāngzhì；自动排挡zìdòng páidǎng ❷〔拳銃〕自动手枪zìdòng shǒuqiāng.(自動小銃)自动步枪zìdòng bùqiāng ❸〔自動的〕自动zìdòng；机动jīdòng ✤ 一車:自动挡车
オートメーション 自动化zìdònghuà.(自動制御)自动操作〔控制〕zìdòng cāozuò〔kòngzhì〕
オーナー 所有者suǒyǒuzhě.(会社・商店の)业主yèzhǔ；经营者jīngyíngzhě.(ビル・マンションの)房东fángdōng.(船舶の)船主chuánzhǔ ✤ 一シェフ:自己经营餐厅的厨师
おおなみ【大波】波涛bōtāo；巨浪jùlàng；大浪dàlàng
オーバー ❶(～する)〔越える〕超出chāochū；超过chāoguò；越过yuèguò ❷〔大げさ〕夸大kuādà；夸张kuāzhāng ❸〔コート〕大衣dàyī；外衣wàiyī
オーバーオール ❶〔胸当てつきズボン〕〔条〕连衣裤(工作服) liányīkù (gōngzuòfú)；背带裤bēidàikù ❷〔上っぱり〕罩衣zhàoyī
オーバーヒート(～する)过热guòrè‖エンジンが～した 发动机过热了
オーバーラップ(～する)重叠chóngdié
オーバーワーク(～する)过劳guòláo；工作〔操劳〕过度gōngzuò〔cāoláo〕guòdù
おおはば【大幅】大幅度dà fúdù；颇大pō dà；大规模dà guīmó‖～な減税 大幅度减税｜～な人員整理を行う 大量裁减人员｜事故で電車が～に遅れた 因为事故,电车严重晚点
おおばん【大判】大型dàxíng.(紙)大张纸dàzhāngzhǐ.(本)大开本dà kāiběn
おおばんぶるまい【大盤振る舞い】(～する)大宴宾客dà yàn bīnkè；大摆宴席dà bǎi yànxí
オー ビー【OB】校友xiàoyǒu；毕业生bìyèshēng.(会社の)退职人员tuìzhí rényuán
おおひろま【大広間】大厅dàtīng.(宴会場)宴会厅yànhuìtīng
オープニング(開始)开始kāishǐ；开头kāitóu.(開幕・開演)开幕kāimù；开场kāichǎng；开演

kāiyǎn．（開業）开业kāiyè；开张kāizhāng ❖ 一ゲーム:开幕战｜一セレモニー:开幕式｜一ナンバー:开场曲目

おおぶり【大降り】（雨〔雪〕）下得大（yǔ〔xuě〕）xiàde dà ‖ 雨が〜になってきた 雨下得大起来了

おおぶろしき【大風呂敷】❶〔ふろしき〕大包袱皮dà bāofupí ❷〔大言〕吹牛chuīniú；说大话shuō dàhuà；吹嘘chuīxū ‖ 〜を広げる 说大话；吹嘘

オーブン 烤箱kǎoxiāng；烤炉kǎolú ❖ 一トースター:烤面包机｜一レンジ:带烧烤功能的微波炉

オープン ❶（〜する）〔開く〕（開業）开业kāiyè；开张kāizhāng．（営業開始）开始营业kāishǐ yíngyè；开门kāimén ❷〔開放的な〕公开gōngkāi．（隠し立てのない）不隐瞒bù yǐnmán．（率直な）直率zhíshuài；坦率tǎnshuài ‖ 税金の使い道はすべて〜にすべきだ 税金的用途应该完全公开｜〜な人 坦率的人

オープン カー〔辆〕敞篷车chǎngpéngchē

オープンカフェ〔个,家〕露天咖啡店〔咖啡馆〕lùtiān kāfēidiàn〔kāfēiguǎn〕

オープン カレッジ 大学公开讲座dàxué gōngkāi jiǎngzuò

おおべや【大部屋】❶〔大きい部屋〕大房间dà fángjiān．（病院の）大病房dà bìngfáng ❷〔楽屋〕配角演员休息室pèijué yǎnyuán xiūxishì．（俳優）配角演员pèijué yǎnyuán

オーボエ〔根,支〕双簧管shuānghuángguǎn

おおまか【大まか】❶〔大体の〕粗略cūlüè；笼统lǒngtǒng；大致dàzhì．（大づかみ）扼要èyào ‖ 〜な計画を立てる 制定大致的计划 ❷〔大ざっぱ〕（いいかげん）草率cǎoshuài；粗率cūshuài

おおまた【大股】大步dàbù ‖ 〜で歩く （迈）大步走；阔步

おおまちがい【大間違い】大错dàcuò；严重错误yánzhòng cuòwù ‖ 〜をしでかす 弄出大错；犯下严重错误｜何でも自分の思いどおりになると思ったら〜だ 事事都要随心所欲,这样想是大错而特错的

おおみえ【大見得】‖ 〜を切る 信心十足地表示说；拍着胸脯说

おおみそか【大晦日】除夕chúxī；大年〔腊月〕三十dànián〔làyuè〕sānshí

おおむかし【大昔】远古yuǎngǔ；太古tàigǔ

おおむぎ【大麦】大麦dàmài

おおむこう【大向こう】‖ 〜をうならせる 博得满场的喝采；受到群众的欢迎

おおむね【概ね】大致dàzhì；大体dàtǐ；基本上jīběnshang ‖ 〜完了した 大体上完成了

おおめ【大目】‖ 〜に見る 原谅；饶过

おおめ【多目】多一点儿〔一些〕duō yìdiǎnr〔yìxiē〕；稍多些*shāo duō xiē*

おおもうけ【大儲け】（〜する）赚大钱zhuàn dàqián；获大利huò dàlì ‖ 〜をたくらむ 想发大财

おおもじ【大文字】大写（字母）dàxiě（zìmǔ）

おおもの【大物】大人物dàrénwù；要人yàorén

おおもり【大盛り】盛得满满chéngde mǎnmǎn

おおや【大家·大屋】房东fángdōng；房主fángzhǔ

おおやけ【公】❶〔国·官公庁〕公家gōngjia．（国家）国家guójiā．（政府）政府zhèngfǔ．（官庁）政府机关zhèngfǔ jīguān；官厅guāntīng ‖ 〜の機関 政府机关 ❷〔公共〕公共gōnggòng ‖ 〜のものを私物化する 定 化公为私 ❸〔表ざた〕公开gōngkāi ‖ 〜にする 定 公之于世｜情報を〜にする 公开信息

おおやすうり【大安売り】（〜する）大甩卖dà shuǎimài；大减价dà jiǎn jià

おおゆき【大雪】大雪dàxuě ❖ 一注意報〔警報〕:大雪预报〔警报〕

おおよう【大様】大方dàfang；定 宽宏大量kuān hóng dà liàng

おおよそ ❶〔大要〕纲要gāngyào；大要dàyào ‖ 計画の〜を説明する 说明规划的纲要 ❷〔だいたい〕大致dàzhì；基本上jīběnshang．（ほぼ）大约dàyuē ‖ 両者の見解は〜一致した 两者的意见大体上一致

オーライ（よろしい）好hǎo；可以kěyǐ；行xíng．（さしつかえない）没关系méi guānxi ‖ 発車〜 可以开车了

おおらか【大らか】大方dàfang；（心胸）开阔（xīnxiōng）kāikuò；定 宽宏大量kuān hóng dà liàng；豁达大度huòdá dàdù

オールスター ❖ 一キャスト:明星联合演出｜一戦:全明星赛；名手赛

オールナイト 通宵tōngxiāo；终夜zhōngyè．（終夜営業）通宵营业tōngxiāo yíngyè

オールラウンド 全能quánnéng；万能wànnéng

オーロラ 极光jíguāng

おおわらい【大笑い】（〜する）（哈哈）大笑（hāhā）dàxiào

おおわらわ【大童】拼命〔一心〕努力pīnmìng〔yìxīn〕nǔlì．（大忙し）忙得不可开交mángde bùkě kāijiāo

おかあさん【お母さん】母亲mǔqin；妈妈māma

おかえし【お返し】❶〔返礼〕回礼huílǐ；还礼huánlǐ．（もの）回礼huílǐ ❷〔報復〕报复bàofu

おかかえ【お抱え】私人雇佣（的）sīrén gùyōng（de）‖ 〜の運転手 自己雇佣的司机｜〜の医師 私人医生

おがくず【大鋸屑】锯末jùmò；锯屑jùxiè

おかげ【お陰】❶〔力添え〕帮助bāngzhù．（加護）保佑bǎoyòu ‖ みなさんの〜で 承蒙大家的帮助｜〜さまで 托您的福；多亏了您 ❷〔…のために〕因为yīnwei；由于yóuyú．（幸いにも）多亏duōkuī；幸亏xìngkuī ‖ きみの〜でまたしかられたよ 都怪你〔因为你〕我又挨了一顿批评｜傘を持っていた〜で濡れずに済んだ 幸亏带了雨伞,才没被雨淋着

おかし·い ❶〔面白い〕可笑kěxiào；好笑hǎoxiào；滑稽huáji．（ユーモラスな）幽默yōumò；风趣fēngqù ‖ はしが転んでも〜い年頃 对一点儿小事也感到可笑的年龄 ❷〔奇異な〕奇怪qíguài；奇妙qímiào．（異常な）反常fǎncháng；失常shīcháng；不同寻常bù tóng xúncháng．（いぶかしい）可疑kěyí ‖ 〜な格好 奇装异服

おか·す【犯す】❶〔法律·規則などを〕犯fàn；违犯wéifàn ‖ 罪を〜す 犯罪｜法を〜す 犯法 ❷〔女性を〕强奸qiángjiān；奸污jiānwū

おか・す【侵す】❶〔侵入する〕侵犯qīnfàn；侵入qīnrù‖国土を～す 侵犯领土 ❷〔侵害する〕侵犯qīnfàn；侵害qīnhài‖～すべからざる権利 不可侵犯的权利
おか・す【冒す】❶〔危険・困難を〕冒mào‖リスクを～す 冒风险｜生命の危険を～す 冒生命危险 ❷〔害する〕损害sǔnhài.〔むしばむ〕侵蚀qīnshí；腐蚀fǔshí‖病魔に～される 病魔缠身
おかず〔桌，盘〕菜cài；菜肴càiyáo；〔碟，盘〕小菜xiǎocài‖今晩の～は何ですか 今晚吃什么菜？
おかっぱ【お河童】娃娃头wáwatóu
おかま【お釜】男性同性恋者nánxìng tóngxìngliànzhě；男同志nán tóngzhì；男身女相的人nánshēn nǚxiàng de rén
おかみ【女将】女老板nǚ lǎobǎn；老板娘lǎobǎnniáng；女主人nǚzhǔren
おが・む【拝む】❶〔礼拝する〕礼拜lǐbài；合掌祈祷hé zhǎng qídǎo‖初日の出を～む 元旦看日出 ❷〔拝見する〕看kàn；观赏guānshǎng
おかめはちもく【傍目八目】㊢旁观者清páng guān zhě qīng
オカルト 鬼怪现象guǐguài xiànxiàng；怪异guàiyì ✤―映画：鬼怪电影
おかわり【お代わり】再来一杯〔碗〕zài lái yì bēi〔wǎn〕‖ご飯の～ 再来一碗饭
おかん【悪寒】（高烧引起的）发冷（gāoshāo yǐnqǐ de）fā lěng‖～がする 发寒热
おかん【お燗】（～する）烫酒tàngjiǔ；温酒wēn jiǔ
おき【沖】‖2キロ～に小島がある 离海岸二公里的海面上有小岛
-おき【置き】（每）隔（měi）gé‖電車は5分～に出ます 电车每隔五分钟发一辆
おぎ【荻】荻dí
おきあい【沖合い】‖高知県の～ 高知县附近的海域 ✤―漁業：近海渔业
おきあがりこぼし【起き上がり小法師】不倒翁bùdǎowēng
おきあが・る【起き上がる】爬起来páqilai；站起来zhànqilai；坐起来zuòqilai‖子どもは転んだがすぐ～った 那个孩子摔倒了，可立刻站了起来
おきか・える【置き換える・置き替える】❶〔位置を〕换位置huàn wèizhi；移到yídào ❷〔別のものに〕替换tìhuan；置换zhìhuan
おきがさ【置き傘】备用伞bèiyòngsǎn
おきざり【置き去り】‖～にする 扔下（不管）；抛下（不管）
オキシダント 氧化剂yǎnghuàjì
オキシドール 双氧水shuāngyǎngshuǐ；过氧化氢溶液guòyǎnghuàqīng róngyè
おきて【掟】法令fǎlìng；规定guīdìng；规矩guīju‖～を破る 破规矩
おきてがみ【置き手紙】留条儿liú tiáor；留信liú xìn
おきどけい【置き時計】〔台，个〕座钟zuòzhōng
おぎな・う【補う】补充bǔchōng；弥补míbǔ；补足bǔzú
おきにいり【お気に入り】❶〔好きな人・もの〕喜欢的人〔东西〕xǐhuan de rén〔dōngxi〕‖先生の～（老师的）得意门生 ❷〔コンピューター〕（个人）收藏夹（gèrén）shōucángjiā‖～に追加する 添加到收藏夹里
おきみやげ【置き土産】留下的纪念品liúxia de jìniànpǐn
おきもの【置物】〔个，件〕装饰品zhuāngshìpǐn；摆设bǎishe
お・きる【起きる】❶〔起床する・目を覚ます〕起床qǐchuáng；起来qǐlai；醒xǐng‖私は毎朝5時に～きる 我每天早上5点起床 ❷〔眠らないでいる〕不睡觉bú shuìjiào‖一晩中～きている 一夜不睡 ❸〔起きあがる〕站起来zhànqilai；坐起来zuòqilai；爬起来páqilai ❹〔発生する〕发生fāshēng‖いったい何が～きたんだ 到底发生了什么事情？
おく【奥】里边lǐbian；里面lǐmiàn；深处shēnchù‖～に通す 到里边去｜引き出しのいちばん～ 抽屉的最里边｜心の～を探る 揣度内心｜～が深い 里面大有学问
お・く【置く・措く】❶〔物を〕放fàng‖棚の上に～く 放在柜子里 ❷〔残しておく〕留下liúxia；把…留在bǎ … liúzai‖家族を郷里に～いて東京に出る 把家人留在家乡，一个人去东京 ❸〔ある状態にする〕处于chǔyú‖困難な状況に～かれる 处于困难的境地｜言うとおりにしないとただじゃ～かないぞ 你要不听话，可没好果子吃 ❹〔設置する〕设shè；设立shèlì；设置shèzhì‖全国主要都市に支店を～く 在全国各主要城市设立分公司 ❺〔位置づける〕放fàng；设定shèdìng‖…に重点を～く 把重点放在…上｜目標を…に～く 将目标设定为… ❻〔配置する〕配置pèizhì；配备pèibèi‖出入り口に警備員を～く 在大门口配备保安人员 ❼〔隔てる〕隔gé‖3日～いて 隔三天 ❽〔やめにする〕放fàng；搁gē；搁置gēzhì‖筆を～く 搁笔｜そのことはしばらく～くとして 那件事先放一放 ❾〔…ておく〕‖水と食料を用意して～く 备好水和粮食｜ほうって～く 扔下不管
おく【億】亿yì‖10～ 10亿
おくがい【屋外】室外shì wài；户外hù wài
おくさん【奥さん】夫人fūren；太太tàitai
おくじょう【屋上】楼顶lóudǐng；屋顶wūdǐng‖～屋を架す ㊢叠床架屋 ✤―庭園：屋顶花园
おく・する【臆する】畏惧wèijù；畏怯wèiqiè；发憷fāchù‖おめず～せず 毫不畏惧〔毫无惧色〕
おくそく【憶測】（～する）臆测yìcè；猜测cāicè
おくそこ【奥底】深处shēnchù.〔心の〕心底xīndǐ；内心深处nèixīn shēnchù
オクターブ 八度音bā dù yīn‖1～下げる 降低一个八度
おくち【奥地】内地nèidì；边远地区biānyuǎn dìqū
おくづけ【奥付】版权页bǎnquányè
おくて【晩稲・晩生・奥手】❶〔イネの〕晚稻wǎndào ❷〔作物の〕晚熟品种wǎnshú pǐnzhǒng ❸〔人の〕成熟得晚chéngshúde wǎn
おくない【屋内】室内shì nèi；户内hù nèi ✤―競技：室内比赛｜―プール：室内游泳池
おくのて【奥の手】绝招juézhāo；〔块，个〕王牌wángpái；诀窍juéqiào‖～を使う 使出绝招
おくば【奥歯】〔颗，个，粒〕臼齿jiùchǐ；槽牙cáoyá；大牙dàyá‖～にものがはさまったような言い方

说话吞吞吐吐的

おくび (饱)嗝儿(bǎo)gér; 嗳气ǎiqì ‖ ～にも出さない 不露声色

おくびょう【臆病】胆小dǎn xiǎo; 胆怯dǎnqiè; 懦弱nuòruò ‖ ～に吹かれる 害怕 ❖一者:胆小鬼

おくふか·い【奥深い】❶〔奥まっている〕深深shēnshēn; 深幽shēnyōu ❷〔深遠である〕深远shēnyuǎn; 高深gāoshēn ‖ ～い意味 深远的意义

おくめん【臆面】‖ ～もなく 厚着脸皮

おくゆかし·い【奥ゆかしい】高雅gāoyǎ; 文雅wényǎ; 雅致yǎzhi

おくゆき【奥行き】❶〔奥までの距離〕长cháng; 进深jìnshen ❷〔人柄·知識の〕深度shēndù

おくら·せる【遅らせる】延缓yánhuǎn; 推迟tuīchí; 拖延tuōyán; 耽误dānwu

おくりかえ·す【送り返す】寄回jìhui

おくりさき【送り先】邮寄地址yóujì dìzhǐ; 收件人地址shōujiànrén dìzhǐ

おくりじょう【送り状】〔张,份〕发票fāpiào; 发货单fāhuòdān

おくりだ·す【送り出す】❶〔人を送る〕送出sòngchu; 送走sòngzǒu ❷〔発送する〕发送fāsòng; 发运fāyùn ❸〔世に出す〕推出tuīchu

おくりとど·ける【送り届ける】送到sòngdào; 寄到jìdào

おくりむかえ【送り迎え】接送jiēsòng ‖ 子どもの幼稚園の～は夫の母に頼んだ 把去幼儿园接送孩子的事情托付给了婆婆

おくりもの【贈り物】礼品lǐpǐn; 礼物lǐwù

おく·る【送る】❶〔物を〕寄jì; 寄送jìsòng; 发送fāsòng ‖ 小包を～る 寄包裹 | 代金を為替で～る 用汇票寄货款❷〔人を〕送sòng | お宅まで車でお～りします 我开车送你回家 ❸〔過ごす〕过guò; 度过dùguo ‖ 余生を郷里の村で～る 在故乡的村庄里度过晚年

おく·る【贈る】❶〔贈り物をする〕送(给)sòng (gěi); 赠送zèngsòng ‖ 誕生日にプレゼントを～る 赠送生日礼物 ❷〔授与する〕授予shòuyǔ; 颁发bānfā

おくれ【後れ·遅れ】落后luòhòu; 晚点wǎn diǎn ‖ ～をとる 落在别人后边 | 5分～で発車する 晚点五分钟发车

おくればせ【後れ馳せ·遅れ馳せ】‖ ～ながら 虽为时已晚; 晚是晚了点儿

おく·れる【遅れる·後れる】❶〔ある基準より遅くなる〕晚点wǎndiǎn; 迟到chídào; 落后luòhòu ‖ 1時間～れる 晚点一个小时; 迟到一个小时 ❷〔とり残される〕落后luòhòu; 跟不上gēnbushàng ‖ 時勢に～れる 落后于时代 ❸〔時計が〕慢màn ‖ この時計は2分～れている 这个表〔钟〕慢了两分钟

おけ【桶】〔个,只〕木桶mùtǒng

おこがまし·い【烏滸がましい】狂妄kuángwàng; 定不自量力bú zì liàng lì

おこ·す【起こす】❶〔倒れたものを〕扶起fúqi; 立起lìqi ‖ 倒れた自転車を～す 把倒下的自行车扶起来 ❷〔眠っている人を〕叫醒jiàoxǐng; 唤醒huànxǐng ‖ 5時に～す 5点叫醒 | 寝た子を～す 定无事生非; 自找麻烦 ❸〔発生させる〕发生fāshēng; 出chū; 引起yǐnqǐ ‖ 事故を～す 出事故 | 発作を～す 犯病 ❹〔やりはじめる〕掀起xiānqǐ; 发生fāshēng; 开始做kāishǐ zuò ‖ 訴訟を～す 提出起诉 | 運動を～す 展开活动

おこ·す【興す】兴起xīngqǐ; 创办chuàngbàn; 开始kāishǐ ‖ 会社を～す 办公司

おごそか【厳か】庄严肃穆zhuāngyán sùmù; 严肃郑重yánsù zhèngzhòng

おこた·る【怠る】懈怠xièdài; 懒惰lǎnduò; 偷懒tōulǎn

おこない【行い】❶〔行為·行動〕行为xíngwéi; 行动xíngdòng ❷〔品行〕品行pǐnxíng ‖ ～がいい〔悪い〕 品行端正〔不端〕

おこな·う【行う】做zuò; 举行jǔxíng; 进行jìnxíng ‖ 言うは易(やす)く～うは難(かた)し 说起来容易做起来难

おこぼれ【お零れ】‖ ～をちょうだいする 沾点儿小光

おこり【起こり】起源qǐyuán; 由来yóulái; 起因qǐyīn ‖ 事の～ 事情的起因

おごり【奢り·驕り】❶〔振る舞う〕请客qǐngkè; 做东zuòdōng; 买单mǎidān ‖ 今夜は私の～だ 今晚我请客 ❷〔得意になる〕骄傲jiāo'ào; 傲慢àomàn ‖ ～は禁物だ 不要骄傲自满

おこ·る【怒る】生气shēngqì; 发火fāhuǒ; 动怒dòngnù ‖ 彼は私のことを～っている 他在生我的气

おこ·る【起こる】❶〔物事、事態が〕发生fāshēng ‖ やっかいなことが～った 出了麻烦事儿了 ❷〔感情が〕生shēng ‖ いたずら心が～る 生出恶作剧的念头

おこ·る【興る】兴起xīngqǐ; 振兴zhènxīng

おご·る【奢る】❶〔ぜいたく〕奢侈shēchǐ; 讲究jiǎngjiu ‖ 口が～っている 很讲究吃; 口味很高 ❷〔振る舞う〕请客qǐngkè; 做东zuòdōng; 买单mǎidān ‖ 晩飯を～ろう 晚饭我请客

おご·る【驕る·傲る】骄傲jiāo'ào; 傲慢àomàn ‖ ～る者久しからず 骄者必败

おさえつ·ける【押さえ付ける】❶〔動けないように〕压住yāzhu; 摁住ènzhu ❷〔抑圧する〕压制yāzhì; 镇压zhènyā ‖ 反対意見を～ける 压制反对意见

おさ·える【押さえる·抑える】❶〔動かないようにする〕压yā; 摁住ènzhu; 按住ànzhu ‖ 飛びかからないようにイヌを～えていてくれ 把狗摁住别让它扑过来 ❷〔感情を〕压住yāzhu; 控制kòngzhì; 抑制yìzhì ‖ はやる気持ちを～える 克制住内心的焦急 ❸〔体の一部に手をあてがう〕捂wǔ; 堵住dǔzhu ‖ 傷口を手で～る 用手捂住伤口 ❹〔差し押さえる〕抓住zhuāzhu; 扣住kòuzhu ❺〔食いとめる〕控制kòngzhì; 压住yāzhu ‖ 生産コストを～える 控制生产成本

おさげ【お下げ】〔条〕发辫fàbiàn; 辫子biànzi

おさな·い【幼い】❶〔年が小さい〕幼小yòuxiǎo; 年幼niányòu ❷〔未熟な〕不成熟bù chéngshú; 孩子气háiziqì; 幼稚yòuzhì

おさななじみ【幼馴染み】儿时的朋友érshí de péngyou ‖ 彼らは～だ 他们从小就认识

おざなり【お座なり】敷衍了事fūyan liǎoshì; 敷衍搪塞fūyan tángsè; 马马虎虎mǎmahūhū ‖

～を言ってごまかした 敷衍了几句搪塞了过去

おさま・る【収まる・納まる】❶〔場所に入る〕容纳róngnà；收纳shōunà ❷〔安定する〕安定āndìng；平息píngxī ‖ そんな回答では私は～らない 对于这样的回答我不满意｜ごたごたが丸く～る 圆满解决

おさま・る【治まる】❶〔安定する〕平息píngxī ❷〔平和である〕安定āndìng；平定píngdìng ‖ 国が～る 安定国家 ❸〔痛みや症状が〕止住zhǐzhu；消除xiāochú ‖ 頭痛が～る 头不疼了

おさま・る【修まる】改正gǎizhèng；定 改邪归正gǎi xié guī zhèng ‖ 素行が～らない 品行不端

おさ・める【収める・納める】❶〔中に入れる・しまう〕容纳róngnà；收纳shōunà ‖ 800字以内に～める 控制在800字以内｜胸に～めておく 藏在心底 ❷〔納入する〕供应gōngyìng；交纳jiāonà ‖ 税金を～める 缴纳税金 ❸〔獲得する〕取得qǔdé；获得huòdé

おさ・める【治める】❶〔政治をとる〕统治tǒngzhì；治理zhìlǐ ‖ 国王が国を～める 国王统治国家 ❷〔混乱をしずめる〕平息píngxī；平定píngdìng ‖ 騒ぎを～める 平息骚乱

おさ・める【修める】❶〔学問・技芸を〕钻研zuānyán；学习xuéxí ❷〔人格を〕修养xiūyǎng ‖ 身を～める 修身

おさらい【お浚い】（～する）温习wēnxí；复习fùxí

おさん【お産】分娩fēnmiǎn；生孩子shēng háizi

おし【押し】❶〔威圧する〕威力wēilì；威严wēiyán ‖ ～がきく 有威力 ❷〔意志を通す〕魄力pòlì；毅力yìlì ‖ ～の一手 坚持不懈的毅力

おじ【伯父・叔父】（父の兄）伯父bófù.（父の弟）叔父shūfù.（母の兄弟）舅父jiùfù

おしあ・う【押し合う】互相拥挤hùxiāng yōngjǐ ‖ ～いへし合い 推推搡搡

おし・い【惜しい】❶〔貴重な〕可惜kěxī；珍惜zhēnxī ‖ 命はだれでも～い 没有人不珍惜生命 ❷〔残念〕可惜kěxī；遗憾yíhàn ‖ ～いところで負けた 差一点儿就赢了

おじいさん【お爺さん・お祖父さん】❶〔呼称〕老爷爷lǎoyéye；老大爷lǎodàye ❷〔祖父〕（父の父）爷爷yéye.（母の父）外公wàigōng

おしい・る【押し入る】闯入chuǎngrù；闯进chuǎngjìn

おしえ【教え】❶〔教えること〕教诲jiàohuì；指教zhǐjiào；教导jiàodǎo ❷〔教義〕教义jiàoyì ✤ 一子：学生；门生

おし・える【教える】教jiāo.（知らせる）告诉gàosu ‖ 英語を～える 教英语

おしおき【お仕置き】处罚chǔfá；惩罚chéngfá ‖ ～をする 惩罚

おしか・ける【押し掛ける】定 蜂拥而至fēngyōng ér zhì ‖ バーゲン会場に～ける 蜂拥向大甩卖会场

おじぎ【お辞儀】（～する）鞠躬jūgōng；行礼xínglǐ ‖ 深々と～をする 深深鞠躬

おしき・る【押し切る】强行qiángxíng；坚持到底jiānchídàodǐ ‖ 反対を～って結婚する 不顾反对结婚

おじけづ・く【怖じ気付く】胆怯起来dǎnqièqilai；害怕起来hàipàqilai

おしこ・む【押し込む】❶〔詰め込む〕塞进sāijìn；硬塞入yìng sāirù ❷〔強盗に入る〕闯入抢劫chuǎngrù qiǎngjié

おしこ・める【押し込める】硬塞进去yìng sāijinqu；关起来guānqilai ‖ 狭い部屋に10人も～められた 一间小屋竟关了十个人

おしころ・す【押し殺す】控制kòngzhì；抑制yìzhì ‖ 声を～す 压低声音

おじさん【伯父さん・叔父さん・小父さん】❶〔伯父・叔父〕（父の兄）伯父bófù；伯伯bóbo.（父の弟）叔父shūfù；叔叔shūshu.（母の兄弟）舅父jiùfù；舅舅jiùjiu ❷〔呼称〕伯伯bóbo；叔叔shūshu

おしすす・める【押し進める】推动tuīdòng；推行tuīxíng

おしたお・す【押し倒す】推倒tuīdǎo

おしだし【押し出し】（風采）风度fēngdù；〔副〕仪表yíbiǎo ‖ ～がよい 仪表堂堂

おしつ・ける【押し付ける】❶〔押さえる〕压yā；按住ànzhu ❷〔むりにやらせる〕强加于人qiángjiā yú rén；硬推给人yìng tuīgěi rén

おしつぶ・す【押し潰す】压碎yāsuì；弄碎nòngsuì ‖ プレッシャーに～される 被压力压垮

おしつま・る【押し詰まる】迫近pòjìn ‖ 今年も～ってきた 今年也临近年底了

おしとお・す【押し通す】坚持到底jiānchídàodǐ ‖ わがままを～す 定一意孤行｜最初の要求を～す 坚持最初的要求

おしとど・める【押し止める】阻止zǔzhǐ；制止zhìzhǐ

おしどり【鴛鴦】〔对, 只〕鸳鸯yuānyang ✤ 一夫婦：恩爱夫妻；形影不离的夫妇

おしなが・す【押し流す】冲跑chōngpǎo；冲走chōngzǒu ‖ 多くの家が洪水で～された 许多房屋都被洪水冲垮了

おしの・ける【押し退ける】排挤páijǐ；推开tuīkāi

おしのび【お忍び】微服出行wēifú chūxíng

おしはか・る【推し測る・推し量る】推想tuīxiǎng；猜测cāicè；揣度chuǎiduó

おしべ【雄蕊】雄蕊xióngruǐ

おしボタン【押しボタン】按钮ànniǔ；电钮diànniǔ

おしぼり【お絞り】〔条, 块〕湿毛巾shī máojīn

おし・む【惜しむ】❶〔大切にする〕爱惜àixī；珍惜zhēnxī ‖ 寸暇を～んで勉強する 珍惜点滴时间学习 ❷〔残念に思う〕觉得惋惜〔可惜〕juéde wǎnxī〔kěxī〕；遗憾yíhàn ‖ 別れを～む 惜别 ❸〔けちけちする〕小气xiǎoqi；吝啬lìnsè ‖ 費用を～む 吝惜费用｜骨身を～まず働く 不辞辛劳地拼命工作｜～みない拍手を送る 热烈鼓掌

おしもおされもせぬ【押しも押されもせぬ】一致公认的yízhì gōngrèn de；无可否认的wú kě fǒurèn de；地位稳固的dìwèi wěngù de

おしもんどう【押し問答】（～する）争吵zhēngchǎo；口角kǒujué；争论zhēnglùn

おじや〔碗, 锅〕菜粥càizhōu；杂烩粥záhuìzhōu

おしゃかさま【お釈迦様】释加牟尼Shìjiāmóuní ‖ ～でもご存じあるまい 定神不知, 鬼不觉

おしゃく【お酌】(〜する)斟酒zhēn jiǔ
おしゃぶり 橡皮奶嘴xiàngpí nǎizuǐ
おしゃべり【お喋り】❶(〜する)〔雑談する〕聊天儿liáotiānr ❷〔口数が多い〕多嘴(多舌)duōzuǐ (duōshé); 话多huà duō ‖ 妹は〜だからこのことは内緒にしておこう 妹妹嘴快, 这件事不要告诉她
おしや・る【押し遣る】推开tuīkāi; 推到一旁tuīdào yìpáng ‖ 本を片隅に〜る 把书推到一边
おしゃれ【お洒落】好打扮hào dǎban; 好修饰hào xiūshì; 爱漂亮ài piàoliang
おじゃん ‖ 〜になる 完蛋; 落空; 告吹
おしょう【和尚】〔个, 位〕和尚héshang; 法师fǎshī; 僧人sēngrén
おじょうさん【お嬢さん】❶〔若い女性〕小姐xiǎojiě; 姑娘gūniang ❷〔他人の娘〕您女儿nín nǚ'ér; 令爱lìng'ài; 千金qiānjīn ❸〔苦労知らずの娘〕千金小姐qiānjīn xiǎojie ‖ 〜育ち 娇生惯养的千金小姐
おしょく【汚職】渎职dúzhí; 贪污tānwū
おじょく【汚辱】污辱wūrǔ ‖ 〜にまみれる 蒙辱
おしよ・せる【押し寄せる】涌上来yǒngshanglai; 定 蜂拥而至fēngyōng ér zhì
おしろい【白粉】〔盒〕白〔香〕粉bái〔xiāng〕fěn ‖ 〜をつける 搽〔擦〕粉
お・す【押す・圧す】❶〔前方に力を加える〕推tuī; 挤jǐ ‖ 手押し車を〜す 推(手推)车 | 〜すな〜すなの混雑 拥挤不堪 ❷〔上から力を加える〕压yā; 按àn ‖ 呼び鈴を〜す 按电铃 ❸〔印などを〕盖gài; 按àn ‖ 書類に判を〜す 在文件上盖章 ❹〔相手をしのぐ〕占优势zhàn yōushì; 压倒yādǎo ‖ 気迫に〜される 被气势压倒 ❺〔無理をする〕硬撑yìngchēng; 不顾búgù ‖ 腕のけがを〜して試合に出る 不顾胳膊上的伤参加比赛
お・す【推す】❶〔推察〕推测tuīcè; 猜想cāixiǎng; 推想tuīxiǎng ‖ 〜して知るべし 定 可想而知 ❷〔推挙〕推举tuījǔ; 推选tuīxuǎn; 选派xuǎnpài ‖ 議長に〜される 被推选为主席
おす【雄】公gōng; 雄xióng; 牡mǔ ❖ 一猫:公猫 | 一ヤギ:公羊
おすい【汚水】污水wūshuǐ; 脏水zāngshuǐ ❖ 一処理場:污水处理厂
おずおず (〜する)定 战战兢兢zhànzhànjīngjīng; 怯生生qièshēngshēng
おすすめ【お勧め】推荐tuījiàn; 推举tuījǔ ‖ 今日の〜料理は何ですか 今天有什么好菜, 你给我们推荐一下吧
おすそわけ【お裾分け】(〜する)分送fēnsòng; 分赠fēnzèng
オセアニア 大洋洲Dàyángzhōu
おせじ【お世辞】恭维(话) gōngwei(huà); 奉承(话) fèngcheng(huà); 应酬(话) yìngchou(huà) ‖ 〜を言う 说奉承话
おせっかい【お節介】爱(多)管闲事ài (duō) guǎn xiánshì ‖ 〜を焼く 管别人的闲事
おせん【汚染】(〜する)污染wūrǎn; 脏zāng ❖ 一源:污染源 | 一対策:污染对策 | 一物質:污染物质 | 一防止:防止污染
おそ・い【遅い】❶〔時間が〕晚wǎn; 迟chí; 不早bù zǎo ‖ 帰りが〜い 回来得晚些 | もう〜いので失礼します 已经不早了, 我该告辞了 | 一足〜かった 来晚了一步 ❷〔間に合わない〕赶不上gǎnbushàng; 来不及láibují ‖ いまからでも〜くない 现在开始也来得及〔不迟〕 ❸〔のろい〕慢màn; 迟缓chíhuǎn ‖ 歩くのが〜い 走得很慢
おそ・う【襲う】❶〔攻撃〕袭击xíjī; 侵袭qīnxí ‖ 台風に〜われる 遭到台风的侵袭 ❷〔いやな思いが浮かぶ〕感到gǎndào ‖ 突然恐怖に〜われる 突然感到恐惧
おそかれはやかれ【遅かれ早かれ】早晚zǎowǎn; 迟早chízǎo
おそくとも【遅くとも】最晚zuì wǎn; 最迟zuì chí ‖ 〜5時までには帰る 最晚5点回来
おそばん【遅番】(值)晚班(zhí) wǎnbān; (上)夜班(shàng) yèbān
おそらく【恐らく】大概dàgài; 恐怕kǒngpà
おそるおそる【恐る恐る】战战兢兢zhànzhànjīngjīng; 定 提心吊胆tí xīn diào dǎn
おそるべき【恐るべき】❶〔恐ろしい〕可怕的kěpà de ❷〔程度が甚だしい〕惊人的jīngrén de
おそれ【恐れ・畏れ・虞】❶〔恐怖〕害怕hàipà; 恐惧kǒngjù ‖ 〜を知らない 天不怕, 地不怕 | 〜をなす 畏惧 ❷〔畏敬〕敬畏jìngwèi; 恭敬gōngjìng ❸〔心配〕‖ …の〜がある 可能有…的危险
おそれい・る【恐れ入る】❶〔恐縮する〕‖ まことに〜ります 实在过意不去 | 〜りますが 对不起 ❷〔敬服する〕佩服pèifu; 认输rènshū ❸〔あきれる〕吃惊chījīng; 受不了shòubuliǎo
おそれおのの・く【恐れ戦く】定 战战兢兢zhànzhànjīngjīng; 吓得发抖xiàde fādǒu
おそ・れる【恐れる・畏れる】❶〔怖がる〕害怕hàipà; 怕pà; 恐惧kǒngjù ❷〔心配する〕担心dānxīn; 惟恐wéikǒng ‖ 失敗を〜れる 担心失败 ❸〔かしこまる〕敬畏jìngwèi; 恭敬gōngjìng
おそろし・い【恐ろしい】❶〔怖い〕可怕kěpà; 令人害怕lìng rén hàipà ‖ 〜い目に遭う 遇上可怕的事 ❷〔程度が甚だしい〕非常fēicháng; 厉害lìhai; 惊人jīngrén
おそわ・る【教わる】受教shòu jiào; 跟…学习gēn … xuéxí
オゾン 臭氧chòuyǎng ❖ 一層:臭氧层 | 一ホール:臭氧层空洞
おたおた (〜する)惊慌失措jīnghuāng shīcuò; 慌慌张张huānghuāngzhāngzhāng
おたか・い【お高い】❖ 一くとまる: 定 自命不凡; 定 目空一切
おたがいさま【お互い様】彼此彼此bǐcǐ bǐcǐ
おたく【お宅】❶〔お住まい〕您家nín jiā; 贵府guìfǔ ❷〔あなた・そちら〕您那儿nín nàr; 贵方guìfāng ❸〔マニアックな人〕发烧友fāshāoyǒu
おだて【煽て】〔口, 嘴〕恭维话gōngweihuà; 定 甜言蜜语tián yán mì yǔ ‖ 〜に乗る 被捧得飘飘然
おだ・てる【煽てる】吹捧chuīpěng; 戴高帽dài gāomào ‖ 〜てたってむだだよ 你就是捧我也没用
おたふくかぜ【阿多福風邪】腮腺炎sāixiànyán
おたまじゃくし【お玉杓子】❶〔カエルの子〕〔个, 条〕蝌蚪kēdǒu ❷〔しゃくし〕〔把〕圆勺子yuán sháozi; 汤勺tāngsháo
おだやか【穏やか】❶〔静か〕平静píngjìng;

平稳píngwěn；平安píng'ān‖～な天気 风和日丽 ❷〔落ち着いた〕定心平气和xīn píng qì hé；温和wēnhé；安详ānxiáng；恬静tiánjìng‖～な人柄 性格温柔

おち【落ち】❶〔見落とし〕〔个,种〕疏漏shūlòu；遗漏yílòu；错误cuòwù；过失guòshī ❷〔結末〕下场xiàchǎng；（不好的）结果(bù hǎo de) jiéguǒ‖また叱られるのが～だ 结果只能挨批评 ❸〔落語などの〕抖包袱dǒu bāofu

おちい・る【陥る】陷入xiànrù‖パニックに～る 陷入混乱状态｜危機に～る 陷入危机

おちこぼれ【落ち零れ】〔个,名〕掉队者diàoduìzhě；落伍者luòwǔzhě.（学生）差生chàshēng；后进生hòujìnshēng

おちこ・む【落ち込む】❶〔悪くなる〕跌落diēluò；下降xiàjiàng；定一蹶不振yì jué bú zhèn‖景気が～む 经济萧条〔不景气〕 ❷〔気分が〕情绪低落qíngxù dīluò；气馁qìněi

おちつき【落ち着き】❶〔態度や言動〕沉着chénzhuó；镇静zhènjìng；不慌不忙bù huāng bù máng‖～がある〔ない〕〔不〕沉着；〔不〕安定｜～を失う 失去镇定｜～をとり戻す 恢复镇定 ❷〔物の安定〕放稳fàngwěn；稳定wěndìng

おちつ・く【落ち着く】❶〔気持ちが〕沉着chénzhuó；冷静lěngjìng；镇静zhènjìng；从容cóngróng‖気持ちが～く 心情安宁；镇静｜試験の前でなんとなく～かない 考试前总觉得忐忑不安 ❷〔物事が安定する〕平稳píngwěn；平息píngxī；稳定wěndìng‖病状が～く 病情安定 ❸〔ある場所に定着する〕定居dìngjū；落脚luòjiǎo；安家ānjiā；安顿下来āndùnxialai‖田舎に～く 在乡下落户｜新居に～く 在新居安定下来 ❹〔議論の帰着〕有着落yǒu zhuóluò；归结guījié ❺〔派手でない〕素净sùjing；朴素pǔsù‖～いた色合い 颜色素净

おちど【落ち度】过失guòshī；过错guòcuò；失错shīcuò‖これはあなたの～ではない 这不是你的错

おちば【落ち葉】落叶luòyè

おちぶ・れる【落ちぶれる】落魄luòpò；零落língluò；潦倒liáodǎo

おちめ【落ち目】‖～になる 倒霉；走背运；走下坡路

おちゃ【お茶】❶〔茶〕〔杯,碗,壶〕茶chá；〔筒,盒,袋〕茶叶cháyè‖熱い〔濃い〕～ 热〔浓〕茶｜～をつぐ 倒茶｜～をいれる 泡〔沏〕茶 ❷〔休憩〕工间休息gōngjiān xiūxi；小憩xiǎoqì‖そろそろ～にしましょう 喝杯茶歇会儿吧 ❸〔茶道〕茶道chádào ❹〔慣用表現〕‖～を濁す 含糊其词；搪塞；蒙混过关

お・ちる【落ちる】❶〔落下する〕落下luòxia；掉下diàoxia；摔下shuāixia‖階段から～ちる 从楼梯上摔下来 ❷〔崩れる〕倒塌dǎotā；塌陷tāxiàn；崩裂bēngliè‖地震で壁が～ちた 墙壁被震塌了 ❸〔程度が〕下降xiàjiàng；退步tuìbù‖成績が～ちる 学习成绩下降｜能率が～ちる 效率降低｜人気が～ちる 声誉低落 ❹〔その人のものになる〕最后归于zuìhòu guīyú；归他人所有guī tārén suǒyǒu‖…の手に～ちる 归…所有 ❺〔ついていたものがとれる〕脱落tuōluò；掉diào‖汚れが～ちる 去污 ❻〔落第・落選する〕落榜luòbǎng；没考上méi kǎoshang；落选luòxuǎn ❼〔漏れる〕漏掉lòudiào；遗漏yílòu

おつ【乙】‖～な味 风味独特｜～なことを言う 说风趣话｜～にすます 装得一本正经

おっかなびっくり 定提心吊胆tí xīn diào dǎn；战战兢兢zhànzhànjīngjīng

おっくう【億劫】麻烦máfan；懒得lǎnde‖こう暑いと出かけるのも～だ 这么热真懒得出门

おつげ【お告げ】神谕shényù；天启tiānqǐ

おっちょこちょい 毛手毛脚máo shǒu máo jiǎo；冒失màoshi

おって【追って】不久bùjiǔ；随后suíhòu‖～ご連絡いたします 随后与您联系

おっと【夫】丈夫zhàngfu；先生xiānsheng；爱人àiren

おっと 啊à；哎呀āiyā‖～危ない 啊，危险！｜～間違えた 哎呀，我搞错了！

おっとり 稳重wěnzhòng；大方dàfang；定温文尔雅wēn wén ér yǎ‖性格が～している 性格稳重｜～構える 从容不迫

おっぱい（母乳）奶nǎi.（乳房）乳房rǔfáng‖～を飲む 吃奶

おてあげ【お手上げ】毫无办法háowú bànfǎ；定束手无策shù shǒu wú cè

おでき 疖子jiēzi；肿疮zhǒngchuāng；脓肿nóngzhǒng‖背中に～ができた 背上长了个疖子

おでこ 额头étou；脑门儿nǎoménr；前额qián'é

おてつだいさん【お手伝いさん】保姆bǎomǔ；女用人nǚ yòngren；阿姨āyí

おてなみ【お手並み】本事běnshi；本领běnlǐng；手腕shǒuwàn‖～拝見 让我领教领教您的高招

おてのもの【お手のもの】特长tècháng；拿手好戏náshǒu hǎoxì

おてやわらかに【お手柔らかに】定手下留情shǒuxià liúqíng‖～願います 请手下留情

おてん【汚点】污点wūdiǎn；不光彩的事情bù guāngcǎi de shìqing‖…に～を残す 给…留下污点｜～をぬぐう 洗刷污点

おてんば【お転婆】野丫头yěyātou

おと【音】❶〔音〕〔个,种〕声音shēngyīn；…音…yīn；响动xiǎngdong‖太鼓の～ 鼓声｜時計の～が気になって眠れない 钟表的声音吵得我睡不着觉｜～を立てる 发出音声｜けたたましいサイレンの～ 刺耳的警报声 ❷〔評判〕‖～に聞く 有名

おとうさん【お父さん】父亲fùqin；爸爸bàba.（呼びかけ）爸爸bàba；爸bà

おとうと【弟】弟弟dìdi ✣一弟子:师弟｜一分:小弟；义弟

おどおど（～する）定提心吊胆tí xīn diào dǎn；紧张不安jǐnzhāng bù'ān

おどか・す【脅かす】❶〔恐がらせる〕威胁wēixié；威逼wēibī；吓唬xiàhu ❷〔びっくりさせる〕吓唬xiàhu

おとぎ【お伽】✣一の国:仙境；奇境｜一話:童话；神话故事

おど・ける 逗乐儿dòulèr

おとこ【男】男(的) nán (de)；男人nánrén；男子nánzǐ；男性nánxìng‖～の中の～ 男人中的大丈夫｜～を磨く 磨练出男子汉气魄｜～がすたる

丢男人的脸｜～をあげる 增强男子气概

おとこぎ【男気】男子气概nánzǐ qìgài; 义气yìqi‖～がある 有男子气概

おとこざかり【男盛り】壮年zhuàngnián; 定 年富力强nián fù lì qiáng

おとこのこ【男の子】男孩儿nánháir. (若い男性)小伙子xiǎohuǒzi

おとこまさり【男勝り】巾帼英雄jīnguó yīngxióng; 女强人nǚqiángrén

おとこもの【男物】男性用品nánxìng yòngpǐn

おとこやもめ【男やもめ】鳏夫guānfū

おとこらし・い【男らしい】有男子气yǒu nánzǐqì; 有男子汉气概yǒu nánzǐhàn qìgài‖～く謝るべきだ 好汉做事好汉当,你应该道歉

おとさた【音沙汰】音信yīnxìn; 消息xiāoxi‖～がない 毫无音信

おどし【脅し】恐吓kǒnghè; 恫吓dònghè; 威胁wēixié‖～をかける 进行恐吓威胁 ✤—文句:恐吓的话; 威胁的语言

おとしあな【落とし穴】❶〔捕獲のわな〕陷阱xiànjǐng ❷〔計略〕圈套quāntào‖～にはまる 落入圈套

おとしい・れる【陥れる】(ある状態に)使陷入shǐ xiànrù; 陷害xiànhài. (策略に)使中计(上当) shǐ zhòng jì (shàngdàng)

おとしご【落とし子】产物chǎnwù; 后果hòuguǒ‖戦争の～ 战争的产物

おとしだま【お年玉】〔份〕压岁钱yāsuìqián

おとしぬし【落とし主】失主shīzhǔ

おとし・める【貶める】轻视qīngshì; 蔑视mièshì; 看不起kànbuqǐ; 瞧不起qiáobuqǐ‖そんな言いかたはきみ自身の品位を～める 说那样的话可有损你的形象

おとしもの【落とし物】〔件,个〕遗失物品yíshī wùpǐn; 失物shīwù‖～を拾う 拾到失物 ✤—取扱所:失物招领处

おと・す【落とす】❶〔落下させる〕扔下rēngxia; 使落下shǐ luòxia‖グラスを床に～す 把杯子掉在地上｜涙を～す 落泪 ❷〔程度・水準などを〕降低jiàngdī; 减低jiǎndī‖レベルを～す 降低水平｜気を～さないで 别泄气｜信用を～す 降低信用｜評判を～す 降低名声｜スピードを～す 减速｜声を～す 放低声音 ❸〔失う〕丢失diūshī; 失落shīluò‖財布を～す 丢钱包｜命を～す 丧命 ❹〔とり除く〕去掉qùdiào; 弄掉nòngdiào‖あかを～す 去掉污垢｜脂肪を～して体重を減らす 去掉脂肪减轻体重 ❺〔その他の表現〕‖砦(とりで)を～す 攻克堡垒｜会社の経費で～す 作为公司经费扣除

おど・す【脅す】威胁wēixié; 吓唬xiàhu

おとず・れる【訪れる】❶〔訪問する〕访问fǎngwèn; 拜访bàifǎng; 走访zǒufǎng ❷〔季節などが〕到来dàolái; 来临láilín

おととい【一昨日】前天qiántiān

おととし【一昨年】前年qiánnián

おとな【大人】成年人chéngniánrén; 大人dàren

おとなげな・い【大人気ない】不像大人样bú xiàng dàrenyàng; 孩子气háiziqì; 不懂事理的bù dǒng shìlǐ de‖いい年をしてまったく～い 这么大岁数了还跟个孩子似的

おとなし・い【大人しい】老实lǎoshi; 温顺wēnshùn; 安详ānxiáng‖～くしなさい (静かに)老实点儿; (行儀よく)规矩点儿｜このイヌは～い 这只狗很温驯

おとな・びる【大人びる】有大人样yǒu dàrenyàng‖年のわりに～びている 少年老成

おとめざ【乙女座】室女座shìnǚzuò

おとも【お供】(～する)陪伴péibàn; 跟随gēnsuí‖途中まで～しましょう 我陪你走一段吧

おとり【囮】诱惑物yòuhuòwù; 诱饵yòu'ěr; 托儿tuōr ✤—捜査:卧底侦察

おどり【踊り】舞蹈wǔdǎo‖～を踊る 跳舞

おどりで・る【躍り出る】跃居yuèjū; 一跃而上yí yuè ér shàng‖首位に～る 跃居首位

おどりば【踊り場】楼梯转角的平台lóutī zhuǎnjiǎo de píngtái

おと・る【劣る】不如bùrú; 劣于lièyú; 次于cìyú; 亚于yàyú‖質が～る 质量差｜だれにも～らない 不亚于任何人

おど・る【踊る・躍る】❶〔踊る〕跳舞tiàowǔ; 舞蹈wǔdǎo ❷〔躍る〕跳tiào; 跳跃tiàoyuè; 跳腾tiàoténg‖胸が～る 心中雀跃不已 ❸〔操られる〕被人操纵bèi rén cāozòng

おとろ・える【衰える】衰弱shuāiruò; 衰退shuāituì; 不如以前bùrú yǐqián‖視力が～える 视力不如以前了｜容色が～える 姿色渐衰｜火の勢いが～える 火势减弱

おどろ・く【驚く】❶〔びっくりする〕吓xià; 吃惊chījīng; 惊讶jīngyà‖～いたことに 令人吃惊的是｜～いてものも言えない 吓得说不出话来 ❷〔感心する〕惊叹jīngtàn‖あなたの手際のよさには～いた 对你的好身手感到惊叹

おなか【お腹】肚子dùzi; 肠胃chángwèi‖～がすいた 肚子饿了｜～がいっぱいだ 吃饱了｜空腹で～が鳴る 饿得肚子直叫｜～が痛い 肚子痛｜～を壊す 拉肚子

おながれ【お流れ】‖～になる 中止; 停止; 告吹

おなじ【同じ】同一tóngyī; 一样yíyàng‖～市内に住む 住在同一个市内｜～穴のむじな 定 一丘之貉｜～かまの飯を食う 定 同甘共苦｜内容がまったく～ 内容完全一样｜結局～ことじゃないか 结果还不是一样吗?｜～ように処理する 同样处理

おなみだちょうだい【お涙頂戴】感人落泪gǎnrén luò lèi; 催人泪下cuī rén lèi xià

おなら 屁pì‖～をする 放屁

おに【鬼】❶〔想像上の〕鬼guǐ; 鬼怪guǐguài‖～の首でもとったよう 好像立了大功一样｜～に金棒 定 如虎添翼｜～の目にも涙 顽石也会落泪 ❷〔鬼ごっこの〕(捉迷藏的)捉人者(zhuō mícáng de) zhuōrénzhě ❸〔厳しい人〕‖仕事の～ 工作狂

おにぎり【お握り】饭团(子) fàntuán(zi); 米饭团儿mǐfàntuánr

おにごっこ【鬼ごっこ】捉迷藏zhuō mícáng; 藏猫儿cángmāor

おにゆり【鬼百合】卷丹juǎndān

おね【尾根】〔个,道〕山脊shānjǐ; 山梁shānliáng

おねしょ（～する）尿床niàochuáng

おの【斧】〔把〕斧头fǔtou; 斧子fǔzi

おのおの【各·各々】各自gèzì；各个gègè；每个měi ge

おのずから【自ずから】(自然に) 定 自然而然zì rán ér rán；不言自明bù yán zì míng

おのの·く【戦く】发抖fādǒu；打颤dǎzhàn；打哆嗦dǎ duōsuo ‖ 恐れ～く 吓得发抖；打哆嗦

オノマトペ（擬音語）象声词xiàngshēngcí

おのれ【己】自己zìjǐ ‖ ～を知れ 要有自知之明

おば【伯母·叔母·小母】⇨おばさん(伯母さん·叔母さん·小母さん)

おばあさん【お祖母さん·お婆さん】❶〔祖母〕(父方の)祖母zǔmǔ；奶奶nǎinai．(母方の)外祖母wàizǔmǔ；姥姥lǎolao；外婆wàipó ❷〔年老いた女性〕老奶奶lǎonǎinai

おばけ【お化け】鬼guǐ；妖怪yāoguai ‖ ～が出る 闹鬼 ✤一屋敷:鬼屋；凶宅；(遊園地の)魔鬼宫殿

おはこ【十八番】拿手戏náshǒuxì

おばさん【伯母さん·叔母さん·小母さん】❶〔親せき〕(父の姉妹)姑姑gūgu；姑妈gūmā．(母の姉妹)姨yí；姨妈yímā．(父の兄の妻)伯母bómǔ．(父の弟の妻)婶婶shěnshen．(母の兄弟の妻)舅妈jiùmā ❷〔年配の女性〕阿姨āyí；大娘dàniáng；大婶儿dàshěnr

おはよう【お早う】你早！nǐ zǎo!；早啊！zǎo a! ‖ ～ございます 早上好！

おはらい【お祓い】‖ ～をする 驱邪 | ～をしてもらう 请人驱邪

おはらいばこ【お払い箱】免职miǎnzhí；解雇jiěgù；抛弃pāoqì ‖ ～にする （人） 开除；炒鱿鱼；（物） 扔掉

おび【帯】〔条，根〕带子dàizi；带状物dàizhuàngwù ‖ ～を結ぶ〔解く〕 系〔解〕带子 | 本の～ 书带子 | ～に短し，たすきに長し 定 高不成，低不就

おび·える【怯える】害怕hàipà；胆怯dǎnqiè

おびきだ·す【誘き出す】引诱出来yǐnyòuchulai；引出来yǐnchulai；诱出来yòuchulai

おびきよ·せる【誘き寄せる】引诱过来yǐnyòuguolai

おびただし·い【夥しい】❶〔数が多い〕大批dàpī；众多zhòngduō ❷〔程度が甚だしい〕非常fēicháng；十分shífēn；厉害lìhai

おひつじ【雄羊·牡羊】〔只，头〕公羊gōngyáng

おひつじざ【牡羊座】白羊座báiyángzuò

おひとよし【お人好し】老实巴交lǎoshibājiāo．(人)老好人lǎohǎorén

おびやか·す【脅かす】威胁wēixié ‖ 平和を～す 威胁和平 | 王座を～す 威胁王位

おひらき【お開き】‖ にする〔なる〕结束；散席

お·びる【帯びる】❶〔含みもつ〕含有hányǒu；带有dàiyǒu ‖ 赤みを～びる 发红 | 酒気～び運転 饮酒后开车 ❷〔受けもつ〕担负dānfù；负责fùzé ‖ 重要な使命を～びる 肩负重要的使命

おひれ【尾鰭】‖ ～をつける 定 添油加醋

オフィス〔个，间〕办公室bàngōngshì；〔个，家〕事务所shìwùsuǒ ✤一オートメーション:办公自动化 | 一街:CBD商务区 | 一ビル:办公大楼

オブザーバー 观察员guānchháyuán

オプション 选项xuǎnxiàng；自选项目zìxuǎn xiàngmù

オフセット 胶印jiāoyìn ✤一印刷:胶版印刷

おぶつ【汚物】垃圾lājī．(排泄物)粪便fènbiàn

オブラート 米纸mǐzhǐ；糯米纸nuòmǐzhǐ ‖ ～に包んで伝える 委婉地表达

オフライン 脱机tuōjī；离线líxiàn

おふる【お古】旧衣物jiù yīwù；旧东西jiù dōngxi ‖ このセーターは兄の～だ 这是我哥哥的旧毛衣

オフレコ 非正式的fēizhèngshì de；不做记录bú zuò jìlù；不得发表bù dé fābiǎo

おべっか ‖ ～を使う 拍马屁；定 阿谀奉承；恭维 ✤一使い:马屁精

オペック【OPEC】欧佩克Ōupèikè；石油输出国组织Shíyóu Shūchūguó Zǔzhī

オペラ〔场，台〕歌剧gējù ✤一歌手:歌剧演员 | 一グラス:观剧镜

オペレーター ❶〔機器の〕操作人员cāozuò rényuán ❷〔電話の〕话务员huàwùyuán

オペレッタ〔场，台〕小歌剧xiǎogējù；轻歌剧qīnggējù

おぼえ【覚え】❶〔記憶·理解〕记忆(力) jìyì(lì)；记性jìxing ‖ 仕事の～がはやい 业务掌握得快 ❷〔心当たり〕记得jìde ‖ そんなことを言った～はない 我不记得说过那样的话 | 身に～がない 没做过；没说过 ❸〔自信〕自信zìxìn ‖ 腕に～がある 有把握〔自信〕 ❹〔評価〕信任xìnrèn；器重qìzhòng ‖ 上司の～がめでたい 受到上司的器重

おぼえがき【覚え書き】(メモ)笔记bǐjì；记录jìlù．(外交文書)备忘录bèiwànglù

おぼ·える【覚える】❶〔記憶する〕记住jìzhu；记忆jìyì ‖ 単語を～える 背生词 | ～えてろ，きっと仕返ししてやる 你等着瞧，我非报仇不可！ ❷〔習得する〕学会xuéhuì；掌握zhǎngwò ‖ 仕事を～える 熟悉工作 | スケートは体で～えるものだ 要想学会滑冰，就得自己多练习

おぼつかな·い【覚束ない】(危なっかしい)不稳定bù wěndìng；让人不放心ràng rén bú fàngxīn．(不確かである)靠不住kàobuzhù；没有把握méiyou bǎwò

おぼ·れる【溺れる】❶〔水におぼれる〕淹没yānmò；淹死yānsǐ ‖ ～れる者はわらをもつかむ 定 病急乱投医 ❷〔熱中する〕沉湎chénmiǎn；沉溺chénnì；迷恋于míliàn yú

おぼろづき【朧月】朦胧的月色ménglóng de yuèsè ✤一夜:朦胧的月夜

オマーン 阿曼Āmàn

おまいり【お参り】(～する)参拜cānbài；拜庙bài miào ‖ 浅草寺に～する 到浅草寺去参拜

おまけ【お負け】❶(～する)〔値引き〕让价ràngjià；减价jiǎnjià ❷〔景品〕附送品fùsòngpǐn ❸〔その上に〕再加上zài jiāshang；加之jiāzhī；况且kuàngqiě

おまちどおさま【お待ち遠様】对不起，让您久等了duìbuqǐ, ràng nín jiǔ děng le

おまもり【お守り】护身符hùshēnfú

おみやげ【お土産】⇨みやげ(土産)

おむすび【お結び】饭团(儿) fàntuán(r) ‖ ～をつくる 捏〔攥〕饭团(儿)

おむつ〔块〕尿布niàobù ‖ ～をあてる 垫尿布 | ～をかえる 换尿布 ✤一カバー:防湿尿裤 | 一かぶれ

お

:尿布疹；尿布皮炎

オムレツ 法式煎蛋fǎshì jiāndàn；摊鸡蛋tānjīdàn

おめい【汚名】臭名chòumíng；污名wūmíng ‖ ～をそそぐ 洗刷恶名｜犯罪多発都市の～を返上する 摘掉"治安差都市"的帽子

おめおめ 厚着脸皮(地) hòuzhe liǎnpí (de)；不知害臊bù zhī hàisào ‖ よくまあ～と帰って来られたものだ 你还有脸回来！

おめかし (～する)梳妆打扮shūzhuāng dǎban

おめだま【お目玉】‖ ～を食う 受到责备

おめでた【お目出度】〔个,件〕喜事xǐshì ‖ お嬢さんが～だそうですね 听说你女儿有喜〔怀孕〕了

おめでた・い【お目出度い】❶〔人がよすぎる〕过于憨厚guòyú hānhou；太老实tài lǎoshi ‖ ～い性格だから,割の合わない仕事ばかり押し付けられる 那个人太老实,经常被迫做不合算的工作 ❷〔愚かである〕迟钝chídùn；愚蠢yúchǔn ‖ あの男の～さにはあきれた 想不到他这么愚蠢

おめでとう【お目出度う】祝贺zhùhè；恭喜恭喜gōngxǐ gōngxǐ ‖ 新年～ 新年好！｜大学入学～ 祝你考上大学｜誕生日～ 祝你生日快乐

おめみえ【お目見得】(～する)向世wènshì；初次亮相chū cì liàngxiàng

おもい【思い】❶〔思うこと・考え〕思考sīkǎo；考虑kǎolǜ；心思xīnsi ‖ ～を巡らす 定 左思右想；动脑筋想办法｜～に沈む 沉思 ❷〔感覚・気持ち〕(感じ)〔种,份〕感觉gǎnjué；感受gǎnshòu.(心もち)感情gǎnqíng；心情xīnqíng ‖ いやな～をする 不愉快｜つらい～をする 尝到痛苦滋味 ❸〔願望〕心愿xīnyuàn；理想lǐxiǎng ‖ ～を遂げる 遂愿；遂心如愿｜～がかなう 定 如愿以偿 ❹〔感情〕(ひかれる気持ち)意思yìsi；感情gǎnqíng.(恋しさ)爱慕àimù；思慕sīmù.(懐かしさ)思念sīniàn.(あこがれ)向往xiàngwǎng ‖ ～を打ち明ける 表明感情｜～を寄せる 对他〔她〕有意思｜～をはせる 向往 ❺〔大切にする〕挂念guàniàn；体贴tǐtiē ‖ 弟～ 关心弟弟｜父親～ 孝顺父亲

おも・い【重い】❶〔目方が〕沉chén；重zhòng ❷〔重苦しい感じ〕不舒服bù shūfu；沉chén；沉重chénzhòng ‖ 風邪のせいか頭が～い 好像感冒了,头很沉｜気が～い 心情沉重 ❸〔程度が甚だしい〕严重yánzhòng；重大zhòngdà ‖ ～い罰 严重的惩罚｜責任が～い 责任重大｜病気が～い 病得很重 ❹〔動きが鈍い〕动作迟缓dòngzuò chíhuǎn；行动缓慢xíngdòng huǎnmàn ‖ 口が～い 说话慎重

おもいあが・る【思い上がる】定 骄傲自满jiāo'ào zìmǎn；傲慢àomàn；定 自以为是zì yǐ wéi shì ‖ 成功して～る 因获得成功而骄傲自满

おもいあた・る【思い当たる】意识到yìshidào；想到xiǎngdào

おもいあま・る【思い余る】拿不定主意nábudìng zhǔyi；不知道该怎么办bù zhīdào gāi zěnme bàn

おもいいれ【思い入れ】特别的感情tèbié de gǎnqíng；感情太深gǎnqíng tài shēn ‖ 特別な～がある 有特殊的感情

おもいうか・ぶ【思い浮かぶ】浮现fúxiàn；想出xiǎngchu ‖ 名案が～ぶ 想出妙计

おもいうか・べる【思い浮かべる】想起xiǎngqi；脑海里浮现出nǎohǎi li fúxiànchu ‖ 春というと桜を～べる 一提到春天便联想起樱花

おもいおこ・す【思い起こす】回想起huíxiǎngqi；回忆起huíyìqi

おもいおもい【思い思い】各自gèzì；定 各行其是gè xíng qí shì

おもいがけな・い【思い掛けない】料想不到liàoxiǎngbudào；定 出人意料chū rén yì liào ‖ ～い客 定 不速之客｜～い贈り物 意外的礼物

おもいきった【思い切った】大胆而果断dàdǎn ér guǒduàn；定 毅然决然yìrán juérán

おもいきって【思い切って】干脆gāncuì；索性suǒxìng；下决心xià juéxīn ‖ ～彼女に気持ちを打ち明けた 我索性向她表白了对她的爱慕之情

おもいきり【思い切り】❶〔決意すること〕死心sǐxīn；想开xiǎngkāi；果断guǒduàn ‖ ～がいい 很干脆｜～がつかない 下不了决心 ❷〔存分にすること〕彻底chèdǐ；痛快tòngkuai；尽情jìnqíng ‖ ～泣く 痛哭一场｜～殴る 狠揍一顿

おもいこみ【思い込み】以为yǐwéi ‖ それはきみの～だ 那是你自己信以为是｜～が激しい 固执己见；定势思维

おもいこ・む【思い込む】❶〔信じきる〕以为yǐwéi；认准rèn zhǔn ‖ 彼女は自分で天才だと～んでいる 她自以为自己是天才 ❷〔決心する〕下决心xià juéxīn；一心打算yìxīn dǎsuan

おもいし・る【思い知る】明白míngbai；深深认识到shēnshēn rènshidào；深深感觉到shēnshēn gǎnjuédào ‖ 自分の未熟さを～る 深深感到自己还不成熟

おもいすごし【思い過ごし】过虑guòlǜ；想得太多xiǎngde tài duō；思虑过度sīlǜ guòdù

おもいだ・す【思い出す】想起来xiǎngqilai；回忆起huíyìqi

おもいた・つ【思い立つ】(突然)产生…念头(tūrán) chǎnshēng … niàntou；下决心xià juéxīn ‖ ～ったが吉日 选日不如撞日

おもいちがい【思い違い】误会wùhuì；误解wùjiě；误认为wù rènwéi

おもいつき【思い付き】主意zhǔyi；想法xiǎngfa ‖ ～でものを言う 想到哪儿说到哪儿

おもいつ・く【思い付く】想出来xiǎngchulai；想到xiǎngdào ‖ いいことを～いた 我想出来一个好主意

おもいつ・める【思い詰める】想不开xiǎngbukāi；过度地思虑guòdù de sīlǜ ‖ あんまり～めると体に毒だよ 想得太多对身体不好

おもいで【思い出】往事wǎngshì；回忆huíyì ‖ ～をたどる 追寻往日的回忆｜～に残る 留下回忆｜いい～がたくさんある 有很多美好的回忆｜～にひたる 沉浸在对往事的回忆中

おもいでばなし【思い出話】〔件,个〕往事wǎngshì；〔段,个〕怀旧谈huáijiùtán ‖ 古きよき時代の～を語りあった 一起聊起了那远久而美好时代的往事

おもいどおり【思い通り】如愿rúyuàn；随心suíxīn；定 称心如意chènxīn rúyì ‖ なんでも～になると思ったら大間違いだ 如果以为什么都能随自己的心愿,那就大错特错了

おもいとどま・る【思い止まる】断念duàn niàn；放弃念头fàngqì niàntou

おもいなお・す【思い直す】改变想法gǎibiàn xiǎngfa；重新考虑chóngxīn kǎolǜ

おもいのこ・す【思い残す】牵挂qiānguà；留恋liúliàn；遗憾yíhàn ‖ ～すことはない 没有什么遗憾的；没有丝毫可留恋的

おもいのほか【思いの外】没想到méi xiǎngdào；料想不到liàoxiǎngbudào；出乎意外chūhū yìwài ‖ 試験は～やさしかった 考试没想到那么简单

おもいや・られる【思い遣られる】令人担心lìng rén dānxīn；令人忧虑lìng rén yōulǜ；㊂不堪设想bùkān shèxiǎng

おもいやり【思い遣り】体谅tǐliang；关怀guānhuái；同情心tóngqíngxīn ‖ ～のある人 能体谅〔体贴〕别人的人｜～ある言葉 暖人的话语｜～のかけらもない 丝毫的同情心也没有

おもいや・る【思い遣る】❶〔相手を気遣う〕为对方着想wèi duìfāng zhuóxiǎng；揣测chuǎicè；体谅tǐliang ❷〔遠くのものを思う〕遥想yáoxiǎng；遐想xiáxiǎng

おもいわずら・う【思い煩う】烦恼fánnǎo；担忧dānyōu；操心cāoxīn ‖ 老後のことを～う 为晚年的生活而担忧

おも・う【思う・想う】❶〔判断・認識する〕考虑kǎolǜ；认为rènwéi；想xiǎng ‖ 私もそう～う 我也是这么想〔考虑〕的｜～うところあって 有些想法 ❷〔感じる〕觉得juéde；感到gǎndào ‖ 変だと～う 觉得奇怪｜不愉快に～う 感到不愉快 ❸〔予想・想像する〕料想liàoxiǎng；想像xiǎngxiàng；想xiǎng ‖ ～ったとおりの結果になった 结果不出所料｜～ってもみなかった 没想到｜～ったよりやさしかった 比想像的简单 ❹〔願う〕想xiǎng；希望xīwàng ‖ ～ったとおりにやりなさい 照你想的去做吧 ❺〔懸念する〕担心dānxīn；恐怕kǒngpà ‖ 試験に落ちるんじゃないかと～った 我担心我考不上 ❻〔気にかける・愛する〕关心guānxīn；想xiǎng；爱恋àiliàn ❼〔思い出す〕回想huíxiǎng；想起xiǎngqi ‖ 今～えば 现在回想起来

おもうぞんぶん【思う存分】痛快tòngkuai；充分chōngfèn；尽情jìnqíng ‖ ～食べた 我痛痛快快地吃了一顿

おもうつぼ【思う壺】圈套quāntào；中计zhòng jì；正如所料zhèng rú suǒ liào ‖ やつらの～にはまったようだ 好像中了那些家伙的圈套

おもおもし・い【重重しい】庄严zhuāngyán；严肃yánsù；庄重zhuāngzhòng

おもかげ【面影】音容yīnróng；痕迹hénjì；影子yǐngzi ‖ 若いころの～が残っている 留有年轻时的风采

おもかじ【面舵】右舵yòuduò；外舵wàiduò

おもくるし・い【重苦しい】沉闷chénmèn；压抑yāyì；郁闷yùmèn ‖ ～い沈黙が続いた 令人压抑的沉默持续了许久

おもさ【重さ】重量zhòngliàng ‖ 責任の～を自覚する 认识到责任的重大

おもしろ・い【面白い】❶〔愉快・楽しい〕愉快yúkuài；有意思yǒu yìsi；有趣yǒuqù ‖ ゆうべは～かった 昨晚过得很愉快 ❷〔興味深い〕有趣yǒuqù；有意思yǒu yìsi ‖ 先生の話は～かった 老师讲的话很有趣｜あの小説はとても～い 那本小说很有意思

おもしろはんぶん【面白半分】凑热闹còu rènao；半开玩笑bàn kāi wánxiào

おもしろみ【面白み】〔种，份〕情趣qíngqù；趣味qùwèi；有味儿yǒu wèir ‖ ～に欠ける 缺乏情趣

おもだった【主立った・重立った】主要zhǔyào；重要zhòngyào ‖ ～メンバー 主要成员

おもちゃ【玩具】❶〔玩具〕玩具wánjù ‖ ～のピストル 玩具手枪｜～で遊ぶ 玩儿玩具 ❷〔もてあそぶ〕‖ ～にする 耍玩；玩弄

おもて【表】❶〔表側の面〕正面zhèngmiàn；表面biǎomiàn ‖ 間違って布地の裏～を逆にして裁断した 裁剪的时候，把面料的正反弄错了 ❷〔家の前や外側〕门外mén wài；门前mén qián；外边wàibian ‖ ～で人の声がする 听到家门前有人说话的声音 ❸〔人の目に触れる部分〕〔副〕外表wàibiǎo；表面biǎomiàn ‖ ～ばかりとりつくろっても仕方ない 徒有其表有什么用！｜裏～のない人 表里如一的人 ❹〔野球〕前半局qiánbànjú ‖ 7回の～ 第七局前半局 ❖ 一通り：大道；大街｜一門：正门

おもてざた【表沙汰】‖ ～になる 被揭露出来；传开

おもてだ・つ【表立つ】公开gōngkāi；明显míngxiǎn ‖ ～って反対する 公开反对

おもてむき【表向き】正式zhèngshì；公开gōngkāi；表面上biǎomiàn shang ‖ ～は出張ということで北海道に出かけた 表面上说是出差去了北海道

おもな【主な】主要zhǔyào ‖ ～目的 主要目的

おもなが【面長】〔张，副〕椭圆脸tuǒyuánliǎn ‖ ～の美人 瓜子脸美女

おもに【主に】主要zhǔyào；大部分dà bùfen

おもに【重荷】重担zhòngdàn；负担fùdān；包袱bāofu ‖ ～になる 成为负担

おもね・る【阿る】巴结bājie；奉承fèngcheng；迎合yínghé

おもみ【重み】❶〔目方・重量〕重量zhòngliàng ❷〔威厳〕威信wēixìn；威望wēiwàng；端庄duānzhuāng ‖ 経営者として～が出てきた 拥有作为经营者的威信 ❸〔重大さ〕分量fènliang ‖ 恩師の言葉には千鈞(ｷﾝ)の～がある 恩师的话分量重似千钧

おもむき【趣】〔种，份〕趣味qùwèi；〔个，股〕味道wèidao；〔种，份〕情趣qíngqù

おもむ・く【赴く】赴fù；去qù；前去qiánqù ‖ 任地に～く 赴任｜大勢の～くところに従う 随大流

おもむろに【徐ろに】缓慢huǎnmàn；徐缓xúhuǎn；缓缓huǎnhuǎn ‖ ～立ちあがった 慢慢儿地站了起来｜～意見を述べた 缓缓地陈述了意见

おももち【面持ち】〔副，个〕表情biǎoqíng；神色shénsè；样子yàngzi ‖ けげんな～で見つめる 带着困惑的表情注视

おもや【母家・母屋】〔间，个〕正房zhèngfáng；正屋zhèngwū

おもゆ【重湯】稀粥xīzhōu；米汤mǐtang

おもり【錘】❶〔はかりの分銅〕秤砣chèngtuó ❷〔釣り糸につける鉛の塊〕铅坠qiānzhuì

おもわく【思惑】打算dǎsuan；企图qǐtú；想法xiǎngfa‖〜が絡む 各有用心｜〜違い 打错算盘
おもわし・い【思わしい】称意chènyì；满意mǎnyì；很好hěn hǎo‖試験の結果が〜くなかった 考试的结果不太好｜健康状態が〜くない 健康状况不良
おもわず【思わず】不由得bùyóude；不禁bùjīn‖〜吹き出してしまった 我不禁笑了起来
おもわせぶり【思わせ振り】故作姿态gùzuò zītài；卖弄风情màinong fēngqíng
おもん・じる【重んじる】重视zhòngshì；器重qìzhòng‖読者の意向を〜じる 重视读者的意见
おや【親】❶〔両親〕父母fùmǔ；父亲fùqin；母亲mǔqin‖この〜にしてこの子あり 有其父必有其子｜〜のすねをかじる 靠父母养活 ❷〔ゲームの進行役〕庄家zhuāngjia；局东júdōng
おや 咦yí；唷yō；哎呀āiyā‖〜,へんだぞ 咦, 奇怪！｜〜まあ 哎呀！
おやがいしゃ【親会社】总公司zǒnggōngsī
おやかた【親方】师傅shīfu‖大工の〜 木匠师傅 ❖一日の丸:铁饭碗
おやこ【親子】父母和子女fùmǔ hé zǐnǚ‖〜ほど年が違う 年龄差距大得如同父女
おやこうこう【親孝行】⇨こうこう(孝行)
おやごころ【親心】❶〔親の愛情〕父母之情fùmǔ zhī qíng；慈爱心cí'àixīn ❷〔親のような思いやり〕父母般的关怀fùmǔ bān de guānhuái；好心hǎoxīn
おやじ【親父・親爺】❶〔父親〕老爸lǎobà；老爹lǎodiē‖田舎の〜はまだかくしゃくとしています 老家的老爹还很健壮 ❷〔職場の上司〕头儿tóur ❸〔店の主人〕老板lǎobǎn；掌柜的zhǎngguìde ❹〔中高年の男性〕中年男子zhōngnián nánzǐ；老头儿lǎotóur‖〜的な発想 老头式的想法
おやしお【親潮】亲潮海流Qīncháo Hǎiliú
おやしらず【親知らず】智齿zhìchǐ；智牙zhìyá
おやだま【親玉】头目tóumù；头儿tóur
おやつ【お八つ】零食língshí；茶点chádiǎn
おやふこう【親不孝】(〜する)不孝敬父母bú xiàojìng fùmǔ ❖一者:不孝之子
おやぶん【親分】〔位,个〕首领shǒulǐng；头目tóumù‖〜風を吹かす 摆出一副头儿的架子 ❖一肌:侠义
おやま【女形】男旦nándàn；旦角dànjué
おやまのたいしょう【お山の大将】㊀夜郎自大Yèláng zì dà；㊀自鸣得意zì míng dé yì
おやゆずり【親譲り】〔种〕遗传yíchuán；父母传下来fùmǔ chuánxialai‖やつの短気は〜だ 他的急性子是遗传
おやゆび【親指】〔个,根〕拇指mǔzhǐ；大拇指dàmuzhǐ
およ・ぐ【泳ぐ】❶〔水泳〕游yóu；游泳yóuyǒng‖私は〜げません 我不会游泳｜ぼくは100メートル〜げる 我能游100米 ❷〔巧みに立ち回る〕混hùn‖金融界を巧みに〜ぐ 在金融界混得不错
およそ【凡そ】❶〔ほぼ・約〕大约dàyuē；约yuē ❷〔あらまし・おおかた〕大概dàgài；大体dàtǐ；概略gàilüè；概况gàikuàng
および【及び】和hé；及jí；与yǔ；以及yǐjí
およびごし【及び腰】态度暧昧tàidu àimèi；不积极bù jījí
およびもつかない【及びもつかない】绝对比不上juéduì bǐbushàng；㊀望尘莫及wàng chén mò jí‖彼の博識には私など〜 他的渊博知识是令我望尘莫及的
およ・ぶ【及ぶ】❶〔達する〕达到dádào；涉及shèjí；波及bōjí；影响到yǐngxiǎngdào‖8キロ以上に〜ぶ 长达八公里｜10億円に〜ぶ 高达10亿日元｜話がそのことに〜ぶとみな黙った 一谈到这个话题, 大家都沉默了｜この期(ご)に〜んで 事到如今 ❷〔匹敵する〕比得上bǐdeshàng；匹敌pǐdí‖彼に〜ぶ者はない 没一个人能比得上他 ❸〔…には及ばない〕不必búbì；用不着yòngbuzháo；不用búyòng‖慌てるには〜ばない 不必惊慌；不用着急
およぼ・す【及ぼす】影响yǐngxiǎng；波及bōjí‖経済の回復に影響を〜す 影响到经济的复苏
オランウータン〔个,只〕猩猩xīngxing
オランダ 荷兰Hélán
おり【折り】❶〔折ること〕折叠zhédié；折zhé‖2つ〜の財布 对折钱包 ❷〔機会〕〔个,次,种〕机会jīhui‖〜をみて 找个合适的机会｜〜あるごとに 一有机会就 ❸〔その時〕那时候nà shíhou‖その〜には 到时候｜ご上京の〜には 来东京时 ❹〔季節〕时节shíjié；时令shílìng；季节jìjié‖向寒の〜 时值初冬 ❺〔折り箱〕〔只,个〕盒子hézi；匣子xiázi
おり【澱】沉淀物chéndiànwù；沉渣chénzhā
おり【檻】笼子lóngzi；栏舍lánshè
おりあい【折り合い】(相处的)关系(xiāngchǔ de) guānxi‖〜が悪い 处得不好；关系不好
おりあ・う【折り合う】谈妥tántuǒ；达成协议dáchéng xiéyì‖先方と値段がなかなか〜わない 在价格问题上很难与对方达成协议
おりあしく【折悪しく】不巧bù qiǎo；不凑巧bú còuqiǎo；偏偏piānpiān
おりいって【折り入って】特别地tèbié de；恳切地kěnqiè de；诚恳地chéngkěn de‖〜お願いしたいことがあるのですが 我有件事要特别恳求您
オリーブ 油橄榄yóugǎnlǎn；齐墩果qídūnguǒ‖〜色 橄榄绿 ❖一油:橄榄油
オリエンテーション(新生)入学教育(xīnshēng) rùxué jiàoyù；新人教育xīnrén jiàoyù
オリエンテーリング 定向(越野)运动dìngxiàng (yuèyě) yùndòng
オリオンざ【オリオン座】猎户座lièhùzuò
おりかえし【折り返し】❶〔折り返した部分〕翻折的部分fānzhé de bùfen‖ズボンのすその〜 裤腿折边儿 ❷〔すぐに〕立刻lìkè；马上mǎshàng；尽快jǐnkuài‖張さんが戻られましたら，〜お電話をいただきたいのですが 等张先生回来了, 请让他给我回个电话 ❖一運転:往返运行；区间运行｜一地点:折回点
おりかえ・す【折り返す】❶〔衣服を〕翻fān；卷juǎn‖ズボンのすそを〜した 把裤脚翻上去 ❷〔ある地点で〕折回zhéhuí；返回fǎnhuí
おりがみ【折り紙】❶〔遊び〕折纸zhézhǐ；叠纸diézhǐ.（紙）彩色纸cǎisèzhǐ‖〜で鶴を折る 用纸折〔叠〕纸鹤 ❷〔定評がある〕‖〜つき 打包票；有保证

おりぐち【降り口】(乗り物の)下车口xiàchēkǒu. (階段の)楼梯口lóutīkǒu

おりこみ【折り込み】❖—広告:(夹在报刊里的)广告;传单;插页广告;活页广告

おりこ·む【織り込む】❶(糸で)织进zhījìn ❷(盛り込む)加进jiājìn;放进fàngjìn;穿插chuānchā;编入biānrù

オリジナリティー 创意chuàngyì;独创性dúchuàngxìng‖～に富む 富于创意

オリジナル ❶(原作·原物)〔部,个〕原作yuánzuò;原本yuánběn;〔份,个〕原件yuánjiàn ❷(独創的)〔个,种〕原创yuánchuàng;独创dúchuàng‖～な発想 独特的构思

おりたたみ【折り畳み】折叠(式) zhédié(shì) ❖—いす:折叠椅|—傘:折叠伞

おりたた·む【折り畳む】折zhé;叠dié;折叠zhédié‖新聞を4つに～む 把报纸叠成四折

おりひめ【織り姫】织女星zhīnǚxīng

おりま·げる【折り曲げる】折zhé;弯wān;弯曲wānqū;扭曲niǔqū

おりま·ぜる【織り交ぜる】❶(物事を)交错jiāocuò‖虚実を～ぜる 虚实交错 ❷(模様や糸を)交织jiāozhī

おりめ【折り目】❶(筋目)〔条,道〕折痕zhéhén;叠痕diéhén‖～をつける 折印子|ズボンの～ 裤线 ❷(作法)规矩guīju;礼貌lǐmào‖～正しい 彬彬有礼

おりもの【下り物】白带báidài;赤带chìdài

おりもの【織物】〔件,套〕纺织品fǎngzhīpǐn

おりよく【折よく】恰好qiàhǎo;碰巧pèngqiǎo;凑巧còuqiǎo‖～タクシーが通りかかった 恰好过来一辆出租车

お·りる【下りる·降りる】❶(高いところから)下xià;下来xiàlai;下去xiàqu;下降xiàjiàng‖すぐ木から～りなさい 赶快从树上下来!|山を～りる 下山|舞台の幕が～りた 舞台的大幕落下来了 ❷(乗り物から)下车xià chē ❸(途中でやめる)退出tuìchū;放弃fàngqì;弃权qìquán‖勝負を～りる 退出比赛 ❹(許可や命令が)批下来pīxialai;发下来fāxialai‖営業許可が～りる 营业许可证批下来 ❺(霜などが)降jiàng;下xià

オリンピック〔届〕奥林匹克运动会Àolínpǐkè Yùndònghuì;奥运会Àoyùnhuì ❖—記録:奥运记录|—種目:奥运项目|—村:奥运村

お·る【折る】❶(堅いものを)折zhé;折断zhéduàn‖骨を～る 骨折|木の枝を～る 攀折树枝 ❷(折り畳む)叠dié;折叠zhédié‖色紙で鶴を～る 用彩色纸叠〔折〕纸鹤 ❸(慣用表現)‖骨を～る 费劲|指～り数えて待つ 扳着手指等待

お·る【織る】织zhī;编biān;编织biānzhī‖布を～る 织布

オルガン 风琴fēngqín‖～を弾く 弹风琴

オルゴール 八音盒bāyīnhé

おれ【俺】我wǒ;咱zán;俺ǎn

おれい【お礼】〔份〕谢意xièyì;感谢gǎnxiè.(品物)〔份,包,盒〕礼物lǐwù‖厚く～を申しあげます 深表谢意 ❖—参り:(神仏に)还愿;(しかえし)报复;算账

おれせん【折れ線】❖—グラフ:折线图表

お·れる【折れる】❶(堅いものが)被折断bèi zhéduàn;被弄断bèi nòngduàn‖台風で木が～れる 树木被台风刮断|腕が～れた 胳膊骨折了 ❷(紙などが)折zhé‖紙の端が～れる 纸的边儿折了 ❸(譲歩する)让步ràngbù;妥协tuǒxié;屈服qūfú

オレンジ〔个,瓣儿〕橘子júzi;橙子chéngzi ❖—色:橙黄色;橘黄色|—ジュース:(鲜)橙汁

おろおろ(～する)㊂不知所措bù zhī suǒ cuò;惶惑不安huánghuò bù'ān

おろか【愚か】愚蠢yúchǔn;傻shǎ;笨bèn ❖—者:傻瓜;笨蛋;糊涂虫

おろし【卸し】批发pīfā ❖—売業者:批发商|—売市場:批发市场|—売物価指数:批发物价指数|—業:批发业|—値:批发价

おろ·す【下ろす】❶(上から下へ移す)放下fàngxia;拿下náxia;卸下xièxia‖その箱を本棚から～してください 请把那个箱子从书橱上拿下来|なべを火から～す 把锅从火上拿开|肩の荷を～す 卸下肩上的重担;放下包袱 ❷(貯金を)取qǔ;提取tíqǔ‖銀行から10万円～す 从银行取10万日元 ❸(新品を出して使う)首次使用shǒucì shǐyòng‖～したての服 刚穿上的新衣服 ❹(堕胎する)打胎dǎtāi;堕胎duòtāi

おろ·す【卸す】批发出售pīfā chūshòu‖定価の6掛けで～す 以定价的六折批发出售

おろ·す【降ろす】❶(垂れ下げる)放下fàngxia;降下jiàngxia;弄下nòngxia‖国旗を～す 降国旗 ❷(乗り物から)让…下车ràng … xià chē‖ここで～してください 请让我在这儿下车 ❸(辞めさせる)撤掉chèdiào

おろそか【疎か】忽略hūlüè;马虎mǎhu;疏忽shūhu‖勉強を～にする 学习不努力

お·わせる【負わせる】(物を)让…背上ràng… bēishang.(責任を)让…肩负ràng … jiānfù.(傷を)使…负伤shǐ … fùshāng

おわらい【お笑い】❖—芸人:搞笑演员|—番組:搞笑节目

おわり【終わり】(終わること)结束jiéshù;了结liǎojié.(最後)最后zuìhòu;末尾mòwěi‖これで仕事は～だ 工作到此结束|今日はこれで～にしましょう 今天就到这儿吧|はじめから～まで 从头到尾|～よければすべてよし 结果圆满,万事圆满|～を告げる 告终

おわりね【終わり値】收盘价shōupánjià

おわ·る【終わる】结束jiéshù;了结liǎojié;完毕wánbì;告终gàozhōng‖学校は4時に～る 学校4点放学|成功裏に～る 圆满结束|失敗に～る 以失败告终

おん【恩】恩情ēnqíng;恩ēn‖ご～はけっして忘れません 我决不会忘记您的恩情|～に着る 感恩不尽|～に着せる 以恩人自居|～を売る 卖人情|～に報いる 报恩|～をあだで返す ㊂恩将仇报

おんいき【音域】音域yīnyù

おんいん【音韻】❶(言語音の最小単位)音素yīnsù ❷(中国語の声母と韻母)音韵yīnyùn ❖—変化:语音变化|—論:语系学;音韵学

オン エア 播送中bōsòng zhōng;广播中guǎngbō zhōng

おんかい【音階】音阶yīnjiē

おんがえし【恩返し】报恩bào'ēn

お

おんがく【音楽】〔种,段〕音乐yīnyuè ✤ 一家:音乐家｜一会:音乐会｜一学校:音乐学校〔学院〕｜一コンクール:音乐比赛｜一評論家:音乐评论家｜一理論:音乐理论
おんかん【音感】音感yīngǎn
おんぎ【恩義】恩情ēnqíng; 恩义ēnyì; 恩ēn ‖ 〜を感じる 感恩不尽｜〜に報いる 报答恩情
おんきせがまし·い【恩着せがましい】施恩图报shī ēn tú bào ‖ 〜い言いかた 用施恩的口气说话
おんきょう【音響】音响yīnxiǎng; 响声xiǎngsheng; 声音shēngyīn ✤ 一効果:音响效果
おんけい【恩恵】〔份〕恩惠ēnhuì; 好处hǎochu ‖ 〜を施す 施恩｜〜をこうむる 享受好处
おんけん【穏健】稳健wěnjiàn; 温和wēnhé ✤ 一派:稳健派；温和派
おんこう【温厚】温厚wēnhòu; 温和wēnhé; 定 温文尔雅wēn wén ěr yǎ
おんこちしん【温故知新】定 温故知新wēn gù zhī xīn
おんし【恩師】恩师ēnshī
おんしつ【音質】音质yīnzhì
おんしつ【温室】〔间,个〕温室wēnshì ✤ 一効果:温室效应｜一栽培:温室栽培｜一育ち:娇生惯养的(人)
おんしゃ【恩赦】〔次〕大赦dàshè; 特赦tèshè
おんしゃ【御社】贵公司 guì gōngsī
おんしょう【温床】〔张,个〕温床wēnchuáng ‖ 悪の〜をとり除く 铲除罪恶的温床
おんじょう【温情】〔种,片,个〕温情wēnqíng ‖ 〜ある措置をとる 从宽处理
おんしらず【恩知らず】定 忘恩负义 wàng ēn fù yì; 不领情bù lǐngqíng
おんしん【音信】音信yīnxìn; 通信联系tōngxìn liánxì ‖ 〜不通 不通音信
おんじん【恩人】恩人ēnrén ‖ 命の〜 救命恩人
おんせい【音声】〔种,个〕声音shēngyīn; 语音yǔyīn ✤ 一多重放送:多声道广播｜一認識:语音识别
おんせつ【音節】音节yīnjié
おんせん【温泉】温泉wēnquán
おんそく【音速】音速yīnsù; 声速shēngsù
おんぞん【温存】(〜する)保存bǎocún; 保留bǎoliú ‖ 体力を〜する 保持体力
おんたい【御大】头儿tóur
おんたい【温帯】温带wēndài ✤ 一植物:温带植物｜一低気圧:温带低气压
おんだん【温暖】温暖wēnnuǎn ✤ 一前線:暖锋
おんち【音痴】❶〔音感が〕五音不全(的人) wǔyīn bù quán(de rén); 左嗓子zuǒsǎngzi ❷〔感覚が〕感觉迟钝gǎnjué chídùn ‖ 方向〜 没有方位感｜味〜 味觉迟钝
おんちゅう【御中】公启gōngqǐ ‖ 田中商会〜 田中商社公启
おんてい【音程】音程yīnchéng ‖ 〜がずれる 走调｜〜が合っている 音程准确
おんど【音頭】‖ 〜をとる 领唱；带头
おんど【温度】温度wēndù ‖ 〜をはかる 测量温度｜〜が3度あがる〔下がる〕 温度升〔降〕三度 ✤ 一計:温度计｜一調節装置:调温装置
おんとう【穏当】妥当tuǒdang; 合适héshì; 稳妥wěntuǒ
おんどく【音読】(〜する)念niàn; 朗读lǎngdú; 朗诵lǎngsòng
おんどり【雄鳥】❶〔オスのトリ〕〔只〕雄鸟xióngniǎo; 公鸟gōngniǎo ❷〔オスのニワトリ〕〔只〕公鸡gōngjī; 雄鸡xióngjī
オンドル【温突】火炕huǒkàng; 土炕tǔkàng
おんな【女】女性nǚxìng; 女子nǚzǐ; 女的nǚde; 女人nǚrén ‖ 〜の子 女孩子｜〜の運転手 女驾驶员｜〜三人寄れば姦(かしま)しい 三个女人一台戏
おんなおや【女親】母亲mǔqin
おんながた【女形】旦角dànjué; 花旦huādàn
おんなたらし【女誑し】淫棍yíngùn; 玩弄女人(的人) wánnòng nǚrén (de rén)
おんなもの【女物】妇女用品fùnǚ yòngpǐn; 女用(的) nǚ yòng (de) ‖ 〜の靴 女(用)鞋
おんならし·い【女らしい】有女人味yǒu nǚrénwèi; 很女性hěn nǚxìng
おんねつりょうほう【温熱療法】温热疗法wēnrè liáofǎ
おんねん【怨念】〔腔,肚子〕怨恨yuànhèn; 仇恨chóuhèn ‖ 〜を抱く 怀恨在心
おんのじ【御の字】太好了tài hǎo le; 满足了mǎnzú le ‖ そうなれば〜だ 如果能那样的话就太好了
おんぱ【音波】声波shēngbō ; 音波yīnbō
おんびん【穏便】温和wēnhé; 稳妥wěntuǒ; 平和pínghé ‖ 〜な処置 温和的处理｜〜にすませる 息事宁人
おんぶ【負んぶ】(〜する)❶〔背負う〕背bēi ❷〔頼る〕依靠别人yīkào biéren ‖ 〜に抱っこ 完全依靠
おんぷ【音符】〔个,串〕音符yīnfú
おんぷう【温風】〔股,阵〕暖风nuǎnfēng ✤ 一暖房機:暖风机
オンブズマン 行政监察员xíngzhèng jiānchá-yuán ‖ 〜制度 行政监察制度
おんぼろ 破破烂烂pòpòlànlàn; 破陋pòlòu
おんよみ【音読み】(〜する)音读yīndú
オンライン 联机liánjī; 在线zàixiàn; 联线liánxiàn ‖ 〜で結ばれている 在线联机 ✤ 一システム:在线系统｜一処理:联机处理
おんりょう【音量】音量yīnliàng ‖ テレビの〜をあげる〔下げる〕 放大〔放低〕电视机的音量
おんりょう【怨霊】冤魂yuānhún
おんわ【温和·穏和】温和wēnhé; 稳重wěnzhòng ‖ 〜な人 温和的人｜〜な気候 温和的气候

か

か【可】❶〔成績〕一般yìbān ❷〔よろしい〕可kě；可以kěyǐ‖～もなく不～もなし 定 无可无不可

か【科】❶〔分野の区分〕〔门〕科kē；系xì；专业zhuānyè‖内～ 内科｜物理学～ 物理系；物理专业 ❷〔生物分類〕科kē‖ネコ～の動物 猫科动物

か【蚊】〔个,只〕蚊子wénzi‖～に食われた 被蚊子叮了

か【課】❶〔学課〕〔门,节〕课kè‖明日から次の～を勉強する 明天开始学习下一课 ❷〔組織の区分〕科kē‖秘書～ 秘书科｜～長 科长

-か ❶〔疑問〕吗ma；呢ne‖何かご用です～ 有什么事吗？｜ご気分はいかがです～ 您觉得怎么样？｜これはいくらです～ 这个多少钱？❷〔勧誘·依頼〕吧ba；怎么样zěnmeyàng‖お茶をいかがです～ 喝杯茶怎么样？｜駅まで歩くとしよう～ 走着去车站吧 ❸〔選択〕还是háishi；或者huòzhě‖きみは行くの～行かないの～ 你去还是不去？❹〔推定·不確実〕是否shìfǒu；说不定shuōbudìng‖できる～どうかやってみたまえ 能不能干你试一试吧 ❺〔反語·意外など〕啊a；啦la；呀ya‖そんなばかな話があるもの～ 岂有此理！｜そうだったの～ 原来如此啊 ❻〔…する間際〕刚…就…gāng … jiù …‖家を出る～出ないうちに… 刚要出家门就…

が【我】自己的意见zìjǐ de yìjian；自己的主张zìjǐ de zhǔzhāng‖～を張る 固执己见｜～を通す 定 一意孤行｜～を折る 让步

が【蛾】〔只〕蛾子ézi

-が ❶〔しかし〕虽然…但是… suīrán…dànshì…；可是kěshì；不过búguò‖私は背が低い～,弟は大男だ 我个子矮,可是我弟弟是大个子 ❷〔…にかかわらず〕无论wúlùn；不管bùguǎn‖行こう～行くまい～きみの勝手だ 去不去,那是你的自由

ガーゼ 纱布shābù

カーソル 光标guāngbiāo‖文末に～を動かす 把光标移动到句尾

カーディガン 开襟毛线衣kāijīn máoxiànyī

ガーデニング 园艺yuányì；造园zàoyuán

カーテン 帘子liánzi；帷幕wéimù‖～をあける 拉开帘子｜(窓の)～を引く 拉上窗帘 ✤ーコール：谢幕｜ーレール：窗帘架

カード ❶〔紙片〕〔张〕卡kǎ；卡片kǎpiàn ❷〔トランプ〕〔张,副〕扑克牌pūkèpái‖～を切る 洗牌｜～を配る 分牌 ❸〔組み合わせ〕编组biānzǔ‖今日の試合は好～だ 今天的比赛编组很好 ❹〔銀行や商店の〕卡kǎ‖～で払えますか 可不可以用信用卡付账？ ✤ー式目録：卡片目录

ガード 警卫jǐngwèi；护卫hùwèi.（防御）防守fángshǒu‖政府要人の～ 政府要人的警卫｜～がかたい 戒备森严 ✤ーマン：保安（人员）；警卫（人员）｜ーレール：（隔）护栏

ガーナ 加纳Jiānà

カーナビ 汽车导航系统qìchē dǎoháng xìtǒng

カーニバル 狂欢节Kuánghuānjié

カーネーション 康乃馨kāngnǎixīn

ガーネット 石榴石shíliúshí

カーブ ❶(～する)〔湾曲〕弯曲wānqū；转弯zhuǎnwān ❷〔野球〕曲线球qūxiànqiú

カーペット〔块,张〕地毯dìtǎn；地毡dìzhān

カーボヴェルデ 佛得角Fódéjiǎo

ガーリック 大蒜dàsuàn ✤ーパウダー：大蒜粉

カール（～する）卷头发juǎn tóufa.（巻き毛）卷发juǎnfà

ガール 女孩儿nǚháir；少女shàonǚ ✤ースカウト：女童子军｜ーハント：寻求女伴｜ーフレンド：女朋友；（女性の友達）女性朋友

かい【下位】地位低dìwèi dī；下级xiàjí

かい【甲斐】意义yìyì；效果xiàoguǒ‖努力した～がない 努力白费了｜努力した～があった 没有白努力

かい【会】❶〔集まり〕会huì；集会jíhuì ❷〔組織〕协会xiéhuì；团体tuántǐ

かい【回】❶〔度数〕次cì；回huí；度dù‖もう1～やってもいいですか 再来一次可以吗？｜～を重ねる 反复多次 ❷〔野球〕局jú

かい【貝】贝bèi

かい【櫂】〔支,双〕桨jiǎng‖～を操る 划桨

-かい【界】界jiè ✤実業ー：实业界

-かい【階】层céng；楼lóu‖2～建ての家 二层楼的房子｜3～に住んでいる 住在三楼

がい【害】害hài；危害wēihài‖タバコは～がある 抽烟对身体有害｜気分を～する 破坏情绪

がいあく【害悪】危害wēihài；贻害yíhài；祸害huòhai‖世に～を流す 贻害于社会｜～の根をたつ 铲除祸害的根源

かいあ·げる【買い上げる】收购shōugòu；征购zhēnggòu‖政府が小麦を～げる 政府收购小麦

かいあさ·る【買い漁る】抢购qiǎnggòu；搜购sōugòu‖特売品を～る 抢购特价品

がいあつ【外圧】外界压力wàijiè yālì；外来压力wàilái yālì‖～に屈する 屈服于外界的压力

ガイアナ 圭亚那Guīyànà

かいいき【海域】海域hǎiyù

かいいれ【買い入れ】买进mǎijìn；采购cǎigòu‖古書高価～いたします 高价收购旧书 ✤ー価格：进货价格；收购价格

かいいん【会員】会员huìyuán‖スポーツクラブの～になる 成为健身俱乐部的会员 ✤ー証：会员证｜ー制：会员制｜正ー：正式会员

がいいん【外因】外因wàiyīn；外在原因wàizài yuányīn‖不況の～ 经济萧条的外因

かいうん【海運】海运hǎiyùn ✤ー業：海运业

かいえん【開演】（～する）开演kāiyǎn‖午後6時～ 晚上6点开演

かいおうせい【海王星】海王星hǎiwángxīng

かいおき【買い置き】（～する）买来备用mǎilai bèiyòng；储备chǔbèi

かいか【開花】（～する）❶〔花〕开花kāihuā‖今年はサクラの～が早い〔遅い〕 今年樱花开得很早〔晚〕 ❷〔成果が実る〕取得成就qǔdé chéng-

jiù ‖ 才能が～する 施展才能 ✣ —期:开花期 | —予想:预计开花时期
かいか【開架】开架kāijià ✣ —式図書館:开架式图书馆
かいか【階下】楼下lóuxià ‖ ～における 去楼下
かいが【絵画】〔幅,张〕绘画huìhuà; 画(儿)huà(r) ‖ 印象派の～ 印象派的画 ✣ —展:画展
がいか【外貨】外汇wàihuì ✣ —準備高:外汇储备额 | —預金:外汇储蓄;外汇存款
かいかい【開会】(～する)开会kāihuì ‖ ～の辞を述べる 致开幕词 | ～宣言 宣布开会 ✣ —式:开会仪式;开幕式
かいがい【海外】海外hǎiwài; 国外guówài ‖ ～在住日本人 旅〔侨〕居海外的日本人 | ～の事情に明るい 熟知国外情况 ✣ —勤務:国外工作 | —市場:海外市场 | —ニュース:国际新闻 | —旅行:海外〔国外〕旅行
がいかい【外界】外界wàijiè; 外部wàibù
かいがいし·い【甲斐甲斐しい】不辞辛苦bùcí xīnkǔ; 辛勤xīnqín; 勤快qínkuai ‖ ～く子どもたちの世話をする 不辞辛苦地照看孩子们
かいかく【改革】(～する)改革gǎigé ‖ ～を推し進める 推进改革 ✣ —案:改革方案
がいかく【外郭】✣—团体:外围团体〔机关〕
かいかけ【買い掛け】赊购shēgòu ✣ —金:赊购款;赊货款
かいかつ【快活】活泼huópo; 开朗kāilǎng ‖ ～な少年 活泼的少年
がいかつ【概括】(～する)概括gàikuò
かいかぶ·る【買い被る】估计过高gūjì guò gāo; 评价过高píngjià guò gāo ‖ 自分の力を～る 对自己的能力自视过高
かいがら【貝殻】贝壳bèiké ✣ —細工:贝壳工艺品
かいかん【快感】快感kuàigǎn; 感到轻松愉快gǎndào qīngsōng yúkuài ‖ 勝利の～を味わう 享受胜利的快感
かいかん【開館】(～する)开馆kāiguǎn; 开门kāimén ‖ 博物館は午前9時に～する 博物馆上午9点开馆
かいがん【海岸】海岸hǎi'àn; 海边hǎibiān ‖ ～を散歩する 在海边散步 | ～沿いのハイウェー 沿海的高速公路 ✣ —線:海岸线
がいかん【外観】外观wàiguān; 外表wàibiǎo; 表面biǎomiàn
がいかん【概観】(～する)概观gàiguān
かいき【回帰】(～する)回归huíguī ✣ —性:返回性 | —線:回归线
かいき【怪奇】怪异guàiyì;离奇líqí ‖ 複雑～ 复杂怪异
-かいき【回忌】…周年忌辰…*zhōunián jìchén* ‖ 七～の法要 七周年忌辰的法事
かいぎ【会議】会议huìyì ‖ ～を開く 开会 | ～を招集する 招集会议 | ～中 正在开会 | ～が長引く 开会时间拖长 ✣ —室:会议室
かいぎ【懐疑】(～する)怀疑huáiyí ‖ ～的になる 表示怀疑 | ～の念を抱く 抱怀疑态度
がいき【外気】外气wàiqì; 户外空气hù wài kōngqì ‖ 窓を開けて～を入れる 打开窗户进点外边的空气
かいきゅう【階級】❶〔社会的な〕阶级jiējí. (階層)阶层jiēcéng ❷〔等級·ランク〕等级děngjí; 级别jíbié ✣ —闘争:阶级斗争
かいきゅう【懐旧】怀旧huáijiù; 怀古huáigǔ ‖ ～の情 怀旧之情
かいきょ【快挙】快举kuàijǔ; 壮举zhuàngjǔ ‖ 金メダル獲得の～をなし遂げる 实现了夺金的壮举
かいきょう【回教】回教huíjiào; 伊斯兰教Yīsīlánjiào
かいきょう【海峡】海峡hǎixiá
かいぎょう【改行】(～する)换行huàn háng; 另起一行lìng qǐ yì háng
かいぎょう【開業】(～する)开业kāiyè; 开张kāizhāng ‖ スーパーが～した 超市开张了 | 歯科医院が～した 一所牙科医院开业了 ✣ —医:开业医生(私人经营医院的医生)
がいきょう【概況】概况gàikuàng ‖ 株価の～ 股市概况
かいきん【皆勤】(～する)全勤quánqín; 出满勤chū mǎnqín ✣ —賞:全勤奖
かいきん【開襟】✣—シャツ:翻领衬衫
かいきん【解禁】(～する)解禁jiějìn; 解除禁令jiěchú jìnlìng ‖ アユ漁は6月に～になる 6月解除捕香鱼的禁令
がいきん【外勤】(～する)外勤wàiqín
かいぐん【海軍】海军hǎijūn
かいけい【会計】(～する)❶〔金銭の管理〕会计kuàiji; 财务cáiwù ❷〔支払い〕结账jiézhàng; 付款fù kuǎn ‖ ～をお願いします 请结账!;买单! ✣ —係:会计;出纳(员) | —年度:会计年度 | —報告:财务报告 | 一般—:普通会计
がいけい【外形】外形wàixíng; 外表wàibiǎo
かいけつ【解決】(～する)解决jiějué ‖ 事件～の糸口 破案的线索 | 問題～のめどがたつ 解决问题有眉目了 ✣ —策:解决办法
かいけん【会見】(～する)会见huìjiàn ‖ 市長に～を申し入れる 请求会见市长
がいけん【外見】外表wàibiǎo; 外貌wàimào;表面biǎomiàn ‖ ～を気にする 重视外表 | ～で人を判断する 以貌取人 | ～をとりつくろう 装饰外表
かいげんれい【戒厳令】戒严令jièyánlìng ‖ ～を敷く〔解く〕 下〔解除〕戒严令
かいこ【回顧】(～する)回顾huígù; 回忆huíyì; 回想huíxiǎng ✣ —録:回忆录
かいこ【蚕】蚕cán ‖ ～がまゆをつくる 蚕结茧
かいこ【解雇】(～する)解雇jiěgù; 免职miǎnzhí ✣ —通告:解雇通知 | —手当:解约金;退职金
かいご【介護】(～する)护理hùlǐ; 看护kānhù ‖ 寝たきりの祖母を～する 护理卧床不起的祖母 ✣ —保険:护理保险 | 在宅—:家庭护理
かいこう【海溝】海沟hǎigōu
かいこう【開口】‖ ～一番 张口便说
かいこう【開校】(～する)建校jiàn xiào ‖ ～100周年 建校一百周年 ✣ —記念日:建校纪念日;校庆
かいごう【会合】(～する)集会jíhuì; 聚会jùhuì ‖ ～に参加する 参加聚会
がいこう【外交】❶〔国家〕外交wàijiāo ‖ ～上の関係 外交关系 ❷〔外勤セールス〕推销tuī-

xiāo；外勤wàiqín ✣ 一員：推销员；外勤人员｜一官：外交官｜一交渉：外交谈判｜一辞令：外交辞令｜一政策：外交政策｜一ルート：外交途径
がいこう【外向】外向wàixiàng‖～的な性格 性格外向
がいこく【外国】外国wàiguó ✣ 一為替：外汇｜一航路：国外航线｜一貿易：对外贸易
がいこくご【外国語】外国语wàiguóyǔ；外语wàiyǔ‖～をかじる 稍微学点外国语
がいこくじん【外国人】外国人wàiguórén；老外lǎowài ✣ 一教師：外籍教师｜一登録：外国人登记
がいこつ【骸骨】尸骨shīgǔ；尸骸shīhái
かいこん【悔恨】（～する）悔恨huǐhèn‖～の念にさいなまれる 感到十分懊悔
かいこん【開墾】（～する）开垦kāikěn
かいさい【開催】（～する）举办jǔbàn；举行jǔxíng‖サミットを～する 召开首脑会议 ✣ 一国：主办国；东道国｜一地：举办地点
かいさく【改作】（～する）改编gǎibiān；改写gǎixiě‖小説を映画の脚本に～した 把小说改编成了电影剧本
かいさつ【改札】（～する）检票jiǎnpiào ✣ 一口：检票口
かいさん【解散】（～する）❶〔集会・集まりで〕解散jiěsàn；散会sànhuì‖駅前で～する 在车站前解散 ❷〔組織が〕解散jiěsàn；解体jiětǐ‖会社を～した 把公司解散了 ✣ 現地一：就地解散
かいざん【改竄】（～する）篡改cuàngǎi；窜改cuàngǎi‖小切手を～する 篡改支票
がいさん【概算】（～する）估计gūjì；粗略地计算cūlüè de jìsuàn‖ビルの建設費を～する 估算大楼的建筑费用 ✣ 一費用：估计成本
かいさんぶつ【海産物】海产品hǎichǎnpǐn
かいし【開始】（～する）开始kāishǐ‖授業は4月10日から～します 从4月10日开始上课
がいし【外資】〔笔〕外资wàizī；国外资本guówài zīběn；外商投资wàishāng tóuzī‖～を受け入れる 引进外资 ✣ 一系企業：外资企业
がいじ【外耳】外耳wài'ěr ✣ 一炎：外耳炎
がいして【概して】大体上dàtǐ shang；总的看来zǒng de kànlai
かいし・める【買い占める】囤积túnjī；全部买下〔收购〕quánbù mǎixia〔shōugòu〕‖沿線の土地を～める 收购沿线的所有土地｜株を～める 买断股票
かいしゃ【会社】〔家〕公司gōngsī‖～へ行く 去公司上班｜～に入る 进公司工作｜～勤め 在公司工作｜～を興す 开办公司；兴办企业｜～を立て直す 重整企业 ✣ 一員：公司职员｜一役員：公司董事｜保険一：保险公司
かいしゃ【膾炙】（～する）‖人口に～する 定 脍炙人口
がいしゃ【外車】进口车jìnkǒuchē
かいしゃく【解釈】（～する）解释jiěshì；把…理解为… bǎ…lǐjiěwéi…‖この文はいろいろに～できる 这个句子可以有多种解释
かいしゅう【回収】（～する）回收huíshōu；收回shōuhuí‖アンケートを～する 收回调查问卷｜欠陥製品を～する 回收次品
かいしゅう【改修】（～する）修复xiūfù；修整xiūzhěng ✣ 一工事：修复工程
かいじゅう【怪獣】怪兽guàishòu ✣ 一映画：怪兽电影
かいじゅう【海獣】海兽hǎishòu
かいじゅう【懐柔】（～する）拉拢lālong；笼络lǒngluò；怀柔huáiróu
がいしゅつ【外出】（～する）外出wàichū；出门chūmén‖今日は一日中～しなかった 今天一整天没出门｜～を見合わせる 暂不外出｜責任者は～中だ 负责人出去了
かいしょ【楷書】楷书kǎishū
かいじょ【介助】（～する）帮助他人起居bāngzhù tārén qǐjū；搀扶chānfú
かいじょ【解除】（～する）解除jiěchú；取消qǔxiāo‖武装を～する 解除武装｜洪水警報が～になった 洪水警报解除了
かいしょう【甲斐性】（有）志气（yǒu） zhìqi；（有）能力（yǒu） nénglì‖いい年して～がない 挺大岁数的真没出息
かいしょう【解消】（～する）消除xiāochú；取消qǔxiāo；解除jiěchú‖ストレスを～する 解除精神上的疲劳｜契約～をする 取消合同
かいじょう【会場】会场huìchǎng
かいじょう【海上】海上hǎishàng‖古代交易の～ルート 古代贸易的海上航线 ✣ 一封鎖：海上封锁｜一保険：海上保险｜一輸送：海上运输
かいじょう【開場】（～する）开始入场kāishǐ rùchǎng；开门kāimén‖午後1時～ 下午1点开始入场
かいじょう【階上】楼上lóushang
がいしょう【外相】⇨がいむ（外務）「一大臣」
がいしょう【外傷】外伤wàishāng
かいしょく【会食】（～する）聚餐jùcān；会餐huìcān‖取引先と～する 和客户吃饭
がいしょく【外食】（～する）在外吃饭zài wài chīfàn ✣ 一産業：饮食服务行业；饮食业
かいしん【会心】得意déyì；令人满意lìng rén mǎnyì‖～の笑み 满意的笑容
かいしん【回診】（～する）查房cháfáng
かいしん【改心】（～する）定 改邪归正gǎi xié guī zhèng‖～を誓う 发誓要改邪归正
がいじん【外人】⇨がいこくじん（外国人）
かいず【海図】〔张〕海图hǎitú
かいすい【海水】海水hǎishuǐ ✣ 一魚：咸水鱼
かいすいよく【海水浴】海水浴hǎishuǐyù‖江の島に～に行く 去江之岛洗海水浴 ✣ 一場：海水浴场；海滨游泳场
かいすう【回数】次数cìshù ✣ 一券：回数票
がいすう【概数】概数gàishù；大致的数目dàzhì de shùmù‖～で1万になる 大约为1万
かい・する【介する】通过tōngguò‖しかるべき人を～する 通过适当的人｜少しも意に～さない 毫不介意
かい・する【会する】集合jíhé；会聚huìjù‖一流の演奏家が一堂に～する 一流演奏家会聚一堂
かい・する【解する】理解lǐjiě；领会lǐnghuì‖ユーモアを～さない 不懂幽默
がい・する【害する】伤害shānghài；损害sǔnhài‖人の感情を～する 伤害别人的感情｜健康を～

する 损害健康

かいせい【快晴】天气晴朗tiānqì qínglǎng；万里晴空wànlǐ qíngkōng

かいせい【改正】(～する) 修改xiūgǎi；更改gēnggǎi；改动gǎidòng ‖ 憲法～ 修改宪法｜電気料金が～される 电费要有改动

かいせき【解析】(～する) 解析jiěxī ‖ データを～する 分析数据

かいせつ【開設】(～する) 设立shèlì；开设kāishè；创办chuàngbàn ‖ 支社を～する 开设分公司｜事務所を～した 开了一家事务所

かいせつ【解説】(～する) 解说jiěshuō；讲解jiǎngjiě；说明shuōmíng ‖ 経済問題を～する 对经济问题进行讲解 ✤ 一者：评论员｜一書：指南；说明书

がいせつ【概説】(～する) 概论gàilùn；概述gàishù ‖ 戦況を～する 概述战况

かいせん【回線】电路diànlù；线路xiànlù ✤ 通信一：通讯线路｜電話一：电话线(路)

かいせん【開戦】(～する) 开战kāizhàn

かいぜん【改善】(～する) 改善gǎishàn；改良gǎiliáng；改进gǎijìn ‖ 待遇の～を要求する 要求改善待遇｜体質を～する 改善体质

がいせん【外線】外线wàixiàn ‖ この電話で～はかけられますか 这部电话可以打外线吗？

がいせん【凱旋】(～する) 凯旋kǎixuán

がいぜんせい【蓋然性】盖然性gàiránxìng

かいそう【回送】(～する) (転送する) 转寄zhuǎnjì；转送zhuǎnsòng. (電車やバスを) 开空车回车库kāi kōngchē huí chēkù

かいそう【回想】(～する) 回想huíxiǎng；回忆huíyì；缅怀miǎnhuái ✤ 一シーン：倒叙；闪回

かいそう【改装】(～する) 改装gǎizhuāng；重新装修chóngxīn zhuāngxiū ‖ 内部を～する 内部装修

かいそう【海藻】海藻hǎizǎo

かいそう【階層】阶层jiēcéng；层次céngcì

かいぞう【改造】(～する) 改造gǎizào；改建gǎijiàn；改组gǎizǔ ‖ 家屋を店舗に～する 把住房改建成店铺

かいそく【快速】快速kuàisù；高速gāosù ✤ 一艇：快艇｜一列車：快车

かいぞく【海賊】海盗hǎidào ✤ 一行為：海盗行为｜一船：海盗船｜一版：非法翻印版；盗版

かいたい【解体】(～する) 拆除chāichú；拆开chāikāi ‖ 古いビルを～する 把旧的楼房拆除｜機械を～修理する 把机器拆开修理｜組織を～, 再編成する 解散组织后重组 ✤ 一作業：拆卸作业

かいたく【開拓】(～する) 开辟kāipì；开拓kāituò ‖ 新市場を～する 开辟〔开拓〕新的市场 ✤ 一者：开拓者；先驱者｜一地：新开拓的土地

かいだく【快諾】(～する) 慨然允诺kǎirán yǔnnuò；爽快地答应shuǎngkuai de dāying

かいたた・く【買い叩く】压低价格yādī jiàgé；杀价shājià

かいだめ【買い溜め】(～する) 囤积物资túnjī wùzī ‖ 大量に灯油の～をする 囤积大量的煤油

かいだん【会談】(～する) 会谈huìtán ‖ 首脳～は東京で行われた 首脑会谈在东京举行

かいだん【怪談】鬼神故事guǐshén gùshi

かいだん【階段】楼梯lóutī；台阶táijiē；梯级tījí ‖ ～をのぼる〔おりる〕 爬〔下〕楼梯｜～を踏みはずす 踩空了楼梯 ✤ 一教室：阶梯教室｜非常一：安全梯

ガイダンス 指导zhǐdǎo；介绍jièshào ‖ 就職～ 就业说明会

かいちく【改築】(～する) 重建chóngjiàn；改建gǎijiàn ‖ 平屋を二階に～する 把平房改建为二层楼 ✤ 一工事：改建工程

かいちゅう【海中】海中hǎi zhōng；海里hǎili ✤ 一公園：海上公园

かいちゅう【懐中】怀中huái zhōng；衣兜里yīdōu li ✤ 一電灯：手电筒｜一時計：怀表

がいちゅう【害虫】害虫hàichóng ✤ 一駆除：消灭害虫

かいちょう【会長】董事长dǒngshìzhǎng；总裁zǒngcái；会长huìzhǎng

かいちょう【快調】情况良好qíngkuàng liánghǎo；顺利shùnlì

かいつう【開通】(～する) 通车tōngchē；开通kāitōng ‖ 新自動車道は10日に～する 新公路将于10号通车

かいつけ【買い付け】收购shōugòu ✤ 一価格：收购价格

かいて【買い手】买主mǎizhǔ；买方mǎifāng ‖ ～がつく 有买主 ✤ 一市場：买方市场

かいてい【改定】(～する) 改定gǎidìng；重新规定chóngxīn guīdìng ‖ 運賃〔税率〕を～する 重新规定客运费〔税率〕

かいてい【改訂】(～する) 修订xiūdìng；改订gǎidìng ✤ 一増補：增补修订｜一版：修订版

かいてい【海底】海底hǎidǐ ✤ 一火山：海底火山｜一ケーブル：海底电缆｜一トンネル：海底隧道｜一油田：海底油田

かいてき【快適】舒适shūshì；舒服shūfu；惬意qièyì ‖ 夏を～に過ごす 舒服地度过夏季

がいてき【外敵】外敌wàidí

かいてん【回転】(～する) ❶ (ぐるぐる回る) 转动zhuàndòng；旋转xuánzhuǎn ‖ 1日に1～する 一天轮一圈儿｜あの子は頭の～が早い 那个孩子头脑灵活 ❷ (資金などの) 周转zhōuzhuǎn ‖ 資金を～させる 周转资金 ✤ 一椅子：转椅｜一資金：周转资金｜一軸：旋转轴｜一ドア：旋转门；转门｜一窓：旋转窗｜一木馬：旋转木马

かいてん【開店】(～する) ❶ (新しく) 开业kāiyè；开张kāizhāng；开设店铺kāishè diànpù ❷ (その日の) 营业yíngyè；开门kāimén

ガイド (～する) 导游dǎoyóu；向导xiàngdǎo ‖ 日本語～ 日语导游 ✤ 一ブック：旅行指南｜一ライン：指导方针；指导目标

かいとう【回答】(～する) 回答huídá；答复dáfu ‖ 口頭による～ 口头答复

かいとう【解凍】(～する) 解冻jiědòng；化冻huàdòng ‖ 冷凍した肉を電子レンジで～する 将冻肉放入微波炉里解冻

かいとう【解答】(～する) 解答jiědá ✤ 一用紙：答卷｜一欄：解答栏

かいどう【街道】公路gōnglù；大道dàdào

がいとう【街灯】路灯lùdēng；街灯jiēdēng

がいとう【街頭】街头jiētóu；街上jiēshang ✤

一演説:街头演讲|一デモ:上街游行|一募金:街头募捐

がいとう【該当】(～する)符合fúhé;适合shìhé‖～する項目を○で囲む 符合的项目画上圈儿 ❖一者:符合条件者

かいどく【買い得】买得便宜mǎide piányi;买得合算mǎide hésuàn‖本日のお～品 今天的特价品

かいどく【解読】(～する)译解yìjiě;破译pòyì

がいどく【害毒】毒害dúhài;流毒liúdú

かいと・る【買い取る】买下来mǎixialai;购买gòumǎi‖土地を～る 把土地买下来

かいにゅう【介入】(～する)介入jièrù;参与cānyù;干涉gānshè

かいにん【解任】(～する)解除职务jiěchú zhíwù‖議長を～する 解除议长职务

かいぬし【買い主】买主mǎizhǔ;买方mǎifāng

かいぬし【飼い主】饲养主sìyǎngzhǔ;主人zhǔren;饲养人sìyǎngrén

がいねん【概念】概念gàiniàn ❖一論:概念论

かいばしら【貝柱】❶〔食品〕干贝gānbèi ❷〔貝類〕闭壳肌bìkéjī

かいはつ【開発】(～する)❶〔資源·土地などを〕开发kāifā;开垦kāikěn‖天然資源を～する 开发自然资源 ❷〔実用化〕研制yánzhì‖新型の宇宙ロケットを～する 研制新型宇宙火箭

かいばつ【海抜】海拔hǎibá‖富士山は～3776メートルある 富士山海拔3776米

かいひ【会費】〔笔〕会费huìfèi‖～をおさめる 缴纳会费 ❖一制:会费制

かいひ【回避】(～する)回避huíbì;推卸tuīxiè‖トラブルを～する 回避麻烦

かいひょう【開票】(～する)开票kāipiào;开箱点票kāi xiāng diǎn piào ❖一速報:开票情况快报|一率:开票率

がいぶ【外部】外部wàibù;外界wàijiè‖～の人 局外人|顧客データが～に流出した 顾客名单泄露出去了

かいふう【開封】拆开chāikāi‖手紙を～する 拆开书信|メールを～する 打开(电子)邮件

かいふく【回復】(～する)恢复huīfù‖病気が～する 恢复健康|意識を～する 苏醒过来|名誉を～する 恢复名誉|天候が～する 天气好转

かいぶつ【怪物】(化け物)怪物guàiwu;鬼怪guǐguài.(怪人物)怪杰guàijié;怪才guàicái

がいぶん【外聞】声誉shēngyù;体面tǐmian‖恥も～もない 不顾体面|～をはばかる 羞为人知

かいぶんしょ【怪文書】匿名文章nìmíng wénzhāng‖～が出まわる 匿名文章四处流传

かいへい【開閉】(～する)开关kāiguān

がいへき【外壁】外墙wàiqiáng;外壁wàibì

かいへん【改変】(～する)改变gǎibiàn;变革biàngé;更改gēnggǎi‖データを～する 更改数据

かいへん【改編】(～する)改编gǎibiān‖機構を～する 改组机构|テキストを～する 改编教材

かいほう【介抱】(～する)护理hùlǐ

かいほう【会報】〔份,期〕会报huìbào;会刊huìkān‖同窓会～ 校友会的会报

かいほう【快方】好转hǎozhuǎn;见好jiànhǎo‖患者は～に向かっている 病人的病情有好转

かいほう【開放】(～する)❶〔公開する〕开放kāifàng;公开gōngkāi‖学内の図書館は一般に～されている 校内图书馆对外开放 ❷〔あける〕打开dǎkāi‖～禁止 禁止开窗〔门〕

かいほう【解放】(～する)解放jiěfàng;摆脱bǎituō;释放shìfàng‖人質が～された 人质被释放了|仕事から～される 从工作中解脱 ❖一軍:解放军

かいぼう【解剖】(～する)❶〔医学〕解剖jiěpōu ❷〔分析する〕剖析pōuxī ❖一学:解剖学|一図:解剖图

かいまく【開幕】(～する)(はじまり)开幕kāimù;开场kāichǎng‖日米大学野球がもうすぐ東京で～する 日美大学棒球赛即将在东京揭幕 ❖一第1戦:开场比赛

かいま・みる【垣間見る】窥视kuīshì

がいむ【外務】❖一省:外交部;外务省|一大臣:外交部部长;外务大臣

かいめい【改名】(～する)改名gǎimíng

かいめい【解明】(～する)查明chámíng;弄清楚nòng qīngchu

かいめつ【壊滅】(～する)毁灭huǐmiè‖～的打撃を受けた 受到了毁灭性的打击

かいめん【海面】海面hǎimiàn

かいめん【海綿】海绵hǎimián ❖一体:海绵体|一動物:海绵动物

かいめん【界面】界面jièmiàn;表面biǎomiàn ❖一活性剤:表面活性剂

がいめん【外面】❶〔物体の外側〕外面wàimian;表面biǎomiàn ❷〔うわべ〕外表wàibiǎo;表面biǎomiàn

かいもの【買い物】(～する)买东西mǎi dōngxi‖～に出かける 出去买东西 ❖一かご:(购物用的)篮子;筐子|一客:顾客|一上手:会买东西

かいもん【開門】(～する)开门kāimén‖午前8時～ 上午八点开门

がいや【外野】外场wàichǎng.(部外者)局外人júwàirén ❖一手:外场手|一席:外场席位

かいやく【解約】(～する)解除合同jiěchú hétong;解约jiěyuē‖銀行口座を～する 取消银行户头

かいゆう【回遊】❖一魚:回游鱼

がいゆう【外遊】(～する)出国旅行chūguó lǚxíng‖首相は～中だ 首相正在国外出访

かいよう【海洋】海洋hǎiyáng ❖一汚染:海洋污染|一資源:海洋资源|一性気候:海洋性气候|一博覧会:海洋博览会

かいよう【潰瘍】溃疡kuìyáng

がいよう【外洋】远洋yuǎnyáng;外洋wàiyáng ❖一船:远洋船;(定期航路の)远洋航船

がいよう【概要】概要gàiyào;概略gàilüè

がいようやく【外用薬】外用药wàiyòngyào

かいらい【傀儡】❶〔操られる者〕傀儡kuǐlěi ❷〔人形〕木偶mù'ǒu ❖一政権:傀儡政权

がいらい【外来】外来wàilái;舶来bólái.(病院の)门诊ménzhěn ❖一患者:门诊患者|一語:外来语

かいらく【快楽】享乐xiǎnglè

かいらん【回覧】(～する)传阅chuányuè‖この通達を～してください 请把这个通知传阅一下 ❖

一板:传阅板报
かいり【海里・浬】海里hǎilǐ
かいりつ【戒律】戒律jièlǜ‖〜に従う 守戒｜〜を犯す 犯戒
がいりゃく【概略】概要gàiyào; 梗概gěnggài
かいりゅう【海流】海流hǎiliú
かいりょう【改良】(〜する)改良gǎiliáng‖〜を施す 进行改良 ✣一種:改良种
かいろ【回路】电路diànlù; 回路huílù; 线路xiànlù‖〜を閉じる〔開く〕 切断〔开通〕电路
かいろ【海路】海路hǎilù‖〜上海へ行く 从海路去上海
かいろ【懐炉】怀炉huáilú
カイロプラクティック (脊柱)按摩疗法(jǐzhù) ànmó liáofǎ
かいわ【会話】(〜する)会话huìhuà; 对话duìhuà ✣一体:会话体｜一力:会话能力
かいわい【界隈】附近fùjìn; 一带yídài‖この〜では顔がきく 在这一带很有影响力
か・う【買う】❶〔購入する〕买mǎi; 购买gòumǎi‖この家はいくらで〜ったのですか 这栋房子你是用多少钱买的？ ❷〔招く〕招致zhāozhì‖怒りを〜う 招人生气；得罪｜歓心を〜う 定讨人欢心；取悦｜人の恨みを〜う 招人怨恨 ❸〔自ら求める〕(主动)承担(zhǔdòng) chéngdān ❹〔評価する〕评价píngjià; 赏识shǎngshí; 尊重zūnzhòng‖才能を高く〜う 高度评价(他的)才能｜熱意を〜う 欣赏(他的)热情
か・う【飼う】养yǎng; 饲养sìyǎng‖乳牛を〜う 饲养奶牛｜ペットを〜う 养宠物
カウンセラー 心理咨询师xīnlǐ zīxúnshī
カウンセリング 心理咨询xīnlǐ zīxún
カウンター ❶〔勘定台〕收款台shōukuǎntái; 帐台zhàngtái ❷〔バーなどの〕柜台guìtái ❸〔ボクシング〕还击huánjī
カウント (〜する)计算jìsuàn; 计数jìshù ✣一ダウン:倒计时
かえ【替え】备用品bèiyòngpǐn‖靴下の〜がない 没有备用的袜子 ✣一芯:备用笔心
かえ・す【返す】❶〔返却する〕还huán; 还给huángěi; 归还guīhuán‖図書館へ本を〜しに行く 去图书馆还书｜食器はカウンターへお〜しください 请把餐具送还到柜台 ❷〔返報する〕还huán; 报bào‖恩をあだで〜す 定恩将仇报｜〜す言葉もありません 我无言以对｜お言葉を〜すようですが 对不起，我冒昧地说一句 ❸〔ひっくり返す〕翻过来fānguolai; 反fǎn ❹〔…かえす〕重复chóngfù; 反复fǎnfù‖読み〜す 重读
かえだま【替え玉】替身tìshēn; 冒牌货màopáihuò. (受験の)枪手qiāngshou ✣一受験:冒名顶替考试；枪手考试
かえで【楓】槭qì; 槭树qìshù
かえり【帰り】回来huílai; 回去huíqu. (帰路)回程huíchéng
かえりざ・く【返り咲く】重返原来的地位chóngfǎn yuánlái de dìwèi; 定东山再起Dōngshān zài qǐ‖政界に〜く 重返政界
かえりみち【帰り道】归途guītú; 回来〔回去〕的路上huílai〔huíqu〕de lùshang‖〜がわからなくなった 我找不到回去的路了
かえり・みる【省みる】反省fǎnxǐng; 自省zìxǐng‖わが身を〜みる 自省
かえり・みる【顧みる】❶〔回顧する〕回顾huígù; 回想huíxiǎng ❷〔顧慮する〕顾及gùjí; 顾虑gùlǜ‖家庭を〜みない 不顾家
かえ・る【返る・反る】❶〔状態が戻る〕恢复huīfù; 归还guīhuán‖童心に〜る 童心未泯｜われに〜る 醒过来 ❷〔ひっくり返る〕翻fān; 反fǎn
か・える【変える】改变gǎibiàn; 更改gēnggǎi; 变动biàndòng‖顔色を〜える 脸色大变
かえ・る【帰る・還る】回来huílai; 归来guīlái; 回去huíqu‖お〜りなさい 回来了｜駅からは歩いて〜れる 我可以从车站走回去｜そろそろ〜らなければ 我该回去了
か・える【替える・換える・代える】换huàn; 更换gēnghuàn; 交换jiāohuàn‖円をドルに〜える 把日元换成美元｜書面をもってあいさつに〜える 以书面致意
かえる【蛙】〔只〕青蛙qīngwā‖〜の子は〜 定有其父必有其子；定鸡窝里飞不出金凤凰来｜〜の面に水 满不在乎 ✣一泳ぎ:蛙泳｜一跳び:蛙跳
かえ・る【孵る】孵化fūhuà‖ひなが〜った 孵化出了小鸡
かお【顔】❶〔顔面〕〔张〕脸liǎn; 面孔miànkǒng‖〜を洗う 洗脸｜穏やかな〜 和蔼的面孔｜〜が赤くなる 脸红｜日本人ばなれのした〜 长得不像日本人｜〜を伏せて黙っている 低头不语 ❷〔表情〕表情biǎoqíng; 神情shénqíng; 神色shénsè‖心配で浮かぬ〜をする 忧心忡忡的表情｜不思議そうな〜 不可思议的表情｜うれしそうな〜 满脸喜气｜つまらなそうな〜 无聊的神情｜〜を曇らせる 脸上愁云密布 ❸〔体面〕〔张〕面子miànzi; 脸liǎn‖〜に泥を塗る 往脸上抹黑｜〜を立てる 撑面子｜あなたには合わせる〜がない 我没脸见你 ❹〔名声〕名望míngwàng‖政界に〜がきく 在政界有势力 ❺〔メンバー〕人rén‖〜がそろった 人到齐了｜知らない〜ばかりだった 尽是不认识的人 ❻〔慣用表現〕‖たまには〜を見せてください 有空就过来看看吧｜ちゃんと〜に書いてある 全写在脸上｜少しも〜に出さない 脸上丝毫没有流露(出)
かおあわせ【顔合わせ】(〜する)会面huìmiàn; 碰头pèngtóu. (試合で)交锋jiāofēng‖1回戦で〜した 在第一轮赛中就交锋了
かおいろ【顔色】脸色liǎnsè; 气色qìsè‖〜がよい 脸色〔气色〕很好｜〜を変える 变脸色；沉下脸来｜人の〜をうかがう 看人脸色
かおく【家屋】〔栋〕房屋fángwū; 住房zhùfáng
かおだち【顔立ち】相貌xiàngmào; 容貌róngmào‖母親に〜が似ている 长得像妈妈
かおつき【顔つき】表情biǎoqíng; 脸色liǎnsè‖いかめしい〜をしている 表情严肃
かおつなぎ【顔繋ぎ】(〜する)❶〔関係保持〕保持关系bǎochí guānxi ❷〔紹介〕介绍jièshào; 引见yǐnjiàn
かおなじみ【顔馴染み】熟人shúrén; 老相识lǎo xiāngshí‖〜の客 老顾客；老主顾
かおぶれ【顔触れ】成员chéngyuán; 参加的人员cānjiā de rényuán‖新内閣の〜 新的内阁成

员｜～がそろう 该到的都到齐了｜いつもと同じ～还是那几个老面孔

かおみしり【顔見知り】熟人shúrén；认识的人rènshi de rén

かおむけ【顔向け】(与别人)见面(yǔ biéren) jiànmiàn‖世間に～ができない 无脸见世人

かおやく【顔役】有权势的人yǒu quánshì de rén；头面人物tóumiàn rénwù；头领tóulǐng

かおり【薫り・香り】〔股〕香气xiāngqì；香味儿xiāngwèir‖甘い～ 甜甜的香味儿｜芸術の～高い 很有艺术气息

がか【画家】画家huàjiā

かかあ【嚊・嬶】老婆lǎopo；老伴儿lǎobànr ✣—天下：老婆当家；妻管严

かがい【課外】课外kèwài ✣—活動：课外活动

かがいしゃ【加害者】加害者jiāhàizhě

かか・える【抱える】❶〔持つ〕(両腕で)抱bào.(小脇に)夹jiā‖頭を～える 抱脑袋｜腹を～えて笑う 捧腹大笑｜すきっ腹を～える 带着漉漉饥肠｜病人を～えている 家里有病人要服侍｜乳飲み子を～えて離婚した 带着吃奶的孩子离了婚 ❷〔負担する〕承担chéngdān；担负dānfù‖仕事をたくさん～えている 有很多工作要做 ❸〔雇う〕雇佣gùyōng‖運転手を～える 雇佣司机

カカオ 可可kěkě.(豆)可可豆kěkědòu

かかく【価格】价格jiàgé；价钱jiàqian‖～を決める 订价格｜～が下がる〔上がる〕 价格下跌〔上涨〕 ✣—競争：价格竞争｜—協定：价格协定｜—調整：价格调整｜—変動：价格变动｜生産〔消費〕者—：生产〔消费〕价格

かがく【化学】化学huàxué ✣—記号：化学符号｜—式：化学式｜—消防車：化学消防车｜—繊維：化学纤维｜—調味料：味精｜—反応：化学反应｜—肥料：化肥｜—兵器：化学武器｜—変化：化学变化｜—方程式：化学方程式｜—薬品：化学药品｜—療法：化疗

かがく【科学】科学kēxué ✣—技術：科学技术｜—博物館：科学博物馆

かか・げる【掲げる】(旗を)悬挂xuánguà；升起shēngqi.(プラカードなどを)举起jǔqi；打着dǎzhe‖スローガンを～げてデモ行進する 举着标语游行

かかし【案山子】稻草人dàocǎorén

かか・す【欠かす】缺quē；缺少quēshǎo‖～さず会合に出席する 每次聚会从不缺席｜～せない人材 不可缺少的人才

かかと【踵】❶〔足の〕脚后跟jiǎohòugēn ❷〔履物の〕鞋后跟xiéhòugēn‖～の高い〔低い〕靴 高〔低〕跟鞋｜靴の～がすり減った 鞋跟磨平了

かがみ【鏡・鑑】❶〔姿見〕〔面〕镜子jìngzi‖～を見る 照镜子 ❷〔手本〕榜样bǎngyàng；模范mófàn‖女性の～ 女性的楷模

かが・む【屈む】蹲下dūnxia；弯下腰wānxia yāo‖～んでボールを拾う 弯下腰捡球

かが・める【屈める】弯下腰wānxia yāo；躬腰gōng yāo‖腰を～めてあいさつする 躬身致意

かがやかし・い【輝かしい】辉煌huīhuáng‖～い業績をおさめる 取得辉煌的成就

かがやか・す【輝かす】使…闪光shǐ…shǎnguāng‖うれしさに顔を～す 高兴得脸上发光

かがやき【輝き】光辉guānghuī；光芒guāngmáng

かがや・く【輝く】❶〔光る〕发光fā guāng；闪烁shǎnshuò；闪耀shǎnyào ❷〔表情が〕充满chōngmǎn；洋溢yángyì‖喜びに～く 脸上充满了喜悦 ❸〔栄誉に〕光荣guāngróng‖アカデミー賞の栄誉に～く 荣获奥斯卡金像奖

かかり【係り・掛かり】❶〔任務〕主管zhǔguǎn；担任dānrèn；负责fùzé‖～を割りふる 分配各自的主管工作 ❷〔費用〕〔笔〕费用fèiyong；花费huāfei；开销kāixiao‖～がかさむ 花费多；开销大 ✣—員：主管人员；负责人｜—官：主管负责人｜—長：股长｜誘導—：引导人；引路人

-がかり【掛かり】用yòng；花(费) huā(fèi)‖1日～の仕事 这项工作要花一天的时间｜100年～で建設した教会 耗时100年建成的教堂

かかりきり【掛かり切り】专管一事zhuānguǎn yí shì；一直在做某事yìzhí zài zuò mǒu shì

かかりつけ【掛かりつけ】经常就诊jīngcháng jiùzhěn‖～の医者 常看的医生

かがりび【篝火】篝火gōuhuǒ‖～をたく 燃篝火

かか・る【掛かる・懸かる・架かる・係る】❶〔物に接して〕挂上guàshang；悬挂xuánguà‖壁に絵が～っている 墙上挂着一幅画｜上着はハンガーに～っている 上衣挂在衣架上｜火になべが～っている 锅坐在火上 ❷〔さし渡される〕架设jiàshè‖川に橋が～っている 河上架设着桥梁｜滝に虹が～っている 瀑布上映出了彩虹 ❸〔かぎなどが〕锁上suǒshang；扣上kòushang‖戸にかぎが～っていた 门锁着｜ボタンがなかなか～らない 扣子老扣不上 ❹〔要する〕需要xūyào；要yào；花huā‖車で2時間～る 开车要两个小时｜金が～る 花钱｜会費が～る 要交会费｜関税が～らない 不用交关税 ❺〔覆われる〕盖上gàishang；罩上zhàoshang；笼罩lǒngzhào‖谷間に霧が～る 峡谷里云雾缭绕｜カバーが～った本 套着封皮的书 ❻〔始まる・今にもするところである〕开始(做) kāishǐ (zuò)‖仕事に～る 开始工作｜日が暮れ～ってきた 天开始黑下来了｜折り返し点に～る 快要到折返点了 ❼〔依存する〕靠kào；依靠yīkào；依赖yīlài‖この責任はすべて私に～っている 责任全由我承担｜医者に～ 看医生 ❽〔対抗する〕较量jiàoliàng；比赛bǐsài‖さあ，～ってこい 喂，上啊！；来啊！｜猟犬は獲物に～っていった 猎犬扑向猎物 ❾〔水などが〕溅上jiànshang；浇上jiāoshang‖ズボンに泥水が～った 裤子上溅上了泥水 ❿〔電話が〕挂guà；打dǎ‖電話が～る 电话来了 ⓫〔慣用表現〕‖網に～る 落网｜気に～ることが1つある 有一件事不放心｜声が鼻に～ 说话带有鼻音｜かさに～る 盛气凌人｜なめて～る 掉以轻心｜圧力が～る 承受压力

かか・る【罹る】患huàn；罹(病) lí (bìng)‖肺炎に～る 患肺炎｜はしかに～る 出麻疹

かが・る【縢る】缝补féngbǔ；织补zhībǔ.(縁を)锁边儿suǒ biānr‖ボタンの穴を～る 锁扣眼儿

-がか・る 带有dàiyǒu‖黄色～った緑 黄绿色｜芝居～った動作 像演戏似的动作

かかわらず【拘らず】不管bùguǎn；不论búlùn；无论wúlùn‖年齢のいかんに～ 无论年龄大小｜好むと好まざるとに～ 不管愿意不愿意

かか

かかわり【係わり・関わり】关系guānxi；关联guānlián ‖ なんの〜もない 没有任何关系

かかわ・る【係わる・関わる】关系到guānxidào；涉及到shèjídào；有关yǒuguān ‖ 名誉に〜る 关系到名誉｜生死に〜る大問題 生死攸关的大问题｜報道に〜る仕事 有关新闻报道方面的工作

かかん【果敢】果断guǒduàn；果敢guǒgǎn

かき【下記】下列xiàliè ‖ 〜の条項 下列条款｜出席者は〜のとおり 出席人员如下

かき【火気】烟火yānhuǒ ✤ 一厳禁：严禁烟火

かき【牡蠣】牡蛎mǔlì ✤ 一油：蚝油｜一フライ：炸牡蛎

かき【柿】柿子树shìzishù.（実）柿子shìzi

かき【夏季・夏期】（夏の季節）夏季xiàjì.（夏の期間）夏期xiàqī；暑期shǔqī ✤ 一休暇：暑假｜一講習：暑期讲座

かぎ【鉤】钩子gōuzi；钩儿gōur

かぎ【鍵】❶（キー）〔把〕钥匙yàoshi；锁suǒ ‖ 玄関の〜 大门钥匙｜〜を壊す 撬开锁｜スーツケースに〜をかける 锁好旅行箱 ❷（要点）关键guānjiàn ‖ 問題解決の〜 解决问题的关键｜〜を握る 掌握关键 ✤ 一穴：钥匙孔｜一束：钥匙串

かきあつ・める【掻き集める】凑(在一起) còu (zai yìqǐ)；扒在一起pázai yìqǐ；搜罗sōuluó ‖ みんなの金を〜める 把大家的钱凑在一起

かきいれどき【書き入れ時】旺季wàngjì；最赚钱的时季 zuì zhuàn qián de shíjì ‖ 真夏はビヤホールの〜だ 三伏天是啤酒馆最赚钱的时候

かきい・れる【書き入れる】写上xiěshang；记入jìrù ‖ 用紙に必要事項を〜れる 将必须事项填入表中

かきうつ・す【書き写す】（文章を）抄写chāoxiě.（模写する）描摹miáomó

かきおき【書き置き】（〜する）写留言xiě liúyán.（置き手紙）留言liúyán；留条liútiáo.（遺書）遗书yíshū ‖ 〜を残す 留字；留言；留下遗书

かきか・える【書き換える】（書き直す）改写gǎixiě；重写chóng xiě.（更新する）更换gēnghuàn；更新gēngxīn ‖ 人類の歴史を〜えるような大発見 足以改写人类历史的大发现｜名義を〜える 过户

かきことば【書き言葉】书面语shūmiànyǔ

かきこみ【書き込み】记入(的笔记) jìrù (de bǐjì)；(加)注 (jiā)zhù.（インターネットの）发帖子fā tiězi

かきた・す【書き足す】添写tiānxiě；补写bǔxiě ‖ 必要事項を〜す 补充必要事项

かきだ・す【書き出す】❶（問題点などを）写出xiěchu ‖ 議題を黒板に〜す 把讨论题目写在黑板上 ❷（書き抜く）摘录zhāilù；摘记zhāijì

かきた・てる【書き立てる】（大々的に）大书特书dà shū tè shū.（書き並べる）一一写出yīyī xiěchu ‖ あることないこと大々的に〜てられた 不管真的还是假的，都给大书特书了一番

かきた・てる【掻き立てる】挑动tiǎodòng；激发jīfā ‖ 想像力を〜てる 激发想像力｜虚栄心を〜てる 激发虚荣心

かぎつ・ける【嗅ぎつける】❶（探り当てる）发现fāxiàn；刺探出cìtànchu ‖ スキャンダルを〜ける 探出丑闻；发现丑闻 ❷（嗅ぎ出す）嗅出xiùchu ‖ イヌは犯人を〜けた 狗嗅出了犯人

かぎって【限って】只有zhǐyǒu；唯有wéi yǒu ‖ あなたに〜 只有你；唯有你｜外出する日に〜雨が降る 偏偏出去那天下雨

かきつばた【杜若・燕子花】燕子花yànzihuā

かきとめ【書留】挂号guàhào ✤ 一小包：挂号邮包｜一郵便：挂号邮件

かきと・める【書き留める】记下来jìxialai；写下来xiěxialai ‖ 注意事項を〜める 把注意事项记下来

かきとり【書き取り】（聞いて書く）听写tīngxiě.（筆記する）记录jìlù.（書き写す）抄录chāolù ‖ 〜の試験 听写考试

かきなお・す【書き直す】（書き改める）改写gǎixiě；重写chóng xiě；修改xiūgǎi

かきなぐ・る【書きなぐる】潦草地写 liáocǎo de xiě；随便乱写 suíbiàn luàn xiě

かきね【垣根】篱笆líba；围墙wéiqiáng ‖ 〜越し 隔着篱笆｜〜を取り払う 拆除围墙

かぎばな【鉤鼻】鹰钩鼻子yīnggōu bízi

かぎばり【鉤針】钩针gōuzhēn

かきま・ぜる【掻き混ぜる】搅拌jiǎobàn

かきまわ・す【掻き回す】❶（攪拌する）搅jiǎo；搅拌jiǎobàn ‖ 鍋をやたらと〜す 在锅里乱搅 ❷（混乱させる）乱翻luànfān；搅乱 jiǎoluàn

かきみだ・す【掻き乱す】搅乱jiǎoluàn；打乱dǎluàn；扰乱rǎoluàn ‖ 平和な日常を〜す 扰乱平静的生活｜心を〜す 心乱如麻

かきむし・る【掻き毟る】揪jiū；薅hāo；乱挠luàn náo ‖ 髪を〜る 乱挠头发

かきゅう【下級】下级xiàjí ✤ 一裁判所：基层法院｜一生：低年级生

かきゅう【火急】火急huǒjí；紧急jǐnjí

かきょう【佳境】佳境jiājìng ‖ ドラマの〜 电视剧的高潮｜〜に入る 进入佳境

かきょう【華僑】华侨huáqiáo

かぎょう【家業】家传的行业jiāchuán de hángyè；父业fùyè ‖ 〜を継ぐ 继承父业

かぎょう【稼業】谋生的职业móushēng de zhíyè ‖ 〜に精を出す 努力从事本职工作

かぎり【限り】❶（限界）限xiàn；限度xiàndù；界限jièxiàn ‖ 資源には〜がある 资源有限｜非常の場合はこの〜ではない 紧急情况下不受此限 ❷（…限り）只有zhǐyǒu；只限于zhǐ xiànyú；以…为限yǐ…wéi xiàn ‖ 明日〜で閉鎖される 后天起关闭｜できる〜お助けしましょう 我会尽力帮助你｜私の知る〜では 据我所知｜見渡す〜の大平原 一望无际的辽阔平原

かぎりな・い【限りない】无限wúxiàn；无边际wú biānjì；无比wúbǐ ‖ 〜い愛情を注ぐ 倾注无限的爱

かぎ・る【限る】❶（限定する）限制xiànzhì；限定xiàndìng；只限zhǐ xiàn ‖ 会員は40歳未満に〜る 会员限于40岁以下｜図書館の利用は本校の教職員と学生に〜る 图书馆只限本校师生利用 ❷（一番よい）再好不过zài hǎobuguò；顶好dǐng hǎo ‖ 夏は生ビールに〜る 夏天喝生啤酒是再好不过了 ❸（否定の用法）（に限らず）不仅bùjǐn；不但búdàn.（とは限らない）不一定bù yídìng ‖ 安いからといって必ずしも品物が悪いとは〜らない

便宜货不一定东西就不好

かきわ・ける【掻き分ける】拨开bōkāi‖人込みを～けて進む 拨开人群往前走

か・く【欠く】欠缺qiànquē；缺少quēshǎo；缺乏quēfá‖常識を～く 缺乏常识｜大切なことが～けている 缺少了重要的东西

かく【角】❶〔角度〕角度jiǎodù ❷〔正方形〕见方jiànfāng

かく【画】(字の)笔画bǐhuà；画huà‖3～の字 三画的字

かく【格】❶〔地位·等級〕地位dìwèi；级别jíbié；等级děngjí‖～が違う 不是一个档次｜～が上 高一级 ❷〔言語〕格gé

かく【核】核hé．(細胞の)细胞核xìbāohé ✤—拡散防止条約(NPT)：防止核扩散条约｜—実験：核试验｜—シェルター：防核避难所｜—戦争：核战争｜—弾頭：核弹头｜—燃料：核燃料｜—廃棄物：核废弃物｜—爆発：核爆炸｜—反応：核反应｜—分裂：核分裂｜—兵器：核武器｜—融合：核聚变反应

か・く【書く】写xiě．(詩·文などを)写作xiězuò；创作chuàngzuò．(記述)记jì；记述jìshù‖～くものを持っていませんか 你有没有笔？

か・く【描く】画huà‖絵を～く 画画儿

か・く【掻く】❶〔擦る〕(爪で)挠náo．(手や道具で)扒pá‖頭を～く 挠头｜雪をシャベルで～く 用铁锹拨开雪 ❷〔削る〕削xiāo‖氷を～く 刨冰 ❸〔水を〕划huá‖オールで水を～く 用桨划水

かく-【各】各gè；各个gègè‖～部門 各个部门

かぐ【家具】〔套，件〕家具jiāju；家什jiāshi‖～一式 全套家具｜～つきのアパート 配备家具的公寓

か・ぐ【嗅ぐ】闻wén‖においを～ぐ 闻味儿

がく【学】〔门，种〕学问xuéwen；学识xuéshí；学习xuéxí‖～のある人 有学问的人｜少年老い易(やす)く～成(な)り難(がた)し 少年易老学难成

がく【萼】萼è；花萼huā'è

がく【額】❶〔絵の額〕画框huàkuàng；镜框jìngkuàng‖写真を～に入れる 把照片镶在镜框里 ❷〔金額〕金额jīn'é‖～が多い 款额大

かくあげ【格上げ】(～する)升格shēnggé；提级tí jí‖支店長に～される 被提升为分店店长

かくい【各位】各位gè wèi；诸位zhūwèi‖出席者～ 在座的各位；出席会议的各位

がくい【学位】学位xuéwèi‖～をとる 获得学位

かくいつ【画一】统一tǒngyī；一律yílǜ ✤—化：规格化｜—主義：同一主义

がくいん【学院】学校xuéxiào；学院xuéyuàn；单科大学dānkē dàxué

かくう【架空】虚构xūgòu；空想kōngxiǎng‖～の人物 虚构的人物 ✤—名義：假造的名义

がくえん【学園】学园xuéyuán；学校xuéxiào ✤—祭：学园节｜—都市：大学城

かくかい【各界】各界gè jiè‖～を代表する名士たち 代表各行各业的知名人士

かくぎ【閣議】阁议géyì；内阁会议nèigé huìyì

がくぎょう【学業】学业xuéyè；学习xuéxí‖～を怠る 学习不努力

かくげつ【隔月】隔月gé yuè‖この雑誌は～刊だ 这份杂志隔月发行

かくげん【格言】格言géyán；常言chángyán

かくご【覚悟】(～する)做精神准备zuò jīngshén zhǔnbèi；决心juéxīn‖～はできている 我都做好了精神准备｜～を決める 下决心

かくさ【格差】差别chābié；差距chājù‖貧富の～ 贫富差距｜～が縮まる 差距缩小

かくさく【画策】(～する)策划cèhuà；谋划móuhuà‖裏でいろいろ～する 在幕后出谋划策

かくさげ【格下げ】(～する)降低jiàngdī；降格jiànggé；降级jiàngjí

かくざとう【角砂糖】〔块，个〕方糖fāngtáng

かくさん【拡散】(～する)扩散kuòsàn

かくじ【各自】各自gèzì；各人gè rén

がくし【学士】学士xuéshì ✤—院：学士院

かくしき【格式】(家柄)门第méndì．(礼儀)礼节lǐjié；礼法lǐfǎ‖～を重んじる 讲究门第

がくしき【学識】学识xuéshí；学力xuélì‖～豊か 学识渊博 ✤—経験者：有识之士

かくしだて【隠しだて】(～する)隐瞒yǐnmán；掩饰yǎnshì

かくしつ【角質】角质jiǎozhì

かくしつ【確執】(～する)争执zhēngzhí‖～が生じる 产生不和｜～がたえない 彼此争执不休

かくじつ【隔日】隔日gérì‖～で出勤する 每隔一天上一次班

かくじつ【確実】确实quèshí；确凿quèzáo；确切quèqiè．(信ぴょう性がある)可靠kěkào‖～な情報 可靠的消息 ✤—性：准确度

がくしゃ【学者】学者xuézhě

かくしゃく【矍鑠】矍铄juéshuò；硬朗yìnglang‖老いてなお～としている 老当益壮

かくしゅ【各種】各种gè zhǒng；种种zhǒngzhǒng ✤—学校：职业〔各种〕学校

かくしゅう【隔週】隔周gé zhōu‖～発行の雑誌 隔周发行的杂志

かくじゅう【拡充】(～する)扩充kuòchōng；扩大kuòdà；扩展kuòzhǎn‖組織の～をはかる 努力扩大组织｜施設を～する 扩大设施

がくしゅう【学習】(～する)学习xuéxí ✤—参考書：学习参考书｜—塾：补习班

がくじゅつ【学術】〔门，种〕学术xuéshù‖～研究を振興する 发展〔振兴〕学术研究 ✤—会議：学术会议｜—用語：专业术语

かくしょう【確証】确证quèzhèng；铁证tiězhèng‖～をつかむ 掌握铁证

がくしょう【楽章】乐章yuèzhāng

かくしん【革新】(～する)革新géxīn ✤—政党：革新政党｜—勢力：改革派；革新势力

かくしん【核心】核心héxīn；关键guānjiàn；要点yàodiǎn‖問題の～に迫る 直逼问题的核心｜事件の～に触れる 触及案件的关键｜問題の～を突く 击中问题的要害

かくしん【確信】(～する)坚信jiānxìn；确信quèxìn‖プロジェクトの成功を～している 我们坚信这个项目一定会成功｜これだけは～をもって言える 惟有这一点我敢肯定地说

かくじん【各人】各人gè rén；各自gèzì‖宗教を信じるか信じないかは～の自由である 是否信仰宗教是每个人的自由 ✤—各様：一个人一个样

かく・す【隠す】❶〔見られないようにする〕藏cáng；隐藏yǐncáng；遮蔽zhēbì‖ドアの陰に身を

か

〜す 躲在门背后｜頭〜して尻〜さず 定藏头露尾 ❷〔秘密にする〕遮藏zhēcáng；隐瞒yǐnmán；掩饰yǎnshì‖事実は〜そうとしても〜しきれない 事实是掩盖不住的｜身分を〜す 隐瞒身分｜あやまちを〜す 隐瞒过失｜本心を〜す 隐藏真心

かくせい【覚醒】(〜する)❶〔眠りから〕睡醒shuìxǐng；清醒qīngxǐng ❷〔迷いから〕觉醒juéxǐng；醒悟xǐngwù

かくせい【隔世】隔世géshì‖〜の感がある 有隔世之感 ✣一遺伝:隔代遗传；返祖现象

がくせい【学生】学生xuésheng ✣一運動:学生运动｜一課:学生科｜一時代:学生时代｜一証:学生证｜一服:校服｜一寮:学生宿舍｜一割引:学生票

かくぜつ【隔絶】(〜する)隔绝géjué‖外界から〜される 与外界隔绝；与世隔绝

がくせつ【学説】学说xuéshuō‖新しい〜を立てる 创立新学说

がくぜん【愕然】愕然èrán；惊愕jīng'è‖知らせを聞いて〜とした 听到那消息，我感到十分惊愕

かくだい【拡大】(〜する)扩大kuòdà；放大fàngdà；扩张kuòzhāng‖勢力を〜する 扩张〔扩大〕势力｜対中国貿易の〜 对华贸易的扩大｜写真を〜する 放大照片 ✣一解釈:扩大解释｜一鏡:放大镜｜一コピー:放大复印

かくだん【格段】显著xiǎnzhù；悬殊xuánshū；显然xiǎnrán‖〜の進歩 显著的进步

かくち【各地】各地gè dì‖〜の天気 各地的天气｜世界〜 世界各地

かくちょう【拡張】(〜する)扩大kuòdà；扩张kuòzhāng；扩建kuòjiàn‖道路を〜する 加宽路面｜事業を〜する 扩大事业的规模

かくちょう【格調】格调gédiào‖〜の高い文章 格调高雅的文章

がくちょう【学長】大学校长dàxué xiàozhǎng.（単科大学の）院长yuànzhǎng

かくづけ【格付け】(〜する)分级fēn jí；分等级fēn děngjí；品第pǐndì

かくてい【確定】(〜する)确定quèdìng‖当選が〜した 当选已确定无疑 ✣一申告:确定〔最后〕申报

カクテル 鸡尾酒jīwěijiǔ；混合酒hùnhéjiǔ ✣一グラス:鸡尾酒杯｜一光線:混合光线｜一ドレス:妇女便礼服；晚会女便服｜一パーティー:鸡尾酒会｜一ラウンジ:综合休息室

かくど【角度】❶〔角の大きさ〕角度jiǎodù‖〜をはかる 测量角度 ❷〔観点〕角度jiǎodù；观点guāndiǎn‖別の〜から考え直す 从另一角度来重新考虑

かくとう【格闘】(〜する)格斗gédòu；搏斗bódòu. 喩全力处理quánlì chǔlǐ‖数学と〜する 和数学搏斗

がくどう【学童】学童xuétóng ✣一保育:学童保育

かくとく【獲得】(〜する)获得huòdé；得到dédào；争取zhēngqǔ‖権利を〜する 获得权利

かくにん【確認】(〜する)确认quèrèn.（裏づける）证实zhèngshí‖身元を〜する 确认身分

かくねん【隔年】隔年gé nián；每隔一年měi gé yì nián‖〜で開催する 隔年〔每隔一年〕举行一次

がくねん【学年】❶〔学級〕年级niánjí‖〜があがる 升级 ❷〔年度〕学年xuénián ✣一主任:年级组长｜一末試験:年终〔学年〕考试

かくのう【格納】(〜する)存放cúnfàng；容纳róngnà ✣一庫:飞机库

がくは【学派】学派xuépài

がくばつ【学閥】学阀xuéfá

かくはん【攪拌】(〜する)搅拌jiǎobàn

がくひ【学費】学费xuéfèi ✣一免除:免除学费

がくふ【楽譜】乐谱yuèpǔ‖〜が読めない 看不懂乐谱 ✣一台:谱架；乐谱架

がくぶ【学部】系xì；院系yuànxì.（総合大学の）学院xuéyuàn ✣一長:学院院长；系主任｜文一:文学系；文学院｜法一:法律系；法律学院

がくふう【学風】❶〔校風〕校风xiàofēng ❷〔学問の傾向〕学风xuéfēng

がくぶち【額縁】画框huàkuàng.（ガラスのはまった）镜框jìngkuàng‖絵を〜に入れる 把画装在画框里

かくべつ【格別】特别tèbié；格外géwài‖今日の暑さは〜だ 今天特别热｜〜のご高配をたまわり… 承蒙特别关怀…

かくほ【確保】(〜する)确保quèbǎo‖席を〜する 确保座位｜人員を〜する 确保人数

かくほうめん【各方面】各方gè fāng；各（个）方面gè(gè)fāngmiàn；各界gè jiè‖〜の援助を仰ぐ 请求各个方面的援助

かくま・う【匿う】窝藏wōcáng；藏匿cángnì；掩护yǎnhù‖逃亡犯を〜う 窝藏〔藏匿〕逃犯

かくまく【角膜】角膜jiǎomó ✣一炎:角膜炎

かくめい【革命】❶〔政治や社会の〕革命gémìng‖〜を起こす 闹革命 ❷〔制度や価値の〕革命gémìng‖業界に〜を起こす 引发行业革命｜〜的な製品 具有开创性的新产品 ✣一運動:革命运动｜一家:革命家｜一児:创新者；开创者｜一思想:革命思想｜無血一:和平〔不流血〕革命

がくめん【額面】❶〔券面〕面额miàn'é；票面piàomiàn‖証券の〜 证券的票面价格 ❷〔表面上の意味〕‖相手の言葉を〜どおりに受けとる 不折不扣地相信对方的话 ✣一価格:面值；票面价格；票面额

がくもん【学問】❶(〜する)〔勉強すること〕学习xuéxí；读书dúshū；求学qiúxué‖〜がある 有学问｜〜好き 好学｜〜にはげむ 努力求学 ❷〔学術〕学术xuéshù；学问xuéwen

かくやく【確約】(〜する)明确约定〔保证〕míngquè yuēdìng〔bǎozhèng〕‖〜を得る 得到明确保证

かくやす【格安】非常便宜〔低廉〕fēicháng piányi〔dīlián〕‖〜の品 廉价品｜〜航空券 特价〔便宜〕机票

がくゆう【学友】同学tóngxué.（同窓）学友xuéyǒu；同窗tóngchuāng

がくようひん【学用品】学习用品xuéxí yòngpǐn.（文房具）文具wénjù

かくらん【攪乱】(〜する)扰乱rǎoluàn；搅乱jiǎoluàn ✣一戦法:扰乱策略；扰敌战术

かくり【隔離】(〜する)❶〔医学〕隔离gélí‖SARSで〜される 因患非典而被隔离 ❷〔へだてる〕隔离gélí；隔绝géjué；隔开gékāi‖外界から

～された生活を送る 过与外界隔绝的生活 ❖一病棟:隔离病房
かくりつ【確立】(～する)确立quèlì; 奠定diàndìng; 建立jiànlì ‖ 教育制度を～する 建立教育制度 | 作家としての地位を～する 确立作家的地位
かくりつ【確率】概率gàilǜ; 几率jīlǜ. (公算)可能性kěnéngxìng ‖ 2分の1の～ 二分之一的概率 | 成功の～ 成功的可能性
かくりょう【閣僚】部长bùzhǎng; 阁员géyuán; 内阁成员nèigé chéngyuán ❖一会議:部长级会议;阁员会议
がくりょく【学力】学力xuélì; 学习成绩xuéxí chéngjì ‖ ～がつく 学习成绩提高 ❖一試験:学力考试〔测验〕
がくれき【学歴】学历xuélì; 文化水平wénhuà shuǐpíng ‖ ～が高い 学历高 | ～を重視する 注重学历 ❖一社会:学历社会
かく·れる【隠れる】❶〔見えなくなる〕藏cáng; 隐藏yǐncáng ❷〔人目をのがれる〕潜藏qiáncáng; 躲藏duǒcáng.(ひそかに)背人bèirén; 暗地里àndìli ‖ 親に～れて酒を飲む 背着父母喝酒 ❸〔知られていない〕不为人知bù wéi rén zhī; 潜在qiánzài ‖ ～れた能力を引き出す 挖掘潜能 | ～れた逸材を掘り起こす 发掘优秀的人才
かくれんぼう【隠れん坊】捉迷藏zhuō mícáng; 藏猫儿cángmāor ‖ ～をする 玩捉迷藏
がくわり【学割】学生优惠xuésheng yōuhuì; 学生折扣xuésheng zhékou ‖ ～定期 学生优惠月票 | ～で映画を見る 凭学生票看电影
かけ【賭け】赌dǔ; 赌博dǔbó. (比ゆ的に)冒险màoxiǎn ‖ ～をする 打赌 | ～に勝つ〔負ける〕 赌赢〔赌输〕了 | このプロジェクトは大きな～だ 此项目是一个很大的冒险
かげ【影·陰】❶〔物の影〕影子yǐngzi ‖ 山は湖水に美しい～を投げかけている 山在湖面上投下美丽的倒影 | 自分の～におびえる 连自己的影子都害怕 | ～のように寄り添う 形影不离 ❷〔背後〕背后bèihòu; 暗地里àndìli ‖ ～で人の悪口を言う 背后说别人的坏话 | 犯罪の～に女あり 犯罪的背后都有女人在作祟 | ～で糸を引く 在暗中操纵 ❸〔慣用表現〕‖ ～の内閣 影子内阁 | ～の薄い人 没有分量的人 | ～も形もない 无影无踪 | 見る～もなくやつれはてた 变得憔悴不堪 | ～を潜める 销声匿迹 | うわさをすれば～ 说曹操,曹操就到
がけ【崖】悬崖xuányá ‖ ～崩れ 滑坡
-がけ【掛け】❶〔腰掛ける〕坐zuò ‖ 3人～ 三人坐的座位 ❷〔身につける〕穿chuān; 系jì ❸〔動作のついで〕‖ 帰り～にちょっと寄ります 回家的路上顺便去看看 ❹〔割〕折扣zhékou ‖ 定価の8～で売る 按定价的八折出售
かけあい【掛け合い】谈判tánpàn; 交涉jiāoshè ❖一漫才:对口相声
かけあ·う【掛け合う】谈判tánpàn; 交涉jiāoshè ‖ 店主に～って2割引きで買った 跟店主讨价还价,结果给打了八折
かけあし【駆け足】快跑kuàipǎo; 跑步pǎobù ‖ ～で世界旅行をする 走马观花地周游世界
かけあわ·せる【掛け合わせる】❶〔掛け算をする〕乘chéng ❷〔交配する〕交配jiāopèi ‖ ウマとロバを～せる 马和驴交配

かけい【家系】血统xuètǒng; 门第méndì ‖ わが家は代々医者の～だ 我们家代代都是学医的 ❖一図:家谱
かけい【家計】家庭财政jiātíng cáizhèng; 家庭理财jiātíng lǐcái ‖ ～をあずかる 管理家庭财务 ❖一簿:家庭收支簿
かけうり【掛け売り】(～する)赊账shēzhàng; 赊销shēxiāo ❖一代金:赊销货款
かけおち【駆け落ち】(～する)私奔sībēn
かけがえ【掛け替え】‖ ～のない子 宝贝孩子 | ～のない命を大切にする 珍惜宝贵的生命
かげき【過激】过激guòjī; 偏激piānjī ‖ ～な運動 剧烈的运动 | ～な行動 过激的行动 ❖一派:激进派
かげき【歌劇】歌剧gējù
かけきん【掛け金】分期付款fēnqī fù kuǎn ‖ 今月分の～ 这个月的分期付款
かげぐち【陰口】背地里骂人bèidì li mà rén; 背后说坏话bèihòu shuō huàihuà
かけごえ【掛け声】吆喝声yāoheshēng; 喝彩声hècǎishēng ‖ 客席から～がかかった 观众席上响起了喝彩声
かけごと【賭け事】赌博dǔbó
かけこ·む【駆け込む】跑进去〔来〕pǎojinqu〔lai〕‖ 救いを求めて交番に～んだ 跑进派出所求救
かけざん【掛け算】乘法chéngfǎ ‖ ～をする 做乘法计算
かけずりまわ·る【駆けずり回る】东奔西跑dōng bēn xī pǎo; 奔走bēnzǒu ‖ 一日中～って資金を集める 一整天东奔西跑筹集资金
かけだし【駆け出し】㊀初出茅庐chū chū máo lú ‖ ～の新聞記者 初出茅庐的报社记者
かけつ【可決】(～する)(议案等)通过(yì'àn děng) tōngguò ‖ 法案は衆議院で～された 法案在众议院通过了
かけつ·ける【駆けつける】赶到gǎndào ‖ 警察はすぐ現場に～けた 警察马上赶到了现场
かけっこ【駆けっこ】(～する)赛跑sàipǎo
かけて ❶〔範囲〕从…到… cóng…dào… ‖ 春から夏に～よく雨が降る 从春季到夏季经常下雨 | 週末に～雪になるでしょう 雪恐怕一直会下到周末 ❷〔関して〕关于…(就…) guānyú …(jiù …) ‖ 英会話に～は彼女にかなう者はいない 在英语口语方面,没有人能比得上她
かけどけい【掛け時計】挂钟guàzhōng
かけね【掛け値】‖ ～のないところを言う 实话实说;说实在的 | 彼は～なしにすぐれた学者だ 他是个不折不扣的优秀学者
かけはし【掛け橋】〔座,架〕桥梁qiáoliáng ‖ 東西文化の～ 东西方文化的桥梁
かけはな·れる【懸け離れる】相差甚远〔悬殊〕xiāngchà shèn yuǎn〔xuánshū〕‖ 2人の意見は～れている 两个人的意见相距甚远 | 現実から～れる 脱离现实
かけひき【駆け引き】(～する)(商売などの)㊀讨价还价tǎo jià huán jià. (政治や外交などの)手腕shǒuwàn; 花招huāzhāo
かげひなた【陰日向】表里biǎolǐ; ㊀人前人后rén qián rén hòu ‖ ～がある人 表里不一的人 | ～なく働く 人前人后都一样地工作

かけぶとん【掛け布団】〔条,床〕被子bèizi‖～をかける 盖上被子
かげぼし【陰干し】(～する)阴干yīngān；晾干liànggān
かけまわ・る【駆け回る】❶〔走る〕到处乱跑dàochù luàn pǎo‖子イヌが庭を～っている 小狗在院子里跑来跑去 ❷〔奔走する〕奔走bēnzǒu‖金策にあちこち～る 为筹集资金而四处奔走
かけもち【掛け持ち】(～する)兼职jiānzhí；兼任jiānrèn‖～で仕事をする 兼职工作
かけよ・る【駆け寄る】跑近pǎojìn‖スターにファンが～る 追星族们涌向明星
かけら【欠けら】❶〔破片〕碎片suìpiàn‖ガラスの～が足に刺さった 玻璃的碎片扎伤了脚 ❷〔ごくわずか〕一点点yìdiǎndiǎn‖ひと～の良心もない 一点儿良心都没有
かげり【陰り】暗影 ànyǐng；阴影yīnyǐng‖景気の先行きに～が見える 经济前景不妙
か・ける【欠ける】❶〔足りない〕缺乏quēfá；不足bùzú‖言葉に配慮が～ける 说话缺乏考虑｜面白味に～ける文章 枯燥无味的文章 ❷〔壊れる〕缺掉quēdiào；残缺cánquē‖コーヒーカップの縁が～けている 咖啡杯沿儿上有个缺口 ❸〔そろっていない〕缺少quēshǎo；不全bù quán‖メンバーの1人が～ける 缺少一个队员 ❹〔月が〕亏kuī；亏蚀 kuīshí‖月が～け始めた 月亮开始出现亏蚀了
か・ける【掛ける・懸ける・架ける】❶〔つるす・下げる〕挂上guàshang‖上着をハンガーに～ける 把上衣挂在衣架上 ❷〔上に置く・覆う〕放fàng；铺上pūshang；罩上zhàoshang‖やかんを火に～ける 把水壶放到火上｜テーブルクロスを～ける 铺台布 ❸〔ふりかける〕浇jiāo‖マヨネーズを～ける 浇上蛋黄酱 ❹〔身につける〕戴上dàishang‖眼鏡を～ける 戴眼镜 ❺〔さし渡す〕架jià；搭dā‖川に橋を～ける 在河上架桥｜屋根にはしごを～ける 把梯子搭在房顶上 ❻〔ゆわえる〕捆kǔn；绑bǎng‖小包にひもを～ける 用绳子捆包裹 ❼〔問題として提出する〕提交tíjiāo‖裁判に～ける 提交法院解决 ❽〔時間や金を使う〕花huā‖時間を～ける 花费时间｜家の内装に金を～けた 装修这套房子花了不少钱 ❾〔心に〕挂念guàniàn；关心guānxīn‖心に～ける 关心｜情けを～ける 同情(人) ❿〔腰をおろす〕坐下zuòxia‖どうぞお～けください 请坐 ⓫〔掛け算〕乘chéng‖7～ける8は56 7乘以8等于56 ⓬〔…しかける〕刚要… gāng yào…‖言い～けてやめた 欲言又止｜走り～ける 刚跑几步 ⓭〔その他の表現〕‖かぎを～ける 锁门｜夫に生命保険を～ける 给丈夫上人寿保险｜名誉に～けて誓う 以自己的名誉发誓｜ご心配をお～けしてすみません 对不起,让您挂心了｜両親にさんざん苦労を～けた 让父母操了好多心
か・ける【駆ける】跑 pǎo
か・ける【賭ける】❶〔金品を〕打赌dǎdǔ；押yā‖彼が来るほうに～ける 他肯定来,我打赌 ❷〔強い決意を表す〕豁出 huōchu‖海外進出に社運を～ける 把公司的命运寄托在开发国际市场上
かげ・る【陰る・翳る】被遮住 bèi zhēzhu；变暗biàn'àn‖陽(ひ)が～る 天暗下来
かげん【下限】下限xiàxiàn
かげん【加減】❶(～する)〔調節する〕调节tiáojié；控制kòngzhì ❷〔程度・状態・調子〕程度chéngdù‖ほろ酔い～ 几分醉意｜そばのゆで～をみる 看看荞麦面煮得怎么样了 ❸〔健康〕身体情况shēntǐ qíngkuàng‖お～はいかがですか 您身体感觉怎么样？
かこ【過去】❶〔時〕过去guòqù‖～にさかのぼる 追溯过去｜～を忘れる 忘记过去｜～は水に流そう 过去的就让它过去吧 ❷〔経歴・事情〕过去guòqù；(不光彩的)经历(bù guāngcǎi de) jīnglì‖～を暴く 揭老底儿｜～を引きずる 惦念过去｜暗い～を葬り去る 将痛苦的过去彻底埋葬 ❸〔文法〕过去时guòqùshí ✣ 一完了:过去完成｜一帳:死者名册｜一分詞:过去分词
かご【籠】筐kuāng；篮lán；笼lóng‖1～のリンゴ 一筐苹果｜～を編む 编筐｜～の鳥 定笼中之鸟
かこい【囲い】围墙wéiqiáng；栅栏zhàlan‖花壇の周りに～をする 在花坛周围设栅栏
かこう【下降】(～する)下降xiàjiàng ✣ 一線:下坡线；下降曲线
かこう【火口】火山口huǒshānkou
かこう【加工】(～する)加工jiāgōng ✣ 一業:加工业｜一食品:加工食品｜一貿易:加工贸易
かこ・う【囲う】❶〔囲む〕围上 wéishang‖現場をロープで～う 用绳子把现场围起来 ❷〔愛人を〕养妾yǎng qiè；包二奶bāo èrnǎi
かこう【河口】河口hékǒu
かごう【化合】(～する)化合huàhé ✣ 一物:化合物
かこうがん【花崗岩】花岗岩huāgāngyán
かこく【過酷】苛刻kēkè；残酷cánkù‖～な運命 悲惨的命运｜～な気象条件 恶劣的气象条件
かこつ・ける【託ける】借口jièkǒu‖仕事に～けて飲み歩く 以工作作为借口,经常去喝酒
かこ・む【囲む】围上 wéishang；围起来 wéiqilai；圈起来quānqilai‖テーブルを～んで座る 围着桌子坐｜敵に～まれる 被敌人包围｜番号を丸で～む 用圆圈把号码圈上
かこん【禍根】祸根huògēn‖～をたつ 杜绝祸根｜将来に～を残す 给以后留下祸根
かごん【過言】夸张kuāzhāng；说得过火shuōde guòhuǒ‖…と言っても～ではない 说…也不过分
かさ【笠】斗笠dǒulì.(電灯などの)灯罩dēngzhào‖権勢を～に着る 依仗权势
かさ【傘】〔把〕伞sǎn；雨伞yǔsǎn.(日傘)阳伞yángsǎn‖～を広げる〔たたむ〕 把伞打开〔合上〕｜～をさす 打伞 ✣ 一立て:立伞架｜折り畳み一:折叠伞
かさ【嵩】❶〔大きさ・容量〕容积róngjī；体积tǐjī‖～が大きい 体积大 ❷〔慣用表現〕‖～にかかった物言いをする 以盛气凌人的口气讲话
かさい【火災】火灾huǒzāi‖～が発生した 发生火灾｜～現場に急行する 紧急奔赴火灾现场 ✣ 一避難訓練:火灾避难训练｜一報知機:火灾警报器｜一保険:火灾保险
かざい【家財】家中物品 jiā zhōng wùpǐn；家什jiāshi
かさかさ ❶〔音〕沙沙shāshā‖落ち葉が～鳴る 落叶沙沙响 ❷〔乾燥している〕干巴巴gānbābā；粗糙cūcāo‖冬になると唇が～になる 一到了

冬天，嘴唇总是干巴巴的
かざかみ【風上】上风shàngfēng ‖ ～に向かって走る 顶风跑｜学者の～にもおけない 实在不配做一名学者
かさく【佳作】佳作 jiāzuò
かざぐるま【風車】风车fēngchē
かささぎ【鵲】鹊què；喜鹊xǐque
かざしも【風下】下风 xiàfēng
かざ・す【翳す】搭凉棚dā liángpéng；举到…之上jǔdào…zhī shàng ‖ 額に手を～す 手搭凉棚｜手をストーブに～して暖をとる 把手伸到火炉边取暖
がさつ 粗野cūyě；粗鲁cūlu；不稳重bù wěnzhòng ‖ やることなすこと～だ 言谈举止很粗鲁
かさな・る【重なる】❶〔層をなす〕重叠chóngdié；堆积duījī；积累jīlěi ‖ 幾重にも～る 层层积累｜～った皿 一摞盘子 ❷〔かちあう〕赶在一起gǎnzai yìqǐ ‖ クリスマスが日曜に～る 圣诞节和星期日赶在一天｜不幸が～る 祸不单行｜心労が～る 心事重重
かさねぎ【重ね着】（～する）套着穿 tàozhe chuān ‖ 肌着を～する 套着穿几件内衣
かさねて【重ねて】再次 zàicì；反复fǎnfù
かさ・ねる【重ねる】❶〔物の上にのせる〕堆放duīfàng；摞luò；重叠chóngdié ‖ 本を～ねて机の上に置く 把书堆放在桌子上 ❷〔繰り返す〕反复fǎnfù；重复chóngfù ‖ 年を～ねる 上年纪｜交渉を～ねる 反复谈判｜版を～ねる 再版｜苦労を～ねる 千辛万苦
かさば・る【嵩張る】体积大tǐjī dà；笨大bèn dà ‖ 荷物が～る 行李太大
カザフスタン 哈萨克斯坦 Hāsàkèsītǎn
かさぶた【瘡蓋】疮痂chuāngjiā ‖ ～ができる 结成疮痂；结痂
かざみ【風見】✣一鶏：鸡形风向标；喻 随风转向〔见风使舵〕的人；随风倒；墙头草
かさ・む【嵩む】增加 zēngjiā；增大zēngdà；增多zēngduō ‖ 教育費が～む 教育费开支增加
かざむき【風向き】❶〔風の向き〕风向fēngxiàng ‖ ～が南に変わった 风向转为南风 ❷〔形勢〕形势xíngshì ‖ ～が悪くなる 形势恶化
かざり【飾り】装饰（品）zhuāngshì(pǐn)；摆设bǎishe；饰物 shìwù ‖ 正月の～ 新年装饰｜～のない言葉 质朴的语言 ✣一棚：装饰架｜一ボタン：装饰扣｜一窓：橱窗
かざりつけ【飾り付け】装饰zhuāngshì ‖ クリスマスツリーの～をする 装饰〔装点〕圣诞树
かざ・る【飾る】❶〔美しく見せる〕装饰zhuāngshì；装点zhuāngdiǎn．（並べる）摆bǎi；陈列chénliè ‖ 部屋に花を～る 在房间里摆上花儿 ❷〔表面をつくろう〕装饰表面zhuāngshì biǎomiàn；掩饰yǎnshì ‖ 体裁を～る 装饰门面｜～らない人柄 朴实的性格 ❸〔華々しくする〕增光zēngguāng；生色shēngsè ‖ 紙面を～る 增添了版面的色彩｜有終の美を～ 漂亮地结束
かさん【加算】❶（～する）〔加える〕计算在内jìsuànzai nèi ‖ 商品価格に消費税を～する 把消费税算进商品价格里 ❷〔たし算〕加法jiāfǎ
かざん【火山】火山huǒshān ‖ ～が噴火する 火山喷发 ✣一岩：火山岩｜一帯：火山带｜一灰：火山灰
かし【菓子】点心diǎnxin；糕点gāodiǎn ✣一パン：果子面包；甜面包｜一屋：糖果店｜砂糖一：糖果
かし【貸し】❶〔貸すこと〕借出jièchu；贷出dàichu；出租chūzū ‖ 弟には1万円～がある 弟弟欠我1万日元 ❷〔施した恩恵〕人情rénqíng；恩惠ēnhuì ✣一自転車：出租的自行车｜一事務所：出租的办公室
かし【歌詞】歌词gēcí
かじ【火事】火灾huǒzāi；失火shīhuǒ ‖ ～を出す 闹出火灾｜昨夜この辺で～があった 昨天晚上这一带发生了火灾｜～だ！ 失火了！
かじ【家事】家务jiāwù；家务事jiāwùshì ‖ ～を手伝う 帮助做家务｜～を切り盛りする 料理家务
かじ【舵】舵duò；舵轮duòlún ✣一取り：掌舵；喻 领导；带头人
がし【餓死】（～する）饿死 èsǐ
かしかた【貸し方】贷方dàifāng
かじか・む 冻僵dòngjiāng ‖ 寒さで指が～んでいる 由于寒冷手指头都冻僵了
かしかり【貸し借り】（～する）借贷jièdài ‖ これで～はゼロだ 这样就借贷两清了；这样就谁也不欠谁了
かしきり【貸し切り】包租bāozū ✣一公演：包场演出｜一バス：包租大客车
かし・げる【傾げる】歪wāi；倾斜qīngxié ‖ 首を～げる 歪着头；侧首；（疑問に思う）怀疑
かしこ・い【賢い】❶〔聡明である〕聪明cōngming；伶俐língli ‖ この子はほんとに～い 这个孩子真聪明｜～いやり方 高明的做法 ❷〔要領がよい〕精jīng；机灵 jīling ‖ ～く立ちまわる 机灵地周旋〔应付〕
かしこま・る【畏まる】❶〔かたくなる〕拘束jūshù．（正座する）跪坐guìzuò；端坐duānzuò ‖ ～って訓示を聞く 严肃地倾听训话 ❷〔承知する〕‖ ～りました 是！；知道了；明白了
かしだ・す【貸し出す】❶〔物を〕借出 jièchu ‖ 図書を～す 借出图书 ❷〔金銭を〕贷出dàichu ‖ 住宅資金を～す 提供住宅贷款
かしつ【加湿】（～する）加湿jiā shī ✣一器：加湿器
かしつ【過失】过错guòcuò；过失guòshī；失误shīwù ✣一傷害：过失伤害｜一致死：过失致死
かじつ【果実】果实guǒshí；果子guǒzi．（果物）水果shuǐguǒ ✣一酒：果子酒
かしつけ【貸付】放贷 fàngdài；贷款 dàikuǎn ✣一金：贷款｜一信託：贷款信托
カジノ 赌场 dǔchǎng
かじば【火事場】‖ ～のばか力 紧急关头使出的蛮劲 ✣一泥棒：趁火打劫（的人）；浑水摸鱼（的人）
かしまし・い【姦しい】吵闹chǎonào；嘈杂cáozá ‖ 女3人寄れば～い 定 三个女人一台戏
カシミア 开司米 kāisīmǐ；羊绒yángróng
かしゃ【貨車】〔列〕货车huòchē
かしゃく【呵責】责备zébèi；谴责qiǎnzé ‖ 良心の～を感じる 受到良心的谴责
かしゅ【歌手】歌手gēshǒu；歌唱家gēchàngjiā
かじゅ【果樹】〔棵〕果树guǒshù ✣一園：果园

か

カジュアル 随便suíbiàn；轻便qīngbiàn ✤ **—ウェア**：便装；休闲服｜**—シューズ**：休闲鞋
かじゅう【果汁】果汁guǒzhī ‖ ～100％のオレンジジュース 纯橙汁
カシュー ナッツ 腰果 yāoguǒ
ガジュマル 〔棵〕榕树 róngshù
かしょ【箇所・個所】某一处mǒu yí chù；某一地方mǒu yí dìfang；某一部分mǒu yí bùfen ‖ 赤字の～ 红字的地方〔部分〕｜何～も間違っている 好几处〔好几个地方〕有错误
かしょう【過小】过低guò dī；过小guò xiǎo ✤ **—評価**：低估
かじょう【過剰】过剩guòshèng；多余duōyú ✤ **—人員**：过剩〔多余〕的人员｜**—生産**：生产过剩｜**—投与**：过度用药｜**—反応**：过度反应｜**—防衛**：过当防卫；防卫过度
かじょう【箇条】条款tiáokuǎn；条目tiáomù ✤ **—書き**：分条列出(的文件)
かしょく【過食】✤**—症**：暴食症；贪食症
かしら【頭】❶〔あたま〕头tóu ❷〔はじめ〕前头 qiántou；第一个 dì yī ge ❸〔頭領〕头儿 tóur；头子tóuzi；头领tóulǐng ‖ とびの～ 建筑工头儿
-かしら ❶〔疑問〕吗ma；呢ne ‖ どうしてこう忙しいの～ 怎么这么忙呢？ ❷〔希望・依頼〕能不能néng bù néng ‖ ちょっと手伝ってくれない～ 能不能帮我一下？ ❸〔不定のもの〕有些yǒu xiē ‖ 何～の理由がある 有些理由｜ここにはいつもだれ～いる 这里总有人在
かしらもじ【頭文字】❶〔文頭・語頭の〕大写字母dàxiě zìmǔ ❷〔姓名の〕姓名首字母xìngmíng shǒuzìmǔ
かじ・る【齧る】❶〔歯で〕咬yǎo；啃kěn；嗑kè ‖ 親のすねを～る 吃老子；靠父母养活 ❷〔少し学ぶ〕学过一点儿xuéguo yìdiǎnr
かしん【過信】(～する)过分相信guòfèn xiāngxìn ‖ 自己の能力を～する 过分相信自己的能力
かす【粕・滓】❶〔おり〕沉渣chénzhā ❷〔つまらないもの〕渣滓zhāzi；废物fèiwu ‖ 社会の～ 社会渣滓 ❸〔酒粕〕酒糟 jiǔzāo
か・す【貸す】❶〔金品などを〕借 jiè.〔賃貸する〕出租chūzū；租赁zūlìn ‖ 部屋を～す 出租房屋｜電話を～してください 请把电话借给我用一下｜(タバコの)火を～してください 麻烦您，借个火 ❷〔能力・労力などを〕出chū ‖ 力を～す 帮助；援助｜知恵を～す 出主意｜手を～す 帮忙｜忠告に耳を～さない 听不进忠告｜おい，ちょっと顔を～せ 嘿，你给我过来！
かず【数】❶〔数字・数量〕数shù；数字shùzì；数量shùliàng ‖ 4けたの～ 四位数｜大きな〔小さな〕～ 较大〔小〕的数｜～が足りない 数量不够｜このような例は～知れない 这样的事例不胜枚举｜～ではまさっている〔かなわない〕 在数量上是超过了〔比不过〕 ❷〔多数〕大量dàliàng；众多zhòngduō ‖ 短時間に～をこなす 在短时间内处理大量的工作｜～にものを言わせる 以量取胜 ❸〔価値のあるもの〕 ‖ 物の～に入らない 数不上；不足一提
ガス ❶〔気体〕气体qìtǐ ❷〔燃料の〕煤气méiqì ‖ ～をつける〔消す〕 打开〔关上〕煤气｜～が漏れる 漏煤气｜～くさい 有股煤气味儿 ❸〔濃霧〕大雾dàwù ‖ 山頂に～がかかる 大雾笼罩了山顶 ❹〔おなら〕屁pì ‖ 腹に～がたまる 肚子胀气 ✤ **—会社**：煤气公司｜**—釜**：(浴室用)煤气热水器｜**—管**：煤气管道｜**—こんろ**：煤气炉；煤气灶｜**—ストーブ**：煤气(暖)炉｜**—タービン**：燃气轮机〔涡轮〕｜**—タンク**：(大型)煤气储藏罐｜**—中毒**：煤气中毒｜**—テーブル**：(多眼)煤气灶｜**—バーナー**：煤气喷灯｜**—爆発**：瓦斯爆炸｜**—ボンベ**：煤气罐｜**—マスク**：防毒面罩｜**—湯沸かし器**：煤气热水器｜**—レンジ**：(带烤箱的)煤气灶
かすか【幽か・微か】微弱 wēiruò；朦胧 ménglóng；模糊móhu ‖ ～な声で 用微弱的声音｜富士山が～に見える 富士山朦胧可见
かずかず【数数】许多xǔduō；种种zhǒngzhǒng ‖ 楽しい思い出の～ 许多快乐的回忆
カスタード 蛋奶冻dànnǎidòng ✤ **—プリン**：蛋奶〔格司〕布丁
カスタマイズ (～する)个性化 gèxìnghuà
カステラ 蛋糕dàngāo
かすみ【霞】〔片〕霞xiá；雾霭wù'ǎi；薄雾báowù
かす・む【霞む】❶〔かすみがかかる〕薄雾笼罩 báowù lǒngzhào ‖ ～んだ空 雾蒙蒙的天空 ❷〔ぼやけて見える〕(眼睛)花(yǎnjing) huā；模糊 móhu；朦胧ménglóng ‖ 島が～んで見える 朦胧〔模糊〕可见岛屿 ❸〔目立たなくなる〕定 黯然失色 àn rán shī sè
かす・める【掠める】❶〔盗む〕偷tōu ‖ 財布を～める 偷钱包 ❷〔こっそり行う〕瞒着mánzhe；背着bèizhe；偷着tōuzhe ‖ 看護師の目を～めて病院を抜け出した 背着护士溜出医院 ❸〔そばを通り過ぎる〕掠过lüèguo；擦过cāguo ‖ 飛行機が高層ビルを～めて飛んでいった 飞机掠过大厦楼顶飞走了 ❹〔よぎる〕掠过lüèguo；闪过shǎnguo
かすりきず【擦り傷】擦伤cāshāng；轻伤qīngshāng ‖ ～1つ負わなかった 毫发无损
か・する【化する】变成biànchéng；化为huàwéi ‖ 町は焦土と～した 整个镇子化为一片焦土
か・する【課する】课kè；使…负担 shǐ…fùdān ‖ 輸入酒には関税が～せられている 进口酒要课取关税｜重要な任務を～する 让(他)担任重要的任务
かす・る【擦る】擦过cāguo
かす・れる【掠れる】❶〔声が〕嘶哑sīyǎ ‖ 声が～れている 声音有些嘶哑 ❷〔字が〕(字迹)辨认不清(zìjì) biànrènbuqīng ‖ 字が～れて見にくい 字写得看不清楚
かぜ【風】❶〔空気の動き〕〔阵，股〕风fēng ‖ ～が吹く 刮风｜～に逆らう 逆风｜～が出てきた 起风了｜～に乗ってバイオリンの音が聞こえてくる 小提琴声随风飘来 ❷〔慣用表現〕 ‖ どうした～の吹き回しか 不知刮的是什么风｜どこ吹く～という顔 当作耳旁风｜役人～を吹かせる 摆官架子｜明日は明日の～が吹く 定 车到山前必有路
かぜ【風邪】感冒gǎnmào；伤风shāngfēng；流感liúgǎn ‖ ～をひく (得)感冒；着凉｜～をこじらせる 感冒越拖越严重｜～がはやる 流感蔓延
かぜあたり【風当たり】 ‖ 与党に対する世論の～が強くなっている 舆论对于执政党的指责日益增强

かせい【火星】火星huǒxīng
かせい【加勢】(〜する)帮助bāngzhù; 援助yuánzhù ‖ 弱い方に〜する 帮助弱者
かぜい【課税】(〜する)课税kèshuì ❖ 一所得:必须纳税的收入
かせいふ【家政婦】保姆bǎomǔ; 女佣人nǚ yōngrén
かせき【化石】化石huàshí ‖ 生きた〜 活化石
かせ・ぐ【稼ぐ】❶〔収入を得る〕挣钱zhèng qián; 赚钱zhuàn qián ‖ 1日に1万円〜ぐ 一天挣一万日元 | 〜ぐに追いつく貧乏なし 勤则不匮 ❷〔手に入れる〕取得qǔdé; 获得huòdé ‖ 点数を〜ぐ 博得赏识 | 時間を〜ぐ 争取时间
かぜぐすり【風邪薬】感冒药gǎnmàoyào
かせつ【仮設】(〜する)❶〔臨時に設置する〕临时设置línshí shèzhì ❷〔想像し設定する〕假定jiǎdìng ❖ 一工事:临时工程 | 一住宅:临时住宅
かせつ【仮説】假设jiǎshè; 假说jiǎshuō ‖ 〜を立てる 假定; 假设
かせつ【架設】(〜する)架设jiàshè
カセット 盒hé ❖ 一テープ:(盒式)磁带 | 一デッキ:录音机
かぜとおし【風通し】通风tōngfēng ‖ 〜の悪い家 通风不好的房子 | 社内の〜をよくする 促进公司内部的相互交流
かせん【下線】文字下面划的线wénzì xiàmian huà de xiàn ‖ 〜を引く 划下线 | 〜部をクリックする 点击划线部分
かせん【化繊】化学纤维huàxué xiānwéi
かせん【河川】〔条〕河流héliú ❖ 一工事:河流工程 | 一敷:河岸; 干(枯)河床
がぜん【俄然】突然tūrán; 忽然hūrán ‖ 〜やる気が出てきた 一下子有了干劲
かそ【過疎】(人口)稀少(rénkǒu) xīshǎo ‖ 急速に〜化が進む 人口在急剧减少 ❖ 一地帯:人口稀少地区
がそ【画素】像素xiàngsù
かそう【下層】下层xiàcéng; 低层dīcéng ❖ 一階級:下层阶级 | 一社会:下层社会
かそう【火葬】(〜する)火葬huǒzàng; 火化huǒhuà ❖ 一場:火葬场
かそう【仮装】(〜する)化装huàzhuāng ❖ 一行列:化装游行(队伍)
かそう【仮想】(〜する)假想jiǎxiǎng; 设想shèxiǎng ❖ 一敵国:假想敌国
がぞう【画像】图像túxiàng; 影像yǐngxiàng ‖ 〜が鮮明だ 图像很清晰 ❖ 一処理装置:图像处理器
かぞえきれな・い【数え切れない】数不完shǔbuwán ‖ 〜いほどある 不胜枚举
かぞ・える【数える】❶〔勘定する〕数shǔ; 计算jìsuàn ‖ 〜え間違える 数错了 ❷〔(受身形で)…と認める〕算是suànshì ‖ 世界の大作家の中に〜えられる 被列为世界著名作家
かそく【加速】(〜する)加速jiāsù
かぞく【家族】家人jiārén; 家属jiāshǔ; 家里(的)人jiāli (de) rén ‖ ご〜は何人ですか 你家(里)有几口人? | 〜はみな元気です 家里都很好 ❖ 一計画:家庭计划 | 一構成:家庭结构 | 一手当:家属津贴 | 一旅行:家庭旅游

ガソリン 汽油qìyóu ‖ 〜を入れる 加油 | 〜を食う 费油 ❖ 一スタンド:加油站
かた【方】❶〔人を敬っていう〕位wèi ‖ あちらの〜はどなたですか 那位先生〔小姐; 女士〕是谁? ❷〔気付〕转交zhuǎnjiāo ‖「田中様〜中村様」"田中先生转中村先生收"
かた【片】‖ 〜をつける 加以解决 | この問題はなかなか〜がつかない 这个问题老也解决不了
かた【形】形状xíngzhuàng; 形xíng ‖ 色紙を星〜に切り抜く 把彩纸剪成五星形状
かた【型】❶〔様式・形態〕型xíng; 样式yàngshì; 款式kuǎnshì ‖ 古い〜のテレビ 旧型号的电视机 | 流行の〜 流行款式 ❷〔模様・鋳型〕模型móxíng; 模子múzi ‖ 石こうで足の〜をとる 用石膏取脚模 ❸〔習慣となっているやり方〕惯例guànlì; 规矩guīju; 老方式lǎo fāngshì ‖ 〜にはまった生活 循规蹈矩的生活方式 | 古い〜を破る 打破常规 ❹〔スポーツの様式〕套路tàolù
かた【肩】❶〔体の〕肩jiān; 肩膀jiānbǎng ‖ 〜をすくめる 耸肩膀 | 〜を組む 互相搂着肩膀 | 〜をよせる 肩靠着肩 | 〜が凝る 肩膀酸痛; 肩膀发僵 | 〜を怒らせる 定 盛气凌人; 定 虚张声势 | 〜で風を切る 定 大摇大摆 | 〜で息をする 气喘吁吁 | 〜をたたく 拍肩膀; 捶肩膀 ❷〔文字やものの角の部分〕(东西的)上方(dōngxi de) shàngfāng ‖ 封筒の左〜に切手をはる 在信封的左上方贴邮票 ❸〔慣用表現〕‖ 〜を貸す 给人帮助; 助人一臂之力 | 〜を並べる 比肩; 定 并驾齐驱 | 〜をもつ 偏袒〔袒护〕| 〜の荷が下りる 卸下重任; 放下包袱 | 〜を落とす 垂头丧气
かた【過多】过多guò duō
カタール 卡塔尔Kǎtǎ'ěr
かた・い【堅い・固い・硬い】❶〔物が変形しにくいさま〕硬yìng ❷〔しっかりと合わさって離れない〕紧jǐn ‖ 結び目が〜い 扣儿系得紧 | 〜く門を閉ざす 大门紧闭 ❸〔精神的に揺るぎない〕坚定jiāndìng; 严肃yánsù ‖ 〜い信念 坚定的信念 | 〜い約束 严肃的承诺 | 口が〜い 嘴严 | 身もちが〜い 品行端正 ❹〔柔軟性に欠ける〕生硬shēngyìng; 紧张jǐnzhāng ‖ 文体が〜い 文体呆板 | 体が〜い 身体缺乏柔韧性 | 頭が〜い 头脑顽固 ❺〔失敗する心配が少ない〕可靠kěkào; 确定quèdìng ‖ 〜い商売をしている 生意做得坚实可靠 | 守りが〜い 防守很严 ❻〔厳重である〕严厉yánlì; 严格yángé ‖ 喫煙を〜く禁ずる 严禁吸烟
かだい【過大】过大guòdà; 过分guòfèn ‖ 〜な期待をする 抱过高的期望 ❖ 一請求:超额索取
かだい【課題】❶〔仕事や勉強の題目・問題〕题目tímù; 作业zuòyè ‖ 作文の〜 作文的题目 | 夏休みの〜を提出する 交暑假作业 ❷〔解決すべき問題〕课题kètí; 问题wèntí ‖ 重要〜 重大课题
かたいじ【片意地】‖ 〜を張る 固执
かたうで【片腕】❶〔片方の腕〕独臂dúbì; 一只胳膊yì zhī gēbo ❷〔頼みとする人〕得力助手délì zhùshǒu; 心腹xīnfù
がたおち【がた落ち】急剧下降jíjù xiàjiàng ‖ 信用が〜になる 信用急剧下降
かたおもい【片思い】单恋dānliàn; 单相思dānxiāngsī
かたがき【肩書き】头衔tóuxián; 职位zhíwèi

がたがた ❶〔音〕丁丁当当 dīngdīngdāngdāng; 咣当咣当 guāngdāngguāngdāng ‖ 戸棚が～いう 柜橱咣当咣当地响 ❷〔小刻みにふるえる〕哆嗦 duōsuo; 发抖 fādǒu ‖ 恐怖で～震えた 害怕得直发抖 ❸〔壊れかかっている〕定 东倒西歪 dōng dǎo xī wāi; 不牢靠 bù láokao ‖ 歯が～になる 牙齿松动 ❹〔不平がましく言いたてる〕唠唠叨叨 láoláodāodāo ‖ ～言ってないで仕事をしなさい 别唠叨, 好好儿干活儿

かたかな【片仮名】片假名 piànjiǎmíng

かたがわ【片側】一侧 yí cè; 单侧 dāncè; 一面 yímiàn ‖ 体の～が麻ひしている 身体的一侧麻痹了

かたがわり【肩代わり】(～する) 承担别人的负担 chéngdān biéren de fùdān ‖ 同僚の仕事を～する 代替同事工作

かたき【敵】❶〔恨みを抱いている相手〕仇人 chóurén; 仇敌 chóudí ❷〔競争相手〕(竞争) 对手 (jìngzhēng) duìshǒu ‖ 恋～ 情敌 ❖ 一討ち: 报仇; 复仇 | 一役: 反面角色; 讨人嫌的角色

かたぎ【気質】气质 qìzhì; 秉性 bǐngxìng; 脾气 píqi ‖ 芸術家～の人 具有艺术家气质的人 | 職人～ 手艺人的秉性

かたぎ【堅気】正直 zhèngzhí; 正经 zhèngjing ‖ ～のサラリーマン 正直的公司职员 | 足を洗って～になる 洗手不干, 成为正经人; 定 改邪归正

かたく【家宅】❖ 一捜索: 抄家; 搜查住宅

かたくずれ【型崩れ】(～する) 变形 biànxíng; 走样 zǒuyàng ‖ このスーツは～しない 这套西服不走样

かたくな【頑な】顽固 wángù; 固执 gùzhi ‖ ～に自分の意見を主張する 固执已见

かたくり【片栗】猪牙花 zhūyáhuā ❖ 一粉: 淀粉; 团粉

かたくるし・い【堅苦しい】古板 gǔbǎn; 拘泥 (形式) jūni (xíngshì) ‖ ～いあいさつは抜きにしよう 客套话免了吧 | ～い人 古板的人

かたこと【片言】定 只言片语 zhī yán piàn yǔ ‖ 子供が～をしゃべるようになった 孩子会说几句不完整的话了 | ～の中国語で会話する 用只言片语的汉语对话

かたさ【堅さ・固さ・硬さ】❶〔かたい度合い〕硬度 yìngdù ❷〔柔軟性がない〕生硬 shēngyìng

かたすみ【片隅】一隅 yìyú; 一个角落 yí ge jiǎoluò ‖ 校庭の～ 校园的角落

かたち【形】❶〔物のかたち〕形状 xíngzhuàng; 外形 wàixíng ‖ ～を変える 变形 | ～が崩れる 变形; 走样 | 車の影も～も見えない 连个车影都看不见 ❷〔外面的・形式的〕形式 xíngshì; 体裁 tǐcái ‖ ～ばかりの結婚式をあげる 举行了徒具形式的婚礼 | ～ばかりの贈りもの 小小的礼物 | これでなんとか～がついた 这样总算像个样子了 | きみの論文は～になってない 你的论文还没成形

かたちづく・る【形作る】形成 xíngchéng; 构成 gòuchéng

かたづ・く【片付く】❶〔整理されている〕收拾整齐 shōushizhěngqí; 整理干净 zhěnglǐgānjìng ‖ 部屋の中はきちんと～いている 房间里整理得很干净 ❷〔解決・決着する〕得到 (得以) 解决 dédào (déyǐ) jiějué; 处理妥当 chǔlǐ tuǒdang ‖ 問題が～く 问题得到解决 ❸〔嫁ぐ〕出嫁 chūjià

かたづ・ける【片付ける】❶〔整理する〕整理 zhěnglǐ; 收拾 shōushi ‖ 部屋をちゃんと～けなさい 把房间好好儿收拾收拾 ❷〔処理する〕解决 jiějué; 处理 chǔlǐ ‖ これを～けたらすぐ行きます 我把这个处理完了马上就去

かたつむり【蝸牛】蜗牛 wōniú

かたて【片手】单手 dānshǒu; 一只手 yì zhī shǒu ‖ ～でボールを受けとめる 单手接球

かたてま【片手間】业余 (时间) yèyú (shíjiān) ‖ 仕事の～にいろいろな資格を取る 利用工作之余, 取得各种证书

かたどおり【型通り】照例 zhàolì; 按惯例形式 àn guànlì xíngshì ‖ 式は～に行われた 按照惯例举行仪式 | ～の文面で書く 按惯例格式

かたとき【片時】片刻 piànkè; 一刻 yíkè ‖ 家族のことは～も忘れない 片刻不忘家里人

かたど・る【象る】模仿 mófǎng; 仿照 fǎngzhào ‖ 太陽を～ったモニュメント 模仿太阳形状做的纪念碑

かたな【刀】〔把, 口〕刀 dāo ‖ ～を抜く 拔刀 | ～をおさめる 将刀插入刀鞘 ❖ 一鍛冶(㊎): 刀匠

かたパッド【肩パッド】垫肩 diànjiān

かたはば【肩幅】肩宽 jiānkuān ‖ ～が広い 肩很宽

かたほう【片方】一方 yì fāng; 另一方 lìng yì fāng; 一侧 yí cè ‖ 靴が～見当たらない 另一只鞋找不到了 | 重心が～に寄っている 重心向一侧偏

かたまり【固まり・塊】❶〔固まったもの〕块儿 kuàir; 疙瘩 gēda ‖ 雪の～ 雪块儿 | 卵は栄養の～みたいなものだ 鸡蛋是营养的宝库 ❷〔集团〕群 qún ‖ サルたちがひと～になっている 猴子们聚成一团 ❸〔傾向が極端な人〕极端〔极其〕…的人 jíduān〔jíqí〕… de rén ‖ 欲の～ 极其贪婪的人; 贪得无厌的人 | 嫉妬(㋛)の～ 醋坛子

かたま・る【固まる】❶〔かたくなる〕变硬 biànyìng; 凝结 níngjié ‖ セメントが～る 水泥干了 ❷〔しっかり定まる〕固定 gùdìng; 确定 quèdìng ‖ 決心が～る 下定决心 ❸〔寄り集まる〕聚在一起 jùzai yìqǐ; 成群 chéng qún

かたみ【形見】❶〔死者の〕遗物 yíwù ‖ 父の～ 父亲的遗物 (纪念品) ❷〔過去の記念〕纪念品 jìniànpǐn ❖ 一分け: 分遗物

かたみ【肩身】‖ ～が狭い 感到抬不起头来

かたみち【片道】单程 dānchéng ❖ 一乗車券: 单程车票 | 一料金: 单程价格

かたむき【傾き】(倾斜) 倾斜 (度) qīngxié (dù) ‖ 地軸の～ 地轴的倾斜

かたむ・く【傾く】倾斜 qīngxié; 偏斜 piānxié; 歪 wāi ‖ 壁の油絵が少し右に～いている 墙上的油画有点儿往右偏 | 日は西に～いた 日头偏西了

かたむ・ける【傾ける】使…倾斜 shǐ…qīngxié; 使…歪 shǐ…wāi ‖ 首を～ける 歪着头 | 耳を～ける 倾听

かた・める【固める】❶〔かたくする〕巩固 gǒnggù; 加强 jiāqiáng ‖ 事業の基礎を～める 巩固事业的基础 | 決意を～める 下定决心 | 身を～める 成家 ❷〔寄せ集める〕集中在一起 jízhōngzai yìqǐ ‖ 荷物を1か所に～める 把行李集中在一起 ❸〔守る〕加强防备 jiāqiáng fángbèi

かためん【片面】一面 yí miàn ‖ 物事の～しか見

ていない 只注意到事物的某一个侧面

かたやぶり【型破り】不合常规bù hé chángguī；不寻常bù xúncháng

かたよ・る【片寄る·偏る】偏颇piānpō；偏于一方piānyú yì fāng‖考えが～っている 想法很偏颇

かたら・う【語らう】谈心tánxīn；亲切交谈qīnqiè jiāotán‖同じ趣味の仲間と～う 跟志趣相投的朋友谈心

かたり【騙り】诈骗zhàpiàn；欺诈qīzhà.（人）骗子piànzi‖～をはたらく 搞诈骗

かたりあか・す【語り明かす】谈到天亮tándào tiān liàng；谈通宵tán tōngxiāo

かたりぐさ【語り草】话题huàtí‖～になる 成为话题

かたりて【語り手】❶（話をする人）讲话的人jiǎnghuà de rén ❷（ナレーター）讲解者jiǎngjiězhě；旁白者pángbáizhě

かた・る【語る】谈tán；讲jiǎng；叙述xùshù‖～るに落ちる 定不打自招

かた・る【騙る】❶（名をかたる）冒充màochōng；假冒jiǎmào ❷（だましとる）骗取piànqǔ

カタログ 目录mùlù；商品目录shāngpǐn mùlù ✣ 一ショッピング:邮购

かたわら【傍ら】❶（そば）旁边pángbiān ❷（…しながら）一边…一边… yìbiān…yìbiān…‖農業の～,子ども達に書道を教えている 我边务农边教孩子们书法

かたん【加担】（～する）袒护tǎnhù；共谋gòngmóu；同谋tóngmóu‖侵略戦争に～してはならない 不可支持和参与侵略战争

かだん【花壇】花坛huātán；花池huāchí

かち【価値】价值jiàzhí‖やってみるだけの～がある 值得试试 ✣ 一観:价值观｜一判断:价值判断

かち【勝ち】赢yíng；胜利shènglì‖～に乗じて攻める 乘胜追击｜早い者～ 先下手为强｜KO～ 绝对胜利；KO胜利｜判定～ 裁判判定获胜

-がち 往往wǎngwǎng；容易róngyì；动不动dòngbudòng‖休み～だ 动不动就请假｜だれでも慌てると間違いをし～だ 人一急就容易出错

かちあ・う【かち合う】冲突chōngtū；相碰xiāngpèng；凑到一起còudào yìqǐ

がちがち ❶（かたい）硬邦邦yìngbāngbāng‖雪道が～に凍る 道路上的积雪冻得硬邦邦的 ❷（固執して改めない）拘泥jūnì；死心眼儿sǐxīnyǎnr；死板sǐbǎn‖～の教条主義者 死板的教条主义者 ❸（かたい物があたる音）格格gēgē‖寒さで歯が～鳴る 冻得上牙碰下牙格格地响

かちき【勝ち気】要强yàoqiáng

かちく【家畜】〔头〕家畜jiāchù；牲口shēngkou ✣ 一小屋:牲口棚

かちと・る【勝ち取る】争取zhēngqǔ；赢得yíngdé‖顧客の信頼を～る 争取获得顾客的信任

かちぬき【勝ち抜き】✣一戦:淘汰赛

かちまけ【勝ち負け】胜负shèngfù；胜败shèngbài‖～にこだわる 在乎胜负

かちめ【勝ち目】得胜的希望déshèng de xīwàng‖～がある〔ない〕 有〔没有〕得胜的希望

がちゃんと 哐啷kuānglāng；哐kuāng‖窓ガラスが～割れた 玻璃哗啦一声碎了｜受話器を～置く 哐地一声放下听筒

かちゅう【火中】火中huǒ zhōng‖～の栗(くり)を拾う 定火中取栗

かちゅう【渦中】旋涡之中xuánwō zhī zhōng‖～の人 旋涡中的人

かちょう【家長】家长jiāzhǎng；户主hùzhǔ ✣ 一制度:家长制

かちょう【課長】科长kēzhǎng；课长kèzhǎng

がちょう【鵞鳥】〔只〕鹅é

かつ【且つ】❶（そのうえ）且qiě；既〔又〕…又… jì〔yòu〕… yòu …‖有効～適切な措置 有效且妥当的措施 ❷（…したり…したり）边…边… biān … biān …‖飲み～語る 边喝边交谈

かつ【活】❶（生きること）活huó‖死中に～を求める 定死中求生 ❷（元気·活力）活力huólì；生气shēngqì‖新入社員に～を入れる 给新来的职员打气

か・つ【勝つ·克つ】❶（相手を負かす）赢yíng；战胜zhànshèng；取胜qǔshèng‖じゃんけんで３回～った 划拳赢了三次｜スポーツでは彼に～てない 在运动方面我赢不了他 ❷（ある傾向が強い）偏于piānyú；倾向qīngxiàng‖理性の～った性格 偏于理智的性格 ❸（抑制する）克制kèzhì；克服kèfú‖己に～つ 克制自己

かつあい【割愛】（～する）割爱gē'ài；不得不放弃bù dé bú fàngqì

かつお【鰹】〔条〕鲣鱼jiānyú ✣ 一節:鲣鱼干

かっか【閣下】阁下géxià‖大統領～ 总统阁下

がっか【学科】❶（学校の教科）〔门〕科目kēmù ❷（大学で学部の下の）专业zhuānyè‖工学部電気電子～ 工学系电气电子专业

がっか【学課】〔门〕课程kèchéng；功课gōngkè

がっかい【学会】学会xuéhuì；学术会议xuéshù huìyì

かっかざん【活火山】活火山huóhuǒshān

がつがつ ❶（食べる）定狼吞虎咽láng tūn hǔ yàn ❷（～する）（どん欲）贪婪tānlán；贪财tāncái‖目先の金に～するな 别这么贪图眼前的利益

がっかり（～する）失望shīwàng；灰心huīxīn；定灰心丧气huīxīn sàngqì

かっき【活気】〔股〕活力huólì‖株式市場が再び～を帯びてきた 股票市场又有了活力

がっき【学期】学期xuéqī ✣ 一末:期末

がっき【楽器】乐器yuèqì

かっきてき【画期的】划时代的huàshídài de

がっきゅう【学究】钻研学问zuānyán xuéwen.（人）〔位〕学者xuézhě‖～の徒 学子；学人

がっきゅう【学級】班级bānjí；班bān ✣ 一委員:班长｜一日誌:班级日记｜一閉鎖:全班停课

かっきょ【割拠】（～する）割据gējù

がっきょく【楽曲】〔支,首〕乐曲yuèqǔ

かっきり 正好zhènghǎo；整zhěng‖正午～ 12点整

かつ・ぐ【担ぐ】❶（荷物を）担dān；扛káng；挑tiāo；背bēi ❷（人を推戴(すいたい)する）拥戴yōngdài ❸（縁起を）‖縁起を～ぐ 图吉利 ❹（だます）骗piàn；耍弄shuǎnòng‖人に～がれる 受骗

かっくう【滑空】（～する）滑翔huáxiáng

かっけ【脚気】脚气病jiǎoqìbìng

かっけつ【喀血】（～する）咯血kǎxiě

かっこ【括弧】括号kuòhào；括弧kuòhú‖～でく

くる 用括号括起来｜～をはずす 把括号去掉 ❖かぎ―:方括号｜二重―:双重括号

かっこ【確固】坚定jiāndìng；坚决jiānjué‖～とした論拠 确凿的论据｜～たる姿勢 坚定的态度

かっこいい 帅shuài；酷kù；潇洒xiāosǎ

かっこう【格好】❶〔容姿・体裁など〕〔副〕样子yàngzi；形状xíngzhuàng‖ラフな～で出勤する 穿着随便地去上班｜～を気にする 在意自己的外表 ❷〔手頃な〕合适héshì；适当shìdàng‖2人で住むのに～な家 这个房子两个人住正合适 ❸〔年齢が〕左右zuǒyòu；上下shàngxià‖年～が30代のサラリーマンふう 30多岁，公司职员模样

かっこう【郭公】〔只〕大杜鹃dàdùjuān；布谷鸟bùgǔniǎo

がっこう【学校】学校xuéxiào‖～に入る 进学校｜～へあがる 上学｜～に通う 上学｜～を休む 请假；不去上学｜～をサボる 逃学｜～を卒業する 从学校毕业｜～をやめる 退学 ❖―行事:学校活动｜―法人:学校法人

かっさい【喝采】(～する)喝彩hècǎi；欢呼huānhū‖～を博す 博得喝彩

がっさく【合作】(～する)合拍hépāi；合编hébiān‖日中～映画 日中合拍的电影

がっさん【合算】(～する)合计héjì；共计gòngjì‖諸経費を～する 算上各项经费

かつじ【活字】(印刷)铅字qiānzì．(印刷物)印刷物yìnshuāwù‖～を組む 排字；排版｜～離れが進む 不喜欢看书的人越来越多

がっしゅく【合宿】(～する)集训jíxùn

かつじょう【割譲】(～する)割让gēràng

がっしょう【合唱】(～する)合唱héchàng ❖―団:合唱团；合唱队

がっしょう【合掌】(～する)合掌hé zhǎng；合十héshí

かっしょく【褐色】褐色hèsè

がっしり 健壮jiànzhuàng；强壮qiángzhuàng；坚实jiānshí‖～した体格の男 身体健壮的男人

かっすい【渇水】缺水quē shuǐ；枯水kūshuǐ ❖―期:枯水期；缺水期

かっせい【活性】活性huóxìng ❖―化:激活；活化｜―炭:活性炭

かっそう【滑走】(～する)滑行huáxíng

がっそう【合奏】(～する)合奏hézòu

かっそうろ【滑走路】(机场的)跑道(jīchǎng de) pǎodào

カッター (文房具)美工刀měigōngdāo；裁纸刀cáizhǐdāo．(産業機械)刀具dāojù；截断机jiéduànjī

がったい【合体】(～する)结合jiéhé；组合zǔhé；合为一体héwéi yìtǐ

がっち【合致】(～する)一致yízhì；吻合wěnhé；合辙hézhé‖両者の意向は完全に～した 双方的意见完全一致

ガッツ 毅力yìlì‖～がある 很有毅力

かつて【嘗て・曾て】❶〔昔・以前〕曾经céngjīng；以前yǐqián‖～の同僚 以前的同事 ❷〔今まで一度も〕从来没有cónglái méiyou‖いまだ～体験したことがない 从来没有经历过

かって【勝手】❶〔わがまま〕随便suíbiàn；任意rènyì；任性rènxìng‖人間はみな～なものだ 人都是自私的｜～気ままな生活 无拘无束的日子｜もう～にしなさい 随你的便！ ❷〔台所〕厨房chúfáng ❸〔ようす・事情〕情况qíngkuàng；情形qíngxing‖初めての土地なので～がわからない 我刚来到这儿，不太了解情况

かっと (急に怒る)勃然发怒 bórán fānù‖ささいなことですぐ～なる 一点儿小事儿就发脾气

カット ❶(～する)〔削除する〕删掉shāndiào；砍掉kǎndiào‖ボーナスが大幅に～された 奖金被砍去了很多 ❷(～する)〔髪を〕剪发jiǎn fà；理发lǐfà ❸〔さし絵〕〔幅〕插图chātú ❹〔映画などの〕镜头jìngtóu ❖―グラス:雕花玻璃

かつどう【活動】(～する)活动huódong‖明るく～的な人 开朗活跃的人 ❖―家:活动家

かっとう【葛藤】(～する)纠葛jiūgé；纠纷jiūfēn；矛盾máodùn‖母と娘の心理的～ 母女之间内心的纠葛

かっぱつ【活発】活泼huópo；热烈rèliè；活跃huóyuè‖～な議論がたたかわされた 展开了热烈的讨论｜対中貿易が～になる 对华贸易活跃起来了

かっぱらい【搔っ払い】(行為)抢东西qiǎng dōngxi；偷东西tōu dōngxi．(人)小偷xiǎotōu；扒手páshǒu

かっぱん【活版】铅版qiānbǎn ❖―印刷:铅版印刷

かっぷ【割賦】分期付款fēnqī fùkuǎn

カップ ❶〔取っ手のある茶わん〕带把茶杯dài bà chábēi ❷〔計量カップ〕计量杯jìliàngbēi ❸〔トロフィー〕…杯…bēi；奖杯jiǎngbēi

かっぷく【恰幅】身材shēncái；体态tǐtài‖～のいい男性 身材魁梧的男人

カップル 一对儿yí duìr‖似合いの～ 般配的一对儿

がっぺい【合併】(～する)合并hébìng‖2つの村が～して1つの町になった 两个村子合并成了一个镇子

がっぺいしょう【合併症】并发症bìngfāzhèng

かつぼう【渇望】(～する)渴望kěwàng

かつやく【活躍】(～する)活跃huóyuè‖政界で～する 活跃在政界里

かつよう【活用】(～する)❶〔応用〕应用yìngyòng；活用huóyòng‖知識を～する 把知识应用于实践｜資源を有効に～する 有效地利用资源 ❷〔文法〕词尾变化cíwěi biànhuà

かつら【鬘】假发jiǎfà‖～をつけている 戴着假发

かつりょく【活力】活力huólì；精力jīnglì；生命力shēngmìnglì‖～にあふれる 充满活力

カツレツ 炸肉排zháròupái‖牛肉の～ 炸牛排

かつろ【活路】〔条〕生路shēnglù；活路huólù；出路chūlù‖～を切り開く 打开活路｜～を見いだす 寻找出路

かて【糧】粮食liángshi‖その日の～を得る 糊口度日｜心の～ 精神食粮

かてい【仮定】(～する)假设jiǎshè；假定jiǎdìng

かてい【家庭】家庭jiātíng；家jiā‖円満な～を築く 建立圆满幸福的家庭｜～の事情で仕事をやめた 因为家庭原因辞掉了工作｜～的な雰囲気 充满家庭气氛 ❖―科:家庭生活课｜―教師:家庭教师；家教｜―菜園:自家的菜园｜―裁判所:家庭法院｜―訪問:家访｜―料理:家常饭菜

かてい【過程】过程 guòchéng

かてい【課程】课程kèchéng ‖ 高校の～を修了する 学完高中的课程 ✤ 博士一:博士课程

カテゴリー 范畴fànchóu

-がてら …的同时 …de tóngshí; 顺便shùnbiàn ‖ 散歩～本屋に行った 散步的途中顺便去了书店

かでん【家電】家用电器 jiāyòng diànqì

かど【角】❶〔物のとがった部分〕棱角léngjiǎo ‖ 柱の～ 柱子的棱角 ❷〔道の曲がり目〕拐角guǎijiǎo; 路口lùkǒu ‖ ～に薬屋がある 拐角处有一个药店 | 次の～を右に曲がる 在下一个路口往右拐 ❸〔性格のきつさ〕‖ ～が立つ 伤感情; 让对方不愉快 | ～が取れる 棱角被磨掉了 ✤ 一部屋:拐角〔把角儿〕的房间

かど【過度】过度guòdù; 过分guòfèn ‖ ～の運動 过度的运动 | ～な要求をする 提出过分的要求

かとう【下等】低级dījí; 低等dīděng ‖ ～な生物 低级生物

かとう【果糖】果糖 guǒtáng

かとう【過当】✤一競争:过度竞争

かどう【可動】活动huódong; 可移动kě yídòng ‖ ～式の書棚 活动书架

かどう【華道】花道huādào; 插花chāhuā

かどう【稼働・稼動】(～する) ❶〔働く〕工作gōngzuò; 劳动láodòng ❷〔機械を動かす〕运转yùnzhuǎn ‖ 機械を～する 运转机器 ✤ 一時間:工作时间 | 一人口:劳动人口

かとき【過渡期】过渡时期guòdù shíqī; 过渡阶段 guòdù jiēduàn

かどで【門出】开始新的生活kāishǐ xīn de shēnghuó ‖ 人生の～ 人生新的出发点

カドミウム 镉 gé ✤ 一汚染:镉污染

かとりせんこう【蚊取り線香】〔盘〕蚊香 wénxiāng ‖ ～をたく 点蚊香

カトリック 天主教Tiānzhǔjiào. (教徒)天主教徒Tiānzhǔjiàotú ✤ 一教会:天主教堂

カトレア 卡特米兰 kǎtèmǐlán

かな【仮名】假名 jiǎmíng

かなあみ【金網】〔道〕铁丝网tiěsīwǎng; 金属网 jīnshǔwǎng

かない【家内】妻子qīzi; 内人nèiren ✤ 一工業:家庭手工业

かな・う【叶う】实现shíxiàn ‖ 長い間の望みがついに～った 多年的愿望终于实现了 | 望みを～えることはできない 不能满足愿望

かな・う【適う】符合 fúhé; 满足 mǎnzú; 合乎 héhū ‖ 礼儀に～った服装 合乎礼仪的服装 | 時宜に～った贈り物をする 赠送应时的礼物 | 理に～う 合情合理 | 社長の眼鏡に～う 受到社长的赏识

かな・う【敵う】❶〔匹敵する〕比得上 bǐdeshàng; 匹敌 pǐdí ‖ ゴルフではだれも彼に～わない 打高尔夫谁也比不上他 ❷〔耐えられる〕能接受 néng jiēshòu; 能忍受néng rěnshòu ‖ この暑さには～わない 这么热真受不了

かなきりごえ【金切り声】尖叫声jiānjiàoshēng ‖ ～をあげて助けを求める 尖叫着求救

かなぐ【金具】金属零件jīnshǔ língjiàn; 金属配件jīnshǔ pèijiàn ‖ ドアの～ 门上的金属配件

かなし・い【悲しい】悲哀 bēi'āi; 悲伤 bēishāng; 悲痛bēitòng ‖ ～い歌 悲哀的歌儿 | ～い出来事 悲痛的事 | ～そうな顔 一脸悲伤的神情

かなしみ【悲しみ】悲哀bēi'āi; 悲伤bēishāng; 悲痛 bēitòng ‖ ～に沈む 陷入深深的悲哀 | ～で胸がいっぱいになる 心中充满了悲伤 | ～に打ちのめされる 悲不自胜; 定 痛不欲生

かなし・む【悲しむ】伤心 shāngxīn; 悲伤 bēishāng; 悲痛bēitòng ‖ 親友の死を～む 为好友的死伤心 | 自分が何の役にも立てないことを～む 因自己的无能为力而感到难过

カナダ 加拿大 Jiānádà

かなづち【金槌】❶〔つち〕铁锤 tiěchuí; 锤子 chuízi ‖ ～で厚板にくぎを打つ 用锤子在厚板上钉钉子 ❷〔泳げない人〕不会游泳的人bú huì yóuyǒng de rén ‖ 私は～だ 我一点儿也不会游泳

かな・でる【奏でる】演奏yǎnzòu ‖ 琴で美しい調べを～でる 用古筝弹出优美的曲调

かなめ【要】❶〔扇の〕扇轴shànzhóu ❷〔要点〕要害yàohài; 关键guānjiàn; 中枢zhōngshū

かなもの【金物】五金 wǔjīn; 小五金 xiǎowǔjīn ✤ 一屋:五金商店

かならず【必ず】一定yídìng; 肯定kěndìng; 总是zǒngshì ‖ 毎日～風呂に入る 每天一定要洗澡 | 明日は～遅れないように来てください 明天你必须准时到 | 飲むと～乱れる 他总是酒后失态

かならずしも【必ずしも】不一定bù yídìng; 未必wèibì; 不见得bú jiànde ‖ 金持ちだからといって～幸せではない 有钱人未必就幸福 | 私はその提案に～賛成ではない 我不是完全赞成那个建议

かなり 相当xiāngdāng; 很hěn ‖ ～の収入 相当可观的收入 | ～の成功をおさめる 取得了相当大的成功 | ～待たされた 等了很长时间

カナリア 金丝雀 jīnsīquè

かなわない【敵わない】⇨かなう(敵う)

かに【蟹】蟹xiè; 螃蟹pángxiè ‖ ～のはさみ 蟹钳 | ～の甲 蟹壳 ✤ 一座:巨蟹座

かにく【果肉】果肉 guǒròu

がにまた【蟹股】罗圈儿腿 luóquānrtuǐ

かにゅう【加入】(～する) 参加cānjiā; 加入jiārù ‖ 生命保険に～する 参加〔加入〕人寿保险

カヌー〔只,条〕皮划艇píhuátǐng; 皮艇pítǐng; 独木舟 dúmùzhōu

かね【金】钱qián; 金钱jīnqián ‖ ～がかかる 花钱; 费钱 | ～になる 能赚到钱 | ～を惜しむ 不肯花钱 | ～をためる 攒钱; 存钱 | ～にあかす 挥霍无度 | ～を稼ぐ 挣钱 | ～を回す 运作资金 | ～に困る 缺钱 | 湯水のように～を使う 花钱如流水; 定 挥金如土 | 子どもの命は～にはかえられない 多少钱也抵不上孩子的命 | ～の心配 为钱操心 | ～のなる木 摇钱树 | ～の切れ目が縁の切れ目 财尽缘断 | 時は～なり 时间就是金钱; 定 一寸光阴一寸金 | ～に目がくらむ 定 见钱眼开; 定 利令智昏 | ～は天下の回りもの 钱在世上转, 今天没有明天有

かね【鐘】〔座〕钟zhōng; 〔顶〕吊钟diàozhōng ‖ 除夜の～ 除夕(之夜)的钟声 | ～をつく 撞钟 | ～の音 钟声 ✤ 一つき堂:钟楼

かねがね 很久以前就hěn jiǔ yǐqián jiù; 早就zǎo jiù ‖ おうわさは～うかがっております 久仰大名

かねつ【加熱】(～する) 加热 jiārè ‖ ～処理する 进行加热处理

かねつ【過熱】(～する) ❶〔熱くなりすぎる〕过热guòrè ‖ エンジンが～している 这引擎太热了 ❷〔度を超す〕过分guòfèn；过度guòdù；过头儿guòtóur ‖ 議論が～する 争论得有些过头儿

かねづかい【金遣い】花钱(的方式) huā qián (de fāngshì) ‖ ～が荒い 大手大脚

かねて【予て】事先shìxiān；早先zǎoxiān ‖ ～の打ち合わせどおり 按照事先说好的办｜パリには～から行きたいと思っていた 我早就想去巴黎了

かねめ【金目】值钱zhíqián；有价值yǒu jiàzhí ‖ ～の品 值钱的东西

かねもうけ【金儲け】赚钱zhuàn qián ‖ ～がうまい 很会赚钱

かねもち【金持ち】有钱人yǒuqiánrén；财主cáizhu；富人fùrén；富翁fùwēng ‖ 不動産の売買で～になった 靠房地产的买卖发了大财｜～けんかせず 有钱人不做无利的事

か・ねる【兼ねる】兼任jiānrèn；兼职jiānzhí；兼用jiānyòng ‖ 2つのポストを～ねる 身兼两职｜大は小を～ねる 大能兼小｜趣味と実益を～ねた仕事 既是个人爱好又能带来实惠的工作

かねん【可燃】可燃kěrán；易燃yìrán ✤ 一ごみ：可燃垃圾｜一物：可燃物；易燃物

かのう【化膿】(～する) 化脓huànóng ‖ にきびが～した 粉刺化脓了

かのう【可能】可能kěnéng ‖ 不可能を～にする 变不可能为可能｜～な範囲で情報を公開する 在可能的范围内公开信息 ✤ 一性：可能性

かのじょ【彼女】❶〔三人称〕她tā ❷〔恋人〕女朋友nǚ péngyou ‖ ～ができた 交上了女朋友

かば【河馬】〔头〕河马hémǎ

カバー ❶〔覆い〕套子tàozi；罩子zhàozi；盖子gàizi ‖ バイクに～を掛ける 给摩托车罩上罩子 ❷(～する)〔不備・不足を補うこと〕弥补míbǔ；抵偿dǐcháng ‖ おたがいの欠点を～しあう 互相取长补短 ✤ 一ガール：封面模特儿｜布団一：(掛け布団) 被套；(敷き布団) 褥套

かば・う【庇う】庇护bìhù；袒护tǎnhù；帮人说话bāng rén shuōhuà ‖ 子どもを～う 袒护孩子

かはん【河畔】河畔hépàn

かばん【鞄】包bāo；皮包píbāo ✤ 学生一：书包

かはんしん【下半身】下半身xiàbànshēn

かはんすう【過半数】过半数guò bàn shù；半数以上bàn shù yǐshàng ‖ ～を占める 占多数

かび【黴】霉méi ‖ パンに～が生えた 面包发霉〔长毛〕了｜梅雨時は～にご用心 梅雨季节要注意东西发霉

がびょう【画鋲】图钉túdīng

かびん【花瓶】花瓶huāpíng

かびん【過敏】过敏guòmǐn ‖ 他人の評価に対して～だ 对别人怎样评价自己过于敏感 ✤ 一症：过敏症

かふ【寡婦】寡妇guǎfu

かぶ【下部】下部xiàbù.〔組織〕下级xiàjí；基层jīcéng

かぶ【株】❶〔草木の根〕棵kē；株zhū ❷〔木の切り株〕树墩子shùdūnzi；树桩shùzhuāng ❸〔株式〕股份gǔfèn.〔株券〕股票gǔpiào ‖ ～でしこたまもうける 靠炒股发大财｜～が値上がりする 股市很牛；股票上涨 ❹〔評価〕评价píngjià；声誉shēngyù ‖ ～があがる〔下がる〕评价有所提高〔下降〕｜成長～ 潜力股 ❺〔得意な技〕‖ お～を奪う 学得他人特长

かぶ【蕪】芜菁wújīng

かふう【家風】门风ménfēng；家风jiāfēng ‖ ～に合わない 不适合(我家)家风

がふう【画風】画风huàfēng

カフェ 咖啡馆kāfēiguǎn

カフェイン 咖啡因kāfēiyīn ‖ ～抜きのコーヒー 不含咖啡因的咖啡

カフェテリア 自助餐厅zìzhùcāntīng

かぶか【株価】股价gǔjià；股票价格gǔpiào jiàgé ‖ ～が上がる〔下がる〕股价上涨〔下跌〕 ✤ 一指数：股价指数｜一操作：操纵股票价格

がぶがぶ 咕嘟咕嘟地 gūdūgūdū de ‖ 水を～飲む 咕嘟咕嘟地喝水；大口大口地喝水

かぶけん【株券】股票gǔpiào

かぶしき【株式】股份gǔfèn ‖ ～を譲渡する 出让股份｜～を募集する 集股｜～を引き受ける 认股 ✤ 一会社：股份公司；股份有限公司｜一市場：股市；股票市场｜一相場：股市行情｜一取引所：股票交易所

カフス ✤ 一ボタン：袖扣

かぶ・せる【被せる】(上に覆う) 盖上gàishang；套上tàoshang；包上bāoshang.(負わせる) 推诿(到别人身上) tuīwěi(dào biéren shēnshang)

カプセル (药的)胶囊(yào de) jiāonáng ‖ ～入りの薬 胶囊药

かふそく【過不足】过与不足guò yǔ bùzú；多或少 duō huò shǎo ‖ 必要な情報を～なく掲載する 恰如其分地刊载所需的信息

かぶと【冑・兜】〔顶〕盔kuī；头盔tóukuī ‖ ～を脱ぐ 服输｜勝って～の緒を締めよ 胜利时更要戒骄戒躁；赢了也要再接再厉

かぶとむし【兜虫・甲虫】〔只〕独角仙dújiǎoxiān

かぶぬし【株主】股东gǔdōng ✤ 一総会：股东大会

かぶ・る【被る】❶〔上から覆う〕蒙méng；盖gài；戴dài ‖ 帽子を～る 戴帽子 ❷〔浴びる〕浇jiāo；冲chōng ‖ 水を～る 浇水｜本はほこりを～っていた 书上积满了灰尘 ❸〔こうむる〕承担chéngdān；蒙受méngshòu ‖ 罪を～る 承担罪过

かぶ・れる ❶〔皮膚が〕起炎症qǐ yánzhèng ‖ 薬品に～れる 因药品引起炎症 ❷〔悪く感化される〕沾染zhānrǎn；着迷zháomí；崇拜chóngbài

かふん【花粉】花粉huāfěn ✤ 一症：花粉过敏症

かべ【壁】❶〔しきり〕〔堵,面〕墙qiáng；墙壁qiángbì ‖ ～に耳あり障子に目あり 定 隔墙有耳 ❷〔障害物〕障碍zhàng'ài；困难kùnnan ‖ ～に突き当たる 碰壁｜音速の～を破る 超过了音速｜言語の～ 语言的隔阂

かへい【貨幣】货币huòbì ‖ ～を発行する 发行货币｜～を鋳造する 铸造货币 ✤ 一価値：货币价值｜一単位：货币单位

かべがみ【壁紙】壁纸bìzhǐ；墙纸qiángzhǐ ‖ 壁に～をはる 往墙上贴墙纸｜～をはがす 扒墙纸｜デスクトップの～を換える 更换桌面的壁纸

かほう【下方】下边xiàbian；下方xiàfāng ✤ 一修正：下调；降低目标

かほう【家宝】传家宝 chuánjiābǎo

かほご【過保護】㊀娇生惯养 jiāo shēng guàn yǎng; 宠坏 chǒnghuài ‖ 娘を～に育てた 把女儿给宠坏了

かぼそ·い【か細い】❶〔細くて弱々しく見える〕纤细 xiānxì; 纤弱 xiānruò ❷〔音や声が弱々しい〕微弱 wēiruò ‖ ～い声 微弱的声音

カボチャ【南瓜】南瓜 nánguā; 倭瓜 wōguā

かま【釜】❶〔ごはんがま〕饭锅 fànguō ‖ 同じ～の飯を食った仲 在同一个屋檐下相处过的朋友 ❷〔ボイラー〕锅炉 guōlú

かま【鎌】❶〔農具〕〔把〕镰刀 liándāo ❷〔慣用表現〕‖ ～をかけて本当のことを言わせる 套他说出真话

がま【蝦蟇】蟾蜍 chánchú; 癞蛤蟆 làiháma

かま·う【構う】❶〔気にする〕顾 gù; 理 lǐ; 介意 jièyì ‖ 他人のことなど～っている暇はない 我才没空儿管别人呢｜着るものに～いすぎる 太讲究衣着了｜なりふり～わず勉強に専念する 一心学习, 不顾其他｜どうぞお～いなく 别忙了｜～うものか 管它呢！ ❷〔世話をする〕理睬 lǐcǎi; 照顾 zhàogu; 关心 guānxīn ‖ 私に～わないでくれ 不要管我 ❸〔からかう〕逗 dòu; 戏弄 xìnòng

かまえ【構え】❶〔構造·外観〕外观 wàiguān ❷〔姿勢〕架势 jiàshi; 姿势 zīshì; 姿态 zītài

かま·える【構える】❶〔準備を整える〕做好…的姿势 zuòhǎo…de zīshì ‖ カメラを～える 端起照相机｜銃を～える 端好枪｜ストを～える 准备进行罢工 ❷〔態度〕摆出…的样子 bǎichu…de yàngzi ‖ 彼女は失敗してものんきに～えている 即使失败了, 她也是一副无所谓的样子 ❸〔家などをもつ〕‖ 店を～える 开店｜一戸を～える 自立门户 ❹〔事を〕‖ 事を～える 制造事端; 闹事

かまきり【蟷螂】〔只〕螳螂 tángláng

かま·ける 只顾 zhǐgù; 忙于 mángyú ‖ 仕事に～ける 忙于工作

かまど【竈】灶 zào

がまん【我慢】(～する) 忍耐 rěnnài; 忍受 rěnshòu; 克制 kèzhì ‖ この騒々しさには～できない 我受不了这么嘈杂｜ここが～のしどころだ 现在我们需要忍耐 ✤一比べ:比耐力

かみ【神】天 tiān; 老天爷 lǎotiānyé; 上帝 Shàngdì ‖ ～の恵み 上帝的恩赐｜～かけて誓う 向上帝发誓; 向老天爷起誓｜～のみぞ知る 天知道｜捨てる～あれば拾う～あり ㊀天无绝人之路｜～に祈る 祈祷上帝保佑

かみ【紙】〔张〕纸 zhǐ ‖ ～に書く 写在纸上｜～で包む 用纸包｜～を折る 折纸｜～をはる 贴纸 ✤一テープ:纸带｜一袋:纸袋

かみ【髪】〔根, 绺〕头发 tóufa ‖ ～を洗う 洗头; 洗发｜～をとかす 梳头发｜～を後ろで束ねる 把头发扎在脑后｜彼女は～を短く〔長く〕している 她留着短〔长〕发｜～をまん中〔左側〕で分ける 梳着中〔左〕分头｜～を金色に染める 把头发染成金色 ✤一型:发型｜一の毛:头发

かみあ·う【噛み合う】❶〔歯車などが〕卡住 qiǎzhu; 咬合 yǎohé ‖ 入れ歯がよく～わない 假牙咬合不好 ❷〔しっくりいく〕彼此相合 bǐcǐ xiānghé ‖ 意見が～わない 说不到一块儿｜双方的要求が～わない 双方的要求存在分歧

かみき【上期】上半期 shàngbànqī; 前半期 qiánbànqī

かみき·る【噛み切る】咬断 yǎoduàn

かみきれ【紙切れ】纸片 zhǐpiàn

かみくず【紙屑】废纸 fèizhǐ ‖ こんなものは～同然だ 这种东西如同废纸 ✤一かご:纸篓

かみくだ·く【噛み砕く】❶〔歯で〕咬碎 yǎosuì; 嚼烂 jiáolàn ❷〔わかりやすくする〕简明易懂地说明 jiǎnmíng yì dǒng de shuōmíng

かみころ·す【噛み殺す】❶〔かんで殺す〕咬死 yǎosǐ ❷〔抑える〕忍住 rěnzhu; 压住 yāzhu ‖ あくびを～す 忍住哈欠｜笑いを～す 忍住笑

かみざ【上座】上座 shàngzuò

かみし·める【噛み締める】❶〔かむ〕咬紧 yǎojǐn ‖ 唇を～める 咬紧嘴唇 ❷〔味わう〕咀嚼 jǔjué; 仔细品味 zǐxì pǐnwèi ‖ 自由の喜びを心の底から～めた 从心底里感受到了自由的喜悦

かみそり【剃刀】剃须刀 tìxūdāo; 剃刀 tìdāo ‖ ～の刃 剃须刀刀片｜～を当てる 刮脸

かみつ【過密】过于集中 guòyú jízhōng; 密集 mìjí ‖ 人口～地区 人口密集区; 人口过于集中〔人口过密〕的地区 ✤一スケジュール:日程排得很紧; 紧张的日程安排

かみつ·く【噛み付く】❶〔食いつく〕咬 yǎo; 咬住 yǎozhu ❷〔食ってかかる〕强烈反击 qiángliè fǎnjī; 顶撞 dǐngzhuàng ‖ 審判の判定に～く 强烈抗议裁判的判决

かみづつみ【紙包み】纸包 zhǐbāo

かみナプキン【紙ナプキン】餐巾纸 cānjīnzhǐ

かみなり【雷】雷 léi ‖ ～の音 雷声｜～が鳴っている 打雷了｜隣りの家に～が落ちた 邻家遭雷击了｜～を落とす ㊀大发雷霆; 大声训斥

かみはんき【上半期】(一年的) 前半期 (yì nián de) qiánbànqī

かみひとえ【紙一重】一纸之隔 yì zhǐ zhī gé

かみやすり【紙鑢】〔张〕砂纸 shāzhǐ

かみわざ【神業】绝技 juéjì; 绝招 juézhāo

かみん【仮眠】(～する) 小睡 xiǎoshuì; 打个盹儿 dǎ ge dǔnr ‖ ～をとる 小睡一会儿

か·む【擤む】‖ 鼻を～む 擤鼻涕

か·む【噛む·咬む】❶〔上下の歯で〕咬 yǎo ‖ 野良犬に～まれる 被野狗咬伤了｜つめを～む 咬手指甲 ❷〔かみ砕く〕嚼 jiáo ‖ 食事はよく～みなさい 吃饭要细嚼 ❸〔かかわる〕参与 cānyù; 插手 chāshǒu; 与…有关 yǔ…yǒuguān

ガム 口香糖 kǒuxiāngtáng ‖ ～をかむ 吃口香糖

がむしゃら 莽撞 mǎngzhuàng; 玩儿命 wánrmìng; 不顾一切 búgù yíqiè

ガムテープ 〔盘〕胶带 jiāodài ‖ ～でとめる 用胶带粘住

カムバック (～する) 复出 fùchū; ㊀东山再起 Dōngshān zài qǐ

カムフラージュ (～する) 掩饰 yǎnshì; 打(着)幌子 dǎ(zhe) huǎngzi; 伪装 wěizhuāng

かめ【瓶·甕】缸 gāng; 坛子 tánzi

かめ【亀】〔只〕乌龟 wūguī ‖ ～の甲 龟壳; 龟甲｜～の甲より年の功 ㊀姜还是老的辣

かめい【加盟】(～する) 加盟 jiāméng; 参加 cānjiā ✤一国:成员国; 会员国｜一店:连锁店

かめい【仮名】假名 jiǎmíng; 化名 huàmíng ‖ ～

を使う 使用假名

がめつ·い 定贪得无厌tān dé wú yàn; 定唯利是图wéi lì shì tú

カメラ〔架,个〕(照)相机(zhào)xiàngjī. (映画やビデオの)摄影机shèyǐngjī ‖ 被写体に～を向ける 把相机对准被摄体 ❖ 一アングル:拍摄角度 | 一マン:摄影师 | 一屋〔店〕:照相器材商店 | コンパクト一:轻便相机;傻瓜相机

カメルーン 喀麦隆Kāmàilóng

カメレオン 变色龙biànsèlóng

かめん【仮面】假面具jiǎmiànjù ‖ ～をかぶる 戴假面具 | ～を脱ぐ 摘下假面具;喩露出真面目

がめん【画面】(テレビ·映画の)画面huàmiàn. (映像)镜头jìngtóu

かも【鴨】❶〔鳥類〕〔只〕野鸭子yěyāzi ❷〔だまされやすい人〕大头dàtóu; 冤大头yuāndàtóu; 容易上当的人róngyì shàngdàng de rén ‖ いい～にされる 当冤大头

かもく【科目·課目】❶〔区分けした項目〕项目xiàngmù; 条款tiáokuǎn; 科目kēmù ‖ 勘定～ 会计项目;账目 ❷〔学科の科目〕〔门〕科目kēmù; 课程kèchéng ❖ 一般教養一:基础课程〔科目〕| 必修一:必修课程〔科目〕

かもく【寡黙】定沉默寡言chénmò guǎyán

かもしか【羚鹿·羚羊】日本斑羚rìběn bānlíng

-かもしれない 也许yěxǔ; 可能kěnéng; 说不定shuōbudìng ‖ 彼は独身～ 他可能还没结婚 | ひょっとすると雨が降る～ 说不定会下雨

かも·す【醸す】(引き起こす)造成zàochéng; 引起yǐnqǐ ‖ 物議を～す 引起大家的议论

かもつ【貨物】货物huòwù ❖ 一船:货船 | 一輸送:货运 | 一列車:货运列车;货车

かもめ【鷗】海鸥hǎi'ōu

かや【茅】茅草máocǎo; 芒máng ‖ ～ぶきの小屋 茅屋;茅庐

かや【蚊帳】〔顶〕蚊帐wénzhàng ‖ ～をつって寝る 挂上蚊帐睡觉 ❖ 一の外:被排在圈儿外

かやく【火薬】火药huǒyào ❖ 一庫:火药库

かゆ【粥】粥zhōu; 稀饭xīfàn ‖ ～をたく 熬粥 | ～をすする 喝粥

かゆ·い【痒い】痒yǎng; 发痒fāyǎng ‖ 右の耳が～い 我的右耳朵发痒 | ～いところに手が届く 很周到 | 痛くも～くもない 都不在乎

かよ·う【通う】❶〔行き来する〕来往láiwǎng; 往返wǎngfǎn. (職場に)上班shàngbān. (学校に)上学shàngxué ‖ 歩いて学校に～っている 走着去上学 | 図書館に～う 经常跑到图书馆去 ❷〔通じる·巡る〕‖ 気持ちの～いあう友 情投意合的朋友 | 血の～った政策 有人情味的政策

かようきょく【歌謡曲】流行歌曲liúxíng gēqǔ

がようし【画用紙】〔张〕图画纸túhuàzhǐ

かようび【火曜日】*星期二 xīngqī'èr*

かよわ·い【か弱い】柔弱róuruò; 纤弱xiānruò ‖ ～い女性 纤弱女子

から【空】空kōng ‖ 財布が～になった 钱包空了

から【殻】❶〔貝·実などの〕外皮wàipí; 壳ké ‖ 卵の～ 蛋壳 | ピーナッツの～ 花生皮 ❷〔比ゆ的に〕‖ 古い～を打ち破る 打破旧的框框;摆脱传统桎梏 | ～に閉じこもる 自我封闭

-から ❶〔場所·出所〕从cóng ‖ 太陽は東～昇る 太阳从东边升起 | 頭のてっぺん～つま先まで 从头到脚 ❷〔時〕从…开始〔起〕cóng … kāishǐ〔qǐ〕‖ 新学期は4月～始まる 新学期从4月份开始 | 昨日～何も食べていない 从昨天到现在什么都没吃 | 昼～首相の演説が始まる 首相的演讲将于中午开始 ❸〔原材料·構成要素〕用yòng; 以yǐ; 由…构成 yóu…gòuchéng | 羊毛～毛糸をつくる 毛线是用羊毛制成的 | 日本の酒は米～つくる 日本的酒是用大米酿造的 ❹〔原因·理由〕由于yóuyú; 因为yīnwei ‖ 親切心～したことがかえって裏目に出た 定好心不得好报 ❺〔根拠〕根据gēnjù ‖ 彼女の顔つき～すると,どうやら試験に落ちたようだ 看她的表情,好像是没考上 ❻〔順序など〕由yóu; 从cóng; 自zì ‖ 今日はだれ～始めようか 今天从谁开始呢? | 1～10まで 从一到十 | ラスト～2つ目 倒数第二个

がら【柄】❶〔模様〕花纹huāwén ‖ ～もののワイシャツ 花衬衫 ❷〔体格·資格〕体格tǐgé; 身材shēncái ❸〔人柄·性格〕人品rénpǐn; 性格xìnggé ‖ この仕事は私の～に合わない 我这个人不适合做这个工作 | このあたりは～が悪い 这附近风气不好

カラー (えり)领子lǐngzi; 衣领yīlǐng

カラー ❶〔色〕颜色yánsè; 色彩sècǎi; 彩色cǎisè ❷〔特色〕特色tèsè; 个性gèxìng ❖ 一写真:彩照 | 一テレビ:彩电 | 一フィルム:彩卷儿

からあげ【唐揚げ】干炸gānzhá ‖ 若鶏(わか)の～ 油炸鸡块

から·い【辛い】❶〔味〕辣là. (塩辛い)咸xián ‖ ～すぎてとても食べられない 太辣了,吃不下去 ❷〔厳しい〕严格yángé ‖ あの先生は点が～い 那个老师判分很严

からいばり【空威張り】(～する)定虚张声势xū zhāng shēng shì

からオケ【空オケ】卡拉OK kǎlā OK ❖ 一ボックス:卡拉OK包厢

からか·う 开玩笑kāi wánxiào; 取笑qǔxiào; 拿…开心 ná…kāixīn ‖ ～うのはよしてくれ 别拿我开心! | 人の欠陥を～うのはよくない 不应该取笑别人的缺陷 | 女性を～う 调戏妇女

からから 非常干燥fēicháng gānzào; 干得冒烟gānde mào yān ‖ のどが～だ 嗓子干得直冒烟 | 空気が～に乾いている 空气很干燥

がらがら ❶〔おもちゃ〕哗啷棒huālāngbàng ❷〔音〕轰隆轰隆hōnglōnghōnglōng; 咯噔咯噔gēdēnggēdēng ❸〔声〕嘶哑sīyǎ; 粗声粗气cū shēng cū qì ❹〔すいている様子〕空荡荡kōngdàngdàng

がらくた 破烂儿pòlànr; 废品fèipǐn; 劳什子láoshízi ‖ ～の山 废品堆

からくも【辛くも】好不容易hǎoburóngyì; 总算zǒngsuàn; 勉强miǎnqiǎng ‖ 日本が～勝利した 日本好不容易取得了胜利 | ～失明を免れた 总算没有失明

からくり【絡繰り】❶〔工夫〕巧妙安排qiǎomiào ānpái. (たくらみ)计谋jìmóu; 诡计guǐjì ❷〔装置·仕かけ〕机关jīguān

からげんき【空元気】定虚张声势xū zhāng shēng shì; 定强打精神qiángdǎ jīngshen

からし【芥子】芥末jièmo

からす【烏】〔只〕乌鸦wūyā ✤ —の足跡:鱼尾纹
から·す【嗄らす】使(声音)嘶哑 shǐ (shēngyīn) sīyǎ ‖ 声を～して叫ぶ 扯着嘶哑的嗓子嚷
ガラス【硝子】〔块〕玻璃bōli ‖ ～を割る 打碎玻璃 ✤ —工場:玻璃工场 | —細工:玻璃工艺品 | —製品:玻璃制品 | —繊維:玻璃纤维 | —戸:玻璃门 | —張り:装着玻璃的 ‖ ～の政策 透明的政治〔政策〕
からすみ【鱲子】咸鱼子干xián yúzǐgān
からぜき【空咳】干咳gānké; 假咳嗽jiǎ késou
からだ【体】❶〔身体·体格〕身体shēntǐ; 身材shēncái ‖ じんましんで～中がかゆい 全身起荨麻疹, 痒死了 | ～がなまる 身体懒下来 | ～があく 有空 | ～で覚える 在实践中学 | 鍋料理は～が暖まる 吃火锅可以暖和身子 ❷〔健康·体力〕健康jiànkāng; 身体shēntǐ ‖ ～が丈夫だ〔弱い〕 身体结实〔虚弱〕| 喫煙は～に悪い 抽烟有害于健康; 抽烟对健康有害 | お～の具合はいかがですか 您觉得身体怎么样? | ～をこわす 损害身体 | ～がもたない 身体吃不消 | どうぞお～を大切に 请多保重
からたち【枳殻】枸橘 gōujú
からだつき【体付き】体形tǐxíng; 体态tǐtài; 体格tǐgé
からっと (～する)❶〔天気が〕晴朗qínglǎng; 清爽qīngshuǎng; 爽朗shuǎnglǎng ❷〔あげ物が〕酥脆sūcuì ‖ ～あがった豚カツ 炸得香脆的炸猪排 ❸〔性格が〕爽快shuǎngkuai; 爽直shuǎngzhí ‖ 明るく～した性格 开朗爽快的性格
カラット (金の純度)开kāi. (宝石の重さ)克拉kèlā ‖ 0.4～のダイヤモンド 0.4克拉的钻石
からっぽ【空っぽ】空kōng; 空洞无物kōngdòng wúwù; 定空空如也kōng kōng rú yě ‖ 財布が～だ 钱包里没钱
からて【空手】空手道kōngshǒudào
からてがた【空手形】空头支票kōngtóu zhīpiào ‖ 彼の約束はいつも～で実行されたことがない 他总是开空头支票, 从来没有兑现过
-からには 既然…就 jìrán … jiù ‖ やる～しっかりやりなさい 既然干, 就要干好 | あの人がそう言う～間違いはないだろう 既然他那么说了就不会错吧
からぶり【空振り】(～する)❶〔球技〕空挥kōnghuī; 击球未中jī qiú wèi zhòng ‖ ～の三振 三击不中 ❷〔不成功〕落空luòkōng; 扑空pūkōng ‖ 計画が～に終わった 计划最终落空了
カラフル 色彩鲜艳sècǎi xiānyàn; 五彩缤纷wǔcǎi bīnfēn ‖ ～なTシャツ 色彩鲜艳的T恤衫
からまつ【落葉松】落叶松 luòyèsōng
からま·る【絡まる】❶〔物が〕缠住chánzhu; 盘绕pánrào; 缠绕chánrào ‖ ツタの～った古い教会 爬满常春藤的老教堂 ❷〔問題が〕纠缠不清jiūchán bù qīng
からまわり【空回り】(～する)❶〔車輪などが〕空转 kōngzhuàn ❷〔理論·行動が〕白费事báifèishì; 徘徊不前 páihuái bù qián ‖ 議論が～している 讨论始终没有进展
からみつ·く【絡み付く】缠上 chánshang; 绕上ràoshang ‖ アサガオが垣根に～いている 牵牛花缠在篱笆上
から·む【絡む】❶〔巻きつく〕缠chán; 绕rào ❷〔関連する〕牵涉qiānshè; 涉及shèjí ‖ 金が～む 牵涉到金钱 ❸〔いやがらせを言う〕纠缠jiūchán; 定胡搅蛮缠hújiǎo mánchán ‖ 酔っ払いに～まれる 被醉汉纠缠
から·める【絡める】❶〔巻きつける〕缠上chánshang; 绕上ràoshang ❷〔全体につける〕沾zhān; 蘸满zhànmǎn ‖ ソースを～る 和调料拌在一起 ❸〔関連付ける〕联系起来liánxìqilai; 结合起来jiéhéqilai; 连在一起liánzai yìqǐ ‖ 農業問題を環境問題と～めて考える 把农业问题与环境问题联系起来考虑
カラメル 焦糖 jiāotáng
からりと ⇨からっと
かり【仮】❶〔間に合わせの〕临时línshí; 暂时zànshí ‖ ～の事務所 临时的事务所 ❷〔にせの〕假jiǎ; 伪wěi ‖ 世を忍ぶ～の姿 做掩护的假身分 ✤ —契約:临时契约 | —採用:临时雇用
かり【狩り】打猎dǎliè; 狩猎shòuliè ✤ ウサギ—:打兔子 | きのこ—:采蘑菇 | ブドウ—:摘葡萄 | 紅葉—:赏红叶
かり【借り】❶〔借金〕欠的债qiàn de zhài; 欠账qiànzhàng ❷〔負い目〕人情债rénqíngzhài; 欠的情qiàn de qíng ‖ あの人には～がある 我欠他人情 ❸〔恨み〕仇恨chóuhèn ‖ この～はきっと返すからな, おぼえていろ! 以后一定找你算账, 你走着瞧吧!
かり【雁】大雁 dàyàn
かりいれ【刈り入れ】(～する)收获shōuhuò ✤ —時:收获季节
かりいれきん【借入金】贷款dàikuǎn; 借款jièkuǎn ‖ 銀行からの～ 向银行贷的款; 银行贷款
カリウム 钾 jiǎ
かりかた【借り方】借方jièfāng ‖ ～と貸し方 借方和贷方 ✤ —勘定:借方账目
がりがり ❶〔削ったりひっかいたりする音〕咯吱咯吱gēzhīgēzhī; 沙沙shāshā ‖ ～音をたてる 发出沙沙的响声 ❷〔非常に硬いさま〕硬邦邦yìngbāngbāng. (食品が)酥脆sūcuì; 脆cuì ‖ ～に凍った道 冻得硬邦邦的道路 ❸〔やせたさま〕定骨瘦如柴gǔ shòu rú chái ‖ ～にやせている 瘦得皮包骨头 ❹〔極端にこり固まるさま〕拼命pīnmìng; 定专心致志zhuān xīn zhì zhì
カリキュラム 课程安排kèchéng ānpái; 教学计划jiàoxué jìhuà ‖ ～を見直す 重新安排教学计划
かりき·る【借り切る】包租bāozū; 全部租下来quánbù zūxialai
かりしゅっしょ【仮出所】假释jiǎshì; 暂时释放zànshí shìfàng ‖ ～する 获得假释
かりしょぶん【仮処分】临时处分línshí chǔfèn ‖ ～を申請する 申请临时处分
カリスマ 超凡的能力chāofán de nénglì; 天才的感召力tiāncái de gǎnzhàolì ‖ ～性がある〔欠けている〕 富有〔缺乏〕领袖人物的魅力 | ～美容師 美容大师
かりずまい【仮住まい】(～する)临时住línshí zhù; 暂住zàn zhù ‖ リフォーム中の～ 装修房间期间的临时住处
かりだ·す【駆り出す·狩り出す】动员dòngyuán ‖ 運動会に～された 被动员参加运动会
かりた·てる【駆り立てる】驱使qūshǐ; 强迫qiǎngpò

かりちょういん【仮調印】(～する)草签 cǎoqiān；暂签 zàn qiān
かりて【借り手】借主 jièzhǔ；租户 zūhù ‖ なかなか部屋の～がつかない 房间老租不出去
かりと·る【刈り取る】❶〔農業〕割 gē；收割 shōugē ❷〔取り除く〕铲除 chǎnchú；消除 xiāochú ‖ 悪の芽を～る 扼杀罪恶的苗头
かりに【仮に】❶〔仮に…なら〕假定 jiǎdìng；假设 jiǎshè ‖ ～私があなたの立場だったら… 我要是站在你的立场上… ❷〔仮に…でも〕就是…也 jiùshì … yě ‖ ～きみの言うことが正しいとしても，それは現実的でない 就算你说得对，可那也不现实 ❸〔しばらくは〕暂时 zànshí；临时 línshí ‖ 私が～司会をつとめましょう 由我来暂时担任主持人
かりぬい【仮縫い】(～する)试穿 shìchuān；试样子 shì yàngzi ‖ 背広の～をしてもらった (在正式缝制之前)我试穿了西装
カリフラワー 花椰菜 huāyēcài；菜花 càihuā
かりゅう【下流】(川下)下游 xiàyóu；下流 xiàliú
かりゅう【顆粒】颗粒 kēlì ‖ ～状の飲み薬 颗粒状的内服药
がりょうてんせい【画竜点睛】㊂ 画龙点睛 huà lóng diǎn jīng ‖ ～を欠く 缺少画龙点睛之笔
かりょく【火力】火力 huǒlì；火势 huǒshì ‖ ～が強い 火力很旺 ✣ 一発電：火力发电 ｜ 一発電所：火力发电站；热电站
か·りる【借りる】❶〔借用する〕借 jiè；借用 jièyòng.（有料で）租 zū；租借 zūjiè ‖ 本を～りる 借书 ｜ 電話をお～りできますか 我可以借用一下电话吗？ ｜ レンタカーを～りる 租车 ｜ 部屋を～りる 租房子 ❷〔代用する〕代用 dàiyòng；借用 jièyòng ‖ この場をお～りして一言申しあげます 借这个机会我想讲两句 ❸〔援助や協力を〕得到帮助 dédào bāngzhù ‖ 人の助けは～りたくない 我不想求助别人 ｜ お知恵をお～りしたい 我想向您请教一下 ｜ 胸を～りる 请高手对练 ｜ 名義を～りる 借用名义
か·る【刈る】割 gē；剪 jiǎn
か·る【駆る】❶〔速く走る〕开(车) kāi(chē)；驱(车) qū(chē) ‖ 車を～って大阪に向かう 驱车奔向大阪 ❷〔追い立てる〕赶 gǎn ‖ ヒツジの群れを～る 赶走羊群 ❸〔突き動かす〕驱使 qūshǐ；鼓动 gǔdòng；刺激 cìjī ‖ 好奇心に～られる 出于好奇 ｜ 一時の衝動に～られる 出于一时冲动
かる·い【軽い】❶〔目方が少ない〕轻 qīng ‖ 体重が～い 体重轻 ｜ 荷物が～い 行李不重 ❷〔程度が〕程度不深 chéngdù bù shēn ‖ ～いけが 轻伤 ｜ 判決があまりに～い 判决判得太轻 ｜ ～く予選を通過する 轻松地通过预赛 ｜ 風邪を～く見てはいけない 感冒不可轻视 ｜ 学歴が低いというだけで～く見られる 只因学历低就受人轻视 ❸〔軽率である〕轻率 qīngshuài；冒失 màoshi ‖ 口が～い 嘴很快 ｜ 保証人は～い気持ちで引き受けるものではない 当担保人这种事不能随便答应 ❹〔心が〕轻松 qīngsōng；愉快 yúkuài ‖ 心が～くなった 心里轻松得很 ｜ 足どりも～く家路についた 踏着轻快的步伐回家了
かるがるし·い【軽軽しい】轻率 qīngshuài；冒失 màoshi；随便 suíbiàn ‖ ～い言動は慎みなさい 言行不要轻率；要谨言慎行
かるくち【軽口】俏皮话 qiàopihuà；诙谐话 huīxiéhuà ‖ ～をたたく 说俏皮话；开玩笑
カルシウム 钙 gài
かるた【歌留多】〔副，张〕纸牌 zhǐpái ‖ ～取りをする 玩儿纸牌游戏 ✣ 一会：纸牌比赛
カルチャー 文化 wénhuà；教养 jiàoyǎng；修养 xiūyǎng ✣ 一ショック：文化冲击 ｜ 一センター：文化中心；业余培训中心
カルテ 病历(卡) bìnglì(kǎ)；诊断记录 zhěnduàn jìlù
カルテット 四重唱 sìchóngchàng；四重奏 sìchóngzòu.（楽団）四重奏团 sìchóngzòutuán
かるわざ【軽業】杂技 zájì ✣ 一師：杂技演员
かれ【彼】❶〔三人称〕他 tā ❷〔恋人〕男朋友 nán péngyou；对象 duìxiàng ‖ 娘に～ができたらしい 我女儿好像有了男朋友
かれい【華麗】华丽 huálì；富丽 fùlì
かれい【鰈】比目鱼 bǐmùyú
カレー 咖喱 gālí ✣ 一粉：咖喱粉 ｜ 一ライス：咖喱饭
ガレージ 车库 chēkù；汽车房 qìchēfáng ✣ 一セール：车库拍卖；二手货拍卖
かれき【枯れ木】枯树 kūshù；枯木 kūmù ‖ ～も山のにぎわい 有胜于无 ｜ ～に花 枯木逢春
がれき【瓦礫】瓦砾 wǎlì ‖ ～の山と化す 变成了一堆瓦砾；变成了一片废墟
かれこれ【彼此】❶〔あれこれ〕这个那个 zhège nàge；长啦短啦 cháng la duǎn la ‖ 人のことを～言う 对他人说长道短的 ❷〔おおよそ〕大概 dàgài；几乎 jīhū；差不多 chàbuduō ‖ 教師になって～30年になる 我将近教了30年的书
かれは【枯れ葉】枯黄叶 kūhuángyè；枯叶 kūyè ✣ 一剤：脱(落)叶剂
かれら【彼等】他们 tāmen；那些人 nàxiē rén
か·れる【枯れる】❶〔干からびる〕枯萎 kūwěi；枯干 kūgān ‖ 花が～れた 花枯萎了 ❷〔体がやせ衰える〕消瘦衰弱 xiāoshòu shuāiruò ❸〔円熟する〕娴熟 xiánshú；老练 lǎoliàn
か·れる【涸れる】干 gān；干涸 gānhé ‖ 井戸の水が～れた 井里的水都干了 ｜ 涙も～れるほど泣いた 把眼泪都哭干了
か·れる【嗄れる】沙哑 shāyǎ；嘶哑 sīyǎ ‖ 声が～れてる 声音都沙哑了
かれん【可憐】可爱 kě'ài
カレンダー 挂历 guàlì.（卓上式の）台历 táilì.（日めくり）日历 rìlì ‖ アイドルの～ 明星挂历
かろう【過労】疲劳过度 píláo guòdù；极度疲惫 jídù píbèi ‖ ～がたたる 由于疲劳过度而损害身体 ✣ 一死：疲劳过度致死；过劳死
がろう【画廊】画廊 huàláng
かろうじて【辛うじて】勉强 miǎnqiǎng；总算 zǒngsuàn ‖ ～終電に間に合った 好不容易才赶上末班车；差点儿没赶上末班车
カロチン 胡萝卜素 húluóbosù；叶红素 yèhóngsù
かろやか【軽やか】轻快 qīngkuài；轻飘飘 qīngpiāopiāo ‖ ～な足どり 脚步轻快
カロリー 卡路里 kǎlùlǐ；热量 rèliàng ‖ ～の高い食品 高热量的食品 ✣ 一計算：热量计算
ガロン 加仑 jiālún
かろん·じる【軽んじる】轻视 qīngshì；不珍惜 bù zhēnxī ‖ 命を～じ名誉を重んじる 不爱惜生命

却重视名声

かわ【川・河】〔条〕河hé ‖ ～をさかのぼる 逆流而上 | ～を渡る 过河

かわ【皮・革】❶〔表皮・皮膚〕皮pí；皮肤pífū ‖ ギョーザの～を作る 擀饺子皮儿 | ジャガイモの～をむく 削土豆皮 | リンゴを～ごと食べる 连皮吃苹果 | 欲の～が突っ張る 定 贪得无厌 | 面(つら)の～が厚い 脸皮厚 ❷〔皮革〕皮革pígé；皮子pízi ‖ ～のジャケット 皮夹克 ❖ 一製品：皮革制品

がわ【側】(相対するものの一方)侧cè；边biān；方面fāngmiàn ‖ 学校の西～ 学校的西边 | 道を渡って反対～の店に行く 过马路去对面的商店 | 労組～の要求 工会方面的要求

かわい・い【可愛い】❶〔いとしい〕可爱kě'ài；心爱的xīn'ài de ‖ ～い娘 心爱的女儿 | ばかな子ほど～い 憨憨的孩子更惹人疼 ❷〔愛らしい〕可爱kě'ài；招人喜欢〔喜爱〕zhāo rén xǐhuan〔xǐ'ài〕‖ ～い子ネコ 可爱的小猫 | ～さ余って憎さ百倍 爱之深则恨之切

かわいが・る【可愛がる】疼téng；疼爱téng'ài

かわいそう【可哀相】可怜kělián ‖ ～に！ 真可怜！

かわいらし・い【可愛らしい】招人喜欢zhāo rén xǐhuan；小巧可爱xiǎoqiǎo kě'ài ‖ ～い女の子 可爱的女孩儿 | ～い手 小巧玲珑的手

かわうそ【獺】水獭shuǐtǎ

かわか・す【乾かす】晒干shàigān；晾干liànggān ‖ 洗濯物を～す 晒干衣服 | ぬれたズボンを火で～す 把湿了的裤子用火烤干

かわき【渇き】❶〔のどの〕渴kě；干渴gānkě ‖ 泉の水でのどの～をいやす 喝泉水解渴 ❷〔欲望が満たされない〕渴望kěwàng；渴求kěqiú

かわぎし【川岸】河岸hé'àn；河边hébiān

かわ・く【乾く】干gān；干燥gānzào ‖ 風のある日は洗濯物が早く～く 有风天晾的衣服干得快 | ペンキはまだ完全に～いていない 油漆还没干透

かわ・く【渇く】口渴kǒu kě ‖ ひどくのどが～く 口渴得很

かわぐつ【皮靴・革靴】皮鞋píxié

かわざんよう【皮算用】如意算盘rúyì suànpan ‖ ～をする 打如意算盘

かわ・す【交わす】(交換する)交换jiāohuàn；互相… hùxiāng… ‖ 契約書を～す 互换协议书 | 朝のあいさつを～す 互道早安 | 互いに笑顔を～す 相视一笑 | 酒をくみ～す 举盅对饮 | 目と目を～す 交换眼神

かわ・す【躱す】闪开shǎnkāi；躲开duǒkāi ‖ 身を～す 闪身 | 記者の質問を～ 回避记者的提问

かわせ【為替】汇huì；汇票huìpiào ‖ ～を組む 汇兑；汇款 ❖ 一受取人：汇款领取人 | 一管理法：汇兑管理法 | 一差益〔差損〕：汇兑差额利益〔亏损〕| 一市場：外汇市场 | 一手形：汇款单；汇票 | 一振出人：汇款人 | 一変動：汇率浮动 | 一予約：外汇合约 | 一レート：汇率；牌价 |

かわぞい【川沿い】河边hébiān；河沿héyán ‖ ～に歩く 沿河边走

かわった【変わった】古怪gǔguài；奇特qítè；不同寻常bù tóng xúncháng ‖ ずいぶん～名前だな 这名字真怪 | ～経歴の持ち主 经历比较特殊

かわはば【川幅】河宽hékuān；河的宽度hé de kuāndù ‖ ～は50メートルある 这条河有50米宽

かわら【瓦】瓦wǎ ‖ ～で屋根をふく 用瓦铺屋顶

かわら【河原・川原】河滩hétān

かわり【代わり・替わり】代替dàitì；代理dàilǐ；代用dàiyòng；接替jiētì ‖ 子どもにとって母親の～になる人はいない 对孩子来说没有人能代替母亲 | 私の～にこの書類を彼に渡してください 请代我把这个文件交给他

かわり【変わり】❶〔変化〕变化biànhuà；改变gǎibiàn ‖ 私の考えに～はありません 我的想法没有改变 | お～ありませんか 最近好吗？ ❷〔違い〕不同bù tóng；差别chābié ‖ 距離的に～はない 距离都差不多

かわりばえ【代わり映え】‖ どの候補の政策も～しない 哪位候选人的政策都没有什么新意

かわりめ【変わり目】转换期zhuǎnhuànqī；交接之际jiāojiē zhī jì；交替时期jiāotì shíqī ‖ 世紀の～ 世纪之交 | 季節の～ 换季的时候

かわりもの【変わり者】奇人qírén；怪人guàirén；怪物guàiwu

かわ・る【代わる・替わる・換わる】❶〔代理をする〕代替dàitì；替tì ‖ 上司に～って会議に出席する 代替上司去开会 ❷〔交替する〕换huàn；更换gēnghuàn；替换tìhuan ‖ 少々お待ちください，母と電話を～ります 请等一下，让我妈来听电话

かわ・る【変わる】❶〔変化する〕变化biànhuà；改变gǎibiàn；变成biànchéng ‖ 気が～ 改变主意 | 信号が赤に～った 绿灯变成红灯了 ❷〔移る・動く〕改变gǎibiàn；换huàn；调diào ‖ 学校を～る 转学；转校 | 所～れば品～る 不同的地方有不同的习惯 ❸〔改まる〕变biàn ‖ 時代は～った 时代变〔不同〕了 | 季節が～わる 季节变化

かわるがわる【代わる代わる】交替jiāotì；轮流lúnliú ‖ 2つの班が～休む 两班交替休息 | ～望遠鏡をのぞき込む 轮流用望远镜看

かん【缶・罐】❶〔入れ物〕罐guàn ❷〔缶詰〕罐头guàntou

かん【巻】❶〔書物・巻物を数える〕卷juàn；本běn ❷〔フィルム・テープを数える〕盘pán；卷juǎn；本běn

かん【勘】直感zhígǎn；直觉zhíjué ‖ ～をはたらかせる 运用直感 | 女の～は鋭い 女人的直感很敏锐 | ～に頼る 凭直觉 | ～が当たった〔はずれた〕 直觉应验了〔没应验〕

かん【間】❶〔あいだ〕间jiān；之间zhī jiān ‖ 東京大阪～ 东京和大阪之间 | 10分～の休憩 休息十分钟 | その～の事情 那段时间的情况 ❷〔すき〕‖ ～髪を容れず 定 间不容发

かん【感】❶〔感情・感覚〕感gǎn；感觉gǎnjué ‖ 隔世の～がある 有隔世之感；定 恍如隔世 ❷〔感動〕感动gǎndòng ‖ ～に堪えない 深为感动 | ～きわまって涙を流す 感极而泣

かん【癇】‖ ～にさわる 惹人生气

がん【雁】雁yàn

がん【癌】❶〔医学〕癌ái；癌症áizhèng ‖ ～になる 得癌症 ❷〔妨げ〕症结zhēngjié；弊病bìbìng ❖ 一検診：癌症检查 | 一細胞：癌细胞

がん【願】‖ 神社にお参りして～をかける 到神社求神许愿 | ～がかなう 定 如愿以偿；愿望实现

かんい【簡易】简单jiǎndān；简易jiǎnyì ‖ ～な包

装の商品 简易包装的商品 ✤—書留:单挂号|—裁判所:简易法院|—宿泊所:客栈|—保険:简易保险

かんいっぱつ【間一髪】定千钧一发qiān jūn yí fà; 差一点儿chà yìdiǎnr‖終バスに〜で間に合った 差一点儿没赶上末班车|〜で死を逃れた 幸免一死

かんえん【肝炎】肝炎gānyán

がんえん【岩塩】石盐shíyán; 岩盐yányán

かんおけ【棺桶】〔口〕棺材guāncai‖〜に片足を突っ込む 定 行将就木；土埋半截

かんか【感化】(〜する)影响yǐngxiǎng; 感化gǎnhuà‖友だちに〜される 受到朋友的感化

がんか【眼下】眼前yǎnqián; 眼下yǎnxià‖〜に壮大な景色が広がる 眼前呈现出壮观的景象|山の頂から〜を見おろす 从山顶俯视山下

がんか【眼科】眼科yǎnkē‖〜に通う 看眼科 ✤—医:眼科医生

かんがい【干害】旱灾hànzāi

かんがい【感慨】感慨gǎnkǎi‖10年ぶりの帰国で〜無量だ 回到阔别十年的祖国,真是感慨万分

かんがい【灌漑】(〜する)灌溉guàngài ✤—事業:灌溉事业|—用水:灌溉用水

かんがえ【考え】考虑kǎolǜ; 思想sīxiǎng; 想法xiǎngfa‖〜にふける 沉思|〜を巡らす 左思右想|〜が足りない 考虑不周|自分1人の〜で決める 自作主张|〜を改める 改变想法|きみの〜は甘すぎる 你的想法太乐观了|〜をまとめる 总结自己的想法|〜が浮かぶ 想出主意

かんがえごと【考え事】沉思chénsī; 思虑sīlǜ; 心事xīnshi‖〜にふける 陷入沉思|いろいろ〜があり,夜も眠れない 有好多心事,晚上睡不着觉

かんがえこ·む【考え込む】沉思chénsī; 凝思níngsī

かんがえちがい【考え違い】想错xiǎngcuò; 误会wùhuì‖〜をする 想错|〜も甚だしい 大错特错

かんがえつ·く【考え付く】想出xiǎngchu; 想到xiǎngdào

かんがえなお·す【考え直す】❶〔再考する〕再〔重新〕考虑zài〔chóngxīn〕kǎolǜ‖原点に戻って〜す 回到出发点重新考虑 ❷〔考えをかえる〕转念zhuǎnniàn; 改变主意gǎibiàn zhǔyi

かんがえぬ·く【考え抜く】深入〔充分；彻底〕考虑shēnrù〔chōngfèn；chèdǐ〕kǎolǜ‖考えに〜いた末に 经过充分考虑

かんが·える【考える】❶〔思考する·考慮する〕想xiǎng; 考虑kǎolǜ; 思索sīsuǒ‖〜えれば〜えるほどわからなくなる 越想越不明白|この問題をきみはどう〜えますか 对这个问题你怎么想？|人の身になって〜える 设身处地为他人着想|つまらないことを〜えるな 不要胡思乱想|2,3日〜えさせてください 让我考虑两三天 ❷〔想像する·予想する〕想像xiǎngxiàng; 设想shèxiǎng; 估计gūjì‖あなたのいない人生なんて〜えられない 无法想像没有你的人生将会怎么样|母の態度から〜えると 从妈妈的态度来看|〜えてみれば 回想起来 ❸〔考案する〕想出xiǎngchu‖何かいい方法を〜えてくれ 帮我想个好办法吧

かんかく【間隔】〔段〕间隔jiàngé; 距离jùlí‖3メートルの〜をあける 留三米的间隔|船は10分〜で運航している 船以十分钟的间隔航行

かんかく【感覚】❶〔医学·心理〕感觉gǎnjué; 知觉zhījué‖〜が鋭い〔鈍い〕 感觉灵敏〔迟钝〕|寒さで足の〜がなくなった 脚冻得失去了知觉 ❷〔センス〕感觉gǎnjué ✤—器官:感官；感觉器官|—神経:感觉神经

かんかつ【管轄】(〜する)管辖guǎnxiá ✤—区域:管辖区域

かんがっき【管楽器】管乐器guǎnyuèqì

カンガルー〔只〕袋鼠dàishǔ

かんかん ❶〔怒るさま〕怒气冲冲nùqì chōngchōng ❷〔勢いが強いさま〕(陽光が)火辣辣huǒlālā ❸〔大きな音が鳴るさま〕丁丁当当dīngdīngdāngdāng ✤—照り:(夏天)烈日炎炎

かんがん【汗顔】‖〜の至り 羞愧之至

かんき【乾季·乾期】旱季hànjì

かんき【寒気】〔股〕寒气hánqì ✤—団:冷气团

かんき【喚起】(〜する)引起yǐnqǐ; 唤起huànqǐ‖世人の注意を〜する 唤起世人的关注

かんき【換気】(〜する)换气huàn qì; 通风tōngfēng‖部屋の〜をする 给房间通风|〜がよい〔悪い〕 通风好〔不好〕 ✤—口:通风口|—扇:排气扇；换气扇

かんき【歓喜】(〜する)高兴gāoxìng; 欢喜huānxǐ; 狂欢kuánghuān‖勝利に〜する 为胜利而高兴|〜の声をあげる 发出欢声

かんきつるい【柑橘類】柑橘gānjú

かんきゃく【観客】观众guānzhòng ✤—席:观众席；看台

がんきゅう【眼球】眼球yǎnqiú

かんきょう【環境】环境huánjìng‖〜にやさしい製品 不污染环境的产品|〜に左右される 受环境的影响|恵まれた家庭〜 优越的家庭环境 ✤—アセスメント:环境评估|—省:环境省；环境部|—破壊:环境破坏|—保護:环境保护；环保|—ホルモン:环境荷尔蒙〔激素〕

がんきょう【頑強】顽强wánqiáng; 坚实jiānshí‖〜に抵抗する 顽强地抵抗

かんきり【缶切り】开罐头器kāi guàntou qì; 罐头起子guàntou qǐzi

かんきん【換金】(〜する)换钱huànqián; 变卖biànmài ✤—作物:经济作物

かんきん【監禁】(〜する)监禁jiānjìn

がんきん【元金】❶〔元高〕本金běnjīn ❷〔資本〕本钱běnqian; 本金běnjīn; 资本zīběn

がんぐ【玩具】玩具wánjù

かんぐ·る【勘繰る】猜疑cāiyí; 瞎猜xiācāi

かんけい【関係】(〜する)❶〔かかわり〕(有)关系(yǒu)guānxi; 关联guānlián; 牵连qiānlián‖〜が冷える 关系冷淡下来|〜が深まる 关系加深|〜がもつれる 关系变得复杂|きみには〜のないことだ 这事跟你没关系|密接な〜がある 息息相关|関係をもつ〔断つ〕 发生〔断绝〕关系 ❷〔影響〕影响yǐngxiǎng; 关系guānxi; 牵涉qiānshè‖公共料金の値上げは国民生活に大きく〜する 公用事业费用的上涨对人民的生活有很大影响 ❸〔その方面〕方面fāngmiàn; 有关yǒuguān‖貿易〜の仕事 贸易方面的工作|中国〜の番組 跟中国有关的电视节目 ✤—機関:有关机构|—者:

有关人员｜一諸国:有关各国｜一当局:有关当局
かんげい【歓迎】(～する)欢迎huānyíng ‖ ～を受ける 受到欢迎｜あたたかく～する 热情地欢迎｜～の辞を述べる 致欢迎词 ❖一会:欢迎会
かんげき【感激】(～する)感动gǎndòng; 感激gǎnji; 激动jīdòng ‖ ～のあまり涙を流す 感动得流下了眼泪｜～に堪えない 感激不尽
かんげき【観劇】(～する)看戏kàn xì; 观剧guān jù
かんけつ【完結】(～する)结束jiéshù; 完结wánjié ‖ 連載小説が～する 连载小说即将完结
かんけつ【間欠】间歇jiànxiē ❖一泉:间歇泉
かんけつ【簡潔】简洁jiǎnjié; 简要jiǎnyào; 简练jiǎnliàn ‖ ～で的確な説明 简洁准确的解释
かんげん【甘言】㊇花言巧语huā yán qiǎo yǔ; ㊇甜言蜜语tián yán mì yǔ; 花腔huāqiāng ‖ ～を弄(ろう)して大金をだましとった 花言巧语骗取巨款
かんげん【換言】(～する)换句话说huàn jù huà shuō; 换言之huàn yán zhī ‖ ～すれば 换句话说; 也就是说; 换言之
かんげん【還元】(～する)❶〔元に戻す〕返还fǎnhuán ‖ 利益の一部は地域社会に～されるべきだ 盈利的一部分应该返还给该地区 ❷〔化学〕还原huányuán
がんけん【頑健】强壮qiángzhuàng; 健壮jiànzhuàng ‖ ～な体 强壮的身体
かんげんがく【管弦楽】管弦乐guǎnxiányuè ❖一団:管弦乐团
かんこ【歓呼】(～する)欢呼huānhū ‖ ～の声をあげる 发出欢呼声
かんご【看護】(～する)护理hùlǐ; 看护kānhù; 照护zhàohù ‖ 病人に一日中つきっきりで～する 整天片刻不离地看护病人 ❖一学校:护士学校; 护校｜一師:护士
がんこ【頑固】顽固wángù; 固执gùzhi ‖ ～一徹な人 顽固不化的人｜～に言いはる 固执己见
かんこう【刊行】(～する)出版chūbǎn; 发行fāxíng ❖一物:刊物; 出版物
かんこう【感光】(～する)曝光bàoguāng; 感光gǎnguāng ‖ フィルムが～する 胶卷曝光 ❖一剤:感光剂｜一紙:感光纸; 相纸
かんこう【観光】(～する)游览yóulǎn; 旅游lǚyóu; 观光guānguāng ‖ 市内をバスで～する 乘旅游车游览市容 ❖一案内所:旅游问询处｜一客:游客｜一シーズン:旅游旺季｜一地:游览胜地〔景点〕｜一バス:旅游车｜一ビザ:旅游〔观光〕签证｜一旅行:观光旅游
がんこう【眼光】‖ ～が鋭い 目光锐利
かんこうちょう【官公庁】政府机关zhèngfǔ jīguān; 行政机关xíngzhèng jīguān
かんこうれい【箝口令】禁口令jìnkǒulìng ‖ ～を敷く 下达禁口令
かんこく【勧告】(～する)劝告quàngào ‖ 辞任を～する 劝人辞职 ❖一書:劝告书; 书面建议
かんこく【韓国】韩国Hánguó
かんごく【監獄】监狱jiānyù
かんこんそうさい【冠婚葬祭】婚丧嫁娶hūnsāng jiàgǔ; 红白喜事hóng bái xǐshì
かんさ【監査】(～する)监查jiānchá; 审计shěnjì ‖ 会計を～する 查账 ❖一報告:审计报告｜一役:审计员
かんさい【完済】(～する)还清huánqīng; 清偿qīngcháng ‖ 借金を～する 还清〔清偿〕债务
がんさく【贋作】(～する)假造jiǎzào; 伪造wěizào. (物)赝品yànpǐn ‖ 名画の～ 名画的赝品
かんざし【簪】簪子zānzi; 簪儿zānr
かんさつ【監察】(～する)监察jiānchá ❖一医:法医｜一官:监察官
かんさつ【観察】(～する)观察guānchá ❖一記録:观察记录｜一力:观察力
かんさん【換算】(～する)换算huànsuàn; 折合zhéhé; 折算zhésuàn ‖ ドルを円に～する 把美元换算成日元 ❖一率:换算率
かんさん【閑散】冷清lěngqing; 寂静jìjìng ‖ 通りは～としていた 街上很冷清
かんし【漢詩】(中国)古诗(Zhōngguó)gǔshī
かんし【監視】(～する)监视jiānshì ‖ 人の出入りを厳重に～する 严密监视出入人员 ❖一カメラ:监控摄像头｜一網:监视网
かんじ【幹事】干事gànshi; 召集人zhàojírén; 负责人fùzérén ❖一長:干事长
かんじ【感じ】❶〔感覚〕感觉gǎnjué ‖ 触るとざらざらした～がした 摸上去手感很粗糙 ❷〔印象〕印象yìnxiàng; 感觉gǎnjué ‖ ～のいい〔悪い〕人 给人的印象很好〔很差〕的人｜和服を着るとずいぶん～がかわる 穿上和服后,给人的印象会大不一样
かんじ【漢字】汉字Hànzì ❖一コード:汉字码
かんしき【鑑識】鉴别jiànbié ❖一課:鉴别科｜一眼:鉴别力; 眼力
がんじつ【元日】元旦Yuándàn; 元日yuánrì
かんじ・とる【感じ取る】感觉到gǎnjuédào; 察觉到chájuédào
かんしゃ【感謝】(～する)感谢gǎnxiè; 感激gǎnji ‖ 心より～します 衷心地感谢｜～感激です 既感谢又感激｜ほんの～のしるしです 略表谢意 ❖一祭:感恩节｜一状:感谢信
かんじゃ【患者】病人bìngrén; 患者huànzhě ‖ エイズ～ 艾滋病患者｜～を診察する 给病人看病｜～につきそう 照看病人
かんしゃく【癇癪】脾气píqi; 肝火gānhuǒ ‖ ～を起こす 发脾气 ❖一玉:(おもちゃ)摔炮; (怒り)怒火｜一持ち:暴性子; 爱生气的人
かんしゅ【看守】看守kānshǒu
かんじゅ【甘受】(～する)甘愿忍受gānyuàn rěnshòu; 情愿接受qíngyuàn jiēshòu
かんしゅう【慣習】习惯xíguàn; 常规chángguī; 惯例guànlì ‖ 古い～を打破する 打破陈规
かんしゅう【観衆】观众guānzhòng
かんじゅく【完熟】(～する)熟透shútòu ‖ ～トマト 熟透的西红柿
かんじゅせい【感受性】感受力gǎnshòulì; 感性gǎnxìng ‖ ～が豊かだ 感受力很高｜この子は～が強い 这孩子很感性
がんしょ【願書】申请书shēnqǐngshū ‖ ～を提出する 提交申请书｜～を受けつける 受理申请书
かんしょう【干渉】(～する)干涉gānshè; 干预gānyù ‖ 内政～に抗議する 抗议干涉内政
かんしょう【感傷】感伤gǎnshāng; 伤感shānggǎn; 伤情shāngqíng ‖ ～にひたる 沉浸在伤感里

か

かんしょう【観賞】(～する)观赏guānshǎng ❖一魚:观赏鱼｜一用植物:观赏植物

かんしょう【鑑賞】(～する)鉴赏jiànshǎng; 欣赏xīnshǎng‖音楽を～する 欣赏音乐

かんじょう【勘定】(～する)❶〔数える〕计算jìsuàn; 数shǔ; 计数jìshǔ ❷〔支払う〕付钱fù qián; 付账fùzhàng‖～は別々にしてください 我们各付各的｜～は私のほうにつけておいてください 记在我的账上吧｜お～頼みます 请给结一下账 ❖一書:付款单; 账单

かんじょう【感情】感情gǎnqíng; 情感qínggǎn‖～が爆発する 感情爆发｜～が高ぶる 感情激动｜～に走る 感情冲动; 定 意气用事｜～をむき出しにする 感情外露｜～のおもむくまま 感情用事｜～を込めて話す 充满感情地讲｜～的になる 感情用事 ❖一移入:移情作用｜一表現:表达感情｜一論:唯情论; 感情主义

かんじょう【環状】环状huánzhuàng; 环形huánxíng‖～7号線 七环路 ❖一線:环线; 环路

がんじょう【頑丈】结实jiēshi; 坚实jiānshí‖この家は～にできている 这座房子盖得很结实

かんしょく【閑職】闲职xiánzhí; 冷板凳lěngbǎndèng‖～に回される 坐冷板凳

かんしょく【感触】手感shǒugǎn; 触觉chùjué; 感觉gǎnjué‖やわらかい～の服地 手感柔软的料子｜交渉してみてどんな～を得ましたか 经过一番交涉后你感觉怎么样?

かん·じる【感じる】❶〔知覚する〕觉得juéde; 感觉(到)gǎnjué(dào)‖体に～じない程度の地震 人体感觉不到的地震 ❷〔思う〕感到gǎndào; 感受到gǎnshòudào; 意识到yìshidào‖寂しさを～じる 感到寂寞｜恩義を～じる 感恩｜自分の愚かさかげんを痛いほど～じた 我痛感自己的愚蠢 ❸〔感動する〕感动gǎndòng‖心に深く～じる 令人非常感动

かんしん【感心】(～する)佩服pèifu; 钦佩qīnpèi; 敬佩jìngpèi‖子どもを甘やかしすぎるのは～しない 我不欣赏太娇宠溺爱孩子

かんしん【関心】兴趣xìngqù; 关心guānxīn; 关注guānzhù‖～が薄れる 渐渐不大感兴趣｜政治にあまり～がない 不太关心政治 ❖一事:关心的事

かんじん【肝心·肝腎】要紧yàojǐn; 关键guānjiàn‖～なときに雨が降り出した 关键的时候下起了雨｜～かなめ 最关键的

かんすう【関数】函数hánshù

かん·する【関する】关于guānyú; 有关yǒuguān; 涉及shèjí‖その件に～しては何も知りません 关于这件事我一概不知｜経済に～する本 有关经济方面的书｜個人の名誉に～する問題 涉及到个人名誉的问题

かんせい【完成】(～する)完成wánchéng; 做完zuòwán; 做好zuòhǎo ❖一品:成品

かんせい【喚声】喊声hǎnshēng; 呼声hūshēng‖どっと～をあげる 齐声喝彩

かんせい【閑静】清静qīngjìng; 宁静níngjìng; 安静ānjìng‖～な住宅地 清静优雅的住宅区

かんせい【感性】⇨かんじゅせい(感受性)

かんせい【管制】管制guǎnzhì ❖一塔:塔台; 控制塔｜航空一:航空管制｜報道一:新闻管制

かんせい【歓声】欢呼声huānhūshēng

かんぜい【関税】关税guānshuì‖輸入品に高い～をかける 对进口商品加很高的关税｜これには～がかからない 这个不用缴关税 ❖一障壁:关税壁垒｜一法:关税法｜一率:关税税率

がんせき【岩石】〔块,座〕岩石yánshí

かんせつ【間接】间接jiànjiē ❖一照明:间接照明｜一税:间接税｜一目的語:间接宾语｜一話法:间接引语

かんせつ【関節】关节guānjié‖腕の～が外れた 胳膊脱位了 ❖一炎:关节炎｜一リューマチ:风湿性关节炎

かんせん【汗腺】汗腺hànxiàn

かんせん【幹線】〔条〕干线gànxiàn ❖一道路:干线公路

かんせん【感染】(～する)❶〔医学〕感染gǎnrǎn; 传染chuánrǎn‖インフルエンザに～する 感染上流行性感冒｜空気～する 通过空气传染 ❷〔悪習に〕染上rǎnshang; 沾染zhānrǎn ❖一経路:传染途径｜一源:传染源｜一症:感染症

かんせん【観戦】(～する)看比赛kàn bǐsài; 观战guānzhàn‖テレビで野球を～する 在电视上看棒球比赛

かんぜん【完全】完全wánquán; 完整wánzhěng; 完好wánhǎo‖パソコンを～にマスターした 完全掌握了电脑｜大地震のため町は～に破壊された 大地震使市区遭到彻底破坏 ❖一雇用:充分就业｜一燃焼:完全燃烧; 喩 竭尽全力｜一無欠:完美无缺; 定 十全十美

かんぜん【敢然】勇敢地yǒnggǎn de; 敢于gǎnyú‖手ごわい敵に～と立ち向かう 英勇迎击顽敌

がんぜん【眼前】眼前yǎnqián

かんぜんちょうあく【勧善懲悪】惩恶扬善chéng è yáng shàn

かんそ【簡素】简朴jiǎnpǔ; 简单朴素jiǎndān pǔsù‖～な生活 简朴的生活｜手続きを～化する 简化手续

がんそ【元祖】鼻祖bízǔ; 始祖shǐzǔ; 创始人chuàngshǐrén

かんそう【乾燥】(～する)干燥gānzào; 干gān‖～したオフィス 办公室里空气干燥 ❖一機:烘箱; 烘干机｜一剤:干燥剂

かんそう【感想】感想gǎnxiǎng; 印象yìnxiàng; 感觉gǎnjué‖パリのご～はいかがですか 您对巴黎的印象如何?｜製品に関するご意見ご～をお聞かせください 请对我们的产品提出宝贵的意见及建议 ❖一文:随感录; 感想文

かんそう【歓送】❖一会:欢送会

かんぞう【肝臓】肝脏gānzàng; 肝gān

かんそく【観測】(～する)❶〔観察·測定〕观测guāncè‖気象を～する 进行气象观测 ❷〔推測〕推测tuīcè; 估计gūjì‖希望的～ 乐观的估计 ❖一船:观测船

かんたい【寒帯】寒带hándài

かんたい【歓待】(～する)款待kuǎndài; 盛情〔热情〕招待shèngqíng〔rèqíng〕zhāodài‖～を受ける 受到热情招待

かんたい【艦隊】舰队jiànduì ❖無敵一:(西班牙)无敌舰队

かんだい【寛大】宽容kuānróng；宽大kuāndà ‖～な処置をとる 从宽处理

がんたい【眼帯】眼罩儿yǎnzhàor；遮眼罩zhēyǎnzhào ‖～をする 戴眼罩儿

かんたいじ【簡体字】简体字jiǎntǐzì

かんだか·い【甲高い】尖锐jiānruì ‖～い声で話す 尖声说话

かんたん【肝胆】‖～相照らす仲 肝胆相照的好朋友｜～を砕く 定煞费苦心；定呕心沥血

かんたん【感嘆】(～する)感叹gǎntàn；惊叹jīngtàn；赞叹zàntàn ✤一詞:叹词｜一符:惊叹号；感叹号

かんたん【簡単】简单jiǎndān；容易róngyì；简便jiǎnbiàn；简略jiǎnlüè ‖～には解決しそうにない 看起来不容易解决｜操作が～なデジカメ 操作简便的数码相机｜～に言えば 简而言之；简单地说

かんだん【寒暖】寒暖hánnuǎn；冷暖lěngnuǎn；寒暑hánshǔ ‖昼夜の～の差が激しい 昼夜温差很大 ✤一計:寒暑表；温度计

かんだん【歓談】(～する)畅谈chàngtán

がんたん【元旦】元旦(早晨) Yuándàn (zǎochen)

かんだんなく【間断なく】不断地búduàn de；不停地bùtíng de

かんち【感知】(～する)觉察juéchá；发觉fājué

かんち【関知】(～する)与…有关yǔ…yǒuguān；相干xiānggān ‖それはわれわれの～するところではない 此事与我们无关

かんちがい【勘違い】(～する)误会wùhuì；误解wùjiě；误以为wù yǐwéi ‖～はだれにでもあるものだ 谁都可能产生误会｜昨日の件は私の～でした 昨天那件事是我弄错了

がんちく【含蓄】含蓄hánxù ‖～がある 意味深长；定耐人寻味

かんちゅう【寒中】寒冬hándōng；隆冬lóngdōng；三九天里sānjiǔtiān li ✤一水泳:冬泳

がんちゅう【眼中】‖勉強のことなど～にない 对学习完全不感兴趣

かんちょう【干潮】退潮tuìcháo；落潮luòcháo

かんちょう【官庁】政府机关zhèngfǔ jīguān ✤一街:政府机关集中地区

かんつう【貫通】(～する)贯通guàntōng；贯穿guànchuān；穿透chuāntòu

かんづ·く【感づく】发觉fājué；觉察juéchá；察觉chájué ‖うすうす～いてはいたんだ 隐隐地觉察到了｜～かれてはまずい 让人发觉就麻烦了

かんづめ【缶詰め】❶〔保存食品〕〔听〕罐头guàntou ‖パイナップルの～ 菠萝罐头 ❷〔閉じ込めること〕‖部屋に～になる 关在房间里

かんてい【鑑定】(～する)鉴定jiàndìng ‖骨董(こっとう)品の～ 鉴定古董 ✤一家:鉴定专家｜一書:鉴定书｜不動産一士:房地产估价师

がんてい【眼底】眼底yǎndǐ ✤一出血:眼底出血

かんてつ【貫徹】(～する)贯彻guànchè；坚持jiānchí ‖初志を～する 初衷不改

かんてん【観点】观点guāndiǎn；视角shìjiǎo ‖あらゆる～から調査した 从不同的视角进行了全方位调查｜～をかえる 换一个角度看问题

かんでん【感電】(～する)触电chùdiàn；过电guòdiàn ✤一死:电死；触电而死

かんでんち【乾電池】干电池gāndiànchí

かんど【感度】灵敏度língmǐndù；感度gǎndù ‖マイクの～がよい 话筒的灵敏度很高｜～のいいフィルム 感光度较高的胶卷

かんとう【巻頭】卷首juànshǒu ‖～のあいさつ 写在卷首的致词｜～を飾る 登载在卷首

かんどう【感動】(～する)感动gǎndòng；激动jīdòng ‖～的な物語 令人感动的故事｜人を～させずにはおかない 让人感动不已

かんとく【監督】(～する)监督jiāndū；指导zhǐdǎo.(スポーツの)教练jiàoliàn；领队lǐngduì ‖～不行き届き 指导失误｜試験の～に当たる 当监考 ✤一官庁:主管机关

かんな【鉋】〔把〕刨子bàozi ‖板に～をかける 用刨子刨木板 ✤一くず:刨花

カンナ 美人蕉měirénjiāo

かんない【館内】馆内guǎnnèi ‖～禁煙 馆内禁止吸烟｜～放送 内线广播

かんなん【艱難】艰难jiānnán ‖～に耐える 忍受艰难 ✤一辛苦:艰难困苦；定千辛万苦

かんにん【堪忍】(～する)忍耐rěnnài；忍受rěnshòu ✤一袋:忍耐的限度 ‖～の緒が切れた 实在是忍无可忍了

カンニング(～する)作弊zuòbì；打小抄儿dǎ xiǎochāor ✤一ペーパー:小抄儿

かんねん【観念】❶(～する)〔あきらめる〕死心sǐxīn ‖もはやこれまでと～した 认为再没有希望了，只好死心了 ❷〔考え〕观念guānniàn ‖時間の～がない 没有时间观念 ✤一論:唯心论

かんのう【官能】官能guānnéng.(性的な)性感xìnggǎn ✤一小説:香艳小说

かんのん【観音】观音Guānyīn；观世音(菩萨) Guānshìyīn (púsà)

かんぱ【寒波】寒流hánliú；寒潮háncháo ‖この冬最大の～ 今年最大的寒流

カンパ(～する)捐款juānkuǎn；捐钱juān qián ‖～を募る 募捐

かんぱい【乾杯】(～する)干杯gānbēi ‖～の音頭をとる 带头干杯

かんばし·い【芳しい】❶〔結構だ〕好hǎo；理想lǐxiǎng；令人满意lìng rén mǎnyì ‖評判はあまり～くない 声誉不太好｜結果は～くなかった 结果令人不甚满意 ❷〔香りがよい〕芳香fāngxiāng

かんばつ【旱魃】旱灾hànzāi；干旱gānhàn

かんぱつ【間髪】⇨かん(間)

がんば·る【頑張る】❶〔努力する〕努力nǔlì；坚持jiānchí；加劲jiājìn ‖～れ 加油！；坚持住！｜最後まで～ります 我一定努力到最后 ❷〔我を張る〕固执gùzhi；坚持jiānchí；执意zhíyì ‖身に覚えがないと～る 坚持说自己没有做 ❸〔いつまでもいる〕‖記者たちがまだ外で～っている 记者们还守在外面

かんばん【看板】❶〔商店などの〕招牌zhāopai.(広告板)广告牌guǎnggàopái ‖～を出す 挂出招牌｜～を立てる 立招牌｜～を下ろす 关门；(廃業)关店｜～が泣く 辜负信任；损坏声誉 ❷〔名目·外観〕幌子huǎngzi；招牌zhāopai；旗号qíhào ‖～に偽りあり 定挂羊头卖狗肉；定名不副实｜～に偽りなし 定名副其实 ❸〔店じまい〕

関门guānmén ‖ もう～です 马上就关门了 ✤ 一倒れ：定 虚有其表；定 华而不实 ｜一役者：台柱子；名角 ｜一料理：招牌菜；特色菜
かんぱん【甲板】甲板 jiǎbǎn
かんび【甘美】❶〔感覚的に〕甜美tiánměi ‖ ～なメロディー 优美动听的旋律 ❷〔味が〕香甜xiāngtián；甘美 gānměi
かんび【完備】(～する)完善 wánshàn；齐全qíquán ‖ 冷暖房～ 配备冷暖设备
ガンビア 冈比亚 Gāngbǐyà
かんびょう【看病】(～する)护理hùlǐ；看护kānhù ‖ 手厚い～を受ける 得到精心护理
かんぶ【患部】患处huànchù；伤口shāngkǒu
かんぶ【幹部】领导lǐngdǎo；干部gànbù；（部门）负责人(bùmén) fùzérén
かんぷ【還付】(～する)退还tuìhuán；返还fǎnhuán ‖ 税金の一部を～する 退还一部分税款 ✤ 一金：退款
かんぷく【感服】(～する)钦佩qīnpèi；佩服pèifu
かんぶつ【乾物】干儿gānr；干菜gāncài
かんぺき【完璧】完美(无缺) wánměi (wúquē)；定 十全十美 shí quán shí měi ‖ ～を期する 力求完美 ｜～な仕上がり 完成得完美无缺
がんぺき【岩壁】悬崖xuányá
かんべつ【鑑別】(～する)鉴别jiànbié；识别shíbié ‖ ひよこの雌雄を～する 鉴别鸡雏的公母
かんべん【勘弁】(～する)宽恕 kuānshù；原谅yuánliàng；饶恕ráoshù ‖ 今度だけは～してください 只这一次请你原谅 ｜もう～ならない 再也不能饶恕
かんべん【簡便】简便 jiǎnbiàn；简易 jiǎnyì
かんぼう【官房】官房 guānfáng；办公厅 bàngōngtīng ✤ 一長官：官房长官
かんぼう【感冒】感冒 gǎnmào
かんぽう【官報】(日本政府)公报(Rìběn zhèngfǔ) gōngbào
かんぽう【漢方】中医 zhōngyī ✤ 一医：中医师 ｜一薬：中药
がんぼう【願望】(～する)愿望yuànwàng
カンボジア 柬埔寨 Jiǎnpǔzhài
かんぼつ【陥没】(～する)塌陷tāxiàn
がんぽん【元本】❶〔元金〕本钱 běnqian；资本zīběn；老本lǎoběn ❷〔法律〕资本zīběn
ガンマ γ；伽马gāmǎ ✤ 一線：γ 射线
かんまつ【巻末】卷末 juànmò
かんまん【緩慢】缓慢 huǎnmàn；迟缓 chíhuǎn ‖ 動作が～になってきた 动作迟缓下来
かんみ【甘味】❶〔甘い味〕甜味 tiánwèi ❷〔甘い味の食品〕甜点tiándiǎn；甜品tiánpǐn；甜食tiánshí ✤ 一料：甜味调料
かんみんぞく【漢民族】汉族 Hànzú
かんむりょう【感無量】感慨万千〔万端〕 gǎnkǎi wànqiān〔wànduān〕
かんめい【感銘】(～する)有感受 yǒu gǎnshòu ‖ 深い～を受ける 使我深有感受〔感触〕
がんめい【頑迷】顽固wángù；死脑筋sǐnǎojīn
がんめん【顔面】脸liǎn；面miàn ✤ 一神経痛：面神经痛 ｜一蒼白(そうはく)：脸色苍白〔发白〕
がんもく【眼目】着重点 zhuózhòngdiǎn；要点yàodiǎn
かんもん【喚問】(～する)传讯chuánxùn ‖ 証人として～する 作为证人传讯
かんもん【関門】❶〔関所〕关口guānkǒu；关卡guānqiǎ ❷〔難関〕难关nánguān ‖ 入試の～を突破する 突破入学考试难关
かんゆう【勧誘】(～する)劝诱quànyòu ‖ 保険の～をする 劝诱投保 ｜新聞の～ 上门推销报纸 ✤ 一員：推销员
がんゆう【含有】(～する)含有hányǒu ✤ 一量：含量
かんよ【関与・干与】(～する)参与cānyù；有关系yǒu guānxi ‖ 事件に～する 参与案件
かんよう【肝要】要紧yàojǐn；重要zhòngyào ‖ 冷静な対応が～だ 最重要的是沉着冷静地去处置
かんよう【寛容】宽容kuānróng；容忍róngrěn
かんよう【慣用】✤ 一句：惯用句；熟语 ｜一語：惯用语
かんようしょくぶつ【観葉植物】观叶植物 guānyè zhíwù
がんらい【元来】本来běnlái；原来yuánlái
かんらく【陥落】(～する)❶〔城などが〕陷落xiànluò ‖ ついに首都が～した 首都终于陷落了 ❷〔地盤が〕塌陷tāxiàn ❸〔人が〕屈服qūfú；被说服 bèi shuōfú
かんらく【歓楽】✤ 一街：闹市；繁华街道
かんらん【観覧】(～する)观看 guānkàn；参观cānguān ✤ 一券：参观券；入场券 ｜一車：摩天轮 ｜一席：看台；观众席
かんり【官吏】官吏guānlì
かんり【管理】(～する)管理guǎnlǐ ‖ うちのマンションは～が行き届いている 我住的公寓管理很完善 ✤ 一価格：管理价格 ｜一職：管理人员 ｜一人：管理者〔人〕
がんり【元利】本利běnlì
がんりき【眼力】眼力yǎnlì
かんりゃく【簡略】简略 jiǎnlüè；简约 jiǎnyuē ✤ 一化：简化 ‖ 手続きを～する 简化手续
かんりゅう【寒流】〔股〕寒流hánliú
かんりょう【完了】❶(～する)〔終わること〕完成wánchéng ‖ 手続きを～する 办好手续 ❷〔文法〕完成wánchéng ✤ 一時制：完成时态
かんりょう【官僚】官僚guānliáo ‖ ～的な体質 官僚作风 ✤ 一主義：官僚主义
かんれい【寒冷】寒冷 hánlěng ✤ 一前線：冷锋 ｜一地：寒冷地区
かんれい【慣例】惯例guànlì；习惯xíguàn ‖ ～に従う 按照惯例
かんれき【還暦】花甲huājiǎ
かんれん【関連】(～する)有关 yǒuguān；关联guānlián；涉及shèjí；相关xiāngguān ‖ オリンピック～商品 与奥运会有关的商品 ｜まったく～性がない 毫无关联 ✤ 一会社：联营公司 ｜一記事：有关报导
かんろく【貫禄】威风wēifēng；威严wēiyán；气派qìpài ‖ ～がつく 有气派 ｜王者の～を見せつける 显示出冠军的实力
かんわ【緩和】(～する)缓和huǎnhé；缓解huǎnjiě；放宽fàngkuān ‖ 緊張を～する 缓和紧张(局势) ｜規制を～する 放宽限制

き

き【木】❶〔樹木〕**树木**shùmù‖～を植える 种树｜～を切る 伐木；砍树 ❷〔木材〕**木材**mùcái；**木料**mùliào‖～の箱 木箱子 ❸〔慣用表現〕‖～で鼻をくくったような回答 回答十分冷淡｜～に竹を接ぐ 定张冠李戴｜～を見て森を見ず 只见树木不见森林

き【生】‖ウイスキーを～で飲む 不兑水喝威士忌

き【気】❶〔心の傾向・性質〕**器量**qìliàng；**性格**xìnggé‖～が小さい 胆小｜～がいい 性情温厚｜～が短い〔長い〕 急〔慢〕性子｜～が荒い 脾气暴躁｜～が強い 要强｜～の弱いことを言う 说丧气话｜～が合う〔合わない〕 合得来〔合不来〕 ❷〔心の働き・意欲〕**心理**xīnlǐ；**情绪**qíngxu‖～が多い 定见异思迁｜～が抜ける 泄气｜～がせく 性急｜～を失う 昏过去｜～がつく 醒过来｜やる～満々 干劲十足｜～が重い 心情沉重｜～がかわる 改变想法 ❸〔心遣い・配慮〕**介意**jièyì；**注意**zhùyì‖～をもむ 焦急｜～がつく 发现｜～がはる 紧张｜～が引ける 不好意思｜～が散る 分心｜～をとられる 注意力被吸引过去｜～を許す 失去警惕｜～がとがめる 内心很不安｜～がゆるむ 精神松懈｜～がきく 细心；周到｜～をもたせる 吊人胃口｜～のおけない友人 无话不谈的朋友｜～になる 令人担心｜変に～をまわすな 别瞎猜｜異性の～をひく 引起异性的注意｜～にかける 挂念｜足下に～をつけて 小心脚下｜周囲の人に～を配る 关心周围的人们｜～が～でない 急死人 ❹〔心に与える感じ・気分〕**心情**xīnqíng；**感觉**gǎnjué‖～が立つ 心情激昂｜～が詰まる 憋闷｜～の遠くなるような金額 让人发昏的金额｜～を悪くする 心里不愉快｜～をまぎらわす 散心｜～にくわない 看不惯 ❺〔かおり・味〕**气味**qìwèi‖～の抜けたビール 走了味的啤酒

き【奇】**奇特**qítè；**新奇**xīnqí‖～をてらう 标新立异｜事実は小説よりも～なり 事实比小说还离奇

き【機】❶〔機会〕‖～を逸する 错过机会｜～が熟すのを待つ 等待时机成熟｜～に乗じる 抓住时机 ❷〔飛行機を数える〕**架**jià

-き【期】❖第一一生：第一期〔届〕毕业生

ぎ【義】‖～を重んじる 讲信义｜～を見てせざるは勇なきなり 见义不为,无勇也

ギア **排挡**páidǎng‖～を変える 换挡｜～をロー〔トップ〕に入れる 把变速杆推到最低〔最高〕挡

きあい【気合い】**劲(儿)** jìn(r)‖～をかける 大喊一声鼓足劲｜～が入らない 鼓不起劲

きあつ【気圧】**气压**qìyā‖～の谷 低压槽 ❖一計：气压计｜一配置：气压分布

ぎあん【議案】‖～を提出する 提出议案

きい【奇異】**奇异**qíyì；**奇怪**qíguài

キー ❶〔鍵〕〔把,串〕**钥匙**yàoshi ❷〔重要な部分〕**关键**guānjiàn ❸〔音楽〕**主音调**zhǔyīndiào ❖一ステーション：总台｜一ポイント：关键｜一ホルダー：钥匙圈｜一ワード：关键词

きいと【生糸】**生丝**shēngsī；**蚕丝**cánsī

キーパー **守门员**shǒuményuán

キー パーソン **关键人物**guānjiàn rénwù

キープ（～する）❶〔保つ〕**保持**bǎochí‖首位を～する 保持首位｜ボトルを～する 把酒存放在店里 ❷〔サッカー・バスケット〕**控球**kòng qiú

キー ボード **键盘**jiànpán

きいろ【黄色】**黄(色)** huáng(sè)

きいろ・い【黄色い】❶〔色が〕**黄(色)** huáng(sè)‖くちばしの～い若造 黄口小儿 ❷〔声が〕**尖**jiān‖～い声をあげる 发出尖叫声

きいん【起因】（～する）**起因**qǐyīn；**原因**yuányīn

ぎいん【議員】**议员**yìyuán ❖一特典：议员特权｜一立法：议员立法

ぎいん【議院】**议院**yìyuàn ❖一内閣制：议会内阁制

キウイ ❶ ⇨キウイ フルーツ ❷〔鳥類〕**几维鸟**jīwéiniǎo

キウイ フルーツ **猕猴桃**míhóutáo

きうん【気運】**形势**xíngshì；**时局**shíjú；**趋势**qūshì‖文芸復興の～が高まる 文艺复兴的势头高涨

きうん【機運】**时机**shíjī；**机遇**jīyù；**机会**jīhui

きえ【帰依】（～する）**皈依**guīyī；**归依**guīyī

きえい【気鋭】**朝气蓬勃**zhāoqì péngbó‖新進～の作家 崭露头角、富有朝气的作家

きえう・せる【消え失せる】**消失**xiāoshī；**逃掉**táodiào‖とっとと～せろ 快给我滚开！

き・える【消える】❶〔火や光が〕**熄灭**xīmiè‖急に電気が～えた 电灯突然熄灭了｜風でろうそくの火が～えた 风把蜡烛刮灭了 ❷〔姿が見えなくなる〕**消失**xiāoshī；**不见**bújiàn‖人込みの中に～えた 隐没在人群之中 ❸〔形のあるものや色などがなくなる〕**磨灭**mómiè；**消失**xiāoshī‖着物のしみが～えない 这件衣服上的污渍怎么也洗不掉 ❹〔感覚がなくなる〕‖痛みが～える 疼痛消失｜ガスのにおいがやっと～えた 煤气味儿总算没了 ❺〔印象や気持ちが薄れる〕**消除**xiāochú；**遗忘**yíwàng‖印象が～える 印象模糊

ぎえんきん【義捐金・義援金】〔笔〕**捐款**juānkuǎn‖～を募る 募捐

きお・う【気負う】**振奋精神**zhènfèn jīngshen‖～って失敗した 弄巧成拙

きおう【既往】**以往**yǐwǎng ❖一症：病史；既往病历

きおく【記憶】（～する）❶〔過去の経験の再生〕**记忆**jìyì‖～が薄れる 记忆模糊｜～にとどめる 留在记忆中｜～があいまいだ 记得不清楚｜～を喪失する 丧失记忆｜～が戻る 恢复记忆｜～に新しい 仍然记忆犹新 ❷〔情報の保存〕**存储**cúnchǔ；**记存**jìcún ❖一喪失症：失忆症｜一力：记性

きおくれ【気後れ】（～する）**胆怯**dǎnqiè‖大勢の人前に出て～する 在众人面前觉得胆怯

キオスク **车站售货亭**chēzhàn shòuhuòtíng

きおち【気落ち】（～する）**气馁**qìněi；**泄劲**xièjìn；**萎靡不振**wěimǐ búzhèn

きおん【気温】**气温**qìwēn；**温度**wēndù‖～の変化が激しい 气温变化很大

ぎおん【擬音】**拟声**nǐshēng ❖一語：拟声词

きか【気化】❖一熱：汽化热

きか【帰化】归化guīhuà；入籍rùjí

きか【幾何】✤一学：几何学jǐhéxué｜一学模様：几何图案

きが【飢餓】饥饿jī'è‖～に瀕(ひん)する 面临饥饿

ギガ 千兆qiānzhào

きかい【奇怪】奇怪qíguài‖～な出来事 令人不可思议的事(件)

きかい【機会】〔次，个〕机会jīhui‖～をうかがう 伺机；等待时机｜～をつくる 找机会｜～を逃す 错过机会｜その件についてはまた次の～に 这件事儿，咱们下次再谈吧 ✤一均等：机会均等

きかい【機械·器械】〔台，架，部〕机器jīqi‖～を扱う 操纵机器｜～を据えつける 安装机器｜～を組み立てる〔分解する〕 装配〔拆卸〕机器｜～を始動させる 启动机器｜～がとまった 机器停止了运转｜～が故障した 机器出了故障 ✤一化：机械化；自动化｜一工学：机械工程学

きがい【危害】‖人に～を加える 加害于人

きがい【気概】气概qìgài；骨气gǔqì；魄力pòli‖最近の大学生には～がない 最近的大学生没毅力

ぎかい【議会】议会yìhuì‖～を招集する 召开议会｜～を解散する 解散议会 ✤一制度：议会制度

きかいてき【機械的】机械(地) jīxiè (de)；下意识(地) xiàyìshi (de)‖テキストを～に暗記する 死记硬背教科书｜～に食べ物を口に運ぶ 下意识地把食物送到嘴里

きか·える【着替える】换衣服huàn yīfu

きがかり【気掛かり】担心dānxīn；担忧dānyōu；挂念guàniàn‖この子の将来が～だ 为这个孩子的将来担心

きかく【企画】(～する)计划jìhuà；规划guīhuà；策划cèhuà‖商品の～ 商品开发计划 ✤一部：企划部；策划部

きかく【規格】✤一品：规格品；标准品

きかざ·る【着飾る】盛装打扮shèngzhuāng dǎban；装饰zhuāngshì

きか·せる【利かせる】❶〔効き目があるようにする〕使…起作用shǐ … qǐ zuòyòng‖幅を～せる 有势力｜すごみを～せる 吓唬人 ❷〔心をはたらかせる〕会心huìxīn‖機転を～せる 机灵

きか·せる【聞かせる】❶〔音や言葉で伝える〕让…听ràng … tīng；给…听gěi … tīng‖子どもに絵本を読んで～せる 把小人儿书读给孩子听 ❷〔聞き入らせる〕好听hǎotīng

きがた【木型】木型mùxíng；木模mùmú‖靴の～ 鞋楦子

きがね【気兼ね】(～する)顾虑gùlǜ；客气kèqi；拘束jūshu‖どうぞ～なく 请别顾虑

きがる【気軽】轻松qīngsōng；随随便便suísuíbiànbiàn‖～に引き受ける 爽快地接受下来｜だれでも～に楽しめるスポーツ *谁都可以轻松上手的运动*｜*～な服装* 轻装便服；休闲装(服)

きかん【気管】〔根〕气管qìguǎn

きかん【季刊】季刊(杂志) jìkān (zázhì)

きかん【帰還】(～する)归来guīlái；返回fǎnhuí

きかん【基幹】骨干gǔgàn ✤一産業：基础产业

きかん【期間】期间qījiān；期限qīxiàn‖一定の～内に 在一定的期间内｜～を延長する 延长期限｜保証～ 保修期

きかん【器官】器官qìguān

きかん【機関】❶〔エンジン·機械〕发动机fādòngjī；装置zhuāngzhì ❷〔組織体〕机构jīgòu；机关jīguān ✤一区：机务段｜一長：轮机长｜教育一：教育机关｜通信一：通信机构

きがん【祈願】(～する)祈祷qídǎo

ぎがん【義眼】假眼jiǎyǎn

きかんき【利かん気】顽强wánqiáng；倔强juéjiàng‖～な子ども 倔强的孩子

きかんし【気管支】✤一炎：支气管炎

きかんしゃ【機関車】机车jīchē ✤ディーゼル一：内燃机车

きかんじゅう【機関銃】〔部，支〕机枪jīqiāng

きき【危機】危机wēijī；险境xiǎnjìng‖エネルギー～ 能源危机｜絶滅の～に瀕(ひん)している 频临灭绝 ✤一感：危机感｜一管理：风险管理

きき【喜喜·嬉嬉】高兴gāoxìng；定 兴高采烈xìng gāo cǎi liè

きき【機器·器機】机器jīqi ✤オーディオ一：音响器材｜計測一：测量仪器｜精密一：精密仪器

ききあ·きる【聞き飽きる】听腻tīngnì

ききいっぱつ【危機一髪】定 千钧一发qiān jūn yí fà；万分危急wànfēn wēijí

ききい·る【聞き入る】倾听qīngtīng；专心听zhuānxīn tīng；听得入神tīngde rùshén

ききい·れる【聞き入れる】听从tīngcóng；允诺yǔnnuò‖要求を～れる 答应要求｜忠告を～れる 听取忠告

ききおぼえ【聞き覚え】‖～のある声 耳熟的声音

ききかじ·る【聞き齧る】定 一知半解yì zhī bàn jiě；知道点皮毛zhīdao diǎn pímáo

ききぐるし·い【聞き苦しい】❶〔不愉快〕难听nántīng；刺耳cì'ěr；不中听bù zhōngtīng ❷〔声や音が不明瞭〕听不清楚tīngbuqīngchu

ききこみ【聞き込み】探听tàntīng；到处打听dàochù dǎting ✤一捜查：走访调查

ききざけ【利き酒】品酒pǐn jiǔ

ききだ·す【聞き出す】打听出dǎtingchu

ききただ·す【聞き糺す】问明白wènmíngbai‖事の子細を～す 问明事情的原委

ききちが·える【聞き違える】听错tīngcuò；误解wùjiě‖1を7と～えた 把1听成了7

ききつ·ける【聞きつける】(偶然)听到(ǒurán) tīngdào

ききづら·い【聞き辛い】❶〔聞きとりにくい〕听不清楚tīngbuqīngchu ❷〔質問しにくい〕问不出口wènbuchū kǒu

ききとが·める【聞き咎める】责问zéwèn；责备zébèi；责难zénàn‖失言を～める 责难失言

ききとど·ける【聞き届ける】答应dāying；接受jiēshòu

ききとり【聞き取り】听取tīngqǔ‖～のテスト 听力测验 ✤一調查：听取调查；实地调查

ききと·る【聞き取る】听清tīngqīng；听懂tīngdǒng；听取tīngqǔ‖雑音でニュースはほとんど～れなかった 噪音太大，新闻几乎都没听清

ききなお·す【聞き直す】重新问chóngxīn wèn；再听zài tīng‖録音を～す 重听录音

ききなが·す【聞き流す】耳边风ěrbiānfēng；定 充耳不闻chōng ěr bù wén‖右から左に～す 左

耳进, 右耳出

ききな・れる【聞き慣れる】听惯tīngguàn; 听熟tīngshú ‖ ～れた名 耳熟的名字 | ～れない専門語 耳生的专业术语

ききにく・い【聞き難い】⇨ききづらい(聞き辛い)

ききほ・れる【聞き惚れる】听得入迷 tīngde rùmí

ききみみ【聞き耳】‖ ～を立てる 竖起耳朵; 倾听

ききめ【効き目】效力xiàolì; 效果xiàoguǒ ‖ ～がある 有效 | 少しも～がない 一点儿也不奏效

ききもら・す【聞き漏らす】听漏tīnglòu ‖ 先方の住所を～した 忘记问对方的地址了

ききゃく【棄却】(～する) 驳回bóhuí ‖ 控訴を～する 驳回上诉

ききゅう【危急】危急wēijí ‖ ～を救う 救急 | ～存亡のとき 生死存亡的紧要关头

ききゅう【気球】气球qìqiú ‖ ～をあげる 放气球

ききょう【気胸】气胸qìxiōng

ききょう【帰京】(～する) 返京fǎn jīng ‖ 急きょ新幹線で～した 急忙坐新干线返回东京

ききょう【帰郷】回故乡huí gùxiāng ‖ 墓参のために～する 回故乡扫墓

きぎょう【企業】〔家, 个〕企业qǐyè

ぎきょう【義侠】✤一心:义气; 正义感

ぎきょうだい【義兄弟】把兄弟bǎxiōngdì ‖ ～の契りを結ぶ 拜把兄弟

ぎきょく【戯曲】剧本jùběn

ききわけ【聞き分け】听话tīnghuà; 懂事dǒngshì ‖ ～のよい〔悪い〕子 听话〔不听话〕的孩子

ききわ・ける【聞き分ける】听得出来tīngdechūlái ‖ 鳥の声を～けられる 能分辨出多种鸟的叫声

ききん【飢饉】饥馑jījǐn; 饥荒jīhuang

ききん【基金】基金jījīn ‖ ～を集める 筹备基金

ききんぞく【貴金属】贵重金属 guìzhòng jīnshǔ

き・く【利く・効く】❶〔作用・効果がある〕有效yǒuxiào ‖ この薬は風邪によく～く 这药对感冒很有效 | 風刺の～いた漫画 具有讽刺意味的漫画 ❷〔機能がよくはたらく〕好使hǎo shǐ ‖ 左手が全然～かない 左手完全不好使了 | 目が～く 有眼力 | 気が～く 机灵 ❸〔可能である〕能néng ‖ 体の自由が～かない 身体不听使唤了 | この生地は洗濯が～く 这布料能洗 | つぶしが～く 对工作变动很有适应力 | おさえが～く 有领导能力 | 顔が～く 有势力; 吃得开

きく【菊】菊jú. (花)菊花júhuā ‖ ～の節句 重阳节

き・く【聞く・聴く】❶〔音や声を耳で感じとる〕听到tīngdào; 听tīng ‖ 変な音が～こえた 听到了一种奇怪的声音 | よく～きなさい 好好儿听我说 | ～くところによると 听说 ❷〔従う・受け入れる〕听tīng; 听取tīngqǔ ‖ 言うことを～かない 不听话 | 周囲の意見を～かない 不听取周围的人的意见 ❸〔問う・尋ねる〕问wèn; 打听dǎting ❹〔味や香りを鑑賞する〕‖ 香(こう)を～く 闻香 ❺〔慣用表現〕‖ ～きしにまさる込みようだ 比人们说的更拥挤 | ～くと見るとでは大違い 听到的跟看到的大不一样 | ～くに堪えない 不值一听 | ～く耳を持たない 定 充耳不闻

きぐ【危惧】(～する) 忧虑yōulǜ; 担忧dānyōu

きぐ【器具】器具qìjù ✤ 消防一:消防器具

きぐう【奇遇】奇遇qíyù

ぎくしゃく (～する) 别别扭扭的 bièbieniǔniǔ de; 不自然的bú zìran de; 紧张的jǐnzhāng de

きくばり【気配り】(～する) 照顾zhàogu ‖ こまやかな～ 无微不至的关怀 | ～が足りない 办事不周到 | あれこれと～する 处处费心

きぐらい【気位】‖ ～が高い 心高气傲

きくらげ【木耳】木耳mù'ěr

きぐろう【気苦労】操心cāoxīn ‖ ～の多い仕事 非常操心的工作

きけい【奇形】畸形jīxíng ✤ 一児:畸形儿

きげき【喜劇】喜剧xǐjù ✤ 一俳優:喜剧演员

きけつ【帰結】(～する) 归结guījié; 归于guīyú ‖ 当然の～ 必然结果

ぎけつ【議決】(～する) 表决biǎojué; 决议juéyì ‖ 満場一致で～された 全场一致通过了

きけん【危険】危险wēixiǎn ‖ ～な仕事を請け負う 接受危险的工作 | ～が迫る 危险逼近 | ～な賭(か)けに出る 定 孤注一掷 | ～を冒す 冒风险 | ～を顧みず 不顾危险 ✤ 一区域:危险区 | 一信号:危险信号 | 一人物:危险人物 | 一物:危险物品

きけん【棄権】(～する) 弃权qìquán ‖ 投票を～する 放弃投票权 | 競技を～した 放弃了比赛

きげん【紀元】❶〔西暦〕公元gōngyuán ‖ ～前50年 公元前50年 ❷〔最初の年〕纪元jìyuán

きげん【起源・起原】起源qǐyuán

きげん【期限】期限qīxiàn; 限期xiànqī ‖ 締め切りの～ 截止期限 | 支払いの～ 支付期限 | ～が切れないうちに 趁还没过期

きげん【機嫌】心情xīnqíng; 情绪qíngxu ‖ 女房の～をとる 讨老婆的欢心 | ～が悪い 心情不好 | ～を悪くする 生气

きこう【気功】气功qìgōng ‖ 毎日～をやる 每天练气功

きこう【気候】气候qìhòu ‖ ～が和らぐ 气候宜人

きこう【紀行】游记yóujì; 纪行jìxíng

きこう【帰港】(～する) 返回港口fǎnhuí gǎngkǒu

きこう【起工】✤一式:开工典礼

きこう【寄港】(～する) 停泊tíngbó

きこう【寄稿】(～する) 投稿tóugǎo ‖ 新聞に～する 向报社投稿

きこう【機構】❶〔団体・組織〕机构jīgòu; 组织zǔzhī ❷〔メカニズム〕结构jiégòu; 机制jīzhì ✤ 一改革:机构改革

きごう【記号】记号jìhao; 符号fúhào ‖ ～化する 符号化

ぎこう【技巧】技巧jìqiǎo ‖ ～を磨く 磨炼技巧 | ～を凝らした文章 精雕细琢的文章

きこうし【貴公子】贵公子guìgōngzǐ

きこえ【聞こえ】❶〔音が聞こえること〕听见tīngjian; 听力tīnglì ‖ 右耳の～が悪い 右耳听不清楚 ❷〔うわさ・評判〕听起来tīngqilai; 体面tǐmian ‖ 天才の～が高い少年 誉为天才的少年

きこ・える【聞こえる】❶〔音声が〕听得见tīngdejiàn; 听得到tīngdedào ‖ 何も～えない 没听到任何声音 | 年をとると耳がよく～えなくなる 上了岁数耳朵背了 ❷〔ある感じに受けとられる〕听

起来tīngqilai‖皮肉に～える 听上去像是讽刺 ❸〔よく知られている〕闻名wénmíng；有名yǒumíng‖海外にも名が～えている 在国外也非常有名

き

きこく【帰国】(～する)回国huí guó‖～の途につく 踏上了归途 ✤一子女:归国子女

ぎごく【疑獄】贪污案件tānwū ànjiàn

きごこち【着心地】‖～のよい服 穿着感觉舒适的衣服

きごころ【気心】心情xīnqíng；真心zhēnxīn‖～の知れた友人 知心朋友

ぎこちな・い 不灵活bù línghuó；定笨手笨脚bèn shǒu bèn jiǎo‖～い態度 不自然的态度

きこつ【気骨】‖～のある男 很有骨气的男子汉

きこなし【着こなし】衣着打扮yīzhuó dǎban

きこな・す【着こなす】穿得得体chuānde détǐ

きこり【樵】樵夫qiáofū

きこん【既婚】已婚yǐhūn ✤一者:已婚者

きざ【気障】定装腔作势zhuāng qiāng zuò shì；令人讨厌lìng rén tǎoyàn‖～なネクタイ 花里胡哨的领带｜～な男 令人讨厌的男人

きさい【記載】(～する)记载jìzǎi‖帳簿に～する 记在账簿上

きざい【器材・機材】器材qìcái

きさき【后・妃】(皇后)皇后huánghòu.(王妃)王妃wángfēi

ぎざぎざ 锯齿状jùchǐzhuàng

きさく【気さく】爽快shuǎngkuai；随和suíhe；坦率tǎnshuài‖～な人柄 随和的性格

ぎさく【偽作】⇨がんさく(贋作)

きざし【兆し】前兆qiánzhào；兆头zhàotou‖景気回復の～ 景气复苏的征兆

きざみ【刻み】❶〔…ごと〕每…měi …‖秒～争分夺秒 ❷〔刻み目〕刻印kèyìn；槽纹cáowén

きざ・む【刻む】剁duò；切qiē；刻kè‖肉をこまかく～む 把肉剁碎｜仏像を～む 雕刻佛像

きさん【起算】(～する)算起suànqi‖着手の日から～する 从开始那天算起 ✤一日:起算日

きし【岸】岸àn‖～にあがる 上岸

きし【騎士】骑士qíshì ✤一道:骑士风度

きじ【生地】❶〔本来の性質〕本来面目běnlái miànmù ❷〔布〕〔块〕布料bùliào‖ワイシャツの～ 衬衫的布料｜ウールの～ 毛料 ❸〔陶器などの〕坯子pīzi ❹〔パンなどの〕面团miàntuán

きじ【記事】消息xiāoxi；报导bàodǎo；新闻稿xīnwéngǎo‖～の掲載を差しとめる 禁止刊登消息

きじ【雉・雉子】〔只〕野鸡yějī

ぎし【技師】技术员jìshùyuán；工程师gōngchéngshī

ぎし【義歯】假牙jiǎyá‖～を入れる 镶假牙

ぎじ【疑似】疑似yísì；假性jiǎxìng

ぎじ【議事】议事yìshì‖～を進行する 主持议事〔讨论〕✤一進行:议事程序｜一録:议事记录

きしかいせい【起死回生】定起死回生qǐ sǐ huí shēng

ぎしき【儀式】仪式yíshì；典礼diǎnlǐ

きしつ【気質】气质qìzhì；性情xìngqing‖穏やかな〔激しい〕～ 温和的〔暴烈的〕性情

きじつ【期日】(规定的)日期(guīdìng de) rìqī

きしべ【岸辺】岸边ànbiān

きし・む【軋む】吱吱作响zhīzhī zuòxiǎng‖床が～む 地板咯吱咯吱作响

きしゃ【汽車】火车huǒchē‖～に乗る 坐火车

きしゃ【記者】记者jìzhě ✤一会見:记者招待会；新闻发布会｜一クラブ:记者俱乐部

きしゃく【希釈・稀釈】(～する)稀释xīshì

きしゅ【旗手】旗手qíshǒu

きしゅ【機首】机首jīshǒu；机头jītóu

きしゅ【機種】(飛行機の)飞机的机种fēijī de jīzhǒng.(機械の)机器的种类jīqi de zhǒnglèi‖パソコンの新～を市場に出す 电脑新机种上市

きしゅ【騎手】骑手qíshǒu

きじゅ【喜寿】七十七岁寿辰qīshíqī suì shòuchén

ぎしゅ【義手】假手jiǎshǒu；义手yìshǒu

きしゅう【奇襲】(～する)奇袭qíxí；突然袭击tūrán xíjī‖要塞(ようさい)を～して占領した 发动奇袭占领了要塞

きじゅうき【起重機】〔架〕起重机qǐzhòngjī；吊车diàochē

きしゅく【寄宿】(～する)寄宿jìsù；寄居jìjū ✤一舎:(集体)宿舍

きじゅつ【記述】(～する)记述jìshù‖事実を明確に～する 明确记述事实

ぎじゅつ【技術】技术jìshù；手艺shǒuyì‖運転の～を身につける 学习驾车技术｜最先端の～ 最尖端的技术｜～を生かす 应用技术 ✤一援助:技术援助｜一革新:技术革新｜一協力:技术合作｜一者:技术人员；工程师

きじゅん【基準】标准biāozhǔn；基准jīzhǔn

きじゅん【規準】规范guīfàn；标准biāozhǔn

きしょう【気性】脾气píqi；性情xìngqing‖～が荒い 脾气暴躁

きしょう【気象】气象qìxiàng‖～を観測する 观测气象 ✤一衛星:气象卫星｜一台:气象台；气象站｜一庁:气象厅｜一予報士:天气预报士

きしょう【希少】稀少xīshǎo‖～動物 稀有动物 ✤一価値:稀少价值

きしょう【記章】徽章huīzhāng

きしょう【起床】(～する)起床qǐchuáng‖毎朝6時に～する 每天早晨6点起床

きじょう【机上】‖～の空論 定纸上谈兵

きじょう【気丈】(妇女)刚毅(fùnǚ) gāngyì；坚强jiānqiáng

ぎしょう【偽称】(～する)假冒jiǎmào；伪称wěichēng；冒充màochōng

ぎしょう【偽証】(～する)(做)伪证(zuò) wěizhèng ✤一罪:伪证罪

きしょく【気色】‖～が悪い 不舒服〔难受〕

きしょく【喜色】喜色xǐsè‖～満面 满脸笑容

キシリトール 木糖醇mùtángchún

きしん【寄進】(～する)(向神社、寺院)捐献(xiàng shénshè、sìyuàn) juānxiàn

きじん【奇人】古怪的人gǔguài de rén

きじん【貴人】贵人guìrén；显贵xiǎnguì

ぎしん【疑心】✤一暗鬼:定疑神疑鬼

ぎじん【擬人】✤一化:拟人化

キス (～する)接吻jiēwěn；亲qīn；亲嘴qīnzuǐ‖濃厚な～ 缠绵的吻｜投げ～をする 送飞吻

きず【傷・瑕】❶〔体の〕伤shāng‖全身～だらけ 定遍体鳞伤｜心の～ 心灵上的创伤｜～をいやす

養伤 ❷〔品物の〕伤shāng；损伤sǔnshāng ‖ 小さな～がある 有一个小瑕疵 ❸〔欠点・汚名〕缺陷quēxiàn；毛病máobing ‖ あなたの名に～がつく 会有损你的名誉 | 履歴に～がつく 在履历上留下污点 ✤ ひっかき―：抓伤

きずあと【傷痕】伤痕shānghén；伤疤shāngbā

きすう【奇数】单数dānshù；奇数jīshù

ぎすぎす ❶〔態度が〕死板sǐbǎn；生硬shēngyìng ‖ 態度が～している 态度生硬 | 職場の雰囲気が～している 单位里气氛很紧张 ❷〔やせている〕枯瘦kūshòu；干瘦gānshòu

きず・く【築く】❶〔建造物を〕修建xiūjiàn；修筑xiūzhù ‖ 堤防を～く 筑堤 | 城壁を～く 修筑城墙 ❷〔富や地位などを〕积累jīlěi；建立jiànlì ‖ ばく大な富を～いた 积累了巨额财富

きずぐち【傷口】伤口shāngkǒu；伤疤shāngbā ‖ ～を縫う 缝伤口 | ～が広がる 伤口扩散

きずつ・く【傷付く】❶〔痛手を受ける〕受伤害shòu shānghài；被损坏bèi sǔnhuài ‖ 体面が～く 面子受损 | ～きやすい年ごろ 心灵容易受伤的年龄 ❷〔けがをする〕受伤shòushāng

きずつ・ける【傷付ける】❶〔痛手を与える〕伤shāng；伤害shānghài ‖ プライドが～く 自尊心受到伤害 ❷〔人や物を〕伤shāng；伤害shānghài；损坏sǔnhuài ‖ 私の自転車を～けないでね 别把我的自行车弄坏了

きずな【絆】纽带niǔdài ‖ 心の～ 情感的纽带 | ～を結ぶ 系结纽带 | 親子の～ 骨肉情

きずもの【傷物】残品cánpǐn；次品cìpǐn

き・する【帰する】❶〔結果として行き着く〕归于guīyú；以…而告终yǐ … ér gàozhōng ‖ ～するところは同じ 结果都一样 ❷〔責任などを負わせる〕归咎于guījiù yú ‖ 責任を政府に～する 由政府承担责任

き・する【期する】❶〔期待する〕期望qīwàng；期待qīdài ‖ ～するところ大だ 抱有很大的期望 ❷〔決意・約束する〕决心juéxīn；约定yuēdìng ‖ 必勝を～する 下决心一定取胜 | 完ぺきを～する 力求尽善尽美

きせい【気勢】气势qìshì；劲头jìntóu ‖ 相手の～をそぐ 挫对方锐气 | ～をあげる 以壮声势

きせい【奇声】怪声guàishēng；奇妙的声音qímiào de shēngyīn ‖ ～を発する 发出怪声

きせい【既成】既成jìchéng；现有xiànyǒu ‖ ～の価値観 既成的价值观 ✤ ―観念：既成观念；固定观念 | ―事実：既成事实

きせい【既製】现成xiànchéng ✤ ―品：成品 | ―服：成衣

きせい【帰省】（～する）回家探亲huí jiā tànqīn；回老家huí lǎojiā ‖ ～客 回家探亲的旅客

きせい【寄生】（～する）寄生jìshēng ‖ 昆虫に～する菌 寄生于昆虫的细菌 ✤ ―虫：寄生虫

きせい【規制】（～する）(加以)限制(jiāyǐ) xiànzhì ✤ ―緩和：放宽限制 | ―措置：管理措施

ぎせい【犠牲】❶〔ある目的のための〕牺牲xīshēng.〔犠牲にしたもの〕代价dàijià ‖ 多大の～を払う 付出很大的代价 | 余暇を～にする 牺牲业余时间 ❷〔災害などの犠牲者〕‖ 地震の～になった人 震灾造成的死伤者 ✤ ―者：牺牲者 | ―的精神：牺牲精神

ぎせいご【擬声語】拟声词nǐshēngcí

きせき【奇跡】奇迹qíjì ‖ ～が起こる 发生奇迹

きせき【軌跡】轨迹guǐjì；脚印jiǎoyìn ‖ 先人の～をたどる 追寻前人所走过的道路

ぎせき【議席】议席yìxí ‖ ～を争う 争夺议席

きせずして【期せずして】不期而…bù qī ér … ‖ ～会う 不期而遇 | ～一致した 不谋而合

きせつ【季節】季节jìjié；时节shíjié ‖ 花見の～ 赏花时节 | ～はずれの大雪 不合季节的大雪 ✤ ―感：季节感 | ―風：季风 | ―労働者：季节工

きぜつ【気絶】昏迷hūnmí；晕倒yūndǎo；休克xiūkè

き・せる【着せる】❶〔着させる〕给…穿上gěi … chuānshang ‖ 人形に服を～せる 给娃娃穿上衣服 ❷〔負わせる〕使…蒙受shǐ…méngshòu

キセル【煙管】❶〔きざみタバコを吸うための〕烟袋yāndài ❷〔キセル乗車〕‖ ～乗車 逃票

きぜわし・い【気忙しい】❶〔慌ただしい〕慌张huāngzhang ❷〔性急である〕性急xìng jí

きせん【貴賤】贵贱guìjiàn ‖ 職業に～はない 职业是没有贵贱之分的

きせん【機先】‖ ～を制する 定 先发制人

きぜん【毅然】毅然yìrán；坚决jiānjué ‖ ～たる態度 坚定的态度

ぎぜん【偽善】伪善wěishàn ‖ ～を見抜く 看穿伪善 ✤ ―者：伪善者；伪君子

きそ【起訴】（～する）起诉qǐsù ‖ 殺人罪で～された 因杀人罪被起诉 | ～に持ち込む 决定起诉；提起公诉 ✤ ―事実：起诉〔被告〕事实 | ―状：起诉书

きそ【基礎】❶〔基本・初歩〕基础jīchǔ ‖ ～的な知識 基础知识 | ～を固める 巩固基础 ❷〔建物の土台〕地基dìjī；根基gēnjī ✤ ―工事：基础工程 | ―体温：基础体温 | ―代謝：基础代谢

きそう【起草】（～する）起草qǐcǎo

きそ・う【競う】竞争jìngzhēng；比试bǐshi；较量jiàoliàng ‖ たがいに技を～う 相互比试技巧 | 能力を～う 较量能力

きぞう【寄贈】（～する）捐献juānxiàn；捐赠juānzèng；赠送zèngsòng ‖ 蔵書を図書館へ～する 把藏书捐赠给图书馆 ✤ ―書：赠书

ぎそう【擬装】（～する）伪装wěizhuāng ✤ ―結婚：伪装结婚；假结婚

ぎぞう【偽造】（～する）伪造wěizào；假造jiǎzào ‖ パスポートを～する 伪造护照 ✤ ―紙幣：假钞

きそうてんがい【奇想天外】定 异想天开yì xiǎng tiān kāi ‖ ～な発想 异想天开的想法

きそうほんのう【帰巣本能】归巢本能guīcháo běnnéng

きそく【規則】规则guīzé；规章guīzhāng ‖ ～をつくる 制定规则 | ～を施行する 施行规章制度 | ～を改訂する 修订章程 | ～正しい生活を送る 过有规律的生活 ✤ ―違反：违反规则

きぞく【帰属】（～する）归属guīshǔ；属于shǔyú ✤ ―意識：归属意识

きぞく【貴族】贵族guìzú ‖ ～の生まれ 贵族出身

ぎそく【義足】假腿jiǎtuǐ；义足yìzú；义肢yìzhī

きそくてき【規則的】有规律yǒu guīlǜ；有规则yǒu guīzé ‖ ～に並んでいる 排列得很有规则

きそん【既存】既存jìcún；现有xiànyǒu

きた【北】北běi；北方běifāng ‖ ～の風 北风

ギター〔把〕吉他jítā ‖ ～を弾く 弹吉他
きたい【気体】气体qìtǐ
きたい【期待】(～する)期盼qīpàn; 期待qīdài; 指望zhǐwang ‖ ～にこたえる 不辜负期望; 不负众望 | ～していたほどではなかった 不那么理想 ✤ 一はずれ:令人失望
きたい【機体】机体jītǐ; 机身jīshēn
きだい【希代・稀代】希〔稀〕世 xī〔xī〕shì; 绝代 juédài ‖ ～の悪人 绝无仅有的恶人
ぎたい【擬態】拟态nǐtài ✤ 一語:拟态词
ぎだい【議題】议题yìtí; 讨论题目tǎolùn tímù
きた・える【鍛える】锻炼duànliàn; 锤炼chuíliàn ‖ 鉄を～える 炼铁 | 身体を～える 锻炼身体
きたく【帰宅】(～する)回家huí jiā
きたく【寄託】(～する)寄托jìtuō; 委托保管wěituō bǎoguǎn ‖ 書類を弁護士に～する 把文件委托给律师保管
きたぐに【北国】北国běiguó; 北方běifāng
きた・す【来す】引起yǐnqǐ; 造成zàochéng ‖ 計画に混乱を～す 给计划造成混乱
きたちょうせん【北朝鮮】朝鲜Cháoxiǎn
きだて【気だて】性情xìngqing; 心性xīnxìng; 脾气píqi ‖ ～のよい人 性情温和的人
きたな・い【汚い】❶(不潔な) 肮脏āngzang; 不洁净bù jiéjìng ‖ 手が～い 手太脏了 | 空気も海も～くなった 空气和海都被污染了 ❷(乱雑な) 不整洁bù zhěngjié; 杂乱záluàn ‖ 部屋が～い 房间不够整洁 | 字が～くて読めない 字太乱看不清楚 ❸(粗野な・卑劣な) 卑劣bēiliè; 卑鄙bēibǐ ‖ ～い手を使う 用卑劣的手段 | やり口が～い 作法太卑鄙了 | ～い言葉を投げつける 骂脏话 ❹(けちな) ‖ あの人は金に～い 那个人是个吝啬鬼
きたはんきゅう【北半球】北半球běibànqiú
きたる【来る】下(次) xià (cì); 即将来临的jíjiāng láilín de ‖ ～日曜日 下星期日
きたん【忌憚】‖ ～なく 毫不客气; 定 肆无忌惮; 无所顾忌 | ～なく言えば 直言不讳地说
きち【危地】险地xiǎndì ‖ ～を脱する 脱离险境
きち【吉】吉jí; 吉祥jíxiáng
きち【既知】已知yǐzhī ‖ ～の事実 已知的事实
きち【基地】基地jīdì ✤ 中継一:中转基地; (ラジオ・テレビの)转播站
きち【機知】机智jīzhì ‖ ～に富む 富有机智
きちじつ【吉日】吉日jírì ‖ 思い立ったが～ 拣日不如撞日 | ～を選ぶ 选个吉日
きちゃく【帰着】(～する)❶(帰結する) 归结guījié; 结果jiéguǒ ❷(帰る) 回到huídào
きちょう【記帳】(～する)记账jì zhàng ‖ 出納簿(すいとうぼ)に支出額を～する 把支出款额记在出纳簿上
きちょう【基調】基调jīdiào
きちょう【貴重】宝贵bǎoguì ‖ ～な経験 宝贵的经验 ✤ 一品:贵重物品
きちょう【機長】机长jīzhǎng
ぎちょう【議長】主席zhǔxí; 议长yìzhǎng ‖ 委員会の～をつとめる 担任委员会主席
きちょうめん【几帳面】规矩guīju; 定 一丝不苟yì sī bù gǒu ‖ 時間に～ 严格遵守时间
きちんと (しっかり)好好儿hǎohāor. (整った)整整齐齐zhěngzhěngqíqí ‖ ～かぎを掛ける 把门锁好 | 身なりの～した人 穿得整整齐齐的人 | ～片づいた部屋 收拾得干干净净的房间 | 毎月～家賃を払う 每月按时付房费
きつ・い ❶(強い) 厉害lìhai ‖ 性格が～い 性格要强 | 顔が～い 表情严肃 ❷(厳しい) 严厉yánlì; 苛刻kēkè ‖ ～い仕事 辛苦的工作 | ～くしかる 严厉地斥责 | ～い言葉 刻薄话 ❸(窮屈) 紧jǐn; 瘦小shòuxiǎo ‖ 靴が～い 鞋太小 ❹(刺激が強い) 厉害lìhai ‖ ～い酒 厉害的酒
きつえん【喫煙】(～する)抽烟chōu yān; 吸烟xī yān ✤ 一室:吸烟室 | 一席:吸烟席
きづか・う【気遣う】担心dānxīn ‖ 病気の兄を～う 为患病的哥哥操心
きっかけ【切っ掛け】时机shíjī; 理由lǐyóu ‖ けんかの～ 吵架的原因 | ～をつくる 制造机会
きづかれ【気疲れ】(～する)精神疲劳jīngshén píláo
きっきょう【吉凶】‖ ～を占う 卜吉凶
キック (～する)踢tī ✤ 一オフ:开球 | 一ボクシング:泰(国)式拳击
きづ・く【気付く】❶(わかる) 发觉fājué; 发现fāxiàn; 注意到zhùyìdào ‖ 過ちに～く 意识到自己的错误 | だれも～かなかった 谁也没注意到 ❷(意識をとり戻す)(清)醒过来(qīng)xǐngguolai; 恢复知觉huīfù zhījué ‖ ～いたら病院のベッドの上にいた 醒过来的时候已经在医院的病床上了
キックバック 回扣huíkòu
ぎっくりごし【ぎっくり腰】闪腰shǎn yāo
きつけ【気付け】提神tíshén; 苏醒sūxǐng ✤ 一薬:兴奋剂
きづけ【気付】转交zhuǎnjiāo ‖ 朝日商会～田中様 朝日商会转交田中先生
きっこう【拮抗】(～する)相抗衡xiāng kànghéng ‖ 両派の力は～している 两派势均力敌
きっこう【亀甲】(形)龟甲形guījiǎxíng; 六角形liùjiǎoxíng. (亀の甲)龟甲guījiǎ
きっさ【喫茶】喝茶hē chá ✤ 一店:咖啡馆
ぎっしり 满mǎn; 满满地mǎnmǎn de ‖ 段ボール箱に古本が～詰まっている 纸箱里塞满旧书
きっすい【生粋】纯粹chúncuì; 地道dìdao
きっすい【喫水】吃水chīshuǐ
きっちょう【吉兆】吉兆jízhào
きつつき【啄木鳥】啄木鸟zhuómùniǎo
きって【切手】〔张〕邮票yóupiào ‖ ～をはる 贴邮票 | ～をはがす 揭下邮票 | ～を収集する 集邮
きっと 一定yídìng; 肯定kěndìng ‖ 彼は～成功する 他肯定会成功的 | 今晩～電話します 今天晚上一定打电话
キット 工具箱gōngjùxiāng; 配套元件pèitào yuánjiàn ‖ 模型飛行機～ 模型飞机配套元件
キッド 羊羔皮yánggāopí
きつね【狐】〔只,条〕狐狸húli ‖ ～のえり巻き 狐狸皮围巾 | ～につままれたよう 就像被狐狸精迷住了似的 ✤ 一色:黄褐色 | 一狩り:猎狐
きっぱり 毅然yìrán; 明确míngquè; 干脆gāncuì ‖ ～断る 断然拒绝 | ～あきらめる 干脆死了心
きっぷ【切符】〔张〕票piào. (乗車券)车票chēpiào ‖ 広州行きの～ 去广州的票 | ～を見せる 出示票 | スピード違反で～を切られる 因为超速行驶,吃了罚单 | オリンピックへの～を勝ちとる 获得奥运

出场权 ❖一売り場:售票处

きっぷ【気っ風】气派qìpài；气质qìzhì ‖ ～のいい男 宽厚大方的男人

きっぽう【吉報】喜讯xǐxùn；好消息hǎo xiāoxi ‖ ～をもたらす 带来喜讯｜～を待つ 等待喜讯

きづまり【気詰まり】拘束jūshù；发窘fājiǒng

きつもん【詰問】(～する)追问zhuīwèn；责问zéwèn；究问jiūwèn

きてい【既定】既定jìdìng；已定yǐdìng ‖ ～の方針 既定方针

きてい【規定】(～する)规定guīdìng ‖ ～通りに 按照规定｜～の書式 规定的书写格式｜～の手続きを踏む 履行规定的手续

きてい【規程】规则guīzé；规定guīdìng；规章guīzhāng ‖ 会社の～ 公司的规定

きてん【起点】起点qǐdiǎn

きてん【基点】基点jīdiǎn ❖方位一:方位基点

きてん【機転】机敏jīmǐn；机灵jīling；灵机língjī ‖ ～がきく 很机灵｜とっさの～で難を逃れた 突然灵机一动，脱了险

きと【帰途】归途guītú ‖ ～につく 踏上归途

きどあいらく【喜怒哀楽】㊉喜怒哀乐xǐ nù āi lè ‖ ～を顔に出す 喜怒哀乐都表现在脸上

きとう【祈禱】(～する)祈祷qídǎo ‖ 五穀豊穣(ほうじょう)を～する 祈祷五谷丰登 ❖一師:祈祷师

きどう【気道】呼吸道hūxīdào；气管qìguǎn

きどう【軌道】轨道guǐdào ‖ 計画が～に乗る 计划上了轨道｜～を修正する 修正轨道

きどう【起動】(～する)启动qǐdòng；发动fādòng；起动qǐdòng ‖ パソコンを～させる 启动电脑｜エンジンを～する 发动引擎 ❖再一:重新启动

きどう【機動】❖一隊:机动队｜一力:机动力

きとく【危篤】病危bìngwēi ‖ ～に陥る 陷入病危

きとく【奇特】㊉难能可贵nán néng kě guì；值得佩服zhíde pèifu ‖ ～な行為 难能可贵的行为｜～な人 不同寻常的人

きとくけん【既得権】既得权jìdéquán

きど・る【気取る】㊉装模作样zhuāng mú zuò yàng；㊉装腔作势zhuāng qiāng zuò shì ‖ ～ったしゃべり方をする 装腔作势地说话｜～らない人 没有架子的人

きない【機内】机内jīnèi ❖一サービス:机内服务｜一食:机内餐；飞机餐

きなが【気長】慢性子mànxìngzi；耐心nàixīn ‖ ～に機会を待つ 耐心等待时机

きなくさ・い【きな臭い】❶〔こげくさい〕焦臭jiāochòu；煳味húwèi ❷〔戦争・動乱などの起こりそうな気配〕有火药味yǒu huǒyàowèi；火药味浓huǒyàowèi nóng ‖ ～い情勢 充满火药味的形势

ギニア 几内亚Jǐnèiyà

ギニアビサウ 几内亚比绍Jǐnèiyà Bǐshào

きにゅう【記入】(～する)填写tiánxiě；记入jìrù ‖ 空欄に答えを～する 在空白处填写答案｜帳簿に金額を～する 把金额记入账内

きぬ【絹】丝绸sīchóu；绸子chóuzi ‖ ～のドレス 丝绸礼服｜～を裂くような叫び声 尖锐刺耳的叫声 ❖一糸:丝线｜一織物:丝绸纺织品

きぬけ【気抜け】(～する)发呆fādāi；茫然若失mángrán ruò shī ‖ 試験が済んでみんな～したようだ 考试完了大家好像松了一口气

ギネスブック 吉尼斯世界记录大全 Jínísī Shìjiè Jìlù Dàquán

きねん【祈念】(～する)祈祷qídǎo；祷告dǎogào

きねん【記念】(～する)纪念jìniàn ‖ ～の品 纪念品｜～にこれをとっておいてください 请你把它留做纪念吧 ❖一切手:纪念邮票｜一式典:纪念典礼｜一碑:纪念碑｜一日:纪念日

ぎねん【疑念】疑念yíniàn；怀疑huáiyí ‖ ～を抱く余地がない 无可置疑｜～を晴らす 消除怀疑

きのう【昨日】昨天zuótiān ‖ この問題は～今日のことではない 这个问题已由来已久

きのう【帰納】(～する)归纳guīnà ❖一法:归纳法

きのう【機能】(～する)(发挥)功能(fāhuī) gōngnéng；(起)作用(qǐ) zuòyòng ‖ 本来の～を果たす 发挥应有的作用｜～的な設計 很实用的设计 ❖一障害:机能障碍｜一不全:功能不全

ぎのう【技能】技能jìnéng；本领běnlǐng ‖ ～を身につける 掌握本领｜～をみがく 磨炼技能

きのこ【茸】蘑菇mógu ‖ ～が生える 长蘑菇 ❖一雲:蘑菇云

きのどく【気の毒】❶〔かわいそうに思う〕可怜kělián；悲惨bēicǎn ‖ ～な境遇 悲惨的境遇｜それはお～に 啊呀，真可怜 ❷〔すまなく思う〕对不起duìbuqǐ ‖ 彼には～なことをした 真对不起他

きのみ【木の実】〔颗〕果子guǒzi；果实guǒshí

きのみきのまま【着の身着の儘】‖ ～で家を飛び出した 什么东西都没拿从家里跑了出来

きのり【気乗り】(～する)感兴趣gǎn xìngqù；起劲儿qǐjìnr ‖ その話にはどうも～がしない 对那件事不感兴趣

きば【牙】獠牙liáoyá；虎牙hǔyá ‖ 復しゅうの～をとぐ 伺机报复｜～をむく 露出獠牙

きば【騎馬】骑马qí mǎ ❖一警官:骑警｜一戦:骑马战｜一民族:游牧民族

きはく【気迫】气魄qìpò；气焰qìyàn；气势qìshì ‖ ～のこもった演武 气势磅礴的武艺表演

きはく【希薄】稀薄xībó ‖ 空気が～になる 空气变得稀薄起来｜責任感が～だ 缺乏责任感

きばく【起爆】❖一剤:起爆剂

きはつ【揮発】(～する)挥发huīfā；气化qìhuà ‖ ～性の液体 挥发性液体 ❖一油:挥发油

きばつ【奇抜】奇特qítè；新奇xīnqí；新颖xīnyǐng ‖ ～な格好をしている 穿着怪异

きば・む【黄ばむ】发黄fā huáng ‖ ワイシャツのえりは～みやすい 衬衫的领子容易发黄

きばらし【気晴らし】(～する)散心sànxīn；解闷jiěmèn；消遣xiāoqiǎn ‖ ～に散歩に出かけた 出去散步，散散心

きば・る【気張る】❶〔がんばる〕努力nǔlì；拼命pīnmìng ‖ そんなに～らなくてもいいよ 何必这么拼着命干哪 ❷〔気前よく金を出す〕㊉慷慨解囊kāngkǎi jiěnáng；花钱大方huā qián dàfang ‖ ～って外車を買った 花大钱买了辆进口车

きはん【規範】规范guīfàn；规格guīgé

きばん【基盤】基础jīchǔ；底子dǐzi ‖ 会社の～を固める 巩固公司的基础

きび【黍】黍子shǔzi.（脱穀後）黄米huángmǐ ❖一団子:黄米团子

き

きび【機微】微妙之处wēimiào zhī chù ‖ 人情の～に通じる 懂得人情世故的微妙

きびきび（～する）麻利máli；干脆gāncuì；利落lìluo ‖ 動作が～している 动作很利落

きびし・い【厳しい】❶〔厳格である〕严yán；严格yángé；严厉yánlì ‖ 彼は子どもにとても～い 他对孩子非常严格｜～い規則 严格的规章制度 ❷〔容易でない·甚だしい〕严峻yánjùn；严重yánzhòng ‖ 現実は～い 现实是严峻的｜～い暑さ 酷暑｜～い条件 苛刻的条件

きびす【踵】脚后跟jiǎohòugēn ‖ ～を返す 往回走｜～を接して訪れる 络绎不绝

きひん【気品】风度fēngdù；气度qìdù；气派qìpài ‖ ～のある態度 态度文雅大方

きひん【貴賓】✤一室：贵宾室｜一席：贵宾席

きびん【機敏】敏捷mǐnjié；麻利máli；灵敏língmǐn ‖ 動作が～だ 手脚麻利；动作敏捷｜～に反応する 反应快

きふ【寄付】（～する）捐钱juān qián；捐款juānkuǎn ‖ ～を募る 募捐｜～が集まる 筹到捐款｜～を受けつける 受理捐款

ぎふ【義父】❶〔養父〕养父yǎngfù.（母が再婚した相手）后爹hòudiē；继父jìfù ❷〔配偶者の父〕(夫の父)公公gōnggong.（妻の父）岳父yuèfù

ギブ アップ（～する）死心sǐxīn；放弃fàngqì ‖ ネバー～ 不要放弃

ギブ アンド テーク 互惠互利hùhuì hùlì

きふう【気風】风气fēngqì；风尚fēngshàng

きふく【起伏】❶〔土地の〕起伏qǐfú；高低gāodī ‖ ～のある地形 起伏的地形 ❷〔盛衰〕浮沉fúchén ‖ 感情の～が激しい 定 喜怒无常

きふじん【貴婦人】贵妇人guìfùrén

ギプス 石膏绷带shígāo bēngdài

きぶつ【器物】器物qìwù；器具qìjù

ギフト 礼物lǐwù ✤一ショップ：礼品店

きふる・す【着古す】穿旧chuānjiù

キプロス 塞浦路斯Sàipǔlùsī

きぶん【気分】❶〔気持ち〕心情xīnqíng；情绪qíngxu ‖ ～がいい 心情格外舒畅｜～を害する 破坏情绪｜～が乗らない 没心情 ❷〔体調〕身体情况shēntǐ qíngkuàng ‖ ～がすぐれない 身体不舒服 ❸〔雰囲気〕气氛qìfēn ‖ お祭り～ 欢乐的过节气氛 ✤一転換：换换心情

ぎふん【義憤】义愤yìfèn

きへい【騎兵】骑兵qíbīng ✤一隊：骑兵队

きべん【詭弁】‖ ～をろうする 玩弄诡辩

きぼ【規模】规模guīmó；范围fànwéi ‖ 工場の～ 工场的规模｜全国的な～で 在全国范围

ぎぼ【義母】❶〔養母〕养母yǎngmǔ.（父が再婚した相手）后妈hòumā；继母jìmǔ. ❷〔配偶者の母〕(夫の母)婆婆pópo.（妻の母）岳母yuèmǔ

きほう【気泡】气泡qìpào

きぼう【希望】（～する）希望xīwàng；愿望yuànwàng ‖ ～がかなう 如愿以偿｜ご～に添いかねます 不能满足您的希望｜アメリカへの留学を～する 希望去美国留学｜～にあふれる 充满希望｜～を抱く 抱希望｜この件には～がもてる 这件事有希望 ✤一者：志愿者｜一退職：志愿退职

ぎほう【技法】手法shǒufǎ；技巧jìqiǎo

きぼね【気骨】‖ ～の折れる仕事 很劳神的工作

きぼり【木彫り】木雕mùdiāo

きほん【基本】基本jīběn；基础jīchǔ ‖ ～を身につける 掌握基本功｜あなたのご意見に～的には賛成です 我基本赞成您的意见 ✤一給：基本工资｜一的人権：基本的人权｜一方針：基本方针

きまえ【気前】‖ ～がいい 大方；慷慨

きまぐれ【気紛れ】❶〔気がかわりやすいこと〕没准脾气méi zhǔn píqi；定 反复无常fǎn fù wú cháng ‖ 一時の～ 一时冲动 ❷〔予測がつかない〕‖ ～な天気 变化无常的天气

きまじめ【生真面目】(过于)认真(guòyú) rènzhēn；定 一本正经yì běn zhèng jīng ‖ あまり～に考えることはない 不必那么认真

きまず・い【気まずい】不融洽bù róngqià；难为情nánwéiqíng；尴尬gāngà ‖ ～い関係 不融洽的关系｜～い思いをする 感到难为情｜～い沈黙 尴尬沉默

きまつ【期末】期末qīmò ✤一決算：期末决算｜一手当：期末津贴｜一テスト：期末考试

きまって【決まって】总是zǒngshì；必定bìdìng ‖ 彼は～遅刻する 他总是迟到

きまま【気儘】随便suíbiàn；任性rènxìng ‖ ～に振る舞う 定 为所欲为 ✤自由一：定 自由自在

きまり【決まり】❶〔規則〕规定guīdìng；规则guīzé ‖ ～を破る 违反规定｜～を守る 遵守规定 ❷〔習慣〕习惯xíguàn ‖ お～のジョーク 老一套的笑话｜お～のパターン 老习惯 ❸〔決着〕了结liǎojié ‖ 仕事の～をつける 了结工作 ❹〔…悪い〕‖ ～が悪い 感到不好意思｜子どもは～悪そうにあいさつした 那孩子有些害羞地打了招呼 ✤一文句：老套；口头禅

きま・る【決まる】❶〔決定〕决定juédìng ‖ 一度～ったことを蒸し返すな 已经决定的事就别再提了｜結果はきみの能力いかんで～る 结果要看你的本事 ❷〔当然·確実〕当然dāngrán；必然bìrán ‖ そんなことをすれば損するに～っている 做这样的事必然有损失｜夏は暑いに～っている 夏天当然热 ❸〔服装·ポーズが〕得体détǐ ‖ そのネクタイなかなか～ってるね 这条领带真好看呀！ ❹〔定まった〕固定gùdìng；常规chángguī ‖ ～った書式 固定的公文格式

ぎまん【欺瞞】‖ ～に満ちている 充满欺瞒

きみ【君】❶〔親しい相手·目下に〕你nǐ ❷〔主君〕国王guówáng；国君guójūn

きみ【黄身】蛋黄dànhuáng；卵黄luǎnhuáng

きみつ【気密】✤一性：密封性 ‖ ～が高い 密封性好

きみつ【機密】机密jīmì ‖ 外交〔軍事〕上の～ 外交〔军事〕机密

きみどり【黄緑】黄绿色huánglǜsè

きみゃく【気脈】‖ 敵と～を通じる 与敌人串通一气

きみょう【奇妙】奇怪qíguài；定 不可思议bù kě sī yì ✤一きてれつ：定 神乎其神

きみわる・い【気味悪い】可怕kěpà；悚然sǒngrán ‖ ～い出来事 可怕的事件

ぎむ【義務】本分běnfèn；义务yìwù ‖ ～を果たす 履行义务 ✤一感：义务观念｜一教育：义务教育

きむずかし・い【気難しい】难以对付nányǐ duìfu；怪僻guàipì ‖ ～い顔をしている 神情严肃、

不苟言笑｜～い男 脾气古怪的男人

キムチ 辣白菜làbáicài

きめ【肌理】❶〔肌ざわり〕肌理jīlǐ‖～の細かい〔粗い〕肌 细嫩〔粗糙〕的皮肤 ❷〔心遣い〕关照guānzhào‖～細かなサービス 细致的服务

きめい【記名】(～する)记名jìmíng.(署名)签名qiānmíng ✤一投票:记名投票

ぎめい【偽名】假名jiǎmíng‖～を使う 用假名

きめこ・む【決め込む】❶〔決めてかかる〕断定duàndìng ❷〔ふりをする〕假装jiǎzhuāng；佯装yángzhuāng‖知らぬ顔の半兵衛を～む 佯装不知 ❸〔その気になる〕自居zìjū；自封zìfēng‖ニューヨーカーを～む 以纽约人自居

きめつ・ける【決め付ける】断言duànyán‖頭から彼が犯人だと～ける 一口咬定他是犯人｜～けるような言い方をする 用不容反驳的语气说话

きめて【決め手】决定性的方法、手段、证据juédìngxìng de fāngfǎ、shǒuduàn、zhèngjù‖～を欠く 缺乏决定性证据｜解決の～がない 没有决定性解决方案

き・める【決める】❶〔決定する〕决定juédìng‖これは私１人では～めかねます 这件事情我一个人决定不下来｜タバコをやめることに～めた 我决心戒烟了 ❷〔思い込む〕认定rèndìng‖かならずこの試合に勝つと～めている 他认定这场比赛必定会赢 ❸〔服装・ポーズを〕得体détǐ ❹〔技を〕成功地用(招数) chénggōng de yòng (zhāoshù)‖フリーキックを～める 任意球进球

きも【肝】❶〔肝臓〕肝脏gānzàng.(内臓)内脏nèizàng‖ウナギの～焼き 烤鳗鱼肝 ❷〔慣用表現〕‖～がすわっている 很有胆量｜～が太い 胆子大｜～に銘じる 铭刻在心｜～をつぶす 吓破了胆

きもち【気持ち】❶〔感情〕心情xīnqíng；情绪qíngxu；感情gǎnqíng‖お～はよくわかります 完全理解你的心情｜人の～をもてあそぶ 玩弄别人的感情｜～よく承諾する 欣然同意｜自分の～に正直でありたい 我要按自己想的去做｜～に余裕がない 没有闲情逸致｜～が動く 动心｜～がおさまる 心情平静下来｜～が高まる 情绪高涨｜～をくむ 领会对方的心情 ❷〔体調〕(身体)舒服(与否)(shēntǐ) shūfu (yǔfǒu)‖～が悪い 感到不舒服 ❸〔気構え〕精神jīngshen；情绪qíngxu‖～を引き締める 振作精神 ❹〔わずか〕稍微shāowēi；一点儿yìdiǎnr‖～大きめ 稍有点儿大｜ほんの～ばかりですが 一点儿小小的心意

きもの【着物】衣服yīfu.(和服)和服héfú ✤一地:和服衣料

ぎもん【疑問】疑问yíwèn；问题wèntí‖～を抱く 怀疑｜～の余地がない 不容置疑｜～を投じる 提出疑问｜～が残る 留下疑问 ✤一詞:疑问词｜一点:疑问点｜一符:问号｜一文:疑问句

ギヤ ⇨ギア

きやく【規約】规章guīzhāng；规约guīyuē

きゃく【客】❶〔訪問者〕〔位〕客人kèren‖～を迎える 接客｜～を装う 伪装成客人｜招かれざる～ 定不速之客｜お～さん扱い 当客人看 ❷〔顧客〕〔位〕顾客gùkè；客户kèhù‖～を集める 招揽顾客｜～の入りが良い 观众〔顾客〕来得多

-きゃく【脚】把bǎ‖いす7～ 七把椅子

ぎゃく【逆】相反xiāngfǎn；颠倒diāndǎo；反fǎn‖上下を～にする 颠倒上下｜～はかならずしも真ならず 反过来不一定成立｜～もまた真なり 反过来也对｜～にやっつけられた 反倒被他揍了

ギャグ 噱头xuétóu；戏谑xìxuè

きゃくあし【客足】客流kèliú；顾客出入gùkè chūrù‖～が遠のく 客流(逐渐)减少；顾客见少｜～が絶える 没人光顾；客源断绝

きゃくいん【客員】客座kèzuò；特邀tèyāo ✤一教授:客座教授

ぎゃくこうか【逆効果】反效果fǎn xiàoguǒ；定适得其反shì dé qí fǎn‖私の説得は～になった 我的劝导适得其反

ぎゃくさつ【虐殺】(～する)屠杀túshā

ぎゃくさん【逆算】(～する)倒(过来)算dào(guolai) suàn；倒数(计算) dàoshǔ (jìsuàn)

きゃくしつ【客室】(ホテルの)客房kèfáng.(飛行機・船の)客舱kècāng ✤一係:客房主管〔服务员〕｜一乗務員:(客舱)乘务员

ぎゃくしゅう【逆襲】(～する)反攻fǎngōng；反击fǎnjī；还击huánjī‖～に転じる 转为反攻

ぎゃくじょう【逆上】(～する)勃然大怒bórán dà nù；血涌上头xiě yǒngshang tóu

きゃくしょく【脚色】(～する)改编gǎibiān.(誇張する)渲染xuànrǎn；定夸大其词kuā dà qí cí‖彼の話は～が多すぎる 他的话水分太多〔过于夸大其词〕

きゃくせき【客席】观众席guānzhòngxí

ぎゃくせつ【逆説】反论fǎnlùn；悖论bèilùn

きゃくせん【客船】客轮kèlún；邮轮yóulún

ぎゃくたい【虐待】(～する)虐待nüèdài

ぎゃくたんち【逆探知】(～する)追查(电话、电波来源) zhuīchá (diànhuà、diànbō láiyuán)‖脅迫電話を～する 追查恐吓电话来源

きゃくちゅう【脚注】脚注jiǎozhù

ぎゃくてん【逆転】(～する)❶〔物体が〕倒转dàozhuàn；反转fǎnzhuàn‖モーターが～する 马达反转 ❷〔形勢などが〕逆转nìzhuǎn‖試合の形勢が～した 比赛的形势出现了逆转 ✤一勝ち:反败为胜

きゃくひき【客引き】(～する)拉客lākè；招揽客人zhāolǎn kèren.(売春の)拉皮条lā pítiáo

ぎゃくふう【逆風】逆风nìfēng；顶风dǐngfēng‖～をついて進む 逆风而行

ぎゃくふんしゃ【逆噴射】(～する)反转fǎnzhuàn‖エンジンを～させる 使引擎〔发动机〕反转

きゃくほん【脚本】脚本jiǎoběn；剧本jùběn ✤一家:剧作家

きゃくま【客間】客室kèshì；客厅kètīng

ぎゃくもどり【逆戻り】(～する)倒退dàotuì；开倒车kāi dàochē；往回走wǎnghuí zǒu

ぎゃくゆしゅつ【逆輸出】(～する)再出口zàichūkǒu；返销fǎnxiāo

ぎゃくゆにゅう【逆輸入】(～する)再进口zàijìnkǒu‖車を～する 再进口汽车

きゃくよせ【客寄せ】招揽顾客zhāolǎn gùkè

ぎゃくりゅう【逆流】(～する)倒流dàoliú

きゃくりょく【脚力】脚力jiǎolì‖～の衰えを実感する 确实感到脚力已不如以前了

ギャザー 衣褶yīzhě ✤一スカート:褶裙

き

きゃしゃ【華奢】苗条miáotiao；纤细xiānxì；修长xiūcháng ‖ ～な体つきの人 身材纤细的人
きやす·い【気安い】不拘束bù jūshù；不客气bú kèqi；随便suíbiàn ‖ ～い友人 知心朋友
キャスター ❶〔脚輪〕脚轮jiǎolún ❷〔ニュース番組の司会者〕新闻主播xīnwén zhǔbō
キャスティング (～する)❶〔役を割り当てること〕分配角色fēnpèi juésè.〔配役〕角色juésè ‖ 映画の～ 电影的演员阵容 ❷〔釣り〕投钓tóudiào；甩竿shuǎigān ✤ —ボート:决定权
キャスト 角色juésè ✤ ミス—:角色分配不当
きやすめ【気休め】(一时的)安慰(yìshí de) ānwèi ‖ ～を言う 说宽慰话｜～に風邪薬をのんだ 为了让自己放心,还是吃了感冒药
きゃたつ【脚立】折叠梯zhédiétī
きゃっか【却下】(～する)不受理bú shòulǐ；驳回bóhuí ‖ 原告の訴えは～された 原告的诉讼不被受理
きゃっかん【客観】客观kèguān ‖ ～的に見る 从客观上看 ✤ —的事実:客观事实
ぎゃっきょう【逆境】逆境nìjìng ‖ ～とたたかう 和逆境作斗争｜～に耐える 经得起风吹雨打
きゃっこう【脚光】脚灯jiǎodēng ‖ ～を浴びる 显露头角；定引人注目
ぎゃっこう【逆行】(～する)逆行nìxíng；倒行dàoxíng；开倒车kāi dàochē ‖ 時勢に～する 逆时代潮流而行
ぎゃっこう【逆光】逆光nìguāng
キャッシャー ❶〔出納係〕收款员shōukuǎnyuán ❷〔レジスター〕收款机shōukuǎnjī
キャッシュ〔笔〕现金xiànjīn；现款xiànkuǎn ‖ ～で払う 用现金支付
キャッシュ オン デリバリー 货到付款huòdào fùkuǎn；交货付现jiāohuò fùxiàn
キャッシュ カード 现金卡xiànjīnkǎ；(自动)提款卡(zìdòng) tíkuǎnkǎ ‖ ～で銀行から5万円おろす 用提款卡从银行取了5万日元
キャッシュ ディスペンサー (自动)提款机(zìdòng) tíkuǎnjī
キャッチ (～する)❶〔捕まえること〕捕捉bǔzhuō；获取huòqǔ ‖ 無線を～した 收到无线电的信号 ❷〔球技〕接球jiē qiú
キャッチフレーズ 口号kǒuhào
キャッチ ボール 投接球练习tóujiēqiú liànxí
キャッチャー 接手jiēshǒu
キャップ ❶〔ふた〕〔瓶の〕瓶盖pínggài.〔筆記具の〕笔帽bǐmào ❷〔責任者〕负责人fùzérén；头头儿tóutour ❸〔服飾〕棒球帽bàngqiúmào
ギャップ 差距chājù；隔阂géhé ‖ ～を埋める 消除隔阂｜理想と現実の～ 理想和现实的差距 ✤ コミュニケーション—:沟通隔阂
キャピタル ✤ —ゲイン:资本收益
キャビネット ❶〔戸棚〕文件柜wénjiànguì；柜子guìzi ❷〔ラジオやテレビの外箱〕机壳jīké ✤ ファイリング—:档案柜
キャビン 客舱kècāng.〔船の〕船舱chuáncāng
キャプテン ❶〔主将〕队长duìzhǎng ❷〔機長〕机长jīzhǎng ❸〔船長〕船长chuánzhǎng
キャベツ 卷心菜juǎnxīncài
キャミソール 吊带衫diàodàishān

ギャラ 酬金chóujīn；出场费chūchǎngfèi
キャラクター ❶〔性格〕性格xìnggé ❷〔登場人物〕角色juésè ✤ —グッズ:卡通图案商品
キャラバン 沙漠商队shāmò shāngduì ‖ ～を組んで全国を回る 组队周游全国各地
キャラメル (牛奶)焦糖(niúnǎi)jiāotáng
ギャラリー ❶〔画廊〕画廊huàláng ❷〔観戦者〕观众guānzhòng
キャリア ❶〔経験〕经历jīnglì；经验jīngyàn ‖ ～を積む 积累经验 ❷〔公務員〕高干候补人gāogàn hòubǔrén ✤ —ウーマン:职业女性；女强人
キャリアー ❶〔運ぶ人〕运货人yùnhuòrén ❷〔保菌者〕带菌者dàijūnzhě
ギャング 匪徒fěitú；匪帮fěibāng
キャンセル (～する)取消qǔxiāo；撤消chèxiāo ‖ 注文を～する 撤消订货｜予約を～する 取消预订｜～待ちする 等退票〔退座〕 ✤ —料:违约金
キャンデー〔块,个〕糖táng；糖果tángguǒ
キャンドル〔支〕蜡烛làzhú
キャンバス ❶〔繊維〕〔块〕帆布fānbù；粗麻布cūmábù ❷〔画布〕画布huàbù
キャンパス 大学校园dàxué xiàoyuán
キャンピングカー 露营车lùyíngchē
キャンプ (～する)❶〔野営すること〕露营lùyíng；野营yěyíng ‖ 森で～する 在森林里露营 ❷〔トレーニング合宿〕集训jíxùn ❸〔駐屯地〕营地yíngdì ❹〔収容所〕收容所shōuróngsuǒ ✤ —場:露营区｜—ファイヤー:营火(会)
ギャンブル 赌博dǔbó；打赌dǎdǔ ‖ ～で身上(しんしょう)をつぶした 因赌博破了财
キャンペーン 宣传活动xuānchuán huódong；运动yùndòng ‖ 暴力追放～ 驱除暴力行为的宣传运动
きゆう【杞憂】定杞人忧天Qǐ rén yōu tiān
きゅう【九】九jiǔ.(大字)玖jiǔ
きゅう【灸】❶〔漢方療法〕灸jiǔ ‖ ～をすえる 施灸 ❷〔こらしめる〕教训jiàoxun ‖ 父親に～をすえられた 父亲把我狠狠地教训了一顿
きゅう【急】❶〔急ぐこと〕急jí；急迫jípò ‖ ～を要する問題 急需解决的问题｜～な用事 急事儿 ❷〔突然〕突然tūrán；忽然hūrán ‖ ～に雨が降り始めた 突然〔忽然〕下起雨来了 ❸〔差し迫った〕危急wēijí ‖ 焦眉(しょうび)の～ 定燃眉之急｜風雲～を告げる 形势紧急｜戦局が～を告げる 战局告急 ❹〔険しい〕急转(弯) jízhuǎn(wān)；陡dǒu ‖ ～カーブ 急转弯｜階段が～だ 楼梯很陡 ❺〔速い〕急速jísù ‖ 流れが～だ 水流很急 ✤ —ピッチ:迅速；快速｜—ブレーキ:急刹车
きゅう【級】班级bānjí；年级niánjí
きゅう【球】球qiú；球体qiútǐ
-きゅう【級】…级…jí ‖ 1万トン～のタンカー 万吨级油轮｜大臣～の人物 大臣〔部长〕级人物
ぎゆう【義勇】✤ —軍:义勇军｜—兵:义勇兵
きゅうあい【求愛】(～する)求爱qiú'ài
きゅういん【吸引】(～する)❶〔吸い込む〕吸取xīqǔ；吸引xīyǐn ❷〔引きつける〕吸引xīyǐn；诱惑yòuhuò ✤ —力:吸引力
きゅうえん【休演】(～する)暂停演出zàntíng yǎnchū；停演tíngyǎn

きゅうえん【救援】(〜する)救援jiùyuán; 支援zhīyuán ‖ 〜の手を差しのべる 伸出救援之手 ✤一活動:救援活动 | 一隊:救援队
きゅうか【休暇】假期jiàqī; 休假xiūjià ‖ 夏季〜暑假 | 〜があける 假期结束 | 2日間の〜をとった 请了两天假 | 〜で帰省する 利用假期回老家
きゅうかい【休会】(〜する)休会xiūhuì
きゅうかく【嗅覚】嗅觉xiùjué ‖ 〜が鋭い 嗅觉灵敏
きゅうがく【休学】(〜する)休学xiūxué ‖ 1年間〜する 休一年学
きゅうかざん【休火山】休眠火山xiūmián huǒshān
きゅうかん【休刊】(〜する)(暂时)停刊(zànshí) tíngkān ‖ 今日は新聞〜日だ 今天报纸停刊
きゅうかん【休館】(〜する)不开放bù kāifàng; 暂停开放zàntíng kāifàng
きゅうかん【急患】急诊病人jízhěn bìngrén
きゅうかんちょう【九官鳥】鹩哥liáogē
きゅうぎ【球技】球类比赛〔运动〕 qiúlèi bǐsài〔yùndòng〕
きゅうきゅう【汲汲】汲汲jíjí ‖ 出世に〜としている 汲汲于升官 | 保身に〜とする 只顾明哲保身
きゅうきゅう【救急】急救jíjiù ✤一車:救护车 | 一隊:急救队 | 一箱:急救箱 | 一病院:急救医院
きゅうきょ【急遽】急忙jímáng; 赶紧gǎnjǐn; 匆忙cōngmáng ‖ 〜対策を立てる 赶紧制定对策 | 〜日本に帰国した 急忙赶回日本
きゅうぎょう【休業】(〜する)停业tíngyè; 不营业bù yíngyè ‖ 工場は〜状態に追い込まれた 工厂被迫处于停业状态 ✤本日一:今日停业
きゅうきょく【究極】最终zuìzhōng; 极致jízhì ‖ 〜の目的 最终目的
きゅうくつ【窮屈】❶〔物理的に〕窄小zhǎixiǎo; 狭窄xiázhǎi ‖ このスーツは少し〜だ 这件西装有点儿小 ❷〔精神的に〕拘束jūshù; 不自由bú zìyóu ‖ 〜なふんいき 气氛很紧张
きゅうけい【休憩】(〜する)休息xiūxi ‖ 授業の合間に10分〜する 课间休息十分钟 ✤一時間:休息时间 | 一室〔所〕:休息室; 休息厅
きゅうけい【求刑】(〜する)请求判刑qǐngqiú pànxíng ‖ 終身刑を〜する 请求判处无期徒刑
きゅうげき【急激】急剧jíjù; 骤然zhòurán ‖ 高齢化が〜に進む 人口高龄化的速度急剧上升 | 〜に温度が下がった 温度骤然下降
きゅうけつ【吸血】吸血xīxuè ✤一鬼:吸血鬼
きゅうこう【旧交】‖ 〜を温める 重温旧交
きゅうこう【休校】(〜する)停课tíngkè
きゅうこう【休講】(〜する)停课tíngkè; 停讲tíngjiǎng
きゅうこう【急行】❶(〜する)〔急いで行く〕急赶jí gǎn ‖ レスキュー隊が現場に〜した 救援队急忙赶去现场 ❷〔列車・電車〕快车kuàichē ‖ 〜は20分ごとに出ている 快车每20分钟一趟
きゅうこうか【急降下】(〜する)俯冲fǔchōng
きゅうこん【求婚】(〜する)求婚qiúhūn ‖ 憧れの女性に〜する 向倾心已久的女士求婚
きゅうさい【救済】(〜する)救济jiùjì ‖ 被災者を〜する 救济灾民 ✤一策:救济方案
きゅうし【九死】‖ 〜に一生を得る 定 九死一生
きゅうし【休止】(〜する)停止tíngzhǐ; 暂停zàntíng; 停顿tíngdùn
きゅうし【臼歯】臼齿jiùchǐ
きゅうし【急死】(〜する)突然死亡tūrán sǐwáng; 突然去世tūrán qùshì
きゅうじ【給仕】❶(〜する)〔食事の世話をする〕伺候(进餐) cìhou (jìncān) ❷〔世話をする人〕服务员fúwùyuán
きゅうしき【旧式】旧式jiùshì; 老式lǎoshì ‖ 〜の機械 老式机器
きゅうじつ【休日】假日jiàrì; 休息日xiūxirì ‖ 〜出勤 节假日加班
きゅうしゅう【吸収】(〜する)吸收xīshōu; 吸取xīqǔ ‖ 砂地は水をよく〜する 沙地吸水性很好 | 知識を〜する 吸收知识 | 大企業が小企業を〜する 大企业吞并小企业 ✤一合併:兼并
きゅうしゅつ【救出】(〜する)救出来jiùchulai; 抢救qiǎngjiù ✤一作業:抢救工作
きゅうしょ【急所】❶〔体の〕致命的部位zhìmìng de bùwèi; 要害yàohài ❷〔問題の〕要害yàohài; 关键之处guānjiàn zhī chù ‖ 〜を突く 击中要害 | 問題の〜を押さえる 抓住问题的关键
きゅうじょ【救助】(〜する)救jiù; 抢救qiǎngjiù ‖ 〜を求める 求救 | 〜に赴く 去抢救
きゅうじょう【球場】球场qiúchǎng
きゅうじょう【窮状】窘境jiǒngjìng; 困境kùnjìng
きゅうしょうがつ【旧正月】春节Chūnjié
きゅうしょく【休職】(〜する)停职tíngzhí ‖ 病気のため〜中 正在休病假
きゅうしょく【求職】(〜する)找工作zhǎo gōngzuò; 求职qiúzhí
きゅうしょく【給食】(集体)伙食(jítǐ) huǒshi
ぎゅうじ・る【牛耳る】主宰zhǔzǎi; 控制kòngzhì; 支配zhīpèi ‖ 党を〜る 支配党 | 会社の人事を〜る 控制公司的人事权
きゅうしん【休診】(〜する)停诊tíngzhěn
きゅうしん【急進】(〜する)激进jījìn; 过激guòjī ‖ 〜的な思想 激进的思想 ✤一派:激进派
きゅうじん【求人】招聘zhāopìn; 招人zhāorén; 招工zhāogōng ‖ 〜に応募する 应聘 | 〜が殺到する 大批用人需求纷纷而至 ✤一広告:招聘广告 | 一誌:招聘杂志
きゅうしんりょく【求心力】向心力xiàngxīnlì ‖ 〜を失う 失去向心力
きゅうす【急須】〔个,把〕茶壶cháhú
きゅうすい【給水】(〜する)供水gōngshuǐ ✤一管:供水管 | 一車:供水车 | 一制限:限制供水 | 一タンク:水箱 | 一ポンプ:供水泵
きゅう・する【窮する】窘jiǒng; 困窘kùnjiǒng ‖ 返答に〜する 无言以对 | 〜すれば通ず 车到山前必有路; 穷极智生 | 生活に〜する 生活困窘
きゅうせい【旧姓】娘家姓niángjiaxìng
きゅうせい【急性】‖ 〜の病気 急性病
きゅうせい【急逝】(〜する)突然去世tūrán qùshì; 猝死cùsǐ
きゅうせいしゅ【救世主】救世主Jiùshìzhǔ
きゅうせん【休戦】(〜する)停战tíngzhàn ‖ 一時〜 临时停战 ✤一協定:停战协定〔协议〕

きゅうそ【窮鼠】‖～猫をかむ 穷鼠啮狸
きゅうそう【急送】(～する)抢运qiǎngyùn; 快送kuài sòng‖けが人を病院に～した 火速把受伤的人送到了医院
きゅうぞう【急増】(～する)剧增jùzēng; 猛增měngzēng‖対中輸出が～している 对华出口与日俱增
きゅうそく【休息】(～する)休息xiūxi
きゅうそく【急速】迅速xùnsù; 快kuài‖～な発展を遂げる 取得了快速的发展
きゅうたい【旧態】‖～依然 故态依旧
きゅうだい【及第】(～する)及格jígé; 合格hégé‖試験に～する 考试及格 ✤ 一点:及格分数
きゅうだん【糾弾】(～する)抨击pēngjī; 谴责qiǎnzé; 声讨shēngtǎo
きゅうち【旧知】‖彼とは～の間柄だ 我和他是老朋友〔老交情〕
きゅうち【窮地】困境kùnjìng; 窘境jiǒngjìng‖～に陥る 陷入困境｜～を脱する 摆脱困境
きゅうてい【宮廷】宫廷gōngtíng
きゅうていしゃ【急停車】(～する)紧急刹车jǐnjí shāchē‖列車は～して危うく事故を免れた 火车及时刹车避免了一场车祸
きゅうてん【急転】(～する)急转jízhuǎn; 骤变zhòubiàn‖形勢が～直下する 形势急转直下
きゅうでん【宮殿】宫殿gōngdiàn
きゅうとう【急騰】(～する)暴涨bàozhǎng; 飞涨fēizhǎng‖物価が～した 物价暴涨｜原油価格が～した 原油价格飞涨
きゅうなん【救難】救险jiùxiǎn; 救难jiùnàn ✤ 一現場:救险现场｜一信号:呼救信号
ぎゅうにく【牛肉】牛肉niúròu
ぎゅうにゅう【牛乳】牛奶niúnǎi‖～を配達する 送奶 ✤ 一パック:牛奶盒｜一瓶:牛奶瓶
きゅうねん【旧年】去年qùnián‖～中はたいへんお世話になりました 去年一年中承蒙您多方关照
きゅうば【急場】紧急情况jǐnjí qíngkuàng; 危急时刻wēijí shíkè‖～の間に合わせ 定 权宜之计｜～の処置 紧急措施｜～をしのぐ 暂时应急
キューバ 古巴Gǔbā
きゅうはく【急迫】(～する)紧张jǐnzhāng; 紧迫jǐnpò‖情勢が～する 局势紧张
きゅうはく【窮迫】(～する)窘迫jiǒngpò; 困难kùnnan‖財政が～している 财政困难
きゅうばん【吸盤】吸盘xīpán
キューピッド 丘比特 Qiūbǐtè
きゅうびょう【急病】急病jíbìng; 急症jízhèng ✤ 一人:急症病人
きゅうふ【給付】(～する)发放fāfàng; 付给fùgěi‖補助金〔年金〕を～する 发放补助金〔养老金〕｜医療～を受ける 享受医疗补助 ✤ 一金:补助金
きゅうぶん【旧聞】旧闻jiùwén; 老话lǎohuà
きゅうへい【旧弊】自古以来的恶习zìgǔ yǐlái de èxí‖～を一掃する 彻底清除陈规陋习
きゅうへん【急変】(～する)突然变化tūrán biànhuà; 骤变zhòubiàn‖容態が～する 病情骤变
きゅうほう【急報】(～する)紧急通报〔通知〕jǐnjí tōngbào〔tōngzhī〕
きゅうぼう【窮乏】(～する)贫穷pínqióng
きゅうみん【休眠】(～する)❶〔動物·植物·火山が〕休眠xiūmián ❷〔物事が〕停顿tíngdùn; 暂停活动zàntíng huódong
きゅうむ【急務】定 当务之急dāng wù zhī jí‖被災地の再建が～だ 重建灾区是当务之急
きゅうめい【究明】(～する)调查明白diàochá míngbai; 查明chámíng‖原因を～する 查明原因
きゅうめい【糾明】(～する)查明chámíng
きゅうめい【救命】救生jiùshēng ✤ 一具:救生设备｜一胴衣:救生衣｜一ボート:救生艇
きゅうゆ【給油】(～する)(自動車などに)加油jiāyóu. (機械などに)上油shàng yóu
きゅうゆう【旧友】旧友jiùyǒu; 老朋友lǎo péngyou
きゅうよ【給与】❶〔給料〕工资gōngzī; 薪水xīnshui ❷(～する)〔与える〕提供tígōng ✤ 一所得:工资收入｜一所得者:工薪阶层｜一水準:工资标准｜一体系:工资体系
きゅうよ【窮余】‖～の策 最后手段〔一着〕
きゅうよう【休養】(～する)休养xiūyǎng
きゅうよう【急用】急事jíshì
きゅうらい【旧来】以往yǐwǎng
きゅうらく【急落】(～する)暴跌bàodiē; 急剧下跌jíjù xiàdiē‖相場は～した 市价暴跌
きゅうり【胡瓜】黄瓜huánggua
きゅうりゅう【急流】急流jíliú
きゅうりょう【丘陵】丘陵qiūlíng
きゅうりょう【給料】〔笔〕工资gōngzī; 薪水xīnshui‖～が高い〔安い〕 工资高〔低〕｜～をあげる 加薪；提高工资 ✤ 一日:发工资的那一天
きゅうれき【旧暦】农历nónglì; 阴历yīnlì
ぎゅっと 紧紧(地) jǐnjǐn (de)
きよ【寄与】(～する)贡献gòngxiàn‖科学の進歩に大きく～する 为科学进步做出很大贡献
きょ【居】‖東京に～を定める 在东京定居
きょ【虚】‖～を突かれる 出其不意
きよ·い【清い】❶〔澄んでいる〕清澈qīngchè ❷〔純粋である〕纯洁chúnjié; 清白qīngbái; 公正gōngzhèng‖～き一票を投じる 投神圣的一票
きよう【起用】(～する)起用qǐyòng; 提拔tíba; 任命rènmìng‖新人を～する 起用新人
きよう【器用】灵巧língqiǎo; 手巧shǒu qiǎo; 机灵jīling‖手先が～な人 手巧的人｜どんな雑事も～にこなす 任何一件杂务都处理得很得体
きょう【今日】今天jīntiān‖～中に 今天之内｜寒さ厳しい～このごろ 正值寒冬｜～という～は決着をつけてやる 今天非解决不可｜～か明日かと待ちわびる 一天一天焦急地等待着
きょう【経】佛经Fójīng
きょう【興】兴致xìngzhì‖～にのる 乘兴｜～をそぐ 扫兴｜～がわく 感兴趣｜～を添える 增添情趣
-きょう【強】多duō‖50キログラム～ 50多公斤
ぎょう【行】行háng‖～をかえる 另起一行｜1～おきに書く 隔行写
きょうあく【凶悪】凶恶xiōng'è; 残暴cánbào
きょうあす【今日明日】今明两天jīnmíng liǎng tiān; 一两天内yì liǎng tiān nèi‖先方から～にも返事が来るだろう 对方一两天内就会答复
きょうい【胸囲】胸围xiōngwéi

きょうい【脅威】威胁wēixié；胁迫xiépò ‖ ～を与える 施加威胁｜～にさらされる 受到威胁
きょうい【驚異】惊人jīngrén；吃惊chījīng；惊奇jīngqí ‖ 大自然の～ 大自然的奇迹｜～的な記録をつくる 创下惊人的记录
きょういく【教育】(～する)教育jiàoyù ‖ 正規の～を受ける 接受正规教育｜子どもの～上好ましくない 不利于对孩子们的教育 ✤ —委員会:教育委员会｜—学部:教育学系｜—者:教育家；教师｜—テレビ:教育电视频道｜学校—:学校教育
きょういん【教員】教员jiàoyuán；教师jiàoshī
きょうえい【競泳】游泳比赛yóuyǒng bǐsài
きょうえん【共演】(～する)合演héyǎn；同台演出tóng tái yǎnchū
きょうえん【饗宴】盛宴shèngyàn
きょうおう【供応·饗応】(～する)设宴招待shèyàn zhāodài；款待kuǎndài
きょうか【強化】(～する)强化qiánghuà；加强jiāqiáng ✤ —合宿:强化集训｜—ガラス:强化玻璃
きょうか【教化】(～する)教化jiàohuà；感化gǎnhuà ‖ 民衆を～する 教化民众
きょうか【教科】课kè；课程kèchéng ‖ きみはどの～がいちばん好き〔嫌い；得意；苦手〕ですか 你最喜欢〔最讨厌；最擅长；最怕〕什么课〔课程〕?
きょうかい【協会】协会xiéhuì
きょうかい【教会】教会jiàohuì；教堂jiàotáng ✤ —音楽:教会音乐
きょうかい【境界】边界biānjiè；疆界jiāngjiè ✤ —線:边界线
ぎょうかい【業界】业界yèjiè. (特定の)行业hángyè ‖ ～の大立て者 行业里的巨头｜石油～ 石油行业 ✤ —紙:专业报纸｜—用語:行话
きょうがく【共学】男女同校nánnǚ tóngxiào
きょうがく【驚愕】(～する)吃惊chījīng；惊愕jīng'è；惊讶jīngyà
きょうかしょ【教科書】〔本,册〕课本kèběn；教科书jiàokēshū ‖ ～の25ページを開いてください 请打开课本的第25页
きょうかつ【恐喝】(～する)敲诈qiāozhà；勒索lèsuǒ ‖ 暴力団に～される 受到暴力团敲诈 ✤ —罪:敲诈勒索罪
きょうかん【共感】(～する)同感tónggǎn；共鸣gòngmíng ‖ ～を覚える 产生共鸣｜おおぜいの人の～を呼んだ 得到了广泛的响应
きょうかん【教官】教员jiàoyuán；教师jiàoshī. (スポーツ·自動車などの)教练jiàoliàn. (軍事·警察などの)教官jiàoguān
ぎょうかん【行間】行间hángjiān；行距hángjù ‖ ～を読む 从字里行间领会文章的真意｜～をあける〔つめる〕 加大〔缩小〕行距
きょうき【凶器】凶器xiōngqì
きょうき【狂気】疯狂fēngkuáng；疯癫fēngdiān
きょうき【狂喜】(～する)狂喜kuángxǐ ‖ ～乱舞する 高兴得手舞足蹈
きょうぎ【協議】(～する)协议xiéyì；商讨shāngtǎo ✤ —会:协议会｜—離婚:协议离婚
きょうぎ【狭義】狭义xiáyì ‖ ～に解釈する 狭义地理解
きょうぎ【教義】教义jiàoyì；教理jiàolǐ
きょうぎ【競技】〔个,项〕体育比赛tǐyù bǐsài ✤ —会:运动会｜—場:运动场
ぎょうぎ【行儀】举止jǔzhǐ；行为xíngwéi ‖ ～がいい 有礼貌｜～が悪い 没规没矩 ✤ —作法:礼节
きょうきゅう【供給】(～する)供应gōngyìng；供给gōngjǐ ✤ —過多:[定]供过于求｜—源:供给源
ぎょうぎょうし·い【仰仰しい】夸张kuāzhāng；夸大kuādà ‖ ～く騒ぎたてる 大惊小怪
きょうきん【胸襟】‖ ～を開いて語りあう 推心置腹地交谈
きょうぐう【境遇】境遇jìngyù；处境chǔjìng ‖ 恵まれた〔恵まれない〕～にある 生活条件优越〔艰苦〕｜今の～に甘んじる 安于现状
きょうくん【教訓】教训jiàoxun ‖ ～をくみ取る 吸取教训｜失敗を～とする 以失败为戒
きょうげき【京劇】京剧jīngjù
ぎょうけつ【凝結】(～する)凝结níngjié
きょうけん【狂犬】✤ —病:狂犬病
きょうけん【強健】强壮qiángzhuàng
きょうけん【強権】强权qiángquán ‖ ～を発動する 行使强权
きょうげん【狂言】❶〔芸能〕(能)狂言(Néng) Kuángyán ❷〔作りごと〕伪装wěizhuāng；骗局piànjú ✤ —自殺:伪装自杀
きょうこ【強固】坚固jiāngù；坚强jiānqiáng ‖ 意志～な人 意志坚强的人
ぎょうこ【凝固】(～する)凝固nínggù；凝结níngjié ‖ 血液が～した 血液凝固了 ✤ —剤:凝固剂
きょうこう【凶行】‖ ～をはたらく 行凶
きょうこう【恐慌】❶〔経済〕经济危机jīngjì wēijī ❷〔慌てふためくこと〕恐慌kǒnghuāng
きょうこう【強行】(～する)强行qiángxíng；硬来yìng lái ✤ —軍:急行军｜—採決:强行表决
きょうこう【強硬】强硬qiángyìng ‖ ～手段に訴える 采取强硬手段｜～な態度をとる 态度强硬
きょうこう【教皇】教皇jiàohuáng
きょうごう【強豪】(チーム)强队qiángduì. (人)强手qiángshǒu
きょうごう【競合】(～する)竞争jìngzhēng；冲突chōngtū ‖ 2社の製品が～している 两家公司的产品相互竞争
きょうこく【峡谷】峡谷xiágǔ
きょうこく【強国】强国qiángguó
きょうさい【共済】✤ —組合:互助会｜—年金:互助养老金｜—保険:互助保险
きょうさい【共催】(～する)共同举办gòngtóng jǔbàn
きょうざい【教材】教材jiàocái
きょうさく【凶作】严重歉收yánzhòng qiànshōu；灾荒zāihuāng ‖ 今年は米が～だ 今年稻子歉收｜～の年 荒年
きょうざめ【興醒め】(～する)扫兴sǎoxìng；败兴bàixìng；没趣méiqù ‖ 下品な話をする人がいてみんなが～した 有人说下流话扫了大家的兴
きょうさん【共産】共产gòngchǎn ‖ ～化する 实行共产 ✤ —主義:共产主义｜—党:共产党
きょうさん【協賛】(～する)赞助zànzhù ‖ 中国大使館～による展覧会 这个展览会由中国大使馆

赞助举办
きょうし【教師】教师jiàoshī；老师lǎoshī‖英語の～ 英语教师
きょうじ【教示】(～する)指教zhǐjiào；指点zhǐdiǎn
ぎょうし【凝視】(～する)凝视níngshì‖一点を～する 凝视着一个地方
ぎょうじ【行事】活动huódong；仪式yíshì‖記念の～を行う 举行纪念仪式 ✤公式一:国事；正式活动
きょうしつ【教室】❶〔学校の〕教室jiàoshì；课堂kètáng ❷〔趣味の会など〕学习班xuéxíbān；培训班péixùnbān‖料理～ 烹饪学习班
ぎょうしゃ【業者】❶〔事業を営む者〕商家shāngjiā；…商…shāng‖小売り～ 零售商｜運送～ 运输商〔行〕｜不動産～ 房地产商 ❷〔同業者〕同业者tóngyèzhě；同行tóngháng‖～間の競争 同行业间的竞争
きょうじゃく【強弱】强弱qiángruò
きょうじゅ【享受】(～する)享受xiǎngshòu‖特権を～する 享受特权
きょうじゅ【教授】❶(～する)〔教える〕教授jiàoshòu；教jiāo ❷〔人〕教授jiàoshòu
ぎょうしゅ【業種】行业hángyè ✤一別電話帳:黄页；按行业分类的电话簿｜異一:不同行业
きょうしゅう【郷愁】乡愁xiāngchóu；怀旧huáijiù‖～をそそる〔に駆られる〕 引起〔陷入〕对故乡的怀念｜古きよき時代への～ 怀旧的心理
ぎょうしゅう【凝集】(～する)❶〔医学〕凝集níngjí ❷〔物理・化学〕内聚nèijù
きょうしゅく【恐縮】(～する)㊤不敢当bù gǎndāng；不好意思bù hǎoyìsi‖おほめにあずかり～です 您过奖了，不敢当｜私事で～ですが… 真不好意思，请允许我提一些私事
ぎょうしゅく【凝縮】(～する)凝聚níngjù
きょうじゅつ【供述】(～する)供述gòngshù；口供kǒugòng ✤一書:供述书；口供
きょうじょう【教条】✤一主義:教条主义
ぎょうしょう【行商】(～する)做小贩zuò xiǎofàn；做行商zuò xíngshāng ✤一人:小贩；行商
きょうしょく【教職】教职jiàozhí‖卒業したら～につきたい 毕业后想当老师 ✤一員:教职员工
きょう・じる【興じる】愉快地玩…yúkuài de wán …‖囲碁に～じる 下围棋取乐
きょうしん【狂信】(～する)狂热地信奉kuángrè de xìnfèng；盲目信从mángmù xìncóng
きょうじん【凶刃】凶器xiōngqì
きょうじん【強靭】坚韧jiānrèn；坚强jiānqiáng‖～な肉体 健壮的体格｜～な精神 坚强的精神
きょうしんざい【強心剤】强心剂qiángxīnjì
きょうしんしょう【狭心症】心绞痛xīnjiǎotòng
きょう・する【供する】供gōng；提供tígōng
きょうせい【共生・共棲】(～する)共生gòngshēng；共栖gòngqī
きょうせい【強制】(～する)强迫qiǎngpò；强制qiángzhì；强行qiángxíng‖～的な措置 强制性的措施 ✤一収容:强行收容｜一送還:强行遣送回国｜一捜査:强行搜查｜一労働:强制劳动
きょうせい【矯正】(～する)矫正jiǎozhèng‖発音を～する 矫正发音 ✤一施設:劳教场所
ぎょうせい【行政】行政xíngzhèng ✤一改革:行政改革｜一機関:行政机关｜一命令:行政命令
ぎょうせき【業績】成就chéngjiù；业绩yèjì；成绩chéngjì‖～が思わしくない 经营业绩不太理想｜～をたたえる 歌功颂德
きょうそう【競争】(～する)竞争jìngzhēng‖～が激化する 竞争更加激烈｜国際～力 国际竞争力 ✤一相手:竞争对手｜一心:竞争意识
きょうそう【競走】(～する)赛跑sàipǎo
きょうぞう【胸像】胸像xiōngxiàng
ぎょうそう【形相】面相miànxiàng；神色shénsè‖必死の～ 一副拼命的神情
きょうそうきょく【協奏曲】协奏曲xiézòuqǔ
きょうそん【共存】(～する)共存gòngcún；共处gòngchǔ ✤一共栄:共存共荣
きょうだ【強打】(～する)用力打yònglì dǎ；痛打tòngdǎ；重击zhòngjī
きょうだい【兄弟】❶〔兄弟姉妹〕兄弟姐妹xiōngdì jiěmèi ❷〔男どうしが相手を親しんでよぶときの言葉〕哥们儿gēmenr ✤一愛:手足情｜一弟子:师兄弟｜一分:把兄弟
きょうだい【強大】强大qiángdà
きょうだい【鏡台】梳妆台shūzhuāngtái
きょうたん【驚嘆・驚歎】(～する)惊叹jīngtàn‖～に値する 值得赞叹｜生命の神秘に～する 为生命的神秘而惊叹
きょうだん【凶弾】‖～に倒れる 倒在凶手的枪下
きょうだん【教団】宗教团体zōngjiào tuántǐ
きょうだん【教壇】讲台jiǎngtái；讲坛jiǎngtán
きょうち【境地】境地jìngdì；心境xīnjìng‖無我の～ 无我的境地｜新～を開く 开创新天地
きょうちゅう【胸中】内心nèixīn；心情xīnqíng‖～を打ちあける 吐露心事
きょうちょ【共著】合著hézhù
きょうちょう【協調】(～する)合作hézuò；协作xiézuò；协调xiétiáo‖～の精神 协作的精神 ✤一性:集体精神
きょうちょう【強調】(～する)强调qiángdiào；突出tūchū‖女らしさを～したデザイン 突出女性美的设计
きょうつう【共通】(～する)共同gòngtóng ✤一語:普通话；共同语言｜一点:共同点
きょうてい【協定】(～する)协定xiédìng‖～を結ぶ〔破る〕 缔结〔违背〕协定 ✤一価格:协定价格｜貿易一:贸易协定
きょうてい【競艇】汽艇比赛qìtǐng bǐsài
きょうてき【強敵】强敌qiángdí；劲敌jìngdí‖～と戦う 与强敌作战
きょうてん【経典】佛经fójīng；佛典fódiǎn
ぎょうてん【仰天】(～する)吃惊chījīng
きょうてんどうち【驚天動地】㊤惊天动地jīng tiān dòng dì‖～の事件 惊天动地的事件
きょうと【教徒】教徒jiàotú；信徒xìntú
きょうど【強度】❶〔強さの程度〕强度qiángdù‖鋼の～ 钢材的强度 ❷〔程度の甚だしいこと〕极度jídù；极端jíduān‖～の近眼 高度近视
きょうど【郷土】家乡jiāxiāng；故乡gùxiāng ✤一芸能:地方曲艺｜一色:乡土特色｜一料理:

家乡菜；地方菜
きょうどう【共同・協同】(～する)共同gòngtóng‖事務所を～で使用する 共同使用同一间办公室 ✤一組合:合作社｜一経営:共同经营｜一住宅:公寓｜一出資:大家合资｜一生活:集体生活；同居｜一声明:联合声明｜一戦線:共同战线｜一体:共同体｜一募金:公众捐款
きょうにん【杏仁】杏仁xìngrén
きょうねん【享年】享年xiǎngnián
きょうばい【競売】(～する)拍卖pāimài‖家は～にかけられた 房子被拍卖了
きょうはく【脅迫】(～する)威胁wēixié；要挟yāoxié ✤一罪:恐吓罪｜一状:恐吓信
きょうはく【強迫】✤一観念:强迫观念｜一神経症:强迫症
きょうはん【共犯】共同犯罪gòngtóng fànzuì ✤一者:共犯；同犯
きょうふ【恐怖】恐惧kǒngjù；惧怕jùpà‖～にとらわれる 惊恐万状；恐惧不安 ✤一感:恐惧感｜一心:恐惧心理｜一政治:恐怖政治
きょうぶ【胸部】胸部xiōngbù ✤一疾患:呼吸器官疾病｜一レントゲン検査:胸透检查
きょうふう【強風】〔阵,场〕大风dàfēng；强风qiángfēng‖～にあおられて転倒した 被大风刮倒了 ✤一注意報:大风警报
きょうべん【強弁・強辯】(～する)强辩qiǎngbiàn
きょうべん【教鞭】‖～をとる 执教；教书
きょうほ【競歩】竞走jìngzǒu
きょうほう【凶報】凶信xiōngxìn；噩耗èhào
きょうぼう【凶暴】凶暴xiōngbào；残暴cánbào
きょうぼう【共謀】(～する)同谋tóngmóu；合谋hémóu
きょうほん【狂奔】(～する)疯狂〔拼命〕地奔走fēngkuáng〔pīnmìng〕 de bēnzǒu
きょうみ【興味】兴趣xìngqù‖～がある 感兴趣｜ほとんど～がない 没什么兴趣｜～津々 兴致勃勃｜～がわく 产生兴趣 ✤一本位:只出于满足好奇心；猎奇
きょうむ【教務】教务jiàowù ✤一主任:教导主任
ぎょうむ【業務】业务yèwù；工作gōngzuò‖平常どおりの～ 正常业务｜～用エレベーター 货运电梯 ✤一管理:业务管理｜一提携:业务合作｜一命令:工作指令
きょうめい【共鳴】(～する)❶〔物理〕共振gòngzhèn；共鸣gòngmíng ❷〔共感〕同感tónggǎn‖おおいに～する 深有同感 ✤一者:赞同者
きょうやく【協約】协约xiéyuē；协定xiédìng
きょうゆ【教諭】教师jiàoshī
きょうゆう【共有】(～する)共同所有gòngtóng suǒyǒu；共有gòngyǒu‖村民の～財産 村民的公同财产
きょうよ【供与】(～する)提供tígōng；给予jǐyǔ
きょうよう【共用】(～する)共用gòngyòng‖設備を～する 共用设备
きょうよう【強要】(～する)强行要求qiángxíng yāoqiú‖一気飲みを～された 他们硬要我一口喝干
きょうよう【教養】教养jiàoyǎng；文化wénhuà；修养xiūyǎng‖～を深める 加深修养 ✤一番組:教育节目
きょうらく【享楽】(～する)享乐xiǎnglè；享受xiǎngshòu ✤一主義:享乐主义
きょうらん【狂乱】(～する)发狂fākuáng；发疯fāfēng；疯狂fēngkuáng ✤一物価:物价暴涨
きょうり【郷里】故乡gùxiāng‖～へ手紙を出す 往老家寄信｜～を離れる 远离家乡
きょうりゅう【恐竜】恐龙kǒnglóng
きょうりょう【狭量】心胸(狭)窄xīnxiōng (xiá)zhǎi；度量(狭)小dùliàng (xiá)xiǎo
きょうりょく【協力】(～する)配合pèihé；合作hézuò‖アンケートにご～ください 请配合调查｜全員が～する 齐心协力
きょうりょく【強力】强有力qiángyǒulì；有力yǒulì‖～なライバル 劲敌｜～な磁石 强磁铁
きょうれつ【強烈】强烈qiángliè‖～な日差し 强烈的阳光
ぎょうれつ【行列】❶(～する)〔並ぶ〕排队páiduì；排列páiliè‖～の先頭 排在队伍前头的人 ❷〔数学〕阵zhèn；矩阵jǔzhèn
きょうわ【共和】共和gònghé ✤一国:共和国｜一制:共和制｜一党:共和党
きょえいしん【虚栄心】虚荣心xūróngxīn‖～が強い 虚荣心很强
ギョーザ【餃子】(焼きギョーザ)锅贴儿guōtiēr.(水ギョーザ)饺子jiǎozi；水饺shuǐjiǎo‖～をつくる 包饺子｜～の皮をつくる 擀饺子皮儿
きょか【許可】(～する)允许yǔnxǔ；许可xǔkě；批准pīzhǔn‖～なしで写真をとってはならない 未经允许,不准拍照｜営業の～を申請する 申请批准营业｜入学を～する 批准入学 ✤一証:许可证
ぎょかい【魚介】鱼贝类yúbèilèi
きょがく【巨額】巨额jù'é；巨款jùkuǎn‖～の資金 巨额资金｜～の負債を抱える 负债累累
ぎょかく【漁獲】✤一高:捕鱼量
きょかん【巨漢】彪形大汉biāoxíng dàhàn
きょぎ【虚偽】虚伪xūwěi‖～の報告をする 虚报
ぎょぎょう【漁業】渔业yúyè
きょく【曲】〔支,首〕曲子qǔzi；乐曲yuèqǔ‖1～歌う 唱一首歌
きょく【局】❶〔役所などの部署〕局jú ❷〔郵便局・放送局など〕局jú ❸〔囲碁・将棋の〕局jú；盘pán‖久しぶりに1～やろう 好久没有跟你下了,来下一盘吧
きょく【極】❶〔きわみ〕极点jídiǎn；极限jíxiàn ❷〔地軸・磁石などの〕极jí‖地球の～ 地极
ぎょく【玉】玉石yùshi；玉yù
きょくがい【局外】局外júwài
きょくげい【曲芸】杂技zájì
きょくげん【極言】(～する)偏激地说piānjī de shuō；说得严重点儿shuōde yánzhòng diǎnr
きょくげん【極限】极限jíxiàn‖～を超える 超过极限 ✤一状態:极限状态
ぎょくざ【玉座】御座yùzuò；宝座bǎozuò
ぎょくさい【玉砕】(～する)玉碎yùsuì
ぎょくせきこんこう【玉石混淆】玉石混淆yùshí hùnxiáo；㊔鱼龙混杂yú lóng hùn zá
きょくせつ【曲折】(～する)曲折qūzhé；波折bōzhé‖人生の～をくぐりぬける 渡过人生的种种

波折

きょくせん【曲線】〔条〕曲线qūxiàn

きょくたん【極端】极端jíduān；极度jídù ‖ ～に走る 走极端

きょくち【局地】局部地区júbù dìqū

きょくち【極地】定 天涯海角tiān yá hǎi jiǎo.（北極·南極地方）极地jídì ✤ ―探検：极地探险

きょくち【極致】极致jízhì；顶点dǐngdiǎn ‖ 芸術の～ 艺术的最高境地

きょくちょう【局長】局长júzhǎng

きょくてん【極点】❶〔極限〕极点jídiǎn；极限jíxiàn ❷〔地理〕极点jídiǎn

きょくど【極度】极度jídù ‖ ～の疲労 极度的疲劳

きょくとう【極東】远东Yuǎndōng

きょくどめ【局留め】存局候领cún jú hòu lǐng ✤ ―郵便：存局候领邮件

きょくばん【局番】区号qūhào ✤ 市内―：市话号码

きょくぶ【局部】❶〔一部分〕局部júbù ❷〔陰部〕阴部yīnbù

きょくめん【局面】❶〔形勢〕局面júmiàn ‖ 新しい～を切り開く 开创新的局面 ❷〔囲碁·将棋〕棋局qíjú

きょくもく【曲目】乐曲名yuèqǔmíng.（リスト）乐曲节目单yuèqǔ jiémùdān

きょくりょく【極力】极力jílì；尽量jǐnliàng ‖ 手間を～省く 尽可能省事

きょくろん【極論】（～する）说得极端一些shuōde jíduān yìxiē

きょこう【挙行】（～する）举行jǔxíng；举办jǔbàn ‖ 卒業式は昨日～された 昨天举行了毕业典礼

きょこう【虚構】虚构xūgòu；杜撰dùzhuàn

ぎょこう【漁港】渔港yúgǎng

きょしき【挙式】（～する）举行典礼jǔxíng diǎnlǐ ‖ ～の日取りを決める 决定举行婚礼的日期

きょしてき【巨視的】宏观hóngguān

きょじゃく【虚弱】虚弱xūruò ✤ ―体質：虚弱的体质

きょしゅ【挙手】（～する）举手jǔshǒu ‖ ～の礼をする 行举手礼｜採決は～によって行う 进行举手表决

きょしゅう【去就】去留qùliú；来去láiqù ‖ ～を明らかにする 表明去留

きょじゅう【居住】（～する）居住jūzhù ✤ ―権：居住权｜―者：居民；居住者｜―地：住地

きょしゅつ【拠出】（～する）凑钱còuqián；捐款juānkuǎn

きょしょう【巨匠】巨匠jùjiàng

きょしょく【虚飾】虚饰xūshì；浮华fúhuá ‖ ～に彩られた人生 浮华的人生

きょしん【虚心】虚心xūxīn ✤ ―坦懐（たんかい）：定 虚怀若谷

きょじん【巨人】❶〔体格的な〕巨人jùrén；大汉dàhàn ❷〔偉人〕伟人wěirén；巨星jùxīng

ぎょ·する【御する】❶〔ウマ·馬車を〕驾驭jiàyù ❷〔人を〕驾驭jiàyù；控制kòngzhì；摆布bǎibu ‖ うちのだんなは～しやすい 我丈夫好控制

きょせい【去勢】（～する）阉割yāngē

きょせい【巨星】❶〔天文〕巨星jùxīng ❷〔比ゆ的表現〕巨星jùxīng ‖ ～墜（お）つ 巨星殒落

きょせい【虚勢】假威风jiǎ wēifēng ‖ ～を張る 定 虚张声势

きょぜつ【拒絶】（～する）拒绝jùjué ‖ きっぱりと～する 断然拒绝 ✤ ―反応：排斥反应；喩 厌恶

ぎょせん【漁船】渔船yúchuán

きょぞう【虚像】假像jiǎxiàng

ぎょそん【漁村】渔村yúcūn

きょだい【巨大】巨大jùdà；庞大pángdà

きょだつ【虚脱】✤ ―感：虚脱感

きょっけい【極刑】极刑jíxíng；死刑sǐxíng ‖ 罪人を～に処する 把罪犯处以极刑

ぎょっと（～する）吓了一跳xiàle yí tiào

きょてん【拠点】据点jùdiǎn；基地jīdì ‖ 上海を～にする 把上海作为据点

きょとう【巨頭】巨头jùtóu ✤ ―会談：首脑会谈

きょどう【挙動】举止jǔzhǐ；行迹xíngjì ‖ ～の怪しい男 举止可疑的男子 ✤ ―不審：行迹可疑

ぎょにく【魚肉】鱼肉yúròu

きょねん【去年】去年qùnián

きょひ【拒否】（～する）拒绝jùjué ‖ 要求を～する 拒绝要求 ✤ ―権：否决权｜―反応：厌恶

ぎょふのり【漁夫の利】定 渔人之利yú rén zhī lì

きよほうへん【毀誉褒貶】毁誉褒贬huǐyù bāobiǎn ‖ ～相半ばする 毁誉参半

きょまん【巨万】‖ ～の富を築く 积累巨额财富

ぎょみん【漁民】渔民yúmín

きょむ【虚無】虚无xūwú；空虚kōngxū

きよ·める【清める】洗净xǐjìng；洗清xǐqīng ‖ 身を～める 净身

きょよう【許容】（～する）容许róngxǔ ‖ この程度の誤差は～できる 这种程度的误差是可以容许的 ✤ ―範囲：容许范围｜―量：容许剂量；喩 承受度

きょらい【去来】（～する）‖ 胸中に～する思い出 萦绕于怀的往事

きよらか【清らか】纯洁chúnjié；清白qīngbái ‖ ～な心 纯洁的心灵

きょり【距離】〔段〕距离jùlí ‖ ～をはかる 测量距离｜車で10分の～ 十分钟车程｜～をおいて付き合う 保持一段距离交往｜われわれの意見には～がある 我们的观点有差距 ✤ ―感：距离感

きょりゅう【居留】（～する）居留jūliú.（外国に）侨居qiáojū ✤ ―地：居留地｜―民：侨民

ぎょるい【魚類】鱼类yúlèi

きょれい【虚礼】虚礼xūlǐ

きょろきょろ（～する）定 东张西望dōng zhāng xī wàng ‖ ～しながら歩く 东张西望地走

きよわ【気弱】懦弱nuòruò

きらい【嫌い】❶〔いやがる〕不喜欢bù xǐhuan；讨厌tǎoyàn ❷〔傾向〕（有…的）倾向（yǒu … de）qīngxiàng ‖ 私は物事を深く考えすぎる～がある 我总是钻牛角尖

きら·う【嫌う】❶（好まない）不喜欢bù xǐhuan；讨厌tǎoyàn ‖ 目立つことを～う 不喜欢出风头｜彼には～われたくない 不想招他讨厌 ❷〔避ける〕忌避jìbì；怕pà ‖ お茶は湿気を～う 茶叶怕潮 ❸（…嫌わず）不管bùguǎn；不顾búgù

きらきら (～する)闪耀shǎnyào; 一闪一闪yì shǎn yì shǎn ‖ ～輝くひとみ 亮晶晶的眼睛
ぎらぎら (～する)照耀zhàoyào
きらく【気楽】轻松qīngsōng; 随便suíbiàn; 悠闲yōuxián ‖ ～な毎日を送る 过着悠闲的日子
きら·す【切らす】❶〔絶やす〕(用)尽(yòng) jìn; (用)光(yòng)guāng ‖ タバコを～してしまった 烟都吸光了 ❷〔慣用表現〕‖ 息を～す 接不上气 | しびれを～す 等得不耐烦
きらびやか 华丽huálì; 光彩照人guāngcǎi zhào rén ‖ ～に着飾る 打扮得光彩照人
きらめ·く【煌めく】闪烁shǎnshuò; 闪耀shǎnyào ‖ 無数の星が～く 无数的星星在闪烁
きり【切り】❶〔際限〕限度xiàndù; 极限jíxiàn ‖ 人間の欲望には～がない 人的欲望是无止境的 | ～がない 没完没了 ❷〔切れ目〕段落duànluò ‖ 仕事の～がよい 工作正好告个段落
きり【錐】〔把〕锥子zhuīzi
きり【霧】〔团,片,场〕雾wù; 雾气wùqì ‖ 濃い～が発生している 起了浓雾 | ～が晴れた 雾散了 | ～が立ちこめている 雾气弥漫
キリ 最差的zuì chàde
-きり 仅jǐn; 只zhǐ; 只有zhǐ yǒu ‖ 失敗したのは1回～だ 只失败过一次 | 彼とはあれっ～会っていない 打那以后就再没见到过他
ぎり【義理】❶〔つき合い〕人情rénqíng; 情面qíngmiàn ‖ ～を果たす 尽人情 | ～も人情もない 定无情无义 | ～を欠く 欠人情 ❷〔道義·道理〕情理qínglǐ; 道理dàoli ‖ 人のことを言えた～ではない 我没有说别人的资格 ❸〔続き柄〕‖ ～の父 岳父; 公公 | ～の母 岳母; 婆婆
きりあ·げる【切り上げる】❶〔やめる〕终止zhōngzhǐ; 停止tíngzhǐ ‖ おしゃべりはこのへんで～げよう 闲谈就到此为止吧 ❷〔端数を〕进位jìnwèi ‖ 小数点以下は～げる 把小数点以下的数进一位 ❸〔平価を〕让…升值ràng…shēngzhí ‖ 人民元を2パーセント～げる 人民币升值百分之二
きりうり【切り売り】(～する)零卖língmài; 零售língshòu ‖ 土地を～する 把地皮分成小块出售
きりおと·す【切り落とす】(はさみで)剪掉jiǎndiào. (刃物で)切掉qiēdiào
きりかえ·す【切り返す】❶〔攻撃を〕反击fǎnjī; 回击huíjī ❷〔言葉を〕回击huíjī ❸〔ハンドルを〕倒转dàozhuǎn ‖ ハンドルを～す 打方向盘
きりか·える【切り替える】变更biàngēng; 改换gǎihuàn ‖ 頭を～える 转变思想
きりきざ·む【切り刻む】切细qiēxì
きりきず【切り傷】刀伤dāoshāng
きりきり 刺痛cìtòng ‖ 頭が～痛む 头像针扎似的疼 ✣一舞い:忙得团团转; 定手忙脚乱
ぎりぎり 极限jíxiàn; 没有余地méiyou yúdì ‖ 最終電車に～間に合った 好不容易赶上了末班车
きりぎりす 〔只〕蝈蝈儿guōguor; 螽斯zhōngsī
きりくず·す【切り崩す】❶〔山などを〕凿开záokāi; 削平xuēpíng ‖ 山を～して道路を通す 劈山开路 ❷〔相手を〕瓦解wǎjiě
きりくち【切り口】❶〔断面〕切面qiēmiàn; 切口qiēkǒu ❷〔視点〕看法kànfa; 观点guāndiǎn ❸〔あけ口〕开封处kāifēngchù
きりこ·む【切り込む】❶〔敵陣に〕攻进gōngjìn ‖ 敵陣に～む 冲进敌阵去 ❷〔深く切る〕切入qiērù ❸〔論のすきをつく〕深究shēnjiū; 追问zhuīwèn ‖ 社会問題に鋭く～ 深入探讨社会问题
きりさ·げる【切り下げる】❶〔切って低くする〕降低jiàngdī; 减低jiǎndī ❷〔平価を〕让…贬值ràng…biǎnzhí ‖ ポンドを～げる 让英镑贬值
きりさめ【霧雨】烟雨yānyǔ
ギリシャ 希腊Xīlà ✣一神話:希腊神话 | 一正教:希腊正教 | 一文字:希腊字母
きりす·てる【切り捨てる】❶〔かえりみない〕抛弃pāoqì; 舍弃shěqì ‖ 少数の意見を～てる 少数意见不予考虑 ❷〔数学〕舍去shěqu
キリスト【基督】基督Jīdū ✣一教:基督教
きりたお·す【切り倒す】砍伐kǎnfá
きりだ·す【切り出す】❶〔木材·石などを〕砍下来运出kǎnxialai yùnchu ‖ 材木を山から～す 把木材从山里运出来 ❷〔話を〕开口说出kāikǒu shuōchu ‖ 私から話を～す 我先开口
きりた·つ【切り立つ】峭立qiàolì ‖ ～った絶壁 定悬崖峭壁
きりつ【起立】(～する)起立qǐlì
きりつ【規律】纪律jìlǜ; 秩序zhìxù ‖ ～が厳しい 纪律严格 | ～を破る 违反纪律
きりつ·める【切り詰める】❶〔短くする〕缩短suōduǎn; 截短jiéduǎn ❷〔倹約する〕缩减suōjiǎn; 节约jiéyuē ‖ 食費を～める 节约伙食费
きりとりせん【切り取り線】点线diǎnxiàn
きりと·る【切り取る】剪下jiǎnxia; 切下qiēxia ‖ 胃の一部を～る 切除胃的一部分
きりぬき【切り抜き】剪贴jiǎntiē
きりぬ·く【切り抜く】剪下jiǎnxia
きりぬ·ける【切り抜ける】摆脱bǎituō ‖ ピンチを～ける 渡过危机关头
キリバス 基里巴斯Jīlǐbāsī
きりはな·す【切り放す·切り離す】分割fēngē; 分离fēnlí ‖ 政治と経済は～して論ずることはできない 不能把政治和经济分开而论
きりひら·く【切り開く】❶〔山野を〕开垦kāikěn; 开拓kāituò ‖ 荒れ地を～く 开荒 ❷〔新しい分野を〕开辟kāipì; 创新chuàngxīn ‖ 新分野を～く 开辟出新领域
きりふき【霧吹き】喷雾器pēnwùqì
きりふだ【切り札】王牌wángpái ‖ 最後の～をとっておく 留着最后一手
きりまわ·す【切り回す】操持cāochí; 管理guǎnlǐ; 料理liàolǐ ‖ 店を一手に～す 店由他一手打理
きりみ【切り身】鱼块yúkuài ‖ サケを～にする 把鲑鱼切成块儿
きりもみ【錐揉み】❶〔きりをもむ〕捻钻niǎnzuān ❷〔航空〕旋转着往下冲xuánzhuǎnzhe wǎng xià chōng
きりもり【切り盛り】(～する)掌管zhǎngguǎn; 处理chǔlǐ ‖ 大所帯を～する 管理大家庭
きりゅう【気流】气流qìliú
きりょう【器量】❶〔顔だち〕容貌róngmào; 姿色zīsè ‖ ～よし 长得漂亮 ❷〔能力〕才干cáigàn; 能力nénglì ‖ 人の上に立つ～ 当领导的才干
ぎりょう【技量】技能jìnéng; 本事běnshi ‖ ～を磨く 锻炼技能 | ～を発揮する 发挥才能

きりょく【気力】精力jīnglì；毅力yìlì；元气yuánqì‖～にあふれる 精神旺盛；精力充沛｜～がなえる 没精神；定无精打采｜～をふるう 振奋精神｜～がわかない 提不起精神

きりん【麒麟】❶〔動物〕长颈鹿chángjǐnglù ❷〔想像上の動物〕麒麟qílín

き・る【切る・伐る・斬る】❶〔刃物で〕切qiē；截jié.（はさみで）剪jiǎn.（おのなどで）砍kǎn.（のこぎりで）锯jù‖ナイフでうっかり手を～る 不小心被小刀割破了手｜布を～る 裁布｜はさみで紙を～る 用剪刀剪纸｜爪を～る 剪指甲｜手紙の封を～る 拆信封｜盲腸を～る 切除阑尾 ❷〔突っ切る〕穿过chuānguo；冲破chōngpò‖肩で風を～って歩く 大摇大摆地走｜ヨットが波を～って走る 帆船破浪疾驶 ❸〔終わりにする・やめる〕中断zhōngduàn；打断dǎduàn‖タイミングをみて話を～る 找时机打断（对方的）话｜テレビを～る 把电视关掉｜電源を～る 切断电源｜～っても～れない親子の縁 父母和子女的关系是割也割不断的｜電話を～る 挂电话 ❹〔除く〕排除páichú；删除shānchú‖いきなり首を～られる 突然被解雇｜水を～る 把水分控干 ❺〔下回る〕低于dīyú；不足bùzú‖原価を～る 亏本｜10秒を～る大記録 打破十秒大关的记录 ❻〔始める〕开始kāishǐ‖熱戦の火蓋（ぶた）が～って落とされた 打响了激烈比赛的第一炮｜先に口火を～る 第一个发言｜幸先のよいスタートを～る 开门红 ❼〔向きをかえる〕转zhuǎn‖カーブを～る 转〔拐〕弯｜ハンドルを右に～る 把方向盘向右打 ❽〔発行する〕开kāi‖伝票を～る 开票｜小切手を～る 开支票 ❾〔慣用表現〕‖トップを～る 领先｜テープを～る 冲线｜札びらを～る 定大手大脚｜大見えを～る 定大吹大擂｜たんかを～る 痛快地骂；干脆地说｜正面を～る 定直截了当

きる【着る】❶〔身につける〕穿chuān‖長そでを～る 穿长袖 ❷〔受ける〕承受chéngshòu；担负dānfù‖恩に～る 领情｜罪を～る 负罪

キルギス 吉尔吉斯斯坦Jí'ěrjísīsītǎn

きれ【切れ】❶〔切れ具合〕锋利fēnglì；快kuài‖包丁がなまって～が悪い 菜刀很钝，切不快 ❷〔切れ端〕小片xiǎo piàn；小块xiǎo kuài‖板～ 小木块儿｜紙～ 小纸片 ❸〔布地〕布bù；布匹bùpǐ；料子liàozi‖木綿の～ 棉的料子 ❹〔…切れ〕…完…wán；…光…guāng‖期限～ 过期｜在庫～ 没有存货 ❺〔切ったものを数える〕片piàn；块kuài‖パン1～ 一片面包

きれい【奇麗・綺麗】❶〔美しい〕美丽měilì；漂亮piàoliang；好看hǎokàn‖～なメロディー 优美的旋律｜～な歯並びをしている 长了一口漂亮整齐的牙｜心の～な人 心灵纯洁的人 ❷〔清潔〕干净gānjìng；洁净jiéjìng‖手を～に洗う 把手洗干净｜～な水と空気 洁净的水和空气 ❸〔すっかり〕干干净净gāngānjìngjìng；彻底chèdǐ‖残さず～に食べなさい 饭菜不要剩下，都吃干净｜～さっぱり忘れる 忘得一干二净

ぎれい【儀礼】礼仪lǐyí；礼节lǐjié‖～上の文書 礼节性的文书

きれいごと【綺麗事】漂亮话piàolianghuà

きれいずき【綺麗好き】爱干净ài gānjìng

きれぎれ【切れ切れ】断断续续duànduànxùxù；零零碎碎línglíngsuìsuì‖～の記憶 支离破碎的记忆｜～に聞こえる 断断续续地听见

きれつ【亀裂】〔条,个,道〕裂缝lièfèng；龟裂jūnliè；裂痕lièhén‖壁に～が入った 墙壁出现了裂缝｜夫婦関係に～が生じる 夫妻关系出现裂痕

きれま【切れ間】间隙jiànxì；缝儿fèngr

きれめ【切れ目】❶〔切った跡〕切口qiēkǒu‖肉に～を入れる 把肉切几道口 ❷〔途切れた所〕停顿处tíngdùnchù；间断处jiànduànchù‖話の～ 讲话告一段落｜～なく続く 源源不断地持续着

き・れる【切れる】❶〔切断される〕断duàn；中断zhōngduàn‖糸の～れた凧（たこ） 断了线的风筝｜堤防が～れた 堤防决口了 ❷〔切れ味〕锋利fēnglì；快kuài‖はさみが～れなくなった 剪刀不快了 ❸〔途切れる〕中断zhōngduàn‖話している最中に電話が～れた 话说了一半电话中断了｜縁が～れる 断绝关系｜息が～れる 喘不过气来 ❹〔終わる〕用尽yòngjìn；完了wánle‖電球が～れる 灯泡不亮了｜ガソリンが～れる 汽油用光了｜電池が～れる 电池没电了 ❺〔頭が〕敏锐mǐnruì；精明jīngmíng‖頭の～れる人 头脑敏锐的人 ❻〔慣用表現〕发火fāhuǒ‖いまの子どもは～れやすい 如今的孩子脾气暴躁｜手の～れるような新札 这钞票新得能划破人的手指

きろ【岐路】歧路qílù；岔路chàlù；歧途qítú‖人生の～に立つ 站在人生的歧路上

きろ【帰路】归途guītú；归路guīlù

キロ ✣ーカロリー：千卡｜ーグラム：公斤｜ーメートル：公里｜ーリットル：千升｜ーワット：千瓦

きろく【記録】（～する）❶〔書きとめること・書きとめたもの〕记下来jìxialai；写下来xiěxialai；记录jìlù‖～にとっておく 留下记录｜古い～に残っている 在过去的记录里都有记载 ❷〔成績や結果〕记录jìlù；最好成绩zuì hǎo chéngjì‖新～を出す 创造新记录｜～を更新する 更新记录｜～を保つ 保持记录 ✣ー映画：纪录片

きろくてき【記録的】屈指可数的qū zhǐ kě shǔ de；前所未有的qián suǒ wèi yǒu de

ぎろん【議論】（～する）讨论tǎolùn；辩论biànlùn；议论yìlùn‖～好きな性格 好辩论的性格｜～に勝つ 驳倒对方｜～をたたかわせる 争论｜～が沸く 争论激烈｜～の余地がない 无可争辩｜～百出 议论纷纷

きわ【際】❶〔物と物の境界〕靠…的kào … de；紧靠…的jǐn kào … de‖窓～の席 靠窗户的座位｜フェンス～ 紧靠挡墙 ❷〔ある状態の直前〕时候shíhou；临…时lín … shí‖サクラの花は散り～が美しい 樱花临凋谢〔凋落〕的时候最美｜いまわの～ 临终之际｜別れ～ 分手之时

ぎわく【疑惑】怀疑huáiyí；嫌疑xiányí；疑惑yíhuò‖～を抱く 怀疑｜～を招く 招来嫌疑｜～の目で見る 用怀疑的眼光看｜横領～を追及する 追查贪污嫌疑

きわだ・つ【際立つ】突出tūchū；显著xiǎnzhù；定引人注目yǐn rén zhù mù‖～った才能 出类拔萃的才能｜～った成績 十分突出的成绩

きわど・い【際疾い】差（一）点儿chà (yì) diǎnr；险些xiǎnxiē‖～いところで助かった 差点儿丧命｜～いところで難を逃れた 大难不死｜～いまねをする 简直太冒险了｜表現が～い 表现过于下流

きわま・る【極まる・窮まる】❶〔極限に達する〕极其jíqí; 极端jíduān ‖ 彼の態度は無礼～る 他的态度极端〔极其〕无礼 | 感～る 感慨万分 ❷〔窮する〕陷入困境xiànrù kùnjìng; 窘困jiǒngkùn ‖ 進退～る 定进退两难; 定进退维谷

きわめつき【極め付き】十分可信shífēn kě xìn; 公认gōngrèn ‖ ～の悪党 大家公认的恶霸

きわめて【極めて】极其jíqí; 非常fēicháng ‖ 事態は～深刻だ 情况极其严重

きわ・める【極める・窮める・究める】❶〔極限に達する〕极jí; 穷尽qióngjìn ‖ ぜいたくを～める 极尽奢华 | 横暴を～める 猖狂至极 | 頂上を～める 登上了顶峰 ❷〔深く探究する〕钻研zuānyán ‖ 学問を～める 探究〔钻研〕学问

きん【金】❶〔鉱業〕金jīn ‖ ～の指輪 金戒指 ❷〔こがね色〕金色jīnsè; 金黄色jīnhuángsè

きん【菌】细菌xìjūn; 菌jūn

きん【禁】禁令jìnlìng ‖ ～則処理 禁排处理

ぎん【銀】❶〔鉱業〕银yín ‖ ～の食器 银制餐具 ❷〔色〕银色yínsè ✤ 一色:银色

きんいつ【均一】统一tǒngyī; 一律yílǜ ‖ 品質を～にする 统一质量 | 1000円～ 一律一千日元

きんえん【禁煙】(～する)❶〔場のルールとして〕禁烟jìnyān ‖ 車内は～だ 车内不准吸烟 ❷〔自分の意志で〕戒烟jiè yān ✤ 一車:无烟车厢 | 一席:禁烟席

きんか【金貨】〔枚〕金币jīnbì

ぎんか【銀貨】〔枚〕银币yínbì

ぎんが【銀河】银河yínhé ‖ ～のかなた 银河的深处 ✤ 一系:银河系 | 一系外星雲:河外星系

きんかい【近海】近海jìnhǎi ‖ 日本～ 日本近海 ✤ 一魚:近海鱼

きんかい【金塊】金块jīnkuài; 金锭jīndìng

きんかぎょくじょう【金科玉条】定金科玉律jīn kē yù lǜ

きんがく【金額】金额jīn'é; 款项kuǎnxiàng

きんがしんねん【謹賀新年】恭贺新禧gōnghè xīnxǐ

きんかん【金環】金环jīnhuán ✤ 一食:日环食; 金环食

きんがん【近眼】近视jìnshì; 近视眼jìnshìyǎn ‖ ～の人 近视的人 | ～になる 成了近视

きんきゅう【緊急】紧急jǐnjí; 紧迫jǐnpò ‖ ～に対策を講じる 紧急采取措施 ✤ 一事態:紧急情况 | 一逮捕:紧急逮捕 | 一着陸:紧急降落〔着陆〕

きんぎょ【金魚】〔条〕金鱼jīnyú ✤ 一すくい:捞金鱼 | 一鉢:金鱼缸

きんきょう【近況】近况jìnkuàng

きんきん【近近】近期jìnqī; 不久bùjiǔ ‖ ～結婚の予定です 近期要结婚

きんきん ❶〔声や音が〕刺耳的声音cì'ěr de shēngyīn ❷〔たいへん冷たいさま〕冰凉bīngliáng

きんく【禁句】禁忌语jìnjìyǔ ‖ 病気の話は彼の前では～だ 在他面前别提生病的事

キング〔王様〕国王guówáng. 〔トランプ〕王牌wángpái ✤ 一サイズ:特大号

きんげん【金言】箴言zhēnyán; 格言géyán ‖ ～名句 箴言名句

きんげん【謹厳】谨严jǐnyán ‖ 彼は～そのものだ 他向来很谨严 | ～実直な人 严谨耿直的人

きんこ【金庫】保险柜bǎoxiǎnguì; 金库jīnkù ‖ ～を破る 撬金库 | 金を～にしまう 把钱放在保险柜里

きんこ【禁固】(～する)关押guānyā; 监禁jiānjìn ‖ ～刑に処せられる 被监禁

きんこう【均衡】(～する)平衡pínghéng; 均衡jūnhéng ‖ ～を保つ〔失う〕 保持〔失去〕平衡 | ～を破る 打破僵局

きんこう【近郊】近郊jìnjiāo; 郊区jiāoqū ✤ 一都市:周边城市 | 一農業:郊区农业

きんこう【金鉱】❶〔鉱山・鉱脈〕金矿(山) jīnkuàng(shān) ‖ ～を掘り当てる 挖到金矿 ❷〔鉱石〕金矿石jīnkuàngshí

ぎんこう【銀行】银行yínháng ‖ ～に金を預ける 把钱存到银行 | ～に口座を開く 在银行开设户头 ✤ 一員:银行职员 | 一小切手:银行支票

きんこつ【筋骨】筋骨jīngǔ; 体格tǐgé ‖ ～たくましい男性 筋骨强壮的男子 | ～隆々たる体躯(たいく) 肌肉发达的体格

きんさ【僅差】极小的差别jí xiǎo de chābié ‖ ～で敗れる 以分毫之差负于对方

きんさく【金策】(～する)筹款chóu kuǎn; 凑钱còuqián ‖ ～に奔走する 为筹款而到处奔忙

きんし【近視】近视(眼) jìnshì(yǎn) ‖ ～を矯正する 矫正近视 ✤ 一眼的:目光短浅

きんし【禁止】(～する)禁止jìnzhǐ; 不允许bù yǔnxǔ ‖ 酒類の販売を～する 禁止贩卖酒类 | ～を解く 解禁

きんじ【近似】✤ 一値:近似值

きんしつ【均質】均质jūnzhì

きんじつ【近日】近日jìnrì; 近期jìnqī ‖ ～中にご連絡いたします 两三天内跟你联系

きんじとう【金字塔】不朽的业绩bùxiǔ de yèjì ‖ ～をうち立てる 建立了不朽的功绩

きんしゅ【筋腫】肌瘤jīliú

きんしゅ【禁酒】(～する)❶〔飲酒を禁止する〕禁酒jìn jiǔ; 禁止饮酒jìnzhǐ yǐnjiǔ ❷〔飲酒をやめる〕戒酒jiè jiǔ ✤ 一法:禁酒法

きんしゅく【緊縮】(～する)紧缩jǐnsuō; 缩减suōjiǎn ✤ 一財政:财政缩减

きんじょ【近所】街坊邻居jiēfang línjū; 近处jìnchù; 附近fùjìn ‖ ～のおばさん 邻居大妈〔阿姨〕 | この～にコンビニはありますか 这附近有没有便利店? ✤ 一付き合い:邻居往来

きんしょう【僅少】极少数jí shǎoshù; 仅仅jǐnjǐn

きんじょう【錦上】‖ ～に花を添える 锦上添花

きん・じる【禁じる】禁止jìnzhǐ; 不许bùxǔ ‖ 法律によって～じられている 法律上禁止 | 失望を～じえない 不禁大失所望 | 夜間外出を～じる 不准晚上上街

きんしん【近親】近亲jìnqīn ✤ 一者:近亲 | 一相姦(そうかん):乱伦

きんしん【謹慎】(～する)小心谨慎xiǎo xīn jǐn shèn ‖ しばらく酒をやめて～する 暂且戒酒, 谨慎行事

きんせい【均整】匀称yúnchen; 匀整yúnzheng ‖ ～のとれた体形 身材匀称

きんせい【近世】近代jìndài; 近世jìnshì

きんせい【金星】金星jīnxīng

きんせい【禁制】禁止jìnzhǐ；禁令jìnlìng‖キリスト教の～ 基督教的禁令 ✤—品：违禁品

ぎんせかい【銀世界】银色世界yínsè shìjiè‖一面の～ 一片银色世界

きんせつ【近接】(～する)靠近kàojìn；邻近línjìn‖郵便局に～するビル 邻近邮局的大楼

きんせん【金銭】金钱jīnqián；金币jīnbì‖～上の問題 金钱上的问题 ✤—感覚：金钱观念

きんせん【琴線】❶〔琴の糸〕〔根〕琴弦qínxián ❷〔心の〕心弦xīnxián‖～に触れる 触动心弦

きんぞく【金属】金属jīnshǔ ✤—加工：金属加工｜—工業：冶金工业｜—探知器：金属探测仪｜—バット：金属球棒｜—疲労：金属疲劳

きんぞく【勤続】(～する)连续工作liánxù gōngzuò‖～20年のベテラン 有20年工龄的老手 ✤—手当：工龄补贴｜—年数：工龄

きんだい【近代】近代jìndài ✤—化：现代化｜—国家：近代国家

きんだん【禁断】禁止jìnzhǐ；禁制jìnzhì‖～の木の実 禁果 ✤—症状：脱瘾反应；犯瘾症状

きんちょう【緊張】(～する)❶〔心身が〕紧张jǐnzhāng；兴奋不安xīngfèn bù'ān‖体の～をほぐす 使紧张的身体放松 ❷〔関係が〕紧张jǐnzhāng；恶化èhuà‖～が高まる 更加紧张｜～状態にある 处于紧张状态 ✤—緩和：缓和紧张

きんとう【均等】均等jūnděng；均匀jūnyún‖ケーキを～に分ける 平分蛋糕｜利益を～に分配する 平均分配利益；利益均分 ✤—割り：均摊

きんとう【近東】近东Jìndōng

ぎんなん【銀杏】银杏yínxìng；白果báiguǒ

きんにく【筋肉】肌肉jīròu‖～質の若者 肌肉发达的年轻人｜～がつく 长肌肉｜～が落ちる 肌肉萎缩｜～がけいれんする 肌肉痉挛；抽筋 ✤—注射：肌肉注射｜—痛：肌肉痛

きんねん【近年】近年jìnnián‖～急激に人口が増加した 近几年人口急剧增加

きんぱく【金箔】金箔jīnbó‖～をはる 贴金箔

きんぱく【緊迫】(～する)紧张jǐnzhāng；紧迫jǐnpò‖両国間の～した関係 两国间的紧张关系

きんぱつ【金髪】〔头，根〕金发jīnfà

きんぴん【金品】‖～を巻きあげる 抢夺贵重物品

きんぶち【金縁】金边jīnbiān；金框jīnkuàng‖～の額 金边画框｜～の眼鏡 金框眼镜

きんべん【勤勉】勤勉qínmiǎn；勤奋qínfèn‖～な性格 勤勉的性格｜～に働く 努力工作 ✤—家：勤勉的人

きんぺん【近辺】近处jìnchù；附近fùjìn

きんほんい【金本位】金本位jīnběnwèi ✤—制：金本位(制)

ぎんまく【銀幕】(映画)电影diànyǐng.(映画界)影坛yǐngtán；电影界diànyǐngjiè

ぎんみ【吟味】(～する)仔细研究zǐxì yánjiū；品味pǐnwèi‖～した品 精选的物品

きんみつ【緊密】紧密jǐnmì；密切mìqiè‖～に連絡をとりあう 保持密切的联系

きんみゃく【金脈】(金の鉱脈)金矿脉jīn kuàngmài.(資金の出所)资金来源zījīn láiyuán

きんむ【勤務】(～する)工作gōngzuò；就职jiùzhí‖8時間～ 八小时工作制｜～を怠る 工作偷懒 ✤—先：工作单位｜—時間：工作时间｜—成績：工作成绩｜—年数：工龄

きんめっき【金鍍金】镀金dùjīn

きんもくせい【金木犀】丹桂dānguì

きんもつ【禁物】禁止jìnzhǐ；忌讳jìhui‖油断は～だ 决不能粗心大意

きんゆう【金融】金融jīnróng‖～が緩和された 金融得到缓和｜～を引き締める 紧缩金融 ✤—界：金融界｜—機関：金融机构｜—業：金融业

きんようび【金曜日】星期五xīngqīwǔ；礼拜五lǐbàiwǔ

きんよく【禁欲】禁欲jìnyù；节欲jiéyù

きんらい【近来】近来jìnlái；最近zuìjìn‖～まれな出来事 这事儿近来很少见

きんり【金利】利率lìlǜ；利息lìxī‖～が高い〔安い〕 利息很高〔低〕｜～を引き下げる 降低利率｜～を引きあげる 提高利率｜～がかさむ 利息增多 ✤—水準：利率水准｜—生活者：靠利息生活者

きんりょう【禁猟】禁猎jìnliè；禁止狩猎jìnzhǐ shòuliè ✤—期：禁猎期｜—区：禁猎区

きんりょう【禁漁】禁止捕鱼jìnzhǐ bǔ yú；禁捕jìnbǔ ✤—期：禁捕期｜—区：禁止捕鱼区域

きんりょく【筋力】筋力jīnlì；膂力lǚlì ✤—トレーニング：锻炼肌肉

きんりん【近隣】近处jìnchù；临近línjìn；挨近āijìn‖～諸国 近邻诸国

きんろう【勤労】✤—意欲：劳动积极性｜—奉仕：义务劳动

く

く【区】区qū ✤—民税：区民税

く【句】❶〔俳句〕俳句páijù.(俳句を数える)首shǒu‖～をひねる 创作俳句 ❷〔文の1区切り〕句子jùzi ❸〔詩の一節〕诗节shījié

く【苦】苦kǔ；苦恼kǔnǎo；艰苦jiānkǔ‖～もなくやり遂げた 轻轻松松就干完了｜～にならない 不感到辛苦｜～あれば楽あり 定 苦尽甘来

ぐ【具】配料pèiliào‖みそ汁の～ 酱汤的配料

ぐ【愚】愚笨yúbèn；傻shǎ；笨bèn‖～にもつかぬ 定 愚不可及｜～の骨頂 愚笨之极

ぐあい【具合】❶〔調子〕情况qíngkuàng；状态zhuàngtài‖お体の～はいかがですか 你身体情况如何？｜機械の～を見る 检查机器运转是否正常 ❷〔方法〕‖こんな～にやってほしい 请你这样做

グアテマラ 危地马拉Wēidìmǎlā.

くい【杭】〔根〕桩子zhuāngzi.(短い木の)橛子juézi‖～を打ち込む 打桩子｜～を抜く 拔桩子｜～を立てる 立桩子｜出る～は打たれる 枪打出头鸟

くい【悔い】后悔hòuhuǐ；懊悔àohuǐ‖～が残る 留下后悔｜何の～もない 一点儿也不后悔

くいあら・す【食い荒らす】❶〔食い散らす〕乱吃luàn chī‖作物はネズミにすっかり～された 庄

稼全被老鼠糟蹋了 ❷〔勢力範囲を〕侵犯qīnfàn；扰乱rǎoluàn
くいいじ【食い意地】‖～がはっている 贪吃
くいい·る【食い入る】‖～るように見つめる 目不转睛地看着
クイーン 女王nǚwáng‖ハートの～ 红桃王后 ✤一ズ·イングリッシュ:标准〔英国〕英语
くいき【区域】区域qūyù；地区dìqū‖警察官が担当～を見まわる 警察巡视他负责的地区
くいこ·む【食い込む】❶〔中に入る〕勒进lēijìn‖リュックサックが肩に～む 帆布背带都勒进肩膀里了 ❷〔侵す〕侵入qīnrù；侵占qīnzhàn‖昼休みに～む 午休的时间都占用了
くいさが·る【食い下がる】不肯罢休bù kěn bàxiū；坚持到底jiānchídàodǐ‖とことん～る 一追到底
くいしば·る【食いしばる】咬紧yǎojǐn‖歯を～って痛みをこらえる 咬紧牙关忍受疼痛
くいしんぼう【食いしん坊】馋猫儿chánmāor；贪吃的人tānchī de rén；馋鬼chánguǐ
クイズ 猜谜cāimí；智力竞赛zhìlì jìngsài‖～を当てる 猜谜 ✤一番組:智力竞赛节目
くいちが·う【食い違う】不一致bù yízhì；有分歧yǒu fēnqí‖まるっきり彼の意見と～う 和他的意见完全相反｜帳簿と実在庫の数が～っている 账面上的和实际库存的数字合不上
くいつ·く【食いつく】❶〔かみつく〕咬上yǎo shang；咬住yǎozhu‖魚がえさに～き始めた 鱼开始咬钩了 ❷〔物事にとびつく〕抓住不放zhuāzhù bú fàng
くいつな·ぐ【食い繋ぐ】勉强维持生活miǎnqiǎng wéichí shēnghuó
くいつぶ·す【食い潰す】㊜坐吃山空zuò chī shān kōng‖遺産を～す 把遗产挥霍一空
くいつ·める【食い詰める】难以谋生nányǐ móushēng；不能糊口bù néng húkǒu
ぐいと 用力yònglì；使劲shǐjìn‖手綱を～引っぱる 用力拉缰绳｜地酒を～飲み干す 一口气儿喝干土产酒
くいと·める【食い止める】阻止zǔzhǐ；控制kòngzhì‖敵の進攻を～める 阻止敌人的进攻｜損害を最小限に～める 把损失控制在最小限度
くいはぐ·れる【食いはぐれる】❶〔食べ損なう〕没赶上吃饭méi gǎnshang chīfàn；错过吃饭的机会cuòguò chīfàn de jīhui‖寝坊して朝食を～れた 睡懒觉没赶上吃早饭 ❷〔失職する〕吃不上饭chībushàng fàn；失去饭碗shīqù fànwǎn
くいもの【食い物】❶〔食べ物〕食物shíwù ❷〔犠牲〕牺牲品xīshēngpǐn；被剥削的对象bèi bōxuē de duìxiàng‖国民の血税を～にする 剥削国民的血汗钱
く·いる【悔いる】后悔hòuhuǐ‖前非を～いる 痛改前非｜～いても～いても悔やみきれない 懊悔得不得了
くう【空】❶〔空·空中·虚空〕天空tiānkōng；空中kōngzhōng；虚空xūkōng‖バットが～を切った 击球未中｜～をつかむような話 虚无缥缈的空话 ❷〔むだなこと〕泡影pàoyǐng；㊜一场空yì cháng kōng ❸〔仏教〕空kōng
く·う【食う】❶〔食物を〕吃chī‖飯を～う 吃饭｜働かざるもの～うべからず 不劳者不得食 ❷〔虫類が〕〔人を〕咬yǎo；叮dīng.〔衣服·本などを〕蛀zhù‖足を力に～われた 腿被蚊子咬〔叮〕了 ❸〔生計を立てる〕糊口húkǒu；生活shēnghuó‖～っていけない 无法生活 ❹〔消費する〕费fèi；花费huāfèi‖ガソリンを～う 费油｜金を～う 费钱｜時間を～う 费时间 ❺〔被る〕‖門前払いを～う ㊜吃闭门羹｜お目玉を～う 挨批评 ❻〔慣用表現〕‖～ってかかる 顶撞；激烈反驳｜蓼(たで)～う虫も好き好き 人各有所好｜人を～った態度 愚弄人的态度｜～うや～わずの生活 吃了上顿没下顿的日子｜～うか～われるか 你死我活
くういき【空域】领空lǐngkōng
クウェート 科威特Kēwēitè.
くうかん【空間】空间kōngjiān.（余地）空隙kòngxì‖時間と～ 时间和空间｜まだピアノを置く～がある 还有放钢琴的地方
くうき【空気】❶〔気体〕空气kōngqì‖～が乾燥している 空气干燥｜浮き輪の～が抜けた 游泳圈漏〔走；跑〕气了 ❷〔その場の雰囲気〕〔种〕气氛qìfēn；氛围fēnwéi‖～が和む 气氛缓和下来｜自由な～ 无拘无束的环境 ✤一感染:空气传染｜一銃:气枪｜一抵抗:空气阻力
くうきょ【空虚】空洞kōngdòng；空虚kōngxū‖～な言葉を連ねた文章 空话连篇的文章
くうぐん【空軍】空军kōngjūn
くうこう【空港】机场jīchǎng‖～に着陸する 在机场着陆
くうしゃ【空車】空车kōngchē.（駐車場の）有车位yǒu chēwèi
くうしゅう【空襲】〔次〕空袭kōngxí‖～に遭う 遭到空袭 ✤一警報:空袭警报
ぐうすう【偶数】偶数ǒushù；双数shuāngshù‖～日 双日子｜～階 双数楼层
ぐう·する【遇する】（待遇する）对待duìdài；招待zhāodài‖役員として～される 享受董事待遇
くうせき【空席】〔个,排〕空座(位) kòngzuò(wei)‖バスの～ 公共汽车的空座｜～はありません 没有空座位
くうぜん【空前】‖～絶後の壮挙 空前绝后的壮举｜～のブーム 前所未有的热潮
ぐうぜん【偶然】偶然ǒurán‖～のできごと 偶然的事件｜～知り合う 偶然相识｜～の一致 偶然的一致
くうそう【空想】(～する)‖～にふける 一味空想｜～をたくましくする 幻想联翩
ぐうぞう【偶像】偶像ǒuxiàng
ぐうたら 懒惰lǎnduò；㊜游手好闲yóu shǒu hào xián‖～亭主 懒惰的丈夫
くうちゅう【空中】空中kōngzhōng ✤一戦:空战｜一ブランコ:空中飞人｜一分解:（機体が）在空中解体；（企画·組織などが）半途夭折
くうちょう【空調】空气调节kōngqì tiáojié.（エアコン）空调kōngtiáo ✤一設備:空调设备
クー デター 政变zhèngbiàn‖～を起こす 发动政变｜～で政府を倒す 通过政变推翻政府
くうてん【空転】(～する)❶〔車輪などが〕空转kōngzhuàn ❷〔議論などが〕空发议论kōng fā yìlùn
くうどう【空洞】空洞kōngdòng；窟窿kūlong‖

産業が～化する 产业空洞化
ぐうのね【ぐうの音】吭气kēngqì; 吭声kēngshēng ‖ ～も出ない 哑口无言
くうはく【空白】空白kòngbái ‖ 政治の～ 政治上的空白
くうばく【空爆】(～する)空袭kōngxí
ぐうはつ【偶発】(～する)偶然发生ǒurán fāshēng; 偶发ǒufā ‖ ～的な事故 偶发事故
くうひ【空費】(～する)白费báifèi; 浪费làngfèi ‖ 時間と金を～する 白费时间和金钱
くうふく【空腹】饥饿jī'è; 空肚子kōng dùzi ‖ ～にまずいものなし 定 饥不择食
くうぼ【空母】〔艘〕航母hángmǔ
クーポン 折价券zhéjiàquàn; 优惠券yōuhuìquàn
くうゆ【空輸】空运kōngyùn ‖ 救援物資を～する 空运救援物资
クーラー ❶〔冷房装置〕〔台〕冷气(设备) lěngqì (shèbèi) ❷〔釣りなどに使う〕〔个,只〕保冷箱bǎolěngxiāng
くうらん【空欄】〔个,块〕空格kònggé ‖ ～に適語を入れよ 在空白处填写适当的词汇
くうろ【空路】❶〔航空路線〕〔条〕航空路线hángkōng lùxiàn ❷〔飛行機に乗っていくこと〕乘〔坐〕飞机chéng〔zuò〕fēijī ‖ ～香港に飛ぶ 乘飞机去香港
くうろん【空論】空论kōnglùn; 空谈kōngtán ‖ 机上の～ 定 纸上谈兵
ぐうわ【寓話】寓言yùyán ‖ イソップの～ 伊索寓言
くえき【苦役】苦役kǔyì; 苦工kǔgōng ‖ ～を課す 课以苦役
クエスチョン マーク 问号wènhào
くえんさん【枸櫞酸】柠檬酸níngméngsuān
クオーツ 石英shíyīng ✣一時計:石英表
クォーテーション マーク 引号yǐnhào
クオリティー 质量zhìliàng ‖ 最高の～を追求する 追求最高品质
くかく【区画】(～する)区划qūhuà. (区画された場所)地区dìqū; 街区jiēqū ✣一整理:城市规划
くがく【苦学】(～する)半工半读bàn gōng bàn dú; 定 勤工俭学qín gōng jiǎn xué ✣一生:工读生
くかん【区間】区间qūjiān; 地段dìduàn
くき【茎】〔条〕梗gěng; 〔根〕茎jīng ‖ ムギの～ 麦梗 | ニンニクの～ 蒜苗
くぎ【釘】钉(子) dīng(zi) ‖ ～を打つ〔抜く〕 钉〔拔〕钉子 | ～を刺す 叮嘱; 说死 | 何を言ってもぬかに～だ 说什么都是白费力气
くぎづけ【釘付け】❶(～する) (くぎで固定する) 钉住dìngzhu; 钉死dìngsǐ ‖ ふたを～にする 把盖儿钉住 ❷〔動けなくなる〕固定住gùdìngzhu; 困住kùnzhu ‖ テレビの前に～になる 被电视吸引住
くきょう【苦境】困境kùnjìng; 窘境jiǒngjìng ‖ ～に陥る 陷入窘境 | ～を脱する 摆脱困境
くぎり【区切り・句切り】段落duànluò ‖ ちょうど仕事の～がついた 工作正好告一段落
くぎ・る【区切る・句切る】❶〔言葉・文章を〕一字一句(地) yí zì yí jù (de); 分段fēnduàn ❷〔物の間を仕切る〕隔开gékāi; 划分huàfēn
くく【九九】乘法口诀chéngfǎ kǒujué; 小九九xiǎojiǔjiǔ ‖ ～を唱える 背诵〔背〕乘法口诀
くくりつ・ける【括り付ける】捆上kǔnshang; 绑上bǎngshang ‖ かばんを自転車の荷台に～ける 把皮包绑在自行车的后架上
くぐりぬ・ける【潜り抜ける】穿过chuānguo; 渡过dùguo ‖ 難関を～ける 渡过难关
くく・る【括る】❶〔ひもなどで〕捆绑kǔnbǎng; 捆扎kǔnzā ‖ ひもで～る 用绳子捆起来 ❷〔かっこで〕(用括号)括起来(yòng kuòhào) kuòqilai ❸〔首を〕上吊shàngdiào ‖ 首を～る 上吊自杀
くぐ・る【潜る】❶〔通り抜ける〕穿过chuānguo; 钻过zuānguo ‖ のれんを～る 穿过门帘进去 | 校門を～る 走进校门 ❷〔危険・困難を〕渡过dùguo ‖ 火の粉を～る 冒着火星 | 修羅場を～る 渡过无数难关 | 法の網の目を～る 钻法律的空子
くげん【苦言】忠言zhōngyán; 忠告zhōnggào ‖ ～を呈する 向你进一忠言
ぐげん【具現】(～する)体现tǐxiàn; 实现shíxiàn
くさ【草】〔颗,株〕草cǎo; 〔棵,丛〕杂草zácǎo ‖ ～ぼうぼうの庭 杂草丛生的院子 | ～をむしる 拔草
くさ・い【臭い】❶〔不快なにおい〕臭chòu; 难闻nán wén ‖ タマネギ～い 有洋葱味儿 | 汗～い 有汗味儿 | 酒～い 带着酒气 | 息が～い 呼出的气很难闻 ❷〔疑わしい〕可疑kěyí ‖ この計画はいんちき～い 这个计划很可疑 ❸〔わざとらしい〕做作zuòzuo; 定 装腔作势zhuāng qiāng zuò shì ‖ ～い芝居 做作的表演 ❹〔慣用表現〕‖ ～い物にふた 家丑不可外扬 | ～い飯を食う 坐牢 ❺〔…くさい〕有…的感觉yǒu … de gǎnjué ‖ 素人～い芝居 像外行人演的戏 | 田舎～い 土里土气 | 男～い 有男子气 | 鈍～い 迟钝; 不灵活
くさかり【草刈り】割草gē cǎo ✣一機:割草机
くさき【草木】〔棵,丛〕草木cǎomù ‖ ～が芽生える 草木发芽 | ～も眠る丑(うし)三つどき 深更半夜
くさくさ・する 不痛快bú tòngkuai ‖ 雨の日は気分が～する 下雨天心情郁闷
くさとり【草取り】除草chú cǎo; 拔草bá cǎo ‖ 庭の～をする 除院子里的草
くさのね【草の根】❶〔民間〕‖ ～の交流 民间交流 ❷〔慣用表現〕‖ ～を分けてもさがし出す 就是挖地三尺也要找出来 ✣一運動:群众运动
くさば【草葉】‖ ～の陰 黄泉(之下); 阴间
くさばな【草花】花草huācǎo ‖ 庭には～が咲き乱れている 院子里盛开着很多花
くさび【楔】❶〔すき間に打ち込むもの〕〔个,根〕楔子xiēzi ❷〔きずな〕‖ 両国をつなぐ～となる 成为连接两国的纽带 ✣一形文字:楔形文字
くさぶえ【草笛】草笛cǎodí ‖ ～を吹く 吹草笛
くさぶかい【草深い】❶〔草が深く茂る〕草深cǎo shēn ❷〔ひなびた〕‖ ～田舎 偏僻的乡村
くさみ【臭み】〔股,丝〕臭味儿chòuwèir. (魚介類の)腥味儿xīngwèir. (羊肉の)膻味儿shānwèir ‖ 魚の～をとる 去掉鱼腥味儿
くさり【鎖】〔串,个〕锁链suǒliàn; 链子liànzi ‖ ～を外す 解开链子 | ～でつなぐ 用链子拴
くさ・る【腐る】❶〔腐敗する〕坏huài; (腐)烂(fǔ)làn. (朽ちる)腐朽fǔxiǔ ‖ ～った果物 烂水果 | 肉が～る 肉臭了 | 釘が～る 钉子腐蚀 | 倒木が～る 倒木腐朽 | 梅雨時は食べものが～りや

すい 黄梅雨期食物容易坏 ❷〔意欲や気力をなくす〕消沉xiāochén; 沮丧jǔsàng ‖ ～るなよ, 元気を出せ 别消沉, 打起精神来 ❸〔堕落する〕腐败fǔbài; 堕落duòluò ‖ 心まで～っている 堕落透顶 ❹〔慣用表現〕‖ 金なら～るほどある 有的是钱 | ～っても鯛(たい) 定瘦死的骆驼比马大

くされえん【腐れ縁】孽缘nièyuán

くさわけ【草分け】创始(人) chuàngshǐ(rén); 先驱xiānqū; 开拓kāituò

くし【串】〔根〕扦子qiānzi

くし【駆使】(～する)操纵自如cāozòng zìrú; 运用自如yùnyòng zìrú ‖ パソコンを～する 运用电脑

くし【櫛】〔把〕梳子shūzi ‖ ～の歯 梳子齿儿 | ～で髪をとかす 用梳子梳头

くじ【籤】阄儿jiūr; 签qiān ‖ ～を引く 抓阄儿; 抽签 | ～に当たった 中彩; 中签 | ～にはずれた 没中(签)

くじ·く【挫く】❶〔手足を〕挫伤cuòshāng. (ひねって)拧伤nǐngshāng; 扭(伤) niǔ(shāng); 崴wǎi ‖ 足首を～いた 把脚腕扭伤了 ❷〔気を〕抑制yìzhì; 挫cuò ‖ 弱きを助け強きを～く 定扶弱抑强 | 敵の戦意を～く 打击敌人的斗志〔士气〕

くじ·ける【挫ける】沮丧jǔsàng; 颓唐tuítáng; 气馁qìněi

くしざし【串刺し】❶〔串にさす〕穿在扦子上chuānzai qiānzi shang ❷〔殺す〕刺杀cìshā ‖ 槍(やり)で～にする 用枪刺杀

くじゃく【孔雀】〔只〕孔雀kǒngque ‖ ～が尾羽を広げる 孔雀开屏

くしゃくしゃ ❶〔しわで〕褶皱不堪zhězhòu bùkān ‖ ～のハンカチ 满是皱纹的手帕 | 紙を～に丸める 把纸胡乱揉成一团 ❷〔乱れて〕杂乱záluàn; 蓬乱péngluàn ‖ ～の髪 蓬乱的头发

くしゃみ【嚏】喷嚏pēntì ‖ ～が出る 打喷嚏

くじゅう【苦渋】苦涩kǔsè; 苦衷kǔzhōng; 苦恼kǔnǎo ‖ ～に満ちたようす 苦涩的表情 | ～の選択 痛苦的选择

くじょ【駆除】(～する)驱除qūchú ‖ 害虫を～する 消灭〔驱除〕害虫

くしょう【苦笑】(～する)苦笑kǔxiào

くじょう【苦情】意见yìjian; 非难fēinàn ‖ 消費者協会に～を持ちこむ 投诉到消协 | 近所から～が出る 邻居提意见

ぐしょう【具象】具象jùxiàng; 具体jùtǐ ✤ 一画:具象(绘)画

くじら【鯨】〔头〕鲸(鱼) jīng(yú) ‖ ～が潮をふく 鲸鱼喷水

くしん【苦心】(～する)(煞费)苦心(shà fèi) kǔxīn; 尽力jìnlì ‖ ～に～を重ねて開発する 费尽心血研制出来 ✤ 一惨憺(さんたん):定惨淡经营

くず【屑】❶〔廃物·残りかす〕废物fèiwù; 渣滓zhāzi ‖ おが～ 锯屑; 锯末儿 | 野菜～ 蔬菜垃圾 | ❷〔役に立たない人·無用の人〕废物fèiwu; 没用的人méi yòng de rén ‖ 社会の～ 社会的渣滓 ✤ 一籠(かご):废纸篓; 垃圾篓

ぐず【愚図】磨蹭móceng; 慢性子mànxìngzi ‖ おまえはなんて～なんだ 你怎么这么慢性子

くすくす 哧哧chīchī; 嘻嘻xīxī ‖ ～笑う 哧哧笑

ぐずぐず【愚図愚図】❶(～する)〔のろのろする〕磨磨蹭蹭mómócèngcèng; 慢腾腾màntēngtēng ‖ ～するな 别磨磨蹭蹭的! | ～した態度 态度不明确 ❷〔不平や泣きごとを言う〕嘟嘟囔囔dūdūnāngnāng; 唠叨láodao ‖ ～言うな 废话少说 ❸〔形が崩れる〕松松垮垮sōngsongkuǎkuǎ

くすぐった·い【擽ったい】❶〔むずむずする〕痒yǎng ‖ 足が～い 脚痒得慌 ❷〔てれくさい〕不好意思bù hǎoyìsi ‖ ほめられて, ちょっと～かった 受到了表扬, 感到有些不好意思

くすぐ·る【擽る】❶〔体を〕胳肢gézhi ‖ 人のわきの下を～る 胳肢别人的腋下 ❷〔心を刺激する〕‖ 自尊心を～る 激发自尊心

くず·す【崩す】❶〔壊す〕拆(毁) chāi(huǐ) ❷〔乱す〕打乱dǎluàn; 搅乱jiǎoluàn ‖ 列を～す 打乱队列 | 体調を～す 身体欠佳 | バランスを～す 失去平衡 | 相好を～す 眉开眼笑 ❸〔両替する〕‖ 小銭に～す 换零钱 ❹〔草書体などで書く〕潦草liáocǎo ‖ 字を～して書く 用草体写字

ぐずつ·く【愚図つく】❶〔ぐずぐずする〕磨蹭móceng; 拖拉tuōlā ❷〔天気がはっきりしない〕不放晴bú fàngqíng

くす·ねる 昧起来mèiqilai; 偷(窃) tōu(qiè)

くすのき【樟·楠】樟zhāng

くすぶ·る【燻る】❶〔煙る〕冒烟mào yān ‖ 焼け跡はまだ～っている 火灾现场的废墟仍在冒烟 ❷〔ひきこもる〕‖ 家に～っている 闷在家里 ❸〔解決しない〕隐现yǐnxiàn; 潜在qiánzài ‖ 問題が～る 问题隐现 | 不満が～る 潜在不满

くすり【薬】❶〔薬剤·薬品〕药yào ‖ 3日分の～をあげます 给你开三天的药 | 傷口に～を塗る 在伤口上涂药 ❷〔役に立つもの〕益处yìchu; 教训jiàoxun ‖ 毒にも～にもならない 既无害也无益 | きみにはいい～だ 对你来说是一次很好的教训 ✤ 一代:药费 | 一箱:药箱 | 胃一:胃药

くすりや【薬屋】药房yàofáng; 药店yàodiàn

くすりゆび【薬指】无名指wúmíngzhǐ

ぐず·る【愚図る】磨人mó rén; 缠人chán rén

くず·れる【崩れる】❶〔ものが〕崩溃bēngkuì; 倒塌dǎotā ‖ 地震で壁が～れた 由于地震墙壁倒塌了 ❷〔整っていた形などが〕走形zǒuxíng ‖ 服の型が～れた 衣服变形了 | 体形が～れる 身体走形 | 隊列が～れた 队列乱了 ❸〔相場が〕跌落diēluò ‖ 相場が～れる 行市下跌 ❹〔天気が〕变坏biànhuài; 变天biàntiān ‖ 天気が～れてきた 要变天了

くすんだ 不鲜艳bù xiānyàn; 暗淡àndàn ‖ ～色合い 暗色调

くせ【癖】❶〔習慣〕习惯xíguàn; 毛病máobing ‖ 食前に手を洗う～ 饭前洗手的习惯 | つめをかむ～ 咬指甲的毛病 | 一度ついた～はなかなか抜けない 一旦养成的习惯很难改掉 | なくて七～ 什么人都多少有点儿毛病 ❷〔かわった特徴〕‖ ～のある字 字写得很怪 | ～のない英語を話す 能说一口标准的英语

くせげ【癖毛】自来卷儿zìláijuǎnr; 卷发juǎnfà

-くせに【癖に】(虽然)…却(suīrán) … què; (本来)…可是(běnlái) … kěshì ‖ 子どもの～大人みたいな口をきく 小小年纪却用大人的口气讲话

くせもの【曲者】❶〔不審者〕可疑的人kěyí de rén; 坏人huàirén; 歹人dǎirén ❷〔要注意なもの〕蹊跷qīqiāo; 不可掉以轻心bùkě diào yǐ

qīng xīn ‖ 恋は～ 恋爱是变幻莫测的
くせん【苦戦】(～する)苦战kǔzhàn ‖ ～の末 经过一番苦战之后 | ～する 形势很不利
くそ【糞】❶〔大便〕屎shǐ; 大便dàbiàn ‖ ～をする 拉屎; 拉大便 ❷〔人をののしって〕他妈的! tāmāde!; 该死! gāisǐ!; 见鬼! jiànguǐ! ‖ 規則など～食らえだ! 什么破规矩, 见鬼去吧!
くそまじめ【糞真面目】过于认真guòyú rènzhēn; 定一本正经yì běn zhèng jīng; 死板sǐbǎn
くそみそ【糞味噌】❶〔いっしょくたにする〕好歹不分hǎodǎi bù fēn ❷〔ぼろくそ〕 ‖ ～にけなされる 被贬斥得一钱不值
くだ【管】〔根〕管(子) guǎn(zi) ‖ ～の穴から天をのぞく 定以管窥天
くだ ‖ ～を巻く 絮絮叨叨地〔没完没了地〕说醉话
ぐたい【具体】具体jùtǐ ❖一案:具体方案 | 一化:具体化 ‖ アイディアを～する 把想法具体化 | 一的:具体 | 一例:具体(的)例子
くだ・く【砕く】❶〔細かくする〕弄碎nòngsuì; 砸碎zásuì ‖ 皿を粉々に～く 把盘子打得粉碎 ❷〔尽力する〕 ‖ 心を～ 煞费苦心 ❸〔わかりやすくする〕 ‖ ～いた説明 说得浅显易懂
くたくた ❶〔疲れて〕定精疲力竭jīng pí lì jié ‖ もう～だ 已经精疲力竭; 累死了 ❷〔布などが〕磨损mósǔn; 软塌塌ruǎntātā ❸〔煮物〕松软sōngruǎn ‖ ～になるまで煮る 煮到烂为止
くだけた【砕けた】❶〔うちとけた〕随和suíhe; 融洽róngqià ‖ ～人 随和的人 ❷〔わかりやすい〕 ‖ ～文体 浅显易懂的文体
くだ・ける【砕ける】破碎pòsuì; 粉碎fěnsuì ‖ コップが落ちて～けた 杯子摔碎了 | 窓ガラスが～ける 玻璃窗破碎 | 当たって～けろ 尽人事, 听天命
ください【下さい】❶〔いただきたい〕请给qǐng gěi ‖ このパンを3個～ 请给我三个这种面包 ❷〔ていねいに頼む〕请qǐng ‖ お座り～ 请坐 | 喫煙はご遠慮～ 请不要吸烟
くだ・す【下す】❶〔命令・判定を出す〕下xià; 做出zuòchu ‖ 高い評価を～す 给予高度评价 | 命令を～す 下令 | 判決を～す 做出判决 ❷〔実行する〕下手xiàshǒu; 动手dòngshǒu ‖ 自ら手を～す 亲自动手 ❸〔負かす〕攻下gōngxia; 击败jībài ‖ 3対0で相手を～した 以三比零击败了对手 ❹〔下痢をする〕泻xiè ‖ 腹を～す 拉肚子 ❺〔一気に終わらす〕 ‖ 長篇小説を一気に読み～す 把长篇小说一气读完
くたび・れる【草臥れる】❶〔人が〕累lèi; 疲惫píbèi ❷〔ものが〕用旧yòngjiù ‖ このコートはすっかり～れてしまった 这件大衣已经穿得相当旧了 ❸〔…くたびれる〕累了lèi le ‖ 待ち～れた 等累了
くだもの【果物】水果shuǐguǒ ❖一ナイフ:水果刀 | 一屋:水果店
くだらな・い【下らない】无价值wú jiàzhí; 无聊wúliáo; 定微不足道wēi bù zú dào ‖ ～いことを言うな 别说废话 | なんだ～い 原来是这么回事, 真无聊!
くだり【下り】❶〔下降〕下xià; 降jiàng ‖ ここから～になる 路从这里开始下坡 ❷〔交通〕下行xiàxíng ‖ ～の列車 下行列车
くだりざか【下り坂】❶〔下りの坂道〕下坡xiàpō ❷〔衰える・悪くなる〕衰微shuāiwēi; 衰落shuāiluò ‖ 景気は～だ 景气下滑 | 天気は～に向かうでしょう 天气会转坏
くだ・る【下る】❶〔上から下へ〕下xià; 下去xiàqu ‖ 山を～る 下山 | 川を～る 顺流而下 ❷〔命令・判決などが〕下xià ‖ 無罪の判決が～った 被宣判为无罪 ❸〔腹が〕泻xiè ‖ 腹が～っている 拉肚子 ❹〔敵に〕投降tóuxiáng ‖ 敵の軍門に～る 向敌人投降 ❺〔時代が〕变迁biànqiān ❻〔下回る〕下xià ‖ 死者は50人を～らない 死者不下50人 ❼〔牢屋に入る〕 ‖ 獄に～る 下狱 ❽〔官職を辞す〕 ‖ 野に～る 下野
くち【口】❶〔器官〕〔张〕嘴zuǐ ‖ ～をあける 张开嘴 | ～をとがらせる 撅嘴 | ～をきりりと結ぶ 紧闭着嘴 | ～をぬぐう 佯作不知 ❷〔話〕说话shuōhuà; 嘴zuǐ ‖ ～がうまい 定能说会道; 嘴巧 | ～が悪い 嘴损; 说话刻薄 | あいた～がふさがらない 定瞠目结舌 | ～が重い 寡言少语 | ～が軽い 嘴快; 说话轻率 | ～がかたい 嘴严; 嘴紧 | ～が過ぎる 说话过分; 说话不礼貌 | ～が滑る 无意中说走了嘴; 不小心失言了 | ～を慎みなさい 说话要小心谨慎 | ～は災いのもと 定祸从口出 | ～から出まかせを言う 随口说谎 | ～より手が早い 他动不动就打人 ❸〔味覚〕口味kǒuwèi ‖ ～に合わない 不合口味 | ～が肥えている 口味很高; 讲究吃 ❹〔生計・養う人数〕口kǒu ‖ ～を糊(のり)する 糊口 ❺〔働き口〕 ‖ 仕事の～がなかなか見つからない 怎么也找不到工作 ❻〔出入り口・容器の口〕口kǒu; 洞dòng ‖ 瓶の～ 瓶嘴儿 ❼〔始まり〕开端kāiduān ‖ まだ宵の～だ 天刚黑; 夜还不深 ❽〔種類〕种zhǒng ❾〔数〕份fèn ‖ 1～申し込みます 预约一份; 申请一份
ぐち【愚痴】牢骚láosao; 怨言yuànyán ‖ ～を並べる 发牢骚 | ～をこぼす 抱怨
くちうら【口裏】 ‖ ～を合わせる 统一口径
くちうるさ・い【口煩い】爱挑剔ài tiāoti; 爱说教ài shuōjiào ‖ ～い小言 叨唠怨言
くちかず【口数】话多〔少〕huà duō〔shǎo〕 ‖ ～が多い 嘴碎; 话多
くちぎたな・い【口汚い】嘴脏zuǐ zāng; 说话下流shuōhuà xiàliú ‖ ～くののしる 用下流话骂人
くちく【駆逐】(～する)驱逐qūzhú; 赶走gǎnzǒu ‖ 敵を～する 把敌人赶走 | 害虫を～する 消灭害虫 ❖一艦:驱逐舰
くちぐせ【口癖】口头禅kǒutóuchán
くちぐちに【口口に】一致地(说) yízhì de (shuō) ‖ ～不平をとなえる 大家都鸣不平
くちぐるま【口車】 ‖ ～に乗る 上当
くちげんか【口喧嘩】(～する)吵架chǎojià; 争吵zhēngchǎo; 吵闹chǎonào
くちごたえ【口答え】(～する)还嘴huánzuǐ; 顶嘴dǐngzuǐ ‖ 親に～するな 别〔不许〕跟父母顶嘴
くちコミ【口コミ】口传kǒuchuán; 定街谈巷议jiē tán xiàng yì; 小道儿消息xiǎodàor xiāoxi
くちごも・る【口籠る】含糊不清hánhu bù qīng ‖ ～りながら返事する 支支吾吾地回答
くちさき【口先】嘴zuǐ; 说shuō ‖ ～がうまい 嘴巧 | ～ばかりで実行が伴わない 只说不做
くちずさ・む【口ずさむ】(歌を)哼唱hēngchàng. (詩などを)吟yín; 诵sòng

くちぞえ【口添え】(～する)推荐tuījiàn；周旋zhōuxuán‖よろしくお～願います 请您给推荐一下

くちだし【口出し】(～する)多嘴duōzuǐ；插嘴chāzuǐ‖人の話に～する 爱插嘴

くちづけ【口づけ】(～する)(接)吻(jiē)wěn；亲(嘴) qīn(zuǐ)

くちづて【口伝て】口传kǒuchuán‖～に聞く 听人说

くちどめ【口止め】(～する)堵嘴dǔzuǐ；不让泄漏bú ràng xièlòu‖事実を公表しないよう～された 不让我把事实公布于众

くちばし【嘴】〔张〕鸟嘴niǎozuǐ‖～をはさむ 插嘴｜～の黄色い若造 乳臭未干的毛孩子

くちばし・る【口走る】漏嘴lòuzuǐ‖あらぬことを～る 脱口说出不该说的话

くちはっちょう【口八丁】✤一手八丁:能说能干

くちび【口火】❶〔きっかけ〕第一炮dì yī pào；头炮tóupào‖攻撃の～を切る 打响攻击的第一炮 ❷〔ガス器具などの〕火种huǒzhǒng

くちひげ【口髭】嘴边胡子zuǐbiān húzi；髭zī‖～を生やしている 嘴上留着胡子

くちびる【唇】嘴唇zuǐchún‖～を震わせる 嘴唇哆嗦｜～をなめる 舔嘴唇｜～をとがらす 撅嘴｜～をかむ 忍住

くちぶえ【口笛】‖～を吹く 吹口哨儿

くちぶり【口振り】口气kǒuqi；口吻kǒuwěn

くちべた【口下手】嘴笨zuǐ bèn；不会说话bú huì shuōhuà；㊀笨口拙舌bèn kǒu zhuō shé

くちべに【口紅】〔支〕口红kǒuhóng；唇膏chúngāo‖～を塗る 抹〔涂〕口红

くちまね【口真似】(～する)学舌xuéshé‖オウムの～ 鹦鹉学舌

くちもと【口元・口許】嘴边zuǐbiān‖～に微笑を浮かべる 嘴边浮现出微笑｜～がゆるむ 抿嘴微笑

くちやかまし・い【口喧しい】爱唠叨ài láodao

くちやくそく【口約束】(～する)口头协议〔约定〕kǒutóu xiéyì〔yuēdìng〕‖～は当てにならない 口头约定是靠不住的

くちゃくちゃ ❶〔かむ音〕咕唧咕唧gūjīgūjī ❷〔しわだらけ〕皱巴巴zhòubābā

ぐちゃぐちゃ ❶〔水分が多い〕黏糊糊niánhūhū‖～の雪解け道 化了雪的道路非常泥泞 ❷〔乱れている〕㊀乱七八糟luànqībāzāo‖机の上が書類で～だ 桌子上乱七八糟地堆满了文件

くちょう【口調】口吻kǒuwěn；腔调qiāngdiào；口气kǒuqi‖演説～ 演讲的腔调｜興奮した～で 用兴奋的语调｜～がいい 说起来很顺口

く・ちる【朽ちる】腐朽fǔxiǔ；朽坏xiǔhuài‖～ちかかった橋 开始腐朽的桥梁

くつ【靴】〔双,只〕鞋xié‖～をはく〔脱ぐ〕 穿〔脱〕鞋｜～を1足買った 买了一双鞋｜～を磨く 擦鞋｜～が減る 鞋底磨薄 ✤一音:脚步声｜一墨:鞋油｜一擦れ:(脚)被鞋磨破｜一底:鞋底｜一ひも:鞋带｜一べら:鞋拔子｜子ども一:童鞋

くつう【苦痛】痛苦tòngkǔ‖～を和らげる 减轻痛苦｜～にうめく 痛苦地呻吟｜～に耐える 忍受痛苦

くつがえ・す【覆す】❶〔倒す〕颠覆diānfù；推翻tuīfān‖政権を～す 颠覆政权 ❷〔かえる〕推翻tuīfān；改变gǎibiàn‖常識を～す 推翻常识

くつがえ・る【覆る】❶〔倒れる〕被推翻bèi tuīfān；倒台dǎotái‖政権が～る 政权被推翻 ❷〔改まる〕被推翻bèi tuīfān；改变gǎibiàn‖審判の判定が～った 裁判的判决被推翻了

クッキー〔块,盒〕曲奇qūqí

くっきょう【屈強】强壮qiángzhuàng；强健有力qiángjiàn yǒulì‖～な若者 强壮的年轻人

くっきり 鲜明xiānmíng；清楚qīngchu；分明fēnmíng‖遠くの山並みが～と見える 可以清楚地看见远处的山峰

くっさく【掘削】(～する)挖掘wājué；开凿kāizáo‖油田を～する 开采油田 ✤一機:挖掘机

くっし【屈指】㊀屈指可数qū zhǐ kě shǔ；数得上shǔdeshàng‖当代～の人物 当代少有的一流人才

くつした【靴下】〔双,只〕袜子wàzi‖～をはく〔脱ぐ〕 穿〔脱〕袜子｜～が裏返しだ 袜子穿反了 ✤一止め:袜带

くつじょく【屈辱】耻辱chǐrǔ；侮辱wǔrǔ‖～を感じる 感到耻辱〔羞辱〕｜～を受ける 受到侮辱｜～に耐える 忍受耻辱

ぐっしょり 浸透jìntòu；湿透shītòu‖Tシャツが汗で～ぬれた T恤被汗水浸透了

クッション ❶〔座布団〕垫子diànzi ❷〔弾力〕弹力tánlì；弹性tánxìng‖～のきいたソファー 弹力大的沙发 ❸〔緩衝〕缓冲物huǎnchōngwù

くっしん【屈伸】(～する)屈伸qūshēn

ぐっすり (睡得)很香(shuìde) hěn xiāng；(睡得)很熟(shuìde) hěn shú

くっ・する【屈する】❶〔服従する〕屈服qūfú；屈从qūcóng‖権力〔誘惑〕に～する 向权力〔诱惑〕屈服 ❷〔くじける〕气馁qìněi；泄气xièqì‖失敗に～しない 遇到失败,也不气馁

くっせつ【屈折】(～する)❶〔複雑な・ゆがんだ〕曲折qūzhé；扭曲niǔqū‖～した人生を送る 度过曲折的一生 ❷〔物理〕折射zhéshè‖光線が45度に～する 光线折射成45度

くったく【屈託】(～する)担心dānxīn；烦恼fánnǎo；忧虑yōulǜ‖何の～もない 无忧无虑

ぐったり (～する)㊀精疲力竭jīng pí lì jié；疲倦不堪píjuàn bùkān‖～疲れる 累得精疲力竭

くっつ・く ❶〔付着する〕附着fùzhuó；粘住zhānzhu‖キャラメルが歯に～いた 糖粘在牙上了 ❷〔接する〕靠近kàojìn；挨近āijìn‖あの2人はいつも～いている 那两个人总是在一起 ❸〔男女が親しくなる〕搞在〔搞到〕一起gǎozai〔gǎodào〕yìqǐ

くってかか・る【食って掛かる】顶撞dǐngzhuàng‖父親に～る 顶撞父亲

ぐっと ❶〔力を込めて〕使劲shǐjìn；用力yònglì‖～こらえる 使劲忍住 ❷〔一気に〕一口气地yì kǒu qì de‖ビールを～飲み干した 一口气地把啤酒喝干了 ❸〔ずっと〕…多了…duō le‖～便利になった 方便多了｜～寒くなった 一下子冷了许多 ❹〔感動・衝撃を受けるさま〕深深感动shēnshēn gǎndòng‖胸に～くる 深感人心

くつろ・ぐ【寛ぐ】放松fàngsōng; 随便suíbiàn ‖ どうぞお～ぎください 请随便一些｜～いだ雰囲気 轻松的气氛

くつわ【轡】〔副〕马嚼子mǎjiáozi ‖ ～をとる 拉马嚼子｜～を並べる 定 并驾齐驱；喩 并肩

くど・い【諄い】❶〔うるさい〕啰唆luōsuo; 絮叨xùdao ‖ 話が～い 说话太啰唆 ❷〔濃い〕太浓tài nóng; 过浓guò nóng

くとう【苦闘】(～する)苦战kǔzhàn; 苦斗kǔdòu; 奋斗fèndòu

くとうてん【句読点】标点符号biāodiǎn fúhào ‖ 文に～をつける 给句子加标点符号

くど・く【口説く】❶〔説得する〕说服shuōfú; 恳求kěnqiú ‖ 父を～く 说服父亲 ❷〔異性を〕求爱qiú'ài; 追求zhuīqiú

くどくど【諄諄】絮絮叨叨xùxùdāodāo; 啰里啰唆luōliluōsuo ‖ ～と同じことを言う 絮絮叨叨地说同样的话

くなん【苦難】苦难kǔnàn; 困难kùnnan ‖ ～に立ち向かう 迎着困难上｜～の道 艰难的道路

くに【国】❶〔国家〕国家guójiā ‖ ～をおさめる 治国｜～を興す 振兴国家｜～をあげる 举国上下 ❷〔ふるさと〕家乡jiāxiāng; 故乡gùxiāng ‖ ～を出る〔へ帰る〕 离开〔回到〕家乡 ❸〔地方〕地区dìqū; 地方dìfāng ‖ 南の～ 南国；南方地区

くにく【苦肉】苦肉kǔròu ‖ ～の策 苦肉计

ぐにゃり 软绵绵ruǎnmiānmiān ‖ 鉄塔が～と曲がった 铁塔软绵绵地弯了下去

くぬぎ【櫟】麻栎málì

くねくね (～する)弯弯曲曲wānwānqūqū ‖ ～した細い山道 弯弯曲曲的很细的山路

くねら・す 扭动niǔdòng; 扭曲niǔqū ‖ 腰を～す 扭腰

くのう【苦悩】(～する)苦恼kǔnǎo; 苦闷kǔmèn ‖ 顔に～の色がにじむ 脸上显出苦闷的表情

くば・る【配る】❶〔分ける〕分fēn; 发fā; 分发fēnfā ‖ 試験問題を～る 发试卷 ❷〔配達する〕送sòng; 投递tóudì ‖ 郵便物を～る 送邮件 ❸〔注意・配慮を〕注意zhùyì; 留意liúyì ‖ 周囲に目を～る 留意四周

くび【首】❶〔頸部ケイブ〕〔个,根〕脖子bózi ‖ ～をもたげる 抬起头｜～が座る 脖子长挺了｜～をのばす 伸长脖子｜～をしめる 掐脖子｜～をくくる 上吊｜～をすくめる 缩脖子 ❷〔頭〕头tóu ‖ 窓から～を出す 把头伸出窗外｜～を縦〔横〕に振る 点〔摇〕头｜～をかしげる 怀疑〔不相信〕 ❸〔頸部に似たもの〕颈jǐng ‖ 徳利の～ 酒壶颈 ❹〔解雇〕‖ ～にする 解雇；革职；炒鱿鱼｜～になる 被解雇〔免职〕｜～がつながる 避免被解雇 ❺〔慣用表現〕‖ ～を長くして待つ 翘首期盼｜面倒なことに～を突っこむ 自找麻烦｜課長の～をすげかえる 撤换科长

くびかざり【首飾り】〔条,串,根〕项链xiàngliàn ‖ 真珠の～をする 戴珍珠项链

くびすじ【首筋】〔个,根〕脖颈(子) bógěng(zi) ‖ ～が寒い 脖子冷

くびっぴき【首っ引き】不离手bù lí shǒu; 一一查看yīyī chákàn ‖ 辞典と～で 抱着词典

くびつり【首吊り】(～する)上吊shàngdiào; 悬梁xuánliáng ✤一自殺:上吊自杀

くびねっこ【首根っこ】脖颈(子) bógěng(zi) ‖ ～をおさえる 掐住脖颈子；喩 抓住要害

くび・れる【括れる】中间细〔狭窄〕zhōngjiān xì〔xiázhǎi〕‖ ～れたウエスト 细腰

くびわ【首輪】脖圈bóquān; 脖套bótào

くぶ【九分】✤一どおり:差不多；几乎都 ‖ ～できあがった 几乎都完成了｜一九厘:九成九；几乎全部

くふう【工夫】(～する)定 想方设法xiǎng fāng shè fǎ; 定 千方百计qiān fāng bǎi jì ‖ ～を重ねる 反复钻研；不断研究｜～に～を凝らす 绞尽脑汁

くぶん【区分】(～する)划分huàfēn; 分割fēngē

くべつ【区別】(～する)分别fēnbié; 区别qūbié ‖ はっきりした～ 明显的差异｜年齢の～なしに 不分年龄｜公私をきちんと～する 划清公私界线

くぼち【窪地】洼地wādì

くぼ・む【窪む・凹む】洼陷wāxiàn; 凹下āoxia; ‖ 疲れて目が～んだ 累得眼凹下去了

くま【隈】黑眼圈hēi yǎnquān ‖ ～ができる 眼圈发黑

くま【熊】〔只,头〕熊xióng ‖ ～の胆(い) 熊胆

くまどり【隈取り】(～する)(勾)脸谱(gōu) liǎnpǔ

くまなく【隈なく】处处chùchù; 普遍pǔbiàn; 彻底chèdǐ ‖ ～見てまわる 巡视每一个角落

くまばち【熊蜂】熊蜂xióngfēng

くみ【組】❶〔クラス〕班bān ‖ この～の生徒は何人ですか 这个班有几个学生啊？ ❷〔グループ〕组zǔ; 小组xiǎozǔ. (チーム)队duì ‖ 5人～のバンド 五人组合乐队｜2人ずつ～になる 两个人一组｜赤～ 红队 ❸〔セット〕套tào; 副fù ‖ 6枚で1～の記念切手 六张一套的纪念邮票

くみあい【組合】❶〔労働組合〕工会gōnghuì ‖ ～に加入する 加入工会 ❷〔組織体〕合作社hézuòshè; 协会xiéhuì ✤一員:工会会员；合作社社员｜一運動:工人运动｜消費者一:消费者协会

くみあ・げる【汲み上げる】❶〔液体を〕汲(水) jí (shuǐ) ‖ ポンプで地下水を～げる 用水泵抽地下水 ❷〔意見などを〕听取tīngqǔ; 采纳cǎinà ‖ 住民の意見を～げる 听取居民的意见

くみあわせ【組み合わせ】❶〔コンビネーション〕搭配dāpèi; 组合zǔhé. (競技などの)分组fēnzǔ ‖ あのコンビはいい～だ 他们俩是好搭档｜トーナメントの～ 淘汰赛的分组 ❷〔数学〕组合zǔhé

くみあわ・せる【組み合わせる】❶〔ひとまとまりにする〕配pèi; 搭配dāpèi; 组合zǔhé ‖ 西洋医学と東洋医学を～せた治療 中西医结合的医疗 ❷〔ゲームなどで〕分组fēnzǔ; 编组biānzǔ

くみい・れる【組み入れる】编入biānrù; 列入lièrù ‖ カリキュラムに～れる 列入课程中

くみか・える【組み替える】改编gǎibiān; 重新编制chóngxīn biānzhì ‖ 予算を～える 重新编制预算｜日程を～える 重新安排日程

くみきょく【組曲】〔首,部〕组曲zǔqǔ

くみこ・む【組み込む】编入biānrù; 安排进去ānpáijinqu ‖ 体制に～まれる 被编入现行体制中

くみしやす・い【与し易い】容易对付róngyì duìfu; 好对付hǎo duìfu

くみ・する【与する】支持zhīchí；赞同zàntóng；拥护yōnghù

くみたて【組み立て】❶〔組み立てること〕组装zǔzhuāng；装配zhuāngpèi‖～式の家具 拆装式家具 ❷〔構造〕结构jiégòu‖文の～ 句子结构

くみた・てる【組み立てる】组装zǔzhuāng‖プラモデルを～てる 组装模型｜論理を～てる 构成逻辑

くみふ・せる【組み伏せる】按倒在地àndǎozai dì；按在身下ànzai shēn xià

く・む【汲む・酌む】❶〔水などを〕打dǎ；舀yǎo ❷〔酒や茶をつぐ〕倒dào；斟zhēn ❸〔事情や心情を〕体谅tǐliang；考虑kǎolǜ‖両親の気持ちを～む 考虑到父母的心情 ❹〔受け継ぐ〕继承jìchéng‖貴族の流れを～む 有贵族血统

く・む【組む】❶〔交差させる〕交叉在一起jiāochāzai yìqǐ‖腕を～む 抱着胳膊｜腕を～んで歩く 挽着胳膊走｜足を～む 跷着二郎腿 ❷〔組み立てる〕搭dā；扎zā‖足場を～む 搭脚手架 ❸〔編成する〕编排biānpái；组成zǔchéng‖隊列を～む 编队｜コンビを～む 结成搭档｜旅行の日程を～む 安排行程｜住宅ローンを～む 住房按揭贷款 ❹〔印刷〕排(字) pái(zì) ❺〔組になる〕合伙儿héhuǒr‖ペアを～む 两人一组｜徒党を～む 拉帮结伙 ❻〔とっ組み合う〕扭打niǔdǎ；扭成一团niǔchéng yì tuán ❼〔為替を〕〔笔〕汇款huìkuǎn‖200万円の為替を～む 汇200万日元

くめん【工面】(～する)筹措chóucuò；凑集còují‖旅費の～がつかない 无法筹措到旅费〔盘缠〕

くも【雲】❶〔気象〕〔朵,片〕云彩yúncai‖白い～ 白云｜～が流れる 云彩飘动｜～が垂れこめる 浓云密布 ❷〔慣用表現〕‖～をつかむような話 不着边际〔虚无缥缈〕的事儿

くも【蜘蛛】〔个,只〕蜘蛛zhīzhū‖～の糸 蛛丝；蜘蛛的丝｜～が巣をはる 挂蜘蛛网｜～の子を散らすように逃げる 四散逃开

くもま【雲間】云彩间yúncai jiān；云缝儿间yúnfèngr jiān‖～から満月が見え隠れする 满月在云缝儿间若隐若现

くもまく【蜘蛛膜】✤一下出血：蛛网膜下出血

くもゆき【雲行き】❶〔雲が動くようす〕云的变化yún de biànhuà ❷〔成り行き〕前景qiánjǐng；趋势qūshì‖～が怪しい 前景微妙

くもり【曇り】❶〔天候〕阴yīn；阴天yīntiān.(薄曇り)多云duōyún‖雨のち～ 雨转阴｜～時々晴れ 多云间晴 ❷〔心など〕阴影yīnyǐng；亏心的事kuīxīn de shì ✤一ガラス：磨砂玻璃

くも・る【曇る】❶〔天候が〕阴下来yīnxialai；阴沉yīnchén‖にわかに空が～って雨が降りだした 突然天阴了下来,下起雨来 ❷〔ガラスなどが〕模糊(了) móhu (le)‖涙で～った目 被泪水模糊的眼睛｜湯気で鏡が～った 因为有蒸汽,镜子模糊了

くやし・い【悔しい】懊悔àohuǐ；窝心wōxīn；气人qì rén‖せっかくのチャンスを逃して,ほんとうに～い 失去了一个难得的好机会,真懊悔！｜～かったらかかってこい 你不服气？好呀,来吧！

くやしまぎれ【悔し紛れ】因气愤〔懊悔〕而…yīn qìfèn〔àohuǐ〕ér …

くやみ【悔やみ】‖お～の言葉 悼念之词｜知人の家へお～に行く 去朋友家吊唁

くや・む【悔やむ】❶〔とむらう〕哀悼āidào；悼念dàoniàn；吊唁diàoyàn ❷〔後悔する〕懊悔àohuǐ；追悔zhuīhuǐ；遗憾yíhàn‖いまさら～んでもう遅い 再懊悔也晚了；追悔莫及

くよう【供養】(～する)祭奠jìdiàn

くよくよ(～する)自寻烦恼zì xún fánnǎo；想不开xiǎngbukāi‖あまり先のことを考えて～してもしかたがない 老是为将来的事发愁也没用

くら【倉・蔵】〔个,座〕仓库cāngkù；库房kùfáng；栈房zhànfáng‖～が建つ 发财

くら【鞍】〔副〕鞍ān；马鞍mǎ'ān‖ウマに～を置く 备马鞍｜～を外す 卸下马鞍

くらい【位】❶〔階級〕地位dìwèi；品级pǐnjí‖～を授ける 授位｜～につく 即位｜～があがる〔下がる〕 晋升〔降级〕 ❷〔数学〕‖10の～ 十位

くら・い【暗い】❶〔光線が〕暗àn；黑hēi；阴暗yīn'àn‖～い部屋 阴暗的房间｜空がだんだん～くなってきた 天渐渐暗〔黑〕了下来｜～いうちに出かけた 天还没亮就出门了 ❷〔陰気・不幸〕‖性格が～い 性格忧郁；不开朗｜～い過去 不光彩的往事｜見通しは～い 没指望 ❸〔うとい〕不熟悉bù shúxī‖世事に～い 不谙世故｜このあたりの地理に～い 不熟悉这一带的路

-くらい ❶(およそ・だいたい)大概dàgài；左右zuǒyòu‖ピンポン球～のウメの実 乒乓球大的梅子｜見たところ30歳～だ 看上去30岁左右｜どの～費用がかかりますか 大概要花多少钱？ ❷〔極端な例〕‖その～私にだってできる 这么点儿事我也会｜1杯～つきあえよ 陪我喝一杯吧 ❸〔比較する基準〕‖あのとき～恥ずかしい思いをしたことはない 从来没有像那个时候那么难为情｜いやになる～たくさん宿題を出された 作业多得让人讨厌

グライダー〔架〕滑翔机huáxiángjī

クライマックス 高潮gāocháo；顶点dǐngdiǎn；最高峰zuìgāofēng‖～に達する 达到高潮

くら・う【食らう】❶〔飲み食いする〕吃chī；喝hē‖大飯を～う 吃饭吃得很多 ❷〔受ける〕挨ái‖パンチを～う 挨拳｜母にお小言を～った 挨了妈妈一顿说

グラウンド 操场cāochǎng；运动场yùndòngchǎng；球场qiúchǎng；赛场sàichǎng

くらがえ【鞍替え】(～する)(仕事を)改行gǎiháng；跳槽tiàocáo.(立場・態度などを)改gǎi；变心biànxīn

くらがり【暗がり】暗处ànchù；黑暗中hēi'àn zhōng

クラクション(汽车)喇叭(qìchē) lǎba‖～を鳴らす 按喇叭；鸣笛

くらくら(～する)发晕fāyūn‖頭が～する 头晕

ぐらぐら(～する)❶〔不安定〕摇晃yáohuang；活动huódong‖奥歯が～する 槽牙有些松动 ❷〔沸騰している〕‖やかんのお湯が～煮え立っている 水壶里的水滚开了

くらげ【水母・海月】水母shuǐmǔ；海蜇hǎizhé ✤電気一：僧帽水母

くらし【暮らし】(过)日子(guò) rìzi；生活shēnghuó‖～に困る 日子很难过｜新しい～に慣れる 适应新的生活 ✤一向き：家境

グラジオラス 唐菖蒲tángchāngpú

クラシック ❶〔音楽〕(西方)古典音乐(xīfāng) gǔdiǎn yīnyuè ❷〔古典的〕古雅gǔyǎ; 定 古色古香gǔ sè gǔ xiāng ✣ 一カー:古董车

くら·す【暮らす】❶〔生活する〕过日子guò rìzi; 生活shēnghuó ‖ 年金だけでは〜せない 光靠养老金日子过不下去 | 爪に火を灯して〜す 节衣缩食过日子 ❷〔…し続ける〕…不停… bù tíng; …不已… bùyǐ ‖ 遊び〜す 定 游手好闲

クラス ❶〔学校の〕班bān ‖ 成績で〜分けする 按成绩分班 ❷〔ランク〕…级…jí ‖ 社長〜の年収 总经理级的年收入 ✣ 一会:(同学)聚会 | 一担任:班主任 | 一メート:(同班)同学

グラス〔个,只,套〕玻璃杯bōlibēi ‖ 〜にワインを注ぐ 往杯里倒葡萄酒

グラタン 焗烤júkǎo

クラッカー ❶〔食品〕〔片,块〕咸饼干 xiánbǐnggān ❷〔玩具〕‖ 〜を鳴らす 放纸筒烟花

ぐらつ·く ❶〔物が〕摇晃yáohuang; 活动huódong ❷〔考えなどが〕动摇dòngyáo ‖ 决心が〜く 决心发生动摇

クラッチ〔機構〕离合器líhéqì.〔ペダル〕离合器踏板líhéqì tàbǎn ‖ 〜を踏む 踩离合器踏板

グラビア ❶〔印刷〕照相凹版印刷 zhàoxiàng āobǎn yìnshuā ❷〔雑誌などの〕杂志的照片页 zázhì de zhàopiànyè

クラブ ❶〔課外活動〕课外小组kèwài xiǎozǔ ‖ サイクリング〜 自行车小组 ❷〔会員組織〕俱乐部jùlèbù ‖ テニス〜に入る 参加网球俱乐部 ❸〔ゴルフ〕球棒qiúbàng ❹〔トランプ〕梅花méihuā ✣ 一ハウス:俱乐部大楼 | 一ヘッド:杆头

グラフ ❶〔図表〕〔张〕图表túbiǎo ‖ 〜に表す 用图表显示 ❷〔雑誌〕〔本,期〕画报huàbào ✣ 一用紙:坐标纸

グラフィック 图解tújiě.〔印刷物〕画报huàbào ✣ 一アート:印艺 | 一デザイナー:平面设计师

くら·べる【比べる】比bǐ; 比较bǐjiào ‖ 息子と背丈を〜べる 和儿子比身高 | ここは北京に〜べたらずっと暖かい 这儿比北京暖和得多

くらま·す【晦ます·暗ます】❶〔姿·所在を〕藏踪cángzōng; 躲藏duǒcáng ‖ 行方を〜す 销声匿迹 ❷〔行為·事実を〕隐瞒yǐnmán; 欺蒙qīméng ‖ 人の目を〜す 隐瞒事实

くら·む【眩む】❶〔強い刺激で〕眼花yǎnhuā; 晃眼huǎngyǎn ‖ フラッシュで目が〜んだ 被闪光灯晃得眼花 ❷〔心を奪われて〕迷惑míhuo; 被…迷住bèi … mízhu ‖ 欲に目が〜む 定 利欲熏心

グラム 克kè

くらやみ【暗闇】黑暗hēi'àn; 漆黑qīhēi ‖ 真っ〜 一片漆黑

クランク 曲柄qūbǐng; 摇把儿yáobàr ✣ 一アップ:杀青 | 一イン:开始拍摄 | 一シャフト:曲(柄)轴

グランド ピアノ 三角钢琴sānjiǎo gāngqín

グランドホステス 地勤人员dìqín rényuán

グランプリ 大奖dàjiǎng; 金奖jīnjiǎng ‖ 国際音楽祭で〜に輝く 在国际音乐节上荣获了金奖

くり【栗】栗子lìzi.〔木〕栗子树lìzishù ‖ 〜をゆでて皮をむく 煮栗子后剥皮 ✣ 一色:栗色

クリア ❶〔明瞭な〕清楚qīngchu; 清晰qīngxī ‖ 画面がとても〜だ 画面非常清晰 ❷(〜する)〔困難などを〕突破tūpò; 克服kèfú ‖ 難関を〜する 突破难关 ❸(〜する)〔ご破算にする〕清除qīngchú; 清空qīngkòng ✣ 一キー:清除键

くりあ·げる【繰り上げる】❶〔順序などを〕提上来tíshanglai ‖ 次点の候補者を〜げて当選にした 票数居第二位的候选人被提上来当选了 ❷〔期日などを〕提前tíqián ‖ 予定を〜げて帰国する 提前回国

くりあわせ【繰り合わせ】‖ 万障お〜のうえご出席ください 敬请拨冗参加

クリーニング 洗衣xǐ yī ‖ スーツを〜に出す 把西服送到洗衣店去洗 ✣ 一店:洗衣店; 干洗店

クリーム ❶〔食品〕奶油nǎiyóu ‖ バターを〜状に練る 把黄油搅拌成膏状 ❷〔化粧品〕膏霜gāoshuāng ‖ 〜を顔に塗る 往脸上擦美容霜 ✣ 一色:奶油色; 一ソース:奶油沙司 | 一パン:奶油面包 | カスタード一:鸡蛋奶油 | 保湿一:保湿霜

くりい·れる【繰り入れる】转入zhuǎnrù; 编入biānrù ‖ 利子は自動的に元金に〜れられる 利息将自动转入本金里

クリーン 干净gānjìng; 清洁qīngjié.〔行いが〕清廉qīnglián; 廉洁liánjié ✣ 一エネルギー:清洁能源

グリーン ❶〔色彩〕绿色lǜsè ❷〔ゴルフ〕果岭guǒlǐng ✣ 一カード:绿卡 | 一車:软座车 | 一ベルト:绿化地带

グリーンピース ❶〔豆〕青豌豆qīngwāndòu ❷〔団体名〕绿色和平组织Lǜsè Hépíng Zǔzhī

くりかえし【繰り返し】反复fǎnfù; 重复chóngfù ‖ 同じ言葉の〜を避ける 避免重复使用同样的词 ✣ 一記号:重复符号

くりかえ·す【繰り返す】反复fǎnfù; 重复chóngfù ‖ 〜し〜し言い聞かせる 反复地开导 | 歴史は〜す 历史会重演

くりくり ❶〔目が〕滴溜溜dīliūliū; 骨碌碌gūlūlū ‖ 目を〜させる 眼睛睁得又圆又大 ❷〔頭が〕光秃秃guāngtūtū; 光溜溜guāngliūliū ‖ 頭を〜にそる 脑袋剃得光溜溜的

くりこし【繰り越し·繰越】转入zhuǎnrù; 结转jiézhuǎn ✣ 一金:结转金额

くりこ·す【繰り越す】转入zhuǎnrù; 结转jiézhuǎn ‖ 次年度へ〜す 结转下年度使用

くりさ·げる【繰り下げる】❶〔日時などを〕推迟tuīchí; 延迟yánchí ‖ 会議を次の水曜日に〜げる 会议推迟到下星期三开 ❷〔順序などを〕往后排wǎng hòu pái; 往后错wǎng hòu cuò

クリスタル ❶〔水晶〕水晶shuǐjīng ❷〔結晶〕结晶jiéjīng ✣ 一ガラス:水晶玻璃

クリスチャン 基督教徒Jīdūjiàotú ✣ 一ネーム:教名; 洗礼名

クリスマス 圣诞节Shèngdànjié ‖ メリー〜 圣诞(节)快乐! ✣ 一イブ:圣诞夜 | 一カード:圣诞卡

グリセリン 甘油gānyóu; 丙三醇bǐngsānchún

くりだ·す【繰り出す】❶〔次々に〕不断〔不停〕地出búduàn〔bùtíng〕de chū ‖ 次々にパンチを〜す 不断出拳击打 | ロープを〜す 不停地放绳子 ❷〔おおぜいで〕一拥而上yì yōng ér shàng ‖ 広場に見物客が〜した 广场上涌来了观众

クリック(〜する)点击diǎnjī ✣ シングル一:单击 | 右〔左〕一:点击右键〔左键〕; 右〔左〕击

クリップ ❶〔書類用〕‖ 書類を〜でとめる 用夹

子把文件夹起来；用曲别针把文件别在一起 ❷〔髪用〕发卡fàqiǎ

グリップ 握柄wòbǐng; 握把wòbà. 〔ラケットの〕拍柄pāibǐng

クリニック 诊所zhěnsuǒ; (规模较小的)医院(guīmó jiào xiǎo de) yīyuàn

くりぬ·く【刳り貫く】挖通wātōng; 挖出wāchu; 掏空tāokōng ‖ カボチャを～く 把南瓜掏空

くりの·べる【繰り延べる】延期yánqī ‖ 支払い期日を～べてもらう 请求推延支付期限

くりひろ·げる【繰り広げる】展开zhǎnkāi; 进行jìnxíng ‖ 熱戦を～げる 展开激战

くりょ【苦慮】(～する)苦思焦虑kǔ sī jiāolǜ; 定苦思冥想kǔ sī míng xiǎng; 苦于kǔyú

グリル 烤架kǎojià; 烧烤网shāokǎo wǎng

グリンピース ⇨グリーンピース

くる【来る】❶〔近づく〕来lái; 到dào ‖ こっちへ～ 到这儿来 | 遊びに～ 来玩儿 | 春が～ 春天到了 | さあ,来い 过来！| バスは5分ごとに～ 公共汽车隔五分钟来一趟 | ～もの拒まず 定来者不拒 | 誕生日が来れば19になる 过了生日就19岁了 | やっと私の番が来た 终于轮到我了 | 行く年を送り,～年を迎える 辞旧迎新 ❷〔ある事態·状態になる〕到dào ‖ いくら食べても飽きが来ない 百吃不厌 | 風邪がお腹に来た 感冒引起了腹泻 ❸〔由来·起因する〕来自láizì; 出自chūzì ‖ 外国から来た思想 来自外国的思想 | この成語は『論語』から来ている 这个成语出自《论语》 ❹〔感情·感覚が生じる〕感到gǎndào; 觉得juéde ‖ 舌にぴりっと～辛み 稍稍辣舌头的辣味 | 頭に来た 气死了 | どうもしっくり来ない 总感觉差点儿什么 | ぴんと～ 马上明白；突然来了灵感 ❺〔…についていうと〕说起shuōqi; 提到tídào ‖ うちの息子と来たら 说起我家的孩子 | 中国と来れば 提到中国 ❻〔ある方法をとる〕采取cǎiqǔ ‖ 相手がそう～ならこっちはこう行く 对方那么做的话我们就这么办 ❼〔…てくる〕逐渐…了zhújiàn … le. 〔…し続ける〕一直…yìzhí … ‖ しだいに春めいて来た 春意渐浓了 | 運が回って～ 定时来运转 | 数学がおもしろくなって来た 觉得数学有意思了 | 苦楽をともにして来た仲 同甘共苦过来的哥们儿

ぐる 同伙tónghuǒ; 同谋tóngmóu ‖ ～になってだます 合伙骗人

くる·う【狂う】❶〔精神が〕疯fēng; 发疯fāfēng ‖ ～ったように 像发了疯似的 | 嫉妬(しっと)に～う 被忌妒冲昏头 ❷〔状態·機能などが〕出毛病chū máobing; 失常shīcháng ‖ 調子が～う 乱套；不正常 | 私の時計は～っている 我的表不准 ❸〔予想·予定などが〕打乱dǎluàn; 不准bù zhǔn ‖ 順序が～っている 顺序乱了 | ねらいが～う 瞄不准方向 | 手元が～う 失手 ❹〔夢中になる〕着迷zháomí; 迷恋míliàn ‖ ロックに～う 热衷于摇滚乐

グループ 小组xiǎozǔ; 集团jítuán; 班子bānzi ‖ 少人数の～をつくる 分成人数不多的小组 ✣ 一学習:分组学习 | 一ディスカッション:分组讨论

くるくる ❶〔回転するさま〕滴溜溜地dīliūliū de; 骨碌碌地gūlūlū de ❷〔巻きつけるさま〕卷几层juǎn jǐ céng ‖ 具を皮にのせて～と巻く 把馅儿放到皮上卷几层 ❸〔よく働くさま〕忙碌mánglù ‖ ～とよく働く 勤勤恳恳地工作 ❹〔一定でないさま〕変化无常biànhuà wúcháng ‖ 言うことが～変わる 说话变化无常

ぐるぐる ❶〔回転するさま〕旋转xuánzhuǎn; 转动zhuàndòng ‖ 木の周りを～走る 围着树跑来跑去 | ～旋回する 不断盘旋 ❷〔巻きつけるさま〕一圈圈地yì quānquān de ‖ 首にマフラーを～巻きにして出かける 用围巾围住脖子后出门

グルジア 格鲁吉亚Gélǔjíyà

くるし·い【苦しい】❶〔肉体的に〕痛苦tòngkǔ; 难受nánshòu ‖ 胸が～い 胸口十分难受 | 胃が～い 胃不舒服 ❷〔精神的に〕痛苦tòngkǔ; 为难wéinán ‖ ～い立場に追いこまれる 被逼得左右为难 | ～い胸の内 内心的烦恼 | ～いときの神頼み 定临时抱佛脚 ❸〔経済的に〕困难kùnnan; 窘迫jiǒngpò ‖ 会社の経営が～くなる 公司经营困难了 ❹〔無理·矛盾がある〕勉强miǎnqiǎng ‖ ～い言い逃れを言う 强词夺理逃避责任

くるしまぎれ【苦し紛れ】定迫不得已pò bù dé yǐ ‖ ～にうそをついた 迫不得已,说了谎

くるしみ【苦しみ】痛苦tòngkǔ; 辛酸xīnsuān; 苦头kǔtou ‖ ～を背負う 承担艰难困苦 | ～から逃れる 逃脱困苦

くるし·む【苦しむ】❶〔肉体的に〕感到痛苦gǎndào tòngkǔ ‖ 高熱で一晩中～んだ 发高烧难受了一晚上 ❷〔精神的に〕苦恼kǔnǎo; 苦于kǔyú ‖ 借金に～む 为债务而苦恼 | 罪悪感に～む 内心充满了罪恶感,自疚不已 ❸〔困惑する〕困惑kùnhuò; 迷惑míhuò ‖ 理解に～む 令人费解

くるし·める【苦しめる】折磨zhémo ‖ 自分で自分を～める 自己折磨自己 | 飢えと寒さに～められる 饥寒交迫 | 親を～める 让父母伤心

くるぶし【踝】踝huái

くるま【車】❶〔乗りもの〕〔辆,部〕汽车qìchē ‖ ～を運転する 开车 | ～に乗る〔降りる〕 上〔下〕车 | ～を呼ぶ 叫一辆车来 | ～に酔う 晕车 | ～にはねられる 被车撞了 | ～を拾う 打的 | ～の往来が激しい 车流量很大 ❷〔車輪〕轮子lúnzi

くるまいす【車椅子】〔架〕轮椅lúnyǐ

くるまえび【車海老·車蝦】对虾duìxiā

くるま·る【包まる】裹在guǒzai; 包在bāozai

くるみ【胡桃】核桃hétao; 胡桃hútáo ‖ ～を割る 砸核桃

-ぐるみ【包み】全quán; 整个zhěnggè ‖ 町～の交通安全運動 全城举行交通安全的运动 | 強盗に身～はがされた 被强盗把身上抢得精光

くる·む【包む】包bāo; 裹guǒ ‖ 赤ん坊をタオルに～む 把婴儿包在毛巾里

グルメ 美食家měishíjiā

ぐるり ❶〔一回転·一周するさま〕转〔绕〕一圈zhuàn〔rào〕yì quān ‖ 腕を～と回す 抡胳膊 | ～と会場を見まわす 环视会场 ❷〔とり囲むさま〕环绕huánrào; 围绕wéirào ‖ サンゴ礁が島の周囲を～ととり巻いている 岛屿四周环绕着珊瑚礁 ❸〔周囲〕周围zhōuwéi; 四周sìzhōu

くるりと 转一下zhuǎn yíxià; zhuàn yíxià; 卷一圈juǎn yì quān ‖ 地球儀を～回す 转一下地球仪 | ～踵(きびす)を返す 突然转身往回走 | トンビが～輪をかいた 老鹰打了一个旋

くるわ·せる【狂わせる】❶〔思考などを〕导

致失常dǎozhì shīcháng ‖ 心を～せる 导致精神失常 ❷〔機械を〕导致异常〔失灵〕dǎozhì yìcháng〔shīlíng〕 ❸〔計画·予定を〕‖ 計画を～せる 打乱了计划｜人生を～せる 毁了他的一生
くれ【暮れ】年底niándǐ；年终niánzhōng ‖ ～はみな忙しい 年底大家都很忙
グレード 等级děngjí；档次dàngcì ✤ ―アップ：提高水平
グレープ 葡萄pútao ✤ ―ジュース：葡萄汁
グレープフルーツ 葡萄柚pútaoyòu
クレーム ❶〔商業〕‖ ～をつける 提出索赔要求｜～に応じる 接受赔偿要求 ❷〔苦情〕不满bùmǎn；抱怨bàoyuàn ‖ ホテルのサービスに～をつける 对饭店的服务表示不满
クレーン〔架，台〕吊车diàochē；起重机qǐzhòngjī ✤ ―車：汽车起重机；起重车
くれぐれも【呉れ呉れも】多多duōduō；千万qiānwàn ‖ ～お体お大切に 请您多多保重身体｜～も手落ちのないように 千万不要疏忽大意
クレジット 信用贷款xìnyòng dàikuǎn ‖ ～で買う 赊购；用信用卡购买 ✤ ―カード：信用卡
グレナダ 格林纳达Gélínnàdá
クレヨン 蜡笔làbǐ ✤ ―画：蜡笔画
く·れる【呉れる】给gěi ‖ 駅まで迎えに来て～れた 到车站来接我了｜出て行って～れ 你给我出去！｜目も～れない 不理不睬
く·れる【暮れる】❶〔日が〕‖ 日が～れる 天黑 ❷〔年月が〕‖ 春も～れようとしている 春天也即将过去了 ❸〔思い惑う〕‖ 悲嘆に～れる 悲叹不已｜涙に～れる 终日哭泣
クレンザー 去污粉qùwūfěn
くろ【黒】❶〔黒色〕黑色hēisè ❷〔疑わしい〕嫌疑xiányí ‖ 警察はその男を～と見ている 警方认为他有嫌疑
クロアチア 克罗地亚Kèluódìyà.
くろ·い【黒い】黑hēi ‖ 弟は色が～い 弟弟皮肤很黑｜目の～いうちは 只要我还活着｜～いうわさ 丑闻｜腹が～い 心很黑；㊁心狠手辣
くろう【苦労】(～する)辛苦xīnkǔ；吃苦chīkǔ ‖ ご～さま 您辛苦了｜金の～ 为钱操劳｜若いうちに～したほうがいい 年轻时多受点儿苦好｜～に耐える 吃苦耐劳 ✤ ―性：爱操心(的人)｜―人：饱经风霜的人
ぐろう【愚弄】(～する)愚弄yúnòng ‖ 人を～するにもほどがある 愚弄人也要有个限度；别欺人太甚
くろうと【玄人】❶〔専門家〕内行nèiháng；专家zhuānjiā ‖ ～はだしの腕前 连内行都比不上 ❷〔水商売の女性〕妓女jìnǚ ✤ ―筋：专家
クローク 衣帽间yīmàojiān；寄存处jìcúnchù ‖ ～にオーバーを預けた 我把大衣寄放在寄存处了
クローズアップ 特写(镜头) *tèxiě (jìngtóu)*. *(大きく取りあげること)*㊁大书特书dà shū tè shū
クローバー 三叶草sānyècǎo；苜蓿mùxu ‖ 4つ葉の～ 四片叶子的苜蓿
グローバル 全球quánqiú；环球huánqiú ‖ ～な視点から考える 从全球的角度来考虑｜経済の急速な～化 经济全球化的急速发展
グローブ〔副，只〕(皮)手套(pí) shǒutào
クロール 自由泳zìyóuyǒng ‖ ～で泳ぐ 游自由泳
クローン 克隆kèlóng ✤ ―人間：克隆人
くろぐろ【黒黒】黑黑hēihēi；乌黑wūhēi
くろこげ【黒焦げ】焦黑jiāohēi；焦煳煳jiāohúhú ‖ ～になる 烧焦｜～のトースト 烤煳了的面包片
くろざとう【黒砂糖】红糖hóngtáng
くろじ【黒字】黑字hēizì ✤ ―財政：盈余财政
くろしお【黒潮】日本暖流Rìběn Nuǎnliú
くろしろ【黒白】黑白hēibái.（是非，善恶）是非shìfēi；善恶shàn'è ‖ ～をはっきりさせる 分清是非
クロス ❶(～する)〔交差〕相交xiāngjiāo；交叉jiāochā ❷〔球技〕对角球duìjiǎoqiú
グロス ❶〔単位〕罗luó ‖ ～で売る 以罗为单位卖 ❷〔総計〕总计zǒngjì；总数zǒngshù
クロスワード パズル 纵横填字游戏zònghéng tiánzì yóuxì
クロッカス 番红花fānhónghuā
グロテスク㊁奇形怪状qí xíng guài zhuàng；怪异guàiyì
くろびかり【黒光り】黑亮hēiliàng；黑油油hēiyōuyōu
くろぼし【黒星】❶〔負け〕黑点hēidiǎn；输shū ❷〔失敗〕失败shībài
くろまく【黒幕】幕后人mùhòurén ‖ 政界の～ 政界的幕后操纵者｜陰謀の～ 阴谋的幕后黑手
くろめ【黒目】黑眼珠hēiyǎnzhū ‖ ～がちの少女 黑眼珠大〔明眸如水〕的少女
くろやま【黒山】‖ 事故現場は～の人だかりだ 事故现场人山人海
クロレラ 小球藻xiǎoqiúzǎo
クロロフィル 叶绿素yèlǜsù
クロワッサン 羊角面包yángjiǎo miànbāo
くわ【桑】桑sāng ‖ ～の実 桑葚｜蚕に～をやる 给蚕喂桑叶
くわ【鍬】〔把〕锄chú ‖ ～で耕す 用锄翻耕土地
くわい【慈姑】慈姑cígu
くわ·える【加える】❶〔足す·増す〕加jiā；加上jiāshang ‖ スープに調味料を～える 在汤里加上作料｜論評を～えずに報じる 不加评论地报导 ❷〔仲間に入れる〕加入jiārù ‖ 新人を～える 加入新人 ❸〔与える〕‖ 政治的圧力を～える 施加政治压力｜経済制裁を～える 实施经济制裁
くわ·える【銜える·啣える】衔xián；叼diāo；含hán ‖ 口にパイプを～えている 嘴里叼着烟斗｜指を～えて眺める ㊁垂涎欲滴
くわけ【区分け】(～する)划分huàfēn；区分qūfēn；分开fēnkāi
くわし·い【詳しい】❶〔詳細〕详细xiángxì；仔细zǐxì ‖ ～く観察する 仔细地观察｜～くは説明書をごらんください 详见说明 ❷〔精通〕精通jīngtōng；熟悉shúxī；了解liǎojiě ‖ 法律に～い 精通法律｜北京に～い 对北京很熟悉
くわせもの【食わせ者】(人)骗子piànzi.（もの）赝品yànpǐn；冒牌货màopáihuò
くわ·せる【食わせる】❶〔食べさせる〕让吃ràng chī；扶养fúyǎng ‖ ❷〔ひどい目にあわせる〕给予jǐyǔ；让(人)…ràng(rén)… ‖ けんつくを～せる 给予痛斥｜肩すかしを～せる 让人扑空｜ひじてつを～せる 让人碰钉子
くわだ·てる【企てる】策划cèhuà；企图qǐtú ‖ 大統領の暗殺を～てる 图谋暗杀总统｜新分野で

の起業を～てる 筹划在新的领域创办企业｜自殺を～てる 试图自杀
くわ·れる【食われる】❶〔虫類に〕被叮〔咬〕bèi dīng〔yǎo〕‖カに～れる 被蚊子叮了 ❷〔圧倒される〕被抢走〔去〕bèi qiǎngzǒu〔qu〕
くわわ·る【加わる】❶〔増す〕增加 zēngjiā；加上jiāshang‖圧力が～る 受到压力 ❷〔仲間に入る〕参加cānjiā；加入jiārù
ぐん【群】❶〔群れ〕群qún‖～を抜くすばらしさ 出类拔萃 ❷〔数学〕群qún
くんかい【訓戒】(～する)训诫xùnjiè；训导xùndǎo‖～処分を受ける 受到了训诫处分
ぐんかん【軍艦】〔艘,只〕军舰jūnjiàn
ぐんき【軍紀】军纪jūnjì‖～を乱す 破坏军纪
ぐんきょ【群居】(～する)群居qúnjū
ぐんぐん 猛地měng de；猛然měngrán‖～スピードをあげる 猛然加速
くんこう【勲功】功勋gōngxūn
ぐんこく【軍国】✤—主義:军国主义
くんし【君子】君子jūnzǐ‖～危うきに近寄らず 君子不立危墙之下｜～は豹変(ひょうへん)す 君子豹变
くんじ【訓示】(～する)训诫xùnjiè；谕告yùgào‖社長の～ 总经理的训话
ぐんじ【軍事】军事jūnshì‖～的勝利 军事上的胜利 ✤—演習:军事训练｜—援助:军事援助｜—介入:军事干涉｜—基地:军事基地｜—裁判:军事审判｜—政権:军事政权｜—力:军事实力
ぐんしきん【軍資金】军费jūnfèi.〔喩〕活动经费huódong jīngfèi‖～を集める 筹集经费
くんしゅ【君主】君主jūnzhǔ
ぐんじゅ【軍需】军需jūnxū ✤—工場:兵工厂｜—産業:军需产业｜—品:军需物资
ぐんしゅう【群集】(～する)群集qúnjí
ぐんしゅう【群衆】群众qúnzhòng；人群rénqún‖おおぜいの～にとり囲まれる 被很多群众围住
ぐんしゅく【軍縮】裁军cáijūn
くんしょう【勲章】〔枚〕勋章xūnzhāng‖胸に～をつけている 胸前佩带着勋章
ぐんじょういろ【群青色】湛蓝色zhànlánsè
くんしらん【君子蘭】君子兰jūnzǐlán
ぐんじん【軍人】军人jūnrén
くんせい【薫製·燻製】熏制(品) xūnzhì(pǐn)‖～の魚 熏鱼
ぐんせい【軍政】军政jūnzhèng
ぐんせい【群生】(～する)簇生cùshēng
ぐんたい【軍隊】军队jūnduì‖～に入る 参军 ✤—教育:军事训练｜—生活:军营生活
ぐんだん【軍団】军团jūntuán
くんとう【薫陶】熏陶xūntáo‖～を受ける 受到熏陶
ぐんばい【軍配】‖～をあげる 判定获胜｜～があがる 占优势
ぐんぱつ【群発】(～する)多发duōfā；连续发生liánxù fāshēng ✤—地震:连续发生的地震
ぐんび【軍備】军备jūnbèi；军事设备jūnshì shèbèi‖～を縮小〔拡大〕する 裁减〔扩充〕军备
ぐんぶ【軍部】军部jūnbù；军方jūnfāng‖～が政治権力を握る 军部掌握政治实权
ぐんぶ【群舞】(～する)群舞qúnwǔ
ぐんぷく【軍服】〔件,套〕军服jūnfú
ぐんぽうかいぎ【軍法会議】军事审判jūnshì shěnpàn‖～にかけられる 接受军事审判
ぐんもん【軍門】营门yíngmén‖力尽きて敵の～に降(くだ)る 弹尽粮绝只好投降
ぐんゆう【群雄】‖～割拠 群雄割据
ぐんよう【軍用】军用jūnyòng ✤—機:军用飞机｜—金:军费｜—犬:军犬
ぐんらく【群落】(植物の)群落qúnluò
くんりん【君臨】(～する)君临jūnlín；称霸chēngbà；称雄chēngxióng‖～すれども統治せず 在其位不谋其政
くんれん【訓練】(～する)(进行)训练(jìnxíng) xùnliàn‖厳しい～を受ける 受严格的训练 ✤—生:实习生
くんわ【訓話】训话xùnhuà

け

け【毛】❶〔人の〕(体毛)〔根〕毛máo.(髪の毛)〔根,绺〕头发tóufa‖～が生える〔抜ける〕 长〔掉〕头发｜～を染める 染头发｜やわらかい〔かたい〕～ 柔软〔硬硬〕的头发｜縮れた～ 卷曲的头发｜～が濃い〔薄い〕 头发浓密〔稀疏〕 ❷〔動物·鳥などの〕〔根〕毛máo；羽毛yǔmáo ❸〔ウール〕羊毛yángmáo；毛织品máozhīpǐn‖～のシャツ 羊毛衫 ❹〔わずか〕一点儿yìdiǎnr‖～ほども疑わない 一点儿也不会怀疑
げ【下】❶〔劣っている〕劣等lièděng；下等xiàděng‖中の～ 中等偏下｜そんなやり方は～の～だ 那样做是下策中的下策 ❷〔下巻〕下卷xiàjuàn；下册xiàcè
-げ【気】‖大人～がない 没有大人样｜満足～に笑う 满意地笑｜いぶかし～な目つき 怀疑的眼神｜得意～に話す 得意洋洋地说｜かわい～がない 不招人喜欢
ケア(～する)❶〔介護·看護〕看护kānhù；护理hùlǐ ❷〔管理·手入れ〕保护bǎohù；维修wéixiū
けあな【毛穴】毛孔máokǒng；汗毛孔hànmáokǒng
けい【刑】刑罚xíngfá‖～に服する 服刑｜重い～を科す 施加苛刑｜～を軽減する 减刑｜～の執行を猶予する 缓期执行；缓刑
けい【計】❶〔合計〕总计zǒngjì；共计gòngjì ❷〔計画·計略〕计划jìhuà‖一年の～は元旦にあり 一年之计在于春｜三十六～逃げるにしかず 〔定〕三十六计,走为上计
けい【罫】线xiàn；线条xiàntiáo‖～のある〔ない〕ノート 有〔没有〕线的笔记本
-けい【系】❶〔系統·系列〕系统xìtǒng；系xì；派系pàixì‖理〔文〕～の出身 理〔文〕科毕业的｜保守～の議員 保守派议员 ❷〔血統〕裔yì‖日～アメリカ人 日裔美国人

げい【芸】技艺jìyì; 技能jìnéng ‖ 一～に秀でた人 有一技之长的人 | ～は身を助く 艺不压身 | ～が細かい 做事细心周到〔细致〕| ～がない 平淡无奇

けいあい【敬愛】(～する) 敬爱jìng'ài ‖ ～の念を抱く 心怀敬爱之情

けいい【経緯】事情的经过shìqing de jīngguò ‖ 事件の～を説明する 说明事情的经过

けいい【敬意】敬意 jìngyì ‖ 老人に～を払う 向老人表示敬意

けいえい【経営】(～する) 经营 jīngyíng ‖ ～が成り立つ 经营可以维持 ✣ 一コンサルタント:经营顾问 | 一者:经营者 | 一不振:经营不振

けいえん【敬遠】(～する) 定 敬而远之 jìng ér yuǎn zhī

けいおんがく【軽音楽】轻音乐qīngyīnyuè

けいか【経過】❶(～する)〔時が〕过去guòqu; 经过 jīngguò ‖ 5時間～した 五个小时过去了 | 時の～とともに 随着时间的流逝 ❷〔事のなりゆき〕进展 jìnzhǎn; 经过 jīngguò ‖ 会議の～を報告する 报告会议的进展情况 | 術後の～は良好だ 手术后的情况良好 | ～を見守る 关注事态的发展

けいかい【軽快】轻快qīngkuài ‖ ～なメロディー 轻松愉快的旋律

けいかい【警戒】(～する) ❶〔用心する〕警惕 jǐngtì; 提防dīfang ‖ 台風の上陸を～する 警惕台风登陆 ❷〔警備する〕警戒jǐngjiè; 戒备jièbèi ✣ 一警報:预备警报 | 一心:戒备心; 警惕心 | 一水位:危险水位 | 一態勢:警戒状态

けいかく【計画】(～する)(制定; 定)计划(zhìdìng; dìng) jìhuà ‖ 綿密な～を練る 制定〔推敲〕严密的计划 | ～的な犯行 有计划的犯罪 | ～が狂った 计划被打乱了 | ～を立て直す 重拟计划 | 将来の～を立てる 为将来考虑 ✣ 一経済:计划经济 | 一性:计划性 | 一倒れ:计划落空

けいかん【景観】景观 jǐngguān; 景色 jǐngsè ‖ 古都の～を損ねる 破坏古都风貌

けいかん【警官】〔个, 位, 名〕警察jǐngchá ✣ 婦人一:女警

けいき【刑期】刑期xíngqī ‖ ～を終える 服满了刑期

けいき【計器】〔台, 种〕仪器yíqì; 仪表yíbiǎo

けいき【景気】❶〔経済状態〕景气jǐngqì; 经济 jīngjì ‖ ～がいい 经济繁荣; 很景气 | ～が悪い 经济萧条; 不景气 | ～が上向く 经济〔景气〕上升 | ～が下向く 经济下跌; 景气滑坡 ❷〔威勢〕劲儿 jìnr; 气势qìshì ‖ 1杯飲んで～をつける 喝杯酒给自己鼓鼓劲儿〔打打气儿〕| ～よく金を使う 花钱很大方 ✣ 一回復:经济复苏 | 一後退:经济衰退 | 一変動:经济波动

げいげき【迎撃】(～する) 迎击 yíngjī; 截击 jiéjī ✣ 一機:截击机 | 一ミサイル:截击导弹

けいけん【経験】(～する) 经验 jīngyàn; 经历 jīnglì ‖ 何事も～だ 经验是最好的老师 | 知識より～がものをいう 经验比知识更有用 | 20年以上の～をもつベテラン 有20年以上经验的老手 | 苦い～ 痛苦的经历 | ～を生かす 运用经验

けいけん【敬虔】虔诚qiánchéng

けいげん【軽減】(～する) 减轻 jiǎnqīng ‖ 負担を～する 减轻负担

けいこ【稽古】(～する) 训练xùnliàn; 练习liànxí ‖ 弟子に～をつける 指导学生练习武艺〔技艺〕

けいご【敬語】敬辞jìngcí; 敬语jìngyǔ

けいご【警護】(～する) 警卫 jǐngwèi; 护卫hùwèi

けいこう【蛍光】荧光yíngguāng ✣ 一灯:日光灯 | 一塗料:荧光涂料 | 一ペン:荧光笔

けいこう【傾向】倾向qīngxiàng; 趋势qūshì ‖ 世論の一般的～ 大众舆论的普遍倾向

けいこう【鶏口】‖ ～となるも牛後となるなかれ 定 宁为鸡口, 勿为牛后; 定 鸡口牛后

げいごう【迎合】(～する) 迎合 yínghé; 定 投其所好tóu qí suǒ hào

けいこうぎょう【軽工業】轻工业qīnggōngyè

けいこく【渓谷】溪谷xīgǔ; 山谷shāngǔ

けいこく【警告】(～する) 警告jǐnggào ‖ ～を発する 发出警告 | ～を無視する 不听警告

けいさい【掲載】(～する) 刊登 kāndēng; 刊载 kānzǎi ‖ 新聞に～される 刊登在报上

けいざい【経済】❶〔社会的な〕经济 jīngjì ‖ ～的に窮迫する 经济陷入困境 ❷〔家庭の〕家庭经济 jiātíng jīngjì ❸〔節約〕经济 jīngjì; 节约 jiéyuē ‖ ～の点から言えば 从经济〔节约〕上来说 | こうした方が～的だ 这样做更经济 ✣ 一援助:经济援助 | 一界:经济界 | 一学:经济学 | 一観念:经济观念; 经济头脑 | 一産業省:经济产业省 | 一制裁:经济制裁 | 一成長率:经济成长率 | 一大国:经济大国 | 一白書:经济白皮书 | 一封鎖:经济封锁 | 一摩擦:经济摩擦 | 一力:经济力量

けいさつ【警察】警察 jǐngchá.〔警察署〕公安局gōng'ānjú ‖ ～に訴える 报告警察 | ～のやっかいになる 被警察抓住 | 盗難を～に届け出た 失了窃, 向警察报了案 | ～に保護を求める 要求警察予以保护 | ～ざたになる 闹到警察那里去 ✣ 一医:法医 | 一学校:警察学校; 警校 | 一犬:警犬 | 一署:〔日本〕警察署; 〔中国〕公安局 | 一庁:警察厅 | 一手帳:警察证件

けいさん【計算】(～する) ❶〔勘定する〕计算jìsuàn; 数shǔ ‖ タクシー料金は距離で～する 出租汽车按距离计算价格 ❷〔予測·計画する〕考虑kǎolǜ; 预料yùliào ‖ ～に入れる 考虑在内 | 彼の行動はすべて～ずくだ 他的所作所为都是精心打算过的 | ～外の事態 意想不到的情况 ❸〔演算する〕计算 jìsuàn; 运算yùnsuàn ‖ ～が合わない 算不对 ✣ 一器:计算器 | 一機:〔电子〕计算机; 电脑 | 一書:账单; 结算单

けいし【軽視】(～する) 轻视 qīngshì; 忽视 hūshì; 看不起kànbuqǐ ‖ 人命を～する 轻视生命

けいじ【刑事】❶〔法律〕刑事xíngshì ❷〔巡査〕刑警xíngjǐng ✣ 一裁判:刑事审判 | 一事件:刑事案件 | 一処分:刑事处分

けいじ【掲示】(～する) 揭示jiēshì; 公布gōngbù ✣ 一板:告示牌; 布告牌

けいしき【形式】形式xíngshì; 方式fāngshì ‖ ～にこだわる 定 墨守成规 | ～を重んじる 讲究〔注重〕形式 | ～上の問題 形式上的问题 | ～にとらわれる 拘泥于形式 | ～を踏む 履行形式 | ～的に問題を処理する 只从表面上处理问题

けいじどうしゃ【軽自動車】〔辆〕小型汽车 xiǎoxíng qìchē

けいしゃ【傾斜】(〜する)倾斜 qīngxié. (度合い)(倾)斜度(qīng)xiédù; 坡度 pōdù ‖ 〜の急な石段 坡度很大的石阶
げいじゅつ【芸術】〔门〕艺术 yìshù ‖ 〜を解する 懂艺术 | 〜の秋 欣赏艺术的秋天 ✤一家:艺术家 | 一祭:艺术节 | 一作品:艺术作品
けいしょう【敬称】敬称 jìngchēng; 尊称 zūnchēng ‖ 〜は略します 省略敬称
けいしょう【景勝】风景区 fēngjǐngqū; 景胜之地 jǐngshèng zhī dì ‖ 〜の地 风景区
けいしょう【軽傷】轻伤 qīngshāng ‖ 交通事故で〜を負う 在交通事故中受了轻伤〔受了点儿伤〕
けいしょう【継承】(〜する)继承 jìchéng
けいしょう【警鐘】警钟 jǐngzhōng; 警告 jǐnggào ‖ 世間への〜を鳴らす 向〔给〕社会敲响警钟
けいじょう【形状】形状 xíngzhuàng; 形态 xíngtài ✤一記憶合金:形状记忆合金
けいじょう【計上】(〜する)列入 lièrù; 计入 jìrù ‖ 来年度の予算に〜する 列入明年的预算
けいじょう【経常】✤一収支:经常收支 | 一損益:经常盈亏 | 一利益:固定〔经常〕收益
けいしょく【軽食】便饭 biànfàn; 小吃 xiǎochī ‖ 忙しい合間を縫って〜をとる 忙中偷闲吃顿便饭
けいず【系図】家谱 jiāpǔ; 族谱 zúpǔ
けいすう【係数】系数 xìshù
けいせい【形成】(〜する)形成 xíngchéng ‖ 人格の〜 人格的形成 ✤一外科:整形外科
けいせい【形勢】形势 xíngshì; 局势 júshì; 局面 júmiàn ‖ 〜がよい〔悪い〕 形势很好〔不好〕| 〜を立て直す 重整阵容 | 〜が逆転した 形势逆转了
けいせき【形跡】痕迹 hénjì; 形迹 xíngjì
けいせん【罫線】〔条〕线 xiàn ‖ 〜を引く 划线
けいそう【軽装】轻装 qīngzhuāng; 便装 biànzhuāng ‖ 〜で登山に出かけた 穿着轻装去登山了
けいぞく【継続】(〜する)继续 jìxù; 持续 chíxù ‖ 交渉を〜する 继续交涉 | 契約の〜を求める 要求延续合同 | 〜は力なり 定 坚持就是胜利; 定 滴水穿石 ✤一審議:继续审议
けいそつ【軽率】轻率 qīngshuài; 草率 cǎoshuài; 鲁莽 lǔmǎng
けいたい【形態】形态 xíngtài. (形式)形式 xíngshì ✤一学:形态学
けいたい【携帯】(〜する)携带 xiédài; 手提 shǒutí ‖ 〜に便利な辞書 携带方便〔便于携带〕的词典 | 肌身離さず〜する 总是带在身上 ✤一電話:手机; 移动电话 | 一品:携带品; 手提〔所持〕物品
けいちゅう【傾注】(〜する)倾注 qīngzhù; 贯注 guànzhù ‖ 全力を〜する 竭尽全力
けいちょう【軽重】轻重 qīngzhòng; 主次 zhǔcì ‖ 事の〜をわきまえない 不考虑事情的轻重
けいちょう【傾聴】(〜する)倾听 qīngtīng ‖ 〜に値する意見 值得倾听的意见
けいちょう【慶弔】庆吊 qìngdiào
けいつい【頸椎】颈椎 jǐngzhuī
けいてき【警笛】警笛 jǐngdí. (クラクション)喇叭 lǎba ‖ むやみに〜を鳴らす 乱鸣喇叭
けいと【毛糸】毛线 máoxiàn ‖ 〜のセーター 毛衣
けいど【経度】经度 jīngdù
けいど【軽度】轻度 qīngdù; 程度轻微 chéngdù qīngwēi ‖ 〜のやけど 轻度烧伤
けいとう【系統】❶〔統一性のあるつながり〕系统 xìtǒng ‖ 言葉の〜的な研究 语言的系统研究 | 〜立てて考える 系统地考虑 ❷〔血統〕血统 xuètǒng ‖ 母方の〜 母系 ❸〔方面・種類が同じ〕同类 tónglèi ‖ 青〜の色 蓝色系的颜色 ❹〔システム〕系统 xìtǒng ‖ 電気〜 电气系统
けいとう【傾倒】(〜する)热衷 rèzhōng; 倾倒 qīngdǎo
けいとう【鶏頭】鸡冠花 jīguānhuā
けいどうみゃく【頸動脈】颈动脉 jǐngdòngmài
げいにん【芸人】⇨げいのう(芸能)「一人」
げいのう【芸能】演艺 yǎnyì; 文艺 wényì ✤一界:演艺圈; 文艺界 | 一人:文艺工作者; 艺人; 演员
けいば【競馬】赛马 sàimǎ; 跑马 pǎomǎ ‖ 〜にかける 赌赛马 ✤一馬:赛马 | 一場:赛马场
けいはく【軽薄】轻浮 qīngfú; 轻薄 qīngbó; 浅薄 qiǎnbó ‖ 〜な態度 轻浮的态度
けいはつ【啓発】(〜する)启发 qǐfā ‖ その本におおいに〜された 那本书给了我很大的启发
けいはんざい【軽犯罪】轻罪 qīngzuì ✤一法:轻微犯罪法
けいひ【経費】〔笔,项〕经费 jīngfèi ‖ 〜を節減する 削减〔减少; 节省〕经费 | 〜がかさむ 经费增多
けいび【警備】(〜する)戒备 jièbèi; 警备 jǐngbèi ‖ 水も漏らさぬ〜 戒备〔警备〕森严 | 国境を〜する 守卫边境 | 〜を強化する 加强警备 ✤一員:警卫(员) | 一会社:保安(服务)公司 | 一隊:警卫队
けいひん【景品】赠品 zèngpǐn
げいひんかん【迎賓館】迎宾馆 yíngbīnguǎn
けいふ【系譜】(学問・芸術などの)流派 liúpài
けいふ【継父】继父 jìfù
けいふく【敬服】(〜する)佩服 pèifu
けいべつ【軽蔑】(〜する)轻蔑 qīngmiè; 鄙视 bǐshì; 看不起 kànbuqǐ ‖ 〜の目で見る 用轻蔑〔鄙视〕的眼光看 | 〜の念を抱く 抱有轻蔑的看法
けいぼ【敬慕】(〜する)敬慕 jìngmù
けいぼ【継母】继母 jìmǔ
けいほう【刑法】刑法 xíngfǎ ‖ 万引きは〜に触れる立派な犯罪だ 扒窃无疑是触犯刑法的犯罪行为
けいほう【警報】警报 jǐngbào ✤一器:警报器 | 大雨洪水一:大雨洪水警报 | 火災一:火灾警报
けいみょう【軽妙】风趣 fēngqù; 轻妙 qīngmiào; 俏皮 qiàopi ‖ 〜な文体 风趣〔轻妙〕的文体 ✤一洒脱:风趣生动
けいむしょ【刑務所】监狱 jiānyù
けいもう【啓蒙】(〜する)启蒙 qǐméng; 启发 qǐfā ‖ 民衆を〜する 启发群众
けいやく【契約】(〜する)合同 hétong ‖ 〜を結ぶ 签订合同 | 〜を解除する 解除〔废除〕合同 | 〜を破棄する 撕毁合同 | 3年〜 以三年为期的合同 ✤一違反:违反契约 | 一期限:契约期限 | 一社員:合同工 | 一書:合同(书); 契约(书) | 一条項:合同条款 | 一不履行:不履行合同 | 仮一:草约
けいゆ【経由】(〜する)经 jīng; 经由 jīngyóu; 经过 jīngguò ‖ 新宿〜で行く 经新宿去
けいゆ【軽油】轻油 qīngyóu. (ディーゼル油)柴油 cháiyóu

けいよう【形容】(～する)形容xíngróng.（たとえる)比喻bǐyù ‖ ～する言葉がない 无法形容 ✣ 一詞:形容词 | 一動詞:形容动词

けいよう【掲揚】(～する)悬挂xuánguà; 高举gāojǔ ‖ 国旗を～する 悬挂国旗

けいり【経理】财会cáikuài; 会计kuàijì ‖ ～担当者 担任会计工作的人 ✣ 一部:财务部

けいりゃく【計略】计谋jìmóu; 计策jìcè ‖ 敵の～にかかる 中了敌人的诡计

けいりゅう【渓流】溪流xīliú; 山涧shānjiàn

けいりょう【計量】(～する)量liáng ✣ 一カップ:量杯 | 一スプーン:量匙

けいるい【係累】家累jiālěi; 累赘léizhui

けいれい【敬礼】(～する)敬礼jìnglǐ

けいれき【経歴】经历jīnglì; 履历lǚlì

けいれつ【系列】系列xìliè; 系统xìtǒng ✣ 一会社:子公司; 系列公司

けいれん【痙攣】(～する)痉挛jìngluán; 抽筋chōujīn ‖ まぶたがぴくぴく～する 眼皮直跳

けいろ【毛色】‖ ～の変わった 非同寻常

けいろう【敬老】敬老jìng lǎo; 尊敬老人zūnjìng lǎoren ‖ ～の精神 敬老的精神

ケーキ〔块〕蛋糕dàngāo; 西式点心xīshì diǎnxin ✣ 一屋:蛋糕店

ケース ❶〔入れ物〕容器róngqì; 盒hé; 柜guì ‖ ギターの～ 吉他盒 | 展示品をガラスの～におさめる 把陈列品放入玻璃柜里 ❷〔個々の事例〕事例shìlì; 场合chǎnghé ✣ 一スタディー:事例研究法 | 一バイー:具体情况具体处理 | 一ワーカー:社会福利工作人员 | 一ワーク:社会救济工作

ゲート ❶〔入り口〕门mén; 出入口chūrùkǒu ‖ 搭乗～ 登机口 | 高速道路のETC専用～ 高速公路ETC车道收费站 ❷〔競馬の出発点〕〔道,个〕起跑栅门qǐpǎo zhàmén

ケーブル〔根,捆〕缆绳lǎnshéng; 电缆diànlǎn ✣ 一カー:缆车; 索道 | 一テレビ:有线电视

ゲーム 游戏yóuxì; 〔次,场〕比赛bǐsài ‖ ～で遊ぶ 玩游戏 ✣ 一セット:终场; 比赛结束 | 一センター:游戏中心; 游艺场

けおと·す【蹴落とす】排挤páijǐ; 压倒yādǎo ‖ ライバルを～す 击败竞争对手

けおり【毛織り】✣ 一物:毛织品; 羊毛衣料

けが【怪我】❶〔傷つくこと〕受伤shòushāng; 负伤fùshāng ‖ ひざに～をした 膝盖受了伤 ❷〔過ち·過失〕错误cuòwù; 过失guòshī ‖ ～の功名 定 歪打正着 ✣ 一人:受伤者

げか【外科】外科wàikē ✣ 一医:外科医生

けが·す【汚す】弄脏nòngzāng; 玷污diànwū; 辱没rǔmò ‖ 家の名を～す 辱没家门 | 末席を～す 忝列末席

けがらわし·い【汚らわしい】肮脏āngzang; 鄙俗bǐsú ‖ 見るも～い 看了都让人讨厌

けがれ【汚れ】肮脏āngzang; 污浊wūzhuó ‖ ～のない心 纯洁的心灵 | 家門の～ 家门的污点

けが·れる【汚れる】脏zāng; 玷污diànwū; 污染wūrǎn ‖ ～れた金 不义之财

けがわ【毛皮】〔块,张〕毛皮máopí ‖ ～のコート 皮大衣

げき【劇】〔出,台〕戏xì; 剧jù; 表演biǎoyǎn ‖ ～を上演する 上演戏剧

げきか【激化】(～する)激化jīhuà; 越发激烈yuèfā jīliè; 更加尖锐gèngjiā jiānruì

げきげん【激減】(～する)剧减jù jiǎn; 锐减ruìjiǎn ‖ 体重が～する 体重剧减

げきこう【激昂·激高】(～する)激昂jī'áng; 激动jīdòng; 激愤jīfèn

げきじょう【劇場】〔个,家,座〕剧场jùchǎng; 影剧院yǐngjùyuàn; 电影院diànyǐngyuàn

げきじょう【激情】冲动chōngdòng; 激动的情绪jīdòng de qíngxù ‖ ～にかられる 情绪冲动

げきしん【激震】强烈震撼qiángliè zhènhàn ‖ 政界に～が走った 在政界引起强烈震撼

げきせん【激戦】(～する)激战jīzhàn

げきぞう【激増】(～する)急剧增加jíjù zēngjiā; 激增jīzēng ‖ 高齢者の交通事故が～している 老年人的交通事故激增

げきたい【撃退】(～する)击退jītuì; 赶走gǎnzǒu ‖ 迷惑メールを～する 拦截垃圾邮件

げきつい【撃墜】(～する)击落jīluò

げきつう【激痛】剧痛jùtòng ‖ 腰に～が走る 腰间突然一阵剧痛

げきてき【劇的】戏剧性xìjùxìng ‖ ～な効果がある 有神奇的效果 | ～な再会 戏剧性的重逢

げきど【激怒】(～する)暴怒bàonù; 震怒zhènnù ‖ 無礼な態度に～する 被无礼的态度所激怒

げきどう【激動】(～する)震荡zhèndàng; 激烈动荡jīliè dòngdàng ‖ ～する21世紀のアジア経済 激烈动荡中的21世纪的亚洲经济

げきとつ【激突】(～する)猛烈冲撞měngliè chōngzhuàng; 激战jīzhàn ‖ ガードレールに～した 猛地撞到了护栏上

げきへん【激変】(～する)激变jībiàn; 突变tūbiàn ‖ 気候が～する 气候发生急剧变化

げきむ【激務】繁重的工作fánzhòng de gōngzuò ‖ ～に耐える 承担繁重的工作

げきやく【劇薬】烈性药lièxìngyào

げきりゅう【激流】〔股〕激流jīliú; 急流jíliú

げきりん【逆鱗】‖ ～に触れる 触怒

げきれい【激励】(～する)勉励miǎnlì; 鼓舞gǔwǔ; 激励jīlì ‖ 先生の～の言葉に発奮する 受到老师一番话的鼓舞而振作起来

げきれつ【激烈】激烈jīliè; 剧烈jùliè ‖ ～な大学受験競争 激烈的高考竞争

げきろん【激論】(～する)激烈争论jīliè zhēnglùn ‖ ～をたたかわせる 争论得很激烈

けげん【怪訝】惊奇jīngqí; 诧异chàyì; 定 莫名其妙mò míng qí miào ‖ ～そうな顔 脸上露出了莫名其妙的神色

げこう【下校】(～する)放学fàngxué; 下学xiàxué ‖ ～の途中で寄り道をしてはいけない 放学后立刻回家不要到处乱跑

けさ【今朝】今天早晨jīntiān zǎochen; 今早jīn zǎo ‖ ～は寝坊した 今天早晨睡懒觉了

けさ【袈裟】袈裟jiāshā; 法衣fǎyī ‖ 坊主憎けりゃ～まで憎い 恨和尚殃及袈裟

げざい【下剤】泻药xièyào

げざん【下山】(～する)下山xiàshān

けし【芥子】罂粟yīngsù

げし【夏至】(二十四節気の1つ)夏至xiàzhì

けしいん【消印】邮戳yóuchuō; 注销印zhùxiāoyìn ‖ 申し込みは4月30日の～まで有効 报名截止日期为4月30日(当日邮戳有效)

けしか・ける【嗾ける】❶〔イヌなどを〕嗾sǒu ‖ イヌを～ける 嗾狗 ❷〔人をそそのかす〕怂恿sǒngyǒng; 教唆jiàosuō ‖ 対立する2人を～ける 挑拨对立的两个人

けしからん【怪しからん】蛮不讲理mán bù jiǎnglǐ; 不象话bú xiànghuà ‖ まったくもって～! 简直是太不像话了!

けしき【景色】风景fēngjǐng; 景色jǐngsè

けしゴム【消しゴム】〔块,个〕橡皮xiàngpí

けしつぶ【芥子粒】罂粟籽yīngsùzǐ ‖ ～くらいの大きさのダイヤモンド 小米粒儿般大小的钻石

けしと・める【消し止める】扑灭pūmiè; 灭火mièhuǒ

けじめ 区别qūbié; 区分qūfēn; 界限jièxiàn ‖ 公私の～がない 公私不分

げしゃ【下車】(～する)下车xià chē

げしゅく【下宿】(～する)寄宿jìsù ‖ 叔父の家に～する 寄宿在叔叔家里 ✤一代:住宿费;房租

げじゅん【下旬】下旬xiàxún

けしょう【化粧】(～する)❶〔顔を美しくする〕化妆huàzhuāng; 打扮dǎban ‖ ～を落とす 卸妆 | ～直しをする 补妆 | ～が濃い 化妆化得很浓 | ～が崩れる 化妆脱落 ❷〔物の外観を飾る〕装饰zhuāngshì; 装潢zhuānghuáng ✤一室:化妆室;卫生间 | 一台:梳妆台 | 一ダンス:衣柜 | 一道具:化妆用具 | 一品:化妆品

けしん【化身】化身huàshēn ‖ ビーナスは美の～とされている 人们把维纳斯看成是美的化身

け・す【消す】❶〔電源をとめる〕关guān; 切断qiēduàn ‖ 電気を～す 关灯 ❷〔火をとめる〕灭miè; 熄灭xīmiè ‖ たばこの火をもみ～す 掐灭烟 ❸〔字・痕跡・汚点などをなくす〕消除xiāochú; 去掉qùdiào ‖ 消しゴムで～ 用橡皮擦掉 | 線を引いて～す 划线勾掉 ❹〔姿を見えなくする〕消失xiāoshī ‖ いつの間にか姿を～す 不知什么时候就不见了 ❺〔除き去る〕解除jiěchú; 去除qùchú ‖ データを～す 删除数据 ❻〔殺す〕杀shā; 干掉gàndiào ‖ 仲間に～された 被同伙干掉了

げす【下衆・下種】❶〔身分が低い〕下等(人) xiàděng (rén) ❷〔品性が下劣〕卑鄙bēibǐ; 下流xiàliú ‖ ～のあと知恵 定 事后诸葛亮 | ～の勘ぐり 小人多疑

げすい【下水】❶〔汚水〕污水wūshuǐ; 脏水zāngshuǐ ❷〔下水設備〕下水道xiàshuǐdào ✤一管:下水管道 | 一処理場:污水处理厂 | 一設備:排水系统 | 一道:下水道

ゲスト ❶〔客〕客人kèren ❷〔特別出演者〕特邀嘉宾tèyāo jiābīn; 特邀演出者tèyāo yǎnchūzhě

けず・る【削る】❶〔物の表面を薄くそぐ〕削xiāo; 刨bào ‖ 鉛筆を～る 削铅笔 | 古い板をかんなで～る 用刨子刨旧木板 ❷〔とり除く〕削减xuējiǎn; 删减shānjiǎn ‖ 人件費を～る 削减人工费 | 第1条第1項を～る 删除第一条第一项

げせん【下船】(～する)下船xiàchuán

けた【桁】❶〔数の位〕位数wèishù ‖ 2～ 两位数 | 答えの～が違っている 答案的位数不对 ❷〔差がある〕‖ ～が違う 差距悬殊;无法相比

げた【下駄】❶〔はきもの〕〔双,只〕木屐mùjī ❷〔慣用表現〕‖ 部長に～を預けた 全权委托处长了 | 点数に～をはかせる 多加分数

けだか・い【気高い】品格高尚pǐngé gāoshàng; 崇高chónggāo

けたたまし・い 尖锐jiānruì; 喧嚣xuānxiāo; 吵闹chǎonào ‖ ～い女の悲鳴 女性的尖叫声

けたちがい【桁違い】相差悬殊xiāngchà xuánshū; 格外géwài ‖ 容量が～に大きい 容量格外大

げだつ【解脱】(～する)解脱jiětuō

けたはずれ【桁外れ】特别tèbié; 不寻常bù xúncháng; 非凡fēifán ‖ 三峡ダムの規模は～に大きい 三峡工程的规模大得异乎寻常

けだもの【獣】〔头,群〕野兽yěshòu ‖ あいつは～のような男だ 那个家伙简直是个畜生

けち ❶〔金銭などを惜しむ〕小气xiǎoqi; 吝啬lìnsè ‖ あいつは～だ 那个家伙是个吝啬鬼 ❷〔みすぼらしい〕寒碜hánchen; 猥琐wěisuǒ ‖ ～な商売を営む 经营小本生意 ❸〔心が卑しい〕卑鄙bēibǐ; 卑劣bēiliè ‖ ～な根性の持ち主 劣根性的家伙 ❹〔縁起が悪い〕‖ 出だしから～がつく 从一开始就不顺利 | ～をつける 找碴儿

けちくさ・い【けち臭い】❶〔けちけちしている〕十分小气shífēn xiǎoqi; 很吝啬hěn lìnsè ‖ 金の使い方が～い 花钱吝啬 ❷〔こせこせしている〕心胸狭隘xīnxiōng xiá'ài; 小气xiǎoqi

けちけち (～する)小气xiǎoqi; 吝啬lìnsè; 舍不得shěbude ‖ そう～するなよ 别那么吝啬

ケチャップ 番茄酱fānqiéjiàng

けちら・す【蹴散らす】❶〔追い払う〕冲散chōngsàn; 赶跑gǎnpǎo ‖ 敵を～す 赶走敌人 ❷〔けって散乱させる〕踢散tīsàn

けち・る 省shěng; 俭省jiǎnshěng; 舍不得shěbude; 小气xiǎoqi ‖ 食費を～る 俭省伙食费

けつ【決】表决biǎojué ‖ ～を採る 进行表决

けつあつ【血圧】血压xuèyā ‖ ～が高い〔低い〕血压高〔低〕 | ～をはかる 量血压 ✤一計:血压计

けつい【決意】(～する)决心juéxīn ‖ ～を固める 下定决心 | ～を新たにする 重下决心

けついん【欠員】缺额quē'é; 空缺kòngquē ‖ ～を補う 补充缺额

けつえき【血液】血液xuèyè ✤一型:血型 | 一検査:血液检查;验血 | 一製剤:血液制剂

けつえん【血縁】血缘xuèyuán; 血亲xuèqīn ✤一関係:血缘关系;亲属关系

けっか【結果】结果jiéguǒ; 结局jiéjú ‖ 原因と～ 原因和结果 | ～を残す 拿出成绩 | ～がふるわない 结果不理想 ✤一論:结果论

けっかい【決壊】(～する)溃决kuìjué; 决口juékǒu ‖ 堤防が～する 堤坝决口了

けっかく【結核】结核(病) jiéhé(bìng) ✤一菌:结核菌;结核杆菌 | 肺一:肺结核

けっかん【欠陥】缺陷quēxiàn; 欠缺qiànquē; 缺点quēdiǎn ‖ 推論上の～を指摘する 指出推理上的缺陷 ✤一車:有缺陷的汽车 | 一商品:劣品;次品;残品

けっかん【血管】血管xuèguǎn

げっかん【月刊】月刊yuèkān; 每月出版měi yuè chūbǎn ✤一誌:月刊杂志;月刊

けつぎ【決議】(～する)决议juéyì; 表决biǎojué;

议决yìjué‖ストライキの決行を～した 通过决议决定举行罢工 ✤ 一案:决议案

けっき【血気】血气xuèqì; 意气yìqì‖～盛んな若者 血气方刚的青年｜～にはやる 意气用事

けっき【決起】(～する)奋起fènqǐ‖労働者は～してゼネストを行った 工人奋起举行了总罢工 ✤ 一大会:誓师大会

げっきゅう【月給】月工资yuè gōngzī; 月薪yuèxīn‖給料を～でもらう 按月领工资

けっきょく【結局】最后zuìhòu; 结果jiéguǒ; 到底dàodǐ‖きみは～何が言いたいんだね 你到底想要说什么?｜なんだかんだ言っても～はがまんするしかない 说到底,还是只能忍耐

けっきん【欠勤】(～する)请假qǐngjià; 缺勤quēqín‖子どもが熱を出し,やむをえず～した 孩子发烧,只好请假了 ✤ 一届:请假条

げっけい【月経】月经yuèjīng; 例假lìjià ✤ 一不順:月经不调

げっけいじゅ【月桂樹】月桂树yuèguìshù

けつご【結語】结尾语jiéwěiyǔ; 跋语báyǔ

けつごう【結合】(～する)结合jiéhé; 联合liánhé‖水素と酸素が～して水になる 氢和氧化合成水

けっこう【欠航】(～する)停航tíngháng; 停开tíngkāi‖台風のため飛行機が～になった 因台风,飞机停飞了

けっこう【血行】血液循环xuèyè xúnhuán‖ふろに入ると～がよくなる 洗澡可以促进血液循环

けっこう【決行】(～する)坚决举行jiānjué jǔxíng; 断然实行duànrán shíxíng

けっこう【結構】❶〔よい·すぐれている〕好极了hǎojí le; 出色chūsè‖～なお品を頂きありがとうございます 谢谢您送我这么好的礼物 ❷〔よろしい·十分だ〕行xíng; 可以kěyǐ‖現金でもクレジットでも～です 现金和信用卡都可以 ❸〔必要としない〕不要bú yào; 用不着yòngbuzháo‖ご心配いただかなくて～です 你不必担心 ❹〔ある程度·かなり〕相当xiāngdāng; 挺tǐng; 还hái‖この酒は～いける 这种酒味道还行

げっこう【月光】月光 yuèguāng

けっこん【血痕】血痕 xuèhén; 血迹 xuèjì

けっこん【結婚】(～する)结婚jiéhūn‖ご～おめでとう,お幸せに 恭喜你们结婚,祝幸福美满｜ぼくと～してくれませんか 你愿不愿意嫁给我?｜彼女に～を申し込む 向她求婚｜～の日取り 结婚的日期 ✤ 一相手:结婚对象｜一祝い:结婚贺礼｜一記念日:结婚纪念日｜一詐欺:骗婚｜一式:婚礼｜一証明書:结婚证｜一生活:婚姻生活｜一相談所:婚姻介绍所｜一届:结婚登记｜一披露宴:喜宴; 婚宴｜一指輪:结婚戒指

けっさい【決済】(～する)结算jiésuàn; 清算qīngsuàn‖ドルで～する 以美元结算 ✤ 一通貨:结算货币｜一日:结算日

けっさい【決裁】(～する)裁决cáijué; 认可rènkě‖社長の～を仰ぐ 请社长做出裁决

けっさく【傑作】❶〔優れた作品〕杰作jiézuò; 名作míngzuò ❷〔こっけいな〕滑稽huáji; 搞笑gǎoxiào‖そりゃ,～だ 真搞笑!

けっさん【決算】(～する)决算juésuàn; 结账jiézhàng; 清账qīngzhàng ✤ 一期:决算期｜一報告:决算报告; 会计报告

げっさん【月産】月产量yuè chǎnliàng; 每月产量měi yuè chǎnliàng

けっし【決死】不惜生命 bùxī shēngmìng

けつじつ【結実】(～する)(よい結果を得る)取得成果qǔdé chéngguǒ‖長年にわたる研究がついに～した 多年的研究终于取得了成果

けっして【決して】决… jué…; 绝… jué…‖この件は～口外しないように 这件事决不要外传

けっしゃ【結社】结社 jiéshè

げっしゃ【月謝】每月学费měi yuè xuéfèi‖～をおさめる 交学费

けっしゅう【結集】(～する)集中jízhōng; 汇集huìjí‖総力を～する 调动全部的力量

げっしゅう【月収】〔份,笔〕月收入 yuè shōurù; 月薪yuèxīn

けっしゅつ【傑出】(～する)杰出jiéchū; 超群chāoqún; 出色chūsè‖～した人物 杰出的人物

けつじょ【欠如】(～する)缺乏quēfá; 短缺duǎnquē‖常識が～している 缺乏常识

けっしょう【血漿】血浆xuèjiāng

けっしょう【決勝】决赛juésài‖～で勝つ〔負ける〕 决赛中获胜〔失败〕｜～に勝ち進む 进入决赛 ✤ 一戦:决赛｜一点:决胜分

けっしょう【結晶】结晶体jiéjīngtǐ; 晶体jīngtǐ‖努力の～ 努力的结晶

けっしょうばん【血小板】血小板xuèxiǎobǎn

けっしょく【血色】气色qìsè; 脸色liǎnsè

げっしょく【月食】月食yuèshí ✤ 部分一:月偏食

けっしん【決心】(～する)决心juéxīn; 决计juéjì‖～を固める 下定决心｜～が揺らぐ 决心发生动摇｜～を新たにする 再次下定决心

けっ·する【決する】决定 juédìng‖態度を～する 明确态度｜勝負を～する 决定胜败｜意を～する 下决心

けっせい【血清】血清xuèqīng ✤ 一アミラーゼ:血清淀粉酵素｜一肝炎:血清肝炎

けっせい【結成】(～する)组织zǔzhī; 组成zǔchéng‖サッカーチームを～する 组成足球队

けっせき【欠席】(～する)缺席quēxí; 不出席bù chūxí‖鈴木さんはよく学校を～する 铃木经常缺课 ✤ 一裁判:缺席审判｜一届:请假条

けっせき【結石】结石jiéshí

けつぜん【決然】坚决jiānjué; 毅然决然yìrán juérán‖～と言い放つ 斩钉截铁地说

けっせん【血栓】血栓xuèshuān

けっせん【決戦】决战 juézhàn‖天下分け目の～ 决一胜负的战斗

けっそう【血相】脸色liǎnsè; 神情shénqíng; 面色miànsè‖～をかえる 脸色都变了; 勃然变色

けつぞく【血族】血族xuèzú; 血缘xuèyuán

けっそく【結束】(～する)团结tuánjié; 紧密结合jǐnmì jiéhé‖～がかたい 团结紧密｜～して難局に当たる 团结一致面对困难

げっそり (～する)(骤然)消瘦(zhòurán) xiāoshòu; 瘦弱shòuruò‖～とほおがこけている 瘦得双颊深陷

けっそん【欠損】❶〔欠けてなくなる〕欠缺qiànquē; 缺损quēsǔn ❷〔金銭の損失〕〔笔〕亏损kuīsǔn; 亏空kuīkong; 赤字chìzì

けったく【結託】(〜する)勾结gōujié；合谋hémóu；同谋tóngmóu‖犯罪組織と〜する 和犯罪组织相勾结

けつだん【決断】(〜する)决断juéduàn；决心juéxīn‖〜を下す 做出决定｜〜を迫る 催促下决定 ❖一力:决策力

けっちゃく【決着】(〜する)结束jiéshù；解决jiějué；了局liǎojú‖〜がつかない 没有结果｜問題はようやく〜した 那个问题总算解决了

けっちん【血沈】血沉xuèchén

けってい【決定】(〜する)决定juédìng‖〜に従う 服从决定｜〜的な誤りを犯す 犯决定性的错误 ❖一権:决定权｜一打:决定胜负的一击｜一的瞬間:关键时刻

けってん【欠点】缺点quēdiǎn；毛病máobing‖〜をあげつらう 挑剔缺点｜人の〜をさがしてばかりいる 尽找别人的毛病｜自分の〜を認める 承认自己的缺点｜〜を並べる 列举缺点

けっとう【血統】血统xuètǒng‖うちは長生きの〜だ 我们家属于长寿血统 ❖一書:血统证书

けっとう【血糖】血糖xuètáng ❖一値:血糖值

けっとう【決闘】(〜する)决斗juédòu

けっぱく【潔白】清白无辜qīngbái wúgū；无罪wúzuì‖身の〜を証明する 证明自身的清白

げっぷ【月賦】分月付款fēnyuè fùkuǎn；(按月)分期付款(àn yuè) fēnqī fùkuǎn‖〜で買う 用(按月)分期付款买

げっぷ 打嗝儿dǎgér；嗳气ǎiqì‖〜をする 打嗝儿

けっぺき【潔癖】❶〔不潔を嫌う〕爱干净ài gānjìng ❷〔不正なことを嫌う〕清廉qīnglián；清高qīnggāo‖金に〜 在金钱方面很清廉 ❖一症:洁癖症

けつべつ【決別】(〜する)告别gàobié；辞别cíbié；诀别juébié‖過去と〜する 和过去诀别

けつぼう【欠乏】(〜する)缺乏quēfá；短缺duǎnquē‖飲料水が〜する 缺乏饮用水

けつまく【結膜】结膜jiémó ❖一炎:结膜炎

けつまつ【結末】结局jiéjú；了结liǎojié；收场shōuchǎng‖ドラマの〜 电视剧的结局

げつまつ【月末】月底yuèdǐ；月末yuèmò

げつようび【月曜(日)】星期一xīngqīyī；礼拜一lǐbàiyī

けつらく【欠落】(〜する)缺少quēshǎo；缺乏quēfá‖他人に対する思いやりが〜している 不懂体谅别人｜記憶が〜している 记忆缺失

げつれい【月例】每月定期举行měi yuè dìngqī jǔxíng；每月例行měi yuè lìxíng

げつれい【月齢】月龄yuèlíng

けつれつ【決裂】(〜する)决裂juéliè；破裂pòliè‖労使の交渉は〜した 劳资双方的谈判破裂了

けつろ【血路】〔条〕血路xuèlù；生路shēnglù；活路huólù‖〜を切り開く 杀出一条血路〔生路〕

けつろん【結論】结论jiélùn‖〜を急いではいけない 不要急于下结论｜異なった〜に達する 得出了不同的结论

げどく【解毒】(〜する)解毒jiědú ❖一剤:解毒剂｜一作用:解毒作用

けなげ【健気】令人佩服lìng rén pèifu；刚强gāngqiáng‖戦地で〜に生きる子どもたち 在战地坚强地活着的孩子们

けな･す【貶す】贬低biǎndī；说坏话shuō huàihuà；挖苦wāku

けなみ【毛並み】❶〔動物の毛〕毛色máosè ❷〔家柄や育ち〕门第méndì；家世jiāshì；背景bèijǐng‖〜がよい 家世背景好

ケニア 肯尼亚Kěnníyà

けぬき【毛抜き】(拔毛用的)小镊子(bá máo yòng de) xiǎo nièzi

げねつ【解熱】(〜する)退烧tuìshāo；解热jiěrè ❖一剤:退烧药

けねん【懸念】(〜する)担心dānxīn；担忧dānyōu‖ご〜には及びません 不必担心

ゲノム 基因jīyīn

けはい【気配】情形qíngxing；迹象jìxiàng；模样múyàng‖あの家には人の住んでいる〜がない 那幢房子不像有人住的样子｜人の〜を感じる 感觉到有人在

けばけばし･い 花里胡哨huālihúshào‖〜い身なり 打扮得花里胡哨

けばだ･つ【毛羽立つ･毳立つ】起毛qǐ máo‖カーペットが〜つ 地毯都起了毛了

げばひょう【下馬評】㊎街谈巷议jiē tán xiàng yì；外界评价wàijiè píngjià

けびょう【仮病】装病zhuāng bìng‖〜を使う 假装生病

げひん【下品】粗俗cūsú；下流xiàliú

けぶか･い【毛深い】体毛重tǐmáo zhòng；多毛duōmáo‖腕が〜い 胳膊上的汗毛很重

けむし【毛虫】毛(毛)虫máo(mao)chóng

けむた･い【煙たい】❶〔けむい〕呛人qiàng rén；熏人xūn rén ❷〔近寄りがたい〕令人紧张lìng rén jǐnzhāng‖〜い存在 让人敬而远之的人

けむり【煙】〔缕,团〕烟yān；〔团,股〕气qì‖〜が漂う 烟雾弥漫｜〜に巻かれて死ぬ 被烟(活活)熏死｜火のないところに〜はたたぬ ㊎无风不起浪

けもの【獣】兽类shòulèi；野兽yěshòu

げや【下野】(〜する)下野xiàyě

けやき【欅】〔棵,株〕榉jǔ

ゲラ 校样jiàoyàng ❖一刷り:校样；样张

げらく【下落】(〜する)下跌xiàdiē；跌落diēluò；下降xiàjiàng‖アズキの相場が急に〜した 小豆的市价骤然间跌落了

げらげら ‖〜笑う 捧腹大笑；哈哈大笑

けり ‖〜がつく 有结果｜〜をつける 了结

げり【下痢】(〜する)拉肚子lā dùzi；腹泻fùxiè ❖一止め:止泻药

ゲリラ (打)游击(dǎ) yóujī ❖一戦:游击战｜一部隊:游击队

け･る【蹴る】❶〔足で突く〕踢tī；踹chuài‖ボールを〜る 踢球｜憤然と席を〜って退場する 愤然离席退场 ❷〔はねつける〕拒绝jùjué；驳回bóhuí‖相手の要求を〜る 拒绝对方的要求

げれつ【下劣】卑劣bēiliè；卑鄙无耻bēibǐ wúchǐ

-けれども ❶〔しかし〕但是dànshì；尽管jǐnguǎn；然而rán'ér‖雨が降ってはいる〜たいへん暖かい 尽管下着雨，天气却非常暖和 ❷〔共存･対比など〕而且érqiě；也yě‖春のサクラもいい〜，秋のモミジも捨てがたい 春天的樱花确实好看，然而秋天的红叶也难以忘怀 ❸〔願望〕…就好了

…jiù hǎo le; 但愿dànyuàn ‖ 早く仕事がみつかるといいんだ～ 但愿早点儿找到工作
ゲレンデ 滑雪场huáxuěchǎng
けろり ❶〔平然としている〕㊁满不在乎mǎn bú zàihu; ㊁若无其事ruò wú qí shì ‖ 失敗したのに～としている 虽然失败了,但他也满不在乎 ❷〔すっかり〕完全wánquán ‖ 約束を～と忘れていた 把约会的事给忘得一干二净
けわし・い【険しい】 ❶〔山や坂が〕陡峭dǒuqiào ❷〔顔つきが〕严厉yánlì; 严峻yánjùn ‖ ～い顔つき 表情严峻 ❸〔困難である〕艰险jiānxiǎn; 严峻yánjùn ‖ 前途は～い 前途充满艰险
けん【件】 ❶〔事柄〕事情shìqing; 事shì ‖ 例の～はどうなりましたか 那件事现在怎么样了？ ❷〔件数の単位〕件jiàn; 起qǐ; 则zé; 个ge ‖ 3～の窃盗事件 三起盗窃案
けん【券】〔张,叠〕票piào
けん【県】 县xiàn ✥一議会:县议会 | 一知事:县知事 | 一庁:县政府 | 一庁所在地:县政府所在地
けん【剣】〔把〕剑 jiàn ‖ ～を抜く 拔剑
けん【圏】 圈子quānzi; 地区dìqū; 范围fànwéi
けん【腱】 腱 jiàn; 肌腱 jījiàn
けん【権】 权quán; 权力quánlì ‖ 生殺与奪の～ 生杀予夺之权
-けん【兼】 兼 jiān ‖ 居間～寝室 起居室兼卧室
-けん【軒】 家jiā; 所suǒ ‖ 1～の店 一家商店 | 角を曲がって5～め 拐过弯儿去第五家
げん【元】 ❶〔中国の王朝〕元朝Yuáncháo ❷〔通貨〕元yuán; 块kuài
げん【言】 话语huàyǔ; 话huà ‖ ～をまたない 自不待言 | ～を左右にする 支吾其词
げん【弦】 ❶〔弦楽器の〕〔根〕弦xián ‖ バイオリンの～ 小提琴的弦 ❷〔弓の〕〔根〕弓弦gōngxián
げん【験】 兆头zhàotou ‖ ～をかつぐ 相信兆头 | ～がいい〔悪い〕 好〔坏〕兆头
げん-【現】 现任xiànrèn; 本届běn jiè ‖ ～内閣 本届内阁 | ～市長 现任市长
けんあく【険悪】 险恶xiǎn'è; 严峻yánjùn; 紧张jǐnzhāng ‖ 両者の関係が～になる 双方关系变得十分紧张 | ～なムード 险恶的气氛
けんあん【懸案】 悬案xuán'àn ‖ 長年の～ 多年的悬案 | 日中間の～ 日中之间悬而未决的问题
げんあん【原案】 原案yuán'àn ‖ 事業計画の～を作成する 拟定事业计划方案
けんい【権威】 ❶〔威力・権勢〕威信wēixìn; 权威quánwēi ❷〔第一人者〕权威quánwēi; 权威人士quánwēi rénshì ‖ 世界的～ 世界权威
けんいん【牽引】（～する）牵引qiānyǐn; 拖拉tuōlā ✥一車:拖车; 牵引车; ㊙带头人; 火车头 | 一力:牵引力
***げんいん【原因】* 原因yuányīn** ‖ ～と結果 原因和结果 | ～を究明する 查明原因
けんえき【検疫】（～する）检疫 jiǎnyì
げんえき【現役】 ❶〔実際に活躍していること〕在职zàizhí; 现职xiànzhí ‖ ～選手 现役选手 | ～を退く 退出第一线 ❷〔高3で受験すること〕应届高考生yīngjiè gāokǎoshēng ‖ ～で東大に合格する 作为应届生考上东京大学
けんえつ【検閲】（～する）审查shěnchá; 检查jiǎnchá ‖ 首尾よく～をパスする 顺利通过审查

けんえん【犬猿】 ‖ ～の仲 水火不相容
けんお【嫌悪】（～する）厌恶yànwù; 嫌恶xiánwù ✥一感:厌恶感
けんか【喧嘩】（～する）〔口論〕吵嘴chǎozuǐ; 吵架chǎojià. 〔殴りあい〕打架dǎjià ‖ 恋人と～別れをした 我跟女朋友吵分手了 | ～をとめる 劝架; 劝和 ✥一両成敗: ㊁各打五十大板
げんか【原価】 原价yuánjià; 成本chéngběn ‖ ～を抑える 压低成本 | ～を割る 折本 ✥一計算:成本计算 | 生産一:生产成本
けんかい【見解】 见解jiànjiě; 看法kànfa ‖ ～を述べる 陈述见解 | ～の相違 见解不同
げんかい【限界】 界限jièxiàn; 限度xiàndù ‖ 体力の～を超える 体力不支
げんかい【厳戒】（～する）严密戒备〔警戒〕 ✥一体制:警戒体制
けんがく【見学】（～する）参观 cānguān ‖ 放送局を～する 参观〔广播〕电台
げんかく【幻覚】 幻觉huànjué ‖ ～に襲われる 突然产生幻觉
げんかく【厳格】 严格yángé ‖ ～にしつけられる 受到严格的管教
げんがく【弦楽】 弦乐xiányuè ✥一四重奏:弦乐四重奏
げんがく【減額】（～する）减少金额 jiǎnshǎo jīn'é ‖ 経費を～する 减少经费
げんかしょうきゃく【減価償却】 折旧zhéjiù
げんがっき【弦楽器】 弦乐器xiányuèqì
けんがん【検眼】 检查视力jiǎnchá shìlì; 验光yànguāng ‖ 眼科で～してもらう 在眼科检查视力
げんかん【玄関】 正门zhèngmén; 门口ménkǒu; 大门dàmén ✥一先:门口处
げんかん【厳寒】 严寒yánhán ‖ ～の候 时值严寒之际
けんぎ【建議】（～する）建议jiànyì; 提议tíyì ‖ 理事会に～する 向理事会提出建议 ✥一書:建议书
けんぎ【嫌疑】 嫌疑xiányí ‖ 殺人の～がかかる 被怀疑杀人
げんき【元気】 ❶〔勢いがいい〕精神jīngshen; 干劲gànjìn ‖ ～のいい子ども 精力旺盛的孩子 | 一休みすると～が出た 休息了一会儿后又有了精神 ❷〔健康〕健康jiànkāng; 好hǎo ‖ おかげさまで～にしております 托你的福我们都很好
げんきづ・ける【元気づける】 鼓舞gǔwǔ; 鼓励gǔlì ‖ 母の一言が私を～けてくれた 母亲的一句话让我又振作了精神
けんきゅう【研究】（～する）研究yánjiū ✥一員:研究员 | 一家:钻研家 | 一室:研究室 | 一所:研究所 | 一生:进修生 | 一論文:研究论文
けんぎゅう【牽牛】 牵牛星qiānniúxīng
げんきゅう【言及】（～する） 言及yánjí; 说到shuōdào; 提到tídào
げんきゅう【減給】 减薪jiǎnxīn; 降工资jiàng gōngzī
けんきょ【検挙】（～する）逮捕dàibǔ; 拘留jūliú
けんきょ【謙虚】 谦虚qiānxū; 谦和qiānhé ‖ ～に自分の行動を反省する 谦虚地反省自己的行为
けんぎょう【兼業】（～する） 兼职jiānzhí; 兼营jiānyíng ✥一農家:兼业农户
げんきょう【元凶】 元凶yuánxiōng

げんきょう【現況】现状xiànzhuàng
けんきん【献金】(～する)捐款juānkuǎn
げんきん【現金】❶〔金〕〔笔〕现金xiànjīn；现款xiànkuǎn ‖ ～で買う 用现金买东西 ❷〔打算的な〕㊂唯利是图wéi lì shì tú ✣ 一書留：现金挂号 ｜ 一取引：现金交易
げんきん【厳禁】严禁yánjìn ‖ 土足～ 严禁穿鞋入内
げんけい【原形】原形yuánxíng；原状yuánzhuàng ‖ ～を保つ 保持原状 ｜ ～をとどめぬまでに損傷した 破损得看不出原样
げんけい【原型】原型yuánxíng；模型móxíng
げんけい【減刑】(～する)减刑jiǎnxíng
けんけつ【献血】(～する)献血xiànxuè ✣ 一手帳：献血证
けんげん【権限】权限quánxiàn；权力quánlì ‖ ～を与える 授权 ｜ 私にはその許可を与える～はない 这事儿我无权批准
けんけんごうごう【喧喧囂囂】喧喧嚷嚷xuānxuānrǎngrǎng；喧嚣xuānxiāo；吵闹chǎonào
けんご【堅固】坚固jiāngù；坚强jiānqiáng；牢固láogù ‖ 志操～な人 意志坚强的人 ｜ ～な要塞(ようさい) 坚固的要塞
げんご【言語】语言yǔyán；言语yányǔ ‖ ～に絶する美しさ 美得难以用语言来表达 ｜ ～不明瞭 言语不清 ✣ 一学：语言学 ｜ 一障害：语言障碍；失语症
げんご【原語】原文yuánwén
けんこう【健康】健康jiànkāng ‖ ～を害した 损害了健康 ｜ ～のありがたみがわかる 懂得健康的重要性 ｜ ～に恵まれる 生就一身强健的体魄 ✣ 一管理：健康管理 ｜ 一状態：健康状况 ｜ 一食品：保健食品 ｜ 一診断：体检；健康检查；身体检查 ｜ 一法：健康法 ｜ 一保険：健康保险
げんこう【原稿】原稿yuángǎo；草稿cǎogǎo ‖ ～を直す 修改稿子 ✣ 一用紙：稿纸；原稿纸 ｜ 一料：稿费；稿酬
げんこう【現行】现行xiànxíng ‖ ～の年金制度 现行国民养老金制度 ✣ 一犯：现行犯
げんごう【元号】年号niánhào；建元jiànyuán
けんこうこつ【肩甲骨·肩胛骨】肩胛骨jiānjiǎgǔ
げんこく【原告】原告yuángào
げんこつ【拳骨】拳头quántou ‖ ～をくらわされる 挨拳头
けんさ【検査】(～する)检查jiǎnchá ‖ ～を受ける 接受检查 ｜ 会計を～する 审计 ✣ 一官：检查官 ｜ 一済み：验讫
けんざい【健在】健在jiànzài ‖ 祖父母とも～です 我祖父母都仍然健在
げんざい【現在】现在xiànzài；目前mùqián ‖ ～の状態 目前的状况 ｜ 3月1日～ 到3月1日为止 ✣ 一地：现在的所在地
げんざいりょう【原材料】原材料yuáncáiliào
けんさく【検索】(～する)检索jiǎnsuǒ；查chá；搜索sōusuǒ ‖ インターネットで～する 在网上检索
げんさく【原作】原著yuánzhù；原作yuánzuò ✣ 一者：原作者
けんさつ【検札】(～する) 检票jiǎnpiào；验票yàn piào ✣ 一係：检票员
けんさつ【検察】检察jiǎnchá ✣ 一官：检察官 ｜ 一当局：检察机关
けんさん【研鑽】(～する)钻研zuānyán；研究yánjiū ‖ 長年にわたって～を積む 经过多年的钻研
けんざん【検算】(～する)验算yànsuàn；核对héduì ‖ 答えを～する 核对答案
げんさん【原産】原产yuánchǎn ‖ 日本～の野菜 原产于日本的蔬菜 ✣ 一地：原产地
げんさん【減産】(～する)减产jiǎnchǎn ✣ 一体制：减产体制
けんし【犬歯】〔颗〕犬齿quǎnchǐ；犬牙quǎnyá
けんし【検死·検視】(～する)验尸yànshī ‖ ～の結果 验尸的结果 ✣ 一官：验尸官
けんじ【堅持】(～する)坚持jiānchí
けんじ【検事】检察官jiǎncháguān ✣ 一総長：最高检察院检察长
げんし【原子】原子yuánzǐ ✣ 一エネルギー：原子能 ｜ 一価：原子价 ｜ 一核：原子核 ｜ 一爆弾：原子弹 ｜ 一番号：元素序号 ｜ 一炉：核反应堆
げんし【原始】原始yuánshǐ ‖ ～的な方法で火をおこす 用原始的方法生火 ✣ 一時代：原始时代 ｜ 一人：原始人 ｜ 一林：原始森林
けんしき【見識】见识jiànshi；眼力yǎnlì；见地jiàndì ‖ ～のある人 有见识的人 ｜ ～が高い ㊂见多识广 ｜ ～ばる 爱摆架子
けんじつ【堅実】踏实tāshi；可靠kěkào ‖ ～な生活を営む 踏踏实实地过日子
げんじつ【現実】现实xiànshí；实际shíjì ‖ ～を直視する 面对现实 ｜ 夢が～となった 梦想成真 ｜ ～化のむずかしい計画 难以实现的计划 ｜ ～から逃れる 逃避现实 ✣ 一離れ：脱离现实 ｜ 一味：现实感 ‖ ～を帯びる 有实现的可能
げんじてん【現時点】目前mùqián；现在xiànzài ‖ ～では合意していない 目前还没达成协议
けんじゃ【賢者】贤者xiánzhě；贤哲xiánzhé
げんしゅ【元首】元首yuánshǒu；国家元首guójiā yuánshǒu
げんしゅ【厳守】(～する)严守yánshǒu；严格遵守yángé zūnshǒu ‖ 時間～のこと 请遵守时间
けんしゅう【研修】(～する)进修jìnxiū；培训péixùn；实习shíxí ‖ 新人～を受ける 接受新人培训 ✣ 一所：培训所 ｜ 一生：实习生
けんじゅう【拳銃】手枪shǒuqiāng
げんじゅう【厳重】严厉yánlì；严肃yánsù；严重yánzhòng ‖ ～な抗議を行う 进行强烈抗议 ｜ ～に注意する 严重警告
げんしゅく【厳粛】严肃yánsù；肃穆sùmù；庄严zhuāngyán ‖ ～な雰囲気 庄严的气氛 ｜ ～な口調で話す 以严肃的语气说
けんしゅつ【検出】(～する)检测出jiǎncèchu；查出cháchu；化验出huàyànchu ‖ 飲料水から毒物が～された 从饮用水中化验出了毒药
げんしょ【原書】原著yuánzhù；原书yuánshū ‖ シェイクスピアを～で読む 读莎士比亚的原著
けんしょう【検証】(～する)验证yànzhèng；检验jiǎnyàn ✣ 現場一：现场查证
けんしょう【憲章】宪章xiànzhāng ✣ 国際連合一：联合国宪章
けんしょう【懸賞】奖赏jiǎngshǎng；赏金shǎngjīn ‖ ～を出す 悬赏 ｜ ～に当たる 中奖 ✣ 一金：

け

奖金 | 一品:奖品
けんじょう【献上】(〜する) 奉献fèngxiàn; 进献jìnxiàn; 奉送fèngsòng ✤ 一品:贡品
けんじょう【謙譲】谦让qiānràng; 谦逊qiānxùn ✤ 一語:谦让语;谦逊语
げんしょう【現象】现象xiànxiàng ‖ 一時的な〜 一时的现象
げんしょう【減少】(〜する) 减少jiǎnshǎo
げんじょう【原状】原状yuánzhuàng; 原形yuánxíng ‖ 〜に戻す 恢复原状
げんじょう【現状】现状xiànzhuàng ‖ 〜を打破する 打破现状 | 〜に甘んじる 安于现状
げんしょく【原色】原色yuánsè
げんしょく【現職】现任xiànrèn; 在职zàizhí ‖ 〜の警官 在职警察 | 〜の大統領 现任总统
げんしりょく【原子力】原子能yuánzǐnéng ✤ 一空母:核动力航空母舰 | 一船:核动力舰艇 | 一潜水艦:核潜艇 | 一発電所:核电站
けんしん【検針】(〜する) 使用量检查shǐyòngliàng jiǎnchá ‖ 水道〔ガス〕の〜をする 查水表〔煤气表〕
けんしん【検診】(〜する) 体检tǐjiǎn; 健康检查jiànkāng jiǎnchá ‖ 〜を受ける 接受检查
けんしん【献身】(〜する) 献身xiànshēn ‖ 重傷者の看護に〜的に当たる 尽全力看护重伤员
げんじん【原人】猿人yuánrén
げんすいばく【原水爆】原子弹和氢弹yuánzǐdàn hé qīngdàn ✤ 一禁止運動:反核运动
げんすん【原寸】 ‖ 〜大の彫像 与实物同样大小的雕像 ✤ 一図:一比一的图
げんせ【現世】现世xiànshì ‖ 〜の苦しみを味わいつくす 尝尽人世间的辛酸苦辣
けんせい【牽制】(〜する) 牵制qiānzhì ‖ 相手の動きを〜する 牵制对方的行动
けんせい【権勢】权势quánshì ‖ 〜をふるう 掌权 | 〜をほしいままにする 作威作福
げんせい【厳正】严正yánzhèng ‖ 〜な裁判 严正的审判 ✤ 一中立:严正中立
げんぜい【減税】(〜する) 减税jiǎnshuì
げんせいりん【原生林】原始林yuánshǐlín
げんせき【原石】❶〔宝石〕‖ ルビーの〜 未经加工的红宝石 ❷〔鉱石〕原矿yuánkuàng
げんせき【原籍】原籍yuánjí; 本贯běnguàn
けんせつ【建設】(〜する) 建设jiànshè; 兴建xīngjiàn; 建造jiànzào ‖ 高層ビルを〜する 建造高层楼房 | 高速道路を〜する 建设高速公路 ✤ 一会社:建筑公司 | 一業:建筑业 | 一工事:建设工程 | 一作業員:建筑工人
けんぜん【健全】❶〔健康である〕健全jiànquán; 健康jiànkāng ❷〔正常である〕正常zhèngcháng; 坚实jiānshí ‖ 〜な読み物 健康的读物 | 〜かつ堅実な経営 健全,扎实的经营管理
げんせん【源泉】❶〔水源〕水源shuǐyuán; 泉源quányuán ❷〔発生の元〕源泉yuánquán ‖ 知識の〜 知识的源泉 ✤ 一課税:工资扣税
げんせん【厳選】(〜する) 严选yánxuǎn; 严格选择yángé xuǎnzé ‖ 〜された優良品 严选出来的优质品
げんぜん【厳然】俨然yǎnrán; 严肃yánsù ‖ 〜たる事実 无可争辩的事实
げんそ【元素】元素yuánsù ‖ 鉄の〜 铁元素 ✤ 一記号:元素符号
けんそう【喧噪】嘈杂cáozá; 喧哗xuānhuá ‖ 都会の〜を逃れる 逃避城市的嘈杂
けんぞう【建造】(〜する) 建筑jiànzhù; 建造jiànzào ‖ 空母を〜する 建造航空母舰
げんそう【幻想】幻想huànxiǎng ‖ 〜的な音楽 幻想音乐 | 〜を捨て現実を直視する 抛弃幻想,面对现实
げんぞう【現像】(〜する) 显像xiǎnxiàng; 冲洗chōngxǐ ‖ フィルムを〜する 冲洗胶卷 ✤ 一液:显像液
げんそく【原則】原则yuánzé ‖ 〜として 原则上 | 〜に立ち返る 回到原则 | 〜に基づく 根据原则
げんそく【減速】(〜する) 减速jiǎnsù ‖ カーブの手前で〜する 在快到拐弯的地方减速 ✤ 一装置:减速装置
けんそん【謙遜】(〜する) 谦虚qiānxū; 谦逊qiānxùn
げんそん【現存】(〜する) 现存xiàncún ‖ 〜する世界最古の木造建築物 现存的世界最古老的木造建筑物
けんたい【倦怠】❶〔飽きて嫌になる〕倦怠juàndài; 厌倦yànjuàn ❷〔体がだるい〕疲倦píjuàn ✤ 一感:疲倦感;倦怠感 | 一期:倦怠期
げんたい【減退】(〜する) 减退jiǎntuì; 衰退shuāituì ‖ 食欲が〜する 食欲减退 | 記憶力が〜する 记忆力衰退
げんだい【現代】现代xiàndài; 当代dāngdài ‖ 〜の科学 现代科学 | 〜的なセンスがある 很有时代感 ✤ 一思想:现代思想 | 一人:当代人 | 一文学:当代文学
ケンタウルスざ【ケンタウルス座】人马座rénmǎzuò
けんたん【健啖】饭量好fànliang hǎo; 饭量大fànliang dà ✤ 一家:饭量大的人;大肚汉
けんち【見地】观点guāndiǎn; 角度jiǎodù; 立场lìchǎng ‖ 科学的〜から分析する 从科学的角度进行分析 | 新しい〜から歴史を見つめなおす 用新的观点来重新看待历史
げんち【現地】现地xiàndì; 现场xiànchǎng; 当地dāngdì ‖ 大臣が〜を視察した 大臣对当地进行了视察 | 子どもを〜の小学校に行かせる 让孩子上当地的小学校 ✤ 一時間:当地时间 | 一人:本地人;土著 | 一調達:当地筹办;当地供应
けんちく【建築】(〜する) 盖gài; 建筑jiànzhù ‖ 江戸時代の〜 江户时代的建筑 ✤ 一家:建筑家 | 一学:建筑学 | 一工事:建筑工程 | 一材料:建筑材料 | 一士:建筑师 | 一様式:建筑格局
けんちょ【顕著】显著xiǎnzhù; 明显míngxiǎn ‖ 〜な発展 显著的发展 | 〜な類似点 明显的类似点
げんちょ【原著】原著yuánzhù; 原作yuánzuò
げんちょう【幻聴】幻听huàntīng ‖ このところ〜が聞こえる 最近出现幻听
けんてい【検定】(〜する) 检定jiǎndìng; 审定shěndìng; 审查shěnchá ‖ 中国語の〜試験を受ける 参加汉语检定考试 ✤ 一教科書:文部省检定课本 | 一試験:检定考试
げんてい【限定】(〜する) 限定xiàndìng; 限

xiàn；限制xiànzhì ‖ 出場資格を～する 限定参赛资格 ✤—版：限定出版数量的书籍

げんてん【原典】原本yuánběn；原著yuánzhù ‖ ～に当たる 查看原著

げんてん【原点】❶〔基準点〕基点jīdiǎn；起点qǐdiǎn；出发点chūfādiǎn ‖ ～に返る 回到出发点 ❷〔数学〕原点yuándiǎn

げんてん【減点】(～する)减分jiǎn fēn；扣分kòu fēn ‖ スピード違反で1点～された 超速违章被减了一分 ✤—法：减分法

げんど【限度】限度xiàndù ‖ ～に達する 达到限度｜ものには～がある 凡事都有限度

けんとう【見当】❶〔予想〕推测tuīcè；预计yùjì；估计gūjì ‖ 皆目～がつかない 一点儿都搞不明白 ❷〔およそ〕大约dàyuē；左右zuǒyòu ‖ 40歳～ 40岁左右｜おおよその～ 大致数目

けんとう【健闘】(～する)奋斗fèndòu；顽强斗争wánqiáng dòuzhēng ‖ ～を祈る 祝你努力奋斗｜～をたたえる 赞扬其勇敢斗争的精神

けんとう【検討】(～する)研讨yántǎo；研究yánjiū ‖ もう1度～してください 请再研究一次｜目下～中 目前正在研究

げんとう【厳冬】严冬yándōng ‖ ～の折から 正值严冬时节

げんどう【言動】言行yánxíng ‖ ～を慎みなさい 谨言慎行

けんとうし【遣唐使】遣唐使Qiǎntángshǐ

けんとうちがい【見当違い】估计错gūjìcuò ‖ ～な発言でしたらすみません 假如说了不合适的话，请原谅

げんどうりょく【原動力】动力dònglì；原动力yuándònglì ‖ 子どもの笑顔が生きる～になった 孩子的笑脸是我生活的动力

けんない【圏内】圈内quān nèi；范围之内fànwéi zhī nèi ‖ 射程～ 射程之内｜勢力～ 势力范围内｜台風～に入る 进入台风圈

げんなり (～する)(ぐったり)疲倦píjuàn.（あきあき）厌腻yànnì ‖ 母のお説教に～する 对母亲那套说教感到腻烦｜甘い物を食べすぎてもう見るだけで～する 甜的东西吃多了，看着就腻

げんに【現に】确实quèshí；实际shíjì ‖ ～証拠があがっている 证据确凿

けんにょう【検尿】(～する)验尿yàn niào

けんにん【兼任】(～する) 兼任jiānrèn；兼职jiānzhí ‖ 2つの会社の役員を～する 兼任两家公司的董事

げんば【現場】❶〔その場所〕现场xiànchǎng；当地dāngdì ‖ ～の教師の声 教学第一线教师的意见｜～に急行する 急忙赶赴现场 ❷〔工場, 作業場〕车间chējiān；现场xiànchǎng ✤—監督：监工｜—研修：实习｜—検証：现场调查｜—中継：现场转播

けんばいき【券売機】〔台〕售票机shòupiàojī

げんばく【原爆】原子弹yuánzǐdàn ✤—実験：原子弹实验｜—症：原子弹爆炸后遗症

げんばつ【厳罰】严罚yánfá；严惩yánchéng ‖ 飲酒運転は～に処せられる 酒后开车将受到严惩

けんばん【鍵盤】键盘jiànpán

けんび【兼備】(～する)兼备jiānbèi；双全shuāngquán ‖ 才色～ 才貌兼备〔双全〕

けんびきょう【顕微鏡】〔台, 架〕显微镜xiǎnwēijìng ‖ ～で細菌を調べる 用显微镜检查细菌

げんぴん【現品】现货xiànhuò；实物shíwù ‖ ～限り 限于现货；限于实物

けんぶつ【見物】(～する)参观cānguān；游览yóulǎn ‖ 東京～をする 游览东京｜高見の～をする 定 袖手旁观 ✤—人：观众；（観光の）游客

げんぶつ【現物】❶〔実物・品物〕现有物品xiànyǒu wùpǐn；实物shíwù ‖ 代金は～と引きかえでけっこうです 可以货到付款｜給料を～で支給する 用实物代替工资支付 ❷〔経済〕现货xiànhuò ‖ ～取引 现货交易

けんぶん【見聞】(～する)体验tǐyàn.（得た知識）见闻jiànwén；见识jiànshi ‖ 旅行をして～を広める 去各地旅行增长见识

けんぶん【検分】(～する)现场检查xiànchǎng jiǎnchá；实地调查shídì diàochá ‖ 被害状況を～する 对受灾情况做实地调查

げんぶん【原文】原文yuánwén ‖ ～のまま 原文不动

げんぶんいっち【言文一致】言文一致yánwén yízhì

けんぺいりつ【建蔽率】建筑面积率jiànzhù miànjīlǜ

けんべん【検便】(～する)验便yàn biàn

けんぼう【権謀】权谋quánmóu ✤—術数：权谋术数

けんぽう【憲法】宪法xiànfǎ ‖ ～を制定する 制定宪法｜～を発布する 公布宪法 ✤—違反：违反宪法

げんぽう【減俸】(～する)减薪jiǎn xīn；降薪jiàng xīn ‖ ～処分になる 被处以减薪处分

けんぼうしょう【健忘症】健忘症jiànwàngzhèng.（医学）记忆缺失jìyì quēshī

げんぽん【原本】原本yuánběn；原书yuánshū

けんま【研磨・研摩】(～する)研磨yánmó；抛光pāoguāng ‖ 金属の表面を～する 抛光金属的表面 ✤—機：研磨机｜—材：研磨粉

げんまい【玄米】糙米cāomǐ；粗米cūmǐ

けんまく【剣幕・見幕・権幕】怒气冲冲nùqì chōngchōng；定 气势汹汹qìshì xiōngxiōng ‖ すごい～でくってかかる 怒气冲冲地反驳

げんみつ【厳密】严密yánmì；严格yángé ‖ ～に言えば 严格地讲｜より～な調査を要する 需要更严密的调查

けんみん【県民】县民xiànmín

けんむ【兼務】(～する)兼任jiānrèn

けんめい【賢明】贤明xiánmíng；高明gāomíng ‖ ～な選択 英明的选择

けんめい【懸命】拼命pīnmìng；竭尽全力jiéjìn quánlì ‖ ～な努力のたまもの 拼命努力的结果

げんめい【言明】(～する)说清shuōqīng；说明shuōmíng

げんめい【厳命】(～する)严命yánmìng；严令yánlìng ‖ ～を受ける 接到严令

げんめつ【幻滅】(～する)定 大失所望dà shī suǒ wàng ‖ 結婚生活に～する 对结婚生活大失所望

げんめん【減免】(～する)减免jiǎnmiǎn；减轻jiǎnqīng ‖ 罹災者の税を～する 减免灾民的税金

け

けんもほろろ 极其冷淡jíqí lěngdàn ‖ ～に断る 无情地拒绝
けんもん【検問】(～する)检查jiǎnchá; 查问cháwèn; 盘查pánchá ✤一所:检查站
げんや【原野】〔片〕原野yuányě; 荒地huāngdì ‖ 未開の～ 未经开垦的荒地
けんやく【倹約】(～する)节俭jiéjiǎn; 节约jiéyuē; 节省jiéshěng ‖ 健康と～のために自転車で通勤する 为了健康和节约骑自行车上班
げんゆ【原油】原油yuányóu ‖ ～価格が上昇する 原油价格上升
げんゆう【現有】现有xiànyǒu ✤一設備:现有设备 | 一戦力:现有(的)战斗力
けんよう【兼用】兼用jiānyòng; 共用gòngyòng
けんらん【絢爛】灿烂美丽cànlàn měilì; 绚丽xuànlì ‖ 豪華～たるシャンデリア 豪华绚丽的水晶吊灯
けんり【権利】权利quánlì ‖ ～を行使する 行使权利 | ～を侵す 侵犯他人权利 | ～を踏みにじる 践踏他人权利
げんり【原理】原理yuánlǐ; 法则fǎzé ‖ てこの～ 杠杆原理
げんりゅう【源流】❶〔水源〕源头yuántóu; 水源shuǐyuán ‖ ナイル川の～を探検する 去尼罗河的源头探险 ❷〔起源〕起源qǐyuán ‖ 中国文明の～をたどる 追溯中国文明的起源
げんりょう【原料】原材料yuáncáiliào; 原料yuánliào
げんりょう【減量】(～する)减肥jiǎnféi; 减轻重量jiǎnqīng zhòngliàng ‖ 健康のために～する 为了健康减肥
けんりょく【権力】权力quánlì ‖ ～を握る 掌握权力; 当权 | ～をふるう 动用权力 | ～をちらつかせる 暗中以势压人 ✤一者:掌权者
けんろう【堅牢】坚固jiāngù; 坚牢jiānláo
げんろう【元老】元老yuánlǎo; 权威quánwēi ‖ 政界の～ 政界元老 | 医学界の～ 医学界权威
げんろん【言論】言论yánlùn ‖ ～の自由 言论自由 ✤一弾圧:压制言论自由 | 一統制:言论管制
げんわく【眩惑】(～する)迷惑míhuo; 蛊惑gǔhuò

こ

こ【子】❶〔子ども〕孩子háizi; 小孩儿xiǎoháir; 子女zǐnǚ ‖ ～をもって知る親の恩 养儿方知父母恩 | ～はかすがい 孩子是夫妻的纽带 ❷〔動物の子〕崽(儿) zǎi(r) ‖ イヌの～ 狗崽儿; 小狗儿 | アヒルの～ 鸭雏儿 | ハチの～ 蜂蛹 ❸〔もとから分かれ出たもの〕‖ イモの～ 小芋 | 元も～もなくした 连本带利都输光了
こ【弧】〔条, 根〕弧线húxiàn; 弓形gōngxíng
こ【故】(已)故(yǐ)gù ‖ ～鄧小平氏 已故的邓小平先生
-こ【個】个gè; 块kuài ‖ リンゴ5～ 五个苹果 | 3～の石けん 三块肥皂
ご【五】五wǔ. (大字)伍wǔ
ご【後】以后yǐhòu ‖ その～彼には会っていない 那以后我再也没见过他 | 閉店～に掃除する 关门后打扫卫生
ご【期】‖ この～に及んで 事到如今
ご【碁】围棋wéiqí ‖ ～を打つ 下围棋
ご【語】❶〔言葉〕语言yǔyán; 话huà ❷〔単語〕单词dāncí
コアラ 考拉kǎolā; 树袋熊shùdàixióng
こい【故意】故意gùyì; 存心cúnxīn ‖ ～にやったのなら許せない 如果是故意的,就不能饶恕
こい【恋】恋爱liàn'ài; 爱情àiqíng ‖ ～に悩む 为了爱情而烦恼 | ～に破れる 爱情幻灭; 失恋 | ～に落ちる 堕入情网 | ～は盲目 恋爱使人盲目
こ・い【濃い】❶〔色が〕深shēn; 浓nóng ‖ ～い茶色 深褐色 | 山の緑がだんだん～くなっていく 山上的绿色渐渐变浓了 ❷〔濃度・密度が〕浓nóng; 稠chóu; 重zhòng ‖ ～いお茶 浓茶 | 化粧が～い 浓妆艳抹 | 味の～い料理 味儿重的菜 | 髭(ひげ)が～い 胡须浓密 | ～い霧 大雾 ❸〔程度が強い〕程度高chéngdù gāo; 可能性大kěnéngxìng dà ‖ 敗色が～くなってきた 败势越来越明显 ❹〔関係が〕密切mìqiè; 亲密qīnmì ‖ 血は水よりも～い 血浓于水
こい【鯉】鲤鱼lǐyú ‖ ～の滝のぼり 定 鲤鱼跳龙门
ごい【語彙】词汇cíhuì ‖ ～が豊かだ〔乏しい〕 词汇很丰富〔贫乏〕 ✤一力:词汇量
こいがたき【恋敵】情敌qíngdí
こいごころ【恋心】恋慕之情liànmù zhī qíng ‖ ～を抱く 怀着一丝恋慕之情
ごいし【碁石】棋子qízǐ
こいし・い【恋しい】爱慕àimù; 恋慕liànmù; 想念xiǎngniàn ‖ ～い人 心爱的人 | ～さが募る 恋慕之情越发强烈 | 故郷が～い 怀念故乡
こいぬ【小犬】小狗xiǎogǒu; 狗崽儿gǒuzǎir
こいのぼり【鯉幟】鲤鱼旗lǐyúqí
こいびと【恋人】恋人liànrén; 意中人yìzhōngrén ‖ かつての～ 以前的男〔女〕朋友 ✤一同士:情侣
コイル 线圈xiànquān; 线卷xiànjuǎn
コイン 〔块, 枚〕硬币yìngbì ✤一ランドリー:投币式洗衣店 | 一ロッカー:投币式寄物柜
こう【功】功劳gōnglao; 功勋gōngxūn ‖ ～を立てる 立功 | ～を急ぐ 急于功名〔成功〕
こう【甲】❶〔甲羅〕〔个, 块〕甲壳jiǎqiào; 硬壳yìngqiào ‖ 亀の～より年の功 定 姜是老的辣 ❷〔手足の表面〕脚背jiǎobèi; 手背shǒubèi ❸〔十干の第1〕甲jiǎ ❹〔等級の第1位〕第一dìyī; 第一位dì yī wèi
こう【効】效果xiàoguǒ ‖ ～を奏する 奏效
こう【幸】幸运xìngyùn ‖ ～か不幸か 不管是幸运还是不幸
こう【香】香xiāng ‖ ～をたく 焚香
こう【項】❶〔項目〕条款tiáokuǎn; 项目xiàngmù ‖ 第2条第2～ 第二条第二款 ❷〔数学〕项xiàng

こ·う【請う·乞う】❶〔他人に求める〕要求yāoqiú; 请求qǐngqiú; 乞求qǐqiú‖人に助けを～う 求助于人；向人求助 ❷〔神仏に願う〕祈祷qídǎo; 祈求qíqiú‖神の慈悲を～う 祈求上帝慈悲

ごう【号】❶〔順序のあるもの〕…号 …hào‖台風23～ 第23号台风 ❷〔列車·船などの名前〕…号… hào‖タイタニック～ 泰坦尼克号 ❸〔雅号〕别号biéhào; 雅号yǎhào‖～をつける 起别号

ごう【郷】‖～に入っては～に従え [定]入乡随俗

ごう【業】❶〔仏教〕恶业èyè‖～が深い 罪孽深重 ❷〔慣用表現〕‖～を煮やす 恼怒

こうあつ【高圧】高压gāoyā; 高电压gāodiànyā ✤一線:高压线｜一電流:高压电流

こうあつてき【高圧的】强制qiángzhì; 威逼wēibī; 高压gāoyā‖～な手段 高压手段｜～な態度 态度很专横

こうあん【公安】公安gōng'ān; 治安zhì'ān ✤一委員会:公安委员会｜一警察:公安警察

こうあん【考案】(～する)设计shèjì; 想出xiǎngchu‖新しいゲームを～する 设计新的游戏

こうい【好意】❶〔好ましい気持ち〕好感hǎogǎn‖～を示す 表示好感｜～を寄せる 抱有好感 ❷〔親切な気持ち〕好意hǎoyì; 善意shànyì; 好心hǎoxīn‖～的な態度 友善的态度｜～的な見方 善意的解释

こうい【行為】行为xíngwéi; 举动jǔdòng; 作为zuòwéi‖慈善～ 善行｜卑劣な～ 卑劣行径

こうい【厚意】厚意hòuyì‖ご～に感謝します 感谢您的厚意

こうい【皇位】皇位huángwèi; 帝位dìwèi ✤一継承権:皇位继承权

ごうい【合意】(～する)彼此同意bǐcǐ tóngyì; 意见一致yìjian yízhì‖～に達する 达成协议｜～に基づく 在彼此同意的基础上 ✤一書:协议书

こういう【斯ういう】这样的zhèyàng de‖～間違いはよくある 这样的错误经常会发生

こういき【広域】大范围dà fànwéi; 广泛区域guǎngfàn qūyù‖～災害 大范围的灾害

こういしつ【更衣室】更衣室gēngyīshì

こういしょう【後遺症】❶〔医学〕后遗症hòuyízhèng‖～が残る 留下后遗症 ❷〔比ゆ的に〕(留下来的)影响(liúxialai de) yǐngxiǎng

こういってん【紅一点】…里唯一的女性… li wéiyī de nǚxìng

こういん【光陰】‖～矢のごとし [定]光阴似箭

こういん【行員】银行职员yínháng zhíyuán

ごういん【強引】强行qiángxíng; 强迫qiǎngpò; 强制qiángzhì‖～に自分の意見を押し通す 不顾别人的反对，固执己见

こうう【降雨】✤一量:降雨量

ごうう【豪雨】〔场〕暴雨bàoyǔ; 大雨dàyǔ

こううん【幸運·好運】幸运xìngyùn; 好运hǎoyùn‖～をつかむ 抓住机遇｜～をもたらす 带来幸运｜～を呼ぶ 招来好运｜～の女神 幸运女神

こうえい【公営】公营gōngyíng

こうえい【光栄】光荣guāngróng; 荣幸róngxìng; 荣誉róngyù‖身に余る～ 无上光荣

こうえい【後裔】后裔hòuyì; 子孙zǐsūn

こうえき【公益】公益gōngyì; 公共利益gōnggòng lìyì ✤一事業:公益〔公用〕事业

こうえき【交易】(～する)交易jiāoyì

こうえつ【校閲】(～する)校阅jiàoyuè; 校对jiàoduì; 校订jiàodìng ✤一者:校对者

こうえん【公演】(～する)公演gōngyǎn ✤定期一:定期公演

こうえん【公園】公园gōngyuán

こうえん【後援】(～する)支持zhīchí; 后援hòuyuán; 支援zhīyuán ✤一会:后援会；声援会

こうえん【講演】(～する)演讲yǎnjiǎng; 讲演jiǎngyǎn; 讲话jiǎnghuà ✤一会:演讲会｜公開一:公开演讲

こうおん【高音】高音gāoyīn

こうおん【高温】高温gāowēn

ごうおん【轟音】轰鸣声hōngmíngshēng; 轰响hōngxiǎng‖～とともにジェット機が飛び立った 喷气式飞机在轰鸣声中起飞了

こうか【工科】工科gōngkē ✤一大学:工科大学

こうか【効果】❶〔ききめ〕效果xiàoguǒ; 成效chéngxiào‖～があがる 效果提高｜～てきめん 立竿见影｜なんの～もなかった 没有什么效果 ❷〔映画などの〕效果xiàoguǒ ✤一音:配音效果

こうか【降下】(～する)降落jiàngluò

こうか【高価】高价gāojià; 昂贵ángguì

こうか【高架】高架gāojià ✤一線:(電線)高架(电)线；(線路)高架线路

こうか【硬化】(～する)❶〔物がかたくなる〕硬化yìnghuà ❷〔態度が強硬になる〕强硬qiángyìng‖態度を～させる 态度强硬了起来

こうか【硬貨】〔块,枚〕硬币yìngbì; 铸币zhùbì

ごうか【豪華】豪华háohuá; 华丽huálì; 阔气kuòqi‖～な夕食 丰盛的晚餐｜～な衣装 华丽的衣服｜～な顔ぶれのコンサート 名人荟萃的音乐会 ✤一船:豪华游船｜一版:豪华本〔版〕

こうかい【公海】公海gōnghǎi

こうかい【公開】(～する)公开gōngkāi‖一般に～する 对外开放｜映画が～される 电影公开上映 ✤一株:公开股｜一講座:公开讲座｜一捜査:公开搜查｜一討論会:公开讨论会

こうかい【更改】(～する)修改xiūgǎi; 更新gēngxīn‖契約を～する 修改合同

こうかい【後悔】(～する)后悔hòuhuǐ‖～先に立たず 吃后悔药也没用；[定]悔之晚矣

こうかい【航海】(～する)航海hánghǎi ✤一士:船长副手｜一図:航海图｜一日誌:航海日志

こうがい【口外】(～する)说出去shuōchuqu‖この話は～無用に願います 这话请不要说出去

こうがい【公害】公害gōnghài; 环境污染huánjìng wūrǎn ✤一対策:环境污染对策｜一問題:环境污染问题

こうがい【郊外】郊外jiāowài; 郊区jiāoqū

ごうかい【豪快】豪爽háoshuǎng; 爽快shuǎngkuai; 痛快tòngkuai‖大口をあけて～に笑う 张开大嘴爽朗地笑｜～なホームラン 痛快的全垒打

ごうがい【号外】号外hàowài‖新聞が～を出す 报纸出号外

こうかいどう【公会堂】(公共)礼堂(gōnggòng) lǐtáng

こうかがく【光化学】光化学guānghuàxué ✤一スモッグ:光化学烟雾

こうかく【口角】口角kǒujiǎo‖～泡を飛ばす激

こ

論 展开了激烈辩论
こうかく【降格】(～する)降职jiàng zhí; 降级jiàngjí
こうがく【工学】〔门〕工程学gōngchéngxué; 工学gōngxué ✤ —博士:工学博士 | —部:工程系
こうがく【光学】〔门〕光学guāngxué ✤ —ガラス:光学玻璃 | —器械:光学器材
こうがく【高額】高额gāo'é ✤ —紙幣:大额钞票
ごうかく【合格】(～する)合格hégé ‖ 進級試験に～する 升级考试合格 | 大学に～する 考上大学 ✤ —証:合格证 | —通知:合格通知 | —点:录取线
こうがくしん【向学心】求知欲qiúzhīyù ‖ ～に燃える 充满强烈的求知欲
こうかつ【狡猾】狡猾jiǎohuá
こうかん【交換】(～する)交换jiāohuàn ‖ 意見を～する 交换意见 | 名刺を～する 交换名片 | プレゼントを～する 互相交换礼物 ✤ —学生:交换学生 | —条件:交换条件 | —台:总机
こうかん【交歓】(～する)联欢liánhuān; 联谊liányì ✤ —会:联欢会 | —試合:友谊赛
こうかん【好感】好感hǎogǎn ‖ ～を与える服装 给人留下好印象的穿着 | ～を抱く 抱有好感
こうかん【高官】大官dàguān; 高官gāoguān ‖ 政府～レベルの会談 政府高官级会谈
こうがん【厚顔】脸皮厚liǎnpí hòu; 厚颜hòuyán ‖ ～無恥 厚颜无耻
こうがん【睾丸】睾丸gāowán; 精巢jīngcháo
ごうかん【強姦】(～する)强奸qiángjiān
こうがんざい【抗癌剤】抗癌药kàng'áiyào
こうかんしんけい【交感神経】交感神经jiāogǎn shénjīng
こうかんど【高感度】高灵敏度gāolíngmǐndù ✤ —フィルム:高灵敏度胶卷
こうき【好奇】好奇hàoqí ‖ ～の目で見る 用好奇的目光看 ✤ —心:好奇心
こうき【好機】良机liángjī ‖ ～到来 良机到来 | ～逸(いっ)すべからず 机不可失，时不再来
こうき【後記】后记hòujì
こうき【後期】后期hòuqī. (2学期制の学校の)下半学期xiàbàn xuéqī ✤ —試験:期末考试
こうき【校旗】校旗xiàoqí
こうき【高貴】高贵gāoguì; 尊贵zūnguì
こうき【綱紀】纲纪gāngjì; 纪律jìlǜ ‖ ～が緩む 纲纪松弛 ✤ —粛正:肃正纲纪
こうぎ【広義】广义guǎngyì
こうぎ【抗議】(～する)抗议kàngyì ✤ —集会:抗议集会 | —声明:抗议声明 | —デモ:抗议示威
こうぎ【講義】讲课jiǎngkè ‖ ～に出る 听课 | ～をする 讲课
ごうぎ【合議】协商xiéshāng; 商量shāngliang ✤ —制:合议制
こうきあつ【高気圧】高气压gāoqìyā ‖ ～におおわれる 被高气压所覆盖
こうきゅう【恒久】永久yǒngjiǔ; 永远yǒngyuǎn ‖ ～平和 永久和平
こうきゅう【高級】高级gāojí ✤ —官僚:高级官员 | —車:高级轿车 | —住宅地:高级住宅区
こうきゅう【高給】高工资gāo gōngzī; 高收入gāo shōurù; 高薪gāoxīn ‖ 経験者～優遇 有经验者给以高薪优待 ✤ —取り:高薪职员
ごうきゅう【号泣】(～する)号啕大哭háotáo dà kū
こうきょ【皇居】皇宫huánggōng
こうきょう【公共】公共gōnggòng ‖ ～の場 公共场所 ✤ —機関:公共机关 | —事業:公用事业 | —施設:公共设施 | —心:奉公精神 | —団体:公共团体
こうきょう【好況】繁荣fánróng; 景气jǐngqì ‖ 市場は～が続いている 市场一直很景气
こうぎょう【工業】工业gōngyè ✤ —大学:工业大学 | —団地:工业区 | —地帯:工业地带 | —デザイナー:工业设计师 | —都市:工业城市 | —用水:工业用水
こうぎょう【鉱業】矿业kuàngyè
こうぎょう【興行】(～する)演出yǎnchū ✤ —価値:票房价值 | —成績:票房成绩
こうきょうがく【交響楽】交响乐jiāoxiǎngyuè ✤ —団:交响乐团
こうきょうきょく【交響曲】交响曲jiāoxiǎngqǔ
こうきん【公金】公款gōngkuǎn ‖ ～を横領する 贪污公款
こうきん【抗菌】抗菌kàngjūn ✤ —加工:抗菌加工
ごうきん【合金】合金héjīn
こうぐ【工具】工具gōngjù ‖ ～一式 一套工具
こうくう【口腔】口腔kǒuqiāng ✤ —衛生:口腔卫生 | —外科:口腔外科
こうくう【航空】航空hángkōng ✤ —宇宙産業:航天产业 | —運賃:空运费 | —管制官:航空管制人员 | —券:机票 | —自衛隊:航空自卫队 | —写真:航空照片 | —母艦:航空母舰
こうくう【高空】高空gāokōng
こうぐう【厚遇】(～する)优待yōudài
こうけい【口径】口径kǒujìng ‖ 32～のピストル 32口径的手枪 | 大～レンズ 大口径镜头
こうけい【光景】景象jǐngxiàng; 景观jǐngguān; 场面chǎngmiàn ‖ 悲惨な～ 悲惨的场面
こうけい【後継】后继hòujì; 接班jiēbān; 继承jìchéng ✤ —者:接班人
こうげい【工芸】工艺gōngyì ✤ —家:工艺家 | —美術:工艺美术 | —品:工艺品
ごうけい【合計】(～する)总共zǒnggòng; 合计héjì; 共计gòngjì ‖ 代金と送料を～する 货款和运费加在一起
こうけいき【好景気】经济繁荣jīngjì fánróng; 景气jǐngqì ‖ ～で売りあげがあがった 受好景气的影响销售额上涨
こうげき【攻撃】(～する)攻击gōngjī, 进攻jìngōng ‖ ～は最上の防御だ 进攻是最好的防御 ✤ —態勢:攻击准备 | 一斉—:一齐攻击 | 個人—:个人攻击 | 正面—:正面攻击
こうけつ【高潔】高尚gāoshàng
ごうけつ【豪傑】豪杰háojié; 好汉hǎohàn
こうけつあつ【高血圧】高血压gāoxuèyā
こうけん【後見】(～する)监护jiānhù. (後見人)监护人jiānhùrén
こうけん【貢献】(～する)做出贡献zuòchu gòng-

xiàn ‖ 地域社会に～する 为社区做贡献
こうげん【公言】(～する)公开宣称gōngkāi xuānchēng
こうげん【巧言】定 花言巧语huā yán qiǎo yǔ ✤―令色: 定 巧言令色
こうげん【高原】高原gāoyuán ✤―野菜:高原蔬菜
こうご【口語】白话báihuà; 口语kǒuyǔ ✤―体:口语体｜―文:白话文
こうご【交互】交替jiāotì; 轮番lúnfān; 轮流lúnliú ‖ 満潮と干潮は～に起こる 涨潮退潮交替出现
ごうご【豪語】(～する)说大话shuō dàhuà
こうこう【孝行】(～する)孝敬xiàojìng ‖ 両親に～する 孝敬父母｜～したいときに親はなし 子欲孝,亲不在 ✤―息子:孝子
こうこう【航行】(～する)航行hángxíng
こうこう【高校】高中gāozhōng. ✤―生:高中生
こうごう【皇后】皇后huánghòu
こうごうせい【光合成】光合作用guānghé zuòyòng
こうこがく【考古学】〔门〕考古学kǎogǔxué
こうこく【公告】(～する)发布公告fābù gōnggào; 公布gōngbù; 通告tōnggào
こうこく【広告】(～する)(做)广告(zuò) guǎnggào ‖ 生徒募集の～ 招生广告｜尋ね人の～ 寻人启事 ✤―代理店:广告代理店｜―塔:广告塔｜―欄:广告栏｜―料:广告费｜死亡―:讣告｜新聞―:报刊广告
こうこつ【恍惚】出神chūshén; 陶醉táozuì; 入迷rùmí ‖ ～として聞きほれる 听得出神
こうこつ【硬骨】✤―漢 硬汉；硬骨头
こうこつもじ【甲骨文字】甲骨文jiǎgǔwén
こうさ【交差】(～する)交叉jiāochā; 相交xiāngjiāo ‖ 鉄道と道路が～している 铁路和公路相交叉 ✤―点:交叉点；路口｜平面―:平面交叉
こうさ【考査】(～する)❶〔調べて判断する〕考查kǎochá; 考核kǎohé ❷〔学校の〕考试kǎoshì; 测验cèyàn ‖ 学年末～ 学年考试
こうさ【黄砂】黄尘huángchén; 黄沙huángshā
こうざ【口座】账户zhànghù; 户头hùtóu ‖ ～に振り込む 汇入账户｜銀行に～を開く 开设银行账户 ✤―番号:账号
こうざ【講座】讲座jiǎngzuò ‖ ラジオ中国語～ 汉语广播讲座
こうさい【公債】公债(券) gōngzhài(quàn) ‖ ～を発行する 发行公债
こうさい【交際】(～する)交际jiāojì; 交往jiāowǎng; 来往láiwang ‖ ～が広い〔狭い〕 交际广〔窄〕｜～をたつ 断绝来往｜家族ぐるみで親しく～する 两家交往十分密切 ✤―相手:对象；男〔女〕朋友｜―費:交际费；(会社の)公关费
こうざい【功罪】功罪gōngzuì; 功过gōngguò ‖ ～相半ばする 功过各半｜～相償う 功过相抵
こうざい【鋼材】钢材gāngcái
こうさく【工作】(～する)❶〔物をつくる〕制作zhìzuò. (学科)手工shǒugōng ‖ ～の時間 手工课 ❷〔根回し〕准备zhǔnbèi; 事前活动shìqián huódong; 酝酿yùnniàng ‖ 裏で～する 在幕后进行活动｜事前～を進める 进行准备工作 ✤―員:特务；间谍｜―機械:(工作)母机；机床｜―船:间谍船
こうさく【交錯】(～する)交错jiāocuò; 错综cuòzōng ‖ 利害が～する 利害关系错综复杂
こうさく【耕作】(～する)耕作gēngzuò; 耕种gēngzhòng ✤―地:耕地｜―物:农作物
こうさつ【考察】(～する)研究yánjiū; 考察kǎochá; 探讨tàntǎo ‖ ～を加える 加以研究
こうさつ【絞殺】(～する)绞杀jiǎoshā; 扼杀èshā; 勒死lēisǐ
こうさん【公算】可能性kěnéngxìng; 盖然性gàiránxìng ‖ 成功する～は大きい 成功的可能性很大
こうさん【降参】(～する)❶〔降服する〕投降tóuxiáng; 降服xiángfú ❷〔お手あげ〕没办法méi bànfǎ; 受不了shòubuliǎo; 认输rènshū
こうざん【鉱山】〔座〕矿山kuàngshān ✤―労働者:矿工
こうざんしょくぶつ【高山植物】高山植物gāoshān zhíwù
こうざんびょう【高山病】高山病gāoshānbìng
こうさんぶつ【鉱産物】矿产kuàngchǎn
こうし【小牛·子牛】小牛xiǎoniú; 牛犊(子)niúdú(zi)
こうし【公私】公私gōngsī ‖ ～を混同する 公私混淆｜～のけじめをつける 公私分明
こうし【行使】(～する)行使xíngshǐ; 使用shǐyòng; 采取cǎiqǔ ‖ 黙否権を～する 行使沉默权｜武力を～する 使用武力
こうし【格子】❶〔建具〕格子gézi; 棂líng ❷〔チェック模様〕方格fānggé; 花格huāgé ✤―縞(じま):方格；格子(花纹)｜―戸:格子门
こうし【講師】❶〔講演者〕讲演者jiǎngyǎnzhě ❷〔教師〕讲师jiǎngshī; 教师jiàoshī ‖ 私は予備校で～をしている 我在补习学校当讲师 ✤専任―:专职讲师
こうじ【工事】(～する)工程gōngchéng; 施工shīgōng ‖ 現在～中 正在施工中｜道路を～する 修路 ✤―現場:工地｜―費:工程〔施工〕费用
こうじ【公示】(～する)公布gōngbù; 宣示xuānshì; 通告tōnggào ‖ 総選挙の投票日が～された 通告大选的投票日
こうじ【好事】‖ ～魔多し 定 好事多磨｜～門を出(い)でず 定 好事不出门
こうじ【後事】后事hòushì
ごうし【合資】(～する)合资hézī; 合股hégǔ ‖ ～で工場を建設した 合资建厂 ✤―会社:合资公司
こうしき【公式】❶〔公の方式〕正式zhèngshì; 公式gōngshì ‖ ～に訪問する 正式访问 ❷〔数学〕公式gōngshì ✤―会談:正式会谈｜―戦:正式比赛｜―発表:正式发表
こうしつ【皇室】皇室huángshì
こうしつ【硬質】硬质yìngzhì ✤―ガラス:硬质玻璃
こうじつ【口実】借口jièkǒu; 口实kǒushí ‖ ～をつくる 找借口｜頭痛を～にする 以头痛为借口
こうしゃ【後者】后者hòuzhě ‖ 前者は～より勝っている 前者胜于后者
こうしゃ【校舎】〔座,排〕校舍xiàoshè
ごうしゃ【豪奢】豪侈háochǐ; 豪华háohuá; 奢

華shēhuá ‖ ～な邸宅 豪华的宅第
こうしゃく【講釈】❶(～する)〔説き明かす〕讲解jiǎngjiě; 说明shuōmíng ‖ 論語を～する 讲解论语 ❷〔講談〕评书píngshū ✤ 一師:说书先生
こうしゅ【攻守】攻守gōngshǒu ‖ ～ところをかえる 攻守易位
こうしゅう【口臭】口臭kǒuchòu
こうしゅう【公衆】公众gōngzhòng; 群众qúnzhòng ‖ ～の面前で恥をかかされた 使我在公众面前丢脸 ✤ 一衛生:公共卫生｜一電話:公用电话｜一トイレ:公厕; 公共厕所｜一道徳:公共道德｜一浴場:公共浴池
こうしゅう【講習】(～する)讲习jiǎngxí; 讲课jiǎngkè ‖ 交通法規の～を受ける 听交通法规讲座｜パソコンの～をする 举办电脑培训班 ✤ 一会:讲习会
こうしゅうは【高周波】高频gāopín
こうじゅつ【口述】(～する)口述kǒushù; 口授kǒushòu ‖ 手紙を～する 口述信件的内容 ✤ 一試験:口试｜一筆記:口述笔录
こうじゅつ【後述】(～する)后述hòushù; 后面所述hòumian suǒ shù ‖ 詳細は～する 详情后述
こうしょ【高所】高处gāochù; 高地gāodì ✤ 一恐怖症:恐高症
こうじょ【控除】(～する)扣除kòuchú ‖ 所得から～される 从收入中被扣除 ✤ 一額:扣除金额
こうしょう【公称】(～する)宣称xuānchēng; 号称hàochēng; 声称shēngchēng
こうしょう【公証】公证gōngzhèng ✤ 一人:公证人｜一人役場:公证处
こうしょう【交渉】(～する)❶〔かけあう〕交涉jiāoshè; 谈判tánpàn; 商谈shāngtán ‖ ～がまとまる 谈判成功; 达成协议｜～は不調に終わった 谈判以破裂告终｜～に応じる 答应参加谈判｜～を打ち切る 中止谈判｜～の席につく 坐到谈判桌前 ❷〔つきあい〕来往láiwang; 关系guānxi ‖ 卒業以来彼とは～がない 毕业以来和他没有来往
こうしょう【考証】(～する)考证kǎozhèng; 考据kǎojù ✤ 一学:考据学｜時代一:时代考证
こうしょう【高尚】高尚gāoshàng; 高雅gāoyǎ; 高深gāoshēn ‖ ～な理念 高尚的理念
こうじょう【口上】✤ 逃げ一:遁词｜前一:开场白; 引子
こうじょう【工場】〔个,座,家〕工厂gōngchǎng ✤ 一長:厂长｜一排水:工厂排水｜一労働者:工人｜自動車修理一:汽车修理厂
こうじょう【向上】(～する)提高tígāo ‖ 女性の社会的地位の～に努める 努力提高妇女的社会地位 ✤ 一心:上进心; 进取心
こうじょう【厚情】厚意hòuyì; 盛情shèngqíng ‖ ご～に感謝します 感谢您的厚意
こうじょう【恒常】恒常héngcháng; 永久yǒngjiǔ ✤ 一心:恒心
ごうじょう【強情】倔强juéjiàng; 固执gùzhi
こうじょうせん【甲状腺】甲状腺jiǎzhuàngxiàn ✤ 一炎:甲状腺炎｜一ホルモン:甲状腺激素
こうしょく【公職】公职gōngzhí ‖ ～につく 就任公职｜～から追放される 被开除公职 ✤ 一選挙法:公职选举法
こうしょく【好色】好色hàosè ✤ 一家:色鬼
こう·じる【高じる】加重jiāzhòng; 加剧jiājù; 越来越…yuè lái yuè … ‖ 病が～じる 病情加重｜趣味が～じて… 由兴趣爱好发展为…
こう·じる【講じる】❶〔手を打つ〕设法shèfǎ; 想办法xiǎng bànfǎ ‖ あれこれと策を～じる 定 想方设法｜善後策を～じる 采取善后措施 ❷〔講義する〕讲授jiǎngshòu
こうしん【交信】(～する)通讯联络tōngxùn liánluò ‖ ～が途絶える 联络中断
こうしん【行進】(～する)行进xíngjìn; 游行yóuxíng ✤ 一曲:进行曲
こうしん【更新】(～する)更新gēngxīn. (記録·内容を)刷新shuāxīn ‖ 運転免許証の～をする 更新驾驶执照｜世界記録を～する 刷新世界记录
こうしん【後進】❶〔後輩〕后进hòujìn; 后来人hòuláirén; 后辈hòubèi ‖ ～を育てる 培养后进〔后辈〕｜～に道を譲る 让位给后来人 ❷(～する)〔後退〕后退hòutuì; 倒退dàotuì
こうじん【公人】公职人员gōngzhí rényuán
こうじん【後塵】‖ ～を拝する 定 步人后尘
こうしんりょう【香辛料】香辛料xiāngxīnliào; 香料xiāngliào
こうず【構図】构图gòutú
こうすい【香水】香水xiāngshuǐ ‖ ～をつける 洒〔涂; 抹〕香水
こうすい【降水】降水jiàngshuǐ ✤ 一確率:降水概率｜一量:降水量; 降雨量
こうすい【硬水】硬水yìngshuǐ
こうずい【洪水】❶〔大水〕洪水hóngshuǐ; 大水dàshuǐ ❷〔比ゆ的表現〕洪流hóngliú; 潮水cháoshuǐ ‖ どこへ行っても車の～だ 走到哪里都是汽车的洪流 ✤ 一警報:洪水警报
こうせい【公正】公正gōngzhèng; 公平gōngping; 公道gōngdao ‖ ～を欠く 缺乏公正｜～な判決〔判断〕 公正的判决〔判断〕 ✤ 一証書:公证书｜一取引委員会:公平交易委员会
こうせい【攻勢】攻势gōngshì ‖ 守勢から～に転じる 由守势转为攻势
こうせい【更生】(～する)❶〔立ち直る〕定 改恶从善gǎi è cóng shàn; 重新做人chóngxīn zuòrén ‖ 非行少年を～させる 使不良少年改恶从善 ❷〔再利用する〕再生zàishēng; 更生gēngshēng ✤ 一施設:工读学校; (少年)教养院
こうせい【厚生】卫生福利wèishēng fúlì ✤ 一事業:卫生福利事业｜一施設:卫生福利设施｜一年金:养老金
こうせい【後世】后世hòushì; 后代hòudài ‖ ～に名を残す 名传后世｜～に伝える 留传给后代
こうせい【恒星】〔颗,个〕恒星héngxīng
こうせい【校正】(～する)校对jiàoduì; 校正jiàozhèng
こうせい【構成】(～する)构成gòuchéng; 组成zǔchéng ‖ 文章の～を考える 构思文章的结构｜5人の委員によって～されている 由五个委员组成 ✤ 一員:成员｜一要素:构成要素
ごうせい【合成】(～する)合成héchéng ‖ パソコンで自然な音声を～する 用电脑合成自然的声音 ✤ 一語:合成词｜一写真:合成照片; 蒙太奇照片｜一樹脂:合成树脂｜一皮革:人造革
ごうせい【豪勢】豪华háohuá; 奢侈shēchǐ; 有

気派yǒu qìpài ‖ ～な生活をする 过奢侈的生活
こうせいぶっしつ【抗生物質】抗生素kàngshēngsù；抗菌素kàngjūnsù
こうせき【功績】功绩gōngjì；功劳gōnglao ‖ 環境政策に～がある 在环保政策方面做出成绩
こうせき【鉱石】矿石kuàngshí.（ラジオの）矿石（晶体）kuàngshí（jīngtǐ）
こうせつ【降雪】‖ 一晩で20センチの～があった 一晚上下了20厘米的雪 ✤一量：降雪量
こうせつ【高説】高见gāojiàn；卓识zhuóshí
ごうせつ【豪雪】大雪dàxuě ✤一地帯：降大雪区域
こうせん【公選】（～する）公选gōngxuǎn；公开选举gōngkāi xuǎnjǔ ✤一制：公选制
こうせん【交戦】（～する）交战jiāozhàn ✤一状態：交战状态
こうせん【光線】〔道，条〕光线guāngxiàn
こうせん【抗戦】（～する）抗争kàngzhēng ‖ 徹底～する 抗争到底
こうせん【鉱泉】矿泉kuàngquán
こうぜん【公然】公然gōngrán；公开gōngkāi ‖ ～の秘密 公开的秘密
こうそ【控訴】（～する）上诉shàngsù ‖ 高等裁判所へ～する 向高级法院上诉｜～は却下された 上诉不被受理 ✤一審：（裁判所）上诉法院；复审法院；（審理）复审
こうそ【酵素】酶méi；酵素jiàosù
こうそう【抗争】（～する）斗争dòuzhēng；抗争kàngzhēng ✤内部一：内部斗争
こうそう【高僧】高僧gāosēng
こうそう【高層】高层gāocéng ✤一ビル：摩天大楼；高层建筑｜一マンション：高层公寓楼
こうそう【構想】（～する）构想gòuxiǎng；设想shèxiǎng；构思gòusī ‖ 新しい事業の～を練る 绞尽脑汁构想新的事业
こうぞう【構造】结构jiégòu；构造gòuzào ‖ アメリカ社会の～ 美国的社会结构｜文章の～ 文章的结构 ✤一改革：结构改革
こうそく【拘束】（～する）❶〔行動や内面への制限〕拘束jūshù；束缚shùfù；限制xiànzhì ❷〔行動の自由を奪う〕禁闭jìnbì；限制xiànzhì；拘留jūliú ‖ 警察に身柄を～された 被警察拘留了
こうそく【校則】校规xiàoguī；校则xiàozé
こうそく【高速】高速gāosù ✤一増殖炉：快中子增殖堆｜一道路：高速公路
こうぞく【後続】（～する）后续hòuxù ‖ ～の選手 随后跟上来的选手 ✤一部隊：增援部队
こうぞく【皇族】皇族huángzú；皇室huángshì
ごうぞく【豪族】豪族háozú；权贵quánguì
こうたい【交替・交代】（～する）交替jiāotì；轮换lúnhuàn ‖ 政権が～する 政权更替｜勤務を～する 换班；倒班｜～で休憩をとる 轮流休息｜8時間～で働く 八小时倒班工作 ✤一制：轮换制｜一要員：替换人员
こうたい【抗体】抗体kàngtǐ；免疫体miǎnyìtǐ
こうたい【後退】（～する）❶〔後ろに下がる〕后退hòutuì；倒退dàotuì ❷〔衰える〕衰退shuāituì；下降xiàjiàng ‖ 景気が～する 经济衰退
こうだい【広大】广大guǎngdà；宏大hóngdà ‖ ～な屋敷 巨宅｜～な原野 广阔的原野
こうたいごう【皇太后】皇太后huángtàihòu
こうたいし【皇太子】皇太子huángtàizǐ
こうたく【光沢】光泽guāngzé ‖ 宝石を磨いて～を出す 打磨出宝石的光泽
ごうだつ【強奪】（～する）抢夺qiǎngduó；抢劫qiǎngjié
こうたん【降誕】（～する）诞生dànshēng；降生jiàngshēng ‖ キリストの～ 耶稣诞生；基督降生
こうだんし【好男子】❶〔顔立ちがよい〕美男子měi nánzǐ ❷〔好感がもてる〕好汉hǎohàn
こうち【拘置】（～する）拘留jūliú；拘禁jūjìn ✤一所：拘留所
こうち【耕地】〔块，片〕耕地gēngdì ✤一面積：耕地面积
こうち【高地】高地gāodì ✤一トレーニング：高原训练
こうちく【構築】（～する）构筑gòuzhù；建筑jiànzhù ‖ 理論を～する 构建理论
こうちゃ【紅茶】红茶hóngchá
こうちゃく【膠着】（～する）胶着jiāozhuó；相持不下xiāngchíbuxià ‖ 交渉は～状態に陥った 谈判陷入了胶着状态
こうちょう【好調】顺利shùnlì；情况良好qíngkuàng liánghǎo ‖ 正月映画の出足は～だ 贺岁片的票房迎来开门红；贺岁片的上座率很高
こうちょう【紅潮】（～する）脸红liǎn hóng ‖ 興奮して顔面が～している 兴奋得脸都红了
こうちょう【校長】校长xiàozhǎng
こうちょく【硬直】（～する）❶〔柔軟でない〕僵硬jiāngyìng；僵化jiānghuà；死板sǐbǎn ‖ ～した考え方 观点僵化 ❷〔筋肉がかたくなる〕僵硬jiāngyìng；僵直jiāngzhí
ごうちょく【剛直】刚直gāngzhí；耿直gěngzhí
こうちん【工賃】工钱gōngqian；工资gōngzī
こうつう【交通】交通jiāotōng；通行tōngxíng；来往láiwǎng ‖ ～の便がいい〔悪い〕 交通方便〔不便〕｜この道路は～が激しい 这条道路车辆来往极为频繁 ✤一安全週間：交通安全周｜一遺児：交通遗孤｜一違反：违反交通（规则）｜一機関：交通机关｜一規制：交通管制｜一規則：交通规则｜一事故：交通事故｜一渋滞：交通堵塞｜一手段：交通手段｜一巡査：交通警察｜一情報：交通信息｜一整理：整顿交通秩序｜一費：交通费
こうつごう【好都合】方便fāngbiàn；便利biànlì ‖ そいつは～だ 那可正好
こうてい【工程】（進み具合）进度jìndù.（手順）工序gōngxù
こうてい【公定】法定fǎdìng；公定gōngdìng ✤一価格：公定价格；法定价格｜一歩合：央行贴现率
こうてい【行程】❶〔道のり〕行程xíngchéng；路程lùchéng ❷〔日程〕日程安排rìchéng ānpái ‖ 徒歩2時間の～ 走路要两个小时的路程
こうてい【肯定】（～する）肯定kěndìng；承认chéngrèn ‖ ～的な意見 肯定的意见 ✤一文：肯定句
こうてい【皇帝】皇帝huángdì；天子tiānzǐ
こうてい【校庭】操场cāochǎng；校园xiàoyuán
こうてい【高低】❶〔高さ〕高低gāodī；凸凹tū'āo ❷〔上下〕涨落zhǎngluò；起伏qǐfú

こ

こうてき【公的】公家gōngjia；官方guānfāng ‖ ～な立場で発言する 以官方身份发言 ✤一機関:政府机关 | 一年金:公共养老金

こうてつ【更迭】(～する)更迭gēngdié；更换gēnghuàn ‖ 大臣を～する 更换部长〔大臣〕

こうてつ【鋼鉄】钢铁gāngtiě；钢gāng

こうてん【公転】(～する)公转gōngzhuàn ‖ 惑星は太陽の周りを～している 行星围绕着太阳公转

こうてん【好天】好天气hǎo tiānqì；好天hǎotiān；晴天qíngtiān ‖ ～に恵まれる 适逢好天气

こうてん【好転】(～する)好转hǎozhuǎn ‖ 景気はいっこうに～しない 景气丝毫不见好转

こうでん【香典】奠仪diànyí；香奠xiāngdiàn

こうてんてき【後天的】后天性hòutiānxìng

こうど【光度】发光强度fāguāng qiángdù；亮度liàngdù ✤一計:光度计

こうど【高度】❶〔高さの程度〕高度gāodù；海拔hǎibá ❷〔程度が高い〕高度gāodù ‖ ～の先進国 高度发达的先进国家 ✤一計:高度计 | 一成長:高度成长；高速发展 | 飛行一:飞行高度

こうど【硬度】硬度yìngdù

こうとう【口頭】口头kǒutóu ‖ ～の約束 口头的约定 ✤一試問:口试 | 一発表:口头发表 | 一弁論:口头辩论

こうとう【高等】高等gāoděng；上等shàngděng；高级gāojí ✤一学校:高中 | 一技術:高等技术 | 一教育:高等教育 | 一裁判所:高等裁判所 | 一専門学校:高等专科学校

こうとう【高騰】(～する)高涨gāozhǎng；上涨shàngzhǎng ‖ 物価の～ 物价上涨

こうとう【喉頭】喉hóu；喉头hóutóu ✤一炎:喉炎 | 一がん:喉癌

こうどう【公道】交通公路jiāotōng gōnglù

こうどう【行動】(～する)行动xíngdòng；行为xíngwéi ‖ ～を起こす 开始行动 | ～をともにする 共同行动 | ～に責任をもつ 对自己的行为负责 | 考えを～に移す 把想法付诸于行动 ✤一科学:行为科学 | 一半径:活动范围 | 一力:行动力

こうどう【坑道】坑道kēngdào

こうどう【講堂】礼堂lǐtáng；会堂huìtáng

ごうとう【強盗】(行為)抢劫qiǎngjié；抢夺qiǎngduó.(人)强盗qiángdào

ごうどう【合同】(～する)❶〔1つにする·なる〕联合liánhé；合并hébìng ‖ ～して説明会を開く 联合举办说明会 ❷〔数学〕全等quánděng ✤一慰霊祭:集体追悼会 | 一庁舎:综合官厅

こうとうぶ【後頭部】脑〔头〕后部nǎo〔tóu〕hòubu；后脑勺子hòunǎo sháozi

こうとうむけい【荒唐無稽】荒唐huāngtang；定荒诞无稽huāng dàn wú jī

こうどく【講読】(～する)讲解jiǎngjiě

こうどく【購読】(～する)订阅dìngyuè

こうない【校内】校内xiào nèi；学校里xuéxiào li ✤一放送:校园广播 | 一暴力:校园暴力

こうない【構内】境内jìng nèi；场内chǎng nèi ‖ 大学の～ 大学的校园里 | 駅の～ 火车站内

こうないえん【口内炎】口腔炎kǒuqiāngyán

こうにち【抗日】抗日kàng Rì ✤一運動:抗日运动

こうにゅう【購入】(～する)买mǎi；购买gòumǎi ‖ 原料を～する 购买原材料

こうにん【公認】(～する)公认gōngrèn ‖ 両親～の仲 交往已经得到了父母的许可 ✤一会計士:执业〔注册〕会计师；公认会计士〔师〕

こうにん【後任】后任hòurèn；继任(者) jìrèn(zhě)

こうねつ【高熱】高烧gāoshāo；高热gāorè

こうねつひ【光熱費】电费和煤气费diànfèi hé méiqìfèi

こうねん【光年】光年guāngnián

こうねんき【更年期】更年期gēngniánqī；绝经期juéjīngqī ✤一障害:更年期综合症

こうのう【効能】功效gōngxiào；效力xiàolì；疗效liáoxiào ‖ 薬の～ 疗效；药效 ✤一書き:药效说明书

こうのとり【鸛】鹳guàn

こうは【硬派】❶〔強硬論者〕强硬派qiángyìngpài；鹰派yīngpài ❷〔軟弱なことを嫌う人〕男子汉nánzǐhàn；硬汉yìnghàn

こうはい【交配】(～する)交配jiāopèi；杂交zájiāo ✤一種:杂交种

こうはい【後輩】❶〔会社·学校などの〕后辈hòubèi；后进hòujìn；晚辈wǎnbèi ‖ 大学時代の～ 大学里比我年级低的同学 ❷〔後進〕后进hòujìn；后来人hòuláirén

こうはい【荒廃】(～する)荒废huāngfèi；荒弃huāngqì ‖ 内乱で国土が～した 因内战致使国土荒芜 | 人心が～している 人们精神颓废

こうばい【勾配】❶〔斜度〕坡度pōdù；斜度xiédù ❷〔斜面〕斜坡xiépō

こうばい【購買】(～する)购买gòumǎi；收购shōugòu ‖ ～意欲をそそるコマーシャル 刺激购买欲的广告 ✤一部:小卖部 | 一力:购买力

こうはく【紅白】红白hóngbái ‖ ～の幕 红白(两色)相间的帷幕 ✤一試合:红白分组对抗赛

こうばし·い【香ばしい】芬芳fēnfāng

こうはん【公判】公审gōngshěn

こうはん【広範】广泛guǎngfàn；广大guǎngdà ‖ ～な知識の持ち主 知识渊博的人

こうはん【後半】后(一)半hòu(yí)bàn ‖ 18世紀～ 18世纪后期 ✤一戦:下半场比赛

こうばん【交番】派出所pàichūsuǒ

こうはんい【広範囲】范围广〔大〕fànwéi guǎng〔dà〕‖ 影響が～に及ぶ 影响范围很广

こうひ【工費】工程费gōngchéngfèi；施工费shīgōngfèi ‖ 総～ 总工程费

こうひ【公費】公费gōngfèi；公款gōngkuǎn ‖ ～の乱用を防ぐ 防止滥用公款

こうび【交尾】(～する)交尾jiāowěi；交配jiāopèi

こうひょう【公表】(～する)公布gōngbù；公开gōngkāi；发表fābiǎo ‖ 研究成果を～する 公开发表研究的成果

こうひょう【好評】好评hǎopíng ‖ 利用者から～を得ている 获得了使用者的好评

こうひょう【講評】(～する)讲评jiǎngpíng

こうふ【公布】(～する)公布gōngbù；颁布bānbù ‖ 法律が～された 正式颁布法律

こうふ【交付】(～する)交付jiāofù；发给fāgěi；拨给bōgěi ‖ 保険証を～する 发放医疗证 ✤一金:补助金；(助成金)扶助金

こうぶ【後部】后部hòubù；后方hòufāng ✤一座席：后座
こうふう【校風】校风xiàofēng
こうふく【幸福】幸福xìngfú ‖ ～に暮らす 幸福地生活｜子どもの～を願う 祝愿孩子幸福
こうふく【降伏·降服】(～する)降服xiángfú；投降tóuxiáng ✤一条件：投降条件｜無条件一：无条件投降
こうぶつ【好物】爱吃的东西ài chī de dōngxi；嗜好品shìhàopǐn ‖ 甘い物が何よりの～だ 最喜欢吃的东西就是甜食
こうぶつ【鉱物】矿物kuàngwù ✤一学：矿物学｜一資源：矿物资源
こうふん【興奮】(～する)兴奋xīngfèn；激动jīdòng ✤一剤：兴奋剂
こうぶん【構文】句子结构jùzi jiégòu；句法jùfǎ
こうぶんし【高分子】高分子gāofēnzǐ ✤一化学：高分子化学｜一化合物：高分子化合物
こうぶんしょ【公文書】公文gōngwén ✤一偽造：伪造公文
こうへい【公平】公平gōngping；公道gōngdao ‖ ～を欠く裁判 判决不公正｜～に分ける 公平分配 ✤一無私：公正无私
こうべん【抗弁】(～する) ❶〔反駁(はんばく)〕反驳fǎnbó；驳斥bóchì ❷〔訴訟の〕抗辩kàngbiàn
ごうべん【合弁】合办hébàn；合资hézī ✤一会社：合资公司〔企业〕｜一事業：合营事业
こうほ【候補】候补(人) hòubǔ(rén).〔選挙の〕候选(人) hòuxuǎn(rén) ‖ アカデミー賞～ 奥斯卡奖候选(人；片)｜優勝～の呼び声が高い 夺冠的呼声很高 ✤一者名簿：候选人名单｜一地：候选地
こうぼ【公募】(～する)公开征集gōngkāi zhēngjí；公开募集gōngkāi mùjí ‖ キャッチコピーを～する 公开征集广告词｜株式の～ 公开招股
こうぼ【酵母】酵母jiàomǔ ✤一菌：酵母菌
こうほう【公報】公报gōngbào
こうほう【広報】宣传xuānchuán；公关gōngguān；报导bàodǎo ✤一課：宣传部；公关部｜一活動：宣传活动｜一誌：宣传刊物
こうほう【後方】后方hòufāng；后面hòumian；后边hòubian
こうぼう【攻防】攻防gōngfáng；攻守gōngshǒu ‖ 与野党の～ 执政党和在野党上演着攻防战
こうぼう【興亡】兴亡xīngwáng；兴衰xīngshuāi ‖ ～をくり返す 几经兴衰
ごうほう【合法】合法héfǎ ‖ ～的な手段 合法手段
ごうほう【豪放】豪放háofàng；爽快shuǎngkuai；磊落lěiluò ✤一磊落(らいらく)：豪放磊落
こうま【小馬·子馬】马驹(子) mǎjū(zi)
こうまん【高慢】高慢gāomàn；高傲gāo'ào；骄傲jiāo'ào ‖ ～そうな顔つき 看起来架子很大
ごうまん【傲慢】傲慢àomàn；骄傲jiāo'ào ‖ ～な態度 态度傲慢
こうみゃく【鉱脈】矿脉kuàngmài
こうみょう【功名】功名gōngmíng ‖ けがの～ 定 歪打正着｜～を争う 争功 ✤一心：功名心
こうみょう【巧妙】巧妙qiǎomiào ‖ ～に仕組まれたわな 设计得很巧妙的陷阱
こうみょう【光明】光明guāngmíng.〔希望〕希望xīwàng ‖ ようやく前途に一筋の～が見えてきた 终于前方有了一线光明〔希望〕
こうみん【公民】公民gōngmín ✤一館：文化馆；文化宫｜一権：公民权
こうむ【公務】公务gōngwù；公事gōngshì ✤一員：公务员｜一執行妨害：妨碍执行公务
こうむ·る【被る】蒙受méngshòu；遭受zāoshòu；遭到zāodào ‖ 被害を～る 遭受损害｜おかげを～る 蒙受恩惠
こうめい【公明】✤一正大：定 光明正大
こうめい【高名】❶〔有名な〕著名zhùmíng；有名yǒumíng；知名zhīmíng ❷〔相手の名を尊敬して〕大名dàmíng ‖ ご～はかねがね伺っております 久仰(您的)大名
こうもく【項目】❶〔細目〕项目xiàngmù；条目tiáomù ❷〔辞書などの見出し〕条目tiáomù；词条cítiáo
こうもり【蝙蝠】蝙蝠biānfú ✤一傘：洋伞
こうもん【肛門】肛门gāngmén
こうもん【校門】校门xiàomén
ごうもん【拷問】(～する)拷问kǎowèn
こうや【荒野】〔片〕荒野huāngyě
こうやく【公約】(～する)(对公众)承诺(duì gōngzhòng) chéngnuò ‖ 首相は減税を～した 首相承诺了要减税
こうやく【膏薬】膏药gāoyao ‖ ～をはる 贴膏药
こうゆう【公有】公有gōngyǒu ✤一財産：公有财产｜一地：集体所有土地
こうゆう【交友】交朋友jiāo péngyou；交际jiāojì ‖ ～の範囲が広い〔狭い〕 交际广〔窄〕
こうよう【公用】公务gōngwù ‖ ～で海外に出張する 因公到海外出差 ✤一車：公务用车｜一旅券：公务护照
こうよう【効用】功效gōngxiào；效验xiàoyàn；作用zuòyòng ‖ 何の～もない 没有什么功效
こうよう【紅葉】(～する)叶子变红yèzi biànhóng.〔もみじ〕红叶hóngyè ‖ カエデの葉がすっかり～した 枫树的叶子全都变红了
こうよう【高揚】(～する)高涨gāozhǎng ‖ 気持ちが～する 情绪高涨 ✤一感：兴奋感
こうようご【公用語】公用语gōngyòngyǔ；官方语言guānfāng yǔyán
こうようじゅ【広葉樹】阔叶树kuòyèshù
ごうよく【強欲】贪婪tānlán；贪欲tānyù
こうら【甲羅】〔个,片〕甲壳jiǎqiào ‖ カメの～ 龟甲｜砂浜で～干しをする 在沙滩上晒后背
こうらく【行楽】出游chūyóu；游玩yóuwán ‖ ～に出かける 出门旅游 ✤一客：游客｜一シーズン：旅游季节｜一地：旅游胜地
こうり【小売り】零售língshòu ✤一店：零售(商)店
こうり【功利】功利gōnglì ✤一主義：功利主义
こうり【高利】高利gāolì；厚利hòulì ✤一貸：放高利贷；(人)高利贷者
ごうり【合理】合理hélǐ ‖ ～性 合理性｜～的に問題を解決する 合理地解决问题 ✤一化：合理化
こうりつ【公立】公立gōnglì
こうりつ【効率】效率xiàolǜ ‖ ～がよい〔悪い〕 效率高〔低〕｜資金の～的な運用 资金的有效运

用｜生産の～を高める 提高生产效率
こうりゃく【攻略】(～する)攻占gōngzhàn‖ゲームの～本 游戏攻关技巧书
こうりゅう【交流】❶(～する)〔文化などを〕交流jiāoliú‖～を深める 加深交流｜異業種の企業と～する 跟不同行业的企业进行〔开展〕交流 ❷〔電気〕交流jiāoliú
こうりゅう【拘留】(～する)拘留jūliú
ごうりゅう【合流】(～する)汇合huìhé；会合huìhé‖本隊と～する 和主力部队会合 ✤—点：(川の)河流的汇合处
こうりょ【考慮】(～する)考虑kǎolǜ‖～に入れる 考虑在内
こうりょう【荒涼】荒凉huāngliáng‖～とした大地 荒凉的大地｜～たる原野 荒野
こうりょう【香料】香料xiāngliào；香精xiāngjīng‖化粧品の～ 化妆品中的香精
こうりょう【綱領】纲领gānglǐng
こうりょく【効力】效力xiàolì；效验xiàoyàn‖～がある〔ない〕 有效〔无效〕｜～を生じる〔失う〕 生效〔失效〕｜法的な～を有する 有法律效力
こうれい【恒例】惯例guànlì；常例chánglì‖毎年～の住民運動会 一年一度的居民运动会｜～により 按照惯例
こうれい【高齢】高龄gāolíng；年迈niánmài ✤—化社会：老龄化社会｜—者：老年人｜—出産：高龄生产〔生育〕
ごうれい【号令】(～する)㊝发号施令fā hào shī lìng；号令hàolìng‖～をかける 喊口令
こうれつ【後列】后排hòupái；后列hòuliè
こうろ【航路】航线hángxiàn
こうろ【高炉】高炉gāolú
こうろう【功労】功劳gōnglao‖長年の～ 长年来做出的巨大功劳
こうろん【口論】(～する)争吵zhēngchǎo；争论zhēnglùn；口角kǒujué‖上司とつまらぬことで～した 因为一点儿小事, 跟上司争吵起来
こうわ【講和】(～する)讲和jiǎnghé；议和yìhé；媾和gòuhé ✤—会議：媾和会议｜—条約：媾和条约；和约
こうわん【港湾】港湾gǎngwān；港口gǎngkǒu ✤—施設：港口设施｜—労働者：码头工人
こえ【声】❶〔人・動物の音声〕声音shēngyīn；嗓音sǎngyīn‖～が大きい〔小さい〕 声音很大〔很小〕｜～がよい 嗓音很好；嗓子好｜～がよく通る 声音很响亮｜～を潜める 压低声音｜～をあげて泣く 放声大哭｜蚊の鳴くような～ 蚊子般的声音｜甘ったれた～ 娇滴滴的声音｜すねた～ 闹别扭的声音｜太い～ 粗嗓门儿｜細い～ 细嗓门儿｜明るい～ 清亮的声音｜後ろから～をかけられた 被人从后面叫住｜大きな～では言えないが 这话不好大声说 ❷〔虫・物の立てる音〕声音shēngyīn；叫声jiàoshēng‖鐘の～ 钟声｜秋の虫の～ 秋虫的鸣叫声 ❸〔意見〕呼声hūshēng；喊声hǎnshēng‖戦争反対の～をあげる 发出反对战争的呼声｜良心の～ 出自良心的声音 ❹〔時の近づく気配〕‖秋の～ 秋意｜師走の～を聞く 年关将近 ✤うなり—：低声嚎叫；吼声｜うめき—：呻吟声｜かすれ—：嘶哑的声音｜きんきん—：尖声
ごえい【護衛】(～する)护卫hùwèi；警卫jǐngwèi.(人)警卫员jǐngwèiyuán ✤—艦：护卫舰｜—兵：卫兵
こえがわり【声変わり】(～する)青春期的声带变化qīngchūnqī de shēngdài biànhuà；变声biànshēng
こえだ【小枝】〔根〕小树枝xiǎo shùzhī
ごえつどうしゅう【呉越同舟】㊝吴越同舟Wú Yuè tóng zhōu
こ・える【肥える】❶〔人・動物が〕发胖fāpàng；长膘zhǎngbiāo ❷〔土地が〕肥沃féiwò ❸〔値打ちがわかる〕讲究jiǎngjiu；内行nèiháng‖目が～えている 眼高；鉴赏能力强｜耳が～えている 对音乐很内行｜舌が～えている 口味很高
こ・える【越える・超える】❶〔向こう側へ行く〕越过yuèguò；翻过fānguo；渡过dùguo‖鉄道で国境を～える 坐火车越过国境｜患者の病状は峠を～えた 病人渡过了危险期｜暑さが峠を～える 已经过了三伏天 ❷〔基準・範囲を〕超过chāoguò；超越chāoyuè‖限界を～える 超过界限｜時を～える 超越时间
ゴーグル〔副〕护目镜hùmùjìng；风镜fēngjìng
ゴーサイン 放行fàngxíng；绿灯lǜdēng‖～を出す ㊝开绿灯；同意放行
ゴージャス 豪华háohuá；奢华shēhuá；富丽fùlì
コース ❶〔路線・方向〕路线lùxiàn‖日帰り～ 当天往返的旅游路线；一日游 ❷〔スポーツ〕‖第4～の選手 第四道的选手｜直線～ 直线跑道｜ゴルフ～ 高尔夫球场 ❸〔課程〕〔门〕课程kèchéng ❹〔食事〕套餐tàocān‖フランス料理のフル～ 全套法式大餐｜✤—ライン：跑道线｜ドクター—：博士课程｜マスター—：硕士课程
コースター 杯垫bēidiàn‖紙の～ 纸杯垫
ゴースト 鬼guǐ；鬼魂guǐhún ✤—タウン：被遗弃的城镇；鬼镇｜—ライター：代笔者；影子写手
コーチ (～する)指导zhǐdǎo；训练xùnliàn.(人)教练(员) jiàoliàn(yuán)‖水泳の～ 游泳教练
コーディネート (～する)❶〔物事の〕安排ānpái；调整tiáozhěng；协调xiétiáo‖国際会議を～する 安排国际会议 ❷〔衣服などの〕配pèi；搭配dāpèi‖洋服を～する 搭配服装
コーティング (～する)涂层túcéng；涂膜túmó
コーデュロイ 灯心绒dēngxīnróng；条绒tiáoróng‖～のズボン 灯心绒裤子
コート ❶〔外とう〕〔件〕大衣dàyī；外套wàitào ❷〔スポーツ〕球场qiúchǎng‖テニス～ 网球场
コード ❶〔電気の〕电源线diànyuánxiàn‖延長～ 电源延长线 ❷〔分類コード〕编码biānmǎ.(暗号)密码mìmǎ ❸〔音楽〕和弦héxián ✤—ナンバー：编码｜—ネーム：和弦名称
コートジボワール 象牙海岸Xiàngyá Hǎi'àn
こおどり【小躍り】(～する)‖～して喜ぶ 高兴得手舞足蹈
コードレス 无需电线wúxū diànxiàn；无绳wúshéng ✤—電話：无绳电话
コーナー ❶〔かど・すみ〕角落jiǎoluò ❷〔売り場〕柜台guìtái ✤—キック：角球；踢角球
コーヒー 咖啡kāfēi‖～をいれる (レギュラー)煮咖啡；(インスタント)冲咖啡｜ブラック～ 清〔黑〕咖啡 ✤—カップ：咖啡杯｜—牛乳：咖啡奶｜—ショップ：咖啡店｜—ブレーク：喝咖啡休息；中间休

息｜一豆：咖啡豆｜一メーカー：咖啡机
コーラ 可乐kělè
コーラス 合唱héchàng．（グループ）合唱队héchàngduì．（曲）合唱曲héchàngqǔ
コーラン 古兰经Gǔlánjīng
こおり【氷】〔块〕冰bīng．（かたまり）冰块bīngkuài‖～のはった池 结了冰的池塘｜～が割れる 冰裂开了｜グラスに～を入れる 往杯子里放冰块儿 ✤一砂糖：冰糖｜一枕：冰枕
こお・る【凍る】结冰jiébīng‖水道管が～った 水管冻住了
ゴール ❶（～する）跑到终点pǎodào zhōngdiǎn ❷（～する）进球jìn qiú；射中球shèzhòng qiú ❸球门qiúmén‖球を～にけり込んだ 把球踢进了球门 ✤一キーパー：守门员｜一キック：球门球｜一ライン：终点线；底线
ゴールイン（～する）❶〔陸上〕跑到终点pǎodào zhōngdiǎn；到达终点dàodá zhōngdiǎn ❷〔結婚する〕结婚jiéhūn
コールテン【コール天】⇨コーデュロイ
ゴールデンウイーク 黄金周huángjīnzhōu
ゴールデンタイム 黄金时间huángjīn shíjiān
ゴールド ❶〔金〕黄金huángjīn ❷〔金色〕金色jīnsè；金黄色jīnhuángsè
コールド クリーム 冷霜lěngshuāng；润肤膏rùnfūgāo
こおろぎ【蟋蟀】蟋蟀xīshuài；蛐蛐儿qūqur
コーン ❶〔アイスクリームの〕蛋筒dàntǒng ❷〔とうもろこし〕玉米yùmǐ
コーンフレーク 玉米片yùmǐpiàn
こがい【戸外】户外hù wài；室外shì wài
ごかい【誤解】（～する）误会wùhuì；误解wùjiě‖～を避ける 避免误会｜～を招く 引起误会｜～を解く 消除误会
こがいしゃ【子会社】子公司zǐgōngsī；分公司fēngōngsī
ごかく【互角】㊂不相上下bù xiāng shàngxià；㊂势均力敌shì jūn lì dí‖実力は相手と～だ 实力和对手不相上下｜～の勝負 势均力敌的比赛
ごがく【語学】外语学习wàiyǔ xuéxí‖～の才能 语言方面的天赋
ごかくけい【五角形】五角形wǔjiǎoxíng；五边形wǔbiānxíng
こかげ【木陰】树阴shùyīn
コカコーラ 可口可乐Kěkǒu Kělè
こが・す【焦がす】❶〔火や熱で〕烧煳shāohú；烧焦shāojiāo；烤煳kǎohú ❷〔心を〕使…烦恼shǐ … fánnǎo；使…焦急shǐ … jiāojí‖恋に胸を～す 为爱情而烦恼
こがた【小形・小型】小型xiǎoxíng ✤一自動車：小型汽车｜一飛行機：小型飞机
こがたな【小刀】〔把〕小刀xiǎodāo
こかつ【枯渇】（～する）❶〔水がなくなる〕干涸gānhé‖河川の水が～する 河水干涸 ❷〔ものが尽きる〕…尽…jìn；…完…wán；缺乏quēfá‖天然資源を～させる 用尽天然资源
ごがつ【五月】五月wǔyuè‖～の節句 端午节
こがね【黄金】❶〔金〕黄金huángjīn；金子jīnzi ❷〔金貨〕金币jīnbì ✤一色：金黄色

こがねむし【黄金虫】金龟子jīnguīzǐ
こがら【小柄】（体が）身材矮小shēncái ǎixiǎo
こがらし【木枯らし】〔股,阵〕北风běifēng；寒风hánfēng
こかん【股間】胯裆kuàdāng；胯下kuàxià
ごかん【五官】五种器官（眼睛、耳朵、鼻子、舌头、皮肤）wǔ zhǒng qìguān（yǎnjing、ěrduo、bízi、shétou、pífū）
ごかん【五感】五感wǔ gǎn；五种感觉（视觉、听觉、嗅觉、味觉、触觉）wǔ zhǒng gǎnjué（shìjué、tīngjué、xiùjué、wèijué、chùjué）
ごかん【語感】❶〔言葉が与える印象〕语言的微妙yǔyán de wēimiào ❷〔言葉に対する感覚〕语感yǔgǎn；对语言的感觉duì yǔyán de gǎnjué
ごかんせい【互換性】互换性hùhuànxìng；通用性tōngyòngxìng
こかんせつ【股関節】股关节gǔguānjié
こき【古希】古稀gǔxī‖～を迎える 迎来了古稀之年
ごき【語気】语气yǔqì‖～が荒い 语气粗暴｜～をやわらげる 语气柔和下来
ごぎ【語義】语义yǔyì；词义cíyì
こきおろ・す【扱き下ろす】诋毁dǐhuǐ；贬得一钱不值biǎnde yì qián bù zhí
ごきげん【御機嫌】‖～はいかがですか 您好吗?；您最近（身体）怎么样？｜～をとる 讨好 ✤一伺い：问候｜一斜め：不高兴；心情不大好
こきざみ【小刻み】（少しずつ）一点儿一点儿地yìdiǎnr yìdiǎnr de‖～に前進する 一小步一小步地往前走｜～に震える 微微颤抖着
こきつか・う【扱き使う】驱使qūshǐ；役使yìshǐ‖部下を～う 任意驱使部下
こぎつ・ける【漕ぎ着ける】终于达到zhōngyú dádào‖交渉はついに成功に～けた 交涉终于成功了
こぎって【小切手】〔张〕支票zhīpiào‖～を現金にかえる 把支票换成现款｜～を振り出す 开出支票 ✤一帳：支票本
ごきぶり〔只〕蜚蠊fěilián；蟑螂zhāngláng
こきみ【小気味】‖～のよい言葉 令人痛快的话
こきゃく【顧客】顾客gùkè；主顾zhǔgù
こきゅう【呼吸】❶（～する）〔息〕呼吸hūxī‖不規則な～ 不规则呼吸｜～が困難になる 呼吸变得困难了｜～が早い 呼吸急促｜～がとまる 呼吸停止｜～を整える 调整呼吸 ❷〔調和〕步调bùdiào‖阿吽（あうん）の～ 互相配合得完美无缺｜～が合う 合得来 ✤一器：呼吸器｜一不全：呼吸不全
こきゅう【胡弓】胡琴húqin．（日本の）胡弓húgōng‖～を弾く 拉胡琴
こきょう【故郷】故乡gùxiāng；家乡jiāxiāng；老家lǎojiā‖～をあとにする ㊂背井离乡｜～に帰る 归乡；回老家｜～に錦を飾る 衣锦还乡
こぎれい【小綺麗】整整齐齐zhěngzhěngqíqí；整洁zhěngjié‖～な身なり 穿得整整齐齐的
こく【酷】苛刻kēkè；残酷cánkù‖彼を責めるのは～だ 责备他有点儿太残酷了
こく 浓nóng；浓厚nónghòu；醇厚chúnhòu‖～のある料理 味道浓厚的菜肴
こ・ぐ【漕ぐ】❶〔船を進める〕划huá‖ボートを～ぐ 划船 ❷〔足で動かす〕‖自転車を～ぐ 蹬

自行车｜ブランコを～ぐ 荡(打)秋千

ごく【極】极jí; 最zuì; 非常fēicháng ‖ ～まれだ 非常少有｜～わずかしか存在しない 只存在极少量

ごく【語句】语句yǔjù; 词句cíjù; 词语cíyǔ

ごくあく【極悪】✤一非道: 定 穷凶极恶

こくい【国威】国威guówēi ‖ ～を宣揚する 显示国威

ごくい【極意】精华jīnghuá; 奥义àoyì ‖ 剣道の～をきわめる 穷剑术之精华

こくいっこく【刻一刻】每时每刻měi shí měi kè; 不断búduàn ‖ 形勢は～と変化している 形势每时每刻都在变化

こくいん【刻印】图章túzhāng

こくうん【国運】国运guóyùn; 国家的命运guójiā de mìngyùn ‖ ～を左右する重大な問題 关系到国家命运的重大问题

こくえい【国営】国营guóyíng

こくえき【国益】国家利益guójiā lìyì

こくえん【黒煙】黑烟hēiyān ‖ 煙突が～を吐く 烟囱吐着黑烟

こくおう【国王】国王guówáng; 国君guójūn

こくがい【国外】国外guówài ✤一退去: 驱逐出境

こくご【国語】国语guóyǔ. (日本語) 日语Rìyǔ. (科目) 语文课yǔwénkè

ごくごく 咕嘟咕嘟gūdūgūdū ‖ ～とコップの水を飲み干す 咕嘟咕嘟地喝完了杯子里的水

こくさい【国債】〔笔〕国债guózhài; 〔张〕国库券guókùquàn ‖ ～を引き受ける 认购国债

こくさい【国際】国际guójì ‖ ～的に有名 在国际上很有名 ✤一関係: 国际关系｜一交流: 国际交流｜一社会: 国际社会｜一情勢: 国际形势

こくさいかいぎ【国際会議】国际会议guójì huìyì

こくさいけっこん【国際結婚】国际〔涉外; 跨国〕婚姻guójì〔shèwài; kuàguó〕hūnyīn

こくさいしゅうし【国際収支】国际收支guójì shōuzhī

こくさいしょく【国際色】国际色彩〔情调〕guójì sècǎi〔qíngdiào〕

こくさいせん【国際線】国际航线guójì hángxiàn

こくさいつうかききん【国際通貨基金】国际货币基金组织Guójì Huòbì Jījīn Zǔzhī

こくさいでんわ【国際電話】国际电话guójì diànhuà

こくさいふんそう【国際紛争】国际争端〔纠纷〕guójì zhēngduān〔jiūfēn〕

こくさいほう【国際法】国际法guójìfǎ

こくさいれんごう【国際連合】联合国Liánhéguó

こくさいれんめい【国際連盟】国际联盟Guójì Liánméng

こくさく【国策】国策guócè; 国家的政策guójiā de zhèngcè

こくさん【国産】国产guóchǎn; 本国生产běn guó shēngchǎn ✤一車: 国产汽车｜一品: 国货

こくし【酷使】(～する) 使劲地用shǐjìn de yòng; 任意驱使rènyì qūshǐ ‖ 目〔頭〕を～する 用眼〔脑〕过度

こくじ【告示】(～する) 布告bùgào; 告示gàoshi; 公布gōngbù ✤内閣一: 内阁通告

こくじ【国事】国事guóshì; 国家的政治guójiā de zhèngzhì ✤一行為: 国事行为｜一犯: 政治犯

こくじ【酷似】(～する) 酷似kùsì; 极像jí xiàng

こくしょ【酷暑】酷暑kùshǔ ‖ ～の候 时值盛夏

こくじょう【国情・国状】国情guóqíng ‖ ～に合った政策 符合国情的政策

ごくじょう【極上】最高级zuìgāojí; 最上等zuì shàngděng ✤一品: 极品; 最上等的物品

こくじょく【国辱】国耻guóchǐ; 国辱guórǔ

こくじん【黒人】黑人hēirén; 黑种人hēizhǒngrén ✤一霊歌: 黑人圣歌

こくすい【国粋】✤一主義: 国粹主义

こくせい【国政】国政guózhèng; 国家的政治guójiā de zhèngzhì

こくせい【国勢】✤一調査: 人口普查; 国情普查

こくぜい【国税】国税guóshuì; 国家的税收guójiā de shuìshōu ✤一庁: 国家税务总局; 国税厅

こくせき【国籍】国籍guójí ‖ ～を離脱する 放弃国籍｜日本～を取得する 取得日本国籍

こくそ【告訴】(～する) 起诉qǐsù; 控告kònggào; 告状gàozhuàng ‖ 収賄で～される 因受贿被起诉｜～をとり下げる 撤回诉状 ✤一状: 诉状; 状子

こくそう【国葬】国葬guózàng

こくそうちたい【穀倉地帯】粮食主要产地liángshi zhǔyào chǎndì

こくたん【黒檀】乌木wūmù

こくち【告知】(～する) 通告tōnggào; 告诉gàosu ‖ 患者に病名を～する 告诉病人病名

こぐち【小口】❶〔少ないこと〕少量shǎoliàng; 零星língxīng ‖ ～現金 小额现金 ❷〔切り口〕横断面héngduànmiàn ❸〔本の〕切口qiēkǒu

こくちょう【国鳥】国鸟guóniǎo

こくてい【国定】✤一教科書: 国家审定的教科书｜一公園: 国定公园

こくてん【黒点】黑点hēidiǎn ‖ 太陽の～ 太阳黑子

こくど【国土】〔块, 片〕国土guótǔ; 领土lǐngtǔ ✤一開発: 开发国土｜一交通省: 国土交通省

こくどう【国道】国道guódào ‖ ～246号線 246号国道

こくない【国内】国内guónèi ✤一需要: 国内需求｜一線: 国内航线｜一向け: 针对国内｜一留学: 国内(学校间互认学分的)交换留学

こくはく【告白】(～する) 坦白tǎnbái; 表白biǎobái ‖ 愛の～ 爱的表白｜神父に罪を～する 向神甫忏悔罪过

こくはつ【告発】(～する) ❶〔犯人の起訴〕告发检举gàofā jiǎnjǔ; 控告kònggào ‖ 殺人の罪で～される 被控以杀人罪 ❷〔不正を暴く〕揭发jiēfā; 举报jǔbào; 告发gàofā ‖ 社内の不正を～する 告发公司内部的违规行为

こくばん【黒板】黑板hēibǎn ✤一ふき: 黑板擦

こくひ【国費】公费gōngfèi; 官费guānfèi ✤一留学: 公费留学

ごくひ【極秘】绝对保密juéduì bǎomì ✤一情

報:绝密情报｜一文書:绝密文件

こくひょう【酷評】（〜する）严厉批评yánlì pīpíng‖〜を浴びる 被批得一无是处

こくひん【国賓】国宾guóbīn

こくふく【克服】（〜する）克服kèfú‖さまざまな障害を〜する 克服种种困难

こくぶん【国文】国文guówén；日本文学Rìběn wénxué ✤一科:日本文学系｜一学:日本文学｜｜一法:日语语法

こくべつ【告別】（〜する）告别gàobié；辞灵cílíng ✤一式:遗体告别仪式；追悼会

こくほう【国宝】国宝guóbǎo‖〜第１号 头号国家重点保护文物

こくほう【国法】国法guófǎ

こくぼう【国防】国防guófáng ✤一総省:（ペンタゴン）美国国防部；五角大楼｜一費:国防费；国防预算

こぐまざ【小熊座】小熊座xiǎoxióngzuò

こくみん【国民】国民guómín；人民rénmín‖〜の祝日 日本法定假日｜日本〜 日本人民 ✤一栄誉賞:国民荣誉奖｜一感情:国民情绪｜一休暇村:国民休假村｜一健康保険:国民健康保险｜一宿舎:国民宿舍｜一総生産:国民生产总值｜一体育大会:国民体育大会｜一投票:全民公投｜一年金:国民年金

こくむ【国務】国务guówù‖〜をつかさどる 统管国务 ✤一大臣:国务大臣｜一長官:美国国务卿

こくめい【克明】详细xiángxì；细细xìxì‖〜に記録する 详细地记下来

こくめい【国名】国名guómíng

こくもつ【穀物】粮食liángshi；谷物gǔwù

こくゆう【国有】国有guóyǒu；国家所有guójiā suǒyǒu ✤一財産:国家财产｜一地:国有土地｜一林:国有森林

ごくらく【極楽】❶〔仏教〕(極楽浄土)极乐世界jílè shìjiè；西天xītiān ❷〔楽園〕乐土lètǔ；天堂tiāntáng

こくりつ【国立】国立guólì ✤一競技場:国立运动场｜一劇場:国家剧院｜一大学:国立大学｜一博物館:国立博物馆｜一病院:国立医院

こくりょく【国力】国力guólì

こくるい【穀類】五谷wǔgǔ；谷物gǔwù

こくれん【国連】联合国Liánhéguó

こくろん【国論】舆论yúlùn‖〜を二分する大問題 使舆论两极分化的大问题

こぐんふんとう【孤軍奮闘】（〜する）定 孤军奋战gū jūn fèn zhàn

こけ【苔】青苔qīngtái；地衣dìyī‖〜むした墓石 长满青苔的墓石

ごけ【後家】寡妇guǎfu；遗孀yíshuāng

こけい【固形】固体gùtǐ；固形gùxíng ✤一スープ:速溶汤料｜一燃料:固体燃料

ごけい【語形】词态cítài；词形cíxíng

こけおどし【虚仮威し】定 虚张声势xū zhāng shēng shì；定 纸老虎zhǐlǎohǔ

こげくさ・い【焦げ臭い】煳味儿húwèir；焦味儿jiāowèir‖台所で〜いにおいがする 厨房里有股煳味儿

こげちゃ【焦げ茶】深褐色shēnhèsè；深棕色shēnzōngsè

こけつ【虎穴】‖〜に入らずんば虎児を得ず 定 不入虎穴，焉得虎子

こげつ・く【焦げ付く】❶〔焦げる〕烧〔煎〕煳粘上shāo〔jiān〕hú zhānshang‖鍋が〜いた 锅烧煳了 ❷〔貸付金が〕变成呆账biànchéng dāizhàng‖貸付金が〜いた 贷款变成了呆账

こ・げる【焦げる】煳hú；焦jiāo‖おもちが真っ黒に〜げてしまった 年糕被烤得黑乎乎的

こけん【沽券】‖〜にかかわる 有失身份〔体面〕

ごげん【語源】词源cíyuán

ここ【此処・此所】❶〔場所〕这儿zhèr；这里zhèlǐ‖〜から駅まで 从这儿到车站｜〜だけの話 这话只能在这儿说 ❷〔事柄・場合・状況〕这儿zhèr；这一点zhè yì diǎn‖今日の授業は〜まで 今天的课就上到这儿｜事〜に至って 事到如今 ❸〔時間・期間〕最近zuìjìn；目前mùqián‖〜２，３日彼に会っていない 这两三天 ✤一一番:胜负关头；关键时刻

ここ【個個】各个gègè；各自gèzì；一个一个yí ge yí ge‖〜のデータ 各个数据

ここ【古語】古语gǔyǔ

ごご【午後】下午xiàwǔ‖木曜の〜 星期四下午｜仕事を終えるのに〜中かかってしまった 花了一下午才把工作干完了｜〜一番 一过中午

ココア 可可kěkě

ここう【虎口】虎口hǔkǒu；危机wēijī；险境xiǎnjìng‖かろうじて〜を脱した 好不容易逃离了虎口

ここう【孤高】孤高gūgāo‖〜を保つ 孤芳自赏

ここう【糊口】‖〜をしのぐ 勉强度日

こごえ【小声】小声xiǎoshēng；轻声qīngshēng；低声dīshēng‖〜で耳うちする 小声耳语了一阵

こごえじに【凍え死に】（〜する）冻死dòngsǐ

こご・える【凍える】冻僵dòngjiāng

ここく【故国】祖国zǔguó；故乡gùxiāng‖〜の地を踏む 回到了故土家园

ごこく【五穀】五谷wǔgǔ ✤一豊穣:五谷丰登

ここぞ 关键时刻guānjiàn shíkè‖〜とばかりに抓紧时机｜〜というとき 在关键时刻

ここち【心地】心情xīnqíng；感觉gǎnjué‖生きた〜がしなかった 使我胆战心惊

ここちよ・い【心地好い】愉快yúkuài；舒畅shūchàng；惬意qièyì‖〜いリズム 轻快的节奏｜〜い疲れを感じる 感到一种充实的疲劳

こごと【小言】（叱る言葉）训斥的话xùnchì de huà．（不平不満）怨言yuànyán；牢骚láosao‖〜を言う 发牢骚｜〜を食らう 挨了一顿骂

ココナッツ 椰子yēzi；椰仁yērén

こころ【心】❶〔人の精神活動・感情〕心情xīnqíng；精神jīngshén‖〜の優しい女性 心地善良的女人｜〜の狭い男 心胸狭窄的男人｜〜の友 知心朋友｜〜の琴線に触れる 定 扣人心弦｜〜が和む 心情平静下来｜〜がおどる 心情激动；定 心花怒放｜〜が洗われる 定 心旷神怡｜おおいに〜が動く 大为动心｜〜に刻む 刻在心里｜〜にもないことを言う 言不由衷｜〜を痛める 感到痛心｜〜を入れかえる 洗心革面 ❷〔本心・真心〕内心nèixīn；衷心zhōngxīn‖〜のこもった贈り物 真诚的礼物｜〜からの歓迎を受ける 受到诚挚的欢迎｜〜を打ちあける 说心里话｜〜を開く 敞开心扉 ❸〔慣用表現〕‖〜ここにあらず 心不在焉｜〜を鬼

にして 狠着心肠

こころあたたま·る【心温まる】温暖人心 wēnnuǎn rénxīn；令人感动lìng rén gǎndòng

こころあたり【心当たり】线索xiànsuǒ；猜想cāixiǎng；估计gūjì‖～をさがす 找线索

こころいき【心意気】气魄qìpò；气概qìgài‖相手の～に感じる 对方的气魄使我很感动

こころえ【心得】❶〔知識·たしなみ〕心得xīndé；经验jīngyàn‖お茶の～がある 对于茶道懂得一点儿 ❷〔心の準備〕须知xūzhī；注意事项zhùyì shìxiàng‖初心者の～ 初学者须知

こころえちがい【心得違い】❶〔思い違い〕误会wùhuì；误解wùjiě‖それはとんだ～だ 那真是天大的误会 ❷〔道理にはずれた考え·行為〕错误的想法〔行为〕cuòwù de xiǎngfa〔xíngwéi〕

こころ·える【心得る】❶〔わかっている〕懂得dǒngde；了解liǎojiě；明白míngbai ❷〔たしなみがある〕熟悉shúxī；懂得dǒngde‖茶道についてはひととおり～えています 对茶道略知一二

こころおきなく【心置きなく】毫无顾虑háowú gùlǜ；放心fàngxīn‖～語りあう 畅怀交谈

こころがけ【心掛け】用意yòngyì；注意zhùyì；用心yòngxīn‖防災は日ごろの～が大切だ 防灾工作应该从平时做起

こころが·ける【心掛ける】注意zhùyì；留心liúxīn；放在心上fàngzai xīnshang‖每日つとめて運動するよう～けている 我每天都注意锻炼身体

こころがまえ【心構え】思想〔心理〕准备sīxiǎng〔xīnlǐ〕zhǔnbèi

こころがわり【心変わり】(～する)改变主意gǎibiàn zhǔyi；变心biànxīn

こころくばり【心配り】关心guānxīn；关怀guānhuái；照料zhàoliào

こころぐるし·い【心苦しい】感到不安gǎndào bù'ān；过意不去guò yì bú qù‖借金も返せず～く思っています 借的钱还没还，于心有愧

こころざし【志】❶〔意志〕志向zhìxiang；志愿zhìyuàn‖～を同じくする 定志同道合｜事～と違う 事与愿违｜～を立てる 立志 ❷〔好意·親切〕盛情shèngqíng；厚意hòuyì‖～を無にする 辜负盛情｜お～に感謝します 感谢您的厚意

こころざ·す【志す】立志lìzhì；志愿zhìyuàn‖宇宙飛行士を～す 立志要当宇航员

こころづかい【心遣い】关照guānzhào；关心guānxīn；照料zhàoliào‖お～，ありがとうございます 多谢您的关心

こころづけ【心付け】小费xiǎofèi

こころづよ·い【心強い】胆壮dǎnzhuàng；放心fàngxīn‖あなたがそばにいてくれるので～い 有你在身边我就放心了

こころな·い【心ない】❶〔思いやりがない〕无情wúqíng；不体谅人bù tǐliang rén‖～い言葉を浴びせる 恶语伤人 ❷〔無風流な〕不懂情趣bù dǒng qíngqù‖～い人々によって公園の花が手折られる 公园的花儿被不懂情趣的人们摘走

こころなしか【心なしか】总觉得zǒng juéde；好像有点儿hǎoxiàng yǒudiǎnr

こころならずも【心ならずも】违心(地) wéixīn (de)；定迫不得已pò bù dé yǐ‖～同意する 违心同意

こころね【心根】心地xīndì；性情xìngqíng；根性gēnxìng‖～の優しい女性 心地善良的女人｜～がさもしい 根性卑鄙

こころのこり【心残り】遗憾yíhàn‖あなたにお目にかかれずここを去るのはほんとうに～です 没能见您一面就离开，真是太遗憾了

こころばかり【心許り】‖これは～の感謝のしるしです 这是一点儿小意思，聊表谢意

こころひそかに【心密かに】心中暗暗地xīnzhōng àn'àn de‖～期待する 暗中期望

こころぼそ·い【心細い】觉得不安juéde bù'ān‖懐が～くなってきた 手头开始拮据了

こころまち【心待ち】(～する)期盼qīpàn；期待qīdài

こころ·みる【試みる】尝试chángshì；试图shìtú‖新しい方法を～みる 尝试用新的办法

こころもとな·い【心許ない】让人担心ràng rén dānxīn；靠不住kàobuzhù‖きみの運転では～い 你开车让人不放心

こころやす·い【心安い】不需要客气bù xūyào kèqi；定亲密无间qīn mì wú jiàn‖～い友人 知心朋友

こころゆくまで【心行くまで】尽情地jìnqíng de‖～語りあう 痛快地畅谈

こころよ·い【快い】❶〔気持ちよい〕清爽qīngshuǎng；舒适shūshì ❷〔気持ちよく〕痛快tòngkuai；爽快shuǎngkuai‖～く承諾する 痛快地答应

ここん【古今】古今gǔjīn；自古至今zìgǔ zhìjīn‖～東西を問わず 不分中外古今

ごさ【誤差】误差wùchā

ござ【茣蓙】〔条，块〕席子xízi；凉席liángxí

こざかし·い【小賢しい】❶〔利口ぶる〕小聪明xiǎocōngming ❷〔ずるい〕小滑头xiǎo huátóu‖～く立ちまわる 耍滑头；善于钻营

こざかな【小魚】小鱼xiǎoyú

こさめ【小雨】〔场〕小雨xiǎoyǔ；细雨xìyǔ‖～が降る 下小雨

こざら【小皿】小碟子xiǎo diézi；小盘子xiǎo pánzi‖料理を～にとる 把菜夹到小碟子里

こさん【古参】老手lǎoshǒu；老资格lǎo zīge

ごさん【誤算】判断错误pànduàn cuòwù；估计错误gūjì cuòwù

こし【腰】❶〔人の〕腰yāo‖祖母はだいぶ～が曲がっている 祖母的腰弯了很多｜～をのばす 伸直腰板｜水が～まで来た 水漫到腰部了 ❷〔座る·立つ〕‖～をおろす 坐下来｜～をあげる 站起来 ❸〔弾力〕弹性tánxìng；弹力tánlì‖～のない髪 缺乏弹性的头发｜～のあるうどん 筋道的面条 ❹〔態度〕态度tàidu‖弱～ 软弱的态度｜けんか～ 挑衅的态度 ❺〔慣用表現〕‖驚いて～を抜かした 吓得都站不起来了｜話の～を折る 中途打断别人的话｜～が重い 做事谨慎

こじ【固辞】(～する)坚决拒绝jiānjué jùjué

こじ【孤児】孤儿gū'ér ✤一院：儿童福利院

こじ【誇示】(～する)炫耀xuànyào；夸耀kuāyào‖実力を～する 炫耀自己的实力

ごじ【誤字】错字cuòzì‖～を直す 改正错字

こじあ·ける【抉じ開ける】撬开qiàokāi‖錠〔ドア〕を～ける 把锁〔门〕撬开

こしかけ【腰掛け】❶〔いす〕〔个,条〕凳子dèngzi ❷〔一時の職〕‖ほんの～のつもりでこの会社に入った 我进这个公司只是权宜之计 ✤—仕事:临时性的工作

こしか・ける【腰掛ける】坐下来zuòxialai

こじき【乞食】乞丐qǐgài; 叫花子jiàohuāzi

こしくだけ【腰砕け】㊀半途而废bàn tú ér fèi

こしけ【腰気】⇨おりもの(下り物)

ごしごし 使劲儿(地) shǐjìnr (de) ‖ブラシで床を～洗う 用刷子使劲儿刷地板

こしたんたん【虎視眈眈】㊀虎视眈眈hǔ shì dān dān ‖～と攻撃のチャンスをねらう 虎视眈眈地寻找攻击的机会

こしつ【固執】(～する)固执gùzhi; 坚持jiānchí ‖自説に～する 固执己见

こしつ【個室】单人房间dānrén fángjiān; 单间dānjiān

ごじつ【後日】日后rìhòu; 将来jiānglái ‖～あらためてご返事します 改日再答复您 ✤—談:后话; 事后谈

ゴシック ❶〔印刷〕黑体(字) hēitǐ(zì); 粗体(字) cūtǐ(zì) ❷〔建築〕哥特式Gētèshì

こじつ・ける ㊀牵强附会qiān qiǎng fù huì; 勉强miǎnqiǎng

ゴシップ 流言liúyán; 闲话xiánhuà ‖芸能界の～ 演艺界的花边新闻 ✤—記事:花边新闻

ごじっぽひゃっぽ【五十歩百歩】㊀五十步笑百步wǔshí bù xiào bǎi bù

こしゅ【戸主】家长jiāzhǎng; 户主hùzhǔ

ごじゅうおん【五十音】(日语假名)五十音(Rìyǔ jiǎmíng) wǔshíyīn ‖名簿は～順だ 名册按五十音序排列 ✤—図:五十音图

ごじゅん【語順】语序yǔxù; 词序cíxù

こしょ【古書】古籍gǔjí; 旧书jiùshū

こしょう【呼称】(～する)称呼chēnghu; 叫做jiàozuò

こしょう【胡椒】胡椒hújiāo. (粉状の)胡椒粉hújiāofěn

こしょう【故障】(～する)〔機械などが〕(出)故障(chū) gùzhàng; (出)毛病(chū) máobing. (体が)受伤shòushāng ‖～を直す 修理故障

こしょくそうぜん【古色蒼然】古色苍然gǔsè cāngrán; ㊀古色古香gǔ sè gǔ xiāng

ごしょく【誤植】排错(字) páicuò(zì)

こしら・える【拵える】⇨つくる(作る)

こじら・せる【拗らせる】搞坏gǎohuài; 使…复杂shǐ … fùzá ‖問題を～せる 使问题更加复杂化 | 風邪を～せる 感冒恶化了

こじ・れる【拗れる】变坏biànhuài; 变复杂biànfùzá; 变麻烦biànmáfan

こじん【故人】死者sǐzhě; 已去世的人yǐ qùshì de rén ‖～をしのぶ 怀念死者

こじん【個人】个人gèrén; 私人sīrén ‖～の権利 个人的权利 | ～的な問題 个人的问题 ✤—教授:个人教授; 一对一教学 | —経営:个人经营 | —経営者:个体户 | —差:个人差别; 个人差异 | —主義:个人主义 | —消費:个人消费 | —タクシー:个体出租车

ごしん【誤診】(～する)误诊wùzhěn

ごしん【誤審】(～する)误判wù pàn; 错判cuò pàn

ごしん【護身】防身fángshēn; 护身hùshēn

こ・す【越す】❶〔越える〕过guò; 越过yuèguò; 翻过fānguo ‖川を～す 过河 | 冬を～す 越冬 ❷〔基準を越す〕过guò; 超过chāoguò ‖1万トンを～す大型船 超过一万吨的大型船舶 ❸〔…よりよい〕比…好bǐ … hǎo; 好于hǎo yú ‖できればそれに～したことはない 如果可能, 那再好不过了 ❹〔引っ越す〕搬家bānjiā; 搬迁bānqiān

こ・す【漉す・濾す】过滤guòlǜ ‖油を～す 过滤油

こすい【湖水】湖(水) hú (shuǐ)

こすう【戸数】户数hùshù

こずえ【梢】〔根,枝〕枝梢zhīshāo

コスタリカ 哥斯达黎加Gēsīdálíjiā

コスチューム 装束zhuāngshù; 制服zhìfú. (舞台衣装)演出服yǎnchūfú

コスト ❶〔原価〕成本chéngběn ‖～を割って売る 折本出售 ❷〔費用〕费用fèiyong ‖物流～ 物流费用 ✤—アップ:成本增高 | —ダウン:降低成本 | —パフォーマンス:性价比

コスモポリタン 国际人guójìrén; 世界公民shìjiè gōngmín

こす・る【擦る】搓cuō; 擦cā; 揉róu ‖床をぞうきんでごしごし～る 用抹布使劲擦地板 | ごみの入った目を～っちゃいけない 眼睛进了灰尘后不能揉

こせい【個性】个性gèxìng ‖～を生かす 发挥个性 | ～をのばす 发展个性 | はっきりした～を持っている 具有鲜明的个性

こせき【戸籍】〔户〕户籍hùjí; 户口hùkǒu ✤—抄本:(记载部分内容的)户口抄件 | —謄本:(记载全部内容的)户口抄件

こぜに【小銭】〔份〕零钱língqián; 零花钱línghuāqián ✤—入れ:零钱包

こぜりあい【小競り合い】小冲突xiǎo chōngtū; 小纠纷xiǎo jiūfēn; 小摩擦xiǎo mócā

ごぜん【午前】上午shàngwǔ ‖洗濯に～中いっぱいかかった 洗衣服洗了一上午

ごせんし【五線紙】〔张〕五线谱纸wǔxiànpǔzhǐ

-こそ ❶〔ある事柄を強調〕才cái; 正是zhèng shì; 就是jiù shì ‖それで～男だ 这才是男子汉 | これ～われわれがさがしていたものだ 这正是我们要找的东西 | 来年～いい相手を見つけなくては 明年一定要找个好对象 ❷〔理由を強調〕正(是)因为zhèng (shì) yīnwei ‖きみのためを思えば～ 正因为替你着想 ❸〔対比的な事柄を否定する〕虽然suīrán; 尽管jǐnguǎn; 只会zhǐ huì ‖ほめ～すれ, けなしはしない 只会赞扬, 不会贬低

こぞう【小僧】❶〔小わっぱ〕小子xiǎozi; 小家伙xiǎo jiāhuo; 毛孩子máoháizi ❷〔奉公人〕小伙计xiǎo huǒji ❸〔子どもの僧〕小和尚xiǎo héshang

ごそう【護送】(～する)❶〔守って送る〕护送hùsòng ❷〔監視しながら送る〕押送yāsòng; 押解yājiè ✤—車:押送车; 囚车

ごぞうろっぷ【五臓六腑】五脏六腑wǔzàng liùfǔ ‖酒が～にしみわたる 酒入五中

こそく【姑息】权宜quányí; 敷衍fūyan; 搪塞tángsè ‖～な手段 权宜之计

こそこそ 偷偷摸摸tōutōumōmō; 鬼鬼祟祟guǐguǐsuìsuì ‖～話す 窃窃私语; 嘀嘀咕咕 | ～と

立ち去る 偷偷摸摸地溜走
こぞって【挙って】全部quánbù；全都quándōu ‖～提案に賛成した 大家都同意这个方案
こそどろ【こそ泥】小偷xiǎotōu；毛贼máozéi
こたい【固体】固体gùtǐ ❖一燃料：固体燃料
こたい【個体】个体gètǐ
こだい【古代】古代gǔdài ❖一史：古代史｜一文明：古代文明
こだい【誇大】夸大kuādà；夸张kuāzhāng ❖一広告：夸大宣传〔广告〕；夸张的广告｜一妄想：夸大妄想
こたえ【答え】❶〔返答〕〔个，句〕答复dáfu；回答huídá；回话huíhuà ‖ 先方からはまだ～がない 对方还没有给予答复 ❷〔解答〕答案dá'àn；解答jiědá ‖ ～を出す 找到答案｜～が合う 答案正确｜～合わせをする 对题；对答案
こた・える【答える・応える】❶〔返答する〕回答huídá；答复dáfu ‖ アンケートに～える （書面）填写调查表；（口頭）回答提问 ❷〔解答する〕回答huídá ‖ 次の設問に～えなさい 请回答下一个问题 ❸〔応じる〕响应xiǎngyìng；报答bàodá.（要望に）满足mǎnzú ‖ 顧客のニーズに～える 满足顾客的要求 ❹〔身にしみて感じる〕深感shēngǎn；够戗gòuqiàng ‖ 氷点下の寒さは私のような老人には～える 零下的严寒对我这样的老人太够戗
ごたごた ❶〔もめごと〕〔场〕纠纷jiūfēn；争执zhēngzhí；纷争fēnzhēng ‖ ～が絶えない 总是争吵不休 ❷（～する）〔もめる〕发生纠纷fāshēng jiūfēn ‖ 支払いの問題で取引先と～する 由于支付问题跟客户闹纠纷 ❸（～する）〔雑然としたようす〕混乱hùnluàn；乱七八糟luànqībāzāo
こだし【小出し】零零星星地拿出línglíngxīngxīng de náchu ‖ 情報を～にする 挤牙膏似的一点儿一点儿地透露情况
こだち【木立】树丛shùcóng
こたつ【火燵・炬燵】〔张〕暖桌nuǎnzhuō ❖電気一：电暖桌
こだま【木霊】（～する）回响huíxiǎng；发出回声fāchū huíshēng
ごたまぜ【ごた混ぜ】⇨ごちゃまぜ（ごちゃ混ぜ）
こだわ・る【拘る】❶〔小さなことに〕拘泥jūnì；固执gùzhi ‖ 形式に～ 拘泥形式 ❷〔好みに〕讲究jiǎngjiu；重视zhòngshì ‖ 品質に～る 注重质量｜ブランド品に～る 讲究用名牌
こちこち ❶〔固まったさま〕硬邦邦yìngbāngbāng；僵硬jiāngyìng ❷〔緊張して〕（紧张得）局促不安（jǐnzhāngde）júcù bù'ān；身体发硬shēntǐ fāyìng ❸〔かたくななさま〕顽固wángù ❹〔時計などの音〕滴答滴答dīdādīdā
ごちそう【御馳走】❶（～する）〔もてなす〕请客qǐngkè；宴请yànqǐng；款待kuǎndài ‖ 今日は私が～します 今天我请客 ❷〔豪華な食事〕佳肴jiāyáo；盛馔shèngzhuàn
ゴチック ⇨ゴシック
ごちゃごちゃ（～する）凌乱língluàn；杂乱záluàn ‖ 机の上が書類で～だ 文件杂乱地放在桌上
ごちゃまぜ【ごちゃ混ぜ】混杂hùnzá；掺杂chānzá
こちょう【誇張】（～する）夸大kuādà；夸张kuāzhāng ‖ 成果を～して言う 夸大成绩
ごちょう【語調】语调yǔdiào；语气yǔqì ‖ ～を和らげる〔強める〕 缓和〔加强〕语气
こちら ❶〔場所〕这里zhèlǐ；这边zhèbiān ‖ ～へどうぞ 请这边来 ❷〔自分・当方〕我wǒ；我方wǒfāng ‖ ～の落ち度です 是我方的过错 ❸〔近くにいる人〕这位zhè wèi ‖ ～がいまお話しした田中さんです 这位就是刚才提到的田中先生
こちんこちん ⇨こちこち
こぢんまり（～する）小而整洁〔整齐〕xiǎo ér zhěngjié〔zhěngqí〕‖ ～した家 小而整洁的房子
こつ 诀窍juéqiào；要领yàolǐng；窍门qiàomén ‖ ～を覚える 学会窍门；掌握要领
こっか【国花】国花guóhuā
こっか【国家】国家guójiā ❖一権力：政权；国家权力｜一公安委員会：国家公安委员会｜一公務員：国家公务员｜一試験：国家（资格认证）考试
こっか【国歌】国歌guógē
こっかい【国会】国会guóhuì；议会yìhuì ❖一議員：国会议员｜一議事堂：国会议事堂〔大厦〕｜一図書館：国会图书馆
こづかい【小遣い】零用钱língyòngqián；零花钱línghuāqián ❖一稼ぎ：赚零用钱｜一帳：零用钱的账簿
こっかく【骨格】❶〔生理〕〔副〕骨骼gǔgé ❷〔物事の骨組み〕〔副〕框架kuàngjià；骨架gǔjià
こっかん【酷寒】严寒yánhán
こっき【国旗】〔面〕国旗guóqí ‖ 日本の～ 日本国旗｜～を掲げる 升国旗 ❖一掲揚：悬挂国旗
こっきょう【国境】国境guójìng；边境biānjìng；国界guójiè ‖ ～の町 边境城镇｜～を守る 守卫边境｜～をかためる 加强边防｜～なき医師団 无国界医生（组织）❖一警備軍：边防部队；边防军｜一線：国境线；边界线｜一地帯：边境地区｜一紛争：边境纠纷
コック ❶〔栓〕（水道の）（水）龙头（shuǐ）lóngtóu.（ガスなどの）开关kāiguān；活栓huóshuān ‖ ～をあける〔閉める〕 打开〔关上〕开关 ❷〔料理人〕厨师chúshī ❖一長：厨师长
こづ・く【小突く】捅tǒng；戳chuō ‖ ひじで～く 用胳膊肘捅一下｜頭を～く 戳脑袋
コックピット（航空機の）驾驶舱jiàshǐcāng.（戦闘機の）座舱zuòcāng
こっくり ❶〔うなずく〕‖ ～うなずく 点点头 ❷（～する）〔居眠りする〕打盹儿dǎdǔnr；打瞌睡dǎ kēshuì ‖ ～～居眠りしている 打瞌睡
こっけい【滑稽】可笑kěxiào；滑稽huáji；诙谐huīxié
こっけいせつ【国慶節】国庆节Guóqìngjié
こっけん【国権】国家权力guójiā quánlì；统治权tǒngzhìquán
こっこ【国庫】国库guókù；金库jīnkù ❖一債券：国库券｜一収支：国库收支
こっこう【国交】邦交bāngjiāo ‖ 隣国と～を断絶する〔結ぶ〕 与邻国断绝〔建立〕邦交
こつこつ ❶〔努力するさま〕孜孜不倦zīzī bújuàn；坚持不懈jiānchí búxiè ‖ ～と勉強する 坚持不懈地学习｜～と働く 孜孜不倦地工作 ❷〔かたいものが触れる音〕冬冬dōngdōng
こっし【骨子】要点yàodiǎn；重点zhòngdiǎn ‖ 演説の～ 演讲的要点

こつずい【骨髄】骨髄gǔsuǐ ‖ 恨み〜に徹する 恨之入骨 ✣ 一移植:骨髄移植 | 一炎:骨髄炎 | 一バンク:骨髄库

こっせつ【骨折】(〜する)骨折gǔzhé ‖ 右足を〜した 右腿骨折了 ✣ 単純一:单纯性骨折;闭合性骨折 | 複雑一:开放性骨折;复杂骨折

こつぜん【忽然】忽然hūrán; 突然tūrán ‖ 〜と姿を消す 忽然失去了踪影

こっそり 悄悄(地) qiāoqiāo (de); 偷偷(地) tōutōu (de) ‖ 〜持ち出す 悄悄地拿走 | 〜のぞく 偷看

ごった 杂乱záluàn; 混杂hùnzá

ごったがえ・す【ごった返す】拥挤不堪yōngjǐ bùkān; 定杂乱无章zá luàn wú zhāng ‖ 駅は行楽客で〜している 车站里游人多得拥挤不堪

こづつみ【小包】包裹bāoguǒ ‖ 〜を送る 寄包裹 | 田舎から〜が届いた 老家寄来了包裹

こってり ❶(〜する)〔濃厚な〕(味)浓(wèi)nóng ‖ トーストにバターとジャムを〜つけた 在烤面包上厚厚地涂上一层黄油和果酱 ❷〔いやというほど〕‖ 〜しぼられた 被狠狠地骂了一顿

こっとう【骨董】古董gǔdǒng; 古玩gǔwán ✣ 一品:古玩;古董 | 一屋:古玩店

こつにく【骨肉】‖ 〜の情 骨肉之情 | 〜の争い 骨肉相争 | 〜相食(は)む 骨肉相残

こっぱ【木っ端】✣ 一みじん:粉碎;定支离破碎

こつばん【骨盤】骨盆gǔpén

こつぶ【小粒】❶〔粒が小さい〕小颗粒xiǎo kēlì; 细粒xìlì ‖ さんしょうは〜でもぴりりと辛い 花椒粒虽小但很辣;定短小精悍 ❷〔体つきが小さい〕个头儿小gètóur xiǎo ❸〔度量が小さい〕胸襟狭窄xiōngjīn xiázhǎi; 器量小qìliàng xiǎo

コップ 玻璃杯bōlibēi ‖ 〜1杯の水 一杯水 | ビールを〜に半分つぐ 倒半杯啤酒 | 〜の中のあらし 无关大局的纠纷

こて【鏝】(洋裁の)(小型)熨斗(xiǎoxíng) yùndǒu. (左官道具の)〔把〕镘刀màndāo; 抹子mǒzi

ごて【後手】❶〔将棋・囲碁〕后手hòushǒu ‖ 〜になる 执后手 ❷〔先を越されること〕落后luòhòu; 被动bèidòng ‖ 〜に回る 陷于被动

こてい【固定】(〜する)固定gùdìng ✣ 一観念:固定观念 | 一客:固定顾客 | 一給:固定工资 | 一資産:固定资产 | 一資本:固定资本

こてさき【小手先】手指shǒuzhǐ; 小聪明xiǎocōngming ‖ 〜の対策を行う 实施临时的措施

こてん【古典】❶〔学問・芸術などの〕古典gǔdiǎn ‖ 〜的名著 经典著作 ❷〔古い書物〕古籍gǔjí; 典籍diǎnjí ‖ 〜に親しむ 喜爱阅读古籍 ✣ 一音楽:古典音乐 | 一学派:古典经济学派

こてん【個展】个人作品展览会gèrén zuòpǐn zhǎnlǎnhuì ‖ 〜を開く 举办个人作品展览会

こてんぱん 定落花流水luò huā liú shuǐ; 定一败涂地yí bài tú dì ‖ 相手チームに〜にやられた 被对方队打得落花流水

こと【古都】古都gǔdū; 古城gǔchéng

こと【事】事shì; 事情shìqing; 事件shìjiàn ‖ よくある〜 常有的事 | なんという〜だ 怎么回事! | 〜を起こす 出事 | ささいな〜 琐事;定鸡毛蒜皮 | 〜の起こりはささいなことだった 这次事件起因于一件很小的事 | 〜を荒立てる 把事情闹大 | 〜を構える 找他麻烦 | 〜なきを得る 定化险为夷;渡过危机 | 〜によると 也许可能 | 〜ここに至っては 事情弄到这个地步 | くわしい〜はのちほどお話しします 回头给您说明详细的情况 | 思いどおりに〜が運ぶ 事情进展得很顺利 | そんな〜はできない 我不能做这种事 | あなたにちょっと話したい〜がある 我有一件事想跟你说 | それはきみの知った〜ではない 那件事和你没关系 | その〜ならどうかご心配なく 这事儿您就不必担心了 | 大事な〜を忘れていた 我忘了一件大事 | 彼の言う〜が私にはよくわかる 我能理解他讲的意思 | そんなばかげた話は聞いた〜がない 我从来没听说过如此荒唐的事情 | 急ぐ〜はない 不用着急 | 熱が高いので学校を休む〜にした 因为发高烧所以我决定不去学校了 | 私がその会議に出席する〜になった 我将出席那个会议 | だれだって失敗する〜がある 谁都有失败的时候 | 教室で騒がない〜 教室禁止喧哗 | 苦労しただけの〜はある 功夫不负有心人

こと【琴】〔架〕筝zhēng ‖ 〜を弾く 弹筝 ✣ 一座:天琴座 | 一柱(じ):琴柱

-ごと【毎】每měi ‖ 4時間〜に薬をのむ 每隔四小时吃一次药 | 一雨〜にあたたかくなる 每下一场雨,天气就更暖和一些 | クラス〜に整列する 各班整队

-ごと 连…带…lián … dài …; 连…一起lián … yìqǐ ‖ ブドウを皮〜食べる 连皮吃葡萄 | リンゴを箱〜買う 买成箱的苹果

ことう【孤島】孤岛gūdǎo ‖ 陸の〜 交通不便的偏僻地方

こどう【鼓動】(〜する)心脏跳动xīnzàng tiàodòng; 搏动bódòng ‖ 心臓の〜がとまった 心脏停止了跳动

こどうぐ【小道具】❶〔演芸〕小道具xiǎodàojù. (係)道具师dàojùshī ❷〔こまごました道具〕小器具xiǎo qìjù; 小工具xiǎo gōngjù

ことか・く【事欠く】❶〔不足する〕缺乏quēfá; 缺少quēshǎo; 短缺duǎnquē ‖ 資金に〜かない 不缺资金 | 食うに〜く生活を送る 过着连饭都吃不饱的日子 ❷〔よりによって〕偏偏piānpiān; 偏要piān yào ‖ 言うに〜いて人の悪口を言うとはね 他怎么偏要说别人的坏话呢!

ことがら【事柄】事儿shìr; 事情shìqing; 事物shìwù

こどく【孤独】孤独gūdú; 孤零零gūlínglíng ‖ 〜な生活を送る 过着孤独的生活 | 〜に耐える 忍受孤独 ✣ 一感:孤独感

ことごとく【悉く】全都quándōu; 全部quánbù; 彻底chèdǐ ‖ 計画は〜失敗に終わった 计划以彻底失败而告终

ことごとに【事毎に】事事shìshì; 每件事měi jiàn shì ‖ 〜失敗する 一事无成

ことさら【殊更】❶〔わざと〕故意gùyì; 特意tèyì ❷〔とりわけ〕特别tèbié; 格外géwài

ことし【今年】今年jīnnián; 本年běn nián ‖ 建築完成には〜いっぱいかかる 这项工程要到年底才能完成

ことた・りる【事足りる】足够zúgòu; 足以zúyǐ ‖ 生活には〜りている 生活上足够了

ことづか・る【言付かる・託かる】受人委托shòu rén wěituō ‖ お嬢さんから伝言を〜ってきたよ 你女

こ

儿托我给你捎个口信

ことづ·ける【言付ける·託ける】托人捎〔带〕tuō rén shāo〔dài〕‖姉は両親へのお土産を私に～けた 姐姐托我把礼物带给父母

ことづて【言伝】口信kǒuxìn；信儿xìnr

ことな·る【異なる】不同bù tóng；不一样bù yíyàng‖国によって習慣は～る 每个国家的习惯都不一样

ことのほか【殊の外】❶〔格別〕特别tèbié；格外géwài‖今年の冬は～寒い 今年冬天特别冷 ❷〔思いのほか〕没想到méi xiǎngdào；定出乎意料chū hū yì liào‖準備に～手間どった 没有想到准备工作这么费事

ことば【言葉】词cí；〔句，席〕话huà‖誓いの～ 誓词；誓言｜下品な～ 下流话；脏话｜～を飾る 雕砌文字｜～を濁す 支吾其词｜お～を返すようですが 容许我说一句｜私の～が足りなかったようだ 似乎是我没讲清楚｜売り～に買い～ 你来一句，我还一句 ✤一遊び:语言游戏｜一じり:话中的漏洞；定细枝末节‖人の～をとらえる 抓住别人话中的漏洞｜一遣い:谈吐；用词

こども【子供】❶〔自分の子〕孩子háizi；儿女érnǚ‖～を産む 生孩子｜～ができる 有了孩子｜～に恵まれる 有孩子｜自分の～はかわいい 孩子是自己的好 ❷〔児童〕孩子háizi；儿童értóng‖～らしい無邪気さ 孩子般的天真｜～向きの本 儿童读物｜～のころから彼女を知っている 我小时候就认识她 ❸〔幼稚なこと〕幼稚yòuzhì；孩子气háiziqì‖～じみた発想 幼稚〔孩子气〕的想法｜うちの娘ときたら，いつまでも～で困ったものだ 我女儿总也长不大，真令人头疼 ✤一扱い:当小孩儿看待｜一心:童心｜一時代:童年；儿童时代｜一の日:儿童节｜一番組:儿童节目｜一服:童装

こともなげ【事もなげ】定轻而易举qīng ér yì jǔ；满不在乎mǎn bú zàihu

ことり【小鳥】〔只，群〕小鸟xiǎoniǎo

ことわざ【諺】俗话súhuà；谚语yànyǔ‖～にいわく 俗话说｜～にもあるとおり 正如俗话所说

ことわり【断り】❶〔拒絶〕拒绝jùjué；推辞tuīcí；回绝huíjué‖～の電話を入れる 打个电话拒绝｜丁寧にお～を申しあげた 婉言谢绝 ❷〔予告〕事先通知shìxiān tōngzhī‖～なしに学校を休んだ 事先没请假擅自旷课 ✤一書き:补充说明

ことわ·る【断る】❶〔拒む〕拒绝jùjué；推辞tuīcí；回绝huíjué‖一も二もなく～られた 不由分说地遭到了拒绝｜～り切れずしかたなく引き受けた 推也推不掉只好接受了 ❷〔予告する〕事先打个招呼shìxiān dǎ ge zhāohu‖先生に～って早退した 我和老师说了一声就早退了

こな【粉】粉fěn；粉末fěnmò ✤一砂糖:砂糖｜一石けん:洗衣粉｜一茶:茶粉｜一ミルク:奶粉

こなぐすり【粉薬】〔包，袋〕药粉yàofěn；散剂sǎnjì；药面yàomiàn

こなごな【粉粉】粉碎fěnsuì‖コップが落ちて～に砕けた 杯子摔得粉碎

こな·す ❶〔消化する〕消化xiāohuà ❷〔処理する〕处理chǔlǐ；办理bànlǐ‖山のような仕事を～す 处理堆积如山的工作

こなみじん【粉微塵】⇨こなごな(粉粉)

こなゆき【粉雪】〔场〕细雪xìxuě；粉末状的雪fěnmòzhuàng de xuě

こな·れる ❶〔消化する〕消化xiāohuà ❷〔身につく〕娴熟xiánshú；熟练shúliàn‖文章がよく～れている 文笔娴熟自然 ❸〔人間が丸くなる〕通晓世事tōngxiǎo shìshì；老练lǎoliàn

コニャック 干邑白兰地Gānyì báilándì

ごにん【誤認】(～する)误认wùrèn

こにんずう【小人数】人数少rénshù shǎo

こぬかあめ【小糠雨】〔场〕毛毛雨máomaoyǔ

コネクション 关系guānxi；〔个，条〕门路ménlu‖芸能界に～が多い 在演艺圈有很多关系

コネクター 连接器liánjiēqì；接头jiētóu

こ·ねる【捏ねる】❶〔土·粉などを〕捏niē；揉róu；和huó‖粘土を～ねる 揉黏土｜小麦粉を～ねる 和面 ❷〔理屈などを〕强辩qiǎngbiàn；硬说yìng shuō‖屁(へ)理屈を～ねる 胡搅蛮缠

ご·ねる 闹nào；耍赖shuǎlài

この 这zhè；这个zhège‖～3年間 这三年

このあいだ【この間】前几天qián jǐ tiān；不久以前bùjiǔ yǐqián‖～の件はどうなりましたか 前几天说的那件事怎么样了？

このあたり【この辺り】这里zhèlǐ；这儿zhèr；这附近zhè fùjìn‖今日は～でやめておこう 今天就到这里吧｜～にガソリンスタンドはありませんか 这附近有加油站吗？

このうえ【この上】❶〔これ以上〕再zài‖～ここにはいられません 我不能再在这里待下去了 ❷〔こうなった以上〕既然如此jìrán rúcǐ‖～は当たって砕けろだ 事到如今，不管成否姑且试试看 ❸〔…ない〕无比wúbǐ；无上wúshàng；莫大mòdà‖彼はまじめ～ない 他无比认真

このかた【この方】❶〔以来〕以来yǐlái‖生まれて～ 有生以来 ❷〔この人〕这位zhè wèi‖～がご主人さまですね 这位就是您先生吧

このくらい 这么zhème；这样zhèyàng‖～のことでへこたれるものか 这么点儿事难不倒我

このご【この期】‖～に及んで 事已至此

このごろ【この頃】最近zuìjìn；如今rújīn；近来jìnlái‖～の若者 如今的年轻人

このさい【この際】这种情况zhè zhǒng qíngkuàng；这个机会zhège jīhui

このさき【この先】❶〔今後〕今后jīnhòu；以后yǐhòu‖～何が起ころうと 今后无论发生什么事情 ❷〔ここより先〕前方qiánfāng；前面qiánmian‖～は行きどまりだ 前面是死胡同

このたび【この度】这次zhè cì；这回zhè huí；此次cǐ cì‖～はいろいろお世話になりました 此次承蒙您多方关照

このつぎ【この次】下次xià cì；下回xià huí

このとおり【この通り】这样zhèyàng；这么zhème；如此rúcǐ‖～にやればいいんですね 照这样做就可以了吗？

このまえ【この前】上次shàng cì；前几天qián jǐ tiān‖～の日曜日 上个星期天｜～貸した本 上次借给你的那本书

このまし·い【好ましい】❶〔好感がもてる〕招人喜欢zhāo rén xǐhuan ❷〔望ましい〕理想lǐxiǎng；令人满意lìng rén mǎnyì‖きみの成績はどうも～くない 你的成绩总不理想

このまま 就这样jiù zhèyàng；这样下去zhèyàng

xiàqu ‖ この問題を～ほうっておくわけにはいかない 我们对这个问题不能置之不理 | この荷物は～にしておいてください 行李就放在那里，不要动

このみ【木の実】〔个，颗〕果实guǒshí；果子guǒzi

このみ【好み】喜好xǐhào；口味kǒuwèi；胃口wèikǒu ‖ 人によって～が違う 人都各有所好 | 私の～にぴったりのお店 这家店正合我的胃口 | 父は～がうるさい 爸爸很挑剔 | 派手～ 喜欢排场

この・む【好む】❶〔好く〕喜欢xǐhuan；喜爱xǐ'ài ❷〔望む〕愿意yuànyi ‖ ～むと～まざるとにかかわらず 不管愿意不愿意

このよ【この世】人世rénshì；人间rénjiān ‖ ～がいやになった 我厌恶人世 | もう～に思い残すことはない 在这个世上已经没有什么牵挂了

こはく【琥珀】琥珀hǔpò ✤一色：琥珀色

ごはさん【御破算】❶〔そろばんの〕去了重打qùle chóng dǎ ‖ ～で願いましては 去了重打上 ❷〔白紙に戻す〕撤销chèxiāo；取消qǔxiāo；推倒tuīdǎo ‖ 計画は～になった 计划告吹了 | この件は～にしよう 这件事就算没说

こばしり【小走り】小步快走xiǎobù kuài zǒu；小跑xiǎopǎo ‖ ～にロビーを通り抜ける 快步穿过大厅

こば・む【拒む】❶〔拒否する〕拒绝jùjué ‖ 来る者は～まず，去る者は追わず 定 来者不拒，去者不追 ❷〔はばむ〕阻拦zǔlán；抵御dǐyù

こはる【小春】✤一日和：小阳春天气

コバルト 钴gǔ ✤一ブルー：钴蓝；瓷蓝

こはん【湖畔】湖畔húpàn；湖边húbiān

ごはん【御飯】〔碗，锅〕米饭mǐfàn；饭fàn ‖ ～を炊く 煮饭 | ～を食べる 吃饭 | ～ですよ 开饭了 | ～をよそう 盛饭 ✤一粒：饭粒

ごばん【碁盤】棋盘qípán ‖ ～の目 棋盘格 | ～の目のように整然としている 如棋盘般井井有条

こび【媚】❶〔おべっか〕阿谀奉承ēyú fèngcheng；讨好tǎohǎo；谄媚chǎnmèi ‖ 権力者に～を売る 向当权者献媚奉承 ❷〔なまめかしさ〕卖弄风情màinong fēngqíng；妖媚yāomèi

ごび【語尾】语尾yǔwěi；词尾cíwěi ‖ ～を濁す 说话语尾不清 ✤一変化：词尾变化

コピー ❶〔写し〕〔张〕复印fùyìn；抄件chāojiàn ‖ フロッピーディスクに～する 拷贝到软盘上 | 資料の～をとる 复印资料 ❷〔模造品〕复制品fùzhìpǐn；仿造品fǎngzàopǐn ‖ ブランド品の～ 名牌货的仿造品 ❸〔広告の文案〕广告词guǎnggàocí ‖ 新商品の～を練る 推敲新商品的广告词 ✤一アンドペースト：复制和粘贴 | 一機：复印机 | 一用紙：复印纸 | 一ライター：撰稿人

こびりつ・く 牢牢地粘住láoláo de zhānzhu

こ・びる【媚びる】❶〔へつらう〕奉承fèngcheng；谄媚chǎnmèi；讨好tǎohǎo ❷〔なまめかしい態度をとる〕卖弄风情màinong fēngqíng

こぶ【鼓舞】〈～する〉鼓舞gǔwǔ

こぶ【瘤】包bāo ‖ ラクダの～ 驼峰 | 木の～ 树节子 | 頭をドアにぶつけて～ができた 头碰在门上碰起了一个包

ごぶ【五分】❶〔1寸の半分〕半寸bàn cùn；五分wǔ fēn ❷〔全体の半分〕一半yíbàn；五成wǔ chéng ‖ ～咲きの桜 樱花开了一半儿 ❸〔互角〕定 不相上下bù xiāng shàng xià

こふう【古風】古式gǔshì；古老gǔlǎo ‖ ～な家具 古色古香的家具 | ～な女性 传统女性

ごぶごぶ【五分五分】各一半(儿) gè yíbàn(r)；平等píngděng ‖ ～の条件 平等的条件 | 治る見込みは～だ 治愈的希望只有一半

ごぶさた【ご無沙汰】久未奉函jiǔ wèi fèng hán；久疏问候jiǔshū wènhòu ‖ 長らく～して申しわけありません 久未通信，请原谅

こぶし【拳】拳头quántou

こぶり【小降り】〈雨或雪〉下得小(yǔ huò xuě) xiàde xiǎo ‖ 激しい雷雨はまもなく～になった 刚才雷雨大作，可不多会儿雨势就减弱了

こぶり【小振り】❶〔小さく振る〕轻轻挥动qīngqīng huīdòng ❷〔小さめの〕小型xiǎoxíng；小号xiǎohào

こふん【古墳】古坟gǔfén ✤一時代：古坟时代

こぶん【子分】手下的人shǒuxià de rén；走狗zǒugǒu；喽啰lóuluo

ごへい【語弊】‖ こう言うと～があるかもしれない 这样说或许不太恰当

こべつ【個別】个别gèbié；一个一个yí ge yí ge ✤一指導：个别辅导 | 一折衝：个别交涉

ごほう【誤報】错误报道cuòwù bàodào；误报wùbào

ごぼう【牛蒡】牛蒡niúbàng ✤一抜き：一口气超赶过去 ‖ びりから5人を～にした 跑在最后面的他一口气超过了前面的五个人

こぼ・す【零す】❶〔液体などを〕洒sǎ；洒落sǎluò ‖ 床にジュースを～してしまった 果汁洒在了地板上 ❷〔表情や態度に表す〕流露liúlù ‖ 思わず笑みを～す 情不自禁地露出笑容 ❸〔ぼやく〕抱怨bàoyuan；发牢骚fā láosao

こぼ・れる【零れる】❶〔表情に表れる〕露出lùchu ‖ ～れんばかりの笑みを浮かべる 笑容满面 ❷〔あふれ出る〕溢出yìchu；洒落sǎluò ‖ ビールの泡がコップから～れる 啤酒泡沫从杯子里溢出来

こぼんのう【子煩悩】特别疼爱子女(的人) tèbié téng'ài zǐnǚ (de rén)

こま【独楽】陀螺tuóluó ‖ ～を回す 转陀螺

こま【駒】❶〔子ウマ〕小马xiǎomǎ；马驹mǎjū ‖ 準決勝に～を進める 打入半决赛 ❷〔将棋などの〕棋子qízǐ ‖ ～を動かす 走棋 ❸〔弦楽器の〕琴马qínmǎ

こま【齣】❶〔フィルムの一画面〕画面huàmiàn；镜头jìngtóu ‖ 有名な映画のひと～ 有名影片的一个镜头 ❷〔一場面〕片断piànduàn ‖ 歴史のひと～ 历史的一个片断 ❸〔授業時間〕堂táng；节jié ‖ 講義を1～持っている 担任一堂课

ごま【胡麻】芝麻zhīma ‖ ～をする 拍马屁 ✤一油：香油；麻油

コマーシャル 商业广告shāngyè guǎnggào；电视广告diànshì guǎnggào ✤一ソング：广告歌曲 | 一フィルム：商业宣传片

こまか・い【細かい】❶〔大きさ・量が小さい〕小xiǎo；零碎língsuì；细小xìxiǎo ‖ この1000円札を～くしてくれませんか 能帮我把这1000日元破开吗？ ❷〔詳しい〕详细xiángxì；细致xìzhì ‖ 相手チームの弱点を～く分析する 仔细地分析对方队的弱点 ❸〔ささいな〕零碎língsuì；琐碎suǒsuì

‖そんな～いことを気にするな 不要在意这种琐碎小事！ ❹〔配慮が行き届く〕周到zhōudao；细致入微xìzhì rùwēi‖～い心配りでもてなす 周到地接待照顾 ❺〔勘定高い〕定精打细算jīng dǎ xì suàn；定斤斤计较jīn jīn jì jiào‖妻は金銭には～い 妻子花钱很精打细算

ごまか・す ❶〔いんちきする〕定弄虚作假nòng xū zuò jiǎ；捣鬼dǎoguǐ；侵吞qīntūn‖金銭出納簿を～す 在现金出纳账上做手脚｜店員に釣り銭を～された 售货员少找了我的钱 ❷〔まぎらわす〕敷衍fūyan；搪塞tángsè‖私の目を～そうったってそうはいかないぞ 你想蒙我，这可办不到

こまぎれ【小間切れ】❶〔肉の切れ端〕细条xìtiáo；碎肉suìròu‖牛肉の～ 碎牛肉 ❷〔細かく切ったもの〕零星língxīng；分段fēnduàn‖～の情報 零星的消息

こまく【鼓膜】鼓膜gǔmó‖～が破れそうな大音響がした 响起了震耳欲聋的声音

こまごま【細細】(～する)❶〔細かい〕零碎língsuì；琐碎suǒsuì‖～した文房具 零碎的文具 ❷〔詳しい〕详细xiángxì；周到细致zhōudao xìzhì‖日記に～としたためる 详详细细地记在日记里

ごましお【胡麻塩】芝麻盐zhīmayán ✤―頭：头发斑白〔花白〕；满头华发

こまぬ・く【拱く】‖手を～ 定袖手旁观

こまやか【細やか・濃やか】情意深厚qíngyì shēnhòu；浓厚nónghòu；细致xìzhì

こまら・せる【困らせる】为难wéinán‖わざと人を～せる 故意让别人为难

こま・る【困る】❶〔困難・難儀〕感觉困难gǎnjué kùnnan；为难wéinán；困窘kùnjiǒng‖～ったことがあったら，いつでも相談に乗るよ 有什么困难，随时可以找我们商量 ❷〔困窮する〕穷困qióngkùn；苦于贫困kǔyú pínkùn‖生活に～る 生活困难 ❸〔当惑・迷惑する〕难办nán bàn；无法对付wúfǎ duìfu‖いまさら行かないと言われても～るよ 你现在再说不去可不行

こまわり【小回り】❶〔回転半径が小さい〕转小弯zhuàn xiǎowān‖この車は～がきく 这部车拐小弯挺灵的 ❷〔すばやい対応〕定随机应变suí jī yìng biàn；灵活línghuó‖会社が大きくなると～がきかなくなる 公司规模大了，就不容易灵机应变了

こみ【込み】包含在内bāohánzai nèi‖夕食と朝食～で1泊1万円だ 包括早晚两餐在内，住一晚上是1万日元

ごみ【塵・芥】灰尘huīchén；尘埃chén'āi；垃圾lājī‖風で目に～が入った 风把灰尘吹进了眼睛里｜～のポイ捨て 随手扔垃圾 ✤―収集車：垃圾车｜―捨て場：垃圾站；垃圾堆｜―箱：垃圾箱；果皮箱；（くずかご）废纸篓

こみあ・う【込み合う】拥挤yōngjǐ；人多rén duō‖行楽地はどこも～っている 旅游胜地哪儿都拥挤不堪｜ただいま電話がたいへん～っております 现在线路忙

こみあ・げる【込み上げる】往上涌wǎng shàng yǒng；油然而生yóurán ér shēng‖懐かしさが～げる 一股亲切之情油然而生

こみい・る【込み入る】定错综复杂cuò zōng fù zá‖～った事情 情况十分错综复杂｜道が迷路のように～っている 道路像迷宫一样复杂

コミカル 滑稽huájī；好笑hǎoxiào

ごみごみ（～する）定杂乱无章zá luàn wú zhāng；不整洁bù zhěngjié

コミッション ❶〔手数料〕手续费shǒuxùfèi；佣金yòngjīn‖売り上げに対して5パーセントの～をとる 收取销售额百分之五的手续费 ❷〔専門委員会〕委员会wěiyuánhuì

コミット（～する）参与cānyù；参加cānjiā

こみみ【小耳】‖～にはさむ 偶然听到

コミュニケ 公报gōngbào；公告gōnggào；声明shēngmíng‖両国は共同～に署名を行った 两国在联合公报上签了字

コミュニケーション 沟通gōutōng；交流jiāoliú‖～をはかる 相互交流｜まわりの人とうまく～がとれない 我不善于和别人沟通

コミュニティー 地区社会dìqū shèhuì ✤―カレッジ：社区学院｜―センター：社区活动中心

こ・む【込む・混む】❶〔混雑する〕人多rén duō；拥挤yōngjǐ‖電車がひどく～んでいる 电车拥挤不堪 ❷〔精巧な〕精致jīngzhì；费工夫fèi gōngfu‖細部にわたって手の～んだ刺しゅう 细微处工艺十分精巧的刺绣

ゴム 橡胶xiàngjiāo；胶皮jiāopí ✤―印：橡皮图章；胶皮戳｜―長靴：长筒胶靴｜―ひも：松紧带(儿)｜―風船：(胶皮)气球｜―ボート：橡皮船；橡皮艇

こむぎ【小麦】小麦xiǎomài ✤―色：棕色；褐色‖～に焼けた肌 晒得黝黑的皮肤｜―粉：面粉｜―畑：麦田

こむら【腓】腿肚子tuǐdùzi；腓féi ✤―返り：腿肚子抽筋；腓痉挛

こめ【米】大米dàmǐ；稻米dàomǐ‖～を研いで炊く 淘米做饭 ✤―所(どころ)：产米区｜―ぬか：米糠｜―屋：米店

こめかみ【顳顬】太阳穴tàiyángxué

コメディアン 喜剧演员xǐjù yǎnyuán；丑角chǒujué

コメディー 喜剧xǐjù；滑稽剧〔戏〕huájījù〔xì〕

こ・める【込める】❶〔十分含ませる〕集中jízhōng；贯注guànzhù；包含bāohán‖力を～めてくいを打つ 用力打桩子｜短い言葉の中に深い意味が～められている 简短的话里包含了很深刻的意义 ❷〔弾丸を〕‖銃に弾丸を～める 装子弹

ごめん【御免】❶〔拒否〕不愿意bú yuànyi；拒绝jùjué‖冗談は～だ 请别开玩笑 ❷〔軽い謝罪〕对不起duìbuqǐ；请原谅qǐng yuánliàng

コメント（～する）评论pínglùn；解说jiěshuō

こもじ【小文字】小字xiǎozì.（ローマ字の）小写字母xiǎoxiě zìmǔ

こもの【小物】❶〔こまごましたもの〕小零件xiǎo língjiàn；小东西xiǎo dōngxi ❷〔小人物〕小人物xiǎorénwù；小喽啰xiǎo lóuluo ✤―入れ：零件盒；杂物盒

こもり【子守】看孩子kān háizi；哄孩子hǒng háizi. ✤―歌：摇篮曲；催眠曲

こも・る【籠もる】❶〔外に出ない〕闭门不出bì mén bù chū；闷mēn‖部屋に～ってばかりいる 总闷在屋里 ❷〔気体などが〕充满chōngmǎn‖煙が部屋に～っている 房间里烟雾弥漫 ❸〔感情な

どが〕饱含bǎohán；充满chōngmǎn‖心の～った贈り物 饱含心意的礼物｜感情の～った歌声 充满感情的歌声 ❹〔声が〕含糊不清hánhu bù qīng ❺〔発散しない〕闷mèn‖陰(いん)に～る性格 性格内向

コモロ 科摩罗Kēmóluó

こもん【顧問】顾问gùwèn ✤一弁護士:顾问律师

こや【小屋】❶〔小さい建物〕小屋xiǎowū；棚屋péngwū．〔家畜の〕舍shè；圈juàn；窝棚wōpeng ❷〔興行の〕棚子péngzi；戏棚xìpéng

ごやく【誤訳】(～する)翻(译)错fān(yì)cuò；误译wùyì

こやし【肥やし】肥料féiliào．〔こえ〕粪肥fènféi．喩粮食liángshi‖畑に～をまく 给田里施肥｜失敗を～に大きく成長する 在失败中成长

こや·す【肥やす】❶〔土地を〕使(土地)肥沃shǐ (tǔdì) féiwò ❷〔家畜を〕使(家畜)长膘shǐ (jiāchù) zhǎngbiāo ❸〔識別力を〕提高鉴赏能力tígāo jiànshǎng nénglì‖目を～す 提高鉴赏力｜舌を～す 提高自己的品味 ❹〔不当な利益を得る〕‖私腹を～す 中饱私囊

こゆう【固有】❶〔元からある〕固有gùyǒu；原有yuányǒu ❷〔特有の〕特有tèyǒu ✤一名詞:专有名词

こゆび【小指】〔手の〕小拇〔手〕指xiǎomu〔shǒu〕zhǐ．〔足の〕小脚趾xiǎojiaozhǐ

こよう【雇用】(～する)雇用gùyòng；雇佣gùyōng ✤一関係:雇佣关系｜一期間:雇佣期｜一契約:雇佣合同｜一者:〔雇われている人〕受雇者；〔雇い主〕雇主｜一条件:雇佣条件｜一保険:雇佣保险

ごよう【御用】❶〔用事〕事shì；事情shìqing‖何か～ですか 有事吗？｜お安い～です 小事一桩；没问题｜～の方は受付まで 有事者请到问讯处 ❷〔公用〕公务gōngwù；差事chāishi‖お上の～をつとめる 为国家机关工作 ❸〔捕物〕拘捕jūbǔ；逮捕dàibǔ ✤一納め:官署年末的最后一个工作日

ごよう【誤用】(～する)误用wùyòng；用错yòngcuò‖言葉の～を分析する 分析病句

こよみ【暦】❶〔カレンダー〕历lì；日历rìlì；月历yuèlì；历书lìshū‖～のうえでは春だがまだずいぶん寒い 论节气已经到了春天，但还是很冷 ❷〔暦法〕历法lìfǎ

こらい【古来】古来gǔlái；自古以来zìgǔ yǐlái

こら·える【堪える】忍受rěnshòu；抑制住yìzhìzhu；忍住rěnzhu‖じっと～えて時節を待て 忍忍吧，等候时机到来｜吹き出したいのをやっと～えた 强忍住了笑｜傷の痛みを～えてプレーを続ける 忍着伤痛继续比赛

ごらく【娯楽】娱乐yúlè；文娱wényú ✤一映画:娱乐片〔电影〕｜一施設:娱乐场所；娱乐设施｜一番組:娱乐节目

こらし·める【懲らしめる】惩罚chéngfá；整治zhěngzhì；教训jiàoxun

こら·す【凝らす】❶〔集中させる〕凝聚níngjù；集中jízhōng‖目～して暗やみを見詰める 目不转睛地盯着〔凝视着〕暗处｜息を～してようすをうかがった 屏住呼吸注视着 ❷〔工夫する〕讲究jiǎngjiu；钻研zuānyán‖工夫を～す 定 花心思；下功夫｜趣向を～した出し物 别出心裁的节目

コラム 专栏zhuānlán；短评duǎnpíng

ごらん【御覧】❶〔見る〕看kàn；观看guānkàn‖もう～になりましたか 您看过了吗？ ❷〔予想が当たって〕(你)看(nǐ) kàn；(你)瞧(nǐ) qiáo‖ほら～，私の言ったとおりでしょう 你看看，我说什么来着 ❸〔して…〕(你)试试看(nǐ) shìshi kàn‖1度やって～ 做一次看看

ごりおし【ごり押し】(～する)强行qiángxíng

こりつ【孤立】(～する)孤立gūlì‖職場で～している 在单位里很孤立 ✤一無援:孤立无援

ごりむちゅう【五里霧中】五里雾中wǔlǐwù zhōng；一头雾水yìtóu wùshuǐ

ゴリラ 〔只〕大猩猩dàxīngxing

こ·りる【懲りる】吃够苦头，不想再干chīgòu kǔtou, bù xiǎng zài gàn‖一度やってみたがもう～りた 试过一次，就再也不想干了｜～りないやつ 不会吸取教训的人

こ·る【凝る】❶〔肩などが〕酸疼suānténg‖肩〔首筋〕が～っている 肩膀〔脖子〕酸疼｜肩の～らない話 轻松的话题 ❷〔熱中する〕热衷于rèzhōng yú；入迷rùmí．〔宗教に〕笃信dǔxìn‖うちの息子はロックに～っている 我儿子热衷于摇滚乐 ❸〔念を入れる〕讲究jiǎngjiu；定 精雕细刻jīng diāo xì kè‖～ったデザインの服 设计精美的服装｜日本料理は器に～る 日本菜很讲究餐具

コルク 软木ruǎnmù；木栓mùshuān‖～の栓を抜く 拔瓶塞｜～ばりの床 软木地板 ✤一抜き:红酒开瓶器；开塞钻

コルセット ❶〔婦人用下着〕〔件〕紧身(胸)衣jǐnshēn(xiōng)yī ❷〔医療用〕胸衣xiōngyī；夹板jiābǎn；围腰wéiyāo

ゴルフ 高尔夫(球) gāo'ěrfū(qiú) ✤一クラブ:高尔夫球杆｜一場:高尔夫球场｜一ボール:高尔夫球

これ 这zhè；这个zhège；这么zhème；这样zhèyàng‖～あげるよ 给你这个｜～はあなたのですか 这是你的吗？｜～と～をください 我要这个和这个｜～ではあまりにも母がかわいそうだ 这对母亲也太不公平了｜～が家内です 这是我妻子｜弟がいるんですが，～が短気で 我有个弟弟，他是个急性子

これから ❶〔今後〕以后yǐhòu；今后jīnhòu；从此以后cóngcǐ yǐhòu‖～はもっと気をつけます 今后一定多加注意｜～がたいへんだ 这往后才难呢 ❷〔いま〕现在xiànzài；这会儿zhèhuìr‖～出かけるところです 这会儿正要出去｜～言うことをよく聞いてください 请注意听我现在要说的事

コレクション 收藏shōucáng；收集shōují．〔集めたもの〕收〔珍〕藏品shōu〔zhēn〕cángpǐn‖すばらしい陶器の～ 精美的陶器收藏品

コレクト コール 对方付费电话duìfāng fùfèi diànhuà‖上海から～で電話する 从上海打受话人付费的电话

これくらい 这么zhème；这样zhèyàng；这种程度zhè zhǒng chéngdù‖～のことでへこたれるな 别为了这么点儿小事垂头丧气的｜～でもうよかろう 这样就行了吧｜～のことならだれでも知っている 这

种事谁都知道

コレステロール 胆固醇dǎngùchún ‖ ～値が高い 胆固醇高

これだけ ❶〔これきり〕这么点儿zhèmediǎnr; 全部quánbù ‖ ～は忘れないでください 可千万别把这事儿给忘了 | 彼についてわかっているのは～だ 关于他就知道这么多 ❷〔こんなにまで〕这么些zhèmexiē; 这么多zhème duō ‖ ～言ってもまだわからないのか 跟你说半天了，你还没弄明白？ | ～たくさんの人々を感動させる映画はほかにない 让如此众多的观众感动的电影别无仅有

これまで ❶〔いままで〕在这之前zài zhè zhīqián; 到目前为止dào mùqián wéizhǐ ‖ ～にも何回かその町を訪れたことがある 那个城市我以前也去过几次 ❷〔最後〕到此为止dào cǐ wéizhǐ ‖ もはや～と観念する 认定无路可走了 | 楽しい学生生活も～だ 愉快的校园生活也要结束了

これみよがし【これ見よがし】炫耀xuànyào; 卖弄màinong ‖ ～に新車を乗りまわす 开着新车到处炫耀

コレラ 霍乱huòluàn ✤一菌:霍乱菌

ころ【頃】时shí; 时候shíhou; 时期shíqī; 时节shíjié ‖ その～には都合がつくと思います 我想那时候我会有时间 | 子どもの～はとても太っていた 小时候很胖 | サクラが咲く～にまた会いましょう 在樱花盛开的季节，我们再相会吧

ごろ【語呂】语调yǔdiào; 语感yǔgǎn; 腔调qiāngdiào ‖ ～がいいので覚えやすい 念起来琅琅上口，很容易记住 ✤一合わせ:双关语；谐音的俏皮话

ころあい【頃合い】❶〔好機〕〔最佳〕时机（zuì jiā）shíjī; 适当的机会shìdàng de jīhui ‖ ～を見て 选择一个恰当的时机 ❷〔手ごろ〕正合适zhèng héshì; 恰好qiàhǎo ‖ ～の価格のマンションを見つけた 找到了一处价格适中的公寓

ころが・す【転がす】❶〔回転させて動かす〕滚动gǔndòng; 转动zhuǎndòng ‖ ドラム缶を納屋まで～して運んだ 把铁桶滚到库房 ❷〔横倒しにする〕搬倒bāndǎo; 翻倒fāndǎo; 撂倒liàodǎo ❸〔転売する〕倒卖dǎomài; 反复转售fǎnfù zhuǎnshòu ‖ 土地を～して大もうけする 转卖土地大赚了一笔 ❹〔車を運転する〕驾驶jiàshǐ

ころが・る【転がる】❶〔回転して進む〕滚动gǔndòng; 滚转gǔnzhuàn ‖ ～るように坂道をかけ下りていく 一溜烟似的跑下坡去 ❷〔横に倒れる〕倒下dǎoxia ❸〔横たわる〕躺下tǎngxia ‖ 子ども達は畳の上に～って眠ってしまった 孩子们躺在榻榻米上睡着了 ❹〔雑然と置かれている〕扔着rēngzhe; 放着fàngzhe ‖ 床に空き瓶が～っている 地上扔着些空瓶 ❺〔ざらにある〕‖ そんなものはどこにでも～っている 这种东西哪儿都有

ころげお・ちる【転げ落ちる】滚落gǔnluò; 滚下来gǔnxialai ‖ いすから～ちるほど驚いた 吓得差一点儿从椅子上掉下来

ころげまわ・る【転げ回る】滚来滚去gǔnlái gǔnqù ‖ あまりの痛みに～った 疼得到处乱滚

ころころ ❶〔物が転がる〕骨碌碌gūlūlū ‖ 卵が箱の中から～と転げ出た 鸡蛋骨碌碌地从箱子里滚了出来 ❷〔すぐにかわる〕变化无常biànhuà wúcháng ‖ 意見が～かわる 意见变来变去 ❸〔笑い声〕‖ ～とよく笑う 动不动就格格地笑 ❹〔～する〕〔丸みがある〕胖乎乎pànghūhū; 圆滚滚yuángǔngǔn ‖ ～と太った赤ちゃん 胖乎乎的婴儿

ごろごろ ❶〔物が転がる〕咕噜gūlū; 咕噜咕噜gūlūgūlū ‖ たるを～転がす 把桶咕噜咕噜地滚过去 ❷〔雷の音〕‖ ～と雷が鳴る 轰隆隆地响起了雷声 ❸〔ネコの声〕‖ ネコがのどを～鳴らしている 猫嗓子里发出呼噜呼噜的声响 ❹〔～する〕〔ありふれている〕到处都有dàochù dōu yǒu; 到处皆是dàochù jiē shì ❺〔～する〕〔無為に過ごす〕定 无所事事wú suǒ shì shì ‖ 家で～している 整天在家无所事事 ❻〔～する〕〔違和感がある〕‖ ごみが入って目が～する 眼里进了灰磨得慌 | お腹がはって～する 肚子胀得慌

ころし【殺し】杀shā; 杀人shā rén; 杀人事件shārén shìjiàn ✤一文句:讨人欢心的话；定 甜言蜜语 | 一屋:职业杀手

ころ・す【殺す】❶〔死なせる〕杀死shāsǐ; 弄死nòngsǐ. (動物を)宰杀zǎishā ‖ 人を～す 杀人 | 助けて，～される！ 救命呀！要出人命了！ ❷〔抑える〕忍住rěnzhu; 屏住bǐngzhu ‖ 息を～して聞き入る 屏息静听 | 声を～してすすり泣く 低声啜泣 ❸〔発揮させない〕牺牲xīshēng; 埋没máimò ‖ 生徒の才能を～す 埋没学生们的才能

コロッケ（土豆）可乐饼（tǔdòu）kělèbǐng;（土豆）炸肉饼（tǔdòu）zháròubǐng

ころ・ぶ【転ぶ】❶〔倒れる〕跌倒diēdǎo; 摔倒shuāidǎo ‖ 石につまずいて～ぶ 被石头绊了一跤 | ～ばぬ先のつえ 定 未雨绸缪 ❷〔成り行きがかわる〕形势变化xíngshì biànhuà ‖ どちらへ～んでも損はない 不管情况怎么变都不会吃亏

ころもがえ【衣替え】（～する）(衣服を)换季huànjì.（店舗などが)改变外观gǎibiàn wàiguān

ころりと ❶〔転がる〕骨碌碌地gūlūlū de ❷〔簡単に〕一下子就yíxiàzi jiù; 轻易地qīngyi de; 简单地jiǎndān de ‖ だれでも～だまされる 不管是谁都会轻易上当 ❸〔すっかり〕完全wánquán ‖ その件は～忘れていた 我把这件事忘了个干干净净

コロン 冒号màohào

コロンビア 哥伦比亚Gēlúnbǐyà

こわ・い【怖い・恐い】可怕kěpà; 吓人xiàrén; 令人害怕lìng rén hàipà ‖ 私は地震が～い 我怕地震 | そんなに～い顔をするな 别装出那么一副可怕的样子；别吓唬人 | そんなことをしたらあとが～い 要做了这样的事儿，会有可怕的后果的 | ～いもの知らず 定 无所畏惧；定 天不怕，地不怕

こわが・る【怖がる・恐がる】怕pà; 害怕hàipà; 恐惧kǒngjù ‖ 動物は火を～る 动物都怕火

こわき【小脇】‖ ～にかかえる 夹在腋窝下

こわごわ【怖怖】定 提心吊胆tí xīn diào dǎn; 定 小心翼翼xiǎo xīn yì yì

こわ・す【壊す】弄坏nònghuài; 破坏pòhuài; 损坏sǔnhuài ‖ おもちゃを～す 弄坏玩具 | 盗まれた自転車はかぎが～されていた 被盗的自行车的锁遭到损坏 | 腹を～す 泻〔拉；闹〕肚子 | 過度の運動は体を～す 过度运动会损害身体 | 胃を～した 把胃给搞坏了 | イメージを～す 破坏形象 | 人の家庭を～す 破坏别人的家庭 | 景観を～す 破坏景观

こわだか【声高】高声gāoshēng ‖ 行政改革が～

に叫ばれている 强烈呼吁进行行政改革
こわば・る【強張る】僵硬jiāngyìng；发僵fājiāng；紧张jǐnzhāng ‖ 恐ろしさに体中が〜った 恐怖得浑身僵硬〔发僵〕｜〜った顔つき 生硬的表情
こわ・れる【壊れる】❶〔破損する〕坏huài.（砕ける）碎suì.（建物が）倒塌dǎotā ‖ いすが〜れた 椅子坏了 ❷〔故障する〕有毛病yǒu máobing；发生故障fāshēng gùzhàng；失灵shīlíng ‖ 機械が〜れた 机器出毛病了｜センサーが〜れる 传感器失灵｜置き時計が〜れた 钟坏了 ❸〔破綻する〕破裂pòliè；告吹gàochuī ‖ 縁談が〜れた 亲事砸了
こん【根】❶〔根気〕耐心nàixīn；耐性nàixìng；毅力yìlì ‖ 〜を詰めて勉強する 尽一切努力〔聚精会神地〕学习｜精も〜も尽き果てる 定精疲力竭 ❷〔数学〕根gēn ❸〔化学〕根gēn；基jī
こん【紺】藏青色zàngqīngsè；深蓝色shēnlánsè
こんい【懇意】亲密qīnmì；亲昵qīnnì；熟悉shúxī ‖ 〜にする 很有交情；关系很好
こんいん【婚姻】婚姻hūnyīn；结婚jiéhūn ✤一関係：婚姻关系｜一届：结婚登记
こんかい【今回】这次zhè cì；这回zhè huí；此次cǐ cì ‖ 〜の試験 这次的考试｜〜限り 这回是最后一次机会
こんがらか・る ❶〔もつれる〕纠结jiūjié；纠缠在一起jiūchánzai yìqǐ；乱luàn ❷〔混乱する〕混乱hùnluàn；纠缠jiūchán；漫无头绪màn wú tóuxù ‖ 話が〜ってきた 事情弄得纠缠不清〔漫无头绪〕的｜頭が〜る 头昏脑涨
こんかん【根幹】根本gēnběn；根源gēnyuán；基础jīchǔ ‖ 日本の産業の〜 日本产业的基础｜民主社会の〜 民主社会的根基
こんがん【懇願】（〜する）恳求kěnqiú；恳请kěnqǐng；央告yānggao ‖ 上司に〜した 恳切地请求
こんき【今期】本期běn qī
こんき【根気】耐心nàixīn；耐性nàixìng；恒心héngxīn ‖ 〜がある 有恒｜〜がいる仕事 需要耐心的工作｜〜が続かない 没耐心；没毅力
こんきゅう【困窮】（〜する）穷困qióngkùn；贫穷pínqióng；困窘kùnjiǒng ‖ 生活に〜する 穷困潦倒；生活贫困 ✤一者：贫困者
こんきょ【根拠】根据gēnjù；依据yījù ‖ 〜がある〔ない〕有〔没有〕根据｜科学的〜に立つ 以科学为依据｜何を〜に 有什么根据 ✤一地：根据地
コンクール 竞赛(会) jìngsài(huì).（演劇・演芸などの）会演huìyǎn
こんくらべ【根比べ】（〜する）比耐心bǐ nàixīn
コンクリート 混凝土hùnníngtǔ ‖ 〜製の防護壁 混凝土防护墙 ✤一ブロック：水泥预制板｜一ミキサー：混凝土搅拌机
こんけつ【混血】混血hùnxuè ‖ 日本人とフランス人の〜 日本人和法国人的混血儿
こんげつ【今月】本月běn yuè；这个月zhège yuè ‖ 〜中に完成する 预定在本月中完成｜〜の給料 这个月的工资
こんげん【根源・根元】根源gēnyuán；根本gēnběn ‖ 悪の〜をたつ 铲除罪恶的根源
こんご【今後】今后jīnhòu；以后yǐhòu ‖ 〜ともよろしく 今后仍请多多关照｜日本経済の〜を占う 预测将来的日本经济
コンゴ ❶〔共和国〕刚果(布) Gāngguǒ(Bù) ❷〔民主共和国〕刚果(金) Gāngguǒ(Jīn)
こんごう【混合】（〜する）混合hùnhé ‖ 2つの液体を〜する 把两种液体混合起来〔混合在一起〕 ✤一ダブルス：混合双打｜一肥料：混合肥料
コンコース 中央大厅zhōngyāng dàtīng
ごんごどうだん【言語道断】定 岂有此理qǐ yǒu cǐ lǐ；不像话bú xiànghuà
コンコルド 协和客机Xiéhé Kèjī
こんこんと【昏昏と】‖ 〜眠る 昏昏沉沉地睡着
こんこんと【滾滾と】滚滚地gǔngǔn de ‖ 〜わき出る泉 滚滚地冒出来的泉水
こんこんと【懇懇と】谆谆zhūnzhūn；恳切地kěnqiè de ‖ 〜説得する 谆谆劝导
コンサート〔场，次〕音乐会yīnyuèhuì；演奏会yǎnzòuhuì；演唱会yǎnchànghuì ‖ 〜を開く 举办音乐会 ✤一ホール：音乐厅；演奏厅｜一マスター：首席小提琴手
こんざい【混在】（〜する）掺杂chānzá；夹杂jiāzá；混杂hùnzá ‖ さまざまな要因が〜している 各种因素夹杂在一起
こんざつ【混雑】（〜する）拥挤yōngjǐ；杂乱záluàn ‖ 交通の〜を緩和する 缓和交通的拥挤
コンサルタント 顾问gùwèn；咨询人员zīxún rényuán
こんじゃく【今昔】今昔jīnxī
こんしゅう【今週】这(个)星期zhè(ge) xīngqī；本周běn zhōu ‖ 〜はずっと雨だ 这个星期一直下雨｜〜中に 本周之内
こんじょう【根性】❶〔性質〕根性gēnxìng；禀性bǐngxìng；本性běnxìng ‖ 〜が曲がっている 禀性不好〔恶劣〕｜〜の腐ったやつ 不可救药的家伙 ❷〔ガッツ〕骨气gǔqì；毅力yìlì；耐性nàixìng ‖ 〜のある男 有骨气的男子｜〜がない 缺乏毅力
こんしん【渾身】全身quánshēn；浑身húnshēn ‖ 〜の力を振り絞る 使尽全身的力气
こんしん【懇親】联欢liánhuān；联谊liányì ‖ 〜を深める 加强联谊 ✤一会：联欢会；联谊会
こんすい【昏睡】（〜する）昏睡hūnshuì；昏迷hūnmí ‖ 〜状態に陥る 陷入昏迷状态
コンスタント 不变bú biàn；恒定héngdìng
こんせい【混成】（〜する）混成hùnchéng；混合hùnhé ✤一チーム：混合队
こんせい【混声】混声hùnshēng ✤一合唱：混声合唱；男女声合唱
こんせき【痕跡】痕迹hénjì；踪迹zōngjì ‖ 〜を残す 留下痕迹
こんせつ【懇切】✤一丁寧：恳切细致
こんぜつ【根絶】（〜する）根绝gēnjué；根除gēnchú；杜绝dùjué ‖ 悪習を〜する 根除恶习
こんせん【混戦】（〜する）❶〔乱戦〕混战hùnzhàn ❷〔勝敗が予想できない〕胜负难以预测shèngfù nányǐ yùcè
こんせん【混線】（〜する）串线chuànxiàn；串话chuànhuà ‖ 電話が〜している 电话串线了
コンセンサス 共识gòngshí；意见一致yìjian yízhì；认同rèntóng ‖ 〜を形成する 形成共识｜国民の〜を得る 得到国民的认同

こ

コンセント 插座chāzuò; 插口chākǒu
コンソメスープ 清汤qīngtāng
こんだく【混濁】(～する) ❶〔にごる〕混浊hùnzhuó; 浑浊húnzhuó ❷〔意識が〕‖意識が～する 意识模糊不清; 神志不清
コンタクト ❶〔接触〕接触jiēchù; 联系liánxì ‖～をとる 取得联系 ❷ ⇨コンタクトレンズ
コンタクト レンズ〔副〕隐形眼镜 yǐnxíng yǎnjìng ‖～をしている 戴着隐形眼镜
こんたん【魂胆】用心yòngxīn; 企图qǐtú; 图谋túmóu ‖～を見抜く 看透心思 | 彼には何か～がありそうだ 看来他心里有鬼
こんだん【懇談】(～する) 恳谈kěntán; 谈心tánxīn ‖ 市長が住民代表と～する 市长与居民代表进行了恳谈 ✣ 一会:恳谈会
コンチェルト 协奏曲xiézòuqǔ
こんちゅう【昆虫】〔只〕昆虫 kūnchóng ✣ 一採集:昆虫采集 | 一標本:昆虫标本
こんてい【根底】基点jīdiǎn; 根本gēnběn ‖ 学説を～から覆した 从根本上推翻了学说
コンディション 情况qíngkuàng; 状态zhuàngtài ‖ 体の～がよい 身体情况良好 | 試合に備えて～を整えた 为这次的比赛做好了各种准备
コンテスト 比赛bǐsài; 竞赛jìngsài
コンテナ 集装箱jízhuāngxiāng; 货柜huòguì ✣ 一車:货柜车; 集装箱列车 | 一船:集装箱船
コンデンス ミルク 炼乳liànrǔ
コント 幽默小品yōumò xiǎopǐn
こんど【今度】❶〔今回〕这次zhè cì; 这回zhè huí; 本届běn jié ‖～という～はもう許さない 这次我不能再容忍你了 | ～の日曜日 这个星期日 ❷〔次回〕下次xià cì; 下回xià huí ‖～はきみの番だ 下次该轮到你了 | この件は～にしましょう 这件事下次再说吧!
こんとう【昏倒】(～する) 昏倒hūndǎo; 晕厥yūnjué; 晕倒yūndǎo
こんどう【混同】(～する) 混同hùntóng; 混淆hùnxiáo ‖ 歴史と文学は～しないほうがいい 不应该把历史和文学混为一谈
コンドーム 避孕套bìyùntào; 安全套ānquántào
コントラスト ❶〔対比・対照〕对比duìbǐ; 对照duìzhào; 反差fǎnchā ‖～が鮮やかだ 对比〔反差〕鲜明 | ～をなす 形成反差 ❷〔画像の〕(写真などの) 反差fǎnchā. (テレビなどの) 对比度duìbǐdù
コントラバス 低音(大)提琴dīyīn(dà)tíqín
コントロール (～する) ❶〔制御・統制〕控制kòngzhì; 管制guǎnzhì. (操作) 操纵cāozòng. (調整) 调控tiáokòng ‖ 感情を～する 控制感情 | 大企業が市場を～する 大企业操纵市场 | 室温を自動的に～する 自动调节室温 ❷〔野球〕制球力zhìqiúlì ‖～がいい 控球能力很好
こんとん【混沌】混沌hùndùn; 混淆hùnxiáo
こんな 这样zhèyàng; 这种zhè zhǒng ‖～家が欲しいなあ 我想买这样的房子 | ～人ははじめてだ 我从未见过这种人 | ～にいいチャンスはめったにない 这么好的机会,实在难得
こんなん【困難】困难kùnnan; 难办nán bàn ‖ 解決の～な問題 难以解决的问题 | ～に陥る 陷入困境 | ～を抱える 面临困难 | ～に立ち向かう 迎着困难上; 与困难做斗争 | 多くの～を乗り越える 克服了很多困难 ✣ 呼吸一:呼吸困难
こんにち【今日】❶〔本日〕今天jīntiān; 今日jīnrì ❷〔現在〕如今rújīn; 当今dāngjīn; 现今xiànjīn ‖ ～の世界 当今世界 | 私が～あるのはあなたのおかげです 我能有今天,多亏了您的帮助
こんにゃく【蒟蒻】❶〔食品〕魔芋制品móyù zhìpǐn ❷〔植物〕魔芋móyù; 蒟蒻jǔruò
こんにゅう【混入】(～する) 掺chān; 混入hùnrù ‖ 不純物が～する 掺了杂质〔异物〕
コンパ 聚会jùhuì; 联谊会liányìhuì
コンバイン〔台〕康拜因kāngbàiyīn; 联合收割机liánhé shōugējī
コンパクト 小型xiǎoxíng; 便携式biànxiéshì ✣ 一ディスク:激光唱片
コンパス ❶〔製図用〕圆规yuánguī; 两脚规liǎngjiǎoguī ‖～で円をかく 用圆规画圆 ❷〔羅針盤〕罗盘luópán
こんばん【今晩】今晚jīnwǎn
コンビ (2人組) 伙伴huǒbàn. (芸人などの) 搭档dādàng
コンビニエンス ストア 便利店biànlìdiàn
コンビネーション 组合zǔhé; 配合pèihé; 搭配dāpèi
コンピューター〔台〕电脑diànnǎo; 电子计算机diànzǐ jìsuànjī ✣ 一ウイルス:电脑病毒 | 一グラフィックス:计算机图形 | 一ゲーム:电脑游戏
こんぶ【昆布】海带hǎidài
コンプレックス 自卑感zìbēigǎn ‖ 自分の体形に～がある 对自己的体形有自卑感 ✣ エディプス一:恋母情结
コンプレッサー〔台〕压缩机yāsuōjī; 气压机qìyājī
コンベヤー〔条〕传送带chuánsòngdài; 传送装置chuánsòng zhuāngzhì ✣ 一システム:传送系统
コンベンション 会议huìyì; 集会jíhuì ✣ 一ホール:会议厅
こんぼう【混紡】混纺hùnfǎng ‖ このズボンはウールとナイロンの～だ 这条裤子是毛和尼龙混纺的
こんぼう【棍棒】〔根〕棍子gùnzi; 棍儿gùnr
こんぽう【梱包】(～する) 包装bāozhuāng; 捆包kǔnbāo ‖ 木箱に～して輸送する 用木箱装箱运送
こんぽん【根本】根本gēnběn ‖ 考え方が～的に異なっている 想法根本不同 | ～から考え直す 从根本上重新考虑 ✣ 一原理:根本原理
コンマ ❶〔句読点〕逗点dòudiǎn; 逗号dòuhào ❷〔小数点〕小数点xiǎoshùdiǎn ‖～以下は切り捨て 小数点以下舍去
こんめい【混迷】(～する) 混乱hùnluàn; 动荡dòngdàng ‖～する政局 混乱的政治局势
こんや【今夜】今晚jīnwǎn; 今夜jīnyè
こんやく【婚約】(～する) 订婚dìnghūn ✣ 一者:(男) 未婚夫; (女) 未婚妻 | 一破棄:解除婚约 | 一指輪:订婚戒指
こんらん【混乱】(～する) 混乱hùnluàn
こんりゅう【建立】(～する) 修建xiūjiàn; 建立jiànlì; 开山kāishān
こんれい【婚礼】婚礼hūnlǐ
こんろ【焜炉】炉子lúzi; 火炉huǒlú
こんわく【困惑】(～する) 困惑kùnhuò; 迷惘míwǎng

さ

さ【差】差chā；差别chābié；距离jùlí ‖ ～が大きい 差距很大｜雲泥の～ 定 天壤之别｜～をつける 加以区别｜～が開く 拉开距离

ざ【座】❶〔座席·場所〕座位zuòwei ‖ ～をはずす 离座｜～が白ける 冷场｜～をとり持つ 很会应酬｜～が和む 气氛和睦｜～が持たない 应付不了场面 ❷〔地位〕地位dìwèi；宝座bǎozuò ‖ 権力の～につく 登上权力的宝座

さあ ❶〔誘う·促す〕好hǎo；好了hǎo le；来lái；欸ēi；哎āi ‖ ～始めるぞ 好，开始了！ ❷〔驚き·喜び·意気込み〕哎呀āiyā；哎āi；嘿hēi ‖ ～困った 哎呀，麻烦了 ❸〔ためらい〕咳hāi；嗯ňg ‖ ～どうかな 咳，怎么说呢

サー 〈卿〉爵士juéshì ‖ ～·エドワード·エルガー 爱德华·埃尔加爵士

サーカス 〈団〉马戏团mǎxìtuán

サークル 兴趣小组xìngqù xiǎozǔ ✤ 一活動：小组活动

ざあざあ 哗啦哗啦huālāhuālā ‖ 雨が～降っている 雨哗啦哗啦地下着

ザーサイ【搾菜】榨菜zhàcài

サーチライト 探照灯tànzhàodēng

サーバー ❶〔コンピューター〕服务器fúwùqì ❷〔球技〕发球员fāqiúyuán ✤ メール一：邮件服务器

サービス (～する) ❶〔接待·接客〕服务fúwù；招待zhāodài ‖ ～がよい〔悪い〕服务好〔不好〕 ❷〔無料·割引〕免费奉送miǎnfèi fèngsòng；降价出售jiàngjià chūshòu ✤ 一エース：发球得分｜一エリア：(高速道路の)服务区；休息处｜一業：服务业｜一残業：无偿加班；义务加班｜一ステーション：(電気製品などの修理)服务站；修理站；(給油所)加油站｜一料：服务费；附加费

サーブ 发球fāqiú

サーフィン 冲浪chōnglàng ‖ ～をする 冲浪 ✤ ネット一：(上网)冲浪

サーフボード 冲浪板chōnglàngbǎn

サーモン ⇨さけ(鮭)

サーロイン 牛的腰部肉niú de yāobùròu ✤ 一ステーキ：沙朗牛排

さい【才】才能cáinéng；才干cáigàn；才华cáihuá ‖ 才子～におぼれる 聪明反被聪明误

さい【差異】差异chāyì；差别chābié

さい【犀】犀牛xīniú

さい【際】…之际 …zhī jì；时(候) shí(hou)；时机shíjī ‖ 非常の～ 紧急关头

さい-【再】再zài；再度zàidù；重新chóngxīn ✤ 一就職：再就业

さい-【最】最zuì ‖ 業界～大手 行业中最大的企业

-さい【歳】岁suì ‖ 80～ 80岁

ざい【財】财产cáichǎn；家产jiāchǎn；家当jiādang ‖ 一代で～をなす 只一代就积下家产 ✤ 一テク：理财

さいあい【最愛】最爱zuì ài

さいあく【最悪】最坏zuì huài；最糟zuì zāo

ざいあく【罪悪】罪恶zuì'è；罪孽zuìniè ✤ 一感：罪恶感 ‖ ～にさいなまれる 被罪恶感折磨

ざいい【在位】在位zàiwèi

さいえん【再演】(～する)再演zài yǎn；重演chóngyǎn

さいえん【菜園】菜园càiyuán

さいおうがうま【塞翁が馬】定 塞翁失马sài wēng shī mǎ

さいかい【再会】(～する)再会zàihuì；重逢chóngféng ‖ ～を果たす 久别重逢

さいかい【再開】(～する)重新开放chóngxīn kāi fàng；再次举行zàicì jǔxíng

さいがい【災害】灾害zāihài；灾难zāinàn ✤ 一救助法：救灾法｜一対策：灾害对策；抗灾对策｜一保険：灾害保险｜一補償：灾害补偿

ざいかい【財界】财界cáijiè；实业界shíyèjiè；商界shāngjiè ✤ 一人：财界人士

ざいがい【在外】在外zàiwài；驻外zhùwài ✤ 一公館：驻外公馆｜一邦人：海外日本人

さいかく【才覚】才干cáigàn；才智cáizhì

ざいがく【在学】(～する)在学zàixué；在校zàixiào ✤ 一証明書：在校证明｜一生：在校生

さいき【才気】才气cáiqì；才华cáihuá ‖ ～煥発(かんぱつ) 才华横溢

さいき【再起】(～する) ❶〔病気から〕恢复健康huīfù jiànkāng ❷〔失敗から〕定 卷土重来juǎn tǔ chóng lái；定 东山再起Dōngshān zài qǐ；重新做起chóngxīn zuòqi ‖ ～不能のダメージを受ける 受到致命的打击

さいぎ【猜疑】猜疑cāiyí ‖ ～心が強い 疑心重

さいきん【細菌】细菌xìjūn ✤ 一性疾病：细菌性疾病｜一戦：细菌战｜一培養：细菌培养｜一兵器：细菌武器

さいきん【最近】最近zuìjìn

ざいきん【在勤】(～する)在职zàizhí；在岗zàigǎng

さいく【細工】(～する) ❶〔製作〕手工艺(品) shǒugōngyì(pǐn) ‖ この～は実にみごとだ 这件手工艺品非常出色 ❷〔たくらむ〕耍花招shuǎ huāzhāo；定 弄虚作假nòng xū zuò jiǎ ‖ 帳簿に～する 粉饰账面

さいくつ【採掘】(～する)采掘cǎijué；开采kāicǎi ‖ 石炭を～する 挖煤

サイクリング 自行车远行〔旅行〕zìxíngchē yuǎnxíng〔lǚxíng〕 ‖ ～に行く 骑自行车远行 ✤ 一コース：自行车路线

サイクル ❶〔回転·周期〕周期zhōuqī ❷〔周波数〕频率pínlǜ

さいけいこく【最恵国】最惠国zuìhuìguó ✤ 一待遇：最惠国待遇｜一約款：最惠国条款

さいけつ【採血】(～する)验血yànxuè；抽血chōu xuè

さいけつ【採決】(～する)表决biǎojué ‖ 挙手による～ 举手表决｜～をとる 进行表决

さいけつ【裁決】(～する) ❶〔決定を下す〕裁决cáijué；裁夺cáiduó ❷〔法律〕判决pànjué

さ

さいげつ【歳月】岁月suìyuè; 年月niányue ‖ ～人を待たず 定岁月不待人
さいけん【再建】(～する)❶〔建物を〕重建chóngjiàn; 重修chóngxiū; 再建zài jiàn ‖ 寺院を～する 重修寺院 ❷〔団体・組織などを〕重新组建chóngxīn zǔjiàn; 重建chóngjiàn
さいけん【債券】债券zhàiquàn
さいけん【債権】债权zhàiquán ✣ 一国:债权国｜一者:债权人; 债主｜一譲渡:债权转让｜一処理:处理债权
さいげん【再現】(～する)再现zàixiàn
さいげん【際限】尽头jìntóu; 限度xiàndù; 终点zhōngdiǎn ‖ ～がない 没有尽头
ざいげん【財源】财源cáiyuán; 费用来源fèiyong láiyuán ‖ ～を確保する 确保财源
さいこ【最古】最早zuì zǎo; 最古老zuì gǔlǎo
さいご【最後】❶〔終わり〕最后zuìhòu; 最终zuìzhōng ‖ ～のチャンス 最后一次机会｜～の手段 最后手段｜～の切り札 绝招 ❷〔…したらそれきり〕如果…就 rúguǒ…jiù; 一旦…就 yídàn…jiù ‖ 言い出したが～あとに引かない 一旦说了就不会退让 ✣ 一通牒(つうちょう):最后通牒
さいご【最期】临终línzhōng; 临死línsǐ ‖ ～をみとる 送终｜～を遂げる 结束一生｜～を迎える 走到末日
ざいこ【在庫】库存kùcún ✣ 一一掃セール:清仓大甩卖｜一管理:库存管理｜一品:库存; 存货
さいこう【再考】(～する)重新考虑chóngxīn kǎolǜ ‖ ～を求める 要求重新考虑
さいこう【最高】❶〔いちばん高い〕最高zuì gāo ❷〔すばらしい〕最好zuì hǎo; 最佳zuì jiā ‖ ～に気分がいい 开心极了 ✣ 一学府:最高学府｜一気温:最高气温｜一記録:最高记录｜一裁判所:最高法院｜一速度:最高速度
ざいこう【在校】(～する)在校zàixiào ✣ 一生:在校生
さいこうちょう【最高潮】极点jídiǎn; 最高潮zuì gāocháo
さいこうほう【最高峰】❶〔いちばん高い峰〕最高峰zuìgāofēng ❷〔いちばんすぐれたもの〕顶峰dǐngfēng; 巅峰diānfēng
さいころ【賽子・骰子】骰子tóuzi; 色子shǎizi ‖ ～を振る 掷骰子
さいこん【再婚】(～する)再婚zàihūn.（女性が）改嫁gǎijià
さいさき【幸先】‖ ～のよいスタートを切る 有良好的开端｜～がいい 好兆头｜～が悪い 坏兆头
さいさん【再三】再三zàisān; 反复fǎnfù; 屡次lǚcì ✣ 一再四: 定一而再, 再而三
さいさん【採算】核算(盈亏) hésuàn (yíngkuī) ‖ ～がとれる〔とれない〕 合算〔不合算〕｜～を度外視する 不计盈亏
ざいさん【財産】〔笔〕财产cáichǎn; 财富cáifù ‖ ～を差し押さえる 扣押〔查封; 查抄〕财产｜～を分ける 分财产｜～を残す 留下遗产 ✣ 一家:财主｜一権:财产权｜一税:财产税｜一相続:财产继承｜一分与:财产分割｜一目録:资产目录
さいし【妻子】妻子儿女qīzi érnǚ ‖ ～を養う 定拖家带口; 养家糊口
さいしき【彩色】(～する)上色shàngshǎi ‖ ～を施す 上色
さいじつ【祭日】节日jiérì
ざいしつ【材質】❶〔木材の性質〕木质mùzhì ❷〔材料の性質〕材质cáizhì
さいして【際して】当…的时候 dāng…de shíhou; 面临…之际 miànlín…zhī jì
さいしゅう【採集】(～する)搜集sōují; 采集cǎijí ‖ 昆虫を～する 采集昆虫
さいしゅう【最終】❶〔いちばん終わり〕最后zuìhòu ‖ ～的な結論を出す 做出最后结论 ❷〔乗り物の〕(バス・列車の)末班车mòbānchē.（飛行機の）末班飞机mòbān fēijī ✣ 一回:最后一幕〔一集〕｜一日:最后一天
さいしゅつ【歳出】岁出suìchū; 年支出nián zhīchū ✣ 一入:岁入与岁出
さいしゅっぱつ【再出発】(～する)重新出发chóngxīn chūfā; 从头再来cóngtóu zài lái ‖ コーチとして～する 改当教练
さいしょ【最初】最初zuìchū; 开头kāitóu; 第一次dì yī cì ‖ ～からやり直す 从头再来
さいじょ【才女】才女cáinǚ
さいしょう【宰相】首相shǒuxiàng; 总理zǒnglǐ; 宰相zǎixiàng
さいしょう【最小】最小zuì xiǎo ✣ 一限:最小限度｜一公倍数:最小公倍数
さいしょう【最少】最少zuì shǎo
さいじょう【最上】最高zuì gāo; 最好zuì hǎo; 最佳zuì jiā ✣ 一階:(最)顶层
ざいじょう【罪状】罪状zuìzhuàng ✣ 一認否:认罪与否
さいじょうきゅう【最上級】❶〔いちばん上の等級〕最高级zuìgāojí; 最高等zuìgāoděng ❷〔言語〕最高级zuìgāojí
さいしょく【才色】才貌cáimào ✣ 一兼備:才貌双全
さいしょく【彩色】⇨さいしき(彩色)
さいしょく【菜食】(～する)吃素chīsù; 素食sùshí ✣ 一主義:素食主义
さいしん【再審】(～する)重审chóngshěn; 再审zàishěn ✣ 一請求:再审请求
さいしん【細心】细心xìxīn; 定小心翼翼xiǎoxīn yì yì ‖ ～の注意を払って 小心翼翼地
さいしん【最新】最新zuì xīn ‖ ～のファッション 时装 ✣ 一型:最新型｜一式:最新式
さいじん【才人】才子cáizǐ; 才人cáirén
サイズ 尺寸chǐcun; 大小dàxiǎo ‖ ～が合う〔合わない〕 尺寸合适〔不合适〕
さいすん【採寸】(～する)量尺寸liáng chǐcun
さいせい【再生】(～する)❶〔生き返る〕重生chóngshēng; 复活fùhuó; 复苏fùsū ‖ 経済～の道 经济复苏的办法 ❷〔再利用〕翻新fānxīn; 再利用zài lìyòng ❸〔音・映像の〕放fàng ❹〔心を改める〕重新做人chóngxīn zuòrén; 定洗心革面xǐ xīn gé miàn ❺〔体の一部が〕再生zàishēng ✣ 一紙:再生纸｜一資源:再生资源
ざいせい【財政】❶〔公の〕财政cáizhèng; 经济状况jīngjì zhuàngkuàng ❷〔個人・家庭の〕经济jīngjì ‖ わが家の～ 我家的经济状况 ✣ 一赤字:财政赤字｜一援助:经济援助｜一危機:财政危机｜一再建:重建财政｜一難:财政困境

さいせいき【最盛期】全盛期quánshèngqī；鼎盛期dǐngshèngqī；旺季wàngjì
ざいせき【在籍】(～する)在籍zàijí；在册zàicè ✤―者：(団体などの)在册人员；(学生)在籍学生｜―証明書：(学校の)在学证明；(団体の)在籍证明
さいせん【再選】(～する)连选liánxuǎn；再次当选zàicì dāngxuǎn
さいぜん【最善】❶〔もっともよい〕最好zuì hǎo ❷〔ベスト〕全力quánlì‖～を尽くす 竭尽全力
さいぜんせん【最前線】最前线zuì qiánxiàn；第一线dìyīxiàn；前沿qiányán
さいせんたん【最先端】❶〔技術などの〕最先进zuì xiānjìn；顶端dǐngduān ❷〔時代や流行の〕最前头zuì qiántou ❸〔いちばん先の部分〕最先端zuì xiānduān；顶端dǐngduān
さいぜんれつ【最前列】最前排zuì qiánpái
さいそく【催促】(～する)催促cuīcù‖矢の～ 三番五次地催
サイダー 汽水qìshuǐ
さいたい【臍帯】脐带qídài ✤―血：脐带血
さいだい【細大】‖～漏らさず 巨细无遗地
さいだい【最大】最大zuì dà ✤―限：最大限度｜―公約数：最大公约数｜―瞬間風速：瞬间最大风速
さいたく【採択】(～する)选定xuǎndìng；通过tōngguò
ざいたく【在宅】(～する)在家zài jiā ✤―勤務：在家工作｜―ケア：上门医疗服务
さいたん【最短】最短zuì duǎn ✤―距離：最短距离｜―コース：最短的路线
さいだん【裁断】(～する)❶〔紙·布などを〕剪裁jiǎncái；切断qiēduàn；截断jiéduàn ❷〔よしあしなどを〕裁决cáijué；裁处cáichǔ
ざいだん【財団】财团cáituán ✤―法人：财团法人
さいち【才知】才智cáizhì‖～にたける 才智非凡
さいちゅう【最中】正在…zhèngzài…‖いま打ち合わせの～です 现在正在商谈中
ざいちゅう【在中】内有…nèi yǒu…‖写真～，折り曲げ厳禁 内有照片，请勿折叠
さいてい【最低】❶〔いちばん低い〕最低zuì dī ❷〔劣る〕最次zuì cì；最差zuì chà；不像话bú xiànghuà‖昨日見た映画は～だった 昨天看的电影太差了 ✤―気温：最低气温｜―限：最低限度；最起码｜―賃金：最低工资
さいてい【裁定】(～する)裁决cáijué；裁定cáidìng
さいてき【最適】最适合zuì shìhé；最恰当zuì qiàdàng‖この仕事には石井さんが～だ 这个工作石井做最适合
さいてきか【最適化】(～する)优化yōuhuà
さいてん【採点】(～する)评分píngfēn；打分dǎ fēn‖～が甘い〔辛い〕 评分宽〔严〕 ✤―基準：评分标准｜―欄：评分栏
さいてん【祭典】❶〔祭儀〕祭礼jìlǐ ❷〔華やかな行事〕盛会shènghuì‖スポーツの～ 体育盛会
サイト 网站wǎngzhàn；站点zhàndiǎn ✤ウェブ―：(万维)网站｜ポータル―：门户网站
サイド ❶〔脇〕侧面cèmiàn ❷〔立場〕方面fāngmiàn；一侧yí cè‖学校～ 校方｜経営者～ 经营者方面 ✤―テーブル：旁桌｜―ビジネス：副业｜―ブレーキ：手闸｜―ミラー：(车外)后视镜｜―ライン：边线｜―リーダー：辅助读物
さいな·む【苛む】折磨zhémo；折腾zhēteng；谴责qiǎnzé
さいなん【災難】灾难zāinàn；灾祸zāihuò‖～に遭う 遇到灾难｜運よく～を免れる 幸免于难
さいにゅう【歳入】岁入suìrù；年收入nián shōurù‖～が増える 增加岁入
さいにん【再任】(～する)连任liánrèn；重新委任chóngxīn wěirèn‖議長に～する 连任议长
ざいにん【在任】(～する)在职zàizhí
ざいにん【罪人】罪人zuìrén；犯人fànrén
さいねん【再燃】(～する)复发fùfā；再次发生zàicì fāshēng；重新抬头chóngxīn táitóu
さいのう【才能】才能cáinéng；才华cáihuá；才力cáilì‖～を磨く 磨练才能｜～を生かす〔殺す〕 发挥〔扼杀〕才能｜～をはぐくむ 培养才能｜～を引き出す 使…发挥才能｜～を見抜く 发现才能
さいのめ【賽の目·采の目】❶〔さいころの目〕骰子点儿tóuzi diǎnr ❷〔料理〕切块儿qiē kuàir‖～に切る 切成小块儿
サイバー 网络(的) wǎngluò (de)；赛博sàibó ✤―カフェ：网吧｜―スペース：网络〔网际〕空间｜―テロ：网络恐怖(主义)｜―犯罪：网络犯罪
さいはい【采配】‖～を振る 定 发号施令
さいばい【栽培】(～する)栽培zāipéi；种植zhòngzhí
さいはつ【再発】(～する)重新发作chóngxīn fāzuò；复发fùfā；犯老毛病fàn lǎo máobing‖リューマチが～した 风湿病又犯了
さいはん【再犯】重犯chóngfàn
さいはん【再版】❶(～する)〔既刊の出版物をまた出版する〕再版zàibǎn ❷〔重版〕再次印刷zàicì yìnshuā
さいばん【裁判】(～する)审判shěnpàn；审理shěnlǐ‖～に勝つ〔負ける〕 胜〔败〕诉｜～に持ち込む 告上法庭 ✤―官：法官；审判员｜―権：审判权｜―沙汰(ざた)：打官司｜―長：审判长
さいばんしょ【裁判所】法院fǎyuàn；法庭fǎtíng
さいふ【財布】钱包qiánbāo‖～を落とす 丢钱包｜～のひもを緩める〔締める〕 放松〔紧缩〕开支｜～のひもがかたい 钱包攥得很紧｜～と相談する 要看兜里有没有钱｜～の底をはたいて買う 倾囊买
さいぶ【細部】细节xìjié
さいぶん【細分】(～する)详细划分xiángxì huàfēn
さいほう【裁縫】(～する)缝纫féngrèn；(做)针线活儿(zuò) zhēnxianhuór ✤―道具：针线｜―箱：针线盒
さいぼう【細胞】细胞xìbāo‖～をつくる 组织细胞｜～を破壊する 破坏细胞 ✤―遺伝学：细胞遗传学｜―核：细胞核｜―組織：细胞的组织｜―分裂：细胞的分裂｜―膜：细胞膜
ざいほう【財宝】财宝cáibǎo；财富cáifù
さいほうそう【再放送】(～する)重新播送chóngxīn bōsòng；重播chóngbō
さいまつ【歳末】年底niándǐ；年终niánzhōng

さ

✤一大売り出し:年底大甩卖｜一贈答品:年终的礼物｜一助け合い運動:年底的互助活动
さいむ【債務】债务zhàiwù; 所欠的债suǒ qiàn de zhài‖～を履行する 履行债务｜～をとり立てる 催缴债务 ✤一国:债务国｜一者:债务者
ざいむ【財務】财务cáiwù ✤一諸表:财务报表
さいもく【細目】详细项目xiángxì xiàngmù; 具体项目jùtǐ xiàngmù
ざいもく【材木】木材mùcái; 木料mùliào‖～を切り出す 砍伐木材 ✤一置き場:贮木场
さいゆうしゅう【最優秀】最优秀的zuì yōuxiù de; 最佳zuì jiā ✤一賞:最佳奖｜一選手:最佳运动员
さいよう【採用】(～する)❶〔案や方法を〕采纳cǎinà; 采用cǎiyòng ❷〔雇用する〕录用lùyòng; 录取lùqǔ; 雇用gùyòng ✤一試験:录用考试
さいらい【再来】(～する)❶〔再び来る〕再来zài lái; 再次zàicì‖石油危機の～ 再次发生石油危机 ❷〔生まれかわり〕复生fùshēng; 再世zàishì; 转世zhuǎnshì‖諸葛孔明の～と言われる 被称为诸葛亮转世
ざいらい【在来】✤一線:原有的铁路线｜一品種:固有品种
ざいりゅう【在留】✤一許可:居住许可｜一資格:在留资格
さいりょう【最良】最好的zuì hǎo de‖わが生涯～の年 我一生中过得最幸福的一年
さいりょう【裁量】(～する)做出决定并予以处理zuòchu juédìng bìng yǔyǐ chǔlǐ‖…の～にゆだねる 由…决定｜きみの～に任せる 你看着决定吧
ざいりょう【材料】材料cáiliào; 资料zīliào; 素材sùcái‖料理の～ 做菜用的材料｜反論の～ 反驳的把柄｜小説の～ 写小说的题材 ✤一費:材料费｜建築一:建筑材料｜実験一:实验材料
ざいりょく【財力】❶〔金の威力〕财力cáilì‖～に物をいわせる 倚仗财势 ❷〔経済力〕经济能力 jīngjì nénglì
さいるい【催涙】✤一ガス:催泪性毒气｜一弾:催泪弹
サイレン 汽笛qìdí; 警报器jǐngbàoqì; 警铃jǐnglíng‖～を鳴らす 鸣笛
さいわい【幸い】❶〔幸福・幸運〕幸运xìngyùn‖不幸中の～ 不幸中之万幸 ❷〔うまい具合に〕正好zhènghǎo; 幸亏xìngkuī‖～なことにけが人はなかった 幸亏没有人受伤 ❸(～する)〔よい結果をもたらす〕帮…忙 bāng…máng; 有利于yǒulì yú‖雨が～してあまり混んでいなかった 幸亏下雨了,人不太多
サイン (～する)❶〔署名すること〕签字qiānzì; 签名qiānmíng; 署名shǔmíng‖書類に～する 在文件上签字 ❷〔合図・暗号〕信号xìnhào; 暗号ànhào; 手势shǒushì ✤一会:签名会｜一ペン:⇨フェルト「一ペン」
サウジアラビア 沙特阿拉伯 Shātè'ālābó
サウナ 桑拿浴sāngnáyù‖～に入る 洗桑拿浴
サウンド 声音shēngyīn; 音响yīnxiǎng ✤一エフェクト:音响效果｜一トラック:〔フィルムの縁〕声带;〔音楽〕电影配乐
-さえ ❶〔…ですら〕连lián; 甚至shènzhì‖そんなことは子どもで～知っている 这种事连小孩儿都懂 ❷〔…でさえあれば〕只要…就行 zhǐyào…jiù xíng‖話を聞いてあげ～すればそれでいい 你只要好好儿听他说就行了
さえぎ・る【遮る】❶〔見えないようにする〕遮挡zhēdǎng; 遮蔽zhēbì‖木に～られて見えない 视线被树遮挡看不到 ❷〔邪魔する〕打断dǎduàn; 遮住zhēzhù‖人の話を途中で～る 打断别人讲｜光を～る 遮挡光线
さえず・る【囀る】鸣啭míngzhuàn
さ・える【冴える】❶〔光や音が〕鲜明xiānmíng; 清晰qīngxī ❷〔技術が〕灵敏língmǐn; 熟练shúliàn ❸〔神経が〕精神兴奋jīngshen xīngfèn‖気分が～えない 情绪不好｜頭が～えている 头脑清晰｜目が～えて眠れない 脑子太兴奋了,怎么也睡不着 ❹〔ぱっとしない〕‖～えないかっこう 打扮得不起眼
さお【竿・棹】❶〔竹の棒〕〔根,支〕竹竿zhúgān; 竿子gānzi ❷〔船の〕船篙chuángāo
さおだけ【竿竹】〔根,支〕竹竿zhúgān
さか【坂】❶〔傾斜道〕坡pō; 坡路pōlù‖のぼり～ 上坡｜急な～ 陡坡｜～を下りる 走下坡 ❷〔物事の境目〕‖70の～を越す 70岁了
さかい【境】❶〔物事の接するところ〕界限jièxiàn; 交界jiāojiè‖天と地の～ 天地之交｜生死の～をさまよう 挣扎在生死线上 ❷〔土地の区切りめ〕分界fēnjiè‖国の～ 国境｜～を接する 接壤
さか・える【栄える】兴隆xīnglóng; 繁荣fánróng; 昌盛chāngshèng
さがく【差額】差额chā'é; 差价chājià
さかさ【逆さ】反fǎn; 倒dào; 逆nì‖～にはる 倒着贴 ✤｜一睫(まつ):倒睫
さかさま【逆様】⇨さかさ(逆さ)
さが・す【捜す・探す】找zhǎo; 寻找xúnzhǎo; 寻求xúnqiú; 搜查sōuchá‖職を～す 寻找工作｜人のあらを～す 挑别人的毛病｜新居を～す 找新的住处｜部屋中を～す 找遍整个房间｜ポケットの中を～す 翻口袋找｜キーワードで～す 用关键字查询｜～しあてる 找到｜～しまわる 到处寻找｜地図でバス停を～す 看交通图找公共汽车站
さかずき【杯】〔只,个〕酒盅jiǔzhōng; 酒杯jiǔbēi‖～を交わす 互相敬酒
さかだち【逆立ち】(～する)倒立dàolì; 拿(大)顶ná(dà)dǐng‖中国語では～しても彼にはかなわない 再努力我的汉语也赶不上他
さかだ・てる【逆立てる】倒立dàolì; 倒竖dàoshù‖イヌが毛を～てる 狗倒竖起毛
さかて【逆手】‖～にとる 囧将计就计
さかな【肴】酒菜jiǔcài; 下酒菜xiàjiǔcài‖旅のみやげ話を～に一杯やる 说些旅途见闻以助酒兴
さかな【魚】〔条〕鱼yú‖～を釣る 钓鱼｜～を3枚におろす 把鱼片成三片｜～を焼く 烤鱼
さかなで【逆撫で】(～する)❶〔逆になでる〕梳倒毛shūdào máo; 倒捋dàolǚ ❷〔嫌がることをする〕触怒chùnù
さかねじ【逆捩じ】‖～を食わせる 反击; 反攻
さかのぼ・る【遡る・溯る】❶〔流れに逆らって〕溯sù; 逆流而上nìliú ér shàng‖川を～る 逆河流而上 ❷〔過去へ〕追溯zhuīsù; 回溯huísù

さかば【酒場】酒馆 jiǔguǎn；酒家 jiǔjiā；酒吧 jiǔbā

さかみち【坂道】坡道pōdào

さかもり【酒盛り】〔桌,席〕酒宴 jiǔyàn ‖ 盛大な〜を開いた 我们摆了一席丰盛的酒宴

さから·う【逆らう】❶〔逆行する〕逆nì ‖ 流れに〜う 逆流｜風に〜う 顶风 ❷〔反抗する〕反抗fǎnkàng；违抗wéikàng；顶撞dǐngzhuàn

さかり【盛り】❶〔絶頂〕最…的时候 zuì…de shíhou ‖ イチゴはいまが〜だ 现在正是草莓大量上市的时节｜人生の〜 精力最充沛的时期｜遊びたい〜だ 最贪玩的时期｜食べ〜 最能吃的时候｜働き〜 最有精力工作的时候 ❷〔発情期〕(动物)发情(dòngwù)fāqíng

さが·る【下がる】❶〔垂れ下がる〕挂guà；垂chuí；吊diào ‖ 店先に休業の札が〜っている 商店门上挂着停止营业的牌子 ❷〔低くなる〕降落jiàngluò ‖ 地盤が〜る 地面下沉 ❸〔温度が〕降jiàng；下降xiàjiàng ‖ 熱が〜る 退烧 ❹〔価値が〕降价jiàngjià；降低jiàngdī ‖ 物価が〜る 物价下降 ❺〔地位·成績が〕降jiàng；下降xiàjiàng ❻〔退く〕后退hòutuì；向后倒退 xiàng hòu dàotuì ‖ 白線の内側にお〜りください 请退到白线后边

さかん【盛ん】❶〔勢いがある〕兴盛xīngshèng；旺盛wàngshèng；盛行shèngxíng ‖ 若者の間ではスノーボードが〜だ 在年轻人中间单板滑雪很盛行 ❷〔元気だ〕强壮 qiángzhuàng；健壮 jiànzhuàng ‖ 老いてますます〜 老当益壮 ❸〔熱心だ〕激烈jīliè；积极jījí ‖ 〜に議論する 进行激烈的辩论｜〜な拍手を送る 热烈鼓掌

さき【先】❶〔先端〕尖儿jiānr；端duān；尖端jiānduān；顶端dǐngduan ❷〔前方〕前面qiánmian；前方qiánfāng；前头qiántou ❸〔前もって·より早く〕事前shìqián；预先yùxiān；先xiān；早zǎo ‖ 〜に万全の手を打っておく 事先准备周全｜お〜に失礼します 我先告辞了｜お〜にどうぞ 您先请｜〜を急ぐ 赶路 ❹〔順位·地位がより前〕优先yōuxiān；首先shǒuxiān ‖ この仕事を〜にする 先做这个工作｜〜を争う 争先恐后｜〜を越す 抢先机 ❺〔将来〕将来jiānglái；未来wèilái；前程qiánchéng；以后yǐhòu ‖ 〜が思いやられる 为前途担忧｜〜の見通し 对将来的预测｜お〜真っ暗 前景暗淡｜〜が長くない 风烛残年

さぎ【詐欺】欺诈qīzhà；欺骗qīpiàn；诈骗zhàpiàn ‖ 〜をはたらく 骗人｜〜にひっかかる 上当受骗 ✤一師:骗子

さぎ【鷺】鹭lù

さきおくり【先送り】(〜する)留待将来(处理) liú dài jiāng lái (chǔlǐ)；往后推wǎng hòu tuī

さきおととい【一昨昨日】大前天dàqiántiān

さきおととし【一昨昨年】大前年dàqiánnián

さきがけ【先駆け】领先lǐngxiān；先驱xiānqū；带头人dàitóurén

さきごろ【先頃】不久以前bùjiǔ yǐqián；前些日子qián xiē rìzi；前些时候 qián xiē shíhou

さきざき【先先】❶〔行くところ〕到处dàochù；所到之处suǒ dào zhī chù ❷〔未来〕将来jiānglái；日后rìhòu

サキソホン〔支,把〕萨克斯管sàkèsīguǎn

さきだ·つ【先立つ】❶〔それ以前に〕在…之前zài … zhī qián ‖ 出発に〜って 出发之前 ❷〔先に死ぬ〕先死xiān sǐ ‖ 一人息子に〜たれた 我唯一的儿子先我而去了 ❸〔必要〕‖ 〜つものがない 手头没钱｜何をするにも〜つものは金だ 无论干什么事,首先需要的就是钱

さきどり【先取り】(〜する)预先yùxiān；抢先qiǎngxiān ‖ 時代を〜する 走〔抢〕在时代前面

さきばし·る【先走る】贸然从事màorán cóngshì；㊜操之过急cāo zhī guò jí

さきばらい【先払い】(〜する)❶〔先に支払う〕预付yùfù；先付xiān fù ❷〔受取人払い〕由收信〔货〕人付邮费yóu shōuxìn〔huò〕rén fù yóufèi

さきぼそり【先細り】(〜する)㊜每况愈下měi kuàng yù xià；日益衰退rìyì shuāituì

さきほど【先程】刚才gāngcái；方才fāngcái

さきまわり【先回り】(〜する)抢先(到达) qiǎngxiān(dàodá)

さきもの【先物】期货qīhuò ✤一買い:买期货｜一価格:期货价｜一市場:期货市场｜一相場:期货行情｜一取引:期货交易

さきゅう【砂丘】沙丘shāqiū；沙岗shāgǎng

さきゆき【先行き】前景qiánjǐng；前途qiántú；将来jiānglái；走势zǒushì ‖ 〜が明るい 前途光明

さぎょう【作業】(〜する)作业zuòyè；工作gōngzuò；劳动láodòng ✤一員:作业人员；操作人员｜一服:工作服；劳动服

さ·く【咲く】开kāi ‖ チューリップの花が〜く 郁金香开花了｜話に花が〜いた 话谈得兴高采烈

さく【柵】〔道,个,圈〕栅栏zhàlan ‖ 鉄の〜 铁栅栏｜芝生を〜で囲む 用栅栏把草坪围起来

さ·く【割く】抽出chōuchu；分出fēnchu；腾出téng chu ‖ 時間を〜く 抽出时间｜紙面を〜く 腾出版面

さく【策】计策jìcè；方案fāng'àn；办法bànfǎ ‖ 万全の〜 万全之策｜窮余の〜 最后一着｜〜を講ずる 想方设法｜苦肉の〜 苦肉计｜〜を弄(ろう)する 耍花招；玩弄权术

さ·く【裂く】撕开sīkāi；切开qiēkāi；劈开pīkāi ‖ 仲を〜く 离间关系

さくいん【索引】索引suǒyǐn

さくがら【作柄】收成shōucheng；年成niáncheng；年景niánjǐng；产量chǎnliàng

さくげん【削減】(〜する)削减xuējiǎn；缩减suōjiǎn；裁减cáijiǎn

さくさん【酢酸】醋酸cùsuān；乙酸yǐsuān ✤一塩:醋酸盐；醋酸酯

さくし【作詞】(〜する)作(歌)词zuò (gē)cí ✤一家:歌词作者；作词家

さくし【策士】策士cèshì；谋士móushì ‖ 〜策におぼれる ㊜聪明反被聪明误

さくじつ【昨日】昨天zuótiān；昨日zuórì

さくしゃ【作者】作者zuòzhě；著者zhùzhě

さくしゅ【搾取】(〜する)剥削bōxuē；榨取zhàqǔ；压榨yāzhà

さくじょ【削除】(〜する)删除shānchú；删掉shāndiào；删去shānqu

さくせい【作成】(〜する)编写biānxiě；制定zhìdìng ‖ 報告書を〜する 写报告｜ホームページを〜する 制作网页｜活動計画を〜する 制定活动计划

さ

さくせい【作製】(～する)制作zhìzuò; 制造zhìzào ‖ 模型を～する 制作模型

さくせん【作戦】战略zhànlüè; 战略部署zhànlüè bùshǔ; 战术zhànshù. (対策)策略cèlüè; 计谋jìmóu; 对策duìcè ‖ ～を練る 制定战术 ✤一会議:作战会议｜一基地:作战基地

さくそう【錯綜】(～する)定错综复杂cuò zōng fù zá ‖ 情報が～している 信息纷繁庞杂

さくづけ【作付け】(～する)种植zhòngzhí; 栽种zāizhòng; 播种bōzhòng ✤一面積:种植面积

さくてい【策定】(～する)策划制定cèhuà zhìdìng ‖ ビジネスプランを～する 制定商务计划

さくねん【昨年】去年qùnián

さくばん【昨晩】昨天晚上〔夜里〕zuótiān wǎnshang〔yèli〕; 昨晚zuówǎn; 昨夜zuóyè

さくひん【作品】作品zuòpǐn

さくふう【作風】作品的风格zuòpǐn de fēnggé; 作品的特点zuòpǐn de tèdiǎn

さくぶん【作文】作文zuòwén; (写)文章(xiě) wénzhāng. (授業)写作课 xiězuòkè

さくや【昨夜】昨天夜里〔晚上〕zuótiān yèli〔wǎnshang〕; 昨夜zuóyè; 昨晚zuówǎn

さくら【桜】❶(植物)〔棵〕樱花树yīnghuāshù. (花)〔朵〕樱花yīnghuā ❷(大道商人などの)托儿tuōr ❸(馬肉)马肉mǎròu ✤一前線:樱花(开花)前锋

さくらそう【桜草】樱草yīngcǎo

さくらん【錯乱】(～する)错乱cuòluàn; 混乱hùnluàn

さくらんぼ【桜桃】樱桃yīngtao

さぐりあ·てる【探り当てる】❶(手や足で)摸到mōdào ❷(調べて)探听到tàntīngdào; 刺探到cìtàndào; 寻找到xúnzhǎodào

さくりゃく【策略】策略cèlüè; 计策jìcè; 计谋jìmóu ‖ ～にはまる 中计

さぐ·る【探る】❶(手や足を動かして)摸mō; 探tàn ❷(ひそかに調べる)刺探cìtàn; 试探shìtan; 探听tàntīng ‖ 相手の真意を～る 试探对方的真意 ❸(究明する)探索tànsuǒ; 研究yánjiū ‖ 問題点を～る 寻找问题所在

さくれつ【炸裂】(～する)爆炸bàozhà

ざくろ【柘榴·石榴】〔棵〕石榴树shíliushù. (実)石榴shíliu ✤一石:石榴石

さけ【酒】〔盅,杯,瓶〕酒jiǔ ‖ ～は1滴も飲めない 一点儿也不会喝酒｜～が強い 酒量大｜～を醸造する 酿酒｜～は百薬の長 酒为百药之长｜～を覚える 学会喝酒｜～におぼれる 沉溺于酒｜～を酌み交わす 对饮; 对酌｜～を注ぐ 斟酒｜～を控える 节酒｜～がまわる 酒劲儿上来｜～に酔う 醉酒｜～の肴(さかな) 下酒菜｜～にのまれる 酒后失控｜～を勧める 敬酒

さけ【鮭】鲑鱼guīyú; 大麻哈鱼dàmáhǎyú; 三文鱼sānwényú ✤一缶:鲑鱼罐头

さけかす【酒粕】酒糟jiǔzāo

さけぐせ【酒癖】‖ ～が悪い 酒品不好

さげしお【下げ潮】退潮tuìcháo; 落潮luòcháo

さげす·む【蔑む】看不起kànbuqǐ; 轻蔑qīngmiè; 藐视miǎoshì; 鄙视bǐshì

さけ·ぶ【叫ぶ】❶(大声を出す)喊叫hǎnjiào; 叫喊jiàohǎn; 呼喊hūhǎn; 高呼gāohū ❷(主張する)呼吁hūyù

さけめ【裂け目】〔条,道〕裂缝lièfèng; 裂隙lièxì; 裂口lièkǒu

さ·ける【裂ける】裂liè; 裂开lièkāi; 分裂fēnliè; 断裂duànliè ‖ 口が～けても話すものか 打死我都不说

さ·ける【避ける】(人などを)躲(避) duǒ(bì); 避开bìkāi. (事柄を)避免bìmiǎn ‖ 人目を～ける 避开别人的注意〔视线〕｜衝突を～ける 避免冲突｜言及を～ける 避而不谈

さ·げる【下げる·提げる】❶(低くする)降低jiàngdī; 降下jiàngxia ‖ 価格を～げる 降低价格｜頭を～げる 低下头 ❷(つるす)吊diào; 挂guà; 悬挂xuán guà ❸(片づける)撤chè; 撤下chèxia; 收拾shōushi ‖ このお皿を～げてください 请把这个盘子撤下 ❹(手·肩などに)挎kuà; 提tí; 拎līn

ざこう【座高】坐高zuògāo

さこつ【鎖骨】锁骨suǒgǔ

ざこつ【座骨】坐骨zuògǔ ✤一神経:坐骨神经

ささ【笹】〔根〕细竹xìzhú; 小竹xiǎozhú. (葉)〔片〕竹叶zhúyè

ささい【些細】细微xìwēi ‖ ～なことでけんかする 为鸡毛蒜皮的事情吵架

ささえ【支え】支撑zhīcheng; 支持zhīchí

さざえ【栄螺】蝾螺róngluó; 海螺hǎiluó

ささ·える【支える】❶(倒れないようにする)支撑zhīcheng ❷(維持する)支持zhīchí; 维持wéichí; 支撑zhīcheng ‖ 一家の暮らしを～える 支撑全家的生活 ❸(くい止める)阻止zǔzhǐ; 阻挡zǔdǎng

ささ·げる【捧げる】❶(献呈する)献出xiànchu; 奉献fèngxiàn ‖ 研究に一生を～げる 把一生奉献给研究事业｜神に祈りを～げる 向上帝祈祷 ❷(捧げ持つ)双手奉上shuāngshǒu fèngshang

ささつ【査察】(～する)检查jiǎnchá; 监察jiānchá

さざなみ【小波·細波】微波wēibō; 波纹bōwén; 涟漪liányī ‖ ～が立つ 荡起微波

ささやか【細やか】一点点yìdiǎndiǎn; 细小xìxiǎo; 简单jiǎndān ‖ ～な祝宴を催す 举行简单的庆贺宴会｜～な夢を抱く 抱有小小的梦想

ささや·く【囁く】❶(小声で話す)悄声说qiǎoshēng shuō; 喃喃细语nánnán xìyǔ ❷(うわさする)悄悄谈论qiāoqiāo tánlùn ‖ 政権交代が～かれている 人们在悄悄谈论着政府即将垮台的事

ささ·る【刺さる】扎(进) zhā(jin); 刺(入) cì(rù) ‖ とげが～る 扎刺儿｜きつい言葉が胸に～る 尖刻的话语刺伤内心

さじ【匙】匙(子) chí(zi); 勺(子) sháo(zi); 调羹tiáogēng. (茶さじ)茶匙cháchí. (スープ用)汤匙tāngchí ‖ ～を投げる 束手无策

さしあたり【差し当たり】目前mùqián; 暂时zànshí; 眼下yǎnxià

さしい·れる【差し入れる】❶(挿入する)放入fàngrù; 插入chārù; 装入zhuāngrù ❷(食べ物などを)送食品〔物品〕sòng shípǐn〔wùpǐn〕‖ 夜食を～れる 送夜宵

さしえ【挿絵】插图chātú ✤一画家:插图画家

さしお·く【差し置く】❶(そのままにする)搁置gēzhì; 抛开不管pāokāi bù guǎn ❷(ないがしろ

にする）无视wúshì；不当回事bú dàng huí shì
さしおさえ【差し押さえ】扣押kòuyā；查抄cháchāo；没收mòshōu ✤一物件:被查封的东西｜一令状:扣押证
さしおさ・える【差し押さえる】扣押kòuyā；查封cháfēng；冻结dòngjié
さしか・える【差し替える・差し換える】更换gēnghuàn；更改gēnggǎi；调换diàohuàn
さしかか・る【差し掛かる】❶〔通りかかる〕路过lùguò；来到láidào；靠近kàojìn ❷〔ある時期に入る〕临近línjìn ‖ 梅雨に～る 临近梅雨季节
さしがね【差し金】（そそのかす）教唆jiàosuō；指使zhǐshǐ；怂恿sǒngyǒng ‖ 誰の～だ 谁指使你的？
さしき【挿し木】（～する）插枝chā zhī；插条chā tiáo
さしこみ【差し込み】❶〔プラグ〕插头chātóu ❷〔激痛〕剧痛jùtòng；绞痛jiǎotòng
さしこ・む【射し込む】射进shèjìn；照进zhàojìn ‖ 日光が部屋に～んでいる 阳光射进房间
さしこ・む【差し込む】❶〔差して入れる〕插入chārù；插进chājìn ‖ コンセントにプラグを～む 把插头插进插座里 ❷〔激痛がする〕剧痛jùtòng；绞痛jiǎotòng
さしころ・す【刺し殺す】刺杀cìshā；杀死shāsǐ
さしさわり【差し障り】妨碍fáng'ài；不妥当bù tuǒdang ‖ その話は～があるからやめよう 这话欠妥，不要说了｜～がなければ，話してほしい 如果没有不方便的话，请告诉我
さししめ・す【指し示す】指示zhǐshì；指点zhǐdiǎn ‖ 地図を～して説明した 指着地图进行了说明
さしず【指図】（～する）指示zhǐshì；指挥zhǐhuī；吩咐fēnfu ‖ ～を仰ぐ 请求指示
さしせま・る【差し迫る】迫切pòqiè；逼近bījìn ‖ 期日が～っている 期限很快就要到了
さしだしにん【差出人】发信人fāxìnrén；寄信人jìxìnrén；寄件人jìjiànrén
さしだ・す【差し出す】❶〔前方に出す〕伸出shēnchu ❷〔提出する〕提交tíjiāo；递上dìshang；交出jiāochu
さしつかえ【差し支え】妨碍fáng'ài；碍事àishì ‖ ～ない 没影响；不妨碍
さしつか・える【差し支える】有妨碍yǒu fáng'ài；有影响yǒu yǐngxiǎng ‖ 仕事に～える 影响工作
さしでがまし・い【差し出がましい】多管闲事duō guǎn xiánshì ‖ ～いようだが 就算是我多管闲事
さしでぐち【差し出口】多嘴duōzuǐ；插嘴chāzuǐ；干预gānyù ‖ よけいな～はしないほうがいい 你最好不要多嘴多舌
さしと・める【差し止める】禁止jìnzhǐ；不准bù zhǔn；停止tíngzhǐ
さしの・べる【差し伸べる・差し延べる】伸出shēnchu ‖ 救援の手を～べる 伸出援助之手
さしば【差し歯】假牙jiǎyá ‖ ～をする 镶假牙
さしひき【差し引き】（～する）扣除kòuchú；减掉jiǎndiào ‖ ～3万円のもうけ 净赚3万日元｜～ゼロ 不亏也不赚
さしひ・く【差し引く】扣除kòuchú ‖ 給料から税を～く 从工资中扣税
さしみ【刺身】生鱼片shēngyúpiàn
さしもど・す【差し戻す】❶〔戻してやり直させる〕退回tuìhuí ❷〔法律〕退回重审tuìhuí chóngshěn
さしょう【些少】一点点儿yìdiǎndiǎnr；些许xiēxǔ；少许shǎoxǔ
さしょう【詐称】（～する）虚报xūbào；冒充màochōng ‖ 氏名を～する 冒名 ✤学歴一:伪造学历
ざしょう【座礁】（～する）触礁chùjiāo；搁浅gēqiǎn
さ・す【刺す】❶〔突き通す〕刺cì；扎zhā ❷〔虫などが〕叮dīng；咬yǎo；蜇zhē ‖ 足を力に～された 脚被蚊子叮了 ❸〔強い刺激がある〕(强烈地)刺激(qiángliè de) cìjī；刺痛cìtòng ‖ 鼻を～す強い刺激臭 强烈刺鼻的气味｜肌を～すような寒さ 刺骨的严寒
さ・す【指す】❶〔指やもので示す〕(用手)指(yòng shǒu) zhǐ；指示zhǐshì ❷〔名指しする〕点名diǎnmíng；指名zhǐmíng ❸〔将棋の駒を動かす〕下(棋) xià (qí)；走(棋子) zǒu (qízǐ) ‖ 将棋を～す 下象棋｜～す手がない 没棋可走 ❹〔密告する〕告密gàomì；告发gàofā
さす【砂州】沙洲shāzhōu；沙滩shātān
さ・す【射す】(阳光)照射(yángguāng) zhàoshè ‖ 日が～す 阳光照射
さ・す【差す】注入zhùrù；灌入guànrù ‖ 機械に油を～す 给机器上润滑油｜目薬を～す 点眼药
さ・す【挿す】插chā
さすが【流石】❶〔そうはいっても〕虽说…但是suīshuō…dànshì ‖ 我慢強い彼も～に腹を立てたようだ 连很有忍耐力的他都好象生气了 ❷〔やはり〕不愧是búkuì shì；到底是dàodǐ shì ‖ ～は名人 不愧为名家
さずか・る【授かる】被赐予bèi cìyǔ；蒙受méngshòu ‖ さいわいにも丈夫な体を～った 幸好天生一副好身体
さず・ける【授ける】❶〔与える〕授予shòuyǔ；赠与zèngyǔ ❷〔伝える〕传授chuánshòu；教授jiàoshòu ‖ 知恵を～ける 传经送宝
サスペンス 惊险jīngxiǎn；紧张感jǐnzhānggǎn ✤一映画:悬念片
サスペンダー (裤子或裙子的)背带(kùzi huò qúnzi de) bēidài；吊裤〔裙〕带diàokù〔qún〕dài
さすら・う 流浪liúlàng；流荡liúdàng
さす・る【摩る・擦る】摸mō；抚摩fǔmó；摩挲māsa〔mósuō〕‖ しびれた足を～る 揉摩发麻的腿
ざせき【座席】座〔坐〕位zuò〔zuò〕wei；位子wèizi ✤一指定:对号入座｜一番号:座位号码；座号｜一表:坐次表
させつ【左折】（～する）左拐zuǒ guǎi；向左拐弯xiàng zuǒ guǎiwān
ざせつ【挫折】（～する）挫折cuòzhé；受挫shòucuò ‖ ～感を味わう 经受挫折
-させる 让ràng；叫jiào；使shǐ ‖ 子どもたちに部屋の掃除をさせる 让孩子们打扫房间｜食べたいだけ食べさせる 想吃多少就让他吃多少
させん【左遷】（～する）降职jiàng zhí；降级jiàngjí；贬职biǎnzhí

ざぜん【座禅】坐禅zuòchán；打坐dǎzuò
さぞ 想必xiǎngbì；一定yídìng ‖ 雨に降られて～困ったでしょう 想必你被雨困住了吧
さそい【誘い】邀请yāoqǐng；诱惑yòuhuò ‖ ～がかかる 被邀请｜～に乗る 应邀
さそいこ・む【誘い込む】引诱yǐnyòu
さそいだ・す【誘い出す】约出来yuēchulai；引诱出来yǐnyòuchulai；诱惑yòuhuò ‖ 友達を映画に～す 邀请朋友去看电影
さそ・う【誘う】❶〔招く〕邀请yāoqǐng；约yuē ‖ デートに～ 邀请约会 ❷〔誘惑する〕唆使suōshǐ；引诱yǐnyòu ‖ 悪事に～う 唆使干坏事 ❸〔自然とそうさせる〕引起yǐnqǐ；促使cùshǐ ‖ 涙を～う 使人落泪
さそり【蠍】蝎子xiēzi ❖ 一座：天蝎座
さだま・る【定まる】❶〔考え・方針が〕决定juédìng ‖ 将来の目標が～った 将来的目标定下来了 ❷〔物事が安定する〕平稳píngwěn；稳定wěndìng
さだめ【定め】❶〔規定〕〔条，项〕规定guīdìng ‖ 法の～に従う 遵守法规 ❷〔運命・宿命〕命运mìngyùn；宿命sùmìng ‖ この世の～ 人的宿命
さだ・める【定める】❶〔法律を制定する〕规定guīdìng；制定zhìdìng；订定dìngdìng ‖ 法の～めるところにより 根据法律规定的条例 ❷〔決める・安定させる〕决定juédìng；选定xuǎndìng ❸〔平定する〕平定píngdìng；平息píngxī
ざだんかい【座談会】座谈会zuòtánhuì
さち【幸】❶〔自然からの収穫〕‖ 海の～，山の～ 定 山珍海味 ❷〔幸福〕幸福xìngfú
ざちょう【座長】❶〔興行の頭〕(剧团的)团长(jùtuán de) tuánzhǎng ❷〔議事進行役〕主持人zhǔchírén；主席zhǔxí
さつ【札】〔张，叠〕纸币zhǐbì；钞票chāopiào ❖ 一入れ：票夹(子)；钱夹(子)
-さつ【冊】本běn；册cè ‖ 3～の本 三本书
ざつ【雑】粗糙cūcāo；粗疏cūshū；草率cǎoshuài ‖ 仕事が～だ 干活马虎｜～な造り 粗糙的做工
さつい【殺意】杀机shājī；杀人的念头shā rén de niàntou ‖ ～を抱く 产生杀意
さつえい【撮影】(～する) ❶〔写真を〕拍照pāizhào ❷〔映画などを〕摄影shèyǐng；拍摄pāishè ❖ 一禁止：禁止拍照｜一所：电影制片厂
ざつおん【雑音】杂音záyīn；干扰gānrǎo ‖ ラジオに～が入る 收音机有杂音｜～に耳を貸すな 不要听那些闲话
さっか【作家】作家zuòjiā；小说家xiǎoshuōjiā
ざっか【雑貨】杂货záhuò；日用小商品rìyòng xiǎo shāngpǐn ❖ 一屋：杂货店；日用杂货店
サッカー 足球zúqiú
さつがい【殺害】(～する)杀害shāhài
さっかく【錯角】错角cuòjiǎo
さっかく【錯覚】(～する)错觉cuòjué；误会wùhuì ‖ ～を起こす 产生错觉｜目の～ 眼睛〔肉眼〕产生的一种错觉
ざつがく【雑学】杂学záxué
さっき【先】刚才gāngcái；方才fāngcái ‖ 社長なら～までここにいたよ 总经理刚才还在这里呢
さっき【殺気】〔股〕杀气shāqì ‖ ～がみなぎる 杀气腾腾｜～立つ 满面杀气
さっきゅう【早急】尽快jǐnkuài；立即lìjí；火速huǒsù ‖ ～に調査する 尽快查明
ざっきょ【雑居】(～する)杂处záchǔ；杂居zájū ❖ 一ビル：(各种饮食店和公司办公室等入住的)商业办公楼
さっきょく【作曲】(～する)作曲zuò qǔ
さっきん【殺菌】(～する)杀菌shājūn；消毒xiāodú ❖ 一剤：杀菌剂；消毒药｜一力：杀菌力
サックス 萨克斯(管) sàkèsī(guǎn) ❖ アルト一：中音萨克斯｜テナー一：次中音萨克斯
ざっくばらん 坦率tǎnshuài；直率zhíshuài；直爽zhíshuǎng ‖ ～な人柄 直性子｜～に言えば 坦率地说
さっこん【昨今】最近zuìjìn；近来jìnlái
さっさと 快kuài；赶快gǎnkuài. (てきぱきと)麻利máli；利落lìluo ‖ ～しなさい 你快点儿吧！
さっし【冊子】〔本〕册子cèzi
さっし【察し】(推测)推测tuīcè；猜测cāicè ‖ お～のとおりです 正如您所推测的那样｜～がいい 机灵｜～がつく 猜到
サッシ 窗框chuāngkuàng ❖ アルミ一：铝制窗框
ざつじ【雑事】杂事záshì；琐事suǒshì；零活儿línghuór ‖ 日常の～に追われる 忙于日常琐事
ざっし【雑誌】〔本〕杂志zázhì ‖ ～をとる 订杂志
ざっしゅ【雑種】杂种zázhǒng
ざっしょく【雑食】(～する)杂食záshí ❖ 一性動物：杂食性动物
さつじん【殺人】杀人shā rén；凶杀xiōngshā ‖ ～的なスケジュール 累死人的日程安排 ❖ 一罪：杀人罪；谋杀罪｜一事件：杀人事件；杀人案｜一犯：杀人犯；凶犯｜一未遂：杀人未遂
さっしん【刷新】(～する)革新géxīn；定 焕然一新huàn rán yì xīn. (記録などを)刷新shuāxīn ‖ 人事を～する 更新人事；大换班子
さっ・する【察する】❶〔推察する〕推测tuīcè；猜测cāicè；揣测chuǎicè ‖ 文面から～すると 从字面上看来 ❷〔思いやる〕谅解liàngjiě；体谅tǐliang ‖ 家族の悲しみは～するにあまりある 家属悲伤的心情是完全可以理解的｜胸中お～しいたします 我能体谅您的心情
ざつぜん【雑然】乱七八糟luànqībāzāo；定 杂乱无章zá luàn wú zhāng；乱糟糟luànzāozāo
さっそう【颯爽】飒爽sàshuǎng；器宇轩昂qìyǔ xuān'áng；英俊威武yīngjùn wēiwǔ ‖ ～たる勇姿 飒爽英姿
ざっそう【雑草】〔根，丛，片〕杂草zácǎo ‖ ～をとる 除杂草｜～がはびこる 杂草丛生
さっそく【早速】立刻lìkè；马上mǎshàng；及时jíshí ‖ では，～カタログをお送りいたします 那，我们立刻把产品目录给您寄去
ざった【雑多】各种各样gè zhǒng gè yàng；繁杂fánzá；纷纷fēnfēn ❖ 種々一：定 五花八门
さつたば【札束】纸币捆儿zhǐbìkǔnr
ざつだん【雑談】(～する)聊liáo；闲聊xiánliáo；聊天儿liáotiānr ‖ ～にふける 聊得很起劲
さっち【察知】(～する)察觉chájué；察知cházhī
さっちゅうざい【殺虫剤】杀虫剂shāchóngjì；驱虫剂qūchóngjì ‖ ～をまく 喷〔洒〕杀虫剂
ざっと【雑と】❶〔大雑把に〕粗略(地) cūlüè(de)；简略(地) jiǎnlüè (de) ‖ ～見積もる 粗略

地估计一下｜～目を通す 浏览 ❷〔おおよそ〕大概dàgài；大约dàyuē‖～10万円は必要だ 大概也要10万日元

さっとう【殺到】(～する)涌来yǒnglai；蜂拥而至fēngyōng ér zhì‖注文が～する 订货蜂拥而至｜抗議の手紙が～する 抗议信纷至沓来

ざっとう【雑踏】(人ごみ)人群rénqún；定人山人海rén shān rén hǎi‖都会の～ 都市的人海

ざつねん【雑念】杂念zániàn‖～を払って座禅を組む 排除杂念静心坐禅

さつばつ【殺伐】凄凉qīliáng；荒凉huāngliáng‖～とした世の中 冷漠的社会

さっぱり ❶(～する)〔こぎれいな〕干净gānjìng；整洁zhěngjié；利索lìsuo‖～した身なり 穿得干净利落 ❷(～する)〔爽快な〕爽快shuǎngkuai；清爽qīngshuǎng‖言うだけ言ったら～した 我把话都说出来了,心里觉得很痛快 ❸(～する)〔淡白な〕(性格が)爽快shuǎngkuai；爽直shuǎngzhí．(味が)清淡qīngdàn；爽口shuǎngkǒu ❹〔すっかり〕彻底chèdǐ‖きれい～あきらめる 彻底放弃 ❺〔まるっきり〕根本gēnběn；一点儿也…yìdiǎnr yě …‖～わからない 一点儿也不明白

ざっぴ【雑費】杂费záfèi

さつびら【札びら】纸币zhǐbì；钞票chāopiào‖～を切る 大把大把地花钱

さっぷうけい【殺風景】❶〔寒々しい〕冷清清lěngqīngqīng；凄凉qīliáng‖～な庭 冷清的院子 ❷〔味気ない〕乏味fáwèi；枯燥kūzào；索然无味suǒrán wúwèi

さつまいも【薩摩芋】红薯hóngshǔ；白薯báishǔ；地瓜dìguā；甘薯gānshǔ

ざつむ【雑務】杂务záwù‖～に追われる 杂务缠身

ざつよう【雑用】杂事záshì

さつりく【殺戮】(～する)杀戮shālù；屠杀túshā

さて ❶〔ところで〕那么nàme；好hǎo‖～,それでは次の問題に移ろう 好,那么我们讨论下一个问题 ❷〔困惑·ためらい〕这可… zhè kě…‖～どうしよう 这可怎么办？

さてい【査定】(～する)评估pínggū；核定hédìng；评定píngdìng

サディスト (性)虐待狂(xìng)nüèdàikuáng

さておき【さて置き】且不管qiě bùguǎn‖冗談は～ 咱们言归正传｜外見は～,問題は中身だ 且不管外观,重要的还是内容如何

サテン 缎子duànzi

さと·い【聡い】机灵jīling；敏锐mǐnruì；灵敏língmǐn‖耳が～い 耳朵灵｜目が～い 眼睛尖

さといも【里芋】芋头yùtou

さとう【砂糖】糖táng；白糖báitáng；砂糖shātáng‖～を入れる 放糖｜～をまぶす 撒糖 ❖一入れ:糖罐儿｜一漬け:蜜饯

さどう【作動】(～する)启动qǐdòng；发动fādòng‖安全装置が～する 启动安全装置

さどう【茶道】茶道chádào

さとうきび【砂糖黍】甘蔗gānzhe

さとおや【里親】养父母yǎngfùmǔ．(父)养父yǎngfù．(母)养母yǎngmǔ

さとがえり【里帰り】(～する)回娘家huí niángjia．(帰省)回老家huí lǎojiā；(回家)探亲(huí jiā) tànqīn‖子どもを連れて～する 带孩子回老家

さとご【里子】寄养的孩子jìyǎng de háizi‖～に出す 寄养

さとごころ【里心】思乡sīxiāng；想家xiǎng jiā‖～がつく 产生思乡之情

さと·す【諭す】教训jiàoxun；教导jiàodǎo；劝说quànshuō

さとり【悟り】‖～を開く 悟道

さと·る【悟る】❶〔理解する〕发觉fājué；感觉到gǎnjuédào；认识到rènshidào ❷〔感づく〕发觉fājué；察觉chájué；知晓zhīxiǎo‖死期を～る 感觉到死期不远 ❸〔仏教〕领悟lǐngwù；悟道wùdào；定看破红尘kàn pò hóng chén

サドル 车座chēzuò

さなぎ【蛹】蛹yǒng；虫蛹chóngyǒng

サナトリウム 疗养院liáoyǎngyuàn

さのう【左脳】左脑zuǒnǎo

さは【左派】左派zuǒpài

さば【鯖】❶〔魚〕〔条〕鲐鱼táiyú；青花鱼qīnghuāyú ❷〔慣用表現〕‖～を読む 虚报数字〔年龄〕

さばき【裁き】审判shěnpàn；判决pànjué‖～を下す 判决｜法の～を受ける 受到法律的制裁

さばく【砂漠】〔片〕沙漠shāmò ❖一化:沙漠化；荒漠化

さば·く【捌く】❶〔手で扱う〕操纵cāozòng；操作cāozuò‖あざやかにハンドルを～く 很熟练地操纵方向盘 ❷〔処理する〕妥善处理tuǒshàn chǔlǐ；办好bànhǎo‖仕事が多すぎて～ききれない 工作多得干不完｜難局を～く 处理难局 ❸〔売る〕推销tuīxiāo；销售xiāoshòu‖在庫を～く 推销库存 ❹〔包丁を入れる〕剔下tīxia；拾掇shíduo；收拾shōushi‖マグロを～く 拾掇金枪鱼

さば·く【裁く】审判shěnpàn；判决pànjué‖罪人を～く 审判罪人

さば·ける【捌ける】❶〔よく売れる〕畅销chàngxiāo ❷〔物わかりがいい〕开通kāitong；定通情达理tōng qíng dá lǐ；明白míngbai‖うちの父はとても～けた人だ 我父亲是个思想开通的人

さばさば (～する)❶〔性格が〕爽快shuǎngkuai；直爽zhíshuǎng ❷〔気分が〕爽快shuǎngkuai；舒畅shūchàng

サバンナ 稀树草原xīshù cǎoyuán

さび【寂】❶〔古風な趣〕古雅gǔyǎ；定古色古香gǔsè gǔxiāng ❷〔声の〕浑厚húnhòu；老成低沉lǎochéng dīchén

さび【錆】锈xiù‖～がつく 生锈；长锈；起锈｜身から出た～ 定自食其果；定咎由自取

さびし·い【寂しい·淋しい】❶〔孤独で〕寂寞jìmò；孤单gūdān；孤寂gūjì‖独りで～く暮らしている 一个人过着寂寞的生活 ❷〔ひっそりして〕冷清lěngqing；凄凉qīliáng；荒凉huāngliáng‖～い夜道 寂寥的夜路 ❸〔満ち足りない〕冷落lěngluò；空虚kōngxū‖ふところが～い 囊中羞涩｜口が～い 口中无味

さびつ·く【錆び付く】❶〔金属が〕锈住xiùzhu；生锈shēng xiù ❷〔腕がにぶる〕生疏shēngshū‖せっかく身につけた技術がすっかり～いてしまった 好不容易掌握的技术全都生疏了

ざひょう【座標】坐标zuòbiāo ❖一軸:坐标轴

さ

さ・びる【錆びる】长锈zhǎng xiù；生锈shēng xiù；起锈qǐ xiù

さび・れる【寂れる】冷落lěngluò；萧条xiāotiáo；零落língluò ‖ あの町は最近すっかり～れてしまった 那座城市最近百业萧条

サブ ❶〔補欠〕候补hòubǔ；替补人员tìbǔ rényuán ❷〔補助的な〕副fù；亚yà ✤ 一カルチャー：亚文化｜一タイトル：副标题

サファイア〔颗，粒〕蓝宝石lánbǎoshí

サファリ ✤ 一ジャケット：猎装上衣｜一スーツ：狩猎套装｜一パーク：野生动物公园｜一ラリー：（肯尼亚）萨法里拉力赛

ざぶとん【座布団】坐垫儿zuòdiànr

サプリメント 营养补助食品yíngyǎng bǔzhù shípǐn

さべつ【差別】（～する）歧视qíshì ✤ 一語：歧视语言｜一待遇：歧视对待

さほう【作法】礼节lǐjié；礼数lǐshù；礼貌lǐmào；规矩guīju ‖ 食事の～ 餐桌上的礼节｜～にかなう 符合规矩

サポーター ❶〔用具〕运动护具yùndòng hùjù．（ひざの）护膝hùxī．（足の）护腿hùtuǐ ❷〔人〕支援者zhīyuánzhě；球迷qiúmí

サポート（～する）❶〔支援する〕支持zhīchí；援助yuánzhù ❷〔メーカーの保守サービス〕保修bǎoxiū

サボテン〔棵，盆〕仙人掌xiānrénzhǎng．（球状のもの）仙人球xiānrénqiú

サボ・る 偷懒tōulǎn．（学校を）逃学táoxué；旷课kuàngkè．（仕事を）旷工kuànggōng

さま【様】‖ ～になる〔ならない〕〔不〕成样子

-さま【様】❶〔敬称〕（男性・女性に）先生xiānsheng．（女性に）女士nǚshì ❷〔丁寧語〕‖ ご苦労～ 辛苦了｜お待ちどお～ 让您久等了

ざま【様・態】丑态chǒutài；窘态jiǒngtài ‖ その～はなんだ 瞧你成个什么样子！｜～あみろ 活该！

サマー ✤ 一スクール：暑期学校；夏季讲习班｜一タイム：夏令时；夏季时间

さまがわり【様変わり】（～する）变样biànyàng

さまざま【様様】种种zhǒngzhǒng；各式各样gèshì gèyàng；形形色色xíngxíngsèsè ‖ ～な理由 种种理由｜人の心は～だ 人心各异

さま・す【冷ます】❶〔温度を下げる〕凉liàng；使…凉shǐ…liáng；使…降温shǐ…jiàngwēn ‖ お湯を～す 把热水凉凉 ❷〔興奮をしずめる〕使…镇静下来shǐ…zhènjìngxialai ‖ 興奮を～す 使激动的心情平静下来

さま・す【覚ます・醒ます】❶〔眠りから〕弄醒nòngxǐng；唤醒huànxǐng ‖ 目を～す 弄醒 ❷〔迷いから〕醒悟过来xǐngwùguolai；清醒qīngxǐng ‖ *いいかげんに目を～したらどうだ* 你也该醒悟过来了 ❸〔酔いを〕醒酒xǐngjiǔ

さまた・げる【妨げる】妨碍fáng'ài；阻碍zǔ'ài；影响yǐngxiǎng

さまつ【瑣末】⇨ささい(些細)

さまよ・う【彷徨う】彷徨pánghuáng；徘徊páihuái；漂泊piāobó ‖ 死線を～う 徘徊在生死线上

さみだれ【五月雨】梅雨méiyǔ

サミット 首脑会议shǒunǎo huìyì；峰会fēnghuì

さむ・い【寒い】❶〔気温が低い〕冷lěng ‖ きょうはとても～い 今天很冷 ❷〔貧弱で情けない〕贫乏pínfá；不完善bù wánshàn．（設備などが）简陋jiǎnlòu ‖ お～い設備 简陋的设备｜懐が～い 手头拮据 ❸〔ぞっとする〕定 毛骨悚然máo gǔ sǒng rán ‖ 背筋が～くなる 令人毛骨悚然

さむがり【寒がり】怕冷pà lěng．（人）怕冷的人pà lěng de rén ‖ 私はすごい～だ 我特别怕冷

さむけ【寒気】‖ ～がする 发冷

さむさ【寒さ】冷lěng；寒冷hánlěng；冷气lěngqì ‖ 厳しい～ 严寒｜～に耐える 耐寒｜～を防ぐ 防寒；御寒｜～が和らぐ 开始转暖

さむざむ【寒寒】冷冰冰lěngbīngbīng；凄凉qīliáng ‖ ～とした部屋 冷冰冰的房间

さむぞら【寒空】寒天hántiān；大冷天dà lěngtiān

さめ【鮫】〔头，条〕鲨shā；鲨鱼shāyú；鲛jiāo ✤ 一皮：鲨〔沙〕鱼皮｜一肌：干燥粗糙的皮肤

さめざめ 潸然shānrán ‖ ～と泣く 潸然泪下

さ・める【冷める】❶〔冷える〕凉了liáng le ‖ スープが～めた 汤凉了｜～めないうちに食べる 趁热吃 ❷〔熱意を失う〕降温jiàngwēn；平静下来píngjìngxialai ‖ 興が～める 扫兴｜興奮～やらず 还处在兴奋状态之中｜熱しやすく～めやすい 热得快，凉得也快

さ・める【覚める・醒める】❶〔目が〕醒xǐng；醒来xǐnglai ‖ 目が～める 睡醒｜夜中に地震で目が～めた 半夜被地震惊醒了 ❷〔酔いが〕醒（酒）xǐng(jiǔ) ❸〔間違いに気づく〕醒悟过来xǐngwùguolai；清醒qīngxǐng

サモア 萨摩亚Sàmóyà ✤ 一諸島：萨摩亚群岛

さもし・い 卑鄙bēibǐ；低贱dījiàn；下流xiàliú ‖ ～い根性 劣根性

さもないと 要不然yàoburán；不然的话bùrán de huà

さもん【査問】（～する）盘问pánwèn；查问cháwèn；调查diàochá ✤ 一委員会：调查委员会

さや【莢】豆荚dòujiá ‖ 豆の～をむく 剥去豆荚

さや【鞘】刀鞘dāoqiào；剑鞘jiànqiào ‖ 元の～におさまる（夫婦が）定 破镜重圆；（仲直りする）定 言归于好

さやいんげん【莢隠元】菜豆cài dòu；芸豆yúndòu；四季豆sìjìdòu

さやえんどう【莢豌豆】豌豆wāndòu

ざやく【座薬】栓剂shuānjì；坐药zuòyào

さゆ【白湯】白开水báikāishuǐ

さゆう【左右】❶〔左と右〕左右zuǒyòu ❷（～する）〔動かす〕影响yǐngxiǎng；支配zhīpèi；操纵cāozòng ‖ 日本の将来を～する 影响日本的将来 ❸〔言葉をにごす〕‖ 言を～にする 定 支吾其词；定 含糊其辞 ✤ 一対称：左右对称

ざゆう【座右】座右zuòyòu；身边shēnbiān ‖ ～の銘 座右铭

さよう【作用】（～する）（起）作用（qǐ）zuòyòng

さようなら ⇨さよなら

さよく【左翼】左翼zuǒyì；左派zuǒpài；急进jíjìn．（人）左派（人士；分子）zuǒpài（rénshì；fènzǐ）

さよなら ❶〔あいさつ〕再见！zàijiàn!；再会！zàihuì! ❷（～する）〔別れる〕告别gàobié；送别sòngbié ‖ ～も言わずに立ち去る 不辞而别

さら【皿】盘子pánzi.（小皿）碟子diézi ‖ 料理を～に盛りつける 把做好的菜盛在盘子里｜～を洗う 洗盘子；刷碗｜目を～のようにしてさがす 把眼睛睁的滴溜儿圆地找 ❖ 大—:大盘子｜平—:平盘子｜深—:汤盘｜銘々—:小碟

ざら 常见chángjiàn；不稀奇bù xīqí；普遍pǔbiàn；不罕见bù hǎnjiàn ‖ そんな話なら～にある 那种事儿不稀奇

さらいげつ【再来月】下下月xiàxià yuè

さらいしゅう【再来週】下下星期xiàxià xīngqī；下下周xiàxià zhōu

さらいねん【再来年】后年hòunián

さら·う【浚う·渫う】疏浚shūjùn；淘táo

さら·う【攫う】❶（奪い去る）赢得yíngdé；全部拿走quánbù názǒu ‖ 話題を～う 成为话题 ❷（誘拐する）诱拐yòuguǎi；拐骗guǎipiàn

さらけだ·す【曝け出す】暴露bàolù；（赤裸裸地）露出(chìluǒluǒ de) lùchu ‖ 本性を～す 露出本性｜無知を～す 暴露无知

さら·す【晒す·曝す】❶（漂白する·あくを抜く）漂白piǎobái ‖ タマネギを水に～して辛みをとる 把洋葱放到水里泡一下去辣 ❷（日光や風雨に）（日に）晒shài；暴晒bàoshài.（風雨に）让风吹雨打ràng fēng chuī yǔ dǎ ❸（危険な状態に）置于zhìyú；置身于zhìshēn yú ‖ 危険に身を～す 身处危境 ❹（あらわにする）（醜態を）暴露bàolù；露出lùchu.（罪人を）示众shìzhòng ‖ 恥を～す 丢丑

サラダ 色拉sèlā；沙拉shālā ❖ —オイル:色拉油；生菜油；冷餐油｜—菜:叶用莴苣

さらに【更に】❶（今あるものに重ねて）再zài；又yòu；进一步jìn yí bù ‖ ～交渉する 进一步交涉 ❷（ますます）更gèng；更加gèngjiā；越发yuèfā ‖ 状況は～深刻化している 情况越发严重

サラミ 意大利香肠yìdàlì xiāngcháng

サラリー〔份,笔〕薪水xīnshui；工资gōngzī ❖ —マン:公司职员；上班族；工薪族

サラン ラップ ⇨ラップ

ざりがに【蝲蛄】〔只,对〕淡水小龙虾dànshuǐ xiǎolóngxiā；蝲蛄làgǔ

さりげな·い 很自然hěn zìran；㊟若无其事ruò wú qí shì ‖ ～いおしゃれ 自然的打扮｜～く要求を切り出す 很自然地提出要求

さ·る【去る】❶（ある場所から離れる）离开líkāi；离去líqu ‖ 職場を～る 离开工作岗位｜この世を～る 去世｜その場を～りがたい 舍不得离去｜～る者は追わず 往者不追｜～る者は日々に疎し 去者日益疏远 ❷（過ぎ去る·消滅する）过去guòqu；消失xiāoshī ‖ あらしが～る 暴风雨过去了 ❸（時間·距離が隔たる）距jù；距离jùlí ‖ 今を～ること10年前 距今10年以前 ❹（とり除く）去掉qùdiào；消除xiāochú ‖ 疑念がなかなか念頭から～らない 难以消除心中疑念 ❺（…し去る）…掉…diào ‖ 忘れ～る 忘掉｜捨て～る 扔掉

さる【申】（十二支の1つ）申shēn ‖ ～の刻 申时 ❖ —年:猴年

さる【猿】〔只〕猴子hóuzi；猴儿hóur ‖ ～も木から落ちる ㊟智者千虑,必有一失

さる 某mǒu；有的yǒude ‖ ～高名な画家 某一位著名的画家｜～方面 有关当局

ざる【笊】〔只,个〕竹匾zhúbiǎn；笊篱zhàoli；笸箩pǒluo ❖ —法:不完备的法律

さるすべり【百日紅】紫薇zǐwēi；百日红bǎirìhóng

さるぢえ【猿知恵】小聪明xiǎocōngming ‖ それこそ～というものだ 那就叫小聪明

さるまね【猿真似】（～する）盲目模仿mángmù mófǎng；㊟东施效颦Dōngshī xiào pín

さるまわし【猿回し】（芸）耍猴儿shuǎhóur.（人）耍猴儿的shuǎhóur de

サルモネラきん【サルモネラ菌】沙门氏菌shāménshìjūn

-ざるをえない 不得不bù dé bù；不能不bù néng bù ‖ 認め～ 不得不承认

されこうべ【髑髏】髑髅dúlóu；骷髅kūlóu

サロン 沙龙shālóng

さわ【沢】溪水xīshuǐ；〔条〕溪流xīliú

さわがし·い【騒がしい】❶（やかましい）吵chǎo；吵闹chǎonào ❷（不穏である）动荡dòngdàng；不稳定bù wěndìng

さわが·せる【騒がせる】引起混乱yǐnqǐ hùnluàn；骚扰sāorǎo；扰乱rǎoluàn ‖ 世間を～せる 震动社会

さわがに【沢蟹】溪蟹xīxiè；石蟹shíxiè

さわぎ【騒ぎ】❶（騒がしいこと）〔场〕吵闹chǎonào；喧嚣xuānxiāo；喧哗xuānhuá ‖ この～はなんですか 吵吵嚷嚷的,闹腾什么呢？ ❷（事件·騒動）闹事nàoshì；骚动sāodòng；事端shìduān ‖ ～を起こす 肇事｜泥棒～ 闹贼｜～がおさまる 平息骚乱｜～が大きくなる 事情闹大

さわぎた·てる【騒ぎ立てる】❶（大声で騒ぐ）叫嚷jiàorǎng；起哄qǐhòng ❷（おおげさにとりあげる）㊟小题大做xiǎo tí dà zuò

さわ·ぐ【騒ぐ】❶（やかましくする）吵chǎo；吵闹chǎonào ‖ ～ぐんじゃない！ 不要吵！ ❷（にぎやかに遊ぶ）狂欢kuánghuān；欢闹huānnào ‖ 飲んで～ぐ 喝酒行乐 ❸（不満などを言い立てる）大声呼喊dàshēng hūhǎn；骚动sāodòng；闹事nàoshì ‖ 組合員が～ぐ 工会会员们闹起来了 ❹（気持ちが乱れる）慌张huāngzhang；急躁jízào；激动不安jīdòng bù'ān ‖ 心が～ぐ 心慌｜慌てず～がず 不急不躁｜血が～ぐ 热血沸腾 ❺（盛んにうわさする）渲染xuànrǎn；炒作chǎozuò ‖ マスコミを～がせる 轰动媒体界

ざわつ·く 人声嘈杂rénshēng cáozá ‖ ロビーは～いている 大厅里人声嘈杂｜心が～く 忐忑不安

ざわめき（人声の）嘈杂声cáozáshēng ‖ あちこちから～が起こった 到处响起嘈杂声

ざわめ·く（人声などで）人声嘈杂rénshēng cáozá ‖ 会場が～いた 会场喧哗了一阵

さわやか【爽やか】❶（すがすがしい）清爽qīngshuǎng；爽快shuǎngkuai ‖ ～な朝 清爽的早晨｜～な笑顔 充满朝气的笑容 ❷（明快だ）清楚qīngchu；伶俐línglì ‖ 弁舌～ 口齿伶俐

さわり【触り】最精彩的地方zuì jīngcǎi de dìfang；高潮gāocháo

さわ·る【触る】碰pèng；触摸chùmō ‖ ～らぬ神にたたりなし ㊟多一事不如少一事

さわ·る【障る】❶（健康に）有害yǒu hài；妨碍fáng'ài；妨害fánghài ‖ 体に～る 对身体有害 ❷（感情·感覚に）刺激cìjī；伤害shānghài ‖ 気

さ

に～る 伤感情；引起不快 ❸〔支障を生じる〕影响yǐngxiǎng‖仕事に～る 影响工作
さん【三】三sān.（大字）叁sān
さん【桟】❶〔障子などの骨〕棂条língtiáo；格棂géling ❷〔戸じまり用の〕门闩ménshuān
さん【酸】酸suān‖～に弱い〔強い〕 怕〔抗〕酸
-さん（男性に）先生xiānsheng.（女性に）女士nǚshì.（既婚の女性に）夫人fūren；太太tàitai（若い女性に）小姐xiǎojie‖加藤～ 加藤先生〔女士〕
さんいつ【散逸】（～する）散逸sànyì；散失sànshī‖文化財の～を防ぐ 防止文物的散失
さんいん【産院】产科医院chǎnkē yīyuàn
サンオイル 助黑油zhùhēiyóu
さんか【参加】（～する）参加cānjiā；参与cānyù；加入jiārù‖～することに意義がある 参加本身就有意义 ❖ 一国:参加国；（加盟国）成员国｜一賞:鼓励奖；参与奖
さんか【産科】产科chǎnkē ❖ 一医:产科医生｜一病院:产科医院｜一病棟:产科病房
さんか【傘下】系统下xìtǒng xià；体系下tǐxì xià；附属fùshǔ‖多国籍企業の～に入る 加入跨国公司的体系中 ❖ 一企業:附属企业
さんか【酸化】（～する）氧化yǎnghuà‖～しにくい 不容易氧化 ❖ 一剤:氧化剂｜一物:氧化物
さんかい【山海】‖～の珍味 定 山珍海味
さんかい【散会】（～する）散会sànhuì‖会は午後5時に～した 会议是下午5点散的
ざんがい【残骸】残骸cánhái；残片cánpiàn
さんかく【三角】三角sānjiǎo；三角形sānjiǎoxíng ❖ 一関係:三角恋爱｜一関数:三角函数｜一巾:三角巾｜一定規:三角板｜一州:三角洲｜一錐:三角锥｜一柱:三棱柱
さんかく【参画】（～する）参与cānyù
さんがく【山岳】山岳shānyuè ❖ 一地帯:山岳地带｜一部:登山运动俱乐部
ざんがく【残額】余额yú'é‖～は月末までにお払いください 请在月底以前付清余额
さんがにち【三が日】新年头三天xīnnián tóu sān tiān
さんかん【山間】山间shānjiān；山中shān zhōng‖～の小村 山沟里的小村落
さんかん【参観】（～する）参观cānguān‖子どもの授業を～する 听孩子的课 ❖ 一者:参观者｜一日:家长开放日
ざんき【慚愧】惭愧cánkuì；羞愧xiūkuì‖～に堪えない 惭愧难当
さんきゃく【三脚】三脚架sānjiǎojià
ざんぎゃく【残虐】残虐cánnüè；残暴cánbào；残忍cánrěn
さんきゅう【産休】产假chǎnjià‖担任の先生は～をとっている 我们的班主任正在休产假
さんぎょう【産業】产业chǎnyè；工业gōngyè‖自動車～ 汽车工业 ❖ 一革命:产业革命｜一スパイ:工业间谍｜一廃棄物:工业废弃物
ざんぎょう【残業】（～する）加班jiābān；加点jiādiǎn‖8時まで～する 加班到8点 ❖ 一手当:加班费
ざんきん【残金】余款yúkuǎn
サングラス 墨镜mòjìng；太阳镜tàiyángjìng
さんけ【産気】‖～づく 有了分娩的预兆
ざんげ【懺悔】（～する）忏悔chànhuǐ
さんけい【山系】山系shānxì‖ヒマラヤ～ 喜马拉雅山系
さんけい【参詣】（～する）参拜cānbài
さんげき【惨劇】惨案cǎn'àn；惨剧cǎnjù
さんけつ【酸欠】缺氧quē yǎng
ざんげん【讒言】（～する）谗言chányán；毁谤huǐbàng；中伤zhòngshāng
さんげんしょく【三原色】三原色sān yuánsè‖光の～ 光的三原色
さんけんぶんりつ【三権分立】三权分立sān quán fēnlì
さんご【珊瑚】珊瑚shānhú ❖ 一礁:珊瑚礁
さんご【産後】产后chǎnhòu‖～の肥立ちがよい〔悪い〕 产后康复得很快〔慢〕
さんこう【参考】（～する）参考cānkǎo；参照cānzhào；借鉴jièjiàn‖～になる 有参考价值｜ご～までに 谨供参考｜のちのちの～のために 为了日后参考 ❖ 一書:参考书｜一資料:参考资料｜一人:（犯罪捜査の）旁证人；（国会の）顾问｜一文献:参考文献
ざんこく【残酷】残酷cánkù；残忍cánrěn
さんさい【山菜】山野菜shānyěcài
さんざい【散在】（～する）分布fēnbù；散落sànluò；点缀diǎnzhui‖山の斜面には別荘が～している 山坡上散落着一栋栋别墅
さんざい【散財】（～する）破费pòfèi；乱花钱luàn huā qián‖とんだご～をおかけしました 真让你破费了｜また～してしまった 又花了不少钱
さんさく【散策】（～する）散步sànbù；闲逛xiánguàng；信步而行xìnbù ér xíng‖秋の野山を～する 在秋天的山野上信步而行
さんざし【山査子】山楂shānzhā
ざんさつ【惨殺】（～する）惨杀cǎnshā；残杀cánshā；屠杀túshā ❖ 一死体:惨死的尸体
さんさろ【三叉路】三岔路sānchàlù
さんさん【燦燦】灿烂cànlàn‖初夏の太陽が～と輝く 初夏的太阳光芒灿烂
さんざん【散散】❶〔程度が甚だしいさま〕狠狠地hěnhěn de‖～怒られる 被狠狠地批评了一顿｜～待たされる 足足等了半天 ❷〔ひどいさま〕糟糕zāogāo‖～な目に遭う 大吃苦头
さんさんごご【三三五五】三三两两sānsānliǎngliǎng；三三五五sānsānwǔwǔ
さんじ【参事】参事cānshì ❖ 一官:参事；（大使館などの）参赞
さんじ【惨事】〔起〕惨案cǎn'àn；惨剧cǎnjù‖流血の～ 流血惨案｜～を招く 招致惨剧
さんじ【産児】❖ 一制限:计划生育
さんじ【賛辞】赞词zàncí‖～を贈る 献赞词
さんしきすみれ【三色菫】⇨パンジー
さんじげん【三次元】三维sānwéi；立体lìtǐ‖～の世界 三维世界
さんしすいめい【山紫水明】定 山清水秀shān qīng shuǐ xiù
さんしゃ【三者】三个人sān ge rén；三者sānzhě；三方sānfāng‖～三様 各不相同 ❖ 一会談:三者会谈；三方会议
さんしゅつ【産出】（～する）出产chūchǎn ❖ 一額:产额；产值｜一高:产量

さんしゅつ【算出】(〜する)计算出来 jìsuànchulai ‖ 人工衛星の軌道を〜する 计算出人造卫星的轨道
さんじゅつ【算術】算术suànshù
さんじょ【賛助】(〜する)赞助 zànzhù ✤ 一会員:赞助会员
ざんしょ【残暑】残暑cánshǔ; 秋老虎qiūlǎohǔ ‖ 〜が厳しい 秋老虎发威 | 〜お見舞い申し上げます 正值夏末酷暑时节,向您表示慰问
さんしょう【山椒】花椒huājiāo; 秦椒qínjiāo
さんしょう【参照】(〜する)参照cānzhào; 参阅cānyuè; 对照duìzhào
さんじょう【三乗】(〜する)立方lìfāng; 三次方sāncìfāng ✤ 一根:立方根
さんじょう【参上】(〜する)拜访bàifǎng; 登门dēngmén ‖ 近日中に〜いたします 这几天内我去登门拜访
さんじょう【惨状】〔副〕惨状cǎnzhuàng; 悲惨情景bēicǎn qíngjǐng ‖ 事故現場は目を覆うばかりの〜を呈していた 事故现场惨不忍睹
さんしょううお【山椒魚】鲵鱼níyú
さんしょく【三食】三餐sān cān ‖ 1日〜きちんと食べる 吃好一日三餐
さんしょく【蚕食】(〜する)蚕食cánshí; 逐步侵占zhúbù qīnzhàn ‖ 外国資本が国内市場を〜する 外国资本逐步侵占国内市场
さんじょく【産褥】产褥chǎnrù; 产床chǎnchuáng ‖ 〜につく 坐月子 ✤ 一期:产褥期;坐月子期 | 一熱:产褥热
さんしん【三振】(〜する)三击不中sān jī bú zhòng; 未中出局wèi zhòng chūjú
ざんしん【斬新】崭新zhǎnxīn; 新颖xīnyǐng; 全新quánxīn ‖ 〜な企画 新颖的计划
さんすい【山水】山水shānshuǐ ✤ 一画:山水画
さんすい【散水】(〜する)洒水sǎ shuǐ; 喷水pēn shuǐ ✤ 一機:喷水机;喷灌设备 | 一車:洒〔喷〕水车
さんすう【算数】(小学)数学(课) (xiǎoxué) shùxué (kè)
サンスクリット 梵文Fànwén; 梵语Fànyǔ
さんずのかわ【三途の川·三途の河】冥河mínghé ‖ 〜を渡る 渡冥河
さん·する【産する】产chǎn; 出产chūchǎn; 生产shēngchǎn ‖ 銘茶を〜する 出产名茶
さんせい【三世】❶〔移民の〕第三代dì sān dài ‖ 日系〜 第三代日裔 ❷〔国王·皇帝などの〕三世sānshì ‖ ナポレオン〜 拿破仑三世
さんせい【酸性】酸性suānxìng ‖ 〜の土壌 酸性土壤 ✤ 一雨:酸雨 | 一食品:酸性食品
さんせい【賛成】(〜する)赞成zànchéng; 同意tóngyì; 支持zhīchí ‖ 3分の2以上の〜を得る 得到三分之二以上的赞成(票) | 〜多数で可決される 多数决定
さんせいけん【参政権】参政权cānzhèngquán
さんせき【山積】(〜する)堆积如山duījī rú shān; 成堆chéngduī; 重重chóngchóng ‖ 難問が〜している 难题堆积如山;难题重重
さんせん【参戦】(〜する)参战cānzhàn
さんぜん【燦然】‖ 〜と輝く 灿烂;闪闪发光
さんそ【酸素】氧(气) yǎng(qì) ✤ 一吸入:输氧 | 一吸入器:吸氧器 | 一ボンベ:氧气瓶 | 一マスク:氧气面具
さんそう【山荘】山庄shānzhuāng; 山中别墅shān zhōng biéshù
ざんぞう【残像】后像hòuxiàng; 余像yúxiàng
さんそん【山村】山村shāncūn
ざんそん【残存】(〜する)残存cáncún; 残余cányú; 幸存xìngcún ‖ 〜している史料 幸存史料
ざんだか【残高】余额yú'é; 结余jiéyú
サンタ クロース 圣诞老人Shèngdàn Lǎorén
サンダル 〔双,只〕凉鞋liángxié
さんたん【惨憺】❶〔いたましくて忍びない〕惨cǎn; 惨重cǎnzhòng; 严重yánzhòng ‖ 〜たる光景 惨状 | 〜たる負け方 输得很惨 ❷〔苦心する〕定 煞费苦心shà fèi kǔ xīn; 苦心经营kǔxīn jīngyíng
さんたん【賛嘆】(〜する)赞叹zàntàn; 赞美zànměi ‖ 〜に値する 值得赞叹
さんだん【三段】三级sān jí ✤ 一式ロケット:三级火箭 | 一跳び:三级跳远 | 一論法:三段论证法
さんだん【散弾·霰弾】铅沙弹qiānshādàn ✤ 一銃:霰弹枪
さんだん【算段】(〜する)❶〔手段を考える〕想办法xiǎng bànfǎ; 设法shèfǎ ❷〔工面する〕筹措chóucuò; 筹集chóují ‖ やりくり〜して100万円の金を用意した 设法筹集到100万日元现金
さんち【山地】山区shānqū; 山地shāndì
さんち【産地】产地chǎndì ‖ リンゴの〜 苹果的产地 ✤ 一直送:从产地直接送来
さんちょう【山頂】山顶shāndǐng; 顶峰dǐngfēng; 山巅shāndiān ‖ 〜をきわめる 登上山顶
さんてい【算定】(〜する)计算jìsuàn; 推算tuīsuàn; 估算gūsuàn
ざんてい【暫定】暂定zàndìng; 暂时zànshí; 临时línshí ✤ 一政権:临时政权 | 一措置:暂时性措施 | 一予算:临时预算
サンデー 圣代shèngdài ✤ ストロベリー一:草莓圣代 | チョコレート一:巧克力圣代
さんど【三度】三次sān cì; 三回sān huí ‖ 〜の飯よりテニスが好き 爱网球胜过一切 | 〜めの正直 第三次就能如愿以偿
サンドイッチ ❶〔料理〕三明治sānmíngzhì ❷(〜する)〔両側からはさむ〕夹jiā ✤ オープン一:无盖三明治 | ハム一:火腿三明治
さんとう【三等】三等sān děng; 三级sān jí ‖ 徒競走で〜になった 我赛跑获得了第三名
さんどう【桟道】栈道zhàndào
さんどう【賛同】(〜する)赞成zànchéng; 同意tóngyì; 赞同zàntóng ‖ 〜を得る 获得赞同
ざんとう【残党】余党yúdǎng; 残余党徒cányú dǎngtú ‖ 旧政権の〜 旧政权的余党
さんとうぶん【三等分】(〜する)平均分成三份儿píngjūn fēnchéng sān fènr
サンドバッグ 拳击沙袋〔沙囊〕quánjī shādài〔shānáng〕
サンドペーパー 〔张〕砂纸shāzhǐ
サン トメ プリンシペ 圣多美与普林西比Shèngduōměi yǔ Pǔlínxībǐ
さんにゅう【参入】(〜する)(新)加入(xīn) jiārù ‖ 中国市場に〜する 进入中国市场

さ

さんにん【三人】三个人sān ge rén ‖ ～寄れば文殊の知恵 [定]三个臭皮匠赛过诸葛亮
ざんにん【残忍】残忍cánrěn; 残酷cánkù ‖ ～きわまりない 极其残忍｜～な行い 惨无人道的行为
さんにんしょう【三人称】第三人称dì sān rénchēng ✤一単数:第三人称单数
ざんねん【残念】遗憾yíhàn; 可惜kěxī ‖ お役に立てず～です 不能为您效劳, 真抱歉｜～ながら 真可惜｜～無念 极其遗憾 ✤一賞:安慰奖
サンバ 桑巴舞(曲) sāngbā wǔ(qǔ)
さんぱい【参拝】(～する)参拜cānbài
ざんぱい【惨敗】(～する)惨败cǎnbài; 输惨了shūcǎn le; 输得一塌糊涂shūde yì tā hú tú
サンバイザー ❶〔帽子〕〔顶, 个〕遮阳帽zhēyángmào ❷〔自動車の〕(汽车前排)遮阳板(qìchē qiánpái) zhēyángbǎn
さんばし【桟橋】栈桥zhànqiáo; (桥型)码头(qiáoxíng) mǎtou
さんぱつ【散発】(～する)时而发生shí'ér fāshēng; 零散地发生língsan de fāshēng
さんぱつ【散髪】(～する)理发lǐfà; 推头tuītóu
ざんぱん【残飯】剩饭shèngfàn
さんはんきかん【三半規管】(内耳)半规管(nèi'ěr) bànguīguǎn
さんび【賛美】(～する)赞美zànměi; 歌颂gēsòng ✤一歌:圣歌; 赞美歌; 赞美诗
さんぴ【賛否】赞成与反对zànchéng yǔ fǎnduì ‖ ～両論 赞成与反对两种意见
ザンビア 赞比亚Zànbǐyà
さんびょうし【三拍子】❶〔音楽〕三拍子sānpāizi ❷〔3つの重要な条件〕‖ ～そろう 全能; 全面
さんぷ【散布·撒布】(～する)(液体)喷洒pēnsǎ. (粉末)喷撒pēnsǎ ‖ 除草剤を～する 喷撒除草剂
さんぷく【山腹】山腰shānyāo; 山腹shānfù
さんふじんか【産婦人科】妇产科fùchǎnkē ✤一医:妇产科医生
さんぶつ【産物】❶〔土地の〕出产chūchǎn; 产品chǎnpǐn; 特产tèchǎn ❷〔成果·結果〕结果jiéguǒ; 成果chéngguǒ ‖ 長年にわたる研究の～ 长年研究的成果｜偶然の～ 偶然得到的成果｜東西冷戦の～ 东西方冷战的产物
サンプリング 取样qǔyàng; 抽样chōuyàng ✤一調査:抽样调查
サンプル〔个, 件, 种〕样品yàngpǐn
さんぶん【散文】〔篇〕散文sǎnwén ✤一詩:散文诗
さんぽ【散歩】(～する)散步sànbù; 溜达liūda ‖ ～がてらタバコを買いに行く 去买烟, 顺便散散步
さんぼう【参謀】参谋cānmóu; 顾问gùwèn ✤一長:参谋长｜一本部:总参谋部
さんま【秋刀魚】〔条〕秋刀鱼qiūdāoyú
ざんまい【三昧】尽情jìnqíng ‖ 読書～ 尽情地享受读书之乐｜ぜいたく～ 穷奢极侈
さんまいめ【三枚目】喜剧演员xǐjù yǎnyuán; 丑角chǒujué; 滑稽人物huáji rénwù
サンマリノ 圣马力诺shèngmǎlìnuò
さんまん【散漫】松散sōngsǎn; 涣散huànsàn ‖ 注意力～ 注意力涣散
さんみ【酸味】酸味suānwèi ‖ ～が強い 酸味重
さんみいったい【三位一体】❶〔キリスト教〕三位一体sān wèi yì tǐ ❷〔三者が心を合わせること〕三者一致sānzhě yízhì; 三方共识sānfāng gòngshí
さんみゃく【山脈】〔条〕山脉shānmài
ざんむ【残務】剩下的工作shèngxia de gōngzuò; 未完成的工作wèi wánchéng de gōngzuò ✤一整理:清理善后; 处理剩下〔未完〕的工作
さんめんきじ【三面記事】社会新闻shèhuì xīnwén
さんもん【三文】三文(钱) sān wén (qián) ‖ ～の値打ちもない 一文不值 ✤一小説:无聊小说; 低级小说｜一判:廉价图章
さんもん【山門】山门shānmén; 寺院大门sìyuàn dàmén
さんや【山野】山野shānyě; 山林原野shānlín yuányě ‖ ～を駆けめぐる 翻山越野
さんゆこく【産油国】产油国chǎnyóuguó; 石油生产国shíyóu shēngchǎnguó
さんよ【参与】(～する)参与cānyù
さんようすうじ【算用数字】阿拉伯数字Ālābó shùzì
さんらん【産卵】(～する)产卵chǎnluǎn; 下蛋xiàdàn ✤一期:产卵期
さんらん【散乱】(～する)散乱sǎnluàn; 分散fēnsàn; 零乱língluàn ‖ あたり一面ガラスの破片が～している 满地都是碎玻璃
さんりゅう【三流】三流sān liú; 低级dījí
ざんりゅう【残留】(～する)残留cánliú; 剩下shèngxia; 遗留下来的yíliúxialai de ✤一農薬:残留农药｜一部隊:留下来的部队; 留驻部队
ざんりょう【残量】残留量cánliúliàng
さんりん【山林】山林shānlín
さんりんしゃ【三輪車】三轮车sānlúnchē
さんるい【三塁】三垒sān lěi ✤一打:三垒打
サンルーフ 天窗tiānchuāng
サンルーム 日光室rìguāngshì
さんれつ【参列】(～する)列席lièxí; 到场dàochǎng; 参加cānjiā ‖ 記念式典に～する 列席纪念会 ✤一者:出席者
さんろく【山麓】山麓shānlù; 山脚shānjiǎo

し

し【士】士shì; 人士rénshì ‖ 同好の～ 同好之士
し【市】城市chéngshì; 市街shìjiē. (行政区画)市shì ‖ 京都～ 京都市
し【死】死sǐ; 死亡sǐwáng ‖ ～に追いやる 逼死｜～に立ち会う 临终时守在身边｜～を覚悟する 做好死的准备｜～に直面する 面临死亡｜危うく～を免れる 幸免于死｜～を招く 导致死亡｜友人の～を悼む 悼念朋友 ✤一の灰:原子尘

し【師】〔位〕老师lǎoshī；先生xiānsheng．（師匠）师傅shīfu ‖ ～と仰ぐ 尊为师长

し【詩】〔首〕诗shī；诗歌shīgē．（漢詩）中国古诗Zhōngguó gǔshī ‖ ～を書く 作诗

じ【地】❶〔土地〕土地tǔdì．（地面）地面dìmiàn；地皮dìpí ‖ 雨降って～固まる 定 不打不成交 ❷〔生まれつき〕（性質）天生tiānshēng；禀性bǐngxìng；本性běnxìng ‖ ～が出る 露出本性 ❸〔織り地〕质地zhìdì ❹〔模様のない部分〕地dì；底色dǐsè ❺〔会話以外の部分〕 ‖ ～の文 叙事 ✤一ならし：整地；平地

じ【字】字zì；文字wénzì．（筆跡）字迹zìjì ‖ ～がきれい〔汚い〕字写得很漂亮〔难看〕｜～をくずす 写草字｜「物理」の「ぶ」の～も知らない 对物理一窍不通

じ【痔】痔zhì；痔疮zhìchuāng ‖ ～が悪い 患痔疮

じ【辞】词cí ‖ 開会〔閉会〕の～ 开幕〔闭幕〕词

しあい【試合】（～する）比赛bǐsài ‖ ～に出る 参加比赛｜～に勝つ〔負ける〕 比赛赢〔输〕了｜～を申し込む 邀请参加比赛

じあい【自愛】（～する）保重（身体） bǎozhòng（shēntǐ）‖ 時節柄，ご～ください 在此季节，请多保重

じあい【慈愛】慈爱cí'ài ‖ ～に満ちたまなざし 充满慈爱的目光

しあが・る【仕上がる】完成wánchéng；工作做完gōngzuò zuòwán

しあげ【仕上げ】❶〔できあがり〕做完zuòwán；完成wánchéng．（結果）做的结果zuò de jiéguǒ ‖ ていねいな～ 做工精细 ❷〔最後の工程〕收尾shōuwěi；（最后）加工（zuìhòu）jiāgōng ‖ 最後の～をする 做最后收尾工作

しあ・げる【仕上げる】做完zuòwán；完成wánchéng ‖ 土曜日までに～げる 在星期六之前做完

しあさって【明明後日】大后天dàhòutiān

しあつりょうほう【指圧療法】指压疗法zhǐyā liáofǎ

しあわせ【幸せ】幸运xìngyùn；幸福xìngfú ‖ 末永くお～に 祝（你们）永远幸福｜～に暮らす 过幸福的生活

しあん【思案】（～する）❶〔考える〕思量sīliang；盘算pánsuan；定 左思右想zuǒ sī yòu xiǎng ‖ ～に暮れる 冥思苦想 ❷〔心配〕忧虑yōulǜ；担心dānxīn ‖ ～の種 担心的原因 ✤一顔：沉思苦想的样子｜一投げ首：想不出主意；定 不知所措；定 一筹莫展

しあん【試案】试行方案shìxíng fāng'àn

しい【恣意】恣意zìyì；任意rènyì ‖ ～的に選ぶ 任意选择

じい【辞意】辞职之意cízhí zhī yì ‖ ～を表明する 表示要辞职｜～を撤回する 撤回辞呈

シー アイ エー【ＣＩＡ】美国中央情报局Měiguó Zhōngyāng Qíngbàojú

ジー エヌ ピー【ＧＮＰ】国民生产总值guómín shēngchǎn zǒngzhí

シーエム【ＣＭ】⇨コマーシャル

しいか【詩歌】〔首〕诗歌shīgē

しいく【飼育】（～する）饲养sìyǎng ‖ 熱帯魚を～する 饲养热带鱼 ✤一係：饲养员｜一場：饲养场

じいしき【自意識】自我意识zìwǒ yìshi ✤一過剰：自我意识过强

シーズン 季节jìjié．（盛期）旺季wàngjì；盛季shèngjì ✤一オフ：淡季；不合时令

ジー セブン【Ｇ７】（西方）七国财长会议（Xīfāng）Qī Guó Cáizhǎng Huìyì

シーソー 跷跷板qiāoqiāobǎn；压板yàbǎn ‖ ～で遊ぶ 坐压板玩 ✤一ゲーム：拉锯战

しいたけ【椎茸】香菇xiānggū

しいた・げる【虐げる】（いじめる）欺压qīyā；欺侮qīwǔ．（虐待する）虐待nüèdài．（迫害する）迫害pòhài ‖ 罪なき者を～げる 虐待无辜的人们

シーツ〔条〕床单chuángdān；褥单rùdān

しいて【強いて】勉强miǎnqiǎng ‖ ～するには及ばない 不必勉强做

シー ディー【ＣＤ】〔张〕激光唱片jīguāng chàngpiàn；光盘guāngpán

シート ❶〔座席〕座位zuòwei；座席zuòxí ‖ 車の～を倒す 把汽车座位放倒 ❷〔防水布〕〔块〕罩布zhàobù；苫布shànbù ‖ 自転車に～をかぶせる 把苫布盖在自行车上 ✤一ベルト：安全带 ‖ ～を締める〔はずす〕 系上〔解开〕安全带

シード ✤一権：种子选手权｜一選手：种子选手

ジーパン〔条〕牛仔裤niúzǎikù

ジープ〔辆〕吉普车jípǔchē；越野车yuèyěchē

シーフード 海产食品hǎichǎn shípǐn

し・いる【強いる】强迫qiǎngpò；强制qiángzhì；迫使pòshǐ ‖ 過重な労働を～いる 强迫从事过重的劳动

シール（装饰用的）贴纸（zhuāngshì yòng de）tiēzhǐ；贴签tiēqiān．（封印）封条fēngtiáo；封缄fēngjiān ‖ ～をはがす 揭下贴纸

しい・れる【仕入れる】❶〔商品や原料を〕采购cǎigòu；买进mǎijìn ❷〔知識などを〕获得huòdé；获取huòqǔ；取得qǔdé

しいん【子音】子音zǐyīn；辅音fǔyīn．（中国語の）声母shēngmǔ

しいん【死因】死因sǐyīn

しいん【試飲】（～する）试饮shìyǐn；品尝pǐncháng ‖ できたてのビールを～する 品尝新鲜的啤酒

シーン ❶〔場面〕场面chǎngmiàn．（映画の）镜头jìngtóu ‖ 映画の中のワン～ 电影中的一个镜头 ❷〔情景〕场面chǎngmiàn；情景qíngjǐng；光景guāngjǐng ✤ラスト一：最后的场面｜ラブ一：爱情场面

じいん【寺院】寺院sìyuàn

ジーンズ 牛仔裤niúzǎikù

しうち【仕打ち】‖ ひどい～を受ける 受到冷遇

しうんてん【試運転】（～する）试车shìchē；试开shìkāi；试运转shìyùnzhuǎn

シェア 市场占有率shìchǎng zhànyǒulǜ；份额fèn'é ‖ ～をのばす 扩大份额

しえい【市営】市营shì yíng；市办shì bàn ✤一住宅：市营住宅｜一バス：市营公共汽车

しえい【私営】私营sīyíng ✤一鉄道：私营铁路｜一バス：私营客车

じえい【自営】（～する）个体经营gètǐ jīngyíng；独资〔独立〕经营dúzī〔dúlì〕jīngyíng ✤一業者：个体户；个体经营者

じえい【自衛】（～する）自卫zìwèi ✤一権：自卫权｜一策：自卫对策｜一手段：自卫手段

し

シェード ❶〔電灯の〕灯罩dēngzhào；灯伞dēngsǎn ❷〔日よけ〕遮光帘zhēguānglián

シェーバー 电动剃须刀diàndòng tìxūdāo

しえき【使役】（～する）役使yìshǐ；驱使qūshǐ；指使zhǐshǐ ✤一動詞：使役动词

ジェスチャー ❶〔身振り手振り〕手势shǒushì ‖～をまじえて熱弁をふるう 打着手势激动地讲 ❷〔見せかけ〕（故作）姿态（gùzuò）zītài ‖ あの男のやさしさは単なる～にすぎない 别看他亲切，只是故作姿态而已

ジェット ❶〔噴射〕喷气pēnqì；喷射pēnshè；喷射推进pēnshè tuījìn ❷〔飛行機〕喷气式飞机pēnqìshì fēijī ✤一エンジン：喷气式发动机｜一気流：急流；喷射气流｜一コースター：过山车；轨道飞车

ジェネレーション 代dài；世代shìdài.（同世代の人）一代人yí dài rén ✤一ギャップ：代沟

シェフ〔位〕厨师长chúshīzhǎng；烹饪长pēngrènzhǎng ‖～お薦めの一品 厨师长特别推荐的菜

シエラレオネ 塞拉利昂Sàilālì'áng

シェルター 避难所bìnànsuǒ；防空洞fángkōngdòng

しえん【支援】（～する）支援zhīyuán

しお【塩】 盐yán；食盐shíyán ‖ 魚に～をふる 在鱼上撒盐｜～をまく 撒盐 ✤一入れ：盐瓶子

しお【潮】 ❶〔うしお〕潮cháo；潮汐cháoxī.（海の水）海水hǎishuǐ ‖～が満ちる 满潮｜～が引く 退潮；落潮 ❷〔機会〕‖ 曲が終わったのを～に，みな帰りだした 大家趁音乐结束纷纷起身退场

しおあじ【塩味】 咸味儿xián wèir

しおかげん【塩加減】 咸淡xiándàn ‖～がよい 咸淡正好｜スープの～をみる 尝尝汤的咸淡

しおくり【仕送り】（～する）寄（生活费）jì（shēnghuófèi）‖ 親に～する 给父母寄生活费

しおけ【塩気】 盐分yánfèn；咸味儿xián wèir ‖～が足りない 不够咸

しおづけ【塩漬け】 用盐腌制（的食品）yòng yán yānzhì（de shípǐn）‖ 魚を～にする 腌咸鱼｜ハクサイの～ 咸白菜

しおどき【潮時】 ❶〔干満の時刻〕涨落潮的时间zhǎngluòcháo de shíjiān ❷〔よい機会〕时机shíjī；机会jīhui ‖～を見て席を立つ 找个机会离开座位｜そろそろ転職の～だ 到该跳槽的时候了

しおひがり【潮干狩り】 赶海gǎnhǎi

しおみず【塩水】 盐水yánshuǐ；咸水xiánshuǐ

しおらし・い 温顺wēnshùn；谦虚qiānxū

しおり【栞】〔个，张〕书签shūqiān ‖ 本に～をはさむ 在书里夹上书签

しお・れる【萎れる】 ❶〔草木が〕蔫niān；枯萎kūwěi；凋零diāolíng ❷〔しょげる〕蔫niān；颓丧tuísàng；沮丧jǔsàng

しか【市価】 市价shìjià；市场价格shìchǎng jiàgé

しか【鹿】 鹿lù

しか【歯科】 牙科yákē ✤一医：牙科医生｜一衛生士：牙科护士｜一技工士：牙科技工

-しか 只zhǐ；仅仅jǐnjǐn ‖ これ～方法はない 只有这个办法｜1度～行ったことがない 只去过一次｜やる～ない 只好做

しが【歯牙】 ‖～にもかけない 不屑一顾

じか【自家】 自家zìjiā；自己zìjǐ；自身zìshēn ✤一中毒：自体中毒｜一撞着（どうちゃく）：㊁自相矛盾｜一発電：自己发电｜一用車：私（家）车

じか【時価】 时价shíjià

じが【自我】 自我zìwǒ；自己zìjǐ ‖～に目覚める 产生了自我意识 ✤一意識：自我意识

しかい【司会】（～する）主持zhǔchí.（人）主持人zhǔchírén；司仪sīyí

しかい【視界】 视野shìyě；能见度néngjiàndù ‖～が悪い 能见度低｜～がよい 视野良好｜～がひらける 视野突然开阔起来

しがい【市外】 郊区jiāoqū；市郊shìjiāo；城郊chéngjiāo ✤一局番：地区（电话）号码；长途区号｜一通話：长途电话

しがい【市街】 市街shìjiē；市区shìqū ✤一戦：巷战｜一地：市区

しがい【死骸・屍骸】〔具，个〕尸体shītǐ；死尸sǐshī；尸身shīshēn

じかい【次回】 下（一）次xià（yí）cì；下（一）回xià（yì）huí ‖～完結 下期〔下集〕大结局

じかい【磁界】 ⇨じば（磁場）

しがいせん【紫外線】 紫外线zǐwàixiàn

しかえし【仕返し】（～する）报复bàofu；报仇bàochóu ‖ いつか～してやる 总有一天要报复

しかく【四角】 四角形sìjiǎoxíng；（四）方形（sì）fāngxíng ‖ 真～ 正方形 ✤一四面：过于拘谨

しかく【死角】 死角sǐjiǎo

しかく【刺客】 刺客cìkè

しかく【視覚】 视觉shìjué ‖～に訴える 有视觉效果

しかく【資格】 ❶〔立場・地位〕身份shēnfen；地位dìwèi ‖ 業界代表の～で出席する 以行业代表的身份参加｜人のことをとやかく言う～はない 没有资格议论别人 ❷〔必要な条件・能力〕资格zīge；条件tiáojiàn ‖ 教員の～をとる 取得教师执照 ✤一試験：资格考试｜一審査：资格审查

しがく【史学】 史学shǐxué；历史学lìshǐxué ✤一科：历史系；历史专业

しがく【私学】 私立学校sīlì xuéxiào

じかく【自覚】（～する）自觉zìjué；认识rènshi；意识yìshi ‖ 自分の短所を～する 认识到自己的短处 ✤一症状：自觉症状

しかけ【仕掛け】（装置・からくり）装置zhuāngzhì；构造gòuzào ‖ 大～の演出 大场面的表演｜種も～もない 没有做任何手脚

しか・ける【仕掛ける】 ❶〔攻勢に出る〕挑战tiǎozhàn ‖ けんかを～ける 找茬儿打架 ❷〔セットする〕装置zhuāngzhì；安设ānshè ‖ わなを～ける 设下陷阱

しかざん【死火山】 死火山sǐhuǒshān

しかし【然し】 ❶〔けれども〕然而rán'ér；可是kěshì；但是dànshì；不过búguò ❷〔なんとまあ〕可kě；多么duōme ‖～豪勢な家だなあ 多么豪华的住宅啊！

じがじさん【自画自賛】（～する）㊁自卖自夸zì mài zì kuā；㊁自吹自擂zì chuī zì léi

じがぞう【自画像】 自画像zìhuàxiàng

しかた【仕方】 做法zuòfǎ；方法fāngfǎ；方式fāngshì ‖ 配置の～が悪い 摆得不好｜あいさつの～も知らない 连怎么打招呼都不懂

しかたな・い【仕方無い】❶（やむを得ない）没办法méi bànfǎ；不得已bùdéyǐ ‖ やってしまったことは～い 做都做了，没办法了 ❷（どうにもならない）没用méi yòng ‖ 泣いたって～い 哭也没用 ❸（我慢できない）不得了bùdéliǎo；㊂不可开交bù kě kāi jiāo ‖ 頭が痛くて～い 头疼得厉害｜忙しくて～い 忙得不可开交

じかだんぱん【直談判】（～する）直接交涉〔面谈〕zhíjiē jiāoshè〔miàntán〕；面对面谈判miàn duì miàn tánpàn

しかつ【死活】死活sǐhuó；㊂生死攸关shēng sǐ yōu guān ‖ ～問題 生死攸关的问题

じかつ【自活】（～する）独立生活dúlì shēnghuó；㊂自食其力zì shí qí lì

しがつばか【四月馬鹿】⇨エープリル フール

しかつめらし・い【鹿爪らしい】㊂一本正经yì běn zhèng jīng；㊂正经八百zhèngjīng bābǎi ‖ ～い顔つき 正经八百的表情

じかに【直に】直接zhíjiē ‖ ～話す 直接谈谈｜～頼む 亲自求｜～聞く 亲耳听

しか・ねる【し兼ねる】难以… nányǐ…；不好… bù hǎo… ‖ 判断～ねる 很难判断

しかばね【屍】〔具，个〕死尸sǐshī；尸体shītǐ ‖ 生ける～ ㊂行尸走肉

じかび【直火】‖ ～で焼く 直接用火烤

しがみつ・く 抱住bàozhu；搂住lǒuzhu ‖ 社長の地位に～く 赖在总经理位子上

しかめつら【顰め面】‖ ～をする 面带不快；拉下脸

しか・める【顰める】皱眉zhòu méi；蹙额cù'é ‖ あまりの痛さに顔を～める 疼得双眉紧锁

しかも【然も・而も】❶（さらに）而且érqiě；并且bìngqiě ‖ 美人で～気だてがいい 不仅人长得漂亮，而且性情温和 ❷（けれども）却què；倒dào；尽管…但是 jǐnguǎn … dànshì ‖ しかられて～反省しない 挨批评了，而他却不肯反省

しか・る【叱る】批评pīpíng；训斥xùnchì ‖ こっぴどく～られる 被狠狠训了一顿

しかるに【然るに】⇨それなのに

しかるべき【然る可き】❶（当然の）应该yīnggāi；㊂理所当然 lǐ suǒ dāng rán ❷（適当な）适当shìdàng；恰当qiàdàng ‖ ～措置をとる 采取相应的措施

しかるべく【然るべく】适当 shìdàng；酌情 zhuóqíng ‖ ～取りはからう 酌情处理

しかん【弛緩】（～する）松弛sōngchí；松散sōngsǎn ‖ 全身の筋肉が～する 全身的肌肉松弛

しがん【志願】（～する）自愿zìyuàn；志愿zhìyuàn ✣一者：志愿者｜一兵：志愿兵

じかん【時間】❶（時の長さ）时间shíjiān；工夫gōngfu ‖ ～をはかる 计时｜～を稼ぐ 拖延时间｜～を食う 费时间｜～の無駄 浪费时间｜～がたつのを忘れる 忘记时间｜～をさく 抽出时间｜～をむだにする 白费工夫｜～をつぶす 消磨〔打发〕时间｜～をかける 下工夫｜～の問題だ 是时间的问题 ❷（時刻）时间shíjiān；时刻shíkè；时候shíhou ‖ ～を守る 遵守时间｜～を間違える 搞错〔弄错〕时间｜～きっちりに 准时｜～に遅れる 迟到 ❸（単位）（時の）小时xiǎoshí；钟头zhōngtóu.（学校の）〔节，堂〕课kè ‖ 2～ 两个小时｜2～めの授業 第二节课 ✣一割り：课程表

しき【士気】士气shìqì ‖ ～があがる 士气高涨｜～が衰える 士气低落

しき【四季】四季sìjì ‖ ～折々の料理 四季应时的菜｜～を通じて美しい 一年四季都很美

しき【式】❶（儀式）〔项〕仪式yíshì；典礼diǎnlǐ ‖ ～を挙行する 举行仪式〔典礼〕 ❷（方法・型）方式fāngshì；式样shìyàng；样式yàngshì ‖ 最新～ 最新型｜旧～ 旧式 ❸（数学）公式gōngshì；式子shìzi ✣一次第：仪式的程序

しき【死期】死期sǐqī ‖ ～を悟る 预感死期将近｜～を早める 加快死期的到来

しき【指揮】（～する）指挥zhǐhuī ‖ 課長の～のもと 在科长的指挥下｜オーケストラを～する 指挥交响乐团 ✣一官：指挥官｜一系統：指挥系统｜一者：指挥；指挥员｜一台：指挥台｜一棒：指挥棒

じき【次期】下届xià jiè；下期xià qī ‖ ～総裁に選出される 当选为下任总裁

じき【時期】时候shíhou；时节shíjié ‖ ～が来る 到时候 ✣一尚早（しょうそう）：为时尚早

じき【時機】时机shíjī；机会jīhui ‖ ～をとらえる 把握时机｜～を逃がす 错过时机｜～をうかがう 等待时机

じき【磁気】磁气cíqì；磁力cílì ✣一ディスク：磁盘｜一テープ：磁带

じき【磁器】瓷器cíqì

しきい【敷居】门槛ménkǎn ‖ ～が高い 门槛高

しきいし【敷石】铺路石pūlùshí ‖ 道路に～を敷く 在道路上铺上路石

しききん【敷金】〔笔〕押金yājīn；押租yāzū ‖ ～は家賃の2か月分だ 押金相当于两个月的房租

しきさい【色彩】❶（色）彩色cǎisè；色彩sècǎi；颜色yánsè ❷（傾向）倾向qīngxiàng；色彩sècǎi；特色tèsè ‖ 政治的～の濃いグループ 政治色彩浓厚的团体

しきじ【式辞】致词zhìcí；祝词zhùcí ‖ 卒業式の～を述べる 在毕业典礼上致词

じきじき【直直】亲自qīnzì；直接zhíjiē；当面dāngmiàn ‖ 社長～の命令 总经理直接下的命令

しきしゃ【識者】有识之士yǒushí zhī shì ‖ ～の意見を求める 征询有识之士的高见

しきじゃく【色弱】色弱sèruò；轻度色盲qīngdù sèmáng

しきそ【色素】色素sèsù

じきそ【直訴】（～する）越级上诉yuèjí shàngsù；直接上告 zhíjiē shànggào

しきたり【仕来り】惯例guànlì；常规chángguī；规矩guīju ‖ ～にとらわれる 墨守成规｜～にのっとって行う 按照传统习俗进行

しきち【敷地】建筑用地jiànzhù yòngdì；〔块〕地皮dìpí ‖ 工場の～ 工厂的厂区

しきちょう【色調】色调sèdiào

しきつ・める【敷き詰める】铺满pūmǎn；全面铺上quánmiàn pūshang

しきてん【式典】典礼diǎnlǐ；仪式yíshì ‖ ～をとり行う 举行典礼

じきひつ【直筆】亲笔qīnbǐ；亲笔写的文件qīnbǐ xiě de wénjiàn ‖ ～のサイン 亲笔签名

しきふ【敷布】〔条〕床单chuángdān；褥单rùdān

しきぶとん【敷き布団】〔床〕褥子rùzi

しきべつ【識別】(～する)识别shíbié; 辨别biànbié ‖ 善悪の～ができる 能够分辨善恶

しきもの【敷物】(じゅうたん)〔块〕地毯dìtǎn. (ござなど)草席cǎoxí ‖ ～を敷く 铺上地毯

じぎゃく【自虐】自虐zìnüè; 虐待自己nüèdài zìjǐ; 自我折磨zìwǒ zhémo ‖ ～的行為 自虐行为

しきゅう【子宮】子宫zǐgōng ✤ 一外妊娠:宫外孕 | 一がん:子宫癌 | 一筋腫:子宫肌瘤 | 一内膜炎:子宫内膜炎 | 一内膜症:子宫内膜异位症

しきゅう【支給】(～する)(金銭を)支付zhīfù. (物品を)发放fāfàng; 发给fāgěi ✤ 一額:支付金额 | 一品:发放品

しきゅう【至急】赶快gǎnkuài; 火急huǒjí; 抓紧zhuājǐn ‖ ～ご回答いただきたい 请尽快答复

じきゅう【自給】(～する)自给zìjǐ ✤ 一自足:㊫自给自足 | 一率:自给率

じきゅう【持久】持久chíjiǔ ✤ 一戦:持久战 | 一力:持久力；耐力

じきゅう【時給】按时计酬ànshí jìchóu; 计时工资jìshí gōngzī ‖ ～800円 小时工资800日元

しきょ【死去】(～する)逝世shìshì; 去世qùshì; 离开人世líkāi rénshì

しきょう【市況】行情hángqíng; 市场情况shìchǎng qíngkuàng; 市面shìmiàn

しきょう【試供】✤ 一品:试用品；样品

しぎょう【始業】(～する) ❶〔仕事を始める〕开始工作kāishǐ gōngzuò ‖ 役所は8時30分～だ 机关从8点半开始办公 ❷〔授業が〕开始上课kāishǐ shàngkè. (学期が始まる)开学kāixué ‖ ～のベル 上课铃 ✤ 一式:开学典礼 | 一時間:开始上课的时间；营业开始时间

じきょう【自供】(～する)招供zhāogòng; 自供zìgòng ‖ ～を翻す 推翻自供

じぎょう【事業】〔项, 份〕事业shìyè. (実業)企业qǐyè; 实业shíyè ‖ ～を起こす 创办企业 | ～を縮小する 缩小企业规模 ✤ 一家:企业家；实业家 | 一資金:企业资本 | 一所得:企业收入

しきょく【支局】分局fēnjú; 分社fēnshè

じきょく【時局】时局shíjú; 局势júshì; 政局zhèngjú ‖ 重大な～に直面する 面临严峻的局势

じきょく【磁極】磁极cíjí

しきり【仕切り】〔面〕隔板gébǎn; 截断墙jiéduànqiáng

しきりに【頻りに】不停(地) bùtíng(de); 不断(地) búduàn(de) ‖ 照れて～頭をかく 不好意思地一个劲儿挠头

しき・る【仕切る】❶〔境界をつける〕隔开gékāi; 间隔开jiàngékāi; 划区huà qū ‖ 部屋を2つに～る 把屋子隔成两间 ❷〔とり仕切る〕一手承办yìshǒu chéngbàn; 掌管zhǎngguǎn ‖ 幹事としてすべてを～る 作为干事一手承办全部事务 ❸〔決算する〕结账jiézhàng; 清账qīngzhàng

しきん【資金】〔笔〕资金zījīn; 资本zīběn ‖ ～を調達する 筹措资金 | ～が尽きる 资金用完 ✤ 一繰り:资金周转 | 一源:资金来源 | 一難:资金困难

し・く【敷く】❶〔下に当てる・広げる〕铺pū; 垫上diànshang ‖ 床にラグを～く 地板上铺小块儿地毯 | 座布団を～く 垫上坐垫 ❷〔敷設・配置する〕设shè; 铺设pūshè ‖ 鉄道を～く 铺设铁路

じく【軸】❶〔回転軸〕轴zhóu; 轮轴lúnzhóu; 转轴zhuànzhóu ❷〔巻物〕画轴huàzhóu; 卷轴juànzhóu ❸〔重要なもの〕中心zhōngxīn; 核心héxīn ‖ 経験者を～に研究チームを発足する 以有经验者为核心设立研究班子 ❹〔柄〕杆儿gǎnr. 〔茎〕茎jīng ‖ マッチの～ 火柴棍儿〔杆儿〕 ❺〔数学〕轴zhóu ✤ 一受け:轴承

しぐさ【仕草】动作dòngzuò; 举止jǔzhǐ (舞台での所作)做功zuògōng; 做派zuòpài

ジグザグ 之字形zhīzìxíng; 锯齿形jùchǐxíng; 蜿蜒wānyán; 弯弯曲曲wānwānqūqū

じくじ【忸怩】羞愧xiūkuì; 惭愧cánkuì ‖ 内心～たる思いである 心里感到非常惭愧

しくしく ❶〔泣く〕‖ ～泣く 抽抽搭搭地哭 ❷〔痛み〕‖ ～痛む 丝丝拉拉地疼

しくじ・る 失败shībài; 失策shīcè

しくつ【試掘】(～する)勘探kāntàn; 钻探zuāntàn; 试钻shì zuān ✤ 一権:勘探权

シグナル 信号xìnhào; 暗号ànhào; 信号机xìnhàojī ‖ ～を発する 发信号

しくはっく【四苦八苦】(～する)非常烦恼fēicháng fánnǎo; 伤脑筋shāng nǎojīn

しくみ【仕組み】构造gòuzào; 结构jiégòu ‖ 新型ロボットの～ 新型机器人的构造 | 介護保険の～ 护理保险的构成

しく・む【仕組む】筹划chóuhuà; 策划cèhuà; 企图qǐtú ‖ 巧みに～まれた詐欺 精心策划的骗局

シクラメン 仙客来xiānkèlái

しけ【時化】(海の荒れ)波涛汹涌bōtāo xiōngyǒng; 暴风雨bàofēngyǔ

しけい【死刑】死刑sǐxíng ‖ ～廃止を唱える 主张废除死刑 ✤ 一執行人:死刑执行人 | 一囚:死囚 | 一判決:死刑判决

しげき【刺激】(～する)刺激cìjī ‖ ～性の食物 刺激性食物 | 同僚の昇進に～される 被同事的提升所刺激 | ～のない毎日 平淡的日月 | ～の強い番組 刺激性很强的(电视)节目

しげしげ【繁繁】❶〔たびたび〕常常chángcháng; 经常jīngcháng; 频繁pínfán; ㊫三番五次sān fān wǔ cì ‖ ～と通う 频繁出入 ❷〔見つめる〕‖ ～と見つめる 凝视；端详

しけつ【止血】止血zhǐ xuè ‖ タオルで～する 用毛巾把血止住 ✤ 一剤:止血剂

しげみ【茂み】草木繁茂处cǎomù fánmàochù; 草丛cǎocóng; 树丛shùcóng

し・ける【時化る】❶〔海が〕波涛汹涌bōtāo xiōngyǒng; 大风大浪dà fēng dà làng ❷〔景気が悪い〕萧条xiāotiáo; ㊫无精打采wú jīng dǎ cǎi ‖ ～けた顔 无精打采的样子 | ちぇっ, ～けてんの 呸！真小气

しけ・る【湿気る】潮湿cháoshī; 发潮fā cháo; 受潮shòucháo ‖ クッキーが～る 饼干受潮了

しげ・る【茂る】繁茂fánmào; 茂盛màoshèng; 繁密fánmì ‖ 若葉が～る 新绿繁茂

しけん【試験】(～する) ❶〔人が受ける〕考试kǎoshì; 测验cèyàn ‖ ～を受ける 应考；参加考试 | ～に合格する 考试及格；考上 ❷〔物に対する〕试验shìyàn; 检验jiǎnyàn ✤ 一官:主考官 | 一管:试管 | 一管ベビー:试管婴儿 | 一場:考场 | 一飛行:试飞 | 一勉強:应考准备 | 一問題:试题

しげん【資源】资源zīyuán ✤ 一開発:资源开发 | 一ごみ:资源垃圾

じけん【事件】❶〔犯罪〕〔起,个〕(刑事)案件(xíngshì) ànjiàn; 案子ànzi ❷〔出来事〕事件shìjiàn ‖ われわれにとっては大〜だ 这对我们来说是件大事

じげん【次元】❶〔着眼点や程度〕着眼点zhuóyǎndiǎn; 水平shuǐpíng ‖ 〜が違う 着眼点不同 | 〜が低い 水平低 ❷〔数学〕次元cìyuán; 维度wéidù

じげん【時限】❶〔授業時間〕节jié; 堂táng ❷〔期間を限定すること〕限期xiànqī; 定时dìngshí ✤ 一スト:限期罢工 | 一爆弾:定时炸弹 | 一立法:限期立法

しご【死後】死后sǐhòu ✤ 一硬直:死后僵直

しご【私語】(〜する)私语sīyǔ; 耳语ěryǔ

じこ【自己】自我zìwǒ; 自己zìjǐ ✤ 一犠牲:自我牺牲 | 一嫌悪:自我厌弃 | 一顕示:自我表现 | 一資金:自有资金 | 一実現:自我实现 | 一紹介:自我介绍 | 一申告制度:自我申报制度 | 一陶酔:自我陶醉 | 一破産:自愿(申请)破产 | 一満足:自满 | 一流:自己的方式

じこ【事故】〔起,次〕事故shìgù; 差错chācuò; 故障gùzhàng ‖ 〜に遭う 遇到事故 | 〜を起こす 引发事故 ✤ 一現場:事故现场 | 一防止:防止事故

じご【事後】事后shìhòu ✤ 一承諾:事后认可〔同意〕 | 一報告:事后汇报

しこう【志向】(〜する)意向yìxiàng; 志向zhìxiang ‖ 上昇〜が強い 出人头地的欲望很强

しこう【思考】(〜する)思考sīkǎo

しこう【指向】(〜する)定向dìngxiàng ✤ 一性アンテナ:定向天线

しこう【施工】⇨せこう(施工)

しこう【施行】(〜する)施行shīxíng; 实施shíshī; 执行zhíxíng ✤ 一期間:实施期间

しこう【嗜好】(〜する)爱好àihào; 嗜好shìhào ✤ 一品:嗜好品

じこう【事項】事项shìxiàng; 项目xiàngmù ✤ 注意一:注意事项 | 必要一:必要事项

じこう【時効】时效shíxiào ‖ 〜が成立する 失效; 超出诉讼时效

しこうさくご【試行錯誤】‖ 〜を重ねる 反复试验不断摸索

じごうじとく【自業自得】定 自作自受zì zuò zì shòu; 定 自食其果〔恶果〕zì shí qí guǒ〔èguǒ〕

しご・く【扱く】❶〔特訓する〕严格训练yángé xùnliàn ❷〔こする〕(握って)捋luō. (なでて)捋lǚ

じこく【自国】本国běn guó; 自己(的)国家zìjǐ (de) guójiā

じこく【時刻】时间shíjiān; 时刻shíkè ‖ 約束の〜 约定的时间 ✤ 一表:时刻表

じごく【地獄】地狱dìyù ‖ 〜に落ちる 下地狱 | 〜で仏に会ったよう 定 绝处逢生 | 〜の沙汰(さた)も金しだい 定 有钱能使鬼推磨 ✤ 一耳:耳朵尖

しごせん【子午線】子午线zǐwǔxiàn

じこちゅうしんてき【自己中心的】以自我为中心(的) yǐ zìwǒ wéi zhōngxīn (de)

しごと【仕事】❶〔職業・任務〕工作gōngzuò; 职业zhíyè; 活儿huór ‖ 〜をさがす 找工作 | 〜がたまっている 工作积压 | 〜に追われる 忙于工作 | 〜ができる 能干 | 〜が手につかない 没心思工作 | 〜の虫 工作狂 ❷〔業績〕成绩chéngjì; 成就chéngjiù ❸〔物理〕功gōng ✤ 一柄:工作的关系 ‖ 〜海外出張が多い 因为工作的关系经常到国外出差

しこ・む【仕込む】❶〔教える〕教育jiàoyù; 训练xùnliàn; 教导jiàodǎo ‖ サルに芸を〜む 训练猴子耍把戏 ❷〔仕入れる〕采购cǎigòu; 购入gòurù; 进货jìnhuò ‖ 最新の情報を〜む 搜集最新资料 ❸〔準備しておく〕准备zhǔnbèi ❹〔醸造のために〕酿造niàngzào; 装料zhuāng liào ‖ みそを〜む 酿造大酱

しこり【凝り】❶〔こり〕硬疙瘩yìng gēda ‖ 胸に〜がある 胸上有个硬块 ❷〔気分〕疙瘩gēda; 隔膜gémó; 隔阂géhé ‖ 兄弟の間に〜を残す 兄弟之间留下疙瘩

しさ【示唆】(〜する)暗示ànshì; 透露tòulù

じさ【時差】❶〔標準時間の差〕时差shíchā ❷〔時刻をずらす〕错开时间cuòkāi shíjiān ‖ ラッシュを避けて〜出勤する 错开高峰时间上班 ✤ 一ぼけ:时差反应

しさい【子細・仔細】❶〔詳細〕(詳しい事柄)详情xiángqíng. (詳しく)仔细zǐxì; 详细xiángxì ‖ 事の次第を〜に述べる 详细叙述事情的经过 ❷〔理由〕缘故yuángù; 理由lǐyóu ‖ 〜ありげな話しぶり 讲话态度像有什么缘故似的 ❸〔支障〕障碍zhàng'ài; 妨碍fáng'ài ‖ 〜ない 没有问题

しざい【私財】私产sīchǎn; 私人财产sīrén cáichǎn ‖ 多額の〜を投じる 拿出巨额私产

しざい【資材】资材zīcái; 材料cáiliào

じざい【自在】自如zìrú; (自由)自在(zìyóu) zìzài ‖ 伸縮〜 伸缩自如 | 〜に動かす 熟练地操纵

しさく【思索】(〜する)思索sīsuǒ ‖ 〜にふける 陷入深思

しさく【施策】(〜する)(采取)措施(cǎiqǔ) cuòshī; (实施)政策(shíshī) zhèngcè; (采取)对策(cǎiqǔ) duìcè

しさく【試作】(〜する)试制shìzhì

じさく【自作】(〜する)(手製)自制zìzhì; 自作zìzuò. (詩・曲などを)自己写作zìjǐ xiězuò. (作物を)自耕zì gēng; 自己种zìjǐ zhòng ✤ 一自演:(戯曲を)自编自演; (音楽を)自编自唱; (自分でする)唱独角戏 | 一農:自耕农

しさつ【刺殺】(〜する)刺杀cìshā; 刺死cìsǐ

しさつ【視察】(〜する)考察kǎochá; 视察shìchá ‖ 現地を〜する 视察当地(的情况) ✤ 一団:考察团; 视察团 | 一旅行:考察旅行

じさつ【自殺】(〜する)自杀zìshā; 自尽zìjìn ✤ 一未遂:自杀未遂

しさん【試算】(〜する)❶〔大まかに〕估算gūsuàn; 概算gàisuàn ❷〔検算〕验算yànsuàn

しさん【資産】资产zīchǎn. (財産)财产cáichǎn ✤ 一家:财主; 大富翁 | 一株:资产股

しざん【死産】(〜する)死产sǐchǎn

じさん【持参】(〜する)带来〔去; 上〕dàilai〔qu; shang〕; 持chí; 自备zì bèi ‖ 弁当〜で花見に出かける 带盒饭去赏花 ✤ 一金:陪嫁钱

しし【四肢】四肢sìzhī

しし【獅子】狮子shīzi ‖ 〜身中の虫 定 吃里爬

外；从内部引起灾祸的人 ✤一座：狮子座｜一鼻：狮子鼻｜一奮迅：勇猛(无敌)‖～の働き 猛虎下山之势｜一舞い：狮子舞

しじ【支持】(～する)支持zhīchí；拥护yōnghù；赞同zàntóng‖世論の～を失う 丧尽民心 ✤一者：拥护者｜一率：支持率

しじ【指示】(～する)指示zhǐshì；命令mìnglìng‖～を与える 发出指示｜～を受ける 得到指示

しじ【師事】(～する)师从shīcóng；跟…学习gēn … xuéxí；师事shīshì

じじ【時事】时事shíshì ✤一問題：时事问题

ししつ【資質】素质sùzhì；秉性bǐngxìng；先天条件xiāntiān tiáojiàn‖～に恵まれる 天资聪颖

しじつ【史実】史实shǐshí；历史事实lìshǐ shìshí‖～と照らし合わせて検証する 对照史实来考证

じじつ【事実】❶〔事の実際〕事实shìshí‖動かし難い～ 铁一般的事实｜～は小説より奇なり 事实比小说还离奇 ❷〔事実上〕实际上shíjì shang；事实上shìshí shang；确实quèshí ✤一関係：事实关系｜一無根：毫无根据

ししゃ【支社】分社fēnshè；分公司fēngōngsī

ししゃ【死者】死者sǐzhě‖さいわい乗客から～は出なかった 幸亏没有乘客死亡

ししゃ【使者】使者shǐzhě

ししゃ【試写】(～する)试映shìyìng ✤一会：试映会

じしゃく【磁石】❶〔物理〕磁石císhí；磁铁cítiě ❷〔コンパス〕磁针cízhēn；罗盘luópán；指南针zhǐnánzhēn

ししゃごにゅう【四捨五入】四舍五入sì shě wǔ rù

ししゅ【死守】(する)死守sǐshǒu

じしゅ【自主】自主zìzhǔ‖～的に判断し行動する 自行判断采取行动｜自社のCMを～制作した 自己制作了自己公司的广告片 ✤一管理：自主管理｜一規制：自主控制｜一権：自主权｜一性：主动性；自主性｜一トレーニング：自主训练

じしゅ【自首】(～する)投案自首tóu'àn zìshǒu

ししゅう【死臭】尸臭shīchòu

ししゅう【刺繡】(～する)刺绣cìxiù；绣花xiùhuā ✤一糸：绣花线

ししゅう【詩集】诗集shījí

しじゅう【四重】四重sìchóng ✤一唱：四重唱｜一奏：四重奏

しじゅう【始終】始终shǐzhōng；一直yìzhí；总zǒng

じしゅう【自習】(～する)自习zìxí

ししゅうびょう【歯周病】牙周病yázhōubìng

じしゅく【自粛】(～する)自我约束zìwǒ yuēshù；尽量不做… jǐnliàng bú zuò…‖不要不急の渡航は～してください 除非不得已，请尽量避免去海外旅行

ししゅつ【支出】(～する)开支kāizhī；支出zhīchū‖不要な～を削る 削减不必要的开支 ✤一額：支出额

ししゅんき【思春期】青春期qīngchūnqī；思春期sīchūnqī

ししょ【支所】分所fēnsuǒ；分公司fēngōngsī

ししょ【司書】图书管理员túshū guǎnlǐyuán

じしょ【自署】(～する)自己签名zìjǐ qiānmíng；自署zì shǔ

じしょ【辞書】辞典cídiǎn；词典cídiǎn

じじょ【次女】二女儿èr nǚ'ér；次女cìnǚ

ししょう【支障】妨碍fáng'ài；障碍zhàng'ài；不便búbiàn‖～をきたす 带来〔产生〕影响｜なんの～もない 没有什么不便

ししょう【死傷】(～する)伤亡shāngwáng；死伤sǐshāng ✤一者：伤亡者；死伤者‖～が出る 出现伤亡

ししょう【師匠】老师lǎoshī；师傅shīfu；师父shīfu‖～について生け花を習う 跟老师学插花

しじょう【史上】(历)史上(lì)shǐ shang‖～空前の大事件 历史上空前的大事件

しじょう【市場】❶〔マーケット〕销路xiāolù；市场shìchǎng‖新製品を～に出す 把新产品投放市场｜～の動向 市场的动向 ❷〔取引市場〕交易市场jiāoyì shìchǎng；交易所jiāoyìsuǒ ❸〔いちば〕市场shìchǎng；集市jíshì ✤一価格：市场价格｜一操作：操作市场｜一分析：市场分析

しじょう【至上】至上zhìshàng ✤一命令：最高命令｜芸術一主義：艺术至上主义

しじょう【私情】个人感情gèrén gǎnqíng；私情sīqíng‖仕事に～をさしはさむ 把个人感情带入工作中｜～にとらわれない 不徇私情

しじょう【紙上】报纸上bàozhǐ shang；版面bǎnmiàn‖～をにぎわす 让报纸热闹了一阵

しじょう【詩情】❶〔詩趣〕诗情shīqíng；诗意shīyì；诗趣shīqù ❷〔作詩の興味〕诗兴shīxìng‖～をかきたてる 激发诗兴

しじょう【試乗】(～する)试驾shìjià；试车shìchē‖新車～会 新车试驾会

しじょう【誌上】杂志上zázhì shang；刊物上kānwù shang

じしょう【自称】(～する)自称zìchēng；自封zìfēng‖～弁護士 自称是律师

じじょう【自乗・二乗】⇨にじょう(二乗)

じじょう【自浄】自净zìjìng ✤一作用：自净作用｜一努力：自我改善

じじょう【事情】情况qíngkuàng.(わけ)原因yuányīn；缘故yuángù；事由shìyóu‖やむをえない～で 因不得已的原因｜～によっては許してやってもいい 特殊情况可以原谅｜～に詳しい 熟悉情况｜家庭の～で 因为家庭原因 ✤一聴取：听取情况｜一通：消息灵通人士

ししょく【試食】(～する)品尝pǐncháng

じしょく【辞職】(～する)辞职cízhí‖～に追い込まれる 被迫辞职 ✤一願い：辞职报告；辞呈‖～を出す 提出辞呈

ししょばこ【私書箱】邮政专用信箱yóuzhèng zhuānyòng xìnxiāng

ししん【私信】❶〔個人の手紙〕私信sīxìn ❷〔内密の通信〕秘密通讯mìmì tōngxùn

ししん【指針】❶〔針〕指针zhǐzhēn ❷〔手引き〕指南zhǐnán；指针zhǐzhēn‖人生の～ 人生指南

しじん【詩人】诗人shīrén

じしん【地震】〔次〕地震dìzhèn‖～に遭う 遭遇地震｜今朝，弱い～があった 今天早上发生了微弱的地震｜～で家がこわれた 房子被地震给震塌了 ✤一学：地震学｜一計：地震仪；地震计｜一帯：

地震带｜一予知:地震预测；地震预报
じしん【自身】❶〔自分〕自身zìshēn；自己zìjǐ ‖私～で決める 我自己决定 ❷〔そのもの自体〕本身běnshēn
じしん【自信】自信zìxìn；信心xìnxīn ‖～にあふれる 充满信心｜～が揺らぐ 开始失去信心｜～がもてない 缺乏自信｜～をもって行動する 拿出自信去干 ✤一家:自信的人｜一過剰:过于自信；自信过剩
ししんけい【視神経】视神经shìshénjīng
ジス【JIS】日本工业标准Rìběn Gōngyè Biāozhǔn ✤一マーク:日本工业标准标记
じすい【自炊】(～する)自炊zì chuī；自己做饭zìjǐ zuò fàn
しすう【指数】指数zhǐshù
しすう【紙数】页数yèshù；篇幅piānfu ‖～が尽きた 页数到头了｜～に制限がある 篇幅有限
しずか【静か】❶〔物音がしない〕安静ānjìng；寂静jìjìng；肃静sùjìng ‖～に！ 安静!;肃静!;(黙れ)住嘴!;(騒ぐな)别吵！｜～に酒を飲む 默默地喝酒｜ドアを～に閉める 轻轻关上门 ❷〔落ちついている〕沉静chénjìng；平静píngjìng；安详ānxiáng ‖１人になって～に考える 一个人静下来想想 ❸〔動きがない〕平静píngjìng；宁静níngjìng ❹〔口数が少ない〕文静wénjìng；定少言寡语shǎo yán guǎ yǔ
システム ❶〔体系〕系统xìtǒng；体系tǐxì.(組織)组织zǔzhī.(制度)制度zhìdù ❷〔方法〕〔种,个〕方法fāngfǎ；办法bànfǎ.(方式)方式fāngshì ✤一エンジニア:系统工程师｜一化:系统化｜一キッチン:配套式厨房；组合灶具｜一工学:系统工程学｜一デザイン:系统设计
じすべり【地滑り】❶〔地表が〕滑坡huápō ❷〔…的〕‖～的大勝 获得压倒性的胜利
しずまりかえ･る【静まり返る】安静下来ānjìngxialai；定鸦雀无声yā què wú shēng
しずま･る【静まる】❶〔静かになる〕静下来jìngxialai；静起来jìngqilai ❷〔気持ちが〕平静píngjìng ‖興奮が～る 兴奋平静下来｜怒りが～る 怒气平息 ❸〔勢いが〕减弱jiǎnruò；平息píngxī ‖風が～った 风停了
しずま･る【鎮まる】平息píngxī；平定píngdìng ‖騒乱が～る 骚乱平息
しず･む【沈む】❶〔水に〕沉没chénmò ‖ボートが～む 船沉到水里｜海に～む 沉入海底 ❷〔太陽･月が〕落luò；下沉xiàchén ‖日が～む 日落 ❸〔低くなる〕下沉xiàchén；下降xiàjiàng ‖地盤が～む 地基下沉 ❹〔気持ちが〕消沉xiāochén；郁闷yùmèn；阴郁yīnyù ‖物思いに～む 陷入沉思 ❺〔色や音が〕灰暗huī'àn；低沉dīchén ‖～んだ色合い 灰暗的色调
しず･める【沈める】‖ソファーに身を～める 深深地坐在沙发里
しず･める【静める】‖気を～める 定平心静气｜場内を～める 让场内安静
しず･める【鎮める】❶〔騒動を〕平定píngdìng；镇压zhènyā ‖騒ぎを～める 平息骚乱 ❷〔痛みなどを〕止zhǐ；镇zhèn ‖咳(せき)を～める 止住咳嗽｜神経を～める 镇静神经 ❸〔勢いを〕减弱jiǎnruò；压住yāzhu
じ･する【辞する】❶〔いとまごいする〕告辞gàocí ❷〔辞任する〕辞职cízhí ‖社長の地位を～する 辞去总经理职务 ❸〔辞退する〕推辞tuīcí；辞谢cíxiè ❹〔いとわない〕不惜bùxī；不辞bùcí ‖いかなる犠牲も～さない 不惜任何牺牲｜死をも～さない 虽死不辞
しせい【姿勢】❶〔身体の〕姿势zīshì；姿态zītài ❷〔態度〕态度tàidu；姿态zītài ‖前向きな～ 积极的态度
しせい【施政】施政shīzhèng ✤一方針:施政方针 ‖～演説を行う 作施政方针演说
じせい【自生】(～する)野生yěshēng；自然生长zìrán shēngzhǎng
じせい【自制】(～する)自制zìzhì；自律zìlǜ ‖兄は酒を飲みだすと～できなくなる 我哥哥一喝起酒来就失控 ✤一心:自制力 ‖～を失う 失去自制力
じせい【時勢】时势shíshì；时局shíjú；形势xíngshì ‖～におくれる 落伍
しせいかつ【私生活】私生活sīshēnghuó ‖～に干渉する 干涉私生活
しせき【史跡】古迹gǔjì；历史遗迹lìshǐ yíjì ‖～を保存する 保护古迹｜～を巡る 周游古迹
しせき【歯石】牙石yáshí；牙垢yágòu ‖～をとる 清除牙垢
じせき【自責】(～する)自责zìzé；自咎zìjiù ‖～の念にかられる 自责不已
しせつ【私設】私设sīshè；私立sīlì ✤一図書館:私立图书馆｜一秘書:私人秘书
しせつ【施設】❶〔建物など〕设施shèshī.(設備)设备shèbèi ❷〔福祉施設〕社会福利设施shèhuì fúlì shèshī
じせつ【自説】己见jǐjiàn；自己的意见〔见解〕zìjǐ de yìjian〔jiànjiě〕‖～を曲げない 固执己见
しせん【支線】〔条〕支线zhīxiàn
しせん【死線】死亡线sǐwángxiàn；生死关头shēngsǐ guāntóu ‖～をさまよう 在生死线上徘徊
しせん【視線】视线shìxiàn；目光mùguāng ‖～を浴びる 受到关注｜～をそらす 移开视线｜～を向ける 朝…看｜～をもどす 回眼看…｜冷たい～ 冷漠的目光｜～を感じる 感到有人在看我
しぜん【自然】❶〔山･川･海など〕自然zìrán ‖～の法則 自然规律〔法则〕｜～の猛威 自然的威力｜自然の恩恵 自然的恩惠｜～を破壊する 破坏自然｜～に返る 回归自然｜～にふれる 接近自然｜～に恵まれる 自然环境得天独厚 ❷〔本来の性質〕自然zìrán.(生まれつき)天生tiānshēng；生来shēnglái ‖人間の～の欲求 人的自然欲望 ❸〔わざとらしくない〕自然zìran ‖～な演技 演得很自然 ❹〔おのずと〕自然zìrán；定自然而然zì rán ér rán.(ひとりでに)自己zìjǐ；自动zìdòng ‖～のなりゆきに任せる 定听其自然｜～になおる 自然痊愈 ✤一界:自然界｜一科学:自然科学｜一現象:自然现象｜一死:老死；无疾而终｜一主義:自然主义｜一食品:天然食品｜一淘汰(とうた):自然淘汰｜一発火:自然发火｜一発生:自发；自然发生｜一保護:自然保护
じぜん【次善】‖～の策 次善之策
じぜん【事前】事先shìxiān；事前shìqián ✤一協議:事先协商｜一通告:事前通告
じぜん【慈善】慈善císhàn ✤一事業:慈善事业

|一団体:慈善团体|一バザー:义卖
しそ【始祖】始祖shǐzǔ; 鼻祖bízǔ
しそ【紫蘇】紫苏zǐsū
しそう【思想】思想sīxiǎng‖～を弾圧する 压制思想 ❖一家:思想家|一性:思想性|一の自由:思想自由|一犯:思想犯
しそうのうろう【歯槽膿漏】牙槽脓肿yácáo nóngzhǒng
じそく【時速】时速shísù
じぞく【持続】(～する)(継続)持续chíxù; 继续jìxù.(維持)维持wéichí; 保持bǎochí ❖一期間:持续期间|一力:持续力; 耐力
しそん【子孫】子孙zǐsūn; 后代hòudài.(子と孫)子和孙zǐ hé sūn‖～が絶える 定断子绝孙
しそん·じる【仕損じる】搞坏gǎohuài; 搞糟gǎozāo‖せいては事を～じる 急则出错
じそんしん【自尊心】自尊心zìzūnxīn‖～が強い 自尊心很强|～が傷つく 自尊心受到伤害
した【下】❶(場所·位置)下xià; 下面xiàmian; 下边xiàbian; 底下dǐxia‖橋の～ 桥下|～を向く 向下; 朝下|～から3行め 倒数第三行 ❷(階下)楼下lóuxià‖～で待っていてくれ 请在楼下等我 ❸(地位·身分)下xià; 下面xiàmian; 下边xiàbian.(部下)下级xiàjí.(指導下)手下shǒuxià‖1学年～ 低一年级|～からの突きあげ 下面的压力|師匠の～で修業する 在师傅的指导下学习 ❹(程度)低dī; 差chà; 下xià‖1ランク～ 低一等级 ❺(内側)里面lǐmiàn; 内nèi‖～にTシャツを着る 里面穿T恤 ❻(年齢)小xiǎo‖3つ～の妹 比我小三岁的妹妹|すぐ～の弟 大弟弟 ❼(慣用表現)‖～にも置かぬもてなし 待为上宾
した【舌】❶(人などの)舌头shétou; 舌shé‖～を出す 伸出舌头|～なめずりをする 舔嘴唇|～をやけどした 把舌头烫伤了|～をかみそうな名前 拗口的名字 ❷(慣用表現)‖～がよく回る 口齿伶俐; 定能说会道|～がもつれる 口齿不清; 绕嘴|～が肥えている 讲究吃; 口味很高|陰で～を出す 暗地里嘲笑|～を巻く 赞叹不已|～の根も乾かぬうち 话音未落
しだ【羊歯】蕨类juélèi ❖一植物:蕨类植物
じた【自他】自己和他人zìjǐ hé tārén‖～ともに認める 众所公认
したあご【下顎】下腭xià'è
したい【死体】〔具〕尸体shītǐ; 死尸sǐshī ❖一遺棄:尸体遗弃|一解剖:尸体解剖;(検死のための)验尸|一(仮)置き場:停尸间; 太平间
したい【姿態】姿态zītài; 体态tǐtài
したい 想做xiǎng zuò; 希望xīwàng‖何もしたくない 什么也不想做 ❖一放題: 定为所欲为
しだい【次第】❶(順序)顺序shùnxù‖式の～ 仪式的程序 ❷(事情)情况qíngkuàng.(いきさつ)经过jīngguò.(わけ)缘故yuángù; 情由qíngyóu; 原因yuányīn‖事の～ 事情的经过 ❸(それによって決まる)全凭quán píng; 要看yào kàn‖成功も失敗も運～だ 成功失败全凭运气 ❹(するやいなや)一…就… yī…jiù…‖雨があがり～試合は再開される 等雨一停就马上恢复比赛
じたい【自体】本身běnshēn; 自身zìshēn
じたい【事態】事态shìtài; 局势júshì; 形势xíngshì‖～を静観する 静观事态发展|～が好転する 形势好转|～を収拾する 处理事态
じたい【辞退】(～する)谢绝xièjué; 推辞tuīcí
じだい【次代】下一代xià yí dài; 未来wèilái
じだい【時代】❶(ひと区切りの期間)时代shídài.(年代)年代niándài.(時期)时期shíqī‖平安～ 平安时代|祖父の～には 在祖父的年代|古きよき～ 过去的美好时光|一～を画する 划时代|子ども～ 童年; 儿童时代|学生～ 学生时期 ❷(時勢)时代shídài; 时势shíshì; 时世shíshì‖～の波に乗る 赶上〔顺应〕时代的潮流|～に取り残される 落后于时代|～に逆行する 与时代潮流背道而驰|～の最先端を行く 走在时代的最前端 ❸(古めかしい)‖～がかる 古色古香|～を経る 有年头儿了 ❖一劇:历史剧; 古装戏;(映画)古装片|一錯誤:不合时代潮流
しだいに【次第に】逐渐zhújiàn; 渐渐jiànjiàn; 逐步zhúbù
した·う【慕う】❶(恋しく思う)怀念huáiniàn; 想念xiǎngniàn; 怀想huáixiǎng‖母親を～って泣く 想妈妈想得哭 ❷(尊敬する)敬慕jìngmù; 敬仰jìngyǎng; 钦慕qīnmù
したうけ【下請け】(～する)转包zhuǎnbāo; 分包fēnbāo.(業者)分包商〔企业〕fēnbāoshāng〔qǐyè〕‖仕事を～に出す 把工作委托给外单位
したうち【舌打ち】(～する)咂嘴zāzuǐ‖不満そうにちっと～する 不满地啧啧咂嘴
したが·う【従う】❶(つきそう)跟随gēnsuí ❷(他人の意志に)服从fúcóng; 听从tīngcóng‖忠告に～う 听从忠告 ❸(規則·習慣に)遵守zūnshǒu; 按照ànzhào; 依照yīzhào‖前例に～う 依照前例|手順に～って 依照程序 ❹(…につれて)随着suízhe; 越yuè‖年をとるに～って 随着年龄的增长
したが·える【従える】带领dàilǐng; 率领shuàilǐng‖部下を～える 带领部下
したがき【下書き】(～する)(打)草稿(dǎ) cǎogǎo;(打)底稿(dǎ) dǐgǎo
したがって【従って】(それゆえ)因此yīncǐ; 因而yīn'ér; 为此wèi cǐ; 所以suǒyǐ
したぎ【下着】〔件〕内衣nèiyī
したく【支度·仕度】(～する)(準備)准备zhǔnbèi; 打点dǎdian.(身支度)打扮dǎban‖旅行の～をする 做旅行的准备 ❖一金:(赴任の)安家费;(結婚の)预备金
じたく【自宅】自己家zìjǐ jiā; 自己的住宅zìjǐ de zhùzhái ❖一待機:在家待命
したくちびる【下唇】下(嘴)唇xià(zuǐ)chún
したごころ【下心】用心yòngxīn; 企图qǐtú‖～がある 别有用心
したごしらえ【下拵え】(～する)预备yùbèi; 事先准备shìxiān zhǔnbèi
したし·い【親しい】亲切qīnqiè; 亲密qīnmì; 密切mìqiè‖～い友人 亲密的朋友|～き仲にも礼儀あり 亲密也要有个分寸
したじき【下敷き】❶(物の下に敷かれること)‖～になる 被压在底下; 被垫在下面 ❷(創作品などの)样本yàngběn; 范例fànlì; 榜样bǎngyàng ❸(下に敷くもの)垫儿diànr.(文房具)垫

板diànbǎn

したしみ【親しみ】亲切感qīnqiègǎn；亲密感qīnmìgǎn ‖ ～を感じる 感到亲切

したし·む【親しむ】❶〔親しくする〕亲密qīnmì；亲近qīnjìn ‖ 市民に～まれた公園 深受市民喜爱的公园 ❷〔いつも接してなじむ〕欣赏xīnshǎng；爱好àihào ‖ 音楽に～む 欣赏音乐｜自然に～む 接近自然

したしらべ【下調べ】(～する) 预先调查yùxiān diàochá；预先准备yùxiān zhǔnbèi

したたか【強か】❶〔ひどく〕强烈(地) qiángliè (de)；狠狠hěnhěn；痛tòng ‖ ～なぐられた 狠狠揍了一顿 ❷〔手ごわい〕厉害lìhai；难对付nán duìfu；强硬qiángyìng

したたらず【舌足らず】❶〔舌が回らない〕口齿不清kǒuchǐ bù qīng；发音不清fāyīn bù qīng ❷〔言葉·表現などが不十分〕表达不充分biǎodá bù chōngfèn

したた·る【滴る】滴dī ‖ 額から汗が～り落ちる 汗珠从额头上滴落下来

したつづみ【舌鼓】‖ ～を打つ 大快朵颐

したっぱ【下っ端】底层人物dǐcéng rénwù；小人物xiǎorénwù ‖ ～役人 小职员xiǎo zhíyuán

したづみ【下積み】❶〔下に積まれること〕压在底下yāzai dǐxia ‖ ～厳禁 严禁挤压 ❷〔低い地位·立場にある〕居于人下jūyú rén xià ‖ ～生活 跑龙套的日子

したて【下手】‖ ～に出る 谦逊；自卑；谦虚

したて【仕立て】缝纫féngrèn；裁剪cáijiǎn；做法zuòfǎ ‖ ～のよい服 做工很精的衣服 ✤ —おろし:新做的衣服｜—代:制衣费｜—直し:改衣服；翻新(衣服)

した·てる【仕立てる】❶〔衣服を作る〕缝纫féngrèn；制作zhìzuò ❷〔養成する〕培养péiyǎng

したどり【下取り】(～する) 换购huàn gòu ‖ 古い車を～に出す 用旧车换购了辆新车

じたばた (～する) 慌张huāngzhang；慌手慌脚huāng shǒu huāng jiǎo ‖ いまさら～してもだめだ 事到如今,着急也不管用了

したばたらき【下働き】(当)助手(dāng) zhùshǒu；(打；作)下手(dǎ;zuò) xiàshǒu

したはら【下腹】下腹(部) xiàfù(bù)；小肚子xiǎo dùzi ‖ ～が出てきた 肚子突出来了

したび【下火】‖ ～になる (火勢が) 火势渐弱；火将熄灭；(物事が) 衰退；不时兴；减弱

したまわ·る【下回る】低于dīyú；达不到dábudào ‖ 予想を大幅に～る 大大低于预测

したみ【下見】(～する) 预先考察yùxiān kǎochá ‖ 試験会場を～する 预先去看考场

じだらく【自堕落】懒散lǎnsǎn；堕落duòluò ‖ ～な生活を送る 过堕落的生活

じだん【示談】私下和解〔调解〕sīxià héjiě〔tiáojiě〕；私了sīliǎo ‖ ～に応じる 同意私下和解｜～が成立する 和解成立 ✤ —金:和解金

じだんだ【地団駄】‖ ～を踏む 跺脚

しち【死地】死地sǐdì；险地xiǎndì ‖ ～を脱する 脱离险境｜～に赴く 走向绝境

しち【質】当dàng；抵押dǐyā；质zhì ‖ 時計を～に入れる 当了手表 ✤ —草:当的东西；抵押品｜—流れ:当死；(品物)当死的物品｜—札:当票

じち【自治】自治zìzhì ✤ —会:(学生の)学生会；(町の)居民自治会｜—権:自治权｜—体:自治体｜—領:自治领

しちてんばっとう【七転八倒】(～する) 疼得乱滚téngde luàn gǔn ‖ 激痛で～する 痛得满地打滚

しちや【質屋】当铺dàngpu

しちゃく【試着】(～する) 试穿shìchuān；试衣服shì yīfu ✤ —室:试衣间；试衣室

しちゅう【支柱】❶〔柱〕〔根〕支柱zhīzhù；支棍zhīgùn ❷〔中心となる人·もの〕顶梁柱dǐngliángzhù；支撑物zhīchēngwù ‖ 一家の～ 一家的顶梁柱

シチュー 西式肉菜浓汤xīshì ròu cài nóngtāng ‖ クリーム～ 奶油浓汤｜ビーフ～ 牛肉浓汤

しちょう【市長】市长shìzhǎng

しちょう【視聴】✤ —者:电视观众｜—率:收视率

しちょう【試聴】(～する) 试听shìtīng

じちょう【自嘲】(～する) 自嘲zìcháo；自我嘲笑zìwǒ cháoxiào ‖ ～気味に笑う 自嘲地笑

しちょうかく【視聴覚】视觉与听觉shìjué yǔ tīngjué ✤ —教育:直观教育；电化教育｜—教材:直观教材；电化教材｜—室:视听室

しつ【質】品质pǐnzhì.(物の)质量zhìliàng.(人の)素质sùzhì ‖ ～がよい〔悪い〕 质量好〔差〕｜～を高める 提高质量｜量より～ 质比量重要

じつ【実】❶〔真実〕真实zhēnshí；事实shìshí ‖ ～を言うと 不瞒你说；说实话｜～のところ 其实｜～の子 亲(生的)孩子 ❷〔誠意〕诚意chéngyì；真诚zhēnchéng ❸〔実質〕实质shízhì；实际shíjì ‖ 名を捨てて～をとる 舍名求实

しつい【失意】失意shīyì；落魄luòpò；失志shīzhì ‖ ～のどん底にある 陷入失意的深渊

しつう【歯痛】牙疼yá téng

じつえき【実益】实际利益shíjì lìyì；经济利益jīngjì lìyì；实益shíyì ‖ 趣味と～を兼ねる 不仅是爱好而且还可以带来实际利益

じつえん【実演】(～する) 现场表演xiànchǎng biǎoyǎn ✤ —販売:现做现卖；现场演示销售

しつおん【室温】室温shìwēn；室内温度shìnèi wēndù ‖ ～を一定に保つ 保持固定的室温

しっか【失火】(～する) 失火shīhuǒ

じっか【実家】(両親の家) 父母家fùmǔ jiā.(ふるさと)老家lǎojiā.(妻のさと)娘家niángjia

しつがい【室外】室外shìwài ✤ —機:室外机

じつがい【実害】实际损失shíjì sǔnshī；实际损害shíjì sǔnhài

しっかく【失格】(～する) 失格shī gé；失去资格shīqù zīgé ‖ 教師として～だ 简直没有资格当教师 ✤ —者:不够格的人；没资格的人

しっかり【確り】❶(～する)〔基礎や構成が堅固〕结实jiēshi；牢固láogù ‖ 財政的基盤が～している 财政基础很牢固 ❷(～する)〔堅実である〕稳重wěnzhòng；扎实zhāshi；可靠kěkào ‖ あの子はとても～している 那孩子很稳重 ❸(～する)〔心身が健康である〕健壮jiànzhuàng；结实jiēshi；稳健wěnjiàn ‖ あの老人は足もとが～している 那个老人步伐很稳健 ❹〔着実·真剣に行うさま〕好好

儿地hǎohāor de；认真地rènzhēn de‖～勉強しなさい 要好好儿学习 ❺〔くっついて離れない〕紧紧地jǐnjǐn de；牢牢地láoláo de‖～つかまる 紧紧地抓住 ✣一者：稳健的人

しっかん【疾患】疾病jíbìng；疾患jíhuàn

じっかん【実感】（～する）切实感受qièshí gǎnshòu；亲身体会qīnshēn tǐhuì‖～がわく〔わかない〕〔还没〕真实地感受到

しつぎ【質疑】质疑zhìyí；提问tíwèn‖～に答える 回答提问 ✣一応答：提问解答；质疑答辩

じつぎ【実技】实际技巧shíjì jìqiǎo；实际技术shíjì jìshù‖～試験 技巧测验；实技考试

しっきゃく【失脚】（～する）下台xiàtái

しつぎょう【失業】（～する）失业shīyè ✣一者：失业者；失业人员｜一対策：失业对策｜一手当：失业补助｜一保険：失业保险｜一率：失业率

じつぎょう【実業】实业shíyè ✣一家：实业家｜一界：实业界

じっきょう【実況】实况shíkuàng；实际情况shíjì qíngkuàng‖～中継をする 实况转播；现场直播 ✣一放送：现场直播（的节目）｜一録音：实况录音；现场录音

しっきん【失禁】（～する）失禁shījìn

しっくり（～する）合适héshì；相称xiāngchèn；融洽róngqià；合得来hédelái‖あの人とはどうも～いかない 我和他实在合不来

じっくり 慢慢儿地mànmānr de；踏踏实实地tātāshíshí de‖～考える 认真考虑｜～見る 仔仔细细地看

しつけ【躾】教养jiàoyǎng；教育jiàoyù；管教guǎnjiào‖～が悪い〔いい〕 教养差〔好〕｜親の～が厳しい 父母对孩子的管教很严格

しっけ【湿気】湿气shīqì；潮气cháoqì‖～が多い 潮气大｜～を帯びる 受潮；返潮

じっけい【実刑】‖～判決を受ける 判决立即执行

しっけつ【失血】（～する）失血shīxuè ✣一死：失血而死

しつ·ける【躾ける】教育jiàoyù；管教guǎnjiào‖子どもをきちんと～ける 把孩子管教好

しつげん【失言】（～する）失言shīyán；失口shīkǒu；说漏嘴shuō lòuzuǐ

しつげん【湿原】〔片〕湿草地shīcǎodì；湿草原shīcǎoyuán

じっけん【実権】实权shíquán‖会社の～を握る 掌握公司里的实权

じっけん【実験】（～する）实验shíyàn.（テストする）试验shìyàn‖～をする 做实验｜～は大成功だった 实验获得了很大的成功 ✣一室：实验室｜一台：（実験の対象）试验品；（台）实验台｜一段階：实验阶段

じつげん【実現】（～する）实现shíxiàn‖夢が～する 愿望实现

しつこ·い ❶〔執拗[しつよう]〕腻人nì rén；纠缠不休jiūchán bùxiū‖～くせん索する 追根究底地问｜～い性格 执拗的性格 ❷〔味などが〕浓重nóngzhòng.（油っこい）油腻yóunì

しっこう【失効】（～する）失效shīxiào

しっこう【執行】（～する）执行zhíxíng‖刑を～する 执行刑罚 ✣一猶予：缓刑；缓期〔暂缓〕执行｜一令状：执行令

じっこう【実行】（～する）实行shíxíng；实践shíjiàn；履行lǚxíng‖不言～ 只做不说｜計画を～に移す 把计划落实 ✣一力：实践能力

しつごしょう【失語症】失语症shīyǔzhèng

じつざい【実在】（～する）实际存在shíjì cúnzài‖～の人物 实有其人

じっさい【実際】❶〔現実·実地〕实际shíjì.（現実）现实xiànshí.（実情）实情shíqíng；实际情况shíjì qíngkuàng‖想像と～ 现实和想像｜～にやってみる 实际尝试｜～には 实际上 ❷〔ほんとうに〕真（的）zhēn（de）；的确díquè‖～困ったものだ 的确令人头痛 ✣一家：实干家｜一問題：（現実の問題）实际问题；（事実上）实际（上）

しっさく【失策·失錯】（～する）失策shīcè；失败shībài；失误shīwù

じっし【実子】亲生子女qīnshēng zǐnǚ

じっし【実施】（～する）实施shíshī；实行shíxíng

しつじつ【質実】✣一剛健：质朴而刚毅

じっしつ【実質】实质shízhì‖形式ばかりで～が伴っていない 定 华而不实｜名目は変わったが～は同じだ 换汤不换药 ✣一所得：实际收入｜一賃金：实际工资

じっしゅう【実習】（～する）实习shíxí；见习jiànxí ✣一生：见习生

しっしょう【失笑】（～する）失笑shīxiào；不禁发笑bùjīn fāxiào‖～を買う 引人发笑

じつじょう【実状·実情】实情shíqíng；实际情况shíjì qíngkuàng‖～に合わない 不符合实情｜～を調査する 调查实际情况

しっしん【失神·失心】（～する）昏迷hūnmí；休克xiūkè

しっしん【湿疹】湿疹shīzhěn‖～が出る 出湿疹

じっしんほう【十進法】十进制shíjìnzhì

じっすう【実数】❶〔実際の数〕实际数量shíjì shùliàng ❷〔数学〕实数shíshù

しっ·する【失する】❶〔失う〕失去shīqù；失掉shīdiào‖時機を～する 错过时机 ❷〔…にすぎる〕‖遅きに～する 为时已晚

じっせいかつ【実生活】实际生活shíjì shēnghuó‖～に役立つ知識 对实际生活有用的知识

しっせき【叱責】（～する）叱责chìzé；斥责chìzé；批评pīpíng‖～を受ける 受到叱责

じっせき【実績】实际成果〔成绩〕shíjì chéngguǒ〔chéngjì〕；实绩shíjì‖～をあげる 取得成果｜～を積む 积累实际经验

じっせん【実践】（～する）实践shíjiàn；实行shíxíng；实际行动shíjì xíngdòng‖理論を～に移す 理论联系实际 ✣一理性：实践理性

じっせん【実戦】实战shízhàn；实际战斗shíjì zhàndòu.（試合）实际比赛shíjì bǐsài

しっそ【質素】朴素pǔsù；俭朴jiǎnpǔ‖～な暮らし 过俭朴的生活｜～な食事 粗茶淡饭

しっそう【失踪】（～する）失踪shīzōng

しっそう【疾走】（～する）快跑kuài pǎo；飞奔fēibēn.（車などが）疾驶jíshǐ；飞驰fēichí

しっそく【失速】（～する）失速shīsù‖景気の～ 景气下滑

しった【叱咤】(〜する)(しかる)训斥xùnchì; 叱责chìzé; 叱咤chìzhà. (励ます)鼓励gǔlì; 激励jīlì ✤一激励:高声鼓〔激〕励

しったい【失態】失态shītài; 洋相yángxiàng. (恥をさらす)丢丑diūchǒu; 丢脸diūliǎn ‖ 〜を演じる 出洋相

じったい【実体】实体shítǐ. (本質)实质shízhì; 本质běnzhì ‖ 〜のない幽霊会社 有名无实的皮包公司

じったい【実態】实际状态shíjì zhuàngtài; 实际情况shíjì qíngkuàng ‖ 経営の〜 经营的真相

しったかぶり【知ったかぶり】不懂装懂bù dǒng zhuāng dǒng; 假装知道jiǎzhuāng zhīdao

しっち【失地】失地shīdì. (失った勢力範囲)失去的地盘shīqù de dìpán ✤一回復:(領土)收复失地;(勢力範囲)收复地盘;定东山再起

しっち【湿地】湿地shīdì

じっち【実地】(現場)实地shídì. (実際に)实际shíjì ✤一検証:现场检查;实地验证|一試験:实地考试〔试验〕;(自動車免許の)实地驾驶|一指導:实地指导|一調査:实地调查

じっちゅうはっく【十中八九】定十有八九shí yǒu bā jiǔ; 定十拿九稳shí ná jiǔ wěn

じっちょく【実直】老实忠厚lǎoshi zhōnghòu; 耿直gěngzhí

しっつい【失墜】(〜する)丧失sàngshī; 降低jiàngdī; 低落dīluò ‖ 信用が〜する 丧失信用|威信が〜する 威信降低

じつづき【地続き】毗邻pílín; 邻接línjiē; 接壤jiērǎng ‖ 〜の土地 邻接的土地

しつど【湿度】湿度shīdù ‖ 〜が高い 湿度很高 ✤一計:湿度计

しっと【嫉妬】(〜する)忌妒jìdu; 眼红yǎnhóng. (やきもち)吃醋chīcù ‖ 〜深い 忌妒心强

じっと(〜する)❶〔おとなしくしている〕定一动不动yí dòng bú dòng; 安静待着ānjìng dāizhe ‖ 家で〜している 在家安静地待着|動かないで〜していなさい 别动!老实待着 ❷〔集中する〕‖ 〜見つめる 凝视|〜耳をかたむける 凝神倾听|〜考えこむ 全神贯注地思考 ❸〔我慢する〕忍耐rěnnài ‖ 〜痛みをこらえる 一声不吭地忍着疼痛

しっとう【執刀】(〜する)主刀zhǔdāo; 执刀zhí dāo; 操刀cāo dāo

じつどう【実働】(〜する)实际工作〔劳动〕shíjì gōngzuò〔láodòng〕‖ 〜8時間 一天实际工作八小时 ✤一時間:实际工作时间

じっとり(〜する)湿漉漉shīlūlū; 湿淋淋shīlínlín ‖ 手のひらに〜汗をかく 手心汗津津的

しつない【室内】室内shìnèi; 屋里wūli ✤一楽:室内乐|一競技:室内运动;(試合)室内比赛|一競技場:室内赛场|一装飾:室内装饰|一プール:室内游泳池|一遊戯:室内游戏

じつに【実に】实在shízài; 的确díquè ‖ 〜すばらしい 实在太好了|〜簡単だ 的确很简单

じつの【実の】真实(的)zhēnshí (de). (血のつながりがある)亲生qīnshēng ‖ 〜ところ 老实说;实际上是|〜子 亲生的骨肉|〜兄弟 亲兄弟

じつは【実は】老实说lǎoshi shuō; 说真的shuō zhēn de; 不瞒你说bù mán nǐ shuō

ジッパー〔条,个〕拉锁lāsuǒ; 拉链lāliàn

しっぱい【失敗】(〜する)失败shībài; 没(有)成功méi(you) chénggōng ‖ 〜を重ねる 一再失败|〜をごまかす 隐瞒失败|〜に終わる 以失败而告终|〜は成功の母 失败是成功之母

じっぴ【実費】实际费用shíjì fèiyong ‖ 交通費〜支給 交通费如数支付

しっぴつ【執筆】(〜する)执笔zhíbǐ; 写作xiězuò; 撰写zhuànxiě ✤一者:执笔者

しっぷ【湿布】(〜する)湿敷shīfū. (布)敷布fūbù ✤温一:热敷|冷一:冷敷

じつぶつ【実物】实物shíwù ‖ 〜そっくり 和实物一模一样 ✤一大:与实物一样大

しっぺい【疾病】疾病jíbìng

しっぺいがえし【竹篦返し】‖ 〜をくらう 遭到报复

しっぽ【尻尾】❶〔動物の尾〕〔条,根〕尾巴wěiba ‖ 〜を振る 摇尾巴 ❷〔末端〕末端mòduān; 末梢mòshāo. (最後)末尾mòwěi ❸〔慣用表現〕‖ 〜を振る 讨好;奉承|〜を巻いて逃げる 夹着尾巴逃跑|〜を出す 露出狐狸尾巴;露马脚|〜をつかむ 抓把柄

しつぼう【失望】(〜する)失望shīwàng ‖ 〜の色を隠せない 掩饰不住失望|〜の色が浮かぶ 露出失望的神色

じつむ【実務】实际业务〔工作〕shíjì yèwù〔gōngzuò〕‖ 〜にたずさわる 从事实际业务 ✤一経験:实际业务经验

しつめい【失明】(〜する)失明shīmíng

しつもん【質問】(〜する)提问tíwèn; 询问xúnwèn. (問い)问题wèntí ‖ 〜に答える 回答提问|矢継ぎ早に〜する 连珠炮似的提问|〜攻めにあう 不断被提问|〜を浴びせる 纷纷提出质问|1つ〜してもいいですか 问一个问题可以吗? ✤一状:询问信;书面质问

しつよう【執拗】❶〔しつこい〕纠缠不休jiūchán bùxiū ‖ 〜に食い下がる 紧追不舍|〜につきまとう 死死纠缠不放 ❷〔頑固〕执拗zhíniù; 固执gùzhi ‖ 〜に主張する 顽固地主张

じつよう【実用】实用shíyòng ‖ 〜本位 以实用为主|〜に向かない 不实用 ✤一価値:实用价值|一主義:实用主义|一品:实用品

じつり【実利】✤一主義:功利〔实用〕主义

しつりょう【質量】质量zhìliàng ✤一保存の法則:质量守恒定律

じつりょく【実力】实力shílì ‖ 〜を見きわめる 考察实力|〜をつける 培养能力|〜を発揮する 发挥实力 ✤一行使:动武|一者:有实权〔权势〕的人|一主義:实力主义|一テスト:摸底测验

しつれい【失礼】❶(〜する)〔無礼〕不〔没有〕礼貌bù〔méiyou〕lǐmào; 失礼shīlǐ; 无礼wúlǐ ‖ 〜な人 没礼貌的人|〜を顧みず 冒昧地|くれぐれも〜のないように 请千万别失礼 ❷(〜する)〔わびる〕对不起duìbuqǐ; 抱歉bàoqiàn; 请原谅qǐng yuánliàng ‖ お話し中〜いたします 抱歉打断一下你们的话|前を〜します 对不起,让我过一下 ❸(〜する)〔いとまごい〕告辞gàocí ‖ お先に〜します 我先告辞了|そろそろ〜いたします 我该走了 ❹〔呼びかけ〕(たずねる)请问qǐngwèn ‖ 〜ですがどちらさまでしょうか 请问,您是哪一位?

じつれい【実例】实例shílì ‖ 〜を挙げる 举实例

し

しつれん【失恋】(～する)失恋shīliàn ‖ ～の痛手 失恋的痛苦

してい【子弟】子弟zǐdì ‖ 良家の～ 良家子弟

してい【指定】(～する)指定zhǐdìng ✤ 一券:对号票 | 一席:对号座位 | 一銘柄:指定股票

してい【師弟】师徒shītú; 师生shīshēng ‖ ～愛 师徒之爱

しでか・す【仕出かす】做出zuòchu; 弄出nòngchu; 干出gànchu ‖ 何を～すかわからない 不知道会干出什么名堂来

してき【私的】私人(的) sīrén (de); 个人(的) gèrén (de) ‖ ～な事柄 个人私事

してき【指摘】(～する)指出zhǐchu; 指点zhǐdiǎn; 指摘zhǐzhāi ‖ ミスを～する 指出错误

してつ【私鉄】私营〔民营〕铁路sīyíng〔mínyíng〕tiělù

してん【支店】(会社の)分公司fēngōngsī. (商店の)分店fēndiàn; 分号fēnhào. (銀行の)分行fēnháng ‖ ～を出す 开分公司 ✤ 一長:分店经理; (銀行)分行行长

してん【視点】❶〔観点〕观点guāndiǎn; 角度jiǎodù; 视点shìdiǎn ‖ ～をかえて考える 换一个角度来考虑 ❷〔遠近法の〕视点shìdiǎn

じてん【自転】(～する)自转zìzhuàn

じてん【時点】时候shíhou; 时刻shíkè ‖ 現～で 目前 | 7月1日の～で 到7月1号为止; 在7月1日那天

じてん【辞典】〔本〕词典cídiǎn; 辞典cídiǎn

じでん【自伝】自传zìzhuàn

じてんしゃ【自転車】〔辆〕自行车zìxíngchē ‖ ～に乗る 骑自行车 | ～をこぐ 蹬自行车

しと【使途】用途yòngtú ‖ 金の～を明らかにする 搞清楚钱的用途 ✤ 一不明金:用途不明的款项

しとう【死闘】(～する)搏斗bódòu; 死战sǐzhàn; 殊死战斗shūsǐ zhàndòu

しどう【私道】私人道路sīrén dàolù ‖ ～につき駐車禁止 私人用地, 请勿停车

しどう【始動】(～する)启动qǐdòng; 开动kāidòng ‖ エンジンを～させる 启动引擎 | 新プロジェクトが本格的に～した 新项目正式开始启动了

しどう【指導】(～する)指导zhǐdǎo; 教导jiàodǎo; 示范shìfàn ‖ ～を受ける 接受指导 | ～的役割を果たす 起领导作用 | 今後ともご～ご鞭撻(べんたつ)のほどお願い申し上げます 请多加指教, 多加督促 ✤ 一者:领导者 | 一力:指导能力

じどう【自動】自动zìdòng ‖ ～的に 自动地 ✤ 一改札機:自动检票机 | 一券売機:售票机 | 一口座振替:自动转账 | 一制御:自动控制 | 一ドア:自动门 | 一販売機:自动售货机

じどう【児童】儿童értóng ‖ 就学前の～ 学龄前儿童 ✤ 一虐待:虐待儿童 | 一心理学:儿童心理学 | 一文学:儿童文学

じどうしゃ【自動車】〔辆, 部〕汽车qìchē; 车chē ‖ ～を運転する 开汽车 ✤ 一学校:汽车驾驶学校 | 一事故:汽车事故

しとしと 淅淅沥沥xīxīlìlì ‖ 雨が～降っている 雨淅淅沥沥地下着 ✤ 一雨:毛毛雨

じとじと (～する)湿漉漉shīlūlū ‖ シャツが汗で～する 衬衫被汗弄得湿漉漉的 | ～した天気 潮湿的天气

しとやか【淑やか】文静wénjìng; 娴静xiánjìng

しどろもどろ 定 语无伦次yǔ wú lún cì; 定 杂乱无章zá luàn wú zhāng

しな【品】❶〔品物〕物品wùpǐn; 东西dōngxi ‖ 見舞いの～ 慰问品 | そこの店は～ぞろえが豊富だ 那个商店的商品很丰富 ❷〔品質〕质量zhìliàng ‖ ～がいい〔悪い〕 质量好〔不好〕 ❸〔慣用表現〕‖ 手を替え～を替え 定 千方百计 | 所変われば～変わる 百里不同风, 千里不同俗

しない【市内】市内shìnèi ✤ 一通話:市内电话

しなうす【品薄】缺货quēhuò

しなぎれ【品切れ】卖完màiwán; 脱销tuōxiāo; 售罄shòuqìng

しなさだめ【品定め】(～する)评定píngdìng; 做评价zuò píngjià

しな・びる【萎びる】枯萎kūwěi; 干枯gānkū; 蔫niān ‖ 老人の～びた手 老人干枯的手 | ～びたピーマン 蔫了的青椒

しなぶそく【品不足】缺货quēhuò; 供货不足gōnghuò bùzú

しなもの【品物】物品wùpǐn; 商品shāngpǐn

シナモン (香辛料)桂皮guìpí

しなやか 柔软róuruǎn; 柔韧róurèn ‖ ～な体 柔软优美的身体

じなり【地鳴り】地盘的鸣动dìpán de míngdòng; 地声dìshēng

シナリオ 〔个, 本, 部〕剧本jùběn; 脚本jiǎoběn ✤ 一ライター:剧作家

しなん【至難】非常困难fēicháng kùnnan; 极难jí nán ‖ ～の業 非常困难(的事)

しなん【指南】(～する)指导zhǐdǎo; 传授chuánshòu ✤ 一役:向导

じなん【次男】二儿子èr érzi; 次子cìzǐ; 老二lǎo'èr.

シニア (中高年)中老年zhōnglǎonián

しにく【歯肉】齿龈chǐyín; 牙龈yáyín ✤ 一炎:牙龈炎

-しにく・い【し難い】难以… nányǐ…; 很难… hěn nán … ‖ 判断～い 难以判断

しにせ【老舗】老铺子lǎo pùzi; 老字号lǎozìhao; 老店lǎodiàn

しにみず【死に水】‖ ～をとる 送终

しにめ【死に目】临终línzhōng ‖ 親の～に会えない 不能为父母送终

しにものぐるい【死にもの狂い】拼死pīnsǐ; 拼命pīnmìng ‖ ～で働く 拼命地工作

しにわか・れる【死に別れる】死别sǐbié

しにん【死人】死人sǐrén ‖ ～に口なし 死无对证

じにん【自任】(～する)以…自居yǐ…zìjū ‖ 釣り名人をもって～する 以垂钓名人自居

じにん【辞任】(～する)辞去职务cíqu zhíwù; 辞职cízhí ‖ ～を申し出る 提出辞职

し・ぬ【死ぬ】❶〔命が絶える〕死sǐ ‖ がんで～ぬ 死于癌症 | ぽっくり～ぬ 骤然死去 | 若くして～ぬ 夭折 | 凍え～ぬ 冻死 | 畳の上で～ぬ 寿终正寝 | ～ぬまで忘れない 至死难忘 | ～ぬ気になってやってみる 豁出命去干 | 疲れて～にそうだ 累得要死 | ～ぬの生きるのの大騒ぎ 闹得要死要活的 | ～んだように眠っている 睡得和死人一样 | ～なばもろとも 生死与共 | ～んでも～にきれない 定 死不瞑目 | ～

んで花実が咲くものか 只有活着才会有希望 ❷〔その他の表現〕‖目が～んでいる 目中无神｜彼の持ち味が～んでしまう 他的特长派不上用场

じぬし【地主】地主dìzhǔ

じねつ【地熱】地热dìrè

シネマ〔部, 个〕电影diànyǐng

しのぎ【鎬】‖～を削る 激烈地交锋

しの·ぐ【凌ぐ】❶〔耐える·切り抜ける〕忍耐rěnnài; 忍受rěnshòu; 应付yìngfu; 对付duìfu‖～ぎがたい暑さ 难以忍受的酷热｜寒さを～ぐ 御寒｜雨露を～ぐ 遮挡雨露｜急場を～ぐ 应付当务之急 ❷〔勝る〕胜过shèngguo; 超过chāoguò‖前作を～ぐ 超过前一部作品｜ライバルを～ぐ 战胜对手

しのば·せる【忍ばせる】❶〔そっと入れておく〕暗藏着àncángzhe; 暗带着àndàizhe ❷〔音を立てない〕悄悄qiāoqiāo‖足音を～せる 定 蹑手蹑脚

しのびあし【忍び足】定 蹑手蹑脚niè shǒu niè jiǎo‖抜き足差し足～ 蹑手蹑脚

しのびこ·む【忍び込む】悄悄地进来〔去〕qiāoqiāo de jìnlai〔qu〕; 溜进去〔来〕liūjinqu〔lai〕

しのびな·い【忍びない】不忍bùrěn; 不忍心bù rěnxīn‖見るに～い 不忍心看

しのびよ·る【忍び寄る】偷偷〔悄悄〕地接近tōutōu〔qiāoqiāo〕de jiējìn‖～る秋の気配 秋气悄然而至｜老いが～る 步入老年

しの·ぶ【忍ぶ】❶〔隠れる·避ける〕躲开duǒkāi; 避开bìkāi‖人目を～ぶ 躲开别人的视线 ❷〔がまんする〕忍受rěnshòu; 忍耐rěnnài‖～びがたい屈辱 难以忍受的耻辱｜恥を～ぶ 强忍着耻辱

しの·ぶ【偲ぶ】❶〔懐かしく思う〕怀念huáiniàn; 追念zhuīniàn; 缅怀miǎnhuái‖亡き母を～ぶ 追念逝去的母亲 ❷〔連想〕看出kànchu‖人柄が～ばれる 让人感受到人格魅力

しば【芝】结缕草jiélǚcǎo‖～を刈り込む 剪草坪 ✤一刈り機:剪草机

じば【地場】✤一産業:本地产业

じば【磁場】磁场cíchǎng

しはい【支配】(～する)❶〔統括する〕统治tǒngzhì ❷〔影響する〕影响yǐngxiǎng; 控制kòngzhì‖感情に～される 被感情所左右 ✤一階級:统治阶级｜一者:统治者｜一人:经理

しばい【芝居】❶〔演劇〕〔场, 出, 台〕戏剧xìjù; 话剧huàjù‖～を見る 看戏 ❷〔演技〕演技yǎnjì ❸〔作りごと〕做戏zuòxì; 做作zuòzuo‖～がかっている 做作｜ひと～打つ 耍个花招 ✤一見物:看戏｜一小屋:剧场｜一っ気: 定 装模作样

じはく【自白】(～する)坦白tǎnbái; 自供zìgòng; 招供zhāogòng; 供认gòngrèn

じばく【自爆】(～する)自行毁灭zìxíng huǐmiè; 自我爆炸zìwǒ bàozhà‖～テロ 自杀性爆炸

しばしば【数·屢】常常chángcháng; 屡次lǚcì; 屡屡lǚlǚ

しはつ【始発】首班车shǒubānchē; 头班车tóubānchē ✤一駅:起点站

じはつてき【自発的】自愿zìyuàn; 主动zhǔdòng

しばふ【芝生】〔块, 片〕草坪cǎopíng; 草地cǎodì

じばら【自腹】‖～を切る 自己掏腰包

しはら·う【支払う】付款fù kuǎn; 支付zhīfù‖現金で～う 支付现金

しばらく【暫く】❶〔少しの時間〕一会儿yíhuìr; 暂时zànshí‖～したら, もう一度電話してみよう 过一会儿再打个电话看看｜～お待ちください 请稍等片刻 ❷〔やや長い時間〕好久hǎojiǔ; 许久xǔjiǔ; 一阵子yízhènzi‖～でした 好久不见了

しば·る【縛る】❶〔縄などでくくる〕捆kǔn; 绑bǎng; 捆绑kǔnbǎng‖新聞紙を～って束ねた 把报纸捆成了捆儿 ❷〔拘束·制限する〕束缚shùfù; 拘束jūshù; 约束yuēshù‖仕事に～られる 工作缠身

しはん【市販】(～する)市场〔商店〕出售shìchǎng〔shāngdiàn〕chūshòu

じばん【地盤】❶〔土地〕地基dìjī ❷〔勢力範囲〕地盘dìpán; 势力范围shìli fànwéi; 根据地gēnjùdì ✤一沈下:地表下沉

しひ【私費】私费sīfèi; 自费zìfèi‖～で留学する 自费留学

じひ【自費】自费zìfèi‖～出版する 自费出版

じひ【慈悲】慈悲cíbēi; 慈心cíxīn

じびいんこうか【耳鼻咽喉科】耳鼻喉科ěrbíhóukē ✤一病院:耳鼻喉科医院

じひつ【自筆】亲笔qīnbǐ; 亲笔写qīnbǐ xiě‖～の手紙 亲笔信；亲函 ✤一原稿:亲笔原稿；手稿｜一遺言:亲笔遗嘱

しひょう【指標】指标zhǐbiāo; 标志biāozhì

じひょう【辞表】辞呈cíchéng; 辞职报告cízhí bàogào; 辞职书cízhíshū‖～を出す 提交辞职书

じびょう【持病】老(毛)病lǎo(máo)bìng

しびれ【痺れ】麻痹mábì; 麻木mámù‖～を切らす 等急了；等得不耐烦

しび·れる【痺れる】❶〔麻痺する〕麻木mámù; 麻痹mábì; 发木fāmù ❷〔電気が伝わる〕发麻fāmá ❸〔夢中になる〕陶醉táozuì; 迷上míshang

しぶ【支部】支部zhībù; 分部fēnbù

じふ【自負】(～する)自负zìfù; 自信zìxìn; 自大zìdà ✤一心:自负心；自尊心

しぶ·い【渋い】❶〔苦味のある味〕涩sè ❷〔けち〕吝啬lìnsè; 小气xiǎoqi ❸〔落ちついた趣〕深沉而有韵味shēnchén ér yǒu yùnwèi; 雅致yǎzhi; 素雅sùyǎ‖～い声 深沉浑厚的声音 ❹〔不満そうな表情〕怏怏不乐yàngyàng bú lè‖～い顔 绷着脸

しぶがき【渋柿】涩柿子sè shìzi

しぶかわ【渋皮】内皮nèipí; 嫩皮nènpí‖クリの～ 栗子的内皮｜～がむける 变得潇洒

しぶき【飛沫】水花(儿)shuǐhuā(r); 浪花lànghuā‖～がかかる 飞沫溅在身上｜～をあげる 溅起水花

しふく【至福】无上的幸福wúshàng de xìngfú‖～のときを過ごす 度过无上幸福的时光

しふく【私服】便服biànfú; 便装biànzhuāng; 便衣biànyī

しふく【私腹】‖～を肥やす 中饱私囊

しぶしぶ【渋渋】勉勉强强miǎnmiǎnqiǎngqiǎng; 很不情愿hěn bù qíngyuàn‖～承諾する

勉强答应
ジブチ 吉布提Jíbùtí
しぶと·い ❶〔粘り強い〕顽强wánqiáng；刚强gāngqiáng；有毅力yǒu yìlì ❷〔頑固だ〕倔强juéjiàng；倔jué；犟jiàng；拧nìng
しぶみ【渋味】❶〔落ちついた味わい〕古朴gǔpǔ；雅致yǎzhi ❷〔味〕涩味sèwèi；涩口sèkǒu
しぶ·る【渋る】❶〔物事が滞る〕不流畅bù liúchàng；（进展）不顺利（jìnzhǎn）bú shùnlì ❷〔ぐずぐずする〕不情愿bù qíngyuàn；不痛快bú tòngkuai；不爽利bù shuǎnglì ‖ 金を出し～る 迟迟不肯掏钱 | 返事を～る 回答得不痛快
じぶん【自分】自己zìjǐ；本人běnrén；我wǒ ‖ ～のことは～でやる 自己的事情自己做 | ～を知っている 自知之明
じぶんかって【自分勝手】自私zìsī；只顾自己zhǐ gù zìjǐ；专断zhuānduàn
しへい【紙幣】〔张，种〕纸币zhǐbì；钞票chāopiào ‖ ～を発行〔回収〕する 发行〔回收〕纸币
じへいしょう【自閉症】自闭症zìbìzhèng；儿童孤独症értóng gūdúzhèng
しべつ【死別】（～する）死别sǐbié
しへん【紙片】纸片zhǐpiàn；纸条zhǐtiáo
しぼ【思慕】（～する）思慕sīmù；思恋sīliàn ‖ ～の念を抱く 怀有恋慕之情
じぼ【慈母】慈母címǔ
しほう【司法】司法sīfǎ ✤一解剖：司法解剖 | 一官：法官；司法官 | 一権：司法权 | 一試験：司法考试
しほう【四方】❶〔方角〕四方sìfāng；东西南北dōng xī nán běi ❷〔周囲〕周围zhōuwéi；方圆fāngyuán ‖ 10キロ～ 方圆十公里 | ～を山で囲まれている 四面环山 ✤一八方：㊐四面八方
しぼう【死亡】（～する）死亡sǐwáng；去世qùshì ✤一記事：死亡报道 | 一通知：讣闻；讣告；丧帖 | 一届：死亡报告；死亡登记 ‖ ～を出す 报亡
しぼう【志望】（～する）志愿zhìyuàn；志向zhìxiang ‖ 第1～の大学 第一志愿的大学 ✤一者：志愿者
しぼう【脂肪】脂肪zhīfáng ‖ ～分の多い食物 脂肪成分高的食物 | 運動して～をとる 靠运动来消耗脂肪
じほう【時報】❶〔時刻を知らせる〕报时bàoshí ❷〔時事ニュース〕时报shíbào；时事报道shíshì bàodào
じぼうじき【自暴自棄】㊐自暴自弃zì bào zì qì；㊐破罐破摔pò guàn pò shuāi
しぼ·む【萎む】❶〔植物が〕凋落diāoluò；枯萎kūwěi；蔫（儿）niān(r) ❷〔張りつめていたものが〕萎缩wěisuō；瘪biě ‖ 風船が～む 气球瘪了 | 夢が～む 梦想破灭了
しぼ·る【絞る·搾る】❶〔液体·水分を出す〕拧níng；榨zhà；挤jǐ ‖ タオルを～る 拧毛巾 | ～りたての牛乳 刚挤好的牛奶 ❷〔無理に出す〕‖ 知恵を～る 绞尽脑汁 ❸〔とっちめる〕教训jiàoxun；训斥xùnchì；整治zhěngzhì ‖ 先生にこってりと～られた 被老师狠狠地教训了一顿 ❹〔範囲を狭める〕集中jízhōng；限定xiàndìng ‖ 候補者（の数）を～る 精减〔筛选〕候选人
しほん【資本】资本zīběn；资金zījīn；本钱běnqian ✤一主義経済：资本主义经济
しほんか【資本家】资本家zīběnjiā ✤一階級：资产阶级
しほんきん【資本金】资本金zīběnjīn；资金zījīn ‖ ～10億円の会社 有10亿日元资本的公司
しま【島】❶〔水の中に浮かぶ陸地〕岛dǎo；岛屿dǎoyǔ ❷〔限られた地域〕势力范围shìli fànwéi；圈子quānzi
しま【縞】条纹tiáowén ‖ 赤い～の入った青いスカーフ 蓝地儿红道的围巾 ✤一模様：条纹花样
しまい【仕舞い·終い】❶〔終わること〕结束jiéshù；终了zhōngliǎo ‖ 夏休みもそろそろお～だ 暑假也快结束了 ❷〔物事の最終〕最终zuìzhōng；最后zuìhòu ‖ 話を～まで聞く 把话听完 | ～にはみな怒りだした 最后大家都生起气来了
しまい【姉妹】姐妹jiěmèi；姊妹zǐmèi ✤一校：姊妹校 | 一都市：友好城市 | 一編：姊妹篇
しま·う【仕舞う·終う】❶〔片づける〕收拾shōushi；整理zhěnglǐ ‖ おもちゃを箱の中に～う 把玩具收进盒子里 ❷〔廃業する〕关闭guānbì ‖ 店を～う 歇业 ❸〔動作の完了を強調する〕完wán；结束jiéshù ‖ 宿題をやって～う 把作业做完 | 夕食はもう食べて～った 晚饭已经吃过了
しまうま【縞馬】〔头〕斑马bānmǎ
じまえ【自前】自费zìfèi；自理zìlǐ ‖ 費用はすべて～だ 费用全部自理 | ～で買う 自己出钱买
じまく【字幕】字幕zìmù ‖ ～入り 带字幕
しまぐに【島国】岛国dǎoguó
しまつ【始末】❶（～する）〔処理する〕处理chǔlǐ；应付yìngfu；收拾shōushi．〔解決する〕解决jiějué ‖ ～をつける 解决（问题） | ～に負えない 很难应付 ❷〔結果〕后果hòuguǒ；结果jiéguǒ ‖ 最後には泣き出す～だ 最后哭起来了 ✤一書：检讨书；悔过书
しまった 糟了zāo le；糟糕zāogāo；哎呀āiyā ‖ ～，寝坊した 糟糕，睡过头了
しまり【締まり】❶〔ゆるみがない〕紧jǐn；严紧yánjin；严实yánshi ‖ 蛇口の～が悪い 水龙头拧不紧 ❷〔緊張感がある〕严实yánshi；紧张jǐnzhāng；有规律yǒu guīlǜ ‖ 口に～がない 嘴不严实 | ～のない文章 不紧凑的文章 | ～のない顔つき 懒散的表情 ✤一屋：节俭〔简朴〕的人；〔けちん坊〕吝啬鬼
しま·る【締まる·閉まる】❶〔閉じる〕关guān；闭bì；关闭guānbì ‖ この店は5時に～る 这家商店5点关门 ❷〔ゆるみがなくなる〕（ひもなどが）捆紧kǔnjǐn；勒紧lēijǐn．（ねじなどが）拧紧nǐngjǐn；旋紧xuánjǐn ‖ ねじが～る 螺丝拧得紧 ❸〔たるみがなくなる〕结实jiēshi；紧绷jǐnbēng ‖ 筋肉がかたく～っている 肌肉紧绷绷的 ❹〔緊張する〕紧张jǐnzhāng；严肃yánsù ‖ 最後まで～っていこう 坚持到底
じまん【自慢】（～する）自夸zìkuā；夸耀kuāyào．〔誇りに思う〕骄傲jiāo'ào；感到自豪gǎndào zìháo ‖ 自分のふるさとを～する 夸自己的家乡 | 自分の業績を～たらたら話す 吹嘘自己的成就 ✤一話：得意的话 ‖ ～をする 自夸
しみ【染み】❶〔汚れ〕污垢wūgòu；污点wūdiǎn；污迹wūjì．（油や泥などの）污渍wūzì ‖ ～を

抜く 去掉污垢｜しょう油の～ 酱油的污渍｜～をつける 弄上污点｜～がつく 沾上污渍 ❷〔汚点〕污点wūdiǎn‖経歴に～がつく 在履历上留下污点 ❸〔肌の〕斑bān；色斑sèbān‖顔に～ができる 脸上长斑点 ✤—抜き:去污；（薬品）去污剂

じみ【地味】素净sùjing；素淡sùdàn；素气sùqi.（飾りけがない）朴素pǔsù；朴实pǔshí‖～な色 素净的颜色｜～な身なり 打扮很朴素｜～な性格 为人质朴｜～に暮らす 过质朴的生活

じみ【滋味】❶〔食べ物の〕滋味zīwèi；美味měiwèi‖～豊かな料理 美味的菜肴 ❷〔精神的な〕意味 yìwèi；韵味 yùnwèi

しみこ・む【染み込む】渗入shènrù；渗透shèntòu‖雨水が地中に～む 雨水渗透到土里

しみじみ ❶〔心の底から〕深切(地) shēnqiè (de)；深深(地) shēnshēn (de)‖私は～幸せ者だと思う 我深深感到自己很幸福｜～反省する 深刻〔认真〕地反省 ❷〔心静かに〕感慨(地) gǎnkǎi (de)；深有感情(地) shēn yǒu gǎnqíng (de)‖～と思い出話をする 感慨地畅谈往事

じみち【地道】踏实tāshi；扎实zhāshi；㊣脚踏实地 jiǎo tà shí dì‖～に努力する 脚踏实地地努力

シミュレーション（～する）模拟实验mónǐ shíyàn

し・みる【染みる】❶〔浸透する〕渗入shènrù；渗透 shèntòu；浸透 jìntòu‖味が～みる 入味 ❷〔神経を刺激する〕刺痛cìtòng‖冷たい水が虫歯に～みる 虫牙一遇凉水就刺痛｜薬が傷口に～みる 药杀伤口｜煙が目に～みる 烟熏得眼睛痛 ❸〔感銘を受ける〕深感shēn gǎn；铭刻míngkè‖親友の忠告が身に～みた 好朋友的忠告令我深有所感

しみん【市民】市民shìmín ✤—運動:群众运动｜—権:公民权‖この言葉はもう～を得ている 这一词语已经约定俗成

じむ【事務】事务shìwù‖～をとる 办公；办事｜～的に 按规矩 ✤—員:办事员｜—室:办公室｜—所:办事处；事务所｜—手続き:（办事）手续｜—用品:办公用品

ジム 健身房 jiànshēnfáng.（ボクシングの）拳击练习场quánjī liànxíchǎng

しむ・ける【仕向ける】让ràng；促使cùshǐ.（強制する）逼迫bīpò；强迫qiǎngpò‖生徒が進んで勉強するように～ける 促使学生积极学习｜辞職するように～けられた 我是被迫辞职的

しめい【氏名】姓名xìngmíng

しめい【使命】使命shǐmìng；任务rènwu‖～を果たす 完成使命｜重要な～を帯びる 肩负重任

しめい【指名】（～する）指名zhǐmíng；指定zhǐdìng；点名diǎnmíng‖議長に～される 被指定为会议主席 ✤—打者:指定击球员｜—手配:通缉

しめきり【締め切り・閉め切り】❶〔期限〕截止日期jiézhǐ rìqī；期限qīxiàn‖～が迫る 截止日期就要到了｜～に間に合う 赶上截止日期 ❷〔閉ざしたまま〕封闭fēngbì；久关jiǔ guān‖～の部屋 封闭的房间

しめくく・る【締め括る】结束jiéshù；总结zǒngjié；收束shōushù‖社長のあいさつで～る 以总经理的发言作为总结

しめころ・す【締め殺す・絞め殺す】掐死qiāsǐ；勒死 lēisǐ；绞死 jiǎosǐ

しめし【示し】示范shìfàn.（手本）榜样bǎngyàng；表率biǎoshuài‖～がつかない 不能起到表率作用

しめしあわ・せる【示し合わせる】事先商量〔商定〕shìxiān shāngliang〔shāngdìng〕

じめじめ（～する）❶〔しめっぽい〕潮湿cháoshī；湿漉漉shīlūlū‖～した天気 潮湿的天气 ❷〔陰気な〕阴郁yīnyù

しめ・す【示す】❶〔わかるように見せる〕出示chūshì；显示xiǎnshì‖パスポートを～す 出示护照｜手本を～す 示范 ❷〔感情や意思を〕表示biǎoshì；表现biǎoxiàn‖誠意を～す 表示诚意｜難色を～す 露出难色｜興味を～す 显出兴趣 ❸〔意味する〕指zhǐ；指示zhǐshì；表示biǎoshì‖方向を～す記号 指示方向的标志

しめだ・す【締め出す・閉め出す】❶〔屋内に入れない〕关在门外guānzai mén wài；不许入内bùxǔ rùnèi‖門限に遅れて～された 回来晚了被关在门外 ❷〔排斥する〕排斥páichì；排挤páijǐ

しめつ【死滅】（～する）灭绝mièjué；绝种juézhǒng；灭种mièzhǒng

じめつ【自滅】（～する）自灭zìmiè；㊣自取灭亡zì qǔ miè wáng

しめつけ【締め付け】压迫yāpò；严厉管束yánlì guǎnshù‖言論に対する政府の～が厳しい 政府对言论的控制很严厉

しめつ・ける【締め付ける】❶〔かたく締める〕（手で）卡qiǎ；扼è.（ひもなどで）勒紧lēijǐn；捆紧kǔnjǐn‖胸が～けられるような光景 令人心酸的情景 ❷〔圧迫する〕压迫yāpò；严格管理yángé guǎnlǐ

しめっぽ・い【湿っぽい】❶〔湿気がある〕潮cháo；潮湿cháoshī；湿乎乎shīhūhū‖空気が～い 空气潮湿 ❷〔陰気〕阴郁yīnyù；伤感shānggǎn‖～い話 伤感的话题

しめて【締めて】一共yígòng；共计gòngjì

しめりけ【湿り気】湿气shīqì；潮气cháoqì‖～がある 湿润

し・める【占める】占zhàn；占居zhànjū；占有zhànyǒu‖首位を～める 居首｜優位を～める 占上风｜重要な位置を～める 占有重要的位置｜大多数を～める 占大多数

しめ・る【湿る】返潮fǎncháo；受潮shòucháo‖汗で下着が～る 汗水把内衣浸得湿乎乎的

し・める【絞める】勒lēi；掐qiā.（縄で）绞jiǎo‖首を～める 勒〔掐〕脖子

し・める【締める・閉める】❶〔閉じる〕（戸や窓などを）关上guānshang；关闭guānbì.（閉店する）关门guānmén.（廃業する）歇业xiēyè‖ドアを～める 关上门 ❷〔ひもなどを〕系紧jìjǐn；束紧shùjǐn‖ネクタイを～める 打〔系〕领带｜シートベルトを～める 系上安全带 ❸〔ねじなどを〕拧紧nǐngjǐn；扭紧niǔjǐn.（施錠する）锁suǒ‖ねじを～める 拧紧螺丝｜瓶のふたを～める 拧紧瓶盖儿 ❹〔緊張させる〕（気を）紧张jǐnzhāng；振奋zhènfèn.（厳しくする）管束guǎnshù.（こらしめる）教训jiàoxun‖気持ちを～めてかかる 振作起精神｜だらけた部下を～める 管束懒散的部下 ❺〔合計する〕结算

jiésuàn ‖ 帳簿を～める 结账

しめん【四面】四面sìmiàn；四下里sìxiàli；周围zhōuwéi ❖一楚歌(ｿｶ):㊣四面楚歌｜一体:四面体

しめん【紙面】篇幅piānfu；版面bǎnmiàn；纸面zhǐmiàn ‖ ～を割く 匀出篇幅｜～をにぎわす 让报纸热闹了一阵

じめん【地面】地面dìmiàn；地上dìshang；土地tǔdì

しも【下】❶〔分けたものの最後〕下xià；后hòu ‖ ～2けた 后两位｜～半期 下半年 ❷〔腰から下〕下半身xiàbànshēn ‖ ～の世話をする 收拾大小便 ❖一ネタ:下流话；下流的话题

しも【霜】〔层〕霜shuāng ‖ ～が降りる 下〔降〕霜｜車のガラスに～がつく 车玻璃结霜

しもき【下期】下半年度xiàbàn niándù

じもく【耳目】‖ 世間の～を集める 引起世人注意

しもざ【下座】末座mòzuò；末席mòxí

しもて【下手】（舞台の）舞台的左侧wǔtái de zuǒcè；上场门shàngchǎngmén

じもと【地元】❶〔その土地〕当地dāngdì ‖ ～の新聞 当地报纸 ❷〔自分の住んでいる土地〕本地běndì

しもばしら【霜柱】霜柱shuāngzhù ‖ ～が立つ 出现霜柱

しもはんき【下半期】下半期xiàbànqī；下半年xiàbànnián

しもやけ【霜焼け】冻疮dòngchuāng；冻伤dòngshāng ‖ 手に～ができた 手上长了冻疮

しもん【指紋】指纹zhǐwén ‖ ～を残す 留下指纹｜（指から）～をとる 取指纹｜（物から）～を採取する 采取指纹 ❖一押捺(ｵｳﾅﾂ):按指纹｜一鑑定:指纹鉴定

しもん【諮問】（～する）咨询zīxún ❖一委員会:咨询委员会｜一機関:咨询机关

じもん【自問】（～する）自问zìwèn ❖一自答:自问自答

しや【視野】❶〔視界〕视野shìyě；眼帘yǎnlián ‖ ～に入る 进入视野｜～を横切る 横穿眼前 ❷〔識見〕眼界yǎnjiè；见识jiànshi.（見方）见解jiànjiě；目光mùguāng ‖ ～が広い〔狭い〕 眼界开阔〔狭隘〕｜～を広げる 开阔眼界

しゃ【斜】斜xié ‖ ～に構える 玩世不恭

じゃあく【邪悪】邪恶xié'è；奸邪jiānxié

ジャージー ❶〔繊維〕平针织物píngzhēnzhīwù ❷〔シャツ〕运动衫yùndòngshān ❸〔乳牛〕泽西牛zéxīniú

ジャーナリスト 新闻工作者xīnwén gōngzuòzhě；记者jìzhě；报人bàorén

ジャーナリズム *(業界)新闻界xīnwénjiè；报界bàojiè.* (仕事)新闻工作xīnwén gōngzuò

シャープ ❶〔音楽〕升shēng；升号shēnghào ❷〔鋭敏〕锐敏ruìmǐn；灵敏língmǐn ❸〔鮮明〕清晰qīngxī；鲜明xiānmíng ‖ ～な画面 画面很清晰 ❖一ペンシル:自动铅笔；自动笔

シャーベット 沙冰shābīng；（水果）冰糕(shuǐguǒ) bīnggāo

しゃい【謝意】❶〔感謝の気持ち〕谢意xièyì ❷〔謝罪の気持ち〕歉意qiànyì

シャイ 羞怯xiūqiè；害羞hàixiū；腼腆miǎntian ‖ ～な性格 腼腆的性格

ジャイアントパンダ 大熊猫dàxióngmāo

しゃいん【社員】公司职员gōngsī zhíyuán；职工zhígōng；员工yuángōng

しゃおん【謝恩】谢恩xiè'ēn；报答bàodá ❖一会:谢恩会｜一セール:酬宾活动

しゃか【釈迦】释迦牟尼Shìjiāmóuní ‖ ～に説法 ㊣班门弄斧

しゃかい【社会】社会shèhuì；世界shìjiè ‖ ～に出る 走上社会｜～に適応する 适应社会｜～に貢献する 为社会做出贡献｜～性に欠ける 缺乏社会性 ❖一運動:社会运动｜一科学:社会科学｜一人:社会成员｜一福祉:社会福利｜一勉強:积累社会经验｜一保険:社会保险｜一保障:社会保障｜一面:（新聞の）社会版｜一問題:社会问题

しゃかいしゅぎ【社会主義】社会主义shèhuì zhǔyì ❖一市場経済:社会主义市场经济

ジャガいも【ジャガ芋】土豆儿tǔdòur；马铃薯mǎlíngshǔ

しゃが･む 蹲dūn；蹲下dūnxia

しゃが･れる【嗄れる】沙哑shāyǎ；嘶哑sīyǎ ‖ 声が～れる 嗓子哑了

しゃかんきょり【車間距離】车距chējù ‖ ～を十分にとらねばならない 必须保持一定的车距

しゃく【酌】斟酒zhēn jiǔ ‖ 社長にお～をする 给总经理斟酒

しゃく【癪】生气shēngqì；窝火wōhuǒ；恼火nǎohuǒ ‖ ～の種 （让人）生气的原因｜～にさわる 气人

しゃくし【杓子】〔把〕勺子sháozi ❖一定規:死板；呆板；㊣墨守成规

じゃくし【弱視】弱视ruòshì

じゃくしゃ【弱者】弱者ruòzhě；无力者wúlìzhě ‖ ～に配慮する 关心弱者

しやくしょ【市役所】市政府shì zhèngfǔ；市役所shì yìsuǒ

じゃくしょう【弱小】弱小ruòxiǎo ❖一国:弱小国家

しゃくぜん【釈然】释然shìrán；释怀shìhuái ‖ ～としない 无法释怀

じゃくたい【弱体】脆弱cuìruò；懦弱nuòruò ‖ 組織が～化する 组织力量削弱了

しゃくち【借地】租地zūdì ❖一権:租地权｜一人:租地人｜一料:租地费

じゃぐち【蛇口】（水）龙头(shuǐ)lóngtóu ‖ ～をあける〔締める〕 打开〔关上〕水龙头

じゃくてん【弱点】弱点ruòdiǎn；缺点quēdiǎn；痛处tòngchù ‖ ～をさらけだす 暴露弱点｜～を克服する 克服缺点｜～を握る 抓住弱点

しゃくど【尺度】尺度chǐdù；标准biāozhǔn ‖ 人を評価する～ 评价人的标准

じゃくにくきょうしょく【弱肉強食】㊣弱肉强食ruò ròu qiáng shí

しゃくねつ【灼熱】（～する）灼热zhuórè ‖ ～の砂漠 灼热的沙漠｜～の恋 热恋

じゃくねん【若年】年轻niánqīng.（人）年轻人niánqīngrén ❖一層:年轻一代

しゃくほう【釈放】（～する）释放shìfàng

しゃくめい【釈明】（～する）解释jiěshì；辩解

biànjiě; 辩白biànbái
しゃくや【借家】租房zūfáng; 租的房子zū de fángzi ‖ 私は~住まいです 我是租房住的 ✤ 一人:租房的人
しゃくよう【借用】(~する)借用jièyòng ‖ 無断で~する 擅自使用 ✤ 一証書:借据;借单;借条
しゃくりあ·げる【嚷りあげる】抽噎chōuyē
しゃくりょう【酌量】(~する)酌量zhuóliang; 酌情zhuóqíng ‖ 情状を~する 酌情
しゃげき【射撃】(~する)射击shèjī; 开枪kāiqiāng; 枪击qiāngjī
ジャケット ❶〔服飾〕〔件〕夹克jiākè ❷〔カバー〕(レコードの)封套fēngtào. (本の)书套shūtào; 书皮shūpí
しゃけん【車検】车检chējiǎn
じゃけん【邪険】刻薄kèbó; 冷淡lěngdàn ‖ ~にする 待人刻薄
しゃこ【車庫】车库chēkù
しゃこう【社交】交际jiāojì; 社交shèjiāo ‖ ~的 善于交际 | ~性に欠ける 不善于交际 ✤ 一家:交际家 | 一界:社交界 | 一辞令:社交辞令;客套话 | 一ダンス:交际舞;交谊舞
しゃこう【遮光】(~する)遮光zhēguāng ✤ 一カーテン:遮光幕;遮光帘
しゃさい【社債】公司债券gōngsī zhàiquàn
しゃざい【謝罪】(~する)道歉dàoqiàn; 谢罪xièzuì; 赔不是péi búshi ✤ 一広告:道歉广告
しゃさつ【射殺】(~する)枪杀qiāngshā; 射杀shèshā; 击毙jībì
しゃし【奢侈】奢侈shēchǐ ‖ ~におぼれる 沉溺于奢侈的生活
しゃじ【謝辞】❶〔感謝の言葉〕〔句〕谢辞xiècí; 感谢之词gǎnxiè zhī cí ❷〔お詫びの言葉〕道歉之词dàoqiàn zhī cí
しゃじく【車軸】车轴chēzhóu; 轮轴lúnzhóu
しゃじつ【写実】写实xiěshí ‖ ~的な作風 写实风格 ✤ 一主義:现实〔写实〕主义
しゃしゅ【社主】业主yèzhǔ; (公司)所有者(gōngsī) suǒyǒuzhě
しゃしゅ【車種】车型chēxíng
しゃしょう【車掌】(列車の)列车员lièchēyuán. (バスの)售票员shòupiàoyuán
しゃしん【写真】〔张〕照片zhàopiàn; 相片xiàngpiàn; 图片túpiàn ‖ ~をとる 照相 | この~はとてもうまくとれている 这张照片拍得非常好 ✤ 一写(う)り:是否上相 ‖ ~がいい 上相 | 一家:摄影师 | 一館:照相馆;摄影馆 | 一機:照相机 | 一集:写真集 | 一店:照相店 | 一展:影展 | 一判定:根据图像判断胜负
ジャズ 爵士乐juéshìyuè ✤ 一シンガー:爵士歌手 | 一ダンス:爵士舞 | 一バー:爵士酒吧 | 一バンド:爵士乐队
じゃすい【邪推】(~する)猜忌cāijì
ジャスミン 茉莉mòli; 茉莉花mòlihuā ✤ 一茶:茉莉花茶
しゃせい【写生】(~する)写生xiěshēng ✤ 一画:写生画
しゃせつ【社説】〔篇〕社论shèlùn ✤ 一欄:社论栏
しゃぜつ【謝絶】(~する)谢绝xièjué; 婉拒wǎnjù ✤ 面会一:谢绝会客
しゃせん【車線】车道chēdào ‖ 6~ 六车道 ✤ 一変更:变更车道 | 追い越し一:超车道;快车道 | 走行一:上车道 | 登坂一:上坡车道
しゃせん【斜線】〔条〕斜线xiéxiàn
しゃそう【車窓】车窗chēchuāng
しゃたい【車体】车身chēshēn; 车厢chēxiāng
しゃたく【社宅】职工宿舍zhígōng sùshè
しゃだん【社団】社团shètuán ✤ 一法人:社团法人
しゃだん【遮断】(~する)阻断zǔduàn; 隔绝géjué ‖ 外光を~する 遮挡室外光 ✤ 一機:拦道木
しゃちょう【社長】总经理zǒngjīnglǐ; 老板lǎobǎn ✤ 一室:总经理室 | 一秘書:总经理秘书
シャツ ❶〔肌着〕〔件〕内衣nèiyī; 汗衫hànshān ❷〔ワイシャツなど〕〔件〕衬衫chènshān
しゃっかん【借款】(国际间)贷款(guójìjiān) dàikuǎn
じゃっかん【若干】若干ruògān; 一些yìxiē
じゃっかん【弱冠】年轻niánqīng; 年幼niányòu ‖ ~15歳 年仅15岁
じゃっき【惹起】(~する)引起yǐnqǐ; 招惹zhāore ‖ 大論争を~する 引起大论战
しゃっきん【借金】(~する)借款jièkuǎn; 借钱jiè qián; 欠债qiàn zhài. (借りた金)〔笔〕借款jièkuǎn; 债zhài ‖ ~を申し込む 向人借钱 | ~を背負う 欠债 | ~を踏み倒す 欠债不还;赖账 | ~を返す 还债;还账 | ~を肩がわりする 替人还债 ✤ 一取り:讨债的人;讨债鬼
しゃっくり (~する)嗝儿gér ‖ ~が出る 打嗝儿
ジャッジ (~する)裁判cáipàn; 判定pàndìng. (審判員)裁判(员) cáipàn(yuán) ✤ ミス一:误判
シャッター ❶〔写真〕快门kuàimén ‖ ~を押す 按快门 ❷〔よろい戸〕卷帘门juǎnliánmén ‖ ~を下ろす 放下卷帘门 ✤ 一スピード:快门速度 | 一チャンス:按快门的好时机
シャットアウト (~する)关在门外guānzai mén wài ‖ 部外者は~する 外人禁止入内
しゃてい【射程】射程shèchéng ✤ 一距離:射程
しゃてき【射的】打靶游戏dǎbǎ yóuxì ✤ 一場:打靶场
しゃどう【車道】行车道xíngchēdào; 车道chēdào ‖ ~に出てはいけない 不要上车道
じゃどう【邪道】㊦旁门左道páng mén zuǒ dào; ㊦歪门邪道wāi mén xiédào
シャトル ❶〔定期往復便〕(バス)区间车qūjiānchē. (飛行機)班机bānjī ❷ ⇨シャトルコック ✤ 一便:近距离往返班机
シャトルコック 羽毛球yǔmáoqiú
しゃない【社内】公司内部gōngsī nèibù ✤ 一結婚:和同事结婚
しゃない【車内】车(厢)里chē(xiāng) li ✤ 一販売:车内销售
しゃにむに【遮二無二】不顾一切地búgù yíqiè de; 拼命地pīnmìng de; 盲目地mángmù de ‖ ~勉強する 拼命地学习
じゃねん【邪念】邪念xiéniàn ‖ ~を払う 排除邪念
しゃば【娑婆】俗世súshì; 尘世chénshì

じゃばら【蛇腹】蛇腹状 shéfùzhuàng
しゃふう【社風】公司的风气gōngsī de fēngqì
しゃぶしゃぶ 涮火锅 shuànhuǒguō
しゃふつ【煮沸】(～する)煮沸 zhǔfèi ✤ 一消毒:煮沸消毒 ‖ 衣類を～する 把衣服煮沸消毒
しゃぶ·る 含hán; 嘬zuō; 吮shǔn ‖ 指を～る 嘬手指头 | あめを～らせる 给甜头
しゃへい【遮蔽】(～する)遮蔽 zhēbì; 遮挡 zhēdǎng; 遮掩 zhēyǎn ✤ 一物:遮掩物
しゃべ·る【喋る】说话shuōhuà; 谈话tánhuà. (雑談する)聊天儿liáotiānr ‖ のべつまくなしにぺらぺら～る 没完没了地说个不停;喋喋不休
シャベル 〔把〕铁锹tiěqiāo; 铲子chǎnzi
しゃほん【写本】抄本 chāoběn; 手抄本 shǒuchāoběn; 手写本shǒuxiěběn
シャボン 肥皂féizào ✤ 一玉:肥皂泡
じゃま【邪魔】(～する) ❶〔妨害·障害〕妨碍 fáng'ài; 打搅dǎjiǎo ‖ 通行の～になる 妨碍交通 | 仕事の～をする 打搅工作 ❷〔訪問〕拜访bàifǎng; 打搅dǎjiǎo ‖ 明日の午後お～します 明天下午我去拜访您 | お～しました 打搅您了
ジャマイカ 牙买加Yámǎijiā
じゃまもの【邪魔者·邪魔物】累赘 léizhui; 绊脚石bànjiǎoshí; 眼中钉 yǎnzhōngdīng ‖ 人を～扱いする 把别人当做累赘
ジャム 果酱guǒjiàng ‖ パンに～をつける 往面包上抹果酱 ✤ イチゴ一:草莓酱 | リンゴ一:苹果酱
しゃめん【赦免】(～する)赦免 shèmiǎn
しゃめん【斜面】斜面xiémiàn; 坡pō ‖ 山の～ 山坡 | なだらかな～ 缓坡 | 急な～ 陡坡
しゃもじ【杓文字】饭勺fànsháo
しゃよう【社用】✤一族:公款吃喝的人
しゃよう【斜陽】夕阳xīyáng; 衰落shuāiluò ✤ 一産業:夕阳产业
じゃり【砂利】小石子儿xiǎo shízǐr; 砾石lìshí; 小卵石xiǎo luǎnshí ✤ 一道:石子儿路
しゃりょう【車両】车辆 chēliàng. (列車の) 〔节,个〕车厢chēxiāng ✤ 一故障:列车的故障 | 一通行止め:车辆禁止通行
しゃりん【車輪】车轮 chēlún
しゃれ【洒落】俏皮话qiàopihuà; 笑话xiàohua ‖ ～を言う 说俏皮话 | まるで～にならない 一点儿都不幽默 | ～が通じない 没有幽默感
しゃれい【謝礼】报酬bàochou ‖ ～を出す 给报酬
しゃ·れる【洒落る】❶〔洗練されている〕别致 biézhi; 时髦shímáo ‖ ～れた身なり 打扮得很别致 ❷〔おもしろみがある〕有趣儿yǒuqùr; 风趣 fēngqù ‖ ～れたことを言う 说话有趣儿
じゃ·れる【戯れる】玩耍wánshuǎ ‖ 子ネコが小さなまりに～れている 小猫在玩耍小球
シャワー *淋浴 línyù ‖ ～を浴びる 洗〔冲〕淋浴* ✤ 一室:淋浴间
ジャンクション 高速公路立交桥gāosù gōnglù lìjiāoqiáo
ジャングル 〔片〕密林mìlín; 丛林cónglín; 热带雨林rèdài yǔlín
じゃんけん 猜拳 cāiquán; 石头剪子布 shítou jiǎnzi bù ‖ ～で決める 猜拳决定
シャンソン 香颂 xiāngsòng
シャンデリア (豪华)吊灯(háohuá) diàodēng
ジャンパー 〔件〕夹克(衫) jiākè(shān) ✤ 一スカート:背心裙 | 革一:皮夹克
ジャンプ (～する)跳跃 tiàoyuè; 跳 tiào ✤ 一競技:跳台滑雪;跳跃项目 | 一スーツ:连身裤
シャンプー 香波xiāngbō; 洗发精xǐfàjīng
シャンペン 香槟(酒) xiāngbīn(jiǔ)
ジャンボ 巨型 jùxíng; 大型 dàxíng ✤ 一ジェット機:大型喷气式客机
ジャンル 类型lèixíng; 类别lèibié; 种类zhǒnglèi ‖ ～別に分類する 分门别类
しゅ【主】❶〔神〕主zhǔ; 上帝 Shàngdì ❷〔主要〕主要zhǔyào ‖ ～たる任務 主要任务 | ～として 主要 | ベテランが～となる 以老手为核心
しゅ【朱】红色hóngsè; 朱zhū ‖ ～に交われば赤くなる 定 近朱者赤(,近墨者黑)
しゅ【種】❶〔種類〕种类zhǒnglèi ‖ この～の品 这种商品 ❷〔生物〕种 zhǒng
しゅい【首位】首位shǒuwèi ‖ ～を占める 居首位
しゆう【私有】(～する)私有sīyǒu ✤ 一地:私有地 | 一物:私有物
しゆう【雌雄】❶〔勝負〕雌雄 cíxióng; 胜负 shèngfù ‖ ～を決する 决一雌雄 ❷〔雄と雌〕公母 gōngmǔ; 雌雄cíxióng
しゅう【週】周zhōu; 星期xīngqī; 礼拜 lǐbài
じゆう【自由】自由zìyóu; 随意suíyì ‖ 言論の～ 言论的自由 | ご～にお持ち帰りください 请随意带走 | 3か国語を～に操る 自如地讲三国语言 ✤ 一化:自由化 | 一形:自由泳 | 一業:自由职业 | 一競争:自由竞争 | 一経済:自由经济 | 一行動:自由活动〔行动〕 | 一自在:自如;定 自由自在 | 一席:自由席;散席 | 一貿易:自由贸易
じゅう【十·拾】十shí. (大字)拾shí ‖ ～分の1 十分之一 | ～代の若者 十几岁的青少年
じゅう【銃】〔把,支〕枪qiāng ‖ ～を構える 端枪
-じゅう【中】❶〔…の間ずっと〕整… zhěng…; 全… quán… ‖ 一日～ 一整天 | 冬～ 整整一冬天 | 世界～ 全世界 ❷〔…の期間内に〕…之内 …zhī nèi ‖ 今日～ 今天之内
じゅうあつ【重圧】重压 zhòngyā; 巨大压力 jùdà yālì ‖ 精神的～に耐える 忍受精神上的重压
しゅうい【周囲】周围zhōuwéi; 四周sìzhōu; 四围sìwéi ‖ 家の～ 房子的四周 | ～を振りまわす 搅得周围的人不得安宁
じゅうい【獣医】兽医shòuyī
しゅうえき【収益】收益shōuyì; 利润lìrùn; 赢利yínglì ‖ ～をあげる 获得收益
しゅうえん【終焉】临终línzhōng ‖ 文豪～の地 文豪临终之地
しゅうえん【終演】(～する)(上演)结束(shàngyǎn) jiéshù; 终场zhōngchǎng; 散场sànchǎng
じゅうおう【縦横】❶〔縦と横〕纵横zònghéng ‖ ～に走る道路 纵横交错的道路 ❷〔自由自在〕自如zìrú; 随意suíyì; 定 自由自在zì yóu zì zài ‖ ～に活躍する 大显身手 ✤ 一無尽:纵横;尽情 ‖ ～に走り回る 纵横驰骋
しゅうかい【集会】(～する)聚会jùhuì; 集会jíhuì. (集まり)会huì; 集会jíhuì; 聚会jùhuì ‖ ～を開く 开会 ✤ 一所:集会场所;会议厅 | 政治一:政治集会

しゅうかく【収穫】❶(～する)〔農作物を〕収割shōugē.(収穫高)收成shōucheng‖～が多い 收成很好|～が減る 减产 ❷〔成果〕收获shōuhuò‖留学の～ 留学的收获 ✤—期:收获期

しゅうがく【就学】(～する)就学 jiùxué ✤—年齢:学龄|—率:就学率

しゅうがくりょこう【修学旅行】修学旅行 xiūxué lǚxíng

しゅうかん【習慣】习惯xíguàn‖早起きの～を身につける 养成早起的习惯|～になる 成为习惯

しゅうかん【週刊】周刊zhōukān ✤—誌:周刊杂志

しゅうかん【週間】星期xīngqī; 周zhōu‖1、2～ 一两个星期 ✤愛鳥—:爱鸟周

しゅうき【周期】周期zhōuqī‖～的に 周期性地 ✤—表:周期表|—律:周期律

しゅうき【臭気】〔股〕臭气chòuqì; 臭味儿chòuwèir‖～を発する 发出臭味儿

しゅうぎ【祝儀】❶〔祝典〕庆祝典礼qìngzhù diǎnlǐ.(婚礼)婚礼hūnlǐ ❷〔お祝いの金品〕红包hóngbāo; 贺礼hèlǐ ❸〔チップ〕小费 xiǎofèi

しゅうぎいん【衆議院】众议院 Zhòngyìyuàn ✤—議員:众议院议员|—議長:众议院议长

しゅうきゅう【週休】周休 zhōuxiū ✤—2日制:双休日制度

しゅうきゅう【週給】周薪zhōuxīn

じゅうきょ【住居】家 jiā; 住宅zhùzhái‖市内に～を構える 在市内安家

しゅうきょう【宗教】宗教zōngjiào ✤—画:宗教画|—改革:宗教改革|無—:不信教

しゅうぎょう【修業】(～する)修业xiūyè; 修完xiūwán ✤—証書:修业证|—年限:修业年限

しゅうぎょう【終業】(～する)❶〔学期の〕结业 jiéyè ❷〔仕事の〕下班xiàbān ✤—時間:下班时间|—式:结业典礼

しゅうぎょう【就業】(～する)❶〔仕事を始める〕上班shàngbān ❷〔就職する〕就业jiùyè ✤—規則:工作章程|—時間:工作时间

じゅうぎょういん【従業員】职工zhígōng; 员工yuángōng

しゅうきん【集金】(～する)收钱shōu qián; 收款shōu kuǎn; 收费shōu fèi ✤—人:收费员

じゅうきんぞく【重金属】重金属zhòngjīnshǔ

シュー クリーム 奶油泡夫nǎiyóu pàofū

じゅうぐん【従軍】(～する)从军cóngjūn; 随军suíjūn ✤—記者:随军记者

しゅうけい【集計】(～する)总计zǒngjì; 统计tǒngjì.(数)总数zǒngshù; 总和zǒnghé

じゅうけいしょう【重軽傷】轻重伤 qīngzhòngshāng

しゅうげき【襲撃】(～する)袭击xíjī

じゅうげき【銃撃】(～する)枪击qiāngjī‖～を加える 进行枪击 ✤—戦:枪击战

しゅうけつ【終結】(～する)终结zhōngjié; 结束jiéshù‖戦争が～する 战争结束

しゅうけつ【集結】(～する)集结jíjié; 聚集jùjí

じゅうけつ【充血】(～する)充血chōngxuè‖目が～する 眼睛充血

しゅうごう【集合】(～する)集合 jíhé; 聚齐jùqí; 聚集jùjí‖時間どおりに～する 准时集合 ✤—時間:集合时间|—場所:集合地点

じゅうこう【重厚】庄重zhuāngzhòng; 稳重wěnzhòng‖～な文体 厚重的文章

じゅうこう【銃口】枪口qiāngkǒu

じゅうこうぎょう【重工業】重工业 zhònggōngyè

じゅうごや【十五夜】阴历十五的夜晚yīnlì shíwǔ de yèwǎn.(中秋)中秋Zhōngqiū

ジューサー 榨汁器zhàzhīqì

しゅうさい【秀才】秀才xiùcai; 高材生gāocáishēng‖彼は～の誉れが高い 他被誉为高材生

しゅうさく【秀作】优秀作品yōuxiù zuòpǐn

しゅうさく【習作】(～する)习作xízuò

じゅうさつ【銃殺】(～する)枪毙qiāngbì; 枪杀qiāngshā

しゅうさん【集散】(～する)集散jísàn ✤—地:集散地

しゅうし【収支】收支shōuzhī‖～がとんとんである 收支平衡;不赚不亏 ✤—決算:决算收支

しゅうし【修士】硕士shuòshì ✤—課程:硕士课程|—号:硕士学位

しゅうし【終始】(～する)始终shǐzhōng; 定 自始至终zì shǐ zhì zhōng‖会議は予算問題に～した 会议自始至终讨论预算的问题 ✤—一貫:始终如一;贯彻始终

しゅうじ【習字】练字liànzì; 习字xízì.(書道)书法shūfǎ‖～を習う 练书法|～の手本 字帖

じゅうし【重視】(～する)重视zhòngshì

じゅうじ【十字】十字shízì‖～を切る 划十字 ✤—架:十字架|—軍:十字军|—路:十字路口

じゅうじ【従事】(～する)从事cóngshì; 做zuò‖建築の仕事に～している 从事建筑工作

しゅうじつ【終日】整天zhěngtiān; 终日zhōngrì‖～本を読んで過ごした 读了一整天书

じゅうじつ【充実】(～する)充实chōngshí; 丰富fēngfù‖学生生活を～したものにする 充实自己的学生生活 ✤—感:充实感

しゅうしふ【終止符】终止符zhōngzhǐfú; 句号jùhào‖～を打つ 打上句号

しゅうしゅう【収拾】(～する)收拾shōushi; 处理chǔlǐ; 收场shōuchǎng‖～がつかない 无法收拾

しゅうしゅう【収集】(～する)收集shōují

じゅうじゅん【従順·柔順】顺从shùncóng; 温顺wēnshùn

じゅうしょ【住所】地址dìzhǐ.(とくに個人の)住址zhùzhǐ ✤—不定:无固定住址;居无定所|—録:通讯录

じゅうしょう【重症】病情严重bìngqíng yánzhòng

じゅうしょう【重傷】重伤zhòngshāng

しゅうしょく【修飾】(～する)修饰 xiūshì ✤—語:修饰语

しゅうしょく【就職】(～する)就业 jiùyè‖銀行に～する 进银行(工作) ✤—活動:找工作|—試験:招聘考试|—率:就业率

しゅうしん【終身】终身zhōngshēn ✤—会員:终身会员|—刑:无期徒刑|—年金:永续年金

しゅうじん【囚人】囚犯qiúfàn ✤—服:囚服

しゅうじん【衆人】众人zhòngrén‖～環視の中で 在众目睽睽之下

し

じゅうしん【重心】重心zhòngxīn
ジュース〔瓶,杯〕果汁(儿) guǒzhī(r)
しゅうせい【修正】(～する)修改xiūgǎi; 修正xiūzhèng; 改正gǎizhèng; 修订xiūdìng ‖ 法案に～を加える 修改法案 ✤ —案:修订案｜—液:涂改液｜—プログラム:补丁程序
しゅうせい【修整】(～する)润色rùnsè; 润饰rùnshì ‖ 写真を～する 把照片修整一下
しゅうせい【終生】一生yìshēng; 终生zhōngshēng; 终身zhōngshēn
じゅうせい【銃声】枪声qiāngshēng
じゅうぜい【重税】重税zhòngshuì
しゅうせき【集積】(～する)集聚jíjù; 积累jīlěi ✤ —回路:集成电路｜—地:(货物的)集散地
じゅうせき【重責】重大职责〔责任〕zhòngdà zhízé〔zérèn〕; 重任zhòngrèn
しゅうせん【終戦】战争结束zhànzhēng jiéshù
しゅうぜん【修繕】(～する)修理xiūlǐ. (建物を)修缮xiūshàn. (車·機械などを)维修wéixiū
じゅうそう【重曹】⇨じゅうたんさんソーダ(重炭酸ソーダ)
しゅうそく【収束】(～する)得到解决dédào jiějué; 了结liǎojié
しゅうそく【終息】(～する)结束jiéshù; 平息píngxī ‖ 内戦が～した 内战平息了
じゅうそく【充足】(～する)满足mǎnzú; 充足chōngzú ‖ ～感 满足感
じゅうぞく【従属】(～する)依附yīfù; 依赖yīlài; 从属cóngshǔ
しゅうたい【醜態】丑态chǒutài; 样相yángxiàng ‖ ～を演じる 出丑
じゅうたい【重体·重態】病情严重bìngqíng yánzhòng; 病危状态bìngwēi zhuàngtài
じゅうたい【渋滞】(～する)交通堵塞jiāotōng dǔsè; 堵车dǔchē
じゅうだい【重大】重大zhòngdà; 严重yánzhòng ✤ —事:很重要的事情
しゅうたいせい【集大成】(～する)汇编huìbiān; 汇总huìzǒng; 集大成jí dàchéng ‖ 長年の研究の～ 集多年研究之大成
じゅうたく【住宅】〔套,所,幢〕住房zhùfáng; 住宅zhùzhái ✤ —事情:住房情况｜—地:住宅区｜—手当:住房津贴｜—ローン:住房贷款
しゅうだん【集団】集体jítǐ ✤ —検診:集体体检｜—生活:集体生活｜—中毒:集体中毒
じゅうたん【絨毯·絨緞】〔块〕地毯dìtǎn ‖ 階段には～が敷いてある 楼梯上铺着地毯
じゅうだん【銃弾】〔颗,个〕枪弹qiāngdàn; 子弹zǐdàn
じゅうだん【縦断】(～する)纵穿zòngchuān
じゅうたんさんソーダ【重炭酸ソーダ】碳酸氢钠tànsuān qīngnà; 小苏打xiǎosūdá
しゅうち【私有地】私有土地sīyǒu tǔdì
しゅうち【周知】(～する)定 众所周知zhòng suǒ zhōu zhī ‖ ～のように 众所周知
しゅうち【羞恥】羞耻xiūchǐ; 羞愧xiūkuì ✤ —心:羞耻心 ‖ ～がない 一点儿也不知羞耻
しゅうちゃく【執着】(～する)执著zhízhuó; 固执gùzhi ‖ 自分の考えに～する 固执己见｜金に～する 贪恋金钱
しゅうちゃくえき【終着駅】终点站zhōngdiǎnzhàn
しゅうちゅう【集中】(～する)集中jízhōng; 集结jíjié; 聚集jùjí ‖ 人口が都市に～する 人口向城市集中｜何事にも～できない 对任何事情都无法集中精力 ✤ —豪雨:集中(性)暴雨｜—治療室:重症监护室｜—力:集中力
しゅうてん【終点】终点(站) zhōngdiǎn(zhàn)
じゅうてん【重点】重点zhòngdiǎn ‖ 外国語学習に～をおく 以外语学习为主
じゅうでん【充電】(～する)充电chōngdiàn ✤ —器:充电器
しゅうでんしゃ【終電車】末班(电)车mòbān (diàn)chē ‖ ～を逃がす 错过最后一班电车
しゅうと【舅】(夫の父)公公gōnggong. (妻の父)岳父yuèfù; 丈人zhàngren
シュート (～する)(サッカー) 射门shèmén. (バスケットボール)投篮tóulán
じゅうど【重度】高度gāodù; 严重yánzhòng
しゅうとう【周到】周到zhōudao; 周全zhōuquán; 细心xìxīn ‖ ～な準備をする 做周全的准备
じゅうどう【柔道】柔道róudào
しゅうとく【拾得】(～する)捡到jiǎndào; 拾到shídào ✤ —物:拾到的东西
しゅうとく【習得】(～する)学会xuéhuì; 学到xuédào; 掌握zhǎngwò ‖ 技術を～する 学会技术
しゅうとめ【姑】(夫の母)婆婆pópo. (妻の母)岳母yuèmǔ ‖ 嫁と～の仲が悪い 婆媳关系不好
じゅうなん【柔軟】❶(体が)柔软róuruǎn; 柔韧róurèn ❷(態度·考え方などが)灵活línghuó; 可通融kě tōngrong ‖ 考え方が～さに欠ける 想法缺乏灵活性 ✤ —体操:柔软体操
じゅうにし【十二支】十二生肖shí'èr shēngxiào
じゅうにしちょう【十二指腸】十二指肠shí'èrzhǐcháng ✤ —潰瘍(かいよう):十二指肠溃疡
じゅうにぶん【十二分】十二分shí'èrfēn; 充分chōngfèn ‖ 実力を～に発揮する 充分地发挥实力
しゅうにゅう【収入】收入shōurù ✤ —印紙:印花税票｜—源:收入来源
しゅうにん【就任】(～する)就任jiùrèn; 上任shàngrèn ✤ —演説:就职演说｜—式:就任仪式
じゅうにん【住人】住在…的人 zhùzai…de rén; 居民jūmín
じゅうにんなみ【十人並み】一般水平yìbān shuǐpíng ‖ ～の器量 长相一般
しゅうねん【執念】执著的信念〔追求〕zhízhuó de xìnniàn〔zhuīqiú〕‖ ～深い 执著; 爱记仇
じゅうねん【十年】十年shí nián ‖ ～一日 十年如一日｜～一昔(ひとむかし) 十年如一世
しゅうのう【収納】(～する)存放cúnfàng; 收纳shōunà; 收藏shōucáng
しゅうは【周波】周波zhōubō. (周波数)频率pínlǜ ✤ 高〔低〕—:高〔低〕频
じゅうはち【十八】✤—金:18K的黄金｜—番:拿手好戏
じゅうびょう【重病】重病zhòngbìng
しゅうふく【修復】(～する)修复xiūfù ‖ 関係を～する 修复关系
じゅうふく【重複】⇨ちょうふく(重複)

しゅうぶん【秋分】秋分qiūfēn ‖ ～の日 秋分节
じゅうぶん【十分·充分】够gòu；足够zúgòu；充分chōngfèn ‖ 時間はまだ～ある 还有足够的时间 | お気持ちだけで～です 您的这份心意我领了
しゅうへん【周辺】周围zhōuwéi；附近fùjìn ‖ 駅の～ 车站附近 ❖—機器：外围设备
シューマイ【焼売】烧卖shāomai
しゅうまつ【終末】结尾jiéwěi；末尾mòwěi；结局jiéjú
しゅうまつ【週末】周末zhōumò ‖ ～ごとに 每到周末 | この～ 这个周末
じゅうまん【充満】(～する)充满chōngmǎn ‖ 部屋にガスが～する 房间里充满煤气
じゅうみん【住民】居民jūmín ❖—運動：居民运动 | —基本台帳ネットワーク：国民基本信息网络 | —税：居民税 | —登録：居民登记 | —票：居民登记卡
しゅうや【終夜】整夜zhěngyè ❖—運転：整夜运行 | —営業：整夜营业
しゅうやく【集約】(～する)总结zǒngjié；归纳guīnà ‖ 全員の意見を～する 总结大家的意见
じゅうやく【重役】董事dǒngshì
じゅうゆ【重油】重油zhòngyóu
しゅうゆう【周遊】(～する)环…旅游huán…lǚyóu；周游zhōuyóu ❖—券：环程旅行车票
しゅうよう【収容】(～する)(観客などを)容纳róngnà.(犯罪者·負傷者などを)收容shōuróng
しゅうよう【修養】修养xiūyǎng；涵养hányǎng；素养sùyǎng ‖ ～を積む 修身养性
じゅうよう【重用】⇨ちょうよう(重用)
じゅうよう【重要】重要zhòngyào ❖—参考人：重要证人 | —視：重视 | —書類：重要文件 | —人物：重要人物 | —性：重要性 | —文化財：重要文化遗产
しゅうらい【襲来】(～する)袭来xílai；袭击xíjī ‖ 寒波が～する 寒流袭来
じゅうらい【従来】从前cóngqián；以前yǐqián ‖ ～どおりのやり方でいく 照惯例而行 | ～とは異なる傾向 和往常不同的倾向 | ～のしきたり 老规矩
しゅうり【修理】(～する)修xiū；修理xiūlǐ.(建築物)修缮xiūshàn ‖ 自転車を～する 修自行车 | パソコンを～に出す 把电脑拿去修理 ❖—工場：修理厂
しゅうりょう【修了】(～する)学完(一定的课程、学业) xuéwán (yídìng de kèchéng、xuéyè) ❖—証書：结业证书
しゅうりょう【終了】(～する)终了zhōngliǎo；完结wánjié；结束jiéshù
じゅうりょう【重量】重量zhòngliàng ‖ ～をはかる 称重量 ❖—感：重量感 | —級：重量级 | —制限：重量限制 | —超過：超过重量；超重
じゅうりょうあげ【重量挙げ】举重jǔzhòng
じゅうりょく【重力】重力zhònglì
じゅうりん【蹂躙】(～する)蹂躏róulìn；践踏jiàntà ‖ 人権を～する 践踏人权
じゅうれつ【縦列】❖—駐車：纵向停车
しゅうれん【収斂】(～する)收敛shōuliǎn；收缩shōusuō ❖—化粧水：紧肤水
しゅうれん【修練】(～する)磨练móliàn；锻炼duànliàn ‖ ～を積む 经受磨练
しゅうろう【就労】(～する)从事劳动cóngshì láodòng；就业jiùyè ❖—ビザ：工作签证
じゅうろうどう【重労働】重体力劳动zhòng tǐlì láodòng
しゅうろく【収録】(～する)❶〔録音·録画する〕录音lùyīn；录像lùxiàng ❷〔書物·雑誌に載せる〕登载dēngzǎi；收录shōulù
しゅうわい【収賄】(～する)受贿shòuhuì
しゅえい【守衛】警卫jǐngwèi；门卫ménwèi
しゅえん【主演】(～する)主演zhǔyǎn.(人)主角zhǔjué
しゅかく【主客】❖—転倒：主客颠倒；㊂喧宾夺主
しゅかく【主格】主格zhǔgé
しゅかん【主観】主观zhǔguān；主观意识zhǔguān yìshi ‖ ～を交えない 不掺杂主观见解 | 彼の判断は～的すぎる 他的判断太主观了
しゅがん【主眼】要点yàodiǎn；着重点zhuózhòngdiǎn ‖ 福祉に～を置く 以社会福利为重点
しゅき【手記】〔本,篇〕手记shǒujì
しゅき【酒気】❖—帯び運転：酒后开车；酒后驾驶
しゅぎ【主義】❶〔主張·方針〕〔个,条,项〕原则yuánzé；主张zhǔzhāng ‖ 自分の～を曲げない 不放弃自己的主张 | もうけ～ 以赚钱为主 ❷〔体系的理論〕〔种,个〕主义zhǔyì
じゅきゅう【受給】(～する)领取lǐngqǔ；领受lǐngshòu ‖ 年金を～する 领取养老金
じゅきゅう【需給】供求gōngqiú；供需gōngxū
しゅぎょう【修行·修業】(～する)❶〔自分を鍛えること〕学习xuéxí；苦练工夫kǔliàn gōngfu ‖ まだまだ～が足りない 下的工夫还很不够 ❷〔仏教〕修行xiūxing ‖ ～を積む 刻苦修行
じゅぎょう【授業】(～する)上课shàngkè；讲课jiǎngkè；教课jiāo kè.(講義)课kè ‖ 今日は～がない 今天没有课 | ～をさぼる 旷课 | 今日の～はこれまで 今天的课就讲到这里 ❖—時間：上课时间 | —中：上课时 | —料：学费
じゅく【塾】(私)塾(sī)shú；补习班bǔxíbān；补习学校bǔxí xuéxiào
しゅくが【祝賀】(～する)祝贺zhùhè；庆祝qìngzhù ❖—会：庆祝会 | —パレード：庆祝游行
しゅくさいじつ【祝祭日】节假日jiéjiàrì
しゅくじ【祝辞】祝辞zhùcí；贺词hècí ‖ ～を述べる 致贺词
しゅくじつ【祝日】节日jiérì
しゅくしゃ【宿舎】宿舍sùshè ‖ 公務員～ 公务员宿舍 | 学生～ 学生宿舍
しゅくしゃく【縮尺】(～する)缩尺suōchǐ；比例尺bǐlìchǐ ‖ ～5万分の1の地図 比例尺为五万分之一的地图 ❖—図：缩微图；缩小比例图
しゅくじょ【淑女】淑女shūnǚ；女士nǚshì ‖ 紳士，～のみなさん 女士们,先生们！
しゅくしょう【縮小】(～する)❶〔小さくする〕缩小suōxiǎo ‖ 事業を～する 缩小业务 ❷〔削減する〕缩减suōjiǎn；裁减cáijiǎn ‖ 軍備の～ 裁军 | 生産を～する 减少生产
しゅくず【縮図】❶〔圧縮して反映したもの〕缩影suōyǐng ‖ 人生の～ 人生的缩影 ❷〔縮尺図〕缩图suōtú；缩小比例图suōxiǎo bǐlìtú

じゅく・す【熟す】❶〔果物,作物が〕熟shú；成熟chéngshú ‖ このメロンはまだ～していない 这个甜瓜还没熟 ❷〔物事が〕成熟chéngshú ‖ 機が～す 时机成熟了

じゅくすい【熟睡】（～する）睡得很熟 shuìde hěn shú；熟睡shúshuì；酣睡hānshuì

しゅく・する【祝する】（祝賀する）祝贺zhùhè；庆祝qìngzhù.（祈る）祝福zhùfú ‖ 前途を～して乾杯 为各位前程远大而干杯

しゅくせい【粛清】（～する）肃清sùqīng；清洗qīngxǐ ‖ 反対派を～する 肃清反对派

しゅくだい【宿題】〔门〕作业zuòyè ‖ ～をやる 做作业 | ～を出す 布置家庭作业

じゅくち【熟知】（～する）熟悉shúxī；熟知shúzhī ‖ ～の間柄 彼此很熟悉

しゅくちょく【宿直】（～する）值班zhíbān；值夜班 zhí yèbān；值宿zhísù ✥ 一員：值班员 | 一室：值班室 | 一手当：夜班费；值班补贴

しゅくでん【祝電】〔封〕贺电hèdiàn ‖ ～を打つ 发贺电；拍贺电

じゅくどく【熟読】（～する）精读jīngdú；细读xìdú

しゅくはく【宿泊】（～する）投宿tóusù；住宿zhùsù ✥ 一設備：住宿设备 | 一料：住宿费

しゅくふく【祝福】（～する）祝福zhùfú；祝贺zhùhè

じゅくりょ【熟慮】（～する）㊀深思熟虑shēn sī shú lǜ；熟虑shúlǜ ‖ ～に～を重ねる 再三考虑

じゅくれん【熟練】（～する）熟练shúliàn；熟习shúxí ‖ ～の技 技术精湛的手工 | ～を要する 须具备高度熟练技术 ✥ 一工：熟练工

しゅくん【殊勲】殊勋shūxūn；卓越的功绩zhuóyuè de gōngjì ‖ ～を立てる 立殊勋 ✥ 一賞：特等功勋奖

しゅげい【手芸】手工艺shǒugōngyì

しゅけん【主権】主权zhǔquán ‖ ～在民 主权属于人民 | ～が侵犯される 主权受到了侵犯

じゅけん【受験】（～する）应考yìngkǎo；应试yìngshì；报考bàokǎo ✥ 一科目：应试科目 | 一資格：报考资格 | 一生：考生 | 一番号：考生编号 | 一票：准考证 | 一料：报考费

しゅご【主語】主语zhǔyǔ

しゅご【守護】（～する）保护bǎohù；守护shǒuhù ✥ 一神：守护神；保护神

しゅこう【趣向】方案fāng'àn；设计shèjì；主意zhǔyi ‖ ～をこらす 想尽一切办法 | ～をかえる 换个花样

じゅこう【受講】（～する）听讲tīngjiǎng ✥ 一生：听课生 | 一料：学费；听讲费

しゅさい【主催】（～する）主办zhǔbàn；举办jǔbàn ✥ 一国：东道国；主办国 | 一者：主办者；主办单位

しゅざい【取材】（～する）采访cǎifǎng；取材qǔcái ✥ 一活動：采访活动；采访工作 | 一記者：采访记者 | 一規制：采访限制

しゅざん【珠算】珠算zhūsuàn

しゅし【主旨】主题zhǔtí；主要内容zhǔyào nèiróng ‖ ～を説明する 说明主要内容 | 文章の～をつかむ 抓住文章的主题

しゅし【種子】种子zhǒngzi

しゅし【趣旨】宗旨zōngzhǐ；意图yìtú ‖ ～を説明する 说明宗旨 | ～に賛成する 赞成其宗旨

じゅし【樹脂】树脂shùzhī ✥ 一加工：树脂加工 | 合成一：合成树脂 | 天然一：天然树脂

しゅじい【主治医】❶〔病院の担当医〕主治医师 zhǔzhì yīshī ❷〔かかりつけの医者〕家庭医生jiātíng yīshēng

しゅしゃ【取捨】‖ ～選択する 取舍选择

じゅじゅ【授受】（～する）授受shòushòu；交接jiāojiē ‖ 財産の～ 授受财产

しゅじゅつ【手術】（～する）(动)手术(dòng) shǒushù；(做)手术(zuò) shǒushù；开刀kāidāo ✥ 一着：手术衣 | 一室：手术室 | 一ミス：手术失误

しゅしょう【主将】❶〔チームを率いるキャプテン〕队长duìzhǎng ❷〔全軍を指揮する人〕主将zhǔjiàng

しゅしょう【首相】首相shǒuxiàng；总理大臣zǒnglǐ dàchén

しゅしょう【殊勝】值得钦佩zhíde qīnpèi；值得赞扬 zhíde zànyáng ‖ ～な心がけ 其志可嘉

じゅしょう【受賞】（～する）获奖huò jiǎng；得奖dé jiǎng ‖ ノーベル文学賞～作品 获得诺贝尔文学奖的作品 ✥ 一者：获奖者

じゅしょう【授賞】（～する）授奖shòujiǎng；发奖fājiǎng；颁奖bānjiǎng ✥ 一式：授奖仪式

しゅしょく【主食】主食zhǔshí

しゅしょく【酒色】酒色jiǔsè ‖ ～にふける 沉湎于酒色

しゅしん【主審】主裁判(员) zhǔcáipàn (yuán)；总裁判 zǒngcáipàn

しゅじん【主人】❶〔一家の〕主人zhǔren；一家之主yì jiā zhī zhǔ ❷〔雇い主〕老板lǎobǎn；雇主gùzhǔ；主人zhǔren ❸〔夫〕丈夫zhàngfu；先生xiānsheng；爱人àiren ❹〔ホスト〕主人zhǔren；东道主dōngdàozhǔ

じゅしん【受信】（～する）接收jiēshōu ✥ 一機：接收机 | 一人：收信人；收件人 | 一料：视听费

しゅじんこう【主人公】主人公zhǔréngōng

じゅず【数珠】〔串〕念珠niànzhū ✥ 一つなぎ：连成一串 ‖ ～になる 连成了一串

しゅすい【取水】（～する）取水qǔ shuǐ ✥ 一口：取水口 | 一制限：限制取水

しゅせい【守勢】守势shǒushì ‖ ～に立たされる 被迫处于守势；搞得很被动

じゅせい【受精】（～する）受精shòujīng ✥ 一卵：受精卵

じゅせい【授精】（～する）授精shòujīng ✥ 人工一：人工授精

しゅせき【首席】首席shǒuxí；第一(名) dì yī (míng) ‖ ～を争う 争夺第一 | ～で卒業する 以第一名的成绩毕业 ✥ 一検事：首席检察官

しゅせき【酒席】酒席jiǔxí；宴席yànxí ‖ ～を設ける 办酒席

しゅぞく【種族】❶〔人間の〕民族mínzú；部族bùzú ❷〔動植物の〕种zhǒng；物种wùzhǒng

しゅたい【主体】❶〔動作・作用の〕主体zhǔtǐ ‖ ～的に行動する 自主行动 | ～性に欠ける 缺乏自主性 ❷〔中心となるもの〕主体zhǔtǐ ‖ 生徒会が～となって学園祭の準備を進めた 以学生会为主

進行了校园文化节的准备工作

しゅだい【主題】主题zhǔtí；题目tímù ✣ 一歌：主题歌

じゅたく【受託】(〜する)受托shòutuō；承揽chénglǎn ✣ 一者：受托者｜一収賄罪：受托受贿罪｜一販売：代售

しゅだん【手段】手段shǒuduàn；办法bànfǎ ‖ あらゆる〜を尽くす 使出一切手段｜最後の〜に出る 使用最后的手段｜〜を選ばない 不择手段

しゅちゅう【手中】手中shǒu zhōng；手里shǒuli ‖ 〜におさめる 握于股掌之中

じゅちゅう【受注】(〜する)接单jiē dān；接受订货jiēshòu dìnghuò ✣ 一生産：接单生产

しゅちょう【主張】(〜する)主张zhǔzhāng.(持論)主张zhǔzhāng；己见jǐjiàn ‖ 〜を貫く 坚持自己的主张｜〜を曲げる 放弃主张｜権利を〜する 强调权利

しゅつえん【出演】(〜する)出演chūyǎn；出场chūchǎng；登台dēngtái；上shàng ‖ テレビに〜する 上电视 ✣ 一者：出场演员

しゅっか【出火】(〜する)起火qǐhuǒ；走火zǒuhuǒ；失火shīhuǒ

しゅっか【出荷】(〜する)❶〔市場に出す〕出货chū huò；上市shàngshì ❷〔積み出す〕发货fā huò；发出货物fāchū huòwù

しゅつがん【出願】(〜する)申请shēnqǐng；提出申请tíchu shēnqǐng ‖ 特許〜中 正在申请注册专利 ✣ 一期日：申请日期

しゅっきん【出金】✣ 一伝票：付款凭证

しゅっきん【出勤】(〜する)上班shàngbān ✣ 一時間：上班时间｜一日数：工作〔上班〕天数｜一日：工作日；上班日｜一簿：考勤簿

しゅっけ【出家】(〜する)出家chūjiā.(僧)出家人chūjiārén；和尚héshang；僧人sēngrén

しゅつげき【出撃】(〜する)出击chūjī ✣ 一命令：出击命令

しゅっけつ【出血】(〜する)出血chūxiě ‖ 〜がとまらない 出血不止 ✣ 一大サービス：亏本大拍卖｜一多量：出血过多｜内一：内出血

しゅつげん【出現】(〜する)出现chūxiàn

じゅつご【述語】❶〔言語〕谓语wèiyǔ ❷〔論理〕谓词wèicí ✣ 一動詞：谓语动词

しゅっこう【出向】(〜する)调往diàowǎng；调职diàozhí；派往pàiwǎng ‖ 子会社に〜する 调往子公司

しゅっこう【出航】(〜する)❶〔船が〕起航qǐháng；开船kāi chuán ❷〔飛行機が〕出航chūháng；起飞qǐfēi

しゅっこう【出港】(〜する)出港chū gǎng；离港lí gǎng；起航qǐháng

じゅっこう【熟考】(〜する)仔细考虑zǐxì kǎolǜ；(深思)熟虑(shēn sī) shú lǜ；熟思shúsī ‖ 〜に〜を重ねる 经过深思熟虑

しゅっこく【出国】(〜する)出境chūjìng；出国chūguó ✣ 一管理：出境〔出国〕管理｜一許可：出境许可｜一審査：边检｜一手続き：出境〔出国〕手续 ‖ 〜をする 办理出境手续

しゅつごく【出獄】⇨しゅっしょ(出所)

しゅっさん【出産】(〜する)生孩子shēng háizi；生产shēngchǎn；生育shēngyù ✣ 一祝い：出生贺礼｜一休暇：产假｜計画一：计划生育

しゅっし【出資】(〜する)投资tóuzī；出资chūzī ✣ 一額：投资额；出资额｜一者：投资者；出资者｜共同一：共同投资〔出资〕

しゅっしゃ【出社】(〜する)上班shàngbān

しゅっしょ【出所】❶〔出どころ〕出处chūchù；来源láiyuán ‖ 〜不明の資金 来历不明的资金 ❷(〜する)〔出獄〕出狱chū yù ✣ 仮一：假释(出狱)

しゅつじょう【出場】(〜する)参加cānjiā；出场chūchǎng；出演chūyǎn ‖ 競技に〜する 参加比赛 ✣ 一者：参加者；(競技)参赛选手

しゅっしょう【出生】(〜する)出生chūshēng；出世chūshì ‖ 〜の秘密 出生的秘密｜〜を届ける 给新生婴儿上户口 ✣ 一地：出生地｜一届：出生登记｜一年月日：出生年月日｜一率：出生率

しゅっしょく【出色】出色chūsè ‖ 〜の作品 出色的作品｜〜のできばえ 完成得非常出色

しゅっしん【出身】(土地の)出生chūshēng.(学校の)毕业bìyè.(社会層の)出身chūshēn ‖ 広島〜 出生于广岛｜経理畑〜 会计出身 ✣ 一校：毕业学校；母校｜一地：出生地

じゅっしんほう【十進法】十进制shíjìnzhì

しゅっせ【出世】(〜する)成功chénggōng；发迹fājì；提升tíshēng ‖ 〜が早い 提升得很快｜とんとん拍子に〜する 定 平步青云 ✣ 一頭：最有出息｜一作：成名作｜一払い：等成功以后再还账

しゅっせい【出征】(〜する)出征chūzhēng；上战场shàng zhànchǎng

しゅっせい【出生】⇨しゅっしょう(出生)

しゅっせき【出席】(〜する)❶〔会合に〕出席chūxí；参加cānjiā ❷〔授業に〕来〔去〕上课lái〔qù〕shàngkè ‖ 〜をとる 点名 ✣ 一者：出席者；参加者｜一日数：上学天数｜一簿：点名簿

しゅつだい【出題】(〜する)出题chū tí；提出问题tíchu wèntí ✣ 一傾向：出题方向｜一者：出题者；出题人｜一範囲：出题范围

じゅっちゅう【術中】圈套quāntào；计谋之中jìmóu zhī zhōng ‖ 相手の〜にはまる 落入对方的圈套

しゅっちょう【出張】(〜する)出差chūchāi ✣ 一修理：上门修理｜一所：办事处｜一手当：出差费；出差补贴

しゅってい【出廷】(〜する)出庭chūtíng

しゅってん【出典】出处chūchù；出典chūdiǎn ‖ 〜を明示する 注明出处

しゅってん【出展】(〜する)展出zhǎnchu

しゅつど【出土】(〜する)出土chūtǔ ✣ 一品：出土文物

しゅつどう【出動】(〜する)出动chūdòng ‖ 〜を要請する 请求出动 ✣ 一命令：出动命令；(海軍)出航命令

しゅっとう【出頭】(〜する)(被公安局或法院等传唤)出面(bèi gōng'ānjú huò fǎyuàn děng chuánhuàn) chūmiàn；前往qiánwǎng ‖ 警察に〜する (被传唤)到警察局 ✣ 一命令：传唤

しゅつにゅうこく【出入国】出入境chūrùjìng ✣ 一管理局：出入境管理局

しゅつば【出馬】(〜する)出马chūmǎ ‖ 選挙に〜する 参加竞选

し

しゅっぱつ【出発】(〜する) ❶〔出かける〕出发chūfā；动身dòngshēn ‖ 〜がおくれる 出发推迟 ｜〜を見合わせる 延期出发 ❷〔始める〕开始kāishǐ；起步qǐbù ✤一時刻：出发时间｜一点：起点；出发(地)点；(最初)开头；开始 ‖ 定年は第2の人生の〜だ 退休是第二次人生的开始｜一ロビー：(空港の)候机厅

しゅっぱん【出版】(〜する)出版chūbǎn ✤一社：出版社｜自費一：自费出版

しゅっぴ【出費】(〜する)开支kāizhī；开销kāixiao．(費用)花费huāfèi；费用fèiyong；花销huāxiao ‖ 〜を切り詰める 节省开支｜〜を抑える 控制开销｜〜がかさむ 开销大

しゅっぴん【出品】(〜する)展出zhǎnchu ✤一点数：展出件数｜一物：展品｜一目録：展品目录

しゅつぼつ【出没】(〜する)出没chūmò

しゅつりょく【出力】(〜する) ❶〔機械〕输出shūchū．(量)输出功率shūchū gōnglǜ ❷〔コンピューター〕输出shūchū．(結果)输出结果shūchū jiéguǒ ‖ 計算結果を〜する 输出计算结果

しゅと【首都】首都shǒudū ✤一圏：首都圈

しゅどう【手動】手动shǒudòng ✤一式：手动式 ‖ 〜に切り替える 转换成手动式｜一ブレーキ：手闸；手制动

しゅどう【主導】(〜する)主导zhǔdǎo ✤一権：主动权 ‖ 〜を握る 掌握主动权

じゅどう【受動】被动bèidòng ‖ 〜的な態度 被动的态度 ✤一態：被动式

しゅとく【取得】(〜する)取得qǔdé；拿到nádào ‖ 運転免許を〜する 考取驾驶执照

しゅとして【主として】主要zhǔyào；以…为主yǐ … wéizhǔ

じゅなん【受難】受难shòunàn；受苦shòukǔ ✤一曲：受难曲

ジュニア ❶〔年少者〕少年shàonián ❷〔下級〕低年级dī niánjí．(学生)低年级学生dī niánjí xuésheng ❸〔息子〕儿子érzi ✤一クラス：低年级班｜一コース：低年级课程

しゅにく【朱肉】印泥yìnní

じゅにゅう【授乳】(〜する)喂奶wèi nǎi；哺乳bǔrǔ；授乳shòu rǔ ✤一期：哺乳期

しゅにん【主任】主任zhǔrèn；负责人fùzérén ✤売り場一：柜台负责人｜会計一：会计主任

しゅのう【首脳】首脑shǒunǎo；领导人lǐngdǎorén ✤一会議：首脑会议｜一会談：首脑会谈

じゅばく【呪縛】(〜する)(用咒语)定住(yòng zhòuyǔ) dìngzhu．[喩]束缚shùfù；拘束jūshù ‖ 〜から解き放たれる 从束缚中解脱出来

しゅはん【主犯】主犯zhǔfàn

しゅひ【守秘】✤一義務：保密义务

しゅび【守備】(〜する)守备shǒubèi；防备fángbèi；守卫shǒuwèi．(野球)防守fángshǒu ‖ 〜を固める 加强防守

しゅび【首尾】❶〔はじめと終わり〕首尾shǒuwěi；头尾tóuwěi；始终shǐzhōng ❷〔なりゆき・結果〕经过jīngguò；结果jiéguǒ ‖ 〜は上々 结果非常理想｜〜よく 顺利地 ✤一一貫：始终如一；首尾一致 ‖ 〜していない 前后矛盾

じゅひょう【樹氷】雾凇wùsong；树挂shùguà

しゅひん【主賓】主宾zhǔbīn

しゅふ【主婦】主妇zhǔfù

シュプレヒコール 齐声高喊qí shēng gāo hǎn ‖ 〜をあげる 齐声高喊口号

じゅふん【授粉】(〜する)授粉shòufěn；传粉chuánfěn ✤人工一：人工授粉

しゅほう【手法】手法shǒufǎ；技巧jìqiǎo；方法fāngfǎ

しゅほう【主峰】主峰zhǔfēng

しゅぼうしゃ【首謀者】主谋zhǔmóu；主谋者zhǔmóuzhě

しゅみ【趣味】❶〔楽しみ〕〔个,种〕爱好àihào ‖ 〜と実益を兼ねる 既满足爱好又获得实际利益 ❷〔好み〕趣味qùwèi；品味pǐnwèi ‖ 〜のよい家具 品味高雅的家具

じゅみょう【寿命】❶〔生命〕寿命shòumìng ‖ 〜を縮める 缩短寿命｜〜が来る 寿命到头｜〜がのびる 寿命延长 ❷〔期限〕使用期限shǐyòng qīxiàn ‖ この電池は〜がきたらしい 这个电池好像没电了 ✤平均一：平均寿命

しゅもく【種目】种类zhǒnglèi．(競技の)项目xiàngmù

じゅもく【樹木】〔棵,株〕树木shùmù

じゅもん【呪文】咒文zhòuwén；咒语zhòuyǔ ‖ 〜を唱える 念咒语

しゅやく【主役】❶〔役者〕主角zhǔjué ‖ 〜を演じた 扮演主角｜〜を食う 压倒主角；[定]喧宾夺主 ❷〔主要人物〕主角zhǔjué；中心人物zhōngxīn rénwù

じゅよ【授与】(〜する)授予shòuyǔ；颁发bānfā

しゅよう【主要】主要zhǔyào；重要zhòngyào；首要shǒuyào；中心zhōngxīn ✤一産業：主要产业｜一産物：主要产品｜一人物：主要人物｜一都市：主要城市

しゅよう【腫瘍】〔个,种〕肿瘤zhǒngliú；瘤liú；肿疡zhǒngyáng ✤悪性一：恶性肿瘤｜脳一：脑瘤｜良性一：良性肿瘤

じゅよう【受容】(〜する)接受jiēshòu

じゅよう【需要】需求xūqiú；需要xūyào；要求yāoqiú ‖ 〜と供給 需求和供给；供求｜供給が〜に追いつかない [定]供不应求

じゅり【受理】(〜する)受理shòulǐ ‖ 請願書を〜する 受理请愿书

じゅりつ【樹立】(〜する)建立jiànlì；成立chénglì；树立shùlì ‖ 新政府を〜する 建立新政府｜新記録を〜する 创立新记录

しゅりゅう【主流】主流zhǔliú ‖ 〜になる 成主流｜大画面テレビが〜を占める 大屏幕电视占主流

しゅりょう【狩猟】(〜する)狩猎shòuliè；打猎dǎliè ✤一期：狩猎期｜一場：狩猎场

しゅりょう【酒量】酒量jiǔliàng ‖ 〜が多い 酒量大｜〜が下がった 酒量减少了

じゅりょう【受領】(〜する)收到shōudào；领受lǐngshòu ✤一証：收据

しゅりょく【主力】❶〔おもな力〕主要精力zhǔyào jīnglì ‖ 勉強に〜を置く 把主要力量放在学习上 ❷〔中心となるもの〕主力zhǔlì ‖ 〜メンバー 主力成员 ✤一艦：主力舰｜一産業：主导产业

しゅるい【種類】种类zhǒnglèi；品种pǐnzhǒng；项目xiàngmù ‖ 〜ごとに分ける 按种类分开

じゅれい【樹齢】树龄shùlíng ‖ 〜300年の古木

树龄300年的古树
シュレッダー 碎纸机suìzhǐjī ‖ 機密書類を～にかける 用碎纸机把机密文件粉碎
しゅわ【手話】手语shǒuyǔ；哑语yǎyǔ ❖ 一通訳士：手语翻译
じゅわき【受話器】话筒huàtǒng；听筒tīngtǒng ‖ ～をとる〔置く〕 拿起〔放下〕听筒
しゅわん【手腕】能力nénglì；才干cáigàn；本事běnshi ‖ ～がある 有本事｜～に欠ける 缺乏才干｜～を発揮する 发挥才干｜～を買う 器重才干
しゅん【旬】旺季wàngjì；应时yìngshí ‖ ～の野菜 应时的蔬菜
じゅん【順】顺序shùnxù ‖ ～を追う 按顺序｜アルファベット～に並べる 按字母次序排列 ❖ 一不同：不分先后；不按次序
じゅんい【順位】名次míngcì；位次wèicì ‖ ～が決まる 决定名次｜～が下がる 名次降低
じゅんえき【純益】纯利chúnlì；净利jìnglì；纯利润chún lìrùn
じゅんえん【順延】(～する)顺延shùnyán ❖ 雨天一：遇雨顺延
じゅんかい【巡回】(～する)❶〔回って歩く〕走访zǒufǎng；巡回xúnhuí ❷〔見回り〕巡逻xúnluó；巡视xúnshì ‖ 警備員が2時間ごとに～する 值班保安人员每两个小时巡视一次 ❖ 一診療所：巡回医疗所｜一図書館：巡回图书馆
しゅんかしゅうとう【春夏秋冬】(四季)春夏秋冬chūn xià qiū dōng.（一年中）一年四季yì nián sìjì
じゅんかつゆ【潤滑油】润滑油rùnhuáyóu；润滑剂rùnhuájì ‖ 挨拶はコミュニケーションを深める～である 日常寒暄是一种加强沟通的润滑剂
しゅんかん【瞬間】瞬间shùnjiān；转眼zhuǎnyǎn；刹那间chànàjiān ‖ ちょうどその～ 就在那一瞬间 ❖ 一湯沸かし器：快速热水器
じゅんかん【循環】(～する)循环xúnhuán ‖ 血液の～ 血液循环 ❖ 一器：循环器｜一バス：环行公共汽车
じゅんきゅう【準急】普通快车pǔtōng kuàichē；普快pǔkuài
じゅんぎょう【巡業】(～する)巡回演出xúnhuí yǎnchū ❖ 地方一：在地方上巡回演出
じゅんきょうじゅ【准教授】副教授fùjiàoshòu
じゅんきん【純金】纯金chúnjīn
じゅんぎん【純銀】纯银chúnyín
じゅんぐり【順繰り】按顺序àn shùnxù；轮流lúnliú ‖ ～に発言する 轮流发言
じゅんけつ【純潔】纯洁chúnjié；贞操zhēncāo
じゅんけっしょう【準決勝】半决赛bànjuésài；准决赛zhǔnjuésài ‖ ～に駒を進める 进入半决赛 ❖ 準一戦：四分之一决赛
しゅんこう【竣工】(～する)竣工jùngōng ❖ 一式：竣工典礼
じゅんこう【巡航】(～する)巡航xúnháng；巡游xúnyóu ❖ 一速度：巡航速度｜一ミサイル：巡航导弹
じゅんさ【巡査】警察jǐngchá ❖ 交通一：交通警察
しゅんじ【瞬時】瞬时shùnshí；瞬息shùnxī；转眼间zhuǎnyǎnjiān ‖ 光は～にして消えた 光线转眼消失了
じゅんし【巡視】(～する)巡视xúnshì ‖ 危険区域内を～する 在危险区巡视 ❖ 一船：巡逻艇
じゅんじ【順次】依次yīcì
じゅんしゅ【遵守・順守】(～する)遵守zūnshǒu ‖ 交通ルールを～する 遵守交通规则
しゅんじゅん【逡巡】(～する)踌躇chóuchú；犹豫yóuyù
じゅんじゅん【順順】按次序àn cìxù；依次yīcì ‖ はじめから～に説明する 从头按顺序进行说明
じゅんじょ【順序】顺序shùnxù；次序cìxù；条理tiáolǐ ‖ ～よく 按顺序｜～だてて話す 有条理地讲｜～よく並ぶ 依次排列
じゅんじょう【純情】纯真chúnzhēn；天真tiānzhēn
じゅんしょく【殉職】(～する)殉职xùnzhí；定 以身殉职yǐ shēn xùn zhí ❖ 一者：殉职者
じゅん・じる【準じる】❶〔なぞらえる〕相当于xiāngdāng yú ‖ 正会員に～じる扱い 相当于正式会员的待遇 ❷〔のっとる〕依照yīzhào；根据gēnjù ‖ 収入額に～じて納税する 按收入纳税
じゅんすい【純粋】❶〔まじりけがない〕纯chún；纯粹chúncuì ❷〔けがれがない〕纯真chúnzhēn ❖ 一理性：纯粹理性
じゅんせい【純正】纯chún；纯正chúnzhèng ❖ 一中立：严正中立｜一品：正牌产品；纯正品
しゅんせつ【浚渫】(～する)疏浚shūjùn ‖ 川を～する 疏浚河流 ❖ 一船：挖泥船
じゅんたく【潤沢】丰富fēngfù；充裕chōngyù；充足chōngzú ‖ 在庫は～にある 库存丰富
じゅんちょう【順調】顺利shùnlì ‖ 工事は～に進んでいる 工程很顺利｜～にいけば 顺利的话
しゅんと 泄气xièqì；蔫儿了niānr le ‖ しかられて～なる 被教训了一顿，垂头丧气的
じゅんど【純度】纯度chúndù ‖ ～が高い〔低い〕 高〔低〕纯度
じゅんとう【順当】顺利shùnlì；定 理所当然lǐ suǒ dāng rán ‖ ～に勝ち進む 顺理成章地取胜｜～にいけば 顺利的话
じゅんのう【順応】(～する)适应shìyìng；顺应shùnyìng ‖ 新しい環境に～する 适应新的环境 ❖ 一性：适应力
じゅんぱく【純白】纯白chúnbái；洁白jiébái；雪白xuěbái ‖ ～のウエディングドレス 洁白的婚纱
じゅんばん【順番】按次序àn cìxù；依次yīcì；轮流lúnliú ‖ ～がくる 轮到我了｜診察の～を待つ 候诊
じゅんび【準備】(～する)准备zhǔnbèi ‖ ～ができた 准备好了｜～に当たる 进行准备｜～を怠る 准备得不充分｜心の～をする 做精神准备 ❖ 一体操：预备体操
じゅんぷう【順風】顺风shùnfēng ❖ 一満帆：定 一帆风顺
しゅんぶん【春分】春分chūnfēn
じゅんもう【純毛】纯毛chúnmáo；纯羊毛chún yángmáo ‖ ～のセーター 纯毛毛衣
じゅんれい【巡礼】(～する)朝圣cháoshèng；巡礼xúnlǐ.（人）朝圣者cháoshèngzhě
じゅんろ【順路】路线lùxiàn ‖ ～にそってお進みく

ださい 请顺着路线往前走
しよ【書】❶〔書道〕〔种〕书法shūfǎ.〔書いた文字〕(毛笔)字(máobǐ)zì ❷〔本〕〔本〕书shū
じょい【女医】女医生nǚ yīshēng; 女大夫nǚ dàifu
しよう【仕様】❶〔規格〕规格guīgé‖～書 规格书 ❷〔方法〕办法bànfǎ; 方法fāngfǎ‖～がない 没办法｜寒くて～がない 冻得受不了
しよう【私用】私事sīshì‖会社のパソコンを～に使う 用公司的电脑干私事
しよう【使用】(～する)用yòng; 使用shǐyòng ❖一者:(ユーザー)用户｜一人:佣人；仆人｜一法:用法；使用方法｜一料:使用费
しよう【試用】(～する)试用shìyòng‖新薬を～する 试用新药 ❖一期間:试用期
しょう【小】小xiǎo‖～の月 小月｜大中～の3つのサイズがある 有大中小三种尺寸
しょう【性】(天生的)性格(tiānshēng de) xìnggé; 脾气píqi‖～に合った仕事 适合自己的工作｜人に物を頼むのは～に合わない 求人办事,这与我性格不符
しょう【章】章zhāng‖第1～第3節 第一章第三节
しょう【賞】奖jiǎng‖～をとる 得奖 ❖金〔銀；銅〕一:金〔银；铜〕奖｜残念一:安慰奖｜努力一:努力奖；鼓励奖
-しょう【勝】胜shèng‖2～1敗 二胜一负
じよう【滋養】营养yíngyǎng; 滋养zīyǎng‖～に富む 营养丰富 ❖一強壮剤:滋补强壮药
じょう【上】❶〔上等〕上等shàngděng‖～の上 最上等 ❷〔本〕上卷shàng juàn; 上册shàng cè ❸〔…の面で〕在…上zài…shang‖教育～好ましくない 在教育上不妥当
じょう【条】❶〔箇条〕条tiáo; 条款tiáokuǎn‖憲法第9～ 宪法第九条 ❷〔細長い筋〕条tiáo; 线xiàn‖一～の光 一条〔一线〕光明
じょう【情】情qíng; 感情gǎnqíng‖～が深い 感情深｜～が薄い 感情淡薄｜～に厚い 重感情｜～にもろい 心软；感情脆弱｜～にほだされる 为情所动｜～がわく 产生感情｜～におぼれる 成为感情的俘虏｜～が移る 日久生情｜～を通じる 私通
じょう【錠】❶〔錠前〕〔把〕锁suǒ.〔南京錠〕挂锁guàsuǒ‖～をあける 开锁｜～をかける 锁门 ❷〔錠剤〕片piàn‖毎食後30分に3～ずつ飲む 每次饭后30分吃三片药
じょうあい【情愛】亲情qīnqíng; 爱情àiqíng‖夫婦の～ 夫妻亲情
しょうあく【掌握】(～する)掌握zhǎngwò‖民心を～する 掌握民心
じょうい【上位】靠前的名次kào qián de míngcì; 高名次gāo míngcì‖～に入る 获得名次｜～8名 前八名
じょうい【譲位】(～する)让位ràngwèi
しょういん【勝因】胜因shèngyīn; 胜利的原因shènglì de yuányīn‖～を分析する 分析胜因
じょういん【乗員】乘务员chéngwùyuán
じょうえい【上映】(～する)上映shàngyìng; 放映fàngyìng
しょうエネ【省エネ】节能jiénéng
じょうえん【上演】(～する)上演shàngyǎn

しょうおん【消音】消音xiāo yīn; 消声xiāo shēng ❖一器:消音器｜一装置:消音装置
じょうおん【常温】常温chángwēn‖～で解凍する 在常温下解冻
しょうか【消火】(～する)灭火mièhuǒ ❖一器:灭火器｜一訓練:灭火训练｜一栓:消火栓
しょうか【消化】(～する)消化xiāohuà‖～がいい〔悪い〕 容易〔不容易〕消化 ❖一器:消化器官｜一不良:消化不良
しょうか【商科】❖一大学:商学院
しょうが【生姜·生薑】〔块〕姜jiāng
じょうか【浄化】(～する)净化jìnghuà‖部屋の空気を～する 净化室内空气｜政界を～する 铲除政界的腐败 ❖一槽:净化槽｜一装置:净化装置
しょうかい【紹介】(～する)介绍jièshào ❖一者:介绍人｜一状:介绍信；推荐信
しょうかい【照会】(～する)打听dǎting; 询问xúnwèn; 查询cháxún ❖一状:咨询函〔信〕
しょうがい【生涯】终生zhōngshēng; 一辈子yíbèizi; 一生yìshēng‖～の友 终生的朋友｜～を教育にささげる 把一生献给教育事业｜ご親切は～忘れません 我一辈子也忘不了您的好意 ❖一教育:终身教育
しょうがい【渉外】公关gōngguān; 对外联络duìwài liánluò ❖一係:公关人员
しょうがい【傷害】伤害shānghài ❖一事件:伤害案｜一致死:伤害致死｜一保険:伤害保险
しょうがい【障害】障碍zhàng'ài‖～を乗り越える 克服障碍 ❖一者:残疾人｜一物:障碍物｜一物競走:障碍(赛)跑
しょうかく【昇格】(～する)晋升jìnshēng; 升级shēngjí‖課長に～する 晋升为科长
しょうがく【小額】小额xiǎo'é; 小面额xiǎo miàn'é‖～紙幣 小额纸币
しょうがく【少額】少量(钱) shǎoliàng (qián); 少额shǎo'é
しょうがく【商学】商学shāngxué ❖一部:商学系
しょうがくきん【奨学金】奖学金jiǎngxuéjīn‖～を受ける 拿奖学金
しょうがくせい【小学生】小学生xiǎoxuéshēng
しょうがつ【正月】新年xīnnián
しょうがっこう【小学校】小学xiǎoxué‖弟は～の6年生だ 弟弟是小学六年级学生
しょうかん【召喚】(～する)传唤chuánhuàn‖❖一状:传票
しょうかん【償還】(～する)偿还chánghuán
じょうかん【上官】(軍人の)上级军官shàngjí jūnguān.(官吏の)上级官员shàngjí guānyuán
しょうき【正気】精神正常jīngshén zhèngcháng; 神志清醒shénzhì qīngxǐng‖～に戻る 清醒过来｜～の沙汰(さた)ではない 一定是疯了
しょうぎ【将棋】(日本)象棋(Rìběn) xiàngqí‖～の駒(こま) 象棋子｜～を指す 下象棋 ❖一倒し:一个接一个地倒下｜一盤:象棋盘
じょうき【上気】(～する)㊀面红耳赤miàn hóng ěr chì; 脸上发烧liǎnshang fāshāo
じょうき【上記】上述shàngshù‖～のとおり相違ありません 如上所述,情况属实
じょうき【常軌】常轨chángguǐ; 正常zhèng-

cháng ‖ ～を逸する 逸出常轨
じょうき【蒸気】蒸汽zhēngqì ‖ ～を立てる 冒出蒸汽 ✤—機関車:蒸汽机车 | —船:蒸汽船
じょうぎ【定規·定木】尺chǐ; 尺子chǐzi ‖ ～で線を引く 沿着尺画线 ✤三角—:三角尺
じょうきげん【上機嫌】高兴gāoxìng; 兴致高xìngzhì gāo
しょうきゃく【焼却】(～する)烧毁shāohuǐ; 烧掉shāodiào; 焚烧fénshāo ✤—炉:焚烧炉
じょうきゃく【乗客】乘客chéngkè
しょうきゅう【昇級】(～する)升级shēngjí
しょうきゅう【昇給】(～する)提薪tí xīn; 加薪jiā xīn; 涨工资zhǎng gōngzī ‖ 定期～ 定期提薪 | 5パーセント～した 工资涨了百分之五
じょうきゅう【上級】上级shàngjí; 高级gāojí. (学校の)高年级gāo niánjí ‖ ～機関 上级机关 ✤—裁判所:上级法院 | —生:高年级学生
しょうきょ【消去】(～する)去掉qùdiào; 消除xiāochú; 消去xiāoqu ‖ データを～する 去掉〔消除〕数据 ✤—法:消去法
しょうぎょう【商業】商业shāngyè ✤—高校:商业高中 | —デザイン:商业设计
じょうきょう【上京】(～する)进京jìn jīng; 去东京qù Dōngjīng
じょうきょう【状況】情况qíngkuàng; 状况zhuàngkuàng ‖ ～判断が甘い〔的確だ〕 情况判断过于乐观〔准确〕 | ～を見てから決める 看情况再做决定 | 目下の～では 看目前的情况
しょうきょく【消極】消极xiāojí ‖ 彼女は何事にも～的だ 她做什么事都很消极 | ～的な考え方 消极的想法 ✤—策:消极的做法
しょうきん【賞金】奖金jiǎngjīn ‖ ～を獲得する 获得奖金 | ～をかける 悬赏
じょうきん【常勤】(～する)专职zhuānzhí ✤—講師:专职讲师 | 非—講師:兼职讲师
しょうぐん【将軍】将军jiāngjūn
じょうげ【上下】上下shàngxià. (～する)颠簸diānbǒ; 波动bōdòng ‖ 背広の～ 一套西装 | ～2巻 上下两册 | ～に揺れる 上下颠簸 | 株価が～する 股价波动 | ～関係 上下关系 | ～線とも不通 上行线和下行线都不通车 ✤—水道:上下水 | —動:垂直震动
しょうけい【小計】(～する)小计xiǎojì; 部分合计bùfen héjì ‖ ～を出す 算出小计
じょうけい【情景】情景qíngjǐng
しょうげき【衝撃】冲击chōngjī; 打击dǎjī ‖ ～の告白 使人震惊的告白 | 爆発の～ 爆炸的冲击波 | ～を受ける 受打击 ✤—波:冲击波
しょうけん【証券】证券zhèngquàn ✤—アナリスト:证券分析师 | —会社:证券公司 | —市場:证券市场 | —取引所:证券交易所
しょうげん【証言】(～する)作证zuò zhèng. (証言した言葉)证词zhèngcí; 证言zhèngyán ‖ 法廷で～する 出庭作证 ✤—台:证人台
じょうけん【条件】〔项,种,个〕条件tiáojiàn ‖ ～を満たす 符合条件 | ～がそろう 条件齐全 | ～をつける 附加条件 | ～をのむ 接受条件 ✤—反射:条件反射 | —文:条件句
じょうげん【上限】上限shàngxiàn
しょうこ【証拠】证据zhèngjù; 凭证píngzhèng ‖ 彼女が犯人だという～はない 没有证据证明她是犯人 | ～がそろう 证据俱全 | ～をつかむ 抓住证据 | ～を握る 掌握证据 | ～を集める 搜集证据 | ～を残す 留下证据 | 動かぬ～ 铁证如山 | 論より～ 事实胜于雄辩 ✤—湮滅(いんめつ):毁灭〔销毁〕证据 | —固め:证据落实 | —書類:凭证; 证据文件 | —不十分:证据不足 | —物件:凭证; 物证 | 状況—:旁证; 间接证据
しょうご【正午】正午zhèngwǔ; 午间wǔjiān
しょうこう【小康】❶〔病状が〕缓解huǎnjiě; 稳定wěndìng ‖ ～を保つ 处于稳定状态 ❷〔世の中が〕(暂时)稳定(zànshí) wěndìng; (暂时)安定(zànshí) āndìng ‖ 株価は～状態にある 股票价格指数处于稳定状态
しょうこう【昇降】(～する)升降shēngjiàng; 上下shàngxià ✤—舵:升降舵
しょうこう【商工】✤—業:工商业
しょうごう【称号】〔个,种〕称号chēnghào
しょうごう【照合】(～する)对照duìzhào; 核对héduì ‖ 指紋から本人かどうかを～する 核对指纹
じょうこう【乗降】(～する)上下shàngxià ✤—客:上下乘客 | —口:车门
しょうこうぐん【症候群】症候群zhènghòuqún
じょうこく【上告】(～する)上诉shàngsù ‖ 最高裁に～する 向最高法院上告
しょうさい【詳細】详细xiángxì. (詳細な内容)详细内容xiángxì nèiróng; 具体细节jùtǐ xìjié
じょうざい【錠剤】〔瓶,粒,种〕片剂piànjì; 药片yàopiàn
しょうさっし【小冊子】〔本,叠〕小册子xiǎo cèzi; 手册shǒucè
しょうさん【勝算】胜利的把握shènglì de bǎwò; 胜券shèngquàn ‖ ～がある 胜券在握
しょうさん【賞賛·称賛】(～する)赞赏zànshǎng; 称赞chēngzàn ‖ ～に値する 值得赞赏 | ～を浴びる 深受称赞; 有口皆碑
しょうし【焼死】(～する)烧死shāosǐ
じょうし【上司】上司shàngsi; 领导lǐngdǎo
じょうじ【常時】平时píngshí; 平常píngcháng; 随时suíshí ‖ ～携帯している 随身携带
じょうじ【情事】偷情tōuqíng; 幽会yōuhuì
しょうじき【正直】老实lǎoshi; 正直zhèngzhí ‖ ～に答える 如实回答 | ～なところ私はその案には反対だ 说实话,我反对那个方案 ✤—者:老实人 ‖ ～がばかを見る 老实人吃亏
じょうしき【常識】常识chángshí ‖ ～に欠ける 缺乏常识 | ～で判断する 按常识判断 | ～にとらわれる 拘泥于常识
しょうしつ【消失】(～する)消失xiāoshī
しょうしつ【焼失】(～する)被烧毁bèi shāohuǐ
じょうしつ【上質】优质yōuzhì; 上等shàngděng ✤—紙:上等纸
じょうじつ【情実】情面qíngmian; 私情sīqíng; 人情rénqíng ‖ ～にとらわれる 碍于情面 | ～にとらわれない 不讲情面
しょうしゃ【商社】〔家,所,个〕商社shāngshè; 贸易公司màoyì gōngsī
しょうしゃ【勝者】胜利者shènglìzhě
しょうしゃ【瀟洒】潇洒xiāosǎ; 漂亮piàoliang

じょうしゃ【乗車】(～する)乗车chéng chē；上车shàng chē ✤一拒否:拒载｜一口:乘车口｜一券:车票｜一券売場:售票处

じょうしゅ【情趣】〔番,份〕情趣qíngqù‖～に富む庭園 富有情趣的庭院

じょうじゅ【成就】(～する)告成gàochéng；实现shíxiàn‖ついに大願が～した 终于大功告成

しょうしゅう【召集】(～する)召开zhàokāi‖臨時国会が～された 召开了临时国会 ✤一令状:召集令

しょうしゅう【招集】(～する)召集zhàojí；招集zhāojí‖～をかける 召集；召开

しょうしゅう【消臭】去臭qù chòu；去臭味qù chòuwèi ✤一剤:除臭剂

じょうしゅう【常習】(～する)上瘾shàngyǐn；习惯成瘾xíguàn chéng yǐn ✤一犯:惯犯

しょうじゅつ【詳述】(～する)详细(地)叙述xiángxì (de) xùshù；详述xiángshù

しょうじゅん【照準】‖～を合わせる 瞄准

じょうじゅん【上旬】上旬shàngxún

しょうしょ【証書】字据zìjù；契据qìjù；证书zhèngshū ✤公正一:公证证书｜卒業一:毕业证书

しょうじょ【少女】少女shàonǚ；女孩儿nǚháir ✤一趣味:少女情调；甜腻腻

じょうしょ【情緒】⇨じょうちょ(情緒)

しょうしょう【少少】稍(微) shāo(wēi)；一点儿yìdiǎnr；一些yìxiē‖～お待ちください 请稍等

しょうじょう【症状】症状zhèngzhuàng.(病状)病情bìngqíng‖肺炎の～ 肺炎的症状

しょうじょう【賞状】〔张〕奖状jiǎngzhuàng

じょうしょう【上昇】(～する)上升shàngshēng；上涨shàngzhǎng‖物価が～する 物价上涨｜水位が～する 水位上涨｜気温が～する 气温上升 ✤一気流:上升气流

じょうじょう【上場】(～する)上市shàngshì ✤一株:上市股票｜一廃止:退市

じょうじょう【情状】(可以酌情的)情由(kěyǐ zhuóqíng de) qíngyóu‖～酌量の余地がない 没有酌情考虑的余地

しょうしょく【小食・少食】胃口小wèikǒu xiǎo；饭量小fànliang xiǎo；吃得少chīde shǎo

しょう・じる【生じる】发生fāshēng；产生chǎnshēng；造成zàochéng‖変化が～じる 发生变化｜損害が～じる 造成损失｜効力を～じる 生效

じょう・じる【乗じる】利用lìyòng；趁chèn‖夜陰に～じる 趁天黑

しょうしん【小心】胆小dǎn xiǎo；胆小怕事dǎn xiǎo pàshì ✤一者:胆小鬼｜一翼翼:战战兢兢；定缩头缩脑

しょうしん【昇進】(～する)晋升jìnshēng；晋级jìnjí‖～が早い 晋升得很快

しょうしん【焼身】焚身fénshēn ✤一自殺:焚身自杀；自焚

しょうしん【傷心】伤心shāngxīn

しょうじん【精進】(～する)❶〔仏教で〕修行xiūxing ❷〔努力〕努力nǔlì；专心从事zhuānxīn cóngshì ✤一揚げ:油炸蔬菜｜一落とし:开斋｜一料理:素菜；素食

じょうしん【上申】(～する)呈报chéngbào；上报shàngbào ✤一書:报告；呈报书

しょうしんしょうめい【正真正銘】定货真价实huò zhēn jià shí；地道dìdao

じょうず【上手】❶〔すぐれている〕善于shànyú；很会…hěn huì…；…得很好…de hěn hǎo‖木のぼりが～だ 善于爬树｜話し～ 很会说话｜ピアノが～だ 钢琴弹得很好｜～の手から水が漏れる 定智者千虑,必有一失 ❷〔お世辞〕奉承的话fèngcheng de huà；恭维的话gōngwei de huà‖お～を言う 说恭维话

しょうすい【憔悴】(～する)憔悴qiáocuì

じょうすいどう【上水道】上水道shàngshuǐdào

しょうすう【小数】小数xiǎoshù ✤一点:小数点‖～以下第二位 小数点后第二位

しょうすう【少数】少数shǎoshù ✤一意見:少数意见｜一党:少数派政党｜一派:少数派｜一民族:少数民族

しょう・する【称する】❶〔名乗る〕叫jiào ❷〔偽る〕谎称huǎngchēng；诈称zhàchēng‖病気と～して働かない 装病不干活儿

じょうせい【情勢・状勢】〔种〕形势xíngshì；局势júshì‖緊迫した世界～ 紧张的世界局势｜～を見極める 看清形势 ✤一判断:情况判断｜一分析:情况分析

しょうせつ【小説】〔部,篇,本〕小说xiǎoshuō‖～を読む 读〔看〕小说｜事実は～より奇なり 现实比小说更神奇 ✤一家:小说家｜短編一:短篇小说｜長編一:长篇小说｜通俗一:通俗小说

じょうせつ【常設】(～する)常年设置chángnián shèzhì；常设chángshè ✤一館:常设电影院〔剧院〕｜一展示場:常设展览厅

じょうぜつ【饒舌】饶舌ráoshé‖酔いが回ったのか父はいつになく～だった 可能是喝醉了,父亲比平时话多得多

しょうせん【商戦】商战shāngzhàn ✤クリスマス一:圣诞节商战

じょうせん【乗船】(～する)乘船chéng chuán；上船shàng chuán

しょうそ【勝訴】(～する)胜诉shèngsù‖被告が～した 被告胜诉了

じょうそ【上訴】(～する)上诉shàngsù‖最高裁判所に～する 向最高法院上诉

しょうそう【焦躁】(～する)焦躁jiāozào；焦急jiāojí‖～に駆られる 焦躁不安

しょうぞう【肖像】〔个,幅〕肖像xiàoxiàng ✤一画:肖像画｜一権:肖像权

じょうそう【上層】上层shàngcéng；高层gāocéng‖社会の～部 社会的上层

じょうそう【情操】情操qíngcāo‖～教育に力を入れる 注重陶冶情操教育｜～を養う 培养情操

じょうぞう【醸造】(～する)酿造niàngzào ✤一酒:酿造的酒｜一元:酿造厂家

しょうそく【消息】音信yīnxìn；消息xiāoxi；信息xìnxī‖まったく～がない 杳无音信；音信全无｜～をたつ 断了音信｜～がとだえる 消息中断｜～がつかめない 无法获得消息 ✤一筋:知情人士｜一通:消息灵通人士

しょうたい【正体】❶〔本来の姿〕〔个,副〕原

形yuánxíng；真面目zhēnmiànmù ‖ ～を現す 现出原形｜～を見破る 识破原形｜～を暴く 暴露真面目 ❷〔正気〕神志shénzhì ‖ ～がなくなる 定 不省人事；神志不清

しょうたい【招待】（～する）邀请yāoqǐng；请qǐng ‖ ご～いただきありがとうございます 感谢您的邀请 ✤ 一券：赠券；招待票｜一試合：邀请赛｜一状：请柬；请帖｜一席：贵宾席

じょうたい【上体】上身shàngshēn；上半身shàngbànshēn ‖ ～を反らす 向后仰身

じょうたい【状態】状态zhuàngtài；状况zhuàngkuàng ‖ 患者はまだ危険な～にある 病人仍处于危险状态

しょうだく【承諾】（～する）答应dāying；同意tóngyì ‖ 保護者の～を得る 征得家长的同意

じょうたつ【上達】（～する）进步jìnbù；长进zhǎngjìn；提高tígāo ‖ ～が早い〔遅い〕 进步很快〔很慢〕

しょうだん【商談】（～する）进行商务谈判jìnxíng shāngwù tánpàn；谈生意tán shēngyi ‖ ～がまとまる 谈判成功

じょうだん【上段】上层shàngcéng；上格shànggé ‖ 寝台車の～に席をとった 订了一张上铺票

じょうだん【冗談】玩笑wánxiào；俏皮话qiàopihuà ‖ ～を飛ばす 开玩笑｜～がうまい 会开玩笑；会说俏皮话｜～はよせ 别开玩笑｜～が過ぎる 玩笑开得过头｜～半分に 半开玩笑地｜～が通じる〔通じない〕 懂得〔不懂〕幽默

しょうち【承知】（～する）❶〔知っている〕知道zhīdao ‖ そんなことは先刻～している 这件事我早就知道了 ❷〔承諾する〕答应dāying；同意tóngyì ‖ 先方は快く～してくれた 对方很爽快地就答应了｜その件については～しかねます 关于那件事我难以同意 ❸〔勘弁する〕饶恕ráoshù ‖ うそをつくと～しないぞ 你要是撒谎我可饶不了你

しょうち【招致】（～する）聘请pìnqǐng；招徕zhāolái ‖ オリンピックを～する 申办奥运

しょうちゅう【掌中】掌中zhǎng zhōng；手心shǒuxīn ‖ 勝利を～に収める 赢得胜利｜～の珠(たま) 掌上明珠

じょうちゅう【常駐】（～する）常驻chángzhù

じょうちょ【情緒】❶〔雰囲気〕〔份,种〕情趣qíngqù；情调qíngdiào；情味qíngwèi ‖ 異国～を味わう 品味异国情调｜古都の～豊かな街 充满古都情调的城市 ❷〔心理〕〔份,种〕情绪qíngxu；情感qínggǎn ‖ ～不安定 情绪不稳定 ✤ 一障害：情绪障碍

しょうちょう【小腸】小肠xiǎocháng

しょうちょう【象徴】（～する）象征xiàngzhēng ‖ ～的な 象征性的 ✤ 一主義：象征主义｜一派：象征派

しょうてん【商店】〔家,个〕商店shāngdiàn ✤ 一街：商业街｜一主：店主

しょうてん【焦点】❶〔物理〕焦点jiāodiǎn ❷〔注意・関心の〕焦点jiāodiǎn；中心zhōngxīn ‖ ～をぼかす 模糊焦点 ✤ 一距離：焦距｜一深度：景深

じょうと【譲渡】（～する）转让zhuǎnràng；出让chūràng ‖ 土地の所有権を弟に～した 我把土地所有权转让给了弟弟 ✤ 一所得：转让所得

しょうとう【消灯】（～する）熄灯xīdēng ‖ 9時に～する 9点熄灯 ✤ 一時間：熄灯时间

しょうどう【衝動】冲动chōngdòng ‖ ～的な行動 一时冲动的行动 ✤ 一買い：冲动购物

じょうとう【上等】高档gāodàng；高级gāojí；上等shàngděng ‖ ～な服 高档的衣服｜それだけできれば～だ 能到这个水平就已经很不错了

じょうとう【常套】✤ 一句：套话｜一手段：老一套；惯用手法

しょうどく【消毒】（～する）消毒xiāodú ‖ ～済み 已消毒 ✤ 一器：消毒器｜一薬：消毒剂

しょうとつ【衝突】（～する）碰撞pèngzhuàng；冲突chōngtū ‖ 些細(ささい)なことで意見が～する 因为一点小事意见发生了冲突 ✤ 一事故：撞车事故｜武力一：武力冲突

じょうない【場内】场内chǎng nèi ✤ 一アナウンス：场内广播｜一整理：维持场内秩序

しょうに【小児】小儿xiǎo'ér ✤ 一科：儿科；小儿科｜一麻痺(まひ)：小儿麻痹

しょうにん【承認】（～する）承认chéngrèn；批准pīzhǔn ‖ 既成事実を～する 承认既成事实｜法案は原案どおり～された 法案按原案获得了批准

しょうにん【商人】商人shāngrén

しょうにん【証人】证人zhèngren ✤ 一尋問：询问证人｜一台〔席〕：证人席

じょうにん【常任】（～する）常任chángrèn ✤ 一委員会：常务委员会｜一理事国：常任理事国

しょうね【性根】本性běnxìng；根性gēnxìng ‖ ～の曲がった人間 性格扭曲的人｜～が据わっている 具有毅力｜～を据えてかかる 用心干

じょうねつ【情熱】〔股,份〕热情rèqíng；激情jīqíng ‖ ～を傾ける 倾注热情｜～を燃やす 抱有火一般的热情｜～的な愛 炽热的爱

しょうねん【少年】❶〔男の子〕少年shàonián；男孩子nán háizi ❷〔若い人〕少男少女shàonán shàonǚ ‖ ～よ大志を抱け 年轻人要胸怀大志｜～老い易く学成り難し 少年易老学难成 ✤ 一院：少年院；少管所｜一時代：少年时代；孩提时｜一犯罪：少年犯罪

じょうねん【情念】〔份,段〕感情gǎnqíng；〔股,份〕热情rèqíng；激情jīqíng

しょうねんば【正念場】紧要关头jǐnyào guāntóu；节骨眼儿jiēguyǎnr ‖ ここが～だ 眼下正是紧要关头

しょうのう【小脳】小脑xiǎonǎo

じょうば【乗馬】（～する）骑马qí mǎ

しょうはい【勝敗】胜负shèngfù；胜败shèngbài ‖ ～を決する 决定胜负

しょうばい【商売】❶（～する）〔商い〕买卖mǎimai；生意shēngyi ‖ ～がふるわない 买卖不兴隆｜～あがったりだ 买卖不行了；生意清淡｜～にならない 没赚头 ❷〔職業〕〔个,份,种〕工作gōngzuò；职业zhíyè ‖ 人を笑わせるのが～だ 我的工作就是逗人发笑 ✤ 一敵：生意上的竞争对手｜一柄：职业关系〔性质；习惯〕｜一気：赚钱意识｜一道具：谋生工具；吃饭的家什｜一人：生意人；商人｜一繁盛：生意兴隆

じょうはつ【蒸発】（～する）❶〔物理〕蒸发zhēngfā ‖ アルコールは～しやすい 酒精容易蒸发 ❷〔失踪(しっそう)〕失踪shīzōng；蒸发zhēngfā ‖ 家

族を残して～した 撇下家人蒸发了
じょうはんしん【上半身】上半身shàngbànshēn; 上身shàngshēn
しょうひ【消費】(～する)消费xiāofèi; 花费huāfèi ‖ 労力を無駄に～する 浪费人力 ✤ —財:消费资料｜—者:消费者｜—税:消费税
じょうび【常備】(～する)常备chángbèi ✤ —軍:常备军｜—薬:常备药
しょうひょう【商標】商标shāngbiāo ‖ ～を登録する 注册商标 ✤ —権:商标权
しょうひん【商品】〔个,件,批〕商品shāngpǐn; 产品chǎnpǐn ✤ —価値:商品价值｜—管理:商品管理｜—券:礼券｜—テスト:商品检验｜—名:商品名称｜人気—:热门货
しょうひん【賞品】〔个,份〕奖品jiǎngpǐn ‖ ～が出る 发奖品｜～をもらう 拿奖品
じょうひん【上品】文雅wényǎ; 优雅yōuyǎ; 斯文sīwen ‖ ～ぶる 假斯文
しょうぶ【菖蒲】菖蒲chāngpú
しょうぶ【勝負】(～する)争胜负zhēng shèngfù; 较量jiàoliàng ‖ ～の分かれめ 决定胜负的关键时刻｜～は時の運 胜负凭时运｜～をつける 决一胜负｜～にならない 实力悬殊；不是对手 ✤ —事:比赛；(かけごと)赌博｜—師:赌徒｜三番—:三个回合的比赛
じょうぶ【丈夫】❶〔健康〕健壮jiànzhuàng; 结实jiēshi; 强壮qiángzhuàng ‖ 体を～にする 使身体强壮 ❷〔頑丈〕结实jiēshi; 坚固jiāngù ‖ この棚は～にできている 这个架子做得很结实
じょうぶつ【成仏】(～する)成佛chéngfó; 去世qùshì; 上西天shàng xītiān
しょうぶん【性分】〔个,种,份〕禀性bǐngxìng; 性格xìnggé; 脾气píqi ‖ 私の～としてそんなことはできない 以我的禀性,做不了那种事儿
じょうぶん【条文】〔项,纸,个〕条文tiáowén ‖ 法律の～ 法律条文
しょうへい【招聘】(～する)聘请pìnqǐng ‖ 大学に教授として～される 被聘为大学教授
じょうへき【城壁】〔堵,块〕城墙chéngqiáng
しょうべん【小便】(～する)小便xiǎobiàn ✤ —臭い:(におい)臊臭；(人)孩子气；乳臭未干
じょうほ【譲歩】(～する)让步ràngbù ‖ これ以上の～はできない 不能再让步了
しょうほう【商法】❶〔商売の仕方〕经商方法jīngshāng fāngfǎ ❷〔法律〕商法shāngfǎ
しょうぼう【消防】消防xiāofáng ✤ —演習:消防演习｜—士:消防队员｜—車:消防车；救火车｜—署:消防站
じょうほう【情報】〔个,条〕信息xìnxī; 消息xiāoxi ‖ インターネットで～を集める 上网收集信息｜～をもらす 走漏情报｜～に明るい 熟悉情况；消息灵通 ✤ —化社会:信息(化)社会｜—過多:信息过剩｜—機関:情报机关｜—源:信息来源｜—公開:信息公开｜—産業:信息产业｜—誌:信息杂志｜—処理:信息处理｜—網:情报网
しょうまっせつ【枝葉末節】定 细枝末节xì zhī mò jié; 枝节zhījié ‖ ～にはこだわるな 不要计较细枝末节
じょうまん【冗漫】冗长rǒngcháng
しょうみ【正味】净jìng ‖ ～の重量 净重
しょうみ【賞味】(～する)品尝pǐncháng ✤ —期限:保质期
じょうみゃく【静脈】〔根,条〕静脉jìngmài ✤ —注射:静脉注射｜—瘤(りゅう):静脉曲张
じょうむ【乗務】(～する)乘务chéngwù ✤ —員:乘务员；(列車の)列车员；(飛行機の)机组人员
じょうむ【常務】常务chángwù ✤ —取締役:常务董事｜—理事:常务理事
しょうめい【証明】(～する)证明zhèngmíng; 证实zhèngshí ✤ —書:证明；证件；证书｜車庫—:车库证明
しょうめい【照明】❶(～する)〔照らす〕照明zhàomíng ‖ ～の明るい〔暗い〕部屋 灯光明亮〔昏暗〕的房间 ❷〔演芸〕灯光dēngguāng; 照明zhàomíng ✤ —係:灯光师｜—器具:照明器具｜—効果:灯光效果｜—弾:照明弹
しょうめつ【消滅】(～する)消灭xiāomiè; 消亡xiāowáng ✤ 自然—:自然消亡
しょうめん【正面】❶〔主要な面〕正面zhèngmiàn ‖ ～切って批判する 正面批评 ❷〔前方〕前面qiánmian ‖ ～に富士山が見える 正前方看到富士山 ✤ —玄関:正门；大门｜—衝突:(車などの)迎面相撞；正面撞上；(意見などの)定 针锋相对
しょうもう【消耗】(～する)消耗xiāohào; 耗损hàosǔn; 耗费hàofèi ‖ 体力を～する 消耗体力 ✤ —戦:消耗战｜—品:消耗品
じょうもん【城門】〔道,个〕城门chéngmén
しょうやく【生薬】〔种〕生药shēngyào
じょうやく【条約】〔项,个〕条约tiáoyuē.(多国間の)公约gōngyuē ‖ ～に調印する 签署条约｜～を破棄する 撕毁条约 ✤ —改正:修改条约｜—加盟国:缔约国
しょうゆ【醤油】酱油jiàngyóu
しょうよ【賞与】〔笔,份〕红利hónglì; 奖金jiǎngjīn
しょうよう【商用】❶〔ビジネス〕商务shāngwù ‖ ～で上海に行く 因商务去上海 ❷〔商業面で用いる〕商业用shāngyè yòng
じょうよう【常用】(～する)(ふだん遣い)经常使用jīngcháng shǐyòng; 常用chángyòng.(使い続ける)连续使用liánxù shǐyòng ‖ ～している薬 常用药 ✤ —漢字:常用汉字
じょうようしゃ【乗用車】〔辆〕小汽车xiǎo qìchē; 轿车jiàochē
しょうらい【将来】未来wèilái; 将来jiānglái; 前程qiánchéng.(有望性・見込み)前途qiántú; 发展fāzhǎn ‖ ～を誓う 立下海誓山盟｜～を見据える 看准未来｜～に備える 为将来准备｜日本の～を憂える 担忧日本的未来｜近い～ 不久｜～のある青年 大有前途的青年
しょうり【勝利】(～する)胜利shènglì ‖ ～を逃す 错过胜机｜～をたたえる 庆祝胜利｜～をもたらす 带来胜利｜圧倒的な～をおさめる 取得压倒性胜利｜～の栄冠を手にする 获得胜利桂冠
じょうり【条理】〔个,条,番〕道理dàoli; 条理tiáolǐ ‖ ～にかなう 合乎道理
じょうり【情理】人情道理rénqíng dàoli; 情理qínglǐ ‖ ～を尽くす 尽情尽理

じょうりく【上陸】(～する)登陸dēnglù；上岸shàng àn ‖ 台風が北海道に～する 台风登陆北海道 ✤ —許可：登陆许可｜—地点：登陆地点
しょうりゃく【省略】(～する)省略shěnglüè ‖ 途中を～する 省略中间部分｜以下～ 下略
じょうりゅう【上流】❶(河川)上游shàngyóu ‖ 長江～ 长江上游 ❷(社会)上层shàngcéng；上流shàngliú ✤ —階級：上层阶级｜—社会：上流社会
じょうりゅう【蒸留】(～する)蒸馏zhēngliú ✤ —酒：蒸馏酒｜—水：蒸馏水
しょうりょう【少量】少量shǎoliàng
じょうりょくじゅ【常緑樹】〔棵〕常青树chángqīngshù
しょうれい【奨励】(～する)鼓励gǔlì；奖励jiǎnglì ✤ —金：奖金
じょうれい【条令】〔项，个〕条令tiáolìng
じょうれい【条例】〔项，条，个〕地方法规dìfāng fǎguī；条例tiáolì
じょうれん【常連】常客chángkè；老主顾lǎozhǔgù
じょうろ【如雨露】〔把，个〕喷壶pēnhú
しょうわくせい【小惑星】〔颗〕小行星xiǎoxíngxīng
しょえん【初演】(～する)首次演出shǒucì yǎnchū
じょえん【助演】(～する)配戏pèixì；演配角yǎn pèijué.（人）配角pèijué
ショー ❶(展示)展览(会) zhǎnlǎn(huì)；展出zhǎnchu ❷(実演)演出yǎnchū；表演biǎoyǎn；秀xiù ✤ —ウインドー：橱窗｜—ケース：陈列柜｜—ビジネス：娱乐性行业；演出业｜—ルーム：商品陈列室；展示室
じょおう【女王】女王nǚwáng；女皇nǚhuáng.（第一人者）皇后huánghòu ‖ 銀幕の～ 影后 ✤ —蜂：蜂王
ジョーカー 大鬼dàguǐ；大王dàwáng
ジョーク 笑话xiàohua；玩笑wánxiào
ショート ❶(短い)短duǎn ❷(野球)游击手yóujīshǒu ❸(～する)短路duǎnlù ‖ ～してヒューズが飛んだ 由于短路保险丝断了 ✤ —カット：(髪型)短发；(コンピューター)快捷方式｜—ケーキ：裱花蛋糕｜—ショート：微型小说；小小说｜—パンツ：短裤
ショール〔块，条〕披肩pījiān；披巾pījīn
しょか【初夏】初夏chūxià
しょか【書架】书架shūjià
しょか【書家】书法家shūfǎjiā
しょが【書画】书画shūhuà ✤ —骨董(こっとう)：书画古董
じょがい【除外】(～する)除外chúwài；排除在外páichúzai wài；不在此限bú zài cǐ xiàn ‖ 特殊なケースは～する 把特殊情况排除在外
しょかつ【所轄】(～する)所属suǒshǔ ‖ ～の税務署に申告する 向所属税务局申报
しょかん【所感】感想gǎnxiǎng；意见yìjian ‖ ～を述べる 陈述意见｜年頭～ 新年感想
しょかん【所管】(～する)主管zhǔguǎn；所管suǒ guǎn ✤ —官庁：主管政府机关；主管官署
しょかん【書簡】〔封，件〕书信shūxìn；信函xìnhán ✤ —集：书简集｜—文：书信文体
しょき【初期】初期chūqī；早期zǎoqī ‖ 昭和～ 昭和初期｜ブラームスの～の作品 勃拉姆斯早期的作品 ✤ —化：初始化
しょき【所期】预期yùqī；期待qīdài ‖ ～の目的を達成する 达到预期的目的
しょき【書記】书记shūji ✤ —官：(裁判所)书记官；(大使館)秘书
しょき【暑気】暑气shǔqì ‖ ～あたり 中暑｜～払い 去暑
しょきゅう【初級】初级chūjí
じょきょ【除去】(～する)排除páichú；去掉qùdiào；除掉chúdiào
じょきょく【序曲】❶(音楽)序曲xùqǔ；前奏曲qiánzòuqǔ ❷(事のはじめ)序幕xùmù；事物的开头shìwù de kāitóu
ジョギング(～する)慢跑màn pǎo；跑步pǎobù
しよく【私欲】私欲sīyù ‖ ～を満たす 满足私欲｜～に走るなかれ 不要利令智昏
しょく【食】❶(飲食・食事)饮食yǐnshí ‖ ～を断つ 绝食｜～は広州にあり 食在广州 ❷(食欲)食欲shíyù ‖ ～が進む 食欲旺盛；吃得下｜～が細い 吃得少 ✤ —文化：饮食文化
しょく【職】❶(仕事・職業)工作gōngzuò；职业zhíyè ‖ ～がない 没有工作｜～を求める 求职；找工作｜～を失う 失业｜～にありつく 找到工作｜～をかえる 换工作｜～を転々とする 不停地换工作 ❷(技能)〔门〕技术jìshù；手艺shǒuyì ‖ 手に～をつける 掌握一些技术 ❸(職務)职务zhíwù ‖ 営業部長の～につく 当上推销处的处长
しょくあたり【食中り】(～する)食物中毒shíwù zhòngdú ‖ カキを食べて～を起こした 吃了牡蛎中了毒了
しょくいん【職員】职员zhíyuán；事务员shìwùyuán.（学校）教职员工jiàozhí yuángōng ✤ —会議：教职员会议｜—室：教员室
しょぐう【処遇】(～する)待遇dàiyù；对待duìdài ‖ 個人の能力に応じて公平に～する 根据个人的能力公平对待
しょくえん【食塩】食盐shíyán ✤ —水：盐水
しょくぎょう【職業】职业zhíyè.（専門的な）专业zhuānyè ‖ 昔から「～に貴賤(きせん)はない」という 常话说"职业无贵贱"｜美容師を～とする 我从事美发工作 ✤ —安定所：职业介绍所｜—意識：职业意识 ‖ ～が低い 职业意识差｜—教育：职业教育｜—訓練：职业训练｜—病：职业病
しょくご【食後】饭后fànhòu ‖ 1日3回，～30分以内に服用する 一日三次，在饭后30分钟以内服用｜～の休憩 饭后休息
しょくし【食指】食指shízhǐ ‖ ～が動く 动心
しょくじ【食事】(～する)(吃)饭(chī) fàn；(就)餐(jiù)cān.（賄い）伙食huǒshi ‖ ～に行く 去吃饭｜～を済ませる 吃完饭｜～に誘う 叫人一块去吃饭｜～をおごる 请客｜軽い～をとる 吃便饭｜バランスのとれた～を心がける 注意保持营养平衡 ✤ —制限：控制饮食
しょくじ【食餌】✤ —療法：食物疗法
しょくしゅ【触手】触手chùshǒu ‖ ～を伸ばす 伸出魔爪
しょくしゅ【職種】行业hángyè

しょくじゅ【植樹】(～する)植树zhí shù
しょくしょう【食傷】(～する)腻烦nìfan; 厌腻yànnì. (食べ物)吃腻chīnì
しょくしん【触診】(～する)触诊chùzhěn
しょくせいかつ【食生活】饮食生活yǐnshí shēnghuó ‖ 規則正しい～ 有规律的饮食生活
しょくせき【職責】职责zhízé ‖ ～を全うする 尽职尽责
しょくぜん【食前】饭前fànqián ✤ 一酒:餐前酒；开胃酒
しょくたく【食卓】〔张〕饭桌fànzhuō ‖ ～にのぼる 摆上饭桌 | 家族で～を囲む 全家人聚在一起吃饭
しょくたく【嘱託】❶(～する)〔仕事を任せる〕委托wěituō; 托办tuōbàn ❷〔職員〕特聘人员tè pìn rényuán ‖ 定年後も～として残る 退休后作为特聘人员继续工作
しょくちゅうどく【食中毒】食物中毒shíwù zhòngdú ‖ 友人は山でとってきたキノコを食べて～をおこした 我朋友吃了在山里采的蘑菇中毒了 ✤ 集団一:集体食物中毒
しょくつう【食通】美食家měishíjiā
しょくどう【食堂】❶〔食事をする部屋〕(家庭)饭厅fàntīng; 餐厅cāntīng. (学校や工場など)食堂shítáng ❷〔飲食店〕餐厅cāntīng; 饭庄fànzhuāng; 菜馆càiguǎn ✤ 一街:饮食街 | 一車:餐车 | 社員一:职工食堂
しょくどう【食道】食道shídào
しょくにん【職人】工匠gōngjiàng; 手艺人shǒuyìrén ✤ 一気質(かたぎ):手艺人脾气；工匠气质
しょくば【職場】工作单位gōngzuò dānwèi. (持ち場)工作岗位gōngzuò gǎngwèi. (作業現場)车间chējiān; 工作地点gōngzuò dìdiǎn ✤ 一環境:工作环境 | 一結婚:和同事结婚
しょくはつ【触発】(～する)触发chùfā; 激发jīfā ‖ …に～される 受到…的触发
しょくパン【食パン】〔个,片,块〕土司面包tǔsī miànbāo; 切片面包qiēpiàn miànbāo
しょくひ【食費】〔笔〕饭费fànfèi; 伙食费huǒshifèi ‖ ～を切り詰める 节省伙食费
しょくひん【食品】食品shípǐn ✤ 一添加物:食品添加剂 | 健康一:健康食品
しょくぶつ【植物】植物zhíwù ✤ 一園:植物园 | 一学:植物学 | 一油:植物油
しょくみん【植民】(～する)殖民zhímín ✤ 一地:殖民地 | 一地主義:殖民主义 | 一地政策:殖民地政策
しょくむ【職務】任务rènwu; 职务zhíwù ‖ ～を遂行する 完成任务 | ～怠慢により免職される 因玩忽职守被免职 ✤ 一規定:职务规定 | 一質問:警察执勤中的盘问 | 一手当:职务津贴
しょくもつ【食物】食物shíwù ✤ 一繊維:食物纤维 | 一連鎖:食物链
しょくよう【食用】食用shíyòng ✤ 一油:食用油 | 一ガエル:食用蛙；牛蛙
しょくよく【食欲】食欲shíyù; 胃口wèikǒu ‖ ～が旺盛だ 食欲很旺盛 | ～がない 没有胃口 | ～をそそる 引起食欲 ✤ 一増進:增进食欲 | 一不振:食欲不振

しょくりょう【食料】〔种〕食物shíwù; 食品shípǐn ✤ 一自給率:食物自给率 | 一品:食品
しょくりょう【食糧】粮食liángshi ✤ 一危機:粮食危机 | 一不足 粮食匮乏
しょくりん【植林】(～する)植树造林zhí shù zàolín ✤ 一計画:植树造林计划
しょくれき【職歴】〔段,个〕资历zīlì; 工作经历gōngzuò jīnglì
しょくん【諸君】各位gè wèi; 诸位zhūwèi; 大家dàjiā
しょけい【処刑】(～する)处死chǔsǐ; 处决chǔjué ‖ 即座に～する 立即处决
じょけつ【女傑】女中豪杰nǚzhōng háojié
しょ·げる【悄気る】沮丧jǔsàng; 消沉xiāochén; 㝎无精打采wú jīng dǎ cǎi
しょけん【所見】〔个,种〕所见suǒjiàn; 意见yìjian; 想法xiǎngfa ‖ 患者の病状に関する～ 关于患者病情的意见 | ～を述べる 讲自己的看法
じょげん【助言】(～する)建议jiànyì; 忠告zhōnggào ‖ ～を聞き入れる 采纳建议
しょこ【書庫】藏书室cángshūshì; 书库shūkù
じょこう【徐行】(～する)慢行mànxíng ✤ 一運転:慢行；慢速行驶
しょこく【諸国】各国gè guó ‖ 東南アジア～を歴訪する 遍访东南亚各国
しょこん【初婚】初婚chūhūn
しょさ【所作】举止jǔzhǐ; 动作dòngzuò; 行为xíngwéi
しょさい【書斎】书房shūfáng
しょざい【所在】所在suǒzài; 下落xiàluò; 存在的地方cúnzài de dìfang ‖ 責任の～を明らかにする 搞清楚谁对此事负有责任 ✤ 一地:所在地；地址
しょし【初志】〔份〕初衷chūzhōng; 信念xìnniàn ‖ ～を貫徹する 贯彻初衷
しょじ【所持】(～する)持有chíyǒu; 携带xiédài ✤ 一金:随身带的钱 | 一品:携带品 | 不法一:非法携带
じょし【女子】女子nǚzǐ; 女性nǚxìng ✤ 一学生:女生 | 一高校:女子高中 | 一大学:女子大学
じょし【女史】女士nǚshì
じょし【助詞】助词zhùcí
じょじ【女児】女孩nǚhái; 女童nǚtóng
じょじ【叙事】叙事xùshì ✤ 一詩:叙事诗
しょしき【書式】〔个,种〕格式géshi ‖ ～を設定する 设定格式
じょしつ【除湿】(～する)除湿chú shī
じょしゅ【助手】助手zhùshǒu; 帮手bāngshou ✤ 一席:助手席；副驾驶席
しょしゅう【初秋】初秋chūqiū
しょしゅう【所収】所收suǒ shōu
しょしゅつ【初出】(～する)初次出现chū cì chūxiàn; 初次发表chū cì fābiǎo
じょじゅつ【叙述】(～する)叙述xùshù
しょしゅん【初春】初春chūchūn
しょじゅん【初旬】初旬chūxún; 上旬shàngxún ‖ 4月～ 四月上旬
しょじょ【処女】处女chǔnǚ; 少女shàonǚ ✤ 一航海:初航 | 一作:处女作 | 一地:处女地
じょじょう【叙情】抒情shūqíng ✤ 一詩:抒情

詩｜一詩人:抒情诗人

じょじょに【徐徐に】徐徐地xúxú de；渐渐地jiànjiàn de

しょしん【初心】初衷chūzhōng；初志chūzhì；初心chūxīn‖～忘るべからず 不该忘记初衷｜～に返る 回到初衷

しょしん【初診】初诊chūzhěn ✤一料:初诊费

しょしん【所信】信念xìnniàn；意见yìjian；主张zhǔzhāng‖～を述べる 表明自己的意见 ✤一表明演説:施政演讲

しょしんしゃ【初心者】初学者chūxuézhě；生手shēngshǒu ✤一マーク:初学者标志

じょすうし【助数詞】量词 liàngcí

しょ·する【処する】处理chǔlǐ‖厳罰に～する 处以重罚

しょせい【処世】处世chǔshì ✤一訓:处世方法；处世哲学｜一術:处世之道‖～にたける 擅长处世之道

じょせい【女声】女声nǚshēng ✤一合唱:女声合唱

じょせい【女性】女性nǚxìng ✤一解放運動:妇女解放运动｜一差別:女性歧视｜一専用車輛:女性专用车厢｜一ホルモン:雌性激素

じょせい【助成】(～する)助成zhùchéng；补助bǔzhù ✤一金:补助金；赞助费

じょせいと【女生徒】女生nǚshēng；女学生nǚxuésheng

しょせき【書籍】书籍shūjí；图书túshū ✤一小包:书籍包裹｜一目録:图书目录

じょせき【除籍】(～する)除名chúmíng；开除kāichú.（戸籍を）消户口xiāo hùkǒu

じょせつ【除雪】(～する)除雪chú xuě；扫雪sǎo xuě ✤一車:除雪车

しょせん【緒戦·初戦】初战chūzhàn；首战shǒuzhàn‖～を飾る 首战告捷

しょぞう【所蔵】(～する)收藏shōucáng

じょそう【助走】(～する)助跑zhùpǎo‖～をつけてジャンプする 助跑后跳 ✤一路:助跑路

じょそう【除草】(～する)除草chú cǎo‖庭の～をする 给院子除草 ✤一剤:除草剂

しょぞく【所属】(～する)属于shǔyú；从属于cóngshǔ yú

しょぞん【所存】想法xiǎngfa；打算dǎsuan

しょたい【所帯】家庭jiātíng；住户zhùhù‖～を持つ 成家 ✤一道具:家庭用具｜一主:户主｜一持ち:定拉家带口｜男一:没有女人的家庭

しょたい【書体】❶〔筆蹟〕笔体bǐtǐ；字体zìtǐ ❷〔活字〕字体zìtǐ

しょだい【初代】创立者chuànglìzhě；第一代dì yī dài；第一任dì yī rèn

しょたいめん【初対面】初次见面chū cì jiànmiàn

しょだな【書棚】书架shūjià；书柜shūguì

しょち【処置】(～する)❶〔処理·方策〕处理chǔlǐ；措施cuòshī‖断固たる～をとる 采取果断的措施 ❷〔傷の〕治疗zhìliáo

しょちょう【所長】〔位,名,个〕所长suǒzhǎng

しょちょう【署長】〔位,名,个〕署长shǔzhǎng

じょちょう【助長】(～する)(悪いことを)助长zhùzhǎng.（盛んにする）促进cùjìn；提高tígāo‖犯罪を～する 助长犯罪

しょっかく【触角】〔根,对〕触角chùjiǎo

しょっかく【触覚】触觉chùjué

しょっかん【食間】两顿饭之间liǎng dùn fàn zhī jiān‖1日2回～に服用する 一天两次在两顿饭之间服用

しょっかん【触感】手感shǒugǎn；触感chùgǎn

しょっき【食器】〔套,件〕餐具cānjù ✤一乾燥機:餐具干燥机｜一洗浄機:洗碗机｜一棚:碗厨；餐具柜｜洋一:西式餐具｜和一:日式餐具

ジョッキ 大玻璃杯 dà bōlibēi；扎zhā

ショッキング 惊人jīngrén；定骇人听闻hài rén tīng wén；令人震惊lìng rén zhènjīng

ショック 冲击chōngjī；打击dǎjī；刺激cìjī；震荡zhèndàng‖失恋の～から立ち直る 从失恋的打击中振作起来｜～を受ける 受打击 ✤一死:休克死｜一療法:冲击疗法；休克疗法

しょっけん【食券】〔张〕餐券cānquàn；饭票fànpiào

しょっけん【職権】职权zhíquán‖～を乱用する 滥用职权｜～を行使する 行使职权

しょっちゅう 总是zǒngshì；老是lǎoshì；经常jīngcháng；常常chángcháng‖子どものころは～弟とけんかしていた 小的时候总是和弟弟吵架

ショット ❶〔テニス·ゴルフ〕击球jīqiú‖見事な～を決める 打出漂亮的球 ❷〔写真·映画〕〔个,组〕镜头jìngtóu；片段piànduàn ❸〔射撃〕发射fāshè

しょっぱ·い【塩っぱい】咸xián

ショッピング 购物gòuwù；买东西mǎi dōngxi ✤一カー:购物推车｜一センター:购物中心

しょてい【所定】规定guīdìng‖～の手続きを踏んで登録する 按规定手续办理登记

じょてい【女帝】女帝nǚdì；女皇nǚhuáng；女王nǚwáng

しょてん【書店】书店 shūdiàn

しょとう【初冬】初冬chūdōng

しょとう【初等】初等chūděng；初级chūjí ✤一科:初级课程；小学课程｜一教育:初等教育；小学教育｜一数学:初等数学

しょとう【初頭】初期chūqī；初叶chūyè‖19世紀～ 19世纪初期

しょとう【諸島】诸岛zhūdǎo；群岛qúndǎo‖フィジー～ 斐济群岛

しょどう【書道】书法shūfǎ；书道shūdào ✤一家:书法家

じょどうし【助動詞】助动词 zhùdòngcí

しょとく【所得】所得suǒdé；收入shōurù ✤一税:所得税｜勤労一:勤劳所得｜国民一:国民收入｜低一層:低收入层

しょにんきゅう【初任給】刚参加工作时的工资gāng cānjiā gōngzuò shí de gōngzī；最初的月薪zuìchū de yuèxīn

しょねん【初年】❶〔最初の年〕第一年dì yī nián ❷〔はじめのころ〕初年chūnián

じょのくち【序の口】开始阶段kāishǐ jiēduàn；开端kāiduān；序幕xùmù‖寒さはまだまだ～だ 刚刚开始冷起来

しょばつ【処罰】(～する)处罚chǔfá

しょはん【初犯】初犯chūfàn.（人）初犯者chūfànzhě

しょはん【初版】初版chūbǎn；第一版dì yī bǎn ✤一本:初版书

じょばん【序盤】❶〔はじめの段階〕初期阶段chūqī jiēduàn ❷〔囲碁〕序盘xùpán；布局阶段bùjú jiēduàn ✤一戦:开局；㊖竞赛之初

しょひょう【書評】〔则,篇〕书评shūpíng ✤一欄:书评栏

しょぶん【処分】(～する)❶〔処理する〕处理chǔlǐ；处置chǔzhì.(売却)卖掉màidiào.(廃棄)扔掉rēngdiào‖在庫を～する 处理〔清理〕库存 ❷〔処罰する〕处罚chǔfá；处分chǔfèn‖～を受ける 受罚

じょぶん【序文】〔篇,段〕序xù；序文xùwén；序言xùyán.(著者自身による)自序zìxù

しょほ【初歩】(初学)初步chūbù；初级chūjí；入门rùmén.(基本)基本jīběn；基础jīchǔ‖～的なミス 简单的错误

しょほう【処方】❶(～する)〔薬の〕(开)处方(kāi) chǔfāng；(开)药方(kāi) yàofāng‖医師の～に従って服用する 按医生的处方服用 ❷〔処置法〕处理〔处置〕方法chǔlǐ〔chǔzhì〕fāngfǎ.(対策)措施cuòshī ✤一箋(せん):处方(笺)；药方

しょぼしょぼ ❶〔雨が〕淅淅沥沥xīxīlìlì ❷(～する)〔目が〕有些睁不开yǒuxiē zhēngbukāi.(眠くて)惺忪xīngsōng.(しばたたく)眨眼zhǎyǎn‖目が～する 眼睛模糊不清

じょまく【除幕】(～する)揭幕jiēmù ✤一式:揭幕仪式

しょみん【庶民】老百姓lǎobǎixìng；普通人pǔtōngrén.(大衆)大众dàzhòng；群众qúnzhòng‖～には手が届かない 不是老百姓可以买得起的

しょむ【庶務】庶务shùwù；杂务záwù ✤一課:庶务科｜一係:庶务；负责后勤的(人)

しょめい【書名】书名shūmíng ✤一索引:书名索引｜一目録:书名目录

しょめい【署名】(～する)签名qiānmíng；签字qiānzì.(サイン)署名shǔmíng ✤一運動:签名运动｜一記事:署名文章｜一捺印(なついん):签字盖章

じょめい【除名】(～する)开除kāichú；除名chúmíng‖会から～される 被组织开除

しょや【初夜】初夜chūyè；新婚第一夜xīnhūn dì yī yè

じょや【除夜】除夕(之夜) chúxī (zhī yè)；除夜chúyè‖～の鐘 除夕(之夜)的钟声

しょゆう【所有】(～する)所有suǒyǒu；拥有yōngyǒu ✤一格:所有格｜一権:所有权‖～を放棄する 放弃所有权｜一者:所有者｜一地:归…所有的土地｜一物:所有物

じょゆう【女優】〔个,名,位〕女演员nǚ yǎnyuán ✤映画一:电影女演员｜主演一:女主角；女主演｜舞台一:戏剧女演员

しょよう【所用】〔件,个〕事shì；事情shìqing‖～で外出する 因事外出

しょり【処理】(～する)处理chǔlǐ；办bàn‖苦情の～に当たる 负责处理群众意见 ✤ごみ一場:垃圾处理厂｜事後一:善后处理｜熱一:热处理

じょりゅう【女流】✤一作家:女作家｜一名人:女棋圣

じょりょく【助力】(～する)帮助bāngzhù；协助xiézhù‖～を惜しまない 不遗余力地相助｜～を仰ぐ 请求帮助

しょるい【書類】〔份,张,种〕文件wénjiàn；文书wénshū；材料cáiliào‖～を提出する 提交文件〔材料〕｜～を作成する 写文件｜ビザ申請のための必要～をそろえる 备齐办签证所需要的书面材料 ✤一かばん:公文包｜一選考:书面材料审核｜一送検:文件送检

ショルダー ✤一バッグ:挎包｜一パッド:垫肩

じょれつ【序列】序列xùliè；顺序shùnxù‖～をつける 排列 ✤年功一:㊐论资排辈

しょろう【初老】半老bàn lǎo；稍老shāo lǎo‖～の男性 半老男人

じょろん【序論】序论xùlùn；绪论xùlùn

しょんぼり(～する)㊐无精打采wú jīng dǎ cǎi；㊐垂头丧气chuí tóu sàng qì；委靡不振wěimǐ búzhèn

しら【白】‖～を切る 装蒜

じらい【地雷】〔颗,个〕地雷dìléi‖～をしかける 埋地雷｜～に触れる 踩地雷 ✤一探知機:探雷器

しらうお【白魚】白鱼báiyú；银鱼yínyú‖～のような指 纤细的手指

しらが【白髪】〔根,缕〕白发báifà；白头发bái tóufa；银发yínfà‖～になる 头发白了｜～を抜く 拔白头发｜～まじりの髪 花白的头发 ✤一頭:白头；头发花白｜一染め:染发；(薬剤)染发剂

しらかば【白樺】〔棵〕白桦báihuà

しら·ける【白ける】扫兴sǎoxìng；杀风景shā fēngjǐng‖座が～ける 冷场

しらこ【白子】鱼白yúbái

しらさぎ【白鷺】〔只〕白鹭báilù

しらじらし·い ❶〔見え透いた〕‖～いうそをつく 明明在说谎 ❷〔しらばくれる〕假装不知jiǎzhuāng bù zhī；佯装不解yángzhuāng bù jiě ❸〔興ざめな〕使人扫兴shǐ rén sǎoxìng；败兴bàixìng

じら·す【焦らす】使着急shǐ zháojí；使焦急shǐ jiāojí.(気を引いて)吊胃口diào wèikǒu

しらずしらず【知らず知らず】㊐不知不觉(地) bù zhī bù jué (de).(無意識に)无意中wúyì zhōng.(思わず)不由得bùyóude‖～のうちに眠っていた 我不知不觉中睡着了

しらせ【知らせ】〔个,张,份〕通知tōngzhī.(便り)〔个,条〕消息xiāoxi；音信yīnxìn‖～を受ける 接到通知｜～を聞く 听到消息｜いい～ 好消息｜虫の～ 一种不好的预感

しらぬかお【知らぬ顔】装作不知道zhuāngzuò bù zhīdào；佯装不知yángzhuāng bù zhī‖～の半兵衛を決め込む ㊐装聋作哑

しらばく·れる 假装不知jiǎzhuāng bù zhī；装傻zhuāng shǎ；装蒜zhuāngsuàn‖～れてもむだだ 你假装不知也没用｜～れて尋ねてみた 佯作不知地问了一下

しらはのや【白羽の矢】‖～が立つ (从很多人中)选出；选中

しらふ【素面】不喝酒(时的状态) bù hē jiǔ (shí de zhuàngtài)‖よくもそんなきざなせりふを～で言えるな 你没喝酒居然也能说出这样肉麻的话

しらべ【調べ】❶〔調べること〕〔个,项,番〕调查

diàochá．(検査)检查jiǎnchá；审查shěnchá．(捜査)〔个，番〕搜查sōuchá‖～がつく 事情都查清了 ❷〔音の調子〕‖ハープの～ 竖琴的演奏〔弹奏〕|妙(たえ)なる～ 美妙的乐曲

しら・べる【調べる】❶〔調査・研究〕查chá；调查diàochá．(研究)研究yánjiū；查阅cháyuè．(捜査)搜查sōuchá‖辞書で～べる 查词典|資料を～べる 查阅资料|自分の足で～べる 亲自去实地调查 ❷〔検査・点検〕查chá；检查jiǎnchá‖帳簿を～べる 查账|故障がないか～べる 检查有无故障|病院で～べてもらったほうがいいよ 你应该去医院检查一下 ❸〔尋問〕审问shěnwèn；审讯shěnxùn‖容疑者を～べる 审查嫌疑犯

しらみ【虱】虱子shīzi ✥一つぶし：一个不漏；一一处理‖～に調べる 一个不漏地调查过了

しら・む【白む】发白fābái；变白biànbái．(空が)发亮fāliàng‖東の空が～んできた 东方的天空发亮了

しらんかお【知らん顔】⇨しらぬかお(知らぬ顔)

しり【尻】❶〔体の〕屁股pìgu；臀tún；臀部túnbù ❷〔後ろ〕后hòu；后边hòubian‖女の～を追い回す 追女人 ❸〔末端〕末端mòduān；末尾mòwěi ❹〔結果〕结果jiéguǒ；后果hòuguǒ‖～をぬぐう 擦屁股 ❺〔慣用表現〕‖～が軽い(浮気性)轻浮；(敏捷)敏捷，活泼|～が重い 懒得动|～に火がつく 定火烧眉毛〔屁股〕|～が割れる 暴露坏事|～が長い 一坐下就不走|～に敷く 妻管严；女人当家|～をたたく 督促；鼓劲|～に帆をかけて逃げ出す 定逃之夭夭

しり【私利】私利sīlì‖～をはかる 谋取私利|～をむさぼる 贪图私利 ✥一私欲：定自私自利‖～に目がくらむ 定利令智昏

シリア 叙利亚Xùlìyà

しりあい【知り合い】认识rènshi；相识xiāngshí．(人)认识的人rènshi de rén；熟人shúrén‖～が多い 熟人〔认识的人〕多|その人なら私の～だ 我认识他

しりあ・う【知り合う】认识rènshi；相识xiāngshí；结识jiéshí‖いまの彼女とは音楽会で～った 我跟现在的女朋友是在音乐会上认识的

しりあがり【尻上がり】逐渐上升zhújiàn shàngshēng；(前低)后高(qián dī) hòu gāo‖売り上げが～にのびる 销售额逐渐上升

シリアス(深刻)严重yánzhòng；重大zhòngdà．(まじめ)认真rènzhēn；严肃yánsù

シリアル ❶〔食品〕谷类食品gǔlèi shípǐn ❷〔コンピューター〕串行chuànxíng ✥一ポート：串行口；串口

シリーズ 系列xìliè；连续liánxù‖テレビで～化される 作为电视节目系列化 ✥一もの：系列作品；(テレビ・映画の)系列片

シリウス 天狼星tiānlángxīng

しりおし【尻押し】(～する)❶〔助成する〕作后盾zuò hòudùn；撑腰chēngyāo；支持zhīchí ❷〔後ろから押す〕后推hòu tuī；从后边推cóng hòubian tuī

じりき【自力】自力zìlì；独力dúlì‖横転した車から～で脱出する 翻车后，自己从车里爬出来 ✥一更生：定自力更生

しりごみ【尻込み】(～する)❶〔ためらう〕踌躇chóuchú；犹豫yóuyù．(ひるむ)畏缩wèisuō；畏怯wèiqiè ❷〔あとずさる〕后退hòutuì

シリコン 硅guī ✥一チップ：单晶硅片|一バレー：硅谷

しりぞ・く【退く】❶〔あとずさる〕退tuì；后退hòutuì；退却tuìquè ❷〔引退する〕退tuì；退职tuìzhí；离职lízhí；离休líxiū‖第一線を～く 退居二线|政界を～く 离开政界|職を～く 退休 ❸〔引き下がる〕让ràng；让步ràngbù；退让tuìràng‖一歩も～かない決意だ 决不退让一步 ❹〔退出する〕退出tuìchū；离开líkāi‖別室に～く 退到别的房间

しりぞ・ける【退ける】❶〔遠ざける〕命令退下mìnglìng tuìxia；屏退bǐngtuì‖周囲の者を～ける 屏退左右 ❷〔撃退する〕打退dǎtuì；击退jītuì‖敵の攻撃を～ける 击退敌人 ❸〔はねつける〕拒绝jùjué；驳回bóhuí‖当局は私たちの要求を～けた 当局拒绝了我们的要求

しりつ【市立】市立shìlì

しりつ【私立】私立sīlì；民办mínbàn ✥一大学：私立〔民办〕大学|一探偵：私人侦探

じりつ【自立】(～する)自立zìlì；定自食其力zì shí qí lì；定自力更生zì lì gēng shēng‖親から～する 离开父母独立生活 ✥一語：独立词|一心：自立精神

じりつ【自律】自制zìzhì；自律zìlǜ ✥一神経：自主神经；植物性神经|一神経失調症：植物性神经〔自主神经〕失调症

しりぬぐい【尻拭い】(～する)擦屁股cā pìgu；替别人处理善后tì biéren chǔlǐ shànhòu‖息子の借金の～をする 替儿子还债

しりめつれつ【支離滅裂】定支离破碎zhī lí pò suì；定杂乱无章zá luàn wú zhāng

しりもち【尻餅】‖～をつく 摔了个屁股蹲儿

しりゅう【支流】支流zhīliú

じりゅう【時流】时尚shíshàng；潮流cháoliú‖～に従う 顺应潮流|～に逆らう 逆潮流而行

しりょ【思慮】(～する)考虑kǎolǜ；思虑sīlǜ；思考sīkǎo‖～深い人 办事深思熟虑的人|～に欠ける行動 草率的行为 ✥一分別：慎重考虑

しりょう【史料】史料shǐliào；历史资料lìshǐ zīliào

しりょう【資料】〔份，套，个〕资料zīliào；材料cáiliào‖～をまとめる 整理材料|～に基づく 以资料为据|～を集める 搜集资料 ✥一室：资料室

しりょう【飼料】饲料sìliào‖ウマの～ 马饲料 ✥一作物：饲料作物|配合一：混合饲料

しりょく【死力】死力sǐlì；最大的力量zuì dà de lìliang‖～を尽くす 竭尽全力

しりょく【視力】视力shìlì；眼神yǎnshén‖～が落ちる 视力降低|～を失う 失明 ✥一検査：检查视力|一表：视力表

じりょく【磁力】磁力cílì ✥一計：磁力计|一線：磁力线

シリンダー ❶〔円筒〕圆筒yuántǒng ❷〔気筒〕汽缸qìgāng ✥一錠：圆筒锁

しる【汁】❶〔物からとる液体〕汁zhī；液yè；汁液zhīyè‖オレンジの～をしぼる 挤橘子汁 ❷〔汁物〕汤tāng；汤菜tāngcài ❸〔利益〕‖うまい～を吸う 占便宜

し・る【知る】知道zhīdao ‖ この件については何も～らない 我对此事什么都不知道〔毫无所知〕｜～らない土地 陌生的地方｜～る権利 知情权｜～らぬが仏 不知为妙｜～る人ぞ～る 伯乐识马；知者知之｜推して～るべし 定 可想而知｜戦争を～らない世代 没有经历过战争的一代人｜彼なら子どものころから～っている 我从小就认识他｜あなたの～ったことではない 你别管(这事)｜私の～ったことではない 我可管不着

シルエット 轮廓lúnkuò

シルク (糸)丝线sīxiàn. (織物)丝绸sīchóu ✤ —ハット:丝绒礼帽；大礼帽｜—ロード:丝绸之路

しるけ【汁気】水分shuǐfèn

しるこ【汁粉】小豆汤xiǎodòutāng

しるし【印】❶〔マーク〕〔个,种〕记号jìhao；标志biāozhì ‖ 赤鉛筆で～をつける 用红铅笔做记号 ❷〔具体的な形〕(シンボル)〔个,种〕象征xiàngzhēng. (気持ち)小意思xiǎoyìsi ‖ 友好の～ 友好的象征

しるし【験・徴】〔个,种〕征兆zhēngzhào；预兆yùzhào ‖ 幸運の～ 好运的预兆

しる・す【記す】❶〔書きつける〕记(录)下来jì(lù)xialai；写下来xiěxialai ‖ 日記に～す 记录在日记里 ❷〔記憶する〕铭记míngjì ‖ 師の言葉を心に～す 把老师的教诲铭记心头

シルバー ❶〔銀〕银yín；白银báiyín ❷〔銀色〕银色yínsè ❸〔高齢者の〕老年人的lǎoniánrén de ✤ —エイジ:中高年龄层；银发族｜—産業:银发〔老年〕产业｜—シート:老弱病残孕专座

しれい【司令】(～する)统率tǒngshuài；指挥zhǐhuī ✤ —官:司令(官)｜—塔:司令塔；喩 司令｜—部:司令部

しれい【指令】(～する)指令zhǐlìng；命令mìnglìng ‖ ～が下る 下指令｜～を出す 发出命令

じれい【事例】事例shìlì；实例shílì；前例qiánlì

じれい【辞令】任免命令〔证书〕rènmiǎn mìnglìng〔zhèngshū〕‖ ～を受ける 接到任免命令

しれつ【熾烈】炽烈chìliè；激烈jīliè；热烈rèliè

じれった・い【焦れったい】令人着急lìng rén zháojí；焦急jiāojí；焦躁jiāozào；心急xīnjí

し・れる【知れる】❶〔人に知られる〕为人知wéi rén zhī；知名zhīmíng ‖ 名が～れる 有名气 ❷〔わかる〕了解liǎojiě；明白míngbai ‖ 得体が～れない 来历不明｜気心の～れた友 知心朋友｜～れたことだ 定 自不待言；不言自明

しれん【試練・試煉】〔次,个,种〕考验kǎoyàn；磨练móliàn ‖ 過酷な～に直面する 面临残酷的考验｜さまざまな～を乗り越える 经受种种考验

ジレンマ 定 进退维谷jìn tuì wéi gǔ；定 左右为难zuǒ yòu wéi nán ‖ ～に陥る 陷于进退维谷的窘境

しろ【白】❶〔色〕白色báisè ‖ 黒を～と言いくるめる 定 颠倒黑白 ❷〔無罪〕清白qīngbái；无罪wúzuì；无辜wúgū

しろ【城】❶〔建築物〕〔座〕城chéng；城堡chéngbǎo ‖ ～を築く 筑城｜～を守る 守卫城堡 ❷〔自分の領分〕小圈子xiǎoquānzi；小天地xiǎotiāndì；土围子tǔwéizi

しろあり【白蟻】白蚁báiyǐ

しろ・い【白い】白(色) bái(sè) ‖ ～い雲 白云；白色的云彩｜抜けるように～い肌 皮肤细腻白嫩｜周囲から～い目で見られる 遭周围人的白眼｜色の～いは七難隠す 一白遮百丑

しろうと【素人】外行wàiháng；门外汉ménwàihàn. (アマチュア)业余爱好者yèyú àihàozhě ‖ 私は株についてはずぶの～です 我对股票一窍不通 ✤ —考え:外行的看法｜—くさい:象个外行；不熟练；拙劣｜—芸:业余表演｜—ばなれ:不像外行；像专业的一样｜—目:外行的看法

しろくま【白熊】〔只,头〕白熊báixióng；北极熊běijíxióng

しろくろ【白黒】❶〔色〕黑白hēibái ‖ ～の格子模様 黑白格花纹 ❷〔是非〕是非shìfēi ‖ ～を明らかにする 分清是非 ❸〔モノクロ〕黑白hēibái ‖ ～映画〔写真〕 黑白电影〔照片〕

じろじろ 盯盯(地) dīngdīng (de) ‖ あまり人を～見るんじゃありません 别这样盯着人看

シロップ 糖浆tángjiāng；糖汁tángzhī. (果汁を加えたもの)果汁guǒzhī；果子露guǒzilù ‖ せき止め～ 止咳糖浆

しろバイ【白バイ】警用摩托车jǐngyòng mótuōchē

しろはた【白旗】‖ ～をかかげる 打白旗

しろみ【白身】❶〔卵の〕蛋清dànqīng；蛋白dànbái ❷〔魚や肉の〕(魚の)白肉báiròu. (脂身)肥肉féiròu ‖ ～の魚 白肉鱼

しろめ【白目・白眼】❶〔眼球の白い部分〕白眼珠báiyǎnzhū ‖ 突然～をむいて気絶した 突然翻起白眼儿昏过去了 ❷〔冷たい目つき〕白眼báiyǎn ‖ 周囲から～で見られる 招人白眼

しろもの【代物】东西dōngxi；家伙jiāhuo ‖ 役に立たない～ 没用的东西

じろん【持論】一贯的主张yíguàn de zhǔzhāng ‖ ～を譲らない 固执己见｜子どもは厳しく育てろというのが彼の～だ 他一贯主张对孩子要严格教育

しわ【皺】〔条,道〕皱纹zhòuwén；褶子zhězi ‖ ～が刻まれる 刻上皱纹｜眉間(みけん)に～を寄せる 皱眉头｜ブラウスに～が寄った 衬衫上起了皱纹｜アイロンで～をのばす 用熨斗烫平〔熨平〕褶子

しわが・れる【嗄れる】嘶哑sīyǎ ‖ 声が～れる 嗓音有些嘶哑

しわくちゃ【皺くちゃ】满是皱纹mǎn shì zhòuwén；皱皱巴巴zhòuzhòubābā

しわけ【仕分け・仕訳】(～する)分类fēnlèi；区分qūfēn ‖ 郵便物を郵便番号別に～する 按照邮政编码分邮件｜ごみを可燃物と不燃物に～する 把垃圾分成可燃垃圾和不可燃垃圾

しわざ【仕業】所作所为suǒ zuò suǒ wéi；行为xíngwéi ‖ いったいだれの～だ 究竟是谁干的？

じわじわ 渐渐地jiànjiàn de；一点儿一点儿地yìdiǎnr yìdiǎnr de ‖ ～と相手を追いつめる 一步步地逼迫对方

しわよせ【皺寄せ】(～する)(不良影响)波及到…(bùliáng yǐngxiǎng)bōjídào… ‖ 休むとほかの者に～がいく 自己休息会影响他人的工作

じわれ【地割れ】(～する)地裂dìliè

しん【心】❶〔心・本心〕〔颗,片〕心xīn；精神jīngshén；内心nèixīn ‖ ～から音楽が好きだ 打心眼儿里喜欢音乐 ❷〔心や体の奥底〕内部nèibù；心底xīndǐ ‖ ～が強い 顽强｜体の～まで冷え

る 寒冷彻骨

しん【芯】❶〔物の中心の部分〕芯xīn；中心zhōngxīn；核心héxīn ‖ ～のあるご飯 夹生饭｜鉛筆の～ 铅笔芯 ❷〔果物の〕核儿húr；芯儿xīnr ‖ リンゴの～ 苹果核儿

しん【信】信用xìnyòng；信誉xìnyù；信任xìnrèn ‖ ～を置くに足る〔足りない〕 可信〔不可信〕｜国民に～を問う 问国民是否信任

しん【真】❶〔まこと〕真zhēn；真正zhēnzhèng；真实zhēnshí ‖ ～の芸術家 真正的艺术家｜～に迫る 逼真 ❷〔真理〕真zhēn；真理zhēnlǐ ‖ 逆はかならずしも～ならず 逆命题不一定为真

ジン 金酒jīnjiǔ ✣ ―トニック：金汤力

しんあい【親愛】亲爱qīn'ài ‖ ～の情を表す〔抱く〕 （对人）表示〔抱有〕亲情

しんあん【新案】新发明xīn fāmíng；新设计xīn shèjì ✣ ―特許：新专利；新发明专利

しんい【真意】本意běnyì；真意zhēnyì ‖ ～をさぐる 试探本意｜～を見抜く 看破真意｜～をはかりかねる 摸不清对方的真意

じんい【人為】人为rénwéi；人工réngōng；人力rénlì ‖ ～的なミス 人为的错误

しんいり【新入り】新来(的人) xīn lái (de rén). (新参者)新手xīnshǒu；新人xīnrén

じんいん【人員】人数rénshù. (職員)工作人员gōngzuò rényuán；人员rényuán. (構成員)成员chéngyuán ‖ 事務所の～を増やした〔減らした〕 增加〔裁减〕了办公室的工作人员 ✣ ―整理：裁员；清理(多余)人员

しんえい【新鋭】新锐xīnruì；最先进zuì xiānjìn ‖ 最～の技術 最新技术｜期待の～ 有为的新秀

じんえい【陣営】阵营zhènyíng ‖ 野党～ 在野党阵营｜敵の～に攻めこむ 冲入敌方阵营

しんおん【心音】心音xīnyīn

しんか【真価】真正价值zhēnzhèng jiàzhí；实际价值shíjì jiàzhí ‖ ～を発揮する 发挥真正的价值｜～が問われる 考验是否真正有能力

しんか【進化】(～する) ❶〔生物〕进化jìnhuà；演进yǎnjìn；演变yǎnbiàn ❷〔発達する〕进化jìnhuà；发展fāzhǎn ✣ ―論：进化论

じんか【人家】人家rénjiā；住宅zhùzhái ‖ トラックが～に突っ込んだ 一辆卡车撞进了民宅

しんかい【深海】深海shēnhǎi ✣ ―魚：深海鱼

しんがい【心外】意外yìwài；遗憾yíhàn ‖ そんなふうに見られているとは～だ 你那样看我，我感到很遗憾

しんがい【侵害】(～する)侵犯qīnfàn；侵害qīnhài ‖ 知的所有権を～する 侵犯知识产权｜プライバシーの～ 侵犯他人的隐私 ✣ 人権―：侵犯人权

じんかいせんじゅつ【人海戦術】人海战术rénhǎi zhànshù ‖ ～をとる 采用人海战术

しんがく【神学】神学shénxué

しんがく【進学】(～する)升学shēngxué

じんかく【人格】人格réngé；人性rénxìng ‖ ～を尊重〔無視〕する 尊重〔无视〕人格｜～を傷つける 伤害人格尊严｜～を高める 提高人格 ✣ ―者：有道德的人；人格高尚的人

しんかくか【神格化】(～する)神化shénhuà；神格化shéngéhuà ‖ 偉人を～する 神化伟人

しんがた【新型・新形】新型xīnxíng ‖ ～のコンピューターウイルス 新型电脑病毒 ✣ ―車：新型车

シンガポール 新加坡Xīnjiāpō

しんかん【新刊】新书xīnshū ‖ 今月の～ 本月新书 ✣ ―目録：新书目录｜―予告：新书预告

しんかん【新館】新楼xīnlóu；新馆xīnguǎn

しんかん【震撼】(～する)震撼zhènhàn；震动zhèndòng ‖ 世界を～させる 震撼世界

しんがん【真贋】真伪zhēnwěi；真假zhēnjiǎ；真赝zhēnyàn ‖ ～を見極める 鉴别真伪

しんかんせん【新幹線】新干线Xīngànxiàn

しんき【新奇】新奇xīnqí ‖ ～をてらう 定标新立异｜～なデザイン 新奇〔新颖〕的设计

しんき【新規】新xīn ‖ 雑誌を～に購読する 新订杂志 ✣ ―採用：录用新人；新录用｜―まき直し：重新开始；定东山再起

しんぎ【真偽】真伪zhēnwěi；真假zhēnjiǎ ‖ ～を確かめる 确认真伪｜～をただす 追究真伪｜～のほどは定かではない 真伪不清

しんぎ【審議】(～する)审议shěnyì ‖ ～を重ねる 多次审议 ✣ ―会：审议(委员)会｜―未了：议案未表决｜継続―：继续审议

じんぎ【仁義】仁义rényì. (義理)情义qíngyì；义气yìqi ‖ ～を欠く 缺乏情义｜～を重んじる 讲情义｜～にもとる行い 负义的行为

しんきいってん【心機一転】精神面貌焕然一新jīngshén miànmào huàn rán yì xīn ‖ ～，新しい職場に臨む 以崭新的心情来到新的工作岗位

しんきじく【新機軸】新方法xīn fāngfǎ；新形式xīn xíngshì. (新考案)新构思xīn gòusī ‖ ～を打ち出す 创新；革新

しんきゅう【進級】(～する)升级shēngjí；晋级jìnjí ‖ 5年生に～した 升入五年级 ✣ ―試験：升级考试

しんきゅう【新旧】新旧xīnjiù；新陈xīnchén；新老xīnlǎo ✣ ―交代：更新换代

しんきゅう【鍼灸】针灸zhēnjiǔ ✣ ―師：针灸医师｜―療法：针灸疗法

しんきょ【新居】新居xīnjū；新住宅xīn zhùzhái ‖ ～を構える 安新家

しんきょう【心境】心境xīnjìng；心情xīnqíng ‖ 当時の～を語る 谈谈当时的心情｜～の変化 心情变化｜複雑な～ 心情复杂

しんきょうち【新境地】新天地xīn tiāndì；新境地xīn jìngdì ‖ ～を開く 开辟一个新天地

しんきろう【蜃気楼】蜃景shènjǐng；定海市蜃楼hǎi shì shèn lóu

しんきろく【新記録】〔项，个〕新记录xīn jìlù ‖ ～を出す 创造新记录｜日本～ 日本新记录

しんきん【心筋】心肌xīnjī ✣ ―炎：心肌炎｜―梗塞(こうそく)：心肌梗塞

しんきんかん【親近感】亲切的感觉qīnqiè de gǎnjué ‖ ～を覚える 觉得亲切

しんく【深紅】深红(色) shēnhóng(sè)

しんぐ【寝具】床上用品chuángshang yòngpǐn；〔套，条，床〕被褥bèirù

しんくう【真空】真空zhēnkōng ✣ ―管：真空管｜―パック：真空包装｜―ポンプ：真空泵

ジンクス 不祥之兆bùxiáng zhī zhào

シングル ❶〔ホテルの部屋〕单人房dānrénfáng; 单间dānjiān ❷〔服飾〕单排扣(西服上衣) dānpáikòu (xīfú shàngyī) ❸〔独身者〕单身dānshēn; 未婚wèihūn ❹〔ウイスキーの量〕单份dān fèn ✤ ーベッド:单人床

シングルス 单打(比赛) dāndǎ (bǐsài)

シンクロナイズド スイミング 花样游泳huāyàng yóuyǒng; 水上芭蕾shuǐshàng bālěi

しんけい【神経】 ❶〔生理〕〔根〕神经shénjīng ‖ ～が麻ひする 神经麻痹 ❷〔心の働き〕神经shénjīng; 精神jīngshén ‖ ～がとがる 神经过敏｜～が細かい 定 谨小慎微；神经纤细｜～が鈍る 反应迟钝｜～が行き届いている 考虑得很周到｜～が高ぶる 精神亢奋｜全～を傾ける 定 全神贯注｜～を逆なでする 故意刺激对方｜～を使う 费神 ✤ 一科:神经科｜一過敏:神经过敏｜一質:神经质｜一症:神经病｜一衰弱:神经衰弱｜一戦:心理战｜一痛:神经痛

しんげき【進撃】（～する）进攻jìngōng; 攻击gōngjī ‖ 快～を続ける 一路猛攻

しんけつ【心血】 心血xīnxuè ‖ 後進の指導に～を注ぐ 为培养新人倾注心血

しんけん【真剣】 认真rènzhēn; 严肃yánsù ‖ 環境問題に～にとり組む 认真对待环境问题 ✤ 一勝負:真刀真枪；严肃认真地去干；拼命地干｜一味:认真劲儿 ‖ ～に欠ける 缺少一股认真劲儿

しんけん【親権】(父母对子女的)监护权(fùmǔ duì zǐnǚ de) jiānhùquán; 抚养权fǔyǎngquán ✤ 一者:监护人

しんげん【震源】 震源zhènyuán

じんけん【人権】 人权rénquán ✤ 一侵害:侵犯人权｜一擁護:保护〔维护〕人权

しんげんち【震源地】 ❶〔地震の〕震源区zhènyuánqū ❷〔うわさなどの〕源头yuántóu; 传闻的发源地 chuánwén de fāyuándì

じんけんひ【人件費】〔笔〕劳务费láowùfèi; 人工费réngōngfèi

しんご【新語】 新词xīncí

しんこう【信仰】（～する）信仰xìnyǎng ‖ 仏教を～する 信仰佛教；信佛 ✤ 一心:信仰心 ‖ ～が厚い 信仰笃实

しんこう【振興】（～する）振兴zhènxīng

しんこう【進行】（～する）进展jìnzhǎn; 进行jìnxíng; 发展fāzhǎn ‖ 若い人のがんは～が速い 年轻人得了癌症，病情发展很快 ✤ 一係:司仪；主持人｜一形:进行时｜一方向:前进方向

しんこう【新興】 新兴xīnxīng ✤ 一宗教:新兴宗教｜一住宅地:新兴住宅区｜一勢力:新兴势力

しんこう【親交】（朋友之间的）交往(péngyou zhī jiān de) jiāowǎng; 深交shēnjiāo ‖ ～を結ぶ 结交朋友｜～を深める 加深友谊

しんごう【信号】 ❶〔合図〕信号xìnhào ‖ ～を送る 打信号 ❷〔交通〕〔盏，个〕红绿灯hónglǜdēng; 信号灯xìnhàodēng; 交通信号jiāotōng xìnhào ‖ ～に注意する 注意红绿灯｜～が点滅する 信号灯闪了｜～が赤にかわる 绿灯变红灯了｜～を無視する 闯红灯

じんこう【人工】 人工réngōng; 人造rénzào ‖ ～の湖 人工湖｜～的に雪を降らせる 人工降雪 ✤ 一衛星:人造卫星｜一甘味料:（人工）合成甜味剂｜一呼吸:人工呼吸｜一芝:人造〔人工〕草坪｜一授精:人工授精｜一知能:人工智能｜一透析:血液透析｜一ふ化:人工孵化

じんこう【人口】 ❶〔人数〕人口rénkǒu ‖ ～の増加〔減少〕に歯どめをかける 抑制人口增长〔减少〕 ❷〔口の端〕 ‖ ～に膾炙(かいしゃ)する 脍炙人口 ✤ 一構成:人口构成｜一統計:人口统计｜一爆発:人口爆炸｜一密度:人口密度｜労働一:劳动人口

しんこきゅう【深呼吸】（～する）(做)深呼吸(zuò) shēnhūxī

しんこく【申告】（～する）申报shēnbào ‖ 事業所得の～漏れを指摘される 被查出漏报企业所得税 ✤ 一書:（税務署の）报税单；（税関の）申报单

しんこく【深刻】 ❶〔心情的に〕严肃yánsù ‖ 物事を～に考えすぎる 把事情想得太严重了 ❷〔状況が〕严重yánzhòng; 重大zhòngdà ‖ ～な食糧不足に苦しむ 苦于严重的缺粮问题

しんこん【新婚】 新婚xīnhūn ‖ ～ほやほや 新婚燕尔 ✤ 一旅行:蜜月〔新婚〕旅行

しんさ【審査】（～する）审查shěnchá; 评审píngshěn ✤ 一委員会:评审委员会

しんさい【震災】 地震灾害dìzhèn zāihài; 震灾zhènzāi ✤ 関東大一:关东大地震

じんさい【人災】〔桩〕人祸rénhuò

じんざい【人材】 人才réncái ‖ ～を育てる 培养人才｜広く～を集める 广招人才 ✤ 一銀行:人才中心｜一派遣会社:人才租赁〔派遣〕公司

しんさつ【診察】（～する）看病kànbìng; 诊察zhěnchá ✤ 一券:（医院的）挂号卡｜一室:诊室

しんさん【辛酸】 辛酸xīnsuān; 艰辛jiānxīn ‖ 数々の～をなめる 历尽艰辛；饱尝种种辛酸

しんざん【新参】 新来xīn lái; 新加入xīn jiārù.（人）新手xīnshǒu ✤ 一者:新手

しんし【紳士】〔位，个〕绅士shēnshì; 君子jūnzǐ ✤ 一協定:君子协定｜一面(づら):假装正人君子｜一服:男装｜一もの:男士用品｜一録:名人录

じんじ【人事】 ❶〔職場の〕人事rénshì ❷〔人ができること〕 ‖ ～を尽くして天命を待つ 定 谋事在人，成事在天 ✤ 一異動:人事变动〔调动〕｜一課:人事科

しんしき【新式】 新式xīnshì

しんしつ【心室】 心室xīnshì ✤ 右〔左〕一:右〔左〕心室

しんしつ【寝室】〔间〕卧室wòshì; 卧房wòfáng; 寝室qǐnshì

しんじつ【真実】 真实zhēnshí; 真相zhēnxiàng ‖ ～をつきとめる 把真相搞清楚｜～を話す 说真话 ✤ 一味:真实性；真实感

じんじふせい【人事不省】 定 不省人事bù xǐng rén shì; 昏迷hūnmí ‖ ～に陥る 不省人事

しんじゃ【信者】 教徒jiàotú; 信徒xìntú

じんじゃ【神社】 神社shénshè ‖ ～にお参りする 参拜神社 ✤ 一仏閣:神社寺院

しんしゅ【進取】 进取jìnqǔ ‖ 独創性と～の気性に富んだ人 富于独创和进取心的人

しんしゅ【新種】 新品种xīn pǐnzhǒng ‖ ～のウイルス 新型病毒

しんじゅ【真珠】〔粒，串〕珍珠zhēnzhū ‖ ～のネックレス〔ブローチ〕 珍珠项链〔胸针〕 ✤ 一貝:珍珠贝；珠母贝

じんしゅ【人種】 人种rénzhǒng; 种族zhǒngzú

✤一差別:种族歧视|黄色一:黄色人种

しんじゅう【心中】(〜する)集体自杀jítǐ zìshā.(男女の)情死qíngsǐ‖私は会社と〜するつもりはない 我并不想和公司同归于尽

しんしゅく【伸縮】(〜する)伸缩shēnsuō ✤一自在:伸缩自如|一性:伸缩性;弹性

しんしゅつ【進出】(〜する)进入jìnrù‖政界に〜する 进入政界;跻身政坛|海外に〜する 打入海外市场

しんしゅつ【新出】(〜する)新出现xīn chūxiàn;第一次出现dì yī cì chūxiàn ✤一単語:生词

しんしゅつきぼつ【神出鬼没】定 神出鬼没 shén chū guǐ mò

しんしゅん【新春】新年xīnnián;新春xīnchūn

しんしょう【心証】❶〔印象〕印象yìnxiàng;感觉gǎnjué‖上司の〜を害してしまったようだ 我好像给上司留下了不好的印象 ❷〔法律〕确信quèxìn;心证xīnzhèng

しんじょう【心情】心情xīnqíng‖〜に配慮する 充分考虑心情|〜的には理解できる 从心情上可以理解

しんじょう【身上】❶〔長所〕美德měidé;优点yōudiǎn;长处chángchu‖正直が親方の〜だ 诚实是师傅的美德 ❷〔経歴など〕个人经历gèrén jīnglì ✤一書:履历(表)|一調査:调查个人经历

しんじょう【信条】信念xìnniàn;信条xìntiáo;主义zhǔyì‖〜に反することはできない 不能够做违背信念的事

しんじょう【真情】真心zhēnxīn;真情zhēnqíng‖〜を吐露する 吐露自己的真情

じんじょう【尋常】一般yìbān;普通pǔtōng‖〜な方法 通常的方法

しんしょうしゃ【身障者】残疾人cánjírén

しんしょく【侵食】(〜する)侵蚀qīnshí;蚕食cánshí

しんしょく【寝食】寝食qǐnshí‖〜を忘れる 废寝忘食|〜をともにする 同吃同住,共同生活

しん・じる【信じる】❶〔事実だと思う〕相信xiāngxìn;信xìn‖彼が死んだとはいまだに〜じられない 至今还不能相信他已经死了 ❷〔信頼する〕相信xiāngxìn;信赖xìnlài;信用xìnyòng‖何があってもぼくは君を〜じる 不管发生什么事我都相信你 ❸〔神仏・主義などを〕信仰xìnyǎng;信奉xìnfèng;信xìn‖私は神を〜じない 我不信神|仏教を〜じる 信仰佛教;信佛

しんしん【心身】身心shēnxīn‖〜を鍛える 锻炼身心|〜ともに疲れはてる 身心俱疲 ✤一症:身心〔心身〕疾病

しんしん【心神】精神jīngshén ✤一耗弱(こうじゃく):精神几近失常|一喪失:精神失常

しんしん【深深】‖雪が〜と降り積もる 雪静悄悄地下着|〜と夜が更ける 夜深人静

しんしん【新進】新进xīn jìn;定 初露锋芒chū lù fēng máng.(人)新秀xīnxiù‖〜デザイナー 新锐设计师 ✤一気鋭:崭露头角,前途无量

しんじん【信心】(〜する)信仰xìnyǎng‖〜深い 笃信宗教|鰯(いわし)の頭も〜から 心诚则灵

しんじん【新人】新来的xīn lái de;新人xīnrén;新… xīn…‖〜を迎える 迎接新人|〜を教育する 培养新职员

じんしん【人心】人心rénxīn‖〜を一新する 人心焕然一新|〜を惑わす 蛊惑人心

じんしん【人身】✤一事故:人身事故|一売買:贩卖人口

しんすい【浸水】(〜する)浸水jìn shuǐ‖床上〔床下〕〜する 地板上面〔下面〕淹了水 ✤一家屋:被水淹的房屋

しんすい【進水】(〜する)下水xiàshuǐ ✤一式:下水典礼

しんずい【神髄・真髄】精华jīnghuá;真髓zhēnsuǐ‖〜をきわめる 深入探究精髓

しん・ずる【信ずる】⇨しんじる(信じる)

しんせい【申請】(〜する)申请shēnqǐng ✤一書:申请书;申请报告|一人:申请人

しんせい【神聖】神圣shénshèng‖〜にして侵すべからざる権利 神圣不可侵犯的权利|〜な場所 神圣的地方

しんせい【真性】真性zhēnxìng‖〜コレラ 真性霍乱

しんせい【新星】❶〔天文〕〔颗,个〕新星xīnxīng ❷〔有望新人〕(有前途的)新秀(yǒu qiántú de) xīnxiù;新星xīnxīng

じんせい【人生】人生rénshēng‖〜を誤る 走错了人生道路|第二の〜を始める 开始自己新的人生 ✤一観:人生观|一経験:人生经验

しんせかい【新世界】新天地 xīn tiāndì

しんせき【親戚】亲戚qīnqi

じんせき【人跡】人迹rénjì‖〜未踏のジャングル 人迹罕至的丛林

しんせつ【新設】(〜する)新建xīn jiàn;新设xīn shè‖学校を〜する 新建学校

しんせつ【親切】〔片,份〕好心hǎoxīn;好意hǎoyì;热情rèqíng‖〜があだになる 出于好心,结果却适得其反|人の〜を踏みにじる 辜负人家的好意 ✤一ごかし:定 虚情假意|一心:好心;好意

しんせん【新鮮】新鲜xīnxian‖新しい環境の中ではすべてが〜に感じられる 置身于新环境中什么都感到新鲜 ✤一味:新意;新鲜劲儿

しんぜん【親善】友善yǒushàn;友好yǒuhǎo‖〜を深める 加强友好 ✤一試合:友谊赛|一大使:亲善大使;友好使者

じんせん【人選】(〜する)选拔xuǎnbá;选人xuǎn rén;定人选dìng rénxuǎn‖〜に漏れる 落选|〜を誤る 选错了人

しんそう【真相】真相zhēnxiàng;事实shìshí‖〜を覆いかくす 隐瞒真相|〜をただす 弄清真相|〜を見抜く 识破真相|〜を究明する 查明真相

しんそう【深層】深层shēncéng ✤一構造:深层结构|一心理学:深层心理学

しんそう【新装】(〜する)重新装修chóngxīn zhuāngxiū‖〜開店 装饰一新重新开业|〜なった京都駅 焕然一新的京都站

しんぞう【心臓】❶〔生理〕〔颗,个〕心脏xīnzàng‖〜がとまる 心跳停止|びっくりして〜がとまりそうになった 吓死人了! ❷〔中心〕中心zhōngxīn;核心héxīn;心脏xīnzàng‖工場の〜部 工厂的心脏 ❸〔その他の表現〕‖〜に毛が生えている 脸皮比城墙还厚|〜が弱い 胆小 ✤一

移植:心脏移植｜一病:心脏病｜一発作:心脏病发作｜一まひ:心脏麻痹；心脏瘫痪
じんぞう【人造】人造 rénzào ✤ 一湖:人工湖｜一ゴム:人造橡胶｜一ダイヤ:人造钻石
じんぞう【腎臓】〔副,个〕肾脏 shènzàng ✤ 一移植:肾脏移植｜一結石:肾结石；肾石病
しんぞく【親族】亲戚 qīnqi；亲属 qīnshǔ ✤ 一会議:亲属会议
じんそく【迅速】迅速 xùnsù ‖ 冷静かつ～に問題に対処する 冷静、迅速地处理问题
しんそこ【心底】心底 xīndǐ；衷心 zhōngxīn ‖ ～から後悔する 从心里感到后悔
しんたい【身体】身体 shēntǐ ✤ 一検査:（健康診断）体检；（体格測定）体格测定；（所持品調べ）搜身；随身物品检查｜一障害（者）:残疾（人）
しんたい【進退】（～する）❶〔進むことと退くこと〕进退 jìntuì ‖ ～きわまる 进退维谷 ❷〔身の振り方〕去留 qùliú；去就 qùjiù ✤ 一伺:请示去留的辞呈
しんだい【身代】〔笔,份〕家产 jiāchǎn；家业 jiāyè ‖ ～をつぶす 将家产挥霍一空｜～を築く 积攒财富
しんだい【寝台】〔张〕床铺 chuángpù.（列車・船の）〔张〕卧铺 wòpù；卧席 wòxí ✤ 一券:卧铺票｜一車:卧铺车｜一料金:卧铺票价
じんたい【人体】人体 réntǐ ‖ ～に害を及ぼす 对人体有害 ✤ 一実験:人体试验
しんたいそう【新体操】艺术体操 yìshù tǐcāo
しんたいりく【新大陸】新大陆 Xīndàlù
しんたく【信託】（～する）信托 xìntuō；委托 wěituō ‖ 土地や財産を銀行に～する 把地产和家产委托给银行管理 ✤ 一会社:信托公司｜一銀行:信托银行｜投資一:投资信托
しんだん【診断】（～する）❶〔病状を〕诊断 zhěnduàn ‖ 肺炎と～される 被诊断为肺炎 ❷〔物事を〕判断 pànduàn.（調べる）调查 diàochá ‖ 経営を～する 调查经营情况 ✤ 一書:诊断书｜一ミス:误诊
しんちく【新築】（～する）新建 xīn jiàn ‖ 家を～する 盖新房子
じんちく【人畜】✤ 一無害:对人畜无害 ‖ ～な人物 老好人；好好先生
しんちゃ【新茶】新茶 xīnchá
しんちゃく【新着】新到 xīn dào ✤ 一情報:最新消息｜一図書:新到图书
しんちゅう【心中】心里 xīnli；内心 nèixīn ‖ ～穏やかでない 心里很不平静｜～お察しします 我可以体谅您的心情
しんちゅう【真鍮】黄铜 huángtóng
しんちょう【伸張】（～する）扩大 kuòdà；扩展 kuòzhǎn；伸张 shēnzhāng
しんちょう【身長】个子 gèzi；身高 shēngāo ‖ ～が高い〔低い〕个子高〔矮〕｜～をはかる 量身高｜～はどのくらい？ 你有多高？｜～がのびる 长个子
しんちょう【慎重】谨慎 jǐnshèn；慎重 shènzhòng ‖ ～に言葉を選びながら話す 说话措词严谨｜～を期して 为慎重起见｜～な態度を崩さない 始终持慎重态度
しんちょう【新調】（～する）新做 xīn zuò ‖ スーツを～する 新做一套西装
しんちょく【進捗】（～する）进展 jìnzhǎn ‖ ～状況を説明する 说明进展情况
しんちんたいしゃ【新陳代謝】（～する）新陈代谢 xīn chén dàixiè.（新旧交替）定 推陈出新 tuī chén chū xīn ‖ 企業の～を進める 加速企业推陈出新
しんつう【心痛】（～する）痛心 tòngxīn；忧虑 yōulǜ；烦恼 fánnǎo ‖ ～のあまり病の床につく 心力交瘁卧床不起
じんつう【陣痛】阵痛 zhèntòng ‖ ～が始まる 阵痛开始
しんてい【進呈】（～する）赠送 zèngsòng；奉送 fèngsòng；奉赠 fèngzèng ‖ ご来店の方に粗品を～いたします 凡前来光顾的客人，本店献上薄礼一份
しんてき【心的】心理上的 xīnlǐ shang de；精神上的 jīngshén shang de ✤ 一外傷:心灵上的创伤
じんてき【人的】（关于）人的（guānyú）rén de；人力上 rénlì shang ‖ ～な貢献 在人力上做出的贡献 ✤ 一交流:人员交流｜一資源:人力资源｜一証拠:人证｜一被害:人员伤亡
しんてん【進展】（～する）进展 jìnzhǎn；发展 fāzhǎn ‖ 交渉が～する 谈判有了进展
しんでん【神殿】〔座,个〕神殿 shéndiàn；圣殿 shèngdiàn
しんでんず【心電図】心电图 xīndiàntú ‖ ～をとる 照心电图
しんてんち【新天地】新天地 xīn tiāndì ‖ ～を開く 开辟新天地
しんと【信徒】信徒 xìntú；教徒 jiàotú
しんど【深度】深度 shēndù ‖ 湖の～を測る 测量湖水深度 ✤ 一計:深度计
しんど【進度】进度 jìndù ‖ クラスによって～が違う 每个班进度不一样
しんど【震度】（地震）烈度（dìzhèn）lièdù ‖ ～5 烈度为五级
しんとう【浸透】（～する）❶〔液体などが〕浸透 jìntòu ❷〔思想などが〕深入人心 shēnrù rénxīn ‖ 儒教的な考え方が生活の中に深く～している 儒教的思维方式已经在我们的生活中牢牢地扎下了根 ✤ 一圧:渗透压
しんどう【振動】（～する）振动 zhèndòng；摆动 bǎidòng.（小刻みに）颤动 chàndòng ✤ 一計:振动仪｜一数:振动数；频率
しんどう【震動】（～する）震动 zhèndòng ‖ 突然大きな～を感じた 突然感觉到剧烈的震动
じんとう【陣頭】前线 qiánxiàn；战场第一线 zhànchǎng dìyīxiàn ‖ 市長が～に立って災害復旧にあたった 市长亲临一线指挥灾后恢复工作 ✤ 一指揮:前线指挥
じんどう【人道】人道 réndào ‖ ～的な立場から食糧援助を行う 从人道主义的立场出发进行粮食援助 ✤ 一主義:人道主义
じんとく【人徳】品德 pǐndé
じんど・る【陣取る】构筑阵地 gòuzhù zhèndì.（場所を占める）占地儿 zhàn dìr；占据场所 zhànjù chǎngsuǒ ‖ 最前列に～る 抢最前排的位置
シンドローム 综合症 zōnghézhèng
しんにゅう【侵入】（～する）入侵 rùqīn；侵入

qīnrù ‖ コンピューターウイルスの～を防ぐ 防止电脑病毒入侵

しんにゅう【進入】(～する) 进入jìnrù ‖ 旅客機が滑走路に～する 客机进入跑道

しんにゅう【新入】新加入xīn jiārù ✤ —社員:新员工｜—生:新生

しんにん【信任】(～する) 信任xìnrèn ‖ ～が厚い 深得信任 ✤ —状:国书｜—投票:信任投票

しんにん【新任】新任xīnrèn ‖ ～のあいさつを述べる 做就职演讲

しんねん【信念】信念xìnniàn; 信心xìnxīn ‖ ～を捨てる 放弃信念｜～を貫く 坚守信念

しんねん【新年】新年xīnnián ‖ ～おめでとう 新年好!｜～を迎える 过新年｜～を祝う 庆祝新年

しんのう【親王】〔位,个〕亲王qīnwáng

しんぱい【心肺】心肺xīnfèi ✤ —機能:心肺功能｜人工—:人工心肺

しんぱい【心配】(～する) 担心dānxīn; 操心cāoxīn; 挂念guàniàn ‖ 試験の結果が～で眠れなかった 我因担心考试的结果而失眠了｜親に～をかける 让父母担心｜老後の～をする 考虑老年生活怎么过 ✤ —事:操心事; 心事｜—性:爱操心

ジンバブエ 津巴布韦Jīnbābùwéi

シンバル 铜钹tóngbó ‖ ～を鳴らす 敲铜钹

しんぱん【侵犯】(～する) 侵犯qīnfàn ✤ 国境—:侵犯国境｜領空—:侵犯领空

しんぱん【審判】(～する) ❶〔事件などを〕审判shěnpàn ‖ ～が下る 做出判决 ❷〔競技を〕裁判cáipàn. (審判員) 裁判(员) cáipàn(yuán) ‖ ～の判定に納得がいかない 对裁判的判定不服气

しんび【審美】审美shěnměi ✤ —眼:审美能力

しんぴ【神秘】神秘shénmì; 奥秘àomì ‖ 宇宙の～を探究する 探究宇宙的奥秘｜～的な 神秘的

しんぴょうせい【信憑性】可靠性kěkàoxìng; 可信性〔度〕kěxìnxìng〔dù〕‖ ～に欠ける 缺乏可信度

しんぴん【新品】新货xīnhuò

じんぴん【人品】〔种〕人品rénpǐn; 品德pǐndé; 品格pǐngé ‖ ～骨柄卑しからぬ人 人品〔风度〕不俗的人

しんぷ【神父】神甫shénfu; 司铎sīduó

しんぷ【新婦】新娘xīnniáng

しんぷく【心服】(～する) 心服xīnfú; 衷心佩服zhōngxīn pèifu

しんぷく【振幅】振幅zhènfú

しんぶつ【神仏】神佛shénfó ‖ ～に祈願する 向神佛祈祷 ✤ —混交:神佛混淆

じんぶつ【人物】❶〔人間〕人物rénwù ‖ 歴史上の～ 历史人物 ❷〔人品〕人品rénpǐn; 品格pǐngé; 为人wéirén ‖ ～がしっかりしている 人品可靠｜学歴よりも～を重視する 比起学历,更重视人品 ✤ —画:人物画

シンプル 简单jiǎndān; 简洁jiǎnjié; 简朴jiǎnpǔ; 朴素pǔsù ✤ —ライフ:朴素的生活

しんぶん【新聞】〔份,张〕报bào; 报纸bàozhǐ ‖ ～を読む 读报｜～に載る 登在报上｜～の切り抜きをファイルする 把报上的消息剪下来归档保存 ✤ —記事:新闻报导｜—記者:报社记者｜—購読料:订报费｜—社:报社｜—種:报道材料｜—取次店:报纸经销店｜—配達員:送报员

じんぶん【人文】人文rénwén ✤ —科学:人文科学｜—主義:人文主义; 人本主义

しんぺん【身辺】身边shēnbiān; 周围zhōuwéi ‖ ｜～を整理する 处理好身边的事情｜～を警護する 贴身保卫

しんぽ【進歩】(～する) 进步jìnbù ‖ 長足の～を遂げる 有了长足的进步｜～的な考えの持ち主 思想很开明 ✤ —主義:进步主义｜—派:进步派

しんぼう【心房】心房xīnfáng

しんぼう【心棒】轴zhóu; 心轴xīnzhóu

しんぼう【辛抱】(～する) 忍耐rěnnài; 忍受rěnshòu ‖ 何事も～が肝心だ 无论做什么事,都要有耐心｜もう少しの～だ 再忍一会儿(就好了)｜もうとても～しきれない 我实在忍不住了

しんぼう【信望】信誉xìnyù; 声望shēngwàng; 威望wēiwàng

しんぽう【信奉】(～する) 信奉xìnfèng

じんぼう【人望】人望rénwàng; 声望shēngwàng; 威望wēiwàng ‖ ～を集める 有声望｜～がない 威望不高

しんぼうづよ·い【辛抱強い】有耐心yǒu nàixīn; 能忍耐néng rěnnài ‖ ～く待つ 耐心地等待

しんぼく【親睦】(～する) 和睦hémù ‖ ～をはかる 联络感情｜～を深める 加深〔促进〕友谊 ✤ —会:联谊会; 联欢会｜—团体:联谊团体

シンポジウム〔次,个〕研讨会yántǎohuì; 专题讨论会zhuāntí tǎolùnhuì

シンボル〔个,种〕象征xiàngzhēng ✤ —マーク:象征图案 ‖ オリンピックの～ 奥运会会徽

しんまい【新米】❶〔米〕新米xīnmǐ ❷〔新参者〕新手xīnshǒu; 新人xīnrén ‖ ～の教師 新老师｜大学出たての～ 刚出大学校门的新手

じんましん【蕁麻疹】荨麻疹xúnmázhěn ‖ ストレスで～が出た 由于精神压力,身上起了荨麻疹

しんみ【親身】❶〔肉親〕亲人qīnrén; 骨肉gǔròu ❷〔親切〕热情rèqíng; 热心rèxīn ‖ ～になって面倒をみる 亲切关怀

しんみつ【親密】亲密qīnmì; 密切mìqiè; 亲热qīnrè ‖ 彼とは特別に～な間柄だ 我跟他挺铁的

じんみゃく【人脈】人际关系rénjìguānxì ‖ 財界に豊かな～を持っている 在金融界有很多熟人｜～をつくる 编制关系网

しんみょう【神妙】‖ ～な面もち 神情严肃

しんみりと ❶〔しみじみ〕感慨(地) gǎnkǎi(de) ‖ 2人で～酒をくみかわす 两人静静地对饮 ❷〔しずんださま〕悲伤bēishāng; 感伤gǎnshāng ‖ 亡くなった友人の話になって,みんな～してしまった 谈起去世的朋友,大家都不由得悲伤起来

じんみん【人民】人民rénmín ‖ ～の～による～のための政治 民有,民治,民享的政府 ✤ —解放軍:人民解放军｜—公社:人民公社｜—服:中山装

しんめ【新芽】〔颗,根〕新芽xīnyá; 幼芽yòuyá ‖ ヤナギの～が芽吹く季節 柳树发出新芽的季节

じんめい【人名】人名rénmíng ✤ —辞典:人名辞典

じんめい【人命】〔条〕人命rénmìng ‖ 多くの～が失われた 许多人失去了性命 ✤ —救助:拯救人命

シンメトリー〔左右〕对称(zuǒyòu) duìchèn

しんもつ【進物】〔个,份〕礼物lǐwù; 礼品lǐpǐn

じんもん【尋問】(～する) 讯问xùnwèn; 盘问

pánwèn ❖ 反対—:反诘问｜誘導—:诱供；套供

しんや【深夜】深夜shēnyè ❖ —営業:深夜营业｜—番組:深夜节目｜—放送:深夜广播｜—割引:深夜优惠

し

しんやく【新薬】新药xīnyào

しんゆう【親友】好朋友hǎo péngyou；知心朋友 zhīxīn péngyou

しんよう【信用】❶(～する)〔信頼する〕相信xiāngxìn；信任xìnrèn ‖ この情報は～できる 可以相信这个消息｜あの人なら～がおける 他可以信任 ❷〔よい評価〕〔份, 种〕信誉xìnyù ‖ ～が落ちる 信誉下降｜～がある 有信用；享有信誉｜～を失う 丧失信誉｜～を傷つける 损害信誉｜～にかかわる 信誉攸关｜～を回復する 恢复信誉〔信用〕｜客の～を得る 赢得顾客的信赖 ❖ —貸し:信用贷款；信贷｜—調査:信用调查｜—取引:信用交易

じんよう【陣容】阵容zhènróng ‖ ～を立て直す 重整阵容｜強力な～で試合に臨む 安排强有力的阵容参加比赛

しんようじゅ【針葉樹】〔棵〕针叶树zhēnyèshù

しんらい【信頼】(～する)信赖xìnlài；信任xìnrèn ‖ ～をおく 相信｜～を失う 失去信任｜～が揺らぐ 信任动摇｜～が厚い 深受信任｜～を裏切る 背叛信赖｜～できる筋から得た情報 从可靠人士那里得来的消息

しんらつ【辛辣】辛辣xīnlà；尖锐jiānruì；尖刻jiānkè；刻薄kèbó ‖ ～なことを言う 说尖刻的话

しんらばんしょう【森羅万象】㊎森罗万象sēn luó wàn xiàng

しんり【心理】心理xīnlǐ；精神状态jīngshén zhuàngtài ❖ —学:心理学｜—状態:心理状态｜—テスト:心理测试｜—描写:心理描写

しんり【真理】真理zhēnlǐ ‖ ～を悟る 悟出真理｜～を探究する 探求真理

しんり【審理】(～する)审理shěnlǐ

じんりき【人力】人力rénlì；人的力量rén de lìliang ❖ —車:〔辆〕人力车；黄包车

しんりゃく【侵略】(～する)侵略qīnlüè ❖ —者:侵略者｜—戦争:侵略战争

しんりょう【診療】(～する)诊疗zhěnliáo ❖ —時間:诊疗时间｜—所:诊所

しんりょく【新緑】新绿xīnlǜ

じんりょく【尽力】(～する)尽力jìnlì；出把力chū bǎ lì；努力nǔlì ‖ ご～に感謝いたします 感谢您的大力协助

しんりん【森林】森林sēnlín ❖ —資源:森林资源｜—地帯:森林地带｜—破壊:森林破坏｜—保護:森林保护｜—浴:森林浴

しんるい【親類】亲属qīnshǔ；亲戚qīnqi ‖ 遠くの～より近くの他人 远亲不如近邻 ❖ —縁者:亲戚亲属

じんるい【人類】人rén；人类rénlèi ❖ —愛:对全人类的爱；人类爱｜—学:人类学

しんれき【新暦】阳历yánglì

しんろ【針路】航行的方向hángxíng de fāngxiàng；航向hángxiàng ‖ ～を定める 确定航向

しんろ【進路】❶〔行く手〕去路qùlù；进路jìnlù；前进的道路qiánjìn de dàolù ‖ ～をさえぎる 拦住去路｜～を妨害する 阻碍前进｜台風が～をかえた 台风的路径改变了 ❷〔将来の道〕去向qùxiàng；出路chūlù ‖ ～を決める 决定去向 ❖ —指導:毕业后的去向指导

しんろう【心労】操心cāoxīn；劳神láoshén ‖ ～が絶えない 操不完的心｜～が重なって倒れる 操心过度病倒了

しんろう【新郎】新郎xīnláng ❖ —新婦:新郎新娘

しんわ【神話】〔个, 则〕神话shénhuà ‖ ギリシャ～ 希腊神话

す

す【巣】窝wō；穴xué；窟kū；巢cháo ‖ ハチの～ 蜂窝｜～をつくる 做巢；做窝｜クモが～をはる 蜘蛛拉网〔结网〕｜愛の～ 爱巢

す【酢】醋cù ‖ ～でしめる 醋浸｜…を～で漬ける 用醋泡… ❖ 甘—:甜醋｜二杯—:二料醋

ず【図】❶〔図面〕〔张〕图tú；图片túpiàn ‖ ～をかく 画图｜～で示す 用图表示 ❷〔慣用表現〕‖ ～に当たる ㊎如愿以偿｜～に乗る 得意忘形

すあし【素足】光脚guāngjiǎo ‖ ～で 光着脚

ずあん【図案】图案tú'àn

すい【粋】〔精髄〕精华jīnghuá；精髓jīngsuǐ ‖ 科学技術の～を集める 凝聚科学技术之精华

す·い【酸い】‖ ～いも甘いもかみわけた人 饱尝了人世间甜酸苦辣的人

すいあ·げる【吸い上げる】❶〔液体を〕抽上chōushang ❷〔利益などを〕侵吞qīntūn；搜刮sōuguā ‖ 子会社のもうけを～げる 侵吞子公司的利润

すいあつ【水圧】水压shuǐyā

すいい【水位】水位shuǐwèi ‖ ～が上がる〔下がる〕水位上升〔下降〕❖ —計:水位计

すいい【推移】(～する)推移tuīyí ‖ 事態の～を見守る 观望事态的发展｜景気は堅調に～している 景气平稳上升

すいいき【水域】水域shuǐyù；海域hǎiyù

ずいいち【随一】第一名dì yī míng；㊎首屈一指shǒu qū yì zhǐ

スイート ポテト 甘薯点心gānshǔ diǎnxin

スイート ルーム 套房tàofáng；套间tàojiān

ずいいん【随員】随员suíyuán；随从suícóng

すいうん【水運】水运shuǐyùn

すいえい【水泳】游泳yóuyǒng ‖ ～が得意だ 擅长游泳 ❖ —教室:游泳训练班｜—選手:游泳运动员｜—大会:游泳比赛

すいおん【水温】水温shuǐwēn

すいか【西瓜】〔个, 块, 片〕西瓜xīguā

すいか【誰何】(～する)盘问pánwèn

すいがい【水害】水灾shuǐzāi ‖ ～がたびたび発生する 经常发生水灾

すいがら【吸い殻】烟头yāntóu；烟蒂yāndì

すいきゅう【水球】水球shuǐqiú

すいぎゅう【水牛】水牛shuǐniú

すいきょ【推挙】(～する) 推举tuījǔ; 推荐tuījiàn ‖ 大関を横綱に～する 推举大关为横纲

すいぎん【水銀】✤一柱:水银柱 | 一中毒:汞中毒 | 一灯:水银灯

すいけい【推計】(～する) 推算tuīsuàn ✤一学:推测统计学

すいげん【水源】水源shuǐyuán; 源头yuántóu ✤一地:水源地

すいこう【推敲】(～する) 推敲tuīqiāo

すいこう【遂行】(～する) 完成wánchéng ‖ 任務を～する 完成任务

すいこ・む【吸い込む】吸入xīrù ‖ 空気を胸いっぱい～む 深吸一口气 | ～まれそうな青い海 蔚蓝的大海仿佛要将我吸入进去

すいさい【水彩】水彩shuǐcǎi ✤一画:水彩画

すいさつ【推察】(～する) 推测tuīcè ‖ ご～のとおりです 正如您所推测的那样

すいさん【水産】水产shuǐchǎn ✤一業:水产业 | 一試験場:水产实验场 | 一物:水产品

すいさんか【水酸化】氢氧化qīngyǎnghuà ✤一ナトリウム:氢氧化钠; 苛性钠

すいし【水死】(～する) 溺死nìsǐ

すいじ【炊事】(～する) 做饭zuò fàn ✤一係:伙食管理员 | 一道具:炊事用具

ずいじ【随時】随时suíshí

すいしつ【水質】水质shuǐzhì ✤一汚染:水质污染 | 一検査:水质检查

すいしゃ【水車】水车shuǐchē ✤一小屋:水磨坊

すいじゃく【衰弱】(～する) 衰弱shuāiruò ‖ 病人はかなり～している 病人很虚弱

すいじゅん【水準】水平shuǐpíng ‖ ～が上がる 水平提高 | ～を下げる 降低水平 | ～に達していない 没有达到标准

ずいしょ【随所】到处dàochù; 处处chùchù

すいしょう【水晶】水晶shuǐjīng ✤一占い:水晶占卜术 | 一体:水晶体 | 一時計:石英钟

すいしょう【推奨】(～する) 推荐tuījiàn ✤一株:推荐股票 | 一銘柄:推荐品种

すいじょう【水上】水上shuǐshàng ✤一競技:水上运动 | 一警察:水上警察 | 一交通:水上交通 | 一運輸:航运 | 一スキー:滑水

すいじょうき【水蒸気】水汽shuǐqì

すいしん【水深】水深shuǐshēn ‖ ～20メートル 水深20米 | 湖の～をはかる 测量湖水深度

すいしん【推進】(～する) ‖ 計画を～する 推进计划 ✤一器:推进器 | 一力:推动力; 推进力

スイス 瑞士Ruìshì

すいせい【水生・水棲】水栖shuǐqī ✤一植物:水栖植物 | 一動物:水栖动物

すいせい【水性】水性shuǐxìng

すいせい【水星】水星shuǐxīng

すいせい【彗星】彗星huìxīng ‖ ～のごとく文壇に登場する 突然现身文坛 ✤ハレー一:哈雷彗星

すいせん【水仙】〔株, 盆〕水仙shuǐxiān

すいせん【水洗】✤一トイレ:抽水马桶

すいせん【推薦】(～する) 推荐tuījiàn ✤一者:介绍人; 推荐人 | 一状:推荐信 | 一図書:推荐图书 | 一入学:保送入学

すいそ【水素】氢qīng ✤一爆弾:氢弹

すいそう【水草】〔棵, 片〕水草shuǐcǎo

すいそう【水槽】❶〔貯水用の〕蓄水槽xùshuǐcáo. (トイレの) 水箱shuǐxiāng ❷〔飼育用の〕玻璃缸bōligāng

すいそう【吹奏】(～する) 吹奏chuīzòu ✤一楽:吹奏乐 | 一楽器:管乐器

すいぞう【膵臓】胰腺yíxiàn

ずいそう【随想】〔篇〕随想suíxiǎng

すいそく【推測】(～する) 推测tuīcè; 猜测cāicè

すいぞくかん【水族館】水族馆shuǐzúguǎn; 海洋动物园hǎiyáng dòngwùyuán

すいたい【衰退】(～する) 衰退shuāituì

すいちゅう【水中】水中shuǐ zhōng ✤一花:水中假花 | 一眼鏡:泳镜 | 一翼船:水翼艇

ずいちょう【瑞兆】吉兆jízhào; 瑞兆ruìzhào

すいちょく【垂直】垂直chuízhí; 铅直qiānzhí ‖ 2本の直線が～に交わる 两条直线垂直相交 ✤一思考:垂直思考法 | 一線:垂直线

すいつ・く【吸い付く】❶〔吸う〕吸xī; 吸着xīzhuó ❷〔ぴったりとくっつく〕黏住niánzhu

スイッチ 电门diànmén; 开关kāiguān ‖ ラジオの～を入れる 把收音机(的开关)打开 | テレビの～を切る 关上电视机 ✤一バック:Z字形爬坡路线

すいてい【推定】(～する) ‖ ～6000万円 估计为6000万日元 ✤一年齢:推断年龄 | 一量:估量

すいてき【水滴】〔个, 颗, 粒〕水滴shuǐdī

すいでん【水田】〔块, 亩〕水田shuǐtián

すいとう【水筒】水壶shuǐhú

すいとう【出納】✤一担当:出纳员 | 一簿:出纳簿 | 現金一簿:现金出纳账

すいどう【水道】自来水(管) zìláishuǐ(guǎn) ‖ ～をひく 安装自来水管 | 一時～がとまる 临时停水

すいと・る【吸い取る】❶〔吸い出してとる〕吸收xīshōu; 吸取xīqǔ ‖ 掃除機で～る 用吸尘器吸 ❷〔せびり取る〕榨取zhàqǔ; 搜刮sōuguā

すいなん【水難】❶〔水害〕水灾shuǐzāi ❷〔水上で遭う災難〕水上遇难shuǐshang yùnàn. (海難) 海难hǎinàn ✤一事故:水难事故; 海难

すいばく【水爆】氢弹qīngdàn

すいはんき【炊飯器】电饭煲diànfànbāo

ずいひつ【随筆】散文sǎnwén; 随笔suíbǐ; 小品文xiǎopǐnwén ✤一家:散文作家 | 一集:散文集

すいぶん【水分】水分shuǐfèn; 汁zhī ‖ ～を多めにとる 多喝水

ずいぶん【随分】❶〔程度が著しい〕非常fēicháng; 很hěn ❷〔ひどい〕不像话bú xiànghuà

すいへい【水平】水平shuǐpíng ✤一線:水平线

すいへい【水兵】水兵shuǐbīng ✤一帽:水兵帽(子) | 1等一:一等水兵

すいほう【水泡】水泡shuǐpào ‖ すべての努力が～に帰した 一切努力皆化成泡影

すいほう【水疱】水疱shuǐpào

すいぼくが【水墨画】水墨画shuǐmòhuà

すいぼつ【水没】(～する) 淹没yānmò ‖ 多くの陸地が～するだろう 很多陆地将被淹没

すいみん【睡眠】(～する) 睡眠shuìmián ‖ 十分～をとる 获得充足的睡眠 ✤一時間:睡眠时间 |

す

—不足:睡眠不足 | —薬:安眠药
スイミング 游泳yóuyǒng ✣ —クラブ:游泳俱乐部 | —スクール:游泳(训练)班;游泳学校
すいめん【水面】水面shuǐmiàn ‖ 交渉は〜下で進んでいる 交涉正在水面下进行
すいもの【吸い物】清汤qīngtāng
すいもん【水門】水门shuǐmén;水闸shuǐzhá
すいよう【水溶】✣—液:水溶液 | —性:水溶性
すいようび【水曜日】星期三xīngqīsān;礼拜三lǐbàisān
すいよ·せる【吸い寄せる】吸引xīyǐn
すいり【推理】(〜する)推理tuīlǐ ✣ —作家:推理小说作家 | —小説:侦探小说 | —力:推理能力
すいりく【水陸】✣—両用車:水陆两用车
すいりょう【水量】水量shuǐliàng
すいりょう【推量】(〜する)推测tuīcè;推想tuīxiǎng
すいりょく【水力】水力shuǐlì;水压shuǐyā ✣ —タービン:水轮机 | —発電:水力发电
すいれい【水冷】水冷shuǐlěng ✣ —式:水冷式
すいれん【睡蓮】睡莲shuìlián
すいろ【水路】水渠shuǐqú;水道shuǐdào
すいろん【推論】(〜する)推论tuīlùn;推理tuīlǐ ‖ データをもとに〜する 根据资料进行推论
スイング ❶(〜する)〔振る〕挥动huīdòng;挥杆huīgān ❷〔ジャズ〕摇摆乐yáobǎiyuè
す·う【吸う】(空気を)吸xī.(水分を)吸收xīshōu.(タバコを)吸(烟) xī (yān);抽(烟) chōu (yān) ‖ 赤ちゃんがおっぱいを〜う 小宝宝吃奶
すう【数】❶〔かず〕数字shùzì ‖ 応募者〜6000人 应募人数6000人 ❷〔少ない数·端数〕几jǐ ‖ 十〜日 十几天 | ほんの〜人 只有几个人
スウェーデン 瑞典Ruìdiǎn
すうがく【数学】数学shùxué
すうこう【崇高】崇高chónggāo;高尚gāoshàng ‖ 〜な精神 崇高精神
すうし【数詞】数词shùcí
すうじ【数字】数字shùzì;数量shùliàng
すうしき【数式】算式suànshì;数式shùshì
ずうずうし·い【図図しい】脸皮厚liǎnpí hòu
すうせい【趨勢】趋势qūshì;倾向qīngxiàng
ずうたい【図体】个子gèzi ‖ 大きな〜 大个子
スーダン 苏丹Sūdān
すうち【数値】数值shùzhí.(計算で出された数)答数dáshù
スーツ 套装tàozhuāng;西装xīzhuāng;西服xīfú ✣ —ケース:旅行箱
スーパー ❶〔超〕超级chāojí ❷〔字幕〕字幕zìmù ❸ ⇨スーパーマーケット
スーパー コンピューター 〔台〕超级计算机〔电脑〕chāojí jìsuànjī〔diànnǎo〕
スーパーバイザー 监督人jiāndūrén;管理人guǎnlǐrén;指导员zhǐdǎoyuán
スーパーマーケット 超市chāoshì
スーパーマン 超人chāorén
すうはい【崇拝】(〜する)崇拜chóngbài
スープ 汤tāng ‖ 〜をつくる 熬汤 | 〜の冷めない距離 住得很近 ✣ —皿:汤盘 | —ストック:高汤
ズーム 变动焦距biàndòng jiāojù ✣ —アウト:把镜头拉远;(使景物)缩小 | —レンズ:变焦镜头
すうり【数理】数理shùlǐ;数理逻辑shùlǐ luójí
すうりょう【数量】数量shùliàng
すうれつ【数列】数列shùliè
すえ【末】❶〔結果〕结果jiéguǒ;经过jīngguò ‖ 試行錯誤の〜 经过多次失败 ❷〔最後〕末mò;底dǐ ‖ 今月の〜 这个月底 | 明治の〜 明治时代末期
スエード ‖ 〜の靴 绒面革皮鞋
すえおき【据え置き】❶〔そのままにしておく〕不改变bù gǎibiàn ‖ 家賃は〜だ 房租不变 ❷〔払いもどさない〕存放不动cúnfàng bú dòng ‖ 3年間〜 保持三年不变 ✣ —期間:存放期间
すえお·く【据え置く】⇨すえおき(据え置き)
すえおそろし·い【末恐ろしい】前途叵测qiántú pǒcè
すえつ·ける【据え付ける】安装ānzhuāng;装设zhuāngshè ‖ エアコンを〜ける 安装空调
すえっこ【末っ子】最小的孩子zuì xiǎo de háizi ‖ 私は〜だ 我是家中最小的孩子
すえながく【末長く】永久yǒngjiǔ ‖ 〜つきあう 长久交往
すえひろがり【末広がり】日渐繁荣rìjiàn fánróng.(形状)呈扇形chéng shànxíng
す·える【据える】❶〔置く〕安装ānzhuāng;摆设bǎishè ❷〔地位に置く〕就任jiùrèn;担当dāndāng
ずが【図画】图画túhuà ✣ —工作:图画课
スカート 〔条〕裙子qúnzi ‖ 〜をはく 穿裙子
スカーフ 围巾wéijīn;头巾tóujīn
ずかい【図解】(〜する)图解tújiě
ずがいこつ【頭蓋骨】头盖骨tóugàigǔ
スカイダイビング 跳伞运动tiàosǎn yùndòng
スカイライン 〔条〕盘山公路pánshān gōnglù
スカウト (〜する)发现和选拔人才fāxiàn hé xuǎnbá réncái.(人)星探xīngtàn ✣ ボーイ—:男童子军
すがお【素顔】❶〔化粧なしの顔〕素面sùmiàn ‖ 〜も美しい 不化妆也漂亮 ❷〔飾らぬ姿〕真实的一面zhēnshí de yí miàn
すかさず【透かさず】马上mǎshàng;立刻lìkè
すかし【透かし】水印shuǐyìn ‖ 〜の入った紙 带水印的纸 ✣ —彫り:透雕
すか·す【透かす】(何かを通して見る)透过(…看) tòuguo (… kàn)
すか·す (かっこつける)摆架子bǎi jiàzi;㊜装腔作势zhuāng qiāng zuò shì
すかすか (〜する)空荡荡kōngdàngdàng
ずかずか 毫不客气háobù kèqi
すがすがし·い【清清しい】清爽qīngshuǎng;舒畅shūchàng
すがた【姿】❶〔外観〕〔个,种,副〕外貌wàimào ‖ 鏡に自分の〜を映す 在镜子里照自己的身影 ❷〔存在〕〔个,条〕影子yǐngzi.(人の)人影儿rényǐngr ‖ 〜を現す 出现;显形 | 〜を見せる 出现;露面 | 〜を消す 藏踪匿迹 | 〜をくらます ㊜销声匿迹 | 声はすれども〜は見えず 只闻其声,不见其人 ❸〔様相〕〔副,个〕样子yàngzi;面目miànmù ‖ かわりはてた〜 面目全非的样子 ❹〔服装〕穿着chuānzhuó ‖ 寝巻き〜 穿着睡衣 ✣ —煮:整煮

スカッシュ ❶〔飲み物〕汽水qìshuǐ ❷〔球技〕壁球bìqiú
すかっと（〜する）畅快chàngkuài；爽快shuǎngkuai ‖ 気分が〜した 心情十分畅快
ずがら【図柄】〔幅，张〕图案tú'àn
すが・る【縋る】❶〔つかまる〕抓住zhuāzhu ‖ わらにも〜る思い 如同抓住了根救命稻草一般｜つえに〜って歩く 拄着拐杖走 ❷〔頼る〕依赖yīlài；靠kào.（執着する）缠chán
ずかん【図鑑】〔本，套〕图鉴tújiàn；图谱túpǔ
スカンク 臭鼬chòuyòu
すかんぴん【素寒貧】赤贫chìpín；定 一贫如洗yì pín rú xǐ；身无分文shēn wú fēnwén
すき【好き】❶〔好む〕喜欢xǐhuan ‖ 〜になる 爱上；喜欢上｜〜こそ物の上手なれ 只有喜欢去做，才能做得好 ❷〔勝手な〕随意suíyì；随便suíbiàn ‖ 〜にさせておけ 他想做什么就由着他去吧｜どうぞお〜なように！ 你爱怎么样就怎么样吧！
すき【透き・隙】❶〔空間〕〔个，片〕空间kōngjiān；空地kòngdì ❷〔時間〕空暇kòngxiá；业余时间yèyú shíjiān❸〔精神的な〕〔个，次，种〕机会jīhui；漏洞lòudòng ‖ 〜がない 没有疏忽｜〜を見せる〔与える〕 给人以可乘之机｜〜をねらう 伺机；钻空子｜〜だらけだ 毫无防备｜一分の〜もない論理〔着こなし〕（論理）这个逻辑没有一丝漏洞；（着こなし）打扮得十分得体
すき【鋤】锹qiāo；铁铲tiěchǎn；铁锹tiěqiāo
すぎ【杉】杉shān ‖ 〜の木 杉树｜〜の林 杉树林
-すぎ【過ぎ】❶〔時間〕过guò；超过chāoguò ‖ 30〜の男 30多岁的男人｜6時〜に来る 6点之后来 ❷〔程度〕过度guòdù；太tai ‖ タバコの吸い〜 抽烟过多
-ずき【好き】爱好者àihàozhě；迷mí；鬼guǐ ‖ 山〜 爬山爱好者｜酒〜 酒鬼
スキー ❶〔運動〕滑雪huáxuě ❷〔道具〕〔只，副〕滑雪板huáxuěbǎn ‖ 〜をはく〔脱ぐ〕 穿〔卸〕滑雪板 ✤一靴：滑雪鞋｜一服：滑雪衣
すきかって【好き勝手】随便suíbiàn；定 随心所欲suí xīn suǒ yù
すききらい【好き嫌い】好恶hàowù.（えり好み）挑剔tiāoti ‖ 食べ物の〜が激しい 很偏食
すきこの・む【好き好む】愿意yuànyi ‖ 〜んで住んでいるわけではない 并不是我自己愿意住｜だれが〜んで残業すると思う？ 谁高兴加这个班啊？
すぎさ・る【過ぎ去る】过去guòqu；完了wán le ‖ 〜ったこと 过去的事
すきずき【好き好き】定 各有所好gè yǒu suǒ hào；各自爱好不同gèzì àihào bù tóng
ずきずき（〜する）‖ 傷口が〜痛む 伤口一跳一跳地痛｜頭が〜する 头一阵阵地痛
スキタイ 斯基泰Sījītài
スキット〔个，幕，场〕短剧duǎnjù
スキップ（〜する）跳tiào；踢腿跳tī tuǐ tiào
すきとお・る【透き通る】❶〔透明〕透明tòumíng ‖ 〜るような白い肌 皮肤白皙透明 ❷〔声〕清脆qīngcuì
すぎない【過ぎない】只不过zhǐ búguò；仅jǐn；只zhǐ.（文末に）而已éryǐ；罢了bàle ‖ 単なるうわさに〜 只不过是谣传而已
すきま【透き間・隙間】〔个，道，条〕缝隙fèngxì；间隙jiànxì.（裂けめ）空隙kòngxì ✤一風：贼风
スキム ミルク〔袋，筒〕脱脂奶粉tuōzhī nǎifěn
すきや【数寄屋・数奇屋】（茶室）茶室cháshì ‖ 〜づくり 茶室式样的建筑
すきやき【すき焼き】〔锅，碗〕日式牛肉火锅Rìshì niúròu huǒguō
スキャナー〔台，架〕扫描仪sǎomiáoyí
スキャン ✤CT一：CT扫描
スキャンダラス 丑恶chǒu'è；不光彩bù guāngcǎi；丢脸diūliǎn ‖ 〜なうわさ 丑闻
スキャンダル〔个，则〕丑闻chǒuwén ‖ 〜を暴く 暴露丑闻｜〜をもみ消す 遮盖丑闻
すぎゆ・く【過ぎ行く】过去guòqu；逝去shìqu
スキル 技能jìnéng；技巧jìqiǎo ✤一アップ：提高技能｜基本一：基本功｜パソコン一：电脑技能
す・ぎる【過ぎる】❶〔場所・時間〕过guò；过去guòqu ‖ 列車は…を〜ぎた 列车已经过了…｜嵐が〜ぎる 暴风雨过去｜時が〜ぎる 时间过去｜月日が〜ぎる 岁月流逝｜はや5年が〜ぎた 转眼已经过了五年 ❷〔過剰な〕过分guòfèn；太…tài … ‖ ぜいたくが〜ぎる 过于豪华｜言葉が〜ぎる 话说得过分｜〜ぎたるはなお及ばざるがごとし 定 过犹不及
-す・ぎる【過ぎる】过于guòyú；太…tài …；过分guòfèn ‖ 私には難し〜ぎる 对我来说过于难｜人が多〜ぎて窮屈だ 人太多太挤
スキン ❶〔皮膚〕皮肤pífū ❷〔皮革〕皮革pígé ✤一ケア：护肤｜一シップ：肌肤之亲｜一ヘッド：光头｜一ローション：化妆水
ずきん【頭巾】〔块，条〕头巾tóujīn
スキン ダイビング 浮潜fúqián
す・く【空く】❶〔あいている〕空kòng；空荡kōngdàng ‖ 電車ががらがらに〜いている 电车里空荡荡的，人很少 ❷〔慣用表現〕‖ おなかが〜く 肚子饿｜手が〜く 手头闲着；有空儿｜胸の〜くようなシュート 一次令人痛快的射门
す・く【梳く】梳shū ‖ 髪を〜く 梳头
すぐ【直ぐ】❶〔直ちに〕马上mǎshàng ‖ 〜戻る 马上就回来 ❷〔まもなく〕一会儿就yíhuìr jiù；就要jiù yào；快kuài ‖ バスは〜来る 汽车一会儿就来｜もう〜10歳になる 快十岁了 ❸〔容易に〕就jiù；马上mǎshàng；容易róngyì ‖ 練習すれば〜こつが覚えられる 只要练习一下，就能掌握要领｜人の話を〜信じてしまう 很容易轻信别人的话 ❹〔距離など〕就jiù ‖ 駅の〜近く 就在车站附近｜〜下の弟 大弟弟
-ずく【尽く】凭píng；靠kào；以…为目的yǐ … wéi mùdì ‖ 何をするにも計算〜だ 干什么都是处心积虑的
すくい【救い】❶〔救助〕救jiù；拯救zhěngjiù ‖ …に〜の手を差し伸べる 向…伸出援助之手 ❷〔精神的な〕拯救zhěngjiù.（慰め）安慰ānwèi ‖ 宗教に魂の〜を求める 向宗教寻求灵魂的拯救
スクイズ（〜する）抢分qiǎng fēn ✤一バント：抢分触击
すくいだ・す【救い出す】救出jiùchu.（困難から）解放出jiěfàngchu
すく・う【掬う】❶〔くみとる〕（両手で）捧pěng.（ひしゃくなどで）舀yǎo.（水から）捞lāo ‖ あくを〜う

撇去浮沫 ❷〔足を〕下绊子xià bànzi.〔陥れる〕使〔下〕绊子shǐ〔xià〕bànzi ‖ 人の足元を～う 给人使绊子

すく・う【救う】拯救zhěngjiù；挽救wǎnjiù.〔困難から〕解救jiějiù；救济jiùjì ‖ 友の温かい一言に～われる気がする 朋友充满友情的话让我得到宽慰 ｜～いようのない悪人などいない 没有不可救药的坏人

すく・う【巣食う】❶〔悪が〕盘踞pánjù；栖居qī jū ❷〔鳥が〕搭窝dā wō

スクーター 滑板车huábǎnchē

スクープ〔～する〕〔抢〕独家新闻〔qiǎng〕dújiā xīnwén；特讯tèxùn ‖ 事件を～して他紙を出し抜く 抢在其他报社之前对事件进行独家报道

スクーリング ‖ 放送大学の～を受ける 学习广播大学短期在校课程

スクール 学校xuéxiào ✤ ―カラー：〔校風〕校风；〔色〕学校的代表色｜―ゾーン：校区｜―バス：校车｜カルチャー―：文化学校

すくすく 茁壮zhuózhuàng；快kuài ‖ ～成長する 茁壮成长｜ムギの苗が～育つ 麦苗茁长

すくな・い【少ない】少shǎo ‖ 口数の～い人 不爱说话的人｜残り時間が～い 剩下的时间不多｜からっと晴れる日が～い 大晴天很少

すくなからず【少なからず】不少bù shǎo；很多hěn duō；很hěn

すくなくとも【少なく(と)も】至少zhìshǎo；起码qǐmǎ；最低zuì dī ‖ ～100人は来る 至少〔起码〕会来100人｜1か月～25万円はかかる 每个月至少〔起码；最低；少说〕也要25万日元

すくなくない【少なくない】不少bù shǎo

すくなめ【少な目】少点shǎo diǎn

すく・む【竦む】畏缩wèisuō；发憷fāchù ‖ 恐怖で足が～む 因为害怕双腿发软｜責任の重大さに身が～む思いだ 深感责任重大而心里直发憷

-ずくめ【尽くめ】清一色qīngyísè；完全wánquán；净jìng ‖ 白～のいでたち 从上到下一身白

すく・める【竦める】缩suō；耸sǒng ‖ 首を～める 缩脖｜肩を～める 耸肩

スクラップ ❶〔～する〕〔切りぬき〕剪下来jiǎnxialai ‖ …を～する 把…剪下来 ❷〔くず鉄〕碎铁suìtiě ✤ ―アンドビルド：〔機構の〕重新调整结构；〔設備の〕设备更新｜―ブック：剪贴簿

スクラム ❶〔ラグビー〕争球zhēng qiú ❷〔肩を組む〕互相搭着肩膀hùxiāng dāzhe jiānbǎng.〔団結〕团结tuánjié；合作hézuò

スクランブル 紧急出动〔起飞〕jǐnjí chūdòng〔qǐfēi〕✤ ―交差点：米字路口

スクランブル エッグ 炒蛋chǎodàn

スクリーン 银幕yínmù〔映画〕〔部，场〕电影diànyǐng

スクリーン セイバー 屏保píngbǎo

スクリュー 螺旋桨luóxuánjiǎng ✤ ―ドライバー：〔工具；カクテル〕螺丝起子｜―ボール：内曲旋转球

すぐれた【優れた】优秀yōuxiù；出色chūsè ‖ ～学識の持ち主 学识渊博的人

すぐれな・い【勝れない】不好bù hǎo；不佳bù jiā ‖ 顔色が～い 脸色不好看｜健康が～い 健康〔身体〕不佳

すぐ・れる【優れる・勝れる】很好hěn hǎo；出色chūsè ‖ 体力に～れている 体力很好

スクロール〔～する〕滚动gǔndòng

スクワット ❶〔体操〕下蹲运动xiàdūn yùndòng ❷〔重量挙げ〕挺举tǐngjǔ

ずけい【図形】〔个，种〕图形túxíng

スケート 滑冰huábīng ✤ ―靴：冰鞋｜―ボード：滑板｜―リンク：冰场

スケープゴート〔いけにえ〕替罪羊tìzuìyáng

スケール ❶〔規模〕规模guīmó ‖ 空前の～ 空前的规模 ❷〔度量〕〔个，种〕气量qìliàng ❸〔物差し〕〔把〕尺chǐ ❹〔音楽〕音阶yīnjiē

すげか・える【すげ替える】更迭gēngdié

スケジュール〔个，项〕计划jìhuà；日程(安排)rìchéng (ānpái)；日程表rìchéngbiǎo ‖ ～を立てる 订计划；安排日程｜ハード～ 日程很紧张

ずけずけ 定直言不讳zhí yán bú huì ‖ 思ったことを～と言う 想说什么说什么

すけそうだら【助宗鱈】⇨すけとうだら(介党鱈)

すけだち【助太刀】〔～する〕帮助bāngzhù；助兴zhùxìng.〔人〕帮手bāngshou

スケッチ〔～する〕写生xiěshēng；速写sùxiě；小品文xiǎopǐnwén ✤ ―ブック：写生簿

すけっと【助っ人】帮手bāngshou

すけとうだら【介党鱈】明太鱼míngtàiyú

すげな・い 冷淡lěngdàn；无情wúqíng

すけべえ【助兵衛】好色hàosè.〔人〕色徒sètú；色鬼sèguǐ ✤ ―根性：贪心

す・ける【透ける】透过…看见tòuguo … kànjian ‖ 生地が薄いので肌が～ける 布料很薄，可以看见里面的皮肤

スケルトン ❶〔骨組み〕骨架gǔjià；骨骼gǔgé ❷〔半透明〕透明的物体tòumíng de wùtǐ

スコア ❶〔得点〕得分défēn；比分bǐfēn ‖ 試合の～をつける 记录比赛的成绩 ❷〔音楽〕总谱zǒngpǔ ✤ ―カード：计分卡｜―シート：成绩〔得分；比分〕记录单｜―ブック：计分册；比赛成绩单｜―ボード：记分牌

すご・い【凄い】❶〔ぞっとする〕凶恶xiōng'è；吓人xiàrén ‖ ～い目つき 凶恶的目光 ❷〔優れている〕了不起liǎobuqǐ；出色chūsè ❸〔程度がはなはだしい〕厉害lì hai；非常fēicháng ‖ 夕べの雷雨は～かった 昨晚雷雨下得可大了

ずこう【図工】〔教科〕美工课měigōng kè

すごうで【凄腕】定精明强干jīng míng qiáng gàn；办事利索bàn shì lìsuo

スコール 急风骤雨jífēng zhòuyǔ；飑biāo

スコーン 司康饼sīkāngbǐng；英国松饼Yīngguó sōngbǐng

すごく【凄く】非常fēicháng；真zhēn；特别tèbié

すこし【少し】一点儿yìdiǎnr ‖ ～しか残っていない 只剩下一点儿了｜意見は～違っている 意见有点儿不一致｜～ずつ慣れる 慢慢儿地习惯｜もう～お待ちください 请再等一会儿

すこしも【少しも】一点儿也(不…) yìdiǎnr yě (bù …)

すご・す【過ごす】❶〔時がたつ〕度过dùguo；生活shēnghuó ‖ 時をむだに～す 浪费时间 ❷〔度を越す〕过度guòdù；过分guòfèn ‖ 酒を～す 酒喝多了 ❸〔…すごす〕过guò ‖ 乗り～す 坐过站

すごすご 定垂头丧气chuí tóu sàng qì ‖ ～引き下がる 灰溜溜地退下去

スコッチ ウイスキー 苏格兰威士忌Sūgélán wēishìjì

スコッチ テリア 苏格兰犬Sūgélánquǎn

スコップ 〔把〕铲子chǎnzi; 铁铲tiěchǎn

すごみ【凄味】可怕kěpà; 凶恶xiōng'è

すご・む【凄む】露出凶相lùchu xiōngxiàng; 吓唬xiàhu ‖ 金を出せと～む 逼迫着交钱

すこやか【健やか】健康jiànkāng; 健全jiànquán ‖ ～な成長を願う 祝愿健康成长

すごろく【双六】双六shuāngliù

すさまじ・い【凄まじい】❶〔恐ろしい〕骇人hài rén; 凶狠xiōnghěn ❷〔程度がはなはだしい〕猛烈měngliè; 厉害lìhai ‖ ～い勢いで勝ち進む 势如破竹, 所向披靡

すさ・む【荒む】颓废tuífèi ‖ ～んだ生活を送る 颓废地生活 | 世の中が～む 世风日下

ずさん【杜撰】草率cǎoshuài; 粗糙cūcāo ‖ やることが～だ 做事马马虎虎

すし【寿司・鮨】寿司shòusī ✤ 一屋:寿司店

すじ【筋】❶〔細長いもの〕线xiàn; 条tiáo ‖ 赤地に黒い～ 红地黑条 ❷〔繊維・筋肉〕筋jīn ‖ ～を違える 扭筋 | サヤエンドウの～ 豆荚的筋 ❸〔素質〕天赋tiānfù; 素质sùzhì ‖ ～がいい 有天分 ❹〔考え方・手続き〕条理tiáolǐ; 情理qínglǐ ‖ ～の通った要求 合情合理的要求 ❺〔話の運び〕情节qíngjié ‖ ドラマの～ 连续剧的剧情 ❻〔関係者〕有关方面yǒuguān fāngmiàn ‖ アメリカ政府～ 美国政府当局

ずし【図示】(～する)图示túshì; 图解tújiě

すじあい【筋合い】理由lǐyóu ‖ だれにも文句を言われる～はない 谁都没有理由批评我

すじがき【筋書き】❶〔芝居などの〕情节qíngjié ❷〔計画〕计划jìhuà ‖ ～どおり 称心如意

すじがね【筋金】‖ ～入り 铁杵; 坚定

ずしき【図式】图表túbiǎo; 图解tújiě

すじこ【筋子】咸鲑鱼子xiánguīyúzǐ

すじちがい【筋違い】(見当違い)不合理bù hédàoli; 无理wúlǐ ‖ ～の要求 要求太无理

すしづめ【鮨詰め】拥挤不堪yōngjǐ bùkān

すじみち【筋道】‖ ～をたてて話す 说话有条理

すじょう【素性・素姓】❶〔経歴〕过去guòqù; 由来yóulái ‖ ～の知れない男 来历不明的男人 ❷〔生まれ〕出身chūshēn ‖ ～のよしあし 门第高低

ずじょう【頭上】头上tóushang ‖ はるか～を飛んでいく 高高地飞行 | ～注意 留心撞头

すす【煤】煤烟子méiyānzi; 煤灰méihuī

すず【鈴】铃líng; 铃铛língdang ‖ ～がなる 铃响 | ネコの首に～をつける 在猫脖子上挂只小铃铛

すず【錫】锡xī ✤ 一鉱石:锡矿石 | 一製品:锡制品 | 一箔(はく):锡箔; 锡纸

すずかぜ【涼風】凉风liángfēng ‖ ～が立つ 吹来阵阵凉风

すすき【薄・芒】芒草mángcǎo

すずき【鱸】鲈鱼lúyú

すす・ぐ【濯ぐ・漱ぐ・雪ぐ】❶〔洗う〕漂洗piǎoxǐ ❷〔口の中を〕漱口shù kǒu ❸〔不名誉を〕‖ 汚名を～ぐ 洗刷罪名

すす・ける【煤ける】熏黑xūnhēi

すずし・い【涼しい】❶〔気温が〕凉快liángkuai ‖ 朝晩めっきり～くなった 早晚凉爽多了 ❷〔顔つき〕定从容不迫cóng róng bú pò ‖ どんな問題が起こっても～い顔で解決する 遇到再大的问题也能冷静处理 | ～い目元 眉目很清秀

すすはらい【煤払い】大扫除dà sǎochú ‖ 大仏の～をする 扫去大佛身上的灰尘

すすみ・でる【進み出る】走上前去zǒushang qián qu; 定自告奋勇zì gào fèn yǒng

すす・む【進む】❶〔前へ移動する〕前进qiánjìn ❷〔はかどる・進歩する〕进展jìnzhǎn ‖ 文明が～む 文明进步 | ～んだ考えをもっている 思想很开明 ❸〔階級・階層があがる〕升入shēngrù; 升级shēngjí ‖ 決勝戦に～む 打进决赛 ❹〔積極的〕‖ 気が～まない 没情绪 | 食が～む 食欲旺盛 ❺〔時計が〕快kuài ‖ 腕時計が5分～んでいる 表快了五分钟 ❻〔悪化する〕加重jiāzhòng; 恶化èhuà; 发展到fāzhǎndào ‖ 病状が～む 病情加重 ❼〔動作が進行する〕…下去…xiaqu; 往下…wǎng xià …

すず・む【涼む】乘凉chéngliáng

すずむし【鈴虫】金钟儿jīnzhōngr

すずめ【雀】麻雀máquè ‖ ～の涙ほどの金 少得可怜的那么一丁点儿钱

すずめばち【雀蜂】大胡蜂dàhúfēng; 马蜂mǎfēng

すす・める【進める】❶〔前へ行かせる〕使…前进shǐ…qiánjìn ‖ 将棋の駒を～める 将棋子往前走 | 部隊を～める 命令部队前进 ❷〔進行・進展させる〕推进tuījìn; 开展kāizhǎn ‖ 経営の合理化を～める 推进经营的合理化 ❸〔時計を〕‖ 時計を1時間～める 将表调快一个小时

すす・める【勧める】❶〔はたらきかける〕劝quàn; 劝说quànshuō ‖ 医者は病人に入院を～めた 医生劝病人住院 ❷〔飲食などを〕劝quàn; 敬jìng ‖ 店主は私にいすを～めた 店主请我入座 ❸〔推薦する〕推荐tuījiàn

すずらん【鈴蘭】铃兰línglán

すずり【硯】砚yàn; 砚台yàntai ✤ 一箱:砚台盒

すすりな・く【啜り泣く】抽泣chōuqì; 呜咽wūyè; 抽搭chōuda

すす・る【啜る】❶〔飲食物を〕啜饮chuòyǐn; 吸吮xīshǔn ‖ 老人は茶を～りながら昔話をした 老人边喝茶边讲述往事 ❷〔鼻汁を〕抽(鼻涕)chōu (bítì)

すすんで【進んで】自愿(地) zìyuàn (de); 主动(地) zhǔdòng (de)

すそ【裾】❶〔衣服の〕下摆xiàbǎi ‖ ～をあげる 卷边 | ズボンの～をまくる 挽起裤管 ❷〔物の下のほう〕下摆xiàbǎi ‖ カーテンの～ 窗帘的下边儿

すその【裾野】山脚下平缓的原野shānjiǎo xià pínghuǎn de yuányě

スター 明星míngxīng ‖ プロ野球界の大～ 职业棒球界的大球星 ✤ 一ダスト:星云; 星尘 | 一ダム:明星的地位〔身份〕| 一プレーヤー:明星运动员

スターター ❶〔競技の〕出发者chūfāzhě; 发令员fālìngyuán ❷〔エンジンの〕启动装置qǐdòng zhuāngzhì

スターティング メンバー 首发出场选手shǒufā chūchǎng xuǎnshǒu

す

す

スタート （〜する）出発chūfā；开始kāishǐ ✤**—**台：（陸上の）起跑器；（水泳の）起跳台 | **—**ライン：起跑线
スタイリスト 形象设计师xíngxiàng shèjìshī
スタイル ❶〔体形〕体型tǐxíng ‖ 〜がいい 身材很好 ❷〔デザイン・型〕式样shìyàng ‖ 最新流行の〜 最新的流行款式 ❸〔やり方〕方式fāngshì；做法zuòfǎ ‖ 文章に独特の〜がある 文章风格独特
スタジアム 〔座，个〕体育场tǐyùchǎng；球场qiúchǎng；运动场yùndòngchǎng
スタジオ ❶〔ダンススタジオ・画室など〕练功室liàngōngshì；工作室gōngzuòshì ❷〔撮影の〕摄影室shèyǐngshì ❸〔放送局・テレビ局の〕播音室bōyīnshì；电视演播室diànshì yǎnbōshì
ずたずた ❶〔寸断する〕撕〔切〕得很碎sī〔qiē〕de hěn suì ❷〔ひどく傷つく〕心碎xīn suì
すだ・つ【巣立つ】❶〔鳥が〕离巢lí cháo；出窝chū wō ❷〔人間が〕自立zìlì；走上社会zǒushang shèhuì
スタッカート 断音duànyīn；断奏duànzòu
スタッフ 成员chéngyuán ‖ 編集〜の一員 编辑工作人员之一
ずだぶくろ【頭陀袋】大袋子dà dàizi
スタミナ 体力tǐlì；精力jīnglì ‖ 〜がある 有耐力 | 〜をつける 增强体力 | 〜が切れる 体力不支 ✤**—**料理：滋补菜肴
すだれ【簾】竹帘zhúlián；帘子liánzi
すた・れる【廃れる】衰退shuāituì；过时guòshí
スタンダード 标准(的) biāozhǔn (de) ✤**—**ナンバー：轻音乐的经典乐曲
スタント ✤**—**マン：替身演员
スタンド ❶〔観客席〕看台kàntái；观众席guānzhòngxí ❷〔電灯〕台灯táidēng ❸〔物を立てるための台〕座zuò；台tái；架jià ❹〔売店〕售货摊shòuhuòtān ✤**—**バー：柜台式酒吧 | **—**プレー：哗众取宠的表演
スタンプ 橡皮图章xiàngpí túzhāng；戳子chuōzi ‖ 記念〜を押す 盖纪念章 ✤**—**台：印台
スチーム ✤**—**アイロン：蒸汽熨斗 | **—**バス：蒸汽浴
スチール ❶〔鋼鉄〕钢gāng ‖ 〜製のデスク 钢制办公桌 ❷〔宣伝用の写真〕剧照jùzhào
スチュワーデス 空姐kōngjiě
スチュワード 男乘务员nán chéngwùyuán
-ずつ 每měi；各gè ‖ 受験者は3人〜呼ばれた 每次传叫三个考生
ずつう【頭痛】头疼tóuténg；头痛tóutòng ‖ 〜がする 头痛 | ひどい〜がする 头疼得厉害 | 〜がおさまる 头不痛了 | 〜の種 烦恼的根源
スツール 〔张〕凳子dèngzi
すっかり 完全wánquán；全都quándōu ‖ 〜忘れていた 我完全忘记了 | 〜夜が明けた 天全都亮了
ズッキーニ 西葫芦xīhúlu
すっきり 感觉舒畅gǎnjué shūchàng ‖ 気持ちが〜した 心里痛快多了 | 〜しない天気 变化莫测的天气 | 〜と片付いた部屋 收拾得很整洁的房间
ズック 〔块〕帆布fānbù
すったもんだ【擦った揉んだ】（〜する）争吵zhēngchǎo ‖ 〜したあげく事態はやっとおさまった 闹到最后事情总算解决了
ずっと ❶〔程度がもっと〕…得多…de duō ‖ 風邪は〜よくなりました 我的感冒好多了 ❷〔時間・空間の隔たり〕(時間)很久hěn jiǔ.（空間）遥远yáoyuǎn ❸〔続けざまに〕一直yìzhí
すっぱ・い【酸っぱい】酸suān ‖ 〜い味がする 有酸味 | 口を〜くして忠告する 苦口相劝
すっぱぬ・く【素破抜く】揭露jiēlù；暴露bàolù
すっぱり 彻底chèdǐ；干脆gāncuì タバコを〜やめる 彻底把烟戒掉
すっぽか・す 失约shīyuē ‖ 仕事を〜してゴルフに行く 扔下工作去打高尔夫球
すっぽん【鼈】〔只，个〕鳖biē；甲鱼jiǎyú
すで【素手】赤手chìshǒu ‖ 〜でたたかう 赤手空拳去战斗 | 〜でつかむ 赤手去抓
スティック ❶〔棒状のもの〕〔根〕棒bàng；条tiáo ‖ 〜状の… 棒状… ❷〔ホッケー・アイスホッケー〕曲棍球棒qūgùnqiúbàng；冰球棒bīngqiúbàng ❸〔ドラムのバチ〕〔根，副〕鼓棒gǔbàng ✤**—**のり：固体胶棒 | 野菜**—**：蔬菜条
ステーキ 〔块，份〕牛排niúpái
ステージ ❶〔舞台〕〔座，个，种〕舞台wǔtái.（ショー）〔次，场〕表演biǎoyǎn.（演壇）讲台jiǎngtái ❷〔段階〕阶段jiēduàn.（場）场所chǎngsuǒ ‖ ライフ〜 人生阶段 | ラリーの第2〜 拉力第二赛段 ✤**—**衣装：戏装
ステーション ❶〔駅〕火车站huǒchēzhàn；车站chēzhàn ❷〔集中して業務を行う場所〕站zhàn ✤**—**ビル：车站大楼 | **—**ホテル：车站宾馆
ステータス 地位dìwèi；身份shēnfen ✤**—**シンボル：地位优越的象征
ステートメント 〔项，条，个〕声明shēngmíng
ステープラー 订书机dìngshūjī ‖ 〜の針 订书针
すてお・く【捨て置く】㊟置之不理zhì zhī bù lǐ；不管bùguǎn
すてき【素敵】极好jí hǎo；漂亮piàoliang ‖ それ，〜なスカーフね 那条围巾真漂亮 | 〜なひとときを過ごす 度过美好的时光 | 彼ってほんとに〜 他真帅
すてご【捨て子】弃儿qì'ér；弃婴qìyīng
ステッカー 标签biāoqiān
ステッキ 手杖shǒuzhàng；拐杖guǎizhàng
ステッチ （縫い目・針目）〔行〕针脚zhēnjiao.（刺しゅうの）绣花技法xiùhuā jìfǎ
ステップ ❶〔ダンス〕舞步wǔbù ‖ ワルツの〜を踏む 走起华尔兹舞步 ❷〔乗り物の〕台阶táijiē ❸〔段階〕程序chéngxù ‖ この作業には3つの〜がある 这项操作总共需要三个步骤 ✤**—**気候：草原气候 | **—**バイ**—**：一步一步地；逐步地
ステップ アップ （〜する）提高tígāo
すでに【既に】已经yǐjing ‖ 日は〜暮れていた 太阳早就落山了 | 時〜遅し 时间已经太迟了
すてね【捨て値】极贱的价钱jí jiàn de jiàqian
すてばち【捨て鉢】㊟自暴自弃zì bào zì qì
すてみ【捨て身】拼命pīnmìng；舍身忘死shěshēn wàng sǐ
す・てる【捨てる】❶〔物を〕扔掉rēngdiào ‖ 吸い殻を〜てないでください 不要乱扔烟头 | 武器を〜てる 放下武器 ❷〔比喩的に〕抛弃pāoqì ‖ 妻子を〜てる 抛弃妻儿 | 先入観を〜てる 抛弃成见

|彼もまんざら～てたものじゃない 他到底不是一无所能 | 最後まで試合を～てるな 坚持到最后, 别放弃比赛! | 命を～てる 舍命 | 恥も外聞も投げ～てる 顾不得体面不体面了

ステレオ 立体lìtǐ; 立体声lìtǐshēng; 立体音响设备lìtǐ yīnxiǎng shèbèi

ステレオタイプ 定 老一套lǎoyítào; 俗套sútào ‖ ～の考え 老观念

ステロイド 类固醇lèigùchún; 甾族化合物zāizú huàhéwù

ステンド グラス 彩色玻璃cǎisè bōli

ステンレス 〔块〕不锈钢búxiùgāng

スト 罢工bàgōng

ストイック 克制的kèzhì de; 禁欲的jìnyù de

ストーカー 跟踪狂gēnzōngkuáng ✤ —行為: 跟踪行为

ストーブ 〔个,座〕火炉huǒlú; 炉子lúzi

すどおり【素通り】(～する) 过而不入guò ér bú rù ‖ この問題を～してはいけない 我们不能撇开这个问题

ストーリー 〔个,段〕故事gùshi; 情节qíngjié ✤ —テラー: 会编故事的作家

ストール 〔条〕长披肩cháng pījiān; 长围巾cháng wéijīn

ストッキング 〔双,只〕长筒袜chángtǒngwà

ストック ❶(～する)〔蓄える〕存储cúnchǔ; 存货cúnhuò.〔在庫〕库存kùcún ❷〔スキーの〕〔副〕滑雪杖huáxuězhàng

ストップ (～する) 停止tíngzhǐ; 中止zhōngzhǐ ✤ —ウォッチ: 秒表

すどまり【素泊まり】(～する) ‖ ～で1泊3000円 光住宿不带餐一晚3000日元

ストライキ (～する) ⇨スト

ストライク ❶〔野球〕好球hǎoqiú ❷〔ボウリング〕全中quánzhòng

ストライプ 条纹tiáowén

ストラップ ❶〔つりひも〕吊带diàodài ❷〔携帯電話の〕挂件guàjiàn

ストリキニーネ 士的宁shìdìníng

ストレート ❶〔まっすぐな〕〔条,道〕直线zhíxiàn ‖ ～のロングヘア 长直发 ❷〔単刀直入に〕定 直截了当zhí jié liǎo dàng ❸〔連続した〕连续liánxù ❹〔1回で合格する〕直接zhíjiē ‖ 大学に～で合格する 直接考上大学 ❺〔ボクシング〕直拳zhíquán ❻〔野球〕直球zhíqiú ❼〔ウイスキーなどの〕不兑水bú duì shuǐ ❽〔トランプ〕顺子shùnzi ✤ —勝ち: 全局战胜 | —フラッシュ: 同花顺子

ストレート パーマ 直板烫zhíbǎntàng

ストレス ❶〔心身のひずみ〕精神压力jīngshén yālì ‖ この仕事は～がたまる 干这个工作容易加重精神上的负担 ❷〔アクセント〕重读zhòngdú; 重音zhòngyīn ✤ —解消: 放松精神

ストレッチ (体操) 伸展操shēnzhǎncāo

ストレプトマイシン 链霉素liànméisù

ストロー (飲み物用の)〔根〕吸管xīguǎn

ストロボ 闪光灯shǎnguāngdēng

すな【砂】 沙shā

すなあそび【砂遊び】 玩沙子wán shāzi

すなあらし【砂嵐】〔场〕沙暴shābào

すなお【素直】 ❶〔性格〕温顺wēnshùn; 老实lǎoshi; 淳朴chúnpǔ ‖ ～に母の言うことを聞く 乖乖地听妈妈的话 | ～に罪を白状する 老老实实地坦白自己的罪行 ❷〔癖がない〕自然zìran; 不加修饰bù jiā xiūshì

すなぎも【砂肝】 胗zhēn

すなけむり【砂煙】〔片〕沙尘shāchén

すなじ【砂地】 沙地shādì

スナック ❶〔食べ物〕点心diǎnxin; 膨化食品pénghuà shípǐn ❷〔店〕小酒吧xiǎo jiǔbā

すなつぶ【砂粒】 沙粒shālì

スナップ ❶〔衣服などのホック〕〔副〕按扣儿ànkòur ❷〔写真〕抢拍qiǎngpāi ‖ これは旅行のときの～だ 这是在旅游时抢拍的

すなどけい【砂時計】 沙漏shālòu; 沙钟shāzhōng

すなば【砂場】(公園の) 沙坑shākēng

すなはま【砂浜】 沙滩shātān; 海滩hǎitān

すなぶくろ【砂袋】 沙袋shādài

すなぶろ【砂風呂】 沙浴shāyù

すなぼこり【砂埃】 沙尘shāchén

すなわち【即ち・則ち】 即jí; 就是jiù shì ‖ 燕京～現在の北京 燕京即现在的北京 | 小利を見れば～大事成らず 见小利则大事不成

スニーカー 运动鞋yùndòngxié; 球鞋qiúxié

すね【脛】 小腿xiǎotuǐ; 胫jìng ‖ ～に傷を持つ 心中有鬼 | 親の～をかじる 靠父母养活

す・ねる【拗ねる】 闹别扭nào bièniu ‖ 世を～ねる 玩世不恭

ずのう【頭脳】 智力zhìlì; 脑力nǎolì ‖ ～明晰(めいせき) 头脑清晰 ✤ —集団: 智囊团 | —流出: 人才外流 | —労働者: 脑力劳动者

スノー 雪xuě ✤ —タイヤ: 防滑轮胎 | —モービル: 摩托雪橇

スノーボード 滑板滑雪huábǎn huáxuě.(用具) 滑雪单板huáxuě dānbǎn

すのこ【簀の子】 箅子bìzi

すのもの【酢の物】 醋拌凉菜cùbàn liángcài

スパイ ❶〔人〕间谍jiàndié; 特务tèwu ❷(～する)〔行為〕侦察zhēnchá ✤ —衛星: 间谍卫星 | —活動: 特务活动

スパイク ❶〔金具〕鞋底钉xiédǐdīng ❷(～する)〔バレーボール〕扣球kòu qiú ✤ —シューズ: 钉子鞋

スパイス 〔种〕调味品tiáowèipǐn; 香料xiāngliào

スパゲッティ 意大利面Yìdàlì miàn

すばこ【巣箱】(鳥の) 鸟窝箱niǎowōxiāng.(ミツバチの) 蜂箱fēngxiāng

すばしっこ・い 敏捷mǐnjié; 灵活línghuó

ずばずば 毫不客气地(说) háobù kèqi de (shuō); 直(说) zhí (shuō)

スパッツ 紧身裤jǐnshēnkù

スパナ 〔把〕扳手bānshou

ずばぬ・ける【ずば抜ける】 出众chūzhòng; 超群chāoqún

すばや・い【素早い】 敏捷mǐnjié ‖ ～く考えをめぐらせる 迅速开动脑筋 | ～い身のこなし 动作敏捷

すばらし・い【素晴らしい】 ❶〔優れている〕非常好fēicháng hǎo ‖ 演奏会は～かった 演奏会非常精彩 | ～い考え 很不错的想法 ❷〔はなはだし

す

い）非常fēicháng

ずばり 定 一针见血yì zhēn jiàn xiě ‖ ～と痛いところを突く 一针见血地刺到痛处｜私の胸のうちを～言い当てた 一语道破了我的心机

すばる【昴】昴宿星团mǎosù xīngtuán

スパルタ ✤一教育：斯巴达式教育

ずはん【図版】〔张，幅〕插图chātú

スパンコール 亮片liàngpiàn

スピーカー ❶〔音響機器などの〕音箱yīnxiāng ❷〔ラウドスピーカー〕扬声器yángshēngqì ❸〔話し手〕演讲者yǎnjiǎngzhě

スピーチ〔段〕讲话jiǎnghuà ‖ 結婚式で～する 婚礼上致辞

スピーディー 迅速xùnsù ‖ ～に対処する 及时处理｜～に仕事をこなす 办事利落

スピード ❶〔速度〕速度sùdù ‖ ～があがる 加速｜～をあげる 加快速度｜猛～ 飞快的速度 ❷〔高速〕快速kuàisù ‖ ～現像 快速冲洗 ✤一アップ：加速｜一違反：超速行驶｜一スケート：速滑｜一ダウン：减速｜一メーター：速度计

スピッツ 斯皮茨狗sīpícígǒu

ずひょう【図表】〔张〕图表túbiǎo

スピン ❶〔スケート〕旋转xuánzhuǎn ❷〔～する〕〔車が〕打滑dǎhuá

スプーン〔把，个〕匙（子）chí(zi)；勺（子）sháo(zi).〔ティースプーン〕茶匙cháchí

すぶた【酢豚】古老肉gǔlǎoròu

ずぶと・い【図太い】脸皮厚liǎnpí hòu

ずぶぬれ【ずぶ濡れ】淋透líntòu；湿透shītòu ‖ ～になる 淋成落汤鸡

スプリング ❶〔ばね〕〔只，个〕弹簧tánhuáng ❷〔春〕春天chūntiān ✤一コート：风衣

スプリンクラー 洒水设备sǎshuǐ shèbèi

スプリンター 短跑选手duǎnpǎo xuǎnshǒu

スフレ 蛋奶酥dànnǎisū

スプレー〔～する〕喷射pēnshè.〔噴霧器〕喷雾器pēnwùqì

すべ【術】〔种，个〕手段shǒuduàn；方法fāngfǎ ‖ なす～がない 束手无策

スペア 备用的bèiyòng de ✤一キー：备用钥匙

スペアリブ〔块，根〕排骨páigǔ

スペイン 西班牙Xībānyá

スペース ❶〔余地〕〔块，个〕空间kōngjiān ❷〔紙面〕篇幅piānfu ❸〔字間・行間〕空白kòngbái ✤一キー：空格键｜全角一：全角空格

スペース シャトル 航天飞机hángtiān fēijī

スペード 黑桃hēitáo

スペシャル 特别tèbié ✤一サービス：特别服务

すべすべ〔～する〕光滑guānghua

スペック 规格guīgé；功能gōngnéng

すべて【全て】全部quánbù ‖ ～順調に運ぶ 一切进展顺利｜見るもの聞くもの～が珍しい 所见所闻都很稀奇｜～の人 所有的人｜金が～ではない 金钱不是一切

すべら・す【滑らす】滑huá ‖ 足を～せてころぶ 滑倒在地｜口を～せる 说走嘴

すべりこみ【滑り込み】✤一セーフ：赶上了

すべりこ・む【滑り込む】❶〔すべるように入る〕溜进liūjin ❷〔ぎりぎり間に合う〕赶上gǎnshang ❸〔野球〕滑进huájin

すべりだい【滑り台】〔个，座〕滑梯huátī

すべりどめ【滑り止め】防滑fánghuá

スペリング 拼法pīnfǎ

すべ・る【滑る】❶〔なめらかに動く〕滑huá；滑行huáxíng ❷〔つるつるする〕滑huá ❸〔試験〕落榜luòbǎng ❹〔口が〕走嘴zǒuzuǐ

スポイト 吸管xīguǎn

スポークスマン 发言人fāyánrén

スポーツ 体育tǐyù；运动yùndòng ✤一医学：运动医学｜一ウェア：运动服｜一カー：赛车｜一界：体育界｜一新聞：体育报｜一センター：体育中心｜一ドリンク：运动饮料｜一番組：体育节目

スポーツマン 运动员yùndòngyuán ✤一シップ：体育道德

スポーティー 轻便的qīngbiàn de ‖ ～な服装 易运动的轻便服装｜～な髪型 运动发型

ずぼし【図星】要害yàohài ‖ ～を指す 点中要害

スポット ❶〔地点〕场所chǎngsuǒ；地点dìdiǎn ‖ 観光～ 观光景点 ❷〔注目のまと〕焦点jiāodiǎn ‖ …に～を当てる 把焦点放在…上 ✤一ニュース：简讯｜一ライト：聚光灯

すぼ・む 细窄xìzhǎi；越来越细yuè lái yuè xì

すぼ・める【窄める】收拢shōulǒng ‖ 傘を～める 收伞｜口を～める 噘嘴｜肩を～める 耸肩

ずぼら 懒散lǎnsǎn ‖ ～を決めこむ 故意偷懒

ズボン〔条〕裤子kùzi ✤一下：内裤

スポンサー ❶〔広告主〕赞助商zànzhùshāng ❷〔資金を出す人〕出资者chūzīzhě

スポンジ 海棉hǎimián ✤一ケーキ：蛋糕

スマート ❶〔しゃれている〕潇洒xiāosǎ ‖ ～な着こなし 穿得很潇洒｜やることが～だ 干得很漂亮 ❷〔体つきが〕修长xiūcháng

すまい【住まい】住处zhùchu ‖ お～はどちらですか 你住在哪儿？

すま・す【済ます】❶〔終える〕做完zuòwán ‖ 夕食を～す 吃完晚饭 ❷〔間に合わせる〕对付duìfu ‖ 示談で～す 私下（说和）了结

すま・す【澄ます】❶〔水を〕澄清dèngqīng ❷〔心・耳を〕‖ 心を～す 静心｜耳を～す 专心地听 ❸〔気取る〕定 一本正经yì běn zhèng jīng

スマッシュ 扣球kòuqiú ‖ ～を決める 扣杀

すまない【済まない】对不起duìbuqǐ

すみ【炭】〔块，种〕炭tàn；木炭mùtàn

すみ【隅】角jiǎo；边角biānjiǎo ‖ 部屋の～ 屋子的角落｜封筒の左上の～ 信封的左上角｜～におけない 不能小看

すみ【墨】❶〔固形〕墨mò ‖ ～をする 研墨 ❷〔墨汁〕墨汁mòzhī ❸〔イカなどの〕墨液mòyè

すみこみ【住み込み】住在雇主家〔店里〕zhùzai gùzhǔ jiā〔diànli〕

すみずみ【隅隅】所有的角落suǒyǒu de jiǎoluò；每个旮旯儿měi ge gālár

すみそ【酢味噌】酸豆酱suāndòujiàng

すみつ・く【住み着く】定居dìngjū；安家ānjiā

すみび【炭火】〔炉，团〕炭火tànhuǒ

すみません【済みません】❶〔謝罪〕对不起duìbuqǐ；抱歉bàoqiàn ❷〔依頼〕劳驾láojià；请问qǐngwèn ❸〔礼〕谢谢xièxie

すみやか【速やか】立即lìjí；马上mǎshàng ‖ ～に対処する 迅速解决

すみれ【菫】堇菜jǐncài ✣一色:深紫色

す・む【住む・棲む】❶〔居住する〕住zhù; 居住jūzhù ‖ ～む世界が違う 所处的环境不同 ❷〔鳥やけものが〕栖息qīxī

す・む【済む】❶〔終わる〕完了wánliǎo; 结束jiéshù ‖ 用事が～む 办完事 | あの件は無事に～んだ 那件事顺利了结了 ❷〔用が足りる・解決する〕不用búyòng; 过得去guòdeqù ‖ 新しく買わずに～む 不用买新的 | 生活費は月10万円で～ませている 生活费一个月只用10万日元 | 電話1本で～む 一个电话就可以解决 | 気が～む 自己满意 | 弁償すれば～む 赔偿就能了结 | すみませんで～むと思うのか 你以为说声对不起就算了?

す・む【澄む】❶〔濁りがない〕(水が)清澈qīngchè. (空が)晴朗qínglǎng. (空気が)清新qīngxīn; 新鲜xīnxian ‖ ～んだ目 清澈的眼睛 ❷〔音がよく響く〕清脆qīngcuì ❸〔心に雑念がない〕宁静níngjìng; 平静píngjìng

ずめん【図面】图纸túzhǐ ‖ ～を引く 画图纸

すもう【相撲・角力】相扑xiāngpū ‖ ～をとる 摔跤 ✣一取り:相扑运动员 | 一部屋:相扑学校

スモーク サーモン 熏鲑鱼xūnguīyú

スモッグ〔团,片〕烟雾yānwù

すもも【李】李树lǐshù. (实)李子lǐzi

すやき【素焼き】素陶sùtáo ‖ ～の皿 素陶盘子

-すら ⇨-さえ

スライス (～する)切片qiēpiàn ‖ ハムを～する 把火腿切成片 | レモンの～ 柠檬片

スライド (フィルム)〔个〕幻灯片huàndēngpiàn ‖ ～を映す 放幻灯 ✣一映写機:幻灯机

ずら・す 挪huó; 错开cuòkāi ‖ 出発日を1日～す 把出发的日子错开一天 | いすを左に～す 把椅子往左边挪一挪

すらすら 顺利shùnlì; 流利liúlì ‖ フランス語を～読む 法语念得很流利 | 難しい数学の問題を～解く 很顺利地解出极难的数学题

スラッシュ〔条,道〕斜线xiéxiàn

スラブ ✣一民族:斯拉夫民族

すらりと (ほっそりした)修长xiūcháng ‖ ～とした脚 修长的双腿

スラング〔句,种〕俚语lǐyǔ

スランプ 精神不振jīngshen búzhèn; 低迷dīmí ‖ このところ～だ 最近精神不振 | ～から抜け出す 走出低谷

すり【掏摸】扒手páshǒu; 小偷xiǎotōu

すりあわ・せる【摺り合わせる】(調整する)调整tiáozhěng ‖ 双方の主張を～せる 调整双方的意见

スリーサイズ 三围sān wéi

ずりお・ちる【ずり落ちる】滑下来〔去〕huáxialai〔qu〕

すりか・える【すり替える】掉包diàobāo ‖ 論点を～える 转移论点

すりガラス【磨り硝子】〔块〕毛玻璃máobōli

すりきず【擦り傷】擦伤cāshāng

すりき・れる【擦り切れる】磨破mópò ‖ ズボンのすそが～れている 裤脚磨破了

すりこ・む【擦り込む】抹擦mǒcā

スリット〔个,条,道〕开衩kāichà

スリッパ 拖鞋tuōxié

スリップ ❶(～する)〔滑ること〕打滑dǎhuá ❷〔下着〕〔条〕长衬裙cháng chènqún

すりつぶ・す【すり潰す】(すり鉢で)研碎yánsuì. (ひきうすで)磨碎mósuì

スリナム 苏里南Sūlǐnán

すりぬ・ける【擦り抜ける】挤过去jǐguoqu ‖ 難関をなんとか～ける 总算度过难关

すりばち【擂り鉢・摺り鉢】研钵yánbō

すりへら・す【磨り減らす】❶〔摩耗する〕磨薄móbáo ❷〔神経を〕劳神láoshén

すりむ・く【擦り剝く】擦破cāpò; 蹭破cèngpò

すりよ・る【擦り寄る】贴近tiējìn; 靠近kàojìn

スリラー (小説)惊险小说jīngxiǎn xiǎoshuō. (映画)惊险电影jīngxiǎn diànyǐng

スリランカ 斯里兰卡Sīlǐlánkǎ

スリリング 惊险jīngxiǎn

スリル;惊险jīngxiǎn ‖ ～を味わう 感受惊险的刺激

す・る【刷る】印yìn; 印刷yìnshuā

する【為る】❶〔行う・なす〕干gàn; 做zuò ‖ ～こと 要干的事情 | よい行いを～ 做好事 ❷〔従事する〕当dāng ‖ ガイドをしている 当导游 ❸〔…にする〕使…变成shǐ … biànchéng ‖ …を幸せに～ 让…幸福 ❹〔五感〕感觉到gǎnjuédào ‖ へんな音が～ 听到一个奇怪的声音 | へんな味が～ 有怪味儿 | 吐き気が～ 想吐 ❺〔値する〕值zhí ‖ 100万円～… 价值100万日元的… ❻〔時がたつ〕过guò ‖ 2, 3年もすれば… 再过两三年就… ❼〔その他の表現〕‖ きみでないと～と, だれがやったのだ 不是你的话, 那是谁干的呢? | 悪い気はしない 感到高兴 | 無理な気が～ 我觉得可能不行

ずる・い【狡い】狡猾jiǎohuá ‖ ～い人 狡猾的人; 滑头 | 自分のミスを人のせいにするとは～い 把自己犯的错误推到别人身上, 太卑鄙了! | ～いまねをする 要滑头

ずるずる 拖拖拉拉(地) tuōtuōlālā (de) ‖ ～負け続ける 一直连败下去

スルタン 苏丹sūdān

すると ❶〔それでは〕这么说zhème shuō; 那么nàme ❷〔そのとき〕于是yúshì; 就在那时jiù zài nà shí

するど・い【鋭い】❶〔よく切れる〕锋利fēnglì ❷〔突き刺すような〕尖锐jiānruì ❸〔知的にするどい〕敏锐mǐnrui ‖ 勘が～い 直感敏锐 | イヌは嗅覚(きゅうかく)が～い 狗的嗅觉很灵敏

するめ【鯣】鱿鱼干yóuyúgān; 乌贼干wūzéigān

ずるやすみ【ずる休み】(～する)旷工kuànggōng. (学校)旷课kuàngkè

ずれ 差距chājù ‖ 理想と現実との～ 理想和现实的差距 | 気持ちに～が生じる 感情上有隔阂 | 地層に～が生じる 地层发生断裂

ずれこ・む【ずれ込む】推迟tuīchí

すれすれ ‖ 屋根～に飛ぶ 擦着房顶飞 | ～のところで合格する 刚刚及格 | 約束の時刻～に着く 差点儿没赶上约定时间

すれちが・う【擦れ違う】❶〔近くを行き交う〕交错而过jiāocuò ér guò ‖ 道で～う 在路上擦肩而过 ❷〔行き違う〕错过去cuòguòqu ‖ 彼とは～ってばかりだ 和他总走岔 ❸〔かみ合わない〕不一致bù yízhì

す

す・れる【摩れる・磨れる・擦れる】❶〔こすれる〕摩擦mócā.（すり減る）磨损mósǔn ❷〔世慣れする〕世故shìgù ‖ ～れていない 不世故

ず・れる ❶〔位置・時間が〕错位cuòwèi ‖ つなぎめが～れる 接缝儿错位｜吹き替えと俳優の口の動きが～れている 配音与演员口型不一致 ❷〔感覚・考えが〕不合拍bù hépāi ‖ あの人の考えは少し～れている 他的想法有些不对头｜きみの話はピントが～れている 你的话不得要领

スロー 慢màn ✤ 一ダウン:缓速；减速｜一モーション:慢镜头

スローガン〔幅,条,张〕标语biāoyǔ;〔句,条〕口号kǒuhào

スロープ 斜坡xiépō

スロバキア 斯洛伐克Sīluòfákè

スロベニア 斯洛文尼亚Sīluòwénníyà

スワジランド 斯威士兰Sīwēishìlán

スワップとりひき【スワップ取引】互换式交易hùhuànshì jiāoyì

スワヒリご【スワヒリ語】斯瓦希里语Sīwǎxīlǐyǔ

すわりごこち【座り心地】‖ ～がよい〔悪い〕坐上去觉得很舒服〔不舒服〕

すわりこみ【座り込み】静坐jìngzuò

すわ・る【座る・据わる】❶〔席などにつく〕坐zuò ‖ いすに～る 坐在椅子上 ❷〔地位につく〕当上dāngshang ‖ 後釜(あとがま)に～る 做后任 ❸〔慣用表現〕‖ 目が～る 眼睛发直｜度胸が～る 很有胆量｜肝が～る 镇定自若

すん【寸】寸cùn

すんか【寸暇】‖ ～を惜しむ 珍惜分分秒秒的时间

ずんぐり 矮胖ǎipàng ‖ ～むっくり 又矮又胖

すんげき【寸劇】〔个,幕,出〕短剧duǎnjù

すんぜん【寸前】就要jiù yào ‖ 発車～ 眼看就要发车的时候｜トキは絶滅～だ 朱鹭濒临灭绝｜駅へ着く～ 快到车站的时候

すんなり 顺利shùnlì ‖ 旅行先は～決まった 旅行的去处很顺利地就决定了

スンニーは【スンニー派】逊尼派Xùnnípài

すんぶん【寸分】一点点yìdiǎndiǎn ‖ ～違わぬ 分毫不差

すんぽう【寸法】尺寸chǐcun; 大小dàxiǎo

せ

せ【背】❶〔背中〕脊背jǐbèi ‖ ～を丸める 弓起背 ❷〔後ろ〕‖ 山を～にして写真をとる 拍一张以山为背景的照片 ❸〔身長〕个子gèzi ‖ ～が高い〔低い〕个儿高〔矮〕｜また～がのびた 又长高了 ❹〔慣用表現〕‖ 俗事に～を向ける 对琐事不闻不问｜よくしてくれた人たちに～は向けられない 不能背叛那些对我好的人

せ【瀬】浅滩qiǎntān

ぜ【是】‖ ～が非でも 无论如何；务必；一定

せい【生】‖ ～死の境 生死线｜～に執着する 贪生｜～をうける 出生

せい【姓】姓xìng; 姓氏xìngshì

せい【性】❶〔生まれつきの性質〕性xìng ❷〔男女の別〕性xìng ‖ ～にめざめる 定 情窦初开 ✤ 一教育:性教育｜一行為:性行为｜一生活:性生活｜一犯罪:性犯罪｜一ホルモン:性激素

せい【所為】‖ 遅刻したのはおまえの～だ 都是因为你才迟到的｜何でも人の～にする 把任何事都怪罪于别人｜だれの～でもない,私が悪いのだ 不怪任何人,都是我不好

せい【精】❶〔精力〕‖ ～が出る 卖劲儿｜～も根も尽きはてる 筋疲力尽｜ウナギを食べて～をつける 吃鳗鱼补养身体 ❷〔精霊〕‖ 水の～ 水妖｜森の～ 森林里的精灵｜花の～ 花仙

せい-【聖】圣shèng ‖ ～パウロ 圣保罗

-せい【世】‖ 日系2～ 日裔的第二代｜ルイ14～ 路易14世

-せい【制】制zhì ‖ 許可～ 许可制｜4年～大学 四年制大学｜週休2日～ 双休日(制度)

-せい【製】制zhì; 制造zhìzào ‖ 銀～の食器 银制餐具｜日本～の品物 日本制造的商品｜イギリス～の服地 英国产的面料

ぜい【税】税shuì ✤ 一込み価格:含税价格｜売上一:销售税

せいあつ【制圧】(～する)镇压zhènyā; 压制yāzhì ‖ 首都を～する 占领首都

せいい【誠意】诚意chéngyì ‖ ～を見せる 表示诚意｜～が感じられない 感觉不到诚意｜誠心～ 定 全心全意

せいいき【聖域】❶〔神聖な場所〕圣地shèngdì ❷〔侵してはならない場所〕‖ 改革に～なし 每个领域都要进行改革

せいいく【生育・成育】(～する)生长shēngzhǎng; 成长chéngzhǎng ‖ イネの～がよい 水稻长势良好｜～がおくれる 生长缓慢

せいいっぱい【精一杯】竭尽全力jiéjìn quánlì ‖ ～働く 努力工作｜～がんばる 做最大的努力｜これが～だ 尽了最大的努力｜家族を養うだけで～だ 养活一家人就已经很不容易

せいう【晴雨】‖ ～にかかわらず 无论晴天还是雨天｜～兼用 晴雨两用 ✤ 一計:晴雨表

せいうん【星雲】星云xīngyún

せいえい【精鋭】精英jīngyīng; 优秀yōuxiù

せいえん【声援】(～する)声援shēngyuán ‖ 大声で～を送る 大声助威

せいおう【西欧】❶〔西洋〕西方Xīfāng ❷〔西ヨーロッパ〕西欧Xī Ōu ✤ 一化:欧化｜一諸国:西欧各国

せいか【生花】〔束,朵〕鲜花xiānhuā

せいか【生家】出生的家chūshēng de jiā

せいか【成果】成果chéngguǒ; 成就chéngjiù

せいか【青果】✤ 一市場:蔬菜水果批发市场

せいか【盛夏】盛夏shèngxià; 盛暑shèngshǔ

せいか【聖火】〔把,团〕圣火shènghuǒ ✤ 一台:圣火台｜一リレー:火炬传递

せいか【聖歌】❶〔賛美歌〕赞美歌zànměigē

❷〔宗教歌〕圣歌shènggē ✤一隊:唱诗班
せいか【精華】精华jīnghuá
せいかい【正解】正确答案zhèngquè dá'àn ‖ 店を予約しておいて〜だった 幸亏事先在饭馆儿预订了 ✤一者:答对的人
せいかい【政界】政界zhèngjiè
せいかい【盛会】盛会shènghuì ‖ 〜のうちに幕を閉じる 在热烈的气氛中闭幕
せいかがく【生化学】生物化学shēngwù huàxué ✤一検査:生化检查｜一兵器:生化武器
せいかく【正確】正确zhèngquè; 准确zhǔnquè ‖ 時計が〜でない 表走得不准｜時間に〜だ 遵守时间｜〜さを欠く 缺乏准确性
せいかく【性格】❶〔人の〕性格xìnggé; 性情xìngqíng ‖ 〜が違う 性格不同｜〜が合わない 性格合不来｜明るい〔暗い〕〜 开朗〔忧郁〕的性格 ❷〔物事の〕性质xìngzhì ✤一俳優:个性派演员｜一描写:性格描写
せいがく【声楽】声乐shēngyuè ✤一家:声乐家
ぜいがく【税額】税额shuì'é
せいかつ【生活】(〜する)生活shēnghuó ‖ 〜が荒れる 生活荒唐｜〜が落ち着く 生活有着落｜〜にひびく 影响生活｜〜苦 生活困苦｜アルバイトで〜する 靠打工生活 ✤一感:生活气息｜一習慣病:生活方式病｜一水準:生活水平｜一費:生活费｜一保護法:生活保障法｜一力:生活能力
せいかん【生還】(〜する) ‖ 全員無事〜した 全体人员都平安归来｜奇跡的に〜した 奇迹般生还
せいかん【精悍】精悍jīnghàn
せいがん【請願】(〜する)请愿qǐngyuàn ✤一書:申请书; 请愿书
ぜいかん【税関】海关hǎiguān ‖ 〜を通る 过海关 ✤一申告書:海关申报单｜一手続き:通关手续
せいき【世紀】世纪shìjì ‖ 今〜 本世纪｜〜の事件 百年奇案 ✤一末:世纪末
せいき【正規】正规zhèngguī; 正式zhèngshì ‖ 〜の手続きを踏む 按正规手续办理 ✤一軍:正规军
せいき【生気】生气shēngqì ‖ 〜のない顔 没有活力的脸｜植物が〜を取り戻す 植物恢复生气
せいぎ【正義】正义zhèngyì ‖ 〜の味方 正义之士｜〜を貫く 坚持正义 ✤一感:正义感
せいきゅう【性急】性急xìng jí ‖ 〜に結論を下す 急于下结论
せいきゅう【請求】(〜する)要求yāoqiú; 索取suǒqǔ ‖ 慰謝料を〜する 索取精神赔偿费 ✤一書:账单
せいきょ【逝去】(〜する)去世qùshì
せいぎょ【制御】(〜する)控制kòngzhì ‖ 機械を〜する 控制机器 ✤一装置:控制装置
せいきょう【生協】生活协同组合Shēnghuó Xiétóng Zǔhé; 消费合作社Xiāofèi Hézuòshè
せいきょう【政教】 ‖ 〜分離 政教分离
せいきょう【盛況】盛况shèngkuàng ‖ 祝賀会は満員の〜だった 庆祝会场上挤满了人, 盛况空前
せいぎょう【正業】正业zhèngyè ‖ 〜についている 有正当工作
せいきょく【政局】政局zhèngjú ‖ 〜の混乱を招く 引发政局混乱
ぜいきん【税金】〔种, 笔〕税金shuìjīn ‖ 〜をおさめる 缴税｜5パーセントの〜をかける 征百分之五的税｜〜の申告をする 报税｜〜を課す 课税
せいけい【生計】 ‖ …で〜を立てる 靠…生活｜両親の〜を助ける 补贴父母
せいけい【成型】(〜する)模制múzhì
せいけい【西経】西经xījīng ‖ 〜25度 西经25度
せいけい【整形】(〜する)整形zhěngxíng ‖ 鼻を〜する 做鼻子整形手术 ✤一外科:美容外科
せいけつ【清潔】干净gānjìng; 清洁qīngjié ‖ 〜な台所 干净的厨房
せいけん【政権】政权zhèngquán ‖ 〜を担う 掌握政权
せいげん【制限】(〜する)限制xiànzhì ‖ 応募資格を〜する 限定应聘资格｜年齢〜 限制年龄 ✤一時間:规定时间｜一速度:限定速度
せいご【生後】 ‖ 〜2か月の赤ん坊 出生两个月的婴儿
せいご【成語】成语chéngyǔ
せいこう【成功】(〜する)成功chénggōng ‖ 失敗は〜のもと 失败是成功之母｜会は〜裏に終わった 大会圆满地结束了
せいこう【性交】(〜する)性交xìngjiāo
せいこう【精巧】精巧jīngqiǎo ‖ 〜をきわめる 极其精巧
せいこう【製鋼】✤一所:炼铁厂; 钢铁厂
せいごう【整合】❶〔一致させる〕调整tiáozhěng ❷〔理論の首尾一貫〕一贯yíguàn; 一致yízhì ‖ 理論に〜性がない 理论前后有矛盾
せいこうほう【正攻法】 ‖ 〜をとる 采取从正面攻击的战术
せいこつ【整骨】✤一医:骨科医生
せいこん【精根】 ‖ 〜尽き果てる 精疲力尽
せいこん【精魂】心血xīnxuè ‖ 仕事に〜を傾ける 把全部精力都倾注在工作上
せいざ【正座】(〜する)跪坐guìzuò ‖ 30分も〜できない 我跪着坐不了30分钟
せいざ【星座】星座xīngzuò; 星宿xīngxiù
せいさい【正妻】大老婆dàlǎopo
せいさい【制裁】(〜する)制裁zhìcái ‖ 社会的な〜 社会舆论的谴责｜〜を加える 加以制裁
せいさい【精彩·生彩】精彩jīngcǎi; 生动活泼shēngdòng huópo ‖ 〜を放つ 生机勃勃｜〜を欠くゲーム 不精彩的比赛
せいさく【制作】(〜する)制作zhìzuò ‖ 番組を〜する 制作电视节目 ✤一者:制作人; (映画の)制片人
せいさく【政策】政策zhèngcè ‖ 〜を立てる 制定政策｜対中国〜 对华政策 ✤一協定:政策协定
せいさく【製作】(〜する)制造zhìzào ✤一所:制造厂
せいさん【正餐】〔顿〕正餐zhèngcān
せいさん【生産】(〜する)生产shēngchǎn ‖ 〜を拡大する 扩大生产｜〜が軌道に乗る 生产走上正轨｜〜がのびる 产量上升｜〜が落ち込む 产量下降 ✤一技術:生产技术｜一コスト:生产成本｜一者:生产者; 制造厂家｜一性:生产效率｜一高:产量｜一地:产地
せいさん【成算】把握bǎwò
せいさん【青酸】氰酸qíngsuān ✤一カリ:氰化

钾

せいさん【凄惨】凄惨qīcǎn

せいさん【清算】(〜する)❶〔貸し借りを〕结账jiézhàng‖負債を〜する 清算债务｜出張旅費を〜する 结算差旅费 ❷〔過去の事柄を〕清算qīngsuàn; 了结liǎojié ❸〔財産処理〕清理qīnglǐ ✤一会社:清盘公司｜一人:结算人

せいさん【精算】(〜する)‖乗り越し料金を〜する 补交车费 ✤一所:（车站的）补票处

せいし【正史】正史zhèngshǐ

せいし【正視】(〜する)正视zhèngshì

せいし【生死】生死shēngsǐ‖〜にかかわる問題 生死攸关的问题｜〜の境をさまよう 徘徊在生死线上

せいし【制止】(〜する)制止zhìzhǐ; 阻拦zǔlán

せいし【精子】精子jīngzǐ‖〜バンク 精子库

せいし【静止】(〜する)静止jìngzhǐ ✤一衛星:同步〔静止〕卫星

せいじ【青磁】青瓷qīngcí‖〜の花瓶 青瓷花瓶

せいじ【政治】政治zhèngzhì‖〜的発言 政治性发言｜〜に関心がない 对政治不感兴趣｜〜を論じる 谈论政治｜〜的手腕がある 有政治手腕 ✤一家:政治家｜一活動:政治活动｜一献金:政治捐款｜一工作:政治活动｜一責任:政治责任｜一離れ:不关心政治｜一犯:政治犯｜一屋:政客｜一欄:政治专栏｜一力:政治力量〔手腕〕

セイシェル ⇨セーシェル

せいしき【正式】正式zhèngshì‖〜名称 正式名称｜〜に結婚する 正式结婚

せいしつ【性質】❶〔人の〕性情xìngqíng; 性格xìnggé‖もって生まれた〜はどうしようもない 定 江山易改，本性难移 ❷〔物事の〕性质xìngzhì‖問題の〜 问题的性质｜水に溶けやすい〜 易溶于水的特点

せいじつ【誠実】诚实chéngshi; 老实lǎoshi

せいしゃいん【正社員】正式职工zhèngshì zhígōng; 正式员工zhèngshì yuángōng

せいじゃく【静寂】沉寂chénjì‖夜の〜 夜晚的寂静

ぜいじゃく【脆弱】脆弱cuìruò‖〜な構造 结构单薄；不坚固的构造｜体質が〜だ 身体虚弱

せいしゅ【清酒】〔瓶，杯〕清酒qīngjiǔ; 日本(清)酒Rìběn (qīng)jiǔ

ぜいしゅう【税収】〔种，笔〕税收shuìshōu

せいしゅく【静粛】肃静sùjìng

せいじゅく【成熟】(〜する)成熟chéngshú‖〜した社会 成熟的社会

せいしゅん【青春】青春qīngchūn; 青年时代qīngnián shídài‖第二の〜を楽しむ 欢度第二青春

せいしょ【清書】(〜する)誊写téngxiě

せいしょ【聖書】❶〔キリスト教〕〔部，本〕圣经Shèngjīng ❷〔聖典〕〔部，本〕圣典shèngdiǎn; 经典jīngdiǎn

せいしょう【斉唱】(〜する)齐唱qíchàng

せいじょう【正常】正常zhèngcháng ✤一化:正常化；正规化｜一価格:正常〔标准〕价格

せいじょう【政情】政情zhèngqíng; 政局zhèngjú ✤一不安:政局不稳〔不安定〕

せいじょう【清浄】干净gānjìng

せいしょうねん【青少年】青少年qīngshàonián ✤一犯罪:青少年犯罪

せいしょく【生殖】(〜する)生殖shēngzhí ✤一器:生殖器；性器官｜一機能:生殖〔繁殖〕功能｜一腺:生殖腺；性腺｜無性一:无性〔孤雌〕生殖

せいしょく【聖職】神圣的职业shénshèng de zhíyè ✤一者:担任神职的人

せいしん【清新】清新qīngxīn; 新鲜xīnxian‖〜な気分 焕然一新的心情

せいしん【精神】❶〔心〕精神jīngshén‖〜を集中する 集中精神｜〜に異常をきたす 造成精神异常｜〜的打撃を受ける 在精神上受到打击 ❷〔根本にある考え〕精神jīngshén‖条例の〜 条例的精神｜建学の〜 建校的精神｜憲法の〜にのっとる 根据宪法精神 ✤一安定剤:安定药｜一衛生:精神〔心理〕卫生｜一科:精神科｜一状態:精神〔心理〕状态｜一年齢:心理〔精神〕年龄｜一病:精神病；神经病｜一分裂病:⇨とうごうしっちょうしょう(統合失調症)｜一力:精神力量；毅力

せいじん【成人】(〜する)成人chéngrén‖娘はもう〜した 女儿已经长大成人了 ✤一教育:成人教育｜一式:成人仪式｜一病:成人病

せいじん【聖人】❶〔理想的な人〕圣人shèngrén; 君子jūnzǐ ❷〔カトリック〕圣徒shèngtú ✤一君子: 定 正人君子

せいしんせいい【誠心誠意】诚心诚意chéngxīn chéngyì

せいず【製図】(〜する)制图zhìtú; 绘图huìtú ✤一法:制图〔绘图〕法

せいすい【盛衰】盛衰shèngshuāi; 兴亡xīngwáng‖栄枯〜は世の常 荣枯盛衰，世之常情

せいずい【精髄】精华jīnghuá; 精髓jīngsuǐ

せいすう【正数】正数zhèngshù

せいすう【整数】整数zhěngshù

せい・する【制する】❶〔抑えとどめる〕(人を)制止zhìzhǐ.（気持ちを）抑制yìzhì; 控制kòngzhì‖発言を〜する 制止发言 ❷〔支配する〕控制kòngzhì; 赢得yíngdé‖勝ちを〜する 制胜；取胜｜過半数を〜する 赢得过半数

せいせい【生成】(〜する)生成shēngchéng; 形成xíngchéng‖火山の〜 火山的形成

せいせい【精製】(〜する)❶〔念入りにつくる〕精制jīngzhì ❷〔純良なものをつくる〕提纯tíchún; 精炼jīngliàn‖石油を〜する 提炼石油 ✤一所:精炼厂；提炼厂

せいぜい【精精】❶〔たかだか〕顶多dǐng duō‖私にできることは〜これくらいだ 我能做的顶多也就是这些 ❷〔なるたけ〕尽量jǐnliàng; 尽力jìnlì‖〜努力する 尽最大努力

ぜいせい【税制】税制shuìzhì ✤一改正〔改革〕:税制修改〔改革〕｜一調査会:税制调查会

ぜいぜい 呼哧呼哧hūchīhūchī; 吁吁xūxū‖〜あえぐ 气喘吁吁

せいせいどうどう【正正堂堂】定 光明正大guāng míng zhèng dà

せいせき【成績】成绩chéngjì‖試験の〜が悪い 考试的成绩很差｜学校の〜はまあまあだ 学习成绩还可以 ✤一表:成绩单｜営業一:业务成绩

せいせん【生鮮】✤一食料品:生鲜食品

せいせん【聖戦】〔场〕圣战shèngzhàn.（正義の

戦争）正义战争zhèngyì zhànzhēng
せいせん【精選】（～する）精选jīngxuǎn
せいぜん【生前】生前shēngqián；在世时zàishì shí ‖ ～愛用の品 生前喜欢用的东西
せいぜん【整然】整齐zhěngqí；有条理yǒu tiáolǐ ‖ ～とした町並み 整齐的街道｜～と片づいている 收拾得井井有条
せいそ【清楚】清秀qīngxiù；素雅sùyǎ
せいそう【正装】（～する）穿礼服chuān lǐfú.（装い）〔套,件〕礼服lǐfú
せいそう【成層】✤—火山：锥状〔层状〕火山｜—岩：成层岩｜—圏：平流层；同温层
せいそう【清掃】（～する）‖ 道路を～する 清扫道路 ✤—員：清扫工；清洁工｜—車：清扫车；垃圾车
せいそう【盛装】（～する）穿盛装chuān shèngzhuāng.（装い）〔套,件〕盛装shèngzhuāng
せいそう【精巣】精巢jīngcháo；睾丸gāowán
せいぞう【製造】（～する）制造zhìzào；生产shēngchǎn ✤—業：制造业｜—業者：生产商；厂家；制造商｜—所：制造厂｜—販売：生产销售｜—元：生产厂家；出产厂
せいそく【生息・棲息】（～する）栖息qīxī ✤—地：栖息地
せいぞろい【勢揃い】（～する）聚齐jùqí；聚集jùjí ‖ 正月に親戚（しんせき）が～した 正月里亲戚们都欢聚在一起
せいぞん【生存】（～する）生存shēngcún.（生き残る）幸存xìngcún；存活cúnhuó ‖ 行方不明者の～が確認された 失踪者的生存已被确认 ✤—競争：生存竞争〔斗争〕｜—権：生存权｜—者：幸存〔生存〕者｜—率：存活率
せいたい【生体】❶〔生物〕生物shēngwù ❷〔生きたままの体〕活体huótǐ ✤—移植：活体移植｜—解剖：活体解剖｜—実験：生物实验｜—反応：活体反应
せいたい【生態】❶〔生物の〕生态shēngtài ❷〔人間の〕生活状况shēnghuó zhuàngkuàng ✤—学：生态学｜—系：生态系
せいたい【声帯】声带shēngdài ✤—模写：口技
せいたい【政体】政体zhèngtǐ ✤共和—：共和政体
せいたい【静態】静态jìngtài
せいだい【盛大】盛大shèngdà；隆重lóngzhòng ‖ ～な宴会 盛宴｜～な拍手 一片热烈的掌声
せいだく【清濁】❶〔善悪〕善恶shàn'è.（正邪）正邪zhèngxié ‖ ～あわせのむ 清浊能容 ❷〔澄んでいることと濁っていること〕清浊qīngzhuó
ぜいたく【贅沢】（～する）❶〔金・物などの使い方が〕奢侈shēchǐ；豪华háohuá ‖ ～に暮らす 过奢侈的生活｜たまには～しよう 咱们偶尔奢侈一下吧 ❷〔分不相応〕过分guòfèn ‖ ～な望み 过分的要求；奢望；奢求 ✤—三昧：定 挥金如土 ‖ ～の暮らしをする 生活穷奢极欲｜—品：奢侈品
せいたん【生誕】（～する）诞生dànshēng ‖ 鲁迅（ろじん）～120年祭 鲁迅诞生120周年的纪念活动
せいだん【政談】政论zhènglùn
せいだん【星団】星团xīngtuán
せいち【生地】出生地chūshēngdì
せいち【聖地】圣地shèngdì ✤—巡礼：朝拜圣地；朝圣
せいち【精緻】精致jīngzhì；细致xìzhì
せいち【整地】（～する）平整土地píngzhěng tǔdì ‖ 荒れ地を～する 平整荒地
ぜいちく【筮竹】竹签zhúqiān
せいちゅう【成虫】成虫chéngchóng
せいちょう【生長】（～する）生长shēngzhǎng；长zhǎng ‖ この木は～が早い 这棵树长得很快
せいちょう【成長】（～する）❶〔生物が〕成长chéngzhǎng ‖ 子どもの～を見守る 关注孩子的成长｜りっぱな若者に～する 成长为一名出色的青年 ❷〔物事が〕增长zēngzhǎng；发展fāzhǎn ‖ ＩＴ産業は急速に～しつつある ＩＴ产业正在急速发展 ✤—株：潜力股；（有望な人材）有前途的人才｜—期：成长期；（物事の）增长〔发展〕期｜—産業：朝阳产业｜—ホルモン：生长激素｜経済—率：经济增长率
せいちょう【声調】❶〔中国語の〕声调shēngdiào；四声sìshēng ❷〔声の調子〕语调yǔdiào
せいちょう【性徴】性征xìngzhēng ‖ 第二次～ 副性征；第二性征
せいちょう【政庁】政府机关zhèngfǔ jīguān；官厅guāntīng
せいちょう【静聴】（～する）静听jìngtīng ‖ ご～願います 请安静地听一下
せいつう【精通】（～する）精通jīngtōng；通晓tōngxiǎo ‖ 英語に～している 精通〔通晓〕英文
せいてい【制定】（～する）制定zhìdìng ‖ 法律を～する 制定法律
せいてき【性的】性（的）xìng（de）‖ ～な衝動 性冲动 ✤—いやがらせ：性骚扰｜—虐待：性虐待｜—差別：性别歧视
せいてき【政敵】政敌zhèngdí
せいてき【静的】静态jìngtài；静（的）jìng（de）‖ ～な美しさ 静态的美感
せいてつ【製鉄】（～する）炼铁liàntiě；制铁zhìtiě ✤—所：炼铁厂
せいてん【青天】‖ ～の霹靂（へきれき） 青天〔晴天〕霹雳 ✤—白日：（快晴）青天白日；（無実の罪が晴れる）昭雪；（後ろ暗いところがない）清白
せいてん【晴天】晴qíng.（空）晴天qíngtiān ‖ ～が続いた 连续晴天｜本日は～なり 今天是晴天
せいてん【聖典】圣典shèngdiǎn；经典jīngdiǎn
せいてんかん【性転換】（～する）❶〔生物〕性反转xìngfǎnzhuàn ❷〔手術によって〕性别转换xìngbié zhuǎnhuàn ✤—手術：性别转换手术
せいでんき【静電気】静电jìngdiàn
せいと【生徒】学生xuésheng.（中高生）中学生zhōngxuéshēng ‖ ～を厳しく指導する 严格地教导学生 ✤—会：学生会｜全校—：全校学生
せいど【制度】〔个,种〕制度zhìdù ‖ 現行の～を廃止する 废除现行的制度 ✤貨幣—：货币制度｜教育—：教育制度｜社会保障—：社会保障制度
せいど【精度】精度jīngdù；精密度jīngmìdù ‖ この機械の～はすばらしい 这台机器精密度极高
せいとう【正当】正当zhèngdàng.（正しい）正确zhèngquè ‖ ～な報酬 正当的报酬｜～に評価する 正确评价 ✤—化：正当化｜—防衛：正当防卫
せいとう【正統】正统zhèngtǒng；正宗zhèngzōng ‖ ～の君主 正统的君主〔皇帝〕｜流派の～を

受け継ぐ 继承流派的正统 ❖ 一派:正统派
せいとう【政党】政党zhèngdǎng
せいどう【正道】〔条〕正道zhèngdào ‖ ～を歩む 走正道 | ～を外れる 偏离正道
せいどう【青銅】青铜qīngtóng ❖ 一器:青铜器
せいどう【聖堂】〔座,个〕圣堂shèngtáng; 圣庙shèngmiào
せいどく【精読】(～する)精读jīngdú ‖ …を～する 对…进行精读
せいとん【整頓】(～する)收拾shōushi; 整理zhěnglǐ ‖ 本棚を～する 整理书架
せいなん【西南】西南xīnán; 西南部xīnánbù
ぜいにく【贅肉】赘肉zhuìròu ‖ ～がつく 长赘肉
せいねん【成年】成年chéngnián ‖ ～に達する 长到成年
せいねん【青年】青年qīngnián; 年轻人niánqīngrén ‖ 好～ 好青年 ❖ 一海外協力隊:日本青年海外协力队 | 一期:青年时代
せいねんがっぴ【生年月日】出生年月日chūshēng nián yuè rì
せいのう【性能】性能xìngnéng ‖ 高～のカメラ 高性能的照相机 ❖ 一試験:性能试验
せいは【制覇】(～する)获得冠军huòdé guànjūn
せいはく【精白】(～する)碾niǎn ❖ 一糖:纯白糖 | 一米:白米
せいはつ【整髪】(～する)(理髪)理发lǐfà. (髪をととのえる)整理头发zhěng tóufa ❖ 一業:理发业 | 一剤:美发用品
せいばつ【征伐】(～する)惩治chéngzhì
せいはん【製版】(～する)制版zhìbǎn
せいはんたい【正反対】恰恰相反qiàqià xiāngfǎn; 完全相反wánquán xiāngfǎn ‖ ぼくはきみの意見とは～だ 我与你的意见正好相反 | 事実は～だ 事实恰恰相反
せいひ【正否】正确与否zhèngquè yǔfǒu
せいひ【成否】成败与否chéngbài yǔfǒu; 成功与否chénggōng yǔfǒu
せいび【整備】(～する)保养bǎoyǎng; 维修wéixiū; 整理zhěnglǐ ‖ 車を～する 维修汽车 | 道路を～する 维修道路 | 会場を～する 布置会场 | 環境を～する 整顿环境 | 法制を～する 完善法制 | 書類を～する 整理好文件 ❖ 一員(航空機の)飞机机械师; (機械の)维修工 | 一工場:维修工场 | 自動車一士:汽车修理工
ぜいびき【税引き】扣除税款kòuchú shuìkuǎn ‖ ～後の手取り金額 扣税后的纯收入
せいびょう【性病】性病xìngbìng
せいひれい【正比例】(～する)(成)正比(chéng) zhèngbǐ; 正比例zhèngbǐlì ‖ 重さは量に～する 重量与容积成正比
せいひん【製品】产品chǎnpǐn; 制品zhìpǐn ‖ 電気～ 电器产品 | 半～ 半成品 ❖ 外国一:外国产品 | 絹一:丝绸制品
せいふ【政府】政府zhèngfǔ ‖ 新～を樹立する 成立新政府 | ～の機関 政府机关 ❖ 一案:政府草案 | 一当局:政府当局
せいぶ【西部】西部xībù ❖ 一劇:西部片 | 一大開発:西部大开发
せいふく【制服】〔套,件〕制服zhìfú ‖ 学校の～ 校服 | ～の警官 穿制服的警察
せいふく【征服】(～する) ❶〔屈服させる〕征服zhēngfú ‖ エベレストを～する 征服珠穆朗玛峰 ❷〔ものにする〕克服kèfú ‖ 不得意科目を～する 攻克不擅长的科目 ❖ 一者:征服者
せいぶつ【生物】〔种〕生物shēngwù ❖ 一界:生物界 | 一学:生物学
せいぶつ【静物】静物jìngwù ❖ 一画:静物画
せいぶつかがく【生物化学】生物化学shēngwù huàxué ❖ 一兵器:生化武器
せいぶつこうがく【生物工学】生物技术(学) shēngwù jìshù(xué); 生物工程(学) shēngwù gōngchéng(xué)
せいふん【製粉】(～する)磨面mò miàn ‖ コムギを～する 把小麦磨成面
せいぶん【成文】成文chéngwén ‖ 法律を～化する 把法律条文化 ❖ 一法:成文法
せいぶん【成分】成分chéngfen ‖ 文の～ 句子成分 ❖ 一分析:成分分析
せいへき【性癖】癖性pǐxìng; 癖好pǐhào ‖ 大げさに言う～がある 有爱吹牛的毛病
せいべつ【性別】性别xìngbié ‖ ～に関係なくだれでも参加できる 不论男女谁都可以参加
せいへん【政変】政变zhèngbiàn
せいぼ【歳暮】岁末礼品suìmò lǐpǐn
せいぼ【聖母】圣母shèngmǔ ‖ ～マリア 圣母玛丽亚
せいほう【西方】西方xīfāng; 西面xīmiàn
せいほう【製法】制法zhìfǎ; 做法zuòfǎ ‖ 陶器の～ 陶器的制作方法
せいぼう【声望】声望shēngwàng
ぜいほう【税法】税法shuìfǎ
せいほうけい【正方形】正方形zhèngfāngxíng
せいほく【西北】西北xīběi ‖ ～の風 西北风
せいぼつねん【生没年】生卒年shēngzúnián
せいほん【正本】正本zhèngběn
せいほん【製本】(～する)装订zhuāngdìng ‖ ～がしっかりしている 装订得很结实 ❖ 一所:装订厂
せいまい【精米】(～する)碾米niǎn mǐ. (米)白米báimǐ ❖ 一機:碾米机 | 一所:碾米厂
せいみつ【精密】精密jīngmì ‖ ～な地図 精确的地图 | ～に測量する 精密测量 ❖ 一機械:精密机器 | 一検査:仔细检查
せいむ【政務】政务zhèngwù ‖ ～に携わる 参与政务 | ～をとる 执行政务
ぜいむ【税務】税务shuìwù ❖ 一署:税务局 | 一署員: (収税吏)税务官; (事務員)税务员
せいめい【生命】〔条,个〕生命shēngmìng ❖ 一維持装置:生命维持系统 | 一線:命脉; (手相の)生命线 | 一保険:人寿保险 | 一力:生命力
せいめい【声明】(～する)声明shēngmíng ‖ ～を出す 发表声明 ❖ 一書:声明书 | 公式一:正式声明
せいめい【姓名】姓名xìngmíng ❖ 一判断:姓名算命
せいめい【清明】(二十四節気の1つ)清明qīngmíng
せいもん【正門】〔个,道,扇〕正门zhèngmén
せいや【聖夜】圣诞夜Shèngdànyè
せいやく【成約】(～する)签约qiānyuē
せいやく【制約】(～する)限制xiànzhì; 约束yuē-

shù ‖ 時間の～がある 有时间的限制 | 法律の～を受ける 受法律的约束
せいやく【製薬】❖—会社:制药公司
せいやく【誓約】(～する)发誓fāshì. (約束)誓言shìyán; 诺言nuòyán ❖—書:誓约书
せいゆ【精油】❶(～する)炼油liànyóu. (油)精炼油jīngliànyóu ❷〔植物油〕香精xiāngjīng
せいゆ【製油】(～する)❶〔石油〕炼油liànyóu ❷〔食品〕制油zhì yóu
せいゆう【声優】配音演员pèiyīn yǎnyuán
せいよう【西洋】西方Xīfāng; 西洋Xīyáng ❖—化:西化 | —画:西洋画 | —かぶれ:崇洋 | —史:西方历史 | —人:西方人 | —風:西式 | —文化〔文明〕:西方文化〔文明〕| —料理:西餐
せいよう【静養】(～する)静养jìngyǎng ‖ 自宅～中です 在家中静养
せいよく【性欲】性欲xìngyù
せいらい【生来】❶〔生まれつき〕生来shēnglái; 天生tiānshēng ‖ ～のお人よし 天性善良 ❷〔生まれて以来〕有生以来yǒu shēng yǐlái
せいり【生理】❶〔体のはたらき〕生理shēnglǐ ‖ ～的現象 生理现象 | ～的な嫌悪 本能的厌恶 ❷〔月経〕月经yuèjīng ‖ ～になる 来月经 ❖—学:生理学 | —休暇:经期休假 | —食塩水:生理盐水 | —痛:痛经 | —不順:月经不调 | —用ナプキン:卫生巾 | —用品:妇女保健用品
せいり【整理】(～する)❶〔ととのえる〕整理zhěnglǐ; 收拾shōushi ‖ 論点を～する 整理论点 | 部屋の中を～する 收拾房间 ❷〔取り除く〕清理qīnglǐ ‖ 身辺を～する 清理身边 | 人員を～する 裁减人员 ❖—券: (发)号儿 | 債務—:清理债务
ぜいりし【税理士】税理士shuìlǐshì
せいりつ【成立】(～する)达成dáchéng; 成立chénglì ‖ 商談が～する 买卖谈成 | 和解が～する 实现和解 | 交渉の～ 谈判成功 | 予算が～する 预算通过
ぜいりつ【税率】税率shuìlǜ
せいりゃく【政略】政治策略zhèngzhì cèlüè ❖—結婚:政治联姻
せいりゅう【清流】清溪qīngxī
せいりょう【清涼】清凉qīngliáng ❖—飲料(水):清凉饮料
せいりょく【勢力】势力shìlì; 威力wēilì ‖ ～を得る〔失う〕得〔失〕势 | ～をのばす 扩大势力 ❖—争い:争夺势力 | —下:势力范围内
せいりょく【精力】〔份, 种〕精力jīnglì ‖ ～的に働く 精力充沛地工作 | ～を使いはたす 精疲力竭
せいれい【政令】❖—指定都市:政令指定都市
せいれい【精霊】⇨れい(霊)
せいれき【西暦】公历gōnglì ‖ ～5年 公元5年
せいれつ【整列】(～する)排队páiduì ‖ 横1列に～する 横排成一列 | ～! 列队!
せいれん【清廉】清廉qīnglián ‖ ～潔白 清白廉洁
せいれん【精錬】(～する)精炼jīngliàn ‖ 金を～する 炼金
せいろう【蒸籠】〔副, 套, 个〕蒸笼zhēnglóng
せいろん【正論】正确的道理zhèngquè de dàoli ‖ 世の中はつねに～が通るとは限らない 世上不是所有的事可以讲道理的
セイロン ⇨スリランカ
セーシェル 塞舌尔Sèshé'ěr
セーター 毛衣máoyī ‖ ～を編む 织毛衣
セーフ ❶〔野球〕安全(上垒) ānquán (shàng lěi) ‖ 滑り込み～になる 安全滑进 ❷〔間に合う〕赶上gǎnshang
セーブ (～する)❶〔節約〕节约jiéyuē. (蓄える)积蓄jīxù ‖ 前半戦は力を～しよう 前半场不要太卖力 ❷〔野球〕救援jiùyuán
セーラーふく【セーラー服】水兵服shuǐbīngfú. (女学生の)水兵服式的校服shuǐbīngfúshì de xiàofú
セール 减价出售jiǎn jià chūshòu ‖ クリスマス～ 圣诞节大减价 | バーゲン～ 大甩卖
セールス (～する)推销tuīxiāo ‖ 車の～の仕事をする 做汽车推销(工作) ❖—エンジニア:销售工程师 | —プロモーション:促销活动 | —ポイント:卖点
セールスマン 推销员tuīxiāoyuán
せお・う【背負う】❶〔背中に負う〕背bēi ❷〔負担する〕担负dānfù ‖ 負債を山ほど～う 负债累累 | 罪を～う 负罪 | リスクを～う 冒着危险
せおよぎ【背泳ぎ】仰泳yǎngyǒng
せかい【世界】❶〔地球上の国々〕世界shìjiè ‖ ～中を旅行する 周游全世界 | ～的に有名な学者 世界有名的学者 ❷〔生活の場〕世界shìjiè; 环境huánjìng; 领域lǐngyù ‖ 子どもの～ 孩子的世界 ❖—遺産:世界遗产 | —一周旅行:环球旅行 | —観:世界观 | —(新)記録:世界(新)记录 | —選手権大会:世界锦标赛
せか・す【急かす】催促cuīcù ‖ そんなに～すなよ 别那么催我
せかせか (～する)匆匆忙忙cōngcōngmángmáng
せが・む 磨mó ‖ 小遣いを～む 缠着要零花钱
せがれ【倅・伜】儿子érzi ‖ うちの～ 我儿子
セカンド 二垒èr lěi. (二塁手)二垒手èrlěishǒu ❖—オピニオン:第二意见 | —バッグ:小包 | —ライフ:退休生活
せき【咳】咳嗽késou ‖ ～が出る 咳嗽 ❖—どめ薬:止咳药
せき【席】❶〔座席〕座位zuòwei; 位子wèizi ‖ この～はあいてますか 这个位子有人吗? | ～をかわっていただけませんか 可以跟您换个座儿吗? ❷〔会・式などの場所〕‖ 祝いの～を設ける 设祝宴 | 会談の～ 在会上
せき【堰】堤坝dībà ‖ 川の～ 拦河大坝 | ～を切ったように話しだす 话像决堤的洪水一般涌出来
せき【籍】❶〔戸籍〕户口hùkǒu ❷〔団体に属していること〕成员chéngyuán ‖ 大学に～をおく 大学的在校生
-せき【隻】艘sōu; 只zhī; 条tiáo
せきえい【石英】石英shíyīng
せきがいせん【赤外線】红外线hóngwàixiàn ❖—カメラ:红外线相机
せきかっしょく【赤褐色】红褐色hónghèsè
せきぐん【赤軍】红军hóngjūn
せきこ・む【急き込む】囸迫不及待pò bù jí dài ‖ ～んで話す 急切地说
せきさい【積載】(～する)装载zhuāngzài
せきざい【石材】石料shíliào

せ

せきじ【席次】❶〔座席順〕座次zuòcì ❷〔成績順〕名次míngcì
せきじゅうじ【赤十字】红十字会Hóngshízìhuì
せきじゅん【席順】座次zuòcì；座位zuòwei
せきしょ【関所】〔个,道〕关guān ‖ ～を通る 过关卡；过关口 ✤ 一破り:闯关
せきずい【脊髄】脊髓jǐsuǐ ✤ 一注射:脊髓注射｜一麻酔:脊髓麻醉
せきせつ【積雪】积雪jīxuě ‖ ～は2メートルに達した 积雪达二米 ✤ 一量:积雪量
せきぞう【石像】石像shíxiàng
せきたん【石炭】煤méi；煤炭méitàn ‖ ストーブに～をくべる 往炉子里加煤炭 ✤ 一ガス:煤气
せきちゅう【脊柱】脊柱jǐzhù
せきつい【脊椎】脊椎jǐzhuī ✤ 一カリエス:脊椎结核｜一動物:脊椎动物
せきどう【赤道】赤道chìdào
せきどうギニア【赤道ギニア】赤道几内亚Chìdào Jīnèiyà
せきと·める【塞き止める】截住jiézhu；拦住lánzhu ‖ 川を～めてダムを建設する 截流建设大坝
せきにん【責任】责任zérèn ‖ 自分の言ったことに～を持つ 对自己所说的话负责｜経営不振の～をとって辞任する 因经营业绩不佳而引咎辞职｜～を回避する 推卸责任｜～の所在を明らかにする 明确责任的所在｜～を転嫁する 转嫁责任 ✤ 一感:责任感｜一者:负责人｜共同一:共同责任｜連帯一:连带责任
せきねん【積年】多年duōnián
せきのやま【関の山】至多zhìduō
せきはい【惜敗】(～する)输得很可惜shūde hěn kěxī
せきばらい【咳払い】(～する)清嗓子qīng sǎngzi
せきはん【赤飯】红豆糯米饭hóngdòu nuòmǐfàn ‖ ～を炊く 做红豆饭
せきばん【石版】✤ 一画:平版印刷画｜一刷り:石版印刷
せきひ【石碑】〔块,座〕石碑shíbēi ‖ ～を建てる 建一座石碑
せきひん【赤貧】赤贫chìpín ‖ ～洗うがごとき生活 一贫如洗的生活
せきぶつ【石仏】石佛shífó
せきぶん【積分】(～する)积分jīfēn
せきべつ【惜別】惜别xībié ‖ ～の情に堪えない 无限惜别之情
せきむ【責務】职责zhízé ‖ ～を果たす 尽职尽责
せきめん【赤面】(～する)脸红liǎn hóng
せきゆ【石油】石油shíyóu ‖ ～を掘り当てる 钻到石油 ✤ 一化学工業:石油化工｜一化学製品:石油化学制品｜一危機:石油危机｜一産出国:石油出产国｜一ストーブ:煤油炉｜一輸出国機構(OPEC):石油输出国组织
セキュリティー 安全ānquán；保护bǎohù ✤ ホーム一システム:家庭安全防范系统
せきらら【赤裸裸】毫无遮掩háowú zhēyǎn
せきらんうん【積乱雲】积雨云jīyǔyún
せきり【赤痢】痢疾lìji ✤ 一菌:痢疾杆菌
せきれい【鶺鴒】鹡鸰jílíng

せ·く【急く】急jí；着急zháojí ‖ ～いては事を仕損じる 定欲速则不达
セクシー 性感xìnggǎn；肉感ròugǎn
セクシャル ハラスメント 性骚扰xìngsāorǎo
セクション ❶〔部分〕部分bùfen ❷〔会社などの〕岗位gǎngwèi；处chù；科kē ❸〔文章などの〕节jié；段duàn
せけん【世間】❶〔世の中〕世上shìshàng；世界shìjiè ‖ ～を騒がせる 在社会上引起轰动 ❷〔世の中の人〕人们rénmen ‖ ～の目はうるさい 人言可畏 ✤ 一知らず:不懂世事｜一体:面子｜一話:家常话｜一離れ:脱离尘世
せこ【世故】‖ ～にたける 定老成持重
せこう【施工】(～する)施工shīgōng ✤ 一会社:施工单位；建筑单位
せじ【世事】世事shìshì ‖ ～にうとい 不谙世事
せしゅう【世襲】(～する)世袭shìxí ✤ 一制:世袭制
せじょう【施錠】(～する)上锁shàng suǒ；锁上suǒshang
せじん【世人】世人shìrén
せすじ【背筋】脊背jǐbèi ‖ ～をのばす 挺直脊背｜～が寒くなる 毛骨悚然
セスナ 赛斯纳飞机Sàisīnà Fēijī
ぜせい【是正】(～する)纠正jiūzhèng
せせこまし·い ❶〔広さが〕窄小zhǎixiǎo ‖ ～い部屋 狭窄的房间 ❷〔性格などが〕狭窄xiázhǎi ‖ ～い人間 心胸狭窄的人
せせらぎ ‖ 小川の～ 小溪潺潺的水声
せせらわら·う【せせら笑う】嘲笑cháoxiào；冷笑lěngxiào ‖ 鼻の先で～う 定嗤之以鼻
せそう【世相】社会状况shèhuì zhuàngkuàng
せぞく【世俗】世俗shìsú ‖ ～にこびる 媚俗
せたい【世帯】户hù；住户zhùhù ‖ ここには約2000～が暮らす 这里生活着大约2000户人家 ✤ 一数:户数｜一主:户主
せだい【世代】世代shìdài；一代yí dài ‖ ～間のギャップ 代沟｜3～が同居する 三世同堂 ✤ 一交代:换代；(人間の)新老交替
せたけ【背丈】❶〔身長〕个子gèzi；个儿gèr ❷〔身ごろの丈〕身长shēncháng
セダン〔辆,部〕轿车jiàochē
せちがら·い【世知辛い】❶〔生きにくい〕生活艰辛shēnghuó jiānxīn ‖ まったく～い世の中だ 这世道真是举步维艰 ❷〔打算的〕定斤斤计较jīnjīn jì jiào
せつ【節】❶〔…のとき〕时候shíhou ❷〔文章〕一节yì jié；一段yí duàn ❸〔信念〕气节qìjié ‖ あくまでも～を曲げない 始终不屈节
せつ【説】❶〔学説〕学说xuéshuō ❷〔意見〕意见yìjian
ぜつえん【絶縁】(～する)❶〔縁を切る〕断绝关系duànjué guānxi ‖ ～状態 决裂状态 ❷〔電気〕绝缘juéyuán ✤ 一状:绝交信｜一体:绝缘体｜一抵抗:绝缘电阻
ぜっか【舌禍】‖ ～事件を起こす 因失言而引起麻烦
せつがい【雪害】〔场〕雪灾xuězāi
せっかい【切開】(～する)切开qiēkāi；剖开pōu-

kāi ✤一手術:外科手术
せっかい【石灰】石灰shíhuī ✤一岩:石灰岩｜一石:石灰石
せっかく【折角】❶〔努力して〕定煞费苦心shà fèi kǔ xīn; 特意tèyì ❷〔めったにない·貴重な〕好不容易hǎoburóngyì; 难得nándé
せっかち 急躁jízào; 性急xìng jí. (人)急性子jíxìngzi
せつがん【接岸】(～する)靠岸kào àn
せっかん【折檻】(～する)打dǎ; 体罚tǐfá
せっきゃく【接客】(～する)接待客人jiēdài kèren ✤一係:招待员｜一業:酒店餐饮旅游业
せっきょう【説教】(～する)❶〔小言を言う〕教训jiàoxun; 训斥xùnchì‖～くさいことを言う 苦口婆心地说 ❷〔宗教〕说教shuōjiào
ぜっきょう【絶叫】(～する)大声惊叫〔叫喊〕dàshēng jīngjiào〔jiàohǎn〕. (叫び声)惊呼声jīnghūshēng ✤一マシン:惊险游艺机
せっきょく【積極】积极jījí‖～的な態度 积极的态度 ✤一策:积极措施
せっきん【接近】(～する)接近jiējìn; 靠近kàojìn‖すい星が地球に～する 彗星接近地球
せっく【節句】传统的节日chuántǒng de jiérì
ぜっく【絶句】❶(～する)〔言葉が出ない〕一时说不出话yìshí shuōbuchū huà; 定张口结舌zhāng kǒu jié shé ❷〔漢詩の形式〕绝句juéjù
セックス ❶(～する)〔性行為〕性交xìngjiāo; 做爱zuò'ài ❷〔男女の性〕性xìng ✤一アピール:性感｜一レス:无性生活
せっくつ【石窟】✤一寺院:石窟寺院
せっけい【設計】(～する)❶〔機械や建物の〕设计shèjì ❷〔人生や生活の〕设计shèjì; 规划guīhuà ✤一書:设计书｜一図:设计图｜人生一:人生规划｜生活一:生活规划
ぜっけい【絶景】(天下)绝景(tiānxià) juéjǐng
せっけっきゅう【赤血球】红血球hóngxuèqiú
せつげん【雪原】〔片〕雪原xuěyuán
せつげん【節減】(～する)节约jiéyuē
せっけん【石鹼】〔块〕肥皂féizào. (化粧石けん)香皂xiāngzào ✤一水:肥皂水
せっけん【席巻】(～する)席卷xíjuǎn
ゼッケン 号码布hàomǎbù‖～10番の選手 十号运动员
せつごう【接合】(～する)连接liánjiē; 接合jiēhé
せっこう【斥候】侦察zhēnchá. (人)侦察兵zhēnchábīng‖～を放つ 派出侦察兵
せっこう【石膏】石膏shígāo ✤一像:石膏像
ぜっこう【絶好】最好zuì hǎo; 顶好dǐng hǎo‖～の機会 绝佳良机｜～の行楽日和 最适于出游的天气
ぜっこう【絶交】(～する)‖親友と～した 与好朋友绝交了 ✤一状:绝交信
せっこつ【接骨】(～する)正骨zhènggǔ ✤一医:正骨医生｜一院:正骨医院
せっさたくま【切磋琢磨】(～する)定切磋琢磨qiē cuō zhuó mó; 互相切磋hùxiāng qiēcuō
ぜっさん【絶賛】(～する)极口称赞jíkǒu chēngzàn; 定赞不绝口zàn bù jué kǒu
せっし【摂氏】摄氏shèshì
せつじつ【切実】切实qièshí; 切身qièshēn
せっしゅ【接種】(～する)接种jiēzhòng
せっしゅ【摂取】(～する)(栄養などを)摄取shèqǔ. (知識などを)吸收xīshōu
せつじょ【切除】(～する)切除qiēchú
せっしょう【折衝】(～する)交涉jiāoshè; 谈判tánpàn‖…と～を重ねる 与…反复交涉
せっしょう【殺生】❶(～する)〔生き物を殺す〕杀生shāshēng ❷〔残酷な〕‖そんな～な 你太无情了
せつじょうしゃ【雪上車】雪地车xuědìchē
せつじょく【雪辱】(～する)雪耻xuěchǐ ✤一戦:复仇赛
せっしょく【接触】(～する)❶〔交渉をもつ〕接触jiēchù; 交往jiāowǎng‖～を避ける 避免接触 ❷〔触れる〕接触jiēchù‖スイッチの～ 开关的接触 ✤一感染:接触传染｜一事故:碰撞事故
せっしょく【摂食】摄食shèshí ✤一障害:饮食失调
ぜっしょく【絶食】(～する)断食duàn shí ✤一療法:断食疗法
セッション ❶〔会合·会期〕开会kāihuì; 会期huìqī ❷〔軽音楽〕集会jíhuì
せっすい【節水】(～する)节水jié shuǐ
せっ·する【接する】❶〔隣りあう〕挨着āizhe‖軒を～する 定鳞次栉比｜2つの円が～する 两个圆相连接 ❷〔対応する〕接触jiēchù; 接待jiēdài‖笑顔で人に～する 笑脸待人 ❸〔物事に触れる〕接触jiēchù‖自然に～する機会 接触大自然的机会
ぜっ·する【絶する】‖想像を～する 超出想像
せっせい【節制】(～する)节制jiézhì
ぜっせい【絶世】‖～の美女 绝代佳人
せつせつ【切切】痛感tònggǎn; 深切shēnqiè
せっせと 不停(地) bùtíng (de); 孜孜不倦(地) zīzī bú juàn (de)
せっせん【接戦】激烈的较量jīliè de jiàoliàng
ぜっせん【舌戦】〔次,场〕舌战shézhàn
せっそう【節操】节操jiécāo; 操守cāoshǒu
せつぞく【接続】(～する)连接liánjiē‖インターネットに～する 接入互联网 ✤一駅:联运站｜一詞:连词
せっそくどうぶつ【節足動物】节肢动物jiézhī dòngwù
せったい【接待】(～する)招待zhāodài ✤一係:接待员｜一費:招待费
ぜつだい【絶大】极大jí dà
ぜったい【絶対】绝对juéduì‖～まちがいない 绝对没错｜社長の命令は～だ 总经理的命令是绝对的｜～的な権力 绝对权力 ✤一安静:绝对静养｜一音感:绝对音感｜一視:对…绝对地信奉
ぜったいぜつめい【絶体絶命】定穷途末路qióng tú mò lù
せつだん【切断】(～する)切断qiēduàn; 截断jiéduàn‖回線を～する 切断线路 ✤一面:断面
せっち【設置】(～する)❶〔組織を〕设置shèzhì; 设立shèlì ❷〔物を〕安装ānzhuāng; 装上zhuāngshang
せっちゃく【接着】✤一剤:黏合剂｜一テープ:胶带
せっちゅう【折衷】(～する)折中zhézhōng ✤

せ

━案:折中方案
ぜっちょう【絶頂】极点jídiǎn‖人気〜 红得发紫｜得意の〜 得意之极
せってい【設定】(〜する)设定shèdìng; 设置shèzhì‖パソコンの〜 电脑设定｜ルールを〜する 制定规则｜会議を〜する 安排会议
セッティング (〜する)设置shèzhì; 安排ānpái
せつでん【節電】(〜する)省电shěng diàn; 节电jiédiàn‖10パーセント〜する 省百分之十的电
せってん【接点】❶〔一致する点〕共同点gòngtóngdiǎn‖文化の〜 文化的交融点 ❷〔数学〕切点qiēdiǎn
せつど【節度】分寸fēncun‖〜を保つ 保持分寸｜〜ある態度 得体的态度
セット ❶〔ひとそろい〕一套yítào‖茶器の〜 一套茶具｜〜販売 成套销售 ❷〔試合の〕局jú ❸〔映画·演芸〕布景bùjǐng ❹(〜する)〔髪を〕做发型zuò fàxíng ❺(〜する)〔準備·調整する〕布置bùzhì; 安排ānpái; 调整tiáozhěng‖食卓を〜する 把餐桌布置好｜目覚ましを7時に〜する 把闹钟调到7点 ✤━アップ:设置｜━ポイント:局点｜━メニュー:套餐
せっとう【窃盗】(〜する)盗窃dàoqiè; 偷窃tōuqiè‖〜をはたらく 犯盗窃罪 ✤━罪:盗窃罪
せっとく【説得】(〜する)说服shuōfú; 劝说quànshuō‖〜に応じる 被人说服｜息子を〜する 劝说儿子 ✤━力:说服力
せつな【刹那】瞬间shùnjiān‖〜的な快楽 眼前的享乐 ✤━主義:及时享乐主义
せっぱく【切迫】(〜する)❶〔時間〕逼近bījìn ❷〔事態〕紧迫jǐnpò; 紧张jǐnzhāng ✤━流産:先兆流产
せっぱつま·る【切羽詰まる】定 迫不得已 pò bù dé yǐ
せっぱん【折半】(〜する)平分píngfēn. (費用や負担を)均摊jūntān
ぜっぱん【絶版】绝版juébǎn
せつび【設備】〔套, 项, 个〕设备shèbèi. (施設)设施shèshī ✤━投資:设备投资
ぜっぴつ【絶筆】〔篇, 份〕绝笔juébǐ
ぜっぴん【絶品】〔个, 件〕绝品juépǐn
せっぷん【接吻】(〜する)接吻jiēwěn
ぜっぺき【絶壁】绝壁juébì‖断崖〜 悬崖绝壁
せつぼう【切望】(〜する)盼望pànwàng; 渴望kěwàng; 殷切期望yīnqiè qīwàng
ぜつぼう【絶望】(〜する)绝望juéwàng‖将来に〜する 对前途绝望 ✤━感:绝望感｜━視:认为无望
ぜつみょう【絶妙】绝妙juémiào‖〜のタイミング 绝妙的时机
せつめい【説明】(〜する)‖例をあげて〜する 举例说明｜〜がわかりやすい 解释得通俗易懂 ✤━会:说明会｜━書:说明书
ぜつめい【絶命】(〜する)断气duànqì
ぜつめつ【絶滅】(〜する)灭绝mièjué‖〜の危機に瀕する動物 濒临灭绝危机
せつやく【節約】(〜する)节约jiéyuē; 节省jiéshěng‖費用を〜する 节约费用
せつり【摂理】❶〔理法〕‖自然の〜 自然规律 ❷〔キリスト教〕天意tiānyì‖神の〜 神的意志
せつりつ【設立】(〜する)‖会社を〜する 创办公司 ✤━者:创始人
せつわ【説話】〔个, 则〕故事gùshi ✤━体:故事体｜━文学:民间传说文学
せとぎわ【瀬戸際】紧要关头jǐnyào guāntóu
せともの【瀬戸物】〔件, 套〕陶瓷器táocíqì
せなか【背中】❶〔体の〕背bèi; 脊背jǐbèi‖〜に背負う 背在背上｜〜を流す 擦背｜〜をまるめる 蜷起身子 ❷〔後ろ〕背后bèihòu‖子は親の〜を見て育つ 孩子是看着父母的背影长大的 ✤━合わせ:背对背
ぜにん【是認】(〜する)承认chéngrèn; 允许yǔnxǔ
セネガル 塞内加尔Sāinèijiā'ěr
ゼネコン 综合建筑公司zōnghé jiànzhù gōngsī
ゼネスト 〔次, 场〕总罢工zǒngbàgōng
せのび【背伸び】(〜する)❶〔つま先立ち〕踮起脚diǎnqi jiǎo ❷〔実力以上に〕逞强chěngqiáng
せばま·る【狭まる】缩小suōxiǎo; 变窄biànzhǎi
せば·める【狭める】缩小suōxiǎo; 缩短suōduǎn; 使变窄shǐ biànzhǎi
セパレート 分离式fēnlíshì
せばんごう【背番号】背部号码bēibù hàomǎ
ぜひ【是非】❶〔よしあし〕是非shìfēi; 利弊lìbì ❷〔是非とも〕一定yídìng; 务必wùbì
せひょう【世評】社会上的评价shèhuì shang de píngjià
せびろ【背広】〔套, 件〕男子西服nánzǐ xīfú
せぼね【背骨】脊梁骨jǐlianggǔ; 脊骨jǐgǔ
せま·い【狭い】❶〔空間〕窄zhǎi‖道が〜い 路窄 ❷〔その他の表現〕‖視野が〜い 视野不开阔｜肩身が〜い 抬不起头来｜了見が〜い 心胸狭窄
せまきもん【狭き門】难关nánguān‖〜を突破する 突破难关
せま·る【迫る】❶〔近づく〕迫近pòjìn; 逼近bījìn‖時間が刻々と〜る 时间一刻一刻地迫近｜テストが〜っている 就要考试了｜夕やみが〜る 夜幕将降临｜真に〜った演技 逼真的表演 ❷〔強いる〕强迫qiǎngpò‖辞職を〜られる 被迫辞职｜必要に〜られる 迫于需要｜復縁を〜る 强迫恢复关系
せみ【蟬】〔只, 个〕蝉chán; 知了zhīliǎo
セミ- ✤━ダブルベッド:小双人床｜━ヌード:半裸体｜━ファイナル:半决赛｜━フォーマル:半正式的｜━プロ:半职业的
セミコロン 分号fēnhào
ゼミナール ❶〔演習形式の授業〕小组研究xiǎozǔ yánjiū ❷〔討論会〕研讨会yántǎohuì
せめ【攻め】进攻jìngōng‖守りから〜に転じる 由守转攻 ✤質問━:不断提问题｜水━:水攻
せめ【責め】❶〔責任〕责任zérèn ❷〔責める〕折磨zhémo
せめい·る【攻め入る】攻入gōngrù
せめおと·す【攻め落とす】攻破gōngpò; 攻陷gōngxiàn‖要塞(ようさい)を〜す 攻破要塞
せめぎあ·う【鬩ぎ合う】互争hùzhēng
せめく【責め苦】折磨zhémo; 煎熬jiān'áo
せめて 至少zhìshǎo; 最低zuì dī
せ·める【攻める】进攻jìngōng; 攻击gōngjī‖━

気に～める 猛烈进攻
せ・める【責める】❶〔非難〕责难zénàn ‖ 人を～める 责备别人｜～められるべきは行政だ 应该受到谴责的是行政当局 ❷〔催促〕逼迫bīpò ‖ 借金取りに～められる 被讨债人逼债
セメント 水泥shuǐní ✤一工場:水泥工厂
せもたれ【背凭れ】靠背kàobèi; 椅背yǐbèi ‖ ～を倒す 放倒椅背
ゼラチン 明胶míngjiāo ✤一質:胶质
セラミックス〔件,种〕陶瓷táocí
せりあい【競り合い】竞争jìngzhēng ‖ 激しい～となる 展开激烈的竞争
せりあ・う【競り合う】竞争jìngzhēng
せりあ・げる【競り上げる】抬高táigāo; 提高tígāo ‖ …の値段を3000万円まで～げる 把…的价钱抬高到3000万日元
ゼリー〔盒,块〕果冻guǒdòng.（ゼリー状のもの）胶状物jiāozhuàngwù ‖ ～状になる 成胶(状)
せりうり【競り売り】(～する)拍卖pāimài
せりおと・す【競り落とす】竞买到手jìngmǎi dàoshǒu
せりふ【台詞・科白】❶〔演劇・映画〕台词táicí; 道白dàobái ‖ ～をとちる 说错台词 ❷〔言い草〕‖ きみのその～は聞き飽きた 你的那套话已经听腻了
せ・る【競る】❶〔争う〕竞争jìngzhēng ❷〔せり売りする〕拍卖pāimài
セル ❶〔コンピューター〕单元格dānyuángé ❷〔アニメーションを描く薄板〕赛璐珞片sàilùluò piàn ❸〔繊維〕斜纹哔叽xiéwén bìjī
セルビア 塞尔维亚Sài'ěrwéiyà
セルフ サービス 自助zìzhù
セルフ タイマー 自拍器zìpāiqì
セルロイド 赛璐珞sàilùluò
セレナーデ〔首,支〕小夜曲xiǎoyèqǔ
セレモニー 典礼diǎnlǐ; 仪式yíshì
セロ ⇨チェロ
ゼロ【零】❶〔数字〕零líng ‖ 3対～で負けた 以3比0输了 ❷〔何もない〕完全没有wánquán méiyou ✤一メートル地帯:海拔为零的地区
セロ テープ 透明胶纸tòumíng jiāozhǐ
セロハン 赛璐玢sàilùfēn; 玻璃纸bōlizhǐ
セロリ〔把,根〕洋芹菜yángqíncài
せろん【世論】舆论yúlùn ‖ ～に訴える 诉诸舆论｜～に耳を傾ける 听取民意 ✤一調查:民意调查
せわ【世話】❶〔面倒をみる〕照顾zhàogu; 照管zhàoguǎn; 照料zhàoliào ‖ 病人の～をする 照料病人｜イヌの～をする 照管狗｜親の～になる 要父母照顾 ❷〔手数がかかる〕麻烦máfan ‖ ～が焼ける 让人操心 ❸〔周旋〕介绍jièshào; 推荐tuījiàn ❹〔おせっかい〕‖ 大きなお～だ 你管不着｜いらぬ～は焼くな 少管闲事！ ✤一好き:好帮助人｜一役:主事人
せわし・い【忙しい】忙máng; 忙碌mánglù
せわしな・い【忙しない】忙忙碌碌mángmánglùlù; 匆匆忙忙cōngcōngmángmáng
せん【千】(一)千(yì) qiān.（大字）(壹)仟(yì) qiān ‖ ～分の1 千分之一
せん【栓】❶〔瓶などの〕塞子sāizi ❷〔ガスや水道の〕开关kāiguān
せん【線】❶〔筋〕〔条,道〕线xiàn; 〔道,根〕线条xiàntiáo ‖ まっすぐな～を引く 画直线 ❷〔方針〕‖ いい～行っている 大方向不错｜計画の～にそって仕事を進める 按着计划的要求开展工作 ❸〔神経〕‖ ～が細い 神经质 ❹〔交通〕〔条,个〕线路xiànlù
-せん【銭】(貨幣の単位)钱qián ‖ 1～ 一分钱
ぜん【善】(正しさ)善shàn.（正しい行為）好事hǎoshì ‖ ～を説く 劝善｜～は急げ 好事不宜迟
ぜん【膳】❶〔食事〕〔顿,桌〕饭菜fàncài ‖ お～をととのえる 准备饭菜 ❷〔料理をのせる台〕日式托盘Rìshì tuōpán ‖ お～を運ぶ 端菜｜お～を下げる 收拾餐盘〔碗筷〕 ❸〔ご飯やはしを数える〕‖ ご飯1～ 一碗饭｜はし1～ 一双筷子
-ぜん【然】‖ いかにも教師～としている 摆出一副老师的样子
ぜんあく【善悪】好歹hǎodǎi ‖ ～をわきまえる 明辨善恶｜～を判断する能力 判断是非的能力
せんい【戦意】〔腔,份〕斗志dòuzhì
せんい【繊維】纤维xiānwéi ✤一製品:纺织品
ぜんい【善意】善意shànyì ‖ 人の言葉を～に解釈する 善意地理解别人的话
ぜんいき【全域】整个地区zhěnggè dìqū
せんいん【船員】船员chuányuán
ぜんいん【全員】全体人员quántǐ rényuán ‖ クラス～で話しあう 全班同学一起讨论
ぜんえい【前衛】❶〔先進的な〕先锋xiānfēng; 前卫qiánwèi ‖ ～的な絵画 先锋派绘画 ❷〔球技〕前锋qiánfēng ‖ ～を守る 守前锋 ✤一芸術:先锋派艺术
せんえつ【僭越】冒昧màomèi ‖ ～ながら,一言ごあいさつ申しあげます 请允许我冒昧地说两句
せんか【専科】专科zhuānkē ✤一生:专科生
せんか【戦火】〔场〕战火zhànhuǒ; 战争zhànzhēng ‖ ～をくぐる 穿过枪林弹雨
せんか【戦禍】战争的灾难zhànzhēng de zāinàn
せんか【選科】选修课程xuǎnxiū kèchéng
ぜんか【前科】前科qiánkē ✤一者:有前科的人
せんかい【旋回】(～する)盘旋pánxuán; 旋转xuánzhuǎn
ぜんかい【全会】‖ ～一致 全体一致
ぜんかい【全快】(～する)痊愈quányù ✤一祝い:祝贺康复
ぜんかい【全開】(～する)❶〔窓やふたなどを〕全打开quán dǎkāi ‖ 窓を～にする 把窗户全打开 ❷〔動力などを〕开足kāizú ‖ エンジンを～にする 把马力开足
ぜんかい【全壊】(～する)全部倒塌quánbù dǎotā ✤一家屋:全部毁坏的房屋
ぜんかい【前回】上次shàng cì; 上回shàng huí
ぜんがく【全額】全部金额quánbù jīn'é; 全部费用quánbù fèiyong ‖ 費用は相手側が～負担する 全部费用由对方负担｜～払い戻す 全额退还
せんかくしゃ【先覚者】先知先觉xiānzhī xiānjué
せんかん【戦艦】〔艘,条〕战列舰zhànlièjiàn
せんがん【洗顔】✤一クリーム:洗面奶｜一石けん:洗脸香皂
ぜんかん【全巻】全卷quánjuàn; 一套yí tào
ぜんかん【全館】全楼quánlóu; 全馆quánguǎn

せんき【戦記】〔部,本〕战记zhànjì

ぜんき【前記】上述shàngshù ‖ ～のとおり 如上所述

ぜんき【前期】前期qiánqī.（学期）上学期shàng xuéqī

せんきゃくばんらい【千客万来】客人络绎不绝kèren luò yì bù jué

せんきょ【占拠】（～する）占据zhànjù

せんきょ【選挙】（～する）选举xuǎnjǔ；竞选jìngxuǎn ‖ ～に勝つ〔負ける〕 在竞选中获胜〔落选〕｜～を行う 举行选举 ✤ 一違反：违反选举法｜一運動：竞选活动｜一演説：竞选演说｜一区：选区｜一権：选举权｜一制度：选举制度

せんぎょ【鮮魚】鲜鱼xiānyú

せんきょう【宣教】（～する）传教chuánjiào；布道bùdào ✤ 一師：传教士

せんぎょう【専業】专门从事（一个行业） zhuānmén cóngshì (yí ge hángyè)；专营zhuān yíng.（その職業）专业zhuānyè ‖ 養蚕を～にしている 专营养蚕业 ✤ 一主婦：家庭妇女〔主妇〕｜一農家：专业农户

せんきょく【戦局】战局zhànjú

せんぎり【千切り】切丝（儿） qiē sī(r)

せんきん【千金】千金qiānjīn ✤ 一獲一：发大财

せんくしゃ【先駆者】〔位,个〕先驱（者） xiānqū(zhě) ‖ 業界の～的存在 在同行中处于领先的地位

ぜんけい【全景】全景quánjǐng

ぜんけい【前掲】（～する）上述shàngshù；上列shàngliè ‖ ～の論文 上述的论文

ぜんけい【前傾】（～する）前倾qiánqīng

せんけつ【先決】（～する）首先解决shǒuxiān jiějué ✤ 一問題：先决问题

せんげつ【先月】上（个）月shàng (ge) yuè

ぜんげつ【前月】上（个）月shàng (ge) yuè；前（一个）月qián (yí ge) yuè

せんけん【先見】‖ ～の明 先见之明

せんげん【宣言】（～する）宣言xuānyán；宣布xuānbù ‖ 開会を～する 宣布开会｜国の独立を～する 宣告国家独立 ✤ 一書：宣言书

ぜんけん【全権】一切权力yíqiè quánlì ✤ 一大使：全权大使

せんご【戦後】战后zhànhòu；二战以后Èr Zhàn yǐhòu

ぜんご【前後】❶〔前と後ろ〕前后qiánhòu ❷〔時間的な前後〕前后qiánhòu ‖ 休日の～ 假日前后｜事件の～ 那个事件的前后情况 ❸〔概数〕左右zuǒyòu ❹（～する）〔相次ぐ〕相继xiāngjì ❺（～する）〔順序が逆になる〕颠倒diāndǎo ✤ 一不覚：神志不清

せんこう【先行】（～する）❶〔先に行く〕先行xiānxíng；领先lǐngxiān ‖ 相手側が 3 点～している 对方领先三分｜時代に～する意識 先行于时代〔超前〕的意识 ❷〔先に行う〕先行xiānxíng ✤ 一投資：先行投资

せんこう【専攻】（～する）专修zhuānxiū；学…专业xué … zhuānyè.（専攻科目）专业zhuānyè ‖ 文学を～する 专修文学｜ご～は何ですか 你的专业是什么？ ✤ 一科目：专业课

せんこう【閃光】〔道,个〕闪光shǎnguāng

せんこう【線香】〔支,把〕香xiāng ‖ ～をあげる 上香 ✤ 一立て：香炉｜一花火：线香烟花

せんこう【選考】（～する）选拔xuǎnbá；评审píngshěn；评选píngxuǎn ‖ 受賞者を～する 评选获奖者 ✤ 一委員会：评审委员会

ぜんこう【全校】（学校全体）全校quánxiào.（すべての学校）所有的学校suǒyǒu de xuéxiào

ぜんこう【善行】善行shànxíng ‖ ～を施す 施善

せんこく【宣告】（～する）宣告xuāngào；宣布xuānbù.（判決を）宣判xuānpàn ‖ 1 年の命と～される 被宣告剩下一年的生命｜無罪を～する 宣判无罪 ✤ 一書：宣判书

せんごく【戦国】❶〔戦乱の世〕乱世luànshì ❷〔歴史〕战国（时代） Zhànguó (shídài)

ぜんこく【全国】全国quánguó ‖ ～的運動を起こす 发起全国性的运动 ✤ 一区：全国选区｜一紙：全国性的报纸｜一大会：（競技）全国运动会；（集会）全国会议｜一放送：全国广播

ぜんこくじんみんだいひょうたいかい【全国人民代表大会】（中国の）全国人民代表大会Quánguó Rénmín Dàibiǎo Dàhuì；全国人大Quánguó Réndà

ぜんごさく【善後策】善后措施shànhòu cuòshī ‖ ～を講じる 设法善后

センサー ✤ 視覚一：视觉传感器｜磁気一：磁力传感器

せんさい【先妻】前妻qiánqī

せんさい【戦災】〔场〕战祸zhànhuò ‖ ～を受ける 遭受战争灾害 ✤ 一孤児：战争孤儿

せんさい【繊細】❶〔形などが細かい〕纤细xiānxì；纤弱xiānruò ‖ ～な模様 纤细的花样〔图案〕 ❷〔感じやすい〕细腻xìnì；敏感mǐngǎn

せんざい【千載】‖ ～一遇のチャンス 千载难逢的好机会

せんざい【洗剤】（洗濯の）〔袋〕洗衣粉xǐyīfěn.（台所などの）〔瓶〕洗涤剂xǐdíjì

せんざい【潜在】（～する）潜在qiánzài ✤ 一意識：潜意识｜一能力：潜力

ぜんさい【前菜】凉菜liángcài

せんさく【詮索】（～する）追问zhuīwèn；定刨根问底páo gēn wèn dǐ ‖ ～好き 爱管闲事

せんさばんべつ【千差万別】定千差万别qiān chā wàn bié ‖ 人の好みは～ 定萝卜青菜,各有所好

せんし【先史】✤ 一時代：史前时代；先史时代

せんし【戦士】战士zhànshì

せんし【戦死】（～する）战死zhànsǐ

せんじ【戦時】战争时期zhànzhēng shíqī

ぜんし【前史】❶〔ある時代より前の〕前史qiánshǐ ❷〔ある時代の前半の〕前半史qiánbànshǐ ❸〔先史時代〕史前shǐqián

せんじぐすり【煎じ薬】〔副〕汤药tāngyào

せんしつ【船室】客舱kècāng ✤ 1 等一：一等舱

せんじつ【先日】前几天qián jǐ tiān

ぜんじつ【前日】前一天qián yì tiān

せんしゃ【洗車】（～する）洗车xǐ chē

せんしゃ【戦車】〔辆〕坦克tǎnkè

ぜんしゃ【前者】前者qiánzhě

せんしゅ【先取】（～する）先取得xiān qǔdé ✤

一特権:优先权
せんしゅ【船主】船主chuánzhǔ
せんしゅ【船首】船头chuántóu
せんしゅ【選手】选手xuǎnshǒu; 运动员yùndòngyuán ✤一権:冠军 | 一権大会:锦标赛 | 一团:运动员代表团 | 一村:运动员宿舍; (オリンピックの)奥运村
せんしゅう【千秋】千秋qiānqiū ‖ 一日～ 一日千秋
せんしゅう【先週】上星期shàng xīngqī; 上周shàng zhōu ‖ ～の土曜 上星期六
せんしゅう【専修】(～する)专修zhuānxiū ✤一学校:专科学校
せんしゅう【選集】选集xuǎnjí
せんじゅう【先住】(～する) ✤一者:原住户 | 一民:土著人 | 一民族:土著民族
ぜんしゅう【全集】〔套,部〕全集quánjí
ぜんしゅう【前週】上一周shàng yì zhōu; 上一个星期shàng yí ge xīngqī
ぜんしゅう【禅宗】禅chán; 禅宗chánzōng ‖ ～の寺 禅宗寺院 | ～の僧侶 禅僧
せんしゅつ【選出】(～する)选出xuǎnchu
せんじゅつ【戦術】战术zhànshù; 策略cèlüè ✤一家:战术家; 兵法家
ぜんじゅつ【前述】(～する)上述shàngshù ‖ ～のとおり 如上所述
ぜんしょ【全書】〔套,部〕全书quánshū
ぜんしょ【善処】(～する)妥善处理tuǒshàn chǔlǐ ‖ 当事国に～を申し入れる 要求当事国妥善处理
せんしょう【戦勝】(～する)战胜zhànshèng
せんじょう【洗浄】(～する)洗涤xǐdí; 清洗qīngxǐ ‖ 胃を～する 洗胃 ✤一液:清洗液
せんじょう【戦場】〔次,场〕战场zhànchǎng ✤古一:古战场
ぜんしょう【全勝】(～する)全战全胜quánzhàn quánshèng ✤一優勝:以全胜夺得冠军
ぜんしょう【全焼】(～する)全部烧毁quánbù shāohuǐ
ぜんしょう【前哨】前哨qiánshào ✤一戦:前哨战
せんじょうち【扇状地】冲积扇chōngjīshàn
せんしょく【染色】(～する)染色rǎnsè ✤一工場:染色车间 | 一体:染色体
せん・じる【煎じる】煎jiān; 熬áo
せんしん【先進】先进xiānjìn ✤一技術:先进技术 | 一国:发达国家
せんしん【線審】司线员sīxiànyuán
せんじん【先人】❶〔昔の人〕前人qiánrén ❷〔先祖〕祖先zǔxiān
ぜんしん【全身】全身quánshēn; 浑身húnshēn ‖ ～全霊 全身心 | ～にやけどを負う 全身烧伤 ✤一運動:全身运动 | 一麻酔:全身麻醉
ぜんしん【前身】前身qiánshēn
ぜんしん【前進】(～する)前进qiánjìn ‖ ～あるのみ 只许进,不许退 | 大きく～する 大大迈进一步 ✤一基地:前进基地
ぜんじん【前人】前人qiánrén; 先人xiānrén ‖ ～未到 前所未有
ぜんじんだい【全人大】(全国人民代表大会の略)全国人大Quánguó Réndà

せんす【扇子】〔把〕扇子shànzi; 折扇zhéshàn ‖ ～であおぐ 用扇子扇 | ～を開く 把扇子打开
センス ❶〔審美的感覚〕审美观shěnměiguān ‖ 服装の～がいい 穿着打扮很有品位 | ～のいい部屋 雅致的房间 | ～を磨く 培养审美观 ❷〔才能·素質〕素质sùzhì ‖ ユーモアの～がある 有幽默感 | 野球の～ 棒球才能 ✤ファッション一:服装鉴赏能力
せんすい【潜水】(～する)潜水qiánshuǐ ‖ シュノーケルを使って～する 使用通气管潜水 ✤一具:潜水用具 | 一病:潜水病 | 一服:潜水服
せんすいかん【潜水艦】〔只,艘〕潜(水)艇qián(shuǐ)tǐng
せん・ずる【煎ずる】⇨せんじる(煎じる)
ぜんせ【前世】前世qiánshì; 前生qiánshēng
せんせい【先生】❶〔学校などの〕〔位〕老师lǎoshī ❷〔医者〕〔位〕医生yīshēng; 大夫dàifu ❸〔広い意味の尊称〕老师lǎoshī. (技術をもつ人)师傅shīfu
せんせい【先制】(～する)定 先发制人xiān fā zhì rén
せんせい【宣誓】(～する)宣誓xuānshì; 发誓fāshì ✤一式:宣誓仪式 | 一書:宣誓书
せんせい【専制】✤一君主:专制君主 | 一政治:专制政治
ぜんせい【全盛】鼎盛dǐngshèng ✤一期:鼎盛时期 | 一時代:全盛时代
ぜんせい【善政】仁政rénzhèng ‖ ～をしく 施行仁政
ぜんせいき【前世紀】上一世纪shàng yí shìjì
せんせいじゅつ【占星術】占星术zhānxīngshù ✤一師:占星家
センセーショナル 激动人心jīdòng rénxīn; 定 耸人听闻sǒng rén tīng wén ‖ ～な広告 煽动人心的广告
センセーション 轰动hōngdòng; 耸人听闻sǒng rén tīng wén ‖ 一大～を巻き起こす 引起巨大轰动 | 学界に～を巻き起こす 轰动学术界
ぜんせかい【全世界】全世界quán shìjiè; 全球quánqiú
せんせん【宣戦】(～する)宣战xuānzhàn ✤一布告:宣战公告
せんせん【戦線】战线zhànxiàn
せんぜん【戦前】战前zhànqián; 二战前Èr Zhànqián
ぜんせん【全線】全线quánxiàn
ぜんせん【前線】❶〔戦闘·運動などの第一線〕前线qiánxiàn ❷〔気象〕锋fēng
ぜんせん【善戦】(～する)全力应战quánlì yìngzhàn
ぜんぜん【全然】完全wánquán ‖ ～知らない 一无所知 | ～見当がつかない 完全无法预料
せんせんきょうきょう【戦戦恐恐】战战兢兢zhànzhànjīngjīng; 定 心惊胆战xīn jīng dǎn zhàn
せんぞ【先祖】祖先zǔxiān; 祖宗zǔzong ‖ ～をまつる 祭祖 | ご～さま 祖先 ✤一代々:祖祖辈辈 ‖ ～の墓 祖坟
せんそう【戦争】(～する)战争zhànzhēng; 打仗dǎzhàng ‖ ～に勝つ〔負ける〕 战胜〔战败〕 | 永久

に～を放棄する 永远放弃战争 ✣一映画:战争片｜一孤児:战争孤儿｜交通一:交通战争

ぜんそう【前奏】前奏qiánzòu ✣一曲:前奏曲；(ものごとの前触れ)序幕

せんぞく【専属】(～する)专属zhuānshǔ

ぜんそく【喘息】哮喘xiàochuǎn

ぜんそくりょく【全速力】全速quánsù；最高速度zuìgāo sùdù‖～で走る 全速奔跑

センター ❶〔中心地·総合施設〕中心zhōngxīn ❷〔野球〕中外场(手) zhōngwàichǎng(shǒu) ❸〔バレーボール〕中锋zhōngfēng ✣一ライン:中线

センターしけん【センター試験】统考tǒngkǎo

せんだい【先代】上一辈shàng yí bèi‖～の社長 前任总经理

ぜんたい【全体】全部quánbù；整体zhěngtǐ‖体～が痛む 全身疼痛｜日本人～の問題 关系到所有日本人的问题 ✣一会議:全体会议

ぜんだいみもん【前代未聞】㊀前所未闻qián suǒ wèi wén；空前kōngqián

せんたく【洗濯】(～する)洗衣服xǐ yīfu‖この帽子は～がきく 这个帽子能水洗｜鬼のいぬ間の～ ㊀猫不在老鼠就作怪｜命の～ 放松；休闲 ✣一かご:洗衣篮｜一機:洗衣机｜一せっけん:洗衣粉｜一ばさみ:晒衣夹｜一物:要洗的衣服；洗好的衣服‖～をほす 晒衣服｜一屋:洗衣店

せんたく【選択】(～する)选择xuǎnzé；挑选tiāoxuǎn‖～を誤る 选错｜～の余地はない 没有选择的余地｜進路の～ 选择将来的出路 ✣一科目:选修科目｜一肢:选择；选项｜一事項:选项

せんだつ【先達】❶〔ある分野に通暁し他人を導く人〕前辈qiánbèi ❷〔先に立って案内する人〕向导xiàngdǎo

せんだって【先だって】⇨せんじつ(先日)

ぜんだま【善玉】好人hǎorén ✣一コレステロール:有益性胆固醇

せんたん【先端】❶〔物のいちばん先の部分〕顶端dǐngduān ❷〔物のとがっている部分〕尖部jiānbù ❸〔時代·流行の先頭〕前列qiánliè‖流行の～をいく 赶时髦 ✣一技術:先进技术｜最一:最先进

せんだん【船団】〔支〕船队chuánduì

せんち【戦地】战地zhàndì；前线qiánxiàn

ぜんち【全治】(～する)痊愈quányù；康复kāngfù‖～1か月 要一个月才能治好

ぜんちし【前置詞】介词jiècí；前置词qiánzhìcí

ぜんちぜんのう【全知全能】㊀全知全能quán zhī quán néng

センチメートル 厘米límǐ；公分gōngfēn

センチメンタル 令人伤感的lìng rén shānggǎn de ✣一ジャーニー:伤感旅行

せんちゃく【先着】(～する)先到xiān dào ✣一順:先后顺序

せんちゅう【戦中】战争中zhànzhēng zhōng；战争时期zhànzhēng shíqī ✣一派:战时派

せんちょう【船長】船长chuánzhǎng

ぜんちょう【全長】全长quáncháng

ぜんちょう【前兆】前兆qiánzhào‖よい〔悪い〕～ 吉〔凶〕兆｜津波の～ 海啸的先兆

せんて【先手】❶〔機先を制する〕‖～をとる 领先 ❷〔将棋·囲碁〕先手xiānshǒu‖～で打つ 先下 ✣一必勝:㊀先发制人

せんてい【剪定】(～する)修剪xiūjiǎn ✣一ばさみ:整枝用的剪子

せんてい【選定】(～する)选定xuǎndìng

ぜんてい【前提】❶〔成立の条件〕前提qiántí ❷〔論理〕前提qiántí ✣一条件:前提条件

せんてん【先天】先天xiāntiān；天生tiānshēng‖～的な資質 天赋 ✣一異常:先天异常｜一性疾患:先天性疾病

せんでん【宣伝】(～する)❶〔商品などの〕宣传xuānchuán‖鳴り物入りで～する 大张旗鼓地做宣传 ❷〔大げさに触れまわる〕吹嘘chuīxū ✣一カー:宣传车｜一ビラ:传单｜一部:公关部

センテンス〔个,组,种〕句jù；句子jùzi

せんと【遷都】(～する)迁都qiāndū

セント ❶〔貨幣単位〕分fēn‖1～銅貨 一分钱 ❷〔聖者の敬称〕圣shèng

せんど【鮮度】新鲜(程)度xīnxian(chéng)dù‖～が高い 非常新鲜｜～が落ちた 不新鲜

ぜんと【前途】前途qiántú.(行く先)去路qùlù‖～多難 前途多难｜日本の～ 日本的未来 ✣一有望:有前途｜一洋々:前景广阔

せんとう【先頭】最前头zuì qiántou‖～を切って新技術を導入する 率先引进新技术

せんとう【戦闘】(～する)战斗zhàndòu ✣一員:战士｜一機:战斗机｜一服:战斗服｜一力:战斗力｜非一員:非战斗人员

せんとう【銭湯】〔个,家〕澡堂zǎotáng

せんどう【先導】(～する)先导xiāndǎo；带路dàilù ✣一車:向导车｜一者:领路人

せんどう【扇動】(～する)煽动shāndòng

せんどう【船頭】〔名,个,位〕船夫chuánfū‖～多くして船山にのぼる 三个和尚没水吃

ぜんとう【前頭】✣一部:前额｜一葉:前额叶

セントラル ✣一ヒーティング:中央供暖

ぜんにちせい【全日制】全日制quánrìzhì

ぜんにほん【全日本】全日本quán Rìběn.(日本代表チーム)日本国家队Rìběn guójiāduì

せんにゅう【潜入】(～する)潜入qiánrù

せんにゅうかん【先入観】成见chéngjiàn；㊀先入之见xiān rù zhī jiàn‖誤った～をもつ 抱有错误的成见｜～にとらわれる 拘泥于先入之见

せんにん【仙人】仙人xiānrén；神仙shénxian

せんにん【専任】✣一講師:专职讲师

せんぬき【栓抜き】〔把,个〕瓶起子píng qǐzi.(コルク抜き)螺丝开瓶器luósī kāipíngqì

せんねん【専念】(～する)专心(于) zhuānxīn(yú)；㊀专心致志zhuān xīn zhì zhì

ぜんねん【前年】去年qùnián

せんのう【洗脳】(～する)洗脑xǐnǎo

ぜんのう【全納】(～する)一次付清yí cì fùqīng

ぜんのう【前納】(～する)预付yùfù；预交yùjiāo

せんばい【専売】(～する)专卖zhuānmài ✣一特許:专利；㊞拿手好戏｜一品:专卖品

せんぱい【先輩】❶〔目上〕先辈xiānbèi；前辈qiánbèi ❷〔学校での〕高年级同学gāoniánjí tóngxué‖チームの～ 老队员

ぜんぱい【全廃】(～する)全面废除quánmiàn fèichú；全面取消quánmiàn qǔxiāo

せんぱく【船舶】〔艘,条〕船舶chuánbó; 船只chuánzhī ❖ 一会社:船舶公司 | 一業:船运业
せんばつ【選抜】(〜する)选拔xuǎnbá; 挑选tiāoxuǎn ❖ 一試験:选拔考试 | 一チーム:选拔队
せんぱつ【先発】(〜する)❶〔先に出発する〕先出发xiān chūfā; 先走xiān zǒu ❷〔野球〕先出场xiān chūchǎng ❖ 一隊:先遣队
せんぱつ【洗髪】(〜する)洗发xǐ fà
せんぱん【戦犯】战犯zhànfàn
ぜんはん【前半】前半部qiánbànbù ❖ 一生:前半辈子 | 一戦:前半场
ぜんぱん【全般】全体quántǐ; 全面quánmiàn
ぜんぶ【全部】全部quánbù; 都dōu
ぜんぶ【前部】前部qiánbù
せんぷう【旋風】〔股,阵〕旋风xuànfēng ‖ 一大〜を巻き起こす 刮起一股旋风
せんぷうき【扇風機】〔台〕电扇diànshàn
せんぷく【潜伏】(〜する)❶〔隠れる〕潜伏qiánfú ❷〔病気が〕潜伏qiánfú ❖ 一期間:潜伏期
ぜんぷく【全幅】‖ 〜の信頼を寄せる 寄予百分之百的信任
せんべい【煎餅】日式脆饼干Rìshì cuìbǐnggān
せんべつ【選別】(〜する)挑选tiāoxuǎn; 拣选jiǎnxuǎn. (等級をつける)分级fēn jí ‖ 服地を色で〜する 把衣料按颜色分类 ❖ 一機:分类机; 筛选机
せんべつ【餞別】〔份,件〕饯行〔临别〕礼物jiànxíng〔línbié〕lǐwù ‖ ご近所から〜をいただいた 收下了邻居为我饯行的礼物
せんべん【先鞭】先鞭xiānbiān; 领先lǐngxiān; 抢先qiǎngxiān ‖ LT貿易は日中新時代の〜をつけた LT贸易为日中新时代起了先锋的作用
せんぺんばんか【千変万化】㊜ 千变万化qiān biàn wàn huà
せんぼう【羨望】(〜する)羡慕xiànmù ‖ ライバルの成功に〜の念を禁じえなかった 对对手的成功我不禁羡慕不已 | 〜の眼差(ざ)しを浴びる 引来周围羡慕的目光
せんぽう【先方】❶〔相手〕对方duìfāng ‖ 〜とよく話しあってみたのかね 和对方仔细地商讨了吗? | 〜の意見 对方的意见 ❷〔前方〕前方qiánfāng
せんぽう【先鋒】先锋xiānfēng ❖ 急一:急先锋
ぜんぼう【全貌】〔幅,个〕全貌quánmào
ぜんぽう【前方】前方qiánfāng; 前面qiánmian ‖ 3メートル〜に障害物がある 三米前有个障碍
ぜんまい【発条】〔个,根〕发条fātiáo; 弹簧tánhuáng ‖ 時計の〜を巻く 给表上弦
せんむ【専務】❖一取締役:专务董事〔理事〕
せんめい【鮮明】鲜明xiānmíng ‖ 〜な映像 清晰的画面 | 初恋の記憶はいまも〜だ 初恋仍记忆犹新
ぜんめつ【全滅】(〜する)全部消灭quánbù xiāomiè ‖ 部隊が〜する 部队全员战死了
せんめん【洗面】(〜する)洗脸xǐ liǎn ❖ 一器:脸盆 | 一所:盥洗室; (トイレ)洗手间 | 一台:洗脸台 | 一用具:盥洗用具
ぜんめん【全面】全面quánmiàn ‖ 先方の条件を〜的に受け入れる 全面接受对方的条件 ❖ 一広告:整版广告 | 一戦争:全面战争
ぜんめん【前面】前面qiánmian
せんもん【専門】〔种,门〕专业zhuānyè ‖ 社会学を〜に研究する 专门研究社会学 | 〜外のこと 自己专业以外的事 ❖ 一医:专科医生 | 一化:专门化 | 一家:专家 | 一学校:专科学校 | 一課程:专业课 | 一技術:专业技术 | 一教育:专业教育 | 一用語:术语 | 一職:(職業)专业; (人)专业人员 | 一店:专卖店 | 一分野:专业领域
ぜんや【前夜】前夜qiányè; 前一天晚上qián yì tiān wǎnshang ❖ 一祭:前夜的庆祝活动
せんやく【先約】‖ ほかに〜がある 另外有约在先
せんゆう【占有】(〜する)占zhàn; 占有zhànyǒu ❖ 一権:占有权 | 市場一率:市场占有率
せんゆう【専有】(〜する)专有zhuānyǒu ❖ 一面積:专用面积
せんゆう【戦友】战友zhànyǒu
せんよう【専用】(〜する)专用zhuānyòng ❖ 一回線:专线 | 一機:专机 | 一車:专车
ぜんよう【全容】全貌quánmào
ぜんら【全裸】裸体luǒtǐ
せんり【千里】‖ 〜の道も一歩から ㊜ 千里之行,始于足下 ❖ 一眼:千里眼
せんりつ【旋律】旋律xuánlǜ; 曲调qǔdiào
ぜんりつせん【前立腺】前列腺qiánlièxiàn ❖ 一癌(がん):前列腺癌 | 一肥大:前列腺肥大
せんりゃく【戦略】战略zhànlüè; 策略cèlüè ‖ 〜を立てる 制定战略 | 経営〜を打ち出す 提出经营策略 ❖ 一家:战略家
せんりょう【占領】(〜する)❶〔場所などを占める〕占zhàn; 占据zhànjù ‖ 本棚が部屋の半分を〜している 书架占了房间的一半 ❷〔他国の領土などを〕占领zhànlǐng ❖ 一軍:占领军 | 一地:占领地
ぜんりょう【善良】善良shànliáng
ぜんりょうせい【全寮制】‖ 〜の学校 寄宿制学校
せんりょく【戦力】❶〔戦争遂行能力〕战斗力zhàndòulì ‖ 〜を増強する 增强军事力量 ❷〔事を行うのに必要な能力・要員〕人力rénlì; 人手rénshǒu ‖ 彼は〜にならない 他还不完全顶事
ぜんりょく【全力】全力quánlì ‖ 〜を尽くす 竭尽全力 | 仕事に〜を傾ける 为工作倾注全力 ❖ 一投球:(ボールを)倾全力投球; ㊕ 全力以赴
ぜんりん【前輪】前轮qiánlún
せんれい【先例】(以前の例)前例qiánlì; 先例xiānlì. (しきたり)惯例guànlì ‖ 〜に従う 依照前例 | 〜を破る 打破惯例
せんれい【洗礼】❶〔キリスト教〕洗礼xǐlǐ ‖ 〜を受ける 受洗 ❷〔経験〕洗礼xǐlǐ; 考验kǎoyàn ❖ 一式:洗礼仪式 | 一名:教名
ぜんれい【前例】⇨せんれい(先例)
せんれつ【戦列】战斗行列zhàndòu hánglie. (組織)斗争组织dòuzhēng zǔzhī
ぜんれつ【前列】前排qiánpái ‖ 最〜の右はし 第一排最右边
せんれん【洗練】(〜する)洗练xǐliàn. (むだのない)精练jīngliàn. (あかぬけている)潇洒xiāosǎ ‖ 〜された文章 洗练的文章 | シンプルで〜されたデザイン 简洁精练的设计
せんろ【線路】〔条〕轨道guǐdào; 铁路tiělù ‖ 〜

せ

を敷く 铺设轨道 ✤一工事:铁路工程

ぜんわん【前腕】前臂qiánbì

そ

そあく【粗悪】劣质lièzhì;粗劣cūliè;低劣dīliè ✤一品:下等货;次品

そいん【素因】❶〔もとになる要因〕基本〔根本〕原因jīběn〔gēnběn〕yuányīn ❷〔医学〕因素yīnsù;素质sùzhì‖遺伝的〜 遗传性因素

そ・う【沿う】❶〔長く続くものに〕沿yán;顺shùn‖川に〜って歩く 沿着河边走 ❷〔方針や基準に〕按照ànzhào;依照yīzhào‖基本方針に〜って開発を進める 按照基本方针进行开发

そ・う【添う】❶〔かなう〕满足mǎnzú;符合fúhé‖希望に〜う 满足要求|法に〜った措置 符合法律规定的措施 ❷〔つき従う〕随suí;伴随bànsuí

そう【僧】僧侣sēnglǚ;和尚héshang

そう【層】❶〔重なり〕层céng‖〜をなす 成层;层叠 ❷〔階層〕阶层jiēcéng;阶级jiējí‖若者から年配者まで幅広い〜に支持されている 受到从年轻人到老年人各年龄层次的欢迎 ✤サラリーマン一:工薪阶层|労働者一:工人〔劳动〕阶级

そう ❶〔そのように〕那〔这〕样nà〔zhè〕yàng;那〔这〕么nà〔zhè〕me‖〜ではない 不是那样|〜とは限らない 并不完全是那样的|私は〜は思わない 我不那么认为;我不同意你的意见|〜けちけちするな 别那么小气|〜いえば 这么说 ❷〔それほど〕(并)不那么(bìng) bú nàme‖値段は〜高くはない 价格并不那么贵 ❸〔相手の言葉に対して〕(肯定)对duì;是shì.(疑い・問い返し)是吗shì ma

ぞう【象】〔头〕大象dàxiàng;象xiàng

ぞう【像】❶〔人や物の姿・形〕像xiàng;样子yàngzi.(イメージ)〔种〕形象xíngxiàng‖理想の女性〜 理想的妇女形象 ❷〔物理〕影像yǐngxiàng‖〜を結ぶ 成像

そうあたり【総当たり】循环赛xúnhuánsài;联赛liánsài

そうあん【草案】〔项,个,份〕草案cǎo'àn‖税法改正の〜をつくる 起草税法改革的草案

そうあん【創案】(〜する)首创shǒuchuàng;发明fāmíng;创造chuàngzào

そうい【相違】❶(〜する)〔違い〕不同bù tóng;差异chāyì;区别qūbié‖考え方の〜 想法的不同〔差异〕|意見の〜がある 意见不一致|事実と〜している 与事实不符 ❷〔(…ない)〕一定yídìng;肯定kěndìng‖彼女は事実を知らないに〜ない 她肯定不知道事情的真相〔事实〕

そうい【創意】独创性dúchuàngxìng;想像力xiǎngxiànglì‖〜に富んだ作品 富于独创性的作品 ✤一工夫:㊤独〔别〕具匠心

そうい【総意】全体的意见quántǐ de yìjian‖組織の〜に基づいて代表を選ぶ 遵照组织整体的意愿〔意志〕决定代表

そういう 这样zhèyàng;那样nàyàng

ぞういん【増員】(〜する)增加人员zēngjiā rényuán

そううつびょう【躁鬱病】躁郁症zàoyùzhèng;躁狂抑郁症zàokuáng yìyùzhèng

ぞうえい【造営】(〜する)兴建xīngjiàn;建造jiànzào‖寺院を〜する 建造寺院

ぞうえい【造影】 ✤一剤:造影剂

ぞうえき【増益】(〜する)利润增长lìrùn zēngzhǎng ✤一率:利润增长率

ぞうえん【造園】园艺yuányì;造园zào yuán

ぞうお【憎悪】(〜する)憎恶zēngwù;厌恶yànwù‖〜すべき行為 可恶的行为

そうおう【相応】(〜する)相称xiāngchèn;相应xiāngyìng‖〜の措置をとる 采取相应的措施

そうおん【騒音】噪音zàoyīn;噪声zàoshēng ✤一公害:噪声〔噪音〕污染|一防止:防噪音|一防止条例:噪音管制条例

ぞうか【造花】假花jiǎhuā;人造花rénzàohuā

ぞうか【増加】(〜する)增加zēngjiā;增长zēngzhǎng;增多zēngduō‖人口が〜しつつある 人口正在逐渐增加 ✤一率:增长率

そうかい【爽快】爽快shuǎngkuai;清爽qīngshuǎng‖気分〜 神清气爽

そうかい【総会】大会dàhuì;总会zǒnghuì ✤一屋:股东大会捣乱分子

そうがい【窓外】窗外chuāngwài

そうがい【霜害】霜冻shuāngdòng;霜灾shuāngzāi‖〜を受ける 遭霜冻

そうがく【総額】总额zǒng'é;总数zǒngshù

ぞうがく【増額】(〜する)增加数额zēngjiā shù'é‖10パーセントの〜 增额百分之十

そうかつ【総括】(〜する)总结zǒngjié;概括gàikuò;总括zǒngkuò‖この1年を〜する 总结这一年|討論を〜する 概括讨论内容

そうかん【壮観】壮观zhuàngguān

そうかん【相関】(〜する)相关xiāngguān ✤一関係:相关〔相互〕关系

そうかん【送還】(〜する)遣返qiǎnfǎn;遣送qiǎnsòng

そうかん【創刊】(〜する)创刊chuàngkān‖1800年〜 创刊于1800年 ✤一号:创刊号

そうかん【総監】总监zǒngjiān

ぞうかん【増刊】(〜する)增刊zēngkān ✤一号:增刊|臨時一:临时增刊

そうがんきょう【双眼鏡】双筒〔野营〕望远镜shuāngtǒng〔yěyíng〕wàngyuǎnjìng

そうき【早期】早期zǎoqī ✤一診断:早期诊断|一治療:早期治疗|一発見:早期发现

そうぎ【葬儀】葬礼zànglǐ;丧事sāngshì‖〜を営む 举行葬礼 ✤一社:殡仪公司|一場:殡仪馆

ぞうき【臓器】(内脏)器官(nèizàng) qìguān;脏器zàngqì‖死後〜を提供することに同意する 愿意死后捐器官 ✤一移植:器官移植

そうきゅう【早急】立即lìjí;迅速xùnsù;尽快jǐnkuài‖この件は〜に処理しなくてはならない 必须尽快〔立即〕处理这件事

そうぎょう【創業】(〜する)创业chuàngyè;创建chuàngjiàn‖明治10年〜 创建于明治10年

そうぎょう【操業】(～する)开工kāigōng；作业zuòyè ‖ ～を開始する 投产 | ～を停止する 停工；停产 | ～を再開する 复工

ぞうきょう【増強】(～する)增强zēngqiáng；加强jiāqiáng；强化qiánghuà ‖ 国防力を～する 增强国防力量 ❖ 体力―:增强体力

そうきん【送金】(～する)寄钱jìqián；汇款huìkuǎn.（送金した金）汇款huìkuǎn ‖ 郵便為替で10万円～する 用邮政汇票汇10万日元 ❖ ―為替:汇款汇票 | ―先:收款人 | ―手数料:汇费

ぞうきん【雑巾】〔块〕抹布mābù；搌布zhǎnbu

そうぐ【装具】随身的装备suíshēn de zhuāngbèi ‖ 登山の～を身につける 身配登山用的装备

そうぐう【遭遇】(～する)遭遇zāoyù；遇到yùdào

そうくつ【巣窟】窝wō；贼窟zéikū；巢穴cháoxué ‖ 犯罪の～ 犯罪的温床 | 盗賊の～ 贼窟

そうけ【宗家】❶〔本家〕正宗zhèngzōng；嫡系díxì ❷〔芸能の家元〕宗师zōngshī；宗匠zōngjiàng

ぞうげ【象牙】象牙xiàngyá ‖ ～の塔 (脱离社会的)象牙之塔 ❖ ―色:象牙色

そうけい【早計】草率cǎoshuài；㊀操之过急cāo zhī guò jí

そうけい【総計】(～する)总计zǒngjì；总共zǒnggòng ‖ 各種目の得点を～する 总计各项目的得分

そうげい【送迎】(～する)接送jiēsòng；迎送yíngsòng ❖ ―デッキ:接送(客人的)候船〔机〕室 | ―バス:接送巴士

ぞうけい【造形】造型zàoxíng ❖ ―美術:造型美术

ぞうけい【造詣】造诣zàoyì ‖ 院長先生は西洋美術に～が深い 院长对西洋美术造诣很深

そうけだ・つ【総毛立つ】㊀毛骨悚然máo gǔ sǒng rán

ぞうけつ【増結】(～する)加挂(车厢) jiāguà (chēxiāng) ‖ 特急に車両を3両～する 特别快车加挂三节车厢

そうけっさん【総決算】❶〔会計上の〕总决算zǒngjuésuàn ❷〔物事の総括〕总结zǒngjié

そうけん【双肩】双肩shuāngjiān ‖ 母校の栄誉は選手諸君の～にかかっている 母校声誉全都落在了你们选手们的肩上

そうけん【壮健】健壮jiànzhuàng；健康jiànkāng

そうけん【送検】(～する)(把犯人、嫌疑犯、案件的档案)送交检察院(*bǎ fànrén、xiányífàn、ànjiàn de dàng'àn*) sòngjiāo jiǎncháyuàn

そうけん【創建】(～する)创建chuàngjiàn；创立chuànglì

そうげん【草原】〔片〕草原cǎoyuán

ぞうげん【増減】(～する)增减zēngjiǎn ‖ 投薬は症状に応じて～する 药量要根据病情增减

そうこ【倉庫】仓库cāngkù；库房kùfáng ❖ ―会社:仓储公司 | ―係:仓库保管员

そうご【相互】相互xiānghù；互相hùxiāng；彼此bǐcǐ ‖ ～の理解を深める 加深互相理解 ❖ ―依存:相互依存 | ―乗り入れ:(相互)过轨客运

ぞうご【造語】(～する)造词zàocí；创造新词chuàngzào xīncí.（造語された言葉）创造的词汇chuàngzào de cíhuì

そうこう【走行】(～する)行车xíngchē；行驶xíngshǐ ❖ ―距離:行车距离 | ―距離メーター:里程表 | ―車線:主车道 | ―性:行驶性能

そうこう【草稿】草稿cǎogǎo；底稿dǐgǎo

そうこう 这样那样zhèyàng nàyàng ‖ ～しているうちに日が暮れてしまった 不知不觉间，天黑下来了

そうごう【相好】‖ ～をくずす 乐得喜笑颜开

そうごう【総合】(～する)综合zōnghé ‖ ～的にみて 综合各方面的情况来看 ❖ ―課税:综合课税 | ―大学:综合大学 | ―点:综合分数；综合得分 | ―病院:综合医院 | ―優勝:综合冠军

そうこうげき【総攻撃】(～する)总攻zǒnggōng；总攻击zǒng gōngjī

そうこうしゃ【装甲車】装甲车zhuāngjiǎchē

そうごん【荘厳】庄严zhuāngyán

そうさ【捜査】(～する)侦查zhēnchá ❖ ―員:侦查员 | ―本部:侦查总部 | ―網:侦查网 | ―令状:搜查证

そうさ【操作】(～する)❶〔動かす〕操作cāozuò；驾驶jiàshǐ；操纵cāozòng ❷〔操る〕窜改cuàngǎi；粉饰fěnshì ‖ 帳簿を～する 窜改账簿

そうさい【相殺】(～する)抵消dǐxiāo；抵偿dǐcháng

そうさい【総裁】〔位〕总裁zǒngcái

そうざい【総菜】家常菜jiāchángcài；副食品fùshípǐn

そうさく【捜索】(～する)❶〔探し求める〕寻找xúnzhǎo；搜寻sōuxún ❷〔取り調べる〕搜查sōuchá ❖ ―願:搜寻的请求 | 家宅―:住宅搜查

そうさく【創作】(～する)创作chuàngzuò.（作品）作品zuòpǐn ❖ ―意欲:创作欲望 ‖ ～をかきたてる 激发创作欲望 | ―料理:独家菜

ぞうさつ【増刷】(～する)加印jiāyìn；增印zēngyìn

ぞうさな・い【造作ない】容易róngyì；不费劲bú fèijìn；㊀轻而易举qīng ér yì jǔ

そうざん【早産】(～する)早产zǎochǎn；早生zǎoshēng

ぞうさん【増産】(～する)增产zēngchǎn

そうし【相思】相思xiāngsī；相爱xiāng'ài ‖ 2人は～相愛の仲だ 两人相思相爱感情笃深

そうし【創始】(～する)创始chuàngshǐ；首创shǒuchuàng ❖ ―者:创始者

そうじ【相似】(～する)❶〔似ている〕相似xiāngsì；类似lèisì ❷〔数学〕相似xiāngsì ❖ ―形:相似形 | ―点:类似点

そうじ【掃除】(～する)打扫dǎsǎo；清扫qīngsǎo；搞卫生gǎo wèishēng ‖ ～が行きとどいている 打扫得干干净净 ❖ ―当番:打扫值日

ぞうし【増資】(～する)增加资本zēngjiā zīběn；增资zēngzī

そうしき【葬式】葬礼zànglǐ；葬仪zàngyí；丧事sāngshì ‖ ～を出す 办丧事

そうしき【総指揮】总指挥zǒng zhǐhuī

そうじしょく【総辞職】(～する)总辞职zǒng cízhí

そうしつ【喪失】(～する)丧失sàngshī；失掉shīdiào；失去shīqù ❖ 自信―:丧失信心

そうじて【総じて】总的来说zǒng de lái

shuō; 从大体来看cóng dàtǐ lái kàn
そうしはいにん【総支配人】总经理zǒngjīnglǐ
そうしゃ【走者】❶〔陸上〕〔名〕赛跑运动员sàipǎo yùndòngyuán. (リレーの)接力赛运动员jiēlìsài yùndòngyuán ❷〔野球〕跑垒员pǎolěiyuán
そうしゃ【奏者】演奏者yǎnzòuzhě
そうしゃ【操車】调度diàodù; 调配车辆diàopèi chēliàng ✤一場:调车场
そうしゅ【宗主】宗主zōngzhǔ ✤一国:宗主国
そうじゅう【操縦】(〜する)驾驶jiàshǐ; 操纵cāozòng ‖ リモコンでロボットを〜する 用遥控器操纵机器人 ✤一桿(かん):操纵杆｜一士:驾驶员｜一室:驾驶室；驾驶舱｜
ぞうしゅう【増収】(〜する)(収入が)增加收入zēngjiā shōurù. (収穫が)增加产量zēngjiā chǎnliàng
そうしゅうにゅう【総収入】总收入zǒng shōurù
ぞうしゅうわい【贈収賄】行贿受贿xínghuì shòuhuì
そうじゅく【早熟】早熟zǎoshú; 提早成熟tízǎo chéngshú
そうしゅん【早春】早春zǎochūn
そうしょ【草書】草书cǎoshū; 草体cǎotǐ
そうしょ【叢書】〔套〕丛书cóngshū
ぞうしょ【蔵書】〔册, 个〕藏书cángshū ✤一印:藏书(印)章｜一家:藏书家｜一票:藏书票
そうしょう【総称】(〜する)总称zǒngchēng; 统称tǒngchēng
そうじょう【相乗】(〜する)㊤相辅相成xiāng fǔ xiāng chéng ✤一効果:相乘效应
そうしょく【草食】草食cǎoshí ✤一動物:草食动物｜一類:草食类
そうしょく【装飾】(〜する)装饰zhuāngshì; 点缀diǎnzhui ✤室内一:室内装潢
ぞうしょく【増殖】(〜する)增殖zēngzhí; 增生zēngshēng
そうしれいかん【総司令官】〔位〕总司令(官) zǒngsīlìng(guān)
そうしん【送信】(〜する)发fā; 发送fāsòng; 发报fābào ‖ ファックスを〜する 发传真｜携帯電話にメールを〜する 给手机发短信 ✤一機:发报机
ぞうしん【増進】(〜する)增进zēngjìn; 增加zēngjiā ✤健康一:增进健康｜食欲一:增加食欲
そうしんぐ【装身具】(戴在身上的)装饰品(dài-zai shēnshang de) zhuāngshìpǐn; 首饰shǒushi
ぞうすい【増水】(〜する)涨水zhǎngshuǐ; 水量增加shuǐliàng zēngjiā
そうすう【総数】总数zǒngshù
そう・する【奏する】❶〔演奏する〕演奏yǎnzòu; 奏zòu ❷〔効果が出る〕‖効を〜する 奏效
そうせい【早世】(〜する)夭折yāozhé; 夭亡yāowáng; 早夭zǎoyāo
そうぜい【総勢】全体人员quántǐ rényuán; 总数zǒngshù
ぞうせい【造成】(〜する)修建xiūjiàn; 修造xiūzào ‖ 別荘地を〜する 修造别墅区
ぞうぜい【増税】(〜する)增税zēng shuì; 加税jiā shuì ✤一法案:增税法案
そうせいき【創成期】创建时期chuàngjiàn shíqī; 创立阶段chuànglì jiēduàn
そうせいじ【双生児】双胞胎shuāngbāotāi; 双生儿shuāngshēng'ér
そうせつ【創設】(〜する)创建chuàngjiàn; 创立chuànglì; 创设chuàngshè
そうぜつ【壮絶】壮烈zhuàngliè ‖ 〜なたたかいをくりひろげる 展开殊死搏斗
ぞうせつ【増設】(〜する)增设zēngshè; 加设jiāshè ‖ メモリーを〜する 增设内存
そうぜん【騒然】哗然huárán; 吵闹chǎonào; 混乱不安hùnluàn bù'ān ‖ 暴徒の乱入に会場は〜となった 暴徒的闯入引起会场一片骚乱
ぞうせん【造船】造船zàochuán ✤一所:造船厂
そうせんきょ【総選挙】大选dàxuǎn
そうそう【早早】❶〔急いで〕匆匆cōngcōng; 匆忙cōngmáng; 急忙jímáng ‖ 〜に仕事をきりあげる 匆匆地结束了工作 ❷〔…するやいなや〕刚…就gāng…jiù ‖ 入社〜に失敗した 刚参加工作就摔了跟头
そうそう【草創】❶〔事業のはじめ〕初创chūchuàng; 始创shǐchuàng ‖ 会社の〜期 公司刚成立的时候 ❷〔神社・寺院〕初建chūjiàn
そうそう【葬送・送葬】(〜する)送葬sòng zàng ✤一行進曲:葬礼进行曲
そうそう【錚錚】杰出jiéchū; 佼佼jiǎojiǎo; 铮铮zhēngzhēng ‖ 〜たる学者たち 大名鼎鼎的学者们
そうぞう【創造】(〜する)创造chuàngzào ✤一性:创造性｜一物:创造物；(総称として)生灵｜一力:创造力；创造性
そうぞう【想像】(〜する)想像xiǎngxiàng; 假想jiǎxiǎng; 预料yùliào ‖ 〜もつかない 想像不出｜〜の域を出ない 没有超越想像的领域｜〜していたとおり 和想像的一样｜ご〜にお任せします 任凭各位想像｜〜を絶する 令人难以想像｜〜上の動物 假想的动物 ✤一力:想像力 ‖ 〜をはたらかせる 发挥想像力
そうぞうし・い【騒騒しい】吵(闹) chǎo(nào); 嘈杂cáozá; 喧闹xuānnào. (社会が)不安宁bù ānníng ‖ 部屋の中が〜い 屋子里很吵
そうぞく【相続】(〜する)继承jìchéng ✤一争い:争遗产；有关继承的纷争｜一権:继承权｜一税:(遗产)继承税｜一人:继承人
そうそふ【曾祖父】(父方)曾祖父zēngzǔfù. (母方)外曾祖父wàizēngzǔfù
そうそぼ【曾祖母】(父方)曾祖母zēngzǔmǔ. (母方)外曾祖母wàizēngzǔmǔ
そうだ【操舵】(〜する)掌舵zhǎngduò ✤一室:驾驶室｜一手:舵手
-そうだ ❶〔伝聞〕听说tīngshuō; 据称jùchēng; 传闻chuánwén ‖ 今年は暖冬だ〜 听说今年是暖冬 ❷〔推察〕好像hǎoxiàng; 似乎sìhu; 看上去kànshangqu; 看样子kàn yàngzi ‖ 見るからに健康〜 看上去很健康 ❸〔発生が近い〕(快；就)要…了(kuài;jiù)yào … le ‖ 雨が降り〜 快要下雨了
そうたい【早退】(〜する)早退zǎotuì
そうたい【相対】相对xiāngduì ✤一性原理:相对性原理｜一評価:相对评价
そうだい【壮大】雄伟xióngwěi; 壮丽zhuàng-

lì；宏大hóngdà

ぞうだい【増大】（～する）増高 zēnggāo；増多 zēngduō

そうだつ【争奪】（～する）争夺 zhēngduó ✤一戦：争夺战‖顧客～ 客户争夺战

そうだん【相談】（～する）❶〔話しあいなど〕商量shāngliang‖～がまとまる 达成协议｜何かあったらいつでも～に乗るよ 有问题可以随时来和我商量 ❷〔問い合わせ〕咨询zīxún‖ご不明な点がございましたら窓口までご～ください 如有不明之处，请到窗口咨询 ✤一相手：倾诉对象；可商量的对象｜一役：顾问

そうち【装置】装置zhuāngzhì；设备shèbèi ✤安全一：安全设备〔装置〕‖～がうまく作動しなかった 安全装置没有及时启动

ぞうちく【増築】（～する）扩建 kuòjiàn；增建 zēngjiàn

そうちゃく【装着】（～する）安装ānzhuāng；装上zhuāngshang．（人が）穿在身上chuānzai shēnshang；佩戴〔带〕pèidài〔dài〕

そうちょう【早朝】早晨 zǎochen；清晨 qīngchén

そうちょう【荘重】庄重 zhuāngzhòng；端庄 duānzhuāng；严肃yánsù

そうちょう【総長】总长zǒngzhǎng．（大学）校长xiàozhǎng

ぞうちょう【増長】（～する）❶〔思いあがる〕放肆起来fàngsìqilai；自大起来zìdàqilai；傲慢起来àomànqilai ❷〔度を増す〕越来越(厉害) yuè lái yuè (lìhai)；滋长zīzhǎng

そうで【総出】全体出动quántǐ chūdòng；全都出来quándōu chūlai

そうてい【装丁】（～する）装订zhuāngdìng；装帧zhuāngzhēn ✤一家：装帧设计家

そうてい【想定】（～する）模拟mónǐ；设想shèxiǎng；估计gūjì‖～外のトラブル 意想不到的事故

ぞうてい【贈呈】（～する）赠送zèngsòng；赠献zèngxiàn；赠呈zèngchéng‖花束を～する 赠送花束 ✤一式：授予仪式｜一者：赠送人｜一品：赠送品｜一本：赠书

そうてん【争点】争论点zhēnglùndiǎn；争论的焦点zhēnglùn de jiāodiǎn

そうてん【装塡】（～する）装(上) zhuāng(shang)‖銃に弾を～する 往枪膛里装子弹

そうでん【送電】（～する）供电gōngdiàn；输电shūdiàn ✤一設備：供电设备｜一線：输电线

そうとう【相当】❶〔かなり〕相当xiāngdāng；很hěn；颇为pōwéi‖状況は～厳しいらしい 好像形势相当地严峻｜あの人も～なものだ 那位也真够厉害的 ❷（～する）〔ふさわしい〕适合shìhé；相称xiāngchèn‖それ～の処置を講じる 采取相应措施 ❸（～する）〔同等である〕相当于xiāngdāngyú‖100万円～の指輪 价值100万的戒指

そうとう【総統】〔位，个，名〕总统zǒngtǒng

そうどう【騒動】〔场〕骚动sāodòng；暴乱bàoluàn；动乱dòngluàn‖～を起こす 引起骚动｜てんやわんやの大～ 闹翻天了 ✤お家一：家庭纠纷

ぞうとう【贈答】（～する）赠答zèngdá；互赠礼品hù zèng lǐpǐn ✤一品：礼品

そうどういん【総動員】（～する）总动员zǒngdòngyuán‖一家～で大掃除をした 全家总动员进行大扫除

そうとく【総督】〔个，位，名〕总督zǒngdū ✤一府：总督府

そうなん【遭難】（～する）遇难yùnàn；遇险yùxiǎn ✤一救助隊：抢险队｜一現場：遇难现场｜一者：遇难者；（生存者）幸存者｜一信号：遇险信号｜一船：遇难船只

そうにゅう【挿入】（～する）插入chārù；增添zēngtiān‖ウェブページに画像を～する 在网页中插入图像

そうねん【壮年】壮年zhuàngnián

そうは【走破】（～する）跑完(全程) pǎowán (quánchéng)

そうば【相場】❶〔経済〕(市価)市价shìjià；行情hángqíng；行市hángshi．(投機)投机买卖tóujī mǎimai；投机倒把tóujī dǎobǎ‖～があ〔下〕がる 行情上涨〔下跌〕｜～が崩れる 行市跌落｜～が持ちなおす 行市回升｜～に手を出す 搞炒买炒卖 ❷〔社会通念〕社会常识shèhuì chángshí‖～が決まっている 一般来说；通常 ✤一師：投机商

ぞうはつ【増発】（～する）❶〔運行回数を〕加开jiākāi；增加车次〔班次〕 zēngjiā chēcì〔bāncì〕‖臨時便を～する 加开临时航班 ❷〔紙幣などを〕增发zēngfā

そうばん【早晩】早晚zǎowǎn；迟早chízǎo

ぞうはん【造反】（～する）造反zàofǎn；背叛bèipàn ✤一者：反抗〔反叛〕者

そうび【装備】（～する）装备zhuāngbèi；配备pèibèi；安装ānzhuāng‖標準～ 标准装备

そうひょう【総評】〔个，篇，份〕总评zǒngpíng

そうびょう【躁病】狂躁症kuángzàozhèng

そうふ【送付】（～する）❶〔送る〕发送fāsòng；寄送jìsòng ❷〔国会での法案を〕送交sòngjiāo；提交tíjiāo‖法案を参議院に～する 把法案提交参议院 ✤一先：收件人(地址)

そうふう【送風】（～する）送风sòng fēng；鼓风gǔ fēng ✤一管：通风管道｜一機：送风机

ぞうふく【増幅】（～する）❶〔電気〕放大fàngdà；增幅zēngfú ❷〔物事の程度が〕增加zēngjiā；变大biàndà‖うわさが社会不安を～した 流言增加了社会不安 ✤一器：（アンプ）放大器

そうへき【双璧】两雄liǎng xióng；双璧shuāngbì‖画壇の～ 画坛的两雄

そうべつ【送別】（～する）送别sòngbié；送行sòngxíng ✤一会：欢送会‖同僚の～を開く 为同事饯行

そうほう【双方】双方shuāngfāng‖～の言い分を聞く 听取双方的主张

そうまとう【走馬灯】走马灯zǒumǎdēng‖過去の思い出が～のように駆け巡った 过去的回忆像走马灯一样在我的脑海里萦绕

そうむ【総務】总务zǒngwù ✤一会長：（政党の）总务会长｜一部：总务部〔处〕

そうめい【聡明】聪明cōngming‖～な青年 聪明的年轻人｜～な女性 贤惠的女人

そうもくろく【総目録】总目录zǒngmùlù

ぞうよ【贈与】（～する）赠予zèngyǔ；馈赠kuìzèng；赠送zèngsòng．（寄贈）捐赠juānzèng；捐

juān ✤一税:赠与税
そうらん【争乱】〔场〕战乱zhànluàn; 纷争fēnzhēng
そうらん【総覧】❶(〜する)(全体を見る) 总览zǒnglǎn; 通览tōnglǎn ❷(まとめた本·図) 汇编huìbiān; 总汇zǒnghuì
そうらん【騒乱】〔场〕暴乱bàoluàn; 骚动sāodòng; 骚扰sāorǎo ‖ 〜が起こる〔しずまる〕 发生〔平息〕暴乱 ✤一罪:骚乱〔骚扰〕罪
そうり【総理】〔位,个,名〕总理zǒnglǐ; 首相shǒuxiàng ✤一官邸:总理官邸
ぞうり【草履】〔双,只〕草履cǎolǚ; 草鞋cǎoxié
そうりつ【創立】(〜する)创设chuàngshè; 创办chuàngbàn ✤一記念日:创建纪念日;(学校)建校纪念日 | 一者:创办人
そうりょ【僧侶】〔位,个,名〕僧侣sēnglǚ; 和尚héshang
そうりょう【送料】(郵送)〔笔〕邮费yóufèi; 邮资yóuzī.(託送)运费yùnfèi ✤一無料:免付邮资 | 一込み:含邮费;含运费
ぞうりょう【増量】(〜する)增量zēngliàng; 增加重量〔含量〕zēngjiā zhòngliàng〔hánliàng〕
そうりょうじ【総領事】〔位,个,名〕总领事zǒnglǐngshì ✤一館:总领事馆
そうりょく【総力】全力quánlì; 全部力量quánbù lìliang ‖ 〜をあげてたたかう 调动全部力量作战 ✤一戦:总体战
ぞうりん【造林】(〜する)造林zàolín
ソウル ミュージック 灵乐língyuè; 灵魂音乐línghún yīnyuè
そうれい【壮麗】壮丽zhuànglì; 壮观zhuàngguān ‖ 〜な建築 壮丽夺目的建筑
そうれつ【葬列】送殡行列sòngbìn hángliè
そうろん【総論】总论zǒnglùn
そうわ【総和】总和zǒnghé; 总计zǒngjì ‖ 〜を出す 算出总和
ぞうわい【贈賄】(〜する)行贿xínghuì; 进行贿赂jìnxíng huìlù ✤一罪:行贿罪
そえがき【添え書き】(〜する)❶(文書) 附文fùwén ❷(手紙)(在信尾)加上的附笔(zài xìnwěi) jiāshang de fùbǐ; 附言fùyán
そえぎ【添え木】(副木)夹板jiābǎn ‖ 腕に〜を当てる 给胳膊绑上夹板
そえもの【添え物】❶(付加物) 附加物fùjiāwù; 附件fùjiàn ❷(景品) 赠品zèngpǐn
そ·える【添える】附上fùshang; 附加fùjiā; 配pèi; 增添zēngtiān ‖ プレゼントに手紙を〜える 在礼品中附上封信 | 肉料理に野菜を〜える 给肉配些蔬菜 | パーティーに華を〜える 使晚会锦上添花
そえん【疎遠】疏远shūyuǎn
ソーシャル ✤一ダンス:交际舞 | 一ワーカー:社会福利工作者
ソース(出所)来源láiyuán; 出处chūchù
ソース 沙司shāsī; 辣酱油làjiàngyóu; 调味酱〔汁〕tiáowèijiàng〔zhī〕‖ 〜をかける 浇〔倒〕沙司
ソーセージ〔根,个〕香肠xiāngcháng; 腊肠làcháng; 蒜肠suàncháng
ソーダ 碳酸钠tànsuānnà; 纯碱chúnjiǎn; 苏打sūdá ✤一水:苏打水;汽水儿
ソーラー ✤一カー:太阳能汽车 | 一ハウス:太阳能住宅 | 一パネル:太阳能电池板
そがい【疎外】(〜する)排挤páijǐ; 排斥páichì; 不理(睬) bù lǐ(cǎi) ✤一感:孤独感
そかく【組閣】(〜する)组阁zǔgé; 组建内阁zǔjiàn nèigé
そ·ぐ【削ぐ·殺ぐ】❶(減らす) 削弱xuēruò; 减少jiǎnshǎo; 消减xiāojiǎn ‖ 気を〜がれる 士气大减 ❷(削る) 削xiāo ‖ 棒きれの端を〜いでとがらせる 把木棍头儿削尖
ぞく【俗】❶(世間一般) 普通pǔtōng; 一般yìbān; 通俗tōngsú ‖ 〜にいうマザコン 所谓的恋母情结 ❷(品がない) 低级dījí; 俗气súqi; 庸俗yōngsú
ぞく【属】属shǔ
ぞく【賊】❶(盗人)(盗)贼(dào)zéi; 强盗qiángdào❷(謀反人) 造反者zàofǎnzhě; 反叛者fǎnpànzhě
ぞく【続】续xù; 续集xùjí
ぞくあく【俗悪】庸俗yōngsú; 恶俗èsú; 低级dījí ‖ 〜な週刊誌 低级庸俗的周刊杂志
そくい【即位】(〜する)即位jíwèi; 登基dēngjī
そくおう【即応】(〜する)❶(対応する)(迅速)适应(xùnsù) shìyìng; 顺应shùnyìng ‖ 顧客のニーズに〜する 顺应顾客需求 ❷(当てはまる) 符合fúhé; 切合qièhé ‖ 時代に〜したサービス 符合时代要求的服务
そくおん【促音】促音cùyīn ✤一便:促音便
そくおんき【足温器】暖脚器nuǎnjiǎoqì
ぞくご【俗語】粗话cūhuà; 俚语lǐyǔ
そくざ【即座】当场dāngchǎng; 立刻lìkè; 立即lìjí ‖ 〜に答える 立刻回答
そくし【即死】(〜する)当场〔当即〕死亡dāngchǎng〔dāngjí〕sǐwáng
そくじ【即時】即时jíshí; 立刻lìkè
ぞくじ【俗字】俗字súzì
ぞくじ【俗事】俗事súshì; 日常琐事rìcháng suǒshì ‖ 〜に煩わされる 俗务缠身
そくじつ【即日】即日jírì; 当日dàngrì; 当天dàngtiān ✤一開票:即日开票
ぞくしゅう【俗習】时俗shísú; 世俗的习惯shìsú de xíguàn
ぞくしゅつ【続出】(〜する)不断发生búduàn fāshēng; 接连出现jiēlián chūxiàn; 定 层出不穷céng chū bù qióng
そくしん【促進】(〜する)促进cùjìn ‖ 日中友好を〜する 促进日中友好
そく·する【即する】适应shìyìng; 符合fúhé; 切合qièhé ‖ 実情に〜している 符合实际情况
そく·する【則する】依据yījù; 遵照zūnzhào ‖ 法に〜して対処する 依法进行处理
ぞく·する【属する】属于shǔyú ‖ どの政党にも〜さない 不属于任何政党
そくせい【促成】(〜する)促进生长cùjìn shēngzhǎng; 人工加速培育réngōng jiāsù péiyù ✤一栽培:速成栽培;人工加速培育
ぞくせい【属性】属性shǔxìng; 特征tèzhēng
そくせき【即席】当场dāngchǎng; 即席jíxí ‖ 〜で詩をつくる 即兴作诗 ✤一ラーメン:方便面
そくせき【足跡】❶(あしあと) 足迹zújì; 脚印jiǎoyìn ‖ 〜をたどる 追寻足迹 ❷(業績) 成就

chéngjiù; 业绩yèjì ‖ 偉大な～を残す 做出伟大的成就

そくせけん【俗世間】世上shìshàng; 尘世chénshì; 俗世súshì

そくせん【即戦】✤一力:能立即投入第一线的人力、物力 ‖ ～になる新人 能马上胜任工作的新职员

ぞくぞく【続続】连续liánxù; 陆续lùxù; 不断búduàn

ぞくぞく（～する）❶〔期待·喜びで〕心跳xīn tiào; 心情激动xīnqíng jīdòng ❷〔寒気·恐怖で〕浑身发冷húnshēn fālěng; 凉飕飕的liángsōusōu de; 打寒战dǎ hánzhàn ‖ 熱で身体が～してきた 因为发烧而浑身发冷

そくたつ【速達】快递(邮件) kuàidì (yóujiàn); 快件kuàijiàn; 快信kuàixìn ‖ ～で送る 寄快递 ✤一料金:快递邮费

ぞくっぽ·い【俗っぽい】通俗的tōngsú de; 低级的dījí de; 俗气的súqi de

そくてい【測定】（～する）测量cèliáng; 测定cèdìng; 量liáng ✤ 体力一:体力测定

そくど【速度】速度sùdù ‖ ～を上げる 加快速度 | ～落とす 减速 ✤一計:速度表

そくとう【即答】（～する）立刻〔立即〕答复lìkè〔lìjí〕dáfu; 当场回答dāngchǎng huídá

ぞくとう【続投】（～する）继续投球jìxù tóu qiú ‖ 役員会で現社長の～が決まった 董事会上做出了现任总经理连任的决定

そくどく【速読】（～する）快读kuài dú; 速读sùdú

そくばい【即売】（～する）当场出售dāngchǎng chūshòu ✤ 展示一会:展销会

そくばく【束縛】（～する）束缚shùfù; 限制xiànzhì ‖ 時間に～される 受时间的约束

ぞくはつ【続発】（～する）相继〔连续；接连〕发生xiāngjì〔liánxù;jiēlián〕fāshēng

そくぶつてき【即物的】现实的xiànshí de; 实利的shílì de; 功利的gōnglì de ‖ ～な考え方 很现实的想法

ぞくへん【続編】续编xùbiān; 续集xùjí

そくほう【速報】（～する）即时报道jíshí bàodào; 飞报fēibào.（知らせ）快报kuàibào ‖ 選挙の開票～ 选举开票快报

ぞくほう【続報】（～する）继续报道jìxù bàodào; 连续报告liánxù bàogào

そくめん【側面】❶〔横の面〕侧面cèmiàn ❷〔わき〕侧cè; 旁páng; 间接jiànjiē ‖ ～から援助する 从旁协助 ❸〔一面〕一面yímiàn; 方面fāngmiàn ‖ 学者であると同時に詩人としての～ももつ 不只是一名学者,还具有诗人的一面

そくりょう【測量】（～する）丈量zhàngliáng; 测量cèliáng ✤一器:测量仪器 | 一技師:测量工程师 | 一図:测量图 | 一船:测量船

そくりょく【速力】速度sùdù ‖ ～をあげる〔落とす〕 加〔减〕速

そぐわない 不适合bú shìhé; 不相称bù xiāngchèn; 不符合bù fúhé ‖ 実情に～無理な要求 不符合实际的无理要求

そけいぶ【鼠蹊部】鼠蹊shǔxī

そげき【狙撃】（～する）狙击jūjī

ソケット 插座chāzuò; 插口chākǒu

そこ【底】❶〔最下部〕底(儿) dǐ(r); 底部dǐbù; 底下dǐxia ‖ ～が抜ける 掉底儿 | コップの～ 杯子底部 | 海の～ 海底 ❷〔はて·奥〕事物的极限shìwù de jíxiàn; 顶限dǐngxiàn; 深处shēnchù ‖ ～の浅い知識 浅薄〔肤浅〕的知识 | 資金が～をついた 资金已经花光了 | どうせ腹の～ではばかにしているに違いない （嘴上不说）心里肯定是在耻笑 ❸〔経済〕谷底gǔdǐ; 低谷dīgǔ ‖ 株価はもう～をついた 股价已经见底

そこ ❶〔場所〕那里nàlǐ; 那儿nàr ‖ ～に置いといてください 就放在那儿吧 ❷〔事柄〕这zhè; 那nà ‖ ～がポイントだ 这就是要点 ❸〔時間〕这时zhè shí; 那时nà shí ‖ ちょうど～におまわりさんが通りかかった 那时正好有一位警察走过来了

そご【齟齬】龃龉jǔyǔ; 分歧fēnqí; 不一致bù yízhì ‖ ～をきたす 引起分歧

そこいじ【底意地】心眼儿xīnyǎnr ‖ ～が悪い 心眼儿坏

そこう【素行】品行pǐnxíng; 举止jǔzhǐ ‖ ～が悪い 品行不端 | ～を改める 端正品行

そこく【祖国】祖国zǔguó ✤一愛:爱国心

そこしれない【底知れない】无穷wúqióng; 不可估量bùkě gūliáng ‖ ～魅力 无穷的魅力

そこそこ ❶〔だいたい〕大约dàyuē; 左右zuǒyòu ‖ 500円～の品物 500日元左右的东西 ❷〔まあまあ〕还可以hái kěyǐ ‖ ～人気がある 还算是受欢迎 ❸〔いいかげんに〕草草(了事) cǎocǎo (liǎoshì); 匆忙cōngmáng; 仓促cāngcù ‖ あいさつも～に辞す 草草打了个招呼就离开

そこぢから【底力】潜力qiánlì; 底力dǐlì ‖ ～を発揮する 发挥潜力

そこつ【粗忽】粗心cūxīn; 马虎mǎhu; 冒失màoshi ✤一者:粗心大意的人；冒失鬼

そこで 于是yúshì; 所以suǒyǐ; 为此wèi cǐ

そこな·う【損なう】❶〔傷つける〕损坏sǔnhuài; 破坏pòhuài ‖ 信用を～う 有损信用 | 健康を～う 损害健康 | 町の美観を～う 损坏城市景观 ❷〔…し損なう〕失败shībài; 错过机会cuòguò jīhui; 没…着méi…zháo; 差一点儿chà yìdiǎnr

そこなし【底無し】❶〔深さが〕没有底méiyou dǐ ‖ ～の淵 无底深渊 | ～のやみ 无尽的黑暗 ❷〔程度が〕没有完méiyou wán; 没有头儿méiyou tóur ‖ ～の大酒飲み 喝酒海量的人；酒鬼

そこぬけ【底抜け】透顶tòudǐng; 极端jíduān; 格外géwài ‖ ～の明るさ 开朗透顶 | ～にいい人 极好的人

そこね【底値】最低价zuìdījià; 最低行市zuì dī hángshi

そこびえ【底冷え】（～する）透心儿凉tòuxīnrliáng; 寒冷彻骨hánlěng chègǔ

そざい【素材】❶〔原材料〕材料cáiliào; 原材料yuáncáiliào ‖ ～にこだわる 讲究材料 | ～の持ち味を生かす 保留材料原有的风味 ❷〔題材〕素材sùcái; 题材tícái ‖ 小説の～ 小说的素材

そざつ【粗雑】粗糙cūcāo; 粗略cūlüè; 马虎mǎhu ‖ つくりが～だ 做得很粗糙

そし【阻止】（～する）阻止zǔzhǐ; 阻拦zǔlán; 挡住dǎngzhu ‖ 実力で～する 武力阻止

そじ【素地】基础jīchǔ; 底子dǐzi; 素养sùyǎng

そ

そしき【組織】❶(〜する)〔構成する〕组织zǔzhī；组成zǔchéng‖内閣を〜する 组织内阁｜市民活動を〜化する 使市民活动组织化 ❷〔集団〕组织zǔzhī；机构jīgòu ❸〔生理〕组织zǔzhī ✤一票:集体投票的选票｜一力:组织力

そしつ【素質】〔份〕天资tiānzī；资质zīzhì；素质sùzhì‖〜がある 有天资｜〜に欠ける 缺乏素质

そしな【粗品】粗糙的东西cūcāo de dōngxi；微薄的礼品wēibó de lǐpǐn‖〜ですがおおさめください 绵薄之礼,敬请笑纳

そしゃく【咀嚼】(〜する)❶〔かみくだく〕咀嚼jǔjué ❷〔理解する〕反复体会fǎnfù tǐhuì；充分领会chōngfèn lǐnghuì

そしゃく【租借】(〜する)租借(他国领土) zūjiè (tā guó lǐngtǔ) ✤一権:租借权｜一地:租借地

そしょう【訴訟】(〜する)(打)官司(dǎ) guānsi；诉讼sùsòng‖〜をとり下げる 撤诉｜一部住民が市を相手どって〜を起こした 部分居民以市政府为对手提起诉讼

そじょう【俎上】俎上zǔshang‖問題を〜にのせる 把问题提出来加以讨论｜〜の魚 俎上肉

そじょう【訴状】〔份,张〕起诉书qǐsùshū；状子zhuàngzi‖〜を提出する 提交起诉书

そしょく【粗食】粗食cūshí；㊁粗茶淡饭cū chá dàn fàn‖〜に甘んじる 满足于粗茶淡饭

そしらぬ【素知らぬ】‖〜ふりをする 假装不知道｜〜顔で 若无其事地

そしり【謗り】诽谤fěibàng；非难fēinàn；指责zhǐzé；责难zénàn‖無責任の〜を免れない 难免受到一些不负责任的指责

そし・る【謗る】诽谤fěibàng；责难zénàn

そせい【蘇生】(〜する)苏醒(过来) sūxǐng(guolai)；复苏fùsū；苏生sūshēng

そせん【祖先】祖先zǔxiān；祖宗zǔzong‖〜を祭る 祭祀祖先 ✤一伝来:祖传

そそう【粗相】(〜する)❶〔あやまち〕疏忽shūhu；差错chācuò；错误cuòwù‖お客さまに〜のないように 接待客人要小心,别出错 ❷〔大小便をもらす〕失禁shījìn

そそ・ぐ【注ぐ】❶〔流れ込む〕注入zhùrù‖大井川は駿河湾に〜ぐ 大井川(的水)流入骏河湾 ❷〔流し入れる〕倒dào.(湯を)冲chōng‖コップに水を〜ぐ 把水倒入杯里 ❸〔集中する〕倾注qīngzhù；贯注guànzhù；集中jízhōng；注入zhùrù‖目を〜ぐ 注视｜注意を〜ぐ 关注｜心血を〜ぐ 倾注心血

そそっかし・い 冒失màoshi；鲁莽lǔmǎng

そそのか・す【唆す】教唆jiàosuō；挑唆tiǎosuo；唆使suōshǐ；怂恿sǒngyǒng

そそ・る 引起yǐnqǐ；勾起gōuqi；唤起huànqi‖好奇心を〜られる 被引起好奇心｜食欲を〜る香ばしいにおい 勾起食欲的香味儿

そだいごみ【粗大ごみ】大件垃圾dàjiàn lājī

そだち【育ち】❶〔作物などの〕生长shēngzhǎng‖作物の〜が悪い 庄稼长得不好 ❷〔しつけ〕(家庭)教养(jiātíng) jiàoyǎng‖〜がいい〔悪い〕 有〔没有〕教养｜氏(うじ)より〜 教养比出身重要 ❸〔…育ち〕在…长大zài … zhǎngdà‖温室〜 在蜜罐里长大；㊁娇生惯养｜東京〜 长在东京

そだ・つ【育つ】❶〔生物・人が〕长zhǎng；长大zhǎngdà；成长chéngzhǎng‖〜ちざかりの子ども 处于发育期的孩子｜寝る子は〜つ 能睡的孩子长得快 ❷〔人材が〕成长chéngzhǎng；培养出péiyǎngchu‖後継者がなかなか〜たない 很难培养出接班人

そだ・てる【育てる】❶〔成長させる〕抚养fǔyǎng；养育yǎngyù‖子どもを〜てる 抚养孩子｜花を〜てる 养花｜ニワトリを〜てる 养鸡 ❷〔教え導く〕培养péiyǎng；培训péixùn‖選手を〜てる 培训选手 ❸〔発展させる〕发展fāzhǎn；培养péiyǎng‖新しい産業を〜てる 发展新产业

そち【措置】(〜する)措施cuòshī；处理chǔlǐ；处置chǔzhì‖必要な〜を講ずる 采取必要措施

そちら ❶〔相手に近い場所〕那边nàbiān；你那儿nǐ nàr‖〜のようすはいかがですか 你那儿的情况怎么样？ ❷〔相手に近いもの〕那个nàge‖〜はいくらですか 那个多少钱？ ❸〔人をさす〕您nín；这位zhè wèi；你们nǐmen‖〜の方はどなたですか 这位是…？

そつ 过失guòshī；疏忽shūhu；差错chācuò‖〜がない 万无一失

そつう【疎通】(〜する)沟通gōutōng；疏通shūtōng‖意思の〜を欠く 缺乏思想的沟通

ぞっか【俗化】(〜する)庸俗化yōngsúhuà

そっき【速記】(〜する)速记sùjì ✤一者:速记员

そつぎょう【卒業】(〜する)毕业bìyè‖大学を〜したての研修医 大学刚毕业的实习医生｜〜が危うい 很可能毕不了业｜もう漫画は〜した 已经不看漫画书了 ✤一アルバム:毕业纪念相册｜一式:毕业典礼｜一証書:毕业证书；文凭｜一生:毕业生｜一論文:毕业论文

そっきょう【即興】即兴jíxìng ✤一曲:即兴曲

そっきん【即金】〔笔〕现金xiànjīn；现款xiànkuǎn‖〜で支払う 当场付钱

そっきん【側近】亲信qīnxìn；左右手zuǒyòushǒu‖首相の〜中の〜 首相亲信中的亲信

ソックス〔双,只〕短袜duǎnwà

そっくり ❶〔似ている〕㊁一模一样yì mú yí yàng；酷似kùsì‖実物〜 和实物一模一样 ❷〔まるごと〕全部quánbù；㊁原封不动yuán fēng bú dòng‖人の論文を〜そのまま写す 原封不动地抄袭别人的论文

そっけつ【即決】(〜する)立即裁决lìjí cáijué；立刻决定lìkè juédìng.㊁当机立断dāng jī lì duàn ✤一裁判:立即判决

そっけな・い【素っ気ない】冷淡lěngdàn；冷漠lěngmò；㊁待理不理dài lǐ bù lǐ

そっこう【即効】立即见效lìjí jiànxiào‖〜性のある鎮痛剤 立即见效的镇痛药 ✤一薬:速效药

そっこう【速攻】(〜する)速攻sù gōng；快攻kuài gōng‖〜をしかける 发动快攻战术

ぞっこう【続行】(〜する)继续进行jìxù jìnxíng

そっこうじょ【測候所】气象站qìxiàngzhàn

ぞっこん 彻底chèdǐ；打心眼儿里dǎ xīnyǎnr li‖〜ほれ込む 打心眼儿里喜欢

そっせん【率先】(〜する)率先shuàixiān；带头dàitóu；领头lǐngtóu

そっち ⇨そちら

そっちのけ 扔在一边rēngzai yìbiān；抛开不管

pāokāi bù guǎn ‖ 勉強～で遊んでばかりいる 把学习扔在一边只顾玩儿
そっちゅう【卒中】中风zhòngfēng; 卒中cùzhòng ‖ ～を起こす 引起中风
そっちょく【率直】坦率tǎnshuài; 直率zhíshuài; 直爽zhíshuǎng ‖ ～な意見交換を行う 坦诚地交换意见 | ～に言えば 坦率地说
そっと (～する) ❶ (静かに) 轻轻地qīngqīng de; 悄悄地qiāoqiāo de. (こっそり)偷偷(摸摸)地tōutōu(mōmō) de ‖ 人に気づかれないように～涙をぬぐった 趁别人不注意偷偷地擦了一下眼泪 ❷ (触れないでおく) 不动bú dòng; 不管bù guǎn; 不理bù lǐ ‖ その問題は～しておいたほうがいい 那个问题不去动它为好
ぞっと (～する) ❶ (恐怖で) 定 毛骨悚然máo gǔ sǒng rán ❷ (…しない) ‖ ～しない話 令人乏味的话
そっとう【卒倒】(～する) 昏倒hūndǎo; 晕倒yūndǎo; 昏过去hūnguoqu
そっぽ 别处biéchù; 一边yìbiān ‖ ～を向く 把脸扭向一边 | 消費者から～を向かれる 失去消费者的信任
そで【袖】袖子xiùzi; 衣袖yīxiù ‖ ～にする 甩掉 | ～をまくる 挽袖子 | ない～は振れぬ 定 巧妇难为无米之炊 | ～振りあうも他生の縁 萍水相逢, 亦是前世之缘 ✤ 一なし:无袖
そでぐち【袖口】袖口xiùkǒu
そでたけ【袖丈】袖长xiùcháng
そでのした【袖の下】贿赂huìlù ‖ ～を使う 行贿
そと【外】外边wàibian; 外面wàimian ‖ 窓の～ 窗外 | ～をうかがう 张望门外 | ペットを～で飼う 把宠物养在屋外 | 昼食は～でとろう 午饭在外边吃吧 | 情報が～に漏れる 信息泄漏到外部
そとがわ【外側】外侧wàicè; 外边wàibian; 外围wàiwéi; 外部wàibù
そとづら【外面】对待外人的态度duìdài wàirén de tàidu ‖ ～がいい 对外人好
そとまわり【外回り】❶ (周囲) 周围zhōuwéi; 四周sìzhōu ‖ 家の～ 房子周围 ❷ (外側を回る) 外圈wàiquān; 外围wàiwéi; 外环wàihuán ‖ 山手線の～ 山手线的外环 ❸ (外勤) 外勤wàiqín ‖ ～の仕事をしている 从事外勤工作
そなえ【備え】❶ (用意) 准备zhǔnbèi ‖ ～あれば憂いなし 定 有备无患 ❷ (防備) 防备fángbèi; 防范fángfàn ‖ ～を固める 加强防备
そなえつけ【備え付け】设置shèzhì; 配备pèibèi; 备有bèiyǒu ‖ 図書館に～のパソコン 图书馆配备的电脑
そなえもの【供え物】〔份, 种〕供品gòngpǐn
そな·える【供える】供gòng ‖ 父の仏前に花を～える 在父亲灵前供花
そな·える【備える】❶ (用意する) 准备zhǔnbèi ‖ 万一の事態に～える 以备万一 ❷ (備えつける) 备有bèiyǒu; 备置bèizhì ‖ 喫煙室には強制排気装置が～えられている 吸烟室里装有强制排气装置 ❸ (身に持つ) 具有jùyǒu; 具备jùbèi ‖ 指導力と責任感を～えたリーダー 具有指导能力和责任感的领导
ソナタ 〔首, 支〕奏鸣曲zòumíngqǔ

その 那nà
そのうえ【その上】又yòu; 而且érqiě; 并且bìngqiě
そのうち【その内】❶ (近いうち) 过几天guò jǐ tiān; 近日jìnrì. (しばらくしたら)过一会儿guò yíhuìr; 不久bùjiǔ ‖ ～伺います 近日我将去拜访您 ❷ (その中で) 其中qízhōng
そのくせ【その癖】却què; 反倒fǎndào
そのご【その後】那以后nà yǐhòu ‖ ～おかわりありませんか 从那以后您一直都好吗?
そのころ【その頃】当时dāngshí; 那时nà shí
そのすじ【その筋】❶ (その方面) 某方面mǒu fāngmiàn ‖ ～から情報が入った 从某方面人士那儿得到了消息 ❷ (官庁や役所) 主管部门zhǔguǎn bùmén. (警察)警方jǐngfāng
そのた【その他】其他qítā; 其它qítā ‖ ～おおぜい 其他群众
そのつど【その都度】每次měi cì
そのて【その手】❶ (手段) 这〔那〕一套zhè〔nà〕yí tào ‖ ～は食わない 我可不吃这〔那〕一套! ❷ (種類) 那〔这〕种nà〔zhè〕zhǒng; 那〔这〕样nà〔zhè〕yàng ‖ ～の食べ物は苦手だ 我不喜欢这样的食品
そのとおり【その通り】照样zhàoyàng ‖ まったく～です 完全如您所说的那样
そのとき【その時】❶ (過去) 当时dāngshí; 那时nà shí ‖ ～の校長は山田先生だった 当时的校长是山田老师 ❷ (未来) 那时nà shí; 届时jièshí ‖ ～はまた連絡します 到时再跟你联系
そのば【その場】当场dāngchǎng ‖ ちょうど～に居合わせた 我正好在场 ✤ 一限り:一时; 暂时 | 一逃れ:应付一时; 定 敷衍了事
そのひぐらし【その日暮らし】定 得过且过dé guò qiě guò
そのへん【その辺】❶ (場所の) 那边nàbiān ‖ たしか～に置いたはずだ 我记得好像搁在那边了 ❷ (物事の) 那些nàxiē; 那类nà lèi ‖ ～の事情は何も聞いていない 那些内情我一点儿没听说
そのまま【その儘】❶ (すぐに) 立刻lìkè; 马上mǎshàng; 就jiù ‖ ごろんと横になったら～寝込んでしまった 一骨碌躺下来, 就不知不觉地睡着了 ❷ (もとのまま) 照旧zhàojiù; 照原样zhào yuányàng ‖ 昔の姿を～残している 保留着从前的样子
そのみち【その道】❶ (専門の分野) 那一行nà yì háng; 那一门nà yì mén; 那方面nà fāngmiàn ‖ ～の大家 那一行的权威 ❷ (色事の方面) 艳情方面yànqíng fāngmiàn
そのもの【その物】❶ (それ自体) 本身běnshēn ‖ ～ずばりのタイトル 开门见山的题目 | この薬品～は毒ではない 这个药品本身并没有毒 ❷ (強調表現) 没说的méi shuō de ‖ 母は健康～だ 母亲在健康方面没说的
そば【側】❶ (すぐ横·近く) 旁边pángbiān; 附近fùjìn ❷ (すぐあと) 刚…就… gāng…jiù… ‖ 掃除した～からまた汚す 刚打扫完就又弄脏
そば【蕎麦】荞麦qiáomài ‖ ～を打つ 做荞麦面
そばかす【雀斑】雀斑quèbān
そばだ·てる ‖ 耳を～てる 侧耳倾听
そばづえ【側杖】牵连qiānlián; 牵累qiānlěi ‖ けんかの～を食った 别人打架, 自己受牵连

そ

ソビエト ❶〔政治権力機関〕苏维埃Sūwéi'āi ❷〔旧国名〕苏联Sūlián
そび・える【聳える】耸立sǒnglì
そびやか・す【聳やかす】‖肩を～す 耸肩膀
-そび・れる 错过cuòguò ‖ 言い～れる 错过说话的机会｜昼間時間がなくて銀行へ行き～れた 白天没有时间,没去成银行
そふ【祖父】(父方の)祖父zǔfù.(母方の)外祖父wàizǔfù
ソファー〔个,张,只〕沙发shāfā
ソフト ❶〔やわらかい〕软ruǎn;柔软róuruǎn ‖～な感触 柔软的触感 ❷〔穏やか〕温和wēnhé;温柔wēnróu ‖ 人当たりが～だ 待人很温和
ソフトウエア 软件ruǎnjiàn
ソフトクリーム 蛋筒冰激凌dàntǒng bīngjilíng;圆筒冰激凌yuántǒng bīngjilíng
ソフト ドリンク 清凉饮料qīngliáng yǐnliào
ソフトボール 垒球lěiqiú
ソプラノ 女高音nǚgāoyīn
そぶり【素振り】举止jǔzhǐ;举动jǔdòng;态度tàidu;样子yàngzi ‖ 怪しい～の男 举止可疑的男人｜いやな～を見せない 不流露出厌烦的样子
そぼ【祖母】(父方)祖母zǔmǔ.(母方)外祖母wàizǔmǔ
そぼう【粗暴】粗鲁cūlu;粗暴cūbào
そぼく【素朴】❶〔飾り気のない〕朴素pǔsù;淳朴chúnpǔ ‖～な人柄 为人淳朴 ❷〔単純〕单纯dānchún;简单jiǎndān ‖～な疑問 单纯的疑问
そまつ【粗末】❶〔劣っている〕粗糙cūcāo;简陋jiǎnlòu;简朴jiǎnpǔ ‖～な家 简陋的房子｜～な食事 定 粗茶淡饭｜お～な政策 粗率的政策 ❷〔大切にしない〕糟蹋zāota;不爱惜bú àixī ‖ 食べものを～にするなよ 不要糟蹋食品｜親を～にする 慢待父母
ソマリア 索马里Suǒmǎlǐ
そま・る【染まる】❶〔しみこむ〕染上rǎnshang ❷〔影響を受ける〕沾染zhānrǎn;受影响shòu yǐngxiǎng ‖ 悪習に～る 沾染上恶习
そむ・く【背く】❶〔逆らう,違反する〕违背wéibèi;违反wéifǎn ‖ 法に～く 违反法律｜父母の意に～く 违背父母的意见 ❷〔反する〕辜负gūfù ‖ ユーザーの期待に～かないサービス 没有辜负用户期待的服务
そむ・ける【背ける】背过bèiguo ‖ 顔を～ける 把脸背过去｜現実から目を～ける 不正视现实
そ・める【染める】❶〔色をつける〕染色rǎnsè ‖ 髪を茶色に～める 把头发染成褐色 ❷〔始める〕开始kāishǐ;着手zhuóshǒu ‖ 悪事に手を～める 开始做坏事
そもそも ❶〔始まり〕最初zuìchū;一开始yì kāishǐ ‖ あの一件が～の事の起こりだ 那就是事情的开端 ❷〔つまるところ〕归根结底guī gēn jié dǐ;说到底shuōdàodǐ ‖ ～やり方が間違っている 归根结底,是方法不对
そや【粗野】粗野cūyě;粗鲁cūlu
そよう【素養】素养sùyǎng;修养xiūyǎng
そよかぜ【微風】〔阵,丝〕微风wēifēng
そよ・ぐ【戦ぐ】沙沙作响shāshā zuòxiǎng;轻轻摇动qīngqīng bǎidòng ‖ 若葉が風に～いでいる 风吹得树上的新叶沙沙作响
そら【空】❶〔天〕天空tiānkōng;空中kōngzhōng ❷〔天候〕天tiān ❸〔慣用表現〕‖ 異国の～ 异国他乡｜上の～ 心不在焉
そらいろ【空色】天蓝色tiānlánsè
そらおそろし・い【空恐ろしい】令人担忧lìng rén dānyōu;不堪设想bùkān shèxiǎng
そら・す【反らす】向后仰身xiàng hòu yǎng shēn ‖ 胸を～す 挺胸
そら・す【逸らす】转移zhuǎnyí ‖ 話を～す 岔开话题｜目を～す 转移视线
そらぞらし・い【空空しい】假惺惺jiǎxīngxing;虚伪xūwěi ‖ ～いお世辞 假惺惺的恭维话
そらまめ【空豆・蚕豆】蚕豆cándòu
そらみみ【空耳】听错tīngcuò
そらもよう【空模様】天气tiānqì
そらん・じる【諳んじる】背bèi;背诵bèisòng
そり【反り】❶〔弓なり〕弯曲wānqū ❷〔慣用表現〕‖ 上司と～が合わない 我和上司脾气不和
そり【橇】〔个,只,副〕雪橇xuěqiāo
ソリスト 独唱者dúchàngzhě;独奏者dúzòuzhě
そりゃく【疎略・粗略】慢待màndài ‖ 客を～に扱う 慢待客人
そりゅうし【素粒子】基本粒子jīběn lìzǐ
そ・る【反る】翘起来qiáoqilai;翘棱qiáoleng ‖ 板が～った 板子翘棱了
そ・る【剃る】剃tì;刮guā ‖ ひげを～る 刮胡子
それ ❶〔代名詞〕那nà;那个nàge ‖ ～はだれの本ですか 那是谁的书｜～とこれとは話が別だ 那个跟这个是两回事｜～はそうかもしれないけどさ 也许是那样,可是…｜～以来 从那以后 ❷〔かけ声など〕喂!wèi! ‖ ～行け 喂!去吧!｜～みたことか 瞧,我不是说了吗!
それから ❶〔次に〕然后ránhòu ‖ まずテレビをつけて～お茶をいれる 先开电视,然后沏茶 ❷〔その後〕后来hòulái;那以后nà yǐhòu ‖ ～2人はどうなったの 那以后两个人怎么样了呢? ❸〔その上〕再加上zài jiāshang;还有háiyǒu ‖ 筆記用具,腕時計,～受験票を忘れないように 别忘了带书写用具、手表、还有准考证
それきり【それ切り】❶〔それだけ〕那么点儿nàmediǎnr ‖ もうけはたった～か 就赚了那么点儿吗? ❷〔そのときかぎり〕从那以后再没有cóng nà yǐhòu zài méiyou ‖ 彼は～顔を見せない 从那以后他再也没有来过
それくらい【それ位】那么点儿nàmediǎnr;那么些nàmexiē ‖ ～のことで愚痴をこぼすな 不要为那么点儿事抱怨
それこそ ❶〔それを強調して〕这就是zhè jiù shì ‖ ～私がさがしていた本だ 这就是我要找的书 ❷〔まさしく〕简直jiǎnzhí;真是zhēn shì ‖ そんなことをすれば～人の笑いものだ 要是做出那种事,那真是成了人家的笑柄
それぞれ 各自gèzì;分别fēnbié ‖ 人～に生き方がある 人各自有各自的活法
それだけ【それ丈】❶〔その程度〕那么些nàmexiē;那么点儿nàmediǎnr ‖ さしあたり～あれば十分だ 眼下有那么些就足够了 ❷〔強調〕只有那事zhǐ yǒu nà shì ‖ ～はまっぴらだ 那样的事我绝对不做的 ❸〔それ相応〕相应xiāngyìng ‖ 苦労は

したが，～の成果はあった 尽管吃了些苦，但还是有了相应的收获

それで ❶〔理由〕这下zhè xià ‖ なるほど，～わかった 原来如此，我这下才明白了 ❷〔そこで〕所以suǒyǐ；因此yīncǐ ‖ ～私にどうしろと言うんだね 那你是要我怎么着？ ❸〔それから〕后来hòulái；那以后nà yǐhòu ‖ ～どうなりました 那以后怎么样了？

それでこそ 那才nà cái ‖ ～男の中の男だ 那才称得上是个男子汉大丈夫

それでは 要是那样(的话) yàoshi nàyàng (dehuà) ‖ ～あまりにかわいそうだ 要是那样的话，实在太可怜了

それでも 即使那样jíshǐ nàyàng；尽管那样jǐnguǎn nàyàng ‖ ～やってみる価値はある 即使那样也值得做

それどころか 岂止那样qǐzhǐ nàyàng

それとなく 婉转地wǎnzhuǎn de；委婉地wěiwǎn de；暗中ànzhōng ‖ ～注意する 婉转地提醒

それとも 或者huòzhě；还是háishi ‖ コーヒーにする?～紅茶？ 你是喝咖啡还是喝红茶？

それなのに 尽管那样jǐnguǎn nàyàng

それなら 这样(的话) zhèyàng (dehuà)；那样(的话) nàyàng (dehuà)；那么nàme ‖ ～私も安心です 这样，我也就放心了

それなり 相应xiāngyìng；一定yídìng；相当xiāngdāng ‖ ～の成功はおさめた 取得了相当的成就

それにしても 即使是那样jíshǐ shì nàyàng ‖ ～電話ぐらいくれてもよかったのに 就算是那样，来个电话总还是可以的吧

それはそうと 另外lìngwài；定言归正传yán guī zhèng zhuàn ‖ ～例の件どうなった？ 另外，那件事怎么样了？

そ・れる【逸れる】脱离tuōlí；偏离piānlí；偏piān ‖ 話がわき道に～れた 话说得离了正题｜台風の進路が北へ～れた 台风向北偏移

ソれん【ソ連】⇨ソビエト

ソロ (歌)独唱dúchàng. (演奏)独奏dúzòu

ゾロアスターきょう【ゾロアスター教】拜火教Bàihuǒjiào

そろい【揃い】❶〔いっしょに〕一起yìqǐ；一块儿yíkuàir ‖ みなさんお～でどちらへお出かけですか 你们一块儿去哪儿呀？ ❷〔同じもの〕一样yíyàng；同一tóngyī；清一色qīngyísè ‖ 帽子と～の手袋 跟帽子配套的手套

そろ・う【揃う】❶〔全部集まる〕齐qí；齐全qíquán ‖ 有能な人材が～っている 人才济济｜全員～う 人都到齐了 ❷〔一致する〕整齐zhěngqí；齐qí；一致yízhì ‖ 足並みが～う 步调一致

そろ・える【揃える】❶〔全部集める〕备齐bèiqí；凑齐còuqí ‖ 人員を～える 把人员招齐｜会議用の資料を～える 把开会用的资料备齐 ❷〔一致させる〕使一致shǐ yízhì；使整齐shǐ zhěngqí ‖ 脱いだスリッパを～える 把拖鞋摆整齐

そろそろ ❶〔ゆっくり〕慢慢儿(地) mànmānr (de) ❷〔まもなく〕快kuài；就要jiù yào；该gāi ‖ ～お昼だ 快到中午了｜～始めよう 该开始了

そろばん【算盤】算盘suànpan ‖ ～をはじく 打算盘｜それでは～が合わない 这可就不合算了 ✤一ずく:定斤斤计较；爱打小算盘

ソロモンしょとう【ソロモン諸島】所罗门群岛Suǒluómén Qúndǎo

そわそわ (～する)心神不定xīnshén bú dìng；忐忑不安tǎntè bù'ān

そん【損】亏kuī；赔péi；吃亏chīkuī；不合算bù hésuàn ‖ 100万円～をした 损失了100万日元｜～な役回りを引き受けてしまった 接受了倒霉的任务｜～して得とれ 定吃小亏占大便宜

そんえき【損益】盈亏yíngkuī；损益sǔnyì

そんがい【損害】损失sǔnshī ‖ ～をこうむる 遭受损失 ✤一賠償:赔偿损失｜一保険:财产保险

そんけい【尊敬】(～する)尊敬zūnjìng；敬佩jìngpèi ‖ ～に値する 值得敬佩｜～の念を抱く 抱有敬意

そんげん【尊厳】尊严zūnyán

そんざい【存在】(～する)存在cúnzài；有yǒu ‖ 神の～を信じる 相信神〔上帝〕的存在｜そんなものはこの世に～しない 世上不可能有那样的东西

ぞんざい ❶〔いいかげんなこと〕马虎mǎhu；草率cǎoshuài ‖ やり方が～だ 办得草率 ❷〔粗野〕粗鲁cūlu；粗暴cūbào ‖ 客を～に扱うな 别对顾客那么粗鲁｜口のきき方が～だ 说话很不礼貌

そんしつ【損失】损失sǔnshī

そんしょう【損傷】损伤sǔnshāng；损坏sǔnhuài ‖ ～を受ける 受到损伤

そんしょく【遜色】‖ ～がない 毫不逊色

そん・じる【損じる】❶〔機嫌などを〕伤shāng；惹rě ‖ 上役の機嫌を～じた 我惹上司不高兴了 ❷〔…し損じる〕失败shībài；…错…cuò ‖ 書き～じる 写错｜急いては事をし～じる 定欲速则不达

そんぞく【存続】(～する)延续下去yánxùxiaqu；继续保留jìxù bǎoliú；维持下去wéichíxiaqu

そんだい【尊大】定自高自大zì gāo zì dà；傲慢àomàn；有架子yǒu jiàzi ‖ ～に構える 摆架子

そんちょう【村長】村长cūnzhǎng

そんちょう【尊重】(～する)尊重zūnzhòng

そんとく【損得】得失déshī；损益sǔnyì ✤一ずく:考虑得失；势利眼

そんな 那样nàyàng；那种nà zhǒng ‖ ～ばかな 定岂有此理｜まあだいたい～ところだ 大概如此 ✤一こんな:这个那个

そんなに 那么nàme；那样nàyàng ‖ 何を～怒っているの 为什么你那么生气啊？

ぞんぶんに【存分に】尽情(地) jìnqíng (de)；尽兴(地) jìnxìng (de)；…个够 …ge gòu ‖ ～腕をふるう 充分地施展才能

そんぼう【存亡】生死存亡shēngsǐ cúnwáng；危急存亡wēijí cúnwáng ‖ 国家～の危機 国家生死存亡之际

ぞんめい【存命】(～する)在世zàishì；健在jiànzài ‖ 父の～中 父亲在世时

そ

た

た【他】 别的bié de；其他qítā ‖ ～は推して知るべしだ 别的就不难想象〔可想而知〕了｜～に例を見ない 罕见；鲜见

た【田】〔块,片〕水田shuǐtián；稻田dàotián ‖ ～を耕す 耕田

たあいな・い【他愛ない】 ⇨たわいない(他愛ない)

ダーク ホース 黑马hēimǎ

ターゲット 对象duìxiàng；目标mùbiāo

ダース 打dá ‖ ビール半～ 半打啤酒

タートルネック 高领gāolǐng ‖ ～のセーター 高领毛衣

ターボ ✤ーエンジン:涡轮式发动机｜ーチャージャー:涡轮增压器

ターミナル 总站zǒngzhàn；终点〔始发〕站zhōngdiǎn〔shǐfā〕zhàn ✤ービル:车站大楼

ターン (～する)转弯zhuǎnwān；转身zhuǎnshēn ‖ 左に～する 向左转弯

たい【他意】 他意tāyì；别的意思bié de yìsi ‖ ～はありません 我没有什么别的意思；我别无他意

たい【体】 ❶〔からだ〕身体shēntǐ ❷〔かたち〕样子yàngzi ‖ ～をなさない 不成体统；不成样子 ❸〔実体〕实体shítǐ ‖ 名は～を表す 名表其体

たい【対】 ❶〔相手になる〕对duì；同tóng ‖ ～阪神戦 对阪神之战｜～中貿易 对华贸易 ❷〔比率〕比bǐ ‖ 2～1でリードしている 以二比一领先｜1～3の割合 一比三的比率

たい【隊】〔支〕队duì；队列duìliè；队伍duìwu ‖ ～を組んで歩く 列队前进

たい【鯛】 鲷鱼diāoyú；加级鱼jiājíyú ‖ 腐っても～ 定瘦死的骆驼比马大〔壮〕

タイ 泰国Tàiguó

タイ 平局píngjú；定不分胜负bù fēn shèngfù ‖ 5対5の～ 五比五的平局 ✤ー記録:平记录

-たい 想xiǎng；想要xiǎngyào；希望xīwàng ‖ 早く帰り～ 想早点儿回去｜中国で暮らし～ 我希望在中国生活

だい【大】 ❶〔大きい・多い〕大dà；多duō ‖ ～中小の3種 尺寸分为大中小三种｜～は小を兼ねる 大能兼小｜～の男 男子汉｜声を～にする 大声呼吁｜～なり小なり 或多或少 ❷〔非常に〕非常fēicháng；很hěn；最zuì ‖ ～好物 最爱吃的｜～の仲良し 很要好｜数学は～の苦手だ 我最怕学数学 ❸〔…くらいの大きさ〕…大… dà；…大小… dàxiǎo ‖ こぶし～の石 拳头大的石头

だい【代】 ❶〔世代〕代dài ‖ ～がかわる （改朝）换代｜祖父の～から医者の家系 从祖父开始代代行医 ❷〔代金〕价钱jiàqian；费用fèiyong ‖ お～はいかほどですか 多少钱？

だい【台】 ❶〔物をのせるもの〕台子táizi；架子jiàzi；座儿zuòr ❷〔およその数量範囲〕大关dàguān ‖ 100万人～ 100万人大关 ❸〔車や機械を数える〕(車)辆liàng.（機械など)架jià；台tái

だい【題】 ❶〔表題〕题tí；标题biāotí ‖ ～をつける 起题目 ❷〔試験問題を数える〕道dào

だい-【第】 第dì ‖ ～10条～4項 第十条第四项

たいあたり【体当たり】 ❶(～する)〔体をぶつける〕(用身体)冲撞(yòng shēntǐ) chōngzhuàng；撞zhuàng ❷〔全力で〕定全力以赴quán lì yǐ fù；用尽全力yòngjìn quánlì

タイ アップ (～する)合作hézuò ‖ 中国企業と技術面で～する 与中国企业进行技术上的合作

だいあん【代案】 替代方案tìdài fāng'àn ‖ ～を出す 提出替代方案

たいい【大意】 大意dàyì；概要gàiyào

たいいく【体育】 体育运动tǐyù yùndòng.（教科)体育课tǐyùkè ✤ー館:体育馆

だいいち【第一】 ❶〔最初〕首先shǒuxiān ❷〔もっとも大切〕最重要zuì zhòngyào；第一dì yī ‖ 健康が～だ 健康第一 ❸〔まずもって〕首先shǒuxiān；第一dì yī ‖ ～,金がないじゃないか 首先我们没有钱 ✤ー印象:第一印象｜ー次産業:第一产业

だいいちにんしゃ【第一人者】 最高权威zuì gāo quánwēi；独占鳌头者dúzhàn áotóuzhě

だいいちにんしょう【第一人称】 第一人称dì yī rénchēng

だいいっせん【第一線】 ❶〔戦場の〕前线qiánxiàn；火线huǒxiàn ‖ ～でたたかう 战斗在最前线 ❷〔仕事の〕第一线dìyīxiàn；最前列zuì qiánliè ‖ ～から退く 退出第一线

だいいっぽ【第一歩】 第一步dì yī bù.喩第一阶段dì yī jiēduàn ‖ ～を踏み出す 迈出第一步

たいいん【退院】 (～する)出院chūyuàn ‖ 明日～の予定 预定明天出院

たいいん【隊員】 队员duìyuán

たいえき【退役】 (～する)退伍tuìwǔ；复员fùyuán ✤ー軍人:复员军人

ダイエット (～する)减肥jiǎnféi ‖ ～中だからケーキは食べない 我正减肥,不吃蛋糕 ✤ー食品:减肥食品

たいおう【対応】 (～する)❶〔対処する〕应付yìngfu；对付duìfu ‖ ～策を講ずる 想对策｜速やかに～する 及时采取措施 ❷〔つりあう〕相当xiāngdāng；相称xiāngchèn；适当shìdàng ‖ 実績に～した給与を支払う 按工作成绩付酬 ❸〔向かいあう〕相对xiāngduì；面对面miàn duì miàn ‖ ～する2つの辺 相对应的两个边

だいおうじょう【大往生】 (～する)定寿终正寝shòu zhōng zhèng qǐn ‖ 祖父は90歳で～を遂げた 我爷爷活到90岁无疾而终

ダイオード 二极管èrjíguǎn

ダイオキシン 二噁英èr'èyīng

たいおん【体温】 体温tǐwēn ‖ ～をはかる 量体温｜～があがる〔下がる〕体温升高〔下降〕

たいおんけい【体温計】 体温表tǐwēnbiǎo

たいか【大家】 ❶〔巨匠〕大师dàshī；巨匠jùjiàng；权威quánwēi ‖ 文壇の～ 文坛巨匠｜ドイツ文学の～ 德国文学的权威 ❷〔名家〕名门míngmén；大家dàjiā ‖ ～の出 出身名门

たいか【大過】 大过错dà guòcuò；严重错误yánzhòng cuòwù ‖ ～なく職務を遂行することができた

没犯什么大错, 已尽了职

たいか【耐火】耐火nàihuǒ ❖ 一建築:耐火建筑

たいか【退化】(～する) ❶〔退行する〕退步tuìbù; 倒退dàotuì ‖ 文明の～ 文明的倒退 | 記憶力が～する 记忆力减退 ❷〔生物〕退化tuìhuà

たいが【大河】〔条〕大江dàjiāng; 大河dàhé ❖ 一ドラマ:大型电视连续剧

だいか【代価】❶〔代金〕价钱jiàqian; 价款jiàkuǎn ❷〔犠牲〕代价dàijià ‖ いかなる～を払っても 不管付出多大的代价

たいかい【大会】〔次, 届〕大会dàhuì. (総会)全会quánhuì ‖ ～に出る 出席大会; 参加比赛 | 党～を招集する 召开全党大会

たいかい【退会】(～する)退会tuìhuì ‖ ～届けを提出する 提交退会申请书

たいがい【大概】❶〔ほとんど〕大部分dà bùfen; 大多数dàduōshù; 大半dàbàn ‖ ～のことは解決できる 大多数的事情都能解决 ❷〔ほどほど〕适度shìdù; 不过分bú guòfèn ‖ 遊ぶのも～にしなさい 已经玩儿得差不多了吧 | 冗談も～にしろ 开玩笑也要适可而止

たいがい【体外】体外tǐwài ‖ 老廃物は～に排出される 废物被排出体外 ❖ 一受精:体外受精

たいがい【対外】对外duìwài ‖ ～的な仕事 对外工作; 外事工作 ❖ 一援助:对外援助 | 一政策:对外政策 | 一貿易:对外贸易

たいかく【体格】体格tǐgé ‖ きゃしゃな～ 纤弱身材 | このごろの子どもは～がよい 最近的孩子们体格都很好 | がっしりした～ 体格健壮

たいがく【退学】(～する)退学tuìxué ‖ ～を命じられる 被勒令退学 | 自主～する 主动退学 ❖ 一処分:退学处分 | 一届:退学申请

だいがく【大学】(総合大学)大学dàxué. (単科大学)学院xuéyuàn ‖ ～に通っている 在大学读书 | ～を受ける 报考大学 ❖ 一教授:大学教授 | 一生:大学生 | 一病院:大学医院

だいがくいん【大学院】(大学)研究生院(dàxué) yánjiūshēngyuàn ‖ ～の博士課程 研究生院博士课程 ❖ 一生:研究生

たいかくせん【対角線】对角线duìjiǎoxiàn

だいがわり【代替わり】(～する)换代huàndài

たいかん【体感】(～する)体会tǐhuì; 体感tǐgǎn ‖ 自然のすばらしさを～した 体会到了大自然的伟大 ❖ 一温度:体感温度; 实效温度

たいかん【耐寒】耐寒nàihán

たいがん【大願】大愿dàyuàn ‖ ～成就を祈願する 祈祷成就大愿

たいがん【対岸】对岸duì'àn ‖ 湖の～ 湖的对岸 | ～の火事 隔岸观火

だいかんみんこく【大韓民国】韩国Hánguó

たいき【大気】大气dàqì; 空气kōngqì ❖ 一汚染:大气〔空气〕污染 | 一圏:大气圈〔层〕

たいき【大器】❖ 一晩成: 定 大器晚成

たいぎ【大義】大义dàyì; 为人之道wéirén zhī dào ‖ ～に殉ずる 殉大义 ❖ 一名分:大义名分; 冠冕堂皇的理由

たいぎ【大儀】❶〔骨が折れる〕吃力chīlì; 费力fèilì; 辛苦xīnkǔ ‖ ～そうに歩く 走得很吃力 ❷〔おっくうな〕懒得lǎnde; 发懒fālǎn ‖ 寒くて外へ出るのも～だ 因外面冷, 懒得出去

だいぎ【代議】❖ 一員:代议员; 代表

たいきあつ【大気圧】⇨きあつ(気圧)

だいぎし【代議士】国会议员Guóhuì yìyuán. (衆議院議員)众议院议员Zhòngyìyuàn yìyuán

だいきぼ【大規模】大规模dà guīmó; 规模宏大guīmó hóngdà ‖ ～な開発 大规模的开发

たいきゃく【退却】(～する)退却tuìquè; 撤退chètuì ‖ ～を命ずる 下命令退走

たいきゅう【耐久】耐久nàijiǔ; 耐久力nàijiǔlì ❖ 一試験:耐久试验 | 一年数:耐用年限 | 一力:耐久力〔性〕; 耐用 | 一レース:耐力赛

だいきゅう【代休】补假bǔjià; 补休bǔxiū; 调休tiáoxiū ‖ 一日～をとった 补休一天

たいきょ【大挙】(～する)大举dàjǔ; 大规模(地) dà guīmó (de); 蜂拥fēngyōng ‖ ～して押し寄せる 蜂拥而来

たいきょ【退去】(～する)退出tuìchū; 离开líkāi; 出境chūjìng ‖ 大学構内からの～を命じる 命令他们离开大学校园 | 国外への強制～を命じる 勒令驱逐出境

たいきょく【大局】大局dàjú; 整个形势zhěnggè xíngshì ‖ ～を見極める 认清整个形势 | ～的見地 从大局着眼

たいきん【大金】〔笔〕巨款jùkuǎn; 大钱dàqián ‖ ～を稼ぐ 赚大钱 | ～が転がり込む 发一笔横财 | ～が入る 得到一笔巨款 | ～をはたく 花大钱

たいきん【退勤】(～する)下班xiàbān

だいきん【代金】〔笔〕价款jiàkuǎn; 货款huòkuǎn ‖ ～を支払う 付款 | ～前払い 先付货款 | ～引換払い 交货付款

だいく【大工】木匠mùjiang; 木工mùgōng ‖ ～の棟梁(とうりょう) 木匠师傅; 木工头

たいぐう【待遇】(～する) ❶〔もてなし〕待遇dàiyù; 接待jiēdài; 服务fúwù ‖ 国賓級の～ 国宾待遇 ❷〔職場での〕待遇dàiyù. (給与)工资gōngzī; 报酬bàochou ‖ ～がよい〔悪い〕 待遇优厚〔不好〕 | 契約社員の～を改善する 改善合同员工的待遇

たいくつ【退屈】(～する) ❶〔ひまをもてあます〕无聊wúliáo; 闲(得慌) xián(de huāng); 定 百无聊赖bǎi wú liáo lài ‖ ～しのぎ 为了消遣 ❷〔飽き飽きする〕厌倦yànjuàn; 闷倦mènjuàn; 腻烦nìfan ‖ ～な話 非常无聊的话 | 単調な生活に～している 单调的生活令人厌倦

たいぐん【大群】大群dàqún ‖ イナゴの～が発生した 出现了大群的蝗虫

たいけい【体系】体系tǐxì; 系统xìtǒng ‖ ～づける 系统化 | ～的な研究 有系统的研究 | 問題を～的に考察する 有系统地探讨问题 | 賃金～を見直す 重新调整工资体系

たいけい【体形】体形tǐxíng; 身材shēncái ‖ 均整のとれた〔スリムな〕～ 体形匀称〔身材苗条〕

だいけい【台形】梯形tīxíng

たいけつ【対決】(～する)决斗juédòu; 决战juézhàn; 对抗duìkàng; 交锋jiāofēng ‖ 両雄の～ 两雄相斗 | 2大政党の～ 两大政党的交锋

たいけん【体験】(～する)体验tǐyàn; 经历jīnglì; 亲身经验qīnshēn jīngyàn ‖ 貴重な～ 宝贵的经验 | 幾多の困難を～する 经历了重重困难

たいげん【体現】(～する)体现tǐxiàn

たいげんそうご【大言壮語】(〜する)说大话shuō dàhuà; 定 放大炮fàng dàpào; 夸海口kuā hǎikǒu

たいこ【太古】太古tàigǔ; 上古shànggǔ ‖ 〜の動物の化石 上古时代的动物化石

たいこ【太鼓】鼓gǔ ‖ 〜をたたく 打〔击; 敲〕鼓 ✤一橋:拱桥 | 一腹:大肚子; 便便大腹 | 一判:(大型の判)大图章; 喩 可靠保证

た

たいご【隊伍】〔支,行〕队伍duìwu ‖ 〜を整える 整理队伍 | 〜を組む 组成队伍

たいこう【大綱】❶〔根本〕大纲dàgāng; 根基gēnjī ‖ 条約の〜 条约的大纲 ❷〔大要〕要点yàodiǎn; 纲要gāngyào

たいこう【対抗】(〜する)对抗duìkàng; 抗衡kànghéng; 对着干duìzhe gàn; 唱对台戏chàng duìtáixì ✤一意識:对抗意识 | 一策:对策 | 一試合:对抗赛

たいこう【退校】⇨たいがく(退学)

だいこう【代行】(〜する)代办dàibàn; 代理dàilǐ; 代行dàixíng ‖ 個人輸入の〜 代办个人进口国外商品 ✤一機関:代办处

たいこうじあい【対校試合】校际比赛xiàojì bǐsài

たいこうしゃ【対向車】对头车duìtouchē; 对面开来的车duìmiàn kāilai de chē ✤一線:对面行车线

だいこくばしら【大黒柱】❶〔太い柱〕支柱zhīzhù ❷〔中心人物〕栋梁dòngliáng; 支柱zhīzhù; 定 砥柱中流dǐzhù zhōng liú ‖ 一家の〜 一家的顶梁柱 | チームの〜的存在 球队的顶梁柱

だいごみ【醍醐味】妙趣miàoqù

だいこん【大根】萝卜luóbo ‖ 〜をおろす 擦萝卜泥

たいさ【大差】明显的差距míngxiǎn de chājù; 很大差异hěn dà chāyì ‖ 両者の意見は〜ない 双方意见没有明显的差距

だいざ【台座】台座táizuò; 底座dǐzuò

たいざい【滞在】(〜する)逗留dòuliú; 居留jūliú ‖ 1週間ホテルに〜する 在宾馆住一个星期 | 〜が長引く 逗留期间拖长 ✤一地:逗留〔居留〕地点 | 一費:住〔食〕宿费

だいざい【題材】题材tícái ‖ 民話に〜をとる 从民间传说中取材

たいさく【大作】大作dàzuò; 巨著jùzhù ‖ 油絵の〜 大型油画

たいさく【対策】对策duìcè; 措施cuòshī ‖ 〜を怠る 未能及时采取措施 | 防犯〜を講じる 采取防犯措施

たいさん【退散】(〜する)逃跑táopǎo; 逃走táozǒu ‖ あわてて〜する 慌慌张张地逃走了

たいざん【大山】大山dàshān ‖ 〜鳴動して,鼠(ねずみ)一匹 定 雷声大雨点小; 定 虎头蛇尾

だいさんしゃ【第三者】第三者dìsānzhě; 局外人júwàirén

たいし【大志】大志dàzhì ‖ 少年よ,〜を抱け 少年啊,要胸怀大志!

たいし【大使】大使dàshǐ ‖ 新任の〜が着任した 新大使到任 ✤一館:大使馆

たいじ【対峙】(〜する)相持不下xiāngchíbuxià; 对峙duìzhì ‖ 川をはさんで〜する 隔河对峙

たいじ【胎児】胎儿tāi'ér

たいじ【退治】(〜する)打退dǎtuì; 降伏xiángfú; 消灭xiāomiè ‖ シロアリを根こそぎ〜する 彻底消灭白蚁

だいじ【大事】❶〔注意·大切にすること〕保重bǎozhòng; 珍惜zhēnxī; 谨慎小心jǐnshèn xiǎoxin ‖ 〜にする 珍惜 | 〜をとる 慎重; 小心 | お体お〜に 请保重身体 | 命を〜にする 珍惜生命 | 親を〜にする 敬爱父母 | この書類は〜に保管してください 请慎重保管好这个文件 ❷〔重要·貴重〕重要zhòngyào; 贵重guìzhòng ‖ 〜なことを言い忘れていた 重要的事情忘记说了 | 今は勉強が〜だ 目前学习比什么都重要 | 〜な時 关键时刻 ❸〔危機〕严重问题yánzhòng wèntí ‖ 危うく〜になるところだった 差一点儿酿成大祸

ダイジェスト(〜する)摘要zhāiyào ✤一版:摘要; 文摘; 缩编版

だいしぜん【大自然】大自然dàzìrán

たいした【大した】❶〔たいへんな〕了不起liǎobuqǐ; 可观kěguān ‖ 〜人物 了不起的人物 ❷〔それほど…ない〕没什么的méi shénme de; 不怎么样的bù zěnmeyàng de ‖ 父の病気は〜ことはない 爸爸得的不是什么大病 | 〜違いはない 并没有什么不同

たいしつ【体質】❶〔人の〕体质tǐzhì ‖ ひ弱な〜 体质很虚弱 | 生まれつき病気にかかりやすい〜だ 生来体弱多病 ❷〔組織などの〕素质sùzhì ‖ 企業の〜を改善する 改善企业体质 ✤一改善:改善体质

たいして【大して】并不太…bìng bútài… ‖ 〜寒くない 并不太冷 | 〜気に入っているわけではない 并不太合我的心意

たいして【対して】关于guānyú; 对于duìyú ‖ ご好意に〜心から謝意を表したい 对于你的好意表示衷心的感谢

たいしゃ【代謝】(〜する)代谢dàixiè

たいしゃ【退社】(〜する)❶〔会社をやめる〕辞职cízhí; 退职tuìzhí ‖ 一身上の都合で〜する 因为个人的理由辞职 ❷〔会社から帰る〕下班xiàbān ‖ 毎日5時に〜する 每天5点下班

たいしゃく【貸借】(〜する)❶〔金銭などの〕借贷jièdài ❷〔簿記〕借贷账目jièdài zhàngmù ✤一対照表:资产负债表; 平衡表

たいじゅ【大樹】大树dàshù ‖ 寄らば〜の陰 定 背靠大树好乘凉

たいしゅう【大衆】大众dàzhòng; 群众qúnzhòng ‖ 〜の面前で恥をかく 在众人面前出丑 ✤一運動:群众运动 | 一食堂:大众食堂

たいしゅう【体臭】体臭tǐxiù; 身上的气味shēnshang de qìwèi ‖ 〜が強い 体臭强烈

たいじゅう【体重】体重tǐzhòng ‖ 〜が増えた〔減った〕 体重增加了〔减轻了〕 | 〜をはかる 量体重 ✤一計:体重计

たいしゅつ【退出】(〜する)退出tuìchū; 离开líkāi ‖ 席を蹴って〜する 离席退场

たいしょ【対処】(〜する)应付yìngfu; 对付duìfu; 对待duìdài ‖ 難局に〜する 应付困难局面 | 〜に困る 拿不出对策; 定 束手无策

たいしょう【大将】上将shàngjiàng; 大将dàjiàng

たいしょう【対称】对称duìchèn ‖ 左右～の模様 左右对称的图案
たいしょう【対象】对象duìxiàng ‖ 女性を～にした雑誌 面向女性读者的杂志
たいしょう【対照】(～する)对照duìzhào；对比duìbǐ；比较bǐjiào ‖ 両案を～し検討する 对照两个方案加以研究
たいじょう【退場】(～する)退场tuìchǎng ‖ 審判は選手に～を命じた 裁判员命令选手退场
だいしょう【大小】大与小dà yǔ xiǎo ‖ ～さまざまな 大小不一｜事の～を問わず 事无巨细
だいしょう【代償】赔偿péicháng；补偿bǔcháng；代价dàijià ‖ ～を求める 要求赔偿〔补偿〕｜浮気の～は高くついた 为婚外恋付出的代价太高了
たいしょうてき【対照的】对比〔对照〕鲜明duìbǐ〔duìzhào〕xiānmíng；㊣截然不同jié rán bù tóng ‖ ～な性格 (两个人)性格截然不同
だいじょうぶ【大丈夫】不要紧bú yàojǐn；没关系méi guānxi；没事儿méishìr；没问题méi wèntí ‖ ～ですか 不要紧吧？｜病人はもう～だ 病人已经不要紧了｜～，きみなら必ず合格できる 没问题，相信你一定会考上的
たいしょうりょうほう【対症療法】对症疗法duìzhèng liáofǎ. ㊐治标(不治本) zhìbiāo(bú zhìběn) ‖ ～的なやり方 治标不治本的办法
たいしょく【退職】(～する)辞职cízhí；退休tuìxiū ‖ 定年で～する 到年龄退休｜病気で～する 因病辞职 ❖ 一金：退职金；(定年)退休金
たいしん【耐震】抗震kàngzhèn；防震fángzhèn ❖ 一建造物：抗震建筑｜一工学：防〔抗〕震技术｜一構造：抗震结构
たいじん【対人】人际rénjì ‖ ～関係がうまくいってない 人际关系没搞好 ❖ 一恐怖症：社交恐惧症｜一保険：对人赔偿保险
たいじん【退陣】(～する)辞职cízhí；退下来tuìxialai；下台xiàtái ‖ 内閣の～を要求する 要求内阁辞职
だいじん【大臣】部长bùzhǎng；大臣dàchén ‖ ～になる 就任大臣｜～のいす 大臣的位子
ダイス 骰子tóuzi
だいず【大豆】大豆dàdòu；黄豆huángdòu
だいすき【大好き】最喜欢zuì xǐhuan；特喜欢tè xǐhuan ‖ ～なテレビ番組 特别爱看的电视节目
たい・する【対する】对duì；对于duìyú ‖ 平和に～する関心が強い 非常关心和平问题｜社会に～する義務 对社会应尽的义务
だい・する【題する】以…为题yǐ … wéi tí
たいせい【大成】(～する)❶〔りっぱな人物になる〕有成就yǒu chéngjiù ‖ 学者として～する 作为学者很有成就 ❷〔まとめあげる〕完成wánchéng
たいせい【大勢】趋势qūshì；大局dàjú；形势xíngshì ‖ ～に従う 顺应趋势｜～に逆らう 违背形势｜～に変化はない 这一趋势没有变化｜～は決した 大局已定
たいせい【体制】❶〔システム〕〔种，个〕体制tǐzhì；体系tǐxì ‖ 現～を打破〔維持〕する 打破〔维持〕现行体制｜緊急医療～を確立する 确立紧急医疗体系 ❷〔権力者・支配者〕统治者tǒngzhìzhě；当权者dāngquánzhě ‖ ～側の人間 当权者一派的人｜～派と反～派 当权派和反当权派
たいせい【体勢】姿势zīshì ‖ ～が崩れる 身体失去平衡｜～を立てなおす 重整姿势
たいせい【態勢】状态zhuàngtài；准备zhǔnbèi；阵势zhènshi ‖ 万全の～で試合にのぞむ 以万全的阵势迎接比赛
たいせき【体積】体积tǐjī
たいせき【退席】(～する)退席tuìxí ‖ 会の終わらぬうちに～した 会议没结束就退席了｜～を命じる 命令退场
たいせき【堆積】(～する)堆积duījī；沉积chénjī ❖ 一岩：沉积岩｜一物：沉积物；堆积物
たいせつ【大切】❶〔重要な〕重要zhòngyào；要紧yàojǐn；宝贵bǎoguì ‖ 時間ほど～なものはない 再没有比时间更重要的了｜～なもの 贵重物品 ❷〔大事に〕爱惜àixī；珍爱zhēn'ài ‖ お体～に 请保重身体｜資源を～にしよう 要珍惜资源
たいせん【対戦】(～する)对阵duìzhèn；交锋jiāofēng ‖ ライバル校と～する 与对手校交锋｜手ごわい敵と～する 与劲敌对阵 ❖ 一成績：对抗赛成绩
たいそう【体操】体操tǐcāo ‖ 毎朝～をする 每天早上做体操 ❖ 一選手：体操选手
だいそれた【大それた】狂妄kuángwàng；㊣无法无天wú fǎ wú tiān ‖ ～罪を犯す 犯下滔天大罪｜～考え 狂妄的想法
たいだ【怠惰】懒惰lǎnduò；懒散lǎnsǎn ‖ ～な生活を送る 过着懒散的日子｜～に流れる 懒散度日
だいたい【大体】❶〔ほとんど・おおよそ〕大概dàgài；大致dàzhì；差不多chàbuduō ‖ 日曜日は～外出する 星期天差不多都出门｜計画は～においてうまくいっている 计划进行得大致顺利｜～同じ年ごろ 年龄相仿 ❷〔そもそも〕说起来shuōqilai；本来běnlái ‖ ～悪いのはあなたじゃないの 本来这得怪你呀！
だいだい【代代】世世代代shìshìdàidài；祖祖辈辈zǔzǔbèibèi ‖ 彼の家は～医者だ 他家世世代代是医生
だいだいてき【大大的】大大dàdà；大规模dàguīmó ‖ 新製品を～に宣伝する 大力宣传新产品｜～に店を拡張する 大大扩大店铺规模
だいたすう【大多数】大多数dàduōshù ‖ クラスの～の生徒 班里大多数的学生
たいだん【対談】(～する)对谈duìtán ‖ 評論家と～する 和评论家对谈
だいたん【大胆】大胆dàdǎn；勇敢yǒnggǎn ‖ 決定は慎重に，行動は～に 决定要慎重，行动要大胆｜～なデザインの洋服 样式新颖出奇的服装 ❖ 一不敵：大胆无畏；㊣胆大包天
だいだんえん【大団円】大团圆dàtuányuán；圆满收场yuánmǎn shōuchǎng ‖ 最後は～に終わる 最后以大团圆的结局收场
だいち【大地】大地dàdì ‖ ～にしっかりと根をおろす 深深地把根扎进大地
だいち【台地】台地táidì；高原gāoyuán
たいちゅう【対中】对华duì Huá；对中duì Zhōng ❖ 一ビジネス：中国商务｜一貿易：对华〔对中国的〕贸易
たいちょう【体調】身体状态shēntǐ zhuàngtài ‖ ～がいい〔悪い〕身体很好〔欠佳〕｜～が崩れる 身体不舒服

たいちょう【隊長】队长duìzhǎng; 领队lǐngduì
だいちょう【大腸】大肠dàcháng ✤ ―カタル:急性大肠炎 | ―菌:大肠杆菌
だいちょう【台帳】〔本〕总账zǒngzhàng; 底账dǐzhàng ‖ ～につける 记入底账
たいてい【大抵】大都dàdōu; 多半duōbàn; 大部分dà bùfen ‖ 上海なら～のところは知っている 上海,大部分的地方我都知道 | 日用品なら～このスーパーで間に合う 日常用品在这家超市基本上都能买到
たいてき【大敵】大敌dàdí; 劲敌jìngdí ‖ 夜更かしは美容の～だ 美容最忌讳熬夜
たいど【態度】❶〔ふるまい〕态度tàidu; 举止jǔzhǐ; 表现biǎoxiàn ‖ そっけない～ 冷淡的态度 | ふてくされた～ 闹情绪 | ～がよそよそしい 客套 ❷〔身構え·出方〕态度tàidu ‖ 強い～で交渉に臨む 采取强硬的态度去进行交涉 | ～を決める 明确表态 | ～を和らげる 态度软下来
たいとう【台頭】(～する)抬头táitóu; 崛起juéqǐ ‖ 若手がしだいに～してきた 新手逐渐地崛起
たいとう【対等】对等duìděng; 平等píngděng; 定平起平坐píng qǐ píng zuò ‖ ～な立場で話しあう 站在平等的立场上对话
たいどう【胎動】(～する)❶〔胎児の〕胎动tāidòng ‖ ～を感じる 感觉到胎动 ❷〔かすかな動き〕胎动tāidòng; 苗头miáotou ‖ 新しい時代の～ 新时代的胎动
だいどう【大同】‖ どの案も～小異だ 哪个方案都大同小异 | ～団結する 求同存异,团结一致
だいどうみゃく【大動脈】〔条〕大动脉dàdòngmài ‖ 交通の～ 交通的大动脉
だいとうりょう【大統領】总统zǒngtǒng ‖ アメリカ～ 美国总统 ✤ ―官邸:总统府
だいとかい【大都会】大城市dà chéngshì; 大都会dà dūhuì ‖ 華やかな～ 繁花似锦的大城市 | ～の片隅 大城市的角落里
たいとく【体得】(～する)掌握zhǎngwò; 体会tǐhuì; 领会lǐnghuì ‖ 作業のこつを～する 掌握作业的窍门
だいどころ【台所】❶〔炊事場〕厨房chúfáng ❷〔家計〕‖ 一家の～をあずかる 掌管一家的财务 ✤ ―用品:厨房用具;炊事用具
タイトル ❶〔表題〕标题biāotí; 题目tímù ❷〔称号〕冠军称号guànjūn chēnghào ‖ ～を獲得する〔奪われる〕 获得〔失去〕冠军称号 ❸〔字幕〕字幕zìmù ✤ ―バック:背景字幕 | ―マッチ:锦标赛 | ―ロール:剧名角色;主角
たいない【胎内】胎内tāinèi ✤ ―感染:胎内感染
だいなし【台無し】弄坏nònghuài; 断送duànsòng ‖ ピクニックが雨で～になった 郊游因下雨变得让人扫兴 | 計画が～になる 计划弄得一塌糊涂
ダイナマイト 炸药zhàyào ‖ ～で岩を爆破する 用炸药爆破岩石
ダイナミック 令人震撼 lìng rén zhènhàn; 生动有力shēngdòng yǒulì
だいに【第二】第二dì èr; 第二位dì èr wèi ‖ ～段階に入る 进入第二阶段 | ～の人生 第二人生
だいにじ【第二次】第二次dì èr cì; 第二dì èr ✤ ―産業:第二产业 | ―世界大戦:第二次世界大战;二战
たいにち【対日】对日duì Rì ✤ ―関係:对日关系 | ―感情:对日感情;对日本的好恶 | ―貿易:对日贸易
たいにん【大任】重任zhòngrèn; 重大任务zhòngdà rènwu ‖ ～を帯びる 身负重任 | ～を果たす 顺利完成了重大使命
たいにん【退任】(～する)卸任xièrèn; 退职tuìzhí ‖ 市長は昨年～した 市长去年卸任了
たいねつ【耐熱】耐热nàirè ✤ ―ガラス:耐热玻璃 | ―テスト:耐热试验
たいのう【滞納】(～する)滞纳zhìnà; 拖欠tuōqiàn ‖ 税金を～している 拖欠税金
だいのう【大脳】大脑dànǎo ✤ ―皮質:大脑皮层
たいは【大破】(～する)严重损坏yánzhòng sǔnhuài ‖ 乗用車がトラックと衝突して～した 和卡车相撞导致轿车严重损坏
たいはい【大敗】(～する)大败dàbài; 惨败cǎnbài ‖ ～を喫する 遭受惨败
たいはい【退廃】(～する)颓废tuífèi; 颓败tuíbài ‖ ～的な映画 颓废的电影
たいばつ【体罰】体罚tǐfá ‖ 児童に～を加えてはならない 对儿童不得施加体罚
たいはん【大半】大半dàbàn; 多半duōbàn ‖ 生涯の～を外国で暮らす 一生的大半都在国外生活 | お小遣いの～をおしゃれに使う 把零花钱大部分都花在穿着打扮上
たいひ【対比】(～する)对比duìbǐ; 对照duìzhào
たいひ【待避】(～する)待避dàibì; 避让bìràng ✤ ―線:错车线
だいびき【代引き】货到付款huò dào fù kuǎn ‖ ～で取り寄せる 以货到付款方式订购
たいびょう【大病】(～する)大病dàbìng; 重病zhòngbìng ‖ ～をわずらう 患大病
だいひょう【代表】❶(～する)〔団体を〕代表dàibiǎo ‖ 一家を～してあいさつする 代表全家致辞 ❷(～する)〔性質をよく表す〕代表dàibiǎo; 具有代表性jùyǒu dàibiǎoxìng ‖ 富士山は日本を～する山だ 富士山是代表日本的山 ❸〔選抜された人〕代表dàibiǎo ‖ サッカーの日本～ 日本足球队 ✤ ―作:代表作 | ―番号:总机号码
タイピン ⇨ネクタイ「―ピン」
ダイビング ❶〔飛び込み〕跳水tiàoshuǐ ❷〔潜水〕潜水qiánshuǐ
タイプ ❶〔型·類型〕型xíng; 类型lèixíng ‖ 新しい～の携帯電話 新型手机 | 古い～の人間 守旧的人 | 芸術家～ 艺术家型的人 ❷(～する)〔字を打つ〕打字dǎzì ❸〔タイプライター〕打字机dǎzìjī
だいぶ【大分】相当xiāngdāng; 很hěn ‖ ～暖かくなった 相当暖和了 | ～前 很久以前
たいふう【台風】台风táifēng ‖ 大型～ 大型台风 | ～が九州に上陸する 台风在九州登陆 | ～の目になる 成为注目的焦点 | ～の目に入る 进入"台风眼" ✤ ――過:台风一过
だいぶぶん【大部分】大部分dà bùfen; 多半duōbàn ‖ 生活費の～が食費に消える 生活费的多半花在伙食上
たいへい【太平】太平tàipíng ‖ 天下～ 天下太

平

たいべつ【大別】(〜する)大致地分类dàzhì de fēnlèi

たいへん【大変】❶〔程度がはなはだしい〕非常fēicháng; 很hěn ‖ 〜お世話になりました 多承关照 | 〜な思い違い 完全想错了 ❷〔重大だ〕严重yánzhòng; 糟糕zāogāo; 不得了bùdéliǎo ‖ 〜な問題 严重的问题 | 〜な事故 重大事故 | 〜だ, 火事だ 不得了啦！着火了！ ❸〔容易でない〕不容易bù róngyì; 困难kùnnan ‖ この仕事はなかなか〜だ 这个工作太辛苦了

だいべん【大便】大便dàbiàn

だいべん【代弁】(〜する)代言dàiyán

たいほ【退歩】(〜する)倒退dàotuì; 退步tuìbù

たいほ【逮捕】(〜する)逮捕dàibǔ ‖ 窃盗の容疑で〜された 因盗窃嫌疑被逮捕了 ✤ 一状:逮捕令

たいほう【大砲】〔门〕大炮dàpào ‖ 〜を発射する 开炮

たいぼう【待望】(〜する)期望qīwàng; 期待qīdài ‖ 〜の女児を授かる 怀上了盼望已久的女孩儿

だいほん【台本】脚本jiǎoběn; 剧本jùběn

たいま【大麻】大麻dàmá

タイマー 计时器jìshíqì; 定时器dìngshíqì ‖ 〜をセットする 设定好计时器

たいまん【怠慢】玩忽wánhū; 怠忽dàihū; 疏忽shūhu ‖ 職務〜 玩忽职守

タイミング 时机shíjī ‖ 〜がいい 时机正合适；正是时候 | 〜が悪い 时机不合适；不是时候 | 〜を逃す 错过时机

タイム ❶〔時間〕时间shíjiān ❷〔計測時間・記録〕(比赛)记时成绩(bǐsài) jì shí chéngjì; 记时记录jì shí jìlù ‖ 最高〜 最好成绩 ❸〔一時休止〕(比赛)暂停(bǐsài) zàntíng ✤ 一アウト:暂停 | 一カード:考勤卡 | 一カプセル:时空胶囊 | 一ラグ:时间差 | 一リミット:时限；期限

タイムリー 及时jíshí; 适时shìshí; 应时yìngshí

だいめい【題名】标题biāotí; 题目tímù

だいめいし【代名詞】❶〔言語〕代词dàicí ❷〔代表的に示す〕代名词dàimíngcí

たいめん【体面】体面tǐmian; 面子miànzi; 名誉míngyù ‖ 〜を重んずる 很要面子 | 〜を汚す 损坏名誉

たいめん【対面】(〜する)❶〔会う〕见面jiànmiàn ❷〔向かいあう〕面对面miàn duì miàn ✤ 一交通:双向通行

だいもく【題目】标题biāotí; 题目tímù ‖ 論文の〜 论文标题

タイヤ〔个,条〕轮胎lúntāi; 车胎chētāi ‖ 〜がパンクした 轮胎爆裂 | 〜に空気を入れる 给轮胎充气 ✤ 一チェーン:轮胎防滑链

ダイヤ ❶〔列車の〕(列车)时刻表(lièchē) shíkèbiǎo ‖ 〜が乱れる 列车运行秩序被打乱了 ❷ ⇨ダイヤモンド❸〔トランプ〕方块fāngkuài

たいやく【大役】艰巨任务jiānjù rènwu; 重大使命zhòngdà shǐmìng; 重任zhòngrèn ‖ 〜をおおせつかる 接受重任

たいやく【対訳】(〜する)对译duìyì ✤ 一版:双语版 ‖ 日中〜 日汉双语版

だいやく【代役】❶〔映画などの〕替身演员tìshēn yǎnyuán; 替角tìjué ❷〔代理〕临时代理(人) línshí dàilǐ(rén); 替手tìshǒu ‖ 課長の〜をつとめる 当科长的代理

ダイヤモンド ❶〔宝石〕〔颗,粒〕钻石zuànshí; 金刚石jīngāngshí ‖ 〜の指輪 钻石戒指；钻戒 ❷〔野球〕内场nèichǎng

ダイヤル ❶〔電話などの〕(電話)拨号盘bōhàopán. (計器など)刻度盘kèdùpán ‖ 〜を合わせる 调刻度盘 ❷(〜する)〔ダイヤルを回す〕拨号bōhào

たいよう【大要】概要gàiyào; 摘要zhāiyào

たいよう【太陽】太阳tàiyáng ‖ 〜は東からのぼり西に沈む 太阳从东方升起, 在西方落下 ✤ 一エネルギー:太阳能 | 一系:太阳系 | 一黒点:太阳黑子 | 一電池:太阳能电池 | 一灯:太阳灯

たいよう【耐用】耐用nàiyòng ✤ 一年数:使用年限〔寿命〕

だいよう【代用】(〜する)代用dàiyòng; 代替dàitì ✤ 一食:代用食品 | 一品:代用品；代替品

たいら【平ら】平píng; 平坦píngtǎn; 平滑pínghuá ‖ 〜な土地 平坦的土地 | 道を〜にする 平整道路

だいり【代理】(〜する)代理dàilǐ; 代表dàibiǎo. (人)代理人dàilǐrén ‖ 〜を立てる 推出代理人 | 父の〜をつとめる 代表父亲 ✤ 一店:代理商；代理店 | 一人:代理人；经纪人 | 一母:代孕母亲

たいりく【大陸】大陆dàlù ✤ 一横断鉄道:横穿大陆的铁路 | 一性気候:大陆性气候 | 一棚:大陆架

だいりせき【大理石】大理石dàlǐshí

たいりつ【対立】(〜する)对立duìlì; 对抗duìkàng ‖ 意見が対立する (双方的)意见对立

たいりゃく【大略】概要gàiyào; 概略gàilüè

たいりゅう【対流】(〜する)对流duìliú

たいりょう【大量】大量dàliàng; 大批dàpī ‖ 石油を〜に買いつける 收购了大量石油 ✤ 一虐殺:大量屠杀 | 一生産:批量生产

たいりょく【体力】体力tǐlì ‖ 〜が衰える 体力衰退 | 〜をつける 增强体力

タイル〔块〕瓷砖cízhuān ‖ 〜ばりの浴室 贴了瓷砖的浴室

ダイレクトメール 信件〔邮寄〕广告xìnjiàn〔yóujì〕guǎnggào

たいれつ【隊列】〔排,行〕队列duìliè; 队伍duìwu ‖ 〜を組んで行進する 排队行进

たいろ【退路】退路tuìlù; 后路hòulù ‖ 敵の〜をたつ 截断敌人的退路

だいろっかん【第六感】第六感dì liù gǎn; 直觉zhíjué ‖ 〜をはたらかす 运用〔发挥〕第六感

たいわ【対話】(〜する)对话duìhuà ✤ 一体:对话体

たうえ【田植え】插秧chāyāng ‖ 〜をする 插秧

ダウン(〜する)❶〔下げる・下がる〕降低jiàngdī; 下降xiàjiàng ‖ 給料が〜する 减薪；工资下降 ❷〔倒れる〕倒下dǎoxia ‖ 新年早々風邪で〜した 刚过新年就因感冒病倒了

ダウンジャケット〔件〕羽绒服yǔróngfú

ダウンロード(〜する)下载xiàzài

たえがた・い【耐え難い】难以忍受nányǐ rěnshòu; 受不了shòubuliǎo ‖ 〜い屈辱 难以忍受的侮辱

た

だえき【唾液】〔滴,口〕唾液tuòyè
たえしの・ぶ【耐え忍ぶ】忍受rěnshòu; 忍耐rěnnài
たえず【絶えず】经常jīngcháng; 不断búduàn ‖ 世の中は〜変化している 世界不断变化着
たえだえ【絶え絶え】渐渐微弱jiànjiàn wēiruò; 断断续续duànduànxùxù ‖ 息も〜 奄奄一息
たえぬ・く【耐え抜く】忍受住rěnshòuzhu; 顶住dǐngzhu ‖ 逆境を〜く 经受住逆境的考验
たえま【絶え間】间隙jiànxì; 空隙kòngxì ‖ 雲の〜 云的缝隙 | 雪が〜なく降り続いている 雪不停地下着
た・える【耐える・堪える】❶〔こらえる〕忍受rěnshòu; 忍耐rěnnài; 经受jīngshòu ‖ この暑さにはとても〜えられない 无法忍受这种炎热 | あらゆる試練に〜える 经受各种考验 | 感謝に〜えない 不胜感激 ❷〔もちこたえる〕耐nài; 抗得住kàngdezhù; 经得起jīngdeqǐ ‖ 高熱に〜える 耐高温 ❸〔対応できる・値する〕承担chéngdān; 胜任shèngrèn; 值得zhíde ‖ 重責に〜えられない 承担不了重任 | 聞くに〜えない悪口 不堪入耳的坏话
た・える【絶える】断绝duànjué; 停止tíngzhǐ; 消失xiāoshī; 间断jiànduàn ‖ 食糧の供給が〜えた 粮食的供应断绝了 | 固有種が〜える 特有物种绝灭了 | 争いが〜えない 争吵不休
だえん【楕円】椭圆(形) tuǒyuán(xíng)
たお・す【倒す】❶〔転倒させる〕使…倒shǐ … dǎo; 放倒fàngdǎo ‖ 電気スタンドを〜す 把台灯碰倒 | 座席の背もたれを〜す 放倒椅背 ❷〔崩壊させる〕推翻tuīfān; 颠覆diānfù; 打倒dǎdǎo ‖ 政府を〜す 推翻政府
タオル〔条,块〕毛巾máojīn ‖ 〜で顔をふいた 用毛巾把脸擦了 ❖一掛け:毛巾架 | 一地:毛巾布
たお・れる【倒れる】❶〔転倒する〕倒dǎo; 倒下dǎoxia; 倒塌dǎotā ‖ 貧血で〜れる 因为贫血突然昏倒 | 地震で塀が〜れた 在地震中墙被震塌了 ❷〔病む〕病倒bìngdǎo ‖ 過労で〜れる 因操劳过度病倒 ❸〔死ぬ〕死sǐ ‖ 凶弾に〜れる 遇枪击身亡 ❹〔没落する・滅びる〕垮台kuǎtái; 倒闭dǎobì ‖ 独裁政権が〜れた 独裁政权垮台了
たか【高】量liàng; 额é; 程度chéngdù ‖ 生産〜 产量 | 売り上げ〜 销售额 | 〜が知れている 微不足道 | 〜をくくる 不放眼里; 小看
たか【鷹】〔只〕鹰yīng ‖ 能ある〜はつめを隠す 定 真人不露相 ❖一狩り:放鹰捕猎 | 一派:鹰派
だが 但是dànshì; 可是kěshì ‖ それはそう〜,… 你说得也对,可是…
たか・い【高い】❶〔高さが〕高gāo ‖ 〜い建物 很高的建筑物 | 背が〜い 个子高 ❷〔地位・身分が〕高gāo; 高贵gāoguì ‖ 地位が〜い 地位高 | 身分が〜い 身份高贵 | 〜いポストについている 身居要职 ❸〔基準・程度が〕高gāo ‖ 気温が〜い 气温高 | 評判が〜い 大受好评 | レベルが〜い 水准很高 ❹〔品性・理想などが〕高尚gāoshàng; 高雅gāoyǎ; 崇高chónggāo ‖ 見識の〜い人 很有见解的人 | 格調が〜い 格调高雅 ❺〔音声が〕高gāo; 大dà; 响亮xiǎngliàng ‖ しっ,声が〜い 嘘!小点儿声 ❻〔金額・価値が〕昂贵ángguì; 贵guì; (价值)高(jiàzhí) gāo ‖ 物価が〜 物价高 | 〜い金を出す 支付巨款

たがい【互い】互相hùxiāng; 相互xiānghù; 彼此bǐcǐ ‖ 〜に助けあう 互相帮助 | 〜の距離を縮める 缩短彼此间的距离
だかい【打開】(〜する)打开(局面) dǎkāi (júmiàn); 找到解决途径zhǎodào jiějué tújìng ‖ 難局を〜する 打开困难局面
たがいちがい【互い違い】交互jiāohù; 交错jiāocuò ‖ 男女〜に席につく 男女相间地就座
たが・える【違える】违背wéibèi ‖ 約束を〜える 违约
たかが【高が】仅仅jǐnjǐn; 区区qūqū; 只zhǐ ‖ 〜100円 区区100日元
たがく【多額】〔笔〕高额gāo'é; 巨额jù'é ‖ 〜の借金をかかえる 负债累累
たかくてき【多角的】多方面duō fāngmiàn; 多方位duō fāngwèi ‖ 物事を〜に考える 多方面地考虑事物
たかさ【高さ】高gāo; 高低gāodī; 高度gāodù ‖ 山の高さ 山的高度 | 縦×横×〜 长×宽×高
たかだい【高台】高地gāodì; 高坡gāopō
たかだか【高高】❶〔せいぜい・多くとも〕充其量chōngqíliàng; 最多(不过) zuì duō (búguò) ‖ もうけは〜1万円だ 赢利最多不过1万日元 ❷〔高さ・音など〕高高地gāogāo de; 高声地gāoshēng de ‖ 塔が〜とそびえる 塔高高地耸立着
だがっき【打楽器】打击乐器dǎjī yuèqì
たかとび【高跳び】跳高tiàogāo
たかとび【高飛び】(〜する)出逃chūtáo; 远逃yuǎn táo; 定 远走高飞yuǎn zǒu gāo fēi ‖ 犯人は香港へ〜した 罪犯远逃到了香港
たかなみ【高波】大浪dàlàng; 巨涛jùtāo ‖ 〜にさらわれる 被大浪卷走
たかな・る【高鳴る】心情激动xīnqíng jīdòng; 心跳xīntiào ‖ 期待に胸が〜る 因期待而心情激动
たかね【高嶺】高峰gāofēng.(いただき)高山的山顶gāoshān de shāndǐng ‖ 富士の〜 富士山顶 | 〜の花 高不可攀
たかね【高値】❶〔高い値段〕高价gāojià ‖ 〜がつく 以高价卖出 | 〜で取り引きされる 高价位交易 ❷〔経済〕(股票的)当天最高价(gǔpiào de) dàngtiān zuì gāojià
たかのぞみ【高望み】(〜する)(抱)奢望(bào) shēwàng; (抱)过高的希望(bào) guò gāo de xīwàng
たかびしゃ【高飛車】高压gāoyā; 专横zhuānhèng; 蛮横mánhèng ‖ 〜な物言い 专横的口气
たかぶ・る【高ぶる】❶〔神経が〕兴奋xīngfèn; 激动jīdòng ‖ 感情が〜る 情绪激动 ❷〔えらそうにする〕‖ おごり〜る 定 自高自大
たかま・る【高まる】高涨gāozhǎng; 上升shàngshēng; 提高tígāo ‖ 士気が〜る 士气高涨 | ニーズが急速に〜っている 需求直线上升
たかみ【高み】高处gāochù ‖ 〜に登る 登高 | 〜の見物を決め込む 袖手旁观
たか・める【高める】提高tígāo ‖ 生徒の学習意欲を〜める 提高学生的学习积极性
たがや・す【耕す】耕(地) gēng(dì); 耕耘gēngyún ‖ くわをふるって畑を〜す 挥锄耕地
たから【宝】宝贝bǎobèi; 宝物bǎowù; 财富cáifù ‖ 〜の山 聚宝盆 | 〜の持ち腐れ 定 怀才不遇

だから 所以suǒyǐ；因此yīncǐ；为此wèi cǐ ‖ 〜言わんこっちゃない 所以我不是警告你了！｜あまり気は進まないが，〜といってやらないわけにもいかない 我不想做，可又不能不做

たからくじ【宝籤】〔张〕彩票cǎipiào；奖券jiǎngquàn ‖ 〜で1等が当たった 买彩票中了一等奖

たからもの【宝物】宝物bǎowù

たか・る【集る】❶〔人々が〕聚集jùjí；群集qúnjí ❷〔虫が〕爬满pámǎn；落满luòmǎn ‖ 砂糖にアリが〜る 砂糖上爬满了蚂蚁 ❸〔脅しとる〕敲诈qiāozhà；勒索lèsuǒ；讹诈ézhà ‖ 暴力団に〜られる 遭到暴力团敲诈

-たが・る 想xiǎng；愿意yuànyi ‖ 昔のことをあまり話し〜らない 不太想谈过去的事儿｜歯医者に行き〜らない 不愿意去看牙

たかん【多感】定 多愁善感duō chóu shàn gǎn ‖ 〜な年ごろ 多愁善感的年龄

たき【多岐】多方面duōfāngmiàn ‖ 話題が〜にわたる 话题涉及多方面 ✤一亡羊：定 歧路亡羊

たき【滝】瀑布pùbù ‖ 汗が〜のように流れる 定 汗流浃背 ✤一つぼ：瀑布潭

たぎ【多義】多义duōyì ✤一語：多义词｜一性：多义性

だきあ・う【抱き合う】拥抱yōngbào ‖ 〜って喜ぶ 高兴得拥抱在一起

だきあわせ【抱き合わせ】搭配dāpèi ‖ ゲーム機とソフトを〜で売る 游戏机和软件一起搭配销售

だきかか・える【抱き抱える】抱bào；抱拢bàolǒng ‖ 子どもを〜える 把孩子抱起来

たきぎ【薪】柴chái；木柴mùchái ‖ 〜を拾う 拾柴｜〜をくべる 往炉里添柴

だきこ・む【抱き込む】❶〔腕に〕搂在〔抱在〕怀里lǒuzai〔bàozai〕huáili ❷〔味方に〕拉拢lālong ‖ 金で審判を〜む 用钱拉拢裁判

タキシード 无尾礼服wúwěi lǐfú

だきし・める【抱き締める】搂紧lǒujǐn；抱紧bàojǐn ‖ わが子をぎゅっと〜める 紧紧地抱着自己的孩子

だきつ・く【抱き付く】抱住bàozhu；搂住lǒuzhu

たきつ・ける【焚き付ける】❶〔燃やし始める〕点火diǎnhuǒ；生火shēnghuǒ ❷〔そそのかす〕煽动shāndòng；挑唆tiǎosuo；怂恿sǒngyǒng ‖ 友人に〜けられてマラソン大会に出場した 在朋友的怂恿下，我参加了马拉松比赛

たきび【焚き火】篝火gōuhuǒ ‖ 落ち葉を集めて〜をする 拾来落叶点起了篝火

だきょう【妥協】(〜する)妥协tuǒxié ‖ 〜の余地なし 没有妥协的余地｜〜を許さない 不容妥协｜適当な線で〜する 在适当的条件下妥协 ✤一案：妥协方案

たぎ・る【滾る】❶〔水が〕奔腾bēnténg；翻滚fāngǔn；奔泻bēnxiè ❷〔沸騰する〕沸腾fèiténg；滚沸gǔnfèi；滚开gǔnkāi ‖ なべの湯が〜る 锅里的水滚开了 ❸〔感情が〕‖ 熱い血が〜る 热血沸腾

た・く【炊く】煮zhǔ；焖mèn；烧shāo ‖ ご飯を〜く 煮〔焖；烧〕饭

た・く【焚く】❶〔燃やす〕烧shāo；焚fén；燃烧ránshāo ‖ 薪を〜く 烧柴｜お香を〜く 烧〔焚；燃〕香｜ストーブをがんがん〜く 把炉子烧得旺旺的 ❷〔沸かす〕烧shāo ‖ ふろを〜く 烧洗澡水 ❸〔ストロボを〕打dǎ ‖ フラッシュを〜く 打闪光灯

タグ〔个，张〕标签biāoqiān

だ・く【抱く】抱bào；搂lǒu ‖ 赤ちゃんを〜く 抱婴儿｜鳥が卵を〜く 鸟抱窝

たぐい【類い】类lèi；种zhǒng ‖ ああいう〜の人は苦手だ 我讨厌那一种人｜〜まれな素質 出类拔萃的素质

たくえつ【卓越】(〜する)卓越zhuóyuè；高超gāochāo ‖ 〜した技量 卓越的技术能力；高超的本领

たくさん【沢山】❶〔多い〕多duō；许多xǔduō；大量dàliàng ‖ 〜買うから負けてよ 我多买些，你便宜点儿吧｜子どもは〜欲しい 想多要孩子｜世界各地に友人が〜いる 我在世界各地有许多朋友｜お年玉を〜もらった 收到了一大笔压岁钱 ❷〔十分だ〕够gòu；足够zúgòu；不要再búyào zài ‖ 毎晩3時間眠れば〜だ 每天晚上睡三个小时就够了｜戦争はもう〜だ 不要再打仗了

タクシー〔辆〕出租(汽)车chūzū (qì)chē；的士díshì；计程车jìchéngchē ‖ 〜を拾う (在路旁招手)打车｜〜を呼ぶ 叫出租车

たくじしょ【託児所】托儿所tuō'érsuǒ ‖ 子どもを近所の〜に預ける 把孩子放在附近的托儿所

たくじょう【卓上】台式táishì ✤一カレンダー：台历｜一コンロ：台式炉｜一スタンド：台灯

たく・す【託す】❶〔まかせる〕托付tuōfù；寄托jìtuō ‖ 後事を息子に〜す 把后事托付给儿子｜子どもに夢を〜す 把自己的梦想寄托在孩子身上 ❷〔ことよせて表す〕假托jiǎtuō ‖ 望郷の思いを歌に〜す 把思乡之情托于歌中

たくそう【託送】(〜する)托运tuōyùn

たくち【宅地】住宅用地zhùzhái yòngdì ‖ 〜を造成する 平整住宅用地

だくてん【濁点】浊音符号zhuóyīn fúhào

タクト 指挥棒zhǐhuībàng ‖ 〜を振る 挥动指挥棒；指挥(演奏)

たくはい【宅配】(〜する)送货上门sònghuò shàngmén ✤一便：送货上门服务

たくばつ【卓抜】卓拔zhuóbá；卓越zhuóyuè；杰出jiéchū ‖ 〜なアイデア 杰出的构思

たくまし・い【逞しい】❶〔体格が〕魁梧kuíwu；强健qiángjiàn；强壮qiángzhuàng ‖ 〜い腕 肌肉强壮的胳膊 ❷〔くじけない〕顽强wánqiáng；坚强jiānqiáng；刚毅gāngyì ‖ 〜い生活力 顽强的生活能力

たくましく・する【逞しくする】任意所为rènyì suǒ wéi ‖ 想像を〜する 胡乱〔任意〕想像

たくみ【巧み】❶〔上手〕巧妙qiǎomiào；灵巧língqiǎo ‖ 攻撃を〜にかわす 巧妙地躲避对方的攻击｜〜な話術 能言善辩｜言葉〜に 花言巧语 ❷〔技巧〕技巧jìqiǎo；手艺shǒuyì ‖ 〜をこらした彫刻 极其精致的雕刻

たくら・む【企む】策划cèhuà；企图qǐtú；阴谋yīnmóu；安心ānxīn ‖ 会社乗っとりを〜む 策划篡夺公司控制权

だくりゅう【濁流】浊流zhuóliú ‖ 〜にのまれる 被浊流冲走

たぐ·る【手繰る】❶〔綱などを〕拉lā；拖tuō‖ひもを～る 拉绳子｜釣り糸を～る 收鱼线 ❷〔記憶などを〕追溯zhuīsù‖遠い記憶を～る 追溯遥远的记忆

たくわえ【蓄え】〔笔〕存款cúnkuǎn；储蓄chǔxù‖～が底をついた 存款花光了｜老後の～ 将来养老的积蓄

たくわ·える【蓄える】❶〔ためる〕储备chǔbèi；存蓄cúnxù；积累jīlěi‖お金を～える 存钱；储蓄｜体力を～える 定养精蓄锐；保持体力 ❷〔生やす〕留(胡子) liú (húzi)‖立派なひげを～えている 留着一副美髯

たけ【丈】❶〔高さ〕高度gāodù‖身の～2メートルの大男 身高两米的大汉｜～の高い雑草が生える 长满了高高的杂草 ❷〔長さ〕长度chángdù‖ズボンの～を詰める 把裤腿改短 ❸〔すべて〕所有一切suǒyǒu yíqiè‖思いの～ 全部感情

たけ【竹】〔根〕竹子zhúzi‖～の皮 竹皮｜～を割ったような性格 干脆利落〔心直口快〕的人 ✤一垣:竹篱笆｜一細工:竹编工艺｜一ざお:竹竿｜一ぼうき:竹扫帚｜一やぶ:竹林

-だけ ❶〔限定〕只zhǐ；只有zhǐyǒu；只是zhǐshì；光guāng‖1度～行ったことがある 只去过一次｜私～が知らなかった 只有我不知道｜ここ～の話 这话只能在这儿说｜本当のことを言った～だ 我只不过是说了实话｜口～の人 光说不干的人 ❷〔程度〕尽jǐn‖欲しい～持っていきなさい 想要多少拿多少｜できる～詳しく説明してください 请尽量详细地说明一下｜泣く～泣いたらすっきりした 尽情地哭了一通后心情舒畅了 ❸〔相応〕不愧búkuì；到底是dàodǐ shì；值得zhíde‖専門家～のことはある 不愧是专家｜さすが京都～あって歴史的建造物が多い 到底是京都，古老的建筑真多｜努力した～のことはあった 没有白努力｜心配する～損だ 不值得担心

たげい【多芸】定多才多艺duō cái duō yì‖～は無芸 样样都会反倒没一样精 ✤一多才:定多才多艺‖～な人 多面手

だげき【打撃】❶〔強く打つ〕打dǎ ❷〔痛手〕打击dǎjī；损失sǔnshī‖壊滅的な～をこうむった 遭到了毁灭性打击 ❸〔野球〕击球jīqiú

たけだけし·い【猛猛しい】❶〔勇ましい〕勇敢yǒnggǎn；勇猛yǒngměng ❷〔ずうずうしい〕定恬不知耻tián bù zhī chǐ‖盗人～いとはこのことだ 这就是所谓恬不知耻

だけつ【妥結】(～する)达成协议dáchéng xiéyì‖賃あげ交渉は円満に～した 提高工资的交涉圆满地达成了协议

たけなわ 高潮gāocháo‖春～ 春色正浓｜宴～ 宴会正值高潮

たけのこ【竹の子·筍】竹笋zhúsǔn‖～が生える 长出笋来｜雨後の～ 雨后春笋

た·ける【長ける】擅长shàncháng；善于shànyú‖弁舌に～ける 能言善辩｜語学の才能に～ける 语言天资很高

たげん【多元】多元duōyuán‖文化の～性 文化多元性｜～的に考察する 进行多角度考察 ✤一方程式:多元方程式｜一論:多元论

たげん【多言】(～する)多说duō shuō；多加评论duō jiā pínglùn‖～を要しない 不必多说

たこ【凧】风筝fēngzheng‖糸の切れた～ 像是断了线的风筝 ✤一あげ:放风筝｜一糸:风筝线

たこ【胼胝】趼子jiǎnzi；老趼lǎojiǎn‖足に～ができた 脚上长了趼子｜耳に～ができる 听得耳朵都快起趼子了

たこ【蛸】章鱼zhāngyú

だこう【蛇行】(～する)蜿蜒wānyán；曲折qūzhé；弯弯曲曲wānwānqūqū‖一筋の川が谷間を～している 一条小溪在山谷间蜿蜒

たこく【他国】❶〔外国〕别国biéguó；外国wàiguó ❷〔他郷〕他乡tāxiāng；外乡wàixiāng

たこくかん【多国間】多边duōbiān；多国间duōguó jiān ✤一協議:多边协议〔协商〕

たこくせき【多国籍】多重国籍duōchóng guójí ✤一企業:跨国公司｜一軍:多国联军

たごん【他言】(～する)泄漏xièlòu；外传wàichuán‖～は無用です 请不要泄漏出去；请不要传出去

たさい【多彩】多彩duōcǎi；定丰富多彩fēng fù duō cǎi

たさく【多作】多产duōchǎn；作品多zuòpǐn duō‖ゴッホは～で知られる 凡高以多产闻名

ださく【駄作】拙劣之作zhuōliè zhī zuò；拙作zhuōzuò

たさつ【他殺】他杀tāshā

ださん【打算】(～する)算计suànji；盘算pánsuan‖～的な男 好打小算盘的男人｜～的な考え 患得患失的想法

たし【足し】贴补tiēbu；补助bǔzhù‖家計の～にする 贴补家用｜腹の～にならない 不能填饱肚子

だし【出し】❶〔出し汁〕汤汁tāngzhī‖コンブで～をとる 用海带熬汤 ❷〔口実〕借口jièkǒu；幌子huǎngzi‖救援活動を～に使う 打着救援活动的旗号

だしあ·う【出し合う】凑分子còu fènzi；互相提出hùxiāng tíchu‖みんなでお金を～う 大家凑分子｜自由に意見を～う 自由地互相交换了意见

だしおしみ【出し惜しみ】(～する)舍不得出shěbude chū；吝惜lìnxī‖わずかばかりの金を～する 这点儿钱都舍不得出

たしか【確か】❶〔記憶では〕(我记得)好像…(wǒ jìde) hǎoxiàng …‖失礼ですが，～田中さんでしたね 对不起，您就是田中先生吧？ ❷〔正気の·元気の〕神志清醒shénzhì qīngxǐng‖そんなことを言うなんて気は～か 说那种话，你疯了？ ❸〔確実な·しっかりした〕确凿quèzáo；可靠kěkào‖～な筋からの情報 来自可靠渠道的消息｜～な数字 准确的数字｜～な腕 令人信服的本领

たしか·める【確かめる】弄清nòngqīng；确认quèrèn‖先方の意向を～める 弄清对方的意图

タジキスタン 塔吉克斯坦Tǎjíkèsītǎn

たしざん【足し算】加法jiāfǎ

だししぶ·る【出し渋る】舍不得出shěbude chu；吝惜lìnxī‖会費を～る 舍不得交会费

たじたじ 胆怯dǎnqiè；畏缩wèisuō；退缩tuìsuō

たしつ【多湿】湿度高shīdù gāo；潮湿cháoshī‖日本の夏は高温～だ 日本的夏天高温多湿

たじつ【他日】改天gǎitiān；过几天guò jǐ tiān‖～お伺いいたします 过几天去拜访您

たしなみ【嗜み】❶〔芸事の心得〕功夫底子

gōngfu dǐzi‖華道の～がある 对日本插花有一点儿底子 ❷〔つつしみ〕礼貌lǐmào；修养xiūyǎng

たしな·む【嗜む】❶〔好む〕嗜好shìhào；爱好àihào‖お酒は～む程度です 酒会喝一点儿 ❷〔芸事を身につける〕学会xuéhuì；掌握zhǎngwò

たしな·める【窘める】规劝guīquàn；劝诫quànjiè；‖タバコを～める 劝他不要吸烟

だしぬ·く【出し抜く】抢先qiǎngxiān；先下手xiān xiàshǒu‖相手を～く 先下手为强

だしぬけ【出し抜け】突然tūrán；㊂突如其来tū rú qí lái；冷不防lěngbufáng‖～の質問 突如其来的提问

だじゃれ【駄洒落】俏皮话qiàopihuà‖～を飛ばす 说俏皮话；打哈哈

たしゅ【多種】多种duō zhǒng；种类多zhǒnglèi duō ✤一多様:多种多样；各种各样；形形色色

たじゅう【多重】多重duōchóng；多层duōcéng ✤一債務:多重债务｜一人格:多重性格

たしょう【多少】❶〔ある程度〕多少duōshǎo；一些yìxiē‖～は英語を話すことができる 我多少会说些英语 ❷〔多いか少ないか〕多寡duōguǎ；多少duōshǎo‖経験の～は問いません 不问经验多寡｜～にかかわらず 不管多少

たじょう【多情】❶〔感じやすいこと〕㊂多愁善感duō chóu shàn gǎn ❷〔浮気なこと〕㊂水性杨花shuǐ xìng yáng huā；喜欢拈花惹草xǐhuan niān huā rě cǎo

たじろ·ぐ 畏缩wèisuō；胆怯dǎnqiè‖相手の剣幕に～ぐ 对方气势汹汹，令人畏缩

だしん【打診】(～する)❶〔様子を探る〕探听tàntīng‖先方の意向を～する 试探对方的意图 ❷〔医学〕叩诊kòuzhěn

た·す【足す】❶〔加える〕加jiā；添tiān；补bǔ‖3に2を～す 三加二｜もうちょっと塩を～す 再加点儿盐 ❷〔用事をする〕‖用を～す (用事を)办事；(大小便を)解手；去厕所方便

だ·す【出す】❶〔内から外へ〕拿出náchu；伸出shēnchu；探出tànchu‖手を～す 伸出手来｜窓から顔を～す 把头探到窗外 ❷〔提出する·発送する〕提出tíchu；提交tíjiāo；寄出jìchu‖入学願書を～す 提交入学申请书｜手紙を～す 发信；寄信 ❸〔乗りものを発進させる〕开kāi；发fā‖臨時列車を～す 增发临时列车｜船を～す 驾船出海 ❹〔発表する〕发表fābiǎo；登出dēngchu‖求人広告を～す 刊登招聘启事｜掲示を～す 张贴布告｜展覧会に作品を～す 在展览会上展出作品｜新商品を～す 推出新产品 ❺〔おもてにだす〕露出lùchu；外露wàilù‖ひざを～す 露出膝盖｜個人名を～す 报个人姓名 ❻〔生じさせる〕发出fāchū；放出fàngchu；产生chǎnshēng‖もう少し大きな声を～して 声音再大一些｜スピードを～す 加快速度｜高熱を～す 发高烧｜鼻血を～す 流鼻血 ❼〔金を〕拿出náchu；提供tígōng‖学費を～す 拿出学费｜ボーナスを～す 发奖金 ❽〔課する〕发出fāchū；布置bùzhì‖命令を～す 发布命令｜宿題を～す 留作业 ❾〔慣用表現〕‖会議に顔を～す 会议上露个面｜よけいなことに手を～すな 少管闲事｜やたらに口を～す 随便插嘴｜店を～す 开店｜使用人に暇を～す 辞退雇员 ❿〔…しだす〕…起来…qilai；…出来…chulai‖笑い～す 笑起来｜方法を考え～す 想出办法来

たすう【多数】多数duōshù；许多xǔduō‖～を占める 占多数 ✤一決:少数服从多数

たすか·る【助かる】❶〔命が〕得救déjiù‖命が～る 保住了性命｜～る見込みは少ない 获救的可能性微乎其微 ❷〔ありがたい·役立つ〕帮忙bāngmáng；省事shěngshì；难得nándé‖今日は涼しくて～る 难得今天这么凉快

たすけ【助け】❶〔救助〕救助jiùzhù‖～を求める 求助｜～に行く 去救人 ❷〔役立つこと〕帮助bāngzhù；帮忙bāngmáng‖～を借りる 借助

たすけぶね【助け船】援助yuánzhù；帮忙bāngmáng；解围jiěwéi

たす·ける【助ける】❶〔救助する〕救jiù；救命jiùmìng‖だれか！～けて！ 来人哪！救命啊！ ❷〔補佐·補助する〕帮忙bāngmáng；帮助bāngzhù‖子どもたちの自立を～ける 帮助孩子们自立｜家計を～ける 贴补家用｜消化を～ける薬 利于消化的药

たずさ·える【携える】❶〔手に持つ〕携xié；带dài；拿ná‖紹介状を～える 携带介绍信 ❷〔協力する〕携手xiéshǒu‖手を～えて事業をおこす 携手创业

たずさわ·る【携わる】从事cóngshì‖金融関係の仕事に～っている 从事金融方面的工作

たず·ねる【訪ねる】访问fǎngwèn；找(人)zhǎo (rén)‖古都を～ねる 访问古都｜友人を～ねる 找朋友

たず·ねる【尋ねる】❶〔質問する〕问wèn；询问xúnwèn；打听dǎting‖道を～ねる 问路｜先方の安否を～ねる 打听对方平安与否 ❷〔さがす〕寻找xúnzhǎo

たぜい【多勢】‖～に無勢 ㊂寡不敌众

だせい【惰性】❶〔物理〕惯性guànxìng ❷〔習慣や癖〕习惯xíguàn；惰性duòxìng‖～で怠惰な生活を送る 因惰性过着懒散的生活

たそがれ【黄昏】黄昏huánghūn；傍晚bàngwǎn‖～時 黄昏时分

だそく【蛇足】多余的duōyú de；㊂画蛇添足huà shé tiān zú

ただ【只】❶〔無料〕白给bái gěi；免费miǎnfèi；不收费bù shōu fèi‖～同然で 等于白给｜～より高いものはない 天下没有免费的午餐 ❷〔普通〕一般yìbān；普通pǔtōng；平常píngcháng‖～の人 普通人｜～の風邪 只是感冒

ただ【唯】❶〔数量が少ない〕只zhǐ；仅仅jǐnjǐn‖～1度会っただけ 只见过一面 ❷〔もっぱら〕只zhǐ；只是zhǐshì‖～うつむいているだけ 只是低着头 ❸ ⇨ただし(但し)

だだ【駄駄】撒娇sājiāo；缠磨人chánmo rén；不听话bù tīnghuà‖～をこねる 缠磨人

だたい【堕胎】(～する)堕胎duòtāi；打胎dǎtāi

ただいま【唯今】❶〔今〕现在xiànzài‖課長は～出張中です 科长现在出差去了 ❷〔すぐ〕马上mǎshàng；立刻lìkè‖～まいります 马上就来 ❸〔あいさつ〕‖お母さん，～ 妈妈，我回来了！

たた·える【称える】称赞chēngzàn；赞扬zànyáng；赞颂zànsòng‖努力を～える 赞扬努力

たたかい【戦い·闘い】❶〔戦争·戦闘〕〔场，次〕战争zhànzhēng；战役zhànyì；战斗zhàndòu

‖～に勝つ 打赢了｜～に敗れる 打输〔打败〕了 ❷（闘争）〔场,次,个〕斗争dòuzhēng‖労使の～ 工人与雇主的斗争 ❸（試合など）〔场,次,局〕竞赛jìngsài；较量jiàoliàng；角逐juézhú

たたか・う【戦う・闘う】❶（戦争する・戦闘する）作战zuòzhàn；打仗dǎzhàng；战斗zhàndòu‖敵と～う 与敌人战斗 ❷（闘争する）斗争dòuzhēng‖意見を～わせる 互相争论 ❸（試合などで争う）竞争jìngzhēng；竞赛jìngsài；较量jiàoliàng‖ライバルと～う 与对手进行较量

たたきおこ・す【叩き起こす】硬叫醒yìng jiàoxǐng；硬叫起来yìng jiàoqilai‖母に～される 被妈妈硬叫醒

たたきこ・む【叩き込む】❶（教え込む）教jiāo；灌输guànshū ❷（忘れないようにする）记住jìzhu；铭记míngjì‖頭に～む 好好儿记在脑袋里 ❸（ぶちこむ）关进guānjin；送sòng

たたきこわ・す【叩き壊す】打坏dǎhuài；打碎dǎsuì；捣毁dǎohuǐ‖戸を～す 打碎门板

たたきつ・ける【叩き付ける】摔shuāi‖コップを地面に～ける 把杯子摔到地上

たた・く【叩く】❶（打つ）打dǎ；敲qiāo；拍pāi‖太鼓を～く 打鼓｜戸を～く 敲门｜布団を～く 拍打被褥｜手を～く 鼓掌｜肩を～く 捶肩 ❷（慣用表現）‖値段を～く 还价；杀价｜大口ばかり～く 爱吹牛｜無駄口を～く 说废话｜～けばほこりが出る 究其往事,前科累累

ただし【但し】只是zhǐshì；但是dànshì；可是kěshì‖～離島を除く 但是不包括孤岛

ただし・い【正しい】对duì；正确zhèngquè；准确zhǔnquè‖あなたの言うことはじつに～い 你说得真对｜自分の考えを相手に～く伝える 把自己的想法准确地表达给对方

ただ・す【正す】❶（訂正する）纠正jiūzhèng；改正gǎizhèng；更正gēngzhèng‖誤りを～す 纠正〔改正〕错误 ❷（整える）端正duānzhèng‖姿勢を～す 端正姿势｜身なりを～す 整理衣着

ただ・す【質す】询问xúnwèn；追问zhuīwèn‖不明な点を～す 询问不明之处

たたずまい【佇まい】样子yàngzi；状态zhuàngtài‖落ち着いた～の旅館 环境幽静的旅馆

ただちに【直ちに】❶（すぐに）立刻lìkè；马上mǎshàng‖～現場に急行する 立刻赶往现场｜～実行する 马上就行动 ❷（直接）直接zhíjiē‖一瞬の油断が～死につながる 就一瞬间的疏忽大意会导致死亡

ただならぬ【徒ならぬ】不寻常bù xúncháng；定非同小可fēi tóng xiǎo kě‖～物音 不寻常的声音｜～ようす 神色非同寻常

たたみ【畳】〔张〕榻榻米tàtàmǐ‖～を敷く 铺榻榻米｜～の上で死ぬ 寿终正寝 ✤一イワシ:干小沙丁鱼片｜一表:草席面｜一屋:榻榻米作坊

たた・む【畳む】❶（折り重ねる）叠dié；折叠zhédié‖布団をきちんと～む 把被子叠好 ❷（閉じる）合上héshang‖傘を～む 把伞合上｜扇子を～む 折上扇子 ❸（引き払う）处理chǔlǐ；关guān‖店を～む 停业；关闭 ❹（秘める）‖胸に～む 藏在心里不说

ただよ・う【漂う】❶（空中・水中を）飘piāo；漂piāo；飘荡piāodàng‖空に雲が～う 天上飘着白云｜波間を～う 在波浪之中漂浮 ❷（香り・雰囲気などが）充满chōngmǎn；飘溢piāoyì；弥漫mímàn‖張り詰めた空気が～う 充满了紧张的气氛｜バラの甘い香りがあたりに～っている 到处都飘溢着玫瑰花的芳香

たたり【祟り】报应bàoying；果报guǒbào；祸祟huòsuì‖～を恐れる 害怕有报应｜～がある 有祸祟｜弱り目に～目 定祸不单行

たた・る【祟る】❶（神仏・怨霊などが）作祟zuòsuì；作怪zuòguài ❷（悪い結果になる）遭到报应zāodào bàoying；出现恶果chūxiàn èguǒ‖食べ過ぎが～って胃をこわした 吃得太多,结果把胃吃坏了

ただ・れる【爛れる】❶（皮膚・肉が）溃烂kuìlàn；糜烂mílàn‖傷が～れる 伤口溃烂 ❷（すさむ）糜烂mílàn；颓废tuífèi

たち【質】❶（人の）（性質）性格xìnggé；品质pǐnzhì；脾气píqi.（体質）体质tǐzhì‖気の弱い～ 性格软弱｜怒りっぽい～ 爱发脾气｜虚弱な～ 体质虚弱 ❷（物事の）性质xìngzhì；品质pǐnzhì‖～の悪いいたずら 性质恶劣的恶作剧

-たち【達】们men‖あなた～ 你们｜学生～ 学生们｜私～はクラスメートだ 我们〔咱们〕是同学

たちあい【立ち会い】到场dàochǎng；在场zàichǎng；列席lièxí‖神父の～のもと結婚する 在神甫面前结婚 ✤一人:证人；见证人；证明人

たちあ・う【立ち会う】到场dàochǎng；在场zàichǎng‖警察の取り調べに弁護士が～った 警察审问的时候,律师在场

たちあが・る【立ち上がる】❶（起立する）站起来zhànqilai；起立qǐlì‖いすから～る 从椅子上站起来 ❷（再起する）振作〔振奋〕起来zhènzuò〔zhènfèn〕qilai；站起来zhànqilai‖倒産から再び～ろうとする 倒闭后,准备东山再起 ❸（行動を起こす）开始kāishǐ；着手zhuóshǒu；发起fāqǐ‖平和運動に～る 发起和平运动

たちあ・げる【立ち上げる】❶（新しくつくる）创立chuànglì；设立shèlì；开办kāibàn‖新しい企画を～げる 作出新的规划｜サイトを～げる 建网站 ❷（コンピューター）启动qǐdòng；开动kāidòng‖パソコンを～げる 启动电脑

たちいふるまい【立ち居振る舞い】举止jǔzhǐ；动作dòngzuò‖～が美しい 举止优雅

たちいり【立ち入り】进入jìnrù ✤一禁止:请勿进入；禁止入内｜一検査:现场检查

たちい・る【立ち入る】❶（中へ入る）进入jìnrù；入内rù nèi‖芝生に～るべからず 请勿进入草坪 ❷（干渉する）干涉gānshè；干预gānyù；管guǎn‖夫婦の問題に～る 管〔干涉〕夫妻的事

たちうお【太刀魚】〔条〕带鱼dàiyú

たちうち【太刀打ち】较量jiàoliàng；对抗duìkàng；竞争jìngzhēng‖英語では彼にとても～できない 英语根本没法跟他较量

たちおうじょう【立ち往生】（～する）❶（電車や自動車が）受阻滞留shòuzǔ zhìliú；瘫痪tānhuàn‖事故で列車が～した 火车因事故受阻 ❷（物事が）定进退维谷jìn tuì wéi gǔ；定寸步难行cùn bù nán xíng；‖計画が～する 计划中途停滞不前

たちおく・れる【立ち後れる・立ち遅れる】落后

luòhòu ‖ 欧米諸国に比べて～れている 落后于欧美各国

たちかえ·る【立ち返る】返回fǎnhuí; 回到huídào; 回来huílai ‖ 本題に～る 定 言归正传 | 原点に～る 回到出发点

たちぎえ【立ち消え】定 半途而废bàn tú ér fèi; 定 有头无尾yǒu tóu wú wěi ‖ 計画が～になる 计划半途而废

たちぎき【立ち聞き】(～する) 偷听tōutīng; 窃听qiètīng ‖ 人の話を～する 偷听别人谈话

たちき·る【断ち切る】❶〔切り離す〕裁开cáikāi; 切开qiēkāi ❷〔かかわり·つながりを〕断绝duànjué; 割断gēduàn ‖ 関係を～る 断绝关系；绝交 なかなか未練が～れない 难以割舍依恋之情

たちこ·める【立ち込める】弥漫mímàn; 笼罩lǒngzhào ‖ 谷間に霧が～める 山谷间浓雾弥漫

たちさ·る【立ち去る】走开zǒukāi; 离开líkāi ‖ 無言で部屋から～る 不声不响地离开房间

たちすく·む【立ち竦む】吓呆xiàdāi ‖ 怖くて～む 吓得一动也不动

たちつく·す【立ち尽くす】一直站着yìzhí zhànzhe ‖ ぼう然と～す 呆呆地站着

たちどころに【立ち所に】立刻lìkè; 立即lìjí; 即刻jíkè ‖ どんな難事件も～解決する 不管遇到什么难案都能立刻侦破

たちどま·る【立ち止まる】站住zhànzhu; 止步zhǐbù; 停下tíngxia ‖ ふと～る 不知不觉地停下脚步

たちなお·る【立ち直る】恢复huīfù; 好转hǎozhuǎn | 失恋の痛手から～る 从失恋的打击中恢复过来 | 市況が～る 市场行情有所好转

たちなら·ぶ【立ち並ぶ】排列páiliè; 并列bìngliè ‖ モダンな店が～ぶ 时髦的商店鳞次栉比

たちの·く【立ち退く】搬迁bānqiān; 搬走bānzǒu; 离开líkāi ‖ 住み慣れた土地から～く 离开住惯的地方

たちのぼ·る【立ち上る】冒起màoqi; 升起shēngqi; 上升shàngshēng ‖ 煙が～る 升起了一股烟雾 | なべから湯気が～った 锅里冒出蒸汽

たちば【立場】❶〔地位·境遇など〕立场lìchǎng; 处境chǔjìng; 身份shēnfen ‖ 自分の～を明らかにする 表明自己的立场 | 難しい～ 处境很难 | 自分の～を考えなさい 想想你自己的身份 ❷〔観点〕观点*guāndiǎn*; 立场lìchǎng ‖ 歴史学の～ 史学的观点 | 反対の～ 持反对意见 | 第三者の～ 站在第三者的立场

たちはだか·る【立ちはだかる】阻挡zǔdǎng; 拦住lánzhu; 挡住dǎngzhu ‖ 警備員が～る 有警卫拦住 | 目の前に～る障害 眼前的拦路虎

たちまち【忽ち】马上mǎshàng; 立刻lìkè ‖ 新商品は～完売した 新产品一下子就卖光了

たちまわ·る【立ち回る】❶〔工作する〕钻营zuānyíng; 耍心眼儿shuǎ xīnyǎnr ‖ 如才なく～る 处事圆滑 ❷〔立ち寄る〕巡回xúnhuí; 定 东跑西颠dōng pǎo xī diān ‖ 犯人の～りそうな場所 逃犯会经过的几个地方 ❸〔演芸〕开打kāidǎ

たちむか·う【立ち向かう】❶〔対抗する〕对抗duìkàng; 抵抗dǐkàng; 反抗fǎnkàng ‖ テロに～う 对抗恐怖活动 ❷〔取り組む〕面对miànduì; 应付yìngfu; 对付duìfu ‖ 困難に～う 勇敢地面对困难 | 試練に～う 迎接考验

だちょう【駝鳥】〔只〕鸵鸟tuóniǎo

たちよ·る【立ち寄る】顺路到shùnlù dào; 顺便去shùnbiàn qù ‖ コンビニに～る 顺便去便利店

た·つ【立つ·起つ】❶〔人·物が〕站zhàn; 立lì; 竖shù ‖ じっと～ったまま動かない 站着一动也不动 | 足腰が～たなくなる 两腿瘫软无力 | 高い塔が～っている 高塔耸立 ❷〔上に広がる〕冒mào; 扬yáng; 升shēng ‖ 湯気が～つ 冒热气 | ほこりが～つ 尘土扬起来 ❸〔その場を離れる〕离开líkāi ‖ 憤然として席を～つ 愤然离席 ❹〔決起する〕奋起fènqǐ ‖ 正義のために～つ 为正义而奋起 ❺〔ある地位·立場·状況に身を置く〕处于chǔyú; 占zhàn; 陷入xiànrù ‖ 証人に～つ 作证人 | 苦境に～たされる 陷入困境 | 相手の立場に～って考える 站在对方的立场想问题 | 人生の岐路に～つ 面临人生歧路 | 選挙に～つ 参加竞选 ❻〔その他の表現〕‖ 気が～っている 情绪很激动 | 腹が～つ 感到很气愤〔生气〕| 弁が～つ人 能言善辩的人 | 腕の～つ職人 定 能工巧匠 | 筆が～つ 很擅长写文章 | 筋道が～つ 合乎情理 | メンツが～たない 没面子 | 面目が～つ 脸上有光 | 見通しが～つ 有头绪〔眉目〕| なんのめども～っていない 没有一点眉目 | ～つ鳥跡を濁さず 做事不留尾巴；人走不留恶名 | 表舞台に～つ 受人瞩目

た·つ【建つ】建jiàn; 盖gài; 修建xiūjiàn ‖ ビルが～つ 建起了一座大厦

た·つ【発つ】出发chūfā; 启程qǐchéng ‖ 東京を～つ 从东京出发；离开东京

た·つ【断つ·絶つ】❶〔切る〕截断jiéduàn; 割断gēduàn ‖ 鎖を～つ 截断链子 ❷〔さえぎる〕截断jiéduàn; 切断qiēduàn; 遮断zhēduàn ‖ 敵の退路を～つ 切断敌人的退路 ❸〔物事·関係を〕断绝duànjué; 消灭xiāomiè; 杜绝dùjué ‖ 悪の根を～つ 消灭罪恶的根源 | 禍根を～つ 杜绝祸根 ❹〔なくなる〕去掉qùdiào; 消灭xiāomiè ‖ 最後の望みが～たれた 断了最后一线希望 | みずから命を～つ 寻短见 | 消息を～つ 下落不明 ❺〔やめる〕戒jiè ‖ タバコを～つ 戒烟

た·つ【経つ】过guò; 经jīng; 经过jīngguò ‖ あっというまに半年が～った 一转眼半年过去了 | 時が～つにつれて 随着时间的推移

だつい【脱衣】(～する) 脱(下)衣服tuō(xia) yīfu ✤ 一場:更衣室；更衣处

だっかい【奪回】⇨だっかん(奪還)

たっかん【達観】(～する) 达观dáguān; 领悟lǐngwù ‖ 人生を～する 悟透人生

だっかん【奪還】(～する) 夺回duóhui; 收复shōufù; 抢回qiǎnghui ‖ 領土を～する 收复领土

だっきゃく【脱却】(～する) 摆脱bǎituō; 抛弃pāoqì ‖ 財政危機を～する 摆脱财政危机

たっきゅう【卓球】乒乓球pīngpāngqiú

だっきゅう【脱臼】(～する) 脱臼tuōjiù; 脱位tuōwèi

たっけん【卓見】远见卓识yuǎnjiàn zhuóshí; 卓见zhuójiàn

だっこ【抱っこ】(～する) 抱bào; 怀抱huáibào ‖ 赤ん坊を～する 抱婴儿

だっこう【脱稿】(～する) 脱稿tuōgǎo; 完稿wángǎo; 写完原稿xiěwán yuángǎo

だつごく【脱獄】(〜する) 越狱yuèyù；从监狱逃跑cóng jiānyù táopǎo ✤ 一囚：越狱犯

だっし【脱脂】(〜する) 脱脂tuōzhī ✤ 一乳：脱脂牛奶｜一粉乳：脱脂奶粉｜一綿：药棉；脱脂棉

たっしゃ【達者】❶〔巧みである〕精通jīngtōng；高明gāomíng；擅长shàncháng‖口の〜な人 很会说话的人｜芸〜 定 多才多艺 ❷〔健康である〕健壮jiànzhuàng；健康jiànkāng‖どうかお〜で 请保重身体｜〜に暮らす 过得很好

だっしゅ【奪取】(〜する) 夺取duóqǔ；夺下duóxia；抢夺qiǎngduó

ダッシュ ❶(〜する)〔突進する〕突进tūjìn；猛冲měngchōng；猛进měngjìn ❷〔記号〕破折号pòzhéhào ❸〔数字・ローマ字の記号〕撇儿piěr

だっしゅう【脱臭】(〜する) 除臭chú chòu ✤ 一効果：除臭效果｜一剤：除臭剂

だっしゅつ【脱出】(〜する) 逃脱táotuō；摆脱bǎituō‖難民が国外に〜した 难民逃往国外｜苦境から〜した 摆脱了困境

だっしょく【脱色】(〜する) 脱色tuōsè；漂白piǎobái‖髪を〜する 把头发脱色

たつじん【達人】高手gāoshǒu；专家zhuānjiā；名人míngrén

だっすい【脱水】(〜する) 脱水tuōshuǐ ✤ 一症(状)：脱水〔失水〕症状

たっ・する【達する】❶〔到達する〕到达dàodá‖頂上に〜する 到达山顶 ❷〔伝わる〕达dá；到dào；及jí‖うわさが耳に〜する 风声传到了耳朵里 ❸〔ある状態になる〕达到dádào‖和平合意に〜した 达成了和平协议｜世界水準に〜している 达到了世界水平

だっ・する【脱する】逃脱táotuō；摆脱bǎituō；脱离tuōlí‖虎口を〜する 虎口脱险｜窮地を〜した 脱离了险境｜初心者の域を〜せない 总停留在初学者的水平

たっせい【達成】(〜する) 实现shíxiàn；达到dádào‖夢を〜する 实现愿望｜ノルマを〜する 达到指标

だつぜい【脱税】(〜する) 偷税tōushuì；漏税lòushuì‖巨額の〜事件 巨额逃税事件

だっせん【脱線】(〜する) ❶〔列車の〕脱轨tuōguǐ；出轨chūguǐ‖列車が〜した 火车出轨了 ❷〔本筋からそれる〕离题lítí；跑题pǎotí‖話が〜する 说话跑题

だっそう【脱走】(〜する) 逃跑táopǎo；逃脱táotuō ✤ 一犯：逃犯｜一兵：逃兵

たった 仅仅jǐnjǐn；不过búguò；只是zhǐshì‖〜1人 只有一个人

だったい【脱退】(〜する) 脱离tuōlí；退出tuìchū；离开líkāi

タッチ ❶(〜する)〔触れる〕接触jiēchù；触摸chùmō‖画面に〜する 按一下屏幕｜〜の差 就差一步 ❷(〜する)〔関係する〕涉及shèjí；关系到guānxidào‖人事には一切〜しない 与人事毫无关系 ❸〔筆致〕笔触bǐchù；笔致bǐzhì；笔法bǐfǎ‖力強い〜の絵 笔触有力的画｜軽妙な〜の文章 文笔很潇洒 ❹〔触感〕手感shǒugǎn；触摸的感觉chùmō de gǎnjué‖ソフトな〜のタオル 手感柔软的毛巾 ✤ 一アウト：触杀｜一タイピング：盲打(指法)｜一ダウン：触地得分｜一ネット：触网｜一パネル：触摸屏｜一ライン：边线

だっちょう【脱腸】⇨ヘルニア

たって 非要fēi yào；一定要yídìng yào‖〜の希望 强烈的愿望

-たって ❶〔たとえ…ても〕即使…也jíshǐ … yě；纵然…也zòngrán … yě‖そんなこと言っ〜 不管你怎么说｜間違え〜かまわない 即使出错也没关系 ❷〔…といっても〕虽说suīshuō；尽管jǐnguǎn‖寒いっ〜凍死するほどじゃないだろう 虽说很冷，也不会冻死吧｜逃げようっ〜そうはいかない 你想跑也没那么容易

だって ❶〔そうはいっても〕可是kěshì；但是dànshì；因为yīnwei‖〜やりたくないから 因为我不想做 ❷〔…でも…もまた〕也yě；都dōu‖動物〜，植物〜 无论是动物还是植物｜だれ〜人に知られたくないことはある 谁都有不想让人知道的事 ❸〔…でさえ〕连…都lián … dōu‖子ども〜知っている 连小孩儿都知道 ❹〔…だそうだ〕据说jùshuō；听说tīngshuō‖明日は雨〜 明天要下雨｜今度結婚するん〜ね 听说，你快要结婚了

だっと【脱兎】‖〜のごとく逃げ去る 脱兔般地逃跑

たづな【手綱】❶〔馬具〕缰绳jiāngsheng‖〜をとる 拉缰绳｜〜をしめる 勒紧缰绳 ❷〔比ゆ的表現〕限制xiànzhì；约束yuēshù；控制kòngzhì‖〜をしめる 加以限制〔约束〕

だっぴ【脱皮】(〜する) ❶〔動物〕蜕皮tuìpí‖カイコが〜する 蚕蜕皮 ❷〔旧習などから〕定 弃旧图新qì jiù tú xīn；打破旧习dǎpò jiùxí‖古い体質からの〜をはかる 谋求从旧体质里脱胎换骨

たっぴつ【達筆】字写得好zì xiěde hǎo

タップ ダンス 踢踏舞tītàwǔ

たっぷり ❶〔十分に〕足够zúgòu；足足zúzú；充分chōngfèn‖まだ時間は〜ある 还有足够的时间｜〜食べる 足足地吃了一顿｜自信〜 充满自信｜いやみ〜 颇带讽刺 ❷〔ゆったり〕肥大féidà；宽绰kuānchuo；宽松kuānsong‖〜としたカシミアのコート 宽松的羊绒大衣

だつぼう【脱帽】(〜する) ❶〔帽子を脱ぐ〕脱帽tuōmào ❷〔感服する〕佩服pèifu‖古代人の知恵には〜する 对古代人的智慧相当佩服

たつまき【竜巻】〔场，阵〕龙卷风lóngjuǎnfēng

だつもう【脱毛】(〜する) 脱毛tuōmáo ✤ 一剤：脱毛剂｜一症：脱毛症

だつらく【脱落】(〜する) ❶〔抜け落ちる〕遗漏yílòu；漏掉lòudiào ❷〔落ごする〕掉队diàoduì；落后luòhòu‖トップ争いから〜した 失去了争夺冠军的资格

たて【盾】❶〔武具〕盾牌dùnpái ❷〔身を守る手段〕理由lǐyóu；借口jièkǒu；挡箭牌dǎngjiànpái‖法を〜にとる 以法律为挡箭牌

たて【縦】❶〔上下〕竖shù；长cháng‖首を〜に振る 点头同意｜〜のつながり 纵向联系 ❷〔前後〕纵zòng‖〜4列に並ぶ 排成四纵队

-たて【立て】刚刚gānggang；刚…好gāng … hǎo‖たき〜のご飯 刚煮好的饭｜ペンキ塗り〜 油漆未干

たで【蓼】蓼liǎo‖〜食う虫も好き好き (萝卜白菜，)各有所好

だて【伊達】❶〔粋な〕潇洒xiāosǎ；大方dàfang；帅shuài ❷〔その他の表現〕‖〜に年をと

っているわけではない 我也没白活着｜～の薄着 美丽冻人

たてうり【建て売り】✤一住宅:商品房

たてか・える【立て替える】垫付diànfù‖1000円～えてくれる？ 你能帮我垫付1000日元吗？

たてか・える【建て替える】重建chóng jiàn; 改建gǎijiàn‖家を～えた 改建了房子

たてこ・む【立て込む】❶〔混雑する〕拥挤yōngjǐ ❷〔忙しい〕繁忙fánmáng‖仕事が～んでいて休みもとれない 工作特别忙,请不了假

たてこ・む【建て込む】定 鳞次栉比lín cì zhì bǐ‖小さな家が～んでいる 房子一家挨一家

たてこも・る【立て籠もる】困守kùnshǒu; 固守gùshǒu‖犯人が民家に～っている 犯人固守在民房里

たてつ・く【盾突く】反抗fǎnkàng; 顶撞dǐngzhuàng‖審判に～く 顶撞裁判员

たてつづけ【立て続け】连续不断liánxù búduàn‖～に地震が発生する 接连发生地震

たてなお・す【立て直す】❶〔計画・方針などを〕重新制定chóngxīn zhìdìng; 改变gǎibiàn‖計画を～す 重定计划 ❷〔倒れそうなものを〕重整chóngzhěng; 重建chóngjiàn‖財政を～す 重整财政｜会社を～す 重建公司

たてふだ【立て札】告示牌gàoshìpái; 揭示牌jiēshìpái‖名所案内の～を立てる 立一块名胜导游牌

たてまえ【建て前・立て前】方针fāngzhēn; 原则yuánzé; 表面上(的) biǎomiàn shang (de)‖～と本音 嘴上说的和心里想的

たてもの【建物】〔座〕建筑(物) jiànzhù(wù)‖ルネサンス様式の～ 文艺复兴式的建筑

たてやくしゃ【立て役者】❶〔重要な役者〕中心演员zhōngxīn yǎnyuán; 台柱táizhù ❷〔重要な人物〕中心〔主要〕人物zhōngxīn〔zhǔyào〕rénwù‖和平締結の～ 缔结和平条约的中心人物

たてよこ【縦横】纵横zònghéng; 长宽chángkuān

た・てる【立てる・点てる】❶〔縦にする〕立lì; 竖shù‖店先に看板を～てる 把招牌摆在店门口儿｜片ひざを～てて座る 支起一条腿坐｜コートの襟を～てる 把大衣领子立了起来 ❷〔発生させる〕(煙・ほこりなどを) 冒mào; 扬起yángqi. (波を) 掀起xiānqǐ. (声を) 发出(声音) fāchū(shēngyīn)‖声を～るな 不要出声！｜ほこりを～てる 扬起尘土｜職場に波風を～てる 给单位里带来风波 ❸〔ある地位や立場につかせる〕让…担任ràng … dānrèn‖中に人を～てて交渉する 让第三者来交涉｜候補者に～てる 推为候选人 ❹〔目標などを定める〕制定zhìdìng; 订dìng‖計画を～てる 制定计划｜災害に備えて対策を～てる 制定对策以防灾害 ❺〔茶を〕点diǎn; 泡pào‖お薄を1服～てる 点一杯淡茶 ❻〔その他の表現〕‖志を～てる 立志｜手柄を～てる 立功｜記録を～てる 创记录｜寝息を～てる 打呼噜｜つめを～てる 竖起爪子｜青筋を～てて怒る 气得脸红脖子粗｜のこぎりの目を～てる 锉锯齿｜雨戸を～てる 关上防雨窗｜人の口には戸が～てられない 难堵悠悠之口；人嘴封不住｜筋道を～てて話す 有条理地讲话｜義理を～てる 讲人情｜相手のメンツを～てる 顾全对方的面子〔颜面〕｜筆で身を～てる 靠卖文谋生；以文字立身

た・てる【建てる】盖gài; 建造jiànzào; 修建xiūjiàn‖家を～てる 盖房子｜記念碑を～てる 立纪念碑

だとう【打倒】(～する) 打倒dǎdǎo; 击败jībài

だとう【妥当】妥当tuǒdang; 适当shìdàng; 合理hélǐ‖～な値段 合理价格

たどうし【他動詞】及物动词jíwù dòngcí; 他动词tādòngcí

たとえ 即使jíshǐ; 就是jiùshì. (…にかかわりなく) 不管bùguǎn‖～仲間うちでも 就是在朋友之间｜～何が起きても 不管发生什么事

たとえ【譬え・喩え】❶〔比喩(ひゆ)〕比喻bǐyù; 比方bǐfang‖～にもいうように 正如常言所说 ❷〔同じような例〕(类似的) 例子(lèisì de) lìzi; 事例shìlì‖～をあげて説明する 举例子说明 ✤一話:寓言；比方

たとえば【例えば】例如lìrú; 比如bǐrú‖～の話 打个比方

たと・える【譬える・喩える】比喻bǐyù; 比拟bǐnǐ; 比作bǐzuò‖人生を航海に～える 把人生比作航海

たどたどし・い 不流利bù liúlì; 不稳bù wěn; 不安定bù āndìng‖～い足どり 步履蹒跚

たど・る【辿る】❶〔道を確かめながら〕摸索mōsuo. (道にそって) 沿着yánzhe; 顺着shùnzhe‖家路を～る 回家 ❷〔筋道や手がかりを探る〕追寻zhuīxún. (…にそって) 凭着píngzhe‖記憶を～る 凭着记忆｜犯人の足どりを～る 追寻犯人行踪 ❸〔事態がある方向へ向かう〕走向zǒuxiàng; 趋于qūyú‖売りあげが下降線を～る 销售额下降｜話し合いは平行線を～っている 协商双方相持不下

たな【棚】❶〔物をのせる場所〕架子jiàzi‖～をつる 装搁板｜自分の非を～にあげる 不认错 ❷〔ブドウなどの〕架jià‖フジ～ (紫) 藤架

たなあげ【棚上げ】(～する) 搁置gēzhì; 定 置之不理zhì zhī bù lǐ‖計画は～された 计划被搁置起来〔被弃置〕

たなおろし【棚卸(し)・店卸(し)】(～する) 盘点pándiǎn; 清理库存qīnglǐ kùcún‖～のため本日休業 今日闭店盘货 ✤一資産:存货；库存品

たなざらえ【棚浚え】清仓甩卖qīngcāng shuǎimài‖～の大売り出し 清仓大甩卖

たなざらし【店晒し】❶〔商品が〕滞销zhìxiāo‖～の品 滞销货 ❷〔問題が〕搁置gēzhì; 定 置之不理zhì zhī bù lǐ

たなだ【棚田】梯田tītián

たなばた【七夕・棚機】七夕(节) Qīxī(jié); 乞巧节Qǐqiǎojié

たなび・く【棚引く】拖长tuōcháng; 飘忽piāohū; 密布mìbù‖山野にかすみが～く 山野中霞霭密布

たなぼた【棚ぼた】天上掉下馅儿饼来tiānshàng diàoxia xiànrbǐng lai; 定 喜从天降xǐ cóng tiān jiàng; 福自天来fú zì tiān lái

たなん【多難】多灾duōzāi; 多难duōnàn‖～な人生を歩んだ 走过了一条崎岖坎坷的人生之路 ✤前途一:前途多难｜多事一:定 多灾多难

た

たに【谷】❶〔くぼ地〕山谷shāngǔ；溪谷xīgǔ‖山を越え～を渡る 越高山跨溪谷 ❷〔低い部分〕低谷dīgǔ‖景気の～ 经济低谷｜気圧の～ 气压的低谷｜人生は山あり～あり 人生有起有落

だに【壁蝨】蜱pí；螨mǎn. 喩 坏蛋huàidàn；狗屎堆gǒushǐduī‖社会の～ 社会渣滓

たにま【谷間】❶〔谷の中〕山谷shāngǔ；山沟shāngōu；峡谷xiágǔ ❷〔高いものの間〕低谷dīgǔ‖ビルの～ 林立的高楼之间

たにん【他人】❶〔世間一般の人々〕别人biéren；他人tārén；旁人pángrén‖～をあてにするな 不要依赖别人｜万事～まかせにする 什么事都交给别人做 ❷〔親族でない人〕外人wàirén‖赤の～ 非亲非故(的外人)｜～の空似 相貌相似的人｜遠い親せきより近くの～ 远亲不如近邻｜～の飯を食う 走出家门,历练自己 ❸〔部外者〕外人wàirén；旁人pángrén；局外人júwàirén‖～扱いする 把…当外人｜ここは～の出る幕ではない 这里不是外人出面的地方 ✤一行儀:见外；外待；当外人对待｜一事:旁人的事；与我无关的事

たぬき【狸】〔只〕狸lí；貉hé. 喩 狡猾的人jiǎohuá de rén‖とらぬ～の皮算用 定 如意算盘｜キツネと～の化かし合い 狡猾者互相欺骗；定 尔虞我诈｜うちの社長は相当の～だ 我们老板十分狡猾

たね【種】❶〔種子〕〔粒〕种子zhǒngzi；子儿zǐr.（果物のさね）果核guǒhú；核儿húr‖梅干しの～ 咸梅的核儿｜～なしブドウ 无籽葡萄｜～をまく 播种 ❷〔精子〕种zhǒng‖牝馬(ひんば)に～をつける 给母马进行人工配种 ❸〔原因〕原因yuányīn‖しゃくの～ 发怒的原因｜悩みの～が尽きない 烦心的事无穷无尽｜自分でまいた～は自分で刈りとらねばならない 一切后果自负｜まかぬ～は生えぬ 定 种瓜得瓜,种豆得豆 ❹〔話などの材料〕材料cáiliào；题材tícái；话题huàtí‖うわさの～ 街谈巷议的对象 ❺〔料理の材料〕材料cáiliào‖パンの～ 面肥 ❻〔手品などの〕秘密mìmì；把戏bǎxì；窍门qiàomén‖手品の～を明かす 魔术揭秘｜～も仕掛けもない 既没有秘密也没有把戏｜～が割れる 漏馅儿 ❼〔よりどころ〕依据yījù；根据gēnjù‖生活の～ 生计｜飯の～を探す 找饭碗

たねあかし【種明かし】(～する)亮底儿liàngdǐr；泄露秘密xièlòu mìmì‖からくりを～する 亮底儿

たねほん【種本】蓝本lánběn；原始资料yuánshǐ zīliào

たねまき【種蒔き】(～する)播种bōzhǒng

たねん【多年】多年duō nián‖～の努力の末 经过多年的努力

-だの …啦…啦… la … la；…什么的… shénmede‖ワイン～ビール～ 葡萄酒啦啤酒啦｜残業が多い～,給料が少ない～,不満たらたらだ 加班多、工资少什么的,牢骚不断

たのし・い【楽しい】愉快yúkuài；开心kāixīn；高兴gāoxìng；欢乐huānlè‖～く語りあう 愉快地畅谈｜～いひとときを過ごした 过了一段愉快的时间｜～い夏休みをお過ごしください 祝暑假快乐｜～いふんいき 欢乐的气氛

たのしま・せる【楽しませる】让…高兴ràng … gāoxìng；使…开心shǐ … kāixīn‖人の目を～せる 赏心悦目｜聴衆を心ゆくまで～せた 使听众大饱耳福

たのしみ【楽しみ】❶〔趣味や娯楽〕乐趣lèqù.（趣味）爱好àihào；兴趣xìngqù.（なぐさみ）消遣xiāoqiǎn‖唯一の～ 唯一的爱好｜なによりの～ 生活中最大的乐趣｜老後の～ 晚年的消遣 ❷〔心待ちにする〕盼望pànwàng；期望qīwàng；期盼qīpàn‖お目にかかるのを～にしております 盼望着跟您见面｜この子の将来が～だ 期待着这个孩子将来有所作为；（有望である）这个孩子前途有为

たのし・む【楽しむ】享受xiǎngshòu.（鑑賞して）欣赏xīnshǎng.（興じる）玩儿wánr‖人生を～む 享受人生｜夜景を存分に～む 尽情欣赏夜景｜中国茶を～む 品尝中国茶｜友人とおしゃべりを～んだ 和朋友聊得很开心｜読書を～む 安静地看书｜カラオケを～む 玩卡拉OK

たのみ【頼み】❶〔依頼〕请求qǐngqiú；恳求kěnqiú‖～があるんですが 我有一件事想求你｜あなたの～とあらば,できる限りのことをします 你托我的事,我尽力而为 ❷〔頼り〕依靠yīkào.（あて）希望xīwàng‖～になる人 靠山｜～の綱 唯一的依靠｜～の綱が切れた 失去了最后的希望

たの・む【頼む】❶〔依頼する〕请求qǐngqiú；拜托bàituō；托付tuōfù.（要求する）要求yāoqiú‖～むから静かにしてくれ 求求你了,安静一下｜～まれれば嫌とは言えないたちだ 别人有事相求,拉不下面子拒绝人家｜同僚に～まれる 受同事之托｜伝言を～む 请人转告｜夫に家事を～む 把家务托付给丈夫｜この件は弁護士を～んだほうがいい 这件事最好是请一个律师 ❷〔頼りにする〕依靠yīkào；依赖yīlài；信任xìnrèn‖権勢を～む 倚势｜数を～ 倚仗多数｜～むに足る人物 是一个足以可信的人 ❸〔来てもらう〕请qǐng.（雇う）聘请pìnqǐng‖子どもに家庭教師を～む 给孩子请一位家庭教师｜タクシーを～む 叫一辆出租车

たのもし・い【頼もしい】❶〔心強い〕可靠kěkào；靠得住kàodezhù；把稳bǎwěn ❷〔有望な〕有前途yǒu qiántú‖将来が～い 将来一定很有发展前途｜～い限り 真令人为之鼓舞

たば【束】捆kǔn；束shù‖書類の～ 成捆成捆的资料｜まき1～ 一捆劈柴｜～になってかかってもかなわない 一般人绑在一起也比不上

だは【打破】(～する)打破dǎpò；破除pòchú；消灭xiāomiè‖現状を～する 打破〔改变〕现状

タバコ【煙草】❶〔し好品の〕〔支,条,盒〕烟yān；香烟xiāngyān‖～1箱 一包香烟｜～に火をつける 点烟｜～の火をもみ消す 掐灭香烟头｜～をやめる 戒烟｜車内でのお～はご遠慮ください 请不要在车上抽烟 ❷〔植物〕烟草yāncǎo

たはた【田畑】〔块,片〕田地tiándì；水田和旱地shuǐtián hé hàndì‖～を耕す 耕地

たはつ【多発】多发duōfā；频发pín fā‖事故が～する 经常发生事故 ✤一性:多发性

たば・ねる【束ねる】❶〔くくる〕捆kǔn；扎zā‖古雑誌を～ねる 把旧杂志捆起来｜長い髪を～ねる 把长头发扎起来 ❷〔統率する〕管理guǎnlǐ‖組織を～ねる 管理组织

たび【度】❶〔そのとき〕次cì；回huí‖この～はたいへんお世話になりました 这次承蒙您热情的关照,非常感谢 ❷〔そのときはいつも〕每次měi cì；每逢měi féng‖会う～に大きくなる 每见一次都在

長大｜夏が来る〜に思い出す 每逢夏天都会想起

たび【旅】〔次〕旅行lǚxíng；旅游lǚyóu‖〜をする 去旅行｜〜馴れる 惯于旅行｜〜の空 身在旅途｜世界一周の〜 周游世界｜〜は道連れ世は情け 行旅要有伴侣，处世要有人情｜〜の恥はかきすて 旅行在外，丢了丑也无妨｜かわいい子には〜をさせよ 爱孩子，就要让他经风雨，见世面

たびかさな・る【度重なる】反复fǎnfù；累累lěilěi；屡次lǚcì‖〜る水害に見舞われる 屡次遭受水害｜議員の不祥事が〜る 议员的丑闻接连曝光

たびさき【旅先】旅行的途中lǚxíng de túzhōng；旅途lǚtú‖〜で思いがけず友人に会った 我在旅行的途中意外地遇见了朋友

たびじ【旅路】旅程lǚchéng.（道中）旅途lǚtú‖〜につく 踏上旅途；动身｜死出の〜 去世；死

たびじたく【旅支度】❶（〜する）（旅の準備）旅行的准备lǚxíng de zhǔnbèi‖〜を整える 整理行装 ❷（旅の服装）行装xíngzhuāng

たびだ・つ【旅立つ】❶（旅に出る）出发chūfā；动身dòngshēn；起程qǐchéng‖西安へ向けて〜つ 起程去西安 ❷（亡くなる）逝世shìshì‖あの世に〜つ 去世〔与世长辞〕

たびたび【度度】再三zàisān；多次duō cì；屡次lǚcì‖〜ご迷惑をおかけします 总是给您添麻烦

たびびと【旅人】旅客lǚkè；旅人lǚrén

たびまわり【旅回り】巡回xúnhuí‖〜の役者 走江湖的艺人

ダビング（〜する）❶（テープなどを）翻录fānlù；复制fùzhì ❷（映画・メディア）配音pèiyīn；混录hùn lù

タフ 刚强gāngqiáng；坚韧jiānrèn；健壮jiànzhuàng ✣一ガイ：硬汉

タブー 禁忌jìnjì；忌讳jìhui‖〜を犯す 冒犯禁忌

だぶだぶ（〜する）❶（衣服などが）肥大féidà；宽大kuāndà‖父の上着はぼくには〜だ 爸爸的上衣我穿着太肥 ❷（液体などが）晃荡huàngdang‖腹が〜する 在肚子里晃荡

だぶつ・く ❶（あり余る）过剩guòshèng‖銀行では金が〜いている 银行资金过剩 ❷（衣服などが）肥大féidà ❸（液体などが）咣当guāngdāng；晃荡huàngdang

ダフや【ダフ屋】票贩子piàofànzi；黄牛huángniú

たぶらか・す【誑かす】诓骗kuāngpiàn；欺蒙qīméng‖年寄りを〜して金を巻き上げる 骗老年人的钱｜悪い女に〜された 受了毒妇的骗

ダブリュー エイチ オー【WHO】（世界保健機関）世界卫生组织Shìjiè Wèishēng Zǔzhī

ダブリュー ティー オー【WTO】（世界貿易機関）世界贸易组织Shìjiè Màoyì Zǔzhī

ダブル ❶（二重・二倍）双shuāng；双重shuāngchóng‖オンザロックを〜で 来一杯双份威士忌加冰 ❷（2人用客室）双人间shuāngrénjiān ❸（服飾）双排扣shuāngpáikòu ✣一キャスト：交替演出｜一クリック：双击｜一チェック：两次核对｜一パンチ：喩 双重灾难；连击｜一ブッキング：重复预订｜一プレー：双杀｜一ベッド：双人床

ダブ・る 重复chóngfù；重叠chóngdié‖内容が〜る 内容重复｜物が〜って見える 看东西重影

たぶん【多分】❶（おそらく）大概dàgài；恐怕kǒngpà；也许yěxǔ‖明日は〜晴れるだろう 明天可能是晴天 ❷（かなり）相当多xiāngdāng duō‖〜に疑わしい点がある 有相当多的可疑之处

たべごろ【食べ頃】吃…的季节chī … de jìjié；…好吃的时候… hǎochī de shíhou‖もうモモが〜だ 已经到了吃桃子的季节了｜このメロンは明日あたりが〜だ 这个甜瓜差不多明天就可以吃了

たべすぎ【食べ過ぎ】吃得过多〔过量〕chīde guò duō〔guòliàng〕；暴食bào shí

たべずぎらい【食べず嫌い】尝都没尝过就厌恶cháng dōu méi chángguo jiù yànwù

たべつ・ける【食べ付ける】吃惯chīguàn‖〜けない物を食べて腹をこわした 吃了平时没吃惯的东西，结果吃坏了肚子

たべのこ・す【食べ残す】吃剩（下）chīshèng (xia)

たべもの【食べ物】食物shíwù；吃的东西chī de dōngxi‖〜を粗末にしてはいけません 不能糟蹋食物｜〜にうるさい 对吃很讲究｜水や〜に注意しましょう 对饮食方面得注意

た・べる【食べる】❶（食べ物を）吃chī‖この肉は生で〜べられる 这肉可以生吃｜お昼は何時に〜べますか 几点吃午饭？｜急いで〜べると体に毒だ 狼吞虎咽地吃对身体有害｜父の料理はけっこう〜べられる 父亲做的菜还过得去 ❷（生活する）生活shēnghuó；维持生计wéichí shēngjì｜〜べるのに困らない 足以维持生活｜中国語で〜べていく 靠汉语挣钱维持生计

たべん【多弁】能说néng shuō；会说huì shuō

だほ【拿捕】（〜する）捕获bǔhuò‖不審船を〜する 捕获可疑船只

たほう【他方】另一个lìng yí ge.（ほかの面）另一方面lìng yī fāngmiàn；其他方面qítā fāngmiàn‖一方はそう証言したが，〜の言い分はまた違っていた 一方是那么作证的，可是另一方的说法又不一样

たぼう【多忙】繁忙fánmáng；很忙hěn máng‖〜をきわめる 忙得不可开交

たほうめん【多方面】多方面duō fāngmiàn；多方duōfāng；广泛guǎngfàn‖〜の知識を習得する 学多方面的知识｜〜で活躍する 在许多领域都大显身手｜〜にわたる検討が必要だ 需要全面讨论

だぼく【打撲】（〜する）碰伤pèngshāng；撞伤zhuàngshāng ✣一傷：跌打损伤；碰伤

たま【玉・球・弾】❶（球状のもの）珠zhū；球qiú‖目の〜 眼珠｜パチンコの〜 小钢珠｜露の〜 露珠｜毛糸の〜 毛线球 ❷（丸くまとめたもの）团tuán‖うどんの〜 面条团 ❸（ボール）球qiú‖〜を投げる 投球｜〜を捕る 抢球｜速い〜を打つ 打快球 ❹（弾）〔颗，发，枚〕子弹zǐdàn‖大砲の〜 炮弹｜拳銃に〜を込める 往手枪膛里装子弹 ❺（算盤珠の）算盘珠suànpanzhū ❻（その他の表現）‖〜を磨く 磨玉石｜〜の肌 肤如凝脂｜〜を転がすような美声 珠圆玉润的声音｜〜にきず 美中不足｜掌中の〜 掌上明珠｜〜のような赤ちゃん 白胖的娃娃

たま【偶】偶尔ǒu'ěr（せっかくの）难得nándé；好不容易hǎoburóngyì‖〜の休みも家事でつぶれてしまった 好不容易休个假，却全耗在做家务上了｜

～には間違えることもある 偶尔也会出错

たま・げる【魂消る】吓一跳xià yí tiào；吃惊chījīng

たまご【卵】❶〔鳥類などの〕蛋dàn.（鶏卵）鸡蛋jīdàn ‖ ～の殻 蛋壳｜～がかえった 小鸡孵化了｜～を割る 打鸡蛋｜～を焼く 煎鸡蛋｜～の黄身 蛋黄｜～の白身 蛋清 ❷〔魚・虫類などの〕卵luǎn；子zǐ ‖ カエルの～ 青蛙的卵｜サケの～ 大马哈鱼子 ❸〔修業中の人〕未来的…wèilái de …；小…xiǎo … ‖ 医者の～ 未来的大夫 ✤一色：蛋黄色｜一形：蛋形｜｜ゆで一：煮鸡蛋

たましい【魂】灵魂línghún；魂魄húnpò.（精神）精神jīngshén；气魄qìpò ‖ 刀は武士の～だ 刀是武士的灵魂｜仕事に～を打ち込む 把精力投入到工作中去｜～が抜けたよう 像丢了魂儿一样

だま・す【騙す】❶〔欺く〕骗piàn；欺骗qīpiàn ‖ 人を～す 骗人；欺骗别人｜あいつにすっかり～された 我完全上了他的当 ❷〔なんとか思いどおりにする〕哄hǒng；凑合còuhe ‖ がたがたの機械を～し～し使う 凑合着使用破旧的机器

たまたま【偶偶】偶然ǒurán；碰巧pèngqiǎo ‖ 私は～そこに居合わせただけだ 我只不过是偶然〔碰巧〕在场｜～道連れになる 偶然结成旅伴

たまつき【玉突き】❶〔遊戯〕台球táiqiú ‖ ～をする 打台球 ❷〔追突事故〕追尾撞车zhuīwěi zhuàngchē ‖ 高速道路で，車７台による～事故が起きた 高速公路上发生了一起七辆车追尾事故

たまに【偶に】偶尔ǒu'ěr；有时候yǒu shíhou ‖ ～あいさつする程度 只不过是偶尔打打招呼而已｜～しか旅に出ない 我很少出去旅行

たまねぎ【玉葱】洋葱yángcōng；元葱yuáncōng

たまもの【賜物・賜】❶〔天や神仏からの〕赏赐shǎngcì；恩赐ēncì ‖ 天の～ 天赐｜大自然の～ 大自然的恩赐 ❷〔おかげ・成果〕成果chéngguǒ；结果jiéguǒ ‖ 長年の努力の～ 长期努力的结果

たまらな・い【堪らない】受不了shòubuliǎo；…得不得了…de bùdéliǎo；…得要命…de yàomìng ‖ こんなことで文句を言われては～い 为这种事挨说可真受不了｜彼に会いたくて～い 我想他想得要命｜おなかがすいて～い 饿得慌｜暑くて～い 热得无法忍受

たまりか・ねる【堪り兼ねる】受不了shòubuliǎo；无法忍受wúfǎ rěnshòu

たま・る【堪る】（…てたまるか）怎么能…zěnme néng …；绝不能…jué bù néng … ‖ こんなことでくじけて～るか 我怎么能为这么点儿事灰心丧气呢｜あんなやつに負けて～るか 绝不能输给他！

たま・る【溜まる・貯まる】积jī；存cún ‖ ほこりが～る 积了灰尘｜ストレスが～る 感到精神压力｜疲れが～る 积劳｜仕事が～る 积压了很多工作｜借金が～る 欠债越积越多

だま・る【黙る】不说话bù shuōhuà；沉默chénmò ‖ ～れ 住口｜きみは～っていろ 你安静会儿！；你少说两句！｜口をきかずに～っている 不吭声｜子どもが泣くのを～らせた 我把孩子哄得不哭了｜～って見過ごすわけにはいかない 不能视而不见｜～って見ていられない 不能袖手旁观｜～っていても金が入ってくる 坐着白拿钱

たまわ・る【賜る】承蒙chéngméng；赏赐shǎngcì ‖ ご指導を～る 承蒙指导

たみ【民】（民衆）民众mínzhòng.（国民）国民guómín ‖ ～の声に耳を傾ける 倾听民众之声｜流浪の～ 流浪的人们 ✤一草：百姓；庶民

だみん【惰眠】睡懒觉shuì lǎnjiào ‖ ～をむさぼる 贪睡懒觉

ダム〔座，个〕水库shuǐkù；水坝shuǐbà ‖ ～を建設する 修建水库

たむ・ける【手向ける】奉献fèngxiàn；供gòng ‖ いまは亡き人々に花を～ける 为死去的人们献花

たむろ【屯】（～する）聚集jùjí ‖ コンビニの前に学生が～している 便利店的门前聚集着很多学生

ため【為】❶〔…の利益のために〕为（了）wèi(le) ‖ きみの～を思って言っているのだ 我是为了你好〔我是为你着想〕才这么说的｜国の～に命を捨てる 为了国家而抛弃生命｜～になる本 有益的书｜子どもの～によくない 对孩子没有好处 ❷〔…の目的で〕为（了）wèi(le) ‖ 金の～に働く 为了钱而工作｜何の～にそんなことをしたのかな 他为什么要干那种事？｜念の～ 为了慎重起见 ❸〔…が原因で〕由于yóuyú；因为yīnwei ‖ 悪天候の～，飛行機が遅れた 由于天气恶劣，飞机晚点了｜母はがんの～亡くなった 我母亲死于癌症

だめ【駄目】❶〔役に立たない・効果がない〕没用méi yòng；不行bùxíng；白搭báidā ‖ 泣いたって～ 哭也没用｜あんなやり方では～だ 用那种方法是不行的｜それっぽっちの金では～だ 那么点儿钱不管用｜まず～だろう 肯定没希望 ❷〔悪い状態である〕坏了huài le；不管用bù guǎnyòng；不中用bù zhōngyòng ‖ もうこのテレビは～だ 这台电视已经坏了｜霜で作物が～になった 由于下霜，庄稼都不行了｜私は中国語は全然～です 我对中文一窍不通 ❸〔拒否・禁止〕不要búyào；不许bùxǔ；不行bùxíng ‖ 廊下を走っちゃ～ 不许在走廊上跑｜～と言ったら～だ 不行就是不行！｜急がなくちゃ～だ 要抓紧 ❹〔慣用表現〕‖ ～を押す 再三叮嘱｜～を出す 提出要求

ためいき【溜め息】叹气tànqì ‖ 思わず～が出た 不由得叹了一口气｜そう～ばかりつくな 别老是唉声叹气的

ダメージ 损伤sǔnshāng；损失sǔnshī；损害sǔnhài ‖ 心理的～を受けた 精神上受到了创伤

ためし【例し】先例xiānlì；前例qiánlì ‖ いまだかつて実現した～がない 至今还未曾实现过

ためし【試し】试shì；尝试chángshì ‖ ～にやってみる 试试看；尝试一下看看｜～にはいてみる 穿上看看｜～に１度使ってみる 试着用一次看｜物は～ 百谈莫如一试 ✤一算：验算

ため・す【試す】试shì；尝试chángshì ‖ 生徒の学力を～す 测试学生的实力｜真価を～す 考验是否有真本事

ためら・う【躊躇う】踌躇chóuchú；犹豫yóuyù ‖ 返事を～う 不能马上回答｜少しも～わず 一点儿也没犹豫

た・める【貯める・溜める】❶〔金銭などを〕攒zǎn；积攒jīzǎn；积存jīcún ‖ ポイント〔マイレージ〕を～める 累积积分〔里数〕 ❷〔水などを〕存cún；蓄xù ‖ たらいに水を～める 把水蓄在大盆里｜目に涙を～める 含眼泪 ❸〔滞らせる〕积压jīyā ‖ 支払いを～める 拖欠应付款

ためん【多面】多方面duō fāngmiàn ‖ 物事を～

的に見る 从多方面看事物 ❖一体:多面体

たもくてき【多目的】多功能duōgōngnéng ❖ 一ダム:多功能水坝 | 一ホール:多功能大厅

たも·つ【保つ】保持bǎochí; 维持wéichí ‖ 均衡を〜つ 保持均衡 | 部屋の中を一定温度に〜つ 让房间保持恒温 | 社会の秩序を〜つ 维持社会秩序

たもと【袂】❶〔着物の〕袖兜xiùdōu ‖ 〜を分かつ 断绝关系; 定 分道扬镳 ❷〔かたわら〕(橋の)桥头qiáotóu. (山の)山脚shānjiǎo

たや·す【絶やす】灭绝mièjué; 断绝duànjué ‖ 子孫を〜す 定 断子绝孙 | 笑顔を〜さない 总是笑容满面

たゆ·む【弛む】‖ 〜まぬ努力 不懈的努力 | 〜まぬ練習のたまもの 每天坚持练习的结果

たよう【多様】多样duō yàng ‖ 価値観が〜化する 价值观念趋向多样化 | 文化の〜性を尊重する 尊重文化的多样性

たより【便り】〔封〕信xìn; 音信yīnxìn; 音讯yīnxùn ‖ お〜ありがとう 谢谢你的来信 | 何の〜もない 什么音信也没有 | 風の〜 听说

たより【頼り】依靠yīkào; 借助(于) jièzhù (yú); 凭借píngjiè ‖ 〜になる人 靠得住〔可靠〕的人 | 辞書を〜に 借助于词典

たよりな·い【頼りない】❶〔頼るものがない〕定 无依无靠wú yī wú kào ‖ 〜げなようす 孤独不安的样子 ❷〔あてにならない〕不可靠bù kěkào; 靠不住kàobuzhù ‖ 〜い約束 不可靠的诺言 | この仕事は彼女1人では〜い 这个工作让她一个人干不放心

たよ·る【頼る】靠kào; 依靠yīkào; 依赖yīlài ‖ 人に〜る 依赖别人 | 金の力に〜る 依仗金钱的力量 | 〜れる友人 可信赖的朋友 | つえに〜って歩く 拄拐杖走路

-たら ❶〔もし…たなら·…すると〕如果rúguǒ; 要是yàoshi ‖ 明日雨が降っ〜 明天如果下雨的话 | もしよかっ〜 要是可以的话 | 疲れ〜休みなさい 你累了就休息吧 ❷〔…ときたらまあ〕…啊… a ‖ この子っ〜 这个孩子呀 | 眠いっ〜ありゃしない 困得不得了 | 悔しいっ〜ない 气死人哪! ❸〔誘い·命令など〕‖ もうそろそろ寝〜? 你是不是该休息了? | 今日はだめだっ〜 今天就是不行! | いいかげんにしろっ〜 你有完没完啊!

たらい【盥】盆pén; 盥guàn ❖一回し:踢皮球; 推来推去

だらく【堕落】(〜する)堕落duòluò ‖ 権力はとかく人間を〜させる 权力往往使人堕落

だら·ける 懒散lǎnsǎn; 散漫sǎnmàn ‖ 生活が〜ける 生活散漫 | 〜けていないで仕事をしろ 别偷懒, 好好儿干 | 〜けた格好 穿得很邋遢

だらしな·い ❶〔しまりがない〕邋遢lāta; 吊儿郎当diào'erlángdāng; 不整洁bù zhěngjié ‖ 身なりが〜い 衣着邋遢〔不整洁〕| 金に〜い 花钱很随便 | 女に〜い 好色 | 〜い生活 堕落的生活 ❷〔毅然としていない〕窝囊wōnang; 不争气bù zhēngqì ‖ そんなことで弱音をはくなんて〜い 为那么点儿小事叫苦, 太没出息

たら·す【垂らす】❶〔ぶらさげる〕垂下chuíxia; 耷拉dāla ‖ 髪を後ろに〜す 长发披肩 | 窓からロープを〜す 从窗户垂下绳子 | 釣り糸を〜す 放钓鱼线 ❷〔液体を〕滴dī; 流liú ‖ よだれを〜す 流口水 | 汗水〜して働く 辛勤地工作

-たらず【足らず】不到bú dào ‖ 10人〜 不到十名 | 1時間〜 用不了一个小时

たらたら ❶〔汗などが〕滴滴答答(地) dīdīdādā (de) ‖ 汗が〜と流れる 汗滴滴答答地往下淌 ❷〔お世辞·不平が〕没完没了méi wán méi liǎo; 喋喋不休diédié bùxiū ‖ お世辞〜 没完没了地奉承 | 不平〜 喋喋不休地发牢骚

だらだら ❶〔汗などが〕滴滴答答(地) dīdīdādā (de) ❷(〜する)〔物事が〕定 拖泥带水tuō ní dài shuǐ; 拖拖拉拉tuōtuōlālā ‖ 〜した仕事ぶり 拖拖拉拉的工作作风 | 一日中〜テレビを見た 一整天都泡在电视里了 ❖一坂:慢坡; 缓坡

タラップ 舷梯xiántī ‖ 〜をのぼる 上舷梯

-たり 一会儿…一会儿…yíhuìr … yíhuìr …; 又…又…yòu … yòu … ‖ 泣い〜笑っ〜する 一会儿哭一会儿笑; 又哭又笑 | 暑くなっ〜寒くなっ〜する 忽热忽冷 | 北京と上海を行っ〜来〜する 往来于北京和上海之间

たりき【他力】外力wàilì; 别人的帮助biéren de bāngzhù ❖一本願:依赖他人

た·りる【足りる】❶〔十分である〕足够zúgòu; 够gòu ‖ これだけあれば〜りる 有这些就够了 | 長さが〜りない 不够长 | おつりが100円〜りない 少找了100日元 | 経験が〜りない 缺乏经验 ❷〔間に合う〕够gòu; 行xíng ‖ 用が〜りる 够用 ❸〔…するに足りる〕足以…zúyǐ …; 值得…zhíde … ‖ 論ずるに〜りない 不值得讨论 | とるに〜りない欠点 微不足道的缺点 | 驚くに〜りない 不足为奇 | 恐れるに〜りない 用不着害怕

たる【樽】桶tǒng ‖ 〜詰めの酒 桶装的酒

だる·い 酸软suānruǎn; 没劲儿méijìnr; 乏倦fájuàn ‖ 体が〜い 浑身没劲儿 | 足が〜い 脚发酸

たる·む【弛む】❶〔物などが〕松sōng; 松弛sōngchí ‖ ロープが〜む 缆绳松了 ❷〔気分が〕松懈sōngxiè; 懒散lǎnsǎn; 散慢sǎnmàn ‖ 〜んだ気持ちに活を入れる 克服松懈情绪, 振奋起精神 | このごろ〜んでるぞ 最近太懒散了

だれ【誰】❶〔不定の人〕谁shéi; 什么人shénme rén ‖ 〜か中にいるようだ 有人在里边儿 | キャー, 〜か来て! 哎呀, 来人啊! | 〜が〜だかさっぱりわからない 简直分不清谁是谁 | 〜も居ない 一个人也没有 | 〜知らぬ者もない 无人不知 ❷〔どんな人も〕谁shéi; 任何人rènhé rén ‖ 〜にでも欠点はある 定 人无完人; 谁都会有缺点 | 〜でもいいから, ちょっと手伝ってくれ 不管谁都行, 请帮一下忙! | 〜よりも早く起きる 比谁都起得早

たれこ·む【垂れ込む】告密gàomì; 告发gàofā ‖ サツに〜む 通报警察

たれこ·める【垂れ込める】笼罩lǒngzhào; 低垂dī chuí ‖ 黒い雲が空低く〜めている 黑云压顶; 乌云低垂, 笼罩着天空

たれさが·る【垂れ下がる】下垂xiàchuí; 耷拉dāla

た·れる【垂れる】❶〔流れ落ちる〕滴dī; 流liú ‖ 汗が〜れる 流汗 | 鼻水が〜れる 鼻涕直流 ❷〔垂れ下がる〕垂chuí; 下垂xiàchuí; 悬挂xuánguà ‖ 髪が腰まで〜れている 头发一直垂到腰 ❸〔首などを下げる〕垂chuí; 耷拉dāla ‖ 頭(こうべ)を〜れる 垂着头; 耷拉着脑袋 | 釣糸を〜れる 放下鱼

た

线 ❹〔あらわし示す〕垂chuí; 示范shìfàn ‖ 教訓を～れる 垂教；垂训 | 範を～れる 示范 | 蘊蓄(うんちく)を～れる 卖弄学问 ❺〔排泄する〕排泄páixiè

だ・れる ❶〔緊張感がない〕松懈sōngxiè; 疲沓píta ‖ 気分が～れる 精神松懈 ❷〔飽きる〕厌倦yànjuàn; 腻nì ❸〔商業〕疲软píruǎn ‖ 市場が～れる 市场疲软

-だろう ❶〔推量〕会huì; 可能kěnéng; 大概dàgài; …吧… ba ‖ 明日は雪が降る～ 明天要下雪吧 | きっと彼はやってくる～ 我想他肯定会来的吧 ❷〔疑問·反語·詠嘆〕啊a; 呢ne ‖ いったいこれはなん～ 这到底是什么呀？| そんなことってある～か 怎么会有这种事情呢？ ❸〔同意を求めたり念を押す〕不是…吗bú shì … ma ‖ ちゃんと約束した～ 你不是跟我约好吗？

タワー 〔座〕塔tǎ ‖ 東京～ 东京塔

たわいな・い【他愛ない】❶〔とるにたりない〕无聊wúliáo; 定不足挂齿bù zú guà chǐ ‖ ～い話 微不足道的事情 ❷〔たやすい〕容易róngyì; 定轻而易举qīng ér yì jǔ ‖ ～くだまされた 很轻易地被欺骗了 ❸〔無邪気〕心里没数xīnli méi shù; 没有分寸méiyou fēncun ‖ 子どものように～い人だ 像个孩子似的，为人很单纯

たわごと【戯言】胡话húhuà; 蠢话chǔnhuà

たわ・む【撓む】弯曲wānqū ‖ 実がなってカキの枝が～んでいる 结出的柿子压弯了树枝

たわむ・れる【戯れる】玩耍wánshuǎ; 嬉戏xīxì ‖ 子どもがイヌと～れている 孩子们逗狗玩儿

たわ・める【撓める】(使)弯曲(shǐ) wānqū

たわら【俵】稻草包dàocǎobāo

たん【痰】痰tán ‖ ～がのどにからまる 痰卡在喉咙里 | ～が切れない 痰吐不出来 ✣ 一つぼ:痰盂

たん【端】‖ ～を発する 开端

だん【段】❶〔階段の1段〕台阶táijiē ‖ ここは～になっている 这儿有台阶 ❷〔上下の重なり〕层céng; 级jí ‖ 本棚の下の～ 书架的下层 | 1～目のロケット 第一级火箭 | 引き出しの上から3～目 从上边数第三个抽屉里 ❸〔文章の一区切り〕段duàn; 段落duànluò ❹〔技量の格づけ〕段duàn; 等级děngjí ‖ 柔道3～の人 柔道三段的人

だん【断】决定juédìng; 决断juéduàn ‖ ～を下す 做出最后的决定 | 社長に～を仰ぐ 向社长请示

だん【暖】‖ 火の周りで～をとる 在火堆旁取暖

だん【壇】台tái; 坛tán ‖ ～上にあがる 上台

だんあつ【弾圧】(～する)压制yāzhì; 镇压zhènyā ‖ 言論の～ 压制言论 | デモを～する 镇压示威游行

たんい【単位】❶〔数量計算の基準〕单位dānwèi ‖ ～を間違えて計算する 算错单位 | 貨幣～ 货币单位 ❷〔学科履修計算の基準〕学分xuéfēn ‖ ～が足りない 学分不够 | 英語の～を落とす 没拿到英语课的学分 ❸〔組織などのまとまり〕单位dānwèi ‖ クラス～ 以班级为单位

たんいつ【単一】❶〔ひとつであること〕单一dānyī; 单独dāndú ❷〔まじりものがないこと〕单一dānyī; 纯正chúnzhèng ✣ 一国家:单一国家 | 一民族:单一民族

たんか【担架】担架dānjià ‖ 負傷者を～で運んだ 用担架把受伤的人抬走了

たんか【単価】单价dānjià

たんか【炭化】(～する)炭化tànhuà; 煤化méihuà ‖ ～した穀物の種 已炭化了的谷物种子 ✣ 一カルシウム:碳化钙；电石 | 一水素:烃；碳氢化合物

たんか【啖呵】口齿伶俐kǒuchǐ língli ‖ 威勢よく～をきる 口齿伶俐说个不停

タンカー 〔艘，条〕油船yóuchuán; 油轮yóulún ✣ ケミカル一:液体化学品运输船 | マンモス一:巨型油轮；超大型油轮

だんかい【段階】❶〔レベル〕等级děngjí ‖ 成績を5～で評価する 按5个等级评价成绩 ❷〔プロセス〕阶段jiēduàn; 步骤bùzhòu; 顺序shùnxù ‖ 現～ 现阶段 | 新しい～に入った 进入了新的阶段 | ～的に縮小される 逐步减少 | ～を踏んで説明する 按顺序做说明

だんがい【断崖】悬崖xuányá; 断崖duànyá ✣ 一絶壁:悬崖峭壁；悬崖绝壁

だんがい【弾劾】(～する)弹劾tánhé

たんがん【嘆願】(～する)请求qǐngqiú; 哀求āiqiú ‖ 政府に救済を～する 向政府请求救济 | 助命を～する 哀求饶命 ✣ 一書:请愿书

だんがん【弾丸】〔颗，枚〕枪弹qiāngdàn; 子弹zǐdàn ‖ ～が当たる 中枪弹 | 小銃に～を込める 给步枪装子弹 ✣ 一ライナー:高速平直球

たんき【短気】性急xìng jí; 急性子jíxìngzi; (性情)暴躁(xìngqing) bàozào ‖ ～なのが彼の唯一の欠点だ 脾气急是他唯一的缺点 | ～は損気 急性子吃亏；心急吃不上热豆腐

たんき【短期】短期duǎnqī ✣ 一貸付:短期放款 | 一借入金:短期借款 | 一金利:短期利息 | 一契約:短期合同 | 一講習:短期讲座；短训班 | 一国債:短期国债 | 一大学:短期大学

たんきゅう【探究】(～する)探索tànsuǒ; 寻求xúnqiú; (学术)研究(xuéshù) yánjiū ‖ 真理を～する 寻求真理

たんきょり【短距離】短距离duǎn jùlí; 短程duǎnchéng ✣ 一走:短距离赛跑；短跑

タンク ❶〔容器〕罐guàn; 桶tǒng; 槽cáo ❷〔戦車〕坦克tǎnkè ✣ 一ローリー:油槽汽车

タングステン 钨wū

だんけつ【団結】(～する)团结tuánjié ‖ 住民が～して反対した 居民们团结一致反对 ✣ 一権:团结权 | 一心:团结(的)精神 | 一力:凝聚力

たんけん【探検·探険】(～する)探险tànxiǎn ✣ 一家:探险家 | 一隊:探险队

だんげん【断言】(～する)断言duànyán; 断定duàndìng; 肯定kěndìng ‖ 事実であるとは～できない 不敢断言事实就是如此

たんご【単語】词cí; 单词dāncí ‖ ～のテスト 单词笔试 ✣ 一帳:单词本 | 基本一:基本单词

たんご【端午】端午Duānwǔ ‖ ～の節句 端午节

タンゴ ❶〔音楽〕探戈(舞曲) tàngē (wǔqǔ) ❷〔ダンス〕探戈(舞) tàngē(wǔ)

だんこ【断固】断然duànrán; 坚决jiānjué; 毅然yìrán ‖ ～として拒否する 断然拒绝 | ～として反対する 坚决反对

だんご【団子】❶〔粉を丸めた食品〕丸子wánzi; 米粉团mǐfěntuán ‖ 花より～ 舍华求实；好看的不如好吃的 ❷〔ひとかたまり〕一团yì tuán ‖ おおぜいのランナーが～になって走る 许多赛跑运动员

聚成一团跑 ✤一鼻:蒜头鼻子

たんこう【炭鉱·炭坑】煤矿méikuàng

だんこう【団交】集体谈判〔交涉〕jítǐ tánpàn〔jiāoshè〕‖～は物別れに終わった 集体谈判破裂了

だんこう【断行】(～する)断然实行duànrán shíxíng; 坚决执行jiānjué zhíxíng‖改革を～する 坚决地进行改革

たんこうぼん【単行本】单行本dānxíngběn

たんこぶ【たん瘤】瘤子liúzi; 肿包zhǒngbāo‖おでこに～をつくった 额头上碰出了一个肿包｜目の上の～ 眼中钉；肉中刺

だんこん【弾痕】弹痕dànhén

たんさ【探査】(～する)探测tàncè; 勘察kānchá; 勘探kāntàn‖月面を～する 探测月球表面 ✤(宇宙)一機:航天探测器

だんさ【段差】坎儿kǎnr; 台阶táijiē‖家の中の～をなくす 消除家中的高低不平

ダンサー 舞蹈家wǔdǎojiā; 舞蹈演员wǔdǎo yǎnyuán

だんざい【断罪】(～する)论罪lùnzuì; 定罪dìngzuì; 判罪pànzuì

たんさく【探索】(～する)探索tànsuǒ; 搜索sōusuǒ; 查找cházhǎo‖史料を～する 查找历史文献

タンザニア 坦桑尼亚Tǎnsāngníyà

たんさん【炭酸】碳酸tànsuān ✤一カルシウム:碳酸钙｜一水:苏达水；汽水

たんさんガス【炭酸ガス】二氧化碳èryǎnghuàtàn

だんし【男子】❶〔男の子〕男孩子nán háizi ❷〔男性〕男性nánxìng; 男子汉nánzǐhàn ✤一学生:男学生；男生

だんじ【男児】❶〔男の子〕男儿nán'ér; 男孩子nán háizi ❷〔男性〕男性nánxìng; 男子汉nánzǐhàn ✤日本一:日本男儿

だんじき【断食】(～する)断食duànshí; 绝食juéshí; 斋戒zhāijiè

だんじて【断じて】决(不) jué (bù); 绝对juéduì; 坚决jiānjué‖～許せない行為 绝对不能允许的行为

たんしゃ【単車】〔辆〕摩托车mótuōchē

たんしゅく【短縮】(～する)缩短suōduǎn; 缩减suōjiǎn‖操業時間は30分間～された 作业时间缩短了30分钟 ✤一ダイヤル:快速拨号；速拨

たんじゅん【単純】单纯dānchún; 简单jiǎndān‖子どものように～ 像孩子那样单纯｜納税手続きを～化する 简化纳税手续 ✤一骨折:单纯性骨折｜一労働:简单劳动；体力劳动

たんしょ【短所】缺点quēdiǎn; 短处duǎnchu; 不足之处bùzú zhī chù‖友人の～は怒りっぽいところだ 我朋友的缺点是好发脾气

たんしょ【端緒】端绪duānxù; 线索xiànsuǒ; 头绪tóuxù‖事件解決の～ 破案的线索

だんじょ【男女】男女nánnǚ‖～を問わず 不分男女 ✤一共学:男女同校

たんじょう【誕生】(～する)❶〔人が〕出生chūshēng; 诞生dànshēng‖初孫が～した 长孙出生了 ❷〔物事が〕成立chénglì; 创办chuàngbàn; 诞生dànshēng‖新世代コンピューターの～ 新一代电脑的诞生 ✤一祝い:生日礼物｜一石:生日宝石｜一日:生日；生辰

だんしょう【談笑】(～する)谈笑tánxiào‖友達と～する 和朋友闲聊

たんしょく【単色】单色dānsè; 一色yísè

たんしん【単身】单身dānshēn; 只身zhīshēn ✤一赴任:单身赴任

たんしん【短針】短针duǎnzhēn; 时针shízhēn

たんす【箪笥】衣橱yīchú; 衣柜yīguì ✤一預金:在家里存钱

ダンス (跳)舞(tiào)wǔ; 舞蹈wǔdǎo ✤一パーティー:舞会｜一ホール:舞厅

たんすい【淡水】淡水dànshuǐ ✤一魚:淡水鱼

だんすい【断水】(～する)断水duàn shuǐ; 停水tíng shuǐ‖工事のため～する 因施工停水

たんすいかぶつ【炭水化物】碳水化合物tànshuǐ huàhéwù; 糖类tánglèi; 糖化物tánghuàwù

たんすう【単数】单数dānshù

たんせい【丹精】(～する)精心jīngxīn; 竭力jiélì; 苦心kǔxīn‖～こめた作品 费尽心血的作品

たんせい【端正·端整】端正duānzhèng; 端庄duānzhuāng; 端方duānfāng‖～な顔だち 容貌端庄｜立ち居振る舞いが～だ 举止端庄

だんせい【男性】男的nán de; 男人nánrén; 男士nánshì ✤一ホルモン:雄性激素；男性荷尔蒙

だんせい【弾性】弹性tánxìng; 弹力tánlì

たんせき【胆石】胆石dǎnshí; 胆结石dǎnjiéshí

だんぜつ【断絶】(～する)❶〔つながりが絶える〕绝灭juémiè; 断绝duànjué‖行き来が～する 没有来往 ❷〔考え方などの〕断绝duànjué‖世代の～ 代沟 ✤国交一:断交；断绝国交

たんせん【単線】单线dānxiàn; 单轨dānguǐ‖～の鉄道 单轨铁路

だんぜん【断然】❶〔きっぱりと〕断然duànrán; 截然jiérán; 坚决jiānjué ❷〔ほかと違って明らかに〕显然xiǎnrán; 确实quèshí; 绝对juéduì‖こちらのほうが～いい 显然〔绝对〕这个好

たんそ【炭素】碳tàn ✤一化合物:碳化合物｜一繊維:碳纤维｜放射性一:放射性碳；碳-14

たんぞう【鍛造】(～する)锻造duànzào

だんそう【断層】❶〔地質〕断层duàncéng ❷〔くいちがい〕差异chāyì; 分歧fēnqí‖世代間の～ 代沟 ✤一撮影:X射线层析摄影｜一地震:断层地震

たんそきん【炭疽菌】炭疽菌tànjūjūn

だんぞく【断続】(～する)断续duànxù; 间歇jiànxiē‖～的に雪が降り続く 雪断断续续地下着

だんたい【団体】团体tuántǐ; 集体jítǐ‖～で行動する 集体活动 ✤一競技:团体比赛｜一生活:集体生活｜一旅行:团体旅行｜一割引:团体票

だんたいこうしょう【団体交渉】⇨だんこう(団交)

たんたん【淡淡】❶〔感じが〕淡漠dànmò; 淡泊dànbó; 不介意bú jièyì‖～と語る 平静地说 ❷〔色·味が〕清淡qīngdàn

だんだん【段段】❶〔階段〕楼梯lóutī; 台阶táijiē ❷〔徐々に〕逐渐zhújiàn; 渐渐jiànjiàn; 逐步zhúbù‖列車は～と遠ざかっていく 列车逐渐远去｜～暖かくなってきた 渐渐暖和起来了

だんだんばたけ【段段畑】梯田tītián

だんち【団地】居民楼区jūmínlóuqū; 住宅区zhùzháiqū; 小区xiǎoqū ✤工業一:工业区

た

だんちがい【段違い】相差得很远xiāngchàde hěn yuǎn; 悬殊xuánshū ‖ ～の実力の差 实力差距悬殊 | ～に上達した 有了明显的进步
たんちょ【端緒】⇨たんしょ(端緒)
たんちょう【単調】单调dāndiào; 平庸píngyōng; 乏味fáwèi ‖ ～なメロディー 单调的旋律
たんちょう【短調】小调xiǎodiào
たんちょうづる【丹頂鶴】丹顶鹤dāndǐnghè
たんてい【探偵】侦探zhēntàn; 侦察zhēnchá ✤ 一事務所:侦探公司 | 一小説:侦探小说
だんてい【断定】(～する)断定duàndìng; 判定pàndìng; 判断pànduàn ‖ 彼の死亡を自殺と～した 把他的死亡断定为自杀
たんてき【端的】❶(てっとりばやい) 坦率tǎnshuài; 定直截了当zhí jié liǎo dàng ‖ ～に言えば 直截了当地说 ❷(明瞭) 明显míngxiǎn; 明确míngquè ‖ ～な例 明显的例子
たんでん【炭田】煤田méitián
たんとう【担当】(～する)负责fùzé; 担当dāndāng; 担任dānrèn ‖ 営業を～する 负责营业 | 会計を～する 担任会计 ✤ 一者:负责人
だんとう【暖冬】暖冬nuǎndōng; 暖和的冬天nuǎnhuo de dōngtiān
たんとうちょくにゅう【単刀直入】定直截了当zhí jié liǎo dàng; 定开门见山kāi mén jiàn shān ‖ ～に本題に入る 单刀直入地进入正题
たんどく【単独】单独dāndú; 独自dúzì; 单身dānshēn ✤ 一インタビュー:独家专访 | 一行動:单独行动 | 一政権:一党执政 | 一犯:单独犯
だんどり【段取り】(～する)安排ānpái; 程序chéngxù; 顺序shùnxù ‖ 仕事の～を決める 决定工作程序 | ～がよくない 安排得不好
だんな【旦那·檀那】❶(主人) 主人zhǔren; 老爷lǎoye ❷(夫) 丈夫zhàngfu; 先生xiānsheng; 老公lǎogōng
たんなる【単なる】仅仅jǐnjǐn; 只不过zhǐ búguò ‖ ～人違い 只是认错了人 | ～冗談では済まない 那可不是闹着玩儿的
たんに【単に】仅jǐn; 只zhǐ; 单dān ‖ ～不平を並べるだけでは何にもならない 光发牢骚无济于事
たんにん【担任】(～する)担任dānrèn; 担当dāndāng; 负责fùzé. (クラス担任)班主任bānzhǔrèn
タンニン 单宁dānníng ✤ 一酸:鞣酸; 单宁酸
だんねつ【断熱】(～する)绝热juérè ✤ 一ガラス:绝热玻璃 | 一材:保温材料; 绝热材料
たんねん【丹念】精心jīngxīn; 细心xìxīn ‖ 報告書を～に読む 细心地读报告(书)
だんねん【断念】(～する)断念duànniàn; 死心sǐxīn; 放弃fàngqì ‖ 留学を～した 打消了留学的念头 | 仕事を～する 放弃工作
たんのう【胆嚢】胆囊dǎnnáng ✤ 一炎:胆囊炎
たんのう【堪能】❶(すぐれていること) 熟练shúliàn; 专长于zhuāncháng yú ‖ 英会話に～ 擅长英语会话 ❷(～する)(満足する) 定心满意足xīn mǎn yì zú; 过瘾guòyǐn ‖ 本場の広東料理を～した 把地道的广东菜吃了个痛快
たんぱ【短波】短波duǎnbō ✤ 一放送:短波广播
たんぱく【淡白】❶(味などが) 清淡qīngdàn; 淡薄dànbó ‖ ～な味 清淡的味道 ❷(物事にこだわらない)不计较bú jìjiào; 淡泊dànbó; 恬淡tiándàn ‖ 名利に～だ 淡泊名利 | ～で無欲 恬淡寡欲
たんぱく【蛋白】蛋白dànbái ✤ 一質:蛋白质; 朊
たんパン【短パン】〔条〕短裤duǎnkù
だんぱん【談判】(～する)谈判tánpàn; 磋商cuōshāng; 交涉jiāoshè ‖ 社長と～する 和经理进行谈判
たんぴん【単品】单件dānjiàn ‖ 料理を～で注文する 看单点菜
ダンピング (～する)大减价dà jiǎnjià; 倾销qīngxiāo ✤ アンチ一関税:反倾销税
ダンプカー 〔辆〕自卸卡车zìxiè kǎchē; 自动卸货车zìdòng xièhuòchē
たんぶん【短文】〔篇〕短文duǎnwén
たんぺいきゅう【短兵急】突然tūrán; 性急xìng jí ‖ ～に結論を出す 急于下结论
たんぺん【短編】短篇duǎnpiān ✤ 一映画:短片电影 | 一小説:短篇小说
だんぺん【断片】片断piànduàn; 零碎língsuì ‖ ～的な知識 不完整的知识 | ～的なニュース 零碎不全的消息
たんぼ【田圃】〔块,片〕水田shuǐtián; 田地tiándì ‖ 一面の～ 一片水田 ✤ 一道:田间小路
たんぽ【担保】担保dānbǎo; 抵押dǐyā ‖ 家を～に入れる 用房子作担保 | 自動車を～にとる 用汽车作抵押 ✤ 一物:抵押物件
だんぼう【暖房】(～する)供热gōngrè; 供暖gōngnuǎn; 暖气nuǎnqì ‖ ～を入れる 开暖气 | ～がききすぎる 暖气太热了 ✤ 一器具:取暖设备 | 一設備:供暖设备 | 集中一:集中供热 | 床一 地板取暖
だんボール【段ボール】〔张,块〕纸板zhǐbǎn ✤ 一箱:纸箱; 纸板箱
たんぽぽ【蒲公英】〔朵,支〕蒲公英púgōngyīng
たんまつ【端末】终端zhōngduān ✤ 一機:终端机 | 一処理:终端处理 | 一制御:终端控制
だんまつま【断末魔】临死línsǐ; 临终línzhōng ‖ ～の叫びをあげる 临死前发出痛苦的喊叫
だんまり【黙り】无言wúyán ‖ ～を決めこむ 缄口不言
たんめい【短命】短命duǎnmìng; 寿命短shòumìng duǎn ‖ 商品サイクルが～化している 商品寿命周期越来越短了 | ～に終わる 寿命不长
だんめん【断面】❶(切り口の面) 断面duànmiàn; 切面qiēmiàn; 剖面pōumiàn ❷(物事の) 侧面cèmiàn ‖ 工業化社会の一～ 工业化社会的一个侧面 ✤ 一図:断面图; 剖面图
たんらく【短絡】‖ ～的な論理 这个逻辑太离谱了
だんらく【段落】段落duànluò ‖ 仕事が一～ついた 工作告一段落 | ～ごとに要旨をまとめる 对每个段落做一下概括
だんらん【団欒】(～する)团圆tuányuán; 团聚tuánjù ‖ 一家～ 一家团聚
だんりゅう【暖流】暖流nuǎnliú
たんりょく【胆力】胆量dǎnliàng; 胆力dǎnlì
だんりょく【弾力】弹力tánlì; 弹性tánxìng ‖ ～性のある政策 有灵活性的政策
たんれい【端麗】端庄秀丽duānzhuāng xiùlì ‖

容姿〜,才色兼備 端庄秀丽,才貌双全
たんれん【鍛練・鍛錬】(〜する)❶〔心身の〕锻炼duànliàn ‖ 心身を〜する 锻炼身心 ❷〔金属の〕冶炼yěliàn ‖ 鉄を〜する 炼铁

だんろ【暖炉】暖炉nuǎnlú; 暖气nuǎnqì ‖ 〜にあたる 用炉子取暖
だんわ【談話】(〜する)谈话tánhuà; 讲话jiǎnghuà ✤一室:谈话室

ち

ち【地】❶〔土壌〕〔片〕土地tǔdì; 土壤tǔrǎng; 大地dàdì; 地dì ‖ 〜の果て 定 天涯海角 | ヨーロッパの〜を踏む 踏上欧洲的大地 | 名声が〜に落ちる 名声扫地 | 天と〜ほどの開き 天壤之别 ❷〔場所〕地方dìfang ‖ この〜の特産品 这个地方的特产 | 安住の〜 安居之地 ❸〔下〕下边xiàbian ‖ 天〜無用 请勿倒置
ち【血】❶〔血液〕血液xuèyè ‖ 〜が出る 流血 | 〜がにじむ 渗出血 | 〜も凍る恐怖 害怕得要命 | 〜の涙 悲恸的眼泪 | 〜のしたたるようなステーキ 烤得很嫩的牛排 | 〜の気が引く 脸色煞白 | 〜の気の多い若者 血气方刚的年轻人 | 〜を吐くような思い 经历了很多痛苦 | 〜と汗の結晶 血与汗的结晶 | 〜も涙もない 无情 | 〜の通ったサービス 有人情味的服务 | 〜わき肉おどる冒険 惊心动魄的冒险 | 〜で〜を洗う内戦 以牙还牙的内战 ❷〔血縁〕血缘xuèyuán ‖ 〜を分けたわが子 亲生儿女 | 〜は争えない 龙生龙,凤生凤 | 〜のつながり 血缘关系 | 〜は水よりも濃い 血浓于水
ちあん【治安】治安zhì'ān ‖ 〜が悪い 治安不好 ✤一維持法:维护治安法
ちい【地位】地位dìwèi; 身份shēnfen; 职位zhíwèi ‖ 〜があがる 地位提高了 | 重要な〜を占める 占重要地位 | 〜も名誉も失う 名位双失 | 社会的〜 社会地位 | 有利な〜を占める 占上风
ちいき【地域】地域dìyù; 地区dìqū ✤一開発:地域开发 | 一格差:地区差距 | 一社会:地域社会; 社区
ちいさ・い【小さい】❶〔大きさが〕小xiǎo ‖ この帽子は私には少し〜い 这个帽子我戴有点儿小 | パンを〜くちぎる 把面包撕成小块儿 ❷〔規模や程度が〕小xiǎo ‖ 〜い会社 小公司 | 〜い声 小声 | テレビの音を〜くする 把电视的声音关小点儿 | 人物が〜い 气量小 | 気が〜い 胆量小 ❸〔幼い〕幼小yòuxiǎo ‖ 〜いときから気が強かった 从小就很倔强
チーズ ❶〔食品〕乳酪rǔlào; 奶酪nǎilào; 干酪gānlào ❷〔写真をとるときの掛け声〕茄子qiézi ✤一ケーキ:奶酪蛋糕 | 一バーガー:干酪汉堡包
チーター〔只〕猎豹lièbào
チーフ 首席shǒuxí; 主任zhǔrèn; 头儿tóur ✤一アンパイア:主裁判 | 一パーサー:乘务长
チーム 队duì; 组zǔ; 班bān; 团体tuántǐ ‖ 研究〜 研究小组 ✤一カラー:(雰囲気)队风;(色)队的颜色 | 一ワーク:协同工作; 配合
ちえ【知恵】❶〔英知〕智慧zhìhuì ‖ 〜を絞る 绞尽脑汁 | ❷〔考え・アイディア〕主意zhǔyi; 点子diǎnzi ‖ 〜を出しあう 献计献策 | いい〜が出ない 拿不出好主意 | 〜をつける 在背后出主意 | お〜を拝借 请帮我出出主意 ✤一比べ:斗智 | 一の輪:九链环 | 一袋:智囊

チェーン ❶〔くさり〕链条liàntiáo ‖ タイヤに〜をとりつける 给轮胎装上防滑链 | 〜をはずす 卸下链条 ❷〔系列〕系列xìliè; 体系tǐxì ✤一店:连锁店; 联号商店
チェコ 捷克Jiékè
チェス 国际象棋guójì xiàngqí
チェック ❶〔模様〕方格花纹fānggé huāwén ‖ 〜のスカート 方格裙 ❷(〜する)〔点検・照合〕检查jiǎnchá; 核对héduì ‖ 入場者を〜する 检查入场者 | 在庫品を〜する 核对库存 ✤一アウト:退房(手续) | 一イン:住宿登记(手续) | 一ポイント:检查站; 检查要点 | 一リスト:检验单
チェロ〔把〕大提琴dàtíqín
ちえん【遅延】(〜する)延迟yánchí; 拖延tuōyán; 耽搁dānge
チェンジ(〜する)交换jiāohuàn; 改变gǎibiàn; 调动diàodòng ‖ ギアを〜する 换挡
ちか【地下】❶〔地面の下〕地下dìxià ‖ 〜1階 地下一层 ❷〔非合法の〕地下dìxià; 非法fēifǎ ‖ 〜に潜る 潜入地下 ✤一街:地下街 | 一資源:地下资源 | 一室:地下室 | 一水:地下水 | 一組織:地下组织 | 一道:地下道
ちか【地価】地价dìjià ‖ 〜の上昇〔下落〕 地价的上涨〔下跌〕 | 〜高騰 地价暴涨
ちかい【地階】地下层dìxiàcéng
ちか・い【近い】❶〔距離〕近jìn ‖ 学校は私の家から〜い 学校离我家很近 | 山頂は〜い 快到山顶了 ❷〔時間〕接近jiējìn; 快要kuàiyào ‖ 12時〜い 快12点了 | また〜いうちにお伺いします 过几天再来看望您 | 終わりに〜い 快要结束了 ❸〔ほとんど同じ〕相近xiāngjìn; 差不多chàbuduō; 几乎jīhū ‖ 彼女は40に〜い 她差不多有40岁 | 30人〜い人 近30人 | 不可能に〜い 几乎是不可能的 ❹〔関係〕密切mìqiè ‖ 〜い親戚 近亲
ちかい【誓い】起誓qǐshì; 宣誓xuānshì ‖ 〜を立てる 发誓 | 〜を破る 违背誓言 | 〜を守る 履行诺言
ちがい【違い】差异chāyì; 差别chābié; 区别qūbié ‖ 実質的な〜 实质性的差别 | たいした〜はない 没什么太大的差异 | 兄は私と2つ〜です 哥哥比我大两岁
ちがいない【違いない】肯定kěndìng; 一定yídìng; 应该yīnggāi ‖ 知っているに〜 肯定知道 | 成功するに〜 一定会成功
ちか・う【誓う】起誓qǐshì; 发誓fāshì ‖ 天地神明に〜う 向天地神明起誓 | 心に〜う 在心里发誓 | 将来を〜う 定下终身 | 国家に忠誠を〜う 发誓要忠诚于国家
ちが・う【違う】❶〔異なる〕不同bù tóng; 差别chābié; 不一样bù yíyàng ‖ 〜った視点から考

える 从别的观点来考虑｜言うこととすることが～う 说的和做的不一样｜考えが～う 想法不同｜状况が～う 情况不一样 ❷〔間違う〕错cuò；错误cuòwù；不对bú duì‖答えが～っている 答案不对｜～います，人違いです 不，你认错人了

ちかく【地殻】〔层〕地壳dìqiào ✣一変動：地壳变动

ちかく【近く】❶〔距離〕附近fùjìn；旁边pángbiān‖駅のすぐ～ 车站的旁边｜この～ 这附近 ❷〔時間〕不久bùjiǔ；即将jíjiāng‖夕方～ 近黄昏的时候 ❸〔およそ〕大概dàgài；大约dàyuē；差不多chàbuduō‖100人～の人 差不多有近100人

ちかく【知覚】（～する）（認識）知觉zhījué；感觉gǎnjué ✣一神経：感觉神经

ちかちか（～する）❶〔あかりが〕闪烁shǎnshuò；闪耀shǎnyào ❷〔目が〕刺眼cìyǎn

ちかぢか【近近】近日jìnrì；这几天zhè jǐ tiān‖～引っ越す予定だ 最近就要搬家

ちかづ·く【近付く】❶〔距離〕接近jiējìn‖駅に～いた 快到车站了 ❷〔時間〕就要jiù yào；快要kuàiyào‖春が～く 春天要到了 ❸〔つきあう〕来往láiwang；㊣打交道dǎ jiāodao‖ああいうグループには～かないほうがいい 你还是不要接近那个团伙为好｜社長に～く 和经理套近乎

ちかてつ【地下鉄】地铁dìtiě

ちかみち【近道】〔条〕近道jìndào；抄道chāodào‖森を抜けて～をした 穿过森林抄近道｜成功の～ 成功的捷径

ちかよ·る【近寄る】靠近kàojìn‖～ると危険だ 靠近很危险｜もっと～ってよく見てごらん 你再靠近点儿好好儿看｜～りがたい人 难以接近的人

ちから【力】❶〔仕事をする力〕〔把，股〕力lì；力气lìqi；〔股〕力量lìliang；动力dònglì‖女の～ではこの荷物は運べまい 凭女人的力气是搬不动这个行李的｜～を合わせる 合力｜薬の～ 药物的效力 ❷〔能力·技量〕能力nénglì；实力shílì‖人の～の及ぶところではない 人力无法操纵｜～に余る 力不从心；不胜任｜～不足 实力不足｜～がつく 水平有所提高 ❸〔権力·影響力〕势力shìli；影响力yǐngxiǎnglì‖相当な～を持っている 有相当大的影响力 ❹〔気力·精力·元気〕精神jīngshen；精力jīnglì；干劲儿gànjìnr‖体中の～が抜ける 没干劲儿 ❺〔慣用表現〕‖～になる 帮助别人｜～を借りる 得到援助｜公共事業に～を入れる 工作重点放在公共事业上

ちからいっぱい【力一杯】用力yònglì；竭尽全力jiéjìn quánlì‖問題解決のため～がんばります 我将竭尽全力来解决这个问题

ちからしごと【力仕事】力气活儿lìqihuór；体力劳动tǐlì láodòng

ちからずく【力尽く】用猛〔暴〕力yòng měng〔bào〕lì‖～で相手をねじ伏せた 猛力把对方的胳膊扭住按倒

ちからぞえ【力添え】（～する）支援zhīyuán；帮助bāngzhù；援助yuánzhù‖なにとぞお～を！ 请给予大力支持｜及ばずながらお～いたしましょう 尽管能力有限，我会全力以赴帮助您

ちからつ·きる【力尽きる】㊣筋疲力尽jīn pí lì jìn；㊣精疲力竭jīng pí lì jié

ちからづ·ける【力付ける】鼓励gǔlì；鼓舞gǔwǔ

ちからづよ·い【力強い】❶〔力があふれる〕强有力qiángyǒulì ❷〔心強い〕心里踏实xīnli tāshi；觉得可靠juéde kěkào‖きみがそばにいてくれて～い 有你在身边我心里就踏实了

ちからまかせ【力任せ】使劲shǐjìn；用力yònglì‖～に引く 使劲拉｜～になぐる 用尽全身的力气狠揍对方

ちかん【痴漢】花痴huāchī；色情狂sèqíngkuáng‖～は犯罪行為です 性骚扰是犯罪行为

ちき【知己】知己zhījǐ；知心zhīxīn；好友hǎoyǒu‖百年の～を得る 找到百年知己

ちきゅう【地球】地球dìqiú‖～の引力 地球引力｜～規模の問題 全球性的问题 ✣一温暖化：全球变暖｜一型惑星：类地行星｜一儀：地球仪

ちぎょ【稚魚】鱼苗yúmiáo；鱼秧yúyāng‖アユの～ 香鱼鱼苗

ちぎり【契り】誓约shìyuē；结jié‖義兄弟の～を交わす 结为把兄弟

ちぎ·る【千切る】撕sī；撕开sīkāi；掐qiā‖パンを～って食べる 撕面包吃

ちぎ·る【契る】约定yuēdìng；发誓fāshì；结为夫妇jiéwéi fūfù

ちぎ·れる【千切れる】破pò；碎suì；断duàn‖ひもが～れた 绳子拉断了｜耳が～れそうなほど寒い 冷得能把耳朵冻掉

チキン 小鸡xiǎojī；鸡肉jīròu

ちく【地区】地区dìqū；区域qūyù；区qū‖～予選を突破する 冲出地区预选 ✣商業一：商业区

ちくいち【逐一】逐一zhúyī；一个一个地yí ge yí ge de‖状況を～報告する 逐一汇报情况

ちくざい【蓄財】（～する）攒钱zǎn qián；积攒财富jīzǎn cáifù‖～にたけている 善于积攒财产

ちくさん【畜産】畜产xùchǎn；畜牧业xùmùyè ✣一品：畜产品

ちくじ【逐次】顺次shùncì；依次yīcì；连续liánxù ✣一通訳：交传

ちくしょう【畜生】❶〔動物〕畜生chùsheng；兽类shòulèi；禽兽qínshòu ❷〔ののしりの言葉〕畜生chùsheng；浑蛋húndàn；他妈的tāmāde‖～，覚えてろよ！ 畜生！等着瞧！

ちくせき【蓄積】（～する）积累jīlěi；蓄积xùjī；积蓄jīxù‖膨大な富の～ 巨大财富的积累｜メモリにデータを～する 把数据存进存储器中

ちくちく（～する）扎得慌zhādehuang；刺痛cìtòng；扎着痛zhāzhe tòng‖お腹が～痛む 肚子痛得像针扎似的｜セーターが～する 毛衣扎得慌

ちくでんき【蓄電器】电容器diànróngqì

ちくでんち【蓄電池】蓄电池xùdiànchí

ちぐはぐ 不成对bù chéng duì；不协调bù xiétiáo；不对路bú duìlù‖話が～になってしまった 话不对路了

ちく·る 告密gàomì；密报mìbào

ちけい【地形】地形dìxíng；地势dìshì‖起伏に富んだ険しい～ 高低起伏的险要地势 ✣一図：地形图

チケット〔张〕票piào.（会場に入るための）门票ménpiào；入场券rùchǎngquàn‖映画の～を買う 购买电影票｜飛行機の～を予約する 预定机票｜

コンサートの～ 演唱〔音乐〕会门票
ちこく【遅刻】(～する)迟到chídào ‖ 学校に～してはいけない 上学别迟到了｜無～無欠勤 无迟到也没请过假
ちし【致死】致死zhìsǐ ✤ ―量:致死剂量
ちじ【知事】知事(都、道、府、县的最高行政长官) zhīshì(dū、dào、fǔ、xiàn de zuì gāo xíngzhèng zhǎngguān)
ちしき【知識】知识zhīshi; 学问xuéwen ‖ 経済学の～が多少あります 我懂一些经济学｜暮らしに役立つ豆～ 生活小知识｜コンピューター用語の基礎～ 电脑用语的基础知识 ✤ ―階級:知识(分子)阶层｜―人:知识分子
ちじく【地軸】地轴dìzhóu; 自转轴zìzhuànzhóu
ちしつ【地質】地质dìzhì ✤ ―学:地质学｜―構造:地质构造
ちじょう【地上】地上dìshang; 地面dìmiàn ‖ ～50メートルの高さ 地上50米高｜～10階 地上十层 ✤ ―管制:地面导航工作｜―勤務:地勤｜―波:地面(电)波
ちじょう【痴情】色情sèqíng
ちじょく【恥辱】耻辱chǐrǔ; 羞辱xiūrǔ
ちじん【知人】熟人shúrén; 认识的人rènshi de rén; 朋友péngyou ‖ ～が多い 有很多熟人｜～を訪ねる 拜访朋友
ちず【地図】〔张〕地图dìtú ‖ ～が塗りかえられる 改写地图｜～を頼りに 按着地图 ✤ 市街―:市区地图｜歴史―:历史地图
ちすい【治水】治水zhìshuǐ ✤ ―工事:治水工程｜―事業 水利事业
ちすじ【血筋】血统xuètǒng; 血缘xuèyuán; 出身chūshēn ‖ ～がよい 出身好｜王家の～ 皇家的血统
ちせい【地勢】地势dìshì; 地形dìxíng ✤ ―図:地形图
ちせい【知性】才智cáizhì; 智慧zhìhuì; 思维能力sīwéi nénglì ‖ 豊かな～の持ち主 非常有才智的人｜～的な顔立ち 聪明能干样儿
ちせい【治世】统治tǒngzhì; 当政dāngzhèng; 统治时期tǒngzhì shíqī
ちせつ【稚拙】幼稚而拙劣yòuzhì ér zhuōliè ‖ ～な文章 稚拙的文章｜～な手口の詐欺 幼稚单纯的骗术
ちそう【地層】地层dìcéng
ちぞめ【血染め】血染xuèrǎn; 沾满鲜血zhānmǎn xiānxuè ‖ ～のハンカチ 沾满鲜血的手绢儿
ちたい【地帯】地带dìdài; 区域qūyù; 地区dìqū ✤ 安全―:安全地带; (街路の)安全岛｜危険―:危险地带
ちたい【遅滞】(～する)拖延tuōyán; 迟延chíyán ✤ ―金:拖欠款｜―日数:拖延日数
ちだらけ【血だらけ】满是血mǎn shì xiě ‖ 顔中～ 满脸是血
チタン 钛tài
ちち【父】父亲fùqin; 爸爸bàba ‖ 育ての～ 养父｜～の日 父亲节｜近代科学の～ 近代科学之父
ちち【乳】❶〔乳汁〕奶汁nǎizhī; 乳汁rǔzhī; 奶nǎi ‖ ヤギの～をしぼる 给山羊挤奶 ❷〔乳房〕奶nǎi; 乳房rǔfáng ‖ ～がはる 乳房发胀
ちち【遅遅】‖ 工事は～として進まない 施工迟迟没有进展
ちちおや【父親】父亲fùqin
ちちかた【父方】父系fùxì; 父系血统fùxì xuètǒng ‖ ～の親類 父亲那方的亲戚｜～のいとこ 堂兄〔弟〕
ちちくさ・い【乳臭い】乳臭rǔxiù. (未熟である)不成熟bù chéngshú; 幼稚yòuzhì
ちぢこま・る【縮こまる】蜷缩quánsuō; 缩suō; 蜷quán ‖ ～って寝る 蜷缩着睡
ちちばなれ【乳離れ】⇨ちばなれ(乳離れ)
ちぢま・る【縮まる】缩suō; 缩短suōduǎn; 缩小suōxiǎo ‖ 距離が～る 距离缩短了｜身の～る思い 惶恐得不知所措
ちぢみ【縮み】❶〔繊維〕皱绸zhòuchóu; 皱纱zhòushā ‖ ～の肌着 皱绸内衣 ❷〔縮むこと〕缩suō; 收缩shōusuō ‖ のび～がきく 有弹性
ちぢみあが・る【縮み上がる】畏缩wèisuō; 缩成一团suōchéng yì tuán
ちぢ・む【縮む】❶〔長さや面積が〕缩小suōxiǎo; 抽chōu ‖ 背が～む 个子缩小｜この生地は洗っても～まない 这种料子不缩水 ❷〔期間が〕缩短suōduǎn ‖ 寿命が10年～んだ 少活十年 ❸〔畏縮いしゅくする〕畏缩wèisuō; 缩成一团suōchéng yì tuán ‖ 恐ろしさに身が～む思い 吓得我缩成一团
ちぢ・める【縮める】❶〔小さくする〕缩小suōxiǎo; 弄小nòngxiǎo ‖ 経済格差を～める 缩小经济差距｜幅を～める 缩小幅度 ❷〔短くする〕缩短suōduǎn; 弄短nòngduǎn ‖ 長い文章を～める 把冗长的文章删短｜記録を～める 缩短记录 ❸〔体を小さくする〕缩suō ‖ 寒さに首を～める 冻得缩着脖子
ちちゅう【地中】地下dìxià ‖ 地雷を～から掘り出す 从地下挖出地雷
ちちゅうかいきこう【地中海気候】地中海式气候Dìzhōnghǎishì qìhòu
ちぢ・れる【縮れる】起皱qǐ zhòu. (髪などが)卷曲juǎnqū
ちつ【膣】阴道yīndào
ちつじょ【秩序】秩序zhìxù; 条理tiáolǐ ‖ ～を確立する 建立秩序｜～だった市民の集会 有秩序的市民集会｜～を保つ 维持秩序｜社会の～が乱れている 社会秩序紊乱
ちっそ【窒素】氮dàn ✤ ―酸化物:氧化氮｜―肥料:氮肥
ちっそく【窒息】(～する)窒息zhìxī ✤ ―死:窒息死
ちっとも 一点儿也〔都〕yìdiǎnr yě〔dōu〕‖ ～疲れていない 我一点儿也不累｜ぼくは～かまわない 我一点儿也不在乎
チップ 小费xiǎofèi ‖ 当ホテルでは～は頂きません 我们饭店不收小费
ちてき【知的】理智lǐzhì; 内涵nèihán ‖ ～な女性 知性女性 ✤ ―好奇心:求知欲｜―障害者:弱智者｜―所有権:知识产权｜―レベル:文化水平｜―労働:脑力劳动
ちてん【地点】地点dìdiǎn; 地方dìfang ‖ 両～を結ぶ 联结两地 ✤ 観測―:观测地点
ちどり【千鳥】鸻héng ✤ ―足:摇摇晃晃地走; 脚步踉跄｜―格子:(黑白)小格子花纹

ちなまぐさ・い【血なまぐさい】血腥xuèxīng
ちなみに【因に】顺便说一下shùnbiàn shuō yíxià
ちな・む【因む】关联guānlián；相关xiāngguān ‖端午の節句に～んだ行事 与端午节相关的传统活动
ちねつ【地熱】地热dìrè
ちのう【知能】智能zhìnéng；智力zhìlì；脑力nǎolì ‖～の高い子 智商高的孩子 ✤一指数：智商｜一程度：智力水平｜一犯：智能犯
ちのけ【血の気】❶〔肌の赤み〕血色xuèsè ‖顔から～がひいた 脸上失去了血色 ❷〔血気〕血气xuèqì ‖～の多い若者 血气方刚的青年
ちのみご【乳飲み子】乳儿rǔ'ér；婴儿yīng'ér
ちのり【地の利】地利dìlì；地理优势dìlǐ yōushì ‖～を生かす 利用地理优势
ちばし・る【血走る】（眼睛）充血（yǎnjing）chōngxuè；眼睛发红yǎnjing fāhóng
ちばなれ【乳離れ】（～する）❶〔離乳する〕断奶duànnǎi ❷〔親離れする〕自立zìlì ‖精神的にまだ～できていない 心理上还没自立
ちび ❶〔背の小さな人〕矮个儿ǎigèr；小矮个xiǎo'ǎigè ❷〔小さな子ども〕小孩儿xiǎoháir；小家伙xiǎojiāhuo ‖うちの～ 我家的孩子
ちひょう【地表】地表dìbiǎo
ちぶ【恥部】❶〔陰部〕阴部yīnbù ❷〔見せられない場所〕耻辱chǐrǔ
ちぶさ【乳房】乳房rǔfáng
チフス 伤寒shānghán ✤一菌：伤寒沙门杆菌
ちへいせん【地平線】地平线dìpíngxiàn
ちほ【地歩】地位dìwèi；立足之地lìzú zhī dì ‖～を失う 失去了地位｜～を占める 占据地位
ちほう【地方】❶〔ある地域〕地区dìqū；地域dìyù；地方dìfang ‖～によっては6月でも寒い 有些地方6月份还很冷 ❷〔首都以外〕地方dìfāng.（田舎）乡下xiāngxia；农村nóngcūn ‖～の大学 地方大学｜両親は～に住んでいる 我父母住在外地 ✤一銀行：地方银行｜一公務員：地方公务员｜一裁判所：地方法院｜一自治体：地方自治体｜一都市：地方城市
ちほう【痴呆】⇨にんち(認知)「一症」
ちまき【粽】粽子zòngzi
ちまなこ【血眼】‖～になる 拼命；不顾一切
ちまみれ【血塗れ】沾满鲜血zhānmǎn xiānxuè ‖全身～ 浑身沾满了鲜血
ちまめ【血豆】血泡xuèpào ‖～ができる 起血泡
ちまよ・う【血迷う】发疯fāfēng；冲昏头脑chōnghūn tóunǎo ‖何を～ったか 不知发了什么疯
ちみつ【緻密】❶〔細かい〕细致xìzhì；精致jīngzhì ‖～な彫刻 精致的雕刻 ❷〔手落ちがない〕*周密zhōumì* ‖～な計画を立てる 制定一个周密的计划
ちみどろ【血みどろ】满是鲜血mǎn shì xiānxuè；艰苦jiānkǔ ‖～の苦闘 浴血奋战
ちめい【地名】地名dìmíng
ちめい【知名】知名zhīmíng；出名chūmíng ‖～の士 知名人士；名人 ✤一度：知名度
ちめい【致命】致命zhìmìng ‖～的な打撃をこうむる 遭到致命的打击 ✤一傷：致命伤

ちゃ【茶】❶〔植物〕茶chá；茶树cháshù ❷〔茶葉・飲料〕茶chá；茶叶cháyè ‖～を摘む 采茶｜～を飲む 喝茶｜～をいれる 沏茶｜～を注ぐ 倒茶｜～を味わう 品茶｜～をたてる 泡茶｜客に～を出す 请客人喝茶
チャージ ❶〔料金〕费用fèiyong ❷（～する）〔充電〕充电chōngdiàn ❸（～する）〔カードに入金する〕充值chōng zhí
チャーター（～する）包bāo；包租bāozū ‖車を～する 包车 ✤一便：包租的航班
チャイナ ❶〔中国〕中国Zhōngguó ❷〔陶磁器〕陶瓷器táocíqì ✤一タウン：唐人街｜一ドレス：旗袍
チャイム ❶〔楽器〕排钟páizhōng；钟琴zhōngqín ❷〔合図〕电铃diànlíng ‖授業の～ 课间铃；课铃｜玄関の～が鳴った 门铃响了
チャイルドシート（汽车的）儿童安全座椅（qìchē de）értóng ānquán zuòyǐ
ちゃいろ【茶色】褐色hèsè；茶色chásè；咖啡色kāfēisè
ちゃか・す【茶化す】打岔dǎchà；打诨dǎhùn
ちゃき【茶器】茶具chájù；茶器cháqì
ちゃくがん【着眼】（～する）着眼zhuóyǎn ✤一点：着眼点
ちゃくじつ【着実】踏实tāshi；扎实zhāshi ‖～な考えの人 想法很踏实的人｜～な営業 扎扎实实地经营
ちゃくしゅ【着手】（～する）着手zhuóshǒu；开始kāishǐ ‖新しい事業に～する 开始着手新业务
ちゃくしょく【着色】（～する）着色zhuósè；上色shàngshǎi ‖人工～した食品 添加了色素的食品 ✤一剤：着色剂｜一料：食品着色剂
ちゃくせき【着席】（～する）就座jiùzuò；入座rùzuò ‖ご～ください 请就座；请坐
ちゃくそう【着想】（～する）（想出）主意（xiǎngchu）zhǔyi；构思gòusī ‖この小説は～がいい 这本小说构思很好｜新たな～を得た 我有了个新的构思
ちゃくちゃくと【着着と】稳步地wěnbù de；扎实地zhāshi de ‖オリンピックの準備は～進められている 奥运会的准备工作在稳步进展
ちゃくにん【着任】（～する）上任shàngrèn；到任dàorèn ‖本日～しました 我是今天刚上任的
ちゃくばらい【着払い】（運賃の）运费到付yùnfèi dào fù.（代金の）货到付款huò dào fù kuǎn
ちゃくふく【着服】（～する）私吞sītūn；侵吞qīntūn；侵占qīnzhàn ‖公金を～する 私吞公款
ちゃくもく【着目】（～する）着眼zhuóyǎn
ちゃくよう【着用】（～する）穿chuān.（手袋・マスク・帽子などを）戴dài.（ネクタイなどを）系jì ‖シートベルトを～する 系安全带
ちゃくりく【着陸】（～する）着陆zhuólù；降落jiàngluò ✤一態勢：准备着陆
ちゃこし【茶漉し】滤茶网lǜcháwǎng
ちゃさじ【茶匙】〔把〕茶匙cháchí
ちゃたく【茶托】茶托chátuō
ちゃち 粗糙cūcāo；简陋jiǎnlòu ‖～なカメラ 粗糙的照像机
ちゃちゃ【茶茶】插嘴chāzuǐ；捣乱dǎoluàn；妨碍fáng'ài ‖人の話に～を入れるな 人家说话的时

候，不要插嘴
ちゃっか【着火】(～する) ❶〔火をつける〕点火diǎnhuǒ ❷〔火がつく〕发火fāhuǒ
ちゃっかり (～する)不吃亏bù chīkuī；会打算盘 huì dǎ suànpan
チャック〔条，根〕拉锁lāsuǒ；拉链lāliàn ‖ ～を上〔下〕げる 拉上〔拉开〕拉锁
ちゃっこう【着工】(～する)开工kāigōng；动工dònggōng ‖ 6月に～する 6月动工
ちゃづつ【茶筒】茶(叶)筒chá(yè)tǒng
チャット (～する)网上聊天儿wǎngshang liáotiānr；网上闲谈wǎngshang xiántán
チャド 乍得Zhàdé
ちゃのま【茶の間】起居室qǐjūshì；餐室cānshì
ちゃばん【茶番】〔场，出〕闹剧nàojù；洋相yángxiàng ‖ この公開質疑は～だ 这个公开质疑完全是场闹剧 ✤ 一劇：闹剧
チャペル 礼拜堂lǐbàitáng；小教堂xiǎo jiàotáng
ちやほや (～する)宠爱chǒng'ài；献殷勤xiàn yīnqín ‖ ～されていい気になる 被捧得飘飘然
ちゃめ【茶目】俏皮qiàopi；淘气táoqì；调皮tiáopí ‖ お～な女の子 活泼俏皮的女孩子 ✤ 一っ気：俏皮；淘气；调皮
ちゃらんぽらん 吊儿郎当diào'erlángdāng；轻浮qīngfú ‖ ～なやつ 吊儿郎当的家伙
チャリティー 慈善事业císhàn shìyè ✤ 一ショー：义演｜一バザー：义卖
チャレンジ (～する)挑战tiǎozhàn ✤ 一精神：挑战精神
ちゃわん【茶碗】(食事用の)碗wǎn. (湯飲み)茶杯chábēi ‖ ～1杯の飯 一碗米饭｜ご飯を～によそう 往碗里盛饭
チャンス 机会jīhui；机遇jīyù；良机liángjī ‖ またとない～だ 千载难逢的良机｜～があったら 如果有机会｜～を逃す 错过机会｜～を生かす 充分利用机会｜～をうかがう 瞄准机会
ちゃんと 正经zhèngjing；规矩guīju ‖ ～した仕事 正经的工作｜ふざけてないで～歩きなさい 别打打闹闹的，好好儿走！｜～した身なり 穿戴整齐｜約束の時間までに～来てください 请准时来
チャンネル 频道píndào
チャンピオン 优胜者yōushèngzhě；冠军guànjūn ✤ 一フラッグ：锦旗；锦标；冠军旗｜一ベルト：冠军腰带
ちゆ【治癒】(～する)治好zhìhǎo；痊愈quányù
ちゅう【中】中zhōng；中等zhōngděng ‖ 大～小の3サイズ 尺寸有大、中、小三种
ちゅう【宙】空中kōngzhōng；天空tiānkōng ‖ 風で花びらが～を舞う 风吹花瓣空中舞｜改革案が～に浮いた 改革方案还没有着落
ちゅう【注】附注fùzhù；注解zhùjiě；注释zhùshì
-ちゅう【中】❶〔なか・うち〕当中dāngzhōng ‖ 10人～2人 十人当中的两人 ❷〔最中・期間〕正在zhèngzài ‖ 勤務時間～ 工作时间｜法案は審議～だ 法案正在审议中｜授業～ 上课时
ちゅうい【注意】(～する) ❶〔留意・注目・関心〕注意zhùyì ‖ 他人の～を引く 引起大家的注意｜～をそらす 分散注意力｜よく～して見る 留心看 ❷〔用心・警戒〕提防dīfang；小心xiǎoxin；警惕jǐngtì ‖ 足もとにご～ください 请注意脚下｜食べ物に～する 注意饮食｜～が足りない 不小心｜細心の～を払う 格外小心｜～を欠く 缺乏警惕 ❸〔警告・忠告〕提醒tíxǐng ‖ 医者の～ 医生的忠告｜遊泳禁止の～を無視する 无视禁止游泳的警告 ✤ 一書き：按语；(薬品などにある)服用说明｜一事項：注意事项｜一報：警报
ちゅういぶか・い【注意深い】仔细zǐxì；谨慎jǐnshèn；细心xìxīn ‖ ～く見守る 高度重视；密切注视
チューインガム 口香糖kǒuxiāngtáng ‖ ～をかむ 嚼口香糖
ちゅうおう【中央】❶〔空間的な〕中心zhōngxīn；中间zhōngjiān ‖ 会場の～ 会场中央 ❷〔社会的・政治的な〕中央zhōngyāng ✤ 一アジア：中亚｜一官庁：中央机关｜一銀行：中央银行｜一集権(制)：中央集权｜一政府：中央政府｜一分離帯：中央隔离带
ちゅうおうアフリカ【中央アフリカ】中非Zhōngfēi
ちゅうか【中華】中华Zhōnghuá ✤ 一街：中华街；唐人街｜一思想：大中华主义｜一料理：中餐；中国菜
ちゅうかい【仲介】(～する)做中介zuò zhōngjiè ‖ ～の労をとる 从中斡旋｜大統領の～によって 经过总统从中调停 ✤ 一者：中介人；调停人
ちゅうがえり【宙返り】(～する)翻跟头fān gēntou；翻筋斗fān jīndǒu
ちゅうかく【中核】骨干gǔgàn；核心héxīn
ちゅうがくせい【中学生】初中生chūzhōngshēng
ちゅうがた【中形・中型】中型zhōngxíng
ちゅうがっこう【中学校】初中chūzhōng
ちゅうかん【中間】中间zhōngjiān ‖ 固体と液体の～の物質 介于固体与液体之间的物质 ✤ 一管理職：中层管理干部｜一業者：中间人；经纪人｜一搾取：中间剥削｜一試験：期中考试｜一報告：中期报告
ちゅうき【中期】中期zhōngqī ‖ ～防衛計画 中期防卫计划 ✤ 一国債ファンド：中期国债基金
ちゅうき【注記】(～する)附注fùzhù；注释zhùshì
ちゅうきゅう【中級】中级zhōngjí
ちゅうきょり【中距離】中距离zhōngjùlí；中程zhōngchéng ✤ 一核戦力：中程核力量｜一競走：中距离跑
ちゅうきんとう【中近東】中东和近东Zhōngdōng hé Jìndōng
ちゅうくう【中空】❶〔なかぞら〕(半)空中(bàn)kōngzhōng ❷〔なかがからっぽ〕空kōng；空洞kōng dòng
ちゅうけい【中継】❶〔なかつぎ〕中转zhōngzhuǎn ❷(～する)〔放送で〕转播zhuǎnbō ‖ 事故現場から～する 从事故现场实况转播 ✤ 一局：中转站｜一貿易：转口贸易｜一放送：转播
ちゅうけん【中堅】中坚zhōngjiān；骨干gǔgàn ✤ 一社員：主力员工｜一手：中外场手
ちゅうこ【中古】❶〔一度使った物〕半旧bànjiù ‖ 外車を～で買った 我买了一辆半旧的外国车 ❷〔歴史区分〕中古zhōnggǔ；中世zhōngshì ✤ 一車：旧车；二手车｜一品：旧货；二手货

ちゅうこう【中高】 ❖一一貫教育:初高中一贯教育｜一生:初高中生｜一年:中老年
ちゅうこく【忠告】(～する)忠告zhōnggào; 劝告quàngào‖医者の～に従う 听医生的劝告
ちゅうごく【中国】❶〔国名〕中国Zhōngguó ❷〔日本の一地方〕(日本的)中国地区(Rìběn de) Zhōngguó Dìqū ❖一共産党:中国共产党｜一人:中国人｜一通:中国通
ちゅうごくご【中国語】汉语Hànyǔ; 中文Zhōngwén; 中国话Zhōngguóhuà‖～を話す 说汉语｜～の雑誌 中文杂志
ちゅうごし【中腰】半弯着腰bàn wānzhe yāo‖～で作業する 半弯着腰干活儿
ちゅうざ【中座】(～する)中途退席zhōngtú tuìxí‖会議を～する 中途退出会场
ちゅうさい【仲裁】说和shuōhe; 调解tiáojiě‖第三者の～に委ねる 委托第三者进行调停｜～に入る 出面调解
ちゅうざい【駐在】(～する)驻(在) zhù(zai)‖本邦～の各国大使 驻日本的各国大使 ❖一員:驻外员工｜一所:派出所
ちゅうさんかいきゅう【中産階級】中产阶级zhōngchǎn jiējí
ちゅうし【中止】(～する)中止zhōngzhǐ; (中途)停止(zhōngtú) tíngzhǐ‖ダム建設事業を～する 停止建设水库工程
ちゅうじ【中耳】中耳zhōng'ěr ❖一炎:中耳炎
ちゅうじつ【忠実】忠实zhōngshí‖原文に～に訳す 忠实于原著的翻译
ちゅうしゃ【注射】(～する)注射zhùshè; 打针dǎzhēn‖お尻に～された 在臀部上打了一针 ❖一液:注射液｜一器:注射器｜一針:注射针头
ちゅうしゃ【駐車】(～する)停车tíngchē‖道路の片側に～する 把车停在道边 ❖一違反:违章停车｜一禁止:禁止停车｜一場:停车场｜一料金:停车费
ちゅうしゃく【注釈】(～する)注释zhùshì‖～をつける 加注释
ちゅうしゅう【中秋·仲秋】中秋Zhōngqiū‖～の名月 中秋的月亮
ちゅうしゅつ【抽出】(～する)抽出chōuchu‖データを自動的に～する 自动抽取数据
ちゅうじゅん【中旬】中旬zhōngxún
ちゅうしょう【中小】中小zhōngxiǎo ❖一企業:中小企业
ちゅうしょう【中傷】(～する)中伤zhòngshāng; 毁谤huǐbàng; 污蔑wūmiè‖他人を誹謗～する 诽谤中伤他人
ちゅうしょう【抽象】(～する)抽象chōuxiàng‖～的な表現は理解しにくい 抽象的表达很难理解 ❖一画:抽象画
ちゅうしょく【昼食】〔顿〕午饭wǔfàn‖軽い～でもとりましょう 午饭随便吃点儿什么吧 ❖一会:午餐会
ちゅうしん【中心】❶〔真ん中〕中心zhōngxīn; 当中dāngzhōng‖町の～ 市中心 ❷〔主な〕重点zhòngdiǎn; 中心zhōngxīn; 要点yàodiǎn‖話題の～ 中心话题｜論争の～ 争论的焦点 ❖一街:中心街区｜一人物:中心人物；重点人物
ちゅうすい【虫垂】阑尾lánwěi ❖一炎:阑尾炎
ちゅうすい【注水】(～する)注水zhù shuǐ; 灌水guàn shuǐ‖タンクに～する 往水箱里注水
ちゅうすう【中枢】中枢zhōngshū; 中心zhōngxīn; 枢纽shūniǔ ❖一機能:枢纽功能｜一神経:中枢神经
ちゅうせい【中世】中世纪zhōngshìjì ❖一史:中世纪史｜一文学:中世纪文学
ちゅうせい【中性】中性zhōngxìng ❖一紙:中性纸｜一脂肪:中性脂肪｜一洗剤:中性洗涤剂
ちゅうせい【忠誠】忠诚zhōngchéng; 忠实zhōngshí‖～を誓う 立誓尽忠 ❖一心:忠心
ちゅうぜつ【中絶】(～する)❶〔途中で絶える〕中断zhōngduàn‖通商が～した 通商中断了 ❷〔人工妊娠中絶〕人工流产réngōng liúchǎn
ちゅうせん【抽選】(～する)抽签chōuqiān‖～で自動車が当たる 抽中汽车 ❖一会:开奖会｜一券:抽签表｜一番号:抽签号码
ちゅうぞう【鋳造】(～する)铸造zhùzào
ちゅうたい【中退】(～する)中途退学zhōngtú tuìxué; 辍学chuòxué‖大学を～した 大学中途退学了 ❖一者:肄业生；中途退学者
ちゅうだん【中断】(～する)中断zhōngduàn; 打断dǎduàn‖仕事を～して電話に出る 停下工作,去接电话
ちゅうちょ【躊躇】(～する)犹豫yóuyù; 踌躇chóuchú‖～なく報告する 毫不犹豫,马上汇报
ちゅうづり【宙吊り】悬空xuánkōng‖ゴンドラが～になった 吊舱悬在了半空中
ちゅうと【中途】中途zhōngtú; 半路bànlù‖食事の～で席を立つ 吃饭中途退席 ❖一採用:中途录用
ちゅうとう【中東】中东Zhōngdōng
ちゅうとう【中等】中等zhōngděng ❖一教育:中等教育
ちゅうどく【中毒】(～する)中毒zhòngdú‖フグを食べて～を起こした 吃河豚中了毒 ❖一症状:中毒症状｜活字一:书呆子；书虫
ちゅうとはんぱ【中途半端】不彻底bú chèdǐ; 含糊hánhu‖どっちつかずの～な態度 犹豫不决的态度
ちゅうとん【駐屯】(～する)驻屯zhùtún; 驻扎zhùzhā ❖一軍:驻扎军｜一地:驻地
チューナー 调谐器tiáoxiéqì
ちゅうにくちゅうぜい【中肉中背】不高不矮,不胖不瘦bù gāo bù ǎi, bú pàng bú shòu
ちゅうにち【中日】❶〔中国と日本〕中日Zhōng-Rì‖～友好病院 中日友好医院 ❷〔彼岸の〕(春)春分chūnfēn. (秋)秋分qiūfēn
ちゅうにゅう【注入】(～する)注入zhùrù; 灌注guànzhù‖静脈から造影剤を～する 从静脉注入造影剂
チューニング(～する)❶〔電気〕调谐tiáoxié ❷〔音楽〕调音tiáo yīn ❸〔機械〕调整tiáozhěng
ちゅうねん【中年】中年zhōngnián ❖一層:中年层｜一太り:中年发胖
ちゅうばん【中盤】中盘zhōngpán; 中局zhōngjú‖ゲームの～で逆転された 在比赛的中盘,转胜为败了 ❖一戦:高潮期

ちゅうび【中火】中火zhōnghuǒ ‖ 牛乳を～で温める 用中火热牛奶
ちゅうぶ【中部】中部zhōngbù ✤一地方:中部地方
チューブ ❶〔管〕〔根〕管guǎn; 筒tǒng ❷〔タイヤの〕内胎nèitāi
ちゅうぶう【中風】⇨のう(脳)「一卒中」
ちゅうふく【中腹】半山腰bànshānyāo
ちゅうぶらりん【宙ぶらりん】悬空着xuánkōngzhe
ちゅうべい【中米】中美洲Zhōng Měizhōu
ちゅうへん【中編】中篇zhōngpiān ✤一小説:中篇小说
ちゅうぼう【厨房】厨房chúfáng ‖ ～に立つ 下厨房
ちゅうもく【注目】(～する)注目zhùmù; 注视zhùshì; 关注guānzhù ‖ ～を浴びる 受到注目 | ～の的 引人注目
ちゅうもん【注文】(～する)❶〔あつらえ〕订货dìnghuò; 订购dìnggòu; 订做dìngzuò ‖ 料理を～する 点菜 | アメリカに～する 向美国订购 | ～が殺到する 定单蜂拥而至 ❷〔要求〕要求yāoqiú; 愿望yuànwàng ‖ 難しい～ 难办的要求 | むちゃな～をつける 无理要求 | あれこれ～が多い 要求太多 ✤一書:订货单 | 一生産:订货生产
ちゅうや【昼夜】昼夜zhòuyè ‖ ～を問わず 不分昼夜 | ～の別はない 没有昼夜之分 ✤一兼行:昼夜不停
ちゅうゆ【注油】(～する)加油jiāyóu; 上油shàng yóu ‖ エンジンに～する 给引擎加油
ちゅうりつ【中立】中立zhōnglì ‖ ～的態度をとる 持中立态度 | ～を守る 保持中立 ✤一国:中立国 | 一地帯:中立地带
チューリップ 郁金香yùjīnxiāng
ちゅうりゅう【中流】❶〔川の〕中游zhōngyóu ❷〔社会〕中流zhōngliú; 中等zhōngděng ✤一意識:中流意识 | 一階級:中产阶层 | 一家庭:中等家庭
ちゅうりゅう【駐留】(～する)留驻liúzhù; 驻扎zhùzhā
ちゅうりん【駐輪】(～する)停放自行车tíngfàng zìxíngchē ✤一場:存车处
ちゅうわ【中和】(～する)中和zhōnghé ‖ 石灰で酸性土壌を～する 用石灰中和酸性土壤 ✤一剤:中和剂
チュニジア 突尼斯Tūnísī
ちょ【緒】头绪tóuxù; 开头kāitóu; 开始kāishǐ ‖ 仕事は～についたばかりだ 那个工作刚开始
ちょいちょい 有时候yǒu shíhou; 偶尔ǒu'ěr ‖ 友人が～遊びにやってくる 朋友有时候来玩儿
ちょう【兆】❶〔数の単位〕万亿wànyì ❷〔前兆〕前兆qiánzhào; 预兆yùzhào
ちょう【腸】肠cháng ✤一炎:肠炎 | 一捻転(ねんてん):肠扭结 | 一閉塞(へいそく):肠梗阻
ちょう【蝶】〔只〕蝴蝶húdié ‖ ～よ花よ 娇生惯养
ちょう-【超】超出chāochū; 超过chāoguò ‖ ～大国 超级大国 | ～高感度フィルム 超高感度胶卷 | ～心理学 超心理学 | ～満員 爆满
ちょうあい【寵愛】(～する)宠爱chǒng'ài ‖ ～を受ける 受宠
ちょうい【弔意】哀悼之意āidào zhī yì ‖ 犠牲者に～を示す 向死难者致哀
ちょうい【潮位】潮位cháowèi ‖ ～があがる 潮位上升
ちょういん【調印】(～する)签订qiāndìng; 签字qiānzì; 盖章gài zhāng ✤一国:条约国 | 一式:签字仪式
ちょうえき【懲役】徒刑túxíng ‖ 被告には～5年の判決が下った 被告被判了五年徒刑 ✤一囚:囚徒
ちょうえつ【超越】(～する)超越chāoyuè; 越出yuèchu ‖ 利害を～する 抛开利害关系
ちょうおんそく【超音速】超音速chāoyīnsù ✤一旅客機:超音速客机
ちょうおんぱ【超音波】超声波chāoshēngbō ✤一検査:超声波检查
ちょうか【超過】(～する)超过chāoguò.（額を)超额chāo'é ‖ 重量を～する 超重 ✤一額:超额 | 一勤務:加班 | 一料金:超重费
ちょうかい【懲戒】(～する)惩罚chéngfá; 惩戒chéngjiè ✤一処分:惩戒处分 | 一免職:开除
ちょうかく【聴覚】听觉tīngjué
ちょうかん【長官】长官zhǎngguān; 机关首长jīguān shǒuzhǎng
ちょうかん【鳥瞰】(～する)鸟瞰niǎokàn; 俯视fǔshì; 展望zhǎnwàng ✤一図:鸟瞰图
ちょうかん【朝刊】早报zǎobào; 晨报chénbào
ちょうき【弔旗】半旗bànqí ‖ ～を掲げる 下半旗
ちょうき【長期】长期chángqī; 长远chángyuǎn ‖ ～にわたる 长期以来 | ～的に見る 从长远来看 ✤一貸し付け:长期贷款 | 一金利:长期利率 | 一計画:长期计划 | 一戦:持久战 | 一予報:长期预报 | 一滞在:长期逗留
ちょうきょう【調教】(～する)调教tiáojiào; 调驯tiáoxùn ‖ 猛獣を～する 驯兽
ちょうきょり【長距離】长距离chángjùlí; 长途chángtú; 远程yuǎnchéng ✤一競走:长跑 | 一電話:长途电话 | 一バス:长途汽车 | 一飛行:长途飞行
ちょうきん【彫金】镂金lòujīn; 錾花zàn huā
ちょうけい【長兄】长兄zhǎngxiōng; 大哥dàgē
ちょうけし【帳消し】(～する)勾销gōuxiāo; 销账xiāozhàng ‖ 借金を～にする 一笔勾销借款
ちょうこう【兆候・徴候】征兆zhēngzhào; 预兆yùzhào; 征候zhēnghòu ‖ 寒けがするのは風邪の～だ 发冷是感冒的征兆
ちょうこう【聴講】(～する)听讲tīngjiǎng; 旁听pángtīng ‖ 講義を～する 听课 ✤一生:旁听生
ちょうごう【調合】(～する)调配tiáopèi
ちょうこうぜつ【長広舌】㊖滔滔不绝tāo tāo bù jué; ㊖长篇大论cháng piān dà lùn ‖ ～をふるう 大发议论; ㊖夸夸其谈; 长篇大论
ちょうこうそう【超高層】超高层chāogāocéng ✤一ビル:超高层建筑; 摩天大楼
ちょうこく【彫刻】(～する)雕刻diāokè ✤一家:雕刻家; 雕像家 | 一刀:雕刻刀
ちょうさ【調査】(～する)调查diàochá ‖ ～に基づくデータ 依据调查的数据 ✤一団:调查团 | 事

前一:事先调查
ちょうざい【調剤】调剂tiáojì；配药pèiyào ‖ ✤ 一師:药剂师｜一薬局:处方药店
ちょうし【長子】长子zhǎngzǐ；老大lǎodà
ちょうし【長姉】大姐dàjiě
ちょうし【調子】❶〔具合〕状态zhuàngtài；样子yàngzi；状况zhuàngkuàng ‖ ～を整える 调整状态｜～を崩す 失调｜～が狂う 乱套；出毛病｜～が戻る 恢复原状｜この～だと 看样子｜腹の～がおかしい 肚子难受 ❷〔勢い〕劲头jìntóu；劲儿jìnr ‖ ～が落ちる 下滑｜まだ～が出ない 还没进入状态｜～に乗ってつい飲みすぎた 一来劲儿就喝过头了 ❸〔語調〕语气yǔqì；声调shēngdiào；调门儿diàoménr ‖ 激しい～で非難する 语气强烈地谴责｜声の～をかえる 改变声调 ❹〔リズム〕节奏jiézòu；拍子pāizi ‖ ～をとる 打拍子 ❺〔慣用表現〕‖ ～を合わせる 帮腔；附和；㊂虚与委蛇｜～のいいことを言う 说漂亮话 ✤ 一外れ:走调儿；不合拍
ちょうじ【弔辞】悼词dàocí；哀辞āicí ‖ ～を述べる 致悼词
ちょうじ【寵児】宠儿chǒng'ér；红人hóngrén；骄子jiāozǐ ‖ 時代の～ 时代的宠儿
ちょうじかん【長時間】长时间cháng shíjiān
ちょうじゃ【長者】富翁fùwēng；富豪fùháo ✤ 一番付:富豪排行榜
ちょうしゅ【聴取】(～する)❶〔事情などを〕听取tīngqǔ ‖ 住民から意見を～する 听取居民的意见 ❷〔ラジオを〕收听shōutīng ✤ 一者:听众
ちょうじゅ【長寿】长寿chángshòu ‖ ～の家系 长寿家族 ✤ 一国:长寿国家
ちょうしゅう【徴収】(～する)(税などを)征收zhēngshōu. (費用などを)收取shōuqǔ ‖ 税金を～する 征收税款
ちょうしゅう【徴集】(～する)征集zhēngjí；召集zhàojí；征召zhēngzhào
ちょうしゅう【聴衆】听众tīngzhòng ‖ ～から拍手がわき起こった 听众响起了掌声
ちょうしょ【長所】长处chángchu；优点yōudiǎn；好处hǎochu ‖ ～を生かす 发挥优点｜～は短所 优点往往也是缺点
ちょうしょ【調書】(调查)记录(diàochá) jìlù；卷宗juànzōng ‖ 被害者の～をとる 作被害人(调查)记录 ✤ 供述一:口供记录
ちょうじょ【長女】长女zhǎngnǚ；大女儿dànǚ'ér
ちょうしょう【嘲笑】(～する)嘲笑cháoxiào；耻笑chǐxiào；奚落xīluò ‖ 国民の～を買う 遭到人们的耻笑
ちょうじょう【頂上】山顶shāndǐng；山巅shāndiān；顶峰dǐngfēng ‖ ～をめざす 朝顶峰攀登｜～を極める 登上顶峰
ちょうしょく【朝食】〔顿〕早餐zǎocān；早饭zǎofàn ‖ ～をとる 吃早餐
ちょうじり【帳尻】结算结果jiésuàn jiéguǒ ‖ ～をごまかす 做假账｜～を合わせる (收支决算)结算收支；(つじつま)㊂牵强附会
ちょう・じる【長じる】❶〔成長する〕成长chéngzhǎng；长大zhǎngdà ❷〔優れる〕擅长shàncháng；长于chángyú；善于shànyú
ちょうしん【長針】长针chángzhēn
ちょうしん【長身】高个子gāo gèzi；身材高shēncái gāo；大个子dà gèzi
ちょうしん【聴診】(～する)听诊tīngzhěn ✤ 一器:听诊器
ちょうじん【超人】超人chāorén ‖ ～的な力を発揮する 发挥超人的能力
ちょう・ずる【長ずる】⇨ちょうじる(長じる)
ちょうせい【調製】(～する)调制tiáozhì；做zuò
ちょうせい【調整】(～する)调整tiáozhěng；调节tiáojié；调控tiáokòng ‖ 日程を～する 调整日程｜両者の意見を～する 协调双方的意见｜部屋の湿度を～する 调节房间的湿度
ちょうぜい【徴税】(～する)征税zhēngshuì；收税shōushuì
ちょうせつ【調節】(～する)调节tiáojié；调整tiáozhěng ‖ ラジオの音量を～する 调节收音机的音量 ✤ 一弁:调节阀；控制阀
ちょうせん【挑戦】(～する)挑战tiǎozhàn ‖ ～に応じる 接受挑战｜～を受けて立つ 迎接挑战 ✤ 一者:挑战者｜一状:挑战书
ちょうせん【朝鮮】朝鲜Cháoxiǎn ✤ 一漬け:朝鲜泡菜｜一半島:朝鲜半岛
ちょうぜん【超然】超然chāorán；超脱chāotuō
ちょうぞう【彫像】雕像diāoxiàng
ちょうそく【長足】长足chángzú ‖ ～の進歩を遂げる 取得了长足的进步
ちょうだ【長蛇】长蛇chángshé ‖ ～を逸する 坐失良机｜～の列を作る 排起长队
ちょうだい【頂戴】❶(～する)〔もらう〕收到shōudào；受到shòudào；领受lǐngshòu ‖ 先生からお小言を～した 受到老师的责备｜お気持ちだけ～いたします 您的好意我心领了｜もう十分～しました 已经吃饱喝足〔酒足饭饱〕了 ❷〔ください〕给我gěi wǒ；我要wǒ yào ‖ 私にも1つ～ 给我〔我也要〕一个
ちょうたつ【調達】(～する)筹措chóucuò；筹备chóubèi；筹办chóubàn ‖ 資金の～に奔走する 为筹措资金四处奔走｜資材を～する 采购原材料
ちょうたん【長短】❶〔長さ〕长短chángduǎn；长度chángdù ❷〔長所と短所〕长短chángduǎn ‖ 人はだれでも～それぞれあるものだ 人各有长短
ちょうチフス【腸チフス】伤寒shānghán
ちょうちょう【長調】大调dàdiào
ちょうちょう【蝶蝶】⇨ちょう(蝶)
ちょうちん【提灯】〔盏，个〕灯笼dēnglong；提灯tídēng ✤ 一行列:提灯游行
ちょうつがい【蝶番】❶〔金具〕合叶héyè；铰链jiǎoliàn ❷〔関節〕关节guānjié
ちょうづめ【腸詰め】⇨ソーセージ
ちょうてい【朝廷】朝廷cháotíng
ちょうてい【調停】(～する)调停tiáoting；调解tiáojiě；仲裁zhòngcái ✤ 一委員会:调解委员会
ちょうてん【頂点】❶〔極限〕顶峰dǐngfēng；顶点dǐngdiǎn；极点jídiǎn ‖ 世界の～を極める 达到世界顶尖水平｜怒りが～に達する 愤怒已经达到了极点 ❷〔いちばん上〕顶端dǐngduān；尖顶jiāndǐng ‖ 山の～ 山顶 ❸〔数学〕顶点dǐngdiǎn ‖ 三角形の～ 三角形的顶点

ちょうでん【弔電】唁电yàndiàn ‖ ～を打つ 发唁电
ちょうでんどう【超伝導】超导chāodǎo；超传导chāochuándǎo ❖ 一体：超导体
ちょうど【丁度】❶〔都合よく〕正好zhènghǎo；刚好gānghǎo；恰好qiàhǎo ‖ ～いいところに来てくれた 你来得正好〔正是时候〕｜～いま来たところです 我是刚刚到的 ❷〔ぴったり〕正zhèng；整(整) zhěng(zhěng) ‖ ～いい甘さ 甜味适中〔正好〕｜ひまつぶしに～いい 正适合打发时间｜毎朝7時～に家を出る 每天早上7点整出门｜～1時間待った 整整等了一个小时 ❸〔まるで〕好像hǎoxiàng；就像jiù xiàng；恰似qiàsì
ちょうど【調度】家用器具jiāyòng qìjù；器物qìwù；家具jiāju
ちょうとっきゅう【超特急】❶〔鉄道〕超级快车chāojí kuàichē；超特快chāotèkuài ❷〔大至急〕以最快速度(做) yǐ zuì kuài sùdù (zuò)；尽快jǐnkuài ‖ ～で書きあげた 以最快的速度写完了
ちょうない【町内】街道jiēdào；社区shèqū ❖ 一会：街道居民会
ちょうなん【長男】长子zhǎngzǐ；大儿子dà'érzi
ちょうネクタイ【蝶ネクタイ】领结lǐngjié
ちょうのうりょく【超能力】特异功能tèyì gōngnéng；超能力chāonénglì ❖ 一者：特异功能者；超能力者
ちょうば【帳場】柜房guìfáng；账房zhàngfáng；柜上guìshang ‖ ～をあずかる 掌管账房
ちょうはつ【長髪】长头发cháng tóufa；长发chángfà ‖ ～の青年 留长发的青年
ちょうはつ【挑発】(～する) ❶〔唆す〕挑衅tiǎoxìn；挑拨tiǎobō；调唆tiáosuo ‖ 相手の～に乗ってはいけない 别中了对方的调唆 ❷〔刺激する〕挑逗tiǎodòu；刺激cìjī；引发yǐnfā ‖ ～的な服装 性感的服装
ちょうはつ【徴発】(～する) 征收zhēngshōu；征用zhēngyòng
ちょうばつ【懲罰】(～する) 惩罚chéngfá ❖ 一委員会：惩戒委员会
ちょうふく【重複】(～する) 重复chóngfù ‖ ～を避ける 避免重复使用
ちょうへい【徴兵】(～する) 征兵zhēngbīng ❖ 一検査：征兵检查｜一制：征兵制度
ちょうへん【長編】长篇chángpiān ❖ 一小説：长篇小说
ちょうぼ【帳簿】账本zhàngběn；账簿zhàngbù ‖ ～を調べる 查账｜～をつける 记账｜～をごまかす 蒙混账目 ❖ 一価格：账面价值｜一係：记账员；账房
ちょうほう【重宝】(～する) 方便fāngbiàn；有用yǒuyòng；顶用dǐngyòng；适用shìyòng ‖ 情報検索に～している 搜索信息时很方便｜～がられる 受到器重
ちょうほう【諜報】谍报diébào；侦探zhēntàn ❖ 一員：谍报员｜一活動：谍报〔情报〕活动｜一機関：谍报〔情报〕机关
ちょうぼう【眺望】(～する) 眺望tiàowàng；瞭望liàowàng ‖ 頂上からの～ 从山顶上眺望
ちょうほうけい【長方形】长方形chángfāngxíng；矩形jǔxíng
ちょうほんにん【張本人】祸首huòshǒu；肇事者zhàoshìzhě；主谋zhǔmóu ‖ もめ事の～ 纠纷的祸首
ちょうみりょう【調味料】调料tiáoliào；佐料zuǒliào；调味料tiáowèiliào
ちょうむすび【蝶結び】蝴蝶结〔扣儿〕húdiéjié〔kòur〕‖ ～にする 系成蝴蝶结
ちょうめい【長命】长寿chángshòu；长命chángmìng ‖ ～を祝う 祝贺长寿
ちょうもん【弔問】(～する) 吊唁diàoyàn；吊慰diàowèi ❖ 一客：吊唁者
ちょうやく【跳躍】(～する) ❶〔飛びあがる〕跳跃tiàoyuè ❷〔スポーツ〕跳跃项目tiàoyuè xiàngmù ❖ 一運動：跳跃运动｜一競技：跳跃比赛
ちょうよう【長幼】长幼zhǎngyòu ‖ ～の序を重んじる 重长幼之序
ちょうよう【重用】(～する) 重用zhòngyòng
ちょうよう【徴用】(～する) 征用zhēngyòng
ちょうようのせっく【重陽の節句】重阳节Chóngyángjié
ちょうらく【凋落】(～する) ❶〔落ちぶれる〕衰落shuāiluò；没落mòluò ‖ ～の一途をたどる 日趋衰落 ❷〔花や葉が〕凋落diāoluò
ちょうり【調理】(～する) 烹调pēngtiáo；烹饪pēngrèn ‖ 肉を～する 做肉(菜) ❖ 一器具：烹调用具｜一師：厨师｜一場：厨房
ちょうりつ【調律】(～する) 调音tiáo yīn；调律tiáolǜ ‖ ピアノを～する 调钢琴 ❖ 一師：调律师；调音师
ちょうりゅう【潮流】❶〔海の〕〔股〕潮流cháoliú ❷〔時勢の〕潮流cháoliú；趋势qūshì ‖ 時の～に乗る 赶上时代的潮流
ちょうりょく【張力】张力zhānglì
ちょうりょく【聴力】听力tīnglì
ちょうるい【鳥類】鸟类niǎolèi
ちょうれいぼかい【朝令暮改】㊁ 朝令夕改zhāo lìng xī gǎi
ちょうろう【長老】长老zhǎnglǎo；耆宿qísù；老前辈lǎoqiánbèi ‖ 政党の～ 政党的元老
ちょうろう【嘲弄】(～する) 嘲弄cháonòng；作弄zuònòng
ちょうわ【調和】(～する) 调和tiáohe；和谐héxié；协调xiétiáo ‖ この2つの音は～しない 这两个音调不和谐｜心身の～をはかる 使身心协调
チョーク〔支，根〕粉笔fěnbǐ ‖ ～で黒板に字を書く 用粉笔在黑板上写字
ちょきん【貯金】(～する) 存款cúnkuǎn；积蓄jīxù；储蓄chǔxù ‖ ～を引き出した 提取了存款｜～を使い果たす 把存款花光｜郵便局に～する 在邮局存款 ❖ 一通帳：存折｜一箱：储蓄罐
ちょくえい【直営】(～する) 直接经营zhíjiē jīngyíng ❖ 一店：直销商店；门市部
ちょくげき【直撃】(～する) 直接袭击〔轰炸〕zhíjiē xíjī〔hōngzhà〕；正面袭击zhèngmiàn xíjī ‖ 台風が首都圏を～した 首都周围遭到了台风的正面袭击 ❖ 一弾：直击弹
ちょくげん【直言】(～する) 直言zhíyán；直说zhíshuō ‖ 上役に～する 对上司直言进谏

ち

ち

ちょくご【直後】❶（時間的に）刚…(后) gāng … (hòu)；紧接着 jǐn jiēzhe ‖ 運動の～に飲酒する 运动后立即喝酒 | 開店～ 刚开张 ❷（空間的に）正后面 zhèng hòumian

ちょくし【直視】（～する）❶（目をそらさずに見る）注视 zhùshì；直视 zhíshì；盯视 dīngshì ‖ 太陽を～する 直视太阳；盯着太阳看 | 残虐で～できない 使人惨不忍睹 ❷（物事をありのままにとらえる）正视 zhèngshì ‖ 事態を～する 正视局势

ちょくしゃ【直射】（～する）直射 zhíshè；直照 zhízhào；直接照射 zhíjiē zhàoshè ‖ ～日光を避ける 避免阳光直射

ちょくじょうけいこう【直情径行】定 直情径行 zhí qíng jìng xíng

ちょくしん【直進】（～する）一直(地)前进 yìzhí (de) qiánjìn；直进 zhí jìn ‖ 交差点を～する 在路口直行

ちょくせつ【直接】直接 zhíjiē ‖ 彼と～の知り合いではない 我和他不直接认识 ✤ 一行動：直接行动 | 一照明：直接照明 | 一税：直接税 | 一話法：直接引语

ちょくせん【直線】直线 zhíxiàn ‖ ～を引く 画直线 ✤ 一距離：直线距离 | 一コース：直线跑道

ちょくぜん【直前】❶（時間的に）就要…(的时候) jiù yào … (de shíhou)；临到…(之前) líndào … (zhī qián) ‖ 発車～に電車に駆け込む 就要开车的时候跑上电车 ❷（空間的に）正前面 zhèng qiánmian；跟前 gēnqián ‖ 車の～直後紧贴着汽车的前后

ちょくそう【直送】（～する）直接输送〔运送〕zhíjiē shūsòng〔yùnsòng〕；直接发货 zhíjiē fā huò ‖ 産地～の野菜 从产地直接运来的蔬菜

ちょくぞく【直属】（～する）直属 zhíshǔ ‖ 政府～の研究機関 政府直属的研究机构

ちょくちょう【直腸】直肠 zhícháng

ちょくちょく 常常 chángcháng；时常 shícháng ‖ 最近彼には～会っている 最近我常常与他见面

ちょくつう【直通】（～する）直达 zhídá；直通 zhítōng ✤ 一電話：直拨〔通〕电话 | 一列車：直达列车

ちょくばい【直売】（～する）直销 zhíxiāo；直接销售 zhíjiē xiāoshòu ‖ 信州リンゴの～ 直销信州苹果 ✤ 一店：直销店 | 産地一：产地直销

ちょくめん【直面】（～する）面临 miànlín；面对 miànduì ‖ 難問に～する 面临难题

ちょくやく【直訳】（～する）直译 zhíyì

ちょくゆにゅう【直輸入】（～する）直接进口 zhíjiē jìnkǒu ‖ 原綿を～する 直接进口原棉

ちょくりつ【直立】（～する）直立 zhílì；挺立 tǐnglì ✤ 一猿人：直立猿人 | 一不動：直立不动

ちょくりゅう【直流】（～する）直流 zhíliú ✤ 一回路：直流电路

ちょくれつ【直列】❶（電気）串联 chuànlián ‖ 電池を～につなぐ 把电池串联起来 ❷（直線状に並ぶ）直排 zhí pái

チョコレート 巧克力 qiǎokèlì ‖ ～色 巧克力色

ちょさく【著作】（～する）著作 zhùzuò；著述 zhùshù ‖ 経済に関する～ 关于经济方面的著作

ちょさくけん【著作権】著作权 zhùzuòquán.（出版権）版权 bǎnquán ‖ ～を侵害する 侵犯版权 ✤ 一所有：版权所有

ちょしゃ【著者】著者 zhùzhě；作者 zuòzhě

ちょじゅつ【著述】（～する）著述 zhùshù；著作 zhùzuò ✤ 一業：著述业

ちょしょ【著書】著作 zhùzuò；著书 zhùshū

ちょすい【貯水】（～する）蓄水 xù shuǐ；储水 chǔ shuǐ ‖ 雨水を～する 蓄积雨水 ✤ 一槽(そう)：蓄水槽 | 一池：蓄水池；水库

ちょぞう【貯蔵】（～する）储藏 chǔcáng；储存 chǔcún ✤ 一庫：仓库 | 一米：储存米

ちょちく【貯蓄】（～する）储蓄 chǔxù；积蓄 jīxù ✤ 一預金：储蓄存款

ちょっか【直下】正下面 zhèng xiàmian ‖ 赤道～ 在赤道上 ✤ 一型地震：直下型地震

ちょっかい 管闲事 guǎn xiánshì；多嘴 duōzuǐ；多事 duōshì ‖ 他人のことに～を出す 多管闲事

ちょっかく【直角】直角 zhíjiǎo ‖ 2本の線が～に交わる 一条线与另一条线相交成直角 ✤ 一三角形：直角三角形

ちょっかつ【直轄】（～する）直辖 zhíxiá ‖ ～地 直辖地

ちょっかん【直感】（～する）直觉 zhíjué；直感 zhígǎn ‖ ～的に感じる 有一种直觉 | ～が当たる 直觉很准 ✤ 一力：直觉能力

チョッキ〔件，个〕背心 bèixīn；马甲 mǎjiǎ

ちょっけい【直系】❶（血縁の）直系 zhíxì；嫡系 díxì ‖ ～の子孫 直系子孙 ❷（師弟・団体などの）直系 zhíxì；嫡派 dípài ‖ ～の弟子 直系门生

ちょっけい【直径】直径 zhíjìng

ちょっけつ【直結】（～する）直接关系〔联系〕zhíjiē guānxi〔liánxì〕‖ このビルは地下で駅に～している 这座楼的地下直通车站

ちょっこう【直行】（～する）直接去 zhíjiē qù；直达 zhídá ‖ 現場へ～する 直接去现场 ✤ 一便：直达航班

ちょっと ❶（ほんの少し）一下 yíxià；一会儿 yíhuìr；一点儿 yìdiǎnr ‖ ～考えさせてください 请让我稍微考虑一下 | ほんの～の間 就那么一小会儿时间 | 5時～前 快5点的时候 | ～頼みたいことがある 我想求你一点儿事儿 | ～困ったことになった 事情有些麻烦了 | ～見てごらん 你看一下 | ～見には 乍一看上去 ❷（かなりの程度）相当 xiāngdāng；颇 pō ‖ ～した邸宅 相当豪华的宅院 | ～は名の知れた絵かき 颇为知名的画家 ❸（そう容易には）难以… nányǐ…；不太容易… bútài róngyì … ‖ ～言いにくい 有点儿难于开口 | ～考えられない 很难想像 | ～わからない 不太清楚 ❹（呼びかけ）喂 wèi ‖ ねえ～ 喂 | ～すみません 请问

ちょとつ【猪突】✤ 一猛進：勇往直前

ちょめい【著名】著名 zhùmíng；有名 yǒumíng ‖ ～なアーティスト 著名的艺术家 ✤ 一人：名人

ちょろちょろ ❶（～する）（動きまわる）乱动 luàn dòng；晃来晃去 huàng lái huàng qù ‖ 子どもが～する 孩子到处乱跑 ❷（水が）涓涓 juānjuān ‖ 小川が～流れる 小溪涓涓流淌着 ❸（炎が）徐徐 xúxú；微微 wēiwēi ‖ 火が～と燃えている 火在徐徐地燃烧着

ちらか・る【散らかる】乱七八糟 luànqībāzāo；零乱不堪 língluàn bùkān；散乱 sǎnluàn ‖ 部屋中本が～っている 房间里到处散乱着书籍

ちらし【散らし】〔张〕广告单〔传单〕guǎnggàodān〔chuándān〕‖～を配る 分发广告传单
ちら·す【散らす】❶〔分散する〕弄散nòngsàn；涣散huànsàn；（…）散（…）sàn‖気を～す 精神涣散｜論戦の火花を～す 激烈争论 ❷〔医学〕消（除）xiāo(chú)；祛（除）qū(chú)‖薬をのんで痛みを～す 吃药祛痛 ❸〔…ちらす〕乱…luàn…；随便suíbiàn‖追い～す 驱散｜わめき～す 大叫大嚷｜うわさをまき～す 散布一些谣言
ちらつ·く ❶〔降る〕飘落piāoluò；霏霏fēifēi‖夜半に小雪が～いた 半夜里飘起了小雪 ❷〔見えたり消えたりする〕浮现fúxiàn；时隐时现shí yǐn shí xiàn.（光が）闪烁shǎnshuò‖優勝が目の前に～ 眼看就要取得冠军｜モニター画面が～く 显示器的画面一闪一闪的，不稳定
ちらば·る【散らばる】分散fēnsàn；散开sànkāi
ちらりと ❶〔一瞬現れる〕一闪yì shǎn；一晃yìhuǎng‖～脳裏をかすめた 脑子里闪现了一下｜彼の姿が～見えた 他的影子一闪 ❷〔ごくわずか〕偶尔ǒu'ěr；略微lüèwēi；稍微shāowēi‖うわさを～耳にした 偶尔听到消息
ちり【地理】地理（情况）dìlǐ（qíngkuàng）‖～的条件に恵まれる 地理条件非常好
ちり【塵】❶〔ほこり〕尘土chéntǔ；灰尘huīchén.（ごみ）垃圾lājī‖～ひとつない 一尘不染 ❷〔わずかなもの〕微小的东西wēixiǎo de dōngxi‖～も積もれば山となる 定 积少成多
チリ 智利 Zhìlì
ちりがみ【塵紙】手纸shǒuzhǐ；卫生纸wèishēngzhǐ‖新聞を～交換に出す 把旧报纸拿出去换卫生纸
ちりぢり【散り散り】四散sìsàn；分散fēnsàn；散乱sǎnluàn‖一家は戦争で～になった 战争使得一家人天各一方 ✤ ―ばらばら：四散
ちりとり【塵取り】簸箕bòji；畚箕běnjī
ちりば·める【鏤める】镶嵌xiāngqiàn；点缀diǎnzhui‖宝石を～めた指輪 镶着宝石的戒指
ちりょう【治療】（～する）治疗zhìliáo；医治yīzhì‖～のしようがない 无法医治｜長期的な～を受ける 接受长期的治疗 ✤ ―室：治疗室｜―費：治疗费｜―法：治疗法
ちりょく【知力】智力zhìlì
ちりんちりん 丁零当啷dīnglingdānglāng；叮〔丁〕当dīng〔dīng〕dāng‖風鈴が風で～と鳴る 风铃被风吹得丁零当啷作响
ち·る【散る】❶〔花などが〕落luò；谢xiè；凋谢diāoxiè；凋落diāoluò‖サクラが～る 樱花凋谢了｜木の葉が～り始めた 树叶开始凋落 ❷〔散り散りになる〕散sàn；分散fēnsàn；散开sànkāi‖聴衆は三々五々～って行った 听众们三三两两地散去了 ❸〔気が〕涣散huànsàn；散漫sǎnmàn；不专一bù zhuānyī‖気が～る 精神涣散
チルド 冷藏lěngcáng；冷却lěngquè ✤ ―食品：冷藏食品
ちわ【痴話】✤―げんか：因吃醋而吵架；男女因爱而争吵
ちんあげ【賃上げ】（～する）加薪jiā xīn；提高工资tígāo gōngzī；提薪tí xīn‖～を要求する 要求加薪 ✤ ―闘争：要求增加工资的斗争
ちんあつ【鎮圧】（～する）镇压zhènyā‖反乱を～する 镇压叛乱
ちんうつ【沈鬱】抑郁yìyù；沉闷chénmèn；郁闷yùmèn‖～な表情 神情沉重
ちんか【沈下】（～する）下沉xiàchén；沉降chénjiàng‖地盤が～する 地盘下沉
ちんか【鎮火】（～する）灭火mièhuǒ；扑灭pūmiè；救火jiùhuǒ‖火事が～した 火被扑灭了
ちんがし【賃貸し】（～する）出租chūzū‖マンションを～する 出租公寓
ちんき【珍奇】珍奇zhēnqí；稀奇xīqí；奇异qíyì
ちんきゃく【珍客】稀客xīkè
ちんぎん【賃金】工资gōngzī；薪金xīnjīn；薪水xīnshui‖1日1万円の～で働く 工作一天1万日元｜～レベル 工资水平 ✤ ―格差：工资差距〔差别〕｜―カット：扣工资｜―体系：工资体系｜―ベース：平均工资；工资基数｜―労働者：雇佣劳动者
ちんこん【鎮魂】✤―曲：安魂曲
ちんし【沈思】沉思chénsī；深思shēnsī‖～黙考する 沉思默想
ちんじ【珍事】稀奇（的）事xīqí（de）shì；意外的事件yìwài de shìjiàn
ちんしゃ【陳謝】（～する）道歉dàoqiàn；表示歉意biǎoshì qiànyì‖深く～いたします 深表歉意
ちんじゅつ【陳述】（～する）❶〔法律〕陈述chénshù ❷〔文法〕陈述chénshù
ちんじょう【陳情】（～する）请愿qǐngyuàn ✤ ―書：请愿书
ちんせい【鎮静】（～する）平静píngjìng；镇静zhènjìng；平息píngxī ✤ ―剤：镇静剂｜―作用：镇静作用
ちんたい【沈滞】（～する）沉滞chénzhì；沉闷chénmèn；不振búzhèn‖経済の～が続く 经济一直萧条不振
ちんたい【賃貸】（～する）出租chūzū ✤ ―契約：出租合同｜―住宅：出租房（屋）｜―料：租金
ちんちゃく【沈着】❶〔落ちついた〕沉着chénzhuó；稳重wěnzhòng‖～冷静に判断する 沉着冷静地作出判断 ❷（～する）〔沈殿〕沉淀chéndiàn‖色素が～する 色素沉淀
ちんちょう【珍重】（～する）珍重zhēnzhòng；珍爱zhēn'ài
ちんつう【沈痛】沉痛chéntòng‖～な面持ち 沉痛的表情
ちんつうざい【鎮痛剤】止痛药zhǐtòngyào；镇痛药zhèntòngyào
ちんでん【沈殿】（～する）沉淀chéndiàn；沉积chénjī‖結晶が～する 沉淀结晶 ✤ ―物：沉淀物；（おり）沉渣
ちんにゅう【闖入】（～する）闯入chuǎngrù；闯进chuǎngjìn ✤ ―者：闯入者
チンパンジー〔只〕黑猩猩hēixīngxing
ちんぴら 小流氓xiǎo liúmáng；阿飞āfēi
ちんぴん【珍品】珍品zhēnpǐn
ちんぷ【陳腐】陈腐chénfǔ；陈旧chénjiù‖～な言いまわし 定 陈词滥调
ちんぷんかんぷん 无法理解wúfǎ lǐjiě；糊涂hútu；定 莫名其妙mò míng qí miào
ちんぼつ【沈没】（～する）❶〔沈む〕沉没chénmò‖船は乗組員もろとも～した 船与所有的船员

一起沉没了 ❷〔酔いつぶれる〕烂醉lànzuì；醉得不省人事zuìde bù xǐng rén shì ✤一船：沉船
ちんみ【珍味】珍馐zhēnxiū；珍肴美味zhēnyáo měiwèi ‖ 山海の～定 山珍海味
ちんもく【沈黙】(～する) ❶〔黙る〕沉默chénmò ‖ ～は金 沉默是金；不说为妙 | 気まずい～ 难堪的沉默 ❷〔比ゆ的表現〕沉寂chénjì
ちんれつ【陳列】(～する) 陈列chénliè；展览zhǎnlǎn ‖ 古道具を～する 陈列古董 ✤一館：陈列馆 | 一室：陈列室；展室

つ

ツアー ❶〔団体旅行〕团体旅游tuántǐ lǚyóu.（周遊）周游zhōuyóu ‖ ～を組む 组织旅游团 | ～に申し込む 报名参加旅行团 ❷〔巡業〕巡回演出xúnhuí yǎnchū.（スポーツ）赛季sàijì ‖ 全国～ 全国巡回演出 ✤一コンダクター：导游
つい【対】(一)对(yí) duì；对子duìzi ‖ この2つは～になっている 这两个是一对
つい【終】‖ ～のすみか 一生中最后的住处
つい 定 不知不觉bù zhī bù jué；不由得bùyóude；不禁bùjīn ‖ ～笑ってしまった 不由得笑了
ツイード 粗呢cūní；苏格兰呢sūgélánní
ついおく【追憶】(～する) 回忆huíyì；追忆zhuīyì；回想huíxiǎng ‖ ～に浸る 沉浸在回忆中
ついか【追加】(～する) 追加zhuījiā；添补tiānbu；补充bǔchōng ‖ もう3冊～注文する 再加订三本 ✤一予算：追加预算
ついかんばん【椎間板】椎间盘zhuījiānpán ✤一ヘルニア：椎间盘突出(症)
ついき【追記】(～する) 追记zhuījì；补记bǔjì
ついきゅう【追及】(～する) 追究zhuījiū；追问zhuīwèn；追查zhuīchá ‖ ～を逃れる 逃避追查 | 責任を～する 追究责任
ついきゅう【追求】(～する) 追求zhuīqiú ‖ 理想を～する 追求理想
ついきゅう【追究】(～する) 探究tànjiū；探求tànqiú；追求zhuīqiú；寻求xúnqiú ‖ 真理を～する 探求真理 | 人間の本質を～する 探究人类本质
ついげき【追撃】(～する) 追击zhuījī
ついし【追試】(～する) ❶〔追試験〕补考bǔkǎo ❷〔検証の実験〕验证实验yànzhèng shíyàn
ついじゅう【追従】(～する) 追随zhuīsuí；追从zhuīcóng.（迎合）迎合yínghé
ついしょう【追従】(～する) 奉承fèngcheng；巴结bājie；定 拍马屁pāi mǎpì ‖ 上役に～する 巴结上司 ✤一笑い：谄笑
ついしん【追伸】又及yòují
ついずい【追随】(～する) 追随zhuīsuí；跟随gēnsuí；尾随wěisuí ‖ 他の～を許さない 遥遥领先
ついせき【追跡】(～する) 追踪zhuīzōng；跟踪gēnzōng ‖ パトカーが乗用車を～している 警车正在追缉一辆小轿车 ✤一調査：跟踪调查
ついたいけん【追体験】(～する) 感受gǎnshòu；体会tǐhuì ‖ 当時の人々の生活を～する 感受一下那个时候人们的生活
ついたち【一日】（新暦）1号yī hào；1日yī rì.（旧暦）初一chū yī
ついたて【衝立て】屏风píngfēng；隔扇géshan ‖ ～で仕切る 用屏风隔开
ついちょう【追徴】(～する) 追征zhuīzhēng ✤一金：追缴金；（罰金）罚款
ついて【就いて】❶〔…に関して〕关于guānyú；对〔于〕duì〔yú〕；就jiù ‖『環境問題に～』《关于环境问题》❷〔…当たり〕每měi
ついで【次いで】❶〔時間〕接下来jiēxialai；接着jiēzhe ‖ ～質疑応答に移った 接下来进行了质疑答辩 ❷〔序列〕仅次于jǐn cìyú
ついで【序で】顺便shùnbiàn；方便fāngbiàn ‖ ～にちょっと話がある 顺便我想跟你说点儿事 | おつりは～のときで結構です 找头方便的时候给就行
つい・てる 顺shùn；走运zǒuyùn；运气好yùnqi hǎo ‖ 今日はまったく～てない 今天运气真不好
ついとう【追悼】(～する) 追悼zhuīdào ‖ ～の意を表す 表示追悼 ✤一文：悼词
ついとつ【追突】(～する) 追尾zhuīwěi ‖ 後続車に～された 被后车追尾 ✤一事故：追尾事故
ついに【遂に・終に】❶〔とうとう・結局〕终于zhōngyú；最后zuìhòu ‖ ～合格した 终于考上了 | ～堪忍袋の緒が切れた 这次是忍无可忍了 ❷〔最後まで〕直到最后zhídào zuìhòu；始终shǐzhōng ‖ ～彼は現れなかった 到最后他也没来
ついにん【追認】(～する) 追认zhuīrèn
ついば・む【啄ばむ】啄(食) zhuó(shí)
ついぼ【追慕】(～する) 追思zhuīsī；眷恋juànliàn；怀念huáiniàn
ついほう【追放】(～する) ❶〔追い出す〕驱逐qūzhú；驱除qūchú；清除qīngchú ‖ 暴力～ 清除暴力 | 国外に～する 驱逐出境 ❷〔公職から〕开除kāichú；革职gézhí
ついや・す【費やす】❶〔使う〕花(费) huā(fèi)；耗(费) hào(fèi)；用yòng ‖ テレビに～す時間 花在看电视上的时间 | 週末をレジャーに～す 周末去休闲 ❷〔浪費する〕浪费làngfèi；白费báifèi ‖ くだらない議論に時間を～す 为无聊的争论浪费时间
ついらく【墜落】(～する) 坠落zhuìluò；摔下shuāixia ‖ ～事故 坠机事故
ツイン 成对chéngduì ✤一ベッド：（成对的）两张单人床 | 一ルーム：双人房
つう【通】精通jīngtōng；专家zhuānjiā；行家hángjia ‖ なかなかの中国～ 对中国的事情相当精通 | ～を気どる 装内行 ✤情報一：消息灵通人士
-つう【通】封fēng；份fèn；件jiàn ‖ 手紙1～ 一封信 | 書類2～ 两份文件
つういん【通院】(～する) 定期去医院看病dìngqī qù yīyuàn kànbìng
つうか【通貨】通货tōnghuò；货币huòbì ‖ ～の切り下げ〔切り上げ〕货币贬值〔升值〕✤一危機：货币危机 | 一単位：货币单位
つうか【通過】(～する) 通过tōngguò.（経る）经过jīngguò ‖ 議案は議会を～した 议案在议会上通过了 ✤一駅：经过(不停)的车站

つうかい【痛快】痛快tòngkuai；快活kuàihuo；开心kāixīn ‖ ～なできごと 大快人心的事

つうがく【通学】(～する)上学shàngxué ‖ 電車で～する 坐电车上学 ✤一定期:学生月票

つうかん【通関】(～する)通关tōngguān；报关bàoguān ✤一手続き:报关〔通关〕手续

つうかん【痛感】(～する)痛感tònggǎn；深切地感(觉)到shēnqiè de gǎn(jué)dào ‖ 自分の無力さを～する 深感自己能力不够

つうき【通気】通风tōngfēng；通气tōngqì ‖ ～が悪い 不通风 ✤一孔:通气孔；(自動車の)排气孔 | 一性:通气性

つうきん【通勤】(～する)上下班shàngxiàbān；通勤tōngqín ‖ ～の便を考慮する 考虑到上班的方便 ✤一時間:上下班时间 | 一定期:职工月票 | 一ラッシュ:上下班高峰

つうこう【通行】(～する)❶〔通る〕通行tōngxíng ❷〔広く用いられる〕通用tōngyòng ✤一止め:禁止通行 | 一人:行人 | 一料金:通行费

つうこく【通告】(～する)通知tōngzhī ‖ 一方的な～ 单方面通知

つうこん【痛恨】痛心tòngxīn；懊悔àohuǐ；遗恨yíhèn ‖ ～のミス 令人懊悔的重大失误 | ～の涙 悔恨的眼泪 | ～の極み 令人痛心不已

つうさん【通算】(～する)通计tōngjì；总计zǒngjì ‖ ～7回めの優勝 累计第七次夺冠

つうしょう【通称】(～する)通称tōngchēng；俗称súchēng

つうじょう【通常】通常tōngcháng；一般yìbān ‖ 明日は～どおり営業します 明天照常营业 ✤一国会:通常国会 | 一郵便物:普通邮件

つう·じる【通じる】❶〔至る〕通tōng；通往tōngwǎng；开通kāitōng ‖ この道は駅に～じている 这条道路通向车站 ❷〔了解される〕理解lǐjiě；领会lǐnghuì ‖ 冗談はいっさい～じない 一点也不懂得幽默 | 気持ちが～じる 彼此理解；心领神会 | 意味が～じない 意思不通 ❸〔精通する〕通晓tōngxiǎo；在行zàiháng ‖ 東西の文学に～じている 通晓东西方的文学 ❹〔内通する〕里通lǐtōng；串通chuàntōng ‖ 敵に～じる 通敌 | 気脈を～じる 串通一气 ❺〔通用する〕普遍pǔbiàn；共同gòngtóng ‖ 社員全員に～じる問題 是全体职工的问题

つうしん【通信】(～する)通信tōngxìn；通讯tōngxùn ‖ ～手段 通讯手段 ✤一衛星:通信卫星 | 一教育:函授教育 | 一社:通讯社 | 一販売:函售 | 一費:通信费；通讯费 | 一網:通讯网

つうせつ【通説】一般共识yìbān gòngshí ‖ ～をくつがえす新発見 推翻一般见解的新发现

つうせつ【痛切】痛切tòngqiè；深切shēnqiè；深深shēnshēn ‖ 健康のありがたさを～に感じた 我深深地感到健康的重要性

つうぞく【通俗】通俗tōngsú ‖ ～化する 通俗化 | ～的な読み物 通俗读物 ✤一小説:通俗小说

つうたつ【通達】(～する)通知tōngzhī；通令tōnglìng ‖ 当局が～を出す 当局下发通知

つうち【通知】(～する)通知tōngzhī ✤一表:成绩册 | 一預金:通知存款

つうちょう【通帳】存折cúnzhé ✤一番号:账号

つうどく【通読】(～する)通读tōngdú

ツートンカラー 双色调shuāngsèdiào

つうねん【通念】共同想法gòngtóng xiǎngfa；共同的观念gòngtóng de guānniàn

つうふう【痛風】痛风tòngfēng

つうほう【通報】(～する)通报tōngbào；报告bàogào ‖ 警察へ～する 向警察报案 ✤気象一:天气预报

つうやく【通訳】(～する)翻译fānyì ‖ 私が～します 我来当翻译 ✤逐次一:交传

つうよう【通用】(～する)通用tōngyòng；通行tōngxíng ‖ ドルはたいていの国で～する 美元几乎在所有的国家都通用 | 今日でも～する 如今仍然适用 ✤一門:便门

ツール〔个,件〕工具gōngjù；器械qìxiè ✤一バー:工具栏

つうれい【通例】❶〔習慣〕惯例guànlì；定例dìnglì ❷〔普通〕一般yìbān；通常tōngcháng

つうれつ【痛烈】激烈jīliè；猛烈měngliè；狠狠地hěnhěn de ‖ ～な非難 猛烈的责难 | ～な皮肉をとばす 狠狠地挖苦

つうろ【通路】〔条〕通道tōngdào；通路tōnglù ‖ ～側の席 通道一侧的坐位

つうわ【通話】(～する)通话tōnghuà ‖ 1～3分間 通话一次3分钟 ✤一料:电话费

つえ【杖】〔根〕拐棍guǎigùn；手杖shǒuzhàng ‖ ～をついて歩く 拄着拐棍走路

つかい【使い】❶〔用足し〕被打发去bèi dǎfa qù；被派去bèi pài qù；跑腿儿pǎotuǐr ‖ ～を頼む 让人去跑一趟 | 新入りを～にやる 打发新来的去 ❷〔使いの者〕被派去的人bèi pài qù de rén；使者shǐzhě ‖ 神の～ 上帝的使者

つがい【番い】一对yí duì；雌雄cíxióng ‖ インコを～で飼っている 我养着一对鹦哥

つかいかた【使い方】用法yòngfǎ ‖ ～が乱暴だから壊れたんだ 用得太狠,所以坏了

つかいがって【使い勝手】是否好用shìfǒu hǎo yòng ‖ ～が悪い 用来很不称手

つかいこな·す【使いこなす】熟练地掌握shúliàn de zhǎngwò；运用自如yùnyòng zìrú ‖ パソコンを～す 熟练操作电脑

つかいこ·む【使い込む】❶〔使い込み〕挪用nuóyòng；盗用dàoyòng；侵吞qīntūn ‖ 会社の金を～む 侵吞公款 ❷〔長く使う〕用惯yòngguàn；用顺手yòngshùn shǒu

つかいすて【使い捨て】一次性yícìxìng

つかいで【使い出】经用jīngyòng ‖ いまどき1万円ではまるで～がない 现在的1万日元简直不经花

つかいな·れる【使い慣れる】用惯yòngguàn

つかいはしり【使い走り】(～する)跑腿儿(的人) pǎotuǐr (de rén)

つかいはた·す【使い果たす】用尽yòngjìn；用光yòngguāng ‖ こづかいを～す 零花钱都花光了 | 力を～す 用尽全部的力量

つかいふる·す【使い古す】‖ ～した食器 用旧了的餐具 | ～された表現 定 陈词滥调

つかいみち【使い道】用途yòngtú；用处yòngchu ‖ 彼は金の～を知らない 他不知道钱怎么花

つかいわ·ける【使い分ける】分别使用fēnbié shǐyòng；灵活运用línghuó yùnyòng ‖ 5か国語

を～ける 能灵活运用五国语言｜相手によって態度を～ける 对不同的人采取不同的态度

つか・う【使う・遣う】❶〔物を〕用yòng; 使用shǐyòng‖会議では英語が～われる 会议使用英语 ❷〔人を〕雇gù‖人を～うのがうまい 很会用人 ❸〔金や時間を〕花huā; 用yòng‖時間を有効に～う 有效地利用时间 ❹〔人形などを操る〕操纵cāozòng ❺〔頭・精神を〕动脑筋dòng nǎojīn; 劳神láoshén‖服装に気を～う 注意穿衣打扮｜神経を～う 很劳神 ❻〔慣用表現〕‖居留守を～う 假装不在家｜賄賂(ﾜｲﾛ)を～う 行贿｜おべっかを～う 阿谀奉承｜仮病を～う 装病｜色目を～う 送秋波；抛媚眼

つか・える【支える】卡qiǎ; 堵塞dǔsè‖もちがのどに～える 年糕卡在嗓子眼儿｜この先, 車が～えています 前面堵车｜胸が～える 胸口闷；心里堵

つか・える【仕える】伺候cìhou; 服侍fúshi; 效力xiàolì‖仏に～える身 以身奉佛

つかさど・る【司る】主持zhǔchí; 掌管zhǎngguǎn‖議事進行を～る 主持会议

つかずはなれず【付かず離れず】㊀不即不离bù jí bù lí; ㊀若即若离ruò jí ruò lí

つかぬこと【付かぬ事】无关的事wúguān de shì‖～をお尋ねします 很冒昧地问一下

つかのま【束の間】短暂duǎnzàn; 片刻piànkè; 转瞬之间zhuǎnshùn zhī jiān‖～の休日 短暂的休假

つかま・える【捕まえる・摑まえる】❶〔しっかりつかむ〕握住wòzhu; 抓住zhuāzhu‖金持ちを～えて結婚したい 想抓个大款结婚｜犯人を～えた 逮住了犯人 ❷〔呼びとめる〕拖住tuōzhu; 叫住jiàozhu‖タクシーを～える 叫住出租车｜先生を～えて質問する 找到老师问问题

つかま・せる【摑ませる】‖金を～せる 用钱行贿｜偽物を～せる 蒙骗客人买假货

つかま・る【捕まる・摑まる】❶〔握る〕抓住zhuāzhu; 握住wòzhu‖つり革に～る 抓住吊环 ❷〔捕らえられる〕被抓住bèi zhuāzhu; 被逮住bèi dǎizhu; 被叫住bèi jiàozhu‖スピード違反で～った 因为超速被抓住了｜いやなやつに～った 被个讨厌的家伙缠住了 ❸〔見つかる〕找到zhǎodào‖担当者が～らない 找不到负责人｜タクシーがなかなか～らない 半天也等不来一辆空车

つかみあい【摑み合い】扭打niǔdǎ; 厮打sīdǎ

つかみかか・る【摑み掛かる】扑上来〔上去〕pūshanglai〔shangqu〕‖相手はいきなり～ってきた 对方突然向我扑过来

つかみどころ【摑み所】要领yàolǐng; 头绪tóuxù‖～のない話 不得要领的话

つか・む【摑む】❶〔しっかりと持つ〕抓zhuā; 抓住zhuāzhu; 抓紧zhuājǐn‖ボールを～む 接球 ❷〔とらえる〕抓住zhuāzhu; 掌握zhǎngwò; 弄到手nòngdào shǒu‖チャンスを～む 抓住机遇｜大金を～む 赚大钱｜手掛かりを～む 找到线索｜人の心を～む 抓住人心｜要領を～む 掌握窍门

つか・る【浸かる】泡pào; 被淹(没) bèi yān(mò)‖温泉に～る 泡温泉｜町じゅうが水に～った 整条街都被水淹了

つか・る【漬かる】腌上yānshang‖キュウリがほどよく～っている 黄瓜腌得正好

つかれ【疲れ】疲倦píjuàn; 疲劳píláo; 疲乏pífá‖なかなか～がとれない 疲劳总也缓不过来｜～がたまって体をこわした 积劳成疾

つかれき・る【疲れ切る】累死lèisǐ; 累坏lèihuài; ㊀精疲力竭jīng pí lì jié

つか・れる【疲れる】累lèi; 疲劳píláo; 疲倦píjuàn‖ああ,～れた 唉, 累死了｜くたくたに～れた 累得筋疲力尽｜～れて話す気力もない 累得连话也不想说

つき【月】❶〔天体の〕〔轮〕月亮yuèliang‖～がのぼった 月亮升起来了｜～の満ち欠け 月亮的圆缺｜～とすっぽん 天壤之别 ❷〔暦・時間の〕月yuè.（1か月）一个月yí ge yuè‖～のはじめ〔終わり〕 月初〔月底〕｜～に1回 一个月一次

つき【付き】❶〔付帯していること〕附有fùyǒu; 带有dàiyǒu‖2年間の保証～ 带有两年保修期｜床暖房～の家 有地暖的住房 ❷〔所属〕跟从gēncóng; 附属fùshǔ‖社長～の秘書 经理秘书

つぎ【次】❶〔そのあと〕下次xià cì; 下一个xià yí ge‖～の月曜日 下星期一｜～の駅 下一站｜～から～へ 接二连三 ❷〔…に次いで〕其次qícì; 第二dì èr‖家族の中で私の～に背の高いのは弟だ 我们家我最高, 其次是我弟弟

つぎ【継ぎ】补丁bǔding‖ズボンの破れに～を当てた 把裤子破的地方补上

つきあい【付き合い】❶〔交際〕交际jiāojì; 交往jiāowǎng‖～が広い 交际广｜～を絶つ 断绝来往｜仕事上の～ 工作上的交往 ❷〔義理の〕作陪zuòpéi; 应酬yìngchou

つきあ・う【付き合う】❶〔親しくする〕交往jiāowǎng; 打交道dǎ jiāodao‖～って5年になる 来往已经五年了 ❷〔共にする〕作陪zuòpéi‖夕食に～ってくれない？ 你陪我一起吃晚饭好吗？

つきあ・げる【突き上げる】❶〔突いて上にあげる〕(从下往上)顶(cóng xià wǎng shàng) dǐng; 举起jǔqi ❷〔上の者に圧力をかける〕施加压力shījiā yālì

つきあたり【突き当たり】尽头jìntóu‖トイレは廊下の～です 洗手间在走廊的尽头

つきあた・る【突き当たる】❶〔衝突する〕撞上zhuàngshang; 碰到pèngdào ❷〔直面する〕碰到pèngdào‖難題に～る 遇到难题｜事業が壁に～る 事业遇到障碍〔碰壁〕

つきあわ・せる【突き合わせる】❶〔向かい合わせる〕面对miànduì‖ひざを～せる 促膝相谈 ❷〔照らし合わせる〕对照duìzhào; 核对héduì‖原文と～せる 对照原文｜帳簿を～せる 核对账目

つきおと・す【突き落とす】❶〔突いて落とす〕推下去tuīxiaqu ❷〔悪い状態に落とす〕陷入xiànrù‖不幸のどん底に～される 陷入不幸的深渊

つきかえ・す【突き返す】退回tuìhuí‖贈り物を～した 把礼物退了回去

つぎき【接ぎ木】(～する)接枝jiē zhī; 嫁接jiàjiē‖バラをノバラに～する 把玫瑰嫁接在野蔷薇上

つきぎめ【月極め】按月àn yuè‖～の駐車場 月租停车场

つききり【付き切り】一刻不离yíkè bù lí‖～で母の看病をする 一刻不离地护理母亲

つぎこ・む【注ぎ込む】❶〔注ぎ入れる〕注入zhùrù; 倒进dàojìn ❷〔投入する〕倾注qīng-

zhù；投入tóurù
つきさ・す【突き刺す】扎zhā；刺cì
つきすす・む【突き進む】猛冲měng chōng；奋进fènjìn；挺进tǐngjìn‖ボールを持ってゴールにまっしぐらに～んだ 带球一直冲向球门
つきそい【付き添い】陪伴的人péibàn de rén；护理人员hùlǐ rényuán‖病人に～をつける 给病人安排护理人
つきそ・う【付き添う】陪伴péibàn；跟随gēnsuí‖弁護士が～う 律师陪伴｜病人に～う 在病人身边护理
つきだ・す【突き出す】❶〔前に出す〕突出tūchū；伸出shēnchu‖窓から顔を～す 从窗户探出头｜木の枝が道路に～している 树枝伸到道路上 ❷〔突いて外に出す〕推出去tuīchuqu ❸〔警察に〕扭送(给警察) niǔsòng(gěi jǐngchá)
つぎた・す【継ぎ足す】接上jiēshang；加上jiāshang‖コードを～す 接长电线
つきた・てる【突き立てる】插上chāshang；扎进zhājin
つぎつぎ【次次】一个接一个地yí ge jiē yí ge de；接连不断地jiēlián búduàn de
つきつ・ける【突き付ける】摆出bǎichu；摆在眼前bǎizai yǎnqián‖厳しい要求を～ける 提出强烈的要求｜腰にピストルを～ける 用手枪顶住腰部
つきつ・める【突き詰める】追究zhuījiū；㊣追根究底zhuī gēn jiū dǐ‖～めて考える 左思右想
つき・でる【突き出る】⇨つきだす(突き出す)
つきとば・す【突き飛ばす】撞倒zhuàngdǎo；撞出去zhuàngchuqu
つきと・める【突き止める】追究zhuījiū；彻底查明chèdǐ chámíng‖事故の原因を～めた 查明了事故的原因
つきなみ【月並み】一般yìbān；陈腐chénfǔ；平淡无奇píngdàn wú qí‖～なことば 平庸的措词
つきぬ・ける【突き抜ける】穿透chuāntòu；通过tōngguò‖大気層を～ける 穿透大气层｜原っぱを～ける 穿过这片空地
つきのわぐま【月輪熊】黑熊hēixióng；喜马拉雅熊xǐmǎlāyǎxióng
つぎはぎ【継ぎ接ぎ】(～する)打补丁dǎ bǔding；拼凑pīncòu‖～だらけの服 满是补丁的衣服
つきはな・す【突き放す】❶〔突いてはなす〕推开tuīkāi ❷〔相手にしない〕撇开不管piēkāi bù guǎn‖～した言い方 说话冷淡
つきばらい【月払い】按月付款àn yuè fùkuǎn
つきひ【月日】岁月suìyuè；时光shíguāng‖3年の～が流れた 又过了三年
つきびと【付き人】服侍人员fúshi rényuán
つきまと・う【付き纏う】纠缠jiūchán；缠绕chánrào‖子どもが母親に～って離れない 孩子缠着母亲不放｜不安が～う 难以摆脱不安
つきみ【月見】赏月shǎngyuè
つきみそう【月見草】月见草yuèjiàncǎo
つぎめ【継ぎ目】接缝jiēfèng；接口jiēkǒu
つきもの【付き物】免不了的事miǎnbuliǎo de shì‖スターにスキャンダルは～だ 明星总是躲不开丑闻
つきもの【憑き物】‖～が落ちたよう 好像那股邪劲儿没有了
つきやぶ・る【突き破る】撞破zhuàngpò；扎破zhāpò‖車は塀を～った 车撞破了围墙
つきゆび【突き指】(～する)手指戳伤shǒuzhǐ chuōshāng
つ・きる【尽きる】❶〔なくなる・終わる〕没有了méiyou le；尽jìn；完wán‖運が～きた 气数已尽｜名残は～きない ㊣难舍难分｜話が～きない 有说不完的话 ❷〔きわまる〕到头dàotóu；穷尽qióngjìn‖男みょう利に～きる 身为男人的幸运
つきわり【月割り】按月àn yuè；分月fēn yuè‖～で計算する 按月计算
つ・く【付く】❶〔付着する〕粘zhān；附着fùzhuó；沾zhān‖手に血がべっとりと～く 手上沾满鲜血｜虫が～く 生虫 ❷〔付属する〕带有dàiyǒu；附有fùyǒu‖このテキストにはCDが～いている 这本教材配有CD｜その話にはもう1つおまけが～いている 那件事又节外生枝 ❸〔あとに従う〕跟随gēnsuí‖私に～いてきてください 请跟我来 ❹〔そばにつきそう〕陪伴péibàn；在身边zài shēnbiān‖このツアーにはガイドが～く 这个旅游团有导游陪同 ❺〔生じる・加わる〕长zhǎng；产生chǎnshēng；增加zēngjiā‖ひとつも実が～かない 一个果子也没结｜中国語の力が～く 汉语水平提高了 ❻〔残る〕残留cánliú；留下liúxia‖足跡が～く 留下了脚印｜眼鏡のレンズに傷が～いた 镜片被划伤了 ❼〔幸運が〕运气好yùnqi hǎo；走运zǒuyùn ❽〔結果が出る〕得到dédào；决定juédìng；解决jiějué‖かたが～く 解决了｜決心が～く 下决心｜話が～く 谈妥 ❾〔慣用表現〕‖人心地が～く 缓过来了｜仕事が手に～かない 没心思工作｜足が～く 找到线索
つ・く【吐く】❶〔息をする〕呼出hūchu；吐出tǔchu‖一息～く 松口气｜息～く暇もない 忙得不可开交 ❷〔言う〕说shuō‖うそを～く 说谎｜悪態を～く 骂人
つ・く【突く・衝く・撞く】❶〔突き刺す〕扎zhā；刺cì；捅tǒng‖獲物をやりで～く 用枪刺杀猎物 ❷〔強く押す・打つ〕撞zhuàng；敲qiāo；拍pāi‖まりを～く 拍皮球玩儿｜鐘を～く 敲钟 ❸〔攻める〕攻打gōngdǎ‖弱点を～く 攻击弱点｜痛いところを～かれた 弱点被说中｜問題の核心を～く 抓住问题的核心 ❹〔ささえる〕支zhī；顶dǐng；拄zhǔ‖つえを～いて歩く 拄着拐棍儿走｜机にひじを～く 把胳膊肘儿支在书桌上 ❺〔冒す・ものともしない〕冒mào；顶dǐng‖風雨を～く 冒风雨 ❻〔きれる〕完wán‖食糧が底を～く 粮食都吃光了 ❼〔感覚を刺激する〕刺激cìjī‖異臭が鼻を～く 闻到一股刺鼻的臭气
つ・く【点く】(明かりが)亮liàng. (火が)点着diǎnzháo；引着yǐnzháo‖一晩中明かりが～く 整夜都亮着灯｜なかなか火が～かない 老点不着
つ・く【就く】❶〔従事する〕从事cóngshì‖定職に～く 找到稳定的工作｜営業職に～く 从事销售工作 ❷〔ある地位や状態になる〕登上dēngshang；占有zhànyǒu‖日本一の座に～く 登上了日本第一的宝座｜床に～く 上床睡觉 ❸〔師事する〕师从shīcóng；跟gēn ❹〔赴く〕踏上tàshang；上路shànglù‖帰途に～く 踏上归途
つ・く【着く】❶〔到着する〕到dào；到达dàodá；抵达dǐdá‖定刻に～く 准时到｜無事成田に

～いた 安全到达成田 ❷〔届く〕接触jiēchù；挨上āishang ❸〔身を置く〕就jiù ‖ 席に～く 就座

つ・く【搗く・舂く】捣dǎo；舂chōng ‖ もちを～く 捣年糕

つ・く【憑く】中(邪) zhòng (xié)；(鬼魂)附体(guǐhún) fù tǐ ‖ 何かに～かれたように 像中了邪似的

つ

つ・ぐ【次ぐ】❶〔続く〕接着jiēzhe；继…之后jì … zhī hòu ❷〔次に位する〕仅次于jǐn cìyú ‖ 東京に～ぐ大都会 仅次于东京的大城市

つ・ぐ【注ぐ】倒dào；斟zhēn ‖ 客にお茶を～ぐ 给客人斟茶｜半分だけ～いで 给我倒半杯吧

つ・ぐ【接ぐ】接上jiēshang；连上liánshang ‖ 骨を～ぐ 接骨

つ・ぐ【継ぐ】继承jìchéng ‖ 父の財産を～ぐ 继承父亲的财产

つくえ【机】〔张〕桌子zhuōzi；书桌shūzhuō ‖ ～に向かう 伏案学习｜～にもたれる 倚着桌子

つくし【土筆】问荆wènjīng；笔头草bǐtóucǎo

つく・す【尽くす】❶〔すべて出しきる〕尽jìn；竭尽jiéjìn ‖ 全力を～す 全力以赴｜あらゆる手段を～した 用尽了一切手段 ❷〔人のために尽くす〕效力xiàolì；效劳xiàoláo ‖ 科学の発展に～す 为科学的发展倾尽全力 ❸〔…しつくす〕…光…guāng；…尽…jìn ‖ 食べ～す 吃光｜論じ～す 详尽论述

つくづく ❶〔じっくり〕仔细zǐxì ‖ ～考える 仔细考虑 ❷〔身にしみて〕由衷yóuzhōng；深深(地) shēnshēn (de) ‖ ～自分が恥ずかしい 从心里感到惭愧｜～いやになった 实在感到厌烦了

つぐな・う【償う】(損失を)补偿bǔcháng；赔偿péicháng．(罪を)赎罪shúzuì；抵罪dǐzuì ‖ 死をもって罪を～う 以死来抵罪

つぐ・む【噤む】闭口bìkǒu；缄口jiānkǒu ‖ みんなはとっさに口を～んだ 大家立刻闭口不谈了

つくり【作り・造り】❶〔構造〕结构jiégòu ‖ れんが～の家 砖砌的房子 ❷〔体格・容ぼう〕身材shēncái；相貌xiàngmào ‖ 顔の～が大きい 五官轮廓分明 ❸〔化粧・身なり〕化妆huàzhuāng；打扮dǎban ‖ 派手な～ 艳妆；㊀浓妆艳抹

つくりあ・げる【作り上げる】❶〔つくり終える〕做成zuòchéng；完成wánchéng ❷〔でっちあげる〕编造biānzào；捏造niēzào；虚构xūgòu ‖ マスコミが～げたイメージ 由媒体编造出来的形象

つくりか・える【作り替える】改做gǎizuò；改造gǎizào ‖ 小説をドラマに～える 把小说改编成电视剧

つくりごと【作り事】编造biānzào；捏造niēzào；虚构xūgòu ‖ まったくの～ 完全是捏造

つくりつけ【作り付け】‖ ～の家具 固定的家具

つくりなお・す【作り直す】重新做chóngxīn zuò

つくりばなし【作り話】虚构xūgòu；编造的故事biānzào de gùshi

つくりもの【作り物】仿造品fǎngzàopǐn ‖ ～のケーキ 蛋糕模型｜この花は～だ 这花是假花

つくりわらい【作り笑い】(～する)做出假笑zuòchu jiǎxiào；装出笑容zhuāngchu xiàoróng ‖ 顔に～を浮かべる 脸上做出假笑

つく・る【作る・造る・創る】❶〔製造する・製作する・建造する〕制造zhìzào；做zuò；建造jiànzào ‖ 大型タンカーを～ 建造大型油轮｜地下鉄を～る 修建地铁 ❷〔文・作品などを〕写xiě；作zuò；创作chuàngzuò ‖ 詩を～る 作〔写〕诗｜歌詞に合わせて曲を～る 给歌词谱曲 ❸〔作成する〕制定zhìdìng；订dìng ‖ 契約書を～る 制定合同书 ❹〔構成する・組織する〕创建chuàngjiàn；设立shèlì；组织zǔzhī ‖ 新しい会社を～る 创办一家新公司｜明るい家庭を～る 营造一个快乐的家庭｜行列を～ 排队 ❺〔その他の表現〕‖ 小さな畑を～る 种一小块地｜とうぶん子どもを～らない 暂时不要孩子｜よい後継者を～る 培养出理想的接班人｜口実を～る 找借口｜真の友を～る 交到真正的朋友｜敵を～る 树敌｜顔を～る 化妆

つくろ・う【繕う】❶〔修理・修繕〕补bǔ；缝补féngbǔ．(家などを)修理xiūlǐ ‖ 服を～う 补衣服 ❷〔体裁をよくする〕整理zhěnglǐ；修饰xiūshì ‖ 身なりを～う 整理好衣着｜体面を～う 装门面｜その場を～う 当时敷衍过去

つけ【付け】❶〔あと払い〕赊账shēzhàng；账单zhàngdān ‖ ～で買う 赊购｜～にしておいて 请记在账上 ❷〔いつも…しなれた〕‖ 行き～の飲み屋 经常去的酒馆 ❸〔比ゆ的表現〕‖ ～がまわる 得到报应

-づけ【漬け】专心于…zhuānxīn yú …；埋头于…máitóu yú … ‖ 薬～の医療 给患者多开药的医疗；大处方｜勉強～ 埋头于学习

つけあが・る【付け上がる】㊀得意忘形dé yì wàng xíng；翘尾巴qiào wěiba ‖ ちょいと下手に出るとすぐ～る 稍微给点儿面子，他就得意忘形了

つけあわ・せる【付け合わせる】配上pèishang；配合pèihé；搭配dāpèi

つけい・る【付け入る】乘机chéngjī；乘虚chéngxū ‖ ～るすきがない 毫无可乘之机

つげぐち【告げ口】(～する)打小报告dǎ xiǎobàogào；密报mìbào；举报jǔbào

つけくわ・える【付け加える】添加tiānjiā；补充bǔchōng ‖ ～えることは何もない 没有任何要补充的

つけこ・む【付け込む】乘机chéngjī；乘虚chéngxū；抓住机会zhuāzhu jīhui ‖ 相手の弱みに～む 抓住对方的弱点

つけどころ【付け所】着眼点zhuóyǎndiǎn ‖ 目の～がいい 着眼点很好

つけとどけ【付け届け】(～する)送礼sònglǐ．(贈り物)礼物lǐwù

つけね【付け根】根部gēnbù ‖ 足の～ 大腿根部｜首の～ 脖子根儿｜葉の～ 叶柄

つけねら・う【付け狙う】伺机sìjī；盯上dīngshang

つけまつげ【付け睫】假睫毛jiǎ jiémáo

つけもの【漬物】咸菜xiáncài；酱菜jiàngcài；泡菜pàocài ‖ ～を漬ける 腌咸菜

つけやきば【付け焼き刃】㊀临阵磨枪lín zhèn mó qiāng；应急yìngjí；现买现卖xiàn mǎi xiàn mài

つ・ける【付ける】❶〔そえる・取りつける〕(そえる)附上fùshang．(取りつける)安上ānshang；装上zhuāngshang ‖ 戸にかぎを～けた 门上安了锁｜ス

ノータイヤを～ける 装上防滑轮胎 ❷〔つきそわせる・雇う〕请人照料qǐng rén zhàoliào；雇用gùyòng‖子どもに家庭教師を～ける 为孩子请家教 ❸〔加える・つくりあげる〕增加zēngjiā；造成zàochéng‖自信を～ける 增强信心｜元気を～ける 提精神｜色を～ける 着色｜漢字にふり仮名を～ける 给汉字注上假名｜条件を～ける 提出条件｜けちを～ける 挑毛病 ❹〔尾行する〕跟踪gēnzōng；钉梢dīngshāo‖あの男を～けてくれ 去跟上那个男人 ❺〔塗る〕涂tú；抹mǒ；蘸zhàn‖パンにジャムを～ける 在面包上抹果酱｜赤チンを～ける 擦上红药水 ❻〔その他の表現〕‖日記を～ける 记日记｜手を～ける 着手｜仕事のかたを～ける 工作做完｜気を～けてお帰りなさい 路上小心

つ・ける【点ける】点燃diǎnrán；开kāi‖タバコに火を～ける 点烟｜スタンドの明かりを～ける 开台灯｜テレビを～けてください 请把电视打开

つ・ける【浸ける】浸jìn；泡pào；浸泡jìnpào‖一晩水に～ける 用水泡一晚上

つ・ける【着ける】❶〔身につける〕穿上chuānshang；戴上dàishang；系上jìshang‖胸にブローチを～ける 在胸前戴上胸针｜シートベルトを～ける 系上安全带 ❷〔位置にすえる〕让…就座ràng … jiùzuò ❸〔至らせる〕开到kāidào；靠(岸)kào (àn)‖車を玄関に～ける 把车停在门口

つ・ける【漬ける】腌yān‖菜っぱを塩で～ける 用盐腌青菜

-つ・ける‖歩き～けた通り 常走的路｜食べ～けてない 不习惯吃

つ・げる【告げる】告诉gàosu；告知gàozhī‖別れを～げる 告别｜真相を～げる 告诉事实真相

つごう【都合】❶〔便宜・事情〕方便fāngbiàn；情况qíngkuàng‖今日は～が悪い 今天不方便｜家の～ 因为家里有事｜一身上の～ 个人理由 ❷〔繰り合わせ・融通〕安排ānpái；抽出chōuchu‖なんとか時間の～がつきませんか 不知您能否抽出时间？ ❸(～する)〔金の調達・融通〕通融tōngrong；筹措chóucuò‖金の～がつかない 筹不出款 ❹〔合計・全部で〕总共zǒnggòng；共计gòngjì

つじ【辻】❶〔町角〕路旁lùpáng；街头jiētóu ❷〔十字路〕十字路口shízì lùkǒu

つじつま【辻褄】情理qínglǐ；道理dàoli；前后qiánhòu‖きみの話は～が合わない 你说的前言不搭后语〔驴唇不对马嘴〕

つた【蔦】爬山虎páshānhǔ；常春藤chángchūnténg

つた・う【伝う】顺着shùnzhe；沿着yánzhe‖綱を～って降りる 顺着绳索下来

つた・える【伝える】❶〔知らせる〕传达chuándá；转告zhuǎngào；告诉gàosu‖みんなに～える 传达给大家 ❷〔もたらす〕传入chuánrù；传播chuánbō ❸〔残す〕留传liúchuán‖次の世代に～える 留传给下一代｜昔から～えられてきた知恵 老辈传下来的智慧 ❹〔伝導する〕传导chuándǎo‖鉄は熱を～える 铁可以传热

つたな・い【拙い】拙劣zhuōliè；差chà

つたわ・る【伝わる】❶〔残る〕留传liúchuán‖代々～る 代代相传 ❷〔広まる・進む〕流传liúchuán；传遍chuánbiàn‖うわさが～る 谣言散布开来 ❸〔そって進む〕沿着yánzhe；顺着shùnzhe ❹〔伝来する〕传入chuánrù；传来chuánlai‖仏教は6世紀に日本に～った 佛教6世纪传到日本来

つち【土】❶〔土壌〕土tǔ；土壤tǔrǎng‖異郷の～となる 客死他乡 ❷〔地面・大地〕〔块,片〕土地tǔdì；地面dìmiàn；大地dàdì‖～を深く掘る 深挖土地｜異国の～を踏む 踏上异国土地

つちか・う【培う】培养péiyǎng；培育péiyù‖愛国心を～う 培养爱国心

つちけいろ【土気色】(脸色)苍白(liǎnsè) cāngbái；毫无血色háowú xuèsè

つちけむり【土煙】飞尘fēichén；尘土chéntǔ

つちふまず【土踏まず】脚心jiǎoxīn

つちぼこり【土埃】尘土chéntǔ‖～があがる 尘土飞扬

つつ【筒】筒tǒng；圆管yuánguǎn

つつうらうら【津津浦浦】全国各地quánguó gè dì；㊅五湖四海wǔ hú sì hǎi

つっかいぼう【突っ支い棒】支棍zhīgùn；支柱zhīzhù‖塀に～をする 用支柱顶住围墙

つっかえ・す【突っ返す】⇨つきかえす(突き返す)

つっかか・る【突っ掛かる】❶〔食ってかかる〕顶撞dǐngzhuàng；抬杠táigàng ❷〔ぶつかってくる〕猛冲měng chōng；猛撞měng zhuàng ❸〔つまずく〕绊bàn；撞zhuàng；碰pèng

つつがな・い【恙無い】平安píng'ān；康泰kāngtài‖～く帰国した 平安地回国了｜母も～く暮らしております 母亲也很健康

つづき【続き】❶〔あとに続く部分〕下文xiàwén；剩下的部分shèngxia de bùfen ❷〔続編〕续编xùbiān；续集xùjí ✤一番号:连接号

-つづき【続き】‖トラブル～ 麻烦接连不断

つづきがら【続き柄】亲属关系qīnshǔ guānxi

つづきもの【続き物】(小説)连载小说liánzǎi xiǎoshuō. (テレビドラマ)电视连续剧diànshì liánxùjù

つっき・る【突っ切る】穿过chuānguo；横过héngguo

つつ・く【突く】❶〔とがったもので〕捅tǒng；戳chuō‖指先で軽く～く 用指尖轻轻地戳一下 ❷〔食べる〕(人がはしで)夹jiā；吃chī. (鳥が)啄zhuó‖なべを～く 吃火锅 ❸〔そそのかす〕挑拨tiǎobō；怂恿sǒngyǒng ❹〔欠点を〕挑毛病tiāo máobing‖重箱の隅を～く ㊅鸡蛋里挑骨头

つづ・く【続く】❶〔継続・連続する〕持续chíxù；继续jìxù；连续liánxù‖会議は一日中～いた 会议开了整整一天 ❷〔つながる・連なる〕相连xiānglián；相接xiāngjiē；相通xiāngtōng‖次ページへ～く 接下页｜海岸線がどこまでも～いている 海岸线一眼望不到头 ❸〔後続する〕跟随gēnsuí；追随zhuīsuí‖前の人に～いて乗車する 跟着前边的人上车｜彼女に～く人がない 没有人接替她

つづけざま【続け様】接连不断jiēlián búduàn；连续liánxù‖くしゃみが～に出た 喷嚏打个不停

つづ・ける【続ける】连续liánxù；接连jiēlián；继续jìxù‖営業の仕事を長く～けている 长期从事销售工作｜話を～ける 继续讲下去

つ

つっけんどん【突っ慳貪】粗暴cūbào；厉害lìhai；说话带刺儿shuōhuà dàicìr ‖ ～な言い方 说得太无情了

つっこみ【突っ込み】❶（深く突き詰めること）深入shēnrù；彻底chèdǐ ‖ ～が足りない 不够深入彻底 ❷（漫才）逗哏dòugén

つっこ・む【突っ込む】❶（入れる）插入chārù；塞进sāijin ‖ ポケットに手を～む 手插在兜里 ❷（突入する）闯入〔进〕chuǎngrù〔jin〕；冲入〔进〕chōngrù〔jin〕 ❸（深く突き詰める）深刻shēnkè；尖锐jiānruì ‖ ～んだやりとりを交わす 深入地交换意见 ❹（弱点などを指摘する）指摘zhǐzhāi；追究zhuījiū ❺（かかわる）干预gānyù；参与cānyù ‖ 事件に首を～む 参与那件事

つつじ【躑躅】杜鹃（花）dùjuān(huā)；映山红yìngshānhóng

つつしみ【慎み】谨慎jǐnshèn；谨恭jǐngōng；礼貌lǐmào ‖ ～深い物腰 谦虚谨慎的言谈举止

つつし・む【慎む】❶（態度・行動などを）慎重shènzhòng；小心xiǎoxin ‖ 言葉を～む 说话要慎重｜軽はずみな行動は～め 不要行动轻浮 ❷（度を越さないようにする）节制jiézhì；抑制yìzhì；控制kòngzhì ‖ 暴飲暴食を～む 不要暴饮暴食

つつしんで【謹んで】谨jǐn；敬jìng ‖ ～お礼を申しあげます 谨致谢意｜～おわび申しあげます 深表歉意

つつぬけ【筒抜け】听得清楚tīngde qīngchu；泄露xièlòu ‖ 個人情報が～になっている 个人信息外流

つっぱし・る【突っ走る】冲chōng；闯chuǎng；奔跑bēnpǎo ‖ 目標に向かって～る 朝着目标一直往前闯

つっぱ・ねる【突っ撥ねる】推开tuīkāi；顶回去dǐnghuiqu；拒绝jùjué ‖ 要求を～ねる 拒绝要求

つっぱ・る【突っ張る】❶（妥協せず押し通す）坚持己见jiānchí jǐjiàn；固执己见gùzhi jǐjiàn ❷（筋肉が硬直する）抽筋chōujīn ❸（虚勢をはる）定 虚张声势xū zhāng shēng shì；逞强斗胜chěngqiáng dòu shèng

つつまし・い【慎ましい】❶（控えめな）谦恭qiāngōng；有礼貌yǒu lǐmào ❷（質素な）朴素pǔsù；简朴jiǎnpǔ ‖ ～い身なり 穿得很朴素

つつみ【包み】包裹bāoguǒ；包袱bāofu ‖ ～をあける 打开包裹 ✤一紙：包装纸

つつみ【堤】〔条，道〕堤dī；坝bà

つつみかく・す【包み隠す】隐瞒yǐnmán；掩饰yǎnshì ‖ ～さず話す 毫无隐瞒地说出来

つつ・む【包む】❶（くるむ）包bāo；裹guǒ ‖ ラップで～む 用塑料膜包好 ❷（おおう）笼罩lǒngzhào ‖ ビルは炎に～まれた 大楼被火吞没了｜謎に～まれている 笼罩在迷雾中

つつもたせ【美人局】美人计měirénjì

つづり【綴り】❶（文字の）拼法pīnfǎ；拼写法pīnxiěfǎ ❷（とじあわせたもの）册cè

つづ・る【綴る】❶（字を）拼写pīnxiě ‖ ローマ字で～る 用拉丁字母拼写 ❷（文を）写xiě

つて【伝】门路ménlu；关系guānxi；介绍人jièshàorén ‖ ～がなくて困っている 没有门路，真伤脑筋｜友人の～ 靠朋友的关系

つど【都度】每次měi cì；每当měi dāng

つど・う【集う】⇨あつまる(集まる)

つとに【夙に】早就zǎo jiù；很早以前hěn zǎo yǐqián ‖ お名前は～お伺いしております 久仰大名

つとま・る【勤まる】能担任néng dānrèn；干得了gàndeliǎo ‖ この程度の仕事ならだれにでも～る 这样的工作谁都能胜任

つとめ【勤め・務め】❶（義務）义务yìwù；职责zhízé；责任zérèn ‖ 学生の～は勉学にあり 勤学是学生的义务｜親の～を果たす 尽到父母的责任 ❷（仕事）工作gōngzuò ‖ ～に出る 上班｜お～はどちらですか 您在哪儿工作？

つとめさき【勤め先】工作单位gōngzuò dānwèi；工作地点gōngzuò dìdiǎn

つと・める【勤める・務める・努める】❶（勤務する）工作gōngzuò ‖ 商社に～める 在商社工作 ❷（遂行する）担任dānrèn；当dāng；做zuò ‖ 彼は2期議長を～めた 他担任了两届主席｜ヒロインの相手役を～める 扮演女主角的对象 ❸（努力する）努力nǔlì；尽力jìnlì ‖ 節約に～める 厉行节约

つな【綱】❶（ロープ）〔条，根〕绳子shéngzi；缆绳lǎnshéng ❷（頼みとするもの）命脉mìngmài；依靠yīkào ‖ 頼みの～が切れた 唯一的依靠也没了

ツナ（まぐろ）金枪鱼jīnqiāngyú

つながり【繋がり】连接liánjiē；联系liánxì；关系guānxi ‖ 地域社会との～ 与社区的联系｜血の～がある 有血缘关系

つなが・る【繋がる】❶（一続きになる）连接liánjiē；相连xiānglián ‖ 首が～る 保住了饭碗 ❷（関係する）有关系yǒu guānxi；相连xiānglián

つなぎ【繋ぎ】❶（間をつなげるもの）连lián；接jiē；填补tiánbǔ ❷（演劇・メディア）补场bǔchǎng ❸（服飾）连衣裤liányīkù ✤一目：接缝

つなぎあわ・せる【繋ぎ合わせる】接合jiēhé；接在一起jiēzai yìqǐ

つな・ぐ【繋ぐ】❶（結びとめる）拴shuān；系xì ‖ ウマを木に～ぐ 把马拴在树上｜イヌを鎖で～ぐ 用链子把狗拴起来｜獄に～がれる 坐牢；下狱 ❷（離れているものを結ぶ）牵qiān；拉lā；接jiē ‖ 手を～いで歩く 手拉着手走｜ホットラインを～ぐ 连接热线电话 ❸（保たせる）维持wéichí ‖ 命を～ぐ 维持生命｜希望を～ぐ 寄希望

つなひき【綱引き】（～する）❶（スポーツ）拔河báhé ❷（勢力争い）竞争jìngzhēng；争夺zhēngduó

つなみ【津波】海啸hǎixiào ‖ この地震による～の恐れはない 这次地震不会引起海啸｜～に飲み込まれる 被海啸吞噬 ✤一警報：海啸警报

つなわたり【綱渡り】❶（芸能）走钢丝zǒu gāngsī ❷（～する）（比ゆ的に）冒险màoxiǎn

つねづね【常常】经常jīngcháng；老…lǎo… ‖ ～疑問に思っていた 心里老觉得纳闷儿

つねに【常に】常cháng；总是zǒngshì ‖ ～リードを保つ 总在领先位置

つね・る【抓る】掐qiā；拧níng；扭niǔ ‖ 思いっきりほっぺたを～る 狠狠地掐脸蛋

つの【角】〔只，对，副〕角jiǎo；犄角jījiǎo.（カタツムリの）触角chùjiǎo ‖ ～で突く 用角顶｜～を突き合わせる 针尖儿对麦芒儿｜～をためて牛を殺す 定 矫枉过正

つの・る【募る】❶（募集する）招募zhāomù；

征集zhēngjí ‖ 新会員を～る 招募新会员 ❷〔激化する〕激化jīhuà；越来越严重yuè lái yuè yánzhòng ‖ 彼女への想いは～る一方だった 对她的爱慕之情与日俱增

つば【唾】〔口〕唾沫tuòmo；口水kǒushuǐ ‖ 床に～を吐く 往地板上吐唾沫｜～をつける 占先｜天に～する 搬起石头砸自己的脚；定 自食其果

つばき【椿】山茶(花) shānchá(huā) ❖ 一油：山茶油

つばさ【翼】❶〔鳥の〕翅膀chìbǎng；翼yì ‖ ～を広げる 展开翅膀｜～をたたむ 收起翅膀 ❷〔飛行機の〕机翼jīyì

つばぜりあい【鍔迫り合い】(～する) ❶〔激しく競争すること〕激战jīzhàn ‖ ～を演じる 展开激战 ❷〔刀で〕白刃相交báirèn xiāngjiāo；定 短兵相接duǎn bīng xiāng jiē

つばめ【燕】❶〔鳥類〕燕子yànzi；家燕jiāyàn ❷〔年下の恋人〕‖ 若い～ 小情人

ツバル 图瓦卢Túwǎlú

つぶ【粒】❶〔穀物の〕粒lì；颗粒kēlì ‖ ～の小さい豆 小粒豆子 ❷〔水滴などの〕滴dī；点儿diǎnr ‖ 大～の涙をこぼす 大滴的泪珠滚落下来 ❸〔大きさや質〕‖ ～のそろった作品 精选的作品

つぶさに【具に】❶〔詳しく〕详细xiángxì；详尽xiángjìn ‖ 原因を～調べる 详细地调查原因 ❷〔ことごとく〕俱jù；备bèi；全quán ‖ 戦争を～に体験する 饱经战争苦难

つぶし【潰し】‖ この資格を持っていると～がきく 拿了这个资格就干什么都行了

つぶ・す【潰す】❶〔形を壊す〕弄碎nòngsuì；捣碎dǎosuì；碾碎niǎnsuì ‖ あき缶を足で～す 把空易拉罐儿踩扁｜ニキビを～す 把青春痘挤破 ❷〔役に立たなくする〕报废bàofèi；不顶用bù dǐngyòng ‖ のどを～す 把嗓子都唱哑了 ❸〔だめにする〕弄坏nònghuài；毁坏huǐhuài；糟蹋zāota ‖ 身代を～す 把家产弄光了｜チャンスを～す 失去好机会 ❹〔時間を〕打发dǎfa；消磨xiāomó ‖ 暇を～す 打发时间 ❺〔他用するために変形する〕拆掉chāidiào ‖ 庭を～して駐車場にする 把院子改成停车场 ❻〔家畜を〕杀shā；宰zǎi ‖ ヒツジを～して客をもてなす 宰羊待宾

つぶや・く【呟く】嘟囔dūnang；嘀咕dígu

つぶより【粒選り】精选jīngxuǎn；选拔xuǎnbá

つぶら【円ら】滚圆gǔnyuán ‖ ～な瞳 圆眼珠

つぶ・る【瞑る】‖ 自分に都合の悪いことには目を～る 对自已不利的事情就装做没看见

つぶ・れる【潰れる】❶〔形がこわれる〕坏huài；破pò；碎suì ‖ 地震で家が～れた 房子被震塌了 ❷〔だめになる〕报废bàofèi；不顶用bù dǐngyòng ‖ のどが～れた 嗓子哑了｜面目が～れる 丢脸；没面子 ❸〔倒産する〕倒闭dǎobì；破产pòchǎn；垮台kuǎtái ❹〔時間が〕耗费hàofèi；白费báifèi；错过cuòguò ‖ つまらない議論で丸１日～れた 为无聊的议论荒废了一天的时间

つべこべ 强辩qiǎngbiàn；讲歪理jiǎng wāilǐ ‖ ～言うな 少废话，住口！

ツベルクリン 结核菌素jiéhéjūnsù ❖ 一反応：结核菌素反应

つぼ【壺】❶〔器〕〔个，只〕罐guàn；坛tán ‖ ～に花をいける 把花插在罐子里 ❷〔指圧などの〕穴位xuéwèi ❸〔もくろみ〕期盼qīpàn；计策jìcè ‖ 思う～にはまる 中计 ❹〔要所〕要害yàohài；要领yàolǐng ‖ ～を押さえた回答 回答得正中要害

つぼま・る【窄まる】收缩shōusuō；合上héshang ‖ すその～ったズボン 窄腿裤

つぼみ【蕾】〔花〕骨朵儿(huā)gūduor；花蕾huālěi；花苞huābāo ‖ ～をつける 结〔长〕骨朵儿｜サクラの～がふくらんでいる 樱花含苞待放

つぼ・める【窄める】收拢shōulǒng；合上héshang；收缩shōusuō ‖ 傘を～める 合上伞

つま【妻】❶〔夫の対〕妻子qīzi；爱人àiren；老婆lǎopo ❷〔刺し身の〕配菜pèicài

つまさき【爪先】脚尖jiǎojiān ‖ ～立つ 踮脚尖｜頭から～まで 从头到脚

つまさ・れる 深有同感shēn yǒu tónggǎn；感染gǎnrǎn ‖ 身に～れる 唤起同感

つまし・い【倹しい】俭朴jiǎnpǔ；朴素pǔsù ‖ ～い生活 俭朴的生活｜～く暮らす 过得很节俭

つまず・く【躓く】❶〔けつまずく〕绊倒bàndǎo；跌跤diējiāo ‖ 石に～いて転んだ 被石头绊倒了 ❷〔失敗する〕受挫折shòu cuòzhé；遭失败zāo shībài；定 栽跟头zāi gēntou ‖ 仕事で～く 在工作上受到挫折

つまはじき【爪弾き】(～する) 嫌弃xiánqì；厌弃yànqì；排斥páichì

つまみ【摘み】❶〔つまむ部分〕把儿bàr；把手bǎshou ‖ ラジオの～ 收音机的旋钮｜ふたの～ 盖儿的把儿 ❷〔酒肴(さかな)〕下酒菜xiàjiǔcài；酒肴jiǔyáo ❸〔つまむこと〕撮cuō；捏niē.（助数詞）撮cuō

つまみぐい【摘み食い】(～する) 偷吃tōuchī；偷嘴tōuzuǐ ‖ 母親に隠れて～する 趁母亲不注意偷嘴

つまみだ・す【摘み出す】❶〔追い出す〕赶出去gǎnchuqu；撵出去niǎnchuqu；轰走hōngzǒu ‖ 酔っ払いは～された 醉汉被赶了出去 ❷〔つまんで外に出す〕捡出来jiǎnchulai

つま・む【摘む】❶〔指先ではさむ〕拈niān；捏niē ‖ 鼻を～む 捏鼻子 ❷〔とって食べる〕吃chī ‖ 寿司(す)を～む 吃寿司 ❸〔「つままれる」の形で〕‖ キツネに～まれる 摸不着头脑

つまらな・い【詰まらない】❶〔おもしろくない〕无聊wúliáo；没意思méi yìsi ❷〔意味がない〕没有意义méiyou yìyì ‖ 怪我(け)でもしたら，それこそ～い 要是受了伤那才叫不值得呢 ❸〔とるに足りない〕定 微不足道wēi bù zú dào ‖ ～いことでけんかをする 为鸡毛蒜皮的事儿吵架 ❹〔値打ちがない〕不值钱bù zhíqián；菲薄fěibó

つまり【詰まり】❶〔要するに〕总之zǒngzhī；换言之huàn yán zhī；也就是说yě jiù shì shuō ‖ ～，こういうことだ 总之，是这么回事 ❷〔行きつくところ〕‖ とどの～ 最终

つま・る【詰まる】❶〔通じなくなる〕堵住dǔzhu；堵塞dǔsè；不通bù tōng ‖ 鼻が～る 鼻子不通气 ❷〔短く縮まる〕挤jǐ；缩suō；抽chōu ‖ 洗濯したら丈が～った 洗了以后缩水了 ❸〔いっぱいに入る〕塞满sāimǎn；挤满jǐmǎn ‖ スケジュールが～っている 日程排得满满的｜あんがぎっしり～っている 馅儿很多 ❹〔窮する〕窘迫jiǒngpò；窘困jiǒngkùn ‖ 言葉に～る 说不出话来

つみ【罪】❶〔法律上〕罪zuì; 罪行zuìxíng ‖ ～を犯す 犯罪 | ～を着せる 嫁祸; 委罪 | ～を暴く 揭露罪行 ❷〔道徳上〕过失guòshī; 过错guòcuò ‖ ～のない人々 无辜的人 | ～なやつ 造孽的家伙 ❸〔宗教上〕罪过zuìguo ‖ ～を償う 赎罪

つみあ·げる【積み上げる】❶〔事柄を重ねる〕积累jīlěi ‖ 実績を～げる 积累实绩 ❷〔ものを高く積む〕堆起来duīqilai; 堆上去duīshangqu

つみおろし【積み降ろし】(～する)装卸zhuāngxiè

つみかさな·る【積み重なる】反复fǎnfù; 积累jīlěi ‖ 日ごろの不満が～る 平时的不满与日俱增 | 借金が～る 负债累累

つみかさ·ねる【積み重ねる】反复fǎnfù; 垒积lěijī ‖ 実験を～ねる 反复实验

つみき【積み木】〔块〕(玩)积木(wán)jīmù

つみこ·む【積み込む】装货zhuāng huò; 装上zhuāngshang

つみだし【積み出し】❖一港:装运港; 发货港

つみた·てる【積み立てる】存cún; 攒zǎn; 积累jīlěi ‖ 結婚資金を～てる 为准备结婚存钱

つみに【積み荷】载货zàihuò ‖ ～を満載した船 满载货物的船

つみぶか·い【罪深い】罪恶〔罪孽〕深重zuì'è〔zuìniè〕shēnzhòng; 定罪大恶极zuì dà è jí

つみほろぼし【罪滅ぼし】(～する)赎罪shúzuì

つ·む【詰む】❶〔密である〕密实mìshi; 稠密chóumì ‖ 目の～んだ生地 织得密实的衣料 ❷〔将棋〕将死jiāngsǐ

つ·む【摘む】❶〔つまみとる〕摘zhāi; 掐qiā; 采cǎi ‖ 若芽を～む 掐嫩芽 | 茶を～む 采茶 ❷〔取り除く〕摘除zhāichú ‖ 悪の芽を～む 铲除坏苗头

つ·む【積む】❶〔重ねて置く〕堆积duījī; 垒高lěigāo ‖ 本が山と～んである 书堆积如山 ❷〔荷を載せる〕装载zhuāngzài ‖ 綿花を船に～む 把棉花装上船 | ウマの背に荷を～む 把行李放在马背上 ❸〔事柄を重ねる〕积累jīlěi; 积攒jīzǎn ‖ 経験を～む 积累经验

つむ·ぐ【紡ぐ】纺fǎng ‖ 糸を～ぐ 纺纱 | 夢を～ぐ 描绘未来蓝图

つむじ【旋毛】旋儿xuánr ‖ ～を曲げる 闹别扭

つむじかぜ【旋風】〔阵〕旋风xuànfēng

つめ【爪】❶〔四肢の〕(人)指甲zhǐjia; 趾甲zhǐjiǎ. (鳥獣)爪子zhuǎzi ‖ ～を切る 剪指甲〔趾甲〕 | ～をのばす 留指甲〔趾甲〕 | ネコが～を立てる 猫伸出爪子 ❷〔かけるもの〕钩子gōuzi; 扣kòu

つめ【詰め】最后关头zuìhòu guāntóu; 决定阶段juédìng jiēduàn ‖ ～が甘い 最后掉以轻心

-づめ【詰め】❶〔詰める〕装zhuāng; 装入zhuāngrù; 灌guàn ‖ 箱～のリンゴ 箱装的苹果 ❷〔ある場所に勤務する〕长驻cháng zhù ‖ 宮内庁～の記者 驻宫内厅记者 ❸〔ある状態が続く〕始终shǐzhōng; 一直yìzhí ‖ 立ち～ 一直站着

つめあと【爪痕】❶〔被害のあと〕痕迹hénjì ‖ 洪水の～洪水侵蚀的痕迹 | 戦争の～ 战痕累累 ❷〔爪でひっかいたあと〕〔个,条,道〕指甲印zhǐjiayìn; 抓痕zhuāhén ‖ ネコの～ 猫的抓痕

つめあわせ【詰め合わせ】组合装zǔhézhuāng; 杂装zázhuāng ‖ チョコレートの～ 一盒什锦巧克力 | 缶詰の～ 组合成套的罐头

つめか·える【詰め替える】重装chóng zhuāng; 换装huànzhuāng ‖ 中身を～える 重新填装 | パイプのタバコを～える 在烟斗里装上新烟

つめか·ける【詰め掛ける】蜂拥而至fēngyōng ér zhì; 拥上来yōngshanglai ‖ 事件現場に報道陣が～けた 新闻工作者涌向事件现场

つめきり【爪切り】指甲刀zhǐjiadāo

つめこ·む【詰め込む】❶〔物や人を〕塞进sāijìn; 装进zhuāngjìn ‖ ダンボール箱に本を～む 把书塞进纸箱里 ❷〔知識を〕灌输guànshū; 塞满sāimǎn. (丸暗記)定死记硬背sǐjì yìngbèi ‖ 知識を頭いっぱいに～んでいる 满肚子墨水

つめた·い【冷たい】❶(温度が)冷lěng; 凉liáng ‖ ～い風が吹いている 刮着冷风 | ～い水を飲みたい 想喝凉水 | ～い空気に当たる 吹凉风 ❷(心·態度が) 冷淡lěngdàn; 冷漠lěngmò ‖ ～い人 冷漠的人 | ～い目つきでにらむ 冷冷地瞪了我一眼

つめよ·る【詰め寄る】❶〔押し寄せる〕逼近bījìn ❷〔迫る〕追问zhuīwèn; 逼供bīgòng

つ·める【詰める】❶〔入れる·満たす〕装满zhuāngmǎn; 塞满sāimǎn; 填满tiánmǎn ‖ 布団に綿を～める 往被子里塞棉花 | 歯にアマルガムを～めてもらった 用汞合金补了牙 ❷〔短く縮める〕(間隔を)靠紧kàojǐn; 挤紧jǐjǐn. (長さを)缩短suōduǎn ‖ 席を～めて座る 挤一挤坐 ❸〔続けざまにする〕不停地干bùtíng de gàn; 尽心尽力地做jìnxīn jìnlì de zuò ‖ 根(こん)を～める 拼死拼活地干 ❹〔切りつめる〕紧缩jǐnsuō; 缩减suōjiǎn ‖ 経費を～める 紧缩开支 ❺〔勤務する·控える〕值勤zhíqín; 守候shǒuhòu ‖ 交番には警察官が～めている 派出所有警察值勤

-つ·める【詰める】‖ 通い～める 经常去 | 問い～める 追问 | 赤レンガを敷き～める 铺满红砖

つもり【積もり】❶〔意向〕打算dǎsuan; 准备zhǔnbèi ‖ いったい何をする～だ 你到底想干什么? | 明日スキーに出かける～だ 明天我打算去滑雪 ❷〔自負〕自以为zì yǐwéi; 自负zìfù ‖ 自分ではそう悪くない～だった 我自以为搞得不错 ❸〔仮にそう思う〕就当是jiù dàngshì; 就当做jiù dàngzuò ‖ 死んだ～でやる 拼了命去干 ❹〔心構え〕精神准备jīngshén zhǔnbèi; 思想准备sīxiǎng zhǔnbèi ‖ その～でいてくれ 你就做好精神准备吧

つも·る【積もる】❶〔雪·ほこりなど〕积jī ‖ 雪が5センチ～った 雪积了五公分厚 | ほこりが～る 积满灰尘 ❷〔気持ち·感情など〕积累jīlěi; 积存jīcún ‖ ～る恨み 积怨 | ～る思い 积蓄在内心的感情 | ～り～ったうっぷんを晴らす 发泄满腔愤怒

つや【通夜】守灵shǒulíng ‖ 親戚(しんせき)だけで～をすませた 只有近亲守灵

つや【艶】光泽guāngzé; 光润guāngrùn ‖ 絹地の～ 丝绸衣料的光泽 | ～のある声 圆润的嗓音 | ～のある髪 油亮的头发

つやだし【艶出し】(～する)(皮革·布地など)研光yà guāng; 打光dǎ guāng. (金属など)抛光pāoguāng.

つやつや【艶艶】(～する)光润guāngrùn; 光滑guānghua; 油光yóuguāng

つややか【艶やか】光艳guāngyàn; 光润guāngrùn; 光亮guāngliàng

つゆ【梅雨】梅雨méiyǔ；黄梅雨huángméiyǔ‖～入り〔明け〕（した） 入梅〔出梅〕（了）

つゆ【露】❶〔水滴〕〔滴〕露水lùshui‖～が降りる 下露水 ❷〔まったく…ない〕一点儿（也）不yìdiǎnr (yě) bù‖～知らず 一点儿也不知道

つよ・い【強い】❶〔力がある〕强qiáng；力气大lìqi dà‖腕っぷしが～い 腕力很强 ❷〔意志がかたい〕坚强jiānqiáng；坚决jiānjué‖意志が～い 意志坚强｜我が～い 固执己见；顽固｜押しが～い 定刚愎自用｜鼻っ柱が～い 倔强；固执 ❸〔体やものが丈夫〕强壮qiángzhuàng；结实jiēshi‖衝撃に～い 经撞｜水に～い 不怕水｜地震に～い 抗震｜熱に～い 耐高温 ❹〔激しい〕强烈qiángliè；激烈jīliè‖～い抵抗 强烈反抗｜～い口調で言う 用严厉的口气说｜～い酒 烈酒｜日差しが～い 阳光很强 ❺〔得意〕擅长shàncháng；好hǎo；强qiáng‖妹は数学に～い 妹妹擅长数学

つよがり【強がり】要强yàoqiáng；逞强chěngqiáng

つよき【強気】坚决jiānjué；强硬qiángyìng‖～な発言 发言强硬

つよさ【強さ】强度qiángdù‖光の～ 光的强度｜風の～と向きを調べる 测量风速和风向

つよま・る【強まる】逐渐增强zhújiàn zēngqiáng；渐渐加强jiànjiàn jiāqiáng‖風が夕方から～った 风从傍晚开始大了起来

つよみ【強み】❶〔強度〕强度qiángdù‖～を増す 增加强度 ❷〔長所〕长处chángchu；优点yōudiǎn‖地元出身の～ 本地人的优势

つよ・める【強める】加强jiāqiáng；增强zēngqiáng‖語気を～める 加强语气｜警戒心を～める 提高警惕

つら【面】〔张〕脸liǎn‖～の皮が厚い 脸皮厚

つらあて【面当て】刁难diāonàn；赌气dǔqì；使难堪shǐ nánkān‖私に対する～だ 有意刁难我

つら・い【辛い】❶〔苦しい〕痛苦tòngkǔ；难受nánshòu；艰苦jiānkǔ‖早起きは～い 早起真难受｜～い立場 难堪的处境 ❷〔冷酷である〕刻薄kèbó；无情wúqíng

つらがまえ【面構え】〔副〕长相zhǎngxiàng；相貌xiàngmào；〔种〕神情shénqíng

つらな・る【連なる】❶〔切れずに続く〕连绵liánmián；连接liánjiē；贯穿guànchuān‖絶壁が～ 峭壁连绵不断 ❷〔列席する〕列席lièxí；列liè‖宴席に～る 列席宴会

つらぬ・く【貫く】❶〔つき通す〕穿过chuānguo；穿透chuāntòu‖黄浦江は上海市内を～いて流れている 黄浦江横穿整个上海市 ❷〔しとげる〕贯彻guànchè；坚持jiānchí‖深い人間愛に～かれている 贯穿着真挚的爱心

つら・ねる【連ねる】排列páiliè；排成行pái chéng háng；罗列luóliè‖美辞麗句を～ねる 堆砌华丽的辞藻｜名を～ねる 联名

つらのかわ【面の皮】脸皮liǎnpí；脸面liǎnmiàn‖～をはぐ 揭穿真面目｜～が厚い 厚脸皮

つらよごし【面汚し】丢脸diūliǎn；丢人diūrén；耻辱chǐrǔ‖わが家の～だ 我家的耻辱

つらら【氷柱】冰柱bīngzhù‖軒先に～が下がる 屋檐上挂着冰柱

つら・れる【釣られる】受诱惑shòu yòuhuò；受影响shòu yǐngxiǎng‖金に～れてだまされた 受了金钱的诱惑，上当受骗｜私も～れて笑ってしまった 我禁不住也跟着笑了起来

つり【釣り】❶〔魚釣り〕钓鱼diào yú‖～に行く 去钓鱼 ❷〔釣り銭〕找头zhǎotou ❖ 一糸：钓丝｜一ざお：钓鱼竿｜一人：钓鱼的人

つりあい【釣り合い】平衡pínghéng；均衡jūnhéng‖～のとれた体格 体格很匀称

つりあ・う【釣り合う】平衡pínghéng；均衡jūnhéng‖収支が～う 收支平衡｜労力と報酬が～わない 付出的劳动和得到的报酬不相符

つりあが・る【釣り上がる・吊り上がる】向上吊xiàng shàng diào‖目の～った男 吊眼梢的男人

つりあ・げる【釣り上げる・吊り上げる】❶〔魚を〕钓上来diàoshanglai‖魚を～げる 钓上来一条鱼 ❷〔つって上にあげる〕吊起来diàoqilai ❸〔値段を〕提高tígāo‖値段を～げる 抬高价格 ❹〔目じりを〕（眼梢）向上吊（yǎnshāo）xiàng shàng diào‖目を～げる 拧起眉毛〔横眉立目地〕

つりかわ【吊り革】吊环diàohuán‖～につかまる 抓住吊环

つりせん【釣り銭】找头zhǎotou‖～はいらないよ 不用找钱了｜～を間違える 找错了零钱

つりばし【釣り橋・吊り橋】〔座〕吊桥diàoqiáo；铁索桥tiěsuǒqiáo

つりばり【釣り針】鱼钩yúgōu‖～にえさをつける 把鱼饵穿在鱼钩上

つりぶね【釣り船】钓鱼船diàoyúchuán

つ・る【吊る】挂guà；吊diào；悬xuán‖蚊帳を～る 挂蚊帐｜首を～る 上吊（自杀）｜ズボンつりでズボンを～る 用背带吊住裤子

つる【弦】❶〔弓の〕弓弦gōngxián ❷〔楽器の〕弦xián

つ・る【釣る】❶〔魚を〕钓（鱼）diào (yú) ❷〔相手を思いどおりに動かす〕引诱yǐnyòu；勾引gōuyǐn；诱惑yòuhuò‖安値商品で客を～る 靠廉价商品招揽顾客

つる【蔓】❶〔植物の〕蔓wàn‖ブドウの～ 葡萄藤 ❷〔眼鏡の〕（眼镜）脚丝（yǎnjìng）jiǎosī

つる【鶴】鹤hè

つ・る【攣る】抽筋chōujīn‖右足が～った 右腿抽筋了

つるぎ【剣】剑jiàn；大刀dàdāo

つるくさ【蔓草】蔓生植物mànshēng zhíwù

つるし【吊るし】成衣chéngyī

つる・す【吊るす】挂guà；吊diào；悬xuán‖風鈴が軒先に～してある 风铃挂在屋檐下｜木にハンモックを～す 在树上挂吊床

つるつる（～する）滑溜溜huáliūliū；光滑guānghua；溜光liūguāng‖道が凍って～滑る 道路冻得滑溜溜的｜頭が～にはげている 头秃得光溜溜的

つるべ【釣瓶】吊桶diàotǒng；吊水桶diàoshuǐtǒng‖秋の日は～落とし 秋天的太阳落得极快

つれ【連れ】同伴tóngbàn；伙伴huǒbàn‖～とはぐれてしまった 和同伴走散了

-づれ【連れ】结伴jiébàn；搭伴dābàn‖子ども～で旅行に出かける 带着孩子去旅游

つれあい【連れ合い】爱人àiren；老伴儿lǎobànr‖～を亡くす 死了老伴儿

つれそ・う【連れ添う】结为夫妻jiéwéi fūqī‖30

年間～った妻 一起生活了30年的妻子

つれだ・す【連れ出す】带出去dàichuqu; 邀出去yāochuqu

つれだ・つ【連れ立つ】结伴去jiébàn qù; 一同去yìtóng qù ‖ みんなで～って飲みに行く 大家结伴去喝酒 | 夫婦～ってでかける 夫妻一同出去玩儿

つれな・い 冷淡lěngdàn; 无情wúqíng ‖ ～い返事 冷淡的答复 | ～い仕打ち 无情冷遇

つれもど・す【連れ戻す】领回lǐnghui; 带回dàihui

つ・れる【連れる】带dài; 领lǐng ‖ 子どもを～れていく 带孩子去

つわもの【兵】❶〔勇敢な戦士〕战士zhànshì; 勇士yǒngshì ❷〔猛者〕强手qiángshǒu; 猛将měngjiàng ‖ ～ぞろい 强手如林

つわり【悪阻】孕吐yùntù

つんけん（～する）板着脸bǎnzhe liǎn; 不和气bù héqi ‖ 態度が～している 态度不和气

つんざ・く【突ん裂く】震破zhènpò; 定震耳欲聋zhèn ěr yù lóng ‖ 耳を～くような悲鳴 刺耳的尖叫

つんと（～する）❶〔においが〕冲鼻chòng bí; 扑鼻pūbí ‖ いやなにおいが～鼻をつく 一种难闻的气味直冲鼻 ❷〔態度が〕摆架子bǎi jiàzi; 架子大jiàzi dà ‖ ～そっぽをむく 傲气地把脸扭向一边

ツンドラ 冻土带dòngtǔdài; 苔原táiyuán ✣一地帯:冻土地带

て

て【手】❶〔肩から先の部分〕(腕)胳膊gēbo; 臂膀bìbǎng.（手首から先）〔只, 双〕手shǒu.（手のひら）手掌shǒuzhǎng ‖ ～にとって見る 拿在手里看 | 展示品に～を触れないでください 请勿触摸展品 | ～を取りあう 手拉着手 | ～を差し出す 伸出手 | ～を放さないで 别松手 | ～を振る 挥手 | ～をあげる 举手 ❷〔所有〕(归某人)所有(guī mǒu rén) suǒyǒu; 到手dàoshǒu ‖ 安く～に入った 用便宜的价格弄到手 | 人の～に渡る 归别人所有 | 大金を～にする 把大笔钱弄到手 ❸〔人手〕人手rénshǒu ‖ ～が足りない 人手不够 | ～を貸しましょう 我来帮忙 | 忙しくてネコの～も借りたいくらいだ 忙得不可开交 ❹〔仕事・手数〕 ‖ ～があいている〔ふさがっている〕手头闲着〔忙着〕| ～が離せない 腾不开手 | ～が回らない 顾不过来 | ～のかかる仕事 这工作很费事 ❺〔手段・方策〕办法bànfǎ; 手段shǒuduàn; 计谋jìmóu ‖ その～は食わない 我可不上那个当；我不吃(你)那一套 | 汚ない～を使う 用阴险的手段 | ～をかえ品をかえ 千方百计 | ～の施しようがない 一点儿办法也没有 | 仕事が～につかない 没心思干活儿 | ～をこまぬく 袖手旁观 | ～も足も出ない 毫无办法 ❻〔トランプ・将棋などで〕(手里的)棋子〔牌〕(shǒuli de) qízǐ〔pái〕‖ ちっともいい～が来ない 手气一点儿也不顺 ❼〔技能・制御〕力量lìliang; 本领běnlǐng ‖ ～に余る 应付不了 | ～をやく 感到头痛 ❽〔関係〕关系guānxi ‖ ～を切る 断绝关系 | 悪事に～を染める 干坏事 | ～を引く 不干了 | 敵と～を結ぶ 与敌人通气 ❾〔種類〕种类zhǒnglèi ‖ この～の品 这种货 | その～の人間 那样的人 ❿〔慣用表現〕‖ 火の～があがる 火势大了 | どこから～をつけたらいいのかわからない 不知该从哪方面着手 | かゆいところに～が届く 细致入微 | 救いの～を差しのべる 伸出援助之手 | ～を出す 动手 | ～に汗握る 捏一把汗 | ～に取るようにわかる 了如指掌 | ～を打つ 谈妥

で【出】❶〔出ること〕出来chūlai ‖ 水道の～が悪い 自来水不畅通 | このお茶は～が悪い 这种茶叶沏出来的味儿不太浓 ❷〔出身〕出身chūshēn ‖ 父は九州の～だ 我爸爸是九州人 | 大学～ 本科学历 ❸〔やりがい・手応え〕有干头yǒu gàntou; 有分量yǒu fènliang ‖ この仕事はやり～がある 这个工作有干头 | 読み～がある 有看头

-で ❶〔場所・範囲〕在zài ‖ 渋谷～降りる 在涩谷下车 | 外～遊ぶ 去外面玩儿 ❷〔時間〕过guò; 用yòng | 1日～かたづく 用一天的时间就可以完成 | 祖父は70歳～亡くなった 爷爷活到70岁死了 ❸〔手段・道具〕用yòng ‖ コップ～ジュースを飲む 用杯子喝果汁 | バス～学校へ通う 坐公共汽车上学 | 支払いは小切手～お願いします 请用支票付款 | 電話〔メール〕～連絡してください 请打电话〔发伊妹儿〕跟我联系 ❹〔基準〕按àn; 以yǐ ‖ 卸値～売る 按批发价格来卖 | 2年契約～借りる 签两年的租约 | 外見～人を評価する 光凭外表来判断人的好坏 ❺〔原因〕因为yīnwei; 由于yóuyú ‖ 雨～遠足が延期になった 因为下雨, 所以郊游延期了 | 昨日は風邪～欠勤した 昨天因为感冒没有去上班 ❻〔様態・方式〕以yǐ; 用yòng ‖ 激しい口調～攻撃する 以激烈的言辞进行攻击 | 1人～やる 一个人干 ❼〔そのうえに〕而且érqiě; 又yòu ‖ 働き者～頭も切れる 又能干脑子又好

であい【出会い・出合い】相遇xiāngyù; 相逢xiāngféng ‖ 人との～を大事にする 珍视和人的相遇之缘 ✣一頭:迎面；迎头

であ・う【出会う・出合う】遇见yùjian; 碰见pèngjian; 相遇xiāng yù ‖ 旅先で昔の友人に～った 旅途中遇见了老朋友

てあか【手垢】手上的污垢shǒushang de wūgòu ‖ ～のついた本 翻脏了的书

てあし【手足】❶〔手と足〕手脚shǒujiǎo; 手和脚shǒu hé jiǎo ‖ ～がしびれてきかない 手脚麻木没有知觉 | ～を縛られる 手脚被绑 ❷〔補佐する人〕定左膀右臂zuǒbǎng yòubì

であし【出足】❶〔人出〕出来〔到场〕的人数chūlai〔dàochǎng〕de rénshù ‖ 初日はまずまずの～だった 第一天观众来得还不少 ❷〔出だしの状態〕开端kāiduān; 开头kāitóu; 起头qǐtóu

てあたりしだい【手当たり次第】顺手shùnshǒu; 碰到什么就… pèngdào shénme jiù… ‖ ～に投げつける 碰到什么就扔什么 | ～に本を読む 顺手拿起本书来看

てあつ·い【手厚い】热情rèqíng；优厚yōuhòu ‖ ~い看護を受ける 受到细心周到的看护｜~く葬られる 得到厚葬

てあて【手当て·手当】❶(~する)〔治療·処置〕治疗zhìliáo ‖ 医務室で~してもらった 去医务室处理了一下 ❷〔本給以外の報酬〕津贴jīntiē；补贴bǔtiē ‖ 休日勤務には~がつく 节假日加班有津贴

てあみ【手編み】手编shǒubiān；手织shǒuzhī ‖ ~のマフラー 手织的围巾

てあらい【手洗い】❶(~する)〔手を洗うこと〕洗手xǐshǒu ❷(~する)〔手で洗うこと〕用手洗yòng shǒu xǐ ‖ ウールは~にしたほうがいい 毛织品最好用手洗 ❸〔便所〕厕所cèsuǒ；洗手间xǐshǒujiān

であるく【出歩く】外出走动wàichū zǒudòng；闲逛xiánguàng

てあわせ【手合わせ】(~する)比试bǐshi；较量jiàoliàng ‖ 将棋の~をする 比赛下象棋｜柔道の~をする 较量一下柔道

ていあつ【低圧】低压dīyā.（電圧）低电压dīdiànyā ✤一電流:低压电流

ていあん【提案】(~する)建议jiànyì；提议tíyì.（案·議案）提案tí'àn

ティー ✤一カップ:茶杯｜一スプーン:茶匙｜一セット:茶具｜一タイム:饮茶时间｜一パーティー:茶话会｜一バッグ:袋泡茶｜一ポット:茶壶

ディー ジェー【DJ】唱片节目主持人chàngpiàn jiémù zhǔchírén

ティーシャツ【Tシャツ】T恤衫 T xùshān

ティーじろ【T字路】⇨ていじ(丁字)「一路」

ディーゼル ✤一エンジン:柴油机｜一カー:柴油机式内燃机车；柴油机车

ティー ピー オー【TPO】时间、地点、场合shíjiān、dìdiǎn、chǎnghé ‖ ~をわきまえて行動する 根据不同的时间、地点、场合采取不同的行动

ディーラー 经销商 jīngxiāoshāng

ていいん【定員】定员dìngyuán；人数定额rénshù dìng'é；名额míng'é ‖ 入学~ 招生名额｜~オーバーの列車 超员〔超载〕的列车 ✤一増〔減〕:扩大〔缩小〕定员

ティーンエージャー 十几岁的青少年shíjǐ suì de qīng shàonián；少年shàonián

ていえん【庭園】园林yuánlín；花园huāyuán ‖ 日本式~ 日本式园林

ていおう【帝王】帝王dìwáng；皇帝huángdì ✤一切開:剖腹产

ていおん【低音】低音dīyīn；低声dīshēng

ていおん【低温】低温dīwēn

ていおん【定温】✤一動物:恒温动物

ていか【低下】(~する)下降xiàjiàng；降低jiàngdī；低下dīxià ‖ 学力がとみに~している 学习能力在明显下降｜品質が~する 质量下降

ていか【定価】定价dìngjià ‖ ~で売る 按定价卖

ていがく【低額】低额dī'é；小额xiǎo'é ✤一所得者層:低收入阶层

ていがく【定額】✤一貯金:定额储蓄

ていがく【停学】停学(处分) tíngxué (chǔfèn)

ていがくねん【低学年】小学低年级xiǎoxué dīniánjí；小学一二年级xiǎoxué yī èr niánjí

ていかん【定款】规章guīzhāng；章程zhāngchéng ‖ ~を定める 制定章程

ていかんし【定冠詞】定冠词dìngguàncí

ていき【定期】定期dìngqī ‖ ~的に検診を受ける 定期接受体检 ✤一入れ:月票夹｜一刊行物:定期刊物；期刊｜一券:月票｜一検診:定期体检｜一講読:定阅｜一点検:定期检测｜一便:班机；定期航线｜一預金:定期存款〔储蓄〕

ていき【提起】(~する)提出tíchu；提起(诉讼) tíqǐ (sùsòng) ‖ 問題を~する 提出问题

ていぎ【定義】(~する)定义dìngyì ‖ 三角形の~ 三角形的定义

ていぎ【提議】(~する)提议tíyì；建议jiànyì

ていきあつ【低気圧】低(气)压dī(qì)yā.（機嫌が悪い)消沉xiāochén；情绪不好qíngxu bù hǎo ‖ ~が日本列島に居座る 低气压停留在日本列岛上空

ていきゅうび【定休日】定期休息日dìngqī xiūxirì ‖ 月曜日が~です 星期一休息

ていきょう【提供】(~する)提供tígōng；供给gōngjǐ ‖ 情報を~する 提供信息 ✤一者:提供者；(臓器の)捐献器官的人｜番組一:赞助节目；提供节目

ていきんり【低金利】低利率dī lìlǜ；低利息dī lìxī

ていくう【低空】✤一飛行:低空飞行

デイ ケア 日间护理rìjiān hùlǐ ‖ ~サービス 日间护理服务

ていけい【定形】定形dìngxíng；定型dìngxíng ✤一〔外〕郵便物:〔非〕定型邮件

ていけいし【定型詩】格律诗gélǜshī

ていけい【提携】(~する)合作hézuò

ていけつ【締結】(~する)缔结dìjié；签订qiāndìng ‖ 条約を~する 缔结条约

ていけん【定見】定见dìngjiàn；主意zhǔyi；主见zhǔjiàn ‖ ~がない 没有主见

ていこう【抵抗】❶(~する)〔はむかう〕抵抗dǐkàng；抵制dǐzhì；抗拒kàngjù ‖ 金銭の誘惑には~しがたい 难以抗拒金钱的诱惑 ❷〔反発する気持ち〕反感fǎngǎn；厌恶yànwù；意见yìjian ❸〔物理·電気〕阻力zǔlì.（電気抵抗）电阻diànzǔ ✤一力:抵抗力

ていこく【定刻】准时zhǔnshí；定时dìngshí ‖ ~どおりに離陸する 准时起飞｜~より30分おくれて到着した 误点误了30分钟

ていこく【帝国】帝国dìguó

ていさい【体裁】❶〔外見〕样子yàngzi ‖ 料理をテーブルの上に~よく並べる 把菜整齐美观地摆在桌上 ❷〔世間体〕体面tǐmian ‖ ~ばかり気にする 只顾体面｜~ぶる 摆架子

ていさつ【偵察】(~する)侦察zhēnchá ✤一機:侦察机

ていし【停止】(~する)停止tíngzhǐ；停顿tíngdùn ‖ エンジンは~している 发动机停止了运转｜窓口業務を~する 窗口暂停办公 ✤一信号:停止信号｜一線:停车线｜出場一:禁赛

ていじ【丁字】丁字(形) dīngzì(xíng) ✤一路:丁字路口

ていじ【呈示】(~する)出示chūshì ‖ 運転免許証を~する 出示驾驶执照

ていじ【定時】定时dìngshí；准时zhǔnshí ‖ ～に退社する 准时下班 ✣ 一制高校:夜校高中

ていじ【提示】(～する)提示tíshì；出示chūshì ‖ 会社は年末手当を～した 公司提示年终奖的金额

ていしせい【低姿勢】谦虚的态度qiānxū de tàidu；低姿态dī zītài ‖ ～をとる 采取谦让的态度

ていしゃ【停車】(～する)停车tíngchē ‖ 5分間～します 停车五分钟 ✣ 一時間:停车时间｜一時一:暂时停车；临时停车

ていしゅ【亭主】❶〔店のあるじ〕老板lǎobǎn；店东diàndōng ❷〔自分の夫〕丈夫zhàngfu ✣ 一関白:大男子主义

ていじゅう【定住】(～する)定居dìngjū；落户luòhù

ていしゅうにゅう【定収入】固定收入gùdìng shōurù

ていしゅうは【低周波】低频dīpín

ていしゅく【貞淑】贤惠xiánhuì

ていしゅつ【提出】(～する)提出tíchu；提交tíjiāo ‖ 論文を～する 提交论文｜必要書類の～を求める 要求提出必需的材料

ていしょう【提唱】(～する)提倡tíchàng；倡导chàngdǎo

ていしょく【定食】〔份〕套餐tàocān；份儿饭fènrfàn

ていしょく【定職】固定的工作gùdìng de gōngzuò；正式的工作zhèngshì de gōngzuò ‖ ～につく 找正式工作

ていしょく【抵触】(～する)抵触dǐchù；触犯chùfàn ‖ 法律に～する 触犯了法律

ていしょく【停職】停职处分tíngzhí chǔfèn ‖ 3か月の～を命じられる 被勒令停职三个月

でいすい【泥酔】(～する)烂醉如泥lànzuì rú ní

ていすう【定数】❶〔決まった数〕名额míng'é；定数dìngshù ❷〔数学〕常数chángshù；恒数héngshù

ディスカウント (～する)打折扣dǎ zhékou；减价jiǎnjià ✣ 一ショップ:折扣店

ディスカッション (～する)讨论tǎolùn ‖ 環境問題について～をした 就环保问题进行了讨论

ディスク 磁盘cípán ✣ フロッピー一:软盘

ディスコ 迪斯科舞厅dísikē wǔtīng；迪厅dítīng；的士高díshìgāo ‖ ～で踊る 蹦迪

ディスプレー ❶〔展示〕陈列chénliè；展示zhǎnshì ❷〔コンピューター〕显示器xiǎnshìqì

てい·する【呈する】呈现chéngxiàn；呈chéng；显示xiǎnshì ‖ …の様相を～する 呈现…的局面｜疑問を～する 提出疑问｜きみに少々苦言を～したい 我想奉劝你几句

てい·する【挺する】‖ 身を～する 挺身而出

ていせい【訂正】(～する)订正dìngzhèng；更正gēngzhèng；改正gǎizhèng ‖ 誤植を～する 订正排错的字｜前言を～する 更正前言

ていせつ【定説】定说dìngshuō；定论dìnglùn ‖ ～を覆す 推翻定论｜～がない 目前还没有定论

ていせつ【貞節】贞节zhēnjié ‖ ～を守る 保持贞节

ていせん【停戦】(～する)停战tíngzhàn；停火tínghuǒ ✣ 一協定:停战协议；停火协定

ていそ【提訴】(～する)起诉qǐsù；控诉kòngsù ‖ 不当解雇を～する 起诉违法解雇

ていぞく【低俗】低级dījí；下流xiàliú；庸俗yōngsú ‖ ～なテレビ番組 庸俗的电视节目

ていたい【停滞】(～する)停滞tíngzhì；停顿tíngdùn ‖ 景気の～ 经济停滞不前

ていたく【邸宅】府第fǔdì；邸dǐ

ていち【低地】低地dīdì；低洼地dīwādì

ていちゃく【定着】(～する)❶〔なじむ·根づく〕固定gùdìng；扎根zhāgēn ‖ この会社は若い人がなかなか～しない 这个公司留不住年轻人｜その土地に～している 在那个地方扎根落户了 ❷〔写真〕定影dìngyǐng ✣ 一液:定影液

ていちょう【丁重】诚挚chéngzhì；殷勤yīnqín ‖ ～にもてなす 殷勤款待｜～にお断りする 客气地拒绝了

ティッシュ ペーパー 面巾纸miànjīnzhǐ

ていっぱい【手一杯】非常忙fēicháng máng；没有余力méiyou yúlì

ディテール 细节xìjié ‖ ～にこだわる 拘泥于细节

ていでん【停電】(～する)停电tíng diàn；断电duàn diàn ‖ ヒューズが飛んで～した 因为保险丝烧断,所以停电了

ていど【程度】❶〔範囲·限界〕程度chéngdù；限度xiàndù ‖ 何事にも～というものがある 事情总有限度｜ある～賛成だ 在一定程度上赞成｜どの～信じていいかわからない 不知道该相信多少 ❷〔水準〕水平shuǐpíng ‖ ～が高すぎる 水平太高了｜これは高校～の問題だ 这是高中水平的问题 ❸〔ほぼ…くらい〕差不多chàbuduō；大致dàzhì；大约dàyuē

ていとう【抵当】抵押dǐyā ‖ 自宅を～にする 拿自己的房子作抵押 ✣ 一権:抵押权

ディナー 晚餐wǎncān ✣ 一ショー:晚宴表演｜一パーティー:晚宴

ていねい【丁寧】❶〔丁重〕礼貌lǐmào；恳切kěnqiè ‖ ～な礼状をもらった 收到了一封诚恳的感谢信 ❷〔慎重〕小心xiǎoxin；谨慎jǐnshèn；细致xìzhì ‖ 割れ物なので～に扱ってください 这是易碎物品,要小心轻放 ❸〔わざわざ〕特地tèdì

ていねん【定年】退休年龄tuìxiū niánlíng ✣ 一制:退休年龄制｜一退職:退休

ていはく【停泊】(～する)停泊tíngbó

ていはつ【剃髪】(～する)剃发tì fà；削发xuēfà

ていひょう【定評】公认gōngrèn ‖ このホテルはサービスのよさで～がある 大家公认这家饭店服务好

ディフェンス 防御fángyù；防守fángshǒu；守备shǒubèi ‖ ～がかたい 防守坚固

ディベート (～する)讨论tǎolùn；辩论biànlùn

ていへん【底辺】❶〔数学〕底边dǐbiān ‖ 三角形の～ 三角形的底边 ❷〔社会の〕底层dǐcéng ‖ 社会の～で生きる人々 生活在社会底层的人们

ていぼう【堤防】堤坝dībà ‖ ～が決壊する 决堤｜～を築く 修堤坝

ていめい【低迷】(～する)低迷dīmí；低落dīluò；萧条xiāotiáo ‖ 自動車市場が～している 汽车市场萧条

ていめん【底面】底面dǐmiàn

ていよく【体良く】婉转地wǎnzhuǎn de ‖ ～断られた 被婉转地拒绝了

ていらく【低落】(～する)下降xiàjiàng；下跌xià-

diē ‖ 相場が～する 行情下跌
ていり【定理】定理dìnglǐ ‖ ピタゴラスの～ 勾股定理
でいり【出入り】(～する)❶〔訪問・出入り〕出入chūrù; 进出jìnchū ‖ 人の～が多い 来往的人很多 | お金の～が激しい 款项的进出很频繁 | 部外者の～を制限する 限制外人出入 ❷〔取り引き〕交易关系密切jiāoyì guānxi mìqiè ‖ ～の酒屋 经常来送酒的酒商 ✣ 一口:便门
ていりつ【鼎立】(～する)鼎立dǐnglì
ていりゅうじょ【停留所】车站chēzhàn ‖ バスの～ 公共汽车站 | 次の～ 下一站
ていれ【手入れ】❶(～する)〔メンテナンス〕收拾shōushi; 检修jiǎnxiū; 整理zhěnglǐ ‖ ～が行きとどく 收拾得不错 | 定期的に～する 定期检修 ❷〔警察の〕闯入chuǎngrù ‖ 警察の～ 警察搜查
ていれい【定例】例行lìxíng; 惯例guànlì ‖ ～閣議 例行内阁会议 | ～記者会見 例行记者会
ディレクター 导播dǎobō; 电视节目制片人diànshì jiémù zhìpiànrén
てうす【手薄】❶〔ものが〕数量少shùliàng shǎo ‖ 在庫が～になる 货存不多了 ❷〔人手が〕薄弱bóruò ‖ 防備の～な所 防备薄弱的地方
テークアウト 带走dàizǒu; 打包dǎbāo; 外带wài dài ‖ チキンナゲットは～にしてください 鸡块请打包〔带走〕
テーゼ 论题lùntí; 命题mìngtí
データ ❶〔資料〕资料zīliào ‖ ～を集める 收集资料 ❷〔コンピューター〕数据shùjù ‖ ～のバックアップをとる 对数据进行备份 ✣ 一バンク:资料库 | 一ベース:数据库
デート 约会yuēhui ‖ 彼女と～する 跟女朋友约会
テープ〔条,根〕带子dàizi.（接着用の）胶带jiāodài.（磁気テープ）〔盘〕磁带cídài ✣ 一デッキ:录音机 | 一レコーダー:录音机
テープカット（～する）剪彩jiǎncǎi
テーブル〔张,个〕桌子zhuōzi; 饭桌fànzhuō; 餐桌cānzhuō ‖ 会談の～につく 坐到谈判桌前 ✣ 一クロス:桌布 | 一スピーチ:席间致辞 | 一センター:装饰布 | 一チャージ:餐桌费 | 一マナー:餐桌礼节; 进餐礼节
テーマ 题目tímù; 主题zhǔtí; 题材tícái ‖ 研究論文の～ 研究论文的题目 ✣ 一ソング:主题歌 | 一パーク:主题乐园
テール ランプ 尾灯wěidēng
ておくれ【手後れ】来不及láibují ‖ ～になる前に検査する 接受检查,以免来不及治疗
でおく・れる【出遅れる】着手晚zhuóshǒu wǎn; 下手晚xiàshǒu wǎn ‖ スタートで～れる 起步太晚
ておち【手落ち】失误shīwù; 疏忽shūhu
デオドラント 除臭chúchòu
ており【手織り】手工织shǒugōng zhī
てがかり【手掛かり・手懸かり】❶〔手を掛けられる場所〕手把着的地方shǒu bǎzhe de dìfang ‖ 足場や～を探りつつ岩場を登る 找可以抓住,踩着的地方攀登峭壁 ❷〔糸口〕〔条,个〕线索xiànsuǒ ‖ ～がつかめない 找不到线索
てがき【手書き】(～する)手写shǒuxiě
てがき【手描き】(～する)手画shǒu huà; 手描shǒu miáo ‖ ～の年賀状 自己画的贺年片
でがけ【出掛け】正要出去的时候zhèng yào chūqu de shíhou; 临走时lín zǒu shí ‖ ～に雨が降りだした 刚要出门的时候下起了雨
てが・ける【手掛ける】亲手从事qīnshǒu cóngshì; 自己负责做zìjǐ fùzé zuò
でか・ける【出掛ける】出去chūqu ‖ 旅行に～ける 去旅游 | そろそろ～ける時間だ 该出发了
てかげん【手加減】❶〔力の入れぐあい〕程度chéngdù; 深浅shēnqiǎn ‖ 子どもは～を知らない 孩子手没轻没重 ❷(～する)〔手心〕酌情处理zhuóqíng chǔlǐ; 手下留情shǒuxià liúqíng
てかせ【手枷】手铐shǒukào ‖ ～足かせをはめる 戴上手铐和脚镣; 喩 牵制住(某人)
でかせぎ【出稼ぎ】(～する)外出打工wàichū dǎgōng ‖ 都会に～に行く 去城里打工挣钱
てがた【手形】❶〔手のかたち〕手印shǒuyìn ❷〔経済〕〔张,沓〕票据piàojù ‖ ～を振り出す 开票据 ✣ 一受取人:票据收取人 | 一交換所:票据交换所 | 一振出人:票据开票人
でかた【出方】(采取的)方针(cǎiqǔ de) fāngzhēn; 态度tàidu ‖ 相手の～次第 看对方采取什么态度
てがた・い【手堅い】可靠kěkào; 稳实wěnshi; 稳妥可靠wěntuǒ kěkào ‖ ～い投資 稳妥的投资
でかでか 大大(地) dàdà (de) ‖ ～と新聞に出る 在报纸上大篇幅地曝光了
てがみ【手紙】〔封〕信xìn ‖ 友だちに～を書く 给朋友写信 | お～をありがとう 谢谢你的来信 | お～拝受しました 您的信我收到了
てがら【手柄】功劳gōnglao; 业绩yèjì ‖ ～を立てる 立功 | ～を横取りする 把别人的功劳据为己有
でがらし【出涸らし】(茶叶已)冲淡(cháyè yǐ) chōngdàn ‖ ～のお茶 冲淡了的茶
てがる【手軽】容易róngyì; 简单jiǎndān
てき【敵】敌人dírén; 对手duìshǒu ‖ あの男を～にまわすと恐い 与他为敌是很可怕的 | ～をつくる 得罪人; 树敌 | ストレスはダイエットの～ 精神压力是减肥的天敌 | 不俱戴天(ふぐたいてん)の～ 不共戴天的敌人 | ～のチーム 敌队; 对方队 | 向かうところ～なし 所向无敌
でき【出来】❶〔できばえ〕做成的结果〔成果〕zuòchéng de jiéguǒ〔chéngguǒ〕‖ うちの息子は～が悪い 我儿子没出息 ❷〔農作物の〕收成shōucheng ‖ コメの～がいい 稻米的收成很好
できあい【出来合い】现成的xiànchéng de
できあい【溺愛】(～する)溺爱nì'ài
できあが・る【出来上がる】完成wánchéng; 完工wángōng ‖ このビルはもうじき～る 这幢大楼马上就要完工了
てきい【敵意】敌意díyì ‖ ～をあらわにする 显露出明显的敌意
てきおう【適応】(～する)适应shìyìng ‖ 環境に～する 适应环境 | ～性のある人 有适应能力的人 ✣ 一症:适应症
てきがいしん【敵愾心】敌对情绪díduì qíngxu; 敌对心díduìxīn ‖ ～をあおる 煽动敌对情绪 | ～を抱く 怀有敌对情绪
てきかく【的確・適確】定 恰如其分qià rú qí fèn; 正确zhèngquè ‖ 質問に～に答える 对提问

作恰当的回答 | ～な判断をする 作出正确的判断
てきかく【適格】胜任shèngrèn；合适héshì ✣ 一者：能胜任的人
てきぎ【適宜】❶〔適切〕适当(地) shìdàng(de) ‖ ～に処置する 适当地处理 ❷〔随意〕随意suíyì；随便suíbiàn ‖ ～塩を加える 适量加盐
てきごう【適合】(～する)符合fúhé；适合shìhé ‖ 規格に～する 符合规格
できごころ【出来心】㊇一念之差yí niàn zhī chā ‖ ほんの～ 只是一时的冲动
できごと【出来事】事情shìqing；事件shìjiàn
てきざい【適材】合适的人才héshì de réncái ✣ 一適所：㊇各得其所
てきし【敵視】(～する)敌视díshì
できし【溺死】(～する)淹死yānsǐ；溺死nìsǐ
てきしゅつ【摘出】(～する)取出qǔchū ‖ 組織を～する 摘除生理组织
テキスト ❶〔教科書〕〔本〕课本kèběn；教科书jiàokēshū ❷〔原文〕原文yuánwén ✣ 一ファイル：文本文件
てき・する【適する】适合shìhé；适于shìyú；适用shìyòng ‖ 自分に～した仕事 适合自己的工作 | この地域の気候は農業には～さない 这个地区的气候不适于发展农业
てきせい【適正】恰当qiàdàng；适当shìdàng ‖ ～な処置 恰当的处理 | ～な値段 公道的价钱 ✣ 一価格：合理〔公平〕价格
てきせい【適性】适于〔适合〕…的性质shìyú〔shìhé〕…de xìngzhì ‖ 飲料水としての～を調べる 检验是否符合做饮用水 | 医師としての～に欠ける 不适于当医生 ✣ 一検査：适应性测试
てきせつ【適切】恰当qiàdàng；适当shìdàng；妥善tuǒshàn ‖ ～なアドバイス 适当的忠告 | ～な表現 恰当的说法 | ～な処置 妥善的处理
てきたい【敵対】(～する)敌对díduì；对抗duìkàng ✣ 一関係：敌对关系 | 一感情：敌对〔对抗〕情绪
できだか【出来高】❶〔経済〕成交额chéngjiāo'é ❷〔生産高〕产量chǎnliàng.〔収穫高〕收获量shōuhuòliàng ‖ 米の～を調節する 调整大米的产量 ✣ 一払い：按件计酬；〔賃金〕计件工资
できたて 刚做好gāng zuòhǎo；刚完成gāng wánchéng ‖ ～の肉まん 刚出锅的肉包子
てきち【敵地】敌人阵地dírén zhèndì；敌区díqū ‖ ～に潜入する 潜入敌区
てきちゅう【的中・適中】(～する)❶〔矢や弾が〕射中shèzhòng；命中mìngzhòng ❷〔予言や予想が〕猜中cāizhòng ‖ 私たちの予想は～した 我们猜中〔估计对〕了
てきど【適度】适度shìdù；适当shìdàng；适宜shìyí ‖ ～な運動は体によい 适当的运动有益于身体健康
てきとう【適当】❶〔いいかげんな〕草率cǎoshuài；随便suíbiàn；敷衍fūyan ‖ 部屋を～に掃除する 随便地打扫一下儿房间 | 人の話を～に聞き流す 把别人的话当作耳边风 | ～にお茶を濁す 凑合着做；敷衍了事 ❷〔ふさわしい・適度な〕适当shìdàng；适合shìhé；合适héshì ‖ ～な言葉が思いうかばない 想不出适当的话 | ～な時期を見はからう 等待时机 | なかなか～な人材がいない 合适的人才很难找 | ～な大きさの箱 大小合适的盒子
てきにん【適任】胜任shèngrèn；称职chènzhí.〔人〕胜任者shèngrènzhě
てきぱき 麻利máli；利落lìluo；干脆gāncuì
てきはつ【摘発】(～する)揭发jiēfā；查获cháhuò；查出cháchu
てきびし・い【手厳しい】严厉yánlì；毫不留情háobù liúqíng
できふでき【出来不出来】做得好与不好zuòde hǎo yǔ bù hǎo ‖ ワインの味はブドウの～に左右される 葡萄酒的味道受葡萄好坏的影响
てきめん 马上见效mǎshàng jiànxiào ‖ 風邪薬が～にきいた 一吃感冒药马上就见效了
できもの【出来物】疙瘩gēda；脓包nóngbāo ‖ 背中に～ができた 背上长了个疙瘩
てきやく【適役】合适的角色héshì de juésè
てきよう【適用】(～する)适用shìyòng ‖ この就業規則は全社員に～される 这个就业规则适用于所有的员工 ✣ 一範囲：适用范围
てきりょう【適量】适量shìliàng ‖ ～の酒は健康によい 适量饮酒对身体有益
で・きる【出来る】❶〔可能である〕会huì；可以kěyǐ；能(够) néng(gòu) ‖ 車の運転が～きる 会开车 | 私にはそんな残酷なことは～きない 我做不出来那么残酷的事 | ～きれば…したい 如果可能的话，我想… | ～きるだけの援助をする 尽量提供援助 | ～きるだけ速やかに 尽快 | ～きない相談 没有商量的余地 ❷〔生じる〕有yǒu；产生chǎnshēng；发生fāshēng ‖ 子どもが～きた 怀孕了 | 急用が～きた 突然有急事 | 顔ににきびが～きた 脸上长了粉刺 | 足にまめが～きた 脚上磨出了水泡 ❸〔つくられる〕成立chénglì；完成wánchéng ‖ 組織が～きる 组织成立 | 商品が～きるまでの工程 产品完成的工序 | 新しいビルが～きる 盖起了新楼 ❹〔作業が終わる〕…好…hǎo；…完…wán ‖ 夕食の用意が～きた 晚饭准备好了 | 原稿が～きた 稿子已经写好了 | 覚悟は～きている 已经做好精神准备 ❺〔材料・つくりが〕…制…zhì；用〔由〕…做yòng〔yóu〕… zuò ‖ 籐(とう)で～きたいす 藤制椅子 | このおもちゃはかなり精巧に～きている 这个玩具做得相当精致 | この辞書はとてもわかりやすく～きている 这本词典编写得简明易懂 ❻〔優れている〕好hǎo；优秀yōuxiù；有才能yǒu cáinéng ‖ 数学がとても～きる 数学非常好 | 僕は勉強が～きない 我学习不好 | 仕事がよく～きる人 很能干的人 | 人間が～きている 人格很高尚
てきれい【適齢】✣ 一期：适龄期
てぎわ【手際】办法bànfǎ；手法shǒufǎ；手段shǒuduàn ‖ ～がいい 得法；手快；做得漂亮 | ～が悪い 笨拙 | 鮮やかな～ 干净利落
てぐすね ‖ ～ひいて待ちかまえる ㊇摩拳擦掌；㊇严阵以待
てぐち【手口】〔个，种，套〕手段shǒuduàn；手法shǒufǎ；伎俩jìliǎng ‖ あくどい～ 恶毒的手段
でぐち【出口】出口chūkǒu ‖ ～に向かう 走向出口 ✣ 一調査：投票情况调查
テクニカル〔専門的〕专门性zhuānménxìng.〔学術的〕学术性xuéshùxìng.〔技術的〕技术性jìshùxìng ✣ 一ターム：术语
テクニック 技巧jìqiǎo；技能jìnéng；技艺jìyì

テクノロジー 科学技术kēxué jìshù；科技kējì
てくび【手首】手腕子shǒuwànzi
でくわ・す【出くわす】碰见pèngjian；碰上pèngshang‖街で友人とばったり～した 在街上碰见了朋友｜思わぬ難問に～した 遇到了意外的难题
てこ【梃】〔根〕杠杆gànggǎn；撬棒qiàobàng‖～の作用 杠杆作用｜一度言いだすと～でも動かない 一旦话说出来就固执到底
てこいれ【梃入れ】(～する)支援zhīyuán
てごころ【手心】酌情zhuóqíng；留情liúqíng‖採点に～を加える 评分时手下留情｜警察は～を加えはしない 警察不会宽大处理
てこず・る 难办nánbàn；不好对付bù hǎo duìfu‖試験に～る 考试真让我头疼｜相手を説得するのに～った 说服对方费了不少劲儿
てごたえ【手応え】❶〔手に受ける感じ〕(手上的)感觉(shǒushang de) gǎnjué‖優勝への～を感じる 有了夺冠的把握 ❷〔反応〕反应fǎnyìng；效果xiàoguǒ；作用zuòyòng‖いくら教えても～がない 怎么教也没什么反应
でこぼこ【凸凹】(～する)❶〔おうとつ〕凹凸不平 āotū bù píng；坑坑洼洼kēngkengwāwā‖～の道 坑坑洼洼的路 ❷〔不均衡〕不均衡bù jūnhéng；不均匀bù jūnyún
デコレーション 装饰 zhuāngshì ✤－ケーキ：花蛋糕
てごろ【手頃】合适héshì；合手hé shǒu‖～な大きさ 大小正合适｜～な値段 价格合适
てごわ・い【手強い】难以对付〔战胜〕nányǐ duìfu〔zhànshèng〕；强硬qiángyìng；强劲qiángjìng
デザート 甜点tiándiǎn；甜品tiánpǐn
デザイナー 设计师 shèjìshī ✤－(ズ)ブランド：设计师品牌
デザイン (～する)设计shèjì.〔意匠〕设计shèjì；图案tú'àn；式样shìyàng‖新しい～ 新图案；新款式｜なかなかいい～ですね 样子挺不错
てさき【手先】❶〔指先〕手指尖儿shǒuzhǐjiānr‖～が器用だ 手巧｜～が不器用 手头笨 ❷〔手下〕手下人shǒuxiàrén；爪牙zhǎoyá
でさき【出先】去处qùchù；外出地点wàichū dìdiǎn‖～で事故にあった 外出时遇到了事故 ✤－機関：驻外机关
てさぐり【手探り】(～する)❶〔手で探る〕摸mō；摸索mōsuo‖～で電気のスイッチをさがした 摸黑儿找电灯开关 ❷〔模索する〕摸索mōsuo
てさげ【手提げ】✤－かばん：手提包｜－金庫：手提保险箱
てざわり【手触り】手感shǒugǎn‖～のよいタオル 手感好的毛巾｜この～は絹ではない 这个摸起来不像真丝
でし【弟子】弟子dìzǐ；门生ménshēng；学徒xuétú‖～をとる 收徒弟 ✤－入り：拜师；当学徒
てしごと【手仕事】手工(活儿) shǒugōng (huór).〔手工芸〕手工艺shǒugōngyì
てした【手下】手下人shǒuxiàrén；部下bùxià
デジタル 数字shùzì；数码shùmǎ ✤－回路：数字电路｜－放送：数字广播
てじな【手品】戏法xìfǎ；魔术móshù‖～をする 变戏法｜～の種あかし 揭开戏法的秘密 ✤－師：魔术师
でしゃば・る【出しゃばる】多嘴duōzuǐ；出风头chū fēngtou；多管闲事duō guǎn xiánshì
てじゅん【手順】程序chéngxù；步骤bùzhòu‖仕事の～を決める 规定工作的程序｜～を間違える 弄错程序｜きちんとした～を踏む 按照正确的步骤
てじょう【手錠】手铐shǒukào‖犯人に～をかける 给罪犯戴上手铐
てすう【手数】费事fèishì；麻烦máfan；周折zhōuzhé‖～のかかる仕事 费事的工作｜～を省く 省事 ✤－料：手续费；回扣
です・ぎる【出過ぎる】❶〔余計に出る〕出得太多chūde tài duō；突出tūchū‖このペンはインクが～ぎる 这枝笔墨水出得太多｜お茶が～ぎた 茶太浓了 ❷〔分を越える〕多事duōshì；多管闲事duō guǎn xiánshì；做得过分zuòde guòfèn‖～ぎたまねをするな 不要多管闲事！；少管闲事！
デスク ❶〔机〕〔张，个〕桌子zhuōzi；办公桌bàngōngzhuō；写字台xiězìtái ❷〔編集責任者〕主任zhǔrèn；主编zhǔbiān‖社会部の～ 社会部主任 ✤－トップ：(機械)桌面机；(画面)桌面｜－ワーク：科室工作
テスト (～する)❶〔試す〕测试cèshì；检验jiǎnyàn；试验shìyàn ❷〔学力・能力を〕考试kǎoshì；测验cèyàn‖～に合格する 通过考试；考上｜英語の～ 英语考试 ✤－ケース：试点；试例｜－ドライバー：试车驾驶员｜－パイロット：试飞员
てすり【手摺り】扶手fúshou；栏杆lángān
てせい【手製】自制(品) zìzhì(pǐn)；亲手做(的东西) qīnshǒu zuò (de dōngxi)
てそう【手相】手相shǒuxiàng‖～を見る 看手相
でそろ・う【出揃う】都出齐dōu chūqí；全部出现quánbù chūxiàn‖意見が～った 意见都摆出来了｜ベスト４が～った 决定了前四名
てだし【手出し】(～する)❶〔しかける〕动手dòngshǒu；出手chūshǒu‖先に～したのはどっちだ 是谁先动的手？ ❷〔関係する〕插手chāshǒu；沾手zhānshǒu；干预gānyù‖株は素人が下手に～したらやけどするのがおちだ 外行人盲目沾手炒股会惹火烧身的｜余計な～は無用だ 不要多管闲事
でだし【出だし】开头kāitóu；开始kāishǐ‖～からつまずく 一开始就不顺利
てだすけ【手助け】(～する)帮助bāngzhù；帮忙bāngmáng；援助yuánzhù‖何の～にもならない 帮不上一点儿忙
てだて【手立て】〔个，种〕办法bànfǎ；途径tújìng；手段shǒuduàn；措施cuòshī‖紛争解決の～を探る 寻求解决争端的途径｜有効な～を講じる 采取有效的措施
でたとこしょうぶ【出たとこ勝負】顺其自然shùn qí zìrán；㊂听天由命tīng tiān yóu mìng
てだま【手玉】‖相手を～にとる 摆布对方
でたらめ【出鱈目】荒谬huāngmiù；胡闹húnào；㊂胡说八道hú shuō bā dào‖うわさはまったくの～だった 流言简直是胡说八道
てぢか【手近】❶〔身近〕手边shǒubiān；手头shǒutóu；身边shēnbiān‖～な材料 手头现有的材料 ❷〔普通にあること〕身边shēnbiān；常见chángjiàn‖～な例をあげる 举一个身边的例子
てちがい【手違い】差错chācuò；错儿cuòr；过

失 guòshī ‖ ～が生じる 出错儿
てちょう【手帳】〔本〕小笔记本 xiǎo bǐjìběn；记事本 jìshìběn；小本子xiǎoběnzi ‖ その日の予定を～に書き入れる 把当天的计划写在记事本上
てつ【鉄】❶〔金属〕铁tiě ‖ ～は熱いうちに打て 定 趁热打铁 ❷〔かたいこと〕铁tiě；坚强 jiānqiáng ‖ ～のカーテン 铁幕 | ～の意志 坚强的意志

て

てっかい【撤回】（～する）收回 shōuhuí；撤回 chèhuí；撤销chèxiāo ‖ 辞表を～する 撤回辞职书 | 発言を～する 撤回发言内容
てつがく【哲学】❶〔学問〕〔门〕哲学 zhéxué ❷〔基本的な考え〕人生观rénshēngguān；哲理 zhélǐ；理念 lǐniàn ‖ 人生を楽しむ，これが私の～です 享受人生的乐趣，这是我的人生观
てつかず【手付かず】未动用wèi dòngyòng；未着手wèi zhuóshǒu
てづかみ【手摑み】用手抓yòng shǒu zhuā；用手捉 yòng shǒu zhuō
デッキ ❶〔船舶の〕甲板jiǎbǎn；舱面cāngmiàn ❷〔車両の〕车厢连接处chēxiāng liánjiēchù ✤ 一チェア：帆布躺椅；折叠椅
てっきょ【撤去】（～する）撤除chèchú；拆除chāichú ‖ 違法看板を～する 撤除违法广告牌
てっきょう【鉄橋】❶〔鉄の橋〕〔架，座〕铁桥 tiěqiáo ❷〔鉄道の橋〕〔架，座〕铁路桥tiělùqiáo
てっきん【鉄筋】钢筋 gāngjīn ✤ 一コンクリート：钢筋混凝土
てづくり【手作り】亲手做qīnshǒu zuò；手工制作 shǒugōng zhìzuò；手制shǒuzhì ‖ ～の人形 手工制作的娃娃
てつけきん【手付け(金)】定钱dìngqian；定金 dìngjīn；押金yājīn ‖ 契約時に～を打つ 签订合同时支付定金
てっこう【鉄鋼】钢铁gāngtiě ✤ 一業：钢铁业
てつごうし【鉄格子】❶〔格子〕铁格子tiěgézi ❷〔監獄〕铁窗tiěchuāng
てっこつ【鉄骨】钢筋 gāngjīn；钢骨 gānggǔ ‖ ～の建造物 钢结构的建筑物
デッサン（～する）素描 sùmiáo
てっしゅう【撤収】（～する）❶〔しまう〕撤收 chèshōu；撤除chèchú ❷〔撤退する〕撤退chètuì；撤出chèchu ‖ 軍隊が～する 撤军
てつじょうもう【鉄条網】铁丝网tiěsīwǎng
てっ・する【徹する】❶〔しみ通る〕‖ 骨身に～するつらさ 钻心透骨的痛苦 ❷〔貫き通す〕彻底 chèdǐ；坚持jiānchí；贯彻guànchè ‖ プロに～する 彻头彻尾保持专业人员的作风 | 昼夜を～して行う 昼夜不停地工作
てっそく【鉄則】铁则 tiězé；铁的纪律 tiě de jìlù；严格的规则 yángé de guīzé
てつだい【手伝い】帮忙bāngmáng；帮助bāngzhù；搭手dāshǒu ‖ お～しましょうか 要帮忙吗?；我来帮你吧 | 娘はよく家事の～をしてくれる 女儿常常帮我做家务
てったい【撤退】（～する）撤退chètuì
てつだ・う【手伝う】❶〔手助けする〕帮忙bāngmáng；帮助bāngzhù ‖ ちょっと～って 帮一下忙 ❷〔ほかの要因が加わる〕加上jiāshang；加之 jiāzhī ‖ 群集心理も～って騒ぎはますます大きくなった 加之随大溜的心理，事情闹得越来越大了
でっちあ・げる【でっち上げる】❶〔ねつ造する〕捏造niēzào；编造biānzào ‖ データを～げる 捏造数据 ❷〔体裁だけ整える〕敷衍fūyan；糊弄 hùnong ‖ レポートを～げる 糊弄学习报告
てっちゅう【鉄柱】〔根〕铁柱子tiězhùzi
てっつい【鉄槌】〔把〕铁锤 tiěchuí
てつづき【手続き】（～する）手续shǒuxù ‖ 所定の～をとる 办理所需的手续
てってい【徹底】（～する）❶〔行き渡る〕彻底 chèdǐ；贯彻guànchè；根本gēnběn ‖ ～した品質管理 完善的质量管理 | 密輸を～的に取り締まる 彻底打击走私行为 ❷〔一貫している〕彻底chèdǐ；定 彻头彻尾 chè tóu chè wěi
てつどう【鉄道】〔条〕铁路tiělù；铁道tiědào；火车huǒchē ‖ ～を敷く 修铁路 ✤ 一員：铁路工人 | 一網：铁路网 | 一輸送：铁路运输
てっとう【鉄塔】〔座〕铁塔tiětǎ
てっとうてつび【徹頭徹尾】定 彻头彻尾 chè tóu chè wěi；彻底 chèdǐ；始终shǐzhōng
デッド ヒート 激烈竞争jīliè jìngzhēng；激战 jīzhàn ‖ ～を演じる 比赛难分难解
てっとりばや・い【手っ取り早い】❶〔早い〕快kuài；利落lìluo ❷〔簡略〕简单 jiǎndān ‖ ～く言えばこういうことだ 简单地说就是这么回事
デッドロック 僵局jiāngjú；绝路juélù ‖ 交渉が～に乗りあげた 谈判陷入僵局
でっぱ【出っ歯】龅牙bāoyá.（人）长龅牙的人 zhǎng bāoyá de rén
てっぱい【撤廃】（～する）取消qǔxiāo；废除fèichú ‖ 輸入規制を～する 取消对进口的限制
でっぱ・る【出っ張る】突出tūchū；凸出tūchū
てっぱん【鉄板】〔块〕铁板 tiěbǎn ✤ 一焼き：铁板烧
てつぶん【鉄分】铁tiě；铁质tiězhì
てっぺき【鉄壁】铁壁 tiěbì；定 坚不可摧 jiān bù kě cuī ‖ ～の守り 防守严密
てっぺん【天辺】顶dǐng；顶尖dǐngjiān ‖ 山の～ 山顶 | 頭の～がはげている 头顶秃了
てつぼう【鉄棒】❶〔棒〕〔根〕铁棍 tiěgùn；铁棒tiěbàng ❷〔体操〕〔架〕单杠dāngàng
てっぽう【鉄砲】〔支，把〕枪qiāng ‖ ～を打つ 放枪 ✤ 一玉：（銃弾）子弹；枪子儿；（行ったきり）一去不返；有去无回 | 一水：山洪
てつめんぴ【鉄面皮】厚脸皮 hòuliǎnpí；定 厚颜无耻 hòu yán wú chǐ
てつや【徹夜】（～する）开夜车kāi yèchē；熬夜 áoyè ‖ 昨夜は～で勉強した 昨晚熬夜学习
てつり【哲理】哲理zhélǐ ‖ 人生の～を極める 深谙人生哲理
でどころ【出所】来源 láiyuán；出处chūchù ‖ 麻薬の～を調べている 搜查毒品的来源
てどり【手取り】纯收入chún shōurù ‖ 私の給料は～で30万円だ 我实际拿到手的工资〔我的净收入〕是30万日元
てとりあしとり【手取り足取り】（～する）手把手 shǒu bǎ shǒu ‖ ～指導する 手把手地指导
てなおし【手直し】（～する）修正 xiūzhèng；修改 xiūgǎi ‖ 文章を～する 修改文章
でなお・す【出直す】❶〔再来する〕再来zài lái ‖ 後日～して参ります 改日再来 ❷〔やりなおす〕

重新开始 chóngxīn kāishǐ; 从头再来cóngtóu zài lái ‖ 一から～す 一切重新开始；重新做人

てなず・ける【手なずける】驯服 xùnfú; 收服 shōufú; 笼络lǒngluò ‖ 民衆を～ける 笼络人心

てなみ【手並み】本领běnlǐng; 本事 běnshi ‖ お～拝見 看看你的本事〔手艺〕如何

てな・れる【手慣れる】❶〔熟練する〕熟练shúliàn; 熟习shúxí ❷〔手になじむ〕使惯shǐguàn; 用熟yòngshú; 用惯yòngguàn

テナント 房客fángkè; 承租人chéngzūrén ‖ ～を募集する 招租 ✤ ―ビル:出租楼

テニス 网球wǎngqiú ✤ ―コート:网球场 | ―プレーヤー:网球运动员 | ―ラケット:网球拍

デニム 牛仔布niúzǎibù; 粗斜纹布cūxiéwénbù

てにもつ【手荷物】〔件,个〕随身行李 suíshēn xíngli ✤ ―預かり所:行李寄存处

てぬかり【手抜かり】疏忽shūhu; 疏漏 shūlòu ‖ 安全管理に～があった 安全管理上有疏漏

てぬき【手抜き】(～する)定 偷工减料 tōu gōng jiǎn liào; 草率从事cǎoshuài cóngshì ✤ ―工事:豆腐渣工程

てぬる・い【手緩い】不严格bù yángé; 过于宽容 guòyú kuānróng; 定 不痛不痒 bú tòng bù yǎng ‖ ～い罰則 过于宽容的惩罚

てのうち【手の内】❶〔権力の及ぶ範囲〕手心 shǒuxīn; 手中shǒu zhōng ❷〔心中の考え〕心思xīnsi; 用意yòngyì ‖ ～を隠す 隐瞒心思 | 相手の～を読む 揣测对方的心思〔用意〕

テノール ❶〔音楽〕男高音nángāoyīn ❷〔楽器〕高音乐器 gāoyīn yuèqì

てのこう【手の甲】手背shǒubèi

てのひら【掌・手の平】手掌shǒuzhǎng ‖ ～サイズ 袖珍；小型

デノミネーション 币值改革bìzhí gǎigé; 更改币值 gēnggǎi bìzhí

-ては ❶〔もし…したら〕要是…的话 yàoshi…dehuà ‖ 人に知られ～まずい 让人知道的话就不好了 ❷〔…した以上は〕既然…就… jìrán…jiù… ‖ そこまで言われ～引き受けざるを得ない 话既然说到这个份上,我就只能答应了 ❸〔繰り返し〕…又… …yòu … ‖ 書い～消す 写了又擦 | 食っ～寝,食っ～寝 吃了就睡,睡了就吃 ❹〔一応の肯定〕…是… …shì … ‖ 携帯は持っ～いるが使っていない 手机有是有了,但是不用

てば【手羽】鸡翅jīchì ✤ ―先:鸡翅

-では ❶〔…だと〕…的话 …dehuà; 看… kàn … ‖ いまから～会合にまにあわない 现在去的话,赶不上那个会议 | この分～今日は終わりそうにない 看样子,今天完不成了 | ぼく～きみの代わりはつとまらない 我替不了你 ❷〔…において,…を使っては〕在…zài … ; 在…上〔中〕 zài… shang〔zhong〕; 用… yòng… ‖ 中国～どんなスポーツが盛んですか 在中国流行什么体育运动啊？ | 日本語～これをなんといいますか 这个用日语怎么说呢？ ❸〔…せずには〕不…不 bù… bù ‖ 環境問題に無関心～いられない 不能不关心环境问题

デパート 百货大楼bǎihuò dàlóu; 百货商场bǎihuò shāngchǎng

てはい【手配】(～する)❶〔用意する〕安排ānpái; 准备zhǔnbèi ‖ ホテルの～がまだだ 宾馆还没安排 | 留学の～ 留学前的准备工作 ❷〔逮捕のための〕通缉tōngjī ✤ ―写真:通缉照片 | ―書:逮捕证

てはず【手筈】准备zhǔnbèi; 计划 jìhuà ‖ ～が整った 准备就绪 | ～が狂った 乱了步骤

デパちか【デパ地下】商城地下食品街shāngchéng dìxià shípǐnjiē

でばな【出端】刚一开始 gāng yì kāishǐ ‖ 仕事の～をくじかれる 工作刚开始就不顺利

てばなし【手放し】‖ ～でほめる 毫不吝啬地赞扬 | ～で喜ぶ 欢天喜地

てばな・す【手放す】❶〔所有している物を〕转手zhuǎnshǒu; 卖掉màidiào ‖ 蔵書を～す 出让藏书 | 政権を～す 放弃政权 ❷〔親しい人を〕让…离开 ràng…líkāi; 和…分开 hé…fēnkāi; 放走 fàng zǒu ‖ 私は娘を～したくない 我不想让女儿离开我 ❸〔仕事を〕放下fàngxia; 搁下gēxia ‖ ～せない用事がある 有点儿事分不开身

でばぼうちょう【出刃包丁】厚刃菜刀hòurèn càidāo

てばや・い【手早い】利索lìsuo; 麻利máli; 敏捷mǐnjié ‖ 仕事を～く片づける 工作很利索

でばん【出番】出场chūchǎng; 上场shàngchǎng ‖ ～を待つ 等待上场 | ～が少ない 出场的次数很少 | ～がない 没有上场的机会

てびき【手引き】(～する)❶〔案内・力ぞえをする〕引路yǐnlù; 向导xiàngdǎo ‖ 内部者の～ 有内部的人作眼线 ❷〔教え導く〕辅导fǔdǎo；指南zhǐnán ‖ パソコンの～ 电脑入门 | 学習の～ 学习指南

デビュー (～する)初次登台chū cì dēng tái ✤ ―作:处女作 | ―戦:初次参赛

てびょうし【手拍子】打拍子dǎ pāizi

てびろ・い【手広い】广泛guǎngfàn; 规模大guīmó dà ‖ 商売を～くやっている 生意做得很广

てふき【手拭き】擦手布cāshǒubù; 手巾shǒujin

てぶくろ【手袋】〔副,只〕手套shǒutào ‖ ～をはめる〔とる〕 带〔摘下〕手套

てぶら【手ぶら】空着手kōngzhe shǒu

てぶり【手振り】手势 shǒushì

デフレーション 通货紧缩tōnghuò jǐnsuō

デポジット 押金yājīn; 保证金bǎozhèngjīn ✤ ―方式:退瓶还押金

てほどき【手解き】(～する)指导 zhǐdǎo; 辅导 fǔdǎo

てほん【手本】❶〔書画の〕〔本〕字帖zìtiè; 画帖huàtiè; 范本fànběn ‖ 習字の～を見て書く 照着字帖练字 ❷〔模範〕榜样bǎngyàng; 模范mófàn ‖ 後輩のよい～だ 后来人的好榜样

てま【手間】劳力和时间 láolì hé shíjiān ‖ ～がかかる 费事 | ～が省ける 省事 | お～をとらせて申しわけありません 耽搁你的时间了,很抱歉 ✤ ―仕事:费事的工作

デマ 谣言yáoyán; 流言liúyán ‖ ～を飛ばす 散布谣言

てまえ【手前】❶〔目の前・こちら側〕跟前gēnqián; 这边 zhèbiān ‖ 川の～ 河的这边 | 公園のすぐ～ 就在公园前边 | 新宿の1つ～の駅 新宿前一站 ❷〔体面〕体面tǐmian. (…のてまえ)当着…的面 dāngzhe…de miàn ‖ 世間の～恥ずかしく

ていたたまれない 在世人面前羞愧得无地自容

でまかせ【出任せ】随便说suíbiàn shuō ‖ 口から～を言う 㓎 信口开河

でまど【出窓】凸窗tūchuāng

てまど・る【手間取る】费事fèishì; 费工夫 fèi gōngfu ‖ 直すのに～る 修起来很费事

てまね【手真似】(～する)用手比划yòng shǒu bǐhua; (打)手势(dǎ) shǒushì

てまねき【手招き】(～する)招手zhāoshǒu ‖ 彼にこちらへ来るよう～した 招手让他过来

てまわし【手回し】❶〔手で回すこと〕用手转动yòng shǒu zhuàndòng ❷〔準備・手はず〕准备zhǔnbèi; 安排ānpái ‖ ～がいい 准备得很周到

てまわりひん【手回り品】〔件,个〕随身物品suíshēn wùpǐn

でまわ・る【出回る】上市shàngshì; 充斥chōngchì ‖ ミカンが～ってきた 橘子开始上市了 | 偽物が～る 假冒商品充斥市场

てみじか【手短】简单jiǎndān; 简要jiǎnyào; 简略jiǎnlüè ‖ ～に説明する 简要说明

でみせ【出店】❶〔露店〕露天摊子lùtiān tānzi ‖ 通りの両側に～が並ぶ 路两边都摆满露天摊子 ❷〔支店〕分店fēndiàn; 支店zhīdiàn

てみやげ【手土産】(随手携带的)礼品(suíshǒu xiédài de) lǐpǐn; 礼物lǐwù

でむか・える【出迎える】迎接yíngjiē

デメリット 缺点quēdiǎn ‖ メリットと～をはかりにかける 权衡优点和缺点

-ても 即使jíshǐ; 尽管jǐnguǎn ‖ どんなにつらく～再怎么辛苦 | 時間があっ～なくても～ 不管有没有时间 | 押し～引い～ 任凭(我)又推又拽

でも ❶〔しかし〕但是dànshì; 可是kěshì ‖ ～私は反対だ 但是我反对 ❷〔…さえ〕连…也lián … yě ‖ 小学生～知っている 连小学生都知道 ❸〔たとえ…であっても〕无论wúlùn; 不管bùguǎn; 即使 jíshǐ ‖ 雨～ドライブに行く 即使下雨也开车玩去 | いつ～電話をください 请随时来电话 | なん～いい 什么都行 ❹〔…かなにか〕…什么的…shénmede; 等等děngděng ‖ 紅茶～飲みますか 喝点儿红茶,好不好?

デモ 示威shìwēi; 示威游行shìwēi yóuxíng ❖ 一行進:游行示威 | 一隊:游行示威队伍

デモクラシー 民主主义mínzhǔ zhǔyì

てもち【手持ち】手头的 shǒutóu de ‖ ～の金 手头的钱 | ～のカード 手里的王牌

てもちぶさた【手持ち無沙汰】闲得无聊 xián de wúliáo

てもと【手元】❶〔手の届く範囲〕手头shǒutóu; 手边shǒubiān ‖ ～の資料 手头的资料 ❷〔手さばき〕‖ ～が狂う 失手 ❸〔懐具合〕‖ ～不如意 手头有点儿紧

デモンストレーション ❶〔実演〕当场表演dāngchǎng biǎoyǎn; 公开表演gōngkāi biǎoyǎn ‖ 新製品の～を行う 举办新产品的使用示范表演 ❷ ⇨デモ

デュエット (～する)二重唱 èrchóngchàng; 二重奏 èrchóngzòu

てら【寺】寺庙sìmiào; 寺院sìyuàn

てらしあわ・せる【照らし合わせる】校对jiàoduì; 查对cháduì; 核对héduì ‖ 帳簿と在庫を～せる 按账簿清查库存

てら・す【照らす】❶〔光線〕照zhào ‖ 懐中電灯で夜道を～す 用手电筒照夜路 ❷〔参照する〕参照cānzhào; 依照yīzhào ‖ 法律に～して犯人の処分を決める 依法惩处犯人

テラス 凉台liángtái; 阳台yángtái

デラックス 豪华háohuá; 高级gāojí

デリケート ❶〔繊細〕脆弱cuìruò; 敏感mǐngǎn; 纤细xiānxì ‖ ～な人 敏感的人 | この生地は～だ 这种料子很娇气 ❷〔扱いが難しい〕敏感mǐngǎn; 微妙wēimiào ‖ ～な問題 敏感问题

てりつ・ける【照り付ける】(太阳)暴晒(tàiyáng) bàoshài; 晒得厉害shàide lìhai

テリトリー 领域lǐngyù; 势力范围shìli fànwéi; 地盘dìpán

てりやき【照り焼き】红烧肉〔鱼〕 hóngshāo ròu〔yú〕‖ ブリの～ 红烧鲕鱼

てりょうり【手料理】亲手做的饭菜qīnshǒu zuò de fàncài

て・る【照る】照zhào; 照耀zhàoyào; 照射zhàoshè ‖ 日がさんさんと～る 阳光明媚

でる【出る】❶〔内から外へ行く・出発する〕出chū; 出去chūqu; 出发chūfā ‖ 外へ～ 到户外去 | 家を～ 出门 | 田舎から出てきたばかり 刚刚从乡下进城 ❷〔現れる〕露出lùchu; 出现chūxiàn ‖ 月が出た 月亮出来了 | ゴキブリが～ 有蟑螂出没 | 幽霊が～ 闹鬼 | イチゴが店頭に出ている 草莓上市了 | 悪い癖が出た 老毛病又犯了 | 感情がすぐ顔に～ 喜怒哀乐很容易挂在脸上 | アサガオの芽が出た 喇叭花发芽了 ❸〔出場する・参加する〕出席chūxí; 参加cānjiā ‖ 弁論大会に～ 参加演讲比赛 | 私の～幕じゃない 不是我出头露面的时候 | 舞台に～ 登台 | CMに～ 出演电视广告 ❹〔卒業する〕毕业bìyè ‖ 大学を～ 大学毕业 ❺〔発生する〕发生fāshēng; 产生chǎnshēng ‖ 濃い霧が出た 发生了浓雾 | 高熱が～ 发高烧 | 利益が～ 有赢利 | とめどもなく涙が出た 不禁流出了眼泪 | あくびが～ 打哈欠 ❻〔由来する〕来源于láiyuán yú; 出自于chūzì yú ‖ 親切心から出た言葉 出于好心才这么说的 ❼〔出版される・掲載される〕出版chūbǎn; 刊登kāndēng; 发行fāxíng ‖ 今度～ゲーム 这次出的游戏软件 ❽〔掲示・展示される〕公布gōngbù; 展出zhǎnchū ‖ 看板が出ている 那儿有牌子 | 求人のはり紙が出ている 贴出招工广告 ❾〔産出される〕出产chūchǎn; 生产shēngchǎn ‖ この鉱山からはスズが～ 这座矿山出锡 ❿〔売れる〕‖ いちばんよく出ている小説 最畅销的小说 ⓫〔通じる・達する〕到达dàodá; 到dào ‖ 駅へ～道 到车站去的路 ⓬〔言及する・提起する〕提出tíchu; 提到tídào; 得出déchu ‖ ついに結論は出なかった 最终也没有得出结论 | 指示が～ 发出指示 ⓭〔供される・与えられる〕端出duānchu; 提供tígōng ‖ デザートにメロンが出た 餐后甜食上了甜瓜 | ボーナスが～ 发奖金 ⓮〔態度をとる・行動する〕采取…态度 cǎiqǔ… tàidu ‖ 強気に～ 采取强硬态度 | 相手チームはどう～かな 对手队怎么行动? ⓯〔超過する〕超出chāochū; 超过chāoguò ‖ 50歳を出ている 50出头 | 足が～ 超过预算 ⓰〔慣用表現〕‖ ～杭(くい)は打たれる 枪打出头鸟 | ～と負け 一出场就输

デルタ 三角洲sānjiǎozhōu ✤一地帯:三角洲地带

てれくさ・い【照れ臭い】害羞hàixiū; 羞答答xiūdādā; 难为情nánwéiqíng

テレパシー 心灵感应xīnlíng gǎnyìng; 传心术chuánxīnshù ‖ ～で交信する 用传心术交流

テレビ〔台,个,架〕电视diànshì.（テレビ受像機）电视机diànshìjī ‖ ～をつける 打开电视 | ～を消す 关电视 ✤一カメラ:电视摄像机 | 一局:电视台 | 一ゲーム:电视游戏机 | 一ショッピング:电视购物 | 一電話:电视电话 | 一塔:电视塔 | 一ドラマ:电视剧 | 一番組:电视节目 | デジタル一:数字电视 | フラット一:平板电视 | ワイド一:大画面电视

て・れる【照れる】害羞hàixiū; 腼腆miǎntian ‖ ～れて真っ赤になる 羞得满脸通红

てれんてくだ【手練手管】(用花言巧语)欺骗(yòng huā yán qiǎo yǔ) qīpiàn; 哄骗hǒngpiàn

テロ 恐怖行动kǒngbù xíngdòng ✤一事件:恐怖事件 | 一組織:恐怖组织 | 一対策:反恐措施

テロリスト 恐怖主义者kǒngbù zhǔyìzhě; 恐怖分子kǒngbù fènzǐ

てわけ【手分け】(～する)分工fēngōng; 分头做fēntóu zuò ‖ ～して部屋の掃除をする 大家分工来打扫房间

てわた・す【手渡す】亲手交给qīnshǒu jiāogěi; 面交miànjiāo

てん【天】❶〔空〕天tiān; 天空tiānkōng ‖ ～を仰ぐ 仰望天空 | ～に向かって唾(つば)する 害人反害己 | ～高く馬肥ゆる秋 天高马肥的秋天 ❷〔天国〕天国tiānguó; 天堂tiāntáng ‖ ～にものぼる心地 欢天喜地 ❸〔天意〕天意tiānyì; 天命tiānmìng ‖ 運を～に任せる 听天由命 | ～の助けを請う 祈求上天保佑 | ～は二物を与えず 人无完人 | ～はみずから助くる者を助く 天助自助之人 | ～は人の上に人を造らず,人の下に人を造らず 天不造人上人,亦不造人下人

てん【点】❶〔小さいしるし〕点diǎn ❷〔評点〕分fēn; 分数fēnshù ‖ いい～をとった 得了好分数 | 5～引かれた 被扣去了五分 | 先生は～が辛い〔甘い〕 老师给分很严格〔很松〕 ❸〔決まったしるし〕点diǎn; 标点biāodiǎn ‖ 文章の区切りに～を打つ 在文章的该停顿的地方点上标点 ❹〔競技の得点〕得分défēn ‖ 試合開始直後に～をとられた 比赛刚开始就丢了分 ❺〔問題点・論点〕点diǎn; 方面fāngmiàn ‖ この～から言うと 从这个方面来说 ❻〔品物の数〕件jiàn ‖ 4～セットの家具 四件一套的家具

でんあつ【電圧】电压diànyā ‖ ～をあげる 增高电压 | ～を下げる 降低电压 ✤一計:电压表

てんい【転移】(～する)转移zhuǎnyí ‖ がんが肝臓に～した 癌扩散到肝脏了

てんいむほう【天衣無縫】❶〔できばえがすばらしい〕定天衣无缝tiān yī wú fèng ❷〔天真爛漫(らん)〕定天真烂漫 tiānzhēn lànmàn

てんいん【店員】售货员shòuhuòyuán; 营业员yíngyèyuán; 服务员fúwùyuán

でんえん【田園】田园tiányuán; 乡间xiāngjiān ✤一詩:田园诗 | 一風景:田园风景

てんか【天下】❶〔世間〕天下tiānxià; 世界shìjiè; 世上shìshàng ‖ ～に名をとどろかせる 名扬天下 ❷〔政権〕政权zhèngquán ‖ ～をとる 打下江山; 掌握政权 | ～分けめのたたかい 决定最后胜负的一战 ✤一泰平:天下太平; 定河清海晏

てんか【点火】(～する)点火diǎnhuǒ; 点燃diǎnrán; 打开dǎkāi ✤一器:点火器

てんか【添加】(～する)添加tiānjiā; 加上jiāshang; 附加fùjiā ✤一物:添加物

てんか【転化】(～する)转化zhuǎnhuà

てんか【転嫁】(～する)转嫁zhuǎnjià; 推卸tuīxiè ‖ 責任を他人に～する 把责任推卸给别人

でんか【電化】(～する)电化diànhuà; 电气化diànqìhuà ✤一製品:家电产品

てんかい【展開】(～する)❶〔方向・方針を〕展开zhǎnkāi; 开展kāizhǎn ‖ 話の～についていけない 我跟不上故事的发展变化 | 事態は思わぬ方向に～した 事态向意想不到的方向发展了 ❷〔場面が〕展现zhǎnxiàn; 出现chūxiàn ‖ 窓外の景色が次々と～する 窗外的景色不断变化 ❸〔軍隊が〕散开sànkāi ‖ 部隊は扇形に～した 部队散开成扇形 ❹〔数学〕展开zhǎnkāi

てんかい【転回】(～する)转动zhuàndòng; 转变zhuǎnbiàn

でんかい【電解】(～する)电解diànjiě ‖ 水は酸素と水素に～される 水被电解为氧气和氢气 ✤一質:电解质

てんかん【転換】(～する)转换zhuǎnhuàn; 转变zhuǎnbiàn; 改变gǎibiàn ‖ 発想を～する 转变想法 | 気分～する 换心情

てんがん【点眼】(～する)点眼药水diǎn yǎnyàoshuǐ; 上眼药水shàng yǎnyàoshuǐ ‖ 1日3回～する 一天上三次眼药 ✤一薬:眼药水

てんき【天気】天气tiānqì ‖ ～がいい 天气很好 | あいにくの～になった 偏巧天气不好 | このところ～に恵まれている 最近天气一直不错 | 明日は～になりそうだ 明天好像是好天气 ✤一概況:天气概况 | 一図:气象图 | 一予報:天气预报

てんき【転記】(～する)转记zhuǎnjì ‖ 伝票から原簿に～する 从账单转记到总账簿上

てんき【転機】转机zhuǎnjī; 转折点zhuǎnzhédiǎn ‖ ～に直面する 面对一个转机 | ～が訪れる 迎来了转机 | ～に立っている 正处于转折点

でんき【伝記】传zhuàn; 传记zhuànjì ‖ キュリー夫人の～ 居里夫人的传记

でんき【電気】❶〔エネルギー〕电diàn; 电力diànlì; 电气diànqì; 电能diànnéng ‖ このおもちゃは～で動く 这个玩具是电动的 | ～が通じていない 没有通上电 | ～の消費量 耗电量 ❷〔電灯〕电灯diàndēng ‖ ～をつける 开灯 | ～を消す 关灯 | 突然～が消えた 突然灯灭了 ✤一あんか:电脚炉 | 一回路:电路 | 一かみそり:电动剃须刀 | 一器具:电器 | 一工学:电工学 | 一自動車:电动汽车 | 一スタンド:台灯 | 一ストーブ:电炉 | 一伝導:导电 | 一分解:电解 | 一毛布:电热毯 | 一料金:电费

てんきゅう【天球】天球tiānqiú

でんきゅう【電球】电灯泡diàndēngpào ‖ ～が切れた 灯泡坏了 | ～をかえる 更换灯泡

てんきょ【転居】(～する)搬家bānjiā; 迁居qiānjū ‖ このたび下記の住所に～しました 日前迁居,新地址如下 ✤一先:新地址 | 一通知:搬家通知

てんぎょう【転業】(～する)转业zhuǎnyè；改行gǎiháng‖会社をやめて～した 辞掉工作改行了
でんきょく【電極】电极diànjí
てんきん【転勤】(～する)调动工作diàodòng gōngzuò；调换工作地点diàohuàn gōngzuò dìdiǎn‖北京支社に～する 调到北京分公司去工作
てんくう【天空】天空tiānkōng
でんぐりがえし【でんぐり返し】翻跟头fān gēntou；滚翻gǔnfān‖マットの上で～をする 在垫子上前〔后〕滚翻
てんけい【典型】典型diǎnxíng‖～事例から推測する 从典型事例推测
でんげき【電撃】❶〔電気の衝撃〕电击diànjī ❷〔急で激しいこと〕闪电式shǎndiànshì ✤一結婚：闪电式结婚｜一離婚：闪电离婚
てんけん【点検】(～する)查点chádiǎn；检查jiǎnchá‖道具を～する 检查工具
でんげん【電源】电源diànyuán‖テレビの～を切る 关掉电视的电源
てんこ【点呼】(～する)点名diǎnmíng
てんこう【天候】气候qìhòu‖収穫は～に左右される 收成受气候影响｜～不順 天气反复无常
てんこう【転向】(～する)转向zhuǎnxiàng；转变zhuǎnbiàn
てんこう【転校】(～する)转校zhuǎn xiào；转学zhuǎnxué‖大阪の学校に～する 转到大阪的学校去 ✤一生：转校生
でんこう【電光】❶〔いなびかり〕〔道〕闪电shǎndiàn ❷〔電気による光〕电光diànguāng ✤一掲示板：电子公告牌｜一石火：定电光石火
てんごく【天国】❶〔神の国〕天国tiānguó；天堂tiāntáng ❷〔恵まれたところ〕天堂tiāntáng；乐园lèyuán‖今の職場は私にとっては～だ 现在的工作单位对我来说就是天堂
でんごん【伝言】(～する)传话chuánhuà；带口信dài kǒuxìn；留言liúyán ✤一板：留言板
てんさい【天才】天才tiāncái
てんさい【天災】天灾tiānzāi；自然灾害zìrán zāihài‖たびたび～に見舞われる 屡遭天灾
てんさい【転載】(～する)转载zhuǎnzǎi
てんざい【点在】(～する)散布sànbù；星散分布xīngsàn fēnbù
てんさく【添削】(～する)删改shāngǎi；评改pínggǎi；批改pīgǎi‖作文を～する 批改造句〔作文〕
でんさん【電算】✤一化：电脑化｜一機：电子计算机；电脑
てんし【天使】天使tiānshǐ
てんじ【点字】点字diǎnzì；盲文mángwén ✤一機：点字打字机｜一ブロック：盲道
てんじ【展示】(～する)展览zhǎnlǎn；陈列chénliè；展示zhǎnshì‖絵画を～する 展示绘画作品 ✤一会：展览会；展示会｜一即売会：展销会
でんし【電子】电子diànzǐ ✤一オルガン：电子琴｜一音：电子音｜一回路：电子电路｜一計算機：电子计算机｜一顕微鏡：电子显微镜｜一工学：电子工学｜一光学：电子光学｜一レンジ：微波炉
でんじ【電磁】电磁diàncí；电磁气diàncíqì ✤一波：电磁波
でんじしゃく【電磁石】电磁铁diàncítiě
でんしメール【電子メール】电子邮件diànzǐ yóujiàn；伊妹儿yīmèir
でんしゃ【電車】电车diànchē‖～に乗る〔から降りる〕 上〔下〕电车｜～で行く 坐电车去
てんしゅ【店主】店主diànzhǔ；老板lǎobǎn.(女性)老板娘lǎobǎnniáng
てんじゅ【天寿】天年tiānnián；天寿tiānshòu‖～を全うする 享尽天年；寿终正寝
でんじゅ【伝授】(～する)传授chuánshòu
てんしゅつ【転出】(～する)❶〔転居〕迁出qiānchu；迁移qiānyí ❷〔転勤〕调动(工作)diàodòng(gōngzuò)；调出diàochu ✤一届：迁出登记；迁出手续
てんじょう【天井】❶〔建物の〕〔块〕天花板tiānhuābǎn；天棚tiānpéng；顶棚dǐngpéng ❷〔経済〕顶点dǐngdiǎn；极限jíxiàn‖～知らずの物価上昇 暴涨不止的物价
てんじょう【添乗】(～する)(随团)导游(suí tuán)dǎoyóu ✤一員：(随团)导游；旅游领队
てんしょく【転職】(～する)换工作〔公司〕huàn gōngzuò〔gōngsī〕；改行gǎiháng；跳槽tiàocáo
テンション (精神的)紧张(jīngshén de)jǐnzhāng；不安bù'ān‖～が下がる 失去干劲｜～が高い 情绪高涨 ✤ハイ一：干劲十足
てん・じる【転じる】转zhuǎn；转变zhuǎnbiàn；转换zhuǎnhuàn‖方向を～じる 转变方向｜禍(わざわい)～じて福となす 定转祸为福
てんしん【転身】(～する)改变身分gǎibiàn shēnfen；改变职业gǎibiàn zhíyè
てんしんらんまん【天真爛漫】天真烂漫tiānzhēn lànmàn；天真无邪tiānzhēn wúxié
てんすう【点数】❶〔評点〕分数fēnshù.(競技の)得分défēn‖～が甘い 打分很松｜試験でいい～をとる 考得好分数 ❷〔品物の数〕件数jiànshù‖～をそろえる 备齐数量
てんせい【天性】天性tiānxìng；禀性bǐngxìng‖～の政治家 很有天赋的政治家｜～のお人よし 生来是个老好人
てんせい【転生】(～する)转生zhuǎnshēng；转世zhuǎnshì
てんせき【転籍】(～する)迁户口qiān hùkǒu；转学籍zhuǎn xuéjí
でんせつ【伝説】传说chuánshuō‖～が残る 留下传说
てんせん【点線】〔条〕虚线xūxiàn；点线diǎnxiàn‖～で囲む 用虚线框起来｜～のところを切りとる 沿齿孔处撕下来
てんせん【転戦】(～する)转战zhuǎnzhàn‖世界を～する 转战世界各地
でんせん【伝染】(～する)❶〔病気の〕传染chuánrǎn ❷〔同じ状態になる〕感染gǎnrǎn；传染chuánrǎn‖笑いは～する 笑具有感染性 ✤一病：传染病
でんせん【伝線】(～する)‖ストッキングが～した 长筒袜抽丝了
でんせん【電線】电线diànxiàn；电缆diànlǎn‖～をひく 架电线
てんそう【転送】(～する)转送zhuǎnsòng；转寄zhuǎnjì‖手紙を下記の住所へ～してください 请把信转寄到下面地址｜メールを～する 转发邮件
でんそう【電送】(～する)电传diànchuán；电报

伝真 diànbào chuánzhēn ✤ 一写真:传真照片

てんたい【天体】天体tiāntǐ ✤ 一観測:天体观测｜一望遠鏡:天文望远镜

でんたく【電卓】计算器 jìsuànqì

でんたつ【伝達】(～する)传达 chuándá; 转达 zhuǎndá ‖ 情報を的確に～する 确实无误地传达信息

てんち【天地】❶〔天と地〕天地tiāndì ‖ ～神明に誓う 向天地神明发誓｜～の差がある 有天壤之别 ❷〔世の中〕天地tiāndì ‖ 自由の～ 自由天地 ❸〔上と下〕上下shàngxià ‖ ～が逆だ 上下颠倒了 ✤ 一無用:切勿倒置

てんち【転地】(～する)转地zhuǎn dì ✤ 一療法:气候疗法

でんち【電池】〔节〕电池diànchí ‖ ～がなくなった 电池没电了

でんちゅう【電柱】〔根〕电线杆diànxiàngān

てんちょう【店長】店长diànzhǎng

てんてき【天敵】天敌 tiāndí

てんてき【点滴】点滴 diǎndī ‖ 病人に～をする 给病人打点滴

てんてん【点点】点点diǎndiǎn; 点点滴滴diǎndiǎndīdī ‖ 血が～と落ちる 血一滴一滴地往下淌

てんてん【転転】(次々と移る)辗转 zhǎnzhuǎn ‖ 各地を～とする 辗转各地｜～と会社をかわる 左一次右一次地换公司

でんでんむし【蝸牛】〔只, 个〕蜗牛wōniú

テント〔项〕帐篷 zhàngpeng ‖ ～をはる〔畳む〕搭〔收〕帐篷 ✤ 一村:野营地；露营地

てんとう【店頭】店面diànmiàn; 铺面pùmiàn ‖ 品物を～に出す 把货摆到铺面上｜～はすごい人だかりだった 店前人山人海 ✤ 一株:场外交易股票｜一販売:在铺面上零售

てんとう【転倒】(～する)❶〔さかさまにする〕颠倒diāndǎo; 倒置dàozhì ❷〔ひっくりかえる〕跌倒 diēdǎo ❸〔うろたえる〕‖ 気が～する 惊慌失措

でんとう【伝統】传统chuántǒng ‖ ～を受け継ぐ 继承传统｜次世代に～を伝える 把传统传给下一代｜～的な手工芸品 传统手工艺品

でんとう【電灯】〔盏〕电灯diàndēng ‖ ～をつける 开(电)灯｜～を消す 关(电)灯

でんどう【伝道】(～する)宣传教义 xuānchuán jiàoyì; 传教chuánjiào

でんどう【伝導】(～する)传导 chuándǎo ✤ 一体:导体

でんどう【殿堂】殿堂diàntáng ‖ 学問の～ 学问殿堂；最高学府

でんどう【電動】电动 diàndòng

てんとうむし【天道虫】瓢虫piáochóng

てんとりむし【点取り虫】分数迷fēnshùmí

てんにゅう【転入】(～する)❶〔学校に〕转学zhuǎnxué ❷〔土地に〕迁入qiānrù ✤ 一生:转校生；插班生

てんにょ【天女】仙女xiānnǚ; 天仙tiānxiān

てんにん【転任】(～する)转任zhuǎn rèn; 调动(工作) diàodòng (gōngzuò)

てんねん【天然】天然tiānrán ✤ 一ガス:天然气｜一記念物:天然纪念物｜一資源:天然资源｜一色:自然色

てんねんとう【天然痘】天花tiānhuā.（中国医学で）痘疮 dòuchuāng

てんのう【天皇】天皇tiānhuáng; 日皇Rìhuáng ✤ 一誕生日:天皇诞辰

てんのうせい【天王星】天王星tiānwángxīng

でんぱ【伝播】(～する)传播chuánbō; 流传liúchuán ‖ 文化の～を促進する 促进文化的传播

でんぱ【電波】电波diànbō ‖ ～に乗って全国に伝わる 随着电波传遍了全国 ✤ 一障害:电波干扰

てんばい【転売】(～する)转售zhuǎnshòu; 转卖zhuǎnmài; 倒卖dǎomài ‖ ～を禁ずる 严禁转售

てんばつ【天罰】天罚tiānfá; 报应bàoying ‖ ～がくだる 受老天惩罚｜～てきめん 现世现报

てんぴ【天火】烤炉kǎolú; 烤箱kǎoxiāng

てんぴ【天日】太阳光tàiyángguāng; 太阳热tàiyángrè ‖ ダイコンを～にさらす 晒萝卜

てんびき【天引き】(～する)预先扣除 yùxiān kòuchú; 先行扣除xiānxíng kòuchú ‖ 所得税は給料から～される 所得税从工资预先扣除

でんぴょう【伝票】〔张〕单据dānjù; 票据piàojù ‖ ～を切る 开票(据) ✤ 支払一:付款单｜配送一:送货单｜振替一:转账传票

てんびん【天秤】〔台, 个〕天平秤 tiānpíngchèng ‖ ～ではかる 用天平称出重量｜損得を～にかける 权衡得失 ✤ 一座:天秤座

てんぷ【天賦】天赋tiānfù ‖ ～の才 天才

てんぷ【添付】(～する)添上tiānshang; 附上fùshang ‖ 履歴書を～のこと 请附上履历书 ✤ 一書類:附带文件；附件｜一ファイル:附件

てんぷ【貼付】(～する)贴上tiēshang

でんぶ【臀部】臀部túnbù; 屁股pìgu

てんぷく【転覆】(～する)❶〔ひっくりかえる〕翻倒fāndǎo; 倾覆qīngfù ‖ 釣り船が～した 钓鱼船翻了 ❷〔滅亡〕颠覆diānfù; 推翻tuīfān ‖ 政府～をねらう 企图推翻政府

テンプラ【天麩羅】天麸罗tiānfūluó ‖ エビの～をあげる 油炸大虾

てんぶん【天分】天赋tiānfù; 天分tiānfèn; 天资tiānzī ‖ 持って生まれた～ 生下来就有的天分

でんぶん【電文】电文diànwén

でんぷん【澱粉】淀粉 diànfěn

てんぺんちい【天変地異】㊖ 天崩地裂 tiān bēng dì liè

てんぽ【店舗】〔个, 家〕店diàn; 店铺diànpù ‖ ～を移転する 店铺迁移

テンポ 节奏 jiézòu; 速度sùdù ‖ ～が速い 节奏很快

てんぼう【展望】(～する)展望zhǎnwàng; 眺望tiàowàng ✤ 一車:眺望车｜一台:眺望台

でんぽう【電報】〔份, 张〕电报diànbào ‖ ～を打つ 打电报

デンマーク 丹麦 Dānmài

てんまく【天幕】〔顶, 个〕帐篷zhàngpeng ‖ ～をはる 搭帐篷

てんまつ【顛末】始末shǐmò; 原委yuánwěi ‖ 事の～を話す 把事情的来龙去脉讲一遍

てんまど【天窓】〔扇〕天窗tiānchuāng

てんめい【天命】❶〔天の命令〕天命tiānmìng ‖ 人事を尽くして～を待つ 尽人事听天命 ❷〔宿命〕天命tiānmìng; 命中注定mìng zhōng zhùdìng ❸〔天寿〕天寿tiānshòu

てんめつ【点滅】(～する) 忽闪忽灭 hūshǎn hūmiè ‖ 明かりが～する 灯光忽闪忽灭
てんもん【天文】天文 tiānwén ✤ 一学：天文学 ‖ ～的数字 天文数字 | 一台：天文台
てんよう【転用】(～する) 转用 zhuǎnyòng
でんらい【伝来】(～する) 传来 chuánlai; 传入 chuánrù ‖ 先祖～の家宝 祖传的家宝
てんらく【転落】(～する) ❶〔転がり落ちる〕滚下 gǔnxia; 掉下 diàoxia ❷〔落ちぶれる〕堕落 duòluò; 跌落 diēluò ‖ 首位から最下位に～する 从第一名跌落到最后一名 ✤ 一死：摔死
てんらんかい【展覧会】展览会 zhǎnlǎnhuì
でんりゅう【電流】〔股〕电流 diànliú ✤ 一計：电流计
でんりょく【電力】电力 diànlì ‖ ～を供給する 供电 ✤ 一会社：电力公司 | 一消費量：用电量
でんわ【電話】❶(～する)〔電話機での通話〕打电话 dǎ diànhuà ‖ ～に出る 接电话 | ～が遠い 电话声音太小 | ～を切らないでお待ちください 请别挂电话，稍等一下 | ～が切れた 电话断了 ❷〔電話機〕〔台，架，个〕电话机 diànhuàjī; 电话 diànhuà ‖ ～が鳴る 电话铃响 | ～をひく 装电话 ✤ 一加入者：电话用户 | 一局：电话局 | 一交換手：电话接线员；话务员 | 一交換台：电话总机 | 一帳：电话号码簿 | 一番号：电话号码 | 一ボックス：电话间；电话亭 | 一料：电话费 | カード式一：磁卡电话 | 切り替え一：切换电话 | 内線一：内线电话

と

と【戸】〔道，扇，个〕门 mén ‖ ～をあける〔閉める〕开〔关〕门 | 人の口に～は立てられぬ 人的嘴是堵不住的
と【途】途 tú; 路 lù ‖ 帰国の～につく 踏上归途
と【都】(东京) 都 (Dōngjīng) dū ✤ 一知事：东京都知事 | 一庁：东京都政府 | 一民：东京市民
-と ❶〔…に加えて〕和 hé; 同 tóng ‖ 兄～妹 哥哥和妹妹 ❷〔…といっしょに〕跟 gēn ‖ 妹～出かける 跟妹妹出去 ❸〔対象・相手〕跟 gēn; 同 tóng ‖ 彼女～結婚する 跟她结婚 ❹〔比較〕跟 gēn; 和 hé; 与 yǔ ‖ きみの時計はぼくの～同じだ 你的手表跟我的一样 ❺〔…するとき・…につれて〕一… (就…) yī … (jiù …); …的时候… de shíhou ‖ 春になる～いろんな花が咲く 一到春天，很多花就都开了
ど【度】❶〔回数〕次 cì; 回 huí ‖ 2，3～ 两三次 ❷〔温度・角度・緯度などの〕度 dù; 角度 jiǎodù ‖ 北緯41～ 北纬41度 ❸〔程度〕程度 chéngdù ‖ ～を越す 过分
ド 大音阶的第一音，"多" dà yīnjiē de dì yī yīn, "duō"
ど-（強調）非常 fēicháng ‖ ～けち 非常吝啬 | ～真ん中 正中间
ドア〔扇，道，个〕门 mén ‖ 車の～ 车门 | ～をノックする 敲门 | ～をあける〔閉める〕 开〔关〕门 ✤ 一チェーン：门链 | ～をかける〔はずす〕 挂上〔摘下〕门链 | 一ベル：门铃 | 一マン：门童
どあい【度合い】程度 chéngdù
とある 某 mǒu; 一个 yí ge ‖ ～山あいの村 山沟里的某个村子
とい【問い】问题 wèntí ‖ 次の～に答えよ 回答下一个问题 | ～1 问题一
といあわせ【問い合わせ】(～する) 询问 xúnwèn ‖ ～が殺到する 人们纷纷询问
といあわ・せる【問い合わせる】打听 dǎting ‖ 空席を～せる 询问是否有空座
といかえ・す【問い返す】问 wèn; 反问 fǎnwèn
といき【吐息】〔声〕叹气 tànqì ‖ 安堵(あんど)の～が漏れた 舒了一口气 ✤ 青息一：定 长吁短叹
といし【砥石】〔块〕磨刀石 módāoshí
といただ・す【問い質す】追问 zhuīwèn; 盘问 pánwèn ‖ 真偽を～す 追究真伪
ドイツ 德国 Déguó
といつ・める【問い詰める】盘问 pánwèn; 追问 zhuīwèn
トイレット 洗手间 xǐshǒujiān ✤ 一ペーパー：手纸；卫生纸
とう【党】❶〔仲間・集団〕同伙 tónghuǒ ❷〔政党〕政党 zhèngdǎng ‖ ～を結成する 组建政党 | ～を脱退する 退党 ✤ 一員：党员 | 一首：党首
とう【唐】唐(朝) Táng(cháo)
と・う【問う】❶〔わからないことを〕问 wèn; 询问 xúnwèn ‖ 真意を～う 探询真意 ❷〔追及する〕追究 zhuījiū ‖ 責任を～う 追究责任 ❸〔問題にしない〕不问 bú wèn; 不管 bùguǎn ‖ 年齢は～わない 不问年龄
とう【塔】〔座〕塔 tǎ ‖ 五重の～ 五重塔
とう【等】❶〔等級〕等 děng; 等级 děngjí ‖ 特～船室 特等船舱 ❷〔など〕等等 děngděng; 等 děng
とう【糖】糖 táng; 糖分 tángfèn
とう【籐】藤萝 téngluó ✤ 一椅子：藤椅 | 一細工：藤制工艺品
-とう【頭】‖ ウシ3～ 三头牛
どう 如何 rúhé; 怎么样 zěnmeyàng ‖ 駅へは～行きますか 去车站怎么走？ | ～しましたか 你怎么了？ | 景気は～だい 生意怎么样？
どう【胴】❶〔身体の〕躯干 qūgàn ‖ ～が長い 上身长 ❷〔剣道〕(防具) 护胸 hùxiōng. (攻撃法) 击腹 jī fù ‖ ～をとられる 被击中胸部
どう【堂】❶〔神仏をまつる建物〕堂 táng ❷〔広い建物〕〔座，个〕会堂 huìtáng ❸〔物事に習熟した〕‖ ～に入る 很精彩；升堂入室
どう【銅】〔块〕铜 tóng ✤ 一線：铜线 | 一像：铜像 | 一メダル：铜牌
どうあげ【胴上げ】(～する) ‖ 監督を～する 把教练抛向空中
とうあつせん【等圧線】〔条〕等压线 děngyāxiàn
とうあん【答案】〔张，份〕试卷 shìjuàn; 答卷 dájuàn ✤ 一用紙：试卷纸；答卷纸
とうい【糖衣】✤ 一錠：糖衣药片

どうい【同意】(～する)同意tóngyì；赞成zànchéng‖提案に～する 同意建议
どういう 什么样的shénmeyàng de；怎么样的zěnmeyàng de‖～風の吹き回しで来たんだい？ 是什么风把你吹来了？
どういご【同意語】同义词tóngyìcí
とういそくみょう【当意即妙】‖～に答える 机智地回答
どういたしまして【どう致しまして】不敢当bù gǎndāng；哪儿的话nǎr de huà
とういつ【統一】(～する)统一tǒngyī；一致yízhì‖天下を～する 一统天下
どういつ【同一】相同xiāngtóng；同一tóngyī
どういつし【同一視】(～する)‖あんな人たちと～してほしくない 别拿我当那种人看待
どういん【動員】(～する)动员dòngyuán；调动diàodòng‖観客を～する 吸引观众
とうえい【投影】(～する)❶〔影を映し出す〕投影tóuyǐng ❷〔他に反映させて表現する〕投射tóushè‖作者自身の内面が～されている 反映了作者的内心世界 ❖—図:投影图
とうおう【東欧】东欧Dōng Ōu‖～諸国 东欧各国
どうおん【同音】❖—異義語:同音异义词
とうか【灯火】灯火dēnghuǒ；灯光dēngguāng
とうか【投下】(～する)❶〔投げ落とす〕投下tóuxia；掷下zhìxia ❷〔投資する〕投tóu‖莫大(ばく)な資金を～する 投入巨资
とうか【透過】(～する)透过tòuguo；穿过chuānguo ❖—性:通透性｜—率:透过率；透光率
とうか【等価】等价děngjià
どうか【同化】(～する)同化tónghuà；吸取xīqǔ
どうか【銅貨】〔块,枚〕铜币tóngbì
どうか ❶〔どうぞ〕请qǐng‖～お許しください 请原谅 ❷〔疑問〕是否shìfǒu；是…还是shì … háishi‖来られるか～聞いてみる 问问他是否能来
どうが【動画】〔部〕动画片儿dònghuàpiānr
とうかい【倒壊】(～する)倒塌dǎotā ❖—家屋:倒塌的房屋
とうがい【当該】该gāi；有关yǒuguān
とうかく【頭角】‖～を現す 崭露头角
どうかく【同格】同格tónggé；相等xiāngděng
どうがく【同額】同等金额tóngděng jīn'é
どうかせん【導火線】❶〔火薬の〕〔条,根〕引线yǐnxiàn ❷〔事件の〕导火线dǎohuǒxiàn‖開戦の～ 开战的导火线
とうかつ【統轄】(～する)统辖tǒngxiá‖部内を～する人 部里负责统筹的人
どうかつ【恫喝】(～する)恫吓dònghè；威吓wēihè
とうがらし【唐辛子】辣椒làjiāo
とうかん【投函】(～する)投函tóu hán‖手紙を～する 把信发出去了
とうがん【冬瓜】冬瓜dōngguā
どうかん【同感】(～する)‖私も～だ 我也有同感｜彼の意見に～する 同意他的意见
どうがん【童顔】〔张,副〕娃娃脸wáwaliǎn；童颜tóngyán
とうき【冬季・冬期】冬季dōngjì
とうき【当期】本期běnqī
とうき【投棄】(～する)抛弃pāoqì；丢弃diūqì
とうき【投機】投机tóujī.(取引き)投机买卖tóujī mǎimài‖～として土地を買う 作为投机买土地｜株の～をする 进行股票的投机 ❖—買い:投机买进｜—心:投机心｜—熱:投机热
とうき【陶器】陶器táoqì‖～の花瓶 陶瓷花瓶
とうき【登記】(～する)登记dēngjì；注册zhùcè‖家を～する 将房屋登记注册 ❖—係:登记员｜—所:登记处｜—簿:登记簿｜—料:登记费｜商業—:商业注册
とうき【騰貴】(～する)涨价zhǎngjià；增值zēngzhí‖地価の～ 地价上涨｜原料の～がひどい 原料价格暴涨
とうぎ【討議】(～する)讨论tǎolùn；议论yìlùn
とうぎ【闘技】❖—場:竞技场；赛场
どうき【同期】❶〔同じ時期〕同期tóngqī‖昨年～ 去年同期 ❷〔入社・入学が〕‖あの人と私は～入社だ 我和他同年进公司 ❖—生:同一届的同学
どうき【動機】动机dòngjī ❖—付け:动机形成
どうき【動悸】心跳xīntiào‖～がする 心跳剧烈；心动过速
どうぎ【同義】同义tóngyì ❖—語:同义字；同义词
どうぎ【胴着】❶〔肌着の上に着る〕〔件〕背心bèixīn ❷〔剣道の〕〔件〕护胸hùxiōng
どうぎ【動議】动议dòngyì‖～を提出する 提出动议｜～に賛成する 赞成动议
どうぎ【道義】道义dàoyì‖～に反する 违反道义｜～的責任 道义责任 ❖—心:道德心；良心
とうきゅう【投球】(～する)投球tóu qiú ❖—回数:投球局数｜—フォーム:投球姿势
とうきゅう【等級】等级děngjí‖～をつける 评等级｜3つの～に分ける 分为三个等级
とうぎゅう【闘牛】斗牛dòuniú ❖—士:斗牛士｜—場:斗牛场
どうきゅう【同級】❖—生:同班同学
とうぎょ【統御】(～する)统辖tǒngxiá；驾御jiàyù.(統制)统治tǒngzhì
どうきょ【同居】(～する)同居tóngjū‖親と～する 和父母住在一起｜3世代が～する 三代同堂 ❖—人:(下宿人)房客；(同室人)同屋；(同棲者)同居者
どうきょう【同郷】同乡tóngxiāng；老乡lǎoxiāng‖～のよしみ 同乡的交情
どうきょう【道教】道教Dàojiào
どうぎょう【同業】同行tóngháng ❖—組合:同业工会｜—者:同行
とうきょく【当局】当局dāngjú ❖—者:当局者｜関係—:有关当局｜政府—者:政府权威人士
とうきょり【等距離】等距离děngjùlí
どうぐ【道具】❶〔用具・器具〕〔个,种,套〕工具gōngjù；用具yòngjù❷〔目的のための手段〕〔个,种〕手段shǒuduàn‖福祉を金もうけの～にする 把福利事业作为赚钱的手段 ❖—立(だ)て:做准备｜—箱:工具箱｜家財—:家具什物
とうくつ【盗掘】(～する)盗掘dàojué
どうくつ【洞窟】洞穴dòngxué；洞dòng ❖—画:石窟壁画
とうげ【峠】❶〔山の〕‖～の茶屋 山口的茶馆

と

❷〔絶頂期〕高峰gāofēng；关键guānjiàn ‖ 暑さが～を越す 盛夏已过｜病人の容態は今夜が～だ 病人的病情，今晚到了最关键的时候｜仕事が～を越す 工作渡过难关 ✤一道：翻山路
どうけ【道化】滑稽举动huájī jǔdòng ✤一師：滑稽演员｜一芝居：闹剧｜一もの：小丑｜一役：丑角
とうけい【東経】东经dōngjīng
とうけい【統計】（～する）统计tǒngjì ✤一学：统计学｜一局：统计局｜一表：统计表
とうけい【闘鶏】斗鸡dòujī
とうげい【陶芸】✤一家：陶艺家｜一品：陶艺品
どうけい【同系】同一系列tóngyī xìliè ‖ ～の会社 系列公司 ✤一色：同类色
どうけい【同型】同型tóngxíng；同类tónglèi
どうけい【憧憬】（～する）憧憬chōngjǐng；向往xiàngwǎng
とうけつ【凍結】（～する）冻结dòngjié ‖ 路面が～する 路面结冰了｜計画を～する 搁置计划 ✤資金一：资金冻结｜資産一：资产冻结
とうげつ【当月】本月běnyuè；当月dàngyuè
とうけん【闘犬】斗犬dòuquǎn
どうけん【同権】✤男女一：男女平权
とうげんきょう【桃源郷】世外桃园shìwài Táoyuán
とうこう【投降】（～する）投降tóuxiáng ‖ 敵に～する 向敌人投降 ✤一者：投降者
とうこう【投稿】（～する）投稿tóugǎo ‖ 雑誌に～する 往杂志投稿 ✤一規定：稿约｜一作品：投稿作品｜一者：投稿人｜一欄：读者来信
とうこう【陶工】陶工táogōng；陶匠táojiàng
とうこう【登校】（～する）上学shàngxué ‖ バスで～する 坐公共汽车上学 ✤一拒否：拒绝上学｜一日：到校日期｜集団一：集体前往学校｜不一：不到校上课
とうごう【統合】（～する）合并hébìng ✤一失調症：综合失调症；精神分裂症｜一ソフト：集成软件｜経営一：合并经营
どうこう【同好】同好tónghào ‖ ～の士 同好之士 ✤一会：爱好者之会
どうこう【同行】（～する）同去tóng qù；陪同péitóng ✤一者：同伴
どうこう【動向】动向dòngxiàng；趋向qūxiàng ✤景気一調查：经济动向调查
どうこう【瞳孔】瞳人tóngrén；瞳孔tóngkǒng ‖ ～が開いて〔閉じて〕いる 瞳孔放大〔缩小〕
どうこう 这个那个zhège nàge ‖ いまさら～言ってもしかたがない 事到如今，再东说西说也没用了｜～言えた義理ではあるまい 没资格说三道四
とうこうせん【等高線】等高线děnggāoxiàn
とうごく【投獄】（～する）关进监狱guānjìn jiānyù ‖ 無実の罪で～される 蒙受冤枉被关进监狱
どうこくじん【同国人】同胞tóngbāo
とうこん【闘魂】〔股，份，种〕斗志dòuzhì
とうさ【等差】❶〔等級の差〕级差jíchā ❷〔差が等しいこと〕等差děngchā ✤一級数：等差级数｜一数列：等差数列
とうさ【踏査】（～する）勘测kāncè；勘察kānchá
とうざ【当座】一时yìshí；暂时zànshí ‖ ～しのぎ 渡过眼下的难关 ✤一預金：活期存款
どうさ【動作】动作dòngzuò；举止jǔzhǐ ‖ ～がにぶい〔すばやい〕 动作迟钝〔敏捷〕
とうさい【搭載】（～する）装载zhuāngzài ‖ 武器を～する 装载武器｜機能を～する 具有功能
とうざい【東西】❶〔東と西〕东西dōngxī ‖ ～を結ぶ 连结东部与西部｜～に大きな道路が走っている 东西走向有一条大道 ❷〔東洋と西洋〕东方和西方Dōngfāng hé Xīfāng｜古今～ 古今中外｜洋の～を問わず 东西方（都）
どうざい【同罪】同罪tóngzuì
とうさく【倒錯】（～する）‖ ～した愛情 畸形爱情 ✤性的一者：性倒错者
とうさく【盗作】（～する）剽窃piāoqiè
とうさつ【盗撮】（～する）偷拍tōupāi
どうさつ【洞察】（～する）洞察dòngchá ✤一力：洞察力
とうさん【倒産】（～する）破产pòchǎn；倒闭dǎobì ‖ 会社が～した 我们公司倒闭了
どうさん【動産】动产dòngchǎn
どうざん【銅山】铜矿山tóng kuàngshān
とうし【投資】（～する）投资tóuzī ‖ 自己～ 自我投资 ✤一家：投资家｜一会社：投资公司｜一信託：投资信托｜一般一家：普通投资者
とうし【凍死】（～する）冻死dòngsǐ
とうし【唐詩】唐诗Tángshī
とうし【透視】（～する）透视tòushì ‖ レントゲンで胸部を～する 用X光线作胸透 ✤一画法：透视画法｜一検査：透视检查｜一図：透视图
とうし【闘士】斗士dòushì；战士zhànshì
とうし【闘志】斗志dòuzhì ‖ ～を燃やす 斗志昂扬｜～をむき出しにする 表现出强烈的斗志｜不屈の～ 不屈不挠的斗争精神 ✤一満満：斗志高昂
とうじ【冬至】冬至dōngzhì
とうじ【当時】当时dāngshí；那时nà shí ‖ ～の思い出がいろいろよみがえる 回忆起当年种种往事
とうじ【杜氏】酿酒的人niàng jiǔ de rén
とうじ【湯治】（～する）温泉疗养wēnquán liáoyǎng
とうじ【答辞】〔篇〕答词dácí
どうし【同士】伙伴huǒbàn；同类tónglèi ✤一討ち：内部争斗
どうし【同志】同志tóngzhì；志同道合者zhì tóng dào hé zhě ✤一愛：同志友爱
どうし【動詞】动词dòngcí ✤一変化：动词变化｜規則〔不規則〕一：规则〔不规则〕动词
どうじ【同時】❶〔同じとき〕同时tóngshí.（ちょうどそのときに）一…就… yī…jiù… ‖ 発売と～に売り切れた 一上市就卖光了 ❷〔…とともに〕同时tóngshí；既…又…jì … yòu … ✤一選挙：同时选举｜一多発テロ：连环恐怖袭击｜一通訳：同传｜一放送：同播
とうじき【陶磁器】〔件，套，个〕陶瓷器táocíqì
とうじこく【当事国】当事国dāngshìguó
とうじしゃ【当事者】当事人dāngshìrén
とうじつ【当日】当天dàngtiān；那天nà tiān ✤一券：当天票
どうしつ【同室】（～する）同室tóngshì ‖ ～の友人 室友
どうしつ【同質】同一性质tóngyī xìngzhì
どうじつ【同日】❶〔その日〕当天dàngtiān ❷

〔同じ日〕同一天tóng yì tiān ❸〔程度が同じ〕‖～の論ではない 不可同日而语
どうして ❶〔どのようにして〕怎样zěnyàng; 如何rúhé ❷〔なぜ〕为什么wèi shénme; 怎么zěnme ❸〔それどころか〕其实qíshí
どうしても ❶〔ぜひとも〕怎么也要zěnme yě yào; 务必wùbì‖～行かなければならない 说什么也得去 ❷〔否定的な意味で〕怎么也zěnme yě‖～だめだ 无论如何也不行 ❸〔とかく〕往往wǎngwǎng‖重要でないことは～あと回しになる 不重要的事往往后推
とうしゃ【投射】(～する)投射tóushè
とうしゃ【謄写】(～する)❶〔書き写す〕复写fùxiě ❷〔印刷〕油印yóuyìn ✤一版:〔印刷機〕誊写版
とうしゅ【当主】家长jiāzhǎng; 户主hùzhǔ
とうしゅ【投手】投手tóushǒu
とうしゅ【党首】党首dǎngshǒu ✤一会談:党首会谈
どうしゅ【同種】同种tóngzhǒng‖～のウイルス 同一种类的病毒
とうしゅう【踏襲】(～する)沿袭yánxí
とうしゅく【投宿】(～する)投宿tóusù
とうしょ【当初】当初dāngchū‖入社した～ 刚进公司的时候｜～の予定 当初的计划
とうしょ【投書】(～する)‖新聞に～する 往报纸投稿 ✤一箱:意见箱｜一欄:读者来信专栏
とうしょ【島嶼】〔个,座〕岛屿dǎoyǔ
とうしょう【刀匠】刀匠dāojiàng
とうしょう【東証】东京证券交易所Dōngjīng Zhèngquàn Jiāoyìsuǒ ✤一一部上場企業:东证一部上市的企业
とうしょう【凍傷】冻伤dòngshāng
とうじょう【搭乗】(～する)乘坐chéngzuò‖～のアナウンスを待つ 等待广播通知开始登机 ✤一員:机组人员｜一口:登机口｜一券:登机牌｜一者名簿:乘客名单｜一手続き:登机手续
とうじょう【登場】(～する)登场dēngchǎng; 出现chūxiàn‖パソコンの新モデルが～した 个人电脑的新机型上市了 ✤一人物:剧中人
どうじょう【同上】同上tóngshàng
どうじょう【同乗】(～する)‖救急車に医師が～する 医生同乘救护车 ✤一者:一起搭乘的人
どうじょう【同情】(～する)同情tóngqíng‖心から～する 从心底同情｜～を買う 博得人们的同情｜～される 被人同情｜～の余地がある 有令人同情之处 ✤一票:同情票
どうじょう【道場】❶〔武術の〕〔个,座〕武馆wǔguǎn‖剣道の～ 剑道场 ❷〔修行の場所〕修行的地方xiūxíng de dìfang‖座禅の～ 坐禅修行的地方 ✤一破り:踢场
どうしょくぶつ【動植物】动植物dòngzhíwù
とう·じる【投じる】❶〔投げる〕投tóu; 扔rēng‖問題解決に一石を～じる 为解决问题抛砖引玉 ❷〔参加する〕投入tóurù; 投身于tóushēn yú‖ビジネスの世界に身を～じる 投身于商界 ❸〔資金を〕投资tóuzī; 投入tóurù‖私財を～じる 捐出个人财产 ❹〔票を〕投票tóupiào‖反対票を～じる 投反对票
どう·じる【動じる】动摇dòngyáo; 心慌xīnhuāng
とうしん【投身】✤一自殺:投水自杀；跳楼自杀
とうしん【等身】✤一大:和真人一样大
とうしん【等親】等亲děng qīn‖三～ 三等亲
とうしん【答申】(～する)回答上级的咨询huídá shàngjí de zīxún; 汇报huìbào ✤一書:汇报
どうしん【童心】童心tóngxīn
とうすい【陶酔】(～する)陶醉táozuì ✤自己一:自我陶醉
とうすい【統帥】(～する)统帅tǒngshuài ✤一権:统帅权｜一者:总指挥
どうすう【同数】数目相同shùmù xiāngtóng
どうせ 反正fǎnzheng; 终归zhōngguī
とうせい【当世】当今dāngjīn; 如今rújīn
とうせい【統制】(～する)❶〔ひとつにまとめる〕‖式典は～がとれていた 典礼组织得很好 ❷〔国家などによる制限〕管制guǎnzhì; 控制kòngzhì‖出版の～ 控制发行刊物｜～を強化〔緩和〕する 加强〔缓和〕统制 ✤一解除:解除管制｜一価格:控制物价｜一経済:计划经济
-とうせい【等星】‖1～ 一等星
どうせい【同性】同性tóngxìng‖～に好かれる 受同性人喜欢 ✤一愛:同性恋
どうせい【同姓】同姓tóngxìng‖～同名 同名同姓
どうせい【同棲】(～する)同居tóngjū
どうせい【動静】动静dòngjing 情况qíngkuàng‖他国の～をうかがう 观察他国的动向｜東南アジア諸国の～ 东南亚各国的局势
とうせき【投石】(～する)投石头tóu shítou
とうせき【党籍】党籍dǎngjí‖～を剝奪(はくだつ)される 被开除党籍
とうせき【透析】(～する)透析tòuxī‖腎臓(じんぞう)の～を受ける 接受肾透析
どうせき【同席】(～する)同席tóngxí‖パーティーで…と～した 在晚会上和…同席而坐｜交渉には弁護士が～した 律师一起出席了洽谈会
とうせん【当選】(～する)❶〔抽選であたる〕中奖zhòngjiǎng ❷〔選挙などで選ばれる〕当选dāngxuǎn; 被选为bèi xuǎnwéi‖～確実 肯定能当选 ✤一者:当选者；〔懸賞〕中奖者；中彩者
とうぜん【当然】应该yīnggāi; 定 理所当然lǐ suǒ dāng rán
どうせん【銅線】〔根〕铜线tóngxiàn
どうせん【導線】〔根〕导线dǎoxiàn
どうぜん【同然】‖ただ～の値段 等于白给的价钱
どうぞ 请qǐng‖お先に～ 您先请
とうそう【逃走】(～する)逃跑táopǎo; 逃走táozǒu ✤一車:在逃车辆｜一犯:逃犯
とうそう【闘争】(～する)斗争dòuzhēng ✤一資金:斗争资金｜一本能:斗争本能
どうそう【同窓】同窗tóngchuāng‖彼とは大学の～だ 我和他是大学的校友 ✤一会:同窗会；校友会｜一生:同学；校友
どうぞう【銅像】〔座,个,尊〕铜像tóngxiàng
とうぞく【盗賊】盗贼dàozéi
どうぞく【同族】✤一会社:同族公司；家族企业｜一結婚:同宗的人结婚

とうそつ【統率】(〜する)统率tǒngshuài；领导lǐngdǎo ❖一者:统帅；领导人｜一力:领导能力
とうた【淘汰】(〜する)淘汰táotài‖過剰人員を〜する 淘汰过剩人员 ❖自然一:自然淘汰
とうだい【灯台】〔座,个〕灯塔dēngtǎ‖〜もと暗し 定当局者迷 ❖一守:灯塔看守人
とうだい【当代】当代dāngdài‖〜随一の画家 当代首屈一指的画家
どうたい【胴体】躯干qūgàn‖飛行機の〜 飞机机身 ❖一着陸:以机腹着陆
とうたつ【到達】(〜する)到达dàodá；达到dádào
とうち【倒置】(〜する)倒装dàozhuāng ❖一法:倒装法
とうち【統治】(〜する)统治tǒngzhì‖この国は国連の暫定〜下にある 这个国家暂时由联合国接管
とうちゃく【到着】(〜する)到dào；到达dàodá‖東京〜は午後5時の予定だ 我们预定下午5点到东京 ❖一便:到达的航班｜一(予定)時刻:(预定)到达时间｜一ロビー:到达厅
どうちゅう【道中】旅途中lǚtú zhōng‖〜ご無事で 祝您一路平安 ❖一記:旅行日记
とうちょう【盗聴】(〜する)窃听qiètīng‖会話を〜される 谈话被窃听 ❖一装置:窃听器
とうちょう【登頂】(〜する)登上山顶dēngshang shāndǐng‖エベレスト〜に成功する 成功地登上珠穆朗玛峰
とうちょう【頭頂】头顶tóudǐng
どうちょう【同調】(〜する)❶〔賛成する〕赞同zàntóng；附和fùhè‖彼の意見に〜する者は少ない 附和他的意见的人很少 ❷〔周波数を合わせる〕调谐tiáoxié；选频xuǎnpín
とうちょく【当直】(〜する)值班zhíbān‖今夜は〜だ 今天晚上我值班 ❖一医:值班医生
とうつう【疼痛】疼痛téngtòng
とうてい【到底】无论如何也wúlùn rúhé yě；怎么也zěnme yě‖そいつは〜無理だ 这肯定是不行的｜偽物とは〜思えない 真看不出来是假货
どうてい【童貞】童男tóngnán
どうてい【道程】❶〔みちのり〕路程lùchéng；〔段〕行程xíngchéng ❷〔プロセス〕〔段,个〕过程guòchéng；〔条〕道路dàolù
とうてつ【透徹】(〜する)透彻tòuchè；精辟jīngpì‖〜した理論 精辟的理论
どうでも ‖〜好きなようにしなさい 怎么都行,随你的便｜成績など〜いい 成绩怎么样无所谓
とうてん【読点】逗号dòuhào
どうてん【同点】平分píngfēn；同分tóngfēn
どうてん【動転】(〜する)惊慌失措jīnghuāng shīcuò‖すっかり気が〜した 慌了神
とうど【凍土】〔片,块〕冻土dòngtǔ
とうと・い【尊い·貴い】❶〔貴重な〕宝贵bǎoguì‖病気になって健康の〜さを知った 得病以后才知道健康的宝贵｜〜い人命 宝贵的生命 ❷〔高貴な〕高贵gāoguì‖〜い身分 高贵的身分
とうとう【到頭】终于zhōngyú；最后zuìhòu
とうとう【滔滔】❶〔よどみなく話す〕定滔滔不绝tāo tāo bù jué；定口若悬河kǒu ruò xuán hé ❷〔さかんに流れる〕滔滔tāotāo
どうとう【同等】同等tóngděng‖高卒またはそれと〜の学力 高中毕业或者与之同等的学历
どうどう【同道】(〜する)一起去yìqǐ qù
どうどう【堂堂】‖〜と歩く 昂首阔步｜電車の中で〜と化粧する 在电车里傍若无人地涂脂抹粉｜〜と論文を発表する 充满自信地发表论文
どうどうめぐり【堂堂巡り】(〜する)(原地)兜圈子(yuándì) dōu quānzi
どうとく【道徳】〔种〕道德dàodé.（教科）德育课déyùkè ❖一観念:道德观念｜一教育:德育
とうとつ【唐突】冷不防lěngbufáng‖〜な発言 意外的发言｜この結末はちょっと〜すぎないか 这个结局未免太让人意外了吧
とうと・ぶ【尊ぶ·貴ぶ】❶〔あがめる〕尊崇zūnchóng；崇拜chóngbài ❷〔尊重する〕重视zhòngshì；珍视zhēnshì‖人命を〜ぶ 珍惜生命
とうどり【頭取】(銀行の)行长hángzhǎng
とうなん【東南】东南dōngnán‖動物園は市の〜に位置している 动物园位于该市的东南方
とうなん【盗難】失盗shīdào‖〜を警察に届ける 向警察通报失窃｜留守中に〜に遭った 家中没人时被盗了 ❖一車:被盗汽车｜一品:被盗物品
とうなんアジア【東南アジア】东南亚Dōngnán Yà
どうにか 总算zǒngsuàn；好歹hǎodǎi
どうにも ❶〔どうやっても〕怎么也zěnme yě ❷〔実に〕实在shízài
とうにゅう【投入】(〜する)❶〔資金·人員を〕投入tóurù ❷〔投げ入れる〕扔进去rēngjinqu
とうにゅう【豆乳】豆浆dòujiāng；豆奶dòunǎi
どうにゅう【導入】(〜する)❶〔外資などを〕引进yǐnjìn‖新システムを〜する 引进新系统｜西洋文化の〜 导入西洋文化 ❷〔学習内容の前置き〕引入yǐnrù ❖一部:引言
とうにょうびょう【糖尿病】糖尿病tángniàobìng
とうねん【当年】❶〔ことし〕今年jīnnián ❷〔そのころ〕当年dāngnián
どうねん【同年】❶〔同じ年〕同年tóngnián ❷〔同じ年齢〕同岁tóngsuì ❸〔前に述べたその年〕那年nà nián
どうのこうの ⇨どうこう
とうは【党派】❶〔党〕党dǎng；党派dǎngpài ❷〔党内の分派〕党内派系dǎngnèi pàixì
とうは【踏破】(〜する)走遍zǒubiàn
とうはつ【頭髪】〔根,绺〕头发tóufa
とうはん【登攀】(〜する)攀登pāndēng
とうばん【当番】值班(员) zhíbān(yuán).（当直）值勤zhíqín.（宿直）值夜zhíyè ❖給食一:供饭值日｜休日一医:节假日值班医生
どうはん【同伴】(〜する)偕同xiétóng‖妻〜でパーティーに出る 偕同妻子参加宴会 ❖一者:同伴
どうばん【銅版】铜版tóngbǎn ❖一画:铜版画
とうひ【当否】是否恰当shìfǒu qiàdàng‖事の〜 事情妥当与否
とうひ【逃避】(〜する)逃避táobì；躲避duǒbì‖現実〜 逃避现实
とうひ【等比】等比děngbǐ ❖一数列:等比数列
とうひょう【投票】(〜する)投票tóupiào ❖一権:选举权｜一所:投票站｜一数:投票数｜一日

:投票日｜一用紙:选票｜一率:投票率｜住民一:居民投票｜不在者一:缺席投票
とうびょう【闘病】(〜する)专心疗养zhuānxīn liáoyǎng ✤一記:治病日记
どうびょう【同病】‖〜相哀れむ 定同病相怜
とうひん【盗品】〔个,件〕赃物zāngwù
とうふ【豆腐】〔块,方〕豆腐dòufu
とうぶ【東部】东部dōngbù
とうぶ【頭部】头部tóubù
どうふう【同封】(〜する)随信附上suí xìn fùshang‖写真を〜する 随信附上照片
どうぶつ【動物】〔种,群〕动物dòngwù ✤一愛護:爱护动物｜一園:动物园｜一学:动物学｜一性たんぱく質:动物蛋白｜一病院:宠物医院
とうぶん【当分】暂时zànshí;一时yìshí.(さしあたり)目前mùqián
とうぶん【等分】(〜する)均分jūnfēn;平分píngfēn‖もうけを〜する 平分利润
とうぶん【糖分】糖分tángfèn
どうぶん【同文】❶〔文章が同じ〕同文tóngwén‖以下〜 以下同前 ❷〔文字が共通している〕同文tóngwén
とうへき【盗癖】盗窃癖dàoqièpǐ;盗癖dàopǐ
とうべん【答弁】(〜する)答辩dábiàn.(答え)回答huídá ✤国会一:国会答辩
とうほう【当方】我方wǒfāng;我们wǒmen
とうほう【東方】东方dōngfāng ✤一教会:东正教教会｜一見聞録:马可·波罗行记
とうぼう【逃亡】(〜する)逃亡táowáng
どうほう【同胞】同胞tóngbāo
とうほく【東北】东北dōngběi ✤一地方:东北地区
とうほくとう【東北東】东东北dōngdōngběi
とうほん【謄本】抄本chāoběn;抄件chāojiàn
とうほんせいそう【東奔西走】(〜する)定 东奔西走dōng bēn xī zǒu
どうみゃく【動脈】❶〔生 理〕〔条,根〕动 脉dòngmài ❷〔主要な交通路〕〔条〕动脉dòngmài;交通命脉jiāotōng mìngmài ✤一硬化症:动脉硬化｜一瘤(りゅう):动脉瘤
とうみん【冬眠】(〜する)冬眠dōngmián
とうめい【透明】透明tòumíng‖〜なガラス 透明玻璃｜〜な水 清澈的水 ✤一度:透明度｜一人間:透明人
どうめい【同名】同名tóngmíng
どうめい【同盟】(〜する)结盟jiéméng.(関係)同盟tóngméng;联盟liánméng‖〜を結ぶ 结盟 ✤一軍:同盟军｜一国:同盟国｜軍事一:军事同盟
どうメダル【銅メダル】铜牌tóngpái
とうめん【当面】目前mùqián;当前dāngqián
どうもう【獰猛】凶猛xiōngměng
とうもろこし【玉蜀黍】玉米yùmǐ
とうやく【投薬】(〜する)下药xiàyào
どうやら ❶〔なんとか〕总算zǒngsuàn;好歹hǎodǎi ❷〔どうも〕好像hǎoxiàng;大概dàgài.(見たところ)看样子kàn yàngzi‖〜雨になりそうだ 看样子,快下雨了
とうゆ【灯油】❶〔ともしあぶら〕灯油dēngyóu ❷〔燃料の〕煤油méiyóu
とうよ【投与】(〜する)开药kāi yào‖抗生物質を〜する 开抗生素药
とうよう【当用】✤一漢字:当用汉字
とうよう【東洋】东方Dōngfāng ✤一医学:中医｜一学:东方学｜一史:亚洲史｜一思想:东方思想｜一趣味:东方情调｜一美術:东方美术｜一文明:东方文明
とうよう【盗用】(〜する)盗用dàoyòng
とうよう【登用】(〜する)提拔tíbá;起用qǐyòng‖優れた人材を〜すべきだ 应该提拔优秀人材
どうよう【同様】和…一样hé … yíyàng
どうよう【動揺】(〜する)❶〔揺れる〕动摇dòngyáo ❷〔平静を失う〕动摇dòngyáo;波动bōdòng‖心の〜 情绪波动｜政界を〜させる 震动政界
どうよう【童謡】〔首〕童谣tóngyáo;儿歌érgē
とうらい【到来】(〜する)到来dàolái;来临láilín‖チャンス〜 时机到来
どうらく【道楽】(〜する)❶〔楽しみ〕‖〜で絵をかいている 画画是业余爱好 ❷〔遊興〕游荡yóudàng;定吃喝嫖赌chī hē piáo dǔ ✤一息子:花花公子｜一者:酒色之徒｜食い一:美食家
どうらん【動乱】〔场,次〕动乱dòngluàn‖社会的〜 社会动乱｜〜を鎮める 平息动乱
どうり【道理】❶〔条理〕道理dàoli.(わけ)理由lǐyóu ❷〔正しい道〕道义dàoyì
とうりつ【倒立】(〜する)倒立dàolì
どうりつ【同率】相同比例xiāngtóng bǐlì
とうりゅう【逗留】(〜する)逗留dòuliú ✤一客:停留的游客｜長一:长期逗留
とうりゅうもん【登竜門】定 登龙门dēng lóngmén‖文壇への〜 登上文坛的成功之门
とうりょう【棟梁】木匠头儿mùjiang tóur
とうりょう【頭領】头儿tóur
どうりょう【同僚】同事tóngshì
どうりょう【同量】等量děngliàng
どうりょく【動力】(原)动力(yuán)dònglì ✤一源:能源｜一伝達装置:动力传送装置
どうるい【同類】❶〔同じたぐい〕同类tónglèi ❷〔仲間·一味〕同伙tónghuǒ ✤一意識:认同意识
どうれつ【同列】❶〔列が同じ〕同列tóngliè;同排tóngpái ❷〔地位などが同じ〕同等tóngděng;一样yíyàng‖〜には論じられない 不能相提并论
どうろ【道路】〔条〕道路dàolù‖〜を建設する 铺路｜〜がこんでいる 路上交通拥挤 ✤一工事:修路工程;道路施工｜一交通法:道路交通法｜一地図:公路地图｜一標識:路标
とうろう【灯籠】〔盏,个〕灯笼dēnglong ✤一流し:放河灯｜回り一:走马灯
とうろく【登録】(〜する)❶〔帳簿に記す〕登记dēngjì;登录dēnglù‖車の〜 汽车的登记手续｜データを〜する 登记信息 ❷〔法律〕注册zhùcè ✤一商標:注册商标｜一制度:注册制度｜一番号:注册号码｜一料:登记费用
とうろん【討論】(〜する)讨论tǎolùn ✤一会:讨论会｜公開一会:公开讨论会｜テレビ一会:电视讨论会
どうわ【童話】〔个,则,篇〕童话tónghuà ✤一劇

:童话剧｜一作家:童话作家

とうわく【当惑】(〜する)困惑kùnhuò; 迷惑míhuo; 定不知所措bù zhī suǒ cuò

とお【十】❶〔数〕十shí; 十个shí ge ❷〔年齢〕十岁shí suì

とおあさ【遠浅】浅滩qiǎntān

とお·い【遠い】❶〔時間的·空間的に〕远yuǎn; 遥远yáoyuǎn ‖ 学校は駅から〜い 学校离车站很远｜〜い昔の思い出 遥远的记忆｜そう〜くない時期 不远的将来 ❷〔程度·性質などが〕远yuǎn; 远离yuǎnlí ‖ 実用段階にはまだまだ〜い 还远远不能进入实用阶段 ❸〔関係が〕远yuǎn; 疏远shūyuǎn ‖ 〜い親戚(しんせき) 远房亲戚｜〜くて近きは男女の仲 千里姻缘一线牵 ❹〔意識が薄れる〕模糊móhu ‖ 意識が〜くなる 神志模糊起来｜気の〜くなるような数字 天文数字 ❺〔聞こえにくい〕听不清楚tīngbuqīngchu. (耳が)背bèi ‖ 電話が〜い 电话听不清楚｜耳が〜くなる 耳背

トーイック【TOEIC】托业Tuōyè

とおえん【遠縁】〔个,位〕远亲yuǎnqīn; 远房yuǎnfáng

とおか【十日】❶〔10日間〕十天shí tiān ❷〔月の10番目の日〕10号shí hào; 10日shí rì

とおからず【遠からず】不久bùjiǔ; 近日jìnrì

とおく【遠く】❶〔遠い所〕远处yuǎnchù; 远方yuǎnfāng ‖ どこか〜へ行きたい 想去个遥远的地方｜〜の親類より近くの他人 远亲不如近邻 ❷〔はるかに〕远yuǎn; 遥远yáoyuǎn ‖ 兄に〜およばない 我远不如我哥哥

トーク【トーク】聊天儿liáotiānr; 闲谈xiántán ✣一ショー:脱口秀｜一番組:谈话节目

トーゴ 多哥Duōgē

とおざか·る【遠ざかる】❶(距離が)远离yuǎnlí ‖ 連絡船は岸から〜っていった 渡船离岸远去了 ❷〔関係が〕疏远shūyuǎn; 远离yuǎnlí ‖ 世間から〜る 远离世俗社会

とおざ·ける【遠ざける】❶〔遠くに離す〕使之远离shǐ zhī yuǎnlí ❷〔疎遠にする〕疏远shūyuǎn; 戒jiè ‖ 酒は〜けたほうがよい 戒酒为好

とおし【通し】❶〔一貫して〕连续liánxù ❷〔お通し〕小菜xiǎocài ✣一切符:通票｜一番号:连续号码

-どおし【通し】一直yìzhí; 总是zǒngshì ‖ 夜〜起きている 彻夜不眠｜立ち〜の仕事 整天一直站着的工作

とお·す【通す】❶〔通行·通過させる〕通过tōngguò; 穿过chuānguo ‖ 針に糸を〜す 纫针｜窓をあけて部屋に風を〜す 把窗户打开通通风｜ゴムは電気を〜さない 橡胶不导电 ❷〔人を中に入れる〕让…进来[进去] ràng … jìnlai[jìnqu] ‖ 書斎に〜された 我被让进书房 ❸〔一貫して〕连续liánxù; 一直yìzhí ‖ 独身で〜す 终身独身｜全曲を〜して聞く 把曲子从头至尾听一遍 ❹〔意志などを〕坚持jiānchí; 固执gùzhi ‖ 自分の主義を〜す 坚持自己的主张｜自分の意見をあくまで〜す 固执己见 ❺〔議案などを〕通过tōngguò ‖ 予算案を〜す 通过预算草案 ❻〔目を〕浏览liúlǎn ‖ 会議の議題に目を〜す 通览会议的议题｜ざっと目を〜す 大致浏览一下 ❼〔介して〕通过tōngguò ‖ 友人を〜して知り合う 通过朋友相识 ❽〔接尾語〕做完zuòwán; 彻底做chèdǐ zuò ‖ 最後までやり〜す 做到底; 定一竿子到底

トースター 烤面包器kǎomiànbāoqì

トースト〔块,片〕吐司tǔsī

トータル 总计zǒngjì ✣一コーディネート:(服装)整体搭配;(インテリアなど)整体设计

とおで【遠出】(〜する)远行yuǎnxíng

トーテム ✣一ポール:图腾柱

ドーナツ 甜甜圈tiántiánquān

トーナメント〔场〕淘汰赛táotàisài

とおの·く【遠退く】❶〔遠ざかる〕远离yuǎnlí ❷〔疎遠になる〕疏远shūyuǎn ‖ 連絡が〜く 不常联络

トーバンジャン【豆板醤】豆瓣儿酱dòubànrjiàng

ドーピングテスト 药检yàojiǎn

トーフル【TOEFL】〔次,场〕托福Tuōfú

とおぼえ【遠吠え】(〜する)❶〔犬や狼の〕‖ イヌの〜が聞こえる 听到远处的狗叫声 ❷〔陰で批判する〕‖ 負け犬の〜 败者狂言

とおまき【遠巻き】从远处围上cóng yuǎnchù wéishang

とおまわし【遠回し】婉言wǎnyán; 委婉wěiwǎn ‖ 〜に注意する 委婉地告诫

とおまわり【遠回り】(〜する)绕远儿ràoyuǎnr; 绕道ràodào

ドーム (半)圆形屋顶(bàn)yuánxíng wūdǐng. (建築物)圆顶建筑yuándǐng jiànzhù

とおり【通り】❶〔道路〕〔条〕大街dàjiē; 马路mǎlù ‖ ここは何という〜ですか 这条路叫什么路? ❷〔交通·空気·水などの〕流通liútōng ‖ 風の〜がいい 通风很好 ❸〔声·文が〕(声が)响亮xiǎngliàng. (文が)通顺tōngshùn ‖ きみの声は〜がいい 你的声音很响亮 ❹〔評判〕声誉shēngyù ‖ ペンネームのほうが〜がいい 笔名更为人所知 ❺〔助数詞〕种类zhǒnglèi ‖ 2〜の解き方 两种解法 ❻〔…のように〕照样zhàoyàng; 正如zhèng rú ‖ ご承知の〜 如您所知｜予期した〜 如其所料｜規則〜にやる 照章办事｜時間〜に来る 按时来 ❼〔街路名〕…路…lù; …大街… dàjiē ❽〔…くらい〕左右zuǒyòu ‖ 9分〜できあがる 完成了九成左右

とおりあめ【通り雨】〔场〕阵雨zhènyǔ

とおりいっぺん【通り一遍】泛泛fànfàn; 表面biǎomiàn ‖ 〜のあいさつ 泛泛打了个招呼

とおりがかり【通り掛かり】过路guòlù ‖ 〜に寄りました 路过这里顺便来看看

とおりかか·る【通り掛かる】路过lùguò

とおりこ·す【通り越す】❶〔通り過ぎる〕走过zǒuguo ❷〔程度·限度をこえる〕超过chāoguò; 越过yuèguò

とおりすがり【通りすがり】路过lùguò; 顺便shùnbiàn ‖ 〜の人 过路的人

とおりす·ぎる【通り過ぎる】走过zǒuguo; 越过yuèguò

とおりぬ·ける【通り抜ける】穿越chuānyuè; 穿过chuānguo ✣一け禁止:禁止穿行

とおりま【通り魔】在街头行凶的歹徒zài jiētóu xíngxiōng de dǎitú

とおりみち【通り道】〔条〕通路tōnglù

とお・る【通る】❶〔通行・通過する〕走过zǒuguo；通过tōngguò‖電車が～る 电车通过 ❷〔通り抜ける〕穿过chuānguo；通过tōngguò‖トンネルを～る 穿过隧道｜鼻が～らない 鼻子不通气 ❸〔合格する〕合格hégé‖試験に～る 考试及格 ❹〔承認される〕通过tōngguò；得到承认dédào chéngrèn‖議会を～る 在议会上通过｜そんな言いわけは～らないよ 那样的辩解是行不通的 ❺〔部屋などに入る〕被让进bèi ràngjin ❻〔届く〕(声が)响亮xiǎngliàng．(中に)透tòu‖声がよく～る 声音很响亮 ❼〔意味・論理が一貫する〕通顺tōngshùn；有条理yǒu tiáolǐ‖話の筋が～っている 说话有条理 ❽〔到達する〕‖先方に話が～っていない 这件事还没通知对方 ❾〔筋目が〕‖鼻筋が～った 高鼻梁

トーン ❶〔音調〕〔种,个〕音调yīndiào；声调shēngdiào‖声の～が低い 声调低 ❷〔色調〕〔种,个〕色调sèdiào ✣ー ダウン：缓和

トおんきごう【ト音記号】高音谱号gāoyīn pǔhào

とか【都下】东京都管辖地区Dōngjīngdū guǎnxiá dìqū‖～の学校 东京都管辖内的学校

とかい【都会】都市dūshì；城市chéngshì‖～にあこがれる 向往城市｜～的なエスプリ 都市风格 ✣ー化：城市化｜ー人：城市人

どがいし【度外視】(～する) 定 置之度外zhì zhī dù wài；无视wúshì‖費用を～する 不考虑费用

とかげ【蜥蜴】〔个,只〕蜥蜴xīyì‖～のしっぽ切り 委过于下属

とか・す【梳かす】梳shū‖髪を～す 梳头发

とか・す【溶かす・融かす・解かす】溶化rónghuà；溶解róngjiě；熔化rónghuà；融化rónghuà‖雪を～す 融雪｜鉛を～す 熔铅

とがめだて【咎め立て】(～する)苛责kēzé‖ささいなミスを～する 苛责小小的失误

とが・める【咎める】❶〔非難する〕责难zénàn‖無断欠勤を～められる 因无故旷工而受到批评｜～めるように見る 用责备的目光看 ❷〔怪しんで尋ねる〕盘问pánwèn ❸〔心苦しくなる〕‖気が～める 内疚｜良心が～める 受到良心的谴责

とが・る【尖る】❶〔先が細くなる〕尖jiān‖～った屋根 尖屋顶｜先の～った靴 尖头鞋 ❷〔神経が〕紧张jǐnzhāng；过敏guòmǐn‖上司は近ごろ神経が～っている 最近领导很容易发怒 ❸〔怒る〕尖刻jiānkè；生气shēngqì

どかん【土管】〔根〕陶管táoguǎn

とき【時】❶(時間・時刻)时间shíjiān；光阴guāngyīn‖～は金なり 时间就是金钱｜～のたつのは早い 光阴似箭 ❷〔機会・時機〕时机shíjī；时候shíhou‖いまこそ断を下すべき～だ 现在正是该做出决断的时候了｜ちょうどよい～に来てくれた 你来得正合适｜それは～と場合による 那取决于时机与场合 ❸〔折・場合〕时候shíhou‖大学生の～ 上大学的时候 ❹〔その当時・時代〕当时dāngshí‖～の内閣 当时的内阁

とき【鴇】朱鹮zhūhuán ✣ー色：浅粉红色

どき【土器】〔个,件,种〕粗陶cūtáo

どき【怒気】〔股,腔〕怒气nùqì；〔脸,丝〕怒色nùsè‖～を含んだ声 充满怒气的声音

-どき【時】❶〔…の時間〕时候shíhou‖昼飯～ 午餐时间｜黄昏(たそがれ)～ 黄昏时分 ❷〔時節〕‖梅雨～ 梅雨季节

ときあか・す【解き明かす】解明jiěmíng；究明jiūmíng

ときおり【時折】有时yǒushí；偶尔ǒu'ěr

とぎすま・す【研ぎ澄ます】❶〔刀などを〕磨快mókuài ❷〔神経などを〕敏锐mǐnruì；集中jízhōng‖神経を～す 集中精神

ときたま【時たま】有时yǒushí；偶尔ǒu'ěr

どぎつ・い‖～い色 过分鲜艳的颜色｜～い化粧 浓妆艳抹｜～い表現 过激的语句

どきっと(～する)大吃一惊dà chī yì jīng；心跳xīn tiào

ときどき【時時】❶〔時たま〕有时候yǒu shíhou；偶尔ǒu'ěr‖晴～雨 晴间雨 ❷〔そのときそのとき〕各个时候gègè shíhou‖その～で受け取る感じは異なる 不同的时候有不同的感受

どきどき(～する)扑通扑通pūtōngpūtōng．(不安で)忐忑不安tǎntè bù'ān．(ときめいて)心跳加速xīn tiào jiāsù

ときのひと【時の人】新闻人物xīnwén rénwù；红人hóngrén

ときはな・す【解き放す】解开jiěkāi；松开sōngkāi‖心をストレスから～す 放松紧张的心情

ときふ・せる【説き伏せる】说服shuōfú

ときほぐ・す【解きほぐす】❶〔ばらばらにする〕解开jiěkāi；松开sōngkāi ❷(やわらげる)消除xiāochú；解除jiěchú‖緊張を～す 消除紧张情绪

どぎまぎ(～する)慌张huāngzhang；慌神儿huāngshénr；定 心慌意乱xīn huāng yì luàn

ときめ・く【時めく】目前最红mùqián zuì hóng‖いまを～く実業家 现在最走红的实业家

ときめ・く 心潮澎湃xīncháo péngpài‖会ったとたんに胸が～いた 相遇的那一瞬间,我便心潮澎湃

どぎも【度肝・度胆】‖～を抜く 吓破胆；使…大为震惊

ドキュメンタリー〔个,篇,段〕纪实jìshí；记录jìlù ✣ー映画：纪录片｜ー番組：纪实节目

ドキュメント 记录jìlù；文件wénjiàn

どきょう【度胸】胆量dǎnliàng‖～がある 很有胆量｜～を決める 壮起胆子

どきょう【読経】(～する)念经niànjīng

ときょうそう【徒競走】〔场〕赛跑sàipǎo

とぎれとぎれ【途切れ途切れ】断断续续duànduànxùxù；时断时续shí duàn shí xù

とぎ・れる【途切れる】中断zhōngduàn；间断jiànduàn‖通信が～れる 信号中断

とく【得】好处hǎochu；合算hésuàn‖差し引き1000円～をする 结算下来便宜1000日元｜いったい何の～になるのか 究竟有什么好处？

とく【徳】❶〔人格〕德dé；品德pǐndé‖～の高い人 德行高尚的人 ❷〔恩恵〕〔份〕恩惠ēnhuì；恩德ēndé‖～をほどこす 施恩

と・く【解く】❶〔ほどく〕解开jiěkāi‖結び目を～く 解绳扣 ❷〔気持ちをほぐす〕放松fàngsōng‖警戒心を～く 放松警惕｜誤解を～く 消除误会｜緊張を～く 使紧张的心情放松 ❸〔解除する〕解除jiěchú‖外出禁止令を～く 解除外出禁令 ❹〔問題を〕解答jiědá‖以下の問題を～け

と

解答下列问题

と・く【溶く】❶〔液体に溶かす〕溶解róngjiě；化开huàkāi ‖ 粉ミルクを～く 冲奶粉 ❷〔液状にする〕‖ 卵を～く 打鸡蛋

と・く【説く】❶〔説明する〕讲解jiǎngjiě；解释jiěshì ❷〔教え諭す〕教导jiàodǎo

と・ぐ【研ぐ】❶〔刃物を〕磨mó ‖ 鎌を～ぐ 磨镰刀 ❷〔米を〕淘táo ‖ 米を～ぐ 淘米

どく【毒】❶〔有害な物質〕〔种〕毒dú；毒性dúxìng ‖ ～きのこ 毒蘑菇｜～ぐも 毒蜘蛛｜～を消す 去除毒性｜～を盛る 下毒｜～に当たる 中毒 ❷〔害になる〕有害yǒu hài ‖ 目の～ 不该看的东西｜そんなに食べては体に～だ 吃那么多对身体有害｜～にも薬にもならない 既无害也无益 ❸〔悪意・悪事〕恶毒èdú；毒辣dúlà ‖ 言葉に～がある 话里有刺儿｜～をもって～を制す 定 以毒攻毒｜～を食らわば皿まで 定 一不做，二不休

ど・く【退く】躲开duǒkāi；让开ràngkāi ‖ ちょっと～いてください 请让一下

とくい【特異】❶〔普通と異なる〕异常yìcháng；特殊tèshū ❷〔とくにすぐれている〕非凡fēifán；定 与众不同yǔ zhòng bù tóng ‖ ～な才能 非凡的天分 ✤ 一体質：特殊体质

とくい【得意】❶〔自慢・満足すること〕得意déyì；定 心满意足xīn mǎn yì zú ‖ すっかり～になる 得意得不得了｜～の絶頂にある 达到得意的顶峰 ❷〔得手・上手〕拿手náshǒu；擅长shàncháng ‖ ～な学科は何ですか 你擅长什么学科？｜カレーライスをつくるのが～だ 做咖喱饭很拿手 ❸〔顧客〕顾客gùkè；主顾zhǔgù ‖ 長年のお～ 多年的老主顾｜～客を増やす 增加顾客 ✤ 一先：客户；主顾｜一満面：定 得意洋洋；定 春风满面

どくえん【独演】(～する)独演dúyǎn ✤ 一会：个人演出

どくが【毒牙】❶〔ヘビの〕〔颗〕毒牙dúyá ❷〔悪巧みの手段〕毒手dúshǒu；毒计dújì

どくがく【独学】(～する)自学zìxué ‖ …を～でマスターする 靠自学来掌握…｜～で会計士の資格を取る 通过自学取得会计师的证书

どくガス【毒ガス】〔股〕毒气dúqì ‖ ～でやられる 因吸入毒气而中毒身亡 ✤ 一弾：毒气弹

とくぎ【特技】特长tècháng；专长zhuāncháng ‖ ～を生かす 发挥专长

どくけ【毒気】‖ ～に当てられる 被对方的歹毒吓得目瞪口呆｜～を抜かれる 失去对抗之意

どくけし【毒消し】解毒jiědú

どくさい【独裁】(～する)独裁dúcái ‖ ヒットラーの～下 希特勒的独裁统治下 ✤ 一国家：专政国家｜一者：独裁者｜一政治：独裁政治

とくさく【得策】上策shàngcè

どくさつ【毒殺】(～する)毒死dúsǐ；毒害dúhài

とくさんぶつ【特産物】特产tèchǎn

とくし【篤志】✤ 一家：慈善家；支持者

どくじ【独自】独特dútè ‖ ～の調査 自己独立调查｜～の意見 独到的见解

とくしつ【特質】特性tèxìng；特点tèdiǎn ‖ 日本語の～ 日语的特点

とくしつ【得失】〔份〕得失déshī；利弊lìbì ‖ ～を評価する 分析利弊

とくしゃ【特赦】特赦tèshè ‖ ～を行う 实行特赦 ✤ 一令：特赦令

どくしゃ【読者】〔位，名，个〕读者dúzhě ‖ ～の皆さん 各位读者｜～の心をつかむ 吸引读者｜～の声を反映する 反映读者的意见 ✤ 一層：读者范围｜一欄：读者栏目

どくじゃ【毒蛇】毒蛇dúshé

とくしゅ【特殊】特殊tèshū；特别tèbié ‖ 非常に～なケース 非常特殊的例子 ✤ 一学級：残疾学生的特殊教育班｜一学校：特殊学校｜一技能：特殊技能｜一撮影：特技摄影｜一部隊：特种部队

とくしゅう【特集】(～する)专刊zhuānkān；专集zhuānjí ‖ …について～する 针对…推出专集 ✤ 一記事：专题报导｜一号：专刊号

どくしょ【読書】(～する)看书kàn shū；读书dúshū ‖ 家で～する 在家看书｜～百遍意おのずから通ず 读书百遍意自通 ✤ 一家：爱读书的人｜一会：读书会｜一週間：读书周

とくしょう【特賞】特等奖tèděngjiǎng

どくしょう【独唱】(～する)独唱dúchàng ✤ 一会：独唱会

とくしょく【特色】〔个，种〕特色tèsè；特点tèdiǎn ‖ 地域の～ 地域特色

とくしん【特進】(～する)特别晋级tèbié jìnjí ✤ 二階級一：特别晋级两级

どくしん【独身】独身dúshēn；单身dānshēn ‖ ～時代 结婚之前｜終生～で通す 一辈子不结婚 ✤ 一貴族：单身贵族｜一者：(男)单身汉；(女)单身女｜一生活：独身生活｜一寮：单身宿舍

とく・する【得する】占便宜zhàn piányi；得利dé lì ‖ ～した気分になる 觉得占了便宜

とくせい【特性】〔个，种〕特性tèxìng

とくせい【特製】特制tèzhì ✤ 一品：特制品

どくせい【毒性】毒性dúxìng；毒质dúzhì

とくせつ【特設】(～する)特设tèshè ✤ 一売り場：特设卖场｜一会場：特设会场

どくぜつ【毒舌】‖ ～をふるう 说刻薄话 ✤ 一家：尖酸刻薄的人

とくせん【特選】❶〔コンクールなどの賞〕特等奖tèděngjiǎng ❷〔特別に選ぶこと〕特别选出tèbié xuǎnchu ✤ 一品：精品

どくせん【独占】(～する)❶〔独りじめ〕独占dúzhàn ‖ アカデミー賞の8部門を～する 独占八项奥斯卡奖 ❷〔経済〕垄断lǒngduàn ✤ 一インタビュー：专访｜一企業：垄断企业｜一禁止法：垄断禁止法｜一資本：垄断资本｜一欲：占有欲

どくそ【毒素】毒素dúsù

どくそう【毒草】毒草dúcǎo

どくそう【独走】(～する)❶〔とびぬけて先を行く〕遥遥领先yáoyáo lǐngxiān ❷〔自分勝手に行動する〕单独行动dāndú xíngdòng

どくそう【独奏】(～する)独奏dúzòu ✤ 一会：独奏会｜一者：独奏演员

どくそう【独創】(～する)独创dúchuàng ‖ ～性を育てる〔が欠けている〕 培养〔缺乏〕独创性｜～的なデザイン 独创性的设计

とくそく【督促】(～する)督促dūcù ‖ 借金返済の～を受ける 被催债 ✤ 一状：催促通知；督促信

ドクター ❶〔博士〕博士bóshì ❷〔医者〕医生yīshēng ✤ 一コース：博士课程｜一ストップ：医生禁止(喝酒、吸烟等)

とくだい【特大】特大tèdà ‖ ～のステーキ 特大牛排 ✤一号:特大号 | 一サイズ:特大号
とくだね【特種】独家新闻dújiā xīnwén; 特稿tègǎo
どくだみ【蕺菜】蕺菜jícài; 鱼腥草yúxīngcǎo
どくだん【独断】(～する)独断dúduàn; 擅自shànzì ‖ ～で事を行う 擅自行事 | ～的な意見 独断的意见 ✤一専行: 定独断专行
どくだんじょう【独壇場】‖ 体操は日本チームの～だった 体操比赛日本队独占鳌头
とぐち【戸口】门口ménkǒu; 出入口chūrùkǒu
とくちゅう【特注】(～する)特别订制tèbié dìngzhì ✤一品:特制品
とくちょう【特長】特长tècháng; 特点tèdiǎn
とくちょう【特徴】特征tèzhēng ‖ ～をとらえる 抓住特征
とくてい【特定】(～する)特定tèdìng ‖ 犯人を～する 断定嫌疑犯 | ～の人を指す 专指某些人 ✤一銘柄:特定品种
とくてん【特典】‖ 授業料免除の～ 免交学费的优待 | 会員の～ 会员的特权
とくてん【得点】(試験の)分数fēnshù. (競技の)得分défēn ‖ 最高～ 最高分 ✤一圏:得分圈 | 一表:记分表
とくど【得度】(～する)出家chūjiā
とくとう【特等】特等tèděng ‖ 福引きで～が当たる 抽彩中特等奖 ✤一室:特等室 | 一席:特等席
とくとく【得得】得意扬扬déyì yángyáng
どくとく【独特】独特dútè; 特别tèbié ‖ ～の食文化 独特的饮食文化
とくに【特に】特别tèbié; 尤其yóuqí. (わざわざ)特意tèyì ‖ 今年は～暑い 今年特别热 | このエッセーは～若い人向けに書かれた 这篇随笔是特意为了年轻人而写的
とくは【特派】✤一員:特派员
どくは【読破】(～する)读完dúwán
とくばい【特売】(～する)甩卖shuǎimài ‖ ✤一場:特价品售货处 | 一日:特价销售日 | 一品:特价商品
どくはく【独白】(～する)❶〔役者が独りで言うせりふ〕独白dúbái ❷〔独り言〕定自言自语zì yán zì yǔ
とくひつ【特筆】(～する)定大书特书dà shū tè shū ‖ 何も～すべきことはない 没有什么该大书特书的事儿
とくひょう【得票】得票dé piào
どくぶつ【毒物】〔种〕毒物dúwù; 毒药dúyào
どくぶん【独文】德文Déwén ✤一科:德文系
とくべつ【特別】❶〔とくに〕特别tèbié; 格外géwài ‖ 今日は～寒い 今天特别冷 | ～親しい友人 最亲近的朋友 ❷〔ほかと異なっている〕例外lìwài; 特殊tèshū ✤一扱い:特殊待遇 | 一機:专机 | 一席:特等席 | 一措置:特别措施 | 一手当:特殊津贴 | 一料金: (割増)加价; (割引)优惠价
どくへび【毒蛇】⇨どくじゃ(毒蛇)
どくぼう【独房】单身牢房dānshēn láofáng
とくむ【特務】〔个,项〕特殊任务tèshū rènwu ✤一機関:特务〔谍报〕机关
どくむし【毒虫】〔只〕毒虫dúchóng
とくめい【匿名】匿名nìmíng ✤一投票:匿名投票
とくやく【特約】(～する)特约tèyuē ✤一条項: (保険の)特约条款 | 一店:特约经销店
どくやく【毒薬】〔种〕毒药dúyào
とくゆう【特有】特有tèyǒu; 独特dútè
とくよう【徳用】经济实惠jīngjì shíhuì ✤一品:实惠商品
どくりつ【独立】❶〔束縛·干渉を受けないこと〕独立dúlì ‖ まだ～できる年齢ではない 还不到能独立生活的年龄 ❷〔ほかと別になっていること〕独立dúlì; 单独(存在) dāndú (cúnzài) ‖ 茶室は母屋から～して庭の中にある 茶室单独建在院子里 ✤一記念日:独立纪念日 | 一国家:独立国家 | 一採算制:独立核算制 | 一心:自立心 | 一宣言:独立宣言 | 一戦争:独立战争 | 一独歩:独立自主; 定自力更生
どくりょく【独力】‖ ～で会社を創業する 靠自己的力量创办企业 | ～で困難を克服する 一个人独自克服困难
とくれい【特例】特例tèlì; 例外lìwài; ✤一法:特别法; 特例法
とぐろ ‖ コブラが～を巻く 眼镜蛇盘成一团 | いつも居酒屋で～を巻いている 老是在一起泡酒馆
どくろ【髑髏】〔具〕骷髅kūlóu
とげ【刺·棘】❶〔植物·魚などの突起物〕〔根〕刺cì ❷〔木などのささくれ〕〔根〕小刺xiǎocì ❸〔辛らつな言葉や態度〕尖酸刻薄jiānsuān kèbó; 刺儿cìr ‖ 言葉に～がある 话里带刺儿
とけあ·う【溶け合う】融合(到一起) rónghé(dào yìqǐ) ‖ 空と海が～う 天与海融合到一起
とけい【時計】〔个,座,台〕钟zhōng; 〔块,只,个〕表biǎo ‖ この～は合っていますか 这表走得准不准? | 私の～は5分進んでいる〔おくれている〕 我的表快〔慢〕五分钟 ✤一台:钟楼 | 一回り:顺时针 | 一屋:钟表店
とけこ·む【溶け込む】❶〔雰囲気になじむ〕融合rónghé ‖ 周囲の環境に～む建築物 与周围环境融为一体的建筑 ❷〔液体になってまじる〕溶解róngjiě
どげざ【土下座】(～する)跪拜guìbài
とけつ【吐血】(～する)吐血tùxiě
とげとげし·い【刺刺しい】‖ ～い言葉 带刺儿的话 | ～い雰囲気 不和谐的气氛
と·ける【解ける】❶〔答えが出る〕解明jiěmíng; 解开jiěkāi ❷〔心のわだかまりが消える〕化解huàjiě; 解消jiěxiāo ‖ 誤解が～ける 误会消除 ❸〔束縛や禁止が解除になる〕解除jiěchú ❹〔結びめがほどける〕解开jiěkāi; 松开sōngkāi
と·ける【溶ける】❶〔物質が液体の中にまじる〕溶化rónghuà ‖ ～けやすい粉末 易溶化的粉末 ❷〔熱で液状になる〕熔化rónghuà; 融化rónghuà ‖ チョコレートは～けやすい 巧克力很容易化
と·げる【遂げる】实现shíxiàn; 达到dádào ‖ 目的を～げる 达到目的 | 望みを～げる 实现愿望 | 思いを～げる 完成心愿 | 進歩を～げる 取得进步
ど·ける【退ける】挪开nuókāi; 移开yíkāi
どけん【土建】土木建筑tǔmù jiànzhù ✤一業:土木建筑业 | 一業者:土木建筑商
とこ【床】〔张,个〕床铺chuángpù; 被窝儿bèiwōr; 被褥bèirù ‖ 風邪で2日～についた 因感冒

と

卧床两天｜～をとる 铺被褥｜～をあげる 收拾床铺；(病床を離れる)病痊愈；病治好

どこ【何処】哪里nǎli；哪儿nǎr‖いま～？ 你现在在哪儿？｜このバスは～まで行きますか 这辆公共汽车去哪儿？｜～の大学に通ってるの？ 你在哪所大学？｜この程度のものなら～にでも転がっている 像这样的东西到处都是｜日曜は～へ行っても行楽客でいっぱいだ 星期天无论去什么地方,游人都很多

とこう【渡航】✤一先:前往的国家〔地区〕｜一者:旅客｜一手続き:出国手续

どこか【何処か】❶〔不特定の場所〕什么地方shénme dìfang；哪里nǎli‖～に傘を置き忘れてきた 不知把伞忘在了什么地方 ❷〔なんとなく〕总觉得zǒng juéde；总有些zǒng yǒuxiē‖彼女の話し方には～魅惑的なところがある 她说话的样子,有些迷人的地方

とこずれ【床擦れ】(～する)褥疮rùchuāng

どことなく【何処となく】总觉得zǒng juéde；总有些zǒng yǒuxiē

とことん 彻底chèdǐ；到底dàodǐ‖今日は～つきあってやる 今天我奉陪到底｜～調べる 彻底调查

とこなつ【常夏】常夏chángxià

とこや【床屋】⇨りはつ(理髪),りようし(理容師)

ところ【所】❶〔場所〕〔个,块〕地方dìfang‖私の家は交通の便利な～にある 我家位于交通便利的地方｜どこでも好きな～へ連れていってあげよう 你想去哪儿,我就带你去哪儿吧｜あいつはいつも～かまわず大声でしゃべる 他总是不分场合地大声讲话｜～かわれば品かわる 一个地方一个样｜弟は叔父の～に世話になっている 弟弟住在叔叔家里 ❷〔状況・場面〕(正当)…的时候(zhèngdāng)… de shíhou‖きみのうわさをしていた～だ 正在说你呢｜出かけようとしている～へ彼が訪ねてきた 正想出门,他来访了｜いい～へ来てくれた 你来得正是时候 ❸〔部分・事柄〕〔个,块〕地方dìfang；部分bùfen；事情shìqing‖わからない～があったら質問してください 如果有不明白的地方,请提出来｜頑固な～は父親にそっくりだ 在顽固这一点上,他跟父亲很相像 ❹〔範囲・限度〕据…jù…；…所……suǒ…‖調べた～では 根据调查结果,…｜私の見た～… 据我所见…

ところが 可是kěshì；然而rán'ér

-どころか 哪里是…nǎli shì…；岂止…qǐzhǐ…‖貯金～かつかつの生活だ 哪里谈得上存钱,日子过得很紧｜おもしろい～えらい目に遭った 哪里是有趣,简直是倒了大霉

ところで ❶〔それはそうと〕‖～,例の件はどうしようか 哎,你说,那件事怎么办？｜～,あの男をどう思う 顺便问一下,你对他这个人怎么看？ ❷〔…からといって〕即便jíbiàn；即使jíshǐ‖いまから出発した～どうせ間に合わない 即使现在出发,也横竖赶不上了

ところどころ【所所】有些地方yǒuxiē dìfang；这儿那儿zhèr nàr‖雪がまだ～に残っている 有些地方还留有残雪

とさか【鶏冠】鸡冠jīguān

どさくさ 混乱hùnluàn‖火事の～に紛れて姿を消す 趁着火灾的混乱逃跑

とざ・す【閉ざす】❶〔閉める〕关闭guānbì；锁上suǒshang‖口を～す 闭口不谈 ❷〔覆い隠す〕封闭fēngbì；封锁fēngsuǒ‖船はまる1日氷に～されていた 船被冰封了一整天 ❸〔遮断する〕封锁fēngsuǒ；关闭guānbì

とざん【登山】(～する)登山dēngshān；爬山pá shān ✤一家:登山家｜一口:登山入口｜一靴:登山鞋｜一電車:登山电车｜一道:登山路

とし【年・歳】❶〔暦年・年月〕年nián‖私の生まれた～に祖父が亡くなった 我出生的那一年,祖父去世了｜～が暮れる 接近年末｜～が改まる 新的一年开始｜～を越す 过年｜～を経る 经年｜～をまたぐ 跨年度｜行く～ 过去的一年 ❷〔年齢〕年龄niánlíng‖私と彼は同じ～だ 我跟他同岁｜～をとる 上了年纪｜～をごまかす 虚报年龄｜～の功 姜是老的辣｜～は争えない 年龄不饶人

とし【都市】〔个,座〕都市dūshì；城市chéngshì ✤一化:城市化｜一ガス:城市煤气｜一銀行:城市银行｜一計画:城市规划｜一国家:都市国家

どじ 差错chācuò；搞糟gǎozāo‖～なやつ 愚蠢的家伙｜ひどい～を踏む 犯了大错儿

としうえ【年上】年长niánzhǎng‖兄は4つ～だ 哥哥比我大四岁｜～の妻 年龄比自己大的妻子

としがい【年甲斐】‖～もないまねはやめなさい 年龄也不小了,不要做这种事

としご【年子】‖私と妹は～だ 我和妹妹就差一岁

としこし【年越し】(～する)过年guònián

とじこ・める【閉じ込める】关在里面guānzai lǐmiàn；憋在里面biēzai lǐmiàn

とじこも・る【閉じ籠もる】闭门不出bì mén bù chū‖一日中家に～る 整天憋在家里不出门

としごろ【年頃】❶〔およその年齢〕‖彼女は私の妹と同じ～だ 她跟我妹妹差不多大｜あいつも遊びたい～だ 他也是正想玩儿的年龄 ❷〔結婚に達する年齢〕‖うちの娘も～になった 我家闺女也到了该结婚的年龄了

としした【年下】‖弟は私より3つ～だ 我弟弟比我小三岁

としつき【年月】岁月suìyuè；光阴guāngyīn

-として 作为…zuòwéi…；以…资格〔身分〕yǐ… zīge〔shēnfen〕‖友人～きみに言いたい 我作为朋友来劝告你｜教師～学会に出席する 以老师的身分出席学术大会

としなみ【年波】上年纪shàng niánjì‖母も寄る～で腰が曲がっている 母亲也上了年纪,腰也弯了

としのこう【年の功】‖亀の甲より～ 定姜是老的辣

としのせ【年の瀬】岁暮suìmù；年关niánguān

としは【年端】‖～もいかぬ子ども 年幼的孩子

とじぶた【綴じ蓋】⇨われなべ(割れ鍋)

とじまり【戸締まり】(～する)锁门suǒ mén

どしゃ【土砂】沙土shātǔ

どしゃくずれ【土砂崩れ】塌方tāfāng

どしゃぶり【土砂降り】〔场〕倾盆大雨qīngpén dàyǔ；暴雨bàoyǔ

としょ【図書】〔本,册,种〕图书túshū；书籍shūjí ✤一閲覧室:图书阅览室｜一券:图书赠券｜一室:图书室｜一目録:图书目录

とじょう【途上】路上lùshang；中途zhōngtú

どじょう【土壌】〔片,块〕土壤tǔrǎng‖肥沃(

りな〔やせた〕～ 肥沃〔贫瘠〕的土壤｜芸術をはぐくむ～ 孕育艺术的土壤 ✤ 一汚染:土壤污染｜一改良:土壤改良

どじょう【泥鰌】〔条〕泥鳅níqiu ✤ 一汁:泥鳅酱汤｜一ひげ:稀稀拉拉的胡须

としょかん【図書館】〔个,座〕图书馆túshūguǎn ‖ ～で本を借りる 从图书馆借书

としより【年寄り】老人lǎoren ‖ ～の冷や水 老人自不量力｜～をいたわる 照顾老人

と·じる【閉じる】❶〔閉まる〕关guān; 关闭guānbì ❷〔ふさぐ·合わせる〕合上héshang; 闭上bìshang ‖ 本を～じて暗唱する 合上书本背诵 ❸〔終わる·やめる〕结束jiéshù; ‖ 不景気で店を～じる 因为生意冷清而关门｜100年の歴史に幕を～じる 给百年历史拉上帷幕

と·じる【綴じる】❶〔重ねて1つにする〕订上dìngshang ‖ 書類を～じておく 把文件订起来 ❷〔料理〕勾芡gōuqiàn ‖ 片栗粉で～じる 用淀粉勾芡

としん【都心】市中心shì zhōngxīn ‖ ～に買い物に行く 去市中心购物

どしんと 扑通pūtōng ‖ ～尻もちをつく 扑通一声摔了个屁股蹲儿

トス〔～する〕❶〔バレーボール〕托球tuō qiú ❷〔野球·バスケットなど〕轻投qīngtóu ❸〔コインを投げること〕掷硬币zhì yìngbì

ドス【DOS】磁盘操作系统cípán cāozuò xìtǒng

どすう【度数】❶〔度合い〕度数dùshu ‖ 眼鏡の～ 眼镜的度数 ❷〔回数〕次数cìshù

どすぐろ·い【どす黒い】紫黑zǐhēi; 黝黑yǒuhēi ‖ ～い顔 黝黑的面孔

どすんと 咕咚gūdōng; 咚dōng

どせい【土星】〔颗〕土星tǔxīng ‖ ～の輪 土星的光环

どせい【怒声】〔片,阵〕恶声èshēng ‖ ～を浴びせる 大发脾气斥责

どせき【土石】✤ 一流:泥石流

とぜつ【途絶】〔～する〕断绝duànjué; 中断zhōngduàn

とそ【屠蘇】〔杯〕屠苏酒túsūjiǔ

とそう【塗装】〔～する〕涂抹túmǒ; 粉刷fěnshuā ✤ 一工:油漆工｜一工事:粉刷工程

どそう【土葬】〔～する〕土葬tǔzàng

どそく【土足】穿着鞋chuānzhe xié ✤ 一厳禁:严禁穿鞋入内

どだい【土台】❶〔建物の〕地基dìjī; 根基gēnjī ‖ ～を据える 打地基｜～が揺らぐ 根基发生动摇 ❷〔物事の〕基础jīchǔ ❸〔まったく〕根本gēnběn; 本来běnlái ‖ それは～無理な注文だ 那本来就是不合理的要求

とだ·える【途絶える】中断zhōngduàn ‖ 通信がしばらく～えた 通信中断了一段时间｜夜になると人通りが～える 一到夜晚就没有行人了

とだな【戸棚】柜子guìzi; 橱chú; 橱柜chúguì

どたばた〔～する〕❶〔音を立てる〕乱蹦乱跳luàn bèng luàn tiào; 扑腾pūteng ❷〔あわてる〕‖ 突然の来客で～してしまった 突然来客人了,让我手忙脚乱的 ✤ 一喜劇:闹剧

とたん【途端】〔刚〕一…就〔gāng〕yī … jiù ‖ 家に着いた～雨が降ってきた 刚一到家就下起了雨

トタン〔块〕白铁báitiě; 铅铁qiāntiě; 镀锌铁dùxīntiě ✤ 一板:白铁皮｜一屋根:白铁皮屋顶

どたんば【土壇場】最后时刻zuìhòu shíkè; 绝境juéjìng ‖ ～に追い込まれる 被逼入绝境｜先方は～になってキャンセルしてきた 对方到了最后时刻毁约了

とち【土地】❶〔大地〕〔块,片,个〕土地tǔdì ‖ 肥よくな～ 肥沃的土地｜～が荒れる 土地荒芜 ❷〔地所〕〔块,个〕地产dìchǎn; 地皮dìpí ‖ ～を売る 卖地｜この辺の～はとても高い 这一带地皮很贵 ❸〔その地域〕当地dāngdì ‖ ～の人に案内を請う 请当地人做向导 ❹〔領土〕〔片〕领土lǐngtǔ ‖ ～を割譲する 割让领土 ✤ 一改革:土地改革｜一開発:土地开发｜一改良:土壤改良｜一家屋:房地产｜一価格:地价;土地价格｜一柄:当地风气｜一ころがし:炒地皮｜一所有権:土地所有权｜一台帳:土地登记册｜一登記簿:土地登记簿｜一売買:买卖土地

どちゃく【土着】✤ 一民:土著居民;原住民

とちゅう【途中】❶〔道の〕半路bànlù; 路上lùshang ‖ ～で引き返す 半路返回去｜～までごいっしょしましょう 我陪你走一段吧 ❷〔物事の〕中途zhōngtú; 半路bànlù; 半途bàntú ‖ ～で放り出すわけにはいかない 不能半途而废 ✤ 一経過:到目前为止的进展情况｜一下車:中途下车

どちら ❶〔どこ〕哪里nǎli; 哪儿nǎr ‖ お国は～ですか 您的家乡是哪儿? ❷〔2つのうちの1つ〕哪个nǎge ‖ ～が上のお子さんですか 哪个孩子是老大?｜あのお2人は～も存じあげません 那两位我都不认识 ❸〔どなた〕哪位nǎ wèi ‖ もしもし,～さまですか 喂,您哪位?

とち·る ❶〔舞台などで〕〔せりふを〕说错shuōcuò.〔しぐさを〕做错zuòcuò ‖ 舞台でせりふを～る 在台上说错台词 ❷〔へまをする〕弄错nòngcuò; 搞错gǎocuò ‖ 仕事で～る 工作上出差错

とつ【凸】凸tū ‖ ～レンズ 凸透镜;放大镜

とっか【特価】特价tèjià ✤ 一販売:特价销售｜一品:特价商品

どっかい【読解】〔～する〕阅读理解yuèdú lǐjiě ✤ 一力:阅读理解能力

とっかかり【取っ掛かり】〔个,丝〕头绪tóuxù;〔条,丝〕线索xiànsuǒ ‖ 研究の～をつかむ 抓住研究的头绪

とっかん【突貫】✤ 一工事:突击工程｜一作業:突击作业

とっき【突起】〔～する〕突起tūqǐ; 隆起lóngqi

とっき【特記】〔～する〕定 大写特写dà xiě tè xiě ✤ 一事項:特别事项

とっきゅう【特急】❶〔とくに急ぐこと〕火速huǒsù ❷〔列車〕特快tèkuài ✤ 一券:特快车票｜一列車:特快列车

とっきゅう【特級】特级tèjí; 特等tèděng

とっきょ【特許】专利zhuānlì ‖ ～を出願する 申请专利｜～をとる 获得专利 ✤ 一権:专利权｜一権(所有)者:专利拥有者｜一権侵害:侵害专利权｜一出願中:专利申请中｜一出願人:专利申请人｜一庁:专利厅｜一品:专利产品｜一法:专利法

ドッキング〔～する〕❶〔宇宙船が〕对接duìjiē ❷〔異なるものが〕接合jiēhé

とつ·ぐ【嫁ぐ】出嫁chūjià ‖ 姉は橋本家に〜いだ 姐姐嫁到桥本家去了
とっく 早就zǎo jiù
ドック ❶〔船の〕船坞chuánwù ❷〔人間ドック〕全面体检quánmiàn tǐjiǎn ✣乾ー:干船坞
ドッグ 狗gǒu ✣ーショー:狗展｜ーフード:狗食｜ーレース:赛狗；赛犬
とっくみあい【取っ組み合い】扭打niǔdǎ ‖ ついには〜になった 最后(他们)开始扭打
とっくり【徳利】❶〔酒器〕〔把, 个〕酒壶jiǔhú ❷〔タートルネック〕高领gāolǐng
とっくん【特訓】(〜する)特别训练tèbié xùnliàn
とっけい【特恵】优惠yōuhuì；特惠tèhuì ✣ー関税:特惠关税｜ー待遇:最惠国〔优惠〕待遇
とつげき【突撃】(〜する)突击tūjī；冲击chōngjī；冲锋chōngfēng ‖ 敵陣に〜する 冲进敌人的阵地 ✣ー隊:突击队｜ーラッパ:冲锋号
とっけん【特権】特权tèquán ✣ー階級:特权阶级
とっこう【特効】✣ー薬:特效药
とっさ【咄嗟】马上mǎshàng；猛然měngrán ‖ 〜には答えられない 我马上回答不了｜〜に車のハンドルを右に切った 猛地把汽车的方向盘往右一打
どっさり 好多hǎoduō；很多hěn duō
ドッジ ボール 躲避球duǒbìqiú
とっしゅつ【突出】(〜する)❶〔突き出す〕突出tūchū.（高く）高耸gāosǒng ❷〔図抜ける〕突出tūchū；出众chūzhòng ‖ 防衛費が〜する 防卫费格外多｜〜した業績 出色的业绩
とつじょ【突如】突然tūrán；㊂突如其来tū rú qí lái ‖ 〜飛び込んできたニュース 突如其来的消息
どっしり ❶(〜する)〔重い〕沉甸甸chéndiāndiān ❷〔落ちついた〕稳重wěnzhòng ‖ 〜と構える 举止稳重
とっしん【突進】(〜する)猛冲měngchōng；闯chuǎng ‖ ゴール目がけて〜する 向终点冲刺
とつぜん【突然】突然tūrán；忽然hūrán；猛然měngrán ‖ 〜サイレンが鳴り響く 忽然响起警报｜パソコンが〜動かなくなった 电脑突然死机了 ✣ー死:突然死亡｜ー変異:突然变异
とったん【突端】尖端jiānduān ‖ 岬の〜 岬角的尖端
どっち ⇨どちら
どっちつかず【どっち付かず】㊂模棱两可mó léng liǎng kě；㊂若即若离ruò jí ruò lí ‖ 〜の返事をする 回答得模棱两可
どっちみち 反正fǎnzheng ‖ 〜間に合わない 反正来不及了｜〜わかることだ 早晚会知道
とっち·める【取っちめる】整治zhěngzhì ‖ あいつを〜めよう 治治那个家伙
どっちもどっち (双方)都差劲(shuāngfāng) dōu chàjìn；(双方)都不怎么样(shuāngfāng) dōu bù zěnmeyàng
とっつき【取っ付き】❶〔いちばん手前〕‖ 廊下の〜の部屋 一进走廊的第一个房间 ❷〔第一印象〕第一印象dì yī yìnxiàng ❸〔手始め〕开头kāitóu ‖ 何事も〜が肝心だ 凡事开头要紧
とっつきにく·い【取っ付きにくい】不容易亲近〔接近〕bù róngyì qīnjìn〔jiējìn〕
とって【取っ手】把手bǎshou；把儿bàr ‖ ドアの〜 门把手｜なべの〜 锅把儿
とっておき【取って置き】珍藏zhēncáng
とってお·く【取って置く】留liú；存cún ‖ 席を〜く 留〔占〕座位
とってかえ·す【取って返す】折回zhéhuí；返回fǎnhuí；折返zhéfǎn
とってかわ·る【取って代わる】取代qǔdài；代替dàitì
とってつけた【取って付けた】假惺惺jiǎxīngxing；不自然bú zìran ‖ 〜ようなお愛想 假惺惺的恭维话
どっと ❶〔笑う〕哄堂hōngtáng.（どよめく）哄然hōngrán ‖ 〜笑う 哄堂大笑 ❷〔一度に押し寄せる〕蜂拥fēngyōng；涌出yǒngchu ‖ 水が〜流れ込んできた 水一下子涌进来
ドット ❶〔点〕圆点yuándiǎn ❷〔コンピューター〕点diǎn ✣ーコム:网络公司
とっとと 赶快gǎnkuài ‖ 〜出ていけ 赶快滚开｜〜歩け 快走！
とつにゅう【突入】(〜する)闯入chuǎngrù；冲进chōngjìn ‖ 警官隊が現場に〜する 警察们冲进现场
とっぱ【突破】(〜する)❶〔困難·障害などを〕冲破chōngpò；闯过chuǎngguo ‖ 難関を〜する 闯过难关 ❷〔ある数量を〕突破tūpò；超过chāoguò ✣ー口:突破口；（手がかり）线索
とっぱつ【突発】(〜する)突发tū fā ‖ 〜性の事故 突发性事故｜〜的な事態に備える 防备突发的紧急事态
とっぱん【凸版】✣ー印刷:凸版印刷
とっぴ【突飛】古怪gǔguài；离奇líqí ‖ 〜な格好 打扮得古里古怪｜〜な行動 行为很古怪
とっぴょうし【突拍子】‖ 〜もないことを言う 说荒唐话｜〜もない行動 越出常轨的行为
トップ ❶〔首位〕首位shǒuwèi ‖ 成績はクラスで〜だ 成绩居全班的首位 ❷〔先頭〕最先zuì xiān；首先shǒuxiān ❸〔最高幹部〕最高领导zuì gāo lǐngdǎo ‖ 会社の〜が交代する 更换公司的一把手 ❹〔新聞の〕头版头条tóubǎn tóutiáo ❺〔てっぺん〕顶上dǐngshang；尖端jiānduān ✣ー会談:首脑会谈｜ーギア:高速齿轮｜ークラス:最高级｜ースター:一流明星｜ーマネージメント:主管；（企业）最高管理部门｜ーレベル:最高级
とっぷう【突風】〔阵, 场〕阵风zhènfēng
とっぷり ‖ 〜日が暮れた 天完全黑了
どっぷり 沉浸chénjìn；蘸满zhànmǎn ‖ 肩まで〜お湯につかる 全身泡在热水里
とつレンズ【凸レンズ】〔面〕放大镜fàngdàjìng；凸透镜tūtòujìng
どて【土手】〔道, 条, 个〕堤坝dībà；河坝hébà ‖ 〜を築く 修建堤坝 ✣ー道:堤坝路
とてい【徒弟】✣ー制度:徒弟〔学徒〕制度
とてつもない【途轍もない】(無理な)毫无道理háowú dàoli.（たいへんな規模の）超出常轨chāochū chángguǐ；惊人jīngrén ‖ 〜要求 无理的要求｜〜破壊力をもつ新型兵器 破坏力惊人的新型武器
とても ❶〔非常に〕非常fēicháng；很hěn ❷〔とうてい〕无论如何也wúlùn rúhé yě；怎么也zěnme yě ‖ そんなこと〜無理だ 那根本办不到｜

先生は～60過ぎには見えない 老师怎么看也不像是60多岁的人

ととう【徒党】‖～を組む 结党

どとう【怒濤】怒涛nùtāo‖民衆は～のごとく国会へ押し寄せた 民众如同怒涛一样涌向了国会

とど·く【届く】❶〔着く〕到达dàodá；寄到jìdào‖小包はまだ先方に～いていない 包裹还没有寄到对方的手里 ❷〔達する〕达到dádào；够得到gòudedào‖天井に手が～く 一伸手就够得到天花板｜光の～かない深海 光线射不到的深海｜投票率は60パーセントに～かなかった 投票率没达到百分之六十 ❸〔その他の表現〕‖かゆいところに手が～くようなサービス 无微不至的服务｜願いが～く 愿望实现

とどけ【届け·届】‖～を出す 提出申请；办理登记 ❖一先：收件地址

とど·ける【届ける】❶〔送る〕送到sòngdào；送交sòngjiāo ❷〔申し出る〕报告bàogào‖車を盗まれて警察に～けた 由于汽车被盗,向警察报案｜長男の出生を～ける 办长子的出生登记

とどこおり【滞り】‖結婚式は～なく済んだ 婚礼圆满结束了｜養育費を～なく支払う 按期支付抚养费

とどこお·る【滞る】❶〔停滞する〕停滞tíngzhì；拖延tuōyán‖仕事が～りがちだ 工作常常停滞不前｜交通が～る 交通阻塞 ❷〔支払いが〕拖欠tuōqiàn‖給料の支払いが2か月も～っている 工资被拖欠了两个月

ととの·う【整う·調う】❶〔そろう〕齐全qíquán‖環境が～う 条件齐全｜この病院は設備が～っている 这所医院设备完善 ❷〔きちんとしている〕整齐zhěngqí‖～った服装 穿戴整齐｜～った顔だち 相貌端正 ❸〔まとまる〕达成dáchéng‖縁談が～った 婚事定了

ととの·える【整える·調える】❶〔準備する〕准备好zhǔnbèihǎo；备齐bèiqí‖新居の家具を～える 备齐新房的家具｜準備万端～えた 一切准备都做好了 ❷〔きちんとする〕整理zhěnglǐ‖身支度を～える 整理服装｜髪を～える 梳理头发 ❸〔まとめる〕谈妥tántuǒ；达成dáchéng ❹〔調整する〕调整tiáozhěng‖体調を～える 调整身体状态

とどま·る【止まる·留まる】❶〔滞在する〕停留tíngliú‖現地に～る 留在当地 ❷〔地位などに〕留liú；停留tíngliú‖会長職に～る 继续担任会长 ❸〔とまる·終わる·おさまる〕止住zhǐzhu；限于xiànyú‖影響は日本のみに～らない 影响不仅限于日本｜人間の欲望は～るところを知らない 人的欲望是无限的

とどめ【止め】‖～を刺す （击倒对方后）再加致命的一击

とど·める【止める·留める·停める】❶〔とめる〕留住liúzhu；挡住dǎngzhu ❷〔残す〕留下liúxia；保留bǎoliú‖歴史に名を～める政治家 青史留名的政治家 ❸〔ある範囲内に〕止于zhǐyú；限于xiànyú‖ここでは一例を紹介するに～めたい 在这里只举一个例子｜損失を最小限に～める 将损失控制在最小程度

とどろか·す【轟かす】❶〔大きな音を〕‖飛行機が爆音を～せて飛んでいく 飞机隆隆地飞过去 ❷〔名を〕名震míng zhèn；驰名chímíng

とどろ·く【轟く】❶〔大きな音が〕轰鸣hōngmíng‖雷鳴が～く 雷声轰鸣 ❷〔世に広く知れ渡る〕传遍chuánbiàn；远扬yuǎnyáng‖名声が世界に～く 名声传遍世界

トナー 墨粉mòfěn

ドナー 捐献者juānxiànzhě；捐赠者juānzèngzhě

とな·える【唱える】❶〔主張する〕提倡tíchàng；主张zhǔzhāng‖異議を～える 提出异议｜自然主義を～える 提倡自然主义 ❷〔声に出して言う〕诵念sòngniàn；高呼gāohū‖お経を～える 念经｜万歳を～える 高呼万岁

トナカイ〔头,只〕驯鹿xùnlù

どなた 哪位nǎ wèi；谁shéi‖失礼ですが, ～ですか 对不起,您是哪位？

どなべ【土鍋】〔个,只,口〕沙锅shāguō

となり【隣】❶〔並んで接する〕旁边pángbiān隔壁gébì‖～に座ってもいいですか 我可以坐在你的旁边吗？｜701号室は～です 701号房间在隔壁 ❷〔隣家〕邻居línjū；邻家línjiā‖～から苦情が来た 邻居提了意见｜～の芝生は青い 定这山看着那山高 ❖一合わせ：紧挨着；相邻｜一近所：定左邻右舍；街坊｜一同士：相邻｜一町：邻市；邻村；附近的街道

となりあ·う【隣り合う】相邻xiānglín；邻接línjiē‖～って座る 相邻而坐

どなりこ·む【怒鳴り込む】‖市民が市役所に～んだ 市民闯进市政府大声抗议

どな·る【怒鳴る】❶〔大声を出す〕大声喊叫dàshēng hǎnjiào；吼hǒu‖そんなに～らなくても聞こえます 你不用那样吼也听得见 ❷〔大声でしかる〕大声训斥dàshēng xùnchì‖いたずらしてお母さんに～られた 因淘气挨了妈妈一顿臭骂

とにかく 总之zǒngzhī；不管怎么样bùguǎn zěnmeyàng‖～疲れた 不管怎么样,真累坏了｜～腹ごしらえをしなくては 反正先得填填肚子｜～今日はだめだ 今天怎么也不行

どの 哪个nǎge；哪nǎ‖～学生もみなまじめだ 哪个学生都很认真

-どの【殿】先生xiānsheng；女士nǚshì

どのう【土嚢】〔个,只〕沙袋shādài

どのくらい【どの位】多少duōshao‖日本語は～話せますか 你会说多少日语？｜天津まで～かかりますか 去天津要花多长时间？

とはいえ【とは言え】虽然这么说suīrán zhème shuō；虽说如此suīshuō rúcǐ

とばく【賭博】赌博dǔbó；赌dǔ‖～をする 赌博

とば·す【飛ばす】❶〔飛ぶようにする〕放fàng；让…飞ràng … fēi‖熱気球を～す 放热气球｜紙飛行機を遠くに～す 让纸飞机飞得远 ❷〔飛散させる〕溅jiàn‖こっちに水を～すなよ 别把水溅到这儿来｜シャボン玉を～す 吹肥皂泡 ❸〔スピードを出す〕‖車を～せば1時間でつくよ 开快车一个小时就能到 ❹〔途中を抜かす〕越过yuèguò；跳过tiàoguo‖つまらないところは～して読んだ 没意思的地方跳过去不读 ❺〔発する〕发出fāchū‖指令を～す 发出指令｜デマを～す 散布谣言 ❻〔左遷する〕发配fāpèi‖支社に～される 被发配到分公司 ❼〔…とばす〕狠狠hěnhěn；猛地měngde‖けり～す 狠狠地踢｜はり～す 猛打耳光｜売

り～す 贱卖

とばっちり 牵连qiānlián；连累liánlei ‖ 事件の～を食った 受到了事件的牵连

とばり【帳】帷幔wéimàn；帐幔zhàngmàn ‖ 夜の～がおりる 夜幕降临

とび【鳶】❶〔鳥類〕〔只〕老鹰lǎoyīng ❷〔とび職〕高空作业的建筑工人gāokōng zuòyè de jiànzhù gōngren

とびあが・る【飛び上がる・跳び上がる】❶〔はねあがる〕跳起来tiàoqilai ‖ ～らんばかりに喜ぶ 高兴得几乎跳了起来 ❷〔空に〕飞起来fēiqilai

とびいし【飛び石】〔块〕踏脚石tàjiǎoshí ❖ —連休:断断续续的长假

とびいた【飛び板】〔块〕跳板tiàobǎn

とびいり【飛び入り】(～する)临时参加línshí cānjiā ‖ ～自由 可以随时参加

とびうお【飛び魚】〔条〕飞鱼fēiyú

とびうつ・る【飛び移る】飞到fēidào；跳到tiàodào ‖ 花から花へ～る 从这朵花飞到那朵花

とびお・きる【飛び起きる】猛地坐起来měng de zuòqilai ‖ 地震に驚いて～きた 感到地震，吓得猛然坐起

とびおり【飛び降り】❖ —自殺:跳楼自杀

とびお・りる【飛び降りる】跳下tiàoxia ‖ 窓から～りる 从窗口跳下

とびか・う【飛び交う】飞来飞去fēi lái fēi qù；‖ ツバメが～っている 燕子飞来飞去 | うわさが～う 流言沸沸扬扬

とびかか・る【飛び掛かる】扑过去pūguoqu；扑向pūxiàng ‖ 警官が賊に～った 警察扑向盗贼

とびきゅう【飛び級】(～する)跳级tiàojí；跳班tiàobān ‖ 高校で1年～した 在高中跳了一级

とびきり【飛び切り】特别好tèbié hǎo ‖ ここのすしは～うまい 这里的寿司特别好吃 | ～上等の品 特级品；绝品 | ～の笑顔 最美的笑容

とびこ・える【飛び越える】❶〔飛んで越える〕跳过tiàoguo；翻过fānguo ‖ 水たまりを～える 跳过水洼 | 塀を～えて脱走する 翻墙脱逃 ❷〔順序を踏まずに進む〕跳过tiàoguo

とびこ・す【飛び越す】❶〔飛んで越す〕tiàoguo；越过yuèguò ❷〔順序を踏まずに先に行く〕跳过tiàoguo ‖ 二階級～して昇進する 连升三级

とびこみ【飛び込み】❖ —自殺:(鉄道に)跳轨自杀；(水中に)投水自杀 | —台:跳水台

とびこ・む【飛び込む】❶〔勢いよく入る〕跳进tiàojin；冲进chōngjin ‖ 子どもたちは橋から川に～んだ 孩子们从桥上跳进河水中 ❷〔突然入ってくる〕㊅突如其来tū rú qí lái ‖ 突然～んできたふ報 突如其来的噩耗 | 大ニュースが～む 突然传来一条特大新闻 ❸〔進んでかかわる〕闯入chuǎngrù ‖ 映画界に～む 闯进影坛

とびしょく【鳶職】⇨とび(鳶)

とびだ・す【飛び出す】❶〔突然・勢いよく出る〕冲出chōngchu ‖ イヌが道路に～す 一条狗突然跑到马路上来 | 怒って部屋を～す 愤怒地冲出房间 ❷〔場所・組織から去る〕‖ 16のときに家を～した 我16岁的时候就离家出走了 ❸〔出っぱる〕鼓起gǔqi；突出tūchū ‖ くぎが～している 钉子突出来

とびた・つ【飛び立つ】起飞qǐfēi；飞起fēiqǐ

とびち・る【飛び散る】飞散fēisàn；飞溅fēijiàn

とびつ・く【飛び付く】❶〔とびかかる〕扑过去〔过来〕pūguoqu〔guolai〕❷〔衝動的に手を出す〕‖ もうけ話にすぐ～く 一听是有利可图的事便想插一手

トピック〔个，种，类〕话题huàtí；主题zhǔtí

とび・でる【飛び出る】跳出tiàochu；突出tūchū ‖ 目玉が～でるほど高い 价格贵得吓人

とびぬ・ける【飛び抜ける】㊅出类拔萃chū lèi bá cuì；杰出jiéchū ‖ クラスの中で～けて成績がよい 成绩在班上出类拔萃 | 妹は絵が～けてうまい 妹妹画儿画得特别棒

とびの・く【飛び退く】闪开shǎnkāi；闪身shǎnshēn

とびの・る【飛び乗る】跳上tiàoshang；跃上yuèshang ‖ 電車に～る 跳上电车

とびばこ【跳び箱】〔个，层〕跳箱tiàoxiāng

とびは・ねる【飛び跳ねる】蹦蹦跳跳bèngbèngtiàotiào ‖ 魚が網の中でぴちぴち～ねている 鱼在网里活蹦乱跳 | うれしくて～ねる 高兴得欢蹦乱跳

とびひ【飛び火】❶(～する)〔火の粉が飛び散る〕火星飞溅huǒxīng fēijiàn.〔火の粉〕火星huǒxīng ❷(～する)〔燃え広がる〕蔓延mànyán ❸(～する)〔影響が及ぶ〕影响yǐngxiǎng ‖ デモは全国に～した 游行波及到全国各地 ❹〔医学〕婴儿苔藓yīng'ér táixiǎn

とびまわ・る【飛び回る】❶〔あちこち飛ぶ〕飞来飞去fēi lái fēi qù ❷〔走りまわる〕跑来跑去pǎo lái pǎo qù ❸〔奔走する〕㊅东奔西走dōng bēn xī zǒu ‖ 商用で世界中を～る 为了商务奔走于世界各地

どひょう【土俵】❶〔相撲〕相扑赛场xiāngpū sàichǎng ❷〔勝負などの場〕‖ 同じ～に立って競争する 在相同的条件下公平竞争 ❖ —際:相扑赛场边缘；㊖紧要关头

とびら【扉】❶〔戸〕〔扇，道，个〕门mén ‖ ～を閉める 关门 | 心の～を開く 敞开心扉 ❷〔本の〕〔张〕扉页fēiyè

とふ【塗布】(～する)涂tú ❖ —剤:外用膏剂

と・ぶ【飛ぶ】❶〔空中を〕飞fēi ‖ 成田からニューヨークへ～ぶ 乘飞机从成田飞往纽约 ❷〔風で〕吹走chuīzǒu；飘荡piāodàng ❸〔飛散する〕飞溅fēijiàn ‖ 火花が～ぶ 火星飞溅 ❹〔その他の表現〕‖ すぐ現場に～ぶ 马上奔赴事发现场 | 家に～んで帰る 赶紧回家 | 話が～ぶ 说话跑题 | ほおにびんたが～ぶ 脸上挨了一耳光 | 野次が～ぶ 嘘声四起 | うわさが～ぶ 流言传开 | デマが～ぶ 谣言不胫而走 | ヒューズが～ぶ 保险丝烧断 | 部長の首が～んだ 处长被解雇了 | アルコールが～ぶ 酒精蒸发了 | ～ぶように売れる 非常畅销 | ～ぶ鳥を落とす勢い ㊅炙手可热 | ～んで火に入る夏の虫 ㊅飞蛾扑火

と・ぶ【跳ぶ】跳tiào；跳跃tiàoyuè ‖ バッタが～ぶ 蝗虫跳跃

どぶ【溝】〔条，道，个〕水沟shuǐgōu；排水沟páishuǐgōu ❖ —板:沟盖板 | —さらい:疏浚排水沟

どべい【土塀】〔堵，面〕土墙tǔqiáng

とほ【徒歩】走zǒu；走路zǒulù；‖ 家は駅から～10分だ 我家离车站走路要十分钟 | 学校へ～で通学する 走着上学

とほう【途方】‖ ～に暮れる ㊅手足无措 | ～も

なく高い値段 价格高得令人咋舌｜～もないことを言いだす 说出一些不着边际的话来

どぼく【土木】土木tǔmù ❖一機械:土木机械｜一技師:土木工程师｜一建築業:土木建筑业｜一工学:土木工程学｜一工事:土木工程｜一作業員:土木工人

とぼ・ける ❶〔しらばくれる〕装傻zhuāngshǎ;装糊涂zhuāng hútu‖～けるのもいいかげんにしろ 你不要再装傻了！ ❷〔こっけいな言動をとる〕‖～けて人を笑わせる 作出滑稽的样子，逗人发笑

とぼし・い【乏しい】缺乏quēfá;贫乏pínfá‖説得力に～い 缺乏说服力｜知識が～い 知识贫乏｜～い資金を有効に使う 充分利用有限的资金

とぼとぼ ‖～歩く 脚步沉重地走着

トマト 西红柿xīhóngshì;蕃茄fānqié ❖一ケチャップ:蕃茄酱｜一ソース:茄汁

とまどい【戸惑い】〔种，个，丝〕困惑kùnhuò;迷惑míhuo‖～を覚える 感到困惑｜～の色を浮かべる 脸上露出迷惑的神情

とまど・う【戸惑う】‖英語で話しかけられ，～ってしまった 对方用英语跟我说话，搞得我不知所措

とまり【泊まり】❶〔宿泊すること〕住宿zhùsù‖今日の～は洛陽のホテルだ 今天住在洛阳的宾馆 ❷〔宿直〕值夜zhíyè ❖一明け:上了夜班的第二天｜一がけ:住一晚上｜一客:住宿的客人｜一込み:住宿

とま・る【止まる・停まる・留まる】❶〔停止する〕停tíng;止zhǐ‖出血はまだ～らない 血还没有止住｜タクシーが目の前に～った 一辆出租车停在我的面前｜心臓が～るほど驚いた 吓得心脏差点儿停止跳动｜痛みはようやく～った 终于不痛了｜電気が～った 停电了 ❷〔鳥などが〕停在tíngzai;落在luòzai‖鳥が1羽屋根の上に～っている 一只鸟落在屋顶上｜蝶が花に～る 蝴蝶落在野花上 ❸〔気付く〕引起注意yǐnqǐ zhùyì‖スカウトの目に～る 引起星探的注意

とま・る【泊まる】❶〔船が〕停泊tíngbó‖港に外国船が～っている 港口里停着外国船 ❷〔宿・よその家に〕住下zhùxia;过夜guòyè;住zhù‖今夜は～っていきなさい 今晚你就住下吧｜京都に～る予定だ 我打算在京都过夜 ❸〔宿直する〕值宿zhí sù;值夜zhíyè

どまんなか【ど真ん中】正中央zhèng zhōngyāng;正中间zhèng zhōngjiān

とみ【富】〔笔〕财富cáifù‖健康は～に勝る 健康胜过一切财富〔健康千金难买〕

ドミニカ 多米尼加Duōmǐníjiā

ドミノ 多米诺骨牌duōmǐnuògǔpái ❖一倒し:一个挨一个地倒下

とみん【都民】东京都居民Dōngjīngdū jūmín ❖一税:都民税

と・む【富む】❶〔金銭を持つ〕富裕fùyù;有钱yǒu qián‖～める者と貧しき者 富人和穷人 ❷〔豊かである〕富于fùyú;富有fùyǒu‖変化に～む 富于变化｜経験に～む教師 富有经验的教师｜創造性に～む 富有创造性

とむらい【弔い】❶〔弔うこと〕‖～の言葉を述べる 致悼词 ❷〔葬式〕葬礼zànglǐ ❖一合戦:复仇战争

とむら・う【弔う】❶〔弔問〕吊唁diàoyàn;慰问wèiwèn‖遺族を～う 慰问家属 ❷〔供養〕祭奠jìdiàn‖死者の霊を～う 祭奠死者亡灵

とめがね【留め金】卡子qiǎzi;摁扣儿ènkòur

とめぐ【留め具】卡子qiǎzi;插销chāxiāo

とめど【止め処】‖涙が～なく流れる 泪流不止｜～なくしゃべり続ける 说个没完没了

と・める【止める・停める・留める】❶〔停止させる〕停tíng;止zhǐ‖そこに車を～めちゃだめだよ 不能把车停在那里｜手を挙げてタクシーを～める 招手叫出租车｜足を～めて振り返る 止住脚步回过头去｜出血を～める応急手当て 止血的应急处理｜息を～める 憋住气｜ちょっと手を～めて話を聞いてください 请停一下手，听我说 ❷〔制止する・抑止する〕制止zhìzhǐ;阻止zǔzhǐ‖けんかを～める 劝架｜～めてもむだだ 即使阻拦也没用｜人を好きになる気持ちはだれにも～められない 爱上一个人的感情是谁也阻止不了的 ❸〔禁止する〕禁止jìnzhǐ‖医者から酒を～められている 医生禁止我喝酒 ❹〔固定する〕固定gùdìng;别bié‖ねじで～める 用螺钉固定住｜書類をクリップで～める 用夹子把文件别好｜ボタンを～める 扣上扣子 ❺〔記憶・注意〕记住jìzhu;介意jièyì‖そんなことはまったく気にも～めなかった 那种事儿我一点儿也不介意｜一枚の写真に目を～める 注意到了一张照片

とも【友】❶〔友人〕朋友péngyou;友yǒu‖彼は私の親しい～の1人だ 他是我的一位亲密的朋友｜よい～と交わる 结交良友｜生涯の～ 终生的朋友｜～の会 同好会 ❷〔道連れ〕友yǒu;伴儿bànr ❖メル一:网友

とも【供】(つき添い)陪同péitóng.(随員)随行者suíxíngzhě‖妻のお～をして買い物に行く 陪妻子去买东西

とも【艫】船尾chuánwěi

ともあれ 总之zǒngzhī;姑且不说gūqiě bù shuō‖なには～会ってみてください 总之，请见一面｜理由は～けんかはよくない 姑且不说理由，总之吵架就是不好

ともかせぎ【共稼ぎ】(～する)夫妻都工作fūqī dōu gōngzuò.(人)双职工shuāngzhígōng ❖一家庭:双职工家庭

ともぐい【共食い】(～する)同类相残tónglèi xiāng cán

ともしび【灯火】〔盏〕灯dēng;灯火dēnghuǒ‖心に～を 心中点燃明灯

とも・す【点す・灯す】点灯diǎn dēng‖ランプを～す 点灯｜電灯を～す 打开电灯

ともすると 往往wǎngwǎng;动不动(就)dòngbudòng (jiù)

ともだおれ【共倒れ】(～する)㊂两败俱伤liǎng bài jù shāng

ともだち【友達】朋友péngyou;友人yǒurén‖～をつくる 交朋友｜～に恵まれる 有很多好朋友｜本音で語り合える～ 肝胆相照的知心朋友｜なかなか～ができない 怎么也交不到朋友｜～甲斐がある〔ない〕 够〔不够〕朋友 ❖男一:男性朋友｜女一:女性朋友｜飲み一:酒友

ともな・う【伴う】❶〔ともに生じる〕随着suízhe‖この仕事には危険が～う 这个工作有一定的危险｜権利は義務を～う 权利与义务相辅相成｜対外貿易拡大に～い税収が増加する 随着对外贸易

的扩大,税收也将增加 ❷〔いっしょに行く〕伴同bàntóng;跟gēn‖秘書を～い欧州出張に出かける 跟秘书一同去欧洲出差

ともに【共に】❶〔いっしょに〕一起yìqǐ;一块儿yíkuàir‖起居を～する 共同起居｜苦労や喜びを～した仲間たち 同甘共苦的伙伴们 ❷〔…につれて〕随着suízhe‖年と～記憶力が衰えてきた 随着年纪增大,记性也越来越差

ともばたらき【共働き】⇨ともかせぎ(共稼ぎ)

ども・る【吃る】口吃kǒuchī;结巴jiēba

とやかく 这个那个地zhège nàge de

どよう【土用】伏天fútiān‖～の丑(うし)の日にはウナギを食べる 伏天的丑日吃鳗鱼

どようび【土曜日】星期六xīngqīliù;礼拜六lǐbàiliù

どよめき〔片,阵〕喊声hǎnshēng‖～が起こる 响起了一片叫喊声

どよめ・く 轰动hōngdòng‖観衆が～く 观众沸腾了

とら【虎】〔只〕虎hǔ‖～の威を借る狐(きつね) 定狐假虎威｜～を野に放つ 定放虎归山

とら【寅】(十二支の1つ)寅yín‖～の刻 寅时 ✣—年:虎年;寅年

とらい【渡来】(～する)舶来bólái;进口jìnkǒu‖鉄砲はポルトガルから～した 枪是从葡萄牙传来的 ✣—人:从外国来的人

トライ ❶(～する)〔試みる〕试shì;尝试chángshì ❷〔ラグビー〕带球触地dài qiú chù dì

ドライ ❶〔かわいた〕干gān;干燥gānzào ❷〔酒が辛口〕干gān ❸〔割り切った性質〕理智lǐzhì;淡漠dànmò‖～な若者 冷漠的年轻人 ✣—アイ:干眼｜—アイス:干冰｜—クリーニング:干洗｜—フラワー:干花｜—フルーツ:干果

トライアスロン 铁人三项tiěrén sān xiàng

トライアングル ❶〔楽器〕三角铃sānjiǎolíng ❷〔三角形〕三角形sānjiǎoxíng

ドライバー ❶〔運転者〕司机sījī ❷〔ねじ回し〕〔把〕螺丝刀luósīdāo

ドライブ ❶(～する)〔自動車で〕开车兜风kāichē dōufēng ❷〔野球・ゴルフなどで〕球に～がかかる 打曲线球 ❸〔コンピューター〕硬盘驱动装置yìngpán qūdòng zhuāngzhì

ドライブイン 路旁餐馆lùpáng cānguǎn

ドライヤー〔台〕干燥机gānzàojī;吹风机chuīfēngjī

トラウマ 精神创伤jīngshén chuāngshāng

とら・える【捕らえる・捉える】❶〔つかまえる〕抓住zhuāzhu;捕捉bǔzhuō‖犯人を～える 抓住犯人｜機会を～える 紧紧把握住机会｜クモが獲物を～える 蜘蛛捉住猎物｜ネズミを～える 捕捉老鼠 ❷〔理解する〕抓住zhuāzhu;了解liǎojiě‖文章の意味を～える 抓住文章的大意｜物の見方や～え方 对事情的看法或理解方法 ❸〔映像などを〕捕捉bǔzhuō‖怪しい船をレーダーが～えた 雷达捕捉到了可疑船只的踪迹

トラクター〔架〕拖拉机tuōlājī

トラスト 托拉斯tuōlāsī

トラック ❶〔陸上〕跑道pǎodào ❷〔車両〕〔辆〕卡车kǎchē ✣—競技:径赛项目

ドラッグ ❶〔薬品〕药yào;药物yàowù.(麻薬)毒品dúpǐn ❷(～する)〔コンピューター〕拖tuō‖カーソルを合わせて～する 把光标对准后向后拖动 ✣—ストア:药店;杂货店

とらのこ【虎の子】‖～の50万円を盗まれた 50万日元血汗钱被偷走了

とらのまき【虎の巻】❶〔秘伝の本〕密传的书mì chuán de shū;秘籍mìjí ❷〔あんちょこ〕附带注解的参考书fùdài zhùjiě de cānkǎoshū

ドラフト ❶〔野球〕新球员选拔制度xīn qiúyuán xuǎnbá zhìdù ❷〔排気〕通风tōngfēng ❸〔草案〕草稿cǎogǎo

トラブル ❶〔もめごと〕〔场,种〕纠纷jiūfēn;麻烦máfan;祸huò‖よく～を起こす 爱闹事｜～に巻き込まれる 被卷入麻烦之中｜金銭～ 钱财上的纠纷 ❷〔故障・問題〕〔个,种〕故障gùzhàng;问题wèntí‖エンジン～ 引擎故障

トラベラーズ チェック〔张〕旅行支票lǚxíng zhīpiào

ドラマ(电视)连续剧(diànshì) liánxùjù;戏剧xìjù.(脚本)剧本jùběn‖小説を～化する 将小说改编成电视剧

ドラマチック 戏剧性(的) xìjùxìng (de)‖～な出会い 具有戏剧性的邂逅

ドラム ❶〔太鼓〕〔面,个〕鼓gǔ‖～をたたく 击鼓 ❷〔筒形のもの〕圆筒yuántǒng ✣—缶:铁桶

どらむすこ【どら息子】浪荡子làngdàngzǐ

とらわ・れる【捕らわれる・囚われる】❶〔つかまる〕被逮捕bèi dàibǔ‖犯人は～れて牢(ろう)に入れられた 罪犯被捕后进了监狱 ❷〔思考に自由がない〕拘泥于jūni yú‖因襲に～れる 拘泥于旧习｜目先のことに～れる 拘泥于眼前的事儿

トランク ❶〔かばん〕〔只,个〕旅行箱lǚxíngxiāng ❷〔自動車の〕行李箱xínglixiāng

トランクス(男性用下着)〔条〕四角裤sìjiǎokù.(競技用)运动短裤yùndòng duǎnkù

トランシーバー 对讲机duìjiǎngjī

トランジスター ✣—ラジオ:晶体管收音机

トランジット 通过tōngguò;转机zhuǎnjī. ✣—ビザ:过境签证

トランス ❶〔変圧器〕变压器biànyāqì ❷〔催眠状態〕催眠状态cuīmián zhuàngtài

トランプ〔副,张〕扑克牌pūkèpái‖～を切る 洗牌｜～を配る 发牌 ✣—占い:纸牌占卦

トランペット〔把〕小号xiǎohào

トランポリン 蹦床bèngchuáng

とり【酉】(十二支の1つ)酉yǒu‖～の刻 酉时 ✣—年:酉年;鸡年

とり【鳥】〔只〕鸟niǎo‖～を飼う 养鸟｜～の餌 鸟食｜～のさえずり 鸟鸣声 ✣—小屋:鸡窝

とり【鶏】鸡jī.(肉)鸡肉jīròu ✣—がらスープ:鸡骨汤

とりあ・う【取り合う】❶〔奪い合う〕争夺zhēngduó‖1つのボールを～う 抢一个球 ❷〔相手になる〕理睬lǐcǎi;搭理dāli‖相手は私の苦情などいっこうに～わなかった 对方对我的不满根本不予理睬｜あの連中には～わないほうがいい 最好不要搭理那些人 ❸〔たがいに手をとる〕手拉手shǒu lā shǒu‖2人は手を～って泣いた 两个人手拉着手哭成一团

とりあえず【取り敢えず】❶〔第一に〕首先shǒuxiān.（さしあたり）暂时zànshí ‖ ～この薬を飲んでください 请先把这个药吃了 | ～10万円あればよい 暂时有个10万日元就行 ❷〔すぐに〕‖ 取るものも～駆けつけた 不顾一切地赶到那里

とりあ・げる【取り上げる】❶〔持ちあげる〕拿起náqi ‖ 受話器を～げる 拿起话筒 ❷〔奪う〕夺走duózǒu ‖ 子どもたちの楽しみを～げる 剥夺孩子们的乐趣 | 免許証を～げられた 驾驶执照被没收了 ❸〔採用する〕采纳cǎinà ‖ われわれの要望も～げてほしい 希望也能采纳我们的要求

とりあつかい【取り扱い】操作cāozuò ‖ この機械は～が難しい 这个机器很难操作 ✤ 一注意:小心轻放 | 一店:经销店

とりあつか・う【取り扱う】❶〔操作する〕操作cāozuò; 使用shǐyòng ❷〔仕事として処理する〕对待duìdài; 办理bànlǐ ‖ ここでは外国への送金は～っておりません 这里不办理往国外的汇款 ❸〔商品として売る〕经营jīngyíng ‖ 主に輸入品を～っている 主要经营进口商品

とりあわせ【取り合わせ】配pèi.（組み合わせ）组合zǔhé; 搭配dāpèi ‖ あの夫婦は妙な～だ 那两口子不般配

とりい【鳥居】神社牌楼shénshè páilou

とりいそぎ【取り急ぎ】‖ 以上～お知らせいたします 匆匆汇报如上 | ～御礼まで 谨此致谢

トリートメント（～する）护理hùlǐ.（薬剤）护发素hùfàsù ‖ 傷んだ髪を～する 护理受损的头发

ドリーム〔个, 场〕梦mèng; 梦想mèngxiǎng ✤ 一チーム:梦之队 | アメリカン一:美国梦

とりい・る【取り入る】讨好tǎohǎo ‖ 町の有力者に～る 巴结镇上有势力的人 | 上役に～る 讨好上司 | ～るのがうまい 很会献殷勤

とりい・れる【取り入れる】❶〔中に入れる〕收进shōujin; 引进yǐnjìn ‖ 外国文化を～れる 引进外国文化 ❷〔農作物を〕收割shōugē ‖ イネを～れる 收割水稻 ❸〔採用する〕采纳cǎinà

とりえ【取り柄】优点yōudiǎn; 长处chángchu ‖ あれは何の～もない男だ 他一无是处

トリオ 三人组sān rén zǔ

とりおさ・える【取り押さえる】❶〔捕らえる〕抓住zhuāzhu; 逮捕dàibǔ ❷〔押さえとどめる〕制伏zhìfú

とりおと・す【取り落とす】掉落diàoluò

とりかえし【取り返し】挽救wǎnjiù ‖ ～のつかない失敗 不可挽回的失败 | 後悔しても～がつかない 后悔也无法补救 | ～のつかない損失 不可弥补的损失

とりかえ・す【取り返す】❶〔取り戻す〕要回yàohuí ❷〔ばん回する〕挽回wǎnhuí ‖ 工事のおくれを～す 抢回延误的工期

とりか・える【取り替える】❶〔新しくする〕更换gēnghuàn ‖ 部品を～える 更换零件 ❷〔交換する〕换huàn ‖ 人民元を米ドルと～える 把人民币换成美元

とりかか・る【取り掛かる】着手zhuóshǒu

とりかご【鳥籠】鸟笼niǎolóng

とりかこ・む【取り囲む】围住wéizhu

とりかわ・す【取り交わす】交换jiāohuàn; 互换hùhuàn ‖ 覚書を～す 交换备忘录 | 契約を～す 签合同

とりきめ【取り決め】协议xiéyì; 约定yuēdìng ‖ 日中2国間の～ 日中双边协议

とりき・める【取り決める】（約束）签订qiāndìng; 商定shāngdìng.（決定）决定juédìng ‖ 賃金協定を～める 签订工资合同 | 出発の日時を～める 决定出发日期

とりくず・す【取り崩す】❶〔取り壊す〕拆掉chāidiào ❷〔金を〕‖ 貯金を～して生活する 靠存款过日子

とりく・む【取り組む】专心致力于…zhuānxīn zhìlì yú… ‖ 難題に～む 努力解决难题 | 新型車の開発に～む 致力开发新款车

とりけ・す【取り消す】取消qǔxiāo; 废除fèichú;（無効にする）吊销diàoxiāo ‖ 予約を～す 取消预约 | 注文を～す 取消订货 | 婚約を～す 解除婚约 | 免許を～す 吊销执照

とりこ【虜】俘虏fúlǔ ‖ 恋の～ 爱情的俘虏 | ミュージカルの～になる 被音乐剧迷住

とりこみ【取り込み】❶〔混乱〕忙乱mángluàn.（不幸）灾难zāinàn.（もめごと）纠纷jiūfēn ❷〔取り入れること〕‖ ファイルの～ 读取文件 | 顧客の～ 争取顾客

とりこ・む【取り込む】❶〔ごたごたする〕忙乱mángluàn ‖ 今は～んでいる 我现在很忙 ❷〔取り入れる〕收进shōujin; 拿进nájin ❸〔籠絡する〕拉拢lālong

とりこわ・す【取り壊す】拆掉chāidiào

とりさ・げる【取り下げる】撤销chèxiāo ‖ 訴訟を～げる 撤销诉讼 | 辞表を～げる 撤回辞职书

とりざた【取り沙汰】（～する）议论yìlùn; 评论pínglùn.（うわさ）风言风语fēng yán fēng yǔ

とりざら【取り皿】小碟子xiǎo diézi

とりさ・る【取り去る】去除qùchú; 排除páichú

とりしき・る【取り仕切る】主持zhǔchí; 掌管zhǎngguǎn ‖ 業務を一手に～る 一手掌管业务

とりしまり【取り締まり】取缔qǔdì; 管束guǎnshù ‖ 麻薬の～ 取缔毒品 | ～をゆるめる 放松管束 ✤ 一役:董事 | 一役会:董事会

とりしま・る【取り締まる】取缔qǔdì; 管束guǎnshù ‖ 暴力行為を～る 取缔暴力行为

とりしら・べる【取り調べる】审讯shěnxùn; 审问shěnwèn ‖ 警察に～べられた 接受警察的审讯

とりそろ・える【取り揃える】备齐bèiqí; 齐备qíbèi ‖ いろいろな品を～える 备齐各种各样的商品

とりだ・す【取り出す】拿出náchu.（探って）掏出tāochu.（抜いて）抽出chōuchu ‖ 引き出しからかぎを～す 从抽屉里拿出钥匙

とりたて【取り立て】❶（徴収）征收zhēngshōu.（催促して）催收cuīshōu ❷〔とって間もない〕（収穫）刚收获gāng shōuhuò.（水産物）刚捞上来gāng lāoshanglai ✤ 一人:催债人

とりたてて【取り立てて】值得一提zhíde yì tí; 特别tèbié ‖ ～言うほどのことはない 不值得一提

とりた・てる【取り立てる】❶〔徴収する〕征收zhēngshōu; 催收cuīshōu ‖ 税金を～てる 征收税金 | 借金を～てる 催讨债款 ❷〔引き立てる〕提拔tíba; 关照guānzhào

とりちが・える【取り違える】❶〔間違えて手にとる〕拿错nácuò ❷〔誤解する〕误解wùjiě; 认错rèncuò ‖ 意味を～える 误解意思

とりつぎ【取り次ぎ】❶〔伝える〕传达chuándá; 接待jiēdài ❷〔代理〕代理(店) dàilǐ (diàn); 代销(店) dàixiāo(diàn) ‖ 本の～をする 代销书籍

とりつ・く【取り付く】❶〔すがりつく〕搂住lǒuzhu; 依偎yīwēi ‖ ～く島もない 根本无法接近 ❷〔乗り移る〕附体fùtǐ; 缠住chánzhu ‖ 悪霊に～かれる 被恶鬼缠住

とりつ・ぐ【取り次ぐ】❶〔間に立って伝える〕转告zhuǎngào; 转…zhuǎn … ‖ 電話を～ぐ 转接电话 ❷〔代理販売する〕代销dàixiāo; 经销jīngxiāo

トリック 圈套quāntào; 骗局piànjú; 把戏bǎxì ‖ ～を見破る 看穿把戏

とりつくろ・う【取り繕う】粉饰fěnshì; 掩饰yǎnshì ‖ その場を～う 应付一时 | 人前を～う 装门面

とりつ・ける【取り付ける】❶〔設置する〕安装ānzhuāng ❷〔得る〕得到dédào ‖ 組合の合意を～ける 得到工会的同意

とりで【砦】城堡chéngbǎo

とりとめ【取り留め】‖ ～のない話 漫无边际的话 | ～のないことを考える 没头没脑地瞎想

とりと・める【取り留める】‖ 一命を～める 保住性命

とりなお・す【取り直す・撮り直す】❶〔気持ちを〕重振(精神) chóng zhèn (jīngshén) ❷〔相撲〕重新较量chóngxīn jiàoliàng ❸〔写真を〕重拍chóng pāi

とりな・す【執り成す】❶〔仲裁する・仲介する〕周旋zhōuxuán; 说和shuōhe ‖ 両者の間を～す 从中说和一下 ❷〔なだめる〕劝解quànjiě ‖ その場をうまく～す 圆场

とりにが・す【取り逃がす】‖ 泥棒を～す 让小偷跑掉 | 好機を～す 错过好机会

トリニダード トバゴ 特立尼达和多巴哥Tèlìnídá hé Duōbāgē

とりのこ・す【取り残す】剩下shèngxia; 跟不上gēnbushàng ‖ たった1人～される 就剩下一个人 | 時代に～される 被时代所淘汰〔跟不上时代〕

とりのぞ・く【取り除く】去掉qùdiào; 去除qùchú ‖ 障害物を～く 扫除障碍 | 不純物を～く 去除杂质

とりはから・う【取り計らう】安排ānpái; 照顾zhàogu ‖ 適当に～う 适当地安排一下

とりはず・す【取り外す】拆卸chāixiè; 摘下zhāixia ‖ 看板を～す 摘下招牌 | この部品は～せる 这个元件可以拆卸

とりはだ【鳥肌】鸡皮疙瘩jīpí gēda ‖ 全身に～が立つ 起一身鸡皮疙瘩

とりはら・う【取り払う】拆除chāichú; 拆掉chāidiào ‖ 建物を～う 拆除房屋

とりひき【取り引き】(～する) ❶〔経済〕交易jiāoyì; 买卖mǎimai ‖ …と～がある 和…有交易 | ～がない 没有贸易关系 | ～が成立する 成交 | 本日の～は活発〔低調〕だった 今天交易活跃〔不活跃〕 ❷〔妥協〕妥协tuǒxié; 交易jiāoyì ‖ 政治的な～ 政治交易 ✣ 一業者:有贸易关系的厂商 | 一銀行:交易银行 | 一先: (顧客)顾客; (取引関係者)贸易伙伴 | 一所:交易所 | 一高:交易额

トリプル 三倍的sān bèi de; 三重的sān chóng de ✣ 一プレー:三重杀

ドリブル (～する) ❶〔サッカー・バスケット〕盘球pánqiú; 带球dàiqiú ❷〔バレーボール・バドミントン〕连击liánjī

トリマー 宠物美容师chǒngwù měiróngshī

とりまき【取り巻き】追随者zhuīsuízhě; 吹捧者chuīpěngzhě ‖ 社長の～ 社长的吹捧者

とりま・く【取り巻く】围住wéizhu

とりみだ・す【取り乱す】慌乱huāngluàn; 惊慌失措jīnghuāng shīcuò

とりも・つ【取り持つ】❶〔仲介する〕斡旋wòxuán ‖ 両者の間を～つ 斡旋于二者之间 | 仕事が～つ縁 工作的缘分 ❷〔もてなす〕应酬yìngchou; 招待zhāodài ‖ 座を～つのがうまい 很会应酬

とりもど・す【取り戻す】收回shōuhuí; 恢复huīfù ‖ 患者が意識を～す 病人苏醒过来 | 若さを～す 恢复青春 | 落ち着きを～す 恢复镇定

とりもなおさず【取りも直さず】也就是yě jiù shì; 不外是búwài shì

トリュフ 松露sōnglù; 块菌kuàijùn

とりょう【塗料】〔筒,罐〕涂料túliào

どりょう【度量】度量dùliàng ‖ ～の広い人 宽宏大量的人 | ～が狭い 度量小

どりょうこう【度量衡】度量衡dùliànghéng

どりょく【努力】(～する)努力nǔlì ‖ 共に～する 共同努力 | ～が報われる 努力得到回报 | ～のたまもの 努力的结果 | ～を怠る 不够努力 | 成功のために～を惜しまない 为获得成功而不惜付出努力 ✣ 一家:勤奋的人 | 一賞:鼓励奖

とりよ・せる【取り寄せる】让…寄来ràng… jìlai ‖ イギリスから～せた本 从英国邮购的书

ドリル ❶〔穴あけ用工具〕〔把〕钻zuàn ❷〔反復学習〕训练xùnliàn ✣ 一ブック:习题集

とりわけ【取り分け】特别tèbié; 格外géwài

とりわ・ける【取り分ける】❶〔食べ物などを分ける〕‖ 料理を小皿に～けた 把菜肴分盛到小碟儿里 ❷〔選別する〕拣出jiǎnchu

ドリンク〔种,杯〕饮料yǐnliào ✣ 一剤:健康饮料

と・る【取る・採る・捕る・執る・撮る】❶〔手にする〕拿ná; 取qǔ ‖ 写真を手に～って見る 把照片拿起来看看 | ～る物もとりあえず 匆忙 | こしょうを～って 把胡椒递给我 ❷〔手に持って操作する〕拿ná; 手持shǒu chí ‖ 手綱を～る 手持缰绳 | 筆を～る 执笔 ❸〔取得する〕获得huòdé; 取得qǔdé ‖ 永住権を～る 获得永久居住权 | 運転免許を～る 考汽车驾驶执照 | 学位を～る 取得学位 | 住民票を～る 开户籍证明 | パスポートを～る 办护照 ❹〔獲得する〕得到dédào; 取得qǔdé ‖ 先制点を～る 抢先得分 | よい成績を～る 取得好成绩 | 野党が政権を～る 在野党夺取政权 | 指定席を～る 预订座席票 ❺〔奪う・盗む〕夺取duóqǔ; 抢qiǎng; 偷tōu ‖ 天下を～る 夺取天下 | 財布を～られる 钱包被偷 ❻〔徴収する〕(税金)征zhēng. (罰金)罚fá. (料金・代金)收shōu ‖ 国民から税金を～る 向国民征税 | 罰金を～られる 被罚款 | 家賃を～る 收取房租 ❼〔採取する〕采

cǎi；取(出) qǔ(chu)‖指紋を〜る 取指纹｜キノコを〜る 采蘑菇 ❽〔獲物を捕まえる〕逮住dǎizhu；捕bǔ‖魚を〜る 捕鱼｜ネコがネズミを〜る 猫捉老鼠 ❾〔収穫する〕收获shōuhuò；摘zhāi‖米がたくさん〜れる 水稻收成很好｜キュウリを〜る 摘黄瓜 ❿〔契約・かたを〕签订qiāndìng；扣留kòuliú‖土地を担保に〜る 以土地做抵押｜人質を〜る 扣留人质 ⓫〔栄養などを〕取qǔ．(食物)吃chī．(睡眠)睡shuì‖1日に3食〜る 一天吃三顿饭｜栄養を〜る 摄取营养｜睡眠を十分〜らない 睡眠不足｜暖を〜る 取暖 ⓬〔態度・状態などを〕采取cǎiqǔ；采用cǎiyòng‖反抗的な態度を〜る 采取对抗的态度｜バランスを〜る 保持平衡｜日記の形を〜る 采用日记的形式｜第二外国語は中国語を〜った 第二外语选了汉语｜名を捨てて実(じつ)を〜る 舍名取实 ⓭〔判断・推量する〕理解lǐjiě；认为rènwéi‖言葉を悪く〜る 把话往坏处想｜親切で注意したのに非難と〜られた 好心提醒他，可是他却认为是谴责他 ⓮〔情報を確認する〕收集shōují‖出席を〜る 点名｜供述の裏付けを〜る 收集供词的证据 ⓯〔記録する〕记jì．(写真)照相zhàoxiàng．(音)录音lùyīn．(映像)录像lùxiàng‖メモを〜る 记笔记｜レントゲン写真を〜る 拍X光照片｜写真を〜る 照相 ⓰〔取り除く〕除掉chúdiào；消除xiāochú‖ガラスの汚れを〜る 去除玻璃上的污垢｜疲れを〜る 消除疲劳｜肩の凝りを〜る 缓解肩膀酸痛｜胃を半分〜る 把胃切除一半儿 ⓱〔脱ぐ・はずす〕摘下zhāixia；脱tuō‖帽子を〜る 摘下帽子｜眼鏡を〜る 摘下眼镜 ⓲〔身近に迎え入れる〕招zhāo；收shōu‖弟子を〜る 收徒弟｜養子を〜る 收养养子｜婿を〜る 招女婿 ⓳〔残しておく・保存しておく〕留下liúxia；保留bǎoliú‖旅行の費用は別に〜ってある 旅费另外预留着｜日記はすべて〜ってある 所有的日记我都保留着 ⓴〔…の立場からすると〕对…来说duì…láishuō‖日本経済に〜って好ましくない状況だ 这种情况对日本经济来说是不利的

ドル 美元měiyuán ✤ー買い:购买美元｜ー高:美元汇率高｜ー建て:按美元计价

トルクメニスタン 土库曼斯坦Tǔkùmànsītǎn

トルコ 土耳其Tǔ'ěrqí ✤ー石:绿松石

どれ ❶〔不特定のものや人〕哪(一)个nǎ (yí) ge‖〜も気に入らない 哪个也不喜欢｜〜がいいですか 哪一个好？ ❷〔かけ声〕哎āi；喂wèi｜〜，さっそくやってみるか 哎，马上做做看吧

どれい【奴隷】❶〔使役される人〕奴隶núlì ❷〔ある物事に心を奪われた人〕奴隶núlì‖金銭の〜となる 做金钱的奴隶 ✤ー解放:奴隶解放

トレー ❶〔食品をのせる盆〕浅盘qiǎnpán；托盘tuōpán ❷〔底の浅い整理箱〕整理盒zhěnglǐhé

トレーシング ペーパー〔张〕复写纸fùxiězhǐ；描图纸miáotúzhǐ

トレード（〜する）❶〔貿易・取引〕交易jiāoyì；贸易màoyì ❷〔野球・サッカー〕交换球员jiāohuàn qiúyuán ✤ーマーク:（登録商標）注册商标；（特徴）特征

トレーナー ❶〔コーチ〕教练jiàoliàn ❷〔運動着〕〔件〕运动衫yùndòngshān

トレーニング（〜する）锻炼duànliàn‖毎朝2時間〜する 每天早上锻炼两个小时 ✤ーウエア:训练服｜ーパンツ:运动裤

トレーラー〔辆〕拖车tuōchē

ドレス〔套，件〕女装nǚzhuāng ✤ーアップ:盛装

トレッキング 徒步穿越túbù chuānyuè

ドレッサー 梳妆台shūzhuāngtái ✤ベストー:最佳着装名人

ドレッシング〔种〕色拉酱sèlājiàng

トレパン〔条〕运动裤yùndòngkù

どれほど【どれ程】❶〔どのくらい・どれだけ〕多少duōshao；多么duōme‖お母さんが〜心配したことか 你母亲为你不知操了多少心啊 ❷〔いくらも〕不多bù duō；没多少méi duōshao

と・れる【取れる・採れる・撮れる】❶〔ついていた物が離れる〕掉下diàoxia；脱落tuōluò‖シャツのボタンが〜れた 衬衫的钮扣掉了 ❷〔収穫や資源が得られる〕收获shōuhuò；捕获bǔhuò‖魚がたくさん〜れる〔あまり〜れなかった〕 捕到很多鱼〔没捕到多少鱼〕 ❸〔よくない状態がなくなる〕解除jiěchú；消除xiāochú‖痛みが〜れる 不痛了

トレンチ コート 风衣fēngyī

トレンド〔种，个〕倾向qīngxiàng；趋势qūshì

どろ【泥】❶〔水分の多い土〕〔块，滩〕泥ní‖車に〜をはねられた 我被车溅上了泥｜〜にまみれる 满身泥土 ❷〔慣用表現〕‖犯人が〜を吐く 犯人招供｜親の顔に〜を塗る 往父母脸上抹黑｜〜のように眠る 熟睡如泥

とろ・い 迟钝chídùn；蠢笨chǔnbèn‖〜いやつだ 这个笨家伙

トロイカ 三套马车sān tào mǎchē

とろう【徒労】徒劳túláo；白费劲bái fèijìn‖すべて〜に終わった 一切都白费劲儿了

トローチ〔片，粒〕含片hánpiàn

トロール 拖网tuōwǎng ✤ー船:拖网渔船

どろくさ・い【泥臭い】❶〔泥のにおいがする〕〔股，丝〕土腥气tǔxingqì ❷〔洗練されていない〕〔脸，身〕土气tǔqi

とろ・ける【蕩ける】❶〔固体状のものが熱で溶ける〕溶化rónghuà‖口の中で〜けるチョコレート 入口即化的巧克力 ❷〔心がうっとりする〕定心荡神驰xīn dàng shén chí；陶醉táozuì

どろじあい【泥試合】互相揭短hùxiāng jiēduǎn

トロッコ〔辆〕矿车kuàngchē

ドロップ ❶〔菓子〕水果糖shuǐguǒtáng ❷〔野球〕下曲球xiàqūqiú

ドロップアウト（〜する）脱离(社会) tuōlí (shèhuì)

とろとろ（〜する）❶〔溶けて粘り気のあるさま〕黏糊糊niánhūhū ❷〔火力が弱いさま〕文火wénhuǒ‖〜と煮る 用文火炖 ❸〔浅く眠るさま〕迷糊míhu ❹〔動作がのろいさま〕懒散lǎnsǎn‖〜歩く 懒散地走路

どろどろ ❶(〜する)〔粘液状〕黏糊niánhu ❷(〜する)〔感情や欲望が〕定错综复杂cuò zōng fù zá；定尔虞我诈ěr yú wǒ zhà‖〜した人間関係 尔虞我诈的人际关系 ❸〔泥だらけのさま〕沾满了泥zhānmǎnle ní

どろなわ【泥縄】定临阵磨枪lín zhèn mó qiāng‖〜だけど何もしないよりはましだ 临阵磨枪，不快也亮 ✤ー式:临阵磨枪的方式

どろぬま【泥沼】❶〔泥深い沼〕〔片，个〕泥潭

nítán ❷〔抜け出せない状態〕泥坑níkēng ‖ 政界の〜にはまる 陷入了政界的泥坑
とろび【とろ火】文火wénhuǒ
トロフィー 奖杯jiǎngbēi
どろぼう【泥棒】(〜する)偷tōu. (人)小偷儿xiǎotōur；(盗)贼(dào)zéi ‖ 〜が入る 遭贼｜人を見たら〜と思え 定防人之心不可无

どろまみれ【泥塗れ】满是泥mǎn shì ní；到处是泥dàochù shì ní
とろみ ‖ かたくり粉で〜をつける 用淀粉勾芡
どろみず【泥水】泥水níshuǐ
どろよけ【泥除け】〔块〕挡泥板dǎngníbǎn
トロリーバス〔辆〕无轨电车wúguǐ diànchē
とろろ【薯蕷】山药泥shānyaoní
とろろいも【薯蕷芋】〔根〕山药shānyao
どろんこ【泥んこ】泥ní ‖ 〜になる 满身是泥 ❖ 一遊び:玩泥巴
トロンボーン〔把〕长号chánghào；拉管lāguǎn
とわ【永久】永远yǒngyuǎn ‖ 〜に幸あれ 祝愿你永远幸福！｜〜の別れ 永别
トワイライト 黄昏huánghūn
とわず【問わず】不论búlùn；不管bùguǎn ‖ 老若男女を〜楽しめるスポーツ 这种运动不论男女老少都适合
とわずがたり【問わず語り】‖ 〜に過去を話す 无意中说起自己的过去
どわすれ【度忘れ】(〜する)一时想不起来yìshí xiǎngbuqǐlái
トン 吨dūn
ドン 首领shǒulǐng；头目tóumù
トンガ 汤加Tāngjiā
どんかく【鈍角】钝角dùnjiǎo
とんカツ【豚カツ】炸猪排zházhūpái
とんが·る【尖る】⇨とがる(尖る)
どんかん【鈍感】迟钝chídùn
どんき【鈍器】〔个,件,种〕钝器dùnqì
どんぐり【団栗】〔个,颗〕橡子xiàngzi ‖ 〜の背比べ 定半斤八两 ❖ 一眼(まなこ):铜铃般的眼睛
どんこう【鈍行】〔列,次,趟〕慢车mànchē
とんざ【頓挫】(〜する)遭到〔受到〕挫折zāodào〔shòudào〕cuòzhé
とんし【頓死】(〜する)猝死cùsǐ
とんじゃく【頓着】(〜する)在乎zàihu；介意jièyì ‖ 服装に〜しない 对衣着不讲究｜金にまるで〜しない 对钱根本不在乎
どんす【緞子】〔块,幅〕缎子duànzi
どんぞこ【どん底】深渊shēnyuān ‖ 貧乏の〜 贫困的深渊｜〜に陥る 陷入窘境｜〜からはいあがる 走出深渊 ❖ 一生活:最底层的生活
とんだ (思いがけない)意外的yìwài de. (とほうもない)不得了bùdéliǎo ‖ 〜災難をこうむる 天降横祸｜〜ことになった 可不得了了
とんち【頓智】机智jīzhì；机灵jīling
とんちゃく【頓着】⇨とんじゃく(頓着)
どんちゃんさわぎ【どんちゃん騒ぎ】(饮酒时的)喧闹(yǐn jiǔ shí de) xuānnào
どんちょう【緞帳】帷幕wéimù ‖ 〜があがる〔下がる〕 大幕拉开〔落下〕
とんちんかん【頓珍漢】答非所问dá fēi suǒ wèn；定不着边际bù zhuó biān jì
どんつう【鈍痛】隐隐作痛yǐnyǐn zuò tòng ‖ 背中に〜を覚える 背上阵阵隐痛
どんづまり【どん詰まり】最后zuìhòu；尽头jìntóu
とんでもな·い ❶〔思いもかけない〕意外的yìwài de；定出乎意料chū hū yì liào ‖ 〜い事件が起こった 发生了意想不到的大事件 ❷〔けしからん〕毫无道理háowú dàoli ‖ 〜いぬれぎぬ 天大的冤枉｜〜い間違い 荒唐的差错 ❸〔強い否定〕(そうではない)哪里的话！nǎli de huà！(どういたしまして)不客气bú kèqi ‖ あいつが医者だなんて〜い 他哪儿是医生啊！
どんてん【曇天】阴天yīntiān
どんでんがえし【どんでん返し】定急转直下jí zhuǎn zhí xià
とんとん ❶〔打つ音〕扑通pūtōng；咚咚dōngdōng ❷〔調子よく進む〕顺利shùnlì ‖ 話が〜と進む 事情进展顺利 ❸〔差がない〕差不多chà bu duō ‖ 収支は〜だ 收支平衡了 ❖ 一拍子:顺顺当当；定一帆风顺
どんどん ❶〔音〕轰隆隆hōnglōnglōng；咚咚dōngdōng ❷〔速やかに·自由に〕顺利shùnlì；连续不断liánxù búduàn ‖ 病状は〜よくなっている 病情速见〔很快〕好转｜人が〜集まってきた 人们连续不断地聚集而来｜仕事が〜はかどる 工作进展得很顺利
どんな ❶〔疑問〕什么样的shénmeyàng de ‖ 〜ところ 什么样的地方｜〜話 什么话｜〜具合 怎么个情况 ❷〔いかなる…も〕‖ 〜ことでもできる 什么事情都能办成｜〜犠牲を払ってもいい 不惜付出任何代价
どんなに 多么(地) duōme (de)；无论…也…wúlùn…yě… ‖ 〜がんばっても… 无论怎么拼命地干…｜〜忙しくてもかまわない 多么忙都无所谓
トンネル〔条〕隧道suìdào ‖ 〜を通過する 穿过隧道 ❖ 一会社:皮包公司｜一効果:隧道效应
とんび【鳶】〔只〕老鹰lǎoyīng ‖ 〜がタカを生む 鸡窝里飞出金凤凰｜〜に油あげをさらわれる 到嘴的肥肉被抢跑了
ドンファン 唐璜Táng Huáng；色鬼sèguǐ
どんぶり【丼】大碗dàwǎn ❖ 一勘定:糊涂账｜一物:盖浇饭
とんぼ【蜻蛉】〔只,个,群〕蜻蜓qīngtíng
とんぼがえり【とんぼ返り】(〜する)翻筋斗fān jīndǒu. (行ってすぐ戻る)(到了目的地办完事)马上就回来(dàole mùdìdì bànwán shì) mǎshang jiù huílai
ドンマイ 没关系méi guānxi；没事儿méi shìr
とんや【問屋】〔个,家〕批发店pīfādiàn；批发商pīfāshāng ❖ 一街:批发店街
どんよく【貪欲】贪婪tānlán ‖ 〜に新しい知識を吸収する 贪婪地吸收新的知识｜権力に対して〜だ 对于权力很贪婪
どんより (〜する)❶〔空模様が〕阴沉沉yīnchénchén ❷〔濁った〕浑浊húnzhuó ❸〔生気がない〕凝滞níngzhì

な

な【名】❶〔姓名・名前〕姓名xìngmíng；名字míngzi ‖ ～をつける 起名｜～を改める 改名 ❷〔名称〕名称míngchēng；名字míngzi ‖ 街の～ 城市〔街道〕名称｜～もない小川 无名小溪｜～は体(たい)を表す 定 名副其实 ❸〔名声・評判〕名声míngshēng；名气míngqi ‖ ～を捨てて実をとる 舍名取实｜～を惜しむ 珍惜名誉｜～をなす 成名｜親の～を汚す 玷污父母的名声 ❹〔名目・口実〕名义míngyì；借口jièkǒu ‖ 正義の～のもとに侵略戦争を行う 以正义为借口，进行侵略战争｜革命の～を借りて略奪行為をする 打着革命的旗号进行掠夺

-な ❶〔禁止〕不要búyào；别bié ‖ そっちに行く～ 别去那儿 ❷〔念を押す〕吧ba ‖ きみも賛成だよ～ 你也同意吧 ❸〔感嘆〕啊！a!；呀！ya!；哇！wa! ‖ あいつ走るのが速い～ 他跑得好快呀！ ❹〔命令〕吧ba ‖ 早く行き～ 快去吧

-なあ ❶〔願望〕啊a；多好啊〔哇〕duō hǎo a〔wa〕‖ 1億円あったら～ 要是有一亿日元多好哇！ ❷〔感嘆〕啊！a!；真…啊！zhēn … a! ‖ 花壇の花がきれいだ～ 花坛里的花真漂亮啊！

ナース 护士hùshi ✤ ―コール：按铃叫护士｜―ステーション：护士值班室

なあなあ 敷衍了事fūyan liǎoshì

ナーバス 神经质shénjīngzhì ‖ 試合を目前にひかえ～になる 临近比赛变得不安起来

な・い【無い】❶〔存在・所有しない〕没有méiyou ‖ この事実を知らない人は～い 没有人不知道这个事实｜遊んでいる暇は～い 没时间玩儿｜試験まであと3日しか～い 离考试只有三天了｜常識が～い 缺乏常识｜あの子には父母が～い 那个孩子没有父母 ❷〔起こらない・行われない〕没有méiyou ‖ とくに事故も～かった 没有什么事故 ❸〔慣用表現〕‖ ～い袖(そで)は振れない 巧妇难为无米之炊｜～い知恵を絞る 搜肠刮肚地想｜それは～いだろう！ 不会吧！；这怎么行？

-ない【内】内nèi；里lǐ ‖ 敷地～立ち入り禁止 禁止入内｜船～にとどまる 在船内逗留

-な・い ❶〔打ち消し〕不bù；没méi ‖ わかってい～い 没有明白｜酒もタバコもやら～い 不抽烟不喝酒 ❷〔問いかけ・勧誘〕不…吗？bù … ma? ‖ ちょっと手伝ってくれ～いか 帮我一下，行吗？ ❸〔えん曲な禁止〕别bié；不要búyào ‖ おしゃべりはし～いで 不要说话｜どこにも行か～いで 你哪儿也别去了

ナイーブ 天真tiānzhēn；纯朴chúnpǔ

ないえん【内縁】姘居pīnjū

ないか【内科】内科nèikē ✤ ―医：内科医生

ないかい【内海】内海nèihǎi

ないがい【内外】❶〔内と外〕内外nèiwài；里外lǐwài ❷〔国内と国外〕国内外guónèiwài ‖ ～の学者が一堂に会する 国内外的学者荟萃一堂

ないかく【内角】❶〔野球〕内角nèijiǎo ❷〔数学〕内角nèijiǎo ✤ ―球：内角球

ないかく【内閣】内阁nèigé ‖ ～を組織する 组阁 ✤ ―改造：重组内阁

ないがしろ 轻视qīngshì；不重视bú zhòngshì

ないき【内規】内部规章nèibù guīzhāng

ないきん【内勤】(～する) 内勤nèiqín

ないこう【内向】(～する) 内向nèixiàng ‖ ～的な性格 内向性格｜～型の人 内向型的人

ないこく【内国】国内guónèi

ないざい【内在】(～する) 内在nèizài；包含bāohán

ないし【乃至】❶〔…から…まで〕到dào；至zhì ❷〔または〕或huò；或者huòzhě

ないじ【内示】(～する) 内部通知nèibù tōngzhī

ないじ【内耳】内耳nèi'ěr ✤ ―炎：内耳炎

ナイジェリア 尼日利亚Nírìlìyà

ないしきょう【内視鏡】内窥镜nèikuījìng

ないじつ【内実】内情nèiqíng；实情shíqíng

ないじゅ【内需】内需nèixū ‖ ～を拡大する 扩大内需

ないしゅっけつ【内出血】(～する) 内出血nèichūxuè

ないしょ【内緒】保密bǎomì ‖ …には～にしておいてくれ 别告诉…｜家族に～で… 瞒着家里…｜～の話だけど… 这话别跟别人讲… ✤ ―事：秘密｜―話：悄悄话

ないじょ【内助】内助nèizhù ‖ ～の功 内助之功

ないじょう【内情】内部情况nèibù qíngkuàng ‖ ～に詳しい者の犯行 熟知内情者作的案

ないしょく【内職】(～する) ❶〔副業〕副业fùyè ❷〔家事の合間の賃仕事〕揽活在家干lǎnhuó zài jiā gàn

ないしん【内心】心里xīnli ‖ ～はうれしい 内心很高兴｜～穏やかでない 心里很不平静｜～を打ちあける 倾诉心声

ないせい【内政】内政nèizhèng ‖ 他国の～に干渉する 干涉他国内政

ないせん【内戦】〔场〕内战nèizhàn

ないせん【内線】分机fēnjī ✤ ―番号：分机号

ないそう【内装】内部装修nèibù zhuāngxiū

ないぞう【内蔵】(～する) 内置nèizhì；装有zhuāngyǒu ‖ パソコンにはスピーカーが～されている 电脑内部装有喇叭 ✤ ―マイク：内置麦克

ないぞう【内臓】内脏nèizàng ✤ ―疾患：内脏疾患

ナイター 〔场，次〕夜间比赛yèjian bǐsài

ないち【内地】❶〔本国〕本国běn guó ❷〔一国の国内〕国内guónèi ❸〔内陸〕内陆nèilù

ないつう【内通】(～する) 串通chuàntōng；私通sītōng ✤ ―者：私通者

ないてい【内定】(～する) 内定录用nèidìng lùyòng

ないてき【内的】内在nèizài ✤ ―必然性：内在的必然性｜―要因：内在原因｜―要求：精神上的要求

ナイト (騎士)〔位〕骑士qíshì.（英国の爵位）爵士juéshì

ナイト (夜) 夜yè ✤ ―ガウン：睡袍｜―キャップ：睡帽｜―クラブ：夜总会｜―ショー：晚场

ないない【内内】私下（里）sīxià（li）‖～で話したいことがある 有话想私下里对你说｜～に処理する 做内部处理

ナイフ〔把〕餐刀cāndāo；小刀xiǎodāo

ないぶ【内部】内部nèibù‖地球の～ 地球内部｜～の者 内部人 ✤一告発：内部检举

ないふく【内服】（～する）口服kǒufú ✤一薬：口服药

ないふん【内紛】内讧nèihòng；内部纠纷nèibù jiūfēn

ないほう【内包】（～する）❶〔論理〕内涵nèihán ❷〔内部にもつ〕包含bāohán；含有hányǒu

ないまぜ【綯い交ぜ】交织在一起jiāozhīzai yìqǐ

ないみつ【内密】暗中ànzhōng；保密bǎomì‖～にしてください 不要告诉别人｜～に調査を進める 暗中进行调查

ないめん【内面】内心nèixīn‖～を磨く 提高内在素质 ✤一生活：精神生活｜一描写：内心描写

ないや【内野】（棒球）内场（bàngqiú）nèichǎng ✤一手：内场手

ないゆう【内憂】内忧nèiyōu ✤一外患：定内忧外患

ないよう【内洋】内海nèihǎi；海湾hǎiwān

ないよう【内容】内容nèiróng‖大まかな～ 大致内容｜サービスの～ 服务的内容 ✤一証明郵便：内容证明邮件｜一見本：（书的）内容介绍

ないらん【内乱】〔场〕内乱nèiluàn

ないらん【内覧】（～する）内部展览nèibù zhǎnlǎn；预展yùzhǎn

ないりく【内陸】内陆nèilù‖沿海部と～の経済格差 沿海地区和内陆地区的经济差距

ナイロン 尼龙nílóng

な・う【綯う】搓cuō；捻niǎn

ナウル 瑙鲁Nǎolǔ

なえ【苗】〔根，株〕苗（子）miáo（zi）‖～を植える 植苗｜～を育てる 育苗

なえぎ【苗木】〔株，棵〕树苗shùmiáo

なえどこ【苗床】苗床miáochuáng；秧畦yāngqí

な・える【萎える】❶〔植物が〕枯萎kūwěi ❷〔手足などの力が抜ける〕发软fā ruǎn‖手足が～えた 手脚无力 ❸〔気力がなくなる〕没劲儿méijìnr‖すっかり気力が～えた 让人一下子泄了气

なお【尚】❶〔いっそう・さらに〕更gèng ❷〔相かわらず〕仍然réngrán；还hái ❸〔付け加えて言えば〕另外lìngwài；还有háiyǒu

なおかつ【尚且つ】❶〔その上〕而且érqiě ❷〔それでもまだ〕还hái；仍然réngrán

なおさら【尚更】更gèng；更加gèngjiā

なおざり【等閑】马虎mǎhu；忽视hūshì‖仕事は～にできない 工作不能马虎｜環境保全を～にする 忽视环境保护

なおし【直し】❶〔修理〕修理xiūlǐ；改造gǎizào‖もう～がきかない 已经无法修理了 ❷〔修正〕修改xiūgǎi

なお・す【治す】治疗zhìliáo‖虫歯を１本～す 治疗一颗虫牙

なお・す【直す】❶〔修繕する〕修xiū；修理xiūlǐ‖壊れたドアを～す 把坏了的门修好 ❷〔訂正する〕改gǎi；修改xiūgǎi‖文を～す 修改句子 ❸〔翻訳する・書きかえる〕翻译fānyì；改写gǎixiě‖漢文を現代文に～す 把古汉语改写为现代文 ❹〔改める〕改gǎi 矫正jiǎozhèng‖偏食を～す 矫正偏食的习惯｜発音を～す 矫正发音 ❺〔整える〕整zhěng；调整tiáozhěng‖えりを～す 整一整领子 ❻〔もとどおりにする〕恢复huīfù；复原fùyuán ❼〔…しなおす〕重新做chóngxīn zuò；从头再来cóngtóu zài lái‖計算し～す 再从头算一遍

なお・る【治る】治好zhìhǎo；恢复huīfù‖そのくらいの風邪は２，３日で～る 这种程度的感冒两三天就能治好｜足の傷がすっかり～った 脚上的伤口完全好了

なお・る【直る】❶〔正しくなる〕改gǎi‖一度悪い癖がつくとなかなか～らない 一旦染上了坏习惯就很难改掉 ❷〔訂正される〕修改xiūgǎi‖再校でも誤植が～っていない 二校时错字仍没改 ❸〔修繕される〕修xiū‖この時計は～りますか 这只手表能修好吗？ ❹〔もとどおりになる〕恢复huīfù

なおれ【名折れ】丢人diūrén；丢脸diūliǎn

なか【中】❶〔内部〕里面lǐmian；里边儿lǐbianr‖ドアは～から鍵(かぎ)がかかっている 门从里面反锁了 ❷〔範囲〕里lǐ；中zhōng‖この～から好きなものを１つ選びなさい 从这里面选一个你喜欢的 ❸〔間・中間〕中间zhōngjiān‖～に立って話をまとめる 从中撮合 ❹〔ある状態のただ中〕之中zhīzhōng；中zhōng‖豪雨の～を歩く 在大雨中走路

なか【仲】（人和人的）关系（rén hé rén de）guānxi；交情jiāoqing‖夫婦～がとてもよい 夫妇感情特别好｜～が壊れる 关系破裂｜～が直る 定言归于好

ながあめ【長雨】淫雨yínyǔ；连阴雨liányīnyǔ‖日照不足と～で米のできが悪い 由于日照不足、长期阴雨，水稻生长受到影响

ながい【長居】（～する）‖つい～してしまう 不知不觉地待好长时间

なが・い【長い】❶〔寸法が〕长cháng‖～い行列ができる 排成长队｜丈が２センチ～い 长出了两公分 ❷〔時間が〕长cháng；长久chángjiǔ‖～い間 长期以来｜～い目で見れば… 要是长远地看…｜だんだん日が～くなる 白天渐渐长了起来｜雨が～いこと降り続いている 雨下了很久了

ながいき【長生き】（～する）长寿chángshòu‖女は男よりも～だ 女人比男人长寿

ながいす【長椅子】长椅子cháng yǐzi

ながいも【長芋】（长）山药（cháng）shānyao

なかがい【仲買】（行為）介绍买卖jièshào mǎimai.（人）经纪人jīngjìrén‖株の～ 股票交易经纪人 ✤一手数料：中介费｜一店：中介店

ながぐつ【長靴】〔双，只〕雨靴yǔxuē

なかごろ【中頃】中期zhōngqī‖明治時代～ 明治时代中期

ながさ【長さ】长cháng；长度chángdù‖あの橋の～はどれくらいですか 那座桥有多长？｜コードの～を調節する 调节连接线的长度｜この布は～が足りない 这块布不够长

なかさ・れる【泣かされる】❶〔ひどい目に遭わされる〕遭罪zāozuì‖巨額の負債に～れている 巨额的债务让我吃了不少苦头 ❷〔感動させられる〕深受感动shēn shòu gǎndòng

ながさ・れる【流される】❶〔水などに〕‖ボートは沖へと～れていった 小艇被潮水冲走了 ❷〔その他の表現〕‖情に～れてはいけない 不能感情用事

ながし【流し】❶〔台所の〕洗碗池xǐwǎnchí ❷〔芸人の〕‖ギターの～ 走街串巷演奏吉他

なかじき【中敷き】(靴の)〔双,只〕鞋垫xiédiàn

ながしこ・む【流し込む】灌入guànrù；倒入dàorù．(食べる)咽下yànxia‖溶けた金属を鋳型に～む 把熔化的金属灌入模子里

ながしだい【流し台】水槽shuǐcáo

ながしめ【流し目】秋波qiūbō‖～を使う 送秋波

なかす【中州】中洲zhōngzhōu；沙洲shāzhōu

なが・す【流す】❶〔水などを〕冲chōng；倒dào‖トイレの使用後水を～す 便后冲水 ❷〔涙・汗などを〕流liú；落luò‖涙を～す 落泪｜血を～す 流血 ❸〔流れで物を動かす〕冲走chōngzǒu‖洪水が橋を～す 大水冲走桥梁 ❹〔汚れを洗い落とす〕洗掉xǐdiào；冲掉chōngdiào‖シャワーを浴びて汗を～す 用淋浴冲洗掉身上的汗水 ❺〔音やうわさを〕播送bōsòng；传播chuánbō‖間違った情報を～す 传播错误的信息 ❻〔その他の表現〕‖水に～す 定一笔勾销｜話を聞き～す 不把话放在心上｜軽く読み～す 草草地读一遍

なか・せる【泣かせる】‖親を～せる 让父母伤心｜～せる話 感人的话

ながそで【長袖】长袖chángxiù

なかたがい【仲違い】(～する)失和shīhé；感情破裂gǎnqíng pòliè

なかだち【仲立ち】(～する)居中介绍jūzhōng jièshào；中介zhōngjiè

なかだるみ【中弛み】(～する)❶〔途中で緊張がゆるむ〕中途松劲zhōngtú sōngjìn ❷〔経済〕中萎zhōngwěi

ながちょうば【長丁場】(过程)漫长(guòchéng) màncháng；费时间fèi shíjiān

なかつぎ【中継ぎ】(～する)❶〔途中でつなぐ〕(中途)接上(zhōngtú) jiēshang ❷〔取り次ぐ〕中介zhōngjiè ✤一貿易:中转贸易

ながつづき【長続き】(～する)持续chíxù；持久chíjiǔ‖～する健康法 容易坚持的健康法

なかでも【中でも】特别tèbié；尤其yóuqí

なかなおり【仲直り】(～する)和好héhǎo；恢复关系huīfù guānxi‖もう～しよう 咱们该和好了吧

なかなか【中中】❶〔相当〕相当xiāngdāng；很hěn‖～感じのよい青年だ 让人颇有好感的年轻人 ❷〔簡単にはそうならない〕怎么也…zěnme yě …；不容易…bù róngyì …‖何度電話しても～つながらない 电话打了好几次,可怎么也打不通

ながなが【長長】‖～とおじゃましました 打搅了很长时间

なかにわ【中庭】院子yuànzi

ながねん【長年】多年duōnián‖～の練習のたまもの 多年刻苦练习的结果｜～の夢 多年的梦想

なかば【半ば】❶〔半分・ほとんど〕一半yíbàn；几乎是jīhū shì‖優勝は～あきらめている 优胜几乎无望 ❷〔中ほど〕‖30代の～ 三十五六｜来月～過ぎに 下个月中旬以后 ❸〔途中・最中〕中途zhōngtú‖彼は学業～にして学校を去らねばならなかった 他不得不中途辍学

ながばなし【長話】(～する)‖電話で～をする 煲电话粥；打很长时间电话闲聊

ながび・く【長引く】拖长tuōcháng；延长yáncháng‖風邪が～く 感冒老不好｜会議が～く 会议延长

ながほそい【長細い】⇨ほそながい(細長い)

なかほど【中程】中间zhōngjiān；当中dāngzhōng‖試合の～ 比赛中途

なかま【仲間】❶〔いっしょに活動する人〕伙伴huǒbàn；同伴tóngbàn．(悪い仲間)同伙tónghuǒ‖悪い～とつきあう 结交坏朋友 ❷〔同類〕同类tónglèi ✤一外れ:受同伙的排挤｜一割れ:起内讧｜釣り一:钓友｜飲み一:酒友

なかみ【中身】❶〔中に入っているもの〕里面的东西lǐmiàn de dōngxi‖包みの～ 包里的东西 ❷〔内容・実質〕内容nèiróng‖彼の話には～がない 他的讲话很空洞｜～のある人間 有内涵的人

ながめ【眺め】风景fēngjǐng‖～のいい部屋 风景好的房间｜海の～ 大海的景致

なが・める【眺める】❶〔見渡す〕眺望tiàowàng‖美しい山々を～める 眺望秀美的群山 ❷〔ようすなどを〕凝视níngshì；注视zhùshì；观察guānchá‖世の移りかわりをじっと～める 静观人世间的变迁｜相場の動きを～める 观察行情的变化 ❸〔傍観する〕旁观pángguān

ながもち【長持ち】(～する)耐用nàiyòng‖～する靴下 耐穿的袜子

なかやすみ【中休み】(～する)中间〔中途〕休息zhōngjiān〔zhōngtú〕xiūxi

なかゆび【中指】中指zhōngzhǐ

なかよく【仲良く】和睦(地) hémù (de)；友好(地) yǒuhǎo (de)‖みんなと～やる 和大家处得好｜～暮らす 和睦地生活

なかよし【仲良し】好朋友hǎo péngyou‖大の～ 挚友｜たちまち～になる 一下子就成好朋友

-ながら ❶〔異なる動作を同時に〕一边…一边…yìbiān …yìbiān …；…着……zhe …‖ラジオを聞き～勉強する 一边听广播一边学习｜寝～本を読む 躺着看书 ❷〔…ではあるが〕虽然…但是…suīrán … dànshì …‖健康に悪いと知り～タバコをやめられない 明知吸烟有害健康,可是戒不掉｜残念～… 很遗憾… ❸〔…のまま〕总是zǒngshì；照旧zhàojiù；定一如既往yì rú jì wǎng‖いつも～ 总是｜毎度のこと～… 每次都…

ながらく【長らく】好久hǎojiǔ；长时间cháng shíjiān‖～ごぶさたしました 好久不〔没〕见了

ながれ【流れ】❶〔水の〕〔条〕水流shuǐliú‖～を下る 顺流而下｜～に逆らう 逆流而上 ❷〔物事の動き〕〔股〕潮流cháoliú‖人の～ 人流｜時代の～に逆らう 逆时代潮流而行 ❸〔流派〕〔个,门〕流派liúpài ✤一作業:流水作业｜一弾:流弹｜一星:流星｜一者:流浪者

ながれこ・む【流れ込む】流入liúrù；流进liújin

ながれず【流れ図】⇨フローチャート

ながれつ・く【流れ着く】漂流到piāoliúdào

なが・れる【流れる】❶〔液体などが〕流liú‖トイレの水がよく～れない 卫生间排水不畅｜～れるような動き 动作流畅 ❷〔物が〕流动liúdòng‖カヌ

な

ーが川下へ～れる 皮艇顺流而下｜家が洪水で～れた 房屋被洪水冲走了｜車はスムーズに～れている 车流顺畅 ❸〔伝わる〕传开chuánkāi；流传liúchuán‖へんなうわさが～れてくる 传出一些流言飞语 ❹〔漂うように〕荡漾dàngyàng；飘荡piāodàng‖歌声が～れる 歌声荡漾 ❺〔さまよう〕漂泊 piāobó；流浪 liúlàng ❻〔中止になる〕中止zhōngzhǐ；作罢zuòbà ❼〔時間が〕‖時が～れる 时间流逝 ❽〔質草が〕死当sǐdàng ❾〔望ましくない方向に進む〕流于liúyú‖怠惰に～れる 流于懒惰 ❿〔放送によって〕播放bōfàng

なき【泣き】‖～を入れる 哭着恳求｜～を見る 倒霉

なぎ【凪】㊟风平浪静fēng píng làng jìng

なきあか·す【泣き明かす】哭一夜kū yí yè

なきおと·す【泣き落とす】苦苦哀求kǔkǔ āiqiú‖親会社を～して制作費をひねり出した 向总公司哭诉，筹措出了制作费

なきがお【泣き顔】哭脸kūliǎn

なきがら【亡骸】〔具〕尸首shīshou；遗体yítǐ

なきごえ【泣き声】哭声kūshēng

なきごえ【鳴き声】鸣叫声míngjiàoshēng

なきごと【泣き言】牢骚话láosaohuà

なぎさ【渚】岸边ànbiān；海滨hǎibīn

なきさけ·ぶ【泣き叫ぶ】哭喊kūhǎn

なきじゃく·る【泣きじゃくる】抽抽搭搭地哭chōuchoudādā de kū

なきじょうご【泣き上戸】醉了就哭(的人) zuìle jiù kū (de rén)

なぎたお·す【薙ぎ倒す】(切り倒す)砍倒kǎndǎo．(打ち負かす)击败jībài

なきだ·す【泣き出す】哭起来kūqilai

なきつ·く【泣きつく】哭着哀求kūzhe āiqiú

なきつら【泣き面】哭丧脸kūsāng liǎn‖～に蜂 ㊟祸不单行

なきどころ【泣き所】弱点ruòdiǎn‖弁慶の～ 强者的弱点；(むこうずね)迎面骨

なきなき【泣き泣き】⇨なくなく(泣く泣く)

なきねいり【泣き寝入り】(～する)㊟忍气吞声rěn qì tūn shēng

なきはら·す【泣き腫らす】哭肿kūzhǒng

なきまね【泣き真似】装哭zhuāng kū

なきむし【泣き虫】小泪包儿xiǎolèibāor

なきや·む【泣き止む】‖赤ちゃんはすぐ～んだ 婴儿一下子就不哭了

なきわめ·く【泣き喚く】哭喊kūhǎn

なきわらい【泣き笑い】(～する)边哭边笑biān kū biān xiào‖～の人生 悲欢离合的人生

な·く【泣く】❶〔涙を流す〕哭kū‖泣きに～く 痛哭流涕｜～いても笑っても 不管怎么样｜～く子と地頭には勝てぬ 秀才遇到兵，有理讲不清｜～く子も黙る 令人生畏 ❷〔つらく感じる〕懊丧àosàng；伤心shāngxīn‖1点差に～く 为一分之差懊丧不已

な·く【鳴く】(獣·鳥·虫が)叫jiào．(鳥·虫が)鸣叫míngjiào‖ウグイスが～く 黄莺在鸣叫｜腹の虫が～く 肚子饿得咕咕叫｜～かず飛ばず 默默无闻

な·ぐ【凪ぐ】(海·天候が)㊟风平浪静fēng píng làng jìng．(風が)停tíng‖海が～いでいる 海上风平浪静

なぐさみ【慰み】❶〔楽しみ〕乐趣lèqù．(気晴らし)消遣xiāoqiǎn ❷〔からかい〕玩弄wánnòng

なぐさめ【慰め】安慰ānwèi‖～の言葉をかける 说些安慰的话｜～の言葉がない 不知怎样安慰才好

なぐさ·める【慰める】❶〔悲しみや苦しみを〕安慰ānwèi‖みずからを～める 自我安慰 ❷〔楽しませる〕使愉快shǐ yúkuài

なく·す【亡くす】死了sǐ le‖連合いを～す 丧偶

なく·す【無くす】丢diū；丢失diūshī；失去shīqù‖クレジットカードを～した 把信用卡给弄丢了｜自信を～す 丧失信心

なくなく【泣く泣く】(泣きながら)哭着…kūzhe ….(仕方なく)不情愿(地) bù qíngyuàn (de)‖～上司の命令に従う 勉强服从上级的命令

なくな·る【亡くなる】死sǐ；去世qùshì‖あの人が～って3年になる 他去世有三年了

なくな·る【無くなる】❶〔紛失する〕丢diū；不见了bújiàn le‖財布が～った 钱包丢〔不见〕了 ❷〔尽きる〕没了méi le‖時間が～った 没时间了 ❸〔消える〕不〔没〕…了bù〔méi〕… le‖食欲が～った 没食欲了｜のどの痛みは～った 嗓子已经不疼了

なぐりかか·る【殴り掛かる】冲上去打chōngshangqu dǎ

なぐりがき【殴り書き】(～する)潦草地写liáocǎo de xiě

なぐりこみ【殴り込み】‖県庁に～をかける 闯进县政府打架｜アメリカ市場に～をかける 势不可当地打入美国市场

なぐりころ·す【殴り殺す】打死dǎsǐ

なぐりたお·す【殴り倒す】打倒dǎdǎo

なぐりとば·す【殴り飛ばす】痛打tòngdǎ

なぐ·る【殴る】打dǎ；揍zòu‖数人にとり囲まれて～られた 被几个人围住揍了一顿｜～る蹴(け)るの暴行 拳打脚踢

なげう·つ【擲つ】豁出huōchu；献出xiànchu‖祖国のために命を～つ 为祖国豁出性命｜全財産を～つ 献出全部财产

なげうり【投げ売り】(～する)甩卖shuǎimài

なげかわし·い【嘆かわしい】令人叹息lìng rén tànxī；可叹kě tàn

なげき【嘆き】悲叹bēitàn；哀叹āitàn

なげキス【投げキス】飞吻fēiwěn

なげ·く【嘆く】悲叹bēitàn；叹息tànxī‖友の早すぎる死を～く 悲叹朋友过早辞世｜不幸を～く 为自己的不幸叹息｜忙しいと～く 慨叹自己太忙

なげこ·む【投げ込む】投入tóurù；扔进rēngjin

なげす·てる【投げ捨てる】扔掉rēngdiào

なげだ·す【投げ出す】❶〔放り出す〕扔下rēngxia‖足を～して座る 伸开腿坐在地上 ❷〔ほったらかす〕丢下diūxia‖仕事を～して遊びに行く 丢开工作去玩儿 ❸〔差し出す〕豁出huōchu；拿出náchu

なげつ·ける【投げ付ける】❶〔投げてぶつける〕扔到…上rēngdào … shang ❷〔言葉を〕‖辛らつな言葉を～ける 甩出一句尖刻的话

なげとば·す【投げ飛ばす】甩出去shuǎichuqu

なけなし【無けなし】‖～の金をはたく 拿出仅有的一点儿钱

なげなわ【投げ縄】套索tàosuǒ
なげやり【投げ遣り】‖～な態度をとる 采取放任的态度｜仕事が～だ 工作不认真〔很随便〕
な·げる【投げる】❶〔放る〕扔rēng；抛pāo‖ボールを～げる 扔球 ❷〔投げとばす〕摔shuāi ❸〔あきらめる〕放弃fàngqì
なこうど【仲人】媒人méiren‖～を頼まれる 受托做媒
なご·む【和む】‖孫の顔を見ると心が～む 一看到孙子就心情舒畅｜ふるさとのなまりを聞くと心が～む 一听到乡音就感到安慰｜かたい雰囲気を～ませる 缓和拘谨的气氛
なごやか【和やか】和谐héxié‖～なムード 和谐的气氛｜～な気分 心情舒畅
なごり【名残】❶〔心残り〕留恋〔惜别〕的心情liúliàn〔xībié〕de xīnqíng‖～惜しい 恋恋不舍 ❷〔あとに残ったもの〕痕迹hénjì；遗迹yíjì
ナサ【NASA】美国宇航局Měiguó Yǔhángjú
なさけ【情け】❶〔慈悲〕‖～深い人 有爱心的人｜～にすがる 求人帮助｜～が身にしみる 被真情感动｜～容赦ない 毫不留情｜～は人のためならず 好心有好报 ❷〔愛情〕爱情àiqíng
なさけな·い【情けない】(みじめだ)悲惨bēicǎn.(ふがいない)窝囊wōnang‖我ながら～い 连自己都感到窝囊｜収入がない～い状態 没有收入的悲惨状况
なざし【名指し】(～する)指名zhǐmíng；点名diǎnmíng‖～で非難する 点名指责
なし【梨】梨树líshù.(実)梨lí ✤—のつぶて:杳无音信
なし【無し】没有méiyou；无wú‖一文～ 身无分文｜女房～ではやっていけない 没有老婆我无法活下去
なしくずし【済し崩し】逐步zhúbù‖モラルが～に崩れていく 道德一点一点地趋于崩溃
なしと·げる【成し遂げる】完成wánchéng
なじみ【馴染み】(人)熟人shúrén.(なじむこと)熟识shúshi
なじ·む【馴染む】❶〔慣れる〕适应shìyìng；习惯xíguàn‖新しい環境に～む 适应新环境 ❷〔しっくりする〕合适héshì‖靴が～む 合脚
ナショナリズム 国家主义guójiā zhǔyì；民族主义mínzú zhǔyì
なじ·る【詰る】责备zébèi；指责zhǐzé
な·す【成す】❶〔構成する〕构成gòuchéng；形成xíngchéng‖群れを～す 成群｜この文章は意味を～さない 这段文章意思不通 ❷〔しとげる〕完成wánchéng‖財を～す 致富；发财｜大事を～す 完成一件大事｜名を～す 成名
な·す【為す】做zuò；为wéi‖善〔悪〕を～す 为善〔恶〕｜～せば成る 有志者事竟成
なす【茄子】茄子qiézi
ナスダック【NASDAQ】纳斯达克Nàsīdákè
なずな【薺】荠菜jìcài
なすりあい【擦り合い】‖責任の～をする 互相推卸责任
なすりつ·ける【擦り付ける】❶〔責任などを〕嫁祸jiàhuò；推诿tuīwěi ❷〔こすりつける〕涂上túshang；抹上mǒshang
なす·る【擦る】⇨なすりつける(擦り付ける)
なぜ【何故】为什么wèi shénme；怎么zěnme
なぜなら【何故なら】因为yīnwei
なぞ【謎】❶〔不思議なこと〕〔个,种〕谜mí‖～の人物 神秘的人物｜彼の失踪(ｼｯｿｳ)の～ 他的失踪之谜｜宇宙の～ 宇宙的奥秘 ❷〔なぞなぞ〕谜语míyǔ；谜儿mèir‖～を解く 猜谜
なぞなぞ【謎謎】谜语míyǔ；谜儿mèir‖～をする 猜谜语｜～を出す 出谜语
なぞめ·く【謎めく】㊌莫名其妙mò míng qí miào；神秘shénmì
なぞ·る(文字や線を)描miáo.(手本を)摹mó
なた【鉈】〔把〕砍刀kǎndāo
なだか·い【名高い】闻名wénmíng；著名zhùmíng；有名yǒumíng
なたね【菜種】〔粒,把〕菜子càizǐ；油菜子yóucàizǐ ✤—油:菜子油
なだ·める【宥める】劝解quànjiě.(あやして)哄逗hǒngdòu‖～めたりすかしたりする 百般劝解
なだらか ❶〔傾斜が〕平缓pínghuǎn‖～な斜面 缓坡；慢坡 ❷〔スムーズ〕顺利shùnlì
なだれ【雪崩】雪崩xuěbēng‖～を打って敗走する 一窝蜂地逃走
なだれこ·む【雪崩れ込む】蜂拥而入fēngyōng ér rù
ナチス 纳粹党Nàcuìdǎng ✤—ドイツ:德国纳粹
ナチズム 纳粹主义Nàcuì zhǔyì
ナチュラル 自然zìrán；天然tiānrán ✤—メーク:自然的化妆
なつ【夏】夏天xiàtiān；夏季xiàjì
なついん【捺印】(～する)盖章gài zhāng
なつかし·い【懐かしい】(令人)怀念(lìng rén) huáiniàn‖故郷は～いものだ 故乡是令人怀念的｜父の～い声 爸爸亲切的声音
なつかぜ【夏風邪】热伤风rèshāngfēng
なつ·く【懐く】亲近qīnjìn.(慕う)思慕sīmù.(動物が)驯服xùnfú‖この子は人見知りでなかなか～かない 这孩子认生,不容易亲近｜子どもたちは新しい先生にすぐ～いた 孩子们很快就熟悉了新来的老师
なづ·ける【名付ける】起名儿qǐmíngr；命名mìngmíng
なつじかん【夏時間】夏令时xiàlìngshí
ナッツ〔个,粒,颗〕坚果jiānguǒ；干果gānguǒ
ナット(とめねじ)螺母luómǔ
なっとう【納豆】〔盒,包〕纳豆nàdòu
なっとく【納得】(～する)(理解する)理解lǐjiě；(得心する)想通xiǎngtōng.(同意する)同意tóngyì‖～がいく 开窍；想得通｜～がいかない 纳闷儿；想不通｜～のいく説明 令人信服的说明
なつば【夏場】夏天xiàtiān；夏季xiàjì
なっぱ【菜っ葉】〔片〕菜叶càiyè
なつばて【夏ばて】(～する)苦夏kǔxià
なつふく【夏服】〔件,套〕夏装xiàzhuāng
なつみかん【夏蜜柑】酸橙suānchéng
なつめ【棗】(木)枣树zǎoshù.(実)枣儿zǎor
なつメロ【懐メロ】〔首,支〕老歌lǎogē
なつやすみ【夏休み】暑假shǔjià‖～になる 放暑假
なつやせ【夏痩せ】(～する)苦夏kǔxià

な

なでおろ・す【撫で下ろす】❶〔胸を〕放心fàngxīn ❷〔下になでる〕向下抚摸xiàng xià fǔmō
なでがた【撫で肩】溜肩膀liūjiānbǎng
なでしこ【撫子】瞿麦qúmài
なでつ・ける【撫で付ける】(髪を)梳理shūlǐ
なでまわ・す【撫で回す】抚摸fǔmō
な・でる【撫でる】❶〔手で〕抚摸fǔmō.（しごくように）捋lǚ‖髪を～でる 用手捋头发｜ネコを～でる 抚摸小猫 ❷〔軽く触れる〕拂fú‖春風がほおを～でる 春风吹拂着脸颊
-など【等】等(等) děng(děng); 什么的shénmede‖机やいす～ 桌子椅子等等｜肉・魚・野菜・果物～を売る 卖肉、鱼、蔬菜、水果什么的
ナトー【NATO】北约 Běi Yuē
ナトリウム 钠nà
なな【七】七qī.（大字）柒qī
なないろ【七色】七色qī sè‖～のにじ 七色彩虹
ななくせ【七癖】‖なくて～ 人都有毛病
ななころびやおき【七転び八起き】❶〔何度でも奮起する〕定 百折不挠bǎi zhé bù náo ❷〔浮き沈みが激しい〕浮沉不定fúchén bú dìng‖人生は～だ 人生跌宕起伏
ななつ【七つ】❶〔数〕七个qī ge‖～の海 世界七大洋 ❷〔年齢〕七岁qī suì
ななひかり【七光り】借光jièguāng‖親の～ 依仗父母的权势
ななふしぎ【七不思議】七大奇迹qī dà qíjì
ななめ【斜め】❶〔傾いている〕歪wāi; 斜xié‖板を～に切る 斜着切割木板｜～前 斜前方｜帽子を～にかぶる 歪戴着帽子 ❷〔その他の表現〕‖ご機嫌～ 情绪不好｜世の中を～に見る 以偏执的眼光看社会
なに【何】❶〔どんなもの・こと〕什么shénme; 哪个nǎge‖これは～？ 这是什么？｜～が起こったの？ 出了什么事？｜～から話していいものやら 从哪儿说起好呢｜健康は～にも勝る 健康胜于一切 ❷〔驚きや反問〕什么shénme‖～, もう一度言ってみろ 什么？你再说一遍 ❸〔心配・懸念を打ち消す〕哪里nǎli‖～, かまいませんよ 哪里, 没关系｜～, 心配はいりません 没什么, 你放心吧 ❹〔慣用表現〕‖～はともあれ 不管怎样｜～がなんだか 到底是怎么回事｜～はさておき 别的暂且不说｜～にも増して 比什么都｜～はなくとも 别的什么都可以不要｜～をか言わんや 还有什么可说的呢｜～にせよ 不管怎样；无论如何
なにか【何か】❶〔漠然としたもの・こと〕什么shénme‖～ご用ですか 有什么事吗？｜～召しあがりませんか 吃点儿什么吗？｜～書くものはありますか 有笔和纸吗？ ❷〔同類のものを示す〕…之类的…zhī lèi de; 什么的shénmede‖シャベルか～ 铁锹之类的东西 ❸〔なぜか〕不知为什么bù zhī wèi shénme‖あの人は～虫が好かない 不知为什么我就是讨厌他
なにかと【何かと】这个那个zhège nàge.（いろいろな面で）各方面gè fāngmiàn; 处处chùchù‖年末は～忙しい 年末这事那事地忙得很｜隣人が～親切にしてくれる 邻居在各方面对我都很好｜クレジットカードを持っていると～便利だ 有了信用卡处处都方便｜～いうと 无论什么事；动不动就
なにくわぬかお【何食わぬ顔】定 若无其事ruò wú qí shì‖～でうそをつく 面不改色地说谎
なにげな・い【何気ない】(さりげない) 定 若无其事ruò wú qí shì.（無意識）不经意bùjīngyì‖～いふうをよそおう 装作若无其事｜～く言った一言 不经意说的一句话
なにごと【何事】❶〔どんなこと〕什么事shénme shì‖～ですか 怎么回事？｜～もなく月日がたつ 日子过得平平安安 ❷〔すべてのこと〕万事wànshì; 一切yíqiè‖人生～も辛抱がかんじんだ 人生万事以忍为重 ❸〔相手をとがめる〕像什么话xiàng shénme huà; 怎么行zěnme xíng‖警官が飲酒運転するとは～か 警察居然酒后驾车, 这像什么话
なにさま【何様】‖どこの～だか知らないが… 不知是什么地方的大人物…｜あいつは自分を～だと思っているんだ 他以为自己是什么人？
なにしろ【何しろ】(なんにせよ) 毕竟bìjìng.（とにかく）总之zǒngzhī
なにぶん【何分】❶〔どうぞ〕请qǐng‖～よろしく 请多关照 ❷〔なんといっても〕毕竟bìjìng; 是因为shì yīnwei‖～初心者ですので, お手やわらかに願います 毕竟是初学者, 请手下留情
なにも【何も】❶〔まったく〕根本gēnběn; 完全wánquán‖～知らない 根本不知道｜～心配しなくていい 完全不必担心｜～見えない 什么也看不见 ❷〔…どころではない〕岂止qǐzhǐ‖夏休みも～あったもんじゃない 哪儿还谈得上什么过暑假 ❸〔わざわざ〕何必hébì.（けっして）并不是bìng bú shì; 并没有bìng méiyou‖～あそこまで言わなくても 何必说得那么难听呢？｜～好きで残業しているわけじゃない 并不是我愿意加班
なにもかも【何もかも】一切yíqiè; 全部quánbù‖～うまくいった 一切都很顺利
なにもの【何者】❶〔だれ〕谁shéi; 什么人shénme rén‖この部屋に～かが忍び込んだ 有人潜入了这个房间｜あの男はいったい～なのだ 那个男的到底是什么人？ ❷〔いかなる人〕任何人rènhé rén‖彼は～をも恐れない 他不畏惧任何人
なにもの【何物】什么(东西) shénme (dōngxi); 任何(东西) rènhé (dōngxi)‖～にもかえがたい 什么都无法代替的｜苦痛以外の～でもない 只是痛苦而已
なにやかや【何や彼や】这个那个zhège nàge‖～と忙しい 这事那事地忙死了｜交通費や～ 交通费以及这费那费的
なにより【何より】❶〔もっとも〕最zuì‖ステーキが～好きだ 我最爱吃牛排 ❷〔最良・最上〕最好zuì hǎo; 第一dì yī‖健康が～だ 健康第一〔最重要〕｜～の励み 最好的鼓励｜無事に帰られて～だ 你平安归来, 这太好了
ナノ 纳米nàmǐ; 毫微háowēi ❖ ―グラム: 毫微克｜―テクノロジー: 纳米技术｜―秒: 纳秒｜―マテリアル: 纳米材料｜―メートル: 纳米
なのはな【菜の花】菜花càihuā; 油菜花yóucàihuā
なのり【名乗り】‖五輪の開催地に～をあげる 申办奥运｜市長選挙に～をあげる 报名参加市长竞选
なの・る【名乗る】❶〔自分の名前を言う〕通名

tōngmíng‖おたがいに～りあう 互通姓名 ❷〔称する〕自称zìchēng‖市役所の職員と～る 自称是市政府职员｜犯人だと～り出る 承认自己是犯人 ❸〔自分の名とする〕‖結婚して妻の姓を～る 结婚后冠妻子的姓氏

なばかり【名ばかり】定 徒有虚名tú yǒu xū míng

なびか・す【靡かす】❶〔風や水などに〕使飘动shǐ piāodòng‖長い髪を風に～せる 长发随风飘动 ❷〔意に従わせる〕使服从shǐ fúcóng

なび・く【靡く】❶〔風や水などで〕(風に)随风飘动suí fēng piāodòng.（水に）顺水漂流shùnshuǐ piāoliú ❷〔威力に〕服从fúcóng‖金の力に～く 为金钱所俘虏｜彼女はどんな男にも～かない 任何男人都追求不到她

ナビゲーション システム 导航系统 dǎoháng xìtǒng

ナビゲーター ❶〔ラリーの〕驾驶助手jiàshǐ zhùshǒu ❷〔航海士〕领航员lǐnghángyuán

ナプキン ❶〔食事時の〕〔条〕餐巾cānjīn ❷〔生理用品〕卫生巾wèishēngjīn ✤ 紙—：纸巾

ナフサ（粗製ガソリン）石脑油shínǎoyóu

なふだ【名札】（姓）名牌（xìng）míngpái‖胸に～をつける 把姓名牌别在胸前

ナフタリン 樟脑丸zhāngnǎowán

なぶ・る 戏弄xìnòng.（愚弄する）愚弄yúnòng.（苦しめる）折磨zhémo

なべ【鍋】❶〔調理器具〕锅guō‖～をかける 把锅坐在火上 ❷〔鍋料理〕沙锅shāguō

ナポレオン（人名）拿破仑Nápòlún ✤ —戦争：拿破仑战争

なま【生】❶〔火を通していない〕生shēng‖野菜を～で食べる 生吃蔬菜｜この肉は中がまだ～だ 这肉里面还是生的 ❷〔自然のまま〕直接zhíjiē; 真实zhēnshí‖～の演奏 现场演奏｜国民の～の声 国民真实的心声｜～の英語に触れる 接触到地道的英语 ✤ —魚：生鱼｜—水：生水｜—卵：生鸡蛋｜—ハム：生火腿｜—ビール：生啤｜—野菜：生蔬菜

なまあくび【生欠伸】‖～をかみころす 忍住哈欠

なまあたたか・い【生暖かい】微温的wēiwēn de‖～い湿った空気 温暖潮湿的空气

なまいき【生意気】狂妄kuángwàng‖子どもも大きくなると～になる 孩子长大了也会变得不听话｜4歳の息子は～ざかりだ 四岁的儿子正是最任性的年龄

なまえ【名前】（姓）姓xìng.（姓名）姓名xìngmíng.（物事の名称）名字míngzi; 名称míngchēng.‖子どもに～をつける 给孩子起名儿｜お～は 您贵姓？｜～と住所 姓名和住址｜商品の～ 商品的名称 ✤ —負け：定 名不符实

なまかじり【生かじり】定 一知半解yì zhī bàn jiě‖～の学問をふりまわす 滥用半通不通的学问

なまがわき【生乾き】没有干透méiyou gāntòu

なまき【生木】❶〔地に生えている〕长在地上的树zhǎngzai dìshang de shù‖～を裂く 棒打鸳鸯 ❷〔切ったばかりの〕半干的木柴bàn gān de mùchái

なまきず【生傷】‖～が絶えない 总是带着新伤

なまぐさ・い【生臭い】❶〔生の魚や肉が〕腥xīng‖まな板が～い 案板很腥｜～さ 腥味 ❷〔欲望などが〕有世俗气yǒu shìsú qì‖～い権力闘争 肮脏的权利斗争

なまくら【鈍ら】钝dùn; 不快bú kuài

なまけぐせ【怠け癖】惰性duòxìng‖～がつく 养成惰性

なまけもの【怠け者】懒汉lǎnhàn

なまけもの【樹懶】树懒shùlǎn

なま・ける【怠ける】偷懒tōulǎn‖夏休み中～けて過ごす 懒懒散散地过一个暑假｜部屋の掃除を～ける 不经常打扫房间

なまこ【海鼠】海参hǎishēn

なまごみ【生ごみ】厨房垃圾chúfáng lājī

なまじ ❶〔生半可・中途半端〕肤浅fūqiǎn; 半瓶醋bànpíngcù ❷〔…なのでかえって〕因…反倒yīn … fǎndào‖～時間があるとかえって勉強しない 时间太充分，反而不学习

なまず【鯰】〔条〕鲇鱼niányú

なまつば【生唾】口水kǒushuǐ‖～もの 垂涎三尺

なまづめ【生爪】指甲zhǐjia

なまなまし・い【生生しい】‖～い傷 新伤｜～い証言 活生生的证言｜記憶に～い 记忆犹新｜手術の映像は～すぎる 手术的画面太血腥

なまにえ【生煮え】半生不熟bàn shēng bù shú‖魚はまだ～だ 鱼还没熟（透）

なまぬる・い【生温い】❶〔温度が〕温吞wēntun‖～いビール 不冰的啤酒 ❷〔厳しくない〕温和wēnhé; 不彻底bú chèdǐ

なまはんか【生半可】肤浅fūqiǎn‖～な知識をふりまわす 炫耀肤浅的知识｜～な気持ちで農業はできない 没有恒心就从事不了农业

なまへんじ【生返事】（～する）心不在焉地回答xīn bú zài yān de huídá

なまみ【生身】‖～の人間 活生生的人

なまめかし・い【艶めかしい】妖艳yāoyàn

なまもの【生物】生鲜食品shēngxiān shípǐn

なまやさし・い【生易しい】定 轻而易举qīng ér yì jǔ; 很简单hěn jiǎndān

なまり【訛り】口音kǒuyin‖～がきつい 口音很重｜関西～ 关西口音｜日本語～の英語 带日本口音的英语 ✤ お国—：地方口音；乡音

なまり【鉛】铅qiān

なま・る【訛る】带口音dài kǒuyin

なま・る【鈍る】❶〔刃物が〕不快bú kuài‖包丁が～った 菜刀不快了 ❷〔にぶくなる〕生疏shēngshū; 笨bèn‖運動不足で体が～ってしまった 因运动不足身体跟不上了

なみ【波】❶〔水の動き〕波浪bōlàng‖～がしずまる 定 风平浪静｜～が高い 浪大｜～が荒い 波浪滔天｜～にのまれる 被波浪吞没 ❷〔ある方向に向かう流れ〕潮流cháoliú‖IT化の～に乗り遅れる 落后于信息化的潮流｜時代の～ 时代的浪潮｜人の～ 人群 ❸〔たえず変動する状態〕好坏hǎohuài‖感情に～がある 情绪波动很大｜成績に～がある 成绩时好时坏

なみ【並】一般yìbān‖～寿司 一般寿司｜牛丼～ 中碗牛肉盖浇饭｜～の人間 常人

-なみ【並み】与…相同yǔ …xiāngtóng‖十人～

普普通通｜世間～の暮らし 中等水平的生活｜国賓～の待遇 国宾般的待遇｜４月上旬～の気温 相当于４月上旬的气温

なみ・いる【並み居る】‖～いる強豪を打ち破る 打败了所有强有力的对手

なみかぜ【波風】❶〔波と風〕风浪fēnglàng ❷〔もめごと〕纠纷jiūfēn‖～を立てる 制造纠纷｜人間関係に～を立てる 影响人际关系

なみき【並木】行道树xíngdàoshù ✤一道:林阴道

なみせん【波線】波折线bōzhéxiàn

なみだ【涙】❶〔涙液〕〔滴,串,把〕眼泪yǎnlèi;‖～をこらえる 忍着眼泪｜～をふく 擦眼泪｜～を流して喜ぶ 高兴得流泪｜～がこみあげる 热泪盈眶｜逆転負けで～をのむ 为转胜为败而饮泪 ❷〔感動〕感动gǎndòng‖～を誘う 催人泪下｜聞くも～語るも～の物語 非常感人的故事｜お～ちょうだい的な番組 引人流泪的节目｜～の対面 感人的重逢

なみたいてい【並大抵】一般yìbān; 简单jiǎndān; 寻常xúncháng‖社長を説得して計画をやめさせるのは～のことではなかった 要说服总经理放弃计划没那么简单｜プロ野球選手になんて～の努力でなれるものではない 职业棒球运动员不是靠一般的努力就能当上的

なみだぐまし・い【涙ぐましい】让人佩服ràng rén pèifu

なみだぐ・む【涙ぐむ】含着泪hánzhe lèi; 眼睛湿润yǎnjing shīrùn

なみだごえ【涙声】带哭腔的声音dài kūqiāng de shēngyīn

なみだもろ・い【涙もろい】爱流泪ài liú lèi; 易感动yì gǎndòng

なみなみと 满满mǎnmǎn

なみのり【波乗り】冲浪chōnglàng

なみはずれた【並外れた】出众chūzhòng‖～才能 非凡才能

ナミビア 纳米比亚Nàmǐbǐyà

なみま【波間】波谷之间bōgǔ zhī jiān

なむ【南無】南无nāmó ✤一阿弥陀仏:南无阿弥陀佛｜一妙法蓮華経:南无妙法莲华经

ナムル 朝鲜凉拌菜Cháoxiǎn liángbàncài

なめくじ【蛞蝓】鼻涕虫bítìchóng

なめしがわ【なめし革】鞣皮róupí

なめ・す【鞣す】鞣róu; 硝xiāo

なめらか【滑らか】❶〔つるつるしている〕光滑guānghua‖ソフトで～な素材 柔滑的材料 ❷〔よどみない〕流畅liúchàng‖～な動き 动作流畅｜～な曲線 优美的曲线

な・める【嘗める・舐める】❶〔舌で〕舔tiǎn‖アイスクリームを～める 舔冰激凌｜あめを～める 含糖块｜酒をちびちびと～める 一口一口地抿酒 ❷〔侮る〕轻视qīngshì‖おれを～める気か 你敢小瞧我？; 你敢惹我？ ❸〔つらい体験をする〕‖世の辛酸を～める 饱尝人世间的辛酸

なや【納屋】小棚xiǎopéng

なやまし・い【悩ましい】❶〔官能的〕撩人liáo rén; 迷人mírén ❷〔悩みが多い〕难熬nán'áo‖～い問題 令人头痛的问题

なやま・す【悩ます】困扰kùnrǎo; 折磨zhémo‖頭を～す 伤透脑筋

なやみ【悩み】烦恼fánnǎo‖～を打ち明ける 诉说烦恼｜～多き年ごろ 心事颇多的年龄｜彼女が～の種だ 她太让人操心

なや・む【悩む】❶〔思い煩う〕烦恼fánnǎo; 苦恼kǔnǎo‖1人で～む 一个人闷闷不乐｜～みに～んだ末… 翻来覆去地考虑再三… ❷〔困難な事態〕发愁fāchóu; 苦于…kǔyú …‖人手不足に～む 由于人手不足而发愁｜業績がのび～む 苦于业绩增长缓慢 ❸〔肉体的に苦しむ〕受苦shòukǔ‖腰痛に～む 苦于腰疼｜不眠に～む 大受失眠之苦

なよなよ【弱弱】(～する)文弱wénruò

-なら ❶〔もし〕要是yàoshi; 如果rúguǒ‖もしお暇～… 要是你有时间,就…｜私～… 如果是我,就… ❷〔であるのならば〕既然jìrán; 只要是zhǐyào shì‖親が親～子も子だ 有其父必有其子｜日本人～だれもが知っている 只要是日本人谁都知道 ❸〔…についていえば〕就…方面来说jiù … fāngmiàn lái shuō; 提到…tídào …‖株のこと～彼が詳しい 他对股票很有研究

ならい【習い】❶〔ならわし〕〔种〕习惯xíguàn;‖～性となる 定 习与性成 ❷〔世の常〕常理chánglǐ‖世の～ 人世间的常理

ならいごと【習い事】技艺jìyì

なら・う【倣う】仿照fǎngzhào; 效仿xiàofǎng‖前例に～う 仿照先例

なら・う【習う】学xué; 学习xuéxí‖～うより慣れろ 定 熟能生巧

ならく【奈落】❶〔地獄〕地狱dìyù ❷〔どん底〕最底层zuì dǐcéng ❸〔劇場の〕(舞台的)下层(wǔtái de) xiàcéng

なら・す【均す】❶〔平らにする〕平整píngzhěng; 弄平坦nòngpíngtǎn‖土地を平らに～す 平整土地 ❷〔平均する〕平均píngjūn

なら・す【馴らす】驯xùn; 驯服xùnfú

なら・す【慣らす】使…习惯shǐ … xíguàn‖新しい靴を履き～す 把新鞋穿习惯

なら・す【鳴らす】❶〔音が出るようにする〕鸣míng; 弄响nòngxiǎng‖警笛を～す 鸣警笛｜クラクションを～す 按喇叭｜爆竹を～す 放爆竹｜イヌが鼻を～す 狗用鼻子发出声音 ❷〔言い立てる〕唠叨láodao‖不平を～す 发牢骚 ❸〔評判をとる〕有名yǒumíng; 周知zhōuzhī

ならずもの【ならず者】流氓liúmáng

-ならでは 只有…才能zhǐyǒu … cái néng; …(所)独有(的) … (suǒ) dú yǒu (de)‖経験者～の思いつき 只有有经验的人才能想得到的｜日本～の情趣 日本所独有的情趣

-ならない ❶〔してはいけない〕不许bùxǔ; 禁止jìnzhǐ‖カンニングをしては～ 不许考试作弊 ❷〔しなくてはならない〕得děi; 应该yīnggāi‖たがいに協力しなければ～ 应该同心协力｜空港へ行かなければ～ 我得去机场 ❸〔…できない〕无法wúfǎ; 不能bù néng‖我慢が～ 忍无可忍｜油断～ 不能掉以轻心 ❹〔…でしかたがない〕…得不得了…de bùdéliǎo‖憎くて～ 恨得不得了｜不安で～ 内心极为不安｜不思議で～ 真不可思议

ならび【並び】❶〔列〕排列páiliè ❷〔側〕一边yì biān; 一侧yí cè‖この～ 这一边 ❸〔比

類）并列bìngliè；相等xiāngděng ‖ ～称せられる 被并称为

ならびに【並びに】及jí；以及yǐjí

なら・ぶ【並ぶ】❶〔列になる〕排pái；排队páiduì ‖ 1列に～ぶ 排成一列｜おおぜいの人が～んでいる 很多人排着队 ❷〔見えるように置いてある〕摆bǎi ‖ 店頭に～ぶ 摆上柜台 ❸〔隣りあう〕并bìng；并排bìngpái ‖ ～んで歩く 并排走｜隣どうし～んで座る 并排坐在一起 ❹〔同じ程度である〕并列bìngliè；匹敌pǐdí

ならべた・てる【並べ立てる】一一指出yīyī zhǐchu；数落shǔluo

なら・べる【並べる】❶〔連ねる〕摆放bǎifàng；并排bìngpái ‖ 資料をあいうえお順に～べる 按假名顺序排放资料｜靴をきちんと～べる 把鞋子摆放好 ❷〔とりそろえる〕陈列chénliè；摆bǎi ‖ 店頭に目玉商品を～べてある 将特别推荐商品摆上店头 ❸〔列挙する〕列举lièjǔ ❹〔比較する〕比bǐ ‖ 肩を～べる 比肩

ならわし【習わし】习惯xíguàn ‖ この地方の～ 当地人的习惯

なり【形・態】❶〔体格〕身材shēncái；个子gèzi ‖ ～ばかり大きいがからきし意気地がない 块头挺大，但一点儿志气也没有 ❷〔服装〕穿着chuānzhuó ‖ みすぼらしい～ 穿着寒酸

なり【鳴り】‖ ～をひそめる 销声匿迹

なりあが・る【成り上がる】暴发bàofā ‖ アルバイト店員から社長に～る 从临时工干到总经理

なりかわ・る【成り代わる】代替dàitì；代表dàibiǎo

なりき・る【成り切る】完全入戏wánquán rùxì

なりきん【成金】暴发户bàofāhù ✤一趣味：暴发户的低俗嗜好｜土地一：发土地财的人

なりさが・る【成り下がる】落魄luòpò；沦落lúnluò ‖ 犯罪者にまで～る 竟沦为一个罪犯

なりすま・す【成り済ます】冒充màochōng

なりたち【成り立ち】❶〔歴史〕经过jīngguò；历史lìshǐ ‖ 漢字の～ 汉字的历史 ❷〔構造〕结构jiégòu；构造gòuzào ‖ 文の～ 句子的结构

なりた・つ【成り立つ】❶〔成立する〕成立chénglì；站得住脚zhàndezhù jiǎo ‖ きみの言い分は～たない 你的理由站不住脚｜仮説が～つかどうか 假设是否成立 ❷〔存立する〕能维持néng wéichí ‖ 経営が～たない 经营将无法维持｜何らかの犠牲の上に～つ 建立在某种牺牲之上 ❸〔構成される〕构成gòuchéng；组成zǔchéng

なりて【なり手】愿意当…的人yuànyi dāng … de rén

なりは・てる【成り果てる】沦为lúnwéi堕落成duòluòchéng ‖ 金の亡者に～てる 堕落成为一个利欲熏心的人

なりひび・く【鳴り響く】❶〔音が〕响xiǎng ‖ 試合終了のホイッスルが～いた 比赛结束的哨声响了 ❷〔評判が〕(名声)远扬(míngshēng) yuǎnyáng；驰名chímíng ‖ チームの名声は全国に～いている 球队的名声传遍了全国

なりふり【形振り】‖ ～構わず 不顾体面

なりもの【鳴り物】‖ ～入りでデビューする 大张旗鼓地登台亮相

なりゆき【成り行き】❶〔物事の〕动向dòngxiàng；发展方向fāzhǎn fāngxiàng ‖ 裁判の～ 法庭的动向｜自然の～に任せる 顺其自然地发展｜事の～を見守る 静观事态的发展 ❷〔経済〕按市价àn shìjià ✤一注文：市价委托〔单〕

なりわい【生業】生计shēngjì；职业zhíyè

な・る【生る】结jiē ‖ 実が～る 结果

な・る【成る・為る】❶〔完成する〕完成wánchéng.（建物が）建成jiànchéng ❷〔成就する〕实现shíxiàn；成功chénggōng ❸〔成り立つ〕组成zǔchéng；构成gòuchéng ‖ 水は水素と酸素から～る 水是氢和氧构成〔合成〕的 ❹〔状態がかわる〕变成biànchéng ‖ 病気に～る 生病｜氷がとけて水に～る 冰化为水 ❺〔身分・立場がかわる〕成为chéngwéi；当dāng ‖ 金持ちに～る 成为有钱人｜医者に～る 当医生 ❻〔ある時期に至る〕到dào ‖ 春に～った 春天来了｜そろそろ5時に～る 快要到5点了 ❼〔ある数値に達する〕达到dádào ❽〔結果に終わる〕‖ ～るようにしか～らない 只好顺其自然｜苦労がすべて水の泡に～る 辛劳都化为泡影 ❾〔あるはたらきをする〕起作用qǐ zuòyòng ‖ 体のために～る 对身体有好处｜この箱は机がわりに～る 这只箱子可以当桌子用｜いざこざの発端に～る 成为事端 ❿〔そうすることが決まっている〕要yào ‖ 彼は明日出発することに～っている 他要明天出发｜新しい職員が入社することに～った 公司要进新职员了

な・る【鳴る】❶〔音が〕响xiǎng；鸣míng ‖ 耳が～る 耳鸣｜電話が～る 电话铃响 ❷〔広く知られる〕闻名wénmíng ‖ 敏腕で～る弁護士 以辩才闻名的律师 ❸〔慣用表現〕‖ 腕が～る 不禁技痒〔跃跃欲试〕

ナルシシスト 自恋者zìliànzhě

ナルシシズム 自恋zìliàn.（自己陶酔）自我陶醉zìwǒ táozuì

なるたけ【成る丈】尽量jǐnliàng

なるべく【成るべく】尽量jǐnliàng ‖ ～早く 尽早；尽快｜～早く寝る 尽量早点儿睡

なるほど【成る程】❶〔確かに〕的确díquè. ‖ ～有名なだけはある 果然名不虚传｜話を聞くと～と思う 听了这话，我觉得很有道理 ❷〔相手に同意する〕可不是kěbushì；就是jiùshì

なれあい【馴れ合い】勾结gōujié；串通chuàntōng ‖ 与野党～の政治 执政党和在野党互相勾结的政治

なれあ・う【馴れ合う】❶〔親しみあう〕亲密qīnmì ❷〔共謀する〕勾结gōujié；串通chuàntōng ❸〔密通する〕私通sītōng

ナレーション〔篇，段〕解说(词) jiěshuō(cí)

ナレーター 解说员jiěshuōyuán

なれそめ【馴れ初め】恋爱的开端liàn'ài de kāiduān

なれっこ【慣れっこ】㊂ 习以为常xí yǐ wéi cháng ‖ 満員電車には～だ 已经习惯挤电车了

なれなれし・い【馴れ馴れしい】过分亲密guòfèn qīnmì.（ぶしつけ）没有礼貌méiyou lǐmào；不客气bú kèqi

なれのはて【成れの果て】下场xiàchang

な・れる【馴れる】(人間が)亲近qīnjìn.（動物が）驯熟xùnshú

な・れる【慣れる】❶〔順応する〕习惯xíguàn ‖

新しい職場に～れる 适应新单位 ❷〔習熟する〕熟练shúliàn ‖ 新しい仕事に～れる 熟练新的工作 ❸〔なじむ〕惯guàn ‖ 書き～れた万年筆 用惯了的钢笔

なわ【縄】〔条,根〕绳子shéngzi ‖ ～をなう 搓〔捻〕绳 ｜～をかける 系上绳子

なわとび【縄跳び】〔根,条〕跳绳tiàoshéng

なわばり【縄張り】❶〔勢力範囲〕〔个,块〕地盘dìpán；势力范围shìlì fànwéi ❷〔領分〕领域lǐngyù ‖ 研究上の他人の～ 在研究上他人的领域 ❸〔動物〕领地lǐngdì ✤ 一争い：争夺地盘

なん【何】❶〔なに〕什么shénme ‖ ～とお詫(わ)びしてよいやら 我怎么向您道歉才好呢？｜～のため 为什么 ❷〔不定の数量〕几jǐ ‖ ～百万の軍人 几百万名士兵 ｜～千もの学生 数以千计的学生 ｜～千～万もの星 成千上万颗星星 ｜～種類ものランの花 许多种兰花

なん【難】❶〔災難〕灾难zāinàn ‖ 辛うじて～を免れる 幸免于难 ｜一～去ってまた一～ 定一波未平,一波又起 ❷〔欠点〕缺点quēdiǎn；短处duǎnchu ✤ 食糧一：粮食短缺

ナン（インドのパン）馕náng

なんい【難易】难易nányì

なんか【南下】（～する）南下nánxià ‖ 寒気が～する 冷空气南下 ｜国道を～する 顺公路南下

なんか【軟化】（～する）❶〔硬いものが〕软化ruǎnhuà；变软biànruǎn ❷〔態度などが〕软化ruǎnhuà；缓和huǎnhé ‖ 態度が～した 态度软下来了 ❸〔経済〕跌价diējià；疲软píruǎn ‖ 市況は～している 行情疲软

なんかい【何回】几次jǐ cì；多少次duōshao cì ‖ ～見ても飽きない 百看不厌

なんかい【難解】难懂nán dǒng；费解fèijiě

なんかん【難関】〔道,个〕难关nánguān

なんぎ【難儀】❶〔困難〕困难kùnnan.（厄介）麻烦máfan ❷（～する）〔苦労する〕苦恼kǔnǎo；操劳cāoláo

なんぎょう【難行】✤ 一苦行：艰苦修行

なんきょく【南極】❶〔地球の〕南极nánjí ❷〔磁石の〕南磁极nán cíjí ✤ 一海：南极海 ｜一観測〔隊〕：南极观测〔队〕｜一圏：南极圈 ｜一大陸：南极大陆 ｜一点：南极(点)

なんきょく【難局】困难(的)局面kùnnan (de) júmiàn ‖ ～に直面する 面临困难局面

なんきん【南京】✤ 一豆：落花生 ｜一虫：臭虫

なんきん【軟禁】（～する）软禁ruǎnjìn

なんくせ【難癖】‖ ～をつける 刁难

なんこう【軟膏】软膏ruǎngāo ‖ ～を塗る 涂软膏

なんこう【難航】（～する）进展缓慢〔迟缓〕jìnzhǎn huǎnmàn〔chíhuǎn〕；不顺利bú shùnlì ‖ 交渉は～している 谈判进行得不顺利

なんこうふらく【難攻不落】❶〔要塞など が〕定坚不可催jiān bù kě cuī ‖ ～の城 定金城汤池 ❷〔思いどおりにならない〕难以说服nányǐ shuōfú

なんこつ【軟骨】软骨ruǎngǔ

なんざん【難産】（～する）❶〔出産で〕难产nánchǎn ❷〔物事が〕难产nánchǎn ‖ 法案の成立は～だった 法律草案迟迟无法通过

なんじ【何時】几点(钟) jǐ diǎn(zhōng) ‖ いま～ですか 现在几点？｜店は～まであいてますか 这家店开到几点？

なんじゃく【軟弱】❶〔やわらかく弱い〕松软sōngruǎn.（体が）虚弱xūruò ‖ ～な身体 虚弱的身体 ❷〔意志・態度などが〕软弱ruǎnruò；懦弱nuòruò ‖ ～な外交 软弱的外交 ｜弟は性格が～だ 我弟弟性情懦弱

なんじゅう【難渋】（～する）❶〔はかどらない〕迟滞chízhì；不顺利bú shùnlì ‖ 工事は～をきわめた 工程进行得极其困难 ❷〔困る〕困苦kùnkǔ ‖ 豪雨で歩くのに～する 冒着大雨行走很吃力

なんしょ【難所】险要的地方xiǎnyào de dìfang；险关xiǎnguān ‖ 泰山の最大の～ 泰山最险要的地方

なんしょく【難色】〔脸〕难色nánsè ‖ ～を示す 表示不满

なんすい【軟水】软水ruǎnshuǐ

なんせい【南西】西南xīnán ‖ ～の風 西南风

ナンセンス 无意义wú yìyì；荒唐huāngtang ‖ まったく～だ 真够荒唐的！

なんだ【何だ】❶〔疑問〕什么shénme.（どうしたことか）怎么回事zěnme huí shì ❷〔言うのをはばかる〕那个nàge.（なんと言おうか）怎么说好zěnme shuō hǎo ‖ こう言っちゃ～が… 这样说可能不太好… ❸〔意外な気持ちを表す〕怎么zěnme；原来yuánlái ‖ ～,きみか 原来是你呀？｜～,まだそこにいたのか 怎么你还在这儿呀？ ❹〔たいしたことではない〕算什么suàn shénme；没什么méi shénme ‖ 世間体が～ 面子算什么？

なんだい【難題】❶〔難しい問題〕难题nántí ‖ ～に取り組む 致力于解决难题 ｜現代社会は多くの～を抱えている 现代社会存在着不少棘手的问题 ❷〔無理な注文〕无理要求wúlǐ yāoqiú

なんたいどうぶつ【軟体動物】软体动物ruǎntǐ dòngwù

なんだか【何だか】有点儿yǒudiǎnr；不知为何bù zhī wèi hé ‖ ～夫のようすがおかしい 丈夫的神情有些不对劲儿

なんだかんだ【何だかんだ】这个那个zhège nàge；各种gè zhǒng ‖ ～言っても… 不管怎么说… ｜～と口実をつくる 找各种借口

なんたん【南端】南端nánduān

なんちゃくりく【軟着陸】（～する）软着陆ruǎnzhuólù

なんちょう【難聴】❶〔医学〕耳背ěrbèi ❷〔メディア〕接收困难jiēshōu kùnnan

なんでも【何でも】什么都shénme dōu；不管〔无论〕什么bùguǎn〔wúlùn〕shénme；一切yíqiè ‖ 彼のためなら～できる 为了他我什么都可以去做 ｜～好きなものを注文するといい 你想吃什么就点什么 ｜光るものが～金とはかぎらない 闪光的东西并不一定都是金子 ✤ 一屋：多面手

なんでもない【何でもない】没什么大不了〔了不起〕méi shénme dàbuliǎo〔liǎobuqǐ〕；算不了什么suànbuliǎo shénme

なんてん【南天】❶〔植物〕南天竹nántiānzhú ❷〔南のほうの空〕南天nántiān

なんてん【難点】❶〔欠点〕缺点quēdiǎn；毛病máobing ❷〔困難な点〕难点nándiǎn ‖ ～を克服する 突破难点

なんと【何と】❶〔感嘆・驚き〕(なんて)多么duōme.(意外にも)竟(然) jìng(rán) ‖ ～美しい花だろう 多么美的花儿呀! ❷〔どのように〕怎么zěnme ‖ 中国語で～言いますか 用汉语怎么说呢? | ～お礼を申しあげたらいいか 我不知怎样感谢您才好 ❸〔驚き・感動で発する言葉〕哎呀āiyā
なんど【何度】❶〔回数〕几次jǐ cì ❷〔たびたび〕多次duōcì;好几次hǎo jǐ cì ‖ 私は～も中国を旅行した 我多次到中国去旅行 ❸〔温度・角度〕多少度duōshao dù;几度jǐ dù
なんど【難度】〔种〕难度nándù
なんとう【南東】东南dōngnán ‖ ～の風 东南风
なんとか【何とか】❶〔どうにかして〕想办法xiǎng bànfǎ;设法shèfǎ ‖ そこを～お願いします 还要请您帮忙 | 自分で～する 自己想办法解决 | ～なるだろう 觉得总会有办法 ❷〔かろうじて〕总算zǒngsuàn;好不容易hǎoburóngyì ‖ 日が落ちるまでに～下山する 在天黑之前设法下山 | 裕福ではないが～やっていける 家境不好,但是还过得去
なんとしても【何としても】‖ ～やりぬく 无论如何也要干到底 | この仕事を～終わらせよう 不管怎样我都要完成这项工作
なんとなく【何となく】❶〔どことなく〕不知为什么bù zhī wèi shénme ‖ ～あの人はきらいだ 说不清为什么,我就是不喜欢他 | ～だるい 总觉得有点儿疲劳 ❷〔無意識のうちに〕无意wúyì ‖ ～日々を送る 虚度光阴 | ～話したことが彼を怒らせた 无意说的话使他生气
なんとも【何とも】❶〔どうとも〕(说不清)怎么样(shuōbuqīng) zěnmeyàng ‖ 将来どうなるか～言えない 说不清将来会怎么样 | ～言えない喜び 无法形容的喜悦 | ～返事のしようがない 无法做出明确的回答 ❷〔大したことはない〕没什么méi shénme ‖ 痛くも～ない 不痛,没什么 ❸〔まったくもって〕实在shízài;真zhēn ‖ ～申しわけありません 实在对不起
なんなら【何なら】要不yàobù;要不然的话yàobùrán dehuà ‖ ～明日また来ます 要不我明天再来 | ～車で送っていこうか 要不我用车送你去吧 | ～来なくてもかまいませんよ 如果你不想来,不来也没关系
なんなんせい【南南西】南西南nánxīnán
なんなんとう【南南東】南东南nándōngnán
なんにち【何日】❶〔どの日〕几号jǐ hào ‖ 今日は何月～ですか 今天几月几号? ❷〔期間〕几天jǐ tiān;多少天duōshao tiān ‖ ～でも待ちます 多少天我都能等 | もう～も寝たきりだ 已经躺了好几天了
なんにん【何人】多少人duōshao rén;几个人jǐ ge rén
なんねん【何年】❶〔どの年〕哪年nǎ nián ‖ ～のお生まれですか 你是哪年生的? ❷〔期間〕多少年duōshao nián;几年jǐ nián ‖ ～か前 几年前
なんぱ【軟派】❶(～する)〔異性を誘う〕勾引女性gōuyǐn nǚxìng ❷〔浮ついた人〕花花公子huāhuā gōngzǐ
なんぱ【難破】✤—船:失事〔遇难〕船只
ナンバー ❶〔番号〕号码hàomǎ ‖ 自動車の～ 车号 ❷〔雑誌などの〕号hào;期qī ❸〔曲目〕‖ 得意の～を演奏する 演奏拿手曲目 ✤—プレート:牌照
ナンバー ワン 第一号dì yī hào.(第一人者)第一名dì yī míng;第一把手dì yī bǎ shǒu ‖ 人気～の歌手 最受欢迎的歌星
なんばん【何番】多少号duōshao hào;第几dì jǐ ‖ 電話番号は～ですか 电话号码是多少?
なんばん【南蛮】南蛮nánmán ✤—渡来:进口;舶来
なんびょう【難病】疑难杂症yínán zázhèng
なんぶ【南部】南部nánbù
なんべい【南米】南美(洲) Nán Měi(zhōu) ✤—諸国:南美各国 | —大陸:南美大陆
なんべん【軟便】软便ruǎnbiàn
なんぽう【南方】南方nánfāng ‖ フィリピンの～300キロの海上 菲律宾以南300公里的海上
なんぼく【南北】南北nánběi ‖ ～に走る川 南北走向的河 ✤—戦争:南北战争 | —対話:南北对话 | —問題:南北问题 | —両アメリカ:南北美洲
なんみん【難民】难民nànmín.(被災者)灾民zāimín ✤—キャンプ:难民营 | —収容所:难民收容所 | —問題:难民问题 | 政治—:政治难民
なんもん【難問】〔个,道〕难题nántí ‖ ～に直面する 面对难题 | 政府が抱える～ 政府面临的难题
なんよう【南洋】南洋Nányáng
なんら【何等】丝毫(不) sīháo (bù) ‖ ～困らない 毫不为难 | ～間違いはない 丝毫不错 | ～興味がない 一点儿兴趣都没有 | ～有効な対策をとらない 没有采取什么有效的措施
なんらか【何等か】‖ ～の理由 什么原因〔某些理由〕| ～の措置を講じる 采取一定措施

に

に【二】二èr.(大字)贰èr
に【荷】❶〔荷物〕〔个,件〕东西dōngxi;〔批,件〕货物huòwù ‖ 船に～を積みこむ 往船上装货物 | 車から～を下ろす 把东西从车上卸下来 ❷〔負担〕负担fùdān;责任zérèn ‖ 肩の～を下ろす 放〔卸〕下包袱
-に【似】像xiàng ‖ 母親～の子ども 长相随母亲的孩子
-に ❶〔場所・位置〕在zài ‖ 東京～住んでいる 我住在东京 | 明日は家～いる予定だ 明天我打算在家 | 荷物を自動車～載せる 把行李放在车上 ❷〔方向・目的地〕到dào;往wǎng ‖ 明日ロンドン～向かう 我明天要到伦敦去 | 前～一歩踏み出す 往前跨一步 ❸〔時間〕在zài;于yú;…时…shí ‖ 今朝は5時～目が覚めた 我今天早上5点醒的 | 1990年～大学を出た 我1990年大学毕业 | クラス会は6月10日～開かれる 同窗会将于6月10日召开 ❹〔理由・原因〕‖ あまりのうれしさ～涙

が出る 高兴得流泪｜忙しさ〜悲鳴をあげる 忙得叫苦不迭｜悲しみ〜打ちひしがれる 因悲伤而精神崩溃 ❺〔動作·行為の相手や主体〕给gěi；跟gēn；让ràng‖赤ちゃん〜ミルクを飲ませる 给婴儿喂奶｜妹〜ブラウスを贈る 送给妹妹衬衫｜他の人〜行かせる 让别人去

にあい【似合い】般配bānpèi；相配xiāngpèi‖〜の二人 他俩很相配

にあ·う【似合う】合适héshì；相称xiāngchèn‖この赤が一番〜う 这种红色对你最合适｜このネクタイはそのスーツに〜わない 这条领带跟那套西服不配｜年に〜わず大人びている 少年老成

にあげ【荷揚げ】(〜する)(从船上)卸货(cóng chuánshang) xièhuò ✤一港:卸货码头｜一船:驳船

ニアミス 幸免相撞 xìngmiǎn xiāng zhuàng

ニーズ【NIES】新兴工业经济国家与地区 Xīnxīng Gōngyè Jīngjì Guójiā yǔ Dìqū

ニーズ 需要xūyào；需求xūqiú‖市場のニーズ 市场的需求｜消費者の〜 消费者的要求

にいづま【新妻】新婚妻子xīnhūn qīzi

ニート NEET族 neet zú；不就业族 bújiùyèzú

にうけ【荷受け】收货shōu huò ✤一人:收货人

にえきらない【煮え切らない】暧昧àimèi；犹豫yóuyù‖〜人 优柔寡断的人｜態度が〜 态度不干脆｜〜返事をする 回答很暧昧

にえくりかえ·る【煮え(繰り)返る】❶〔煮立つ〕翻滚fāngǔn‖湯が〜っている 水滚〔沸腾〕了 ❷〔怒る〕非常气愤fēicháng qìfèn；愤怒fènnù‖怒りで腸(はらわた)が〜った 气炸了肺

にえた·つ【煮え立つ】煮开zhǔkāi；沸腾fèiténg‖鍋がぐつぐつ〜つ 火锅煮开了

にえゆ【煮え湯】‖〜を飲まされる 被自己信赖的人出卖

に·える【煮える】煮熟 zhǔshú；煮透 zhǔtòu‖まだよく〜えていない 还没煮透

におい【匂い·臭い】❶〔香り〕〔股〕味儿 wèir.(芳香)〔股,缕〕香味儿xiāngwèir‖若葉の〜 嫩叶的清香｜よい〜がする 香气扑鼻 ❷〔臭気〕〔股〕臭味儿chòuwèir‖〜を消す 去味；除臭｜この肉はいやな〜がする 这肉有一股臭味儿 ❸〔疑わしい感じ〕迹象 jìxiàng‖犯罪の〜がする 有犯罪的迹象｜この事件には怨恨(えんこん)の〜がする 这个案件好像跟怨仇有关 ✤一袋:香囊

にお·う【匂う·臭う】❶〔香る〕有香味儿yǒu xiāngwèir ❷〔臭く感じる〕有臭味儿yǒu chòuwèir‖ガスが〜う 有一股煤气味儿 ❸〔感じが疑わしい〕可疑 kěyí

におわ·せる【匂わせる】❶〔香らせる〕‖白い花がほのかな香りを〜せている 这白花发出一股清香 ❷〔ほのめかす〕透露tòulù；暗示ànshì‖引退を〜せる 流露引退之意

にかい【二階】✤一建てバス:双层巴士｜一家:两层楼

にが·い【苦い】❶〔苦味がある〕苦kǔ‖ちょっと〜い 有点儿苦 ❷〔つらい〕艰苦jiānkǔ；痛苦tòngkǔ‖〜い経験 有过痛苦的经历｜〜い思いをする 吃苦头 ❸〔不愉快である〕不愉快bù yúkuài；不高兴bù gāoxìng‖〜い顔をする 脸色阴沉；满脸不愉快

にがうり【苦瓜】苦瓜kǔguā

にがおえ【似顔絵】肖像画xiàoxiànghuà‖〜を描く 画肖像 ✤一描き:街头画像的

にが·す【逃がす】❶〔逃げさせる〕放走fàngzǒu；放跑fàngpǎo‖鳥を〜してやる 把鸟儿放了 ❷〔逃げられる〕(被)放跑(bèi) fàngpǎo‖泥棒を〜す 让小偷儿跑掉了 ❸〔失う〕错过cuòguò‖好機を〜す 错过好机会

にがて【苦手】❶〔不得意〕…(得)不好…(de) bù hǎo；不擅长bú shàncháng‖英語が〜だ 我英语不好｜泳ぎが〜だ 我游泳游得不好〔不擅长游泳〕 ❷〔扱いにくい相手〕不好对付bù hǎo duìfu‖ああいう人は〜だ 那种人不好打交道

にがにがし·い【苦苦しい】很不愉快hěn bù yúkuài‖〜い顔つき 脸色阴沉；满脸不高兴

にがみ【苦味】❶〔苦い味〕〔丝,股〕苦味儿kǔwèir ❷〔表情などの渋さ〕‖〜走ったいい男 帅气冷峻的男子

にがむし【苦虫】‖〜をかみつぶしたような顔をする 一脸不高兴；拉长脸

にかよ·う【似通う】相像 xiāngxiàng

ニカラグア 尼加拉瓜 Níjiālāguā

にがり【苦汁】卤水lǔshuǐ；盐卤yánlǔ

にかわ【膠】胶jiāo

にがわらい【苦笑い】(〜する)苦笑kǔxiào

にきさく【二期作】一年两茬yì nián liǎng chá

にぎてき【二義的】次要(的) cìyào(de)‖〜な問題 次要问题

にきび【面皰】粉刺fěncì‖顔に〜ができる 脸上长粉刺｜〜クリーム 祛痘霜

にぎやか【賑やか】❶〔活気があるさま〕热闹rènao；繁华fánhuá‖このあたりは〜だ 这一带很热闹｜〜な通り 繁华的街道 ❷〔陽気なさま〕闹哄哄的nàohōnghōng de‖〜な笑い声 闹哄哄的笑声｜〜な人 性格开朗爱说笑的人

にきゅう【二級】✤一品:次品

にきょく【二極】✤一(分)化:两极分化

にぎり【握り】❶〔握ること〕握wò‖〜が弱い 握力小 ❷〔握った分量〕把bǎ‖落花生一〜 一把花生米 ❸〔握るところ〕把手bǎshou

にぎりし·める【握り締める】握紧wòjǐn

にぎりつぶ·す【握り潰す】❶〔握ってつぶす〕捏扁niēbiǎn ❷〔比ゆ的表現〕搁置gēzhì‖企画書が〜された 规划书被搁置了

にぎ·る【握る】❶〔物を〕握wò；攥zuàn；抓zhuā；捏niē‖ハンドルを〜る 掌握方向盘｜つり革を〜る 抓住吊环｜こぶしを〜る 攥拳头｜手に汗を〜る 手里捏了一把汗｜たがいに手を〜り合う 握住对方的手 ❷〔秘密や権力を〕掌握zhǎngwò；抓住zhuāzhu‖政権を〜る 掌握政权｜秘密を〜る 掌握秘密 ❸〔ご飯を〕攥zuàn

にぎわい【賑わい】❶〔人出〕热闹rènao；拥挤yōngjǐ‖大通りは大変な〜だ 大街上非常拥挤 ❷〔繁盛〕繁荣fánróng；兴旺xīngwàng

にぎわ·う【賑わう】❶〔人出〕热闹rènao；拥挤yōngjǐ ❷〔繁盛〕繁荣fánróng；兴旺xīngwàng‖店が〜う 生意红火

にぎわ·す【賑わす】‖マスコミをおおいに〜す 在媒体界引起了很大的轰动

にく【肉】❶〔食用の〕〔块,片〕肉ròu‖〜が焼け

る 肉烤好了｜よく焼いた～ 煎得老一点儿〔烤得透一点儿〕的肉 ❷〔人体の〕〔块〕肉ròu‖～がつく 长肉 ❸〔植物などの〕叶肉yèròu‖～厚の葉 厚厚的叶子 ✤一料理:肉菜｜三枚一:五花肉

にく・い【憎い】❶〔憎悪〕可恨kěhèn；可恶kěwù‖～い敵 可恨的敌人 ❷〔感心だ〕了不起liǎobuqǐ；棒bàng‖～い台詞(せりふ)だね 你可真会说呀！

-にく・い【難い】难(以)…nán(yǐ)…；不好…bù hǎo …‖つきあい～い人 不好对付的人｜この万年筆は書き～い 这支钢笔很难使｜わかり～い文章 难以理解的文章

にくがん【肉眼】肉眼ròuyǎn‖人工衛星は～では見えない 人造卫星用肉眼是看不见的

にくぎゅう【肉牛】〔头〕肉牛ròuniú

にくしつ【肉質】肉的质量ròu de zhìliàng.(植物など)肉质ròuzhì

にくしみ【憎しみ】恨hèn；憎恨zēnghèn‖～を抱く 心怀怨恨｜～がこみあげる 一股憎恶之情涌上心头｜彼への～ 对他的仇恨

にくしゅ【肉腫】肉瘤ròuliú

にくしょく【肉食】肉食ròushí‖～を禁じる 忌食肉类 ✤一動物:肉食动物

にくしん【肉親】骨肉亲人gǔròu qīnrén

にくずれ【荷崩れ】(～する)装载的货物散架zhuāngzài de huòwù sǎnjià

にくずれ【煮崩れ】(～する)煮烂了zhǔlàn le

にくせい【肉声】直接的呼声zhíjiē de hūshēng

にくたい【肉体】肉体ròutǐ‖～と精神 肉体和精神｜～の衰え 身体的衰弱 ✤一関係:肉体关系｜一美:肉体美｜一労働(者):体力劳动(者)

にくたらし・い【憎たらしい】可恨kěhèn‖～いものの言い方をする 说话令人讨厌

にくだん【肉弾】✤一戦:肉搏战

にくだんご【肉団子】肉丸子ròuwánzi

にくづき【肉付き】‖顔の～がいい 面庞圆润｜このウシは～がよくなった 这头牛膘长得很厚

にくづけ【肉付け】(～する)充实chōngshí‖原案に少し～する 把初案再稍微充实一下｜主人公のキャラクターに～が必要だ 应该把主人公的性格刻画得更生动

にくはく【肉薄】(～する)迫近pòjìn‖世界記録に～する好タイム 接近世界记录的好成绩

にくばなれ【肉離れ】(～する)肌肉拉伤jīròu lāshāng‖～を起こす 造成肌肉拉伤

にくひつ【肉筆】亲笔qīnbǐ

にくまれぐち【憎まれ口】‖そんな～をきくもんじゃない 可不能说那种令人讨厌的话

にくまれっこ【憎まれっ子】讨人嫌的孩子tǎo rén xián de háizi‖～世にはばかる 小人得势

にくまれやく【憎まれ役】‖～を買って出る 主动做恶人

にくま・れる【憎まれる】招人厌恶zhāo rén yànwù‖みなに～れる 谁都讨厌他

にく・む【憎む】仇恨chóuhèn；憎恨zēnghèn‖罪を～んで人を～まず 恶其罪不恶其人

にくめない【憎めない】恨不起来hènbuqǐlái；可爱kě'ài

にくや【肉屋】(人)卖肉的màiròu de.(店)〔家,个〕肉铺ròupù；肉店ròudiàn

にくらし・い【憎らしい】可恨kěhèn‖～いことばかり言う 净说令人讨厌的话｜～いったらありゃしない 没有比这更可恨的了

にくるい【肉類】肉类ròulèi

にぐるま【荷車】〔辆〕大板车dàbǎnchē

ニクロム 镍铬合金niègè héjīn

にぐん【二軍】二线队èrxiànduì

にげ【逃げ】逃跑táopǎo；逃脱táotuō‖言い逃れをして～を打つ 找借口试图逃脱｜～も隠れもしない 不躲不藏｜～の一手 定 三十六计,走为上策

にげあし【逃げ足】‖～の速いやつだ 这家伙逃得可快了

にげう・せる【逃げ失せる】逃掉táodiào

にげおお・せる【逃げ果せる】‖まんまと～せた 很成功地逃掉了

にげおく・れる【逃げ遅れる】未及时逃脱wèi jíshí táotuō

にげかえ・る【逃げ帰る】逃回去〔来〕táohuiqu[lai]‖ほうほうの体で～る 狼狈地逃回来

にげごし【逃げ腰】逃避责任táobì zérèn‖いざとなったら～だ 一到关键时刻就想溜

にげこ・む【逃げ込む】逃进táojìn；躲入duǒrù

にげだ・す【逃げ出す】逃跑táopǎo；溜走liūzǒu

にげの・びる【逃げ延びる】逃脱táotuō‖かろうじて～びる 好容易才逃脱

にげば【逃げ場】‖～を失う 无路可逃

にげまど・う【逃げ惑う】不知往哪里逃bù zhī wǎng nǎli táo

にげまわ・る【逃げ回る】四处逃窜sìchù táocuàn‖さんざん～る 四处逃亡｜雑務がいやでいつも～っている 不愿意做杂务,总是逃避

にげみち【逃げ道】❶〔道〕〔条〕退路tuìlù ❷〔比ゆ的表現〕退路tuìlù‖～を用意しておく 找好退路

に・げる【逃げる】❶〔追跡・危険などから〕逃跑táopǎo；逃脱táotuō‖犯人は村から～げた 犯人逃出了村子｜オウムが～げた 鹦鹉跑了｜妻に～げられた男 被妻子抛弃了的男人 ❷〔回避する〕躲避duǒbì；回避huíbì；避免bìmiǎn‖現実から～げる 逃避现实

にこごり【煮凝り】〔块〕皮冻pídòng

にご・す【濁す】❶〔気体や液体を〕使…浑浊shǐ … húnzhuó‖水を～す 把水弄浑 ❷〔あいまいにする〕敷衍fūyan；含糊hánhu‖言葉を～す 定 含糊其词｜お茶を～す 敷衍了事

ニコチン 烟碱yānjiǎn；尼古丁nígǔdīng

にこにこ (～する)笑嘻嘻xiàoxīxī；微笑着wēixiàozhe‖～しながら話を聞く 微笑着听

にこみ【煮込み】炖菜dùncài

にこ・む【煮込む】炖dùn；熬áo

にこやか 笑嘻嘻xiàoxīxī；笑容满面xiàoróng mǎnmiàn

にごり【濁り】浑浊húnzhuó；污浊wūzhuó ✤一酒:浊酒｜一水:浊水

にご・る【濁る】❶〔水や空気が〕混浊hùnzhuó；污浊wūzhuó‖川が～っている 河水混浊不清｜部屋の空気が～っている 屋子里空气不新鲜 ❷〔声・音が〕声音不清楚shēngyīn bù qīngchu ❸〔色が〕色彩不鲜明sècǎi bù xiānmíng

にさんか【二酸化】二氧化èryǎnghuà ✤一炭

素:二氧化碳｜一マンガン:二氧化锰
にし【西】西xī; 西边xībian‖銀行は駅の～にある 银行在车站的西边儿｜～も東もわからない 分不清东西南北 ✣一風:西风
にじ【二次】✣一感染:二次感染｜一元:二次元
にじ【虹】〔条〕彩虹cǎihóng‖空に～がかかった 彩虹悬挂在空中 ✣一色:彩虹色
ニジェール 尼日尔Nírì'ěr
にしき【錦】❶〔織物〕织锦zhījǐn; 锦缎jǐnduàn‖故郷に～を飾る 定 衣锦还乡 ❷〔美しいもの〕‖紅葉の～ 红叶似锦
-にしては 就…而论jiù…ér lùn; 按…来说àn…láishuō‖きみ～上出来だ 按你的能力来说，做得相当不错了
-にしても 即使…也不…jíshǐ…yě bù …
にしび【西日】〔片，缕〕夕阳xīyáng‖部屋に～が差し込む 房间西晒
にじみ·でる【滲み出る】渗出来shènchulai‖汗が～出る 渗出汗来｜先生の人柄が～出る文章 体现了老师的品格的文章
にじ·む【滲む】❶〔涙が〕‖涙で～む 泪眼朦胧 ❷〔にじみ出る〕渗出shènchu; 洇yīn‖包帯に血が～んでいる 绷带上洇着血
にじゅう【二重】双重shuāngchóng; 双层shuāngcéng‖～窓 双层窗｜～の意味 双重意思｜ものが～に見える 看东西有重影｜～に料金を払う 付双份儿钱｜戸に～に錠をかけた 门上了两个锁 ✣一あご:双下巴｜一価格:双重价格｜一構造:双重结构｜一国籍:双重国籍｜一唱:二重唱｜一人格:双重人格｜一スパイ:双重间谍｜一帳簿:双重账目
にじょう【二乗】(～する)平方píngfāng‖4の～は16 4的平方是16
にしん【鰊】〔条〕鲱鱼fēiyú
ニス 漆qī; 清漆qīngqī‖～を塗る 涂漆；上漆
にせ【偽·贋】假冒jiǎmào; 伪造wěizào‖～のパスポート 假护照｜～1万円札 1万日元假钞
にせい【二世】‖日系～ 日裔第二代｜ニコライ～ 尼古拉二世｜～誕生 生了儿子
にせがね【偽金】假钱jiǎqián; 伪币wěibì
にせさつ【偽札】〔张，叠〕伪钞wěichāo
にせもの【偽物】〔件，个〕冒牌货màopáihuò; 假货jiǎhuò‖～をつかまされる 受骗买冒牌货
にせもの【偽者】假冒者jiǎmàozhě
に·せる【似せる】模仿mófǎng; 仿效fǎngxiào‖本物に～せて作る 仿造真品
にそう【尼僧】尼僧níséng; 尼姑nígū
にそくさんもん【二束三文】不值几个钱bù zhí jǐ ge qián‖～で売り払う 廉价抛售
にだい【荷台】(トラックの)货厢huòxiāng; 货斗huòdǒu.(自転車の)后架hòujià
にた·つ【煮立つ】煮开zhǔkāi; 滚gǔn
にた·てる【煮立てる】煮开zhǔkāi‖みそを入れたら～てないように 把酱放进去以后不要让它开锅
にたにた(～する)闷声暗笑mēnshēng ànxiào
にたもの【似た者】‖2人は～夫婦だ 两个人是性格相似的夫妇
にたりよったり【似たり寄ったり】定 大同小异dà tóng xiǎo yì; 定 半斤八两bàn jīn bā liǎng‖どちらも～だ 他们俩不相上下
-にち【日】日rì; 天tiān
にちじ【日時】日期和时间rìqī hé shíjiān
にちじょう【日常】日常rìcháng‖～の仕事 日常工作 ✣一会話:日常会话｜一茶飯事:常有的事｜一生活:日常生活
にちべい【日米】✣一関係:日美关系
にちぼつ【日没】日落rìluò‖～までに 日落之前
にちや【日夜】夜以继日yè yǐ jì rì‖～努力する 时时刻刻都在努力
にちよう【日曜】星期日〔天〕xīngqīrì〔tiān〕; 礼拜日〔天〕lǐbàirì〔tiān〕‖新聞の～版 星期日特版 ✣一学校:主日学校｜一大工:业余木匠
にちようひん【日用品】日用品rìyòngpǐn
にっか【日課】〔个，条，项〕惯例guànlì; 每天的习惯活动měi tiān de xíguàn huódong ✣一表:每日时间安排表
につかわし·い【似つかわしい】合适héshì; 相称xiāngchèn
にっかん【日刊】✣一紙:日报
にっき【日記】〔本，则，篇〕日记rìjì‖～をつける 写日记 ✣一帳:日记本｜絵一:绘画日记
にっきゅう【日給】日工资rì gōngzī; 日薪rìxīn ✣一制:日薪制
ニックネーム 外号wàihào; 绰号chuòhào‖～をつける 起绰号
にづくり【荷造り】(～する)捆行李kǔn xíngli; 打点行李dǎdian xíngli
にっけい【日系】✣一三世:日裔三世｜一米人:日裔美国人
にっけい【肉桂】❶〔植物〕肉桂ròuguì ❷〔桂皮〕肉桂皮ròuguìpí
ニッケル 镍niè
にっこう【日光】〔片，缕〕日光rìguāng; 阳光yángguāng‖～をさえぎる 遮挡阳光｜～を浴びながら散歩する 在阳光下散步 ✣一消毒:日光消毒｜一浴:日光浴
にっこり(～する)微笑wēixiào‖うれしくて思わず～する 高兴得不由得笑了
にっさん【日参】(～する)‖陳情のため役所に～する 每天都去市政府请愿
にっし【日誌】〔个，篇，则〕日志rìzhì; 日记rìjì ✣航海一:航海日志
にっしゃびょう【日射病】中暑zhòngshǔ; 日射病rìshèbìng‖～にかかる 中暑
にっしょう【日照】✣一権:日照权
にっしょく【日食】日食rìshí ✣皆既一:日全食｜部分一:日偏食
にっしんげっぽ【日進月歩】定 日新月异rì xīn yuè yì‖科学技術は～で進歩している 科技在日新月异地发展
にっすう【日数】天数tiānshù; 日数rìshù
にっちもさっちも‖～いかない 走投无路
にっちゅう【日中】❶〔昼間〕白天báitian‖～の連絡先 白天的联系电话和地址 ❷〔日本と中国〕日中Rì-Zhōng ✣一共同声明:中日联合声明｜一戦争:抗日战争
にっちょく【日直】(学校の)值日zhírì
にってい【日程】日程(安排) rìchéng (ānpái)‖～を組む 安排日程｜～を変更する 改变日程｜～をキャンセルする 取消日程｜～が重なる 日程有

冲突｜〜が詰まっている 日程安排得很紧｜〜どおりに開催する 如期举行 ✤ 一表:日程表

ニット 针织品 zhēnzhīpǐn ✤ 一ウェア:针织服

にっとう【日当】日薪 rìxīn

にっぽう【日報】❶〔報告〕每天的报告 měi tiān de bàogào ❷〔報道〕日报 rìbào

にっぽん【日本】⇨にほん(日本)

につま・る【煮詰まる】‖ソースが〜る 酱汁收汁｜具体的な内容はまだ〜っていない 具体内容还没敲定

につ・める【煮詰める】❶〔水分を〕收汁 shōuzhī ❷〔議論などを〕‖企画を〜める 进一步商讨计划

にてんさんてん【二転三転】(〜する)变来变去 biàn lái biàn qù

にと【二兎】‖〜を追う者は一兎(いっと)をも得ず 定 鸡飞蛋打

にど【二度】❶〔回数〕两次 liǎng cì ‖東京には〜行ったことがある 我去过两次东京｜〜あることは三度ある 有第二次就有第三次 ❷〔…と〕再 zài; 再也 zài yě ‖〜と同じことを言わせるな 不要让我再说同样的话 ✤ 一手間:多费一道手续

にとうへんさんかくけい【二等辺三角形】等腰三角形 děngyāo sānjiǎoxíng

ニトロ 硝基 xiāojī ✤ 一グリセリン:硝化甘油｜一ベンゼン:硝基苯

にないて【担い手】❶〔物事の〕骨干 gǔgàn ❷〔荷物の〕挑夫 tiāofū

にな・う【担う】❶〔負担する〕承担 chéngdān; 肩负 jiānfù ‖重要な役割を〜う 肩负重任｜未来を〜う 肩负未来｜期待を〜う 背负期望 ❷〔かつぐ〕挑 tiāo; 担 dān

ににんさんきゃく【二人三脚】❶〔競走〕两人三足 liǎng rén sān zú ❷〔2人で協力する〕定 同心协力 tóng xīn xié lì

にぬし【荷主】❶〔所有者〕货主 huòzhǔ ❷〔発送者〕发货人 fāhuòrén

にのあし【二の足】‖〜を踏む 定 犹豫不决

にのうで【二の腕】上臂 shàngbì

にのく【二の句】‖あきれて〜が継げない 惊讶得目瞪口呆

にのつぎ【二の次】次要 cìyào

にのまい【二の舞】重蹈覆辙 chóng dǎo fù zhé ‖前回の〜を演じる 重蹈上次的覆辙

にばしゃ【荷馬車】〔辆〕大车 dàchē

にばん【二番】第二 dì èr ‖〜めの兄 二哥 ✤ 一煎じ:第二道茶; 喩 翻版

ニヒリズム 虚无主义 xūwú zhǔyì

ニヒル 虚无 xūwú; 漠然 mòrán

にぶ・い【鈍い】❶〔感度が悪い〕迟钝 chídùn ‖頭が〜い 脑子迟钝｜勘が〜い 直觉不灵敏｜運動神経が〜い 运动细胞不发达 ❷〔のろい〕迟缓 chíhuǎn; 缓慢 huǎnmàn ‖動作が〜い 动作迟缓｜動きが〜くなった 动作变慢了 ❸〔はっきりしない〕微弱 wēiruò; 隐隐 yǐnyǐn ‖〜い光 微弱的光线｜〜い痛みを感じる 隐隐作痛 ❹〔切れない〕钝 dùn ‖切れ味の〜いナイフ 钝刀

にふだ【荷札】标签 biāoqiān

にぶ・る【鈍る】❶〔悪くなる〕变得迟钝 biànde chídùn; 退步 tuìbù ‖勘が〜った 感觉迟钝了｜まだ腕は〜っていない 技术还没退步｜判断力が〜る 判断力下降｜頭の回転が〜る 脑子不灵了 ❷〔切れなくなる〕不快 bú kuài; 变钝 biàndùn

にぶん【二分】(〜する)分成两份 fēnchéng liǎng fèn; 定 一分为二 yì fēn wéi èr ‖人気を〜する 将人们的喜好一分为二｜〜の1 二分之一

にべ【鰾膠】‖〜もない返事をする 事不关己地回答｜〜もなく断られる 毫不客气地被拒绝

にほん【日本】日本 Rìběn ‖〜の風物 日本的风景｜〜製の機械 日本生产的机械 ✤ 一一:日本第一｜一髪:日本发型｜一語:日语｜一式:日式 ‖〜のあいさつ 日本的打招呼方式｜一酒:日本酒｜一茶:日本茶｜一庭園:日式园林｜一脳炎:乙型脑炎｜一間(ま):日式房间｜一料理:日本菜

にまい【二枚】✤ 一貝:双壳贝类｜一腰:腰强力壮｜一舌:两面派｜一目:美男子

にもうさく【二毛作】一年两茬 yì nián liǎng chá

にもつ【荷物】❶〔品物〕〔件,个〕行李 xíngli; 〔批,件〕货物 huòwù ‖〜を積み込む 装货｜〜をほどく 打开行李｜〜をまとめる 收拾行李｜〜がなくなる 行李不见了 ❷〔負担〕〔种,个〕累赘 léizhui; 麻烦 máfan ‖きみのお〜になってしまった 成了你的累赘｜お〜をしょい込んでしまった 揽了一件麻烦事

にもの【煮物】煮菜 zhǔcài

にや・ける 女里女气 nǚlinǚqì ‖〜けた野郎だ 他是个娘娘腔

にやにや (〜する)定 嬉皮笑脸 xī pí xiào liǎn

ニュアンス 含义 hányì; 语感 yǔgǎn ‖〜が違う 含义不同

ニュー 新 xīn ✤ 一ウェーブ:新浪潮｜一タウン:新城｜一ハーフ:人妖｜一フェース:新人｜一メディア:新媒体

にゅういん【入院】(〜する)住院 zhùyuàn ‖1週間〜する 住一个星期医院｜彼は東大病院に〜している 他住在东大医院 ✤ 一患者:住院病人｜一費:住院费

にゅうえき【乳液】乳液 rǔyè

にゅうえん【入園】(〜する)‖幼稚園に〜する 上〔进〕幼儿园

にゅうか【入荷】(〜する)到货 dào huò; 进货 jìnhuò ‖〜待ち 等待到货｜新商品が〜した 新产品到了｜〜予定 进货的计划

にゅうかい【入会】(〜する)入会 rùhuì ‖友人に〜をすすめる 劝朋友入会｜ゴルフクラブに〜する 参加高尔夫球俱乐部｜〜を申し込む 申请入会 ✤ 一金:入会费｜一者:入会者

にゅうがく【入学】(〜する)入学 rùxué; 进〔上〕学校 jìn〔shàng〕xuéxiào ‖娘は東大に〜した 女儿进了东京大学 ✤ 一願書:报考表｜一金:入学费｜一志願者:报考生｜一式:入学典礼｜一試験:入学考试｜一生:新生

にゅうかん【入館】(〜する)入馆 rùguǎn; 进馆 jìn guǎn

にゅうがん【乳癌】乳腺癌 rǔxiàn'ái

にゅうぎゅう【乳牛】〔头〕奶牛 nǎiniú

にゅうきょ【入居】(〜する)入住 rùzhù; 住进 zhùjìn ‖即〜可能 可即时入住 ✤ 一者:住户 ‖〜募集中 招租

にゅうきん【入金】(～する)❶〔金銭が入る〕收款shōukuǎn.(金銭)进款jìnkuǎn‖60000円の～があった 收到了6万日元 ❷〔金銭を払い込む〕交纳jiāonà.(銀行口座に)存入cúnrù ❖一伝票:收款单

にゅうこう【入港】(～する)入港rùgǎng;进港jìngǎng

にゅうこく【入国】(～する)入境rùjìng;入国rùguó‖～を拒否する 拒绝入境 ❖一審査:边检|一ビザ:入境签证

にゅうさつ【入札】(～する)投标tóubiāo ❖一価格:投标价格|一者:投标者

にゅうさん【乳酸】乳酸rǔsuān ❖一飲料:乳酸饮料|一菌:乳酸菌

にゅうし【入試】入学考试rùxué kǎoshì‖～に受かる〔落ちる〕〔没〕通过入学考试

にゅうし【乳歯】乳牙rǔyá

にゅうじ【乳児】婴儿yīng'ér

ニュージーランド 新西兰Xīnxīlán

にゅうしぼう【乳脂肪】乳脂肪rǔzhīfáng

にゅうしゃ【入社】(～する)进公司jìn gōngsī ❖一式:就业仪式|一試験:公司的录用考试

にゅうしゅ【入手】(～する)弄到手nòngdào shǒu;获取huòqǔ‖日本では～できない 在日本弄不到|情報を～する 获取信息

にゅうしょう【入賞】(～する)得奖dé jiǎng ❖一作品:获奖作品|一者:获奖者

にゅうじょう【入場】(～する)入场rùchǎng ❖一券:门票|一式:入场仪式|一料:门票费

にゅうしょく【入植】❖一者:移民|一地:垦区

ニュース〔篇,条,则〕新闻xīnwén;〔则,个,条〕消息xiāoxi;〔篇,则,个〕报道bàodào.(番組)新闻节目xīnwén jiémù‖衝撃的な～ 爆炸性新闻|よい～ 好消息|7時の～ 7点钟的新闻节目 ❖一キャスター:新闻主播|一ソース:新闻来源|一速報:新闻快报|一ダイジェスト:新闻摘要

にゅうせいひん【乳製品】乳制品rǔzhìpǐn

にゅうせき【入籍】(～する)迁入户口qiānrù hùkǒu

にゅうせん【入選】(～する)被选中bèi xuǎnzhòng ❖一作品:入选作品

にゅうせん【乳腺】乳腺rǔxiàn ❖一炎:乳腺炎

にゅうたい【入隊】(～する)入伍rùwǔ

にゅうだん【入団】(～する)入团rùtuán

ニュートラル ❶〔中立〕中立zhōnglì‖～な視点 中立的角度 ❷〔自動車の〕空挡kōngdǎng

ニュートリノ 中微子zhōngwēizǐ

ニュートロン 中子zhōngzǐ

ニュートン 牛顿niúdùn

にゅうねん【入念】精心jīngxīn;周密zhōumì‖～に点検する 仔细检查|～な計画 周密的计划

にゅうはくしょく【乳白色】乳白色rǔbáisè

にゅうぶ【入部】(～する)加入jiārù;参加cānjiā

にゅうもん【入門】(～する)❶〔学び始めること〕‖株式投資～ 股票投资入门|コンピューター～ 电脑入门 ❷〔弟子入りする〕拜师bàishī ❖一書:入门书

にゅうようじ【乳幼児】婴儿yīng'ér

にゅうよく【入浴】(～する)洗澡xǐzǎo ❖一剤:沐浴剂

にゅうりょく【入力】(～する)输入shūrù‖データを～する 输入数据|ローマ字～ 罗马字输入法

にゅうわ【柔和】温和wēnhé;慈祥cíxiáng‖～な表情のおばあさん 神情慈祥的老奶奶

にょう【尿】尿niào‖～検査をする 做尿检|～の出が悪い 小便不畅 ❖一失禁:尿失禁

にょうい【尿意】‖～を催す 要小便;有尿意

にょうさん【尿酸】尿酸niàosuān

にょうそ【尿素】尿素niàosù

にょうどう【尿道】尿道niàodào ❖一炎:尿道炎

にょうどくしょう【尿毒症】尿毒症niàodúzhèng

にょうぼう【女房】老婆lǎopo ❖一役:辅佐者

にょじつ【如実】如实rúshí;真实zhēnshí‖人生を～に描く 如实描写人生

にょらい【如来】如来Rúlái ❖一像:如来像

にょろにょろ 蜿蜒wānyán

にら【韮】韭菜jiǔcài‖～レバいため 韭菜炒猪肝

にらみ【睨み】❶〔にらむこと〕瞪眼dèngyǎn ❷〔威圧〕‖～がきく 很有威望

にらみあ・う【睨み合う】❶〔たがいににらむ〕相互瞪眼xiānghù dèngyǎn ❷〔対立する〕对立duìlì

にらみつ・ける【睨み付ける】瞪眼看dèngyǎn kàn

にら・む【睨む】❶〔鋭く見る〕瞪眼dèngyǎn‖すごい目で～まれた 被对方狠狠地瞪了一眼 ❷〔目をつける〕盯上dīngshang‖当局から～まれる 被当局盯上❸〔見当をつける〕估计gūjì ❹〔物事を計算に入れる〕考虑到kǎolǜdào‖10年後を～んだ企業戦略 考虑到十年后的企业战略

にらめっこ【睨めっこ】(～する)❶〔遊び〕瞪眼游戏dèngyǎn yóuxì ❷〔じっと見る〕‖帳簿と～する 盯着账本看

にりゅう【二流】二流èrliú;次等cìděng

にる【似る】像xiàng;相似xiāngsì‖2人は全然似ていない 两个人一点儿也不像|考え方が似ている 想法很相似|似て非なるもの 定 似是而非

にる【煮る】煮zhǔ;炖dùn‖じっくり～ 慢慢儿地煮|煮ても焼いても食えない男 软硬不吃的家伙

にれ【楡】榆树yúshù

にわ【庭】〔个,进〕院子yuànzi;庭园tíngyuán‖～の草むしりをする 清除院子里的草|～の手入れをする 修整院子|～をはく 扫院子|～をデザインする 设计庭园 ❖一石:园林石

にわか【俄】❶〔突然〕突然tūrán ❷〔すぐに〕立即lìjí‖～には信じがたい 一时难以相信 ❖一雨:阵雨

にわとり【鶏】〔只〕鸡jī‖オス〔メス〕の～ 公〔母〕鸡|～を飼う 养鸡|～が鳴く 鸡叫|～が先か卵が先か 是先有鸡还是先有蛋|～を割くにいずくんぞ牛刀を用いん 定 杀鸡焉用宰牛刀 ❖一小屋:鸡窝

にん【任】(任務)任务rènwu.(責任)责任zérèn

-にん【人】人rén;名míng‖5～乗りの車 五人座的车

にんい【任意】任意rènyì;随便suíbiàn‖入会は

〜だ 任意入会 ✤一捜査:非强制性搜查｜一抽出法:随意取样｜一同行:自愿同去警察局｜一保険:自愿保险

にんか【認可】(〜する)许可xǔkě; 批准pīzhǔn‖無〜の保育所 未经批准的托儿所

にんかん【任官】(〜する)任官rèn guān‖判事に〜する 当上法官 ✤一式:就职仪式

にんき【人気】人气rénqì; 人缘儿rényuánr; 声望shēngwàng‖〜がある 受欢迎｜〜がない 不受欢迎｜〜をさらう 博得声望｜クラスで〜がある 在班里很有人缘儿 ✤一歌手:人气歌手｜一番組:受欢迎的节目｜一者:红人

にんき【任期】任期rènqī‖〜満了で退任する 任满离职

にんぎょ【人魚】美人鱼měirényú ✤一姫:人鱼公主

にんきょう【任俠】‖〜の徒 侠义之士 ✤一心:侠义之心

にんぎょう【人形】〔只,个〕娃娃wáwa ✤一劇:木偶剧｜着せ替え一:换衣偶人｜指一:布袋偶人

にんげん【人間】❶〔ひと〕人类rénlèi; 人rén‖〜不信に陥る 对人抱有不信任感 ❷〔人柄〕品性pǐnxìng; 为人wéirén‖〜がしっかりしている 为人稳重｜〜ができている 品性很好｜〜のくず 社会渣滓 ✤一愛:博爱｜一関係:人际关系｜一嫌い:性格孤僻｜一形成:人格形成｜一工学:人机工程学｜一国宝:国宝级人物｜一性:人性｜一ドック:综合性体检｜一味:人情味儿｜仕事一:心里只有工作的人｜まじめ一:一板一眼的人

にんしき【認識】(〜する)认识rènshi; 理解lǐjiě‖〜を欠く 缺乏认识｜〜が深まった 加深了认识 ✤一不足:认识不足

にんじゃ【忍者】忍者rěnzhě

にんじゅつ【忍術】隐遁法yǐndùnfǎ‖〜を使う 施展隐遁法

にんしょう【人称】人称rénchēng ✤一代名詞:人称代词｜一一:第一人称

にんしょう【認証】(〜する)认证rènzhèng‖パスワードの〜 认证密码 ✤一式:认证仪式

にんじょう【人情】人情rénqíng; 定 人之常情rén zhī cháng qíng‖〜が薄れる 人情渐薄｜〜の機微に触れる 接触到人情的微妙之处 ✤一味:人情味儿

にんじょう【刃傷】‖〜ざた 动刀伤人事件

にん・じる【任じる】❶〔自任する〕(以…)自居(yǐ …) zìjū ❷〔任命する〕任命rènmìng

にんしん【妊娠】(〜する)怀孕huáiyùn‖〜3か月 怀孕三个月了｜〜中 怀孕期间 ✤一検査薬:验孕药

にんじん【人参】〔根〕胡萝卜húluóbo

にんずう【人数】人数rénshù‖出席者の〜 出席者人数｜〜をそろえる 凑齐人数

にんそう【人相】〔个,副〕相貌xiàngmào; 面相miànxiàng‖〜の悪い男 相貌凶恶的男人｜見るからに怪しい〜のやつ 贼眉鼠眼的家伙 ✤一占い:看相｜一書き:画影图形｜一学:面相学

にんたい【忍耐】(〜する)忍耐rěnnài; 耐心nàixīn‖多大の〜を要する 需要很大的耐心｜〜強く説得する 耐心说服 ✤一力:忍耐力

にんち【任地】任地rèndì‖〜に赴く 赴任

にんち【認知】(〜する)❶〔認める〕认识rènshi ❷〔法律〕承认chéngrèn‖非嫡出子を〜する 承认非嫡生子 ✤一症:痴呆症｜一心理学:认知心理学｜一訴訟:认领诉讼

にんてい【認定】(〜する)认定rèndìng; 判定pàndìng ✤資格一試験:资格认定考试

にんにく【大蒜】〔头〕大蒜dàsuàn‖〜の芽 蒜苗

にんぴ【認否】承认与否chéngrèn yǔfǒu‖〜を問う 询问是否承认 ✤罪状一:确认罪状

にんぴにん【人非人】畜生chùsheng

にんぷ【妊婦】孕妇yùnfù

にんまり(〜する)得意地微笑déyì de wēixiào

にんむ【任務】〔个,项,件〕任务rènwu‖〜を怠る 定 玩忽职守｜重要な〜につく 承担重要的任务｜〜を遂行する 完成任务｜〜を放棄する 放弃任务

にんめい【任命】(〜する)任命rènmìng‖首席代表に〜される 被任命为首席代表

にんめん【任免】(〜する)任免rènmiǎn ✤一権:任免权

にんよう【任用】(〜する)任用rènyòng

ぬ

ぬいあわせ・る【縫い合わせる】缝在一起féngzai yìqǐ‖傷口を〜る 缝合伤口

ぬいぐるみ【縫いぐるみ】❶〔おもちゃ〕毛绒玩具máoróng wánjù‖クマの〜 毛绒熊 ❷〔芝居やイベントの衣装〕卡通服kǎtōngfú

ぬいしろ【縫い代】窝边wōbiān‖2センチの〜をとる 留出2厘米的窝边

ぬいつ・ける【縫い付ける】缝上féngshang‖ブラウスにボタンを〜ける 给衬衫缝上纽扣

ぬいめ【縫い目】〔道〕接缝jiēfèng

ぬいもの【縫い物】针线活儿zhēnxianhuór

ぬ・う【縫う】❶〔衣類・傷口などを〕缝féng‖着物を〜う 缝衣服｜傷を3針〜った 给伤口缝了三针 ❷〔慣用表現〕穿过chuānguo‖仕事の合間を〜って… 利用工作间隙…

ヌード 裸体luǒtǐ ✤一モデル:裸体模特儿

ぬか【糠】糠kāng‖何を言っても〜にくぎだ 说什么都是白搭

ぬか・す【抜かす】❶〔間をとばす〕漏掉lòudiào; 跳过tiàoguo‖本を1ページ〜して読む 读书漏一页｜意見はないので私は〜してください 我没有意见,请跳过我 ❷〔追い越す〕超过chāoguò

ぬかず・く【額ずく】叩拜kòubài; 叩头kòutóu

ぬかみそ【糠味噌】米糠酱mǐkāngjiàng

ぬかよろこび【糠喜び】(〜する)空欢喜kōng huānxǐ; 白欢喜bái huānxǐ

ぬかり【抜かり】差错chācuò; 漏洞lòudòng‖〜なくやれ 不要出差错；不要有漏洞｜やることに〜

がない 做事很周全

ぬか・る【抜かる】疏忽shūhu；大意dàyi ‖ 〜るな 不要疏忽！；不要麻痹大意

ぬかるみ ❶〔道の〕〔块,片〕泥泞nínìng；泥(潭) ní(tán) ‖ 車が〜にはまる 车陷入泥里 ❷〔比ゆ表現〕困境kùnjìng ‖ 三角関係の〜にはまる 陷入三角关系的泥潭

ぬかる・む 泥泞nínìng ‖ 雨で足元が〜む 因下雨脚下泥泞

ぬき【抜き】(省くこと)省去shěngqu；去掉qùdiào ‖ あいさつ〜で本題に入る 免去寒暄进入正题｜わさび〜 不放绿芥末｜税〜 不含税

ぬきあし【抜き足】‖ 〜差し足 轻手轻脚

ぬきうち【抜き打ち】突然tūrán；临时línshí ‖ 〜にテストをする 临时进行考试 ✤一検査:突然检查

ぬきがき【抜き書き】(〜する)摘录zhāilù

ぬきさし【抜き差し】‖ 〜ならぬ状况 进退两难的境地

ぬきだ・す【抜き出す】抽出chōuchu；拔出báchu ‖ 棚から本を〜す 从架子上把书抽出来

ぬきと・る【抜き取る】抽出来chōuchulai；拔出来báchulai ‖ くぎを〜る 把钉子拔出来

ぬきん・でる【抜きん出る】定 出类拔萃chū lèi bá cuì；出众chūzhòng

ぬ・く【抜く】❶〔引っ張ってとる〕拔bá；抽chōu ‖ 歯を〜く 拔牙｜くぎを〜く 拔钉子｜栓を〜く 把盖儿打开 ❷〔抽出する〕抽出chōuchu ❸〔省く〕省去shěngqu ‖ 朝食を〜く 不吃早饭｜仕事の手を〜く 定 偷工减料 ❹〔除く〕去掉qùdiào ‖ 空気を〜く 放气｜肩の力を〜く 放松｜ふろの水を〜く 把洗澡水放掉 ❺〔追い越す〕超过chāoguò ‖ 群を〜く 超群 ❻〔…しぬく〕…到底…dàodǐ ‖ がんばり〜く 坚持到底｜ゴールまで走り〜く 坚持跑到终点

ぬ・ぐ【脱ぐ】脱tuō；脱下tuōxia ‖ 靴を〜ぐ 脱鞋｜帽子を〜ぐ 摘下帽子｜ひと肌〜ぐ 全力相助

ぬぐ・う【拭う】❶〔ふきとる〕擦掉cādiào ‖ 靴の泥を〜う 擦掉鞋泥｜ナプキンで口を〜う 用餐巾擦嘴 ❷〔消す〕去掉qùdiào ‖ 不安が〜えない 消除不掉心里的不安

ぬくぬく ❶(〜する)〔あたたかく気持ちよいようす〕暖烘烘nuǎnhōnghōng ❷〔不自由ないようす〕定 养尊处优yǎng zūn chǔ yōu ‖ 親もとで〜暮らす 在父母身边舒适地生活

ぬくもり【温もり】温暖wēnnuǎn；暖和气nuǎnhuoqì ‖ 肌の〜 肌肤的温暖

ぬくも・る【温もる】⇨あたたまる(暖まる・温まる)

ぬけあな【抜け穴】‖ 法の〜 法律的漏洞

ぬけお・ちる【抜け落ちる】漏lòu；落là ‖ 大事なことが〜ちている 漏掉了重要的事项

ぬけがけ【抜け駆け】(〜する)抢先下手qiǎngxiān xiàshǒu

ぬけがら【抜け殻】❶〔虫などの〕蜕下来的壳tuìxialai de ké ‖ セミの〜 蝉蜕 ❷〔比ゆ表現〕定 失魂落魄shī hún luò pò ‖ 〜同然になる 像丢了魂似的

ぬけかわ・る【抜け替わる】换huàn ‖ 毛が〜る 换毛｜歯が〜る 换牙

ぬけげ【抜け毛】掉的头发diào de tóufa

ぬけだ・す【抜け出す】溜出来liūchulai ‖ 会場から〜す 溜出会场｜スランプから〜す 走出低谷

ぬけで・る【抜け出る】❶〔こっそり逃げ出す〕悄悄地溜出去qiāoqiāo de liūchuqu ❷〔現れ出る〕‖ 迷路から〜る 从迷宫里走出来

ぬけぬけと 定 厚颜无耻(地) hòu yán wú chǐ (de) ‖ 〜うそをつく 厚着脸皮撒谎

ぬけみち【抜け道】❶〔近道〕〔条〕近道jìndào ❷〔比ゆ表現〕退路tuìlù；托辞tuōcí ‖ 〜を用意する 留好退路

ぬけめ【抜け目】‖ 〜がない 做得太到位了；十分精明

ぬ・ける【抜ける】❶〔はまっているものなどが〕脱tuō；掉diào ‖ 歯が〜けた 牙掉了｜毛が〜けた (頭髪) 掉头发了；(動物の) 脱毛了 ❷〔底などが〕掉落diàoluò ‖ 段ボール箱の底が〜ける 纸箱子的底部破裂 ❸〔あるべきものが漏れる〕漏掉lòudiào ❹〔なくなる〕去掉qùdiào ‖ 洋服のしみが〜ける 除去衣服的污垢｜ビールの気が〜けた 啤酒跑气了 ❺〔通り抜ける・透ける〕穿过chuānguo ‖ 林を〜ける 穿过树林｜〜けるような青空 碧空如洗 ❻〔やめる・退く〕退出tuìchū；离开líkāi ❼〔間抜けている〕傻shǎ

ぬし【主】❶〔所有者・主人〕主人zhǔren ❷〔本人〕‖ 手紙の〜 写信的本人 ❸〔古くからいて支配するもの〕老主人lǎo zhǔren；老大lǎodà

ぬすみ【盗み】盗窃dàoqiè；偷盗tōudào

ぬすみぎき【盗み聞き】(〜する)偷听tōutīng

ぬすみどり【盗み撮り】(〜する)偷拍tōupāi

ぬすみよみ【盗み読み】(〜する)偷看tōukàn

ぬす・む【盗む】❶〔自分のものにする〕偷tōu；盗窃dàoqiè；剽窃piāoqiè ‖ 財布を〜まれる 钱包被偷了｜技を〜む 偷学技艺｜アイディアを〜む 剽窃创意 ❷〔こっそりやる〕悄悄(地) qiāoqiāo (de) ‖ 人目を〜んで… 背地里…

ぬの【布】〔块,匹〕布bù ‖ 〜をそめる 染布 ✤一切れ:布头｜一地:布料

ぬま【沼】〔片,个〕沼泽zhǎozé

ぬまち【沼地】沼泽地zhǎozédì

ぬめり【滑り】黏液niányè

ぬら・す【濡らす】湿shī；弄湿nòngshī

ぬりえ【塗り絵】填色图tiánsètú

ぬりか・える【塗り替える】❶〔塗り直す〕重新刷chóngxīn shuā ❷〔記録・状況を更新する〕刷新shuāxīn；改变gǎibiàn

ぬりぐすり【塗り薬】外用药wàiyòngyào

ぬりつぶ・す【塗り潰す】涂满túmǎn ‖ 番号を〜す 把号码涂满

ぬりもの【塗り物】漆器qīqì

ぬ・る【塗る】涂tú；抹mǒ ‖ 塀にペンキを〜る 用油漆刷围墙｜パンにバターを〜る 往面包上涂黄油

ぬる・い【温い】❶〔温度〕温wēn；不冷不热bù lěng bú rè ‖ 〜い水 温水｜〜いふろ 洗澡水有些凉 ❷〔厳しくない〕‖ 鍛え方が〜い 锻炼方法不严厉

ぬるぬる (〜する)黏滑滑niánhuáhuá；滑溜溜huáliūliū ‖ 床が油で〜する 地板上有油,所以打滑

ぬるまゆ【ぬるま湯】温水wēnshuǐ ‖ 〜に浸ったような日々 安于现状的生活

ぬる・む【温む】变暖biànnuǎn ‖ 水〜むころとな

る 又到春江水暖的季节
ぬれぎぬ【濡れ衣】冤枉yuānwang；被栽赃bèi zāizāng‖～をはらす 洗清罪名
ぬれて【濡れ手】‖～で粟(あわ) 定 不劳而获
ぬれねずみ【濡れ鼠】落汤鸡luòtāngjī
ぬればば【濡れ場】激情戏jīqíngxì
ぬ・れる【濡れる】淋湿línshī.（少しぬれる）洇湿yīnshī‖ぐっしょり～れる 淋得透湿

ね

ね【子】（十二支の1つ）子zǐ‖～の刻 子时 ✤一年：鼠年；子年
ね【音】❶〔音・声〕〔个,种,丝〕声音shēngyīn‖鐘の～ 钟声｜虫の～ 虫鸣 ❷〔弱音〕‖～をあげる 发出哀鸣
ね【値】价格jiàgé‖～がはる 有点儿贵｜いい～で売れる 卖个好价钱｜～が崩れる 跌价｜～をもどす 价钱回升
ね【根】❶〔草木の〕〔个,条,类〕根gēn ❷〔慣用表現〕‖～に持つ 怀恨在心｜犯罪の～を絶つ 根绝犯罪现象｜この地に～を下ろす 在当地扎下根
ね（呼びかけ）你看nǐ kàn；喂wèi‖～,言ったとおりでしょ 你看,我不是说过了吗？
ねあがり【値上がり】（～する）涨价zhǎng jià
ねあげ【値上げ】（～する）提高价格 tígāo jiàgé‖給料の～を要求する 要求涨工资
ねあせ【寝汗】虚汗xūhàn；盗汗dàohàn
ねい・る【寝入る】睡着shuìzháo；入睡rùshuì
ねいろ【音色】音色yīnsè
ねうごき【値動き】（～する）价格变动 jiàgé biàndòng；价格起伏 jiàgé qǐfú‖～が激しい 价格起伏很大
ねうち【値打ち】价值jiàzhí‖～があがる〔下がる〕价值上升〔降低〕｜大した～はない 值不了几个钱｜人の～は死んでから定まる 定 盖棺论定
ねえさん【姉さん】姐姐jiějie；姐jiě
ネーティブ ❶〔その土地生まれ〕土生土长(的) tǔ shēng tǔ zhǎng(de) ❷〔母国語を話す人〕‖中国語の～ 汉语为母语的人
ネーミング（～する）命名mìngmíng；起名儿qǐmíngr‖～がいい 命名命得好
ネーム ✤一バリュー：知名度｜一プレート：姓名牌
ねおき【寝起き】❶〔眠りから覚めること〕刚醒来 gāng xǐnglai‖～がよい〔悪い〕 刚睡醒时头脑清醒〔不清醒〕 ❷（～する）〔生活すること〕起居qǐjū；生活shēnghuó
ネオン 氖nǎi ✤一サイン：霓虹灯
ネガ 底片dǐpiàn
ねがい【願い・願】❶〔願い事・頼み〕愿望yuànwàng；请求qǐngqiú‖ささやかな～ 小小的愿望｜ついに～がかなう 终于如愿以偿 ❷〔文書〕〔份,张〕请求书qǐngqiúshū‖退職～ 辞呈
ねがいさげ【願い下げ】不接受bù jiēshòu；不干bú gàn
ねがい・でる【願い出る】提出申请tíchu shēnqǐng‖休学を～出る 提出休学申请｜休暇を～出る 请假
ねが・う【願う】❶〔望む〕希望xīwàng；盼望pànwàng‖子どもの幸せを心から～う 衷心祝愿孩子幸福 ❷〔頼む〕请qǐng‖援助を～う 敬请协助 ❸〔神仏に祈る〕祈祷qídǎo‖家内安全を～う 祈求阖家安全 ❹〔慣用表現〕‖～ったりかなったり 定 正中下怀
ねがえ・る【寝返る】背叛bèipàn；叛变pànbiàn‖敵方に～る 叛变投敌
ねがお【寝顔】睡时的面容shuì shí de miànróng
ねか・す【寝かす】❶〔眠らせる〕让…睡ràng … shuì ❷〔横にする〕放倒fàngdǎo；横着放héngzhe fàng ❸〔活用しないで置いておく〕闲放xiánfàng；积压jīyā；‖資金を～しておく 资金闲置 ❹〔熟成させる〕‖ワインをもう少し～せる 让葡萄酒再发发酵
ネガティブ ‖～に考える 往坏的方向想
ねがわくは【願わくは】祝zhù；但愿dànyuàn
ねぎ【葱】葱cōng；大葱dàcōng
ねぎら・う【労う】慰劳wèiláo‖従業員を～う 慰劳员工
ねぎ・る【値切る】还价huánjià；压价yājià
ねくずれ【値崩れ】（～する）价格大跌jiàgé dà diē
ねぐせ【寝癖】❶〔髪の毛の〕‖髪に～がつく 头发睡翘了 ❷〔寝相〕‖～が悪い 睡相不好
ネクタイ〔条,根〕领带lǐngdài‖～を締める 系领带 ✤一ピン：领带夹
ねぐら【塒】窝wō；巢cháo
ネグリジェ〔件〕睡裙shuìqún
ねぐるし・い【寝苦しい】‖夏の夜は～い 夏天的夜晚常常睡不好觉
ねこ【猫】❶〔動物〕〔只〕猫māo‖～をかまう 逗猫玩儿 ❷〔慣用表現〕‖～も杓子(しゃくし)も… 不管张三李四都…｜～をかぶる 假装老实｜～に小判 定 投珠与豕｜～に鰹節(かつおぶし) 虎口送肉｜～の手も借りたい 忙得要命 ✤飼い一：家猫｜子一：猫仔｜化け一：猫妖
ねこじた【猫舌】怕烫pà tàng
ねこぜ【猫背】驼背tuóbèi
ねこそぎ【根こそぎ】彻底chèdǐ；通通tōngtōng‖～盗まれる 被偷光了
ねごと【寝言】❶〔睡眠中の〕梦话mènghuà‖～を言う 说梦话 ❷〔たわごと〕胡说húshuō
ねこなでごえ【猫撫で声】‖～で勧誘する 用甜言蜜语劝诱
ねこのひたい【猫の額】‖～ほどの庭 巴掌大的一个园子
ねこばば【猫糞】（～する）‖財布を～する 把捡到的钱包据为己有
ねこみ【寝込み】‖敵の～を襲う 奇袭正在睡梦中的敌人
ねこ・む【寝込む】❶〔病気で〕病倒bìngdǎo；因病卧床yīn bìng wòchuáng ❷〔眠る〕睡熟shuìshú
ねこやなぎ【猫柳】细柱柳xìzhùliǔ

ねころ・ぶ【寝転ぶ】躺下tǎngxia ‖ 芝生に～ぶ 横卧在草地上
ねさげ【値下げ】(～する)降价jiàngjià ‖ 通話料を大幅に～する 大幅度降低通话费
ねざ・す【根差す】❶〔定着する〕扎根zhāgēn ‖ 地域に～した活動 植根于当地的活动 ❷〔原因する〕基于jīyú ‖ 宗教感情に～した対立 基于宗教感情的对立
ねざめ【寝覚め】‖ ～がいい 醒来时的感觉好
ねじ【螺子】❶〔ねじくぎ〕〔根,个〕螺丝luósī ‖ ～を締める〔緩める〕 把螺丝拧紧〔拧松〕 ❷〔時計のぜんまい〕〔根〕弦xián; 发条fātiáo ‖ 時計の～を巻く 给表上弦 ✣ 一回し:螺丝刀 | 雄一:外螺丝 | プラス一:十字螺丝 | マイナス一:一字螺丝 | 雌一:内螺丝
ねじこ・む【捩じ込む】❶〔ねじって入れる〕拧进nǐngjin ❷〔押し込む〕插入chārù; 塞进sāijin ❸〔苦情を言う〕抗议kàngyì; 谴责qiǎnzé
ねしずま・る【寝静まる】㊐ 夜深人静 yè shēn rén jìng
ねしな【寝しな】临睡时 lín shuì shí
ねじふ・せる【捩じ伏せる】❶〔ねじって押さえつける〕‖ 泥棒を～せた 扭住小偷的胳膊将他按倒 ❷〔屈伏させる〕压制yāzhì; 制伏zhìfú ‖ 反対意見を強引に～せる 强行压制反对意见
ねじま・げる【捩じ曲げる】❶〔曲げる〕扭弯niǔwān ❷〔わい曲する〕歪曲wāiqū
ねじ・る【捩じる】拧nǐng; 扭niǔ ‖ 腕を～る 扭胳膊
ねじ・れる【捩じれる】扭曲niǔqū. (人の性質が)乖僻 guāipì ‖ ～れた関係 扭曲的关系
ねすご・す【寝過ごす】睡过头shuìguòtóu
ねずみ【鼠】❶〔動物〕〔只〕老鼠lǎoshu; 耗子hàozi ‖ ネコが～をつかまえる 猫抓老鼠 ❷〔慣用表現〕‖ 袋の～瓮中之鳖 | 大山鳴動して～一匹 ㊐ 雷声大,雨点小
ねずみいろ【鼠色】灰色huīsè
ねずみざん【鼠算】几何级数式 jǐhé jíshù shì
ねぞう【寝相】〔副,个〕睡相shuìxiàng ‖ ～が悪い 睡相不好看
ねそべ・る【寝そべる】随便躺着 suíbiàn tǎngzhe; 横躺着héngtǎngzhe ‖ ソファーに～る 躺在沙发上
ねた ❶〔記事・話の〕(报道、谈话)材料(bàodào、tánhuà) cáiliào; 消息xiāoxi ❷〔寿司の〕寿司材料 shòusī cáiliào
ねたきり【寝た切り】卧床不起 wò chuáng bù qǐ ‖ ～の病人の介護をする 护理卧床不起的病人
ねたみ【妬み】嫉妒(心) jídù(xīn); 忌妒(心) jìdu(xīn) ‖ ～を買う 招人嫉妒
ねた・む【妬む】嫉妒jídù; 忌妒jìdu
ねだ・る 央求yāngqiú; 恳求kěnqiú ‖ ないもの～り 得不到的东西非想要 | お父さんに～って本を買ってもらう 缠着父亲给自己买一本书
ねだん【値段】价格 jiàgé; 价钱 jiàqian ‖ 手ごろな～だ 价钱合适 | 消費税込みの～です 价格包括消费税 | ～を下げる 降价 | ～をあげる 抬价
ねちが・える【寝違える】落枕làozhěn ‖ ゆうべ首を～えたらしい 好像昨天晚上落枕了
ねちねち (～する)纠缠不休 jiūchán bùxiū; 啰唆luōsuo ‖ ～小言を言う 没完没了地发牢骚 | ～と嫌がらせをする 故意纠缠不休,使人不愉快
ねつ【熱】❶〔物理的な〕热rè; 热气rèqì ‖ 銅はよく～を伝える 铜易导热 | ～がこもる 热气散不出去 ❷〔体温〕烧shāo ‖ 少し～がある 有点儿发烧 | ～が下がった 烧退了 ❸〔熱意・熱狂・流行〕热情rèqíng; 关心guānxīn ‖ 仕事に～が入らない 很难投入工作 | ～のこもった演説 热情洋溢的讲话 ✣ 一エネルギー:热能 | 一伝導:热传导
ねつあい【熱愛】(～する)疼爱téng'ài; 深爱shēn'ài
ねつい【熱意】热情rèqíng; 热忱rèchén ‖ 仕事に対する～ 工作热情〔热忱〕 | ～を引き出す 调动热情 | ～を燃やす 热情高昂
ねつえん【熱演】(～する)投入地表演 tóurù de biǎoyǎn
ねっから【根っから】❶〔もとから〕天生tiānshēng; 生来shēnglái ‖ ～の商売人 天生的生意人 ❷〔少しも〕完全(不；没) wánquán (bù; méi); 一点儿(不；没) yìdiǎnr (bù;méi) ‖ ～やる気がない 一点儿也不想干
ねっき【熱気】❶〔熱い気体〕热气rèqì ‖ キッチンに～がこもっている 厨房充满热气 ❷〔たかぶった雰囲気〕热情rèqíng; 朝气zhāoqì ‖ 会場は異常な～に包まれている 会场被热烈的气氛所包围
ねっきょう【熱狂】(～する)狂热kuángrè; 入迷rùmí ‖ ～的なサッカーファン 狂热的足球迷
ねつ・く【寝付く】睡着shuìzháo; 入睡rùshuì ‖ 赤ん坊がやっと～いた 婴儿终于睡着了
ネック ❶〔襟〕衣领yīlǐng ❷〔障害〕障碍zhàng'ài; 瓶颈píngjǐng ✣ クルー一:圆领 | スクエアー一:方领 | V一:V字领
ねづ・く【根付く】生根shēnggēn; 扎根zhāgēn
ネックレス 项链xiàngliàn
ねっけつかん【熱血漢】热血男儿rèxuènán'ér
ねつさまし【熱冷まし】退烧药 tuìshāoyào
ねっしゃびょう【熱射病】中暑 zhòngshǔ ‖ ～にかかった 中暑了
ねっしん【熱心】热心rèxīn; 积极jījí ‖ ～なクリスチャン 热心的基督教徒 | ～に勉強する 积极学习 | ～な仕事ぶり 积极的工作态度
ねっ・する【熱する】❶〔熱くする〕加热jiārè ‖ 金属を～する 把金属加热 ❷〔熱くなる〕热rè; 烧得…shāode… ‖ 真っ赤に～した鉄 烧得通红的铁 ❸〔夢中になる〕热中rèzhōng; 激动jīdòng ‖ ～しやすく冷めやすい人 忽冷忽热的人
ねっせん【熱戦】酣战hānzhàn; 激战 jīzhàn
ねつぞう【捏造】(～する)捏造niēzào; 瞎编xiābiān ‖ データを～する 捏造〔瞎编〕数据
ねったい【熱帯】热带rèdài ✣ 一雨林:热带雨林 | 一魚:热带鱼 | 一植物:热带植物 | 一性低気圧:热带低气压 | 一夜:闷热的夜晚
ねっちゅう【熱中】(～する)热中(于) rèzhōng (yú); 起劲qǐjìn ‖ 野球に～する 热中于棒球；对棒球很入迷 | 話に～する 谈话谈得很起劲 | 仕事に～している 专心致志地工作
ねつっぽ・い【熱っぽい】❶〔熱のある感じ〕‖ なんとなく～い 感觉有点儿发烧 ❷〔夢中なようす〕‖ ～いまなざしで見つめる 充满热情地注视
ネット ❶〔テニスなどの〕〔个,张〕网wǎng; 球网qiúwǎng ‖ ～をはる 张网 ❷〔インターネット〕网

络wǎngluò；网wǎng‖～で情報を検索する 在网上检索信息 ❸〔正味〕净重jìngzhòng ✤―バンク:网上银行｜―プライス:实价

ねっとう【熱湯】开水kāishuǐ‖～消毒する 用开水消毒

ねっとり（～する）黏稠niánchóu；黏黏糊糊niánniánhūhū‖～したジャム 黏稠的果酱

ネットワーク 网络wǎngluò‖グローバルな～を築く 建立全球性的网络 ✤―システム:网络系统｜―ビジネス:网络商业；（マルチ商法）传销

ねつびょう【熱病】热病rèbìng

ねっぷう【熱風】〔股,阵〕热风rèfēng

ねつべん【熱弁】激情讲演jīqíng jiǎngyǎn‖～をふるう 发表了充满激情的演讲

ねつぼう【熱望】（～する）渴望kěwàng

ねづよ・い【根強い】‖この番組は～人気がある 这个节目得到稳定、广泛的支持

ねつりょう【熱量】热量rèliàng

ねつれつ【熱烈】热烈rèliè；狂热kuángrè‖～な映画ファン 狂热的影迷｜知事の～な支持者 知事的积极支持者｜～に応援する 热烈支持

ねてもさめても【寝ても覚めても】时时刻刻shíshíkèkè

ねどこ【寝床】〔张〕床chuáng；〔床,条〕被窝儿bèiwōr‖～に入る 上床｜～を離れる 下床｜～を敷く 铺床

ねなしぐさ【根無し草】浮萍fúpíng‖～のような生活をする 过像浮萍一样的生活

ネパール 尼泊尔Níbó'ěr

ねばねば【粘粘】（～する）发黏fānián；黏黏糊糊niánniánhūhū

ねはば【値幅】涨降幅zhǎngjiàngfú

ねばり【粘り】❶〔ねばっこい性質〕〔股〕黏性niánxìng‖この米は～がある 这种米有黏性 ❷〔根気強さ〕〔股〕顽强劲儿wánqiángjìnr‖日本チームは最後の～を見せた 日本队最后打得十分顽强 ✤―勝ち:凭韧劲取胜

ねばりづよ・い【粘り強い】有韧性yǒu rènxìng；耐心nàixīn‖～く説得する 耐心劝说

ねば・る【粘る】❶〔ねばっこい〕发黏fānián ❷〔根気強くがんばる〕坚持jiānchí；顽强wánqiáng‖最後まで～る 坚持到底

ねびえ【寝冷え】（～する）睡觉时着凉shuìjiào shí zháoliáng

ねびき【値引き】（～する）打折dǎ zhé；减价jiǎnjià

ねぶか・い【根深い】㊂根深蒂固gēn shēn dì gù‖～い不信感 根深蒂固的不信任感

ねぶくろ【寝袋】睡袋shuìdài

ねぶそく【寝不足】睡眠不足shuìmián bùzú‖今日は～で頭が痛い 今天没睡够,所以头很疼

ねふだ【値札】价签jiàqiān；价目牌jiàmùpái

ネプチューン ❶〔ローマ神話〕尼普顿Nípǔdùn ❷〔天文〕海王星hǎiwángxīng

ねぶみ【値踏み】（～する）估价gūjià；评价píngjià

ねぼう【寝坊】（～する）睡懒觉shuì lǎnjiào.（寝過ごす）睡过头shuìguòtóu‖～して電車に乗りおくれた 因为睡懒觉误了电车

ねぼ・ける【寝惚ける】❶〔目が覚めきっていない〕睡糊涂了shuìhútu le；睡迷糊了shuìmíhu le‖～けて電話に出る 迷迷糊糊地接电话 ❷〔比ゆ表現〕做糊涂事zuò hútushì‖～けたことを言う 胡言乱语

ねほりはほり【根掘り葉掘り】㊂刨根问底páo gēn wèn dǐ‖…を～聞く 对…刨根问底

ねまき【寝巻き】〔件,套〕睡衣shuìyī

ねまわし【根回し】（～する）事先沟通shìxiān gōutōng；提前打招呼tíqián dǎ zhāohu‖関係者に～しておく 与相关人员事先做好沟通

ねみみ【寝耳】‖～に水 犹如晴天霹雳

ねむ・い【眠い】困kùn；困倦kùnjuàn‖～くてたまらない 困得要命｜～そうだね 你看上去很困倦

ねむけ【眠気】睡意shuìyì；困意kùnyì‖～に襲われる 睡意袭来｜～を吹き飛ばす 解困｜～を誘う 让人发困 ✤―覚まし:解困

ねむり【眠り】❶〔睡眠〕睡眠shuìmián；睡觉shuìjiào‖深い〔浅い〕～ 熟睡〔浅睡〕｜～につく 入眠｜ひと～する 小睡一会儿 ❷〔死〕‖永遠の～につく 长眠；永眠 ✤―薬:安眠药

ねむ・る【眠る】❶〔寝る〕睡shuì；睡觉shuìjiào‖ゆうべはよく～れなかった 昨晚没睡好｜すやすやと～っている 正睡得香甜｜一晩中～れない 整夜睡不着 ❷〔活用されていない〕闲置xiánzhì.（埋蔵されている）埋藏máicáng ❸〔死ぬ〕死sǐ；长眠chángmián‖ここに先祖が～っている 这里安息着我的祖先

ねもと【根元】❶〔根のあたり〕根gēn‖強風で木が～から折れた 强风把树连根折断了 ❷〔根本〕根本gēnběn‖腐敗を～から断つ 从根本上消灭腐败

ねゆき【根雪】积雪jīxuě

ねらい【狙い】❶〔標的〕瞄准miáozhǔn‖銃の～を定める 把枪瞄准 ❷〔目当て·意図〕目的mùdì；意图yìtú‖作者の～ 作者的意图

ねらいうち【狙い撃ち】（～する）❶〔狙いを定めてうつ〕瞄准射击miáozhǔn shèjī ❷〔集中的に行う〕集中打击jízhōng dǎjī

ねら・う【狙う】❶〔命中させようとする〕瞄准miáozhǔn；盯住dīngzhu‖的(まと)を～う 瞄准目标 ❷〔機会をうかがう〕伺机sìjī‖議長のいすを～う 伺机夺取议长的职位 ❸〔目標をめざす〕以…为目标yǐ…wéi mùbiāo‖30代の女性を～った雑誌 以30多岁的女性为对象的杂志

ねりなお・す【練り直す】重新研究chóngxīn yánjiū

ね・る【寝る】❶〔眠る〕睡shuì；睡觉shuìjiào.（床につく）就寝jiùqǐn‖ぐっすり～た 睡得很好｜子どもはもう～る時間だ 孩子该睡觉了｜～る間も惜しんで勉強する 废寝忘食地学习｜～た子を起こすようなことをする 无事生非〔自找麻烦〕 ❷〔横になる〕躺tǎng；卧wò‖草の上に～る 躺在草地上 ❸〔病気で〕卧病在床wòbìng zài chuáng‖風邪をひいて～ている 因为感冒在床上躺着 ❹〔立っているべきものが〕倒dǎo.（農作物が）倒伏dǎofú ❺〔共寝する〕‖女と～る 和女人睡觉 ❻〔資金·商品などが〕滞销zhìxiāo；积压jīyā‖倉庫に～ている商品 仓库里积压的商品

ね・る【練る】❶〔こねる〕搅拌jiǎobàn.（火にかけて）熬制áozhì‖粘土を～る 搅拌黏土｜あんこを～る 熬豆沙 ❷〔学問·技芸などを〕磨练móliàn；锻炼duànliàn ‖ 技を～る 磨练技术 ❸〔検討・修正を加える〕推敲tuīqiāo；锤炼chuíliàn ‖ 講義の草稿を～る 推敲讲稿｜構想を～る 构思｜計画を～る 研究计划

ねん【年】❶〔1年間〕年nián；一年yì nián ‖ ～に2回九州に行く 一年去九州两次｜～3分の利子がつく 年利三厘 ❷〔年号・年数〕年nián；年度niándù ‖ 1990～に生まれる 1990年出生 ❸〔学年〕年级niánjí ‖ 小学校3～生 小学三年级的学生

ねん【念】❶〔思い・考え〕情感qínggǎn；心情xīnqíng ‖ 畏敬(いけい)の～ 敬畏之意｜感謝の～ 谢意｜自責の～ 自责之情｜尊敬の～ 敬意 ❷〔注意〕注意zhùyì；留神liúshén.（心配り）用心yòngxīn；费心fèixīn ‖ ～を押す 再三叮嘱｜～の入った手口 实在巧妙的手法｜～には～を入れる 再三注意｜～のため 以防万一

ねんいり【念入り】周到zhōudao；仔细zǐxì ‖ ～な化粧 精心的化妆

ねんえき【粘液】黏液niányè

ねんが【年賀】贺年hènián ‖ ～のあいさつをかわす 互贺新年 ❖ 一状：贺年片

ねんがっぴ【年月日】年月日nián yuè rì

ねんかん【年間】一年yì nián ‖ 輸入額は～300億元に達する 年进口额达到300亿元 ❖ 一計画：一年的计划｜一降水量：年降水量｜一スケジュール：全年的规划

ねんがん【念願】（～する）愿望yuànwàng.（願い）心愿xīnyuàn.（宿願）夙愿sùyuàn ‖ ～がかなう 定 如愿以偿

ねんき【年季】‖ ～をつとめあげる 满徒｜～が入っている 炉火纯青 ❖ 一奉公：当合同工

ねんきん【年金】养老金yǎnglǎojīn.（恩給）抚恤金fǔxùjīn ‖ ～を受ける 领养老金 ❖ 一制度：养老金制度｜一手帳：养老金手册

ねんぐ【年貢】❶〔税〕地租dìzū ❷〔慣用表現〕‖ ～のおさめ時 罪有应得的时候

ねんげつ【年月】年月niányue；岁月suìyuè

ねんげん【年限】年限niánxiàn

ねんこう【年功】❶〔長年の功績〕功劳gōngláo ‖ ～に報いる 回报多年的功劳 ❷〔長年の経験〕多年的经验duō nián de jīngyàn ❖ 一序列：定 论资排辈

ねんごう【年号】年号niánhào

ねんごろ【懇ろ】❶〔心がこもっている〕殷勤yīnqín；亲切qīnqiè ‖ ～に客をもてなす 殷勤地招待客人 ❷〔むつまじい〕亲密qīnmì；和睦hémù ‖ 2人は～な間柄だ 两个人的关系不一般

ねんざ【捻挫】（～する）扭伤niǔshāng

ねんし【年始】❶〔年頭〕年初niánchū ❷〔年賀〕贺年hènián.（新年のあいさつ回り）拜年bàinián ‖ 恩師の家へ～にいく 到恩师家拜年 ❖ 一回り：四处拜年

ねんじ【年次】❶〔毎年〕每年měi nián.（年度）年度niándù.（1年ごと）逐年zhúnián ❷〔年の順序〕年份niánfèn ‖ 入社～は彼より何年か上だ 我比他早几年进的公司

ねんしゅう【年収】年薪niánxīn

ねんじゅう【年中】❶〔1年の間〕整年zhěngnián ❷〔いつも〕总是zǒngshì ‖ ～金に困っている 总是缺钱 ❖ 一無休：全年无休

ねんしゅつ【捻出】（～する）❶〔考え出す〕绞尽脑汁想出 jiǎojìn nǎozhī xiǎngchu ❷〔都合する〕挤出jǐchu.（資金を）筹措chóucuò

ねんしょ【年初】年初niánchū；岁首suìshǒu

ねんしょ【念書】字据zìjù ‖ ～をとる 立字据

ねんしょう【年少】年少niánshào；小xiǎo ‖ クラスできみが最～だ 这个班里你最小｜幼稚園の～組 幼儿园的小班 ❖ 一者：孩子；未成年者

ねんしょう【年商】年销售额nián xiāoshòu'é

ねんしょう【燃焼】（～する）燃烧ránshāo. 喩 竭尽全力 jiéjìn quánlì

ねん・じる【念じる】❶〔願う〕祈祷qídǎo ‖ 合格を～じる 祈祷考试能通过 ❷〔心の中で唱える〕默诵mòsòng ‖ お経を～じる 默诵佛经

ねんすう【年数】年头儿niántóur；年数niánshù

ねんだい【年代】❶〔ひとまとまりの時期〕年代niándài；时代shídài ‖ 1930～半ば 二十世纪30年代中期 ❷〔経過してきた年月〕岁月suìyuè；年代niándài ‖ ～を経た建物 很有年代的建筑物 ❸〔世代〕年龄层niánlíngcéng ‖ ～が同じだ 年龄差不多 ❖ 一記：编年史｜一物：老古董 ‖ ～のワイン 陈年葡萄酒｜同一：同辈

ねんちゃく【粘着】（～する）黏附niánfù；黏着niánzhuó ❖ 一剤：黏着剂｜一質：（性質）黏劲儿｜一テープ：黏胶带｜一力：黏着力

ねんちゅうぎょうじ【年中行事】每年的例行活动 měi nián de lìxíng huódong

ねんちょう【年長】年长niánzhǎng；大dà ‖ 幼稚園の～組 幼儿园的大班 ❖ 一者：长辈；年岁大的人

ねんど【年度】年度niándù ❖ 会計一：会计年度

ねんど【粘土】〔块〕黏土niántǔ

ねんとう【年頭】年初niánchū ‖ ～のあいさつ 新年祝辞；新年的问候

ねんとう【念頭】心头xīntóu；心上xīnshang ‖ まるで～にない 丝毫不放在心上

ねんねん【年年】年年niánnián.（年を追って）逐年zhúnián ‖ ～物価があがる 物价年年上涨｜～忘れっぽくなる 记性一年不如一年

ねんぱい【年配】❶〔相当の年齢〕年纪大nián-jì dà ‖ ～の人 年纪大的人 ❷〔年のころ〕‖ 同～ 年龄相仿｜私より～の人 年龄比我大的人

ねんぴ【燃費】耗油量hàoyóuliàng ‖ ～がいい 省油 ❖ 高一車：耗油车｜低一車：省油车

ねんぷ【年譜】〔份, 张〕年谱niánpǔ

ねんぶつ【念仏】（～する）念佛niànfó ‖ ～を唱える 念佛唱经

ねんぽう【年俸】〔笔〕年薪niánxīn ❖ 一制：年薪制

ねんまく【粘膜】黏膜niánmó

ねんまつ【年末】年末niánmò；年底niándǐ ❖ 一調整：年末调整

ねんり【年利】年利niánlì；年息niánxī

ねんりき【念力】❶〔精神力〕毅力yìlì；意志力yìzhìlì ❷〔サイコキネシス〕意念力yìniànlì

ねんりょう【燃料】燃料ránliào ‖ ～切れ 燃料耗尽 ❖ 一費：燃料费

ねんりん【年輪】❶〔植物〕年轮niánlún ❷〔経験〕经验jīngyàn ‖ ～を重ねる 积累经验

ねんれい【年齢】年龄niánlíng；岁数suìshu ‖ ～別にグループ分けする 按年龄分组 ✤一給：工龄工资｜一制限：年龄限制｜一層：年龄段

の

の【野】〔片〕野地 yědì；原野yuányě ‖ ～の花 野花｜～を越え山を越え 定 翻山越岭

-の ❶〔所有・所属・行為者〕…的 …de ‖ ぼくら～先生 我们的老师｜私～母 我妈｜彼(から)～手紙 他来的信｜私～本 我的书 ❷〔所在・場所〕…的 …de ‖ 中国～友人 中国朋友｜南米～国々 南美各国｜かど～家 拐角上的房子｜窓～外 窗外 ❸〔性質・状態・材料〕…的 …de ‖ リンゴ～袋 苹果袋｜金～延べ棒 金条｜健康～ありがたみ 健康的可贵｜手つかず～自然 未开发的自然｜歴史～本 历史书｜花～都パリ 花都巴黎 ❹〔数量・時間〕…的 …de ‖ 1ダース～鉛筆 一打铅笔｜7階建て～ビル 七层楼｜明日～午前中 明天上午｜8時～新幹線 八点的新干线｜昨日～夢 昨天做的梦｜食事～前 吃饭之前｜次～人 下一位 ❺〔目的・対象〕…的 …de ‖ 誕生日～プレゼント 生日礼物｜子ども～本 幼儿(儿童)读物｜成功～秘けつ 成功的秘诀 ❻〔同格…という〕‖ 俳優～レスリー・チャン 影星张国荣｜全員参加～原則 原则是全体都参加 ❼〔主格〕‖ サクラ～咲くころ 樱花盛开的季节 ❽〔…のもの〕…的 …de ‖ この本はだれ～ですか 这本书是谁的？ ❾〔疑問〕…吗？…ma? ‖ ほんとうな～ 是真的吗？｜何してる～ 做什么呢？

ノイズ〔片，种〕噪音zàoyīn；〔种，丝〕杂音záyīn

のいちご【野苺】野草莓yěcǎoméi；野莓yěméi

のいばら【野茨】野蔷薇yěqiángwēi

ノイローゼ 神经衰弱shénjīng shuāiruò；神经病 shénjīngbìng

のう【能】❶〔能力〕〔种，个，份〕本事běnshi ‖ 野球しか～がない 除了棒球之外没有别的本事｜金をためるばかりが～ではない 光会存钱不是什么本事 ❷ ⇨のうがく(能楽) ✤一役者：能乐演员

のう【脳】❶〔生理〕大脑dànǎo ‖ ～に異状がある 大脑出现异常 ❷〔知力〕脑子nǎozi；脑筋nǎojīn ‖ ～のはたらきが悪い 脑筋不灵活 ✤一溢血(いっけつ)：脑溢血｜一炎：脑炎｜一外科：脑外科｜一血栓：脑血栓｜一梗塞(こうそく)：脑梗塞｜一出血：脑出血｜一腫瘍(しゅよう)：脑瘤｜一神経：脑神经｜一震盪(しんとう)：脑震荡｜一髄：脑髓｜一卒中：中风｜一貧血：脑贫血｜一膜炎：脑膜炎｜一味噌：脑子；脑筋

のうえん【農園】农场nóngchǎng

のうか【農家】农家nóngjiā；农户nónghù

のうかい【納会】❶〔おさめの会〕年终总结会niánzhōng zǒngjiéhuì ❷〔取引所の〕月末交易日yuèmò jiāoyìrì

のうがく【能楽】能乐Néngyuè

のうがく【農学】〔门〕农学nóngxué ✤一部：农学系

のうかんき【農閑期】农闲期nóngxiánqī

のうき【納期】(商品の)交货期jiāohuòqī．(税の)缴纳期 jiǎonàqī ‖ ～を守る 按期交货

のうきょう【農協】农业合作社Nóngyè Hézuòshè

のうぎょう【農業】农业 nóngyè ✤一国：农业国｜一試験場：农业试验场

のうきん【納金】(～する)付款fù kuǎn

のうぐ【農具】〔件，种〕农具nóngjù

のうこう【農耕】耕作gēngzuò ✤一社会：农耕社会｜一民族：农耕民族

のうこう【濃厚】❶〔味などが〕浓nóng；浓厚nónghòu ‖ ～なクリーム 浓奶油｜～なキスシーン 缠绵的接吻镜头 ❷〔その傾向が強い〕明显míngxiǎn ‖ 可能性が～になる 可能性越来越大

のうこつ【納骨】(～する)安放骨灰ānfàng gǔhuī

のうさぎ【野兎】野兔yětù

のうさぎょう【農作業】农活nónghuó

のうさくぶつ【農作物】〔个，种〕农作物nóngzuòwù；庄稼zhuāngjia

のうさつ【悩殺】(～する)迷住mízhu；使男性神魂颠倒shǐ nánxìng shénhún diāndǎo

のうさんぶつ【農産物】〔个，种〕农产品nóngchǎnpǐn

のうしゅく【濃縮】(～する)浓缩nóngsuō

のうじょう【農場】〔个，家，处〕农场nóngchǎng

のうぜい【納税】(～する)纳税nàshuì ✤一額：缴纳税额｜一期限：纳税期限｜一者：纳税者｜一通知書：纳税通知单

のうそん【農村】农村nóngcūn

のうたん【濃淡】深浅shēnqiǎn；浓淡nóngdàn

のうち【農地】〔块〕耕地gēngdì ✤一改革：农村土地改革

のうてん【脳天】头顶tóudǐng

のうてんき【能天気】‖ ～な人 率性的人；轻率的人

のうど【濃度】浓度nóngdù

のうどう【農道】农业用道路nóngyè yòng dàolù

のうなし【能無し】无能wúnéng；废物fèiwu

のうにゅう【納入】(～する)交纳jiāonà；缴纳jiǎonà ‖ 物品を～する 缴纳物品

ノウハウ 专业技术zhuānyè jìshu．(技術上の)技术情报jìshù qíngbào ‖ 会社経営の～を学ぶ 学习公司经营的方法

のうはんき【農繁期】农忙季节nóngmáng jìjié

のうひん【納品】(～する)交货jiāo huò ‖ 期日どおりに～する 如期交货 ✤一書：交货单

のうふ【納付】(～する) ‖ 入学金を～する 交纳入学金 ✤一期限：缴纳期限｜一金：缴纳金

のうべん【能弁】雄辩xióngbiàn ✤一家：雄辩家

のうみつ【濃密】浓重nóngzhòng；浓厚nónghòu ‖ ～な人間関係 非常密切的人际关系

のうみん【農民】农民nóngmín

のうむ【濃霧】〔场〕大雾dàwù；浓雾nóngwù

のうやく【農薬】农药nóngyào ‖ ～をまく 撒农药

のうり【脳裏】脑海里nǎohǎi li; 脑子里nǎozi li ‖ ～に浮かぶ 在脑海里浮现｜～をかすめる 掠过心头

のうりつ【能率】效率xiàolǜ ‖ ～がよい〔悪い〕效率高〔低〕｜～的に…する 有效率地…

のうりょう【納涼】乘凉chéngliáng ✤一船:纳凉船

のうりょく【能力】能力nénglì ‖ 事務的な～ 处理事务性工作的能力｜考える～ 思考能力｜～の限界に挑む 向自己能力的极限挑战 ✤一開発:能力开发｜一給:能力工资｜一テスト:能力测验｜生産一:生产能力

のうりん【農林】农林nónglín; 农业和林业nóngyè hé línyè ✤一水産省:农林水产省

ノーアイロン 防皱免烫fáng zhòu miǎn tàng

ノーカウント 不记得分bú jì défēn

ノー コメント定无可奉告wú kě fèng gào ‖ ～で押し通す 始终坚持不作任何说明

ノート ❶〔ノートブック〕〔本〕笔记本bǐjìběn ‖ ～を写す 抄笔记 ❷(～する)〔書きとめる〕(记)笔记(jì) bǐjì;(做)记录(zuò) jìlù

ノートパソコン〔台〕笔记本电脑bǐjìběn diànnǎo

ノーベルしょう【ノーベル賞】诺贝尔奖Nuòbèi'ěrjiǎng ✤一受賞者:诺贝尔奖得主

ノーマル 普通pǔtōng; 正常zhèngcháng

のが・す【逃す】错过cuòguò ‖ チャンスを～す 错过机会｜要点を聞き～した 听漏了要点

のが・れる【逃れる】❶〔逃げる〕逃跑táopǎo ‖ 追っ手から～れる 逃脱追赶者 ❷〔免れる〕避免bìmiǎn ‖ 難を～れる 躲避灾难｜危険から～れる 摆脱危险｜責任を～れる 逃避责任

のき【軒】房檐fángyán ‖ ～を連ねる 鳞次栉比｜～下 房檐上

のきなみ【軒並み】❶〔すべて〕都dōu ‖ 問屋が～倒産した 批发商全都破产了 ❷〔家並み〕栉比的房屋zhìbǐ de fángwū

のけぞ・る【のけ反る】向后仰身xiàng hòu yǎng shēn; 倒仰dàoyǎng ‖ ～って大笑いする 仰天大笑｜杜撰(ずさん)な仕事ぶりに思わず～った 做得如此粗糙, 把我气得倒仰

のけもの【除け者】被排挤的人bèi páijǐ de rén ‖ 仲間から～にされる 被同伙排挤

の・ける【退ける】❶〔どかす〕除掉chúdiào; 挪开nuókāi ❷〔…てのける〕(やりとげる)完成wánchéng.(あえてする)敢gǎn

のこぎり【鋸】〔把〕锯jù ‖ ～をひく 拉锯

のこ・す【残す】❶〔とどまらせる〕留liú; 留下liúxia ‖ 伝言を～す 留言 ❷〔解決しないままにする〕遗留yíliú; 留下liúxia ‖ 悔いを～す 遗恨｜まだ多くの問題点が～されている 还有许多问题没解决 ❸〔後世に伝える〕遗留yíliú; 留传liúchuán ‖ 遺産を～す 留下遗产｜後世に名を～す 流芳后世 ❹〔余す〕剩shèng; 剩下shèngxia

のこり【残り】残余cányú; 剩余shèngyú ‖ 皿の～ 盘子里的剩菜｜食糧が～少なくなった 食物没剩下多少了

のこりもの【残り物】‖ ～には福がある 拿剩下的东西有福气

のこ・る【残る】❶〔あとにとどまる〕留liú; 留下liúxia ‖ 私がここに～る 我留在这儿｜もうだれも～っていない 已经没有一个人了 ❷〔余る〕剩shèng; 剩下shèngxia ‖ 100円しか～っていない 只剩下100日元 ❸〔あとまで続く〕‖ 疲れが～っている 疲劳还未消除｜仕事が～っている 还有没做完的工作｜悔いが～る 留下遗憾 ❹〔のちの世に伝わる〕留传liúchuán; 遗留yíliú ‖ 歴史に～る偉業 名留青史的丰功伟绩

のさば・る定横行霸道héng xíng bà dào ‖ 悪者が～っている 恶人飞扬跋扈

のし【熨斗】❶〔のし紙〕礼签lǐqiān ‖ ～をつけてくれてやる 情愿双手奉送 ❷〔ひのし〕熨斗yùndǒu

のしあが・る【伸し上がる】定一步登天yí bù dēng tiān ‖ 重役にまで～る 爬上董事的位置

のしかか・る【伸し掛かる】❶〔体が〕压上来〔上去〕yāshanglai〔shàngqu〕❷〔責任・重荷が〕压在(心头) yāzai (xīntóu)

のじゅく【野宿】(～する)露宿lùsù

の・す【伸す】❶〔のばし広げる〕压平yāpíng.(棒で)擀平gǎnpíng ❷〔殴り倒す〕打倒dǎdǎo

ノスタルジア(故郷への)〔种,缕,份〕乡愁xiāngchóu.(過去への)怀旧情绪huáijiù qíngxù

ノスタルジック 思乡(的) sīxiāng (de); 怀旧(的) huáijiù (de) ‖ ～な雰囲気 怀旧的气氛

ノズル 管嘴guǎnzuǐ; 喷嘴pēnzuǐ

の・せる【乗せる・載せる】❶〔置く〕放在…上fàngzai … shang ‖ お茶を盆に～せる 把茶杯放在托盘上 ❷〔乗りものに〕载zài; 装zhuāng ‖ 木材をトラックに～せる 把木材装在卡车上｜500人の乗客を～せる 搭载500名乘客 ❸〔だます〕欺骗qīpiàn ❹〔掲載する〕登dēng; 登载dēngzǎi ‖ 新聞に広告を～せる 在报上登广告

のぞき【覗き】窥视kuīshì; 偷看tōukàn ✤一穴:(ドアアイ)猫眼儿｜一魔:偷窥狂

のぞ・く【除く】❶〔排除する〕消除xiāochú; 除去chúqu ‖ 不安を～く 消除不安｜じゃま者を～く 铲除绊脚石 ❷〔別にする〕除了…chúle…;…除外…chúwài ‖ 彼を～く全員がOKした 除了他以外, 所有的人都同意了

のぞ・く【覗く】❶〔すきまなどから〕窥视kuīshì ❷〔高いところから〕俯视fǔshì ❸〔秘密や隠し事を〕偷看tōukàn; 窥视kuīshì ‖ 人の日記を～く 偷看别人的日记 ❹〔立ち寄る〕逛guàng; 顺便看看shùnbiàn kànkan ‖ 本屋を～く 逛书店 ❺〔一部分が見える〕露出lùchu ‖ 雲間から月が～く 月亮从云缝间露了出来

のぞまし・い【望ましい】最好zuì hǎo; 所希望(的) suǒ xīwàng (de) ‖ ～くない結果 令人失望的结果

のぞみ【望み】❶〔願い〕希望xīwàng; 愿望yuànwàng ‖ あなたの～どおり 按你的要求 ❷〔見込み・期待〕希望xīwàng; 指望zhǐwang.(前途)出息chūxi ‖ …に最後の～をかける 把最后的希望寄托在…｜～の綱が切れる 希望落空了; 没有指望了

のぞ・む【望む】❶〔願う〕希望xīwàng; 期待qīdài ‖ 待遇面での改善を～む 希望能够改善待遇

｜更なる努力を～む 期待进一步的努力 ❷〔見渡す〕远望yuǎnwàng; 眺望tiàowàng ‖ 遠く富士を～む 远望〔远眺〕富士山

のぞ・む【臨む】❶〔面する〕面临miànlín ❷〔出席する〕出席chūxí; 参加cānjiā ❸〔物事に対する〕临lín ‖ 就任に～んで… 在就任之际… ❹〔下位の者に対する〕对待duìdài; 处理chǔlǐ ‖ 違反者には厳罰をもって～む 严惩违反者

のたう・つ 打滚儿dǎgǔnr ‖ ～ちまわって苦しむ 痛苦得直打滚儿

のたれじに【野垂れ死に】〈～する〉倒毙路旁dǎobì lùpáng.〈情けない死に方〉悲惨地死去bēicǎn de sǐqu

のち【後】❶〔あと〕后hòu; 以后yǐhòu ‖ 晴れ～曇り 晴转阴｜検討の～ 经过研究后 ❷〔これから先〕今后jīnhòu; 将来jiānglái

のちぞい【後添い】后妻hòuqī; 填房tiánfang

のちのち【後後】今后jīnhòu; 以后yǐhòu

のちほど【後程】回头huítóu; 随后suíhòu ‖ ～またお会いしましょう 回头见

ノック〈～する〉❶〔ドアを〕敲门qiāo mén ❷〔野球〕击球jī qiú

ノックアウト〈～する〉❶〔ボクシング〕击倒jīdǎo ❷〔やっつける〕彻底击败chèdǐ jībài

ノックダウン ❶〈～する〉被击倒bèi jīdǎo ❷〔経済〕来件装配láijiàn zhuāngpèi

ノット 每小时…海里měi xiǎoshí…hǎilǐ ‖ 30～の船 每小时能航行30海里的船

のっと・る【乗っ取る】❶〔支配権を〕夺取duóqǔ ‖ 外資に会社を～られる 公司被外企控制 ❷〔飛行機などを〕劫持jiéchí ‖ 飛行機を～る 劫机

のっと・る【則る・法る】按àn; 遵照zūnzhào ‖ 古式に～り式を挙げる 按传统方式举行婚礼

のっぴきならない【退っ引きならない】㊀ 进退两难jìn tuì liǎng nán

のっぺり〈～する〉❶〔顔が〕平píng; 扁平biǎnpíng ❷〔平らな〕平板píngbǎn

のっぽ 大高个儿dàgāogèr

-ので〈因为…〉所以〈yīnwei…〉suǒyǐ

のど【喉】❶〔生理〕嗓子sǎngzi; 喉咙hóulong ‖ ～が渇く 〈口〉渴｜～が痛い 嗓子疼｜言葉が～まで出かかる 话已到嘴边｜食事が～を通らない 不思饮食｜～から手が出るほど…がほしい 我对…垂涎三尺 ❷〔声〕嗓音sǎngyīn; 嗓门儿sǎngménr ‖ いい～をしている 嗓音很好

のどか【長閑】悠闲yōuxián; 安闲ānxián ‖ いなかで～に暮らす 在乡村过悠闲的生活

のどちんこ【喉ちんこ】小舌头xiǎoshétou

のどぼとけ【喉仏】喉结hóujié; 喉核hóuhé

のどもと【喉元】‖ ～過ぎれば熱さ忘れる 好了伤疤忘了痛

-のに ❶〔逆接〕却què; 倒dào ‖ 4月だという～まだ寒い 虽说是4月了，却还很冷 ❷〔終助詞〕‖ そうと知っていたら来なかった～ 早知如此，我就不来了

のねずみ【野鼠】〔只〕野鼠yěshǔ; 田鼠tiánshǔ

ののし・る【罵る】骂mà; 咒骂zhòumà

のば・す【延ばす・伸ばす】❶〔時間を長引かせる〕延长yáncháng.〈先に延ばす〉推迟tuīchí ‖ 会議時間を1時間～す 把会议时间延长一小时｜締め切り日を～す 推迟截止日期｜返事を～す 拖延答复 ❷〔長くする〕延长yáncháng; 拉长lācháng; 放长fàngcháng ‖ バス路線を…まで～す 把公共汽车的路线延长到…｜ズボンのたけを2センチ～す 把裤子放长两公分｜髪を長く～す 留长发 ❸〔まっすぐにする〕伸shēn; 弄直nòngzhí ‖ 手足を～す 伸展四肢｜アイロンでシャツのしわを～す 把衬衫熨平｜背筋を～す 把身子挺直 ❹〔程度を高める〕提高tígāo; 发挥fāhuī; 扩张kuòzhāng ‖ 記録を～す 提高记录｜才能を～す 发挥才能｜売り上げを～す 提高销售额 ❺〔平らに広げる〕弄平nòngpíng ‖ こねた小麦粉をめん棒で～す 擀面｜クリームを顔全体に～す 将面霜在脸上抹开 ❻〔薄める〕稀释xīshì ‖ ペンキをシンナーで～す 用稀料稀释油漆

のばなし【野放し】❶〔放し飼い〕‖ イヌを～にしてはいけない 禁止放养家犬 ❷〔放任〕放任fàngrèn; 不加以限制bù jiāyǐ xiànzhì

のはら【野原】〔片，块〕原野yuányě; 野地yědì

のばら【野薔薇】野蔷薇yěqiángwēi

のび【伸び】❶〔成長〕成长chéngzhǎng ‖ 雑草は～が早い 杂草长得很快 ❷〔発展〕发展fāzhǎn; 增长zēngzhǎng ‖ 売り上げの～ 销售额增长 ❸〔手足を〕‖ ～をする 伸懒腰

のびあが・る【伸び上がる】踮起脚diǎnqi jiǎo

のびなや・む【伸び悩む】停滞不前tíngzhì bù qián; 没有提高méiyou tígāo ‖ 業績が～む 业绩不见提高

のびのび【伸び伸び】〈～する〉㊀ 无拘无束wú jū wú shù ‖ ～育つ 自由自在地成长

のびやか【伸びやか】‖ ～な筆づかい 运笔舒展流畅｜～に暮らす 悠然自得地生活

の・びる【延びる・伸びる】❶〔長さ・距離が〕延伸yánshēn; 延长yáncháng ‖ 東北新幹線が八戸まで～びた 东北新干线延长到八户｜背が～びる 长个子 ❷〔時間が〕〈延長する〉延长yáncháng.〈延期する〉推迟tuīchí ‖ 平均寿命が～びる 平均寿命延长了｜会合は日曜日に～びた 聚会推迟到星期天了 ❸〔発展する〕扩大kuòdà; 发展fāzhǎn.〈高まる〉提高tígāo ‖ 右派の勢力が～びている 右派的势力在扩大 ❹〔達する〕达到dádào ‖ この道は港まで～びている 这条路一直延伸到港口 ❺〔体がまいる〕瘫软tānruǎn ❻〔まっすぐになる〕舒展shūzhan; 伸直shēnzhí ‖ 目尻のしわが～びる 眼角的皱纹舒展 ❼〔薄く広がる〕‖ よく～びる塗料 容易涂匀的涂料 ❽〔弾力がなくなる〕失去弹性shīqù tánxìng ‖ うどんが～びた 面泡涨了

のべ【延べ】总共zǒnggòng ‖ 入場者は～10万人だった 入场的人数总共达到了10万人次 ❖一人数：总人次｜一日数：总日数

のべ【野辺】〔片，块〕野地yědì ‖ ～の花 野花 ❖一送り：送葬

のべつ ‖ ～幕なしに食べる 不断地吃东西

のべぼう【延べ棒】‖ 金の～ 金条

の・べる【延べる・伸べる】❶〔広げる〕展开zhǎnkāi; 铺开pūkāi ❷〔手を〕伸出shēnchu ‖ 被災者に救いの手を～べる 向受灾者伸出援助之手

の・べる【述べる】讲jiǎng; 陈述chénshù.〈書き

表す)写xiě‖自分の意見を～べる 发表〔陈述〕自己的意见｜謝意を～べる 表达谢意
のほうず【野放図】❶〔傍若無人〕无所顾忌 wú suǒ gùjì；放纵fàngzòng‖～な生活 放纵的生活 ❷〔無制限〕毫不节制 háobù jiézhì
のぼせあが・る【逆上せ上がる】⇨のぼせる(逆上せる)
のぼ・せる【上せる】❶〔話題・議題にする〕提出tíchu ❷〔日程に入れる〕‖日程表に～せる 写入日程表 ❸〔食事に出す〕端出duānchu
のぼ・せる【逆上せる】❶〔上気する〕‖長湯して～せた 因洗澡时间过长而头晕 ❷〔恋い慕う〕迷恋míliàn；入迷rùmí ❸〔いい気になる〕翘尾巴qiào wěiba；定忘乎所以wàng hū suǒ yǐ
のほほんと（～する)定悠闲自得 yōuxián zìdé
のぼり【上り・登り・昇り】❶〔上のほうへ行く〕上升shàngshēng；登高dēnggāo.(川の)上溯shàngsù‖～のエスカレーター 上行的电动扶梯 ❷〔坂〕上坡shàngpō ❸〔列車やバスの〕上行shàngxíng ✤一下(ᵏᵘᵈᵃ)り:上下；升降｜一坂:上坡｜一調子:走上坡路；上升势头
のぼり【幟】〔面〕幡fān；旗帜qízhì；旗子qízi
のぼりつ・める【上り詰める】达到极限dádào jíxiàn‖最高のポストに～める 爬上最高职位
のぼ・る【上る・登る・昇る】❶〔上のほうへ行く〕上shàng；登dēng.(よじ登る)爬pá‖階段を～る 上楼梯｜山に～る 爬〔登〕山 ❷〔上流へ行く〕逆流〔溯流〕而上nìliú〔sùliú〕ér shàng‖長江を船で～る 乘船溯长江而上 ❸〔高くあがる〕升shēng；上升shàngshēng‖太陽が～る 太阳升起来｜天にも～る心地 欢天喜地 ❹〔ある数量に達する〕达到dádào；上shàng‖1000万人に～る 达到1000万人｜費用は50万円にも～った 费用高达50万日元 ❺〔高位に就く〕就任jiùrèn.(昇進する)升级shēngjí‖皇帝の位に～る 登上皇位 ❻〔話題・議題になる〕成为话题〔议题〕chéngwéi huàtí〔yìtí〕❼〔食膳に〕摆上bǎishang
のま・れる【飲まれる】❶〔激流などに〕‖波に～れる 被波涛吞没 ❷〔けおされる〕‖緊張した雰囲気に～れる 被紧张气氛吓倒｜酒は飲んでも～れるな 可以喝酒但是不要酗酒
のみ【蚤】跳蚤tiàozao‖～の夫婦 丈夫比妻子矮小的夫妻｜～の市 跳蚤市场
のみ【鑿】〔把〕凿子záozi
のみくい【飲み食い】(～する)吃喝chīhē
のみぐすり【飲み薬】内服药 nèifúyào
のみくち【飲み口】口感kǒugǎn‖さわやかな～のワイン 口感清爽的葡萄酒
のみこみ【飲み込み・呑み込み】理解 lǐjiě；领会lǐnghuì‖仕事の～がはやい 对工作掌握得很快
のみこ・む【飲み込む・呑み込む】❶〔のどを通す〕咽下yànxia；吞下tūnxia ❷〔理解する〕理解lǐjiě；明白míngbai‖君の話が～めない 你说的话我无法理解｜要領を～む 掌握要领 ❸〔言葉やあくびを〕咽回yànhui
のみち【野道】原野的小路 yuányě de xiǎolù
のみなかま【飲み仲間】酒友 jiǔyǒu
のみならず 不但búdàn；不仅bùjǐn‖国内～海外でも… 不仅是国内,在海外也…
ノミネート（～する)提名tímíng；推荐tuījiàn
のみほ・す【飲み干す】喝光hēguāng
のみみず【飲み水】饮用水yǐnyòngshuǐ
のみもの【飲み物】饮料yǐnliào‖冷たい～ 冷饮
のみや【飲み屋】〔家,个〕酒馆 jiǔguǎn
の・む【飲む・呑む】❶〔飲み物などを〕喝 hē.(薬・母乳を)吃chī.(固形物を)吞tūn‖コーヒーでも～みましょうか 喝杯咖啡吗？｜うっかりサクランボの種を～んでしまった 不小心把樱桃核吞下去了｜つばを～む 咽唾沫｜～む打つ買う 定吃喝嫖赌 ❷〔受け入れる〕(出于无奈而勉强)接受(chūyú wúnài ér miǎnqiǎng) jiēshòu‖こんな理不尽な要求は私には～めない 这种无理要求我不能接受 ❸〔圧倒する〕压倒yādǎo；吓倒xiàdǎo；镇住zhènzhu‖敵を～む気迫 压倒对方的气势 ❹〔その他の表現〕‖恨みを～んで死ぬ 饮恨而终｜息を～むような美しい景色 令人屏息的美丽景色
のめりこ・む【のめり込む】沉迷chénmí；迷上míshang‖ギャンブルに～む 沉迷于赌博
のめ・る 向前倾 xiàng qián qīng
のら【野良】田地 tiándì ✤一犬:野狗｜一仕事:农活
のらくら（～する)定无所事事wú suǒ shì shì；定游手好闲 yóu shǒu hào xián
のらりくらり（～する)❶ ⇨のらくら ❷〔とらえどころがない〕‖～と言い逃れをする 含糊其辞地推脱
のり【乗り】❶〔調子〕〔股〕劲头jìntóu‖いい～で踊る 跳得很来劲儿｜この曲は～がいい 这首曲子很有节奏感 ❷〔なじみ具合〕‖このファンデはとても～がいい 这种粉底霜很上妆｜今日は化粧の～が悪い 今天妆上不好 ❸〔…乗り〕乘坐chéngzuò‖4人～の車 四人坐的车子
のり【海苔】紫菜 zǐcài
のり【糊】胶水jiāoshuǐ；糨糊jiànghu.(洗濯の)浆jiāng‖～ではり合わせる 用糨糊粘
のりあい【乗り合い】同乘tóngchéng ✤一タクシー:同乘出租车
のりあ・げる【乗り上げる】搁浅 gēqiǎn
のりい・れる【乗り入れる】❶〔乗ったまま入る〕开车进入kāichē jìnrù ❷〔路線延長〕‖相互に～れている 相互过轨行驶
のりうつ・る【乗り移る】❶〔乗りかえる〕换乘 huàn chéng ❷〔とりつく〕附体fù tǐ
のりおく・れる【乗り遅れる】赶不上 gǎnbushàng；没赶上méi gǎnshang‖終電に～れる 赶不上末班车｜流行に～れる 赶不上流行
のりおり【乗り降り】(～する)上下 shàngxià‖人の～が多い 上下车的人很多
のりかえ【乗り換え】换车huàn chē；倒车dǎochē ✤一駅:换乘车站
のりか・える【乗り換える】❶〔乗り物を〕换车huàn chē；倒车dǎochē‖渋谷で～える 在涩谷换车｜急行から鈍行に～える 快车换乘慢车 ❷〔他のものに変える〕转到zhuǎndào；换huàn‖別の男に～える 换男人 ❸〔経済〕换买huànmǎi
のりかか・る【乗り掛かる】着手zhuóshǒu‖～った船だ,最後まで協力するよ 帮人帮到底
のりき【乗り気】劲头大jìntóu dà；有兴趣yǒu xìngqù‖全然～でない 一点儿都不热心

のりき·る【乗り切る】闯过chuǎngguo；克服kèfú ‖ 夏を～る 熬过夏天｜財政危機を～る 克服财政危机｜難局を～る 渡过困难的局面

のりくみいん【乗組員】机组人员 jīzǔ rényuán.（船員）船员chuányuán

のりこ·える【乗り越える】❶〔上を越える〕越过yuèguò ‖ フェンスを～える 翻过栅栏 ❷〔切り抜ける〕克服kèfú ‖ ハンディキャップを～える 克服不利条件 ❸〔追い越す〕超越chāoyuè ‖ 親を～える 超过父母

のりごこち【乗り心地】乘坐的感觉 chéngzuò de gǎnjué ‖ ～がいい〔悪い〕 乘坐舒适〔不舒适〕

のりこし【乗り越し】坐过站 zuòguo zhàn ❖ —運賃:坐过站的差额｜—切符:补买的车票

のりこ·す【乗り越す】坐过站 zuòguo zhàn

のりこな·す【乗りこなす】驾驭自如 jiàyù zìrú；熟练驾驶 shúliàn jiàshǐ

のりこ·む【乗り込む】❶〔勇んで入り込む〕闯入chuǎngrù；进入jìnrù ‖ 敵地に～む 冲入敌阵 ❷〔乗り物に〕乘上chéngshang

のりしろ【糊代】（留出的）粘贴处 (liúchu de) zhāntiēchù

のりす·てる【乗り捨てる】‖ 盗まれた自転車は駅前に～ててあった 被盗的自行车被遗弃在车站前

のりだ·す【乗り出す】❶〔事に当たる〕着手zhuóshǒu ‖ 社長が～す 社长亲自出马｜政界に～すつもりだ 我打算进入政界 ❷〔身を〕探身tànshēn ‖ 身を～して話に聞き入る 探着身子听得入神｜車窓から身を～す 把身体探到车窗外去 ❸〔乗って出ていく〕‖ 船で沖へ～す 坐船出海 ❹〔乗り始める〕开始乘 kāishǐ chéng

のりつ·ぐ【乗り継ぐ】换乘huànchéng.（飛行機）转机 zhuǎn jī

のりづけ【糊付け】（～する）❶〔はる〕贴上tiēshang ❷〔布に〕浆 jiāng

のりつ·ける【乗り付ける】❶〔乗って着く〕一直开〔坐〕到 yìzhí kāi〔zuò〕dào ‖ タクシーで店に～ける 坐出租车去商店 ❷〔乗り馴れる〕坐惯 zuòguàn

のりつぶ·す【乗り潰す】‖ 新車を3年で～した 三年就把新车给开坏了

のりと【祝詞】祭文 jìwén ‖ ～をあげる 诵读祭文

のりにげ【乗り逃げ】（～する）❶〔無賃乗車〕坐车逃票zuò chē táopiào ❷〔乗って逃げる〕开〔骑〕车逃跑 kāi〔qí〕chē táopǎo

のりば【乗り場】车站chēzhàn.（プラットホーム）站台zhàntái.（船の）码头mǎtou ‖ タクシー～ 出租车站｜バス～ 汽车站

のりまき【海苔巻き】紫菜卷 zǐcàijuǎn

のりまわ·す【乗り回す】（开车）四处兜风 (kāichē) sìchù dōufēng

のりもの【乗り物】交通工具 jiāotōng gōngjù ‖ 男の子は～が大好きだ 男孩子非常喜欢车｜～に弱い 容易晕车〔晕船；晕机〕❖ —酔い:晕车

の·る【乗る·載る】❶〔上に〕登 dēng；上 shàng.（乗り物に）乘chéng；坐zuò.（またがる）骑qí ‖ いすに～る 站在椅子上｜この車に6人は～れない 这辆车坐不下六个人｜始発に～る 搭头班车｜ウマに～る 骑马 ❷〔積む〕装载zhuāngzài ❸〔風·流れに〕随着suízhe；乘chéng ‖ 電波に～る 在电视〔广播〕里播出 ❹〔加わる〕加入jiārù ‖ この話，きみも一口～らないか 这件事，你也来加一份吧？ ❺〔だまされる〕上当受骗shàngdàng shòupiàn；中计zhòng jì ‖ 口車に～ってしまった 被花言巧语骗了｜先方の策略に～ってしまった 中了对方的诡计 ❻〔調子に〕伴随bànsuí；随着suízhe ‖ リズムに～る 伴〔随〕着节奏｜新事業が波に～っている 新业务进展得比较顺利 ❼〔気が〕感兴趣 gǎn xìngqù；起劲qǐjìn ‖ 気が～らない 不感兴趣｜～りに～って歌う 越唱越起劲 ❽〔掲載〕登载dēngzǎi；…上有 …shang yǒu ‖ 新聞に～る 刊登在报纸上｜この言葉はどの辞書にも～っていない 这个词哪本词典上都没有 ❾〔うまくつく〕（化粧）上妆 shàngzhuāng.（顔料）上色shàngshǎi.（脂）肥féi ‖ この紙はインクが～りにくい 这种纸不吸墨｜この魚は脂が～っている 这条鱼很肥 ❿〔大台に〕高达 gāodá

ノルウェー 挪威 Nuówēi

のるかそるか【伸るか反るか】〔定〕孤注一掷gū zhù yí zhì ‖ ～の大勝負 孤注一掷的一战

ノルディック 北欧人的 Běi Ōu rén de ❖ —種目:北欧滑雪｜—複合:北欧两项

ノルマ 定额dìng'é；指标zhǐbiāo ‖ 売り上げの～を達成する 完成销售定额｜～がきつい 指标太高

のれん【暖簾】❶〔布〕〔个，块〕门帘儿ménliánr ‖ ～に腕押し 一拳打在棉花上 ❷〔格式〕商誉shāngyù ‖ ～を汚す 有损商誉 ❖ —分け:开分号

のろい【呪い】咒zhòu ‖ ～をかける 下咒｜～を解く 解除咒语

のろ·い【鈍い】❶〔遅い〕慢màn ❷〔にぶい〕迟钝 chídùn

のろ·う【呪う】诅咒zǔzhòu；愤恨fènhèn ‖ ～われた人生 被诅咒的人生

のろ·ける【惚気る】‖ あいつまた～けてるよ 他又在吹他女朋友〔老婆〕了

のろし【狼煙】〔团，堆，处〕烽火fēnghuǒ

のろのろ（～する）慢腾腾 màntēngtēng

のろま 慢腾腾màntēngtēng.（人）慢性子 mànxìngzi

のんき【呑気】悠然自得yōurán zìdé；悠闲yōuxián ‖ ～な隠居暮らし 悠闲的隐居生活｜こんなときによく～にしていられるものだ 在这种情况下，你居然能那么不慌不忙！

ノンストップ 中途不停 zhōngtú bù tíng

ノンバンク 非银行金融机构 fēi yínháng jīnróng jīgòu

のんびり（～する）自在zìzai；悠闲yōuxián ‖ ～温泉につかる 悠然自得地泡温泉｜田舎で～と育つ 在农村无拘无束地长大｜～屋 慢性子

ノンフィクション 非虚构fēi xūgòu；纪实文学jìshí wénxué ❖ —作家:纪实作家

ノンプロ 业余 yèyú

のんべえ【飲ん兵衛】酒鬼 jiǔguǐ

ノンポリ 不问政治 bú wèn zhèngzhì

の

は

は【刃】 刀锋dāofēng;刀刃dāorèn

は【葉】〔片,个〕叶子yèzi.（木の葉）树叶shùyè

は【歯】 ❶〔人間·動物の〕〔颗,个,口〕牙yá; 牙齿yáchǐ ‖ ～をみがく 刷牙 | ～が痛い 牙疼 | 子どもの～が生えそろった 孩子的牙长齐了 | ～が抜ける 牙掉了 | ～をせせる 剔牙 | ～が浮く 牙齿松动 | 寒くて～の根が合わない 冷得上牙直打下牙 ❷〔道具の〕齿(儿) chǐ(r) ‖ のこぎりの～ 锯齿 | げたの～ 屐齿 ❸〔慣用表現〕‖ ～の抜けたよう 残缺不全 | ～を食いしばる 咬紧牙关 | ～の浮くようなお世辞 让人肉麻的奉承话 | ～に衣(きぬ)着せぬ 直言不讳 | ～が立たない 完全不是对手

は【覇】 霸bà; 霸权bàquán ‖ 天下に～を唱える 称霸天下

ば【場】 ❶〔場所〕地方dìfang; 场所chǎngsuǒ ‖ その～をたち去りがたかった 不愿从那儿离去 | ふれあいの～ 交流的场所 | ～が白ける 冷场 ❷〔場合〕场合chǎnghé; 时候shíhou ‖ 何とかその～をごまかそうとした 企图蒙混过关 | 話し合いの～ 会谈的机会 | この～を借りてごあいさつ申しあげます 借此机会,请让我说两句 ❸〔相場〕市shì; 场chǎng ‖ 10時に～が立つ 10点钟开市 ❹〔演芸〕场chǎng ‖ 二幕三～ 二幕三场

-ば ❶〔…だとすれば〕如果…(的话) rúguǒ …(dehuà) ‖ 明日雨が降れ～行かない 明天如果下雨的话就不去 ❷〔ある条件のもとでは〕一…就…yī … jiù … ‖ 春が来れ～花が咲く 一到春天就开花 ❸〔並列〕既…又…jì …yòu … ‖ 英語も話せ～フランス語も話す 既会讲英语,又会讲法语 ❹〔…すればするほど〕越…越…yuè … yuè … ‖ 見れ～見るほどユニークな絵だ 越看越觉得这画独具风格

バー ❶〔酒場〕酒吧jiǔbā ‖ ホテルの～ 饭店里的酒吧 ❷〔棒高跳びの〕〔根〕横杆儿hénggānr

ばあい【場合】 ❶〔…のとき〕时候shíhou; (如果)…的话(rúguǒ)… dehuà ‖ 雨の～は来なくてよい 下雨的话,就不用来了 | どんな～も 无论任何时候 ❷〔事情〕情况qíngkuàng; 局势júshì ‖ それは時と～による 那就要看具体情况了

パーカッション 打击乐器dǎjī yuèqì.（奏者）打击乐队dǎjīyuèduì

パーキング 停车tíngchē ❖ ―エリア:停车场; 停车区 | ―メーター:停车计时器

はあく【把握】（～する）掌握zhǎngwò; 把握bǎwò ‖ 会議の内容がよく～できなかった 没能很好掌握会议内容 | 隅から隅まで～している 掌握得一清二楚

バーゲン 大甩卖dà shuǎimài; 大贱卖dà jiànmài ‖ ～品をあさる 抢购减价商品

バー コード 条形码tiáoxíngmǎ ❖ ―リーダー:条形码阅读器

バージョン 版本bǎnběn ❖ ―アップ:升级(版本)

バースデー 生日shēngri ❖ ―ケーキ:生日蛋糕

パーセント 百分之…bǎi fēn zhī…; 百分率bǎifēnlǜ ‖ 10～割引します 给您便宜百分之十〔打九折〕| 100～受かる 百分之百能考上

パーソナリティー ❶〔個性〕个性gèxìng; 人格réngé ❷〔司会者〕主持人zhǔchírén

ばあたり【場当たり】 临时应付(一时) línshí yìngfu (yìshí); 即席jíxí; 权宜quányí ‖ 政策が～的だ 政策不过是应付一时而已

バーチャル 虚拟(的) xūnǐ (de); 假想(的) jiǎxiǎng (de) ❖ ―リアリティー:虚拟现实

パーツ ⇨ぶひん(部品)

パーティー ❶〔会合〕晚会wǎnhuì; 聚会jùhuì; 宴会yànhuì ‖ ～を開く 设宴; 开晚会 ❷〔グループ〕(小)组(xiǎo)zǔ; (小)队(xiǎo)duì

ハート ❶〔心〕〔颗,片〕心xīn ❷〔トランプ〕红桃hóngtáo ❖ ―形:心形

ハード ❶〔硬い〕硬yìng; 坚硬jiānyìng ❷〔苦しい〕艰苦jiānkǔ; 辛苦xīnkǔ ‖ ～な作業 繁重的活儿 | ～なスケジュール 紧张的日程

パート ❶〔部分〕部分bùfen ‖ 4つの～にわかれる 分成四部分 | アルトの～を歌う 唱女低音部分 ❷〔パートタイム〕半职工作bànzhí gōngzuò ‖ ～を雇う〔募集する〕雇〔招〕临时工

ハードウエア 硬件yìngjiàn

ハード ディスク 硬盘yìngpán

パートナー ❶〔配偶者〕伴侣bànlǚ ‖ 人生の～ 人生的伴侣 ❷〔何かを共にする人〕合作者hézuòzhě; 伙伴儿huǒbànr ❸〔ダンス〕舞伴(儿) wǔbàn(r) ❖ ―シップ:伙伴〔合伙; 合作〕关系

ハードボイルド ❖ ―小説:侦探小说

ハードル ❶〔競技〕跨栏(跑) kuàlán(pǎo).（用具）栏架lánjià ❷〔障害〕障碍zhàng'ài; 难关nánguān ‖ いくつもの～を越える 渡过重重难关

はあはあ 气喘吁吁qìchuǎnxūxū

ハーフ ❶〔半分〕一半儿yíbànr ❷〔混血児〕混血儿hùnxuè'ér ❖ ―コート:短大衣 | ―タイム:中场休息(时间)

ハープ〔把,架〕竖琴shùqín

パーフェクト 完美(的) wánměi (de); 定 十全十美shí quán shí měi

バーベキュー 野外烧烤yěwài shāokǎo

バーベル 杠铃gànglíng

パーマネント 烫发tàngfà

ハーモニー ❶〔調和〕协调xiétiáo; 融合rónghé; 和谐héxié ❷〔音楽〕和声héshēng

ハーモニカ〔只,个〕口琴kǒuqín

パーラー 冷饮店lěngyǐndiàn; 茶座cházuò

バール〔把〕(铁)撬棍(tiě) qiàogùn

バーレーン 巴林Bālín

はい【灰】 灰huī ‖ 死の～ 原子尘

はい【杯】 ❶〔コップ·杯を数える〕杯bēi.（わん）碗wǎn.（スプーン）匙chí ‖ 小さじ1～の砂糖 一小匙糖 | ご飯3～ 三碗饭 ❷〔優勝カップ〕杯bēi

はい【肺】 肺fèi ❖ ―炎:肺炎 | ―がん:肺癌 | ―気腫:肺气肿

はい ❶〔応答〕好hǎo; 唉āi; 到dào; 知道了zhīdao le ‖（出席をとるとき）"到";（呼ばれたとき）"唉" ❷〔肯定〕是(的) shì (de); 对duì ‖「そ

こ(隣の席)あいていますか？」「～，あいています」“(旁边的座位)有人吗？”“没有” ❸〔注意・動作を促す〕好了hǎo le；喂wèi‖～，この本，きみにあげる 喂，这本书送给你｜息を吸って，～，とめて 吸气，好，屏住呼吸

ばい【倍】❶〔2倍〕两倍liǎng bèi‖父は私の～の目方がある 爸爸有我两倍重｜人の～働く 干两个人的活｜～にして返す 加倍回报 ❷〔…倍〕倍bèi‖物価は1年前の1.5～にあがった 物价上涨到一年前的1.5倍

パイ ❶〔食品〕派pài‖アップル～を焼く 做苹果派｜ミート～ 肉派 ❷〔経済〕总额zǒng'é‖～の分け前 利益份额

パイ π〔圆周率符号〕π(yuánzhōulǜ fúhào)

はいあが・る【這い上がる】❶〔はってあがる〕爬上páshang ❷〔抜け出す〕摆脱bǎituō‖どん底から～る 走出绝望的困境

バイアスロン 现代冬季两项xiàndài dōngjì liǎng xiàng；滑雪射击huáxuě shèjī

はいあん【廃案】废案fèi'àn‖～になる 成为废案

はいいろ【灰色】❶〔色〕灰色huīsè ❷〔はっきりしない〕不黑不白bù hēi bù bái ❸〔暗い〕沉闷chénmèn‖～の人生 灰暗的人生

はいいん【敗因】败因bàiyīn

ばいう【梅雨】梅雨méiyǔ ✤—前線：梅雨锋

ハイウエー 高速公路gāosù gōnglù

はいえい【背泳】仰泳yǎngyǒng

はいえき【廃液】废液fèiyè；废水fèishuǐ

ハイエナ 鬣狗liègǒu

はいえん【排煙】❶〔はき出る煙〕废气fèiqì；废烟fèiyān ❷(～する)〔煙を外に出す〕排烟pái yān ✤—装置：排烟系统

ばいえん【煤煙】煤烟méiyān

バイオ 生物shēngwù ✤—ケミカル：生化｜—テクノロジー：生物技术；生物工程

パイオニア 先行者xiānxíngzhě；开拓者kāituòzhě

バイオリニスト 小提琴家xiǎotíqínjiā

バイオリン〔把〕小提琴xiǎotíqín‖～を弾く 拉小提琴

はいか【配下】下属xiàshǔ；手下shǒuxià

はいが【胚芽】胚芽pēiyá ✤—米：胚芽米

ばいか【倍加】(～する)加倍jiābèi；翻了一倍fān-le yí bèi‖鉄の産額が～した 铁产量增加了一倍

ハイカー 徒步旅行者túbù lǚxíngzhě

はいかい【徘徊】(～する)徘徊páihuái；走来走去zǒu lái zǒu qù

ばいかい【媒介】(～する)斡旋wòxuán；中介zhōngjiè‖日本の脳炎はカが～する 日本脑炎是通过蚊子传播的

ばいがく【倍額】两倍价钱liǎng bèi jiàqian‖深夜バスの運賃は通常の～だ 夜班车的票价贵一倍

はいガス【排ガス】尾气wěiqì ✤—規制：限制汽车尾气

はいかつりょう【肺活量】肺活量fèihuóliàng

ハイカラ 时髦shímáo；流行liúxíng；入时rùshí

はいかん【拝観】(～する)参观cānguān；观赏guānshǎng ✤—料：观赏费；门票

はいかん【配管】(～する)配管pèi guǎn；铺设管道pūshè guǎndào ✤—工事：管道工程

はいかん【廃刊】(～する)停刊tíngkān

はいき【排気】(～する)排气páiqì ✤—ガス：尾气｜—管：排气管｜—口：排气口｜—量：排气量

はいき【廃棄】(～する)废弃fèiqì；处理chǔlǐ；废除fèichú‖古い書類を～する 处理旧文件 ✤—物：废物；废品；垃圾

ばいきゃく【売却】(～する)卖掉màidiào；卖出màichu

はいきゅう【配給】(～する)供应gōngyìng；配给pèijǐ；发行fāxíng‖被災者に食料と毛布を～する 供应灾民食品及毛毯 ✤—会社：发行公司

はいきょ【廃虚】〔片〕废墟fèixū

はいぎょう【廃業】(～する)歇业xiēyè

ばいきん【黴菌】细菌xìjūn‖傷口から～が入って化のうした 伤口因细菌感染而化脓了

ハイキング ‖～に行く 去郊游 ✤—コース：郊游〔徒步旅行〕路线

バイキング ❶〔料理〕自助餐zìzhùcān ❷〔歴史〕北欧海盗Běi Ōu hǎidào；维京Wéijīng

バイク〔辆〕摩托车mótuōchē

はいぐうしゃ【配偶者】配偶pèi'ǒu‖～に恵まれる 找到一个好伴侣

はいけい【背景】❶〔背後の景色・事情〕背景bèijǐng‖政治的～ 政治背景 ❷〔書き割り〕布景bùjǐng

はいご【背後】❶〔うしろ〕背后bèihòu；后面hòumian；后方hòufāng‖～に回る 绕到后面｜敵の～を襲う 袭击了敌人后方 ❷〔背景〕幕后mùhòu‖～で操る 幕后操纵 ✤—関係：幕后关系

はいこう【廃校】(～する)闭校bìxiào

はいごう【配合】(～する)调配tiáopèi；搭配dāpèi；配pèi‖この薬にはどんな成分が～されているのですか 这种药都含有什么成分？

ばいこく【売国】卖国màiguó ✤—奴：卖国贼；(中国)汉奸

はいざい【配剤】✤天の—：天意；命运注定

はいざい【廃材】废料fèiliào；废材fèicái

はいざら【灰皿】烟灰缸yānhuīgāng

はいし【廃止】(～する)废除fèichú；废止fèizhǐ

はいしゃ【敗者】失败者shībàizhě ✤—復活戦：双淘汰赛

はいしゃ【廃車】(～する)报废bàofèi‖～を引き取る 回收废车

はいしゃ【歯医者】牙医yáyī

はいしゃく【拝借】(～する)借(用) jiè(yòng)

ばいしゃく【媒酌】(～する)做媒zuòméi‖恩師の～で結婚した 由老师做媒结了婚 ✤—人：媒人

ハイジャック (～する)劫机jiéjī‖飛行機が～にあった 飞机被劫持

はいじゅ【拝受】(～する)收到shōudào

ばいしゅう【買収】(～する)❶〔買いとる〕收买shōumǎi；买下mǎixia；收购shōugòu ❷〔贈賄〕收买shōumǎi‖反対派を～した 收买了反对派 ✤—工作：收买活动

はいしゅつ【排出】(～する)排出páichu；排放páifàng‖二酸化炭素を～する 排放二氧化碳｜老廃物を体外に～する 排出体内废物 ✤—基準

:排放标准
はいしゅつ【輩出】(～する)辈出bèichū；大量涌现dàliàng yǒngxiàn
ばいしゅん【売春】(～する)卖淫màiyín ✣一婦:妓女
はいじょ【排除】(～する)排除páichú ‖ 暴力を～する 除掉暴力行为｜反对派を～する 排斥反对派
ばいしょう【賠償】(～する)赔偿péicháng ‖ 損害を～する 赔偿损失 ✣一金:赔偿金
はいしょく【配色】(～する)配色pèisè
はいしょく【敗色】‖～が濃厚だ 败局已定
はいしん【背信】✣一行為:背信弃义的行为
はいじん【廃人】废人fèirén
ばいしん【陪審】陪审péishěn ✣一員:陪审员 一制度:陪审制度
はいすい【排水】(～する)排水páishuǐ ✣一管:排水管(道)｜一溝:排水沟｜一工事:排水工程
はいすい【廃水】废水fèishuǐ；污水wūshuǐ ‖ 家庭～ 家庭污水｜工場～ 工厂废水
はいすいのじん【背水の陣】定 背水一战bèi shuǐ yí zhàn
ばいすう【倍数】倍数bèishù ✣一体:多倍体
はい・する【廃する】废除fèichú；摈弃bìnqì
はいせき【排斥】(～する)排斥páichì；排挤páijǐ；抵制dǐzhì ‖ 異文化を～する 排斥异国文化
ばいせき【陪席】(～する)陪坐péizuò；陪席péixí ✣一判事:副审判员
はいせつ【排泄】(～する)排泄páixiè ✣一作用:排泄作用｜一物:排泄物
はいぜつ【廃絶】(～する)废弃fèiqì；废除fèichú ‖ 大量破壊兵器を～する 废弃大规模杀伤性武器
はいせん【配線】(～する)布线bù xiàn；配线pèi xiàn；接线jiē xiàn ✣一工事:布线工程｜一図:线路图｜一盤:配线盘
はいせん【敗戦】(～する)战败zhànbài；输shū ✣一国:战败国｜一投手:失败投手
はいぜん【配膳】(～する)摆上〔送上〕饭菜bǎishang〔sòngshang〕fàncài ✣一室:配膳室
はいそ【敗訴】(～する)败诉bàisù ‖ 原告側が～した 原告方败诉了
はいそう【配送】(～する)发送fāsòng ‖ 市内は無料～します 市内免费送货 ✣一係:送货员
ばいぞう【倍増】(～する)倍增bèizēng；翻一番fān yì fān ‖ 所得を～する 收入倍增
はいぞく【配属】(～する)分配fēnpèi ‖ 編集部に～された 被分配到编辑部
ハイソックス〔双,只〕高筒袜gāotǒngwà
はいた【排他】排外páiwài
はいた【歯痛】⇨しつう(歯痛)
はいたい【敗退】(～する)败北bàiběi
ばいたい【媒体】❶〔仲立ち〕媒介méijiè ‖ 活字を～として情報を伝達する 以文字为媒介传达信息 ❷〔物理〕媒质méizhì；介质jièzhì
はいたつ【配達】(～する)送sòng；发送fāsòng；投递tóudì ‖ 手紙がまちがって～された 这封信送错了 ✣一区域:发送地区｜一先:发送目的地；(人)收件人｜一証明書:发送证明书；送货收据
バイタリティー 生气shēngqì；活力huólì
はいち【配置】(～する)摆bǎi；安排ānpái；布置bùzhì ‖ デスクの～をかえる 调整办公桌的摆放位置｜警官を～する 安排警官 ✣一転換:调换部署
ハイチ 海地Hǎidì
はいちょう【拝聴】(～する)聆听língtīng
ハイティーン 青少年qīngshàonián
ハイテクノロジー 高科技gāokējì
はい・でる【這い出る】爬出páchu
はいでん【配電】(～する)供电gōngdiàn；配电pèidiàn ✣一盤:配电盘
ばいてん【売店】小卖部xiǎomàibù；小卖店xiǎomàidiàn ‖ 駅の～ 车站小卖店
はいとう【配当】(～する)❶〔経済〕股利gǔlì；股息gǔxī；红利hónglì ‖ 株の～ 股票的股利｜～を見送る 中止派息 ❷〔競馬〕分红fēnhóng ❸〔割り当てること〕分配fēnpèi ✣一落ち:不分红｜一金:股利；红利
ばいどく【梅毒】梅毒méidú
パイナップル 菠萝bōluó；凤梨fènglí
はいにち【排日】排日pái Rì
はいにん【背任】(～する)渎职dúzhí
ハイネック 高领gāolǐng
ばいばい【売買】(～する)买卖mǎimai ✣一価格:买卖价格｜一契約:买卖合同；买卖契约
バイパス 旁路pánglù ✣一手術:搭桥手术
はいはん【背反】(～する)❶〔もとる〕违反wéifǎn ❷〔哲学〕背反bèifǎn
はいび【配備】(～する)配备pèibèi；部署bùshǔ ‖ ミサイルを～する 部署导弹
ハイヒール 高跟鞋gāogēnxié
ハイビジョン 高清晰度电视gāoqīngxīdù diànshì
ハイビスカス 木槿属mùjǐnshǔ
はいひん【廃品】废品fèipǐn；废物fèiwù
はいふ【配布】(～する)发fā；散sàn
はいふ【配付】(～する)分发fēnfā
パイプ ❶〔キセル〕〔根〕烟斗yāndǒu.(巻きタバコ用の)烟嘴儿yānzuǐr ‖ ～をふかす 吸烟斗 ❷〔管〕〔根〕管(儿)guǎn(r)；〔条〕管道guǎndào ❸〔連絡〕沟通渠道gōutōng qúdào ‖ ～の役割を果たす 起桥梁作用 ✣一オルガン:管风琴｜一役:起沟通作用(的人)｜一ライン:管道
はいぶつ【廃物】废物fèiwù ‖ ～の不法投棄 非法倾倒废物 ✣一処理:废物处理｜一利用:废物利用
ハイブリッド 混杂hùnzá；混合hùnhé ✣一カー:混合动力(汽)车
バイブル ❶〔権威書〕经典jīngdiǎn ❷〔キリスト教〕圣经Shèngjīng
バイブレーター 振颤器zhènchànqì
ハイフン 连字符liánzìfú
はいぶん【配分】(～する)分fēn；分配fēnpèi ‖ 能力に応じて仕事を～する 按能力分配工作｜予算を～する 分配预算
はいべん【排便】(～する)排便páibiàn
はいぼく【敗北】(～する)失败shībài；输shū
はいめい【拝命】(～する)受命shòumìng
ばいめい【売名】✣一行為:沽名钓誉的行为
はいめん【背面】✣一跳び:背越〔跃〕式跳高
ハイヤー 包车bāochē；包租车bāozū chē
バイヤー 买方mǎifāng；买主mǎizhǔ

はいやく【配役】角色分配juésè fēnpèi
ばいやく【売約】(～する)‖～済み 已订购
ばいやく【売薬】成药chéngyào
はいゆ【廃油】废油fèiyóu
はいゆう【俳優】演员yǎnyuán ✤人気―:当红影星
ばいよう【培養】(～する)培养péiyǎng ✤―液:培养液｜―土:培养土｜純粋―:(单)纯培养
ハイライト ❶(ニュースなどの)热点rèdiǎn‖ニュース～ 重要新闻 ❷(写真・美術)亮色liàngsè
はいらん【排卵】(～する)排卵páiluǎn ✤―期:排卵期｜―日:排卵日
はいりこ・む【入り込む】进入jìnrù; 挤入jǐrù
ばいりつ【倍率】❶(光学)倍率bèilǜ ❷(試験などの)竞争率jìngzhēnglǜ
はいりょ【配慮】(～する)关怀guānhuái; 考虑kǎolǜ‖ご～に感謝いたします 非常感谢您的关怀｜高齢者への～ 为老年人考虑
バイリンガル 用两种语言(的人) yòng liǎng zhǒng yǔyán (de rén)
はい・る【入る】❶(中へ)进jìn; 进入jìnrù; 进去jìnqu‖お～りください 请进｜～っていいですか 我可以进来〔去〕吗？｜靴に水が～った 鞋里进水了｜人の傘に～る 躲进别人的伞下｜早くふろに～りなさい 快去洗澡｜目にごみが～った 眯眼了｜(トイレで)～ってます 有人 ❷(加わる)进jìn; 进入jìnrù; 加入jiārù‖会社に～る 进公司｜実業界に～る 进入企业家的行列｜学校に～る 入学｜国民年金に～る 加入国民养老金 ❸(おさまる)容纳róngnà; 放fàng; 装zhuāng‖このホールは3000人～る 这个大厅能容纳3000人｜この本はポケットに～る 这本书能放进兜里 ❹(含む)包含bāohán; 加jiā; 添tiān‖砂糖の～った牛乳 加糖牛奶｜この絵には先生の手が～っている 这幅画经老师修改了 ❺(みなす)算suàn‖この程度のことは苦労のうちに～らない 这点儿小事不算辛苦 ❻(手元に届く)得到dédào; 弄到nòngdào; 到dào‖票が～る 得票｜いい本が手に～った 弄到了一本好书｜いま～ったニュース 刚刚得到的消息 ❼(ある状態になる)有yǒu; 进入jìnrù‖コップにひびが～った 杯子有了裂缝｜明日は予定が～っている 明天有事｜30分の休憩が～る 有30分钟的休息｜電源が～っていない 没插电源｜討論に～る 进行讨论｜新しい時代に～る 迈入新的时代｜雨期に～っている 正值雨期｜物語が佳境に～ってきた 故事渐入佳境 ❽(慣用表現)‖うわさが耳に～る 听到了谣言｜偶然目に～る 偶然看见｜勉強に身が～らない 无法集中精力学习｜応援に熱が～る 拼命摇旗呐喊
はいれつ【配列】(～する)排列páiliè‖五十音順に～する 按五十音图的次序排列
パイロット ❶(飛行機の)飞行员fēixíngyuán ❷(水先案内人)引航人yǐnhángrén
パイロット ランプ 指示灯zhǐshìdēng
バインダー 活页文件夹huóyè wénjiànjiā
は・う【這う】❶(腹ばいで進む)爬行páxíng; 匍匐而行púfú ér xíng ❷(植物のつるが)爬pá
ハウス ダスト 室内的尘埃shìnèi de chén'āi; 尘螨chénmǎn
パウダー ❶(粉末)粉fěn; 粉末fěnmò ❷(おしろい)扑粉pūfěn; 香粉xiāngfěn ✤―スノー:细雪｜―ファンデーション:粉质粉底
バウンド (～する)弹跳tántiào; 弹起tánqi
はえ【栄え】光荣guāngróng
はえ【蠅】〔只〕苍蝇cāngying ✤―たたき:苍蝇拍
はえぎわ【生え際】发际fàjì
はえぬき【生え抜き】定土生土长tǔ shēng tǔ zhǎng; 地道dìdao‖～の社員 老职员
は・える【生える】长zhǎng; 发fā; 生shēng‖雑草が～える 长杂草了｜カビが～える 发霉
は・える【映える】❶(光に照らされて輝く)照zhào; 映照yìngzhào ❷(引き立って見える)显眼xiǎnyǎn; 夺目duómù‖青い海に白い船体が～える 白色的船在蔚蓝的大海里显得很美
はおと【羽音】振翅声zhènchìshēng
はお・る【羽織る】披上pīshang
はか【墓】〔座〕坟fén; 坟墓fénmù‖～を建てる 修坟 ✤―石:墓碑
ばか【馬鹿】❶(愚かなこと・人)傻瓜shǎguā; 糊涂hútu‖～野郎 你这个浑蛋！｜～だねきみも 你真傻｜～につける薬はない 糊涂得不可救药｜～とはさみは使いよう 定人尽其材,物尽其用 ❷(常軌を逸していること)荒唐huāngtang‖そんな～な話があるものか 哪儿会有这种离谱的事儿？｜～を言うな 不要胡说八道｜～なまねをするな 不要做傻事 ❸(役に立たない)‖鼻が～になった 鼻子不灵了｜このねじは～になっている 这个螺丝不好使了 ❹(軽視)‖毎日のむだ使いは～にならない 不能小看每天的浪费 ❺(損をする)‖～をみた 吃亏；上当 ❻(程度が甚だしいこと)非常fēicháng；过度guòdù‖～騒ぎする 大吵大闹｜～高いブランド品 极其高档的名牌货｜～に蒸し暑い 异常闷热
はかい【破壊】(～する)破坏pòhuài; 毁坏huǐhuài‖オゾン層の～が進む 臭氧层不断地遭到了破坏 ✤―力:破坏力｜価格―:破坏市场价格
はがいじめ【羽交い締め】反剪双臂fǎnjiǎn shuāngbì
はがき【葉書】〔张〕明信片míngxìnpiàn‖～で知らせる 发明信片通知
はかく【破格】破格pògé; 破例pòlì‖～の待遇 特殊的待遇｜～の昇進をする 破格提升
はが・す【剝がす】剥下bāoxia; 揭下jiēxia‖ポスターが～された 海报被人揭走了
ばかず【場数】‖～を踏んでいる 很有经验
はかせ【博士】博士bóshì; 博学之士bóxué zhī shì‖物知り～ 知识渊博的人
ばかぢから【馬鹿力】牛劲niújìn; 傻劲儿shǎjìnr‖～がある 有蛮劲｜～を出す 使出牛劲
ばかていねい【馬鹿丁寧】过于恭敬guòyú gōngjìng‖～な応対 过于恭敬的态度
はかど・る【捗る】进展顺利jìnzhǎn shùnlì
はかな・い【儚い】❶(無常な)短暂duǎnzàn; 虚幻无常xūhuàn wúcháng‖～い生涯を閉じる 结束了短暂的一生 ❷(当てにならない)靠不住kàobuzhù‖～い望み 奢望
はがね【鋼】钢gāng; 钢铁gāngtiě
はかば【墓場】坟地féndì; 墓地mùdì
はかばかし・い 进展顺利jìnzhǎn shùnlì; 如意rúyì‖商売は～くない 买卖不如意

ばかばかし・い【馬鹿馬鹿しい】❶〔くだらない〕荒唐huāngtang; 愚蠢yúchǔn; ‖ ～い話 傻话 ❷〔程度が甚だしい〕过分guòfèn; 厉害lìhai

はかまいり【墓参り】(～する)上坟shàngfén; 扫墓sǎomù ‖ 父の～に出かけた 我去给父亲扫墓

はがみ【歯噛み】(～する)切齿qièchǐ; 咬牙yǎoyá ‖ ～して悔しがる 气得咬牙切齿

はがゆ・い【歯痒い】令人着急lìng rén zháojí; 让人不耐烦ràng rén bú nàifán

はからい【計らい】处理chǔlǐ; 安排ānpái; 关照guānzhào ‖ いきな～ 善解人意的安排

はから・う【計らう】❶〔相談する〕商谈shāngtán; 商量shāngliang ❷〔適切な処置をする〕处理chǔlǐ; 安排ānpái

はからずも【図らずも】没想到méi xiǎngdào; 不料búliào

はかり【秤】〔种〕秤chèng; 〔台〕天平tiānpíng ‖ ～にかける 称重量; 喻 衡量利害得失

はかり【量り・計り・測り】量liáng; 称chēng; 计量jìliàng ❖ 一売り:称量出售

-ばかり ❶〔だいたいの分量・時間・距離〕左右zuǒyòu; 上下shàngxià ‖ 15分～待った 等了十五分钟左右 ❷〔ただ…だけ〕只zhǐ; 净jìng; 唯有wéiyǒu ‖ 自分のこと～考える 只想着自己的事 | うそ～言う 净撒谎 | 社長とは名～だ 经理只是名义上的 ❸〔動作が完了してまもない〕刚gāng; 刚才gāngcái ‖ 彼はさっき帰った～だ 他刚回去 ❹〔動作がすぐにも実行される〕快要kuàiyào; 眼看就yǎnkàn jiù ‖ 泣きださん～の顔 眼看就要哭出来的样子 ❺〔さも…のように〕好像hǎoxiàng; 仿佛fǎngfú ‖ 相手は私が悪いと言わん～の口調だった 对方的口气好像是说我不对似的 ❻〔悪い結果を導く〕只因zhǐ yīn ‖ 判をおした～に保証人にされてしまった 只因盖了章,就被作为保证人了

-ばかりか 岂止qǐzhǐ; 岂但qǐdàn; 不但…而且…búdàn … érqiě … ‖ 財産～友達まで失ってしまった 不但失去了财产而且还失去了朋友

はかりしれな・い【計り知れない】不可估量bùkě gūliang ‖ ～い損害 不可估量的损失

はか・る【図る】谋求móuqiú; 企图qǐtú ‖ 私利を～る 图谋私利 | 自殺を～る 寻死 | 相互理解を～る 谋求相互理解 | 便宜を～る 提供方便

はか・る【計る・量る・測る】❶〔測定する〕秤chēng; 量liáng; 测量cèliáng ‖ 雨量を～る 测降雨量 | 患者の体温を～る 给患者量体温 ❷〔おしはかる〕揣测chuǎicè; 捉摸zhuōmō ‖ 真意を～る 揣摸真正的用意

はか・る【諮る】磋商cuōshāng; 咨询zīxún; 征询zhēngxún ‖ 委員会に～る 征询委员会的意见

はが・れる【剝がれる】剥落bōluò ‖ 塗料が～れた 涂料剥落了 | つめが～れる 指甲掉了

はがん【破顔】‖ ～一笑 破颜一笑

はき【破棄】(～する)❶〔条約・約束をとり消す〕作废zuòfèi; 撕毁sīhuǐ ‖ 条約は～された 条约被废除了 | 約束を～する 毁约 ❷〔判決をとり消す〕撤消chèxiāo; 取消qǔxiāo

はき【覇気】雄心xióngxīn; 进取心jìnqǔxīn ‖ ～がない 没有热情

はぎ【萩】胡枝子húzhīzi

はきけ【吐き気】恶心ěxin ‖ ～を催す 想吐 | ～がする 觉得恶心

はきごこち【履き心地】‖ ズボンの～はいかがですか 这条裤子穿起来舒服吗？

はぎしり【歯軋り】(～する)磨牙móyá; 定 咬牙切齿yǎo yá qiè chǐ

パキスタン 巴基斯坦Bājīsītǎn

はきす・てる【吐き捨てる】吐出来tǔchulai ‖ ～てるように言う 咬牙切齿地说

はきだ・す【吐き出す】❶〔口から吐いて出す〕吐出tǔchu ❷〔内から外に出す〕吐出来tǔchulai; 喷出pēnchu ‖ たえず黒煙を～す 不断地喷出黑烟 | 不満を一気に～した 一口气儿地发泄了不满 | ヘソクリを～す 把私房钱全部拿出来

はきだめ【掃き溜め】垃圾堆lājīduī ‖ ～に鶴(つる) 定 鸡窝里出凤凰; 定 鹤立鸡群

はきちが・える【履き違える】❶〔靴などを〕穿错chuāncuò ❷〔意味を〕误解wùjiě ‖ 自由と身勝手とを～える 把自由和放纵混为一谈

はぎと・る【剝ぎ取る】❶〔表面についているものをはがす〕剥掉bōdiào; 揭下jiēxia ‖ 商品の値札を～る 揭下商品的标价牌 ❷〔身につけているものを奪いとる〕扒下bāxia

はきはき 干脆gāncuì; 爽快shuǎngkuai; 利落lìluo ‖ ～返事をする 回答得很干脆

はきもの【履き物】鞋类xiélèi

ばきゃく【馬脚】‖ ～をあらわす 露马脚

はきゅう【波及】(～する)波及bōjí; 影响yǐngxiǎng

バキュームカー 吸粪车xīfènchē

はきょく【破局】悲惨的结局bēicǎn de jiéjú; (男女)分手(nánnǚ) fēnshǒu ‖ 結婚生活は,早くも～を迎えた 婚姻很快就破裂了

はぎれ【歯切れ】口齿kǒuchǐ; 语气yǔqì ‖ ～よく話す 口齿清楚地说话 | ～が悪い 讲话吞吞吐吐

はぎれ【端切れ】〔块〕布头bùtóu

は・く【吐く】❶〔口から外に出す〕(自分の意志で)吐tǔ. (自然に)吐tù ‖ 路上につばを～くな 不要随地吐痰 | 血を～く 吐血 | 息を～く 呼气 ❷〔吐露する〕吐露tǔlù; 说出shuōchu ‖ 本音を～く 吐露了真心话 | 弱音を～く 叫苦 ❸〔中のものを外に出す〕喷出pēnchu; 排出páichu ‖ 煙突が煙を～いている 烟囱冒着烟

はく【拍】节拍jiépāi

は・く【穿く・履く】穿chuān ‖ スカート(ズボン)を～く 穿裙子(裤子) | くつを～く 穿鞋子

は・く【掃く】扫sǎo; 打扫dǎsǎo ‖ 部屋を～く 打扫房间 | ごみを～き寄せる 把垃圾扫到一起 | ～いて捨てるほど 多得数不清

はく【箔】❶〔金属〕箔bó; 金属箔片jīnshǔ bópiàn ❷〔値打ち〕身价shēnjià ‖ ～をつける 镀金 | 学者としての～がついた 获得了作为学者的地位

-はく【泊】宿xiǔ; 夜yè ‖ 1～する 住一宿 | 2～3日の旅 三日游

は・ぐ【剝ぐ】❶〔離しとる〕剥去bāoqu ❷〔無理やりとる〕扒下bāxia ‖ 布団を～ぐ 掀开被子

ばく【貘】貘mò

はくあい【博愛】博爱bó'ài ‖ ❖ 一主義:博爱主义

はくい【白衣】白衣báiyī; 白大褂báidàguà ‖ ～の天使 白衣天使; 护士

ばくおん【爆音】❶〔大きな音〕轰鸣声hōngmíngshēng‖ジェット機の～ 喷气式飞机的轰鸣声 ❷〔爆発する音〕爆炸声bàozhàshēng
ばくが【麦芽】麦芽màiyá ❖一糖:麦芽糖
はくがい【迫害】(～する)迫害pòhài‖～される 遭到迫害
はくがく【博学】博学bóxué
はくがんし【白眼視】(～する)冷眼看待lěngyǎn kàndài; 白眼相看báiyǎn xiāngkàn
はぐき【歯茎】牙床yáchuáng; 牙龈yáyín
はぐく･む【育む】❶〔養い育てる〕抚养fǔyǎng; 养育yǎngyù ❷〔大切に守り大きくする〕培养péiyǎng‖子どもの夢を～む 培养孩子们的远大理想
ばくげき【爆撃】(～する)轰炸hōngzhà ❖一機:轰炸机
はくさい【白菜】白菜báicài
はくし【白紙】❶〔何も書かれていない紙〕空白的纸kòngbái de zhǐ‖～の答案を出した 交了白卷 ❷〔元の状態〕‖契約を～にする 取消合同
はくし【博士】博士bóshì‖医学～ 医学博士 ❖一課程:博士课程｜一号:博士学位
はくしき【博識】知识渊博zhīshi yuānbó
はくじつ【白日】❶〔太陽〕‖～の下にさらされる 大白于天下 ❷〔昼間〕白天báitian
はくしゃ【拍車】马刺mǎcì‖～をかける 加剧；加速；定 快马加鞭
はくじゃく【薄弱】❶〔弱い〕薄弱bóruò; 脆弱cuìruò; 软弱ruǎnruò‖意志～ 意志薄弱 ❷〔確かでない〕‖根拠が～だ 没有可靠的依据
はくしゅ【拍手】(～する)拍手pāishǒu; 鼓掌gǔzhǎng‖新入生を～で迎える 鼓掌迎接新生｜大きな～がわく 响起热烈的掌声 ❖一喝采:拍手叫好
はくしょ【白書】白皮书báipíshū
はくじょう【白状】(～する)坦白tǎnbái; 招认zhāorèn‖洗いざらい～する 全都坦白了；彻底招认了｜さっさと～しろ 快老实交代
はくじょう【薄情】无情wúqíng; 薄情bóqíng‖そんな～な 别那么无情嘛！
ばくしょう【爆笑】(～する)哄堂大笑hōngtáng dà xiào; 哄笑hōngxiào‖教室中～の渦に包まれた 整个教室发出一阵哄笑
はくしん【迫真】逼真bīzhēn
はくじん【白人】白人báirén
ばくしん【驀進】(～する)挺进tǐngjìn; 直奔zhíbèn; 猛冲měngchōng
はく･する【博する】博得bódé; 受到shòudào‖大好評を～する 受到广泛好评
はくせい【剝製】剥制标本bōzhì biāoběn
ばくぜん【漠然】模糊móhu; 笼统lǒngtǒng; 朦胧ménglóng‖質問が～としすぎている 这个问题过于笼统｜～とした不安 一种莫名其妙的不安
ばくだい【莫大】巨大jùdà; 庞大pángdà‖広告宣伝に～な費用をかける 花巨额资金做广告
はくだつ【剝奪】(～する)剥夺bōduó; 取消qǔxiāo‖資格を～される 资格被取消了
ばくだん【爆弾】〔颗,枚,个〕炸弹zhàdàn‖～を仕かける 安置炸弹 ❖一発言:令人震惊的发言
ばくち【博打･博奕】❶〔かけ事〕赌博dǔbó‖～を打つ 赌博；赌钱 ❷〔冒険的試み〕冒险màoxiǎn‖大～を打つ 下个大赌注；定 孤注一掷
ばくちく【爆竹】爆竹bàozhú; 鞭炮biānpào‖～を鳴らして新年を祝う 放鞭炮迎接新年
はくちず【白地図】〔张〕空白地图kòngbái dìtú
はくちゅう【白昼】白昼báizhòu; 白天báitian; 白日báirì‖～堂々盗まれた 大白天被盗了
はくちゅうむ【白昼夢】定 白日做梦bái rì zuò mèng; 白日梦báirìmèng
はくちゅう【伯仲】(～する)伯仲bózhòng; 定 不相上下bù xiāng shàng xià‖勢力が～している 势力不相上下；势均力敌
はくちょう【白鳥】天鹅tiān'é
バクテリア 细菌xìjūn
はくないしょう【白内障】白内障báinèizhàng
はくねつ【白熱】(～する)❶〔激しくなる〕激烈起来jīlièqilai; 白热化báirèhuà‖～した議論 热烈的讨论｜競争が～化した 竞争趋于白热化 ❷〔高温になる〕白热báirè ❖一灯:白炽灯
ばくは【爆破】(～する)爆破bàopò; 炸毁zhàhuǐ; 炸坏zhàhuài‖建物は爆弾でこっぱみじんに～された 楼房被炸弹炸得粉碎
ばくはつ【爆発】(～する)❶〔物理〕爆炸bàozhà.〔火山が〕爆发bàofā‖感染が～的に広まる 感染急剧蔓延开来 ❷〔感情などが〕爆发bàofā‖住民の怒りは～寸前だ 居民的愤怒眼看就要爆发了 ❖一音:爆炸声｜一物:爆炸物
はくひょう【薄氷】‖～を踏む思い 定 如履薄冰
ばくふう【爆風】爆炸冲击波bàozhà chōngjībō
はくぶつかん【博物館】博物馆bówùguǎn
はくぼく【白墨】〔根,支〕粉笔fěnbǐ
はくまい【白米】白米báimǐ
はくめい【薄命】薄命bómìng; 短命duǎnmìng
はくもくれん【白木蓮】玉兰yùlán
ばくやく【爆薬】炸药zhàyào; 火药huǒyào
はくらい【舶来】进口jìnkǒu ❖一品:进口货
はぐらか･す 岔开chàkāi; 敷衍fūyan; 支支吾吾zhīzhīwúwú‖質問を～す 对提问支支吾吾
はくらく【剝落】(～する)剥落bōluò
はくらん【博覧】❖一強記:定 博闻强识
はくり【剝離】(～する)剥离bōlí
はくり【薄利】薄利bólì ❖一多売:薄利多销
はくりょく【迫力】气魄qìpò;〔逼人的〕气势〔bī rén de〕qìshì‖～に欠ける 缺乏气势
はぐるま【歯車】齿轮chǐlún‖～がかみ合う 齿轮咬合得很好｜～が狂う 出差错
はぐ･れる 失散shīsàn; 走散zǒusàn‖人ごみの中で友人と～れてしまった 和朋友在人群中走散了｜群れから～れた鳥 离了群的鸟
ばくろ【暴露】(～する)揭露jiēlù; 曝光bàoguāng; 暴露bàolù‖業界の実態を～する 揭露行业的内幕 ❖一記事:曝光〔揭露性〕报道
はくロシア【白ロシア】⇨ベラルーシ
はけ【刷毛】〔把〕刷子shuāzi; 毛刷máoshuā
はけ【捌け】❶〔水の〕排水pái shuǐ; 排泄páixiè‖水～が悪い 排水不畅 ❷〔品物の〕销路xiāolù; 销势xiāoshì‖商品の～がいい 产品销路好
はげ【禿げ】秃tū‖頭に大きな～がある 头发秃了一大块 ❖一頭:秃头；光头｜一山:秃山
はげ【剝げ】剥落(的部分) bōluò (de bùfen)

はけぐち【捌け口】❶〔感情の〕发泄的对象〔机会〕fāxiè de duìxiàng[jīhuì] ‖ 不満の～を求める 寻求发泄不满的对象 ❷〔水の〕排水口páishuǐkǒu ❸〔品物の〕销路xiāolù

はげし・い【激しい】❶〔勢いが強い〕激烈jīliè；强烈qiángliè ‖ ～い怒り 强烈的愤怒｜～い運動 剧烈运动｜～い攻撃を受ける 遭受猛烈的攻击｜動悸(どうき)が～くなる 心跳加快｜～く非難する 进行严厉的指责｜～い気性 性格刚烈 ❷〔甚だしい〕非常fēicháng；厉害lìhai；严重yánzhòng ‖ 人見知りが～い 非常认生｜損傷が～い 损坏严重｜朝晩の温度差が～い 早晚温差很大 ❸〔頻繁である〕频繁pínfán ‖ 車の往来が～い 车辆穿梭不息｜変化の～い時代 瞬息万变的时代

はげたか【禿鷹】〔只〕坐山雕zuòshāndiāo

バケツ 水桶shuǐtǒng ‖ ～に水をくむ 打桶水 ❖ 一リレー:传递水桶

ばけのかわ【化けの皮】画皮huàpí；假面具jiǎmiànjù；狐狸尾巴húli wěiba ‖ ～がはがれる 露出狐狸尾巴；㊂原形毕露｜～をはがす 揭穿假面具

はげま・す【励ます】❶〔激励する〕鼓励gǔlì；鼓舞gǔwǔ ‖ 自信をもつよう友人を～す 鼓励朋友要有信心 ❷〔強める〕‖ 声を～す 提高嗓门儿

はげ・む【励む】刻苦kèkǔ；努力nǔlì ‖ 学業に～む 刻苦学习｜仕事に～む 勤奋工作

ばけもの【化け物】鬼怪guǐguài；妖怪yāoguai；怪物guàiwu

は・ける【捌ける】❶〔水が〕排出去páichuqu；排泄páixiè ❷〔品物が〕销路好xiāolù hǎo；畅销chàngxiāo ‖ このメーカーの品物はよく～ける 这个厂家的商品销路很好

は・げる【禿げる】❶〔頭髪が〕秃tū；秃顶tūdǐng ‖ 最近頭のてっぺんが～げてきた 最近开始谢顶了 ❷〔山が〕秃tū

は・げる【剝げる】❶〔はがれる〕剥落bōluò；脱落tuōluò ‖ めっきが～げる 镀层脱落；㊂显形；现出原形 ❷〔あせる〕退色tuìshǎi；褪色tuìshǎi

ば・ける【化ける】❶〔変身する〕变成biànchéng；化作huàzuò ‖ キツネが娘に～ける 狐狸变成了一个姑娘 ❷〔別人を装う〕冒充màochōng；假冒jiǎmào；改扮gǎibàn ‖ 記者に～けて会見場に潜り込む 冒充记者混进记者招待会 ❸〔違うものになる〕变成biànchéng ‖ 給料の大半が服に～けてしまう 大部分工资花在买衣服上

はけん【派遣】(～する)派pài；派遣pàiqiǎn ‖ 県から～された職員 县政府派来的职员｜救助隊を～する 派遣救援队 ❖ 一会社:人才派遣公司

はけん【覇権】❶〔権力〕霸权bàquán ‖ ～を握る 掌握霸权 ❷〔優勝の栄誉〕冠军(的荣耀) guànjūn (de róngyào) ‖ アジアの～をかけてたたかう 为争夺亚州冠军而战

ばけん【馬券】〔张〕马票mǎpiào；赛马彩票sàimǎ cǎipiào ❖ 一売り場:赛马投注站

はこ【箱】❶〔入れ物〕(大)箱子xiāngzi. (小)盒子hézi ‖ 本を～に詰める 往箱子里装书 ❷〔助数詞〕箱xiāng；盒hé ‖ タバコ1～ 一盒香烟

はごたえ【歯応え】❶〔かんだ感覚〕嚼头jiáotou ❷〔反応〕劲头jìntóu；劲儿jìnr ‖ ～のある相手 值得一拼的对手

はこづめ【箱詰め】(～する)装箱zhuāng xiāng；装盒zhuāng hé ‖ トマトを～して発送する 把西红柿装箱发送出去

はこにわ【箱庭】园林盆景yuánlín pénjǐng

はこび【運び】❶〔進み方・進め方〕进度jìndù；进展jìnzhǎn ‖ 仕事の～が遅い 工作进度迟缓｜話の～がうまい 很懂得说话的技巧 ❷〔動かし方〕动作dòngzuò；姿态zītài ‖ 上品な足の～ 优美的步姿｜力強い筆の～ 笔法苍劲 ❸〔段階〕阶段jiēduàn ‖ 正式調印の～となった 终于正式签字了

はこ・ぶ【運ぶ】❶〔移す〕搬bān；搬运bānyùn；运输yùnshū ‖ 重い荷物を～ぶ 搬重行李｜ゾウを日本に～ぶ 把大象运到了日本｜担架で医務室に～ばれた 被人用担架抬到医务室去了｜料理が～ばれてきた 菜肴端上桌来 ❷〔物事が進む〕进展jìnzhǎn；进行jìnxíng；开展kāizhǎn ‖ 万事スムーズに～んでいる 一切都进展顺利｜秘密裏に事を～ぶ 秘密进行 ❸〔出かける〕跑pǎo；去qù；来lái ‖ 何度も足を～ぶ 跑了好几趟 ❹〔道具を使う〕动dòng；用yòng ‖ 筆を～ぶ 动笔

バザー 义卖会yìmàihuì ‖ ～を開く 举办义卖会

はざかいき【端境期】青黄不接的季节qīng huáng bù jiē de jìjié

ぱさぱさ (～する)干巴巴gānbābā ‖ ～のパン 干巴巴的面包

はさま・る【挟まる】❶〔物の間に〕夹jiā ‖ 魚の骨が歯に～った 鱼刺塞在[夹在]牙缝里了｜かばんがドアに～った 包被车门夹住了 ❷〔人の間に〕夹jiā ‖ 上司と部下の間に～る 夹在上级和部下之间

はさみ【鋏・螯】❶〔切る道具〕〔把〕剪子jiǎnzi；剪刀jiǎndāo ‖ 木に～を入れる 修剪树枝 ❷〔パンチ〕剪票夹jiǎnpiàojiā ❸〔エビ・カニなどの〕螯áo；钳子qiánzi ‖ カニの～ 蟹爪；蟹钳

はさみうち【挟み撃ち】(～する)夹击jiājī

はさ・む【挟む】❶〔間に入れる〕夹jiā；插chā ‖ 異論を～む余地はない 无可挑剔｜仕事に私情を～む 在工作中掺杂个人感情｜人の話に口を～む 插嘴 ❷〔両側から押さえる〕夹jiā；挤jǐ ‖ 体温計をわきの下に～む 把体温表夹在腋下｜扉に指を～まれないように 注意不要被门夹了手 ❸〔隔てる〕隔gé ‖ 道路を～んで向かい合う 隔路相对

はざわり【歯触り】‖ ～がよい 口感不错

はさん【破産】(～する)破产pòchǎn ‖ ～寸前に追い込まれた 濒临破产｜～を申し立てる 申请破产 ❖ 一管財人:破产管理人｜一宣告:宣告破产

はし【端】❶〔へり・さき〕边(儿) biān(r)；端duān ‖ 道の～に寄る 往路边儿靠(一靠)｜視界の～ 视野的尽头 ❷〔一部分〕一部分yí bùfen；片断piànduàn ‖ 言葉の～をとらえる 抓住只言片语 ❸〔初め〕开头kāitóu ‖ 文学全集を～から読んでいく 从头阅读文学全集

はし【箸】〔双,只〕筷子kuàizi ‖ ～をとる 动筷子｜～を置く 放下筷子；吃完｜～が進まない 不想吃｜～が転んでもおかしい年ごろ 看什么都觉得好玩儿的年龄｜～にも棒にもかからない 不值一提 ❖ 一置き:筷子架｜一立て:筷子桶｜とり一:公筷

はし【橋】〔座〕桥qiáo；桥梁qiáoliáng ‖ 洪水で～が流れる 桥梁被洪水冲走｜川に～をかける 在河上架桥｜危ない～を渡る 冒风险 ❖ 一げた:桥架

はじ【恥】耻辱chǐrǔ；廉耻liánchǐ；羞耻xiūchǐ ‖ 内輪の～をさらす 家丑外扬｜人前で大～をかく 在

人前丢了大丑｜～を忍んでお願いする 只好忍辱求情｜～をすすぐ 雪耻｜～も外聞もない 不顾羞耻；不顾体面｜聞くは一時の～ 问是一时之耻

はじい·る【恥じ入る】**万分羞愧**wànfēn xiūkuì ‖自分の愚かさに～るばかりだ 我为自己的愚蠢感到万分惭愧

はしか【麻疹】**麻疹**mázhěn；**疹子**zhěnzi ‖～にかかる 出麻疹；出疹子

はじ·く【弾く】❶〔打つ〕**弹**tán ‖おはじきを～く 弹弹子儿｜～かれたように立ちあがった 一下子蹦了起来 ❷〔はねのける〕**排斥**páichì；**拒绝**jùjué ‖この素材は水を～く 这种材料防水 ❸〔計算する〕‖そろばんを～く 拨算盘；打算盘

はしくれ【端くれ】‖物書きの～ 算是个笔杆子

はしけ【艀】**驳船**bóchuán

はじ·ける【弾ける】❶〔膨張して割れる〕**裂开**lièkāi；**爆开**bàokāi ‖バブルが～ける 泡沫经济崩溃 ❷〔勢いよく音などが起こる〕**迸发**bèngfā ‖笑いが～ける 迸发出笑声

はしご【梯子】❶〔段〕〔架〕**梯子**tīzi ‖～をかける 搭梯子 ❷(～する)‖絵画展の～をする 画展参观了一家又一家 ❖—車:云梯车

はじしらず【恥知らず】**不知廉耻**bù zhī liánchǐ；㊖**没羞没臊**méi xiū méi sào；**厚脸皮**hòuliǎnpí ‖～にもほどがある 太不知廉耻了

はしたな·い **轻浮**qīngfú；**没有礼貌**méiyou lǐmào ‖～い口をきくんじゃない （你）嘴干净点儿

ばじとうふう【馬耳東風】**耳旁风**ěrpángfēng ‖～と聞き流す 当耳旁风

はしばし【端端】‖言葉の～ 说话的细节

はじまり【始まり】**开始**kāishǐ；**开端**kāiduān；**起因**qǐyīn ‖うそつきは泥棒の～ 撒谎是偷盗的开始｜事の～ 事情的起因｜宇宙の～ 宇宙的起源

はじま·る【始まる】**开始**kāishǐ；**始于**shǐyú ‖会議はまだ～っていない 会议还没有开始｜学校はいつから～るの？ 什么时候开学？｜いまさら嘆いても～らない 事到如今哭也没用

はじめ【始め·初め】❶〔発端·最初〕**开端**kāiduān；**开头**kāitóu；**起初**qǐchū ‖年の～ 年初｜何事も～が大事だ 任何事情开头都很重要｜まず～に 首先 ❷〔…を中心として〕**以…为首**yǐ … wéishǒu

はじめて【初めて】❶〔最初に〕**头一回**tóu yī huí；**第一次**dì yī cì；**初次**chū cì ‖この道は～通る道だ 这条路头一回走｜中国に来たのは～です 我是第一次来中国 ❷〔そのときになってようやく〕**才**cái ‖事ここに至って～事態の重大さに気づいた 事情到了这个地步才发现事态的严重性

はじ·める【始める】❶〔開始する〕**开始**kāishǐ；**开创**kāichuàng ‖独立してレストランを～めることにした 决定自己开业经营餐馆｜では授業を～めます 现在开始上课 ❷〔…し始める〕**开始**kāishǐ；**…起来…**qilai ‖サクラが咲き～めた 樱花开了

ばしゃ【馬車】**马车**mǎchē

はしゃ·ぐ **嬉闹**xīnào；**闹腾**nàoteng ‖調子にのって～ぎすぎた 情绪高涨有点儿闹腾过头儿了

パジャマ〔套〕**睡衣**shuìyī

はしゅつ【派出】❖—所:派出所

ばじゅつ【馬術】❖—競技:马术比赛

ばしょ【場所】❶〔ところ〕**地点**dìdiǎn；**地方**dìfang ‖老後をすごすにはいい～だ 是个养老的好地方｜集会～はどこですか 集会地点在哪里呢｜ピアノが～をふさいでいる 钢琴把地方都占了｜～をあけてくれ 把地方腾出来｜元の～に戻す 放回原处 ❷〔相撲〕**大相扑比赛**Dàxiāngpū bǐsài

ばしょう【芭蕉】**芭蕉**bājiāo

はしょうふう【破傷風】**破伤风**pòshāngfēng

はしょ·る【端折る】❶〔着物を〕**掖起**yēqi；**掖短**yēduǎn ❷〔省略する〕**省略**shěnglüè；**简略**jiǎnlüè

はしら【柱】❶〔建物の〕〔根，个〕**柱子**zhùzi；**支柱**zhīzhù ‖～をたてる 支起柱子 ❷〔中心となる人や物〕**顶梁柱**dǐngliángzhù；**龙头**lóngtóu ‖チームの～ 全队的领头人 ❖—時計:挂钟

はじら·う【恥じらう】**害羞**hàixiū ‖～うようにうつむいた 害羞地低下头

はしら·せる【走らせる】❶〔すばやく動かす〕**使…动起来**shǐ … dòngqilai；**开动**kāidòng ‖急ぎ車を～せた 急忙开车赶去｜新聞に目を～せる 浏览一下报纸 ❷〔急いで行かせる〕**急派**jí pài ‖使いを～せる 急忙打发人去

はしり【走り】❶〔走ること〕**跑**pǎo ‖ひと～する 跑一趟 ❷〔初物〕**刚上市**gāng shàngshì ❸〔さきがけ〕**开端**kāiduān ‖梅雨の～ 梅雨季节的开始

はしりがき【走り書き】(～する)**匆匆写下**cōngcōng xiěxia ‖～のメモ 潦草写就的便条

はしりたかとび【走り高跳び】**跳高**tiàogāo

はしりはばとび【走り幅跳び】**跳远**tiàoyuǎn

はし·る【走る】❶〔駆ける〕**跑**pǎo ‖駅までは～って5分だ 跑着去车站需要五分钟 ❷〔乗り物などが〕**跑**pǎo；**行驶**xíngshǐ；**奔驰**bēnchí ‖このあたりは電車が～っていない 这一带没通电车 ❸〔かたむく〕**偏向**piānxiàng；**趋于**qūyú ‖感情に～る 感情用事｜極端に～る 走极端 ❹〔さっと現れて消える〕**闪过**shǎnguo ‖背中に痛みが～った 后背一阵疼痛 ❺〔逃げる〕**投奔**tóubèn；**私奔**sībēn ❻〔通る〕**贯穿**guànchuān ‖この道路は南北に～っている 这条道路纵贯南北

は·じる【恥じる】❶〔恥ずかしいと思う〕**羞愧**xiūkuì；**害臊**hàisào ‖自分の過ちを～じる 为自己的错误而感到羞愧 ❷〔劣る〕**逊色**xùnsè；**不及**bùjí ‖名女優の名に～じない 不愧是著名演员

はしわたし【橋渡し】(～する)**做桥梁**zuò qiáoliáng；**搭桥**dāqiáo；**当中人**dāng zhōngrén

はす【斜】**斜**xié；**倾斜**qīngxié ‖～に構えた態度 玩世不恭的态度｜帽子を～にかぶる 歪戴帽子 ❖—向かい:斜对面

はす【蓮】**莲**lián；**荷**hé．(花)**莲花**liánhuā；**荷花**héhuā．(実)**莲子**liánzǐ．(根)**藕**ǒu

はず【筈】**会**huì；**应该**yīnggāi；**该**gāi ‖レストランはもう開いている～だ 餐厅应该已经开始营业了｜そんな～はない 不可能会那样｜こんな～じゃなかった 怎么会这样

バス（路線バス）**公共汽车**gōnggòng qìchē；**公交车**gōngjiāochē．(大型自動車)**客车**kèchē ‖～で行く 坐公共汽车去｜～の便はありますか 这里有公共汽车吗？｜空港行きの～ 去飞机场的巴士 ❖—ガイド:旅游车导游｜—停:公共汽车站；巴士站｜—路線:公共汽车的路线｜終—:末班车

バス 浴室yùshì ‖～トイレつきの部屋 带浴室和卫生间的房子 ✤ **一**タオル:浴巾｜**一**タブ:浴缸
パス ❶(～する)〔合格〕合格hégé；及格jígé ‖試験に～する 考上；通过考试 ❷(～する)〔送球〕传球chuán qiú ❸(～する)〔トランプなどで〕不叫牌bú jiào pái ❹〔入場券・定期券〕入场证rùchǎngzhèng；月票yuèpiào
はすう【端数】零数língshù；零头língtóu；尾数wěishù ‖～を切り捨てる 舍去零头
ばすえ【場末】城边chéngbiān
はずかし・い【恥ずかしい】不好意思bù hǎoyìsi；难为情nánwéiqíng；害羞hàixiū ‖～いにも程がある 真丢死人了｜つたない文章でお～いかぎりです 写得非常不好，实在难为情｜社会人として～くない服装 与社会人身份相符的衣服
はずかしが・る【恥ずかしがる】‖～らずに言ってごらん 说说吧，别不好意思；别害羞，说说吧
はずかし・める【辱める】❶〔恥をかかせる〕侮辱wǔrǔ；羞辱xiūrǔ ‖公衆の面前で～められた 当众受辱 ❷〔名誉などを傷つける〕败坏bàihuài
バスケット 篮子lánzi ✤ **一**ボール:篮球
はず・す【外す】❶〔とりはずす〕摘下zhāixia；解开jiěkāi ‖眼鏡を～す 摘下眼镜｜上着のボタンを～す 解开上衣扣｜受話器を～す 拿起听筒 ❷〔そらす〕偏离piānlí；错过cuòguò ‖ゴールを～す 射门射空了｜的を～す 偏离靶子 ❸〔その場を離れる〕离开líkāi；退(席) tuì(xí) ‖席を～す 离开座位 ❹〔除外する〕排斥出去páichìchuqu ‖スターティングメンバーから～される 没有被选为上场选手 ❺〔制限などを〕去掉qùdiào ‖飲みすぎてはめを～す 醉得一塌糊涂
パスタ 意大利面食Yìdàlì miànshí
パステル 粉蜡笔fěnlàbǐ ✤ **一**画:粉蜡笔画｜**一**カラー:中间色；柔和的色调｜**一**調:淡雅的色调
バスト 胸围xiōngwéi；胸部xiōngbù
はずべき【恥ずべき】可耻kěchǐ
パスポート 护照hùzhào ‖～を申請する 办护照｜～が下りる 护照发下来了
はずみ【弾み】❶〔弾むこと〕弹性tánxìng；弹力tánlì ❷〔勢い・調子〕起劲qǐjìn；势头shìtou ‖経済の発展に～がつく 经济发展势头良好 ❸〔成りゆき〕顺势shùnshì；形势xíngshì ‖ものの～で結婚することになった 顺势也就结婚了
はず・む【弾む】❶〔勢いよく跳ね返る〕弹tán ‖このボールはあまりよく～まない 这个球弹不高 ❷〔勢いづく〕越…越起劲儿yuè … yuè qǐjìnr ‖話が～む 越说越起劲儿 ❸〔呼吸・鼓動が激しくなる〕急促jícù ‖息が～む 呼吸急促｜心が～む 兴奋 ❹〔気前よくお金を出す〕慷慨解囊kāngkǎi jiěnáng ‖チップを～んだ 小费给得很多
パズル 谜语míyǔ ‖～を解く 解谜
はずれ【外れ】❶〔当たらないこと〕落空luòkōng；未中wèi zhòng ‖このくじは～がない 这些彩票没有不中的｜ここの料理は当たり～がない 这里的菜，样样都好吃 ❷〔辺境〕尽头jìntóu ‖村～ 村头
はず・れる【外れる】❶〔とれる〕掉diào；脱落tuōluò ‖ボタンが～れているよ 扣子开了｜腕の関節が～れる 胳膊关节脱臼 ❷〔それる・離れる〕偏离piānlí；远离yuǎnlí ‖街の中心部から～れた場所 远离市中心的地方｜ロケットが軌道を～れる 火箭偏离了轨道 ❸〔当たらない〕未中wèi zhòng；落空luòkōng ‖天気予報は～れてばかりいる 天气预报总是不准｜当てが～れた 期望落了空 ❹〔集団から去る〕离开líkāi
パスワード 密码mìmǎ；口令kǒulìng
はせい【派生】(～する)派生pàishēng ‖思わぬ事態が～した 节外生枝地出现了意想不到的情况 ✤ **一**語:派生词
ばせい【罵声】骂声màshēng ‖～がとぶ 痛骂
パセリ 欧芹ōuqín；荷兰芹hélánqín
は・せる【馳せる】❶〔気持ちを〕怀念huáiniàn；缅怀miǎnhuái ❷〔名前を〕驰名chímíng ❸〔走らせる〕驱动qūdòng
パソコン〔台〕个人电脑gèrén diànnǎo
はそん【破損】(～する)破损pòsǔn；损坏sǔnhuài ‖衝突事故による車輌の～が激しい 由于撞车，车体受到严重破损
はた【旗】旗qí；旗帜qízhì ‖～を掲揚する 挂旗；升旗｜～をおろす 降旗｜反戦運動の～を振る 挥舞反战运动的大旗
はた【端・側・傍】旁边pángbiān；一旁yìpáng ‖～から口を挟むな 别在旁边插嘴｜～で見るほどやさしくない 并不像在一旁看着那么容易
はた【機】〔台〕织布机zhībùjī ‖～を織る 织布
はだ【肌・膚】皮肤pífū ‖～が荒れる 皮肤很粗糙｜～を許す 以身相许｜～で感じる 亲身体会
バター 奶油nǎiyóu；黄油huángyóu ‖パンに～をぬる 往面包上抹黄油 ✤ **一**ナイフ:黄油刀
はだあい【肌合い】性格xìnggé；风度fēngdù
はたあげ【旗揚げ】(～する)❶〔兵を起こす〕举兵jǔ bīng ❷〔事を起こす〕创办chuàngbàn；成立chénglì ‖新党が～した 成立了新党
パターン 模式móshì；样式yàngshì ✤ **一**認識:识别样式｜思考**一**:思维模式
はたいろ【旗色】形势xíngshì；战况zhànkuàng ‖～が悪くなる 形势不佳
はだいろ【肌色】肤色fūsè
はだか【裸】❶〔衣服を着ていない〕裸体luǒtǐ ‖～になって水に飛び込む 脱光衣服跳入水中 ❷〔むきだしの状態〕裸露luǒlù ‖～のつきあい 莫逆之交｜葉が落ちて木々はすっかり～になった 叶子全掉光了，树木都光秃秃的 ❸〔無一物〕身无一物shēn wú yí wù ‖人間は～で生まれて～で死ぬ 生不带来，死不带去 ✤ **一**一貫:定一无所有｜**一**電球:无灯罩的灯泡｜**一**麦:青稞
はたき【叩き】掸子dǎnzi ‖～をかける 用掸子掸
はだぎ【肌着】〔件〕内衣nèiyī
はた・く【叩く】❶〔払いのける〕掸dǎn ‖コートのほこりを～く 掸去大衣上的灰尘 ❷〔たたく〕打dǎ；拍pāi ‖ハエを～く 打苍蝇 ❸〔金を使い果たす〕‖あり金を～く 倾囊；花光所有的钱
はたけ【畑・畠】〔块，片〕农田nóngtián；旱地hàndì ‖～を耕す 耕田｜～に出る 下地 ✤ **一**仕事:农活｜**一**違い:专业不同；隔行
はだ・ける 敞开chǎngkāi
はださむ・い【肌寒い】感觉冷gǎnjué lěng
はだざわり【肌触り】触感chùgǎn；手感shǒugǎn ‖この肌着は～がいい 这件内衣穿起来很舒服
はだし【裸足】赤脚chìjiǎo；赤足chìzú ‖～で歩

く 光着脚走路

はたして【果たして】❶〔案の定〕果然guǒrán；果真guǒzhēn‖～予想どおりの結果になった 结果果然不出预料 ❷〔ほんとうに〕果真guǒzhēn；真是zhēn shì

はたじるし【旗印】旗帜qízhì.〔主張〕主张zhǔzhāng‖改革を～に掲げる 以改革为旗帜

はた・す【果たす】❶〔達成する〕实现shíxiàn；完成wánchéng；达到dádào‖約束を～す 实现承诺｜使命を～す 完成使命｜目的を～す 达到目的｜責任を～す 负责任 ❷〔機能する〕起作用qǐ zuòyòng‖けん引役を～す 起到火车头的作用

はたち【二十・二十歳】20岁èrshí suì

ばたばた（～する）❶〔音〕吧嗒吧嗒bādābādā‖部屋の中を～走りまわる 在屋里吧嗒吧嗒地跑来跑去 ❷〔続けざまに〕一个接一个yí ge jiē yí ge.〔忙しくする〕忙乱mángluàn‖銀行が～倒産する 银行一个接着一个地倒闭｜～と話がまとまった 很快谈好了｜一日中～していた 忙了一整天

ぱたぱた 啪啪pāpā；哗啦哗啦huālāhuālā

バタフライ 蝶泳diéyǒng

はだみ【肌身】‖～離さず持つ 随身携带

はため【傍目】‖～には 旁人看来

はため・く 飘扬piāoyáng；招展zhāozhǎn‖旗が風に～く 旗子迎风飘扬〔招展〕

はたらか・せる【働かせる】❶〔使役する〕驱使qūshǐ ❷〔活用する〕开动kāidòng；运用yùnyòng‖頭を～せる （开）动脑筋｜想像力を～せる 发挥想像力

はたらき【働き】❶〔仕事〕工作gōngzuò；劳动láodòng‖都会へ～に出る 到城里去打工 ❷〔功績〕功绩gōngjì‖際立った～を見せる 工作表现相当出色 ❸〔機能〕功能gōngnéng；作用zuòyòng‖心臓の～ 心脏的功能｜このところ頭の～が悪い 最近脑筋不好使

はたらきか・ける【働き掛ける】发动fādòng；推动tuīdòng；劝quàn‖上層部に～ける 向上级机关反映

はたらきざかり【働き盛り】㊜年富力强nián fù lì qiáng；正当年zhèngdāngnián

はたらきばち【働き蜂】工蜂gōngfēng.㊝辛勤劳动的人xīnqín láodòng de rén

はたら・く【働く】❶〔仕事をする〕工作gōngzuò；干活儿gàn huór；劳动láodòng‖朝から晩まで～く 从早干到晚｜～きすぎて病気になった 因过度劳累生了病｜～きながら勉強する ㊜勤工俭学｜～かざる者食うべからず 不劳者不得食 ❷〔機能する〕动dòng；活动huódong‖起きたばかりで頭が～かない 刚刚起床，头脑不灵活 ❸〔作用する〕作用zuòyòng‖センサーが～く 传感器启动 ❹〔悪事を〕做（坏事）zuò（huàishì）‖盗みを～く 偷盗｜詐欺を～く 行骗

ぱたり ❶〔急に途切れるさま〕突然tūrán‖連絡が～と途絶えた 音信突然断绝了 ❷〔音〕啪嗒pādā‖写真立てが～と倒れた 相框啪嗒一声倒了

はたん【破綻】（～する）失败shībài；落空luòkōng‖計画が～した 计划失败了｜結婚生活が～した 婚姻破裂了｜財政が～する 财政崩溃

はだん【破談】解除jiěchú；取消约定qǔxiāo yuēdìng‖縁談は～になった 婚事取消了

ばたん 咣当guāngdāng；吧嗒bādā

はち【八】八bā.（大字）捌bā

はち【蜂】〔只〕蜂fēng‖～に腕を刺された 我的胳膊被蜂蜇了 ❖一の巣：蜂窝；马蜂窝‖～をつついたような騒ぎ 像捅了马蜂窝一样的骚乱

はち【鉢】❶〔植木鉢〕花盆huāpén ❷〔食器〕钵bō；盆pén

ばち【罰】报应bàoying；惩罚chéngfá ❖一当たり：遭报应‖～なことをする 造〔作〕孽

はちあわせ【鉢合わせ】（～する）碰见pèngjian；遇见yùjian‖酒場で上司と～した 在酒吧碰到了上司

はちうえ【鉢植え】盆栽pénzāi

ばちがい【場違い】不合时宜bùhé shíyí

はちがつ【八月】八月bāyuè

バチカン ❶〔国名〕梵蒂冈Fàndìgāng ❷〔ローマ教皇庁の別称〕梵蒂冈Fàndìgāng

はちき・れる 撑破chēngpò；胀破zhàngpò

はちく【破竹】‖～の勢い 破竹之势

ぱちくり（～する）眨眼zhǎyǎn；眨巴zhǎba

はちまき【鉢巻き】缠头布chántóubù

はちみつ【蜂蜜】蜂蜜fēngmì

はちゅうるい【爬虫類】爬行动物páxíng dòngwù；爬行类páxínglèi

はちょう【波長】❶〔物理〕波长bōcháng ❷〔感覚〕‖あいつとは～が合う 跟他合得来

ぱちんこ 扒金库pájīnkù；弹球游戏dàn qiú yóuxì‖～をする 打〔玩〕弹子机

はつ【初】初次chū cì；首次shǒucì；最初zuìchū‖～の試み 首次尝试｜～の金メダル 首枚金牌

-はつ【発】❶〔出発〕出发chūfā‖東京～新大阪行き （从）东京出发〔发车〕开往新大阪 ❷〔発信〕发信fā xìn；发电fādiàn‖ロンドン～の特電 发自伦敦的专电 ❸〔弾丸などを数える〕发fā‖獲物を1～でしとめた 一枪击毙了猎物

ばつ【罰】惩罚chéngfá；罚fá；处分chǔfèn

ばつ 体面tǐmiàn‖～が悪い 觉得很不好意思

ばつ 叉chā‖～をつける 打叉

はつあん【発案】（～する）提案tí'àn；提议tíyì

はついく【発育】（～する）发育fāyù‖イネの～ 稻子的长势 ❖一期：发育期｜一不全：发育不全

はつおん【発音】（～する）发音fāyīn‖～を間違える 发错音｜～がいい 发音很好❖一記号：音标

はつが【発芽】（～する）发芽fāyá

はっか【発火】（～する）起火qǐhuǒ；发火fāhuǒ ❖一装置：点火装置｜一点：燃点

はっか【薄荷】薄荷bòhe

ハッカー 黑客hēikè

はっかく【八角】八角bājiǎo；茴香huíxiāng

はっかく【発覚】（～する）暴露bàolù；败露bàilù；被发现bèi fāxiàn‖犯行が～する 罪行暴露

はっかくけい【八角形】八角形bājiǎoxíng

はつかねずみ【二十日鼠】〔只〕鼷鼠xīshǔ

はつがん【発癌】致癌zhì'ái ❖一性物質：致癌物质

はっかん【発刊】（～する）发刊fākān；创刊chuàngkān‖新雑誌を～する 出版新杂志

はっかん【発汗】（～する）发汗fāhàn；出汗chū hàn ❖一作用：发汗功效

はっき【発揮】（～する）发挥fāhuī‖本領を～する

は

発挥各自的特长
はっきゅう【発給】(～する) 发给fāgěi; 发放fāfàng ‖ ビザを～する 发放签证
はっきゅう【薄給】低薪dīxīn; 低工资dī gōngzī ‖ ～に甘んじる 甘于微薄的薪水
はっきょう【発狂】(～する) 发疯fāfēng; 发狂fākuáng
はっきり (～する) ❶〔鮮明な〕清楚qīngchu; 清晰qīngxī ‖ ～聞こえない 听不清楚 | ～覚えている 记得很清楚 | 目鼻立ちの～した顔 相貌清秀的脸 ❷〔明白な〕明确míngquè; 明白míngbai; 清楚qīngchu ‖ 原因が～した 原因弄明白了 | ～した返事がほしい 给我个明确的答复 | ～した数字を出す 出示准确的数字 ❸〔きっぱり〕干脆gāncuì; 定直言不讳zhí yán bú huì ‖ ～断る 干脆拒绝 | ～言って… 实话说,… ❹〔その他の表現〕‖ このところ天気が～しない 最近天气阴晴不定 | どうも病状が～しない 总觉得病情不稳定
はっきん【発禁】禁止发行〔出版〕jìnzhǐ fāxíng〔chūbǎn〕 ✤ 一本:禁止发行的书; 禁书
ばっきん【罰金】罚款处分fákuǎn chǔfèn ‖ ～を課す 课以罚款 | ～を払う 交付罚款
パッキング ❶(～する)〔包装〕包装bāozhuāng; 捆kǔn ‖ 荷物を～する 包装货物; 捆〔打〕行李 ❷〔詰めもの〕填料tiánliào
バック ❶〔後ろ〕后边hòubian; 背后bèihòu ❷〔背景〕背景bèijǐng ‖ 富士山を～に写真をとった 以富士山为背景照了一张像 ❸〔後ろ楯〕后台hòutái; 靠山kàoshān ❹(～する)〔後退する〕后退hòutuì; 倒退dàotuì ‖ 車を～させる 倒车 ❺(～する)〔もどす〕还huán; 退还tuìhuán ‖ 契約が成立したら1割を～する 如果这个合同签成了, 给你百分之十的回扣 ✤ 一ギア:倒车档 | 一スイング:上杆 | 一マージン:回扣 | 一ミラー:后视镜 | 一ライン:防守线
バッグ 包bāo ‖ ～を盗まれた 包被偷了
パック (～する) ❶〔包装〕包装bāozhuāng; 打包dǎbāo. (包み)盒hé; 包bāo ‖ イチゴ1～ 一盒草莓 ❷〔美容〕面膜miànmó
バックアップ (～する) ❶〔コンピューター〕备份bèifèn ‖ データの～をとっておく 保存数据备份 ❷〔サポートする〕支援zhīyuán; 支持zhīchí ‖ 働く女性を～する 做职业妇女的后盾〔后援〕
バックグラウンド 背景bèijǐng; 幕后mùhòu ✤ 一ミュージック:背景音乐
はっくつ【発掘】(～する) ❶〔掘り出す〕发掘fājué; 挖掘wājué ❷〔比ゆ的表現〕发掘fājué ‖ 人材を～する 发掘人才 ✤ 一現場:发掘现场 | 一品:发掘品; 出土文物
バック ナンバー 过期刊物guòqī kānwù. (雑誌)过期杂志guòqī zázhì
バックボーン 支柱zhīzhù. (気骨)骨气gǔqì
バックル 带扣dàikòu
ばつぐん【抜群】超群chāoqún; 出众chūzhòng; 卓越zhuóyuè ‖ 歌が～にうまい 唱得特别好
パッケージ (～する) ❶〔包装〕包装bāozhuāng ❷〔セットにしたもの〕组合zǔhé ✤ 一ソフト:软件包 | 一ツアー:包办旅游
はっけっきゅう【白血球】白细胞báixìbāo
はっけつびょう【白血病】白血病báixuèbìng
はつげん【発言】(～する) 发言fāyán ‖ ～させてください 请让我发一下言 | 挙手して～を求める 举手要求发言 | ～を妨害する 干扰发言 ✤ 一権:发言权 | 一者:发言者 | 一力:发言力
はっけん【発見】(～する) 发现fāxiàn ‖ 新しい元素を～した 发现了新的元素
はっけん【発券】(～する) ❶〔紙幣を〕发行银行券〔纸币〕fāxíng yínhángquàn〔zhǐbì〕 ❷〔切符などを〕出票chūpiào
はつこい【初恋】初恋chūliàn
はっこう【発行】❶〔書籍・紙幣などを〕发行fāxíng; 出版chūbǎn ‖ 新札を～する 发行新币 | 新聞の～部数 报纸的总发行量 ❷〔証明書などを〕交付jiāofù; 发放fāfàng ‖ 運転免許証を～する 发放驾照 | パスポートを再～する 补发护照 ✤ 一高:发行量 | 一人:发行人 | 一日:发行日期
はっこう【発光】(～する) 发光fāguāng; 放光fàng guāng ✤ 一体:发光体 | 一塗料:发光涂料
はっこう【発効】(～する) 生效shēngxiào
はっこう【発酵】(～する) 发酵fājiào ‖ 生地を～させる 使面团发酵 ✤ 一菌:发酵菌
はっこつ【白骨】白骨báigǔ ‖ ～化する (尸体)化成了白骨
ばっさい【伐採】(～する) 砍伐kǎnfá; 采伐cǎifá
はっさん【発散】(～する) 发散fāsàn; 释放shìfàng; 发泄fāxiè ‖ エネルギーを～させる 释放能量 | 日ごろのうっぷんを～させる 发泄日常积愤
ばっし【抜歯】(～する) 拔牙bá yá ‖ 奥歯を～した 把槽牙拔掉了
バッジ 徽章huīzhāng; 证章zhèngzhāng
はっしゃ【発車】(～する) 发车fāchē; 开车kāichē ‖ ～まであと5分ある 离开车还有五分钟 | 列車は10分ごとに～する 火车每隔十分钟发一趟车
はっしゃ【発射】(～する) 发射fāshè ‖ けん銃を～する 开枪 | ロケットを～する 发射火箭
はっしょう【発祥】(～する) 发源fāyuán; 起源qǐyuán ‖ 古代文明～の地 古代文明的发源地
はつじょう【発情】(～する) 发情fāqíng ✤ 一期:发情期 | 一ホルモン:雌激素
はっしん【発信】(～する) 发(出)fā(chū) ‖ SOSを～する 发出SOS〔紧急求救〕信号 | 情報を～する 发布各类信息 ✤ 一機:发报机
はっしん【発疹】(～する) 发疹fā zhěn
はっしん【発進】(～する) (飛行機が)起飞qǐfēi. (自動車が)发车fāchē; 开车出发kāichē chūfā
ばっすい【抜粋】(～する) 摘录zhāilù
はっ・する【発する】❶〔起こる〕发生fāshēng; 起源qǐyuán ❷〔放つ〕发射fāshè; 发fā ‖ 太陽は光と熱を～する 太阳发射出光和热 | 終始一言も～しない 始终一言不发
ハッスル (～する) 精力充沛(地做) jīnglì chōngpèi (de zuò); 振作精神zhènzuò jīngshen
ばっ・する【罰する】惩罚chéngfá; 处罚chǔfá ‖ 法律に背けば～せられる 触犯法律要受到惩罚 | 喫煙した生徒を～する 处分抽烟的学生
はっせい【発生】(～する) 发生fāshēng; 出现chūxiàn ‖ 殺人事件が～した 发生了杀人案 | 市内でコレラが～した 市内出现了霍乱
はっせい【発声】(～する) 发声fāshēng ✤ 一器官:发声器官 | 一法:发声法

はっそう【発送】(～する)发送fāsòng；寄送jìsòng‖駅で荷物を～する 在车站发送行李
はっそう【発想】(～する)想出xiǎngchu；主意zhǔyi；想法xiǎngfa‖～がおもしろい 这个构思很有意思｜～の転換 改变想法
ばっそく【罰則】惩罚条例chéngfá tiáolì；罚规fáguī‖～を設ける 制定惩罚条例
ばった【飛蝗・蝗】〔只〕蝗虫huángchóng
バッター 击球员jīqiúyuán；击球手jīqiúshǒu
はったつ【発達】(～する)发达fādá；发展fāzhǎn‖交通網が～している 交通四通八达｜低気圧が～して台風になった 低气压发展为台风｜全身の筋肉が～している 全身的肌肉发达｜大脳が～している 大脑发达 ✤一心理学:发育心理学
はったり 定虚张声势xū zhāng shēng shì；说大话shuō dàhuà‖～をかます 说大话
ばったり ‖街で旧友に～会った 在街上碰见老朋友了
ばったり ⇨ばたり
はっちゃく【発着】(～する)出发和到达chūfā hé dàodá；运行yùnxíng
はっちゅう【発注】(～する)订货dìnghuò；订购dìnggòu
ぱっちり (～する)眼睛大而有神yǎnjing dà ér yǒu shén‖目の～した赤ちゃん 小宝宝一双大眼睛水灵灵的
ばってき【抜擢】(～する)提拔tíba；提升tíshēng‖課長に～された 被提拔为科长
バッテリー ❶(野球)投接手组tóujiēshǒuzǔ ❷(蓄電池)蓄电池xùdiànchí‖車の～があがってしまった 汽车的蓄电池没电了
はつでん【発電】(～する)发电fādiàn ✤一機:发电机｜一所:发电厂；发电站
はってん【発展】(～する)发展fāzhǎn‖都市の目覚ましい～ 城市飞速发展｜日中関係の～ 日中关系的发展｜事態は思いがけない方向へ～した 事态的发展出乎预料 ✤一家:花花公子｜一性:发展性｜一途上国:发展中国家
はっと (～する)‖子どもが突然道に飛び出してきて～した 孩子突然跑到马路上来,吓了我一跳｜～思い出す 忽然想起来｜～われに返る 突然清醒
バット 球棒qiúbàng‖～を振る 挥动球棒
ぱっと ❶(突然)突然tūrán；一下子yíxiàzi‖電気が～消えた 电灯突然灭了｜～立ちあがる 突然站起来 ❷(～する)(派手)出色chūsè；显眼xiǎnyǎn‖～しない成績 成绩不太好｜この映画はあまり～しない 这部电影太不精彩
はつどう【発動】(～する)❶(動き始める)发动fādòng；启动qǐdòng ❷(行使する)行使xíngshǐ‖国家権力を～する 行使国家权力
はつどうき【発動機】〔台〕发动机fādòngjī
はつねつ【発熱】(～する)发热fārè.(病気などで)发烧fāshāo‖風邪で～する 感冒发烧了
はっぱ【発破】爆破岩石bàopò yánshí‖自分に～をかける 激励自己
はつばい【発売】(～する)出售chūshòu；发售fāshòu‖記念切手は明日～される 纪念邮票明天开始出售 ✤一禁止:禁止出售
ハッピーエンド 大团圆(结局)dàtuányuán(jiéjú)；圆满(的)结局yuánmǎn(de) jiéjú
はつびょう【発病】(～する)发病fābìng；得病débìng；生病shēngbìng
はっぴょう【発表】(～する)发表fābiǎo；揭晓jiēxiǎo‖試験結果の～ 考试结果揭晓｜学会で論文を～する 在学会上发表论文
はっぷ【発布】(～する)颁布bānbù；公布gōngbù‖憲法を～する 颁布宪法
はつぶたい【初舞台】‖3歳で～を踏む 3岁时首次登台表演
はっぷん【発憤・発奮】(～する)发奋fāfèn；发愤fāfèn；振奋起来zhènfènqilai‖逆境に置かれて～する 身处逆境,使人发奋图强
はっぽう【八方】四面八方sì miàn bā fāng；多方面duō fāngmiàn‖～手を尽くす 想方设法｜事態は～丸くおさまった 事态全面稳定住了 ✤一美人:定八面玲珑｜一ふさがり:定走投无路
はっぽう【発砲】(～する)开枪kāi qiāng；开火kāihuǒ
ばっぽんてき【抜本的】彻底chèdǐ；根本gēnběn‖～改革を求める 要求彻底改革｜～な解決策 根本的解决办法
はつみみ【初耳】定闻所未闻wén suǒ wèi wén；第一次听到dì yī cì tīngdào
はつめい【発明】(～する)发明fāmíng
はつもの【初物】‖～のスイカ 最早上市的西瓜
はつゆき【初雪】初雪chūxuě
はつらつ【潑剌】精力充沛jīnglì chōngpèi；活泼huópo；定朝气蓬勃zhāoqì péngbó‖～とした表情 充满朝气的表情｜選手の～としたプレー 选手充满斗志的表现
はつれい【発令】(～する)发布fābù；发出fāchū‖津波警報を～する 发出海啸警报
はつろ【発露】表现biǎoxiàn；表露biǎolù‖友情の～ 友情的表现
はて【果て】❶(終わり)结局jiéjú；下场xiàchang‖熟慮の～に 经过深思熟虑之后 ❷(端)边际biānjì；尽头jìntóu‖本州の南の～ 本州的南端
はで【派手】❶(見た目が)华丽huálì；鲜艳xiānyàn；华美huáměi‖～な色 鲜艳的颜色 ❷(行動が)浮华fúhuá；阔绰kuòchuò；夸张kuāzhāng‖～な生活をする 过浮华的生活｜～な宣伝をする 做声势浩大的宣传｜金遣いが～だ 出手阔绰
パテ ❶(接合剤)泥子nìzi；油灰yóuhuī ❷(料理)肉馅饼ròuxiànbǐng
はてしな・い【果てしない】无边无际wúbiān wújì‖議論は～く続いた 讨论没完没了的
は・てる【果てる】❶(終わる)完wán；终了zhōngliǎo；尽jìn‖議論はいつ～てるともしれなかった 不知讨论何时结束了 ❷(死ぬ)死sǐ
ば・てる 累得要死lèide yàosǐ；累坏lèihuài
はてんこう【破天荒】破天荒pòtiānhuāng；未曾有过wèicéng yǒuguo
パテント 专利zhuānlì；专利权zhuānlìquán
はと【鳩】鸽子gēzi‖～が豆鉄砲を食ったよう 惊得目瞪口呆 ✤一小屋:鸽子窝｜一派:鸽派
はとう【波濤】波涛bōtāo
はどう【波動】波动bōdòng ✤一関数:波函数
ばとう【罵倒】(～する)大骂dà mà；痛骂tòng mà
パトカー 〔辆〕巡逻车xúnluóchē；警车jǐngchē
バドミントン 羽毛球yǔmáoqiú

は

はどめ【歯止め】刹车shāchē; 制止zhìzhǐ ‖ 軍事費の増大に～をかける 制止扩大军费

パトロール (～する)巡逻xúnluó; 巡视xúnshì

パトロン 经济靠山〔后台〕jīngjì kàoshān〔hòutái〕; 资助者zīzhùzhě

バトン ❶〔陸上〕接力棒jiēlìbàng ‖ 後任者に～タッチする 工作交给接班人 ❷〔音楽〕指挥棒zhǐhuībàng ✣ 一ガール:游行乐队的女指挥

はな【花・華】❶〔植物〕花huā ‖ ～が咲いた 花开了 | ～が散る 花谢了 | ～を育てる 养花 | ～を摘む 摘花 ❷〔慣用表現〕‖ ～の都パリ 繁华的都市巴黎 | 社交界の～ 交际花 | 思い出話に～が咲く 兴致勃勃地谈起往事 | ～をもたせる 给面子 | 言わぬが～ 沉默是金 | ～よりだんご 舍华求实 | ～と散る 壮烈牺牲 | ～も恥じらう 定闭月羞花 | ～も実もある 有名有实 ✣ 一柄:花卉图案 | 一ばさみ:花剪 | 一冷え:倒春寒 | 一吹雪:飞雪似的落花 | 一屋:花店;(人)卖花的

はな【鼻】❶〔人間・動物の〕鼻子bízi ‖ 高い～ 高鼻子 | イヌは～がきく 狗的鼻子很灵 | ～が詰まる 鼻子不通气 | ～につく 冲鼻子 | ～が曲がる 恶臭扑鼻 | ～にかかったしゃべり方 说话带鼻音 ❷〔慣用表現〕‖ 息子が優秀で～が高い 儿子优秀让我脸上有光 | ～であしらわれる 受到冷遇 | あいつの～をへし折ってやる 挫挫他的傲气 | ～につく 讨厌 | ～を突き合わせる 面对面

はな【洟】鼻涕bítì ‖ ～がたれる 流鼻涕 | ハンカチで～をかむ 用手帕擤鼻涕 | ～をすする 抽鼻涕 | ～もひっかけない 理都不理

はな【端】开始kāishǐ; 开头kāitóu ‖ ～からわかっていた 从一开始就知道了

はないき【鼻息】❶〔鼻でする息〕鼻息bíxī ❷〔意気込み〕〔股〕干劲gànjìn; 劲头jìntóu ‖ ～が荒い 干劲十足

はなうた【鼻歌】哼唱(的歌) hēngchàng (de gē) ✣ 一交じり:一边哼歌一边做事情

はなかぜ【鼻風邪】轻度感冒qīngdù gǎnmào ‖ ～をひいてしまった 我有点儿感冒了

はながた【花形】(人)明星míngxīng; 宠儿chǒng'ér. (事物)热门rèmén ‖ 時代の～ 时代的骄子 ✣ 一産業:热门产业 | 一選手:明星选手

はなくそ【鼻糞】鼻屎bíshǐ; 鼻牛儿bíniúr

はなげ【鼻毛】鼻毛bímáo ‖ ～を抜く 拔鼻毛

はなごえ【鼻声】❶〔鼻が詰まった声〕发齉fānàng; 鼻音bíyīn ‖ 風邪で～だ 感冒了,说话有点儿齉鼻儿 ❷〔甘え声〕撒娇的声音sājiāo de shēngyīn

はなことば【花言葉】花语huāyǔ

はなざかり【花盛り】❶〔花の〕花盛开huā shèngkāi ❷〔物事の〕高潮gāocháo

はなし【話】❶〔話すこと〕话huà ‖ ～をする 说话;讲话;谈话 | よもやま～をする 聊天儿;拉家常 | ～が上手 很会说话 ❷〔話題・内容〕话huà; 话题huàtí ‖ 耳が痛い～ 刺耳的话 | 実のある～ 有意义的话题 | ～をそらす 把话题岔开 | ～を切り出す 提出话题 | ～が脱線する 话说得离题了 | かたい～は抜きにしよう 先不说那些严肃的话题 | ～の接ぎ穂を失う 找不到话头了 | ～が尽きない 话说不完 | 人に～を合わせる 帮腔;敷衍应酬 | ～が合わない 谈不来 | ～がかみ合わない 话有点儿驴唇不对马嘴 | ～に尾ひれをつける 定添枝加叶 ❸〔情報〕话huà; 消息xiāoxi ‖ 耳寄りな～ 值得一听的好消息 | 世間はその～で持ち切りだ 社会上都在谈论那件事 ❹〔相談〕商量shāngliang; 协议xiéyì ‖ ～を通す 传达意图 | 別れ～を持ちかける 提出分手 | ～に乗る 共同参与 ❺〔道理・事情〕道理dàoli; 事情shìqing ‖ ～をこじらせる 把事情弄糟 | ひどい～だ 真是岂有此理 | それとこれとは～が別だ 这两件完全是两回事 | どだい無理な～だ 根本不可能的事 | うまい～には裏がある 便宜事肯定有陷阱 ❻〔落語〕小笑话xiǎo xiàohua; 单口相声dānkǒu xiàngsheng

はなしあいて【話し相手】聊天儿的伴儿liáotiānr de bànr; 谈话的对手tánhuà de duìshǒu ‖ お年寄りの～になる 陪老人聊天儿

はなしあ・う【話し合う】谈tán; 讨论tǎolùn; 商量shāngliang ‖ 冷静に～う 心平气和地商量

はなしがい【放し飼い】放养fàngyǎng; 放牧fàngmù ‖ 庭でニワトリを～にする 院子里放养着鸡

はなしか・ける【話しかける】搭话dāhuà ‖ 外国人に英語で～けられた 外国人用英语和我搭话 | ～けても返事もしない 我跟他说话,他不理我

はなしごえ【話し声】说话的声音shuōhuà de shēngyīn

はなしことば【話し言葉】口语kǒuyǔ

はなしこ・む【話し込む】谈得入迷tánde rùmí ‖ 夜中まで～む 谈到了半夜

はなしちゅう【話し中】❶〔話をしているところ〕(正)在谈话(zhèng)zài tánhuà ❷〔電話〕占线zhànxiàn

はなして【話し手】说话人shuōhuàrén

はなしはんぶん【話半分】半真半假的话bàn zhēn bàn jiǎ de huà ‖ ～に聞く 不能全信

はなしぶり【話し振り】口气kǒuqi; 说话的样子shuōhuà de yàngzi

はな・す【放す】❶〔つかんでいたのをやめる〕放开fàngkāi; 松开sōngkāi ‖ 手を～す 放手 ❷〔自由にする〕放fàng; 放走fàngzǒu

はな・す【話す】❶〔しゃべる〕说shuō; 讲jiǎng; 聊liáo ‖ ～したいことがある 我有话想跟你说 | ～せばわかる 好好儿说的话,会明白的 | スペイン語を上手に～す 西班牙语说得很好 ❷〔相談する〕商量shāngliang; 谈话tánhuà ‖ 彼に～してみたら 和他商量商量怎么样?

はな・す【離す】❶〔ついているものを分ける〕分开fēnkāi ❷〔間をあける〕拉开lākāi; 隔开gékāi ‖ 机を窓から～して置いた 我把写字台从窗子边上拉开放着 ❸〔手放す〕(使…)离开(shǐ …) líkāi ‖ 片時も手元から～さない 片刻不离手 | 眼鏡を～せない 离不开眼镜

はなすじ【鼻筋】鼻梁儿bíliángr ‖ ～のとおった顔 高鼻梁儿的脸

はなぞの【花園】花园huāyuán

はなたば【花束】花束huāshù

はなぢ【鼻血】鼻血bíxiě ‖ ～が出た 出鼻血了

はなっぱしら【鼻っ柱】好胜心hàoshèngxīn ‖ ～が強い 性格倔强

バナナ 香蕉xiāngjiāo ‖ ～1房 一串香蕉

はなはだ【甚だ】非常fēicháng; 极为jíwéi; 甚为shènwéi ‖ ～遺憾に思う 极为遗憾

はなばたけ【花畑】花圃huāpǔ; 花田huātián
はなはだし・い【甚だしい】太tài; 非常fēicháng; 异常yìcháng ‖ 非常識も～い 实在太没有常识了
はなばなし・い【華華しい】辉煌huīhuáng; 豪华háohuá
はなび【花火】烟火yānhuo; 烟花yānhuā; 焰火yànhuǒ ‖ ～をあげる 放烟花 ✤一師:焰火匠 | 一大会:焰火晚会
パナマ 巴拿马Bānámǎ
はなみ【花見】赏(樱)花shǎng (yīng)huā; 看花kàn huā ‖ 公園へ～に行く 去公园赏樱花 ✤一客:赏花客 | 一時:赏花季节
はなみず【鼻水】鼻涕bítì
はなむけ【餞】临别纪念línbié jìniàn ‖ ～の言葉を述べる 致临别赠言〔祝词〕
はなむこ【花婿】新郎xīnláng
はなもよう【花模様】花卉图案huāhuì tú'àn
はなやか【華やか】❶〔派手できらびやかなさま〕鲜艳xiānyàn; 华丽huálì ‖ ～な衣装 华丽的服装 | ～な色彩 鲜艳的颜色 ❷〔輝かしいさま〕辉煌huīhuáng; 盛大shèngdà
はなよめ【花嫁】新娘xīnniáng
はならび【歯並び】‖ ～がきれいだ 牙齿排列得很整齐
ばなれ【場慣れ】(～する)不怯场bú qièchǎng ‖ ～した態度 娴熟自如的神情
はなればなれ【離れ離れ】离散lísàn; 散sàn ‖ 街の雑踏で～になった 街上太挤,走散了
はな・れる【離れる】❶〔間隔があく〕相隔xiānggé; 离…远lí … yuǎn ‖ 駅はここからどのくらい～れていますか 车站离这儿有多远？ ❷〔分かれる〕离开líkāi; 分开fēnkāi ‖ 故郷を～れる 离开故乡 | 親元を～れる 离开父母
はなれわざ【離れ業】绝技juéjì
はなわ【花輪】(不祝儀用)花圈huāquān. (首飾り・レイ)花环huāhuán ‖ ～を贈る 献上花圈
はにか・む 害羞hàixiū; 害臊hàisào
パニック 恐慌kǒnghuāng ‖ ～を起こす 感到恐慌 | ～におちいる 陷入恐慌 ✤一障害:惊恐症
バニラ 华尼拉huánílā; 香草xiāngcǎo ✤一アイス:香草冰激凌 | 一エッセンス:香草精
はにわ【埴輪】土俑tǔyǒng; 明器míngqì
バヌアツ 瓦努阿图Wǎnǔ'ātú
はね【羽】❶〔翼〕翅膀chìbǎng; 翼yì ‖ ～を広げる〔畳む〕 张开〔收起〕翅膀 ❷〔羽毛〕〔根〕羽毛yǔmáo ‖ ～が生えかわる 换羽毛 ❸〔はねの形をしたもの〕(飛行機の)机翼jīyì. (機械・器具の)翼yì ‖ 扇風機の～ 电扇的扇叶 ✤一布団:羽绒被
はね【羽根】‖ ～つきをする 拍羽毛毽
はね【跳ね】溅起的泥水jiànqi de níshuǐ
ばね【発条】❶〔弾力・弾力性〕弹(跳)力tán(tiào)lì; 弹性tánxìng ‖ 足腰の～が強い 腿和腰有很好的弹性 ❷〔スプリング〕弹簧tánhuáng; 发条fātiáo ✤一仕かけ:弹簧装置
はねあが・る【跳ね上がる】飞涨fēizhǎng; 猛涨měng zhǎng ‖ 物価が～った 物价飞涨
はねお・きる【跳ね起きる】跳起身来tiàoqi shēn lai ‖ 寝床から～きる 从床上跳起来
はねかえ・す【跳ね返す】❶〔はじき返す〕弹回tánhui; 推回tuīhui ‖ プレッシャーを～す 克服压力 ❷〔受け入れない〕拒绝jùjué; 不接受bù jiēshòu
はねかえ・る【跳ね返る】❶〔はねて戻る〕反弹fǎntán; 弹回tánhui ‖ ボールが床に当たって～った 球从地板上反弹回来了 ❷〔影響する〕反过来产生影响fǎnguolai chǎnshēng yǐngxiǎng
はねつ・ける【撥ねつける】拒绝jùjué
はねの・ける【撥ね除ける】推开tuīkāi; 排除páichú ‖ 布団を～けとび起きる 掀开被子猛然起身 | 逆境を～ける 扭转逆境 | プレッシャーを～る 排除压力
はねまわ・る【跳ね回る】定活蹦乱跳huó bèng luàn tiào; 跳来跳去tiào lái tiào qù
ハネムーン 蜜月旅行mìyuè lǚxíng
パネリスト (公开讨论会的)讨论者(gōngkāi tǎolùnhuì de) tǎolùnzhě
は・ねる【跳ねる】❶〔跳躍する〕跳起tiàoqi; 跃起yuèqi ‖ カエルがぴょんぴょん～ねる 青蛙欢快地跳跃 ❷〔飛び散る〕飞溅fēijiàn ❸〔はじける〕爆裂bàoliè ❹〔興行が終わる〕散场sànchǎng
は・ねる【撥ねる】❶〔はねとばす〕(水などを)飞溅fēijiàn. (人・物などを)撞飞zhuàngfēi ‖ バイクに～ねられる 被摩托车撞倒 ❷〔除外する〕不录取bú lùqǔ ‖ 不良品を～る 淘汰不合格产品 ❸〔かすめとる〕抽头chōutóu; 克扣kèkòu ❹〔端がぴんとあがる〕翘起qiàoqi; 撅起juēqi
パネル ❶〔展示用の〕宣传板xuānchuánbǎn ❷〔絵の〕油画板yóuhuàbǎn ❸〔建築〕护墙板hùqiángbǎn; 嵌板qiànbǎn ❹〔電気〕配电盘pèidiànpán ✤一ディスカッション:公开座谈讨论会
パノラマ 全景画quánjǐnghuà; 全景立体画quánjǐng lìtǐhuà ✤一撮影:全景摄影
はは【母】❶〔女親〕母亲mǔqin. (夫の母)婆婆pópo. (妻の母)岳母yuèmǔ ‖ ～の日 母亲节 ❷〔比ゆ的表現〕～なる祖国 祖国母亲
はば【幅】❶〔広さ〕宽度kuāndù; 宽窄kuānzhǎi. (布の)幅面fúmiàn ‖ ～はどのくらいありますか 有多宽？ ❷〔ゆとり〕余地yúdì ‖ 人間の～を広げる 丰富自己的内涵 ❸〔勢力〕〔股〕势力shìli ‖ カタカナ語が新聞紙上で～をきかせている 片假名词语在报纸上泛滥
ははかた【母方】母系mǔxì
はばか・る【憚る】❶〔幅をきかせる〕有权势yǒu quánshì ❷〔遠慮する〕顾虑gùlǜ; 客气kèqi ‖ 世間を～る 怕人议论 | 外聞を～る 顾及声誉
はばた・く【羽ばたく】扇动翅膀shāndòng chìbǎng ‖ 未来に向かって～く 向着未来展翅飞翔
はばつ【派閥】派系pàixì
はばとび【幅跳び】跳远tiàoyuǎn
バハマ 巴哈马Bāhāmǎ
はば・む【阻む】阻止zǔzhǐ; 阻碍zǔ'ài
はびこ・る ❶〔広がる〕丛生cóngshēng; 盛行shèngxíng ‖ 雑草が～ 杂草丛生 ❷〔のさばる〕定横行霸道héng xíng bà dào; 猖獗chāngjué
ハブ 枢纽shūniǔ ✤一空港:枢纽机场
パフ 粉扑儿fěnpūr
パブ 西式酒店xīshì jiǔdiàn
パプアニューギニア 巴布亚新几内亚Bābùyà Xīnjǐnèiyà
はぶ・く【省く】❶〔省略する〕除掉chúdiào; 去掉qùdiào; 省略shěnglüè ‖ 詳しい説明は～きま

は

す 详细说明从略 ❷〔減らす〕节省jiéshěng‖生活のむだを～く 减少生活中的浪费｜手間を～く 省事｜労力を～く 节省劳力

ハプニング ‖～が起きた 发生了意外事件

はブラシ【歯ブラシ】〔把〕牙刷yáshuā

はぶり【羽振り】势力shìli; 地位dìwèi‖～がいい 很有势力｜～をきかせる 定 作威作福

バブル ❶〔泡〕泡儿pàor; 气泡qìpào; 泡沫pàomò ❷〔経済〕‖～は崩壊した 泡沫经济崩溃了

はへん【破片】碎片suìpiàn

はまき【葉巻】〔支,根〕雪茄烟xuějiāyān

はまぐり【蛤】文蛤wéngé; 蛤蜊géli

はまべ【浜辺】海滨hǎibīn; 湖边húbiān

はま・る【嵌まる・填まる】❶〔ぴったり入る〕嵌入qiànrù; 正好套上zhènghǎo tàoshang‖戸が～らない 门安不上｜型に～らない性格 自由奔放的性格 ❷〔落ちる〕陷进xiànjin; 掉进diàojin ❸〔だまされる〕中计zhòngjì‖わなに～る 上圈套 ❹〔のめり込む〕入迷rùmí; 迷上míshang

はみがき【歯磨き】刷牙shuāyá‖食べたらすぐに～をする 吃完饭马上刷牙 ✣一粉:牙粉;(練り歯磨き)牙膏

はみだ・す【はみ出す】露出lùchu; 超出chāochū

ハミング(～する)哼唱hēngchàng

ハム ❶〔食品〕火腿huǒtuǐ ❷〔アマチュア無線家〕业余无线电爱好者yèyú wúxiàndiàn àihàozhě ✣一エッグ:火腿蛋｜一サラダ:火腿沙拉

はむか・う【刃向かう・歯向かう】逆反nìfǎn; 违抗wéikàng‖権力に～う 不畏强权

ハムスター〔只〕仓鼠cāngshǔ

はめ【羽目】❶〔建築〕壁板bìbǎn ❷〔その他の表現〕‖のっぴきならない～に陥る 陷入了进退两难的窘境｜～を外して騒ぐ 尽情欢闹

はめこ・む【嵌め込む・填め込む】嵌入qiànrù; 镶嵌xiāngqiàn

はめつ【破滅】(～する)毁灭huǐmiè; 灭亡mièwáng‖みずから～を招く 自取灭亡

は・める【嵌める・填める】❶〔合うように入れる〕嵌qiàn; 镶xiāng; 戴上dàishang‖手袋を～める 套上手套｜指輪を～める 戴上戒指｜ボタンを～める 扣上扣子｜ガラスを窓枠に～める 把玻璃镶进窗框里 ❷〔だます〕使人上当shǐ rén shàngdàng; 欺骗qīpiàn‖まんまと～められた 中了圈套

ばめん【場面】❶〔シーン〕场面chǎngmiàn; 情景qíngjǐng‖感動的な～ 感人的场面 ❷〔状況〕场面chǎngmiàn; 情况qíngkuàng

はもの【刃物】刀剑dāojiàn; 刀子dāozi

はもん【波紋】❶〔波の模様〕波纹bōwén‖水面に～が広がった 水面泛起阵阵波纹 ❷〔影響〕影响yǐngxiǎng; 反响fǎnxiǎng

はもん【破門】(～する)取消资格qǔxiāo zīge; 逐出zhúchu‖弟子を～する 开除弟子

はやあし【早足・速足】‖～で歩く 快走

はや・い【早い・速い】❶〔時刻〕早zǎo‖起きるのが～い 起得很早｜朝～い汽車 早班车｜～くしないと遅れるよ 不抓紧就来不及了 ❷〔速度〕快kuài‖月日がたつのは～い 时间过得真快｜仕事が～い 工作效率高｜のみこみが～い 理解力很强

はやいものがち【早い者勝ち】定 捷足先登jiézú xiān dēng

はやおき【早起き】(～する)早起zǎo qǐ‖～は三文の徳 早起三分利

はやがてん【早合点】(～する)草率断定cǎoshuài duàndìng; 贸然断定màorán duàndìng

はやく【早く】❶〔時間・時期〕早zǎo‖～帰ってきてね 早点儿回来啊｜昨日はいつもより～寝た 昨天比平时睡得早 ❷〔速度〕快kuài; 赶快gǎnkuài‖～宿題を済ませなさい 赶快把作业做完｜～行かないと間に合わない 不快走就来不及了

はやく【端役】不重要的角色〔人〕bú zhòngyào de juésè〔rén〕; 配角pèijué

はやくち【早口】说话快shuōhuà kuài‖✣一言葉:绕口令

はやさ【早さ・速さ】速度sùdù‖異例の～で部長に昇進した 短期内就晋升为处长

はやし【林】〔片〕树林shùlín; 林lín

はやじに【早死に】(～する)早逝zǎo shì; 夭折yāozhé

はや・す【生やす】让…生长ràng … shēngzhǎng‖口ひげを～す 留着髭

はやて【疾風】疾风jífēng; 强风qiángfēng‖～のように駆け抜ける 风驰电掣般地跑去了

はやとちり【早とちり】(～する)贸然断定造成错误màorán duàndìng zàochéng cuòwù

はやね【早寝】(～する)‖～早起き 早睡早起

はやばや【早早】早早儿zǎozǎor‖～と敗退する 早早儿地被淘汰了

はやばん【早番】早班zǎobān

はやびけ【早引け】(～する)早退zǎotuì‖仕事を2時間～した 提早两个小时下班

はやぶさ【隼】隼sǔn

はやま・る【早まる・速まる】❶〔はやくなる〕(予定が)提前tíqián.(速度が)加快jiākuài ❷〔あせる〕急jí; 着急zháojí‖～ってはいけない 别急!｜～ったことをしてくれた 你着急误事了

はやみみ【早耳】消息灵通xiāoxi língtōng

はやめ【早め】提前tíqián; 早点儿zǎo diǎnr‖～に家を出た 提前离开了家｜～に昼食を済ませよう 早点儿把午饭吃了吧

はや・める【早める・速める】❶〔予定を〕提前tíqián‖日どりを2,3日～めた 日程提前了两天 ❷〔急がせる〕‖足を～める 加快脚步

はやり【流行】时髦shímáo; 流行liúxíng ✣一言葉:流行语｜一廃(すた)り:时兴和过时

はや・る【流行る】❶〔流行する〕流行liúxíng‖短いスカートが～っている 现在流行短裙子｜今時～らない 已经过时了 ❷〔病気が広まる〕蔓延mànyán; 流行liúxíng‖風邪が～っている 感冒正流行 ❸〔繁盛する〕繁荣fánróng; 兴旺xīngwàng

はや・る【逸る】‖～る心を抑える 克制急躁情绪

はやわざ【早業】‖目にもとまらぬ～ 神速的手法

はら【腹】❶〔腹部〕肚子dùzi; 小腹xiǎofù‖～が痛い 肚子痛｜～をくだす 拉肚子｜～がへった 肚子饿了｜～が張る 肚子涨｜～をかかえて笑う 捧腹大笑｜～がへっては軍(いくさ)はできぬ 人是铁饭是钢 ❷〔胎内〕胎内tāi nèi‖～を痛めた子 亲生的孩子｜～違いの弟 同父异母的弟弟 ❸〔心〕想法xiǎngfa; 内心nèixīn‖彼の～の中がわからな

い 无法揣透他的内心｜～の中が煮えくり返る 气得心里直翻腾｜～にすえかねる 让人忍无可忍｜～に一物ある 别有企图｜～がすわっている 度量好大｜～の探り合いをする 互相揣测对方的心思｜～を割って話す 推心置腹地谈｜～が黒い 心眼儿坏｜～を決める 下决心｜～をくくる 横下心｜痛くもない～を探られる 没有理由地受怀疑

ばら【薔薇】 玫瑰méigui; 蔷薇qiángwēi ‖ ～色の人生 幸福的人生

ばら 零散língsan; 散装sǎnzhuāng

はらいこ・む【払い込む】 交纳jiāonà; 缴纳jiǎonà ‖ 会費を～む 缴纳会费

はらいさ・げる【払い下げる】 发放fāfàng; 转让zhuǎnràng ‖ 国有林を～げる 出售国有林

はらいせ【腹癒せ】 出气chūqì; 发泄怨气fāxiè yuànqì

はらいの・ける【払い除ける】 推开tuīkāi; 甩开shuǎikai; 掸掉dǎndiào ‖ 虫を手で～ける 用手赶走虫子｜邪念を～ける 驱走邪念

はらいもど・す【払い戻す】 退还tuìhuán; 付还fùhuán ‖ 代金を～す 退还货款

はら・う【払う】 ❶〔金を支払う〕支付zhīfù; 交纳jiāonà ‖ 月謝を～う 支付学费｜日本円で～えますか 能用日元支付吗？ ❷〔取り除く〕擦掉cādiào; 掸掉dǎndiào ‖ 机のほこりを～う 擦去桌子上的尘土｜ズボンのほこりを～う 掸掉裤子上的灰尘｜木の枝を～う 给树木剪枝 ❸〔心を向ける〕予以yǔyǐ; 表示biǎoshì ‖ 細心の注意を～う 特别注意｜敬意を～う 表示敬意 ❹〔費す〕付出fùchū; 倾注qīngzhù ‖ 犠牲を～う 付出牺牲

バラエティー ❶〔変化に富むこと〕多姿多彩duōzī duōcǎi; 多种多样duōzhǒng duōyàng ‖ ～に富む 丰富多彩 ❷〔番組〕综艺zōngyì

パラオ 帕劳Páláo

はらぐあい【腹具合】 ‖ ～が悪い 肚子不舒服

パラグアイ 巴拉圭Bālāguī

パラグライダー 滑翔伞huáxiángsǎn

はらごしらえ【腹拵え】（～する）吃饭chī fàn

はらごなし【腹ごなし】（～する）助消化zhù xiāohuà; 消食xiāoshí

パラシュート 降落伞jiàngluòsǎn

はら・す【晴らす】 消除xiāochú; 解除jiěchú ‖ 無実の罪を～す 沉冤昭雪｜酒で憂さを～す 借酒浇愁

ばら・す ❶〔ばらばらにする〕拆开chāikāi; 拆卸chāixiè ‖ 時計を～す 拆卸钟表 ❷〔暴露する〕暴露bàolù; 泄露xièlòu; 揭穿jiēchuān ‖ 会社の内情を～す 泄露公司内幕 ❸〔殺す〕杀死shāsǐ

パラソル〔把〕遮阳伞zhēyángsǎn

パラダイス 天堂tiāntáng; 乐园lèyuán

はらだたし・い【腹立たしい】 让人生气ràng rén shēngqì; 可气kěqì; 可恶kěwù

はらだち【腹立ち】 生气shēngqì; 气愤qìfèn ‖ ～まぎれにドアをけとばした 气呼呼踹了门一脚

ばらつき 零散língsan; 不齐bù qí ‖ 選手の実力に～がある 选手的实力参差不齐

はらっぱ【原っぱ】 空地kòngdì

はらづもり【腹積もり】 打算dǎsuan; 精神准备jīngshén zhǔnbèi

パラドックス 悖论bèilùn; 反论fǎnlùn

はらばい【腹這い】 匍匐púfú; 爬行páxíng

はらはら ❶〔落ちるようす〕飘落piāoluò ❷〔不安に感ずる〕感到紧张gǎndào jǐnzhāng; 定 捏一把汗niē yì bǎ hàn ‖ うそがばれないか～する 怕谎言败露，心里忐忑不安｜飛行機に乗り遅れないか～した 怕赶不上飞机，心中十分着急

ばらばら ❶〔雨など〕稀稀落落地(下) xīxīluòluò de (xià) ❷〔別々に〕凌乱língluàn; 散乱sǎnluàn; 定 七零八落qī líng bā luò ‖ 機械を～に分解した 把机器拆卸开｜一家は戦争で～になった 战争使一家妻离子散 ❖ 一事件:碎尸案

ぱらぱら（雨が）沙沙shāshā.（まばら）定 寥寥无几liáo liáo wú jǐ ‖ 雨が～と降ってきた 雨点淅淅沥沥地落下｜本を～めくる 信手翻阅

パラフィンし【パラフィン紙】〔张〕石蜡纸shílàzhǐ

パラボラ アンテナ 抛物面天线pāowùmiàn tiānxiàn

ばらま・く【ばら蒔く】 散布sànbù; 撒sǎ ‖ うわさを～く 到处散布谣言｜金を～く 到处撒钱

はら・む【孕む】 ❶〔みごもる〕怀孕huáiyùn ❷〔含む〕包藏bāocáng; 鼓起gǔqi ‖ 帆が風を～む 船帆鼓起了风｜問題を～む 隐藏着各种问题

バラライカ 巴拉莱卡琴bālāláikǎqín

パラリンピック 残奥会Cán'àohuì

はらわた【腸】 内脏nèizàng; 肠cháng ‖ 魚の～を抜く 掏出鱼的内脏｜～が煮えくり返る 气坏｜～の腐った人間 他这人坏透了

はらん【波乱】 ❶〔もめごと〕风波fēngbō; 风浪fēnglàng; 事端shìduān ‖ ～が起きる 起了事端｜～含み 暗藏着一场风暴的到来 ❷〔変化のあること〕波澜bōlán; 变幻biànhuàn ‖ ～に富んだ一生 波澜起伏的一生 ❖ 一万丈:波澜万丈

バランス 平衡pínghéng; 均势jūnshì ‖ 体の～がよくとれている 身体平衡很好｜～を崩す 失去平衡｜～感覚 平衡感 ❖ 一シート:资产负债表

はり【針】 ❶〔縫い物などの〕〔根〕缝针féngzhēn ‖ ～目 针脚｜～に糸を通す 纫针｜傷口を10～縫った 伤口缝了十针 ❷〔時計などの〕表针biǎozhēn; 针头zhēntóu ‖ 時計の～は10時をさしている 时针指向10点｜ステープラーの～ 钉书针｜磁石の～ 磁针 ❸〔心を傷つけるもの〕针zhēn; 刺儿cìr ‖ ～を含んだ言葉 带刺儿的话

はり【張り】 ❶〔力強くみずみずしいこと〕弹力tánlì; 有力yǒulì; 响亮xiǎngliàng ‖ ～のある声 响亮的声音｜～のある素肌 有弹力的肌肤 ❷〔やりがい〕‖ 生きる～を失う 失去生活的劲头

はり【梁】 房梁fángliáng; 大梁dàliáng

はり【鍼】 针灸针zhēnjiǔzhēn ‖ ～を打つ 扎针

バリア 障碍zhàng'ài; 防护墙fánghùqiáng ❖ 一フリー:无障碍

はりあい【張り合い】 有劲头yǒu jìntóu; 有干劲yǒu gànjìn ‖ 仕事の～を失う 失去了工作劲头

はりあ・う【張り合う】 争执zhēngzhí; 争夺zhēngduó ‖ たがいに～う 相互争执不下｜弟は兄と～おうとする 弟弟都要和哥哥争

はりあ・げる【張り上げる】 放声fàngshēng ‖ 大声を～げて助けを求めた 扯开嗓子呼救

バリウム 钡bèi ‖ ～を飲む 喝钡餐

バリエーション 变化biànhuà; 变动biàndòng

はりか・える【張り替える】 重糊chóng hú; 重

贴chóng tiē

はりがね【針金】〔根,条〕铁丝tiěsī；钢丝gāngsī

はりがみ【張り紙】(〜する)贴纸tiē zhǐ.（広告など)张贴(小)广告zhāngtiē (xiǎo) guǎnggào

バリカン〔把〕理发推子lǐfà tuīzi

ばりき【馬力】❶〔単位〕马力mǎlì ❷〔体力·活力〕体力tǐlì；精力jīnglì‖若い人は〜がある 年轻人精力充沛｜〜がかかる 加大马力；鼓起干劲

はりき·る【張り切る】有精神yǒu jīngshen；鼓足干劲gǔzú gànjìn

バリケード 街垒jiēlěi；路障lùzhàng

ハリケーン〔场〕飓风jùfēng

はりこ·む【張り込む】❶〔刑事などが〕埋伏máifu；监视jiānshì‖刑事が現場に〜む 刑警在现场埋伏 ❷〔奮発する〕奋发fènfā；豁出huōchu

はりさ·ける【張り裂ける】❶〔膨らんで破裂する〕破裂pòliè；炸zhà；胀破zhàngpò ❷〔悲しみなどで〕满胸怀mǎn xiōnghuái‖胸が〜けそうだ 满腔悲愤

はりたお·す【張り倒す】‖相手を〜す 把对手打倒了

はりだ·す【張り出す】❶〔出っ張る〕伸出shēnchu；突出tūchū ❷〔掲示する〕公布gōngbù；张贴zhāngtiē‖広告を〜す 张贴出广告

はりつ·める【張り詰める】❶〔一面にはる〕…满…mǎn‖湖には氷が一面に〜めていた 湖面结满了冰 ❷〔緊張する〕紧张jǐnzhāng‖気を〜めてなりゆきを見守る 紧张地注视着事态的发展

バリトン 男中音nánzhōngyīn.（歌手)男中音歌手nánzhōngyīn gēshǒu

はりねずみ【針鼠】刺猬cìwei

ばりばり ❶〔精力的なさま〕精神十足jīngshen shízú；干劲大gànjìn dà‖〜働く 劲头十足地工作 ❷〔こわばったさま〕僵硬jiāngyìng

はりめぐら·す【張り巡らす】围上wéishang；遍布biànbù‖ロープを〜す 用绳子圈着

はる【春】❶〔四季の1つ〕春天chūntiān‖〜が来た 春天来了 ❷〔青春期·最盛期〕青春期qīngchūnqī；最盛期zuìshèngqī‖わが世の〜を謳歌(おう)する 尽情享受人生最美好的时光 ❖一景色:春天的景致｜一先:早春｜一休み:春假

は·る【張る·貼る】❶〔広がる·広げる·伸ばす〕展开zhǎnkāi；伸展shēnzhǎn‖暴力団がこの町に勢力を〜っている 黑社会掌握了这个镇子｜テントを〜る 搭帐篷｜胸を〜って歩く 挺起胸膛走｜バラが根を〜る 玫瑰花扎根 ❷〔はりつける〕贴tiē；粘zhān.（のり状のもので)糊hú‖紙を〜る 贴纸｜封筒に切手を〜る 信封上贴邮票 ❸〔体·筋肉が〕肿胀zhǒngzhàng；发酸fāsuān‖腹が〜る 肚子胀｜肩が〜る 肩膀酸｜乳が〜る 乳房发胀 ❹〔気を引き締める〕紧张jǐnzhāng；绷紧bēngjǐn‖気が〜っている 精神紧张 ❺〔値段がかさむ〕高价gāojià；贵guì‖値が〜る 价钱很贵 ❻〔押し通す〕‖強情を〜る 刚愎自用｜意地を〜 固执 ❼〔催す·構える〕开kāi；开设kāishè‖政府批判の論陣を〜る 摆开批评政府的阵势 ❽〔見張る〕监视jiānshì ❾〔賭(か)ける〕打赌dǎdǔ；赌dǔ‖相場を〜る 炒股票

はるか【遥か】❶〔距離〕远yuǎn；遥远yáoyuǎn‖〜かなた 远方｜〜むかし 远古 ❷〔程度〕‖〜によい 好得多

はるがすみ【春霞】〔片〕春霞chūnxiá

バルコニー 阳台yángtái

はるさめ【春雨】❶〔食品〕粉丝fěnsī ❷〔春の雨〕春雨chūnyǔ

バルバドス 巴巴多斯Bābāduōsī

はるばる【遥遥】[定]千里迢迢qiān lǐ tiáo tiáo；远道而来yuǎndào ér lái

バルブ 阀fá；活门儿huóménr

パルプ 纸浆zhǐjiāng ❖一材:纸浆材

はるまき【春巻】春卷chūnjuǎn

はれ【晴れ】❶〔気象〕晴qíng；晴天qíngtiān‖〜のち曇り 晴转阴 ❷〔華やかな特別の〕隆重lóngzhòng；盛大shèngdà.（公式の)正式zhèngshì‖〜の舞台 盛大的舞台

はれ【腫れ】肿zhǒng；肿胀zhǒngzhàng‖脚の〜がひいた 腿上的肿消了

はれあが·る【腫れ上がる】肿起来zhǒngqilai；肿胀zhǒngzhàng

ばれいしょ【馬鈴薯】马铃薯mǎlíngshǔ；土豆tǔdòu

バレエ 芭蕾舞bālěiwǔ ❖一団:芭蕾舞团

パレード（〜する)游行yóuxíng；示威游行shìwēi yóuxíng

バレーボール 排球páiqiú

はれがまし·い【晴れがましい】隆重lóngzhòng；盛大shèngdà；豪华háohuá‖〜席でスピーチをする 在盛大宴会上致词

はれぎ【晴れ着】盛装shèngzhuāng

パレスチナ 巴勒斯坦Bālèsītǎn ❖一解放機構:巴勒斯坦解放组织

はれつ【破裂】(〜する)破裂pòliè；爆裂bàoliè‖水道管が〜した 水管破裂了｜爆弾が〜した 炸弹爆炸了｜かんしゃく玉を〜させる [定]怒不可遏

パレット 调色板tiáosèbǎn ❖一ナイフ:调色刀

はれて【晴れて】公开gōngkāi；正式zhèngshì；公然gōngrán‖〜夫婦になった 正式成夫妻了

はればれ【晴れ晴れ】(〜する)晴朗qínglǎng；舒畅shūchàng；愉快yúkuài

はれま【晴れ間】❶〔雨·雪の〕间歇jiànxiē；暂晴zànqíng‖梅雨の〜 梅雨中的短暂晴天 ❷〔雲の〕云缝yúnfèng

はれもの【腫れ物】疙瘩gēda；肿包zhǒngbāo‖首に〜ができた 脖子上长了一个包｜〜にさわるように接する 小心翼翼地对待

はれやか【晴れやか】愉快yúkuài；爽快shuǎngkuai；舒畅shūchàng

バレリーナ 芭蕾舞女演员bālěiwǔ nǚ yǎnyuán

は·れる【晴れる】❶〔天気が〕晴qíng；[定]雨过天晴yǔ guò tiān qíng‖明日は〜れるだろう 明天会晴天吧 ❷〔気分〕舒畅shūchàng‖気が〜れる 心情舒畅 ❸〔疑いが〕消除xiāochú‖疑いが〜れる 消除嫌疑

は·れる【腫れる】肿zhǒng‖寝過ぎでまぶたが〜れた 睡多了,把眼皮都睡肿了

ば·れる 败露bàilù；揭露jiēlù‖秘密が〜れた 秘密暴露了

はれわた·る【晴れ渡る】晴朗qínglǎng‖〜った秋空 万里无云的秋空

バレンタイン デー 情人节Qíngrénjié

はれんち【破廉恥】㊐厚颜无耻hòu yán wú chǐ ✤一罪:违反道德的罪
はろう【波浪】波浪bōlàng ✤一警報:大浪警报
バロック 巴洛克Bāluòkè ✤一音楽:巴洛克音乐｜一建築:巴洛克建筑
パロディー 戏仿xìfǎng; 仿拟fǎngnǐ
バロメーター 晴雨表qíngyǔbiǎo.〔指標〕指标zhǐbiāo‖健康の～ 健康评价指标
パワー ❶〔動力〕力量lìliang; 马力mǎlì; 能量néngliàng‖～のある車 马力大的车 ❷〔人の〕能力nénglì; 实力shílì; 权势quánshì ✤一アップ:提高能力；增添力量
はん【半】半bàn; 一半yíbàn‖5時～ 5点半｜1時間～ 一个半小时
はん【判】〔枚〕印章yìnzhāng; 图章túzhāng‖～を押す 盖章｜～で押したよう 很有规律
はん【版】版bǎn‖～を重ねる 改版
はん【班】班bān;（小）组(xiǎo)zǔ
ばん【晩】晚wǎn; 晚上wǎnshang
ばん【番】❶〔順番〕轮班lúnbān; 班bān‖今度は私の～だ 下次该〔轮到〕我了 ❷〔見張り〕看守kānshǒu; 看着kānzhe ❸〔順序·番号〕第…号dì … hào‖左から2～めが私の妹だ 左数第二个就是我妹妹｜6～ホーム 六号站台 ❹〔試合〕盘pán; 局jú‖3～勝負 赛三局
パン〔片,块〕面包miànbāo‖～を焼く〔つくる〕烤〔做〕面包 ✤一くず:面包屑｜一粉:面包粉
はんい【範囲】范围fànwéi; 界限jièxiàn
はんいご【反意語】反义词fǎnyìcí
はんえい【反映】(～する)反映fǎnyìng‖住民の意見を～した町づくり 反映了居民意见的城镇建设
はんえい【繁栄】(～する)繁荣fánróng; 兴旺xīngwàng‖社会の～ 社会的繁荣
はんえいきゅうてき【半永久的】半永久性的bàn yǒngjiǔxìng de
はんえん【半円】半圆bànyuán
はんが【版画】版画bǎnhuà ✤一家:版画家
ばんか【挽歌】挽歌wǎngē
ばんか【晩夏】晚夏wǎnxià
ハンガー 衣架yījià
はんかい【半壊】(～する)半坏bàn huài
ばんかい【挽回】(～する)挽回wǎnhuí; 弥补míbǔ‖名誉〔劣勢〕を～する 挽回名誉〔败局〕
はんかがい【繁華街】繁华街(区) fánhuájiē(qū)
はんがく【半額】半价bànjià
ハンカチ〔块,条〕手帕shǒupà; 手绢shǒujuàn
はんかつう【半可通】㊐一知半解(的人) yì zhī bàn jiě (de rén); ㊐半瓶醋bànpíngcù
ハンガリー 匈牙利Xiōngyálì
バンガロー 露营小屋lùyíng xiǎowū
はんかん【反感】反感fǎngǎn‖国民の～を買う 引起国民的反感
ばんかん【万感】百感bǎigǎn‖～胸に迫る 百感交集；感慨万端
はんき【反旗】‖～を掲げる 造反
はんき【半期】半期bànqī; 半年bàn nián‖決算は～ごとに行なう 决算〔结算〕每半年进行一次
はんき【半旗】半旗bànqí‖～を掲げて哀悼の意を表す 下〔降〕半旗致哀
はんぎゃく【反逆】(～する)叛逆pànnì; 反叛fǎnpàn; 背叛bèipàn‖主君に～する 背叛君主｜～を企てる 谋反 ✤一罪:叛国罪｜一者:叛徒
はんきょう【反響】❶〔影響〕反响fǎnxiǎng; 反应fǎnyìng‖大きな～を呼ぶ 引起强烈反响 ❷(～する)〔音響〕回声huíshēng
ばんきん【板金】✤一加工:板金加工
パンク(～する)❶〔タイヤの〕放炮fàngpào; 爆胎bào tāi‖自転車が～した 自行车放炮了 ❷〔破裂〕胀破zhàngpò; 撑破chēngpò‖おなかが～しそうだ 肚子就要撑破了
ハング グライダー 滑翔翼huáxiángyì
ばんぐみ【番組】节目jiémù‖テレビの～を見る 看电视节目 ✤一表:节目表〔单〕｜一欄:节目栏
バングラデシュ 孟加拉国Mèngjiālāguó
ハングル 韩国文字Hánguó wénzì
ばんくるわせ【番狂わせ】出乎意外chū hū yìwài.〔勝敗〕爆冷门bào lěngmén
はんけい【半径】半径bànjìng
はんげき【反撃】(～する)反击fǎnjī; 反攻fǎngōng‖敵の～に遭う 遭到了敌军的反攻｜～に転じる 转守为攻
はんけつ【判決】判决pànjué‖～が下る 判决下来了｜～を言い渡す 宣布判决 ✤一文:判决书
はんげつ【半月】(上、下)弦月(shàng、xià) xiányuè
はんけん【版権】⇨ちょさくけん(著作権)
はんげん【半減】(～する)减半jiǎnbàn; 减少一半jiǎnshǎo yíbàn‖収入が～する 收入减半
ばんけん【番犬】看家狗kānjiāgǒu
はんこ【判子】⇨はん(判)
はんご【反語】反语fǎnyǔ; 反问(句) fǎnwèn(jù)
はんこう【反抗】(～する)反抗fǎnkàng; 逆反nìfǎn; 顶撞dǐngzhuàng‖父親に～する 顶撞父亲 ✤一期:反抗期｜一心:逆反心理〔情绪〕
はんこう【犯行】罪行zuìxíng; 犯罪行为fànzuì xíngwéi‖～を認める 认罪｜～を自供する 招供 ✤一現場:作案现场｜一声明:犯罪声明
ばんこう【蛮行】暴行bàoxíng
ばんごう【番号】号码hàomǎ‖若い～ 数字小的｜～を呼ぶ 叫号 ✤一順:号码次序
ばんこく【万国】世界各国shìjiè gè guó; 万国wànguó‖子を思う親の心は～共通だ 可怜天下父母心 ✤一旗:万国旗｜一博覧会:万国博览会
はんこつ【反骨·叛骨】反抗fǎnkàng ✤一精神:反抗精神
ばんこん【晩婚】晚婚wǎnhūn
はんざい【犯罪】犯罪fànzuì‖重大～を犯す 犯大罪 ✤一行為:犯罪行为｜一者:罪犯
ばんざい【万歳】万岁wànsuì‖女王陛下～！ 女王陛下万岁！｜～を三唱する 三呼万岁
ばんさく【万策】‖～尽きた 用尽千方百计
はんざつ【煩雑】繁杂fánzá; 繁乱fánluàn
ハンサム 帅shuài; 英俊yīngjùn
はんさよう【反作用】反作用fǎnzuòyòng
ばんさん【晩餐】晚餐wǎncān ✤一会:晚宴
はんし【半死】✤一半生: ㊐半死不活
はんじ【判事】法官fǎguān

ばんじ【万事】万事wànshì；一切yíqiè ‖ ～休す 万事休矣 | ～オーケー 全都没问题 | ～お任せします 一切都交给你了 | 一事が～ 定 以小知大
パンジー 三色堇sānsèjǐn；蝴蝶花húdiéhuā
はんしゃ【反射】(～する) 反射fǎnshè ❖ 一鏡：反射镜 | 一光〔線〕：反射光〔线〕 | 一神経：反射神经 | 一中枢：反射中枢 | 一炉：反射炉
はんしゃかいてき【反社会的】反社会(的) fǎn shèhuì (de) ‖ ～な行動 反社会的行为
ばんじゃく【盤石・磐石】坚固jiāngù；不可动摇bùkě dòngyáo ‖ ～の構えで試合に臨む 做好充分准备去比赛
はんしゅう【半周】(～する) 半周 bànzhōu；半圈bànquān ‖ トラックを～した 绕跑道跑了半圈
ばんしゅう【晚秋】晚秋wǎnqiū
はんじゅく【半熟】半熟bànshú
はんしゅつ【搬出】(～する) 搬出去〔出来〕bānchuqu〔chulai〕；搬走bānzǒu
ばんしゅん【晚春】晚春wǎnchūn
ばんしょ【板書】(～する) 板书bǎnshū
はんしょう【反証】(～する) 反证fǎnzhèng
はんしょう【半焼】(～する) (因火灾) 烧掉一半 (yīn huǒzāi) shāodiào yíbàn
はんじょう【繁盛】(～する) 兴隆 xīnglóng；昌盛chāngshèng；繁荣fánróng ‖ 商売～ 生意兴隆
はんしょく【繁殖】(～する) 繁殖 fánzhí ❖ 一期：繁殖期 | 一力：繁殖力
はんしん【半身】❖一不随：偏瘫；半身不遂
はんしんはんぎ【半信半疑】定 半信半疑 bàn xìn bàn yí；定 将信将疑jiāng xìn jiāng yí
はんすう【反芻】(～する) ❶〔繰り返し考える・味わう〕反复品味 fǎnfù pǐnwèi；反复推敲 fǎnfù tuīqiāo ❷〔動物〕反刍fǎnchú
はんすう【半数】半数bàn shù
ハンスト 绝食示威juéshí shìwēi
はんズボン【半ズボン】〔条〕短裤duǎnkù
はん・する【反する】❶〔そむく〕违反wéifǎn；违背wéibèi ‖ 礼儀に～する 违背礼节 | 事実に～する 与事实不符 ❷〔逆になる〕相反xiāngfǎn ‖ 大方の予想に～して 出乎大家的预料
はんせい【反省】(～する) 反省 fǎnxǐng；检讨 jiǎntǎo；自我批评zìwǒ pīpíng ‖ 自分のやったことを～する 反省自己的所作所为 | ～の色が見えない 没有反省之意 ❖ 一会：检讨会；总结会
はんせい【半生】半辈子bànbèizi
はんせん【反戦】❖一デモ：反战示威
はんせん【帆船】〔条，艘〕帆船fānchuán
はんぜん【判然】明确míngquè；清楚qīngchu ‖ 文章の主旨が～としない 文章的主旨不明确
ばんぜん【万全】定 万无一失 wàn wú yì shī；‖ ～を期する 保证万无一失 | ～の策 万全之策
ハンセンびょう【ハンセン病】麻风病máfēngbìng；汉森病hànsēnbìng
はんそう【搬送】(～する) 运送 yùnsòng；运输 yùnshū ‖ 建築資材を～する 运输建筑材料
ばんそう【伴奏】(～する) 伴奏bànzòu
ばんそうこう【絆創膏】创可贴chuāngkětiē
はんそく【反則】(～する) 犯规 fànguī；违反规则wéifǎn guīzé ‖ ～をとられる 被判犯规
はんそで【半袖】短袖duǎnxiù
はんだ【半田】焊锡hànxī ‖ ～づけにする 焊接
パンダ 大熊猫dàxióngmāo
ハンター ❶〔狩猟家〕猎人lièrén ❷〔あさりもとめる人〕追求者zhuīqiúzhě；探求者tànqiúzhě
はんたい【反対】❶〔逆〕相反xiāngfǎn ‖ 道の～側 马路对面 | 裏表～にはく 穿反了 | 予想と～の 与预料相反 ❷(～する)〔逆らう〕反对fǎnduì ‖ 断固～する 坚决反对 | ～の人は手をあげて 不赞成的人请举手 | 親の～を押し切る 不顾父母的反对 ❖ 一尋問：反询问 | 一投票：反对票
はんたいせい【反体制】反体制fǎn tǐzhì ❖ 一運動：反体制活动
パンタグラフ 导电弓架dǎodiàn gōngjià
はんだん【判断】(～する) 判断pànduàn ‖ ～がつかない 很难下判断 | 上司に～を仰ぐ 请上司裁决 | 善悪を～する 识别善恶
ばんたん【万端】‖ 準備～ 一切准备就绪
ばんち【番地】门牌号码ménpái hàomǎ
パンチ (～する) ❶〔なぐる〕打dǎ；揍zòu ‖ 痛烈な～を食らった 挨了重重的一拳 ❷〔痛快な印象を与える力〕有魄力yǒu pòlì；强有力qiángyǒulì ‖ ～のきいた音楽 强劲的节奏 ❸〔切符やカードに穴をあける〕‖ 切符に～を入れる 检〔剪〕票
はんちゅう【範疇】范畴fànchóu；类型lèixíng
はんちょう【班長】组长zǔzhǎng
パンツ ❶〔下着〕〔条〕内裤nèikù ❷〔ズボン〕〔条〕裤子kùzi ❖ 一スーツ：长裤套装
はんつき【半月】半个月 bàn ge yuè；半月 bàn yuè ‖ この雑誌は～ごとに出る 这份杂志是半月刊
ハンデ ⇨ハンディキャップ
はんてい【判定】(～する) 判定 pàndìng；判决 pànjué ‖ 審判の～に従う 服从裁判的判决
パンティー 三角裤衩sānjiǎo kùchǎ
パンティーストッキング 连裤袜liánkùwà
ハンディキャップ ❶〔不利な条件〕不利条件búlì tiáojiàn ‖ 肉体的な～を克服する 克服身体上的缺陷 ❷〔ゴルフ〕差点chādiǎn
はんてん【反転】(～する) ❶〔ひっくり返すこと〕翻转fānzhuǎn；倒置dàozhì ‖ 画像を～する 反转图片 ❷〔向きがかわること〕掉头diàotóu；折回zhéhuí ❸〔写真〕反转fǎnzhuǎn
はんてん【斑点】斑bān；斑点bāndiǎn
バンド ❶〔ひも状のもの〕〔条〕带子dàizi；腰带yāodài；皮带pídài ❷〔楽団〕乐队yuèduì ❖ 一マスター：乐队指挥 | ヘア一：发带 | リスト一：护腕
はんドア【半ドア】门没关好mén méi guānhǎo
はんとう【半島】半岛bàndǎo
はんどう【反動】❶〔反対方向へ働く力〕反作用力fǎnzuòyònglì ‖ 急停車した～で前のめりになる 因急刹车的反作用力，身体前冲 ❷〔保守的な傾向〕反动fǎndòng；保守bǎoshǒu
ばんとう【晩冬】晚冬wǎndōng
はんどうたい【半導体】半导体bàndǎotǐ
はんとうめい【半透明】半透明bàn tòumíng
バンドエイド 邦迪Bāngdí
はんどく【判読】(～する) 判读pàndú；辨认biànrèn ‖ 碑文の～が困難だ 碑文难以辨识
はんとし【半年】半年bànnián
ハンドバッグ 手提包 shǒutíbāo；手袋 shǒu-

dài; 小包xiǎobāo

ハンドブック 手册shǒucè; 便览biànlǎn

ハンドボール 手球shǒuqiú

パントマイム 哑剧yǎjù

ハンドル ❶〔乗り物・機械の〕(自動車の)方向盘fāngxiàngpán.(自転車・バイクの)车把chēbǎ ‖ ～を握る 握方向盘｜～を右に切る 向右边打方向盘｜～をとられる 方向盘失控 ❷〔ドアなどの取っ手〕把手bǎshou.(ノブ)拉手lāshou

ばんなん【万難】‖ ～を排する 排除万难

はんにち【半日】半天bàntiān; 半日bànrì

はんにゅう【搬入】(～する)搬入bānrù; 搬进bānjìn ‖ 機材を会場へ～する 把器材搬入会场

はんにん【犯人】犯人fànrén; 罪犯zuìfàn ‖ ～が逮捕された 犯人被逮捕了

ばんにん【万人】众人zhòngrén; 大家dàjiā ‖ ～向けのデザイン 面向大众的设计

ばんにん【番人】看守人kānshǒurén.(門番)门卫ménwèi ‖ 法の～ 法律的守护神

はんにんまえ【半人前】半吊子bàndiàozi ‖ 仕事が～だ 干活顶不上一个人

はんね【半値】半价bànjià; 对折duìzhé ‖ ～で売る 半价出售｜～にする 打对折

ばんねん【晩年】晚年wǎnnián ‖ 幸せな～を過ごす 过幸福的晚年｜～を迎える 进入晚年

はんのう【反応】(～する)❶〔刺激に対する動き〕反应fǎnyìng.(ききめ)作用zuòyòng; 效果xiàoguǒ ‖ ～が鈍い 反应迟钝｜パソコンの～が遅い 电脑的反应太慢 ❷〔化学〕反应fǎnyìng

ばんのう【万能】❶〔すべてに効力がある〕万能wànnéng ❷〔何でもできる〕万能wànnéng; 全能quánnéng ‖ スポーツ～ 体育运动样样都行 ✤ 一選手:全能选手｜一ナイフ:万能刀｜一薬:万能药

はんぱ【半端】❶〔数量が不完全〕零头língtóu.(端数)零数língshù; 尾数wěishù ‖ ～が出る 出现零头 ❷〔いいかげん〕不彻底bú chèdǐ; 不坚决bù jiānjué ‖ ～な態度 模棱两可的态度｜～な気持ちではこの仕事はつとまらないよ 不全身心地投入可胜任不了这项工作哦 ✤ 一物:零星东西

ハンバーガー 汉堡包hànbǎobāo

ハンバーグ 汉堡(牛)肉饼 hànbǎo (niú)ròubǐng

はんばい【販売】(～する)出售chūshòu; 销售xiāoshòu ‖ 航空券を～する 出售机票 ✤ 一員:售货员｜一価格:销售价格｜一促進:促销｜一代理店:代销店｜一店:售货店｜一網:销售网｜一ルート:销售渠道

はんばく【反駁】(～する)反驳fǎnbó; 辩驳biànbó

はんぱつ【反発】(～する)❶〔反抗する〕反抗fǎnkàng; 抵触dǐchù.(たてつく)顶撞dǐngzhuàng; 顶嘴dǐngzuǐ ‖ 親に～する 跟父母顶嘴｜～を買う 招致反抗 ❷〔はねかえす〕排斥páichì; 推斥tuīchì ‖ 磁石が～しあう 磁铁互相排斥 ❸〔経済〕反弹fǎntán; 回升huíshēng ✤ 一力:(推)斥力

はんはん【半半】对半duìbàn; 各半gè bàn; 一半一半yíbàn yíbàn ‖ 財産を～に分ける 将财产对半儿分

はんぴれい【反比例】(～する)(成)反比〔反比例〕(chéng) fǎnbǐ〔fǎnbǐlì〕‖ 電流は抵抗に～する 电流和电阻成反比

はんぷ【頒布】(～する)分发fēnfā; 散发sànfā

はんぷく【反復】(～する)反复fǎnfù ✤ 一記号:反复记号｜一練習:反复练习

パンプス 船鞋chuánxié; 浅口鞋qiǎnkǒuxié

ばんぶつ【万物】万物wànwù

パンフレット〔本〕小册子xiǎo cèzi

はんぶん【半分】❶〔2分の1〕一半yíbàn ‖ 仕事は～済んだ 工作干完一半儿了｜～あげる 给你一半｜兄弟で～ずつ分けた 兄弟俩一人一半儿分了 ❷〔なかば〕‖ ～本気で考えている 较认真地考虑｜遊び～で留学する 带着去玩儿玩儿的心理留学

はんべつ【判別】(～する)辨别biànbié; 分清fēnqīng ‖ 敵か味方か～できない 分不清敌我

ハンマー ❶〔槌〕〔把〕锤子chuízi ❷〔ハンマー投げの〕链球liànqiú

はんめい【判明】(～する)判明pànmíng; 明白míngbai; 明了míngliǎo ‖ 原因はまだ～していない 原因至今仍不明了

はんめん【反面】反面fǎnmiàn; 另一方面lìng yī fāngmiàn ‖ 利益が高い～,リスクも大きい 虽然赢利高,但是风险也很大 ✤ 一教師:反面教员

はんめん【半面】一面yímiàn; 片面piànmiàn ‖ 物事の～だけを見てはいけない 不能只看事物的一面

はんも【繁茂】(～する)繁茂fánmào

はんもく【反目】(～する)对立duìlì; 不和bùhé ‖ 相～する両国 两国互相仇视〔敌视〕

ハンモック〔张〕吊床diàochuáng; 吊铺diàopù

はんもと【版元】出版社chūbǎnshè

はんもん【反問】(～する)反问fǎnwèn

はんもん【煩悶】(～する)烦恼fánnǎo

ばんゆういんりょく【万有引力】万有引力wàn yǒu yǐnlì ‖ ～の法則 万有引力定律

はんよう【汎用】(～する)通用tōngyòng; 多用途duō yòngtú ✤ 一コンピューター:通用计算机

はんらく【反落】(～する)回跌huídiē

はんらん【反乱】(～する)叛乱pànluàn ‖ ～を鎮める 镇压叛乱; 平叛 ✤ 一軍:叛军

はんらん【氾濫】(～する)❶〔河川が〕泛滥fànlàn ‖ 川が～する 河水泛滥 ❷〔好ましくないものが〕泛滥fànlàn; 充斥chōngchì ‖ 情報が～する 信息泛滥｜間違った日本語が～している 日语的错误用法比比皆是

ばんり【万里】万里wànlǐ ‖ ～の長城 万里长城

はんりょ【伴侶】伴侣bànlǚ ‖ 生涯の～を得る 找到终身〔一生的〕伴侣

はんれい【凡例】凡例fánlì; 例言lìyán

はんれい【判例】判例pànlì ✤ 一集:判例集

はんろ【販路】销路xiāolù ‖ ～を開拓する 开拓销路

はんろん【反論】(～する)反驳fǎnbó; 辩驳biànbó ‖ 相手の言い分に～する 反驳对方的主张

ひ

ひ【日】❶〔太陽〕〔轮〕**太阳**tàiyáng；**日**rì ‖ ～がのぼる 太阳升起；日出｜～が沈む 夕阳西下；日落｜～が陰る 太阳被遮住 ❷〔昼間〕**白天**báitian；**白日**báirì ‖ 冬は～が短い 冬天白天很短｜もうじき～が暮れる 天快黑了｜夜を～につぐ 夜以继日 ❸〔日差し〕**阳光**yángguāng ‖ ～がさんさんと降り注ぐ 阳光灿烂｜この部屋はよく～が当たる 这个房间阳光充足｜～のあるうちに 趁着天还亮 ❹〔一日〕**一天**yì tiān；**日子**rìzi ‖ ～ごとに春めく 春意日益渐浓｜子どもは～に～に成長する 孩子一天天成长起来｜～がたつのが早い 日子过得很快｜入社してまだ～が浅い 进公司日子还短｜～を改めて出直します 我改天再登门拜访 ❺〔日より〕**天气**tiānqì ‖ 風がなくて穏やかな～だ 风和日丽的天气 ❻〔時代〕**时代**shídài；**时候**shíhou ‖ 若き～の思い出 年轻时的记忆 ❼〔日がら〕**日子的吉凶**rìzi de jíxiōng ‖ 今日は～が悪い 今天不吉利｜～を選んで結婚式をあげる 选择吉日举行婚礼 ❽〔特定の1日〕**日子**rìzi；**一天**yì tiān ‖ 母の～ 母亲节 ❾〔その他の表現〕‖ また受験に失敗した～には… 如果这次考试再考不上的话…

ひ【比】**比**bǐ；**比例**bǐlì ‖ ～ではない 无法相比｜5対1の～ 五比一

ひ【火】❶〔ほのお〕**火**huǒ；**火苗**huǒmiáo ‖ ～をつける 点火｜～を消す 灭火｜～を貸してくれますか 能不能借个火儿？｜～をおこす 生火 ❷〔火災〕〔场〕**火灾**huǒzāi；**火警**huǒjǐng ‖ ～の用心 小心防火｜～を出す 失火｜～の回りが早い 火势蔓延得极快 ❸〔煮炊きの〕〔炉〕**火**huǒ ‖ ～を通す （加）热｜なべを～にかける 把锅坐在火上 ❹〔慣用表現〕‖ しりに～がつく 定 火烧眉毛｜～のないところに煙は立たぬ 定 无风不起浪｜飛んで～に入る夏の虫 定 飞蛾投火｜爪(つめ)に～をともす 极其节俭｜～の海 一片火海｜顔から～が出るほど恥ずかしい 臊得脸上火辣辣的｜～に油を注ぐ 火上浇油｜たとえ～の中水の中 哪怕赴汤蹈火也在所不辞｜目から～が出た 眼冒金星｜～が消えたように寂しくなる 变得冷清清的

ひ【灯】〔盏〕**灯光**dēngguāng；**灯火**dēnghuǒ ‖ 街路にいっせいに～がともった 街灯一齐亮了起来

ひ【非】❶〔悪事〕**罪恶**zuì'è；**坏事**huàishì ‖ ～をあばく 揭露罪恶 ❷〔あやまり〕**不对**bú duì；**不是**búshi ‖ ～を認める 承认错误 ❸〔そしること〕**挑剔**tiāoti；**批评**pīpíng ‖ ～の打ちどころがない 无可挑剔 ❹〔接頭語〕**非**fēi；**不**bù；**没**méi ‖ ～科学的 不科学｜～能率的 效率低

ひ【碑】〔座〕**石碑**shíbēi

び【美】❶〔美しいこと〕**美**měi ‖ ～を愛する 爱美 ❷〔立派なこと〕**美**měi；**美好**měihǎo ‖ 有終の～を飾る 定 善始善终 ✤ 一的感覚：美感

び【微】‖ ～に入り細をうがつ 细致入微

ひあい【悲哀】**悲哀**bēi'āi；**悲凉**bēiliáng ‖ 人生の～ 人生的悲哀

ひあが・る【干上がる】**干枯**gānkū；**干透**gāntòu ‖ たんぼが～った 田地都干裂了

ピアス **耳钉**ěrdīng ‖ ～をする 戴耳环

ひあそび【火遊び】（～する）❶〔火で遊ぶ〕**玩火**wán huǒ ❷〔遊びの恋愛〕**一夜情**yí yè qíng

ひあたり【日当たり】‖ ～がよい 阳光〔光线〕充足；向阳｜～が悪い 不向阳

ピアニスト **钢琴家**gāngqínjiā

ピアノ〔架〕**钢琴**gāngqín ‖ ～を弾く 弹钢琴｜～の調律をする 调钢琴 ✤ 一線：钢琴弦｜一伴奏：钢琴伴奏｜アップライト一：立式钢琴

ヒアリング ❶〔聞きとり〕⇨リスニング ❷〔公聴会〕**听证会**tīngzhènghuì

ピー アール【PR】（～する）**公关**gōngguān；**宣传**xuānchuán ‖ 新政策を～する 宣传新政策

ビーカー **烧杯**shāobēi

ひいき【贔屓】（～する）**照顾**zhàogu；**捧**pěng ‖ これからもどうぞご～に 以后还请多多惠顾｜日本～ 亲日派｜～の引き倒し 过分偏袒反而害人 ✤ 一客：老主顾｜一目：偏心眼儿

ピーク ❶〔最高潮〕**高峰**gāofēng；**顶峰**dǐngfēng ‖ 帰省ラッシュが～を迎えた 反乡潮迎来了高峰｜山の紅葉も～を過ぎた 山上的红叶也过了最好时节 ❷〔山の〕**山顶**shāndǐng

ピー ケー オー【PKO】（联合国）**维持和平行动**(Liánhéguó) Wéichí Hépíng Xíngdòng

びいしき【美意識】**审美观**shěnměiguān；**审美意识**shěnměi yìshi

ビーズ **串珠**chuànzhū；**玻璃(微)珠**bōli (wēi) zhū

ヒーター ❶〔電熱器〕**电炉**diànlú；**电热器**diànrèqì ❷〔暖房器具〕**取暖器**qǔnuǎnqì

ビーだま【ビー玉】**弹球**tánqiú；**玻璃球**bōliqiú

ピータン【皮蛋】**皮蛋**pídàn

ビーチ **沙滩**shātān ✤ 一ウエア：沙滩装｜一パラソル：沙滩伞｜一バレー：沙滩排球

ピー ティー エー【PTA】**家长教师会**jiāzhǎng jiàoshī huì

ひい・でる【秀でる】**擅长**shàncháng；**优秀**yōuxiù；**杰出**jiéchū ‖ 一芸に～でる 一技之长

ビート **节拍**jiépāi；**节奏**jiézòu ‖ エイト～の曲 八拍的曲子 ✤ 一板：游泳板

ビーナス **维纳斯**Wéinàsī

ピーナッツ **落花生**luòhuāshēng；**花生米**huāshēngmǐ ✤ 一バター：花生酱

ビーフ **牛肉**niúròu ✤ 一シチュー：炖牛肉｜一ジャーキー：牛肉干｜一ステーキ：牛排

ビーフン【米粉】**米粉**mǐfěn

ピーマン **青椒**qīngjiāo；**柿子椒**shìzijiāo

ひいらぎ【柊】**柊树**zhōngshù

ヒーリング **抚慰心灵**fǔwèi xīnlíng ✤ 一ミュージック：治疗音乐

ビール **啤酒**píjiǔ ‖ ぬるい～ 啤酒不够冰｜きんきんに冷えた～ 冰得很凉的啤酒｜とりあえず～ね 先来啤酒吧 ✤ 缶一：罐装啤酒｜瓶一：瓶装啤酒

ビールス ⇨ウイルス

ヒーロー ❶〔勇者〕**英雄**yīngxióng；**英豪**yīngháo ❷〔小説などの〕**男主角**nán zhǔjué

ひうん【悲運】**厄运**èyùn；**不幸**búxìng

ひえいり【非営利】✤—団体:非营利〔公益〕组织｜—法人:公益〔非营利性〕法人

ひえこみ【冷え込み】风寒fēnghán；寒冷加剧hánlěng jiājù；降温jiàngwēn‖この冬いちばんの〜 今年冬天最冷的天气｜厳しい〜 严寒｜消費者心理の〜 消费者购买欲的减退

ひえしょう【冷え症】寒症hánzhèng

ひえびえ【冷え冷え】(〜する)❶〔空気などが〕清冷qīnglěng；冷冰冰lěngbīngbīng ❷〔心が〕冷冰冰lěngbīngbīng；缺乏温馨quēfá wēnxīn‖〜とした家庭 缺乏温馨的家庭

ひ・える【冷える】❶〔温度が下がる〕凉liáng；冰bīng；冻dòng；冷却lěngquè‖マグマが〜えて固まる 岩浆冷却凝固｜よく〜えたビール 冰镇啤酒｜足の先がひどく〜える 脚尖冻得厉害 ❷〔愛情などが〕变得冷淡biànde lěngdàn‖夫婦仲が〜える 夫妻关系变得很冷淡了

ピエロ 小丑xiǎochǒu

びえん【鼻炎】鼻炎bíyán

ビオラ〔把〕中提琴zhōngtíqín

びおん【微温】微温wēiwēn；不彻底bú chèdǐ

ひか【皮下】皮下píxià ✤—脂肪:皮下脂肪

びか【美化】(〜する)❶〔実際以上に美しく考える〕美化měihuà；理想化lǐxiǎnghuà ❷〔きれいにする〕美化měihuà‖街を〜しよう 美化市容

ひがい【被害】受害shòuhài；受损失shòu sǔnshī‖〜を及ぼす 造成损失｜大きな〜を受ける 遭受很大的损失｜〜は深刻だ 受灾严重 ✤—者:受害者｜—届:报案｜—妄想(もうそう):被害妄想症

ぴかいち【ぴか一】㊐出类拔萃chū lèi bá cuì；出众chūzhòng；㊐卓尔不群zhuó ěr bù qún

ひかえ【控え】❶〔覚え書き〕记录jìlù.〔写し〕副本fùběn‖〜を取る 留底稿 ❷〔予備の人〕替补人员tìbǔ rényuán

ひかえしつ【控え室】等候室děnghòushì

ひかえめ【控え目】❶〔遠慮がち〕谦虚qiānxū；不爱出风头bú ài chū fēngtou‖〜な態度 谦虚的态度 ❷〔少なめ〕少一点儿shǎo yìdiǎnr；节制jiézhì；保守bǎoshǒu‖食事を〜にする 节制饮食｜〜に見積もる 保守的估计

ひがえり【日帰り】(〜する)当天返回〔往返〕dàngtiān fǎnhuí〔wǎngfǎn〕✤—旅行:一日游

ひか・える【控える】❶〔制限する〕控制kòngzhì；节制jiézhì‖酒を〜える 控制酒量｜夜間の外出を〜える 夜里尽量不出去 ❷〔書きとめる〕记下jìxia ❸〔待機する〕等候děnghòu ❹〔迫っている〕临近línjìn；靠近kàojìn‖出発を2日後に〜えている 离出发只有两天

ひかく【比較】(〜する)比bǐ；比较bǐjiào；跟…相比gēn … xiāngbǐ‖大きさを〜する 比一比大小｜〜検討する 进行比较研究｜〜にならない 比不上；无法比｜この仕事は〜的気楽だ 这个工作比较轻松 ✤—級:比较级｜—言語学:比较语言学｜—文学:比较文学

ひかく【皮革】(なめし革)皮革pígé

ひかく【非核】✤—三原則:无核三原则

びがく【美学】❶〔学問〕〔门〕美学měixué ❷〔美意識〕审美意识shěnměi yìshi

ひかげ【日陰】❶〔日の当たらないところ〕阴凉yīnliáng；荫凉处yìnliángchù ❷〔社会的な〕不引人注目bù yǐnrén zhùmù

ひかげん【火加減】火候huǒhou‖〜をみる 看看火候｜〜を調節する 调节火的大小

ひがさ【日傘】阳伞yángsǎn；旱伞hànsǎn

ひがし【東】东dōng；东方dōngfāng；东边dōngbian‖〜に向かって歩く 向〔往；朝〕东走｜東京都の〜側 东京都的东边

ひがしティモール【東ティモール】东帝汶Dōngdìwèn

ひかず【日数】日数rìshù；日子rìzi

ひかぜい【非課税】免税miǎnshuì ✤—所得:免税收入｜—品:免税品

ひがた【干潟】(退潮后露出海面的)浅滩(tuìcháo hòu lùchu hǎimiàn de) qiǎntān

ぴかっと 倏地一闪shūdì yì shǎn

ぴかぴか ❶〔光るさま〕闪闪shǎnshǎn；闪亮shǎnliàng；亮光光liàngguāngguāng ❷〔真新しい〕‖〜の1年生 刚入学的一年级新生

ひが・む【僻む】多心duōxīn；自卑zìbēi；往坏里想wǎng huàili xiǎng‖自分だけ蚊帳の外にされたと〜む 他多心，觉得只有自己被排除在外

ひから・びる【干からびる】干涸gānhé；干瘪gānbiě‖ホウレンソウが〜びる 菠菜都干了

ひかり【光】❶〔明かり・光線〕〔道，条〕光guāng；光线guāngxiàn‖〜をさえぎる 遮光｜〜が漏れる 透光｜〜を当てる 照射光线；〔注目する〕关注 ❷〔希望〕希望xīwàng；光明guāngmíng‖将来に〜が見いだせない 前途暗淡无光｜人生の〜と影 人生的荣辱 ❸〔威光〕威势wēishì；威力wēilì‖親の七〜 父母的权势 ✤—センサー:光传感器｜—通信:光纤通讯｜—ファイバー:光纤

ひか・る【光る】❶〔光を発する〕发光fāguāng；发亮fāliàng；闪亮shǎnliàng‖夜空に星が〜っている 夜空里星光闪烁 ❷〔目立つ〕出众chūzhòng；杰出jiéchū；㊐出人头地chū rén tóu dì ❸〔見はる〕‖目を〜らせる 监视；注意

ひか・れる【引かれる】被…(所)迷住 bèi…(suǒ) mízhu；被…(所)吸引 bèi …(suǒ)xīyǐn‖古代文明の魅力に〜れた 被古代文明的魅力所吸引

ひかん【悲観】(〜する)悲观bēiguān‖〜するのはまだ早い 持悲观态度未免太早｜〜的な気分になる 不免有点儿悲观 ✤—論:悲观论

ひがん【彼岸】❶〔春・秋の〕春分〔秋分〕时节chūnfēn〔qiūfēn〕shíjié ❷〔仏教〕彼岸bǐ'àn

ひがん【悲願】❶〔願い〕夙愿sùyuàn ❷〔仏教〕悲愿bēiyuàn

びかん【美観】美观měiguān‖あの広告塔は当市の〜を損なう 那座广告塔有损本市的美观

ひき【悲喜】‖〜こもごも 悲喜交集

-ひき【匹】❶〔生物を数える〕只zhī.〔魚類・細長い生物〕条tiáo‖1〜のチョウ 一只蝴蝶｜ネコ1〜 一只猫｜イヌ1〜 一只〔条〕狗｜ミミズ1〜 一条蚯蚓 ❷〔反物を数える〕匹pǐ

ひきあい【引き合い】❶〔取引の〕询价xúnjià；询问xúnwèn ❷〔話の中に出す〕引以为例yǐn yǐ wéi lì‖何かというとすぐ私が〜に出される 一说起什么就拿我做例子

ひきあ・う【引き合う】❶〔たがいに引く〕相互

吸引xiānghù xīyǐn‖磁石のNとSはたがいに～う 磁石的阴极与阳极相互吸引 ❷〔割に合う〕合算hésuàn；划得来huádelái‖十分～う商売だ 那是桩十分合算的买卖

ひきあ·げる【引き上げる·引き揚げる】❶〔上にあげる〕往上拉〔提；吊〕wǎng shàng lā〔tí；diào〕‖クレーンで～げる 用起重机吊起来 ❷〔水中から〕打捞dǎlāo；捞起lāoqi ❸〔地位を〕提升tíshēng；提拔tíba ❹〔金額を〕提价tí jià；提高tígāo ❺〔もとの場所へ〕返回fǎnhuí.〔撤退〕撤回chèhuí‖本拠地に～げる 返回根据地｜出資を～げる 撤资；撤回投资

ひきあみ【引き網】拖网tuōwǎng

ひきあわ·せる【引き合わせる】❶〔照合する〕对照duìzhào‖原文と～せる 与原文相对照 ❷〔紹介する〕介绍jièshào；引见yǐnjiàn

ひき·いる【率いる】统领tǒnglǐng；率领shuàilǐng；带领dàilǐng‖楽団を～いる 率领乐队

ひきい·れる【引き入れる】❶〔引いて中に入れる〕拉进lājin；引进yǐnjìn ❷〔仲間に入れる〕拉入lārù‖仲間に～れる 拉拢入伙

ひきう·ける【引き受ける】❶〔責任をもって担当する〕负责fùzé；承担chéngdān‖すべての責任を～けます 所有的责任由我承担｜快く～ける 一口答应｜こんな大役は～けかねる 这样的重任我担负不起 ❷〔保証する〕保证bǎozhèng；担保dānbǎo‖身元を～ける 他的身分由我担保

ひきおこ·す【引き起こす】❶〔事件などを〕引起yǐnqǐ；惹起rěqi‖ストレスが病気を～す 精神压力会引起疾病 ❷〔引っぱって起こす〕拉起lāqi；拽起zhuàiqi

ひきおと·す【引き落とす】从账户上扣款cóng zhànghù shang kòu kuǎn‖家賃は毎月末に翌月分が～される 每个月月底从账户上扣除下个月的房租

ひきおろ·す【引き下ろす】拉下lāxia；卸下xièxia‖ブラインドを～す 拉下百叶窗

ひきかえ【引換え】交换jiāohuàn；换取huànqǔ‖受験票と～に合格証書をもらう 凭准考证领取合格证书｜商品は代金～でお届けします 送货上门，货到付款 ❖一券：兑换券

ひきかえ·す【引き返す】返回fǎnhuí；折回zhéhuí‖忘れ物を取りに家に～す 返回家拿东西

ひきか·える【引き換える】❶〔交換する〕兑换成duìhuànchéng；交换jiāohuàn‖当たりくじを景品と～える 把中奖彩票去兑换成奖品 ❷〔…と反対に〕相反xiāngfǎn‖去年に～え，今年の夏は涼しかった 跟去年正相反，今年夏天很凉快

ひきがえる【蟇蛙】癞蛤蟆làihámá

ひきがね【引き金】❶〔銃などの〕扳机bānjī‖～を引く 扣扳机 ❷〔きっかけ〕诱因yòuyīn；导火线dǎohuǒxiàn

ひきぎわ【引き際】临别línbié；临退休lín tuìxiū；卸任(的时机) xièrèn (de shíjī)‖～が肝心だ 适时而退

ひきこ·む【引き込む】❶〔引いて中に入れる〕引到yǐndào；拉进lājin‖田に水を～む 把水引到田里 ❷〔人の心を引き寄せる〕吸引xīyǐn‖見事な演奏に～まれた 被精彩的演奏吸引住了 ❸〔誘いこむ〕拉拢过来lālongguolai；拉进lājin

ひきこも·る【引き籠る】躲在(家里) duǒzai (jiāli)；呆在(家里) dāizai (jiāli)‖病気でしばらく～っている 因为生病在家里呆了一段时间

ひきころ·す【轢き殺す】轧死yàsǐ

ひきさが·る【引き下がる】退出tuìchu；退让tuìràng‖すごすご～る 垂头丧气地退出来

ひきさ·く【引き裂く】❶〔破る〕撕sī；撕破sīpò‖2つに～く 撕成两半儿｜ずたずたに～く 撕个粉碎 ❷〔無理に別れさせる〕拆散chāisàn；让…分手ràng … fēnshǒu

ひきさ·げる【引き下げる】❶〔水準を低くする〕降低jiàngdī；下调xiàdiào‖金利を～げる 降低利率｜賃金を～げる 下调工资 ❷〔取り下げる〕撤chè；撤回chèhuí

ひきざん【引き算】减法jiǎnfǎ

ひきしお【引き潮】退潮tuìcháo

ひきしま·る【引き締まる】❶〔緩みやたるみがない〕紧jǐn；收紧shōujǐn‖～った体 矫健的身材｜～った口もと 紧闭的双唇｜～った文体 简洁的文体 ❷〔気持ちが緊張する〕振作zhènzuò；紧张jǐnzhāng‖気持ちが～る 精神振作

ひきし·める【引き締める】❶〔ぴんとはらせる〕勒紧lèjǐn ❷〔気持ちを〕振作zhènzuò；紧张jǐnzhāng‖気を～めて仕事にとりかかる 振作精神，投入工作 ❸〔出費をおさえる〕节省(开支) jiéshěng (kāizhī)；紧缩jǐnsuō‖家計を～める 节省家里的开销｜金融を～める 紧缩金融

ひぎしゃ【被疑者】嫌疑犯xiányífàn

ひきず·る【引き摺る】❶〔地面を擦っていく〕拖tuō；拽zhuài‖足を～って歩く 拖着脚步行走｜荷物を～って運ぶ 连拉带拽地搬运行李 ❷〔無理に連れて行く〕拽走zhuàizǒu；硬拉yìng lā‖子どもを歯医者に～っていった 把孩子硬拉到了牙科医院 ❸〔長引かせる〕拖延tuōyán‖失恋をまだ～っている 还没从失恋中解脱出来

ひきたお·す【引き倒す】拉倒lādǎo

ひきだし【引き出し】抽屉chōuti‖～をあける〔閉める〕 拉开〔关上〕抽屉｜～にかぎをかける 锁上抽屉

ひきだ·す【引き出す】❶〔引いて出す〕拉出lāchu；抽出chōuchu ❷〔隠れているものを表面に導く〕套出tàochu‖個人情報を不正に～す 非法获取个人信息｜子どもたちの可能性を～す 让孩子们发挥潜力｜話を～す 打开对方的话匣子 ❸〔預金を〕取出qǔchu；提取tíqǔ‖ATMで現金を～す 从自动柜员机提款

ひきた·つ【引き立つ】❶〔際だって見える〕显得xiǎnde；衬托chèntuō‖適宜にワインを加えると料理の味が～つ 适当地加一些葡萄酒会使菜肴的味道更好 ❷〔勢いが増す〕高涨gāozhǎng‖気持ちが～つ 情绪高涨

ひきた·てる【引き立てる】❶〔際だつようにする〕显得(好看) xiǎnde (hǎokàn)；衬托chèntuō ❷〔連行する〕硬拉yìng lā；带走dàizǒu‖❸〔ひいきにする〕关照guānzhào；照顾zhàogu；提拔tíba‖新人のころから～ててくれた先輩 参加工作以来一直照顾我的老职员 ❹〔気を奮い立たせる〕鼓舞gǔwǔ；振作(精神) zhènzuò (jīngshen)‖みんなの気を～てる 给大家鼓气

ひきつぎ【引き継ぎ】交代jiāodài；交接jiāojiē‖

事務の～をする 交代工作
ひきつ・ぐ【引き継ぐ】接过来jiēguolai；继承jìchéng；接替jiētì ‖ 事務を～ぐ 把工作接过来
ひきつけ【引き付け】抽搐chōuchù ‖ 急に～を起こす 突然抽起风来
ひきつ・ける【引き付ける】❶〔魅惑する〕吸引xīyǐn；诱人yòurén ❷〔近くに引き寄せる〕靠近kàojìn；拉到跟前lādào gēnqián ❸〔けいれんを起こす〕痉挛jìngluán；抽搐chōuchù
ひきつづき【引き続き】连续liánxù；接下来jiēxialai；继续jìxù ‖ ～中国語の勉強をしている 还在继续学习汉语
ひきつ・る【引き攣る】❶〔けいれんする〕抽筋chōujīn；痉挛jìngluán ‖ 顔が～る 面部抽筋 ❷〔皮膚がつっぱる〕皮肤结疤pífū jié bā
ひきでもの【引き出物】回赠品huízèngpǐn
ひきと・める【引き止める】挽留wǎnliú；留liú ‖ 遅くまでお～めしてすみません 留您到这么晚实在不好意思
ひきと・る【引き取る】❶〔受け取る〕取回qǔhui；领回lǐnghui ‖ 交番に落とし物を～りに行く 去派出所领回失物 ❷〔世話をする〕收养shōuyǎng ‖ その子は私が～ります 这个孩子我来收养 ❸〔その場から退く〕回去huíqu；退去tuìqu ❹〔慣用表現〕‖ 息を～る 咽气；断气
ビキニ 比基尼泳装bǐjīní yǒngzhuāng
ひきにく【挽き肉】肉末ròumò；肉糜ròumí
ひきにげ【轢き逃げ】（～する）开车撞人后逃跑kāichē zhuàng rén hòu táopǎo
ひきぬ・く【引き抜く】❶〔引いて抜く〕拔bá ‖ 雑草を～く 拔(杂)草｜壁からくぎを～く 从墙上把钉子拔下来 ❷〔人材を〕挖走wāzǒu；挖人wārén ‖ 優秀な人材を～く 把优秀人材挖走
ひきのば・す【引き延ばす・引き伸ばす】❶〔長引かせる〕延长yáncháng；推迟tuīchí；拖延tuōyán ‖ 議事を～す 延长议事时间｜返事を～す 推迟答复 ❷〔引っぱって長くする〕擀开gǎnkāi；拉长lācháng ❸〔写真〕放大fàngdà
ひきはな・す【引き離す】❶〔無理に離れさせる〕拉开lākāi；扯开chěkāi ❷〔差をつける〕拉开距离lākāi jùlí ‖ 後続を～す 与后面的人拉开距离
ひきはら・う【引き払う】搬离bānlí；搬走bānzǒu ‖ 社宅を～う 搬出公司宿舍｜ホテルを～う 离开宾馆
ひきもど・す【引き戻す】拉回来lāhuilai
ひきょう【卑怯】卑鄙bēibǐ；可耻kěchǐ ‖ ～な手使う 使用卑鄙的手段 ❖ 一者：卑鄙的人
ひきょう【秘境】秘境mìjìng
ひきよ・せる【引き寄せる】❶〔近づける〕拉过来lāguolai ‖ コーヒーカップを手元に～せる 把咖啡杯拉到手边 ❷〔ひきつける〕吸引xīyǐn
ひきわ・ける【引き分ける】打成平局dǎchéng píngjú；不分胜负bù fēn shèngfù ‖ 2対2で～けた 二比二打成平局
ひきわた・す【引き渡す】交还给jiāohuángěi；交给jiāogěi；引渡yǐndù ‖ 迷子を親に～す 把迷路的孩子交还给父母｜犯人を～す 引渡犯人
ひきん【卑近】浅显qiǎnxiǎn；浅易qiǎnyì
ひきんぞく【非金属】非金属fēijīnshǔ
ひ・く【引く】❶〔引っぱる〕拉lā；拉上lāshang ‖ カーテンを～く 拉上窗帘｜幕を～く 闭幕｜弓を～く 拉弓｜サイドブレーキを～く 拉手闸｜馬を～く 牵马｜納豆が糸を～く 纳豆拉丝儿 ❷〔引きずる〕拖tuō；拽zhuài ❸〔引っ込める〕收回shōuhui；抽回chōuhui；缩回suōhui ‖ あごを～く 收下巴 ❹〔敷設して導く〕安装ānzhuāng；引yǐn ‖ 田に水を～く 往水田里引水｜電話を～く 安装电话 ❺〔注意・関心を〕引起yǐnqǐ；引yǐn；惹rě ‖ 人の気を～く 引人注目｜美ぼうに～かれる 被美貌所吸引｜人の同情を～く 引起别人的同情 ❻〔辞書などを〕查chá ‖ 辞書を～く 查词典 ❼〔数・値段を減ずる〕扣kòu；减jiǎn ‖ 9～く5は4 九减五得四｜売値からコストを～く 从销售价格减去成本 ❽〔表面に広く塗る〕淋一层lín yì céng；涂tú ‖ フライパンに油を～く 往平底锅上淋一层油 ❾〔風邪を〕‖ 風邪を～く （得）感冒 ❿〔引用する〕引用yǐnyòng ‖ 例を～いて説明する 举例说明 ⓫〔線をかく〕画huà；划huà ‖ アンダーラインを～く 画上(字下)线｜アイラインを～く 画眼线｜眉を～く 描眉｜設計図を～く 画设计图 ⓬〔血統・素質などを〕继承jìchéng ‖ 徳川の血筋を～く 和德川家族有血缘关系 ⓭〔くじなどを〕抽chōu；拔bá ‖ くじを～く 抽签｜(トランプで)ばばを～く 抽王八 ⓮〔人を誘い込む〕拉lā；招揽zhāolǎn ‖ 客を～く 拉客 ⓯〔慣用表現〕‖ あとを～くうまい酒 一喝上就停不下来的好酒｜裏で糸を～く 背后操纵
ひ・く【退く】❶〔退却する・やめる〕脱离tuōlí；退tuì ‖ 政界から身を～く 脱离政界｜～くに～けない 退不回去了｜あとへ～かない 不肯退让｜事業から手を～く 从项目中脱身不干 ❷〔おさまる・なくなる〕退tuì；消xiāo ‖ 潮が～いた 潮水退了｜熱が～いた 退烧了｜腫(は)れが～いた 肿消下去了｜血の気が～く 脸变得煞白
ひ・く【挽く】‖ のこぎりで板を～く 用锯子锯木板｜ろくろを～く 摇辘轳｜コーヒー豆を～く 磨咖啡豆
ひ・く【弾く】弹tán；拉lā ‖ ギターを～く 弹吉他｜バイオリンを～く 拉小提琴｜琴を～く 弹古筝
ひ・く【轢く】轧yà；撞zhuàng ‖ あやうく車に～かれるところだった 差一点儿被车撞了
ひく・い【低い】❶〔高さが〕低dī；矮ǎi ‖ 鼻が～い 鼻梁低｜背が～い 个子矮｜～い山 很矮的山｜頭を～くしてください 请低一下儿头｜雲が～くたれこめている 低云密布 ❷〔基準・能力が劣っている〕低dī；低下dīxià ‖ 次元の～い話 层次很低的话｜学力のレベルが～い 学业水平低｜評価が～い 评价不高｜知名度が～い 知名度不高｜教養が～い 缺乏教养｜関心が～い 不太感兴趣｜志が～い 无大志 ❸〔音量が小さい〕低dī；小xiǎo ‖ 男性の～い声 男子的低沉的声音｜ラジオの音を～くする 把收音机的声音调小 ❹〔程度や数量〕低dī ‖ 気温が～い 气温很低｜血圧が～い 血压低｜カロリーが～い 热量低｜製造コストを～く抑える 降低成本
ひくつ【卑屈】没有骨气méiyou gǔqì 卑屈bēiqū ‖ ～な態度 卑屈的态度
びくっと（～する）吓一跳xià yí tiào
びくとも 丝毫也sīháo yě；毫不háobù ‖ 押しても引いても～しない 无论怎么推拉，就是一动不动

ひ

ピクニック 春游chūnyóu; 郊游jiāoyóu
ぴくぴく (〜する)战战兢兢地zhànzhànjīngjīng de; 害怕hàipà
ひぐれ【日暮れ】傍晚bàngwǎn; 黄昏huánghūn
ひけ【引け】逊色xùnsè; 次于cìyú; 落后luòhòu ‖〜を感じる 感到逊色｜〜をとらない 不次于…
ひげ【卑下】(〜する)自卑zìbēi
ひげ【髭】❶〔人間の〕胡子húzi; 胡须húxū ‖〜が濃い 胡子很浓｜〜をたくわえる 留胡子｜〜をそる 刮胡子｜〜をなでる 捋胡子 ❷〔動物の〕胡子húzi; 须(子) xū(zi) ‖ヤギの〜 山羊的胡子｜ナマズには〜がある 鲇鱼有须 ✤—づら:胡子拉碴｜—もじゃ:满脸胡子
ひげき【悲劇】悲剧bēijù ‖〜を演じる 演悲剧
ひけし【火消し】✤—役: (纠纷的)调解人
ひけつ【否決】(〜する)否决fǒujué
ひけつ【秘訣】秘诀mìjué; 窍门qiàomén ‖成功の〜 成功的秘诀｜若さの〜 永葆青春的秘诀
ひけめ【引け目】‖〜を感じる 感到很自卑
ひけらか・す 炫耀xuànyào; 夸耀kuāyào; 卖弄màinong ‖知識を〜す 卖弄知识｜能力を〜す 显示自己有能力｜学歴を〜す 炫耀自己的学历
ひ・ける【引ける】❶〔学校などが終わる〕放学fàngxué; 下班xiàbān ‖会社は5時に〜ける 公司5点下班｜学校が〜ける 放学 ❷〔気おくれする〕‖気が〜ける 觉得寒碜｜腰が〜ける 觉得胆怯
ひげんじつてき【非現実的】不现实bú xiànshí; 不符合现实bù fúhé xiànshí
ひご【庇護】(〜する)庇护bìhù; 保护bǎohù ‖両親の〜のもとで育つ 在双亲的庇护下成长
ひこう【非行】‖〜に走る 走歪路 ✤—少年:失足少年; 小流氓
ひこう【飛行】(〜する)飞行fēixíng ‖順調に〜中 飞行顺利 ✤—距離:飞行距离｜無着陸—:直达飞行
ひごう【非業】不幸búxìng; 意外的灾难yìwài de zāinàn ‖〜の最期を遂げる 定 死于非命
びこう【尾行】(〜する)跟踪gēnzōng
びこう【備考】备考bèikǎo ✤—欄:备考栏
ひこうかい【非公開】不公开bù gōngkāi; 秘密mìmì ‖審議は〜で行われた 审议是非公开进行的
ひこうき【飛行機】〔架,班〕飞机fēijī ‖〜に酔ってしまった 晕机了｜札幌まで〜で行く 乘飞机去札幌｜〜が遅れる 飞机误点 ✤—雲:航迹云｜—事故:飞机失事
ひこうしき【非公式】非正式fēizhèngshì ‖〜の会談を行う 举行非正式会谈
ひごうほう【非合法】非法fēifǎ; 违法wéifǎ ✤—活動:非法活动｜—組織:非法组织
ひこく【被告】被告bèigào ✤—席:被告席｜—弁護人:被告辩护人
ひごろ【日頃】平常píngcháng; 平时píngshí ‖〜の行いが悪い 平时的品行不正｜〜の努力が実を結ぶ 平时的努力有了结果
ひざ【膝】❶〔ひざがしら〕膝盖xīgài ‖ズボンの〜が擦り切れる 裤膝蹭破了 ❷〔太ももの表側〕大腿dàtuǐ ❸〔慣用表現〕‖〜を交えて語りあう 促膝交谈｜どうぞ〜を崩してください 请随便〔放松〕点儿坐吧｜〜が笑う 膝盖不停地打颤｜〜を抱えて坐る 双手抱膝而坐｜〜を進める 膝行｜〜を正す 端坐｜〜を突き合わせる 促膝(谈心)
ビザ 签证qiānzhèng ‖〜を申請する 申请签证｜〜が下りる 签证批下来了｜〜を延長する 延长签证
ピザ 比萨饼bǐsàbǐng
ひさい【被災】(〜する)遭灾zāo zāi; 受灾shòuzāi ‖地震で〜する 遭受了震灾 ✤—者:受灾者｜—地:灾区
びざい【微罪】轻罪qīngzuì
ひざかけ【膝掛け】盖膝毯gàixītǎn
ひさし【庇】❶〔建物の〕房檐fángyán; 屋檐wūyán ‖〜を貸して母屋(おもや)をとられる 定 喧宾夺主; 定 恩将仇报 ❷〔帽子の〕帽舌màoshé
ひざし【日射し】阳光yángguāng; 日照rìzhào ‖〜を浴びる 晒太阳｜〜が和らぐ 阳光和煦
ひさし・い【久しい】许久xǔjiǔ; 好久hǎojiǔ ‖音信が絶えて〜い 已经好久没有通信了
ひさしぶり【久し振り】好久hǎojiǔ ‖お〜ですね 好久不见了｜〜に対面する 久别重逢
ひざづめ【膝詰め】促膝cùxī; 面对面miàn duì miàn ✤—談判:直接谈判; 面对面谈判
ひさびさ【久久】好久hǎojiǔ; 许久xǔjiǔ
ひざまくら【膝枕】以膝为枕yǐ xī wéi zhěn ‖母親の〜で眠る 枕着母亲的膝盖睡觉
ひざまず・く【跪く】跪guì; 跪下guìxia ‖〜いて祈る 跪下祈求
ひさめ【氷雨】(みぞれ)雨雪交加yǔxuě jiāojiā. (冷たい雨)冷雨lěngyǔ
ひざもと【膝元】❶〔ひざの近く〕膝边xībiān ❷〔身近〕身边shēnbiān ‖親の〜で育つ 在父母身边长大｜幕府のお〜 幕府的所在地
ひさん【悲惨】悲惨bēicǎn; 凄惨qīcǎn ‖〜な光景 凄惨的情景
ひじ【肘】❶〔体の〕肘zhǒu; 胳膊肘儿gēbo zhǒur ‖〜を張る 撑开胳膊肘儿; 喻 硬撑架子｜机に〜をつく 把胳膊肘儿支在桌子上｜〜をまくらに横になった 枕着胳膊躺下了 ❷〔衣服の〕袖肘xiùzhǒu ✤—鉄:⇨ひじでっぽう(肘鉄砲)
びじ【美辞】巧言qiǎoyán ✤—麗句:华丽辞藻
ひじかけ【肘掛け】✤—椅子:扶手椅; 交椅
ひしがた【菱形】菱形língxíng
ビジター ❶〔野球〕客队kèduì ❷〔会員以外〕非会员(客户) fēihuìyuán (kèhù)
ひじでっぽう【肘鉄砲】用肘撞人yòng zhǒu zhuàng rén. 喻 严厉拒绝yánlì jùjué ‖〜を食らわせる 让他碰了一个硬钉子
ビジネス 工作gōngzuò; 商务shāngwù; 实业shíyè ✤—英語:商务英语｜—クラス:公务舱｜—コンサルタント:业务咨询顾问｜—センター:商务中心｜—ホテル:商务酒店｜—マン:实业家; 商务人员｜—ライク:职业性; 事务性; 讲效率
ひしひし 紧紧jǐnjǐn; 深深shēnshēn ‖親のありがたさを〜と感じた 深深感受到父母之恩
びしびし 严厉yánlì; 严格yángé ‖違反者は〜処分する 违反者将受到严厉处分
ひしめ・く 拥挤yōngjǐ
ひしゃく【柄杓】勺子sháozi; 舀子yǎozi ‖〜で水をくむ 用舀子舀水
びじゃく【微弱】微弱wēiruò
ひしゃ・げる 压瘪yābiě; 压扁yābiǎn

ぴしゃりと ❶〔閉める〕咣当guāngdāng；砰pēng‖〜戸を閉める 咣当一声关上了门 ❷〔打つ〕啪pā ❸〔容赦のない〕断然duànrán；定不容分说bù róng fēn shuō‖不当な要求を〜はねのける 断然拒绝不正当的要求
ひじゅう【比重】❶〔物理〕比重bǐzhòng ❷〔占める割合〕比例bǐlì；对比duìbǐ ✤一計：比重计
びじゅつ【美術】美术měishù ✤一家：美术家｜一学校：美术学校｜一館：美术馆｜一工芸：工艺美术｜一展：美术展｜一品：美术作品
ひじゅん【批准】(〜する)批准pīzhǔn
ひしょ【秘書】秘书mìshū ✤一官：秘书官
ひしょ【避暑】(〜する)避暑bìshǔ‖軽井沢へ〜に行く 到轻井泽去避暑 ✤一地：避暑地
びじょ【美女】美女měinǚ；美人měirén
ひしょう【卑小】卑微bēiwēi‖人間とは〜な存在である 人是一种渺小的存在
ひじょう【非情】无情wúqíng；冷酷无情lěngkù wúqíng
ひじょう【非常】❶〔緊急事態〕紧急jǐnjí；紧迫jǐnpò‖〜の場合に備える 以备万一｜〜の際 发生紧急情况时 ❷〔甚だしい〕非常fēicháng；特别tèbié‖この仕事は〜にやさしい 这个工作非常简单 ✤一口：太平门｜一時：紧急时｜一事態：紧急状态｜一手段：非常手段｜一ベル：警铃
びしょう【微小】微小wēixiǎo ✤一地震：微震
びしょう【微少】微量wēiliàng；微少wēishǎo
びしょう【微笑】(〜する)微笑wēixiào‖〜をうかべる 露出微笑
ひじょうきん【非常勤】兼任jiānrèn；兼职jiānzhí ✤一講師：兼课讲师
ひじょうしき【非常識】没有常识méiyou chángshí‖〜な人 不懂常理的人
ひじょうせん【非常線】‖〜をはる 设警戒线
びしょうねん【美少年】美少年měishàonián‖紅顔の〜 红颜美少年
びしょく【美食】(〜する)美食měishí；讲究吃喝jiǎngjiu chī hē ✤一家：美食家
びしょぬれ【びしょ濡れ】湿透shītòu；淋湿línshī‖夕立に遭って〜だ 遇上阵雨全身都湿透了
びしょびしょ 湿透shītòu；湿淋淋shīlīnlīn
ビジョン 前景qiánjǐng；将来的构想jiānglái de gòuxiǎng‖将来について〜を描く 对未来做出构想｜21世紀の事業〜 21世纪的事业前景
びじん【美人】美人měirén；美女měinǚ ✤一コンテスト：选美大赛｜一薄命：定红颜薄命
ひじんどうてき【非人道的】非人道的fēiréndào de‖〜な扱いを受ける 遭到非人道的对待
ひすい【翡翠】〔块〕翡翠fěicuì
ビスケット 饼干bǐnggān
ヒステリー 歇斯底里xiēsīdǐlǐ‖〜を起こす 歇斯底里发作
ヒステリック 歇斯底里状态xiēsīdǐlǐ zhuàngtài；疯狂fēngkuáng
ピストル〔把，支〕手枪shǒuqiāng
ピストン 活塞huósāi ✤一輸送：往返运输
ひずみ【歪み】❶(ゆがみ)歪斜wāixié；变形biànxíng ❷〔弊害〕不良影响bùliáng yǐngxiǎng；弊病bìbìng‖財政政策の〜 财政政策的弊病
びせい【美声】美妙的声音měimiào de shēngyīn；悦耳的声音yuè'ěr de shēngyīn
ひせいさんてき【非生産的】非建设性fēijiànshèxìng；非生产性fēishēngchǎnxìng‖〜で能率のあがらないやり方 无建设性的、低效率的做法
びせいぶつ【微生物】微生物wēishēngwù
びせきぶん【微積分】微积分wēijīfēn
ひせん【卑賤】卑贱bēijiàn‖〜の身 卑贱之身
ひせんきょけん【被選挙権】被选举权bèixuǎnjǔquán
ひそ【砒素】砒霜pīshuāng；砷shēn
ひそう【皮相】表面biǎomiàn；肤浅fūqiǎn
ひそう【悲壮】悲壮bēizhuàng‖〜な決意で試合にのぞむ 决心拼战一场
ひぞう【秘蔵】(〜する)❶〔たいせつに所持する〕‖〜の品 珍藏品 ❷〔かわいがる〕珍爱zhēn'ài‖〜の弟子 得意门生 ✤一っ子：定掌上明珠
ひぞう【脾臓】脾脏pízàng
ひそか【密か】暗暗àn'àn；悄悄qiāoqiāo；暗中ànzhōng‖物陰から〜にようすを伺う 躲在隐蔽的地方观察情况｜〜に調べる 暗中调查
ひぞく【卑俗】低俗dīsú；下流xiàliú
ひそひそ 悄悄qiāoqiāo；偷偷tōutōu；窃窃qièqiè‖〜ささやく 低声说 ✤一話：悄悄话；私语
ひそ・む【潜む】❶〔内在する〕潜伏qiánfú；隐藏yǐncáng ❷〔かくれる〕藏cáng；躲藏duǒcáng；躲避duǒbì
ひそ・める【潜める】❶〔隠す〕藏cáng；躲藏duǒcáng；躲避duǒbì‖身を〜める 隐身 ❷〔声などが聞こえないようにする〕放低(声音) fàngdī (shēngyīn)；屏着(呼吸) bǐngzhe (hūxī)
ひそ・める【顰める】皱眉zhòu méi‖心配そうにまゆを〜める 担心地皱着眉头
ひだ【襞】褶子zhězi；皱襞zhòubì；褶纹zhěwén‖スカートの〜 裙子上的褶儿｜山の〜 重峦叠嶂
ひたい【額】额头étou；前额qián'é‖〜に汗して 满头大汗地｜ネコの〜ほどの土地 巴掌大的土地
ひだい【肥大】(〜する)❶〔医学〕〔病気で体の器官がはれる〕肥大féidà ❷〔欲望や考えがふくれあがる〕膨胀péngzhàng
ひた・す【浸す・漬す】浸泡jìnpào；浸渍jìnzì‖足をお湯に〜した 双脚浸泡在温水里｜ガーゼを消毒液に〜す 将药布泡在消毒液中
ひたすら 只顾zhǐgù；一心yìxīn；一个劲儿(地) yígejìnr (de)‖〜専念した 专心致志
ぴたっと ⇨ぴたり(と)
ひだね【火種】❶〔火のもと〕火种huǒzhǒng ❷〔原因〕因素yīnsù
ひたひた ❶〔波が打ちよせる〕哗啦哗啦huālāhuālā ❷〔次第に迫ってくる〕逼近bījìn ❸〔液体が入っている様子〕液体没过yètǐ mòguo
ひだまり【日溜まり】阳光下yángguāng xià
ビタミン 维生素wéishēngsù ✤一剤：维生素药剂｜一B：维生素B
ひたむき【直向き】一个劲儿yígejìnr；定专心致志zhuān xīn zhì zhì‖〜な努力 不懈的努力
ひだり【左】❶〔方向〕左zuǒ；左边zuǒbian‖〜に曲がる 往左拐 ❷〔左翼〕左派zuǒpài‖〜寄りの考え 思想左倾
ひだりうちわ【左団扇】悠闲自得yōuxián zìdé

ひだりがわ【左側】左侧zuǒcè；左边zuǒbian ✤一通行:左侧通行
ひだりきき【左利き】左撇子zuǒpiězi
ひだりて【左手】❶〔左の手〕〔只〕左手zuǒshǒu ❷〔左側〕左边zuǒbian‖～前方 左前方
ぴたりと ❶〔急に止まる様子〕突然(停下来) tūrán (tíngxialai)‖痛みが～消えた 疼痛马上就消灭了 ❷〔くっつくようす〕紧贴着jǐntiēzhe ❸〔適合すること〕相同xiāngtóng；一致yízhì；合适héshì‖予想が～当たる 定 不出所料
ひだりまえ【左前】‖会社が～になる 公司开始走下坡路
ひた・る【浸る】❶〔つかる〕浸泡jìnpào ❷〔ある状態や境地にはいる〕沉浸chénjìn；沉迷chénmí‖思い出に～る 沉浸在回忆之中
ひたん【悲嘆・悲歎】(～する)悲叹bēitàn；悲哀bēi'āi‖～にくれる 悲痛不已
びだん【美談】美谈měitán
びだんし【美男子】美男子měi nánzǐ
びちく【備蓄】(～する)储备chǔbèi ✤一米:储备米
ぴちぴち (～する)❶〔勢いよくはねるようす〕定 活蹦乱跳huó bèng luàn tiào ❷〔若々しいようす〕‖～した娘 充满青春活力的女孩儿
びちょうせい【微調整】(～する)微调wēitiáo
ひつう【悲痛】悲痛bēitòng；悲伤bēishāng‖～な面持ち 悲伤的神情｜～な思い 悲痛的心情
ひっか【筆禍】笔祸bǐhuò‖～を被る 身蒙笔祸
ひっかか・る【引っ掛かる】❶〔掛かって動かない〕被钩住bèi gōuzhu；被挂住bèi guàzhu‖オーバーのすそがくぎに～った 大衣的下摆被钉子钩住了｜検閲に～る 没通过审查 ❷〔だまされる〕受骗shòupiàn；上当shàngdàng‖悪い男に～る 上坏男人的当 ❸〔釈然としない〕‖～る言い方をする 说法让人不痛快
ひっかきまわ・す【引っ掻き回す】❶〔乱暴にかきまわす〕翻找fānzhǎo‖引き出しの中を～す 翻抽屉 ❷〔混乱させる〕搅乱jiǎoluàn‖会議を～す 搅乱了会议
ひっか・く【引っ掻く】挠náo；抓zhuā‖ネコに～かれた 被猫抓了
ひっか・ける【引っ掛ける】❶〔かける〕挂guà ❷〔ちょっとはおる〕披上pīshang ❸〔液体をかける〕泼上pōshang；溅上jiànshang ❹〔くぎなどにかける〕钩住gōuzhu；挂住guàzhu ❺〔その他の表現〕‖女を～ける 欺骗女性｜1杯～ける 喝几盅｜トラックがバイクを～けた 卡车把摩托车撞了
ひつぎ【棺・柩】棺材guāncai；灵柩língjiù
ひっき【筆記】(～する)记(笔记) jì(bǐjì) ✤一試験:书面考试｜一用具:笔记用具
ひっきりなし【引っ切り無し】不断búduàn；不停bùtíng‖～に電話がかかってきた 电话接连不断地打来｜客が～に来た 客人接踵而来
ピックアップ 挑选tiāoxuǎn;选拔xuǎnbá
ビッグ バン ❶〔天文〕宇宙大爆炸yǔzhòu dà bàozhà ❷〔経済〕金融大改革jīnróng dà gǎigé
びっくり (～する)吃惊chījīng；受惊shòujīng‖妙なところで父親に会って～した 在意想不到的地方碰上了父亲,令我大吃一惊 ✤一仰天:大吃一惊｜一箱:吃惊盒
ひっくりかえ・す【ひっくり返す】❶〔裏返す〕翻过来fānguolai‖カードを～す 把卡翻过来 ❷〔倒す〕弄倒nòngdǎo‖花瓶を～した 把花瓶弄倒了 ❸〔覆す〕推翻tuīfān‖形勢を～した 扭转了形势
ひっくりかえ・る【ひっくり返る】❶〔あお向けに寝る〕仰卧yǎngwò‖あおむけに～る 仰面躺着 ❷〔だめになる・くつがえる〕推翻tuīfān；垮台kuǎtái‖計画がすっかり～った 把计划全部推翻了｜政権が～った 政权垮台 ❸〔倒れる〕倒下dǎoxia
ひっくる・める【引っくるめる】包括bāokuò‖みんな～めて 全部包括在内
ひづけ【日付】日期rìqī；年月日nián yuè rì ✤一変更線:国际日期变更线
ひっけい【必携】必携(品) bìxié(pǐn)
ピッケル〔根〕冰镐bīnggǎo
ひっこし【引っ越し】(～する)搬家bānjiā ✤一祝い:祝贺乔迁｜一先:新居的地址
ひっこ・す【引っ越す】搬家bānjiā
ひっこみ【引っ込み】抽身chōushēn；下台xiàtái‖～がつかなくなってしまった 下不了台了
ひっこ・む【引っ込む】❶〔へこむ〕凹下去āoxiaqu‖腹が少し～んだ 肚子瘦了一点儿 ❷〔目立たない場所にこもる〕隐居yǐnjū‖田舎に～む 隐居田园 ❸〔奥に入る〕‖通りから少し～んだところ 稍微离开大街的地方
ひっこ・める【引っ込める】❶〔出ているものを中へ入れる〕缩回suōhui；退回tuìhuí‖頭を～める 把脑袋缩回来 ❷〔撤回する〕取消qǔxiāo；撤回chèhuí‖提案を～める 把提案撤回来
ピッコロ 短笛duǎndí‖～を吹く 吹短笛
ひつじ【未】未wèi‖～の刻 未时 ✤一年:羊年；未年
ひつじ【羊】〔只,群〕羊yáng；绵羊miányáng ✤一飼い:牧羊人｜一小屋:羊圈
ひっし【必死】拼命(地) pīnmìng (de)‖～の覚悟 拼死的决心｜～で逃げる 拼命地逃跑
ひっしゃ【筆者】笔者bǐzhě；作者zuòzhě
ひっしゅう【必修】必修bìxiū
ひつじゅひん【必需品】必需品bìxūpǐn
ひつじゅん【筆順】笔顺bǐshùn
ひっしょう【必勝】必胜bì shèng
びっしり 满满(地) mǎnmǎn(de)‖雑草が～茂っている 杂草丛生｜今週は予定が～だ 这个星期的日程安排得满满的
ひっす【必須】必须bìxū；必要bìyào ✤一アミノ酸:必需氨基酸｜一条件:必要条件
ひっせき【筆跡】笔迹bǐjì；字迹zìjì
ひつぜつ【筆舌】笔端bǐduān；笔舌bǐshé‖～に尽くしがたい 笔墨难尽
ひつぜん【必然】必然bìrán ✤一性:必然性
ひっそり (～する)❶〔ひそかに〕默默(地) mòmò (de)；悄悄(地) qiāoqiāo (de)‖田舎で～と余生を送る 在乡下默默地度过余生 ❷〔静かで人けのないようす〕寂静jìjìng；安静ānjìng
ひったくり【引っ手繰り】抢东西qiǎng dōngxi.（人）强盗qiángdào‖～に遭う 遇到强盗
ひったく・る【引っ手繰る】抢东西qiǎng dōng-

xi‖バッグを～る 抢手提包

ぴったり ❶(～する)〔すきまなくつくようす〕紧jǐn; 严密yánmì‖戸を～閉める 把窗门关紧｜～くっついて座る 挤在一起坐 ❷(～する)〔ふさわしいようす〕合适héshì; 相称xiāngchèn‖～息が合う 情投意合｜勘定が～だ 计算得很正确｜この上着は私に～だ 这件上衣我穿很合适 ❸〔すっかりとまるようす〕‖酒を～やめる 彻底戒酒

ひつだん【筆談】(～する)笔谈bǐtán

ひっち【筆致】笔致bǐzhì; 笔锋bǐfēng

ヒッチハイク 免费搭车miǎnfèi dā chē

ひっちゃく【必着】必须到达bìxū dàodá

ひってき【匹敵】(～する)匹敌pǐdí; 相当xiāngdāng

ヒット ❶〔野球〕‖～を放つ 打安全打 ❷(～する)〔大当たり〕成功chénggōng; 大受欢迎dà shòu huānyíng ✤―曲:流行歌曲｜―チャート:流行歌曲的排行榜

ひっとう【筆頭】排名第一páimíng dì yī‖優勝候補の～にあげられる 被列为冠军候补的首位

ひつどく【必読】必读bì dú‖～の書 必读之书

ひっぱく【逼迫】(～する)紧迫jǐnpò; 困境kùnjìng; 吃紧chījǐn‖財政が～している 财政紧张｜生活が～している 生计窘迫

ひっぱりこ・む【引っ張り込む】❶〔ひきずりこむ〕拉入lārù‖客を店に～む 拉客人进店 ❷〔むりに仲間に入れる〕卷进juǎnjin; 卷入juǎnrù‖悪の道に～む 引入歧途

ひっぱりだこ【引っ張り凧】抢手qiǎngshǒu

ひっぱりだ・す【引っ張り出す】❶〔ひき出す〕拉lā; 拽zhuài ❷〔表立った場所にひき出す〕拉去lāqu‖証人として～された 被拉去作证人

ひっぱ・る【引っ張る】❶〔強く引く〕生拉硬拽shēng lā yìng zhuài‖子どもの手を～る 硬拉孩子的手 ❷〔誘いかける〕引诱yǐnyòu ❸〔強制的に連れていく〕强拉qiǎnglā; 硬拽yìngzhuài‖泥棒を警察へ～っていく 把小偷扭送给警察 ❹〔長引かせる〕延长yáncháng‖話を～って時間をかせぐ 东拉西扯地拖延时间

ヒップ 屁股pìgu.(周囲のサイズ)臀围túnwéi

ビップ【ＶＩＰ】要人yàorén; 贵宾guìbīn

ひづめ【蹄】蹄子tízi; 蹄tí‖ウマの～ 马蹄

ひつめい【筆名】笔名bǐmíng

ひつよう【必要】需要xūyào; 必要bìyào; 必需bìxū‖ぼくにはきみが～だ 我需要你｜～に応じて 根据需要｜～に迫られる 迫于需要｜～は発明の母 需要是发明之母｜あわてる～はない 没必要着急 ✤―経費:必要经费｜―条件:必要条件｜―性:必要性

ひつりょく【筆力】笔力bǐlì; 笔势bǐshì

ビデ 坐浴盆zuòyùpén

ひてい【否定】(～する)否定fǒudìng‖～しがたい事実 难以否认的事实 ✤―文:否定句

びていこつ【尾骶骨】尾骨wěigǔ

ビデオ 录像lùxiàng‖～を再生する 放录像｜～撮影する 拍录像 ✤―カメラ:摄像机｜―ディスク:影碟｜―テープ:录像带｜―デッキ:录像机

びてき【美的】美的měi de ✤―感覚:美感

ひてつきんぞく【非鉄金属】有色金属yǒusè jīnshǔ

ひでり【日照り】旱灾hànzāi; 干旱gānhàn

ひでん【秘伝】秘传mìchuán‖～を授ける 传授绝技

びてん【美点】优点yōudiǎn; 长处chángchu

ひと【人】❶〔人類・ヒト〕人rén; 人类rénlèi ❷〔社会的な人間〕人rén‖田中さんという～からお電話です 一个叫田中的(人)找你｜若い～たち 年轻人｜～は見かけによらない 人不可貌相 ❸〔他人〕别人biéren; 人rén‖～をあやつる 操纵人｜～を引きつける 吸引人｜～がなんと言おうと気にすることはない 不要在乎别人怎么说｜～のまねをする 模仿别人｜～を～とも思わぬ態度 不把人当人的态度｜～のふり見てわがふり直せ 观察他人,改正自己 ❹〔有能な人材〕人才réncái; 优秀人物yōuxiù rénwù ❺〔人柄・性格〕人品rénpǐn‖～がいい 善良｜～が悪い 性格不好｜～を見る目 看人的眼光｜～がかわったよう 像变了一个人似的 ❻〔自分を第三者に見たてる〕别人biéren; 人家rénjia; 我wǒ‖～がどれだけ心配したと思っているの 你知道人家多担心吗 ❼〔ある特定の人〕我们家那位wǒmen jiā nà wèi; 恋人liànrén; 人rén‖うちの～ 我们家那位｜意中の～ 意中人

ひとあし【一足】一步yí bù; 一会儿yíhuìr‖～早く 早一点儿 ✤―違い:差一步; 差一点儿

ひとあじ【一味】‖～違う 味道稍有不同; (芸風)与众不同

ひとあたり【人当たり】‖～がいい 对人很和气

ひとあめ【一雨】‖～ごとに暖かくなる 每下一场雨天气就会变暖和些｜いまにも～来そうだ 眼看就要下雨了

ひとあわ【一泡】‖～吹かせる 让人大吃一惊

ひとあんしん【一安心】(～する)放下心来fàngxia xīn lai; 安下心ānxia xīn‖まずは～だ 总算稍微安下心来

ひど・い【酷い】❶〔残酷〕无情wúqíng; 不像话bú xiànghuà; 过分guòfèn‖～いしうち 恶劣的行为｜～い目に遭った 倒了大霉了 ❷〔程度が甚だしい〕极jí; 非常fēicháng; 厉害lìhai‖～い霧 浓雾弥漫｜～い風邪をひく 得了重感冒

ひといき【一息】‖～つく 松了一口气｜～に飲み干す 一口气喝干｜もう～で完成する 再加把劲儿就完成了

ひといきれ【人いきれ】闷热mēnrè

ひといちばい【人一倍】比别人更加… bǐ biéren gèng jiā…‖～努力する 加倍努力

ひどう【非道】残酷cánkù; 无人道wú réndào; 无情wúqíng ✤極悪―:㊂穷凶极恶

びどう【微動】(～する)‖～だにしない ㊂一动不动; ㊂纹丝不动

ひどうめい【非同盟】非同盟fēitóngméng

ひとえ【一重】❶〔1枚だけ〕一层yì céng; 单层dāncéng; 单dān ❷〔花びらが〕单瓣dānbàn‖～の花 单瓣花朵 ✤―まぶた:单眼皮

ひとえに【偏に】❶〔ひたすら〕衷心zhōngxīn; ㊂诚心诚意chéng xīn chéng yì‖ご配慮のほど～お願い申しあげます 我衷心地希望您给予关照 ❷〔もっぱら〕完全wánquán; 一切yíqiè; 全部quánbù‖～あなたのおかげです 完全是你的功劳

ひとがき【人垣】〔堵〕人墙rénqiáng‖沿道に～ができた 沿道筑起了一道人墙

ひとかたまり【一塊】一块 yí kuài；一群 yì qún‖～の肉 一块肉｜生徒たちは～になって腰をおろした 学生们围在一起坐了下来

ひとかど【一廉】出色chūsè；出众chūzhòng；了不起liǎobuqǐ‖～の人物 相当了不起的人物

ひとがら【人柄】人品rénpǐn；品质pǐnzhì‖～がいい 人品好｜～を買う 器重人品｜話しぶりに～が現われる 从言行中能看出该人的品质

ひとかわ【一皮】表皮biǎopí；画皮huàpí‖～むけばぺてん師だ 剥去画皮一看，他竟是个骗子

ひとぎき【人聞き】‖～が悪い 难听的话

ひときれ【一切れ】一片yí piàn

ひときわ【一際】格外géwài；尤其yóuqí；特别tèbié‖～目立つ 显得格外引人注目

ひどく【酷く】非常fēicháng；极其jíqí；很hěn‖～困っている 非常为难｜～しかられた 被狠狠训斥了一顿

びとく【美徳】美德měidé‖謙譲の～ 谦逊的美德

ひとくせ【一癖】‖～も二癖もある人 很难对付的人

ひとくち【一口】❶〔一度に全部口に入れる〕一口yì kǒu‖～で食べる 一口吃掉 ❷〔少しだけ飲食する〕一口yì kǒu‖～いかがですか 尝一口怎么样？ ❸〔手短に話す〕简单地说jiǎndān de shuō‖～にラーメンといってもいろいろある 即使都叫拉面，也有很多种类 ❹〔株や寄付などの単位〕一手yì shǒu；一份yí fèn‖～1000円 1000日元一份

ひとくふう【一工夫】（～する）下一番工夫xià yì fān gōngfu‖もう～欲しい 还需要下一番工夫

ひとけ【人気】人影儿rényǐngr

ひとこと【一言】一句话yí jù huà；几句话jǐ jù huà‖～で言えば 用一句话说｜～言わせてほしい 让我说几句话｜～多い 多说那么一两句

ひとごと【人事】别人的事biéren de shì；与己无关的事yǔ jǐ wúguān de shì‖～のような顔をしている 装出一副与己无关的样子

ひとこま【一齣】❶〔映画・演劇の〕一个场面yí ge chǎngmiàn；一个画面yí ge huàmiàn ❷〔一連の出来事の中の〕一个片段yí ge piànduàn

ひとごみ【人込み】人群rénqún；人山人海(的地方) rén shān rén hǎi (de dìfang)‖～をかき分ける 拨开人群｜～にまぎれる 混入人群

ひところ【一頃】曾经céngjīng；过去guòqù

ひとごろし【人殺し】（～する）杀人(事件) shā rén (shìjiàn). (人)杀人犯shārénfàn

ひとさしゆび【人指し指】食指shízhǐ

ひとざと【人里】(村落等)人聚居的地方(cūnluò děng) rén jùjū de dìfang

ひとさらい【人攫い】拐带guǎidài.（人）拐子guǎizi

ひとさわがせ【人騒がせ】搅扰别人 jiǎorǎo biéren

ひとし・い【等しい】❶〔完全に同じである〕相等xiāngděng；相同xiāngtóng‖面積が～い 面积相等 ❷〔似ている〕几乎跟…一样jīhū gēn … yíyàng‖脅迫に～い 跟恐吓一般

ひとしお【一入】格外géwài；特别tèbié；越发yuèfā‖感激も～だった 感慨万分

ひとしきり【一頻り】一时yìshí；一阵yízhèn

ひとしごと【一仕事】❶(～する)〔ちょっとした仕事〕一项工作yí xiàng gōngzuò‖もう～しよう 再干点儿工作 ❷〔たいへんな仕事〕困难的工作kùnnan de gōngzuò

ひとじち【人質】人质rénzhì；肉票ròupiào‖～を釈放する 释放人质｜～を救出する 解救人质

ひとしれず【人知れず】暗中ànzhōng；暗地里àndìli‖～悩む 暗地里烦恼

ひとずき【人好き】招人爱zhāo rén ài；讨人喜欢tǎo rén xǐhuan‖～のする笑顔 招人喜爱的笑脸

ひとすじ【一筋】❶〔1本の線〕一条yì tiáo；一根yì gēn；一道yí dào‖～の光 一道光｜～の希望をつなぐ 抱着一线希望 ❷〔いちず〕致力于zhìlì yú；定一心一意yì xīn yí yì‖仕事～の人生 把精力全部倾注于事业的人生

ひとそろい【一揃い】一套yí tào

ひとだかり【人だかり】〔堆〕人群rénqún‖ブランドショップの前はいつも～がしている 名牌商店的门前总是人山人海的

ひとだすけ【人助け】帮助人bāngzhù rén

ひとたまり【一溜まり】‖地震がきたら～もない 要是发生地震一时也支撑不了

ひとちがい【人違い】（～する）认错人 rèncuò rén

ひとつ【一つ】❶〔数〕一yī；一个yí ge‖リンゴ～ 一个苹果 ❷〔年齢〕一岁yí suì‖～上の兄 大一岁的哥哥 ❸〔同じであること〕同一个tóng yí ge‖～屋根の下に暮らす 在同一个屋檐下生活｜心を～にする 同心协力 ❹〔いくつかあるうちの〕一种yì zhǒng‖それも～の方法だ 那也是一种方法 ❺〔…さえ・…すら〕连lián‖物音～しない 没有一丝声响｜雲～ない青空 万里无云的晴空 ❻〔ちょっと・とりあえず〕一下yíxià；稍微shāowēi‖～間違えれば 稍有差错，就…｜～やってみようよ 做一下试试吧

ひとつあな【一つ穴】‖～の狢(むじな) 一丘之貉

ひとつおき【一つ置き】隔一个gé yí ge‖～に並んでいる 相间排列

ひとづかい【人使い】‖～が荒い 用人很狠

ひとつかみ【一掴み】一把yì bǎ

ひとづて【人伝】传闻chuánwén；通过别人听到tōngguò biéren tīngdào

ひとつひとつ【一つ一つ】一个一个地yí ge yí ge de；逐一地zhúyī de‖～丹精込めてつくる 一个一个精心制作

ひとつぶ【一粒】一粒yí lì；一颗yì kē；一滴yì dī‖～の米 一粒米｜～の涙 一滴眼泪 ❖一種：独生子；独生女

ひとづま【人妻】别人的妻子biéren de qīzi

ひとつまみ【一つまみ】一撮yì cuō

ひとで【人手】❶〔他人の手中〕‖～に渡る 落到别人手上 ❷〔働き手・労働力〕人手rénshǒu‖～がかかる 需要人手

ひとで【海星】海星hǎixīng

ひとでなし【人でなし】不是人bú shì rén；无人性的人wú rénxìng de rén

ひととおり【一通り】❶〔大体・一応〕大概dàgài；大略dàlüè；粗略cūlüè‖～ノートに目を通した

通覧了一遍笔记 ❷〔普通〕一般yìbān; 普通pǔtōng ‖ ～の寒さではない 严寒非同一般

ひとどおり【人通り】‖ ～がとぎれる 人迹寥寥 | 深夜まで～が多い 到深夜还人来人往的

ひととき【一時】片刻piànkè; 一会儿yíhuìr ‖ 楽しい～を過ごす 渡过了一段愉快的时光

ひととなり【人となり】为人wéirén; 禀性bǐngxìng; 人品rénpǐn

ひとなかせ【人泣かせ】让人为难ràng rén wéinán

ひとなつっこ·い【人懐っこい】不认生bú rènshēng; 亲昵qīnnì ‖ ～い笑顔 和善的笑脸

ひとなみ【人並み】和别人一样hé biéren yíyàng ‖ ～以上の能力 能力比别人强 | ～な暮らし 生活水平跟大家差不多

ひとなみ【人波】潮水般的人群cháoshuǐ bān de rénqún ‖ ～にもまれる 在人群里挤来挤去

ひとにぎり【一握り】一把yì bǎ; 少数shǎoshù; 一小部分yì xiǎo bùfen ‖ ～の砂 一把沙子 | ～の心ない人々 一小部分缺乏道德的人

ひとねむり【一眠り】(～する)打个盹儿dǎ ge dǔnr ‖ 電車の中で～した 在电车里打了个盹儿

ひとはしり【一走り】(～する)跑一趟pǎo yí tàng ‖ 酒屋まで～行ってこよう 我跑一趟酒铺

ひとはた【一旗】‖ ～あげる 干一番事业

ひとはだ【一肌】‖ ～脱ぐ 出一把力

ひとはな【一花】‖ ～咲かせる 干出成绩来

ひとばん【一晩】一(个)晚上yí (ge) wǎnshang; 一夜yí yè ‖ ～中眠れなかった 整整一个晚上没睡着

ひとびと【人人】人们rénmen; 人人rénrén ‖ 道行く～ 路上的行人

ひとべらし【人減らし】(～する)裁员cáiyuán

ひとまえ【人前】❶〔多くの人の前〕众人面前zhòngrén miànqián ‖ ～に出せる作品ではない 这幅作品上不了大雅之堂 | ～で恥をかいた 当众出丑 ❷〔体裁·見栄〕体面tǐmian ‖ ～をつくろう 保住面子; 撑面子

ひとまかせ【人任せ】委托别人wěituō biéren; 托付别人tuōfù biéren ‖ 仕事を～にする 把工作托付给别人

ひとまく【一幕】❶〔芝居の〕一场yì chǎng; 一幕yí mù ❷〔一場面〕一个场面yí ge chǎngmiàn

ひとまず【一先ず】暂且zànqiě; 暂时zànshí

ひとまとめ【一纏め】收拾〔归拢〕到一块儿〔一起〕shōushi〔guīlǒng〕dào yíkuàir〔yìqǐ〕

ひとまね【人真似】(～する)模仿〔学〕别人mófǎng〔xué〕biéren ‖ ～をせずに自分で考えなさい 别学别人, 自己想一想

ひとまわり【一回り】❶(～する)〔1周〕绕一周rào yì zhōu; 绕〔转〕一圈rào〔zhuàn〕yì quān ‖ 工場内を～する 在工厂里转了一圈 ❷(～する)〔順番が〕轮流一圈lúnliú yì quān; 转一圈zhuàn yì quān ‖ 当番が～した 值班轮完一圈 ❸〔12年〕一轮yì lún ‖ 年が～離れている 年龄差一轮 ❹〔程度の段階〕一截yìjié; 一筹yì chóu ‖ ～大きくなった 又长高了一截

ひとみ【瞳】〔只,双〕瞳孔tóngkǒng; 眼睛yǎnjing ‖ ～を凝らす 凝视 | つぶらな～ 圆圆的眼睛

ひとみしり【人見知り】(～する)认生rènshēng

ひとむかし【一昔】十年前shí nián qián; 过去guòqù ‖ 10年～ 十年如隔世

ひとめ【一目】一眼yì yǎn ‖ 彼女に～会いたい 我很想见她一面 | ～見て気に入った 一眼就看中了 ❖ 一惚(ぼ)れ: 定 一见钟情

ひとめ【人目】世人的眼睛shìrén de yǎnjing ‖ ～がうるさい 世人的眼睛是非多 | ～を引く 引人注目 | ～を忍んで会う 偷偷见面 | ～につかぬところ 不起眼儿的地方 | ～を盗む 瞒着人 | ～にさらされる 暴露在众人面前 | ～が多い 人多眼杂

ひともうけ【一儲け】(～する)赚一笔钱zhuàn yì bǐ qián

ひとやく【一役】‖ ～買う 主动请缨

ひとやすみ【一休み】(～する)休息〔歇〕一会儿xiūxi〔xiē〕yíhuìr

ひとやま【一山】❶〔1つの山〕一座山yí zuò shān ❷〔ひとかたまり〕一堆yì duī ‖ ～500円のミカン 500日元一堆的橘子 ❸〔投機〕‖ 商売で～当てた 做买卖走运发了财

ひとり【一人·独り】❶〔1個の人〕一个人yí ge rén ‖ 友人の～ 我的一个朋友 | 彼女～が欠席した 只有她一个人缺席 | ～に1冊ずつ配る 每人发一本 ❷〔相手·仲間がいないこと〕独自一个人dúzì yí ge rén; 单独一人dāndú yì rén ‖ こんな仕事は～でできる 这么点儿工作一个人就可以了 | ～で食事する 单独一个人吃饭 ❸〔独身〕单身dānshēn ‖ まだ～です 我还是单身

ひどり【日取り】日期rìqī

ひとりあるき【独り歩き】(～する)❶〔1人で歩く〕‖ 夜道の～は危ない 一个人走夜路很危险 ❷〔独立する〕自立zìlì ❸〔勝手に動きだす〕‖ うわさが～している 传闻一传十, 十传百地传开了

ひとりがてん【独り合点】(～する) 定 自以为是zì yǐ wéi shì ‖ それはきみの～だ 那是你自己的理解

ひとりぐらし【独り暮らし】单身生活dānshēn shēnghuó ‖ ～は気楽でいい 一个人生活很轻松

ひとりごと【独り言】定 自言自语zì yán zì yǔ

ひとりじめ【独り占め】(～する)独占dúzhàn; 垄断lǒngduàn ‖ 利益を～する 独占利益

ひとりずもう【独り相撲】独角戏dújiǎoxì

ひとりだち【独り立ち】(～する)❶〔1人で立つ〕自己站起来zìjǐ zhànqilai ❷〔独立〕自立zìlì; 定 自食其力zì shí qí lì ‖ ～して理髪店を始めた 独立后, 自己开了一个理发店

ひとりたび【一人旅】一个人旅行yí ge rén lǚxíng

ひとりっこ【一人っ子】独生子女dúshēngzǐnǚ; 独苗dúmiáo

ひとりでに【独りでに】自然地zìrán de; 自动地zìdòng de ‖ ドアが～閉まった 门自己关上了 | ～スイッチが切れる 开关自动关上

ひとりぶたい【独り舞台】❶〔演劇〕独角戏dújiǎoxì ❷〔独壇場〕一个人出风头yí ge rén chū fēngtou ‖ 今日の試合は彼の～だった 今天的比赛是他一人独领风骚

ひとりぼっち【独りぼっち】孤零零一个人gūlínglíng yí ge rén

ひとりよがり【独り善がり】定 自以为是zì yǐ

ひ

wéi shì ‖ ～な考え方 自以为是的想法

ひな【雛】雏鸟chúniǎo; 雏儿chúr; 雏鸡chújī

ひながた【雛型】❶〔模型〕模型móxíng; 雏形chúxíng ❷〔見本〕样式yàngshì; 格式géshi

ひなげし【雛罌粟】虞美人yúměirén

ひなた【日向】太阳地儿tàiyángdìr ‖ 布団を～に干す 在朝阳的地方晒被褥 ✤ 一ぼっこ:晒太阳

ひな・びる【鄙びる】带有乡土气息dàiyǒu xiāngtǔ qìxī ‖ ～びた風情 乡间情趣

ひなまつり【雛祭り】女儿节Nǚ'érjié

ひなん【非難】(～する)谴责qiǎnzé; 指责zhǐzé; 攻击gōngjī ‖ ～すべき点はない 无可非议 | 厳しい～にさらされる 受到严厉的谴责

ひなん【避難】(～する)避难bìnàn; 逃难táonàn ‖ 高台に～する 到高处避难 ✤ 一勧告:避难劝告 | 一訓練:防灾避难演习 | 一所:避难所

びなん【美男】美男子měi nánzǐ ‖ ～美女 俊男美女

ビニール 乙烯基yǐxījī; 乙烯基树脂yǐxījī shùzhī ✤ 一ハウス:塑料大棚 | 一袋:塑料袋

ひにく【皮肉】❶〔遠回しな非難〕讽刺fěngcì; 挖苦wāku; 嘲讽cháofěng ‖ 辛らつな～を言われた 被狠狠地挖苦了一顿 ❷〔思いどおりにいかないこと〕不凑巧bú còuqiǎo; 偏偏piānpiān ‖ 運命の～ 命运的嘲弄

ひにち【日にち】日期rìqī; 天数tiānshù ‖ 会の～を決める 决定开会的日期 | 出発まであといくらも～がない 离出发没几天了

ひにひに【日に日に】一天比一天yì tiān bǐ yì tiān; 日益rìyì ‖ 病状が～悪化する 病情一天比一天糟糕 | ～暖かさが増す 一天天地暖和起来

ひにょうき【泌尿器】泌尿器mìniàoqì

ひにん【否認】(～する)否认fǒurèn

ひにん【避妊】(～する)避孕bìyùn ✤ 一器具:避孕器具 | 一薬:避孕药 | 一リング:避孕环

ひねく・れる 古怪gǔguài ‖ ～れた性格 脾气很古怪

びねつ【微熱】低烧dīshāo ‖ ～がある 发低烧

ひねりだ・す【捻り出す】❶〔考えをめぐらす〕绞尽脑汁地想jiǎojìn nǎozhī de xiǎng ❷〔都合する〕勉强筹出miǎnqiǎng chóuchu ‖ 旅費を～す 勉强筹措出旅费 | 時間を～す 挤出时间

ひね・る【捻る】❶〔ねじる〕拧nǐng; 捻niǎn ‖ 蛇口を～る 拧开水龙头 ❷〔思案する〕反复思考fǎnfù sīkǎo ‖ 問題解決に頭を～る 为了解决问题而左思右想 | 一句～る 作俳句 ❸〔体の一部を回す〕扭转niǔzhuǎn; 弯曲wānqū ‖ 足首を～った 扭伤了脚脖子 ❹〔簡単に負かす〕打败dǎbài

ひのいり【日の入り】日落rìluò; 太阳下山tàiyáng xià shān

ひのき【檜】日本扁柏rìběn biǎnbǎi

ひのきぶたい【檜舞台】大显身手的场所dà xiǎn shēn shǒu de chǎngsuǒ ‖ オリンピックの～を踏む 登上奥运舞台大显身手

ひのくるま【火の車】生活困难shēnghuó kùnnan ‖ 家計が～だ 家里的生活很困难

ひのけ【火の気】❶〔火のあたたかみ〕热乎气rèhuqì ‖ ～のない部屋 没有热乎气的房间 ❷〔火気〕火huǒ; 火星huǒxīng

ひのこ【火の粉】火星huǒxīng ‖ ～が舞いあがる 火星在空中飞舞

ひのたま【火の玉】❶〔火のかたまり〕火团huǒtuán; 火球huǒqiú ❷〔鬼火〕鬼火guǐhuǒ

ひのて【火の手】火势huǒshì ‖ ～があがる 起火了

ひので【日の出】日出rìchū ‖ 冬は～が遅い 冬天太阳出来得很晚 | ～の勢い 势如旭日东升

ひのべ【日延べ】(～する)延期yánqī

ひのまる【日の丸】日本国旗Rìběn guóqí

ひのめ【日の目】‖ 本書は著者の死後ようやく～を見た 本书在作者死后终于出版了

ひばいひん【非売品】非卖品fēimàipǐn

ひばく【被爆】(～する)被轰炸bèi hōngzhà

ひばく【被曝】(～する)遭受核辐射侵害zāoshòu héfúshè qīnhài ‖ 原発事故で～した 因核电站事故,受到核辐射伤害

ひばしら【火柱】‖ ～が立つ 火柱腾空而起

ひばち【火鉢】火盆huǒpén

ひばな【火花】火花huǒhuā; 火星huǒxīng ‖ 電線から～が散った 电线放出火星 | ライバルどうしで～を散らす 对手之间的竞争很激烈

ひばり【雲雀】〔只〕云雀yúnquè

ひはん【批判】批判pīpàn; 批评pīpíng ‖ 財政政策を～する 对财政政策进行批判

ひばん【非番】不值班bù zhíbān; 歇班xiēbān

ひび【日日】每天měi tiān

ひび【皹】皲裂jūnliè; 皴cūn ‖ 手に～が切れる 手皲裂

ひび【罅】〔条,道〕裂纹lièwén; 裂痕lièhén; 裂缝lièfèng ‖ 壁に～が入っている 墙上有裂缝 | 愛情に～が入った 感情产生了裂痕

びび【微微】微少wēishǎo; 微小wēixiǎo ‖ 報酬は～たるものだった 报酬少得可怜

ひびき【響き】❶〔音〕响声xiǎngsheng; 回音huíyīn ‖ 太鼓の～ 鼓声 | 音の～がいい 音响效果很好 ❷〔聞いたときの感じ〕听起来的感觉tīngqilai de gǎnjué ‖ ～のよい名前 好听的名字

ひび・く【響く】❶〔音が伝わる·反響する〕响xiǎng; 回响huíxiǎng; 回荡huídàng ‖ がんがん耳に～く 耳朵嗡嗡响 ❷〔ある特徴をもって聞こえる〕听起来tīngqilai ‖ 弁解が空々しく～く 辩白空洞无力 ❸〔振動が伝わる〕震动zhèndòng ‖ 地鳴りが～く 大地轰鸣 ❹〔広く世間に知られる〕闻名wénmíng; 扬名yángmíng ❺〔影響する〕影响yǐngxiǎng ‖ 胸に～く 打动心弦 | 体に～く 影响身体 | 石油の値あがりは生活に大きく～く 石油的涨价对生活影响很大

ひひょう【批評】(～する)评论pínglùn; 批评pīpíng ‖ 新刊書の～をする 评论新书 ✤ 一家:评论家 | 一眼:批评眼光

ひびわ・れる【罅割れる】裂缝lièfèng ‖ 干ばつで田んぼが～れた 因干旱田地都龟裂了

びひん【備品】设备shèbèi; 办公用品bàngōng yòngpǐn

ひふ【皮膚】皮肤pífū ✤ 一移植:皮肤移植

びふう【美風】好风气hǎo fēngqì; 好作风hǎo zuòfēng

びふう【微風】微风wēifēng; 轻风qīngfēng

ひふく【被服】衣服yīfu ✤ 一費:服装费

ひぶくれ【火膨れ】烫肿tàngzhǒng；烧肿shāozhǒng；燎泡liáopào
ひぶそう【非武装】非武装fēiwǔzhuāng；非军事fēijūnshì ✤一地带：非军事地区
ひぶた【火蓋】‖熱戦の～が切られた 激战打响了
ビフテキ 牛排niúpái
ひぶん【碑文】碑文bēiwén
びぶん【微分】（～する）微分wēifēn
ひへい【疲弊】（～する）❶〔心身が〕疲惫píbèi ❷〔国力や経済状態が〕衰敝shuāibì；衰微shuāiwēi‖国力が～する 国力衰微了
ひほう【秘宝】秘宝mìbǎo
ひほう【悲報】噩耗èhào；悲讯bēixùn
ひぼう【誹謗】（～する）诽谤fěibàng‖他人を～する 诽谤别人｜～中傷する 诽谤中伤
びぼう【美貌】美貌měimào‖～に惑わされる 被…的美貌所迷惑
びぼうろく【備忘録】备忘录bèiwànglù
ひぼし【日干し】晒shài；晒干shàigān‖魚を～にする 把鱼晒干 ✤一れんが：土坯
ひぼし【干乾し】饿瘪èbiě
ひぼん【非凡】非凡fēifán；出众chūzhòng
ひま【暇】❶〔何かをする時間〕时间shíjiān；工夫gōngfu‖新聞を読む～もない 连看报的时间也没有 ❷〔自由になる時間〕空儿kòngr；闲空xiánkòng‖～なとき遊びに来て 有时间〔空儿〕来玩儿吧｜お金と～のある人 有钱又有闲工夫的人｜～をもてあます 闲得发慌 ❸〔商売が〕冷清lěngqing
ひまご【曾孫】（男）曾孙zēngsūn.（女）曾孙女zēngsūnnü
ひまつ【飛沫】飞沫fēimò；水花shuǐhuā ✤一感染：飞沫感染
ひまつぶし【暇潰し】消磨时间xiāomó shíjiān；打发时间dǎfa shíjiān
ひまわり【向日葵】向日葵xiàngrìkuí
ひまん【肥満】（～する）肥胖féipàng ✤一児：肥胖儿童｜一症：肥胖症
びみ【美味】美味měiwèi；好吃hǎochī
ひみつ【秘密】秘密mìmì‖自分の病気を家族に～にする 没有把自己的病情告诉家里人｜～が漏れる 走漏秘密｜～を漏らす 泄漏秘密｜～を守る 保守秘密｜公然の～ 公开的秘密 ✤一警察：秘密警察｜一結社：秘密结社｜一文書：机密文件
びみょう【微妙】微妙wēimiào‖国際関係が～になった 国际关系变得微妙起来
ひめ【姫】公主gōngzhǔ‖白雪～ 白雪公主
ひめい【悲鳴】❶〔苦痛や恐怖による叫び声〕惊叫jīngjiào；惨叫cǎnjiào ❷〔弱音・泣き言〕叫苦jiàokǔ‖うれしい～をあげる 又喜又忧
ひめくり【日捲り】日历rìlì；台历táilì
ひ・める【秘める】隐藏yǐncáng；藏cáng‖子どもは無限の才能を～めている 孩子的身上蕴藏着无限的才能
ひめん【罷免】（～する）罢免bàmiǎn
ひも【紐】❶〔物を束ねたりするもの〕〔根，条〕细绳（子）xìshéng(zi)；绳子shéngzi；带子dàizi‖靴の～ 鞋带儿｜新聞紙を～で縛る 用绳子把报纸捆起来 ❷〔情夫〕情夫qíngfū；
びもく【眉目】✤一秀麗：㊀眉清目秀
ひもじ・い 饿è‖～い思いをする 挨饿
ひもと【火元】❶〔火を使う場所〕火烛huǒzhú‖～に用心する 小心火烛 ❷〔火事を出した場所や家〕火主huǒzhǔ；起火处qǐhuǒchù ❸〔事件・騒動の出どころ〕起因qǐyīn；祸根huògēn
ひもと・く【繙く・紐解く】翻阅fānyuè；阅读yuèdú‖史書を～く 阅读史书
ひもの【干物】干鱼gānyú；干贝类gānbèilèi
ひやあせ【冷や汗】冷汗lěnghàn
ビヤガーデン 露天啤酒店lùtiān píjiǔdiàn
ひやか・す【冷やかす】❶〔からかう〕戏弄xìnòng；嘲弄cháonòng；耍笑shuǎxiào ❷〔店をのぞく〕光看不买guāng kàn bù mǎi‖商店街をぶらぶら～して歩く 在商店街东逛西逛
ひやく【飛躍】（～する）❶〔大きく進歩・発展する〕飞跃fēiyuè；跃进yuèjìn‖～的発展を遂げる 取得飞跃性的发展 ❷〔考えや話が〕不连贯bù liánguàn；不按顺序bú àn shùnxù‖論理に～が見られる 在逻辑上前后不连贯
ひゃく【百】❶〔10の10倍〕(一)百（yì）bǎi.（大字）(壹)佰（yì）bǎi ❷〔非常に多いこと〕很多hěn duō｜そんなことは～も承知だ 那种事我非常清楚｜可能性は～にひとつもない 一点可能性也没有 ❸〔100歳〕100岁yì bǎi suì
ひゃくがい【百害】百害bǎihài；很多害处hěn duō hàichu‖～あって一利なし 有百害而无一利
ひゃくしゅつ【百出】（～する）百出bǎichū；出现了很多chūxiànle hěn duō‖意見～ 意见纷纭
ひゃくしょう【百姓】⇨のうみん（農民）
ひゃくとおばん【１１０番】110(号)yāo yāo líng（hào）‖～通報する 打110报警
ひゃくねん【百年】❶〔100の年数〕100年yì bǎi nián ❷〔長い年月〕百年bǎinián；许多年xǔduō nián‖～の計を立てる 制定百年大计｜～の恋も一時(いちじ)に冷めた 多年的爱情一下子凉了
ひゃくパーセント【百パーセント】百分之百bǎi fēn zhī bǎi；完全wánquán‖～自信がある 我有百分之百的把握
ひゃくはちじゅうど【百八十度】❶〔角度〕180度yì bǎi bāshí dù ❷〔正反対〕180度yì bǎi bāshí dù；正相反zhèng xiāngfǎn
ひゃくぶん【百分】✤一率：百分率
ひゃくぶん【百聞】‖～は一見にしかず ㊀百闻不如一见
ひゃくまん【百万】❶〔数〕100万yì bǎi wàn ❷〔数の多いさま〕数量非常多shùliang fēicháng duō‖～の言葉を費やす 费尽千言万语
びゃくや【白夜】白夜báiyè
ひやけ【日焼け】（～する）晒黑shàihēi‖小麦色に～した顔 被晒成咖啡色的脸 ✤一止めクリーム：防晒霜
ひやざけ【冷や酒】凉酒liángjiǔ；冷酒lěngjiǔ
ヒヤシンス 风信子fēngxìnzǐ
ひや・す【冷やす】❶〔温度を下げる〕冰镇bīngzhèn‖冷蔵庫で～す 放在冰箱里冰镇起来 ❷〔興奮をしずめる〕使…冷静shǐ … lěngjìng ❸〔ぞっとさせる〕‖肝を～す 吓破了胆
ひゃっかじてん【百科事典】百科辞典bǎikē cídiǎn；百科全书bǎikē quánshū
ひゃっかてん【百貨店】百货商店bǎihuò

shāngdiàn；百货公司bǎihuò gōngsī
ひゃっぱつひゃくちゅう【百発百中】（～する）㊜百发百中bǎi fā bǎi zhòng
ひやとい【日雇い】短工duǎngōng；日工rìgōng ‖～で働く 打短工 ❖一労働者：短工
ひやひや【冷や冷や】（～する）❶〔寒さ・冷たさで〕寒冷hánlěng；发冷fālěng ❷〔心配などで〕担心dānxīn；捏一把汗niē yì bǎ hàn
ビヤ ホール 啤酒馆píjiǔguǎn
ひやめし【冷や飯】凉饭liángfàn；冷饭lěngfàn ‖～を食わされる 坐冷板凳
ひややか【冷ややか】❶〔冷淡〕冷冰冰lěngbīngbīng；冷漠lěngmò ‖～な目つき 目光冷漠｜～な視線を浴びた 遭到了冷眼相待 ❷〔寒い・冷たい〕冷lěng；凉liáng；凉丝丝liángsīsī
ひゆ【比喩】比喻bǐyù
ヒューズ〔根〕保险丝bǎoxiǎnsī ‖～がとんだ 保险丝烧断了〔烧毁了〕
ピューマ 美洲狮měizhōushī
ヒューマニスト 人道主义者réndào zhǔyìzhě
ヒューマニズム 人文主义rénwén zhǔyì；人道主义réndào zhǔyì
ビュッフェ 自助餐zìzhùcān
ひょいと ❶〔何の気なしに〕无意中wúyì zhōng；偶然ǒurán ❷〔出し抜けに〕突然tūrán；忽然hūrán ❸〔軽々と〕轻轻qīngqīng；轻松qīngsōng
ひよう【費用】〔笔〕费用fèiyong；开支kāizhī；经费jīngfèi ‖～がかさむ 开销大｜～をねん出する 筹措费用｜～倒れ 白花钱
ひょう【表】〔张，份〕表biǎo；表格biǎogé ‖～を作成する 制作表格｜～に数字を書き入れる 将数字填入表格
ひょう【豹】豹bào
ひょう【票】选票xuǎnpiào ‖～を入れる 投票｜～を集める 得到选票｜～が割れた 选票分散
ひょう【雹】冰雹bīngbáo；雹子báozi
びよう【美容】美容měiróng ❖一院：美容院；发廊｜一師：美容师；美发师｜一体操：健美操
びょう【秒】秒miǎo
びょう【鋲】❶〔画びょう〕图钉túdīng ❷〔靴の底の〕鞋钉xiédīng
ひょういもじ【表意文字】表意文字biǎoyì wénzì
びょういん【病院】医院yīyuàn ‖～に入る 住院｜～へ行ってみてもらう 去医院看病
ひょうおん【表音】❖一記号：音标｜一文字：表音文字
ひょうか【評価】（～する）评价píngjià；估计gūjì.（価値を認める）肯定kěndìng ‖過大に～する 估计过高｜土地の～額 土地的估价｜～があがる〔下がる〕 评价上升〔下降〕｜高く～されている 受到很高的评价｜努力は～できる 努力是值得肯定的｜5段階～で成績をつける 分为五个等级打分
ひょうが【氷河】冰河bīnghé ❖一期：冰河期
ひょうかい【氷解】（～する）冰释bīngshì ‖疑問が～した 疑问冰释了
びょうがい【病害】病害bìnghài
ひょうき【表記】（～する）❶〔表面に書き表す〕写在…上面xiězai … shàngmian ‖～のあて先 上面所记载的地址 ❷〔書き表す〕写xiě；标明biāomíng ‖漢字で～する 以汉字标明
ひょうぎ【評議】（～する）讨论tǎolùn；磋商cuōshāng ❖一員：评议员｜一会：评议会
びょうき【病気】❶〔やまい〕病bìng ‖～にかかる 得病；生病｜～が再発する 犯病｜重い～になる 患重病｜～が治る 病好了；病痊愈｜この～は治りにくい 这种病很难治｜～がうつる 被传染上病｜～で寝ている 生病躺在床上｜～を予防する 预防疾病｜～がちだ 容易得病｜～が進む 病情恶化｜～で休む 因病请假 ❷〔悪い癖〕毛病máobing ‖また例の～が始まったよ 老毛病又犯了 ❖一欠勤：病假；病休｜一見舞い：探望病人
ひょうきん【剽軽】滑稽huájī；诙谐huīxié ‖～なしぐさ 滑稽的动作 ❖一者：很诙谐的人；爱开玩笑的人
びょうく【病苦】病苦bìngkǔ
ひょうけい【表敬】表示敬意biǎoshì jìngyì ❖一訪問：礼节性拜访
ひょうけつ【表決】（～する）表决biǎojué ‖～する 进行表决｜挙手で～を行う 举手表决
ひょうけつ【票決】（～する）投票表决tóupiào biǎojué
びょうけつ【病欠】（～する）因病缺席yīn bìng quēxí ‖会社を～する 因病歇班
ひょうげん【表現】（～する）表现biǎoxiàn；表达biǎodá ‖～の自由を保障する 保障言论自由｜～が不適切である 表达不妥当｜気持ちを言葉で～するのは難しい 很难用语言来表达自己的心情
びょうげん【病原】病原bìngyuán ❖一学：病原学｜一菌：病原菌；致病菌｜一体：病原体
ひょうご【標語】标语biāoyǔ
ひょうこう【標高】海拔hǎibá
ひょうざん【氷山】〔座〕冰山bīngshān ‖～の一角 冰山一角
ひょうし【拍子】❶〔音楽〕拍pāi ‖4～の楽曲 四拍的乐曲 ❷〔リズム〕拍子pāizi；节拍jiépāi ❸〔はずみ〕瞬间shùnjiān；（当…）时候（dāng …）shíhou ‖立ちあがった～に頭をぶつけた 站起来的时候，磕了脑袋｜ふとした～に思いだす 忽然想起来 ❖とんとん一：顺顺当当；㊜一帆风顺
ひょうし【表紙】封面fēngmiàn；书皮shūpí ❖表一：正面封面｜背一：书背
ひょうじ【表示】（～する）表示biǎoshì；标明biāomíng ‖賞味期限の～がない 没有标明保质期｜意思～をする 表态 ❖一価格：标价
びょうし【病死】（～する）病故bìnggù
ひょうしき【標識】标志biāozhì；标记biāojì ‖左折禁止の～ 禁止左转的标志 ❖一灯：标灯
びょうしつ【病室】病房bìngfáng
びょうしゃ【描写】（～する）描写miáoxiě；描绘miáohuì；刻画kèhuà ‖心理～に長ける 擅长刻画人物心理
びょうじゃく【病弱】虚弱xūruò
ひょうじゅん【標準】标准biāozhǔn ‖あの店のサービスは～以下だ 那家店的服务不够标准｜～的な中国語 标准中文 ❖一化：标准化｜一語：标准语言｜一誤差：标准误差｜一時：标准时间
ひょうしょう【表象】❶〔心理〕表象biǎoxiàng ❷〔象徴〕象征xiàngzhēng

ひょうしょう【表彰】(～する)表扬biǎoyáng；表彰biǎozhāng ❖一式:表彰式｜一状:奖状｜一台:领奖台

ひょうじょう【表情】〔副〕表情biǎoqíng；神情shénqíng‖明るい～ 表情开朗｜～がかたい 表情僵硬｜～が和らぐ 表情变温和了｜～に乏しい 缺乏表情变化｜現地の～を伝える 报导当地人的反应

びょうしょう【病床】〔张〕病床bìngchuáng‖～に伏す 卧病不起

びょうじょう【病状】病情bìngqíng

びょうしん【秒針】〔根〕秒针miǎozhēn

びょうしん【病身】病体bìngtǐ；病身子bìngshēnzi.(病気がち)多病之身duōbìng zhī shēn

ひょう·する【表する】表示biǎoshì；表达biǎodá‖敬意を～する 表示敬意｜謝意を～する 表达谢意｜弔意を～する 表示悼念

ひょう·する【評する】评论pínglùn；评价píngjià

びようせいけい【美容整形】整容zhěngróng

ひょうせつ【剽窃】(～する)剽窃piāoqiè

ひょうそう【表装】(～する)裱biǎo

ひょうそう【表層】表层biǎocéng

びょうそう【病巣】病灶bìngzào

びょうそく【秒速】秒速miǎosù

ひょうだい【表題·標題】书名shūmíng；标题biāotí

ひょうたん【瓢簞】葫芦húlu；酒葫芦jiǔ húlu‖～から駒(ﾞ) 弄假成真；出人意料

ひょうちゃく【漂着】(～する)漂(流)到piāo(liú)dào ❖一物:漂流物

ひょうてい【評定】(～する)评定píngdìng

ひょうてき【標的】靶子bǎzi；目标mùbiāo

びょうてき【病的】病态bìngtài；不正常bú zhèngcháng‖～な性格 病态性格｜～な心理 病态心理｜～に太る 病态肥胖｜～に疑り深い 过分多疑

ひょうてん【氷点】‖～下 零度以下

びょうとう【病棟】❖一般一:普通病房楼

びょうどう【平等】平等píngděng‖遺産を～に分ける 平分遗产 ❖男女一:男女平等

びょうにん【病人】病人bìngrén‖～を抱える 家里有要服侍的病人｜～の世話をする 护理病人

ひょうはく【漂白】(～する)漂白piǎobái‖シャツを～する 把衬衫漂白 ❖一剤:漂白剂

ひょうはく【漂泊】(～する)❶〔船が〕漂流piāoliú ❷〔さすらう〕流浪liúlàng

ひょうばん【評判】❶〔名声〕声望shēngwàng；名声míngshēng‖～が悪い 名声不好｜会社で～の美人 公司里公认的美人｜～を落とす 声誉受到影响 ❷〔うわさ〕传闻chuánwén

ひょうひょう【飄飄】飘逸piāoyì；定逍遥自在xiāo yáo zì zài

びょうぶ【屏風】〔扇,面〕屏风píngfēng

ひょうへん【豹変】(～する)豹变bàobiàn；突变tūbiàn‖態度が～する 态度一下子就变了

ひょうぼう【標榜】(～する)标榜biāobǎng

ひょうほん【標本】❶〔動植物などの〕标本biāoběn ❷〔見本·典型〕典型diǎnxíng

ひょうめい【表明】(～する)表明biǎomíng；表示biǎoshì‖議案に対して反対〔賛成〕の意を～する 对议案表示反对〔赞成〕

びょうめい【病名】病名bìngmíng‖～はまだはっきりしない 病名尚未查清｜～を隠す 隐瞒病情

ひょうめん【表面】表面biǎomiàn；外表wàibiǎo‖～を見ただけで本質はわからない 光看表面无法知道实质｜事件が～化する 事件公开了 ❖一張力:表面张力

びょうよみ【秒読み】倒计时dàojìshí；读秒dúmiǎo‖～の段階に入る 进入倒计时〔读秒〕阶段

ひょうり【表裏】表里biǎolǐ；正反面zhèngfǎnmiàn ❖一一体:表里一体

ひょうりゅう【漂流】(～する)漂流piāoliú ❖一物:漂流物

びょうれき【病歴】病历bìnglì；病史bìngshǐ

ひょうろん【評論】评论pínglùn‖時事問題の～をする 评论时事问题 ❖一家:评论家

ひよく【肥沃】肥沃féiwò‖～な地 肥沃的土地

ひよけ【日除け】遮阳物zhēyángwù.(テント風のもの)遮阳棚zhēyángpéng.(ブラインド)遮阳帘zhēyánglián

ひよこ【雛】❶〔ひな〕雏儿chúr；雏鸡chújī ❷〔一人前でない〕雏儿chúr；黄口小儿huáng kǒu xiǎo ér

ひょっこり 突然tūrán；偶然ǒurán‖妹が～たずねてきた 妹妹突然来看我

ひょっと (～する)❶〔もしかして〕说不定shuōbudìng；也许yěxǔ‖～したらこの方法でうまくいくかもしれない 说不定用这个办法会成功 ❷〔不意に·偶然に〕冷不防lěngbufáng；突然tūrán；偶然ǒurán‖～したきっかけ 偶然的机会

ひより【日和】(天気)天气tiānqì.(好天)好天儿hǎotiānr‖よいお～ですね 真是个好天儿

ひよりみ【日和見】观望(形势)guānwàng(xíngshì)；骑墙qíqiáng ❖一主義:机会主义

ひょろひょろ (～する)瘦弱shòuruò；纤细xiānxì；定弱不禁风ruò bù jīn fēng

ひょろりと 纤细xiānxì；纤弱xiānruò‖～した長身の若者 瘦高个儿的年青人

ひよわ【ひ弱】纤弱xiānruò；虚弱xūruò‖最近の子どもは概して～だ 最近的孩子都十分软弱

ひょんな 意外yìwài；没想到méi xiǎngdào‖～ところで 在意外的地方

ぴょんぴょん 蹦蹦跳跳bèngbèngtiàotiào；跳来跳去tiào lái tiào qù

ひら【平】❶〔普通の〕普通pǔtōng；一般yìbān ❷〔平ら〕平píng ❖一社員:普通职员

ビラ 传单chuándān；招贴zhāotiē‖選挙の～を壁に貼る 将选举招贴贴在墙上｜～を配る 发传单

ひらあやまり【平謝り】(～する)一个劲儿地道歉yígejìnr de dàoqiàn

ひらいしん【避雷針】〔根〕避雷针bìléizhēn

ひらおよぎ【平泳ぎ】蛙泳wāyǒng

ひらがな【平仮名】平假名píngjiǎmíng

ひらき【開き】❶〔開くこと〕开kāi‖窓の～が悪い 窗户不好开 ❷〔差〕〔段〕差距chājù；距离jùlí‖両者の間には大きな～がある 两者之间有很大差距｜年齢に大きな～がある 年龄相差很大 ❸〔食品〕剖开后风干的鱼pōukāi hòu fēnggān de yú‖アジの～ 竹荚鱼的鱼干 ❖一戸:双扇门

ひらきなお・る【開き直る】翻脸fānliǎn；突然改变态度tūrán gǎibiàn tàidu
ひら・く【開く】❶〔あく・あける〕开kāi‖ドアが～く 门开了｜口を～く 开口 ❷〔会を催す〕开(会) kāi(huì)‖会議を～く 开会｜法廷が～かれる 开庭 ❸〔開始する〕开张kāizhāng；经营jīngyíng‖銀行に口座を～く 在银行开户 ❹〔包み・本などを〕打开dǎkāi ❺〔新たに始める〕开辟kāipì；开创kāichuàng‖近代医学の道を～く 开拓了近代医学之路 ❻〔隔たりが〕〔広がる〕〔距离〕拉开(jùlí) lākāi；〔差距〕加大(chājù) jiādà‖貧富の差が～く 贫富差距加大 ❼〔慣用表現〕悟りを～く 开悟
ひら・ける【開ける】❶〔広がる〕展开zhǎnkāi；开阔kāikuò ❷〔発展する〕发展fāzhǎn‖このあたりは最近急速に～けてきた 这一带最近飞速地发展起来了 ❸〔前途が〕走运zǒuyùn；有指望yǒu zhǐwang‖運が～けてきた 时来运转了
ひらた・い【平たい】❶〔平ら〕平píng；扁平biǎnpíng‖～くのばす 擀平 ❷〔やさしい〕通俗tōngsú；简单jiǎndān‖～く言えば 简单地说
ひらて【平手】‖顔を～打ちする 打耳光
ピラニア 水虎鱼shuǐhǔyú
ひらひら 飘舞piāowǔ；飘扬piāoyáng‖落ち葉が風に吹かれて～と舞った 风吹着落叶飘舞
ピラフ 西式炒饭xīshì chǎofàn
ピラミッド 金字塔jīnzìtǎ
ひらめ【平目】牙鲆yápíng
ひらめき【閃き】❶〔光〕闪光shǎnguāng ❷〔霊感〕灵感línggǎn‖天才的な～ 天才般的灵感
ひらめ・く【閃く】❶〔光る〕闪光shǎnguāng ❷〔思い浮かぶ〕闪现shǎnxiàn‖いい考えが～いた 闪现出一个好主意
ひらや【平屋】平房píngfáng
ひらりと 迅速xùnsù；轻快qīngkuài‖相手の攻撃を～かわす 敏捷地躲开对方的攻击
びらん【糜爛】〔～する〕糜烂mílàn
びり 末尾mòwěi；最后一名zuìhòu yì míng
ピリオド 句号jùhào‖～を打つ 画句号｜長年の教員生活に～を打った 结束了多年的教员生涯
ひりき【非力】⇨むりょく(無力)
ひりつ【比率】比例bǐlì；比bǐ‖出資～を下げる 降低出资比率
ひりひり〔～する〕刺痛cìtòng；火辣辣huǒlālā
ぴりぴり〔～する〕❶〔刺激で〕刺痛cìtòng；火辣辣huǒlālā ❷〔神経が〕神经紧张shénjīng jǐnzhāng‖～した雰囲気 气氛很紧张
ビリヤード 台球táiqiú
ひりょう【肥料】肥料féiliào‖～をやる 上肥料
びりょう【微量】微量wēiliàng ✤一元素：微量元素
びりょく【微力】绵薄miánbó；绵力miánlì‖～を尽くす 尽绵薄之力
ひる【昼】❶〔日中〕白天báitian ❷〔正午〕中午zhōngwǔ‖お～のニュース 午间新闻 ❸〔昼食〕午饭wǔfàn
ひる【蛭】水蛭shuǐzhì；蚂蟥mǎhuáng
ビル〔座,幢〕大楼dàlóu；高楼gāolóu；大厦dàshà ✤一街：大厦街｜一風：楼群风
ピル 口服避孕药kǒufú bìyùnyào
ひるい【比類】伦比lúnbǐ‖～のない大傑作 无与伦比的杰作
ひるがえ・す【翻す】❶〔向きをかえる〕翻fān；转zhuǎn‖身を～す 翻身 ❷〔言動・態度を〕翻fān；反悔fǎnhuǐ‖決心を～す 反悔｜供述を～した 翻供了 ❸〔はためかす〕飘扬piāoyáng
ひるがえ・る【翻る】飘扬piāoyáng
ひるさがり【昼下がり】过午guòwǔ‖～のひととき 午后的一段时间
ひるね【昼寝】〔～する〕午睡wǔshuì‖～する 睡午觉
ひるひなか【昼日中】⇨はくちゅう(白昼)
ひるま【昼間】白天báitian
ビルマ ⇨ミャンマー
ひる・む【怯む】怕pà；胆怯dǎnqiè；畏惧wèijù‖～まずに難局に立ち向かう 毫不畏惧地面对困难局面
ひるやすみ【昼休み】午休wǔxiū
ひれ【鰭】〔条,尾〕鳍qí
ヒレ 里脊(肉) lǐji(ròu)
ひれい【比例】❶〔数学〕比例bǐlì ❷〔～する〕〔数量の割合〕成正比chéng zhèngbǐ‖販売が増加するのに～して収益もあがる 销售量增加,利润也成正比上升 ✤一代表(制)：比例代表(制)｜一配分：按比例分配
ひれき【披瀝】〔～する〕表露biǎolù
ひれつ【卑劣】卑劣bēiliè；卑鄙bēibǐ‖～なやり口 卑鄙手段
ひれん【悲恋】爱情悲剧àiqíng bēijù
ひろ・い【広い】❶〔幅が〕宽kuān；宽广kuānguǎng；宽大kuāndà‖肩幅が～い 肩膀很宽｜間口が～い 门面很宽 ❷〔範囲が〕宽kuān；宽阔kuānkuò；广泛guǎngfàn‖～い視野をもつ 具有宽阔的视野｜趣味が～い 兴趣广泛 ❸〔寛容〕宽大kuāndà‖心が～い 胸怀宽广
ひろいあ・げる【拾い上げる】捡起jiǎnqi；拾起shíqi
ひろいもの【拾い物】❶〔思いがけない幸運〕意外的收获yìwài de shōuhuò‖思わぬ～をした 捡了便宜 ❷〔拾った物〕拾(得)物shí(dé)wù
ひろいよみ【拾い読み】〔～する〕跳读tiàodú‖海外ニュースを～する 跳着读国际新闻
ヒロイン 女主人公nǚ zhǔréngōng
ひろう【披露】〔～する〕披露pīlù；宣布xuānbù‖自説を～する 公开发表自己的理论｜自慢ののどを～した 展露引以为自豪的嗓子 ✤一宴：喜筵
ひろ・う【拾う】❶〔取りあげる〕捡jiǎn；拾shí‖財布を～う 捡了个钱包｜落ち穂を～う 拾穗 ❷〔選び取る〕拣取jiǎnqǔ‖町の声を～う 听取市民的意见 ❸〔思いがけず手に入れる〕拣jiǎn‖勝ちを～う 意外获胜 ❹〔車を〕打dǎ‖駅前でタクシーを～った 在车站前打了一辆出租车
ひろう【疲労】〔～する〕疲劳píláo‖～困憊(こんぱい)する 疲惫不堪｜～感を訴える 诉说有疲劳感
ビロード 天鹅绒tiān'éróng
ひろが・る【広がる】❶〔広くなる〕扩大kuòdà；变宽biànkuān‖歩道の幅が～った 步行道拓宽了｜差が～る 拉大距离 ❷〔広範囲に及ぶ〕扩大kuòdà；传开chuánkāi；蔓延mànyán‖被害

はさらに～りそうだ 受灾范围还会扩大
ひろ·げる【広げる】❶〔ものを〕展开zhǎnkāi; 打开dǎkāi‖翼を～げる 张开翅膀｜傘を～げる 把伞打开｜両手を～げる 伸开双臂 ❷〔物事を〕扩大kuòdà; 扩展kuòzhǎn‖事業を～げる 扩大事业规模｜行動範囲を～げる 扩大活动范围
ひろさ【広さ】面积miànjī; 大小dàxiǎo
ひろば【広場】广场guǎngchǎng
ひろびろ【広広】宽敞kuānchang; 开阔kāikuò
ひろま【広間】大房间dà fángjiān; 大厅dàtīng
ひろま·る【広まる】❶〔範囲が〕扩大kuòdà‖応用範囲が～る 应用范围扩大 ❷〔行き渡る·伝わる〕传开chuánkāi; 风行起来fēngxíngqilai‖うわさが～る 流言四处传开｜感染症が～る 传染病蔓延开来
ひろ·める【広める】❶〔範囲を〕扩大kuòdà; 扩展kuòzhǎn‖見聞を～める 开阔眼界, 增长见识 ❷〔行き渡らせる·伝える〕传扬chuányáng; 传播chuánbō
ひわ【秘話】秘闻mìwén; 秘史mìshǐ
びわ【枇杷】枇杷pípa
びわ【琵琶】〔把〕琵琶pípa
ひわい【卑猥】粗俗cūsú; 下流xiàliú
ひわり【日割り】按日计算àn rì jìsuàn‖～で支払う 按日给工钱
ひん【品】❶〔品格〕品格pǐngé; 风度fēngdù; 气质qìzhì‖～がある 气质高雅｜～が悪い 粗俗; 不雅｜～のよいインテリア 很雅致的室内装饰 ❷〔料理の品数〕样yàng; 盘pán
びん【便】〔趟, 次〕航班hángbān‖午後の～で北京に行く 乘坐下午的班机去北京
びん【瓶】瓶píng‖ジャムを～に詰める 把果酱装瓶 ✤ビール—:啤酒瓶
びん【鬢】鬓发bìnfà
ピン ❶〔針〕(虫ピン)大头针dàtóuzhēn. (ヘアピン)发卡fàqiǎ. (安全ピン)别针biézhēn ❷〔ボウリング〕保龄球瓶bǎolíng qiúpíng
ピン ‖～からキリまで 从最好的到最次的
ひんい【品位】风度fēngdù; 品格pǐngé‖～に欠ける行い 有失体面的行为
ピンイン【拼音】(汉语)拼音(Hànyǔ) pīnyīn
ひんかく【品格】品格pǐngé; 品德pǐndé‖～のある文章 格调高雅的文章
びんかん【敏感】敏感mǐngǎn; 敏锐mǐnruì‖流行に～ 赶时髦
ひんきゃく【賓客】宾客bīnkè; 客人kèren
ピンク ❶〔色〕粉红色fěnhóngsè; 粉色fěnsè ❷〔色情的なこと〕桃色táosè; 黄色huángsè ✤—映画:黄色电影｜ショッキング—:玫瑰红
ひんけつ【貧血】贫血pínxuè‖～を起こす 引起贫血
ひんこう【品行】品行pǐnxíng; 行为xíngwéi‖～が悪い 品行不端 ✤—方正:品行端正
ひんこん【貧困】❶〔貧乏〕贫困pínkùn; 贫穷pínqióng‖～にあえぐ 在贫困中挣扎 ❷〔欠乏〕贫乏pínfá; 缺乏quēfá‖政治の～ 政治贫困｜発想が～だ 思考缺乏想像力
ひんし【品詞】词类cílèi; 词性cíxìng
ひんし【瀕死】垂危chuíwēi; 濒死bīnsǐ
ひんしつ【品質】质量zhìliàng; 品质pǐnzhì‖～を向上させる〔落とす〕 提高〔降低〕质量 ✤—管理:质量管理｜—検査:检验质量｜—保証:质量保证
ひんじゃく【貧弱】❶〔見劣りがする〕瘦弱shòuruò; 寒碜hánchen‖～な体格 瘦弱的体格｜身なりが～だ 衣着太寒碜了 ❷〔十分でない〕贫乏pínfá; 欠缺qiànquē‖内容が～ 内容十分贫乏
ひんしゅ【品種】品种pǐnzhǒng‖異なる～をかけあわせる 杂交不同的品种 ✤—改良:品种改良
ひんしゅく【顰蹙】皱眉zhòu méi‖家族の～を買う 遭到家里人的反感
びんしょう【敏捷】敏捷mǐnjié; 灵敏língmǐn
びんじょう【便乗】(～する)❶〔相乗りする〕(就便)搭乘(jiùbiàn) dāchéng; 搭车dā chē‖知り合いの車に～した 搭了熟人的便车 ❷〔機会をとらえる〕趁机chènjī ✤—値上げ:趁机涨价
ヒンズーきょう【ヒンズー教】印度教Yìndùjiào
ひん·する【瀕する】濒临bīnlín; 面临miànlín‖絶滅の危機に～する 濒临灭绝
ひんせい【品性】品质pǐnzhì; 品性pǐnxìng; 人品rénpǐn‖～を疑う 对其人品产生怀疑
ピンセット〔把〕镊子nièzi
びんせん【便箋】〔张, 叠〕信纸xìnzhǐ
ひんそう【貧相】穷相qióngxiàng; 苦相kǔxiàng; 寒碜hánchen‖～な顔をしている 长着一副苦相｜身なりが～だ 衣着很寒碜
びんそく【敏速】敏捷mǐnjié; 迅速xùnsù
びんた 嘴巴zuǐba; 耳光ěrguāng‖～をくわす 打〔抽〕嘴巴｜～をくらう 被打了一记耳光
ピンチ 困境kùnjìng; 紧急关头jǐnjí guāntóu; 危机wēijī‖～を切り抜ける 摆脱困境
びんづめ【瓶詰め】瓶装píngzhuāng
ヒント 暗示ànshì; 提示tíshì; 启发qǐfā‖～を与える 给以暗示｜～を得る 得到启发
ひんど【頻度】频度píndù; 频率pínlǜ‖使用～が高い 使用频度高
ぴんと ❶〔ゆるみなく〕绷紧bēngjǐn; 拉直lāzhí‖縄を～張る 把绳子绷紧｜背筋を～伸ばして座る 挺起胸来坐好 ❷〔跳ねあがる〕翘qiào; 弹tán‖髪の毛が～立っている 头发翘起来了 ❸〔直感的にわかる〕领会lǐnghuì; 明白míngbai‖～こない 弄不清｜～くる 直觉感到
ピント 焦点jiāodiǎn; 焦距jiāojù‖～を合わせる 对准焦点｜～がはずれている 没抓住要点
ひんぱつ【頻発】(～する)屡〔多〕次发生lǚ〔duō〕cì fāshēng; 多发duō fā
ピンはね (～する)克扣kèkòu; 抽头chōutóu
ひんぱん【頻繁】频繁pínfán; 屡次lǚcì
ひんぴょう【品評】(～する)品评pǐnpíng; 评比píngbǐ; 评定píngdìng ✤—会:品评会; 评比会
ぴんぴん (～する)❶〔元気だ〕精神jīngshen; 硬朗yìnglang ❷〔跳びはねる〕鲜活xiānhuo
ひんぷ【貧富】贫富pínfù‖～の差が大きい 贫富差别很大; 贫富悬殊
びんぼう【貧乏】贫穷pínqióng; 贫苦pínkǔ; 窘困jiǒngkùn‖～暇なし 穷忙 ✤—神:穷神｜—くじ:坏签｜—性:穷命(的人)
ピンぼけ 影像模糊yǐngxiàng móhu; 散焦sànjiāo‖～の写真 影像模糊的照片

ピンポン 乒乓球pīngpāngqiú
ひんみん【貧民】贫民pínmín；穷人qióngrén ✤ 一街：贫民街｜一窟(くつ)：贫民窟
ひんもく【品目】品种pǐnzhǒng；品目pǐnmù
ひんやり（〜する）凉丝丝liángsīsī ‖ 高原の〜した空気 高原凉爽的空气
びんらん【便覧】⇨べんらん(便覧)
びんわん【敏腕】有才干yǒu cáigàn；能干nénggàn ‖ 〜刑事 能干的刑警｜〜を振るう 发挥才干；大显身手 ✤ 一家：有才干的人

ふ

ふ【負】负fù ‖ 〜の数 负数
ふ【腑】‖ 〜に落ちない 纳闷儿
ふ【譜】〔张,本〕乐谱yuèpǔ；谱子pǔzi
ぶ【分】❶〔度合い〕优势yōushì ‖ 〜がある 有利｜〜が悪い 不利 ❷〔10分の1〕一成yì chéng；十分之一shí fēn zhī yī ❸〔100分の1〕百分之一bǎi fēn zhī yī ‖ 2割7〜引き 便宜百分之二十七 ❹〔温度〕分fēn ‖ 37度5〜の熱 发烧37度5
ぶ【歩】❶〔100分の1〕百分之一bǎi fēn zhī yī ❷〔利回り・歩合〕利率lìlǜ
ぶ【部】❶〔区分〕部分bùfen ‖ 昼の〜の公演 日场的演出 ❷〔組織・部門〕部bù；部门bùmén ❸〔書物〕(冊)本běn；册cè.（セット）集jí；份fèn ‖ 3〜作の小説 一共有三集的小说｜契約書は2〜作成する 合同要备有两份
ファースト ❶〔最初〕第一dì yī ❷〔野球〕一垒yī lěi.（人）一垒手yīlěishǒu ✤ 一クラス：(飛行機・船の)头等〔一等〕舱；（最高級）五星级｜一ネーム：名｜一レディー：第一夫人
ファースト フード 快餐kuàicān
ぶあい【歩合】❶〔手数料〕〔笔,份〕回扣huíkòu；佣金yòngjīn ‖ 売り上げの1割の〜をもらう 拿销售额一成的提成｜〜制 按劳付酬制 ❷〔割合〕比率bǐlǜ
ぶあいそう【無愛想】冷淡lěngdàn；怠慢dàimàn ‖ 〜だが腕はいい 态度冷淡,但手艺高超
ファイト ❶〔闘志〕〔种,股〕斗志dòuzhì ‖ 〜を燃やす 燃起斗志｜〜がある 有斗志 ❷〔かけ声〕加把劲jiā bǎ jìn；加油jiāyóu
ファイル ❶〔道具〕文件夹wénjiànjiā ❷(〜する)〔保存する〕保存bǎocún；存档cúndàng ‖ 新聞の切りぬきを〜する 把剪报装订起来 ❸〔コンピューター〕文件wénjiàn
ファインダー 取景器qǔjǐngqì
ファイン プレー 绝招juézhāo；绝技juéjì
ファウル ❶〔野球〕界外球jièwàiqiú ‖ 〜を打つ 打界外球 ❷〔反則〕犯规fànguī
ファクシミリ ⇨ファックス
ファジー 模糊móhu ✤ 一コンピュータ：模糊计算机｜一制御：模糊控制｜一理論：模糊理论
ファシスト 法西斯主义者fǎxīsī zhǔyìzhě
ファシズム 法西斯主义fǎxīsī zhǔyì
ファスナー 拉锁lāsuǒ ‖ 〜をしめる 拉上拉锁
ぶあつ・い【分厚い】厚hòu ‖ 〜い辞書 很厚的词典｜〜いステーキ 厚厚的牛排
ファックス 传真chuánzhēn ‖ 原稿を〜で送る 把稿子用传真发过去 ✤ 一用紙：传真纸
ファッション（はやりの）时尚shíshàng；流行liúxíng.（服装）〔套,件〕时装shízhuāng ‖ 最新〜に身を包む 穿最新潮的时装 ✤ 一雑誌：时装杂志｜一ショー：时装秀｜一モデル：时装模特儿
ファミコン ⇨コンピューター「一ゲーム」
ファミリー 家jiā；家庭jiātíng ✤ 一サイズ：家庭装｜一ネーム：姓氏｜一レストラン：连锁餐馆
ふあん【不安】〔种,个,份〕不安bù'ān；担心dānxīn ‖ 〜を感じる 感到不安｜〜をつのらせる 越来越不安｜〜をぬぐう 消除不安 ✤ 一感：不安感
ファン ❶〔扇風機〕风扇fēngshàn ❷〔愛好者〕…迷…mí；爱好者àihàozhě ✤ 一ヒーター：暖风机｜一レター：歌迷〔球迷；影迷〕来信
ファンクション キー 功能键gōngnéngjiàn
ファンタジー ❶〔空想〕〔个,种〕幻想huànxiǎng；空想kōngxiǎng；想像xiǎngxiàng ❷〔文学〕科幻小说kēhuàn xiǎoshuō
ふあんてい【不安定】不稳定bù wěndìng
ファンデーション（化粧品）〔盒,瓶〕粉底fěndǐ；粉底霜fěndǐshuāng
ファンド〔笔,种〕基金jījīn；资金zījīn ✤ 一トラスト：指定金钱信托｜一マネージャー：基金管理人
ふあんない【不案内】不熟悉bù shúxī；不了解bù liǎojiě
ファンファーレ 嘹亮的喇叭声liáoliàng de lǎbashēng ‖ 〜が鳴り響く 响起嘹亮的号角声
ふい【不意】意外yìwài；突然tūrán ‖ 〜の来客があった 突然来客人了｜〜をつく 定出其不意
ふい 白费báifèi；落空luòkōng ‖ まる1日を〜にした 浪费了一整天｜チャンスを〜にする 错过机会
ぶい【部位】部位bùwèi；部分bùfen
ブイ【V】（V字形）V字形V zìxíng ‖ 〜ネックのセーター V字领毛衣 ✤ 一サイン：胜利手势
ブイ 浮标fúbiāo.（救命用）救生圈jiùshēngquān
ブイ アイ ピー【VIP】⇨ビップ(VIP)
フィアンセ（男）未婚夫wèihūnfū.（女）未婚妻wèihūnqī
フィート 英尺yīngchǐ
フィードバック（〜する）反馈fǎnkuì
フィーバー（〜する）狂热kuángrè；热衷rèzhōng
フィーファ【FIFA】国际足联Guójì Zúlián
フィーリング〔种,个〕感觉gǎnjué；情绪qíngxu ‖ 〜が合う 情投意合；很投缘
フィールド ✤ 一アスレチック：野外体育活动｜一種目：田赛项目｜一ワーク：实地调查
ふいうち【不意打ち】突然袭击tūrán xíjī；出其不意chūqí búyì
フィギュア スケート 花样滑冰huāyàng huábīng
フィクション ❶〔虚構〕虚构xūgòu ❷〔小説〕小说xiǎoshuō
フィジー 斐济Féijì

｜～い悲しみに沈む 陷入深深的悲痛之中

ぶかい【部会】部(门)会议bù(mén) huìyì

ぶがい【部外】外部wàibù; 无关wúguān ❖一者:外人｜一秘:对外保密

ふがいな・い【腑甲斐ない】窝囊wōnang; 不争气bù zhēngqì ‖ ～いやつ 窝囊废

ふかいり【深入り】(～する)深入shēnrù; 过于干涉guòyú gānshè; 过于介入guòyú jièrù

ふかおい【深追い】(～する)深追shēn zhuī; 深究shēnjiū; 穷追qióngzhuī

ふかかい【不可解】不可理解bùkě lǐjiě; 定不可思议bù kě sī yì ‖ ～な行動 不可思议的行为

ふかかち【付加価値】附加价值fùjiā jiàzhí; 增值zēngzhí ❖一税:增值税

ふかく【不覚】❶〔しくじる〕失败shībài; 失策shīcè ‖ ～をとる 失败｜一生の～ 遗恨终生 ❷〔思わず〕不由得bùyóude; 定不知不觉bù zhī bù jué ‖ ～にももらい泣きをしてしまった 不由得流下了同情的眼泪

ふかくてい【不確定】未〔不〕确定wèi〔bú〕quèdìng; 不明确bù míngquè ‖ ～な要因を含んでいる 包含不确定因素

ふかけつ【不可欠】不可缺bùkě quē; 必须bìxū; 必不可少bì bù kě shǎo ‖ 新鮮な空気は健康に～だ 新鲜的空气对健康是不可缺少的

ふかこうりょく【不可抗力】不可抗力bùkělànglì; 不可避免bùkě bìmiǎn ‖ ～による事故 由不可抗因素而造成的事故

ふかさ【深さ】深shēn; 深度shēndù; 深浅shēnqiǎn ‖ ～は8メートルある 深有八米

ふかしぎ【不可思議】不可捉摸bùkě zhuōmō; 神秘shénmì ‖ ～な現象 神秘现象

ふかしん【不可侵】不可侵犯bùkě qīnfàn ❖一条約:互不侵犯条约

ふか・す【吹かす】❶〔たばこを〕喷pēn; 吸xī ❷〔エンジンを〕启动qǐdòng ❸〔…風を〕摆(架子) bǎi (jiàzi) ‖ 先輩風を～す 摆老资格

ふか・す【蒸かす】蒸zhēng ‖ ジャガイモを～す 蒸马铃薯

ぶかっこう【不格好】不好看bù hǎokàn; 不美观bù měiguān; 不像样子bú xiàngyàngzi

ふかのう【不可能】不可能bù kěnéng; 做〔办〕不到zuò〔bàn〕budào; …不了…buliǎo ‖ ～を可能にする 使不可能变为可能

ふかひ【不可避】不可避免bùkě bìmiǎn; 不可避开bùkě bìkāi ‖ 交涉決裂は～と思われる 认为谈判决裂是不可避免的

ぶかぶか (～する)肥féi; 肥大féidà ‖ ～の服 肥大的衣服

ふかぶかと【深深と】深深地shēnshēn de ‖ ～おじぎをする 深深地鞠躬

ふかぶん【不可分】不可分bùkě fēn; 分不开fēnbukāi ‖ ～の関係 不可分割的关系

ふかま・る【深まる】加深jiāshēn; 深起来shēnqilai ‖ 夜が～って寒くなってきた 夜深气寒

ふかみ【深み】❶〔味わい〕深(度) shēn(dù) ‖ 物語に～がない 故事没有深度 ❷〔深いところ〕深处shēnchù ❸〔深入り〕‖ ～にはまる 深深陷入

ふかみどり【深緑】深绿色shēnlǜsè

ふか・める【深める】加深jiāshēn ‖ 理解を～める 加深理解｜友好関係を～める 加深友好关系

ふかん【俯瞰】(～する)俯瞰fǔkàn; 俯视fǔshì ❖一図:鸟瞰图

ふき【付記】(～する)附记fùjì; 附注fùzhù

ふき【蕗】款冬kuǎndōng

ふぎ【不義】背离正道bèilí zhèngdào; 违反道德wéifǎn dàodé. (男女の)私通sītōng

ぶき【武器】〔件, 种, 类〕武器wǔqì ‖ 当該企業は高い技術力を～に大発展を遂げた 该企业以高端技术为武器, 获得了很大发展

ふきあ・れる【吹き荒れる】风刮得很大fēng guāde hěn dà ‖ 風が一晩中～れた 大风刮了一夜

ブギウギ 布基乌基bùjīwūjī; 布吉伍吉bùjíwǔjí

ふきかえ【吹き替え】配音pèiyīn

ふきかえ・す【吹き返す】‖ 息を～す 苏醒过来

ふきか・ける【吹き掛ける】哈气hāqì; 吹气chuī qì; 喷pēn ‖ 息を～ける 哈气

ふきげん【不機嫌】不高兴bù gāoxìng

ふきこぼ・れる【吹き零れる】沸腾后溢出fèiténg hòu yìchu ‖ お湯が～れている 开水溢出来了

ふきこ・む【吹き込む】❶〔雨や風が〕(雨が)潲进shàojin. (風が)刮进guājin; 吹进chuījin ❷〔録音する〕录制lùzhì; 灌唱片guàn chàngpiàn ❸〔入れ知恵する〕教jiāo; 灌输guànshū; 教唆jiàosuō ‖ そんな悪知恵をだれに～まれたんだ 这些邪门歪道是谁教给你的？ ❹〔比ゆ的表現〕注入zhùrù; 带来dàilai ‖ 新人がチームに新風を～んだ 新选手给队伍带来了一股新风

ふきそ【不起訴】不起诉bù qǐsù ❖一処分:不起诉处理 ‖ 検察官は当該案件を～にすることに決めた 检查官决定对该案件不进行起诉

ふきそく【不規則】不规律bù guīlǜ; 不规则bù guīzé; 不整齐bù zhěngqí; 不按时bú ànshí

ふきだし【吹き出し】对话框duìhuàkuàng. (コンピューター) 标注框biāozhùkuàng

ふきだ・す【吹き出す・噴き出す】❶〔勢いよく出る〕冒出来màochulai; 喷出来pēnchulai ‖ どっと汗が～した 一下子冒出汗来 ❷〔笑いだす〕笑出来xiàochulai ❸〔不満や批判が〕涌出yǒngchu; 迸出bèngchu ‖ 政策に対する不満が～す 流露出对政策的不满

ふきつ【不吉】不吉利bù jílì; 不吉祥bù jíxiáng ‖ ～な夢を見た 做了一个不吉利的梦

ふきつ・ける【吹き付ける】❶〔吹いて当たる〕刮到…上guādào…shang; 狂吹kuáng chuī ❷〔吹いて付着させる〕喷在…上pēnzai…shang ‖ 靴に防水スプレーを～ける 往鞋面上喷防水液

ふきでもの【吹き出物】(小)疙瘩(xiǎo) gēda; 粉刺fěncì

ふきとば・す【吹き飛ばす】❶〔とばす〕刮跑guāpǎo; 吹飞chuīfēi ‖ 強風でテントが～された 因风大帐篷被刮跑了 ❷〔払いのける〕消除xiāochú; 驱除qūchú ‖ 夏の暑さを～す 驱散暑气；使人忘掉夏天的炎热

ふきと・る【拭き取る】擦去cāqu; 擦掉cādiào

ふきのとう【蕗の薹】款冬的花茎kuǎndōng de huājīng

ふきはら・う【吹き払う】吹散chuīsàn; 刮跑

guāpǎo; 驱散qūsàn ‖ 迷いを～う 打消犹豫
ふきまわし【吹き回し】‖ どういう風の～か上司から食事に誘われた 是什么风吹呀,上司居然要请我吃饭
ぶきみ【無気味】令人害怕lìng rén hàipà; 可怕kěpà ‖ ～な物音 令人害怕的声响
ふきゅう【不朽】不朽bùxiǔ ‖ ～の名曲 不朽的名曲
ふきゅう【普及】(～する)普及pǔjí ‖ 全国に～する 在全国得到了普及 ✤ 一率:普及率
ふきょう【不況】不景气bù jǐngqì; 萧条xiāotiáo ‖ 出版業界の～は深刻である 出版业严重萧条 | ～を脱する 摆脱不景气状况
ふきょう【不興】扫兴sǎoxìng ‖ 上司の～を買う 惹上级不高兴
ふきょう【布教】(～する)传教chuánjiào
ぶきよう【不器用】不巧bù qiǎo; 不灵巧bù língqiǎo; 笨bèn ‖ 手先が～ 手不巧 | 生き方が～ 为人处世不圆滑
ふきょうわおん【不協和音】❶〔音楽〕不谐和音bùxiéhéyīn ❷〔不和〕互相不协调hùxiāng bù xiétiáo; 不一致bù yízhì
ぶきょく【舞曲】〔支,首〕舞曲wǔqǔ
ふきん【付近】附近fùjìn; 一带yídài ‖ この～に 在这附近
ふきん【布巾】〔块,条〕擦碗布cāwǎnbù; 擦碗巾cāwǎnjīn. (台ぶきん)抹布mābù
ふきんこう【不均衡】不均衡bù jūnhéng; 不平衡bù pínghéng ‖ ～を是正する 改善不均衡状况
ふきんしん【不謹慎】不检点bù jiǎndiǎn; 不严肃bù yánsù; 放肆fàngsì
ふ・く【吹く・噴く】❶〔風が〕刮guā; 吹chuī ‖ 風が～く 刮风 ❷〔息で〕吹chuī ‖ 牛乳を～いて冷ます 把牛奶吹凉 | ローソクを～き消す 把蜡烛吹灭 ❸〔気体・液体が表面に出る〕冒出màochu; 喷出pēnchu; 溢出yìchu ‖ ご飯が～いている 饭溢出来了 ❹〔吹聴する〕 ‖ ほらを～く 吹牛
ふく【服】❶〔着物〕〔件,身,套〕衣服yīfu ‖ ～を着替える 换衣服 | ～を着る〔脱ぐ〕 穿〔脱〕衣服 ❷〔助数詞〕(薬)包bāo; 服fú. (お茶)杯bēi. (タバコ)支zhī
ふ・く【拭く】擦cā ‖ ぞうきんで床を～く 用抹布擦地板
ふく【副】副fù ✤ 一大統領:副总统
ふく【福】幸福xìngfú; 福fú
ふぐ【河豚】〔条〕河豚hétún
ふくいん【復員】(～する) ✤ 一軍人:复员军人
ふくいん【福音】福音fúyīn ✤ 一書:福音书
ふぐう【不遇】不得志bù dézhì; 不走运bù zǒuyùn ‖ 一生を～のうちに終える 终生不得志
ふくえき【服役】(～する)❶〔懲役〕*服刑*fúxíng ❷〔兵役〕*服兵役*fú bīngyì
ふくえん【復縁】(～する)复婚fùhūn ‖ ～を迫る 要求复婚
ふくがく【復学】(～する)复学fùxué
ふくかん【副官】副官fùguān
ふくがん【複眼】复眼fùyǎn
ふくぎょう【副業】〔个,份,种〕副业fùyè; 第二职业dì èr zhíyè
ふくげん【復元・復原】(～する)复原fùyuán ‖ 古代の船を～する 复制古船 | 削除したデータを～する 复原删除了的数据 ✤ 一力:恢复力; 恢复能力
ふくこう【腹腔】腹腔fùqiāng ✤ 一鏡:腹腔镜
ふくごう【複合】(～する)复合fùhé ✤ 一汚染:多重污染 | 一語:复合词; 合成词
ふくこうかんしんけい【副交感神経】副交感神经fùjiāogǎn shénjīng
ふくざつ【複雑】复杂fùzá ‖ ～な表情 复杂的表情 ✤ 一骨折:开放性〔复合性〕骨折
ふくさよう【副作用】〔种〕副作用fùzuòyòng
ふくさんぶつ【副産物】副产品fùchǎnpǐn
ふくし【副詞】副词fùcí
ふくし【福祉】福利fúlì ✤ 一国家:福利国家 | 社会一事業:社会福利事业
ふくじ【服地】〔块,段〕布料bùliào
ふくしき【複式】✤ 一火山:复式火山 | 一学級:复式班级 | 一簿記:复式簿记
ふくしきこきゅう【腹式呼吸】腹式呼吸fùshì hūxī
ふくじてき【副次的】次要的cìyào de
ふくしゃ【複写】(～する)❶〔コピー〕复印fùyìn; 拷贝kǎobèi ❷〔書き写す〕复写fùxiě; 抄写chāoxiě ✤ 一機:复印机 | 一紙:复写纸
ふくしゃ【輻射】(～する)辐射fúshè ✤ 一線:辐射线 | 一熱:辐射热
ふくしゅう【復習】(～する)复习fùxí
ふくしゅう【復讐】(～する)报仇bàochóu; 复仇fùchóu ‖ ～の鬼 复仇狂人
ふくじゅう【服従】(～する)服从fúcóng
ふくしゅうにゅう【副収入】〔笔〕副业收入fùyè shōurù
ふくしょう【副賞】〔份,个〕附加奖fùjiājiǎng
ふくしょう【復唱】(～する)复述fùshù
ふくしょく【服飾】服饰fúshì ✤ 一デザイナー:服饰设计师 | 一品:服饰品
ふくしょく【復職】(～する)复职fùzhí; 重新开始上班chóngxīn kāishǐ shàngbān
ふくしょく(ぶつ)【副食(物)】〔种〕副食fùshí
ふくしん【副審】副裁判员fùcáipànyuán
ふくしん【腹心】亲信qīnxìn; 心腹xīnfù ‖ ～の部下 心腹部下 | ～の友 知心朋友
ふくじん【副腎】肾上腺shènshàngxiàn ✤ 一皮質ホルモン:肾上腺皮质激素
ふくすい【腹水】腹水fùshuǐ
ふくすい【覆水】‖ ～盆に返らず 定覆水难收
ふくすう【複数】复数fùshù; 两个以上liǎng ge yǐshàng ‖ ～の選択肢の中から選ぶ 在几个候选中选择 ✤ 一形:复数形
ふく・する【服する】服从fúcóng; 服fú; 从事cóngshì ‖ 兵役に～する 服兵役 | 喪に～する 服丧
ふくせい【複製】(～する)(印刷物を)复印fùyìn; 翻印fānyìn. (美術品などを)复制fùzhì; 仿制fǎngzhì ‖ 作者の許可なくして～することはできない 未经作者允许不得复制 ✤ 一品:仿制品
ふくせん【伏線】〔个,种〕伏笔fúbǐ; 〔条,个〕伏线fúxiàn ‖ ～をはる 埋下伏线
ふくせん【複線】复线fùxiàn
ふくそう【服装】〔件,种,套〕服装fúzhuāng
ふくぞう【腹蔵】‖ ～なく話す 推心置腹地谈
ふくそうひん【副葬品】随葬品suízàngpǐn

ふくだい【副題】〔个,条,道〕副标题fùbiāotí
ふぐたいてん【不倶戴天】㊀不共戴天bú gòng dài tiān ‖ ～の敵 不共戴天的敌人
ふくちょう【復調】(～する)恢复健康huīfù jiànkāng ‖ ～の兆しが見える 能看到复苏的迹象
ふくつ【不屈】㊀不屈不挠bù qū bù náo; 坚韧不拔jiānrèn bù bá ‖ ～の精神 不屈不挠的精神
ふくつう【腹痛】腹痛fùtòng; 肚子痛dùzi tòng ‖ ～がする 感到肚子痛 | ～を訴える 说肚子疼
ふくどく【服毒】(～する)服毒fúdú ❖一自殺:服毒自杀
ふくどくほん【副読本】辅助教材fǔzhù jiàocái; 课外读物kèwài dúwù
ふくびき【福引[き]】〔个,项〕抽奖chōujiǎng; 抽彩chōu cǎi ‖ ～でテレビがあたった 抽彩抽中了一台电视机 ❖一券:彩票; 奖券
ふくぶ【腹部】腹部fùbù
ふくふくせん【複複線】双复线shuāngfùxiàn
ふくぶん【複文】复句fùjù
ふくへい【伏兵】伏兵fúbīng; 埋伏的士兵máifu de shìbīng ‖ 思わぬ～に金メダルを奪われた 没想到半路杀出一匹黑马, 夺走了金牌
ふくぼく【副木】〔块〕夹板jiābǎn
ふくほん【副本】(正本に対して)〔本,份〕副本fùběn. (写し)〔个,本,部〕抄本chāoběn
ふくまく【腹膜】腹膜fùmó ❖一炎:腹膜炎
ふくみ【含み】含蓄hánxù; 暗示ànshì; 回旋余地huíxuán yúdì ‖ ～のある言葉 带有深意的话 ❖一益:账面利润 | 一資産:账外浮余的资产 | 一損:账面损失 | 一笑い:抿(着)嘴笑
ふく・む【含む】❶(含有する) 含有hányǒu; 包含bāohán; 包括bāokuò ‖ 緑茶にはカフェインが～まれている 绿茶里含有咖啡因 | 定価には消費税は～まれていない 定价中不包含消费税 | 深い意味が～まれている 包含着很深的意思 ❷(考慮する) 记在心里jìzai xīnli; 予以理解yǔyǐ lǐjiě ‖ この点をお～みおきください 此点请谨记 ❸(口に) 含hán ‖ ワインを口に～む 含了口酒 ❹(感情を抱く) 带有dàiyǒu; 含有hányǒu ‖ 憂いを～んだ目 带着忧愁的眼神 | とげを～んだ言葉 带刺儿的话 | ～むところがある 对我怀恨在心
ふくむ【服務】(～する)服务fúwù; 工作gōngzuò ❖一規定:工作守则
ふく・める【含める】包含bāohán; 包括bāokuò ‖ 社長を～めて 包括总经理在内
ふくめん【覆面】(～する)蒙脸méng liǎn; 蒙面méng miàn. (覆うもの)蒙面布méngmiànbù ❖一作家:匿名作家 | 一パトカー:便衣警车
ふくよう【服用】(～する)服用fúyòng; 服药fúyào ‖ 1日3回毎食後～する 一日三次饭后服用
ふくよう【複葉】❶(植物) 复叶fùyè ❷(航空) 双翼shuāngyì ❖一機:双翼飞机
ふくよか ❶(ふっくらしている) 丰满fēngmǎn; 丰腴fēngyú ❷(香り) 馥郁fùyù
ふくらしこ【膨らし粉】发酵粉fājiàofěn
ふくらはぎ【膨ら脛】腿肚子tuǐdùzi; 腓féi
ふくら・む【膨らむ】膨胀péngzhàng; 鼓起gǔqi; 隆起lóngqi ‖ つぼみが～む 含苞欲放 | 財政赤字が～む 财政赤字膨胀 | 優勝への期待が～む 对获胜的期待高涨

ふくり【福利】福利fúlì ❖一厚生:福利保健
ふくり【複利】复利fùlì
ふくりゅうえん【副流煙】侧流烟cèliúyān
ふくれっつら【膨れっ面】绷脸běngliǎn
ふく・れる【膨れる】❶(膨らむ) 膨胀péngzhàng; 鼓起来gǔqilai ❷(不機嫌な顔になる) 撅嘴juē zuǐ; 绷着脸běngzhe liǎn ‖ 文句を言うとすぐ～れる 被人一批评, 就撅嘴
ふくろ【袋】❶(物を入れるための) 袋dài; 口袋kǒudai ❷(ミカンなどの) 果囊guǒnáng; 内皮nèipí ❖一帯:筒带 | 一小路:死胡同; 死路 | 一だたき:众人围打一人; 群殴 ‖ マスコミに～にされる 遭到媒体一致的谴责 | 一詰め:袋装 | 一綴じ:折页线装
ふくろ【復路】归途guītú
ふくろう【梟】〔只〕猫头鹰māotóuyīng
ふけ 〔层〕头皮屑tóupíxiè; 头屑tóuxiè; 皮屑píxiè
ぶげい【武芸】〔身,种〕武艺wǔyì; 〔种,门〕武术wǔshù ‖ ～を修める 修炼武艺
ふけいき【不景気】❶(経済が) 不景气bù jǐngqì; 经济衰退jīngjì shuāituì; 萧条xiāotiáo ❷(態度・ようすが) 愁眉不展chóuméi bù zhǎn ‖ ～な顔をして, どうしたの 脸上无精打采的, 怎么了?
ふけいざい【不経済】不划算bù huásuàn; 不合算bù hésuàn; 浪费làngfèi
ふけこ・む【老け込む】见老jiànlǎo; 显老xiǎnlǎo ‖ 定年退職して急に～む 退休后一下子见老了
ふけつ【不潔】❶(清潔ではない) 不干净bù gānjìng; 肮脏āngzang ❷(けがらわしい) 不道德búdàodé; 不纯洁bù chúnjié; 污秽wūhuì
ふ・ける【老ける】老lǎo; 衰老shuāilǎo; 苍老cānglǎo ‖ 年よりも～けて見える 看起来比实际年龄显得老 | 急に～けた 一下子衰老了许多
ふ・ける【更ける】深shēn ‖ 夜が～ける 夜深 | 秋が～ける 秋色很浓
ふけ・る【耽る】热衷rèzhōng; 沉湎chénmiǎn; 沉浸chénjìn ‖ 酒色に～る 沉溺于酒色 | もの思いに～る 沉浸在冥想中 | 雑談に～る 热衷于闲谈
ふげん【付言】(～する)附言fùyán
ふけんこう【不健康】不健康bú jiànkāng
ふけんしき【不見識】缺乏见识quēfá jiànshi; 考虑不周kǎolǜ bùzhōu; 轻率qīngshuài
ふけんぜん【不健全】不健全bú jiànquán; 不健康bú jiànkāng
ふこう【不幸】❶(ふしあわせ) 不幸búxìng; 背运bèiyùn; 倒霉dǎoméi ‖ ～に見舞われる 遭遇到不幸 | ～中の幸い 不幸中的万幸 ❷(身内の者の死) 死亡sǐwáng; 丧事sāngshì ‖ 身内に～があった 我的亲人发生了不幸的事情
ふごう【負号】负号fùhào
ふごう【符号】符号fúhào; 记号jìhao
ふごう【符合】(～する)符合fúhé; 相符xiāngfú; 一致yízhì
ふごう【富豪】富豪fùháo; 富翁fùwēng
ふごうかく【不合格】(検査などで)不合格bù hégé; 落榜luòbǎng. (試験で)不及格bù jígé; 没考上méi kǎoshang
ふこうへい【不公平】不公平bù gōngping; 不公正bù gōngzhèng
ふごうり【不合理】不合理bù hélǐ

ふこく【布告】(～する)公告gōnggào; 公布gōngbù; 宣布xuānbù ‖ 宣戦を～する 宣战
ぶこく【誣告】(～する)诬告wūgào
ふこくきょうへい【富国強兵】富国强兵fùguó qiángbīng ‖ ～をはかる 谋求富国强兵
ふこころえ【不心得】不端正bù duānzhèng; 没修养méi xiūyǎng ❖一者:没教养的人
ぶこつ【無骨·武骨】粗cū; 粗俗cūsú; 粗鲁cūlu
ふさ【房】❶〔装飾の〕流苏liúsū; 缨穗yīngsuì; 穗suì ❷〔植物の〕串chuàn; 嘟噜dūlu ‖ ブドウ1～ 一串葡萄
ブザー 蜂鸣器fēngmíngqì; 门铃ménlíng ‖ ご用の方は～を鳴らしてください 有事请按门铃
ふさい【夫妻】〔对〕夫妻fūqī; 夫妇fūfù
ふさい【負債】债务zhàiwù; 负债fùzhài; 欠债qiànzhài ‖ 巨額の～を抱える 负债累累
ふざい【不在】不在bú zài; 不在家bú zài jiā ‖ 国民～の政治 不反映国民意志的政治
ぶさいく【不細工】❶〔物の体裁が〕不精致bù jīngzhì; 不好看bù hǎokàn; 粗糙cūcāo ❷〔不器量〕难看nánkàn; 丑chǒu ‖ ～な顔 难看的脸
ふさが·る【塞がる】❶〔詰まる〕堵dǔ; 堵塞dǔsè ❷〔いっぱいである〕占满zhànmǎn; 占着zhànzhe ‖ どの部屋も～っている 所有房间都客满了｜回線が～っている 占线 ❸〔閉じる〕关guān; 合hé; 闭bì ‖ 開いた口が～らない 定目瞪口呆｜傷口が～った 伤口愈合了
ふさく【不作】收成不好shōucheng bù hǎo; 歉收qiànshōu
ふさ·ぐ【塞ぐ·鬱ぐ】❶〔すきまなどを〕堵上dǔshang; 堵塞dǔsè ‖ 塀の穴をモルタルで～ぐ 墙壁的洞用灰浆堵上 ❷〔覆う〕捂住wǔzhu; 遮住zhēzhu; 蒙上méngshang ‖ 耳を～ぐ 捂住耳朵 ❸〔じゃまになる·さえぎる〕占住zhànzhu; 挡住dǎngzhu ‖ 場所を～ぐ 占地方 ❹〔ゆううつ〕郁闷yùmèn; 不痛快bú tòngkuai ‖ 気分が～ぐ 闷闷不乐
ふざ·ける ❶〔おどける〕闹着玩儿nàozhe wánr; 耍闹shuǎnào; 打闹dǎnào ❷〔ばかにする〕愚弄yúnòng; 戏弄xìnòng; 耍人shuǎrén ‖ ～けるな！ 你不要耍我！
ふさふさ (～する)浓密nóngmì; 毛茸茸máorōngrōng ‖ ～した髪 浓密的头发
ぶざま【無様】难看nánkàn; 笨拙bènzhuō ‖ 人前に～な姿をさらす 在众人面前失态
ふさわし·い【相応しい】适合shìhé; 相称xiāngchèn ‖ 教育者たるに～い行い 像个教育者的样子｜面接には～い服装で臨みたい 参加面试时要穿得体的服装｜あの人はあなたには～くない 那个人配不上你
ふし【父子】〔对〕父子fùzǐ ❖一家庭:〔父子〕单亲家庭
ふし【節】❶〔竹の〕节jié; 竹节zhújié ❷〔木材などの〕节眼jiéyǎn ❸〔歌の節〕〔个,种〕调子diàozi; 曲调qǔdiào ❹〔箇所·点〕点diǎn; 地方dìfang ‖ 思いあたる～がある 好像有这事
ふじ【不治】‖ ～の病 不治之症
ふじ【不時】意外yìwài; 万一wànyī
ふじ【富士】富士山Fùshìshān ❖一額(ぴたい):美人尖
ふじ【藤】〔架〕紫藤zǐténg ❖一色:淡紫色｜一棚:藤萝架｜一づる:藤蔓｜一紫:淡紫色
ぶじ【無事】❶〔平穏〕平安píng'ān; 安稳ānwěn; 顺利shùnlì ‖ 今年も～終わった 今年也平安无事地结束了｜～解決をみた 圆满地解决了｜離れて住む家族の～を祈る 祈祷远方的家人平安❷〔無病息災〕无恙wúyàng; 健康jiànkāng
ふしあな【節穴】❶〔板などの穴〕节孔jiékǒng ❷〔見えていない〕瞎眼xiāyǎn ‖ おまえの目は～か 你眼瞎了！
ふしぎ【不思議】定不可思议bù kě sī yì; 奇怪qíguài ‖ 世界の七～ 世界七大奇迹｜～ではない 没有什么可奇怪的
ふしくれだ·つ【節くれ立つ】❶〔木が〕多节duōjié ❷〔関節が〕骨节嶙峋gǔjié línxún
ふしぜん【不自然】不自然bú zìran; 做作zuòzuo; 定装腔做势zhuāng qiāng zuò shì ‖ ～な笑い方 笑得很不自然｜～な姿勢 不自然的姿势
ふしだら ❶〔行いが〕品行不端pǐnxíng bùduān; 作风不正zuòfēng bú zhèng ‖ ～な女 放荡的女人 ❷〔だらしない〕散漫sǎnmàn
ふじちゃく【不時着】(～する)紧急降落jǐnjí jiàngluò; 被迫降落bèipò jiàngluò; 迫降pòjiàng
ふしちょう【不死鳥】〔只〕不死鸟bùsǐniǎo
ふじつ【不実】不诚实bù chéngshi; 不诚恳bù chéngkěn ‖ 相手の～を責める 责难对方的不诚实
ぶしつ【部室】活动室huódongshì ‖ ラグビー部の～ 橄榄球队的活动室
ぶしつけ【不躾】不礼貌bù lǐmào; 冒昧màomèi; 粗鲁cūlu ‖ ～な質問ですが 冒昧地问一下
ふしぶし【節節】各个关节gègè guānjié ‖ 体の～が痛む 身体的各个关节都疼
ふしまつ【不始末】❶〔後始末の悪さ〕不注意bú zhùyì; 疏忽shūhu ‖ 火の～ 用火不慎 ❷〔不都合な行い〕过错guòcuò ‖ 部下の～を謝罪する 为部下的过错而道歉
ふじみ【不死身】铁打tiědǎ; 定不屈不挠bù qū bù náo ‖ ～のヒーロー 硬汉
ふしめ【節目】❶〔木材の〕节眼jiéyǎn ❷〔変わり目〕转折点zhuǎnzhédiǎn; 阶段jiēduàn; 段落duànluò ‖ 人生の～ 人生的转折点
ぶしゅ【部首】部首bùshǒu
ふじゆう【不自由】❶〔不便〕不方便bù fāngbiàn; 不便búbiàn ❷(～する)〔窮乏〕不充裕bù chōngyù ‖ 金に～している 手头紧｜何～ない暮らし 生活条件很优越 ❸〔障害〕有残疾yǒu cánjí; 不方便bù fāngbiàn; 不好使bù hǎoshǐ ‖ リューマチで足が～ 因风湿病腿脚不方便
ぶしゅうぎ【不祝儀】丧事sāngshì
ふじゅうぶん【不十分】不够búgòu; 不充分bù chōngfèn ‖ 証拠～で釈放された 因为证据不足被释放了
ぶじゅつ【武術】〔种,门〕武术wǔshù
ふしゅび【不首尾】失败shībài; 没成功méi chénggōng ‖ ～に終わる 以失败而告终
ふじゅん【不純】不纯bù chún; 不纯真bù chúnzhēn ‖ 動機が～だ 动机不纯 ❖一物:杂质
ふじゅん【不順】不正常bú zhèngcháng; 不顺利bú shùnlì ‖ 天候～ 天气不正常
ふじょ【扶助】(～する)扶助fúzhù; 帮助bāng-

zhù; 补贴bǔtiē

ぶしょ【部署】工作岗位gōngzuò gǎngwèi

ふしょう【不肖】❶〔愚かなこと〕不肖búxiào‖～の子 不肖之子 ❷〔自分をへりくだって〕鄙人bǐrén

ふしょう【不詳】不详bùxiáng; 不清楚bù qīngchu‖作者～ 作者不详｜年齢～ 年龄不详

ふしょう【負傷】(～する)负伤fùshāng; 受伤shòushāng ❖一者:伤者；伤员

ぶしょう【武将】武将wǔjiàng

ぶしょう【無精·不精】(～する)懒lǎn; 懒怠lǎndai; 懒惰lǎnduò ❖一ひげ:邋遢胡子｜一者:懒汉｜出一:不爱出门(的人)｜筆一:笔头儿懒

ふしょうじ【不祥事】不体面的事bù tǐmian de shì‖～を起こす 出丑闻

ふしょうぶしょう【不承不承】勉强miǎnqiǎng‖～認める 勉强同意

ふしょく【腐食·腐蝕】(～する)腐蚀fǔshí; 腐烂fǔlàn ❖一作用:腐蚀作用

ぶじょく【侮辱】(～する)侮辱wǔrǔ

ふしん【不信】不(能)相信bù (néng) xiāngxìn; 怀疑huáiyí; 不信任bú xìnrèn‖～の念をあらわにする 表示怀疑 ❖一感:不信任感‖～がつのる 越来越不能相信了

ふしん【不振】不佳bù jiā; 不好bù hǎo ❖営業一:营业状况不佳｜食欲一:食欲不振

ふしん【不審】怀疑huáiyí; 可疑kěyí; 不清楚bù qīngchu; 疑惑yíhuò‖～な点が多い 疑点多 ❖一人物:可疑的人｜一尋問:(警察)进行公务性盘问｜一火:原因不明的火灾

ふしん【腐心】(～する)操心cāoxīn‖資金調達に～する 为了筹集资金煞费苦心

ふじん【夫人】夫人fūren; 太太tàitai

ふじん【布陣】(～する)布阵bù zhèn; 布好阵势bùhǎo zhènshi‖万全の～で試合に臨む 以万无一失的阵势参加比赛

ふじん【婦人】妇女fùnǚ; 妇人fùrén; 女士nǚshì ❖一運動:妇女解放运动｜一科:妇科｜一会:妇女会｜一雑誌:女性杂志｜一参政権:妇女参政权｜一病:妇女病；妇科病｜一服:女装；女服

ふしんせつ【不親切】不热情bú rèqíng; 不亲切bù qīnqiè; 冷淡lěngdàn

ふしんにん【不信任】不信任bú xìnrèn; 不相信bù xiāngxìn ❖一案:不信任案

ふ·す【伏す】‖～してお願い申しあげます 我这儿磕头下跪地求您了

ふ·す【臥す】‖病床に～す 卧床不起

ふずい【付随·附随】(～する)附带fùdài; 附随fùsuí‖契約に～する条件 合同中附带的条件

ぶすい【無粋·不粋】不懂情趣bù dǒng qíngqù; 不风流bù fēngliú; 不雅致bù yǎzhi

ふずいいきん【不随意筋】不随意肌bùsuíyìjī

ふすう【負数】负数fùshù

ぶすう【部数】部数bùshù; 份数fènshù; 册数cèshù ❖発行一:发行册数

ぶすっと(不機嫌)‖～する 绷着脸

ふ·する【付する·附する】❶〔そえる〕附加fùjiā; 附上fùshang ❷〔委ねる·任せる〕托付tuōfù‖委員会の審議に～する 委托委员会审议

ふせ【布施】布施bùshī‖お～を包む 布施

ふせい【不正】不正当bú zhèngdàng; 非法fēifǎ‖～をはたらく 做非法之事｜～な手段 不正当的手段 ❖一行為:不法〔违法〕行为｜一乗車:蹭车坐｜一所得:非法所得｜一取引:非法交易

ふぜい【風情】情趣qíngqù

ふせいみゃく【不整脈】心律不齐xīnlǜ bù qí

ふせき【布石】‖～を打つ 做准备

ふせ·ぐ【防ぐ】防御fángyù; 预防yùfáng; 防止fángzhǐ‖ハッカーの侵入を～ぐ 防止黑客的侵入｜成人病を～ぐ 预防成人病

ふせつ【敷設·布設】(～する)铺设pūshè; 敷设fūshè‖鉄道を～する 铺设铁路｜海底光ケーブルを～する 敷设海底光缆

ふせっせい【不摂生】不注意身体bú zhùyìshēntǐ; 不注意健康bú zhùyì jiànkāng

ふ·せる【伏せる】❶〔体の一部を〕向下xiàng xià; 趴pā‖目を～せる 垂下眼帘｜身を～せる 伏身 ❷〔表を下にして置く〕扣kòu; 倒扣dàokòu ❸〔知られないようにする〕不公开bù gōngkāi‖このことはみんなには～せておいてください 这件事请向大家保密

ふせ·る【臥せる】定卧床不起wò chuáng bù qǐ‖風邪で～っている 患感冒卧床不起

ふせん【付箋·附箋】〔张〕浮签fúqiān; 纸标签zhǐ biāoqiān

ぶぜん【憮然】不高兴bù gāoxìng; 失望shīwàng; 发呆fādāi

ふせんしょう【不戦勝】不战而胜bú zhàn ér shèng; 轮空取胜lúnkōng qǔshèng

ふせんじょうやく【不戦条約】〔项,个,条〕非战公约fēizhàn gōngyuē

ふせんめい【不鮮明】不清楚bù qīngchu; 不清晰bù qīngxī; 模糊móhu

ふそ【父祖】祖上zǔshàng; 祖先zǔxiān ❖一伝来:祖上留下‖～の土地 祖上传下来的土地

ぶそう【武装】(～する)武装wǔzhuāng ❖一解除:解除武装｜一警官:武警｜一蜂起:武装起义

ふそく【不足】❶(～する)〔足りない〕不够búgòu; 缺少quēshǎo; 缺乏quēfá‖睡眠～ 睡眠不足｜水～ 缺水｜認識～ 认识不足 ❷〔不満〕不满bùmǎn‖彼女なら相手にとって～はない 如果对手是她的话,我会很兴奋

ふそく【不測】不测búcè; 意外yìwài‖～の事態が生じる 发生意外事态

ふそく【付則·附則】附则fùzé

ふぞく【付属·附属】(～する)附属fùshǔ‖大学～病院 大学的附属医院｜～小学校 附属小学 ❖一語:附属词｜一品:配件；附件

ぶぞく【部族】部族bùzú

ふそくふり【不即不離】定不即不离bù jí bù lí‖～の関係を保つ 保持着不即不离的关系

ふぞろい【不揃い】不齐全bù qíquán; 不整齐bù zhěngqí‖形が～だ 形状大小不一

ふそん【不遜】不谦逊bù qiānxùn; 傲慢àomàn

ふた【蓋】盖gài; 盖儿gàir; 盖子gàizi‖～をあける 打开盖子｜～をしてしばらく煮込む 盖上锅盖炖一会儿｜結果は～をあけてみないとわからない 结果如何,不实际看是不知道的

ふだ【札】❶〔ラベル〕〔个,张〕标签biāoqiān;〔块,个〕牌子páizi ❷〔神仏の守り札〕〔张〕护身

符hùshēnfú ❸〔トランプなどの〕〔张,副〕(扑克等的)牌(pūkè děng de) pái ❖名一:名签｜荷一:行李牌｜值一:价格标签｜番号一:号码牌

ぶた【豚】〔口,头〕猪zhū.（肉）猪肉zhūròu‖～に真珠 定对牛弹琴

ふたい【付帯・附帯】(～する)附带fùdài

ぶたい【部隊】〔支〕部队bùduì

ぶたい【舞台】舞台wǔtái‖～に立つ 上舞台｜世界を～に活躍する 活跃在世界舞台上｜人生の晴れ～ 一生中最辉煌的一刻｜外交の檜～に立つ 置身于外交大舞台｜この小説の～は江戸時代の長崎だ 这部小说是以江户时代的长崎为背景(展开)的 ❖一衣装:戏装｜一裏:幕后;内幕‖日米交渉の～ 日美交涉的内幕｜一監督:舞台监督｜一稽古(ｹﾞｲｺ):排练｜一装置:舞台装置｜檜一:大显身手的场所

ふたいてん【不退転】‖～の決意 坚定的信念

ふたえ【二重】双层shuāngcéng ❖一まぶた:双眼皮

ふたおや【二親】父母fùmǔ;双亲shuāngqīn

ふたく【付託・附託】(～する)委托wěituō

ぶたくさ【豚草】美洲豚草měizhōu túncǎo

ふたご【双子・二子】〔对〕双胞胎shuāngbāotāi;孪生luánshēng ❖一座:双子座

ふたごころ【二心・弐心】二心èrxīn‖～のない人 没有二心的人｜～を抱く 抱有二心

ふたことめ【二言目】‖～には金のことを言う 三句话不离钱

ふたたび【再び】又yòu;再zài;重chóng‖～チャンスが巡ってきた 机会又来了

ふたつ【二つ】❶〔数〕二èr;两个liǎng ge‖リンゴを～に切る 把苹果切成两半儿｜世界に～とない貴重な品だ 世上独一无二的珍品｜～に1つ 二者择一 ❷〔年齢〕两岁liǎng suì ❖一折り:对(半)折起来｜一返事:马上接受

ふだつき【札付き】定臭名昭著chòumíng zhāozhù‖～の悪(ﾜﾙ) 臭名昭著的坏蛋

ふたとおり【二通り】两种liǎng zhǒng‖この問題は～の解き方がある 这道题有两种解法

ぶたばこ【豚箱】⇨りゅうち(留置)「一場」

ふたまた【二股】两股liǎng gǔ;两叉liǎng chā;两岔liǎng chà‖～をかける 定脚踏两只船

ふため【二目】‖～と見られない 不忍再看

ふたり【二人】两个人liǎng ge rén;俩liǎ‖～1組 两个人一组｜統計では～に1人が転職を希望している 据统计,两个人中就有一个人想换工作

ふたん【負担】(～する)负担fùdān;承担chéngdān.（重荷）重担zhòngdàn‖費用は各自で～する 费用各自负担｜両親に～をかける 给父母增加负担｜家事や育児が～になる 家务和育儿成为沉重的负担｜～が減る 减轻负担

ふだん【不断・普段】❶〔継続的な〕不断búduàn‖～の努力 不断努力 ❷〔常日ごろ〕平时píngshí;平常píngcháng‖～どおり 和平时一样

ふだんぎ【普段着・不断着】便装biànzhuāng

ふち【淵・潭】深处shēnchù;深渊shēnyuān‖絶望の～ 绝望的深渊｜悲しみの～に沈む 坠入悲伤的深渊

ふち【縁】〔条〕边biān;框kuàng‖眼鏡の～ 眼镜框｜湯飲み茶わんの～を欠く 打坏茶碗的边

ぶちこわ・す【打ち壊す・打ち毀す】❶〔物をこわす〕砸(烂) zá(làn);打破dǎpò‖ハンマーでドアを～す 用锤子砸门 ❷〔物事をだめにする〕告吹gàochuī;破坏pòhuài‖縁談を～す 破坏婚事

ふちどり【縁取り】(～する)镶边xiāng biān;边饰biānshì

プチブル（人）小市民xiǎoshìmín.（階級）小资产阶级xiǎo zīchǎn jiējí;小资xiǎozī

ぶちま・ける 倾倒qīngdào‖日ごろのうっぷんを～ける 把平日的郁愤倾诉出来

ふちゃく【付着】(～する)附着fùzhuó;粘zhān‖ズボンに血痕(ｹｯｺﾝ)が～している 裤子上粘有血迹

ふちゅうい【不注意】不小心bù xiǎoxin;疏忽大意shūhu dàyi‖前方～ 没注意前面

ふちょう【不調】❶〔具合が悪いこと〕不适búshì;不好bù hǎo ❷〔成立しないこと〕破裂pòliè‖協議は～に終わった 协商以破裂告终

ふちょう【婦長】护士长hùshizhǎng

ぶちょう【部長】〔位,个,名〕部长bùzhǎng

ぶ・つ ❶〔たたく〕打dǎ;揍zòu;敲qiāo ❷〔演説する〕‖一席～つ 演讲一番

ふつう【不通】不通bù tōng;断绝duànjué;中断zhōngduàn‖電話が～になる 电话打不通

ふつう【普通】❶〔ありふれている〕普通pǔtōng;一般yìbān‖ごく～の人 很普通的人 ❷〔通常・一般的には〕一般yìbān;平常píngcháng‖夫は～8時に家を出る 丈夫一般8点出门 ❖一科:普通高中课程｜一教育:普通教育｜一名詞:普通名词｜一郵便:平信｜一預金:活期存款〔储蓄〕｜一列車:普通列车;慢车

ぶっか【物価】〔个,种〕物价wùjià‖～が上昇〔下落〕する 物价上涨〔下跌〕｜～が高い 物价很高 ❖一指数:物价指数｜一スライド制:物价指数化｜一高:价格昂贵;高物价｜一統制:物价管制｜一変動:价格变动

ふっか・ける【吹っ掛ける】❶〔しかける〕挑衅tiǎoxìn;寻衅xúnxìn‖けんかを～ける 寻衅打架 ❷〔法外な要求をする〕漫天要价màntiān yàojià

ふっかつ【復活】(～する)复活fùhuó;恢复huīfù‖ミニスカートの流行が～した 迷你裙又流行起来了 ❖一祭:复活节

ふつかよい【二日酔い】(～する)宿醉sùzuì

ぶつか・る ❶〔衝突する〕碰pèng;撞zhuàng‖壁に～って転倒した 撞到墙上摔倒了 ❷〔出会う〕遇到yùdào;碰上pèngshang‖難問に～る 遇到难题 ❸〔争う〕冲撞chōngzhuàng

ふっかん【復刊】(～する)复刊fùkān

ふっき【復帰】(～する)恢复huīfù‖職場に～する 重返工作岗位

ぶつぎ【物議】‖～を醸す 引起争议

ふっきゅう【復旧】(～する)复原fùyuán;修复xiūfù;还原huányuán‖～のめどが立たない 何时恢复尚不得知 ❖一工事:修复工程

ぶっきょう【仏教】佛教Fójiào ❖一徒:佛教徒

ぶっきらぼう 生硬shēngyìng;冷淡lěngdàn;定待理不理dài lǐ bù lǐ

ぶつぎり【ぶつ切り】切段(儿) qiē duàn(r);切块qiē kuài‖タコを～にする 把章鱼切成大块儿

ふっき・れる【吹っ切れる】想开xiǎngkāi;摆脱bǎituō‖迷いが～れる 摆脱了困惑

ふっきん【腹筋】腹肌fùjī ❖一運動:腹肌运动；仰卧起坐
フック 挂钩guàgōu
ブック ❖一エンド:书档｜一カバー:书皮
ぶつくさ ‖～言う 发牢骚
ぶつ·ける ❶〔投げつける〕投tóu；掷zhì；扔rēng‖野良犬に石を～ける 用石头打野狗 ❷〔当てる〕碰pèng；撞zhuàng；磕kē‖車を塀に～けてしまった 车撞在墙上了 ❸〔気持ちなどを表す〕露出lùchu；发出fāchū.〔言い表す〕说出来shuōchulai；告诉gàosu；倾吐qīngtǔ‖怒りを～ける 倾诉心中的愤怒
ふっけん【復権】(～する)复权fù quán
ふっこ【復古】(～する)复古fùgǔ ❖一主義:复古主义｜一調:㊣古色古香｜王政一:王政复古
ぶっこ【物故】(～する)死去sǐqu；去世qùshì ❖一者:故人；作古者
ふっこう【復興】(～する)复兴fùxīng；重建chóng jiàn‖戦後の～を支援する 支持战后的复兴
ふっこく【復刻·覆刻】(～する)复刻fù kè；再版zàibǎn ❖一版:再版书
ぶっさん【物産】〔个,种〕物产wùchǎn；产品chǎnpǐn ❖一展:物产展览
ぶつじ【仏事】〔件〕佛事fóshì；法事fǎshì
ぶっし【物資】〔批,份〕物资wùzī
ぶっしつ【物質】物质wùzhì ❖一主義:物质主义｜一文明:物质文明
ふっしょく【払拭】(～する)消除xiāochú；清除qīngchú‖悪いイメージを～する 消除坏印象
ぶっしょく【物色】(～する)寻找xúnzhǎo；物色wùsè‖優秀な人材を～する 物色优秀人才
ぶっしん【物心】物质与精神wùzhì yǔ jīngshén
ぶつぜん【仏前】‖～に花を供える 佛前供花
ふっそ【弗素】氟fú
ぶつぞう【仏像】〔尊,座,个〕佛像fóxiàng
ぶっそう【物騒】动荡dòngdàng；不得安宁bù dé ānníng‖～な世の中 动荡的社会｜夜道の1人歩きは～だ 一个人走夜路太危险
ぶったい【物体】物体wùtǐ
ぶつだん【仏壇】佛龛fókān
ぶっちょうづら【仏頂面】‖～をする 板着脸
ふつつか【不束】不懂事bù dǒngshì；鲁莽lǔmǎng‖～者ですが 我不才
ぶっつづけ【ぶっ続け】连续〔接连；继续〕不断liánxù〔jiēlián；jìxù〕búduàn
ぶってき【物的】物质(上)的wùzhì (shang) de ❖一資源:物质资源｜一証拠:物证
ふってん【沸点】沸点fèidiǎn
ぶつでん【仏殿】佛殿fódiàn；佛堂fótáng
ぶってん【仏典】〔部,本,套〕佛教经典Fójiào jīngdiǎn；佛书fóshū
ふっとう【沸騰】(～する)❶〔煮立つ〕沸腾fèiténg；水开shuǐ kāi ❷〔白熱する〕‖議論が～する 讨论得很激烈｜話題～ 成为热门话题
フットボール 足球zúqiú
フットライト 脚灯jiǎodēng；脚光jiǎoguāng
フットレスト 脚架jiǎojià
ぶっぴん【物品】物品wùpǐn ❖一税:物品税
ぶつぶつ ❶〔小声で言う〕嘟哝dūnong；咕哝gūnong ❷〔不平を言う〕发牢骚fā láosao；发泄不满fāxiè bùmǎn‖～言うなら自分でやれ 要是发牢骚的话,那你自己弄 ❸(～する)〔粒立っているさま〕疙疙瘩瘩gēgedādā；呈颗粒状chéng kēlìzhuàng‖顔に～ができた 脸上长了小疙瘩
ぶつぶつこうかん【物物交換】(～する)以物易物yǐ wù yì wù
ぶっぽう【仏法】佛教Fójiào；佛法fófǎ
ぶつもん【仏門】佛门fómén‖～に入る 入佛门；出家
ぶつよく【物欲】〔种,个〕物欲wùyù
ぶつり【物理】❖一化学:物理化学｜一学:物理学｜一現象:物理现象｜一的:物理上‖～に不可能だ 按常理是不可能的｜一療法:物理疗法
ふつりあい【不釣り合い】不相称bù xiāngchèn；不协调bù xiétiáo‖～な夫婦 不般配的夫妻
ふで【筆】〔支〕毛笔máobǐ‖～をとる 执笔｜～が立つ 写得很好；精于笔墨｜～を折る 封笔｜～を入れる 修改
ふてい【不定】❖一冠詞:不定冠词｜一詞:不定词｜一愁訴:不定陈述综合症
ふてい【不貞】不贞bù zhēn；不守贞操bù shǒu zhēncāo‖～をはたらく 失节
ふていき【不定期】不定期bú dìngqī ❖一刑:不定期徒刑｜一便:(飛行機)不定期班机；(船)不定期客轮｜一列車:不定期列车
ブティック〔家,个〕服饰〔时装〕专卖店fúshì〔shízhuāng〕zhuānmàidiàn
プディング ⇨プリン
ふてき【不敵】㊣无所畏惧wú suǒ wèi jù；无畏wúwèi‖～な笑みを浮かべる 露出无畏的笑容
ふでき【不出来】(做得)不好(zuòde) bù hǎo；不成功bù chénggōng‖～な息子ですがよろしくお願いします 我儿子很笨,还请您多关照
ふてぎわ【不手際】做得不周zuòde bùzhōu；出差错chū chācuò‖私どもの～でご迷惑をおかけいたしました 因为我们的差错,给你们添了麻烦
ふてくさ·れる【ふて腐れる】闹情绪nào qíngxu；赌气dǔqì
ふてぶてし·い ㊣天不怕,地不怕tiān bú pà, dì bú pà；㊣目中无人mù zhōng wú rén
ふでまめ【筆まめ】勤于动笔qínyú dòngbǐ
ふと 忽然hūrán；突然tūrán；蓦然mòrán‖～思い出す 忽然想起来｜～口にした一言 随口说出的一句话
ふと·い【太い】❶〔直径·幅が〕粗cū‖～い毛糸 粗毛线 ❷〔声が〕粗cū；粗大cūdà ❸〔ずうずうしい〕厚脸皮hòuliǎnpí.〔大胆〕大胆dàdǎn；胆大dǎn dà
ふとう【不当】不合理bù hélǐ；不正当bú zhèngdàng；非法fēifǎ‖～な要求をする 提出不合理的要求｜～な差別 不公平的歧视 ❖一解雇:非法解雇｜一利得:非法收益；收黑钱
ふとう【不等】❖一号:不等号｜一式:不等式
ふとう【埠頭】〔个,座〕码头mǎtou
ふどう【不動】不动bú dòng；坚定jiāndìng；毫不动摇háobù dòngyáo‖～の信念 坚定不移的信念｜～の地位 不可动摇的地位

ふどう【浮動】✤一株:流通股｜一票:流动票
ぶどう【武道】武艺wǔyì; 武术wǔshù
ぶどう【葡萄】〔串,个〕葡萄pútao ✤一球菌:葡萄球菌｜一酒:葡萄酒｜一棚:葡萄架｜一糖:葡萄糖｜一畑:葡萄田｜一パン:葡萄面包
ふとういつ【不統一】不统一bù tǒngyī; 不一致bù yízhì ‖ 意見の～ 意见的不一致｜用語の～が目立つ 用词不统一的问题比较突出
ふどうさん【不動産】房地产fángdìchǎn; 不动产búdòngchǎn ‖ ～を取得〔処分〕する 取得〔处理〕房地产 ✤一登記:房地产登记｜一屋:房地产商
ふどうとく【不道徳】不道德búdàodé ‖ ～な行為 不道德的行为
ふとうめい【不透明】❶〔すきとおっていない〕不透明bú tòumíng ❷〔はっきりわからない〕不清楚bù qīngchu; 难以预料nányǐ yùliào; 模糊móhu ‖ 経済の先行きが～だ 经济前景难以预料 ✤一ガラス:不透明玻璃｜一体:不透明体
ふとく【不徳】无德wú dé; 缺德quēdé ‖ すべて私の～の致すところです 这都是因我无德所致
ふとくい【不得意】不善于bú shànyú; 不擅长bú shàncháng; 不拿手bù náshǒu
ふとくてい【不特定】非特定fēitèdìng; 不确定bú quèdìng ✤一多数:非特定多数
ふところ【懐】❶〔胸のあたり〕怀huái ‖ ～から財布をとり出す 从怀里拿出钱包｜～が深い 定宽宏大量 ❷〔持ち金〕手头shǒutóu ‖ ～が暖かい 兜里有钱｜～がさびしい 手头紧
ふところがたな【懐刀】心腹xīnfù
ふとさ【太さ】粗cū; 粗细cūxì
ふとっぱら【太っ腹】度量大dùliàng dà; 定宽宏大量kuān hóng dà liàng
ふともも【太股】大腿dàtuǐ
ふと·る【太る】胖pàng; 发胖fāpàng.〔動物が〕肥féi; 上膘shàngbiāo ‖ 最近～りぎみだ 我觉得最近有点儿胖了｜5キロ～った 胖了五公斤
ふとん【布団】〔床,套〕被褥bèirù; 铺盖pūgai; 铺垫pūdiàn ‖ ～を敷く 铺被褥；铺床｜～をあげる 拾掇铺盖｜～をかける 盖被子
ふな【鮒】〔条〕鲫鱼jìyú
ぶな【橅·山毛欅】山毛榉shānmáojǔ
ぶない【部内】部内bù nèi; 内部nèibù
ふなか【不仲】不和bùhé
ふながいしゃ【船会社】船公司chuángōngsī
ふなかじ【船火事】船上失火chuánshang shīhuǒ; 海上火灾hǎishang huǒzāi
ふなぞこ【船底】船底chuándǐ
ふなだいく【船大工】船工chuángōng; 船匠chuánjiàng
ふなたび【船旅】海上旅游hǎishang lǚyóu
ふなちん【船賃】船钱chuánqian; 船费chuánfèi; 船脚chuánjiǎo.〔送料〕船运费chuányùnfèi
ふなつきば【船着き場】〔个,座〕码头mǎtou
ふなづみ【船積み】(～する)装船zhuāng chuán ‖ 貨物を～する 把货物装上船
ふなで【船出】(～する)❶〔出航する〕起航qǐháng; 开船kāi chuán ❷〔新生活を始める〕开始新的生活kāishǐ xīn de shēnghuó
ふなに【船荷】〔批,箱,个〕船货chuánhuò

ふなのり【船乗り】船员chuányuán; 水手shuǐshǒu; 船工chuángōng ✤一生活:船上生活
ふなびん【船便】❶〔船の便〕班船bānchuán ❷〔郵便物などの〕船运chuányùn ‖ ～で荷物を送る 船运行李
ふなべり【船縁】船舷chuánxián
ふなよい【船酔い】(～する)晕船yùnchuán
ふなれ【不慣れ】不习惯bù xíguàn.〔熟達していない〕不熟练bù shúliàn
ぶなん【無難】无可非难wú kě fēinàn; 还可以hái kěyǐ; 平平píngpíng ‖ ～なでき 做得无可非难｜～な選択 安全的选择｜その問題には触れないほうが～だ 最好不要去碰那些问题
ふにあい【不似合い】不相称bù xiāngchèn; 不般配bù bānpèi; 不适合bú shìhé
ふにん【不妊】不孕bú yùn; 不育bú yù ✤一手術:绝育手术｜一症:不孕症
ふにん【赴任】(～する)赴任fùrèn; 上任shàngrèn ‖ 北京に～する 去北京赴任
ふにんじょう【不人情】无情wúqíng ‖ ～なやつ 冷酷无情的人
ふぬけ【腑抜け】懦弱nuòruò; 没出息〔志气〕méi chūxi〔zhìqi〕‖ この～め 你这个窝囊废！
ふね【船·舟】〔艘,条,只〕船chuán; 船只chuánzhī; 船舶chuánbó ‖ ～に乗る 上〔乘〕船｜～を降りる 下船｜～が沈む 船沉下去｜～で天津に行く 坐船去天津｜～をこぐ 划船；〔居眠りをする〕打盹儿｜乗りかかった～ 定骑虎难下
ふねん【不燃】✤一ごみ:不可燃垃圾｜一性フィルム:不燃性胶卷｜一物:不燃物
ふのう【不能】❶〔不可能〕不能bù néng ‖ 回収～の貸し付け 无法回收的贷款｜通信～ 不能通信 ❷〔インポテンツ〕阳痿yángwěi
ふはい【腐敗】(～する)腐烂fǔlàn; 腐败fǔbài ‖ 政治の～ 政治腐败
ふばい【不買】不买bù mǎi; 拒购jù gòu ✤一運動:抵制运动｜一同盟:联合抵制
ふはつ【不発】❶〔弾丸などが〕哑火yǎhuǒ ❷ ‖ ～に終わる 落空；告吹 ✤一弾:臭弹
ふばらい【不払い】不支付bù zhīfù; 不付款bú fù kuǎn ‖ 賃金の～が何か月も続いている 几个月都没发工资了
ふび【不備】不完善bù wánshàn; 不齐全bù qíquán; 不周bùzhōu ‖ 制度上の～ 制度不完善｜書類に～がある 材料不全
ふひょう【不評】评价不高píngjià bù gāo; 不受欢迎bú shòu huānyíng ‖ ～を買う 引起不满
ふひょう【付表·附表】〔张,份〕附表fùbiǎo
ふびょうどう【不平等】不平等bù píngděng; 不公平bù gōngping ‖ 男女間の～をなくす 消除男女间的不平等｜～な扱いを受ける 受到不公平〔不平等〕对待 ✤一条約:不平等条约
ふびん【不憫】可怜kělián; 令人同情lìng rén tóngqíng ‖ ～に思う 觉得可怜；同情
ぶひん【部品】零件língjiàn; 部件bùjiàn ‖ 自動車の～ 汽车零件｜～を交換する 换零件
ふぶき【吹雪】〔场〕暴风雪bàofēngxuě
ふふく【不服】不满bùmǎn; 不平bùpíng.〔文句〕牢骚láosao; 意见yìjian ‖ ～を唱える 发牢骚 ✤一申し立て:上诉

ふぶ・く【吹雪く】刮暴风雪guā bàofēngxuě
ぶぶん【部分】部分bùfen ‖ 最後の～ 最后部分 ｜～的な成功をおさめた 取得了部分成功
ふぶんりつ【不文律】❶〔不文法〕不成文法bùchéngwénfǎ ❷〔暗黙の了解〕默契mòqì
ふへい【不平】牢骚láosao; 不平bùpíng; 不满bùmǎn; 意见yìjian ‖ ～を鳴らす 鸣不平 ｜～を並べる 发牢骚
ぶべつ【侮蔑】(～する)侮蔑wǔmiè; 鄙视bǐshì; 瞧不起qiáobuqǐ
ふへん【不変】不变bú biàn; 不易bú yì
ふへん【普遍】普遍pǔbiàn ‖ ～的な問題 带有普遍性的问题 ｜～的真理 普遍的真理
ふべん【不便】不便búbiàn; 不方便bù fāngbiàn
ふぼ【父母】父母fùmǔ; 双亲shuāngqīn ‖ ～の愛 父母的爱 ✤一会:家长会
ふほう【不法】❶〔違法〕非法fēifǎ; 违法wéifǎ ‖ ～に占拠する 非法占据 ❷〔無法〕无理wúlǐ ‖ ～な要求 无理要求 ✤一行為:违法〔不法〕行为 ｜一就労:非法就业 ｜一侵入:非法人侵
ふほう【訃報】讣告fùgào; 讣闻fùwén; 噩耗èhào ‖ ～に接する 接到讣告
ふほんい【不本意】违心wéixīn; 不理想bù lǐxiǎng; 不满意bù mǎnyì. (やむをえず)勉强miǎnqiǎng; 不得已bùdéyǐ ‖ ～ながら賛成した 勉强同意了 ｜～な成績に終わる 以不理想的成绩结束
ふま・える【踏まえる】根据gēnjù ‖ 事実を～えて論じる 以事实为根据进行论述 ｜実情を～えた対策を講じる 根据实际情况想对策
ふまじめ【不真面目】不认真bú rènzhēn; 不老实bù lǎoshi
ふまん【不満】不满bùmǎn; 牢骚láosao; 意见yìjian ‖ ～をぶちまける 大发牢骚 ｜～をもらす 流露不满 ｜～を抱く 很有意见
ふまんぞく【不満足】不满意bù mǎnyì; 不满足bù mǎnzú; 不满bùmǎn
ふみあら・す【踏み荒らす】乱踩luàn cǎi; 踩得乱七八糟cǎide luànqībāzāo
ふみい・れる【踏み入れる】走进zǒujin; 进入jìnrù ‖ 足を～れる 走进
ふみえ【踏み絵】(比ゆ的表現)思想检查的手段sīxiǎng jiǎnchá de shǒuduàn ‖ ～を踏ませる 调查(别人的)想法
ふみきり【踏切】(铁)道口(tiě)dàokǒu ‖ ～を渡る 过铁道口
ふみき・る【踏み切る】❶〔決断する〕(痛)下决心(tòng) xià juéxīn; 决定juédìng; 发狠fāhěn ‖ 値あげに～る 决定提高价格 ❷〔陸上〕起跳qǐtiào; 弹跳tántiào
ふみこ・む【踏み込む】❶〔入り込む〕陷人xiànrù; 走进zǒujin; 踏入tàrù ‖ 悪の道に～む 走上邪路 ❷〔深く立ち入る〕深入shēnrù; 介入jièrù; 触及chùjí ‖ もう一歩～んだ議論をする 再进一步深入讨论 ｜人のプライバシーに土足で～む 粗暴地介入别人的私生活 ❸〔強く踏む〕猛踩měngcǎi ‖ アクセルを～む 猛踩油门
ふみだい【踏み台】❶〔台〕梯凳tīdèng ❷〔足がかり〕垫脚石diànjiǎoshí; 跳板tiàobǎn ‖ 他人を～にして出世する 把别人当作发迹的跳板
ふみたお・す【踏み倒す】赖账làizhàng ‖ 家賃を～す 不交房租 ｜借金を～す 欠账不还
ふみだん【踏み段】梯级tījí; 踏脚板tàjiǎobǎn
ふみつけ【踏み付け】欺辱qīrǔ; 轻视qīngshì ‖ 他人を～にする 欺辱别人
ふみつぶ・す【踏み潰す】❶〔踏んでつぶす〕踩坏cǎihuài. (割る)踩碎cǎisuì. (ぺしゃんこにする)踩扁cǎibiǎn ❷〔面目を傷つける〕给…丢脸gěi … diūliǎn; 让…丢面子ràng … diū miànzi
ふみにじ・る【踏み躙る】❶〔踏んで荒らす〕践踏jiàntà; 踏毁tàhuǐ ❷〔気持ちなどを〕践踏jiàntà; 蹂躏róulìn; 摧残cuīcán ‖ 尊厳を～る 践踏尊严 ｜人の好意を～ 辜负别人的好意
ふみはず・す【踏み外す】❶〔踏み損なう〕踩空cǎi kōng; 失脚shījiǎo ‖ 階段を～す 踩空楼梯 ❷〔誤った行いをする〕失足shīzú; 搞歪门邪道gǎo wāi mén xiédào ‖ 人の道を～す 误入歧途
ふみん【不眠】(眠らない)不眠bù mián. (眠れない)睡不着shuìbuzháo; 失眠shīmián ✤一症:失眠症 ｜一不休:㊀夜以继日；㊀马不停蹄
ふ・む【踏む】❶〔足で〕踩cǎi; 踏tà; 蹬dēng ‖ 自転車のペダルを～む 蹬自行车 ｜中国の土を～む 踏上中国的大地 ❷〔経験する〕‖ 場数を～む 积累经验 ❸〔見積もる〕估计gūjì ‖ 大したことはないと～んでいる 我估计不要紧 ❹〔過程を経る〕履行lǚxíng; 经过jīngguò ‖ 法的手続きを～む 履行〔办理〕法律手续 ｜4つのステップを～む 经过四个阶段 ❺〔押韻する〕‖ 韻を～む 押韵 ❻〔慣用表現〕‖ 轍(てつ)を～む ㊀重蹈覆辙 ｜虎の尾を～む ㊀虎口拔牙 ｜～んだりけったり 祸不单行
ふめい【不明】❶〔明らかでない〕不明bù míng; 不清楚bù qīngchu; 不明白bù míngbai ‖ ～な点はお問い合わせください 有不明之处请咨询 ❷〔物事を見通す力がない〕目光短浅mùguāng duǎnqiǎn ✤意味一:意思不明 ｜原因一:原因不明 ｜正体一:(来历)不明 ｜生死一:生死不明
ふめいよ【不名誉】不名誉bùmíngyù; 不光彩bù guāngcǎi; 丢脸diūliǎn
ふめつ【不滅】不朽bùxiǔ; 不灭bú miè; 永生yǒngshēng ‖ 霊魂の～を信じる 相信灵魂不灭
ふめん【譜面】〔张〕乐谱yuèpǔ; 歌谱gēpǔ ‖ ～が読めない 不识乐谱 ✤一台:乐谱架
ふめんぼく【不面目】不体面bù tǐmian; 丢脸diūliǎn; 没脸见人méiliǎn jiàn rén
ふもう【不毛】❶〔作物が育たない〕不毛bù máo ‖ ～の土地 ㊀不毛之地 ❷〔成果がない〕㊀一无所获yì wú suǒ huò; 没有意义méiyou yìyì
ふもと【麓】山脚shānjiǎo; 山麓shānlù
ふもん【不問】不问bú wèn ‖ 資格・経歴は～ 资格、经验不限 ｜～に付す 不予追究
ぶもん【部門】部门bùmén; 门类ménlèi ‖ アカデミー賞のドキュメンタリー～ 奥斯卡最佳记录片奖
ふや・ける ❶〔物が〕发涨fāzhàng; 泡涨pàozhàng; 泡白pàobái ‖ 指が～ける 手指泡得发白起皱 ❷〔心などが〕涣散huànsàn; 松懈sōngxiè
ふやじょう【不夜城】不夜城búyèchéng
ふや・す【増やす】增加zēngjiā; 增长zēngzhǎng ‖ 元手を倍に～す 使本金增加一倍〔增加到两倍；翻一番〕｜入学定員を150人から300人に～す

将招生名额由150名增加到300名

ふゆ【冬】冬天dōngtiān; 冬季dōngjì ‖ ～が忍び寄る 冬天悄然来临 | ～を越す 越冬

ふゆう【浮遊】(～する)浮游fúyóu; 悬浮xuánfú; 漂游piāoyóu ❖ 一物:悬浮物

ふゆう【富裕】富裕fùyù; 富有fùyǒu ‖ ～な家に生まれ育つ 生长在富裕家庭

ぶゆう【武勇】英勇yīngyǒng; 勇武yǒngwǔ; 威武wēiwǔ ❖ 一伝:英勇事迹;〔喩〕荒唐事

ふゆかい【不愉快】不舒服bù shūfu; 不快búkuài; 不高兴bù gāoxìng

ふゆきとどき【不行き届き】不周到bù zhōudao; 不周全bù zhōuquán ‖ 監督～ 失察

ふゆごもり【冬籠もり】(～する)(人間が)冬天闷在家里dōngtiān mènzai jiāli. (動物が)蛰伏zhéfú; 冬眠dōngmián; 冬蛰dōngzhé

ふゆじたく【冬支度】(～する)准备越冬zhǔnbèi yuèdōng

ふゆしょうぐん【冬将軍】严冬yándōng

ふゆどり【冬鳥】冬候鸟dōnghòuniǎo

ふゆふく【冬服】冬装dōngzhuāng; 冬衣dōngyī

ふゆやすみ【冬休み】寒假hánjià

ふよ【付与・附与】(～する)授予shòuyǔ

ぶよ【蚋】蚋ruì

ふよう【不用】(いらない)不要bú yào; 用不着yòngbuzháo. (使わない)不用bú yòng; 不使用bù shǐyòng ❖ 一品:不要的东西;旧货

ふよう【扶養】(～する)抚养fǔyǎng; 扶养fúyǎng. (親や目上の人を)赡养shànyǎng; 供养gōngyǎng ‖ 私は両親と3人の子どもを～している 我赡养父母并抚养三个孩子 ❖ 一家族:被扶养的亲属 | 一義務:扶养义务 | 一控除:扶养扣除(扶养亲属免去的税)

ぶよう【舞踊】舞蹈wǔdǎo; 跳舞tiàowǔ ❖ 一家:舞蹈家 | 一劇:舞剧

ふようい【不用意】不小心bù xiǎoxin

ぶようじん【無用心・不用心】警惕性不高jǐngtìxìng bù gāo; 危险wēixiǎn ‖ 多額の現金を持ち歩くのは～だ 随身携带大量现金太危险

フライ (西式)油炸的食物(xīshì) yóuzhá de shíwù ‖ エビ～ 炸虾 ❖ 一返し:锅铲 | 一パン:平底锅;煎锅

ぶらい【無頼】流氓liúmáng ❖ 一漢:无赖汉

フライト〔次〕飞行fēixíng. (定期便)班机bānjī ❖ 一アテンダント:空中乘务员 | 一インフォメーション:航班信息 | 一スケジュール:航班时刻表 | 一ナンバー:航班;班次 | 一レコーダー:飞行记录器

フライド ❖一チキン:炸鸡 | 一ポテト:炸薯条

プライド〔种,份〕自尊心zìzūnxīn ‖ ～が高い 自尊心强 | ～が許さない 自尊心不能允许 | ～を傷つける 伤自尊心

プライバシー (个人)隐私(gèrén) yǐnsī. (権利)隐私权yǐnsīquán ‖ ～を守る〔侵害する〕 保护〔侵犯〕隐私

プライベート 私人(的) sīrén (de); 个人(的) gèrén (de) ‖ ～なことに立ち入らないでほしい 希望你不要干涉别人的私(人)生活

ブラインド〔幅,挂〕百叶窗bǎiyèchuāng; 遮帘zhēlián ‖ ～をあげる〔下ろす〕 卷起〔放下〕百叶窗

ブラインドタッチ ⇨タッチ「一タイピング」

ブラウザ 浏览器liúlǎnqì

ブラウス〔件〕(女式)衬衫(nǚshì) chènshān

ブラウンかん【ブラウン管】显像管xiǎnxiàngguǎn; 阴极射线管yīnjí shèxiànguǎn

プラカード〔块,个〕标语牌biāoyǔpái

プラグ 插头chātóu ‖ ～をコンセントに差し込む 把插头插进插座

プラグマティズム 实用主义shíyòng zhǔyì

ぶらさが・る【ぶら下がる】❶〔垂れ下がる〕挂guà; 悬xuán; 吊diào; 悬挂xuánguà ‖ 鉄棒から逆さに～る 倒挂在单杠上 | 大きなチャンスが目の前に～っている 大好机会就在眼前 ❷〔他人に頼る〕依赖(别人) yīlài (biéren)

ぶらさ・げる【ぶら下げる】❶〔つり下げる〕挂guà; 悬xuán ❷〔手に持つ〕提tí

ブラシ〔把〕刷子shuāzi ‖ 服に～をかける 刷衣服

ブラジャー 胸罩xiōngzhào; 乳罩rǔzhào

ブラジル 巴西Bāxī

ふら・す【降らす】使下降shǐ xiàjiàng

プラス ❶(～する)〔足す〕加(上) jiā(shang) ❷〔よいこと〕好处hǎochu; 益处yìchu ‖ 自分の将来にとって～になる 对自己的将来有益 ❸〔黒字〕盈余yíngyú ❹〔数学〕正数zhèngshù. (記号)正号zhènghào ❺〔電気〕阳极yángjí; 正极zhèngjí ❻〔陽性〕阳性yángxìng ❖ 一アルファ:外加若干 | 一思考:积极乐观的想法 | 一マイナス:(差し引き)收支;得失. (記号)正负号 ‖ ～ゼロ 收支平衡 | 一面:正面;积极方面

プラスチック 塑料sùliào ❖ 一ごみ:塑料垃圾 | 一製品:塑料制品 | 一爆弾:塑胶炸弹 | 一モデル:塑胶模型

ブラス バンド 铜管乐队tóngguǎn yuèduì

プラズマ 等离子体děnglízǐtǐ ❖ 一テレビ:等离子电视

ふら・せる【降らせる】⇨ふらす(降らす)

フラ ダンス 草裙舞cǎoqúnwǔ

ふらち【不埒】不讲理bù jiǎnglǐ; 缺德quēdé

プラチナ 铂bó; 白金báijīn ❖ 一チケット:难弄到手的票

ふらつ・く ❶(足元が)晃悠huàngyou; 摇晃yáohuang; 蹒跚pánshān ‖ 高熱で足元が～く 由于发高烧,走起路来晃晃悠悠的 ❷〔歩きまわる〕溜达liūda; 闲荡xiándàng; 逛guàng ❸〔気持ちなどが〕摇摆yáobǎi; 游移yóuyí; 不稳定bù wěndìng ‖ 気持ちが～いている 情绪不稳定

ぶらつ・く 漫步màn bù; 溜达liūda; 逛guàng ‖ そのへんを少し～いてくるよ 我到那边去溜达一下

ブラック ❶〔色〕黑色hēisè ❷〔コーヒーの〕〔杯,罐〕黑咖啡hēikāfēi ❖ 一ジャック:黑杰克 | 一ホール:黑洞 | 一ボックス:黑匣子;(電気回路などの)黑箱 | 一マーケット:黑市 | 一マネー:黑钱 | 一ユーモア:黑色幽默 | 一リスト:黑名单

フラッシュ 闪光(灯) shǎnguāng(dēng); 镁光(灯) měiguāng(dēng) ‖ ～をたく 打闪光灯

プラットホーム 月台yuètái; 站台zhàntái

プラネタリウム 天象仪tiānxiàngyí

ふらふら (～する)摇摇晃晃yáoyáohuànghuàng ‖ 熱で頭が～する 发烧烧得我晕乎乎的 | 疲労と空腹で～だ 又累又饿,全身没有力气

ぶらぶら (～する)❶〔揺れるさま〕摇晃yáohuang；晃荡huàngdang ❷〔歩きまわるさま〕溜达liūda；闲逛xiánguàng；转悠zhuànyou ‖ 公園のあたりから～歩いてきた 从公园那边溜达过来的 ❸〔漫然と過ごす〕㊀游手好闲yóu shǒu hào xián；㊀无所事事wú suǒ shì shì ‖ 仕事もしないで～している 不去工作,整天游手好闲的

プラム（木）〔棵,株〕李子树lǐzishù.（実）〔个,颗〕李子lǐzi；洋李yánglǐ

フラメンコ 弗拉明戈舞fúlāmínggē wǔ

プラモデル ⇨プラスチック「一モデル」

プラン 计划jìhuà；规划guīhuà；方案fāng'àn

フランク 直率zhíshuài；坦率tǎnshuài ‖ ～に話をする 坦率地谈话 ｜ ～な性格 直率的性格

ブランク 空白kòngbái；空栏kònglán ‖ わからないところを～にしておく 不知道如何答的地方就空着 ｜ 3年間の～を埋める 弥补三年的空白

プランクトン 浮游生物fúyóu shēngwù ❖植物一:浮游植物 ｜ 動物一:浮游动物

フランクフルトソーセージ〔根〕法兰克福香肠Fǎlánkèfú xiāngcháng

ブランケット〔条〕毛毯máotǎn；毯子tǎnzi

ぶらんこ 秋千qiūqiān ‖ ～に乗る 打秋千 ｜ ～をこぐ 荡秋千

フランス 法国Fǎguó ❖一革命:法国(资产阶级)革命 ｜ 一パン:法式面包 ｜ 一料理:法国菜

プランター 花盆huāpén

フランチャイズ 特许经营权tèxǔ jīngyíngquán ❖一契約:特许经营合同 ｜ 一チェーン:特许连锁

ブランデー〔瓶,杯〕白兰地báilándì ❖一グラス:白兰地酒杯

ブランド〔个,种〕牌子páizi；商标shāngbiāo；品牌pǐnpái ❖一志向:爱好名牌

ふり【不利】不利búlì ‖ ～な条件をのむ 接受不利条件 ｜ ～な立場に立たされる 处于不利地位

ふり【振り】❶〔振り動かすこと〕挥动huīdòng；摆动bǎidòng ❷〔振る舞い〕〔个,副〕举止jǔzhǐ；姿态zītài ‖ 人の～見てわが～直せ 以别人为镜,反躬自问 ❸〔それらしく見せる〕装zhuāng；伪装wěizhuāng ‖ 知らない～をする 装傻 ｜ 善人の～をする 伪装好人 ｜ 見て見ぬ～をする 装做没看见 ｜ 聞こえない～をする 假装听不见 ｜ ～の客 生客 ❹〔舞踊・芝居の動き〕动作dòngzuò

ふり【降り】下雨〔雪〕xiàyǔ〔xuě〕；雨〔雪〕下得…yǔ〔xuě〕xiàde … ‖ ひどい～だ 雨下得很大

ぶり【鰤】五条鰤wǔtiáoshī

-ぶり【振り】❶〔状態・ようす〕样子yàngzi；态度tàidu；情况qíngkuàng ‖ 話し～ 说话的样子 ｜ 仕事～がまじめだ 工作态度很认真 ｜ 暮らし～ 生活情况 ❷〔以来〕隔(…以后) gé(… yǐhòu) ‖ 2年～に帰郷する 时隔两年以后重返家乡

ふりあ・げる【振り上げる】挥舞huīwǔ；挥起huīqi；举起jǔqi ‖ 拳(こぶし)を～げる 挥舞拳头

フリー ❶〔自由〕自由zìyóu ‖ ～の時間 自由时间 ｜ ～な立場 中立的立场 ❷〔無所属〕自由zìyóu；无所属wú suǒshǔ ‖ ～の編集者 自由编辑 ｜ 彼は会社を辞めて～になった 他辞去工作,成了一名自由职业者 ❸〔無料〕免费miǎnfèi ❖一サイズ:自由码 ｜ 一スクール:自由〔另类〕学校 ｜ 一ソフト(ウエア):免费软件 ｜ 一ダイヤル:免费电话

フリーク 迷mí；爱好者àihàozhě；发烧友fāshāoyǒu ‖ サッカー～ 足球迷

フリース〔块,匹〕摇粒绒yáolìróng

フリーズ（～する）死机sǐjī ❖一ドライ:冷冻干燥

フリーター 飞特族fēitèzú；自由打工者zìyóu dǎgōngzhě；临时工línshígōng

ブリーダー 育种家yùzhǒngjiā

プリーツ 褶子zhězi ❖一スカート:百褶裙

フリー パス ❶〔料金の〕免票miǎnpiào ❷〔審査などの〕免除miǎnchú.（検査の）免验miǎnyàn ‖ 税関を～で通過する 海关免检放行

ブリーフ 三角裤sānjiǎokù；短内裤duǎnnèikù

ブリーフィング（～する）简要说明〔介绍〕jiǎnyào shuōmíng〔jièshào〕

ブリーフ ケース 公文包gōngwénbāo

フリー マーケット 跳蚤市场tiàozao shìchǎng ‖ 不用品を～に出す 把不要了的东西在跳蚤市场上出售

フリー ライター 自由记者zìyóu jìzhě；自由撰稿人zìyóu zhuàngǎorén

フリーランサー 自由职业者zìyóu zhíyèzhě

ふりえき【不利益】❶〔経済的損失〕〔笔〕亏损kuīsǔn ‖ ～をこうむる 蒙受亏损 ❷〔不利・悪影響〕〔种,个〕不利búlì；无益wúyì ‖ 社会全体に～をもたらす 给全社会带来不利影响

ふりおと・す【振り落とす】甩下shuǎixia；摔下shuāixia；摇落yáoluò

ふりおろ・す【振り下ろす】挥下去huīxiaqu；打下去dǎxiaqu ‖ 斧(おの)を～す 举起斧子砍下去

ふりかえ【振り替え・振替】❶〔入れかえ〕调换diàohuàn.（代用する）代用dàiyòng；代替dàitì ❷〔金銭の〕转账zhuǎnzhàng ‖ ～で送金する 转账汇款 ❸〔会計〕转账zhuǎnzhàng ❖一休日:倒休；补假 ｜ 一口座:转账户头

ぶりかえ・す【ぶり返す】（病気が）复发fùfā.（物事が）再来zài lái；重来chóng lái ‖ 暑さが～した 又热起来了 ｜ 風邪が～した 感冒又犯了

ふりかえ・る【振り返る】❶〔振り向く〕回头huítóu；转头zhuǎn tóu ❷〔回顧する〕回顾huígù；回想huíxiǎng ‖ この1年を～る 回顾这一年

ふりか・える【振り替える】❶〔代用・流用する〕代替dàitì；调换diàohuàn ‖ 休日をほかの日に～える 调休 ❷〔会計〕转账zhuǎnzhàng ‖ 人件費を事業費に～える 把人工费转入事业费账目

ふりかか・る【降り掛かる】❶〔雨などが〕落到luòdào ‖ 花びらが肩に～る 花瓣飘落到肩膀上 ❷〔災いなどが〕临头líntóu；降临jiànglín ‖ 災難が～る 飞来横祸

ふりか・ける【振り掛ける】（粒状のものを）撒sǎ.（液体を）洒sǎ ‖ 肉に塩を～ける 往肉上撒盐

ふりかざ・す【振り翳す】❶〔振りあげる〕抡起lūnqi；挥舞huīwǔ ❷〔主義・主張などを〕标榜biāobǎng；宣称xuānchēng ‖ 正義を～す 大肆标榜正义

ふりがな【振り仮名】注音假名zhùyīn jiǎmíng ‖ 氏名に～をつける 给姓名注上假名

ふりかぶ・る【振りかぶる】举过头顶jǔguo tóudǐng；高举gāojǔ

ブリキ 马口铁mǎkǒutiě ❖一缶:洋铁罐

ふ

プリクラ 贴纸相片tiēzhǐ xiàngpiàn.（機械）贴纸相机tiēzhǐ xiàngjī ‖ ～をとる 拍贴纸相片

ふりこ【振り子】摆bǎi ‖ 時計の～ 钟摆 ❖ 一時計:摆钟

ふりこみ【振り込み】汇款huìkuǎn; 存入cúnrù ‖ ～で支払う 通过汇款支付 | 給料は～になっている 工资通过银行汇款支付

ふりこ・む【振り込む】存入cúnrù; 汇入huìrù ‖ 3万円を銀行に～む 把3万日元存入银行

ブリザード〔场〕暴风雪bàofēngxuě

ふりしき・る【降り頻る】下个不停xià ge bù tíng; 雨〔雪〕下得很大yǔ〔xuě〕xiàde hěn dà

ふりしぼ・る【振り絞る】用尽yòngjìn ‖ 勇気を～る 鼓起所有的勇气 | 力を～る 竭尽全力 | 声を～る 扯开嗓子

ふりす・てる【振り捨てる】（狠心）抛弃（hěnxīn）pāoqì; 甩掉shuǎidiào

フリスビー〔个,张〕飞盘fēipán

プリズム 棱镜léngjìng; 三棱镜sānléngjìng

ふりそそ・ぐ【降り注ぐ】倾洒qīngsǎ; 洒sǎ.（雨が）倾盆而下qīngpén ér xià.（光が）照射zhàoshè

ふりだし【振り出し】起点qǐdiǎn; 出发点chūfādiǎn.（はじめ）开始kāishǐ; 开端kāiduān ‖ ～に戻す 重新开始 | ～に戻る 重新回到起点

ふりだ・す【振り出す】出票chū piào; 开出kāichu ‖ 小切手を～す 开出支票

ふりつけ【振り付け】舞蹈设计wǔdǎo shèjì ‖ バレエの～をする 设计芭蕾舞动作

ブリッジ ❶（橋）桥qiáo; 桥梁qiáoliáng ❷（トランプ）桥牌qiáopái ‖ ～をする 打桥牌 ❸（入れ歯）牙桥yáqiáo ‖ 歯に～をする 镶牙桥

ふりつづ・く【降り続く】下个不停xià ge bù tíng; 一直下yìzhí xià ‖ 雨が～く 雨下个不停

ふりはら・う【振り払う】抖落dǒuluò; 掸掉dǎndiào; 甩开shuǎikāi ‖ コートについた雪を～う 掸掉大衣上的雪 | 雑念を～う 排除杂念

プリペイド カード〔张〕预先付费卡yùxiān fùfèikǎ

ふりほど・く【振り解く】挣开zhèngkāi; 甩开shuǎikāi ‖ 手を～く 挣开手

ふりま・く【振り撒く】❶（まき散らす）（液体を）洒sǎ.（粒状のものを）撒sǎ.（広める）散播sànbō; 散布sànbù ‖ うわさを～く 传闲话 ❷（惜しまない）‖ 愛敬を～く 献殷勤 | 笑いを～く 逗笑儿

プリマ ドンナ〔位,名,个〕歌剧女主角gējù nǚ zhǔjué; 首席女歌手shǒuxí nǚ gēshǒu

ふりまわ・す【振り回す】❶（振り動かす）挥舞huīwǔ; 挥动huīdòng ‖ 棒を～す 舞动棒子 ❷（みだりに使う）滥用lànyòng ‖ 権力を～す 滥用权力 ❸（ひけらかす）卖弄màinong; 炫耀xuànyào ❹（意のままに動かす）摆布bǎibu; 摆弄bǎinòng ‖ うわさに～される 被谣言误导

ふりむ・く【振り向く】❶（振り返る）回头huítóu; 转头zhuǎn tóu.（体ごと）回身huíshēn ‖ 彼は～きもしないで去っていった 他头也不回地走掉了 ❷（…きもしない）不关心bù guānxīn; 不感兴趣bù gǎn xìngqù

ふりょ【不慮】〔个,种,场〕意外yìwài; 不测búcè ‖ ～の死をとげる 死于意外

ふりょう【不良】❶（質・状態が悪い）不好bù hǎo; 不良bùliáng ‖ 体調～を訴える 诉说身体不适 ❷（品行が悪い）品行不端pǐnxíng bùduān.（人）流氓liúmáng ❖ 一債権:不良债权; 坏账; 呆账 | 一品:次品

ふりょく【浮力】浮力fúlì ❖ 一計:浮力计

ぶりょく【武力】〔种〕武力wǔlì ‖ ～を行使する 动武 | ～に訴える 诉诸武力 ❖ 一革命:暴力革命

フリル 褶边zhěbiān; 饰边shìbiān

ふりわ・ける【振り分ける】❶（2つに分ける）分为两个fēnwéi liǎng ge; 分成两份fēnchéng liǎng fèn ❷（分配する）分配fēnpèi; 分派fēnpài ‖ 仕事を3人に～ける 把工作分配给三个人

ふりん【不倫】㊀伤风败俗shāng fēng bài sú; 不道德búdàodé ‖ ～の恋 婚外恋

プリン 布丁bùdīng

プリンス ❶（王子）王子wángzǐ;（皇）太子（huáng）tàizǐ; 亲王qīnwáng ❷（有望な人）新贵xīnguì; 新星xīnxīng ‖ 政界の～ 政界新贵

プリンセス〔位,个,名〕公主gōngzhǔ; 皇女huángnǚ.（王子の妃）王妃wángfēi

プリンター〔台〕打印机dǎyìnjī ❖ インクジェット一:喷墨打印机 | カラー一:彩色打印机 | 熱転写一:热敏打印机 | レーザー一:激光打印机

プリント（～する）❶（印刷）印刷yìnshuā.（教材）上课用的资料shàngkè yòng de zīliào; 讲义jiǎngyì ❷（写真）冲印chōngyìn ‖ 写真を～する 冲印照片 ❸（捺染）印花yìnhuā; 印染yìnrǎn ❖ 一合板:贴面胶合板 | 一配線:印刷电路

プリント アウト（～する）打印dǎyìn

ふる【古】旧jiù ‖ 姉のお～ 姐姐的旧衣服 ❖ 一雑誌:旧杂志 | 一新聞:旧报纸

ふ・る【振る】❶（動かす）摇yáo; 晃huàng; 挥huī; 摆bǎi; 甩shuǎi ‖ バットを～る 挥球棒 | 手を～る 摆手 ❷（勢いよくまく）（粒状のものを）撒sǎ.（液体を）洒sǎ ‖ ゆで卵に塩を～る 往煮鸡蛋上撒盐 ❸（むだにする）断送duànsòng ‖ 人生を棒に～る 断送一生 ❹（はねつける）甩shuǎi; 拒绝jùjué ‖ 恋人に～られた 被男〔女〕朋友甩了 ❺（割り当てる）分派fēnpài; 分配fēnpèi ‖ ルビを～る 注上假名 | 役を～る 分派角色

ふ・る【降る】❶（落ちてくる）下xià; 掉下来diàoxialai ‖ 雪が～る 下雪 | 空から火山灰が～ってきた 火山灰从空中落下 ❷（突然起こる）突然发生tūrán fāshēng; ㊀突如其来tū rú qí lái ‖ ～ってわいた幸運 喜从天降

フル 充分chōngfèn; 最大限度zuì dà xiàndù ‖ ～に活用する 充分利用 | 1日中～に働く 工作一整天

-ぶ・る【振る】摆出…的架子bǎichu…de jiàzi; 装出…的样子zhuāngchu…de yàngzi ‖ えら～る 摆臭架子 | 上品～る 装出一副优雅的样子

ふる・い【古い】❶（年月が経っている）老lǎo; 旧jiù; 古老gǔlǎo ‖ ～い友達 老朋友 | ～い建物 古老的建筑 | 歴史が～い 历史悠久 | ～い家具 旧家具 ❷（時代遅れ）陈旧chénjiù; 过时guòshí; 落后luòhòu.（目新しくない）不新奇bù xīnqí ‖ ～い考えに縛られる 被陈旧的观念束缚 | 頭が～い 老脑筋; 思想落伍

ふるい【篩】筛子shāizi ‖ 土を～にかける 筛土 |

生矛盾
ふわく【不惑】不惑 búhuò; 四十(岁) sìshí (suì) ‖ すでに~を過ぎた 已过不惑之年; 已逾不惑
ふわたり【不渡り】空头kōngtóu ‖ ~になる 成了空头 | ~を出す 开出空头支票 ✤一手形:空头支票
ふわらいどう【付和雷同】(~する)定随声附和 suí shēng fù hè; 定人云亦云rén yún yì yún
ふん【分】分(钟) fēn(zhōng) ‖ 3時15~ 3点15分 | 10~後 十分钟以后 | 北緯20度20~ 北纬20度20分
ふん【糞】粪(便) fèn(biàn); 屎shǐ; 大便dàbiàn ‖ 鳥の~ 鸟粪 | イヌが~をする 狗拉屎
ぶん【分】❶〔割り当て〕份儿fènr; 分摊额fēntān'é ‖ 彼の~を残しておく 把他的那份儿留下 ❷〔本分・分際〕本分běnfèn; 身分shēnfen ‖ 己の~を守る 定安分守己 ❸〔部分〕部分bùfen ‖ 足りない~は明日買ってくる 不足的部分明天买回来 ❹〔分量〕分量fènliang; 数量shùliàng ‖ 3日~の食糧 三天的粮食 | 5人~の弁当 五份盒饭 ❺〔状態・程度〕 ‖ この~では明日は雪になりそうだ 照这个样子,明天好像要下雪
ぶん【文】文章wénzhāng; 句子jùzi ‖ ~を書く 写文章 | ~は人なり 文如其人
ふんいき【雰囲気】〔种〕气氛qìfēn; 空气kōngqì; 氛围fēnwéi ‖ 家庭的~の宿 富有家庭气氛的旅馆 | ~がこわれる 破坏气氛 | 重苦しい~に包まれる 被一股沉闷的空气笼罩着
ふんえん【噴煙】‖ ~をあげる 喷出火山烟云
ふんか【噴火】(~する)喷火pēn huǒ; 喷发pēnfā ✤一口:火山(喷火)口
ぶんか【分化】(~する)分化fēnhuà
ぶんか【分科】分科fēnkē ✤一会:课题组
ぶんか【文化】〔种〕文化wénhuà ‖ 異なった~にふれる 接触不同文化 ✤一遺産:文化遗产 | 一勲章:文化勋章 | 一交流:文化交流 | 一祭:(学校)文化节 | 一財:文物 | 一人:知识分子 | 一人類学:文化人类学 | 一の日:文化节
ぶんか【文科】文科wénkē ✤一系:文科
ふんがい【憤慨】(~する)愤慨fènkǎi
ぶんかい【分解】(~する)❶〔分ける〕拆开chāikāi; 拆卸chāixiè ❷〔化学〕分解fēnjiě ✤一修理:拆卸修理 | 一掃除:拆卸清洗
ぶんがく【文学】文学wénxué ✤一界:文学界 | 一作品:文学作品 | 一史:文学史 | 一者:文学工作者 | 一青年:文学青年 | 一部:文学系
ぶんかだいかくめい【文化大革命】文化大革命Wénhuà Dàgémìng; 文革Wéngé
ぶんかつ【分割】(~する)分fēn; 分割fēngē; 分开fēnkāi. (土地を)瓜分guāfēn ✤一統治:分而治之 | 一払い:分期付款
ぶんかん【文官】文官wénguān
ふんき【奮起】(~する)奋起fènqǐ; 振奋zhènfèn; 精神抖擞jīngshén dǒusǒu
ぶんき【分岐】✤一点:歧路; 转折点; 铁路交叉点; 铁路枢纽 ‖ 人生の~ 人生的转折点
ふんきゅう【紛糾】(~する)纠纷jiūfēn; 混乱hùnluàn ‖ 事態が~する 事态混乱
ぶんぎょう【分業】(~する)分工fēngōng; 分工序fēn gōngxù ‖ 医薬~ 医药分离
ふんぎり【踏ん切り】‖ ~がつく〔つかない〕 下〔下不了〕决心
ぶんぐ【文具】⇨ぶんぼうぐ(文房具)
ぶんけ【分家】(~する)分家fēnjiā; 另立门户lìng lì ménhù
ふんけい【刎頸】‖ ~の友 生死与共的朋友 | ~の交わり 定刎颈之交; 定生死之交
ぶんけい【文型】句型jùxíng; 句式jùshì
ぶんげい【文芸】文艺wényì; 文学wénxué ✤一作品:文艺作品 | 一雑誌:文艺杂志 | 一批評:文艺批评 | 一復興:文艺复兴
ふんげき【憤激】(~する)震怒zhènnù
ぶんけん【文献】〔份,个〕文献wénxiàn; 文件wénjiàn; 文字资料wénzì zīliào ‖ 関連~をあたる 查寻有关文献
ぶんこ【文庫】❶〔小型本〕袖珍本xiùzhēnběn ❷〔図書館〕图书馆túshūguǎn; 文库wénkù ‖ 学級~ 班级图书馆 ✤一本:袖珍本
ぶんご【文語】❶〔文章語〕书面语shūmiànyǔ ❷〔古典語〕文言wényán ✤一体:文言体
ぶんこう【分校】〔所,个〕分校fēnxiào
ぶんごう【文豪】文豪wénháo
ぶんこつ【分骨】(~する)一部分骨灰分葬yí bùfen gǔhuī fēnzàng
ふんこつさいしん【粉骨砕身】(~する)定粉身碎骨fěn shēn suì gǔ; 竭尽全力jiéjìn quánlì
ふんさい【粉砕】(~する)❶〔敵を〕摧毁cuīhuǐ; 彻底打垮chèdǐ dǎkuǎ ❷〔細かく砕く〕粉碎fěnsuì ✤一機:粉碎机
ぶんさい【文才】文才wéncái ‖ ~がある 有文才
ぶんさん【分散】(~する)❶〔散らす〕分散fēnsàn ❷〔光学〕色散sèsàn
ぶんし【分子】分子fēnzǐ ‖ 危険~ 危险分子 | 不満~ 不满分子 ✤一化合物:分子化合物 | 一式:分子式 | 一量:分子量
ぶんし【文士】文人wénrén; 文士wénshì
ふんしつ【紛失】(~する)丢diū; 遗失yíshī; 丢失diūshī ✤一届:遗失登记 | 一物:失物
ぶんしつ【分室】分所fēnsuǒ; 分局fēnjú
ふんしゃ【噴射】(~する)喷射pēnshè; 喷出pēnchu; 发射fāshè
ぶんしゅう【文集】〔本,套,部〕文集wénjí
ふんしゅつ【噴出】(~する)喷出pēnchu; 射出shèchu ‖ 不満が~する 不满一下子爆发出来
ぶんしょ【文書】文书wénshū; 文件wénjiàn; 书面shūmiàn
ぶんしょう【文章】文章wénzhāng ‖ ~がうまい 文章写得漂亮 | ~を書く 写文章
ぶんじょう【分乗】(~する)分乘fēnchéng ‖ 5台のバスに~する 分乘五辆客车
ぶんじょう【分譲】(~する)✤一地:分块出售的土地 | 一マンション:按单元出售的公寓
ふんしょく【粉飾】(~する)粉饰fěnshì; 虚饰xūshì; 美化měihuà ✤一決算:假账
ぶんしん【分針】〔根〕分针fēnzhēn
ふんじん【粉塵】〔片〕粉尘fěnchén; 灰尘huīchén ✤一公害:粉尘污染
ぶんしん【分身】分身fēnshēn; 化身huàshēn ‖ 作者の~ 作者的化身

ふ

ぶんじん【文人】文人wénrén；文士wénshì ❖ 一画：文人画

ふんすい【噴水】喷泉pēnquán；喷水池pēnshuǐchí

ぶんすう【分数】分数fēnshù ❖ 一式：分式

ふん・する【扮する】装扮成zhuāngbànchéng；扮作bànzuò；扮演bànyǎn ‖ サンタクロースに～する 装扮成圣诞老人

ぶんせき【分析】(～する) ❶〔事柄を〕分析fēnxī ‖ 原因を～する 分析原因 ❷〔化学〕分析fēnxī；化验huàyàn ‖ 薬の成分を～する 化验药的成分

ぶんせき【文責】文责wénzé

ふんせん【奮戦】(～する)奋战fènzhàn

ふんぜん【憤然】愤然fènrán；忿然fènrán；气愤qìfèn ‖ ～として席を立つ 愤然离去

ふんぜん【奮然】奋然fènrán

ふんそう【扮装】(～する)装扮zhuāngbàn；化装huàzhuāng；假扮jiǎbàn

ふんそう【紛争】(～する)纷争fēnzhēng；纠纷jiūfēn；争端zhēngduān ‖ ～を調停する 调解纠纷 ｜ ～が絶えない 纠纷不断发生

ぶんそうおう【分相応】与社会地位相称yǔ shèhuì dìwèi xiāngchèn ‖ ～に暮らす 过与自己社会地位相称的生活

ふんぞりかえ・る【ふんぞり返る】傲慢àomàn；摆架子bǎi jiàzi ‖ ～って他人に命令する 傲气十足地命令人

ぶんたい【文体】文体wéntǐ

ぶんたん【分担】(～する)分担fēndān ‖ 費用を～する 均摊费用 ｜ 家事は夫と～している 家务和丈夫一起分担做

ぶんだん【分断】(～する)分割fēngē；截断jiéduàn；切断qiēduàn

ぶんだん【文壇】文坛wéntán

ぶんちん【文鎮】〔块〕镇纸zhènzhǐ

ぶんつう【文通】(～する)通信tōngxìn；书信来往shūxìn láiwang

ふんづ・ける【踏んづける】踩cǎi ‖ 人の足を～ける 踩别人的脚

ふんとう【奮闘】(～する)奋斗fèndòu；奋战fènzhàn；斗争dòuzhēng ‖ 慣れないパソコンを相手に～する 与没用惯的电脑搏斗

ぶんどき【分度器】〔把〕量角器liángjiǎoqì

ふんどし【褌】〔块,条〕兜裆布dōudāngbù ‖ ～を締めてかかる 下定决心干 ｜ 人の～で相撲をとる 借花献佛

ぶんなぐ・る【ぶん殴る】痛打tòngdǎ；殴打ōudǎ ‖ 思い切り～ってやった 狠狠地揍了一顿

ふんぬ【憤怒】(～する)愤怒fènnù；气愤qìfèn ‖ ～の形相 一脸怒相

ぶんのう【分納】(～する)分期缴纳〔交纳〕fēnqī jiǎonà〔jiāonà〕‖ 授業料を2回に～する 分两次缴纳学费

ぶんぱい【分配】(～する)分配fēnpèi；分给fēngěi；分发fēnfā ‖ 財産を子どもたちに平等に～する 把财产均分给孩子们 ❖ 一金：红利

ふんぱつ【奮発】(～する)豁出钱huōchu qián ‖ ～してダイヤの指輪を買う 豁出钱来买钻石戒指

ふんばり【踏ん張り】坚持jiānchí；加油jiāyóu ‖ あともうひと～だ 再加把劲儿

ふんば・る【踏ん張る】❶〔こらえる〕坚持jiānchí；挣扎zhēngzhá；努力nǔlì ❷〔踏みしめる〕用力站住yònglì zhànzhu

ふんぱん【噴飯】〔令人〕喷饭(lìng rén) pēnfàn；十分可笑shífēn kěxiào ‖ ～ものだ 可笑之极

ぶんぴつ【分泌】(～する)分泌fēnmì ❖ 一腺：分泌腺 ｜ 一物：分泌物

ぶんぴつ【文筆】文笔wénbǐ；写作xiězuò ‖ ～で身をたてる 以文立身 ｜ ～で食べていく 以笔为生 ❖ 一家：作家；著述家 ｜ 一業：以写作为业

ぶんぶ【文武】文武wénwǔ ‖ ～両道 文武双全

ぶんぷ【分布】(～する)分布fēnbù ‖ わが国に広く～している 广泛分布于我国 ❖ 一図：分布图

ふんぷん【紛紛】‖ 諸説～ 众说纷纭

ふんべつ【分別】(～する)辨别(力) biànbié(lì)；判断(力) pànduàn(lì) ‖ ～盛りの年齢 通晓事理的年龄 ｜ ～がない 不明事理

ぶんべつ【分別】(～する)分别fēnbié；分类fēnlèi ❖ 一ごみ：分类垃圾 ｜ 一収集：分类收集 ‖ ごみを～する 分类收集垃圾

ぶんべん【分娩】(～する)分娩fēnmiǎn ❖ 一室：分娩室；产房 ｜ 自然一：自然分娩

ぶんぼ【分母】分母fēnmǔ

ぶんぽう【文法】语法yǔfǎ

ぶんぼうぐ【文房具】文具wénjù；文具用品wénjù yòngpǐn ❖ 一屋：文具店

ふんまつ【粉末】粉末fěnmò

ふんまん【憤懣】气愤qìfèn；怨愤yuànfèn；愤怒fènnù ‖ ～やるかたない 憋着一肚子气

ぶんみゃく【文脈】文理wénlǐ；上下文(的联系) shàngxiàwén (de liánxì)；脉络màiluò ‖ ～から読み取る 根据上下文来理解

ぶんみん【文民】非军人fēijūnrén ❖ 一統制：文官控制

ふんむき【噴霧器】喷雾器pēnwùqì

ぶんめい【文明】〔个,种〕文明wénmíng ‖ ～の進歩 文明的进步 ❖ 一国：文明国家 ｜ 一社会：文明社会

ぶんめん【文面】字面zìmiàn ‖ ～からすると 从字面上看 ｜ ～を考える 考虑措词用语

ぶんや【分野】领域lǐngyù；范围fànwéi；方面fāngmiàn ‖ 幅広い～で活躍する 活跃在众多领域

ぶんよ【分与】(～する)分给fēngěi；分与fēnyǔ ‖ 財産を～する 分给财产

ぶんり【分離】(～する)分离fēnlí；隔离gélí；分开fēnkāi ❖ 一課税：分离课税

ぶんりょう【分量】分量fènliang；数量shùliàng

ぶんるい【分類】(～する)分类fēnlèi ‖ 大きさによって～する 根据大小来分类 ｜ 情報を複数のカテゴリーに～する 把信息分类为几个范畴 ❖ 一学：分类学 ｜ 一法：分类法 ｜ 一目録：分类目录

ぶんれい【文例】文例wénlì；例句lìjù

ぶんれつ【分裂】(～する)分裂fēnliè ‖ 会が二つに～する 协会分成两派 ❖ 一気質：分裂气质

へそまがり【臍曲がり】脾气倔犟píqi juéjiàng
へた【下手】❶〔うまくない〕不擅长bú shàncháng‖泳ぎが～だ 不擅长游泳｜英語が～になった 我的英语退步了｜自己表現が～だ 不善于表达自己 ❷〔不用意〕不谨慎bù jǐnshèn‖～をするとチャンスを逃がす 弄不好的话会丢掉机会
へた【蔕】蒂dì
へだたり【隔たり】❶〔距離的な〕〔段〕距离jùlí ❷〔相違〕差异chāyì; 分歧fēnqí‖意見に～がある 意见有分歧 ❸〔心理的な〕隔阂géhé
へだた·る【隔たる】❶〔距離があって〕相距xiāngjù; 相隔xiānggé ❷〔疎遠になる〕疏远shūyuǎn ❸〔違いがある〕相差xiāngchà
へだ·てる【隔てる】❶〔遮る〕隔gé; 分隔fēngé‖テーブルを～てて座る 隔桌而坐 ❷〔時間をおく〕相隔xiānggé
へたば·る 定 筋疲力尽jīn pí lì jìn; 支撑不住zhīchengbuzhù
べたべた（～する）❶〔ねばりつくさま〕黏糊糊niánhūhū ❷〔まといつくさま〕缠着chánzhe; 定 卿卿我我qīng qīng wǒ wǒ ❸〔はるさま〕贴满tiēmǎn; 乱贴luàn tiē ❹〔厚く塗るさま〕厚厚地涂抹hòuhòu de túmǒ
べたぼめ【べた褒め】（～する）大加赞扬dà jiā zànyáng; 称赞不已chēngzàn bùyǐ
ペダル〔副〕踏板tàbǎn; 脚蹬子jiǎodēngzi
ペチコート〔条〕衬裙chènqún
へちま【糸瓜】丝瓜sīguā
ぺちゃくちゃ 喋喋不休diédié bùxiū
べつ【別】❶〔区別·違い〕区别qūbié; 分别fēnbié‖男女の～なく… 不分男女都…｜年齢～に行う 按年龄分组分别进行 ❷〔別個〕别bié; 另lìng‖それとこれとは話が～だ 这个和那个是两码事｜サービス料は～だ 服务费另收 ❸〔除外〕除外chúwài; 除了chúle ❹〔特に〕特别tèbié‖～に予定はない 没什么特别要干的事
べっかく【別格】破格pògé; 出众chūzhòng‖彼女は～だ 她很出众
べっかん【別館】〔个, 座〕分馆fēnguǎn
べっき【別記】（～する）另行记载lìngxíng jìzǎi.（記したもの）附录fùlù
べっきょ【別居】（～する）分居fēnjū
べっけん【別件】（事件）另案lìng'àn.（用件）另外的事lìngwài de shì‖～で逮捕する 因另案而逮捕
べっこ【別個】分别fēnbié; 另一个lìng yí ge‖2つの問題を～に論じる 把两个问题分别讨论
べっこう【鼈甲】玳瑁（甲）dàimào(jiǎ) ✤ —色:玳瑁色｜—細工:玳瑁工艺（品）
べっさつ【別冊】附册fùcè.（定期刊行物の）增刊zēngkān ✤ —付録:附刊
ヘッジ（～する）对冲duìchōng; 套期保值tào qī bǎozhí‖為替変動のリスクを～する 防范汇率变动的风险 ✤ —ファンド:对冲〔避险〕基金
べっし【別紙】另纸lìng zhǐ; 附页fùyè
べっし【蔑視】（～する）蔑视mièshì; 看不起kànbuqǐ ✤ 女性—:歧视女性
べっしつ【別室】另一〔其他〕房间lìng yī〔qítā〕fángjiān
べっしょう【蔑称】蔑称mièchēng
べつじん【別人】别人biéren; 另外一个人lìngwài yí ge rén‖～のように痩せ衰える 瘦弱得像变了一个人
べっせかい【別世界】另一个世界〔天地〕lìng yí ge shìjiè〔tiāndì〕
べっそう【別荘】〔个, 座, 所〕别墅biéshù
べっそう【別送】（～する）另寄lìngjì
べったく【別宅】‖～を構える 另有一所住宅
べったり ❶〔くっつくさま〕粘满zhānmǎn.（まつわりつく）缠住chánzhu‖顔にクリームを～塗る 脸上涂满美容霜｜子どもが～くっついて離れない 被孩子缠住脱不开身 ❷〔依存するさま〕依赖yīlài; 追随zhuīsuí‖弟は母親～だ 我弟弟样样事都要依赖妈妈｜アメリカ～の外交政策 总是追随美国的外交政策
べっちん【別珍】〔种, 块〕棉绒miánróng
べってんち【別天地】定 世外桃源shì wài Táoyuán; 仙境xiānjìng
ヘッド ❶〔頭〕头tóu ❷〔器具の〕头部tóubù ✤ —コーチ:总教练｜—ハンティング:猎头｜—ホン:耳机｜—ライン:标题｜—ランプ:头灯
べっと【別途】另外lìngwài; 另（行）lìng(xíng)‖～手数料をとる 手续费另外收取｜詳細は～定める 详细内容以另行规定为准
ベッド〔张〕床chuáng‖～に横になる 躺在床上 ✤ —カバー:床罩｜—シーン:床上戏｜—タウン:城郊住宅区｜—メイク:铺床｜—ルーム:卧室｜二段—:双层床
ペット 宠物chǒngwù‖～を飼う 养宠物
ペット ボトル 塑料瓶sùliàopíng
べっとり 粘满zhānmǎn‖床には～血がついていた 地板上粘满了血
べつのう【別納】✤ 料金—:另缴费用｜料金—郵便:邮资总付（邮件）
べつびん【別便】另函lìnghán‖～でパンフレットを送る 另寄小册子
べつべつ【別別】分头fēntóu; 分开fēnkāi‖～に行動する 分头行动｜家族と～に住む 和家里人分开住｜品物を～に包む 把东西分开包装｜勘定を～に払う 各付各的
べつむね【別棟】另一栋lìng yí dòng
べつめい【別名】别名biémíng; 别称biéchēng
べつもんだい【別問題】另一回事lìng yì huí shì‖それとこれとは～だ 这个和那个是两码事
へつら·う【諂う】奉承fèngcheng; 拍马屁pāi mǎpì‖社長は～う部下をかわいがった 经理喜欢奉承自己的部下
べつり【別離】离别líbié; 分手fēnshǒu
べつわく【別枠】另外的基准lìngwài de jīzhǔn
ヘディング ✤ —シュート:头球射门
ベテラン 老手lǎoshǒu; 老将lǎojiàng
ぺてん 欺骗qīpiàn.（手口）骗术piànshù‖～にひっかかる 上当 ✤ —師:骗子
へど【反吐】呕吐ǒutù‖人を差別する人を見ると～が出そうになる 一看见歧视他人的人, 就倒胃口
ベトナム 越南Yuènán ✤ —戦争:越南战争
へとへと 定 精疲力竭jīng pí lì jié; 累得要命lèide yàomìng‖～に疲れきる 累得筋疲力尽
べとべと（～する）黏糊糊niánhūhū
へどろ〔滩, 片, 块〕污泥wūní;〔堆, 层〕淤泥yūní

へ

ペナルティー ❶〔罰則〕处罚chǔfá ‖ ～を科す 处罚 ❷〔罰金〕罚款fákuǎn ✤ ーキック：罚球

ベナン 贝宁Bèiníng

ペナント ❶〔三角の旗〕〔面〕细长三角旗xìcháng sānjiǎoqí ❷〔優勝旗〕〔面〕锦标jǐnbiāo ✤ ーレース：锦标赛

べに【紅】 ❶〔化粧道具〕(口紅)口红kǒuhóng.(頬紅)胭脂yānzhi ❷〔顔料〕红色颜料hóngsè yánliào ❸〔赤色〕红色hóngsè

ペニシリン 青霉素qīngméisù

ペニス 阴茎yīnjīng

ベネズエラ 委内瑞拉Wěinèiruìlā

ベネルクス 比荷卢Bǐ-Hé-Lú ‖ ～三国 比荷卢三国

ペパーミント 薄荷bòhe

へばりつ・く (物が)贴上tiēshang; 粘上zhānshang. (人が)紧贴着jǐn tiēzhe

へば・る 定 筋疲力尽jīn pí lì jìn; 疲惫不堪píbèi bùkān

へび【蛇】〔条〕蛇shé ‖ ～がとぐろを巻く 蛇盘曲着 | ～の抜け殻 蛇蜕 ✤ 一革：蛇皮 | 一座：巨蛇座

ベビー ❶〔赤ん坊〕婴儿yīng'ér ❷〔小さい〕小型xiǎoxíng ✤ ーカー：婴儿车 | ーシッター：临时看婴儿的保姆 | ーフード：婴儿食品 | ーブーム：婴儿潮

ヘビーきゅう【ヘビー級】 重量级zhòngliàngjí

へべれけ 酩酊大醉mǐngdǐng dàzuì

へぼ 技艺不高jìyì bù gāo; 蹩脚biéjiǎo ✤ 一医者：庸医 | 一将棋：臭棋

へま ❶〔気のきかないこと〕呆dāi; 笨拙bènzhuō ‖ ～なやつ 呆子 ❷〔失敗〕错误cuòwù; 失败shībài ‖ とんでもない～をやらかした 出了大错 | 今日は何をやっても～ばかりだ 今天无论干什么都出错

ヘモグロビン 血红蛋白xuèhóng dànbái

へや【部屋】〔个, 间〕房间fángjiān; 屋子wūzi ‖ 南向きの～ 朝南的屋子 | ～を貸す 出租房间 ✤ 一着：家常便服 | 一代：房租 | 一割り：分配房间 | 一人一：单人房 | 二人一：双人房

へら・す【減らす】 减少jiǎnshǎo; 削减xuējiǎn ‖ 出費を～す 削减开销 | 負担を～す 减轻负担 | 余剰人員を～す 裁减冗员 | 体重を～す 减肥

へらずぐち【減らず口】 (耍)嘴皮子(shuǎ) zuǐpízi ‖ ～をたたくな 你给我住口！

へらへら (～する)❶〔軽薄に笑うようす〕傻笑shǎxiào; 憨笑hānxiào ❷〔軽々しくしゃべるようす〕废话连篇fèihuà liánpiān ‖ ～と調子のいいことを言う 定 信口开河

べらべら (よくしゃべるさま)喋喋不休diédié bùxiū ‖ 秘密を～しゃべる 口无遮拦地说出秘密

ぺらぺら ❶〔外国語を自由に話すようす〕流利liúlì ❷〔軽々しくしゃべるようす〕轻易qīngyì ❸(～する)〔紙などが薄いようす〕单薄dānbó ‖ ～の生地 单薄的布料 | ～した紙 薄纸 ❹〔紙をめくるようす〕‖ ページを～めくる 哗啦哗啦地翻书页

べらぼう ❶〔ひどい〕非常fēicháng; 特别tèbié ‖ そんな～な話があるか 哪儿有这么荒唐的事！| ～な値段 贵得吓人的价钱 ❷〔ばか者〕混蛋húndàn ‖ ～め！ 这个混蛋！

ベラルーシ 白俄罗斯Bái'éluósī

ベランダ 阳台yángtái; 晒台shàitái

へり【縁】 边biān; 边缘biānyuán ‖ 川の～ 河边

ベリーズ 伯利兹Bólìzī

ヘリウム 氦hài

ペリカン〔只〕鹈鹕tíhú; 塘鹅táng'é

へりくだ・る【遜る】 谦虚qiānxū ‖ ～った話し方をする 讲话谦虚 | ～った態度 谦虚的态度

へりくつ【屁理屈】 歪理wāilǐ; 诡辩guǐbiàn ‖ ～をこねる 定 强词夺理

ヘリコプター〔架〕直升飞机zhíshēng fēijī

ヘリポート 直升飞机场zhíshēng fēijīchǎng

へ・る【経る】 ❶〔時間が経つ〕经过jīngguò ‖ 数年間の準備期間を～る 经过几年的准备 ❷〔場所を通る〕经过jīngguò; 经由jīngyóu ‖ 喜望峰を～てイギリスへ渡る 经过好望角前往英国 | 多くの収集家の手を～る 经过许多藏家之手 ❸〔手順を経る〕经过jīngguò; 经历jīnglì ‖ 幾多の困難を～る 经历许多困难 | 正規の手続きを～る 履行正规手续 | 十分な審議を～ていない 未经充分审议

へ・る【減る】 减jiǎn; 减少jiǎnshǎo ‖ 生産が～る 减产 | 体重が少し～った 体重稍微轻了一点儿 | 靴が～るほど歩く 走得都要把鞋子磨穿了 | 口の～らないやつ 爱贫嘴的家伙

ベル ❶〔チャイム〕铃líng; 电铃diànlíng ‖ ～を鳴らす 打铃 | 玄関の～を鳴らす 按门铃 | 始業の～ 上课铃声 ❷〔鐘〕钟zhōng ✤ ウエディングー：婚礼的钟声 | カウー：牛铃 | ハンドー：手铃

ペルー 秘鲁Bìlǔ

ベルギー 比利时Bǐlìshí

ヘルシー 健康jiànkāng ✤ ーフード：保健食品 | ーメニュー：保健菜谱 | ーライフ：健康生活

ペルシャ 波斯Bōsī ✤ 一語：波斯语

ヘルツ 赫hè; 赫兹hèzī ✤ キロー：千赫 | メガー：兆赫

ベルト ❶〔服飾〕〔根, 条〕皮带pídài; 腰带yāodài ‖ 腰に～を巻く 在腰上系上腰带 | ～を締める〔緩める〕 系上〔松开〕腰带 | ～がきつくなる 感到皮带有些紧 ❷〔機械〕〔条〕输送带shūsòngdài; 轮带lúndài ✤ コンベヤー：传送带

ヘルニア 疝shàn; 疝气shànqì

ヘルパー 帮手bāngshou. (世話する人)护理员hùlǐyuán

ヘルペス 疱疹pàozhěn

ヘルメット (保護帽)安全帽ānquánmào; 头盔tóukuī. (鉄兜(てつかぶと))钢盔gāngkuī

ヘレニズム 希腊文化Xīlà wénhuà

ヘロイン 海洛因hǎiluòyīn

ぺろり ❶〔舌を出すようす〕‖ ～と舌を出す 吐舌头 ❷〔一気に食べてしまうようす〕一口气吃完yì kǒu qì chīwán

べろんべろん ‖ ～に酔っ払う 喝得酩酊大醉

へん【辺】 ❶〔付近〕(やや広い)一带yídài. (やや狭い)附近fùjìn ‖ この～は不案内です 这一带我不熟 | この～でお弁当にしよう 就在这附近吃盒饭吧 ❷〔程度〕程度chéngdù ‖ 今日の勉強はこの～にしておこう 今天就学到这里 ❸〔事柄〕方面fāngmiàn ‖ その～の詳しい事情 那方面的详细情况 ❹〔数学〕边biān ‖ 正方形の4つの～ 正方形的四条边

へん【変】 (不思議な)奇怪qíguài. (とっぴな)古怪gǔguài. (異常な)反常fǎncháng ‖ ～なくせ 奇怪

ほ

ほ【帆】帆fān；船篷chuánpéng；船帆chuánfān ‖ ～をあげる 扬帆｜～を下ろす 收帆

ほ【歩】❶〔歩み〕步子bùzi；脚步jiǎobù ‖ ～を速めた〔緩めた〕 加快〔放慢〕了脚步｜着実に～を進める 稳步走 ❷〔接尾〕步bù ‖ 大きく1～前に進み出る 向前迈进一大步

ほ【穂】❶〔イネなどの〕穗子suìzi ‖ イネの～ 稻穗 ❷〔物の先端〕尖端jiānduān ‖ 筆の～ 笔尖

ほあん【保安】保安bǎo'ān；治安zhì'ān ✤一林:森林保留地

ほいく【保育】（～する）保育bǎoyù ✤一園:托儿所｜一器:育婴恒温箱｜一士:保育员

ボイコット（～する）抵制dǐzhì ‖ 試合を～する 拒绝参加比赛｜日本製品の～ 抵制日货

ホイッスル 哨子shàozi

ボイラー〔台〕锅炉guōlú ✤一室:锅炉房

ぼいん【母音】元音yuányīn；韵母yùnmǔ

ぼいん【拇印】‖ ～を押す 按手印

ポイント ❶〔点・か所〕点diǎn；地方dìfang ❷〔要点〕要点yàodiǎn；重点zhòngdiǎn ‖ ～をしぼる 集中要点｜～をつかむ 抓住要点｜～を押さえる 掌握要点 ❸〔点数〕分数fēnshù ‖ ～を稼ぐ 争取分数〔得分〕 ❹〔鉄道〕道岔dàochà ‖ ～を切りかえる 扳道岔 ❺〔百分率の値の差〕点diǎn；百分点bǎifēndiǎn ‖ 物価が1～上昇した 物价上涨了一个百分点 ✤一ゲッター:得分王〔手〕

ほう【方】❶〔方向〕方fāng；边biān；方向fāngxiàng ‖ 後ろの～ 后方〔面；边；头〕｜反対の～ 反〔相反的〕方向 ❷〔分野〕方面fāngmiàn；领域lǐngyù ‖ 家計の～は家内に任せっきりだ 家庭财务方面全交给我爱人管 ❸〔いくつかのうちの１つ〕‖ ネコよりイヌの～が好きだ 比起猫，我更喜欢狗｜死んだ～がましだ 还不如死了好｜早く帰った～がいいよ 你最好尽快回家 ❹〔部類〕比较…bǐjiào…；算…suàn … ‖ 僕は楽観的な～だ 我算比较乐观的｜成績はいい～だ 成绩算不错

ほう【法】❶〔法律〕法fǎ；法律fǎlǜ；法规fǎguī ‖ ～を守る 守法｜～を犯す 违法｜～に訴える 诉之以法 ❷〔方法〕方法fāngfǎ；办法bànfǎ ❸〔道理〕道理dàoli ‖ そんなばかな～はない 定 岂有此理 ❹〔法則〕法则fǎzé ❺〔教え〕法fǎ；教义jiàoyì ‖ ～を説く 说法

ぼう【某】某mǒu.（人）某人mǒu rén；某某mǒu mǒu ‖ ～氏 某氏｜～月～日 某月某日

ぼう【棒】❶〔細長い木・金属など〕〔根〕棍子gùnzi；棒子bàngzi ‖ 木の～ 木棒 ❷〔慣用表現〕‖ 一生を～に振る 断送一生｜足を～にして歩く 走得腿都僵了 ✤一グラフ:柱形图

ほうあん【法案】法案fǎ'àn ‖ ～を提出する 提交法案｜～を可決〔否決〕する 通过〔否决〕法案

ほうい【方位】方位fāngwèi；方向fāngxiàng ‖ 磁石で～を確かめる 用指南针确定方位｜～を占う 算算方位的吉凶 ✤一学:方位学

ほうい【包囲】（～する）包围bāowéi ‖ 敵を～する 包围敌人 ✤一網:包围圈

ほういがく【法医学】法医学fǎyīxué

ぼういん【暴飲】✤一暴食:暴饮暴食

ほうえい【放映】（～する）播送bōsòng；播放bōfàng；放fàng

ぼうえい【防衛】（～する）防卫fángwèi；保卫bǎowèi.（スポーツ）卫冕wèimiǎn ✤一庁:防卫厅｜一費:国防费｜一本能:防卫本能

ぼうえき【貿易】（～する）贸易màoyì ‖ ～赤字が拡大する 贸易赤字增大｜～がとだえる 贸易中断 ✤一赤字:贸易逆差；入超；贸易赤字｜一黒字:贸易顺差；出超｜一港:贸易港｜一風:贸易风；信风｜一摩擦:贸易摩擦

ぼうえんきょう【望遠鏡】望远镜wàngyuǎnjìng

ほうおう【法王】教皇jiàohuáng ‖ ローマ 罗马教皇 ✤一庁:罗马教廷

ほうおう【鳳凰】凤凰fènghuáng

ぼうおん【防音】（～する）隔音géyīn；防音fángyīn ✤一ガラス:隔音玻璃｜一室:隔音室｜一設備〔装置〕:消声器；隔音装置

ほうか【放火】（～する）放火fànghuǒ；纵火zònghuǒ ✤一罪:纵火罪｜一魔:纵火狂

ほうか【砲火】炮火pàohuǒ ‖ ～を交える 交火

ぼうか【防火】（～する）防火fánghuǒ；消防xiāofáng ‖ ～設備 防火设施 ✤一壁:防火墙

ほうかい【崩壊】（～する）崩溃bēngkuì；倒塌dǎotā.（組織などが）垮台kuǎtái；倒台dǎotái ‖ 内閣が～した 内阁倒台了

ほうがい【法外】分外fènwài；过分guòfèn ‖ ～な違約金を請求された 被要求支付分外的违约金

ぼうがい【妨害】（～する）妨碍fáng'ài；干扰gānrǎo；妨害fánghài ‖ ～に遭う 受干扰｜安眠を～する 妨碍睡觉｜公務執行～ 妨碍执行公务

ぼうがい【望外】意外yìwài；出乎意料chūhū yìliào ‖ ～の成功をおさめる 取得出乎意料的成功｜～の喜び 喜出望外

ほうがく【方角】方向fāngxiàng；方位fāngwèi ‖ ～を見失う 迷失方向｜～が悪い 方位不吉利

ほうがく【法学】〔门〕法学fǎxué；法律学fǎlǜxué ✤一者:法学专家；法律学者｜一部:法律系

ほうかご【放課後】放学后fàngxué hòu

ほうかつ【包括】（～する）包括bāokuò

ほうがん【包含】（～する）包含bāohán

ほうがん【砲丸】（砲弾）炮弹pàodàn.（競技用）铅球qiānqiú ✤一投げ:推铅球

ぼうかん【防寒】✤一具:防寒用品

ぼうかん【傍観】（～する）旁观pángguān ‖ 事態を～する 旁观事态发展 ✤一者:旁观者

ぼうかん【暴漢】暴徒bàotú；歹徒dǎitú

ほうき【法規】法规fǎguī；法令fǎlìng.（規則）规章guīzhāng；规定guīdìng ‖ ～を無視する 无视法规

ほうき【放棄】（～する）放弃fàngqì；丢弃diūqì；抛弃pāoqì ‖ 核開発計画の～ 放弃核开发计划

ほうき【蜂起】（～する）蜂起fēngqǐ

ほうき【箒】〔把〕扫帚sàozhou；笤帚tiáozhou

ぼうきゃく【忘却】(〜する)忘记wàngjì；忘却wàngquè‖〜のかなた 忘到九霄云外去了

ぼうぎょ【防御】(〜する)防御fángyù；防卫fángwèi

ぼうきょう【望郷】思乡sīxiāng‖〜の念に駆られる 沉浸在思乡之情中；为思乡之念所驱使

ぼうくん【暴君】暴君bàojūn．(勝手な人)霸王bàwáng；蛮横无理的人mánhèng wúlǐ de rén

ぼうけい【傍系】‖〜の親族 旁系亲属

ほうけん【封建】封建fēngjiàn ✣一国家:封建国家｜一思想:封建思想｜一社会:封建社会

ほ

ほうげん【方言】方言fāngyán；土话tǔhuà

ほうげん【放言】(〜する)定信口开河xìn kǒu kāi hé；随口乱说suíkǒu luàn shuō

ぼうけん【冒険】(〜する)冒险màoxiǎn ✣一家:冒险家；投机分子｜一心:冒险精神

ぼうげん【暴言】粗暴之言cūbào zhī yán；骂人的话mà rén de huà‖〜を吐く 恶语相向

ほうこ【宝庫】宝库bǎokù

ほうご【防護】(〜する)防护fánghù；防备fángbèi ✣一壁:防护墙｜一服:防护衣

ほうこう【方向】❶〔物理的な〕方向fāngxiàng．(方位)方位fāngwèi‖〜を誤る 搞错了方向 ❷〔抽象的な〕方针fāngzhēn；方向fāngxiàng‖〜を示す 指示方向｜〜転換が必要だ 需要改变方针 ✣一音痴:没方向感〔容易迷路〕的人｜一感覚:方向感

ほうこう【芳香】芳香fāngxiāng；香气xiāngqì ✣一剤:芳香剂

ほうごう【縫合】(〜する)缝合fénghé

ぼうこう【膀胱】膀胱pángguāng ✣一炎:膀胱炎｜一結石:膀胱结石

ぼうこう【暴行】(〜する)❶〔暴力〕暴行bàoxíng；施暴shībào；行凶xíngxiōng‖〜を受ける 受暴行｜〜を加える 施暴 ❷〔強かん〕强奸qiángjiān；施暴shībào‖婦女を〜する 强奸妇女

ほうこく【報告】(〜する)报告bàogào；汇报huìbào‖〜を受ける 接受汇报｜結果を〜する 报告结果 ✣一書:报告(书)｜最終一:最终报告

ぼうさい【防災】防灾fángzāi ✣一訓練:防灾训练｜一対策:防灾对策

ほうさく【方策】策(略) cè(lüè)；办法bànfǎ；计(划) jì(huà)‖〜をたてる 想办法｜もう〜が尽きた 无计可施了

ほうさく【豊作】丰收fēngshōu

ぼうさつ【忙殺】(〜する)繁忙fánmáng；忙得不可开交mángde bù kě kāi jiāo‖雑務に〜される 为杂事忙得团团转

ぼうさりん【防砂林】防沙林fángshālín

ほうし【奉仕】(〜する)❶〔尽くす〕服务fúwù；效劳xiàoláo；帮助bāngzhù ❷〔安く売る〕贱卖jiàn mài ✣一活動:志愿活动｜一品:特价商品

ほうし【胞子】孢子bāozǐ

ほうじ【法事】法事fǎshì‖〜を営む 做法事

ぼうし【防止】(〜する)防止fángzhǐ‖事故を〜する 防止事故

ぼうし【帽子】〔顶〕帽子màozi‖〜をかぶる 戴帽子｜〜をとる 脱〔摘下〕帽子 ✣一かけ:帽架

ほうしき【方式】方式fāngshì；格式géshi；程序chéngxù‖Q&A〜 问答方式

ほうしゃ【放射】(〜する)放射fàngshè；辐射fúshè‖熱を〜する 散热 ✣一冷却:辐射冷却

ぼうじゃくぶじん【傍若無人】定旁若无人páng ruò wú rén‖〜なふるまい 言行举止旁若无人

ほうしゃせい【放射性】放射性fàngshèxìng ✣一元素:放射性元素｜一廃棄物:放射性废物

ほうしゃせん【放射線】放射线fàngshèxiàn；辐射线fúshèxiàn ✣一治療:放射治疗｜一療法:放射疗法｜診療一技師:X光技师

ほうしゃのう【放射能】放射能fàngshènéng‖〜に汚染された食べ物 受放射污染的食物｜〜にさらされる 受到辐射 ✣一汚染:放射性污染

ほうしゅう【報酬】〔笔〕报酬bàochou；酬金chóujīn‖〜をもらって働く 拿钱干活儿｜高額の〜を得た 获得了高额报酬 ✣診療一:诊疗费收入

ぼうしゅう【防臭】(〜する)防臭fángchòu ✣一剤:防臭剂｜一スプレー:防臭喷雾器

ほうしゅつ【放出】(〜する)发放fāfàng；投放tóufàng‖非常食糧が〜された 发放储备粮｜大量の放射能が〜された 大量放射能被泄漏

ほうじょ【幇助】(〜する)帮助bāngzhù；协助xiézhù‖自殺〜 协助他人自杀

ほうしょう【報奨】奖励jiǎnglì；褒奖bāojiǎng‖〜制度を設ける 设立奖励制度 ✣一金:奖金

ほうしょう【褒賞】奖赏jiǎngshǎng；奖品jiǎngpǐn‖〜を与える 授奖｜〜を受ける 领奖

ほうじょう【豊饒】丰饶fēngráo；富饶fùráo

ほうしょく【奉職】(〜する)工作gōngzuò；供职gòngzhí

ほうしょく【飽食】(〜する)饱食bǎoshí‖〜の時代 丰衣足食的时代｜〜暖衣 定饱食暖衣

ほう・じる【奉じる】❶〔献上する〕献上xiànshang；奉上fèngshang ❷〔うけたまわる〕奉fèng；尊奉zūnfèng‖君命を〜じる 奉主人之命

ほう・じる【報じる】❶〔報いる〕报bào；报答bàodá ❷〔知らせる〕报告bàogào；报导bàodǎo

ほうしん【方針】方针fāngzhēn‖〜を定める 制定方针｜〜をころころかえる 三番五次地改变方针

ぼうしん【放心】(〜する)茫然若失mángrán ruò shī；定魂不守舍hún bù shǒu shè‖〜状態で立ちつくす 呆呆地站在那里茫然若失

ほうしん【疱疹】疱疹pàozhěn

ほうじん【邦人】日本人Rìběnrén

ほうじん【法人】法人fǎrén ✣一株主:法人股东｜一所得:法人收益｜一税:法人税

ぼうず【坊主】❶〔頭髪·木など〕秃(头) tū(tóu)；光guāng‖頭を〜にした 把头发剃光了 ❷〔男の子〕小鬼xiǎoguǐ；儿子érzi‖うちの〜 我家儿子 ❸ ⇨そう(僧) ✣一頭:秃头；光头

ほうすい【放水】(〜する)放水fàngshuǐ；排水páishuǐ ✣一車:喷水车｜一路:排水渠；溢洪道

ぼうすい【防水】(〜する)防水fángshuǐ ✣一加工:防水加工｜一布:防水布

ほうせい【法制】法律与制度fǎlǜ yǔ zhìdù；法制fǎzhì

ほうせい【縫製】(〜する)缝制féngzhì；缝纫féngrèn ✣一工場:缝制厂

ほうせき【宝石】〔颗〕宝石bǎoshí；宝石饰物

bǎoshí shìwù ❖ 一商:珠宝商 | 一箱:首饰盒
ぼうせき【紡績】纺织fǎngzhī; 纺纱fǎngshā ❖ 一業:纺织业 | 一工:纺织工 | 一工場:纺织厂
ぼうせん【防戦】(～する)防御fángyù
ぼうせん【傍線】〔条〕旁线pángxiàn
ぼうぜん【呆然】发呆fādāi; 发愣fālèng; 愕然èrán ‖ 一瞬～とした 突然脑中一片空白
ぼうぜん【茫然】茫然mángrán; 模糊móhu; 渺茫miǎománg ‖ ～自失する 茫然自失
ほうせんか【鳳仙花】凤仙花fèngxiānhuā
ほうそう【包装】(～する)包装bāozhuāng ‖ プレゼント用に～する 礼品包装 ❖ 一紙:包装纸
ほうそう【放送】(～する)广播guǎngbō; 播送bōsòng ‖ ラジオの～を聞く 听收音机 ❖ 一衛星:广播卫星 | 一局:(ラジオの)广播电台;(テレビの)(广播)电视台 | 一大学:广播电视大学 | 一番組:广播(电视)节目 | 一網:广播(电视)网 | 試験一:试播 | 2か国語一:双语广播
ほうそう【法曹】❖一界:法律界;司法界
ぼうそう【暴走】(～する)❶〔乗り物が〕乱跑luàn pǎo ‖ 列車が～した 火车失去了控制狂奔起来 ❷〔行動〕定 随心所欲suí xīn suǒ yù ‖ 産業開発の～ 无节制的产业开发 ❖ 一族:飙车族
ほうそく【法則】法则fǎzé; 规律guīlǜ; 定律dìnglǜ ‖ 遺伝の～ 遗传法则
ほうたい【包帯】〔卷,条〕绷带bēngdài ‖ 腕にぐるぐると～を巻く 在胳膊上缠上厚厚的绷带
-ほうだい【放題】自由地zìyóu de; 随便地suíbiàn de; 无限制地wú xiànzhì de ‖ 言いたい～言う 想说什么就说什么 | 飲み～ 酒水自助
ぼうだい【厖大】庞大pángdà ‖ ～な予算 巨额的预算 | ～な知識 渊博的知识
ぼうだい【膨大】(～する)膨胀péngzhàng
ぼうたかとび【棒高跳び】撑杆跳(高) chēnggāntiào(gāo)
ほうだん【砲弾】炮弹pàodàn
ぼうだん【防弾】❖一チョッキ:防弹背心
ほうち【放置】(～する)搁置gēzhì; 弃置qìzhì.(無視する)定 置之不理zhì zhī bù lǐ ‖ ～自転車 随意停放的自行车
ほうちこく【法治国】法治国家fǎzhì guójiā
ぼうちゅう【防虫】防虫fángchóng ❖ 一剤:防虫剂 | 一スプレー:防虫喷雾剂
ほうちょう【包丁】〔把〕菜刀càidāo
ぼうちょう【傍聴】(～する)旁听pángtīng
ぼうちょう【膨張·膨脹】(～する)❶〔ふくらむ〕膨胀péngzhàng ❷〔大きくなる〕增加zēngjiā; 扩展kuòzhǎn ‖ 人口の～ 人口增加
ぼうっと(～する)❶〔見え方が〕朦胧ménglóng; 模糊móhu ❷〔意識·記憶が〕发呆fādāi; 出神chūshén; 模糊móhu ‖ 頭がなんとなく～している 脑子有点儿不清醒
ほうてい【法廷】法庭fǎtíng ‖ ～に出て決着をつける 上法庭去(和他)作一个了结
ほうてい【法定】❖一金利:法定利率 | 一相続人:合法继承人 | 一伝染病:法定传染病
ほうていしき【方程式】方程(式) fāngchéng(shì) ‖ ～を立てる 列方程 | ～を解く 解方程
ほうてき【法的】法律上的fǎlǜ shang de ‖ ～な効力を持たない 不具备法律效力 | ～手段をとる 采取法律手段
ほうでん【放電】(～する)放电fàngdiàn
ぼうと【暴徒】暴徒bàotú
ほうとう【放蕩】放荡fàngdàng ‖ ～三昧(ざんまい) 生活极其放荡 ❖ 一息子:败家子
ほうどう【報道】(～する)报道bàodào ‖ 真実を～する 报道事实 ❖ 一官:新闻发言人 | 一機関:新闻报道机关 | 一規制:新闻管制 | 一陣:报道阵容 | 一番組:新闻报道节目
ぼうとう【冒頭】开头kāitóu; 起首qǐshǒu ❖ 一陳述:开庭陈述
ぼうとう【暴騰】(～する)暴涨bàozhǎng; 猛涨měng zhǎng; 飞涨fēizhǎng
ぼうどう【暴動】暴动bàodòng ‖ ～を起こす 掀起暴动 | ～をしずめる 平息暴动
ぼうとく【冒瀆】(～する)亵渎xièdú; 冒渎màodú
ほうにん【放任】(～する)放任fàngrèn; 放任不管fàngrèn bù guǎn ❖ 一主義:自由放任主义
ほうねつ【放熱】(～する)散热sànrè
ぼうねんかい【忘年会】年终联欢会niánzhōng liánhuānhuì
ほうのう【奉納】(～する)供奉gòngfèng; 奉献fèngxiàn; 敬奉jìngfèng ‖ 神楽を～する 敬奉神舞
ぼうばく【茫漠】广漠guǎngmò; 辽阔liáokuò
ぼうはつ【暴発】(～する)走火zǒuhuǒ
ぼうはん【防犯】防盗fángdào ❖ 一ビデオ:防盗录像 | 一ベル:防盗警报器
ほうび【褒美】奖励jiǎnglì; 奖品jiǎngpǐn; 赞美zànměi ‖ 自分にご～をあげる 犒劳自己
ぼうび【防備】(～する)防备fángbèi ‖ 完全～ 全副武装
ほうふ【抱負】抱负bàofù ‖ ～を語る 谈谈抱负
ほうふ【豊富】丰富fēngfù; 富有fùyǒu ‖ 語いが～だ 词汇丰富
ぼうふ【亡父】先父xiānfù; 先考xiānkǎo
ぼうふ【亡夫】先夫xiānfū
ぼうふ【防腐】防腐fángfǔ ❖ 一剤:防腐剂
ぼうふう【暴風】暴风bàofēng
ぼうふうう【暴風雨】暴风雨bàofēngyǔ ‖ ～に遭う 遇到暴风雨 | ～域に入る 进入暴风雨区域
ぼうふうりん【防風林】防风林fángfēnglín
ほうふく【報復】(～する)报复bàofu ‖ ～が～を呼ぶ 定 冤冤相报 ❖ 一措置:报复措施
ほうふくぜっとう【抱腹絶倒】(～する)捧腹大笑pěngfù dà xiào
ほうふつ【彷彿·髣髴】(～する)仿佛fǎngfú; 好像hǎoxiàng ‖ 娘は亡くなった母親を～とさせる 女儿长得很像她死去的妈妈
ほうぶつせん【放物線】抛物线pāowùxiàn ‖ ～を描く 呈抛物线状
ぼうふら【孑孑】孑孓jiéjué ‖ ～がわく 长出孑孓
ほうべん【方便】定 权宜之计quán yí zhī jì ‖ うそも～ 不说真话有时也是一种权宜之计
ぼうぼ【亡母】亡母wángmǔ; 先母xiānmǔ
ほうほう【方法】方法fāngfǎ; 办法bànfǎ ‖ 最善の～を選ぶ 找出一个最好的办法 ❖ 一論:方法论
ほうぼう【方方】各处gè chù; 到处dàochù ‖ ～をさがしまわる 到处去找
ぼうぼう【茫茫】❶〔果てしない〕茫茫máng-

máng ❷〔草や毛髪〕蓬乱péngluàn ‖ ひげ～ 胡须蓬乱 | 草～の庭 杂草丛生的院子
ほうほうのてい【ほうほうの体】仓皇逃窜cānghuáng táocuàn ‖ ～で逃げ出す 狼狈逃窜
ほうぼく【放牧】(～する)放牧fàngmù
ほうまん【放漫】涣散huànsàn；松弛sōngchí；散漫sǎnmàn ‖ ～な経営 散漫经营
ほうまん【豊満】丰满fēngmǎn；丰盈fēngyíng ‖ ～な肢体 丰盈的体态
ほうむ【法務】法律事务fǎlǜ shìwù；司法事务sīfǎ shìwù ✤ 一局:法务局 | 一省:法务省
ほうむ·る【葬る】❶〔死体や遺骨を〕埋葬máizàng ❷〔隠す〕掩蔽yǎnbì ‖ 闇から闇へ～る 暗中隐藏永不示人 ❸〔社会的立場を失墜させる〕葬送zàngsòng；弃而不顾qì ér búgù ‖ 学界から～られる 断送学术前程
ぼうめい【亡命】(～する)流亡liúwáng；亡命wángmìng ‖ カナダに～する 亡命加拿大 ✤ 一者:流亡者 | 一生活:流亡生活
ほうめん【方面】❶〔その方向〕方向fāngxiàng ‖ 台風が九州～に接近している 台风正在向九州地区靠近 ❷〔分野〕方面fāngmiàn；领域lǐngyù ‖ この～の権威 这方面的权威 | 多～で活躍している 活跃在各个领域中
ほうめん【放免】(～する)释放shìfàng；放掉fàngdiào；使自由shǐ zìyóu
ほうもつ【宝物】宝物bǎowù
ほうもん【訪問】(～する)访问fǎngwèn；拜访bàifǎng ‖ 首相はヨーロッパを～中だ 首相目前正在欧洲访问 ✤ 一客:来客 | 一販売:上门推销
ぼうや【坊や】❶〔幼い男の子〕小宝宝xiǎo bǎobao；小乖乖xiǎo guāiguāi ‖ おたくの～ 您家的小宝宝 ❷〔世慣れていない若い男性〕男孩儿nánháir
ほうやく【邦訳】(～する)日译Rì yì；译成日文yìchéng Rìwén
ほうよう【包容】(～する)包容bāoróng；容纳róngnà；宽容kuānróng ✤ 一力:包容力
ほうよう【抱擁】(～する)拥抱yōngbào；搂抱lǒubào
ほうらく【崩落】(～する)塌落tāluò；垮kuǎ
ぼうらく【暴落】(～する)暴跌bàodiē ‖ 株価が～する 股价暴跌
ほうらつ【放埒】放荡fàngdàng；放纵fàngzòng
ぼうり【暴利】‖ ～をむさぼる 牟取暴利
ほうりこ·む【放り込む】扔进去rēngjinqu；抛进去pāojinqu
ほうりだ·す【放り出す】❶〔外に投げ出す〕扔出去rēngchuqu；抛出去pāochuqu ‖ 車外に～された 被甩出了车外 ❷〔乱暴に置く〕胡乱扔húluàn rēng；放fàng ‖ 本を机の上に～す 把书放到书桌上 ❸〔途中でやめる〕放弃fàngqì；丢开diūkāi ‖ 中国語を途中で～す 学习中文半途而废 ❹〔追い出す〕开除kāichú；解雇jiěgù
ほうりつ【法律】法律fǎlǜ ‖ ～を定める 制定法律 | ～を守る 遵守法律 | ～で禁じる 法律禁止 ✤ 一違反:违法 | 一事務所:律师事务所 | 一相談所:法律咨询处
ほうりな·げる【放り投げる】❶〔投げる〕扔rēng；抛pāo；乱投luàn tóu ‖ 窓から～げる 从窗口扔出去 ❷〔やめる〕放弃fàngqì；放下fàngxia
ぼうりゃく【謀略】策略cèlüè；计谋jìmóu
ほうりゅう【放流】(～する)❶〔水を〕放(水)fàng (shuǐ) ❷〔稚魚などを〕放流fàngliú
ぼうりょく【暴力】暴力bàolì；武力wǔlì ‖ ～に訴える 诉诸武力 | ～を振るう 施加暴力 ✤ 一行為:暴力行为 | 家庭内一:家庭暴力
ボウリング 保龄球bǎolíngqiú
ほう·る【放る】❶〔投げる〕抛pāo；扔rēng ❷〔やめる〕放弃fàngqì；丢开diūkāi；放下fàngxia ❸〔放置する〕放置fàngzhì；搁置gēzhì ‖ 私のことは～っておいてください 别〔不要〕管我；别理我
ボウル 小盆xiǎopén；碗wǎn ✤ サラダー:沙拉碗
ぼうれい【亡霊】幽灵yōulíng；鬼魂guǐhún
ほうれんそう【菠薐草】菠菜bōcài
ほうろう【放浪】(～する)流浪liúlàng；浪迹làngjì ✤ 一癖:流浪成性；流浪癖
ほうろう【琺瑯】珐琅fàláng；搪瓷tángcí
ぼうろん【暴論】暴论bàolùn
ほうわ【飽和】(～する)达到最大限度dádào zuì dà xiàndù；饱和bǎohé ✤ 一状態:饱和状态
ほ·える【吠える】❶〔動物が〕吼hǒu；叫jiào；吠fèi ‖ 遠くでイヌが～えている 远处狗在叫 ❷〔怒鳴る·わめく〕大声喊叫dàshēng hǎnjiào
ほお【頬】〔张〕脸蛋儿liǎndànr；脸颊liǎnjiá；面颊miànjiá ‖ ～をなでる涼風 抚面的凉风 | ～がこける 面容憔悴 | ～がゆるむ 脸上泛起微笑 | 恥ずかしさに～を染める 羞得脸红了
ボーイ ❶〔少年〕男孩儿nánháir；少年shàonián ❷〔ホテルなどの〕男服务生nán fúwùshēng ✤ 一スカウト:童子军 | 一フレンド:男朋友
ポーカー 扑克pūkè ✤ 一フェイス:扑克脸
ボーカル 声乐演唱shēngyuè yǎnchàng.（ボーカリスト）(乐队的)主唱(yuèduì de) zhǔchàng
ボーキサイト 铝土矿lǚtǔkuàng；矾土fántǔ
ポーク 猪肉zhūròu ✤ 一カツレツ:炸猪排 | 一ソテー:西式香煎猪肉 | 一チョップ:猪排骨肉
ホース〔根〕橡皮管xiàngpíguǎn；软管ruǎnguǎn
ポーズ ❶〔姿勢〕姿势zīshì ‖ ～をとる 摆姿势 ❷〔態度〕装样子zhuāng yàngzi
ポーズ 中止zhōngzhǐ；休息xiūxi；停顿tíngdùn
ほおずり【頬擦り】(～する)脸蹭脸liǎn cèng liǎn ‖ 赤ちゃんに～する 用脸蹭婴儿的小脸
ポーター ❶〔駅·ホテルなどの〕行李员xínglìyuán；搬运员bānyùnyuán ❷〔登山〕背夫bèifū
ボーダーライン 边界线biānjièxiàn；界线jièxiàn ‖ 合否の～ 合格线
ボーダーレス 无边界wú biānjiè；无界线wú jièxiàn ‖ 経済の～化 经济全球化
ポータブル 便携式biànxiéshì；手提式shǒutíshì
ポーチ ❶〔建築〕门廊ménláng ❷〔袋〕小包xiǎobāo；坤包kūnbāo；化妆包huàzhuāngbāo
ほおづえ【頬杖】‖ ～をつく 托腮
ボート ❶〔船〕〔只，条〕小船xiǎochuán；小艇xiǎotǐng ‖ ～をこぐ 划船 ❷〔スポーツ〕赛艇sàitǐng ✤ 一レース:划艇比赛 | ドラゴンー:龙舟
ボード〔块〕板bǎn. ✤ 一セーリング:帆板运动
ボーナス〔笔〕奖金jiǎngjīn；期末津贴qīmò jīntiē；特别红利tèbié hónglì ‖ 冬の～ 冬季奖金
ほおば·る【頬張る】大口吃dàkǒu chī

ほおひげ【頰髯·頰髭】络腮胡子luòsāi húzi
ホープ 希望之星xīwàng zhī xīng
ほおべに【頰紅】胭脂yānzhi；腮红sāihóng
ほおぼね【頰骨】颧骨quángu；颊骨jiágǔ‖～の張った顔 颧骨很高的脸
ホーム ❶〔家〕家jiā；家庭jiātíng ❷〔本拠地〕根据地gēnjùdì ❸〔施設〕疗养院liáoyǎngyuàn；孤儿院gū'éryuàn ✤ ータウン：家乡
ホームシック 想家xiǎng jiā；思乡sīxiāng
ホームステイ 家庭寄宿jiātíng jìsù
ホームドラマ 生活剧shēnghuójù
ホーム ページ 主页zhǔyè；首页shǒuyè；网页wǎngyè‖～へもどる 回到主页
ホーム ラン 本垒打běnlěidǎ；全垒打quánlěidǎ
ホームルーム 班会bānhuì
ホームレス 无家可归者wú jiā kě guī zhě
ポーランド 波兰Bōlán
ボーリング（～する）钻探zuāntàn
ホール ❶〔玄関先〕门厅méntīng ❷〔会場·会館〕大厅dàtīng；礼堂lǐtáng
ホール ❶〔穴〕洞dòng；孔kǒng；穴xué ❷〔ゴルフ〕球洞qiúdòng ✤ ーインワン：一击入穴
ボール ❶〔球〕球qiú‖～を投げる 投球 ❷〔野球〕坏球huàiqiú ❸〔球状のもの〕‖ミート～ 肉丸子 ✤ ーボーイ：球童｜フォアー：四次坏球
ポール ❶〔棒·柱〕〔根〕竿gān；杆gān；柱zhù ❷〔スポーツ〕撑杆chēnggān
ボールがみ【ボール紙】纸板zhǐbǎn
ボールペン〔支〕圆珠笔yuánzhūbǐ
ほおん【保温】（～する）保暖bǎonuǎn；保温bǎowēn‖～効果のある下着 保暖内衣
ほか【外·他】❶〔別の〕其他qítā；别的bié de；另外lìngwài‖今度は～の方法でやってみよう 下次用其他方法做做看｜～の日に来てください 你改天再来吧｜～でもない 正是；无疑是 ❷〔別のところ〕别处biéchù‖～では手に入らない 在别的商店买不到 ❸〔…以外に…ない〕除…以外没〔不〕…chú…yǐwài méi〔bù〕…；只有zhǐyǒu‖釣りの～に趣味はない 除了钓鱼没有其他爱好｜自分で行く～ない 我只好自己去 ❹〔…以外に…も〕除…以外也〔还〕…chú … yǐwài yě〔hái〕…‖小説の～にシナリオも書く 除了小说,还写剧本｜給料の～にも収入がある 工资以外,还有其他收入
ぼか ⇨へま
ほかく【捕獲】（～する）❶〔捕らえる〕捕获bǔhuò‖クジラを～する 捕获鲸鱼 ❷〔法律〕(在海上)缴获(zài hǎishang) jiǎohuò ✤ ー高：捕获量
ほかけぶね【帆掛け船】〔只,条〕帆船fānchuán
ぼか·す【暈す】❶〔色·濃淡〕渲染xuànrǎn；虚化xūhuà‖風景を～して撮る 虚化风景拍照 ❷〔態度·言葉〕模糊móhu；暧昧àimèi‖肝心なところが～してある 关键的地方很暧昧
ほかならない【他ならない】❶〔違いない〕就是jiù shì；无非wúfēi ❷〔ほかでもない〕既然是jìrán shì；正因为是zhèng yīnwei shì
ほかほか（～する）暖和nuǎnhuo；热乎乎rèhūhū‖できたて～の肉まん 刚蒸好的热腾腾的肉包子
ぽかぽか ❶（～する）〔暖かいさま〕暖和nuǎnhuo；暖洋洋nuǎnyángyáng‖体が～している 身体很暖和 ❷〔殴るさま〕啪啪pāpā
ほがらか【朗らか】(表情·性格)开朗kāilǎng；快活kuàihuo‖～に笑う 快活地笑
ほかん【保管】（～する）保管bǎoguǎn‖責任を持って～する 负责保管 ✤ ー品：保管物品
ぼかんと 呆呆地dāidāi de；发呆fādāi
ぼき【簿記】簿记bùjì ✤ 商業〔工業〕ー：商业簿记〔工业会计〕
ボキャブラリー 词汇(量) cíhuì(liàng)；语汇yǔhuì‖～が豊富だ 语汇丰富
ほきゅう【補給】（～する）补充bǔchōng；补给bǔjǐ‖物資を～する 补充〔补给〕物资
ほきょう【補強】（～する）加强jiāqiáng；增强zēngqiáng‖路床を～する 加固路基
ぼきん【募金】（～する）募捐mùjuān；募款mùkuǎn
ほきんしゃ【保菌者】带菌者dàijūnzhě
ぼく【僕】我wǒ‖～の話を聞いてください 听我说
ほくい【北緯】北纬běiwěi
ほくおう【北欧】北欧Běi Ōu ✤ ー会議：北欧理事会
ほくげん【北限】北限běixiàn
ボクサー 拳击运动员quánjī yùndòngyuán
ぼくさつ【撲殺】（～する）打死dǎsǐ
ぼくし【牧師】牧师mùshi
ぼくじゅう【墨汁】墨汁mòzhī
ほくじょう【北上】(～する)北进běijìn；北上běishàng‖低気圧が～する 低气压北上
ぼくじょう【牧場】牧场mùchǎng
ボクシング 拳击quánjī
ほぐ·す【解す】❶〔解きほぐす〕理开lǐkāi；解开jiěkāi‖もつれた糸を～す 把乱线理开 ❷〔もみほぐす〕揉开róukāi‖肩の凝りを～す 按摩肩膀发硬的地方 ❸〔やわらげる〕放松fàngsōng；缓解huǎnjiě‖緊張を～す 舒缓紧张｜その場の雰囲気を～す 缓和现场的气氛
ほくせい【北西】西北xīběi
ぼくそう【牧草】牧草mùcǎo ✤ ー地：草场
ほくそえ·む【ほくそ笑む】窃笑qièxiào；心中暗喜xīnzhōng ànxǐ
ぼくちく【牧畜】畜牧(业)xùmù(yè)
ほくとう【北東】东北dōngběi
ぼくどう【牧童】牧童mùtóng.（牧夫）牧人mùrén；牛仔niúzǎi
ほくとしちせい【北斗七星】北斗七星běidǒu qīxīng
ぼくとつ【朴訥】木讷寡言mùnè guǎyán；朴实pǔshí‖～な話しぶり 言谈朴实
ほくぶ【北部】北部běibù
ほくべい【北米】北美洲Běi Měizhōu ✤ ー大陸：北美大陆
ほくほく（～する）❶〔喜ぶさま〕喜洋洋xǐyángyáng；[定]喜笑颜开xǐ xiào yán kāi ❷〔口当たり〕‖～したイモ 松软热乎的白薯
ほくほくせい【北北西】北西北běixīběi；西北偏北xīběi piān běi
ほくほくとう【北北東】北东北běidōngběi；东北偏北dōngběi piān běi
ぼくめつ【撲滅】（～する）消灭xiāomiè；扑灭pūmiè‖がん～運動 消灭癌症的运动；抗癌运动｜

悪を～する 把邪恶一扫而光

ほくよう【北洋】北洋běiyáng; 北海běihǎi ✤ 一漁業:北太平洋渔业 | 一軍閥:北洋军阀

ほぐ·れる【解れる】❶〔ほどける〕解开jiěkāi; 打开dǎkāi ‖ 糸が～れた 线(松)开了 ❷〔やわらぐ·消える〕(気分)轻松qīngsōng; 舒畅shūchàng. (凝り)缓解huǎnjiě

ほくろ【黒子】黑痣hēizhì; 美人痣měirénzhì

ぼけ【惚け】❶〔ぼけること〕脑子糊涂nǎozi hútu; 昏聩hūnkuì ‖ 休み～で頭が働かない 假期后,头脑反应慢 ❷〔漫才のボケ役〕捧哏pěnggén

ほげい【捕鯨】捕鲸bǔ jīng ✤ 一水域:捕鲸范围 | 一船:捕鲸船 | 調査一:调查捕鲸

ぼけい【母系】母系mǔxì ✤ 一社会:母系社会

ほけつ【補欠】❶〔欠員を補う〕补缺bǔquē; 补充bǔchōng. (人)候补(者) hòubǔ(zhě) ‖ ～入学 候补入学 ❷〔補欠選手〕替补〔候补〕选手tìbǔ〔hòubǔ〕xuǎnshǒu ✤ 一選挙:补选

ぼけつ【墓穴】墓穴mùxué ‖ みずから～を掘る 自掘坟墓

ポケット 衣兜yīdōu; 口袋kǒudai ‖ ～にしまう 放到口袋里 | ～に両手をつっこんで歩く 把两手揣在兜里走路 ✤ 一版:袖珍版 | 一マネー:零用钱

ぼ·ける【惚ける】年老昏聩nián lǎo hūnkuì; 脑子糊涂nǎozi hútu

ぼ·ける【暈ける】模糊不清móhu bù qīng; 不鲜明bù xiānmíng ‖ 論点が～けている 论点不清楚

ほけん【保健】保健bǎojiàn ‖ ～衛生 保健卫生 ✤ 一所:保健所〔站〕| 一体育:保健体育

ほけん【保険】保险bǎoxiǎn ‖ ～に加入する 投保; 加入保险 | ～を解約する 解除保险 | 船荷〔車〕に～をかける 给船货〔车〕上保险 ✤ 一医:医疗保险医生 | 一勧誘員:保险推销员 | 一期間:保险期间 | 一金:保险金 | 一契約:保险合同 | 一証書:保险证 | 一代理店:保险代理机构 | 一料:保险费

ほこ【矛·鉾】戈gē. 喩 武器wǔqì ‖ 両者は～をおさめて和解した 双方停战并和解了

ほご【反故】❶〔いらなくなった紙〕〔张,叠〕废纸fèizhǐ ❷〔不要なもの〕‖ 約束を～にする 毁约

ほご【保護】(～する)保护bǎohù ‖ 警察に～を求める 请求警察给予保护 ✤ 一者:保护人; (家庭)家长 | 一者会:家长会 | 一鳥:受保护的鸟类

ほご【補語】补语bǔyǔ

ほこう【歩行】(～する)步行bùxíng; 走路zǒulù ‖ ～が困難だ 走路困难 ✤ 一器:助行器 | 一者:行人; 步行者 | 一者天国:步行街

ほこう【補講】补课bǔkè

ぼこう【母校】母校mǔxiào

ぼこく【母国】祖国zǔguó ✤ 一語:母语

ほこさき【矛先】❶〔刃物の先端〕矛锋máofēng ❷〔比ゆ的表現〕矛头máotóu ‖ 非難の～を政府に転じる 把谴责的矛头转向政府

ほこら【祠】〔座〕祠堂cítáng; 小庙xiǎomiào

ほこらし·い【誇らしい】感到自豪〔骄傲; 光荣〕gǎndào zìháo〔jiāo'ào; guāngróng〕‖ ～げに胸を張る 骄傲地挺起胸膛

ほこり【埃】灰尘huīchén; 尘土chéntǔ ‖ 上着の～を払う 掸掉上衣上的灰尘 | 風で～が立つ 风刮起尘土 | 本棚の～をふく 擦去书架上的尘埃

ほこり【誇り】❶〔誇らしい気持ち〕自豪(感) zìháo(gǎn); 骄傲jiāo'ào; 荣誉(感) róngyù(gǎn) ‖ 自分の職業に～を持っています 我对自己的职业感到自豪 | きみは国の～だ 你是国家的骄傲 ❷〔プライド〕自尊心zìzūnxīn ‖ ～を傷つける 伤害自尊心 | ～高い民族 自尊心很强的民族

ほこ·る【誇る】自豪zìháo; 夸耀kuāyào ‖ 自分の手柄を～る 夸耀自己的功绩 | 日本一の高さを～るビル 号称是日本第一高的大厦

ほころ·びる【綻びる】❶〔縫いめ〕绽线zhàn xiàn; 开绽kāizhàn ‖ スカートのすそが～びた 裙子的下摆绽线了 ❷〔つぼみ〕开花kāihuā ‖ サクラの花が～び始めた 樱花开始开放了 ❸〔顔の表情〕微笑wēixiào ‖ 顔が～ぶ 脸上露出微笑

ほさ【補佐】(～する)辅助fǔzhù; 辅佐fǔzuǒ ‖ 校長を～する 辅助校长 ✤ 大統領一官:总统助理

ぼさつ【菩薩】菩萨púsa

ぼさぼさ 乱蓬蓬luànpēngpēng; 蓬乱péngluàn

ほし【星】❶〔天体〕〔颗〕星星xīngxing ‖ 満天の～ 满天的星星 | ～の数ほどある 多如繁星 ❷〔人〕明星míngxīng; 新秀xīnxiù ❸〔運勢〕命mìng; 命运mìngyùn ‖ ～を占う 占星 ❹〔相撲〕得分défēn ‖ 白〔黒〕～ 获胜〔败北〕❺〔容疑者〕嫌疑犯xiányífàn; 犯人fànrén

ほじ【保持】(～する)保持bǎochí ‖ 世界記録～者 世界记录保持者

ぼし【母子】母子mǔzǐ ✤ 一家庭: (母子)单亲家庭 | 一手帳:母子保健手册

ほし·い【欲しい】❶〔手に入れたい〕要yào; 想要xiǎng yào ‖ ～いものをあげよう 你要什么就给你什么 | もう少し時間が～い 希望再多给我一点儿时间 ❷〔望む·望ましい〕希望xīwàng; 要yào ‖ 早く春が来て～い 我盼望春天快点儿来 | この件は私にまかせて～い 这件事希望你交给我去办

ほしいまま【縦·恣】任意rènyì; 定 随心所欲suí xīn suǒ yù ‖ ～に振る舞う 定 为所欲为 | 名声を～にする 名声大噪

ほしうらない【星占い】占星术zhānxīngshù

ポシェット 小挎包xiǎo kuàbāo

ほしが·る【欲しがる】想要xiǎng yào ‖ おもちゃばかり～る 就想要玩具

ほしくさ【干し草】干草gāncǎo

ほじく·る【穿る】❶〔指などで〕抠kōu; 挖wā ‖ 鼻くそを～る 抠鼻屎 | カニの身を～って食べる 挖蟹肉吃 ❷〔執ように探る〕定 追根问底zhuī gēn wèn dǐ; 定 吹毛求疵chuī máo qiú cī

ポジション ❶〔地位〕地位dìwèi; 职位zhíwèi ❷〔スポーツ〕位置wèizhi; 站位zhànwèi

ほしぞら【星空】星空xīngkōng

ポジティブ ❶〔フィルム〕正片zhèngpiàn ❷〔積極的〕积极(的) jījí (de); 肯定(的) kěndìng (de) ‖ ～な考え方 积极的想法

ほしぶどう【干し葡萄】葡萄干pútaogān

ほしゃく【保釈】(～する)保释bǎoshì ‖ 被告人を～する 保释被告人 | ～を認めない 不同意保释 ✤ 一金:保释金 | 一申請:保释申请

ほしゅ【保守】❶(～する)〔機械などの〕保修bǎoxiū; 维修wéixiū ‖ ～点検を行う 进行维修检

査 ❷〔伝統などを守る〕保守bǎoshǒu ❖一陣営:保守阵营｜一勢力:保守势力
ほしゅう【補修】(〜する)修补xiūbǔ; 维修wéixiū ‖ 道路は現在〜工事中だ 那条道路正在修整施工中
ほしゅう【補習】(〜する)补习bǔxí ‖ 〜を受ける〔する〕 接受〔进行〕补课
ほじゅう【補充】(〜する)补充bǔchōng; 补足bǔzú ‖ 人員を〜する 补充人员｜スタンプのインクを〜する 补充印章墨水
ぼしゅう【募集】(〜する)招收zhāoshōu; 招聘zhāopìn ‖ 〜人員 招收名额｜恋人〜中 正在找对象｜生徒〜中 正在招生｜アルバイト〜 招聘小时工 ❖一要項:招收简章｜2次一:第二次招收
ほじょ【補助】(〜する)补贴bǔtiē; 补助bǔzhù; 辅助fǔzhù ‖ 〜的役割を果たす 起辅助作用 ❖一いす:加座｜一金:补助费｜一輪:辅助车轮｜栄養一食品:营养补充食品
ほしょう【保証】(〜する)保证bǎozhèng ‖ 彼の人物は私が〜する 我保证他是可以信赖的人｜1年間の〜つき 有一年保修期 ❖一金:保证金｜一書:(不動産の)保证书;(製品の)保修单｜一人:担保人;保证人｜支払一小切手:保付支票
ほしょう【保障】(〜する)保障bǎozhàng ‖ 基本的人権は憲法で〜されている 基本人权受到宪法的保障
ほしょう【補償】(〜する)赔偿péicháng; 补偿bǔcháng ‖ 戦後〜の問題 战后赔偿的问题 ❖一金:赔偿金｜一融資:补偿融资
ぼしょく【暮色】暮色mùsè; 黄昏huánghūn ‖ 〜が迫っている 黄昏降临
ほじ・る【穿る】⇨ほじくる(穿る)
ほしん【保身】护身hù shēn; 保身bǎo shēn
ほ・す【干す】❶〔乾かす〕晒干shàigān; 晾干liànggān ‖ 布団を〜す 晒棉被｜洗濯物を〜す 晾衣服 ❷〔飲み干す〕喝干hēgān ❸〔仕事を与えない〕不给工作bù gěi gōngzuò
ボス (会社等の)老板lǎobǎn; 上司shàngsi. (親分)头目tóumù; 头儿tóur ‖ 〜はアメリカ人だ 老板是美国人 ❖一ザル:猴子王
ポスター〔张〕海报hǎibào; 招贴zhāotiē
ホステス ❶〔接待役の女性〕女主人nǚzhǔren ❷〔バーなどの〕小姐xiǎojie
ホスト 主人zhǔren ‖ パーティーの〜をつとめる 作晚会的主人 ❖一クラブ:男招待俱乐部｜一国:东道国｜一コンピューター:主机｜一ファミリー:寄宿家庭
ポスト ❶〔郵便〕(家庭等の)邮箱yóuxiāng.(公共の)邮筒yóutǒng ❷〔地位〕地位dìwèi; 岗位gǎngwèi; 职位zhíwèi ‖ 重要な〜に就く 登上要职 ❸〔…のあと〕…后… hòu; 次…cì … ‖ 〜冷戦の世界 冷战后的世界
ボストンバッグ 波士顿包bōshìdùnbāo
ボスニア・ヘルツェゴビナ 波黑Bō Hēi
ホスピス 临终关怀医院〔设施〕línzhōng guānhuái yīyuàn〔shèshī〕
ほせい【補正】(〜する)修正xiūzhèng; 调整tiáozhěng; 弥补míbǔ ‖ 誤差を〜する 修正误差 ❖一予算:补充预算
ほぜい【保税】保税bǎoshuì ❖一貨物:关栈货物｜一倉庫:保税仓库｜一地域:保税区
ぼせい【母性】母性mǔxìng ❖一愛:母爱;母性爱｜一本能:母性本能
ほぜん【保全】(〜する)维护wéihù; 保护bǎohù ‖ 領土を〜する 维护领土完整｜文化財〜につとめる 努力保护文化财产
ぼぜん【墓前】墓前mùqián; 坟前fénqián
ほぞ【臍】‖ 〜をかむ 后悔｜〜を固める 下定决心
ほそ・い【細い】❶〔直径が短い〕细xì;(体が)瘦shòu ‖ 〜い糸 细线｜首が〜い 脖子细｜鉛筆を〜く削る 削细铅笔 ❷〔幅が狭い〕狭窄xiázhǎi ‖ 〜い道 狭窄的道路 ❸〔比ゆ的に〕微弱wēiruò; 细微xìwēi ‖ か〜い声 定 细声细气｜神経が〜い 神经纤细｜食が〜い 饭量小
ほそう【舗装】(〜する)铺路pūlù ‖ 未〜の道 土道 ❖一工事:铺路工程｜一道路:柏油马路
ほそおもて【細面】瓜子脸guāzǐliǎn
ほそく【補足】(〜する)补充bǔchōng; 补足bǔzú ‖ 〜説明する 补充说明
ほそなが・い【細長い】细长xìcháng ‖ 〜い顔 细长的脸｜部屋が〜い 房间狭长
ほそぼそ【細細】❶〔非常に細い〕细长xìcháng ❷〔かろうじて〕勉强miǎnqiǎng; 将就jiāngjiu; 凑合còuhe ‖ 年金で〜と暮らす 靠养老金勉强度日｜〜と商売を続ける 凑合维持生意
ぼそぼそ ❶〔声〕嘁qī; 嘀咕dígu ‖ 〜話す 嘁嘁低语 ❷〔水分がない〕干巴gānba
ほそみ【細身】❶〔刀など〕‖ 〜の刀 窄身的刀 ❷〔体など〕瘦shòu ‖ 〜のズボン 瘦裤子
ほそ・める【細める】使细shǐ xì; 弄细nòngxì ‖ 蛇口を〜める 把水龙头关小｜目を〜めて見る 眯缝着眼睛看
ほそ・る【細る】❶〔細くなる・やせる〕消瘦xiāoshòu; 瘦弱shòuruò ‖ 心配で身も〜る思いだ 担心得身体都消瘦了 ❷〔弱る・少なくなる〕变弱biànruò; 变小biànxiǎo ‖ 食が〜った 饭量变小了
ほぞん【保存】(〜する)保存bǎocún ‖ 原稿をフロッピーに〜する 把稿子保存在磁盘里｜〜状態がいい 保存状态良好
ポタージュ 浓汤nóngtāng; 羹gēng
ぼたい【母体】❶〔母の体〕母体mǔtǐ ❷〔もとになるもの〕基础jīchǔ; 母体mǔtǐ; 基地jīdì
ぼたい【母胎】❶〔母親の胎内〕母胎mǔtāi ❷〔もとになるもの〕基础jīchǔ
ぼだいじゅ【菩提樹】〔棵〕菩提树pútíshù
ほださ・れる【絆される】碍于情面àiyú qíngmian ‖ 母の情に〜れた 碍于母亲的情面｜熱意に〜れる 被(他的)热忱所感动
ほたてがい【帆立貝】扇贝shànbèi
ぽたぽた 滴答dīdā
ほたる【蛍】〔只〕萤火虫yínghuǒchóng ‖「〜の光」を歌う 唱《友谊地久天长》 ❖一狩り:捕萤
ぼたん【牡丹】牡丹mǔdan ❖一雪:鹅毛大雪
ボタン ❶〔衣服などの〕纽扣niǔkòu; 扣子kòuzi ‖ 上着の〜をかける 扣上上衣的扣子｜〜をはずす 解开纽扣｜〜がとれそうだ 这颗扣子要掉了｜〜をかけ違える 扣子扣错了 ❷〔スイッチ〕按钮ànniǔ ‖ 〜を押す 按按钮 ❖一穴:扣眼
ぼち【墓地】墓地mùdì
ほちゅうあみ【捕虫網】捕虫网bǔchóngwǎng

ほちょう【歩調】步调bùdiào；步伐bùfá‖ほかの人と～を合わせる 跟上别人的步调｜～を速め〔緩め〕る 加快〔放缓〕步伐｜～がそろわない 步调不一致

ほちょうき【補聴器】助听器zhùtīngqì‖～をつける 戴助听器

ぼつ【没】❶〔死ぬこと〕死sǐ ❷〔不採用〕不采用bù cǎiyòng‖原稿が～になった 稿子没被采用 ❸〔…がない〕没有méiyou‖～個性的な 没有个性的

ぼっか【牧歌】‖～的風景 田园诗般的风景

ぽっかり ❶〔穴があいている〕张开口zhāngkāi kǒu‖心に～穴があいたようだ 心里空荡荡的 ❷〔浮かんでいる〕轻轻飘浮qīngqīng piāofú‖青空に白い雲が～浮かんでいる 蓝天上飘浮着白云

ほっき【発起】(～する)发起fāqǐ；决心juéxīn‖一念～する 下定决心 ✤一人:发起人

ぼっき【勃起】(～する)勃起bóqǐ

ほっきょく【北極】北极běijí ✤一海:北冰洋｜一圏:北极圈｜一星:北极星｜一点:北极点｜一回り:环绕北极

ホック 摁扣儿ènkòur；对扣duìkòu‖服の～をとめる〔はずす〕 按上〔解开〕衣服的摁扣儿

ボックス ❶〔箱〕箱子xiāngzi；盒hé；匣xiá ❷〔席〕包厢bāoxiāng ❸〔野球〕‖バッター～ 击球员区 ✤ 収納一:收纳盒

ホッケー 曲棍球qūgùnqiú ✤アイスー:冰球

ぼっこう【勃興】(～する)蓬勃发展péngbó fāzhǎn；兴起xīngqǐ；勃兴bóxīng‖中国の～ 中国的蓬勃发展｜新勢力が～する 新势力崛起

ぼっこうしょう【没交渉】没来往méi láiwang；没关系méi guānxi

ほっさ【発作】发作fāzuò‖ぜん息の～ 哮喘发作｜～的な犯行 突发性犯罪｜～的に笑い出す 突然笑起来

ぼっしゅう【没収】(～する)没收mòshōu‖全財産を～される 全部财产被没收了

ほっしん【発疹】⇨はっしん(発疹)

ほっ·する【欲する】希望xīwàng‖自分の～するがままに行動する 随心所欲地行动｜～すると～せざるとにかかわらず 不管愿意不愿意

ぼっ·する【没する】❶〔沈む〕沉没chénmò ❷〔沈める〕埋没máimò ❸〔死ぬ〕死去sǐqu

ほっそく【発足】(～する)开始活动kāishǐ huódong；成立chénglì‖新内閣が～した 新内阁成立了

ほっそり 纤细xiānxì；苗条miáotiao‖～した体つき 苗条的身段｜～とした指 纤细的手指

ポツダムせんげん【ポツダム宣言】波茨坦宣言Bōcítǎn Xuānyán

ほったらか·す 弃置不顾qìzhì búgù；丢在一边不理diūzai yìbiān bù lǐ‖子どもを～す 不管孩子｜仕事を～しにする 放手不管工作

ほったん【発端】开端kāiduān；开始kāishǐ；起源qǐyuán‖事の～ 事情的开端

ホッチキス ⇨ステープラー

ぽっちゃり 胖乎乎pànghūhū‖～めの女性 稍微胖一点儿的女性

ぼっちゃん【坊ちゃん】❶〔他人の男の子〕小朋友xiǎopéngyǒu；小男孩xiǎo nánhái ❷〔世間知らず〕少爷shàoye；公子哥儿gōngzǐgēr‖～育ち 少爷出身 ✤一刈り:男童头

ほっと ❶〔息をつく〕‖～ため息をつく 轻轻地叹气 ❷(～する)〔安心〕放心fàngxīn；轻松qīngsōng‖～胸をなでおろす 放下心来｜コーヒーで～一息ついた 喝杯咖啡歇口气

ホット ❶〔熱い〕热的rè de‖コーヒーは～でいいですか 咖啡要热的吗？ ❷〔最新〕最新zuì xīn ❸〔熱烈〕激烈的jīliè de；强烈的qiángliè de ✤一ニュース:最新消息｜一ライン:热线；专线

ぽっと ❶〔赤くなる〕‖～赤くなった 一下子脸就红了 ❷〔明るくなる〕灯亮dēng liàng‖明かりが～ついた 突然灯亮了

ポット ❶〔魔法瓶〕〔只〕热水瓶rèshuǐpíng ❷〔つぼ形の容器〕〔把〕壶hú‖～でお茶をいれる 用壶沏茶 ✤コーヒー一:咖啡壶

ぼっとう【没頭】(～する)埋头máitóu；定专心致志zhuān xīn zhì zhì‖研究に～する 专心致志地从事研究

ホットケーキ 热蛋糕rèdàngāo

ぽっとで【ぽっと出】初出茅庐chū chū máo lú

ホットドッグ 热狗règǒu

ぼつねんと(～する)独自一人dúzì yì rén；孤单单地gūdāndān de

ぼっぱつ【勃発】(～する)爆发bàofā；突然发生tūrán fāshēng‖戦争が～した 战争爆发了

ホップ ❶〔植物〕忽布hūbù；啤酒花píjiǔhuā ❷〔跳ぶ〕单脚跳dānjiǎotiào

ポップコーン 爆玉米花bàoyùmǐhuā

ポップス 流行音乐liúxíng yīnyuè

ほっぺた【頰っぺ(た)】〔张〕脸蛋儿liǎndànr‖リンゴのような真っ赤な～ 苹果似的红脸蛋儿

ほっぽう【北方】北方běifāng；北面běimiàn

ぼつぼつ ❶〔そろそろ〕就要jiù yào；快要kuàiyào‖～出かけましょうか 差不多了，出发吧 ❷〔点々·つぶつぶ〕点点diǎndiǎn；小斑点xiǎo bāndiǎn ❸〔少しずつ〕渐渐jiànjiàn；慢慢儿mànmānr‖人が～集まりはじめた 人慢慢儿到齐了

ぽつぽつ ❶〔点々〕点点diǎndiǎn；小疙瘩xiǎo gēda‖顔に～ができた 脸上起了小疙瘩 ❷〔雨が〕稀稀拉拉xīxilālā

ぼつらく【没落】(～する)没落mòluò；衰败shuāibài‖旧家が～する 古老的家族没落

ほつ·れる【解れる】绽线zhànxiàn；绽开zhànkāi.〔髪の毛が〕松散sōngsǎn；松开sōngkāi‖縫い目が～れる 接缝儿绽线了

ボツワナ 博茨瓦纳Bócíwǎnà

ボディー ❶〔人体〕身体shēntǐ；胴体dòngtǐ ❷〔車や飛行機など〕车身chēshēn；机身jīshēn

ボディーガード 保镖bǎobiāo；护卫hùwèi

ボディーチェック 安全检查ānquán jiǎnchá‖～を受ける 接受安全检查

ボディービル 健美运动jiànměi yùndòng

ボディーランゲージ 肢体语言zhītǐ yǔyán

ポテト 土豆tǔdòu；马铃薯mǎlíngshǔ

ポテトチップス 炸薯片zháshǔpiàn

ほて·る【火照る】发热fārè；发烧fāshāo‖体が～る 身上直发热

ホテル 宾馆bīnguǎn；饭店fàndiàn；酒店jiǔdiàn

‖～に泊まる 住宾馆｜駅の近くに～をとる 在车站附近预定宾馆 ✤—マン:酒店管理人员

ほてん【補塡】(～する)填补tiánbǔ; 弥补míbǔ ‖損失を～する 弥补损失｜赤字を～する 填补亏空

ほど【程】❶〔程度·具合〕甚至shènzhì; 那样的nàyàng de; …得……de … ‖足が痛くなる～歩いた 走得脚都痛了｜忙しいという～でもない 并不忙｜心配する～のけがではない 区区小伤,不足挂心｜死ぬ～のことはない 不至于去死｜真偽の～はわからない 是真是假很难说 ❷〔比較〕没有比…更…méiyou bǐ … gèng…; 不像那么bú xiàng nàme ‖兄は妹～成績がよくない 哥哥没有妹妹成绩好｜思った～大変ではない 并不像想的那么困难｜健康～ありがたいものはない 没有比健康更可贵的了 ❸〔比例〕越…越…yuè … yuè … ‖考えれば考える～難しい 越考虑越难｜まじめな人～心の病にかかりやすい 越认真的人越容易精神出问题 ❹〔限度·適度〕限度xiàndù; 适度shìdù ‖身の～をわきまえなさい 人贵有自知之明｜あつかましいにも～がある 厚颜无耻也有限度 ❺〔およそ·約〕大致dàzhì; 大约dàyuē; 左右zuǒyòu ‖返事は3日～待ってください 等两三天我再答复你

ほどう【歩道】〔条〕人行道rénxíngdào ✤—橋:人行天桥｜動く—:自动人行道

ほどう【補導】(～する)辅导fǔdǎo; 教导jiàodǎo ‖非行少年を～する 教导失足青少年

ほど·く【解く】解开jiěkāi; 拆开chāikāi ‖結びめを～く 解开绳扣｜包みを～く 拆开包裹

ほとけ【仏】❶〔仏陀ぶっだ〕佛fó ‖～心を出す 心慈手软｜～の顔も3度 容忍有度,事不过三｜知らぬが～ 定眼不见,心不烦 ❷〔故人〕死者sǐzhě

ほどこ·す【施す】❶〔恵み与える〕施舍shīshě; 周济zhōujì ❷〔行う〕实行shíxíng; 施行shīxíng; 实施shíshī ‖あらゆる手段を～す 千方百计｜手の～しようがない 束手无策 ❸〔慣用表現〕‖面目を～す 保全面子

ほどとお·い【程遠い】相当远xiāngdāng yuǎn ‖満足というには～い 离满意还差得远｜合格には～い 离合格还相当远

ほととぎす【時鳥·不如帰】杜鹃dùjuān

ほどなく【程無く】不久bùjiǔ

ほとばし·る【迸る】迸出bèngchu; 涌出yǒngchu; 溅出jiànchu

ほとほと 实在shízài; 非常fēicháng ‖今の生活が～いやになった 对现在的生活非常厌烦

ほどほど【程程】适度shìdù; 定恰如其分qià rú qí fèn ‖酒は～にしておけ 喝酒必须适度

ほとぼり 余热yúrè; 余波yúbō; 余势yúshì ‖興奮の～はまださめていない 兴奋的余热尚未退尽｜～がさめる (事件)平息下来

ボトム ❶〔物の〕底dǐ; 下部xiàbù ❷〔服飾〕裤子kùzi; 裙子qúnzi ✤—アップ:下情上达

ほどよ·い【程好い】恰好qiàhǎo; 适当shìdàng ‖～く煮えている 煮得很是火候｜～いお湯加減 热水的温度正好

ほとり【辺り】旁边pángbiān; 畔pàn ‖池の～に家がある 池塘旁边有房子｜湖の～ 湖边

ボトルキープ (～する)寄存酒jìcún jiǔ

ボトルネック 瓶颈píngjǐng; 障碍zhàng'ài ‖～を解消する 排除障碍

ほとんど【殆ど】❶〔もう少しで〕几乎jīhū; 差一点儿chà yìdiǎnr ‖空腹と疲労で～倒れそうだった 因饥饿和疲劳几乎要倒下了 ❷〔おおかた〕大部分dà bùfen; 基本上jīběnshang; 几乎jīhū ‖昨夜は～寝ていない 昨晚几乎都没睡｜～の人が賛成した 大部分的人都赞成｜仕事は～片づいた 该干的工作基本上都干完了

ポニーテール 马尾辫mǎwěibiàn

ほにゅう【哺乳】哺乳bǔrǔ ✤—動物:哺乳动物｜—瓶:奶瓶｜—類:哺乳类

ぼにゅう【母乳】母乳mǔrǔ

ほね【骨】❶〔動物や人間の〕骨头gǔtou ‖魚の～ 鱼刺｜足の～ 腿骨｜寒くて～の髄まで冷えきっている 寒冷彻骨｜～と皮ばかりにやつれる 瘦得皮包骨 ❷〔中心·支え〕骨架gǔjià ‖傘の～ 伞骨 ❸〔気骨〕骨气gǔqì ‖あれは～のある人物だ 他是个很有骨气的人 ❹〔慣用表現〕‖中国に～を埋める 一辈子在中国生活｜～までしゃぶられる 受尽剥削｜～になる 死去｜～の髄まで 彻底

ほねおしみ【骨惜しみ】(～する)不肯吃苦bù kěn chīkǔ ‖～せず働く 不辞辛苦地工作

ほねおり【骨折り】努力nǔlì; 辛劳xīnláo ‖お～に感謝します 承蒙您帮助,不胜感激

ほねおりぞん【骨折り損】白费劲bái fèijìn; 徒劳túláo ‖～のくたびれもうけ 定徒劳无益

ほねぐみ【骨組み】❶〔物や人の骨格〕骨骼gǔgé; 骨架gǔjià ‖この家は～がしっかりしている 这个房子骨架结实 ❷〔組み立て〕结构jiégòu; 大纲dàgāng ‖計画の～ができた 完成了计划大纲

ほねつぎ【骨接ぎ】接骨jiēgǔ; 正骨zhènggǔ ✤—医:接骨医生

ほねぬき【骨抜き】❶〔魚の〕去掉骨头qùdiào gǔtou; 去掉鱼刺qùdiào yúcì ❷〔気骨がない〕‖わいろで～にされた 因受贿而丧失原则

ほねみ【骨身】骨肉gǔròu; 全身quánshēn ‖北風が～にしみた 北风刺骨｜教訓が～にしみた 这个教训让我刻骨铭记

ほねやすめ【骨休め】(～する)休息xiūxi; 休养xiūyǎng; 放松fàngsōng

ほのお【炎】火焰huǒyàn; 火苗huǒmiáo ‖～に包まれる 被火焰包围｜恋の～に身をこがす 爱得如痴如狂｜しっとの～を燃やす 嫉火中烧

ほのか【仄か】略微lüèwēi; 隐约yǐnyuē ‖遠くに～な光が見えた 能看到远处影影绰绰的亮光｜花の香りが～に漂ってきた 隐约飘来一阵花香

ほのぐら·い【仄暗い】昏暗hūn'àn; 暗淡àndàn ‖まだ～いうちに 天色还昏暗的时候

ほのぼの【仄仄】温暖wēnnuǎn ‖～とした味わい 温馨的感觉

ほのめか·す【仄めかす】暗示ànshì; 委婉说出wěiwǎn shuōchu ‖引退を～す 流露引退之意

ほばしら【帆柱】〔根〕桅杆wéigān

ほはば【歩幅】步幅bùfú ‖～を広げる 加大步幅

ぼひ【墓碑】〔块,座〕墓碑mùbēi ✤—銘:墓志铭

ポピー 罂粟花yīngsùhuā

ポピュラー 大众化的dàzhònghuà de; 通俗的tōngsú de ✤—ミュージック:流行音乐

ほふ【保父】⇨ほいく(保育)「—士」

ほふく【匍匐】(～する)匍匐púfú

ボブスレー 有舵雪橇yǒuduò xuěqiāo
ポプラ 杨树yángshù ‖ ～並木 杨树的林阴道
ほへい【歩兵】✣一銃:步枪｜一隊:步兵部队
ほぼ【保母】⇨ほいく(保育)「一士」
ほぼ【略・粗】大致dàzhì; 基本上jīběnshang ‖ 新社屋が～完成した 公司的新大楼基本上建好了
ほほえまし・い【微笑ましい】使人欣慰的shǐ rén xīnwèi de; 逗人笑的dòu rén xiào de
ほほえみ【微笑み】微笑wēixiào ‖ ～をたたえる 满脸微笑；笑容满面
ほほえ・む【微笑む】微笑wēixiào ‖ にこやかに～む 满脸堆起了笑容
ポマード 发蜡fàlà; 发膏fàgāo
ほまれ【誉れ】名誉míngyù; 荣誉róngyù; 赞誉zànyù ‖ 美人の～高い先生 被赞誉为美女的老师
ほめたた・える【褒め称える】称赞chēngzàn; 赞扬zànyáng
ほ・める【褒める・誉める・賞める】表扬biǎoyáng; 夸奖kuājiǎng ‖ 父はめったに～めてくれない 父亲极少夸奖我｜～められた話ではない 那不是值得称赞的好事
ホモ 男同性恋(者) nán tóngxìngliàn(zhě)
ホモサピエンス 人(类) rén(lèi); 智人zhìrén
ぼや【小火】小火灾xiǎo huǒzāi
ぼや・く 嘟哝dūnong; 发牢骚fā láosao
ぼや・ける 模糊(不清) móhu (bù qīng)
ほやほや ❶〔暖かい〕热乎乎rèhūhū; 热气腾腾rèqì téngténg ‖ できたての～ 刚出锅,热气腾腾的 ❷〔…したて〕刚刚gānggang ‖ 新婚～ 他们俩是新婚燕尔
ぼやぼや 发呆fādāi; 定 呆头呆脑dāi tóu dāi nǎo ‖ ～している暇はない 没时间发呆
ほゆう【保有】(～する)持有chíyǒu; 拥有yōngyǒu ✣一地:所持土地
ほよう【保養】❶(～する)〔体を養う〕保养bǎoyǎng; 疗养liáoyǎng ‖ 病後の～ 病后疗养 ❷〔見て楽しむ〕眼福yǎnfú ‖ 目の～ 大饱眼福 ✣一所:疗养院〔所〕｜一地:疗养地
ほら【法螺】定 夸大其词kuā dà qí cí ‖ ～を吹く 说大话；吹牛 ✣一吹き:好吹牛的人
ほら 瞧qiáo; 喂wèi ‖ ～,ごらん 喂！你看｜～,鳥が鳴いている 你听！小鸟在叫呢
ホラー ✣一映画:恐怖片｜一小説:恐怖小说
ほらあな【洞穴】洞穴dòngxué
ポラロイドカメラ 宝丽来照相机 Bǎolìlái Zhàoxiàngjī
ボランティア 志愿(者) zhìyuàn(zhě); 自愿(者) zìyuàn(zhě) ✣一活動:社会福利活动；义务活动｜一精神:义务服务精神
ほり【堀】❶〔城などの〕〔条〕护城河hùchénghé ❷〔溝〕沟渠gōuqú
ほりあ・てる【掘り当てる】掘到juédào; 挖到wādào; 发现fāxiàn ‖ 油田を～てる 发现油田
ポリープ 息肉xīròu
ポリウレタン 聚亚胺酯jùyà'ànzhǐ
ポリエステル 聚酯jùzhǐ
ポリエチレン 聚乙烯jùyǐxī
ポリオ 脊髓灰质炎jǐsuǐ huīzhìyán; 小儿麻痹症xiǎo'ér mábìzhèng
ほりおこ・す【掘り起こす】❶〔土地を〕挖wā; 挖掘wājué ❷〔掘り出す〕掘出juéchu; 挖掘wājué; 挖起wāqi ‖ チューリップの球根を～す 掘出〔挖起〕郁金香的球茎
ほりかえ・す【掘り返す】❶〔土を〕翻掘fānjué ❷〔再度掘る〕重挖chóng wā ‖ 道路を～す 重新挖开地面 ❸〔蒸し返す〕重提chóng tí
ほりさ・げる【掘り下げる】❶〔深く究明する〕深究shēnjiū; 深入shēnrù ❷〔深く掘る〕深挖shēn wā ‖ 穴を～げる 深挖洞
ポリシー ❶〔政策〕政策zhèngcè ❷〔方針〕方针fāngzhēn ‖ 自分の～ 自己的原则
ほりだしもの【掘り出し物】偶然得到的珍品〔便宜货〕ǒurán dédào de zhēnpǐn〔piányihuò〕
ほりだ・す【掘り出す】挖出wāchu; 发掘fājué
ほりぬ・く【掘り抜く】挖通wātōng
ポリバケツ 塑料(水)桶sùliào(shuǐ)tǒng
ボリビア 玻利维亚Bōlìwéiyà
ポリぶくろ【ポリ袋】塑料袋sùliàodài
ポリプロピレン 聚丙烯jùbǐngxī
ぽりぽり ❶〔ひっかく〕抓挠zhuānao ‖ 頭を～かく 挠脑袋 ❷〔かみ砕く〕咯嘣咯嘣gēbēnggēbēng; 咯吱咯吱gēzhīgēzhī
ほりもの【彫り物】❶〔彫刻〕雕刻diāokè ❷〔入れ墨〕文身wénshēn ✣一師:雕刻工匠
ほりゅう【保留】(～する)保留bǎoliú ‖ 返事は明日まで～させてください 请让我明天答复你
ボリューム ❶〔音量〕音量yīnliàng ‖ ラジオの～をあげる〔下げる〕 调大〔调小〕收音机的音量 ❷〔量〕容量róngliàng; 分量fènliang; 量liàng ‖ この弁当はかなり～がある 这个盒饭量相当大
ほりょ【捕虜】俘虏fúlǔ ‖ ～になる 当俘虏 ✣一収容所:俘虏收容所；战俘集中营
ほ・る【彫る】❶〔字や模様を〕(雕)刻(diāo)kè ‖ 指輪に名前を～る 把名字刻在戒指上｜仏像を～る 雕刻佛像 ❷〔入れ墨を〕文身wénshēn; 刺cì
ほ・る【掘る】挖(掘) wā(jué) ‖ 穴を～る 挖洞｜地面を～る 挖掘地面｜石炭を～る 挖煤
ぼ・る 宰(人) zǎi (rén); 定 敲竹杠qiāo zhúgàng ‖ 飲み屋で～られた 在小酒铺被敲了竹杠
ポルカ 波尔卡(舞曲) bō'ěrkǎ (wǔqǔ)
ホルスタイン 荷斯坦(奶牛) hésītǎn(nǎiniú)
ボルテージ ❶〔熱気〕热情rèqíng ‖ 演説の～があがる 演说激昂起来 ❷〔電圧〕电压diànyā
ボルト 螺丝(钉) luósī(dīng); 螺栓luóshuān ‖ ～を締める 把螺丝钉拧紧
ボルト 伏特fútè ‖ 100～の電流 100伏特的电流
ポルトガル 葡萄牙Pútáoyá
ポルノ 色情文艺sèqíng wényì; 黄色文艺huángsè wényì ✣一映画:色情〔黄色〕电影
ホルマリン 福尔马林fú'ěrmǎlín
ホルモン 荷尔蒙hé'ěrméng; 激素jīsù ✣一剤:荷尔蒙剂｜一療法:荷尔蒙疗法
ほれこ・む【惚れ込む】恋慕liànmù; 欣赏xīnshǎng ‖ 青年の人柄に～む 欣赏那位青年的人品
ほれぼれ【惚れ惚れ】令人神往lìng rén shénwǎng; 着迷zháomí ‖ ～するような声 迷人的声音｜～とながめる 出神地看
ほ・れる【惚れる】❶〔異性に〕迷恋míliàn; 钟情zhōngqíng ‖ 女に～れる 迷恋〔钟情于〕女人 ❷〔人柄などに〕佩服pèifu ‖ 度胸のよさに～れた 我

真佩服你的胆量
ボレロ ❶〔音楽・ダンス〕包列罗舞〔舞曲〕bāolièluówǔ〔wǔqǔ〕❷〔服飾〕无纽女式短上衣wú niǔ nǚshì duǎn shàngyī
ほろ【幌】车篷chēpéng‖～をかける〔おろす〕 支起〔放下〕车篷
ぼろ【襤褸】❶〔布・衣服〕破布pòbù; 定 破衣烂衫pòyī lànshān ❷〔弱点〕‖～が出る 暴露缺点 ❸〔おんぼろ〕破烂(货) pòlàn(huò)‖～自転車 破烂的自行车 ❖一切れ:破布条
ポロ 马球mǎqiú
ぼろくそ【襤褸糞】定 一文不值yì wén bù zhí‖～に言う 说得一钱不值
ほろにが・い【ほろ苦い】有点儿苦yǒudiǎnr kǔ‖～い思い出 甜中带苦的回忆
ほろ・びる【滅びる】灭亡mièwáng
ほろぼ・す【滅ぼす】消灭xiāomiè; 毁灭huǐmiè‖国を～す 亡国
ぼろぼろ ❶〔ひどく壊れる〕破烂不堪pòlàn bùkān; 定 一塌糊涂yì tā hú tú‖～の服 破烂不堪的衣服｜壁が～に崩れている 墙塌得一塌糊涂｜辞書を～になるまで使う 辞典一直用到翻烂为止 ❷〔落ちる〕扑簌簌pūsùsù‖涙が～こぼれる 扑簌簌地直掉泪 ❸〔うそなどが露見する〕破绽百出pòzhan bǎichū‖不祥事が～出る 丑闻百出
ぼろもうけ【ぼろ儲け】(～する)赚大钱zhuàn dàqián‖株で～する 炒股赚了大钱
ほろよい【ほろ酔い】微醉wēi zuì; 半酣bàn hān‖～機嫌で家路につく 带着微微的醉意回家
ほろり ‖～とさせる話 令人感动的故事
ホワイト 白(色) bái(sè) ❖一カラー:白领阶层｜一ソース:白色调味汁｜一ハウス:白宫
ほん【本】❶〔書籍〕〔本〕书shū; 书籍shūjí‖よく～を読む 常看书｜～を借りる 借书｜～になって出た 成书出版了｜～の虫 书呆子 ❷〔この〕这zhè; 本běn‖～年 本年｜～月 本月 ❸〔助数詞〕枝zhī; 趟tàng; 条tiáo‖1～の鉛筆 一枝铅笔｜電車を1～遅らせる 坐下一趟电车
ぼん【盆】❶〔器〕盘子pánzi; 盆子pénzi ❷〔仏教〕盂兰盆节Yúlánpénjié‖～と正月がいっしょに来たよう 双喜临门 ❖一踊り:盂兰盆舞
ほんあん【翻案】(～する)改编gǎibiān
ほんい【本位】❶〔中心〕为主wéizhǔ; 中心zhōngxīn‖人物～ 看重本人表现｜生活者～の税制改革 为老百姓着想的税收制度改革 ❷〔貨幣制度の基準〕本位běnwèi ❖品質一:质量第一; 品质至上
ほんい【本意】‖～から出た言葉 出自内心的话
ほんい【翻意】(～する)改变主意gǎibiàn zhǔyi; 定 回心转意huí xīn zhuǎn yì
ほんか【本科】本科běnkē ❖一生:(大学)本科生
ほんかくてき【本格的】❶〔すっかりそうなる〕真正zhēnzhèng‖～に降りだした 真的下起雨来了 ❷〔本式〕正规zhèngguī; 正式zhèngshì‖～に英語を学ぶつもりだ 我打算真格地学习英语
ほんかん【本管】总管道zǒngguǎndào
ほんかん【本館】〔座〕主楼zhǔlóu
ほんき【本気】认真rènzhēn‖相手の言うことを～にしなかった 我并没有把对方的话当真｜～になれば何でもできる 定 有志者,事竟成
ほんぎ【本義】❶〔元の意味〕原义yuányì ❷〔大切な意義〕主旨zhǔzhǐ
ほんぎまり【本決まり】正式决定zhèngshì juédìng
ほんきょ【本拠】据点jùdiǎn; 工作的重心gōngzuò de zhòngxīn‖～を名古屋に移した 把工作的重心移到了名古屋
ほんぎょう【本業】本职工作běnzhí gōngzuò
ほんきょく【本局】总局zǒngjú
ほんけ【本家】❶〔嫡流の家〕本家běnjiā ❷〔宗家・家元〕正宗zhèngzōng ❖一本元:正宗
ぼんご【梵語】梵文Fànwén; 梵语Fànyǔ
ほんこう【本校】❶〔分校に対して〕本校běn xiào; 总校zǒngxiào ❷〔この学校〕本校běn xiào; 我校wǒ xiào
ほんごく【本国】❶〔自分の国〕祖国zǔguó; 本国běn guó ❷〔植民地などに対して〕本土běntǔ
ほんごし【本腰】‖～を入れて取り組む 认真对待(某事)
ほんさい【本妻】嫡配dípèi; 正妻zhèngqī
ぼんさい【盆栽】盆栽pénzāi; 盆景pénjǐng‖～をつくる 摆弄盆栽
ほんしき【本式】(正式)正规zhèngguī; 正式zhèngshì. (本格的)真正zhēnzhèng; 认真rènzhēn‖～のやり方 专业作法
ほんしつ【本質】本质běnzhì‖問題の～から目をそむける 不正视问题的本质所在
ほんじつ【本日】今天jīntiān; 本日běn rì‖～休業 今天停业
ほんしゃ【本社】总公司zǒnggōngsī
ほんしゅう【本州】本州Běnzhōu
ホンジュラス 洪都拉斯Hóngdūlāsī
ほんしょ【本署】总署zǒngshǔ‖容疑者は～に連行された 嫌疑犯被带到总署去了
ほんしょう【本性】本性běnxìng; 天性tiānxìng‖～を現す 本性毕现
ほんしょく【本職】❶〔本来の職業〕本行běnháng; 正式的职业zhèngshì de zhíyè‖～は医者だ 本行是医生 ❷〔専門家〕专家zhuānjiā; 内行nèiháng‖この仕事は～に任せよう 这个工作交给专家吧
ほんしん【本心】❶〔ほんとうの気持ち〕心里话xīnlihuà; 真正的意思zhēnzhèng de yìsi‖あなたの～が聞きたい 我想听听你的心里话｜相手の～を見抜く 看穿对方的真意 ❷〔正しい心〕良心liángxīn; 本性běnxìng‖～に立ち返る 定 改邪归正
ぼんじん【凡人】凡人fánrén; 普通人pǔtōngrén
ほんすじ【本筋】主要情节zhǔyào qíngjié; 本题běntí‖話の～に入る 进入本题｜議論を～に戻さねばならない 让我们言归正传
ほんせき【本籍】原籍yuánjí; 户籍hùjí‖～を移す 迁户口｜～地は神戸市だ 原籍是神户市
ほんせん【本線】❶〔鉄道の〕〔条〕干线gànxiàn ❷〔高速道路の〕〔条〕主线zhǔxiàn
ほんそう【奔走】(～する)奔走bēnzǒu; 东奔西跑dōng bēn xī pǎo
ほんたい【本体】主体zhǔtǐ; 主要部分zhǔyào bùfen; 本体běntǐ ❖一価格:主机价格
ほんだい【本題】本题běntí; 正题zhèngtí‖これ

から話の～に入ります 从现在起我们进入正题
ほんだな【本棚】书架shūjià
ぼんち【盆地】盆地péndì‖この一帯は～になっている 这一带形成了一个盆地
ほんちょうし【本調子】常态chángtài‖体がいまひとつ～でない 我总觉得自己健康状态不太好
ほんてん【本店】总店zǒngdiàn；总号zǒnghào
ほんど【本土】（本国）本国běn guó.（主たる国土）本土běntǔ.（日本の）本州Běnzhōu
ボンド ❶〔接着剤〕黏合剂niánhéjì ❷〔公債・社債〕公债券gōngzhàiquàn；公司债券gōngsī zhàiquàn
ポンド ❶〔イギリスの通貨単位〕英镑yīngbàng ❷〔重量単位〕磅bàng
ほんとう【本当】真zhēn；真实zhēnshí；的确díquè‖その話は～ですか 那个消息是真的吗？｜～の年齢 真实年龄｜～のところどうなのさ 真实情况到底是怎么样的？｜～らしく聞こえるが，実はうそだ 那听起来像真的，其实是假的
ほんとう【本島】本岛běndǎo
ほんどう【本堂】正殿zhèngdiàn；大殿dàdiàn
ほんどう【本道】❶〔おもな街道〕主要道路zhǔyào dàolù；大路dàlù ❷〔正しい道〕正道zhèngdào
ほんにん【本人】本人běnrén.（問題のその人）当事者dāngshìzhě
ほんね【本音】真心话zhēnxīnhuà‖～を吐く 说真心话｜～と建て前 实话和场面话
ボンネット 引擎盖yǐnqínggài
ほんねん【本年】本年běn nián；今年jīnnián
ほんの 仅仅jǐnjǐn；只不过zhǐ búguò‖歩いて～2，3分だ 走着去只要两三分钟｜～一瞬の出来事だった 那真是一瞬间的事
ほんのう【本能】本能běnnéng‖～的に行動する 凭本能行动
ぼんのう【煩悩】烦恼fánnǎo‖人は常に～に悩まされる 人总是被烦恼缠身｜～をはらう 消除烦恼
ほんのり 微微（出现颜色） wēiwēi (chūxiàn yánsè)；稍微shāowēi‖空が～明るくなってきた 天空蒙蒙亮起来了｜顔が～赤らむ 脸微微发红了
ほんば【本場】❶〔正式の場所〕发源地fāyuándì；本地běndì‖～のスコッチウイスキー 地道的苏格兰产的威士忌酒｜～仕込み 科班出身 ❷〔おもな産地〕主要产地zhǔyào chǎndì
ほんばこ【本箱】书箱shūxiāng；书柜shūguì
ほんばん【本番】正式表演zhèngshì biǎoyǎn；正式开始拍摄或播送zhèngshì kāishǐ pāishè huò bōsòng
ほんぶ【本部】本部běnbù；总部zǒngbù
ポンプ〔台〕泵bèng；唧筒jītǒng‖～で井戸から水をくみあげる 用水泵从井里抽水
ほんぶり【本降り】‖雨が～になった 雨下大了
ほんぶん【本文】⇨ほんもん（本文）
ほんぶん【本分】本分běnfèn；应尽的义务yīng jìn de yìwù‖学生の～をわきまえる 明白学生的本分
ボンベ 钢瓶gāngpíng；液化气瓶yèhuàqìpíng
ほんぽう【本邦】我国wǒ guó；本国běn guó
ほんぽう【奔放】奔放bēnfàng‖自由～に暮らす 过着自由自在的生活
ボンボン 酒心巧克力jiǔxīn qiǎokèlì
ほんまつ【本末】✤一転倒：本末倒置
ほんみょう【本名】本名běnmíng
ほんめい【本命】最有力的候补者zuì yǒulì de hòubǔzhě；冠军候补人guànjūn hòubǔrén‖～の彼 意中人
ほんもう【本望】❶〔本来の望み〕夙愿sùyuàn‖～を遂げる 实现夙愿 ❷〔望みがかない満足〕㊂心满意足xīn mǎn yì zú‖お客様に楽しんでいただければ～です 如果客人感到高兴，我就心满意足了
ほんもの【本物】❶〔ほんとうのもの〕真货zhēnhuò；真的zhēn de‖～のダイヤ 真的钻石｜この浮世絵は～だ 这幅浮世绘是真货｜～そっくり 和真的一样 ❷〔本格的な技芸など〕地道dìdao；正规zhèngguī‖あなたの英語は～だ 你讲的英语很地道
ほんもん【本文】（主要な文）正文zhèngwén.（もとの文）原文yuánwén ✤一批評：原文校勘
ほんや【本屋】书店shūdiàn；书铺shūpù
ほんやく【翻訳】（～する）翻译fānyì.（翻訳されたもの）译本yìběn‖フランス語の小説を日本語に～する 把法文小说翻译成日文 ✤一権：翻译权
ぼんやり（～する）❶〔呆然とした〕发呆fādāi；精神恍惚jīngshén huǎnghu‖～空をながめる 呆呆地望着天空（出神） ❷〔不注意〕不注意bú zhùyì；㊂心不在焉xīn bú zài yān‖～してると車にひかれるよ 你不注意看路的话，会被车子撞着的 ❸〔不明瞭〕模糊móhu；隐隐约约yǐnyǐnyuēyuē‖～と人影が見えた 模模糊糊地能看见人影
ぼんよう【凡庸】平庸píngyōng；平凡píngfán
ほんらい【本来】❶〔もともと〕本来běnlái；原来yuánlái‖～の力が出しきれず試合に負けてしまった 没有发挥出真正的实力，所以输了比赛 ❷〔当然であること〕应该yīnggāi；按道理àn dàoli‖～ならごあいさつに伺うべきところなのですが 按道理，应该我登门拜访
ほんりゅう【本流】（川）主流zhǔliú；干流gànliú.（主となる流派）主流zhǔliú
ほんりょう【本領】本领běnlǐng；专长zhuāncháng‖～を発揮する 大显身手
ほんろう【翻弄】（～する）捉弄zhuōnòng；玩弄wánnòng‖運命に～される 被命运捉弄｜ボートは波に～された 小船被海浪上下颠簸着
ほんろん【本論】本论běn lùn；主要议题zhǔyào yìtí

ま

ま【真】❶〔真実〕‖お世辞を～に受ける 把奉承话当真｜人の言葉を～に受ける 相信人家的话 ❷〔正確な〕正zhèng‖～北 正北
ま【間】❶〔部屋〕〔个,间〕房间fángjiān ❷〔時間〕〔段〕时间shíjiān ❸〔空間〕〔段〕间隔 jiàngé ❹〔慣用表現〕‖～をもたせるのがうまい 善于没话找话｜～に合う 来得及｜～に合わない 来不及｜～がいい 凑巧｜～が悪い 不凑巧；(気まずい)难为情｜～が抜けている 糊涂｜～がもたない 定 无事〔话〕可做〔说〕 ❺〔部屋数を数える〕间 jiān
ま【魔】〔悪魔〕魔(鬼) mó(guǐ)‖～がさす 定 鬼使神差；着魔
まあ ❶〔一応〕大概dàgài；差不多chàbuduō‖～そんなところだ 大概就这么回事吧 ❷〔驚き〕哎呀āiyā；啊ā‖～すてき 啊！真棒！
マーカー〔支〕记号笔jìhaobǐ；马克笔mǎkèbǐ
マーガリン 人造黄油rénzào huángyóu
マーガレット 雏菊chújú；茼蒿菊tónghāojú
マーキュロクローム 红药水hóngyàoshuǐ
マーク（～する）❶〔しるし〕〔个,种,道〕(做)记号(zuò) jìhao；(做)标记(zuò) biāojì‖星の～をつける 打上星号 ❷〔記録を〕创下chuàngxia；刷新shuāxīn‖新記録を～する 创下新记录 ❸〔目をつける〕监视jiānshì；盯上dīngshang
マークシート 答题卡dátíkǎ
マーケット ❶〔市場〕〔个,块〕市场shìchǎng；商场shāngchǎng ❷〔経済〕市场shìchǎng‖新しい～を開拓する 开拓新的市场
マーケティング 营销yíngxiāo；行销xíngxiāo ❖ 一リサーチ:市场调查〔研究〕
マーシャルしょとう【マーシャル諸島】马绍尔群岛 Mǎshào'ěr Qúndǎo
マージャン 麻将májiàng‖～のパイ 麻将牌
マージン ❶〔もうけ〕利润lìrùn ❷〔手数料〕辛苦费xīnkǔfèi ❸〔余白〕空白kòngbái
マーボーどうふ【麻婆豆腐】麻婆豆腐mápó dòufu
まあまあ ❶〔まずまず〕还可以hái kěyǐ；还行hái xíng ❷〔相手をなだめる〕哎呀āiyā；算了算了suàn le suàn le
マーマレード 橘子酱júzijiàng
まい-【毎】每měi‖～春 每年春天｜～号 各期(杂志)
-まい【枚】张zhāng；片piàn‖3～の紙 三张纸｜皿5～ 五个碟子｜イチョウの葉5～ 五片银杏叶｜シャツ1～ 一件衬衫
まいあさ【毎朝】每天早上měi tiān zǎoshang
まいお･りる【舞い降りる】飘落piāoluò
マイカー〔辆〕私车sīchē
まいかい【毎回】每次měi cì；每回měi huí
まいきょ【枚挙】‖～にいとまがない 不胜枚举
マイクロエレクトロニクス 微电子学wēidiànzǐxué
マイクロコンピューター ⇨マイコン
マイクロバス〔辆〕面包车miànbāochē；小客车xiǎo kèchē
マイクロフィルム 微缩胶片wēisuō jiāopiàn
マイクロホン 麦克风màikèfēng
まいこ【舞子】舞妓wǔjì
まいご【迷子】迷路(的孩子) mílù (de háizi)
まいこ･む【舞い込む】‖変な手紙が～む 收到奇怪的信件｜幸運が～む 幸运降临
マイコン〔台〕微型计算机wēixíng jìsuànjī
まいじ【毎時】每小时měi xiǎoshí
まいしゅう【毎週】每周měi zhōu
まいしん【邁進】(～する)奋进fènjìn‖目標に向かって～する 向目标努力奋进
まいせつ【埋設】(～する)埋设máishè
まいそう【埋葬】(～する)埋葬máizàng‖故郷の村に～される 被埋在老家村子里
まいぞう【埋蔵】(～する)❶〔資源が〕蕴藏yùncáng ❷〔隠す〕埋藏máicáng‖～金 埋藏的黄金 ❖ 一量:储量
まいつき【毎月】每(个)月měi (ge) yuè
まいど【毎度】每次měi cì.（いつも）经常jīngcháng‖～ありがとうございます 感谢经常光顾本店｜あいつの愚痴は～のことだ 他总这么发牢骚
まいとし【毎年】每年měi nián
マイナー ❶〔規模･程度が〕不太出名的bútài chūmíng de；小xiǎo.（二流の）二流èr liú‖～な雑誌 小杂志 ❷〔音楽〕小调xiǎodiào
マイナス ❶(～する)〔減らす〕减去jiǎnqu ❷〔記号〕负号fùhào.（減算の）减号jiǎnhào‖～ドライバー 一字螺丝刀 ❸〔負数〕负(数) fù(shù)‖～3 负三 ❹〔電気〕阴yīn；负fù‖～電極 阴极 ❖ 一材料:消极因素｜一思考:想法消极｜一成長:负增长
まいにち【毎日】每天měi tiān；天天tiāntiān
まいばん【毎晩】每天晚上měi tiān wǎnshang
マイペース 自己的节奏zìjǐ de jiézòu
まい･る【参る】❶〔行く･来る〕去qù；来lái ❷〔もうでる〕参拜cānbài‖墓に～る 扫墓 ❸〔負ける〕认输rènshū ❹〔閉口する〕受不了shòubuliǎo
マイル 英里yīnglǐ
マイレージ（飞行)里程(fēixíng) lǐchéng‖～を貯める 累积里程 ❖ 一カード:里程卡
マインドコントロール 精神控制jīngshén kòngzhì
ま･う【舞う】❶〔舞を〕跳舞tiàowǔ ❷〔空を〕飞舞fēiwǔ；飘舞piāowǔ‖枯れ葉が風に～う 枯叶在风中飞舞
まうえ【真上】正上方zhèng shàngfāng
まうしろ【真後ろ】正后方zhèng hòufāng
マウス ❶〔ハツカネズミ〕小白鼠xiǎobáishǔ ❷〔コンピューター〕鼠标shǔbiāo ❖ 一パッド:鼠标垫
マウンテン ❖ 一バイク:山地车
マウンド 投手岗tóushǒugǎng
まえ【前】❶〔空間〕前qián；前面qiánmian‖1歩～に出る 向前走一步｜～から3列めの席 前面第三排的座位 ❷〔面前〕面前miànqián‖人

さまの～でそんなこと言うもんじゃない 这种话不是在别人面前说的 ❸〔時間〕以前yǐqián；前qián ‖ 1時間～ 一小时以前｜彼の～の彼女 他以前的女朋友｜～の首相 前首相｜この～ 上次｜5時10分～ 差10分5点｜先生はまだ50～だ 老师还不到50岁 ❹〔状況〕面临miànlín；在…的情况下 zài…de qíngkuàng xià ‖ 危険を～にして… 面临危险…

まえあし【前足】〔条〕前腿qiántuǐ；前肢qiánzhī.（つめのある）〔个,只〕前爪qiánzhuǎ.（ひづめのある）〔只〕前蹄qiántí

まえうり【前売り】（～する）预售yùshòu

まえおき【前置き】（～する）(做)开场白(zuò) kāichǎngbái

まえがき【前書き】〔篇〕序文xùwén

まえがみ【前髪】前发qiánfà；刘海儿liúhǎir ‖ ～をのばす 把前发留长

まえがり【前借り】（～する）预支yùzhī

まえば【前歯】〔颗,个〕门牙ményá

まえばらい【前払い】（～する）预付yùfù ‖ 代金の一部を～する 预付部分款项

まえぶれ【前触れ】❶〔前兆〕前兆qiánzhào ❷〔予告〕事先通知shìxiān tōngzhī

まえむき【前向き】（積極的）积极jījí ‖ ～に検討する 积极地考虑｜～な考え方 往好处想

まえわたし【前渡し】（～する）先交xiān jiāo ‖ 商品～ 先交货 ❖一金:订金；订钱

マオタイしゅ【茅台酒】〔瓶〕茅台酒máotáijiǔ

まがし【間貸し】（～する）出租房间chūzū fángjiān ‖ 学生に～する 把房子租给学生

まか・す【負かす】战胜zhànshèng；打败dǎbài

まか・せる【任せる】❶〔委任する〕委托wěituō ‖ すべてお～せします 一切都拜托您了｜彼には仕事を～せられない 我不敢把工作交给他｜子どもの教育を学校に～せきりにする 将教育孩子的责任全部推给学校 ❷〔逆らわない〕任凭rènpíng；听tīng ‖ 運を天に～せる 定听天由命｜成り行きに～せる 定任其自然

まかな・う【賄う】❶〔やりくりする〕安排ānpái；供应gōngyìng ‖ 遊ぶ金はバイト代で～う 交友玩耍的钱由打工来解决 ❷〔食事を出す〕供应饭菜gōngyìng fàncài

まがも【真鴨】〔只〕野鸭yěyā；绿头鸭lùtóuyā

まがりかど【曲がり角】❶〔道の角〕拐角guǎijiǎo ❷〔転機〕‖ 人生の～ 人生的转折点

まがりくね・る【曲がりくねる】蜿蜒wānyán

まかりとお・る【罷り通る】横行héngxíng ‖ 不正が～る 不正之风横行于社会

まが・る【曲がる】❶〔曲線状になる〕弯wān；弯曲wānqū ‖ 腰が～る 腰弯了 ❷〔方向をかえる〕拐弯guǎiwān ‖ 交差点を左に～る 在十字路口往左拐 ❸〔傾く〕歪wāi ❹〔心や行いが〕乖张guāizhāng ‖ ～ったこと 歪门邪道的事

マカロニ 通心粉tōngxīnfěn

まき【薪】〔根,块,捆〕木柴mùchái；劈柴pǐchai ‖ ～を割る 劈木柴｜～が燃える 柴火燃烧

まきおこ・す【巻き起こす】引起yǐnqǐ；惹起rěqi ‖ 論争を～す 引起争论

まきがい【巻き貝】螺luó

まきかえ・す【巻き返す】反攻fǎngōng

まきげ【巻き毛】〔头〕卷发juǎnfà

まきこ・む【巻き込む】卷进juǎnjin；卷入juǎnrù ‖ 帽子が機械に～まれた 帽子卷进机器里去了｜派閥争いに～まれる 被卷进帮派之争

まきじゃく【巻尺】〔把,个〕卷尺juǎnchǐ

まきぞえ【巻き添え】〔份,丝〕牵连qiānlián；连累liánlei ‖ けんかの～をくう 别人打架时受到牵连

まきちら・す【撒き散らす】散布sànbù；散撒sànsǎ ‖ デマを～す 散布谣言

まきつ・く【巻き付く】缠绕chánrào

まきつ・ける【巻き付ける】缠上chánshang；绕上ràoshang

まきば【牧場】〔个,座〕牧场mùchǎng

まきもど・す【巻き戻す】‖ テープを～す 倒磁带

まぎら・す【紛らす】❶〔悩みを忘れる〕排遣páiqiǎn；解忧jiěyōu ‖ 退屈を～す 消遣｜気を～す 解闷｜酒で悲しみを～す 喝酒解愁 ❷〔混同させる〕支吾zhīwu；岔开chàkāi ‖ 冗談に～せて… 半开玩笑地…｜話を～すな 别把话岔开

まぎらわし・い【紛らわしい】不易分清bú yì fēnqīng；容易混淆róngyì hùnxiáo

まぎれこ・む【紛れ込む】混入hùnrù

-まぎれに【紛れに】‖ 苦し～うそをつく 因走投无路而撒了谎｜腹立ち～暴言を吐く 因极为气愤,骂了人

まぎれもな・い【紛れもない】明显míngxiǎn；毫无疑问háowú yíwèn

まぎ・れる【紛れる】❶〔入りまじる〕混淆hùnxiáo；混同hùntóng ‖ 大切な書類がほかの書類に～れてしまった 重要文件和其他文件混在一起了 ❷〔忘れる〕忘掉wàngdiào；转移注意力zhuǎnyí zhùyìlì

まぎわ【間際】正要…的时候 zhèng yào…de shíhou；快要…之前 kuàiyào…zhī qián ‖ 試合終了～ 比赛就要结束时

ま・く【巻く】❶〔物の周りに〕卷juǎn；缠绕chánrào ‖ ひざに包帯を～く 膝盖上缠上绷带 ❷〔丸める〕卷juǎn；绕rào ‖ 毛糸を～いて球にする 把毛线绕成球 ❸〔ねじなどを〕‖ 時計のねじを～く 拧表的发条 ❹〔らせん状になる〕旋转xuánzhuǎn ‖ 川が渦を～いて流れる 河水打着旋流 ❺〔慣用表現〕‖ 相手を煙(けむ)に～く 使对方如坠五里雾中｜長い物には～かれろ 定胳膊拧不过大腿｜監督にねじを～かれた 教练给我们上紧了弦

まく【幕】❶〔布〕〔块,张〕帷幕wéimù ❷〔演劇で〕幕mù ‖ 第1～第2場 第一幕第二场｜2～4場の芝居 两幕四场的戏 ❸〔慣用表現〕‖ ここはきみの出る～じゃない 现在不是你出面的时候｜犯人が死に事件は～になった 罪犯死了,这个案件结束了｜～があく〔あがる〕 开幕；开始｜～が下りる 落幕；结束｜～をあける〔あげる〕 揭幕｜～を下ろす〔閉じる・引く〕 闭幕

ま・く【蒔く・播く】播bō；种zhòng ‖ 春～く草花 春天播种的草花｜自分で～いた種 定自作自受

まく【膜】❶〔生物の〕〔张,片〕膜mó ❷〔薄い皮〕〔层,片〕薄膜bómó

ま・く【撒く】❶〔まき散らす〕撒sǎ；洒sǎ ‖ 砂を～く 撒沙子｜庭に水を～く 在院子里洒水｜ビラを～く 撒传单 ❷〔人を〕甩掉shuǎidiào ‖ 追っ手を～く 甩掉尾巴

まくぎれ【幕切れ】❶〔芝居の〕闭幕bìmù ❷〔物事の〕结束 jiéshù；终局zhōngjú ‖ 事件は意外な～を迎えた 案件的结局令人意外｜あっけない～となる 结局让人很不尽兴

まぐち【間口】❶〔家屋〕横宽 héngkuān ❷〔事業・研究など〕广度 guǎngdù；领域 lǐngyù

マグニチュード 震级zhènjí

マグネシウム 镁měi

マグマ 岩浆yánjiāng ✤一溜り：岩浆囊

まくら【枕】枕头zhěntou ‖ ～を高くして眠る 高枕无忧 ✤一カバー：枕套｜一元：枕边

まくらぎ【枕木】〔块〕枕木zhěnmù；道木dàomù

まく・る【捲る】卷 juǎn ‖ そでを～る 卷起袖子

-まく・る 不停地bùtíng de；拼命地pīnmìng de ‖ しゃべり～る 不停地说｜手紙を書き～った 写了很多信｜仕事に追い～られる 工作非常忙

まぐれ【紛れ】侥幸jiǎoxìng；幸运xìngyùn ‖ いやあ，ほんの～ですよ 呀，这纯属偶然｜～で勝つ 侥幸获胜 ✤一当たり：碰巧打中

マクロ 宏观hóngguān ‖ 物事を～的に見る 从宏观上看事物 ✤一経済学：宏观经济学

まぐろ【鮪】〔条〕金枪鱼 jīnqiāngyú

まけいぬ【負け犬】〔个，名〕败者bàizhě

まけおしみ【負け惜しみ】‖ ～が強い 总不认错｜～を言うなよ 别嘴硬

まけずおとらず【負けず劣らず】㊛ 不相上下 bù xiāng shàng xià ‖ 両チームとも～の強豪だ 两个队都是强队，实力不相上下

まけずぎらい【負けず嫌い】好强hàoqiáng

マケドニア 马其顿 Mǎqídùn

ま・ける【負ける】❶〔敗れる〕输shū；败bài ‖ ドイツチームに～けた 我们队输给了德国队｜裁判で～ける 败诉 ❷〔譲る・屈する〕屈服qūfú；让步ràngbù ‖ 誘惑に～ける 顶不住诱惑｜無言の圧力に～ける 屈服于无声的压力 ❸〔劣る〕亚于yàyú；次于cìyú ❹〔値引きする〕让价ràng jià；减价jiǎn jià ‖ 少し～けてよ 能不能便宜点儿？｜1000円に～けてよ 便宜到1000日元吧｜これは1割～けてもらった 这个给我打了九折

ま・げる【曲げる】❶〔物を〕弯 wān；折弯zhéwān ‖ 腕を～げる 曲臂｜鉄棒を～げる 把铁棍折弯 ❷〔主義などを〕改变gǎibiàn ‖ 主義を～げる 放弃主张｜自説を～げる 改变自己的观点 ❸〔事実などを〕歪曲wāiqū ‖ 事実を～げる 歪曲事实｜法を～げ私利をむさぼる 枉法营私

まけんき【負けん気】‖ ～が強い 好胜心强

まご【孫】（息子の息子）孙子sūnzi．（息子の娘）孙女sūnnü．（娘の息子）外孙子wàisūnzi．（娘の娘）外孙女wàisūnnü

まご【馬子】‖ ～にも衣装 ㊛ 人是衣裳马是鞍

まごころ【真心】真心 zhēnxīn；诚心 chéngxīn ‖ ～のこもった手紙 真心实意的信

まごつ・く（混乱する）㊛ 不知所措bù zhī suǒ cuò；㊛ 张皇失措 zhāng huáng shī cuò

まこと【誠】❶〔誠意〕诚意chéngyì ❷〔真実〕真实 zhēnshí ‖ うそか～か 是真还是假

まことに【誠に・真に】实在 shízài；非常 fēicháng ‖ ご迷惑をおかけして～申し訳ございません 给您添了麻烦，实在抱歉

マザーコンプレックス 恋母情结 liànmǔ qíngjié

まさか ❶〔よもや〕怎么会zěnme huì；难道nándào ‖ ～！うそだろう 怎么会呢，不是真的吧？ ❷〔予期しない事態〕万一wànyī；意外yìwài ‖ ～の時のために貯金しなさい 存点儿钱，以备万一｜～の時は頼むよ 一旦有什么情况，就拜托你了

まさしく【正しく】的确díquè；确实quèshí ‖ これこそ～やつの本心なのさ 这才正是他的本意｜この指輪は～私のです 这个戒指确实是我的

まさつ【摩擦】（～する）❶〔物と物が〕摩擦mócā ❷〔もめごと〕争执zhēngzhí；摩擦mócā ‖ 無用な～が起こる 引起没必要的摩擦 ✤一音：摩擦音｜一抵抗：摩擦阻抗｜乾布一：用干毛巾擦身

まさに【正に】正如zhèng rú；正是zhèng shì ‖ ～きみの言ったとおりだ 正如你所说的｜これこそ～私がさがしていた本だ 这正是我要找的书

まざまざと 清清楚楚地 qīngqīngchǔchǔ de ‖ 彼我(ひが)の力の差を～見せつけられた 强烈地认识到彼此之间的差距

まさ・る【勝る・優る】超越chāoyuè；胜过shèngguo ‖ 健康に～る宝なし 健康最可贵｜聞きしに～る… 比听说的还要…｜あれは兄に～るとも劣らぬ秀才だ 他是和哥哥一样的高才生

まし【増し】❶〔増すこと〕增加zēngjiā ‖ 休日の観客は平日の２割～だ 假日的观众比平时增加两成 ❷〔まだいい〕强qiáng；还不如…hái bùrú… ‖ 死んだほうが～だ 还不如死了｜ないより～ 比没有强｜このほうがまだ～だ 还不如这样好

まじ・える【交える】❶〔いっしょに入れる〕掺杂chānzá ‖ 仕事に私情を～えるな 别在工作上夹杂私情 ❷〔やりとりする〕交叉 jiāochā ‖ 砲火を～える 交火｜言葉を～える 交谈｜一戦～える 交战

ました【真下】正下方zhèng xiàfāng

マジック（奇術）魔术móshù ✤一インキ：⇨ゆせい(油性)「一ペン」｜一テープ：⇨めんファスナー(面ファスナー)｜一ミラー：单向玻璃

まして【況して】何况 hékuàng；更 gèng

まじない【呪い】巫术wūshù ‖ 願いがかなうお～ 使愿望实现的魔法

まじまじと ‖ ～見つめる 目不转睛地盯着看

まじめ【真面目】❶〔真剣〕认真rènzhēn；正经zhèngjing ‖ ～に言っているんだ 我说的是正经的｜～に勉強する 认真地学习 ❷〔誠実〕老实lǎoshi ‖ ～さを買う 看中为人老实这一点｜～に暮らす 实实在在地过日子

まじゅつ【魔術】❶〔魔法〕〔个，种，套〕魔法 mófǎ ‖ 言葉の～にかかる 被花言巧语迷惑 ❷〔手品〕〔个，种，套〕魔术móshù ✤一師：魔术师

マシュマロ 棉花糖 miánhuatáng

まじょ【魔女】女巫nǚwū

ましょう【魔性】‖ ～の女 美女蛇

ましょうめん【真正面】正对面 zhèng duìmiàn；正面zhèngmiàn ‖ ～から問題に取り組む 正面去解决问题

マジョリティー（大）多数(dà)duōshù；多数派duōshùpài ✤サイレント一：沉默的大多数

まじ・る【混じる・交じる】❶〔物が〕混 hùn；夹杂 jiāzá ‖ 塩素が～った水 混有氯气的水｜髪に白いものが～る 头发夹杂有白发｜便に血が～る 大便带血 ❷〔人が〕夹 jiā；和…一起 hé…yìqǐ

‖ベテランに〜って若手が健闘する 年轻人夹在老将中奋力拼搏
まじわり【交わり】交往jiāowǎng; 往来wǎnglái
まじわ·る【交わる】❶〔交差する〕交叉jiāochā ❷〔交際する〕交往 jiāowǎng
ま·す【増す】增加zēngjiā‖危険が〜す 危险性增大｜不安が〜す 不安越来越强烈｜何にも〜して重要 最重要｜回を〜すごとに参加者が増える 参加的人一次比一次多｜雨で水かさが〜した 由于下雨,水位上涨了｜競争が激しさを〜している 竞争愈加激烈
ます【鱒】〔条〕鳟鱼zūnyú
まず【先ず】❶〔第一に〕首先shǒuxiān‖〜私が手本を見せます 首先我来示范 ❷〔とりあえず〕先xiān; 暂时zànshí‖〜食事をしてそれから… 先吃饭,然后再…｜〜は一安心 暂时可以松口气了
ますい【麻酔】麻醉 mázuì‖〜をかける 打麻药｜〜が切れる 麻醉不起作用了 ✤ 一薬:麻药｜局所一:局部麻醉｜全身一:全身麻醉
まず·い【不味い】❶〔具合が悪い〕不好 bù hǎo; 糟糕zāogāo‖〜いことになった 这下可糟糕了｜〜い,遅刻しそうだ 糟了,要迟到了｜〜いことを言ってしまった 说了不该说的话 ❷〔味が悪い〕(食べ物が)不好吃bù hǎochī. (飲み物が)不好喝 bù hǎo hē
マスカット〔串〕麝香葡萄 shèxiāng pútao
マスカラ〔支〕睫毛膏 jiémáogāo
マスク ❶〔仮面〕〔个,副〕面具 miànjù ❷〔衛生具〕口罩kǒuzhào ❸〔顔だち〕〔副〕相貌xiàngmào; 长相 zhǎngxiàng ❹〔野球·フェンシング〕〔副,个〕面罩miànzhào ✤ ガス一:防毒面具
マスクメロン 网纹瓜 wǎngwénguā
マスゲーム 团体操tuántǐcāo; 集体舞 jítǐwǔ
マスコット〔个,件〕吉祥物 jíxiángwù
マスコミュニケーション 大众传播 dàzhòng chuánbō; 媒体méitǐ
まずし·い【貧しい】❶〔貧乏〕贫穷 pínqióng; 贫困pínkùn; 贫寒pínhán ❷〔とぼしい〕贫乏pínfá; 不丰富 bù fēngfù
マスター ❶〔男主人〕老板lǎobǎn; 师傅shīfu ❷〔修士〕硕士shuòshì ❸(〜する)〔習得する〕学会xuéhuì ✤ 一キー:万能钥匙｜一テープ:母带｜一ファイル:主文件｜一プラン:基本规划
マスタード 芥末 jièmo ✤ 一ガス:芥子气
マスト〔根〕船桅 chuánwéi
ますます【益益】越来越… yuè lái yuè…; 更加 gèngjiā‖今後〜のご活躍をお祈り申しあげます 谨祝今后取得更大的成绩
まずまず【先ず先ず】还可以 hái kěyǐ
マスメディア 大众传媒dàzhòng chuánméi; 媒介méijiè
まぜこぜ 掺和chānhuo; 混杂hùnzá
まぜごはん【混ぜ御飯】什锦饭 shíjǐnfàn
まぜもの【混ぜ物】掺杂物chānzáwù
ま·せる ‖ずいぶん〜せた子どもだ 这孩子很老成｜〜せたことを言う 说大人话
ま·ぜる【混ぜる·交ぜる】❶〔ほかのものを加える〕混合hùnhé; 掺chān‖酢と油を1対1の割合で〜ぜる 把醋和油按一比一的比例混合 ❷〔かきまぜる〕搅拌 jiǎobàn
マゾヒスト 受虐狂 shòunüèkuáng
また【又·復·亦】❶〔再び〕再zài; 还hái; 又yòu‖では〜明日 那么,明天再见｜彼は明日〜来ると言っていた 他说明天还来｜午後から〜雨になった 下午又下起雨来了 ❷〔同様に〕也yě‖妹も〜美しい 妹妹也长得很美 ❸〔ほか〕另lìng; 下次 xià cì‖話の続きは〜にしよう 下次再接着谈吧 ❹〔その上に〕又yòu‖彼は学者であり,〜詩人でもある 他既是一名学者,又是一位诗人｜仲間たちは1人〜1人と去っていった 伙伴们一个又一个地离去了 ❺〔強調〕可kě; 又yòu; 还hái‖これが〜痛いのなんのって 这可疼了 ❻〔あるいは〕或者 huòzhě‖煮ても焼いても,〜揚げてもおいしい 煮着吃、烤着吃或者炸着吃都不错
また【叉】‖二〜になっている道 岔路｜木の〜 树杈｜指の〜 手指缝儿
また【股】胯下kuàxià‖ズボンの〜 裤裆｜世界を〜にかけて仕事をする 往返于世界各地工作
まだ【未だ】❶〔ある段階になっていない〕还hái‖〜雪はやまない 雪还没停 ❷〔依然として〕还 hái; 仍然réngrán‖〜迷っているのか 你还拿不定主意吗？｜〜記憶に新しい 仍然记忆犹新 ❸〔やっと〕才cái; 还hái‖〜8時じゃない,ゆっくりしていって 才8点,你再坐一会儿吧｜息子は〜小学生だ 我儿子还是小学生 ❹〔さらに〕还hái; 更 gèng‖出発まで〜2時間ある 离出发还有两个小时｜これから〜寒くなる 以后还会更冷 ❺〔どちらかといえば〕还hái‖この絵のほうが〜出来がいい 这张画儿还画得好一点儿
またいとこ【又従兄弟·又従姉妹】(同姓の)从堂兄弟姐妹cóngtángxiōngdìjiěmèi. (異姓の)从表兄弟姐妹 cóngbiǎoxiōngdìjiěmèi
またがし【又貸し】(〜する)转借zhuǎnjiè
マダガスカル 马达加斯加 Mǎdájiāsījiā
またがり【又借り】(〜する)转借zhuǎnjiè
またが·る【跨る】❶〔乗る〕骑qí; 跨kuà ❷〔わたる〕跨kuà; 横跨héngkuà‖トルコはヨーロッパとアジアに〜っている 土耳其横跨欧洲和亚洲
また·ぐ【跨ぐ】跨过kuàguo; 迈过 màiguo‖敷居を〜ぐ 跨过门槛
まだしも【未だしも】还可以 hái kěyǐ
また·せる【待たせる】让…等 ràng…děng‖お〜せしてすみません 对不起,让你久等了
またた·く【瞬く】❶〔まばたきをする〕眨眼zhǎyǎn‖〜く間に… 眨眼之间就… ❷〔光が〕闪烁 shǎnshuò
マタニティードレス 孕妇装 yùnfùzhuāng
または【又は】或huò; 或者huòzhě
まだら【斑】斑驳bānbó‖白と茶の〜のイヌ 黄白花狗
まち【町·街】❶〔人が多く住む場所〕城镇chéngzhèn. (都会)城市chéngshì‖国境の〜 边城｜生まれ育った〜 出生、长大的地方 ❷〔市街〕街道jiēdào‖〜をぶらぶらする 逛街 ✤ 一起こし:搞活地区经济｜一工場:街道工厂｜一役場:乡镇政府｜田舎一:乡村小镇｜隣一:附近的小区
まちあいしつ【待合室】等候室 děnghòushì
まちあわ·せる【待ち合わせる】约会 yuēhui‖友人と4時に〜せた 和朋友约好4点见面
まちいしゃ【町医者】⇨かいぎょう(開業)「一医」

まぢか【間近】‖締め切りが～に迫った 期限快到了｜野生動物を～で見る 在近处观看野生动物
まちがい【間違い】❶〔誤り〕错儿cuòr；错误cuòwù‖自分の～を認める 承认自己有错儿｜彼についていけば～ない 跟着他没错儿〔错不了〕｜同じ～を繰り返す 犯同样的错误｜…と思ったら大～だ 如果认为…，那就大错而特错了 ❷〔事故〕〔个，场〕事故shìgù；差错chācuò‖何か～がなければいいが 但愿不要出什么事故
まちが･う【間違う】❶〔誤っている〕错cuò；不正确bú zhèngquè‖私の認識が～っていた 我的想法错了 ❷ ⇨まちがえる(間違える)
まちが･える【間違える】…错…cuò‖計算を～える 算错｜部屋を～える 弄错了房间
まちかど【町角･街角】街口jiēkǒu；街头jiētóu
まちくたび･れる【待ちくたびれる】等累了děnglèi le
まちじゅう【町中】整条街zhěng tiáo jiē；全城quánchéng
まちどおし･い【待ち遠しい】急切盼望jíqiè pànwàng‖春が～い 盼望春天的来临
まちなみ【町並み】街景jiējǐng
マチネー 日场rìchǎng
まちのぞ･む【待ち望む】盼望pànwàng
まちはずれ【町外れ】郊外jiāowài；市郊shìjiāo
まちばり【待ち針】〔根〕大头针dàtóuzhēn
まちぶせ【待ち伏せ】(～する)埋伏máifu
まちぼうけ【待ち惚け】白等bái děng‖3時間も～を食った 白等了三个小时
まちわ･びる【待ち侘びる】焦急地盼望jiāojí de pànwàng
まつ【松】松树sōngshù
ま･つ【待つ･俟つ】等děng‖だれを～ってるの 你在等谁啊？｜もう30分もバスを～っている 我已经等了半个小时公交车了｜少々お～ちください 请稍等一下｜～てば海路の日和(ひより)あり 只要耐心等待总会有时来运转的时候｜そこのきみ，～ちなさい 喂，你停一下！｜いつまで～てばいいんだ 究竟要等到什么时候啊？｜～てど暮らせど返事はなかった 左等右等也不见回话｜国民の良識に～つほかない 只得依靠国民的判断力｜言を～たない 不必说了
まつえい【末裔】后裔hòuyì
まっか【真っ赤】❶〔真紅〕鲜红xiānhóng；通红tōnghóng‖～なリンゴ 鲜红的苹果｜～になって怒った 气得满脸通红 ❷〔まるっきり〕完全wánquán‖～なうそだった 纯粹是瞎说
まっき【末期】末期mòqī；晚期wǎnqī‖18世紀～ 18世纪末期 ✣一がん:晚期癌症
まっくら【真っ暗】漆黑qīhēi；黑暗hēi'àn‖お先～ 前景黯淡 ✣一闇:定 漆黑一团
まっくろ【真っ黒】乌黑wūhēi；黝黑yǒuhēi‖～に焦げる 焦得黑糊糊的｜～なネコ 浑身乌黑的猫｜～に日焼けする 晒得黝黑
まつげ【睫】睫毛jiémáo‖～が長い 睫毛很长 ✣逆さ一:倒睫｜つけ一:假睫毛
まつご【末期】‖～の水をとる 送终
マッサージ(～する)按摩ànmó‖足裏～ 脚底按摩 ✣一クリーム:按摩霜｜一師:按摩师｜心臓一:心脏按摩｜電気一器:电子按摩器
まっさいちゅう【真っ最中】正在zhèngzài；正处于zhèng chǔyú
まっさお【真っ青】❶〔非常に青いこと〕蔚蓝wèilán ❷〔顔色が〕苍白cāngbái
まっさかさま【真っ逆様】头朝下tóu cháo xià
まっさかり【真っ盛り】鼎盛期dǐngshèngqī.(花が)盛开shèngkāi‖夏～ 盛夏
まっさき【真っ先】最先zuì xiān；首先shǒuxiān‖～にかけつける 最先赶到
まっさつ【抹殺】(～する)抹杀mǒshā；肃清sùqīng‖住民の意見は～された 居民的意见不被理睬｜芸能界から～される 被演艺界封杀了
まつじつ【末日】最后一天zuìhòu yì tiān；末日mòrì
マッシュ ✣一ポテト:土豆泥
マッシュルーム 蘑菇mógu
まっしょう【末梢】✣一神経:末梢神经
まっしょう【抹消】(～する)抹掉mǒdiào‖リストから～する 从名单上删除
まっしろ【真っ白】纯白chúnbái；雪白xuěbái‖髪の毛が～になった 头发都变白了｜頭の中が～になった 脑子一片空白
まっすぐ【真っ直ぐ】❶〔曲がっていない〕笔直bǐzhí；一直yìzhí‖～な線を引く 画直线｜～に並ぶ 排得笔直｜～行く 一直往前走 ❷〔直接〕直接zhíjiē‖～家に帰る 直接回家 ❸〔正直〕正直zhèngzhí；耿直gěngzhí‖～な人柄 为人正直
まっせき【末席】末席mòxí；末座mòzuò‖～に座る 坐在末席｜～を汚す 忝为末席
まった【待った】❶〔一時中止させる〕暂停zàntíng；停止tíngzhǐ‖出発に～をかける 要求暂停出发 ❷〔囲碁･将棋〕‖～をかける 悔棋 ✣一なし:容不得犹豫
まつだい【末代】‖～までの恥 定 遗臭万年
まったく【全く】❶〔完全に〕完全wánquán.(否定)一点儿也〔都〕yìdiǎnr yě〔dōu〕‖～そのとおりだ 完全正确｜～反応がない 没有一点儿反应 ❷〔ほんとうに〕实在shízài；真zhēn‖～どうしようもないやつだ 这家伙实在没救
まつたけ【松茸】松口蘑sōngkǒumó
まっただなか【真っ只中】‖あらしの～ 暴风雨最强烈的时候｜砂漠の～のオアシス 沙漠正中央的绿洲｜不況の～ 正处于经济最萧条的时期
まったん【末端】末端mòduān.(組織の)基层jīcéng ✣一価格:零售价
マッチ ❶〔発火具〕〔根，盒〕火柴huǒchái‖～をする 划火柴｜～を吹き消す 吹熄火柴 ❷〔試合〕〔场，次〕比赛bǐsài‖世界タイトル～ 世界拳击锦标赛 ❸(～する)〔ぴったり合う〕配pèi‖顧客のニーズに～する 符合顾客需求 ✣一箱:火柴盒｜一プレー:比洞赛｜一ポイント:决胜分
マット 垫子diànzi‖～を敷く 铺垫子
まっとう【真っ当】‖～に生きる 认真地生活｜あいつは～な人間ではない 他不是正经人
まっとう･する【全うする】完成wánchéng‖使命を～する 完成任务｜天寿を～する 得享天年
マットレス〔个，张〕床垫chuángdiàn
マッハ 马赫mǎhè‖～2の速力 二马赫的速度
まつばづえ【松葉杖】〔根〕拐杖guǎizhàng‖～をついて歩く 拄着拐杖走路

まつび【末尾】末尾mòwěi；最后zuìhòu ‖ ～の1けた 末尾一位数字

まっぴるま【真っ昼間】大白天dàbáitian

まっぷたつ【真っ二つ】切成〔分成〕两半儿qiēchéng〔fēnchéng〕liǎng bànr ‖ 社内の意見が～に割れた 公司内部的意见分成两派

まつぼっくり【松毬】松球sōngqiú

まつむし【松虫】金琵琶jīnpípa

まつやに【松脂】松脂sōngzhī；松香sōngxiāng

まつり【祭り】❶〔祭礼〕庙会miàohuì ❷〔催し〕节jié ‖ 雪～ 冰雪节 ｜ 神田の古本～ 神田的旧书市

まつ・る【祭る】❶〔儀式を行う〕祭祀jìsì ‖ 先祖の霊を～る 祭祀祖先 ｜ 戦死者を～る 祭奠阵亡者 ❷〔神として〕供奉gòngfèng

まつろ【末路】末路mòlù

まつわりつ・く【纏わり付く】❶〔からみつく〕缠绕chánrào ❷〔つきまとう〕纠缠jiūchán

-まで【迄】❶〔到達点〕到dào ‖ 3時～待った 等到3点 ｜ いま～のところ 到目前为止 ｜ これ～先生があんなに怒ったのを見たことがない 我从没见过老师这么生气 ｜ 工事はいつ～かかりますか 这项工程什么时候才能完成？ ｜ 家から駅～約2キロある 从我家到车站大约两公里 ｜ 官僚の答弁はどこ～信用できるだろうか 官僚的答辩到底能信几分呢？ ❷〔以前〕(之)前(zhī) qián ‖ 正午～に 正午之前 ｜ 月曜～に 星期一之前 ❸〔…までもない〕不必búbì ‖ 言う～もない 不用说 ❹〔…ないまでも〕即使〔即便〕…也… jíshǐ〔jíbiàn〕…yě … ‖ 参加しない～も電話くらいくれよ 你即使不参加，也应该给我打个电话吧 ❺〔…だけだ〕只zhǐ；罢了bàle ‖ 勉強がいやなら学校をやめる～だ 要是不喜欢读书的话只有退学了 ❻〔さえ〕连…都〔也〕…lián …dōu〔yě〕… ‖ きみ～そんなことを言うのか 连你也这么说吗？

マティーニ 马提尼mǎtíní；马丁尼mǎdīngní

まてんろう【摩天楼】摩天大楼mótiān dàlóu

まと【的】❶〔射撃の〕靶(子) bǎ(zi) ‖ ～をねらう 瞄准靶心 ❷〔対象〕对象duìxiàng；目标mùbiāo ‖ 非難の～ 指责的对象 ❸〔核心〕要点yàodiǎn；要害yàohài ‖ ～を絞って話をする 抓住要点讲话 ｜ ～の外れた質問をする 提问没有切中要害 ｜ ～を射た批評 一针见血的批评

まど【窓】〔扇，个〕窗户chuānghu.〔書〕窗口chuāngkǒu ‖ ～を閉める 关窗 ｜ ～をあける 打开窗子 ｜ 目は心の～ 眼睛是心灵的窗口 ✤ 一ガラス:窗玻璃 ｜ ガラス一:玻璃窗 ｜ 二重一:双层窗子

まどぎわ【窓際】窗边chuāngbiān ‖ ～の席 靠窗的座位 ✤ 一族:坐冷板凳的人

まどぐち【窓口】窗口chuāngkǒu ‖ 5番～ 五号窗口 ｜ ～を一本化する 统一对外窗口

まとはずれ【的外れ】离题lítí ‖ きみの答えは～だ 你的回答离题了

まとまった【纏まった】一笔yì bǐ；一批yì pī ‖ ～金を用意する 准备一笔钱 ｜ ～注文を受ける 接到一个大订单

まとま・る【纏まる】❶〔決着する〕达成一致dáchéng yízhì ‖ 話が～る 达成协议 ｜ 交渉がどうしても～らない 谈判怎么也无法达成一致 ❷〔ととのう〕有条理 yǒu tiáolǐ；成熟chéngshú ‖ きみのレポートはよく～っている 你的报告很有条理性 ｜ 考えが～る 考虑成熟了 ❸〔意見・考えが一致する〕统一tǒngyī；一致yízhì ‖ クラス全員の意見が1つに～った 全班人的意见统一了

まと・める【纏める】❶〔成立させる〕谈妥tántuǒ ‖ 取引先との契約を～める 跟客户谈妥合同 ｜ 縁談を～める 撮合亲事 ❷〔ととのえる〕归纳guīnà；整理zhěnglǐ ‖ 会議の要点を～める 把会议的要点归纳出来 ｜ 実験結果をレポートに～める 总结实验结果写出报告 ｜ まず考えを～めてから話す 先考虑好了再说 ❸〔団結させる〕使…团结起来shǐ … tuánjiéqilai ‖ チームを～める 让全队团结起来 ❹〔集める〕‖ 半年分～めて払う 一次交清半年的费用 ｜ こうなりゃみんな～めて面倒見よう 既然这样那就都照顾吧

まとも【真面】❶〔もろに〕正面zhèngmiàn ‖ ～にぶつかる 狠狠地撞上 ｜ 風を～に受けて進む 顶风前进 ❷〔まっとう〕正经zhèngjing；认真rènzhēn ‖ この手の記事を～に信じてはいけない 你不要轻信这种报道 ｜ 警察は私の話を～に取り合ってくれなかった 警察对我的话不理不睬

マドラー〔根〕搅棒jiǎobàng

まどり【間取り】房间布局fángjiān bùjú ‖ 物件の～図 房子的平面图

マドレーヌ 松糕sōnggāo

まどろ・む【微睡む】打盹儿dǎdǔnr

まどわ・す【惑わす】‖ 人心を～す 蛊惑人心

まとわりつ・く【纏わり付く】⇨まつわりつく(纏わり付く)

マナー〔个，种〕礼貌lǐmào；礼节lǐjié ‖ ～をわきまえた〔ない〕人 懂〔不懂〕礼节的人 ｜ ～がよい〔悪い〕〔不〕讲文明

まないた【真魚板・俎】〔个，块〕案板ànbǎn ‖ 時事問題を～に載せる 对于时事问题进行评论 ｜ ～の上の鯉(こい) 任人宰割 ✤ 中国式一:菜墩子

まなざし【眼差し】目光mùguāng ‖ 熱い～ 热切的目光 ｜ せん望の～ 羡慕的目光 ｜ 鋭い～を向ける 投去锐利的目光

まなつ【真夏】盛夏shèngxià

まな・ぶ【学ぶ】学(习) xué(xí) ‖ 私は大学でフランス語を～んだ 我是在大学学的法语 ｜ よく～びよく遊べ 学好玩儿好 ｜ 同じ失敗を繰り返さぬよう～ぶべきだ 你应该学会不犯同样的错误

マニア …迷…mí；…狂…kuáng

まにあ・う【間に合う】❶〔時刻に〕赶得上gǎndeshàng；来得及láidejí ‖ 終電に～わなかった 没有赶上末班电车 ｜ あと15分しかないが，～いますか 只有15分钟了，来得及吗？ ❷〔役に立つ〕顶用dǐngyòng ‖ この古いパソコンで～う 这台旧电脑还能顶用 ❸〔足りる〕够用gòu yòng；凑合còuhe

まにあわせ【間に合わせ】暂时顶替zànshí dǐngtì；临时凑合línshí còuhe

まにあわ・せる【間に合わせる】❶〔時間に〕赶上gǎnshang ‖ 締め切りに～せる 赶上交稿截止日期 ❷〔急場に〕将就jiāngjiu；临时凑合línshí còuhe ‖ あるもので～せる 拿现有的先对付一下

マニキュア ❶〔美容〕修指甲xiū zhǐjia ❷〔化粧品〕指甲油zhǐjiayóu

マニフェスト 政权公约zhèngquán gōngyuē

マニュアル〔説明書〕(操作)说明书(cāozuò)

shuōmíngshū ✤一車:手动挡车

まぬが・れる【免れる】免miǎn; 避免bìmiǎn ‖ 難を～れる 幸免于难｜責任を～れる 推卸责任

マヌカン ⇨マネキン

まぬけ【間抜け】呆子dāizi; 糊涂hútu

まね【真似】❶(～する)〔真似る〕模仿mófǎng ‖ 先生の～をする 模仿老师的举止｜簡単に～できない高度な技術力 无法轻易模仿的高技术水平 ❷〔ふるまい〕‖ ばかな～はよしなさい 别做傻事儿; 别一时冲动

マネー〔种,笔〕钱qián; 货币huòbì ✤一サプライ:货币供给量｜一ビル:积钱｜一ロンダリング:洗钱

マネージメント 管理guǎnlǐ; 照管zhàoguǎn

マネージャー ❶〔経営者,支配人〕经理jīnglǐ ❷〔スポーツチームや芸能人の〕经理人jīnglǐrén

まねき【招き】邀请yāoqǐng ‖ お～ありがとうございます 承蒙邀请,不胜感谢 ✤一猫:招财猫

マネキン ❶〔人形〕人体模型réntǐ móxíng ❷〔マヌカン〕时装模特儿shízhuāng mótèr

まね・く【招く】❶〔仕事のために来てもらう〕聘请pìnqǐng; 邀请yāoqǐng ‖ 上海から一流のコックを～く 从上海聘请超级厨师 ❷〔招待する〕招待zhāodài ‖ 昼食会に～かれる 被邀参加午餐会 ❸〔さし招く〕招呼zhāohu ❹〔原因となる〕招致zhāozhì; 惹出rěchu ‖ 誤解を～く 引起误会

ま・ねる【真似る】仿效fǎngxiào; 模仿mófǎng

まのあたり【目の当たり】亲眼qīnyǎn ‖ 被災地の惨状を～にする 亲眼目睹灾区的惨状

まばたき【瞬き】(～する)眨眼zhǎyǎn ‖ ～もせずじっと見詰める 目不转睛地盯着看

まばた・く【瞬く】(瞬きする)眨眼zhǎyǎn. (輝く)闪耀shǎnyào; 闪烁shǎnshuò

まばら【疎ら】稀稀拉拉xīxilālā; 稀少xīshǎo ‖ 人影が～だ 看不到几个人｜ほんの少しの草が～に生えている 稀稀拉拉地长着一些草

まひ【麻痺】(～する)❶〔感覚がなくなる〕麻木mámù ❷〔働かなくなる〕瘫痪tānhuàn ‖ 交通機関が～状態になる 交通设施陷入瘫痪状态｜良心が～する 良心变得麻木 ❸〔医学〕麻痹mábì ‖ 左腕に～が残る 左臂留下麻痹症状

まびき【間引き】(～する)(苗の)间苗jiànmiáo ✤一運転:减少电车班次

まひる【真昼】大白天dàbáitian

マフィア 黑手党hēishǒudǎng

マフィン 英国松饼Yīngguó sōngbǐng

まぶか【目深】‖ 帽子を～にかぶる 压低帽子

まぶし・い【眩しい】❶〔光る〕晃眼huǎngyǎn; 刺眼cìyǎn ‖ 太陽が～い 太阳光耀眼 ❷〔りっぱ・美しい〕‖ 新緑が目に～い 新绿夺人眼目

まぶ・す【塗す】涂满túmǎn; 撒满sǎmǎn ‖ 豚肉に小麦粉を～す 将猪肉裹上面粉

まぶた【目蓋・瞼】〔层〕眼皮yǎnpí; 眼睑yǎnjiǎn ✤上一:上眼睑｜下一:下眼睑｜一重一:单眼皮｜二重一:双眼皮

まふゆ【真冬】隆冬lóngdōng; 严冬yándōng

マフラー ❶〔襟巻き〕〔条〕围巾wéijīn ‖ ～を巻く 围上围巾 ❷〔自動車などの〕消音器xiāoyīnqì

まほう【魔法】〔个,套,种〕魔法mófǎ; 法术fǎshù ✤一使い:魔术师

マホガニー (木材)红木hóngmù

まぼろし【幻】幻影huànyǐng ‖ 計画は～に終わった 那个计划落空了｜めざすは～の大イワナ 目标是传说中的红点鲑鱼

ママ ❶〔母親〕妈妈māma.(妻)孩子他妈háizi tā mā ❷〔店主〕女老板nǚ lǎobǎn

ままこ【継子】前生子女qiánshēng zǐnǚ. (男の)继子jìzǐ. (女の)继女jìnǚ

ままごと【飯事】过家家guòjiājia. (謙遜して)技术低jìshù dī

ままちち【継父】继父jìfù; 后爸hòubà

ままはは【継母】继母jìmǔ; 后妈hòumā

まみず【真水】(塩分のない水)淡水dànshuǐ

まみ・れる【塗れる】沾满zhānmǎn ‖ 泥に～れる 浑身沾满了泥｜手あかに～れたノート 被摸脏的笔记本｜一敗地に～れる 定一败涂地

まむかい【真向かい】正面zhèngmiàn

まむし【蝮】〔条〕蝮蛇fùshé

まめ【肉刺】水泡shuǐpào ‖ ～ができた 起了水泡｜～がつぶれた 水泡破了

まめ【豆】豆子dòuzi ‖ ～をまく 撒豆 ✤一ご飯:豌豆饭｜一類:豆类

まめ【忠実】勤勤恳恳qínqínkěnkěn ‖ 主人は～で,家事をよく手伝ってくれる 丈夫很勤快,常常帮我做家务｜～にノートをとる 笔记记得很仔细

まめ-【豆】小xiǎo ✤一電球:小电泡｜一本:袖珍书

まめまき【豆撒き】撒豆驱邪 sǎ dòu qūxié

まもう【摩耗・磨耗】(～する)磨损mósǔn

まもなく【間も無く】不久bùjiǔ; 一会儿yíhuìr

まもの【魔物】〔个,头〕妖魔yāomó; 怪物guàiwu. 喩可怕的东西kěpà de dōngxi

まもり【守り】保卫bǎowèi ‖ ～を固める 加强戒备｜相手チームの～を破る 攻破对方的防守线

まも・る【守る】❶〔危険などから〕护hù; 保护bǎohù ‖ よき伝統を～る 保持优良传统｜自分の身は自分で～る 自己保护自己｜平和を～る 捍卫和平 ❷〔決めたことを〕保持bǎochí; 遵守zūnshǒu ‖ 交通法規を～る 遵守交通法规｜彼は約束は～る人だ 他很守约｜政治的な中立を～る 保持政治上的中立 ❸〔守備する〕防守fángshǒu

まやく【麻薬】毒品dúpǐn ✤一中毒:吸毒成瘾｜一密売者:毒品走私者

まゆ【眉】〔道,条〕眉毛méimao

まゆずみ【眉墨・黛】眉笔méibǐ; 眉黛méidài

まゆつばもの【眉唾物】不可轻信的事物bùkě qīngxìn de shìwù

まよい【迷い】(ためらい)踌躇chóuchú. (疑惑)迷惑míhuo. (気のまよい)糊涂hútu

まよ・う【迷う】❶〔道に〕迷失míshī; 迷路mílù ‖ 悪の道に～い込む 误入邪路 ❷〔悩む・困る〕犹豫yóuyù; 踌躇chóuchú ❸〔異性などに〕迷恋míliàn ‖ 女の色香に～う 迷于女色 ❹〔成仏できない〕迷恋尘世míliàn chénshì

まよけ【魔除け】避邪bìxié; 避邪物bìxiéwù

まよなか【真夜中】深夜shēnyè; 定三更半夜sāngēng bànyè

マヨネーズ 蛋黄酱dànhuángjiàng

マラウイ 马拉维Mǎlāwéi

マラソン 马拉松mǎlāsōng

マラリア 疟疾nüèji ✤ー原虫:疟原虫
まり【毬·鞠】球qiú ‖ ～つきをする 玩拍球
マリ 马里Mǎlǐ
マリーナ 〔个,座〕游艇基地 yóutǐng jīdì
マリネ 泡鱼pàoyú; 泡肉pàoròu
マリファナ 大麻(烟) dàmá(yān)
まりょく【魔力】(魔法の力)〔股,种,个〕魔力mólì. (怪しい力)魅力mèilì
マリン ✤ースポーツ:海上运动 | ーブルー:海蓝色
まる【丸·円】❶〔形〕(円形)圈quān; 圆形yuánxíng. (球形)球形qiúxíng ‖ 正解を～で囲む 圈出正确的答案 ❷〔全体〕整个zhěnggè ‖ コイを～揚げにする 将整条鲤鱼用油炸 | ～1週間 整整一个星期 ❸〔句点〕句号 jùhào
まるあんき【丸暗記】(～する)定 死记硬背sǐjì yìngbèi ‖ 英単語を～する 死记英语生词
まる·い【丸い·円い】❶〔かたちが〕(円形である)圆yuán; 圆形yuánxíng. (球形である)球形qiúxíng ‖ 地球は～い 地球是圆的 | 先生を中心に～くなって座った 以老师为中心围坐成一圈 ❷〔穏やか〕圆满 yuánmǎn; 妥善 tuǒshàn. (性格)和蔼hé'ǎi ‖ ～く収まる 得到圆满〔妥善〕解决 | 年をとって～くなった 年纪大了以后变得和蔼了 ❸〔角がない〕胖pàng ‖ ～い顔 圆圆的脸 | 背中を～くして歩く 驼着背走路
まるがお【丸顔】〔张〕圆脸 yuánliǎn
まるがり【丸刈り】光头guāngtóu ‖ ～になる 剃光头
まるき【丸木】✤ー橋:独木桥 | ー舟:独木舟
マルク (ドイツの旧通貨単位)马克mǎkè
マルクスしゅぎ【マルクス主義】马克思主义 Mǎkèsī zhǔyì
マルクス レーニンしゅぎ【マルクス·レーニン主義】马列主义Mǎ-Liè zhǔyì
まるくび【丸首】圆领yuánlǐng
まるごと【丸ごと】整个zhěnggè; 全部quánbù ‖ 英語の辞書を～暗記する 把整本英语词典全都背下来 | ブタを～焼く 烤全猪
まるぞん【丸損】全赔quán péi
マルタ 马耳他 Mǎ'ěrtā
マルチ 多duō ✤ー商法:传销 | ースクリーン:多机放映 | ー人間:多才多艺的人 | ーメディア:多媒体 | ーリンガル:多语言
マルチーズ (イヌの一種)小巴儿狗xiǎobārgǒu
まるで 就像jiù xiàng; 简直 jiǎnzhí ‖ ～黄色いじゅうたんを敷きつめたようなナノハナ畑 就像铺满了黄地毯一样的菜花地 | そんなことで怒るなんて～子どもだ 为那么点儿事就发火,简直像个小孩儿 | ～覚えていない 一点儿也不记得了 | ～お話にならない 简直不像话
まるなげ【丸投げ】(～する)全部推给…quánbù tuīgěi …
まるばつ 圈与叉quān yǔ chā; 对与错duì yǔ cuò ✤ー式テスト:判断正误的试题
まるぼうず【丸坊主】❶〔人の頭が〕光头 guāngtóu ‖ ～になる 剃了光头 ❷〔山などが〕秃山tūshān; 光秃秃的 guāngtūtū de
まるまる【丸丸】❶〔よく太ったようす〕圆圆的 yuányuán de; 胖胖的pàngpàng de ‖ ～と太ったネコ 一只肥嘟嘟的猫 ❷〔完全〕整整zhěngzhěng; 整个zhěnggè ‖ ～1か月 整整一个月
まるま·る【丸まる】卷起来 juǎnqilai
まるめこ·む【丸めこむ】笼络 lǒngluò; 哄骗 hǒngpiàn
まる·める【丸める】❶〔丸い形にする〕搓〔揉〕成一团 cuō〔róu〕chéng yì tuán; 蜷曲 quánqū. (筒状に)卷起来 juǎnqilai ‖ 手紙を～めて捨てた 把信揉成一团扔了 | 体を～めて寝ている 把身体蜷成一团睡 | 団子を～める 搓糯米团子 ❷〔頭をそる〕剃光头tì guāngtóu
まるもうけ【丸儲け】(～する)净挣 jìng zhèng
まるやき【丸焼き】整烧 zhěng shāo; 整烤 zhěng kǎo ‖ ヒツジの～ 烤全羊
まれ【稀】少有shǎo yǒu; 罕见hǎnjiàn ‖ たぐい～な天才 很罕见的天才 | 極めて～なケース 极为罕见的案例
マレーシア 马来西亚 Mǎláixīyà
まろやか 醇和chúnhé; 醇厚chúnhòu
マロン 栗子 lìzi ✤ーグラッセ:蜜饯栗子
まわしもの【回し者】间谍 jiàndié; 内奸nèijiān
まわ·す【回す】❶〔回転させる〕转动 zhuàndòng; 拧nǐng ‖ 車のハンドルを～す 转动汽车的方向盘 | ねじを～す 拧螺丝钉 | 足首を～す 转动脚腕 ❷〔移す·差し向ける〕转zhuǎn; 派遣pàiqiǎn ‖ 他部署から何人か～してもらう 请其他部门派几个人来帮忙工作 ❸〔順に従い移す〕传递chuándì; 转送zhuǎnsòng ‖ 担当部署に電話を～す 把电话转到主管部门 | 杯を～す 传递酒杯
まわた【真綿】丝绵 sīmián ‖ ～で首を締めるように 像软刀子杀人一样
まわり【回り·周り】❶〔周辺·付近〕周围zhōuwéi ‖ たき火の～に座る 围坐在篝火旁 | 月は地球の～を回る 月亮围绕地球转 | ～の人たち 周围人 ❷〔経由〕经由jīngyóu; 路经lù jīng ‖ シンガポール～で中近東に行く 经由新加坡飞到中近东 ❸〔順にめぐる〕走访zǒufǎng ‖ 外～の多い仕事 外勤居多的工作 | あいさつ～をする 走访问候 ❹〔広がること〕上来shànglai ‖ 火の～が早い 火势上来得快 | 昼間の酒は～が早い 白天喝酒,酒劲儿上来得快 ❺〔単位〕周zhōu ‖ もう1～大きいのはありませんか? 有没有比这个大一号的? ✤時計ー:顺时针方向 | 右ー:向右转 | 利ー:利率
まわりくど·い【回りくどい】啰嗦luōsuo; 定 拐弯抹角 guǎi wān mò jiǎo
まわりみち【回り道】绕道ràodào
まわ·る【回る】❶〔回転する〕转zhuàn; 旋转 xuánzhuǎn ‖ 地球はみずから～りながら太陽の周りを～る 地球一边自转,一边围绕着太阳旋转 ❷〔順に移動する〕巡回xúnhuí ‖ 行商で各地を～る 巡回各地推销 | ひと月ほどヨーロッパを～る 去欧洲转一个月左右 | あいさつする番が～ってきた 轮到我致辞了 ❸〔回り道する·経由する〕绕道ràodào; 路经lù jīng ‖ 船は岬を～って沖に出た 船绕过海岬出海了 | 急がば～れ 欲速则不达 ❹〔考えなどが行き渡る〕顾及gùjí ‖ 忙しくて掃除までは手が～らない 忙得顾不上打扫 | そこまで知恵が～らなかった 想得没那么周到 ❺〔体の中に広がる〕上来shànglai ‖ 酒が～った 酒劲儿上来了
まわれみぎ【回れ右】向右转 xiàng yòu zhuǎn
まん【万】万wàn. (大字)萬wàn

まん【満】❶〔年齢〕满mǎn; 周zhōu ‖ ～年齢 周岁 ❷〔十分な状態〕‖～を持して待つ 充分准备, 等待机会

まんいち【万一】万一wànyī; 如果rúguǒ ‖ ～のことを考えて, お金を余分にお持ちなさい 把钱带足了, 以防万一 | ぼくに～のことがあったら… 万一我有个三长两短… | ～予約をキャンセルする場合は… 如果取消预约的话…

まんいん【満員】客满kèmǎn; 满座mǎnzuò ‖ スタジアムは超～だった 球场座无虚席 | 興行のたびに～だ 每次公演都满座 | ～御礼 客满致谢

まんえつ【満悦】(～する)满意mǎnyì; 定 心满意足 xīnmǎnyìzú

まんえん【蔓延】(～する)蔓延mànyán

まんが【漫画】〔本, 套〕漫画mànhuà.（アニメーション）〔部, 个〕动画片 dònghuàpiàn ❖ 一家:漫画家 | 一雑誌:漫画杂志 | 少女一:少女漫画 | 4こま一:四格漫画 | 連載一:连载漫画

まんかい【満開】(～する)盛开 shèngkāi

マンガン 锰 měng

まんき【満期】满期mǎnqī; 到期dàoqī ‖ 定期預金があと1か月で～になる 定期存款再有一个月就到期了 | この債券は10年～だ 这个债券十年满期

まんきつ【満喫】(～する)❶〔飲食を〕饱餐bǎocān ❷〔十分に楽しむ〕饱享bǎoxiǎng

まんげきょう【万華鏡】万花筒wànhuātǒng

まんげつ【満月】满月mǎnyuè; 圆月yuányuè

マンゴー 芒果mángguǒ

まんさい【満載】(～する)❶〔荷物などを〕满载mǎnzài; 装满zhuāngmǎn ‖ ブタを～したトラック 装满猪的卡车 ❷〔記事などを〕满载mǎnzǎi; 登满dēngmǎn

まんざい【漫才】相声xiàngsheng; 对口相声duìkǒu xiàngsheng ❖ 一師:相声演员

まんしつ【満室】客满kèmǎn

まんしゃ【満車】车位已满chēwèi yǐ mǎn

まんじゅう【饅頭】包子bāozi

まんじょう【満場】‖ 議案は～一致で可決された 全场一致通过了议案

マンション〔座, 个, 幢〕公寓gōngyù; 住宅大楼zhùzhái dàlóu ‖ 高層～ 高层公寓 | 新築の分譲～ 新建的商品住宅楼 | 中古～ 二手公寓 | 賃貸～ 出租公寓 ❖ ワンルーム一:单间公寓

まんしん【満身】全身quánshēn; 浑身húnshēn ‖ ～の力をこめる 使尽全身力气 ❖ 一創痍(そうい):遍体鳞伤

まんしん【慢心】(～する)定 自高自大zì gāo zì dà ‖ 成功したからと言って～してはいけない 就算获得了成功, 也不要自高自大

まんせい【慢性】慢性mànxìng ‖ ～胃炎 慢性胃炎 | ～的財政赤字 慢性财政赤字 ❖ 一疾患:慢性疾病 | 一疲労:慢性疲劳

まんせき【満席】满座mǎnzuò ‖ 新幹線は～だった 新干线都满员了

まんぜん【漫然】定 漫不经心màn bù jīng xīn ‖ ～と本を読む 漫不经心地看着书

まんぞく【満足】❶(～する)〔心が〕满足mǎnzú; 满意mǎnyì ‖ いまの生活にまあまあ～している 我对现在的生活还算满意 ❷〔規格・条件が〕完美wánměi; 正经zhèngjing ‖ ～な設備 完善的设备 | ～な教育 正式的教育

まんだら【曼荼羅・曼陀羅】曼陀罗màntuóluó

まんだん【漫談】单口相声dānkǒu xiàngsheng

まんちょう【満潮】满潮mǎncháo ‖ 4時に～になる 4点钟满潮

マンツーマン 一对一 yī duì yī ‖ ～で教える 一对一地教 ❖ 一ディフェンス:盯人防守

まんてん【満天】满天mǎntiān ‖ ～の星 满天星

まんてん【満点】❶〔得点〕满分mǎnfēn ‖ 英語の試験で～をとった 我英语考试得了满分 ❷〔申し分ないこと〕非常好fēicháng hǎo ‖ 栄養～の食品 营养价值很高的食品

マント〔件〕披风pīfēng; 斗篷dǒupeng

マンドリン〔把〕曼陀林 màntuólín

マントル 地幔dìmàn ❖ 一対流:地幔对流

まんなか【真ん中】正中间zhèng zhōngjiān; 正当中zhèng dāngzhōng ‖ 町の～ 城市的正中间 | 茶碗が～から2つに割れた 碗从正当中碎成两半

マンネリズム 老一套lǎoyítào ‖ 生活が～化している 生活总是死水一潭

まんねん【万年】永久不变 yǒngjiǔ bú biàn ‖ ～最下位 总是最末位 ❖ 一暦:万年历

まんねんひつ【万年筆】〔支〕钢笔 gāngbǐ

マンハッタン 曼哈顿 Mànhādùn

マンパワー 人力rénlì; 人才资源réncái zīyuán

まんびき【万引き】(～する)偷tōu ‖ ～で捕まる 偷东西被抓住

まんびょう【万病】百病bǎibìng ‖ ～にきく薬 万灵药 | 風邪は～のもと 感冒是百病之源

まんぷく【満腹】吃饱chībǎo

まんべんなく【万遍なく】无一例外wú yí lìwài; 均匀jūnyún

マンホール 人孔rénkǒng

まんぽけい【万歩計】计步器jìbùqì

まんまえ【真ん前】正前面zhèng qiánmian ‖ 先生の～の席 老师正前面的座位 | 銀行は駅の～にある 银行在车站的正对面

まんまる・い【真ん丸い】圆圆的yuányuán de; 滚圆的 gǔnyuán de ‖ ～い月 圆圆〔滚圆〕的月亮 | ～い顔の赤ちゃん 小脸胖嘟嘟的婴儿

まんまん【満満】充满chōngmǎn ‖ 貯水池は～と水をたたえていた 贮水池放满了水 | 自信～で試験に臨む 充满自信地应试 | やる気～だ 充满干劲

まんめん【満面】满面mǎnmiàn ‖ ～に笑みをたたえる 满面笑容

マンモス ❶〔動物〕猛犸 měngmǎ ❷〔大型〕巨型 jùxíng ❖ 一企業:巨大企业 | 一大学:大规模的大学 | 一都市:巨大城市

まんりょう【満了】(～する)届满jièmǎn ‖ 任期～ 任期届满 | 契約の期限はあと数週間で～する 合同再有几个星期就期满了

まんるい【満塁】满垒 mǎnlěi ‖ 2死～のピンチ 二死满垒的危机

ま

み

み【巳】(十二支の1つ) **巳**sì; **蛇**shé; **小龙**xiǎolóng ‖ ～の刻 巳时 ✤ 一年:蛇年

み【身】❶〔体〕**身体**shēntǐ ‖ ～をかがめる 弯下身子 | ものかげに～をひそめる 躲在隐蔽处 | ～のこなし 举止 | 高価な物を～につける 身着昂贵的 | 寒さが～にしみる 寒冷刺骨 | ～を切られるよりつらい 感到切肤之痛 | ～を粉にして 不辞辛苦地 | ～の置きどころがない 无地自容 ❷〔わが身・自分〕**自己**zìjǐ ‖ 技術を～につける 掌握技术 | 危ない橋は渡らないほうが～のためだ 最好不要去冒险 | ～をもって体験する 亲身体验 | 酒で～を滅ぼす 被酒所毁 | ～の振り方を考える 考虑将来(怎么生活) | ～から出たさび 定 自食其果 | ～も世もなく泣きくずれる 不顾一切地大哭 | ～に覚えがない 没做〔说〕过 ❸〔身分・立場〕**身分**shēnfen; **处境**chǔjìng ‖ ～に余る光栄 无比光荣 | 作家で～を立てる 靠写作维持生活 | ぼくの～にもなってごらんよ 站在我的立场上想想看 ❹〔心〕**心**xīn; **精神**jīngshen ‖ 勉強に～が入らない 提不起精神学习 | ～を入れて練習する 用心练习 | 好意が～にしみる 深感大家的好意 ❺〔肉〕**肉**ròu ❻〔ふたのある容器について〕‖ ～もふたもない 非常露骨

み【実】❶〔植物の〕**果实**guǒshí; **种子**zhǒngzi; **果子**guǒzi ❷〔内容・中身〕**内容**nèiróng ‖ 今日の会議は～のあるものではなかった 今天的会议没什么内容 ❸〔慣用表現〕‖ ～を結ぶ 取得成果

みあい【見合い】(～する) **相亲**xiāngqīn ✤ 一結婚:介绍结婚 | 一写真:相亲照片

みあ・う【見合う】❶〔釣りあう〕**平衡**pínghéng; **相称**xiāngchèn ‖ 仕事に～う給料 与工作相应的报酬 ❷〔たがいに見る〕**对视**duìshì

みあ・きる【見飽きる】**看够**kàngòu; **看腻**kànnì

みあ・げる【見上げる】❶〔上を見る〕**向上看**xiàng shàng kàn ❷〔立派だと思う〕**尊敬**zūnjìng ‖ ～げた精神だ 这种精神真是值得敬佩

みあた・る【見当たる】**找到**zhǎodào; **看到**kàndào ‖ 財布が～らない 找不到钱包

みあやま・る【見誤る】**看错**kàncuò

みあわ・せる【見合わせる】❶〔たがいに見る〕**互看**hù kàn ‖ 顔を～せて笑う 相视一笑 ❷〔やめる〕**作罢**zuòbà; **推迟**tuīchí ‖ 旅行を～せる 推迟旅行

みいだ・す【見出す】**找到**zhǎodào; **发现**fāxiàn

ミーティング **会议**huìyì ‖ ～を開く 开会

ミート (肉) **肉**ròu ✤ 一ソース:意大利式肉酱 | 一ボール:肉丸 | 一ローフ:肉饼; 肉馅糕

ミイラ 〔具〕**木乃伊**mùnǎiyī

みいり【実入り】**收入**shōurù

みい・る【見入る】**注视**zhùshì; **看得出神**kànde chūshén ‖ 蝶の標本に～る 入迷地看着蝴蝶标本

みい・る【魅入る】**迷住**mízhu; **缠住**chánzhu ‖ 悪魔に～られる 被恶魔缠住了

みう・ける【見受ける】**看来**kànlai ‖ お～けしたところ… 看起来你像是…

みうごき【身動き】(～する) **转动身体**zhuǎndòng shēntǐ ‖ 電車は満員で～もできなかった 电车里挤得连身子都不能转动一下

みうしな・う【見失う】**迷失**míshī; **看不见**kànbujiàn ‖ 目標を～う 迷失了目标

みうち【身内】**亲属**qīnshǔ. (内輪) **自己人**zìjǐrén

みうり【身売り】(会社などが) **出让**chū ràng; **转让**zhuǎnràng ‖ 工場を～する 工厂转让

みえ【見え】**虚荣**xūróng; **排场**páichang ‖ ～を張る 装门面

みえす・く【見え透く】**看穿**kànchuān; **看透**kàntòu ‖ ～いたうそをつく 明明在说谎

み・える【見える】**看见**kànjian; **看到**kàndào ‖ ここから富士山が～える 这儿看得见富士山 | 進歩の跡が～えない 看不到有什么进步 | 若く～える 看起来年轻

みおくり【見送り】❶〔見送ること〕**送行**sòngxíng ❷〔一時断念すること〕**静观**jìngguān; **观望**guānwàng ‖ 法案は～となった 法案暂且被搁置

みおく・る【見送る】❶〔去る人を〕**送别**sòngbié; **送行**sòngxíng ‖ 駅まで客を～る 把客人送到车站去 ❷〔実行をのばす〕**观望**guānwàng; **放过**fàngguo ‖ チャンスを～る 放弃机会 | 実施を～る 暂不实施

みおさめ【見納め】**最后一次看到**zuìhòu yí cì kàndào

みおとし【見落とし】**看漏**kànlòu

みおと・す【見落とす】**看漏**kànlòu; **忽略**hūlüè; **没看出来**méi kànchulai ‖ うっかり掲示を～した 没注意看通知 | 誤植を～す 没校出错字

みおとり【見劣り】(～する) **逊色**xùnsè

みおぼえ【見覚え】‖ ～がある 彷佛见过; 眼熟

みおも【身重】**怀孕**huáiyùn

みおろ・す【見下ろす】**向下看**xiàng xià kàn; **俯视**fǔshì

みかい【未開】❶〔文化が〕**不开化**bù kāihuà; **未开化**wèi kāihuà ❷〔土地が〕**未开垦**wèi kāikěn

みかいけつ【未解決】**未解决**wèi jiějué

みかえ・す【見返す】❶〔見直す〕**重看**chóng kàn; **反复看**fǎnfù kàn ‖ 何度も書類を～した 反复看了几遍文件 ❷〔仕返しとして見せつける〕**争气**zhēngqì ‖ いつか必ず兄を～してやる 非要争口气给哥哥看不行

みかえり【見返り】**抵押**dǐyā; **回报**huíbào ‖ ～に金を要求する 作为回报, 向对方讨钱

みがき【磨き】‖ ピアノの腕に～をかける 磨炼弹奏钢琴的技巧 ✤ 一粉:研磨粉

みかく【味覚】**味觉**wèijué

みが・く【磨く】❶〔こすってきれいにする〕**擦**cā; **磨**mó ‖ 床を～く 擦地板 ❷〔よいものにする〕**磨炼**móliàn; **锤炼**chuíliàn ‖ 腕を～く 练手艺 | 技を～く 磨炼技艺

みかくにん【未確認】**未确认**wèi quèrèn; **未证实**wèi zhèngshí ✤ 一情報:未证实的信息 | 一飛行物体:不明飞行物体

みかけ【見掛け】**外观**wàiguān; **外表**wàibiǎo ‖

人は～によらぬものだ 人不可貌相｜～は悪いが味はよい 看上去很难看，但味道很好
みか·ける【見掛ける】见到jiàndao
みかた【見方】❶〔見解〕〔种〕见解jiànjiě；看法kànfa‖人によってものの～は違う 每个人的见解都不同 ❷〔見る立場〕角度jiǎodù‖～を変えれば 换个角度看
みかた【味方】（～する）我方wǒfāng；同伴tóngbàn；伙伴huǒbàn‖弱者の～になる 站在弱者一方｜どちらの～もしない 保持中立｜～する 支持
みかづき【三日月】〔弯，芽〕月牙儿yuèyár
みがって【身勝手】自私zìsī；任性rènxìng
みか·ねる【見兼ねる】看不过去kànbuguòqù‖～ねて手を貸した 实在看不过去，就帮了他一把
みがま·える【身構える】摆架势bǎi jiàshi；拉架子lā jiàzi‖あいつの前だとつい～えてしまう 在他面前我不由得警觉起来
みがら【身柄】本人（的身体）běnrén（de shēntǐ）‖警察に息子の～を引き取りに行く 去警察那里把儿子领回来
みがる【身軽】❶〔義務·束縛のないこと〕㊁无牵无挂wú qiān wú guà；轻松qīngsōng ❷〔楽に動ける〕灵活línghuó‖やせたので～になった 瘦了以后身体灵活多了｜～な服装 轻便的服装
みがわり【身代わり】代替别人dàitì biéren；替身tìshēn‖人質の～になる 代替人质
みかん【未完】未完wèi wán；未结束wèi jiéshù
みかん【蜜柑】柑橘gānjú；橘子júzi
みぎ【右】❶〔方向〕右yòu‖～へ曲がる 往右拐｜～へならえ 向右看齐｜～向け～ 向右转 ❷〔前記事項〕上文shàngwén；前文qiánwén ❸〔保守的な思想〕右派yòupài ❹〔慣用表現〕‖～から左へ 只是过了过手｜～に出る者はいない 无人能出其右｜～の耳から左の耳 耳旁风
みぎうえ【右上】右上方yòu shàngfāng
みぎうで【右腕】❶〔右の腕〕右臂yòubì ❷〔有能な部下〕㊁左膀右臂zuǒbǎng yòubì
みぎがわ【右側】右侧yòucè；右边yòubian‖～通行 右侧通行
みぎきき【右利き】右撇子yòupiězi
ミキサー〔台〕搅拌机jiǎobànjī
みぎした【右下】右下方yòu xiàfāng
みぎて【右手】❶〔右の手〕右手yòushǒu ❷〔右のほう〕右边yòubian；右面yòumiàn
みぎまわり【右回り】右旋转yòu xuánzhuǎn
みきり【見切り】‖～をつける 死心断念；不抱希望了 ✣一発車：未经充分准备就开始｜一品：减价商品
みぎれい【身綺麗】㊁衣冠楚楚yī guān chǔ chǔ；穿戴整齐chuāndài zhěngqí
みきわ·める【見極める】看清kànqīng；看透kàntòu‖真相を～める 弄清真相
みくだ·す【見下す】蔑视mièshì；看不起kànbuqǐ；鄙视bǐshì
みくび·る【見くびる】轻视qīngshì；小看xiǎokàn‖相手を～る 小看对方
みくら·べる【見比べる】比较bǐjiào；对比duìbǐ‖各社製品を～べる 比较各厂家的产品
みぐるし·い【見苦しい】❶〔外見が〕难看nánkàn；寒碜hánchen ❷〔行為·態度が〕丢脸diūliǎn；没面子méi miànzi‖責任のなすりあいは～い 互相推诿责任，真丢脸
ミクロ 微小wēixiǎo；微观wēiguān‖～の世界 微观世界 ✣一経済学：微观经济学｜一コスモス：小天地；小宇宙；微观世界
ミクロネシア 密克罗尼西亚Mìkèluóníxīyà
みけいけん【未経験】没有经验méiyou jīngyàn ✣一者：新手
みけつ【未決】未判决wèi pànjué
みけねこ【三毛猫】花猫huāmāo
みけん【眉間】眉间méijiān；眉头méitóu‖～にしわをよせる 皱眉
みこ·す【見越す】（予測する）预料yùliào；预想yùxiǎng‖先を～して 预测将来
みごたえ【見応え】‖～がある 值得看；有看头｜なかなか～のある芝居だった 真是值得一看的戏
みごと【見事】❶〔すばらしい〕精彩jīngcǎi；出众chūzhòng；漂亮piàoliang‖あの人の英語は～なものだ 他的英语讲得很漂亮｜～な演技 精彩的表演 ❷〔完全に〕完全wánquán；彻底chèdǐ‖～に失敗した 彻底失败了
みこみ【見込み】❶〔予測〕预计yùjì；估计gūjì；预定yùdìng‖兄は来月帰国する～だ 哥哥预定下个月回国｜～違い 估计错误 ❷〔期待〕〔个，种〕希望xīwàng；可能性kěnéngxìng‖病気は回復の～がない 病情没有康复的可能性
みこ·む【見込む】❶〔予想する〕预计yùjì；估计gūjì；预料yùliào‖約10億円の損失を～む 预料将会产生约10亿日元的损失 ❷〔期待する〕相信xiāngxìn；期待qīdài‖きみを～んで頼みたいことがある 我相信你，把这件事交给你
みごも·る【身籠る】怀孕huáiyùn‖最愛の人の子どもを～る 怀上最爱的人的孩子
みごろ【見頃】‖～をすぎる 过了最好看的时候
みごろ【身頃】（衣服的）前后身（yīfu de）qiánhòushēn ✣前〔後ろ〕一：衣服的前身〔后身〕
みごろし【見殺し】㊁见死不救jiàn sǐ bú jiù‖あなたを～にはしない 不会对你见死不救的
みこん【未婚】未婚wèihūn‖～の母 未婚妈妈
ミサイル〔颗，枚，个〕导弹dǎodàn‖～を発射する 发射导弹 ✣一基地：导弹基地｜核一：核导弹
みさかい【見境】‖善悪の～がつかない 善恶不分｜前後の～なく上司にたてつく 不考虑后果地顶撞上司
みさき【岬】海角hǎijiǎo；海岬hǎijiǎ
みさ·げる【見下げる】蔑视mièshì；瞧不起qiáobuqǐ；鄙视bǐshì
みさだ·める【見定める】看清kànqīng；断定duàndìng‖今後の動向を～める 准确估计今后的动向｜相手の力量を～める 摸清对方的实力
みじか·い【短い】短duǎn‖髪を～く切る 把头发剪短｜～い間 短时间｜日が～くなってきた 白天渐渐地变短了｜気が～い 性急
みじたく【身支度】（～する）打扮dǎban‖～もそこそこに 匆匆穿好衣服｜念入りに～する 精心打扮
みじめ【惨め】惨cǎn；凄惨qīcǎn；凄凉qīliáng‖子どもたちには～な思いをさせたくない 不想让孩子们太可怜｜～な最期をとげる 悲惨死去
みじゅく【未熟】未成熟wèi chéngshú；不熟练bù shúliàn ✣一児：早产儿｜一者：不成熟的

み

人；（技術が）生手
みしらぬ【見知らぬ】不认识bú rènshi；陌生mòshēng‖～人 陌生人｜～顔 不认识的人
みじろぎ【身動ぎ】（～する）扭动身体niǔdòng shēntǐ‖～もせず 一动也不动
ミシン〔台，架〕缝纫机féngrènjī‖～でズボンを縫う 用缝纫机缝裤子
みじん【微塵】❶（細かいもの）碎末suìmò ❷（少し）‖～もない 一点儿也没有 ✣一切り：切碎末（儿）；（切ったもの）碎末‖タマネギの～ 洋葱末
ミス（失敗）（～する）错误cuòwù‖どんな小さな～も許されない 无论多么小的错误也不允许犯
ミス（未婚の女性）小姐xiǎojie ✣一コン（テスト）：选美比赛｜一ユニバース：世界小姐
みず【水】水shuǐ‖鉢植えに～をやる 给盆栽浇水｜～をまく 洒水｜ひざに～がたまる 膝盖积水｜～を打ったような静けさ 安静得鸦雀无声｜～に流す 定既往不咎｜～清ければ魚棲（す）まず 定水至清则无鱼｜～もしたたるいい男 英俊挺拔｜～をさす 泼冷水｜～を得た魚 如鱼得水 ✣一不足：水荒
ミズ 女士nǚshì
みすい【未遂】未遂wèisuì‖ハイジャックは～に終わった 劫机以未遂告终
みずいらず【水入らず】无外人wú wàirén‖夫婦～ 只有夫妻俩｜一家～ 全家人亲亲热热
みずいろ【水色】浅蓝色qiǎnlánsè
みずうみ【湖】湖hú；湖泊húpō
みす・える【見据える】❶（じっとみつめる）定睛看dìngjīng kàn；死盯着sǐ dīngzhe ❷（見定める）看准kànzhǔn；看清kànqīng‖国の将来を～える 看准国家的未来
みずかき【水搔き】蹼pǔ
みずかけろん【水掛け論】抬死杠tái sǐgàng
みすか・す【見透かす】看穿kànchuān；看出kànchu；看清kànqīng；看透kàntòu‖心を～されてどぎまぎした 被看出了心事，慌了神了
みずがめ【水瓶】水缸shuǐgāng；水罐shuǐguàn‖東京都の～ 东京都的蓄水池
みずがめざ【水瓶座】水瓶座shuǐpíngzuò
みずから【自ら】❶（自分）自己zìjǐ；自身zìshēn‖～を戒める 自戒；律己｜～の危険をかえりみず 不顾自身危险 ❷（自分から）亲自qīnzì；自己zìjǐ‖～進んで責任をとる 主动承担责任
みずぎ【水着】〔件〕泳衣yǒngyī；泳装yǒngzhuāng.（男性用）〔条〕泳裤yǒngkù‖競泳用の～ 比赛泳衣
ミスキャスト 角色不当juésè búdàng
みずぎわ【水際】水边shuǐbiān；水滨shuǐbīn
みずくさ・い【水臭い】客套kètào；见外jiànwài‖そんな～いことを言うなよ 别那么见外
みずぐすり【水薬】药水yàoshuǐ
みずけ【水気】水分shuǐfèn；汁水zhīshui‖～を切る 把水分去掉
みすご・す【見過ごす】❶（見落とす）看漏kànlòu；忽视hūshì‖道路標識を～した 看漏了路标 ❷（放置する）置之不问zhì zhī bú wèn；看着不管kànzhe bù guǎn‖そんな不正を～すわけにはいかない 看到那种坏事不能不管
みずさいばい【水栽培】（～する）水耕法shuǐgēngfǎ；无土栽培wú tǔ zāipéi
みずさし【水差し】水瓶shuǐpíng；水壶shuǐhú
みずしぶき【水飛沫】水花shuǐhuā；浪花lànghuā‖～をあげる 溅水花
みずしょうばい【水商売】酒吧、饭馆等的服务业jiǔbā、fànguǎn děng de fúwùyè
みずしらず【見ず知らず】定素不相识sù bù xiāng shí；陌生mòshēng‖～の人 陌生人
ミスター 先生xiānsheng
みずたま【水玉】❶（水滴）水滴shuǐdī；露珠lùzhū ❷（模様）水珠图案shuǐzhū tú'àn
みずたまり【水溜まり】水洼shuǐwā；水坑shuǐkēng‖～をよける 避开水洼
みずっぱな【水っ洟】清鼻涕qīng bítì
みずっぽ・い【水っぽい】水分多shuǐfèn duō；很淡薄hěn dànbó‖～い酒 味道淡薄的酒
みずでっぽう【水鉄砲】〔把〕水枪shuǐqiāng
ミステリー ❶（神秘）神秘shénmì ❷（文学）侦探小说zhēntàn xiǎoshuō
みす・てる【見捨てる・見棄てる】抛弃pāoqì；背离bèilí；弃而不顾qì ér búgù‖困っている仲間を～てられない 朋友有困难，不能弃而不顾
みずとり【水鳥】水鸟shuǐniǎo；水禽shuǐqín
みずに【水煮】清炖qīngdùn‖タケノコの～ 清炖竹笋
みずのあわ【水の泡】白费báifèi‖これまでの努力が～となった 所有的努力都白费了
みずのみば【水飲み場】饮水处yǐnshuǐchù
みずはけ【水捌け】排水pái shuǐ
みずびたし【水浸し】‖～になる 浸水；淹水｜水道管が破裂して附近が～になった 自来水管破裂，周围都被水淹了
みずぶき【水拭き】（～する）湿擦shīcā‖床をモップで～する 用湿拖布擦地板
みずぶくれ【水膨れ】水泡shuǐpào‖やけどして手に～ができた 手上烫起了水泡
ミスプリント 印错yìncuò
みずべ【水辺】岸边ànbiān；水边shuǐbiān
みずぼうそう【水疱瘡】水痘shuǐdòu
みすぼらし・い【見すぼらしい】寒酸hánsuān；破旧pòjiù；褴褛lánlǚ‖～い身なり 衣着褴褛
みずまくら【水枕】水枕shuǐzhěn‖病人に～をさせた 让病人枕水枕
みずまし【水増し】（～する）虚夸xūkuā；虚报xūbào ✣一資産：虚报资产｜一請求：虚报申请
みすみす 眼看着yǎnkànzhe‖～機会を失った 眼睁睁地看着机会失去；坐失良机
みずみずし・い【瑞瑞しい】水灵shuǐling；娇嫩jiāonen；新鲜xīnxian‖～い果物 新鲜的水果｜～い肌 娇嫩的皮肤｜～い感覚 新鲜的感觉
みずむし【水虫】脚气jiǎoqì‖～になる 患脚气
みずもの【水物】❶（かわりやすいもの）难以预测nányǐ yùcè；变化多端biànhuà duōduān；没准儿méizhǔnr ❷（水けのあるもの）水分多的食品shuǐfèn duō de shípǐn
みずもれ【水漏れ】（～する）漏水lòu shuǐ
みずわり【水割り】掺水chān shuǐ；兑水duì shuǐ‖ウイスキーの～ 兑水威士忌
みせ【店】〔家，个〕商店shāngdiàn；店铺diànpù‖10時に～を開ける 10点开门｜～が閉まる 商店

関门 | ～を畳む 关闭商店；歇业
みせいねん【未成年】未成年(人) wèichéngnián(rén) ✣一者:未成年者
みせかけ【見せ掛け】(外观)表面 biǎomiàn. (偽装)假装 jiǎzhuāng ‖ 彼のやさしさは～だけだ 他的温柔体贴仅仅是表面上的
みせか・ける【見せ掛ける】假装 jiǎzhuāng；装饰 zhuāngshì ‖ 病気に～ける 装病
みせがまえ【店構え】铺面 pùmiàn
みせさき【店先】店头 diàntóu
みせじまい【店仕舞い】(～する) ❶〔その日の営業を終える〕关门 guānmén；打烊 dǎyàng ❷〔廃業〕关门 guānmén；歇业 xiēyè
みせしめ【見せしめ】警戒 jǐngjiè；惩戒 chéngjiè；警众 jǐngzhòng ‖ これでいい～になったろう 我想这是个很好的教训
ミセス 已婚妇女 yǐhūn fùnǚ；夫人 fūren
みせつ・ける【見せつける】显示 xiǎnshì；炫耀 xuànyào ‖ 実力の相違をまざまざと～けられた 使我充分认识到了实力上的差距
みぜに【身銭】私款 sīkuǎn；自己的钱 zìjǐ de qián ‖ ～を切って代金を払う 自己掏腰包付款
みせば【見せ場】最精彩的部分 zuì jīngcǎi de bùfen ‖ ここが最大の～だ 这场面最精彩
みせばん【店番】(～する)看店(的) kāndiàn (de) ‖ ～を頼まれた 受托在店里当班
みせびらか・す【見せびらかす】卖弄 màinong；炫耀 xuànyào；夸示 kuāshì
みせびらき【店開き】(～する) ❶〔新規開店〕开张 kāizhāng ❷〔その日の〕开门 kāimén
みせもの【見世物】❶〔興行〕杂耍 záshuǎ ❷〔人々に見られる〕出洋相 chū yángxiàng ✣一小屋:曲艺场；杂耍场
み・せる【見せる】给…看 gěi…kàn；让…看 ràng … kàn ‖ 身分証を～せてください 请出示身份证 | その靴を～せて 给我看看那双鞋 | 目にもの～せてやる 给点儿颜色看看 | 医者に～せる 看医生 | 誠意を～せる 表示诚意 | 弱みを～せる 示弱
みぜん【未然】未然 wèirán；未发生之前 wèi fāshēng zhī qián ‖ 災害を～に防ぐ 防患于未然
みそ【味噌】酱 jiàng；豆酱 dòujiàng ‖ ～をつける 丢脸；失败 | ～もくそもいっしょにする 好坏不分
みぞ【溝】❶〔道路のわきの〕〔条，道〕排水沟 páishuǐgōu ❷〔敷居の〕沟 gōu ❸〔隔たり〕隔阂 géhé ‖ ～ができる 产生隔阂 | ～が深まる 加深隔阂
みぞう【未曾有】空前 kōngqián；定 前所未有 qián suǒ wèi yǒu
みそこな・う【見損なう】❶〔評価を誤る〕看错 kàncuò ‖ あんたを～っていた 我看错你了 | ～うなよ 别小看我！ ❷〔見逃す〕没看成 méi kànchéng ‖ その映画は～った 那部电影我没看成
みそしる【味噌汁】酱汤 jiàngtāng
みそ・める【見初める】定 一见钟情 yí jiàn zhōng qíng ‖ パーティーで彼女を～めた 在晚会上对她一见钟情
みぞれ【霙】雨加雪 yǔ jiā xuě
-みたい ❶〔似ている〕像…一样 xiàng…yíyàng；像…这样〔那样〕xiàng…zhèyàng〔nàyàng〕；如同 rútóng ‖ まるで夢～ 就像做梦一样 ❷〔推定〕好像 hǎoxiàng；似乎 sìhū ‖ お隣は留守～だ 邻居好像不在家
みだし【見出し】标题 biāotí；题目 tímù ‖ ～をつける 做标题 | 小～ 副标题 ✣一語:词条
みだしなみ【身嗜み】注意仪表 zhùyì yíbiǎo；衣着整齐 yīzhuó zhěngqí
みた・す【満たす】❶〔かなえる〕满足 mǎnzú ‖ 虚栄心を～す 满足虚荣心 | 心が～されない 心里总觉得空荡荡的 ❷〔いっぱいにする〕填满 tiánmǎn；充满 chōngmǎn ‖ コップに酒を～す 杯子里倒满了酒
みだ・す【乱す】弄乱 nòngluàn；打乱 dǎluàn；破坏 pòhuài ‖ 秩序を～す 破坏秩序 | 社会風紀を～す 败坏社会风气 | 職場の和を～す 破坏公司内部的团结 | 金銭に心を～される 财迷心窍
みたて【見立て】❶〔選定〕选择 xuǎnzé；挑选 tiāoxuǎn ‖ この洋服は母の～だ 这件衣服是妈妈选的 ❷〔診断〕诊断 zhěnduàn
みたところ【見たところ】看来 kànlai；表面上 biǎomiàn shang
みため【見た目】看来 kànlai；外观 wàiguān
みだら【淫ら・猥ら】淫乱 yínluàn；淫荡 yíndàng；猥亵 wěixiè
みだりに【妄りに・濫りに】随便 suíbiàn；任意 rènyì；擅自 shànzì ‖ ～契約内容を外部に公表してはいけない 不能随便向外部公开合同内容
みだ・れる【乱れる】❶〔秩序が〕紊乱 wěnluàn；错乱 cuòluàn；混乱 hùnluàn ‖ 生活が～れる 生活没有规律 ❷〔ばらばらになる〕散乱 sǎnluàn；蓬乱 péngluàn ‖ 髪が～れる 头发蓬乱 | 業界の足並みが～れる 同行步调不一致 ❸〔心が〕困惑 kùnhuò ❹〔常態でなくなる〕不正常 bú zhèngcháng ‖ ダイヤが～れる 不准点
みち【未知】未知 wèi zhī；不知道 bù zhīdào
みち【道・路・途】❶〔道路〕〔条〕道 dào；路 lù. (街路)街道 jiēdào. (通路)过道 guòdào ‖ 駅へ行く～ 去车站的路 | ～に迷う 迷路 | ～を間違える 走错路 ❷〔途中〕路上 lùshang；途中 túzhōng ‖ 家へ帰る～ 回家的路上 ❸〔進路・方法〕路 lù；方向 fāngxiàng；方法 fāngfǎ；手段 shǒuduàn ‖ 後進に～を譲る 为后来者让路 | 成功への～ 成功的道路 ❹〔正道〕道 dào；道义 dàoyì；道德 dàodé ‖ ～を説く 讲人生的道理 | ～に外れる 不道德 ❺〔専門・分野〕专业 zhuānyè；领域 lǐngyù ‖ その～の達人 那个方面的高手
みちあふ・れる【満ち溢れる】洋溢 yángyì
みぢか【身近】切身 qièshēn；身边 shēnbiān ‖ 息子を～に置いておきたかった 想把儿子留在自己身边 | ～な例をあげよう 我举一个身边的例子吧
みちが・える【見違える】看错 kàncuò ‖ ～えるほど上達した 好得令人刮目相看 | ～えるようになる 变得焕然一新
みちかけ【満ち欠け】(月の)圆缺 yuánquē
みちくさ【道草】‖ ～をくう 〔路上〕耽搁
みちしお【満ち潮】满潮 mǎncháo
みちじゅん【道順】路线 lùxiàn；路 lù ‖ 劇場までの～ 去剧场的路
みちしるべ【道標】路标 lùbiāo
みちづれ【道連れ】旅伴 lǚbàn；同行者 tóngxíngzhě ‖ 子供を～に自殺する 带着孩子一同自尽
みちのり【道程】路程 lùchéng；距离 jùlí ‖ 成功

み

への～は長く険しい 通往成功的路途遥远而艰难
みちばた【道端】路旁lùpáng; 路边lùbiān
みちひき【満ち引き】潮汐cháoxī; (海水)涨落(hǎishuǐ) zhǎngluò ‖ 潮の～ 潮水的涨落
みちび·く【導く】❶〔案内〕引路yǐnlù; 领道lǐngdào ❷〔指導〕指导zhǐdǎo; 引导yǐndǎo ‖ 生徒を～く 教导学生 ❸〔しむける〕促使cùshǐ; 导致dǎozhì ‖ 破滅に～く 导致灭亡
み·ちる【満ちる】❶〔月が〕圆yuán; 盈yíng ❷〔潮が〕涨zhǎng ❸〔充満する〕满mǎn; 充满chōngmǎn ‖ 活力に～ちる 充满活力 | 希望に～ちる 充满希望
みつ【蜜】(ハチミツ)蜂蜜fēngmì
みつあみ【三つ編み】麻花辫máhuābiàn ‖ ～にする 编辫子
みつおり【三つ折り】三折sān zhé
みっか【三日】三号sān hào; 三天sān tiān ‖ ～にあげず 三天两头 ✤一天下:短命政权 | 一坊主:㊣三天打渔, 两天晒网
みっかい【密会】(～する)密会mìhuì; 幽会yōuhuì ‖ ～を重ねる 多次幽会
みつか·る【見つかる】❶〔見つけられる〕被看到bèi kàndào; 被发现bèi fāxiàn ❷〔さがし物が〕找到zhǎodào; 能找出néng zhǎochu ‖ なくなった傘が～った 我丢了的伞找到了
みっきょう【密教】密教mìjiào
みつ·ぐ【貢ぐ】纳贡nàgòng ‖ つまらない男に～ぐ 为了一个不值得的男人花了很多钱
ミックス (～する)混合hùnhé ✤一ジュース:混合果汁
みづくろい【身繕い】(～する)打扮整齐dǎban zhěngqí ‖ 急な来客に慌てて～する 突然来了客人, 急忙打扮了一下
みつげつ【蜜月】蜜月mìyuè
みつ·ける【見つける】❶〔さがし出す〕看到kàndào; 找出zhǎochu; 发现fāxiàn ‖ いい仕事を～けたい 我想找到一个好工作 ❷〔いつも見ている〕看惯kànguàn; 眼熟yǎnshú
みつご【三つ子】‖ ～の魂百まで ㊣江山易改, 禀性难移; 三岁看大, 七岁看老
みっこう【密航】(～する)偷渡tōudù
みっこく【密告】(～する)告密gàomì; 检举jiǎnjǔ ✤一者:告密者; 举报人
みっしつ【密室】密室mìshì
みっしゅう【密集】(～する)密集mìjí; 稠密chóumì ‖ 住宅が～している 住宅密集
みつしゅっこく【密出国】(～する)非法出境fēifǎ chūjìng; 偷渡tōudù
みっしょ【密書】秘密文件mìmì wénjiàn
みっせつ【密接】密切mìqiè ‖ ～な関係を保つ 保持密切关系 | ～に結び付いている 密切相关
みつぞう【密造】(～する)秘密制造mìmì zhìzào; 私造sīzào ✤一酒:私酒
みつだん【密談】(～する)密谈mìtán
みっちゃく【密着】(～する)紧贴jǐn tiē ‖ 記者は事件を～取材した 记者对事件进行了跟踪采访
みっちり 充分(地) chōngfèn (de); 好好儿(地) hǎohāor (de)
みっつ【三つ】❶〔数〕三sān; 三个sān ge ❷〔年齢〕三岁sān suì
みっつう【密通】(～する)(男女の)私通sītōng. (内通)暗中勾结ànzhōng gōujié; ㊣串通一气chuàntōng yíqì ‖ 不義～する 通奸
みってい【密偵】密探mìtàn; 间谍jiàndié
みつど【密度】❶〔粗密の度合い〕密度mìdù ❷〔内容の充実度〕内容充实nèiróng chōngshí
みっともな·い 不像样bú xiàngyàng; 丢人diūrén ‖ ～いまねはよせ 别做丢人的蠢事
みつにゅうこく【密入国】(～する)非法入境fēifǎ rùjìng; 偷渡tōudù ✤一者:偷渡者
みつばい【密売】(～する)私售sīshòu; 非法出售fēifǎ chūshòu ✤一人:私贩子 | 一品:私卖品
みつばち【蜜蜂】〔只,个〕蜜蜂mìfēng
みっぷう【密封】(～する)密封mìfēng; 封闭fēngbì ‖ 手紙を～する 把信封好
みっぺい【密閉】(～する)密闭mìbì; 密封mìfēng ‖ ～した容器 密闭的容器
みつ·める【見詰める】凝视níngshì; 盯着看dīngzhe kàn ‖ 現実をしっかり～める 正视现实
みつもり【見積もり】估算gūsuàn; 估计gūjì ‖ 大まかな～を出す 做出粗略的估算 ✤一額:估价额 | 一書:估价〔报价〕单
みつやく【密約】(～する)密约mìyuē; 秘密条约mìmì tiáoyuē ‖ ～をかわす 签订密约
みつゆ【密輸】(～する)走私zǒusī ✤一業者:走私贩 | 一品:走私货 | 一ルート:走私路径
みつゆしゅつ【密輸出】(～する)走私出口zǒusī chūkǒu
みつゆにゅう【密輸入】(～する)走私进口zǒusī jìnkǒu
みつりょう【密猟】(～する)偷猎tōuliè; 盗猎dàoliè ✤一者:非法捕猎者
みつりょう【密漁】(～する)非法捕鱼fēifǎ bǔyú; 偷捕tōubǔ ✤一船:非法捕鱼船
みつりん【密林】〔片,座,个〕密林mìlín
みてい【未定】未定wèi dìng ‖ 会議の日取りは～だ 会议日期未定
みてと·る【見て取る】看透kàntòu; 看破kànpò
みとおし【見通し】❶〔見渡すこと〕眺望tiàowàng; 远望yuǎnwàng ‖ あの交差点は～が悪い 那个十字路口的视界很差 | ～がきく 能看清 ❷〔将来の予測〕预测yùcè; 预料yùliào ‖ ～が甘い 预想太乐观了 | ～がたたない 无法预料
みとお·す【見通す】❶〔将来を予測する〕推测tuīcè; 预料yùliào ‖ 事件の全容を～す 洞察事件的全貌 ❷〔看破する〕看穿kànchuān; 看透kàntòu ‖ 相手の心を～す 看穿对方的心思 ❸〔最初から最後まで見る〕全看一遍quán kàn yí biàn
みどころ【見所】❶〔見る価値のあるところ〕值得看的地方zhíde kàn de dìfang ‖ この映画の～ 这部影片的精彩之处 ❷〔将来性〕前途qiántú; 出息chūxi ‖ ～のある若者 大有前途的年轻人
みとど·ける【見届ける】(見て確かめる)确认quèrèn; 看准kànzhǔn. (最後まで見る)看到最后kàndào zuìhòu ‖ 父の最期を～けた 为父亲送了终 | 父親は息子がバスに乗り込むところを～けてから立ち去った 父亲目送儿子上了汽车后便离开了
みとめ【認め】(認め印)〔个,枚〕印章yìnzhāng ‖ 宅配便です, ～をお願いします 是送货的, 请盖章
みと·める【認める】❶〔目にとめる〕看到kàn-

dào；发现fāxiàn ‖ 人影を～める 看到人影 ❷〔評価する〕评价píngjià；赞赏zànshǎng ‖ 画家として世間に～められる 作为画家受到社会上的公认 ❸〔承認する·認定する〕承认chéngrèn；认定rèndìng ‖ 敗北を～める 认输

みどり【緑】绿色lǜsè ‖ ～を大切に 爱护绿色｜都会には～が少ない 城市里缺少绿色

みとりず【見取り図】〔张,份〕草图cǎotú；示意图shìyìtú ‖ 家の～をかく 画房子的草图｜美術館の～ 美术馆示意图

みと·れる【見とれる】看得人迷 kànde rùmí

みな【皆】❶〔すべての人〕大家dàjiā ‖ ～で力を合わせて 大家齐心协力 ❷〔全部·残らず〕全部quánbù；都dōu

みなお·す【見直す】❶〔もう一度見る〕重看chóng kàn ‖ 古いビデオを～す 重新看老录像 ❷〔再検討する〕重新考虑chóngxīn kǎolǜ；修改xiūgǎi ‖ 予算を～す 修改预算 ❸〔見方を改める〕重新认识 chóngxīn rènshi ‖ 今回のことで彼を～した 通过这件事重新认识了他

みなぎ·る【漲る】充满chōngmǎn；洋溢yángyì；十足 shízú；弥漫 mímàn ‖ 活力が～る 充满活力｜表情に自信が～る 充满信心的表情

みなげ【身投げ】(～する)投水tóushuǐ ‖ 湖に～する 投湖

みなさま【皆様】诸位zhūwèi；各位gè wèi；大家 dàjiā ‖ ご家族の～によろしくお伝えください 请替我向你全家问好

みなしご【孤児】孤儿gū'ér

みな·す【見なす】当做dàngzuò；看做kànzuò；认为rènwéi ‖ 返事がないのは欠席と～す 没回答的,就当做缺席

みなと【港】〔个,座〕港口gǎngkǒu ‖ 船が～に入る〔を出る〕 船进〔出〕港口 ✤一町:港口城市

みなみ【南】南nán ‖ ～向きの部屋 朝南的房间 ✤一アメリカ:南美｜一太平洋:南太平洋｜一半球:南半球

みなみアフリカ【南アフリカ】南非 Nánfēi

みなもと【源】❶〔水源〕水源shuǐyuán；河源héyuán ❷〔根源〕起源qǐyuán；由来yóulái

みならい【見習い】见习jiànxí；实习shíxí ‖ ～として働く 作为实习生工作 ✤一期間:见习期｜一工:徒工｜一生:见习生

みなら·う【見習う】学习xuéxí；以…为榜样yǐ … wéi bǎngyàng ‖ 私もきみを～って禁煙しようと思う 我也要向你学习把烟戒掉

みなり【身なり】衣着打扮yīzhuó dǎban；装束zhuāngshù ‖ きちんとした～をしている 穿戴整齐

みな·れる【見慣れる】看惯kànguàn；眼熟yǎnshú ‖ ～れた顔 眼熟的脸｜～れない人 陌生人

ミニ 迷你mínǐ；小xiǎo

みにく·い【見悪い】难以看清 nányǐ kànqīng ‖ 字が小さすぎて～い 字太小了,看不清

みにく·い【醜い】难看nánkàn；不好看bù hǎokàn；丑恶chǒu'è ‖ 『～いアヒルの子』《丑小鸭》｜～い争い 丑恶的斗争

ミニスカート〔条〕迷你裙mínǐqún

ミニチュア 微型wēixíng；小型 xiǎoxíng

ミニマム 最小zuì xiǎo；最低 zuì dī

みぬ·く【見抜く】看透kàntòu；看穿kànchuān ‖ 嘘(うそ)を～く 看穿谎言

みね【峰】❶〔山頂〕峰fēng；巅diān ‖ 山の～ 山峰；山顶 ❷〔刀剣などの〕刀背dāobèi

ミネラル 矿物质 kuàngwùzhì ✤一ウォーター:矿泉水

みのう【未納】未交wèi jiāo；未缴纳wèi jiǎonà ✤一額:未缴金额｜一者:未交纳者

みのうえ【身の上】境遇jìngyù；身世shēnshì ‖ 不幸な～ 不幸的身世 ✤一相談欄:生活顾问栏｜一話:讲述身世；身世谈

みのが·す【見逃す】❶〔見落とす〕看漏kànlòu；忽略hūlüè ‖ こんないいチャンスを～す手はない 不能错过这样的好机会 ❷〔黙認する〕放过fàngguo；饶恕ráoshù ‖ もう2度といたしませんから～してください 我再也不做了,放了我吧 ❸〔見損なう〕错过看的机会cuòguò kàn de jīhui ‖ 人気ドラマを～してしまった 错过了看热门电视剧

みのけ【身の毛】‖ ～がよだつ 令人毛骨悚然

みのしろきん【身の代金】〔笔〕赎金shújīn

みのほど【身の程】分寸fēncun；身份shēnfen ‖ ～を知りなさい 要有自知之明｜～知らず 定不知天高地厚｜～をわきまえない 没有分寸

みのまわり【身の回り】身边shēnbiān；周围zhōuwéi ‖ ～の世話をする 照料日常生活｜～の品 日常用品

みのむし【蓑虫】蓑衣虫 suōyīchóng

みのり【実り】❶〔作物〕收成shōucheng；收获shōuhuò ‖ ～の秋 收获的秋天 ❷〔成果〕成果chéngguǒ ‖ ～多い成果をあげる 取得很大的成果｜～ある人生を送る 度过充实的一生

みの·る【実る】❶〔実がなる〕结果jiēguǒ；成熟chéngshú ❷〔成果が出る〕出成绩chū chéngjì；有成果yǒu chéngguǒ ‖ 長年の努力がやっと～った 多年的努力终于有了成果｜地道な研究が～る 踏踏实实的研究取得成效

みばえ【見映え·見栄え】好看hǎokàn；美观měiguān ‖ ～がする 很漂亮｜～がしない 不美观

みはから·う【見計らう】斟酌zhēnzhuó；估计gūjì ‖ 頃合いを～う 看准时机

みはったつ【未発達】不发达 bù fādá

みはっぴょう【未発表】未发表wèi fābiǎo

みはてぬ【見果てぬ】‖ ～夢 未能实现的理想

みはな·す【見放す】放弃fàngqì；抛弃pāoqì ‖ 医者に～される 医生放弃治疗

みはらい【未払い】未付wèi fù ✤一金:未付款｜一賃金:未付的工资

みはらし【見晴らし】眺望tiàowàng；远望yuǎnwàng；景致jǐngzhì ‖ ～のよい部屋 眺望视野极佳的房间 ✤一台:眺望台；观景台

みはら·す【見晴らす】眺望tiàowàng

みはり【見張り】看守kānshǒu；警戒jǐngjiè ‖ ～をつける 派人看守 ✤一番:看守人

みは·る【見張る】❶〔目を〕瞪大眼睛看dèngdà yǎnjing kàn；瞠目而视chēngmù ér shì ❷〔警戒する〕看守kānshǒu；警戒jǐngjiè ‖ 荷物を～っていてください 请看好行李

みびいき【身贔屓】(～する)偏袒piāntǎn；袒护tǎnhù ‖ 縁者に～する 偏袒自家人

みひらき【見開き】双联页shuānglián yè；左右两页zuǒyòu liǎng yè ‖ ～のグラビアページ 左右双

み

联的彩图插页
みひら・く【見開く】睁大眼睛 zhēngdà yǎnjing
みぶり【身振り】姿势zīshì; 动作dòngzuò ‖ ～で示す 用动作示意 | ～手ぶりで 比划；指手画脚
みぶるい【身震い】(～する)发抖fādǒu ‖ 恐ろしい光景に～する 那可怕的情景让人浑身发抖
みぶん【身分】❶〔地位・資格〕身份shēnfen; 地位dìwèi ‖ ～のある人 有地位的人 ❷〔境遇〕〔种, 个〕身世shēnshì; 境遇jìngyù ‖ いいご～だこと 可真有福气 ✤一証明書:身份证
みぼうじん【未亡人】寡妇 guǎfu
みほん【見本】❶〔サンプル〕样品yàngpǐn ❷〔模範〕〔个, 种, 类〕典型diǎnxíng; 榜样bǎngyàng ✤一市:商品展销会
みまい【見舞い・見舞】探望tànwàng; 慰问wèiwèn ‖ 病院に友人の～に行く 去医院探望朋友 ✤一客:探视的人 | 一金:慰问金 | 一品:慰问品
みま・う【見舞う】❶〔病人などを〕探望tànwàng; 探视tànshì ‖ 被災者を～う 探望灾民 ❷〔災難が及ぶ〕遭受zāoshòu ‖ 災難に～われる 遇难 | 嵐(あらし)に～われる 遇到暴风雨
みまちが・える【見間違える】看错kàncuò
みまも・る【見守る】❶〔気をつけて見る〕关怀guānhuái; 照料zhàoliào ‖ 子どもの成長を～る 关怀孩子的成长 ❷〔凝視する〕注视zhùshì; 关注guānzhù ‖ 相場の動きを～る 关注行情
みまわ・す【見回す】环视 huánshì
みまわり【見回り】巡视(人) xúnshì(rén) ‖ 週1回工場の～をする 每周巡视一次工厂
みまわ・る【見回る】巡逻xúnluó; 巡视xúnshì
みまん【未満】不足bùzú ‖ 100円～ 不足100日元的金额 | 3歳～ 未满三岁
みみ【耳】❶〔体の器官〕〔个, 只, 对〕耳朵ěrduo ‖ ～をつんざく 刺耳 | ～をふさぐ 堵上耳朵 ❷〔聞く力〕听觉tīngjué; 听力tīnglì ‖ ～が遠い 耳背 | ～に入る 听到 | ～に入れる 吹风 | ～を貸す 听取别人的意见 | 母の言葉がまだ～に残っている 母亲的话还在耳边回响 | ～を澄ます 竖起耳朵听 ❸〔端・縁〕边biān ‖ パンの～ 面包的硬边儿 ❹〔慣用表現〕‖ ～にたこができる 听腻了 | ～が痛い 感到羞耻 | ～を疑う 不相信自己的耳朵 | ～が早い 耳朵长；消息灵通 | ～をそろえて返す 凑齐还清
みみあか【耳垢】耳屎 ěrshǐ ‖ ～をとる 挖耳屎
みみあたらし・い【耳新しい】初次听到chū cì tīngdào ‖ ～いことだらけ 听到的都是新鲜事
みみあて【耳当て】耳套ěrtào
みみうち【耳打ち】‖ ～する 耳语
みみかき【耳掻き】挖耳勺wā'ěrsháo
みみがくもん【耳学問】听来的知识tīnglai de zhīshi
みみかざり【耳飾り】〔副, 对, 个〕耳环 ěrhuán; 耳坠子 ěrzhuìzi
みみくそ【耳糞】⇨みみあか(耳垢)
みみざと・い【耳聡い】耳聪ěr cōng; 听力敏锐tīnglì mǐnruì; 耳朵灵 ěrduo líng
みみざわり【耳障り】刺耳cì'ěr
みみず【蚯蚓】蚯蚓qiūyǐn ‖ ～ののたくったような字 字写得太潦草 ✤一ばれ:血道子；红道子
みみずく【木菟】〔只〕猫头鹰māotóuyīng
みみせん【耳栓】〔个, 副〕耳塞ěrsāi
みみたぶ【耳朶】耳垂ěrchuí
みみっち・い 小气xiǎoqi; 吝啬lìnsè
みみなり【耳鳴り】耳鸣ěrmíng ‖ ～がする 耳鸣
みみな・れる【耳慣れる】听惯tīngguàn; 耳熟ěrshú ‖ ～れない言葉 耳生的话
みみもと【耳元・耳許】耳边ěrbiān; 耳旁ěrpáng ‖ ～でささやく 在耳边低声讲
みみより【耳寄り】值得一听zhíde yì tīng ‖ ～な情報 有参考价值的信息
みみわ【耳輪】〔副, 对, 个〕耳环ěrhuán
みむき【見向き】‖ ～もしない 不理不睬
みめい【未明】黎明límíng; 凌晨língchén
みもち【身持ち】品行pǐnxíng; 操行cāoxíng ‖ ～が悪い 品行不端正
みもと【身元・身許】出身chūshēn; 来历láilì; 身份shēnfen ‖ ～がわかる 知道身份 | ～が割れる 暴露身份 | ～を洗う 查明身份 | ～不明の死体 来历不明的尸体 | ～を偽る 掩盖自己的真实身份 ✤一保証人:身份保证人 | 一照会:身份查询
みもの【見物】值得看(的东西) zhíde kàn(de dōngxi)
みゃく【脈】❶〔脈はく〕〔次〕脉搏màibó ‖ ～をとる 诊脉 | ～が速くなったり遅くなったりする 脉搏时快时慢 | ～が乱れている 心律不齐 ❷〔前途の望み〕〔个, 线, 份〕希望xīwàng ‖ ～がある 有希望 | ～がなさそうだ 看来没希望
みゃくう・つ【脈打つ】搏动bódòng; 跳动tiàodòng ‖ 心臓が激しく～つ 心脏剧烈地跳动
みゃくどう【脈動】(～する)搏动bódòng; 萌动méngdòng
みゃくはく【脈搏】〔次〕脉搏màibó ✤一数:脉搏数
みゃくらく【脈絡】条理tiáolǐ; 脉络màiluò ‖ 話に～がない 说话颠三倒四
みやげ【土産】❶〔旅先の産物〕特产tèchǎn; 土产tǔchǎn ‖ ドイツ～のビヤマグ 德国特产的大啤酒杯 ❷〔訪問先への贈り物〕礼品lǐpǐn; 礼物lǐwù ‖ お～を買う 买礼品 ✤一話:旅途见闻
みやこ【都】❶〔首都〕首都shǒudū ‖ 住めば～ 久居则安 ❷〔都市〕‖ 花の～パリ 花都巴黎 | 音楽の～ウィーン 音乐之都维也纳 | 水の～ベニス 水城威尼斯
みやす・い【見易い】看得清楚kànde qīngchu; 容易看róngyì kàn ‖ 字が大きくて～い 字很大，容易看清
みやづかえ【宮仕え】(～する)当官dāngguān; 供职 gòngzhí ‖ すまじきものは～ 当差不自在
みやびやか【雅やか】风雅fēngyǎ; 雅致yǎzhi; 优美yōuměi
みやぶ・る【見破る】识破shípò; 看穿kànchuān; 看破kànpò ‖ 相手のたくらみを～る 识破对方的企图
ミャンマー 缅甸 Miǎndiàn
ミュージカル〔台, 出, 场〕音乐剧yīnyuèjù
ミュージシャン 音乐家yīnyuèjiā
ミュート ❶〔音楽〕弱音器ruòyīnqì ❷〔テレビなど〕消音功能 xiāoyīn gōngnéng
みよう【見様】看法kànfa ‖ ～によってはどうともとれる 根据不同的视点，可作各种解释 ✤一見まね

:照样子做 ‖ ～で覚える 边看边模仿地学
みょう【妙】❶〔不思議〕奇怪qíguài; 奇异qíyì; 定 不可思议bù kě sī yì ‖ ～な夢を見た 做了个奇怪的梦 ❷〔優れている〕奇特qítè; 妙miào ‖ 言い得て～ 说得对极了｜造化の～ 造化之妙
みょうあん【妙案】绝妙的主意juémiào de zhǔyi; 好主意hǎo zhǔyi
みょうぎ【妙技】妙技miàojì; 绝技juéjì
みょうごにち【明後日】后天hòutiān
みょうじ【名字】姓xìng; 家族的姓氏jiāzú de xìngshì ‖ 結婚して～がかわる 结婚后改姓
みょうじょう【明星】金星jīnxīng ‖ 明けの～ 启明星｜宵の～ 长庚星
みょうだい【名代】代表dàibiǎo; 代理dàilǐ ‖ 父の～として 代表父亲
みょうちょう【明朝】明天早上míngtiān zǎoshang ‖ ～7時に出発する 明早7点钟出发
みょうばん【明晩】明天晚上míngtiān wǎnshang; 明晚míngwǎn
みょうみ【妙味】魅力mèilì; 妙处miàochù
みょうやく【妙薬】特效药tèxiàoyào; 定 灵丹妙药líng dān miào yào
みょうり【冥利】幸福xìngfú; 恩惠ēnhuì ‖ …～につきる 对…来讲是件荣耀的事
みょうれい【妙齢】妙龄miàolíng
みより【身寄り】亲属qīnshǔ; 家属jiāshǔ ‖ ～のない老人 无依无靠的老人
ミラー ✤ーサイト:镜像站点〔网站〕｜ーボール:镜球｜バックー:后视镜; 照后镜
みらい【未来】未来wèilái; 将来jiānglái ✤ー永劫(ごう):永远; 永久
ミリ 千分之一qiān fēn zhī yī; 毫háo ✤ーグラム:毫克｜ーメートル:毫米｜ーリットル:毫升
みりょう【魅了】(～する)使人入迷shǐ rén rùmí ‖ 聴衆を～する 使听众听得入迷
みりょく【魅力】〔股, 种〕魅力mèilì; 吸引力xīyǐnlì ‖ ～を感じる 感兴趣｜～を引きだす 使内在的魅力发挥出来｜～的な人 充满个人魅力的人
みる【見る】❶〔目で〕看kàn; 看见kànjian ‖ テレビを～ 看电视｜左右をよく～ 看清左右两侧｜見て見ぬふりをする 装做没看见｜ちらっと～ 瞥一眼｜～人が見ればわかる 内行人一看就知道｜見ればへほど 越看越｜～と聞くとは大違い 定 耳闻不如目睹｜～に見かねて 不忍坐视 ❷〔判断·推測する〕认为rènwéi; 从…来看 cóng…lái kàn ‖ 私の見たところ, 先方は信頼できる会社だ 我看, 对方是一个可靠的公司｜空模様から～と明日も天気だ 看样子, 明天又是好天气｜世間を甘く見てはいけない 别把世间看得那么简单 ❸〔試す〕试试shìshi; 尝试chángshì ‖ 相手の出方を～ 看看对方的态度｜スープの味を～ 尝尝汤的味道｜包丁の切れ味を～ 试试菜刀快不快 ❹〔世話する·監督する〕照看zhàokàn ‖ しばらくこの子を見ていてください 麻烦你照看一下这个孩子｜年老いた両親の面倒を～ 照顾年迈的双亲 ❺〔…てみる〕试试看shìshi kàn; …起来 …qilai; …一下 …yíxià ‖ やって～と意外と簡単だった 做起来却很简单
みる【診る】看病kànbìng; 诊察zhěnchá ‖ すぐ医者に診てもらいなさい 赶快去看医生!
みるからに【見るからに】一看就…yí kàn jiù… ‖ ～難しそうだ 一看就知道很难
ミルク 牛奶niúnǎi ✤ーセーキ:奶昔
みるみる【見る見る】眼看着就yǎnkànzhe jiù; 看着看着kànzhe kànzhe ‖ 父の顔が怒りで～赤くなった 眼看着父亲的脸气得一下子变红了
みるめ【見る目】❶〔視点〕〔个, 种〕看法kànfa ‖ 彼を～がかわった 改变了对他的看法 ❷〔鑑識眼〕眼力yǎnlì; 鉴别力jiànbiélì ‖ 人を～がある 很会看人｜絵を～ 鉴赏绘画的眼光
みれん【未練】留恋liúliàn; 眷恋juànliàn; 依恋yīliàn ‖ ～たっぷり 充满依恋｜～がない 毫不留恋
みれんがまし·い【未練がましい】定 恋恋不舍liàn liàn bù shě; 不干脆 bù gāncuì
みわく【魅惑】(～する)魅人mèirén; 迷惑míhuo ‖ ～的な女性 富有吸引力的女人
みわけ【見分け】分辨fēnbiàn; 识别shíbié ‖ この兄弟は～がつかないくらいよく似ている 兄弟俩长得一模一样, 难以分辨
みわ·ける【見分ける】辨别biànbié; 区分qūfēn ‖ 暗くてだれなのか～けられなかった 太暗了, 无法辨认出是谁｜不良品を～ける 辨别次品
みわた·す【見渡す】放眼望去fàngyǎn wàngqu; 瞭望liàowàng ‖ ～す限りの菜の花畑 一望无际的油菜地｜全体を～して仕事量を調整する 全盘考虑整体情况后调整工作量
みんい【民意】民意mínyì ‖ ～を尊重する 尊重民意｜～を問う 叩问民意
みんえい【民営】民营mínyíng; 私营sīyíng
みんか【民家】民房mínfáng
みんかん【民間】❶〔一般庶民の社会〕社会shèhuì; 在野zàiyě ❷〔公に対して〕民间mínjiān ‖ ～企業につとめる 在民间企业工作｜校長を～から採用する 录用普通人担任校长 ✤ー外交:民间外交｜ー人:在野人士｜ー伝承:民间传承｜ー放送:商业广播｜ー療法:民间疗法
ミンク 水貂shuǐdiāo ‖ ～のコート 貂皮大衣
みんげい【民芸】〔种, 门〕民间工艺 mínjiān gōngyì ✤ー品:民间(手)工艺品
みんけん【民権】民权mínquán
みんじ【民事】民事mínshì ✤ー裁判:民事审判｜ー事件:民事案件｜ー訴訟:民事诉讼
みんしゅ【民主】民主mínzhǔ ‖ 問題を～的に解決する 民主地解决问题｜～化を求める 要求实现民主化 ✤ー国家:民主国家｜ー主義:民主主义
みんしゅう【民衆】民众mínzhòng; 大众dàzhòng ✤ー運動:民众运动
みんしん【民心】〔份, 种〕民心mínxīn; 民情mínqíng ‖ ～を得る 得民心｜～を把握する 掌握民心｜～に背く 违背民心｜～を失う 丧失民心
みんぞく【民俗】〔种〕民俗mínsú ✤ー音楽:民俗音乐｜ー学:民俗学｜ー芸能:民俗艺术
みんぞく【民族】〔个, 种〕民族mínzú; 种族zhǒngzú ✤ー意識:民族意识｜ー衣装:民族服装｜ー運動:民族运动｜ー学:民族学｜ー差別:种族歧视｜ー主義:种族主义｜ー性:民族性
みんちょうたい【明朝体】宋体字sòngtǐzì
ミント 薄荷bòhe ✤ーティー:薄荷茶
みんな【皆】❶〔すべての人〕大家dàjiā ❷〔すべて·残らず〕全quán; 都dōu; 全都quándōu

み

みんぽう【民放】⇨みんかん(民間)「一放送」
みんぽう【民法】〔个,条〕民法mínfǎ

みんよう【民謡】〔首,支〕民歌míngē
みんわ【民話】〔个,则〕民间故事mínjiān gùshi

む

む【無】❶〔ないこと〕无wú ‖ ～から有は生じえない 无不能生有 ❷〔むだ・だめ〕白费báifèi; 辜负gūfù ‖ 好意を～にする 辜负好意 ❸〔…がない・しない〕没有méiyou ‖ ～教養 没有教养
むい【無為】虚度光阴xūdù guāngyīn; 定 无所事事wú suǒ shì shì ‖ まる1日～に過ごす 一整天什么事也不干 | ～徒食の輩 游手好闲之徒
むいしき【無意識】下意识xiàyìshi; 无意识wúyìshi ‖ ～に足をとめた 下意识地停住了脚步 | ～の行動 无意识的举动
むいちぶつ【無一物】定 一无所有yì wú suǒ yǒu; 定 身无长物shēn wú cháng wù
むいちもん【無一文】身无分文shēn wú fēnwén; 定 一文不名yì wén bù míng
むいみ【無意味】无意义wú yìyì ‖ ～なことを言う 说无聊话 | ～な論争 没有意义的论争
ムード〔种〕气氛qìfēn; 情绪qíngxu ‖ ロマンチックな～ 浪漫的气氛 ✣ 一ミュージック:气氛音乐
むえき【無益】无益wúyì; 没用méi yòng ‖ ～な殺生をする 无益的杀生
むえん【無煙】无烟wúyān ✣ 一炭:无烟煤
むえん【無縁】毫无关系háo wú guānxi; 无缘wúyuán; 没联系méi liánxì ‖ わたしには～のことだ 与我无缘的事 ✣ 一仏:无人祭奠的死人
むが【無我】无我wúwǒ; 忘我wàngwǒ ‖ ～の境地 空灵无我之境 ✣ 一夢中:拼命;忘我
むかい【向かい】对面duìmiàn; 对过儿duìguòr ‖ うちは郵便局の～だ 我家在邮局对面〔对过〕
むがい【無害】无害wúhài; 无害处wú hàichu
むかいあ・う【向かい合う】面对面miàn duì miàn; 相对xiāngduì ‖ ～って座る 面对面地坐
むかいかぜ【向かい風】迎面风yíngmiànfēng
むか・う【向かう】❶〔顔を向ける〕面向miànxiàng; 对duì ‖ 観客に～って一礼する 面向观众鞠一躬 | 鏡に～って化粧する 对着镜子化妆 | 面と～って言う 当面说 | 駅に～って右側 面对车站的右侧 ❷〔めざす〕往〔向;朝〕…去wǎng〔xiàng; cháo〕… qù ‖ 車は名古屋方面に～った 车开往名古屋方面去了 | 台風は関東地方に～っている 台风正往关东地区移动 | ～うところ敵なし 所向无敌 ❸〔移行する〕‖ 病情が快方に～う 病情有所好转 | 天気が回復に～う 天气情况有所好转
むかえ【迎え】接jiē; 迎接yíngjiē ‖ ～の車が着いた 来接客人的车到了 | 成田に友人を～に行く 去成田机场迎接朋友
むかえう・つ【迎え撃つ】迎击yíngjī
むか・える【迎える】❶〔待ち受ける〕迎接yíngjiē; 欢迎huānyíng ‖ 一行はあたたかく～えられた 他们一行受到了热烈欢迎 ❷〔ある時がくる〕到来dàolái ‖ あと1週間で新年を～える 再过一个星期就是新年了 | 100歳の誕生日を～える 要到100岁的生日了 ❸〔受け入れる〕(妻を)娶qǔ. (むこを)招zhāo ‖ 養子を～える 认领养子 ❹〔招く〕聘请pìnqǐng ‖ 専門家を～える 聘请专家
むがく【無学】没文化méi wénhuà
むかし【昔】从前cóngqián; 古时候gǔ shíhou; 过去guòqù ‖ ～この辺は畑だった 从前,这一带都是田地 | ～の人 古时候的人们 | ～を顧みる 回顾过去
むかしかたぎ【昔気質】保守bǎoshǒu; 老派lǎopài ‖ ～の職人 传统手艺人
むかしなじみ【昔馴染み】老朋友lǎo péngyou; 老相识lǎo xiāngshí
むかしばなし【昔話】❶〔思い出の話〕往事wǎngshì ❷〔民間説話〕民间故事mínjiān gùshi
むかしふう【昔風】老式lǎoshì; 旧式jiùshì
むかつ・く ❶〔吐き気がする〕恶心(要吐) ěxin (yào tù); 反胃fǎnwèi ‖ 胃が～く 胃里很难受 ❷〔腹が立つ〕生气shēngqì; 气愤qìfèn; 厌恶yànwù ‖ 顔を見るだけで～く 一看他的脸我就不舒服
むかっぱら【むかっ腹】生气shēngqì; 冒火màohuǒ ‖ ～を立てる 定 火冒三丈
むかで【百足】〔只〕蜈蚣wúgong
むかむか ⇨むかつく
むかんかく【無感覚】❶〔感覚がないこと〕没感觉méi gǎnjué; 无知觉wú zhījué ❷〔感受性が鈍いこと〕定 麻木不仁má mù bù rén
むかんけい【無関係】无关wúguān; 没关系méi guānxi
むかんしん【無関心】不关心bù guānxīn ‖ ～を装う 装成没有兴趣的样子
むき【向き】❶〔方向〕方向fāngxiàng; 朝向cháoxiàng; 朝… cháo… ‖ 南～の部屋 朝南的房间 | 机の～がよくない 书桌的朝向不好 ❷〔適合〕适合shìhé; 面向miànxiàng ‖ 政治家～ 适合当政治家 | 若～のデザイン 面向年轻人的款式 ❸〔人〕人rén; 人们rénmen ‖ その案には反対の～もある 也有反对那项计划的人 ❹〔過剰反応〕太当真tài dàngzhēn; 过分认真guòfèn rènzhēn ‖ そう～になるな 别那么认真嘛
むき【無期】✣ 一延期:无限期延期 | 一懲役:无期徒刑
むき【無機】无机wújī ✣ 一物:无机物
むぎ【麦】麦mài ‖ ～を植える 种麦子 | ～を踏む 踏〔踩〕麦苗 ✣ 一茶:麦茶;大麦茶 | 一畑:麦田
むきあ・う【向き合う】⇨むかいあう(向かい合う)
むきげん【無期限】‖ ～スト 无限期罢工
むきず【無傷】❶〔傷がない〕完好无损wánhǎo wúsǔn; 毫发无损háofà wúsǔn ‖ 人質たちは～で救出された 人质都毫发无损地被解救出来了 ❷〔負けがない〕没输过méi shūguo
むきだし【剥き出し】❶〔物など〕露出lùchu; 光着guāngzhe ‖ お金を～で渡す 现金没有封装就那么递给对方 ❷〔感情〕毫不掩饰háobù yǎn-

shì ‖ 感情を～にして怒る 毫不掩饰地发火
むきめい【無記名】无记名wújìmíng
むきゅう【無休】不休息bù xiūxi ‖ 24時間営業, 年中～ 24小时营业, 全年无休
むきゅう【無給】没有工资 méiyou gōngzī
むきりょく【無気力】没精神 méi jīngshen
むぎわら【麦藁】✤―帽子:麦秸草帽
むきん【無菌】无菌wújūn ✤―室:无菌室
む・く【向く】❶〔ある方向に〕向xiàng; 朝cháo ‖ 後ろを～くな 不要朝后看 | 下を～く 低下头 ❷〔適する〕适合shìhé ‖ ぼくはそういう仕事には～かない 我不适合干那样的工作 ❸〔ある状態に傾く〕‖ 気が～かないこと 不想做的事 | 足の～くまま 信步而行 | やっと運が～いてきた 运气终于来了
む・く【剝く】剥bāo; 削xiāo ‖ バナナを～く 剥香蕉皮儿 | 目を～いて怒る 大发雷霆
むく【無垢】❶〔汚れのない〕无垢wúgòu; 纯洁chúnjié ‖ 純真～な子ども 天真无邪的孩子 ❷〔まじりけがない〕纯粹chúncuì ‖ 金～ 纯金
むくい【報い】果报guǒbào; 报应bàoying ‖ 善には善の, 悪には悪の～がある 善有善报, 恶有恶报
むく・いる【報いる】❶〔お返しをする〕报答bàodá; 补偿bǔcháng ‖ 恩に～ 报恩 ❷〔仕返しする〕报复bàofu ‖ 悪に～いるに善をもってする 以善报恶; 以德报怨 | 一矢を～いる 予以还击
むくち【無口】不爱说话bú ài shuōhuà; 沉默寡言chénmò guǎyán
むく・む【浮腫む】浮肿fúzhǒng; 水肿shuǐzhǒng ‖ 足が～む 脚浮肿了
-むけ【向け】向xiàng ‖ 子ども～テレビ番組 少儿节目 | 被災地～の救援物資 给灾区的救援物资
むけい【無形】无形wúxíng ‖ 著作権は～の財産だ 版权是无形资产 ✤―文化財:无形文化遗产
むげい【無芸】无一技之长wú yí jì zhī cháng ‖ ～大食 没本事的饭桶; 光会吃饭的人
むけいかく【無計画】无〔没〕计划wú〔méi〕jìhuà ‖ ～な登山は危険だ 盲目地登山很危险
むけつ【無血】✤―クーデター:不流血政变
むげに【無下に】不讲情面地bù jiǎng qíngmiàn de; 冷淡地 lěngdàn de ‖ ～断るわけにもいかない 也不能不讲情面地一口拒绝
む・ける【向ける】❶〔向くようにする〕向xiàng; 朝cháo ‖ 広く世界に目を～ける 拓宽视野, 面向全球 | 通行人にマイクを～ける 将麦克风转向行人 ❷〔割り当てる〕用做yòngzuò ‖ 製品の一部を輸出に～ける 一部分产品用于出口
むげん【無限】无限wúxiàn; 无止境wú zhǐjìng ‖ 宇宙は～に大きい 宇宙是无限广大〔无止境〕的 | ～の可能性がある 具有无限的潜力
むげん【夢幻】梦幻mènghuàn; 虚幻xūhuàn
むこ【婿】婿xù ‖ 花～ 新郎 | 娘～ 女婿
むこ【無辜】无辜wúgū ‖ ～の民 无辜的百姓
むご・い【惨い】残酷cánkù; 残忍cánrěn ‖ あまりの～さに思わず目をそむける 因过于残酷不由得将视线移开 | ～いことを言う 说话恶毒
むこいり【婿入り】(～する)入赘rùzhuì
むこう【向こう】❶〔物を隔てた先〕那边nàbiān; 对面duìmiàn ‖ 川の～は神奈川県です 河对面〔那边〕就是神奈川县了 ❷〔あちら〕那边nàbiān; 那儿nàr ‖ 子どもは～へ行ってなさい 小孩子给我到那边去 | ～に着いたら電話します 到了那里我会给你打电话 ❸〔今後〕从现在起cóng xiànzài qǐ; 从今以后cóng jīn yǐhòu ‖ ～1週間 下星期 ❹〔相手〕对方duìfāng ‖ チャンピオンを～にまわす 跟冠军对抗
むこう【無効】无效wúxiào; 失效shīxiào ‖ 契約が～になった 合同失效了 | この切符はもう～だ 这张票已经作废了 ✤―票:无效票
むこうき【向こう気】‖ ～が強い 竞争意识强
むこうずね【向こう脛】迎面骨yíngmiàngǔ
むこうみず【向こう見ず】不顾后果búgù hòuguǒ; 鲁莽lǔmǎng; 莽撞mǎngzhuàng
むごん【無言】默默地mòmò de; 默不作声mò bú zuò shēng; 无言wúyán ‖ 男は～のまま立ち去った 他默不作声地离开了 | ～の抵抗をする 表现出无声的抵抗 ✤―劇:哑剧 | ―電話:无言电话
むざい【無罪】无罪wúzuì ‖ 逆転～ 推翻原判, 宣判被告无罪 | ～を主張する 申辩无罪 ✤―放免:无罪释放
むさく【無策】㊢束手无策shù shǒu wú cè; 无策wú cè
むさくい【無作為】随意suíyì; 随便suíbiàn; 非人为fēi rénwéi ✤―抽出法:随意抽取法
むさくるし・い【むさ苦しい】脏乱的zāngluàn de; 邋遢lāta ‖ ～い格好をしている 穿着邋遢
むさべつ【無差別】无差别wú chābié; ㊢一视同仁yí shì tóng rén ✤―級:无差别级 | ―殺人:无差别杀人 | ―爆撃:狂轰乱炸
むさぼ・る【貪る】贪图tāntú; 贪tān ‖ 不当に暴利を～る 不正当地谋取暴利 | ～るように小説を読む 如饥似渴地读小说
むざむざと 轻易地qīngyì de; 白白báibái ‖ ～引き下がるものか 可不能轻易地让步 | 警察は犯人を～取り逃がした 警察眼睁睁地让犯人逃跑了
むざん【無残・無惨】❶〔残酷なこと〕残酷cánkù; 残忍cánrěn ‖ 2人の仲を～に引き裂く 残酷地拆散了两个人 ❷〔いたましい〕凄惨qīcǎn; 悲惨bēicǎn; 无情wúqíng ‖ ～な最期を遂げる 悲惨地结束了一生 | 見るも～な光景 惨不忍睹的情景
むし【虫】❶〔虫類〕虫子chóngzi; 昆虫kūnchóng ‖ セーターが～に食われた 毛衣被虫子蛀了 | ～がわく 长虫子 | ～をとる 捉昆虫 ❷〔人の感情〕情绪qíngxu ‖ ～のいどころが悪い 情绪焦躁 | ～が好かない 看不惯 | 腹の～がおさまらない 压不住胸中的怒火 ❸〔物事に熱中する人〕狂kuáng ‖ 本の～ 书呆子 | 仕事の～ 工作狂 ❹〔慣用表現〕‖ ～の息 奄奄一息 | ～の知らせ 预感 | ～がよすぎる 太自私了 | ～も殺さないような顔 看起来非常仁慈
むし【無私】无私wúsī ‖ ～の愛 无私的爱情
むし【無視】(～する)无视wúshì; 漠视mòshì; 不顾búgù ‖ この事実は～できない 不能无视这个事实 | 信号～ 无视交通信号 | 他人を～して発言する 旁若无人地讲话
むじ【無地】没花纹méi huāwén; 清一色qīng yí sè ‖ ～のカーテン 单色窗帘
むしあつ・い【蒸し暑い】闷热mēnrè
むしかえ・す【蒸し返す】重提往事chóng tí wǎngshì ‖ 昨日の議題を～す 重提昨天的议题
むしかご【虫籠】虫笼chónglóng

む

むしき【蒸し器】蒸笼zhēnglóng; 蒸屉zhēngtì
むしくだし【虫下し】驱虫药qūchóngyào
むしけら【虫螻】‖～同然に扱われた 被视若蝼蚁｜～のようなやつ 微不足道的家伙
むしけん【無試験】❖一入学:免试入学
むじこ【無事故】无事故wú shìgù; 不出事故bù chū shìgù
むしず【虫酸·虫唾】‖～が走る 犯恶心
むしタオル【蒸しタオル】热毛巾rè máojīn
むじつ【無実】清白qīngbái; 冤枉yuānwang‖自己の～を主張する 坚持自己是被冤枉的｜～の罪に問われる 被扣上莫须有的罪名
むじな【狢·貉】貉hé‖同じ穴の～ 一丘之貉
むしに【蒸し煮】焖mèn
むしば【虫歯】虫牙chóngyá; 蛀牙zhùyá‖～になる 长虫牙
むしば·む【蝕む】侵害qīnhài; 侵蚀qīnshí; 腐蚀fǔshí‖心身を～む 侵害身心健康
むじひ【無慈悲】冷酷无情lěngkù wúqíng; 没有同情心méiyou tóngqíngxīn
むしぶろ【蒸し風呂】蒸气浴zhēngqìyù
むしぼし【虫干し】(～する)晾晒liàngshài; 见见风jiànjian fēng‖衣服の～をした 晾衣服
むしむし【蒸し蒸し】(～する)闷热mēnrè
むしめがね【虫眼鏡】放大镜fàngdàjìng
むじゃき【無邪気】天真无邪tiānzhēn wúxié; 纯真chúnzhēn; 单纯dānchún‖～な笑顔 天真无邪的笑容｜～な質問 幼稚的问题
むしゃくしゃ (～する)心烦xīnfán; 烦躁fánzào; 不痛快bú tòngkuai‖～する 觉得心烦
むしゃむしゃ 定狼吞虎咽láng tūn hǔ yàn‖ハンバーガーを～食べる 大口大口地吃汉堡包
むしゅう【無臭】无气味wú qìwèi; 无臭wúxiù
むしゅうきょう【無宗教】无宗教信仰wú zōngjiào xìnyǎng‖私は～だ 我不信任何宗教
むじゅうりょく【無重力】失重shīzhòng; 无重力wúzhònglì ❖一状態:失重状态
むじゅん【矛盾】(～する)矛盾máodùn‖言うこととやることが～してる 说的跟做的自相矛盾
むしょう【無償】❶〔無料で〕免费miǎnfèi; 无偿wúcháng‖～で修理する 免费修理 ❷〔報酬を求めない〕无偿wúcháng‖～の愛 无偿的爱｜～の奉仕 无私奉献
むじょう【無上】‖～の喜び 无上的喜悦
むじょう【無情】冷酷lěngkù; 无情wúqíng; 冷漠lěngmò‖～な人 冷酷无情的人｜～な仕打ち 冷酷对待｜～にも雨が降りだした 无情地下起了雨
むじょうけん【無条件】无条件wútiáojiàn; 无附加条件wú fùjiā tiáojiàn‖～降伏 无条件投降｜孫は～にかわいいものだ 对孙子不管是谁都是倍加疼爱的
むしょうに【無性に】非常fēicháng; 特别tèbié‖～腹が立つ 压不住怒火｜～眠い 困得要死
むしょく【無色】无色wúsè‖～透明 无色透明
むしょく【無職】没有工作méiyou gōngzuò; 失业shīyè‖住所不定～ 居无定所, 没有工作
むしょぞく【無所属】无党派wúdǎngpài‖～で立候補する 作为无党派候选人参加选举
むし·る【毟る】拔bá; 揪jiū‖庭の草を～る 拔院子里的草｜金を～られる 被骗取钱财
むしろ【筵·蓆】〔条, 张〕席子xízi; 草席cǎoxí‖～を敷いて座る 铺上席子坐｜針の～ 如坐针毡
むしろ【寧ろ】与其…不如yǔqí…bùrú; 不如bùrú; 反倒fǎndào; 宁可nìngkě‖あの人は作家というより～評論家だ 他与其说是作家不如说是评论家｜～死んだほうがましだ 还不如死了的好｜病状はよくなるどころか～日々悪くなっている 病情不但没有好转, 反倒日渐恶化
むしん【無心】❶(～する)〔金をせびる〕开口要kāikǒu yào; 索要suǒyào‖金を～する 开口要借钱 ❷〔雑念がないこと〕天真tiānzhēn; 定专心致志zhuān xīn zhì zhì‖ラケットを手に～にボールを追いかける 手握球拍专心致志地练球
むじん【無人】❖一駅:无人车站｜一島:无人岛
むじん【無尽】定无穷无尽wú qióng wú jìn‖～蔵のエネルギー 无穷无尽的能源
むしんけい【無神経】不顾别人búgù biéren; 没反应méi fǎnyìng‖～な発言 不经考虑的话｜人の気もちに～だ 不顾及他人的感受
むしんろん【無神論】无神论wúshénlùn
む·す【蒸す】❶〔ふかす〕蒸zhēng‖ジャガイモを～す 蒸土豆 ❷〔蒸し暑い〕闷热mēnrè
むすう【無数】无数wúshù‖～の星 无数的星星｜～にある 多得数不清
むずかし·い【難しい】❶〔簡単ではない〕难nán‖捲舌音は～い 卷舌音不容易学会｜問題が～ければ～いほどファイトが湧いてくる 问题越难越有干劲 ❷〔情況が困難〕难解决nán jiějué; 困难kùnnan; 难说nánshuō‖事態はますます～くなってきた 事态变得越来越难解决了｜～い立場にある 处境很为难 ❸〔厄介〕复杂fùzá; 不好对待bù hǎo duìdài; 麻烦máfan‖人づきあいは～い 人与人之间的交往很麻烦｜あまり～く考えないほうがいい 不用考虑得那么复杂 ❹〔人の性格·ようす〕‖～い客を担当させられた 偏偏让我负责接待挑剔的客户｜～い顔をして考え込む 愁眉苦脸地苦思冥想
むずか·る ‖子どもが～る 小孩儿哭闹
むすこ【息子】儿子érzi; 男孩nánhái
むす·ばれる 结婚jiéhūn
むすびつ·く【結び付く】关系guānxi; 相关xiāngguān; 联系liánxì‖努力が結果に～かない 努力干也得不到好结果｜外見と行動が～かない 外貌和行为联系不到一起
むすびめ【結び目】结子jiézi‖～を作る 打结
むす·ぶ【結ぶ】❶〔結わえる〕系jì; 结扎jiézā‖ネクタイを～ぶ 系领带｜靴のひもを～ぶ 系鞋带 ❷〔つなぐ〕联结liánjié; 连接liánjiē‖世界を～ぶネットワーク 联结全世界的网络 ❸〔他人と関係をもつ〕结合jiéhé; 相关xiāngguān‖契約を～ぶ 签订合同｜～ばれぬ恋 没有结果的恋情 ❹〔結果が生じる〕结(果) jiē(guǒ)‖研究が実を～ぶ 研究有了成果 ❺〔かたく閉じる〕紧闭jǐnbì‖かたく唇を～ぶ 双唇紧闭 ❻〔終わりとする〕结束jiéshù‖文章を～ぶ 结束文章
むずむず (～する)❶〔かゆい感じ〕痒痒yǎngyang‖鼻が～する 鼻子痒 ❷〔何かしたくて落ちつかない〕急切jíqiè; 跃跃欲试yuè yuè yù shì‖口を出したくて～する 话到嘴边憋不住
むすめ【娘】❶〔親にとっての〕女儿nǚ'ér‖上の

～ 大女儿 ❷〔若い女性〕女孩子nǚ háizi; 姑娘gūniang ✤一盛り:㊂豆蔻年华｜一婿:女婿

むせい【無声】无声wúshēng ✤一映画:无声片

むせい【夢精】(～する)遗精yíjīng; 梦遗mèngyí

むぜい【無税】免税miǎnshuì

むせいげん【無制限】无限制wú xiànzhì ‖ 重量～ 重量不限

むせいふ【無政府】无政府wúzhèngfǔ ‖ ～状態 无政府状态 ✤一主義:无政府主义

むせいぶつ【無生物】无生物wúshēngwù

むせいらん【無精卵】无精卵wújīngluǎn

むせきにん【無責任】不负责任bú fù zérèn; 没有责任感méiyou zérèngǎn ‖ ～にも程がある 太不负责任了｜～な約束をする 随便许下诺言

むせっそう【無節操】无节操wú jiécāo; 没有气节méiyou qìjié

むせ・ぶ【咽ぶ・噎ぶ】噎yē; 呛qiàng; 抽泣chōuqì ‖ 煙に～ぶ 呛了烟了｜涙に～ぶ 抽泣; 抽噎

む・せる【噎せる】噎yē; 呛qiàng ‖ 食べ物がつかえて～せた 被食物噎着了｜タバコの煙に～せた 被香烟呛着了

むせん【無線】❶〔電線を必要としない〕无线wúxiàn ❷〔無線通信の略〕无线电信wúxiàn diànxìn ‖ ～で連絡をとる 用无线电联系 ✤一操縦:无线操纵｜一通信:无线通讯｜一電話:无线电话｜一放送:无线电广播｜一LAN:无线局域网

むそう【夢想】梦想mèngxiǎng ‖ ～だにしなかった事件 做梦也想不到的事件

むぞうさ【無造作】❶〔おおざっぱに〕随意suíyì; 随手suíshǒu ‖ ～に髪を束ねる 随意地把头发束起来 ❷〔容易に〕轻而易举地qīng ér yì jǔ de ‖ ～にやってのける 轻而易举地做完

むだ【無駄】徒劳túláo; 白费báifèi ‖ ～な金を使う 花冤枉钱｜～に時をすごす 虚度光阴｜努力が～になった 白费努力

むだあし【無駄足】白跑一趟bái pǎo yí tàng

むだぐち【無駄口】闲话xiánhuà; 废话fèihuà

むだづかい【無駄遣い】(～する)乱花钱luàn huāqián; 浪费làngfèi

むだぼね【無駄骨】㊂徒劳无功tú láo wú gōng; 白费力气báifèi lìqi ‖ ～を折る 白受累

むだん【無断】擅自shànzì ‖ ～で学校を休む 擅自旷课 ✤一欠勤:擅自旷工｜一欠席:擅自缺席｜一借用:未经允许私自动用

むたんぽ【無担保】无抵押wú dǐyā

むち【無知】无知wúzhī; 愚昧yúmèi ‖ 自分の～をさらけ出す 暴露出自己的无知｜～の知 自知无知

むち【鞭】〔根,条〕鞭子biānzi ‖ ～を当てる 鞭打｜～打ちの刑 笞刑

むちつじょ【無秩序】无秩序wú zhìxù

むちゃ【無茶】❶〔道理に合わない〕毫无道理háowú dàoli; 荒唐huāngtang; 乱来luàn lái ‖ そんな～を言うな 你别瞎说!｜～をする 做荒唐的事 ❷〔過度〕过度guòdù; 过分guòfèn ‖ ～な減量は危険だ 过度减肥是很危险的

むちゅう【夢中】❶〔われを忘れた状態〕拼命pīnmìng; 忘情wàngqíng; 不顾一切búgù yíqiè ‖ ～で逃げる 拼命跑｜～で叫ぶ 不顾一切地大声喊 ❷〔熱中する〕热衷rèzhōng; 着迷zháomí; 入迷rùmí ‖ 彼は彼女に～だ 他非常迷恋他的女朋友｜話に～になる 聊得入迷 ❸〔夢の中〕梦中mèng zhōng; 睡梦中shuìmèng zhōng

むちん【無賃】✤一乗車:无票乘车

むつう【無痛】✤一分娩(ぶんべん):无痛分娩

むっつ【六つ】❶〔数〕六liù; 六个liù ge ❷〔年齢〕六岁liù suì

むっつり (～する)绷着脸不说话běngzhe liǎn bù shuōhuà; 板着脸bǎnzhe liǎn ‖ ～黙りこんで口をきかない 绷着脸一声也不吭

むっと (～する)❶〔怒った〕赌气dǔqì; 恼火nǎohuǒ ‖ ～した顔 一脸不高兴的样子｜無視されて～する 因被无视而愤懑 ❷〔息づまる〕闷死人mēnsǐ rén; 憋得慌biēdehuang ‖ 家の中が～する 屋里边闷得要死｜草いきれが～立ちこめる 充满了从草丛里散发出来的热气

むつまじ・い【睦まじい】和睦hémù

むていこう【無抵抗】不抵抗bù dǐkàng

むてき【無敵】无敌wúdí ‖ ～の強さ 天下无敌

むてき【霧笛】雾笛wùdí; 雾号wùhào

むてっぽう【無鉄砲】鲁莽lǔmǎng; 莽mǎng ‖ まったく～なことをするやつだ 真是个鲁莽的家伙

むてんか【無添加】无添加(剂) wútiānjiā(jì) ✤一食品:无添加剂食品

むとうか【無灯火】不点灯火bù diǎn dēnghuǒ

むとうは【無党派】无党派wúdǎngpài

むとくてん【無得点】无得分wú défēn

むとどけ【無届け】没请示méi qǐngshì; 不申报bù shēnbào ‖ ～でデモを行う 未经申请去游行

むとんじゃく【無頓着】不在乎búzàihu; 不讲究bù jiǎngjiu; 忽视hūshì ‖ 金に～だ 对金钱很不在乎｜身なりに～だ 对衣着不讲究

むないた【胸板】胸脯xiōngpú; 胸膛xiōngtáng ‖ ～が厚い〔薄い〕 胸脯很结实〔单薄〕

むなくそ【胸糞】‖ ～が悪い 让人恶心

むなぐら【胸倉】‖ ～をつかむ 揪住前襟

むなぐるし・い【胸苦しい】胸口堵得慌xiōngkǒu dǔdehuang; 喘不过气来chuǎnbuguò qì lai

むなさわぎ【胸騒ぎ】忐忑不安tǎntè bù'ān; 心慌xīn huāng ‖ なぜか～がして家に引き返す 不知为什么感到心慌,便掉头回家

むなざんよう【胸算用】(～する)心里盘算xīnli pánsuan; 内心估计nèixīn gūjì

むなし・い【空しい・虚しい】❶〔空虚〕空虚kōngxū ‖ ～い夢を追い続ける 一直在追求着那虚幻的梦｜～い議論 毫无意义的辩论 ❷〔むだ〕虚xū; 落空luòkōng; 白白地báibái de ‖ 学生時代を～く過ごす 虚度了学生时代

むなもと【胸元】胸口xiōngkǒu

むに【無二】‖ ～の親友 独一无二的好友

むね【旨】❶〔主旨〕‖ 欠席の～お伝えください 请你转告一下我缺席 ❷〔主義〕宗旨zōngzhǐ ‖ 有言実行を～とする 以有言必行为宗旨

むね【胸】❶〔胸部〕胸xiōng; 胸膛xiōngtáng ‖ ～の病 肺病｜～を張って歩く 挺起胸膛走 ❷〔乳房〕胸部xiōngbù; 胸xiōng ‖ ～が大きい 胸部很大 ❸〔慣用表現〕〔颗〕心xīn; 心里xīnli; 心情xīnqíng ‖ 喜びで～がいっぱいだ 我满心欢喜｜～がどきどきする 心怦怦直跳｜悲しみで～が張り裂けそうだ 悲痛得心都快碎了｜～に一物ある 心

む

怀叵测｜希望に～をふくらませる 满怀希望｜～をなでおろす 放心｜あの人への思いに～を焦がす 想他想得心如火燎｜～がすっとした 心情舒畅了｜自分の～に聞く 扪心自问｜～の内を明かす 说出自己的心思｜～が詰まる 胸堵｜～がときめく 心情激动｜～に秘める 隐藏在心里｜～のうちを見透かす 看出心思｜名人の～を借りる 与高手过招

むね【棟】❶〔建物〕房子fángzi；楼lóu ❷〔建物を数える〕栋dòng；幢zhuàng

むねやけ【胸焼け】烧心shāoxīn

むねん【無念】❶〔残念〕遗憾yíhàn；懊悔àohuǐ‖昨年の～を晴らし見事優勝した 雪去年之耻，一举夺魁｜～を晴らす 雪恨；昭雪 ❷〔何も考えないこと〕无思无念 wú sī wú niàn

むのう【無能】无能wúnéng‖政府の～を攻撃する 谴责政府的无能

むはい【無敗】不败bú bài‖～を守る 保持不败

むひ【無比】无比wúbǐ‖正確～ 准确无比｜当代～ 举世无双

むひょう【霧氷】雾凇wùsong；树挂shùguà

むびょう【無病】‖～息災 无病无灾

むひょうじょう【無表情】‖～な顔 面无表情

むふう【無風】❶〔風がない〕无风wú fēng ❷〔波乱がない〕稳定wěndìng；不受影响bú shòu yǐngxiǎng

むふんべつ【無分別】轻率qīngshuài；考虑不周kǎolǜ bùzhōu‖～な行動 莽撞的行为

むほう【無法】✤—地帯：无法无天的地区

むぼう【無謀】欠考虑qiàn kǎolǜ‖～な行動 莽撞的行为 ✤—運転：野蛮驾驶

むぼうび【無防備】无防备wú fángbèi‖～な寝姿 毫无戒心的睡容

むほん【謀反】造反zàofǎn；谋反móufǎn‖～をたくらむ 企图造反 ✤—人：造反者；谋反者

むみ【無味】✤—乾燥：㊢枯燥无味‖～な生活 乏味无聊的生活

むめい【無名】无名wúmíng；没名气méi míngqi；不出名bù chūmíng‖～の弁護士 没名气的律师｜～のまま一生を終える 默默无闻地度过了一生

むめんきょ【無免許】无执照wú zhízhào；无许可证wú xǔkězhèng‖～で運転する 无照驾驶

むやみ【無闇】胡乱húluàn；随便suíbiàn；轻易qīngyi‖～に人を非難するものではない 不能胡乱指责别人｜～に印鑑を押す 随便盖章｜～に酒を飲む 狂喝滥饮 ✤—やたら：胡乱；盲目

むゆうびょう【夢遊病】梦游症mèngyóuzhèng

むよう【無用】❶〔不必要〕无用wúyòng；不必要bú bìyào；没用méi yòng‖～の長物 无用之物｜～の摩擦を避ける 避免不必要的摩擦｜心配～ 不必担心｜弁解は～だ 辩解也没用 ❷〔禁止〕禁止jìnzhǐ；不准bù zhǔn‖他言は～ 不要泄秘 ✤問答—：不许辩解

むよく【無欲】无欲wúyù‖～な人 无欲无求的人｜～の勝利 不争〔无为〕而胜

むら【村】村子cūnzi；村庄cūnzhuāng ✤—人：村里人；村民｜—役場：村公所

むら【斑】❶〔色の〕不均匀bù jūnyún；有斑点yǒu bāndiǎn‖この布は～なく染まる 这布染得非常均匀 ❷〔物事の〕‖気分に～がある 情绪多变｜成績に～がある 他成绩忽好忽坏

むらが・る【群がる】聚集jùjí；群集qúnjí‖駅前に人が～っている 站前聚了很多人

むらさき【紫】紫zǐ；紫色zǐsè‖唇が～になる 嘴唇发紫

むらさきずいしょう【紫水晶】紫水晶zǐshuǐjīng

むら・す【蒸らす】焖mèn‖ご飯を～す 焖饭

むり【無理】❶〔不条理〕无理wúlǐ；不合理bù hélǐ‖怒るのも～はない 也难怪他生气；他生气也是理所当然的｜～が通れば道理が引っ込む 歪风不止，正气难树 ❷〔不可能・困難〕不可能bù kěnéng；难以办到nányǐ bàndào‖～な注文だ 这事我可办不到｜～は承知の上だ 我也知道这事很难办 ❸〔強引・強制〕硬（干） yìng（gàn）；硬逼yìngbī‖～に事を進める 硬做下去｜～が通る 邪气压倒正气｜～を通す 一味蛮干；强行通过｜～がきく 能够强行通过；可以硬来｜～な運動はかえって体に悪い 运动过度反而对身体不好｜～がたたる 累垮；因操劳过度而病倒

むりかい【無理解】不理解bù lǐjiě；不体谅人bù tǐliang rén

むりじい【無理強い】勉强miǎnqiǎng；逼bī；强迫qiǎngpò‖酒は～するな 别逼人喝酒

むりそく【無利息】无利息wú lìxī

むりなんだい【無理難題】无理要求wúlǐ yāoqiú；过分要求guòfèn yāoqiú‖～をふっかける 提出无理要求

むりょう【無料】免费miǎnfèi ✤送料—：免费运送；免费邮送｜入場—：入场免费

むりょく【無力】无力wúlì；没能力méi nénglì‖人間は自然の前では～である 人在自然面前是无能为力的｜自分の～さを痛感する 痛感自己的无力

むるい【無類】无比wúbǐ；㊢无与伦比wú yǔ lún bǐ‖～の酒好き 酒鬼｜～のお人好し 大好人

むれ【群れ】群qún‖ヒツジの～ 羊群

む・れる【群れる】⇨むらがる（群がる）

む・れる【蒸れる】❶〔熱気がこもる〕不通风bù tōngfēng；闷mēn‖足が～れる 脚闷出汗来；闷脚 ❷〔熱が通る〕蒸透zhēngtòu；蒸熟zhēngshú

むろん【無論】当然dāngrán；不用说búyòng shuō‖～私も例外ではない 我当然也不例外

め

め【目】❶〔生理〕〔双，只〕眼睛yǎnjing‖まぶしくて～があけられない 晃得睁不开眼睛｜～を閉じて考える 闭目思考｜眠そうな～をしてる 睡眼朦胧｜～がすわる 两眼发直 ❷〔視力〕视力shìlì‖～が見えなくなった 眼睛看不见〔失明〕了｜～がいい 视力好 ❸〔物事を見る態度・見方〕看法kànfa；

立场lìchǎng; 角度 ‖アメリカ人の〜から見た日本の姿 在美国…的日本形象｜冷静な〜で見る 冷静看…い〜で見守る 温情守护

…眼力yǎnlì; 判断力pàn-duànlì…ない 不会看人｜私の〜に狂…力没错｜〜が高い 很有眼力 ❹〔物事を…gyàn; 体验tǐyàn‖ひどい〜に…‖〜を見る 尝到甜头 ❻〔編み…いはな…; 眼yǎn‖このセーターは〜がつん…针脚很紧｜〜の粗い網 网眼大｜❺…的纹路 ❼〔のこぎりなどの〕‖のこ… ❽〔数・量などのしるし〕‖碁盤の…子｜さいころの〜 骰子的点儿｜はか… ❾〔慣用表現〕‖〜から火が出た…〜が回った 头昏眼花｜忙しくて〜が回…忙得团团转｜〜の中に入れても痛くないほどかわいがる 疼爱得如掌上明珠｜〜と鼻の先 近在咫尺｜〜の保養になった 使人大饱眼福｜〜に見えて体力が衰える 体力日见衰退｜目先の利益に〜がくらむ 被眼前的利益迷惑｜〜は口ほどにものをいう 人的眼睛会说话｜〜に余る 令人不能容忍｜これであいつも〜が覚めるだろう 这下他该醒悟了吧｜チョコレートに〜がない 特别爱吃巧克力｜生徒に〜を配る 关心每个学生｜〜の届くところで子どもを遊ばせる 让孩子在视线范围内玩儿｜新聞に〜を通す 翻看〔浏览〕报纸｜ちょっと〜を離したすきに 稍没留神｜監督の〜にとまる 引起教练的注意｜親の〜を盗む 趁父母不注意｜〜を引く 定 引人注目｜〜が離せない展開 事态发展令人关注｜〜の覚めるような美人 光艳夺目的美女｜〜にもとまらぬ早業 动作太快, 来不及看清楚｜〜を疑う 不敢相信自己的眼睛｜〜を皿にしてさがす 瞪大眼睛拼命找｜警察に〜をつけられている 被警察盯上｜〜から鼻へ抜ける 冰雪聪明｜〜も当てられない 定 惨不忍睹｜〜が点になる 定 目瞪口呆｜〜には〜を歯には歯を 定 以眼还眼, 以牙还牙

め【芽】❶〔若芽〕**芽**yá‖アサガオの〜が出る 牵牛花发芽｜お茶の若い〜だけを摘む 只采茶树的嫩芽 ❷〔成長・発展しようとするもの〕**萌芽**méngyá; **苗头**miáotou‖商売が〜を出しかけてきた 买卖开始上轨道了｜〜が出ない 没出息｜悪の〜を摘む 铲掉坏苗头

-め【目】**第…** dì…‖角から5軒〜 从拐角数起第五幢｜上から10枚〜のカード 从上面数第十张卡｜最前列の左から3人〜 第一排左边第三个

めあたらし・い【目新しい】**新奇**xīnqí; **新颖**xīnyǐng; **新鲜**xīnxian‖見るものがみな私には〜い 所见的东西对我来说都是很新鲜的

めあて【目当て】❶〔目的〕**目的**mùdì; **目标**mùbiāo‖保険金〜の犯行 为谋取保险金而作的案｜お〜の品 想要的东西 ❷〔目標〕**目标**mùbiāo‖教会の塔を〜に歩いた 以教堂塔为目标走

めい【姪】**侄女**zhínü; **外甥女**wàishengnǚ

めいあん【名案】**好主意**hǎo zhǔyi; **好办法**hǎo bànfǎ‖なるほど！ それは〜だ 果然是好主意

めいあん【明暗】❶〔幸運と不幸〕**明暗**míng'àn; **幸和不幸** xìng hé búxìng‖勝負の〜を分ける 决一胜负 ❷〔明るさ〕**明暗**míng'àn; **浓淡**nóngdàn ✣ー法：**明暗法**

めいい【名医】**名医**míngyī

めいうん【命運】**命运**mìngyùn‖この新製品にわが社の〜がかかっている 这个新产品关系到本公司的生死存亡

めいおうせい【冥王星】**冥王星**míngwángxīng

めいか【名家】❶〔由緒ある家柄〕**世家**shìjiā; **名门**míngmén ❷〔名人〕**名人**míngrén；**名家**míngjiā

めいかい【明快】**明快**míngkuài; **条理清晰**tiáolǐ qīngxī‖〜な論理 条理清晰的逻辑｜単純〜なストーリー 简单明快的故事

めいかい【冥界】⇨めいど(冥土)

めいかく【明確】**明确**míngquè; **清楚**qīngchu‖責任の所在を〜にする 明确责任之所在

めいがら【銘柄】❶〔ブランド・商標〕**商标**shāngbiāo; **品牌**pǐnpái ❷〔経済〕**交易品种**jiāoyì pǐnzhǒng ✣ー米：**名牌米**

めいかん【名鑑】**名册**míngcè; **名录**mínglù‖アイドル〜 偶像明星名册｜日本刀〜 日本名刀精选集

めいき【明記】(〜する)**清楚地记载**qīngchu de jìzǎi; **写明**xiěmíng‖保証内容は契約書に〜されている 保证内容在合同上写明了

めいき【銘記】(〜する)**铭记**míngjì; **牢记**láojì‖安全運転を心に〜する 把安全驾驶铭记在心

めいぎ【名義】**名义**míngyì; **名分**míngfèn‖この家は私の〜になっている 这所房子是我的名义｜〜貸しをする 借名义 ✣ー人：**名义人**

めいきょく【名曲】**名曲**míngqǔ

めいげつ【名月】〔轮〕**明月**míngyuè

めいげん【名言】**名言**míngyán; **警句** jǐngjù‖歴史上の〜 历史名言 ✣ー集：**名句集**

めいげん【明言】(〜する)**明言**míngyán; **明确表态**míngquè biǎotài‖〜を避ける 没有明确表态

めいさい【明細】**详细**xiángxì ✣ー書：**清单**｜給与ー：**工资单**

めいさい【迷彩】**迷彩**mícǎi ✣ー服：**迷彩服**

めいさく【名作】**名作**míngzuò‖古今の〜 古今名作｜不朽の〜 不朽的名作

めいさん【名産】**名产**míngchǎn; **特产**tèchǎn ✣ー地：**名产地**

めいし【名士】**名流**míngliú; **名士**míngshì; **名人**míngrén‖財界の〜 工商界名人

めいし【名刺】〔张〕**名片**míngpiàn‖〜を出す 递名片｜〜を受け取る 收名片 ✣ー入れ：**名片夹**｜ー受け：**名片箱**

めいし【名詞】**名词**míngcí

めいじ【明示】(〜する)**明示**míngshì; **标明**biāomíng; **清楚地表达**qīngchu de biǎodá‖書面に〜する 清楚地写成书面形式

めいじ【明治】✣ー維新：**明治维新**｜ー時代：**明治时代**

めいじつ【名実】**名实**míngshí; **名称与实质**míngchēng yǔ shízhì‖〜ともにもっとも優れた政治家 名副其实的最优秀的政治家

めいしゃ【目医者】**眼科医生**yǎnkē yīshēng; **眼医**yǎnyī

めいしゅ【名手】**名手**míngshǒu; **高手**gāoshǒu

めいしょ【名所】**名胜**míngshèng; **景点**jǐngdiǎn ✣ー旧跡：**名胜古迹**

め

めいしょう【名匠】㊀能工巧匠néng gōng qiǎo jiàng; 名匠míngjiàng
めいしょう【名称】名称míngchēng ‖ 銀行の～が変更になった 银行的名称变了
めいしょう【名勝】名胜míngshèng
めいじょう【名状】(～する)名状míngzhuàng; 表达biǎodá ‖ ～しがたいものがある 难以名状
めい·じる【命じる】❶〔命令する〕命令mìnglìng; 吩咐fēnfu ‖ 選手に退場を～じる 宣布选手退场 ❷〔任命する〕任命rènmìng; 委派wěipài ‖ 店長を～じられた 任命为店长〔经理〕
めいしん【迷信】迷信míxìn
めいじん【名人】❶〔ある技術に優れた人〕名家míngjiā; 名手míngshǒu; 高手gāoshǒu ‖ あの人は釣りの～だ 那人是钓鱼高手 ❷〔将棋·囲碁〕名人míngrén ❖ 一芸:名手的技艺
めいせい【名声】名声míngshēng; 名誉míngyù; 声誉shēngyù ‖ 一躍～を得る 一跃成名
めいせき【明晰】明晰míngxī; 清晰qīngxī ‖ 容姿端麗,頭脳～ 容貌端正头脑清晰
めいそう【迷走】(～する)迷失方向míshī fāngxiàng; 混乱hùnluàn ❖ 一神経:迷走神经 | 一台風:路径异常的台风
めいそう【瞑想】(～する)冥想míngxiǎng; 闭目沉思bì mù chénsī ‖ ～に入る 沉浸在冥想之中
めいだい【命題】命题mìngtí
めいちゅう【命中】(～する)命中mìngzhòng; 射中目标shèzhòng mùbiāo ‖ 真ん中に～した 命中正中心 ❖ 一弾:命中弹
めいちょ【名著】名著míngzhù
めいっぱい【目一杯】尽全力jìn quánlì; 尽情jìnqíng; 最大限度zuì dà xiàndù ‖ 水道の蛇口を～開く 把水龙头开到最大
めいてい【酩酊】(～する)酩酊大醉mǐngdǐng dà zuì
めいてん【名店】名店míngdiàn; 有名的店yǒumíng de diàn ❖ 一街:名店街
めいど【冥土·冥途】黄泉huángquán; 冥土míngtǔ; 冥府míngfǔ ‖ ～の旅に出る 赴黄泉
めいとう【名答】出色的回答chūsè de huídá ‖ ご～ 回答得真漂亮
めいはく【明白】明显míngxiǎn; 明白míngbai; 明确míngquè ‖ 事実関係を～にする 弄清事实关系 | ～な証拠をつかむ 掌握确凿证据
めいびん【明敏】聪明cōngming; 聪颖cōngyǐng; 灵敏língmǐn ‖ 頭脳～ 头脑聪明
めいふく【冥福】冥福míngfú ‖ 謹んでご～をお祈りします 谨在此祈祷他的冥福
めいぶつ【名物】(名産)特产tèchǎn. (評判の人·もの)特色人物〔物品〕tèsè rénwù〔wùpǐn〕‖ ～先生 名教师 ❖ 観光一:观光卖点
めいぶん【明文】明文míngwén ‖ 条約を～化する 把条约明文化
めいぼ【名簿】名册míngcè; 名单míngdān ‖ ～を作成する 做名单 | 名前が～に載る 名字登在名册上 | ～順に並んでください 请按名单上的顺序排队 ❖ 学生一:学生名册 | 顧客一:顾客名册 | 選挙人一:选举人名单 | 役員一:干部名单
めいみゃく【命脈】‖ ～を保つ 勉强活命 | ～が尽きる 气数已尽
めいめい【命名】(～す
儿qǐmíngr ‖ 新幹線の新し
れた 新干线的新列车被命名 ngmíng; 起名
:命名仪式
めいめい【銘銘】各自gèzì; 各 み」と～さ
měi ge rén ‖ ～の意見を聞く 征
めいもく【名目】借口jièkǒu; 幌 一式
由lǐyóu ‖ 病気という～で会社に行っ
生病没去公司 | ～だけの社長 只是挂
❖ 一賃金:名义工资
めいもん【名門】名门míngmén; 望族
大家dàjiā ‖ ～の出身 名门出身 | ～校 名
めいもんく【名文句】名句míngjù
めいやく【盟約】盟约méngyuē ‖ ～を結ぶ
盟约
めいゆう【名優】名演员míngyǎnyuán
めいゆう【盟友】盟友méngyǒu
めいよ【名誉】名誉míngyù; 荣誉róngyù; 光荣guāngróng ‖ 母校の～ 母校的荣誉 | ～を重んじる 看重名誉 | ～にかかわる問題 有关名誉的问题 | ～にかけて 以自己的名誉保证 | ～を回復した 挽回了名誉 ❖ 一会員:荣誉会员 | 一会長:名誉会长 | 一毀損(きそん):损坏名誉 | 一教授:名誉教授 | 一顧問:名誉顾问 | 一市民:荣誉市民
めいりょう【明瞭】明了míngliǎo; 明确míngquè; 清楚qīngchu ‖ 簡単～ 简单明了
めい·る【滅入る】忧郁yōuyù; 郁闷yùmèn
めいれい【命令】(～する)命令mìnglìng ❖ 一文:命令句 | 一法:祈使语气
めいろ【迷路】迷宫mígōng
めいろう【明朗】(性格が)开朗kāilǎng. (不正がない)清晰明了qīngxī míngliǎo; 清明qīngmíng
めいわく【迷惑】(～する)(被)麻烦(bèi) máfan; (被)打扰(bèi) dǎrǎo ‖ ～をこうむる 遇到麻烦 | ～をおかけしました 给您添麻烦了 | ～行為 令人讨厌的行为 ❖ 一駐車:乱停车;占道停车 | 一メール:搔扰短信;搔扰邮件
メイン 主要zhǔyào; 重点zhòngdiǎn; 中心zhōngxīn ❖ 一イベント:最精彩的节目;主要比赛 | 一キャスター:主播 | 一ゲート:正门 | 一ゲスト:特邀嘉宾 | 一スタジアム:主赛场 | 一スタンド:主看台 | 一ストリート:主干道;大街 | 一ディッシュ:主菜 | 一テーブル:主桌;主席 | 一テーマ:主题
めうえ【目上】长辈zhǎngbèi; 尊长zūnzhǎng
めうし【雌牛】母牛mǔniú; 牝牛pìnniú
めうつり【目移り】(～する)㊀眼花缭乱yǎn huā liáo luàn; 看花眼kànhuā yǎn
メーカー〔家〕厂商chǎngshāng; 厂家chǎngjiā; 制造商zhìzàoshāng ❖ 一流一:一流厂商 | 家電一:家电厂商 | チャンス一:能够创造机会的人
メーキャップ(～する)化妆huàzhuāng; 上妆shàngzhuāng ❖ 一アーティスト:化妆师
メーター(計量器)测量仪cèliángyí ‖ 水道～ 水表 | タクシーの～ 计价器 | ～を倒す 打(计程)表 | ～があがる 计价器跳动了
メーデー 五一(国际劳动)节Wǔ-Yī(Guójì Láodòng)jié
メートル 米mǐ ‖ 身長1～73センチ 身高1米73 | 50～プール 50米游泳池 ❖ 一法:国际公制
メール ❶〔電子メール〕电子邮件diànzǐ yóu-

jiàn；伊妹儿yīmèir ‖ 友人に～を送る 给朋友发电子邮件｜～で連絡を取りあう 用伊妹儿联系 ❷〔郵便物〕邮件yóujiàn ✣一アドレス:电子邮件地址｜一オーダー:邮购｜一マガジン:邮件杂志
めおと【夫婦】〔对〕夫妻fūqī；两口子liǎngkǒuzi ✣一茶わん:鸳鸯碗(大小成套的一对饭碗)
メカ 机械jīxiè ‖ ～に強い 擅长摆弄机器
めかくし【目隠し】(～する)❶〔目を覆う〕蒙眼méng yǎn.（覆い)眼罩儿yǎnzhàor ‖ ～をする 把眼睛蒙上 ❷〔外から見えないようにする〕‖ 木を～にする 以树为遮掩｜窓に～をする 挂窗帘
めかけ【妾】⇨あいじん(愛人)
めが・ける【目掛ける】瞄准miáozhǔn；朝着…前进 cháozhe…qiánjìn ‖ ゴール～けて突っ走った 向终点冲刺
めがしら【目頭】大眼角dàyǎnjiǎo；内眼角nèiyǎnjiǎo ‖ ～を押さえる 按住眼角强忍眼泪
めかた【目方】分量fènliang；重量zhòngliàng.（体重)体重tǐzhòng ‖ ～が重い〔軽い〕 分量重〔轻〕｜～で売る 论分量卖｜～をはかる 称重量
メカニズム ❶〔物事のしくみ〕机制jīzhì；机理jīlǐ ‖ 政治の～ 政治机制 ❷〔機械のしくみ〕机械装置jīxiè zhuāngzhì；结构jiégòu
めがね【眼鏡】❶〔眼鏡〕〔副〕眼镜yǎnjìng ‖ ～をかける 戴眼镜｜～を外す 摘眼镜｜～をつくる 配眼镜｜～のレンズ 镜片｜～の度が合わない 眼镜度数不合适 ❷〔判断・見込み〕识别shíbié；判断pànduàn ‖ ～が狂う 判断错了｜～違い 看错人｜～にかなう 受到青睐 ✣一ケース:眼镜盒｜一橋:双孔石拱桥｜一屋:眼镜店｜遠近両用一:远近两用眼镜｜縁なし一:无边〔无框〕眼镜
メガホン 喇叭筒lǎbatǒng；传声筒chuánshēngtǒng；话筒huàtǒng
めがみ【女神】女神nǚshén
メガロポリス 大城市群dà chéngshìqún
めきき【目利き】鉴定jiàndìng.（人)有眼力的人yǒu yǎnlì de rén ‖ 書画の～をする 鉴定书画
メキシコ 墨西哥Mòxīgē
めキャベツ【芽キャベツ】抱子甘蓝bàozǐ gānlán
めくじら【目くじら】‖ ～を立てる 挑刺儿
めぐすり【目薬】眼药(水) yǎnyào(shuǐ) ‖ ～をさす 点眼药(水)
めくばせ【目配せ】(～する)使眼色shǐ yǎnsè；定挤眉弄眼jǐ méi nòng yǎn
めぐま・れる【恵まれる】赋予fùyǔ；富有fùyǒu；充足chōngzú ‖ 子宝に～れる 家有小宝贝｜好天に～れた 遇上好天气｜～れた家庭に育つ 生长在富裕家庭
めぐみ【恵み】恩惠ēnhuì；恩赐ēncì ‖ 自然の～ 自然的恩惠｜～の雨 及时雨；甘霖
めぐ・む【恵む】施舍shīshě；周济zhōujì
めぐら・す【巡らす】❶〔囲う〕围上wéishang；绕上ràoshang ‖ 家の周りにへいを～す 在房屋周围建起了围墙 ❷〔考える〕想xiǎng；思考sīkǎo ‖ 思いを～す 左思右想｜策を～す 想计策；筹谋
めぐり【巡り】❶〔めぐる〕循环xúnhuán ‖ 血の～が悪い 血液循环不良 ❷〔歩きまわる〕巡游xúnyóu；逛guàng ‖ 美術館～をする 逛几个美术馆 ❸〔周囲〕周围zhōuwéi
めぐりあ・う【巡り会う・巡り合う】相逢xiāngféng；邂逅xièhòu；碰上pèngshang ‖ いい先生に～えてよかった 碰上了好老师, 太好了！
めぐりあわせ【巡り合わせ】运气yùnqi；机缘jīyuán ‖ ～がよい 运气好
めく・る【捲る】翻fān；掀开xiānkāi ‖ ページを～る 翻页｜トランプを～る 翻纸牌
めぐ・る【巡る】❶〔回ってもとに返る〕回huí；循环xúnhuán ‖ 再び春が～ってきた 春天又回到了我们的身边 ❷〔回り歩く〕巡游xúnyóu；周游zhōuyóu ❸〔中心にする〕围绕wéirào ‖ 教育問題を～って議論する 围绕教育问题进行争论
め・げる 泄气xièqì；气馁qìněi
めさき【目先】❶〔目の前〕眼前yǎnqián；面前miànqián ❷〔当座〕眼前yǎnqián；目前mùqián ‖ ～のことばかり考える 目光短浅 ❸〔見通し〕远见yuǎnjiàn ❹〔見た目〕样子yàngzi ‖ ～をかえる 变换花样
めざ・す【目指す】作为目标 zuòwéi mùbiāo ‖ 山頂を～してのぼる 往山顶上爬
めざと・い【目敏い】(すぐ見つける)眼快yǎn kuài；眼尖yǎn jiān
めざまし・い【目覚ましい】惊人jīngrén；出色chūsè ‖ ～い成功をおさめる 获得了异常显著的成功｜～い発展を遂げる 取得了惊人的发展
めざましどけい【目覚まし(時計)】〔座,具〕闹钟nàozhōng ‖ ～を6時にセットする 把闹钟的时间定到6点
めざ・める【目覚める】❶〔眠りから〕醒xǐng；睡醒shuìxǐng ❷〔自覚する〕觉悟juéwù；醒悟xǐngwù ‖ 真実に～める 看清真相｜学問に～める 立志学习
めざわり【目障り】不顺眼bú shùnyǎn；挡眼dǎng yǎn；碍眼àiyǎn
めし【飯】❶〔米飯〕(米)饭(mǐ)fàn ❷〔食事〕〔顿〕饭fàn ‖ 3度の～より好き 比一日三餐还要紧｜くさい～を食う 在监狱服役 ❸〔生計〕饭碗fànwǎn；生计shēngjì ‖ ～の食いあげ 丢饭碗
めした【目下】晚辈wǎnbèi；小辈xiǎobèi
めしつかい【召使】仆人púrén
めしべ【雌蘂】雌蕊círuǐ
メジャー ❶〔大きい・有名〕大dà；有名yǒumíng ‖ ～な作家 大作家 ❷〔音楽〕大调dàdiào ✣一リーグ:（美国职业)棒球大联盟
メジャー ❶〔巻き尺〕卷尺juǎnchǐ；皮尺píchǐ ❷〔計量〕计量jìliàng；量liáng ✣一カップ:量杯｜一スプーン:量匙
めじり【目尻】外眼角wàiyǎnjiǎo；眼梢yǎnshāo ‖ ～のしわ 眼角上的皱纹｜～のあがった〔下がった〕人 眼梢向上吊〔向下垂〕的人
めじるし【目印】记号jìhao；标记biāojì ‖ ～をつける 做个记号
めす【雌】母mǔ；雌cí；牝pìn ‖ ～イヌ 雌狗；母狗｜～ネコ 母猫
メス〔把〕手术刀shǒushùdāo；解剖刀jiěpōudāo ‖ ～を入れる 开刀；动手术｜事件に～を入れる 彻底查清案件
めずらし・い【珍しい】❶〔まれな〕少有shǎoyǒu；罕见hǎnjiàn；少见shǎojiàn ‖ 今日は～い客

め

が来た 今天来了一位稀客 ❷〔かわっている〕稀奇xīqí；新奇xīnqí；珍贵zhēnguì ‖ ～いデザインの服 设计新奇的衣服｜見るもの聞くものみな～かった 所见所闻都那么新奇
メゾソプラノ 女中音(歌手) nǚzhōngyīn (gēshǒu)
メソッド〔种〕方式fāngshì；方法fāngfǎ
めだ·つ【目立つ】显眼xiǎnyǎn；定 引人注目yǐn rén zhù mù；明显míngxiǎn ‖ ～つ場所 引人注目的地方｜白いワイシャツは汚れが～つ 白色的衬衣特别显脏｜～ちたがり屋 爱出风头的人
めだま【目玉】❶〔眼球〕〔只〕眼球yǎnqiú；眼珠yǎnzhū ‖ ～が飛び出るほど高い 贵得惊人 ❷ ⇨おめだま(お目玉) ❸〔人目を引くもの〕招牌zhāopai ‖ 番組の～ 节目中最精彩的部分 ✤ 一商品:招牌〔特价〕商品｜一焼き:煎荷包蛋；煎鸡蛋
メダル〔枚,块〕奖章jiǎngzhāng；奖牌jiǎngpái ‖ 金〔銀；銅〕～を手にする 获〔夺〕得金牌〔银牌；铜牌〕
メタンガス 沼气zhǎoqì；甲烷jiǎwán
めちゃくちゃ【滅茶苦茶】❶〔乱雑〕定 乱七八糟luànqībāzāo ‖ 机の上が～に散らかっている 桌子上乱得一塌糊涂 ❷〔度はずれ〕过分guòfèn；荒谬huāngmiù；胡闹húnào
めちゃめちゃ【滅茶滅茶】⇨めちゃくちゃ(滅茶苦茶)
めつき【目付き】眼神yǎnshén；目光mùguāng ‖ ～が悪い 目光凶恶
めっき【鍍金】❶〔金属の薄膜〕镀dù；电镀diàndù ‖ 銀～のスプーン 镀银的勺子 ❷〔うわべを飾る〕‖ ～がはげる 现原形；定原形毕露
めっきり 变化显著biànhuà xiǎnzhù；明显míngxiǎn；急剧jíjù ‖ ここ数日～暖かくなった 这几天一下子就暖和多了｜～ふけこんだ 明显地老了
メッセージ ❶〔伝言〕口信kǒuxìn；信息xìnxī；留言liúyán ‖ ～を伝える 传递口信｜留守電に～を残す 在录音电话里留言 ❷〔声明〕声明shēngmíng ‖ 大衆に平和への～を伝える 向民众发表呼吁和平的声明 ❸〔パソコン操作時の〕提示tíshì ‖ 警告～ 警告(提示) ✤ 一カード:留言条；留言卡片｜一ボード:留言板
メッセンジャー 信使xìnshǐ；使者shǐzhě；送信人sòngxìnrén ✤ 一ボーイ:信使
めった【滅多】❶〔軽率な〕胡乱húluàn；鲁莽lǔmǎng ‖ ～なことは言えない 不能乱说话 ❷〔ほとんど〕很少hěn shǎo；难得nándé；不常bù cháng ‖ ～に怒らない 很少发火｜こんなチャンスは～にない 难得有这么好的机会
めつぼう【滅亡】(～する)灭亡mièwáng
メディア 媒介méijiè；媒体méitǐ
めでた·い 喜庆xǐqìng；可喜kěxǐ；可喜可贺kěxǐ kěhè ‖ それは～いことだ 那可是一件喜事
め·でる【愛でる】❶〔かわいがる〕疼爱téng'ài ❷〔賞美する〕欣赏xīnshǎng；玩赏wánshǎng ‖ 月を～でる 赏月
めど【目処】‖ 月末を～に 以月底为目标｜～がつかない 没有头绪｜～が立った 有了眉目
めと·る【娶る】娶qǔ；娶妻qǔ qī
メドレー ❶〔音楽〕集成曲jíchéngqǔ；联唱liánchàng ❷〔スポーツ〕混合接力赛hùnhé jiēlìsài ✤ 一リレー:混合泳接力赛｜個人一:个人混合泳
メトロノーム 节拍器jiépāiqì
メニュー 菜单càidān；菜谱càipǔ ‖ ～を見せてください 请把菜单给我看一下｜お勧め～ 拿手菜
めぬき【目抜き】‖ ～通り 繁华街道
めのう【瑪瑙】〔块,颗〕玛瑙mǎnǎo
めのかたき【目の敵】眼中钉yǎnzhōngdīng ‖ カラスを～にしている 视乌鸦为眼中钉
めのたま【目の玉】眼球yǎnqiú；眼珠yǎnzhū ‖ ～が飛び出る 让人瞠目结舌
めのまえ【目の前】❶〔見えている前〕眼前yǎnqián；面前miànqián ‖ ～が真っ暗になった 眼前一片漆黑 ❷〔近い将来〕眼前yǎnqián；目前mùqián ‖ 夏はもう～だ 快要到夏天了
めば·える【芽生える】❶〔発芽する〕发芽fāyá；萌芽méngyá ❷〔物事が始まる〕萌发méngfā；萌生méngshēng ‖ 愛が～える 萌生爱意
めはし【目端】‖ ～のきく人 机灵的人｜～がきかない 木头木脑
めはな【目鼻】(めど)头绪tóuxù；眉目méimu ‖ ～がつく 事情有眉目｜～をつける 把事情搞出头绪来
めばな【雌花】雌花cíhuā
めはなだち【目鼻立ち】五官wǔguān；眉目méimù；容貌róngmào ‖ ～が整っている 五官端正
めばり【目張り】(～する)糊缝hūfèng；溜缝liùfèng ‖ 窓に～をする 把窗户溜了缝
めぶんりょう【目分量】目测mùcè；估量gūliang ‖ ～ではかる 靠目测计量
めべり【目減り】(～する)减少jiǎnshǎo；损耗sǔnhào ‖ 給料が～している 薪水越来越不经用了
めぼし【目星】目标mùbiāo ‖ 犯人の～がついた 大致确定了犯人是谁
めぼし·い【目ぼしい】有价值的yǒu jiàzhí de；像样的xiàngyàng de；出色的chūsè de
めまい【眩暈】头晕tóuyūn；头昏tóuhūn
めまぐるし·い【目紛しい】定 眼花缭乱yǎn huā liáo luàn；定 瞬息万变shùn xī wàn biàn ‖ ～い世の中 瞬息万变的世界｜～くモデルチェンジする 不断地更新换代
メモ(～する)笔记bǐjì；记录jìlù；便条biàntiáo ‖ ～をとる 做笔记；做记录 ✤ 一帳:便条本；记事本｜一用紙:便笺；记录纸
めもと【目許】眼睛周围yǎnjing zhōuwéi；眉目méimù；眉眼méiyǎn ‖ 涼しい～ 定 眉清目秀｜息子は～がお父さんにそっくりだ 儿子的眼睛和他父亲长得一模一样
めもり【目盛り】度数dùshu；刻度kèdù
メモリー 存储cúnchǔ；内存nèicún；存储器cúnchǔqì ✤ 一カード:记忆卡；记忆棒；内存条
めやす【目安】大致目标dàzhì mùbiāo；大概标准dàgài biāozhǔn ‖ ～にする 作为参考
めやに【目脂】眼屎yǎnshǐ；眼眵yǎnchī
めりこ·む【減り込む】陷入xiànrù；陷进xiànjìn ‖ 足が泥に～む 脚陷入了泥坑里
メリット 好处hǎochu；优点yōudiǎn；可取之处kěqǔ zhī chù ‖ 何の～もない 一点儿好处都没有
めりはり【減り張り】张弛zhāngchí；缓急huǎnjí ‖ ～がない授業 平淡呆板的课｜生活に～をつけ

る 让生活有节奏
メリヤス 针织品zhēnzhīpǐn ✣—編み:平针
メルヘン 童话故事tónghuà gùshi
メロディー 旋律xuánlǜ; 乐曲yuèqǔ; 曲子qǔzi ‖甘い〜 甜美的旋律｜懐かしの〜 怀旧的曲子
メロドラマ 爱情片àiqíngpiàn; 爱情剧àiqíngjù
メロン 甜瓜tiánguā; 香瓜xiāngguā
めん【面】❶〔顔〕〔张,副〕脸liǎn; 面miàn ‖〜が割れる (被警察)查明身份｜〜と向かって 当面 ❷〔マスク〕〔副〕面具miànjù ‖お〜をかぶる 戴上面具; 覆面 ❸〔方面・側面〕方面fāngmiàn; 侧面cèmiàn; 方位fāngwèi ‖あらゆる〜から考える 从各个方面考虑｜社会の暗い〜 社会的阴暗面 ❹〔物の平らな部分〕平面píngmiàn; 表面biǎomiàn ❺〔助数詞〕片piàn; 块kuài; 个ge ‖テニスコート2〜 两个网球场 ❻〔剣道〕(防具)头盔tóukuī; 面罩miànzhào. (決まり手)击头部jī tóubù
めん【綿】棉mián ‖〜のシャツ 棉布衬衫
めん【麺】面miàn; 面条(儿) miàntiáo(r)
めんえき【免疫】❶〔病原菌や毒素に対して〕免疫miǎnyì ‖〜がつく 得到免疫力｜〜力が低下する 免疫力下降 ❷〔物事に対して〕[定]习以为常xí yǐ wéi cháng; [定]司空见惯sī kōng jiàn guàn ✣—学:免疫学｜—不全症:免疫缺陷病｜—療法:免疫疗法
めんおりもの【綿織物】棉织品miánzhīpǐn
めんか【綿花】棉花miánhua; 皮棉pímián
めんかい【面会】(〜する)会见huìjiàn; 探视tànshì; 探访tànfǎng ‖市長に〜を求める 要求见市长 ✣—時間:探视时间; (病院)探病时间; (監獄など)探监时间｜—謝絶:谢绝探视
めんきょ【免許】❶〔官公庁の許可〕批准pīzhǔn ‖〜が下りる 得到批准 ❷〔許可証〕许可证xǔkězhèng; 执照zhízhào; 证书zhèngshū ‖〜をとった 取得了执照｜〜を申請する 申请执照 ✣—皆伝:悉数传授｜—更新:更新驾照; 换执照｜国際—:国际驾照
めんくら・う【面食らう】慌了手脚huāngle shǒujiǎo; [定]不知所措bù zhī suǒ cuò
めんざい【免罪】✣—符:免罪符
めんしき【面識】‖〜がある 认识; 相识; 见过面｜著名人と〜を得た 得以结识了名人
めんじて【免じて】看在…的分上kànzai…de fènshang ‖私に〜息子を許してくれ 看在我的面子上饶了我儿子吧
めんじょ【免除】(〜する)免除miǎnchú ‖授業料を〜される 免交学费｜短期渡航者に対するビザを〜する 短期滞留者可以免签
めんしょく【免職】(〜する)免职miǎnzhí; 革职gézhí
めん・する【面する】面对miànduì; 面向miànxiàng; 临lín ‖海に〜している 面对着大海
めんぜい【免税】免税miǎnshuì ✣—価格:免税价格｜—店:免税店｜—品:免税品
めんせき【免責】免责miǎnzé. (債務を免れること)免除债务miǎnchú zhàiwù
めんせき【面積】面积miànjī ‖土地の〜をはかる 测量土地的面积 ✣敷地—:占地面积
めんせつ【面接】(〜する)面试miànshì; 面谈miàntán ‖〜を受ける 接受面试 ✣—官:面试考官｜—試験:面试｜—調査:面对面调查
めんぜん【面前】面前miànqián; 眼前yǎnqián
メンタル 心理上的xīnlǐ shang de; 精神(的) jīngshén (de) ✣—トレーニング:心智训练
めんだん【面談】(〜する)面谈miàntán
メンツ【面子】❶〔体面〕面子miànzi; 脸面liǎnmiàn; 情面qíngmian ‖〜を保つ〔失う〕 保住〔丢〕面子｜〜にかかわる 关系到面子问题 ❷〔メンバー・人〕人rén; 成员chéngyuán
メンテナンス 维修wéixiū; 修配xiūpèi
めんどう【面倒】❶〔やっかいごと・手数〕麻烦máfan; 费事fèishì; 烦琐fánsuǒ ‖〜なことが起こった 出了麻烦事儿｜人に〜をかける 给别人添麻烦｜〜な手続き 烦琐的手续 ❷〔世話〕照顾zhàogu; 照料zhàoliào ‖弟の〜をみる 照顾弟弟｜〜見のいい人 会照顾人的人
めんどうくさ・い【面倒臭い】非常麻烦fēicháng máfan; 十分费事shífēn fèishì ‖〜そうに返事をする 很不耐烦地回答
メントール 薄荷脑bòhenǎo; 薄荷醇bòhechún
めんどり【雌鳥】(トリの)雌鸟cíniǎo. (ニワトリの)母鸡mǔjī
メンバー 成员chéngyuán; 会员huìyuán; 伙伴huǒbàn ✣—シップ:会员资格｜—チェンジ:更换选手｜—リスト:选手名单
メンバーズカード〔张〕会员卡huìyuánkǎ; 贵宾卡guìbīnkǎ ‖〜をつくる 办会员卡
めんファスナー【面ファスナー】尼龙搭扣nílóng dākòu
めんぼう【綿棒】棉签miánqiān; 棉(花)棒mián(huā)bàng
めんぼう【麺棒】擀面杖gǎnmiànzhàng
めんぼく【面目】❶〔体面〕面子miànzi; 脸(面) liǎn(miàn); 体面tǐmian ‖〜をほどこす 脸上增光｜〜次第もない 实在没脸见人｜〜を保つ 保全面子｜〜が立つ 有面子 ❷〔様相〕‖〜を一新する 面目一新
メンマ【麺麻】干笋gānsǔn
めんみつ【綿密】详细xiángxì; 周密zhōumì; 细致xìzhì ‖〜に計画を立てる 制定了周密的计划｜〜に計算されたプロット 精心设计的情节
めんめん【綿綿】绵绵miánmián; 连绵不绝lián mián bù jué ‖思いのたけを〜とつづる 将绵绵思绪写下
めんよう【綿羊】绵羊miányáng
めんるい【麺類】面条miàntiáo

も【喪】‖〜に服す 服丧
も【藻】藻(类) zǎo(lèi)
-も ❶〔…もまた〕也yě. (繰り返し)又yòu ‖私〜行きます 我也一起去｜今日〜また雪だ 今天又下

雪了 ❷〔どちら(で)も〕也…也… yě…yě…; 又…又… yòu…yòu… ‖ 来て〜来なくて〜よい 你来不来都可以 | 金〜暇〜ない 既没钱, 也没时间
❸〔程度〕竟jìng; 只要zhǐyào; 都dōu ‖ 40度〜熱がある 竟然烧到40度 | もう1時間〜待っている 已经等了足足一个小时了 ❹〔さえも…ない〕连…都… lián…dōu… ‖ 彼女は振り向き〜せず行ってしまった 她连头也不回, 就走了 | まだ一度〜飛行機に乗ったことがない 我连一次飞机都没有坐过
❺〔たとえ…でも〕即使…也… jíshǐ…yě …; 无论…也… wúlùn…yě… ‖ いくら待って〜彼は来ないよ 再怎么等他也不会来的

もう ❶〔もはや〕已经yǐjing ‖ 会は〜始まっている 会议已经开始了 | 〜3時だ 都3点了 ❷〔まもなく〕快要kuàiyào; 就要 jiù yào ‖ 母も〜帰って来るでしょう 妈妈也快要回来了吧 | 〜そろそろおいとまします 这就告辞吧 ❸〔もう…でない〕再zài ‖ 〜これ以上黙ってはいられない 不能再保持沉默了 | 〜それ以上言うな 别再说了 ❹〔さらに〕 ‖ 〜1杯お茶をいかがですか 再来一杯茶怎么样？
❺〔まったく〕真zhēn ‖ 〜うれしくてたまらない 真高兴极了

もうい【猛威】来势凶猛 láishì xiōngměng ‖ SARSが〜をふるった 非典猖獗

もうがっこう【盲学校】盲校mángxiào; 盲人学校mángrén xuéxiào

もうか·る【儲かる】❶〔金もうけ〕赚钱zhuàn qián ‖ 〜る〔〜らない〕商売 赚钱〔不赚钱〕的生意
❷〔得をする〕得便宜dé piányi; 捡便宜jiǎn piányi ‖ 掃除をしなくてすんだので〜った 不用大扫除了, 捡了一个便宜

もうかん【毛管】毛细管máoxìguǎn ❖一現象:毛细管现象

もうきん【猛禽】猛禽měngqín

もうけ【儲け】赚钱zhuàn qián; 利润lìrùn; 获利huò lì ‖ 〜を折半する 平分利润 ❖一口:赚钱的事儿; 发财的门路 | 一話:赚钱的机会〔事儿〕

もう·ける【設ける】❶〔設置〕(組織など)开设kāishè; 设置shèzhì. (規則など)制定zhìdìng ‖ 委員会を〜ける 设立委员会 | 特別の規定を〜ける 制定一项特殊规定 ❷〔用意する〕 ‖ 口実を〜ける 找理由 | 一席〜ける 请一桌

もう·ける【儲ける】❶〔利益を得る〕赚钱zhuàn qián; 发财fācái ‖ あの会社は戦争で〜けた 那家公司因战争而发了财 | 〜け損なう 没赚到手
❷〔子どもを〕生(孩子) shēng (háizi); 得(孩子) dé (háizi) ‖ 3児を〜けた 有三个孩子

もうこう【猛攻】猛攻měng gōng; 猛击měng jī ‖ 〜を加える 发动猛攻

もうこん【毛根】毛根máogēn

もうさいかん【毛細管】⇨もうかん(毛管)

もうさいけっかん【毛細血管】毛细血管máoxì xuèguǎn

もうしあわ·せる【申し合わせる】商定shāngdìng; 约定yuēdìng ‖ 〜せたように 好像事先说好了似的 | 時間を〜せる 约定时间

もうしい·れる【申し入れる】提出tíchu; 要求yāoqiú ‖ 話し合いを〜れる 要求会谈 | 和解を〜れる 提议和解

もうしおく·る【申し送る】❶〔知らせる〕通知tōngzhī ‖ 承諾の旨を手紙で〜る 以书信通知接受此事 ❷〔引き継ぐ〕交代jiāodài; 移交yíjiāo ‖ 後任に留意事項を〜る 向后任者交代注意事项

もうしご【申し子】‖ IT時代の〜 IT时代的骄子

もうしこみ【申し込み】❖一期限:报名〔申请〕期限 | 一書:申请书 | 一用紙:报名单; 申请书

もうしこ·む【申し込む】❶〔申し出る〕提议tíyì; 提出tíchu ‖ 会見を〜む 要求会见 | 結婚を〜む 求婚 ❷〔手続きする〕报名bàomíng; 申请shēnqǐng ‖ 入会を〜む 申请入会 | 雑誌の定期購読を〜む 订阅杂志

もうした·てる【申し立てる】提出tíchu; 陈述chénshù; 声明shēngmíng ‖ 異議を〜てる 提出异议 | 無罪を〜てる 申明无罪

もうしで·る【申し出る】提出tíchu; 表明biǎomíng ‖ 参加を〜る 报名参加

もうしひらき【申し開き】(〜する)申辩shēnbiàn; 辩解biànjiě ‖ 自分の行為に対して〜する 为自己的行为申辩 | 〜ができない 无法辩解

もうしぶん【申し分】‖ 〜ないできばえ 做得无可挑剔 | 彼なら責任者として〜ない 他当负责人的话就没说的了

もうじゃ【亡者】‖ 金の〜 财迷

もうじゅう【猛獣】猛兽měngshòu

もうしょ【猛暑】酷暑kùshǔ; 异常炎热yìcháng yánrè ‖ 〜にあえぐ 酷暑难当

もうしわけ【申し訳】❶〔弁明〕辩解biànjiě; 申辩shēnbiàn. (〜ない)对不起duìbuqǐ ‖ これでは〜が立ちません 这样怎么好意思呢 | これで〜が立つ 这才说得过去 | 〜ないでは済まされない 光是道歉可没用 ❷〔わずか〕 ‖ 〜程度の給料 微薄的工资

もうしわた·す【申し渡す】宣判xuānpàn; 宣告xuāngào ‖ 死刑を〜す 宣判死刑 | 退学を〜された 被勒令退学

もうしん【盲信】(〜する)盲目相信 mángmù xiāngxìn ‖ 人の言葉を〜する 盲目相信别人的话

もうすこし【もう少し】再一点儿zài yìdiǎnr. (時間)再一会儿zài yíhuìr ‖ お茶を〜ください 请再给我一点儿茶 | 〜ゆっくりなさってください 再坐一会儿吧 | 〜で死ぬところだった 差一点儿就没命了

もうぜん【猛然】猛然měngrán ‖ 〜と襲いかかる 猛地扑过去

もうそう【妄想】(〜する)幻想huànxiǎng; 定胡思乱想hú sī luàn xiǎng; 妄想wàngxiǎng ‖ 〜にふける 沉溺于幻想之中; 整天胡思乱想

もうちょう【盲腸】盲肠mángcháng. (虫垂)阑尾lánwěi ❖一炎:阑尾炎; 盲肠炎

もうてん【盲点】❶〔不注意な点〕空子kòngzi; 漏洞lòudòng ‖ 法の〜 法律的漏洞 | 捜査の〜をつく 钻搜查的空子 ❷〔医学〕盲点mángdiǎn

もうとう【毛頭】‖ そんなつもりは〜ない 丝毫没有这个意思

もうどうけん【盲導犬】导盲犬dǎomángquǎn

もうどく【猛毒】剧毒jùdú

もうひつ【毛筆】〔支〕毛笔máobǐ

もうふ【毛布】〔条〕毛毯máotǎn; 毯子tǎnzi

もうまく【網膜】视网膜shìwǎngmó ❖一剝離

(はく)り:视网膜脱离

もうもう【濛濛】弥漫mímàn；滚滚gǔngǔn；蒙蒙méngméng‖湯気が～と部屋に立ち込めている 屋子里弥漫着热气

もうもく【盲目】盲目mángmù

もうら【網羅】(～する)网罗wǎngluó；收罗shōuluó‖重要問題を～する 涵盖了重要问题｜情報を～する 收集信息

もうれつ【猛烈】猛烈měngliè；激烈jīliè‖～なスピード 极快的速度｜～な暑さ 酷暑｜～に腹がへった 肚子饿极了｜～に怒る 大发雷霆｜～に働く 拼命工作

もうろう【朦朧】朦胧ménglóng；模糊móhu；不清楚bù qīngchu‖記憶が～として何も思い出せない 记忆模糊不清，什么也想不起来

もうろく【耄碌】(～する)衰老shuāilǎo；老朽lǎoxiǔ；老糊涂lǎohútu

もえあが・る【燃え上がる】❶〔炎が〕烧起来shāoqilai‖カーテンはみるみるうちに～った 眼看着窗帘烧了起来 ❷〔高まる〕激动jīdòng；高涨gāozhǎng‖情熱が～る 激情高涨

もえうつ・る【燃え移る】火势蔓延huǒshì mànyán；延烧yánshāo‖たき火の火が服に～った 篝火烧着了衣服

もえがら【燃え殻】灰烬huījìn

もえつ・きる【燃え尽きる】❶〔炎が〕烧尽shāojìn；烧完shāowán‖ろうそくの火が～きた 蜡烛烧尽了 ❷〔勢いが〕倦怠juàndài

もえひろが・る【燃え広がる】火势蔓延huǒshì mànyán‖火事が～る 火势蔓延

も・える【燃える】❶〔火が〕燃烧ránshāo；着火zháohuǒ‖赤々と～えるストーブ 烧得通红的炉子〔暖炉〕｜～える太陽 火红的太阳 ❷〔高まる〕火热huǒrè；充满激情chōngmǎn jīqíng‖～える思い 火一般的热情｜怒りに～える 怒火中烧

モーター〔台〕发动机fādòngjī；马达mǎdá ✤一ショー:汽车展览会｜一バイク:助动车；小型摩托车｜一プール:停车场｜一ボート:摩托艇；汽艇

モード ❶〔服装〕流行(款式) liúxíng (kuǎnshì)；时样shíyàng ❷〔方法〕方法fāngfǎ；形式xíngshì；样式yàngshì

モーニング ❶〔朝〕早晨zǎochen；早上zǎoshang ❷〔服飾〕晨礼服chénlǐfú ✤一コール:叫早服务｜一サービス:供应廉价早点

モーリシャス 毛里求斯 Máolǐqiúsī

モーリタニア 毛里塔尼亚 Máolǐtǎníyà

もが・く【踠く】折腾zhēteng；挣扎zhēngzhá；焦急jiāojí‖溺れかけて～く 快被淹死了，在水中拼命挣扎

もぎ【模擬】模拟mónǐ ✤一試験:模拟考试｜一授業:试讲｜一店:(校园节时设置的)小吃店

も・ぐ【捥ぐ】摘下zhāixia；拧掉nǐngdiào‖～ぎたてのナス 刚摘下的茄子

もくげき【目撃】(～する)目睹mùdǔ；目击mùjī‖多くの人が事件を～した 许多人目睹了那起事故 ✤一者:目击者｜一証言:目击者证词

もくざい【木材】木材mùcái

もくさつ【黙殺】(～する)无视wúshì；默杀mòshā‖内部告発を～する 对内部举报置之不理

もくさん【目算】(～する)❶〔見当をつけること〕估算gūsuàn；目测mùcè‖だいたいの距離を～する 估算大致的距离 ❷〔もくろみ・計画〕计划jìhuà；打算dǎsuan；算计suànji‖当初の～は完全にはずれた 当初的计划完全落空了

もくじ【目次】目录mùlù；目次mùcì

もくせい【木星】木星mùxīng

もくせい【木犀】桂花guìhuā

もくぜん【目前】眼前yǎnqián；快要kuàiyào；即将jíjiāng‖惨事は観客の～で起こった 惨祸就发生在观众的眼前｜オリンピックの開会式が～に迫る 奥林匹克的开幕式临近

もくぞう【木造】木造的mùzào de；木制mùzhì‖～2階建て 木造两层小楼 ✤一建築:木制结构建筑

もくぞう【木像】木雕像mùdiāoxiàng

もくそく【目測】(～する)目测mùcè‖距離を～する 目测距离

もくたん【木炭】❶〔炭〕〔块〕木炭mùtàn ❷〔デッサンの〕〔支〕炭笔tànbǐ ✤一画:炭笔画

もくてき【目的】目的mùdì；目标mùbiāo‖当初の～を達成する 达到最初的目的｜何を買う～もなく店に入った 我毫无目的地进了商店 ✤一意識:目标；目的意识｜一語:宾语｜一地:目的地

もくとう【黙祷】(～する)默哀mò'āi；默祷mòdǎo‖1分間の～をささげる 默哀一分钟

もくにん【黙認】(～する)默认mòrèn；默许mòxǔ

もくば【木馬】木马mùmǎ

もくはん【木版】木版mùbǎn；木刻版mùkèbǎn ✤一印刷:木版印刷｜一画:木版画；版画

もくひ【黙秘】(～する)缄默jiānmò；沉默chénmò ✤一権:沉默权

もくひょう【目標】目标mùbiāo；标志biāozhì‖全国優勝を～に掲げる 以拿下全国冠军为目标

もくめ【木目】木纹mùwén；木理mùlǐ

もくもく【黙黙】默默地mòmò de；专心地zhuānxīn de‖～と働く 默默地工作

もくもく 滚滚gǔngǔn‖煙突から煙が～と出ている 烟囱里冒出滚滚浓烟

もくようび【木曜日】星期四xīngqīsì；礼拜四lǐbàisì

もぐら【土竜】〔只〕鼹鼠yǎnshǔ

もぐ・る【潜る】❶〔水に〕潜水qiánshuǐ‖海に～ってカキをとった 潜入海底采集牡蛎 ❷〔隠れる〕躲入duǒrù‖地下に～って活動する 潜入地下进行活动 ❸〔入り込む〕钻进zuānjin‖布団に～る 钻到被窝儿里

もくれん【木蓮】木兰mùlán；玉兰树yùlánshù

もくろく【目録】❶〔書物の目次〕目次mùcì ❷〔所蔵・展示などの〕目录mùlù‖蔵書の～をつくる 为藏书编目｜贈りものの～ 礼单

もくろみ【目論見】计划jìhuà；打算dǎsuan；意图yìtú‖～がはずれる 计划落空

もくろ・む【目論む】策划cèhuà；企图qǐtú‖市場の拡大を～む 计划扩大市场｜政府転覆を～む 企图推翻政府

もけい【模型】模型móxíng‖～を組み立てる 组装模型 ✤一飛行機:飞机模型

モザイク ❶〔画像処理〕马赛克mǎsàikè ❷〔模様〕拼贴工艺pīntiē gōngyì；拼贴画pīntiēhuà‖タイルで～をほどこす 用瓷砖拼贴图案

もさく【模索】(〜する)摸索mōsuo；探寻tànxún ‖解決策を〜する 摸索解决问题的途径

モザンビーク 莫桑比克 Mòsāngbǐkè

もし 要是yàoshi；如果rúguǒ ‖〜誰か訪ねて来たら 要是有人来，… ｜〜僕が君の立場だったら 如果我是你，…

もじ【文字】文字wénzì ‖〜の読み書き 念书写字 ❖ 一コード：文字编码

もしかすると 也许yěxǔ；说不定shuōbudìng；可能kěnéng ‖〜成功するかもしれない 说不定会成功 ｜〜行けないかもしれない 也许去不了

もじばけ【文字化け】(〜する)乱码luànmǎ

もじばん【文字盤】表盘biǎopán

もしも 如果rúguǒ；假如jiǎrú．(万が一)万一wànyī ‖〜のことを考える 考虑到意外情况 ｜〜発見があと5分遅かったら彼は死んでいただろう 假如再晚发现五分钟，他就会死了

もしもし 喂wèi

もじもじ (〜する)忸忸怩怩niǔniǔníní ‖はにかんで〜する 忸忸怩怩地不好意思

もしゃ【模写】(〜する)临摹línmó；摹写móxiě ❖ 形態一：模仿动作

もじゃもじゃ (〜する)乱蓬蓬 luànpēngpēng

もしゅ【喪主】丧主sāngzhǔ

もしょう【喪章】黑纱hēishā

モスク〔座〕清真寺qīngzhēnsì

モスレム 穆斯林mùsīlín

もぞう【模造】(〜する)仿造fǎngzào；仿制fǎngzhì ❖ 一紙：模造纸 ｜一品：仿造品；赝品

もだ・える【悶える】烦闷fánmèn；烦恼fánnǎo；苦恼kǔnǎo ‖後悔の念に〜え苦しむ 懊悔不已 ｜胃の痛みに〜える 胃疼得弓起身子

もた・げる【擡げる】举起jǔqi；抬起táiqi ‖ヘビが鎌首を〜げた 蛇扬起镰刀形的脖子 ｜猜疑心(さいぎしん)が頭を〜げる 一种疑念油然而升

モダニズム 现代主义xiàndài zhǔyì

もたもた (〜する)慢腾腾màntēngtēng；慢吞吞màntūntūn ‖改札口がわからなくて〜する 找不到检票口转来转去

もたら・す【齎す】带来dàilai；带去dàiqu ‖吉報を〜す 带来喜讯 ｜大きな被害を〜す 造成极大的损失

もた・れる【凭れる】❶〔寄りかかる〕靠kào；倚靠yǐkào ‖ソファーに〜れてテレビを見る 靠在沙发上看电视 ❷〔食べ物が〕存食cúnshí；发胀fāzhàng ‖胃が〜れる 胃发胀

モダン 时髦shímáo；现代xiàndài；摩登módēng ❖ 一アート：现代美术 ｜一ジャズ：现代爵士乐 ｜一ダンス：现代舞 ｜一バレエ：现代芭蕾舞

もち【持ち】❶〔耐久力〕持久性chíjiǔxìng；耐久性nàijiǔxìng；耐力nàilì ‖バッテリーの〜がよい 电池的供电时间长 ❷〔負担すること〕负担fùdān ‖接待費は会社〜だ 招待费由公司负担 ❸〔所有すること〕有yǒu；持有chíyǒu；所有suǒyǒu ‖妻子〜 有老婆孩子

もち【餅】〔块〕年糕niángāo ‖〜をつく 捣年糕 ｜〜を焼く 烤年糕 ｜〜は〜屋 办事，要靠内行 ｜絵に描(か)いた〜 画饼；定 空中楼阁

もちあが・る【持ち上がる】❶〔上にあがる〕隆起lóngqi ‖地震で地面が〜った 地震后，地面隆起来了 ❷〔起こる〕发生fāshēng；突然出现tūrán chūxiàn ‖平和な村に公害問題が〜った 在平静的村庄里突然发生了公害问题

もちあげ・る【持ち上げる】❶〔あげる〕举起jǔqi；抬起táiqi ‖バーベルを〜る 举起杠铃 ｜テーブルを〜る 把桌子抬起来 ｜ジャッキで車体を〜る 用千斤顶把车体顶起来 ❷〔おだてる〕捧pěng；奉承fèngcheng

もちあじ【持ち味】特长tècháng ‖〜を発揮する 发挥自身特点〔特长〕

もちある・く【持ち歩く】随身携带suíshēn xiédài ‖大金を〜く 携带大笔现金

もちあわせ【持ち合わせ】 现有(的钱) xiànyǒu (de qián) ‖現金の〜がない 没有现钱

モチーフ ❶〔動機・主題〕动机dòngjī；主题zhǔtí ‖果物を〜にして絵を描く 以水果为主题作画 ❷〔編み物の〕主题图案 zhǔtí tú'àn

もち・いる【用いる】❶〔使用する〕用yòng；使用shǐyòng；采用cǎiyòng ‖CGを〜いて画像を生成する 用CG使生成图像 ❷〔登用する〕任用rènyòng；委任wěirèn；提拔tíba ❸〔取り入れる〕采纳cǎinà；听取tīngqǔ ‖若手社員の意見を〜いる 采纳年轻职工的意见

もちかえ・る【持ち帰る】带回dàihui；拿回náhui ‖ごみを〜る 把垃圾带回去 ｜〜りたいので包んでください 我要带走，请给我打包

もちか・ける【持ちかける】 ‖相談を〜ける (找人)商量 ｜もうけ話を〜けられる 跟我说起一个赚钱的门路

もちかぶ【持ち株】持股chígǔ；控股kònggǔ ❖ 一会社：控股公司 ｜一制：持股制度

もちきり【持ち切り】 ‖新聞は総選挙の話題で〜だ 报纸上满是大选的话题

もちこ・す【持ち越す】遗留下来yíliúxialai；拖到下次tuōdào xià cì ‖前年度から〜された問題 这是上一年度的遗留问题 ｜結論は明日に〜された 要等到明天才会出结论

もちこた・える【持ち堪える】维持wéichí；支撑zhīcheng ‖朝まで〜える 坚持(支撑)到天亮

もちこ・む【持ち込む】❶〔物を〕带入dàirù ‖刃物類は機内に〜めません 不能携带刀具上飞机 ❷〔用件などを〕提(出) tí(chu) ‖苦情を〜む 提意见 ❸〔状態に〕争取进入〔达到〕 zhēngqǔ jìnrù〔dádào〕‖引き分けに〜む 扳平

もちごめ【糯米】糯米nuòmǐ

もちだ・す【持ち出す】❶〔よそへ〕拿出去〔出来〕náchuqu〔chulai〕；带出去〔出来〕dàichuqu〔chulai〕‖金庫から現金を〜す 从保险柜里把现金拿〔偷〕走 ❷〔問題を〕提出tíchu；提起tíqi ‖昔の話を〜す 提起往事〔旧事〕

もちつもたれつ【持ちつ持たれつ】互帮互助hù bāng hù zhù；互相依存 hùxiāng yīcún

もちなお・す【持ち直す】❶〔よい方向へ〕好转hǎozhuǎn；好起来hǎoqilai ‖天気が〜す 天气开始好转 ❷〔物を〕 ‖かばんを左手に〜す 换到左手拿包

もちぬし【持ち主】(东西的)主人(dōngxi de) zhǔren；拥有者yōngyǒuzhě ‖ビルの〜 大楼的所有者 ｜落し物の〜 物主；失主

もちば【持ち場】岗位gǎngwèi；职守zhíshǒu

もちはこ·ぶ【持ち運ぶ】搬动bāndòng ‖ ポケットに入れて～ぶ 装在衣兜儿里随身携带
モチベーション 激励jīlì.（やる気）干劲儿gànjìnr ‖ ～があがる〔下がる〕 干劲儿高涨〔下降〕
もちまえ【持ち前】天生tiānshēng；生就shēngjiù；与生俱来yǔ shēng jù lái ‖ ～の明るさ 天生性格开朗
もちもの【持ち物】❶（所持品）携带〔随身〕物品xiédài〔suíshēn〕wùpǐn ‖ ～の検査をする 检查携带物品 ❷（所有物）财产cáichǎn
もちゅう【喪中】在服丧期间zài fúsāng qījiān
もちろん【勿論】当然dāngrán；㊫自不待言zì bú dài yán；不必说búbì shuō ‖ ～私も行きます 当然我也去｜酒は～タバコもやらない 不仅不喝酒，烟也不会抽
も·つ【持つ】❶（手で）拿ná ❷（携帯する）带dài；携带xiédài ‖ 身分証明書をお～ちですか 你带身份证了吗？｜細かいお金を～っていない 没带零钱 ❸（自分のものとする）有yǒu；具有jùyǒu；拥有yōngyǒu ‖ 私は車を～っていない 我没车｜影響力を～つ 有影响力｜関係を～つ 有关系 ❹（心に抱く）抱着bàozhe；怀着huáizhe ‖ 希望を～つ 抱有希望｜疑いを～つ 抱有怀疑 ❺（受けもつ）担任dānrèn；承担chéngdān；负担fùdān ‖ 責任を～つ 负责；承担责任｜費用を～つ 负担费用 ❻（持ちこたえる）维持wéichí ‖ この靴はあと1年は～つ 这双鞋还能穿一年｜夏場は生ものは～たない 夏季生鲜食品容易变质｜座が～たない 冷场｜体が～たない 身体吃不消
もっか【目下】目前mùqián ‖ 事故の原因は～調査中です 事故的原因正在调查
もっきん【木琴】木琴mùqín
もったいな·い【勿体ない】可惜kěxī ‖ 料理を残したら～い 把菜剩下了太可惜｜時間が～いから早く始めましょう 不要耽误宝贵时间，咱们快开始吧
もったいぶ·る【勿体ぶる】㊫装模作样zhuāng mú zuò yàng；装腔zhuāngqiāng ‖ ～った話し方をする 说话装腔作势
もって【以て】❶（手段·方法）以yǐ ‖ 書面を～お返事します 我以书面形式答复｜身を～経験する 亲身体验 ❷（原因·理由）以yǐ ‖ 風光明びを～知られる 以风光明媚而闻名 ❸（強調）‖ まことに～残念だ 遗憾万分
もってこい【持って来い】正适合zhèng shìhé；最适于zuì shìyú；最理想zuì lǐxiǎng ‖ 遠足には～の天気だ 是郊游最理想的天气
もってのほか【以ての外】㊫岂有此理qǐ yǒu cǐ lǐ；不像话bú xiànghuà ‖ 無断で欠席するとは～だ 擅自缺席太不像话了
もっと 更gèng；再zài ‖ ～安くしてよ 再便宜点儿吧
モットー 宗旨zōngzhǐ；信条xìntiáo.（言葉）座右铭zuòyòumíng
もっとも【尤も】❶（当然）对duì；有道理yǒu dàoli；㊫合情合理hé qíng hé lǐ ‖ ～らしい言いわけをする 辩解得似乎很有道理 ❷（ただし）不过búguò ‖ こうやればうまくいく，～例外はあるが 这样做肯定行，不过也有例外
もっとも【最も】最zuì ‖ 世界で～高い山 世界最高峰
もっぱら【専ら】专zhuān；都dōu ‖ この携帯は～仕事に使っている 这部手机专用于工作｜休日は～家で過ごす 休息日我一般在家里过
モップ 拖把tuōbǎ ‖ 床に～をかける 用拖把擦地
もつ·れる【縺れる】❶（糸などが）纠结jiūjié ‖ 糸が～れた 线缠在一起了 ❷（物事が）纠葛jiūgé；纠缠jiūchán ‖ 話が～れた 发生了纠葛｜試合が～れる 比赛难分难解 ❸（舌や足が）不听使唤bù tīng shǐhuan ‖ 話すとき舌が～れる 说话的时候舌头打结
もてあそ·ぶ【玩ぶ·弄ぶ】❶（いじる）玩儿wánr；摆弄bǎinòng ❷（おもちゃにする）玩弄wánnòng；捉弄zhuōnòng ‖ 運命に～ばれる 受到命运的捉弄
もてなし【持て成し】招待zhāodài；款待kuǎndài ‖ 十分なお～もできませんで 招待不周，请多包涵｜丁重な～を受ける 受到盛情款待
もてな·す【持て成す】接待jiēdài；招待zhāodài；款待kuǎndài ‖ 客を～す 接待客人
もてはや·す【持て囃す】赞赏zànshǎng ‖ 天才と～される 被誉为天才
モデム 调制解调器tiáozhì jiětiáoqì；猫māo
も·てる【持てる】‖ 女に～てる 招女人喜欢
モデル ❶（写真や絵の）模特儿mótèr ❷（小説などの）原型yuánxíng ❸（模範）模范mófàn；典型diǎnxíng ❹（型式）型号xínghào；款式kuǎnshì ❖ —ガン：模型枪｜—ケース：范例；典型事例｜—スクール：示范校｜—チェンジ：换代｜—ルーム：样板房
もと【下·許】❶（ところ）身边shēnbiān ‖ 親～で 在父母身边 ❷（事情·条件）在…下zài…xià ❸（下）下面xiàmian ‖ 青空の～で 在蓝天下
もと【元·本·基】❶（原因·起源）原因yuányīn；来源láiyuán ‖ ～はと言えば 要说根源｜～を正せば 追其根源｜発売～ 销售商；销售单位｜口は災いの～ ㊫祸从口出 ❷（土台·根本）根本gēnběn；基础jīchǔ ‖ 柱が～から倒れてしまった 柱子从根部倒下 ❸（材料·原料）材料cáiliào；原料yuánliào ‖ スープの～ 汤料 ❹（資本）本钱běnqian；资本zīběn ‖ ～も子もなくす 连本带利全部赔光｜～がとれる 赚回本钱 ❺（以前）原来yuánlái；以前yǐqián ‖ ～首相 前首相｜本を～の場所に戻す 把书放回原处｜～のさやにおさまる 重归于好
もどかし·い 令人着急lìng rén zháojí
もときん【元金】本钱běnqian；本金běnjīn
もど·す【戻す】❶（返す）还huán；放回fànghui；还原huányuán ‖ 余ったプリントを～す 把多余的讲义交回来｜話をもとに～す 言归正传｜時計を30分～した 把表往回拨了30分钟 ❷（吐く）吐tù ‖ 食べたものを～す 把吃下去的东西都吐了
もとせん【元栓】总开关zǒngkāiguān
もとづ·く【基づく】根据gēnjù ‖ 史実に～いた小説 根据史实撰写的小说
もとで【元手】资金zījīn；本钱běnqian；老本lǎoběn ‖ 何をやるにも～がかかる 干什么都需要资金｜体が～の仕事 以身体为本钱的工作
もとどおり【元通り】如初rúchū；跟以前一样gēn yǐqián yíyàng ‖ ～に直す 修理得完好如初

|机を～にする 把桌子摆回原样

もとね【元値】原价yuánjià

もと・める【求める】❶〔要求する〕要求yāoqiú; 希望xīwàng; 请qǐng ‖ 説明を～める 要求解释 | 有識者に助言を～める 向有识之士征求意见 ❷〔得ようとさがす〕追求zhuīqiú; 寻找xúnzhǎo ‖ よりよい生活を～める 追求更加美好的生活 | コック～む 招募厨师 ❸〔買う〕买mǎi

もともと【元元・本本】❶〔もとから〕本来běnlái; 原来yuánlái ‖ あの建物の敷地は～は畑だった 那幢楼的地皮原来是田地 ❷〔損も得もない〕没什么损失méi shénme sǔnshī | だめで～だ 反正也没什么损失

も

もとより【元より・素より】❶〔はじめから〕本来běnlái ‖ ～それは承知の上だ 这本来就是明摆着的事儿 ❷〔もちろん〕不用说búyòng shuō ‖ 国内は～海外でも名高い 国内自不必说，即使在海外也很有名

もと・る【悖る】违背wéibèi

もど・る【戻る】❶〔もとの場所へ〕回来〔回去〕huílai〔huíqu〕‖ 来た道を～る 沿来路回去 | 自分の席に～る 回到自己的座位上 ❷〔もとの状態に〕恢复huīfù ‖ 意識が～る 恢复知觉

モナコ 摩纳哥 Mónàgē

モニター ❶〔依頼されて意見する人〕调查对象diàochá duìxiàng ❷〔監視装置〕监视器jiānshìqì; 监测器jiāncèqì

もの【物】❶〔物体・品物〕东西dōngxi ‖ ～の値段が高くなった 东西涨价了 | 何か食べる〔飲む〕～はありませんか 有什么吃的〔喝的〕吗？ ❷〔品質〕质量zhìliàng ‖ ～がよい〔悪い〕质量好〔不好〕 ❸〔物事〕事（物）shì(wù) ‖ ～に動じない 对任何事都镇定从容 | ～を言うのもおっくうだ 连话都懒得说 | ～には順序がある 办事情总要有个顺序 | ～を知らない 不懂事 ❹〔道理〕道理dàoli ‖ ～のわかった人 通情达理的人 ❺〔形式名詞〕‖ 年寄りは敬う～だ 应该尊重老人 | 子どもは親のまねをする～だ 孩子总是要仿效父母的 | あんなやつにできる～か 他怎么能胜任这件事呢？ ❻〔慣用表現〕‖ ～の見事に成功した 大功告成 | ～の数ではない 算不了什么 | ～は言いよう 话就看你怎么说 | 金が～を言う 钱很顶用 | 中国語を～にする 掌握汉语 | チャンスを～にする 抓住（成功的）机会 | ～にならない 成不了材 | 寒さを～ともせず 不怕冷

ものいり【物いり】开销kāixiao ‖ 今月は何かと～が多い 这个月各方面开销很大

ものう・い【物憂い】厌倦yànjuàn; 郁闷yùmèn

ものおき【物置】库房kùfáng

ものおじ【物怖じ】（～する）胆怯dǎnqiè; 畏惧wèijù ‖ ～しない性格 不怯阵

ものおと【物音】响声xiǎngsheng; 动静dòngjing ‖ 台所で～がする 厨房那边有声音

ものおぼえ【物覚え】记性jìxing; 记忆力jìyìlì ‖ 最近～が悪くなった 最近记忆力差了

ものおもい【物思い】沉思chénsī; 愁思chóusī ‖ ～にふける 陷入沉思

ものかげ【物陰】隐蔽处yǐnbìchù ‖ ～に隠れる 躲在隐蔽处

ものがたり【物語】故事gùshi

ものがた・る【物語る】‖ 体験を～る 谈体验 | 歴史を～る写真 展现历史的照片

ものがなし・い【物悲しい】悲伤bēishāng; 悲哀bēi'āi ‖ ～い風景 令人悲伤的情景

モノクローム 黑白照片hēibái zhàopiàn.（映画）黑白片hēibáipiàn

ものごころ【物心】懂事dǒngshì; （小孩儿）开始记事儿(xiǎoháir) kāishǐ jìshìr ‖ ～もつかないころ 还没有记事儿的时候

ものごし【物腰】言谈举止yántán jǔzhǐ; 态度tàidu ‖ ～がやわらかい 态度很温和；举止很文雅

ものごと【物事】事情shìqing; 事物shìwù ‖ ～のけじめをわきまえる 懂得把握事情的分寸 | ～をはっきり言う 说话很直爽

ものさし【物指し】❶〔定規〕〔把〕尺（子）chǐ(zi) ‖ ～で布をはかる 用尺量布 ❷〔尺度〕标准biāozhǔn; 尺度chǐdù ‖ 自分の～でものを見る 用自己的标准来看待事物

ものしずか【物静か】❶〔ひっそりとしている〕寂静jìjìng; 安静ānjìng ❷〔人が〕文静wénjìng; 稳重wěnzhòng ‖ ～な女性 文静的女性

ものしり【物知り】知识渊博zhīshi yuānbó; 定 无所不知wú suǒ bù zhī ‖ ～顔にしゃべる 用无所不懂的口吻说话

ものずき【物好き】好奇（的人）hàoqí (de rén); 好事（的人）hàoshì (de rén) ‖ 世の中には～な人もいたものだ 世上真是无奇不有

ものすご・い【物凄い】❶〔恐ろしい〕可怕kěpà; 吓人xiàrén ‖ ～い形相でにらむ 恶狠狠地盯着 ❷〔はなはだしい〕惊人jīngrén; 不得了bùdéliǎo ‖ ～く寒い 冷得要死 | ～くきれい 美极了

ものたりな・い【物足りない】不够满意búgòu mǎnyì; 不满足bù mǎnzú ‖ 普通のパック旅行では～い 觉得一般的团体旅行没多大意思 | ご飯の量が少なくてちょっと～かった 饭很少，所以有点儿没吃饱

モノトーン 单调dāndiào; 单音dānyīn; 单色dānsè; 清一色qīngyísè

ものの【物の】还不到hái bú dào; 仅仅jǐnjǐn; 才cái ‖ ～5分としないうちに 还不到五分钟

ものほし【物干し】❖一竿(着)：晾衣竿 | 一台：晾衣架 | 一場：晒台

ものまね【物真似】（～する）模仿mófǎng; 口技kǒujì ‖ 上司の～をする 模仿上司的样子

ものみ【物見】❖一遊山：定 游山玩水

ものみだか・い【物見高い】好奇心强hàoqíxīn qiáng; 爱看热闹ài kàn rènao

ものめずらし・い【物珍しい】稀奇xīqí; 稀罕xīhan ‖ ～そうに見る 看稀罕

ものものし・い【物物しい】严肃yánsù; 森严sēnyán ‖ ～い雰囲気 气氛严肃 | ～いいでたち 穿着庄重

モノレール 单轨铁路dānguǐ tiělù; 单轨车dānguǐchē

モノローグ 独白dúbái

ものわかり【物分かり】理解lǐjiě; 领悟lǐngwù ‖ ～のいい人 善解人意的人

ものわかれ【物別れ】决裂juéliè; 破裂pòliè ‖ 交渉は～に終わった 谈判以破裂告终

ものわすれ【物忘れ】（～する）健忘jiànwàng

ものわらい【物笑い】嘲笑cháoxiào ‖ ～の種 笑料；笑柄

モバイル 可动的kědòng de；移动式yídòngshì ❖一機器：移动通信器械

もはん【模範】模范mófàn；榜样bǎngyàng；示范shìfàn ‖ ～を示す 示范｜～的な行為 模范行为 ❖一演技：示范表演｜一解答：标准答案｜一試合：表演赛｜一囚：模范犯人

もふく【喪服】孝衣xiàoyī；丧服sāngfú

もほう【模倣】(～する)模仿mófǎng；仿照fǎngzhào；效仿xiàofǎng

もまれる ⇨もむ(揉む)

もみ【籾】稻谷dàogǔ ❖一殻：稻壳；稻皮

もみあ・う【揉み合う】乱作一团luàn zuò yì tuán ‖ デモ隊と警官隊とが激しく～った 游行队伍与警察队伍发生扭打

もみけ・す【揉み消す】❶〔もんで消す〕(将火)掐灭(jiāng huǒ) qiāmiè；用手搓灭yòng shǒu cuōmiè ‖ タバコの火を～した 把烟掐了 ❷〔問題などを〕掩盖yǎngài；遮盖下去zhēgàixiaqu ‖ スキャンダルを～す 掩盖丑闻

もみじ【紅葉】❶〔紅葉〕红叶hóngyè ‖ 箱根へ～狩りに行った 去箱根看红叶 ❷〔カエデ〕槭树qìshù；枫树fēngshù

も・む【揉む】❶〔マッサージ〕按摩ànmó；推拿tuīná ‖ 肩を～む 按摩肩膀 ❷〔手で〕搓cuō；揉róu ❸〔激しく議論する〕争论zhēnglùn；争辩zhēngbiàn ❹〔激しく揺り動かす〕推挤tuījǐ ‖ 船は荒波に～まれた 船被大浪摇来晃去 ❺〔慣用表現〕‖ 世の荒波に～まれる 历经人世间的艰辛｜息子のことで気を～む 为了儿子的事情操心

もめごと【揉め事】〔场〕纠纷jiūfēn；争斗zhēngdòu ‖ ～をうまく処理する 妥善地解决纠纷

も・める【揉める】发生纠纷fāshēng jiūfēn；发生争执fāshēng zhēngzhí；焦躁jiāozào ‖ 国会は法案をめぐって～めに～めた 国会围绕那个法案争执不下｜電車が遅れて気が～める 因为电车晚点我很着急

もめん【木綿】棉花miánhua；棉织品miánzhīpǐn ❖一糸：棉线｜一豆腐：老豆腐

もも【股】大腿dàtuǐ；股gǔ ‖ 太～ 大腿

もも【桃】(实)桃子táozi.（木)桃树táoshù.（花)桃花táohuā ‖ ～の節句 女儿节

もや【靄】霭ǎi；烟霭yān'ǎi ‖ ～が薄れる 雾霭消散｜湖に～が一面に立ちこめた 湖面上烟霭迷漫

もやし【萌やし】豆芽(菜) dòuyá(cài)

もや・す【燃やす】❶〔燃えるようにする〕燃烧ránshāo；烧shāo ‖ 庭で枯れ葉を～した 在院子里烧枯叶 ❷〔感情などを〕燃起ránqi；激起jīqi；激发jīfā ‖ 闘志を～す 燃起斗志

もやもや ❶〔わだかまり〕疙瘩gēda；隔阂géhé ‖ 心の～がまだ晴れない 心里的疙瘩没有解开｜～した気分 心情不爽 ❷〔煙や湯気などで〕模糊móhu；烟雾蒙蒙yānwù méngméng

もよう【模様】❶〔布などの〕花样huāyàng；花纹huāwén；图案tú'àn ‖ ～を描く 画图案 ❷〔ようす〕情况qíngkuàng；情形qíngxing；样子yàngzi ‖ 目撃者が当時の～を語った 目击者讲述了当时的情形｜計画は失敗した～だ 看样子计划失败了｜午後は大雨になる～です 下午将有大雨

もようがえ【模様替え】(～する)改变外观gǎibiàn wàiguān；改变内容gǎibiàn nèiróng ‖ 部屋の～をした 重新安排了室内的布置

もよおし【催し】集会jíhuì；文娱活动wényú huódong ‖ 学校創立50周年の～が行われる 举办庆贺建校50周年的活动 ❖一物：文娱活动

もよお・す【催す】❶〔開催する〕举办jǔbàn；举行jǔxíng；开kāi ‖ 晩餐(ばんさん)会を～す 举办晚宴 ❷〔感じる〕想要xiǎng yào；感觉要…gǎnjué yào… ‖ 吐き気を～す 感到恶心｜眠気を～す 发困｜便意を～す 有便意

もより【最寄り】附近fùjìn；最近处zuì jìnchù ‖ ～の駅はどこですか 离你家最近的车站是哪一站？

もらいなき【貰い泣き】(～する)陪着掉泪péizhe diàolèi

もら・う【貰う】❶〔受け取る・自分のものにする〕得到dédào；受到shòudào；获得huòdé ‖ お給料を～う 领工资｜賞状を～う 获得奖状｜夜電話を～えますか 你晚上给我打个电话好吗？｜1週間の休暇を～った 拿到了一个星期的休假｜A定食を2つ～えますか 要两份A套餐 ❷〔迎える〕娶qǔ；收养shōuyǎng ‖ 兄が奥さんを～った 哥哥娶了老婆｜養女を～った 收养了一个女儿 ❸〔勝負に勝つ〕赢yíng ‖ この勝負, 俺(おれ)が～った 我赢了 ❹〔…てもらう〕‖ 彼に英語の手紙を書いて～った 请他帮忙写了一封英文信｜少し席を詰めて～えませんか 请再靠紧点儿坐, 好吗？｜あなたにはぜひ来て～いたい 请你一定来｜勝手に入って～っては困る 别随便进来

もら・す【漏らす】❶〔秘密を〕泄漏xièlòu；透漏tòulòu ‖ 秘密を～す 泄漏秘密 ❷〔落とす〕遗漏yílòu；漏掉lòudiào ‖ 大事な部分を聞き～した 把重要的地方听漏了 ❸〔感情などを表す〕露出lùchu；发出fāchū ‖ 不満を～す 流露出不满｜うめき声を～す 发出痛苦的呻吟｜笑みを～す 露出微笑 ❹〔小便を〕遗尿yíniào；尿床niàochuáng ‖ おしっこを～した 尿裤子〔床〕了 ❺〔水・光・音などを〕泄出xièchu；传出chuánchu ‖ 水も～さぬ警備 戒备得水泄不通

モラル 道德dàodé；伦理lúnlǐ ‖ 企業の～を問われる 被追究企业道德

もり【森】森林sēnlín；树林shùlín ‖ 木を見て～を見ず 定一叶蔽目, 不见泰山；定只见树木, 不见森林

もりあが・る【盛り上がる】❶〔盛ったように高くなる〕隆起lóngqi；堆起duīqi ‖ 腕の筋肉が～っている 胳膊上肌肉隆起 ❷〔勢いが高まる〕高涨gāozhǎng；热闹rènao ‖ 世論が～った 舆论沸腾了｜宴会は夜遅くまで～った 宴会热热闹闹地开到很晚

もりあわせ【盛り合わせ】拼盘pīnpán ‖ 刺身の～ 生鱼片拼盘

もりかえ・す【盛り返す】恢复huīfù；挽回wǎnhuí ‖ 人気を～す 恢复人气｜勢いを～す 重整旗鼓

もりこ・む【盛り込む】添入tiānrù；加进jiājìn ‖ 子どもたちのアイデアを企画に～む 把孩子们的建议加进计划里

もりだくさん【盛り沢山】定 丰富多彩fēng fù duō cǎi；盛得满满的chéngde mǎnmǎn de ‖ ～

のごちそう 丰盛的美味佳肴｜イベントが～だ 有各种各样的活动

もりた·てる【守り立てる】鼓励gǔlì；支持zhīchí.（再興する）重振chóngzhèn‖傾いた会社を～てる 重振快要倒闭的公司

も·る【盛る】❶（食べ物などを）盛chéng；装满zhuāngmǎn‖皿におかずを～る 往盘子里盛菜 ❷（高く積む）堆高duīgāo；堆duī‖店の入り口に塩を～る 在商店的门口放一小堆盐 ❸（毒を）下毒xiàdú‖食べ物に毒を～る 在食物里下毒

も·る【漏る】漏lòu；泄漏xièlòu‖雨が～る 漏雨

モルタル 沙浆shājiāng；灰浆huījiāng

モルディブ 马尔代夫Mǎ'ěrdàifū

モルドバ 摩尔多瓦Mó'ěrduōwǎ

モルヒネ 吗啡mǎfēi

モルモット 豚鼠túnshǔ；天竺鼠tiānzhúshǔ

もれなく【漏れなく】都dōu；一律yílǜ；全部quánbù‖参加者に～く記念品を配る 向参加的人一律发放纪念品

も·れる【漏れる】❶（水·光·音などが）漏lòu；透出tòuchu；渗出shènchu‖ガスが～れている 瓦斯漏气｜ピアノの音が～れてくる 传来钢琴声｜天井から水が～れている 顶棚漏水 ❷（秘密などが）泄漏xièlòu；走漏zǒulòu‖秘密が～れた 泄密了 ❸（抜け落ちる）遗漏yílòu‖年齢欄の記入が～れている 年龄一栏没有填 ❹（感情などを声や表情に）流露liúlù；说出shuōchu‖不満の声が～れる 发牢骚｜うめき声が～れた 发出低低的呻吟 ❺（選ばれない）被淘汰bèi táotài；被排除bèi páichú‖選考に～れる 落选了

もろ·い【脆い】脆cuì；脆弱cuìruò；薄弱bóruò‖カルシウム不足は骨が～くなる 缺钙会导致骨质疏松｜情に～い 多愁善感｜友情は案外～いものだ 友情其实是经不住考验的

モロッコ 摩洛哥Móluògē

もろて【諸手】双手shuāngshǒu；两只手liǎng zhī shǒu‖～をあげて賛成する 举双手赞成

もろとも【諸共】一起yìqǐ；连同liántóng‖死なば～ 定 同归于尽｜車は家～流された 车连同房子都被冲走了

もろは【諸刃】双刃shuāngrèn；两面刃liǎngmiànrèn‖～の剣 双刃剑

もろもろ【諸諸】种种zhǒngzhǒng；定 各种各样gè zhǒng gè yàng‖～の事情により 由于种种原因｜～の関係者 各界人士

もん【門】❶（出入り口）〔扇,道〕门mén；大门dàmén‖～をくぐる 从大门走出去｜～をたたく 敲门｜～をあける 开门｜～を閉める 关门 ❷（通るべき過程）关口guānkǒu；难关nánguān‖狭き～を突破する 突破难关 ❸（一派·系譜）门下ménxià‖師の～をたたく 请求收自己为徒

もんか【門下】❖一生：门生；弟子

もんがいかん【門外漢】外行wàiháng；门外汉ménwàihàn‖音楽については～だ 我对音乐一窍不通

もんく【文句】❶（語句）词句cíjù；话语huàyǔ‖気に入った～を覚える 记喜欢的词句｜宣伝～ 广告词 ❷（不平）意见yìjian；牢骚láosao；挑剔tiāoti‖～を言う 发牢骚｜～なしの傑作 完美〔无可挑剔〕的杰作｜今さら～を並べても始まらない 现在再提意见也已经没用了

もんげん【門限】关门时间guānmén shíjiān‖～におくれる 过了关门时间

もんこ【門戸】（大）门（dà）mén；门户ménhù‖～を開放する 敞开大门｜～を閉ざす 定 闭关自守

モンゴル 蒙古Měnggǔ

モンゴロイド 蒙古人种Měnggǔ rénzhǒng

もんしょう【紋章】❶（家紋）家徽jiāhuī ❷（徽章（きしょう））徽章huīzhāng

もんしろちょう【紋白蝶】菜粉蝶càifěndié；白粉蝶báifěndié

もんしん【問診】（～する）问诊wènzhěn

モンスーン 季风jìfēng；季节风jìjiéfēng ❖一気候：季风气候

もんぜん【門前】‖～市をなす 定 门庭若市｜～の小僧習わぬ経を読む 耳濡目染，无师自通 ❖一払い：定 闭门羹‖～を食らわせる 给人吃闭门羹

モンタージュ（～する）蒙太奇méngtàiqí；剪辑jiǎnjí ❖一写真：蒙太奇照片；剪辑照片

もんだい【問題】❶（質問）问题wèntí；试题shìtí‖次の～に答えてください 请回答下列问题 ❷（課題·要点）问题wèntí；关键guānjiàn‖～は値段よりも品質だ 问题是质量而不是价格｜～を絞る 把问题整理一下｜～が山積している 问题成堆｜これは金の～ではなくて，誠意の～だ 问题不在于金钱，而在于诚意 ❸（関心の対象）‖新聞をにぎわしている～の人物 屡屡见报的新闻人物｜～にしない 不放在眼里 ❹（もめごと）问题wèntí；麻烦máfan；乱子luànzi‖また息子が～を起こした 我儿子又惹出了乱子 ❖一意識：发现问题的意识｜一化：成问题｜一外：无从谈起｜一児：常出问题的孩子｜一集：习题集｜一点：问题所在

もんちゃく【悶着】纠纷jiūfēn；争执zhēngzhí‖また一～ありそうだ 看来还会有一场纠纷的

もんてい【門弟】门徒méntú；门生ménshēng；弟子dìzǐ

モンテネグロ 黑山Hēishān

もんどう【問答】❶（言葉のやりとり）对话duìhuà；议论yìlùn；争论zhēnglùn ❷（問いと答え）问答wèndá；问与答wèn yǔ dá

もんどり ‖～打って倒れる 摔了个跟头倒下

もんなし【文無し】身无分文shēn wú fēnwén；定 一贫如洗yì pín rú xǐ；定 一文不名yì wén bù míng‖～になる 落得身无分文

もんばつ【門閥】名门míngmén；大家dàjiā；世家shìjiā

もんばん【門番】门卫ménwèi；看门的人kānmén de rén

もんもん【悶悶】苦闷kǔmèn；愁闷chóumèn‖事業が不調で～とする 因事业不顺而苦闷

や

や【矢】〔支〕箭jiàn ‖ ～を射る 射箭｜～も盾もたまらず 心急如焚｜～の催促 紧催｜～でも鉄砲でも持って来い 有什么能耐尽管使出来

や【野】❶〔野原〕〔片〕原野yuányě; 野地yědì ❷〔民間〕民间mínjiān; 野yě ‖ ～に下る 下野

-や ❶〔並列〕和hé; 跟gēn; 与yǔ ‖ 野菜～果物 水果和蔬菜 ❷〔接続〕一…就… yī…jiù… ‖ それを知る～飛び出していった 一得知那个消息, 就立即飞奔出去

やあ ❶〔驚き〕呀yā; 哎呀āiyā; 呦yōu ‖ ～, それはたいへんだ 哎呀, 这可不得了 ❷〔呼びかけ〕喂wèi; 啊ā; 呦yōu ‖ ～, 元気かい 呦, 你好吗?

ヤード 码mǎ ✤ 一ポンド法:码磅度量衡制

-やいなや【や否や】❶〔…とすぐに〕一…就… yī … jiù …; 马上就mǎshàng jiù ‖ 朝ごはんを食べる～家を飛び出した 吃了早饭马上就跑出了家门 ❷〔…かどうか〕是否shìfǒu; 与否yǔfǒu ‖ 目標を達しうる～ 能否达到目标

やいん【夜陰】黑夜hēiyè; 深夜shēnyè ‖ ～に乗じて国境を越えた 趁夜深偷越了国境线

やえい【野営】(～する)野营yěyíng; 露宿lùsù ✤ 一地:野营地

やえば【八重歯】虎牙hǔyá

やおちょう【八百長】假比赛jiǎ bǐsài.〔球技〕打假球dǎ jiǎqiú

やおもて【矢面】㊢ 众矢之的zhòng shǐ zhī dì ‖ 批判の～に立たされる 被当做批判的对象

やおや【八百屋】蔬菜店 shūcài diàn

やおよろず【八百万】㊢ 千千万万 qiān qiān wàn wàn; 数不尽shǔbujìn ‖ ～の神 众〔诸〕神

やかい【夜会】晚会wǎnhuì ✤ 一服:晚礼服

やがい【野外】❶〔野原〕野外yěwài ❷〔屋外〕露天lùtiān; 室外shìwài ✤ 一研究:野外研究｜一コンサート:露天演唱会

やがく【夜学】夜校yèxiào ‖ ～に通う 上夜校

やがて ❶〔まもなく〕马上就mǎshàng jiù; 不久bùjiǔ; 不一会儿bù yíhuìr ‖ ～晴れるだろう 天马上就会晴的｜～1年になる 大约有一年了 ❷〔結局〕总会zǒng huì; 结果jiéguǒ; 最终zuìzhōng ‖ 事情は～明らかになろう 事情总会水落石出的吧

やかまし・い【喧しい】❶〔騒々しい〕吵闹chǎonào; 喧嚷xuānrǎng ❷〔口うるさい〕爱唠叨ài láodao; 啰嗦luōsuo ‖ ～いおやじ 爱唠叨的老头儿 ❸〔厳しい〕严yán; 严格yángé ‖ 父は時間にとても～い 父亲对时间特别严格

やかん【夜間】夜间yèjian; 夜晚yèwǎn ✤ 一外出禁止令:宵禁｜一学校:夜校｜一金庫:夜间金库｜一飛行:夜航

やかん【薬缶】〔只, 个〕水壶shuǐhú

やき【焼き】‖ ～を入れる 锻炼; 磨练｜～が回る 人老不中用

やぎ【山羊】〔只〕山羊shānyáng ✤ 一皮:山羊皮｜一座:山羊(星)座

やきいも【焼き芋】烤红薯〔白薯; 地瓜〕kǎohóngshǔ〔báishǔ; dìguā〕✤ 一屋:卖烤红薯的

やきいん【焼き印】烙印làoyìn; 火印huǒyìn ‖ ～を押す 打烙印

やきうち【焼き討ち】(～する)火攻huǒgōng

やきき・る【焼き切る】烧断shāoduàn ‖ ライターで糸を～る 用打火机把线烧断了

やきぐり【焼き栗】炒栗子chǎolìzi

やきざかな【焼き魚】烤鱼kǎoyú

やきす・てる【焼き捨てる】烧掉shāodiào ‖ 不要な書類を～てる 把不要的资料烧掉

やきそば【焼きそば】炒面chǎomiàn

やきつ・く【焼き付く】铭刻míngkè; 留下(深刻印象) liúxia (shēnkè yìnxiàng) ‖ まぶたに～く 印在脑海里

やきつく・す【焼き尽くす】烧光 shāoguāng; 烧尽 shāojìn

やきとり【焼き鳥】烤鸡肉串kǎojīròuchuàn ✤ 一屋:鸡肉串烤店

やきなおし【焼き直し】❶〔再度焼く〕重烧〔烤〕一次chóng shāo〔kǎo〕yí cì ❷〔手直しする〕改编gǎibiān; 改写gǎixiě; 翻版fānbǎn

やきにく【焼き肉】烤肉kǎoròu

やきはた【焼き畑】✤ 一農業:㊢ 刀耕火种

やきはら・う【焼き払う】烧尽shāojìn; 烧光shāoguāng; 烧毁shāohuǐ

やきぶた【焼き豚】叉烧chāshāo; 叉烧肉chāshāoròu

やきまし【焼き増し】(～する)加洗(照片) jiāxǐ (zhàopiàn); 加印jiāyìn

やきもき (～する)焦虑不安jiāolǜ bù'ān

やきもち【焼き餅】‖ ～を焼く 嫉妒; 吃醋; 妒忌 ✤ 一焼き:醋罐子; 爱嫉妒〔吃醋〕的人

やきもの【焼き物】陶瓷器táocíqì

やきゅう【野球】棒球bàngqiú ‖ ～の試合をする 进行棒球比赛｜～を見る 看棒球比赛 ✤ 一界:棒球界｜一場:棒球场｜一選手:棒球选手｜一チーム:棒球队｜一ファン:棒球迷

やきん【冶金】冶金yějīn ✤ 一学:冶金学｜一工業:冶金工业

やきん【夜勤】(～する)(上)夜班(shàng) yèbān ✤ 一手当:夜班补贴

やく【厄】❶〔災い〕邪xié; 不祥bùxiáng; 灾祸zāihuò ‖ ～を払う 驱邪 ❷〔厄年〕厄运年èyùnnián ‖ ～が明ける 厄运年过去

やく【役】❶〔キャスト〕角色 juésè ‖ 関羽の～を演じる 扮演关羽的角色 ❷〔効用〕‖ ～に立つ 有用; 顶用; 有益; 有帮助｜お～に立ててさいわいです 能帮上您的忙, 我很荣幸

やく【約】大约dàyuē; 约yuē ‖ ～2時間 大约两个小时｜～5億円 约5亿日元

やく【訳】翻译fānyì; 译yì ‖ ～をつける 翻译

や・く【焼く】❶〔燃やす〕烧shāo ❷〔火を通す〕烧shāo; 烤kǎo; 烙lào ‖ 魚を～く 烤鱼 ❸〔日に焼く〕晒(太阳) shài (tàiyáng); 晒黑shàihēi ‖ 肌を～く 晒太阳 ❹〔物をつくる〕烧shāo; 烧制shāozhì ‖ 炭を～く 烧炭｜陶器を～く 烧制陶器 ❺〔慣用表現〕‖ 手を～く 感到为难｜世

話を～く 照顾；照料；帮助
やくいん【役員】❶〔企業の〕〔位〕董事dǒngshì；理事lǐshi ❷〔団体·会などの〕〔位〕负责人fùzérén；干事gànshi ✤ —会：董事会；干事会｜—室：董事办公室｜—報酬：当董事的报酬
やくがい【薬害】药物所造成的危害yàowù suǒ zàochéng de wēihài；药害yàohài
やくがく【薬学】药学yàoxué
やくざ 痞子pǐzi；无赖wúlài；流氓liúmáng
やくざい【薬剤】药剂yàojì；药品yàopǐn ✤ —師：药剂师
やくさつ【扼殺】（～する）掐死qiāsǐ
やくさつ【薬殺】（～する）药死yàosǐ；毒死dúsǐ
やくしゃ【役者】演员yǎnyuán‖～になる 当演员｜あいつはなかなかの～だ 他很有手腕｜きみよりあいつのほうが～が一枚上だ 他比你技高一筹｜これで～がそろった 这一下儿角儿都齐了
やくしゃ【訳者】译者yìzhě
やくしょ【役所】政府机关zhèngfǔ jīguān；官厅guāntīng；衙门yámen ✤ お—仕事：衙门作风
やくじょう【約定】（～する）约定yuēdìng；缔约dìyuē；协定xiédìng
やくしょく【役職】❶〔役目〕任务rènwu；职务zhíwù ❷〔要職〕要职yàozhí‖～につく 任要职 ✤ —手当：职务津贴
やくしん【躍進】（～する）跃进yuèjìn；㊎突飞猛进tū fēi měng jìn；飞跃发展fēiyuè fāzhǎn
やく·す【約す】❶〔約束する〕约定yuēdìng；约会yuēhui‖再会を～して別れる 相约再会后分别 ❷〔まとめる〕概括gàikuò；简略jiǎnlüè ❸〔数学〕约分yuēfēn
やく·す【訳す】翻译fānyì；译yì；翻fān‖次の文を日本語に～しなさい 把下列句子译成日语｜古典を現代語に～す 把古文译成现代文
やくすう【約数】约数yuēshù
やくぜん【薬膳】药膳yàoshàn ✤ —料理：药膳
やくそう【薬草】药草yàocǎo‖～を煎(せん)じる 熬药草 ✤ —園：药圃
やくそく【約束】（～する）约定yuēdìng；协定xiédìng；说好shuōhǎo‖～を守る 守约｜～を破る 失约｜～がある 有约会｜役員のポストが～されている 将来毫无疑问能当上董事 ✤ —手形：期票
やくたたず【役立たず】㊎无济于事wú jì yú shì‖この～め 你这个没用的东西！
やくだ·つ【役立つ】有用yǒuyòng；起作用qǐ zuòyòng‖生活に～つ 对生活有用
やくだ·てる【役立てる】有效地使用yǒuxiào de shǐyòng‖寄付金を福祉に～てる 将捐款有效地利用于社会福利事业
やくづき【役付き】有官衔(的人) yǒu guānxián (de rén)；负责(人) fùzé(rén)
やくにん【役人】政府机关的工作人员zhèngfǔ jīguān de gōngzuò rényuán；公务员gōngwùyuán‖～風を吹かす 摆官架子 ✤ —根性：官僚作风
やくば【役場】（地方）政府(dìfāng) zhèngfǔ ✤ 村—：村政府
やくはらい【厄払い】（～する）消灾解难xiāo zāi jiě nàn；除灾求福chú zāi qiú fú
やくび【厄日】不吉利的日子bù jílì de rìzi；倒霉的日子dǎoméi de rìzi
やくびょうがみ【疫病神】瘟神wēnshén；丧门星sāngménxīng
やくひん【薬品】药品yàopǐn；药yào
やくぶそく【役不足】㊎大材小用dà cái xiǎo yòng；屈才qūcái
やくぶつ【薬物】药物yàowù ✤ —アレルギー：对药物过敏｜—依存：依赖药物｜—耐性：抗药性｜—療法：药物疗法
やくぶん【訳文】〔篇〕译文yìwén‖よくこなれた～ 娴熟的译文
やくみ【薬味】〔种〕作料zuòliao；调料tiáoliào；佐料zuǒliào；调味品tiáowèipǐn
やくめ【役目】职责zhízé；责任zérèn；任务rènwu‖親の～ 父母的责任｜～を果たす 完成任务
やくよう【薬用】药用yào yòng ✤ —アルコール：药用酒精｜—酒：药酒｜—せっけん：药皂
やくよけ【厄除け】消灾xiāozāi‖～のお守り 消灾护身符
やくりがく【薬理学】药理学yàolǐxué
やぐるまそう【矢車草】（日本）鬼灯檠(rìběn) guǐdēngqíng
やくわり【役割】作用zuòyòng；任务rènwu；职责zhízé；角色juésè‖大きな～を演じる 扮演重要的角色｜～を果たす 发挥重要作用
やけ【自棄】（やけくそ）㊎自暴自弃zì bào zì qì‖～を起こす 自暴自弃；㊎破罐破摔 ✤ —食い：以暴饮暴食来发泄
やけあと【焼け跡】火灾后的废墟huǒzāi hòu de fèixū
やけい【夜景】夜景yèjǐng
やけい【夜警】夜间的警备yèjian de jǐngbèi.（人）夜间的警卫yèjian de jǐngwèi
やけいし【焼け石】‖～に水 ㊎杯水车薪
やけざけ【自棄酒】闷酒mènjiǔ
やけし·ぬ【焼け死ぬ】烧死shāosǐ
やけただ·れる【焼け爛れる】烧烂shāolàn
やけつ·く【焼け付く】烤煳kǎohú；火热huǒrè‖～くような暑さ 热得像被烤着了似的
やけど【火傷】（～する）❶〔けが〕烧伤shāoshāng；烫伤tàngshāng‖熱湯で手を～した 手被热水烫伤了｜～の跡 烧伤〔烫伤〕的疤痕 ❷〔ひどい目にあう〕倒霉dǎoméi；吃亏chīkuī
やけに 怎么这么… zěnme zhème…‖今日は～おとなしいね 今天你怎么这么老实啊
やけぼっくい【焼けぼっくい】‖～に火がつく ㊎破镜重圆；再续前缘；㊎死灰复燃
や·ける【焼ける】❶〔燃える〕烧毁shāohuǐ；着火zháohuǒ‖大地震で市の3分の1が～けた 大地震使市区的三分之一被烧毁了 ❷〔火が通る〕烤好kǎohǎo‖肉が～けた 肉烤好了 ❸〔太陽で〕（日焼け）晒黑shàihēi.（変色）晒退色shàituì shǎi‖日に～けた顔 被晒黑了的脸
やこう【夜行】夜行yèxíng ✤ —性：夜行性｜—列車：夜车
やさい【野菜】蔬菜shūcài；菜cài ✤ —サラダ：蔬菜色拉｜—スープ：菜汤｜—畑：菜地
やさがし【家捜し】（～する）在家里到处找zài jiāli dàochù zhǎo
やさき【矢先】正要…的时候zhèng yào … de

shíhou ‖ 出かけようとした～に雨が降りだした 正要出门的时候, 下起了雨

やさし・い【易しい】容易róngyì; 简单jiǎndān; 轻松qīngsōng ‖ ～い仕事 简单的工作 | ～い読み物 通俗易懂的读物 | 言うだけなら～い 光说说是很容易

やさし・い【優しい】❶〔温和である〕温和wēnhé; 温柔wēnróu; 和善héshàn; 慈祥cíxiáng ‖ 気だての～い娘 性情温柔的姑娘 ❷〔親切である〕热情rèqíng; 亲切qīnqiè ‖ ～く指導する 热心指导 | 誰にでも～くふるまう 对谁都很和善

やし【椰子】椰子yēzi. (実)椰子yēzi

やじ【野次】倒彩dàocǎi; 倒好儿dàohǎor ‖ ～を飛ばす 喝倒彩; 喊倒好儿 ❖一馬:看热闹的人 ‖ ～根性の強い人 爱看热闹、爱起哄的人

やしな・う【養う】❶〔養育する〕(育てる)养育yǎngyù; 养yǎng. (扶養する)扶养fúyǎng; 养活yǎnghuo ‖ 家族を～う 养活一家人 ❷〔つちかう〕培养péiyǎng; 增强zēngqiáng ‖ 想像力を～う 培养想像力 | 体力を～う 增强体力

やしゅ【野手】守场员shǒuchǎngyuán

やしゅ【野趣】野趣yěqù; 乡土气息xiāngtǔ qìxī ‖ ～に富んだ風景 富有乡土气息的风景

やしゅう【夜襲】夜袭yèxí ‖ ～をかける 夜袭

やじゅう【野獣】〔只, 个〕野兽yěshòu

やしょく【夜食】〔顿〕夜宵yèxiāo; 夜食yèshí; 夜餐yècān

やじ・る【野次る】喝倒彩hè dàocǎi; 喊倒好儿hǎn dàohǎor; 起哄qǐhòng

やじるし【矢印】箭头jiàntóu ‖ ～の方向に進む 按箭头所指的方向行进

やしん【野心】野心yěxīn; 雄心xióngxīn; 奢望shēwàng ‖ ～を抱く 抱有野心 | ～満々だ 雄心勃勃 ❖一家:野心家 | 一作:创新之作

やすあがり【安上がり】省钱shěng qián

やす・い【安い】便宜piányi; 贱jiàn; 低dī ‖ もう少し～くなりませんか 能不能再便宜一点儿? | ～かろう悪かろう 便宜没好货 | おれも～く見られたもんだな 人家根本没把我放在眼里

やす・い【易い】‖ お～いご用だ 这事儿好办 | 言うは～く行うはかたし 说起来容易做起来难

-やす・い【易い】容易…róngyì …; 易…yì …; 好…hǎo … ‖ だまされ～い 容易上当受骗 | わかり～い説明 浅显易懂的说明 | 風邪をひき～い 爱感冒 | 書き～いペン 好用的钢笔

やすうけあい【安請け合い】(～する)轻易答应qīngyi dāying ‖ ～はできない 不能轻易许诺

やすうり【安売り】(～する)❶〔安く売る〕大减价dà jiǎnjià; 减价出售jiǎnjià chūshòu; 贱卖jiànmài ❷〔むやみに与える〕轻易地给予qīngyi de jǐyǔ

やすっぽ・い【安っぽい】廉价的liánjià de; 劣质的lièzhì de; 俗气súqi ‖ ～いネックレス 看上去不太值钱的项链

やすね【安値】❶〔安い値段〕廉价liánjià ❷〔経済〕最低价zuìdījià ‖ ～を更新する 创新低

やすま・る【休まる】休息xiūxi ‖ 心が～る 精神上得到休息 | 片時も心の～ることがない 我的心一刻也不得闲

やすみ【休み】休息xiūxi ‖ ～をとる 请假 | 今はとても忙しいので, 1日の～もとれない 现在特别忙, 一天也休息不了 | 学校が～になる 放假了

やすみやすみ【休み休み】做一会儿休息一会儿zuò yíhuìr xiūxi yíhuìr ‖ ～のぼる 爬一会儿休息一会儿 | 冗談も～言え 别瞎开玩笑!

やす・む【休む】❶〔休憩する〕休息xiūxi; 歇xiē ‖ ちょっと～みましょう 休息一会儿吧 | 忙しすぎて～む暇もない 忙得没有时间休息 ❷〔欠勤・欠席する〕请假qǐngjià; 缺勤quēqín; 缺课quē kè ‖ 学校を2日～んだ 两天没上课了 ❸〔眠る〕睡shuì; 睡觉shuìjiào ‖ お～みなさい 晚安! | 12時前に～む 晚上12点之前上床睡觉 ❹〔一時中止する〕停止tíngzhǐ; 暂停zàntíng; 中止zhōngzhǐ ‖ この1週間, 朝のジョギングを～んでいる 这一周暂停了晨跑

やす・める【休める】❶〔休息させる〕(让…)休息(ràng …) xiūxi ‖ 目を～める 让眼睛休息一下 ❷〔活動を中止させる〕(把…)停下来(bǎ …) tíngxialai; 停止tíngzhǐ ‖ 仕事の手を～めて一服する 歇一歇手, 抽一根烟

やすもの【安物】便宜货piányihuò; 廉价商品liánjià shāngpǐn ‖ ～買いの銭失い 贪小便宜, 吃大亏

やすらか【安らか】❶〔平穏無事であること〕平静píngjìng; 安稳ānwěn ‖ ～な日々を送る 过平静的日子 ❷〔心配・悩みがない〕安然ānrán; 安宁ānníng ‖ ～に眠ってください 安息吧!

やすらぎ【安らぎ】安宁ānníng; 安稳ānwěn ‖ ～を与える 给内心带来平静 | 心の～を求める 寻找精神上的安慰

やすら・ぐ【安らぐ】安稳ānwěn; 平静píngjìng ‖ 心が～ぐ 感到心灵宁静

やすり【鑢】〔把〕锉cuò; 锉刀cuòdāo ‖ ～をかける 用锉刀锉

やせい【野生】野生yěshēng ‖ 日本各地に～する植物 野生在日本各地的植物 | ～に返す 放归自然 ❖一植物:野生植物 | 一生物:野生生物 | 一動物:野生动物

やせい【野性】野性yěxìng; 粗犷cūguǎng ‖ ～味あふれる男性 充满野性的男人

やせがまん【痩せ我慢】(～する)硬挺yìngtǐng; 硬撑yìng chēng; 逞能chěngnéng

やせぎす【痩せぎす】定 骨瘦如柴gǔ shòu rú chái; 枯瘦kūshòu

やせこ・ける【痩せこける】瘦削shòuxuē; 瘦精精shòujīngjīng; 定 瘦骨嶙峋shòu gǔ lín xún ‖ 骨と皮ばかりに～ける 瘦得皮包骨头

やせっぽち【痩せっぽち】干瘦gānshòu; 瘦子shòuzi

やせほそ・る【痩せ細る】消瘦xiāoshòu

や・せる【痩せる・瘠せる】❶〔体が〕瘦shòu ‖ なんとかして～せたい 想方设法减肥 | 2キロ～せた 瘦了两公斤 | ～せても枯れても 不论怎么落魄 | 心配で～せる思いだ 担心得茶饭不思 ❷〔土地が〕瘠瘦jíshòu; 贫瘠pínjí

やせん【野戦】野战yězhàn; 战场zhànchǎng ❖一病院:野战医院

やそう【野草】〔根, 株〕野草yěcǎo

やそうきょく【夜想曲】〔首, 支〕夜曲yèqǔ

やたい【屋台】货摊huòtān ‖ 祭りにはたくさんの～

や

が出る 过节的时候摆出很多摊子
やたいぼね【屋台骨】(支えるもの)顶梁柱dǐngliángzhù; 台柱子táizhùzi ‖ ～が傾く 家庭的根基动摇 | ～が揺らぐ 支柱摇晃
やたら【矢鱈】胡乱húluàn; 过分guòfèn; 盲目mángmù ‖ ～横文字を使う 过分地使用洋文
やちょう【野鳥】野鸟yěniǎo
やちん【家賃】房租fángzū; 房费fángfèi ‖ ～を払う 交房租 | ～が滞る 拖欠房租 | ～があがる 房租上涨
やつ【奴】东西dōngxi; 家伙jiāhuo; 小子xiǎozi ‖ 今度～に会ったら,ただじゃおかない 下回见到那家伙,可饶不了他 | なんてどじな～だ 真是个愚蠢的东西!
やつあたり【八つ当たり】(～する)迁怒qiānnù; 拿…撒气[出气] ná … sāqì [chūqì]
やっか【薬科】✤一大学:药学院
やっかい【厄介】❶(面倒なこと) 麻烦máfan; 棘手jíshǒu; 难对付nán duìfu ‖ ～な仕事だ 难做的工作 | ～なことに巻き込まれた 卷入了棘手的事情之中 | あとあと～だ 将来可麻烦了 ❷(世話すること) 照顾zhàogu; 求靠qiúkào ‖ 叔父の家にしばらく～になる 我这一段时间待在叔叔家 ✤一払い:消除烦恼; 摆脱麻烦
やっか·む ⇨ねたむ(妬む)
やっかん【約款】[项,个,种]条款tiáokuǎn ‖ ～に定められた事項 条款所规定的事项
やっき【躍起】焦虑jiāolǜ; 拼命pīnmìng; 竭力jiélì ‖ ～になって言い訳をする 竭力辩解
やつぎばや【矢継ぎ早】接连不断jiēlián búduàn; 定接二连三 jiē èr lián sān ‖ ～に質問する 接二连三地问
やっきょく【薬局】❶(薬屋)[家]药店yàodiàn; 药铺yàopù ❷(病院の) 药房yàofáng; 取药处qǔyàochù
ヤッケ[件]防风衣fángfēngyī
やっつ【八つ】❶(数) 八bā; 八个bā ge ❷(年齢) 八岁bā suì
やっつけしごと【遣っ付け仕事】草率从事cǎoshuài cóngshì ‖ ～をする 工作马虎
やってい·く【遣って行く】维持下去wéichíxiaqu; 生活下去shēnghuóxiaqu ‖ いまの給料ではとてもへけない 按现在的工资,生活很难维持下去 | なんとか～くしかない 只能设法对付下去
やって·くる【遣って来る】来lái; 到来dàolái; 来临láilín ‖ 災害は忘れたころに～くる 灾难是在人们忘却时来临的
やっての·ける【遣って退ける】做完zuòwán; 完成wánchéng
やって·みる【遣って見る】尝试chángshì; 做做看zuòzuo kàn; 试试看shìshi kàn ‖ もう一度～みなさい 再做一遍试试
やっと ❶(ついに·ようやく) 终于zhōngyú; 好(不)容易hǎo(bu)róngyì ‖ ～つかんだチャンス 好(不)容易到手的机会 ❷(どうにかこうにか) 总算zǒngsuàn; 勉勉强强miǎnmiǎnqiǎngqiǎng | ～暮らしている 勉强度日
やっとこ【鋏】钳子qiánzi; 铁铗tiějiá
やつ·れる【窶れる】憔悴qiáocuì; 消瘦xiāoshòu ‖ ～れた顔 面容憔悴
やど【宿】旅馆lǚguǎn; 下榻处xiàtàchù ‖ ～をとる 下榻 | ～を予約する 预约旅馆
やといい·れる【雇い入れる】雇用gùyòng ‖ 従業員を～れる 雇用职工
やとう【野党】在野党zàiyědǎng ✤一連合:在野党联合会
やと·う【雇う】雇gù; 雇用gùyòng; 聘用pìnyòng; 租zū ‖ アルバイトを～う 雇临时工 | タクシーを～う 租出租车
やどかり【宿借り】寄居蟹jìjūxiè
やど·す【宿す】(妊娠する)怀孕huáiyùn
やどちょう【宿帳】旅馆登记簿lǚguǎn dēngjìbù ‖ ～に記帳する 填写旅客登记簿
やどなし【宿なし】无家可归(的人) wú jiā kě guī (de rén)
やどや【宿屋】旅店lǚdiàn; 旅馆lǚguǎn
やなぎ【柳】[棵]柳liǔ; 柳树liǔshù ‖ ～に風と受け流す 不理会; 不往心里去 | ～の下にいつもドジョウはいない 不可守株待兔
やに【脂】❶(樹脂) 树脂shùzhī ‖ 松～ 松脂 ❷(タバコの) 烟油yānyóu ❸(目の) 眼屎yǎnshǐ
やにさが·る【脂下がる】洋洋自得yángyáng zìdé; 定自鸣得意zì míng dé yì; 乐滋滋lèzīzī
やぬし【家主】房东fángdōng; 房主fángzhǔ
やね【屋根】屋顶wūdǐng; 房顶fángdǐng; 屋脊wūjǐ ‖ 1つ～の下で暮らす 生活在同一个屋檐下 | ～伝いに 顺着房顶 | ～にのぼる 爬上屋顶
やねうら【屋根裏】屋顶层wūdǐngcéng; 顶楼dǐnglóu ✤一部屋:阁楼
やはり【矢張り】还是háishi; 果然guǒrán; 仍然réngrán ‖ ～不合格だった 果然不及格 | 最近ようやく慣れてきたが～まだ緊張する 最近终于习惯起来了,但还是有点儿紧张 | ～新鮮な魚はおいしい 还是新鲜的鱼好吃
やはん【夜半】夜半yèbàn; 定深更半夜shēngēng bànyè ‖ 夕方から～にかけて 从傍晚到半夜 | ～過ぎ 半夜三更
やばん【野蛮】野蛮yěmán. (粗野)粗野cūyě ✤一人:野蛮人; 老粗
やぶ【藪】草丛cǎocóng; 灌木丛guànmùcóng; 竹丛zhúcóng
やぶいしゃ【藪医者】庸医yōngyī
やぶか【藪蚊】豹脚蚊bàojiǎowén
やぶからぼう【藪から棒】突然tūrán; 冷不妨lěngbufáng
やぶ·く【破く】撕破sīpò
やぶ·ける【破ける】破pò ‖ 転んでズボンが～けた 摔了一跤裤子破了
やぶへび【藪蛇】自找麻烦zì zhǎo máfan; 定没事找事 méi shì zhǎo shì
やぶ·る【破る】❶(引き裂く) 撕破sīpò; 撕毁sīhuǐ; 弄破nòngpò ‖ 服を～る 撕破衣服 | 手帳のページを～る 从记事本上撕下一页 ❷(壊す) 破坏pòhuài; 弄坏nònghuài ‖ ドアを～る 破门 | 障子を～る 弄破纸拉门[窗] ❸(規則·約束などを) 违反wéifǎn; 违背wéibèi; 失约shīyuē ‖ 約束を～る 失约; 毁约 | 校則を～る 违犯校规 | 誓いを～る 违背誓言 ❹(負かす) 击败jībài; 挫败cuòbài ❺(乱す) 打破dǎpò ‖ 夜のしじまを～

る 打破深夜的寂静
やぶれかぶれ【破れかぶれ】 定 破罐破摔pò guàn pò shuāi; 定 自暴自弃zì bào zì qì
やぶ・れる【破れる】❶〔裂ける〕撕破sīpò; 裂开lièkāi; 破损pòsǔn ‖ 薄い紙はすぐ〜れる 薄纸很快就会破 ❷〔台無しになる〕破灭pòmiè ‖ 恋に〜れる 失恋 ❸〔乱れる〕被打破bèi dǎpò; 被破坏bèi pòhuài ‖ 均衡が〜れる 平衡被打破了
やぶ・れる【敗れる】失败shībài; 败北bàiběi; 打输dǎshū ‖ 選挙に〜れる 竞选失败 | 決勝戦で〜れる 在决赛中败北
やぶん【夜分】夜间yèjian; 夜里yèli ‖ 〜に申しわけありません 这么晚打扰您真对不起
やぼ【野暮】不知趣bù zhī qù; 俗气súqi; 土气tǔqi ‖ そんなことを言うのは〜というものだ 说出这种话就是不知趣 | 〜な服装 打扮得土里土气〔俗气〕
やぼう【野望】野心yěxīn; 奢望shēwàng ‖ 〜を抱く 怀有野心 | 〜を砕く 挫败野心
やぼった・い【野暮ったい】俗气súqi; 土里土气tǔlitǔqì; 不文雅bù wényǎ
やま【山】❶〔山岳〕〔座〕山shān; 山脉shānmài ‖ 〜で暮らす 在山里生活 | 〜にのぼる 登山; 爬山 | 〜をおりる 下山 ❷〔多い・大きい〕大堆dàduī; 许多xǔduō ‖ 本が〜と積まれている 书堆积如山 | ミカン1〜500円 橘子500日元一堆 | 借金の〜 负债累累 | きみに言いたいことが〜ほどある 我有千言万语〔很多很多话〕想对你说 ❸〔予想〕‖ 〜が当たる〔外れる〕 押中〔没押中〕 | 〜をかける 押考题 ❹〔物事の頂点〕顶峰dǐngfēng; 最高潮zuìgāocháo ‖ 今夜が〜だ 今晚是关键 | 〜を越えた 过了高峰期
やまあい【山間】山沟shāngōu; 山里shānli ‖ 〜のいで湯 山沟里的温泉 | 〜の村 山村
やまあるき【山歩き】爬山pá shān
やまい【病】〔个,种,场〕病bìng; 疾病jíbìng ‖ 〜を押して教壇に立つ 带病讲课 | 〜に倒れる 病倒了 | 〜は気から 病打心上起; 积郁成疾
やまいも【山芋】日本薯蓣rìběn shǔyù
やまおく【山奥】深山shēnshān
やまおとこ【山男】登山迷dēngshānmí
やまかじ【山火事】〔场〕森林火灾sēnlín huǒzāi; 山火shānhuǒ
やまがり【山狩り】(さがす)搜山sōu shān
やまかん【山勘】猜测cāicè; 瞎猜xiā cāi ‖ 〜が的中する 猜中了
やまくずれ【山崩れ】山崩shānbēng
やまごや【山小屋】山中小屋shān zhōng xiǎowū
やまざくら【山桜】野樱yěyīng
やまざと【山里】山村shāncūn; 山庄shānzhuāng; 山寨shānzhài
やまし・い【疚しい】愧疚kuìjiù; 内疚nèijiù; 亏心kuīxīn ‖ 〜いところはない 没有什么可愧疚的
やますそ【山裾】山脚shānjiǎo; 山根shāngēn; 山麓shānlù
やまぞい【山沿い】沿山yánshān
やまづみ【山積み】(〜する)山积shānjī; 成堆chéng duī; 堆积duījī ‖ 〜の本 成堆的书 | デスクの上は書類が〜になっている 办公桌上堆积了不少文件 | 仕事が〜になっている 工作堆积如山
やまでら【山寺】〔座,个〕山寺shānsì
やまなみ【山並み】山脉shānmài; 山连着山shān liánzhe shān
やまねこ【山猫】〔只〕山猫shānmāo
やまのさち【山の幸】山珍shānzhēn
やまのぼり【山登り】(〜する)登山dēngshān; 爬山pá shān
やまば【山場】高潮gāocháo; 高峰gāofēng; 顶峰dǐngfēng ‖ 映画の〜 电影的高潮 | 交渉は〜を迎えようとしている 谈判正接近关键的时候
やまはだ【山肌】山的地表shān de dìbiǎo; 山坡shānpō ‖ 〜をさらす 露出山表
やまびこ【山彦】山的回音shān de huíyīn; 回响huíxiǎng; 回声huíshēng
やまびらき【山開き】(解禁后的)登山开始日(jiějìn hòu de) dēngshān kāishǐrì
やまぶき【山吹】棣棠dìtáng ❖ 一色:金黄色
やまみち【山道】〔条〕山路shānlù ‖ 〜を下る 顺着山路走下来 | 〜をたどる 走山路
やまもり【山盛り】满满的mǎnmǎn de; 高高的gāogāo de; 一大堆yí dà duī ‖ ご飯を茶わんに〜に盛る 把饭盛得满满的
やまやま【山山】(ぜひそうしたい)很想hěn xiǎng ‖ 妹に会いたいのは〜だが時間がない 很想见妹妹可是没有时间
やまゆり【山百合】山百合shānbǎihé
やまわけ【山分け】(〜する)平分píngfēn; 均分jūnfēn ‖ もうけは2人で〜した 利益两人平分了
やみ【闇】❶〔暗い〕〔片,种〕黑暗hēi'àn; 昏暗hūn'àn. (不確か)迷茫mímáng ‖ 〜にまぎれて 在黑暗的掩护下 | 〜から〜へ葬る 暗中处理 | 一寸先は〜だ 前路迷茫 ❷〔不正取引〕黑市交易hēishì jiāoyì ❖ 一金融:黑市贷款 | 一値:黑市价 | 一物資:黑市商品; 黑货
やみあがり【病み上がり】病刚好bìng gāng hǎo; 疾病初愈jíbìng chū yù
やみいち【闇市】黑市hēishì
やみくも【闇雲】瞎xiā; 胡乱húluàn; 不管不顾bùguǎn búgù ‖ 〜に反対する 盲目地反对
やみつき【病みつき】‖ 〜になる 上瘾; 迷上
やみとりひき【闇取引】黑市交易hēishì jiāoyì; 非法交易fēifǎ jiāoyì
やみよ【闇夜】漆黑的夜晚qīhēi de yèwǎn ‖ 〜のカラス 难以分清
や・む【止む・已む】停止tíngzhǐ; 中断zhōngduàn; 消失xiāoshī ‖ 雨が〜んだ 雨停了
や・む【病む】生病shēngbìng; 得病débìng; 患病huànbìng ‖ 胸を〜む 肺病 | 心を〜む 得心病 | 気に〜む 忧愁; 担心
ヤムチャ【飲茶】饮茶yǐnchá
やむなく【已むなく】不情愿bù qíngyuàn; 不得已bùdéyǐ; 无奈wúnài ‖ 〜その金を受け取った 我无奈地接受了那笔钱
やむにやまれぬ【已むに已まれぬ】不得已bùdéyǐ ‖ 〜事情 不得已的理由
やむをえず【已むを得ず】不情愿bù qíngyuàn; 不得已bùdéyǐ; 无奈wúnài ‖ 〜途中で引き返す 不得不半路就返回去了
やむをえない【已むを得ない】被迫bèipò; 不

得不bù dé bù ‖ ～事情 不得已的理由 | 多少の混乱は～ 难以避免会出现一些混乱

や·める【止める】停止tíngzhǐ; 中止zhōngzhǐ; 放弃 fàngqì ‖ 酒を～める 戒酒 | おしゃべりを～める 停止说话

や·める【辞める】辞去cíqu; 辞掉cídiào ‖ 会社を～める 辞职

やもうしょう【夜盲症】夜盲症yèmángzhèng

やもめ【寡夫】鳏夫 guānfū

やもめ【寡婦】寡妇 guǎfu

やもり【守宮】〔只〕壁虎bìhǔ

やや【稍】稍微shāowēi; 略微lüèwēi; 有点儿yǒudiǎnr ‖ ～増加している 略有增加

ややこし·い 复杂fùzá; 混乱hùnluàn; 麻烦máfan ‖ ～い問題 麻烦事 | この小説は筋が～い 这本小说情节太复杂

ややもすれば【動もすれば】容易róngyì; 动辄dòngzhé; 动不动就dòngbudòng jiù ‖ 人は～仕事を怠りがちになる 人很容易懈怠工作

やゆ【揶揄】(～する) 揶揄yéyú; 嘲讽cháofěng

やらい【夜来】昨夜以来zuóyè yǐlái ‖ ～の雨 昨夜就开始下的雨

やらせ ㊀弄虚作假nòng xū zuò jiǎ

やら·れる 受害shòuhài; 被害bèi hài ‖ 事故で脚を～れた 因事故脚受了伤 | 風邪でのどを～れた 得了感冒, 嗓子疼

やりあ·う【遣り合う】争论 zhēnglùn; 争辩 zhēngbiàn; 争吵zhēngchǎo ‖ 会議の席で部長と激しく～った 在会议上跟部长进行了激烈争论

やりがい【遣り甲斐】奔头儿bèntour; 有价值 yǒu jiàzhí; 值得zhíde ‖ ～がある 有干头

やりかえ·す【遣り返す】反驳fǎnbó; 回击huíjī; 还嘴huánzuǐ ‖ やられたら～せ 遭到打击就回击 | 負けずに～す 不服输地进行反驳

やりかけ【遣り掛け】只做了一部分 zhǐ zuòle yí bùfen; 做到半途zuòdào bàntú ‖ ～の仕事をやってしまいなさい 你把没做完的事情做完

やりかた【遣り方】〔种, 个〕做法 zuòfǎ; 方法 fāngfǎ; 办法bànfǎ ‖ 人にはそれぞれ～がある 每个人都有自己的做事方法

やりきれな·い【遣り切れない】(かなわない) 无法忍受wúfǎ rěnshòu; 受不了shòubuliǎo ‖ 年がら年中お説教では～い 一年到头受你管教我无法忍受 | ～い気持ち 无法忍受的心情

やりくち【遣り口】方法fāngfǎ; 诡计guǐjì; 手段shǒuduàn ‖ あくどい～ 恶毒的手段

やりくり【遣り繰り】(～する) 经营jīngyíng; 调整tiáozhěng; 安排ānpái ‖ 少ない収入で～する 用微薄的收入精打细算 | 時間の～をする 设法调整时间 | ～上手 会持家

やりこ·める【遣り込める】说服shuōfú; 驳倒bódǎo

やりす·ぎる【遣り過ぎる】做得过火〔过度; 过量〕zuòde guòhuǒ〔guòdù; guòliàng〕

やりすご·す【遣り過ごす】放走fàngzǒu; 让…过去 ràng…guòqu ‖ つくり笑いを浮かべてその場を～す 强颜作笑地应付了过去

やりそこな·う【遣り損なう】失败shībài; 犯错fàncuò

やりだま【槍玉】‖ ～にあがる 成为众矢之的

やりつ·ける【遣り付ける】熟悉shúxī; 拿手náshǒu ‖ ～けない仕事をしたので疲れてしまった 做不熟悉的工作, 累得精疲力尽

やりて【遣り手】❶〔する人〕做事的人 zuòshì de rén ‖ ～がいない 没人要做 ❷〔敏腕家〕能干的人nénggàn de rén ‖ ～の実業家 精明强干的实业家

やりとり【遣り取り】(～する) 互相来往hùxiāng láiwang; 交换 jiāohuàn ‖ メールの～ 互相发电子邮件

やりなお·す【遣り直す】重做chóng zuò; 重来chóng lái ‖ 設計を～す 重新设计 | 人生は～しがきかない 人生不能重来

やりなげ【槍投げ】标枪biāoqiāng ‖ ～をする 掷标枪

やりにく·い【遣り難い】难办 nán bàn; 难做 nán zuò

やりば【遣り場】‖ ～のない怒り 无从发泄的愤怒 | 目の～に困った 我不知道往哪儿看好

や·る【遣る】❶〔送る〕送sòng; 寄jì; 派pài ‖ 娘を大学へ～る 让女儿上大学 | 使いを～る 派人 ❷〔与える〕给gěi ‖ 水を～る 浇水 | えさを～る 喂食 ❸〔他の場所へ移す〕移动yídòng ‖ ここにあった辞書をどこに～った 放在这里的词典拿到哪儿去了? ❹〔行う〕做zuò ‖ 早く～ってしまいなさい 快把它干完! | 野球を～ろう 打棒球吧 | よく～ったね 干得好! | ペットショップを～っている 在经营宠物店 | 一杯～る 喝一盅 ❺〔…してやる〕给 gěi ‖ 子どもに本を読んで～る 给孩子念书

やるき【遣る気】〔股〕干劲 gànjìn ‖ ～満々 干劲十足 | ～が失せる 失去干劲 | ～が出てくる 有了干劲 | ～を起こさせる 激发干劲

やるせな·い【遣る瀬無い】忧伤 yōushāng; 忧郁yōuyù ‖ 片思いの～い胸のうち 单相思的苦恼

やれやれ 嗨hāi; 哎呀āiyā ‖ ～, それを聞いてほっとした 嗨, 听那么一说, 总算放心了 | ～やっと終わった 哎呀, 总算完成了

やろう【野郎】混蛋húndàn; 小子xiǎozi; 混账hùnzhàng ‖ この～ 臭小子 | ばか～ 混蛋

やわな【柔な】柔弱róuruò; 柔软róuruǎn; 软弱ruǎnruò ‖ そんな～体じゃこの仕事はつとまらないぞ 你身体那么柔弱, 做不了这项工作

やわらか·い【柔らかい·軟らかい】❶〔ふんわり·しなやか〕柔软róuruǎn; 柔和róuhé ‖ 体が～い 身体很柔软 ❷〔穏やか·融通性〕灵活línghuó; 软和ruǎnhuo ‖ ～な態度 温和的态度 | 頭が～い 头脑灵活 | ～い日ざし 和煦的阳光

やわら·ぐ【和らぐ】缓和huǎnhé; 减轻jiǎnqīng ‖ 暑さが～ぐ 暑热缓和 | 痛みが～いだ 疼痛减轻了 | 会場の空気が～いだ 缓和了会场的气氛

やわら·げる【和らげる】使…柔和 shǐ…róuhé; 使…缓和 shǐ…huǎnhé ‖ 表現を～げる 委婉地表达 | 痛みを～げる 缓解疼痛

ヤンキー ❶〔アメリカ人の通称〕美国佬Měiguólǎo ❷〔つっぱり〕小流氓 xiǎoliúmáng

やんちゃ 调皮tiáopí; 顽皮wánpí; 淘气táoqì ✤一坊主:淘气包 | 一娘:疯丫头

やんわり 委婉(地) wěiwǎn (de); 婉转(地) wǎnzhuǎn (de); 温和(地) wēnhé (de) ‖ ～とたしなめる 委婉地批评 | ～と断る 委婉地拒绝

ゆ

ゆ【湯】(熱湯)开水kāishuǐ. (飲める程度の)热水rèshuǐ. (ぬるま湯)温水wēnshuǐ. (ふろの湯)洗澡水xǐzǎoshuǐ ‖ ～をさます 把开水晾凉 | ～を注ぐ 倒开水 | ～の町 温泉胜地 ✤一加減:水温〔凉热〕

ゆあか【湯垢】水碱shuǐjiǎn; 水垢shuǐgòu; 水锈shuǐxiù ‖ ポットに～がついた 暖壶里结了水碱

ゆあがり【湯上がり】刚洗完澡gāng xǐwán zǎo ✤一タオル:浴巾

ゆあつ【油圧】油压yóuyā ✤一器:油压机 | 一計:油压计 | 一ポンプ:液压泵

ゆいいつ【唯一】唯一wéiyī; 定独一无二dú yī wú èr ‖ ～の例外 唯一的例外 ✤一無二:独一无二

ゆいごん【遺言】(～する)(留)遗嘱(liú) yízhǔ; (留)遗言(liú) yíyán ‖ ～を残して死ぬ 留下遗嘱死去 ✤一状:遗嘱

ゆいしょ【由緒】渊源yuānyuán; 历史lìshǐ; 来历láilì ‖ ～ある家柄の生まれ 出身名门

ゆいのう【結納】订婚礼品dìnghūn lǐpǐn; 彩礼cǎilǐ ✤一金:订婚彩礼

ゆいぶつ【唯物】✤一史観:唯物史观 | 一論:唯物论

ゆうあい【友愛】友爱yǒu'ài

ゆうい【優位】优势yōushì; 优越地位yōuyuè dìwèi ‖ 相手の～に立つ 占对方的上风 | 技術面で～に立つ 在技术方面占优势

ゆういぎ【有意義】有意义yǒu yìyì ‖ この休みは～に過ごした 这个假日过得很有意义

ゆういん【誘因】诱因yòuyīn; 起因qǐyīn ‖ 事故の～になる 成为事故的诱因

ゆううつ【憂鬱】忧郁yōuyù; 郁闷yùmèn ‖ ～な天気 阴沉沉的天气

ゆうえい【遊泳】(～する)游泳yóuyǒng ✤一禁止:禁止游泳

ゆうえき【有益】有意义yǒu yìyì; 有益yǒuyì; 有好处yǒu hǎochu ‖ 余暇を～に使う 有意义地利用闲暇时间

ゆうえつかん【優越感】优越感yōuyuègǎn

ゆうえんち【遊園地】游乐园yóulèyuán; 游乐场yóulèchǎng

ゆうが【優雅】❶(上品)优雅yōuyǎ; 典雅diǎnyǎ ❷(悠々とした)悠闲自在yōuxián zìzài ‖ ～な生活をする 享受悠闲自在的生活

ゆうかい【誘拐】(～する)拐骗guǎipiàn; 诱拐yòuguǎi ‖ 犯人は身代金目当てで子どもを～した 犯人为了钱拐骗了孩子

ゆうがい【有害】有害yǒu hài ‖ タバコは体に～だ 抽烟对身体有害 ✤一図書:不健康的读物

ゆうがく【遊学】(～する)游学yóuxué; 留学liúxué ‖ パリに～する 赴巴黎游学

ゆうかしょうけん【有価証券】有价证券yǒujià zhèngquàn

ゆうがた【夕方】傍晚bàngwǎn

ゆうかん【夕刊】晚报wǎnbào

ゆうかん【勇敢】勇敢yǒnggǎn; 有勇气yǒu yǒngqì ‖ ～にたたかう 勇敢地战斗

ゆうき【有機】有机yǒujī ✤一化学:有机化学 | 一化合物:有机化合物 | 一体:有机体 | 一農業:有机农业 | 一肥料:有机肥料

ゆうき【勇気】勇气yǒngqì ‖ ～のある人 有勇气的人 | ～を出せ 鼓起勇气来! | 1歩踏み出す～がない 没有勇气迈出一步

ゆうぎ【友誼】友谊yǒuyì; 交情jiāoqing

ゆうぎ【遊戯・遊技】玩耍wánshuǎ; 游戏yóuxì

ゆうきゅう【有給】工资照发gōngzī zhàofā; 带薪dài xīn ✤一休暇:带薪休假

ゆうきゅう【悠久】悠久yōujiǔ ‖ ～の歴史 悠久历史 | ～の昔 亘古

ゆうきょう【遊興】(～する)游荡yóudàng; 玩乐wánlè; 饮酒作乐yǐnjiǔ zuòlè ‖ ～にふける 耽溺于饮酒作乐

ゆうぐう【優遇】(～する)优遇yōuyù; 优待yōudài ‖ 経験者を～します 优待有经验者 | 税制上の～を受ける 享受税收优惠

ゆうぐれ【夕暮れ】黄昏huánghūn; 傍晚bàngwǎn ✤一時:黄昏〔傍晚〕时分

ゆうけい【有形】有形yǒuxíng ‖ ～無形の援助を受けた 得到了物质和精神上的援助

ゆうげき【遊撃】游击yóujī ✤一手:游击手 | 一戦:游击战 | 一隊:游击队

ゆうげん【有限】有限yǒuxiàn ✤一会社:有限公司

ゆうけんしゃ【有権者】选民xuǎnmín

ゆうこう【友好】友好yǒuhǎo ‖ ～関係を保つ 保持友好关系 | ～的なふんいき 友好的气氛 ✤一国:友好国家 | 一条約:友好条约

ゆうこう【有効】有效yǒuxiào ‖ この切符は7日間〔当日限り〕～だ 这张票七天之内〔只限当天〕有效 | パスポートの～期限が切れている 护照已经过期了 ✤一期間:有效期 | 一成分:有效成分 | 一投票:有效投票

ゆうごう【融合】(～する)融和rónghé; 合而为一hé ér wéi yī ‖ 東西の文化を～した建築様式 将东西方文化融为一体的建筑样式

ユーゴスラビア ⇨セルビア, モンテネグロ

ユーザー 用户yònghù

ゆうざい【有罪】有罪yǒu zuì ‖ ～の宣告を下す 宣判为有罪

ゆうさんかいきゅう【有産階級】有产阶级yǒuchǎn jiējí

ゆうし【有史】有史yǒushǐ ‖ ～以来はじめての出来事 史无前例的事件

ゆうし【有志】有志者yǒuzhìzhě; 志愿者zhìyuànzhě ‖ ～による募金活動を行う 开展志愿者捐款活动

ゆうし【勇姿】英姿yīngzī

ゆうし【雄姿】雄姿xióngzī ‖ 車窓から富士山の～を望む 透过车窗看富士山的雄姿

ゆうし【融資】(～する)贷款dàikuǎn; 融资róngzī ‖ ～が打ち切られた 停止融资

ゆうじ【有事】紧急情况jǐnjí qíngkuàng ‖ ～に

ゆ

備える 防备紧急情况 ❖ 一立法:有事立法
ゆうしきしゃ【有識者】有见识的人 yǒu jiànshi de rén ‖ 各界の〜 各界有识之士
ゆうしてっせん【有刺鉄線】刺铁丝cì tiěsī
ゆうしゃ【勇者】勇者yǒngzhě; 勇士yǒngshì
ゆうしゅう【有終】‖ 〜の美を飾る 完美收场; 定善始善终
ゆうしゅう【優秀】优秀yōuxiù ‖ 〜な技術者 优秀的技术人员 | 〜な成績をあげる 取得了优异成绩
ゆうじゅうふだん【優柔不断】定优柔寡断 yōu róu guǎ duàn ‖ 〜な人 优柔寡断的人
ゆうしょう【有償】付代价fù dàijià; 有偿yǒucháng ‖ 地所を〜で払いさげる 有偿出让土地
ゆうしょう【優勝】(〜する)(获得)冠军 (huòdé) guànjūn ‖ 全国大会で〜する 在全国比赛中获得了冠军 | 〜を狙う 争取夺得冠军 ❖ 一旗:冠军旗; 锦标 | 一者:冠军 | 一チーム:冠军队 | 一杯:冠军奖杯
ゆうじょう【友情】友情yǒuqíng; 友谊yǒuyì
ゆうしょく【夕食】晚饭wǎnfàn; 晚餐wǎncān
ゆうじん【友人】朋友péngyou; 友人yǒurén ‖ 〜代表としてあいさつする 作为朋友的代表致辞 | 〜が遊びに来る 朋友来玩儿
ゆうじん【有人】载人zài rén ❖ 一宇宙船:载人飞船 | 一宇宙飛行:载人宇宙飞行
ゆうすう【有数】定屈指可数qū zhǐ kě shǔ; 著名zhùmíng ‖ わが国〜の観光地 我国屈指可数的观光胜地
ゆうずう【融通】❶(〜する)〔金の貸借〕融资róngzī ❷〔順応性〕灵活línghuó; 临机应变línjī yìngbiàn ‖ 〜をきかせる 灵活应对
ゆうすずみ【夕涼み】傍晚乘凉 bàngwǎn chéngliáng ‖ 〜に公園へ行く 傍晚去公园乘凉
ゆう・する【有する】有yǒu ‖ 国民が〜する権利 国民享有的权利
ゆうせい【郵政】邮政yóuzhèng
ゆうせい【優生】优生yōushēng ❖ 一学:优生学 | 一保護法:优生保护法
ゆうせい【優性】优性yōuxìng ❖ 一遺伝:显性遗传
ゆうせい【優勢】优势yōushì
ゆうぜい【遊説】(〜する)游说yóushuì; 演说yǎnshuō
ゆうせん【有線】有线yǒuxiàn ❖ 一テレビ:有线电视 | 一放送:有线广播
ゆうせん【優先】(〜する)优先yōuxiān ‖ 〜的に採用する 优先录用 ❖ 一株:优先股 | 一権:优先权 | 一順位:优先顺序 | 一席:照顾专座 | 最一:最优先 | 歩行者一:步行者优先; 行人优先
ゆうぜん【悠然】慢悠悠mànyōuyōu; 定不慌不忙 *bù huāng bù máng*
ゆうそう【勇壮】雄壮xióngzhuàng
ゆうそう【郵送】(〜する)邮寄yóujì ❖ 一無料:免费邮寄 | 一料:邮费
ユーターン (〜する)掉头diàotóu; U形转弯U xíng zhuǎnwān ‖ 〜禁止 禁止掉头 | 故郷に〜する 返回故乡
ゆうたい【勇退】(〜する)主动辞职zhǔdòng cízhí; 激流勇退jīliú yǒngtuì
ゆうたい【優待】(〜する)优待yōudài; 优惠yōuhuì ❖ 一券:优待券; 优惠票; (割引券)折扣券
ゆうだい【雄大】雄伟xióngwěi; 宏大hóngdà
ゆうたいるい【有袋類】有袋类yǒudàilèi
ゆうだち【夕立】雷阵雨léizhènyǔ; 骤雨zhòuyǔ
ゆうち【誘致】(〜する)招揽zhāolǎn; 招引zhāoyǐn; 招徕zhāolái ‖ 観光客を〜する 招徕游客 | 町に工場を〜する 吸引来镇里开办工厂
ゆうちょう【悠長】慢条斯理màntiáo sīlǐ; 悠然yōurán ‖ いまはそんな〜なことは言ってられない 现在别说那些没用的话
ゆうてん【融点】熔点róngdiǎn; 融点róngdiǎn
ゆうとう【優等】优等yōuděng; 优秀yōuxiù ❖ 一賞:优秀奖 | 一生:优等生; 高才生; 学习尖子
ゆうどう【誘導】(〜する)❶〔誘い導くこと〕引导yǐndǎo; 导航dǎoháng ‖ 駐車場で車を〜する 在停车场引导车辆 ❷〔感応〕感应gǎnyìng; 诱导yòudǎo ❖ 一コイル:感应线圈 | 一尋問:诱供; 套供 | 一体:诱导体 | 一弾:导弹 | 一電気:感应电流
ユートピア 乌托邦wūtuōbāng; 理想国lǐxiǎngguó
ゆうに【優に】足有zú yǒu; 足足zúzú ‖ 彼の背丈は〜180センチはある 他的身高足有180公分
ゆうのう【有能】有才能yǒu cáinéng; 有能力yǒu nénglì; 能干nénggàn ‖ 〜な人材を発掘する 挖掘能干的人才
ゆうはつ【誘発】(〜する)引发yǐnfā; 诱发yòufā
ゆうはん【夕飯】晚饭wǎnfàn; 晚餐wǎncān
ゆうひ【夕日】〔轮〕夕阳xīyáng; 夕照xīzhào
ゆうび【優美】优美yōuměi; 优雅yōuyǎ
ゆうびん【郵便】〔封〕信件xìnjiàn; 邮件yóujiàn ‖ 〜を送る 寄信; 邮寄 | 〜を受け取る 收信; 接信 | 〜を配達する 投递邮件 | 入学願書は〜で受け付ける 入学申请书以邮寄的方式受理 | 〜を投函(とうかん)する 把信件投进邮筒 ❖ 一受け:信箱; 书信报刊投递口 | 一為替:邮汇; 邮政汇兑 | 一切手:邮票 | 一局:邮局; 邮电局 | 一小包:包裹; 邮包 | 一貯金:邮政储蓄 | 一年金:邮政养老金 | 一配達員:邮递员; 投递员 | 一番号:邮政编码 | 一物:邮件; 信件 | 一ポスト:邮箱; 信筒 | 外国一:国际邮件; 国外邮件 | 国内一:国内邮件
ゆうふく【裕福】富裕fùyù; 优裕yōuyù ‖ 〜な家に生まれ育つ 生长在富裕的家庭中
ゆうべ【夕べ】傍晚bàngwǎn ‖ クラシックの〜 古典音乐晚会
ゆうべ【昨夜】昨夜zuóyè; 昨晚zuówǎn
ゆうへい【幽閉】(〜する)幽禁yōujìn
ゆうべん【雄弁】雄辩xióngbiàn ‖ 〜をふるう 大展辩才; 施展雄辩之才 ❖ 一家:雄辩家
ゆうぼう【有望】有前途yǒu qiántú; 有希望yǒu xīwàng ‖ 中国市場の前途は〜だ 中国市场前景非常光明 ❖ 一株:潜力股; 喩生力军
ゆうぼく【遊牧】(〜する)游牧yóumù ❖ 一民族:游牧民族
ゆうほどう【遊歩道】散步道sànbùdào
ゆうめい【有名】有名yǒumíng; 著名zhùmíng ‖ 〜な歴史家 著名的历史学家 | 〜な詐欺師 臭名远扬的骗子 | 世界的に〜だ 名扬世界 ❖ 一校

:名校｜一人:名人；知名人士

ゆうめいむじつ【有名無実】定 有名无实yǒu míng wú shí

ユーモア 幽默yōumò‖～を解する 懂幽默｜～がある 很幽默｜～のセンスがない 没有幽默感

ゆうもや【夕靄】暮霭mù'ǎi；傍晚的云雾bàngwǎn de yúnwù

ユーモラス 幽默的yōumò de；好笑的hǎoxiào de；滑稽的huáji de

ゆうやけ【夕焼け】晚霞wǎnxiá；火烧云huǒshāoyún ✤一雲:火烧云｜一空:有晚霞的天空

ゆうやみ【夕闇】暮色mùsè；黄昏huánghūn‖～が迫ってきた 天快要黑了

ゆうゆう【悠悠】❶〔落ち着いているさま〕定 从容不迫cóng róng bú pò；定 不慌不忙bù huāng bù máng ❷〔余裕のある様子〕充裕chōngyù；定 绰绰有余chuò chuò yǒu yú‖～間に合う 完全来得及 ✤一自適:悠然自得

ゆうよ【猶予】(～する)❶〔期日をのばすこと〕延期yánqī；延缓yánhuǎn；缓期huǎnqī‖刑の執行を3年～する 刑罚将缓期三年执行 ❷〔ぐずぐずすること〕犹豫yóuyù；迟疑chíyí‖もはや一刻の～も許されない 已经刻不容缓

ゆうよう【有用】有用yǒuyòng；有益yǒuyì

ユーラシア 欧亚(大陆) Ōu-Yà (Dàlù)

ゆうらん【遊覧】(～する)游览yóulǎn；观光guānguāng ✤一船:游览船；观光船｜一バス:观光巴士

ゆうり【有利】有利yǒulì‖局面は私たちに～に展開した 局势的发展对我们很有利

ゆうり【遊離】(～する)❶〔離れて存在すること〕脱离tuōlí；离开líkāi‖現実から～している 脱离现实 ❷〔化学で〕游离yóulí

ゆうりょ【憂慮】(～する)忧虑yōulǜ；担忧dānyōu‖国家の前途を～する 担忧国家的前途

ゆうりょう【有料】收费shōufèi ✤一駐車場:收费停车场｜一道路:收费公路

ゆうりょう【優良】优良yōuliáng‖～品 优质品 ✤一株:优质股

ゆうりょく【有力】有力yǒulì.(確実な)确凿quèzáo‖～な証拠 有力的证据；确凿证据｜彼はもっとも～な優勝候補だ 他是最有力的冠军候补 ✤一紙:主要报纸｜一者:有权势的人；有影响的人

ゆうれい【幽霊】❶〔死者の霊〕鬼guǐ；幽灵yōulíng；幽魂yōuhún‖あのあたりには～が出るといううわさだ 听说那里常闹鬼 ❷〔存在するようにみせかけたもの〕定 有名无实yǒu míng wú shí；虚设xūshè ✤一会社:挂名〔皮包〕公司

ゆうれつ【優劣】优劣yōuliè‖～つけがたい 难分高低〔高下〕｜～を競う 一决高下

ユーロ ❶〔通貨〕欧元ōuyuán ❷〔ヨーロッパの〕欧洲的Ōuzhōu de ✤一ダラー:欧洲美元｜一トンネル:欧洲隧道；英法海峡隧道

ゆうわ【融和】(～する)融合rónghé；融洽róngqià‖民族の～を促す 促进民族和谐

ゆうわく【誘惑】(～する)诱惑yòuhuò；引诱yǐnyòu‖～に負ける 经不起诱惑

ゆえ【故】❶〔理由〕理由lǐyóu；缘故yuángù‖～なくして解雇された 无缘无故地被解雇了 ❷〔…のため〕原因yuányīn；因为yīnwei；由于yóuyú‖若さ～の過ち 因为年轻而犯下的错误

ゆえん【所以】理由lǐyóu；原因yuányīn‖人の人たる～ 人之所以为人的理由

ゆえん【油煙】油烟yóuyān

ゆか【床】地板dìbǎn‖～をはる 铺地板｜～をふく 擦地板 ✤一板:地板｜一面積:使用面积

ゆかい【愉快】愉快yúkuài；有意思yǒu yìsi；有趣yǒuqù‖そいつは～だ 那很有意思

ゆが·む【歪む】❶〔物が〕歪wāi；变形biànxíng；歪扭wāiniǔ ❷〔心が〕歪wāi；不正bú zhèng

ゆが·める【歪める】歪曲wāiqū；歪wāi‖事実を～める 歪曲事实｜苦痛に顔を～める 痛得脸都变形了

ゆかり【縁】因缘yīnyuán；关系guānxi‖縁も～もない 没有任何关系

ゆき【行き】去qù；往wǎng‖東京～の列車 开往东京的列车｜北京～の飛行機 飞往北京的飞机

ゆき【雪】❶〔空から降る〕〔场〕雪xuě‖～が降る 下雪｜～が降りしきっている 雪下个不停；雪不停地下｜～が積もる 积雪｜10年来の大～ 十年来的大雪｜屋根から～をおろす 打扫房顶上的积雪 ❷〔白いもの〕雪白xuěbái‖～の肌 雪白的肌肤

ゆきあたりばったり【行き当たりばったり】漫无计划màn wú jìhuà‖～の暮らし方をする 过着漫无计划的生活｜～に本を選ぶ 信手拿书

ゆきか·う【行き交う】往来wǎnglái‖街は～う人々でごった返している 街上人来人往十分拥挤

ゆきかえり【行き帰り】往复wǎngfù；往返wǎngfǎn‖学校への～に通る道 上学和放学经过的道路

ゆきかき【雪掻き】扫雪sǎo xuě；铲雪chǎn xuě‖通路の～をする 清除道路上的雪

ゆきがっせん【雪合戦】打雪仗dǎ xuězhàng

ゆきき【行き来】(～する)❶〔往来〕来往láiwǎng；过往guòwǎng‖この道は人や車の～が激しい 这条路上来往的车辆行人很多 ❷〔付き合い〕交往jiāowǎng；来往láiwang

ゆきぐに【雪国】雪乡xuěxiāng；多雪地区duōxuě dìqū‖～に生まれ育つ 生长在多雪的地方

ゆきげしき【雪景色】雪景xuějǐng‖朝起きたらあたり一面～だった 早晨起来外面一片银装素裹

ゆきさき【行き先】❶〔目的地〕去的地方qù de dìfang；目的地mùdìdì ❷〔将来〕将来jiānglái；前途qiántú

ゆきすぎ【行き過ぎ】(做事)过火(zuòshì) guòhuǒ；过度guòdù；过分guòfèn‖ちょっと～だ 做得有些过分了｜取材に～があった 采访中有过激行为

ゆきずり【行きずり】定 素不相识sù bù xiāng shí；路过lùguò‖～の人 陌生人；过路人

ゆきだおれ【行き倒れ】路倒儿lùdǎor；死在路上(的人) sǐzai lùshang (de rén)

ゆきだるま【雪達磨】雪人xuěrén‖～を作る 堆雪人｜～式 滚雪球式

ゆきちがい【行き違い】❶〔すれちがい〕走岔了zǒuchà le‖手紙が～になる 彼此寄的信走两岔去了 ❷〔くいちがい〕不一致bù yízhì；分歧fēnqí.(感情が)失和shīhé

ゆきつ·く【行き着く】❶〔目的地に〕走zǒu; 达到dádào ❷〔最後まで〕最后关头〔一刻〕zuìhòu guāntóu〔yíkè〕‖～くところまでやる 干到底

ゆきつけ【行き付け】常(常)去光顾 cháng (cháng) qù guānggù

ゆきづま·る【行き詰まる】㊂穷途末路qióng tú mò lù; 陷入僵局xiànrù jiāngjú; 搁浅gēqiǎn ‖交渉が～る 谈判陷入僵局

ゆきどけ【雪解け】❶〔雪がとけること〕雪融xuě róng; 雪化xuě huà ❷〔緊張緩和〕解冻jiědòng; 缓和huǎnhé ✤一水:雪水

ゆきとど·く【行き届く】周到zhōudao; ㊂无微不至wú wēi bú zhì; 细心xìxīn ‖～いたもてなしを受ける 受到周到的招待｜掃除が～く 打扫得一尘不染｜配慮が～く 考虑得很周到

ゆきどまり【行き止まり】(走到)尽头 (zǒudào) jìntóu ‖この道は～だ 这条道是一条死胡同｜この先～ 此路不通

ゆきば【行き場】去处qùchù ‖～を失う 无处可去｜～のない怒り 无法发泄的愤怒

ゆきわた·る【行き渡る】普及pǔjí; 遍及biànjí ‖全員の手元に～ 大家手里都拿到了｜全家庭に～る 普及到每一个家庭

ゆく【行く】⇨いく(行く)

ゆ·く【逝く】逝世shìshì; 死(去) sǐ(qu)

ゆくえ【行方】去向qùxiàng; 下落xiàluò; 行踪xíngzōng ‖警察は被疑者の～をさがしている 警察在搜索嫌疑犯的行踪｜～をくらます 藏踪匿迹 ✤一不明:去向〔行踪〕不明；失踪

ゆくさき【行く先】⇨ゆきさき(行き先)

ゆくすえ【行く末】今后jīnhòu; 前途qiántú; 将来jiānglái ‖子どもの～を案じる 担心孩子的将来

ゆくて【行く手】前方qiánfāng; 前途qiántú; 去路qùlù ‖～を遮る 挡住去路

ゆくとし【行く年】旧岁jiùsuì; 暮岁mùsuì; 旧年jiùnián; 残年cánnián ‖～来る年 旧年和新年

ゆげ【湯気】〔股,团〕热气rèqì; (水)蒸气(shuǐ) zhēngqì ‖やかんが～を立てている 水壶冒着热气｜頭から～を立てて怒る 气得七窍生烟

ゆけつ【輸血】(～する)输血shūxuè

ゆさい【油彩】⇨あぶらえ(油絵)

ゆさぶ·る【揺さ振る】❶〔揺り動かす〕摇动yáodòng; 摇晃yáohuang ‖木を～る 摇树 ❷〔動揺させる〕动摇dòngyáo; 震撼zhènhàn ‖政界を～る大事件 震撼政界的大事

ゆざまし【湯冷まし】凉开水liángkāishuǐ

ゆざめ【湯冷め】(～する)洗澡后受凉xǐzǎo hòu shòuliáng

ゆし【油脂】油脂yóuzhī

ゆしゅつ【輸出】(～する)出口chūkǒu ‖工業製品を～する 出口工业产品 ✤一業者:出口商｜一港:出口港｜一税:出口税｜一超過:出超｜一品:出口商品；外销货

ゆしゅつにゅう【輸出入】进出口jìnchūkǒu ✤一貿易:进出口贸易

ゆず【柚·柚子】香橙xiāngchéng; 蟹橙xièchéng

ゆす·ぐ【濯ぐ】涮shuàn; 洗涮xǐshuàn. (口を)漱shù

ゆすり【強請】‖～たかり 敲诈勒索

-ゆずり【譲り】‖彼の短気は父親～だ 他的急性子是他爸爸的遗传

ゆずりあ·う【譲り合う】互让hùràng ‖互いに～う 互相推让

ゆずりう·ける【譲り受ける】继承jìchéng; 承受chéngshòu; 让与ràngyǔ

ゆずりわた·す【譲り渡す】出让chūràng; 让与ràngyǔ ‖店を友人に～した 把店转让给了朋友

ゆす·る【強請る】敲诈qiāozhà; 勒索lèsuǒ; 敲竹杠qiāo zhúgàng ‖暴力団に～られる 被黑社会敲诈｜金を～りとる 敲诈金钱

ゆす·る【揺する】摇动yáodòng; 摇晃yáohuang; 晃动huàngdòng

ゆず·る【譲る】❶〔譲渡〕让ràng; 让给rànggěi ‖店を息子に～る 把店让给儿子｜席を～る 让座｜道を～る 让路 ❷〔譲歩〕让步ràngbù; 退让tuìràng ‖たがいに一歩も～らない 互不相让

ゆせい【油性】油性yóuxìng; 油质yóuzhì ✤一塗料:油性涂料｜一ペン:油性万能笔

ゆそう【輸送】(～する)输送shūsòng; 运输yùnshū ✤一機:运输机｜一船:运输船

ゆたか【豊か】❶〔豊富〕丰富fēngfù ‖鉱物資源が～だ 矿产资源很丰富｜才能が～だ 才华横溢 ❷〔富裕〕富裕fùyù; 宽裕kuānyù ‖～な生活を送る 过富裕的生活｜財政的に～だ 财政宽裕 ❸〔おおらか〕宽大kuāndà; 舒展shūzhan

ゆだ·ねる【委ねる】❶〔まかせる〕委wěi; 委托wěituō; 交给jiāogěi ‖仕事を部下に～ねる 把工作委托给部下 ❷〔ささげる〕献身xiànshēn

ユダヤ 犹太Yóutài ✤一人:犹太人

ゆだん【油断】(～する)疏忽大意shūhu dàyi; ㊂粗心大意cū xīn dà yì; ㊂漫不经心màn bù jīng xīn ‖～のならぬ世の中だ 这年头儿可不能放松警惕｜～も隙(すき)もない 不能有丝毫的大意 ✤一大敵:千万不要麻痹大意

ゆちゃく【癒着】(～する)❶〔医学〕粘连zhānlián ❷〔結びつき〕勾结gōujié; 结合jiéhé ‖政財界の～ 政财两界相互勾结

ゆっくり (～する)❶〔急がない〕慢慢儿地mànmānr de; 不慌不忙地bù huāng bù máng de ‖～歩く 慢悠悠地走｜～する間もない 没有放松的时间｜～していきたまえ 再多呆一会儿吧 ❷〔ゆとりがある〕安静舒适ānjìng shūshì; 充裕chōngyù ‖今夜は～お休みください 今晚请您好好儿休息吧

ゆったり (～する)❶〔のんびり〕悠闲yōuxián; 轻松愉快qīngsōng yúkuài ❷〔窮屈でない〕宽敞kuānchang; 舒适shūshì ‖～した上着 宽松舒适的上衣

ゆでたまご【茹で卵】煮鸡蛋zhǔjīdàn

ゆ·でる【茹でる】煮zhǔ; 焯chāo ‖卵を半熟に〔固く〕～でる 鸡蛋煮得嫩〔老〕一点

ゆでん【油田】油田yóutián

ゆとり 宽裕kuānyù; 余裕yúyù ‖時間に～がない 时间很紧｜生活に～がある〔ない〕 生活很宽裕〔不宽裕〕｜心に～がある 有闲情逸致

ユニーク 独特dútè; 非凡fēifán ‖～な発想 独特的想法｜～な画風 画风别具一格

ユニセフ 联合国儿童基金(组织) Liánhéguó Értóng Jījīn (Zǔzhī)

ユニット ❶〔単位〕单位dānwèi ❷〔規格化された部品〕组合(式) zǔhé(shì) ✤一家具:组合

(式)家具；成套家具｜一バス:整体浴室
ユニホーム (運動服)运动(制)服 yùndòng (zhì)fú.(制服)制服zhìfú‖～を脱ぐ 喩 退队
ゆにゅう【輸入】(～する)进口jìnkǒu‖石油を～する 进口石油 ✤一車:进口车｜一超過:入超｜一品:进口商品；进口货；舶来品
ユネスコ 联合国教科文组织Liánhéguó Jiàokēwén Zǔzhī
ゆのみ【湯飲み】茶杯chábēi; 茶碗cháwǎn
ゆば【湯葉】豆腐皮dòufupí
ゆび【指】〔支,根〕手指shǒuzhǐ.(足の)脚趾jiǎozhǐ‖～一本差させない 不容许人干涉｜～を鳴らす 打响指｜～をくわえて見る 坐失良机
ゆびおり【指折り】❶〔数える〕屈指(计算) qūzhǐ (jìsuàn)‖～数えて待つ 翘首以待 ❷〔屈指〕定 屈指可数qū zhǐ kě shǔ
ゆびきり【指切り】拉钩lāgōu
ゆびさき【指先】指尖儿zhǐjiānr.(足の)趾尖zhǐjiān‖～が器用だ 手很灵巧
ゆびわ【指輪】戒指jièzhi‖～をはめる〔はずす〕 戴上〔摘下〕戒指
ゆぶね【湯船】浴缸yùgāng; 浴盆yùpén
ゆみ【弓】❶〔武器〕弓gōng‖～を引く 喩 背叛 ❷〔楽器の〕弓gōng
ゆみなり【弓形】弓形gōngxíng‖体を～に反らせる 把身体向后仰成弓形
ゆみや【弓矢】弓(和)箭gōng (hé) jiàn
ゆめ【夢】❶〔睡眠中の〕〔场〕梦mèng‖～を見る 做梦｜～から覚める 从梦中醒来｜怖い～を見る 做噩梦｜～にも思わない 做梦也没有想到 ❷〔希望〕理想lǐxiǎng; 愿望yuànwàng; 梦想mèngxiǎng‖～を抱く 抱理想｜～を描く 梦想｜子どもに～を託す 把理想寄托在孩子身上｜将来の～ 将来的理想 ❸〔非現実〕空想kōngxiǎng; 白日梦báirìmèng‖～のようなことばかり言う 尽说些不现实的事情
ゆめうつつ【夢現】半睡半醒bàn shuì bàn xǐng; 朦胧之间ménglóng zhī jiān
ゆめみ・る【夢見る】做梦zuòmèng; 空想kōngxiǎng; 梦想mèngxiǎng‖未来を～る 梦想未来
ゆらい【由来】(～する)来历láilì; 由来yóulái‖地名の～を調べる 调查地名的来历｜社名の～ 公司名的由来
ゆら・ぐ【揺らぐ】❶〔ゆらゆら揺れ動く〕摇晃yáohuang; 晃动huàngdòng ❷〔基盤などが〕动摇dòngyáo‖決意が～ぐ 决心动摇｜地位が～ぐ 地位动摇
ゆらゆら 轻轻地晃动qīngqīng de huàngdòng‖木のこずえが～揺れている 树梢轻轻地摇动着
ゆり【百合】百合bǎihé
ゆりかご【揺り籠】摇篮yáolán
ゆる・い【緩い】❶〔たるみがある〕松弛sōngchí; 宽松kuānsong‖包帯の巻きかたが～い 绷带缠得太松 ❷〔変化がゆるやか〕(傾きが)倾斜度小qīngxiédù xiǎo.(動きが)缓慢huǎnmàn; 慢màn‖～い勾配(こうばい)の屋根 斜度小的屋顶 ❸〔厳格でない〕不严bù yán; 松sōng; 宽kuān‖取り締まりが～い 取缔不彻底 ❹〔水分が多くやわらかい〕稀xī; 稀薄xībó‖便が～い 便稀
ゆるが・す【揺るがす】震撼zhènhàn‖世界中を～す大事件 震撼世界的大事件
ゆるぎな・い【揺るぎない】坚定jiāndìng; 牢固láogù; 稳固wěngù‖～い信念 坚定的信念｜～い地位を築く 建立稳固的地位
ゆるし【許し】❶〔許可・認可〕许可xǔkě; 允许yǔnxǔ‖筆者の～を得て文章を引用する 先得到作者的允许再引用其文 ❷〔容赦〕饶恕ráoshù; 宽恕kuānshù‖～を請う 请求宽恕
ゆる・す【許す】❶〔許可する〕许可xǔkě; 批准pīzhǔn‖3年へ編入学を～された 许可到三年级插班｜弁解は～されない 不许辩解 ❷〔許容する〕容许róngxǔ; 允许yǔnxǔ‖時間の～すかぎり 只要时间允许｜予断を～さない情勢 无法预测的形势 ❸〔容赦する〕原谅yuánliàng; 宽恕kuānshù‖あのような暴言は～しがたい 那种粗言谩骂不可宽恕｜無礼をお～しください 请恕无礼 ❹〔心などを〕以心相许yǐ xīn xiāng xǔ; 信赖xìnlài‖心を～せる友達 知心朋友；值得信赖的朋友
ゆる・む【緩む】❶〔ゆるくなる〕松sōng; 松动sōngdòng‖靴のひもが～む 鞋带松了｜このねじは～んでいる 这个螺丝松动了 ❷〔緩和する〕缓和huǎnhé; 松缓sōnghuǎn‖寒さがだいぶ～んできた 冷劲大见缓和｜規律が～ 纪律松弛｜口元が～む 嘴角泛起微笑｜気が～む 精神松懈
ゆる・める【緩める】❶〔締めつけていたものを〕松sōng; 放松fàngsōng‖ネクタイを～める 放松领带 ❷〔速度を〕放慢(速度) fàngmàn (sùdù)‖スピードを～める 放慢速度 ❸〔緩和する〕放松fàngsōng; 放宽fàngkuān‖警戒を～める 放松警惕｜規制を～める 放宽限制
ゆるやか【緩やか】❶〔急ではない〕平缓pínghuǎn‖～なカーブにさしかかる 临近平缓的转弯处 ❷〔寛大〕宽松kuānsong
ゆれうご・く【揺れ動く】摇动yáodòng; 摇荡yáodàng‖～く世界情勢 动荡不定的世界形势
ゆ・れる【揺れる】摇动yáodòng; 晃动huàngdòng; 摇晃yáohuang‖こいのぼりが風に～れている 鲤鱼旗迎风飘动｜車が～れる 车子颠簸｜地震で家が激しく～れた 由于地震房子猛烈地摇晃
ゆわ・える【結わえる】扎zā; 结jié; 绑bǎng‖髪をゴムで～えた 把头发用橡皮筋扎起来
ゆわかし【湯沸かし】烧水壶shāoshuǐhú; 水壶shuǐhú

よ

よ【世・代】❶〔世の中・世間〕世界shìjiè; 世间shìjiān‖～のため人のためになる仕事をしたい 我想从事有益于社会和他人的工作｜～をはかなんで自殺する 厌世而自杀 ❷〔人生〕人生rénshēng‖わが～の春を謳歌(おうか)する 尽情享受美好时光 ❸〔現世・来世〕人世rénshì; 来世láishì‖～を去る

離开人世｜あの～ 阴间 ❹〔時代・時勢〕时代shídài; 时势shíshì‖～が～なら 要是生逢其时｜まったく～も末だ 到了世界末日了！

よ【夜】夜晚yèwǎn‖～があける 天亮｜～をあかす 过夜｜～が更ける 夜深了

よあかし【夜明かし】（～する）彻夜chèyè; 通宵tōngxiāo‖マージャンで～する 通宵打麻将

よあけ【夜明け】黎明límíng; 凌晨língchén; 天亮tiān liàng‖出発は～前だ 天亮前出发

よあそび【夜遊び】（～する）夜间娱乐yèjian yúlè‖～にふける 每天晚上寻欢作乐

よ・い【良い・善い・好い】❶〔良好な・優れている〕好hǎo; 不错búcuò; 优秀yōuxiù‖～い天気だ 天气很好｜成績が～い 成绩好 ❷〔正しい〕正当zhèngdàng; 正确zhèngquè‖あなたが～いと信じることをやりなさい （你）自己坚信是正确的（事）就去做吧 ❸〔適切な・妥当な〕适当shìdàng; 合适héshì‖ちょうど～いところへ来てくれた 你来的正是时候｜サイズがちょうど～い 大小正合适｜～かったらいっしょに行きませんか 你要是方便的话，咱们一起去，好不好？ ❹〔回復する〕好（了）hǎo(le); 康复kāngfù‖風邪は～くなりましたか 感冒好了吗？ ❺〔安心・幸い〕好hǎo‖けががなくて～かった 没受伤，太好了 ❻〔…てもかまわない〕可以kěyǐ‖帰っても～い 可以回去｜来なくても～い 不必来

よい【宵】夜晚yèwǎn

よい【酔い】❶〔酒での〕醉酒zuì jiǔ‖～がまわる 醉了｜～がさめた 酒醒了｜～をさます 醒酒 ❷〔乗り物での〕晕车〔船〕yùnchē〔chuán〕

よいし・れる【酔い痴れる】陶醉táozuì; 沉湎chénmiǎn‖音楽に～れる 陶醉在音乐中

よいっぱり【宵っぱり】‖～の朝寝坊 迟睡晏起

よいつぶ・れる【酔い潰れる】酩酊大醉mǐngdǐng dà zuì‖～れて路上で寝こむ 喝得酩酊大醉睡在马路上

よいのくち【宵の口】天黑不久tiān hēi bùjiǔ

よいやみ【宵闇】暮色mùsè‖～に包まれる 被一片暮色笼罩着｜～が迫る 黑夜将近

よいん【余韻】❶〔音〕余音yúyīn ❷〔事が終わったあとに残る風情〕余味yúwèi‖感動の～に浸る 久久沉浸在感动中

よう【用】❶〔用事〕事情shìqing‖今日は～があるので会に参加できない 今天因为有事不能出席会议｜急ぎの～ 急事｜わざわざ出かけていかなくとも電話で十分～が足りる 不用特地出门去办，打个电话就完全能解决的 ❷〔働き・使用〕使用shǐyòng; 用处yòngchu‖～をなさない 没有用处｜婦人～手袋 女用手套 ❸〔用便〕解手jiěshǒu‖～を足しに行く 我去解手；我上厕所〔卫生间〕

よう【洋】海洋hǎiyáng; 西洋和东洋Xīyáng hé Dōngyáng‖～の東西を問わず 不管世界的什么地方

よう【要】❶〔要点・要領〕要领yàolǐng‖文章が簡潔で～を得ている 文章简洁扼要｜～を得ない 不得要领 ❷〔大切なこと〕关键guānjiàn‖～は本人の意欲しだいだ 关键是他本人有无积极性

よ・う【酔う】❶〔酒に〕喝醉hēzuì; 醉zuì‖酒に～う 喝醉酒 ❷〔乗り物に〕（車・列車に）晕车yùnchē.（船に）晕船yùnchuán ❸〔夢中になる〕陶醉táozuì‖成功に～う 陶醉在成功的喜悦之中

よう【陽】❶〔表に見えるところ〕表面biǎomiàn ❷〔陽極〕阳极yángjí

よう ❶〔ようす・格好〕模样múyàng; 似乎sìhū‖赤ん坊は眠った～だ 婴儿好像睡着了 ❷〔仕方・方法〕方法fāngfǎ‖この～に 这样｜あなたの好きな～にしなさい 你爱怎么办就怎么办 ❸〔種類・程度〕种类zhǒnglèi‖この～なつぼは珍しい 这种壶很少见 ❹〔同様・同類〕像…一样xiàng…yíyàng‖春の～に暖かい 像春天般温暖｜いつもの～に 像往常一样 ❺〔目的〕为了wèile; 以便yǐbiàn‖バスに間に合う～に急いだ 为了坐上公共汽车而紧赶慢赶 ❻〔趣旨〕之类zhī lèi‖来世とか運命とかいった～なもの 来世、命运之类的说法

ようい【用意】（～する）（做）准备（zuò）zhǔnbèi‖夕食の～をする 准备晚饭｜～はいいですか 准备好了吗？｜～万端整っている 万事齐备｜～，どん！ 预备，跑！

ようい【容易】容易róngyì‖ぼやぼやしているうちに～ならぬ事態になってしまった 在犹豫之间事态变得严重了｜～に解ける問題 很容易解答的问题

よういく【養育】（～する）养育yǎngyù; 抚养fǔyǎng ✥ 一権：子女抚养权｜一費：养育费；抚养费

よういん【要因】主要原因zhǔyào yuányīn

ようえき【溶液】溶液róngyè

ようえん【妖艶】妖艳yāoyàn; 妩媚wǔmèi

ようが【洋画】〔部，个〕外国电影wàiguó diànyǐng; 外国影片wàiguó yǐngpiàn

ようかい【妖怪】妖怪yāoguai

ようかい【溶解】（～する）溶解róngjiě

ようがし【洋菓子】西式点心xīshì diǎnxin

ようかん【洋館】洋房yángfáng

ようがん【溶岩】熔岩róngyán; 岩浆yánjiāng

ようき【容器】容器róngqì

ようき【陽気】❶〔時候〕气候qìhòu; 天气tiānqì ❷〔朗らか・にぎやか〕开朗kāilǎng; 欢乐huānlè; 快活kuàihuo‖～な性格 性格开朗｜～に歌い踊る 欢乐地唱歌跳舞

ようぎ【容疑】嫌疑xiányí‖殺人の～で逮捕された 因杀人嫌疑而被逮捕了｜～が晴れる 嫌疑被澄清了 ✥ 一者：嫌疑犯；嫌疑人

ようきゅう【要求】（～する）要求yāoqiú‖～をける 拒绝要求｜～を受け入れる 答应要求｜専門的な知識が～される仕事 需要专业知识的工作

ようぎょ【養魚】养鱼yǎng yú ✥ 一場：养鱼场

ようぐ【用具】〔种，件〕用具yòngjù‖体操の～ 体操用具｜掃除が終ったら～をもとのところへ戻しておきなさい 打扫完了，把工具放回原位

ようけい【養鶏】养鸡yǎng jī ✥ 一場：养鸡场

ようけん【用件】〔件，个〕事情shìqing‖どんなご～でしょうか 您有什么事？｜～を済ます 办完事情｜～を告げる 告诉来意

ようけん【要件】❶〔重要な用事〕重要的事情zhòngyào de shìqing; 要事yàoshì‖～のみを話す 只谈要事 ❷〔必要な条件〕必需条件bìxū tiáojiàn‖～を満たす 符合必需条件

ようご【用語】用语yòngyǔ; 术语shùyǔ ✥ 業界一：行话｜金融一：金融术语｜パソコン一：电脑用

语｜ビジネス—:商务用语
ようご【養護】❖—学級:特殊班级｜—教諭:保健教师｜—施設:儿童福利院
ようご【擁護】(〜する)拥护yōnghù‖憲法を〜する 拥护宪法 ❖人権—:维护人权
ようこう【要項】重要事项zhòngyào shìxiàng ❖応募—:报名须知｜大学入試—:高考须知
ようこう【要綱】提纲tígāng; 大纲dàgāng
ようこう【陽光】〔片,道,丝〕阳光yángguāng‖初夏の〜を浴びる 沐浴初夏的阳光
ようこうろ【溶鉱炉】〔座〕高炉gāolú; 熔炉rónglú; 熔矿炉róngkuànglú
ようこそ (热烈)欢迎(rèliè) huānyíng‖〜いらっしゃいました (自宅で)你来了,欢迎欢迎!; (店などで)欢迎光临
ようさい【洋裁】西式裁缝〔裁剪〕xīshì cáiféng〔cáijiǎn〕❖—学校:西式裁剪学校
ようさい【要塞】〔座,个〕要塞yàosài
ようざい【溶剤】溶剂róngjì
ようさん【葉酸】叶酸yèsuān
ようさん【養蚕】养蚕yǎng cán
ようし【用紙】表格biǎogé ❖応募—:报名表格｜コピー—:复印纸｜ファックス—:传真纸｜メモ—:便笺｜申込—:申请表格
ようし【要旨】(趣旨)要旨yàozhǐ; 要点yàodiǎn. (大要)大意dàyì‖論文の〜を述べる 阐述论文的要点
ようし【容姿】〔副〕容貌róngmào; 长相zhǎngxiàng; 姿容zīróng ❖—端麗:姿容端丽
ようし【陽子】质子zhìzǐ
ようし【養子】养子yǎngzǐ‖〜をもらう 领养孩子 ❖—縁組:收养;过继
ようじ【幼児】幼儿yòu'ér; 幼童yòutóng ❖—期:幼儿期｜—教育:幼儿教育｜—教室:幼儿班｜—語:幼儿语言
ようじ【用字】用字yòngzì‖〜用語を統一する 统一用字措辞
ようじ【用事】〔件,回〕事情shìqing; 事shì‖急な〜ができる 有急事｜〜を頼む 请人办事｜ほかに〜がありますので,これで失礼します 因为有别的事,我就失陪了
ようじ【楊枝】〔根〕牙签儿yáqiānr
ようしき【洋式】洋式yángshì; 西式xīshì ❖—トイレ:坐式厕所
ようしき【様式】❶〔やり方〕〔种,个〕方式fāngshì‖生活〜 生活方式 ❷〔形式〕格式géshi‖書類の〜 文件的格式 ❸〔芸術作品などの〕式样shìyàng‖ゴシック〜の建築物 哥特式建筑
ようしつ【洋室】⇨ようま(洋間)
ようしゃ【容赦】(〜する)❶〔許すこと〕宽恕kuānshù; 原谅yuánliàng‖なにとぞご〜ください 请多多原谅 ❷〔手加減〕留情liúqíng; 姑息gūxī‖〜なく処罰する 坚决处罚毫不留情｜〜しないぞ 我可要不留情了
ようしゅ【洋酒】洋酒yángjiǔ
ようしょ【要所】重要地方zhòngyào dìfang; 关键地方guānjiàn dìfang; 要点yàodiǎn‖〜〜に警官が配置された 重要的地方配置了警官｜〜をおさえる 抓住要点
ようじょ【養女】养女yǎngnǚ
ようしょう【幼少】童年时代tóngnián shídài
ようしょう【要衝】要冲yàochōng; 枢纽shūniǔ; 重要地段zhòngyào dìduàn‖交通の〜 交通枢纽
ようじょう【洋上】海上hǎishang; 船上chuánshang‖〜に浮かぶ船 海上飘浮着的船
ようじょう【養生】(〜する)❶〔摂生〕养生yǎngshēng; 保养bǎoyǎng ❷〔保養〕养病yǎngbìng; 休养xiūyǎng; 调养tiáoyǎng ❖—法:养生法
ようしょく【洋食】西餐xīcān ❖—店:西餐馆
ようしょく【要職】要职yàozhí‖祖父は中央政府の〜にある 爷爷在中央政府里担任要职
ようしょく【容色】容貌róngmào; 容貌之美róngmào zhī měi‖〜が衰える 容颜衰老
ようしょく【養殖】(〜する)养殖yǎngzhí‖ニジマスを〜する 养殖虹鳟｜カキの〜 牡蛎的养殖 ❖—場:养殖场｜—真珠:养殖珍珠
ようじん【用心】(〜する)小心xiǎoxin; 警惕jǐngtì; 留神liúshén; 留心liúxīn‖甘い言葉にはくれぐれも〜しなさい 对那些甜言蜜语要格外警惕｜火の〜 注意防火｜すりにご〜 留心扒手 ❖—棒:保镖;警卫
ようじん【要人】〔位〕要人yàorén
ようじんぶか・い【用心深い】十分谨慎shífēn jǐnshèn; 非常小心fēicháng xiǎoxin‖〜く言葉を選ぶ 小心谨慎地选择用词
ようす【様子】❶〔状態〕情况qíngkuàng‖もう少し〜を見てみよう 看看情况再说 ❷〔外見〕外表wàibiǎo; 仪表yíbiǎo ❸〔態度〕〔种,个,副〕神情shénqíng; 样子yàngzi; 表情biǎoqíng‖母はひどく疲れた〜だ 母亲的样子显得很疲劳｜彼の〜がおかしい 他神情不对劲 ❹〔兆候〕〔种〕迹象jìxiàng; 征兆zhēngzhào‖雪にでもなりそうな〜だ 看样子要下雪
よう・する【要する】需要xūyào; 要yào‖取り扱いには注意を〜する 使用的时候要小心｜急を〜する問題 要急待解决的问题
よう・する【擁する】❶〔率いる〕率领shuàilǐng‖大軍を〜する 率领大军 ❷〔持つ〕拥有yōngyǒu; 含有hányǒu‖大資本を〜する会社 资本雄厚的大公司
ようするに【要するに】㊜总而言之zǒng ér yán zhī; 总之zǒngzhī‖〜,この話は信用できないということだ 总而言之,这件事不可信
ようせい【要請】(〜する)要求yāoqiú; 请求qǐngqiú‖〜に応じて立候補した 接受提名参加竞选｜大学側は機動隊の出動を〜した 大学校方请求出动机动队
ようせい【陽性】阳性yángxìng ❖—反応:阳性反应｜疑—反応:假阳性反应
ようせい【養成】(〜する)培养péiyǎng; 培训péixùn‖人材を〜する 培养人才 ❖—所:培训学校;培训所
ようせき【容積】❶〔容量〕容量róngliàng ❷〔体積〕体积tǐjī; 容积róngjī
ようせつ【夭折】(〜する)夭折yāozhé
ようせつ【溶接】(〜する)焊接hànjiē; 熔接róngjiē ❖—機:焊接机｜—工:焊工
ようそ【要素】因素yīnsù; 要素yàosù; 要因yào-

よ

yīn ‖ さまざまな～がからみあう 各种因素相互交织

ようそう【洋装】西服xīfú；西装xīzhuāng

ようそう【様相】局势júshì；情况qíngkuàng；状态zhuàngtài ‖ 事態はただならぬ～を呈してきた 事态呈现严重局势

-よう·だ ❶〔比ゆ〕(好)像…一样〔一般〕(hǎo) xiàng … yíyàng〔yìbān〕‖ 彼女のほっぺたはやわらかくて赤ちゃんの～だ 她的脸颊跟婴儿一样柔嫩 ❷〔一例として例示〕像〔照〕…那样xiàng〔zhào〕… nàyàng ‖ 両親の～に仲のいい夫婦になりたい 要像我父母那样做一对和睦的夫妻 ❸〔不確かな断定〕好像hǎoxiàng；觉得好像juéde hǎoxiàng；似乎sìhu ‖ ちょっと熱がある～だ 好像有点儿发烧 ❹〔願い·軽い忠告〕希望xīwàng；请qǐng；要yào ‖ 今年もよい年になります～に 衷心祝愿您今年也万事如意 ❺〔目的実現〕以免yǐmiǎn；为了wèile ‖ 時間に遅れない～早めに出発する 早点儿出发，以免迟到 ❻〔内容指示〕如下rúxià；如rú ‖ 以下に示す～に 如下所示｜下記の～に定める 规定如下｜ご存知の～に 如您所知 ❼〔変化〕变得biànde；就能jiù néng；开始…了kāishǐ…le ‖ 2人はしだいに愛し合う～になった 两人渐渐地开始相爱了

ようだい【容体·容態】病情bìngqíng；症状zhèngzhuàng ‖ ～が悪化する 病情恶化｜～が思わしくない 病情不太好｜～が安定している 病情比较稳定

ようだ·てる【用立てる】借钱jiè qián ‖ 同僚に2万円～ててやる 借给同事两万日元

ようち【幼稚】幼稚yòuzhì；不成熟bù chéngshú ‖ ～な考え 幼稚的想法｜～なふるまい 不成熟的言行

ようち【夜討ち】夜袭yèxí ‖ ～をかける 进行夜袭 ✤一朝駆け：不分凌晨深夜的采访

ようちえん【幼稚園】幼儿园yòu'éryuán

ようちゅう【幼虫】幼虫yòuchóng

ようちゅうい【要注意】需要注意xūyào zhùyì ‖ ～事項 注意事项

ようつい【腰椎】腰椎yāozhuī

ようつう【腰痛】腰痛yāo tòng；腰疼yāo téng

ようてん【要点】要点yàodiǎn ‖ ～をまとめる 归纳要点｜論争の～がつかめない 抓不住讨论的要点｜～をかいつまんで話す 扼要地说

ようでんし【陽電子】阳电子yángdiànzǐ；正电子zhèngdiànzǐ

ようと【用途】用途yòngtú ‖ ～が広い 用途广泛

ようどうさくせん【陽動作戦】佯动作战yángdòng zuòzhàn

ようとして【杳として】杳然yǎorán ‖ 犯人の行方は～わからない 罪犯行踪杳然

ようとん【養豚】养猪yǎng zhū

ようなし【洋梨】洋梨yánglí

-ように ⇨ -ようだ

ようにん【容認】(～する)容许róngxǔ；容忍róngrěn；认可rènkě

ようばい【溶媒】溶剂róngjì

ようび【曜日】星期xīngqī；礼拜lǐbài ‖ 今日は何～ですか 今天是星期〔礼拜〕几？

ようひん【用品】〔件〕用品yòngpǐn ✤ 家庭一：家庭用品｜ベビー一：婴儿用品

ようふ【養父】养父yǎngfù

ようふう【洋風】西式xīshì；西洋方式Xīyáng fāngshì ‖ ～の家 洋房；西洋式房屋｜日本料理を～にアレンジする 日菜西做

ようふく【洋服】〔件,身〕衣服yīfu．(スーツ)西服xīfú ‖ 人形に～を着せる 给娃娃穿衣服 ✤一だんす：大衣柜

ようふぼ【養父母】养父母yǎngfùmǔ

ようぶん【養分】养分yǎngfèn；营养成分yíngyǎng chéngfen ‖ ～のある土 含有养分的土壤

ようぼ【養母】养母yǎngmǔ

ようほう【用法】用法yòngfǎ；使用方法shǐyòng fāngfǎ ‖ 薬は～容量を守ってのまないといけない 药一定要按时、按量来服用

ようほう【養蜂】养蜂yǎng fēng ✤一家：养蜂人｜一場：养蜂场

ようぼう【要望】(～する)要求yāoqiú；希望xīwàng ‖ ～に応じる 响应要求｜番組に対するご意見ご～をはがきでお寄せください 对本节目有什么意见和要求，请投寄明信片告知

ようぼう【容貌】容貌róngmào；相貌xiàngmào

ようま【洋間】西式房间 xīshì fángjiān

ようみゃく【葉脈】叶脉yèmài

ようもう【羊毛】羊毛yángmáo ✤一製品：羊毛制品

ようもうざい【養毛剤】养发精yǎngfàjīng；生发剂 shēngfàjì

ようやく【要約】(～する)归纳guīnà；扼要èyào；概括gàikuò ‖ 次の文章を200字以内で～せよ 请把下面的文章归纳成1篇200字以内的文章

ようやく【漸く】❶〔次第に〕渐渐jiànjiàn ‖ 子どもも小学校にあがり，～手が離れてきた 孩子也上小学了，渐渐可以放手了 ❷〔なんとか·やっと〕好容易hǎoróngyì；终于zhōngyú；总算zǒngsuàn ‖ さんざん迷って～たどり着いた 迷了路，找来找去总算到达了

ようらん【要覧】要览yàolǎn；概况gàikuàng ‖ 学校～ 学校要览｜経済統計～ 经济统计要览

ようりつ【擁立】(～する)推举tuījǔ；拥立yōnglì ‖ 新人候補を～する 推举新手候选人

ようりょう【用量】用量yòngliàng；剂量jìliàng

ようりょう【要領】❶〔要点〕要领yàolǐng；要点yàodiǎn ‖ ～を得ない 不得要领 ❷〔やり方·こつ〕要点yàodiǎn；要领yàolǐng；精明jīngmíng ‖ 彼は～がいいので，むだがなく仕事が速い 他做事抓得住要点，所以工作效率高，进度快｜～がつかめない 抓不住要领｜～が悪い 做事笨拙

ようりょう【容量】容量róngliàng；容纳róngnà

ようりょくそ【葉緑素】叶绿素yèlǜsù

ようりょくたい【葉緑体】叶绿体yèlǜtǐ

ようれい【用例】用例yònglì

ヨーガ 瑜伽yújiā

ヨーグルト 酸奶suānnǎi；酸乳酪suānrǔlào

ヨード 碘diǎn ✤一チンキ：碘酒；碘酊

ヨーヨー 溜溜球liūliūqiú；悠悠球yōuyōuqiú

よか【余暇】业余时间 yèyú shíjiān

よかぜ【夜風】夜风yèfēng ‖ ～が身にしみる 夜风寒气彻骨｜～にあたる 吹夜风

よからぬ【良からぬ】不好bù hǎo；坏huài ‖ ～ことをたくらむ 图谋不轨

よかれ【善かれ】出于好意chūyú hǎoyì ‖ ～と思ってしたことが裏目に出た 出于好心却适得其反
よかれあしかれ【善かれ悪しかれ】(无论)好歹(wúlùn) hǎodǎi
よかん【予感】(～する)预感yùgǎn ‖ 不吉な～がする 有种不祥的预感｜～が的中した 预感应验了
よき【予期】(～する)预料yùliào；意料yìliào；预期yùqī ‖ ～せぬ結果を招く 导致出乎意料的结果
よぎな·い【余儀ない】不得已bùdéyǐ；定 无可奈何wú kě nài hé ‖ 議長は辞任を～くされた 议长不得已辞职了
よきょう【余興】余兴yúxìng ‖ 部長は～に手品を披露した 处长为大家表演魔术以助余兴
よぎり【夜霧】夜雾yèwù ‖ ～が立ちこめる 夜里起雾
よぎ·る【過ぎる】穿过chuānguo；掠过lüèguo ‖ ふと不安が心を～った 突然心中掠过一丝不安
よきん【預金】(～する)存款cúnkuǎn ✤ 一口座:存款户头｜一通帳:存折
よく【良く】❶〔上手に·十分に·りっぱに〕好hǎo.〔きめ細かく〕仔细地zǐxì de ‖ たいへん～できました 做得很好！｜～考える 仔细考虑 ❷〔しばしば·普通に〕经常jīngcháng；屡次lǚcì；动不动dòngbudòng ‖ そんなのは～あることだ 那种事儿常有｜～泣く 爱哭 ❸〔良好〕好hǎo ‖ 隣のおばさんは私にとても～してくれる 隔壁的大妈对我很好 ❹〔せいぜい〕最多(也) zuì duō (yě) ‖ ～て10人ぐらいだろう 最多也就十来个人吧 ❺〔驚き·感嘆·非難〕竟然能jìngrán néng；居然能jūrán néng ‖ あの少ない月収で～家族５人が暮らせるものだ 凭他那么一点点儿工资居然能维持一家五口的生活
よく【欲】贪欲tānyù；贪心tānxīn；欲望yùwàng ‖ ～が深い 贪心不足｜～に目がくらむ 定 利令智昏｜～がない 不贪心；〔学生や若者が〕没有进取心｜～の皮が突っ張る 定 贪得无厌｜～を言えば 如果可以提更高要求的话｜～を言ったらきりがない 人的欲望是没有尽止的 ✤ 権勢一:权力欲｜知識一:求知欲
よくあさ【翌朝】第二天早晨dì èr tiān zǎochen
よくあつ【抑圧】(～する)压制yāzhì；压迫yāpò ‖ 言論の自由を～する 压制言论自由
よくげつ【翌月】下月xià yuè；第二个月dì èr ge yuè
よくし【抑止】(～する)抑制yìzhì；制止zhìzhǐ ✤ 一力:抑制力
よくしつ【浴室】浴室yùshì；洗澡间xǐzǎojiān
よくじつ【翌日】第二天dì èr tiān；次日cìrì ‖ 雪の日の～ 雪后的第二天
よくしゅう【翌週】下周xià zhōu；下(个)星期xià (ge) xīngqī
よくじょう【浴場】〔ふろ屋〕澡堂zǎotáng.〔ふろ場〕浴池yùchí ✤ 公衆一:公共澡堂
よく·する【浴する】受shòu；享受xiǎngshòu；蒙受méngshòu ‖ 恩恵に～する 受益
よく·する【善くする·能くする】擅长shàncháng；善于shànyú ‖ 詩を～する 善于吟诗作对
よくせい【抑制】(～する)抑制yìzhì；制止zhìzhǐ ‖ 感情を～する 控制感情
よくそう【浴槽】浴缸yùgāng；浴盆yùpén；浴池yùchí
よくとく【欲得】贪欲tānyù；贪心tānxīn ✤ 一ずく:追求利益
よくねん【翌年】翌年yìnián；第二年dì èr nián
よくばり【欲張り】贪心(的人) tānxīn (de rén)；贪婪(的人) tānlán (de rén)
よくば·る【欲張る】贪婪tānlán；定 贪得无厌tān dé wú yàn ‖ そんなに～るな 别那么贪心
よくぼう【欲望】欲望yùwàng；欲念yùniàn ‖ ～を抑える 抑制欲望｜～をかきたてる 挑起欲望
よくめ【欲目】偏爱piān'ài；偏心piānxīn ‖ 親の～ 父母的偏爱
よくよう【抑揚】(声音的)抑扬(shēngyīn de) yìyáng；高低gāodī ‖ ～のない声 声音呆板
よくよう【浴用】浴用yù yòng；洗澡用xǐzǎo yòng ✤ 一せっけん:浴皂｜一タオル:浴巾
よくよく-【翌翌】再下一个zài xià yí ge；下下个xiàxià ge ✤ 一月:第三个月；下下个月｜一日:后天
よくりゅう【抑留】(～する)扣留kòuliú；拘留jūliú ✤ 一者:被扣留者
よけい【余計】多duō ‖ 100円～に払った 多付了100日元｜～な世話を焼くな 不用你多管闲事｜人のことで～な心配をすることはない 不用你为别人操闲心｜～なことをしゃべるな 不要多嘴
よ·ける【避ける】避开bìkāi；躲避duǒbì；闪开shǎnkāi ‖ ボールを～ける 躲开来球
よげん【予言·預言】(～する)预言yùyán ‖ ～が的中した〔外れた〕 预言应验了〔没说中〕✤ 一者:先知
よこ【横】❶〔水平方向〕横héng ‖ 箱を～に並べる 把箱子并排放｜不服そうに～を向く 不服气地将头扭向了一边｜～になる 躺下 ❷〔横側〕侧面cèmiàn ‖ 建物の～ 建筑物的侧面 ❸〔幅〕宽kuān ‖ 縦32センチ～21センチ 长32厘米，宽21厘米 ❹〔同列〕横向héngxiàng ‖ ～の関係 同级关系 ❺〔わき·かたわら〕旁边pángbiān；附近fùjìn.〔局外〕外部wàibù ‖ ～から口を出す 多管闲事；插嘴｜話が～にそれる 跑题
よご【予後】预后yùhòu.〔回復までの経過〕治疗后的情况 zhìliáo hòu de qíngkuàng
よこいっせん【横一線】不分前后bù fēn qiánhòu；不分上下bù fēn shàngxià
よこいと【横糸】纬纱wěishā；纬线wěixiàn
よこう【予行】(～する)预先进行yùxiān jìnxíng ✤ 一演習:预先演习；预演
よこがお【横顔】❶〔横向きの顔〕侧面cèmiàn ❷〔プロフィール〕略历lüèlì；经历jīnglì
よこがき【横書き】横写héngxiě；横行书写héngháng shūxiě ‖ ～で手紙を書く 用横行格式写信
よこかぜ【横風】侧风cèfēng
よこぎ·る【横切る】穿过chuānguo；横穿héngchuān ‖ 通りを～る 横穿马路
よこく【予告】(～する)事先通知shìxiān tōngzhī；预告yùgào ‖ ～なしに解雇される 事先没有得到通知就被解雇 ✤ 一編:电影预告片儿
よこしま【邪】邪恶xié'è；不正当的bú zhèngdàng de ‖ ～な人間 邪恶的人｜～な考え 邪念
よこじま【横縞】横格hénggé；横条花纹héng-

よ

tiáo huāwén

よこ・す【寄越す】寄来jìlai；送到sòngdào．(手渡す)交给jiāogěi；递给dìgěi．(人を)派来pàilai ‖ 手紙ひとつ〜さない 一封信也不给我写

よご・す【汚す】弄脏nòngzāng；弄污nòngwū ‖ 服を〜す 弄脏衣服

よこせん【横線】横线héngxiàn；水平线shuǐpíngxiàn

よこた・える【横たえる】放倒fàngdǎo．(体を)躺下tǎngxia ‖ 体をベッドに〜える 躺在床上

よこだおし【横倒し】横倒héngdǎo；翻倒fāndǎo ‖ 自転車が〜になった 自行车翻倒在地

よこたわ・る【横たわる】❶〔横になる〕躺tǎng ‖ 寝床に〜る 躺在床上 ❷〔障害が前方にある〕摆在面前bǎizai miànqián；面临着miànlínzhe ‖ 多くの困難がわれわれの前途に〜っている 我们在前进的道路上面临着许多困难

よこちょう【横町】胡同hútong；小巷xiǎoxiàng

よこづけ【横づけ】(〜する)停靠tíngkào；靠拢kàolǒng ‖ 車をホテルの玄関に〜する 车子停靠在宾馆的大门前

よこっつら【横っ面】面颊miànjiá；嘴巴子zuǐbazi ‖ 〜を張りとばす 打耳光

よこっぱら【横っ腹】⇨よこばら(横腹)

よごと【夜ごと】每天晚上měi tiān wǎnshang；每夜měi yè；每晚 měi wǎn

よこどり【横取り】(〜する)抢夺qiǎngduó；夺取duóqǔ ‖ 人の手柄を〜する 抢夺别人的成果

よこなが【横長】横宽héngkuān；长方形chángfāngxíng ‖ 便せんを〜に使う 把信纸横过来用

よこながし【横流し】(〜する)非法流用fēifǎ liúyòng；倒卖dǎomài ‖ 個人情報を〜する 倒卖个人信息

よこなぐり【横殴り】‖ 〜の雨 狂风暴雨

よこなみ【横波】从侧面涌来的波浪cóng cèmiàn yǒnglai de bōlàng

よこばい【横這い】横爬héngpá ‖ カニの〜 螃蟹横爬〔横行〕｜景気は〜状態だ 经济处于一种不涨不落的状态

よこはば【横幅】宽度kuāndù；横宽héngkuān ‖ 〜20メートルの運河 横宽20米的运河

よこばら【横腹】❶〔脇腹〕侧腹cèfù ‖ 〜が痛い 肚子旁边疼 ❷〔側面〕(车、船的)侧面(chē、chuán de) cèmiàn ‖ 船の〜 船帮

よこぶえ【横笛】〔支〕横笛héngdí

よこみち【横道】❶〔わき道〕岔道儿chàdàor；岐路qílù ‖ 渋滞をさけて〜に入る 走岔道儿避开交通堵塞 ❷〔話題〕离题lítí；走题zǒutí ‖ 話が〜にそれる 偏离正题

よこむき【横向き】侧身cèshēn；侧面cèmiàn ‖ 〜に座る 侧身坐｜物を〜にする 把东西横着放

よこめ【横目】斜眼(看) xiéyǎn (kàn) ‖ 人を〜でにらむ 斜着眼瞪人

よこもじ【横文字】西洋文字Xīyáng wénzì；西方语言Xīfāng yǔyán ‖ 〜は苦手だ 我不太懂英语〔西方语〕

よこゆれ【横揺れ】(〜する)左右摇晃zuǒyòu yáohuang．(地震)水平晃动shuǐpíng huàngdòng

よごれ【汚れ】污垢wūgòu；污渍wūzì；污痕wūhén ‖ 衣服の〜をふきとる 擦掉衣服上的污渍 ❖ 一物：脏东西；(洗濯物)要洗的衣服

よご・れる【汚れる】弄脏nòngzāng；污染wūrǎn ‖ 汗でシャツが〜れている 出汗把衬衫弄脏了

よさん【予算】〔笔〕预算yùsuàn ‖ 〜は議会で削減された 预算在议会上被削减了 ❖ 一案：预算草案 ‖ 〜は通過した 通过了预算草案

よしあし【善し悪し】❶〔よいか悪いか〕好坏hǎohuài；是非shìfēi ‖ 物事の〜を判断する 判断是非好坏 ❷〔よくも悪くもある〕‖ 正直過ぎるのも〜だ 过分实在不一定是好事

よじのぼ・る【よじ登る】攀登pāndēng；向上爬xiàng shàng pá ‖ 険しい岩場を〜る 爬上陡峭的岩壁

よしゅう【予習】(〜する)预习yùxí

よじょう【余剰】剩余shèngyú；多余duōyú ❖ 一人員：剩余人员｜一労働力：剩余劳动力

よじ・れる【捩れる】歪扭wāiniǔ；扭曲niǔqū；弯曲wānqū ‖ 腹の皮が〜れるほど笑った 笑得快要断气了

よしん【余震】余震yúzhèn ‖ 〜が2，3日続いた 余震持续了两三天

よ・す【止す】别… bié…；停止tíngzhǐ；中止zhōngzhǐ ‖ もうあいつにかまうのは〜せ 别再管他啦

よすみ【四隅】四隅sìyú；四角sìjiǎo

よせあつめ【寄せ集め】拼凑pīncòu；凑在一起còuzai yìqǐ ‖ 〜のチーム 拼凑起来的队伍

よせい【余生】晚年wǎnnián；余生yúshēng ‖ 〜を故郷で送る 在故乡度过晚年

よ・せる【寄せる】❶〔一方に動かす〕靠近kàojìn；贴近tiējìn ‖ 車を路肩に〜せる 把车靠近路肩 ❷〔集める〕集中jízhōng；召集zhàojí ‖ 客を〜せる 招徕顾客｜眉間(ᵐᶦᵏᵉⁿ)にしわを〜せる 皱起眉头 ❸〔心を傾ける〕寄予jìyǔ；寄托jìtuō ‖ 同情を〜せる 寄予同情｜思いを〜せる 思慕 ❹〔送り届ける〕寄jì；送sòng ‖ 全国から〜せられた物資を被災者に届ける 把来自全国各地的物资送到灾民手中

よせん【予選】预赛yùsài；预选yùxuǎn ‖ 〜で敗退する 在预赛中被淘汰｜〜を突破して準決勝に進む 通过预选赛，晋级半决赛

よそう【予想】(〜する)(主観的判断など)预料yùliào．(客観的状況など)估计gūjì；预测yùcè ‖ 〜どおり 不出所料｜〜に反して 没想到 ❖ 一外：出乎意料

よそおい【装い】❶〔服装・化粧〕服装fúzhuāng；〔副〕打扮dǎban；装扮zhuāngbàn ‖ 春の〜 春装 ❷〔外観・装飾〕装潢zhuānghuáng ‖ 当ホテルは〜を新たに1日よりオープンします 本宾馆装潢一新，将于1日开始营业

よそお・う【装う】❶〔飾り整える〕装束zhuāngshù；穿戴chuāndài；打扮dǎban ❷〔外観を見せかける〕装zhuāng；假装jiǎzhuāng；故作gùzuò ‖ 平静を〜う 故作镇静

よそく【予測】(〜する)预测yùcè

よそみ【よそ見】(〜する)往旁边看wǎng pángbiān kàn ‖ 運転中に〜すると危ないよ 开车时走神儿很危险

よそもの【よそ者】异乡人yìxiāngrén；外人wàirén ‖ 私を〜扱いしないでくれ 别把我当外人

よそゆき【よそ行き】❶〔外出用の服〕出门时

的衣服chūmén shí de yīfu ❷〔改まった態度など〕定郑重其事zhèng zhòng qí shì；正经zhèngjing ‖ ～の声を出す 话说得很客气

よそよそし・い 冷淡lěngdàn；冷漠lěngmò；见外jiànwài ‖ 友達の態度が急に～くなった 朋友对我的态度突然变得很冷淡

よぞら【夜空】夜空yèkōng ‖ ～に星が輝く 夜空中群星闪烁

よだれ【涎】〔滴，串〕口水kǒushuǐ；涎沫xiánmò ‖ ～が出る 流口水；(欲しくてたまらない)定垂涎三尺 ❖一掛け：围嘴儿

よだん【予断】(～する)预测yùcè；预先判断yùxiān pànduàn ‖ ～を許さない 难以预料

よだん【余談】题外话tíwàihuà；闲话xiánhuà ‖ ～はさておき 定言归正传

よち【予知】(～する)预料yùliào；预测yùcè；预知yùzhī ❖地震一：地震预测

よち【余地】余地yúdì ‖ 弁解の～はない 没有辩解的余地｜立錐(ﾘｯｽｲ)の～もない 连站的地方都没有

よちょう【予兆】⇨ぜんちょう(前兆)

よちょきん【預貯金】存储款cúnchǔkuǎn；存款和储蓄cúnkuǎn hé chǔxù

よつおり【四つ折り】折成四折zhéchéng sì zhé ‖ 便せんを～にする 把信纸折成四折

よつかど【四つ角】十字路口shízì lùkǒu；十字街头shízì jiētóu

よっきゅう【欲求】(～する)欲望yùwàng；欲念yùniàn ‖ ～を満たすところがない 无法满足其欲望 ❖一不満：欲望得不到满足

よっつ【四つ】❶〔数〕四sì；四个sì ge ❷〔年齢〕四岁sì suì

ヨット〔艘，只〕快艇kuàitǐng；游艇yóutǐng；帆船fānchuán ‖ ～を操る 驾驶快艇

よっぱらい【酔っ払い】醉鬼zuìguǐ ‖ ～にからまれる 被醉鬼缠住 ❖一運転：酒后开车

よっぱら・う【酔っ払う】醉(酒) zuì(jiǔ)

よてい【予定】(～する)安排ānpái；预定yùdìng；计划jìhuà ‖ 明日のご～は？ 明天您有什么安排？｜その日は～がある 那天我已经有安排了｜～が狂う 计划被打乱｜～をあける 留出时间｜～をかえる 改变计划 ❖一日：预定日期 ‖ 出産～ 预产日期｜一表：日程表；计划表

よとう【与党】执政党zhízhèngdǎng

よどおし【夜通し】通宵tōngxiāo；彻夜chèyè ‖ ～病人を看護する 通宵看护病人

よどみ【淀み・澱み】‖ ～なく話す 讲得很流利

よど・む【淀む・澱む】❶〔順調に進まない〕不顺利bú shùnlì；定停滞不前tíng zhì bù qián ‖ 言い～む 吞吞吐吐 ❷〔流れない〕淤积不流yūjī bù liú ‖ 部屋の空気が～んでいる 这个房间空气流通不好 ❸〔沈殿する〕沉淀chéndiàn

よなか【夜中】半夜bànyè；夜半yèbàn ‖ ～に大声で騒ぐ 半夜里大声喧哗

よな・れる【世慣れる】定老于世故lǎo yú shìgù；练达liàndá ‖ ～れない 不通人情世故

よにげ【夜逃げ】(～する)夜里潜逃yèli qiántáo

よねつ【余熱】余热yúrè

よねん【余念】‖ 勉強に～がない 专心学习

よのなか【世の中】❶〔社会・世間〕社会shèhuì；世道shìdào ‖ ～に出る 走上社会｜世知辛い～だ 这世上日子不好过｜～を渡っていく 在社会上生存 ❷〔時代〕时代shídài ‖ 便利な～になったものだ 如今真是太方便了

よは【余波】(なごり)余波yúbō.(あおり)余势yúshì；影响yǐngxiǎng

よはく【余白】空白kòngbái ‖ ～にメモをする 在空白的地方做笔记

よび【予備】预备yùbèi；准备zhǔnbèi；备用的bèiyòng de ‖ ～の金を持つ 带上备用的钱 ❖一軍：后备军｜一校：(高考)补习学校｜一知識：预备知识

よびあつ・める【呼び集める】召集zhàojí

よびおこ・す【呼び起こす】引起yǐnqǐ；唤起(记忆) huànqǐ(jìyì) ‖ 記憶を～す 唤醒记忆

よびかけ【呼び掛け】(アピール)呼吁hūyù；号召hàozhào ‖ …の～に応じる 响应…的号召

よびか・ける【呼び掛ける】❶〔声をかけて呼ぶ〕呼唤hūhuàn；招唤zhāohuàn；招呼zhāohu ❷〔アピールする〕呼吁hūyù；号召hàozhào ‖ 通行人に署名を～ける 号召过路人签名

よびごえ【呼び声】❶〔呼びかける声〕呼唤声hūhuànshēng；吆喝声yāoheshēng ❷〔評判〕呼声hūshēng ‖ 次期首相の～が高い 担任下一任首相的呼声很高

よびだし【呼び出し】❶〔呼び出すこと〕寻呼xúnhū ‖ 放送で～をしてもらう 用广播寻呼 ❷〔召唤〕传唤chuánhuàn

よびだ・す【呼び出す】❶〔呼び寄せる〕叫出来jiàochulai；唤出来huànchulai ‖ ～されて飲みに行く 被叫去喝酒 ❷〔コンピューター〕读出dúchu

よびた・てる【呼び立てる】‖ お～てして恐縮です 让您特意来一趟，真抱歉

よびと・める【呼び止める】叫住jiàozhu ‖ タクシーを～める 叫一辆出租汽车

よびもど・す【呼び戻す】叫回(原处) jiàohui(yuánchù)；召回zhàohui

よびりん【呼び鈴】电铃diànlíng；门铃ménlíng ‖ ～を押す 按电铃｜～が鳴っているよ 门铃响了

よ・ぶ【呼ぶ】❶〔声をかける〕叫jiào；呼喊hūhǎn ‖ お母さんが～んでいるよ 你母亲在叫你 ❷〔来てもらう〕叫来jiàolai；请来qǐnglai ‖ すぐ医者を～んでください 请立即把医生请来｜電話でタクシーを～ぶ 打电话叫出租汽车 ❸〔称する〕叫做jiàozuò；称作chēngzuò；称为chēngwéi ‖ ウィーンは音楽の都と～ばれている 维也纳被称作音乐之都 ❹〔招く〕邀请yāoqǐng ‖ 学生時代の友人を結婚式に～ぶ 邀请校友参加婚礼 ❺〔引き起こす〕引起yǐnqǐ；掀起xiānqǐ ‖ 人気を～ぶ 很受大众欢迎｜人々の感動を～ぶ 激动人心

よふかし【夜更かし】(～する)熬夜áoyè；开夜车kāi yèchē ‖ ～は健康に悪い 熬夜对身体不好

よふけ【夜更け】深夜shēnyè；半夜bànyè

よぶん【余分】❶〔余り〕残余cányú；剩余shèngyú ‖ 予算に～が出た 预算有剩余 ❷〔余計な分量〕多余duōyú；额外éwài ‖ ～な金はない 没有多余的钱｜～に買っておく 多买一点儿

よほう【予報】预报yùbào

よぼう【予防】(～する)预防yùfáng ‖ 風邪の～ 预防感冒 ❖一医学：预防医学｜一策：预防措施｜一接種：预防接种；打预防针｜一線：警戒线 ‖

よ

～を張る 设置警戒线

よほど【余程】❶〔かなり・相当〕很hěn；相当xiāngdāng；颇为pōwéi ‖ ～金持ちに違いない 一定是个相当有钱的人｜～のことがないかぎり 除了特别的情况 ❷〔いっそ〕差一点儿就chà yìdiǎnr jiù；几乎jīhū ‖ ～買ってしまおうかと思った （我）差一点儿就把它买下来了

よみ【読み】❶〔読むこと〕读dú；念niàn ‖ この字の～がわからない 不知道这个字怎么念 ❷〔判断〕判断pànduàn；推测tuīcè ‖ ～の深い人 深谋远虑的人｜～がはずれる 判断错误｜～が浅い 考虑得不够深入

よみあさ・る【読み漁る】饱览bǎolǎn

よみおわ・る【読み終わる】看完kànwán

よみかえ・す【読み返す】再读zài dú；反复看fǎnfù kàn ‖ 原稿を～す 重读原稿

よみがえ・る【蘇る・甦る】❶〔生き返る〕苏醒sūxǐng；复苏fùsū；复活fùhuó ❷〔以前の状態が回復する〕恢复huīfù；复兴fùxīng ‖ 幼年時代の記憶が～る 唤醒儿时的记忆

よみかき【読み書き】读书写字dúshū xiě zì ‖ ～ができない 不识字 ✣一そろばん：读写算

よみかけ【読みかけ】读到一半儿dúdào yíbànr；没看完méi kànwán

よみかた【読み方】读法dúfǎ；念法niànfǎ ‖ この字の～がわからない 我不知道这个字怎么念

よみごたえ【読み応え】看头kàntou ‖ ～がある 有看头儿｜全５巻ともなると，さすがに～がある 全套有五卷的话，读起来可真来劲

よみこ・む【読み込む・詠み込む】❶〔よく読む〕细读xìdú；熟读shúdú ❷〔コンピューター〕‖ CD-RWのデータを～む 读取CD-RW的数据

よみせ【夜店】夜市yèshì ‖ ～をひやかす 逛夜市

よみち【夜道】夜路yèlù ‖ 女性の～の独り歩きは危ない 女性单身走夜路很危险

よみにく・い【読みにくい】难读nán dú；难认nán rèn ‖ 兄の字は～い 哥哥的字很难认

よみふけ・る【読み耽る】专心阅读zhuānxīn yuèdú；看得入迷kànde rùmí；耽读dāndú

よみもの【読み物】读物dúwù；书籍shūjí ‖ 子ども向けの～ 儿童读物

よ・む【詠む】作诗歌zuò shīgē；吟咏yínyǒng；咏诗yǒng shī ‖ 和歌を～む 吟咏和歌

よ・む【読む】❶〔声に出して〕念niàn；朗读lǎngdú ‖ 中国語のテキストを声を出して～む 朗读汉语课文 ❷〔目で追って〕看kàn；阅读yuèdú；读解dújiě ‖ 新聞を～む 看报纸｜ドイツ語は～めるが話すのはだめだ 德语我能看得懂，但会话不行｜計器の目盛を～む 看计量仪的度数｜データを～む 看数据｜暗号を～む 破译密码 ❸〔推測する〕忖度cǔnduó；揣摩chuǎimó；揣测chuǎicè ‖ 相手の出方を～む 揣测对手的做法

よめ【嫁】媳妇xífu ‖ ～としゅうとめの対立 婆媳不合｜医者の家に～に行く 嫁到医生家｜～の来手がない 没有人愿意嫁给我

よめい【余命】余生yúshēng；残生cánshēng ‖ ～いくばくもない 活不了多久

よもぎ【蓬】艾蒿àihāo

よやく【予約】（～する）预定yùdìng；预约yùyuē；预订yùdìng ‖ ホテルの部屋を～する 预订宾馆的房间｜木曜日の２時に歯医者の～をした 预约了星期四下午２点去看牙科｜食事の～をする 订餐 ✣一係：预约中心｜一金：预订费；订购费｜一状況：预定情况｜一席：订座

よゆう【余裕】❶〔空間の〕宽余kuānyú ❷〔精神的な〕余裕yùyù ‖ 他人を思いやる気持ちの～がない 没有精力去为别人着想 ❸〔時間・経済的な〕富余fùyu；充裕chōngyù ‖ 家計に～ができた 家里经济情况好转｜少し～をみて出かけたほうがいいよ 最好早点儿出发

より【寄り】偏piān；靠kào ‖ 東～の風 偏东风｜あの学者の論調はやや左～だ 那位学者的论调有些偏左

より【縒り・撚り】捻niǎn；搓cuō ‖ ～を戻す 重归于好｜腕に～をかける 施展全部本领

より ❶〔動作・作用の起点〕从cóng；自zì；打dǎ ‖ 来月１日～新しい法律が施行される 自下个月１日起实施新的法律｜駅～徒歩５分 从车站步行五分钟 ❷〔比較〕比bǐ；胜于shèngyú；甚于shènyú ‖ きみはぼく～金もあるし頭もいい 你比我又有钱又聪明 ❸〔…しかない〕只好zhǐhǎo；除了…以外chúle…yǐwài ‖ 残念だが断る～ほかにない 虽然很遗憾，但是只能拒绝 ❹〔物事の程度が加わる〕更加gèngjiā；更gèng ‖ ～いっそう便利になった 更加方便了

よりかか・る【寄り掛かる】❶〔もたれかかる〕靠kào ‖ 壁に～る 靠在墙上 ❷〔頼りにする〕倚靠yǐkào；依赖yīlài ‖ 親に～る 依赖父母

よりごのみ【選り好み】（～する）挑剔tiāoti；挑拣tiāojiǎn ‖ 仕事を～する 挑拣工作

よりすぐ・る【選りすぐる】选拔xuǎnbá；精选jīngxuǎn ‖ 美術館～りの逸品 美术馆精选的佳品｜精鋭を～る 选拔尖子

よりそ・う【寄り添う】挨近āijìn；偎依wēiyī ‖ ～って歩く 紧挨着走路

よりつ・く【寄り付く】❶〔そばへ寄る〕靠近kàojìn；接近jiējìn ‖ だれも部長には～かない 谁都不和处长接近 ❷〔経済〕开盘成交kāipán chéngjiāo

よりどころ【拠り所】❶〔根拠〕根据gēnjù；基础jīchǔ；证据zhèngjù ❷〔ささえ〕精神支柱jīngshén zhīzhù；精神上的依靠jīngshén shang de yīkào ‖ 心の～ 精神支柱｜生活の～を失う 失去生活的依靠

よりどり【選り取り】‖ ～見取り 随便挑

よりによって 偏偏piānpiān ‖ ～正月から火事騒ぎとは 偏偏赶上大过年的时候闹火灾

よりみち【寄り道】（～する）顺便去shùnbiàn qù；顺路shùnlù ‖ ～しないでまっすぐ帰ってきなさい 路上哪儿也别去，直接回来

よりょく【余力】余力yúlì ‖ ～を残す 留有余力

よりわ・ける【選り分ける】分开fēnkāi；分类fēnlèi；挑出来tiāochulai

よ・る【因る・由る・依る】❶〔原因〕由于yóuyú；由yóu；因为yīnwei ‖ 事故は運転者の前方不注意に～るものだった 事故是由于驾驶员不注意前方而引起的 ❷〔基準・根拠・理由〕根据gēnjù；基于jīyú；按照ànzhào ‖ 法律に～って禁じる 法律上禁止｜新聞に～れば 据报纸报道 ❸〔手段・方法〕通过tōngguò；利用lìyòng ‖ 多数決に～り事

を決する 通过多数表决来决定｜武力に～って暴動を抑える 利用武力来镇压暴动 ❹〔関係・対応〕依靠yīkào；在于zàiyú；取决于qǔjué yú‖成功するかどうかは当人の努力に～る 成功不成功全在于本人的努力｜大きさに～って値段が決まる 价格取决于大小 ❺〔主体〕由yóu‖市民ボランティアに～るクリーン作戦 市民志愿者展开的清洁环境行动

よる【夜】夜间yèjian；夜yè；晚上wǎnshang‖まもなく～があける 就快天亮了｜～が更けた 夜深了｜～遅くまで勉強する 学习到深夜

よ・る【寄る】❶〔近寄る〕靠kào；靠近kàojìn；挨近āijìn‖端に～る 靠边｜そばに～る 靠近 ❷〔集まる〕聚集jùjí；集聚jíjù‖3人～れば文珠の知恵 三个臭皮匠顶个诸葛亮 ❸〔立ち寄る〕顺便到shùnbiàn dào；顺路到shùnlù dào‖帰りにちょっと～ってください 回家之前请到我这儿来一趟 ❹〔偏る〕偏piān；倾向于qīngxiàng yú‖重心が右に～っている 重心偏右 ❺〔慣用表現〕‖～らば大樹の陰 大树底下好乘凉｜～る年波には勝てない 年龄不饶人

よ・る【縒る・撚る】捻niǎn；搓cuō

ヨルダン 约旦Yuēdàn

よるひる【夜昼】昼夜zhòuyè；日日夜夜rìrìyèyè‖～なしに働く 不分昼夜地工作｜～逆転した生活 昼夜颠倒的生活

よろ・ける 蹒跚pánshān；踉跄liàngqiàng‖石につまずいて～けた 被石头绊了个踉跄

よろこばし・い【喜ばしい】可喜kěxǐ；令人高兴lìng rén gāoxìng；欣悦xīnyuè‖～いニュース 令人高兴的消息；喜讯

よろこば・す【喜ばす】让人高兴ràng rén gāoxìng；令人欣喜 lìng rén xīnxǐ

よろこび【喜び】高兴gāoxìng；欢乐huānlè；快活kuàihuo‖合格の～をかみしめる 品味着考上了的喜悦｜町中が～にわいた 街上一片欢腾

よろこびいさ・む【喜び勇む】㊢ 兴高采烈 xìng gāo cǎi liè‖一行は～んで出かけた 一行兴高采烈地出发了

よろこ・ぶ【喜ぶ・慶ぶ】❶〔嬉しく思う〕高兴gāoxìng；快活kuàihuo；欢乐huānlè‖跳びあがって～ぶ 高兴得欢呼雀跃 ❷〔進んでする〕乐意lèyì；乐于lèyú；欣然xīnrán‖～んでお手伝いいたします 乐意为你效劳｜式典には～んで参加させていただきます 我非常乐意参加这个典礼

よろし・い【宜しい】可以kěyǐ；行xíng‖お話を伺って～いでしょうか 可以请您谈谈吗？｜ご都合の～いときにおいでください 请你在方便的时候来

よろしく【宜しく】❶〔適当に〕适当shìdàng‖その件は～とりはからってください 请斟酌处理｜～頼んだよ 拜托你了 ❷〔あいさつ〕问好wènhǎo‖ご家族のみなさまに～お伝えください 请代我向您全家问好

よろめ・く ❶〔よろける〕踉踉跄跄 liàngliàngqiàngqiàng；摇摇晃晃 yáoyáohuànghuàng ❷〔誘惑にのる〕迷惑míhuo

よろん【世論・輿論】社会舆论 shèhuì yúlùn‖～を喚起する 唤起舆论 ❖一調査：民意测验；舆论调查

よわ・い【弱い】❶〔力・勢いがない〕弱ruò；微弱wēiruò‖～い光 微弱的光线｜～い立場にある人々 弱者 ❷〔精神的にもろい〕脆弱cuìruò；软弱ruǎnruò‖意志が～い 意志薄弱｜気が～い 懦弱 ❸〔耐性が低い〕弱ruò；经不起jīngbuqǐ‖体が～い 身体弱；体质很弱｜ホッキョクグマは暑さに～い 北极熊怕热｜皮膚が～い 皮肤很敏感 ❹〔苦手〕不擅长bú shàncháng；不熟悉bù shúxi‖英語に～い (我)不擅长英语 ❺〔技量が劣る〕弱ruò；劣势lièshì；差chà‖わが校の卓球部はじつに～い 我校的乒乓球队实力实在很差

よわいもの【弱い者】弱者ruòzhě‖～いじめをする 恃强欺弱；欺侮弱者

よわき【弱気】胆怯dǎnqiè；怯弱qièruò；气馁qìněi‖～になるな 不要胆怯

よわたり【世渡り】处世chǔshì‖～がうまい 很会处世

よわね【弱音】‖～を吐く 诉苦

よわび【弱火】文火wénhuǒ；微火wēihuǒ

よわま・る【弱まる】变弱biànruò；减弱jiǎnruò‖北風が～った 北风小了｜台風の勢力が～りつつある 台风的威力正在减弱

よわみ【弱み】〔个，种〕弱点ruòdiǎn；缺点quēdiǎn‖～につけこむ 乘人之危｜～を握る 抓住把柄

よわむし【弱虫】胆小鬼dǎnxiǎoguǐ；窝囊废wōnangfèi；孬种nāozhǒng

よわよわし・い【弱弱しい】虚弱xūruò；软弱ruǎnruò‖～くほほえむ 无力地微笑

よわりめ【弱り目】‖～にたたり目 ㊢ 祸不单行；屋漏偏逢连阴雨

よわ・る【弱る】❶〔弱くなる〕衰弱shuāiruò；衰退shuāituì；减退jiǎntuì‖足腰が～ってきた 腰腿不灵了｜病人は心臓がかなり～っている 病人心脏已相当衰弱了 ❷〔困る〕为难wéinán；困窘kùnjiǒng‖子どもに泣かれて～った 孩子哭闹，实在没办法

よん【四】四sì．(大字)肆sì

よんこままんが【四こま漫画】四格漫画sì gé mànhuà

よんどころな・い【拠ん所ない】‖～い事情 不得已的原因

よ

ら

ラード 猪油zhūyóu
ラーメン 拉面lāmiàn
ラーゆ【辣油】辣油làyóu
-らい【来】…以来… yǐlái ‖ 5年～の大雪 五年以来未曾有过的大雪
らいう【雷雨】〔场〕雷雨léiyǔ
らいうん【雷雲】〔片〕雷云léiyún
ライオン〔头〕狮子shīzi
らいき【来期】下(一)期xià (yì) qī; 下(一)届xià (yí) jiè
らいきゃく【来客】来宾láibīn ‖ ただいま～中です 现在有客人来访
らいげつ【来月】下(个)月xià (ge) yuè
らいさん【礼賛】(～する)歌颂gēsòng; 颂扬sòngyáng; 赞美zànměi
らいしゅう【来週】下周xià zhōu; 下星期xià xīngqī; 下礼拜xià lǐbài ‖ ～の金曜日 下星期五
らいじょう【来場】(～する)到场dàochǎng; 出席chūxí
ライセンス 许可证xǔkězhèng; 执照zhízhào
ライター 打火机dǎhuǒjī
ライター 撰稿人zhuàngǎorén; 作家zuòjiā
ライチー (果物)荔枝lìzhī
らいちょう【雷鳥】雷鸟léiniǎo
ライト ❶〔明かり〕光guāng; 照明zhàomíng; 灯dēng ❷〔軽い〕轻qīng. (手軽な)简便jiǎnbiàn ❸〔明るい〕亮liàng; 淡dàn ‖ ～ブルー 淡蓝 ✤ 一級:轻量级 | 一バン:商旅车；小型客货两用车 | 一ペン:光笔 | ヘッド一:前灯
ライト ❶〔右〕右侧yòucè; 右方yòufāng ❷〔野球〕右外野〔场〕yòuwàiyě〔chǎng〕. (右翼手)右外野〔场〕手yòu wàiyě〔chǎng〕shǒu
らいにち【来日】(～する)来日本lái Rìběn
らいねん【来年】明年míngnián; 下一年xià yì nián ‖ ～の今ごろ 明年的这个时候
らいはい【礼拝】⇨れいはい(礼拝)
ライバル 对手duìshǒu; 敌手díshǒu; 竞争者jìngzhēngzhě ‖ よき～ 好对手
らいひん【来賓】来宾láibīn; 拜访者bàifǎngzhě ✤ 一室:接待室；会客室 | 一席:招待席
ライフ 生命shēngmìng; 人生rénshēng; 生活shēnghuó ✤ 一サイクル 生命周期shēngmìng zhōuqī | 一スタイル:生活方式 | 一ボート:救生艇 | 一ワーク:毕生事业
ライブ ❶〔生演奏〕现场演奏xiànchǎng yǎnzòu ❷〔生放送〕实况直播shíkuàng zhíbō
ライフライン 生命线工程shēngmìngxiàn gōngchéng ‖ ～を断たれる 生命线工程被破坏
ライフル〔支,条〕步枪bùqiāng; 来复枪láifùqiāng ✤ 一射撃:步枪射击
らいほう【来訪】(～する)来访láifǎng
ライむぎ【ライ麦】黑麦hēimài
らいめい【雷鳴】雷鸣léimíng; 雷声léishēng
ライラック 丁香dīngxiāng
らいれき【来歴】由来yóulái; 来历láilì ✤ 故事一:典故由来
ライン〔条〕线xiàn ‖ この～より後ろに下がってください 请退到这条线之后 ✤ 一アップ:阵容；击球顺序 | 一ダンス:排舞 | 合格一:及格线；合格线
ラウドスピーカー 扬声器yángshēngqì; 扩音器kuòyīnqì
ラウンジ 休息室xiūxishì. (空港の待合室)候机室hòujīshì
ラウンド ❶〔ボクシング〕(一)回合(yì) huíhé ❷〔ゴルフ〕(一)局(yì) jú ✤ 一ネック:圆领
ラオス 老挝Lǎowō
らがん【裸眼】裸眼luǒyǎn; 肉眼ròuyǎn ‖ ～で見る 用肉眼看
らく【楽】❶〔安らかで快い〕安乐ānlè; 舒适shūshì; 舒畅shūchàng ‖ 両親には～をさせてあげたい 我想让父母过上舒适的生活 | どうぞお～になさってください 请随便些 | ～あれば苦あり 定有乐就有苦 ❷〔容易である〕容易róngyì; 简单jiǎndān; 轻松qīngsōng ‖ ～な仕事 轻松的工作 | ～して稼ぐ 轻松的赚大钱
らくいん【烙印】烙印làoyìn; 火印huǒyìn ‖ ～を押す 打上烙印
らくえん【楽園】乐园lèyuán; 天堂tiāntáng ‖ 地上の～ 人间天堂；定世外桃源
らくがき【落書き】(～する)胡写hú xiě; 胡乱涂画húluàn túhuà ‖ ～を禁ず 禁止乱写乱画
らくご【落伍】(～する)落伍luòwǔ; 掉队diàoduì
らくご【落語】单口相声dānkǒu xiàngsheng ✤ 一家:单口相声演员
らくさ【落差】❶〔水位の差〕落差luòchā ‖ 40メートルの滝 有40米落差的瀑布 ❷〔2つの事柄の差〕反差fǎnchā; 差距chājù; 差异chāyì ‖ ～が大きい 反差很大
らくさつ【落札】(～する)中标zhòngbiāo; 得标débiāo ✤ 一者:中标人 | 一値:中标价
らくじつ【落日】〔轮〕落日luòrì; 夕阳xīyáng
らくせい【落成】(～する)落成luòchéng; 竣工jùngōng ✤ 一式:落成〔竣工〕仪式
らくせき【落石】(～する)石头掉下shítou diàoxia ‖ ～注意 注意山石滑落
らくせん【落選】(～する)落选luòxuǎn
らくだ【駱駝】〔头,只〕骆驼luòtuo
らくだい【落第】(～する)留级liújí ✤ 一生:留级生；重修生 | 一点:不及格分数线
らくたん【落胆】(～する)灰心huīxīn; 沮丧jǔsàng; 寒心hánxīn; 气馁qìněi ‖ 試験に落ちて～する 没有考上感到很沮丧 | ～の声が漏れる 发出失望的叹息
らくちゃく【落着】(～する)了结liǎojié; 解决jiějué ‖ これで一件～だ 这下总算解决了
らくちょう【落丁】缺页quēyè; 脱页tuōyè ‖ 1ページ～がある 脱〔缺〕了一页
らくてん【楽天】乐天lètiān; 乐观lèguān ✤ 一家:乐天派 | 一主義:乐观主义
らくのう【酪農】奶酪业nǎilàoyè ✤ 一家:奶酪业专业户；奶牛专业户 | 一場:奶牛场
らくば【落馬】(～する)坠马zhuì mǎ

らくばん【落盤】(〜する)塌方tāfāng ‖ トンネル内で〜事故が起きた 隧道里发生了塌方事故
ラグビー 橄榄球gǎnlǎnqiú
らくようじゅ【落葉樹】落叶树luòyèshù
らくらい【落雷】(〜する)落雷luò léi; 霹雳pīlì
らくらく【楽楽】❶〔ゆったりしている・気楽〕舒服shūfu; 安适ānshì ‖ 3人が〜座れる 很轻松地坐下三个人 ❷〔容易〕定轻而易举qīng ér yì jǔ; 毫不费力háobù fèilì ‖ 〜と合格した 轻而易举地考上了
ラケット 〔副, 只〕球拍qiúpāi
-らし・い ❶〔推量〕好像…hǎoxiàng …; 似乎…sìhu …; 像是…xiàng shì … ‖ かぜをひいた〜い 我好像感冒了 ❷〔ふさわしい〕像…似的xiàng … shìde; 像样xiàngyàng ‖ 子ども〜い発想 只有孩子才能想出来的主意 | やっとご飯〜いご飯にありつけた 终于吃上了像样的饭
ラジウム 镭léi ✤ —鉱泉:镭矿泉 | —療法:镭疗
ラジエーター ❶〔放熱器〕〔台〕散热器sànrèqì; 取暖装置qǔnuǎn zhuāngzhì ❷〔自動車の冷却機〕〔台〕水箱shuǐxiāng; 冷却器lěngquèqì
ラジオ (受信機)〔台, 架, 个〕收音机shōuyīnjī. (放送)广播guǎngbō ‖ 〜をかける〔とめる〕 开〔关〕收音机 | 〜を聞く 听广播 ✤ —体操:广播体操 | —ドラマ:广播剧 | —ニュース:广播新闻 | —(放送)局:广播电台
ラジカセ 〔台, 架, 个〕收录机shōulùjī
らしんばん【羅針盤】指南针zhǐnánzhēn
ラスト 最后zuìhòu; 最终zuìzhōng; 末尾mòwěi ✤ —シーン:最后的场面 | —スパート:最后冲刺
らせん【螺旋】螺旋luóxuán ‖ 二重〜構造 双螺旋结构 ✤ —階段:螺旋(式)楼梯
らたい【裸体】裸体luǒtǐ ✤ —画:裸体画
らち【拉致】(〜する)绑架bǎngjià
らち【埒】‖ 〜があかない 难以解决
らっか【落下】(〜する)落下luòxia; 下落xiàluò; 下降xiàjiàng
らっかさん【落下傘】降落伞jiàngluòsǎn ‖ 〜で降りる 跳降落伞 ✤ —部隊:伞兵部队
らっかせい【落花生】落花生luòhuashēng. (実)花生huāshēng
らっかん【楽観】(〜する)乐观lèguān ‖ 〜を許さない 不容乐观 ✤ —主義:乐观主义 | —的:乐观
ラッキー 幸运xìngyùn; 走运zǒuyùn
らっこ【猟虎】海獭hǎitǎ
ラッシュ 拥挤时间yōngjǐ shíjiān; 高峰时间gāofēng shíjiān ‖ 朝夕の〜を避ける 避开早晚交通的高峰时间 | 帰省〜 回老家的高峰期 ✤ —アワー:(交通的)拥挤时间; 高峰时间
らっぱ【喇叭】喇叭lǎba ‖ 〜を吹く 吹喇叭 ✤ —飲み:嘴对瓶口喝
ラップ (食品包装)保鲜膜bǎoxiānmó ‖ 〜をかける 蒙上保鲜膜
ラップトップ 笔记本电脑bǐjìběn diànnǎo
らつわん【辣腕】定精明强干jīng míng qiáng gàn; 能干nénggàn ‖ 〜をふるう 发挥精明才干
ラテン 拉丁Lādīng ✤ —アメリカ:拉丁美洲; 拉美 | —音楽:拉丁音乐 | —語:拉丁语
ラトビア 拉脱维亚Lātuōwéiyà
らば【騾馬】骡子luózi
ラバー 橡胶xiàngjiāo ✤ —ソール:胶底鞋
ラフ ❶〔くだけた〕随便suíbiàn; 不讲究bù jiǎngjiu ‖ 〜な服装 便服; 休闲装 ❷〔大まかな〕大致dàzhì; 大概dàgài ‖ 〜なプラン 大致计划
ラブ 爱ài; 恋爱liàn'ài ✤ —シーン:恋爱场面 | —ストーリー:爱情故事 | —レター:情书
ラベル 标签biāoqiān ‖ 〜をはる 贴上标签 | 〜をはがす 揭下标签 | ビールの〜 啤酒标签
ラベンダー 薰衣草xūnyīcǎo
ラマダン 斋月Zhāiyuè
ラム (酒)朗姆酒lǎngmǔjiǔ
ラム (子羊)羊羔yánggāo. (肉)羊羔肉yánggāoròu ✤ —ウール:羊羔毛
ラムネ 柠檬汽水níngméng qìshuǐ
ラリー ❶〔カーレース〕(汽车)拉力赛(qìchē) lālìsài ❷〔球技〕连续对打liánxù duìdǎ ‖ 激しい〜の応酬 激烈地对打
られつ【羅列】(〜する)罗列luóliè
らん【蘭】兰lán; 兰花lánhuā
らん【欄】栏lán. (新聞・雑誌の)栏目lánmù ✤ 家庭—:家庭专栏 | 経済—:经济专栏
ラン 局域网júyùwǎng ✤ —カード:网卡
らんおう【卵黄】蛋黄dànhuáng
らんがい【欄外】页边空白yèbiān kòngbái; 天头tiāntóu; 地脚dìjiǎo ‖ 〜の注 旁注
らんかく【乱獲】(〜する)滥捕lànbǔ; 乱捕luànbǔ ‖ 〜により多くの野生動物が絶滅の危機に瀕している 由于乱捕滥猎致使不少野生动物濒于绝灭
らんかん【欄干】栏杆lángān
らんきりゅう【乱気流】湍流tuānliú; 紊流wěnliú ‖ 飛行機が〜に巻きこまれる 飞机遭遇湍流
ランキング 排名páimíng ‖ 〜入りを果たす 进入〔登上〕排行榜 ✤ 世界—:世界排名
ランク (〜する)等级děngjí; 排榜pái bǎng; 名次míngcì ‖ 1位に〜される 排榜第一
らんざつ【乱雑】杂乱záluàn; 零乱língluàn; 乱糟糟luànzāozāo ‖ 机の上が〜だ 桌子上很零乱 | 本が〜に積んである 书堆得乱七八糟的
らんし【乱視】散光sǎnguāng ‖ 〜になった 眼睛散光了 ✤ —用眼鏡:散光镜
らんし【卵子】卵子luǎnzǐ
らんしゃ【乱射】(〜する)乱射luàn shè; 乱开枪luàn kāi qiāng ‖ ピストルを〜する 乱开枪
らんじゅく【爛熟】(〜する)鼎盛dǐngshèng; 发展到极点fāzhǎndào jídiǎn
らんせい【乱世】乱世luànshì
らんせん【乱戦】〔场〕混战hùnzhàn. (試合)激烈比赛jīliè bǐsài ‖ 〜を制する 在混战中制胜
らんそう【卵巣】卵巢luǎncháo
ランダム 随机suíjī; 任意rènyì ‖ 〜に選び出す 随机抽取 ✤ —サンプリング:随机抽样
ランチ ❶〔昼食〕〔顿, 次〕午饭wǔfàn; 午餐wǔcān ❷〔定食〕午间套餐wǔjiān tàocān ✤ —タイム:午餐时间; 午休时间
ランチ (はしけ)〔只, 艘〕汽艇qìtǐng
らんちょう【乱丁】错页cuòyè
らんとう【乱闘】(〜する)乱打luàn dǎ; 乱斗luàn dòu; 群殴qún'ōu ‖ 警官隊とデモ隊が〜になった 警察和示威群众发生了殴斗
ランドセル 硬式双肩书包yìngshì shuāngjiān

shūbāo
ランドリー 洗衣房xǐyīfáng.（クリーニング店）洗衣店xǐyīdiàn
ランナー （野球）跑垒员pǎolěiyuán.（陸上競技）赛跑运动员sàipǎo yùndòngyuán
らんにゅう【乱入】（～する）闯进chuǎngjin；闯入chuǎngrù
ランニング 跑步pǎobù ✣一コスト:设备运转费；维持经费｜一シャツ:男式运动背心
らんぱく【卵白】蛋白dànbái；蛋清dànqīng
らんはんしゃ【乱反射】（～する）漫反射mànfǎnshè
らんぴつ【乱筆】字迹潦草zìjì liáocǎo ‖ ～乱文お許しください 草草不恭，乞谅
ランプ 煤油灯méiyóudēng
らんぼう【乱暴】❶〔荒々しい〕粗暴鲁莽cūbào lǔmǎng；粗鲁cūlu；暴躁bàozào ‖ ～な運転 粗暴驾驶｜言葉遣いが～だ 说话粗鲁｜～な解釈 强词夺理的解释 ❷（～する）〔暴行〕动武dòngwǔ；动手打人dòngshǒu dǎ rén ‖ ～をはたらく 施暴
らんよう【乱用】（～する）滥用lànyòng；乱用luàn yòng ‖ 職権を～する 滥用职权
らんりつ【乱立】（～する）乱立luàn lì；泛滥fànlàn；比比皆是bǐbǐ jiē shì ‖ 駅前には飲食店が～している 车站前面餐厅比比皆是

り

り【利】❶〔有利〕有利yǒulì ❷〔利益〕利益lìyì；得利délì ‖ ～にさとい 对利益得失非常敏感｜漁夫の～ 渔翁之利 ❸〔利子〕利息lìxī
り【理】理lǐ；道理dàoli；逻辑luójí ‖ ～にかなった要求 合理的要求
リアクション 回应huíyìng；反应fǎnyìng；反作用fǎnzuòyòng
リアリズム ❶〔現実主義〕现实主义xiànshí zhǔyì ❷〔文学·芸術〕写实主义xiěshí zhǔyì ❸〔哲学〕实在论shízàilùn
リアリティー 真实感zhēnshígǎn ‖ ～がない 没有真实感
リアル 逼真bīzhēn；真实zhēnshí；写实xiěshí
リアル タイム 实时shíshí ‖ ～で報道する 实时报道 ✣一処理:实时处理
リーグ 联盟liánméng；同盟tóngméng ✣一戦:联赛；循环赛
リース （～する）租赁zūlìn；出租chūzū ‖ わが社のパソコンは全部～だ 我公司的计算机全是租来的
リーズナブル 合理hélǐ；公道gōngdao ‖ ～な価格 合理的价格
リーダー 领袖lǐngxiù；领导人lǐngdǎorén ✣一シップ:领导能力；统率能力 ‖ ～をとる 当领头人
リード （～する）领先lǐngxiān ‖ 8対3で～する 以八比三领先｜2馬身～する 领先两马身
リウマチ ⇨リューマチ
りえき【利益】❶〔もうけ〕〔笔〕利润lìrùn；赢利yínglì；赚头zhuàntou ‖ ～をあげる 赢利｜～が大きい 利润高｜～が薄い 利润低 ❷〔益〕〔种〕益处yìchu；好处hǎochu
りか【理科】理科lǐkē ‖ 大学は～系へ行きたい 想考大学的理科 ✣一大学:理科大学
リカー 烈性酒lièxìngjiǔ ✣ホワイト一:烧酒
りかい【理解】（～する）❶〔意味がわかる〕懂dǒng；明白míngbai；理解lǐjiě；了解liǎojiě ‖ ～に苦しむ 不明白｜～が早い 理解得很快｜歴史への～を深める 加深对历史的理解 ❷〔相手への寛容〕理解lǐjiě；谅解liàngjiě；体谅tǐliang ‖ 国民に～を求める 求得国民的理解｜～のある親 通情达理的父母｜彼は妻に～がない 他对妻子缺乏体谅｜～を示す 表示理解 ✣相互一:互相了解
りがい【利害】得失déshī；利害lìhài；损益sǔnyì ‖ ～が一致する 利害一致｜密接な～関係がある 存在切身利害关系 ✣一得失:利害得失
りがく【理学】〔门〕理学lǐxué ✣一博士:理学博士｜一療法:理学疗法
りかん【罹患】（～する）感染gǎnrǎn；患病huàn bìng；得病débìng ✣一率:患病率；感染率
りきがく【力学】力学lìxué
りきさく【力作】力作lìzuò；精心之作jīngxīn zhī zuò
りきし【力士】相扑力士xiāngpū lìshì
りきせつ【力説】（～する）极力主张jílì zhǔzhāng；强调qiángdiào；力主lìzhǔ ‖ 中国語学習の必要性を～する 强调学习中文的必要性
りきてん【力点】❶〔物理〕力点lìdiǎn ❷〔重点〕重点zhòngdiǎn；着重点zhuózhòngdiǎn ‖ 語学の勉強に～をおく 把学习重点放在外语方面
りき·む【力む】使劲shǐjìn；屏气用力bǐngqì yònglì；紧张jǐnzhāng ‖ そんなに～まずにリラックスなさい 别太紧张，请放松
リキュール 利口酒lìkǒujiǔ；甜酒tiánjiǔ
りきりょう【力量】能耐néngnai；本领běnlǐng；能力nénglì ‖ ～がある 有本领｜指導者としての～を示す 显示领导力｜～を試す 衡量能力
りく【陸】〔块，片〕陆地lùdì ‖ ～の孤島 陆地孤岛
りくあげ【陸上げ】（～する）卸货xièhuò；起货qǐhuò ✣一場:卸货场
リクエスト （～する）要求yāoqiú；请求qǐngqiú；点播diǎnbō ✣一曲:点播曲目｜一番組:点播节目
りくかいくう【陸海空】陆海空lù hǎi kōng
りくぐん【陸軍】陆军lùjūn
りくじょう【陸上】✣一競技:田径赛｜一勤務:后勤｜一自衛隊:陆上自卫队｜一部隊:陆上部队｜一輸送:陆路运输
りくち【陸地】〔块，片〕陆地lùdì
りくつ【理屈】❶〔道理〕〔个，种，番〕道理dàoli；理lǐ；逻辑luójí ‖ 彼の言い分は～に合っている 他说的有道理｜そんな～があるものか 定 岂有此理 ❷〔へりくつ〕〔个，种〕借口jièkǒu；歪理wāilǐ ‖ 自分に都合のいい～ばかり並べる 尽摆些对自己有利的道理｜～をこねる 胡搅
りくつっぽ·い【理屈っぽい】爱抠死理ài kōu

sǐ lǐ; 爱掰理ài bāi lǐ
リクライニング シート 活动靠背椅huódong kàobèiyǐ; 躺椅tǎngyǐ
りくろ【陸路】 旱路hànlù; 陆路lùlù ‖ ～をとる 选择陆路 | ～モスクワへ向かう 通过陆路去莫斯科
りけん【利権】 利权lìquán; 特权tèquán ‖ ～をあさる 追求利权 ✤ —屋:掮客
りこ【利己】 利己lìjǐ; 定自私自利zì sī zì lì ‖ ～的な態度 自私自利的态度 ✤ —主義:利己主义
りこう【利口】 ❶〔賢い〕聪明cōngming; 机灵jīling ‖ あなたのおかげでひとつ～になった 多亏您,我又长了一分见识 ❷〔抜け目がない〕精明jīngmíng; 巧妙qiǎomiào ❸〔いい子〕乖guāi お～さんね 乖孩子,真听话
りこう【理工】 理工lǐgōng ✤ —科:理工科 | —学部:理工学系
りこう【履行】 (～する)履行lǚxíng; 实行shíxíng ‖ 契約を～する 履行合同
りごう【離合】 ✤ —集散:聚散离合
リコール (～する) ❶〔政治〕罢免bàmiǎn ‖ 市長を～する 罢免市长 ❷〔回収〕召回zhàohui; 回收huíshōu
りこん【離婚】 (～する)离婚líhūn ✤ —手続き:离婚手续 | —届:离婚申请 | 協議—:协议离婚
リコンファーム (～する)再确认(预定〔班机〕)zài quèrèn (yùdìng〔bānjī〕)
リサーチ (～する)调查diàochá; 研究yánjiū; 探索tànsuǒ ✤ マーケティング—:市场调查
りさい【罹災】 (～する)遭受〔遇到〕灾害zāoshòu〔yùdào〕zāihài ✤ —者:灾民 | —地:灾区
リサイクル (～する)(废品)再利用(fèipǐn) zài lìyòng; 循环利用xúnhuán lìyòng ✤ —ショップ:旧货店
リサイタル 独唱会dúchànghuì; 独奏会dúzòuhuì ‖ ピアノの～を開く 举办钢琴独奏会
りさげ【利下げ】 (～する)降低利率jiàngdī lìlǜ
りざや【利鞘】 差额利润chā'é lìrùn ‖ ～をかせぐ 赚取差额利润
りし【利子】 利息lìxī; 利钱lìqian ‖ ～を払う 支付利息 | 融資を無～で受ける 享受无利息贷款
りじ【理事】 董事dǒngshì; 理事lǐshì ✤ —会:理事会;董事会 | —長:理事长;董事长
りじゅん【利潤】 利润lìrùn; 赚头zhuàntou ‖ ～をあげる 获取利润 | ～を追求する 追求利润
りす【栗鼠】 〔只〕松鼠sōngshǔ
りすう【理数】 数理shùlǐ; 数学和理科shùxué hé lǐkē ✤ —科:数理专业
リスク 风险fēngxiǎn; 危险wēixiǎn ‖ ～を冒す 冒险 | ハイ～ハイリターン 高风险,高收益
リスト ❶〔名簿〕名册míngcè; 名单míngdān ❷〔目録〕目录mùlù; 一览表yìlǎnbiǎo ‖ ～をつくる 制作一览表 ✤ —アップ:列出名单 ‖ 参加者を～する 把参加者列个名单 | ブラック—:黑名单
リストラ (～する)机构重组jīgòu chóngzǔ.(解雇)解雇jiěgù; 炒鱿鱼chǎo yóuyú ‖ 長年勤めた会社を～された 被长年工作的单位炒了鱿鱼
リスニング 听力tīnglì ‖ ～テスト 听力测验
リスニング ルーム 音乐欣赏室yīnyuè xīnshǎngshì
リズミカル 有节奏yǒu jiézòu
リズム 节奏jiézòu ‖ ～をとる 打拍子 | ～が狂う 节奏乱了 ✤ —感:节奏感
りせい【理性】 理性lǐxìng; 理智lǐzhì ‖ ～に従って行動する 理智地去行事 | ～を失う 失去理性
リセット (～する)重设chóng shè; 重调chóng tiáo ‖ タイマーを～する 重设定时器 ✤ —キー:复位键 | —ボタン:复位按钮
りそう【理想】 〔个,种〕理想lǐxiǎng ‖ ～の女性 理想中的女性 | ～的な家庭生活 理想的家庭生活 | ～を追う 追求理想 | ～が高い 要求高
リゾート 休养地xiūyǎngdì; 度假地dùjiàdì ✤ —ウエア:休闲服装 | —ホテル:度假酒店(宾馆)
りそく【利息】 ⇨りし(利子)
リターン ✤ —キー:回车键;返回键 | —マッチ:复仇战;雪耻战
リタイア (～する) ❶〔引退〕退休tuìxiū; 退职tuìzhí ❷〔退場〕退场tuìchǎng; 弃权qìquán
りだつ【離脱】 (～する)脱离tuōlí; 离开líkāi ‖ 党籍を～する 退党 | 戦線を～する 离开前线
りちぎ【律儀·律義】 正直zhèngzhí; 老实lǎoshi; 规规矩矩guīguījǔjǔ ‖ ～な人 老实人
りつ【率】 率lǜ; 比率bǐlǜ; 成数chéngshù ‖ ✤ 視聴—:收视率 | 失業—:失业率 | 死亡〔出生〕—:死亡〔出生〕率 | 投票—:投票率
りつあん【立案】 (～する)拟订nǐdìng; 拟议nǐyì; 计划jìhuà ‖ 政策を～する 拟订〔制定〕政策
りっか【立夏】 (二十四節気)立夏lìxià
りっきゃく【立脚】 (～する)根据gēnjù; 立足lìzú ✤ —点:立足点;立场
りっきょう【陸橋】 〔座〕天桥tiānqiáo
りっけん【立憲】 立宪lìxiàn ✤ —君主制:君主立宪(制) | —政治:立宪政治
りっこうほ【立候補】 (～する)报名参加竞选bàomíng cānjiā jìngxuǎn ‖ ～を宣言する 表明参加竞选 | ～を届け出る〔取り下げる〕 申报〔放弃〕参加竞选 ✤ —者:候选者
りっしゅう【立秋】 (二十四節気)立秋lìqiū
りっしゅん【立春】 (二十四節気)立春lìchūn
りっしょう【立証】 (～する)证明zhèngmíng; 证实zhèngshí ‖ 無罪を～する 证实无罪
りっしょく【立食】 立餐lìcān ✤ —パーティー:立餐宴会;冷餐会
りっしん【立身】 (～する)发迹fājì ✤ —出世:发迹;定飞黄腾达
りっすい【立錐】 ‖ ～の余地もない 无立锥之地
りっ·する【律する】 要求yāoqiú; 约束yuēshù ‖ おのれを～する 律己
りったい【立体】 立体lìtǐ ✤ —音響:立体音响 | —感:立体感 | —交差:立体交叉 | —駐車場:立体停车场
りっちじょうけん【立地条件】 位置条件wèizhi tiáojiàn; 地理条件dìlǐ tiáojiàn
りっとう【立冬】 (二十四節気)立冬lìdōng
リットル (公)升(gōng)shēng
りっぱ【立派】 ❶〔すぐれている〕出色chūsè; 优秀yōuxiù; 好hǎo ‖ ～にやってのける 出色地完成 | ～な人 品格高尚的人 | ～な店構え 气派的店堂 | ～な身なり 穿着气派 ❷〔十分〕完全wánquán; 足够zúgòu ‖ 落書きは～な犯罪だ 乱写乱画足以构成犯罪

リップ〔片,个〕唇chún; 嘴唇zuǐchún ✤**ー**クリーム:唇膏 | **ー**サービス:口惠; 口头上说得好听
りっぽう【立方】立方lìfāng ‖ 5～メートル 五立方米 ✤**ー**根:立方根 | **ー**体:立方体
りっぽう【立法】立法lìfǎ ✤**ー**機関:立法机关
りてん【利点】优点yōudiǎn; 好处hǎochu
リトアニア 立陶宛Lìtáowǎn
りとう【離島】孤岛gūdǎo
リトマス 石蕊shíruǐ ✤**ー**試験紙:石蕊试纸
リニア モーター ✤**ー**カー:磁悬浮列车
りにゅう【離乳】(～する)断奶duànnǎi ✤**ー**期:断乳期; 断奶期 | **ー**食:断奶食物; 辅食
リニューアル 翻新fānxīn; 重新装修chóngxīn zhuāngxiū ‖ デパートが～オープンした 百货大楼重新装修后开张营业了
りにょう【利尿】利尿lìniào ✤**ー**剤:利尿剂 | **ー**作用:利尿作用
りねん【理念】〔种,个〕理念lǐniàn ‖ 教育の～ 教育的理念
リハーサル (～する)排演páiyǎn; 排练páiliàn; 彩排cǎipái
リバーシブル 两面可用liǎngmiàn kě yòng ‖ ～のコート 双面大衣
リバイバル (～する)重演chóngyǎn; 重新流行chóngxīn liúxíng. (映画)重映chóng yìng
リバウンド (～する)❶〔球技〕反弹球fǎntánqiú ❷〔揺り戻し〕反弹症状fǎntán zhèngzhuàng
りはつ【利発】聪明cōngming; 伶俐língli ‖ ～な子ども 聪明伶俐的孩子
りはつ【理髪】(～する)理发lǐfà ✤**ー**師:理发师 | **ー**店:理发店; 发廊
リハビリテーション 康复训练kāngfù xùnliàn ‖ ～をする 进行康复训练
りはん【離反】(～する)背离bèilí; 违背wéibèi
リビア 利比亚Lìbǐyà
リピーター 回头客huítóukè; 常客chángkè
リピート (～する)反复fǎnfù ‖ ～記号 反复符号
リヒテンシュタイン 列支敦士登Lièzhīdūnshìdēng
リビング ✤**ー**キッチン:带厨房的起居室 | **ー**用品:生活用品 | **ー**ルーム:起居室
リフォーム (～する)❶〔服飾〕翻新fānxīn; 改做gǎizuò ❷〔建築〕改建gǎijiàn ‖ わが家を二世帯住宅に～した 把我家的房子改造成连体式亲情户型
りふじん【理不尽】不讲理bù jiǎnglǐ; 无理wúlǐ ‖ ～な要求 无理的要求
リフト ❶〔スキー〕吊椅式缆车diàoyǐshì lǎnchē ❷〔昇降機〕电梯diàntī; 升降机shēngjiàngjī ❸〔起重機〕〔台〕起重机qǐzhòngjī
リフレーン (～する)叠句dié jù
リフレッシュ (～する)恢复精神huīfù jīngshen; 提神tíshén ‖ 散歩で～する 去散步提提神
リベート ❶〔手数料〕〔笔,种〕手续费shǒuxùfèi. (賄賂)贿赂huìlù ❷〔割り戻し〕折扣zhékou; 回扣huíkòu ‖ ～をとる 拿回扣
リベラル 自由zìyóu; 自由主义(者) zìyóu zhǔyì(zhě) ‖ ～な校風 自由的校风
リベリア 利比里亚Lìbǐlǐyà
リベンジ (～する)复仇fùchóu; 报复bàofu
リポーター ⇨レポーター
リポート ⇨レポート
リボかくさん【リボ核酸】核糖核酸hétáng hésuān
リボばらい【リボ払い】循环信贷xúnhuán xìndài
リボン 缎带duàndài; 丝带sīdài; 绶带shòudài ‖ 包装をして～をかける 包装后扎上丝带装饰
りまわり【利回り】收益率shōuyìlǜ; 回报率huíbàolǜ; 利率lìlǜ ‖ ～が悪い 收益率不高
リムジン ❶〔大型高級車〕高级轿车gāojí jiàochē; 豪华轿车háohuá jiàochē ❷〔交通〕机场公共汽车jīchǎng gōnggòng qìchē
リメーク (～する)重制chóng zhì; 改造gǎizào. (映画を)重拍chóng pāi; 改编gǎibiān
りめん【裏面】❶〔裏側〕里面lǐmiàn; 背面bèimiàn ❷〔見えない部分〕内幕nèimù; 幕后mùhòu; 暗中ànzhōng ‖ 政界の～を暴く 揭露政坛内幕 ✤**ー**工作:幕后操纵
リモコン 遥控yáokòng ‖ ～で機械を操作する 利用遥控器来操纵机器
リヤカー 两轮拖车liǎng lún tuōchē
りゃく【略】从略cónglüè; 省略shěnglüè. (簡単な)简略jiǎnlüè; 简化jiǎnhuà ‖ 敬称～ 省略敬称 | 以下～ 以下从略 | ～年表 简略年表
りゃくご【略語】略语lüèyǔ; 缩略语suōlüèyǔ
りゃくごう【略号】略号lüèhào; 略称lüèchēng
りゃくじ【略字】简化字jiǎnhuàzì
りゃくしき【略式】简略(方式) jiǎnlüè (fāngshì); 简便(方式) jiǎnbiàn (fāngshì)
りゃくしょう【略称】简称jiǎnchēng
りゃく·す【略す】❶〔短くする〕简(略) jiǎn(lüè) ‖ 非政府組織を～してNGOという 非政府组织简称NGO ❷〔省く〕省略shěnglüè; 省shěng ‖ 以下～す 下略
りゃくず【略図】草图cǎotú; 简图jiǎntú
りゃくだつ【略奪】(～する)掠夺lüèduó; 抢夺qiǎngduó ‖ 財宝を～する 掠夺财宝
りゃくれき【略歴】简历jiǎnlì
りゆう【理由】❶〔事情·根拠〕理由lǐyóu; 原因yuányīn; 缘故yuángù ‖ ～がない 没有理由 | 十分な～がある 有足够的理由 | いかなる～があろうとも 不管有什么理由 | 健康上の～で 因为健康原因 ❷〔言い訳〕理由lǐyóu; 借口jièkǒu ‖ 病気を～に会社を休んだ 以生病为借口不上班了
りゅう【竜】〔条〕龙lóng
-りゅう【流】❶〔流派〕流派liúpài ❷〔スタイル〕方式fāngshì; 做法zuòfǎ ‖ ドイツ～の考え方 德国式的思考方式
りゅうい【留意】(～する)注意zhùyì; 留心liúxīn ‖ 健康に～する 注意身体健康
りゅういき【流域】流域liúyù ‖ 信濃川～ 信浓川流域
りゅうか【硫化】硫化liúhuà ✤**ー**水素:硫化氢 | **ー**鉄:硫化铁 | **ー**物:硫化物
りゅうかい【流会】(～する)会议没开成huìyì méi kāichéng
りゅうがく【留学】(～する)留学liúxué ‖ アメリカに～する 去美国留学 ✤**ー**生:留学生
りゅうかん【流感】流感liúgǎn

りゅうき【隆起】(〜する)隆起lóngqǐ
りゅうぎ【流儀】❶〔物事の仕方〕惯例guànlì；规矩guīju‖自分の〜を押し通す 始终坚持自己的做法 ❷〔芸術などの流派〕流派liúpài
りゅうけつ【流血】流血liúxuè‖〜の惨事となる 造成流血惨剧
りゅうこう【流行】(〜する)流行liúxíng‖インフルエンザが大〜している 流感大肆蔓延｜〜を追う 赶时髦｜〜を先取りする 领先潮流｜〜の発信地 时尚发源地｜〜に敏感 对流行很敏感｜〜遅れ 过时 ✣一歌:流行歌(曲)｜一語:流行语｜一作家:当红作家
りゅうこうせいかんぼう【流行性感冒】流行性感冒liúxíngxìng gǎnmào
りゅうさん【硫酸】硫酸liúsuān ✣一アンモニウム:硫酸铵｜一塩:硫酸盐｜一カルシウム:硫酸钙｜一紙:硫酸纸｜一鉄:硫酸铁｜一銅:硫酸铜
りゅうざん【流産】(〜する)流产liúchǎn
りゅうし【粒子】粒子lìzǐ；微粒wēilì
りゅうしつ【流失】(〜する)流失liúshī‖洪水で家屋が〜する 房屋被洪水冲走
りゅうしゅつ【流出】(〜する)流失liúshī；流出liúchu‖土砂の〜を防ぐ 防止泥土流失｜頭脳の海外〜 人才流失海外｜個人情報の〜 流失个人信息
りゅうすい【流水】流水liúshuǐ‖傷口を〜できれいに洗う 用流水把伤口清洗干净
りゅうせい【流星】〔顆〕流星liúxīng ✣一雨:流星雨｜一群:流星群
りゅうせい【隆盛】兴隆xīnglóng；昌盛chāngshèng；兴旺xīngwàng‖〜をきわめる 鼎盛
りゅうせんけい【流線型】流线型liúxiànxíng
りゅうち【留置】(〜する)拘留jūliú；扣押kòuyā‖身柄を〜される 被拘留 ✣一場:拘留所
りゅうちょう【流暢】流利liúlì；流畅liúchàng‖〜な日本語を話す 日语说得很流利
りゅうつう【流通】(〜する)流通liútōng ✣一貨幣:流通货币｜一機構:流通机构｜一経路:流通途径｜一資本:流通资本｜一センター:流通中心｜一網:流通网
りゅうどう【流動】(〜する)流动liúdòng；变化不定biànhuà bú dìng‖事態は〜的であり楽観視できない 局势变化不定，不容乐观 ✣一資本:流动资本｜一食:流质(食物)；流食｜一性:流动性｜一体:流体
りゅうにゅう【流入】(〜する)流入liúrù‖地方から大都市に人口が〜する 外来人口流入大城市｜外資が〜する 外资进入
りゅうにん【留任】(〜する)留任liúrèn
りゅうねん【留年】(〜する)留级liújí‖1年〜する 留一级
りゅうは【流派】流派liúpài
りゅうひょう【流氷】浮冰fúbīng
りゅうほ【留保】(〜する)保留bǎoliú；暂停zàntíng‖返答を〜する 保留回答
リューマチ 风湿病fēngshībìng；风湿症fēngshīzhèng ✣一熱:风湿热｜慢性関節一:慢性关节风湿症
りゅうよう【流用】(〜する)挪用nuóyòng‖公金を〜する 挪用公款
りゅうりょう【流量】流量liúliàng ✣一計:流量计
リュックサック 双肩背包shuāngjiān bēibāo‖〜を背負う 背背包
りよう【利用】(〜する)利用lìyòng‖機会を〜する 利用机会｜風を〜した発電施設 利用风力发电的设备｜通勤に地下鉄を〜している 上下班坐地铁 ✣一価値:利用价值｜一率:利用率
りよう【理容】⇨りはつ(理髪)
りょう【良】❶〔普通よりよいこと〕好hǎo；良好liánghǎo ❷〔成績の評価〕良liáng
りょう【涼】凉liáng；凉快liángkuai‖木陰で〜をとる 在树阴下乘凉
りょう【猟】打猎dǎliè；狩猎shòuliè
りょう【量】量liàng；数量shùliàng‖〜より質 求质不求量｜食事の〜を減らす 减少饭量
りょう【漁】捕鱼bǔ yú‖〜に出る 出去捕鱼
りょう【寮】宿舍sùshè ✣学生一:学生宿舍｜独身一:单身宿舍
-りょう【料】费fèi；费用fèiyong‖入場〜をとる 收入场费｜授業〜を払う 交学费
りょういき【領域】❶〔範囲〕领域lǐngyù；范围fànwéi‖物理学の〜 物理学范围 ❷〔国の領土〕领土lǐngtǔ；版图bǎntú
りょうが【凌駕·陵駕】(〜する)超过chāoguò；胜过shèngguo‖性能で従来品を〜する新型カメラ 性能远远超过旧产品的新型相机
りょうかい【了解·諒解】(〜する)同意tóngyì；理解lǐjiě；谅解liàngjiě‖上司の〜を得る 取得上司的同意｜この件に関しては先方もすでに〜ずみだ 关于这件事对方也已经同意了
りょうかい【領海】领海lǐnghǎi‖〜を侵犯する 侵犯领海
りょうがえ【両替】(〜する)兑换duìhuàn；交换jiāohuàn‖5万円をアメリカドルに〜する 把5万日元换成美元｜〜をしたいのですが，日本円のレートはいくらですか 我想换钱，日元牌价〔兑换率〕是多少？ ✣一機:钱币兑换机
りょうがわ【両側】两边liǎngbiān；两旁liǎngpáng‖道の〜に商店が立ち並んでいる 道路的两侧商店鳞次栉比
りょうがん【両岸】两岸liǎng'àn
りょうがん【両眼】两眼liǎng yǎn；双眼shuāngyǎn
りょうきょくたん【両極端】两极liǎngjí；两个极端liǎng ge jíduān‖〜な意見 两个极端的意见
りょうきん【料金】费fèi；费用fèiyong‖これを〜着払いで送ってください 这个请用货到付款的方式寄 ✣一所:收费处；收费站｜一箱:收费箱｜一表:价格表｜割引一:打折价格
りょうくう【領空】领空lǐngkōng‖〜を通過する 飞越领空
りょうけ【良家】良家liángjiā；好人家hǎorénjiā
りょうけい【量刑】量刑liàngxíng
りょうけん【了見】主意zhǔyi；意思yìsi；想法xiǎngfa‖〜が狭い 心胸狭隘人｜私を責めるのは〜違いもはなはだしい 指责我是完全错误的
りょうけん【猟犬】猎犬lièquǎn；猎狗liègǒu
りょうこう【良好】良好liánghǎo‖感度〜 这

种仪器敏感度高｜～な関係を築く 建立友好关系｜健康状態は～だ 健康状况良好

りょうさい【良妻】贤妻xiánqī ❖ 一賢母：定 贤妻良母

りょうさん【量産】(～する)批量生产pīliàng shēngchǎn；大量生产dàliàng shēngchǎn ‖ ～体制に入る 开始批量生产

りようし【理容師】理发师lǐfàshī

りょうし【猟師】猎人lièrén；猎手lièshǒu

りょうし【量子】量子liàngzǐ ❖ 一エレクトロニクス：量子电子学｜一物理学：量子物理学｜一力学：量子力学｜一論：量子论

りょうし【漁師】渔民yúmín；渔夫yúfū

りょうじ【領事】领事lǐngshì ‖ 駐日イギリス～ 英国驻日领事 ❖ 一館：领事馆

りょうしき【良識】良知liángzhī ‖ 相手の～に期待する 寄希望于对方的良知

りょうしつ【良質】优质yōuzhì；质量好zhìliàng hǎo ‖ ～の絹糸 优质生丝

りょうしゃ【両者】两者liǎngzhě；双方shuāngfāng ‖ ～の言い分を聞く 听取双方的意见｜～互角 双方势均力敌

りょうしゅ【領主】领主lǐngzhǔ；诸侯zhūhóu

りょうしゅう【領収】(～する)收到shōudào ‖ 代金全額を～いたしました 货款如数收到 ❖ 一書：收据；收条 ‖ ～をください 请给我开张发票

りょうしゅう【領袖】领袖lǐngxiù；领导lǐngdǎo ‖ 自民党の～ 自民党的领袖

りょうじゅう【猟銃】〔支〕猎枪lièqiāng

りょうしょう【了承】(～する)同意tóngyì；谅解liàngjiě ‖ この件についてはまず部長の～を得る必要がある 就这件事情先要得到部长的同意

りょうしん【両親】父母fùmǔ；双亲shuāngqīn

りょうしん【良心】〔颗〕良心liángxīn ‖ ～に背く 违背良心｜～の呵責(かしゃく)に苦しむ 受到良心的谴责，痛苦不安

りょうせい【両生·両棲】两栖liǎngqī ❖ 一動物：两栖动物｜一類：两栖类

りょうせい【両性】两性liǎngxìng ❖ 一具有：具有两性

りょうせい【良性】良性liángxìng ‖ 検査の結果，ポリープは～とわかった 经过检查得知息肉是良性的 ❖ 一腫瘍：良性肿瘤

りょうぞく【良俗】良好的风俗liánghǎo de fēngsú ‖ 公序～に反する 违背公序良俗

りょうたん【両端】两端liǎngduān；两头儿liǎngtóur ‖ ロープの～を結ぶ 把绳子的两头儿系在一起

りょうち【領地】领土lǐngtǔ；领地lǐngdì

りょうて【両手】两手liǎng shǒu；双手shuāngshǒu；双臂shuāngbì ‖ ～を広げる 伸开双臂｜～を腰に当てる 双手叉腰｜～に花 左搂右抱

りょうてき【量的】数量上shùliàng shang；量上liàngshang ‖ ～な差 数量上的差距

りょうてんびん【両天秤】‖ ～にかける 定 脚踏两只船

りょうど【領土】❶〔国の〕领土lǐngtǔ ‖ 日本の～ 日本的领土 ❷〔領有している土地〕领地lǐngdì ❖ 一権：领土权｜一保全：保卫领土

りょうどなり【両隣】左右邻zuǒyòulín ❖ 向こう三軒一：对门三家左右邻；近邻

りょうはし【両端】⇨りょうたん(両端)

りょうはん【量販】❖ 一店：量贩店；大卖场

りょうびらき【両開き】左右两面开zuǒyòu liǎng miàn kāi ‖ ～の冷蔵庫 左右双开门的冰箱

りょうふう【涼風】凉风liángfēng ‖ ～がそよ吹く 清风徐来

りょうぶん【領分】领域lǐngyù；范围fànwéi ‖ 他人の～を侵さないでくれよ 不要侵犯别人的领域

りょうぼ【陵墓】〔座，个〕陵墓língmù

りょうほう【両方】❶〔双方·両者〕双方shuāngfāng；两方liǎng fāng ‖ きみも相手も～とも悪いよ 你们双方都不对 ❷〔2つの方面〕两个方面liǎng ge fāngmiàn.〔両側〕两边儿liǎngbiānr ‖ 肯定と否定の～の観点から問題を検討する 从肯定和否定两个方面来看问题

りょうほう【療法】〔种〕疗法liáofǎ；治法zhìfǎ ❖ 食餌一：食物疗法｜心理一：心理疗法｜民間一：民间疗法

りょうめん【両面】❶〔表と裏〕两面liǎngmiàn ‖ 紙の～に印刷する 纸的两面都印刷 ❷〔物事の2つの方面〕两个方面liǎng ge fāngmiàn ‖ 物事の～から見る 对事物从两个方面看｜物心～で支援している 在物质与精神两方面提供援助 ❖ 一テープ：两面胶带

りょうやく【良薬】‖ ～は口に苦し 定 良药苦口；定 忠言逆耳

りょうゆう【両雄】‖ ～並び立たず 定 两雄不并立；定 一山不容二虎

りょうゆう【領有】(～する)领有lǐngyǒu；拥有yōngyǒu；占有zhànyǒu ❖ 一権：领有权

りょうよう【両用】(～する)两用liǎngyòng ‖ 屋内と屋外で～できるライト 室内外两用灯 ❖ 遠近一眼鏡：远近两用眼镜｜水陸一車：水陆两用车

りょうよう【療養】(～する)疗养liáoyǎng ‖ 父は目下自宅で～中だ 我爸爸现在正在家中疗养 ❖ 一所：疗养所｜転地一：气候疗养

りょうり【料理】(～する)做菜zuò cài；烹调pēngtiáo.〔食べ物〕菜cài；菜肴càiyáo ‖ 出来合いの～ 现成饭｜魚〔肉〕を～する 做鱼〔肉〕菜｜～がさめる 菜凉了｜妻は～が上手だ 妻子很会做菜 ❖ 一学校：烹饪学校｜一酒：料酒｜一人：厨师｜一法：烹饪法｜一屋：饭馆

りょうりつ【両立】(～する)两立liǎnglì；并存bìngcún ‖ 仕事と家庭を～させる 工作家庭两不误

りょうりん【両輪】❶〔補完し合うこと〕定 相辅相成xiāng fǔ xiāng chéng ‖ 夫婦は車の～だ 夫妇正如车之两轮，缺一不可 ❷〔車の〕两轮liǎng lún

りょうわき【両脇】❶〔わきの下〕两腋liǎng yè ‖ ～に本をかかえる 两腋下夹着书 ❷〔両側〕两侧liǎng cè

りょかく【旅客】〔位〕旅客lǚkè ❖ 一案内所：旅客服务处〔问讯处〕｜一運賃：票价｜一機：客机｜一名簿：旅客名单｜一列車：客车

りょかん【旅館】〔个，家〕旅馆lǚguǎn ‖ ～にとまる 住旅馆｜～を予約する 订旅馆

りょくおうしょく【緑黄色】黄绿色huánglǜ sè ❖ 一野菜：黄绿色的蔬菜

りょくか【緑化】⇨りょっか(緑化)

りょくち【緑地】绿地lǜdì ❖ 一带：绿化地带；

绿化带
りょくちゃ【緑茶】绿茶lǜchá
りょくないしょう【緑内障】青光眼qīngguāngyǎn；绿内障lǜnèizhàng
りょけん【旅券】护照hùzhào
りょこう【旅行】(～する)旅行lǚxíng.（観光目的の)旅游lǚyóu ‖ イギリスへ～する 去英国旅行｜箱根へ1泊2日の～に行った 去箱根旅游了两天一宿 ❖一案内所:旅游问讯处；旅行服务处｜一ガイド:旅行指南｜一かばん:旅行包｜一記:游记；旅行记｜一業者:旅游业者；旅行社｜一先:旅行目的地｜一者:旅客；旅行者｜一代理店:旅行社；旅行代理店｜一保険:旅行〔游〕保险
りょじょう【旅情】旅情lǚqíng ‖ ～をそそる 引发旅情
りょっか【緑化】(～する)绿化lǜhuà ‖ ビル屋上の～ 楼顶绿化｜砂漠を～する計画 绿化沙漠计划 ❖一運動:绿化运动
りょてい【旅程】❶〔道のり〕〔段〕旅程lǚchéng；行程xíngchéng ❷〔日程〕旅行日程lǚxíng rìchéng
りょひ【旅費】旅费lǚfèi
リラックス（～する)放松fàngsōng；轻松qīngsōng ‖ ふろに入って～する 洗个澡轻松一下｜そんなに緊張しないで，～して 别那么紧张，放松点儿
りりく【離陸】(～する)起飞qǐfēi；离地lí dì ‖ 飛行機は定刻どおり成田空港を～した 飞机按时从成田机场起飞了
りりし·い【凛凛しい】凛凛lǐnlǐn；威严可敬wēiyán kějìng ‖ ～い顔つき 威严可敬的面孔
りりつ【利率】利率lìlǜ ‖ ～をあげる〔下げる〕 提高〔降低〕利率｜年7パーセントの～で10万円借りる 以年利率为百分之七借入10万日元
リレー（～する)接力jiēlì ‖ 400メートル～ 400米接力｜聖火を～する 传递火炬
りれき【履歴】履历lǚlì；经历jīnglì ‖ ブラウザの～をクリアする 清除浏览器的历史记录 ❖一書:个人简历；履历
りろ【理路】❖一整然:条理清晰〔清楚〕‖ ～と意見を述べる 条理清晰地陈述意见
りろん【理論】〔个，种，套〕理论lǐlùn ‖ ～を打ち立てる 奠定理论｜～を組み立てる 构筑理论｜～と実践を結びつける 将理论与实践相结合 ❖一家:理论家｜一体系:理论体系
りん【厘】厘lí ‖ 打率3割4分2～ 击球率为三成四分二厘
りん【燐】磷lín
りんか【隣家】邻家línjiā；邻居línjū；隔壁gébì
りんかい【臨界】临界línjiè ‖ 原子炉が～に達した 反应堆达到临界 ❖一温度:临界温度｜一実験:临界实验｜一点:临界点
りんかい【臨海】临海línhǎi；沿海yánhǎi ❖一学校:海滨学校；海滨夏令营｜一工業地帯:临海工业地区｜一実験所:临海海洋生物实验站
りんかく【輪郭】❶〔物の外側の線〕轮廓lúnkuò ‖ ～を描く 画轮廓 ❷〔アウトライン〕梗概gěnggài；概略gàilüè ‖ 話の～はつかめた 抓住了话的大意
りんかん【林間】林间línjiān ❖一学校:林间学校；林间夏令营
りんきおうへん【臨機応変】定随机应变suí jī yìng biàn ‖ ～の処置をとる 采取随机应变的措施
りんぎょう【林業】林业línyè
リンク ❶(～する)〔つなぐこと〕联系liánxì；连接liánjiē；链接liànjiē ‖ サイト同士が相互に～する 许多网站相互链接 ❷〔スケート場〕冰场bīngchǎng ❖ハイパー一:超级链接
リング ❶〔指輪〕戒指jièzhi ❷〔輪〕环huán；圈quān ❸〔ボクシング〕拳击场quánjīchǎng.（レスリング)摔跤场shuāijiāochǎng
りんげつ【臨月】临月línyuè.（出産間近)临产línchǎn ‖ ～の婦人 临近产期的妇女
りんご【林檎】苹果píngguǒ.（木）〔棵〕苹果树píngguǒshù ‖ ～の皮をむく 削苹果皮｜～のようなほお 苹果一样红润的脸颊 ❖一園:苹果园｜一ジャム:苹果酱｜一酒:苹果酒｜一酢:苹果醋
りんごく【隣国】邻国línguó；邻邦línbāng
りんさく【輪作】(～する)轮种lúnzhòng
りんじ【臨時】临时línshí ‖ 病人が出たため途中駅で～停車した 出现了病人，在中途车站临时停车｜～に雇われる 临时被雇用 ❖一休業:临时停业｜一国会:临时国会｜一支出:临时支出｜一収入:临时收入｜一増刊:临时增刊｜一ニュース:新闻快报｜一雇い:短工；零工；临时工｜一予算:临时预算｜一列車:临时加车；临时列车
りんしたいけん【臨死体験】濒死经验bīnsǐ jīngyàn
りんしつ【隣室】隔壁房间gébì fángjiān
りんじゅう【臨終】临终línzhōng ‖ 父の～に立ち会った 父亲临终的时候，我在场｜ご～です 他去世了
りんしょう【輪唱】(～する)轮唱lúnchàng
りんしょう【臨床】临床línchuáng ❖一医:临床医生｜一医学:临床医学｜一検査:临床检查｜一心理学:临床心理学
りんじょう【臨場】❖一感:身临其境〔临场；到场〕之感 ‖ ～あふれる映像 给人以身临其境之感的影像
りんじん【隣人】邻居línjū；街坊jiēfang；邻里línlǐ ❖一愛:邻里互爱
リンス（～する)护发素hùfàsù；润丝液rùnsīyè ‖ 髪を～する 用护发素洗发
りんせき【臨席】(～する)临席línxí；出席chūxí ‖ 両陛下ご～のもとに大会は開かれた 两位陛下临席到场后，大会就开始了
りんせつ【隣接】(～する)接邻jiēlín；毗连pílián ❖一家屋:毗连的房屋｜一諸国:接邻的各国｜一地:毗连的土地
りんせん【臨戦】临战línzhàn；临阵línzhèn ❖一態勢:临阵态势
リンチ 私刑sīxíng ‖ ～を加える 施加私刑
りんどう【林道】林中道路lín zhōng dàolù
りんね【輪廻】(～する)轮回lúnhuí ❖一説:轮回说｜一転生:轮回转世
リンネル 亚麻布yàmábù
リンパ 淋巴línbā ❖一液:淋巴液｜一球:淋巴细胞｜一腺:淋巴腺
りんびょう【淋病】淋病lìnbìng
りんぷん【鱗粉】鳞粉línfěn
りんや【林野】林野línyě；森林和原野sēnlín hé

り

yuányě ❖一庁:(日本)林野厅;(中国)林业局
りんり【倫理】伦理lúnlǐ; 道德dàodé ‖ ～にもとる 违背伦理 ❖一学:伦理学
りんりつ【林立】(～する)林立línlì
りんりん 丁零dīnglíng; 丁当dīngdāng

る

ルアー 诱饵yòu'ěr; 拟饵nǐ'ěr; 路亚lùyà ❖一フィッシング:拟饵垂钓
るい【累】牵连qiānlián; 牵涉qiānshè; 连累liánlei ‖ 他人に～を及ぼす 牵连〔连累〕他人
るい【塁】垒lěi ‖ ～に出る 上垒
るい【類】类lèi; 种类zhǒnglèi ‖ 他に～を見ない 无与伦比 | ～は友を呼ぶ 物以类聚,人以群分
るいぎご【類義語】⇨るいご(類語)
るいけい【累計】(～する)累计lěijì ‖ 各月の売り上げを～する 把每个月的销售额累计起来
るいけい【類型】型xíng; 类型lèixíng
るいご【類語】近义词jìnyìcí ❖一辞典:近义词词典
るいじ【類似】(～する)类似lèisì; 相像xiāngxiàng; 相似xiāngsì ❖一点:相似的地方 | 一品:仿造品 ‖ ～にご注意ください 请注意仿造品
るいしょ【類書】同类书tónglèishū
るいじょう【累乗】(～する)乘方chéngfāng; 乘幂chéngmì ❖一根:乘方根
るいしん【累進】(～する)递增dìzēng; 累进lěijìn ❖一課税:累进税
るいしん【塁審】司垒裁判员sīlěi cáipànyuán
るいじんえん【類人猿】类人猿lèirényuán
るいすい【類推】(～する)类推lèituī; 推测tuīcè; 推理tuīlǐ ‖ 文献から～する 根据文献推测
るい·する【類する】相似xiāngsì; 类似lèisì; 相像xiāngxiàng ‖ これに～することわざはほかにもいくつかある 与此相似的谚语还有几个
るいせき【累積】(～する)累积lěijī ‖ 債務が～する 债务累积 ❖一赤字:累积亏损
るいせん【涙腺】泪腺lèixiàn ‖ ～がゆるい 爱流泪; 易感动
るいべつ【類別】(～する)分类fēnlèi; 按种类区分àn zhǒnglèi qūfēn
るいれい【類例】类似的事情lèisì de shìqing ‖ 史上～を見ない 史无前例
ルー 黄油面酱huángyóu miànjiàng ❖カレー一:咖喱酱
ルーキー 新手xīnshǒu; 新来的xīn lái de
ルージュ〔支〕口红kǒuhóng
ルーズ 散漫sǎnmàn; 懒散lǎnsǎn; 没规矩méi guīju ‖ ～な生活を送る 过着懒散的生活 | 時間に～だ 没有时间观念
ルーズソックス 泡泡袜pàopaowà
ルーズリーフ 活页纸huóyèzhǐ; 活页笔记本huóyè bǐjìběn
ルーツ 根源gēnyuán; 起源qǐyuán ‖ 日本人の～を探す 寻找日本人的起源
ルート 途径tújìng; 渠道qúdào ‖ 密輸～を断つ 切断走私渠道 | 販売～を広げる 扩大销售渠道
ルート 根gēn; 根号gēnhào
ループ 圈quān; 环huán ❖一アンテナ:环形天线 | 一タイ:绳状领带
ルーブル 卢布lúbù
ルーペ〔个,面〕放大镜fàngdàjìng
ルーマニア 罗马尼亚Luómǎníyà
ルーム〔间,个〕房间fángjiān ❖一キー:房间钥匙 | 一サービス:客房送餐服务 | 一チャージ:住宿费 | 一ナンバー:房间号 | 一メート:室友; 同屋
ルール〔条,项,个〕规则guīzé; 规矩guīju; 章程zhāngchéng ‖ ～を守る 遵守规则 ❖一違反:违反规则; 犯规 | 一ブック:规章手册
ルーレット 轮盘赌lúnpándǔ
ルクセンブルク 卢森堡Lúsēnbǎo
るけい【流刑】流刑liúxíng ‖ ～にする 流放〔配〕
るす【留守】❶〔家を預かる〕看家kānjiā ‖ ～を頼む 请人看家 ❷〔家をあける〕外出wàichū; 不在bú zài ‖ 1日～にしていた 一整天不在家 | ～中に 不在的时候 | ～を守る 守家 ❸〔おろそかになる〕忽略hūlüè; 疏忽shūhu ‖ 攻めるばかりで守りがお～になる 只顾攻击,却忽略了防守 ❖一番:看家 | 一番電話:录音电话
るつぼ【坩堝】‖ 興奮の～と化す 陷入狂欢之中 | 人種の～ 人种混杂
るてん【流転】(～する)流转liúzhuǎn; 生生不息shēng shēng bù xī ‖ 万物は～する 万物轮回
ルネッサンス 文艺复兴wényì fùxīng ❖一建築:文艺复兴时期的建筑 | 一様式:文艺复兴时期风格
ルビ 注音假名zhùyīn jiǎmíng ‖ ～をふる 标注假名
ルビー〔颗〕红宝石hóngbǎoshí; 红玉hóngyù
るふ【流布】(～する)流传liúchuán; 传播chuánbō ‖ さまざまな風説が～している 流传着各种传说
ルポライター 现场采访记者xiànchǎng cǎifǎng jìzhě
ルポルタージュ ❶〔現地報告〕现场报道xiànchǎng bàodào ❷〔記録文学〕报告文学bàogào wénxué
るみん【流民】流民liúmín; 难民nànmín
るる【縷縷】‖ 不幸な身の上を～語る 不断地哭诉(诉说)不幸的经历 | ～説明する 详细说明
るろう【流浪】(～する)流浪liúlàng; 漂泊piāobó ‖ ～の生活を送る 过着流浪生活
ルワンダ 卢旺达Lúwàngdá
ルンバ 伦巴(舞) lúnbā(wǔ); 伦巴舞曲lúnbā wǔqǔ

れ

れい【礼】❶〔礼儀〕礼貌lǐmào；礼节lǐjié‖～を失する 失礼｜～にかなう 符合礼仪 ❷〔謝辞〕谢词xiècí‖お～の言葉を述べる 致感谢词 ❸〔贈り物〕礼lǐ；礼物lǐwù‖心ばかりのお～をする 送些东西略表心意 ❹〔お辞儀〕鞠躬jūgōng；行礼xínglǐ‖起立，～，着席 起立，行礼，坐

れい【例】❶〔先例〕例子lìzi‖過去に～を見ない 史无前例 ❷〔慣習〕惯例guànlì；常规chángguī‖世間の～にならう 遵循社会常规 ❸〔事例〕例lì；例子lìzi‖～を挙げて説明する 举例说明 ❹〔いつもの通り〕照常zhàocháng‖～のごとく 和往常一样 ❺〔すでに了解済みのこと〕那个nàge；那nà‖このあいだ話した～の小説 上次我说的那本小说｜～の件 那件事

れい【零】零líng‖２対～で相手を降した 以二比零击败对方

れい【霊】❶〔霊魂〕灵魂línghún‖祖先の～を祭る 祭祀祖先的灵魂｜死者の～をなぐさめる 安慰死者的亡灵 ❷〔神霊〕神灵shénlíng；精灵jīngling

レイアウト（～する）❶〔印刷〕版面设计bǎnmiàn shèjì ❷〔配置〕布置bùzhì‖部屋の～ 房间的布置

れいあんしつ【霊安室】太平间tàipíngjiān

レイオフ 下岗xiàgǎng；暂时解雇zànshí jiěgù

れいか【冷夏】冷夏lěngxià‖～で農作物に影響が出ている 因冷夏，农作物生长受到影响

れいか【零下】零下líng xià‖～３度 零下３度

れいかい【例会】例会lìhuì‖～を開く 举行例会 ✣月ー：月会｜年次ー：年会

れいがい【冷害】低温冷害dīwēn lěnghài‖～に見舞われる 遭受到低温冷害

れいがい【例外】例外lìwài‖どんな規則にも～はつきものだ 任何规则都有例外｜～中の～ 一切例外的例外｜～を認める〔認めない〕 允许〔不允许〕例外

れいかん【霊感】❶〔ひらめき〕灵感línggǎn‖突然～がひらめく 突然来了灵感 ❷〔神のお告げ〕神灵的启示shénlíng de qǐshì

れいき【冷気】寒气hánqì；凉气liángqì‖刺すような～ 寒气刺骨｜エアコンの～ 空调吹的冷风

れいぎ【礼儀】礼节lǐjié；礼貌lǐmào‖～正しい学生 彬彬有礼的学生｜～作法を身につける 养成讲文明礼貌的习惯

れいきゃく【冷却】（～する）冷却lěngquè‖原子炉の～装置 核反应堆的冷却装置 ✣ー器：冷却器；散热器｜ー期間：冷静期；冷处理时间‖～を置く 冷处理一段时间｜ー剤：冷却剂｜ー水：冷却水

れいきゅう【霊柩】灵柩língjiù ✣ー車：灵车

れいぐう【冷遇】（～する）冷遇lěngyù；冷淡（对待）lěngdàn（duìdài）‖～される 被冷待｜会社の～に耐えかねる 不能忍受公司的冷遇

れいけつ【冷血】冷血lěngxuè；无情wúqíng‖～な殺し屋 无情杀手 ✣ー漢：冷酷无情的人｜ー動物：冷血动物

れいこう【励行】（～する）坚持jiānchí；严格执行yángé zhíxíng‖シートベルトの着用を～する 严格遵守系好安全带｜手洗いやうがいを～する 坚持洗手漱口

れいこく【冷酷】冷酷lěngkù；定 铁石心肠tiě shí xīn cháng‖～なテロ行為 毫无人性的恐怖行为｜～な現実 现实太冷酷了

れいこん【霊魂】灵魂línghún

れいさい【零細】✣ー企業：零星企业｜ー農業：小农经济

れいじ【例示】（～する）举例jǔlì‖具体例を～しながら説明する 举具体例子进行说明

れいじ【零時】零点língdiǎn；零时língshí‖午前～ 上午〔凌晨；午夜〕零时｜午後～ 下午零点

れいしょう【冷笑】（～する）冷笑lěngxiào；定 冷嘲热讽lěng cháo rè fěng‖勤勉さを～する 嘲笑勤劳｜～を浮かべる 面带冷笑

れいじょう【令状】❶〔命令を記した書状〕命令文件mìnglìng wénjiàn ❷〔裁判所などの〕令状lìngzhuàng；证zhèng ✣押収ー：扣押证

れいせい【冷静】冷静lěngjìng；理智lǐzhì‖～沈着な態度 沉着冷静的态度｜～さを失う 失去冷静｜～になる 冷静下来｜～な判断を下す 做理智的判断

れいせん【冷戦】冷战lěngzhàn‖～構造が崩壊した 冷战结构崩溃了｜～状態 处于冷战状态

れいぜん【霊前】灵前língqián

れいそう【礼装】礼服lǐfú.（～する）穿着礼服chuānzhe lǐfú

れいぞう【冷蔵】（～する）冷藏lěngcáng‖～保存する 冷藏保存 ✣ー庫：冰箱｜ー車：冷藏车

れいだい【例題】〔个，道〕练习题liànxítí

れいたん【冷淡】❶〔無関心〕定 漠不关心mò bù guān xīn ❷〔思いやりがない〕冷淡lěngdàn‖～な仕打ち 冷淡的对待

れいだんぼう【冷暖房】冷暖空调lěngnuǎn kōngtiáo ✣ー完備：配备冷暖空调

れいてん【零点】❶〔得点がまったくないこと〕‖試験で～をとった 考试得了零分 ❷〔価値がないこと〕没有资格méiyou zīge；不够格bú gòugé

れいど【零度】零度língdù‖～以下 零度以下

れいとう【冷凍】（～する）冷冻lěngdòng‖魚を～する 把鱼冷冻起来 ✣ー室：冷冻室｜ー車：冷冻车｜ー食品：冷冻食品｜急速ー：速冻

れいねん【例年】每年měi nián；历年lìnián‖～にない寒さ 往年没有今年这么冷

れいはい【礼拝】（～する）礼拜lǐbài；朝拜cháobài‖朝の～ 清晨的礼拜｜～する 做礼拜 ✣ー者：朝拜者｜ー堂：教堂

レイプ（～する）强奸qiángjiān

れいふく【礼服】〔件〕礼服lǐfú ✣略ー：便礼服

れいぶん【例文】例句lìjù

れいほう【礼砲】〔响，种〕礼炮lǐpào

れいぼう【冷房】（～する）开冷气kāi lěngqì.（器具）空调kōngtiáo‖～をつける〔とめる〕 开〔关〕空调 ✣ー車両：空调车厢

れいめい【黎明】黎明límíng; 曙光shǔguāng
れいらく【零落】(～する)衰败shuāibài; 破落pòluò
レインコート〔件〕雨衣yǔyī; 雨披yǔpī
レーサー 赛车手sàichēshǒu
レーザー〔束,道,条〕激光jīguāng ✤ 一光線:激光光束｜一手術:激光手术
レース ❶〔試合〕〔场,次〕比赛bǐsài ‖ ～前の予想 赛前预测｜～に勝つ 赢得比赛｜第1～ 第一场比赛 ❷〔縁飾り〕花边huābiān ‖ ～のカーテン 花边窗帘｜～を編む 钩花
レーダー 雷达léidá
レート ❶〔率〕率lǜ; 比率bǐlǜ ❷〔相場〕牌价páijià ✤ 為替一:汇率
レーヨン 人造丝rénzàosī
レール ❶〔鉄道の〕〔条〕轨道guǐdào ‖ ～を敷く 铺轨道 ❷〔引き戸などの〕轨guǐ ‖ カーテン～ 窗帘轨
-れき【歴】经历jīnglì ✤ 運転一:驾龄｜逮捕一:被捕经历
れきし【歴史】历史lìshǐ ‖ ～を学ぶ 学历史｜～に学ぶ 以史为鉴｜～は繰り返す 历史重演｜～に残る 名垂史册｜～を動かす 推动历史｜～の証人 历史见证｜～上の人物 历史人物 ✤ 一家:历史学家｜一観:历史观｜一小説:历史小说
れきぜん【歴然】明显míngxiǎn; 定 昭然若揭zhāo rán ruò jiē ‖ ～たる事実 昭然若揭的事实｜～たる証拠 确凿的证据
れきだい【歴代】历代lìdài; 历届lìjiè ‖ ～の天皇 历代天皇｜アメリカ～大統領 美国历届总统
れきにん【歴任】(～する)历任lìrèn ‖ 要職を～する 历任要职
れきほう【歴訪】(～する)遍访biànfǎng
レギュラー ❶〔正選手など〕正式成员zhèngshì chéngyuán; 正式选手zhèngshì xuǎnshǒu ❷〔通常の〕标准biāozhǔn ‖ ～サイズ 均码｜～ガソリンを給油する 加标准汽油
れきれき【歴歴】赫赫有名hèhè yǒumíng; 名人míngrén ‖ 政界のお～ 政界名流
レクイエム 安魂曲ānhúnqǔ
レクチャー (～する)讲课jiǎngkè; 讲义jiǎngyì
レクリエーション 娱乐yúlè ✤ 一センター:娱乐城
レコーディング (～する)录音lùyīn
レコード〔盘,片,张〕唱片chàngpiàn ‖ ～をかける 放唱片 ✤ 一プレーヤー:电唱机
レザー〔皮革〕皮革pígé ‖ ～クロス 人造革
レザー〔西洋かみそり〕剃刀tìdāo
レシート〔张〕发票fāpiào; 收据shōujù ‖ ～をください 请开张收据
レシーバー ❶〔球技〕接球者jiēqiúzhě ❷〔受信機・受信装置〕接收机jiēshōu jī.〔受話器〕耳机ěrjī
レシーブ (～する)接球jiē qiú
レシピ 烹调法pēngtiáofǎ
レジャー 休闲xiūxián; 娱乐yúlè ✤ 一ウエア:休闲服｜一産業:娱乐产业｜一センター:娱乐中心
レジュメ 摘要zhāiyào; 提纲tígāng
レスキュー 救护jiùhù; 营救yíngjiù ✤ 一隊:救援队
レストラン〔家,个〕餐厅cāntīng; 饭店fàndiàn
レスリング 摔跤shuāijiāo
レセプション ❶〔応対・招待〕招待zhāodài; 接见jiējiàn ‖ ～ルーム 招待室 ❷〔招待会〕招待会zhāodàihuì
レソトおうこく【レソト王国】莱索托Láisuǒtuō
レタス 生菜shēngcài; 莴苣wōju
れつ【列】❶〔連なること〕队duì; 行列hángliè ‖ ～に並ぶ 排队｜～に入る 加入队伍｜～に割り込む 加塞儿｜4～になって進む 排成四列前进 ❷〔仲間〕‖ 閣僚の～に加わる 成为阁僚之一员 ✤ 後一:后排｜前一:前排
れつあく【劣悪】恶劣èliè; 低劣dīliè ‖ ～な労働環境 恶劣的劳动环境
れっか【劣化】(～する)劣化lièhuà; 变坏biàn huài ✤ 一ウラン:贫铀
れっき【列記】(～する)列举lièjǔ; 开列kāiliè ‖ 氏名を～する 开列名单
れっきとした【歴とした】明显míngxiǎn; 确凿quèzáo ‖ ～事実 确凿的事实｜～紳士 体面的绅士｜～家柄の出 出身名门
れっきょ【列挙】(～する)列举lièjǔ
れっこく【列国】列国lièguó; 各国gè guó
レッサーパンダ 小熊猫xiǎoxióngmāo
れっしゃ【列車】〔次,列〕列车lièchē; 火车huǒchē ‖ ～に乗る 乘坐列车｜～が出る 列车开动｜～のダイヤが乱れている 列车运行出现混乱 ✤ 一事故:火车事故｜一時刻表:列车时刻表｜一ダイヤ:列车运行表｜下り一:下行线｜国際一:国际列车｜準急一:普快｜2階建て一:双层客车｜上り一:上行线｜臨時一:加车
レッスン 课程kèchéng ‖ ダンスの～に通う 上舞蹈课
れっせい【劣性】✤ 一遺伝:隐性遗传
れっせい【劣勢】劣势lièshì ‖ ～を一気にはねかえす 一举挽回劣势
れっせき【列席】(～する)列席lièxí; 出席chūxí ‖ 祝賀会に～した 出席了庆祝会 ✤ 一者:出席者
レッテル ❶〔商標〕商标shāngbiāo; 标签biāoqiān ❷〔評価〕评价píngjià ‖ 落ちこぼれの～をはられる 被贴上差生的标签
れっとう【列島】列岛lièdǎo ‖ 日本～ 日本列岛
れっとう【劣等】✤ 一感:自卑感 ‖ ～を覚える 感到自卑｜一生:差生
レッド カード 红牌hóngpái ‖ ～を出す 亮出红牌
レトルト ✤ 一食品:软罐头食品｜一パウチ:铝箔装
レトロ 怀古(倾向) huáigǔ (qīngxiàng); 怀旧(情趣) huáijiù (qíngqù) ‖ ～な家具 怀旧情调的家具 ✤ 一ファッション:复古时装
レバー 杆gǎn; 操作杆cāozuògǎn
レバー 肝gān ✤ 一ペースト:肝泥酱
レパートリー ‖ 歌の～が広い 能演唱的曲目很多｜料理の～を増やす 增加菜肴花样
レバノン 黎巴嫩Líbānèn
レファレンス ❶〔参考・参照〕参考cānkǎo ❷〔照会〕查询cháxún ✤ 一サービス:查询服务
レフェリー 裁判cáipàn; 裁判员cáipànyuán

レフト ❶〔左〕左边zuǒbian ❷〔野球〕左外场zuǒwàichǎng.〔人〕左外场手zuǒwàichǎngshǒu
レプリカ〔件,个〕复制品fùzhìpǐn
レベル ❶〔水準・程度〕水平shuǐpíng ‖ 〜があがる 水平提高｜プロの〜に達する 达到专业水平｜〜の低い人 素质低的人 ❷〔等級・クラス〕等级děngjí；级别jíbié；层次céngcì ‖ 次官〜の会談 副部长级的会谈｜民間〜の交流 民间层次的交流 ✤一アップ：提高水平｜一ダウン：降低水平
レポーター ❶〔報告者〕报告人bàogàorén ❷〔取材記者〕报道记者bàodào jìzhě ‖ 現地〜による報告 现场采访记者的报告
レポート ❶(〜する)〔現地からの報告〕现场采访xiànchǎng cǎifǎng；采访报告cǎifǎng bàogào ‖ 現場からの〜によると,… 据现场采访报告,… ❷〔学生の学術小論文〕〔篇〕学习报告xuéxí bàogào；小论文xiǎo lùnwén ❸〔報告書〕〔篇〕报告书bàogàoshū ‖ 実験の結果を〜にまとめる 把实验结果写成报告书
レモン 柠檬níngméng ‖ 〜を絞る 挤柠檬 ✤一スカッシュ：柠檬苏打水｜一ティー：柠檬茶
レリーフ 浮雕fúdiāo
れんあい【恋愛】(〜する)恋爱liàn'ài ‖ 大〜 热恋｜〜する 谈恋爱 ✤一結婚：恋爱结婚｜社内一：与同事相恋
れんか【廉価】廉价liánjià ‖ 良品を〜で販売する 廉价出售好货 ✤一版：普及本；廉价版
れんが【煉瓦】〔块〕砖头zhuāntou ✤赤一：红砖｜耐火一：耐火砖｜日干し一：土坯
れんきゅう【連休】连休liánxiū；长假chángjià ‖ 飛び石〜 断断续续的假日｜1週間の大型〜 为期一周的长假
れんげ【蓮華】❶〔ハスの花〕荷花héhuā ❷〔料理〕调羹tiáogēng ✤一草：紫云英
れんけい【連係・連繋】(〜する)联系liánxì；配合pèihé ✤一プレイ：配合作战
れんけい【連携】(〜する)联合liánhé；合作hézuò ‖ 各医療機関が〜する 各医疗机构联合起来
れんけつ【連結】(〜する)挂guà；连接liánjiē ‖ この列車には食堂車が〜されている 这趟列车挂有餐车 ✤一器：连接器；车钩｜一決算：联合结算
れんこう【連行】(〜する)带走dàizǒu ‖ 警察は容疑者を署に〜した 警察把嫌疑犯带回署里
れんごう【連合】(〜する)联合liánhé；联盟liánméng ‖ 野党が〜する 在野党联合起来 ✤一軍：联军｜一国：同盟国｜一政権：联合政权
れんこん【蓮根】藕ǒu
れんさ【連鎖】连锁liánsuǒ ✤一球菌：链球菌｜一反応：连锁反应｜食物一：食物链
れんざ【連座】(〜する)牵连qiānlián；连坐liánzuò ✤一制：连坐制
れんさい【連載】(〜する)连载liánzǎi ✤一小説：连载小说｜一物：连载读物
レンジ ❶〔調理器具〕烤炉kǎolú ❷〔範囲〕领域lǐngyù ✤ガス一：煤气烤炉｜電子一：微波炉
れんじつ【連日】连日liánrì；连续几天liánxù jǐ tiān ‖ 〜連夜 连日连夜
れんしゅう【練習】(〜する)练习liànxí；训练xùnliàn ‖ 猛〜をする 拼命练习｜〜不足 练习不足了｜公開〜を行う 进行公开训练｜日ごろの〜の成果 平时训练的成果 ✤一曲：练习曲｜一試合：训练比赛｜一問題：练习题
れんしょう【連勝】(〜する)❶〔勝ちつづけること〕连胜liánshèng ❷〔競馬・競輪〕连赢liányíng ‖ 〜単式 连赢单式｜〜複式 连赢复式
レンズ〔个,面〕镜头jìngtóu；透镜tòujìng ‖ 〜の焦点を合わせる 聚焦 ✤一シャッター：中心快门｜マクロ一：微距镜头
れんせん【連戦】连续比赛liánxù bǐsài ✤一連勝：连战连胜
れんそう【連想】(〜する)联想liánxiǎng ‖ 日本というと富士山を〜する 一提到日本就联想到富士山 ✤一ゲーム：联想游戏
れんぞく【連続】(〜する)连续liánxù ‖ 3日〜して雨が降る 连续下了三天雨 ✤一殺人：连续杀人｜一テレビドラマ：电视连续剧
れんたい【連帯】(〜する)团结合作tuánjié hézuò；联合liánhé ✤一感：连带感｜一債務：连保债务｜一保証人：连带保证人
レンタカー 租赁汽车zūlìn qìchē ‖ 〜を借りて北海道を一周する 租车周游北海道
レンタル(〜する)出租chūzū；租赁zūlìn ‖ プロジェクターを〜する 租了一台幻灯机 ✤一ショップ：出租商店｜一ビデオ：出租录像带｜一料：租金
れんどう【連動】(〜する)联动liándòng ‖ 米ドルと〜する 与美元联动｜給与体系を物価と〜させる 让工资体系与物价水平挂钩
レントゲン X线X xiàn ✤一技師：X光技师｜一検査：X线检查｜一写真：X光片
れんぱ【連覇】(〜する)蝉联冠军chánlián guànjūn
れんぱい【連敗】(〜する)连败liánbài ‖ 3〜を喫する 吃了三连败
れんぱつ【連発】(〜する)❶〔続いて起こる〕接连发生jiēlián fāshēng ❷〔続けて放つ〕‖ 2〜銃 双连射枪｜娘たちは「うれしい」を〜した 女儿们连声说“太好了”
れんばん【連番】连号liánhào ‖ 宝くじを〜で買う 购买了连号的彩票
れんぽう【連邦】联邦liánbāng
れんぽう【連峰】山脉shānmài
れんま【練磨・錬磨】(〜する)磨练〔炼〕 móliàn〔liàn〕‖ 百戦〜の将軍 身经百战的将军
れんめい【連名】联名liánmíng
れんめい【連盟】联盟liánméng
れんめん【連綿】连绵liánmián ‖ 山々が〜と連なる 群山连绵不断
れんらく【連絡】(〜する)❶〔交通の接続〕衔接xiánjiē ❷〔情報を知らせる〕联系liánxì ‖ 電話で〜する 用电话联系｜近いうちに〜します 我很快会跟你联系的｜〜がつかなくなる 联系不上了 ✤一駅：联运站｜一会議：联席会议｜一切符：联票｜一事務所：联系办公室｜一船：渡船
れんりつ【連立】(〜する)联合liánhé ✤一内閣：联合内阁｜一方程式：连合方程式

れ

ろ

ろ【炉】❶〔いろり〕地炉dìlú ❷〔化学反応を起こさせる装置〕熔炉rónglú

ろ【櫓】橹lǔ；桨jiǎng‖～をあやつる 摇橹｜～をこぐ 划桨

ロイター 路透社Lùtòushè ✤一電：路透社电

ロイヤリティー 专利使用费zhuānlì shǐyòngfèi

ロイヤルゼリー 蜂王浆fēngwángjiāng

ろう【労】劳苦láokǔ；辛劳xīnláo‖～をいとわず働く 不辞辛苦地工作｜社員の～をねぎらう 慰劳员工｜～多くして功少なし 定事倍功半

ろう【牢】监狱jiānyù‖～につながれる 坐牢

ろう【蠟】蜡là ✤一人形：蜡像

ろうあ【聾啞】聋哑lóngyǎ ✤一者：聋哑人

ろうえい【漏洩】(～する)泄漏xièlòu‖国家機密が～した 泄漏了国家机密｜入試問題～が発覚した 高考考题泄漏一事败露了

ろうか【老化】(～する)老化lǎohuà‖精神の～を防ぐ 防止精神老化 ✤一現象：衰老现象

ろうか【廊下】〔条〕走廊zǒuláng；长廊chángláng‖～を走るな 别在走廊上奔跑

ろうかい【老獪】狡狯jiǎokuài；定老奸巨猾lǎo jiān jù huá‖～な政治家 老奸巨猾的政治家

ろうかく【楼閣】楼阁lóugé

ろうがん【老眼】老花眼lǎohuāyǎn‖～が進む 老花眼恶化 ✤一鏡：老花镜

ろうきゅう【老朽】陈旧chénjiù‖～化したマンションを取り壊す 拆除陈旧的公寓

ろうけつぞめ【臈纈染め・蠟纈染め】蜡染làrǎn

ろうご【老後】晚年wǎnnián‖平穏な～を送る 过宁静的晚年生活｜～の楽しみ 晚年的乐趣

ろうごく【牢獄】⇨ろう(牢)

ろうし【労使】✤一交渉：劳资交涉

ろうし【労資】劳资láozī

ろうしゅう【陋習】陋习lòuxí；恶习èxí

ろうじょう【籠城】(～する)❶〔城の中に立てこもる〕固守城池gùshǒu chéngchí ❷〔家などに閉じこもる〕闭门不出bì mén bù chū

ろうじん【老人】〔位〕老人lǎoren ✤一性認知症：老年性痴呆症｜一福祉：老人福利｜一ホーム：敬老院

ろうすい【老衰】(～する)衰老shuāilǎo‖～で死ぬ 老死

ろうすい【漏水】(～する)漏水lòu shuǐ‖蛇口(じゃぐち)から～している 水龙头漏水

ろう・する【労する】操劳cāoláo‖～して功なし 定劳而无功｜～せずして大金を手にする 不劳而获一笔巨款

ろう・する【弄する】耍弄shuǎnòng‖策を～する 定耍花招儿｜詭弁(きべん)を～する 玩弄诡辩

ろうせい【老成】(～する)老成lǎochéng‖年のわりに～している 少年老成

ろうぜき【狼藉】‖～をはたらく 施加暴力 ✤一者：粗暴的人

ろうそく【蠟燭】〔支，根〕蜡烛làzhú‖～をともす〔吹き消す〕 点〔吹灭〕蜡烛 ✤一立て：蜡烛台

ろうでん【漏電】(～する)漏电lòudiàn

ろうどう【労働】(～する)劳动láodòng；工作gōngzuò‖1日8時間～ 一天工作八个小时 ✤一運動：工人运动｜一基準法：劳动标准法｜一組合：工会｜一災害：工伤事故｜一市場：劳工市场｜一条件：劳动条件｜一争議：劳动争议

ろうどうしゃ【労働者】工人gōngren

ろうどうりょく【労働力】劳动力láodònglì

ろうどく【朗読】(～する)朗读lǎngdú；朗诵lǎngsòng‖詩を～する 朗诵诗

ろうにゃく【老若】✤一男女(なんにょ)：男女老少

ろうにん【浪人】❶〔武士・浪士〕浪人làngrén ❷〔進学の〕复读生fùdúshēng‖受験に失敗して～する 高考落榜，正在复读｜2年～する 复读了两年 ✤就職一：待业青年

ろうねん【老年】老年lǎonián ✤一期：老年期

ろうば【老婆】老妇人lǎo fùrén；老媪lǎo'ǎo ✤一心：多管闲事

ろうばい【狼狽】(～する)狼狈lángbèi；惊慌失措jīnghuāng shīcuò‖周章～ 狼狈周章

ろうはいぶつ【老廃物】体内废物tǐnèi fèiwù

ろうひ【浪費】(～する)浪费làngfèi‖時間〔金〕を～する 浪费时间〔金钱〕

ろうほう【朗報】喜报xǐbào‖～が届く 传来好消息

ろうや【牢屋】⇨ろう(牢)

ろうらく【籠絡】(～する)笼络lǒngluò

ろうりょく【労力】❶〔苦労・骨折り〕费力fèilì‖～を惜しまない 不惜劳力〔费力〕｜多大な～を費やす 花不少功夫 ❷〔労働力〕劳力láolì‖～が足りない 劳动力不足

ろうれい【老齢】高龄gāolíng

ろうれん【老練】老练lǎolian‖～なかけひき 老练地运用策略

ろえい【露営】(～する)露营lùyíng

ロー ❶〔自動車の変速ギア〕低排挡dī páidǎng ❷〔高さや程度が低い〕低dī；矮ǎi ✤一アングル：仰角一｜ウェスト：低腰｜一コスト：低成本

ローカル ‖～な話題 地方性话题 ✤一カラー：地方色彩｜一紙 地方性报纸｜一線：地方线〔路〕｜一ニュース：地方消息；本地新闻

ローション 液体化妆品yètǐ huàzhuāngpǐn

ロースト (～する)烤肉kǎoròu ✤一チキン：烤鸡肉｜一ビーフ：烤牛肉

ロータリー 交通环岛jiāotōng huándǎo

ローテーション 轮换lúnhuàn‖勤務の～を組む 安排轮班工作

ロードショー 新片专场放映xīnpiàn zhuānchǎng fàngyìng‖先行～ 先行放映

ロープ〔根，道〕绳shéng；绳索shéngsuǒ‖～で荷物を縛る 用绳子捆行李 ✤一ウエー：空中索道

ローマ 罗马Luómǎ

ローマじ【ローマ字】罗马字Luómǎzì

ローラー 辊子gǔnzi；压路机yālùjī

ローン〔笔，种〕贷款dàikuǎn‖20年～で家を買う 以20年分期还贷形式买房子 ✤教育一：助学贷

款｜銀行一:银行贷款｜個人一:个人贷款
ろか【濾過】(〜する)过滤guòlǜ‖砂で水を〜する 用沙子过滤水
ろかた【路肩】路肩lùjiān‖〜注意 注意路肩
ろく【六】六liù.(大字)陆liù
ろくおん【録音】(〜する)录音lùyīn‖音楽をMDに〜する 把音乐录在MD上｜〜を消す 把录音洗掉 ✥一機:录音机｜一技師:录音师
ろくが【録画】(〜する)录像lùxiàng‖ドラマをDVDに〜する 把电视剧录在DVD上
ろくでもない【碌でもない】不好bù hǎo‖あんな〜やつとは付きあうな 别跟那种坏蛋来往
ろくな【碌な】像样的xiàngyàng de‖このところ〜ことがない 最近怎么这么倒霉｜冷蔵庫には〜ものがない 冰箱里没有什么好吃的
ろくまく【肋膜】胸膜xiōngmó ✥一炎:胸膜炎
ろくろ【轆轤】陶工旋盘táogōng xuánpán‖〜を回して皿を作る 转动旋盘制作盘子
ロケ 外景拍摄wàijǐng pāishè
ロケーション ❶〔位置・立地〕位置wèizhi‖通勤に便利な〜 上班方便的地理位置 ❷ ⇨ロケ
ロケット〔飛行体〕〔枚,个〕火箭huǒjiàn ✥一エンジン:火箭发动机
ろけん【露見】(〜する)暴露bàolù
ロココ 洛可可式Luòkěkěshì
ろこつ【露骨】露骨lùgǔ; 赤裸裸chìluǒluǒ‖〜な性描写 露骨的性描写｜〜に敵意を示す 表示明显的敌意
ろし【濾紙】〔张,个〕滤纸lǜzhǐ
ろじ【路地】〔条〕小巷 xiǎoxiàng; 胡同 hútong ✥一裏:胡同深处
ろじ【露地】露地lùdì ✥一栽培:露天栽培
ロシア 俄国Éguó; 俄罗斯Éluósī ✥一革命:俄国革命｜一正教会:俄罗斯正教会
ロジック 逻辑luóji; 逻辑学luójixué
ろしゅつ【露出】❶(〜する)〔むき出しになる・むき出しにする〕露出lùchu‖山肌が〜している 露出光秃秃的山的地表｜肌を〜したドレス 袒胸露背的礼服 ❷〔写真〕曝光bàoguāng
ろじょう【路上】路上lùshang ✥一駐車:路边停车‖〜をする 把车停在路边
ロス(〜する)浪费làngfèi; 损失sǔnshī
ろせん【路線】〔条〕路线lùxiàn; 线路xiànlù‖バス〜 公交车线路｜改革〜 改革路线 ✥一図:路线〔线路〕图
ロッカー 更衣柜gēngyīguì ✥一ルーム:更衣室
ロック ❶〔音楽〕摇滚yáogǔn ❷〔オンザロック〕加冰jiā bīng ✥一バンド:摇滚乐队
ロック(〜する)‖ドアを〜する 把门锁上; 锁门
ロッククライミング 攀岩pān yán
ろっこつ【肋骨】肋骨lèigǔ
ロッジ 山林小屋shānlín xiǎowū
ロット 批pī; 批量pīliàng‖〜ごとにサンプル検査をする 按批进行抽样检验 ✥一番号:批号
ろっぽうぜんしょ【六法全書】六法全书liùfǎ quánshū
ろてい【露呈】(〜する)暴露bàolù; 露出lùchu‖弱点を〜する 暴露出弱点
ろてん【露天】露天lùtiān ✥一風呂:露天浴池｜一掘り:露天开采
ろてん【露店】地摊dìtān; 摊子tānzi‖〜を出す 摆摊儿 ✥一商:摊贩
ろとう【路頭】街头jiētóu‖〜に迷う 流落街头
ろば【驢馬】〔只〕驴lǘ
ロビー ❶〔建築〕大堂dàtáng; 大厅dàtīng‖ホテルの〜 饭店门厅 ❷〔政治〕议会休息室yìhuì xiūxishì‖〜活動 院外活动
ロブスター 龙虾lóngxiā
ロボット ❶〔人造人間〕机器人jīqìrén ❷〔自動装置〕自动装置zìdòng zhuāngzhì ❸〔傀儡かいらい〕傀儡kuǐlěi
ロマン 浪漫làngmàn‖〜を追い求める 追求浪漫
ロマンス ❶〔恋愛〕爱情àiqíng; 恋爱liàn'ài‖〜が芽生える 产生爱情 ❷〔文学〕爱情小说àiqíng xiǎoshuō ✥一カー:豪华车
ロマンチック 浪漫làngmàn‖〜な物語 浪漫(的)故事｜〜な雰囲気 浪漫的气氛
ろめん【路面】路面lùmiàn
ろれつ【呂律】‖〜が回らない 口齿不清
ろん【論】❶〔見解〕意见yìjian; 见解jiànjiě.(接尾語)论lùn; 观guān‖人生〜 人生观 ❷〔議論〕讨论tǎolùn; 争辩zhēngbiàn‖〜をたたかわす 争论｜〜より証拠 事实胜于雄辩｜〜をまたない 无可争辩
ろんがい【論外】❶〔問題外〕不值一提bù zhí yì tí ❷〔議論の範囲外〕题外tíwài
ろんぎ【論議】(〜する)讨论tǎolùn; 争论zhēnglùn‖十分な〜を尽くす 充分讨论
ろんきょ【論拠】论据lùnjù‖〜がしっかりしている 论据确凿
ロング 长cháng; 远yuǎn ✥一コート:长大衣｜一セラー:长期畅销商品｜一ヘア:长发
ロングラン 长期上演chángqī shàngyǎn; 长期放映chángqī fàngyìng
ろんし【論旨】论旨lùnzhǐ‖〜明快な演説だ 演说论点明确｜文章の〜をつかむ 理解文章主旨
ろんじゅつ【論述】(〜する)阐述chǎnshù
ろんしょう【論証】(〜する)论证lùnzhèng
ろん・じる【論じる】❶〔説明する〕阐述chǎnshù ❷〔討論する〕讨论tǎolùn; 争论zhēnglùn‖政治を〜じる 谈政治 ❸〔とりあげる〕提tí‖〜じる価値がない 不值一提
ろんせつ【論説】评论pínglùn; 论说lùnshuō.(社説)社论shèlùn ✥一委員:评论员｜一文:议论文
ろんそう【論争】(〜する)争论zhēnglùn; 论战lùnzhàn‖激しい〜を引き起こす 引起一场激烈的争论
ろんてん【論点】论点lùndiǎn‖〜がはっきりしない 论点不明确｜〜を明確にする 明确论点
ろんぱ【論破】(〜する)驳倒bódǎo; 驳斥bóchì
ろんぶん【論文】〔篇〕论文lùnwén‖英文学についての〜を書く 写一篇关于英国文学的论文 ✥博士一:博士论文
ろんぽう【論法】论法lùnfǎ; 逻辑luóji
ろんり【論理】❶〔哲学〕逻辑luóji‖〜が飛躍している 不符合逻辑｜〜がめちゃくちゃだ 逻辑混乱 ❷〔法則〕道理dàoli; 规律guīlǜ‖数の〜 以量取胜的理念 ✥一学:逻辑学

ろ

わ

わ【和】❶〔仲良くすること〕和睦hémù‖～を重んじる 重视和睦｜人の～ 人和｜職場の～を乱す 破坏单位团结 ❷〔数学〕和hé

わ【輪】圈quān；环huán‖～になって座る 围成圈坐下｜土星の～ 土星环｜友好の～を広げる 扩大友好交流｜～をかける 加重；加大

-わ【羽】只zhī‖2～のツバメ 两只燕子

-わ【把】把bǎ；捆kǔn‖ホウレンソウ1～ 一把菠菜

ワーク ❶〔労働·仕事〕工作gōngzuò；劳动láodòng‖オーバー～気味だ 工作有些过度｜ハード～ 艰苦的工作 ❷〔事業〕事业shìyè‖ライフ～ 毕生事业 ✤―シェアリング:分享工作制

ワークショップ ❶〔作業場〕车间chējiān ❷〔研究集会·講習会〕研究会yánjiūhuì

ワースト 最差zuì chà；最坏zuì huài ✤―記録:最差记录

ワープロ 文字处理机wénzì chǔlǐjī

ワールド ✤―カップ:世界杯‖～サッカー 国际足联世界杯｜―シリーズ:世界棒球锦标赛

ワイ【Y】 ✤―字路:三叉路(口)｜―染色体:Y染色体

わいきょく【歪曲】(～する)歪曲wāiqū‖事実を～する 歪曲事实

わいざつ【猥雑】猥杂wěizá；杂乱záluàn

ワイシャツ〔件〕衬衫chènshān

わいしょう【矮小】✤―化:缩小‖問題を～する 把问题缩小

わいせつ【猥褻】猥亵wěixiè；下流xiàliú‖～行為 猥亵行为 ✤―罪:猥亵罪

わいだん【猥談】下流话xiàliúhuà

ワイド 宽kuān‖～な画面 宽大的画面 ✤―ショー:电视综合性娱乐节目｜―スクリーン:宽银幕

ワイパー 雨刮器yǔguāqì

ワイヤー〔根〕(針金)铁丝tiěsī. (電線)电线diànxiàn. (弦)金属弦jīnshǔxián

ワイヤレス 无线wúxiàn

ワイルド ❶〔野生〕野生yěshēng ❷〔荒々しい〕野蛮yěmán；粗野cūyě ✤―ライス:野生稻

わいろ【賄賂】贿赂huìlù‖～を受け取る 收受贿赂｜～を贈る 行贿

わいわい ❶〔騒がしいようす〕起哄qǐhòng‖仲間と～さわぐ 和朋友热闹地说笑 ❷〔口うるさく促すようす〕唠叨láodao‖～せかす 再三催促

ワイン 葡萄酒pútaojiǔ ✤―セラー:葡萄酒储藏室｜―ラック:葡萄酒架｜赤―:红葡萄酒

ワイン ビネガー (葡萄)酒醋(pútao)jiǔcù

わえい【和英】✤―辞典:日英词典

わおん【和音】❶〔言語〕和音héyīn ❷〔音楽〕和弦héxián

わか【和歌】〔首〕和歌hégē‖～を詠む 吟咏和歌

わが【我が·吾が】我(的) wǒ(de)；自己(的) zìjǐ(de)‖～道を行く 我走我的路｜～子 自己的孩子

わか·い【若い】❶〔年齢が〕年轻niánqīng‖～いころ 我年轻的时候｜年より～く見える 比实际年龄显得年轻｜年はとっても気は～い 定人老心不老 ❷〔未熟な〕不(够)成熟bù(gòu) chéngshú ❸〔数が〕小xiǎo‖番号の～いものから順に並べる 按照从小到大的顺序排列

わかい【和解】(～する)和解héjiě.(仲直り)和好héhǎo‖～に応じる 同意和解｜原告と被告の間で～が成立する 原告和被告之间达成了和解

わかがえ·る【若返る】恢复青春活力huīfù qīngchūn huólì；年轻(化) niánqīng(huà)

わかくさ【若草】嫩草nèncǎo

わかげ【若気】血气方刚 xuèqì fāng gāng‖～の至り 因年轻不成熟所致

わかさ【若さ】年轻niánqīng；青春qīngchūn.(未熟)不成熟bù chéngshú‖～の秘訣 永葆青春的秘诀｜～にあふれる行動 年轻气盛的举动

わがし【和菓子】日式点心Rìshì diǎnxin

わかじに【若死に】(～する)早逝zǎoshì‖彼女は～した 她英年早逝

わかしらが【若白髪】少白头shàobáitóu

わか·す【沸かす】❶〔液体を〕烧开shāokāi；烧shāo‖湯を～す 烧开水｜ふろを～す 烧洗澡水 ❷〔観衆を〕‖ファインプレーが観衆を～せた 高超的技术使观众们兴奋了起来

わかちあ·う【分かち合う】‖責任を～う 分担责任｜喜びを～う 分享喜悦

わか·つ【分かつ】分fēn；分开fēnkāi‖昼夜を～たず仕事に励む 不分昼夜地拼命工作

わかて【若手】年轻人niánqīngrén；青年qīngnián‖～を起用する 起用年轻人

わかば【若葉】嫩叶nènyè‖～のころ 新绿的季节 ✤―マーク:新手标志；(初心者)初学者

わがまま【我が儘】任性rènxìng；任意rènyì；放肆fàngsì‖～を言う 说任性的话｜～な要求 放肆的要求｜～に育てられた子 娇生惯养的孩子

わがみ【我が身】‖～を省みる 定反躬自问｜～を大切にする 保重自己｜明日は～ 明天就轮到我了｜～かわいさ 定明哲保身

わかめ【若布·和布】裙带菜qúndàicài

わかもの【若者】年轻人niánqīngrén

わがものがお【我が物顔】定为所欲为wéi suǒ yù wéi；定旁若无人páng ruò wú rén

わかりきった【分かり切った】明摆着míngbǎizhe；明显míngxiǎn‖それは最初から～ことだ 从一开始就是明摆着的事

わかりにく·い【分かり難い】难懂nán dǒng；很难理解hěn nán lǐjiě

わかりやす·い【分かり易い】(通俗)易懂(tōngsú) yì dǒng；好懂hǎo dǒng‖彼の書くものは～い 他写的东西很通俗易懂｜～く説明する 说得好懂一点儿

わか·る【分かる·判る·解る】❶〔理解できる〕明白míngbai；懂dǒng；理解lǐjiě‖おっしゃることはよく～りました 您说的我都懂了；我明白您的意思了｜日本語が～る 懂日语｜政治は～らない 不懂政治｜ワインの味が～る 能品出葡萄酒的滋味来 ❷〔知れる〕知道zhīdao；晓得xiǎode‖どうしたらいいか～らない 不知道该怎么办｜声ですぐ彼

だと〜った 一听声音，我就知道是他｜時がたてば〜る 时间将证实一切 ❸〔道理などが〕‖彼女はものの〜る人だ 她很通情达理

わかれ【別れ】离别líbié; 分别fēnbié‖〜の杯を交わす 喝离别酒｜〜を告げる 告辞；告别｜〜の言葉 临别赠言｜永遠(えいえん)の〜 永别｜家族との〜を惜しむ 和家人依依惜别

わかれみち【分かれ道】岔路chàlù‖〜にさしかかる 走到岔路口｜人生の〜 人生的岔路

わかれめ【分かれ目】❶〔分かれるところ〕分岔点fēnchàdiǎn‖道の〜 道路的分岔点 ❷〔重要な点〕关头guāntóu; 关键guānjiàn‖勝負の〜となる 成了决定胜负的关键

わか・れる【分かれる・別れる】❶〔人と〕分手fēnshǒu.〔離婚〕离婚líhūn‖駅前で〜れる 在车站前分手｜夫と〜れる 和丈夫离婚；与丈夫分手 ❷〔別々になる〕分开fēnkāi; 分歧fēnqí‖意見が〜れる 意见出现了分歧｜枝が〜れる 分枝｜項目別に〜れている 按项目分列

わかん【和漢】‖〜の学に通じる 精通日本和中国的古典经传

わき【和気】‖〜あいあい 气氛融洽

わき【脇・腋】❶〔かたわら〕旁边pángbiān‖車が来たので〜に寄った 车过来了，往旁边靠了靠｜〜から口を出す 从旁插嘴｜ベテラン勢が〜を固める 有经验丰富的老手们从旁协助 ❷〔よそ〕‖話が〜にそれる 话说得离题 ❸〔わきの下〕腋yè.〔衣服〕裉kèn‖〜に抱える 腋下夹着｜〜が甘い 给可乘之机

わぎ【和議】〔法律〕和解协议héjiě xiéyì‖〜が成立する 达成和解协议

わきおこ・る【沸き起こる】出现chūxiàn; 涌现yǒngxiàn‖割れるような拍手が〜った 响起了雷鸣般的掌声

わきが【腋臭・狐臭】狐臭húchòu; 腋臭yèchòu

わきかえ・る【沸き返る】❶〔湯が〕沸腾fèiténg ❷〔騒ぐ〕哄然hōngrán; 欢腾huānténg

わきた・つ【沸き立つ】⇨わきかえる(沸き返る)

わきで・る【涌き出る・湧き出る】涌出yǒngchu

わきのした【腋の下】胳肢窝gāzhiwō

わきばら【脇腹】侧腰cèyāo

わきま・える【弁える】懂dǒng; 懂得dǒngde‖TPOを〜える 考虑到时间、地点、目的｜礼儀を〜える 懂礼貌｜公私の別を〜える 分清公私界限｜身の程を〜えない 定不自量力

わきみ【脇見】往旁处看wǎng pángchù kàn‖〜運転は危険だ 开车时走神儿很危险

わきみち【脇道】❶〔枝道〕〔条〕岔道儿chàdàor ❷〔本筋からはずれた〕‖話が〜にそれた 话偏离了正题

わきめ【脇目】‖〜もふらずに歩く 目不旁视地往前走｜〜もふらずに働く 聚精会神地工作

わきやく【脇役】配角pèijué‖〜をつとめる 扮演配角｜〜に甘んじる 甘心当配角

わく【枠】❶〔ふち〕框子kuàngzi‖窓〜 窗框｜〜で囲む 划框圈起来 ❷〔範囲〕范围fànwéi; 框框kuàngkuang.〔制約〕制约zhìyuē‖予算の〜 预算的范围｜伝統の〜 传统的框框

わ・く【沸く】❶〔水が〕‖湯が〜く 水开了｜ふろが〜く 洗澡水烧好了 ❷〔熱狂する〕沸腾fèiténg; 欢腾huānténg

わ・く【涌く・湧く】❶〔水などが〕涌出yǒngchu ❷〔発生する〕‖ぼうふらが〜く 生出孑孓｜希望が〜く 产生希望

わくぐみ【枠組み】❶〔大筋〕结构jiégòu‖政治〔社会〕の〜 政治〔社会〕结构｜制度の〜 制度的纲要 ❷〔組んだ枠〕‖ドアの〜 门框

わくせい【惑星】行星xíngxīng

ワクチン ❶〔医学〕疫苗yìmiáo ❷〔コンピューター〕杀毒软件shādú ruǎnjiàn

わくわく〔〜する〕兴奋xīngfèn; 心扑通扑通地跳xīn pūtōngpūtōng de tiào

わけ【訳】❶〔理由〕理由lǐyóu; 原因yuányīn‖どういう〜なの 怎么回事儿？｜深い〜がある 有深刻原因｜〜がわからない 定莫名其妙｜〜もなく涙がこぼれた 无缘无故地流下了眼泪 ❷〔意味〕意思yìsi ❸〔道理〕道理dàoli‖〜のわかった人 懂得道理的人｜それじゃ嫌われる〜だ 那当然是会让人讨厌的 ❹〔事情〕事情shìqing; 情况qíngkuàng‖それとこれとは〜が違う 那个和这个的情况不一样 ❺〔「〜に(は)いかない」の形で〕‖そういう〜にはいかない 这可不行｜いつまでも待つ〜にはいかない 我可不能老等着 ❻〔「…もない」の形で〕‖そんなこと〜もない 那件事很简单

わけあ・う【分け合う】分(配) fēn(pèi); 分享fēnxiǎng‖1個のパンを〜って食べる 分吃一个面包

わけい・る【分け入る】‖人ごみの中へ〜った 拨开人群挤了进去｜深山へ〜った 钻进了深山

わけへだて【分け隔て】〔〜する〕‖だれに対しても〜なく接する 对任何人都一视同仁｜〜しない 平等对待

わけまえ【分け前】份儿fènr‖〜にあずかる 得到了自己的那份儿

わ・ける【分ける】分fēn.〔分類〕分类fēnlèi‖クラスを3つに〜ける 把班级分成三组｜みんなで利益を〜ける 把好处分给大家｜ケーキを2人で〜ける 两个人分一个蛋糕｜本をジャンル別に〜けて並べる 把书分门别类地摆放

わゴム【輪ゴム】皮筋儿píjīnr

ワゴン ❶〔ワゴン車〕〔辆〕运货车yùnhuòchē ❷〔手押し車〕手推车shǒutuīchē

わざ【技】❶〔技術〕技能jìnéng; 本领běnlǐng‖〜を競う 比本领；赛技能｜〜を磨く 磨练技能 ❷〔柔道などの〕招数zhāoshù

わざと【態と】故意gùyì‖〜やったな 你是故意干的吧！｜〜聞こえないふりをする 假装听不见

わさび【山葵】辣根làgēn; 绿芥末lǜjièmo

わざわい【災い】祸huò;〔场〕灾难zāinàn‖〜を逃れる 逃灾｜〜を招く 招致灾祸｜〜転じて福となす 定转祸为福

わざわざ【態態】特意tèyì; 特地tèdì‖妹は〜空港まで迎えに来てくれた 妹妹特地来机场接我

わし【鷲】〔只〕鹫jiù; 雕diāo ✤一鼻:鹰钩鼻

わしき【和式】日式Rìshì ✤一トイレ:蹲式厕所

わしょく【和食】日本菜Rìběncài; 日餐Rìcān

わずか【僅か・纔か】‖〜な金 一点儿钱｜可能性はごく〜だ 可能性很小｜留学生活も残り〜になった 留学生活快结束了｜〜な違いしかない 只有一点点区别

わずら・う【患う・煩う】得病débìng; 生病

shēngbìng ‖ 目を～う 患眼病｜大病を～う 生一场大病
わずらわし・い【煩わしい】麻烦 máfan. (煩雑) 繁琐 fánsuǒ ‖ ～い家事 繁琐的家务｜手紙の返事を書くのが～い 写回信觉得麻烦｜～い手続き 繁琐的手续
わずらわ・す【煩わす】❶〔面倒をかける〕(添)麻烦(tiān) máfan ‖ 手を～す(给人)添麻烦 ❷〔悩ます〕使…烦恼 shǐ…fánnǎo; 为…操心 wèi … cāoxīn
わすれっぽ・い【忘れっぽい】健忘 jiànwàng ‖ 近ごろすっかり～くなった 近来变得很健忘
わすれなぐさ【勿忘草】勿忘草 wùwàngcǎo
わすれもの【忘れ物】‖ 車内に～をした 把东西忘在车里了 ✤一取扱所:失物招领处
わす・れる【忘れる】❶〔記憶していたことを〕忘 wàng ‖ 彼女の名前を～れてしまった 忘了她的名字｜片時も～れられない 片刻也忘不了｜～れられない出来事 令人难忘的事情 ❷〔うっかりしてするべきことを〕忘 wàng ‖ かぎをかけ～れる 忘了锁门｜傘をバスに～れる 把伞忘在公交车里 ❸〔何かに心を奪われて意識しなくなる〕忘 wàng ‖ 寝食を～れて研究に打ち込む 废寝忘食,埋头研究｜時の経つのを～れる 连时间都忘了 ❹〔おろそかにする〕忘 wàng ‖ 恩を～れる 定 忘恩负义 ❺〔意識的に〕忘掉 wàngdiào ‖ あの人のことはもう～れた 那个人我已经忘掉了
わせい【和製】✤一英語:日本式英语
わた【綿】棉 mián; 棉花 miánhua ‖ 座布団に～を入れる 往坐垫里塞棉花 ✤一入れ:棉衣
わだい【話題】话题 huàtí ‖ 共通の～ 共同话题｜～の映画 热门电影｜～をかえる 换个话题
わだかまり【蟠り】芥蒂 jièdì ‖ ～が消える 芥蒂消除了
わたくし【私】❶〔自称〕我 wǒ ❷〔個人的なこと〕‖ 公と～ 公家和私人 ✤一事:私事
わたし【私】⇨わたくし【私】❶
わたし【渡し】❶〔船で人や荷を運ぶこと・船着き場〕轮渡 lúndù; 渡口 dùkǒu ❷〔手渡しすること〕交货 jiāo huò; 交给 jiāogěi
わたしたち【私たち】我们 wǒmen; 咱们 zánmen
わた・す【渡す】❶〔船で〕渡 dù ‖ 船で人を～す 用船送人过河 ❷〔かける〕架设 jiàshè ‖ 川に橋を～す 在河上架起桥 ❸〔手で〕给 gěi; 交给 jiāogěi ‖ 家族におみやげを～す 把礼物交给家里人
わたり【渡り】❶〔渡し・渡し場〕渡 dù; 渡口 dùkǒu ❷〔あちこち移り歩くこと〕‖ ～職人 民工; 外来工 ❸〔話し合いの手づる・糸口〕搭关系 dā guānxi ‖ ～をつける 牵线搭桥 ❹〔鳥類の往復移動〕迁徙 qiānxǐ ✤一に船:正好有个台阶下
わたりあ・う【渡り合う】❶〔戦う〕交锋 jiāofēng; 格斗 gédòu ❷〔論争する〕‖ 仕事のことで上役と～う 因工作的事和上司争论
わたりどり【渡り鳥】候鸟 hòuniǎo
わたりろうか【渡り廊下】走廊 zǒuláng
わた・る【渡る】❶〔向こう側に行く〕过 guò; 渡 dù ‖ 道を～る 过马路｜船で川を～る 坐船过河｜危ない橋を～る 渡过险境 ❷〔空間を移動する〕迁徙 qiānxǐ ❸〔暮らす〕过日子 guò rìzi ‖ ～る世間に鬼はない 世上好人多 ❹〔人手に〕转让 zhuǎnràng ‖ 人手に～る 转手 ❺〔手元に届く〕到达 dàodá ‖ 資料は全員に～った 资料已发给所有人 ❻〔広範囲に及ぶ〕涉及 shèjí ‖ 研究は多岐に～っている 研究涉及面很广 ❼〔時間・期間が続く〕连续 liánxù ‖ ここ数年に～って… 连续这几年… ❽〔一面に…する〕一片 yípiàn ‖ 晴れ～る大空 晴空万里｜村中に鐘の音が響き～る 钟声响彻整个村庄
ワックス 蜡 là ‖ 床に～をかける 给地板打蜡
ワット 瓦特 wǎtè; 瓦 wǎ ‖ 60～の電球 60瓦的灯泡 ✤一時:瓦小时｜一数:瓦特数
わな【罠】❶〔獲物を捕らえる〕陷阱 xiànjǐng ❷〔計略〕圈套 quāntào ‖ ～にかかる 中圈套
わなわな 发抖 fādǒu; 哆嗦 duōsuo
わに【鰐】〔条〕鳄鱼 èyú ✤一皮:鳄鱼皮
わび【詫び】歉意 qiànyì ‖ お～のしようもない 实在是非常抱歉｜～を入れる 表示歉意
わびし・い【侘しい】❶〔心細く寂しい〕孤寂 gūjì ❷〔さびれていてもの寂しい〕寂寥 jìliáo ❸〔貧しくてみすぼらしい〕寒酸 hánsuān
わ・びる【詫びる】道歉 dàoqiàn ‖ 非礼を～びる 为自己的失礼而道歉
わふう【和風】(日本風) 日本式 Rìběnshì
わふく【和服】〔件〕和服 héfú
わぶん【和文】日文 Rìwén ✤一英訳:日文英译
わへい【和平】和平 hépíng ✤一会談:和平会议｜一工作:和平工作｜一交渉:和平谈判
わほう【話法】❶〔話し方〕说话的方法 shuōhuà de fāngfǎ ❷〔言語〕叙述法 xùshùfǎ ✤ 間接一:间接引语｜直接一:直接引语
わぼく【和睦】(～する) 和解 héjiě; 讲和 jiǎnghé
わめ・く【喚く】喊叫 hǎnjiào; 喊 hǎn ‖ 泣こうが～こうが 不管是哭还是叫
わら【藁】〔根〕稻草 dàocǎo; 麦秆 màigǎn ‖ ～を束ねる 把稻草扎成捆儿｜～にもすがる思い 定 饥不择食
わらい【笑い】笑 xiào ‖ ～をこらえる 忍住笑｜～をとる 逗笑儿｜～を振りまく 定 满面春风｜～が絶えない 笑声不绝｜もうかって～がとまらない 发了大财,乐得合不上嘴 ✤一声:笑声｜一事:可笑的事情 ‖ ～ではない 这没有什么可笑的｜一上戸:爱笑的人｜一話:笑话｜一物:笑柄｜高一:哄笑｜ばか一:傻笑
わら・う【笑う】❶〔うれしさ・おかしさに〕笑 xiào ‖ にっこり～う 粲然一笑｜腹を抱えて～う 捧腹大笑｜～う門には福来たる 笑口常开,幸福常来 ❷〔ばかにする〕嘲笑 cháoxiào ‖ 鼻先でふんと～う 定 嗤之以鼻｜人に～われる 被人耻笑
わらじ【草鞋】〔只,双〕草鞋 cǎoxié ‖ 二足の～をはく 定 脚踏两只船
わらび【蕨】蕨 jué; 蕨菜 juécài
ワラビー〔只〕小袋鼠 xiǎodàishǔ
わらぶき【藁葺き】‖ ～屋根 稻草的屋顶
わり【割(り)】❶〔割ること〕分开 fēnkāi; 切开 qiēkāi ‖ 薪(まき)～ 砍柴 ❷〔液体で薄めること〕加水 jiā shuǐ ‖ 焼酎のお湯～ 烧酒加开水 ❸〔10分の1の率〕折 zhé; 成 chéng ‖ 6～正解する 答对六成 ❹〔比率・割合〕比例 bǐlì; 比率 bǐlǜ ‖ ～に合わない 不合算｜～を食う 吃亏 ❺〔比較したときの程度〕与…相比 yǔ…xiāngbǐ ‖ 年の～に若く

こうだんしゃ　ちゅうにち　にっちゅうじてん
講談社パックス 中日・日中辞典

2008年 4月17日　第1刷発行
2024年 1月19日　第8刷発行

編　者……相原 茂（あいはら しげる）

発行者……髙橋明男

KODANSHA

発行所……株式会社講談社
東京都文京区音羽2-12-21
郵便番号112-8001
電話　編集　03-5395-3560
販売　03-5395-4415
業務　03-5395-3615

印刷所……TOPPAN株式会社
製本所……大口製本印刷株式会社

落丁本・乱丁本は、購入書店名を明記のうえ、
小社業務あてにお送りください。
送料小社負担にてお取り替えいたします。
なお、この本についてのお問い合わせは、
第一事業本局企画部からだとこころ編集あてに
お願いいたします。

N.D.C.823 1615p 16cm
定価はケースに表示してあります。
ISBN978-4-06-265342-8

見える 比实际年龄看上去年轻 ❻〔割り当て〕分配 fēnpèi ‖ 部屋～ 分配房间

わりあい【割合】❶〔比率〕比率bǐlǜ；比例bǐlì ‖ 3対2の～で混ぜる 按三比二的比例混合 ❷〔比較的〕比较bǐjiào

わりあ·てる【割り当てる】分配fēnpèi ‖ 仕事を～てる 分配工作｜クラスごとに部屋を～てる 按班分配房间

わりかん【割り勘】AA制 AAzhì

わりき·る【割り切る】想通 xiǎngtōng；想开 xiǎngkāi

わりき·れる【割り切れる】❶〔割り算で〕能整除néng zhěngchú ‖ 21は7で～れる 21能被7整除 ❷〔納得できる〕想得通xiǎngdetōng ‖ ～れないものが残る 留有疑问

わりこ·む【割り込む】❶〔無理に入り込む〕插入chārù；插进chājìn ‖ 列に～む 插队｜人の話に～む 插话 ❷〔経済〕下跌xiàdiē ‖ 株価が9000円台を～んだ 股价下跌到了9000日元以下

わりざん【割り算】除法chúfǎ

わりだ·す【割り出す】❶〔計算して〕算出 suànchu ‖ 1人当たりの費用を～す 算出每个人的平均费用 ❷〔推定して〕推断tuīduàn

わりに【割に】比较bǐjiào ‖ このスイカは～甘い 这个西瓜比较甜｜～やさしい問題だった 考题比较容易

わりばし【割り箸】一次性筷子yícìxìng kuàizi

わりびき【割り引き】(～する)打折dǎ zhé ‖ 4～で売る 打六折出售｜～する 打折扣 ❖一券:优惠券｜一債:折扣债券｜一手形:贴现票据

わりまし【割り増し】 ❖一賃金:补贴工资｜一料金:加价

わ·る【割る】❶〔壊す〕打碎dǎsuì ‖ 窓ガラスを～る 打碎玻璃窗｜卵を～る 磕鸡蛋｜クルミを～る 把核桃敲开 ❷〔切る〕切开qiēkāi；劈开pīkāi ‖ リンゴを2つに～る 把苹果切成两半｜まきを～る 劈柴火 ❸〔割り算〕除chú ‖ 10を2で～ると5になる 10除2等于5 ❹〔割りあて〕分配fēnpèi；分摊fēntān ‖ 費用を頭数で～る 费用按人数分摊 ❺〔薄める〕稀释xīshì ‖ ウイスキーを水で～る 用水稀释威士忌 ❻〔下回る〕低于dīyú；跌破diēpò ‖ 定員を～る 招不满名额｜原価を～る 低于原价

わるあがき【悪足掻き】⇨あがく(足掻く)

わる·い【悪い】❶〔よくない〕坏huài；不好bù hǎo ‖ 人の話を～くとる 把别人讲的话往坏处想｜ほめられて～い気持ちはしない 受到称赞谁都不会不开心｜～い癖 坏毛病｜口が～い 嘴损｜ことば遣いが～い 说话很粗鲁｜～い知らせ 不好的消息｜育ちが～い 家庭教育不好｜売れ行きが～い 销路不好｜評判が～い 名声很差｜一杯やるのも～くないね 喝点酒也不错 ❷〔正しくない〕(誤り)不对bú duì.(不正確)不准bù zhǔn ‖ ～いのは君ではなく私だ 不是你的错,是我不对｜発音が～い 发音不准 ❸〔有害·不利〕有害yǒu hài；不利búlì ‖ 夜ふかしは健康に～い 熬夜不利于健康｜強い酒は胃に～い 烈酒伤胃｜分が～い 形势不利｜～いようにはしない 不会让你吃亏的 ❹〔質〕差chà ‖ 記憶力が～くなる 记性变差｜安かろう～かろう 便宜没好货 ❺〔申しわけない〕对不起duìbuqǐ；不好意思bù hǎoyìsi ‖ 待たせて～かったね 让你久等了,真对不起｜手伝わせて～いね 让你帮忙,真不好意思 ❻〔不快〕(体調)不舒服bù shūfu.(心持ち)不舒畅bù shūchàng ‖ 顔色が～い 脸色不好｜気分が～い 不舒服｜具合が～い 身体不好 ❼〔不都合〕不合适bù héshì；不凑巧bú còuqiǎo ‖ ～いところに来合わせた 来得不是时候

わるぎ【悪気】恶意èyì ‖ ～があってやったのではない 并不是出于恶意做的

わるくち【悪口】(说)坏话(shuō) huàihuà；骂人mà rén ‖ 陰で人の～を言う 背地里说人坏话

わるだくみ【悪巧み】奸计jiānjì；阴谋yīnmóu ‖ ～にひっかかる 中了奸计

わるぢえ【悪知恵】坏主意huài zhǔyi；坏招儿 huài zhāor ‖ ～をはたらかせる 使坏主意｜～をつける 支坏招儿

ワルツ 华尔兹huá'ěrzī ‖ ～を踊る 跳华尔兹(舞)

わるび·れる【悪びれる】胆怯dǎnqiè ‖ ～れることなく過ちを認める 勇敢地承认错误｜いっこうに～れたようすがない 没有一点儿胆怯的样子

わるふざけ【悪ふざけ】(～する)恶作剧èzuòjù

われ【我】我wǒ ‖ ～に返る 苏醒；(興奮がさめる)醒悟过来｜～思う,故に～あり 我思,故我在｜～にもなく取り乱した 不由得心慌意乱｜～とわが身を振り返る 定 反躬自省

われさきに【我先に】‖ ～逃げ出す 争先恐后地逃跑｜～出口に急ぐ 抢先奔向出口

われなべ【割れ鍋】‖ ～にとじぶた 跳蚤配臭虫

われめ【割れ目】裂缝 lièfèng；裂口lièkǒu ‖ 地面の～ 地面的裂缝

わ·れる【割れる】❶〔ひび割れる〕裂开lièkāi.(亀裂)龟裂 jūnliè ‖ 氷が～れた 冰裂开了｜地面が～れる 地面龟裂｜頭が～れるように痛む 头痛得像要裂开 ❷〔壊れる〕打碎dǎsuì ‖ コップが粉々に～れた 杯子打得粉碎 ❸〔分かれる〕分裂fēnliè；分散fēnsàn ‖ 党が2つに～れる 党分裂成两派｜意見が～れる 意见分散 ❹〔割りきれる〕除尽chújìn ‖ 10は3で～れない 10除以3不能除尽 ❺〔判明する〕‖ 身元が～れる 身份查明｜面が～れている 认识 ❻〔音声〕劈裂pīliè.(大きい)如雷rú léi ‖ 音が～れてよく聞き取れない 声音破了,听不清楚｜～れるような拍手 掌声如雷

われわれ【我我】我们wǒmen

わん【椀】(木)木碗mùwǎn.(陶磁器)碗wǎn

わん【湾】湾wān ‖ 大阪～ 大阪湾

わんがん【湾岸】海湾的沿岸hǎiwān de yán'àn ❖一戦争:海湾战争｜一道路:海湾的沿岸道路

わんきょく【湾曲】(～する)弯曲wānqū

わんしょう【腕章】袖章xiùzhāng

ワンタン【饂飩·雲呑】馄饨húntun

わんぱく【腕白】淘气táoqì；顽皮wánpí ‖ ～ざかりで手に負えない 正是淘气的年龄,管都管不住 ❖一坊主:淘气鬼

ワンパターン 定 千篇一律 qiān piān yí lǜ

ワンピース〔件,条〕连衣裙liányīqún

ワンマン ❖一カー:无人售票车｜一ショー:独唱会

わんりょく【腕力】臂力bìlì.(暴力)暴力 bàolì；武力wǔlì ‖ ～に訴える 诉诸武力〔暴力〕；动武｜～で勝つ 凭武力取胜｜～をふるう 发挥力量

中国全図
哈萨克斯坦
阿拉山口
乌鲁木齐
蒙古
乌兰巴托
戈壁沙漠
吉尔吉斯斯坦
天山山脉
哈密
14
库尔勒
喀什
13
新疆维吾尔自治区
塔里木盆地
塔克拉玛干沙漠
罗布泊
敦煌
3
嘉峪关
乔戈里峰
银川
宁夏回族自治区
格尔木
青海湖
西宁
10
兰州
青海省
甘肃省
11
青藏高原
西藏自治区
宝
陕
27
26
四川省
都江堰
19
成都
30
17
16
重庆
雅鲁藏布江
拉萨
9
喜马拉雅山脉
尼泊尔
珠穆朗玛峰
不丹
金沙江
峨眉山
34
20
29
11
六盘水
贵阳
大理
18
贵州
印度
昆明
孟加拉
31
云南省
河口
广西
友谊关
缅甸
越南
河内
老挝
泰国
主要な鉄道幹線（起点～終点）
1 京广线（北京～广州）
2 京九线（北京～香港九龙）
3 京沪线（北京～上海）
4 北同蒲线（大同～太原）
5 太焦线（太原～焦作）
6 焦柳线（焦作～柳州）
7 京秦线（北京～秦皇岛）
8 京包线（北京～包头）
9 包兰线（包头～兰州）
10 兰青线（兰州～西宁）
11 青藏线（西宁～拉萨）
12 陇海线（连云港～兰州）
13 兰新线（兰州～阿拉山口）
14 南疆线（乌鲁木齐～喀什）
15 沪杭线（上海～杭州）
16 浙赣线（杭州～株洲）
17 湘黔线（株洲～贵阳）
18 贵昆线（贵阳～昆明）
19 宝成线（宝鸡～成都）
20 成昆线（成都～昆明）
21 湘桂线（衡阳～友谊关）
22 京哈线（北京～哈尔滨）
23 哈大线（哈尔滨～大连）
24 滨州线（满洲里～哈尔滨）
首都
直轄市・特別行政区
省都・区都
一般都市
空港
鉄道
長城
山